KB042221

머 리 말

니 서반아어사전을 만들어 보겠다고 무모하게 덤벼든 지가 벌써 확히 말해 천구백칠십오년 팔월 초순부터 시작한 작업이 이제야 듯하면서도 용캐도 끊기지 않고 잘 버텨 왔다. 수를 헤아리기 조 은 시련에 부딪쳤지만 순간순간을 간신히, 글자 그대로 살얼음판 게 지나온 기분이다. 이 서한사전을 집필하는 동안 명색이 한국 한서사전을 펴냈고, 서한사전도 여러 종류를 집필했지만 한순간도 부끄럼만 더해 심적 고통만 가중되어 실로 견딜 수 없는 날이 많 십 일자로 천육백육십일 쪽에 달하는 서반아어사전을 발간하여 명 서반아어사전이라 자부했으나 그것 역시 저자의 마음을 흡족케 수치심만 가중시켰다. 이러한 수치심을 떨구기 위해 그날부터 약 를 보충하고 더 많은 예문을 수록하고 오류를 찾아 고쳐 새로 조 서한사전"이다.

개인이 하기란 불가능에 가깝다는 것을 새삼 느끼게 했다. 시간 당키 어려웠다. 그렇지만 부단한 노력과 끈기로 인내하면서 시간 다 보니 비록 날짜는 오래 걸렸으나 완성이 되긴 되었다.

로 이제 우리나라의 서반아어 학도들도 남의 것이 아닌 우리의 것 무결한 사전은 못 되더라도 거의 완벽에 가까운 서반아어 공부를 하니 감개가 무량하다. 그러나 말이란 나날이 변천하고 신조어가 기서 만족하지 않고 더 알찬 내용이 되도록 남은 일생을 투자한다 이 되리라 믿기에 더욱 분발하여 국내 서반아어 보급과 발전에 도 사전과 싸워 단어 찾기에 수고를 아끼지 않겠다.

느 나라의 서반아어사전과 비교해도 아무런 손색이 없으리라 자 충할 점이 한두 군데가 아니리라 여겨진다. 독자들의 많은 질타가

사전과 다른 점은 독자들이 비교 검토하면 바로 알겠지만 장장 십 과 잡지는 말할 것도 없고 문학 작품과 수많은 사전류를 직접 참 에 어느 사전에서도 찾아보기 힘든 숙어와 예문이 수록되었으며, 차례 약 삼백 일 동안 서반아 및 중남미 제국의 서반아어 사용국 감각을 터득하고 특유한 방언을 수집하려고 온 정성을 다했다.

보다 알차고 참신하게 하려는 저자의 애쓴 보람이 있어 숙어에서 은 말할 필요도 없고 신어, 약어, 방언, 은어, 속어, 시사 용어 및 접두어와 접미어에까지 세심한 배려를 했고, 많은 단어의 어원까 반아어 공부에 많은 도움이 될 것이다. 신어로는 perestroika까지 로는 SIDA(에이즈) 까지도 수록이 되어 있어 다른 사전과는 전혀 수 있을 것이다. 더욱 특이한 점이 있다면 중요 단어는 한글 뒤에 해놓아 서서사전의 효과를 냈고, 반대말과 동의어까지도 최대로 에 효과를 더해 줄 수 있을 것이다. 또 서반아어는 동사, 그 중에 활용이 큰 문제가 된다는 것을 어느 누구보다도 본 저자가 실감 지 않고 표제어에 중요 불규칙 동사를 과감하게 수록하여 초학자 많은 도움을 줄려고 노력한 점은 세계 어느 나라에서 발간된 사 다는 점도 아울러 밝혀 둔다. 한글은 1988년 1월 19일자로 개정된 외래어는 문교부 제정 외래어 표기법에 따르는 것을 원칙으로 했지 의 고유 명사나 동식물 및 음식 명칭 등은 문교부의 외래어 표기

MINJUNG

Essence DICCIONARIO ESPAÑOL-COREANO

엣센스 스페인어사전

김 충 식 편저

사서전문
민 중 서 림

감

나는 오늘 또다시 김충식 선생의 이 무서
로 사람의 힘과 두뇌로 쌓아 올려진 것이
정도인데 그 일마저도 내게는 힘들고 지겨
름한 피라미드는 크고 튼튼하다. 학창 시
답시고 (주제넘게) 몇 여름 방학을 끙끙대
과 이름으로 출판되었었고 그 책 서문에는
있던 것을 기억한다. 세상이 갈수록 눈감고
와 끈기, 그리고 남다른 진솔성으로 벼른

서반아 어문학을 하는 사람이면 누구나
당히 많은 사람이 이미 손을 댔고 또 책으
그랬지만 "서화(西和)사전"이나 "서영사
리말 사전에서 그 어의를 살피는 것이 보통
고 생소한 어휘들이 눈을 찌르는 까닭에 미
다. 그것을 억지로라도 밀고 나가려면 그냥
전"의 영어 번역을 다시 우리말로 옮겨 원
는 일이 많다. 일이야 어찌 되었든 이렇게
나위가 없다.

김충식 선생의 이번 사전은 그 많은 불완
작 중의 역작이다. 이미 알려져 있듯이 김
의 "서반아어사전"을 만들어냈다. 한국에서
공적을 이룩한 분이 없다. 대학에서 안정된
학 밖에서 스스로의 뼈를 깎는 인고와 노력
다녔고, 같은 교실 같은 방에서 긴 세월을
해야 될 일이 바로 내 곁에 있었구나 하는

1990년

민

"시작이 반"이라
십오년을 넘겼다.
끝난 셈이다. 끊길
차 어려울 정도로
을 건듯 아슬아슬
최초라 할 수 있는
만족해 본 적이 없
았다. 작년 오월 십
실 공히 동양 최대
하기는 커녕 더욱더
이만 단어의 표제
판한 것이 바로 이

사전 작업이란
과 경제력면에서
과 처절한 전쟁을

이 사전의 완성
으로 백퍼센트 완
할 수 있으리라 생
생기기 마련이라
면 늘 발전된 내용
움이 되도록 열심

본 사전은 세계
부하지만 앞으로
있기를 바란다.

이 사전이 다른
오년동안 각종 신
고하고 대조하였
자료 수집을 위해
을 여행하면서 언

이 사전의 내용
부터 속담이나 격
상업 용어, 그리고
지도 밝혀 놓아
수록되었으며 약
다른 면을 발견할
서반아어로 풀이
수록되어 있어 공
서도 불규칙 동사
하기에 지면을 이
의 서반아어 공부
전보다 충실을 기
맞춤법에 따랐고,
만 서반아나 중남

법을 무시하고 서반아어 발음에 가깝도록 표기했다.

끝으로 이 방대한 사전의 편찬을 위해 물심 양면으로 크나큰 힘이 되어 주신 허창수님께 진심으로 감사드리며, 바쁜 중에도 감수를 해주시는 수고를 아끼지 않은 고려대학교 민용태 박사님께 사의를 표한다. 또 자료 수집에 일익을 담당해 주신 아르헨띠나의 이용도 선생님 내외분, 볼리비아의 유영록 장로님 내외분, 뻬루의 이기형 태권도 사범 내외분, 빠라구아이의 최순덕 여사 내외분, 칠레의 정원재 사장님, 에꾸아도르의 김봉기 사장님 내외분, 박기덕 인형, 남재우 사장님 내외분과 이경서 선생님, 노요셉 후배, 볼리비아의 정도훈 사장님 내외분, 알리디노 구지 유 형, 서반아의 최윤선, 꼴롬비아의 이윤석 장로님 내외분께 지면을 통해 감사드리며, 원고 교정에 도움을 준 서울대학교 이종현군 및 제자 김애란씨 그리고 원단문화사의 방길 사장님께도 감사드린다.

1990년 8월 15일
논현동 우거에서
김 충 식

김 충 식

일 러 두 기

■ 편집 방침 ■

◎…적절한 예문과 해석을 많이 넣어, 살아서 숨쉬는 현실적 언어 상태의 포착에 주력하였다.

◎…급변하는 현대 언어 생활에 대처하여, 단어 하나하나의 풀이에 있어 선인들에의 맹목적 답습을 배제하고, 현대적·독창적인 새로운 개념 정립에 힘썼다.

■ 표 제 어 ■

1. 표제어의 수록 범위

생활 전반에 분포하는 단어 [즉, 고유어·신어(新語)·시사어(時事語)·학술어·전문 용어·외래어·고어(古語)·은어·약어 등]를 한 단어 한 표제어 원칙으로 각각의 품사 아래 분류·수록하였다.

또 접두어·접미어 등 형식 형태소도 각각의 어법적 약호 아래 독립 표제어로 수록하였다.

2. 표제어의 배열

이 사전에서는 표제어로서 일반 어구 이외에 아래와 같은 어구를 다음과 같은 배열로 수록하는 것을 원칙으로 하였다.

배열은 일반 사전과 마찬가지로 한 항목마다 행을 바꾸었고, 역어까지를 포함하여 한 행에 다 들어가는 경우 이외에는 별항으로 다뤘다.

(1) 동형어(同形語) : 어형이 같으면, 비록 품사는 다르더라도 같은 항목에 넣었으나, 중요한 것은 별항으로 다뤘다.

(2) 유형어(類形語) : 어형이 서로 비슷한 말에서는 일반형을 앞으로 내세웠고, 그렇지 않은 것을 다음 항에 수록하였다. **papa**와 **papá**, **cuanto**와 **cuánto**의 경우는 부호없는 형이, **hércules**와 **Hércules**의 경우에서처럼 소문자와 대문자에서는 소문자로 시작되는 단어를 앞에 수록하였다.

3. 표제어의 종류와 다루기

(1) 고유 명사(固有名詞) : 신화나 성서를 비롯하여, 지명 및 인명 [즉, 유명한 문학 작품에 나오는 인물명 외에 개인명]을 문교부 제정, 「개정 외래어 표기법」에 따라 읽었다. 그러나 서반아나 중남미의 고유 명사는 서반아어 발음으로 읽었다. 영어와 대조가 있으면 「*ing.* …」로 하여 이를 수록하였다. 고유 명사가 보통 명사로 쓰일 때는 어미 글자를 [ ]로 싸고 뒤에 역어를 수록하였다.

(2) 인명(人名)과 애칭어(愛稱語)

Jaimito *hip.* Jaime 에서는 Jaimito가 Jaime의 애칭어(hipocorístico)이며 Jaimito로 읽는다.

(3) 약어(略語) : 약어 안에 들어 있는 (／), (.) 등의 부호는 생각하지 않고 문자만의 차례에 따라 본문에 넣었다. 역어는 그냥 풀어썼다.

g/v., g.v. gran velocidad.

J.C. Jesucristo 예수 (그리스도).

(4) 접두어(接頭語)

(5) 접미어(接尾語)

(6) 동의어(同意語)와 이형 동어(異形同語).

disenso *m.* =**disentimiento**는 동의어.

translaticiamente *adv.* =**traslaticiamente**는 이형 동어.

(4) 불규칙 동사(不規則動詞)의 어간 : 어간이 불규칙하게 변화하는 동사에서는 불규칙하게 변한 어간의 대부분을, 부정형에서 형이 완전히 달라지는 것은 불규칙형을 그래도 표제어로 하였다.

difir-, difirie- →**diferir** [54] 에서는 diferir를 보면 되는데, 그 동사는 부록으로 수록한 동사 활용표의 동사 번호 [54], 그러니까 herir와 같은 불규칙임을 알 수 있다.

(8) 표제어의

destiempo (a) *adv.*에서는 a destiempo의 성구(成句)임을 뜻한다.

monocero(n)te *m.*에서는 monocerote와 monoceronte의 두 가지 형태가 있음을 나타낸다. 이때 n이 있거나 없거나 어순이 변하지 않을 때 사용한다.

adrede(mente) *adv.* 에서는 adrede와 adredemente의 두 가지 형태가 있음을 나타낸다.

4. 품사별(品詞別)과 어종별(語種別)

품사별은 별기(別記)한 약어표－I *adj. m.f.* 와 같은 약어를 표제어 바로 뒤에 두었다. 하나의 표제어가 다른 품사로 되거나 혹은 역할이 달라질 때는 *—m.f.*, *—pl.*, *—intr.*와 같이 —를 넣어 구별하는 한편 한 표제어일지라도 복잡한 것은 행을 바꾸었다. 어종별은 별기한 약어표—Ⅱ와 같은 약어를 써서 밝혔다.

(1) **성별**(性別)이 있는 말 : 명사 · 대명사 · 형용사 · 관사와 같이 성별이 있는 말은 다음과 같이 서술하였다.

azúcar *m.(f.)* 설탕 : 남성 · 여성의 양성으로 쓰이는 género ambiguo의 명사.

capital *adj.* ① 머리의… *—m.* 원금… *—f.* 수도… : 형용사로서도 쓰이고, 남성 명사로서는 「원금…」, 여성 명사로서는 「수도…」의 뜻이 있음을 나타낸다.

periodista *m.f.* …; 신문 기자 : 남 · 여 동형으로 남 · 여 기자를 뜻하는 género común의 명사.

un, una *art.* 이것만은 남성 · 여성을 다 같이 완전한 형으로 표제어로 내세웠다.

pescadero, ra *m.f.* 에서는 남자 생선 장수가 pescadero, 여자 생선 장수가 pescadera이며, 또한 pescadera에는 「생선 장수의 부인」의 뜻도 있다.

blanco, ca *adj.* 형용사로서 「흰, 하얀」; *—m.f.*에서 「백인 남자 · 여자」의 명사가 되며 ; *—m.* 에서 blanco의 형이 「백색」의 남성 명사가 됨을 알 수 있다. blanco의 형은 「백인 여자」이외에 다른 뜻을 가지는 수도 있다. 이런 것은 별항을 잡았다.

temprano, na *adj.* 에서는 「시기가 이른」의 뜻을 가진 형용사로, *—m.*에서 「올벼 논 ; 조생(早生)의 농작물」을 뜻하는 남성 명사가 되고, 또, *—adv.*에서 temprano의 형이 그대로 「시기적으로 일찍」이라는 뜻의 부사가 됨을 알 수 있다.

(2) **성**(性) · **수변화**(數變化) 등 : 특히 주의해야 할 성변화 · 수변화는 표제어의 뒤, 품사별 지정 뒤에 나타내었다.

ultravioleta *adj.* 【남 · 여 동형】
destripacuentos *m.f.* 【단 · 복수 동형】
espécimen *m.* [*pl.* especímenes]

(3) **동사**(動詞) : 동사는 다음과 같이 서술하였다.

debocar *intr.* 7 : 단순한 자동사로서 「토하다」의 뜻이며, **sacar** 7와 같은 형으로 주의해야 할 동사임을 알 수 있다.

riar *tr.* 12 : 본래 타동사로 동사 번호 12의 불규칙 동사임을 나타낸다. 그러나 *—intr.* 로써 자동사로, **~se**로써 재귀 동사의 형으로도 쓰임을 나타냈다.

gustar *tr.* : 번호가 붙지 않았으므로 규칙 동사이고 타동사이지만, *—intr.* 로써 자동사로도 쓰임을 나타낸다.

abarracar(se) *intr.(r.)* : 자동사로서도 재귀 동사로서도 거의 같은 뜻으로 쓰임을 나타낸다.

joder(se) *tr.(r.)* 타동사로서도, 또 재귀 동사로도 사용될 때에 한하여 이러한 편법을 썼다.

(4) **~se**의 형 : 이 형은 원칙적으로 하나의 동사의 여러 역에서도 맨 끝에 항을 바꾸어 서술했다. 재귀 동사 · 수동태 · 상호 동사 · 무인칭 동사 등의 뜻이 담기게 되는데, 역어나 설명을 붙임으로써 판단하도록 했다.

■ 발음과 악센트 부호 ■

1. 발음

서반아어는 읽기가 어렵지 않으므로 굳이 발음 기호를 붙일 필요가 없다. 자세한 것은 부록의 문법편을 참조하시오.

2. 악센트 부호

Real Academia Española에서는 그 Diccionario de la Lengua Española의 제 18판(1956)에서 새로운 악센트 부호의 표시 방안을 채택하였다. 이 사전에서도 이에 준하였는데, 주요 사항은 부록의 문법편을 참조하시오.

■ 역어와 해설 ■

1. 역어와 쓰기

역어는 1의(義) 1역(譯) 주의에 따랐으나, 비슷한 뜻은 (,)로, 두 가지 뜻 이상인 것은 (;)로, 더 복잡한 것은 ①…, ②…, ③…, 와 같이 숫자를 붙였으며, 매우 복잡한 것은 ① ㄱ)…, ㄴ)과 같이 정리하였으며, 보기는 다음과 같다.

gratificación *f.* 보수 ; 보답 ; 수당 ; 상여, 위로금, 사례금, 팁 : 에서는 경우에 따라 독자로서는 「급여, 보은, 답례」 등으로 발전시켜 해석해야 한다.

fletamento *m.* 용선(료) : 에서는 「용선」의 뜻과 「용선료」의 두 가지로 해석해야 한다.

helenismo *m.* 그리스 문화 · 정신 : 에서는 「그리스 문화, 그리스 정신」의 두 가지로 해석해야 한다.

ultrajador, ra *adj.m.f.* 모욕 · 폭행 · 훼손하는 (사람)」 : 에서는 「모욕 · 폭행 · 훼손하는」의 형용사의 뜻과 「모욕 · 폭행 · 훼손하는 사람」의 명사의 뜻, 두 가지로 해석해야 한다.

acusón, na *adj.m.f.* 고자질쟁이(의) : 에서는 acusón, acusona의 형이 「고자질쟁이의」라는 형용사가 되고, 각 형으로서 「남자 고자질쟁이, 여자 고자질쟁이」의 명사로 됨을 보여준다.

2. 역어의 배열과 지정

역어의 배열에 있어서는 일반적인 어의(語義)를 앞에 내세우고, 전의(轉義)나 특수한 어의를 뒤로 했다. 복잡한 경우는 그 때마다 【방언】【속어】《*Amér.*》《*Arg.*》와 같이 표시하였으나, 전의의 경우에는 항상 항을 달리해서. ②, ③과 같은 번호를 붙였다. 따라서 특수 어의·지역 어의인 경우는 다음과 같이 지정했다. 【방언】《*Arg.*》에서 표제어의 어의는, 서반아에서는 방언이지만 아르헨띠나에서는 일반어로 쓰이고 있음을 나타낸다. 【고어】《*Méx.*》에서는, 서반아에서는 고어로서 밖에 사용되지 않으나, 멕시코에서는 현대어로 살아 있음을 뜻한다. 또 《*Bol.*》【속어】는, 볼리비아의 속어임을 나타낸다.

3. 역어와 기호

문법적인 사항은 [ ] 안에 넣어, 어떤 형용사에 부수적으로 따르는 수식어나 전치사, 동사에 따르는 전치사에 대해 설명했다. 이러한 전치사는 용례에 있어서는 이탤릭체를 사용하여 주의를 요하게 하였다. 또한 단어가 내포하는 뜻을 보여주는 보충적인 어구, 우리말과의 기능적인 차이에 따른 접사(接辭), 역어 등의 뜻을 명확히 하기 위한 말 등은 ( ), 《 》를 써서 역어의 앞·뒤에 두었다. 또한 동의어·참조어를 ( )안에 넣었다. 역어 하나의 주변은 다음과 같이 구성되어 있다.

[문법적인 설명] (보완 어구) 역어 《보완 어구》 (동의어·참조어) : 용례·성구(成句). [*N.* 주의 사항].

guarida *f.* ① (동물의) 굴 ; 보금자리 ; 도피처 ; 은닉처(amparo, refugio) : ….

descubierto, ta *adj.* [descubrir의 *p.p.*] ① 발견된. ② 숨김없는, ….

un, una *art.* [부정 관사 ; *pl.* unos, unas] ① [단수형]… ; [복수형]…. ② [개성 강조를 위해]….

hablado, da *adj.* ① [bien·mal+] 말버릇이 좋은·나쁜 : un niño *mal* ~ 말을 함부로 하는 어린이. ② 화제에 잘 오르는.

fase *f.* [*gr.* phasis] ① (달의) 상(相), 위상(位相) : …. ② 【천문】 (천체의) 상(像) ….

4. 동의어(同意語)

동의어는 최대한 수록하였으며 (=)를 붙여 고딕 활자로, 역어군(譯語群) 안에서는 ( ) 안에 보통 활자로 묶어서 나타내었거나 맨 마지막에 Sinón. 으로 설명하였다.

dimidiar *tr.* =**partir** : dimidiar와 partir가 같은 뜻임을 나타낸다.

ufar *tr.* 《*Sant.*》 훔치다(robar) : 에서는 ufar가 Santander에서 「훔치다」이며, 이것은 robar와 같은 뜻임을 나타낸다.

tricornio *adj.* … —*m.* 삼각 모자(sombrero ~) : 에서는 tricornio 그대로도 좋고, sombrero tricornio로 하면 뜻이 더욱 분명해짐을 나타낸다.

hado *m.* 숙명, 운명, 인과(因果)(destino, suerte). Sinón. fortuna, sino.

5. 반의어(反意語)

반의어는 최대한 수록하였으며, 다음과 같은 방법으로 역어의 마지막에 설명하였다.

discreción *f.* ①…. Contr. indiscreción.

6. 용례(用例)

용례는 역어 뒤에 (:)를 붙여 나타내었다. 이 경우, 표제어가 그대로일 때는 (~), 복수의 용례는 (~*s*, ~*es*), 그리고 여성형일 때는 (~*ria* 등)으로 썼다. 그러나 주의해야 할 것과 동사로 활용한 형 등은 이탤릭체로 완전한 형을 사용했다. 그리고 1·2음절의 표제어에서는 그대로 사용한 것도 있다. 또 간단한 용례는 역어를 달지 않았다.

harina *f.* ① (일반적으로) 가루 : ~ de maíz 옥수수 가루. ~ de pescado 어분 ….

guerra *f.* ①… : dar ~ 싸움을 걸다 ; 애먹이다. Este niño da mucha ~ 이 아이는 무척 애를 먹인다.

7. 숙어(熟語)와 성구(成句)

숙어나 성구는 최대한으로 수록하는 것을 원칙으로 하여, 별항에서 다루었다. 즉 역어의 맨 마지막에 굵은 이탤릭체로 다음의 순서에 따라 수록하였다.

명사의 숙어, 부사의 숙어, 동사의 숙어

숙어군의 시작은 항을 바꾸었고 표제어는 (~)로 줄여 나타내었다.

descubierto, ta *adj.* [descubrir의 *p.p.*] ① 발견된 …. —*f.* 점검(点檢).

a ~, a la ~ta, al ~ 터놓고, 공공연하게 ; 야외에서 ; 노천에서 ; 가리는 데도 없이.

al ~ 현물도 없이 ; 무담보로.

en todo lo ~ 두루 알려져.

8. 어원(語源)

각 표제어에는 되도록 어원을 밝혀서 수록하는 것을 원칙으로 하여 다음과 같은 방법으로 나타내었다.

honor *m.* [*lat.* honor] : 에서 서반아어 honor의 어원은 라틴어 honor임을 알 수 있다.

■ 약어 풀이 ■

1. 서반아어 약어

adj. adjetivo 형용사.

adj.f. adjetivo, femenino 여성형의 형용사, 또는 그 형이 여성 명사로 쓰이는 것.

adj.m. adjetivo, masculino 형용사로, 혹은 그대로 남성 명사로서 쓰이는 것.

adj.m.f. adjetivo, masculino, femenino 형용사와 남성·여성 명사로 쓰이는 것.

adj.pl. adjetivo plural 형용사의 복수형, 즉 복수형으로만 쓰이는 형용사.

adj. sup. adjetivo superlativo 형용사의 절대 최상급.

adv. adverbio 부사; modo adverbial 부사구.

adv. lat. adverbio latino 라틴어를 그대로 받아들인 부사.

Ál. Álava 알라바.

Álav. Álava 알라바.

Albac. Albacete 알바세떼.

alem. alemán 독일어.

Alic. Alicante 알리깐떼.

Alm. Almeria 알메리아.

Amér. América 아메리카 전역을 가리킬 때와 중미나 남미의 2·3개국, 혹은 멕시코와 같이 두루 쓰이는 수가 있다.

AmérC. América Central 중앙 아메리카.

AmérM. América Meridional 남아메리카, 혹은 그 대다수 국가에 공통되는 것.

And. Andalucía 안달루시아.

Angl. Anglismo 영국계 언어, 영어 계통에서 받아들인 것.

Ant. Antillas 안띠야스 군도, 즉 서인도 제도.

ár. árabe 아라비아어.

Ar. Aragón 아라곤.

Aragón. Aragón 아라곤.

arauc. araucano 아라우까노말.

araucano. 아라우까노말.

Arg. Argentina 아르헨띠나.

art. artículo 관사.

Ast. Asturias 아스뚜리아.

aum. aumentativo 증대어(增大語).

Áv. Ávila 아빌라.

Bad. Badajoz 바다호스.

Bal. Balear 발레아레스.

Bol. Bolivia 볼리비아.

Burg. Burgos 부르고스.

Cádiz. Cádiz 까디스.

Can. Canarias 카나리아 군도.

Castell. Castellón 까스떼욘

Cat. Catalán 까딸루냐.

catalán. 까딸루냐말.

Col. Colombia 꼴롬비아.

conj. conjunción 접속사.

Contr. contrario, antónimo 반의어(反意語); 표제어 혹은 역어의 반대·대조적인 말을 [**Contr.**] 로서 넣었다.

Córd. Córdoba 꼬르도바.

CRica. Costa Rica 꼬스따리까.

Cuba. Cuba 꾸바.

Cuen. Cuenca 꾸엥까.

Chile. Chile 칠레.

desp. despectivo 멸시·경멸어.

Dom., Domin. Dominica 도미니까.

Ecuad. Ecuador 에꾸아도르.

eslavo. eslavo 슬라브어.

Extr. Extremadura 에스뜨레마두라.

f. femenino 여성형; 여성 명사; 여성 명사가 되었을 때의 뜻; 여성의 고유 명사.

f.(m.) femenino (masculino) 여성 명사로서 많이 쓰이나, 남성 명사로도 쓰이는 것.

f.pl. femenino plural 여성 복수형; 여성 복수형일 때의 뜻.

Filip. Filipinas 필리핀.

fr. francés 불란서어.

Gal. Galica 갈리시아.

Galic. Galicismo 불란서어계의 말, 불란서어적인 뜻·용법.

gr. griego 그리스어.

Gran. Granada 그라나다.

Guad. Guadalajara 구아달라하라.

Guat. Guatemala 구아떼말라.

Guip. Guipúzcoa 기뿌스꼬아.

hebr. hebreo 히브리어.

hip. hipocorístico 애칭어.

hol. holanda 네덜랜드어.

Hond. Honduras 온두라스.

Huesca. Huesca 우에스까.

india. 인도말.

ing. inglés 영어.

interj. interjección 감탄사; modo interjeccional

감탄구.
interrog. interrogativo 의문사.
intr. verbo intransitivo 자동사.
intr.(r.) verbo intransitivo (reflexivo) 자동사 (혹은 재귀 동사).
ital. italiano 이탈리아어.
Jaén. Jaén 하엔.
lat. latín 라틴어 ; latino 라틴어계의 (어구).
León. León 레온.
Logr. Logroño 로그로뇨.
m. masuculino 남성형 ; 남성 명사 ; 남성 명사가 되었을 때의 뜻 ; 남성의 고유 명사.
Mal., Málaga. Málaga 말라가.
malayo. malayo 말레이어.
Manch., Mancha. Mancha 만챠.
mej. mejicano 멕시코 토착어.
m.f. masculino, femenino 남성 · 여성 양성으로 쓰임.
m.(f.) masculino (femenino) 남성 명사로 많이 쓰이나, 여성 명사로도 쓰이는 것.
m.pl. masculino plural 남성 복수형 ; 남성 복수형이 되었을 때의 뜻.
Méx. México, Méjico 멕시코.
Murc. Murcia 무르시아.
N. Nota 주의 ; 문법적 내지 이 밖의 주의 사항을 [*N.* …]의 형식으로 넣었다.
Nav. Navarra 나바라.
Neol. Neologismo 신어(新語), 새로운 뜻.
Nicar. Nicaragua 니까라구아.
Pal. Palencia 빨렌시아.
Pan., Panamá. Panamá 파나마.
Parag. Paraguay 빠라구아이.
Perú. Perú 뻬루.
pl. plural 복수형 ; 복수형일 때의 뜻.
port. portugués 포르투갈어.
p.p. participio pasado 과거 분사 ; 불규칙한 과거 분사를 가진 중요한 동사에는 [*p.p.* …] 혹은 […*p.p.*] 형으로 나타냈다.
pref. prefijo 접두어.
prep. preposición 전치사 ; modo preposicional 전치사구.
PRico. Puerto Rico 뿌에르또리꼬.
pron. pronombre 대명사.
pron. demos. pronombre demostrativo 지시 대명사.
pron. indef. pronombre indefinido 부정 대명사.
pron. interrog. pronombre interrogativo 의문 대명사.
pron. relat. pronombre relativo 관계 대명사.
quechua quechua 께추아말.
r. verbo reflexivo 재귀동사 ; verbo recíproco 상호동사(相互動詞).
Rioja. Rioja 리오하.
Riopl. rioplatense 라쁠라따강 유역의 지방, 즉 아르헨띠나, 우루구아이, 빠라구아이가 포함된다.
ruso. ruso 러시아어.
Sal. Salm. Salamanca 살라망까.
Salv. El Salvador 엘살바도르.
Sant. Santander 산딴데르.
SDgo. Santo Domingo 산또 도밍고.
Seg. Segovia 세고비아.
Sev. Sevilla 세비야.
Sinón. sinónimo 동의어(同意語) ; 표제어 혹은 역어와 비슷한 뜻을 가진 말을 **Sinón.** 으로서 넣었다.
Sor. Soria 소리아.
suf. sufijo 접미어.
sup. superlativo 절대 최상급.
tagala. 필리핀의 토착어.
Tol. Toledo 똘레도.
tr. verbo transitivo 타동사.
turco. turco 터키어.
Urug. Uruguay 우루구아이.
Val. Valencia 발렌시아.
Vallad. Valladolid 바야돌리드.
vasco. vasco 바스꼬말.
Vizc. Vizcaya 비스까야.
Venez. Venezuela 베네수엘라.
Zam. Zamora 사모라.
Zar. Zaragoza 사라고사.

2. 우리말 약어(Ⅰ)

【건축】……………건축 · 건축학에 관한 용어
【경기】……………………운동 경기에 관한 용어
【경제】……………경제 · 경제학에 관한 용어
【고고학】…………………… 고고학에 관한 용어
【고생대】……지질 시대의 고생대에 관한 용어
【고어】…………………고어(古語), 고의(古義)
【곤충】……………곤충 · 곤충학에 관한 용어
【광물】……………………… 광물에 관한 용어
【광산】……………광산 · 광산학에 관한 용어
【구어】……………구어체(口語體)에 관한 것
【군사】……………군사 · 군사학에 관한 용어
【기계】……………기계 · 기계학에 관한 용어
【기상】……………………기상(氣象)에 관한 용어
【기하】……………………… 기하에 관한 용어
【논리】……………논리 · 논리학에 관한 용어
【농업】……………………… 원예에 관한 용어
【동물】……………동물 · 동물학에 관한 용어

【등산】………………………… 등산에 관한 용어
【로마 신화】……………… 로마신화에 관한 것
【목공】……………………………… 목공에 관한 것
【무전】…… 무선 전신 · 무선 전화에 관한 용어
【문법】……………… 문법 · 문법학에 관한 용어
【문장】…………………… 문장(紋章)에 관한 것
【물리】……………… 물리 · 물리학에 관한 용어
【박물】…………… 박물학(博物學)에 관한 용어
【방언】……………………………… 방언에 관한 것
【법률】……………… 법률 · 법률학에 관한 용어
【사진】……………… 사진 · 사진술에 관한 용어
【사회】…………………… 사회 과학에 관한 용어
【상업】………………… 상업 · 무역에 관한 용어
【생리】……………… 생리 · 생리학에 관한 용어
【생물】……………… 생물 · 생물학에 관한 용어
【생화학】…………………… 생화학에 관한 용어
【선박】…………………… 선박 · 조선에 관한 것
【성서】…………… 신약 · 구약 성서에 관한 것
【세균】……………… 세균 · 세균학에 관한 용어
【속담】…………………… 속담 · 격언에 관한 것
【속어】………… 통속어 · 비어(卑語)에 관한 것
【수사】………………………… 수사학에 관한 용어
【수의】………………………… 수의학에 관한 용어
【수학】……………………………… 수학에 관한 용어
【시어】…… 시어(詩語) · 시학(詩學)에 관한 것
【식물】……………… 식물 · 식물학에 관한 용어
【신화】……………………………… 신화에 관한 용어
【아어】………………………… 문장어에 관한 용어
【악기】……………………………… 악기에 관한 것
【야구】……………………………… 야구에 관한 용어
【야금】………………… 야금(冶金)에 관한 용어
【약학】………………… 약품 · 약학에 관한 용어
【어류】……………………………… 어류에 관한 것
【언어】……………………………… 언어에 관한 용어
【연극】……………………………… 연극에 관한 용어
【영화】……………………………… 영화에 관한 용어
【외과】………… 외과 · 외과 수술에 관한 용어
【운동】……………… 운동 · 체육학에 관한 용어
【윤리】……………… 윤리 · 윤리학에 관한 용어
【은어】……………………………………… 은어(隱語)
【음성】………… 음성 · 발음 기관에 관한 용어
【음악】……………………………… 음악에 관한 용어
【의학】……………………………… 의학에 관한 용어
【인쇄】……………………………… 인쇄에 관한 용어
【재봉】……………………………… 재봉에 관한 것
【전기】………………… 전기 · 전신에 관한 용어
【전설】……………………………… 전설에 관한 것
【전신】……………………………… 전신에 관한 용어
【전화】……………………………… 전화에 관한 용어
【제본】………………… 제본 · 제책에 관한 용어
【조개】………… 조개 · 패류(貝類)에 관한 것
【조류】………………… 조류 · 조류학에 관한 것
【종교】……………………………… 종교에 관한 용어
【지질】………………… 지질 · 지질학에 관한 것
【천문】……………… 천체 · 천문학에 관한 용어
【철학】……………………………… 철학에 관한 용어
【축성】………………………… 성의 건축에 관한 것
【컴퓨터】…· 컴퓨터 · 전자 계산기에 관한 용어
【통계】……………… 통계 · 통계학에 관한 용어
【투우】……………………………… 투우에 관한 용어
【해부】……………… 해부 · 해부학에 관한 용어
【해사】……………………………… 바다에 관한 것
【화학】……………………………… 화학에 관한 용어
【회화】…………………… 미술 · 회화에 관한 것
【희랍 신화】…………… 그리스 신화에 관한 것
【희언】………………… 희언(戲言), 반어(反語)

3. 우리말 약어 (Ⅱ)

[직 · 현 · 1 · 단수] …· 직설법 현재 1인칭 단수
[접 · 현 · 1 · 3 · 단수] ……………………………… 접속법 현재 1인칭 및 3인칭 단수
[접 · 불완료과거 · 3 · 복수] … 접속법 불완료 과거 3인칭 복수

참 고 문 헌

· DICCIONARIO DE LINGÜISTICA
Georges Mounin, Editorial Labor S.A., Barcelona 1979
· DICCIONARIO DE LA LENGUA ESPANOLA
Real Academia Española, Espasa-Calpe S.A., Madrid 1970
· DICCIONARIO MANUAL SOPENA
Editorial Ramón Sopena, S.A., Barcelona 1963
· DICCIONARIO DE LA LENGUA ESPAÑOLA
Editorial Kapelusz, S.A., Buenos Aires 1979
· NUEVO PEQUEÑO LAROUSSE ILUSTRADO
Miguel de Toro y Gisbert y Ramón García-Pelayo y Gross, Editorial Larousse, París 1964
· LAROUSSE NUEVO DICCIONARIO MANUAL ILUSTRADO
Ramón García-Pelayo y Gross, Ediciones Larousse, España 1987
· VELAZQUEZ SPANISH AND ENGLISH DICTIONARY
Mario Velázquez de la Cadena, Follett Publishing Company, Chicago-New York 1967
· CASSELL'S SPANISH DICTIONARY
Anthony Gooch, Angel García de Paredes, Macmillan Publishing Co., Inc. N.Y. 1978
· 서한사전 西韓辭典
김충식 도서출판 월출 1988
· 한서사전 韓西辭典
김충식 도서출판 월출 1987
· 서반아어사전
김충식 도서출판 월출 1989
· 서한-한서사전
김충식 도서출판 월출 1990
· DICCIONARIO ESAPÑOL-JAPONÉS
高橋正式 白水社 東京 1980
· DICCIONARIO ILUSTRADO DE ESPAÑOL-JAPONÉS
大學書林編集部 大學書林 東京 1974
· DICCIONARIO ABREVIADO ESPAÑOL-JAPONÉS
高橋正式 白水社 東京 1977
· 經濟スヘイソ語辭典
浦和幹男 白水社 東京 1976
· スヘイソ語基本語辭典
高橋正式 谷良平・宮城 昇・Enrique Contreras, 白水社 1972
· 국어대사전
한국어사전편찬회 교육도서 1988
· 새우리말 큰사전
신기철・신용철 三星出版社 1976
· 동아 새국어사전
동아국어사전연구회 동아출판사 1989
· 뉴에이스 영한사전
금성출판사 사서부 1990

A

a[1] *f.* [*pl.* aes] ① 아《서반아어 자모의 첫째 문자 (primera letra del abecedario español y primera también de sus vocales)》: una *A* mayúscula 대문자의 「아」. dos *aes* minúsculas 소문자의 「아」 2자. ②【논리】 전칭 긍정 명제(全稱肯定命題). ③【수학】 제1기지수, 갑(甲); 학업 성적의 수(秀). ④【음악】 가 음(音), 가 조(調).
a por a y be por be 낱낱이, 샅샅이, 일일이, 자상하게 (punto por punto).

a[2] *prep.* ① [사람이나 동물을 대격 목적어로 하는 경우] …을 : *Amo* a María 나는 마리아를 사랑하고 있다. Visitaré *a* Juan esta tarde 나는 오늘 오후 후안을 방문한다. Respeta *a* los ancianos 그는 노인을 공경한다. ¿*A* quién esperas? 너는 누구를 기다리느냐? [*N.* 불특정 목적어는 a를 붙이지 않는다. Espero una muchacha 나는 어떤 아가씨를 기다리고 있다].
② [사람이나 동물 이외에도 의인화나 습관상으로 a를 사용하는 경우가 있다] …을 : No temo *a* la muerte 나는 죽음을 두려워하지 않는다. Voy a visitar *a* Teotihuacán 나는 떼오띠우아깐을 방문하겠다.
③ [목적, 귀착점에 붙는다] …에, …로, 하려고 : Voy *a* Madrid 나는 마드리드에 간다. ¿*A* qué vienes? 너는 무엇 하러 왔느냐?
④ [여격 목적어의 앞에 놓는다] …에게 : Te presentaré *a* aquella señorita 너를 저 아가씨에게 소개하겠다. Ella escribe la carta *a* su amiga 그녀는 친구에게 편지를 쓴다. (Se) lo doy *a* mi padre 나는 내 아버님께 그것을 드린다.
⑤ [시간적·공간적인 점] …에, …에서 : *a* las seis de la tarde 오후 여섯시에. *al* día siguiente 이튿날에. Te llamaban *a* la puerta 너를 문앞에서 부르고 있었다. *a* la tarde《*Amér.*》 오후에 (por la tarde).
⑥ [소유] …의 : Los indios cortaron las orejas *a* su prisionero 인디오들은 포로의 귀를 잘랐다.
⑦ [분리, 탈취] …한테서, …로부터 : Robaron *a* la anciana todo su dinero 그들은 노파한테서 모든 돈을 훔쳤다. El compró las flores *a* la muchacha 그는 소녀한테서 꽃을 샀다. He comprado estas flores *a* esa niña 이 꽃을 그 소녀한테서 샀다. Se lo he quitado *a* él 나는 그에게서 그것을 빼앗았다.
⑧ [위치·방향] ㄱ) …에, …쪽으로 : *a* mi derecha 내 오른쪽에. *a* oriente 동쪽으로. ㄴ) …있는 쪽으로 (hacia) : José se fue *a* ellos 호세는 그들이 있는 쪽으로 가버렸다.
⑨ [관념적인 점, 기준점] …에서, …의 꼴로, 비율로 : *a* 5 grados bajo cero 영하 5도에서. Vendemos *a* cinco pesetas el metro · a dos pesos por kilo 1미터에 5뻬세따로 · 1킬로당 2뻬소 꼴로 팔고 있다. *a* veinte reales la vara 바라당 20 레알에. *a* tres por ciento 3%로.
⑩ [비교의 점] ㄱ) …를·에 : Eres muy parecido *a* tu tío 너는 아저씨를 많이 닮았다. ㄴ) [비교의 경우, preferir, preferible, superior, inferior 등과 쓰이면] …에 비해, …보다, 오히려 : Prefiero el té *al* café 나는 커피보다 홍차를 더 좋아한다. Me es preferible el té *al* café 커피보다 홍차가 더 좋다.
⑪ [배분, 또 대구적 (對句的)으로] : dos *a* dos 두 개씩. gota *a* gota 한 방울씩 한 방울씩. paso *a* paso 한 발자국씩 한 발자국씩. poco *a* poco 조금씩 조금씩. de once *a* doce del día 낮 11시에서 12시까지. de calle *a* calle 이 거리 저 거리로.
⑫ [방법·수단] …으로·을 써서(con) : portarse *a su* manera 자기 나름대로 행동하다. Quien *a* hierro mata, *a* hierro muere【속담】 칼로 흥한 자는 칼로 망한다. ir *a* pie 걸어 가다. escribir *a* mano · *a* máquina 손으로 쓰다·타자 치다.
⑬ …옆에(junto a) : *a* la orilla del mar 바닷가에.
⑭ [목적·동기·이유] ㄱ) …을 위해 (para) : *a* beneficio del público 공익을 위해. ㄴ) …에 따라, …에 의해 (por) : *a* instancias mías 나의 간청에 따라.
⑮ [근거] …에 따라(según) : *a* ley de Castilla 까스띠야의 법률에 따라.
⑯ [많은 부사구를 만듦] a bulto 도매로; 대략적으로. *a* cuestas 등에 지고. *a* deshora 때를 얻지 못해, 때와 장소를 생각하지 않고. *a* escondidas 몰래, 남이 모르게 가만히, 비밀리에; 개인으로서, 사적으로. *a* oscuras 깜깜한 어둠에서. *a* pinceladas 한 자 한 자. *a* sabiendas 알면서, 고의로; 아는 체하며; 빈틈없이. *a* tientas 더듬어서.
⑰ ㄱ) [동작을 나타내는 동사 다음에 오는 *inf.* 앞에서] …하러, 하기 위해 : Vengo *a* verle a usted 당신을 만나러 왔다. Salí *a* recibirle 그를 마중 나왔다. ㄴ) [aprender, enseñar, ayudar, negarse 등은 a 앞에서] …하는 것을 : Le enseñé *a* nadar 나는 그에게 수영을 가르쳐 주었다. Me enseñó *a* leer 그는 나에게 읽는 법을 가르쳐 주었다. Ella me enseñó *a* cantar 그 여자는 나에게 노래부르는 것을 가르쳐 주었다. María aprende *a* escribir a máquina 마리아는 타자를 배우고 있다. ㄷ) [comenzar, empezar, echarse, ponerse 등은 a 앞에서는] …하기 (시작하다) : Comenzó *a* andar 그는 움직이기 시작했다. La niña se echó *a* llorar 여아가 울기 시작했다. ㄹ) [alcanzar, llegar 등은 a 앞에서는] …하게 되다 : Llegaron *a* saberlo 그들은 드디어 그것을 알았다.

⑱ [a+*inf.*] 만약 …했다면·한다면 (si) : ***a*** decir verdad 사실을 말한다면. ***a*** saber yo que ella había de venir 그녀가 오기로 했던 것을 내가 알았다면. ***a*** no decirme su nombre 만약 그의 이름을 말하지 않았다면.
⑲ [a + *inf.*은 명령형의 대용]…하자, …하시오 : ¡*A* comer! 자, 먹자. ¡*A* trabajar! 자, 일하자. *A* ver 자, 보자. *A* callar 조용히 해라, 입 닥쳐라.
⑳ [al + *inf.*] …할 때,…하자 마자, …하면 : *al* amanecer 동틀 무렵에. *al* anochecer 해질녘에, 석양에, 해거름에. *al* parecer 분명히, 보아하니. *al* entrar en el cuarto 방에 들어서자마자. *al* salir a la calle 거리에 나갈 때.
㉑ …까지(hasta) : Me llega el agua ***a*** la rodilla 물이 내 무릎까지 찬다.
㉒ [주어와 목적어의 혼동을 피하기 위해 목적어 앞에 놓는다] : Venció ***a*** la dificultad el entusiasmo 열의가 곤경을 이겨냈다.

á *prep.* 【고어】 =**a.**

a- *pref.* 「비(非)」, 「무(無)」를 나타내는 접두어 : *a*cromático 무색의. *a*moral 부도덕한. *a*normal 비정상의. *a*teísmo 무신론.

a. área 면적.

(a) alias ; arroba.

@ arroba.

A. Alteza ; Aprobado 합격.

AA. Autores ; Altezas.

Aarón *m.* 아론《구약 성서의 인물, 모세의 형 ; 기원전 1574−1452》.

aarónico, ca *adj.* =**aaronita.**

aaronita *adj.* 아론의. −*m.f.* 아론의 자손 (descendiente de Aarón).

ab. abad ; abril.

ab- *pref.* 「분리」「부정」「과도」를 나타내는 접두어 : *ab*jurar 주의를 버리다. *ab*rogar 폐기하다, 취소하다. *ab*sorber 흡수하다. *ab*usar 남용하다.

aba[1] *f.* 아바《옛 아라곤 왕국에서 사용했던 길이의 단위 ; 약 2미터》.

aba[2] *m.* [*ár.* aba] ① (모포와 오바의 의류용) 툭툭한 양모 직물(tejido grosero de lana). ② 베두인족(beduinos)이 입은 망토.

aba[3] *m.* [*lat.* abba] ① 아바《알렉산드리아 사람들이 그들의 족장에게 붙였던 이름》. ②【고어】 =**abate.**

¡ aba! *interj.* 조심해라 (¡Cuidado!, ¡Quita!).

abá *m.* 《*Cuba.*》【식물】 아바《잎은 마취제》.

ababá *f.* ①【식물】 개양귀비 (amapola, ababol). ② 바보, 명청이.

ababán *m.* 【식물】 아바반《Y자 모양의 가지가 나오므로 버팀 기둥으로 씀》.

ababangay *m.* 【식물】 (필리핀산의) 능소화과(淩霄花科)나무.

ababillarse *r.* 《*Chile.*》 (동물이) 무릎 근육이 아프다.

ababol *m.* ①【식물】 =**amapola, ababá.** ② 멍한 사람, 바보.

ab absurdo *adv. lat.* 불합리(不合理)하게 (por lo absurdo).

ababuy *m.* 【식물】 남미산 매화의 일종 (arbusto silvestre de América, especie de ciruelo).

abacá *m.* 【식물】 (필리핀산의) 실파초 ; 마닐라삼 (cáñamo de Manila) ; 마닐라 섬유(fibra de ∼).

abacería *f.* 식료품점 (tienda de aceite, vinagre, legumbres secas, bacalao, *etc.*).

abacero, ra *m.f.* 식료품점 주인 (persona que tiene abacería).

abacial *adj.* 수도원장의 ; 신부의 (perteneciente o relativo al abad, a la abadesa o a la abadía) : iglesia ∼.

abacio, cia *adj.* 발언권도 투표권도 없는 (que no tiene voz ni voto).

abacisco *m.* (모자이크 포장용) 작은 돌.

abacista *adj.m.f.* 주판을 제작하는 (사람). −*m.* ① 주판으로 계산하는 사람. ② =**registrador, contador, indicador.** ③ 계산 선생.

ábaco *m.* ① (어린이가 수를 학습하는) 주판, (당구의) 점수판(tablero). ② 계산기, 계산판 《교제용》, 계산 도표. ③【건축】 관판(冠板), 정판(頂板). ④【광산】 세광(洗鑛)통.

abacora *f.* 《*Cuba.*》【방언】 =**albacora.**

abacorar *tr.* ①《*Amér.*》 꾸짖다, 책망하다, 나무라다(acosar) ; 공격하다. ②《*Cuba.*》 덮치다, 습격하다(sorprender) ; 몰아붙이다, 포위하다 ; 혼내다 ; 난처하게 만들다, 혼란을 일으키게 하다.
−*intr.* 《*Cuba.*》 (춤을 출 때) 훼방을 놓으려고 다가가다.

abacote *m.* (옛 영국왕들이 사용했던) 이중 왕관.

abactor *m.* =**cuatrero.**

abáculo *m. dim.* ábaco.

abad *m.* [*lat.* abbas] ① 수도원장 (superior de un monasterio) ; 신부. ②【방언】 주지, 교회의 전속 신부·승려(cura). ③【곤충】 =**abadejo, carraleja.**

abada *f.* 【동물】 무소, 코뿔소(rinoceronte).

abadanamiento *m.* 가죽의 무두질.

abadanar *tr.* 무두질한 가죽으로 만들다.

abadejo *m.* ①【어류】 대구(bacalao). ②【조류】 상모솔새(reyezuelo). ③【곤충】 가뢰(cantárida). ④ 반달개(carraleja).

abadengo, ga *adj.* ① 수도원장의 ; 신부(abad)의 ; 사원·승원(僧院)의 : tierras ∼*gas* 수도원의 관구. −*m.* 수도원의 관구·재산(territorio o bienes del abad). ② 수도원의 관구장·재산 관리자(poseedor de bienes ∼*s*).

abadernado, da *adj.* [abadernar의 *p.p.*] 꽁꽁 묶인, 밧줄로 조여 맨 ; 세 가닥으로 꼰 줄 비슷한.

abadernamiento *m.* 꽁꽁 묶기.

abadernar *tr.* 밧줄로 조여 매다, 꽁꽁 묶다 (sujetar con badernas).

abadesa *f.* 여자 수도원장, 고위 여승(superiora en ciertas comunidades religiosas).

abadesal *adj.* 《*Chile.*》 =**abacial.**

abadesco, ca *adj.* 수도원장의 ; 수도원의.

abadesil *adj.* =**abadesco.**

abadí *adj.m.f.* 모하마드 벤 이스마일 벤 아바드의 후손 (의) (del descendiente de Mohámed ben Ismail ben Abad, que a la caída del califato de Córdoba fundó un reino de taifas en Sevilla durante el siglo XI de J.C.).

abadía *f.* ① 수도원장의 직·관구·임기. ② 수도원, 승원 (iglesia o monasterio que gobiernan

la abad o la abadesa).
abadiado *m.* =**abadía.**
abadiato *m.* =**abadía.**
abadita *adj.m.f.* =**abadí.**
ab aeterno *adv. lat.* 먼 옛날부터, 태고적부터 (desde la eternidad; desde muy antiguo).
abafo, fa *adj.* 물들지 않은.
abagó *m.* 《*Col.*》 선출된 인부.
abajadamente *adj.* 굴욕적으로.
abajadero *m.* 내리막길, 비탈진 면, 사면(斜面) (cuesta, terreno en pendiente).
abajado, da *adj.* [abajar의 *p.p.*] 【고어】 =**abatido, envilecido, humillado.**
abajador *m.* ①(광산의) 심부름꾼. ② 제분소의 짐승을 안내하는 하인.
abajamiento *m.* 내리는 일, 내려가는 일; 절하(切下), 하락.
abajar *tr.* [드뭄] 내리다, 내려놓다(bajar). —*intr.*, **~se** 《*PRico.*》 ① 내려가다, 낮아지다. ②【속어】 냄새나다, 고약한 냄새가 나다.
abajeño, ña *adj.* 《*Arg. Bol. Méx. PRico.*》 저지대·해안 지방의. —*m.f.* 저지대·해안 지방 사람.
abajero, ra *adj.* 《*Arg.*》 아래의. —*f.* 《*Arg.*》 (말의) 배대끈; 안장 방석·받침.
abajino, na *adj.* 《*Col. Chile.*》 저지대·북부 지방의. —*m.f.* 저지대·북부 지방 사람. **Contr.** arribano.
abajo *adv.* ① 아래에 : de ~ 아래쪽의. Oyese ~ ruido 아래쪽에서 소리가 난다. Está ~ 아래에 있다. ② 그 아래에 : río ~ 강의 아래쪽으로. echar ~ 무너뜨리다, 넘어뜨리다. rodar de arriba ~ 위에서 아래로 구르다. venirse ~ 무너지다, 붕괴하다, 쓰러지다. ③ 아래층에 : María está ~ 마리아는 아래층에 있다. —*interj.* 뒈져라!, 죽어라!, 내려가거라! **Sinón.** bajo, debajo. **Contr.** arriba.
abajor *m.* 【고어】 =**bajura.**
abajote *adj. aum.* abajo.
abalado, da *adj.* abalar의 *p.p.*
abalagado, da *adj.* [abalagar의 *p.p.*] 지푸라기·밀짚 비슷한.
abalagar *tr.* 지푸라기를 만들다, 밀짚으로 변화시키다.
~se 지푸라기처럼 되다.
abalallar *tr.* 《*Cuba.*》 (초목을) 휘게 하다, (바람이) 불어 너울거리게 하다; 내려뜨리다, 혼내다(aballar).
abalandrado, da *adj.* [abalandrar 의 *p.p.*] 범선 비슷한.
abalandrar *tr.* 범선 형태로 하다.
abalanzamiento *m.* ① 고르게 하기, 균형 잡기. ② 던지기.
abalanzar *tr.* ⑨ ① 고르게 하다, 같게 하다, 균형을 잡다 (equilibrar la balanza). ② 내던지다 (lanzar violentamente).
~se ① 덤벼들다, 돌진하다 (arrojarse) : *~se* a los peligros 위험을 무릅쓰다. ② 《*Arg.*》 (말이) 똑바로 일어서다 (encabritarse el caballo). ③ 《*Arg.*》 날뛰다.
abalar *tr.* ① (가축떼를) 이끌다, 이끌어 들이다 (aballar). ②【방언】 흔들다; 이동시키다.
abalaustradamente *adv.* 난간 모양으로.
abalaustrado, da *adj.* 난간 모양의(balaustrado).
abalaustrar *tr.* 《*Cuba.*》 난간을 놓다; 난간 모양으로 하다.
abaldonadamente *adv.* 면박을 주어, 모욕적으로 (vilmente, con baldón).
abaldonar *tr.* 모욕하다, 깔보아 욕보이다 (ofender).
abaleadera *f.* 《*Sal.*》 =**abaleo, escoba.**
abaleador, ra *m.f.* 《*Arg.*》 비로 쓸어 가르는 사람.

abaleadura *f.* 비로 쓸어 가른 후에 남은 찌꺼기.
abaleamiento *m.* =**abaleo.**
abalear *tr.* ① (밀·보리 등을) 쓸어 가르다. ② 《*Amér.*》 사격하다, 소사하다(fusilar, tirotear).
abaleario, ria *adj.* abaleo의.
abaleo *m.* (보리 등을) 쓸어 가르기; 이것에 쓰는 비(escoba).
abaliar *tr.* 《*Sal.*》 =**abalear.**
abalienación *f.* 【고어】 =**enajenación.**
abalizamiento *m.* abalizar 하기.
abalizar *tr.* ⑨ (항구 등에) 표지(baliza)를 달다, 표시등으로 활주로를 가리키다(señalar con balizas).
~se 자기 배의 위치를 측정하다.
aballar *tr.* ① 내리다. ② 꼼짝 못하게 하다. ③ 【방언】 (가축떼를) 데려가다; 이동시키다. ④ (땅을) 일구다, 부드럽게 하다. ⑤【회화】 (색을) 어둡게 하다, 흐리게 하다.
aballestar *tr.* (밧줄 등을 팽팽히) 치다 (halar, tirar).
abalorio *m.* 유리 구슬, 유리알.
abalsamado, da *adj.* [abalsamar의 *p.p.*] ① bálsamo 성질이 있는. ② bálsamo로 가득찬.
abalsamar *tr.* 액체에 bálsamo를 넣다.
abaluartado, da *adj.* 장벽·보루가 있는.
abaluartar *tr.* (…에) 보루·장벽을 설치하다 (fortificar con baluartes).
abama *f.* 【식물】 아바마 《백합과 식물》.
abamado, da *adj.* abama 비슷한.
abámeo, a *adj.* =**abamado.** —*f.pl.* 【식물】 abama 모양의 백합과 식물.
abamiado, da *adj.* ① abama 비슷한. ② 샛노란.
abamita *f.* 고조부의 누이.
abanación *f.* 1년 유배형.
abanador *m.* 《*Can.*》 =**aventador.**
abanar *tr.* (부채로) 부치다 (hacer aire con el abano).
abancalar *tr.* 《*Murc.*》 땅에 구획을 만들다(formar bancales en un terreno).
abandalizar *tr.* ⑨ =**abanderizar.**
abanderado *m.* 기수(旗手)(oficial que lleva la bandera, el que lleva bandera en las procesiones).
abanderamiento *m.* (외국 선박의) 선적 등기·등록·증명.
abanderar *tr.* ① (외국 선박의) 선적 등록을 하다, 등기하다 (matricular bajo la bandera de un Estado a un buque extranjero). ② 선적 증명을 하다. ③ 《*Amér.*》 (단체 등에) 기를 주다; 표지(標識)를 달다 : ~ de un ideal 어떤 이상을

높이 내세우다.

abandería *f.* 【고어】 =**bandería.**

abanderizadamente *adv.* 당파·파당을 지어.

abanderizador, ra *adj.m.f.* 당파를 만드는, 파당을 짓는 (사람).

abanderizamiento *m.* 《*Perú.*》 당파·파당 만들기.

A

abanderizar *tr.* ⑨ 당파를 만들다, 분열시키다 (dividir en banderías).
~se 당파를 만들다, 당파로 나뉘다 : 한패가 되다(afiliarse a un bando o partido).

abandonadamente *adv.* 《*Cuba.*》 의지할 곳이 없이, 고독하게.

abandonado, da *adj.* ① 버려진 : 고독한, 의지할 곳 없는. ② 정성이 없는(descuidado). ③ 더러운(sucio). ④【종교】광명파의(alumbrado). ⑤ 《*Perú.*》 경박한(vicioso).

abandonamiento *m.* [드뭄] =**abandono.**

abandonar *tr.* ① 버리다, 버려 두다 : ~ la ciudad 도시를 떠나다. ② 단념하다, 그만두다, 포기·기권하다 : 저버리다. ③ 등한시하다, 무시하다 (no hacer caso de algo) : ~ las reglas de cortesía 격식을 무시하다. ④ 뒤로 미루다. ⑤【보험】위부(委付)하다, 맡기다. ⑥【법률】(처자를) 유기하다.
~se ① 자포 자기가 되다. ② 몸을 맡기다 : *~se* a la suerte 운명에 몸을 맡기다. ③ (악덕·감정에) 빠지다.

abandonismo *m.* 포기주의.

abandonista *adj.* 포기주의의 : política ~ 포기 정책. —*m.f.* 포기주의자.

abandono *m.* ① 포기 : ~ de un crédito 채권의 포기. ~ un socio 출자 사원의 퇴사. hacer ~ de …을 포기하다. ② 자포 자기, 방종. ③ 유기 : El ~ de los niños está prohibido por la ley 유아 유기는 법률로 금지되어 있다. ④ 마음 편함(descuido, negligencia) : vivir en el mayor ~. ⑤ 신의 섭리에 맡기는 일 : hacer ~ 섭리에 맡기다. ⑥ 안락. ⑦【보험】위부(委付).

abanear *tr.* 《*Gal.*》 =**mover, sacudir.**

abanec *m.* (히브리인들의 사제가 사용했던) 승복에 다는 비단끈.

abanero, ra *adj.* =**amaestrado.**

abangar *tr.* 《*Sal.*》 =**torcer.**
~se 《*Sal.*》 =**alabearse.**

abanicamiento *m.* ① 부채질. ② 벌 ; 학대.

abanicar *tr.* ⑦ 부채질하다 (hacer aire con el abanico) ; 학대하다 (maltratar) ; 혼내주다, 벌하다(castigar).
~se 자신이 부채질하다.

abanicazo *m.* 부채로 때리기 (golpe dado con el abanico) ; 그 소리 ; 큰 부채.

abanico *m.* ① 부채 ; 선풍기 (ventilador) ; 부채 모양 : en ~ 부채 모양으로. ②【은어】칼 (sable) ; (마드리드에서) 독방 (antigua cárcel celular de Madrid).
~ de culpas 밀고자(soplón).
~ de chimenea 바람막이, 간막이 ; (난로용) 화열(火熱) 방지 간막이.
parecer ~ de tonta 어이없이·바보같이 보이다 (moverse mucho y sin concierto).

abanillo *m.* (옛날의) 주름깃 ; 부채(abanico).

abanino *m.* 주름깃 《가슴에 단 부인의 의상 장식》.

abaniquear *tr.* 부채로 부치다.

abaniqueo *m.* ① 부채질. ② 호들갑스런 손짓. ③ =**oscilación, vaivén, bamboleo.**

abaniquería *f.* 부채 공장·가게(fábrica o tienda de abanicos).

abaniquero, ra *m.f.* 부채 제조자, 부채 상인 (persona que hace o vende abanicos). —*m.* 부채를 놓는 곳·기구.

abano *m.* (천정에 매다는) 부채(abanico colgado del techo) ; 풀무.

abantar *intr.* (물이) 끓어 넘치다 ; 오만·자만하다.
~se 오만·불손해지다.

abanto *m.* ①【조류】콘도르. ② (일반적으로) 콘도르 종류의 새. —*adj.* ① 멍청한, 우둔한, 둔한, 바보같은. ② 잘 놀라는 (espantadizo) : toro ~.

abañador, ra *m.f.* 씨를 고르는 사람 (porsona que abaña).

abañadura *f.* 씨 고르기(acción de abañar).

abañar *tr.* 《*Sal.*》 씨를 고르다 (seleccionar la semilla sometiéndola a un cribado especial).

abaos *interj.* 저리 비켜!

abarajar *tr.* 《*Amér.*》 받아 내다, 막아내다.

abaratable *adj.* 값을 깎을 수 있는, 가격을 인하 할 수 있는, 홍정할 수 있는.

abaratadamente *adv.* 값을 싸게.

abaratador, ra *adj.* 가격을 인하한.

abaratamiento *m.* 가격 인하 ; 물가의 하락 (acción y efecto de abaratar).

abaratar *tr.* ① 물가·가격을 인하하다(disminuir o bajar el precio de una cosa): La competencia *abarata* los géneros 경쟁이 물가를 인하시킨다. ② 할인하다, 에누리하다.
—intr., **~se** 값이 떨어지다(ponerse barato) : El pan *(se) abarata* 빵값이 떨어진다.

abarbar *intr.* =**barbar.**

abarbechar *tr.* 《*Amér.*》 (땅을) 일구다, 기경 (起耕)하다(barbechar).

abarbetación *f.* 단단히 붙잡기.

abarbetador, ra *adj.* 단단히 붙잡는.

abarbetar *tr.* (손으로) 단단히 붙잡다. ② 요새화하다.

abarca *f.* ① (옛날의) 가죽 샌들 ; (고무로 만든) 샌들 (calzado de cuero o de caucho que cubre la planta del pie). ②【방언】나막신. ③ 《*Gal.*》 (황소의 늑골과 궁둥이 사이의) 뼈.

abarcado, da *adj.* 샌들을 신은 (calzado con abarcas).

abarcador, ra *adj.* 껴안은; 쥐어진; 포함시키는; (새가 알을) 품는; 독점하는, 매점하는.
—*m.f.* 《*Méx.*》【상업】일수 판매인(一手販賣人) ; 독점자 ; 전매자(專賣者).

abarcadura *f.* 포함 ; 포옹, 껴안음.

abarcamiento *m.* =**abarcadura.**

abarcar *tr.* ① 품다, 껴안다. ② (한꺼번에) 쥐어지다 : Quien mucho *abarca* poco aprieta【속담】토끼 둘 잡으려다 하나도 못 잡는다 ; 모든 것을 원하는 자는 전부를 잃는다(El que todo lo quiere todo lo pierde) ; 한꺼번에 많은 일을 시작한 자는 아무 것도 하지 못한다(Quien empren-

de muchas cosas a un tiempo, no desempeña bien ninguna). ③ 포함시키다(comprender). ④ (사냥에서 짐승을) 에워싸다(rodear). ⑤ (한눈에) 바라보다(dominar). ⑥《*Amér.*》(새가 알을) 품다(empollar los huevos). ⑦《*Méx.*》독점하다, 매점하다(acaparar).
~se 한눈에 바라보이다.
abarcía *f.* 심한 허기(hambre canina).
abarcón *m.* 쇠로 만든 테.
abarcuzar *tr.*《*Sal.*》=**abarcar, ansiar, codiciar.**
abaritonado, da *adj.* 바리톤 가수의 목소리 닮은 (목소리).
abarloar *tr.* (배를) 대다(barloar, acostar).
abarmón *m* 【어류】 아바르몬《뿔상어 (lija) 비슷한 돌묵상어》.
abarque[1] *m.*《*Ecuad.*》(새의) 한배 새끼.
abarque[2] → **abarcar** ⑦.
abarquería *f.* 샌들(abarca) 공장 ; 샌들 가게.
abarquero, ra *m.f.* 샌들(abarca) 만드는 사람·상인.
abarquillado, da *adj.* 깔때기(barquillo) 모양의.
abarquillador, ra *adj.* 깔대기 모양의 ; 뒤틀린.
abarquilladura *f.* 깔대기 모양 만들기 ; 뒤틀림.
abarquillamiento *m.* 뒤틀리게 하기.
abarquillar *tr.* 깔때기 모양으로 만들다, 뒤틀게 하다 : ~ un papel.
~se 뒤틀리다, 뒤틀리기 쉽다 : La madera *se abarquilla* con el calor 목재가 열 때문에 뒤틀린다.
abarra *f. alem.* 가늘고 긴 가지.
abarracado, da *adj.* 바라크 형의.
abarracador, ra *adj.* 숙영하는.
abarracamiento *m.* 숙영.
abarracar(se) *intr.(r.)* ⑦ (군대가) 숙영하다(guarecerse en barracas).
abarrado, da *adj.* 짜면서 흠이 생긴.
abarraganadamente *adj.* 이중 생활로, 첩살림으로.
abarraganado, da[1] *adj.* =**amancebado.**
abarraganado, da[2] *adj.* 방수 비옷의 천 비슷한.
abarraganamiento *m.* 이중 생활, 첩살림(amancebamiento).
abarraganar *tr.* 천에 방수 처리를 하다.
abarraganarse *r.* 이중 생활을 하다, 첩을 두다(amancebarse).
abarrajado, da *adj.*《*Chile.*》뻔뻔스러운, 낯가죽이 두꺼운, 철면피한(desvergonzado).
abarrajamiento *m.*《*Perú.*》짓밟기.
abarrajar *tr.* ① 걷어차 흩어지게 하다, 짓밟다(atropellar). ②《*Amér.*》던지다 (tirar, arrojar). ③《*Arg.*》막아내다 ; 공중에서 받다.
~se ①《*Amér.*》걸려 넘어지다, 걸려 쓰러지다(tropezar) : ~*se* en la escalera. ②《*Perú.*》타락하다(perder la vergüenza).
abarrajo *m.*《*Perú.*》부딪침, 넘어짐 (tropezón, caída).
tonto de ~ 등신같은, 바보같은, 얼간이같은(tonto de capirote·de remate).
abarramiento *m.* 던지기, 흔들기.
abarrancadero *m.* 험한 길, 함정 ; 궁지.
abarrancadura *f.* =**abarrancamiento.**
abarrancamiento *m.* 진퇴양난, 좌초.
abarrancar *tr.* ⑦ 골짜기로 만들다, 황무지로 만들다 ; 궁지에 빠뜨리다. —*intr.* =**abarrancarse.**
~se ① 좌초하다(varar). ② 진퇴양난에 빠지다 ; 궁지에 빠지다.
abarrar *tr.* ① 내던지다(arrojar, tirar). ② 흔들다(sacudir). ③ 뿌리치다(varear).
abarraz *m.* 【고어】【식물】 =**albarraz.**
abarredera *f.* [드묾] 빗자루(escoba).
abarrenador, ra *adj.* 구멍을 뚫는.
abarrenar *tr.* 【고어】 =**barrenar.**
abarrer *tr.* [드묾] 쓸다(barrer).
abarrera *adj.*《*Murc.*》에누리 잘하는 (여인).
abarrilado, da *adj.* 가슴과 배가 좁은 (말).
abarrilar *intr.*《*Gal.*》(포도가) 열매를 잘 맺지 못하다.
abarrisco *adv.* 함께, 몽땅, 쓸어잡아 (a barrisco, en tropel).
abarrotadamente *adv.* =**aglomeradamente, acumulativamente, recopiladamente.**
abarrotado, da *adj.* abarrotar의 *p.p.*
abarrotador, ra *m.f.*《*Perú.*》=**abarrotero.**
abarrotar *tr.* ① 잠그다, 조이다(apretar). ② (배나 창고에 짐을) 가득 넣다, 만재하다. ③《*Amér.*》매점하다(monopolizar).
~se《*Amér.*》(상품의 과잉으로) 값이 떨어지다.
abarrote *m.* ① 소하물, 짐(fardo pequeño). ② *pl.*《*Amér.*》식료품 ; 식료품점 : tienda de ~*s* 식료품점.
abarrotería *f.* ①《*Guat.*》식료품점, 잡화점. ②《*AmérC.*》철물점.
abarrotero, ra *m.f.*《*Amér.*》식료품점 주인.
abarse *r.* 없애다, 치우다(apartarse, dejar libre el camino). [*N.* 부정형과 명령형으로만 쓰임 : ¡Abate!, ¡Abaos! 저리 비켜 !].
abasí *adj.* 아바스 가계(家系)《마호메트(Mahoma)의 숙부 Abas의 가계, 750—1252까지의 왕가》의.
abastadamente *adv.* 풍부하게, 충분하게.
abastado, da *adj.* 준비한, 갖추어 놓은.
darse por ~ 만족해 하다, 흐뭇해 하다.
abastamiento *m.* 보급, 공급 ; 보급품, 공급품.
abastanza *f.* 풍부, 많음(copia).
abastar *tr.* 공급하다(abastecer).
~se 만족하다.
abastardar *intr.* 퇴화하다(bastardear) : ~ una raza.
abastecedor, ra *adj.* 공급하는, 제공하는.
—*m.f.* 공급자, 보급자 ; 어용 상인.
abastecer *tr.* 31 (…에 식료품·필수품을) 보급·공급하다(proveer de lo necesario) : ~ *de* víveres a una guarnición 경비대에 식량을 보급하다. **Contr.** privar.
~se [+de : …을] 준비하다 ; 비축하다 ; 조달하다.
abastecido, da *adj.* =**surtido, provisto.**
abastecimiento *m.* ① 보급, 공급 ; 조달 : ~

de combustibles 연료 공급·보급. ~ de energía 에너지 공급. ~*s* marginales 한계 공급. propio ~ 자급 자족. ② 양식.

abastero *m.* ① 《*Amér.*》 (야채·과일 등의) 중개 상인(abastecedor). ② 《*Chile.*》 푸주한(el vendedor de ganado para el consumo de una población).

abastionado, da *adj.* ① bastión 같은. ② bastión으로 방어된.

A

abastionar *tr.* (성벽 등에) 보루 시설을 하다 (fortificar con bastiones).

abasto *m.* ① 필수품, 필요품. ② [주로 *pl.*] 식량, 식료품 : inspección de ~*s* 식품 검사. ③ 자수(刺繡)의 빈곳 메꾸는 소제. ④ 공급.

dar ~ *a* …의 필요·요구에 응하다 : No le *doy* ~ 나는 그의 요구에 응하지 못한다.

abatanado, da *adj.* 노력하여 기술을 쌓은, 경험이 많은, 숙련된(diestro, experimentado) : ~ *en* el negocio.

abatanar *tr.* (베를 batán으로) 다듬이질해서 바래다 ; 두들겨 패다.

abatatado, da *adj.* ① 《*Arg.*》 【속어】 수치스러운, 부끄러운(avergonzado). ② 《*PRico.*》 땅딸막한(rechoncho).

abatatarse *r.* 《*Riopl.*》 부끄러워하다 (avergonzarse).

abate *m.* (불란서·이탈리아의) 승려.

ábate *interj.* 비켜.

abatí *m.* 《*Arg. Parag.*》 옥수수(maíz) ; 옥수수술·위스키.

abatible *adj.* 쓰러뜨릴 수 있는, 타도할 수 있는.

abatida *f.* 【군사】 =**tala.**

abatidamente *adv.* 맥이 빠져 ; 풀이 죽어, 축 늘어져.

abatidero *m.* 배수구, 하수구, 수렁.

abatido, da *adj.* ① 비굴한(vil). ② 맥이 빠진, 기력이 없는(desanimado, sin fuerzas). ③ 인기·가격이 떨어진(despreciable). ④ 상한 (과일). ⑤ 《*Amér.*》 떨이의 (값·물건). —*m.* 《*Cuba.*》 한 다발의 판자.

abatidor, ra *adj.* 쓰러뜨리는, 넘어뜨리는, (신체의 어느 부분을) 내리게 하는 (근육).

abatidura *f.* 【고어】(사나운 새가) 날아 내려오는 일.

abatimiento *m.* ① 쇠약, 쇠함. ② 낙담, 풀이 죽음(desaliento). ③ 【해사·항공】 풍압각(風壓角), 편류(偏流), 항차(航差) ; 표류(漂流). **Sinón.** desaliento, postración. **Contr.** energía, ánimo.

abatir *tr.* ① 쓰러뜨리다, 넘어뜨리다 (derribar, echar por tierra) : ~ las murallas 성벽을 쓰러뜨리다. ② 내리다(bajar) : ~ la bandera 기를 내리다. ③ (줄을) 긋다 : ~ una perpendicular 수직선을 긋다. ④ 접어서 겹치다 : ~ el pabellón 텐트·천막을 접어서 겹치다. ⑤ 굴복시키다, 혼내다(humillar). ⑥ 실망시키다, 낙담시키다 ; 풀이 죽게 하다. ⑦ 에누리하다, 할인하다. ⑧ (기계 등의 상태를) 늦추다. —*intr.* (배·비행기가 진로에서) 벗어나다(derivar) : La nave *abatió* a la derecha 배는 진로가 우측으로 벗어났다. ~ *sobre* babor 바람이 부는 쪽으로 진로를 돌리다. **Contr.** levantar, animar.

~se ① 쓰러지다, 넘어지다. ② 쇠약해지다, 기운이 빠지다 : *Se abatió* por la enfermedad 병으로 쇠약해졌다. ③ 풀이 죽다, 축 늘어지다 : *Se abatió de* espíritu 그는 기가 꺾였다. ④ 부진해지다. ⑤ (맹금류 새가) 날아 내려오다. ⑥ (조수가) 빠지다.

dejarse ~ *por la adversidad* 적의를 상실하다.

abatis *m.* 《*Galic.*》 =**abatida.**

abatismo *m.* 승려의 권력 ; 승려들(abates).

abatojar *tr.* 【방언】 (콩 등을 도리깨로) 두들기다, 잘게 찧다·빻다·타다.

abatollar *tr.* =**abatojar.**

abayado, da *adj.* 장과(漿果) 모양의(parecido a la baya).

abaz *m.* 【고어】 =**aparador.**

abazón *m.* ① 【동물】 (원숭이·박쥐의 볼 안에 있는) 주머니. ② =**buche.**

abderitano, na *adj.m.f.* ① 압데라(Abdera)의 사람. ② 아드라《Adra, Almería주에 있음》의 (사람).

abderítico, ca *adj.* =**tonto, estúpido.**

Abdías *m.* 【성서】 유다야의 소 예언자의 한 사람 ; 오바댜서(書).

abdicación *f.* 퇴위, 양위 ; (주의·주장 등의) 포기.

abdicar *tr.* 7 ① 퇴위·양위하다(renunciar voluntariamente o por fuerza una dignidad, y particularmente la autoridad soberana) : El rey *abdicó* la corona *en* su príncipe / *Abdicó en* su príncipe 왕은 왕위를 왕자에게 물려주었다. ② (주의·주장 등을) 버리다, 포기하다(renunciar, abandonar). —*intr.* 《*Neol.*》 [+de : …을] 버리다 : *Abdiqué de* los principios.

abdicativamente *adj.* 대표로, 위임으로 (por delegación).

abdicativo, va *adj.* 퇴위·양위의 ; 포기하는.

abditivo, va *adj.* 숨을 수 있는.

abditorio *m.* ① =**retiro, soledad.** ② (물건을) 숨기는 장소.

abdomen *m.* 배, 복부(vientre) ; 툭 튀어나온 배.

abdominal *adj.* 배·복부의 : cavidad ~ 복강.

abdominia *f.* =**gula insaciable.**

abdomínico, ca *adj.* abdominia의.

abducción *f.* ① 【생리】 외전(外轉) : ~ del brazo, ~ del ojo. ② 【논리】 불명 추측식(不明推測式).

abducir *tr.* ① 불명 추측식으로 논증하다. ② 제안을 포기하다·물리치다. ③ 나누다(separar).

abductor *adj.* 외전 (abducción)의 : músculo ~ 외전근(外轉筋). —*m.* 외전근(músculo ~) : el ~ del ojo.

abduluatos *m.pl.* 옛 아프리카 뜨레메센 (tremecén) 제국의 주민 《로마에 의해 무너짐》.

abeacas *f.pl.* 《*Gal.*》 =**orejeras del arado.**

abebrar *tr.* ① 【고어】 =**abrevar.** ② 【고어】 = **mojar, remojar.** ③ 【고어】 =**saciar.**

abecé *m.* ① 알파벳, 자모(字母), 자모표(abecedario) : ~ telegráfico 전신용 문자 부호. ② 초보(의 지식) : no entender·saber el ~ 낫 놓고 기역자도 모르다, 아무 것도 모르다(ser muy ignorante).

abecedario *m.* 자모, 자모표 ; 초보(alfabeto).

abedul *m.* 【식물】 자작나무; 자작나무 목재.
abedular *m.* 자작나무 숲(plantío de abedules).
abedulillo *m.* 【식물】 각목(角木).
abeja *f.* [*lat.* apis] ①【곤충】 벌 : miel de ~*s* 벌꿀. La ~ es el emblema de la actividad y del trabajo 벌은 활동적이고 부지런함을 상징한다. ② 부지런한 사람. ③【천문】 파리좌(Mosca).
~ ***albañila*** 미장이벌 《땅벌의 일종》. ~ ***carpintero*** 왕벌 《호박벌의 일종》. ~ ***machiega·maesa·maestra·reina*** 여왕벌. ~ ***neutra·obrera*** 일벌.
abejar *m.* 꿀벌의 벌집통(colmenar). —***adj.*** uva ~.
abejareño, ña *adj.* 벌통의.
abejarrón *m.* 【곤충】 땅벌 ; 호박벌(abejorro).
abejaruco *m.* ①【조류】 벌잡이새. ② 남의 말하기 좋아하는 사람.
abejear *intr.* 벌처럼 날다(revolotear como las abejas).
abejeo *m.* 《*Neol.*》 술렁거림, (벌의) 윙윙거림, 소란(zumbido) : el ~ de la muchedumbre.
abejera *f.* ① 꿀벌의 벌집통(colmenar, abejar). ②【식물】 =**toronjil.**
abejero, ra *m.f.* 양봉가(colmenero). —*m.* ①【동물】 개미핥기. ②《*AmérC.*》 꿀벌의 대군(大群). ③【조류】 =**abejaruco.** —***adj.*** 벌의(abejuno).
abejón *m.* ① (꿀벌의) 수펄(zángano) ; 왕 호박벌. ②《*CRica.*》 커피콩의 겁질 ; 싹이 나온 커피콩.
hacer ~ ①《*CRica.*》 수군거리다, 귀엣말을 하다. ②《*Venez.*》 (강연 연사를) 야유하다.
abejonear *intr.* 《*Amér.*》 윙윙거리다(zumbar) ; 수군거리다.
abejorreo *m.* ① 꿀벌의 윙윙거리는 소리 (zumbido). ② 술렁거리는 소리, 먼데서 들리는 사람소리.
abejorro *m.* 【곤충】 땅벌, 토봉(土蜂) : El ~ vuela pesadamente 땅벌이 무척 느리게 날고 있다.
ser un ~ 귀찮다, 골치 아프다(ser pesado y cargante).
abejuela *f.* [*dim.* abeja] 작은 벌.
abejuno, na *adj.* 꿀벌의, 꿀벌에 관한.
Abel *m.* 【성서】 아벨 《형 Caín에게 살해 당한 아담의 둘째 아들》.
abelia *f.* 【식물】 아벨리아 《인동과 식물》.
abellacado, da *adj.* =**bellaco, ruin, pícaro.**
abellacarse *r.* ⑦ 비열한 짓을 하다, 바보가 되다(volverse bellaco).
abellota *f.* 【고어·속어】 도토리(bellota).
abellotado, da *adj.* 도토리 모양의(de figura de bellota).
abellotar *tr.* (물건에) 도토리 모양을 만들다. **~se** 도토리 모양이 되다.
abelmosco *m.* 【식물】 사향아욱.
abemoladamente *adv.* 달콤하게, 속삭이듯이 (dulcemente, suavemente).
abemolar *tr.* ① (음성을) 부드럽게 하다. ②【음악】 변조(變調)로 반음을 내리다.
abencerraje *m.* 그라나다(Granada) 왕국의 대씨족 아벤쎄르라헤스 집안(los Abencerrajes)의 한 사람.
abéndula *f.* =**paleta de rodezno.**
abental *m.* 【고어】 =**delantal.**
abentestate *adv.* =**ab intestado.**
abenuz *m.* 【식물】 =**ébano.**
abéñola *f.* 【고어】 =**abéñula.**
abéñula *f.* 【고어】 =**pestaña.**
aberenjenado, da *adj.* 가지(berenjena) 색·모양의(de color o figura de berenjena).
aberenjenar *tr.* 가지 모양·색을 바르다. **~se** 가지 모양·색이 되다.
abernardarse *r.* 격앙하다, 노하다, 성내다, 달아오르다(irritarse, encolerizarse).
aberración *f.* ① 착각, 착오, 일탈, 도착(倒錯) ; (정신) 착란(equivocación del juicio) : ~ mental 정신 착란. ~ del paladar 구개 착각. ②【광학】 (렌즈의) 수차(收差) (dispersión de la luz) : ~ cromática 색수차. ③ 광행차(光行差). ④【생물】 변체, 변상(變狀).
aberrante *adj.* 길을 잘못 든, 길을 잃은.
aberrar *intr.* ① 길을 잃다, 길을 잘못 들다(desviarse, errar, equivocarse). ② 방황하다.
aberrear *tr.* 《*Perú.*》 화나게 하다, 약올리다.
abertal *adj.* ① 갈라지기 쉬운 (땅) (de la tierra que fácilmente se agrieta). ② 버려진 (땅).
abertero, ra *adj.* 《*Val.*》 =**abridero.**
abertura *f.* ① 구멍, 입 ; 공기 구멍 ; 틈새, 갈라진 금, 균열(hendidura, agujero o grieta) : la ~ de una cueva 동굴의 입구·균열. ② (가위 등의) 벌어짐. ③ 후미(ensenada). ④ (산간의) 앞이 트인 땅. ⑤ (유서 등의) 개봉. ⑥ 솔직함, 숨김이 없음(franqueza).
abesana *f.* ① 밭이랑(besana, surco). ②《*And.*》 = **yunta de bueyes.**
abesón *m.* 【식물】 =**eneldo.**
abestiado, da *adj.* 야수같은, 짐승같은.
abestializado, da *adj.* =**abestiado.**
abestiarse *r.* ⑪ 야수·짐승처럼 되다, 난폭해지다, 사나워지다(volverse bestia).
abéstola *f.* (가래의) 보습(arrejada).
abesugado, da *adj.* 도미(besugo) 비슷한.
abetal *m.* 왜전나무 숲.
abetar *m.* =**abetal.**
abete *m.* 【고어】 =**abeto.**
abético, ca *adj.* ① 왜전나무(abeto)의. ②【화학】 =**abiético.**
abetina *f.* 【화학】 아베틴.
abetíneo, a *adj.* =**abietíneo.** —*f.pl.* 왜전나무속(abietíneas).
abetinote *m.* 왜전나무의 진.
abeto *m.* 【식물】 왜전나무(~ blanco) : ~ rojo·del Norte·falso 가문비나무.
abetuna *f.* =**pimpollo de abeto.**
abetunado, da *adj.* 역청과 같이 생긴 ; 구두약 같은(semejante al betún).
abetunador, ra *adj.* =**embetunador.**
abetunar *tr.* 구두약을 바르다(embetunar).
abey *m.* 【식물】 가축 먹이로 쓰이는 콩과 식물(~ hembra).
abg.º abogado 변호사.
abia *f.* 《*Ál.*》 =**arándano.**
abiar *m.* 【식물】 국과에 속하는 카밀레의 일종.
abibollo *m.* 《*Ál.*》 =**ababol.**
abichado, da *adj.* 《*Arg.*》 피부가 진무른 (소·

말).
abicharse *r.* 《*Arg.*》(과실 등에) 구더기가 끌다; (상처 등에) 구더기가 생기다.
abieldar *tr.* =**bieldar.**
abierta *f.* 【고어】 ① 입. ② 틈, 구멍(abertura). ③《*Col.*》 말이 별안간 움직임.
abiertamente *adv.* 공개적으로, 솔직히, 터놓고, 숨김없이(sin reserva, francamente) : hablar ~ 솔직히 말하다.
abierto, ta *adj.* [abrir의 *p.p.*] ① 열린, 벌어진 : La puerta está ~*ta* 문이 열려 있다. Contr. cerrado. ② 탁 트인, 널찍한 : campo ~ 광야(campo llano). ③ 개방적인, 자유로운 : carácter ~ 개방적인 성격. puerto ~ 자유항. ④ 무방비의 : ciudad ~*ta* 무방비 도시. pueblo ~ 무방비 마을. ⑤ 무개의, 뚜껑이 없는, 갑판이 없는(배). ⑥ 중심이 없는; 터놓은, 솔직한 (franco), 진지한 (sincero) : inteligencia ~*ta* 솔직하고 진지한 지성. ⑦ 이해력·포용력이 있는. ⑧ (활자 등의) 굵은, 획이 굵은.
—*m.* 《*Col.*》 경작지.
—*adv.* 솔직히, 숨김없이.
caballo ~ 아직 7세가 안된 사람(el que no ha cumplido los siete años).
a cielo ~ 들판에서(al aire libre).
a pecho ~ 숨김없이(sin disimulo).
con los brazos ~*s* 진심으로(cordialmente).
abies *m.* abeto의 학명(學名).
abietáceo, a *adj.* =**abietíneo.**
abietíneo, a *adj.* 【식물】 왜전나무속(屬)의. —*f.pl.* 왜전나무속.
abietino *m.* =**abetinote.**
abieto *m.* =**abeto.**
abigarradamente *adv.* 현란하게, 별나게 눈에 띄게.
abigarrado, da *adj.* ① 각종 빛깔이나 그림이 들어 있는 : cuadro·traje ~. ② 배색이 잘못된, 칙칙한 : figuras ~*das.* ③ 뒤범벅이 된, 두서 없는 : un discurso ~ 두서 없는 연설. ④ 그림 같은 : estilo ~.
abigarramiento *m.* 색깔의 혼합(mezcla de colores).
abigarrar *tr.* (색깔을) 더덕더덕 바르다, 범벅되게 칠하다 (dar a una cosa varios colores) : ~ de azul y rojo.
abigeato *m.* 가축 절도(hurto de ganado).
abigeo *m.* 가축 도둑.
abigotado, da *adj.* 수염을 기른, 수염이 긴 (bigotudo).
abijar *tr.* 《*Col.*》 (개를) 부추기다.
abillar *tr.* 【은어】 가지다, 소유하다(tener, poseer).
abillelar *tr.* 【은어】 =**abillar.**
ab initio *adv. lat.* 처음부터.
ab intestato *adv. lat.* 유언(遺言)없이(sin testamento) : morir ~ 유언을 하지 않고 죽다. *estar* ~ 내팽개쳐 두다.
abintestato *m.* 유언없이 죽은 사람의 유산의 법적 처리.
abiogénesis *f.* 【생물】 자연 발생(설).
abiología *f.* 무생물학.
abioquímica *f.* 무기 화학(química inorgánica).
abiosis *f.* 【생물】 생명력 결여, 무생 상태.
abipón, na *adj.* 아비뽄족 《남미 빠라나강(el Paraná) 부근의 원주 민족》의. —*m.f.* 아비뽄 주민.
ab irato *adv. lat.* 홧김에, 뒷 생각없이.
abirritación *f.* 자극 완화, 긴장 저하.
abirritado, da *adj.* [abirritar의 *p.p*](자극을) 완화시키는 (기관).
abirritante *adj.* 자극을 줄이는 : remedio ~ 자극을 줄이는 처방.
abirritar *tr.* (자극을) 완화시키다.
abisagrado, da *adj.* 경첩 모양의.
abisagrar *tr.* ① 경첩(bisagra)을 달다. ② 《*Chile.*》 (구두를) 닦다.
abisal *adj.* 심해(深海)의; 깊은 (abismal) : fauna ~ 심해 동물.
abiselado, da *adj.* 비스듬히 잘린.
abiselar *tr.* 기세를 꺾다; 비스듬히 자르다(hacer biseles).
Abisinia *f.* 【지명】 아비시니아 《에디오피아의》.
abisinio, nia *adj.* 아비시니아의. —*m.f.* 아비시니아 사람. —*m.* 아비시니아발.
abismado, da *adj.* ① =**abatido, hundido.** ② 골몰한, 생각에 잠긴. ③ =**callado, reservado.**
abismal *adj.* ① 심연의, 심해의(abisal) : fauna ~ 심해 동물. flora ~ 심해 식물. ② 깊은.
abismar *tr.* ① 가라앉히다(hundir en el abismo). ② 깊이 하다. ③ 곤란하게 하다, 난처하게 만들다, 애먹이다, 현혹시키다(confundir, abatir). **~se** ① 골몰하다, 생각에 잠기다, 곰곰히 생각하다. ② 당혹하다, 난처해 하다. ③ 《*Amér.*》 놀라다; 감탄하다. ④ 《*SDgo.*》 (건강 등이) 쇠약해지다.
abismático, ca *adj.* 《*Neol.*》 심해의, 심연의, 깊고 깊은(abismal); 헤아릴 수 없는.
abismo *m.* 심연(深淵), 심해(深海); 나락, 지옥; 헤아릴 수 없이 심오(深奧)함 : ~ de crueldad 잔인하기 이를 데 없음.
abitadura *f.* ① (닻줄 등을) 계류 기둥에 맴. ② =**bitadura.**
abitaque *m.* 각재(cuartón, viga).
abitar *tr.* (닻줄 등을) 계류(繫留) 기둥에 매다.
abitigas *m.pl.* 아비띠가스족 《볼리비아와 뻬루의 산간 지방에 살았던 야만 인디오; 후예들은 잉카 제국의 옛 언어를 보존하고 있음》.
abitón *m.* (배의 밧줄을 감아 두는) 계류 기둥.
abiyelar *tr.* 【은어】 =**tener.**
abizcochado, da *adj.* 카스텔라같은 : pan ~ 카스텔라 같은 빵. porcelana ~*da* 카스텔라 빛깔의 도자기.
abizcochar *tr.* (물건에) 카스텔라(bizcocho) 모양·맛을 넣다.
abjurable *adj.* 버릴 수 있는.
abjuración *f.* 서약을 어김; 신앙·주의의 포기 : La ~ de Enrique IV le dio el trono de Francia.
abjurado, da *adj.* =**desmentido, negado, rechazado, repudiado.**
abjurar *tr.* (신앙을) 맹세코 버리다; (주의를) 버리다 : ~ el calvinismo. —*intr.* 헤어지다; [+de : …을] 버리다.
abjuratorio, ria *adj.* 신앙·주의를 포기하는.
abl., Abl. abril.
ablación *f.* [*lat.* ablativo] 제거, 절단; 근절 :

～ de las amígdalas.
ablactación *f.* 젖을 뗌, 이유(離乳).
ablactante *adj.* 젖을 떼는, 이유하는.
ablactar *tr.* 젖을 떼다, 이유하다(destetar).
ablandabrevas *m.f.* 【단·복수 동형】 허수아비, 쓸모없는 인간(persona inútil).
ablandadizo, za *adj.* 쉽게 부드러워지는.
ablandador, ra *adj.* 완화시키는, 연하게·부드럽게 하는, 무마하는.
ablandadura *f.* =**ablandamiento.**
ablandahigos *m.f.* =**ablandabrevas.**
ablandamiento *m.* 완화, 연화(軟化).
ablandante *adj.* =**ablandor.**
ablandar *tr.* ① 연하게 하다, 부드럽게 하다(poner blando). ② 연하게 하다, 느슨하게 하다(suavizar). ③ 설사를 시키다(laxar) : Las ciruelas *ablandan* el vientre 매화나무의 열매를 먹으면 속이 부드러워진다. ④ 달래다(calmar la cólera · la ira de alguno) : ～ el rigor de la cólera paterna.
—*intr.*, **～se** ① 부드러워지다 ; 연해지다(ponerse blando). ② (날씨가) 풀리다, 느슨해지다 : El invierno no *ablanda* 겨울이 풀리지 않는다. El frío *ablanda* 추위가 풀린다. ③ 약해지다 : *Se ablandó* el vendaval 태풍이 약해졌다. Contr. endurecer.
ablandativo, va *adj.* =**ablandor.**
ablandecer *tr.* 31 연하게 하다, 부드럽게 하다(ablandar, poner blando).
ablandor, ra *adj.* 완화·경감하는, 부드럽게 하는.
ablanedo *m.* 《*Ast.*》 =**avellanedo.**
ablano *m.* 《*Ast.*》 =**avellano.**
ablaqueación *f.* (입목 주위의) 배수구·구멍.
ablaquear *tr.* (입목 주위에) 배수구를 파다.
ablativo *m.* 【문법】 탈격 《전치사 con, de, desde, en, por, sin, sobre, tras 등과 쓰인 명사의 사용법》.
～ ***absoluto*** 탈격 독립구(奪格獨立句) : [예] *Dicho esto,* calló 이렇게 말하고 입을 다물었다. *Muerto el perro,* se acabó la rabia 개를 죽이고서야 광견병이 없어졌다. *Hablando* se entiende la gente 이야기하면 사람들이 안다. *Agraviado,* tuvo que defenderse 모욕을 받았으니 자신을 지켜야만 했다.
-able *suf.* [-ar 동사의 형용사형] …할 수 있는, …하기에 적당한·족한 : am*able.*
ablefaria *f.* 【의학】 눈꺼풀이 없음.
abléfaro, ra *adj.* 눈꺼풀이 없는.
ablegación *f.* (로마에서 말을 듣지 않는 아들을) 추방.
ablegado *m.* 신임 추기경에게 법모(birrete)를 인계하는 담당을 맡은 교황의 사절.
ablegador, ra *adj.* ① 쫓아내는, 몰아내는. ② (로마에서 말을 듣지 않는 아들을) 추방하는 (아버지).
ablegar *tr.* ① 쫓아내다, 몰아내다(despachar, despedir). ② 추방하다.
ablentar *tr.* 《*Ál. Ar.*》 =**aventar, esparcir, apartar.**
ablepsia *f.* 【의학】 실명(ceguedad).
ablución *f.* ① 멱, 목욕(lavatorio, acción de lavarse) : la ～ matinal 아침 목욕. ② 목욕 재계. ③ 【종교】 세정, 세정식(ceremonia de lavar el cáliz y los dedos el sacerdote después de consumir). —*pl.* 세정식에서 사용하는 포도주와 물 : sumir · consumir las ～*s* 세정식에 사용하는 물을 마시다.
abluente *adj.* 세척의. —*m.* 세척제, 세제.
abluir *tr.* (양피지·서류·쓴 것을) 지우다.
ablusado, da *adj.* 블라우스 형의 여유있는 (조끼).
abnegación *f.* ① 헌신, 자기 포기, 희생(sacrificio, renunciamiento) : ～ filial 효행. ② 자제, 인내.
abnegadamente *adv.* 헌신적으로; 인내로, 자제하여.
abnegado, da *adj.* 헌신적인 ; 인내하는.
abnegarse *r.* 19 8 ① [+por : …을 위해] 몸을 던지다·희생하다(sacrificarse) : *～se por* la patria 조국을 위해 희생하다. ② 헌신하다 ; 봉사하다.
abniegue- → **abnegar** 19 8.
ab.º abonado.
abobadamente *adv.* 바보처럼, 멍청하게.
abobado, da *adj.* 둔한, 멍청한, 바보같은, 어수룩한, 어수룩해진, 바보가 된 : cara ～*da.*
abobamiento *m.* 우둔, 무딤, 멍해짐, 멍청함(bobería, tontería).
abobar *tr.* 우매하게 만들다, 바보로 만들다(hacer bobo a alguno, atontarle).
～se 우둔해지다, 어수룩해지다, 바보가 되다(volverse bobo).
abobra *f.* 【식물】 호리병박과 식물.
abocadear *tr.* 물어뜯다 ; (이로) 갉다, 갉아내다(sacar a bocados).
abocado *adj.* 감칠 맛이 있는, 순한 (술) : vino ～.
abocamiento *m.* 입에 물기.
abocanar *intr.* 비가 오다.
abocar *tr.* 7 ① (입에) 물다(asir con la boca). ② 가까이하다(acercar, aproximar). ③ 부어넣다.
—*intr.* (배가 좁은 곳에) 들어가다 : La nave *abocó en* el estrecho.
～se ① 다가가다(acercarse, aproximarse) : *Se* vio *abocado* al peligro. ② 담합(談合)하다.
abocardado, da *adj.* ① (나팔 등의) 구경(口徑)이 넓은(de boca ancha). ② 나팔 모양의.
abocardar *tr.* (구멍 등을) 넓히다(ensanchar la entrada de un tubo o de un agujero).
abocardo *m.* 【광산】 천공기(alegra, barrena grande).
abocatero *m.* 【식물】 =**aguacate.**
abocelado, da *adj.* 둥근 레일(bocel) 모양의.
abocelar *tr.* 엎어뜨리다, 쓰러뜨리다. —*intr.* 엎어지다, 쓰러지다.
abocetado, da *adj.* 소묘적인, 스케치적인 (그림).
abocetar *tr.* 소묘하다, 스케치하다 (trazar un boceto).
abochornadamente *adv.* 무안하게, 부끄러워, 창피해서(con bochorno).
abochornado, da *adj.* 달아오른 ; 무안해 하는 : ～ *de · por* su conducta.
abochornamiento *m.* 무안, 창피, 부끄러움.

abochornar *tr.* 달아오르게 하다 ; 무안을 주다, 부끄럽게 하다, 창피를 주다(sonrojar).
~se ① 무안해 하다, 창피해 하다, 부끄러워 하다 (sentir bochorno, sonrojarse). ② 《*Arg.*》 (식물이) 시들다.
abocinado, da *adj.* 나팔 모양의 ; 앞으로 구부린 (말).
abocinamiento *m.* ① 나팔 모양. ② 대포 주둥이의 확장.

A

abocinar *tr.* 나팔 모양으로 하다. **—***intr.* 앞으로 쓰러지다(caer de boca).
~se 《*Chile.*》 (차축의 구멍이) 넓어지다, 커지다.
abodocarse *r.* ⑦ 《*Méx.*》 혹·응어리가 생기다.
abofarse *r.* 《*Cuba.*》 부풀다, 붓다(afofarse).
abofeteador, ra *adj.m.f.* 손바닥을 치는, 빰을 때리는, 주먹으로 때리는 (사람).
abofeteamiento *m.* 손바닥으로 때리는 일; 뺨을 때림; 주먹으로 치기.
abofetear *tr.* ① (연속적으로) 손바닥을 치다. ② (연속적으로) 빰을 때리다(dar de bofetadas). ③ 《*Chile.*》 주먹으로 때리다.
abogacía *f.* 변호사의 직 (profesión del abogado) : estudiar ~ 법률을 전공·공부하다.
abogación *f.* 【속어】 =**abogacía.**
abogada *f.* ①여변호사 (mujer que ejerce la abogacía). ② 변호사의 처(mujer del abogado). ③ 주책없는 여자, 남의 일에 잘 끼어드는 여자(intercesora, medianera).
abogadear *intr.* 주책없이 말참견을 하다(meterse en cosas de abogacía sin entender de ellas).
abogaderas *f. pl.* =**abogaderías.**
abogaderías *f. pl.* 《*Amér.*》 궤변, 당치도 않은 말, 허튼 소리 : No me vengas con ~.
abogadesco, ca *adj. desp.* =**abogadil.**
abogadil *adj. desp.* 변호사같은, 이리저리 둘러붙이는, 임기 응변의.
abogadillo *m. dim. desp.* abogado.
abogadismo *m.* 변호사의 월권 ; 주착없는 일.
abogado *m.* ① 변호사 ; 고문 변호사 : ~ legal 법률 고문. ~ de patentes 특허 변리사. ② 중개자(intercesor, medianero). ③ 대리인, 대변자. ④ 주책바가지.
~ ***de pobres*** 관선 변호사, 가짜 변호사, 엉터리 변호사. ~ ***de sobana*** 《*Cuba.*》 궤변. ~ ***de secano*** 궤변 ; 가짜 변호사, 엉터리 변호사. ~ ***del diablo*** 【종교】 호교관(護教官), 열성 조사 검사(列聖調査檢事) ; 남의 흠을 캐는 사람. ~ ***de trompito*** 《*PRico.*》 무능한 변호사. ~ ***firmón*** (서명만 하는) 무능한 변호사.
abogador *m.* (종교 행사의 참례를) 알리고 다니는 사람.
abogalla *f.* (나무의) 혹.
abogar *intr.* ⑧ [+por : …을 위하여] 변호하다(defender en juicio) ; 두둔하다(hablar en favor de) ; 대변하다.
abohetado, da *adj.* =**hinchado, abotagado.**
abolaga *f.* 【식물】 =**aulaga.**
abolengo *m.* ① 선조, 조상. ② 문벌 ; 혈통 : tener buen ~. ③ 세습 재산.
abolible *adj.* 폐지·철폐될 수 있는.
abolición *f.* (법령 등의) 폐지.
abolicionismo *m.* 폐지론, 철폐론 ; (특히 18세기 영국의) 노예 폐지(론).
abolicionista *adj.* 폐지론의, 철폐론의. **—***m. f.* 철폐론자, 폐지론자. Contr. esclavista.
abolir *tr.* 폐지하다·철폐하다(suprimir) : ~ un decreto. [*N.* abol*iendo*, abol*ido*, abol*imos*, abol*ís*, abol*ía*, abol*í*, abol*id*, abol*iría*, abol*iera*, abol*iese* 등과 같이 활용 어미에 i가 남는 활용형만 쓰이는 불완전 동사]. Sinón. abrogar.
abolitivo, va *adj.* 폐지를 결정한.
abollado, da *adj.* 표면이 패인. **—***m.* =**adorno de bollos.**
abolladura *f.* ① 홈, 패임. ② 금속에 부조 세공.
abollar *tr.* 패이게 하다.
~se 패이다, 들어가다.
abollón *m.* ① (머리의) 혹(bollón). ② 【방언】 새싹(yema).
abollonadura *f.* 징을 박음.
abollonamiento *m.* 《*Ar.*》 (식물, 특히 포도나무의) 싹의 발육.
abollonar *tr.* 징을 박다. **—***intr.* 【방인】 싹트다.
abolorio *m.* =**abolengo.**
abolsado, da *adj.* 자루가 된, 자루 모양의.
abolsadura *f.* 자루(bolsa) 모양으로 부풀어오름.
abolsamiento *m.* 자루처럼 부풀어오름.
abolsarse *r.* 자루가 되다, 자루처럼 되다(formar bolsas).
abomaso *m.* 반추 동물의 네 번째 위(cuajar).
abombado, da *adj.* ① 볼록한 (de figura convexa). ② 부푼. ③ 약간 비싼. ④ 《*Amér.*》 좀 모자란, 얼떤. ⑤ 《*Amér.*》 술에 취한(ebrio).
abombar *tr.* ① 볼록하다(dar forma convexa). ② 부풀게 하다. ③ 둔하게 하다, 멍청하게 하다. ④ 《*Ant.*》 (물을) 끓이다(entibiar).
~se ① 멍하다, (정신이) 혼미하다. ② 《*Amér.*》 썩어 들어가다, 냄새가 나다 ; 냄새가 고약하다. ③ 《*Arg. Chile.*》 술에 취하다 (embriagarse, emborracharse).
abominable *adj.* ① 증오스러운, 밉살스러운, 얄미운 : crimen ~. ② 아주 고약한(detestable).
abominablemente *adv.* 밉살스럽게 ; 아주 고약하게, 아주 서툴게 : cantar ~.
abominación *f.* 증오, 혐오 ; 못된 짓, 추행(醜行) ; 아주 싫은 것.
abominar *tr.* 증오하다, 혐오하다, 몹시 싫어하다(aborrecer). **—***intr.* [+de : …을] 증오하다.
abonable *adj.* 믿을 수 있는 ; 납입을 끝낼 수 있는.
abonadamente *adv.* 신용으로 (con garantía); 안전하게, 확실히(con seguridad).
abonadero *m.* 《*Cuba.*》 거름 두는 곳, 비료 두는 장소.
abonado, da *adj.* ① 신용할 수 있는, 믿을 수 있는. ② 불입이 끝난 ; (무엇인가) 하려 하는. **—***m.f.* 구독자 ; 가입자, 예약자, 신청인, 납입자 : ~ al teatro. **—***m.* 시비(施肥).
abonador, ra *m.f.* 불입 보증인. **—***m.* 큰 송곳.
abonamiento *m.* =**abono.**
abonanza *f.* =**bonanza.**
abonanzar *intr.* ⑨ (날씨가) 잠잠해지다, (바람이) 자다(calmarse la tormenta, serenarse el tiempo).

abonar *tr.* ①(구입 물건 대금·차입금의) 분할 불입금을 내다, 불입하다, 납입하다, 입금하다 : ~ en su cuenta. ②【부기】대변에 기입하다 : Sírvase ~me su importe en cuenta 그 금액을 나의 대변에 넣어 주십시오. Contr. cargar. ③(예약금을) 지불하다(pagar). ④보증하다, 신용하다, 보증인이 되다. ⑤개선하다, 개량하다. ⑥《Arg.》(토지를) 기름지게 하다, 비료를 주다, 시비(施肥)하다 (fertilizar) : ~ la tierra 토지에 비료를 주다.
—*intr.* (바람이) 자다(abonanzar).
~se [+a : …에] 가입·예약하다, 예매표를 사다, 구독 신청을 하다 : *~se al* teatro 극장에서 예매권을 사다. *~se a* un diario 신문의 구독 신청을 하다.

abonaré *m.* ①약속 어음(pagaré). ②예금표.

abondar *intr.* ①【고어】《Sal. León.》=**abundar.** ②=**bastar.** —*tr.* ①【고어】=**abastecer.** ②=**satisfacer, contentar.**

abondo *m.* 《Burg. León.》풍부. —*adv.* 풍부하게 (abundantemente).

abono *m.* ①신청, 예약 : tomar un ~. ②예약 (지불), 선금 불입 : billete de ~ 정기권, 예약 입장권. ③구독료; 불입·납입(금) : en ~*s* 분할 불입으로. ④규약서. ⑤《Méx.》분할 불입(금). ⑥비료(estiércol, fertilizante) : ~ artificial 인조 비료. ~ químico 화학 비료.
ser de ~ 유효하다.

aboquillado, da *adj.* 구멍이 있는; 구멍 모양의.

aboquillar *tr.* (그릇에) 구멍을 내다(poner boquilla, dar forma abocardada); 구멍을 넓히다.

abordable *adj.* 친근감이 가는; 친숙해지기 쉬운 (accesible, tratable) : persona poca ~.

abordador, ra *adj.* 부딪치는; 엄습하는.

abordaje *m.*【해사】뱃머리를 대고 싸움; 적선으로 쳐들어가는 일; (불시의) 접안(接岸).
al ~ (적선에) 뱃머리를 대고.

abordar *tr.* ①(배를) 부딪치다(tocar una embarcación a otra, de intento o por descuido). ②엄습하다. ③기도하다, 꾀하다, 획책하다. ④접근하다. ⑤《Arg.》검토하다.
—*intr.* ①배를 대다, 접현하다. ②충돌하다. ③적선으로 쳐들어가다. ④접안하다, 해안에 닿다, 입항하다. ⑤《Neol.》접근하다(acercarse a uno para hablarle o proponerle un asunto). ⑥《Neol.》어려운 일을 착수하다(emprender un asunto difícil).

abordo *m.* ①=**abordaje.** ②=**acometida, ataque, choque.**

abordonar *intr.* 석장·지팡이 (bordón)에 의지해서 가다.

aborigen *adj.* 토착의 : tribu · animal · planta ~. —*m.pl.*. 원주민. Sinón. autóctono. Contr. extraño, forastero, exótico, alienígena.

ab origine *adv. lat.* 처음부터.

aborio *m.*【식물】양딸기.

aborlonado, da *adj.* 《AmérM.》=**acanillado.**

aborrachado, da *adj.* 새빨간 : zanahoria ~*da* 새빨간 당근.

aborrajar *tr.* 《Col.》(기름 튀김에) 설탕·가루를 묻히다.
~se (곡식이) 빨리 시들어 버리다.

aborrascado, da *adj.* =**azaroso, peligroso.**

aborrascarse *r.* (날씨·기운·형세 등이) 사나와지다, 성질이 포악해지다.

aborrecedor, ra *adj.* 얄미운 (que aborrece).
—*m.f.* 얄미운 사람.

aborrecer *tr.* 31 ①멀리하다, 증오하다 (odiar) : ~ el pecado 죄를 미워하다. ~ de muerte a su vecino 이웃 사람을 죽도록 미워하다. Contr. amar, querer. ②싫증나게 하다 (aburrir). ③(새가 둥지·알·새끼를) 버리다.
~se 싫어지다, 싫증나다, 넌더리나다, 물리다.

aborrecible *adj.* 얄미운, 증오스러운(abominable).

aborreciblemente *adv.* ①얄밉게(de modo aborrecible). ②증오로, 반감으로(con aversión u odio).

aborrecidamente *adv.* 얄밉게.

aborrecido, da *adj.* =**aburrido.**

aborrecimiento *m.* ①얄미움, 증오, 혐오 (antipatía). Sinón. odio, rencor. Contr. cariño. ②【고어】권태(aburrimiento).

aborregado, da *adj.* ①양털 같은; 폭신폭신한 : nubes ~*das.* ②비늘구름의 : cielo ~ 비늘구름의 하늘.

aborregar *tr.* 8 《Méx.》(벤 밀을) 포개 놓다.
~se ①약간 흐려지다; 희미해지다 (cubrirse el cielo de nubes blanquecinas). ②《Amér.》겁내다, 둔해지다(ponerse tonto).

aborrezc- → **aborrecer** 31.

aborricarse *r.* 8 《Amér.》사나워지다(emborricarse).

aborrio *m.*【고어】=**aburrimiento.**

aborrir *tr.* 《Sal.》=**aborrecer.**

aborronar *intr.* 《Ast.》(건초를 태우기 위해) 건초 더미를 만들다.

aborrugarse *r.* =**arrebujarse, envolverse.**

aborso *m.*【고어】=**aborto.**

abortadura *f.*【고어】=**aborto.**

abortamiento *m.* =**aborto.**

abortar *tr.* ①조산·유산(流産)시키다 (parir antes del tiempo en que el feto puede vivir).
—*intr.* ①조산하다, 유산하다; 실패하다; 저절로 소멸하다. ②【식물】발육 부전(發育不全)으로 끝나다. ③(병이) 악화되지 않다.

abortín *m.* 《Ar.》=**abortón.**

abortivo, va *adj.* 유산(流產)·조산(早産)의, 낙태의 : prácticas ~*vas* 낙태. —*m.* 낙태용 약제(remedio ~).

aborto *m.* 유산; 조산아(早産兒); 망나니.

abortón *m.* (동물의) 조산된 새끼 (animal nacido antes de tiempo); 조산(早産)된 양의 가죽 (piel del cordero nacido antes de tiempo).

aborujar *tr.* (…에) 기댈 곳을 만들다 : ~ la lana de un colchón.
~se 기댈만한 곳이 생기다, 몸을 감싸다.

abosar *tr.* 《Cuba.》(지친 싸움 닭에게) 힘이 나게 하다.
~se 《Cuba.》기운을 회복해 가다.

abostezar *intr.* 9 《Chile.》하품을 하다.

abotagado, da *adj.* =**hinchado.**

abotagamiento *m.* 부음, 부풀음.

abotagarse *r.* 8 붓다, 부풀다 (hincharse el cuerpo).

abotargarse *r.* 8 【속어】 =**abotagarse.**
abotijarse *r.* 【방언】 =**abotargarse.**
abotinado, da *adj.* 각반식의, 반각반의, 단추 걸이의 : pantalón ~, zapato ~.
abotonador, ra *adj.* 단추를 잠그는. —*m.* 단추 걸이 (instrumento que sirve para abotonar).
abotonadura *f.* ①【고어】 =**botonadura.** ②《*Chile.*》 abotonar 하기.
abotonar *tr.* ① 단추를 잠그다 : ~ el chaleco 조끼의 단추를 잠그다. ②《*Méx.*》 (수도관을) 막다. —*intr.* 싹이 트다, 발아하다 (echar botones o yemas la planta).
~se 자기 옷의 단추를 잠그다 (abrocharse los botones).
abovedado, da *adj.* =**corvo, combado.**
abovedamiento *m.* 아치형으로 만들기.
abovedar *tr.* (…에) 원형 천정을 만들다 ; 원형 천정으로 하다 ; 아치형으로 하다, 둥그렇게 덮다.
ab ovo *adv. lat.* 최초부터, 태고적부터 (desde el origen, desde el comienzo principio).
aboyado, da *adj.* 밭갈이 소를 낀 (소작지).
aboyar *tr.* 부표(浮標)로 표지하다, (…에) 부표를 달다 (poner boyas). —*intr.* 뜨다, 떠돌다 (flotar).
abozalar *tr.* (동물에) 부리망을 씌우다 (poner bozal a un animal).
abozar *tr.* 밧줄로 단단히 매다(sujetar con bozas).
abr. abreviatura, abril.
abra *f.* ① 강어귀, 강구(江口), 작은 만(灣). ② (땅의) 균열, 갈라짐 (grieta de un terreno). ③《*Arg.*》 골짜기, 산협(山峽). ④ 돛대와 돛대와의 거리 · 사이. ⑤《*Col.*》 문짝 (hoja de puerta o ventana). ⑥ 개활지(開豁地).
abracadabra *m.* 질병을 피하기 위한 주문의 일종 ; 아브라까다브라.
abracadabrante *adj.* 【속어】 신비적인 ; 천부당 만부당한, 터무니없는, 어처구니없는 : Era un espectáculo.
abracapalo *m.* 【식물】 (아메리카의) 난초 (orquídea).
abracar *tr.* 7 《*Amér.*》 껴안다, 품다 (abarcar, ceñir).
abrace- → **abrazar** 9.
abracijarse *r.* 포옹하다(abrazarse).
abracijo *m.* 【속어】 포옹(abrazo).
Abraham *m.* 【성서】 아브라함 《Isaac의 아버지로 유태인의 조상》.
abrahámico, ca *adj.* 아브라함에 관한.
Abrahán *m.* =**Abraham.**
abrahonar *tr.* 꼭 끌어안다.
Abran *m.* =**Abrahán.**
abraque- → **abracar** 7.
abranquio, quia *adj.* 아가미(branquia)가 없는. —*m.pl.* 환형 동물.
abraquio, quia *adj.* 팔(brazo)이 없는.
abrasadamente *adv.* 열렬하게.
abrasado, da *adj.* ① 불에 탄 : ~ por el calor. ② 창피해 하는(avergonzado). ③ 잔뜩 화가 난 (muy colérico).
abrasador, ra *adj.* ① 타는, 굽는 : fuego ~ 타는 불. ② 타는 듯한 : pasión ~*ra* 타는 듯한 열정.
abrasamiento *m.* 연소 ; 창피, 무안.
abrasante *adj.* =**abrasador.**
abrasar *tr.* ① 불에 태우다(quemar). ② 남김없이 써 버리다(consumir, malgastar la fortuna). ③《*Arg.*》 (식물이 더위 · 추위로) 마르다(secar las plantas el calor o el frío). ④ 창피를 주다, 무안을 주다(avergonzar).
—*intr.*, **~se** 불에 타다, 불에 타오르다 ; 몸부림치다, 애간장이 녹다 : ~*se* vivo *de* amores 사랑에 애간장을 녹이다.
abrasilado, da *adj.* 검은 빛을 띤 홍색의 ; 붉은.
abrasilar *tr.* 검은 빛을 띤 홍색으로 물들이다.
abrasión *f.* ① (피부의) 쓸림, 박리(剝離) ; 찰과상 ; 깎아 냄 ; 마멸, 마손. ②【지질】 마모, 풍식(風食), 해식(海食).
abrasivo, va *adj.* 연마하는, 마쇄(磨碎)하는. —*m.* 연마제, 연마분, 금강사.
abravar *tr.* 【고어】 =**excitar.**
abravecer *tr.* =**embravecer.**
abraxas *m.* 고대 그리스의 그노시스파 (gnósticos)가 신앙했던 신, 그 주문, 그것을 새긴 돌.
abrazadera *f.* 쇠로 만든 테 ; (총의) 멜빵 ; 큰 쇠망치 ; 연쇄 부호 (—)(corchete).
abrazador, ra *adj.* 포옹하는.
abrazamiento *m.* 포옹, 품에 껴안음.
abrazante *adj.* =**abrazador.**
abrazar *tr.* 9 ① ㄱ) 껴안다, 안다 (rodear con los brazos) : ~ un haz de leña. ㄴ) 포옹하다 (estrechar entre los brazos en señal de cariño) : ~ a su padre. ㄷ) 안아들이다. ② ㄱ) 포함하다 (incluir), 함유하다. ㄴ) 용인하다 (admitir, adoptar, seguir) : ~ el catolicismo 기독교를 용인하다.
~se 안기다 ; 붙들고 늘어지다, 엉기다, 엉겨붙다 : ~*se a · con* un árbol 나무에 얽혀 붙다 ; 서로 얼싸안다 (estrecharse con los brazos) : ~ con un amigo.
abrazo *m.* 포옹 : dar un ~ a …을 포옹하다.
abreboca *m.f.* 《*Arg.*》 얼간이, 등신, 바보, 멍청이. —*m.* 《*Amér.*》 아페리티프, 식욕 증진제용 식전 술.
abrebotellas *m.* 【단 · 복수 동형】 병따개.
abrecartas *m.* 【단 · 복수 동형】 봉투 자르는 칼.
abrecoches *m.* 【단 · 복수 동형】 (호텔 · 백화점 따위의) 문 열어 주는 사람, 문지기.
abregancias *f.pl.* 《*León.*》 자동 고리(llares).
ábrego *m.* 남서풍.
abrelatas *m.* 【단 · 복수 동형】 깡통따개(instrumento usado para abrir latas de conservas).
abrenuncio *interj.* 안돼 ! 《거부를 나타냄》.
abreojos *m.* ①【식물】《*Ál.*》 =**detienebuey.** ②【식물】《*Ar.*》 =**abrojo.**
abreostras *m.* 【단 · 복수 동형】 굴(ostra) 까는 칼 ; 핀셋.
abrepuño *m.* 【식물】 국화과 다년생 화초 (arzolla). —*pl.* 【식물】 엉겅퀴의 일종.
abretonar *tr.* 포(砲)를 뱃전에 장치하다.
abrevadero *m.* ① (가축의) 물 마시는 곳 : Los ~*s* deben estar muy limpias. ②《*Col.*》 물이 잠기게 되는 광갱(鑛坑).

abrevador *m.* =**abrevadero.**
abrevar *tr.* ① 물을 먹이다, (가축 등에) 물을 먹이다 (dar de beber al ganado) : ~ los caballos. ② (땅에) 물을 주다, 뿌리다 (regar) ; 적시다, 축이다(mojar) : ~ los caupos. ③ 《*Galic.*》 [+de : …을] 마시다.
~se 마시다 : ~*se en* sangre 피를 빨다.
abreviación *f.* 생략, 요약, 단축 ; 약자(略字).
abreviadamente *adv.* 간추려서, 요약해서, 약자·약호를 써서 : citar ~.
abreviado, da *adj.* 요약한, 생략한, 간추린, 짧게 한 : El hombre es un mundo ~.
abreviador, ra *adj.* 요약·간략하게 하는. **—*m.f.*** 요약하는 사람. **—*m.*** 교황청 서기관.
abreviaduría *f.* 교황청 서기국.
abreviamiento *m.* =**abreviación.**
abreviar *tr.* [*lat.* abreviare] ⑪ ① 약하다, 간략하게 하다, 간추리다, 요약하다 ; 줄이다, 짧게 하다, 단축하다(acortar, reducir, disminuir) : ~ un plazo. ② 촉진시키다, 빨리 하다 (acelerar, apresurar) : El trabajo *abrevia* las horas 일을 하면 시간이 빠르다. **Contr.** alargar, aumentar. **—*intr.*** ① [de+ : …을] 생략하다 : ~ de razones 문구를 생략하다. ② 서둘다 : *Abrevió en* irse 서둘러 떠났다.
~se 《*Amér.*》 [+ a·en+*inf.*] ① 서둘러 …하다 : *Me abrevié a* salir 나는 서둘러 떠났다. ② 속결하다.
abreviatura *f.* ① 약어 ; 요약 (resumen). ② = **abreviaduría.**
en ~ 약어로 ; 간략하게 ; 【속어】 서둘러.
abreviaturía *f.* =**abreviaduría.**
abrevíos *m.pl.* 《*Cuba.*》 =**avíos.**
abriacantina *f.* 마그네슘과 철분 수화 구산염.
abribonado, da *adj.* [abridonarse의 *p.p.*] 무뢰한·불한당 기질이 있는.
abribonarse *r.* 무뢰한·불한당이 되다(ponerse bribón).
abridero, ra *adj.* 쉽게 열리는 (복숭아, 살구 따위의 과실).
abridor, ra *adj.* 열리는. **—*m.*** ① 쉽게 열리는 복숭아의 일종(abridero). ② 접목용 칼(cuchilla para injertar). ③ 얼레빗. ④ 귀고리《여자용》. ⑤ 깡통따개(~ de latas).
~ ***de láminas*** 조판공(彫板工)(grabador).
~ ***de latas*** 깡통따개.
abrigada *f.* 바람막이, (선박의) 대피소.
abrigadero *m.* ① (선박의) 대피소. ② 《*Cuba.*》 (도적들의) 도피처, 은신처.
abrigado, da *adj.* =**abrigador.**
abrigador, ra *adj.* 《*Amér.*》 포근하게 몸을 싸는 : gabán ~. **—*m.f.*** 《*Méx.*》 (죄·죄인을) 감싸는 사람 ; 은닉자.
abrigaño *m.* =**abrigada, abrigadero.**
abrigar *tr.* ⑧ ① 지키다, 감싸다, 두둔하다 ; 비호하다(amparar). ② 돕다(ayudar, auxiliar, patrocinar). ③ 《*Galic.*》 (사상·감정·생각 등을) 품다, 품고 있다 : ~ sospechas 의심을 품다. **Sinón.** resguardar, proteger.
~se ① 몸을 싸다·지키다 (defenderse). ② [+ de : 악천후를] 피하다 : ~*se del* aguacero en el portal 현관에서 소나기를 피하다.
abrigo *m.* ① 외투, 오버 (gabán, sobretodo). ② 원조, 보호(auxilio, amparo). ③ 은둔처, 풍파 대피소 (refugio). ④ 바람막이 : ~ antiaéreo 방공호. ~ de entretiempo 가벼운 외투, 봄·가을용 외투.
al ~ de …의 은덕으로, …의 도움을 받아, …으로부터 옹호를 받아 : *al ~ de* un árbol 나무 그늘에.
de mucho ~ 무거운.
ábrigo *m.* =**ábrego.**
abril *m.* 4월 ; 청춘 (primera juventud) : el ~ de la vida. **—*pl.*** 청춘 시절(años de juventud) : niña de quince ~*es.*
estar hecho·parecer un ~ 휘황찬란하다 (estar lucido, hermoso, galán).
abrileño, ña *adj.* 4월의, 4월다운.
abrillantado, da *adj.* abrillantar의 *p.p.* **—*m.*** 몸에 광채를 빼거나 주는 작용.
abrillantador *m.* 다이아몬드 연마사 ; 탁마기(琢磨器).
abrillantamiento *m.* 광내기, 윤내기.
abrillantar *tr.* 닦다, 광을 내다, 윤나게 하다 : ~ una esmeralda.
abrimiento *m.* =**abertura.**
abríneas *f.pl.* 【식물】 콩과 식물류.
abrir *tr.* [*p.p.* abierto] ① 열다, 펴다 : ~ una caja·una puerta·los ojos·un libro·una navaja·un abanico·un paraguas·una carta·los brazos·las alas·las piernas·los dedos·unas tijeras. **Contr.** cerrar.
② ㄱ) 개시하다(principiar, inaugurar) : ~ las cortes·la Universidad·un teatro·los estudios·la sesión. ㄴ) 시작하다(empezar). ㄷ) 개설하다 : ~ la carta de crédito 신용장을 개설하다. ③ 서두에 있다 : ~ la lista 리스트 처음에 있다. ④ 선두에 서다(ir a la cabeza o delante) : ~ la procesión 행렬의 선두에 서다. ⑤ 파헤치다 : ~ el camino. ⑥ 넓히다 ; 쪼개다(romper). ⑦ 파다, 새기다(grabar, esculpir) : ~ una lamina. ⑧ 《*Amér.*》 (숲을) 개간하다 (desmontar). ⑨ 《*Arg.*》 (약속을) 어기다.
—*intr.* ① 여닫을 수 있다, 열리다. ② (꽃이) 피다 (salir la flor del botón o capullo). ③ 《*Amér.*》 도망치다 (huir). ④ …하기 시작하다 : *Abrió* a correr 달아나기 시작했다. ⑤ 《*Méx.*》 겁을 내다.
~se ① 열리다, 펴지다 : La puerta *se abre* difícilmente 문이 간신히 열린다. ② 입을 벌리다. ③ 시작되다, 개시하다, 개회(開會)하다 : *Se abre* la sesión a las cinco 회의는 다섯 시에 개회된다. ④ 쪼개지다, 균열이 생기다. ⑤ [+a·con : …에게] 흉금을 털어놓다, 털어놓고 말하다. ⑥ (날씨가) 개이다, 바람이 자다 (relajarse). ⑦ (꽃이) 피다. ⑧ 찢어지다. ⑨ 산개(散開)하다. ⑩ 약해지다(relajarse). ⑪ 《*Amér.*》 암내를 내다.
~ ***los ojos*** 눈을 뜨다; 속을 차리다 ; 놀라다.
~ ***los brazos a*** …를 환영·환대하다.
~ ***los labios·la boca*** 입을 열다 ; 말문을 열기 시작하다.
~ ***el apetito*** 식욕이 나게 하다, 식욕을 자극하다.
~ ***el pingo*** 《*Amér.*》 약속을 어기다.
~ ***el tiempo*** 날씨가 가라앉다.

~ *un paréntesis* 괄호를 열다, 중단하다, 잠시 쉬다.
~ *en canal* 세로로 쪼개다.
~*se paso* 통로를 열다 : *Me abrí paso* entre la maleza 나는 우거진 숲속을 헤쳐 들어갔다. *Se abrió paso* en la vida bancaria 그는 은행계에서 성공했다.
abrírselas 《*Amér.*》 도망치다, 빼소니치다.
~*se en quinta* 《*Perú.*》 물건을 아끼지 않고 손님 대접을 하다.
en un ~ y cerrar de ojos 눈 깜박할 사이에, 순식간에.

abrocalado, da *adj.* 방패(broquel) 모양의.
abrocalar *tr.* 방패 무늬를 넣다.
abrocar *tr.* 방추를 뽑다.
abrocatelado, da *adj.* 능직 무늬의.
abrochador, ra *adj.* 단추·훅을 잠근. —*m.* ① 단추걸이(abotonador). ② 《*AmérC.*》 호치키스.
abrochadura *f.* =**abrochamiento.**
abrochamiento *m.* 단추·훅을 잠금.
abrochar *tr.* ① 단추·훅을 잠그다 (cerrar o unir con broches, botones, *etc.*) : ~ un vestido. ② 《*Méx.*》 붙잡다, 사로잡다(agarrar a una persona). ③ 《*Ecuad.*》 호통을 치다.
~se ① 자기 옷의 단추·훅을 잠그다 : *Abróchense* los cinturones de seguridad 안전 벨트를 착용해 주십시오. ② 《*AmérC.*》 속이다. ③ 《*Chile.*》 맞붙잡고 싸우다. ④ 《*Méx.*》 싸우다, 다투다, 말다툼하다(reñir) : Los dos vecinos *se abrocharon* en el pleito 두 이웃 사람은 법정에서 싸웠다.
abrogable *adj.* 폐기할 수 있는.
abrogación *f.* (법령의) 폐기·폐지; 월권 행위.
abrogar *tr.* 8 폐기하다 (abolir), 무효로 하다, 취소하다 : ~ la ley · un código.
abrogativo, va *adj.* =**abrogatorio.**
abrogatorio, ria *adj.* 폐기한 : consulta ~*ria*.
abrojal *m.* 엉겅퀴(abrojos)의 들.
abrojín *m.* 【조개】 보라고둥(nañadilla).
abrojo *m.* ①【식물】 엉겅퀴, 엉겅퀴의 열매. ② 마름쇠《적군이나 도둑을 막는데 쓰던, 끝이 날카롭고 몇 갈래가 지도록 마름 모양의 무쇠로 만든 물건》. —*pl.* ① 암초(peñas agudas y a flor de agua). ② 고뇌, 슬픔(penas, dolores).
abroma *m.* 아브로마《열대에서 자라는 오동나무과의 섬유 식물》.
abromado, da *adj.* 희뿌연, 안개낀; 좀조개가 꼬인.
abromarse *r.* 좀조개가 가득하다 (llenarse de broma un buque).
abroncar *tr.* 7 ① 넌더리나게 만들다(aburrir, disgustar). ② 화나게 하다(enfadar).
abroquelado, da *adj.* 방패(broquel) 모양의.
abroquelarse *r.* ① (방패로) 몸을 방어하다 (defenderse con el broquel). ② 호신 방법을 강구하다, 방패로 삼다. ③ 이용·남용하다 : ~ *de · con su* inocencia (누구의) 무지를 이용하다. ④ 뱃머리로 바람을 받다.
abrótano *m.* 【식물】 쑥의 일종.
abrotanoideo, a *adj.* 【식물】 abrótano 닮은.
abrotonar *intr.* 싹트다(brotar).
abrotónito *m.* ①【의학】 쑥(abrótano)를 넣어 달인 약. ② (고대 그리스에서) 쑥을 섞은 향기나는 술.
abrumado, da *adj.* 짓눌린; 진절머리나는 : ~ por los acreedores.
abrumador, ra *adj.* 압도적인; 진절머리나게 하는 : la ~*ra* evidencia 두말할 수 없을 정도의 증거.
abrumadoramente *adv.* 압도적으로; 진절머리나게.
abrumar *tr.* ① 억누르다, 압도하다. ② 진절머리나게 하다(causar gran molestia) : ~ de trabajo. ③ 짓눌러 버리다.
~se 가물거리다(llenarse de bruma la atmósfera).
abruptadamente *adv.* 깎아지른 듯이; 격하게, 성급하게.
abrupto, ta *adj.* ① 깎아지른 (듯한), 험준한, 가파른(escarpado) : montaña ~*ta* 가파른 산. ② 성급한, 격한 : carácter ~ 성급한 성격.
abrutado, da *adj.* 난폭한, 사나운.
abrutar *tr.* =**embrutecer, entorpecer.**
abruzarse *r.* 9 《*SDgo.*》 서로 때리다.
abruzo, za *adj. m.f.* 아브루소《Abruzo, 이탈리아의 도시》의 (사람).
abs- *pref.* 「분리」를 뜻하는 접두어 : *abs*traer 뽑아내다. *abs*tenerse 삼가하다.
Absalón *m.* 【성서】 압살롬《David의 아들, 뒤에 아버지를 배반하여 전사》.
absceso *m.* 【의학】 종양, 종기.
abscisa *f.* [*lat.* abscissa] 【수학】 횡선, 횡좌표(橫座標).
abscisión *f.* ① 절제(切除), 절취(切取) : ~ de un tumor. ② 중단, 용두 사미.
absenta *f.* ① 압상트《불란서산의 독한 술》. ② 【식물】 (맛이) 쓴 쑥.
absenteísmo *m.* 【속어】 =**absentismo.**
abséntico, ca *adj.* 쑥(absintio)의; 맛이 쓴.
absentina *f.* 쑥의 고미소(苦味素).
absentismo *m.* ① 지주의 부재, 부재 지주제. ② 직장 포기.
absentista *adj.* 부재 지주의. —*m.f.* 부재 지주 : Inglaterra es un país de ~*s*.
abs. gen. absolución general.
ábsida *f.* =**ábside.**
absidal *adj.* 후진(後陣)이 있는 : capilla ~.
ábside *f.(m.)* [*gr.* apsis] ①【건축】 (사원·교회의) 반원감(龕), 후진(後陣). ②【천문】 =**ápside.**
absidial *adj.* 후진의.
absidiola *f.* 향쑥의 쓴 요소.
absíntico, ca *adj.* 향쑥에서 추출한 (산).
absintina *f.* 【화학】 향쑥의 쓴 독소.
absintio *m.* 【식물】 향쑥(ajenjo).
absintismo *m.* 아브산 술 중독(中毒).
¡absit! *interj.* 꺼져!
absolución *f.* 사면, 면죄; 석방, 면제.
Sinón. perdón, remisión. Contr. condena.
~ *libre* 무죄 석방. ~ *de la demanda* 피고에게 유리한 판결. ~ *de la instancia* 증거 불충분에 의한 석방. ~ *general* 대사(大赦); 총사면. ~ *sacramental* 고해에 의한 사죄.
absoluta *f.* ①【논리】 전칭 명제(全稱命題), 절

대적인 긍정. ②【군사】 제대.

absolutamente *adv.* 순전히, 절대로, 무조건으로; 완전히, 전혀(de modo absoluto).

absolutidad *f.* 절대성.

absolutismo *m.* 전제(專制)주의, 전제 정치(gobierno absoluto).

absolutista *adj.* 전제주의의. —*m.f.* 전제주의자(partidario del absolutismo).

absolutividad *f.* =**absolutidad.**

absoluto, ta *adj.* ① 절대의, 절대적인. [Contr.] relativo. ② 전횡(專橫)하는, 전제(專制)의 : gobierno·rey ~. ③ 무조건의. ④ 순수한(puro) : alcohol ~ 무수 알코올.

en ~ 절대로, 무조건으로; 완전히 : prohibir *en* ~.

lo ~ 절대적인 것, 절대성, 신(神).

nada en ~ 전혀 (없다).

absolutorio, ria *adj.* 사면한, 면제한 : sentencia ~*ria.*

absolvederas *f.pl.* 쉽사리 용서하는 것 : tener buenas ~.

absolvedor, ra *adj.* 용서하는 , 사면하는, 석방하는.

absolvente *adj.* =**absolvedor .**

absolver *tr.* [*p.p.* absuelto] 25 ① 용서하다, 사면하다(disculpar, remitir, perdonar). [Contr.] condenar. ② 석방하다(dar por libre al acusado). ③【고어】 해석하다.

~se 졸업하다.

absorbedero *m.* =**imbornal.**

absorbencia *f.* 흡수(성).

absorbente *adj.* 흡수하는, 흡수성의 : algodón ~ 탈지면. —*m.* 흡수제; 탈지면 : El carbón en polvo es un buen ~.

absorber *tr.* ① 빨다, 들이마시다, 흡수·섭취하다, 남김없이 빨아올리다·들이다 : El color negro *absorbe* los rayos luminosos 검정색은 광선을 흡수한다. ② (주의를) 완전히 끌다(atraer, cautivar) : ~ la atención. ③ 몰두하다 : Los negocios le *absorben.* ④ (공채 등을) 소화하다.

~se 전념·열중하다, 몰두하다; 동화되다.

absorbible *adj.* 흡수될 수 있는, 섭취가 잘 되는 : La sal es una substancia mineral ~ 소금은 섭취가 잘 되는 광물질이다.

absorbimiento *m.* =**absorción.**

absorción *f.* ① 흡수 (작용), 섭취 : Es nociva la ~ de alcoholes. ② 전심.

absortar *tr.* 어리둥절하게 만들다 (suspender el ánimo).

absortividad *f.* 흡수 능력(能力) (capacidad de absorción).

absorto, ta [absorber의 *p.p.*] *adj.* 어리둥절한, 멍한, 몰두한(admirado, pasmado).

abstemio, mia *adj.* 금주(禁酒)의. —*m.f.* 금주가(禁酒家).

abstención *f.* 자중, 신중; 절식(節食), 금욕(禁欲)(abstinencia); 기권.

abstencionismo *m.* (특히 정치 문제에) 불개입 (teoría del abstencionista); (투표의) 기피, 기권.

abstencionista *adj.* 불투표주의(不投票主義)의, 불개입주의의. —*m.f.* 불개입·불투표주의자.

abstenerse *r.* 59 ① [+de : … 하는 것을] 기권하다·삼가다 : ~*se del* tabaco 담배를 삼가다. ~ *de* hablar 말을 삼가다. Absténgase de fumar 금연, 흡연을 삼가 주십시오. [Contr.] participar, tomar parte. ② 금욕하다.

absteng- → **abstener(se)** 59.

abstergente *adj.*【의학】 세척하는 (abstersivo). —*m.* 세제, 세척제; 하제(下劑). [Sinón.] detergente.

absterger *tr.* 3【의학】 (상처 등을) 깨끗이 씻다(limpiar una llaga).

abstersión *f.*【의학】 세척, 세정.

abstersivo, va *adj.* 세정의, 세척의. [Sinón.] detersivo.

abstien- → **abstener(se)** 59.

abstinencia *f.* ① 절제; 금욕; 금기 : día de ~ 재일(齋日). ② 단식(dieta, ayuno) : ~ rigurosa 엄격한 단식.

abstinente *adj.* 절제적인, 금욕(주의)의; 금기하고 있는. —*m.f.* 금욕주의자; 절제가.

abstinentemente *adv.* 절제하여.

abstracción *f.* ① 추출(抽出), 발췌. ② 추상, 추상 작용, 추상적 개념; 전심, 전념 : ~ mental 현실 도피. ③《*Galic.*》 방심(distracción).

abstractamente *adv.* 추상적으로, 방심하여.

abstractivamente *adv.* 추상하여, 추상적으로.

abstractivo, va *adj.* 추상의 : términos ~*s.*

abstracto, ta *adj.* [abstraer의 *p.p.*] ① 추상의, 추상적인 : ideas ~ *tas.* [Contr.] concreto. ② 관념상의, 무형의, 순수한 : ciencia ~*ta* 형이상학, (이론을 주로 한) 순수 과학. ③ 고매한, 난해한.

en ~ 추상적으로 (abstractamente).

lo ~ 추상적인 것 (lo que es ~) : considerar *lo* ~ y lo concreto.

abstractor, ra *adj.* 추상적인(abstractivo). —*m.f.* 추상주의자.

abstraer *tr.* 72 [*p.p.* abstraído] 뽑아내다, 추출하다; 추상(抽象)하다. —*intr.* [+de : … 을] 버리다, 잊어버리다(prescindir).

~se ① [+de : … 을] 잊다, 버리다 : *Se abstrajo de* su negocio 그는 자신의 일까지도 잊어버렸다. ② [+en : … 에] 몰두하다, 전념·전심하다 : *Se abstraía en* su estudio 그는 그의 연구에 전념하고 있었다. ③ 생각에 잠기다, 방심하다.

abstraído, da *adj.* [abstraer의 *p.p.*] 초월한, 속세에서 벗어난; 마음이 들뜬, 무관심한, 방심한 (distraído).

abstraig- → **abstraer** 72.

abstraj- → **abstraer** 72.

abstruso, sa *adj.* 난해한, 이해하기 어려운 (difícil de comprender) : razonamiento ~.

abstuv- →**abstener(se)** 59.

abstuvie- → **abstener(se)** 59.

absuelto, ta *adj.* [absolver의 *p.p.*] 용서받은, 사면된.

absuelv- → **absolver** 25.

absurdamente *adv.* 어리석게, 불합리하게, 바보스럽게.

absurdidad *f.* =**absurdo.**

absurdo, da *adj.* 어리석은, 바보스러운, 불합리한, 우스운, 이치에 맞지 않는 (contrario a la

A

razón) : Es ~ 말도 되지 않는다, 부당한 일이다. Contr. sensato. —*m.* 불합리, 어리석은 일, 부조리 : decir ~*s.*

abubarse *r.* 가래톳투성이가 되다(llenarse de bubas).

abubilla *f.* 【조류】 대성조 : La ~ abunda en España.

abubo *m.* ①《*Ar.*》【식물】 =**cermeña.** ② 우둔한 사람, 바보, 멍청이.

abuchear *tr.* 욕지거리를 퍼붓다, 남을 빈정거리다, 야유하다 (sisear, reprobar ruidosamente) : El cantante fue *abucheado.*

abucheo *m.* 욕지거리, 야유, 빈정거림(griterío, vocerío de censura).

abuela *f.* ① 할머니 (madre del padre o la madre). ② 노파(mujer anciana).

no necesitar ~ 너무 자만하다 (alabarse mucho a sí mismo).

Cuéntaselo a tu ~ 그건 거짓말이야.

abuelastro, tra *m.f.* 의붓할아버지 · 할머니.

abuelita *f.* [*dim.* abuela] ① 할머니. ②《*Col.*》 요람(cuna). ③《*Chile.*》 어린이 모자.

abuelito, ta *m.f. dim.* abuelo, abuela.

abuelo *m.* ① 할아버지 (padre del padre o la madre). ② 노인 (hombre anciano). ③【은어】 우두머리, 왕초. —*m.pl.* ① 조부모. ② 조상(ascendiente, antepasado). ③ 정수리에 난 털(tolanos).

abuged *m.* 아라비아어 자모의 이름.

abuhado, da *adj.* 부은, 부푼.

abuhardillado, da *adj.* 다락방(buhardilla) 모양의.

abuinche *m.* 《*Col.*》 (키나나무를 자르는) 자귀.

abuja *f.* aguja(바늘)의 사투리.

abuje *m.* 《*Cuba.*》【곤충】 풀진드기.

abujero *m.* agujero의 사투리.

abulaga *f.* aulaga의 사투리.

abulense *adj.* ① 아빌라 《Avila, 서반아 중부의 소도시》의. ② 아블라 (Abla, Almería 주의 마을)의. —*m.f.* 아빌라 사람 ; 아블라 사람.

abulia *f.* ① 무의지증 (無意志症), 의욕 상실, 기력 상실(falta de voluntad) : La ~ es una de las formas de la locura. ② 무위(無爲).

abúlico, ca *adj.* 의욕 상실의 (que carece de voluntad). —*m.f.* 무의지증 환자.

abultadamemte *adj.* 부피가 크게.

abultado, da *adj.* 부피가 큰 (grueso, grande, de mucho bulto) : tomo ~.

abultamiento *m.* 부피가 큼, 퇴적 ; 부풀어 오름.

abultar *tr.* ① 부피를 크게 하다 : Los lentes convexos *abultan* los objetos. ② (모양으로) 새기다, 양각으로 새기다 : ~ una columna en mármoles. ③【미술】 (조소 〈造塑〉의) 원형을 만들다. ④ 과장하다 : ~ la noticia. —*intr.* ① 부피가 커지다 (formar bulto) : El paquete *abulta.* ② 덩치가 크다.

abundado, da *adj.* =**rico, opulento, abundante.**

abundamiento *m.* =**abundancia.**

a mayor ~ 더우기(además) ; 더욱 명확히(con mayor razón).

abundancia *f.* ① 풍부, 다수, 다량, 많음, 풍족 (copia, gran cantidad) : La ~ de las cosechas alegra al labrador 수확이 많아 농부는 기뻐하고 있다. ② 부유, 유복(裕福)(recursos considerables). Contr. carestía.

en ~ 실컷 ; 유복하게, 많이, 풍부하게 : vivir *en* ~ 유복하게 살다.

De la ~ *del corazón habla la boca* 【속담】 생각이 풍부해야 말을 잘한다 ; 취중에 진담.

abundancial *adj.* 많이 있는 ; 다수성(性)의.

abundante *adj.* ① 풍족한, 풍부한 : cosecha ~. ② 많은 ; 막대한, 푸짐한 (copioso) : en ~ … 이 많은, 막대한.

abundantemente *adv.* 많이, 풍부하게, 풍족하게, 유복하게(con abundancia).

abundantísimamente *adv.* 아주 풍부하게, 풍족하게.

abundar *intr.* ① (… 이) 많이 있다 : El aceite *abunda* en esta comarca. ② [+ en · de : … 이] 풍족하다 : Este país *abunda en* · *de* trigo 이 나라는 밀이 풍족하다. Lo que *abunda* no daña 【속담】 풍족한 것은 해가 되지 않는다. ③ 고집하다 : ~ *en* un parecer 의견을 고집하다. Cada cual *abunda en* su juicio 각자는 자기의 의견을 고집한다.

abundo *m.* 【고어】 풍부. —*adv.* =**abundantemente.**.

abundosamente *adv.* 풍부하게, 풍족하게, 푸짐하게.

abundoso, sa *adj.* 풍부한, 풍족한, 푸짐한 (abundante).

abuñolado, da *adj.* buñuelo 형태의.

abuñolar *tr.* ⑯ (계란을) buñuelo로 튀김하다.

abuñuelado, da *adj.* =**abuñolado.**

abuñuelar tr. =**abuñolar.**

¡abur! *interj.* 안녕 ! (¡adiós!, ¡agur!).

aburar *tr.* 굽다, 태우다, 불사르다 (quemar) ; 소진하다.

aburelado, da *adj.* =**burielado.**

aburelar *tr.* (… 에) 검붉은 색을 칠하다.

aburguesamiento *m.* 부르주아 행위.

aburguesarse *r.* 부르주아가 되다, 부르주아처럼 되다(volverse burgués).

aburilar *tr.* buril로 열다 : ~ una medalla.

aburrado, da *adj.* ① 나귀(burro) 같은 ; 버릇없는. ②《*Méx.*》 당나귀 · 노새를 낳는 (암말).

aburrar *tr.* 《*Méx.*》 다발로 만들다.

~se 난잡해지다, 조잡해지다(embrutecerse).

aburrición *f.* ①【속어】 따분함, 권태로움, 지루함(aburrimiento). ②《*Amér.*》 증오, 싫어함 (antipatía) : Le tengo ~ 나는 그를 싫어한다.

aburridamente *adv.* 따분하게.

aburrido, da *adj.* 따분한, 따분해 견딜 수 없는 : libro muy ~.

aburridor, ra *adj.* =**aburrido.**

aburrimiento *m.* 권태, 싫증, 따분함, 지루함 (cansancio, fastidio, tedio).

aburrir *tr.* ① 지루하게 만들다, 따분하게 만들다 (molestar, cansar). ② 낭비하다 : ~ una tarde · un duro. ③ 버리다(aborrecer, abandonar) : ~ el nido · la familia.

~se [+ con · de · en · por : … 에] 따분해하다, 싫증을 내다 (fastidiarse, hastiarse) : ~*se en* una visita.

aburujar *tr.* =**aborujar.**
aburujonar *tr.* =**aburujar.**
~se (우유가) 엉키다, 굳어지다.
abusador, ra *adj. m.f.* 《*Chile.*》 =**abusón.**
abusante *adj.* 남용·악용하는.
abusar *intr.* [+de : …을] 악용·남용하다 : ~ *de* su autoridad 권력을 남용하다. —*tr.* 《*Galic.*》 속이다(engañar).
~se 《*Galic.*》 잘못하다, 잘못을 저지르다, 실수하다(equivocarse).
abuse *m.* =**abuje.**
abusión *f.* ① 남용(abuso). ② 불합리, 불합리한 일. ③【고어】 미신(superstición). ④ 《*Panamá.*》 유령.
abusionero, ra *adj.* 미신적인(agorero, supersticioso).
abusivamente *adv.* 함부로, 마음대로 마구, 부당하게(con abuso).
abusivo, va *adj.* ① 함부로 하는, 부당한. ② 악랄한 : costumbre ~*va* 악습. ③ 《*Amér.*》 뻔뻔스러운, 파렴치한, 낯가죽이 두꺼운.
abuso *m.* ① 남용, 월권 : ~ de autoridad 월권행위. ~ de confianza 배신, 독직. cometer un ~ 월권을 범하다. ② 폐단, 폐해(弊害). —*pl.* 악습 : La revolución suprimió los ~*s.*
abusón, na *adj.* 남의 약점만 노리는, 권력을 남용하는. —*m.f.* 직권 남용자.
abutagar *tr* ⑧ 《*Chile.*》 =**abotagar.**
abutardo *m.* 《*Sal.*》 =**avutardo.**
abuzarse *r.* 《*Murc.*》 마시기 위해 머리를 숙이다 (echarse de bruces para beber).
abyección *f.* ① 비열함, 천박스러움 (bajeza, envilecimiento). ② 굴욕 : Vivir en la ~ no es vivir 굴욕스런 생활은 사는 게 아니다.
abyecto, ta *adj.* ① 천박스러운, 비천한 (bajo, vil). ② 대차지 못한, 나약한.
A.C. Año de Cristo 서력.
a/c a cuenta ; a cargo (de) ; al cuidado (de).
acá *adv.* ① [시간·공간적으로 방향성] 이곳으로 : Ven ~ 이리 오너라. ② [말하는 사람에게 가까운 측을 집단적으로] 이쪽, 우리 쪽, 당방 : *Acá* nos entendemos 우리 측은 이해가 됐습니다.
desde entonces ~ 그때부터. ***de ayer*** ~ 어제부터. ***más*** ~ 더 이쪽으로. ***muy*** ~ 바로 여기. ~ ***y allá*** 여기저기에. ***de*** ~ ***para allá*** 여기저기로. ***¿De cuándo*** ~ ? 언제부터?.
acabable *adj.* 종말이 있는, 끝낼 수 있는.
acabadamente *adv.* 나무랄 데 없이, 완전히 (perfectamente).
acabado, da *adj.* ① 완성된, 완전한 (perfecto) : producto ~ 완성품. ② 완전한, 나무랄 데 없는 (perfecto). ③ 일을 마친, 끝이 난. ④ 낡은, 못쓰게 된, 부서진(arruinado, destruido, viejo). —*m.* 마무리 ; 완성.
acabador, ra *adj.* 끝난. —*m.f.* 완성자.
acabalar *tr.* 완전하게 하다(completar).
acaballadero *m.* (말이나 당나귀의) 종축장 ; 교미기.
acaballado, da *adj.* 말같은, 말대가리같은 : cara ~*da* 말머리같은 얼굴. narices ~*das* 말코.
acaballar *tr.* (수컷이) 암컷에게 덤비다.
acaballerado, da *adj.* ① 점잖은, 신사같은 (caballeroso). ② 신사인 척하는, 허세(虛勢)를 부리는.
acaballerar *tr.* 신사답게 만들다 (hacer que uno se porte como caballero).
acaballonar *tr.* 땅에 받이랑(caballones)을 만들다.
acabamiento *m.* ① 완성 ; 완료, 종말, 끝 (fin, término). ② 죽음, 사멸.
acabañar *intr.* (목동들이) 목장에 오두막을 짓다.
acabar *tr.* ① 끝내다, 마치다(terminar) : ~ un trabajo 일을 끝내다. ② 완성·완료하다, 마무리짓다 ; 완수하다(concluir) : ~ de una vez 한꺼번에 끝내다. ③ 없이 하다, 소모하다, 다 써버리다(apurar, consumir) : ~ provisiones. ④ 죽이다, 살해하다 (matar). ⑤ 끝내 … 시키다 : *Acabaron con* el rey que lo hiciese 끝내 국왕으로 하여금 그렇게 하게 만들었다. ⑥ 《*Amér.*》 못되게 말하다, 욕지거리를 퍼붓다 ; 혼내 주다.
—*intr.* ① 끝나다(terminar, finalizar). ② 다하다 (extinguirse, apagarse). ③ 죽다(morir). ④ [+ con, en, por : … 에서] 끝나 있다, 최후가 … 이 되다(rematar) : La espada *acaba en* punta 칼은 끝이 뾰족하게 되어 있다. ⑤ [+con : … 을] 쓰러뜨리다, 처분하다, 처치하다, 혼내 주다, 수포로 돌아가게 하다, 죽이다 : Los disgustos *acabarán con* Pedro. ⑥ [+de+*inf.* : 이제 막] 끝냈다, 방금 … 했다 : *Acaba de* morir su padre 그의 아버지가 방금 죽었다. *Acabo de* leerlo 나는 이제 막 그것을 읽었다. ⑦ [+por+*inf.*] 드디어 … 하게 되다 : *Acabaron por* reñir 그들은 마침내 싸웠다. ⑧ [+현재분사] 드디어·마침내 …하게 되다 : *Acabé* interesándome en la pintura 나는 마침내 그림에 관심을 갖게 되었다. *Acabaron* riñendo 끝내는 싸움이 됐다.
~se 모두 마치다 : *Se acabó* 만사가 끝났다.
Contr. principiar, empezar, comenzar. Sinón. concluir, terminar.
acabellado, da *adj.* 밝은 밤색의.
acabestrado, da *adj.* 고삐 비슷한.
acabestrar *tr.* (소를) 길들이다.
acabestrillar *intr.* 소의 고삐로 사냥하다.
acabijo *m.* 끝, 마지막, 최후(fin, remate).
acabildar *tr.* 긁어 모으다, 규합하다, 한데 끌어모으다(juntar a varias personas para algún intento).
acabiray *m.* 《*Riopl.*》【조류】 콘도르의 일종.
acabo *m.* 【속어】 =**acabamiento.**
acabóse *m.* ***ser el*** ~ 만사는 끝장이 나 버렸다, 허사가 되어 버렸다.
acabronado, da *adj.* 산양(山羊)과 같은.
acacalote *m.* 《*Méx.*》【조류】 물까마귀.
acachaparse *r.* 《*And.*》 =**agacharse.**
acacharse *r.* ① 허리를 구부리다, 웅크리다 (agacharse). ② 《*Chile.*》 매상이 끊어지다.
acaché *m.* 【조류】 (남미산의) 까마귀과의 새.
acachetar *tr.* 자귀(cachete)로 죽이다.
acachetear *tr.* 때리다, 자귀질하다(dar cachetes o bofetadas).
acacia *f.* 【식물】 아카시아.
~ ***bastarda*** 살구. ~ ***blanca·falsa*** 아카시아의 일종.
acacina *f.* 아라비아 고무.

acacio *m.* 《*Amér.*》 =**acacia.**
acacoyol *m.* 《*Méx.*》【식물】 율무.
acad. académico.
academia *f.* ①(플라톤 Platón의) 아카데미 학파. ② 아카데미 : Real *A-* de la Lengua Española 서반아 왕립 언어 아카데미. ③ 학회 ; 학사원, 한림원, 예술원 ; 학교, 학원, 대학 : ~ de idiomas 외국어 학원. *A-* de música 음악 학교. *A-* General Militar 육군 대학. ④(미술의) 나체·나상의 습작 (estudio de una figura desnuda tomado del natural).
académicamente *adv.* 학구적으로, 아카데믹하게(de manera académica).
academicismo *m.* 전통·형식 존중 ; 관학풍(官學風), 플라톤 학풍.
académico, ca *adj.* 학회의 ; 학사원·한림원·예술원의 ; 대학·학교의 ; 고풍의 ; 전통적인 ; 학자티를 내는. **—***m.f.* 학회원 ; 한림원 회원, 학사회원.
academismo *m.* 아카데미식(式)(carácter académico).
academista *m.f.* =**académico.**
academizar *tr.* 9 아카데미식으로 하다 (dar carácter académico).
acádico, ca *adj.* 원시 설형 문자의.
acadiense *adj.m.f.* 아까디아(Acadia)의 (사람).
acadio, dia *adj.m.f.* 메소포타미아 서쪽에 살았던 옛 원주민(의).
acaecedero, ra *adj.* 일어날 법한, 있을 법한.
acaecer *intr.* 31 ①(일이) 일어나다 (suceder, ocurrir, acontecer). [*N.* 제3인칭 단·복수만 활용]. ②【고어】(무슨 일이 났을 때) 그 자리에 있다.
acaecimiento *m.* 사건, 일어난 일(suceso).
acaezc- → **acaecer** 31.
acafresna *f.* 【식물】 마가목 《능금나무과에 속하는 낙엽 활엽 교목》, 청량차(淸涼茶) (serbal).
acaguro *m.* 《*Amér.*》【식물】 야자나무의 일종.
acahé *m.* 【조류】 아까에 《까치의 일종》 (picaza del Paraguay).
acahual *m.* ①《*Méx.*》 잡초지(matorral). ②【식물】(멕시코산의 일종의) 해바라기(girasol).
acahualillo *m.* 《*Méx.*》 밀빠차(té de milpa).
acairelar *tr.* caireles로 장식하다 (adornar con caireles).
acajú *m.* 【식물】 =**anacardo.**
acal *m.* 《*Méx.*》 카누, 통나무배, (일반적으로) 배.
acalabazado, da *adj.* 호박(calabaza) 비슷한.
acalabazarse *r.* =**embrutecerse.**
acalabrotar *tr.* 세 가닥으로 꼬다.
acalaca(s) *f.* (아메리카산) 큰 개미.
acalambrarse *r.* 경련이 일어나다 (padecer calambre).
ACALC Asociación Caribe de Libre Comercio 카리브해 자유 무역 연합.
acaldar *tr.* 【방언】 ① 진정하다, 정돈하다 (acomodar). ② 뒤엎다(tumbar, postrar). ③《*Perú.*》 괴롭히다.
acalefo *m.* 【동물】 해파리. **—***pl.* 해파리속(屬).
acalenturado, da *adj.* 발열한 : El enfermo está ~ esta tarde 환자는 오늘 오후 발열한다.
acalenturarse *r.* 발열(發熱)하다, 열을 내다 (padecer calentura).
acalia *f.* 【식물】 당아욱의 일종.
acalicino, na *adj.* 【식물】 꽃받침이 없는.
acalla *f.* =**acalia.**
acallador, ra *adj.* 침묵시키는 ; 달래는.
acallantar *tr.* =**acallar.**
acallar *tr.* ① 침묵시키다(hacer callar). ② 가라앉히다, 달래다(aplacar, aquietar, sosegar).
acalo *m.* 【동물】 갑충류.
acaloradamente *adv.* 심하게, 격렬하게, 열렬히.
acalorado, da *adj.* 열렬한 ; 격렬한 ; 가열한, 뜨거워진, 격앙한, 흥분한 (entusiasmado) : discusión ~*da* 격론.
acaloramiento *m.* ① 열(熱), 연소. ② 열중(ardor). ③ 격렬, 흥분.
acalorar *tr.* ① 열을 가하다, 불태우다(dar·causar calor). ② 타오르게 하다(alentar, fomentar) : *Acaloran* su pretensión. ③ 격렬하다 ; 격렬하게 하다, 심하게 시키다. ④ 정신없이 하다, 열중시키다 : Esta labor me *acalora.*
~se ① 달아오르다. ② 열을 내다(tomar calor). ③ 열중하다, 흥분하다, 격앙하다 : ~*se en·con·por* la discusión 열의있게 토의하다.
acaloro *m.* =**acaloramiento.**
acalote *m.* 《*Méx.*》(물풀이 없는) 수로, 뱃길.
acalugar *tr.* 《*Gal. Sal.*》 =**sosegar, aliviar, acariciar.**
acamado, da *adj.* acamar의 *p.p.*
acamaleonado, da *adj.* 카멜레온 같은.
acamaleonarse *r.* 카멜레온처럼 되다.
acamar *tr.* (비바람이 작물을) 넘어뜨리다, 쓰러뜨리다.
ACAMAR Asociación Centroamericana de Armadores 중앙 아메리카 선주 협회.
acamastonado, da *adj.* 줏대없이 구는, 게을러 빠진.
acamastronarse *r.* 《*Perú.*》 교활하게 낌새를 살피다, 줏대없이 굴다(volverse camastrón).
acamaya *f.* 【조류】 잉꼬(papagayo)의 일종.
acambrayado, da *adj.* 옥양목(cambray)같은.
acamellado, da *adj.* 낙타(camello) 같은.
acamellonar *tr.* 《*AmérC. Méx.*》 경지(耕地)로 만들다.
acampada *f.* 【운동】 캠핑, 야영.
acampador, ra *m.f.* 야영·캠핑하는 사람.
acampamento *m.* 야영, 진영 ; 캠핑(의 설치).
acampamiento *m.* =**acampamento.**
acampanado, da *adj.* 종(campana) 모양의.
acampanar *tr.* 종 모양으로 하다 : ~ la falda.
acampar *tr.* 야영시키다.
—*intr.*, **~se** 야영하다.
acampo *m.* 방목장(dehesa).
ácana *m.* (*f.*) 아카나나무 《중미산 적철과의 건축용 목재》.
acanalado, da *adj.* ① 도랑·애로를 지난 : viento ~ 그곳으로 빠져 나가는 바람. ② 도랑 모양의 : uñas ~*das.* ③ 도랑·개울을 판 : columna ~*da.* Sinón. encañonado.
acanalador *m.* 홈을 파는데 쓰이는 끌.
acanaladura *f.* 도랑(canal, estería).
acanalar *tr.* (…에) 도랑을 파다 ; 홈 모양으로

하다 ; 운하를 내다.

acanallado, da *adj.* 불량배같은(canallesco).

acanallar *tr.* =**encanallar.**

acancerarse *r.* ① 쇠약해지다. ② 굳어지다, 딱딱해지다(cancerarse).

acanchar *tr.* 배에 식료품·필수품을 보급하다·공급하다.

acandilado, da *adj.* =**encandilado, encendido, erguido, levantado.**

acandilar *tr.* 샹들리에 모양을 만들다.

acanelado, da *adj.* ① 육계(canela) 빛깔의 : una tela ～*da.* ② 육계의 향기와 맛을 지닌, 육계 그대로의.

acanelonar *tr.* 【드뭄】 채찍으로 때리다(azotar con disciplinas).

acanillado, da *adj.* 줄무늬 직(織)의, 줄무늬가 생긴.

acanilladura *f.* 줄무늬가 있는 직물의 흠집.

acano *m.* 【식물】 지느러미 엉겅퀴(cardo borriquero).

acansinado, da *adj.* =**cansado.**

acansinarse *r.* 【방언】 피곤해지다.

acantáceo, a *adj.* 【식물】 **아칸서스과의.**
—*f.pl.* **아칸서스과 식물.**

acantalear *intr.* ① [드뭄] 《*Ar.*》 우박이 내리다(caer granizo grueso). ② 《*Ar.*》 비가 많이 내리다(llover fuerte).

acantarar *tr.* 물항아리로 재다 (medir por cántaras).

acantear *tr.* (…에게) 돌팔매질을 하다.

acántidos *m.pl.* 【동물】 반치류과 《매미 등》.

acantífolio, lia *adj.* 【식물】 **아칸서스** 잎과 비슷한 잎을 가진.

acantilado, da *adj.* 경사가 급한. —*m.* 단애(斷崖), 벼랑, 절벽 : Los ～*s* del Cantábrico 깐따브리아해의 단애·절벽.

acantilar *tr.* (강의 바닥 따위를) 치다, 준설하다.
～se (배가) 얕은 여울물에 얹히다.

acantino, na *adj.* =**espinoso.**

acantio *m.* 【식물】 지느러미 엉겅퀴(toba).

acantiuro, ra *adj.* 【동물】 뼈가 있는 꼬리를 가진.
—*m.* 【동물】 =**acanturo.**

acanto *m.* [*gr.* acantha] ① 【식물】 **아칸서스.** ② 【건축】 **아칸서스** 잎장식.

acantocarpo, pa *adj.* 【식물】 열매에 가시가 덮인.

acantocéfalo, la *adj.* 머리가 침·바늘로 덮인
—*m.pl.* 【곤충】 원충류.

acantonamiento *m.* ① 분영(分營), (군대의) 배치. ② 틀어박히는 곳.

acantonar *tr.* (군대를) 분영·배치하다 ; 틀어박히게 하다.
～se 틀어박히다 ; 농성하다 : ～*se en* las ciencias 학문의 세계에 틀어박히다.

acántope *m.* 【동물】 남미산 곤충.

acántopo, pa *adj.* 눈 주위에 가시투성이인.
—*m.* 두족류 연체 동물.

acantopterigio, gia *adj.* 【동물】 가시지느러미가 있는. —*m.pl.* 가시지느러미류 《다랑어, 새치, 다래 등》.

acantóptero, ra *adj.* =**acantopterigio.**
—*m.pl.* =**acantopterigios.**

acanturo *m.* 【어류】 (Antillas의) 고악류 물고기.

acanutado, da *adj.* canuto 모양의.

acañaverear *tr.* 죽창(같은 것)으로 찌르다(herir con cañas cortadas en punta aguda).

acañonear *tr.* 포격하다(cañonear).

acapalce *m.* 《*Méx.*》 【식물】 약용(藥用) 갈대(caña medicinal).

acaparador, ra *adj.* 매점·독점하는. —*m.f.* 매점자, 독점자, 전매자.

acaparamiento *m.* 매점, 독점, 독과점 : el ～ de mercancías 상품의 매점.

acaparar *tr.* 매점하다 ; 독점하다 : ～ la atención · el éxito.

acaparrarse *r.* [드뭄] 들어맞다, 일치되다(ajustarse, concertarse o convenirse con alguno).

acaparrosado, da *adj.* 녹청색의.

acapillar *tr.* [드뭄] =**atrapar, apresar.**

acápite *m.* 《*Amér.*》 단락, 문절 (párrafo aparte) : punto ～ 한 구절이 끝나고 다음 구절로.

acapizarse *r.* ⑨ 【방언】 맞붙어 싸우다(agarrarse uno a otro, riñendo).

acaponado, da *adj.* 거세된 듯한, 가냘픈, 연약한 : rostro ～ 가냘픈 얼굴. voz ～*da* 가냘픈 목소리.

acapuchinado, da *adj.* 【식물】 두건 모양의.

acapuchonado, da *adj.* 【식물】 두건 달린 외투 모양의

Acapulco 【지명】 아까뿔꼬 항구 도시 《멕시코 남부 Guerrero 주에 있음》.

acapullarse *r.* 꽃봉오리 모양을 하다.

acarabear *intr.* 【은어】 지껄이다, 말하다.

acaracolado, da *adj.* 달팽이(caracol) 모양의.

acarambanado, da *adj.* =**carambanado.**

acaramelado, da *adj.* 캐러멜로 싼 ; 캐러멜 빛깔의 ; 달콤한.

acaramelar *tr.* 캐러멜을 입히다.
～se 누구에게나 정다운 척하다 (mostrarse muy obsequioso y dulce).

acarar *tr.* 대질시키다 ; 대조하다, 대비하다, 조회하다(acarear, carear).

acardenalado, da *adj.* 푸른 멍(cardenal)이 든 : tener el cuerpo ～ 몸에 푸른 멍이 들다.

acardenalar *tr.* 피부에 멍이 들게 하다.
～se 푸른 멍이 생기다 ; 발진하다 : La piel *se encardenala* en ciertas enfermedades como la peste.

acardenillarse *r.* 녹청색(cardenillo)으로 덮히다 : El cobre *se acardenilla* fácilmente.

acareamiento *m.* 대질 ; 대조, 조회.

acarear *tr.* ① 대질하다(acarar, carear). ② 얼굴을 돌리다(arrostrar).

acariasis *f.* 【의학】 =**sarna.**

acariciador, ra *adj.* 애무하는 (듯한), 쓰다듬는 : brisas ～*ras.* —*m.f.* 귀여워하는 사람.

acariciante *adj.* =**acariciador.**

acariciar *tr.* ⑪ ① 애무하다, 쓰다듬다 (hacer caricias) : La brisa le *acaricia* el rostro 산들바람이 그녀의 얼굴을 스친다. ② 귀여워하다. ③ 생각하며 즐기다, 즐겁게 생각하다. ④ (마음·생각을) 품다 : *Acariciaba* un proyecto 어떤 계획을 품고 있었다.

acáridos *m.pl.* 【동물】 진드기속(屬).

acariñar *tr.* 《*Amér.*》 =**acariciar.**
acarminado, da *adj.* 심홍색(color de carmín)의.
acarnerado, da *adj.* 양처럼 굽은 머리를 가진 말의 ; 힘이 없는(apocado, sin energía).
ácaro *m.* 【동물】 진드기. —*pl.* 진드기속(屬).
acaroideo, a *adj.* 진드기 모양의.
acarón *adj.* 《*Gal.*》 =**cerca, junto, al lado.**
acarpo, pa *adj.* 【식물】 열매를 맺지 않는 (que no da fruto).
acarraladura *f.* 《*Chile.*》 양말의 올·실이 빠진 곳.
acarralar *tr.* (직물·편물의) 실을 뽑다.
~se ① 실·올이 빠지다. ②【농업】(포도) 송이가 떨어지다.
acarrarse *r.* (양 등이) 그늘로 가다.
acarrascado, da *adj.* 떡갈나무 비슷한.
acarreadizo, za *adj.* 운반할 수 있는.
acarreador, ra *adj.* 운반하는. —*m.* 운송자, 운송 업자, 운반자 ; 운반 기계 (설비).
acarreamiento *m.* =**acarreo.**
acarrear *tr.* ① (차로) 운반하다 (transportar) : ~ piedras. ② 실어 오다·가다 : El río *acarrea* arena 하천은 모래를 옮긴다. ③ (손해·불행·재해를) 가져 오게 하다 ; 야기시키다(causar) : ~ una desgracia.
acarreo *m.* ① 운반, 운수, 운송 : ~ marítimo 해상 운송. ~ por mar 해상 운송. ~ por tierra 육상 운송. tierras de ~ 다른 데서 가져온 흙, 객토. ② 운송비(gastos de ~).
acarretar *tr.* 《*Gal.*》 =**carretear.**
acarreto *m.* =**acarreo.**
acarroñar *tr.* 《*Amér.*》 튼튼하게 하다.
~se ① 기가 꺾이다 (amilanarse, acobardarse). ② 고기가 썩다(corromperse).
acartonado, da *adj.* 판지 모양의.
acartonamiento *m.* ① 판지 모양으로 만들기. ② 미라화(momificación).
acartonar *tr.* 판지(cartón) 모양으로 만들다.
~se 여위다.
acasamatado, da *adj.* 궁륭상(穹窿狀)의 ; 궁륭·엄개(掩蓋)(casamata)를 댄.
acaserado, da *adj.* 《*Chile. Perú.*》 친해진.
acaseramiento *m.* 《*Perú.*》 상점의 고객·단골손님 (이 되는 일).
acaserarse *r.* 《*AmérM.*》 친해지다(encariñarse) ; 상점의 단골 손님이 되다(aparroquiarse).
acaso *m.* 우연(casualidad). —*adv.* 아마(quizás, tal vez) ; 혹시(de duda).
al ~ 닥치는 대로(al azar) : obrar *al* ~.
por si ~ 만일을 위해, …일지도 모른다는 생각에서(por si ocurre alguna cosa).
si ~ 만일 …이면.
acastañado, da *adj.* 밤(castaño) 빛깔의.
acastillado, da *adj.* 성(castillo) 모양의 ; 성 같은.
acastillaje *m.* 【선박】 건현(乾舷) 《흘수선 윗부분(obras muertas)》.
acastillar *tr.* 배에 건현(acastillaje)을 놓다.
acastorado, da *adj.* 해리(海狸)·비버(castor)의 가죽 같은, 반드러운, 매끄러운 : fieltro ~.
acatable *adj.* 존경할 만한.
acatadamente *adv.* 정중히, 황공하여.
acatador, ra *adj.* 공경하는, 존경하는. —*m.f.* 존경하는 사람.
acataléctico *adj. m.* 음절 수가 완전한 (시의 구절).
acatalecto *adj. m.* =**acataléctico.**
acatalepsia *f.* 【철학】 불가지론 ; 개연론(蓋然論).
acataléptico, ca *adj.* 불가지론의, 개연론의. —*m.f.* 불가지론자.
acatamiento *m.* 존경, 경의 ; 경례.
acatante *adj.* 공경하는, 존경하는.
acatar *tr.* ① 공경하다, 존경하다(honrar, respetar, reverenciar). ② 《*Amér.*》 맛을 보다(catar).
acatarrar *tr.* ① 감기 걸리게 하다. ② 《*Méx.*》 애먹이다, 곤란하게 만들다.
~se ① 감기에 걸리다(contraer catarro). ② 《*Perú.*》 거나하게 취하다(achisparse).
acatechitli *m.* 《*Amér.*》 멋쟁이새.
acates *m.* (전설상의 로마 건설자 Eneas의 동료 이름에서) 충실한 동료.
acatia *f.* (옛날 여자들이 신은) 곤돌라 모양의 신발.
acatio *m.* ① 소형 돛단배. ② 곤도라 모양의 잔.
acato *m.* 존경(acatamiento) ; 공경(sumisión).
darse ~ 깨닫다, 알다.
acatólico, ca *adj.* 반카톨릭의, 반카톨릭적인.
acaudado, da *adj.* 꼬리가 없는 .
acaudaladamente *adv.* 부유하게, 풍족하게.
acaudalado, da *adj.* 부유한(adinerado, rico).
acaudalador, ra *adj.m.f.* 축척하는, 축재하는; (학덕을) 쌓는 (사람).
acaudalar *tr. intr.* ① 축적하다, 축재하다, (돈을) 모으다 (acumular caudales) : El padre *acaudaló* mucho 아버지는 돈을 꽤 모았다. ② (학덕 등을) 쌓다(adquirir gran virtud o sabiduría).
acaudeo, a *adj.* =**acaudado.**
acaudillador, ra *adj.* 지휘하는, 두목이 되는.
acaudillamiento *m.* 지휘, 조정.
acaudillar *tr.* 지휘하다, (…의) 두목이 되다 (ser caudillo de gente de guerra) ; 마음대로 조정하다·부리다.
~se (누구를) 두목·우두머리로 삼다.
acaule *adj.* 【식물】 (차전초처럼) 줄기가 없는 : El cardillo y el llantén son ~*s*.
acautelarse *r.* 주의하다, 경계하다.
acayo, ya *adj.* 【고어】 =**aqueo.**
acayú *m. guaraní.* =**caoba.**
acba *f.* (모로코에서) 경사(傾斜), 비스듬히 기움 ; 비탈(pendiente, cuesta).
accedente *adj.* 동의하는, 승락하는, 허용하는.
acceder *intr.* ① 동의하다, 허용하다. ② [a+*inf.* : …하는 것을] 승낙하다. ③ 접근하다. **Contr.** rehusar, negar, disentar.
accenso *m.* (선거를 위해 국민을 소집했던) 옛 로마의 민정 장관.
accensor *m.* = **macero, bedel.**
accesibilidad *f.* 사근사근함, 선량함 ; 친근감 ; 어질고 착함 ; 접근하기 쉬움(facilidad de acceso).
accesible *adj.* ① 가까이 할 수 있는 : Los mares polares no son fácilmente ~*s*. ② 친근한. ③ 손이 닿는(alcanzable). **Contr.** inaccesible.

hacer ~ 개방하다.
accesiblemente *adv.* 가까이; 친근하게.
accesión *f.* ① 동의(同意), 들어줌, 승인(consentimiento, anuencia) : ~ a un convenio 계약의 승락. ② 부속(물) : por ~ 부속하여. ③【의학】 발열(發熱)의 발작. ④ 성교, 교미, 흘레, 교접 (ayuntamiento). ⑤ 가입, 가맹. ⑥ 부가적 취득 (물).
accesional *adj.* ① 갑자기 나타났다 사라졌다 하는. ②【의학】 발열이 발작하는.
accésit *m.*【단·복수 동형】 차점상(次點賞), 준우승, 애석상.
acceso *m.* ① 접근, 들어감 : tener ~ en … 로 들어가다. puerto de difícil ~ 접근하기 어려운 항구. ② 통로; 통행 : ~ prohibido 통행 금지. puerta de ~ 통용문. ③ 교제 : persona de fácil ~ 가까이 하기 쉬운 사람. ④ 발작 : ~ de fiebre 열의 발작. ~ de tos 기침의 발작. ⑤ 교접. ⑥ 입장; 가입.
accesoria *f.* ① [주로 *pl.*] 부속 건물, 별동 (dependencias) : las ~*s* de un castillo. ② (동일 건물 내에서 출입구가 따로 있는) 일층·지하실; (농장의) 오두막, 움막.
accesoriamente *adv.* 부속하여, 덧붙여, 첨가하여.
accesorio, ria *adj.* 부속의; 부차적인 : cláusula ~ 부속 조항. Contr. esencial, principal.
—*m.* 액세서리, 부속품; 도구 : ~*s* de automóvil 자동차 부속품. ~*s* de pesca 낚시 도구.
—*f.* 별관.
accidentadamente *adv.* 기절하며; 기복이 있어; 다난하게.
accidentado, da *adj.* 《*Neol.*》 ① 기절한. ② 기복이 있는 (quebrado, agitado) : terreno ~. ③ 사건·파란·움직임이 많은, 다난한(borrascoso, fragoso) : vida ~*da*. —*m.f.* (사건의) 희생자.
accidental *adj.* ① 우연한, 우발적인 : la muerte ~ 사고사(事故死), 변사. ② 의외의. ③ 임시의, 본질이 아닌 : director ~.
—*m.*【음악】 임시 기호.
accidentalidad *f.* 우연(성).
accidentalmente *adv.* 우연히, 문득(incidentemente por accidente).
accidentar *tr.* 사고를 일으키다 (producir un accidente).
~se 돌발하다; 기절하다, 졸도하다, (발작이) 일어나다, 움직이지 못하게 되다.
accidentario, ria *adj.* =**accidental.**
accidente *m.* [*lat.* accidens] ① 우연 : por ~ 우연히. Muchos descubrimientos se han hecho por ~ 많은 발견은 우연히 된다. ② 우발적 사건, 사고, 고장 : ~ automovilístico 자동차 사고. ~ de trabajo 업무 재해, 노무 재해, 산업 사고. ~ de tráfico 교통 사고. ~ marítimo 해난 사고. seguro contra ~*s* 재해 보험. ③ 실신. ④ 변화. ⑤ (토지의) 기복·상황. ⑥【문법】(명사·형용사·동사의) 어미 변화. ⑦【철학】 우유성(偶有性). ⑧【음악】 임시 기호.
acción *f.* ① 움직임, 활동, 실행 : hombre de ~ 활동가. *A*- Concertada (관민의) 협조 활동. ② 행위, 행동 : radio de ~ 행동 반경. ③ 작용 : ~ física · química. ④ 연기, 몸짓; 거동 (postura, ademán) : unir la ~ a la palabra. ⑤ (각본 등의) 줄거리의 전개 : ~ interesante. ⑥ 전투 (batalla, combate), 작전 (operación) : esfera de ~ 작전 지구. ⑦ 소송. ⑧【상업】 주식, 주권 (título de ~) : ~ al portador 무기명 주식. ~ común 보통주. ~ con valor nominal 액면 주식. ~ cotizada 상장 주식. ~ de primera 우량주. ~ liberada 전액 불입주. ~*es* ordinarias 보통주. ~*es* preferentes · privilegiadas 우선주. ~*es* azucareras · ferroviarias · siderúrgicas 설탕·철도·제철주. sociedad por ~*es* 주식 회사. ⑨《*Chile.*》 추첨표. ⑩《*Cuba.*》 단지.
~ ***de gracias*** 답례의 표시.
en ~ 행동 중인, 운전 중인 : poner *en* ~ 움직이게 하다, 운전시키다.
accionado, da *adj* accionar의 *p.p.* —*m.* = **acción.**
accionar *intr.* ① 동작·몸짓을 하다(hacer movimientos y gestos al hablar). ② 행동하다. ③ [+en : … 에] 작용하다(poner en movimiento). ④《*Amér.*》 소송을 제기하다 (actuar en juicio). —*tr.* 《*Amér.*》 움직이게 하다, 운전시키다 : torno *accionado* por el motor 전동기 직결식 선반.
accionista *m.f.* 주주 : ~ mayoritario 대주주. ~ minoritario 소주주. ~ preferido 우선 주주. asamblea general de ~*s* 주주 총회. lista de ~*s* 주주 명부.
accípitre *m.*【조류】 새매, 맹조(猛鳥)(rapaz).
accipitrino, na *adj.* 새매 비슷한. —*f.pl.*【조류】 매과의 새.
accisa *f.* (영국·벨기에에서) 간접 소비세.
accitano, na *adj.* 아크시 《Acci, 현재의 Guadix의 옛 이름》의. —*m.f.* 아크시 사람, 구아딕스 사람.
accos *m.* 《*Perú.*》 운반 인부, 짐꾼.
acebadamiento *m.* =**encebadamiento.**
acebadarse *r.* (가축이) 과식하다(encebadarse).
acebado *m.* 호랑가시나무숲.
acebal *m.* =**acebedo.**
acebeda *f.* =**acebedo.**
acebedo *m.* 호랑가시나무의 숲.
acebedul *m.* ① =**matorral.** ② 호랑가시나무가 자란 곳. ③ 숲의 끝(extremo del bosque).
acebibe *m.* 건포도(uva pasa).
acebillo *m.* (카나리아의) 호랑가시나무과의 관목.
acebo *m.*【식물】 호랑가시나무.
acebollado, da *adj.* (양파처럼) 잘 벗겨지는 : madera ~*da*.
acebolladura *f.* 나무의 벗겨진 상처; 박리(剝離), 벗김.
acebrado, da *adj.* 줄무늬 모양의 (cebrado, listado).
acebuchado, do *adj.* 야생 올리브가 있는.
acebuchal *m.* 올리브나무(acebuche)의 숲.
acebuche *m.*【식물】 야생 올리브(olivo silvestre).
acebucheno *m.*【식물】 =**acebuche.**
acebuchina *f.* 야생 올리브 열매.
acechadera *f.* 숨어서 기다리는 곳, 잠복하는 곳.
acechadero *m.* 숨어서 기다리는 곳.
acechador, ra *adj.* 숨어서 기다리는. —*m.f.* 숨

어서 기다리는 사람.

acechamiento *m.* =**acecho.**

acechanza *f.* =**acecho.**

acechar *tr.* 잠복하다, 숨어서 기다리다, 정탐하다(espiar) : ~ a una amigo.

aceche *m.* 【화학】 유산동, 황산동(acije).

acecho *m.* 매복 · 잠복하는 곳.
al· en ~ 잠복하여, 뒤를 밟으면서(acechando).

acechón, na *adj. desp.* 줄곧 무엇인가를 노리고 있는 듯한, 사냥개같은(acechador).
hacer la ~na 숨어서 기다리다, 잠복하다, 매복하다, 노리다(acechar, vigilar).

acechona *f.* =**acecho.**

acecido *m.* 헐떡거림(acezo, jadeo).

acecinadamente *adv.* 육포로, 소금에 절여.

acecinado, da *adj.* 육포처럼 말린.

acecinador, ra *adj.* 육포를 만드는 (사람).

acecinadura *f.* 소금에 절이기.

acecinar *tr.* (고기를) 소금에 절이고 연기와 바람에 말리다 (salar las carnes y secarlas al humo y al aire).
~se 여위다, 바싹 마르다.

acedable *adj.* 시어질 수 있는.

acedamente *adv.* =**desabridamente.**

acedar *tr.* ① 시게 만들다(agriar). ② 가슴 답답하게 만들다. ③ 불쾌하게 만들다(disgustar).
~se ① 시어지다(ponerse agrio) : *~se* el vino. ② (식물이) 누렇게 되다.

acedera *f.* 【식물】 수영 《마시풀과에 속하는 다년초》.

acederaque *m.* 【식물】 =**cinamomo.**

acederilla *f.* 【식물】 =**aleluya.**

acederones *m.pl.* 【식물】 수영 닮은 작장초.

acederosa *f.* 【식물】 마시풀과에 속한 다년초.

acedia *f.* 《*Chile.*》 =**acedía.**

acedía *f.* ① 신맛. ② 쓴맛. ③ 불쾌. ④ 퉁명스러움. ⑤【어류】 넙치(platija).

acediana *f.* 《*Amér.*》 =**amaranto.**

acedo, da *adj.* ① 신, 떫은(ácido, agrio). ② 무뚝뚝한, 퉁명스러운(áspero, desapacible).
—*m.* 신맛 ; 초(vinagre).

acedumbre *f.* = **acedía, dolencia.**

acefalía *f.* 머리가 없는 것.

acefálico, ca *adj.* 머리가 없는.

acefalismo *m.* 무두(無頭) ; 무두 종파(無頭宗派).

acéfalo, la *adj.* ①【동물】 무두의, 머리가 없는 (falto de cabeza) : molusco ~. ② 수장(首長)을 인정하지 않는, 무두 종파의. **—***m.pl.* (연체동물의) 무두류(無頭類).

aceguero *m.* 마른 가지 줍가 ; 그 사람.

aceifa *f.* 사라센인의 여름 원정.

aceitada *f.* 엎질러진 기름 ; 기름으로 반죽한 빵.

aceitado *m.* 기름칠.

aceitar *tr.* ① 주유(注油)하다. ② (…에) 기름을 칠하다, 기름을 바르다 (untar de aceite) : ~ una máquina. **Sinón.** lubricar, engrasar.

aceitazo *m.* =**aceitón.**

aceite *m.* ① 기름. ② 석유(~ de petróleo). ③ 향유, 올리브 기름.
~ *de abeto* 전나무의 수지(樹脂). ~ *de anís* 아니스 술. ~ *de ballena* 고래 기름. ~ *de cada* 두송유(杜松油). ~ *de castor* 피마자 기름. ~ *de comer* 올리브 기름 ; 《*AmérC.*》 윤활유. ~ *de coco* 야자 기름. ~ *de hígado de bacalao* 간유(肝油). ~ *de limón* 레몬 기름. ~ *de lino·linaza* 아마유. ~ *de maní* 낙화생유. ~ *de mesa* 샐러드유. ~ *de oliva* 올리브 기름. ~ *de palo* 발삼유. ~ *de petróleo* 《*Amér.*》 석유. ~ *de pie·de talega* 발로 밟아 짜낸 올리브유. ~ *de ricino* 피마자유. ~ *de vitriolo* 황산(黃酸). ~ *esencial* 휘발유. ~ *lubricante* 윤활유. ~ *mineral* 석유, 광유(鑛油). ~ *onfacino* 생(生) 올리브 기름. ~ *para alumbrado* 등유. ~ *pesado* 중유. ~ *secante* 건조유. ~ *solar* 석유. ~ *virgen* 짜기 시작해서 처음 나오는 올리브유. ~ *volátil* 휘발유. ~ *y grasa* 유지(油脂).
echar ~ *en el fuego* 불난 집에 부채질하다 (excitar a los que riñen).

aceitera *f.* ① 기름 파는 여인. ② 기름통, 기름치는 기구. ③【곤충】 반묘(斑猫), 가뢰. **—***pl.* (식탁의) 양념통 놓는 대(臺).

aceitería *f.* 기름집, 기름상.

aceitero, ra *adj.* 기름의, 제유(製油)의 : producción ~*ra*. **—***m.f.* 기름 상인.

aceitillo *m.* ①《*Amér.*》 화장용 기름. ②《*Méx.*》 =**copal santo.**

aceitón *m.* ① 찌꺼기 기름, 폐유. ② 올리브나무의 병 (enfermedad de los olivos) : El ~ es causado por la picadura de un insecto 올리브나무의 병은 곤충이 물어서 생긴다.

aceitoso, sa *adj.* 기름같은, 기름투성이의, 기름진.

aceituna *f.* 올리브 열매(oliva).
~ *de la reina* 질이 우수하고 커다란 올리브.
~ *manzanilla* 작은 올리브(manzanilla).
~ *zapatera* 색깔과 맛이 변하고 무두질한 가죽 냄새가 나는 올리브.

aceitunada *f.* 올리브 열매의 수확.

aceitunado, da *adj.* 올리브색의 : paño ~.

aceitunero, ra *m.f.* 올리브 상인. **—***m.* 올리브 저장소. **—***f.* 올리브 따는 시기.

aceituní *m.* (중세의) 동양의 천.

aceitunil *adj.* =**aceitunado.**

aceitunillo *m.* 【식물】 (Antillas의) 풍향수과나무 《열매는 독성이 있고 목재는 단단함》.

aceituno *m.* 【식물】 올리브나무, 감람나무 (olivo).
—*adj.* 올리브 색의(aceitunado) : buey ~.

acelajado, da *adj.* 엷은 구름이 낀.

acelajarse *r.* 엷은 구름이 끼다.

aceleración *f.* ① 급속, 신속, 서두름 : ~ de un trabajo. **Contr.** retraso. ② 촉진. ③【물리】 가속도(aumento de velocidad) : la ~ del pulso.

acelerada *f.* 엔진 속력의 갑작스런 가속.

aceleradamente *adv.* 서둘러, 급히, 가속도로, 급템포로.

acelerado, da *adj.* 빠른; 서두른; 촉진하는, 가속화하는.

acelerador, ra *adj.* 빠르게 하는, 가속의, 촉진하는. **—***m.* (자동차의) 가속 장치, 액셀러레이터.

aceleramiento *m.* =**aceleración.**

acelerar *tr.* ① (속도 · 시기를) 빨리하다, 서둘게 하다 : ~ el paso. ② 급속도로 하다 ; 촉진하다. **Sinón.** apresurar. **Contr.** retrasar.

~se 서둘다, 가속화하다.
aceleratriz *adj.(f).* 속도를 더 내는 : fuerza ~ 가속력.
acelerógrafo *m.* 강진계(强震計).
acelerón *m.* 급한 가속(加速).
acelga *f.* 【식물】 근대, 부단초(不斷草).
acélifo, fa *adj.* 껍질이 없는.
acema *f.* 《*Col.*》 =**acemita.**
acémila *f.* ① (짐을 나르는) 노새. ② 얼간이, 바보, 멍청이.
acemilado, da *adj.* 노새 비슷한, 멍청한, 바보스런, 우둔한.
acemilar *adj.* 노새의 ; 노새 몰이꾼의.
acemilería *f.* 노새의 마구간.
acemilero, ra *adj.* 노새의. —*m.* 노새몰이꾼.
acemita *f.* 밀겨로 만든 빵(pan hecho de acemite).
acemite *m.* 밀겨 ; 밀기울 수프.
acendradamente *adv.* 청순하게, 티없이.
acendrado, da *adj.* ① 청순한 : amor ~ . ② 결점이 없는, 티없는 (puro y sin mancha) : plata ~*da.*
acendramiento *m.* =**depuración, purificación.**
acendrar *tr.* 정련·정제하다, 정화(浄化)·순화하다 (depurar, purificar) : La virtud *se acendra en · con* las pruebas.
acenefar *tr.* 테(cenefa)로 장식하다.
acenoria *f.* 【식물·방언】 인삼, 당근.
acensar *tr.* (토지에) 과세하다.
acensuado, da *adj.* 과세된.
acensuador *m.* =**censualista.**
acensuar *tr.* =**acensar.**
acento *m.* ① 강조, 악센트 (~ prosódico · tónico · de intensidad). ② 악센트 부호, 강조 부호, 양음부(揚音符), 강음부 (~ ortográfico) : ~ agudo 좌향 악센트(´). ~ circunflejo 꺽쇠형 악센트(^). ~ grave 우향 악센트(`). ③ 말투, 말씨, 어조 : con ~ entusiasta. ④ 사투리 : Hablaron el español con ~ andaluz 그들은 안달루시아 사투리가 섞인 서반아어를 했다. ⑤ 【시어】 시구(詩句).
acentor *m.* 【조류】 치치류과의 새.
acentóridos *m.pl.* 【조류】 치치류과.
acentuable *adj.* 강조·역설하는.
acentuación *f.* 악센트를 붙이는 일 ; 강조.
acentuadamente *adv.* ① 강조하여. ② 현저하게, 두드러지게. ③ 요란하게, 거칠게.
acentuado, da *adj.* ① 강조하는 : vocal ~*da.* ② 《*Neol.*》 =**abultado.**
acentuador *m.* 《*Perú.*》 말투가 격렬한 사람.
acentual *adj.* 악센트의, 강조의, 강세의.
acentuar *tr.* ⑮ ① 악센트 (부호)를 붙이다 : ~ bien al hablar. ② 강조·역설하다, 힘을 주다, 두드러지게 하다.
~**se** 한결 강해지다, 두드러지다 : *Acentúase* el frío 추위가 심해지고 있다.
aceña *f.* 물레방아 ; 물레방아간.
aceñal *m.* 물레방아 집결지.
aceñero *m.* aceña 주인.
-áceo, a *suf.* 부속·유사성의 형용사 : arena → aren*áceo,* rosa → ros*áceo.*
acep. aceptación.
acepar *intr.* (식물이) 뿌리박다, 뻗다 (arraigar, encepar).
acepción *f.* ① 의미, 말뜻(sentido, significado). ② 편듦(preferencia) : ~ de personas.
acepillador, ra *adj.m.f.* 대패질·손질하는 (사람).
acepilladora *f.* 【기계】 대패 (máquina para acepillar maderas).
acepilladura *f.* 대패질 ; 대팻밥.
acepillar *tr.* ① (… 에) 대패질·솔질하다. ② 문지르다, 닦다. ③ 《*AmérC.*》 놀리다 ; 아첨하다.
aceptabilidad *f.* 수용성(受容性).
aceptable *adj.* 수락·승락할만한, 받아도 되는, 인수해도 좋은, 허가해도 좋은 : ofrecimientos ~*s.*
aceptablemente *adv.* 응락·수락하여.
aceptación *f.* ① 응락, 수락, 승락, 받아들임. ② 환영. ③ (환어음 등의) 인수, 인수 어음 : ~ comercial 무역 인수 어음. ~ condicional 조건부 인수. ~ de depósitos · imposiciones 예금 인수. ~ de una letra 어음 인수. ~ del pedido 주문 인수. ~ incondicional 무조건 인수. falta de ~ 인수 거절. ~ bancaria · de banco 은행 인수 어음.
~ ***de personas*** 편애, 편파.
aceptadamente *adv.* 수락· 승락·응락하여; 환영으로.
aceptador, ra *adj.* 수락하는, 승락하는, 받아들이는, 인수하는. —*m.f.* ① 수락자, 승락자. ② 편애하는 사람. ③ 어음 인수인.
aceptante *adj.* 수락·승락하는. —*m.f.* 【상업】 어음 인수인, 어음 업자.
aceptar *tr.* [*lat.* acceptare] ① 받다 : ~ un regalo 선물을 받다. ② 받아들이다, 시인·승락·수락하다. ③ (도전을) 받아들이다 : *Aceptó* el desafío. ④ (어음을) 인수하다. **Contr.** rehusar, rechazar.
aceptatorio, ria *adj.* 받아들이는, 수락하는.
aceptilar *tr.* (… 에서) 면제하다.
acepto, ta *adj.* 흐뭇한, 기분이 좋은 (agradable);흐뭇해 하는, … 이 마음에 드는 : ~ *a* los padres 부모의 마음에 드는.
aceptor *m.* =**aceptador.**
acequia *f.* ① 도랑, 하수도 ; 관개 수로 : Las ~*s* se utilizan para el riego. ② 《*AmérM.*》 개천, 개울(arroyo).
acequiador, ra *adj.* 용수로를 만드는.
acequiaje *m.* 【방언】 용수세(用水稅).
acequiar *intr. tr.*⑪ 용수로를 만들다.
acequiero *m.* 용수로 관리인.
acequión *m.* 《*Amér.*》 실개천, 개울, 내.
acera *f.* ① 보도, 인도. **Sinón.** vereda. ② 【건축】 벽면. ③ 늘어선 집들. ④ 《*Arg.*》 다져진 노면.
aceráceo, a *adj.* 단풍(과)의. —*f. pl.* 단풍과 식물.
aceración *f.* 강철화(鋼鐵化), 제강(製鋼).
acerado, da *adj.* ① 무쇠의, 강철의, 강철로 만든 (de acero) : punta ~*da.* ② 강철을 함유한 (que contiene acero) : hierro ~ . ③ 강철같은, 단단한, 강인한. ④ 날카로운(agudo). ⑤ 【식물】 (솔잎처럼) 침엽(針葉)의.
—*m.* =**aceración.**

aceramiento *m.* 무쇠로 만들기, 강철화, 담금질; 단단하게·강인하게 함.

acerar *tr.* ① 무쇠로 만들다, 강철화하다, 담금질하다 : ~ un sable. ② 무쇠를 대다, 날을 벼리다. ③ 단단하게 만들다, 강인하게 하다. ④ (길에) 보도를 내다.
~se 강해지다, 강인해 지다; 담금질되다 : *Se aceró en* la lucha.

aceratosia *f.* 소에 뿔이 없음.

acerbamente *adv.* 심하게, 야멸차게, 잔인하게.

acerbidad *f.* ① =**asperaza.** ② =**severidad.**

acerbísimamente *adv.* 매우 잔인하게.

acerbo, ba *adj.* ① 떫은(áspero) : fruta ~*ba.* ② 잔인한(cruel), 심한, 신랄한, 가혹한 : lenguaje ~. **Contr.** dulce, suave.

acerca *adv.* 【고어】 가까이(cerca).
~ *de* …에 대해·관해(sobre) : No soy culpable ~ *de* eso 그것에 관해서 나는 책임이 없다.

acercador, ra *adj.* 가까운, 접근하는.

acercamiento *m.* 접근 : El anteojo produce el ~ de los objetos.

acercar *tr.* 7 가까이 하다, 접근시키다, 근접시키다(aproximar) : ~ la silla 의자를 가까이 하다. *Acérque*me un calentador 히터를 제 가까이 가져다 주십시오. **Contr.** alejar.
~se [+a : …에] 가까이 가다, 접근하다 : *Se acercó* un poco más para ver mejor 그는 잘 보기 위해 약간 더 접근했다.

ácere *m.* 【식물】 단풍나무(arce).

acería *f.* 제강소(fundición de acero).

acerico *m.* ① 작은 베개. ② 바늘꽂이, 바늘겨레, 바늘방석.

acerilla *f.* 【식물】 (칠레의) 현삼과 식물.

acerillo *m.* =**acerico.**

aceríneo, a *adj. f.pl.* =**aceráceo.**

acerino, na *adj.* 【시어】 =**acerado.**

acero *m.* [*lat.* acies] ① 무쇠. ② 강철. ③ 강재(鋼材). ④ 검(劍); 칼. ⑤ 담금질 : tener buenos ~*s.* ⑥ 타고난 기운, 원기, 용기. ⑦ 철광천(鐵鑛泉). ⑧ 식욕 : Valientes ~*s* tienes 식욕이 대단하군.
~ *carbonatado* 탄소강(炭素鋼). ~ *cementado* 전로강(轉爐鋼). ~ *dulce* 연강(軟鋼). ~ *fundido* 주강(鑄鋼). ~ *inoxidable* 스테인리스 강. ~ *laminado* 압연강(壓延鋼). ~ *templado* 단조강(鍛造鋼). *pluma de* ~ 철필.

acerola *f.* 단상사나무의 열매.

acerolado, da *adj.* acerola 같은.

acerolar *m.* 단상나무 숲.

acerolero, ra *m.f.* acerola 판매원. —*m* 【식물】 =**acerolo.**

acerolo *m.* 【식물】 단상사나무.

aceroterio *m.* 【고생대】 코뿔소.

acerollo *m.* 【식물】 마가나무(serbal).

aceroso, sa *adj.* 강철같은, 단단한, 무쇠같은; 가혹한, 지독한.

acerque acercar의 접·현·1·3·단수.

acerqué acercar의 부정과거·1·단수.

acerquéis acercar의 접·현·2·복수.

acerquemos acercar의 접·현·1·복수.

acerquen acercar의 접·현·3·복수.

acerques acercar의 접·현·2·단수.

acerrador *m.* 【은어】 =**criado de justicia.**

acerrar *tr.* 【은어】 체포하다, 붙잡다.

acérrimamente *adv.* 완고하게, 강경하게.

acérrimo, ma *adj.* [*sup.* acre] 완고한, 고루한, 강경한 : partidario ~, creyente ~.

acerrojar *tr.* (…에) 빗장 (aldaba, cerrojo)을 걸다.

acertadamente *adv.* 적확(的確)히, 확실히, 정확히, 어김없이(con acierto).

acertado, da *adj.* 적확한, 확실한, 정확한, 어김없는, 적중한; 교묘한 : No anduvo muy ~ en este asunto.

acertador, ra *adj.* acertar 하는. —*m. f.* acertar 하는 사람.

acertajo *m.* 【속어】 =**acertijo, advinanza.**

acertamiento *m.* =**acierto.**

acertante *m.* 정해자(正解者).

acertar *tr.* 19 ① 적중시키다, 표적을 맞추다 : *Acertó* al blanco 과녁을 맞추다. ② 알아내다, 바로 맞추다, 찾아내다 (hallar) : No le *acertaron* la enfermedad 그의 병을 선뜻 진단내리지 못하였다. *Acertó* la casa 그는 그 집을 찾아냈다. ③ 정확히 알아 맞추다 : Pocos *aciertan* la historia 역사를 정확하게 예언할 수 있는 사람은 적다. ④ 어김없이 해내다. ⑤【재단】 단을 맞추다. —*intr.* ① 잘 맞다, 마주치다, 발견하다 (encontrar, hallar) : *Acertó con* la casa. ② 뿌리가 나오다·내다. ③ ㄱ) [+a+*inf.*] 잘 …할 수 있다 : No *acerté a* explicarlo 그것을 잘 설명할 수 없었다. ㄴ) 우연히 …이 되다 : *Acertó a* ser miércoles ese día 그 날은 우연히도 수요일이었다.

acertijo *m.* 수수께끼.

aceruelo *m.* 안장; 바늘방석, 바늘겨레.

aceryal *adj.* 노적같은, 더미의.

acervo *m.* ① (농작물의) 노적, 더미. ② 자산, 공동 재산.

acescencia *f.* 신맛, 초 맛 : vino predispuesto a la ~.

acescente *adj.* 시어지기 시작한 (que empieza a agriarse).

acetábulo *m.* ①【동물】 (뼈의) 구와(球窩). ② (동물의) 흡반, 빨판.

acetato *m.* ①【화학】 초산염 : El cardenillo es un ~ de cobre. ② 아세테이트 인견.

acético, ca *adj.* 【화학】 초산의 : ácido ~ 초산. ~ cristable 빙초산.

acetificación *f.* 산화(酸化).

acetificar *tr.* 7 ① 시게 하다, 식초 (vinagre)로 변화시키다 : ~ el vino. ②【화학】 산화(酸化)하다(acetidar).

acetilénico, ca *adj.* 【화학】 아세틸렌의.

acetileno *m.* 아세틸렌.

acetílico, ca *adj* 【화학】 아세틸의.

acetilo *m.* 【화학】 아세틸.

acetimetría *f.* 【화학】 초산 비중 작용.

acetímetro *m.* 초산계(計), 초산 비중계.

acetín *m.* 【식물】 (익기 전에) 떨어진 올리브 과실, 익지 않은 포도(agracejo).

acetite *m.* 【방언】 =**acetato de cobre.**

acetocelulosa *f.* (면에 초산 작용을 일으켜 얻은) 플라스틱 물질.

acetol *m.* 증류된 식초.
acetomiel *m.* 초산 시럽《물약》.
acetona *f.* 아세톤.
acetonemia *f.* 피에 아세톤의 과다.
acetonuria *f.* 오줌에 아세톤 출현.
acetosa *f.* 【식물】 수영(acedera).
acetosidad *f.* 신맛.
acetosilla *f.* 【식물】 =**acederilla.**
acetoso, sa *adj.* 산의 ; 초의 ; 신맛이 나는.
acetre *m.* 두레박 ; 성수병(聖水甁).
acetrinar *tr.* 레몬빛으로 만들다.
~se 레몬빛이 되다.
acezante *adj.* 숨이 차는, 숨을 헐떡거리는.
acezar *intr.* ⑨ ① =**jadear.** ② 간원·간청하다.
acezo *m.* 천식(jadeo).
acezoso, sa *adj.* 헐떡거리는(jadeante).
achabacanamiento *m.* =**chabacanería.**
achabacanar *tr.* 천박스럽게 굴다.
achacable *adj.* …의 탓이라 할 수 있는, …의 잘못으로 볼 수 있는 : El fracaso es ~ *a* María 그 실패는 마리아 탓이다.
achacadizo, za *adj.* 【고어】 =**fingido, malicioso, simulodo.**
achacana *f.* 【식물】 (볼리비아의) 야생 엉겅퀴.
achacar *tr.* ⑦ (…에게) 뒤집어씌우다, 전가하다(atribuir) : Me *achacan* mil mentiras 나에 대해 여러 가지 헛소문을 퍼뜨리고 있다.
achacosamente *adv.* 병약하게.
achacosidad *f.* 병약함.
achacoso, sa *adj.* ① 병약한, 지병(持病)의 : viejo ~. ② 몹쓸 곳투성이의 ; 상처가 많은.
¡achachay! *interj.* 《*Col.*》 =**¡Achalay!**
—*m.* 《*Amér.*》 어린이들의 놀이의 일종.
achaflanado, da *adj.* 단면·모서리가 있는.
achaflanador, ra *adj.* 단면을 만드는; 모서리·가장자리를 치는.
achaflanadura *f.* 단면을 만드는 일.
achaflanar *tr.* 단면을 만들다, 모서리·가장자리를 치다.
achagual *m.* ①【어류】 청어·정어리의 일종. ②《*Méx.*》 웅덩이 지대.
achahuistlarse *r.* 《*Méx.*》 노상균이 끼다 ; 탈이 나다, 지장이 생기다.
achajuanarse *r.* 《*Amér.*》 (동물이) 헐떡이다, 신음하다, 더위를 먹다.
¡achalay! *interj.* 《*Arg. Bol. Ecuad.*》 아이 예뻐라! (¡Qué lindo!) [*N.* 때때로 반어적으로].
achambergado, da, *adj.* ① 금잔화 같은 (모자). ②《*And.*》 좁은 비단 리본같은 (리본).
achamí *adj.* =**extranjero.**
achampanado, da *adj.* =**achampañado.**
achampañado, da *adj.* 샴페인(champaña)같은 : sidra ~ *da.*
achamparse *r.* 《*Chile.*》 ① 뿌리를 뻗다. ② [+con : … 남의 것을] 가로채다. ③《*Méx.*》 야영하다.
achanchar *tr.* 《*Chile.*》 추궁하다.
~se ①《*Riopl.*》 기름지다, 기운이 붙다. ②《*Perú.*》 부끄러워하다. ③《*Amér.*》 기운이 빠지다, 쇠약해지다(debilitarse).
achantarse *r.* ① 웅크리다 ; 숨다, 잠복하다 (agazaparse). ② 위축되다. ③ 참다. ④《*Amér.*》 머물다, 체류·체재하다.
achaparrado, da *adj.* 울창한 ; 땅딸막한.
achaparrarse *r.* 울창해지다 ; 땅딸막해지다.
achapinarse *r.* 《*Guat.*》 구아떼말라 사람처럼 되다.
achaque *m.* ① 지병, 숙환 ; 월경 ; 임신. ② 구실, 핑계(pretexto, excusa). ③ 소문 ; 험담, 고자질. ④ 동기, 계기(motivo). ⑤ 나쁜 버릇, 악습. ⑥ 일 : Sabe poco de ~*s* de amores. ⑦【고어】 벌금(multa).
achaquiento, ta *adj.* =**achacoso.**
¡achara! *interj.* 《*AmérC.*》 분하다!, 불쌍해라!, 가엾어라!, 유감이군! (¡Qué lástima!).
acharado, da *adj.* 【은어】 질투심이 강한.
¡acharar! *interj.* 안됐군요(¡Qué lástima!).
achararse *r.* ①【은어】 겁을 내다, 흠칫하다 ; 수치스럽다. ② 질투하다(dar celos).
achares *m.pl.* 【속어】 투기, 질투 : dar ~ 질투심을 일으키다.
acharolado, da *adj.* 에나멜을 칠한 ; 에나멜같은.
acharolador, ra *adj.* 에나멜을 칠하는. **—***m.* 에나멜칠을 하는 사람(charolista).
acharolar *tr.* (…에) 에나멜을 칠하다.
acharranarse *r.* 엉큼하다, 교활하다 (volverse charrán).
achatado, da *adj.* 납작한 : nariz ~*da* 납작코.
achatamiento *m.* 납작한 것.
achatar *tr.* 납작하게 하다, 짓누르다.
~se 《*Arg. Chile.*》 오므라들다 ; 주눅들다, 풀이 죽다.
achicado, da *adj.* ① 어린애 같은 (aniñado) : rostro ~ 동안(童顔). ② 겁이 많은.
achicador *m.* (배의) 밑바닥에 괸 물을 퍼내는 나무 주걱.
achicadura *f.* 작게 하는 일.
achicamiento *m.* =**achicadura.**
achicar *tr.* ⑦ ① 작게 하다, 적게 하다. ② (배·광산에서) 물을 퍼내다, 배수하다. ③《*Amér.*》 죽이다, 살해하다. ④ 겁을 주다, 굴복시키다. ⑤《*AmérC.*》 묶어 놓다. ⑥《*Chile.*》 (소 등을) 외양간에 몰아넣다.
~se 겁을 내다, 무서워하다, 두려워하다.
Contr. agrandar, aumentar.
achichar *intr.* 《*Col.*》 풍부하다, 풍족하다(abundar) : un paraje *achichado de* algo 어떤 것이 듬뿍 있는 곳.
achicharradero *m.* 더운 곳 : El teatro es un ~.
achicharrador, ra *adj.* 애간장을 태우는 (사람).
achicharramiento *m.* 굽는·태우는 일.
achicharrar *tr.* ① 너무 굽다·태우다·눌리다. ② 너무 덥게 하다. ③ 애간장이 타게 하다. ④《*Amér.*》 짓누르다(estrujar). **—***intr.* (햇빛이) 이글거리다.
~se 너무 타다, 굽히다, 눋다 : *Se achicharró* el asado 불고기가 너무 탔다.
achicharronar *tr.* 《*Amér.*》 =**achicharrar.**
~se 《*Méx.*》 시들다.
achichicle *m.* 《*Méx.*》 아부자, 아첨꾼.
comenzar en ~ y acabar en ahuizote 적반하장(賊反荷杖)이다.
achichiguar *tr.* 《*Méx.*》 유모로 아이를 돌보다 ;

(식물을) 태양으로부터 보호하다.
achichincle *m.* 《*Méx.*》 =**achichinque.**
achichinque *m.* ① (광산의) 배수(排水) 인부. ② 《*Méx.*》 아부자, 아첨꾼.
achicopalarse *r.* 《*Méx.*》 =**desanimarse.**
achicoria *f.* 【식물】 배추.
~ *dulce* 【식물】 =ajonjera.
achicorial *m.* 배추밭.
achicoriero, ra *m.f.* 배추 판매자·수집자.
achiflonado, da *adj.* 《*Chile.*》 경사진.
achiguar *tr.* ⑩ 《*Amér.*》 ① (우산처럼) 활짝 벌어지게 하다. ② 《*Méx.*》 요람(chigua)을 흔들어 주다, 아기 보는 사람의 일을 대신하다. ③ (나무가) 그늘을 만들다.
~**se** 《*Amér.*》 ① 구부러지다, 휘다. ② (벽·배가) 불쑥 나오다. ③ 《*Chile.*》 기울다.
achilarse *r.* 《*Col.*》 기가 죽다, 풀이 죽다; 가난뱅이가 되다.
achilenado, da *adj. m.f.* 칠레 사람(chileno) 같은 (사람).
achimero *m.* 《*AmérC.*》 잡화 상인, 노점 상인 (buhonero).
achimes *m.pl.* 《*AmérC.*》 잡화(雜貨), 잡화점 (buhonería).
achín, na *m.f.* 《*AmérC.*》=**achinero, buhonero.**
achinado, da *adj.* ① 《*AmérM.*》 (백인과 토착인과의) 혼열의, 토착인의 피가 많이 섞인. ② 《*SDgo.*》 몽고족과의 혼혈의. ③ 《*Chile.*》 시골뜨기 같은; 혼혈 여자와 정교를 맺은; 구릿빛의. ④ 천박한: mujer ~ *da.*
achinar *tr.* 【속어】 벌벌 떨게 만들다, 기를 꺾다.
achinelado, da *adj.* 덧신 모양의.
achinelar *tr.* 덧신 모양을 만들다.
achinería *f.* 《*AmérC.*》 잡화점.
achinero, ra *m.f.* 《*AmérC.*》 잡화점 주인.
achingar *tr.* ⑧ 《*AmérC.*》 (옷을) 작게 하다, 바싹 줄이다.
achiotal *m.* 【식물】 아나트나무 숲·밭.
achiote *m.* 아나트나무; 그 열매(bija).
achiotero, ra 아나트(achiote)의. —*m.* 【식물】 =**achiote.**
achiotillo *m.* achiote 씨앗.
achique *m.* 물 퍼내기, 배수.
achiqué *f.* 《*Perú.*》 마녀, 마귀 할멈.
achiquilinado, da *adj.* 《*Arg. Urug.*》 =**aniñado.**
achiquillado, da *adj.* 《*Chile. Riopl.* 》 어린애 같은(aniñado).
achiquitar *tr.* 《*Amér.*》 =**achicar, empequeñecer.**
~**se** 《*Amér.*》 겁내다, 주눅들다(amilanarse).
achira *f.* 《*AmérM.*》 【식물】 칸나.
achirarse *r.* 《*Col.* 》 흐려지다(nublarse).
achirlar *tr.* 《*Arg.*》 ① 너무 부드럽게 하다. ② 물을 너무 타다·붓다.
¡achis! *interj.* 재채기의 의성어.
achispar(se) *tr.(r.)* 얼근히 취하다.
achitabla *f.* 《*Ál.*》 수련의 일종.
-acho, cha *suf. desp.* 「경멸성」을 뜻하는 접미어: hombre → hombr*acho*, rico → ric*acho*.
achocadura *f.* ① achochar 하는 일. ② 《*And.*》 =**descalabradura.**
achocar *tr.* ⑦ ① 벽에 내던지다. ② 상처를 입히다, 후려치다. ③ (돈을) 많이 모으다(guardar mucho dinero). —*intr.* 《*Ant.*》 머리를 부딪쳐 기절하다; 실신하다.
achocazo *m.* ① 머리를 때리기·치기. ② 《*And.*》 =**achocadura, descalabradura.**
achocolatado, da *adj.* 초콜릿(chocolate) 빛깔의: tez ~*da.*
achocharse *r.* 망령들다; 흐려지기 시작하다.
acholado, da *adj.* 《*Amér.*》 ① 구릿빛의. ② 수치스러워하는, 부끄러워하는, 창피해 하는.
acholamiento *m.* 《*Chile.*》 부끄러움, 수치(vergüenza).
acholar *tr.* 《*AmérM.*》 창피를 주다, 망신주다.
~**se** ① 《*AmérM.*》 창피스러워하다, 부끄러워하다. ② 《*Arg.*》 일사병에 걸리다.
acholencado, da *adj.* 《*Méx.*》 병약한, 가냘픈, 연약한.
acholo *m.* 《*Chile.*》 =**acholamiento.**
achotole *m.* 《*Méx.*》 (용수의) 남은 물.
achololear *intr.* 《*Méx.*》 남은 물이 빠지다.
achololera *f.* 《*Méx.*》 배수구.
acholloncarse *r.* ⑦ 《*Chile.*》 웅크리다, 책상다리를 하다.
-achón, na *suf.* 「증대·경멸」을 뜻하는 접미어: bueno → bon*achón*.
achonado, da *adj.* 《*Méx.*》 멍청해진; 경망스러운, 신중하지 못한.
achoque *m.* 《*Méx.*》 =**ajolote.**
achorizado, da *adj.* (맛이나 모양에서) 순대 비슷한.
achortalarse *r.* 《*And.*》 =**empantanarse.**
achotar *tr.* 《*AmérC.*》 ① 아나트(achote)로 염색하다. ② 때리다, 두들기다, 두들겨 패다, 치다 (azotar): El viento *achota* el rostro.
achote *m.* =**achiote.**
achubascarse *r.* ⑦ 비구름으로 어두워지다·하늘이 흐려지다(cubrirse el cielo de nubarrones que amenacen lluvia).
achucutar *tr.* 《*Amér.*》 혼내다, 주춤하게 하다.
~**se** 《*Amér.*》 ① 주춤하다, 겁내다. ② 시들다, 낙엽지다, 축 늘어지다.
achucuyar *tr.* 《*AmérC. Col. Cuba. Ecuad. Venez.*》 =**achucutar.**
achuchador, ra *adj.* 짓누르는, 밀어붙이는; 꾀는, 교사하는 (사람).
achuchadura *f.* achuchar하는 일.
achuchamiento *m.* =**achuchadura.**
achuchar *tr.* ① 짓누르다(aplastar). ② 밀다, 밀어붙이다(empujar). ③ 꾀다, 교사(敎唆)하다 (azuzar).
~**se** 《*Riopl.*》 추위로 떨다; 학질에 걸리다.
achucharrar *tr.* 《*Amér.*》 =**achuchar, achicharrar.**
~**se** ① 《*Méx.*》 주춤하다, 머무적거리다, 겁내다. ② 《*Col. Méx.*》 =**tostarse.**
achuchón *m.* ① 짓누름. ② 【투우】 =**revolcón.** ③ =**empujón.** ④ 가벼운 병.
-achuelo, la *suf.* 「축소성」을 뜻하는 접미어: ri*achuelo*.
achuete *m.* 《*Filip.*》 =**bija.**
achuicarse *r.* ⑦ 《*Chile.*》 부끄러워하다, 부끄

럽게 생각하다, 풀이 죽다.
¡achuichui! *interj.* 《*Chile.*》 어이 추워!, 어이 뜨거워!; 아이 더워!
achujar *tr.* 《*Cuba.*》 교사하다(achuchar).
achulado, da *adj.* ① 뻔뻔스런, 철면피한, 낯가죽이 두꺼운(desvergonzado). ② 건달패같은(chulesco).
achulapado, da *adj.* =**achulado.**
achulaparse *r.* =**achularse.**
achularse *r.* 타락하다, 건달(chulo)이 되다.
achunchar *tr.* 《*Chile.*》 망신을 주다; 위협·공갈하다; 저주하다.
achuñuscar *tr.* [7] 《*Chile.*》 ① 조이다, 짓누르다, 압박하다, 밀치다. ② 으깨다, 찌부러뜨리다.
~se 《*Chile.*》 작게 오므라들다, 찌부러지다, 시들다, 짓눌리다.
achupalla *f.* 《*Perú.*》 【식물】 아나나스과 식물.
achura *f.* ① 《*AmérM.*》 내장. ② 《*Perú.*》 광맥의 중심부.
achurador, ra *adj.* achurar 하는. —*m.* 《*Arg.*》 achurar 하는 사람.
achurar *tr.* ① 《*AmérM.*》 내장을 꺼내다. ② 난도질하다, 베어 죽이다.
achurear *tr.* =**achurar.**
achurruscar *tr.* [7] 《*Chile.*》 강요하다, 강제하다, 압박하다.
~se 《*AmérM.*》 오므라들다(encogerse).
aciago, ga *adj.* 불행한, 불길한 : día ~ 흉일. [Sinón.] infausto, infeliz. [Contr.] feliz.
acial *m.* ① (소·말의) 코뚜레, 쇠코뚜레(banal). ② 《*AmérC. Ecuad.*》 채찍(látigo).
acialazo *m.* 채찍으로 때리기.
aciano *m.* 【식물】 수레국화(~ menor).
acianos *m.* 【식물】 =**escobilla.**
acíbar *m.* 【식물】 ① 노회(áloe). ② 쓴맛(amargura). ③ 불쾌(disgusto).
acibarar *tr.* ① (…에) 쓴맛을 넣다, 쓰게 하다. ② 언짢게 만들다, 불쾌하게 만들다 : ~ la vida.
acibarrar *tr.* (힘껏) 던지다, 내던지다.
aciberar *tr.* 빻다, 가루로 만들다 (pulverizar, moler).
acicaladamente *adv.* 깨끗하게, 청결하게 (limpiamente); 정성스레(con esmero).
acicalado *m.* 무기를 닦는 일.
acicalador, ra *adj.* 닦는, 가는. —*m.f.* (칼 등을) 가는 사람. —*m.* (칼 등을) 가는 연장, 숫돌.
acicaladura *f.* acicalar 하는 일.
acicalamiento *m.* =**acicaladura.**
acicalar *tr.* ① 닦다, 문지르다, 갈다, 광을 내다 (limpiar, bruñir) : ~ una espada. ② (신경을) 곤두서게 하다, 건드리다, 날카롭게 하다. ③ 치장하다, 장식하다(repulir). ④ (벽에) 칠을 하다.
~se 화려한 옷차림을 하다; 장식하다, 화장하다 (adornarse, aderezarse) : ~*se* el rostro 얼굴에 화장을 하다.
acicate *m.* ① 뾰족한 박차. ② 자극. [Sinón.] incitativo, aguijón. —*m.pl.* 《*Amér.*》 【회언】 발.
acicatear *tr.* 《*Amér.*》 (…에) 박차를 가하다 (espolear); 자극하다.
aciche[1] *m.* [*lat.* asciculus] 벽돌 쌓을 때 쓰는 연장.
aciche[2] *m.* =**aceche.**
aciculado, da *adj.* =**acicular.**
acicular *adj.* 【식물·광물】 바늘(aguja) 모양의, 끝이 뾰족한 : hoja ~ 침엽(針葉).
acidalio, lia *adj.* 여신 비너스 (Venus)의 : fuente ~*lia.*
ácidamente *m.* 시게(agriamamte).
acidaque *m.* (회교도들의 남자가 여자에게 주는) 결혼 착수금.
acidez *f.* 신맛, 산성(도) : ~ de estómago 위산과다.
acidia *f.* =**acedia, pereza.**
acidífero, ra *adj.* 신맛이 나는, 산성의.
acidificable *adj.* 산성을 만들 수 있는.
acidificación *f.* 산성화, 산화.
acidificante *adj.* 신맛이 나는 : El oxígeno es un gran ~ .
acidificar *tr.* [7] 시게 하다, 산성으로 만들다 : ~ vino.
~se 시어지다(volverse ácido).
acidimetría *f.* 산정량(酸定量).
acidimétrico, ca *adj.* 산을 측정하는.
acidímetro *m.* 산비중계(酸比重計)(pesaácidas).
acidioso, sa *adj.* 게으른, 나태한 (perezoso, holgazán).
acidismo *m.* 【의학】 산성증(酸性症) 《가스에 의한 산중독증》.
ácido, da *adj.* [*lat.* acidus] ① 맛이 신 (agrio) : Estas frutas son muy ~*das* 이 과일들은 매우 시다. [Contr.] dulce, azucarado. ② 산(성)의. ③ 《*AmérC.*》 귀찮은. —*m.* 【화학】 산.
~ ***acético*** 초산. ~ ***acrílico*** 아크릴산. ~ ***arsénico*** 비산. ~ ***bórico*** 붕산. ~ ***carbónico*** 탄산. ~ ***cítrico*** 구연산. ~ ***clorhídrico*** 염산. ~ ***esteárico*** 스테아린산. ~ ***fénico*** 석탄산. ~ ***fórmico*** 개미산. ~ ***fulmínico*** 뇌산. ~ ***láctico*** 젖산. ~ ***muriático*** 뇌산. ~ ***nítrico*** 질산. ~ ***oxálico*** 수산(蓚酸). ~ ***prúsico*** 청산. ~ ***sulfúrico*** 황산. ~ ***tarárico·tártrico*** 주석산. ~ ***úrico*** 요산(尿酸).
acidógeno, na *adj.* 【화학】 산을 생산하는.
acidosis *f.* (혈액에) 산성 과다.
acidulado, da *adj.* 신, 신맛이 나는(acídulo).
acidular *tr.* 시게 만들다.
acídulo, la *adj.* 약간 신맛이 나는 : agua ~*la.*
aciert- → **acertar** [19].
acierto *m.* ① 적중. ② 신중(prudencia). ③ 수완, 손재주(habilidad) : con ~ 교묘하게; 올바로, 제대로.
aciesia *f.* 【의학】 불임증(esterilidad de la mujer).
aciforme *adj* 【식물】 바늘 모양의.
acigarrado, da *adj.* 《*Chile.*》 담배 냄새가 나는 : voz ~*da.*
ácigos *f.* 두 개의 패인 정맥 사이의 정맥.
aciguar *intr.* [10] 【방언】 멎다, 쉬다.
aciguatado, da *adj.* ① 황달(ciguatera)에 걸린. ② 누런(amarillento). ③ 창백한(pálido).
aciguatar *tr.* 【방언】 엿보다, 노리다.
~se ① 《*Amér.*》 물고기에 중독되다; 빈혈이 되다; 황달에 걸리다. ② 《*AmérC. Méx.*》 바보가 되다(atontarse).
acijado, da *adj.* 황녹색의, 연두색의.
acije *m.* 【화학】 담반, 황산동(黃酸銅)(aceche).

acijoso, sa *adj.* 담반·황산동을 함유한.
acimboga *f.* 【식물】 왕귤나무, 주란귤(azamboa).
acimentarse *r.* 【고어】(어떤 장소에) 정착하다·뿌리를 내리다.
ácimo *m.* 효모(酵母)를 쓰지 않는 빵(ázimo).
acimut *m.* [*pl.* acimuts] ①【천문】 방위각. ② 방위 : ~ magnético 자기 방위(磁氣方位).
acimutal *adj.* 방위의, —*m.* 선박용 나침반.
acinace *m.* (페르시아인들이 사용했던) 짧은 검·단도.
acinaciforme *adj.* 【식물】 초승달 모양의.
acinario, ria *adj.* 포도알 같은.
acinesia *f.* ① 움직이지 않는 일. ②【의학】 무동병(無動病), 수의(隨意) 운동 상실.
acinésico, ca *adj.* 무동병에 걸린.
aciniforme *adj.* 【식물】 입상과(粒狀果)의 ; 포도 모양의.
ácino *m* 【식물】 포도처럼 알이 작은 즙이 많고 살이 많은 열매.
acinoso, sa *adj.* 포도알처럼 둥근.
acintado, da *adj.* 몸이 매우 길고 좁은.
acinturar *tr.* 【고어】 =**ceñir, estrechar, cercar, rodear.**
ación *f.* 가죽 등자.
-ación *suf.* =**-ción.**
acionera *f.* 《*Arg. Chile.*》 등자 가죽끈.
acionero, ra *m.f.* 가죽 등자 제조인.
acipado, da *adj.* 피륙의 단을 꿰매 붙인.
aciprés *m.* =**ciprés.**
acirate *m.* 경작지 경계의 두렁 ; 정원의 가운데로 난 길, 가로수길.
acirología *f.* 말의 사용에 부적당함.
acirón *m.* 《*Ar.*》 =**arce.**
aciscado, da *adj.* =**medroso, temeroso.**
acistia *f.* 요방광 결핍.
acístico, ca *adj.* 방광 결핍의.
acitara *f.* 간막이 벽 ; 판자 간막이 ; 다리의 난간.
acitrón *m.* 설탕 절임 시트론.
acivilar *tr.* ①【고어】 =**abatir, envliecer, denigrar.** ② 민간 세력 아래 두다.
~**se** 《*Chile.*》 (카톨릭에서 결정한 대로) 결혼하다.
aclamación *f.* 환호, 박수 갈채 : las ~*es* de la multitud.
por ~ ① 이구동성으로, 전원 일치로(a una voz). ② 토론없이(sin discusión) : ser elegido *por* ~.
aclamador, ra *adj.* 환호하는, 갈채를 보내는.
—*m.f.* 환호하는 사람.
aclamar *tr.* ① 갈채를 보내다 ; 환호·박수로 맞이하다. ② 추대하다 : Le *aclamaron* rey 그를 왕으로 추대했다. ③ (새를) 부르다.
aclarable *adj.* 맑아질 수 있는, 밝아질 수 있는 ; 해명될 수 있는, 밝힐 수 있는.
aclaración *f.* (액체를) 맑게 함 ; 해명, 설명.
aclarado, da *adj.* aclarar의 *p.p.*
aclarador, ra *adj.m.f.* 분명하게 하는, 밝히는, 해명하는 (사람).
aclarar *tr.* ① 밝게 하다 ; 맑게 하다 (volver claro) ; 엷게 하다 ; 듬성듬성하게 하다, 솎아내다 : ~ el bosque. Contr. obscurecer. ② 분명하게 밝히다, 해명하다. ③ 헹구다, 물에 씻다.
—*intr.* ① 맑아지다 (clarear) ; 밝아지다 (amanecer). ②《*Chile.*》(액체가) 맑아지다.
~**se** ① 밝아지다. ② (액체가) 맑아지다. ③ 비밀을 털어놓다. ④《*Méx.*》(남에게) 돈을 융통해주다.
aclaratorio, ria *adj.* 해명의, 설명의.
aclarecer *tr.* 31 =**aclarar.**
aclareo *m.* aclarear 하는 일.
aclavelado, da *adj.* 카네이션 비슷한.
aclavelarse *r.* 카네이션 모양이 되다.
aclaviculado, da *adj.* 【동물】 쇄골이 없는 (acleido).
—*m.pl.* 쇄골이 없는 동물(acleidos).
acle *m.* 아끌레나무 《필리핀산 콩과의 교목》; 아끌레 열매.
acleido, da *adj.m.f.* 【동물】 쇄골이 없는 (sin clavículas) (동물).
aclimatable *adj.* 풍토에 적응할 수 있는.
aclimatación *f.* 풍토·새로운 환경에의 순화·적응 : jardín de ~.
aclimatar *tr.* 풍토에 적응하다, 순화하다, 길들이다 ; 길들이게 하다.
~**se** 풍토에 익히다 ; 순화하다, 동화하다.
aclínico, ca *adj.* 【물리】 (자석에서) 무경각(無傾角)의 : línea ~*ca* 자기 적도.
aclis *f.* 【신화】 어둠의 여신.
aclísido, da *adj.* 【동물】 쇄골이 없는.
aclocar(se) *intr.* (*r.*) 24 7 보금자리에 틀어박히다, 보금자리에 들다.
acluequ- → **aclocar** 24 7.
acmé *f.* (질병의) 절정·위기.
acné *f.* 【의학】 여드름, 부스럼. Sinón. barros.
aco *m.* 【식물】 (배네수엘라의) 콩과 식물.
-aco, ca *suf.* ① 지명 형용사 : Austria → austri*aco*. ②「경멸」의 뜻을 나타내는 접미어 : libro → libr*aco*.
acobardamiento *m.* =**cobardía.**
acobardar *tr.* 겁을 주다, 주춤하게 하다, 기를 꺾다. —*intr.* 겁을 내다, 주춤하다, 두려워하다. Contr. animar, alentar.
~**se** [+en·de : …에게] 주춤하다, 기가 죽다, 겁을 내다.
acobijar *tr.* (…에) 흙을 돋우다.
acobijo *m.* 흙을 돋움, 그 흙.
acobrado, da *adj.* 구릿빛의(cobrizo) : color ~ 구릿빛, 적동색.
acocarse *r.* 7 (야채 등에) 벌레가 붙다.
acoceador, ra *adj.* 못살게 구는, 들볶는 ; 걷어차는.
acoceamiento *m.* 들볶음, 못살게 굶음 ; 걷어참.
acocear *tr.* ① (마구) 걷어차다(dar coces). ② 못살게 굴다, 들볶다, 공박하다.
acochambrar *tr.* 《*Amér.*》 =**ensuciar.**
acocharse *r.* 웅크리다, 쭈그리고 앉다 (agacharse, agazaparse).
acochinado, da *adj.* =**sucio, asqueroso, descuidado.**
acochinar *tr.* ① 지레 죽이다. ② 꼼짝달싹 못하게 하다, 진퇴양난으로 만들다(acoquinar).
~**se** (정신적·육체적으로) 더러워지다.
acocili *m.* 《*Méx.*》【동물】 강 새우의 일종.
estar como un ~ 수줍어하다, 부끄러워하다

(avergonzarse).
acoclarse *r.* 《*Méx.*》【방언】 웅크리다.
acocotar *tr.* =**acogotar, matar.**
acocote *m.* 《*Méx.*》 긴 호리병 《병 양끝에 구멍을 뚫어, 용설란의 즙액을 받는 그릇》.
acocullado, da *adj.* 《*AmérC.*》 거나하게 취한.
acodado, da *adj.* 팔꿈치 받침을 댄 ; 팔꿈치 모양으로 된 : tubo ~ . —*m.* (기계의) 크랭크.
acodador, ra *adj.* 팔꿈치를 고이는; 휘묻이하는; 까치발을 대는.
acodadura *f.* acodar 하는 일.
acodalamiento *m.* acodalar 하는 일.
acodalar *tr.* 까치발로 받치다, 까치발로 대다.
acodamiento *m.* =**acodadura.**
acodar *tr.* ① 팔꿈치를 고이다 : *Acodó* el brazo. ② 꺾다, 휘묻이하다, 압지(壓枝)하다. ③ (…에) 까치발을 대다 (acodalar). ④ (평면을 조사하기 위해) 수평자를 대다.
~se 팔꿈치를 고이다 : *Se acodó* en la mesa.
acoderamiento *m.* 배를 밧줄로 매기.
acoderar *tr.* 배를 밧줄로 매다 ; 배를 매두다.
acodiciar *tr.* ⑪ 탐나게 하다.
~se ① 욕심을 내다, 탐내다. ②【고어】 [+a·de : …을] 탐내다, 욕심부리다.
acodillar *tr.* 휘어 꺾다 (doblar formando codo) : ~ una barra. —*intr.* (말 등이) 앞 무릎을 꿇다.
~se 《*Chile.*》 (말 등이) 안장에 살갗이 벗겨지다.
acodo *m.*【원예】 휘묻이, 압지(壓枝) : La vid se suele multiplicar por ~ .
acofrar *tr.* 밭이랑을 만들다.
acogedizo, za *adj.* 기꺼이 받아들이는, 상냥스러운, 정다운.
acogedor, ra *adj.m.f.* =**acogedizo.**
acogencia *f.* 《*AmérC.*》 =**aceptación.**
acoger *tr.* ③ ① 맞아 들이다, 받아들이다(admitir, recibir). Contr. rechazar. ② 비호하다, 감싸다, 두둔하다(proteger, amparar) : ~ a los desvalidos. ③ 수용(受容)하다. ④【상업】 (어음을) 인수하다, (기일에) 지불하다 : ~ una letra.
~se ① 도망치다 : ~ *se* en casa de su amigo 친구의 집에 도망치다. ② 핑계대다, 구실을 찾다. ③ 의지하다, 하소연하다 : *Se acogió a* los textos de la ley 법조문에 호소했다.
acogeta *f.* =**amparo, abrigo.**
acogida *f.* ① 맞아들임, 받아들임. ② 보호, 수용(시설), 보호소. ③ 환대 : buena ~ 환영. ④【상업】 어음의 인수 : dar ~ a una letra 어음을 인수하다.
acogido, da *m.f.* 피수용자. —*m.* 사육을 하기 위해 맡는 가축 떼.
acogimiento *m.* =**acogida.**
acogollar *tr.* (식물에) 서리 방지를 하다. —*intr.*, **~se** 어린 싹이 나오다 ; 속이 들다.
acogombradura *f.* 흙을 돋아주기.
acogombrar *tr.* =**acohombrar.**
acogotador, ra *adj.* acogotar 하는.
acogotar *tr.* ① 뒤통수(cogote)를 쳐서 죽이다. ② 목덜미를 잡고 쓰러뜨리다. ③ 굴종(屈從)시키다(vencer).
acogullado, da *adj.* 두건이 달린 망토 모양의.
acohombrar *tr.*【농업】 =**aporcar.**

acoj- → **acoger** ③.
acojinamiento *m.* (피스톤의) 공기 완충, 완충 장치.
acojinar *tr.* =**acolchar.**
acolada *f.* =**corchete.**
acolado, da *adj.* acolar의 *p.p.*
acolar *tr.*【문장】 맞추다, 배합시키다.
acolchado, da *adj.* acolchar의 *p.p.* —*m.* 《*Arg.*》 =**colcha.**
acolchamiento *m.* 솜을 넣기.
acolchar *tr.* ① (…에) 솜을 넣다. ②【선박】 (밧줄 등을) 매다.
acolchonado, da *adj.* 《*Amér.*》 =**acolchado.**
acolchonar *tr.* 《*Amér.*》 =**acolchar.**
acolhuaques *m.pl.* 아꼴우아께스족 《아스떼까족이 침입하기 전 대부분의 멕시코 영토를 지배했던 평화롭고 근면한 민족; acolhuas 라고도 함》.
acolí *m.*【조류】 아꼴리 《맹금류의 새》.
acolia *f.*【의학】 담즙 분리 억제.
acólita *f.* 《*Chile.*》 수도원에서 촛대를 드는 여승.
acolitado *m.* acólito의 신분 · 지위.
acolitar *intr.* 《*Amér.*》 수행하다, 모시고 가다.
acolitazgo *m.* =**acolitado.**
acólito *m.* ① 시승. ② (카톨릭교에서 신부를 돕는) 신참자, 견습 사제, 미사 시종(monaguillo). ③【속어】 날치기, 추종자.
acollador *m.* (굵은 밧줄을 꿰기 위해 그 전에 꿰는) 앞잡이줄.
acolladura *f.* 흙을 북돋우어 줌.
acollar *tr.* ① (식물에) 흙을 북돋우어 주다. ② 틈을 메꾸다. ③ 줄을 조이다.
acollarado, da *adj.* (털색으로) 목에 테가 있는.
acollarar *tr.* ① (…에) 목걸이를 하다. ② (동물을) 목걸이로 매다 : ~ un perro. ③ 《*Arg. Chile.*》 (둘로 된 것을) 짝지우다 ; (말을) 이두마차로 하다. Sinón. atraillar.
~se ① 목덜미에 매달리다. ② 《*Arg. Chile.*》 한패가 되다, 담합하다(confabular). ③ (결혼 · 야합으로) 통합되다. ④ 당황하여 서두르다.
acollido *m.*【고어】 =**acogido.**
acollonamiento *m.* 겁을 주는 일.
acollonar *tr.* =**acobardar.**
acolmillado, da *adj.* 송곳니(colmillo) 모양의.
acolocharse *r.* 《*AmérC.*》 고수머리가 되다.
acología *f.* 치료학.
acólogo, ga *m.f.* 치료 학자.
Acomayo【지명】 아꼬마요 《뻬루에 있는 Cuzco 주의 한 군 ; 수도 Acomayo》.
acombar *tr.* =**combar.**
acomedido, da *adj.* 《*Amér.*》=**comedido, servicial.**
acomedirse *r.* ㊷ 《*Amér.*》 성실하게 하다, 시중을 들다, 돌보다.
acometedor, ra *adj.* 습격하는, 공격적인. —*m.f.* 습격자.
acometer *tr.*【고어】 *intr.* ① 습격하다, 덮치다, 공격하다 (embestir, atacar) : ~ el enemigo. ② 꾀하다. ③ [+a : … 할] 결심을 하다, 굳이 … 하다. ④ (수도 꼭지 등을) 대다.
acometida *f.* ① 습격, 공격. ② (수도 · 가스관

의) 지관(支管). ③(전기의) 탭, 연결부.
acometiente *adj.* 습격하는, 공격하는.
acometimiento *m.* ① 습격(acometida). Sinón. ataque, embestida. ②(수도의) 지관.
acometividad *f.* 공격성, 습격성. Sinón. osadía, atrevimiento.
acomodable *adj.* ① 견딜만한, 적응할 수 있는. ② 받아들여도 되는.
acomodación *f.* 적응 ; 조절 (기능) ; 화해 ; 편의 ; 설비.
acomodadamente *adv.* 적당하게 ; 유복하게 ; 쾌적하게 ; 안일하게 ; 기분좋게.
acomodadizo, za *adj.* 융통성 있는, 타협적인 : hombre ~ .
acomodado, da *adj.* ① 적당한. ② 유복한, 부유한 : hombre ~ . ③ 쾌적한 : casa ~ *da*. ④ 기분 좋은, 안일한, 편한. ⑤ 형편없이 싼 : precio ~ 형편없이 싼 가격.
acomodador, ra *m.f.* (극장 등의) 안내인.
acomodamiento *m.* 조절 ; 다협, 화해 ; 편의, 쾌적.
acomodar *tr.* ①(적재 적소에) 놓다, (제자리에) 앉히다 : ~ un mueble en el cuarto. ② 마음을 가라앉히다, 일자리에 앉히다. ③ 적응 · 순응시키다, 적용하다, 맞추다 (aplicar, adecuar). ④ 조정하다, 타협 · 화해시키다 (concertar). ⑤(기준에) 맞추다, 조화시키다. ⑥(필요한 것을) 마련하다. —*intr.* 꼭 들어맞다, 어울리다, 조화되다(convenir) ; 순응하다.
~se ① 정착하다, 자리잡다 ; 직책에 부임하다. ②《*Méx.*》(인부 등이) 일자리를 얻다. ③ 서로 양보하다, 타협하다, 참다. ④ [+a · con : … 에] 따르다, 좇다(conformarse) : Ella *se acomoda a* las circunstancias 그녀는 환경에 적응한다. ⑤ [+de : … 을] 가지고 있다 : *Se acomodó de* dinero. ⑥ [+en : … 에] 숙박하다. ⑦《*Arg. Chile.*》화장하다, 단장하다, 차려 입다 (componerse).
acomodaticio, cia *adj.* ① 융통성있는, 타협적인 (acomodadizo). ② 신축성이 있는, 탄력성이 있는.
acomodo *m.* ① 직(職), 직업, 일, 자리, 지위 (empleo, ocupación, colocación) : tener un buen ~ . ②《*Chile.*》화장, 몸단장. ③《*Méx.*》(특히 인부 · 하녀 등의) 직, 일자리.
acompañadamente *adj.* 함께, 동반하여.
acompañado, da *adj.* ① 인파가 많은 : sitio ~ . ② 고문역의. ③ [+de : … 를] 따라서, … 과 더불어, 함께 : Los hijos iban ~*s de* su madre 아이들은 어머니와 함께 갔다. ④ 동봉하여, 곁들여. ⑤《*Cuba.*》술취한. —*m.f.* 동반자 ; 고문역, 보좌인.
acompañador, ra *adj.* 동반하는 ; 동봉한. —*m.f.* ① 동반자, 수행원, 동행자. ②【음악】반주자.
acompañamiento *m.* ① [집합] 동반(자), 동행(자), 수행 ; 수행원. ②【음악】반주(단). ③ (편지 따위의) 동봉, 첨부.
acompañanta *f.* 동반하는 여자 ; 아기 보는 여자, 보모; 반려자.
acompañante *adj.m.f.* =**acompañador.**
acompañar *tr.* ① 같이 가다, 동반 · 동행하다 : Mi padre me *acompañaba.* ② 동봉하다 : Le *acompaño* copia de la carta 편지의 사본을 동봉해 드립니다. ③ [+con · de : … 에] 곁들이다, 첨부하다 : ~ el original *de* · *con* las pruebas 원고에 교정쇄를 첨부하다. *Acompañó* el saludo *con* una bondadosa sonrisa 인사하면서 상냥스런 웃음을 머금었다. ④(애환을) 함께하다 : Le *acompañé en* su dolor 슬픔을 그와 더불어 나누었다. ⑤ 반주하다.
~se ① [+con · de : … 와] 같이 가다, 동반하다 : *Se acompañaba con* · *de* buenos amigos 좋은 친구와 함께였다. ② 반주하다 : Cantó *acompañándose con* la guitarra 기타를 치며 노래했다. ③ 상담하다, 협의하다.
acompaño *m.*《*AmérC.*》모임, 회합, 집회 (mitin, reunión).
acompasadamente *adv.* ① 차분하게 : hablar ~ . ② 율동적으로, 리드미컬하게. ③ 천천히.
acompasado, da *adj.* ①(마음이나 분위기 따위가) 가라앉아 조용한, 차분한. ② 늦은(lento).
acompasar *tr.* ① 컴퍼스로 재다 (medir con el compás). ② 박자를 맞추며 하다. ③ 천천히 이야기하다(compasar).
acomplejado, da *adj.m.f.* 열등감을 가진 (사람).
acomplejar *tr.* 열등감을 갖게 하다 ; 당혹시키다.
—*intr.*, **~se** 열등감을 가지다 ; 당혹하다.
acomplexionado, da *adj.* [+bien · mal] 좋은 · 나쁜 체격의(complexionado).
acomunarse *r.* 마음을 함께하다 · 같이하다 ; 동지가 되다(coligarse).
acón *m.*《*Amér.*》(상자같이) 편편한 배(barca chata).
Aconcagua【지명】아꽁까구아《칠레의 주, 주도 San Felipe ; 아르헨띠나 Mendosa 주에 있는 산, 높이 6, 959미터》.
aconchabamiento *m.* 적소(適所)에 자리잡음.
aconchabarse *r.* ① 한패가 되다, 한통속이 되다. ②【속어】꼭 달라붙다(conchabarse).
aconchadillo *m.* 아꼰챠디요《옛날에 만들어진 고기 스튜 요리》.
aconchar *tr.* ①(구석에 밀어 넣어) 숨기다. ② (바람 · 조수가 배를 해안이나 위험한 곳으로) 떠내려 보내다. ③《*Méx*》조개 모양이 되게 하다 : ópalo *aconchado.* ④【고어】=**aderezar, componer, adornar.**
~se ① 들러붙다. ② 구석으로 도망치다. ③(배가) 떠내려가다. ④ 모로 쓰러지다. ⑤(배가) 서로 닿다, 뱃전끼리 닿다. ⑥《*Chile.*》가라앉다, 침전하다, 침몰하다.
aconciano, na *adj.* 아꼰띠아《Acontia, 현재의 Tordesillas》의; 또르데씨야스《Tordesillas, Valladolid 주의 도시》의. —*m.f.* 아꼰띠아 사람; 또르데씨야스 사람.
acondicionable *adj.* 처리 · 조절할 수 있는.
acondicionablemente *adj.* 처리 · 조절할 수 있도록.
acondicionado, da *adj.* ① 조건에 부합된 : estar perfectamente ~ en todos conceptos 모든 면에서 조건에 부합되다. ② 조절한 : con aire ~ 냉난방 장치가 있는. ③ 적당한. ④ [bien · mal + ~] 조건 · 품질 · 성질 · 상태가 좋은 · 나

쁜 : La fruta llegó mal ~*da*.
acondicionador *m.* 온도 조절기, 에어컨디셔너.
acondicionamiento *m.* 조절, 조정(調整) : ~ de aire 공기 조절.
acondicionar *tr.* ① [+bien · mal] 어떤 성질 · 상태가 되게 하다. ② 처리 · 조절하다 : ~ un guisado.
aconejado, da *adj.* (색 · 형태 등에서) 토끼 비슷한.
acongojadamente *adv.* 슬픔에 잠겨, 비탄에 젖어(con angustia).
acongojador, ra *adj.* 슬픈, 서글픈 ; 고통스러운.
acongojante *adj.* 서글픈, 슬픈 ; 고통스러운.
acongojar *tr.* 슬프고도 허전하게 하다, 서글프게 하다, 슬픔을 주다(afligir).
~se 슬픔에 젖다, 슬퍼하다, 고민하다, 고통스러워하다.
aconhortar *tr.* 【고어】 =**conhortar.**
aconitina *f.* 약에 사용되는 독의 일종.
acónito *m.* 【식물】 바곳. Sinón. anapelo, matalobos.
aconsejable *adj.* 권고 · 충고 · 조언할 수 있는, 충고한 보람이 있는.
aconsejadamente *adj.* (다른 사람의) 충고로; 사려깊게, 생각이 깊게.
aconsejado, da *adj.* ① 속이 깊은, 사려가 깊은, 생각이 깊은. ② [mal + ~] 지각없는.
aconsejador, ra *adj.* 충고 · 조언하는. —*m.f.* 충고자, 조언자.
aconsejante *adj.* =**aconsejador.**
aconsejar *tr.* ① 충고 · 조언하다, 권고하다(dar consejo) : ~ a un amigo 친구에게 충고하다. ~ mal 충고를 잘못하다. ② [+ que + *subj.*] ··· 하기를 권하다 : *Aconsejo que partas* en seguida 네가 즉시 떠나기를 권한다. Le *aconsejo que estudie* Ud. español 서반아어를 공부하시길 권해 드립니다.
~se ① 조언 · 의견을 구하다, 상의하다, 의논하다 : ~*se de* abogado 변호사와 의논하다. ~*se en* lo mejor 좋은 충고를 받아들이다. ② 반성하다.
~***se con la almohada*** 골똘히 생각하다, 심사 숙고하다.
aconsolar *tr.* 24 【속어】 =**consolar.**
aconsonantar *tr.* 【시학】 동운(同韻)으로 하다, 동운을 사용하다. —*intr.* 운이 맞다 ; 운이 같은 말을 사용하다.
acontagiar *tr.* 11 【속어】 =**contagiar.**
acontecedero, ra *adj.* 있을 법한, 그럴싸한 : suceso ~.
acontecer *intr.* 31 [제 3인칭에만 활용] (일이) 생기다, 일어나다 (suceder) : *Aconteció* lo que suponíamos 우리들이 예상했던 일이 일어났다.
acontecido, da *adj.* 슬픈, 슬픔에 잠긴 : estar muy ~ . Sinón. cariacontecido.
acontecimiento *m.* ① 사건, 사고(suceso) : ~ inesperado 불가피한 사고, 예상 못한 사건. ② 사변.
acontentar *tr* 《*Ar.*》 =**contentar.**
acontiado, da *adj.* 【고어】 =**hacendado.**
acóntido, da *adj.* 파충류의. —*m.pl.* 파충류.
acopado, da *adj.* 우산처럼 무성한, 수관(樹冠) 모양의, 우산처럼 퍼진 : árbol ~ .
acopador *m.* 망치의 일종.
acopadura *f.* 우산 모양으로 만들기.
acopar *tr.* 우산 모양으로 만들다 : ~ un tejo. —*intr.* 우산 모양으로 무성하다, 수관을 만들다 : Los plátanos *acopan* muy bien.
acopas *adv.* 《*Méx.*》 안성맞춤으로, 때마침, 뜻밖에(a copas).
acopetado, da *adj.* 관모상(冠毛狀)의.
acopetar *tr.* (새의) 관모를 만들다.
acopiador, ra *adj.* 모으는. —*m.f.* 수집자 ; 매점 매석자.
acopiamiento *m.* =**acopio, reunión.**
acopiar *tr.* 11 ① 모으다 (juntar, reunir) : ~ trigo 밀을 사들이다. ~ documentos 서류를 모으다. Contr. dispersar. ② 【상업】 매점하다.
acópico, ca *adj.* 【의학】 피로를 가라앉히는. —*m.* 피로 진정제.
acopio *m.* ① 모으는 일. ② 저장, 비축. ③ 【상업】 매점 : ~ usurario 부당 매점.
acoplado *m.* 《*Amér.*》 견인식 전차.
acopladura *f.* ① 접합 : hacer una ~ para unir dos tablas. ② 조합.
acoplamiento *m.* ① 쌍을 이루게 함. ② 접착, 접합, 맞춤, 연결. ③ 【기계】 축계수(軸繼手). ④ 【전기】 접속.
~***de ingresos de tipo inferior · medio · superior*** 저 · 중 · 고소득층.
acoplar *tr.* (두 개로 된 것을) 짝 · 쌍을 이루게 하다 ; 맞추다 ; 연결하다 ; 화해시키다 ; 교미시키다.
~se 짝이 되다 ; 화해하다 ; 친해지다, 익숙해지다(encariñarse) ; 교미하다.
acoplo *m.* =**copladura.**
acoquinamiento *m.* 기가 꺾임, 주눅이 듦.
acoquinar *tr.* 기를 꺾어 주다, 기를 펴지 못하게 하다(amilanar).
~se 기가 꺾이다(amilanarse).
acoralado, da *adj.* 산호(coral) 같은.
acorar *tr.* ① 슬픔을 주다, 괴로움을 주다 (afligir, acongojar). ② 《*PRico.*》 말리다, 붙잡다.
~se 슬퍼하다, 비탄에 잠기다(afligirse) ; (식물이 더위로) 타다(desmedrarse)
acorazado, da *adj.* 장갑의 : crucero ~ 장갑 순양함. vehículo ~ 장갑차. fuerzas ~*das* 장갑 부대. —*m.* 장갑함, 전함 : ~ de bolsillo 소형 전함. ~ de primera clase 주력함(主力艦).
acorazamiento *m.* 장갑(하는 일).
acorazar *tr.* 9 장갑하다.
~se 방비하다, 갑옷을 입다 : una mujer *acorazada* de hipocresía 위선의 탈을 쓴 여자.
acorazonado, da *adj.* 심장(corazón) 모양의, 하트형의 : hoja ~*da*.
acorazonar *tr.* 심장 모양을 만들다.
acorchado, da *adj.* ① 푹신푹신한, 코르크(corcho) 같은, 솜같은(esponjoso) : fruta ~*da* 솜같은 과일. hongo ~ 솜같은 버섯. ② 마비된.
acorchamiento *m.* 푹신푹신함.
acorcharse *r.* ① 푹신푹신해지다 : Esta madera *se acorcha*. ② (감각적으로) 마비되다.
acordada *f.* ① 상급 법원의 통첩 · 명령. ② 증명서의 확인장. ③ 계고 통첩. ④ 《*Méx.*》 (1970

년 멕시코에 생긴) 종교 경찰 (옥사〈獄舍〉).
acordadamente *adv.* ① 일치하여(de común acuerdo) : obrar ~. Sinón. unánimemente. ② 신중히(con reflexión). Sinón. deliberadamente.
acordado, da *adj.* 일치한, 결의한 ; 숙고를 거듭한 끝의.
lo ~ 판례(判例).
acordanza *f.* 기억 ; 협정, 일치된 의견 ; 조화.
acordar *tr.* ㉔ ①(일치로) 정하다, 의결하다 (determinar de común acuerdo) : *Se acordó* nombrar una comisión. ② 결심하다(resolver). ③ 일치·동화·협조시키다(conciliar) : ~ las voluntades. ④ 조정하다 : ~ los pareceres 의견을 조정하다. ⑤ 조화시키다, 맞추다, 화합하다 : ~ la voz con el piano. ⑥(색을) 조화시키다 (armonizar). ⑦《*Amér.*》 부여하다, 허용하다 (conceder).
—*intr.* ① 타협·동조하다, 조화하다 : Esto no *acuerda.* ② 납득하다.
~se ① 결의·결정되다, 일치하다. ② 마음·의견을 같이하다 : El traidor *se acuerda con* los contrarios 배반자는 적과 내통하고 있다. ③ [+de : … 을] 생각해 내다, 상기하다 : Si mal no *me acuerdo* 내 기억이 틀림없다면. *Acuérdese* (de) que … 의 일을 상기하십시오.
[직설법 현재 : acuerdo, acuerdas, acuerda, acordamos, acordáis, acuerdan. 접속법 현재 : acuerde, acuerdes, acuerde, acordemos, acordéis, acuerdan]
acorde *adj.* (의견이) 일치된·하여 ; 조화를 이룬 : colorido ~. —*m.* 【음악】 화음(和音). Contr. discorde.
acordeladura *f.* =**acordelamiento.**
acordelamiento *m.* 줄로 측량하기, 구획.
acordelar *tr.* 줄(cuerda)로 측량하다 ; 구획하다.
acordemente *adv.* (의견이) 일치가 되어, 마음을 함께 하여, 의기 투합하여 (acordadamente, de acuerdo).
acordeón *m.* 아코디언, 손풍금.
acordeona *f.* 《*Urug.*》 아코디언.
acordeonista *m.f.* 아코디언 연주자.
acordinarse *r.* 《*Ecuad.*》 (노래와 악기가) 꼭 어울리다, 가락이 맞다.
acordo *m.* 【악기】 아꼬르도 《17·18세기에 사용됐던 10에서 15현의 악기》.
acordonable *adj.* 노끈으로 묶을 수 있는.
acordonado, da *adj.* ① 새끼줄 모양의·무늬의 (de forma de cordón). ② 《*Méx.*》 여윈, 마른 (말·소).
acordonador, ra *adj.m.f.* 노끈으로 묶는 (사람). —*m.* 돈을 묶는 기계.
acordonamiento *m.* 줄·노끈으로 묶음·감음.
acordonar *tr.* ① 노끈으로 묶다 ; 노끈·줄을 감다, 칭칭 감다 ; (출입을 못하도록) 새끼줄을 치다. ②(화폐의 둘레 같은 데) 우툴두툴한 새끼줄 무늬를 넣다. ③《*Cuba.*》 땅을 일구다.
acores *m.pl.* 【의학】 태독(胎毒), 소아 습진. Sinón. tiña mucosa.
acoria[1] *f.* [*gr.* a+korē] 【의학】 눈동자 결핍.
acoria[2] *f.* [*gr.* akoria] 심한 허기(hambre canina).
acorión *m.* ①【식물】 버섯의 일종. ② acorión 으로 생긴 병.
acornado, da *adj.* acornar 의 *p.p.*
acornar *tr.* ㉔ =**acornear.**
acorneador, ra *adj.* 뿔로 받는·찌르는.
acornear *tr.* 뿔로 받다(dar cornadas).
ácoro *m.* 【식물】 창포 : ~ bastardo·falso 황창포.
acoroideo, a *adj.* 【식물】 창포(ácoro) 같은. —*f.pl.* 【식물】 창포류.
acorralamiento *m.* acorralar 하는 일.
acorralar *tr.* ①(짐승을) 우리에 넣다, 가두어 넣다 (encerrar en el corral) : ~ el ganado. ② 몰아넣다 ; 감금하다. ③ 족치다, 아무 소리 못하게 하다, 주춤하게 만들다.
~se 우리 안에 들어가다 ; 잠복하다, 도망쳐 들어가다.
acorredor, ra *adj.* =**socorredor.**
acorrer *tr.* 【고어】 구출하다. —*intr.* (구출하러) 좇아가다.
~se 도망쳐 들어가다(refugiarse).
acorro *m.* 【고어】 =**socorro.**
acorrucarse *r.* ⑦ 웅크리다(acurrucarse).
acortadizo *m.* 《*Ar.*》 (천이나 가죽을) 자르기·재단.
acortamiento *m.* ① 단축 : ~ de la distancia 거리의 단축. ② 절감.
acortar *tr. intr.* ① 단축하다, 짧게 하다. ② 감소하다 : El coche *acortó* la marcha 자동차는 속도를 늦추었다. ③ 지름길을 가다 : Por aquí *acortaremos* 여기서 지름길로 갑시다.
~se ①(말 따위를) 단축하다 : Esta niña no *se acorta* fácilmente. ② 오므라들다, 어물거리다, 선뜻 내키지 않다, 사양하다. ③(말이나 소가) 걸음을 멈추다.
acortejarse *r.* 《*PRico.*》 (남녀가) 포옹하다.
acorullar *tr.* 【선박】 좌현(babor)에서 우현(estribor)까지 돛을 가로지르다.
acorvar *tr.* 구부리다(encorvar) : ~ una barra.
acorzar *tr.* 《*Ar.*》 =**acortar, disminuir.**
acosadamente *adv.* 몰아세워, 추구하여; 귀찮게 매달려.
acosado, da *adj.* 끈질기게 좇는.
acosador, ra *adj.* 추구하는. —*m.f.* 추구자.
acosamiento *m.* 추구, 추궁, 힐난, 논박.
acosar *tr.* 추궁하다, 몰아세우다, 귀찮게 매달리다, (말을) 몰아내다.
acosijar *tr.* 《*Méx.*》 =**acosar, apretar.**
acosmismo *m.* 무우주론.
acoso *m.* =**acosamiento.**
acosón *m.* =**ataque.**
acosta *f.* 《*Cuba.*》 성글게 짠 베.
acostada *f.* 가로 누움, 취침(dormida).
acostado, da *adj.* 누운, 누운 모양의.
acostadura *f.* 취침.
acostamiento *m.* ① 취침. ② 보호. ③【고어】 보수.
acostar *tr.* ㉔ ① 눕히다 (tender en la cama) : Es hora de ~ a los niños 아이들을 눕힐 시간이다. Contr. levantar. ② 기대다. ③(배를) 옆으로 대다.
—*intr.* ①(건물이) 기울다, 기울어 있다. ②(해안으로) 가까이 가다.
~se ① 가로 놓이다. ② 눕다 : Juan *se acostó*

vestido 후안은 옷을 입고 누웠다. ③ 접근하다. [직설법 현재 : acuesto, acuestas, acuesta, acostamos, acostáis, acuestan. 접속법 현재 : acueste, acuestes, acueste, acostemos, acostéis, acuesten].

acostillar *tr.* 《*AmérC.*》 (말이 어떤 물건) 옆으로 가까이하여 걷다, 기대서다.
~se 《*SDgo.*》 한통속이 되다.

acostumbradamente *adv.* 습관대로, 여느 때처럼, 보통 때처럼, 평상시처럼(según costumbre, habitualmente).

acostumbrado, da *adj.* 길든, 길들여진, 버릇된(habitual).
—adv. 습관대로, 버릇된 그대로, 여느 때 하던 그대로.

acostumbrar *tr.* 길들이다, 버릇들게 하다.
—intr., **~se** ① [+a : … 에] 길들다. ② [+a+*inf.* : … 하는 것이] 버릇이 되어 있다, 언제나 … 하다 : *Me acostumbro a* salir de noche 나는 언제나 밤에 나간다. *Me acostumbro a* decir la verdad 나는 언제나 진실을 말한다.

acotación *f.* ① 방주(傍註), 난외(欄外)의 단서(但書). Sinón. anotación. ② (지도의) 표고. ③ 비호(庇護) ; 방호(防護).

acotada *f.* 울을 친 묘목밭.

acotado, da *adj.* acotar의 *p.p.*

acotamiento *m.* =**acotación.**

acotar *tr.* ① 주기·각주를 붙이다. ② 가려내다, 추려 내다 : *Acoto* este libro. ③ 받아들이다, 수락하다 (aceptar). ④ [+con : … 을] 증거·근거로 삼다, 참고로 내세우다 : *Acotó con* fulano. ⑤ 정하다, 지정하다. ⑥ 출입 금지시키다, 경계 표지를 달다. ⑦ (지도에) 표고·기호를 붙이다. ⑧ (나무의) 가지를 쳐 버리다.
~se (안전 지역으로) 피신하다 ; 근거지로 삼다.

acote *m.* (묘상에 넣는) 부식토 층.

acotejar *tr.* 《*Amér.*》 ① =**acomodar.** ② 《*Col.*》 격려하다 ; 호의를 보이다.
~se 《*Amér.*》 ① 몸을 안정시키다, 차분히 자리잡다 (acomodarse) : *Se acotejó* en su hamaca. ② 장단을 맞추다, 사이좋게 지내다.

acotejo *m.* 《*Cuba.*》 정리, 정돈 ; 정착 ; 침착성.

acotiledón, na *adj.* 【식물】 =**acotiledóneo.**
—m. 무자엽 식물.

acotiledóneo, a *adj.* 【식물】 무자엽(無子葉)의. *—f.pl.* 무자엽류. Sinón. criptógama.

acotillo *m.* (대장간의) 큰 망치.

acotolar *tr.* 《*Ar.*》 =**aniquilar, maltratar, anonadar, destruir.**

acoyundar *tr.* 소에 고삐(coyunda)를 매다.

acoyuntar *tr.* 한 마리씩 서로 가져와 한 짝으로 하다.

acoyuntero *m.* 한 마리씩 가져와 한 짝으로 하는 농부.

ACPAF Asociación del Congreso Panamericano de ferrocarriles 범미 철도 회의 연합.

acracia *f.* ①【의학】 쇠약(astenia). ② 무정부주의(anarquismo).

acras *m.* zapote의 학명(nombre científico).

acrasia *f.* ①【의학】 조직 착란(錯亂). ② =**incontinencia.**

ácrata *adj.* 무정부주의의. *—m.f.* 무정부주의자(anarquista).

acrático, ca *adj.* 무정부주의의.

acre *adj.* 신 ; 쓴 ; 무뚝뚝한 ; 까다로운, 신랄한. Contr. dulce. *—m.* 에이커 《면적의 단위》.

acrecencia *f.* 증가, 증대 ; 부가 재산.

acrecentador, ra *adj.* 증가하는, 증대하는.

acrecentamiento *m.* 증가, 증대 ; 생장 ; 발달 ; 부가 가치. Sinón. aumento. Contr. disminución.

acrecentante *adj.* =**acrecentador.**

acrecentar *tr.* 19 ① 불리다, 증가시키다, 많게 하다(aumentar) : ~ su fortuna. ② 증대·증진시키다. ③ 승진시키다.
~se 불어나다, 증가·증대하다.

acrecer *tr.* 31 =**acrecentar.** *—intr.* 몫이 불어나다.
~se 불어나다.

acrecimiento *m.* 증가, 증대 ; 승진.

acreción *f.* =**crecimiento.**

acreditación *f.* acreditar 하는 일.

acreditado, da *adj.* ① 믿어지는, 신용있는 : ~ *de* justo 옳다고 믿어지는. ② 자격이 있는, 정식의 : Es un representante ~ 그는 정식 (자격이 있는) 대표이다.

acreditador, ra *adj.m.f.* 신용·신임하는, 보증하는 (사람).

acreditar *tr.* ① 신용하다, 신임하다, 믿을 수 있는 것으로 만들다. ② 보증하다. ③ 대변(貸邊)에 기입하다(abonar). ④ (… 에) 신용장·신임장을 주다, (외교관을) 파견하다. ⑤ 유명하게 만들다(afamar) : Este libro le *acreditó* mucho 이 책은 그의 명성을 굉장히 높여 주었다.
~se 신용·평판을 얻다 : *Se acreditó de* necio 그는 바보라는 평을 들었다. Contr. desacreditar ; cargar.

acreditativo, va *adj.* =**justificativo.**

acredor, ra *m.f.* 《*Amér.*》 =**acreedor.**

acrédula *f.* 【조류】 후취류과의 새.

acreedor, ra *m.f.* ① 채권자, 저당권자 : ~ hipotecario 저당권자. ~ mancomunado 연대 채권자. ~ personal 개인 채권자. ~ prendatario 질권자. ~ privilegiado 우선 채권자. ~ solidario 연대 채권자. reunión junta de ~*es* 채권자 집회·회의. ②【속어】 영국인. *—adj.* ① … 을 얻을 가치가 있는 : ~ a la confianza 신용할 만한. ②【상업】 대변의 : cuenta ~*ra* 대변 계정. saldo ~ 대변 잔고. *—m.pl.* 지불 계정 ; 미불금, 지불금, 외상 매입금 : ~*es* hipotecarios 《*Arg. Méx.*》 담보부 채무.

acreencia *f.* 《*Amér.*》【상업】 채권, 자산 ; 신용(crédito).

acreidos *m.pl.* 【곤충】 인시류과.

acremente *adv.* 신랄하게, 혹독하게, 가혹하게 (ásperamente, agriamente).

acrianzado, da *adj.* =**criado, educado.**

acrianzar *tr.* 양육·사육하다.

acribador, ra *adj.m.f.* 체로 치는 (사람).

acribadura *f.* 체로 치는 일. *—pl.* 체로 친 찌꺼기.

acribar *tr.* ① 체로 치다 : ~ trigo 밀을 체로 치다. ② 구멍투성이로 만들다, 상처투성이가 되게 하다(acribillar). ③ 관통하다, 통관하다, 꿰뚫다(atravesar).

acribillar *tr.* ① 칼로 찔러 벌집을 만들다. ② 상처투성이로 만들다, 난도질하다 : ~ a puñaladas. ③ 추궁하다 : Le *acribillan* los acreedores.
acribología *f.* (말의 사용에서) 정확(성).
acridídeos *m.pl.* 【동물】 =**acrídidos.**
acrídido, da *adj. m.* 메뚜기(의).
acridio *m.* 《*Arg. Méx. Urug.*》 【곤충】 =**langosta.**
acrílico, ca *adj. m.* 아크릴 제품(의).
acrilina *f.* 무색 합성 수지 (resina sintética incolora).
acriminación *f.* 고발, 고소.
acriminador, ra *adj.* 고소·고발하는. —*m.f.* 고발인, 고소인.
acriminar *tr.* ① 고발·고소하다. ② 죄로 만들다, 탓으로 돌리다 (acusar). ③ (과실 등을) 과장하여 큰 죄로 몰다.
~se 《*Chile.*》 파멸하다.
acrimonia *f.* ① 상처의 욱신거림. ② 신랄, 호됨. ③ 신맛. ④ 비꼼, 독설. Contr. dulzura. Sinón. acritud.
acrimoniosamente *adv.* 신랄하게, 호되게.
acrimonioso, sa *adj.* 신랄한, 혹독한, 매서운 : carácter ~ 독한 성격.
acriollado, da *adj.* 자국인같은.
acriollarse *r.* 《*AmérM.*》 아메리카 태생(criollo) 처럼 되다 ; (어떤 고장에) 친해지다.
acris *m.* 【동물】 꼬리가 없는 양서류의 일종.
acrisis *f.* 병의 과정에서 위기의 결여.
acrisolación *f.* 정련, 정화.
acrisoladamente *adv.* 정화·정련하여.
acrisolador, da *adj.* 정련·정화하는.
acrisolar *tr.* ① 정련(精鍊)하다, 정화하다, 청신하게·순수하게 하다. ② 명백하게 입증하다 : ~ la verdad 진실을 확실히 입증하다.
acristianado, da *adj.* 기독교화 된.
acristianar *tr.* ① 기독교도로 만들다(cristianar). ② 세례를 주다(bautizar).
acrítico, ca *adj.* 병에서 위기가 없는.
acritud *f.* 엄함, 가혹 ; 신랄(acrimonia). Contr. dulzura.
acro- *pref.* 「정상」「최고」의 뜻을 나타내는 접두어.
acroamático, ca *adj.* 구술된, 구전의.
acroático, ca *adj.* =**acroamático.**
acrobacia *f.* ① 곡예 : ~ aérea 공중 곡예. hacer ~*s* 줄타기를 하다. ② 어려운 곡예·훈련 : ~ de aviador.
acróbata *m.f.* [*gr.* akrobatein] ① 곡예사. [*N.* 가끔 equilibrista, payaso, volatinero로도 사용함]. ② 특이한 곡예로 현혹시키고자 하는 사람.
acrobático, ca *adj.* 곡예의.
acrobatismo *m.* 곡예 ; 곡예사의 직.
acrobistitis *f.* 【의학】 포피염.
acrocárpeo, a *adj.* 【식물】 은화 식물의.
acrocefalia *f.* acrocéfalo의 변칙.
acrocéfalo, la *adj.* 【의학】 끝이 뾰족한 두개골을 가진. —*m.* 【조류】 치취류새.
acrocórdido, da *adj.* 【동물】 뱀무리의. —*m.pl.* 【동물】 파충류.
acroe *m.* =**acroy.**
acrofobia *f.* 고소 공포(증) ; 첨단 공포(증).
acrografía *f.* 산을 이용할 부조 조각술.
acrología *f.* 절대성 연구.
acromacia *f.* 색의 혼란.
acromasia *f.* 병약하여 창백함.
acromático, ca *adj.* 무색의, 색이 없는 ; 색을 없앤.
acromatismo *m.* 무색(無色) ; 색소성(色素性).
acromatización *f.* 무색으로 함.
acromatizar *tr.* ⑨ 무색으로 하다, 색을 없애다.
acromatopsia *f.* 【의학】 색맹(daltonismo).
acromía *f.* 살갗의 퇴색.
acromial *adj.* 어깻죽지의.
acromiano, na *adj.* =**acromial.**
acrómico, ca *adj.* 색이 없는 (몸).
acromio *m.* 【해부】 어깻죽지.
acromión *m.* =**acromio.**
acrónico, ca *adj.* 일몰에 나오는, 해거름의.
acrónimo *m.* 준말, 약칭 《예 : Renfe ←Red Nacional de Ferrocarriles Españoles》.
acrono, na *adj.* 비시간적인, 시간이 없는.
acrópolis *f.* 【단·복수 동형】 (옛 그리스 도시의) 성채(城砦) ; 아크로폴리스 《아테네의 성채》.
acrosofía *f.* 신에 속한 지식.
acrósporo *m.* (화본과 식물의 잎에 있는) 기생균류.
acróstico *adj. m.* 시작(詩作)(의).
acrostolio *m.* (옛날의) 호안벽(espolón).
acrotera *f.* 【건축】 노반.
acrótera *f.* =**acrotera.**
acroteria *f.* 【건축】 =**acrotera.**
acroterio *m.* =**ático.**
acrotismo *m.* 【의학】 무맥증.
acroy *m.* (서반아 보르고냐 왕가의) 시종관.
acruñar *tr.* 【은어】 덮다, 씌우다, 가리다.
acsoluto, ta *adj.* 【속어】 =**absoluto.**
acsu *m.* 《*Bol. Perú.*》 긴 옷 ; 여성이 입던 스커트의 일종.
ACT Administración de Cooperación Técnica.
act. actual.
acta *f.* ① 기록 : redactar el ~ 기록을 작성하다. ② 의사록(~ de sesión) : ~ final 최종 의사록. libros de ~*s* 의사록. ③ (공정) 증서 ; 당선증(~ de diputado) : ~ circunstanciada 조사 상황 기록서. ~ constitutiva 기본 정관. ~ de cesión 양도증, 양도장. ~ de constitución 법인 설립 인가증. ~ final 최종 의사록. ~ notarial 공정 증서, 선서 공술서. levantar el ~ notarial 공정 증서로 만들다. ④ 결의서. —*pl.* 순교자 언행록.
A- de Azúcar 설탕 협정.
actea *f.* 【식물】 말오줌나무(yezgo).
actinia *f.* 【동물】 말미잘 (estrellamar, ortiga de mar, anémone de mar).
actínico, ca *adj.* 화학 (방사)·자외선의 : rayo ~ 화학선(化學線).
actínido *adj. m.* 악티늄 계열(의).
actinio *m.* 【화학】 악티늄 《금속》.
actinismo *m.* 화학선 작용.
actinografía *f.* 엑스선을 통해 얻어진 사진 ; 그 사진 예술.
actinógrafo *m.* 기록·검사 화학 광량계.
actinometría *f.* 화학 광량 측량.

actinómetro *m.* 화학 광량계.
actinomices *m.* 【의학】 방선 균종이 낳은 기생 버섯.
actinomiceto *m.* 【의학】 =**actinomices.**
actinomicosis *f.* 【수의】 방선 균증(放線菌症).
actinón *m.* =**actino.**
actinota *f.* 【광물】 녹색 각섬석(綠色角閃石).
actinoterapia *f.* 방사선 치료, 광선 요법.
actinotropismo *m.* 【식물】(물기가 태양쪽으로 구부러지게 하는) 식물에 대한 태양 광선의 작용.
actitud *f.* ① 태도 : cambiar de ~ 태도를 바꾸다. ② 자태, 자세(postura).
activación *f.* 추진, 촉진 ; 장려.
activamente *adv.* ① 활동적으로, 활발하게, 적극적으로. ② 【문법】 능동적으로.
activar *tr.* ① 격려하다, 기운내게 하다, 활발하게 하다, 성하게 하다 (avivar, exitar, acelerar) : ~ los trabajos · el fuego. ② 촉진 · 추진하다. ③ 【물리】 방사능을 주다.
actividad *f.* ① 활발, 활기. ② 기민, 민활, 신속. **Contr.** pereza, desidia. ③ 활동 : ~ comercial 상업 활동. ~ de producción petrolera 석유 생산 활동. ~ económica 경제 활동. ~ extractiva 《*Chile.*》 영업 활동. ~ industrial 공업 · 생산 활동. ~ inversora 투자 활동. ~ minera 광업 활동. ~ no industrial 비생산 활동. ~ repentina 벼락 경기. ④ 호경기. **—*pl.*** 활동 ; 활동 범위 ; 사업, 업무.
en ~ ① 운전중인 ; 활동중인 : volcán *en* ~ 활화산. ② 현역의, 현직의.
activismo *m.* 사회 운동, 정치 활동.
activista *m.f.* (사회 운동 · 정치 활동의) 활동가.
activo, va *adj.* ① 능동적인. **Contr.** pasivo. ② 활발한, 활동적인, 활동하는, 일하는 : administración *~va* 행정(부). hombre ~ 활동적인 사람. **Contr.** inactivo. ③ 기민 · 민첩한. ④ 현직에 있는 : en ~ 현직의. ⑤ 【문법】 능동의 : participio ~ 능동 분사. voz *~va* 능동태. **Sinón.** transitivo.
—*m.* ① 【상업】 자산 ; 채권 ; 재산 : ~ y pasivo 채권 채무. ~ agotable · amortizable 소모성 자산, 고갈성 자산. ~ aparente 무체 재산 《특허권 · 판권 등》. ~ aprobado 순자산, 정미 재산. ~ circulante 운용 · 경영 · 유동 자산, 유동 · 순환 자본. ~ confirmado 순자산. ~ corriente 유동 자산. ~ de fácil liquidación 유동 자산. ~ de realización inmediata 당좌 자산. ~ de rotación, ~ del trabajo 운용 자산. ~ disponible 당좌 자산. ~ dudoso 불량 자산. ~ (en) efectivo 현금 자산. ~ en el extranjero 재외 자산. ~ en rotación 순환 자산. ~ ficticio 가공 자산. ~ financiero 금융 자산. ~ fijo 고정 자산, 영구 자산, 자본 지출. ~ fijo intangible 무형 고정 자산. ~ fijo tangible 유형 고정 자산. ~ flotante 유동 자산. ~ inmobilizado 고정 자산 · 자본. ~ intangible 무체 재산(無體財產). ~ líquido 유동 자산. ~ neto 순자산, 자기 자본. ~ neto realizable 정미 당좌 자산. ~ nominal 무체 재산. ~ para operaciones 운용 자산. ~ permanente 영구 자산. ~ productivo 생산 자산. ~ realizable 환금 가능 자산, 유동 자산. ~ semifijo 운용 자산. ~ sin valor 무가치 자산. ~ tangible 유형 자산. ~ transitorio 거치 자산. ② 【물리】 방사(放射).
acto *m.* ① 행동, 행위 : ~ (accidental) de comercio (임시적) 상업 행위. ~ de guerra 전쟁 행위. ~ de vigilancia 감사(監査) 행위. ~ heroico 영웅적 행위. ~ jurídico 법적 행위. Se conoce a un hombre por sus *~s* 사람은 행위에 의해 알수 있다. ② 행사, 의식 ; (학교에서의) 연습. ③ (희곡의) 막, 장 : un drama en tres *~s* 3막 드라마. ④ 교접, 교미 ; 성교 ; 홀레.
~ de conciliación 화해를 위한 모임. ***~ de presencia*** 의례적 출석. ***Actos de los Apóstoles*** 【성서】 사도 행전. ***~ continuo, ~ seguido*** 잇따라, 곧장, 즉시, 바로.
en el ~ 즉석에서, 당장에(en seguida, inmediatamente) : El pobre perro fue atropellado por el camión, y murió *en el* ~ 불쌍하게도 그 개는 트럭에 치어 즉사했다.
actor *m.* ① 배우 : ~ de carácter 성격 배우. ~ invitado 특별 출연 배우. ② 【법률】 원고(原告).
actora *adj.* 【법률】 원고측의 : parte ~ 원고(측). **—*f.*** (여자) 원고(측).
actriz *f.* 여배우 : primera ~ 주연 여배우.
actuación *f.* 움직임, 활동 ; 거동 ; 작용, 동작, 연기 ; 역할. **—*pl.*** 소송 절차 · 행위.
actuado, da *adj.* 숙련된, 익숙한.
actual *adj.* ① 현재의 (presente) : Las costumbres *~es.* ② 현실의 (efectivo) : estado ~ 현상(現狀). moda ~ 현재의 유행. valor ~ 시가(時價). **Contr.** pasado, antiguo.
actualidad *f.* ① 현실 ; 현상 : ~ de la nación. ② 현재, 현시(現時) : en la ~ 현재, 목하(目下). ③ 시사 : de ~ 최근의, 현대적인. cuestión de ~ 시사 문제.
actualista *adj.* 근시안적인, 현실주의의.
actualización *f.* 현실화, 현실.
actualizador, ra *adj.* 현실화하는.
actualizar *tr.* ⑨ 현실화하다 ; 실현하다, 실제화하다 (volver actual) : *Actualizaron* los planes de estudios.
actualmente *adv.* 현재, 목하, 지금 ; 현실로, 실제로(en realidad). **Sinón.** ahora, hoy.
actuante *adj.* 작용하는 ; (토론에서) 찬성하는 측의.
actuar *tr.* ⑮ 움직이다, 일하게 하다 ; 섭취 · 흡수하다. **—*intr.*** ① (기능적으로) 일하다, 작용하다 ; (약이) 효험을 내다 ; 집무하다, 활동하다, 소임을 다하다 : ~ *de* secretario 비서로 일하다. ② (토론에서) 찬성자쪽에 서다 ; 소송 절차를 밟다.
~se [+ en : …을] 통달하다, 잘 알다 (enterarse) : ~ *se en* el negocio 사업을 잘 알다.
actuarial *adj.* 보험 회사의.
actuario *m.* 법원 서기 ; 보험 회사 통계원(~ de seguros).
actuosidad *f.* 근면, 민첩.
actuoso, sa *adj.* 근면 · 민첩한.
acuache *m.* 《*Méx.*》 나쁜 친구, 놀이 친구.
ir ~s 함께 가다.
acuadrillar *tr.* ① 규합하다 ; (부대를) 지휘하다. ② 《*Chile.*》 (여러 사람이 한 사람을) 공격

하다, 몰매를 때리다, 습격하다.
acuafortista *m.f.* =**aguafuertista.**
acuanauta *m.f.* 【운동】 잠수 유영가.
acuantá *adv.* 《*AmérC.*》 지난번.
acuantiar *tr.* ⑫ (…의) 양을 정하다·재다.
acuaplano *m.* 수상 스키.
acuarela *f.* 수채화.
acuarelista *m.f.* 수채화가(pintor de acuarelas).
acuarelístico, ca *adj.* 수채화의, 수채화적인.
acuario *m.* ① 어항, 수족관. ② 【천문】 보병궁(寶甁宮) 《황도의 제11궁》.
acuartar *tr.* 《*León.*》 =**encuartar.**
acuartelado, da *adj.* 십자형의.
acuartelamiento *m.* 사영(舍營); 사영지; 병영 수용.
acuartelar *tr.* ① 군대를 병사에 넣다; (군인을) 금족·대기시키다. ② 배치하다. ③ 토지를 구획 정리하다. ④ 【선박】 돛을 펴다.
~se 주둔하다.
acuartillado, da *adj.* acuartillar의 *p.p.*
acuartillar *intr.* (말·소가) 다리를 구부려 걷다.
acuate *m.* 《*Méx.*》 물뱀(culebra acuática).
acuático, ca *adj.* ① 물의 : deporte ~ 수중·수상 스포츠. vía ~*ca* 수로(水路). ② 【식물·동물】 물에서 사는 : animal ~ 수중 동물. planta ~*ca* 물풀.
acuátil *adj.* =**acuático.**
acuatinta *f.* 아쿠아틴트 판화 : grabar en ~.
acuatintista *m.* acuatinta 화가.
acuatizaje *m.* 【항공】 (수상기 등의) 착수(着水); 착수장.
acuatizar *intr.* ⑨ (수상기·우주선 등이) 착수하다, 물에 앉다(amarar).
acuatubular *adj.* 수관식의 (보일러).
acubado, da *adj.* 통 모양의, 통처럼 생긴.
acubar *tr.* (…에) 통 모양을 만들다.
~se =**embriagarse.**
acubilar *tr. intr.* 《*Ar.*》 축사(cubil)에 넣다.
acuchamado, da *adj.* 《*Venez.*》 풀이 죽은(triste).
acuchar *tr.* 《*Col.*》 추궁하다; 힘껏 조이다.
acucharado, da *adj.* 숟가락(cuchara) 모양의.
acucharar *tr.* 《*Chile.*》 ① 짓누르다. ② 숟가락 모양이 되게 하다, 숟가락을 쓰다.
acuchilladizo *m.* 검술사, 검객(esgrimador, gladiador).
acuchillado, da *adj.* ① 난도질 당한. ② 혼이 난(escarmentado). ③ 신중한 것이 버릇이 된, (경험에) 시달려 버린. ④ (내의를 보이기 위해) 단을 터 놓은 (옷).
acuchillador, ra *adj.* 칼로 싸우는, 칼질을 하는; 싸움 잘하는. **—*m.f.*** 검객, 검사(檢士), 검술사, 검호(劍豪)(espadachín).
acuchillamiento *m.* acuchillar 하는 일.
acuchillar *tr.* ① 칼로 베다, 단도·칼로 찌르다(dar cuchilladas). ② 칼로 죽이다 (matar a cuchillo). ③ (…에) 벌집처럼 구멍을 내다. ④ 갈라진 무늬를 넣다. ⑤ (못자리를) 솎아 주다.
~se 서로 칼싸움을 하다(darse de cuchilladas).
acuchillear *tr.* 《*Chile.*》 =**acuchillar.**
acuchón *m.* 《*Col.*》 조임; 공세 : ~ de paz 평화 공세.

acuchuchar *tr.* 《*Chile.*》 =**estrujar, aplastar.**
acucia *f.* ① 열심, 부지런함, 근면 (diligencia). ② 초조, 갈망(anhelo). ③ 급함, 서둘음, 조바심(prisa).
acuciadamente *adv.* 서둘러, 부랴부랴, 당황하여; 열심히, 열성적으로, 정신없이.
acuciador, ra *adj.* 독촉하는, 서두르는; 열망하는, 갈망하는.
acuciamiento *m.* 갈망, 열망; 급속, 신속; 격려 (estímulo).
acuciante *adj.* 독촉하는, 서두르는; 열망하는.
acuciar *tr.*⑪ ① 독촉하다, 서두르다 (apresurar, dar prisa). ② 열망하다(desear con vehemencia). ③ 격려하다, 북돋우다 (estimular). **Sinón.** anhelar, codiciar, ansiar.
acuciosamente *adv.* 열심으로, 부지런히.
acuciosidad *f.* 《*Amér.*》 ① 재촉, 독촉, 조바심. ② 열망, 열심. ③ 근면, 부지런함(diligencia).
acucioso, sa *adj.* 부지런한, 열심인; 기를 쓰고 하는. **Contr.** desidioso, perezoso.
acuclillarse *r.* 웅크리고 앉다, 책상다리를 하고 앉다, 쭈그리고 앉다(ponerse en cuclillas).
acudiciarse *r.* 【고어】 =**aficionarse, codiciar.**
acudiente *m.* 《*Col.*》 (기숙사 등의) 보호자.
acudimiento *m.* 쫓아감, 달려감; 구원.
acudir *intr.* ① 쫓아가다, 구출하러 가다 : ~ en socorro de un ahogado. ② (누구에게) 가다, 다니다. ③ 구원을 청하다 : *Acudieron a·con* el remedio. ④ (어떤 수단에) 호소하다, 이용하다 (valerse de). ⑤ (바로) 응하다, 답하다. ⑥ 대접하다. ⑦ (말이) 말을 잘 듣다. ⑧ (땅이) 수익을 올리다.
acueducto *m.* ① 수로(水路), 수도(水道), 수도교(橋). ② 【해부】 도관(導管).
ácueo, a *adj.* 물의, 물같은(acuoso) : licor ~.
acuerd- → **acordar** ㉔.
acuerda acordar의 직·현·3·단수.
acuerdado, da *adj.* 밧줄을 친, 먹줄을 친, 똑바른.
acuerdamiento *m.* acuerdar 하는 일.
acuerdan acordar의 직·현·3·복수.
acuerdar *tr.* =**tirar a cordel.**
acuerdas acordar의 직·현·2·단수.
acuerde acordar의 접·현·1·3·단수.
acuerden acordar의 접·현·3·복수.
acuerdes acordar의 접·현·2·단수.
acuerdo[1] *m.* ① (의견의) 일치 : no llegar a un ~ 의견의 일치가 되지 않다. ② 동의. ③ 협조 : vivir en perfecto ~. ④ 협정, 협약 : ~ aduanero·arancelario 관세 협정. ~ bilateral 쌍무 협정. ~ colectivo 노동 협약, 단체 협약. ~ comercial 통상 협정, (국제) 상품 협정. ~ comercial y de pagos 통상 지불 조약. ~ de caballeros 신사 협정. ~ de cártel 카르텔 협정. ~ de clearing 어음 교환 협정. ~ de·sobre doble imposición 이중 과세 (방지) 협정. ~ de licencia 특허권 실시 계약. ~ de pesca 어업 협정. ~ de precios 가격 협정. ~ de salarios 임금 협정. *A-* General sobre Aranceles Aduaneros y Comercio 관세 및 무역에 관한 일반 협정, GATT. ~ internacional 국제 협정. ~ laboral 노동 협정. ~ monetario 통화 협정. *A-* Monetario Europeo 유럽 통화 협정. ~ mutuo

sobre los precios 상호 요금 협정. ~ obligatorio 구속력 있는 계약. ~ por escrito 서면 계약. ~ sobre mercancías (국제) 상품 협정. ~*s* triangulares 삼각 무역 협정. ⑤ 결의, 결정 : tomar un ~ 결의·결정하다. ⑥ 결심. ⑦ 색채의 조화. ⑧ 생각, 기억(recuerdo).

de ~ 일치하여 : estar·quedar·ponerse *de* ~ 의견이 일치하다. Estoy *de* ~ con usted 나는 당신 말에 동의합니다.

de comun ~ 합의하에.

de ~ *con* …에 따라, …에 의거하여.

volver en su ~ 제정신을 차리다, 깨닫다.

acuerdo² acordar의 직·현·1·단수.

acuerpado, da *adj.* 《*Col.*》 몸집·모양이 큰.

acuerpar *tr.* 《*AmérC.*》 지키다, 막다 ; 합세하다.

acuest- → **acostar** 24.

acuesta acostar의 직·현·3·단수.

acuestan acostar의 직·현·3·복수.

acuestas acostar의 직·현·2·단수.

acueste acostar의 접·현·1·3·단수.

acuesten acostar의 접·현·3·복수.

acuestes acostar의 접·현·2·단수.

acuesto acostar의 직·현·1·단수.

acúfono *m.* (전기) 보청기.

acuidad *f.* 예민성, 민감 ; 혜안(慧眼).

acuidadarse *r.* [드뭄] =**atender, preocuparse, cuidarse.**

acuífero, ra *adj.* 물을 함유한(que tiene agua).

acuígeno, na *adj.* 물에 생기는.

acuilmarse *r.* 《*AmérC. Méx.*》 한탄·탄식하다 (afligirse).

acuitadamente *adv.* 슬픔에 젖어, 비탄에 젖어.

acuitado, da *adj.* =**apurado, afligido.**

acuitar *tr.* 난처하게 하다 ; 괴롭히다(afligir).

~se 괴로워하다, 슬퍼하다, 탄식하다, 한탄하다.

ácula *f.* 【식물】 =**quijones.**

aculado, da *adj.* 궁둥이를 땅에 붙인 말의 (문장).

aculamiento *m.* acular 하는 일.

acular *tr.* ① 궁둥이·뒷부분을 붙이다 : ~ el carro a la pared 차의 뒷부분을 벽에 대다. ② 궁지에 몰아넣다, 한쪽 귀퉁이에 대다(arrinconar). **—***intr.* 《*Amér.*》 뒷걸음질 치다, 뒷걸음질하다.

~se ① 궁둥방아를 찧다. ② 귀퉁이로 몰리다. ③ 뒷걸음질하다, 뒷걸음질을 치다. ④ 배의 뒷부분이 얕은 물에 얹히다.

aculeado, da *adj.* ① 침·바늘·가시가 있는. ② 【곤충】 막시류의 (곤충).

aculebrinado, da *adj.* aculebrinar의 *p.p.*

aculebrinamiento *m.* aculebrinar 하는 일.

aculebrinar *tr.* 《*Neol.*》 (대포를 주조할 때) 뱀 모양을 만들다.

aculeiforme *adj.* 침·바늘(aguijón) 모양의.

acúleo *m.* (벌 등의) 침·바늘(aguijón).

aculillar *tr.* 《*AmérC.*》 질리게 하다.

~se 질겁하다, 겁을 내다.

acullá *adv.* 저쪽에(allá) : aquí y ~ 이곳 저곳에, 여기저기에.

acullicar *tr.* 7 ① 《*Arg. Bol. Perú.*》 (코카의 잎을) 씹다. ② 《*Arg. Bol. Perú.*》 씹어 먹는 과자를 만들다.

acullico *m.* 《*AmérM.*》 씹어 먹는 과자.

acullicu *m.* 《*Arg. Bol. Perú.*》 =**acullico.**

acumbrado, da *adj.* acumbrar의 *p.p.*

acumbrar *tr.* 【고어】 =**encumbrar.**

acumen *m.* 【고어】 =**agudeza, sagacidad, perspicacia, ingenio.**

acuminado, da *adj.* 끝이 가느다란 : Las hojas del pino son ~*das* 솔잎은 끝이 가늘다.

acumíneo, a *adj.* =**acuminado.**

acuminoso, sa *adj.* =**agudo, ácido.**

acumuchar *tr.* 《*Chile.*》 모으다, 쌓다(acumular, amontonar).

~se 《*Chile.*》 무리를 짓다, 떼를 이루다, 모이다, 쌓이다(hacinarse).

acumulable *adj.* 축적할 수 있는, 모을 수 있는.

acumulación *f.* ① 축적, 누적 : ~ de cargamentos 체화. ② 집합. ③ 축전(蓄電). ④ 죄의 전가. ⑤ 【상업】 누가(累加).

acumuladamente *adj.* 축적하여, 차곡차곡 쌓아, 많이 모아서 쌓아.

acumulado, da *adj.* 쌓인, 축적된.

acumulador, ra *adj.* ① 축적시키는, 모으는. ② 축전하는. ③ (죄를) 전가시키는. **—***m.* 축전기, 바테리, 충전기(~ eléctrico) : ~ térmico 열 충전기.

acumulamiento *m.* =**acumulación.**

acumular *tr.* ① 차곡차곡 쌓다, 축적하다, 모으다 (amontar) : ~ dinero. ② 축전하다. ③ (죄를) 전가시키다(imputar) : ~ culpas 잘못을 전가시키다. ~ delitos 죄를 전가시키다. ④ 누가하다.

acumulativamente *adv.* 누가적으로 ; 쌓여서.

acumulativo, va *adj.* ① 누적한 : interés ~ . ② 예방적인.

acúmulo *m.* =**acumulación, agregado.**

acunar *tr.* ① 요람(cuna)에 넣다, 요람에 넣어 흔들어 주다(mecer). ② 키우다, 크게 하다 (cunear) : ~ su niñez.

acundangarse *r.* 《*Cuba.*》 =**acobardarse.**

acuñable *adj.* 주조할 수 있는, 쐐기를 박을 수 있는.

acuñación *f.* 주조(鑄造) : ~ de moneda 화폐 주조, 조폐. La ~ de la moneda pertenece a los gobiernos 화폐의 주조는 정부의 권한에 속한다.

acuñador, ra *adj.* 주조하는. **—***m.f.* 주조자.

acuñar *tr.* ① 주조하다 : ~ moneda 화폐를 주조하다. ② (… 에) 쐐기(cuña)를 박다. ③ 추천하다.

~se 《*Venez.*》 ① 최후의 노력을 하다. ② 완성을 서두르다.

acuosidad *f.* 수분 과다.

acuoso, sa *adj.* ① 물기가 많은, 수분이 많은, 물기가 있는 : fruta ~*sa* 수분이 많은 과일. ② 물의, 물같은 : humor ~ .

acupe *m.* 《*Venez.*》 옥수수 술.

acupuntor, ra *m.f.* 침술사.

acupuntura *f.* 침(술), 침술 치료 : La ~ fue inventada por los chinos.

acupunturar *intr.* 침(鍼)을 놓다(hacer la acupuntura).

acupunturista *m.f.* 침의(鍼醫), 침술사.

acurchurcarse *r.* ⑦ 《*AmérC.*》 곱사·곱사등이가 되다.

acure *m.* 《*Col. Venez.*》 =**agutí.**

acurí *m.* 《*Col. Venez.*》 =**agutí.**

acurito *m.* =**acure.**

acurrado, da *adj.* 《*Cuba.*》 =**curro.**

acurrarse *r.* 《*Cuba. Méx.*》 안달루시아의 발음이나 태도를 모방하다.

acurrucado *m.* 《*AmérC.*》 밀주.

acurrucarse *r.* ⑦ ① 웅크리다, 움츠리다, 쭈그리다(encogerse). ② 《*AmérC.*》 책상다리를 하다.

acurrujarse *r.* 《*Col.*》 웅크리다, 쭈그리다; 몸을 싸다.

acurrullar *tr.* 【고어】 =**desenvergar.**

acusable *adj.* 비난할만한; 혐의가 있는.

acusación *f.* ① 고소, 고발 : formular una ~ 고소하다. ② 비난(하는 일). ③ 혐의 : bajo la ~ de … 의 혐의로.

acusado, da *adj.* (… 라는) 비난을 받은; 혐의를 받은. —*m.f.* 피의자, 용의자, 피고.

acusador, ra *adj.* 나무라는 (듯한); 고발적인, 비난하는 (듯한) : con los ojos ~*es* 힐난하는 듯한 눈초리로. —*m.f.* 고발자, 고소인, 원고; 비난자.

acusamiento *m.* 【고어】 =**acusación.**

acusante *adj.* =**acusador.**

acusar *tr.* ① 책망하다, 비난하다 : En algunos pasajes te *acusarán de* dureza 어떤 곳에서는 너는 서툴다고 말을 들을 것 같다. ② [+de : … 의 죄로] 고발·고소·기소하다 : ~ a los cómplices *de* … 의 죄로 공범을 고발하다. ③ (도착·수령을) 알리다, 통보·통지·통고하다 : *Acusamos* recibo de su atenta 귀하의 서신을 받았음을 통지해 드립니다. ④ (카드 놀이에서 패를) 보이다. ⑤ 《*Galic.*》 나타내다, 보이다(revelar) : ~ satisfacción 만족·기쁨을 보이다.

~se [+de : … 을] 고백하다, 죄를 자인하다. **Contr.** excusar, disculpar.

acusativo *adj.* 【문법】 대격의 : caso ~ 대격. —*m.* 대격 : El ~ corresponde al complemento directo. [*N.* 대격은 직접 목적어로 사람이나 뜻의 혼동을 피하기 위해 전치사 a를 앞에 둔다. Ve *a* tu padre 그는 너의 아버지를 보고 있다. El perro mordió *al* gato 개는 고양이를 물었다. 전치사가 없는 대격은 동사 바로 뒤에 놓는다].

acusatoriamente *adj.* 고발하여, 고자질하여; 비난하여.

acusatorio, ria *adj.* ① 고발하는, 고자질하는, 기소하는 : delación ~*ria* 기소장. ② 비난하는; 따져 묻는 투의.

acuse *m.* ① 알림, (수령) 통지 : ~ de recibo 수령 통지. ~ de recibo de (las) mercancías 상품 수령 통지. ~ recibo de pago·del pago 지불 수령 통지. ~ de recibo del pedido 주문 수락서, 주문 수령 통지서. ② (카드 놀이에서) 패를 보이기, 보여 주는 패.

acusetas *m.* 《*AmérC. Col.*》 =**acusón, soplón.**

acusete *m.* 《*Amér.*》 =**acusetas.**

acusica *m.f.* =**acusón.**

acusique *m.f.* =**acusón.**

acusón, na *adj.* 고자질하는(soplón). —*m.f.* 고자쟁이.

acústica *f.* 음향학.

acústico, ca *adj.* ① 청각·청력의, 귀의 : nervio ~ 청신경 (聽神經). trompetilla ~*ca* 보청기. ② 전성(傳聲)의 : tubo ~ 전성관(傳聲管). ③ 음향학의.

acutangulado, da *adj.* 【식물】 각의 (잎).

acutangular *adj.* 예각의.

acutángulo *adj.* 예각(銳角)의 : triángulo ~ 예각 삼각형. —*m.* 예각.

acutí *m.* 《*Amér.*》 =**agutí.**

acuti- *pref.* 「뾰족한」의 뜻을 나타내는 접두어 : *acuti*rrostro.

acuticaude *adj.* 【동물】 끝이 뾰족한 꼬리의.

acutifloro *adj.* 【식물】 화관의 소엽이 뾰족한.

acutirrostro, tra *adj.* 얼굴이 뾰족한.

ad- *pref.* 「방향」「움직임」「근접」「부가」의 뜻을 나타내는 접두어 : *ad*mirar, *ad*yacente, *ad*herir.

Ad. Aduana 세관.

-ada *suf.* ① 「집합」을 뜻하는 접미어 : toro → tor*ada.* ② 「내용」을 뜻하는 접미어 : cuchara → cuchar*ada.* ③ 「시기」를 뜻하는 접미어 : invierno → invern*ada.* ④ 「타격」을 뜻하는 접미어 : cuerno → corn*ada.* ⑤ 「…다운 것」을 뜻하는 접미어 : muchacho → muchach*ada.*

adacilla *f.* 【식물】 작은 옥수수.

adáctilo, la *adj.* 손가락이 없는.

adafina *f.* 옛날 서반아의 유태인 요리의 일종.

adagial *adj.* 격언의·같은(proverbial).

adagio *m.* ① 격언, 속담, 잠언(refrán). **Sinón.** proverbio, máxima. ② 【음악】 아다지오, 완서곡(緩徐曲) : un ~ cantado. —*adv.* 천천히, 느리게.

adaguar *intr.* ⑩ (동물이) 물을 먹다.

adala *f.* (배의) 배수 구멍·관(dala).

adalid *m.* 수령, 지도자, 추장.

adamadamente *adj.* =**suave, blanda o muellemente.**

adamado, da *adj.* ① 여자같은, 유약한(afeminado) : hombre ~ 유약한 남자. ② 마님 티를 내는, 마님같은. ③ 화사한, 우아한(elegante).

adamadura *f.* ① 【고어】 =**adamar.** ② =**enamoramiento.**

adamante *m.* 【고어】 =**diamante.**

adamantino, na *adj.* 【시어】 다이아몬드의, 금강석의, 금강석같은; 단단한(diamantino) : dureza ~*na.*

adamar[1] *m.* 【고어】 =**fineza, obsesión.**

adamar[2] *tr.* ① =**cortejar, requebrar.** ② 【고어】 열렬하게 사랑하다(amar vehementemente).

adamarse ① 여자 같아지다, 수줍어하다, 화사해지다. ② 《*Guat.*》 =**amancebarse.**

adamascado, da *adj.* 금실·은실로 무늬 놓은 비단(damasco) 같은.

adamascar *tr.* ⑦ 무늬있는 비단을 만들다.

adamasco *m.* 【고어】 =**damasco.**

adamasquería *f.* 비단천 제조처.

adamasquinar *tr.* =**damasquinar.**

adámico, ca *adj.* ① 아담(Adán)의. ② 개펄의.

adamismo *m.* (나체로 제사를 지내는) 아담교.

adamita *adj.* 아담교의. —*m.f.* 아담교도.

adán *m.* ① 추잡한 남자(hombre desaseado). ② 게으름뱅이(hombre perezoso). ③ 마음 약한 사람.

Adán *m.* ①【성서】아담 ; 인간의 시조 : estirpe·linaje·hijos de ~ 인류. nuez·bocado de ~ 결후(結喉)(laringe).

adánico, ca *adj.* Adán의 · 같은.

adanida *m.* Adán의 후손 ; 사람, 인간.

adanismo *m.* =**adamismo.**

adaptabilidad *f.* 적응성, 융통성.

adaptable *adj.* ① 적응·응용할 수 있는 : libro ~ a la primera enseñanza. ② 채용할 수 있는. ③ 융통성이 있는.

adaptación *f.* ① 적응, 적합. ② 개작(改作), 번안(翻案), 각색. ③ 편곡. —*pl.* 설치비.

adaptadamente *adv.* 꼭맞게, 알맞게, 적합하게.

adaptado, da *adj.* =**adecuado, acomodado.**

adaptador, ra *adj.* 적응하는 ; 번안·각색·편곡하는. —*m.f.* 번안자, 각색자, 편곡자. —*m.*【기계】감속 장치.

adaptante *adj.* 적합한, 순응하는.

adaptar *tr.* ① [+a : …에] 꼭 끼우다 : ~ un mango *a* un azadón. ② [+a : …에] 적합·순응시키다 ; 적응하다. ③ [+a : …로] 개작·번안·각색·편곡하다 : *Adaptó a* la escena sus novelas 그는 소설을 무대용으로 각색했다.
~se [+a : …에] 적합·순응하다 : *~se al* uso 관례에 따르다.

adapuesto, ta *adj.* adaponer의 *p.p.*

adaraja *f.* (추가 공사용으로 벽에서 돌출한 채 내버려 두는) 연결 돌·벽돌(endeja, diente).

adarce *m.* (해안의 바위에 붙은) 소금의 앙금.

adardear *tr.* [드뭄] 투창(dardo)으로 찌르다.

adarga *f.* (원형·심장 모양의) 방패.

adargar *tr.* ⑧ ① 방패로 막다. ② 수호하다, 옹호하다, 막다, 지키다(defender, proteger).

adarguero *m.* 방패 만드는 사람 ; 방패 든 병사.

adarme *m.* ① 옛 중량의 단위 《1.79 gr. =3 tomines》. ② 근소한 것 : por *~s* 조금씩, 찔끔찔끔 ; 인색하게, 야비하게.

adarvar *tr.* ① 질겁하게 하다, 놀라게 하다, 실신을 시키다. ② 방호(adarve)로 요새화하다.

adarve *m.* 성벽 위의 통로 ; 방호(protección).

adatar *tr.* =**datar.**

adaza *f.*【식물】수수(zahína).

addenda *m. lat.* (서류 따위의) 보충, 추가.

Addis Abeba *f.*【지명】아디스 아베바 《이집트의 수도》.

A. de C. Año de Cristo 서력.

adecenamiento *m.* adecenar 하는 일.

adecenar *tr.* 열 씩(decena) 다발 짓다·나누다.

adecentar *tr.* ① 아담하게·품위있게(decente) 치장하다 : ~ el salón. ② 옷치장을 시키다.
~se 품위있게 옷치장을 하다 : *~se* para ir de paseo.

adecuación *f.* 적절, 적당.

adecuadamente *adv.* 적절하게, 적합하게.

adecuado, da *adj.* 적당한, 적합한, 꼭 들어맞는(conveniente).

adecuar *tr.* ⑭ 알맞게 하다, 적응시키다.
~se 적응하다, 적합하다, 해당되다.

adecuja *f.* (안달루시아의 모로인들이 사용했던) 항아리의 일종.

adefagía *f.* =**voracidad, glotonería, insaciabilidad.**

adefágico, ca *adj.* 대식의, 게걸스런, 돼지처럼 먹는.

adéfago, ga *adj.* =**voraz.**

adefera *f.* (옛날의) 소형 타일.

adefesieramente *adv.* 《*AmérM.*》 어리석게, 우스꽝스럽게, 보기 사납게, 터무니없이.

adefesiero, ra *adj.* 《*AmérM.*》 어리석은, 터무니 없는(ridículo).

adefesio *m.* [주로 *pl.*] ① 엉터리, 어리석은 일(disparate) : decir muchos *~s.* ② 우스꽝스러운 의상·치장(traje o adorno ridículo). ③ 괴짜(persona extravagante).

adefesioso, sa *adj.* 《*Ecuad.*》 =**ridículo.**

adefina *f.* =**adafina.**

adehala *f.* ① 경품, 희사금. ②【상업】임시 급여.

adehesamiento *m.* 초원·황야로 만드는 일.

adehesar *tr.* 초원·황야(dehesa)로 만들다.

adela *f.* 《*Amér.*》 =**dulcamara.**

adelantadamente *adv.* 미리, 앞질러, 먼저(anticipadamente).

adelantado, da *adj.* ① 조숙한(precoz) : Este niño está muy ~. ② 진보한, 앞선 : país ~ 선진국. ③ 사전의 : pago (por) ~ 선불. ④ 앞지른 : El reloj está ~ 시계가 빠르다. ⑤ 앞뒤를 가리지 않는. —*m.* ① (식민지 시대의) 태수, 장관, 총독 : ~ de mar 해외에 파견된 총독. ②【상업】전도금, 선불금.
por ~ 미리, 앞질러, 먼저.

adelantador, ra *adj.* adelantar 하는.

adelantamiento *m.* ① 나아감 ; 진출, 진보, 발전(mejora). ②【상업】전도금, 선불. ③ (옛날의) 태수·총독(adelantado)의 직·관구. **Contr.** atraso.

adelantar *tr.* ① 앞으로·먼저 내다 : ~ el brazo. ② 진행시키다, 진출·전진시키다 : *Adelantó* la tropa. ③ (시계 바늘을) 앞으로 돌리다. ④ 서두르다, 재촉하다, 빨리 하다(apresurar) : ~ el paso 걸음을 빨리 하다. ~ el trabajo 일을 서두르다. ⑤ 미리 주다, 선금 지불하다(anticipar) : *Adelantó* la hacienda 농장의 선금을 지불했다. ⑥ 증진·개량하다, 진보시키다. ⑦ 먼저 보내다, 앞으로 나오다 (exceder) : ~ a los demás. —*intr.* ① 나아가다, 진보·향상하다 : Su español *adelanta* mucho 당신의 서반아어는 무척 향상되고 있다. ② 앞서다. ③ (시계가) 더 가다.
~se 진출하다, 전진하다 ; 앞으로 나서다·가다 : *Se adelantó* de los demás. **Contr.** retroceder, retrasar.

adelante *adv.* 앞에 ; 앞으로, 전방에, 저쪽에. —*interj.* 들어오세요 !, 전진 !, 계속하라 !
en ~ 장래, 앞으로(de hoy en ~).
para en ~ 다음을 위해.
para más ~ 더 앞으로.
de aquí (en) ~ ① 금후, 이후. ② 이상 : de dos libras en ~ 2파운드 이상은. ③ 여기서 앞으로.
de hoy en ~ 오늘 이후 : *De hoy en* ~ no tenemos que pagar 오늘 이후부터는 우리는 지

불할 필요가 없다.
sacar ~ 성공하다(salir bien, tener éxito).
adelanto *m.* ① 대출금; 전도(前渡), 전도금(anticipo): ~ de pago. ② 전진, 진출, 전진하는 일(adelantamiento): ~ del reloj. ③ 진보, 향상(progreso): ~ científico 과학의 진보.
adelfa *f.* 【식물】 협죽도; 협죽도의 꽃.
adelfal *m.* 협죽도 밭·숲.
adélfico, ca *adj.* 협죽도의.
adelfilla *f.* 【식물】 선향나무(lauréola).
adelfino, na *adj.* 【식물】 협죽도 같은.
adelgazador, ra *adj.* 가는, 여윈.
adelgazamiento *m.* adelgazar 하는 일.
adelgazar *tr.* 9 ① 가늘게 하다, 뾰족하게 하다(poner delgado): ~ una vara. ② 엷게 하다; 맑게 하다(purificar). ③ 깊이·자상하게 생각하다(discurrir). ④ 낱낱이 캐다. —*intr.* 가늘어지다; 여위다(ponerse delgado): *Estoy adelgazando* mucho 나는 무척 여위어 가고 있다. **Contr.** engrosar.
~se 가냘퍼지다.
adema *f.* =**ademe.**
ademador *m.* (광산의) 갱목 인부.
ademán *m.* 몸짓, 몸매, 얼굴 생김새, 모양, 태도(gesto): Hizo ~ de huir 도망 갈 듯이 보였다.
—*pl.* 거동, 몸가짐, 태도(modales).
en ~ *de* …할 듯한 태도로.
ademar *tr.* 갱목·받침 기둥을 받치다, 받침대로 대다.
además *adv.* ① 더우기, 게다가, 그 밖에. ② [드뭄] 너무나.
~ *de* …이외에: El habla inglés y francés ~ *de*l español 그는 서반아어 이외에 영어와 불란서어를 한다. *Además de* ser caro, es malo 비싼데다, 나쁘다.
ademe *m.* 【광산】 갱목, 받침 기둥.
ademprибio *m.* 【방언】 공동 목초지.
ademprio *m.* =**ademprибio.**
adenalgia *f.* 【의학】 선통(腺痛) (dolor de glándulas).
adenitis *f.* 【의학】 임파염.
adenofaringitis *f.* 【의학】 편도선염과 인두염.
adenófora *f.* 【식물】 더덕.
adenoftalmía *f.* 누선염.
adenoideo, a *adj.* 아데노이드의: tumor ~, vegetación ~*a* 아데노이드염.
adenología *f.* (생리학의) 선학(腺學).
adenoma *m.* 【의학】 선종(腺腫).
adenomalacia *f.* 분비선 연화(reblandecimiento de las glándulas).
adenopatía *m.* 【의학】 선병(腺病).
adenosclerosis *f.* 선경화.
adenosis *f.* 만성 선염.
adenoso, sa *adj.* =**glanduloso.**
adenota *f.* 【동물】 영양속 반추 동물.
adenotomía *f.* 분비선 해부.
adensar *tr.* 짙게 하다, 심각하게 하다.
~se 더 빽빽하게 하다.
adentelladura *f.* 이빨 자국을 냄.
adentellar *tr.* (…에) 이빨 자국을 내다.
adentrar *intr.* 안으로 들어가다, 안을 지나다.
~se 안으로 들어가다, 틀어박히다.
adentro *adv.* 안으로, 속으로, 안쪽에: estar ~. —*m.pl.* 내심, 마음속, 본심: en·para sus ~*s* 내심으로. *En sus* ~*s* piensa de otro modo 내심으로는 달리 생각하고 있다. —*interj.* 들어오세요! (Adelante, Pase usted).
mar ~ 바다 한 가운데로.
tierra ~ 육지 깊숙히.
ser muy de ~ 친밀하다, 친하다.
adepto, ta *adj.* 귀의한, 가맹·입회·가입한. —*m.f.* ① 귀의자, 가맹자, 입회자. ② 제자, 학파의 사람. ③ 신앙자, 추종자.
aderar *tr.* 【고어】 =**tasar, valorar, evaluar.**
aderezado, da *adj.* [aderezar의 *p.p.*] =**favorable, propicio.**
aderezador, ra *adj.m.f.* 정리하는; 장식하는; 처리하는 (사람). —*m.* =**juntera.**
aderezamiento *m.* =**aderezo.**
aderezar *tr.* 9 ① 채비를 차리다, 정리하다. ② 옷치장을 시키다, 차려 입히다: ~ a su niña. ③ 장식하다: ~ una sala. ④ 양념하다, 조미하다(guisar). ⑤ 조합·소제하나, 처리하다. ⑥ 수선하다(remendar). ⑦ (천에) 고무를 입히다(engomar las telas). ⑧ 안내하다, 이끌다(guiar, dirigir).
~se 몸단장하다, 화장하다; 향해 가다, 부임하다.
aderezo *m.* ① 채비. ② 겉치장, 몸단장, 몸치장; 이에 소요되는 것, 장신구 따위. ③ (천에) 고무를 입힘. ④ 조제; 조미; 조리. ⑤ 마구.
medio ~ 귀고리와 브로치.
aderra *f.* 뇌양이 줄.
aderredor *adj.* 【고어】 =**alrededor, en torno.**
adestrado, da *adj.* 오른쪽으로 치우친·기운. **Contr.** senestrado.
adestrador, ra *adj.* =**adiestrador.**
adestramiento *m.* =**adiestramiento.**
adestrar *tr.* 19 훈련시키다, 길들이다, 조련하다, 단련시키다, 익히게 하다(adiestrar).
adestría *f.* 【고어】 =**destreza, habilidad, arte.**
adeudado, da *adj.* 빚이 있는. **Contr.** antrampado, empeñado.
adeudar *tr.* ① 빚지다, 빚이 있다(deber). ② (세금·관세가) 부과되다; 과세하다: Las telas de seda *adeudan* derechos elevados en muchos países. ③ 차변에 기입하다(cargar): Les *adeudamos* en cuenta el importe 그 금액은 귀하의 계정에 차변 기입하겠습니다. **Contr.** acreditar. —*intr.* 친척이 되다.
~se 빚을 내다, 돈을 꾸다(endeudarse): Estoy *adeudado.*
adeudo *m.* ① 빚, 부채(deuda). ② 【상업】 차변(借邊) 기입. ③ 관세, 통관세.
adeveras (de) *adv.* 《*Amér.*》 정말로, 실지로, 진정으로(de veras): Se enrabió *de* ~ 그는 정말로 화를 냈다.
Adex *f.* Asociación de Exportadores.
ADEX Asociación de Exportadores.
adherecer *intr.* 【고어】 =**adherir, pegar, unir.**
adherencia *f.* ① 부착, 교착. ② 집착; 고집. ③ 부착물. ④ 가입, 가맹; 결합. ⑤ 친척 관계. ⑥ 【의학】 유착(癒着).
adherente *adj.* 붙은, 부속의, 밀착의: rama ~ al tronco. —*m.pl.* ① 자기편, 동지. ② **부속물;**

필요 조건.

adherir(se) *intr. (r.)* 54 ① 붙다 : La hiedra (*se*) *adhiere* al tronco. ② 편들다, 가입·찬동하다.

adhesión *f.* ① 부착, 교착, 점착(粘着). ② 가맹. ③ 찬동, 지지, 조약 가입.

adhesividad *f.* 부착성, 점착성, 접착성.

adhesivo, va *adj.* 부착·점착성의, 점착력이 있는 : cinta·papel ～ 부착 테이프·종이. —*m.* 부착·점착·접착물.

adhibir *tr.* 【방언】 =**agregar, unir.**

adhier- →**adherir** 54.

adhir- →**adherir** 54.

ad hoc *adv. lat.* 유별나게, 특별히.

adhóminem *adv. lat.* 사람 나름으로, 개인적으로, 사람에 따라.

ad honorem *adj. lat.* 명예의, 명예만의.

adhortar *tr.* =**exhortar.**

ADI Agencia para el Desarrollo Internacional.

adiabático, ca *adj.* 【물리】 단열적(斷熱的)인.

adiado, da *adj.* 지정된 (날짜·기일).

adiafa *f.* (입항 때 선원에게 지불하는) 입항 수당.

adiáfano, na *adj.* 불투명한(opaco).

adiaforesis *f.* 【의학】 무한증(無汗症).

adiaforético, ca *adj.* 메틸의 : alcohol ～.

adiaforia *f.* =**indiferencia.**

adiáforo, ra *adj.* =**indiferente.**

adiamantado, da *adj.* 다이아몬드같은, 딱딱한, 단단한.

adiamantar *tr.* 다이아몬드로 장식하다 (guarnecer de diamantes).

adiano, na *adj.* 강한, 늠름한, 씩씩한.

adianto *m.* 【식물】 약초의 일종.

adiar *tr.* 12 기일을 정하다·지정하다.

adiaván *m.* 【식물】 (필리핀산 야생의) 코코야자, 야자나무.

adición *f.* ① 부가, 추가, 첨가, 부록. ② 【수학】 덧셈. Contr. sustracción.

～ ***a una póliza*** 보험 증권 기재 사항의 추가.

～ ***de herencia*** 유산의 인수.

adicionable *adj.* 더할 수 있는 : Dos libros y tres plumas no son cantidades ～*es.*

adicionador, ra *adj. m.f.* 부가하는 (사람). —*f.* 더하는 기계.

adicional *adj.* ① 부가·추가의 : artículo ～ 부칙 조항. ② 부가적인. ③ 가산의, 덤의. —*m.* 부가세.

adicionar *tr.* 더하다, 보태다, 부가하다, 첨가하다.

adicto, ta *adj.* [+a : …에] 전념하는, 몰두하는, 집착한 ; 소속된, 가맹한, 일당의. —*m.f.* (…에) 전념하는 사람 ; 집착하는 사람 ; 소속된 자 ; 일당.

～ ***comercial*** 상무관.

～ ***militar a la embajada*** 대사관부 무관.

～ ***militar a la legación*** 공사관부 육군 무관.

adiestrable *adj.* 훈련시킬 수 있는, 길들일 수 있는 : caballo ～.

adiestrado, da *adj.* adiestrar의 *p.p.*

adiestrador, ra *adj.* 훈련시키는, 길들이는, 조련하는. —*m.f.* 조련사.

adiestramiento *m.* 훈련, 조교(調敎), 수련 : ～ de los empleados 종업원 훈련. ～ en el trabajo 직업 훈련. ～ en obra 직장 교육, 직장 훈련.

adiestrar *tr.* ① 훈련하다, 길들이다, 조련하다, 가르치다, 교육하다(enseñar) : ～ un caballo. ② 이끌다, 안내하다(guiar).

～se 수련하다, 익히다.

adietar *tr.* (환자에게) 제한식을 주다(dietar).

～ se 절식·감식하다.

adifés *adj.* 《*AmérC.*》 곤란한, 힘이 드는. —*adv.* 《*Venez.*》 일부러, 짐짓, 알면서도, 고의로 (de intento, de propósito).

adinamia *f.* 쇠약, 허탈 ; 약골(debilidad).

adinámico, ca *adj.* 쇠약한, 허약한.

adinerado, da *adj.m.f.* =**rico.**

adinerar *tr.* 【방언】 환금하다.

～se 부자가 되다(enriquecerse, hacerse rico).

adintelado *adj.* 【건축】 직선으로 변하는.

adintelar *tr.* ① 상인방을 놓다. ② 아치를 직선으로 끝내다.

adiós *interj.* 안녕 ! 《헤어질 때의 작별 인사》. —*m.* 작별, 이별, 헤어짐 : conmovedor ～ 감동적 이별. decir ～ 작별을 고하다. Juan se fue sin decirme ～ 후안은 나에게 작별 인사도 없이 떠나버렸다.

adipal *adj.* 기름진, 살찐(graso).

adipocira *f.* 사체 지방(死體脂肪).

adipógeno, na *adj.* 지방을 내는.

adiposidad *f.* 지방 (과다)증.

adiposis *f.* 비대(obesidad), 비계덩이.

adiposo, sa *adj.* 지방이 많은(grasiento) ; 지방(성)의 : tejido ～ 지방 조직.

adipsia *f.* 【의학】 갈증을 느끼지 않는 일.

adir *tr.* (유산을) 상속받다 : ～ la herencia. [*N.* 이 구절에만 사용].

aditamento *m.* 부가, 추가, 첨가물(añadidura).

aditicio, cia *adj* =**añadido.**

aditivo, va *adj.* ① 첨가의 ; 부가의. ② 【수학】 부가적인. —*m.* 첨가물, 혼합제 : ～*s* alimenticios 식품의 첨가물 《착색제, 방부제 등》.

adiva *f.* =**adive.** —*f.pl.* 말의 이하선염(耳下腺炎).

adive *m.* 【동물】 재컬 《이리와 여우의 중간형》 (chacal).

adivina *f.* 수수께끼(acertijo).

adivinable *adj.* 짐작이 가는, 추측할 수 있는.

adivinación *adj.* 추량, 추측 ; 점.

～ ***del pensamiento*** 독심술.

adivinador, ra *adj.* 짐작·추측하는, 속을 들여다 보는. —*m.f.* 추측하는 사람 ; 점쟁이.

adivinaja *f.* 【속어】 수수께끼.

adivinalla *f.* =**adivinaja.**

adivinamiento *m.* =**adivinación.**

adivinante *adj.* 점치는; 짐작하는.

adivinanza *f.* 추측 ; 점 ; 알아 맞추기, 수수께끼.

adivinar *tr.* ① 점치다, 알아내다, 알아 맞추다 : ～ lo porvenir. ② 바로 대다. ③ 짐작하다, 추측하다. ④ (수수께끼를) 풀다.

adivinatorio, ria *adj.* ① 점의 : artes ～*rias* 점치는 기술. ② 점치는 것 같은, 추측적인.

adivino, na *m.f.* 예언자, 점쟁이, 관상쟁이, 점성술사.

adj. adjetivo 【문법】 형용사 ; adjunto 동봉한.
adjetivación *f.* adjetivar 하는 일.
adjetivadamente *adv.* 형용사로서, 형용사같이, 형용사처럼.
adjetivado, da *adj.* 형용사로 사용되는.
adjetival *adj.* 형용사의, 형용사같은.
adjetivar *tr.* ① 형용사를 붙이다 ; 형용하다(calificar). ② (주로 명사를) 형용사로 쓰다. ③ 일치·합치시키다.
~se 형용사가 되다, 형용사로 쓰이다.
adjetivo, va *adj.* ① 【문법】 형용사의(adjetival) : nombre ~ 형용사. ② 서술의 : verbo ~ 서술동사 《접속 동사 ser에 대해 다른 동사》.
—*m.* 형용사 : ~ abundancial 다성 형용사(多性形容詞). ~ comparativo 비교급 형용사. ~ determinativo 한정 형용사. ~ gentilicio 지명 형용사. ~ numeral 수형용사. ~ ordinal 서수 형용사. ~ positivo 원형 형용사. ~ superlativo 절대 최상급 형용사.
adjudicación *f.* ① 입찰, 경매 : venta por~. ② 재정(裁定).
adjudicador, ra *adj.m.f.* adjudicar 하는 (사람).
adjudicar *tr.* 7 ① 재정하다. ② (상 등을) 주다. ③ 낙찰하다, 경매에 붙이다. ④ (심사·선발되어) 결정하다 : Le *adjudicaron* la plaza 그를 그 지위에 취임시켰다.
~se 취득·획득하다, 낙찰되다.
adjudicativo, va *adj.* 재정할 수 있는; 낙찰할 수 있는.
adjudicatorio, ria *m.f.* (재정·경매에 의한) 낙찰자, 취득자 ; 수상자.
adjunción *f.* ① 합병 ; 첨부, 동봉. ② 【문법】 액어법(軛語法)(zeugma).
adjuntamente *adj.* =**juntamente.**
adjuntar *tr.* ① 【속어】 동봉하다(acompañar) : Le *adjunto* mi factura 당신에게 송장을 동봉합니다. *Adjuntamos* una muestra 견본을 동봉합니다. ② 첨가하다.
adjunto, ta *adj.* ① 동봉한 : remitir ~*ta* una muestra 견본을 동봉해 보내다. Va ~*ta* una muestra 견본이 동봉되어 있습니다. ② 곁들인, 첨가한. —*m.* ① 동봉물, 첨가물(añadidura). ② 형용사(adjetivo). ③ 보조자, 조수 ; 부관.
adjuntor, ra *adj.m.f.* 첨가하는 (사람).
adjurar *tr.* 【고어】 =**conjurar.**
adjutor, ra *adj.* 협력·조력하는. —*m.f.* 조력자, 조수.
adlátere *m.* 【속어】 측근자, 아첨배, 추종자.
ad líb. ad líbitum.
ad líbitum *adv. lat.* 진심으로, 기꺼이.
adminicular *tr.* 보조하다, 후원하다, 원조하다(ayudar, auxiliar).
adminículo *m.* 보조물, 부속품 ; 예비물. —*pl.* 집에 부설해 놓은 가구·비품 등.
administrable *adj.* (물·약 따위를) 마실 수 있는 : medicamento fácilmente ~.
administración *f.* ① 관리, 경영. ② 통치, 행정. ③ 관청. ④ 관리부, 서무과. ⑤ 행정부. ⑥ [집합] 문관, 행정관. ⑦ 중역 회의.
~ *activa* 행정(부). ~ *de aduanas* 세관 (행정). *A- de Bienestar Campesino* 《*Salv.*》 농촌 복지 공사. *A- de Cooperación Técnica* (미주 기구의) 기술 협력국. ~ *de correos* 우체국. ~ *de empresas* 경영학, 경영 관리. ~ *de justicia* 사법부. *A- de las Usinas Eléctricas y los Teléfonos del Estado* 《*Urug.*》 전력 전화 공사. *A- de los Ferrocarriles del Estado* 《*Urug.*》 국유 철도. ~ *de personal* 인력·노무 관리. ~ *del presupuesto* 예산 관리. ~ *económica* 경리국. ~ *financiera* 재무 관리. ~ *general* 총무부. ~ *judicial* 사법부. ~ *marítima* 해상 행정. ~ *militar* 병참부. ~ *municipal* 시정(市政). ~ *pública* 행정(부)(~ activa).
en ~ 위임·위탁하여, 관리중의.
por ~ 행정상 ; 공적으로.
administrado, da *m.f.* 피관리자.
administrador, ra *adj.* 관리·경영·지배하는. —*m.f.* 관리자, 경영자, 이사, 행정관.
~ *de aduana* 세관장. ~ *de aduanas* 세관의 징세관. ~ *de correos* 우체국장. ~ *de una finca* 농장 경영자. ~ *General de correos* 우정장관.
~ *prudente* 남편.
administradorcillo *m. dim.* administrador.
administrar *tr.* ① 관리·경영하다 : ~ bienes ajenos 남의 재산을 관리하다. ② 통치하다, 다스리다(gobernar, regir) : ~ la república. ③ 공급하다(suministrar). ④ (성체 등을) 수여하다, 베풀다. ⑤ (약을) 주다, 투약하다 : ~ una pocima. ⑥ 【속어】 (몽둥이 등으로) 후려 때리다. ⑦ (직무를) 수행하다. ⑧ 가감·조절하다.
~se 약을 마시다.
administrativamente *adv.* 관리상 ; 행정적으로.
administrativista *m.f.* 행정법 학자.
administrativo, va *adj.* 관리·경영의 ; 행정의 : autoridad ~*va* 행정 관리. resolución ~*va* 행정 결의·의결.
administratorio, ria *adj.* 행정의, 관리·경영의 ; 통치의.
admirabilísimo, ma *adj. sup.* admirable.
admirable *adj.* 감탄·칭찬할 만한, 완전한, 훌륭한, 희한한 ; 기특한.
admirablemente *adv.* 희한하게, 훌륭하게, 나무랄 데 없이, 완전히.
admiración *f.* ① 감탄, 칭찬, 탄복 ; 기특함 ; 희한한 일·물건. Contr. desdén, desprecio. ② 감탄 부호(signos de ~) (¡ !).
admirado, da *adj.* 놀란, 감탄·경탄하는, 찬미하는.
admirador, ra *adj.* 칭찬하는, 감탄하는(admirante). —*m.f.* 감탄자, 경탄자 ; 숭배자(admirante).
admirando, da *adj.* 감탄·칭찬할 만한.
admirante *adj.* 감탄·칭찬하는. —*m.f.* 감탄자, 칭찬자. —*m.* 감탄 부호.
admirar *tr.* ① 감심·감탄시키다, 탄복하게 하다, 놀라게 하다 : Su talento *admiró* a todo el mundo. ② 바라보다. ③ 찬미하다, 찬양하다.
~se [+de : … 에] 감탄·탄복·감격하다 : *Se admiraban de* su talento. Contr. desdeñar, despreciar.
admirativamente *adv.* 감탄하여.
admirativo, va *adj.* 감탄한, 감격한 ; 경이·감탄을 표하는 ; 놀란 : gesto ~.

admisibilidad *f.* 수용성.
admisible *adj.* 수용할 수 있는, 받아 들일 수 있는, 시인・용인할 수 있는 : excusa ~. Contr. inadmisible.
admisión *f.* ① 받아 들임, 용인(recepción) : examen de ~ 입학 시험. ② (입학・입장 등의) 허가.
admitancia *f.* 【전기】 어드미턴스.
admitir *tr.* ① 시인・승락・수락・용인하다, 받아들이다. ② 들어가다, 가입하다, 넣어주다(recibir, dar entrada) : ~ en cuenta 계산에 넣다. ③ 용서하다, 허용하다(permitir) : No *admite* dilación 지연을 허용하지 않다. Le *han admitido* en la facultad de letras 그는 문과 대학에 입학이 허가되었다. No se *admiten* propinas [게시] 팁 사절. Contr. excluir, rechazar.
admixtión *f.* 혼합(mixtón, mezcla).
admón. administración …부, …국.
admonición *f.* 훈계, 설교, 설론(說論).
admonitor, ra *m.f.* (수도원 등의) 감독, 교훈승(敎訓僧) ; 훈계자, 설교자(monitor).
adm.[or] administrador.
admor. administrador.
adnado, da *m.f.* 【고어】 =**alnado, hijastro.**
adnata *f.* 【해부】 결막(conjuntiva).
adnato, ta *adj.* 【동・식물】 착생의, 기생의.
adnotación *f.* (로마 교황의) 어주인(御朱印).
ad nútum *adv. lat.* 기호에 맞게, 좋도록.
ad.[o] adeudo.
adoba *f.* 【방언】 =**adobe.**
-ado, da *suf.* ①「소유・빛」의 뜻을 나타내는 접미어 : barba → barb*ado*, azafrán → azafranado. ②「직무・자격」의 뜻을 나타내는 접미어 : doctor → docor*ado*. ③「임기」의 뜻을 나타내는 접미어 : rey → rein*ado*
adobado, da *adj.* adodar의 *p.p.* —*m.* 소금에 절인 살코기.
adobador, ra *adj.m.f.* 무두질 하는 (사람).
adobadura *f.* adobar 하는 일.
adobamiento *m.* =**adobadura.**
adobar *tr.* ① 고치다, 수선하다(reparar). ② 요리하다(guisar). ③ 처리하다 ; 가지런히 하다(preparar). ④ 소금 절임으로 하다. ⑤ (가죽을) 무두질하다(curtir). ⑥ (술을) 익게 하다. ⑦ (굽쇠를) 두들겨 휘게 하다.
adobasillas *m.* 【단・복수 동형】 의자 수리인.
adobe[1] *m.* [*ár.* athob] ① 볕에 말린 벽돌. ② 《*Arg.*》 큰 벽돌.
descansar haciendo ~s 《*Méx.*》 휴일에 다른 작업을 하다.
adobe[2] *m.* [*ár.* adoba] ① (옛날 죄인의 발에 끼웠던) 족쇄. ② 《*Riopl.*》 커다란 발.
adobera *f.* ① (adobe의) 벽돌틀 ; 그 공장. ② 《*Chile.*》 치즈 모양. ③ 《*Arg.*》 커다란 발. ④ 《*Méx.*》 벽돌 모양의 치즈 : ~ de queso (모양과 달리 질이 좋은) 묵은 치즈.
adobería *f.* 블록・벽돌 공장 ; 피혁 공장.
adobero *m.* 《*Arg.*》 adobe 기술자.
adobo *m.* ① 수리 ; 조리 ; 처리. ② 소스 ; 살코기의 양념 국물. ③ 피혁 처리액, (천의) 처리액. ④ 《*Méx. Venez.*》 소금 절임 살코기・돼지고기. ⑤ 화장(품)(afeite).
adobón *m.* ① 《*Amér.*》 (흙담의) 한 구획. ② 《*Venez.*》 벽돌의 일종 《33×16×7㎝》.
adocenadamente *adv.* =**vulgarmente.**
adocenado, da *adj.* ① 평범한, 범용(凡庸)한, 허섭스레기의(del montón). ② 타(打)로 나눈.
adocenamiento *m.* 타로 나누기・세기.
adocenar *tr.* ① 타(docena)로 나누다 ; 타로 세다. ② 여러 가지를 한데 뭉치다.
~se 속인 속에 묻히다.
adocilar *tr.* (논밭을) 갈다.
adoctrinamiento *m* 지도, 교육, 훈육.
adoctrinar *tr.* [+en : …을] …에게 지도・교육・훈육하다 : ~ a un niño en gramática 어린 아이에게 문법을 가르치다.
adolecente *adj.m.f.* =**adoleciente.**
adolecer *intr.* 31 ① [+de : …의 병에] 걸리다 ; 고민하다, 앓다. ② (결점・나쁜 버릇을) 가지다 : Este poeta *adolece de* igual defecto 이 시인도 똑같은 결점이 있다. ③ 【고어】 성장하다(crecer).
~se 【고어】 동정하다.
adoleciente *adj.* (…으로) 고민하는, 앓는. —*m.f.* 환자.
adolescencia *f.* 청년기 《14 ~ 25세, infancia에 계속되는 시기》 ; 사춘기.
adolescente *adj.* 청년기의, 청년기에 있는 : candor ~. —*m.f.* 청년, 젊은이, 미성년자.
adolezc- →**adolecer** 31.
adolorado, da *adj.* =**adolorido.**
adolorido, da *adj.* 비탄에 잠긴(dolorido).
adomiciliar *tr.* 11 [드뭄] (남에게) 집을 주다.
~se 거주・주거하다, 살다(domiciliar).
adonái *m.* =**adonay.**
adonaí *m.* =**adonay.**
adonay *m.* 아도나이신 《히브리 사람들의 신》.
adonde *adv.* ① …하는 곳・장소로, 해야 하는 곳에 : Fuimos ~ me llevó 나를 데리고 가는 곳으로 우리들은 갔다. el sitio ~ nos dirigimos 우리가 향해 가는 장소. ② 그곳에(donde).
adónde *adv.* 어디로, 어디에 : ¿*Adónde* vas? 어디 가지? [*N.* a dónde로도 씀].
de ~ 《*AmérM.*》 어디에도 없다.
adondequiera *adv.* 어디던지, 어느 곳에나(dondequiera).
adonecer *intr.* 《*Ál.*》 =**aumentar, dar de sí.**
adónico *adj.m.* 아도니스 구격(句格)의 (시구) ; (근대에 와서는) 5음절의 (시구).
adonio *adj.m.* =**adónico.**
adonis *m.* 【단・복수 동형】 ① 【희랍 신화】 (여신 Afrodita, 즉 Venus의 사랑을 받은 미소년 Adonis의 이름에서) 미소년, 호남(好男). ② 【식물】 복수초(福壽草).
adonizarse r. 9 미소년 티를 내다 ; 멋부리다.
adopción *f.* 채용 ; 양자 결연.
adopcionismo *m.* 예수가 하나님의 아들로 채용되어 하나님이 되었다고 하는 8세기 서반아에 생긴 교의(敎義).
adopcionista *adj.m.f.* adopcionismo의 (주의자).
adoptable *adj.* 양자로 삼을 수 있는, 채용・채택할 수 있는.
adoptado, da *adj.* adoptar의 *p.p.* —*m.f.* 양자. 양녀.

adoptador, ra *adj.* 양자로 삼는, 채택·채용하는. —*m.f.* 양자로 삼는 사람; 채용자.
adoptante *adj.m.f.* adoptar 하는 (사람).
adoptar *tr.* ① 양자로 삼다(ahijar) : ~ a uno *por* hijo 어떤 사람을 양자로 삼다. ② 채용·채택하다. ③ 받아들이다, 맞아들이다, 용인하다, 승인하다(admitir).
adoptario *m.* 양자 입적 : petición de ~ 양자 입적의 청원.
adoptivamente *adv.* =**por adopción.**
adoptivo, va *adj.* 양자 관계의 : hijo ~ 양자. padre ~ 양부.
patria ~va 귀화국(歸化國).
adoquiera *adv.* 【고어】 =**adondequiera.**
adoquín *m.* ① 포석(鋪石). ② 세상 물정에 어두운 남자.
adoquinado *m.* 포장, 포장 도로.
adoquinar *tr.* (adoquín 으로) 포장하다 : calle *adoquinada.*
ador *m.* 관개 용수의 순번, 물지기.
-ador, ra *suf.* 「행위자·기구·장소」의 형용사·명사 : crear →cre*ador*, pescar →pesc*ador*.
adorable *adj.* 숭배·공경할 만한; 희한한, 찬미할 만한.
adorablemente *adv.* 숭배하여, 공경하여; 희한하게.
adoración *f.* ① 숭배, 예배 : ~ de los Reyes 세 사람의 동방 박사의 어린 예수에의 경배. ② 예찬. ③ 열애, 동경의 대상.
adorador, ra *adj.* 숭배·예찬하는; 사랑하는, 사모하는. —*m.f.* 숭배자, 예찬자; 사모하는 사람.
adorante *adj.* 숭배·예배하는; 예찬하는.
adorar *tr.* ① 숭배하다, 예배하다. ② 배례하다(reverenciar) ③ 예찬하다. ④ 열애하다. —*intr.* ① 기도하다. ② [+en : … 에] 경복하다, 소중히 여기다 : Unos veinte metros antes de llegar al rincón *adorado*, vi que en el banco estaba sentado un hombre 내가 소중히 여기던 구석진 곳에 도착하기 20여 미터 앞에서 한 사나이가 의자에 앉아 있는 것을 보았다. [Sinón.] venerar, reverenciar.
adoratorio *m.* 사당, 우상을 모시는 곳; 감실(龕室).
adoratriz *f.* 일종의 수도 여승(修道女僧).
adormecedor, ra *adj.* 최면의, 잠들게 하는 (것 같은), (팔·다리를) 저리게 하는 : morfina *~ra.*
adormecer *tr.* [31] ① 잠들게 하다, 최면하다 (dar o causar sueño) : Ese canto *adormece.* ② 가라앉히다(acallar). ③ 진정·마취시키다 (calmar) : ~ los dolores 통증을 가라앉히다.
~se ① 잠들려 하다(adormir). ② 마비되다. ③ [+en : … 에] 빠지다, 탐닉하다 : *~se* en un vicio.
adormeciente *adj.* 잠이 든, 최면하는; 진정·마취시키는.
adormecimiento *m.* 선잠, 꾸벅꾸벅 조는 잠; 심한 졸음; 오감의 저림·마비; 탐닉.
adormezc- →**adormecer** [31].
adormidera 【식물】 양귀비 : semilla de ~ 양귀비의 씨.
adormilarse *r.* =**adormitarse.**
adormir *intr.* [57] 꾸벅꾸벅 졸다, 깜박 졸다, 잠들다; 마비되다.
adormitarse *r.* ① 졸리다(amodorrarse). ② 꾸벅 꾸벅 졸다.
adornado *m.* =**adornamiento.**
adornador, ra *adj.* 치장하는, 장식하는, 꾸미는, 아름답게 하는. —*m.f.* 치장하는·꾸미는 사람, 장식가.
adornamiento *m.* 장식(하는 일), 몸단장, 치장; 화장(하는 일).
adornante *adj.* 꾸미는, 장식하는.
adornar *tr.* ① [+de · con : … 으로] 꾸미다, 장식하다 : ~ *de · con* tapices 융단으로 꾸미다. Ana *adorna* la sala *de · con* flores 아나는 꽃으로 방을 장식한다. ② 아름답게 하다.
~se ① 장식되다, 꾸며지다 : *Se adorna de* flores 꽃으로 장식되어 있다. ② 몸치장을 하다; 차려 입다, 멋을 부리다. [Contr.] afear.
adornista *m.f.* 【건축】 장식가.
adorno *m.* ① 장식(품), 복식품. ② 【은어】 옷, 의복. —*pl.* ① 【식물】 봉선화(balsamina). ② 【은어】 덧신, 실내화.
de ~ (필수가 아닌) 교양적인 (과목).
adorote *m.* 《*AmérM.*》 (노새 같은 데 다는) 가마.
adosado, da *adj.* adosar의 *p.p.*
adosar *tr.* ① 기대다 : *adosado* al muro 벽에 기대어 놓은. ② 등끼리 맞대 놓다.
adovelado, da *adj.* 홍예석(dovelas)으로 건축된.
ad pédem litterae *adv. lat.* 적힌대로, 문자대로.
adquiera adquirir 의 접·현·1·3·단수.
adquieran adquirir 의 접·현·3·복수.
adquieras adquirir 의 접·현·2·단수.
adquiere adquirir 의 직·현·3·단수.
adquieren adquirir 의 직·현·3·복수.
adquieres adquirir 의 직·현·2·단수.
adquiero adquirir 의 직·현·1·단수.
adquirente *adj.* 취득·획득하는, 구입하는.
adquirible *adj.* 구입·입수할 수 있는, 획득 가능한.
adquirido, da *adj.* 손에 넣은, 획득한.
adquiridor, ra *adj.m.f.* =**adquirente.**
adquiriente *adj.* =**adquirente.**
adquirir *tr.* [23] ① 얻다, 취득하다, 획득하다 (ganar). ② 사들이다, 입수하다(conseguir). ③ 달성하다. [Contr.] perder, ceder.
[직설법 현재 : adquiero, adquieres, adquiere, adquirimos, adquirís, adquieren. 접속법 현재 : adquiera, adquieras, adquiera, adquiramos, adquiráis, adquieran].
adquisición *f.* ① 취득, 획득. ② 입수, 매입 : ~ mínima 최소 주문량. ③ 취득물; 입수품, 구입물. ④ 달성.
adquisidor, ra *adj.m.f.* =**adquiridor.**
adquisitivo, va *adj.* 입수·취득할 수 있는, 구매력이 있는 : poder ~ 구매력. prescripción ~ 취득 시효.
adquisito, ta *adj.* adquirir 의 *p.p.*
adquisitorio, ria *adj.* 취득의, 획득의.
adquisividad *f.* 취득 본능; 욕심, 탐욕.
adra *f.* ① 순번, 차례(turno, vez). ② (읍·면

의) 구·부락. ③【방언】(시골 등에서) 노력 봉사.
adragante *adj.* 트라가칸토의 : goma ~.
adraganto *m.* 트라가칸토 고무(tragacanto).
adral *m.* [주로 *pl.*] (짐수레의 양쪽에 세우는) 칸막이, 틀.
adrede *adv.* 일부러, 고의로(de propósito, de intento) : romper una cosa ~.
adredemente *adv.* =**adrede.**
ad referéndum *adv. lat.* (주로 외교 문서에서) 상관의 승인을 조건으로 하여 잠정적으로.
adrenalina *f.* 【화학】 아드레날린.
adrián *m.* ① 엄지 발가락의 튀어나온 뼈(juanete). ② 까치집, 까치둥지(nido de urracas)
adriático, ca *adj.* 아드리아해(海)(Mar adriático)의. —*m.f.* 아드리아해의 사람.
adrizado, da *adj.* adrizar의 *p.p.* —*m.* 【집합】 =**drizas.**
adrizamiento *m.* 바로 세우기.
adrizar *tr.* ⑨ (기운 배 등을) 바로 세우다 ; 고쳐 세우다.
adrolla *f.* (거래상의) 속임수, 사기, 사취.
adrollero, ra *m.f.* 야바위 장사꾼.
adscribir *tr.* [*p.p.* adscrito] 지정하다, 임명하다.
adscripción *f.* 지정, 임명.
adscripto, ta *adj.* adscribir의 *p.p.*
adscrito, ta *adj.* =**adscripto.**
adsorbente *adj.* 흡착하는.
adsorber *tr.* 흡착하다.
adsorción *f.* 흡착.
adstricción *f.* =**astricción.**
adstringente *adj.* =**astringente.**
adstringir *tr.* =**astringir.**
aduana *f.* ① 세관 : ~ seca 공항 세관. arancel de ~*s* 관세표. derechos de ~ 관세. ②【은어】 장물 은닉처. ③【은어】 매춘부가 있는 집.
aduanable *adj.* 관세가 부과되는 : mercancía ~ 관세가 부과되는 상품.
aduanal *adj.* 《*Venez.*》 세관의.
aduanar *tr.* (세관에서) 검사하다 ; 관세를 물다.
aduanero, ra *adj.* 세관의 : barrera ~*ra* 관세 장벽, 수입 저지를 위한 높은 관세. tarifa ~*ra* 관세율. —*m.f.* 세관원 ; 밀수 감시인.
aduanilla *f.* 《*And.*》 =**almacén surtido.**
aduar *m.* (방랑 민족·토인 등의) 부락·텐트촌.
adúcar *m.* 올이 성긴 비단·천.
aducción *f.* 내전(內轉), 안쪽으로 휘게 하는 일·모으는 일 : ~ del brazo.
aducir *tr.* ⑦① ① 인용·입증하다 ; 증거로 제시하다, (사실·예를) 지적하다. ② 첨가하다, 덧붙이다(agregar).
aductor *adj.* 【해부】 내전(內轉)의 : músculo ~ 내전근. —*m.* ① 내전근(músculo ~). ② 지하의 수도(cañería subterránea).
aducho, cha *adj.* 【고어】 [aducir의 *p.p.*] = **ducho, diestro, experimentado.**
aduendado, da *adj.* 악마·도깨비 (duende) 같은.
adueñarse *r.* [+de : … 을] 자기 것으로 삼다, 주인·임자·소유주가 되다(apoderarse) : ~ *de* un libro.
aduerm- →**adormir** ⑤⑦.
adufa *f.* 《*Val.*》 수문(水門).
adufe *m.* ① 탬버린(pandereta). ② 바보, 미련둥이, 얼간이(pandero).
adufero, ra *m.f.* (adufe의) 북치는 사람.
adufre *m.* =**adufe.**
aduj- →**aducir** ⑦①.
aduja *f.* (밧줄의) 한 타래 : en ~*s.*
adujar *tr.* 칭칭 감다, 칭칭 말다, 둘둘 말다 (enroscar) : ~ una cuerda.
~se (좁은 곳에) 웅크리고 들어가다, 아무 데나 눕다.
adul *m.* (모로코에서) 공증인·서기(notario, escribano).
adula *f.* ① =**ador.** ② =**dula.**
adulación *f.* 아첨, 아부, 추종 : Hay que desconfiar de la ~.
adulador, ra *adj.* 아첨·아부하는. —*m.f.* 아부자, 아첨자.
adulancia *f.* =**adulación.**
adulante *adj.* 아부·아첨하는.
adular *tr.* ① 아부하다, 아첨하다(halagar) : ~ a los poderosos. ② 기쁘게 하다(deleitar).
adulatorio, ria *adj.* 아부·아첨하는, 기쁘게 하는 (듯한) : carta ~*ria.*
adulcir *tr.* 【고어】=**dulcificar, endulzar, suavizar.**
adulear *intr.* 《*Ar.*》 =**vocear.**
adulero *m.* 공동 목장의 목동(dulero).
adulete *adj.* 《*Amér.*》 =**adulón.**
adulo *m.* 《*Chile. Guat.*》 =**adulación.**
adulón, na *adj.* 알랑거리는, 아첨하는, 아부하는. —*m.f.* 아부자, 아첨쟁이, 알랑쇠.
adulonería *f.* 《*Cuba.*》 =**adulación.**
adulterable *adj.* 위조할 수 있는, 간통할 수 있는.
adulteración *f.* ① 위조 : ~ de una mercancía. ② 간통.
adulterado, da *adj.* [adulterar의 *p.p.*] =**falsificado, mixtificado, viciado.**
adulterador, ra *adj.* 위조하는 ; 간통하는. —*m.f.* ① 위조자 : ~ de monedas. ② 간통자.
adulterante *adj.* 간통하는; 위조하는; 못쓰게 하는.
adulterar *tr.* ① 나쁘게 하다, 못쓰게 하다, 손상하다, 상하게 하다, 망가지다(viciar). ② 위조하다(fasificar) : mercancías ~*das* 불량품을 섞어 넣은 조악품.
—*intr.* 간통하다(cometer adulterio).
adulterinamente *adv.* 불의로, 간통하여(con adulterio)
adulterinidad *f.* 간통, 부정 ; 위조.
adulterino, na *adj.* ① 간통·불의의, 부정한 ; hijo ~ 간통으로 낳은 아들. ② 위조의, 날조한, 가짜의(falso).
adulterio *m.* ① 불의, 간통, 간통죄 : cometer ~ 간통하다. ② 위조(falsificación).
adúltero, ra *adj.* ① 부정한 ; 간통한 ; 타락한 : una mujer ~*ra.* ② 부정(不正)·불순한. ③ 사투리의 : lenguaje ~ 사투리. —*m.f.* 간통자.
adultez *f.* 《*AmérC.*》 성년(기)(virilidad).
adulto, ta *adj.* ① 청년기에 이른, 성년이 된. ② 성장한, 성숙한 : animal ~. —*m.f.* 성인, 어

른 : escuela para ～*s* 성인 학교.
adulzamiento *m.* (금속을) 무르게 하는 일.
adulzar *tr.* ⑨ ① (금속을) 무르게 하다, 가연성(可延性)으로 만들다(ablandar los metales). ② 달게 하다(dulcificar). ③ 묽게 하다(endulzar).
adulzorar *tr.* ① 무르게 하다, 부드럽게 하다, 촉감을 좋게 하다(suavizar). ② 달게 하다, 감미롭게 하다(dulcificar).
adumbración *f.* (그림 등의) 음영, 그늘 부분.
adumbrar *tr.* =**sombrear.**
adunación *f.* 통합; 통일.
adunar *tr.* ① 합하다, 모으다(unir, juntar). ② 하나로 하다, 통일하다(unificar).
adunco, ca *adj.* 굽은, 휜(corvo, torcido, combado).
adundarse *r.* 《*AmérC.*》 멍해지다, 아둔해지다, 멍청해지다(atontarse).
adunia *adv.* 풍부하게(en abundancia).
-adura *suf.* =**-dura**.
adurido, da *adj.* [adurir의 *p.p.*] =**caldeado.**
adurir *tr.* 【고어】 태우다, 불사르다(abrasar).
adurm- →**adormir** 57.
adustez *f.* 냉담 ; 무관심.
adustión *f.* ① 연소(combustión). ② (그림의) 구어 붙임(encauste).
adusto, ta *adj.* ① 작열하는 : El Sáhara es una región ～*ta.* ② 엄한, 엄격한(rígido). ③ 암울한, 우울한, 쓸쓸한(melancólico).
aduzc- →**aducir** 71.
adv. adverbio.
ad val. ad valórem.
ad valórem *adv. lat.* 【상업】 값에 따라 《종가세 등》.
advenedizo, za *adj.* 이방(異邦)의, 외국의(extranjero, forastero). —*m.f.* ① 외지(外地) 사람 : En este pueblo hay muchos ～*s.* ② 흘러 들어온 사람 : En los grandes ciudades hay muchos ～*s.* ③ 벼락 출세한 사람. ④ 《*Ant.*》 초심자, 신출내기.
adveng- →**advenir** 60.
advenidero, ra *adj.* =**venidero.**
advenimiento *m.* ① 도착, 도래, 강림 : ～ de Cristo 그리스도의 강림. ② 즉위, 등극 : El ～ de Pío X ocurrió en 1903.
advenir *intr.* 60 (외부에서·우연히) 오다·도착하다(venir, llegar).
adventicio, cia *adj.* ① 외래의. ② 우발(偶發)의. ③ 【식물·동물】 우생(偶生)의, 부정의 : raíces ～*cias.*
adventismo *m.* 그리스도의 재림설.
adventista *adj.m.f.* 그리스도의 재림설의 ; 재림론자, 재림파.
adventual *adj.* 강림절의(de adviento).
adveración *f.* 확증, 인증.
adverado, da *adj.* 정식으로 인증된 (유언 등).
adverar *tr.* (서류를) 확증·인증하다 (asegurar, certificar).
adverbial *adj.* 부사의, 부사적인 : frase ～ 부사구. modo ～ 부사구. oración ～ 부사절.
adverbialidad *f.* 부사적 성질.
adverbializar *tr.* ⑨ 부사로서 쓰다.
adverbialmente *adv.* 부사적으로, 부사로서 : adjetivo tomado ～.
adverbiar *tr.* 부사로 사용하다.
se 부사로 사용되다.
adverbio *m.* 부사 : ～ comparativo 비교의 부사 《mejor 등》. ～ de afirmación 긍정 부사 《sí》. ～ de cantidad 수량의 부사《algo, poco, nada》. ～ de duda, ～ dubitativo 의문 부사 《quizás》. ～ de lugar 장소의 부사 《allí, aquí, ahí, cerea, lejos 등》. ～ de modo 양태의 부사 《aprisa, cómodamente 등》. ～ de negación 부정의 부사 《no, tampoco》. ～ de orden 순서의 부사 《primeramente》. ～ de tiempo 시간의 부사 《ayer, hoy》.
adversamente *adv.* ① 반대로, 역으로. ② 불운하게, 불리하게.
adversario, ria *m.f.* 경쟁자, 적수, 상대, 적 : ～ temible 강적. —*m.pl.* 각서. **Contr.** aliado, auxiliar, defensor.
adversativo, va *adj.* 반의(反意)의, 배반의 : conjunción ～*va* 배반 접속사 《pero, mas 등》.
adversidad *f.* 역경, 불운, 불행(infortunio).
adverso, sa *adj.* ① 거역하는, 역의, 반대의 (opuesto). ② 불운한 : suerte ～*sa* 불운(不運). ③ 불리한, 어긋나는. ④ 적의, 심술궂은 : hado ～ 심술의 신.
advertencia *f.* ① 주의, 경고, 계고 ; 경계. ② 일러 두기, 머리말(introducción).
advertidamente *adv.* 조심하여, 빈틈 없이 ; 잘 알아서.
advertido, da *adj.* ① 유능한, 속속들이 아는, 노련한, 밝은, 익숙한(experto). ② 빈틈없는, 방심하지 않는(avisado).
advertidor, ra *adj.* 주의·경고하는. —*m.f.* 경고하는 사람. —*m.* 경보기, 통보기.
advertimiento *m.* 알아차림 ; 주의, 경고.
advertir *tr.* 55 ① 알아채다, …임을 깨닫다 (reparar en). ② 알아채게 하다 ; 주의하다, 경고하다 (aconsejar). ③ 알리다, 가르치다, 미리 알게 하다(avisar). ④ 조심하다(atender).
—*intr.*, **～se** 생각이 나다, 알다 (caer en la cuenta) ; 정신을 차리다(atender).
adviento *m.* (크리스마스 전 4주간의) 강림절.
adviert- →**advertir** 55.
advirt- →**advertir** 55.
advocación *f.* ① (교회·예배당 등의) 본존(本尊)의 호칭, 사원명 (Nuestra Señora de los Dolores, del Pilar 등). ② 보호 : poner bajo la ～ de la Virgen 성모의 보호를 받다.
advocado *m.* 【고어】 =**abogado.**
advocar *tr.* 【고어】 ① =**abogar.** ② =**avocar.**
advocatorio *adj.* =**convocatorio.**
adyacencia *f.* 근접, 접하여 있는 일.
adyacente *adj.* 근접·인접한, 이웃의, 접한 : ángulos ～*s* 접각(接角).
adyuvante *adj.* 도와주는, 조력하는.
aechadero *m.* 체로 치는 곳.
aechaduras *f.pl.* 체로 쳐서 남은 무거리.
aechar *tr.* 체로 치다, 체로 쳐서 가르다, 키로 까불다.
aedo *m.* (옛 그리스의) 서사 시인, 노래하는 사람.
AELC Asociación Europea de Libre Comercio.
aellas *f.pl.* 【은어】 열쇠(llaves).
aeración *f.* ① 공기·바람에 쏘이는 일 ; 통풍,

환기. ② 대기 요법. ③ (정맥혈의) 동맥 혈화(血化).
aéreo, a *adj.* ① 공기의, 바람의 ; 공기·바람같은. ② 가벼운 ; 허무한, 꿈같은(fantástico). ③ 공기 중의, 공중의 : raíz ～*a* 【식물】 기근(氣根), 공기 뿌리. ④ 공가식(空架式)의 : vía ～*a* 공가 레일 ; 항공로. ⑤ 항공의 : correo ～ 항공 우편. línea ～*a* 항공로. Línea *Aérea* Coreana 대한 항공. ⑥ 공군의 : base ～*a* 공군 기지. flota ～*a* 공군 부대. fuerzas ～*as* 공군.
aereolito *m.* 【속어】 =**aerolito.**
aereonauta *m.f.* 【속어】 =**aeronauta.**
aereostático, ca *adj.f.* 【속어】 =**aerostático.**
aeri- *pref.* =**aero-.**
aerícola *adj.* ① 【식물】 대기 중에 서식하는. ② 【동물】 공중에 사는.
aerífero, ra *adj.* 공기(aire)를 통하게 하는(aeróforo) : vías ～*ras* 기도(氣道).
aerificación *f.* 고체의 가스화. Sinón. vaporización.
aerificar *tr.* 가스화하다(convertir en gas).
aeriforme *adj.* 기체·가스 모양의.
aero- *pref.* 「공기」, 「항공」의 뜻을 가진 접두어.
aeróbata *adj.* 공중으로 가는.
aerobio *adj.* 호기성(好氣性)의. —*m.* 호기균(好氣菌).
aerobomba *f.* 투하 폭탄.
aerobús *m.* (정기) 여객기, 에어 버스.
aerocarga *f.* 공수 화물.
aerocisto *m.* (해조류의) 기세포(氣細胞).
aeroclub *m.* 민간 항공사의 양성소 ; (아마추어의) 항공 클럽.
aerodeslizador *m.* 【항공】 호버크라프트.
aerodinamia *f.* =**aerodinámica.**
aerodinámica *f.* 공기 동력학 ; 기체 역학(氣體力學).
aerodinámico, ca *adj.* 기체·항공 역학의 ; 유선형의(de líneas aerodinámicas).
aerodinamismo *m.* 유선형(流線形).
aeródromo *m.* 비행장, 공항 [*N.* 노선 비행기의 발착 비행장을 특히 aeropuerto라 함] : ～ escuela 교육용 비행장.
aeroembolia *f.* 항공 한전증 《급속한 기압 저하로 생기는 증상》.
aerofagia *f.* 【의학】 탄기(呑氣).
aerófano, na *adj.* 투명한.
aerofaro *m.* 항공 표시, 무전 항로 표시.
aerofísica *f.* 항공 물리학.
aerofobia *f.* 【의학】 혐기증(嫌氣症).
aerófobo, ba *adj.* 혐기증의. —*m.f.* 혐기증 환자.
aerófono *m.* 공중 청음기 ; 공중 무전기.
aeróforo, ra *adj.* =**aerífero.**
aerofoto(grafía) *f.* 공중 사진.
aerofotogrametría *f.* 항공·공중 사진 측량법.
aerofumigación *f.* 공중 소독.
aerognosia *f.* 항공 물리학 부분.
aerografía *f.* 대기지(大氣誌).
aerógrafo *m.f.* aerografía에 정통한 사람. —*m.* 에어 브러시.
aerograma *m.* 무선 전보 (radiotelegrama) ; 항공 엽서.
aerolínea *f.* 항공로 ; 항공 회사.
aerolítico, ca *adj.* 운석(aerolito)의.
aerolito *m.* 운석(meteorito).
aerología *f.* 공기 물리학, 기체학 ; 고층 기상학, 항공 기상학.
aeromancia *f.* 바람점(占).
aeromancía *f.* =**aeromancia.**
aeromántico, ca *adj.* 바람점에 의한. —*m.f.* 바람 점쟁이.
aeromarítimo, ma *adj.* 공해(空海)의.
aeromecánico, ca *adj.f.* 항공 역학(의).
aeromedicina *f.* 항공 의학.
aerómetra *f.* 기계 밀도 측정 전문가.
aerometría *f.* 기체 밀도 측정.
aerómetro *m.* 기체 (밀도)계.
aeromodelismo *m.* 스포츠형 소형 비행기 제작.
aeromodelista *m.f.* 소형 비행기 제작자.
aeromodelo *m.* 스포츠용 소형 비행기·활공기 ; 연습기, 시험용 비행기.
aeromotor *m.* 항공기용 엔진 ; 풍력(風力) 기계장치, 풍차 동력 장치.
aeromozo, za *m.f.* (항공기의) 승무원, 스튜어디스, 에어 호스티스.
aeromóvil *m.* 대형 항공기.
aeronato, ta *adj.m.f.* (항공) 기내 탄생의(자).
aeronauta *m.f.* 항공가, 비행사.
aeronáutica *f.* 항공학, 항공 운수 기관.
aeronáutico, ca *adj.* 항공(술)의 : observación ～*ca* 항공 관측.
aeronaval *adj.* 공해군의 : base ～ 공해군 기지.
aeronave *f.* 대형 항공기, 비행선 ; 항공선 (globo dirigible) : ～ del espacio, ～ espacial 우주선. ～ supersónica 초음속기.
aeronavegación *f.* 항공, 비행.
aeropirateado, da *adj.* 공중 납치된 (사람).
aeropista *f.* 활주로.
aeroplano *m.* 항공기 : ～ de caza 공격기. ～ sin motor 글라이더. ～-nodriza 급유기.
aeroportuario, ria *adj.* 공항의.
aeropostal *adj.* 항공 우편(correo aéreo)의.
aeropropulsor *m.* 항공기용 엔진.
aeropuerto *m.* 공항 《노선 비행기의 발착용을 특히 말함》 : ～ aduanero 통관 공항. ～ civil 민간 공항. ～ de destino 상품 주문지 공항.
aeroradar *m.* 항공 레이더.
aeróscafo *m.* 돛배(barco de vela).
aeroscopio *m.* =**aeróscopo.**
aeróscopo *m.* 공중 채진기(空中採塵器)(aeroscopio).
aerosfera *f.* =**atmósfera.**
aerosol *m.* 에어졸, 무연(霧煙), 가스 중의 코로이드 입자 : ～ insecticida perfumado 향기가 들어있는 살충 에어졸.
aerostación *m.* 항공 ; 기구 조종 : ～ militar 기구 부대.
aerostata *m.* 경기구 비행사.
aerostática *f.* 대기 정력학(大氣靜力學), 항공학, 항공술.
aerostático, ca *adj.* ① 대기 정력학(상)의 ; 기구의 : globo ～ 기구. ② 항공학의 ; 항공술의.
aeróstato *m.* (경)기구(globo aerostático).
aerostero *m.* 항공가(aeronauta) ; 기구병(氣球

兵).
aerotaxí(metro) *m.* 에어 택시.
aerotecnia *f.* 공기 이용학·이용술.
aerotécnica *f.* 공기 이용 공학.
aerotécnico, ca *adj.* 공기를 이용한.
aeroterapia *f.* 【의학】 대기 요법(大氣療法).
aerotermo, ma *adj.* 뜨거워진 공기에 의해 데워진.
aerotermodinámica *f.* 공기 열역학.
aeroterrestre *adj.* 공육군(空陸軍)의.
aerotransportado, da *adj.* 【군사】 공중 수송의 : tropas *~das.*
aerovía *f.* 항공로(ruta aérea).
aeta *adj.m.f.* 아에따 사람 《필리핀 토착민, los aetas》(의). —*m.f.* 아에따 사람. —*m.* 아에따 말.
af. afecto 친애하는.
a.f. a favor de.
a/f. a favor de.
afabilidad *f.* 부드러움, 상냥스러움, 다정스러움, 친절.
afabilísimo, ma *adj.* [*sup.* afable] 매우 상냥한·사근사근한.
afable *adj.* 상냥스러운, 사근사근한, 붙임성이 있는. Contr. áspero, desapacible.
afablemente *adv.* 부드럽게, 상냥하게, 친절하게.
afabulación *f.* (우화의) 교훈 ; 이야기 줄거리.
afabulador, ra *m.f.* 【고어】 =**fabulador, fabulista.**
afabular *tr.* 우화의 형태를 주다.
áfaca *f.* 【식물】 갯완두.
afacetado, da *adj.* 잘린 면같이 조각된.
afaco, ca *adj.* =**falto de cristalino.**
afagia *f.* 삼키기가 불가능함.
afamado, da[1] *adj.* 【고어】 =**hambriento.**
afamado, da[2] *adj.* 정평있는, 유명한, 호평 받는(famoso): El tirrón de Jijona y el de Alicante son *~s.*
afamar *tr.* 유명하게 하다.
~se 유명하게 되다, 명성을 얻다.
afán *m.* 노력, 열심 ; 열망, 조바심 ; (육체적인) 각고(刻苦), 열을 내는 일.
con ~ 열심히, 고심하여.
afanadamente *adv.* =**afanosamente.**
afanado, da *adj.* 힘써 일하는.
afanador, ra *adj.* 괴롭히는 ; 열심인. —*m.f.* ① 임무에 충실한 사람. ② 《*Méx.*》 (양로원·교도소의) 잡역부. ③ 소매치기(ratero).
afanaduría *f.* 《*Méx.*》 (경찰의) 부상자 수용소 ; (병원의) 시체실 ; 부상자·시체실.
afanar *tr.* ① 애먹이다, 괴롭히다. ② 허비하다. ③【속어】 훔치다(hurtar).
—*intr.*, **~se** ① 한눈 팔지 않고 일하다, 열심히 하다 : *~se* en la labor 열심히 일하다. ② [+por+*inf.* : …할려고] 애쓰다 : *~se por* ganar mucho 돈을 벌려고 애쓰다. ③ (특히 육체적으로) 열심히 일하다. ④ 《*AmérC.*》 돈을 벌다.
afaníptero, ra *adj.* 【동물】 미추류(微趨類)의. —*m.pl.* 미추류 《벼룩 등》.
afanita *f.* 【광물】 녹암(anfibolita).
afanítico, ca *adj.* 녹암(afanita)을 함유한.
afano *m.* 【은어】 도둑질.
afanosamente *adv.* 열심히, 부지런히, 힘을 내어(con afán).
afanoso, sa *adj.* 몹시 힘든 ; 부지런한, 힘써 일하는.
afantasmado, da *adj.* 우쭐하는, 잰 체한, 난 체한, 시건방진(presumido).
afarallonado, da *adj.* 큰 바위(farallón) 모양의.
afarolamiento *m.* 《*Amér.*》 격앙, 흥분, 격분.
afarolarse *r.* 《*Amér.*》 격앙·격분·흥분하다, 얼굴이 상기되다.
afascalarse *r.* 《*Ar.*》 줄을 만들다.
afasia *f.* 【의학】 실어증.
afásico, ca *adj.* 실어증의. —*m.f.* 실어증 환자.
AFE Administración de los Ferrocarriles del Estado 국립 철도청 ; la Asociación de Futbolistas Españoles 서반아 축구 선수 협회.
afatar *tr.* 《*Ast. Gal.*》 (말에) 마구를 달다.
afeable *adj.* ① 비난받을 수 있는(censurable, vituperable).
afeador, ra *adj.* 더러운, 추악한 ; 비난하는.
afeamiento *m.* 추악해지는 일 ; 비난.
afear *tr.* ① 추악하게 하다 ; 더럽히다. ② 비난하다, 힐책하다(vituperar) : ~ a uno la conducta 누구의 행위를 힐책하다.
afeblecerse *r.* 32 몸이 여위다, 쇠약해지다(adelgazarse, enflaquecer).
afebril *adj.* 열의 증상이 없는.
afección *f.* ① 정, 애정. Sinón. presunción. Contr. antipatía, odio. ② 기호(嗜好). ③ 감명. ③【의학】 질환 : ~ cardíaca 심장병.
afeccionado, da *adj.* 《*Chile.*》 애정·애착이 있는.
afeccionarse *r.* 《*Chile.*》 애착을 가지다, 그리워하다, 정이 들다, 열중하다(aficionarse).
afectable *adj.* 감정이 풍부한 ; (병 같은 것에) 걸리기 쉬운.
afectación *f.* 척하기, 젠 체함 : ~ de ignorancia 모른 체함. Habla con ~ 잰 체하고 말한다. ② 감염, 오염, 영향. ③ 속임수, 거짓.
afectadamente *adv.* 잰 체하여 ; 일부러, 거짓으로, 위장하여 : hablar ~.
afectado, da *adj.* ① 잰 체한. ② 거짓의, 위장한(aparente) : enamoramiento ~ 거짓 사랑. ③ (…에) 걸린 ; (…으로) 괴로와 하는. ④ (어떤) 영향을 받은. ⑤ 나빠진, 오염된.
afectador, ra *adj.* 잰 체하는 ; 위장하는, 속이는.
afectar *tr.* ① 척하다, …인 듯이 보이다, 티를 내다, 위장하다, 속이다(fingir) : ~ ignorancia 모른 척하다. ② 붙이다, 곁들이다(anexar). ③ 돌리다. ④ (주로 나쁘게) 작용·영향하다, 지장을 주다 ; 걸리게 하다 ; 흠이 가게 하다 : Está *afectado de* cabeza 그는 머리가 이상해졌다. Está *afectado de* pecho 그는 가슴이 나빠졌다. ⑤ (공기·물을) 오염시키다. ⑥ (마음을) 움직이다 ; 감동시키다, 느끼게 하다 : ~ la imaginación 상상력을 불러 일으키다. ⑦ (의무·세금을) 부과하다 (imponer). ⑧ 열망하다, 추구하다 : Yo no *afecto* la fama 나는 명성을 추구하지 않는다. ⑨ 《*Galic.*》 (어떤 것이 어느 모양·겉모양이) 되다 : ~ la forma de cono 원추형이 되다. ⑩ (돈을 어떤 용도에) 사용하다. —*intr.* ① 관계・영향이 있다(atañer). ② 지장이 있다, 고장을 일으키다 : Esta droga *afecta* al estómago 이 약은 위장에 나쁘다. ③ [+a : …에] 영향을 미치다, 남의 죄・사건에 말려들어 골탕을 먹다 : El incendio *afectó a* varias viviendas 그 화재는 여러 채의 집을 골탕먹였다.
~se 마음을 움직이다, 감동되다, 숙연해지다 : *Se afectó con* la noticia 그 소식으로 숙연해졌다.
afectibilidad *f.* 애정, 감정 ; 감수성.
afectísimo, ma *adj.* [*sup.* afecto] 친애하는.
afectividad *f.* 정, 감정, 정감 ; 감수성, 감동성.
afectivo, va *adj.* 애정의 ; 정서적인, 감정의 ; 감수성이 예민한.
afecto, ta *adj.* ① 그리운, 귀여운, 친애하는. ② (… 에) 따르기 마련인, …에 딸려 있는. ③ (… 에게) 하게 한 ; 맡겨진 : El regimiento quedará ~ *al* servicio de frontera 연대는 국경 경비에 배치될 것이다. **—***m.* ① 사랑, 애정(cariño) : Mi tía tiene mucho ~ a sus hijos 나의 숙모님은 자식들에게 대단한 애정을 갖고 있다. ② 우의, 우정(amistad). ③ 호감. ④ 질환, 질병. **Contr.** antipatía, odio.
afectuosamente *adv.* 정성껏, 사랑을 다하여.
afectuosidad *f.* 애정, 온정.
afectuoso, sa *adj.* ① 애정에 찬, 사랑에 넘치는, 친애하는, 마음씨 고운, 사랑스러운, 다정한 (amoroso, cariñoso). ② 【회화】 표정적인, 발랄한(expresivo).
afeitada *f.* 《*Amér.*》 면도.
afeitadamente *adj.* 치장으로.
afeitado, da *adj.* 면도한. **—***m.* ① 면도질 : Con esta hoja se obtiene un perfecto ~ 이 칼을 쓰면 말끔하게 면도가 된다. ② 【투우】 (위험을 줄이기 위해) 황소의 뿔의 끝 절단.
afeitadora *f.* 면도기 : ~ eléctrica 전기 면도기.
afeitadura *f.* 면도 방법.
afeitar *tr.* ① 면도해 주다, 수염을 깎다 : *Aféita*me 내 얼굴을 밀어 주시오. ② 화장을 하다. ③ (갈기・꼬리를) 가지런히 깎다. ④ (정원수 등을) 치다, 손질하다. ⑤ 【투우】 황소의 뿔의 끝을 자르다. **—***intr.* (더 벌기 위해 물건의 치수・양을) 줄이다.
~se ① 면도하다, 수염을 깎다 : *Te afeitarás* 면도 좀 하게. ② 화장하다, 모양을 내다. ③ 진절머리가 나다(amolarse).
afeite *m.* 치장, 화장 ; 화장품(cosmético).
afelino *m.* 【곤충】 막시류.
afelio *m.* 【천문】 원일점(遠日點). **Contr.** perihelio.
afelpado, da *adj.* 우단(felpa) 같은.
afelpar *tr.* ① 우단처럼 만들다. ② (돛을) 보강하다.
afeltrar *tr.* 양모를 펠트 모자로 바꾸다.
afeminación *f.* 나약함, 유약 ; 여성화.
afeminadamente *adj.* 여자처럼.
afeminado, da *adj.* ① 여자같은 : voz *~da*. ② 유약한. **Contr.** viril, varonil.
afeminamiento *m.* =**afeminación.**
afeminar *tr.* 여성화하다.
~se 연약해지다 ; 여성적으로 되다.
aferente *adj.* ① 【해부】 수입한 : vaso ~ 수입혈관. ② 수감(受感)의 신경. **Contr.** eferente.
aféresis *f.* 【단・복수 동형】 어두 탈락어 (語頭脫落語) 《enhorabuena의 norabuena, Antonio의 Tonio 따위》.
aferradamente *adv.* 끈질지게, 집요하게, 완고하게, 고집 세게.
aferrado, da *adj.* ① 매달린. ② 고집 센, 고집불통의, 완고한(terco).
aferrador, ra *adj.* 붙잡는 ; 움직이지 못하는. **—***m.* 【은어】 경찰, 형사.
aferramiento *m.* 달라붙음 ; 고집.
aferrar *tr.* ① 단단히 붙잡다(agarrar). ② 단단히 잠그다(asegurar). ③ (갈고랑이 같은 것으로) 움지이지 못하게 하다. ④ (돛이나 기를) 말다. **—***intr.* 붙잡다 ; 고집하다 ; 닻을 내리다.
~se ① 붙잡다, 매달리다. ② 엉겨 붙다. ③ 맹신하다. ④ [+a・con・en : … 을] 고집하다(obstinarse).
aferravelas *m.* =**tomador.**
aferru(n)charse *r.* 《*Col.*》 매달리다, 고집하다.
aferruzado, da *adj.* 화난, 별로 신명이 나지 않는.
afervorar *tr.* =**afervorizar.**
afervorizar *tr.* ⑨ 힘・기운을 북돋우다, 격려하다(enfervorizar).
afestonado, da *adj.* 꽃무늬 같은・장식을 한, 파도 무늬를 수놓은.
afestonar *tr.* 꽃줄 무늬 장식을 하다.
afeudarse *r.* 친해지다.
affiche *m.* 《*Galic.*》 =**anuncio, cartel.**
affidávit *m.lat.* =**afidávit.**
afgni *m.* 아프가니스탄의 화폐 단위.
Afganistán, el 【지명】 아프가니스탄.
afgano, na *adj.* 아프가니스탄의. **—***m.f.* 아프가니스탄 사람.
afianzador, ra *adj.* 보증하는. **—***m.* =**ovalillo.**
afianzamiento *m.* 보증 ; 고정, 고착 ; 확립.
afianzar *tr.* ⑨ ① 보증하다 (dar fianza o garantía) : ~ una letra・un crédito. ② (… 의) 보증인이 되다. ③ 단단히 고정시키다, (못 같은 것으로) 박다(afirmar o asegurar con clavos) : ~ una tapia. ④ 붙잡다, 단단히 받치다(sostener). ⑤ 확립하다 : ~ un régimen 어떤 제도를 확립하다.
~se 꿋꿋이 서다 ; 단단히 들러붙다, 몸을 지탱하다 : ~*se* a una cuerda 밧줄에 매달리다.
afición *f.* ① 애호 : tomar ~ a … 이 좋아지다. Luisa tiene mucha ~ a la música 루이사는 음악을 무척 좋아한다. ② 취미, 도락(道樂), 오락 : *~es* literarias 문학 취미. ③ 열중, 열심. ④ 관중, 청중 ; [집합] 팬.
de ~ 취미로 : pintar *de* ~.
aficionadamente *adv.* 열중하여, 열광적으로 ; 취미 삼아.
aficionado, da *adj.* ① … 을 좋아하는 : Ella es muy *~da a* la lectura de novelas 그녀는 소설 읽기를 무척 좋아한다. ② [+a : … 에] 열중한 ; 아마추어의. **—***m.f.* 애호가, 팬, 아마추어 : Soy un gran ~ *al* béisbol 나는 굉장한 야구팬이다.
aficionador, ra *adj.* 호감이 가는.
aficionar *tr.* 마음에 들게 하다, 호감이 가도록 하다 ; 열중하게 하다.
~se [+a·de : … 이] 퍽 좋아지다, 열중하다 : Andrés *se ha aficionado a* la música 안드레스는 음악이 좋아졌다.

aficionismo *m.* 아마추어리즘.

afiche *m.* 게시, 벽보 ; 보고.

afidávit *m.* 【단·복수 동형】 선서 구술서, 선서 진술서.

afídidos *m.pl.* 【곤충】 반치류 《매미 등》.

áfidos *m.pl.* 【곤충】 =**afídidos.**

afiebrado, da *adj.* =**calenturiento.**

afiebrarse *f.* 《*Chile.*》 열이 나다, 열병을 앓다.

afielar *tr.* (저울을) 균형이 잡히게 하다, 눈금을 맞추다, 정확성을 기하다.

afijación *f.* 접두어나 접미어를 붙이는 일.

afijar *tr.* 【고어】 =**fijar.**

afijo, ja *adj.* 부속의. —*m.* 접사(接辭) 《접두어와 접미어》.

afiladera *f.* 숫돌(piedra de afilar o aguzar).

afilado, da *adj.* 예리한, 날이 선.

afilador, ra *adj.* 칼을 가는, 뾰쭉하게 하는. —*m.f.* (칼날·톱 등을) 가는 사람. —*m.* ① 날을 가는 가죽 ; 그라인더. ② 《*Chile.*》 숫돌.

afiladura *f.* 날을 가는 일, 날 갈기.

afilalápices *m.* 【단·복수 동형】 연필깎개(sacapuntas).

afilamiento *m.* 얼굴이 여윔, (살이) 빠짐.

afilar *tr.* ① 끝을 뾰족하게 하다 ; (…에) 날을 세우다(sacar filo) : ~ un cuchillo. ② 날을 갈다 (aguzar). ③ 깎다. ④ 《*Arg.*》 반하게 하다, 구슬리다(requebrar). ⑤ 아부하다, 아첨하다(adular).
~se ① 홀쭉해지다. ② 《*Méx*》 (…하려고) 노심 초사하다.

afile *m.* 《*Arg.*》 반하는 일 ; 구슬림.

afiliación *f.* 입회, 가맹, 입당, 참가 ; 단체.

afiliado, da *adj.* 가맹한 ; 입회한. —*m.f.* 가맹자 ; 입당자 ; 입회자. **Contr.** intruso, profano.

afiliarse *r.* [+a : … 에] 가맹·입회·입당·참가하다 : *~se a* un partido 정당에 입당하다.

afiligranado, da *adj.* 금은선 세공(金銀線細工)의 ; 금은선 세공같은 ; 화사한.

afiligranar *tr.* (금사·은사로) 세공을 하다 ; (작품 등을) 다듬다.

áfilo, la *adj.* 【식물】 무엽(無葉)의 : Los hongos son *~s.*

afilón *m.* 면도날 가는 가죽 ; (푸줏간의) 줄, 둥근 줄.

afilorar *tr.* 《*AmérC.*》 장식(裝飾)하다, 꾸미다 (adornar).

afilosofado, da *adj.* 철학자인 척하는(que parece filósofo).

afín *adj.* ① 인접한 : campos *~es* 인접지. ② 근사한, 유사한, 관계가 가까운 : ideas *~es* 유사어(類似語). —*m.f.* 친척, 일가.

afinable *adj.* 완전할 수 있는, 완성할 수 있는.

afinación *f.* 끝 마무리 ; 예의 바름 ; 정련, 정제 ; 세련, 정교함 ; 조율.

afinadamente *adv.* 세련되게, 미묘하게, 정교하게, 세밀하게, 교묘하게.

afinado, da *adj.* afinar의 *p.p.*

afinador, ra *adj.* 예리한 ; 품위있는 ; 정련·정제하는 ; 조율하는. —*m.f.* 조율사. —*m.* 조율에 쓰는 망치 ; 조율 키. **Sinón.** templador.

afinadura *f.* =**afinación.**

afinamiento *m.* 세련(afinación).

afinar *tr.* ① 가늘게 하다, 예리하게 하다. ② 세련되게 하다 ; 품위있게 예의를 가르치다 : ~ a un rústico. ③ 정련·정제하다 : ~ el oro. ④ 조율하다 : ~ un piano·una guitarra. ⑤ 《*Chile.*》 끝마치다, 완료하다(finalizar, terminar). —*intr.* 가락을 구성지게 켜다, 노래하다 : *Afina* mucho.
~se 완전해지다 ; 완성되다 ; 세련되다, 품위있게 되다 ; 맑아지다, 순수해지다 ; 정련되다 ; 조율되다. **Contr.** desafinar.

afincado, da *adj.* [afincar의 *p.p.*] =**ahincado.** —*m.f.* 《*Arg.*》 농장주, 지주.

afincamiento *m.* ① 정착, 정주. ② 【고어】 = **ahincamiento.** ③ 【고어】 =**apremio, coacción, vejación, violencia.** ④ 【고어】 =**aflicción, congoja, angustia.**

afincar *tr.* 7 《*Cuba.*》 농지를 담보로 돈을 빌려주다. —*intr.* 정착·정주하다 ; 농지를 사다.

afine *adj.* =**afín.**

afinidad *f.* ① 근사(성), 유사 ; 인척 관계 : ~ espiritual 이름을 지어준 부자 지간. ② 친화성, 친화력 ; 궁합이 맞음. ③ 【화학】 화합성.
por ~ 결혼으로. **Contr.** repulsión.

afino *m.* (금속의) 정련 : horno de ~.

afióstomo, ma *adj.* 【어류】 주둥이가 길고 입이 작은 (물고기).

afirmación *f.* ① 긍정 : adverbio de ~ 긍정의 부사. ② 단언, 언명 : *~es* falsas 사기적 선전 문구. ③ 고정. **Contr.** negación.

afirmadamente *adv.* 긍정하여 ; 단호히.

afirmadero *m.* 《*Chile.*》 받침, 받침 기둥.

afirmado, da *adj.* afirmar의 *p.p.* —*m.* (포장 도로의) 땅 다지기.

afirmador, ra *adj.m.f.* 긍정·단언·보증하는 (사람) ; 장치하는 (사람).

afirmante *adj.* =**afirmador.**

afirmar *tr.* ① 긍정·단언·보증하다. **Sinón.** asegurar. **Contr.** negar. ② 단단히 굳히다·세우다, 장치하다, 고정시키다 (afianzar). ③ 《*Chile.*》 [palos, azotes, golpes를 직접 목적어로 해서] 한 대 먹이다, 때리다.
~se 꿋꿋이 서다 ; 끝까지 우기다 ; 상대방에게 칼끝을 들이대고 앞으로 다가가다.

afirmativa *f.* 긍정 명제.

afirmativamente *adv.* 긍정적으로, 긍정하여. **Contr.** negativamente.

afirmativo, va *adj.* 긍정의, 긍정적인. **Contr.** negativo.

afirolar *tr.* 《*Cuba.*》 꾸미다, 치장시키다, 차려입히다, 단장시키다.

afistularse *r.* 누성(fístula)이 되다(convertirse en fístula).

aflamencado, da *adj.* 플라멩꼬 같은 : cantor ~.

aflatarse *r.* 《*AmérC.*》 슬퍼하다.

aflato *m.* ① 일진의·부는 바람. ② 영감(inspiración).

aflautado, da *adj.* ① 높은 (소리). ② 피리 소리 같은.

aflautar *tr* 《*Amér.*》 =**atiplar.**

aflechado, da *adj.* 화살 모양의.

aflegmasia *f.* 담 결핍증.

afleo, a *adj.* 【식물】 피층 결핍의 (식물).
aflicción *f.* 슬픔, 탄식 ; 고통 ; 걱정, 염려. Contr. felicidad, alegría.
aflictivo, va *adj.* 슬픈, 괴로운, 비참한, 안스러운 ; 가슴 아픈 : pena *~va* 체형.
aflicto, ta [afligir의 *p.p.*] *adj.* 슬픔에 잠긴.
afligente *adj.* 슬픈, 괴로운.
afligidamente *adv.* 슬픔에 잠겨.
afligido, da *adj.* 슬픔에 잠긴, 슬퍼 몸부림치는, 괴로워하는(angustiado, apenado, acongojado).
afligimiento *m.* =**aflicción.**
afligir *tr.* 4 [*p.p.* afligido · aflicto] ① 슬프게 하다, 괴롭히다 : A los dos hermanos les *afligió* mucho la muerte de su padre 부친의 사망으로 두 형제는 슬퍼했다. Contr. consolar, alegrar. ② 《*Méx.*》 때리다, 참호에서 저격하다.
~se [+con · de · por : … 때문에] 비탄에 잠기다 : *Se afligieron por* su muerte 그들은 그의 사망으로 슬퍼했다.
afligo *m.* 《*Ecuad.*》 =**aflicción.**
aflijo *m.* 《*Ecuad.*》 =**aflicción.**
aflijón, na *adj.* 《*Chile.*》 감상적인.
aflogisticar *tr.* 다시 불연소하다.
aflogístico, ca *adj.* 무염 연소(無焰燃燒)의.
aflojador, ra *adj.* 늦추는. **—***m.* 감압기(減壓器) : ~ de vapor 감압관.
aflojadora *f.* 《*Urug.*》 정조 관념이 없는 여자.
aflojamiento *m.* 풀어지는 일, 느슨해짐, 이완(弛緩) ; 저조.
aflojar *tr.* ① 늦추다 : ~ el cabo 줄을 늦추다. ② 감압(減壓)하다 : ~ la presión. ③ 놓아주다 : ~ el dinero.
—*intr.,* **~se** ① 늦추어지다, 느슨해지다. ② 내려가다, 약해지다, 낮아지다 : *Aflojóse* la calentura. ③ 저조해지다, 맥이 빠지다, 신명이 나지 않게 되다 : *Aflojóse* en el estudio.
aflorado, da *adj.* 꽃이 핀 ; 꽃 모양의 ; 화려한, 아름다운, 고운 ; 우미한.
afloramiento *m.* 노출 ; 노출광(露出鑛).
aflorar *intr.* (광물이) 노출되다 ; 떠오르다. **—***tr.* (가루를) 체로 치다.
afluencia *f.* ① 주입(注入), 유입(流入) : ~ de capitales extranjeros 외국 자본 유입. ~ de divisas 외화 유입. ② 쇄도. ③ 유창, 달변, 능변, 다변. ④ 많음, 풍부(copia). Contr. insuficiencia, falta.
afluente *adj.* 흘러드는 ; 흐르는 듯한 ; 유창한, 다변의. **—***m.* 지류 : El río Negro es un ~ del Amazonas.
afluentemente *adv.* 부드럽게, 유창하게, 술술, 막힘없이.
afluir *intr.* 77 ① [+a : … 에] 몰려들다, 밀려들다 (acudir en abundancia) : La sangre *afluye a*l corazón 피는 심장으로 몰려든다. Los extranjeros *afluyen a* París 외국인들이 파리로 몰려들고 있다. ② (강물이) 흘러들다.
aflujo *m.* 충만 : ~ de la sangre 충혈.
aflús *adv.* 《*Amér.*》 아무 것도 없이 ; 한푼도 없이, 빈털터리로.
afluxionarse *r.* ① 《*Amér.*》 감기에 걸리다. ② 《*AmérC.*》 부풀다, 붓다.
afluy- →**afluir** 77.
afmo(s). afectísimo(s) 친애하는.
afodinos *m.pl.* 【곤충】 편각류.
afoetar *tr.* 《*Amér.*》 회초리로 때리다.
afofado, da *adj.* [afofar의 *p.p.*] =**fofo.**
afofarse *r.* 물씬해지다, 푸근푸근해지다.
afogarar *tr.* 8 태우다, 눌리다(asurar, abrasar). **~se** 타다 ; 눋다.
afoliado, da *adj.* 【식물】 잎이 없는 (식물).
afollado, da *adj.* afollar 의 *p.p.* **—***m.* =**fuelle.** **—***m.pl.* 【고어】 =**foliados.**
afollador *m.* 《*Méx*》 풀무질하는 사람.
afolladura *f.* afollar 하는 일.
afollamiento *m.* =**afolladura.**
afollar[1] *tr.* 24 풀무질을 하다 ; 겹겹이 접다, 접다.
~se 접히다 ; (벽의) 속이 비다.
afollar[2] *tr.* ① 【고어】 =**afligir, maltratar, herir.** ② 【고어】 =**corromper, estragar, viciar.**
afollonar *tr.* =**hacer follón.**
afondable *adj.* =**fondeable.**
afondado, da *adj.* [afondar의 *p.p.*] =**bajo, hondo, hundido.**
afondar *tr.* 침몰시키다(echar a fondo) : ~ una barca.
—*intr.,* **~se** 침몰하다(irse a pique, irse a fondo, hundirse).
afonía *f.* 【의학】 실성증(失聲症).
afónico, ca *adj.* 실성증의, 목소리가 안 나오는(ronco).
áfono, na *adj.* =**afónico.**
aforable *adj.* 평가 · 사정할 수 있는.
aforación *f.* 평가, 사정(査定) ; 계량.
aforadar *tr.* 【고어】 =**horadar.**
aforado, da *adj.m.f.* 특권이 있는 (사람).
aforador, ra *adj.* 계량 · 검량하는. **—***m.f.* 검사관, 사정관.
aforamiento *m.* =**aforación.**
aforar *tr.* ① (과세를 부과키 위해 상품을) 평가하다, 사정하다(valuar). ② 계량하다 ; (유수량 · 용량을) 재다. ③ 특권에 의해 부여하다 · 받다 ; 특권을 부여하다. [*N.* 이 뜻일 때, contar 24와 같은 불규칙]. **—***intr.* 무대에 막을 치다.
aforisma *f.* 【수의】 동맥류(動脈瘤).
aforismo *m.* 금언, 격언, 경구, 잠언.
aforístico, ca *adj.* 금언의, 경구 비슷한 : sentencia *~ca.*
aforo *m.* ① (상품의) 평가 · 사정. ② 관세. ③ 수량의 계량 : el ~ de un río. ④ (극장 등의) 수용 인원. ⑤ 【상업】 종량세(從量稅).
aforrador, ra *adj.m.f.* 안감을 대는 (사람).
aforrar *tr.* ① 안감을 대다 : ~ un traje *con · de · en* piel 옷 안에 모피를 대다. ② 보강하다.
~se ① 껴입다 : *~se* con · de pieles. ② 실컷 먹고 마시다 : *Afórrate* bien 실컷 먹어 두시오. ③ 넌더리를 내다.
aforro *m.* (옷의) 안을 댐, 덧대는 헝겊 ; 단단히 하려고 감아두는 밧줄.
a fortiori *adv. lat.* 더욱 유력한 이유로, 더욱.
afortunadamente *adv.* 다행히, 운좋게, 운수좋게(por fortuna).
afortunado, da *adj.* ① 행운의(dichoso) ; 행복한. ② 돈이 있는, 자산이 있는. ③ 날씨가 궂어

질 듯한(borrascoso). —*m.f.* 자산가.
afortunar *tr.* 행복하게 하다, 팔자가 늘어지게 하다(hacer afortunado).
afosarse *r.* 참호에 의지하다.
afoscarse *r.* 【해사】 희미해지다, 안개가 끼다.
afrailado, da *adj.* [afrailar의 *p.p.*] 승려·수도사 같은.
afrailamiento *m.* 가지 치기, 전정.
afrailar *tr.* (나무의) 가지를 치다.
afrancesado, da *adj.* 불란서인 흉내를 낸, 친불란서적인 ; (특히 독립 전쟁 때 나폴레옹 편을 든) 친불파의 : escritor ~. —*m.f.* 불란서를 좋아하는 사람, 친불파.
afrancesamiento *m.* 친불, 불란서화.
afrancesar *tr.* 불란서풍으로 하다.
~se 친불파가 되다.
afranelado, da *adj.* 플란넬과 같은, 부드러운.
afranjado, da *adj.* 장식·술(franjas)이 있는.
afrecharse *r.* 《*Chile.*》 (말·소가) 밀기울을 먹다.
afrecho *m.* 밀기울(salvado).
pilar por el ~ 《*Col.*》 낮은 지위·싼 임금을 감수하다.
afrenillar *tr.* 【선박】 밧줄(frenillo)로 묶다·매다.
afrenta *f.* 모욕, 치욕, 불명예 : aguantar una ~. [Sinón.] ultraje, insulto.
afrentado, da *adj.* ① 망신당한, 모욕당한. ② 《*PRico.*》 뻔뻔스러운, 철면피한, 낯가죽이 두꺼운.
afrentador, ra *adj.m.f.* 모욕하는 (사람).
afrentar *tr.* 망신 주다, 모욕하다, 능욕하다, 부끄럽게 하다.
~se [+de : …을] 부끄러워하다, 수치스러워하다 : ~ de su estado 신분을 부끄러워하다.
afrentosamente *adv.* 모욕적으로, 꼴사납게.
afrentoso, sa *adj.* 모욕적인, 모욕하는 ; 난폭한 ; 지독한, 언어 도단의.
afresado, da *adj.* =**afretado.**
afretado, da[1] *adj.* 줄무늬 모양의.
afretado, da[2] *adj.* [afretar의 *p.p.*] =**limpio, fregado.**
afretar *tr.* (선체를, 특히 선충을) 청소하다.
Africa *f.* 【지명】 아프리카.
africado, da *adj.* 【문법】 파열적인. —*f.* 파열음 ; 파열 문자 《ch를 가리킴》.
africana *f.* 【식물】 (꾸바산의) 선인장의 일종.
africander *m.* 《*Neol.*》 ① 네델란드 태생의 남아프리카의 흑인. ② 네델란드어와 호렌토트어의 혼합어 《남아프리카의 공용어 중의 하나》.
africanismo *m.* 아프리카화 ; 아프리카 기원의 서반아어.
africanista *m.f.* 아프리카 학자.
africanizar *tr.* [7] 아프리카 풍으로 하다, 아프리카화하다.
africano, na *adj.* 아프리카의. —*m.f.* 아프리카 사람. —*m.* 《*AmérC.*》 계란 과자의 일종.
áfrico, ca *adj.* = **africano.** —*m.* 남서풍, 남풍 (ábrego).
africochar *tr.* 《*SDgo.*》 【속어】 죽이다, 살해하다.
afrijolar *tr.* ① 《*Col.*》 주다, 먹이다 : *Afrijóla*me un par de pesos 2뻬소쯤 주게. Le *afrijoló* una bofetada 그를 한 대 때렸다. ② 애먹이다.
afrisonado, da *adj.* 프리시아말 비슷한.
afro, fra *adj.* 【고어】 =**africano.**
afro- *pref.* 아프리카를 뜻하는 접두어.
afroamericano, na *adj.* ① 아프리카계 아메리카 태생의. —*m.f.* 아메리카 흑인.
afrodescina *f.* 【화학】 (인도의 밤나무 잎에 있는) 배당체(glucósido).
afrodisia *f.* 성욕을 돋움.
afrodisiaco, ca *adj.* =**afrodisíaco.**
afrodisíaco, ca *adj.* 최음(催淫)의 ; 음란한. —*m.* 최음제, 흥분제.
afrodita *adj.* 【고어】 =**hermafrodita.**
Afrodita *f.* 【희랍 신화】 사랑의 여신 《로마 신화의 Venus》.
afroeuropeo, a *adj.* 아프리카·유럽적인.
afróforo, ra *adj.* 거품을 내는.
afronitro *m.* 초산 칼륨의 찌끼.
afrontamiento *m.* 얼굴을 마주 봄 ; 대질 ; 직면 ; 맞닥뜨림. [Sinón.] confrontamiento.
afrontado, da *adj.* afrontar의 *p.p.*
afrontar *tr.* ① 마주보게 하다 ; 대질시키다 (carear) : ~ dos testigos 두 증인을 대질시키다. ② 대면하다, 대립·직면하다 (arrostrar) : ~ peligros 위험에 직면하다. ③ 《*Venez.*》 (돈을) 바로 치루다.
—*intr.*, **~se** [+con : … 과] 서로 보다 : (*Se*) *afrontó con* el enemigo 적과 마주섰다.
afrontillar *tr.* 《*Méx.*》 쇠뿔을 꽁꽁 묶다.
afta *f.* 【의학】 아감창, 아구창.
afto. afecto 친애하는.
af.to afecto.
aftoso, sa *adj.* 아구창의.
afuera *adv.* 밖에, 바깥에서, 밖으로, 바깥으로 : Vengo de ~ 밖에서 돌아왔다. Salgamos ~ 밖으로 나가자. [Contr.] dentro.
—*f.pl.* ① 교외(suburbios) : Las ~*s* de París son muy amenas. ② (요새 등의) 외곽 지대.
—*interj.* 비켜!, 밖으로 나가!
afuereño, ña *adj.* 《*Amér.*》 딴데서 온.
afuerino, na *adj.* 《*Chile.*》 딴 곳에서 온 (사람의)(extraño) ; 임시 고용의.
afuetear *tr.* 《*Amér.*》 마구 때리다(azotar).
afufa *f.* 도망, 패주, 도주(huida).
estar sobre las ~s 도망칠 준비를 하고 있다.
tomar las ~s 도주하다.
afufar(se) *intr.* (*r.*) 도주하다, 도망치다, 탈출하다.
afufarlas 달아나다 : *Afufólas* 도망쳐 버렸다.
afufón *m.* =**afufa.**
afuncharse *r.* 《*Col.*》 (식품이) 변질하다, 상하기 시작하다(pasarse).
afusilamiento *m.* 《*Amér.*》 총살(fusilamiento).
afusilar *tr.* 총살하다(fusilar).
afusión *f.* (의료적인) 온천 샤워. [Sinón.] ducha.
afuste *m.* 【군대】 포가(砲架).
afutrarse *r.* 《*Chile.*》 치장하다, 멋을 부리다 (acicalarse).
ag. agosto.
Ag. Ageo.
agá *m.* [*pl.* agaes] (터키의) 사관(士官)·관리.
AGAAC Acuerdo General sobre Aranceles Aduaneros y Comercio 관세 무역 일반 협정,

GATT.

agabacharse *r.* 불란서풍이 되다.

agabanado, da *adj.* 외투 모양의 (옷).

agacé *adj.* ① 아가세족《남미 빠라구아이 강어귀 부근에 살던 원주민》의. —*m.f.* 아가세 사람.

agachada *f.* ① 속임수 ; 책략, 간책 : a las ~*s* 간책을 부려. ②《*Chile.*》 쭈그리고 앉음.

agachadera *f.* 《*And.*》 섭금류.

agachadiza *f.* 【조류】 도요.

hacer la ~ 숨는 척하다.

agachado, da[1] *adj.* 《*Amér.*》 ① 천박한, 비천한, 야비한. ②《*AmérC.*》 능청스런. —*m.* 《*Méx.*》 엄처 시하에 사는 남편.

agachado, da[2] *adj.m.f.* 로스 산또스 데 마이모나 《los Santos de Maimona, Bajadoz 주의 마을》의 (사람).

agachapanda *adv.* 《*Col.*》 *a la* ~ 살짝, 슬쩍, 살그머니, 쥐도 새도 모르게, 은밀히.

agachaparse *r.* 《*And.*》 =**agazaparse.**

agachar *tr.* 웅크리다, 숙이다, 낮게 하다 : *Agache* la cabeza que el techo es bajo 천장이 낮으니 머리를 숙이세요.

~se ① 쭈그리다 ; 숨다. ②《*Amér.*》 굴복하다 : A veces hay que saber ~*se.* ③《*Arg.*》 … 할 준비를 하다 : *Se agachó a* bailar.

agache *m.* 《*Col.*》 속임수 : llevar · meter de ~ 속임수를 쓰다. andar de ~ 숨어 다니다.

agachón, na *adj.* 《*Méx.*》 속이 넓은.

agachona *f.* =**agachadiza.**

agadir *m* (모로코에서) 성곽, 요새지(alcázar).

agadón *m.* =**hondonada.**

agafar *tr.* 《*Ar.*》 =**asir, agarrar, atrapar.**

agalactación *f.* 젖의 중단.

agalambado, da *adj.* 《*Méx.*》 =**simple, bobo.**

agalaxia *f.* 젖의 결핍.

agalbanado, da *adj.* 게으른, 나태한, 태만한 (perezoso, galbanoso).

agalerar *tr.* (천막 등을 물을 빼기 위해) 기울이다.

agalgado, da *adj.* 그레이하운드 비슷한.

agalibar *tr.* =**poner en escuadra.**

agáloco *m.* 【식물】 대극과 식물.

agalla *f.* ① (식물의 줄기 · 잎에 생기는) 마디, 벌레혹 ; 혹. ②【해부】 [주로 *pl.*] 편도선 (amigdala) ; 편도선염. ③ (물고기의) 아가미. ④《*Ecuad.*》 갈고랑이.

tener ~s ① 위세가 좋다, 활기 차다, 씩씩하다. ②《*Amér.*》 욕심이 많다, 교활하다.

agalladero, ra *adj.* 《*Cuba.*》 엄청난, 호들갑스러운, 좀 과장된.

agallado, da *adj.* 《*Chile.*》 산뜻한, 화려한, 시원스러운.

agalladura *f.* =**galladura.**

agallarse *r.* ①《*PRico.*》 허세를 부리다, 잰 체하다. ②《*Venez.*》 [+con : … 을] 가로채다.

agallegado, da *adj.* 갈리시아 풍의.

agállico, ca *adj.* 【화학】 식물의 잎 · 줄기에서 생기는 마디의.

agallo *m.* =**gallón, adorno.**

agallón *m.* 목걸이에 달린 은구슬 ; 염주.

agallonado, da *adj.* gallón의 .

agalludo, da *adj.* 《*Amér.*》 ① 지나치게 탐내는, 욕심 많은(codicioso). ② 용감한, 대담한(valiente, atrevido). ③ 철면피한, 뻔뻔스러운, 염치없는. ④ 교활한, 여우같은(astuto).

agalluela *f.* [*dim.* agalla] 작은 마디.

ágama *m.* 【동물】 식충류 도마뱀 무리.

Agamenón *m.* 아가메논《그리스의 전설에 나오는 미케네(Micenas)의 왕, Troya의 전쟁에서 그리스군의 총사령관, 전쟁후 부정한 처에게 살해 당했음》.

agamí *m.* 【조류】 들기러기.

agámidos *m.pl.* 【동물】 도마뱀 무리.

agamitar *intr.* 사슴의 소리를 흉내내다.

ágamo, ma *adj.* 【생물】 무성(無性) (생식)의 ; 은화(隱花)의.

agamuzado, da *adj.* =**gamuzado.**

agamuzar *tr.* ⑨ 사슴 가죽처럼 하다.

agangrenarse *r.* =**gangrenarse.**

aganipeo, a *adj.* 아가니뻬의 샘(fuente Aganipe)《뮤즈에게 바친 샘》의.

agapanto *m.* 【식물】 (꾸바산의) 백합.

ágape *m.* 향연 ; 만찬 ; 연회《초기 그리스도 교도의 회식》.

agarabatado, da *adj.* 갈고리 모양의.

agar-agar *m.* 우뭇가사리 무리 ; 한천(寒天), 한천 배양기(培養基).

agarbado, da *adj.* =**garboso, gracioso.**

agarbanzado, da *adj.* 담황색의 ; 평범한.

agarbanzar *intr.* 싹이 트다.

agarbar *tr.* 다발로 만들다.

~se 웅크리다, 구부리다(agacharse, encorvarse, doblarse, encogerse).

agarbillar *tr.* (보리 등을) 다발로 만들다, 묶다.

agarbizonar *tr.* =**garbillar.**

agardamarse *r.* 《*Ál.*》 =**apolillarse.**

agareno, na *adj.* 아가르(Agar)의 ; 회교의, 아라비아 사람의. —*m.f.* 아라비아 사람《아브라함과 여자 노예 아가르와의 사이에 태어난 이스마엘의 자손이 아라비아 사람이 되었다는 전설에 의해》; 회교도.

agaricáceas *f.pl.* 【식물】 =**agaricáceos.**

agaricáceos *m.pl.* 【식물】 버섯과 식물.

agaricina *f.* 【화학】 아가리신.

agaricíneas *f.pl.* 【식물】 느타리버섯류.

agárico *m.* 【식물】 느타리버섯.

~ *mineral* 【광물】 광유(鑛乳).

agarrada *f.* =**altercado.**

agarradera *f.* 《*Amér.*》 손잡이(agarradero).

—*pl.* 단서, 연줄 ; 세력 : tener ~*s* 세력을 가지다.

agarradero *m.* ① 손잡이, 자루, 핸들(mango, asa). ② 연줄, 단서. ③ 비호, 두둔(protección). ④ 닻을 내리는 곳.

agarrado, da *adj.* ① 인색한, 야비한, 비굴한, 천한(mezquino, miserable). ② 몸을 서로 대는.

agarrador, ra *adj.* 붙잡는. —*m.* ① (뜨거운 것을 잡을 때 쓰는) 집게(almohadilla). ② 포졸, 경찰(alguacil). ③《*AmérM.*》 (위장이 타는 듯한) 독주.

agarrafador, ra *adj.* 움켜잡은.

agarrafarse *r.* 서로 움켜잡다, 맞붙잡다.

agarrafeo *m.* 《*Col.*》 ① 못뽑이. ② 대장장이.

agarrama *f.* =**garrama.**

agarrante *adj.* 붙잡는, 꽉 잡는.

agarrar *tr.* ① 꽉 잡다, 꼭 붙잡다·붙들다(asir fuertemente) : Le *agarré de·por* las orejas 나는 그의 귀를 꼭 붙잡았다. ② 붙잡다, 얻다(conseguir) : ~ un destino 운명을 붙잡다. ③ (기계·도구가) 단단히 물다, 붙잡다. —*intr.* (꺾꽂이 등에서) 뿌리가 생기다.
~se ① 늘어붙다 ; 맞붙잡다 (asirse) : ~*se de·a* una rama 가지가 늘어붙다. ② (병에) 걸리다 : *Se* le *agarró* la tos 그는 기침을 했다. ③ 뿌리가 내리다. ④ [명령형에서] 놀라다, 경악하다.

agarro *m.* agarrar 하는 일.

agarrochador, ra *m.f.* 작대기를 찌르는 사람.

agarrochar *tr.* 투우를 작대기(garroche)로 찌르다.

agarrón *m.* 《*Amér.*》 ① =**agarro.** ② 《*Chile.*》 싸움, 논쟁, 말다툼(altercado violento).

agarroso, sa *adj.* 《*AmérC.*》 떫은, (맛이) 신.

agarrotado, da *adj.* 팽팽한, 꽉 조인.

agarrotamiento *m.* 조이는 일; 압박; 교살.

agarrotar *tr.* ① 조이다 : El cuello me *agarrota* 칼라가 목을 조여 온다. ② 압박하다. ③ (교수대에서) 교살하다.
~se 뻣뻣해지다.

agarrotear *tr.* 《*And.*》 =**varear.**

agasajable *adj.* =**halagador, halagüeño.**

agasajador, ra *adj.m.f.* 환대하는, 접대하는 (사람).

agasajar *tr.* ① 환대하다(halagar) : ~ a sus convidados 손님들을 환대하다. ② 숙박시키다, 묵게 하다(hospedar).

agasajo *m.* ① 환대 : hacer ~*s* a uno (누구를) 환대하다. ② 선물, 증여물(regalo). ③【고어】오후에 드는 간식. —*pl.* 《*Méx.*》 종이를 (씹어) 뭉쳐서 내던지는 것.

ágata *f.*【광물】마노.

agatídeo, a *adj.* =**agatino.**

agatas *adv.* 《*Amér.*》 =**apenas.**

agatino, na *adj.* 마노(ágata) 같은.

agatizarse *r.* ⑨ 빛나기 시작하다.

agauchado, da *adj.* 《*Arg. Chile.*》 가우쵸 풍의.

agaucharse *r.* 《*AmérM.*》 가우쵸(gaucho) 풍이 되다.

agauja *f.* 《*León.*》 =**gayuba.**

agavanza *f.* 찔레나무의 열매.

agavanzo *m.*【식물】찔레나무의 일종 ; 그 열매 (escaramuho).

agave *f.*【식물】용설란(pita).

agavillado, da *adj.* agavillar의 *p.p.*

agavillador, ra *m.f.* 통솔자.

agavillar *tr.* ① 묶다(engavillar). ② 통솔하다.
~se 도당을 이루다, 패거리를 모으다.

agazapar *tr.* 붙잡다 ; 체포하다, 묶다, 포박하다 (agarrar).
~se ① 《*Arg.*》 웅크리다, 쭈그리다(agacharse). ② 숨다(esconderse, ocultarse).

agencia *f.* ① 근면. ② 절차. ③ 대리업. ④ agente의 사무소, 대리점. ⑤ 영업소, 출장소, 지점 : ~ de viajes 여행사. ⑥ (정부 등의) 기관. ⑦ 《*Chile.*》 전당포.
A- Central de Inteligencia 중앙 정보국. ~ *de cobranzas·cobros* 징수 대리점. ~ *de colocaciones* 직업 소개소. ~ *de mudanzas* 이삿짐 운송 센타. ~ *de publicidad* 광고 센타. ~ *de transporte(s)* 운송 센타, 화물 취급소, 화물 취급인, 화물 취급업자, 운송업자. ~ *exclusiva* 독점 대리점. ~ *general·principal* 총대리점. *A- Internacional de Energía Atómica* 국제 원자력 기관. ~ *marítima* 선박 대리점. ~ *mercantil·de informes comerciales* 상업 흥신소. *A- para el Desarrollo Internacional* 미국 국제 개발국. ~ *publicitaria·de publicidad* 광고 대리점, 광고 대리업. ~ *Tass* 타스 통신.

agenciar *tr.* 노력하다 ; 입수하다, 구입하다 ; 성취하다.
—*intr.*, **~se** ① 노력하다, 분주하다, 공작하다, 둘러 맞추다 : ~*se* dinero 돈을 둘러대다·융통하다, 돈놀이를 하다. ② 절차를 밟다.

agenciero, ra *adj.* 《*AmérC.*》 성실하게·부지런히 일하는. —*m.* 《*Chile.*》 전당포 업자.

agencioso, sa *adj.* 건실한, 활동적인, 근면한, 부지런한.

agenda *f.* 수첩, 비망록, 메모장 ; 의제(議題), 협의 사항.

agenesia *f.*【의학】음위(陰萎)(impotencia).

agenésico, ca *adj.* 음위의, 성불능의.

agentado, da *adj.* 《*AmérC.*》 고상한 척하는.

agentarse *r.* 《*Amér.*》 남 못지 않은 인물이 되다, 제법 훌륭해지다.

agente *adj.* ① 요인·동인(動因)이 되는. ②【문법】행위자의. Contr. paciente. —*m.* ① 요인, 동인 : La luz y el calor son ~*s* de la naturaleza. ②【문법】행위자. ③ 대리인 : El embajador es ~ de su gobierno 대사는 그의 정부의 대리인이다. ④ 대리업자, 중개업자, 거간꾼, 중매인 (~ comisionista). ⑤ 지배인 ; 사무관 ; 경관(~ de policía).
~ *a comisión* 위탁 판매인. ~ *autorizado* 위임 대리점·대리인. ~ *bancario de compensaciones* 교환 대리 은행. ~ *comisionista* 중개업자, 대리업자. ~ *de aduana* 통관 대리인, 세관 화물 취급인. ~ *de bolsa·cambio* 주식·증권 중개인. ~ *de envíos* 운송업자. ~ *de la propiedad industrial* 특허 변리사. ~ *de Lloyd* 로이드 대리점. ~ *de negocios* 중간상, 중개인, 대리업자. ~ *de patentes,* ~ *de propiedad industrial* 특허 변리사. ~ *de publicidad* 광고 취급업자. ~ *de seguros* 보험 대리점·대리인. ~ *de transportes* 운송 대리점. ~ *de ventas* 판매원, 세일즈맨, 판매 대리점. ~ *diplomático* 외교관. ~ *embarcador* 선박 회사 대리점. ~ *expedidor* 운송업자, 화물 취급점·취급인. ~ *financiero* 재무 대리인. ~ *fiscal* 세무관, 세리. ~ *general* 총대리점. ~ *mediador* 중개 대리업자. ~ *secreto* 첩보원. ~ *vendedor* 판매 대리점.

Ageo *m.*【성서】히브리의 소 예언자.

agerasia *f.* 노익장.

agérato *m.*【식물】서양 톱풀의 일종.

agermanado, da *adj.* 독일식의, 친독적인.

agermanarse *r.* 조합(germanía)에 가입하다.

agestado, da *adj.* [+bien·mal] 안색이 좋은·나쁜.

agestarse *r.* (언짢은·좋은) 얼굴을 하다.

agestión *f.* 부가(amontonamiento, agregación).

ageustia *f.* 미각 마비.

agibílibus *m.* 【단 · 복수 동형】 빈틈이 없음, 훌륭한 솜씨, 재주, 재간, 교묘함 ; 빈틈없는 사람.
agible *adj.* =**hacedero, factible.**
agigantado, da *adj.* 방대한, 거대한(muy grande) : hombre ~
agigantar *tr.* 거대하게 하다.
agigotar *intr.* =**hacer gigote.**
ágil *adj.* 민첩한, 날쌘, 날렵한, 잽싼 (ligero, pronto) : Es muy ~ de movimiento 그는 동작이 잽싸다. La chica tiene una inteligencia muy ~ 그 소녀는 두뇌의 회전이 무척 빠르다. **Contr.** pesado.
agilar *intr.* =**ahilar.**
agílibus *m.* =**agibílibus.**
agilidad *f.* 민첩, 경쾌, 민속, 날쌔고 빠름 (ligereza, prontitud).
agilimógili *m.* =**habilidad, donaire, gracia, destreza.**
agilitar *tr.* ① 민첩하게 처리하다 ; 경쾌하게 하다. ② (…의) 형편을 보다. ③ 《*Amér.*》 활발히 하다(activar).
agilizar *tr.* 9 =**agilitar.**
ágilmente *adv.* 날쌔게, 민첩하게, 날렵하게, 사뿐사뿐, 경쾌하게 ; 재빨리.
aginar(se) *intr.* (*r.*) 부산하게 움직이다.
agino *m.* 부산함.
agino, na *adj.* 【식물】 암술이 없는.
agio *m.* 【상업】 프레미엄 ; 이익금 ; (약속 어음 · 환어음의 할인, 환전 등의) 수수료 ; 환어음 차익.
agiotador *m.f.* =**agiotista.**
agiotaje *m.* ① 현물 거래 · 투기 : hacer el ~ 현물 투기를 하다. ② 주식 매매, 상장(相場).
agiotar *intr.* =**emplearse en el agiotaje.**
agiotista *m.f.* 환전상 ; 증권 거래상, 현물 투기자.
agitable *adj.* 동요되기 쉬운.
agitación *f.* 동요 ; 선동 ; 흔들림 ; 뒤섞음, 진동.
agitado, da *adj.* 흔들린 ; 저어진.
agitador, ra *adj.* 선동하는 ; 젓는, 뒤흔드는. —*m.f.* 선동자, 교란자. —*m.* 젓는 막대, 공이.
agitanado, da *adj.* 집시같은, 매혹하는 : lenguaje ~.
agitanarse *r.* 집시 행동을 하다.
agitante *adj.* 동요하는 ; 자극하는, 선동하는.
agitar *tr.* ① 젓다, 흔들다, 휘젓다, 뒤흔들다 : ~ el pañuelo 손수건을 흔들다. ② 동요시키다, 움직이다 ; 선동하다 ; 자극하다.
~se 동요하다 ; 웅성거리다 ; 흥분하다 : Cuando le avisaron la noticia *se agitó* mucho 그는 소식을 알았을 때 무척 흥분했다.
aglayarse *r.* 【고어】 =**pasmarse, asombrarse, maravillarse.**
aglomeración *f.* 덩어리, 집단, 군중(gentío) ; 퇴적.
aglomerado *m.* ① 덩어리 : ~ de corcho 코르크 덩어리. ② 연탄.
aglomerador, ra *adj.* 축척 · 산적하는, 쌓아 올리는.
aglomerar *tr.* ① 덩어리지게 하다. ② 축적하다 ; 산적(山積)하다, 쌓아 올리다 ; 끌어 모으다(amontonar). **Contr.** diseminar, separar.
~se 모이다 ; 뭉쳐지다.
agloso, sa *adj.* 혀가 없는.
aglutición *f.* 【의약】 삼킬 수 없음.
aglutinación *f.* ① 교착. ② 【언어】 교착법, 합성어, 복합어. ③ 【의학】 유합.
aglutinante *adj.* 교착성의 : lengua ~ 교착어. substancia ~ 교착 물질. —*m.* 교착어 ; 반창고.
aglutinar *tr.* ① 붙이다(pegar). ② 엉겨 붙게 하다, 점착 · 교착 · 유착시키다 ; 아물게 하다 ; 접합하다.
aglutinativo, va *adj.* 교착 · 유착하는, 엉겨 붙는.
agmatología *f.* 【의학】 골절학.
Ag.[n] Agustín.
agnación *f.* 내척, 아버지측의 일가 친척.
agnado, da *adj.* 내척의 ; 아버지측 친척의. —*m.f.* 내척, 아버지측의 친척.
agnaticio, cia *adj.* 내척 관계의.
agnato, ta *adj.* 턱이 없는.
agnición *f.* 【시어】 =**reconocimiento.**
agnocasto *m.* 【식물】 =**sauzgatillo.**
agnoliván *m.* 【식물】 마편초속 나무.
agnomento *m.* (고대 로마인들의) 호, 별명 (cognomento).
agnominación *f.* =**paronomasia.**
agnosia *f.* 【의학】 실인(증), 인지불능.
agnosticismo *m.* 불가지론.
agnóstico, ca *adj.* 불가지론의, 불가지론적인. —*m.f.* 불가지론자.
agnus *m.* =**agnusdéi.**
agnusdéi *f.* ① 신의 어린 양, 그리스도. ② 신의 양의 상. ③ 【카톨릭】 신양송(神羊誦). ④ 고대 까스띨랴의 은화.
ago. agosto.
agobiado, da *adj.* 등이 구부정해진, 기진맥진한.
agobiador, ra *adj.* 구부정한 ; 따분한, 괴로운.
agobiante *adj.* =**agobiador.**
agobiar *tr.* 11 ① (무거운 것이 덮쳐) 몸을 굽히게 하다. ② 지치게 만들다, 따분하게 만들다, 괴롭히다 : Le *agobiaron* los años · las penas.
~se ① 몸을 구부리다. ② 꺾이다, 굴복하다. ③ 기진맥진하다, 지치다. ④ [+con · de · por : …의] 무게를 이겨내지 못하다 : *~se de · por · con* los años 드는 나이는 이겨내지 못한다.
agobio *m.* ① 가슴이 답답함(sofocación). ② 고뇌, 고민(angustia). ③ 지쳐 쓰러짐.
agogía *f.* 【광산】 배수구.
agolar *tr.* (돛을) 말다(amainar).
agolpamiento *m.* 돌진, 매진, 쇄도 ; 군중.
agolparse *r.* (사람 · 동물 · 물건이) 별안간 · 갑자기 · 우르르 몰려오다 : *~se* las lágrimas a los ojos 눈에 눈물이 갑자기 고이다. *~se* la gente 사람들이 갑자기 몰리다.
agolpear *tr.* 《*AmérC.*》 탕탕 때리다.
agonal *adj.* 경기의, 경쟁의.
agonfo, fa *adj.* =**desdentado.**
agonía *f.* 말기 · 죽음의 고민, 단말마 ; 열망 ; 번민, 조바심, 고통. —*pl.* 마음 약한 사람.
agonic- → **agonizar** 9.
agónico, ca *adj.* 죽어 가는, 빈사의, 단말마의, 최후의.
agónido, da *adj.* 【동물】 가시지느러미의.

—*m.pl.* 가시지느러미류.

agonioso, sa *adj.* =**ansioso, apremiante.**

agonista *m.f.* 투기자.

agonística *f.* 투기술.

agonístico, ca *adj.* =**agonal.**

agonizadamente *adv.* 번민하여.

agonizante *adj.* 빈사의, 임종의, 죽어 가는, 빈사 상태의, 꺼져 가는.
—*m.f.* ① 빈사 지경에 빠진 사람. ② 임종 입회 승려.

agonizar *tr.* ⑨ ① 임종에 입회하다. ② 괴롭히다, 못살게 굴다 : No me *agonices* 나를 괴롭히지 말라.
—*intr.* ① 빈사 상태에 빠지다. ② 고민하다, 번민하다. ③ 꺼져 가다 : luz que *agoniza* 꺼져 가는 불빛.

agonizos *m.pl.* 《*AmérC.*》 번민, 번뇌, 고통.

agora *adv.* 【시어·고어】 =**ahora.**

ágora *f.* 고대 그리스의 광장 ; 그 곳에서의 집회.

agorador, ra *adj.m.f.* =**agorero.**

agorafobia *f.* 광장 공포증 (vértigo que experimentan algunos al atravesar las calles y plazas).

agoráfobo, ba *adj.m.f.* 광장 공포증에 걸린 (사람).

agorar *tr.* ㉘ =**predecir, presagiar.**

agorería *f.* =**agüero.**

agorero, ra *adj.* 전조의 ; 불길한, 흉조(凶兆)의 : ave *~ra* 흉조(凶鳥) —*m.f.* 예언자, 점쟁이 ; (미신을 믿는) 야바위꾼.

agorgojarse *r.* 바구미 (gorgojo)가 들끓다 : trigo *agorgojado* 바구미가 들끓는 밀.

agorofobia *f.* =**agorafobia.**

agorzomar *tr.* 《*Méx.*》 질책하다, 질타하다, 괴롭히다(acosar).
~se 《*Méx.*》 한탄하다, 슬퍼하다.

agostadero *m.* 여름 목장 ; 여름철, 여름 경기.

agostado, da *adj.* agostar의 *p.p.* —*m.* ① = **agostero.** ② 포도밭 일구기(cava de las viñas).

agostador, ra *adj.* 여름 한해(旱害)를 초래하는 (바람·건조). —*m.* ① 여름 공사판 인부. ② 【은어】 남의 재산을 축내는 사람.

agostamiento *m.* 여름 타기·불경기 ; 깡마름.

agostar *tr.* 여름을 타게 하다 ; 8월에 밭갈이하다. —*intr.* (가축이) 여름을 지내다(pastar el ganado en verano).
~se 여름을 타다, 여름을 이겨내지 못하다 : Las flores *se han agostado.*

agosteño, ña *adj.* 여름의, 8월 (태생)(de agosto)의.

agostero *m.* 임시 고용된 풀베기 인부 ; 여름철 고용 인부 ; 여름 시주 승려.

agostía *f.* 여름 일 ; 여름철의 고용.

agostillo *m. dim.* agosto.
hacer su ~ 제철을 잘 이용하다, 기회를 잘 이용하다.

agostizo, za *adj.* 8월의, 8월 다운 ; 여름의 ; 8월 태생의 ; 아주 약한.

agosto *m.* ① 8월. ② 수확(기)(cosecha) : tener un buen ~. ③ 【은어】 걸인(mendigo).
hacer su ~ 제철을 잘 이용하다.

agostón, na *adj.* 8월생의 (돼지).

agotable *adj.* 없어질 가능성이 있는, 머지않아 없어져 버릴 ; 힘이 빠지는.

agotado, da *adj.* [agotar의 *p.p.*] 바닥난, 절판(絶版)의.

agotador, ra *adj.* 바닥난, 동난 : trabajo ~.

agotamiento *m.* ① 고갈, 품절 ; 절판. ② 【상업】 감가 상각. ③ 쇠약 ; 궁핍.

agotar *tr.* ① 바닥을 내다, 퍼내 버리다 : ~ una cisterna 우물 퍼내다. ② 탕진하다, 써서 없애다 : ~ la paciencia.
~se 고갈되다 ; 바닥이 나다, 빈털터리가 되다 ; 품절·절판되다 ; 기진 맥진하다, 기력을 잃다 : *Se ha agotado* con tanto andar 그는 너무 걸어서 기진 맥진했다.

ago.[to] agosto 8월.

agovía *f.* =**alborga.**

agozcado, da *adj.* 작은 개(gozque) 닮은 (개).

agr. agricultura 농업.

agrá *m.* 《*AmérC.*》 불쾌(disgusto).

agraceja *f.* 테레빈(agracejo) 열매.

agracejina *f.* agracejo의 열매.

agracejo *m.* 【식물】 ① 테레빈. ② (익기 전에) 떨어진 올리브 과일 ; 익지 않은 포도(agraz).

agraceño, ña *adj.* 맛이 쓴 ; 맛이 신(agrio) : una uva *~ña* 맛이 신 포도.

agracera *f.* 포도즙 담는 그릇.

agracero, ra *adj.* 아직 열매가 아물지 않은.

agraciadamente *adj.* 우아하게, 예쁘게, 아름답게 ; 애교있게.

agraciado, da *adj.* ① 애교있는 ; 아름다운 ; 우아한 ; 예쁜(lindo). ② [+con·de : …을] 받은.

agraciar *tr.* ⑪ ① (…에게) 호감을 주다 ; 귀엽게 하다 ; 체재를 잘 가다듬다. ② 은혜·은덕을 베풀다 : ~ *con* una condecoración 훈장을 수여하다.

agracillo *m.* =**agracejo.**

agradabilidad *f.* 즐거움, 기쁨, 유쾌함.

agradabilísimo, ma *adj. sup.* agradable.

agradable *adj.* 즐거운, 기분좋은, 유쾌한, 흐뭇한. **Contr.** desagradable.

agradablemente *adv.* 즐거이, 기분좋게, 유쾌하게, 흐뭇하게 : cantar ~ 즐거이 노래부르다.

agradador, ra *adj.* 기쁜 ; 즐거운 ; 마음에 드는.

agradamiento *m.* =**agrado.**

agradar *intr.* 좋아하다, 마음에 들다 ; (…이) 즐겁다, 기쁘다(placer) : Me *agrada* verlo 나는 그것을 보는 일이 즐겁다.
~se [+de : …을] 기뻐하다, 좋아하다, 즐기다.

agradecer *tr.* ㉛ 감사하다, 감사를 느끼다, 사의를 표하다, 호의에 감사하다 : Les *agradezco* su pronta respuesta 즉시 회신을 보내 주셔서 고맙습니다. Les *agradeceré* (que) me envíen el catálogo 목록을 보내 주시면 감사하겠습니다. Le *agradecería* si me contestase en español 서반아어로 회답을 주시면 고맙겠습니다. No sé cómo ~le tal amabilidad 이렇게 친절을 베풀어 주셔서 뭐라 감사드려야할지 모르겠습니다.
[직설법 현재 : agradezco, agradeces, agradece, agradecemos, agradecéis, agradecen. 접속법 현재 : agradezca, agradezcas, agradezca, agradezcamos, ageadezcáis, agradezcan].

agradeciadamente *adv.* 감사하게, 고맙게.

agradecido, da *adj.* 감사하게 여기는 : Estoy muy ~ 무척 감사합니다.
quedar ~ por …을 감사하게 생각하다 : Le *quedamos* muy *agradecidos por* los favores 폐사는 귀하의 호의에 퍽 감사하고 있습니다.
agradecimiento *m.* 사의(謝意), 감사, 고마움(gratitud). Contr. ingratitud.
agradezc- → **agradecer** 31.
agradezca agradecer의 접·현·1·3·단수.
agradezcáis agradecer의 접·현·2·복수.
agradezcamos agradecer의 접·현·1·복수.
agradezcan agradecer의 접·현·3·복수.
agradezcas agradecer의 접·현·2·단수.
agradezco agradecer의 직·현·1·단수.
agrado *m.* ① 부드러움, 상냥함, 정다움, 다정함(afabilidad). ② 반가움, 유쾌함, 즐거움, 쾌락 : Eso no es de mi ~ 그것은 내가 바라는 일이 아니다. ③ 정, 애정, 호의(voluntad) : Haré lo que sea de mi ~.
agrafía *f.* 실서증(失書症) : La ~ es una neurosis 실서증은 노이로제다.
agramadera *f.* 삼을 타는 기계.
agramado, da *adj.* agramar의 *p.p.* —*m.* 삼을 벗는 일.
agramador, ra *adj.* 삼을 타는. —*m.f.* 삼타는 사람. —*m.* 삼타는 기계.
agramaduras *f.pl.* 삼의 껍질.
agramante *m.* *campo de ~* 어수선한 곳, 지저분한 곳.
agramar *tr.* ① (삼의 대를) 빨다, 삼을 빗다. ② =**tundir, golpear.**
agramilar *tr.* (벽돌을) 똑같이 자르다, (벽돌을) 반듯하게 쌓다; (벽에) 벽돌·무늬를 넣다.
agramiza *f.* 삼의 껍질(cañamiza).
agrandado, da *adj.* ① 확대·확장된. ② 《*Perú.*》 어른스러운, 어른 흉내를 내고 싶어하는.
agrandamiento *m.* 확대, 확장.
agrandar *tr.* 확대·확장하다 : Don Federico va a ~ su tienda 페데리꼬씨는 그의 상점을 확장할려고 한다. Contr. disminuir, achicar.
agrandatorio, ria *adj.* 확대·확장하는.
agranitado, da *adj.* 화강암(granito) 같은.
agranitar *tr.* (색깔이나 모양에서) 화강암을 모조·위조하다.
agranujado, da *adj.* ① 입상(粒狀)의; 낟알 모양의, 알알이 돋은. ② 불량한.
agranujar *tr.* 여드름투성이로 만들다 : ~ una piel
~se ① 여드름투성이다. ② 낟알 모양이 되다.
agrario, ria *adj.* ① 경작의, 농지의 : economía *~ria* 농업 경제. ley *~ria* 농지법. reforma *~ria* 농지 개혁. ② 농민파의.
agrarismo *m.* 토지 재분론(再分論); 농민 운동·옹호; 농민파.
agrarista *m.f.* 농지법 찬성자, 농민 옹호주의자.
agráulide *f.* (아메리카의 열대 지방의) 나비의 일종.
agravación *f.* =**agravamiento.**
agravado, da *adj.* 중대한, 큰.
agravador, ra *adj.* 가중하는.
agravamiento *m.* 가중; 증가; 중세, 중과(重課). Contr. atenuación.
agravante *adj.* 가중하는; 악화시키는.
agravantemente *adv.* 가중하여, 증가하여.
agravar *tr.* ① 가중시키다, 더 불어나게 하다; 악화시키다 : ~ la enfermedad 병을 악화시키다. Su regreso *agravó* la situación 그의 귀국은 정세를 악화시켰다. ② 붓다. ③ (…에게) 중과세하다 : ~ a un pueblo 국민에게 중과세하다. ④ (상태 등을) 악화시키다.
~se 중대해지다; (병이) 중태에 빠지다, 악화하다 : El enfermo *se agravó* 환자는 중태에 빠졌다.
agravatorio, ria *adj.* 의무적인, 강제적인.
agravear *tr.* 《*Chile.*》 =**agravar.**
agraviadamente *adv.* 모욕적으로; 발끈해서, 퉁명스럽게.
agraviado, da *adj.* 【고어】 모욕하는, 욕보이는(agravioso).
agraviador, ra *adj.* 욕보이는. —*m.f.* 모욕자; 개전(改悛)의 정이 보이지 않는 죄인.
agraviamiento *m.* 욕보임, 창피를 줌, 모욕; 분규.
agraviante *adj.* 창피를 주는, 모욕을 하는, 욕을 보이는.
agraviar *tr.* 11 창피를 주다, 모욕하다, 욕을 보이다.
~se ① 화내다, 성내다, 노하다, 격분하다; 무시당하다, 창피를 당하다. ② (병이) 심해지다.
agravio *m.* 욕보임; 명예 훼손, 모욕; 피해, 손상; 불평의 원인.
agravión, na *adj.* 《*Chile.*》 남의 원망 잘하는, 화 잘 내는.
agravioso, sa *adj.* 욕보이는, 모욕의.
agraz *m.* ① 익지 않은 포도 (uva sin madura); 그 과즙 : beber ~ agrazado 맛이 신 포도 과즙을 마시다. ② 쓴맛; 맛이 없음; 불쾌함. ③ 【식물】 기생 식물(calderilla).
en ~ 설익은 채, 철이 되기 전에(antes del tiempo debido, fuera de sazón).
echar el ~ en el ojo 비위에 거슬릴 말을 하다, 언짢은 말을 하다.
agrazada *f.* 익지 않은 포도즙에 설탕을 넣어 만든 음료(bebida hecha con agraz y azúcar).
agrazado, da *adj.* 맛이 신(agrio).
agrazar *tr.* 9 언짢게 하다, 불쾌하게 하다(disgustar): ~le a uno la vida. —*intr.* 맛이 시다. Contr. endulzar.
agrazón *m.* ① 익지 않은 포도. ② 화남, 노여움(enfado). ③ 불쾌(disgusto). ④ 【식물】 야생 포도.
agrecillo *m.* =**agracillo.**
agredano, na *adj.m.f.* 아그레다 《Agreda, Soria주의 마을》의 (사람).
agredido, da *adj.* 침략당한, 피해당한. —*m.f.* 피침략자, 피해자 : El juez tomó declaración al ~. —*m.* 피침략국.
agredir *tr.* 공격하다, 덮치다, 습격하다(atacar); 침략하다; 침해하다; 상처 입히다, 가해하다. [*N.* aguerrir와 같은 형의 불구 동사].
agregable *adj.* 부가할 수 있는, 첨가할 수 있는.
agregación *f.* 부가, 첨가; 집성; 병합, 혼합, 합병.

agregado, da *adj.* agregar의 *p.p.* —*m.* ① 덩어리, 일단. ② 부속물, 붙은 것. ③ (떨어진) 부락. ④ (외교단의) 일원, 수행원(隨行員), 보좌관(~ diplomático). ⑤ …부 무관(附武官). ⑥ 현직이 없는 공무원·직원. ⑦《*Arg.*》농장의 입주 고용인. ⑧《*Col.*》작은 소작인.
~ *comercial* 대·공사관부 상무관. ~ *cultural* (대·공사관부) 문화 담당관, 문정관 ; 문화 사절. ~ *militar* 육군 무관. ~ *naval* 해군 무관.

agregaduría *f.* 보좌 교수의 지위·직무.

agregar *tr.* ⑧ ① 덧붙이다, 첨가하다, 첨언하다. ② 모으다, 합병하다(anexar). ③ 수행원·보좌관으로 임명하다.
~se 하나가 되다, 합류하다, 어울리다, 가담하다 : ~*se a·con* otro.

agregativo, va *adj.* 합병하는, 모으는 ; 덧붙이는.

agregatorio, ria *adj.* 부가의, 첨가의; 병합의, 합병의.

agremán *m.* 장식끈.

agremente *adv.* 【고어】 =**agriamente.**

agremiación *f.* 조합에 가입.

agremiar *tr.* ⑪ 조합(gremio)에 가입시키다.
~se 조합을 만들다, 조합에 가입하다.

agresión *f.* ① 습격, 공격 (acometimiento, ataque). ② 침해, 침략 : la no ~ 불가침. pacto de no ~ 불가침 조약.

agresivamente *adv.* 도전적으로, 공격적으로, 침략적으로.

agresividad *f.* ① 공격성, 침략성, 공격 정신 (acometividad). ② 적극성.

agresivo, va *adj.* ① 침략적인, 도전적인 ; 공격적인 : palabras ~*vas* 공격적인·도전적인 언사. ② 적극적인.

agresor, ra *adj.* 공격·침략·가해하는. —*m.f.* 공격자, 침해자 ; 침략자. —*m.* 침략국.

agresorio, ria *adj.* 공격의, 침략의.

agreste *adj.* ① 들의, 전원의, 촌스러운 ; 험한 (áspero) : paisaje ~ 전원 풍경. ② 거친, 투박스러운, 볼품없는, 엉성한, 조잡한(rudo, tosco). **Contr.** urbano, cultivado.

agreta *f.* 【식물】【드묾】 =**acedera.**

agrete *adj.* [*lat.* agrio] 시큰둥한.

agriamente *adv.* 사무치게 ; 심하게 ; 못마땅하게, 무뚝뚝하게.

agriar *tr.* ⑪ 시게 하다 ; 화나게 하다 ; 초조하게 만들다.
~se ① 시어지다, 씁쓸해지다 : ~*se* el vino. ② 화내다, 노하다, 성내다.

agriaz *m.* 【식물】 =**cinamomo.**

agric. agricultura 농업.

agrícola *adj.* [*lat.* agricola]【남·여 동형】 농업·농학의 : producto ~ 농산물. banco ~ 농업 은행. herramientas ~*s* 농기구. maquinaria ~ 농업용 기계. —*m.f.* 농부(agricultor, agricultora).

agricultor, ra *m.f.* 농사꾼, 농부. —*adj.* 농부의.

agricultura *f.* 농업 : ~ intensiva 집약 농업. ② 경작(labranza, cultivo de la tierra).
Ministro de ~ y Silvicultura 농림부 장관.

agridulce *adj.* 달면서 신, 시큼털털한 : palabras ~*s.*

agridulcemente *adj.* 시금털털하게.

agriera *f. pl.*《*Amér. Col.*》가슴앓이, 위산 과다증.

agrietamiento *m.* =**grieta.**

agrietarse *r.* 금(grieta)이 생기다, 트이다.

agrifolio *m.* 【식물】 호랑가시나무(acebo).

agrija *f.* 【고어】 =**grieta, llaga, fístula,**

agrilo *m.* 【곤충】 갑충류.

agrilla *f.* 【식물】 수영(acedera).

agrillado, da *adj.* 귀뚜라미 같은.

agrillarse *r.* (밀·양파 등의) 줄기가 자라다 (grillarse).

agrimensor *m.* 측량 기사(perito de agrimensura).

agrimensura *f.* 측량, 측량학.

agrimonia *f.* 【식물】 용아초, 짚신나물.

agrimoña *f.* =**agrimonia.**

agringarse *r.*《*Chile.*》외간 사람·미국 사람 (gringo) 같아지다.

agrio, gria *adj.* ① 신(ácido) : Esta mandarina está muy *agria* 이 귤은 무척 시다. ② 떫은, 쓴. ③ 사나운(áspero, abrupto). ④ 바위만 깔려있는 (peñascoso) : camino ~ 바위투성이의 길. ⑤ 매서운 ; 무뚝뚝한 : genio ~ 무뚝뚝한 성미. ⑥ 단단하지 못한, 무른, 깨지기 쉬운(frágil, quebradizo). ⑦ 조화되지 못한, 칙칙한. —*m.* 신맛, 신맛의 즙 : el ~ del limón. —*pl.* 신 과일류, 밀감류.
mascar las agrias 불쾌감을 나타내지 않다.

agrior *m.*《*Arg.*》가슴이 빠근함.

agrioso, sa *adj.*《*Cuba.*》달착지근한, 달면서 시큼한.

agripalma *f.* 【식물】 익모초.

agrisado, da *adj.* 희뿌연, 희끄무레한, 회색빛이 도는(gríseo) : pizarra ~*da* 희끄무레한 흑판.

agrisar *tr.* 회색으로 하다(dar color gris).

agrisetado, da *adj.* 꽃무늬의 ; 비단(griseta) 같은.

agrisetar *tr.* 비단같은 천을 만들다.

agriura *f.*《*AmérC.*》=**agrura ; acedía.**

agro, gra *adj.* =**agrio.** —*m.* ① 농지 : problema del ~ 농지 문제. ② (Galicia 지방에서) 큰 경지.
jalea del ~ 불수감(나무)의 잼.

agro- *pref.* 「토(土)」「농(農)」의 뜻을 가진 접두어.

agrología *f.* 토양학.

agrológico, ca *adj.* 토양학의.

agromanía *f.* 전원 예찬.

agrómano, na *m.f.* 전원 예찬자.

agrometría *f.* 농업측량.

agrometro *m.* 농업 측량 기구.

agronomía *f.* 농학(農學).

agronómico, ca *adj.* 농학의.

agrónomo, ma *m.f.* 농학자 ; 농업 기사 (perito ~).

agropecuario, ria *adj.* 농목의 ; 농축산의 : la situación del sector ~ 농목 분야의 정황.

agroquímica *f.* 농화학.

agror *m.* =**agrura.**

agrostema *f.* 【식물】 neguilla의 학명.

agrostemina *f.* 【의학】 맥각(麥角).

agróstide *f.* 【식물】 말의 먹이가 되는 벼과 식

물.

agrostología *f.* 화본과 식물학.

agrotis *m.* 【곤충】 도둑 나방.

agruador *m.* 【고어】 =**agorero, adivino.**

agrumarse *r.* 응결하다, 엉기다.

agrupable *adj.* 한패가 될 수 있는, 모일 수 있는.

agrupación *f.* 집합, 모임, 결합, 결속 ; 군집, 떼, 덩어리 ; 오합지졸 ; 조합 : ~ de Editores y Librerías 출판 서적 조합. ~ de Trabajadores Latinoamericanos Sindicalizados 라틴 아메리카 조직 노동자 연맹.

agrupado, da *adj.* ① 집결된, 한패가 된. ② [bien · mal+] 궁둥이가 잘 생긴 · 흉칙스런.

agrupador, ra *adj.* 모이는.

agrupamiento *m.* =**agrupación.**

agrupar *tr.* 집합시키다 ; 결합시키다 ; 편을 가르다.

~se 모이다 ; 패가 되다 ; 짝이 되다.

agrura *f.* ① 신맛. ② 신 과일즙. —*pl.* 밀감류, 감귤류.

agte. agente.

agte. gral. agente general.

agto. agosto.

ag.[to] agosto 8월.

¡ agu! *interj.* 《*Chile.*》 =**¡ ajó!**

agua *f.* [*lat.* aqua] [정관사는 단수가 el ; el agua, las aguas]. ① 물 : ~ caliente 뜨거운 물. ~ fría 찬물. ~ limpia 깨끗한 물. ~ sucia 더러운 물. ~ tibia 미지근한 물. ② 물 《향수 · 음료수》 : ~ de colonia 콜론수. ~ carbonatada 탄산수. ③ 비(lluvia) : Murcia recibe 235 milímetros de ~ 무르씨아는 (일년에) 235밀리의 비가 온다. Cae mucha ~ 비가 많이 온다. ④ 찬 음료수(refresco) : ~ de limón 레몬수. ⑤ 【건축】 (처마 따위의) 경사(면), 물매, 낙수통 (vertiente de un tejado) : tejado a dos ~*s.* ⑥ (배의) 물 새는 곳 : abrirse una ~ 물이 새다. ⑦ (밀물과 썰물의) 간만(干滿)(marea). ⑧ 눈물 (lágrimas). ⑨ 《*Perú.*》 돈(dinero).

—*pl.* ① 비, 눈물 ; 오줌 : hacer ~*s*, irse las ~*s* 오줌 누다(orinar). ② 광천. ③ 바다, 해역 ; 수역, 근해 : ~*s* jurisdiccionales 영해. ④ 조수 ; 해류. ⑤ 항적 : buscar ~*s* de un buque 어떤 선박의 행방을 찾다. ⑥ (목재 · 보석 · 천 · 칼 등의) 광택, 때깔, 무늬, 번득임(viso).

—*adv.* ~ abajo 강의 하류로. ~ arriba 강의 상류로.

—*interj.* (누가) 물에 빠졌어 !

~ ***bendita*** 성수(聖水).

~ ***carbónica*** 소다수.

~ ***cibera*** 관개 용수.

~ ***compuesta*** 가공 음료 《레몬수 · 딸기 주스 등》.

~ ***cruda*** 경수(硬水), 센물.

~ ***chacha*** 《*AmérC.*》 싸구려 술.

~ ***delgada*** 연수.

~ ***dulce*** 단물, 맹물, 담수, 음료수.

~ ***fuerte*** 초산(硝酸) ; 에칭.

~ ***gorda*** 경수.

~ ***llovediza*** 빗물.

~ ***lluvia*** 빗물.

~ ***mineral*** 광천, 광천수.

~ ***muerta*** 고인 물 ; (배의) 괸 물.

~ ***nieve*** 진눈깨비 ; 눈 녹은 물.

~ ***perfumada*** 향수.

~ ***perra*** 《*Chile.*》 백탕(白湯).

~ ***pluvial*** 빗물.

~ ***regia*** 【화학】 왕수(王水).

~ ***roja*** 더운 물.

~ ***sal*** (소금을 넣어 만든) 소금물.

~ ***salobre*** (바다의) 소금물.

~ ***viento*** 퍼부어 내림.

~ ***viva*** 유수(流水), 솟아나는 물.

~ ***de azahar*** 밀감꽃 향수.

~ ***de borrajas*** 쓸모없는 것.

~ ***de cal*** 석회수.

~ ***de cepas*** 포도주 ; 술.

~ ***de olor*** 향수.

~ ***de pie*** 유수, 흐르는 물, 움직이는 물.

~ ***de socorro*** 긴급한 때의 세례.

A- y Energía Eléctrica 《*Arg.*》 전력 공사.

~s de creciente 조수, 밀물.

~s de menguante 썰물.

~s falsas 파서 일시적으로 나오는 물.

~s llenas 만조.

~s madres 【화학】 모액.

~s mayores 큰사리, 대조(大潮) ; 대변.

~s menores 작은사리, 조금, 소조(小潮) ; 소변.

~s muertas 소조(小潮).

~s termales 온천수 : Las ~*s termales* abundan en los países montañosos 온천수는 산악 국가에 많다. Sinón. caldas.

~s territoriales 영해(領海).

~s vertientes 사면(斜面)을 흐르는 물, 그 방향.

~s vivas 밀물.

claro como el ~ =evidente, patente.

como el ~ al cuello =en gran apuro.

como el ~ de mayo 매우 잘(muy bien).

como ~ 무의식으로, 느낌이 없이.

más que ~ 많은 : haber *más* gente *que* ~ 사람이 많다.

bailar el ~ ① 억지로 알랑거리다. ② 《*Méx.*》 실망시키다.

dar ~ 《*Méx.*》 죽이다.

echar ~ 《*Méx.*》 망을 보며 같은 패에게 도둑질을 시키다.

echar ~ arriba 《*Méx. Chile.*》 야단치다, 호되게 나무라다, 호통치다.

estar entre dos ~s 어정쩡하게 있다, 결단을 못 내리고 있다.

haber ~ puesta 《*AmérC.*》 비가 올 듯하다.

hacer ~ 침수하다.

hacerse ~ 녹다, 물로 되다 : *hacerse (una) ~* la boca 군침이 흐르다, 되새기며 즐거워하다 ; 희망을 즐기다.

llevar el ~ a su molino 자기 밭에 물을 대다.

mandar ~ 《*Méx.*》 기합을 넣다 ; 돈을 뜯다, 돈을 달라고 조르다.

mover el ~ 《*Méx.*》 여자의 환심을 사다.

nadar entre dos ~s 어느 쪽으로도 기울지 않다.

ser como el ~ de Loja, que por donde pasa moja 특별한 장점이 없다(no tener mérito especial).

Del ~ mansa me libre Dios, que de la brava me libraré yo 【속담】 의뭉한 사람은 믿어서는 안 된다.

aguabenditera *f.* ① 【방언】 성수반(聖水盤).

②【식물】 =**cardencha.**
aguacal *m.* (벽에 바르는) 석회.
aguacatal *m.* ① aguacate밭. ②《*AmérC.*》 얼간이, 바보, 멍청이, 등신.
aguacate *m.* ①【식물】 아구아까떼《남미의 과일》. ② 배 모양의 에메랄드. **—***adj.* 등신 · 얼간이 같은.
ser ~ con pan 《*Méx.*》 멋이 없다, 촌스럽다.
tener sus ~s 《*Méx.*》 정교(情交)가 있다, 육체 관계가 있다.
aguacatero *m.* 【식물】 =**aguacate.**
aguacatillo *m.* 【식물】 aguacate과 나무.
aguacella *f.* 《*Ar.*》 =**aguanieve.**
aguacero *m.* ① 소나기, 스콜 ; 폭풍우(chubasco, chaparrón) : aguantar un ~. ②《*Col.*》 장마 ③《*Cuba.*》【곤충】 개똥벌레, 반디《개똥벌레과의 곤충》(luciérnaga).
aguaceta *f.* =**jeringuilla.**
aguacha *f.* 썩은 물 : una charca llena de ~.
aguachacha *f.* 《*AmérC.*》 싸구려 술.
aguachar[1] *m.* 웅덩이(charco).
aguachar[2] *tr.* ① 물바다로 만들다, 물에 잠기게 하다, 침수되게 하다(enaguachar) : ~ un terreno. ②《*Chile.*》 길들이다, 온순하게 하다(domesticar, amansar). ③《*Arg.*》 어미를 떼다.
~se ①《*Arg.*》 (말이) 뚱뚱하게 살이 찌다. ②《*Chile.*》 길들다 ; (새 풍습에) 익숙해지다.
aguacharnar *tr.* 물을 잠기게 하다(enaguazar).
aguachento, ta *adj.* 《*AmérM.*》 물기가 많은 (aguanoso).
aguachí *m.* 《*Perú.*》 모리체(moriche) 야자.
aguachil *m.* 《*Méx.*》 물기가 많은 고추 수프.
aguachinangarse *r.* 멕시코 사람의 흉내를 내다.
aguachinar *tr.* =**enaguazar.**
aguachirle *f.* ① 술 이름이 붙은 착색수(着色水). ② 싸구려 술(aguapié). ③ 실질 · 실속이 없는 것 : Este libro es para ~.
aguacibera *f.* 관개 용수.
aguacil *m.* 【속어】 =**alguácil.**
aguada *f.* ① 음료수의 보급(provisión de agua potable) : hacer ~ 배에 음료수를 싣다. ② 물 마시는 곳, 급수장. ③ 그림 물감, 수채화 (pintura a la ~). ④ 광갱(鑛坑)의 침수, 출수(出水). ⑤《*Chile.*》 물 먹이는 곳(abrevadero).
aguaderas *f.pl.* 물항아리 운반용 안장.
aguadero, ra *adj.* 방수한, 비옷의 : capa ~*ra.* **—***m.* ① 물 먹이는 곳, 물 마시는 곳 : ~ de venados. ② (벌채한 재목을) 물에 넣어 두는 장소. **—***f.pl.* 넓은 깃(plumas anchas).
aguadija *f.* 종기나 상처난 곳의 진물.
aguadito *m.* 《*Chlie.*》 =**aguado, aguardiente.**
aguado, da *adj.* ① 물을 탄 : Es higiénico beber el vino ~. ② 흥이 깨진 : fiesta ~*da.* ③ 금주의(abstemio). ④《*AmérC.*》 나약한, 쇠약한, 기운이 없는. ⑤《*Venez.*》 겁이 많은, 의기 소침한. ⑥《*Extr.*》 걷기에 지친.
—*m.* 물 탄 소주(aguardiente con agua).
aguador, ra *m.f.* ① 물장수. ② =**acueducto.** ③《*Méx.*》 경보자.
aguaduchar *tr.* 【고어】 =**enaguazar.**
aguaducho *m.* ① 홍수. ② 물 · 음료수 파는 곳.
aguafiestas *m.f.* 【단 · 복수 동형】 흥을 깨는 사람 : No seas ~ 흥을 깨지 마라.
aguafuerte *f.* 부각(腐刻), 판화, 에칭.
aguafuertista *m.f.* 에칭 화가.
aguagoma *f.* (색깔을 녹이기 위해 사용하는) 고무액.
aguagriero, ra *m.f.* 《*Mancha.*》 (특히 중부 까스띨야의 Puertollano의) 광천을 마시러 오는 탕치객(湯治客).
aguaí *m.f.* =**aguay.**
aguaicar *tr.* 9 《*Bol. Perú.*》 몰매질을 하다.
aguaita *f.* 《*Amér.*》 숨어서 기다림, 잠복.
aguaitacamán *m.* 【조류】 섬금류 새.
aguaitada *f.* 《*Chile.*》 =**aguaitamiento.**
aguaitador, ra *adj* 【고어】 숨어서 기다리는.
aguaitamiento *m.* 잠복.
aguaitar *tr.* 【고어】 잠복하다, 숨어서 기다리다 (acechar).
aguaite *m.* 【고어】《*Chile.*》 잠복.
aguajaque *m.* 아구아하께 《술의 일종》.
aguajas *f.pl.* =**aguagas.**
aguaje *m.* ① 밀물 ; 조류(潮流) ; 심한 조수의 흐름 : hacer ~ 조수가 심하게 흐르다. ② 선적(船積)(estela). ③ 음료수(aguada). ④ 물 마시는 곳. ⑤ 늪. ⑥《*Amér.*》 소나기(aguacero). ⑦《*AmérC.*》 질책, 질타.
aguajinoso, sa *adj.* 물기가 많은(aguanoso).
aguajoso, sa *adj.* =**aguanoso** : fruto ~.
aguallevado *m.* 《*Ar.*》 하수구 청소.
agualluvia *f.* =**agua lluvia.**
agualoja *f.* 《*Ar. Amér.*》 =**aloja.**
agualojero, ra *m.f.* 《*AmérC.*》 agualoja 상인.
agualotal *m.* 《*AmérC.*》 소택지.
aguamala *f.* 【동물】 해파리(medusa).
aguamanil *m.* (화장 · 세면용의) 물항아리 ; 세면기 ; 세면장.
aguamanos *m.* 【단 · 복수 동형】 ① 손 씻을 물 : dar ~. ② 세면기.
aguamar *m.* 【동물】 해파리(aguamala).
aguamarina *f.* 【광물】 감록석(鑑綠石).
aguamelado, da *adj.* 꿀물을 바른, 꿀물에 담근.
aguamelar *tr.* 19 (… 에) 꿀물을 바르다 ; 꿀물에 담그다.
aguamiel *f.* ① 꿀물(agua mezclada con miel). Sinón. hidromiel. ②《*Méx.*》 용설란수(龍舌蘭水).
aguanafa *f.* 《*Murc.*》 밀감꽃의 증류액 (agua de azahar).
aguanieve *f.* ① 진눈깨비(agua nieve). ②《*Amér.*》 아구아니에베《뻬루의 민속 노래와 춤》.
aguanieves *f.* 【조류】 까치(aguzanieves).
aguanosiarse *r.* 《*Col.*》 ① 물을 많이 타서 맛이 싱거워지다. ② (계획이) 실패로 돌아가다.
aguanosidad *f.* 습윤, 물기가 많음 ; 체내에 고인 물. Contr. sequedad.
aguanoso, sa *adj.* ① 물기가 많은, 질척질척한 : terreno ~. ② 싱거운, 맛없는 (과일).
aguantable *adj.* 참을 수 있는, 견딜 수 있는, 견딜만한, 용서할 수 있는. Sinón. soportable.
aguantaderas *f.pl.* 【희언】 인내심(paciencia).
aguantadero, ra *adj.* =**aguantable.**
aguantador, ra *adj.* 《*Amér.*》 =**aguantón.**
aguantar *tr.* ① 견디다, 감내하다, 인내하다,

참다 (tolerar, sufrir, soportar) : ~ una injuria 모욕을 참다. ② 받치다 (sostener). ③ 찌르는 투우사(picador)가 투우에게 저항하다. —*intr.* 참다.
~se 꾹 참다 ; 잠자코 있다(callarse, contenerse, reprimirse) : Ya no *me* puedo ~ 이제 나는 잠자코 있을 수 없다.
aguante *m.* 인내, 참을성 : ser hombre de mucho ~. Sinón. paciencia.
aguantón, na *adj.* 《*Amér.*》 너무 참고 견디는. ***darse un*** ~ 《*Perú.*》 가만히 서 있기만 하다.
aguañón *m.* 수리 공사 기사 (maestro de obras hidráulicas).
aguapé *m.* 【식물】 =**camalote.**
aguapeazo *m.* 《*Amér.*》 【조류】 =**jácana.**
aguapié *m.* [*pl.* aguapiés] 물감 들인 술, 값싼 술 ; 흐르는 물(agua de pie).
aguar *tr.* 10 (… 에) 물을 타다 · 넣다 : ~ el vino. ② 중단시키다, 저지하다, 방해하다, 훼방을 놓다, 흥이 깨지게 하다 : ~ la fiesta. ③ 완화하다. ④ 《*Amér.*》 (동물에) 물을 먹이다. ⑤ 물을 붓다(echar el agua).
~se ① 물에 질펀히 잠기다. ② 일이 틀어지다, 흥이 깨지다 : *Se* nos *aguó* la fiesta. ③ (사람이) 싱거워지다.
aguará *m.* 《*Riopl.*》 【동물】 큰 여우의 일종.
aguarachay *m.* 《*Amér.*》 【동물】 아메리카의 여우의 일종.
aguaraguazú *m.* 《*Amér.*》 【동물】 늑대와 여우의 중간형.
aguaraibá *m.* 《*Amér.*》 =**turbinto.**
aguaraibar *m.* 《*AmérM.*》【식물】 =**aguaraibá.**
aguaraibay *m.* 《*Amér.*》 =**turbinto.**
aguaraparse *f.* 《*Amér.*》 당화(糖化)하다.
aguardada *f.* 기다림 ; 유예.
aguardadero *m.* (사냥꾼이) 기다리는 길목.
aguardador, ra *adj.m.f.* 기다리는 (사람).
aguardamiento *m.* 기다림, 고대; 유예.
aguardar *tr.* ① 고대하다, 기다리다 : ~ a un amigo 친구를 기다리다. *Aguardo* que llegue mi padre 아버지가 오시는 것을 기다리고 있다. ② 유예하다 : Te *aguardaré* un día 너를 위해 하루 더 기다리겠다. ③ [+a : … 를] 기다리다 : ~ *a* morir 죽기를 기다리다. *Aguardó (a)* que le respondieran 그는 사람들이 대답하기를 기다렸다.
aguardentazo *m.* 독하고 나쁜 소주.
aguardentera *f.* aguardiente 병.
aguardentería *f.* 아구아르디엔떼(aguardiente) 주점.
aguardentero, ra *m.f.* 소주 파는 사람.
aguardentoso, sa *adj.* ① 소주가 들어있는 : bebida ~. ② 소주같은 : olor ~. ③ 목이 쉰, 걸걸한 : voz ~*sa* 쉰 목소리.
aguardiente *m.* 아구아르디엔떼 《소주의 일종》 : ~ anisado 회향주. ~ de cabeza 최초로 증류한 소주. ~ de caña 럼주, 당밀주. ~ de patatas 푸젤유.
aguardillado, da *adj.* 다락방 모양의.
aguardo *m.* (포수가) 매복하고 있는 장소 ; 기다림.
aguarear *intr.* 《*Méx.*》 중단하지 않고 조금씩 비가 내리다.
aguarería *f.* 《*AmérM.*》 흉조.
aguaribay *m.* 《*Arg.*》 =**aguaraibá.**
aguarrada *f.* 소나기(chubasco, chaparrón).
aguarrás *m.* [*pl.* aguarrases] 테레빈유 ; 송진.
aguasado, da *adj.* ① 《*Amér.*》 =**bobo, simplón.**
aguasal *f.* =**salmuera.**
aguasarse *r.* 《*AmérM.*》 시골뜨기(guaso) 같다.
aguasol *m.* ① 녹병균(綠病菌). ② 《*Méx.*》 옥수수의 베고 남은 그루터기.
aguatarse *r.* 《*Chile.*》 ① 물웅덩이가 되다. ② 배복판이 볼록해지다(achiguarse).
aguate *m.* ① 《*And.*》 =**líquido.** ② 《*Hond. Méx.*》 =**ahuate.**
aguatel *m.* 《*Ecuad.*》 =**charco.**
aguatera *f.* 《*Perú.*》 =**tinajero.**
aguatero, ra *m.f.* 《*Amér.*》 물장수. —*m.* 물 운반차(carro ~).
aguatinta *f.* =**grabado en cobre.**
aguatocha *f.* 양수 펌프.
aguatocho *m.* 《*Murc.*》 =**cenagal, pantano, charco.**
aguatón *m.* 【식물】 아구아똔 《약초》.
aguatoso, sa *adj.* 《*Méx.*》 =**espinoso.**
aguaturma *f.* 【식물】 뚱딴지, 돼지감자.
aguatusar *tr.* 《*AmérC.*》 탈취하다 ; 틀어 따다 (과일 등을).
aguaverde *f.* 녹색 해파리.
aguaviento *m.* 비바람.
aguavientos *m.* 【식물】 세루비아의 일종.
aguavilla *f.* 【식물】 양매, 소귀나무.
aguay *m.* 《*Arg.*》 아구아이 무화과 《적철과에 속하는 나무》.
aguayo, ya *adj.* 《*Méx.*》 까끄라운. —*m.* 《*Bol.*》 ① 두터운 천의 일종 ; 이것으로 만든 여자용 외투. ② 광석 운반용 가죽 자루 · 주머니.
aguaza *f.* (상처 · 수목 등의) 벤 자리에서 나오는 액체 ; 질척거림, 물기가 많음(aguanosidad).
aguazal *m.* 빗물이 고인 땅.
aguazarse *r.* 9 물웅덩이가 되다.
aguazo *m.* 하얀 화폭에 그리는 수채화 : cuadro al ~.
aguazoso, sa *adj.* 《*Amér.*》 물기 많은 ; 수분이 있는.
agucioso, sa *adj.* 【고어】 =**acuciso, presuroso.**
agudamente *adv.* 날카롭게 ; 신랄하게.
agudeza *f.* 예리함 ; 기민 ; 기지 ; 예리한 · 신랄한 말씨.
agudizar *tr.* 9 뾰족하게 · 날카롭게 하다.
~se 뾰족하게 되다 ; 중태에 빠지다.
agudo, da *adj.* ① 날카로운 ; 가파른, 뾰족한 : punta ~*da* 뾰족한 끝. Contr. romo. ② 재치있는, 예민한, 총명한, 명석한, 머리가 좋은 ; 기민한 : escritor ~ 재치있는 작가. ③ 활달한, 발랄한, 빈틈없는(vivo, gracioso) : persona ~*da.* ④ 【의학】 급성의 : apendicitis ~*da* 급성 맹장염. Contr. crónico. ⑤ 【음악】 높은, 고음의(alto) : Carmen tiene una voz ~*da* 까르멘은 목소리가 높다. ⑥ 【문법】 최후의 음절에 악센트가 있는. ⑦ 【수학】 예각의 : Los dos líneas se cruzan formando un ángulo ~ 두 선은 예각을 형성하여 교차하고 있다. ⑧ 찌르는 듯한, 꿰뚫는(vivo, penetrante) : olor ~, sonido ~, vista ~*da.* ⑨

강조하는(acentuado) : sílaba ~*da*. ⑩ 통증이 심한. Contr. sordo.

¡agüe! *interj.* 《*AmérC.*》 여보세요 《사람을 부르는 말》.

aguedal *m.* (모로코에서) 술탄의 궁.

aguedita *f.* 아게디따나무 《나무 껍질이 해열제용임》.

agüeitar *tr.* 《*Col.*》 =**aguaitar.**

agüela *f.* ① 할머니(abuela). ②【은어】 비옷, 가빠.

agüelo, la *m.f.* abuelo, abuela의 사투리.

agüer- → **agorar** 28.

agüera *f.* 용수구(用水溝).

agüerar *tr.* =**agorar.**

agüería *f.* 《*Amér.*》 =**agüero.**

agüerista *adj.m.f.* 어폐(御幣)를 메는 (사람).

agüero *m.* 징조 ; 예감 ; 예언 ; 점술. Sinón. pronóstico.

aguerrido, da *adj.* 백전 연마의.

aguerrir *tr.* 전쟁·괴로움에 익숙해지다.

aguijada *f.* (쇠가 끝에 붙은) 소몰이 회초리.

aguijadera *f.* =**aguijada.**

aguijador, ra *adj.m.f.* 회초리로 찌르는 (사람).

aguijadura *f.* aguijar 하는 일.

aguijamiento *m.* 【고어】 =**aguijadura.**

aguijante *adj.* 찌르는 ; 독촉하는.

aguijar *tr.* ① (소몰이 회초리로) 찌르다 ; 몰아세우다 ; 독촉하다 : ~ a los bueyes. ② 재촉하다 (apresurar) : ~ el paso·los pies 걸음을 빨리하다. ③ 자극하다, 흥분시키다(incitar) : ~ un caballo 말을 흥분시키다. Los celos le *aguijan* 질투심에 몸을 떨고 있다. —*intr.* 서둘다 (ir o caminar de prisa), 걸음을 재촉하다.

aguijatorio, ria *adj.* (상사로부터) 재촉받는 ; (명령 등을) 반복하는.

aguijón *m.* ① (벌레 등의) 침, 바늘 : el ~ de la avispa. ② 가시. Sinón. espina. ③ 자극(물) (estímulo) ; 충동 : el ~ de la ganancia 돈을 벌고 싶은 충동.

aguijonada *f.* =**aguijonazo.**

aguijonamiento *m.* 찌르기 ; 자극.

aguijonar *tr.* =**aguijonear.**

aguijonazo *m.* 침·가시로 찌르는 일 ; 자상(刺傷).

aguijoneador, ra *adj.* 자극하는 : curiosidad ~*ra*.

aguijonear *tr.* ① 찌르다 ; 자극하다(aguijar). ② 침으로 찌르다(picar con aguijón). ③ =**inquietar, fastidiar, atormentar.**

águila *f.* ①【조류】 독수리, 매 : El ~ edifica su nido en las rocas escarpadas. ② (기·문장 등에 그려진) 독수리, 독수리 기·기장 : las ~*s* napoleónicas. ③ 금화 이름 《Carlos V 시대의 10reales 금화 ; 멕시코의 20pesos의 금화 ; 미국의 10달러 금화》. ④ 《*Chile.*》 종이연. ⑤ 훈장 (conderación) : el ~ negra de prusia. ⑥ 빈틈없는 사람. —*m.f.* 협박자, 사기꾼. —*m.* ①【어류】 매가오리. ② 시가의 일종.

~ ***barbuda*** 수염수리. ~ ***blanca*** 물수리.

~ ***caudal·real*** 매. ~ ***doble*** 미국의 20달라 금화.

~ ***exployada***【문장】 쌍두 독수리. ~ ***pasmada*** 날개를 접은 독수리. ~ ***pescadora*** 물수리. ~ ***media*** 10빼소 동전. ***mirada de*** ~ 뚫어지게 보는 시선.

Aguila (el) *f.* 【천문】 독수리좌.

aguilando *m.* =**aguinaldo.**

aguilarense *adj.m.f.* 아길라르 《Aguilar, Córdoba 주의 도시》의 사람.

aguilareño, ña *adj.m.f.* ① 아길라르 델 리오 알아마 《Alguilar del Río Alhama, Logroño 주의 마을》의 (사람). ② 알길라르 데 깜뽀오 《Alguilar de Compoo, Palencia 주의 마을》의 (사람).

aguileña *f.* 【식물】 매발톱꽃.

aguileño, ña[1] *adj.* ① 독수리의, 독수리같은. ② 얼굴이 갸름한. ③ 매부리코의. Contr. romo.

aguileño, ña[2] *adj.m.f.* 아길라스 《Aguilas, Murcia 주의 마을》의 (사람).

aguilera *f.* 독수리의 둥지, 독수리가 있는 바위.

aguilereño, ña *adj.m.f.* 라 아길레라 《La Aguilera, Burgos 주의 마을》의 (사람).

aguililla *adj.* 【남·여 동형】 《*AmérM. Ant.*》 걸음이 빠른. —*m.f.* 《*Amér.*》 빌린 것을 갚지 않는 사람, 얌체. —*m.* 걸음이 빠른 말.

aguilillo *adj.* 《*Col. Perú.*》 걸음이 빠른.

aguilita *m.* 《*Méx.*》 순경.

aguilla *f.* ① 물같은 액체. ② 《*Perú.*》 돈(dinero).

aguilón *m.* [*aum.* águila] ① 기중기의 팔. ② 각토관(角土管). ③【건축】 박공. ④【문장】 부리와 다리가 없는 독수리.

aguilonia *f.* 《*Ál.*》 =**nueza.**

aguilote *m.* 《*Méx.*》【식물】 ① (뿌리에 독이 있는) 토마토. ② 《*Venez.*》【조류】 맹금(ave de rapiña).

aguilucho *m.* 새끼 독수리, 알에서 갓 나온 독수리.

aguilucho, cha *adj.m.f.* 아길라푸엔떼 《Aguilafuente, Segovia 주의 마을》의 (사람).

agüimense *adj.m.f.* 아구이메스 《Agüimes, Las Palmas 주의 마을》의 (사람).

aguín *m.* ① 소나무(pino)의 일종. ② 크리스마스 캐럴(villancico de Navidad).

agüinado, da *adj.* 밝은 사자털 색깔의.

aguinaldo *m.* ① 크리스마스·새해 선물. ② 특별 수당. ③ 크리스마스 캐럴. ④ 아기날도 《크리스마스에 피는 꾸바의 야생풀》.

aguío *m.* (꼬스따리까의) 새 이름.

aguisado, da *adj.* =**justo, razonable.**

aguisar *tr.* =**aderezar, disponer.**

aguiscar *tr.* 《*Can.*》 =**aguizgar, azuzar, incitar.**

agüisote *m.* =**ahuizote.**

agüista *m.f.* ① 욕객(bañista). ② 광천을 마시러 가는 탕치객.

agüita *f.* [*dim.* agua] 《*Perú.*》 금전.

dar la ~ 《*Méx.*》 죽이다.

estar en ~ 《*Col.*》 (아직) 어리다.

agüitarse *r.* 《*Méx.*》 슬퍼하다, 겁내다.

aguizgar *tr.* 8 =**aguijar.**

aguja *f.* [*lat.* acus] ① 바늘. ② (시계·자석의) 바늘 ; 뜨개바늘 : ~ de hacer media 긴 양말을 짜는 바늘. ~ del reloj 시계 바늘. ③ 패선침(罫線針) ; 지침, (해시계의 바늘이 되는) 작대기 ; 머리핀 ; 찌르는 것. ④ (총의) 석장. ⑤【건축】 첨탑에 있는 종루의 끝. ⑥ (철도의) 전철기 (~

de cambio). ⑦ 자침(磁針) (~ magnética·imanada). ⑧ 나침반 (~ de marcar). ⑨【어류】 바다에서 잡히는 공미리. ⑩ (수목의) 어린 움(púa). ⑪ (테 등의) 가로 나무, 말뚝. ⑫ (인쇄에서) 종이의 주름. ⑬ *pl.* (동물의) 갈비뼈 : caballo alto de ~*s* 키가 큰 말. ⑭ (말의) 다리·목의 병.

~ ***capotera*** (바느질용) 굵은 바늘.
~ ***de coser*** 바느질 바늘. ~ ***de gancho*** 자수용 갈고리 모양의 바늘. ~ ***de marcar*** (자석의) 지침. ~ ***de medias*** 뜨개바늘. ~ ***de pastor*** 【식물】 =aguja. ~ ***loca*** 방향이 틀린 자침.
alabar sus ~***s*** 자화 자찬하다.
Buscar una ~ ***en un pajar*** 【속담】 불가능하거나 매우 어려운 일을 달성하려고 쓸데없이 일하다.
Conocer la ~ ***de marear*** 【속담】 사업 수단이 비상하다.
Meter ~, ***y sacar reja*** 【속담】 되로 주고 말로 받다.

agujada *f.* 《*Amér.*》 =**agujal.**
agujadera *f.* 자수하는 여자.
agujador *m.* 《*Chile.*》 바늘 쌈지.
agujal *m.* (벽에 남은) 구멍.
agujazo *m.* 바늘로 찌르기, 바늘로 찔린 상처.
agujar *tr.* 《*Col.*》 부추기다, 꼬드기다(azuzar).
agujera *f.* ① 낚는 기술. ② 바늘 기술자·장수.
agujerador, ra *adj.m.f.* 구멍 뚫는 (사람).
agujerar *tr.* =**agujerear.**
agujereamiento *m.* 구멍 뚫기.
agujerear *tr.* ① (… 에) 구멍을 뚫다 : ~ una muralla. ② 후비다 ; 벌집으로 만들다.
agujería *f.* 바늘 가게·공장.
agujero *m.* ① 구멍 : abrir un ~ 구멍을 뚫다. ② 바늘 장수·제조자. ③ 바늘통(alfiletero).
agujeruelo *m.* [*dim.* agujero] 작은 구멍.
agujeta *f.* 노끈 : desatar las ~*s* 노끈을 풀다. ② 《*Venez.*》 대침(大針), 큰 바늘(aguja grande). ③ 《*AmérC.*》 노끈 꿰는 바늘. ④ 마부에게 주는 팁. —*pl.* (몸의) 뻐근함, 결림 : sentir ~*s* en los hombros 어깨가 뻐근하다.
agujetería *f.* 바늘 장사.
agujetero, ra *m.f.* 【고어】 《*Amér.*》 바늘 장수·제조자.
agujón *m.* [*aum.* aguja] ① 큰 바늘. ② 모자핀. ③【어류】 침어(針魚) 《안띠야스 지방의 물고기》.
agujuela *f.* [*dim.* aguja] 몽당못.
agul *m.* 【식물】 (페르시아의) 콩과 관목.
agun *m.* 《*Filip.*》 =**batintín, gong.**
aguosidad *f.* (물 모양의) 액 《임파액 등》.
aguoso, sa *adj.* 물이 흥건한 ; 수분 과다의, 수분이 많은, 물기가 많은(acuoso).
¡agur! *interj.* 안녕 ! (¡abur!).
agusajo *m.* 《*Col.*》 수상쩍은 소리.
agusanado, da *adj.* 구더기가 있는.
agusanamiento *m.* 구더기가 생김.
agusanarse *r.* 구더기(gusano)가 생기다.
agustina *f.* 【식물】 삼색 아네모네의 일종.
agustinianismo *m.* 아우구스틴파 《San Agustín (353—430)이 주장한 종파》.
agustiniano, na *adj.* 아우구스틴파의.
agustino, na[1] *adj.* 아우구스틴파의. —*m.f.* 아구스틴파 승려.
agustino, na[2] *adj.m.f.* 산 아구스띤 《San Agustín, Teruel 주의 마을》의 (사람).
agutí *m.* 《*Amér.*》 【동물】 Dasy Procta 속의 모르모트 비슷하고 토끼만한 짐승(acutí) 《에꾸아도르, 엘살바도르, 꼬스따리까 등에 많음 ; acure, guatusa, tuza라고도 부름》.
aguzable *adj.* 날카롭게 할 수 있는, 뾰족하게 할 수 있는.
aguzadera *f.* 숫돌.
aguzadero, ra *adj.* 날을 세우기 위한 : piedra ~*ra* 숫돌. —*m.* 멧돼지의 어금니 가는 곳.
aguzado, da *adj.* =**afilado, agudo.**
aguzador, ra *adj.* 날을 세우는·가는.
aguzadura *f.* 날을 가는 일, 뾰족하게 하는 일.
aguzamiento *m.* =**aguzadura.**
aguzanieves *f.* 【단·복수 동형】 【조류】 할미새. Sinón. nevatilla.
aguzar *tr.* ⑨ ① 날을 갈다·세우다 (afilar) : ~ un cuchillo 칼을 갈다. ② 끝을 뾰족하게·날카롭게 하다 : ~ el lápiz 연필을 깎다. ③ 자극하다, 선동하다(aguijar) : ~ el apetito. ④ 선동하다(incitar) : ~ el interés. ⑤ 예민하게 하다, 눈여겨 보다, (귀를) 기울이다.
aguzonazo *m.* 몽둥이로 때리는 일(hurgonazo).
A.H. amperio hora 암페어시(時).
¡ah! *interj.* ① 아아 ! 《감탄, 놀라움, 고통, 슬픔을 나타낸다》. ② 《*Amér.*》 무어 ? 《되물음》.
ahacado, da *adj.* 조랑말의 머리같은 머리의 (말).
ahajar *tr.* =**ajar, delucir, maltratar, marchitar.**
¡ ahé! *interj.* 【고어】 =**He aquí.**
ahebrado, da *adj.* 섬유(hebra) 모양의.
ahechadero *m.* 체로 치는 곳.
ahechador, ra *adj.* 체로 치는 ; 식별하는.
ahechaduras *f.pl.* 체로 친 찌꺼기.
ahechar *tr.* ① 체로 치다. ② 식별하다, 선별하다, 가려내다. ③ 날개치다.
ahecho *m.* 체로 쳐서 나눔.
ahelear *tr.* 씁쓸하게 하다(amargar). —*intr.* 맛이 씁쓸하다.
ahelgado, da *adj.* =**helgado.**
ahelio *m.* =**perihelio.**
ahembrado, da *adj.* =**afeminado.**
aherir *tr.* 【고어】 무게와 치수를 검정하다.
aherrojamiento *m.* aherrojar 하는 일.
aherrojar *tr.* ① 투옥하다. ② 억압하다, 압박하다(oprimir, subyugar).
aherrumbrar *tr.* (… 에) 철분을 넣다.
~se 철분이 나오다 ; 녹슬다(cubrirse de herrumbre).
ahervorarse *r.* (곡식이) 영글다.
ahí *adv.* ① 거기, 그 쪽에·의 (en ese lugar, a ese lugar). ② 그 점에(en esto, en eso) : *Ahí* está la dificultad 그 점에 어려움이 있다. ③ [드묾] 저기, 저쪽에(allí, en aquel lugar). [*N.* 아메리카에서는 allí 대신에 많이 사용되기도 함].
de ~ ① 그때부터 : *de* ~ a poco 그로부터 잠시 후. ② 그 점으로 : *de* ~ se deduce 그 점으로 판단할 수 있다.
de por ~ 흔하고 흔한, 보통의, 어름어름한.
por ~ 그런데서, 거기서 : *Por* ~ puede conocerse la verdad 그런데서 진실을 알 수 있다.

por ~ , *por* ~ 대략, 대충(poco más o menos).

ahidalgado, da *adj.* 신사다운 ; 기특한.

ahigadado, da *adj.* ① 간장(hígado) 색깔의. ② 용감한(valiente).

ahigado, da *adj.* 무화과(higo) 같은.

ahijadero *m.* 《*Méx.*》 젖이 나오는 엄마에게 자식을 딸리게 하는 일.

ahijado, da *m.f.* ① 세례자, 후견을 받는 자. [Sinón.] protegido. [Contr.] padrino. ② 부하.

ahijador, ra *m.f.* 동물 사육사.

ahijar *tr.* [16] ① 양자·양녀로 삼다(prohijar). ② (양 등이 다른 새끼를) 자기 젖으로 키우다. ③ (죄를) 전가시키다. **—***intr.* ① 새끼를 낳다. ② (식물이) 움트다.

¡ahijuna! *interj.* 《*AmérM.*》 감탄·놀람·모욕·노여움을 나타내는 감탄사.

ahilado, da *adj.* 부드럽고 계속적인 (바람).

ahilamiento *m.* 열을 지음 ; 실을 뽑음.

ahilar *tr.* [16] ① 열·행렬을 짓다(formar hilera) : ~ la comitiva. **—***intr.* ① 줄을 지어가다 : El rebaño *ahila.* ② 달리다, 도망치다.

~se ① 실을 뽑다. ② (병으로) 깡마르다 ; (밀생한 식물 등이) 콩나물처럼 홀쭉하게 자라다. ③ 배가 고파 현기증이 나다. ④ 《*Cuba.*》 떠나다, 가버리다(marcharse).

ahilerado, da *adj.* 《*Venez.*》 줄·열을 선.

ahilerar *tr.* 《*AmérC.*》 =**ahilar.**

ahilo *m.* ① 줄을 이룸. ② 가냘프게 뻗음. ③ 쇠약, 기운이 빠짐. ④ 공복(hambre).

ahílo *m.* =**ahilo.**

ahilorio *m.* =**ahilo.**

ahincadamente *adv.* 열심히, 열렬히(con ahinco, con vehemencia).

ahincado, da *adj.* 열심히 하는, 열렬한, 맹렬한, 열의가 있는, 진지한, 진심의, 열망한.

ahincamiento *m.* 【고어】 =**ahinco.**

ahincar *tr.* [7] [16'] 몰아내다, 재촉하다, 보채다, 간청하다 ; 괴롭히다.

~se 갈망하다 ; 서두르다(apresurarse, darse prisa).

ahinco *m.* 열심, 열의 : con ~ 열심히.

ahínco *m.* =**ahinco.**

ahinojar *tr.* 【고어】 =**arrodillar.**

ahirmar *tr.* 【고어】 =**afirmar, asegurar.**

ahitamiento *m.* 과식, 배탈, 소화 불량.

ahitar *tr.* [16] 과식하게 하다, 배탈이 나게 하다(hartar). **—***intr.* 배탈이 나다, 소화 불량을 일으키다.

~se 과식하다, 과식으로 위를 해치다(padecer ahito) : *~se de* manjares 음식을 과식하다.

ahitera *f.* 심한 소화 불량증.

ahíto, ta *adj.* 소화 불량의 ; 싫증이 난. **—***m.* 소화 불량(indigestión).

¡aho! *interj.* 여보세요 《멀리서 부르는 소리》.

ahobachonado, da *adj.* 나태한, 게으른.

ahobachonarse *r.* 게을러지다(apoltronarse).

ahocarse *r.* [7] 《*Arg.*》 얽히다, 뒤범벅이 되다.

ahocicar *tr.* [7] ① 우기다, 우겨대다. ② (고양이·개의) 콧등을 문지르며 꾸짖다. **—***intr.* ① 뱃머리가 가라앉다. ② 《*Cuba.*》 설득당하다 ; 고개를 떨구다.

ahocinarse *r.* (시냇물이) 물웅덩이를 이루다.

ahogadamente *adv.* 질식으로, 숨막힐 듯이.

ahogadero *m.* ① 밀집 장소 : Esta sala es un ~ 이 방은 사람으로 가득하다. ② (마구의) 목끈. ③ 목걸이의 일종. **—***adj.* 숨막힐 듯이 더운 : Hace un calor ~ 지독히 덥다.

ahogadizo, za *adj.* ① 목이 막히는 듯한. ② 떫어서 쉬 삼킬 수 없는, 떫어서 먹을 수 없는. ③ 무거운, 물을 잘 키는, 물을 먹은, 무거워 물에 가라앉는 (나무).

carne ~za 질식해 죽은 동물의 고기 : Las *carnes ~zas* son malas para la salud.

ahogado, da *adj.* ① 질식한 ; 숨막힐 듯한. ② 《*Perú.*》 볶은, 찐 (요리). **—***m.f.* 질식자, 익사자. **—***m.* 《*AmérM.*》 후춧가루가 든 소스의 일종.

ahogador, ra *adj.* 질식시키는, 숨이 막힐 듯한 ; 익사의 ; 답답한. **—***m.* ① (옛날의) 여자용 목걸이의 일종 ; 목걸이의 줄.

ahogamiento *m.* 질식(사) ; 궁박, 고뇌.

ahogar *tr.* [8] ① 질식시키다(sofocar). ② 숨막히게 하다 ; 교살하다 : ~ con una cuerda 줄로 교살하다, 목매어 죽이다. ③ (불·감정을) 끄다(apagar) : ~ la lumbre con ceniza 재로 불을 끄다. ④ 《*And. Col.*》 (불에) 볶다, 찌다. ⑤ 없애다, 누르다. ⑥ 족쳐 대다 : Me *ahogan* las deudas 채무로 나를 족쳐 댄다.

~se ① 숨·목이 막히다 : *~se de* calor 더위로 숨이 막히다. *Me ahogo* en esta sala tan caliente 이런 더운 방에서는 숨이 막힌다. ② 질식하다 ; 익사하다 ; 꺼지다 ; 물에 빠지다. ③ 가라앉다. ④ 말라 죽다. ⑤ 가슴을 태우다, 애간장을 녹이다 : *~se* en poca agua 하찮은 일로 가슴을 태우다.

ahogaviejas *f.* 【단·복수 동형】【식물】 =**quijones.**

ahogo *m.* ① 익사, 질식(사)(ahoguío). ② 곤궁, 궁박(aprieto). ③ 질타, 질책. ④ 걱정, 근심, 고뇌, 고민(angustia). ⑤ =**apremio, prisa.**

ahogue- →**ahogar** [8].

ahoguiento, ta *adj.* 《*Cuba.*》 숨막히는.

ahoguijo *m.* ①【의학】 후두 카타르, 후두염(angina). ② =**ahoguío.**

ahoguío *m.* 가슴이 답답함, 숨가쁨, 숨막힘(ahogo).

ahojar *intr.* 《*Ar. Arg.*》 (가축이) 나뭇잎을 먹다(comer el ganado la hoja de los árboles). [Sinón.] ramonear.

ahombrado, da *adj.* =**hombruno.**

ahombrarse *r.* (여자가) 남자 같다.

ahondamiento *m.* 깊이 파는 일.

ahondar *tr.* ① 깊이 하다, 깊이 파다, 깊이 파 들어가다 : ~ un pozo 샘을 깊이 파다. ② 깊숙히 넣다 : *Ahondó* las raíces 뿌리를 깊이 뻗다. **—***intr.*, **~se** ① 깊이 들어가다 : Las racíces *(se) ahondan* en la tierra 뿌리가 땅에 깊숙히 들어간다. ② 조사하다, 깊이 캐다, 연구를 깊이 하다.

ahonde *m.* 구멍 파기 ; 발굴.

ahora *adv.* ① 지금, 현재 (actualmente, en este momento) : *Ahora* me voy 지금 갑니다. ② 조금 전 (hace poco tiempo) : ~ (ha) diez años 10년전. *Ahora* me lo han dicho 조금 전에 나에게 그렇게 말했다. *Ahora* lo hemos visto 조금 전 우리는 그것을 보았다. ③ 곧 (dentro de

poco tiempo) : *Ahora* escribiré 곧 편지하겠다. ④ 그런데, 그렇다 치고.
~ **bien** 그건 그렇다 치고, 그래서.
~ **mismo** 지금 곧, 지금 당장. ~ … ~ 혹은 … 혹은 …, 때로는 … 혹은 때로는 : ~ hablando, ~ escribiendo 혹은 말하고 혹은 쓰고.
~ **que** … 하는 · 했던 지금 ; … 그렇다고는 하나, 그렇더라도(pero) : La casa es cómoda, ~ *que* no tiene ascensor 그 집은 편하기는 해도 승강기가 없다. Juan es viejo, ~ *que* tiene buena salud 후안은 늙었지만 건강하다.
por ~ 지금으로서는, 우선은, 지금 당장에 (por el pronto, por de pronto, por lo pronto, por el momento, provisionalmente) : *Por* ~ me dedico en cuerpo y alma a mis estudios 지금으로서는 마음도 몸도 공부에 전념하겠다.

ahorca *f.* 《*Venez.*》 생일 축하 선물(cuelga).

ahorcable *adj.* =**ahorcadizo.**

ahorcadizo, za *adj.* 교수형에 처형될 만한.

ahorcado, da *adj.* 교수형으로 처형된. —*m.f.* 교수형으로 처형된 사람 : No hay que nombrar la soga en casa del ~.

ahorcadora *f.* 《*AmérC.*》 【곤충】 장수 말벌(avispa)의 일종.

ahorcadura *f.* 교살하는 일 ; 교수형에 처하는 일.

ahorcajarse *r.* 걸터앉다 : ~*se* en los hombros 어깨말을 타다. ~*se* en una rama 가지에 걸터앉다.

ahorcalobo *m.* 【식물】 백합과 풀.

ahorcaperros *m.* 잡아당겨 풀게 된 매듭.

ahorcar *tr.* 7 ① 교살하다 ; 교수형에 처하다(colgar). ② 버리다, 포기하다(abandonar) : ~ los hábitos. ③ 방치하다, 놓아두다(dejar) : ~ los libros.
~se [+de · en : … 에] 목을 매다, 목매달아 죽다 : ~*se en · de* un árbol.

ahorita *adv.* [*dim.* ahora] 지금 곧.

ahormar *tr.* ① 틀에 넣다 · 맞추다. ② (옷 · 신발을) 길들이다. ③ 이치를 깨우쳐 주다, 말귀를 알아듣게 하다.

ahornado, da *adj.* =**descado, enjuto.**

ahornagamiento *m.* (식물이) 더위로 타는 일.

ahornagarse *r.* 8 (땅 · 식물이) 더워서 타다.

ahornar *tr.* 솥에 넣다(enhornar).
~se 겉껍질만 타다.

ahorquetarse *r.* 《*Urug.*》 걸터앉다, 걸치다.

ahorquillado, da *adj.* 머리핀 모양의.

ahorquillar *tr.* 머리핀을 꽂다 ; 갈퀴질하다 ; 체로 받치다 ; Y자 모양으로 하다.
~se Y자 모양이 되다.

ahorrable *adj.* 저축할 수 있는.

ahorradamente *adv.* 자유로이, 마음대로, 멋대로(libremente).

ahorrado, da *adj.* ① 자유로운, 마음내킨. ② 절약하는.

ahorrador, ra *adj.* 절약하는. —*m.f.* 검약가, 절약가 ; 해방자.

ahorramiento *m.* 저축 ; 절약 ; 노예의 해방.

ahorrar *tr.* ① 저축하다 : ~ mil pesetas al mes 1개월에 1000뻬세따를 저축하다. ② (돈 · 시간 · 노력 등을) 절약하다, 아끼다 : Juan *ahorra* libros 후안은 별로 책을 읽지 않는다. *Ahorro* tiempo *en* ir en automóvil 나는 자동차로 가서 시간 절약을 하고 있다. ③ [+de : … 을] 벌게 하다, 면하게 하다(librar) : La máquina nos *ahorra* trabajo 기계가 우리의 노력을 덜어 준다. ④ (노예를) 해방시키다(librar).
—*intr.* [+en : … 을, … 의 값을] 절약하다 : *Ahorra en* libros para beber 책 값으로 술을 마시다.
~se ① 저축 · 절약하다. ② [+de : … 을] 피하다 : ~*se de* malos amigos 나쁜 친구를 피하다. ③ 면제되다 ; …없이 떼우다. ④ 《*Amér.*》 실패하다.
no ahorrárselas con nadie 아무에게도 체면치레를 차리지 않는다.

ahorrativa *f.* 【속어】 저축, 검약(ahorro).

ahorratividad *f.* =**tacañería.**

ahorrativo, va *adj.* =**tacaño, miserable.**

ahorría *f.* 저축성.

ahorrío *m.* =**exención, libertad, rescate, liberación.**

ahorrista *m.f.* 《*Arg.*》 =**ahorrador.**

ahorro *m.* ① 저금, 저축 : ~ bruto 총저축. ~ de trabajo 재력 ; 능력. ~ forzado 강제 저축. ~ nacional 국민 저축. ~ postal 우편 저금. ~ social 법인 저축. Caja de ~*s* 저축 은행. cartilla de ~*s* 저금 통장. ② 절약 : tener ~ de tiempo 시간을 절약하다.

ahovai *m.* 【식물】 =**aguay.**

ahoy *adv.* 《*Méx.*》 =**hoy.**

ahoyador *m.* 《*And.*》 구멍을 파는 사람.

ahoyadura *f.* ① 구멍을 파는 일. ② 구멍.

ahoyamiento *m.* =**ahoyadura.**

ahoyar *intr.* 구멍을 파다. —*tr.* (… 에) 구멍을 파다 : ~ la tierra 땅에 구멍을 파다.

ahuachafar *tr.* 《*Perú.*》 속화(俗化)하다.

ahuata *m.* 【식물】 아우아따 《뱀에게 물린 상처에 효험이 있다는 나무》.

ahuate *m.* 《*AmérM. Méx.*》 =**espinilla.**

ahuatentle *m.* 《*AmérC.*》 용수구.

ahuatoso, sa *adj.* 《*AmérC. Méx.*》 잔털이 있는, 까칠까칠한.

ahuciar *tr.* =**esperanzar, alentar.**

ahuchador, ra *adj.* 챙겨 넣는. —*m.f.* 수전노, 구두쇠.

ahuchar *tr.* ① 저금통(hucha)에 넣다. **Sinón.** ahorrar, economizar. ② 챙겨 넣다, 은폐하다. ③ (hucha의 부르는 소리로) 매를 부르다. ④ 《*AmérM.*》 (짐승을) 꼬드기다, 몰이하다(azuzar).

ahucheo *m.* 《*And.*》 =**chifla, grita, abucheo.**

ahuchear *tr.* (… 을 향하여) 휘파람을 불다.

¡ahue! *interj.* 《*AmérC.*》 이봐, 어이, 여보세요(hola).

ahuecado, da *adj.* =**hueco.**

ahuecador *m.* ① 부풀린 것. ② =**miriñaque.**

ahuecamiento *m.* 부풀림 ; 팽창 ; 허세, 으스대기.

ahuecar *tr.* 7 ① 부풀리다 ; 속이 비게 하다 : ~ la tierra · la lana. ② (음성을) 굵게 하다.
—*intr.* 자리를 뜨다, 떠나다(marcharse).
~se ① 부풀다, 부풀어 오르다(hincharse). ② 허세를 부리다, 우쭐거리다, 거드름피우다,

으시대다, 젠 체하다(envanecerse). ③ 떠나다, 자리를 뜨다(marcharse).

~ *el ala* 자리를 뜨다 ; 가버리다, 물러나다 ; 도망가다.

ahuehué *m.* 노간주나무의 일종.

ahuehuete *m.* =**ahuehué.**

ahuesado, da *adj.* ① 못쓰게 된. ② 뼈같은 ; 끄무레한 ; 단단한.

ahuesarse *r.* ① 《*AmérC.*》 여위다, 수척해 보이다. ② 《*AmérM.*》 못쓰게 되다(volverse inútil).

ahuevado, da *adj.* 계란형의(aovado). —*m.* 계란형의 장식(품).

ahuevar *tr.* ① 계란형으로 만들다. ② 《*Méx.*》 알을 낳다(aovar poner huevos).

~se 《*Panamá. Perú.*》 =**acobardarse, atemorizarse, entontecerse, embobarse.**

ahuizotada *f.* 《*Méx.*》 =**molestia.**

ahuizotar *tr.* 《*Méx.*》 =**molestar, fastidiar.**

ahuizote *m.* 《*AmérC. Méx.*》 ① 참을성이 없는 사람. ② 마법, 미신, 주문. ③ 잔소리꾼.

ahulado *m.* 《*Amér.*》 방수포(防水布), 고무 도포(塗布). —*pl.* 《*AmérC.*》 고무신, 고무 구두.

ahumada *f.* 봉화 : hacer ~*s* 봉화를 올리다.

ahumadero *m.* 고기 훈제소.

ahumado, da *adj.* ① 불에 그을린, 훈제의 : tocino ~. ② 윤기를 없앤 : cristal ~ 젖빛 유리. ③ 어두운 빛깔의 : cuarzo ~ 연수정. ④ 《*Cuba.*》 =**ebrio.**

—*m.* 그을리는 일 ; 훈제 : El ~ es excelente para la conservación de la carne.

ahumador, ra *adj.* 그을린 ; 연기를 피우는.

ahumadura *f.* 그을림 ; 연기를 피움.

ahumamiento *m.* 그을리는 일 ; 훈제.

ahumar *tr.* ① 그을리다 : ~ un jamón. ② 연기로 채우다, 연기를 피우다, 연기를 피워 몰아내다 : ~ una colmena. —*intr.* 연기를 피우다, 연기를 내다.

~se ① 연기가 자욱해지다 ; 매캐해지다 ; 그을리다. ② 성내다, 노하다, 화내다(enfadarse). ③ 취하다. [*N.* 이 뜻일 때는 h가 발음됨].

ahumear *intr.* 《*Sal.*》 =**humear.**

ahunche *f.* 《*Col.*》 =**aunche.**

ahurragado, da *adj.* =**aurragado.**

ahusado, da *adj.* 방추(huso) 형의 : dedos ~*s.*

ahusamiento *m.* ahusar 하는 일.

ahusarse *r.* 방추(huso) 모양이 되다, 방추형으로 길쭉하게 하다.

ahuyentador, ra *adj.* 추방하는. —*m.f.* 문지기, 파수꾼. —*m.* 허수아비.

ahuyentar *tr.* 추방하다 ; 쫓아버리다, 해산시키다 ; 면직하다, 해고하다, 파면시키다, 목을 자르다(desechar).

~se 《*Arg.*》 도망치다, 달아나다(huir).

aí *m.* 《*Arg.*》 게으른(perezoso).

aibe *m.* 《*Arg.*》 딱딱한 목초.

-aico, ca *suf.* 성질의 형용사 어미 : jud*aico.*

AID Asociación Internacional de Desarrollo.

AIF Asociación Internacional de Fomento.

aigrette *f. fr.* =**penacho.** [*N.* 발음 : egret].

aijada *f.* 소몰이 막대(aguijada de boyero).

aijana *f.* 《*Col.*》 =**aguijada.**

¡aijuna! *interj.* =**¡ahijuna!**

AILA Asociación de Industriales Latinoamericanos.

ailanto *m.* 【식물】 =**ciclamor.**

aile *m.* 【식물】 (멕시코의) 장미과나무.

aíllo *m.* 《*AmérM.*》 ① 일족, 혈족, 같은 겨레붙이, 혈통 (casta, linaje). ② 《*Perú.*》 =**boleadoras.**

aimara *adj.m.f.* =**aimará.**

aimará *adj.* 아이마라족 《볼리비아와 뻬루에 접해 있는 Titicaca 호수 부근의 토족》의. —*m.f.* 아이마라족. —*m.* 아이마라말.

aina *f.* 《*Perú.*》 대금(貸金).

aína *adv.* ① 일찍. ② 이유없이 ; 쉽게, 용이하게. ③ 하마터면(por poco, casi).

ainas *adv.* =**aína.**

ainda *adv.* =**aún.**

aindamáis *adv.* 【속어】 게다가, 그 외에, 더우기, 그 밖에(además).

aindiado, da *adj.* 《*Amér.*》 (색 · 용모가) 인디오같은.

airadamente *adv.* 성이 나서, 노해서, 화가 나서, 약이 올라(coléricamente).

airado, da *adj.* ① 화난, 약이 오른. ② 깡패같은 : una vida ~*da* 깡패 생활. ③ 무질서한 : mujer de vida ~*da* 무질서한 생활을 하는 여인.

airamiento *m.* 노함, 화남, 격앙(ira, cólera).

airampo *m.* 【식물】 (뻬루의) 연료용 나무.

airar *tr.* ⑯ 노하게 하다, 성나게 하다, 화나게 하다, 부아를 돋우다(irritar).

~se [+de · por : … 에] 화내다, 노하다, 성내다, 격앙하다 : ~*se de · por* lo que se oye 들리는 말 때문에 화를 내다.

aire[1] *m.* [*gr.* aêr] ① 공기. ② 대기 (atmósfera) : sostenerse en el ~. ③ 바람 (viento) : golpe de ~ 일진 광풍(一陣狂風). Hace mucho ~ 바람이 많이 분다. ④ 외견, 외모, 풍채, …티(apariencia) : ~ majestuoso 당당한 풍채. tener ~ de salud 건강해 보이다. tener ~ severo 외모가 엄하다. ⑤ 우아, 우미, 우아함 (gracia). ⑥ 허영, 우쭐거림, 젠 체함 ; 날렵해 보이는 모양. ⑦ 쥐뿔도 아닌 것 : ser el ~, ser un poco de ~ 아무 것도 아니다. ⑧ 민요, 노래(canto, música) : ~ popular 민요. ⑨ 졸도의 발작 : dar ~ 졸도를 일으키다. ⑩ *pl.* 대기 (atmósfera) ; 하늘 : por los ~*s* 항공편으로, 항공기로. ⑪ 【은어】 머리카락.

~ *acondicionado* (냉 · 난방 등의) 온도가 조절된 공기.

~ *colado* 틈새 바람, 빠져 지나가는 바람 (corriente de aire).

~ *comprimido* 압착 공기.

~ *de suficiencia* 거드름피우는, 거만하게 구는.

al ~ *libre* 야외에서, 노천에서 : dormir *al* ~ *libre.*

de buen · mal ~ 기분이 좋은 · 언짢은.

en el ~ 즉시 ; 하늘에 떠서, 공중에 매달려 ; 공중에 · 으로 ; 사뿐사뿐하게 ; 방송으로, 방송 중에.

por el ~ 즉시(al instante).

por los ~*s* 매달아 올려 ; 공중을 지나.

azotar el ~ 헛수고를 하다.

beber los ~*s* …에 열광하다, …에 열중하다(desvivirse por).

cambiar de ~s 전지 요양하다.
creerse del ~ 경망스럽다, 수월히 믿어버리다.
dar ~ 낭비하다.
dar el ~ de …의 기척을 눈치채다, …생각이 들다.
darse ~s de …척하다 : *Se daba aires de* sabio 해박한 척하고 있었다.
hablar al ~ 되는대로 지껄이다.
mudar de ~s =cambiar de *~s.*
tomar el ~ 산책하다, 바람을 쏘이다(pasear, dar un paseo).

aire² *m.* 【동물】(꾸바의) 식충류 동물(almiquí).
aireación *f.* 환기, 통풍(ventilación).
aireado, da *adj.* ① 환기시킨(ventilado). ② 신, 씁쓸한(agriado) : vino ~.
aire-aire *adj.* 공대공(空對空)의 : combates ~ 공대공 전투.
aireamiento *m.* = **aireo.**
airear *tr.* 환기시키다; 바람을 쏘이다(ventilar) : ~ un cuarto 방을 환기시키다. Para ~ mi mente di un paseo por el parque 머리를 식히기 위해 나는 공원을 산책했다.
~se ① 납량하다, 바람쐬다 : *~se* después de cenar. ② 감기에 걸리다(resfriarse).
aireatorio, ria *adj.* 환기의, 통풍의.
airecillo *m. dim.* aire.
airela *f.* 【식물】 히아신의 일종.
aireo *m.* =**aireación, ventilación.**
aire-tierra *adj.* 공대지(空對地)의 : ataques ~ 공대지 공격.
airón *m.* 【조류】 ① 외가리(garza real). ② 관모, 깃털; 깃털 장식(penacho de plumas). ③ 깊은 우물(pozo sin fondo).
al ~ 《*Cuba.*》 전속력으로(al galope) : andar *al ~* 전속력으로 걷다.
airosamente *adv.* 날렵하게, 의기 양양하게.
airosidad *f.* 우아함; 날렵함, 화려함, 자랑스러움 : con ~.
airoso, sa *adj.* ① 통풍이 잘 되는, 바람이 많은. ② 날렵한, 늠름한, 훌륭한, 자랑스러워 보이는, 화려해 보이는(gallardo).
aislable *adj.* 떼어놓을 수 있는, 인연을 끊을 수 있는.
aislación *f.* 절연, 격리 : ~ de sonido 방음 (장치).
aislacionismo *m.* 고립주의, 고립 정책.
aislacionista *adj.* 고립주의의, 고립 정책의. —*m.f.* 고립주의자.
aisladamente *adv.* 떨어져, 고립되어, 격리되어(separadamente).
aislado, da *adj.* 고립된, 격리한, 떨어진; 인연을 끊은, 갈라진(apartado, separado).
aislador, ra *adj.* ① 격리·절연된. ② 【언어】 고립된 : El chino es lengua *~ra.* —*m.* ① 【전기】 절연체, 절연기, 안전 기구, 애자(碍子) : ~ de porcelana 도기로 만든 애자. ② 투표소 내의 간막이한 기표소. ③ 【언어】 고립어.
aislamiento *m.* ① 고립 (상태) : ~ económico 쇄국 경제. ② 격리; 절연.
aislar *tr.* ⑯ ① 섬을 만들다. ② 격리하다. ③ 절연하다. ④ 분리하다. ⑤ 고립시키다 : ~ a un enemigo.
~se 격리되다, 고립되다, 절연되다; 따돌림을 받다.
aislatorio, ria *adj.* 고립 (상태)의.
aizcolari *m.* = **leñador.**
aizoáceas *f.pl.* 【식물】 =**mesembriantemáceas.**
aj *m.* =**aje, achaque.**
aja *f.* [드뭄] =**azuela.**
Aja *f.* 이야기에 잘 사용되는 가공의 여자 이름.
¡ajá! *interj.* ① 맞았어!; 아무렴, 그렇고 말고! 《맞장구, 기쁨》. ② 아하하! 《웃음 소리》. ③ 《*Amér.*》 에끼! 《남의 눈을 피해 하는 일을 놀라게 해 줄 때》.
ajabardar *tr.* 떼를 이루다.
ajabeba *f.* (고대 모로족의) 피리(flauta)의 일종.
ajacintado, da *adj.* 히아신스(jacinto)같이.
ajada *f.* ① 마늘(ajos)과 소금(sal)을 넣은 빵. ② 소스. ③ 《*AmérC.*》 =**ajamiento.**
ajadizo, za *adj.* 쉽게 다루어지는.
ajado, da¹ *adj.* =**mustio, marchito, lacio.**
ajado, da² *adj.* 【고어】 마늘(ajo)이 있는.
ajadura *f.* ajar 하는 일.
ajaezar *tr.* 【고어】 =**enjaezar.**
¡ajajá! *interj.* =**¡ajá!**
ajambado, da 《*AmérC.*》 ① 많이 먹는, 양이 큰(glotón). ② 얼간이의, 멍청한, 바보같은.
ajamiento *m.* 훼손, 오손; 매도.
ajamonarse *r.* ① 중년 부인(jamona)이 되다. ② 《*Chile.*》 (여자가) 뚱뚱해지다.
aján *m.* 《*Ál.*》 【식물】 =**clemátide.**
ajaqueca *f.* 【고어】 =**jaqueca.**
ajaquecarse *r.* ⑦ 골치가 아프다.
ajar *tr.* 학대하다, 함부로 다루다, 엉망으로 만들다; 면목없게 하다; 욕지거리를 퍼붓다.
—*m.* 마늘밭(tierra sembrada de ajos).
~se 망쳐 버리다 : 체면을 잃다.
ajaraca *f.* (아라비아 건축의) 선 무늬.
ajaracado *m.* 선 무늬(ajaraca) 모양의 그림.
ajarafe *m.* ① 옥상(azotea) : subir al ~. ② 높고 넓은 대지(terreno alto y extenso).
ajardinar *tr.* 정원화하다, 녹화하다 : zona *ajardinada* 녹지대.
ajaspajas *f.pl.* 쓸모없는·하찮은 일·물건.
aje *m.* ① 【식물】 =**batata.** ② 《*Hond.*》 연지벌레의 일종. —*pl.* 지병(achaque) : los *~s* de la vejez 노쇠병.
-aje *suf.* ① 동사에서 「행위·결과·장소·요금」의 명사 어미 : embal*aje*, hosped*aje*, almacen*aje*. ② 명사에서 「집합·행위·요금·기간」의 어미 : balcon*aje*, barc*aje*, pupil*aje*, aprendiz*aje*. ③ 기타 : person*aje*, pais*aje*.
ajea *f.* 【식물】 쑥의 일종.
ajear *intr.* 자고새(perdiz)가 울다.
ajebe *m.* 명반(明礬)(jebe).
ajedrea *f.* 【식물】 박하의 일종.
ajedrecista *m.f.* (체스의) 기사(ajedrista).
ajedrez *m.* 서양 장기, 체스 《rey 왕, reina 여왕, alfil 승정, caballo 기사, torre 성, peón 졸》.
ajedrezado, da *adj.* 장기판 무늬의. **Sinón.** escaqueado.
ajedrezar *tr.* 여러 색깔을 조합하다.
ajedrista *m.f.* =**ajedrecista.**

ajenabe *m.* 【식물】 겨자(jenabe).
ajenabo *m.* =**ajenabe.**
ajenar *tr.* =**enajenar.**
ajengibre *m.* 생강(jengibre).
ajeniarse *r.* ⑪ 《*AmérM.*》 [+con : 남의 것을] 가로채다, 제 것으로 만들다.
ajenjo *m.* ①【식물】 향쑥. ② 압생트 《알코올이 독한 초록색의 양주》.
ajeno, na *adj.* [*lat.* alius] ① 다른 사람의, 타인의, 남의, 외간의(extraño) : No codiciéis el bien ~ 남의 재산을 탐내지 마라. ② 다른 종류의(diverso). ③ [+a : … 과] 다른 ; (… 에) 어울리지 않는 : ~ *a* su estado 그의 신분에 어울리지 않는. ④ [+a : … 에] 관계없는 : ~ *a* la cuestión 문제에 관계없는. ⑤ (… 인 줄은) 까맣게 모르는. ⑥ [+de : … 을] 필요로 하지 않는 (libre) : ~ *de* cuidados 일손을 던, 힘들지 않는. ⑦ [+de : … 이] 없는 : ~ *de* verdad 진실성이 없는.
ajenuz *m.* 【식물】 =**arañuela.**
ajeo *m.* 자고(새)가 우는 일, 그 울음 소리.
perro de ~ 자고새 잡는 사냥개.
ajerezado, da *adj.* 헤레스(jerez) 포도주 같은.
ajero, ra *m.f.* 마늘·양파 등을 파는 장수.
ajete *m.* [*desp.* ajo] 어린 마늘 ; 야생 부추(aji puerro) ; 마늘 소스.
ajetreado, da *adj.* 안달하는 : vida ~*da.*
ajetrearse *r.* 안달하고 다니다, 지치다.
ajetreo *m* 분주, 몹시 바쁨, 분망. Contr. descanso, sosiego.
ají *m.* ①【식물】 고추 (pimiento, chile) : El ~ es muy usado como condimento. ② 고추 소스 (ajiaco, salsa de ají). ③ 《*Cuba.*》 =**tumulto, jaleo.**
[*N. pl.* ajíes가 쓰이지만 ajise도 가끔 쓰임].
ponerse como ~ 《*Amér.*》 화내다, 노하다, 격분하다(enfurecer).
ser más bravo que el ~ 아주 형편없다, 막되다.
ajiaceite *m.* 고추 기름 소스.
ajiaco *m.* ① 고추 소스 (salsa de ají). ② 고추를 넣고 삶은 고기 요리. ③ 꽤 까다로운 일.
ponerse·estar como ~ 《*Chile.*》 노하다, 격분하다, 몹시 화내다.
ajicero, ra *adj.* 《*Chile.*》 고추의. —*m.f.* 고추 장수. —*m.* 고추 단지.
ajicillo *m.* 【식물】 여귀과 식물.
ajicola *f.* (마늘을 넣어 요리한) 새끼양의 꼬리.
ajicomino *m.* 고추(ají)와 아놀드(comino) 소스.
ajicón *m.* 《*Cuba.*》【식물】 가지(berenjena)의 일종.
ajicuervo *m.* 《*Ál.*》 마늘 냄새가 나는 식물.
ajilar *tr.* =**ahilar.**
ajilimoje *m.* =**ajilimójili.**
ajilimójili *m.* 소스의 일종. —*m.pl.* 부속물 : con todos sus ~*s* 없는 것 없이 다 갖추어.
ajilorio *m.* =**ahilo.**
ajillo *m.* (라만챠 지방의) 감자 요리.
ajiménez *m.* =**solana.**
ajimez *m. ár.* (중앙에 기둥을 넣어 구획을 지은 아라비아식의) 아치형 창문.
ajinar *tr.* 분배하다, 절반씩 나누다.
ajipuerro *m.* 【식물】 야생파(puerro)의 일종.
ajironar *tr.* 가느다란 덧천(jirón)을 대다 ; 갈갈이 찢다.
ajiseco *m.* 《*Perú.*》 (양념으로 사용하는) 마른 고추. —*adj.* ajiseco 색의 : gallo ~.
ajizal *m.* 고추밭.
ajo *m.* ①【식물】 마늘. ② 마늘 소스. ③ 연지, 화장품. ④ 악담, 욕설 : soltar ~*s* y cebollas 욕을 퍼붓다. ⑤ 속임수, 음모, 부정한 계획 : andar en el ~.
~ *blanco* 마늘 소스. ~ *canete·castanete·castañuelo* 껍질이 붉은 마늘. ~ *cebollino* =cebolla-na. ~ *chalote* 당파, 실파. ~ *porro·puerro* 양파.
harto de ~*s* 버릇없는.
tieso como un ~ 콧대가 센, 거만한(muy orgulloso).
estar en el ~ 주제·사건을 알다.
volver el ~ 다시 논쟁을 일으키다.
¡ajo! *interj.* =**¡ajó!**
¡ajó! *interj.* 어린애를 달래는 감탄사.
-ajo, ja *suf.* 「축소·경멸성」을 뜻하는 접미어 : laguna → lagun*ajo*, miga → mig*aja.*
ajobar *tr.* 업다, 등에 지다.
ajobero, ra *adj.m.f.* 짐을 진 (사람).
ajobilla *f.* 바지락 조개의 일종.
ajobo *m.* ① 업는 일 ; 등에 지는 일, 등짐 ; 부담. ② 골치 아픈 일(molestia). ③ 중요성 : hombre de ~ 중요 인물.
ajochar *tr.* ① 《*AmérM.*》 부추기다, 꼬드기다, 사주하다(excitar). ② 《*Perú.*》 조르다.
ajofaina *f.* 세면기 (aljofaina, palangana, lava manos).
ajolín *m.* 빈대(chinche)의 일종.
ajolio *m.* 《*Arg.*》 =**ajiaceite.**
ajolote *m.* 【동물】 (멕시코산의) 도롱뇽.
ajomate *m.* (아름다운 녹색의) 담수 해초.
ajonje *m.* ① 끈끈이. ②【식물】 노란 꽃이 피는 엉겅퀴.
ajonjear *tr.* 《*AmérM.*》 애무하다, 쓰다듬다, 귀여워하다, 응석을 받아주다(acariciar, mimar).
ajonjeo *m.* 《*Col.*》 =**mimo, halago, caricia.**
ajonjera *f.* 【식물】 엉겅퀴의 일종(cardo ajonjero).
ajonjero *m.* =**ajonjera.**
ajonjero, ra *adj.* 끈끈이의.
ajonjo *m.* =**ajonje.**
ajonjolí *m.* 【식물】 깨(alegría). Sinón. sésamo.
ajonuez *m.* 마늘과 호두 소스.
ajoqueso *m.* 마늘과 치즈 소스.
ajorar *tr.* ① 강제로 끌고 가다. ② 《*AmérC.*》 애먹이다.
ajorca *f.* 팔찌(brazarete).
ajordar *intr.* 소리를 지르다.
ajornalar *tr.* 날품으로 하다.
~se 일급(jornal)으로 고용되다.
ajoró *m.* 【은어】 금요일(viernes).
ajorrar *tr.* (재목을 산에서) 끌어내리다.
ajorro *m.* 재목의 끌어내림. —*adv.* 잡아 끌어.
ajotar *tr.* ① 《*AmérC. PRico.*》 =**hostigar.** ② 《*Cuba.*》 경멸하다, 업신여기다.
~se ① 《*AmérC. Ant.*》 ① 화끈거리다, 벌겋게 달아오르다 ; 취하다. ② 《*Méx.*》 여성다워지다.
ajote *m.* 【식물】 =**escordio.**

ajotollo *m.* 《*Perú.*》 상어 요리.
ajotrino *m.* 《*Ál.*》 =**ajipuerro.**
ajuagas *f.pl.* 말발굽의 궤양.
ajuanetado, da *adj.* =**juanetudo.**
ajuanetar *tr.* 광대뼈 모양을 만들다.
ajuaneteado, da *adj.* 광대뼈가 튀어나온 : rostro ～.
ajuar *m.* ① 가구, 집기 : un rico ～. ② 혼수 도구.
ajuarar *tr.* (가구・집기를) 설비하다; 정리하다, 준비하다, 갖추다.
ajuate *m.* =**ahuate.**
ajubonar *tr.* 조끼 모양을 만들다.
ajudiado, da *adj.* 유태인같은, 유태인다운 : nariz ～*da.*
ajudiarse *r.* 유태인같이 되다.
ajuglarado, da *adj.* 광대같은.
ajuglarar *tr.* 광대처럼 행동하다.
～se 광대같이 되다.
ajuiciado, da *adj.* =**juicioso.**
ajuiciamiento *m.* 철이 듬; 사리 분별이 생김.
ajuiciar *intr.* ⑪ 철이 들다, 사리 분별이 생기다.
ajumarse *r.* 【속어】 취하다(ahumarse, embriagarse).
ajuncia *f.* 《*Col.*》 고생, 고뇌, 고민.
ajuno, na *adj.* 마늘(ajo)의.
ajuntadamente *adj.* 【고어】 =**juntamente.**
ajuntamiento *m.* 【고어】 동무로 삼음; 동반.
ajuntanza *f.* 【고어】 =**ajuntamiento.**
ajuntar *tr.* ① (아이들이) 동무로 삼다 : ¿Me *ajuntas*? ② 동반하다.
～se =juntarse.
ajustadamente *adv.* 정확하게, 꼭 들어맞게.
ajustado, da *adj.* 옳은, 공정한, 정확한(justo, recto) : sentencia ～*da* 공정한 판결. precio ～ 공정한 가격. [Sinón.] arreglado.
ajustador *m.* ① 꼭 맞는 조끼. ② 【인쇄】 정판공 : ～ de imprenta.
ajustamiento *m.* 결정, 동의; 결산서.
ajustar *tr.* ① 꼭 맞추다 : ～ un vestido. ② 끼워 넣다, 대다. ③ 조정하다(arreglar). ④ 조정(調停)하다, 주선하다 : ～ una diferencia. ⑤ 결정하다 : ～ un contrato 계약을 결정하다. ⑥ 【인쇄】 정판하다. ⑦ 결제・청산하다. ⑧ (값을) 정하다, 맞추다. ⑨ (몽둥이를) 안기다, 때리다 : Le *ajustó* un par de azotes 두 대 가량 매질을 했다. ⑩ 《*AmérM.*》 (병・아픔을) 느끼다.
—*intr.* (…에 맞게) 조절하다; 꼭 들어맞다.
～se 꼭 들어맞다, 맞아 들다; 마음을 합하다, 동조・동의하다; 타협・타결하다.
ajuste *m.* ① 장치함. ② 결정; 조정 : ～ de los (tipos de) derechos 관세율 조정. ③ 균형 : ～ de la balanza de pagos 수지 균형책. ④ 타협. ⑤ 고용. ⑥ 결제, 청산. ⑦ 【인쇄】 정판 : un error de ～. ⑧ 《*AmérC.*》 우수리, 덤(adehala).
ajustero *m.* 《*Col.*》 청부인.
ajusticiado, da *m.f.* 사형수.
ajusticiador *m.* =**verdugo.**
ajusticiamiento *m.* 사형에 처함.
ajusticiar *tr.* ⑪ 사형에 처하다(ejecutar) : ～ al asesino.
ajustón *m.* ① 《*AmérC.*》 =**ajuste.** ② 벌, 벌주는 일; 학대(虐待).
al [전치사 a + el의 결합형 : ～ + *inf.*] … 할 때, … 하자마자, … 하면 : ～ amanecer 동틀녘에. ～ anochecer 해거름에. ～ encontrar 찾아내었을 때에. *al* entrar en el cuarto 방에 들어가자마자.
-al *suf.* ①「연관・소유」의 뜻을 나타내는 형용사 어미 : primaver*al.* ②「풍부하게 있는 곳」을 뜻하는 명사 : lodaz*al.*
ala *f.* ① 날개, 깃 : ～ de cigarra 매미의 날개. ～ de paloma 비둘기의 날개. ～ de mariposa 나비의 날개. ～ de libelula 잠자리의 날개. de ～*s* bajas 저익식(低翼式)의. ② 날개 모양으로 된 것; 위치적・관념적으로 양쪽에 있는 일・것 : ～ del corazón 심익(心翼), 심이(心耳)(aurícula). ～ derecha 우익. ③ (모자의) 챙 : ～ del sombrero. ④ 콧날개, 콧방울. ⑤ 추녀(alero) : ～ del tejado. ⑥ (건물의) 곁채 : ～ del edificio. ⑦ 【축성】 막벽(幕壁)(alero). ⑧ (군대의) 날개(flanco) : ～ del ejército. ⑨ 【식물】 금불초(金佛草)(helenio). **—***pl.* ① 보호, 비호(protección) : el ～ materna. ② 원기, 씩씩함, 위세; 자만심, 대담성.
—*interj.* 잘해라!, 야아야아!(hala).
del **～** 뻬세따(peseta) : cinco ***del*** **～** 5뻬세따.
ahuecar el **～** 가버리다, 떠나다, 물러나다, 도망가다(marcharse).
arrastrar el **～** 달콤한 말로 접근하다(enamorar, requerir de amores).
caerse las **～*s*** ***(del corazón)*** 낙담하다(desmayar).
cortar・quebrantar・quebrar las **～*s*** 꼼짝 못하게 하다; 기세를 꺾다, 단념시키다.
tomar (las) **～*s*** 자유로이 되다; 자만하다.
volar con sus propias **～*s*** 혼자 힘으로 해치우다.
Alá *m.* (회교도・동구 그리스도 교도의) 신.
alabable *adj* 칭찬할 만한.
alabado *m.* ① 성찬 찬미가. ② 《*Chile.*》 새벽 찬송가. ③ 《*Méx.*》 일의 시작・종업의 노래; 장송의 노래, 장송가.
al **～** 여명에, 날이 샐 무렵에, 어둑새벽에
alabador, ra *adj.* 찬양하는. **—***m.f.* 찬양자.
alabamiento *m.* =**alabanza.**
alabamio *m.* 【화학】 =**astatine.**
alabancero, ra *adj.* 아첨하는(adulador).
alabancia *f.* 자부, 자만(jactancia).
alabancioso, sa *adj.* 자부하는, 자만하는(jactancioso).
alabandina *f.* 【광물】 홍첨정석(紅尖晶石).
alabanense *adj.m.f.* ① 알라바 《Alaba, 서반아의 옛 도시; 현재의 Albacete》의 (사람). ② =**albaceteño.**
alabanza *f.* 칭찬; 찬사. [Contr.] vituperio, censura. [Sinón.] elogia.
alabar *tr.* 칭찬하다(elogiar). [Contr.] censurar, vituperar. **—***intr.* 《*Méx.*》 alabado를 노래하다.
～se ① [+de : … 라고] 좋아하다, 만족하다(mostrarse satisfecho) : Mucho *me alabo de* su triunfo 나는 그의 승리에 매우 만족한다. ② [+de : …라고] 자만하다, 으스대다, 자랑하다(jactarse) : ～*se de* valiente 용감한 척하다.
alabarda *f.* (반달 모양의 칼이 달린) 긴 창.
alabardado, da *adj.* 긴 창(alabarda) 모양의 : hoja ～*da.*

alabardazo *m.* alabarda로 때리기.
alabardería *f.* alabardero 부대.
alabardero, ra *m.f.* (관중 속의) 박수 부대의 청부인·동원자. —*m.* alabarda로 무장한 병사.
alabardiforme *adj* 긴 창(alabada) 모양의.
alabastrado, da *adj.* ① 설화 석고(alabastro) 같은. ② 흰.
alabastrina *f.* 설화 석고판.
alabastrino, na *adj.* ① 설화 석고의 : yeso ~. ② 눈처럼 흰.
alabastro *m.* ①【광물】설화 석고. ② =**blancura.**
alabastroso, sa *adj.* alabastro가 많은.
álabe *m.* ① 땅에 쳐진 가지. ② 챙에 얹힌 기와. ③ (물레방아의) 물받이. ④ (기계의) 전동 돌자(傳動突子). ⑤ (톱니바퀴의) 이.
alabeado, da *adj.* 뒤틀려진, 꼬인, 휜, 구부러진(curvado).
alabearse *r.* 꼬다, 뒤틀다, 휘다.
alábega *f.*【식물】=**albahaca.**
alabeo *m.* 꼬임, 휨, 뒤틀림.
alabesa *f.* 단창(alavesa).
alabiado, da *adj.* 가장자리(labio)가 있는 (동전·메달).
alacate *m.* 《*Méx.*》=**acocote.**
alacayuela *f.*【식물】jaguarzo의 일종.
alacena *f.* ① (벽쪽으로 넣어 만든) 옷장·선반. ② 《*Ecuad.*》 가슴의 윗부분. ③ 감(龕).
hueso de la ~【해부】쇄골(clavícula).
alacet *m.*【고어】《*Ar.*》 건물의 기초.
alaciarse *r.* ⑪ 맥이 풀리다(enlaciarse).
alaco *m.* 《*AmérC.*》 ① 타락자(persona viciosa). ② 누더기 : ir vestido de ~*s.* ③ 잡동사니.
alacrado, da *adj.* lacre같은.
alacrán *m.* ①【동물】전갈. **Sinón.** escorpión. ② 단추·훅의 고리. ③ 《*Arg.*》 험담가.
~ *cebollero*【곤충】땅강아지(cortón).
~ *marino*【어류】안강, 아귀(pejesapo).
alacranado, da *adj.* ① 전갈에게 물린. ② 못된 버릇에 젖어 버린(viciado). ③ 평생 못 고칠 병에 걸린.
alacrancillo *m.*【식물】(아메리카의) 지치과 식물.
alacranear *intr.* 《*Arg.*》 이웃을 험담하다.
alacranera *f.* ①【식물】물망초(escorpioide). ② 《*Col.*》 악당의 모임.
alacranídeo, a *adj.* 전갈(alacrán) 같은.
alacránido, da *adj.* =**alacranídeo.**
alacraniforme *adj.* 전갈 모양의.
alacranino, na *adj.* 전갈의.
alacridad *f.* =**vivacidad.**
alactaga *m.*【동물】쥐무리 동물.
alacha *f.* =**alache.**
alachar *tr.*【은어】찾아내다.
alache *m.*【어류】정어리의 일종(boquerón).
alada *f.* 날개짓, 펄럭거림.
aladares *m. pl.* 관자놀이로 내려뜨린 말린 머리카락.
ALADI Asociación Latino Americana de Integración 라틴 아메리카 통합 연합.
aladica *f.*【곤충】날개미(aluda).
aladierna *f.*【식물】꽤기풀(alaterno).
aladierno *m.* =**aladierna.**
Aladino *m.* 알라딘 《천일 야화 중의 한 이야기의 주인공》.
alado, da *adj.* ① 날개있는 : insecto ~. ②【식물】날개 모양의 : semilla ~*da.* ③ 잽싼, 날렵한, 경쾌한(veloz). **Contr.** áptero.
aladrada *f.* (쟁기질로 생긴) 고랑.
aladrar *tr.* 쟁기질하다(arar).
aladrería *f.* 《*And.*》 [집합] 종업원.
aladrero *m.*【광산】갱목 목수.
aladro *m.* 쟁기(arado).
aladroque *m.*【어류】=**boquerón.**
ALAF Asociación Latinoamericana de Ferrocarriles 라틴 아메리카 철도 협회.
alafia *f.* ① 은혜, 용서, 자비, 자애 : pedir ~ 용서를 빌다. ② 《*AmérC.*》 수다, 지껄임.
álaga *f.* 밀의 일종 ; 밀가루 빵.
alagadizo, za *adj.* 자주 물이 고이게 되는, 낮고 습기가 많은.
alagado, da *adj.* 물바다 같은. —*m.* 《*Bol.*》 물바다가 된 곳.
alagar *tr.* ⑧ 물바다로 만들다.
~se 물바다가 되다 ; 배에 물이 들어오다.
alagartado, da *adj.* ① 도마뱀(lagarto) 같은 ; 여러 가지 색깔의 : piel ~*da.* ② 《*AmérC.*》 인색한, 욕심많은, 탐욕스러운.
alagartarse *r.* ① 《*Méx.*》 납작 엎어지다. ② 《*AmérC.*》 인색해지다.
alagunar *tr.* 《*Amér.*》 물바다로 만들다.
alahilca *f.*【고어】(벽을 장식한) 융단(colgadura, tapicería).
alajor *m.* 토지세.
alajú *m.* 렌즈콩·호두·벌꿀을 넣어 만든 과자.
alajueleño, ña *adj.m.f.* 알라후엘라 《Alajuela, 꼬스따리카에 있는 주·도시》의 (사람).
alalá *m.* (서반아 북부의) 민요.
ALALC Asociación Latino Americana de Libre Comercio 라틴 아메리카 자유 무역 연합.
alalí *m.* =**lelilí.**
alalia *f.*【의학】실성증(失聲症)(afonía).
alálimo *m.* =**alimón.**
alalimón *m.* =**alimón.**
alam *m.* =**estandarte, banderín.**
alama *f.*【식물】콩과 식물 《목초용; 줄기에 가시가 없고 노란 꽃이 핌》.
alamar *m.* (의복의) 장식 끈.
ALAMAR Asociación Latinoamericana de Armadores.
alambicadamente *adv.* 세련되어.
alambicado, da *adj.* ① 찔끔찔끔 내는. ② 세련된(muy sutil) : estilo ~.
alambicador, ra *adj.* 증류하는 ; (원고를) 탈고하는.
alambicamiento *m.* 증류 ; 탈고 ; 세련.
alambicar *tr.* ⑦ 증류하다 ; 탈고하다 ; 최하선까지 값을 내리다.
alambique *m.* 증류기 : ~ industrial 산업용 증류기.
por ~ 증류기에 넣어, 조금씩.
alambiquería *f.* 《*Amér.*》 정류탑 ; 양조장.
alambiquero *m.* 《*Amér.*》 양조장 주인.
alambor *m.* ① 모조 세공, 모조석. ②【축성】급경사면(escarpa).
alamborado, da *adj.* alambor이 있는.

alambrada *f.* 【군사】 철조망.

alambrado, da *adj.* ① 철조망을 친. ② 《*Cuba.*》 황금색의. —*m.* 철사 치기; 쇠그물, 철망.

alambraje *m.* 배선(配線) : ~ impreso, ~ estampado 프린트 배선.

alambrar *tr.* (…에) 전선·철망·철조망을 치다 : ~ un balcón. —*intr.* 《*Sal.*》 (날씨가) 개이다(despejarse el cielo).

alambre *m.* 철사; (가축에게 달아준 많은) 방울.
~ ***aislado*** 절연선. ~ ***carril*** 공중 케이블(teleférico). ~ ***de hierro con púa*** 가시 철사. ~ ***de cobre·de platino*** 동·백금선. ~ ***de púas·pincho*** 철조망, 가시 철선. ~ ***eléctrico*** 전선. ~ ***fusible*** 퓨즈. ~ ***recubierto de seda*** 견피복선(絹被覆線).

alambrera *f.* 철망; 철사 격자.

alambrería *f.* ① 철망 가게. ② 철망, 철사.

alambrero, ra *m.f.* 철망 상인, 철망 직공.

alámbrico, ca *adj.* 철망의.

alambrilla *f.* 포장용 타일(olambrilla).

alambrino, na *adj.* 철망·철사의; 철망·철사 같은.

alambrista *m.f.* 철사를 건너는 곡예사(equilibrista).

alameda *f.* 포플라 가로수; 가로수길.

alamedero *m.* 《*Méx.*》 산책 도로 감시인.

alamín *m.* 검사관, 검열관, 감독.

alaminazgo *m.* alamín의 직책.

álamo *m.* 【식물】 포플라, 백양나무; 백양재(白楊材).
~ ***alpino·líbico·temblón*** 고리버들. ~ ***blanco*** 백양(白楊). ~ ***chopo·negro*** 흑양(黑楊). ~ ***falso*** 느릅나무.

alampar *intr.* (음식이) 혀를 쏘다.
~se [+por : …을] 몹시 탐내다.

alamud *m.* 빗장.

alanceado, da *adj.* ① 창에 찔린. ② 【식물】 창끝 모양의, 바늘 모양의 : hoja ~*da*.

alanceador, ra *adj.m.f.* 찌르는 (사람).

alanceamiento *m.* 찌르기.

alancear *tr.* ① (창으로) 찌르다, 쑤시다. ② 풍자하다, 빈정대다, 빗대다(zaherir).

alandrearse *r.* (누에가) 고자리병에 걸리다.

alangiáceas *f.pl.* 【식물】 =**cornáceas.'**

alangieo, a *adj.* 【식물】 쌍자엽류의.

alanguilán *m.* 【식물】 (필리핀의) 향기있는 식물.

alanino, na *adj.* 알라노족의.

alano, na *adj.* 알라노족 《los alanos, 5세기 초의 서반아에 침입했던 한 종족》의. —*m.f.* 알라노족. —*m.* 【동물】 알라노개; 불독; 수렵견; 파수견.

alante *adv.* 【속어】 =**adelante.**

alantoides *adj.* 【해부】 ***membrana*** ~ 요막(尿膜), 오줌 주머니.

alanzar *tr.* ⑨ ① 창으로 찌르다(alancear). ② 던지다, 투척하다(lanzar). —*intr.* 창을 던지다.

alaqueca *f.* 【광물】 홍마노(紅瑪瑙)(cornalina).

alaqueque *m.* =**alaqueca.**

alar *m.* ① 【건축】 챙, 추녀(alero del tejado). ② 《*Col.*》 보도, 산책길. —*pl.* 【은어】 반바지.

alárabe *adj.* 아라비아의; 사나운. —*m.f.* 아라비아 사람. —*m.* 야만인.

alarbe *adj.m.f.* =**alárabe.**

alarconiano, na *adj.* 알라르꼰 《J. Ruiz de Alarcón(1580—1639); 서반아의 극시인》 풍의.

alarde *m.* ① 과시, 허세, 우쭐거림 : hacer ~ de …을 자랑삼아 내세우다. Levantó la piedra para hacer ~ de fuerza 그는 힘을 과시하기 위해 돌을 들어올렸다. ② (군인·무기의) 검열; 점호. ③ 군인 명부. ④ (죄수의) 검열.

alardear *intr.* 자랑하다, 과시하다, 으시대다, 재치를 보이다.

alardeo *m.* 자랑, 과시, 허세.

alardoso, sa *adj.* 자랑하는, 과시하는, 허세를 잘 부리는, 여봐란 듯한(ostentoso).

alargada *f.* 바람이 멈춤.
dar la ~ 연의 실을 조금씩 조금씩 풀어주다(soltar poco a poco el hilo a una cometa).

alargadera *f.* 계각(繼脚); 이은 관(管).

alargadero, ra *adj.* 연장할 수 있는; 늘어뜨릴 수 있는.

alargado, da *adj.* ① =**extenso, extendido.** ② =**alejado, remoto.**

alargador, ra *adj.* 늘리는, 연장하는.

alárgama *f.* 【식물】 헨루다(alharma).

alargamiento *m.* 연장, 연기; 신장(伸張).

alargar *tr.* ⑧ ① 길게 하다; 늘어뜨리다; 뻗치다 : ~ el brazo·la vista 팔·시선을 뻗치다. ~ el paso 걸음을 멀리 떼다. ~ el vuelo 멀리 날아가다. ② 늦추다, 느슨하게 하다. ③ 연장하다; 연기하다 : ~ un pago 지불을 연기하다. ④ 내밀다, 건네주다 : *Alárgue*me el libro 그 책을 집어주십시오. ⑤ 증가시키다, 불리다 : ~ el sueldo.
~se ① 길어지다(hacerse más largo) : ~*se* los días 낮이 길어지다, ~*se* las noches 밤이 길어지다. ② 길게 끌다. ③ 떨어지다, 나누어지다, 분리되다(separarse, apartarse). ④ 떠나다, 달아나다. **Sinón.** prolongar. **Contr.** acortar.

alarguez *m.* 들장미.

alaria *f.* (도공의) 쇠주걱.

alaricano, na *adj.* 아야리스 《Allariz, Orense 주의 마을》의 (사람).

alarida *f.* 절규, 외침, 부르짖음, 소리침, 아우성(gritería, vocería).

alaridar *intr.* 외치다, 소리지르다, 악을 쓰다, 비명을 지르다(dar gritos, clamar, vocear, dar alaridos).

alarido *m.* ① 비명 : dar ~*s* 비명을 지르다. ② (아라비아 사람들의) 함성.

alarifazgo *m.* 건축가·건축 기사의 직.

alarife *m.* ① 건축 기사. ② 미장이(albañil). ③ 《*Arg.*》 빈틈없는 남자(persona lista).

alarije *adj.* =**arije.**

alarma *f.* ① 경보; 경계 : en ~ 경계 태세로. dar ~ 경계시키다. ② 두려움, 불안, 우려, 걱정(inquietud) : vivir en perpetua ~.
~ ***amarilla*** 경계 경보. ~ ***aérea·roja*** 공습 경보. ~ ***blanca*** 해제 경보.

alarmador, ra *adj.* 마음이 놓이지 않는, 경계시키는. —*m.* 경보기 : ~ de fuego 화재 경보기.

alarmante *adj.* 겁내어 떨게 만드는; 위태로운,

뒤숭숭한 : noticias ~*s* 마음 놓이지 않는 정보. colores ~*s* 경계색.

alarmar *tr.* (위험을) 알리다 ; 경계시키다 ; 겁내어 떨게 만들다(asustar).
~se 흠칫 겁내다, 경계하다, 염려하다, 걱정하다, 마음을 조이다(inquietarse) : *~se por* una mala noticia. Contr. tranquilizar.

alármega *f.* 【식물】 헨루다(alharma).

alarmista *m.f.* 사서 걱정하는 사람 ; 유언 비어를 퍼뜨리는 사람.

alaroz *m.* 【건축】 창문턱.

alarse *r.* 【은어】 달아나다, 꽁무니를 빼다, 줄행랑치다, 도망치다(fugarse).

Alaska *f.* 【지명】 알라스카.

alaskano, na *adj.* 알라스카의. —*m.f.* 알라스카 사람.

alastramiento *m.* 몸을 바싹 엎드림, 귀를 곤두세움.

alastrarse *r.* (새 · 짐승이) 몸을 바싹 엎드리다 ; 귀를 곤두세우다.

a látere *adv. lat.* 옆에. —*m.* (대개 나쁜 뜻으로) 측근자.

alaterno *m.* 【식물】 쐐기풀(aladierna).

alatés *m.* 【은어】 깡패의 부하, 똘마니.

alatinadamente *adv.* 라틴어 식으로.

alatinado, da *adj.* 【고어】 라틴어 식으로 말하는.

alatón *m.* 《*Ar.*》 【식물】 후박나무(latonero)의 열매.

alatonero *m.* 【식물】 느티나무과에 속하는 나무의 일종 ; 후박나무.

alatrón *m.* 【화학】 =**afronitro.**

alauda *f.* 【고어】 【동물】 =**alondra.**

alaude *f.* 【고어】 【동물】 =**alondra.**

aláudidas *f.pl.* 【동물】 =**aláudidos.**

aláudidos *m.pl.* 【조류】 후취류과.

alaudino, na *adj.* alondra의.

a la v/ a la vista.

alavanco *m.* 【조류】 물오리, 들오리(lavanco).

alavecino, na *adj.m.f.* =**fatimi.**

alavense *adj.m.f.* =**alavés.**

alavés, sa *adj.* 알라바 《Álava, 서반아 북부에 있는 주》의 . —*m.f.* 알라바 사람.

alavesa *f.* (옛날의) 짧은 창.

alazán, na *adj.* 육계색(肉桂色)의, 밤색의.
—*m.f.* 육계색의 · 밤털의 말 : Hay varias clases de ~ , pálido o lavado, claro, dorado o anaranjado, vinoso, tostado, etc.

alazana *f.* (올리브의) 착유장.

alazano, na *adj.* =**alazán.**

alazo *m.* (새가) 홰를 침, 날개 치기, 날개 치는 소리.

alazor *m.* 【식물】 잡종 사프란.

alba *f.* ① 서광(曙光), 여명, 어둑새벽, 갓밝이 (amanecer) : Empieza a clarear el ~ . ② (승려의) 흰옷. ③ 【은어】 이불깃, 시트.
al ~ 동틀녘에(al almanecer).
quebrar · rayar · reir · romper el ~ 날이 새기 시작하다.

albaca *f.* 【식물】 =**albahaca.**

albacara *f.* ① (성벽 위의) 누각, 망루. ② 【고어】 =**rodaja, ruedecilla.**

albacea *m.f.* 유언 집행인 : ~ dativo 법정 유언 집행인.
no necesitar ~ *para su alma* 자신의 일을 훌륭하게 해내다.

albaceazgo *m.* 사형 집행인(albacea)의 직.

albacetense *adj.m.f.* =**albaceteño.**

albaceteño, ña *adj.* 알바세떼 《Albacete, 서반아 중남부의 주 · 수도》의. —*m.f.* 알바세떼 사람.

albacora *f.* ① 【어류】 가다랭이(bonito). ② 【식물】 무화과의 일종(breva).

albacorón *m.* 《*Murc.*》 【식물】 =**alboquerón.**

albada *f.* ① 새벽 ; 여명의 노래. ② 【식물】 비누풀.

albadena *f.* 【고어】 긴 도포(túnica)의 일종.

albahaca *f.* 【식물】 박하 비슷한 향기 높은 식물.

albahaquero *m.* ① 화분(tiesto, maceta). ② 【식물】 박하 비슷한 향기 높은 식물.

albahaquilla *f.* 【식물】 =**parietaria.**

albaicín *m. ár.* 경사면에 이루어진 마을.

albaida *f.* 【식물】 콩과 식물 《가지가 풍성하고, 잎은 희뿌옇고, 작고 노란 꽃이 핌》.

albaire *m.* 【은어】 계란.

albalá *m. (f.)* 특허장 ; (공사의) 증서, 칙허서.

albalaero, ra *m.f.* 증서(albalá)를 보내는 사람.

albamento *m.* =**albura.**

albanado, da *adj.* 【은어】 =**dormido.**

albanega *f.* ① 머리 그물. ② (토끼를 잡기 위한) 원추형 그물.

albaneguero *m.* 【은어】 주사위 놀이하는 사람.

albanés *m.* 【은어】 =**albaneguero.** —*pl.* 【은어】 주사위(dados).

albanés, sa *adj.* 알바니아의 . —*m.f.* 알바니아의 사람. —*m.* 알바니아말.

Albania *f.* 【지명】 알바니아.

albano, na¹ *adj.m.f.* 알바 롱가(Alba Longa)의 사람.

albano, na² *adj.m.f.* 알바니아(Albania)의 (사람)(albanés).

albañal *m.* ① 물받이통, 개수통. ② 도랑, 수채, 하수구. ③ 오물.
salir por el ~ 실패하다.

albañalero *m.* 하수도 공사 ; 도랑 · 수채 · 하수구 치는 사람.

albañar *m.* =**albañal.**

albañil *m.* 미장이, 석수장이, 석공.

albañila *f.* 【곤충】 벌(abeja)의 일종.

albañilería *f.* 벽돌이나 석재 ; 콘크리트 공사 ; 미장이업.

albaquía *f.* 미불금, 잔금 ; 체납금.

albar¹ *adj.* ① 하얀, 흰, 흰빛의(blanco) : conejo ~ 흰 토끼.
tomillo ~ 【식물】 산토니까(santónico).

albar² *tr.* 동전을 희게 하다.

albarán *m.* 전세 계약서 ; 증서(albalá) ; 화물 인도표, 화물 인도 통지서.

albarazado, da¹ *adj.* ① 백나병(lepra blanca)의.

albarazado, da² *adj.* [*ár.* albarax] ① 검붉은 (색깔). ② 벽옥 무늬 껍질의 (포도). ③ 《*Méx.*》 중국 남자와 혼혈 여자의; 중국 여자와 혼혈 남자의 (후손).

albarazo *m.* 【의학】 백나병.
albarca *f.* ① =**abarca.** ②《*Sant.*》 가죽 샌들.
albarcoque *m.* =**albaricoque.**
albarcoquero *m.* 【식물】 =**albaricoquero.**
albarda *f.* ① 길마, 안장. ②《*AmérC.*》 생가죽 구두.
~ ***sobre*** ~ 옥상옥을 짓는 우를 범하는 짓, 부질없이 일을 거듭하는 어리석음.
albardado, da *adj.* 등의 털색이 다른 : caballo ~.
albardán *m.* 어릿광대(bufón).
albardanería *f.* =**bufonada, truhanería.**
albardar *tr.* (… 에) 길마를 놓다(enalbardar) : ~ un burro.
albardear *tr.* 《*AmérC.*》 애먹이다 ; 귀찮게 굴다.
albardela *f.* (조랑말을 길들이기 위한) 안장.
albardería *f.* 안장 가게.
albardero *m.* 안장 장수, 안장을 만드는 사람.
albardilla *f.* (조랑말을 길들이기 위한) 안장 ; 베개 ; 담벽의 지붕 ; 밭두둑길 ; 어깨받이.
albardillado, da *adj.* 안장같은. —*m.* 담에 지붕을 씌움.
albardillador, ra *adj.* 담에 지붕을 씌우는.
albardillar *tr.* 담에 지붕을 씌우다.
albardín *m.* 【식물】 골풀, 등심초.
albardinar *m.* 골풀밭.
albardón *m.* [*aum.* albarda] ① 큰 안장. ②《*AmérM.*》 소택지의 구릉, 언덕. ③《*AmérC.*》 =**albardilla.**
albardonería *f.* =**albardería.**
albardonero *m.* =**albardero.**
albarejo *adj.m.f.* =**candeal.**
albarela *f.* 식용 버섯의 일종.
albarelo *m.* 쉬운 생각.
albareque *m.* 정어리 그물.
albarico *adj.* =**albarrejo.**
albaricoque *m.* 살구.
albaricoquero *m.* 살구나무.
albarigo *adj.* =**albarico, albarejo.**
albarillo *m.* ① 흰 살구. ②《*Arg.*》 살구. ③ 기타를 빨리 치는 일 · 것.
albarino *m.* (옛날의) 하얀 분.
albariza *f.* 염수호(laguna salobre).
albarizo, za *adj.* 흰빛을 띤(blanquecino) : terreno ~. —*m.* 흰빛이 도는 땅.
albarracinense *adj.m.f.* 알바라신《Albarracín, Teruel 주의 도시》의 (사람).
albarrada *f.* ① 돌벽 ; 돌각담 ; 둑 ; 흙담. ② (물을 식히는) 토기. ③《*Col.*》 모래톱. ④《*Ecuad.*》 못.
albarrán *adj.* ① 외지의, 낯선. ② =**soltero.**
albarrana *f.* ① 【식물】 백합과 식물(cebolla ~). ② (성벽의) 망대, 망루.
albarráneo, a *adj.* 【고어】 =**forastero, extranjero.**
albarranía *f.* 【고어】 =**soltería.**
albarraniego, ga *adj.* 【고어】 =**abarráneo.**
albarranilla *f.* 【식물】 (푸른 꽃의) 백합과 식물.
albarraz *m.* ① 【의학】 =**albarazo.** ② 【식물】 =**estafisagria.**
albarrazado, da *adj.* 색깔을 더덕더덕 칠한.
albarrazar *tr.* (머리 · 수염을) 물들이다.
albarza *f.* 낚시 도구 넣는 광주리.
albatoza *f.* 소형 선박.
albatros *m.* 【단 · 복수 동형】 【조류】 신천옹(信天翁)(carnero de cabo) : ~ viajero 떠돌이 신천옹.
albayaldado, da *adj.* 분칠한, 백연을 칠한 ; 하얀.
albayaldar *tr.* 분을 바르다.
albayalde *m.* ① 백연, 납가루, 탄산화연 : ~ calcinado 연황(鉛黃). ② 화장분 : dar de ~ 분을 바르다.
albazano, na *adj.* 짙은 밤색의(de color castaño obscuro) : caballo ~.
albazo *m.* 《*Amér.*》 =**alborada.**
dar un ~ 《*Méx.*》 잠자리를 습격하다, 상대가 일어나기 전에 해치우다.
albear[1] *intr.* ① 밝아오다. ②《*Arg.*》 일찍 일어나다. ③ 하얗게 되다(blanquear).
albear[2] *m.* 【광물】 활석광(滑石鑛)(gredal).
albedriador, ra *adj.m.f.* =**arbitrador.**
albedriar *intr.* 관습으로 재판하다.
albedrío *m.* ① 의지 : libre ~ 자유 의지. ② 제멋대로임 ; 착상, … 하고 싶음. ③ (법적인) 관습, 불문률.
al ~ ***de*** 하고 싶은대로 : Hazlo a tu ~ 너 좋을대로 해라.
albedro *m.* =**madroño.**
albéitar *m.* 수의(veterinario).
albeitería *f.* 수의학(veterinaria).
albeldadero *m.* 《*Ál.*》 풍구질 장소.
albeldar *tr.* =**beldar.**
albeldrío *m.* 【속어】 《*Amér.*》 =**albedrío.**
albellanino *m.* 【식물】 산수유나무(cornejo).
albellón *m.* 배수구, 하수구(albollón).
albenda *f.* (옛날의) 하얀 린넬 커튼.
albendera *f.* ① albenda의 직공. ② 나돌아 다니기 좋아하는 게으른 여자(mujer callejera y ociosa).
albengala *f.* 옛날 회교도가 터번으로 쓰던 천.
albense[1] *adj.m.f.* 알바 데 또르메스 《Alba de Tormes, Salamanca 주의 마을》의 (사람).
albense[2] *adj.* 【지질】 백악기의.
albéntola *f.* 눈이 촘촘한 그물.
albentolero, ra *m.f.* albéntola 제조자 · 판매자.
alberca *f.* 저수지 ; (우물의) 물통.
albérchiga *f.* 복숭아 ; (지방에 따라) 살구.
alberchigal *m.* 복숭아 밭.
albérchigo *m.* 복숭아 : El ~ tiene la carne adherida al hueso.
alberchiguero *m.* 【식물】 복숭아나무.
albercón *m.* *aum.* alberca.
albercoque *m.* =**albarcoque.**
albercoquero *m.* 【식물】 =**albarcoquero.**
albergada *f.* 엄호물.
albergador, ra *adj.* 숙박시키는. —*m.f.* 여관 · 하숙집 주인.
albergadura *f.* =**albergue.**
albergar *tr.* ⑧ 숙박시키다(dar albergue u hospedaje) : ~ a un viajero. —*intr.* 숙박하다(tomar albergue).
alberge *m.* 【방언】 =**albaricoque.**

albergero *m* 《*Ar.*》 =**albaricoquero.**
albergo *m.* 【고어】 =**albergue.**
albergue *m.* ① 숙박 ; 숙박소, 숙박지, 호스텔 : tomar ~ 숙박하다. ② (맹수들이 사는) 동굴. ③ (고속 도로변에 설치된 국영의) 모텔 (~ de carretera).
alberguería *f.* 여관 ; (빈민의) 수용소.
alberguero, ra *m.f.* 여관 주인.
albericoque *m.* =**albaricoque.**
albero, ra *adj.* 흰빛의, 하얀, 흰빛을 띠는 (albar). —*m.* ① 흰빛이 도는 땅(terreno albarizo). ② 행주.
alberque *m.* =**alberca.**
alberquero, ra *m.f.* 저수지 감시인.
albibarbo, ba *adj.* 【동물】 주둥이가 흰.
albica *f.* 백점토(arcilla blanca)의 일종.
albicante *adj.* 희게 하는 ; 흰옷 차림의.
albicaudo, da *adj.* 【동물】 꼬리가 흰.
albicaulo, la *adj.* 【식물】 줄기가 흰.
albíceps *adj.* 【동물】 머리가 흰.
albicie *f.* =**blancura.**
albícolo, la *adj.* 【동물】 목이 흰 (동물).
albicórneo, a *adj.* 【곤충】 촉각이 흰 (곤충).
álbido, da *adj.* =**blanquecino.**
albificación *f.* (금속 따위를) 희게 하는 일.
albifloro, ra *adj.* 흰꽃을 가진 (식물).
albigense *adj.* 알비 《남부 불란서의 도시 Albi》의. —*m.f.* 알비 사람. —*m.pl.* 알비교, 카타르교 (Cathares) 《12 · 3세기의 한 종교》.
albihar *m.* 【식물】 야생 족제비쑥(manzanilla loca).
albilabro, bra *adj.* 입술이 흰.
albillo *m.* 백포도 ; 백포도주의 일종.
albillo, lla *adj.* 백포도의 ; 백포도주의.
albín *m.* 【광물】 적철광(hemetites).
albina *f.* 개펄 ; 개펄에 생긴 천연병.
albinervio, via *adj.* 신경이 흰.
albinismo *m.* 백피질 ; 백화 현상.
albino, na *adj.* 흰 피부의 ; 백변종의, 흰색의 : color ~, cabello ~. —*m.f.* ① 살빛이 하얀 사람. ② 《*Méx.*》 유럽인과 혼혈아 사이에서 난 혼혈아.
albión *m.* 【동물】 환형 동물류 《지렁이 등》.
Albión *f.* 【시어】 영국.
albiónido, da *adj.* 환형 동물의.
albípedo, da *adj.* 발이 흰 (동물).
albipenne *adj.* 깃이 흰.
albirijí *m.* 【은어】 속임수.
albirrostro, ra *adj.* 주둥이가 흰.
albita *f.* 【광물】 (흰색의) 장석(長石)(feldespato).
albitana *f.* ① (심은 나무에 대는) 받침목. ② = **contrarroda.**
albitarso, sa *adj.* 발목이 흰.
albo, ba *adj.* 【시어】 흰(blanco).
alboaire *m.* (예배당 · 원형 천장 등에) 타일 붙이기.
albogón *m.* (옛날의) 큰 피리의 일종.
albogue *m.* ① 풀피리 ; 목동의 피리 ; 【악기】 소형 심벌. ② 놋쇠 접시.
alboguear *intr.* 풀피리(albogue)를 불다.
alboguero, ra *m.f.* 풀피리를 부는 사람.
albohera *f.* 【고어】 =**albuhera.**
alboheza *f.* 【고어】【식물】 =**malva.**
albohol *m.* 【식물】 =**correhuela.**
albojense *adj.m.f.* 알복스 《Albox, Almería 주의 마을》의 (사람).
albollón *m.* 배수구.
albóndiga *f.* 고기 단자, 고기소.
albondiguilla *f.* =**albondiga.**
alboquerón *m.* 【식물】 겨자과의 다년생 식물.
albor *m.* ① 순백. ② 서광 ; 여명기 : ~*es* de la vida 유년 · 청년 시대.
alborada *f.* 새벽, 여명 ; 새벽 전투 ; 기상 나팔 ; 새벽 음악.
albórbolas *f.pl.* 환성(vocerío).
alborear *intr.* ① 날이 새다 (amanecer o rayar el día) [*N.* 단인칭 동사]. ② 유망하다, 장래성이 있다.
alborecer *intr.* 【고어】 =**alborear.**
alboreo *m.* 날이 샘.
alborga *f.* 짚신.
albornia *f.* (유약을 칠한) 큰 토기.
alborno *m.* =**alburno.**
albornoz *m.* (아라비아풍의) 망토 ; 그 천.
alborocera *m.* 《*Ar.*》 =**madroño.**
alboronía *f.* 야채 요리.
alboroque *m.* 판매 위로금, 만원 사례금 《흥행 성적이 좋아 종업원에게 주는》.
alborotadamente *adv.* 왁자지껄하게, 시끄럽게, 어수선하게 : hablar ~.
alborotadizo, za *adj.* 떠들어대는 ; 소란스러운.
alborotado, da *adj.* 소란을 피우는, 법석을 떠는 ; 당황한.
alborotador, ra *adj.* 소란스러운. —*m. f.* 말썽꾼.
alborotapueblos *m.f.* 【단 · 복수 동형】 불온분자, 소란을 피우는 사람 ; (행사에서) 분위기를 돋우는 사람.
alborotar *tr.* 혼란하게 만들다, 소란케 하다, 온통 휘젓다, 떠들어대다 ; 선동하다(sublevar).
—*intr.* 소동을 벌이다, 난동을 부리다 : *Alborotaba* el padre y lloraba la madre 아버지는 호통을 치고 어머니는 울고 있었다.
~se 분규 · 소동을 일으키다 ; 혼란이 일어나다, 반란을 일으키다 ; (바다의) 풍랑이 심해지다.
alborotero, ra *adj.m.f.* 《*Amér.*》 =**alborotador.**
alborotista *adj.m.f.* 《*AmérC. Méx.*》 =**alborotador.**
alboroto *m.* ① 소동, 폭동 ; 반란, 난리. ② 《*AmérC.*》 꿀을 묻혀 튀긴 옥수수. ③ 《*Méx.*》 기뻐 날뜀.
de ~ 《*SDgo.*》 뛰어난, 희한한, 굉장한.
alborotoso, sa *adj.m.f.* 《*Amér.*》 =**alborotador.**
alborozadamente *adj.* 즐겁게.
alborozado, da *adj.* 환희에 찬, 즐거운(regocijado).
alborozador, ra *adj.m.f.* 미쳐 날뛴 (사람).
alborozamiento *m.* 【고어】 기쁨, 즐거움, 환희(alborozo, regocijo).
alborozar *tr.* ⑨ 미쳐 날뛰게 하다.
~se 미쳐 날뛰다.
alborozo *m.* 기쁨, 희열, 쾌락, 즐거움 (placer,

alegría) : manifestar gran ~. Contr. desazón, disgusto.

alborto *m.* 【식물】 =**madroño.**

albotín *m.* 【식물】 테레빈나무(terebinto).

alboyo *m.* 《*Gal.*》 =**cobertizo, tendejón.**

albriciar *tr.* 축하하다(felicitar).

albricias *f. pl.* ① 길보를 전해 준 데 대한 답례; 축의(금) : en ~ de …의 기념을 하여. ② 《*Méx.*》 (주형의) 배기 구멍. —*interj.* 축하합니다!

albucelense *adj.m.f.* ① 알부셀라《Albucela, 현재의 Toro》의 (사람). ② =**toresano.**

albudeca *f.* 【식물】 수박(sandía)의 일종.

albufera *f.* 늪, 호수(albuhera).

albugíneo, a *adj.* 【동물】 아주 새하얀, 백색의.

albuginitis *f.* 【의학】 섬유 조직염.

albuginoso, sa *adj.* =**albugíneo.**

albugo *m.* 【의학】 각막 백반(白斑); 손톱 백반.

albuhera *f.* 늪(albufera); 저수지.

álbum *m.* [*pl.* álbumes o álbums] 사진첩, 앨범 : un ~ de tarjetas postales.

albumen *m.* 【식물】 배유(胚乳).

albúmina *f.* 【생물·화학】 단백질, 흰자질.

albuminado, da *adj.* 단백질의, 흰자질의.

albuminar *tr.* (인화지 등에) 단백을 바르다, 단백으로 처리하다.

albuminímetro *m.* 단백 계량기.

albuminoide *m.* 유사 단백질.

albuminoideo, a *adj.* 단백성(性)의 : materias ~ *as.*

albuminómetro *m.* 단백 계량기.

albuminoso, sa *adj.* 단백질의; 배유(胚乳)가 있는.

albuminuria *f.* 【의학】 단백뇨.

albur *m.* ① 【어류】 황어, 철갑상어 《alburno라고도 함》. ② 우연. ③ 위험(peligro, riesgo). —*pl.* 카드 놀이.

al ~ 닥치는대로, 함부로, 마구 : Se puso a caminar *al* ~ 지향도 없이 발걸음을 옮기기 시작했다.

jugar un ~ 모험을 하다.

correr un ~ 위험해지다.

albura *f.* ① 【시어】 순백. ② 흰자위(clara). ③ (재목의) 백목질.

alburente *adj.* 백목질이 많은 : madera ~.

alburero, ra *m.f.* albur 놀이를 하는 사람.

alburno *m.* ① (재목의) 백목질. ② 【어류】 잉어의 일종.

alburoso, sa *adj.* 백목질이 많은.

alca *f.* 【조류】 바다쇠오리 무리; 제비갈매기.

alcabala *f.* ① (옛날의 행상인 등의) 매상세 : ~ de enajenaciones 양도 매상세. ~ del viento 타국의 행상인 매상세. ② 【고어】 낚시 그물(jábega).

alcabalatorio, ria *adj.* alcabala의. —*m.* alcabala의 납세인 명부; 세규(稅規).

alcabalero *m.* 세금 징수인, 수세관.

alcabor *m.* 난로 위의 종 모양의 장식.

alcabota *f.* 《*And.*》 =**cabezuela.**

alcabotea *f.* 실이 가는 이집트의 천.

alcabuco *m.* 밀림(arcabuco).

alcacel *m.* =**alcacer.**

alcaceño, ña *adj.m.f.* 알까사르 데 산 후안 《Alcázar de San Juan, Ciudad Real 주의 도시》의 (사람)(alcazareño).

alcacer *m.* 청보리; 보리밭.

estar ya duro el ~ *para zampoñas* 이미 너무 늙었다; 이미 때가 늦었다.

retozar el ~ 너무 기뻐하고 있다.

alcací *m.* 【식물】 야생 엉겅퀴.

alcacil *m.* =**alcací.**

alcachofa *f.* ① 【식물】 야생 엉겅퀴, 야생 엉겅퀴 꽃봉오리, 야생 엉겅퀴꽃. ② (스며 나오는 수분을 빼는) 구멍 뚫인 파이프. ③ 《*Chile.*》 손바닥으로 치기. ④ 샌드위치(emparedado)를 만들기 위한 빵.

alcachofado, da *adj.* 화관형(花冠形)의. —*m.* 엉겅퀴 요리.

alcachofal *m.* 엉겅퀴밭; 야생 엉겅퀴밭.

alcachofar[1] *m.* =**alcachofal.**

alcachofar[2] *tr.* =**engreir, hinchar, envanecer.**

alcachofera *f.* 【식물】 =**alcachofa.**

alcachofero, ra *m.f.* 엉겅퀴 상인.

alcaecería *f.* =**alcaicería.**

alcafar *m.* 말의 안장 덮개.

alcaguete *m.* 【속어】 《*Amér.*》 =**alcahuete.**

alcahaz *m.* 새장(jaula).

alcahazada *f.* 한 새장의 새.

alcahazar *tr.* ⑨ 새장에 넣다, 새장에서 키우다.

alcahuete, ta *m.f.* 포주; 뚜쟁이; 소문을 좋아하는 사람. —*m.* (연극에서) 몇 초 동안 내리는 막.

alcahuetear *intr.* 포주·뚜쟁이 노릇을 하다(hacer papel de alcahuete).

alcahuetería *f.* 뚜쟁이 노릇; 감언 이설.

alcaicería *f.* 비단 도매 상가, 비단 상가.

alcaico *adj.* 알세오 (Alceo) 《고대 그리스의 시인》의, 옛날 시의.

alcaide *m.* 성주; 간수장.

alcaidear *tr.* =**echarla de alcaide.**

alcaidesa *f.* 성주·간수장의 부인.

alcaidesco, ca *adj.* alcaide의 .

alcaidía *f.* 성주·간수장의 직책·주택(oficio·casa del alcaide).

alcaidiado *m.* =**alcaidía.**

alcaidilla *f.* 쇠꼬챙이.

alcairía *f.* 【고어】 《*Sal.*》 =**alquería.**

alcalá *m.* 【고어】 성, 성채.

alcaladino, na *adj.m.f.* =**alcalaíno.**

alcalaeño, ña *adj.* 알깔라 델 후까르 《Alcalá del Júcar, Albacete 주의 마을》의 (사람).

alcalaíno, na *adj.* 알깔라《Alcalá de Henares, Alcalá de los Gazules, Alcalá la Real 등, Alcalá 라는 고장》의. —*m.f.* 알깔라 사람.

alcalareño, ña *adj.m.f.* ① 알깔라 데 구아다이라《Alcalá de Guadaira, Sevilla 주의 도시》의 (사람). ② 알깔라 델 리오 《Alcalá del Río, Alcalá del Río 주의 마을》의 (사람). ③ 알깔라 델 바예 《Alcalá del Valle, Cádiz 주의 마을》의 (사람).

alcaldada *f.* 권력·직권 남용; 전횡, 횡포.

alcalde *m.* ① 시·읍·면·촌장 : ~ de monterilla 시골 촌장. ② 【고어】 심판관. ③ 카드 놀이의 일종. ④ 어떤 무용극의 주역. ⑤ 《*AmérM.*》 뚜쟁이.

～ *de lagos* 《*Méx.*》 얼간이, 바보, 멍청이. ～ *del mes de enero* 새 임무의 시초만을 열심히 하는 사람. *tener el padre* ～ 유력한 연줄이 있다.

alcaldesa *f.* 시·읍·면·촌장의 부인; 여자 시·읍·면·촌장.

alcaldesco, ca *adj. desp.* 시·읍·면장인 척하는.

alcaldía *f.* 시·읍·면·촌장의 직책·주택·사무소.

alcalescencia *f.* 알칼리성, 알칼리질.

alcalescente *adj.* 알칼리로 되는, 알칼리성의.

alcalescer *tr.* 알칼리화 하다.

álcali *m.* 【화학】 알칼리 : ～ volátil 휘발성 알칼리, 암모니아수 등. ～*s* térreos 알칼리 토양류.

alcalificante *adj.* 알칼리성의.

alcalificar *tr.* ⑦ 알칼리성으로 하다.

alcalimetría *f.* 【화학】 알칼리 비중 측정.

alcalimétrico, ca *adj.* 【화학】 alcalimetría나 alcalímetro의.

alcalímetro *m.* 알칼리 비중계.

alcalinidad *f.* 알칼리성.

alcalino, na *adj.* 알칼리(성)의 : reacción ～*na* 알칼리성 반응.

alcalización *f.* 알칼리성화.

alcalizar *tr.* ⑨ 알칼리성으로 만들다 : ～ un líquido.

alcaloide *m.* 알칼로이드 《식물 염기》 : La nicotina es un ～ 니코틴은 알칼로이드이다.

alcaloideo, a *adj.* 알칼로이드(성)의.

alcaloífero, ra *adj.* 알칼로이드를 함유한 (식물).

alcall *m.* 【고어】 =**alcalde.**

alcaller *m.* 도기사(alfarero).

alcallería *f.* 도기(류)(alfarería).

alcallía *f.* 【고어】 =**alcaldía.**

alcamar *m.* 【조류】 (Perú의) 맹금류의 일종.

alcamonero *m.* 《*Venez.*》 주책바가지.

alcamonías *f.pl.* ① 조미료, 양념. ② 포주, 뚜쟁이(alcahuetería).

alcana *f.* 【식물】 수랍목, 쥐똥나무(alheña).

alcaná *f.* 【고어】 상인의 거리·구역.

alcance[1] *m.* ① 닿음, 팔이 닿는 범위·거리 : ～ de la asistencia técnica 기술 원조 범위. al ～ de la mano 손이 닿는 곳에. Esa tabla no está a mi ～ 그 판자는 내 손에 닿지 않는다. ② 사정·착탄 거리 : el ～ de un cañón. ③ 재능, 지능 (talento) : persona de pocos ～*s* 능력이 그리 대단치 않은 사람. ④ 내용적인 깊이 : discurso de poco ～. ⑤ 추적 : dar ～ 따라붙다. andar · ir *a* · *en* los ～*s* 미행하다. ⑥ 특별 송달 우편 : buzón · sello de ～. ⑦ (마감 직전의) 신문 원고, 그 뉴스. ⑧ (식자공에게 주는) 분할 원고. ⑨ (군인의) 미지급된 급여의 잔액 보수. ⑩ 부족액, 적자, 결손(déficit). ⑪ 《*Chile.*》 (설명 등의) 사족(蛇足). ⑫ =**alcanzadura.** —*pl.* 《*AmérC.*》 중상(中傷).

alcance[2] alcazar의 접·현·1·3·단수.

alcancé alcanzar의 직·부정과거·1·단수.

alcancéis alcanzar의 접·현·2·복수.

alcancemos alcanzar의 접·현·1·복수.

alcancen alcanzar의 접·현·3·복수.

alcances alcanzar의 접·현·2·단수.

alcancía *f.* ① 저금통(hucha). ② 헌금함, 시주함 (cepillo). ③ (옛날의) 화염탄. ④ 【은어】 포주, 뚜쟁이.

alcanciazo *m.* (옛날 놀이에서) alcancía로 때리기.

alcándara *f.* ① (새장의) 횃대(percha). ② 옷걸이.

alcandía *f.* 【식물】 수수(zahína).

alcandial *m.* 수수밭.

alcandiga *f.* 【고어】【식물】 =**alcandía, zahina.**

alcandor *m.* 【드뭄】 (여자들이 사용한) 기름의 일종.

alcandora *f.* ① 횃불, 봉화. ② 모닥불, 화톳불 (hoguera).

alcándora *f.* ① =**alcándara.** ② 양복걸이.

alcanear *tr.* 《*Col.*》 (누구를) 뒤에 남기다.

alcanería *f.* 【식물】 야생 엉겅퀴(alcachofa)의 일종.

alcanfor *m.* ① 장뇌(樟腦) : ～ refinado 정제 장뇌. ～ de Borneo 용뇌(龍腦). El ～ suele emplearse contra los dolores reumáticos 장뇌는 류머티즈 통증에 자주 사용된다. ② 【식물】 장목(樟木), 녹나무. ③ 《*AmérC.*》 =**alcahuete.**

alcanforada *f.* 【식물】 개녹나무 《장뇌 냄새가 나는 나무》.

alcanforado, da *adj.* 장뇌의, 장목의 : aceite ～ 장뇌유(油).

alcanforar *tr.* ① 장뇌와 섞다 : aguardiente *alcanforado.* ② 장뇌를 넣다 : ～ la ropa. **～se** 《*Amér.*》 없어지다, 증발하다, 사라져 없어지다(disipar).

alcanforero *m.* 【식물】 장목(樟木), 녹나무.

alcanfórico, ca *adj.* ① 장뇌(alcanfor)의; 장뇌같은. ② 【화학】 =**canfórico.**

alcanina *f.* 【화학】 =**ancusina.**

alcántara *f.* ① (우단 짜는 기계의) 감는 상자. ② 《*Cuba.*》 물항아리 (단지).

alcantarilla *f.* [*dim.* alcántara] ① 하수도. ② 작은 다리(puentecillo). ③ 《*Méx.*》 개수통, 물받이통.

alcantarillado *m.* 하수 (시설).

alcantarillar *tr.* (…에) 하수구 시설을 하다 : ～ una calle.

alcantarillero *m.* 하수도 일꾼.

alcantarillero, ra *adj.m.f.* 알깐따리야 《Alcantarilla, Murcia 주의 마을》의 (사람).

alcantarino, na *adj.* 알깐따라 (Alcántara)의. —*m.f.* 알깐따라 사람.

alcanzadizo, za *adj.* 손에 넣기 쉬운, 입수가 용이한.

alcanzado, da *adj.* ① 추격당한, 따라 잡힌. ② 빈궁한, 궁색한, 궁박한(necesitado) : El siempre anda ～ de dinero 그는 항상 돈에 궁색하다. ③ 빚에 몰린(adeudado). ④ 술책에 넘어간. ⑤ 《*Col.*》 지쳐 버린.

alcanzador, ra *adj.* (어떤 것에) 닿는.

alcanzadura *f.* 말의 두개골 상처.

alcanzamiento *m.* alcanzar 하기.

alcanzante *adj.* alcanzar 하는.

alcanzar *tr.* ⑨ ① (…에) 닿다, 따라잡다 : ～ a un caminante. ② (…에) 닿다, 도달하다 : ～ con la mano al techo 손으로 천정에 닿다. ～ el blanco 과녁에 맞다. ③ 손을 뻗쳐 잡다, 손이

닿다 : ~ un plato. ④ 끝내 입수하다, 드디어 손에 넣다, 획득하다(conseguir) : *Alcanzó* un empleo 끝내 일자리를 얻었다. ⑤ 이해하다, 이해·양해가 가다(entender) : No *alcanzo* el problema 그 문제는 나로서는 감당할 수가 없다. ⑥ (오관으로) 보이다, 들리다, 냄새 맡을 수 있다 : No *alcanzo* el buque 나는 아무리 해도 그 배를 따를 수 없다. ⑦ (누가) 채권자가 되다 : *Alcanzó* el ajuste a José en mil pesos 청산해보니 호세 쪽이 1000 뻬소의 흑자를 보았다. José quedó·salió *alcanzado* en mil pesos 호세에게 1000 뻬소의 흑자가 되었다. ⑧《*Arg.*》계출하다, 인계하다, 건네주다, 수교하다(alargar). Sinón. conseguir, lograr.

—*intr.* ① 차지가 되다, 두루 몫이 돌아가다, 충분하다 : El dinero *alcanza* para todos 돈은 모두 골고루 돌아간다. ② [+ a + *inf.* : … 하기에] 이르다 : No *alcanzó* el remedio *a* curar la enfermedad 그렇게 치료하였으나 끝내 그 병을 고칠 수가 없었다. ③《*Chile.*》남의 말에 꼬리를 달다.

~se 따라 붙어 같아지다.

[접속법 현재 : alcance, alcances, alcance, alcancemos, alcancéis, alcacen. 직설법 부정과거 1인칭 단수 : alcancé].

alcañizano, na *adj.m.f.* 알까니스《Alcañiz, Teruel 주의 도시》의 (사람).

alcanzativo, va *adj.*《*AmérC.*》중상하는. —*m.f.* 중상자.

alcaparra *f.* ①【식물】풍조목(風鳥木)속의 관목 ; 그 꽃봉오리《식용, 조미료가 됨》. ②《*Ecuad.*》용설란의 꽃봉오리.

alcaparrado, da *adj.* alcaparra로 양념한.

alcaparral *m.* 풍조목밭.

alcaparrera *f.* =**alcaparro.**

alcaparrero, ra *m.f.* alcaparra 장수.

alcaparrilla *f.*【식물】=**guanina.**

alcaparro *m.*【식물】풍조목.

alcaparrón *m.* 풍조목의 열매.

alcaparrosa *f.*【화학】녹반.

alcaracache *m.*《*Ál.*》=**escaramujo.**

alcaraceño, ña *adj.* 알까라스《Alcaraz, Albacete 주의 도시》의 (사람).

alcaraván *m.*【조류】알까라반《목이 길고, 꼬리는 짧고, 배는 하얗고, 날개는 희고 검으며 몸이 붉은 섭금류의 새》.

alcaravanero *adj.* alcaraván 사냥의 (매).

alcaravea *f.*【식물】미나리과 식물 ; 미나리과의 열매. Sinón. carvi.

alcarceña *f.*【식물】살갈퀴(yero).

alcarceñal *m.* alcarceña의 밭.

alcarcial *m.* =**alcaucil.**

alcarcil *m.* =**alcaucil.**

alcarchofa *f.* =**alcachofa.**

alcarchofado, da *adj.m.* alcachofa 모양의 (수예품).

alcardeteño, ña *adj. m.f.* 비야누에바 데 알까르데떼《Villanueva de Alcardete, Toledo주의 마을》의 (사람)(villanuevero).

alcarracero, ra *m.f.* alcarraza를 만드는·파는 사람. —*m.* alcarraza를 놓는 시렁.

alcarraza *f.* 물을 차게 보관하기 위한 질그릇.

alcarreño, na *adj.* 알까리아 지방의. —*m.f.* 알까리아 지방 사람.

alcarria *f.* 고원.

Alcarria, la【지명】알까리아《구아달라하라 주에 있음》.

alcatenes *m.* 황산동 혼합약.

alcatifa *f.* 최고급품 융단.

alcatifar *tr.*【고어】=**alfombrar, tapizar.**

alcatife *m.*【은어】비단실.

alcatifero *m.* 비단 도둑.

alcatra *f.* =**alquitara, alambique.**

alcatraz *m.* ①【조류】펠리컨(pelícano). ② 삼각 주머니. ③【식물】네델란드 칼라듐(aro).

alcaucí *m.* =**alcaucil.**

alcaucil *m.* ①【식물】(야생의) 한국 엉겅퀴 : ~ cultivado 한국산 엉겅퀴. ②《*Arg.*》뚜쟁이, 중개·주선·알선하는 사람.

alcaudetano, na *adj.m.f.* 알까우데떼 데 라 하라《Alcaudete de la Jara, Toledo 주의 마을》의 (사람)(jareño).

alcaudetense *adj.m.f.* 알까우데떼《Alcaudete, Jaén주의 도시》의 (사람).

alcaudón *m.*【조류】때까치, 물까치. Contr. desollador.

alcavela *f.*【고어】=**turba, manada.**

alcavera *f.*【고어】=**casta, familia, raza, tribu.**

alcayata *f.* 구부러진 못, 갈고리 못(escarpia).

alcayota *f.*《*Chile.*》【속어】=**chilacayote.**

alcazaba *f.* 성곽, 요새시.

alcázar *m.* ① 성(fortaleza) : El *A-* de Toledo fue reedificado en tiempos de Carlos V. ② 왕궁 (palacio real). ③【선박】선미 누상 갑판(船尾樓上甲板).

alcazareño, ña *adj.* 알까사르(Alcázar)의. —*m.f.* 알까사르 사람.

alcazuz *m.*【식물】감초(orozuz).

alc.[de] alcalde.

alce[1] *m.*【동물】큰 사슴. Sinón. anta.

alce[2] *m.* 올리는 일, 높이는 일.

no dar ~《*Arg.*》여유를 주지 않다, 짬을 주지 않다. [*N.* 동사는 alzar].

alce[3] alzar의 접·현·1·3·단수.

alcé alzar의 부정과거·1·단수.

alcea *f.*【식물】양아욱.

alcedídeas *f.pl.*【조류】=**alcedínidos.**

alcedínidas *f.pl.*【조류】=**alcedínidos.**

alcedínidos *m.pl.*【조류】부리가 짧은 새의 과.

alcedo *m.* =**arcedo.**

alcedón *m.*【조류】물총새(martín pescador).

alcéis alzar의 접·현·2·복수.

alcemos alzar의 접·현·1·복수.

alcen alzar의 접·현·3·복수.

alcense *adj.m.f.* =**alcés, alcazareño.**

alces alzar의 접·현·2·단수.

Alcides *m.* Hércules의 별명.

alcino *m.*【식물】야생 층층이꽃. Sinón. albahaca silvestre.

Alción *m.*【천문】플레이아데스 성단의 일등별.

alcionera *f.*《*Chile.*》=**ación.**

alciónico, ca *adj.* 물총새의·에 관한.

alcionio *m.*【동물】산호류, 해면류.

alcionios *adj. pl. días* ~ 동지를 전후해서 날씨가 온화한 두 주간.

alcionito *m.* 산호군(珊瑚群).
alcirense *adj.m.f.* =**alcireño.**
alcireño, ña *adj.* 알시라《Alcira, 발렌시아 주의 도시》의. —*m.f.* 알시라 사람.
alcista *m.f.* 투기사. —*adj.* 강세의, 증권 시세가 오르는 기미가 있는 : factor ~ 강재료(强材料). Contr. bajista.
Alcmena *f.* 【신화】 Anfitrión의 아내《남편이 출전중 Júpiter와 정을 통해 Hércules를 낳음》.
alcoar *m.* 《*Sal.*》 밀의 흰가루병 병균(tizón del trigo).
alcoba *f.* ① 침실(dormitorio, cuarto de dormir). ② 저울의 바늘 상자. ③ 중량 검사소. ④ 무거운 물건을 끄는 데 쓰는 밧줄.
alcoberreño, ña *adj.m.f.* 알꾸비에레《Alcubierre, Huesca 주의 읍》의 (사람).
alcobilla *f.* [*dim.* alcoba] ① 작은 침실. ② 저울의 바늘 상자.
~ *de lumbre* 벽난로.
alcocarra *f.* ① 이상한 표정(gesto). ② 찡그린 얼굴, 익살스런 얼굴 : hacer ~*s.*
alcofa *f.* 등에 지는 광주리.
alcofolar *tr.* 【고어】 =**alcoholar.**
alcohela *f.* 【고어】 =**escarola.**
alcohol *m.* ① 알코올. ② 주정 ; 주정 음료. ③ 눈썹에 바르는 검은 가루분. ④【광물】 방연광(galena).
~ *absoluto* 무수(無水) 알코올. ~ *amílico* 아미 알코올. ~ *etílico* 에틸 알코올. ~ *metílico* 메틸 알코올. ~ *de arder* 연료용 알코올. ~ *de vino* 주정.
alcoholado, da *adj.* 눈의 가장자리가 검은. —*m.* 알코올제 : La tintura de yodo es un ~.
alcoholador, ra *adj.* 검은 가루분으로 염색한.
alcoholar *tr.* ① (눈썹·머리카락 등을) 검은 가루분으로 염색하다 ; 알코올로 눈을 씻다. ② (…에서) 알코올을 뽑다. ③ (틈새에) 타르칠을 하다.
alcoholato *m.* 방향 알코올.
alcoholaturo *m.* 알코올제의 일종.
alcoholera *f.* 속눈썹에 바르는 가루분의 작은 접시 ; 알코올 공장.
alcoholero, ra *adj.* 알코올의(del alcohol) : la industria ~*ra.*
alcohólico, ca *adj.* ① 알코올 함유의 : licor ~. ② 알코올의. —*m.f.* 알코올 중독자.
alcoholificación *f.* 알코올로 변화 : la ~ del azúcar.
alcoholimetría *f.* 주정도 검사·검량.
alcoholímetro *m.* 알코올계, 주정 비중계.
alcoholismo *m.* 알코올 중독.
alcoholización *f.* 알코올 포화·정유.
alcoholizado, da *adj.* 알코올 중독의. —*m.f.* 알코올 중독자.
alcoholizar *tr.* ⑨ ① (…에) 알코올을 섞다 : ~ un vino. ② 주정을 빼다.
~se 알코올 중독이 되다(envenenarse con alcohol).
alcoholoscopio *m.* 알코올 비중계.
alcohómetro *m.* 【속어】 =**alcoholímetro.**
alcol *m.* 【속어】《*Amér.*》 =**alcohol.**
alcolla *f.* 대형 플라스크, 병.
alconcilla *f.* 연지(afeite para el rostro).
alcor *m.* 언덕, 야산, 비탈.
Alcorán *m.* 회교 경전, 코란 : El ~ es el fundamento de la religión mahometana.
alcoránico, ca *adj.* 코란의, 회교 경전의.
alcoranista *m.f.* 회교 경전 학자.
alcorano, na[1] *adj.* =**alcoránico.**
alcorano, na[2] *adj.m.f.* 알꼬라《Alcora, Castellón 주의 마을》의 (사람).
alcorce *m.* ①《*Ar.*》 설탕을 입힘. ②《*Ar.*》 지름길(atajo).
alcorci *m.* 소형 장신구의 일종.
alcornocal *m.* 코르크·떡갈나무 숲 : Abundan los ~*es* en Cataluña.
alcornoque *m.* ①【식물】 코르크나무 ; 떡갈나무. ② 얼간이, 바보, 등신.
alcornoqueño, ña *adj.* 코르크의 ; 코르크 모양의.
alcorque *m.* ① 바닥에 코르크를 댄 덧신(chanclo con suela con corcho). ② 나무 밑둥의 관수용 구멍.
alcorza *f.* ① 당의(糖衣) ; 설탕 입힌 과자. ②《*Arg.*》 미묘한 것.
alcorzado, da *adj.* 당의·설탕을 입힌.
alcorzar *tr.* ⑨ ① 설탕을 입히다 : ~ un pastel. ② 아름답게 하다, 장식하다. ③《*Ar.*》 =**acortar, abreviar, atajar.**
alcotán *m.* 【조류】 매(halcón)의 일종.
alcotana *f.* 도끼 모양의 곡괭이.
alcotón *m.* 【고어】 =**algodón.**
alcotonía *f.* 【고어】 =**cotonía.**
alcoyano, na *adj.m.f.* 알꼬이《Alcoy, Alicante 주의 도시》의 (사람).
alcrebite *m.* 유황(azufre).
alcribís *m.* (난로의) 바람 구멍.
alcribite *m.* =**alcrebite.**
alcubierreño, ña *adj.m.f.* =**alcoberreño.**
alcubilla *f.* (물의) 탱크, 물통(arca de agua).
alcucero, ra *adj.* 단것을 좋아하는 (goloso) : mozo ~. —*m.* alcuza의 제조업자·상인.
alcudia *f.* =**collado, cerrillo.**
alcudiano, na *adj.m.f.* 알꾸디아 데 까를레《Alcudia de Carlet, Valencia주의 마을》의 (사람).
alcuno *m.* 별명, 이명(異名).
alcurnia *f.* 혈통, 가계(linaje) : persona de noble ~.
alcurniado, da *adj.* 명문의.
alcuza *f.* ① 조금씩 나오는 기름병. ② 식탁에 놓은 양념병. ③ 소주병 (botellón de barro para aguardiente).
alcuzada *f.* alcuza에 하나 가득한 기름.
alcuzcucero *m.* alcuzcuz 만드는 그릇·용기.
alcuzcuz *m.* 알꾸스꾸스 과자《밀가루에 꿀을 넣고 잘게 썰어 찐 것 ; 모로인들의 식료품》.
alcuzcuzu *m.* 【고어】 =**alcuzcuz.**
alcuzón *m.* [*aum.* alcuza] 큰 기름병·양념병.
alchub *m.* 《*Ar.*》 =**aljibe, cisterna.**
aldaba *f.* ① 노커(llamador). ② 고리(anillo). ③ 빗장.
agarrarse a · de buenas ~s, tener buenas ~s 좋은 의지처·후원자를 가지다.
aldabada *f.* ① 노커 소리 : dar ~*s* 고리쇠를 두들기다. ② 놀람.

aldabazo *m.* 노커를 세게 두들기는 일 ; 그 소리.
aldabear *intr.* 노커를 두들기다(dar aldabadas).
aldabeo *m.* 노커를 끈덕지게 두들기는 일 ; 그 소리.
aldabía *f.* 【건축】 들보.
aldabilla *f.* [*dim.* aldaba] (창문 · 문의) 걸쇠.
aldabón *m.* [*aum.* aldaba] 대형 노커 ; (궤짝 등의) 손잡이.
aldabonazo *m.* 노커를 두들김 ; 그 소리.
aldea *f.* 시골 ; 마을.
aldeanamente *adv.* 촌스럽게, 거칠고 투박하게.
aldeaniego, ga *adj.* ① 촌스러운(rústico). ② 시골뜨기의(campesino).
aldeanismo *m.* 사투리, 시골 말씨, 촌스러운 말.
aldeano, na *adj.* ① 시골의, 마을의 : costumbres ~*nas.* ② 교양이 없는, 촌스러운, 투박스러운. —*m.f.* 시골 사람, 촌사람.
Aldebarán *m.* 【천문】 알데바란 《황소좌의 일등별》.
aldebaranio *m.* 【화학】 =**iterbio.**
aldehídico, ca *adj.* 【화학】 알데히드의.
aldehido *m.* 【화학】 알데히드.
aldehuela *f.* [*desp.* aldea] 한촌(寒村).
aldeneja *f.* 【식물】 지치속 식물, 꿀풀(ceriflor).
aldeorrio *m.* [*dim.* aldea] 문화 수준이 빈약하거나 없는 작은 마을.
aldeorro *m.* [*dim.* aldea] =**aldeorrio.**
aldermán *m.* (영국의) 사법관.
alderredor *adv.* 주위에(alrededor).
aldino, na *adj.* ① 알더스 《인쇄 기술자 Aldo Manucio 일가가 1490 ? —1579년에 베니스에서 인쇄한 훌륭한 고전》의 : edición ~*na* 알더스판. ② 초서체의.
aldiza *f.* 【식물】 수레국화, 센타 우레아(aciano menor).
aldorá *f.* 【식물】 수수(zahina).
aldorta *f.* 【조류】 백조의 일종.
aldraguero, ra *adj.* 【방언】 소문을 퍼뜨리고 다니는.
aldrán *m.* 목동 상대의 술장수.
aldúcar *m.* 올이 성긴 비단(adúcar).
ale *m.* (영국산) 맥주(cerveza)의 일종.
¡ale! *interj.* =**¡ea!, ¡Vamos!**
alea *f.* 우연, 행운, 요행(aleya).
aleación *f.* 합금 : ~ antiácida 대산(對酸) 합금. El latón es ~ de cobre, cinc y el bronce 놋쇠는 동과 아연과 청동의 합금이다. **Sinón.** liga.
aleador, ra *adj.* 합금으로 만든.
aleano, na *adj.m.f.* ① 알레아 《Alea, 현재의 Arganda》의 (사람). ② =**argandeño.**
alear *tr.* 합금으로 만들다 : ~ oro con plata. —*intr.* ① 날개를 치다. ② 활개를 치다. ③ 기력을 찾다 : José va *aleando* 호세도 차츰 기운을 되찾아 간다.
aleatoriamente *adv.* 우연히 ; 요행히.
aleatorio, ra *adj.* ① 도박의, 위태위태한 ; 사행적인 : contrato ~ 사행 계약. ② 우연히 맞춘.
aleatorización *f.* 확률화.
alebrarse *r.* ⑲ ① 토끼처럼 땅에 찰싹 엎드리다. ② 겁을 내다, 주춤하다(acobardarse). **Sinón.** agazaparse, amilanarse.
alebrastarse *r.* =**alebrarse.**
alebrestado, da *adj.* ① 《*Amér.*》 여자같은 ; 여자를 좋아하는. ② 《*Méx.*》 화를 잘 내는.
alebrestarse *r.* ① 《*Amér.*》 겁을 내다, 흠칫하다(alebrarse). ② 소동을 일으키다, 떠들썩해지다(alborotarse). ③ 일어서다(erguirse). ④ 반하다.
alebronar *tr.* 겁을 주다, 벌벌 떨게 만들다. **~se** 겁내다(alebrarse).
aleccionador, ra *adj.m.f.* 가르치는 (사람).
aleccionamiento *m.* 교습(教習).
aleccionar *tr.* 가르치다 ; 익히게 하다(dar lección, instruir, enseñar) : ~ a un criado.
alece *m.* 【어류】 멸치의 일종(boquerón).
aleche *m.* =**alece.**
alechigar *tr.* ⑧ 감미롭게 하다(dulcificar) ; 부드럽게 하다(suavizar). **~se** 희뿌옇게 하다, 혼탁하게 하다.
alechugado, da *adj.* 주름잡힌, 우글쭈글한, 상추잎처럼 오므라진 : cuello ~.
alechugar *tr.* ⑧ 오므라지게 하다, 우그러뜨리다, (…에) 주름을 넣다.
alechuguinado, da *adj.* 맵시를 부리는.
alechuguinarse *r.* 맵시를 부리다.
alechuzarse *r.* ⑨ 《*Perú.*》 언짢은 표정을 짓다, 싫은 얼굴을 하다.
alecrín *m.* ① 《*Cuba.*》 【어류】 상어(tiburón). ② 【식물】 알레끄린 《마호가니 같은 목재로 마호가니보다 강하고 무거운 마편초속 나무》.
alectomancia *f.* 수탉 우는 소리로 치는 점.
alectoria *f.* 수탉의 간장 안에 있는 약이 된다는 돌.
alectórico, ca *adj.* 수닭(gallo)의.
alectorídeas *f.pl.* 【조류】 =**alectóridos.**
alectóridos *m.pl.* 【조류】 섭금류.
aléctridas *f.pl.* 【조류】 =**gallináceas.**
aleda *f.* 벌이 벌집에 바르는 첫 밀랍.
aledaño, ña *adj.* ① 경계의, 인접한(confinante, lindante) : finca ~*ña* 인접한 농장. ② 부속의(accesorio, anexo). —*m.* [주로 *pl.*] 부속지, 인접지 ; 경계 ; 끝 (confín).
alefanginas *f.pl.* 노회(áloe) 등으로 조제한 설사용 환약.
alefato *m.* 히브리어 자모의 이름.
alefrís *m.* =**alefriz.**
alefriz *m.* 배의 용골의 오목한 곳.
alegable *adj.* 진술의 ; 변명할 수 있는 : pretexto ~. **Sinón.** plausible.
alegación *f.* ① 신청, 진술 : ~ falsa. ② 논증. ③ 변론, 변증.
alegajar *tr.* 《*Chile.*》 다발로 엮다.
alegamar *tr.* 토비(土肥)를 넣다. **~se** 진흙으로 메워지다.
aleganarse *r.* 진흙으로 메워지다(alegamarse).
alegar *tr.* ⑧ ① 신청하다, 주장하다. ② 증거를 대고 진술하다 : La disculpa que *alega* no es creíble 그가 진술하는 변명은 믿어지지 않는다. ③ 증거로 삼다, 근거로 제출하다. ④ (변호사가) 변론하다. —*intr.* 《*Amér.*》 싸우다, 입씨름하다, 언쟁하다(disputar).
alegato *m.* ① (변호사의) 변론(서). ② 《*Amér.*》 싸움, 입씨름, 말다툼, 말싸움, 언쟁(disputa).

③《AmérC.》 속임수.

alegatorio, ria *adj.* 신청하는, 변론의, 진술하는.

alególogo, ga *m.f.* =**alergista.**

alegoría *f.* 우의(寓意) ; 비유 ; 우화(fábula), 우의화(寓意畵), 우의 시문(詩文).

alegóricamente *adv.* 우의적으로 ; 비유적으로.

alegórico, ca *adj.* 우의의 ; 비유적인.

alegorización *f.* 우의화(寓意化), 비유, 우의적 표현.

alegorizador, ra *m.f.* 우의적 표현을 하는 사람.

alegorizar *tr.* ⑨ 빗대서 하는 말로 받아들이다 ; 우의적으로 표현하다.

alegra *f.* 송곳, 천공기(barrena).

alegrador, ra *adj.* 명랑하게 하는. —*m.* 불을 당기는데 쓰는 심지.

alegradura *f.* =**legradura.**

alegrante *adj.* 기뻐하는.

alegranza *f.* 【고어】 =**alegría.**

alegrar *tr.* ① 기쁘게 하다, 기쁨을 주다(causar alegría). ② 싱싱하게 만들다 (avivar). ③ (불을) 타오르게 하다. ④ 밝게 하다, 아름답게 하다, 미화하다(hermosear) : El sol *alegra* las calles 태양은 거리를 밝게 한다. Las flores *alegran* la habitación 꽃은 방을 밝게 한다. ⑤ (밧줄을) 늦추다. ⑥ (짐을 버려 배를) 가볍게 하다. ⑦ (투우를) 흥분시키다(exitar el toro).

~se ① [+de · por · con : … 을] 기뻐하다, 좋아하다 : *~se por · de · con* una noticia 소식을 듣고 기뻐하다. ¡*Me alegro*! 잘 했군요. ② [+(de)+que+*subj.* : …해서 · …하다니 · …했다니] 기쁘다 : *Me alegro* mucho *de que* usted *esté* ya completamente bien 당신이 이미 완쾌되어 계시는 것을 더없이 기쁘게 생각합니다. *Me alegro (de) que haya vuelto* nuestro profesor 우리 선생님이 돌아오셔서 기쁘다. ③ 흐뭇해지다, 명랑해지다. ④ [+ de + *inf.* : … 해서] 기쁘다 : *Me alegro de* verle 만나뵙게 되어 기쁩니다. *Me alegraré de* verle 만나뵙게 되면 기쁘겠습니다. [Contr.] enfadarse, disgustarse.

alegre *adj.* ① 기쁨에 찬 : Juan está ~. ② 즐거운, 쾌활한, 기쁜 듯한, 명랑한 : cara ~. ③ 기쁘게 하는 : noticia ~. ④ 밝은 : color ~ 밝은 색. ⑤ 기민한, 날렵한, 날쌘(ligero) : Es muy ~ en los negocios. ⑥ 난잡한(libre) : cuento ~.

alegremente *adv.* 즐거이, 기쁘게, 유쾌하게, 명랑하게, 들떠서 : pasar la velada muy ~.

alegrete, ta *adj.* [*dim.* alegre] 신나는 듯한, 기쁜 듯한.

alegreto *adv.* 【음악】 조금 빨리. —*m.* 【음악】 알레그레토.

alegría *f.* ① 환희, 기쁨, 즐거움 : una exclamación de ~. [Sinón.] contento, placer. ② 【은어】 술집, 주막집(taberna). ③ 참깨 가루. ④ 【식물】 참깨(ajonjolí). ⑤ 참깨를 넣은 호두 과자. ⑥ 【선박】 (현창으로 들어오는) 빛, 밝음. —*pl.* 안달루시아의 민요 · 춤.

alegro *adv. ital.* 【음악】 빠르게. —*m.* 【음악】 알레그로, 빠른 음조 · 곡 : tocar · cantar un ~.

alegrón *m.* [*aum.* alegría] ① 뜻밖의 기쁨. ② 타오르는 불꽃. ③《Méx.》 카카오의 가을 수확. —*adj.* 《Arg.》 매우 기쁜 ; 얼근하게 취한.

alegrona *f.* 《Amér.》 품행이 좋지 못한 여자 ; 천박한 여자, 아양을 잘 떠는 여자.

alegroso, sa *adj.* 기쁨으로 가득찬.

aleja *f.* 《Murc.》 선반, 찬장(vasar).

alejado, da *adj.* =**distante, lejano.**

alejamiento *m.* ① 멀리하는 것, 멀어지는 것. ② 거리, 간격(distancia).

alejandrino, na *adj.* ① 알렉산드리아《Alejandría, 이집트의 도시》의. ② 알렉산더 대왕(Alejandro Magno)의. —*m.f.* 알렉산드리아 사람, 알렉산드로 격의 시구 ; 14음절로 된 시구.

alejar *tr.* 멀리하다 : ~ un peligro.

~se ① [+de : … 에서] 멀리하다 : *Aléjese de* calderas y motores 기관실 주의. *Aléjese* (manténgase alejado) *del* fuego 화기 엄금. ②[+de : …에서] 멀리 가다, 떠나다(ir lejos) : *~se de su* casa 집에서 멀리 가다, 집을 떠나다. ③ 물러가다.

alejijas *f.pl.* 보리 가루죽 (puches de harina de cebada).

parecer que ha comido uno ~ 무척 여위다.

Alej.° Alejandro.

alejur *m.* =**alajú.**

alela *f.* 《AmérC.》 커다란 발.

alelado, da *adj.* =**lelo, pasmado.**

alelamiento *m.* 어리석음, 망령.

alelarse *r.* 어리석어지다, 망령부리다.

aleleví *m.* ①《Ál.》 숨바꼭질. ②《Ál.》(숨바꼭질에서) 숨은 아이들이 찾는 아이들에게 내는 목소리.

alelí *m.* 【식물】 비단향꽃무(alhelí).

aleluya *interj.* 할렐루야! —*f.(m.)* 할렐루야《하나님을 찬미하다》, 하나님을 찬미하는 노래 · 찬송가 : cantar *la · el* ~. —*m.* 부활절 무렵 : Por el ~ nos veremos 부활절 무렵에 만납시다. —*f.* ① 성 일요일에 군중이나 행렬을 향해 던지는 성화(聖畵) ; 서툰 그림 ; 서툰 시. ② 말라깽이 : Este caballo es una ~. ③ 즐거움, 기쁨 : Hoy es día de ~ 오늘은 즐거운 날이다. ④ 부활절에 신도에게 주는 과자. ⑤ 【식물】 괭이밥《봄부터 가을에 걸쳐 노란 꽃이 피는 괭이밥과의 다년초》.

alema *f.* ① 관개수(灌漑水)의 몫. ② *pl.* 《Bol.》 강변의 수영장.

alemán, na *adj.* 독일의.

—*m.f.* 독일 사람. —*m.* 독일어 : alto · bajo ~ 고 · 저 독일어.

alemana *f.* =**alemanda.**

alemanda *f.* 독일춤 《독일계의 오래된 서반아 무용》 ; 그 곡.

alemanés, sa *adj. m.f.* =**alemán.**

alemanesco, sa *adj.* =**alemanisco.**

Alemania *f* 독일 : República Federal de ~, ~ Occidental 서독, 독일 연방 공화국. la República Democrática de ~, ~ Oriental 동독, 독일 민주 공화국.

alemánico, ca *adj.* 독일에 관한.

alemanisco, ca *adj.* 독일직(織)의. —*m.* 비단 식탁보.

alendar *tr.* 【은어】 = **alegrar.** —*intr.* 태업(怠業)하다, 사보타주하다.

alentadamente *adv.* 씩씩하게, 기운차게, 당차게, 활기차게. Contr. cobardemente.

alentado, da *adj.* ① 씩씩한, 위세있는, 활기찬(animoso, valiente). ② 거만한(altenero). ③ 늠름한. ④《*AmérM.*》 건강한(sano) : Hoy el enfermo está ~ 환자는 오늘 건강하다. —*f.* 단숨 : Juan lo leyó *de una* ~ 후안은 그것을 단숨에 읽었다.

alentador, ra *adj.* 믿음직한, 힘이 나오는 (듯한).

alentar *intr.* 19 호흡하다(respirar). —*tr.* ① 용기를 북돋우다, 기운을 돋아주다, 격려하다 (animar). ②《*AmérM.*》 박수・갈채를 보내다, 응원하다(palmotear).
~se ① [+con : … 으로] 힘을 내다, 기운을 차리다 : ~*se con* la esperanza. ②《*AmérC.*》 새끼를 낳다. Contr. desanimar.

alentoso, sa *adj.* =**alentado.**

aleonado, da *adj.* ① 황갈색의, 사자털 빛깔의 (leonado). ②《*Chile.*》 시끄러운.

aleonar *tr.* 《*Chile.*》 소란을 피우다, 떠들썩하게 하다.

alepantado, da *adj.* 《*AmérM.*》 멍한, 얼빠진.

alepantamiento *m.* 《*Ecuad.*》 =**distracción; abstracción, embobamiento.**

alepín *m.* 고급 양모 직물.

alerce *m.* 【식물】 낙엽송 : ~ africano 마황 《노송나무의 일종》.

alergía *f.* 【의학】 알레르기증.

alérgico, ca *adj. m.f.* 알레르기(성・체질)의 (사람).

alergista *m.f.* 알레르기 전문 의사.

alero *m.* ① 추녀. ② (차의) 흙받이. ③ 【동물】 어린 사슴.

alerón *m.* 비행기의 보조 날개.

alerta *adv.* 경계하며, 조심해서, 방심하지 않고 : estar ~ 경계하고 있다. estar ojo ~ 눈을 똑바로 뜨고 있다. vivir ~ 언제나 경계하며 생활하다.
—*interj. m.* 주의・경계하라 《보초 등의 호령》 : El centinela dio *el* ~. —*f.* 주의, 경계(심) (alarma) : en riguroso estado de ~ 경계 태세로.

alertado, da *adj.* 《*Col.*》 =**alerto.**

alertamente *adv.* =**alerta.**

alertar *tr.* 경계시키다 : ~ a un centinela.

alerto, ta *adj.* 【속어】 경계한, 주의깊은, 조심스러운.

alerzal *m.* 낙엽송 숲.

alesna *f.* 송곳(lezna).

alesnado, da *adj.* ① 끝이 뾰족한 : hoja ~*da.* ②《*Venez.*》 씩씩한, 당찬, 위세가 좋은.

alesnar *tr.* 끝이 뾰족하게 하다.

aleta *f.* [*dim.* ala] ① 【어류】 지느러미 : ~ anal 뒷지느러미. ~ caudal 꼬리지느러미. ~ dorsal 등지느러미. ~ pectoral 가슴지느러미. ~ ventral 배지느러미. ② (일반적으로) 지느러미같이 생긴 것. ③ 돌기물, 돌출부.

aletada *f.* 날개・지느러미를 펄럭임.

aletargado, da *adj.* 혼수 상태의 ; 정신을 잃은, 무감각의 ; 동면 상태에 있는.

aletargamiento *m.* 혼수, 혼수 상태 ; 동면 (letargo).

aletargar *tr.* 8 혼수 상태에 빠지게 하다.
~se ① 혼수 상태에 빠지다. ② 동면하다 : La marmota y el lirón *se aletargan* durante el invierno. ③ 기면병에 걸리다.

aletazo *m.* ① 날개를 펄럭임 ; 날개로 침 ; 홰를 침 ; 지느러미로 휘젓기. ②《*Cuba. Chile.*》 손바닥으로 때리기, 따귀 때리기. ③ 훔쳐내기.

aletear *intr.* ① 날개를 펄럭이다. ② 지느러미로 휘젓다. ③ 활개를 치다. ④《*Cuba.*》 구차하게 살다.

aleteo *m.* ① 날개침. ② 지느러미를 움직이는 일. ③ 가슴이 심하게 두근거림.

aleto *m.* 【조류】 물수리(halieto).

aletría *f.* 《*Murc.*》 (수프에 넣는) 국수(fideos).

aleudar *tr.* 발효시키다(leudar).

aleurómetro *m.* 글루텐 정량기 《맥분의 단백질물을 검사하는 기구》.

aleurona *f.* (식물 종자의) 호분(糊粉), 단백질물.

Aleutas (islas) *f.pl.* 앨류선 열도.

alevantar *tr.* 【속어】 =**levantar.**

aleve *adj.* 반역하는, 배신의 (alevoso, traidor) : hombre ~. —*m.f.* 배신자, 반역자. —*m.* 배신. —*adv.* 배신하여, 음흉하게.

alevemente *adv.* 배신하여, 배반하여.

alevilla *f.* 【곤충】 (누에고치 비슷한) 흰나방.

alevín *m.* =**alevino.**

alevino *m.* 《*Galic.*》 ① (연못에서 기른 방류용) 작은 물고기. ② 달리기의 초심자.

alevosa *f.* =**ránula.**

alevosamente *adv.* 배신하여.

alevosía *f.* 배반, 불신, 배신(traición).

alevoso, sa *adj.* 배반의, 배신의 : acción ~*sa.*

alexia *f.* 뇌이상으로 인한 독서 불능.

alexifármaco, ca *adj.* 항독(抗毒)의. —*m.* 해독제(contraveneno).

alexitéreo, a *adj. m.* =**alexifármaco.**

aleya *f.* 회교 경전의 장구(章句).

aleznado, da *adj.* 송곳(lezna) 모양의.

alezno *m.* (임산부의) 배에 두르는 띠 ; 산욕용의 깔 천.

alfa *f.* ① 알파 《그리스어 자모의 첫문자》 : ~ y omega 처음과 끝 ; 처음이자 마지막인 것, 그리스도. ② 【천문】 알파성(星) 《별자리 가운데 대표적인 별》.
rayos ~ 【화학】 알파선.

alfábega *f.* 【식물】 층층이꽃.

alfabéticamente *adv.* 알파벳순으로.

alfabético, ca *adj.* 자모의 ; 알파벳순의 : signo ~.

alfabetización *f.* ① 알파벳순의 정리・배열. ② 독서 교육・보급.

alfabetizado, da *adj. m.f.* 독서 교육을 받은, 독서할 수 있는 (사람).

alfabetizar *tr.* 9 ① 알파벳순으로 배열하다. ② 독서를 가르치다.

alfabeto *m.* 자모(표)(abecedario).

alfada *f.* =**redención, rescate.**

alfaguara *f.* (기운차게 솟아나는) 샘, 솟아나오는 물.

alfahar *m.* =**alfar.**

alfaharería *f.* =**alfarería.**

alfaharero *m.* =**alfarero.**

alfaida *f.* 만조시 밀물에 의한 강물의 증수.
alfaide *m.* 한사리(marea viva).
alfajeme *m.* 【고어】=**barbero.**
alfajía *f.* (창, 액자 등의) 나무틀(alfarjía).
alfajor *m.* ① =**alajú.** ②《*Amér.*》단것, 과자. ③ 비수, 단도.
alfajorero, ra *m.f.* alfajor 제조자 · 판매자.
alfalfa *f.* 【식물】자주개자리《목초》: ~ arborescente 자주개자리《관목》.
alfalfal *m.* 자주개자리밭.
alfalfar[1] *m.* =**alfalfal.**
alfalfar[2] *tr.* 《*Chile.*》(…에) 자주개자리를 심다.
alfalfe *m.* =**alfalfa.**
alfalfez *m.* =**alfalfe.**
alfana *f.* 사나운 말; 기운찬 말.
alfandoque *m.* 《*Col.*》(흔들어 소리나게 하는) 대나무통.
alfaneque *m.* 【조류】흰수리부엉이.
alfanjado, da *adj.* 신월도(alfanje) 모양의.
alfanjazo *m.* 신월도로 치기; 칼에 벤 상처.
alfanje *m.* ① 신월도(新月刀). ②【어류】황새기 (pez espada).
alfanjete *m. dim.* alfanje.
alfanumérico, ca *adj.* 알파벳과 숫자로 이루어진.
alfaque *m.* [주로 *pl.*] (강어귀 · 해안의) 사주(砂洲), 모래톱. Sinón. barra.
alfaqueque *m.* 포로 · 노예를 환매(還買)하는 임무.
alfaquí *m.* (회교의) 법학 박사. Sinón. ulema.
alfar[1] *m.* ① 도기 공장. ② 점토(arcilla).
alfar[2] *intr.* (말이 달릴 때) 앞발을 너무 들다.
alfaraz *m.* (옛날 아라비아인들의) 군마(軍馬); 준마.
alfarda *f.* (그리스도 왕국에서의) 회교도의 세금; 용수세(用水稅); 모로코의 특별 헌납금.
alfardero *m.* 《*Ar.*》세금 징수원.
alfardilla[1] *f.* =**esterilla.**
alfardilla[2] *f.* 《*Ar.*》세금 이외의 부가액.
alfardón *m.* 《*Ar.*》=**arandela.** 《*Ar.*》=**alfarda.**
alfareme *m.* =**toca, velo.**
alfarense *adj.m.f.* 알파로《Alfaro, Logroño 주의 도시》의 (사람).
alfareño, ña *adj.m.f.* =**alfarense.**
alfarería *f.* 도자기 공장; 도자기업; 도자기점.
alfarero, ra *m.f.* 도공(陶工).
alfargo *m.* 착유용 지렛대.
alfarje *m.* ① (올리브유의) 착유기; 착유장. ②【건축】소란(小欄) 반자, 우물 반자.
alfarjía *f.* (창문 · 문짝의) 틀; 그 목재《14cm×6cm》.
alfarma *f.* 《*Ar.*》=**alharma.**
alfarnate *adj.* 【고어】=**bribón, tuno.**
alfayata *f.* 【고어】=**sastra.**
alfayate *m.* 【고어】재단사, 재봉사(sastre).
alfayatería *f.* 재단사의 직.
alfazaque *m.* 【곤충】풍뎅이(escarabajo)의 일종.
alfeiza *f.* =**alféizar.**
alfeizado, da *adj.* 물매가 있는.
alfeizar *intr.* ⑨ (창문에) 물매를 내다.
alféizar *m.* 【건축】(창문의) 물매.
alfeñicarse *r.* ⑦ ① 바싹 마르다, 여위다(adelgazarse). ② 으시대다, 풍류객 티를 내다.
alfeñique *m.* ① 꽈배기 과자. ② 맵시 (부리기). ③ 맵시꾼, 풍류객.
alfeñiquerero, ra *m.f.* 꽈배기 과자 제조자 · 판매자.
alferazgo *m.* ① 기수(旗手) (alférez)의 역. ②《*AmérM.*》독지가의 기부로 하는 축제.
alferecía *f.* ① 기수의 역할. ② (병의) 경기, 경련.
alférez *m.* ① 기수. ② 육군 소위: ~ alumno 사관 생도. ~ de fragata 해군 소위. ~ de navío 해군 중위. ③《*AmérM.*》댄스 파티 등에서 비용을 대는 사람. ④ 토인 마을의 일을 보는 사람. ⑤《*AmérC.*》(친밀한 사이에서) 저 사람: Oye lo que dice mi ~.
alferraz *m.* 【조류】(사냥용) 매.
alficoso, sa *adj.* 흰자위가 많은. —*m.* =**alficoz.**
alficoz *m.* 【식물】오이(cohombro).
alfil *m.* ① 서양 장기의 말. ② [*ár.* alfal]【고어】속담, 격언(proverbio, agüero).
alfilel *m.* 【고어】=**alfiler.**
alfiler *m.* ① 핀, 브로치: ~ de corbata 넥타이핀. ~ de gancho 머리핀. ~ de pecho 가슴핀. ~ de seguridad 안전핀. ②《*Amér.*》등심살. —*pl.* ① (여자의) 장신구: con todos sus ~*es* 잔뜩 치장하여. ② (여자의) 용돈: dar para ~*es* 용돈을 주다. ③ (하녀에게 주는) 팁: pedir para ~*es* 팁을 강요하다.
de veinticinco ~es (특히 여자들이) 한껏 멋을 내어 차려 입은, 거창하게 꾸민.
pegado · prendido con ~es 야무지지 못한, 헤픈, 무른, 벗어지기 쉬운.
no caber un ~ de gusto 《*Chile.*》몹시 흐뭇해 하고 있다.
no estar con sus ~es 유머가 부족하다.
alfilerar *tr.* 핀을 꽂다: ~ una prenda.
alfilerazo *m.* (핀 · 칼 같은 것으로) 찌르는 일: matar a ~*s* 쿡쿡 찔러 죽이다.
alfilerera *f.* 《*And.*》제라늄의 열매.
alfilerero *m.* 바늘통, 핀통.
alfilerillo *m.* (칠레의) 미나리과 식물.
alfilero *m.* 바늘통, 핀통.
alfiletero *m.* =**alfilerero.**
alfiñique *m.* 《*Amér.*》=**alfeñique.**
alfitete *m.* =**sémola.**
Alf.º Alfonso.
alfolí *m.* 곡창; 소금 창고.
alfoliar *tr.* ⑫ 창고에 넣다: ~ sal.
alfoliero *m.* 창고지기.
alfolinero *m.* =**alfoliero.**
alfombra[1] *f.* [*ár.* aljomra] ① 카펫, 양탄자, 융단: ~ de Bruselas 브루셀 카펫. ② 바닥에 까는 것: ~ de hierba.
alfombra[2] *f.* [*ár.* alhomra]【의학】마진(痲疹), 홍역.
alfombrado *m.* [집합] 융단류, 양탄자.
alfombrado, da *adj.* ① 융단이 깔린: sala ~*da.* ② 융단과 같은 그림이 그려진: mantón ~.
alfombrar *tr.* ① (…에) 융단을 깔다: ~ una sala. ② 덮다(cubrir): La naturaleza *alfombra*

los prados de verde hierba.
alfombrero, ra *m.f.* 융단을 만드는 사람.
alfombrilla *f.* 홍역의 일종; 발진.
de ～ 《*Amér.*》 극도의.
alfombrista *m.f.* 융단 상인; 융단 만드는 사람.
alfóncigo *m.* 【식물】 옻나무의 일종.
alfondeguero *m.* 《*Ar.*》 =**alhondiguero.**
alfóndiga *f.* 【고어】《*Aragón. Sal.*》 =**alhóndiga.**
alfondoque *m.* =**alfandoque.**
alfonsearse *r.* [드뭄] 골리다, 놀리다.
alfonsí *adj.* =**alfonsino.**
alfónsigo *m.* =**alfóncigo.**
alfonsina *f.* 알깔라 대학의 의식.
alfonsino, na *adj.* 알폰소 (Alfonso) 왕파의 : familia ～*na.* —*m.* 알폰소 현왕 《Alfonso el Sabio, 1252～82 재위, Crónica General, Las siete Partidas의 감수자》 시대에 주조된 동전.
alfonsismo *m.* 알폰소왕 《특히 carlismo에 대하여 Alfonso 12세 (1874−79)》 파 · 편 · 옹립당.
alforfón *m.* 【식물】 메밀. **Sinón.** trigo sarraceno.
alforín *m.* 《*Murc.*》 =**algrín.**
alforjas *f.pl.* 어깨 앞뒤로 늘어뜨려서 걸쳐 메는 여행용 부대, 안장 좌우로 늘어뜨리게 된 자루; 여행용 식량.
por pura alforja 《*Chile.*》 헛되이, 공연히.
alforjero *m.* alforjas를 파는 집; 짐부대를 나르는 사람; (alforjas를 가지고 다니던) 탁발승.
alforjón *m.* =**alforfón.**
alforjudo, da *adj.* 《*Chile.*》 무골 호인의, 어리석은, 바보스런.
alforjuela *f. dim.* alforja.
alforrochar *tr.* 《*Ar.*》 닭장에서 닭을 쫓다.
alforrocho 《*Ar.*》 =**pollo, gallina.**
alforza *f.* 가로 주름; (옷의) 단 : echar la ～ 단을 대다.
alforzar *tr.* ⑨ (옷에) 단을 대다 : Hay que ～ las mangas de esa camisa.
alfoz *f.* *(m.)* ① (어떤 주의) 부속 지역. ② 협곡, 산골짜기 길. **Sinón.** hoz.
álg. álgebra.
alga *f.* ① 【식물】 해조(海藻), 바닷말. ② 【상업】 김, 해태. —*pl.* 해조류.
algaba *f.* 숲, 삼림.
algabeño, ña *adj.m.f.* 알가바 《Algaba, Sevilla 주의 마을》의 (사람).
algadara *f.* =**algarrada.**
algadonera *f.* 【식물】 떡쑥.
algaida *f.* ① 잡초가 우거진 곳. ② 모래 언덕, 사구(médano).
algaido, da *adj.* 《*And.*》 가지로 덮힌.
algalia *f.* ① 사향(麝香). ② 【식물】 어저귀의 일종. ③ 【외과】 도뇨관(導尿管). —*m.* 사향고양이 (gato de ～).
algaliar *tr.* ⑪ (…에) 사향을 넣다.
algaliero, ra *adj.* 사향 쓰기를 좋아하는.
algar *m.* 【고어】 =**cueva, caverna, gruta.**
algara *f.* ① (적지로 침입하는) 기마병, 그 침입. ② (달걀 · 양파의) 얇은 껍질.
algarabar *tr.* 【은어】 =**robar, hurtar.**
algarabía *f.* ① 아라비아어(lengua árabe). ② 영문 모를 일, 헛소리, 넋두리. ③ 아우성, 왁자지껄, 소란(greguería). ④ 【식물】 송이풀.
algarabiado, da *adj.* 아라비아어를 아는. —*m.f.* 아라비아어를 하는 사람.
algarabio, bia *adj.m.f.* 【고어】 아라비아의 (사람).
algaracear *intr.* 싸락눈이 내리다.
algarada *f.* ① 기마대(algara). ② 야단법석, 소란, 폭동. ③ 소몰이 놀이(algarrada).
algarazo *m.* 《*Ar.*》 일시적인 비.
algarero, ra *adj.* 아우성치는. —*m.* 기마병.
algarot *m.* 【화학】 산화 안티몬.
algarrada *f.* ① 대석궁(大石弓). ② 소를 휘감아 쓰러뜨리기. ③ 송아지의 투우.
algarrafa *f.* 《*Col.*》 =**garrafa.**
algarroba *f.* 【식물】 쥐엄나무 비슷한 상록 교목; 그 열매.
algarrobal *m.* algarroba의 밭.
algarrobera *f.* 【식물】 =**algarrobero.**
algarrobero *m.* 【식물】 쥐엄나무 비슷한 상록교목.
algarrobilla *f.* =**arveja.**
algarrobillo *m.* 《*Riopl.*》 쥐엄나무 비슷한 상록교목의 열매.
algarrobo *m.* 【식물】 쥐엄나무 비슷한 상록 교목; 그 열매.
～ *loco* 【식물】 박태기나무.
algavaro *m.* 【곤충】 하늘소.
algazafán *m.* =**las agallas.**
algazara *f.* 환호성; 아우성.
álgebra *f.* ① 대수(代數). ② (옛날의) 정골술(整骨術).
algébricamente *adv.* 대수학적으로.
algébrico, ca *adj.* 대수학의(algebraico) : cálculo ～.
algebrista *m.f.* ① 대수학자. ② (옛날의) 정골의(整骨醫). ③ 뚜쟁이(alcahuete).
algecireño, ña *adj. m.f.* 알헤시라스(Algeciras)의 · 에 관한 · 에 사는 · 에서 태어난 : Jaime es ～ a causa de su trabajo.
algemesiñero, ra *adj.m.f.* 알헤메시 《Algemesí, Valencia 주의 마을》의 (사람).
algente *adj.* 【시어】 차가운, 추운(frío).
algesia *f.* =**hiperestesia.**
algez *m.* =**aljez.**
algezón *m.* 석고 찌꺼기.
algia *f.* 국부 고통.
-algia *suf.* 「고통」의 뜻을 나타내는 접미어 : cefal*algia* 두통(dolor de cabeza).
algidez *f.* 【의학】 한기, 오한.
álgido, da *adj.* ① 으시시 추운, 오한이 나는 : fiebre ～*da* 오한이 따르는 열. ② 【속어】 최고조의, 한창인 : el momento ～ de la batalla.
algo *pron.* ① 어떤 것, 무엇인가, 무엇이라도, 다소, 얼마간 : Leeré ～ 무엇이라도 읽어보겠다. Apostamos ～ 얼마간 내기에 걸자. Aun falta ～ para llegar 도착하자면 아직 좀 시간이 있다. Tengo ～ que hacer 나는 할 일이 조금 있다. ② [+de : …의] 얼마간 : tener ～ *de* buen sentido 얼마간의 양식이 있다. tener ～ *de* bueno 얼마간 좋은 점이 있다. **Contr.** nada.
—*adv.* 약간, 얼마간 : Anda ～ escaso de dinero 약간 돈이 모자라다. Entiende ～ el latín 그는 라틴어를 약간 안다.
Algo es ～ ; ***Más vale*** ～ ***que nada*** 약간이라도 없

는 것보다 낫다.
por ~ 어떤 사연이 있어서 : *Por* ~ hay llaves y cerrojos 세상에 열쇠와 자물통이 존재한다는 것은 어떤 사연이든 있기 때문이다.
algodón *m.* ①【식물】목화 : El ~ es originario de la India. ② 면 ; 무명 ; 솜 : aceite de ~ 면실유(綿實油). artículos de ~ 면제품. ~ absorbente 탈지면. ~ desmontado 조면(繰綿). ~ en rama 생면, 목화. ~ pólvora 면화약(綿火藥).
estar criado entre ~ 사랑받으며 응석받이로 자라고 있다.
algodonal *m.* 목화밭.
algodonar *tr.* (…에) 솜을 넣다.
algodoncillo *m.* [*dim.* algodón] ①【식물】목화 비슷한 식물. ②《*Méx.*》【속어】디프테리아.
algodonero, ra *adj.* 솜의, 무명의 : industria ~*ra.* —*m.f.* 면방직공, 면방적 상인.
—*m.* 【식물】목화(algodón).
algodonita *f.* (칠레 알고돈에서 발견된) 동광(mineral de cobre).
algodonosa *f.* 【식물】목화 비슷한 식물.
algodonoso, sa *adj.* 솜으로 덮인, 솜같은 : nubes ~*sas.*
Algol *m.* 【천문】알골별《페르세우스 자리의 별》.
algología *f.* 【식물】해조학, 조류학.
algológico, ca *adj.* 해조학의, 조류학의.
algólogo, ga *m.f.* 해조학자, 조류학자.
algoritmia *m.f.* 산술, 계산.
algorítmico, ca *adj* 산술의, 계산의.
algoritmo *m.* 아라비아 숫자 계산법, 산술.
algorra *f.* 《*Chile.*》 =**alhorre.**
algorza *f.* [드묾] =**barda, bardal.**
algoso, sa *adj.* 해초(alga)가 무성한, 바닷말이 많은.
algospasmo *m.* ①【의학】고통스런 경련. ② = **retortijón, calambre.**
algotro, tra *adj. pron.* 《*Amér.*》 어떤 다른《algún otro의 사투리》.
alguacil *m.* ① 경관, 순경. ② 시청 직원. ③ 법원의 하급 관리. ④ 집행관 ; 감시인 : ~ del agua 배의 당번. ⑤ 자물쇠 여는 기구. ⑥ (옛날의) 시장. ⑦【곤충】파리잡이 물매암이. ⑧《*Arg.*》 잠자리(libélula)의 일종. ⑨【투우】외양간의 열쇠 담당자.
alguacila *f.* 【고어】 =**alguacilesa.**
alguacilazgo *m.* alguacil의 직위・직책・사무소.
alguacilejo *m. dim.* alguacil.
alguacilería *f.* 경관의 행동.
alguacilesa *f.* 경관의 아내.
alguacilesco, ca *adj.* 경관・순경 같은.
alguacilía *m.* =**alguacilazgo.**
alguacilillo *m.* ①【곤충】물매암이, 물무당. ② 투우장의 두 선도자.
alguandre *adv.* 【고어】 ① =**algo.** ② =**jamás.**
alguanto, ta *pron.* 【고어】 =**alguno.**
alguaquida *f.* 불쏘시개.
alguaquidero, ra *m.f.* 【고어】불쏘시개 제조자・판매자.
alguarín *m.* 곳간 ; (맷돌에서 떨어지는) 가루가 모인 것.
alguaza *f.* 경첩.
alguese *m.* 《*And.*》【식물】 =**agracejo.**
alguien *pron.* ① 누가, 누군지 : Si pasa ~, me avisas 누구든 좋으니, 지나가면 알려 주라. [*N.* 막연히 어떤 사람을 뜻하므로 alguno(정해진 사람 중의 어떤 사람)와는 차이가 있음]. **Contr.** nadie. ② 인물, 사람 됨됨이 : En su pueblo era ~ 자기 마을에서는 그래도 인물이었다.
alguinio *m.* 《*Ar.*》 큰 바구니(cesto, cuévano).
algún *adj.* [alguno가 남성 단수 명사 앞에서 o 탈락형] : ~ día 언젠가. por ~ motivo 어떤 이유에서. ~ hueso que otro 뼈 몇 개.
~ *tanto* 얼마간, 약간, 조금(un poco, algo) : Es ~ *tanto* perezoso.
algunamente *adv.* 【고어】어떤 방법으로, 어떻게.
alguno, na *adj.* [남성 단수 명사의 앞에서 algún이 됨] ① 어느, 어떤, 얼마간의 : ~*nas* casas 몇 채의 집, 어떤 집들. ~*s* libros 책 몇 권. ~*na* vez 언젠가, 어느 때. ~*nas* veces 이따금. ② 상당한 (bastante) : de ~*na* duración 상당 기간의. ③ …같은 것, …의 기분으로 : ladridos de *algún* perro 개 같은 것의 짖는 소리. ④ [부정하는 어구 안에서는 명사 뒤에 붙는다] sin duda ~*na* 아무런 의심도 없이. **Contr.** ninguno.
—*pron.* 누군가, 어떤 것, 어떠한 것들 : Me avisarás si pasa ~ de ellos 그들 가운데 누군지 지나가면 알려 주라. ¿Ha venido ~? (의식하고 있는 사람들 가운데) 누군지 왔나?
~ *que otro* 몇 개의, 약간의 (unos cuantos) : ~*na que otra* casa (점점이 있는) 몇 채의 집. ~*na que otra* vez (길고 짧은 시간 간격을 두고) 이따금. Tiene ~ *que otro* libro 책을 몇 권 가지고 있다.
alhábega *f.* 《*Murc.*》 =**albahaca.**
alhacena *f.* =**alacena.**
alhaja *f.* ① 보석(joya) : ~ de oro. ② 장신구. ③ 보물 : Esta casa es una ~. ④ (빈정거리는 소리로) 아주 좋은 것 : ¡Buena ~! 몹쓸 놈이야!
—*adj.* 《*Amér.*》 아름다운, 깨끗한 : un valse ~ 아름다운 왈츠곡.
alhajado, da *adj.* 《*Col.*》 유복한.
alhajar *tr.* ① 장신구로 장식하다 (adornar con alhajas) : ~ bien una casa. ② 가구로 꾸미다, 세간을 들여놓다(amueblar).
alhajera *f.* 《*AmérC. Chile. Riopl.*》 =**alhajero.**
alhajero *m.* 《*Amér.*》 (장신구・보석의) 케이스・상자(estuche).
alhajito, ta *adj.* 《*Arg.*》 깨끗한, 고운, 귀여운 : sus rostros ~*s.*
alhajú *m.* =**alajú.**
alhajuela *f. desp.* alhaja.
alhamar *m.* 살빛의 모포.
Alhambra *f.* 알람브라 궁전《1248 — 1354년 사이에 아라비아 사람이 Granada에 세운 궁전 ; 아라비아 말로 「붉은」의 뜻》.
alhámega *f.* 【식물】운향, 헨루다(alharma).
alhamel *m.* 【방언】마부.
alhamí *m.* 돌의자.
alhana *f.* 【광물】규조토(珪藻土).
alhandal *m.* 콜로신트 오이의 씨(coloquíntida).
alharaca *f.* 아주 호들갑스러운 표정・몸짓 :

hacer ~*s*.
alharaquiento, ta *adj.* (표정이) 호들갑스러운; 대소동·소란의.
alhárgama *f.* 【식물】 운향, 헨루다.
alharma *f.* =**alhárgama.**
alhavara *f.* 【고어】 ① 꽃가루(harina de flor). ② (Sevilla의) 제분소에서 내는 세금.
alhelí *m.* 【식물】 비단향꽃무.
alheña *f.* 【식물】 쥐똥나무; 쥐똥나뭇잎 분말.
alheñar *tr.* 쥐똥나뭇잎 분말로 염색하다. **~se** (밀 등이) 붉어지다, 타다.
alhócigo *m.* 【식물】 =**alfóncigo.**
alhoja *f.* 【조류】 종달새, 종다리(alondra).
alholí *m.* =**alfolí.**
alholva *f.* 【식물】 홀로바.
alholvar *m.* 홀로바밭.
alhóndiga *f.* 곡물 공설 시장; 곡물류 거래소; 공설 곡창, 곡류 저장소.
alhondigaje *m.* 《*Méx.*》 창고료.
alhondiguero *m.* 시장 감시인, 곡창 감시인.
alhorín *m.* ① 【고어】 =**alhorí.** ② 《*Ar.*》 =**troj.**
alhorma *f.* 모로코인들의 본거지.
alhorre *m.* 배내똥, 태변(胎便); 태독.
alhorro *m.* 《*Ál.*》 =**alforre.**
alhoz *m.* 산골짜기, 산길(alfoz).
alhucema *f.* 【식물】 라벤데르, 라벤더; 라벤더 향수.
alhumajo *m.* 솔잎.
alhurreca *f.* =**adarce.**
ali *m.* 카드 놀이에서 가진 패에 같은 무늬 혹은 같은 수의 패가 두 장 혹은 세 장이 되는 일.
aliabierto, ta *adj.* 깃·날개를 편: pájaro ~.
aliable *adj.* 동맹할 수 있는.
aliaca *f.* 【고어】【의학】 =**aliacán, ictericia.**
aliacán *m.* 【의학】 황달(ictericia)의 옛 이름.
aliacanado, da *adj.* 황달에 걸린.
aliáceo, a *adj.* (냄새·맛이) 마늘 같은: sabor ~ 마늘 같은 맛.
aliado, da *adj.* 동맹한, 연맹을 맺은, 연합한, 제휴한: país ~ 동맹국. las naciones ~*das* 연합국. **—***m.* ① 제휴자, 연맹자, 연합국, 동맹국. ② 《*Cuba.*》 역마차; 택시.
aliadófilo, la *adj.* (제1차 대전 때) 연합국 측의.
aliaga *f.* 【식물】 바늘금작화(aulaga).
aliagar *m.* 바늘금작화 밭·들(aulagar).
aliaje *m.* 《*Galic.*》 합금; 혼합(물).
aliancista *m.f.* 《*Chile.*》 제휴론자, 동맹파.
alianza *f.* ① 동맹, 연합; 제휴; 협정; 결연: contraer ~ con una persona (누구와) 결연을 맺다. ② 연줄. ③ 《*Galic.*》 결혼 반지.
A- Atlántica 대서양 동맹.
~ *cuádrupla* 4국 동맹.
A- para el Progreso 진보를 위한 동맹.
A- Popular Revolucionaria Americana 《*Perú.*》 아메리카 인민 혁명 동맹.
el Arca de la ~ (신이 이스라엘 백성들에게 한 약속, 십계를 새긴 돌을 넣은) 언약의 상자.
la Santa A- 신성 동맹.
Triple A- 삼국 동맹.
aliar *tr.* ⑫ 동맹·연합·제휴시키다. **~se** 동맹·연합·제휴하다.
aliara *f.* 뿔로 만든 술잔(vaso de cuerno).
aliaria *f.* 【식물】 겨자, 갓.
alias *adv.* 별명으로는. **—***m.* 별명.
alibambán *m.* 【식물】 알리밤반 《필리핀의 식물로 잎을 먹을 수 있음》.
álibi *m.* 《*Galic.*》 알리바이, 부재 증명(coartada): ~ inatacable.
alibilidad *f.* 영양성.
aliblanca *f.* ① 《*Col.*》 게으름, 나태, 해태. ② 《*Cuba.*》 산비둘기.
alible *adj.* 영양이 되는: substancia ~.
alibufero *m.* 【식물】 안식향(安息香).
álica *f.* 밀죽.
ALICA Asociación de Industriales de Conservas Alimenticias.
alicaído, da *adj.* ① 날개를 늘어뜨린; 꽁지 깃이 처진: pájaro ~. ② 힘이 없는: El enfermo anda ~. ③ 축 늘어진, 풀이 죽은.
alicántara *f.* 독사(alicante).
alicante *m.* ① 【동물】 알리깐떼 《독사의 일종》. ② 알리깐떼 (Alicante) 산의 포도주. ③ 과자의 일종.
Alicante *m.* 【지명】 알리깐떼 주·시.
alicantina *f.* 책략, 계략.
alicantino, na *adj.* 알리깐떼 《Alicante, 서반아 남동 해안변의 주와 그 수도》의. **—***m.f.* 알리깐떼 사람.
alicatado *m.* 아라비아식 당초(唐草) 무늬의 타일 공사.
alicatar *tr.* (…에) 타일을 붙이다.
alicates *m.pl.* 펜치, 장도리, 집게: ~ de boca redonda·plana 둥근·납작한 펜치. ~ para alambres 절단 펜치.
aliciente *m.* 매력, 유혹, 미끼, 유언: ~ para invertir 투자 유인.
alicionar *tr.* =**aleccionar.**
alicita *f.* =**alizita.**
alicorar *tr.* 《*AmérC.*》 =**adornar.**
alicortar *tr.* (새의 날개를) 잘라 버리다; 상처 입히다.
alicrejo *m.* 《*AmérC.*》 늙은 말; 추한 것.
alicuanta *adj.* 【수학】 나눌 수 없는: parte ~ 비정제수(非整除數).
alicuco *m.* 《*Riopl.*》 【조류】 부엉이의 일종.
alícuota *adj.* ① 【수학】 나눌 수 있는: parte ~ 정제수. ② 비례한, 균형을 이룬(proporcional).
alicurco, ca *adj.* 《*Chile.*》 교활한, 간사한, 앙큼스러운, 속이 검은(astuto).
alicuya *f.* 《*Perú.*》 =**saguaipé**.
alicuz *m.* 앙큼한 사람, 앙큼스러운 인간, 의뭉스러운 놈.
alidada *f.* (측량의) 조준의(照準儀).
alidona *f.* 제비의 배 안에 있다는 작은 돌맹이.
alienable *adj.* 양도할 수 있는(enajenable).
alienación *f.* ① 양도(enajenación). ② 발주(發注). ③ 발광, 광란(locura).
alienado, da *adj.* 미친, 광기의, 발광한(loco).
alienar *tr.* 양도하다; 발광시키다, 미치게 하다 (enajenar).
alienígena *adj.* 외래의, 외국의. **—***m.f.* 외국인. Contr. indígena.
alienismo *m.* 정신병학.
alienista *adj.* 정신병의. **—***m.f.* 정신병 학자; 정신과 의사.

aliento *m.* ① 호기(呼氣) ; 숨, 호흡(呼吸)(respiración) : de un ~ 단숨에, 쉬지 않고(sin pararse) ; 계속해서, 잇달아(seguidamente). ② 힘, 원기, 용기 : cobrar ~ 원기가 나다. persona de muchos ~*s* 정력적인 사람. [*N.* 동사는 alentar].

alier *m.* ①【고어】해군. ②【고어】galera 선의 뱃사공.

alifa *f.* 《*Mál.*》 2년생 사탕수수.

alifafe *m.*【속어】지병, 만성병 ; (말의) 종양.

alifar *tr.*【방언】광나게 하다 ; 장식하다, 꾸미다.

alifara *f.*【방언】=**convite.**

alífero, ra *adj.* ① 날개짓 하는 : insecto ~. ② 날개가 있는(alígero). Contr. áptero.

aliforme *adj.* 날개 모양의.

aligación *f.* ① 혼합. ② 합금 : una ~ de cobre y cinc. ③ 결합. ④【수학】혼합법(regla de ~).

aligamiento *m.* =**aligación.**

aligar *tr.* ① 결합하다. ② 합금하다 (ligar) : ~ dos metales.

aligator *m.* 《*Galic.*》【동물】큰 악어, 아메리카 악어(caimán). Sinón. liga.

áliger *m.*【고어】=**guardamano.**

aligerado, da *adj.* (벽이) 위보다 아래가 더 두꺼운.

aligeramiento *m.* ① 경감. ② 급속, 서두름, 조급함(prisa, apresuramiento).

aligerar *tr.* ① 가볍게 하다, 줄이다 : ~ la carga. ② 경감하다 : ~ al pueblo *de* tributos 국민의 조세를 경감하다. ③ 완화시키다 : ~ el dolor. ④ 서두르게 하다, 빠르게 하다(acelerar) : ~ el trabajo. —*intr.*【속어】서두르다(apresurarse).

~se 가벼워지다 ; 완화되다 ; 가라앉다 ; (하늘이) 개일 듯해지다.

alígero, ra *adj.* ①【시어】날개를 가진 (alado) : flecha ~*ra*. ② 빠른, 신속한(rápido).

aligonero *m.*【식물】팽나무(almez).

aligote *m.*【어류】알리고떼 《깐따브리아해의 물고기》.

aligustre *m.*【식물】쥐똥나무(alheña).

alihón *m.*【식물】알리온 《꿀풀과》.

alijado, da *adj.* alijar의 *p.p.*

alijador, ra *adj.* alijar하는. —*m.f.* 솜 타는 사람. —*m.* 거룻배(lanchón).

alijar *m.* ① 미개지(terreno inculto). Sinón. erial. ② 아라비아 타일. —*m. pl.* 마을 변두리의 공동 목초지, 농지. —*tr.* ① (배의 화물을) 내리다 ; (밀수품을) 양륙하다. ② 샌드페이퍼로 닦다. ③ 목화씨를 빼다.

alijarar *tr.* (개간을 위해) 미개간지를 분할하다.

alijarero *m.* 미개지(alijar)의 개간자.

alijariego, ga *adj.* 미개척지의.

alijo *m.* ① 화물의 양륙, 짐풀기 : embarcación de ~ 거룻배. ② 밀수품. ③ [드뭄] 급탄차, 급수차.

alilaya *f.* 《*Amér.*》 핑계, 변명, 구실 ; 속임수.

alilo *m.*【화학】아릴.

alimaña *f.* (특히 해로운) 짐승, 유해 동물 《여우, 살쾡이 등》: cazador de ~*s*.

alimañero *m.* alimaña 사냥 감시인.

alimentación *f.* ① 영양 : mala ~ 영양 부족. ② 영양 섭취 : la ~ de los niños 어린이의 영양 섭취. La ~ debe ser proporcionada a la edad y al trabajo 영양 섭취는 나이와 일에 비례해야 한다. ③ 급식 ; 공급, 급유, 급수, 급전 : bomba de ~ 급수 펌프.

alimentador, ra *adj.* 공급·보급하는. —*m.f.* 공급자, 보급자.

~ ***de combustibles*** 연료 보급기, 급유기.

alimental *adj.* 영양의, 영양있는.

alimentante *m.f.* 부양자.

alimentar *tr.* ① 부양하다 (sustentar) : ~ a su familia 가족을 부양하다. ② (…에) 영양·자양을 주다 : Hay manjares que no *alimentan* 영양이 없는 음식이 있다. ③ [+de·con : …을] 영양으로서 주다 : ~ a uno *de* frutas 누구에게 먹을 것으로 과일을 주다. ④ [+de : …을] …에(게) 공급하다, 보급하다, 급수·급전하다 (suministrar) : *Alimentaba de* agua este foso una sangría 한 수로가 이 도랑으로 물을 대고 있었다. Sinón. mantener. ⑤ 배양하다, 길러내다 (fomentar) : El dinero *alimenta* el ocio 금전은 나태심을 길러 낸다. El estudio *alimenta* el espíritu 연구는 정신을 배양시킨다.

~se [+con·de : …을] 먹다.

alimentario, ria *adj.* 부양의 ; 영양의 : régimen ~ 식이 요법, 영양 요법. —*m.f.* 피부양자 (alimentista), 부양료 수급자.

alimenticio, cia *adj.* 영양이 되는 : proviciones·substancias ~*cias* 식료, 영양소.

alimentista *m.f.* 피부양자(alimentario).

alimento *m.* ① 음식, 식품 : El pan es el primero de los ~*s*. ② 영양물, 자양물, 자양품 : Es de mucho ~ 그것은 양분이 많다. La ciencia es el ~ del espíritu 과학은 정신의 자양물이다. —*pl.* 부양료 : vivir de ~*s*.

~ ***combustible·respiratorio*** 탄수화물 식료품.

~ ***líquido*** 유동식.

~ ***plástico·reparador*** 단백질 식료품.

~ ***sólido*** 고형식.

alimentoso, sa *adj.* 영양이 풍부한.

álimo *m.*【식물】=**orzaga.**

alimoche *m.*【조류】콘도르의 일종(abanto).

alimonarse *r.* (나무가) 시들시들해지다.

alindado, da *adj.* 미모를 우쭐대는 ; 아니꼬운.

alindamiento *m.* 청결, 깨끗하게 하기; 인접.

alindar *tr.* ① 말끔하게 하다, 깨끗하게 하다, 예쁘게 하다(poner lindo o hermoso). ② (경계를) 정하다. —*intr.* 인접하다(lindar).

~se 몸단장하다, 말끔히 차려 입다.

alinde *m.*【고어】강철의 일종.

alinderar *tr.* 《*AmérM.*》 경계를 정하다.

alindongarse *r.* 《*Sal.*》 화려하게 옷을 입다.

alineación *f.* 정렬 ; 라인업 : ¡ ~, derecha! 우로 나란히!

alinear *tr.* (일직선으로) 정렬하다·놓다 : árboles *alineados.*

aliñado, da *adj.* =**adornado.**

aliñador, ra *m.f.* 《*Chile.*》 접골의사.

aliñar *tr.* ① 꾸미다 ; 조리하다. ② 《*Chile.*》 접골하다.

~se 화장하다 ; 옷치장을 하다.

aliño *m.* ① 장식, 치장. ② 장신구, 화장품. ③ 조미료. —*pl.* 안장.

aliñoso, sa *adj.* ① 장식한, 화장한, 차려 입은. ② 근면한, 부지런한.
alioli *m.* =**ajiaceite.**
alionín *m.* 【조류】 박새.
aliparó *m.* 알리빠로 《필리핀산 교목》.
alipata *m.* 【식물】 (필리핀산의) 등대풀의 일종 《눈에 해로운 식물》.
alípede *adj.* 【시어】 다리에 날개를 가진(alípedo) : Mercurio ~.
alípedo, da *adj.* =**alípede.**
alipegarse *r.* ⑧ 《AmérC.》 가담하다.
alipego *m.* 《AmérC.》 ① (물건 사는 사람에게 주는) 덤, 곁들이는 물건(adehala). [*N.* 꼴롬비아, 뻬루, 에꾸아도르, 칠레, 아르헨띠나에서는 llapa, yapa, ñapa 라고도 함]. ② 귀찮은 사람. ③ 보조자, 시중드는 사람.
aliquebrado, da *adj.* 꽁지·깃이 부러진 ; 날개가 처진 ; 풀이 죽은(alicaído) : andar muy ~.
aliquebrar *tr.* ⑲ 날개를 부러뜨리다.
alirón *m.* 《*Ar.*》 =**alón.**
alirrojo, ja *adj.* 날개가 적색인 : tordo ~.
alisado, da *adj.* alisar의 *p.p.* —*m.* 반질반질하게 함 ; 빗질, 다리미질.
alisador, ra *adj.m.f.* 반질반질한 ; 대패질 하는 (사람). —*m.* 《*Venez.*》 빗.
alisadura *f.* 윤이 나게 함, 반질반질하게 함. —*pl.* 대패밥.
alisal *m.* =**alisar.**
alisar *tr.* ① 반질반질하게 하다 ; 대패로 밀다 : ~ una tabla. ② 빗으로 빗다, 빗질하다 ; 다리미질하다. —*m.* 오리나무숲.
aliseda *f.* 오리나무숲.
alisios *m. pl.* 무역풍. —*adj.* 무역풍의 : vientos ~ 무역풍.
alisma *f.* 【식물】 질경이(llantén de agua).
alismáceo, a *adj.* 【식물】 질경이속의. —*f.pl.* 질경이속.
alismatáceo, a *adj.* 【식물】 =**alismáceo.** —*f.pl.* =**alismáceas.**
aliso *m.* 【식물】 오리나무, 적양(赤楊).
alistado, da *adj.* =**listado.**
alistador, ra *m.f.* 기입 계원 ; 징병 담당자 : sargento ~.
alistamiento *m.* ① 병적 등록, 징병 응모 : ~ de un soldado. ② [집합] 장정.
alistano, na *adj.m.f.* 알까니세스 《Alcañices, Zamora 주의 마을》의 (사람).
alistar *tr.* ① 명부에 기입하다, 병적에 편입하다. ② 준비하다.
~se 명부·병적에 기입하다, 입대하다.
alita *f. dim.* ala.
aliteración *f.* ① 익살, 신소리. ② 첩운법(疊韻法)(paronomasia).
aliterado, da *adj.* 익살스런.
alitienzo *m.* 【식물】 수랍목, 쥐똥나무.
alitierno *m.* 【식물】 쐐기풀(ladierno).
alitranca *f.* 《*AmérM.*》 =**retranca.**
aliviador, ra *adj.m.f.* 경감하는 (사람).
alivianar *tr.* 《*Amér.*》 =**aliviar.**
aliviar *tr.* ⑪ ① 가볍게 하다, 줄이다, 경감하다, 덜다 (aligerar) : ~ la carga 짐을 줄이다. ② [+de : …의 …을] 덜어 주다 : ~ a José *de* un peso 호세의 부담을 덜어 주다. ③ 편하게 하다, 편하게 해주다 ; 돕다, 도와주다, 살려 주다 : ~ al marido *en·de* los trabajos 남편의 일을 돕다. ④ 구조하다. ⑤ (질병을) 호전시키다. ⑥ (걸음을) 빨리하다, 재촉하다, 서둘다, 서둘러 하다. ⑦ 【은어】 훔치다, 슬쩍하다. —*intr.* 걸음이 가벼워지다.
~se ① (고통 따위를) 덜다, 줄이다, 완화하다, 누그러지다. ② (질병 따위가) 호전되다, 회복되다 : Que *se alivie* pronto y vuelva a mis clases 곧 호전되어 내 수업에 돌아오길 바랍니다. ③ 안심하다.
alivio *m.* ① 경감, 줄어듬. ② 쾌차, 경쾌. ③ 한숨 돌리는 일. ④ 【은어】 변호사.
alizar *m.* 타일로 (벽 등의) 밑부분 붙이기 ; 그 타일.
alizari *m.* 꼭두서니의 뿌리.
alizarina *f.* 알리자린 《색소》.
aljaba *f.* 화살통, 전통.
aljafana *f.* 세면기.
aljama *f.* ① 아라비아인이나 유태인의 회합. ② 회교 사원(mezquita). ③ 유태 교회(sinagoga de judíos). ④ =**morería, judería.**
aljamía *f.* 아라비아 문자로 쓰여진 서반아어 ; 그 문자·문학.
aljamiado, da *adj.* aljamía를 말한, aljamía로 쓰여진 : documento ~.
aljamiar *intr.* ⑫ 서툴게 말하다(chapurrar, hablar mal).
aljarafe *m.* 옥상(ajarafe, azoteca).
aljaraz *m.* 【고어】 목축의 방울.
aljarfa *f.* 큰 어망의 중심부.
aljebana *f.* =**jofaina.**
aljebena *f.* 《*Murc.*》 =**aljebena.**
aljecería *f.* =**yecería.**
aljecero, ra *m.f.* =**yecero, yecera.**
aljecireño, ña *adj.* 알헤시라스 《Aljeciras, 서반아 남부 도시》의. —*m.f.* 알헤시라스 사람(algecireño).
aljerife *m.* 큰 어망.
aljerifero *m.* 큰 어망(aljerife)으로 고기잡는 사람.
aljevena *f.* 《*Murc.*》 =**jofaina.**
aljez *m.* 석회석.
aljezar *m.* 석회석 산.
aljezón *m.* 석고 ; 석고 부스러기.
aljibe *m.* ① 빗물통, 저수지. ② 급수선. ③ 유조선 (~ petrolero). ④ (배의) 물탱크. ⑤ 샘. ⑥ 《*Col.*》 우물. ⑦ 《*Perú.*》 구덩이.
aljibero, ra *m.f.* aljibe지기.
aljofaina *f.* 세면기.
aljófar *m.* ① 모양이 불규칙한 진주 : adornar un vestido con ~. ② 진주 같은 것 : ~ del rocío.
aljofarar *tr.* ① 알이 작은 진주로 꾸미다 : vestido *aljofarado.* ② 진주 같은 것으로 꾸미다 : El rocío *aljofaraba* las flores.
aljofifa *f.* 행주, 걸레.
aljofifado *m.* 걸레질.
aljofifar *tr.* 쓸다, 걸레질하다 : ~ los suelos· el patio.
aljonje *m.* ① 끈끈이. ② 【식물】 엉겅퀴의 일종.
aljonjera *f.* 【식물】 =**ajonjera.**
aljonjero *m.* 【식물】 =**ajonjera.**
aljonjo *m.* =**aljonje.**

aljonjolí *m.* 【식물】 참깨.
aljor *m.* 석회석 ; 깁스, (소)석고(aljez).
aljorra *f.* 【곤충】 알호라 《꾸바에서 농사에 해를 많이 끼치는 작은 곤충》.
aljuba *f.* 모로인이 입는 소매가 짧고 좁은 외투(gabán)의 일종.
aljuma *f.* ① 【고어】 =**pimpollo, rama nueva.** ② 《*And.*》 =**pinocha.**
alkermes *m.* =**alquermes.**
alkileno *m.* 【화학】 =**alquileno.**
alkilo *m.* 【화학】 =**alquilo.**
allá *adv.* ① 저쪽으로, 저곳에, 그 부근에서 : ~ en Rusia 저 먼 러시아에서. ② 아득히 먼, 옛날에 : ~ en mis mocedades 그 옛날 내가 아직 젊었을 때. sin hacer provisiones ~ para el invierno 그 겨울을 위한 저축도 하지 않고.
A- él, ~ ella 나는 상관 없다(no me importa).
el más ~ 저 세상.
más ~ de …을 넘어, …의 저 편에, …을 떠나, …에서 멀리.
no ser muy ~ 별로 좋지 않다.
-alla *suf.* 「경멸 · 집합성」을 뜻하는 접미어 : can*alla*, gentu*alla*.
allanabarrancos *m.* 【단 · 복수 동형】 《*Ál.*》 귀가 얇은 사람, 남의 말을 쉽게 믿는 사람(persona facilitona).
allanador, ra *adj.m.f.* 땅을 고르는 (사람). —*m.* 롤러.
allanamiento *m.* ① 땅을 고르기, 평탄하게 하기. ② 복죄(服罪). ③ 스스럼없음.
allanar *tr.* ① 편평하게 하다, 고르다 (poner llano o igual) : ~ el suelo 땅을 고르다. ② (장애물을) 치우다, 무너뜨리다, (어려운 일을) 해결 · 극복하다(vencer alguna dificultad) : ~ los obstáculos. ③ 진정하다. ④ 사양않고 들어오게 하다, 해방하다 : Os *allano* mi tienda. ⑤ 가택을 침입하다 : ~ un domicilio. —*intr.* 편평하게 되다, 반반해지다.
~se ① 편평하게 되다. ② 무너지다. ③ 달게 받다 ; 복종하다, 따르다 : *~se* a las condiciones. ④ 평민 · 평회원 · 민간인이 되다.
allariz *m.* 알랴리스(Allariz) 직물.
allaza *f.* 설익은 편도.
allegadera *f.* 《*Sal.*》 (이삭 주울 때 쓰는) 갈퀴.
allegadero, ra *adj.* =**allegador.**
allegadizo, za *adj.* 뇌동적인, 그냥 따라오는.
allegado, da *adj.* ① 가까운, 근접한 (cercano, próximo). ② 가까워진, 연고자의(pariente).
—*m.f.* ① 친족, 친척(pariente). ② 측근자, 집안 식구들.
allegador, ra *adj.* 모으는, 줍는, 채집하는.
—*m.* 《*Arg.*》 갈퀴 ; 부젓가락.
allegamiento *m.* allegar 하는 일.
allegancia *f.* 【고어】 =**alleganza.**
alleganza *f.* ① 【고어】 =**allegamiento.** ② =**proximidad, contigüidad, cercanía.** ③ 【고어】 =**lleada.**
allegar *tr.* ⑧ ① 끌어들이다, 줍다, 모으다, 채집하다. ② 접근시키다. ③ 부과하다.
—*intr.*, **~se** ① 가까이 오다, 가까워지다, 한통속이 되다, 부화 뇌동하다. ② 【고어】 도착하다(llegar).
allende *adv.* ① 저 너머 (멀리) : de ~ los mares 바다 저 너머. ② 그 위에 (además) : ~ de ser hermosa, era discreta 그녀는 아름다운 데다가 신중하기까지 했다. [Contr.] aquende.
allí *adv.* ① 저기, 저 곳에서, 저 곳에, 저 곳으로 : *Allí* estuve 저 곳에 있었다. *Allí* voy 저 곳에 갑니다. aquí y ~ 여기저기. por ~ 저 부근에. ② 그때, 그럴 즈음에(entonces, en tal ocasión) : *Allí* fue el trabajo.
alloza *f.* 풋 편도, 맛이 쓴 편도(almendruco).
allozar *m.* 편도(almendra) 숲 · 밭.
allozo *m.* 【식물】 편도(almendro) ; 야생 편도.
alludel *m.* =**aludel.**
allumage *m.* =**alumaje.**
alma *f.* [*lat.* anima] ① 혼, 영혼 : infundir ~ 정신을 들이다. ② 정신 ; 마음(conciencia, pensamiento íntimo) : Los ojos son espejo del ~ 눈은 마음의 거울이다. ③ 사람, 인간(persona, individuo) : No se veía un ~ 개미 새끼 하나 보이지 않았다. No se ve un ~ en la plaza 광장에 한 사람 보이지 않는다. ④ 인구 : Seúl tiene más de diez millones de ~*s* 서울의 인구는 천만 이상이다. ⑤ 인간의 마음 : No tiene ~ 무자비하다. ⑥ 중심, 핵심 ; 축, 굴대. ⑦ 총구멍, 포구멍(hueco de la pieza de artillería). ⑧ (물건의) 내부, 안면(parte interior) : el ~ de una espada. ⑨ 정신과 힘을 불어 넣어 주는 일 : El amor a la patria es el ~ de los Estados 조국에 대한 애정은 국가 지주이다.
~ atravesada, ~ de Caín, ~ de Judas 무정한 사람, 극악 무도한 사람. *~ de caballo* 걱정 · 근심이 없는 사람(persona sin escrúpulo). *~ de cántaro* 냉담한 사람, 몰인정(한 사람). *~ de Dios* 숙맥, 바보 ; 선량한 사람. *~ en pena* (정죄 지옥에 있다는) 저승에서도 눈을 감지 못하는 혼령 ; 쓸쓸한 사람. *~ mater* 모교, 대학, 조국 ; 키워준 어머니(madre nutricia).
con ~ y vida 진심을 다하여 ; 충심으로부터 기꺼이. *con toda el ~* 마음속에서, 진심으로 : agradecer *con toda el ~* 진심으로 감사하다. *en ~* 마음속으로부터.
arrancarse el ~ 몹시 슬퍼하다 · 동정하다.
caerse el ~ a los pies 풀이 죽다, 용기를 잃다 (desamimarse).
estar con el ~ en un hilo 조바심하고 있다.
irse el ~ por …을 기원하고 있다.
partir el ~ 슬픔에 잠기게 · 가슴 아프게 하다.
romperse el ~ 가슴 아프게 되다.
almacén *m.* ① 창고 : ~ de depósito 보세 창고. ~ aduanero (afianzado) 보세 창고. ~ de aduana 보세 창고, 세관 창고, 항만 창고. ~ de granos 곡물 창고. ~ estatal 국유 창고. ~ fiscal 보세 창고. ~ privado 사유 창고. gastos de ~ 창고료. ② 백화점. ③ 도매상(~ al por mayor). ④ 가게, 상점(tienda) : ~ de novedades 유행품점, 양품점. ~ oficina 영업소. ⑤ 상점의 재고 : ~ de consignación 위탁 판매 재고품. en ~ 재고 중인. artículos de ~ 상품. existencia en ~ 재고. libro de ~ 재고품 대장, 현품 대장. ⑥ (배의) 물탱크 ; 빗물통. ⑦ (총의) 탄창. ⑧ 《*AmérM.*》 식료품점(tienda de comestibles). ⑨ 상품 저장소. ⑩ 《*Arg.*》 식품 잡화점(pulería).
gastar mucho ~ 싸구려 물건으로 야하게 멋을

부리다 ; 따분하게 말하다.
almacenado, da *adj.* almacenar의 *p.p.* —*m.* ① 보관, 저장. ② 술창고에 저장된 포도주의 양.
almacenaje *m.* 저장, 창고 보관 ; 창고 사용료 · 보관료.
~ ***de agua*** 저수량(貯水量).
almacenamiento *m.* ① 입고, 저장, 보관. ② [집합] 창고에 들어 있는 상품. ③ 저장물.
almacenar *tr.* ① (창고에) 보관시키다, 보세 창고에 예치하다. ② 저장하다 ; 보관하다 ; 모으다 : ~documentos.
almacenero *m.* ① 창고지기, 창고 관리인, 창고 업자. ② 《*Amér.*》 =**tendero, abacero.**
almacenista *m.f.* ① 창고 주인 · 업자. ② 백화점 점원 ; 도매상, 도매 업자. ③ 《*AmérM.*》 식료품점 주인.
almaceno, na *adj.* =**amaceno.**
almacería *f.* 온실 못자리.
almáciga *f.* 묘상(苗床), 못자리(almácigo) ; 유향(乳香).
almacigado, da *adj.* ① 《*Amér.*》 갈색의. ② 《*Cuba.*》 밀빛깔의.
almacigar *tr.* ⑧ 유향(乳香)의 향을 바르다 (sahumar con almáciga).
almácigo *m.* ① 【식물】 유향수(lentisco). ② 유향묘(苗) ; 묘상, 못자리(almáciga).
almaciguero, ra *adj.* 묘상의, 못자리의.
almádana *f.* 작은 쇠망치(almadena).
almadaneta *f.* [*dim.* almádana] 작달막한 쇠망치.
almadén *m.* 【고어】 광산.
almádena *f.* 작은 쇠망치(mazo pequeño de hierro).
almadenense *adj.m.f.* 알마덴 《Almadén, Ciudad Real 주의 마을》의 (사람)(almadeneño).
almadeneño, ña *adj.m.f.* =**almadenense.**
almadía *f.* 뗏목, 통나무배.
almadiarse *r.* ⑫ 멀미하다(marearse).
almadiero, ra *m.f.* 뗏목 젓는 사람, 뱃사공.
almádina *f.* =**almádena.**
almadraba *f.* 다랑어 ; 다랑어 낚시 ; 다랑어 어장 · 그물. —*pl.* 다랑어 어기(漁期).
almadrabero *m.* 다랑어 어부.
almadraque *m.* 방석, 이불 ; 베개.
almadraqueja *f.* 작은 방석 · 이불 · 베개.
almadreña *f.* =**sueco.**
almadreñero, ra *m.f.* 나막신 제조자 · 판매자.
almágana *f.* =**almádana.**
almageneta *f.* =**almádana.**
almagesto *m.* 천문 서적 ; 점성 · 연금술의 책.
almagra *f.* =**almagre.**
almagrado, da *adj.* [almagrar의 *p.p.*] =**colorado, rojo, encarnado.**
almagradura *f.* almagrar 하는 일.
almagral *m.* 자토상(赭土床).
almagrar *tr.* ① (…에) 자토를 칠하다 (teñir de almagre). ② (…에) 표시를 하다. ③ 피를 흘리게 하다.
almagre *m.* 자토(赭土), 석간주(石間硃), 대자(代赭), 적토(赤土), 주토(朱土), 토주(土朱) 《그림 물감 재료》 ; 도장.
almagreño, ña *adj.m.f.* 알마그로 《Almagro, Ciudad Real 주의 도시》의 (사람).
almagrera *f.* (목수의) 먹물통.
almagrero, ra *adj.* 자토성의, 자토가 있는.
almaina *f.* =**almádana.**
almaizal *m.* ① 아라비아식 베일 · 면사포. ② 《*Ant. Amér.*》 =**humeral.**
almaizar *m.* =**almaizal.**
almaizo *m.* 【식물】 =**almez.**
almaja *f.* (Murcia 왕국에서) 과일로 받은 세금.
almajal *m.* =**almarjal.**
almajaneque *m.* 대석궁(大石弓).
almajar[1] *m.* [*ár.* almichar] 비단 망토(manto de seda).
almajar[2] *m.* =**almarjal.**
almajara *f.* 못자리, 묘상(almáciga).
almaje *m.* 《*Ál.*》 (마을의) 공동 목장.
almajo *m.* =**almarjo.**
almalafa *f.* (발까지 몸 전체를 가리는 모로인의 옷).
almaleque *m.* 아라비아식 망토의 일종.
almanac *m.* =**almanaque.**
almanaque *m.* ① 달력 : ~ exfoliador · de taco 주력(柱曆). ② 연감.
hacer ~s 골똘히 생각하다(estar pensativo).
almanaquero, ra *m.f.* 달력 편집자 · 판매인.
almancebe *m.* (Guadalquivir 에서 사용된) 그물 (red).
almandina *f.* 【광물】 귀석류석(貴柘榴石) (granate ~).
almánguena *f.* =**almagre.**
almanseño, ña *adj.m.f.* 알만사 《Almansa, Albecete 주의 도시》의 (사람).
almanta *f.* 나무의 줄 사이(entreliño) ; 폭 넓은 밭이랑.
almarada *f.* 삼각 비수 ; 삼각침.
almarbatar *tr.* 목재의 두 조각을 잇다.
almarbate *m.* 【건축】 우물반자의 네모 각재.
almarbaz *m.* 【방언】 =**escopol.**
almarcha *f.* 낮은 땅에 정착된 마을.
almarga *f.* 이회암갱.
almariete *m.* ***dim.*** almario.
almario *m.* =**armario.**
almarjal *m.* 퉁퉁마디의 들 ; 그 풀섶 ; 습지.
almarjo *m.* 【식물】 퉁퉁마디.
almaro *m.* 【식물】 개불알꽃(maro).
almarra *f.* 목화씨를 빼는 기구.
almarraja *f.* 관수병(灌水甁).
almarraza *f.* =**almarraja.**
almártaga[1] *f.* 【화학】 일산화연(一酸化鉛).
almártaga[2] *f.* [*ár.* almárta] (말의) 장식띠 · 굴레.
almártaga[3] *f.* 《*Col.*》 =**martagón, bellaco.**
almártega *f.* 【화학】 일산화연.
almartiga *f.* =**almártaga.**
almartigón *m.* ***aum.*** almártaga.
almaste *m.* =**almástiga.**
almástec *m.* =**almástiga.**
almástiga *f.* 묘상(苗床) ; 유향(乳香).
almastigado, da *adj.* 유향이 든.
almastique *m.* 유향.
almatrero *m.* 송어잡이 어부.
almatriche *m.* 《*Arg.*》 용수구(reguera).

almatroque *m.* 숭어잡이 그물.
almatroste *m.* =**armatoste.**
almazara *f.* 올리브유 짜는 물레방아.
almazarero *m.* 올리브유를 짜는 사람.
almazarrón *m.* =**almagre.**
almea *f.* ① 소아시아 지방의 가무희(歌舞姬). ②【식물】택사(azúmbar). ③ 안식향(安息香) 나무의 마른 껍질.
almecina *f.* 《*And.*》=**almeza.**
almecino *m.* 《*And.*》=**almez.**
almeja *f.*【동물】바지락 조개.
almejar *m.* 바지락 조개 사육장.
almejí *f.* =**almejía.**
almejía *f.* (서반아의 모로족이 입었던 거친 천으로 짠) 작은 망토.
almena *f.*【축성】거타《총안과 총안 사이의 벽부분》.
almenado, da *adj.* ① 거타가 있는 : muro ~. ② 톱니 모양의.
almenaje *m.* 거타의 열.
almenar[1] *tr.* (성벽 같은 데) 거타를 만들다 : ~ una fortaleza.
almenar[2] *m.* [*ár.* al-mañar] 화톳불 받침(의 다리).
almenara[1] *f.* [*ár.* almanara] 봉화 ; 신호등 ; 촛대.
almenara[2] *f.* [*ár.* almanhar]《*Ar.*》넘치는 물을 돌리는 수로.
almendra *f.* 편도(almendro) 열매 : ~ mollar 껍질이 얇은 편도. ~ dulce 맛이 단 편도《열매 맛이 단 식용》. ~ amarga 쓴 편도《열매 맛이 쓴 채유용》. aceite de ~ 편도유.
~ *de cacao* 코코아 열매.
almendrada *f.* 편도유(扁桃乳) ; 편도 유제.
almendrado, da *adj.* 편도 모양의. —*m.* 편도 과자.
almendral *m.* 편도밭.
almendrar *tr.* 편도로 장식하다.
almendrate *m.* 편도를 넣은 요리.
almendrera *f.*【식물】=**almendro.**
almendrero *m.* ①【식물】=**almendro.** ② (편도용) 접시.
almendrilla *f.* 자갈, 잔돌 ; 석탄 부스러기 ; 줄의 일종.
almendro *m.*【식물】편도나무.
almendrolón *m.* =**almendruco.**
almendrón *m.* ① (Jamaica산의) 여러 가지의 복숭아나무 ; 그 과실. ② 사군자과의 약용수(樹).
conocer el ~《*Amér.*》잘 알고 있다.
almendruco *m.* 푸른 편도 열매, 풋 편도.
almenilla *f.* [*dim.* almena] 톱니 모양의 장식.
Almería【지명】알메리아《서반아의 주・시》.
almeriense *adj.m.f.* 알메리아《Almería, 서반아의 도시》의 (사람).
almete *m.*【군사】투구, 철모.
almez *m.*【식물】(아메리카산의) 팽나무의 일종 ; 그 열매 ; 그 재목.
almeza *f.* almez의 열매.
almezo *m.* =**almez.**
almiar *m.* 보릿단, 보릿가리, 볏가리.
almiarar *tr.* 보릿단 모양으로 밀짚・건초를 놓다.
almíbar *m.* ① 설탕물, 단꿀, 시럽 : frutas en ~ 설탕 절임 과일. ② 연하고 달콤한 과일즙.
almibarado, da *adj.* ① 달콤한, 부드러운 (muy dulce). ② 알랑거리는.
almibarar *tr.* ① 당밀로 싸다. ② 구슬리다 ; 사탕 발림 소리를 하다.
almicantarada *f.*【천문】등고권(等高圈).
almicantarat *f.* =**almicantarada.**
almidón *m.* ① 녹말, 전분 : ~ de tapioca 따삐오까 전분. ~ de maíz 옥수수 전분. ② 풀.
almidonado, da *adj.* 풀을 먹인 ; 깔끔한. —*m.* 풀을 먹임, 풀칠하기.
almidonante *adj.* 풀을 먹인. —*m.* 풀을 먹임.
almidonar *tr* (베에) 풀을 먹이다.
almidonería *f.* 녹말・전분 공장.
almifor *m.*【은어】말(caballo).
almifora *f.*【은어】노새(mula).
almiforero *m.*【은어】말도둑.
almijar *m.* (포도・무화과의) 건조장.
almijara *f.* 기름 저장소.
almila *f.* 가마, 노(爐) ; 건조로(爐), 건조실.
almilla *f.* 조끼 ; 목재를 잘라 이을 때 삽입되는 부분.
almimbar *m.* (회교 사원의) 발코니, 돌출창 ; 설교단.
alminar *m.* (회교 사원의) 탑.
almiquí *m.* (꾸바의) 작은 식충류 포유 동물 (aire).
almiranta *f.* ① 해군 제독의 탑승함, 기함. ② 해군 장성 부인.
almirantazgo *m.* 해군 본부 ; 해군 군법 회의 ; almirante의 직・관구.
almirante *m.* 제독, 해군 장성 ; 해군 대장 ; 함대 사령관.
almirez *m.* 절구통.
almirón *m.*【식물・방언】민들레(amargón).
almizcate *m.* 작은 안뜰・정원.
almizclar *tr.* (…에) 사향을 뿌리다 : ~ la ropa.
almizcle *m.* ① 사향. ②《*Amér.*》(짐승의) 고약한 방귀.
almizcleña *f.*【식물】사향 냄새가 나는 여러 가지 식물.
almizcleño, ña *adj.* 사향 냄새가 나는 : pera ~*ña* 사향배.
almizclero, ra *adj.* 사향 냄새가 풍기는. —*m.*【동물】사향 노루.
almizqueño, ña *adj.* =**almizcleño.**
almo, ma *adj.*【시어】① 길러준 : *alma* máter 모교. ② 고마운.
almocadén *m.* (옛날의) 보병 대장.
almocafre *m.* 호미의 일종.
almocárabes *m.pl.* (건축물의) 나선형 조각 장식.
almocarbes *m.pl.* =**almocárabes.**
almocatracía *f.* (옛날의) 직물세.
almoceda *f.* 《*Nav.*》관개 수로 세금.
almocela *f.* ① 두건의 일종. ② 짚방석, 멍석.
almocrate *m.*【화학】염화 암모늄(almohatre).
almocrebe *m.*【고어】노새의 마부(arriero de mulos).
almocrí *m.* (회교 사원의) 코란 독송승.
almodí *m.* 공설(公設) 시장, 공설 식료품 시장

(almudí).

almodón *m.* 축축하게 해서 간 밀가루.

almodovareño, ña *adj.m.f.* 알모도바르 델 깜뽀《Almodóvar del Campo, Ciudad Real 주의 도시》의 (사람).

almodrote *m.* ① 기름이 섞인 마늘 소스. ② 잡동사니 : Ese libro es un ~.

almofalla[1] *f.* [*ár.* almoçala] =**alfombra.**

almofalla[2] *f.* [*ár.* almahalla] ①【고어】=**hueste.** ②【고어】=**campamento.**

almófar *m.* 투구 안에 쓰는 두건.

almofía *f.* 세면기.

almofrej *m.* (여행용) 침구 가방.

almofrez *m.* 《*Amér.*》 =**almofrej.**

almogama *f.* 【선박】 =**redel.**

almogárabe *m.* =**almogávar.**

almogataz *m.* 모로인 전사(moro guerrero).

almogávar *m.* (옛날의) 적지에서 약탈을 목적으로 선발된 병사.

almogavarear *intr.* 적지에 침입하여 약탈하다.

almogavaría *f.* 약탈 부대.

almogavería *f.* 약탈.

almohada *f.* ① 베개 : ~ neumática · de viento 공기 베개. ② 베갯잇 : ~ bordada 수놓은 베갯잇. ③ 쿠션.

aconsejarse · consultar con la ~ 깊이 생각하다, 심사 숙고하다.

almohadado, da *adj.* =**almohadillado.**

almohadazo *m.* 베개로 때리기(golpe dado con la almohada).

almohades *adj.* 알모아드족《Aben Tumart 를 맹주로, Almorávides 제국을 멸망시킨 12세기의 아프리카의 회교도족》의. —*m.pl.* 알모아드족.

almohadilla *f.* [*dim.* almohada] ① 바늘겨레, 바늘방석 ; 안장 방석 ; 스탬프대. ②《*Chile.*》(뜨거운 것을 잡는) 집게. ③【건축】 주두(柱頭)의 받침.

~ *caliente* 전기 방석. ~ *higiénica* 월경대.

almohadillado, da *adj.* 【건축】 받침이 달린 : capitel ~ 받침 있는 주두.

almohadillar *tr.* 【건축】 주두의 받침에 사각석(sillar)을 세공하다.

almohadón *m.* 긴 방석 ; 쿠션 ; 방석.

almohatre *m.* 【화학】 염화 암모늄.

almohaza *f.* 철제 말빗.

almohazador, ra *m.f.* (소 · 말을) 말빗으로 빗겨주는 사람.

almohazar *tr.* ⑨ (소 · 말을) 말빗으로 빗겨주다 : ~ un caballo.

almojábana *f.* ① 치즈와 밀가루 케이크 · 부침개. ② 튀김 과자(buñuelo)의 일종.

almojarifazgo *m.* (옛날의) 행상인의 매상세.

almojarife *m.* (옛날) 세금을 받던 관리, 세관원.

almojaya *f.* 【건축】 비계, 발판(용의 통나무).

almojerifazgo *m.* =**almojarifazgo.**

almojerife *m.* =**almojarife.**

almona *f.* ① sábalo의 어장. ②《*And.*》 = **jabonería.** ③【고어】 =**casa, fábrica, almacén público.**

almóndiga *f.* 고기소, 고기 단자(albóndiga).

almondiguilla *f. dim.* almóndiga.

almoneda *f.* 경매 ; 대매출 : en ~ 대매출중.

almonedear *tr.* 경매에 붙이다 ; 헐값으로 팔다.

almora *f.* 《*Ál.*》 =**majano.**

almorabú *m.* =**almoradux.**

almoraduj *m.* =**almoradux.**

almoradux *m.* 【식물】 메호라나 (mejorana) ; 박하.

almoravid *adj.* =**almorávides.**

almorávides *m.pl.* 알모라비데족《11세기 중엽 서부 아프리카의 대제국을 건설 ; 1093—1148년까지 서반아를 통치한 민족》.

almorcé almorzar의 직 · 부정과거 · 1 · 단수.

almorejo *m.* 【식물】 수수(mijo)의 일종. **Sinón.** amor de hortelano, bardana, pánico.

almorí *m.* (빵으로 구울) 반죽 덩어리.

almoronía *f.* 야채 데친 것(alboronía).

almorranas *f.pl.* 치질.

almorraniento, ta *adj.* 치질을 앓는. —*m.f.* 치질 환자.

amorrefa *f.* (옛날의) 아라비아 타일의 벽돌 포장의 일종.

almorrón *m.* (채석장의) 경계.

almorta *f.* 【식물】 흰 완두(cicércula).

almorzada *f.* ① 두 손으로 움킬 수 있는 분량. ②《*Méx.*》 점심.

almorzado, da *adj.* 점심을 마친 : Salí de casa ~.

almorzar *intr.* ㉔ ⑨ 점심 · 중식을 먹다(tomar el almuerzo) : ~ a las doce. —*tr.* 점심으로 (…을) 먹다 : ~ chuletas.

[직설법 현재 : almuerzo, almuerzas, almuerza, almorzamos, almorzáis, almuerzan. 직설법 부정과거 1인칭 단수 : almorcé. 접속법 현재 : almuerce, almuerces, almuerce, almorcemos, almorcéis, almuercen].

almosnar *tr.* =**alimosnar, dar limosna.**

almotacén *m.* ① 도량형기 검사관. ② 도량형기 검사소. ③ (모로코에서) 시장 감시원, 판매 가격 지시인.

almotacenazgo *m.* almotacén의 사무소 · 직.

almotacenía *f.* almotacén에게 지불되는 세금.

almotazaf *m.* =**almotacén.**

almotazanía *f.* =**almotacenía.**

almotroste *m.* 《*Amér.*》 =**armatoste.**

almozárabe *m.f.* (특히 국토 회복전을 벌였던 시대에) 아라비아인의 통치하에 살았던 카톨릭교도(mozárabe).

Almte. almirante.

almucia *f.* 《*Ar.*》 =**muceta.**

almud *m.* 곡식 분량의 단위《1 celemín 혹은 반 fanega에 상당함 ; Navarra에서는 1.76리터; Aragón에서는 1.87리터》.

almudada *f.* 곡물 1 almud에 심을 수 있는 땅.

almudejo *m.* almudero가 자기의 능력으로 할 수 있는 단위.

almudero *m.* 곡류의 단위를 지키는 사람.

almudí(n) *m.* 공설 소맥 시장 ; 공설 식료품 시장.

almuecín *m.* =**almuédano.**

almuédano *m.* (사원의 탑에서 기도 시간을 알리는) 회교승.

almuedén *m.* [드뭄] =**almuédano.**

almuerce almorzar의 접 · 현 · 1 · 3 · 단수.

almuerce- →**almorzar** ㉔ ⑨.
almuercear *tr.* 《*AmérC.*》 (노동하는 사람에게) 도시락을 가져가다.
almuercen almorzar의 접·현·3·복수.
almuercería *f.* 《*Méx.*》 식품의 노점.
almuercero, ra *m.f.* ① 《*AmérC. Méx.*》 (농장으로) 도시락을 날라다 주는 사람. ② 《*Perú.*》 (시장의) 도시락 장수.
almuerces almorzar의 접·현·2·단수.
almuérdago *m.* 떡갈나무의 횃대(muérdago).
almuertas *f.pl.* alhóndiga에서 팔린 곡물에 대한 세금.
almuerz- →**almorzar** ㉔ ⑨.
almuerza[1] *f.* =**almorzada.**
almuerza[2] almorzar의 직·현·3·단수.
almuerzan almorzar의 직·현·3·복수.
almuerzas almorzar의 직·현·2·단수.
almuerzo[1] *m.* ① 점심 : El ~ duró dos horas. ② 점심 때에 사용되는 그릇 : ~ de porcelana. ③ (어떤 지방에서는) 아침(desayuno).
almuerzo[2] almorzar의 직·현·1·단수.
almugávar *m.* =**almogávar.**
almunia *f.* =**huerto.**
almuñequero, ra *adj.m.f.* 알무네까르 《Almuñecar, Granada 주의 도시》의 (사람).
almuzara *f.* 투기장 ; 유원지.
alnado, da *m.f.* 의붓자식(hijastro, hijastra).
alno *m.* 【식물】 흑양(álamo negro).
Al.º Alonso.
¡alo!, ¡aló! *interj.* (전화의) 여보세요(¡oiga!).
alobadado, da *adj.* 늑대한테 물린.
alobreguecer *tr.* =**lobreguecer.**
alobunado, da *adj.* 늑대 (lobo) 빛깔의 : pelo ~ 늑대 빛깔의 털.
alocadamente *adv.* 분별없이 (sin cordura ni juicio), 문란하게(desbaratadamente) : obrar ~. [Contr.] juiciosamente.
alocado, da *adj.* 미친 사람같은 : muchacho ~. [Contr.] juicioso.
alocarse *r.* ⑦ 실성하다.
alocroico, ca *adj.* 색깔이 변하기 쉬운.
alocroísmo *m.* 색깔의 변화.
alocrita *f.* (노르웨이산의) 녹색 석류석.
alocroíta *f.* 석류석의 일종.
alocución *f.* 훈시.
alocuo, cua *adj.* 말없는.
alodial *adj.* 면제된, 자유 지역의 : bienes ~*es.*
alodio *m.* 비과세 부동산, 자유 지역.
aloe *m.* =**áloe.**
áloe *m.* 【식물】 노회 ; 노회즙(acíbar).
aloes *m.* 【고어】 =**áloe.**
aloético, ca *adj.* 노회(áloe)의.
alófana *f.* 【광물】 알로판.
alófano, na *adj.* 번쩍이는.
alogar *tr.* 【고어】 =**alquilar, arrendar.**
alogeno, na *adj.m.f.* 다른 민족(의).
aloína *f.* 【화학】 아이론.
aloja *f.* ① 벌꿀술. ② 《*Amér.*》 알로하주(chicha). ③ (고장에 따라 여러 가지) 술.
alojado, da *m.f.* ① 분숙병(分宿兵), 분숙 군인. ② 《*Amér.*》 숙박객(huésped).
alojador, ra *m.f.* 극장의 안내원(acomodador de teatro).
alojamiento *m.* ① 숙영 : ~ de una tropa. ② 숙영지. ③ 숙박 (시설) ; 여인숙.
alojar *tr.* ① 숙박시키다(hospedar o aposentar) : ~ un viajero 여행자를 숙박시키다. ② 숙영시키다 : ~ la tropa. ③ 끼우다.
—*intr.*, **~se** 묵다, 숙박하다 ; 숙영하다 : ¿Dónde *se aloja* usted? 어디에서 묵고 계십니까?
alojería *f.* 벌꿀술(aloja) 상점.
alojero, ra *m.f.* 벌꿀술 판매원·제조자.
alojo *m.* 《*Amér.*》 =**alojamiento.**
alomado, da *adj.* 등이 구부정한, 새우등의 : mulo ~ 등이 굽은 노새.
alomar *tr.* ① 이랑을 만들다. ② 《*Méx.*》 흙을 돋우다.
~se 말이 기운을 차리다.
alombar *tr.* 《*Ál.*》 땅에 이랑을 만들다.
alón, na *adj.* 《*Amér.*》 날개가 큰 ; 챙이 넓은(모자). —*m.* (깃털을 뽑는) 날개죽지 부분 : ~ de pavo.
alondra *f.* 【조류】 종달새, 종다리 (calandria) : La ~ no sube a los árboles.
alongado, da *adj.* 연장한, 기다란.
alongamiento *m.* 연장 ; 거리, 간격.
alongar *tr.* ㉔ ⑧ 확대하다 ; 멀리하다 ; 늘어뜨리다.
~se 거리를 두다, 멀리하다 : ~*se* de la casa.
alonso *m.* 이삭이 큰 밀.
alópata *adj.* 대증 요법을 쓰는 : médico ~.
—*m.f.* 대증 요법 의사.
alopatía *f.* 대증 요법. [Contr.] homeopatía.
alopáticamente *adv.* 대증 요법으로.
alopático, ca *adj.* 대증 요법(大衆療法)의. [Contr.] homeopático.
alopecia *f.* 【의학】 탈모증.
alopecuro *m.* 【식물】 뚝새풀.
alopiado, da *adj.* =**opiado.**
aloque *adj.* 연분홍색의. —*m.* 연분홍색 포도주.
aloquecerse *r.* ㉛ 미치다, 정신병자가 되다.
alorarse *r.* 《*Chile.*》 (햇빛·바람으로) 가무잡잡해지다(ponerse de color moreno).
alosa *f.* =**sábalo.**
alosna *f.* =**ajenjo.**
alosnero, ra *adj.m.f.* 알노스노 《Alosno, Huela 주의 작은 도시》의 (사람).
alotar *tr.* 【해사】 돛을 줄이다 ; (닻을) 올리다.
aloterios *m.pl.* 【고생대】 =**multituderculados.**
alotón *m.* 《*Ár.*》 =**almeza.**
alotropía *f.* 【화학】 동질 이체, 동질(성).
alotrópico, ca *adj.* 【화학】 동소체의, 동질 이형·이체의.
aloya *f.* 《*Ál.*》 =**alondra.**
alpaca *f.* ① 【동물】 알파카 《낙타과에 속하는 사슴 크기의 반추 동물》 : La ~ sirve de bestia de carga, y su carne se usa como alimento 알파카는 짐을 나르는 동물로 고기는 식량으로 사용된다. ② 알파카털. ③ 알파카의 직조 : chaqueta de ~. ④ 알파카 《동·아연·백동의 합금》(metal blanco).
alpacón *m.* 《*Chile.*》 알파카의 후지직(厚地織).
alpamato *m.* 【식물】 (아르헨띠나의) 알빠마또차.
alparcería *f.* ① =**aparcería.** ② 《*Ar.*》 =**chis-**

mografía.

alparcero, ra *adj.m.f.* =**hablador, chismoso.** —*m.f.* =**aparcero, aparcera.**

alpargata *f.* 샌들.

alpargatado, da *adj.* ① 샌들을 신은. ② 샌들 모양의 : zapato ~.

alpargatar *intr.* 샌들을 만들다(hacer alpargatas).

alpargatazo *m.* 샌들로 때리기.

alpargate *m.* =**alpargata.**

alpargatería *f.* 샌들 공장 · 상점.

alpargatero, ra *m.f.* 샌들 제조자 · 장수.

alpargatilla *m.f.* 아부자, 아첨꾼. Sinón. adulador, zalamero.

alpataco *m.* 《*Arg.*》 =**algarrobillo.**

alpatana *f.* 《*And.*》 =**trebejo.**

alpax *m.* 알미늄과 규소의 합금.

alpechín *m.* ① (올리브의) 떫은 즙. ② 《*Amér.*》 쓴 국물.

alpechinera *f.* alpechín 통 · 단지.

alpechinero, ra *adj.m.f.* =**sanluqueño.**

alpende *m.* =**tinglado, cobertizo.**

alpendre *m.* 《*Gal.*》 =**alpende.**

alpenstock *m.* 등산용 지팡이(bastón alpino).

alpérsico *m.* 【식물】 =**pérsico.**

alpes *m.pl.* 【고어】 매우 높은 산 ; 산의 높이.

Alpes, los *m.pl.* 【지명】 알프산(맥).

alpestre *adj.* ① 알프스산의(alpino). ② 험준한 ; 산악의, 고산의(montañoso, áspero, agreste) : planta ~ 고산 식물. —*m.f.* 등산가.

alpicoz *m.* =**cohombro.**

alpinismo *m.* 《*Neol.*》 등산(montañismo).

alpinista *m.f.* ① 등산가(montañista). ② 산악회원 : el club ~.

alpino, na *adj.* ① 알프스산(los Alpes)의 : cordillera ~*na.* ② 고산의 : vegetación ~*na* 고산 식물. ③ 산악의, 등산의 : batallón ~ 산악 부대. —*m.f.* 등산가, 산악 부대원.

alpiste *m.* ①【식물】 리본초의 일종 ; 그 씨앗. ②【방언】 소주의 일종(aguardiente).
dejar ~ 기대에 어긋나게 하다. ***quedarse*** ~ 기대에서 벗어나다(quedarse sin tener parte en lo que esperaba).

alpistela *f.* =**alpistera.**

alpistelado, da *adj.* 【방언】 만취된, 얼큰히 취한(achispado, ebrio).

alpistera *f.* 밀가루 (harina), 달걀 (huevos), 참깨(alegría)로 만든 전병 (과자).

alporchón *m.* 《*Murc.*》 관개용 용수를 입찰하는 장소.

ALPRO Alianza para el Progreso 진보를 위한 동맹.

alpujarreño, ña *adj.* 알뿌하라스 《las Alpujarras, 남부 서반아 안달루시아의 한 지방》의. —*m.f.* 알뿌하라스 사람.

alquequenje *m.* 【식물】 꽈리.

alquería *f.* ① 농장에 세운 집. Sinón. cortijo. ② (발렌시아에서) 놀이 별장.

alquermes *m.* 께르메스(quermes)《홍분제》.

alquez *m.* 술 분량의 단위 《12 cántaras》.

alquézar *m.* 《*Gran.*》 관개용으로 이용하기 위해 강물의 중단.

alquibla *f.* 회교도들이 기도할 때 바라보아야 하는 장소.

alquicel *m.* (모로인의) 흰 외투.

alquicer *m.* =**alquicel.**

alquifol *m.* 【광물】 방연광.

alquila *f.* (택시 등의) 「빈차」의 표시로 다는 작은 기.

alquilable *adj.* 임대차할 수 있는.

alquiladizo, za *adj.* 빌려주어도 되는, 빌려주는 물건의 : coche ~. —*m.f.* 임금 노동자.

alquilador, ra *m.f.* 빌려주는 사람.

alquilamiento *m.* =**alquiler.**

alquilante *adj.* 임대하는, 빌리는.

alquilar *tr.* ① 임대하다 : ~ una casa 집을 임대하다. *Hemos alquilado* un apartamento 우리는 아파트를 임대했다. ② 임차하다.
~se 삯일을 하다.

alquilate *m.* (옛 Murcia 왕국의) 농장 · 과일 판매세.

alquiler *m.* ① 임대 ; 임차 : casa de ~ 셋집. coche de ~ 렌터카, 임대 자동차. tomar en ~ 빌리다. ② 임대료, 임차료 : ~ de casa 집세.

alquilón, na *adj.* =**alquiladizo.** —*m.* 임대 자동차, 렌터카. —*m.f.* *desp.* 날품팔이.

alquimia *f.* 연금술.

alquímicamente *adv.* 연금술에 의해.

alquímico, ca *adj.* 연금술의, 연금술같은 : teoría ~*ca.*

alquimila *f.* 【식물】 물갬나무(pie de león).

alquimista *m.* 연금술사 : Los ~*s* fueron los primeros químicos.

alquinal *m.* (부인용) 두건, 베일.

alquitara *f.* 증류기(alambique).
por ~ 홀짝홀짝, 조금씩 조금씩 (con escasez, poco a poco).

alquitarar *tr.* =**destilar.**

alquitira *f.* =**tragacanto.**

alquitrán *m.* 타르, 역청 : ~ de hulla · mineral 콜타르.

alquitranado, da *adj.* 역청의. —*m.f.* 기름천 ; 콜타르 포장.

alquitranador *m.* 콜타르 포장 인부.

alquitranar *tr.* (…에) 칠하다 ; 콜타르로 포장하다.

A.L.R.P. de V.M. A los reales pies de Vuestra Majestad.

alrededor *adv.* ① 주위에 : ~ de …의 주위에. ② 약, 대략, …정도, 가량(cerca) : ~ *de* las dos 두 시 경에. ~ *de* doscientas pesetas 200뻬세따 가량. ~ *de* diez metros 약 10미터. Son ~ *de* las diez 지금 열 시 경이다. —*m.* 주위(contorno). —*pl.* 교외(afueras, contornos) : los ~*s* de Madrid 마드리드의 교외.

alredor *adv.* 【속어】 =**alrededor.**

alrevesado, da *adj.* 《*Amér.*》 복잡한, 분간하기 어려운 ; 감당하기 어려운.

alrota *f.* (삼 등의) 찌꺼기 털.

Alsacia *f.* 【지명】 알사스 지방.

alsaciano, na *adj.* 알사스 지방의. —*m.f.* 알사스 지방 사람. —*m.* 알사스 방언.

álsine *f.* 【식물】 벌꽃.

alstroemeria *f.* 아름다운 꽃이 피는 아메리카의 수선과 식물. Sinón. peregrina, lirio de los incas.

alt. altitud, altura.
alta *f.* ① 완쾌 퇴원 명령. ② 현역 증명서. ③ 원대 복귀, 복직. ④ (특정 직업의) 영업 신고. ⑤ 【은어】 창, 탑. Contr. baja.
～ *coyuntura* 호황, 호경기.
～ *dirección* 최고 경영(자)층.
～ *mar* 공해(公海).
～*s finanzas* 고등 재정.
dar de ～, *dar el* ～ 퇴원을 허가하다, 완쾌를 알리다, 현역에 소집하다 : *Dieron el* ～ a un enfermo 환자에게 퇴원을 명했다.
darse de ～ (특정한 직업 단체·조합에) 가입하다·입회하다 ; (특정한) 부대에 들어가다 ; 원대·현역 복귀하다.
ser ～ 현역에 취임하다.
altabaque *m.* =**tabaque, cesto, canastillo.**
altabaquillo *m.* 【식물】 메꽃.
altacoya *f.* 【은어】【조류】 황새(cigüeña).
altaico, ca *adj.* 알타이(los Montes Altai, 알타이산)계·인종의 ; 알타이어계의.
Altaír *f.* 【천문】 견우성.
altamandria *f.* 《*And.*》【식물】 마디풀.
altamente *adv.* 높게, 극도로 (en extremo) : ～ satisfecho.
altamía *f.* ① (식사 때 사용하는) 잔(taza)의 일종. ② 《*León.*》 토제 남비(cazuela de barro).
Altamira (Cueva de) 알타미라 동굴.
altamisa *f.* 【식물】 쑥(artemisa)의 일종.
altamisilla *f.* 《*Amér.*》【식물】 =**artemisilla.**
altamisque *m.* 《*Arg.*》【식물】 (약초로 쓰는) 풍초과 식물.
altana *f.* 【은어】 절, 사찰, 사원(templo) ; 교회(iglesia).
altanado, da *adj.* 남편이 있는, 아내가 있는.
altanar *tr.* 【은어】 결혼시키다(casar).
～**se** 결혼하다(casarse).
altaneramente *adv.* 오만·교만·거만하게.
altanería *f.* ① 매사냥. ② 오만, 교만, 거만(altivez) : hablar con ～. Contr. modestia. ③ 새가 높게 날으는 일. ④ (대기의) 성층권.
meterse en ～*s* 능력 이상의 일에 손을 대다 ; 건방지게 굴다.
altanero, ra *adj.* ① (새가) 높게 날으는. ② 오만한, 교만한, 거만한(altivo, soberbio). Contr. afable, modesto. —*m.* 【은어】 높은 곳을 노리는 도둑.
altanez *f.* 【고어】 =**altanería, altivez, soberbia, orgullo.**
altanos *m.pl.* 【기상】 연풍 《해풍과 육풍》.
altar *m.* ① (본래는 희생물을 바치는) 제단, 성찬대 : ～ mayor 주제단. ② (용광로 입구의) 브리지. ③ 남극의 성좌.
conducir·llevar al ～ 결혼하다.
altarejo *m. dim.* altar.
altarero, ra *m.f.* 축제용 성단을 만드는 사람.
altaricón, na *adj.* 거한의, 장승같은.
altarreina *f.* 【식물】 =**milenrama.**
altavoz *m.* 확성기.
altea *f.* 【식물】 =**malvavisco.**
altearse *r.* (땅이) 융기하다.
alteína *f.* 【화학】 =**aspargina.**
alterabilidad *f.* 가변성(可變性) ; 격하기 쉬움 : Es grande la ～ de los colores vegetales.
alterable *adj.* 바꿀 수 있는 ; 불안정한, 가변성의 : metales ～*s.* Contr. inalterable, fijo.
alteración *f.* ① 변화, 변질. ② 개작(改作). ③ 당황, 놀라움. ④ 다툼 ; 고집. ⑤ 변동 : ～ del mercado 시장 시세의 변동, ⑥ 격앙. ⑦ 파괴, 분해. ⑧ 동요, 불안 ; 환자의 불안정 상태 : Hay que hacer ～*es* en el contrato 계약 중에 변경해야 한다. Ella mostró una gran ～ 그녀는 굉장한 마음의 동요를 보였다.
alteradizo, za *adj.* 변질하기·되기 쉬운 ; 마음이 잘 변하는.
alterado, da *adj.* ① 형태가 바뀐 : aspecto ～. ② 정신 착란의, 불안한.
alterador, ra *adj.* 바꾸는, 변질시키는 ; 동요하는 ; 당황하는.
alterante *adj.* 변질의. —*m.* 변질약 ; 변색제.
alterar *tr.* ① 바꾸다(cambiar). ② 변질시키다 : ～ la leche. ③ 변조시키다 : ～ la moneda 동전을 변조시키다. La garganta está *alterada* 목이 이상하다. ④ (마음을) 동요시키다(perturbar). Contr. desalterar.
～**se** ① 변하다 ; 변질하다. ② 놀라 당황하다, 동요하다 : No *te alteres* 동요하지 마라. Por nada *se altera* 그는 어떤 일에도 동요하지 않는다.
alterativo, va *adj.* 바꿀 수 있는.
altercación *f.* 말다툼 ; 논쟁. Sinón. disputa, debate.
altercado *m.* =**altercación.**
altercador, ra *adj.* 논쟁을 좋아하는 : carácter ～. —*m.f.* 말썽꾼, 말썽꾸러기.
altercante *adj.* 논쟁하는.
altercar *intr.* 7 말다툼하다 ; 논쟁하다 : ～ con un adversario.
álterego *m. lat.* 제이의 자아 ; 친구.
alternable *adj.* 교대·교체하기 쉬운.
alternación *f.* ① 교호, 번갈음. ② 교대, 교체 : ～ de generaciones 【생물】 세대 교체.
alternadamente *adv.* =**alternativamente.**
alternado, da *adj.* =**alternativo.**
alternador, ra *adj.* 교대하는. —*m.* 교류 발전기(máquina dinamoeléctrica de corrientes alternas).
alternancia *f.* =**alternación.**
alternante *adj.* 번갈아 하는, 교체하는 : Los cultivos ～*s* permiten no debilitar las tierras.
alternar *tr.* ① 서로 번갈아 하다 : ～ el trabajo con el descanso. ② 교체시키다. —*intr.* ① 번갈아하다 : ～ los días claros *con* los lluviosos 맑은 날과 비오는 날이 번갈아 있다. ② 교체하다 : ～ de cuatro en cuatro meses 4개월 마다 교대하다. ③ [+con : …와] 교제하다 (tratar) : ～ *con* los sabios 학자들과 교제하다. ④ 교류하다. ⑤ 어엿한 투우사가 되다.
alternativa *f.* ① 교대, 교체, 윤번. ② 취사 선택해야 할 것, 양자 택일의 망설임, 대신 취해야 할 수단. ③ 투우사로의 진급.
alternativamente *adv.* 번갈아, 엇갈려서 : mover ～ los brazos.
alternativo, va *adj.* 교호의 : voto ～ 호선(互選).
alterno, na *adj.* ① 엇갈린, 엇바뀐, 교착한, 교호의(alternativo) : ángulos ～*s* 착각. ② 호생

(互生)의 : hojas ~*nas*. ③ 교류의 : motogeneradora de corriente ~*na* 교류 발전기.

altero *m.* 《*Amér.*》 더미, 산적(山積)(montón).

alterón *m.* 《*Amér.*》 =**altero.**

alteroso, sa *adj.* ① 건현(乾舷)이 높은 (배). ②【고어】=**altivo.**

alteza *f.* ① 숭고, 고양 (elevación, sublimidad, excelencia) : ~ de sentimientos. ② 높이 (altura). ③ [경칭으로] 전하 : Su *A-* el príncipe 황태자·왕자 전하.

altibajo *m.* ① (고대의) 우단(羽緞), 벨베틴. ② 칼로 내려침. —*pl.* (토지의) 고저(高抵), 기복, 요철 ; 인생의 기복·부침.

altica *f.*【곤충】 풍이.

altillano *m.* 고원(altiplanicie).

altillanura *f.* =**altillano.**

altillo *m.* ① 언덕(cerrillo). ② 《*Arg. Ecuad.*》 (옥내에 만든) 다락방. ③ 《*Perú.*》 =**entresuelo.** ④ 《*AmérM.*》 다락방(desván).

altilocuencia *f.* 대웅변(grandilocuencia).

altilocuente *adj.* =**grandilocuente.**

altílocuo, cua *adj.* =**grandilocuente.**

altimetría *f.*【측량】 측고법, 고도 측량학.

altimétrico, ca *adj.* 측고의, 측고법에 의한 (altímetro).

altímetro, tra *adj.* 측고의, 측고법에 의한. —*m.* 고도 측량기 ; 고도계 : ~ registrador 자기 고도계.

altiplanicie *f.* 고원(altillano).

altiplano *m.* 《*Amér.*》 고원 (지대)(llanura alta, meseta).

altiro, ra *adj.* =**dialtiro.**

altisa *f.*【곤충】 포도나무 잎을 갉아 먹는 갑충류.

altísimo, ma *adj.* [*sup.* alto] 지고한, 지극히 높으신. —*m.* [el A-] 신(Dios).

altisonancia *f.* 음향·가락이 높은 일.

altisonante *adj.* 잘 울리는, 가락이 높은, 고조의 ; (그럴싸하게) 울림만이 강한 : lenguaje ~ 경음으로만 된 말.

altisonantemente *adv.* 음향·가락이 높게.

altísono, na *adj.* 고조의, 가락이 높은 : escritor ~.

altitonante *adj.*【시어】 높은 곳으로부터 울려오는 : Júpiter ~.

altitud *f.* ① 고도 , 표고 : la ~ de una montaña. ② 높이(altura).

altivamente *adv.* 거만하게, 오만하게, 으스대며, 뻐기고, 거들먹스럽게.

altivarse *r.* =**altivecerse.**

altivecerse *r.* ㉛ 거만스럽다, 오만스럽다, 으스대다.

altivez *f.* 거만, 오만, 불손, 자존심(orgullo, soberbia) : hablar con ~ 거만하게 말하다. **Contr.** modestia.

altiveza *f.* =**altivez.**

altivo, va *adj.* 거만한, 오만한, 거드름피우는, 잰 체하는, 자존심 많은 (orgulloso, soberbio) : carácter ~. **Contr.** modesto. **Sinón.** altanero.

alto, ta *adj.* ① 높은 : ~ crecimiento económico 고도 경제 성장. ~ directivo 수석 임원, 최고 업무 집행자, 최고 간부 임원. ~ empleado 간부 사원·임원. ~ funcionario 고급 공무원. ~ horno 용광로. ~ mando 최고 경영층, 최고 경영자층. ~ personal 수석 임원, 최고 업무 집행자. casa ~*ta* 높은 집. edificio ~ 높은 건물. en voz ~*ta* 큰 소리로. precio ~ 비싼 값. ② 키가 큰 : árbol ~ 키가 큰 나무. un muchacho ~ 키가 큰 소년. ③ 위에 있는, 높은 데 있는 : clases ~*tas* de la sociedad 사회의 상류 계급. piso ~ (1층에 대해) 2층이나 3층. ④ 고도의, 지독한 : ~*ta* traición 지독한 배반. ⑤ 높아진 : río ~ 물이 분 강. mar ~*ta* 풍랑이 심해진 바다. ~*ta* mar 대해(大海). ⑥ (나무나 작물이) 크게 자란 : ~*tos* sembrados 작물이 커다랗게 우거진 밭. ⑦ 시각·시기가 늦어진 : a las ~*tas* horas de la noche 깊은 밤에. bien ~*ta* la noche 밤이 깊어서. fiesta ~*ta* 예년보다 늦어진 축제. ⑧ 《*Amér.*》 자락이 짧은 (스커트 등). ⑨ 울려 퍼지는(sonoro) ; 시끄러운(ruidoso) : ~*ta* voz 시끄러운 소리. ⑩ 뛰어난, 우수한(superior, excelente) : tener ~*ta* idea 뛰어난 생각을 가지다.

—*m.* ① 높이(altura) : Esta mesa es de metro y medio de ~ 이 탁자는 높이가 1미터 반이다. Tiene dos metros de ~ 높이가 2미터이다. ② 고도, 언덕. ③ 바다에서 가장 먼 나라 : el ~ Egipto. ④ 2층집에서 위층 (piso superior en las casas de dos pisos). ⑤ (하층 planta baja에 대해) 위층, 상층. ⑥ 중지, 정지, 휴지(休止) : hacer ~ 정지·정체·지체·휴식하다 ; 깊이 생각하다. ⑦【음악】 중음부(中音部), 알토. ⑧ 《*Amér.*》 산적, 더미 : un ~ de libros.

—*adv.* ① 위에, 높은 곳에(arriba) : poner a uno muy ~. ② 큰 소리로, 높은 소리로 (en voz fuerte) : hablar ~.

—*interj.* 서라 !, 중지 ! : ¡ ~ ahí! 거기 서라 !, 중지 !

lo ~ 높다란 곳, 꼭대기, 하늘 : en lo más ~ 가장 높은 곳에.

~s y bajos 기복, 성쇠, 부침.

de ~ *a bajo* 위에서 밑으로.

de tres ~s [형용사에 붙여 그 뜻을 강조한다].

en ~ 높게, 높은 곳에 : con la bandera *en* ~ 깃발을 드높이 달고.

por todo lo ~ 매우 잘 (muy bien).

hacer ~ 서다, 멈추다, 정지하다(pararse, detenerse).

pasar por ~ 묵살하다, 누락시키다, 빠뜨리다 (omitir, callar).

altoparlante *m.* 확성기, 라우드 스피커 (altavoz).

altor *m.* 《*Ant.*》 높이(altura).

altorrelieve *m.* 높은 부조(浮彫).

Alto Volta, el【지명】 오트볼타 《아프리카 서부 지방에 있는 불란서 공동체 내의 공화국, 수도 Ougadougou》.

altozanero *m.* 《*Col.*》 짐꾼, 인부.

altozano *m.* 《*Amér.*》 ① 작은 언덕, 높은 지대. ② (교회·성당의) 앞복도.

altramucero, ra *m.f.* altramuz 판매자.

altramuz *m.*【식물】 알뜨라무스 《꽃은 희고 열매는 먹을 수 있는 콩과 식물》.

altruismo *m.* 이타·애타주의. **Contr.** egoísmo.

altruista *adj.* 이타주의의. —*m.f.* 이타주의자, 애타주의자. **Contr.** egoísta.

altura *f.* ① 높이 : ganar · tomar ~ 항공기 등이 높이 오르다. ¿A qué ~ estamos? 이곳은 높이가 얼마입니까? Volamos a una ~ de cinco mil metros 우리는 5천 미터 상공을 비행하고 있습니다. ② 높이《기초부터 정상까지의 길이》: la ~ de una casa 집의 높이. ③ 정상 (cumbre) : Hay nieve en las ~*s* 정상에 눈이 쌓여 있다. ④ (도형 · 입체의) 높이 ; 고도, 위도(緯度) : ~ meridiana 자오선 고도. ⑤ (대기의) 고층부. ⑥ 고양(高揚). ⑦【음악】음의 고도.
—*pl.* 하늘(cielo) : gloria a Dios en las ~*s*.
a estas ~s 지금, 현재(ahora, en esta ocasión).
a la ~ de …의 높이에 ; …의 지점에 : Sentí un dolor *a la ~ de* los riñones 나는 신장 지점에 통증을 느꼈다. Contr. profundidad.

alúa *f.*《*Arg.*》【곤충】개똥벌레(cocuyo).

aluar *intr.* 바람이 아래로 불다.

aluato *m.*【동물】=**carayá.**

alubia *f.*【식물】강낭콩(judía)의 일종.

alubiar *m.* =**judiar.**

aluciar *tr.* 11 빛내다, 갈다, 광을 내다, 윤을 내다(dar lustre, abrillantar).
~se 멋부리다, 치장하다, 단장하다.

alucinación *f.* 환각 ; 착각 ; 농락.

alucinadamente *adv.* 착각으로.

alucinador, ra *adj.* 현혹시키는, 우롱하는.

alucinamiento *m.* =**alucinación, ilusión.**

alucinante *adj.*《*Neol.*》=**alucinador.**

alucinar *tr.* 현혹시키다 ; 착각에 빠뜨리다 ; 우롱하다. Sinón. embaucar.

alucita *f.*【곤충】나방.

alucón *m.*【조류】=**cárabo.**

alud *m.* 눈사태, 설붕(雪崩).

aluda *f.*【곤충】날개 달린 개미.

aludel *m.* 수은 정류용 관(管).

aludido, da *adj.* =**aludo.**

aludir *intr.* [+a : …을] 넌지시 빗대어 말하다, 은연중에 시사하다 (referirse) : la casa *a* que usted *alude* 당신이 말하는 집.

aludo, da *adj.* ① 날개가 큰 : insecto ~. ② 차양이 넓은 (모자).

aluego *adv.*【속어】=**luego.**

aluengue- →**alongar** 24 8.

alufrar *tr.*《*Ar.*》=**columbrar, divisar.**

alugar *tr.*【고어】=**alquilar, arrendar.**

alujar *tr.*《*AmérC.*》갈다, 윤을 내다, 빛내다 (aluciar, abrillantar).

alumaje *m.* (발동기의) 불꽃(chispa).

alumbra *f.* [드뭄] =**excava.**

alumbrado, da *adj.* ① 조명하는, 불을 켠 ; 밝은 : Este pueblo tiene poco ~ 이 마을은 밝지 않다. ② 얼근하게 취한. ③ 명반이 함유된. ④ 광명종《기도로써 덕을 얻을 수 있다고 믿었던, 16세기 서반아에 유행하던 한 종파》의.
—*m.* ① 조명 : ~ artificial 인공 조명. ~ de gas 가스 조명. ~ reflejado 간접 조명. ② 명반 가공. ③ 광명종에 속한 사람.

alumbrador, ra *adj.* 조명하는. —*m.f.* 조명사 (照明師).

alumbramiento *m.* ① 조명. ② 출산, 생산, 아이를 낳음(parto) : tener un feliz ~ 순산하다.

alumbrante *adj.* 조명을 한, 밝게 하는. —*m.f.* (극장의) 조명 담당자, 조명사.

alumbrar *tr.* ① 비추다, 조명하다 (iluminar) : ~ por la escalera 층계를 비추다. ② (…에) 조명 (장치)를 하다, 밝히다 : ~ el salón. ③ 등불 · 촛불을 밝혀 들고 따르다. ④ (맹인을) 눈뜨게 하다 ; (…에) 빛 · 광명을 주다 ; 계발 · 계몽하다 : ~ al que va errado. ⑤ (타격을) 가하다. ⑥ (지하수를) 퍼올리다. ⑦ 명반액에 적시다 ; (물을) 명반으로 맑게 하다 : ~ las telas. ⑧《*Amér.*》(가진 돈을) 보이다 ; (알을) 햇빛에 비쳐 검사하다. —*intr.* ① 비치다 : Esta lámpara *alumbra* bien. ② 출산하다, 낳다(parir).
~se 얼근하게 취하다(tomarse del vino, embriagarse sin exceso). Sinón. achiparse.

alumbre *m.*【화학】명반 : El ~ sirve de mordente en tintorería.

alumbrera *f.* 명반 광산.

alumbrería *f.* 명반 공장.

alumbroso, sa *adj.* 명반이 함유된.

alúmina *f.*【화학】알루미나.

aluminado, da *adj.* aluminar의 *p.p.*

aluminato *m.*【화학】알루미나 염산 : ~ de potasa.

alumínico, ca *adj.* 알루미나 함유의 (염).

aluminífero, ra *adj.* 알루미늄이 함유된.

aluminio *m.* 알루미늄 : ~ en polvo 알루미늄 가루.

aluminita *f.* ① 명반석. ② 도자기(porcelana)의 일종 : cacerola de ~.

aluminosis *f.*【의학】알루미늄 진폐증.

aluminoso, sa *adj.* 알루미나 합성의.

aluminotermia *f.*【야금】알루미트법.

alumita *f.* 알루마이트《합금》.

alumnado *m.* ① [집합] 학생, 기숙생 : Se reúne todo el ~ en el aula máxima 전 학생은 강당에 모였다. ② (기숙사제의) 학원.

alumno, na *m.f.* ① 생도, 학생 : ~ de medicina 의과 학생. ~ del instituto 학원생. ¿De dónde es usted ~ ? 당신은 어디 학생입니까? ② 제자.
~ ***de las musas*** 시인.

alunado, da *adj.* =**lunático.**

alunamiento *m.* 돛자락의 가장자리 곡선.

alunar *tr.* 돛에 가장자리 곡선을 만들다.

alunarse *r.* ① 염증이 생기다 (enconarse). ② (말이) 안장에 쓸린 상처가 생기다 (matarse). ③ 썩다, 부패하다(corromperse) : tocino *alunado.*

alunífero, ra *adj.* 명반(alumbre)을 함유한 : esquisto ~.

alunita *f.*【속어】=**aluminita.**

alunizaje *m.* 월면 착지(月面着地), 달착륙.

alunizar *intr.* 9 월면에 착지하다, 달에 착륙하다.

alusión *f.* 시사, 암시 ; 빗댐 ; 인용, 언급.

alusivamente *adv.* 넌지시 ; 빗대어.

alusivo, va *adj.* 암시적인 ; 빗대어 말하는 ; 인용하는.

alustrar *tr.* ① 빛내다. ② 닦다 (lustrar) : ~ la madera.

aluta *f.* (로마인의) 신발용 명반을 섞어 제작한 가죽.

alutáceo, a *adj.* 피부 색깔 비슷한.

alutación *f.*【광물】노출된 사금괴 (pepita de oro en grano que se halla a flor de tierra).

alutrado, da *adj.* 수달 (lutria) 가죽 빛깔의 : piel ~*da.*
aluvial *adj.* ① 홍수의. ②【지질】충적의 : terreno ~ 충적지, 충적토.
aluvión *m.* ① 범람, 홍수 (avenida fuerte de agua, inundación). ② 충적토 : Holanda está formada en gran parte por ~*es.*
alveario *m.* (귀의) 외이도(外耳道).
álveo *m.* 하상, 개울 바닥 (madre de un río o arroyo).
alveolado, da *adj.* =**alveolar.**
alveolar *adj.* ① 잇몸의, 치조(齒槽)의. ②【해부】기포의. —*m.* 치경음(齒莖音).
alveolo *m.* =**alvéolo.**
alvéolo *m.*【해부】① 기포(氣泡). ② 잇몸, 치조, 치조 돌기(突起).
alverja *f.* ① =**arveja.** ②《*Can. Chile.*》 = **guisante.**
alverjado *m.*《*Chile.*》 완두 요리의 일종.
alverjana *f.* ①【식물】살갈퀴. ②《*Amér.*》 완두.
alverjilla *f.*【식물】스위트 피(guisante de olor).
alverjita *f.*《*Amér.*》 =**alverjilla.**
alverjón *m.* =**almorta.**
alvino, na *adj.* 하복부(下腹部)의, 아랫배의 : evacuaciones ~*nas.*
Alv.º Álvaro.
alza *f.* ① 앙등, 등귀 (aumento de precio) : ~ de cambio 환시세의 등귀. ~ de costo de vida 생계비의 상승. ~ de las cotizaciones 매매 표준 가격의 등귀. ~ de los precios 물가 등귀. ~ de precios 가격 인상. ~ excesiva 폭등. ~ fuerte y repentina 급등. ~ rápida 벼락 경기, 붐. jugar al ~ 등귀 투기를 하다. estar en ~, tender a una ~ 앙등 경향에 있다. verificar un ~ 가격이 앙등하다. ② (총의) 가늠자, 조척(照尺). ③ 밑받침. ④ (구두의) 깔창. ⑤ (수문의) 물막이판. ⑥【인쇄】(오프셋 인쇄를 하기 위해) 필름판 앉히기. ⑦ 에쿠아도르의 춤.
alzacuello *m.* (법의의) 작은 목걸이.
alzada *f.* ① 말의 키 · 높이(estatura del caballo). ② 공소; 상고(apelación) : juez de ~*s* 공소심 판사. ③【방언】여름의 고지 목장.
alzadamente *adv.* 청부로, 전액불로.
alzadera *f.* 줄타기의 균형봉(contrapeso).
alzadero *m.*【방언】선반, 시렁.
alzadizo, za *adj.* 올리기 쉬운.
alzado, da *adj.* ① 높이 올린. ② 청부 맡은. ③ 위장 파산하는. ④《*Amér.*》 우쭐대는, 거만한, 교만한. ⑤ 암내가 난. ⑥ 겁에 질린, 쩔쩔매는. —*m.* ① 청부액. ② 위장 파산. ③ (건축의) 정면도; 그 높이. ④ (건축 · 기계의) 설계도. ⑤ 뱃전의 높이. ⑥ 접어 넣기 방식의 제본. ⑦《*AmérC.*》 도둑질. —*m.f.* 사기 파산자, 위장 파산자.
alzador, ra *adj.* 올리는, 높이는. —*m.* 인쇄물을 챙겨 넣는 장소.
alzadora *f.*《*Arg.*》 보모(niñera).
alzadura *f.* =**alzamiento.**
alzafuelles *m.f.*【단 · 복수 동형】① 알랑쇠. ②《*Amér.*》 고자쟁이.
alzamiento *m.* ① 높이 올리기. ② 경매의 올린 가격 (올리기). ③ 봉기, 반란 (levantamiento, rebelión) : ~ peligroso. ④ 위장 파산 (quiebra fraudulenta).
~ *de bienes* 자산 은닉.
alzapaño *m.* (커튼의) 주름술; 주름술을 거는 철제 걸이.
alzapié *m.* (말 · 짐승의 발을 걸리게 하는) 덫.
alzapón *m.* 바지의 호주머니 덮개.
alzaprima *f.* 지렛대; 받침 쐐기. —*m.*《*Arg.*》 (재목을 운반하는) 이륜차.
alzaprimar *tr.* ① 지렛대로 들어올리다. ② 물건을 비싸게 하다. ③《*Amér.*》 아첨하다.
alzapuertas *m.*【단 · 복수 동형】① 단역 배우. ② [드뭄] 말의 다리.
alzar *tr.* [9] ① 올리다, 높이다 (levantar) : ~ la mano 손을 올리다. ~ los ojos al cielo 하늘로 눈을 치켜 뜨다. ② 받들다; 추대하다 : ~ por caudillo 수령으로 추대하다. ③ (돛을) 올리다. ④ 가져가 버리다, 치워 버리다 : ~ los manteles 식탁보를 치우다. ⑤ 챙겨 넣다, 빼앗아 버리다; 감추다, 숨기다. ⑥ 상고하다.
~se ① 피하다. ② 사기 파산을 하다. ③ 우쭐거리다. ④ 봉기(蜂起)하다, 반란을 일으키다 (sublevarse). ⑤ [+con : …을] 가지고 도망하다, 횡령 · 착복하다 : ~ *se* con el dinero 돈을 가지고 도망하다. ⑥《*Amér.*》 (가축이) 산으로 달아나다. ⑦《*Col.*》 술에 취하다.
~*se a mayores* 우쭐거리다, 자만하다, 자랑하다 (engreírse).
alzo *m.*《*AmérC.*》 ① 도둑질. ② (투계에서) 이긴 싸움 : Lleva cinco ~*s* 다섯 번 이기고 있다.
coger de ~《*AmérC.*》 미워하다.
traer al ~《*AmérC.*》 여기저기 다니게 하다.
A.M. ante meridiem 오전.
ama *f.* ① 주부(señora de la casa o familia). ② 여주인(dueña). ③ 가정부, 하녀 우두머리. ④ 유모(乳母), 젖어머니. [Sinón.] nodriza, ama de cría, ama de leche.
~ *de brazos*《*Chile. Col.*》 보모.
~ *de gobierno* · *de llaves* 가정부(家政婦).
~ *seca*《*Galic.*》 보모(niñera).
señora ~ 마님.
amabilidad *f.* 친절, 호의, 온정; 사랑스러움; 상냥함, 정다움 : Tenga la ~ de enseñarme 저에게 가르쳐 주십시오. [Contr.] brutalidad, aspereza.
amabilísimo, ma *adj. sup.* amable.
amable *adj.* ① 친절한 : persona ~ 친절한 사람. Es usted muy ~ 친절을 베풀어 주셔서 고맙습니다《이 표현은 Gracias와 더불어 사용한다》. ② 다정한, 사랑스런, 상냥한 (afable, afectuoso, cariñoso) : hombre ~ *a* · *con* · *para* · *para con* todos 누구에게나 상냥한 사람.
amablemente *adv.* 친절하게, 상냥하게, 사랑스럽게, 정답게, 다정하게.
amacayo *m.*《*Amér.*》【식물】연미붓꽃 (flor de lis).
amaceno, na *adj.* 다마스커스 (damasceno)의. —*m.*【식물】서양 오얏나무. —*f.* 서양 오얏 (과일).
amacigado, da *adj.* 황색의.
amación *f.* 상사병, 연모 (enamoramiento, pasión amorosa).
amacizar *tr.*《*Méx.*》 꽉 조이다, 단단히 채우다;

가득 채워 넣다.

amacollar(se) *intr.* *(r.)* 떼를 이루다.

amachambrar *tr.* 끼워 넣다.
~se 《*Chile.*》 동거하다.

amachar *tr.* 《*Col.*》 모으다(juntar).
~se 《*Méx.*》 ① 반대·거절하다. ② 《*AmérC.*》 (여자가) 남자보다 드세다.

amachetear *tr.* 낫(machete)으로 자르다 (dar machetazos) : ~ un árbol.

amachimbrarse *r.* 《*AmérM.*》 정분을 맺다.

amachinarse *r.* 《*Amér.*》 정답게 지내다; 정분을 맺다, 정교를 맺다(amancebarse).

amacho *adj.* 《*AmérM.*》 ① 솜씨 있는, 똑똑한 : Soy ~ tirador. ② 확고한. —*m.* 《*Arg.*》 용감한 사람; 튼튼한 물건.

amachorrarse *r.* 《*Amér.*》 (여자가) 남자처럼 되다.

amadamado, da *adj.* 으시대는, 뽐내는.

amadamarse *r.* =**afeminarse.**

amado, da *adj.* 사랑하는. —*m.f.* 애인, 연인.

amador, ra *adj.* (…을) 좋아하는 : Fue ~ *de* vino 그는 포도주를 좋아했다.

amadrigar *tr.* ⑧ 과분하게 대접하다 : ~ a un vago.
~se ① 둥지로 들어가다(meterse en la madriguera). ② 세상을 등지다, 숨어 살다, 은둔하다 (retraerse del trato social).

amadrinamiento *m.* 가죽끈으로 잡아매는 일.

amadrinar *tr.* ① 가죽끈으로 잡아매다; 둘을 붙들어 매다. ② 후견하다, 후원하다(apadrinar). ③ 《*AmérM.*》 (말·소를) 길들이다(amansar).
~se 외양간으로 돌아가다(aquerenciarse). ② 서로 돕다.

amadroñado, da *adj.* 산 복숭아(madroño) 같은.

amaestradamente *adv.* 솜씨 좋게, 교묘하게, 멋지게, 멋진 솜씨로.

amaestrado, da *adj.* 훈련된, 길들인, 숙달된 (adiestrado).

amaestrador, ra *adj.m.f.* 훈련하는, 가르치는 (사람).

amaestramiento *m.* 가르침; 훈련 : Es fácil el ~ de un perro.

amaestrar *tr.* ① 훈련하다, 교육시키다, 가르치다 (adiestrar, enseñar). ② 숙련시키다. ③ 길들이다, 조마(調馬)하다(domar).

amafiarse *r.* ⑫ 《*Méx.*》 결탁하다.

amagadura *f.* 말발굽의 찰과상.

amagamiento *m.* ① 《*Amér.*》 계곡, 협곡, 골짜기. ② 《*Col.*》 위협(amago).

amagar *tr.* ⑧ ① 꾸미다, 거동하다, 티를 내다, 거동으로 비치다(fingir) : ~ la retirada 퇴각하는 척하다. ② (무슨 일이) 있을 것 같다, 일어날 것 같다(amenazar) : Le *amaga* un gran daño. —*intr.* ① 있을 것 같다 : *Amaga* un motín. ② [+a] …할 듯이 보이다 : El enemigo *amaga a* atacar 적이 공격해 올 것 같다. ③ 질병의 징조가 보이다 : ~ el accidente 발작이 일어날 것 같다.
~se 【고어】 숨다.

amagatorio *m.* 《*Ar.*》 =**escondite, escondrijo.**

amago *m.* ① 기색. ② 위협, 협박(amenaza). ③ 징후(señal, indicio).

ámago *m.* =**hámago.**

amagrecer *tr.* 【고어】 =**enmagrecer, enflaquecer.**

amahuecas *m.pl.* 아마우에까스족 《Ucayali 강변에 사는 Perú의 인디오》.

amainador, ra *m.f.* 돛을 내리는 사람.

amainar *tr.* ① (돛을) 내리다. ② (갱내에서) 철수하다, 나오다. ③ 기운을 죽이다, 부드러워지게 하다 : ~ a uno la furia 누구의 노여움을 달래다. —*intr.* 기운이 죽다; 가라앉다 : José *amainó en* furia 호세는 화를 가라앉혔다. ③ 견디다, 참다(tener paciencia).

amaine *m.* ① 돛을 내림. ② =**aflojamiento.**

amaitinar *tr.* 엿보다, 노리다, 잠복하다, 매복하다 (acechar, espiar).

amaizar *intr.* ⑯ ⑨ 《*Col.*》 부자가 되다.

amajadar *tr.* (양 등을) 방목하다. —*intr.* 목장에 들어가다.

amajanar *tr.* 돌을 쌓아 밭의 경계를 표시하다.

amalaya *interj.* =**amalhaya.**

amalayar *tr.* 《*AmérC. Col.*》 열망하다, 탐내다.

amalear *tr* . =**malear, dañar.**
~se 《*AmérM.*》 병들다.

amalecita *adj.m.f.* 알말렉족《Amalec, Esaú의 손자 Amalec의 후손인 아라비아의 성서의 민족》(의).

amalequita *adj.m.f.* =**amalecita.**

amalgama *f.* ① (수은의) 합금. ② 혼합 : ~ de colores. ③ 잡동사니.

amalgamación *f.* 혼합; (회사 등의) 합병·합동, 흡수 합병.

amalgamador, ra *adj.* 뒤섞은, 혼합하는. —*m.f.* 혼합자.

almalgamamiento *m.* =**amalgamación.**

amalgamar *tr.* ① (수은과) 섞다 : ~ oro. ② 뒤섞다, 혼합하다(mezclar). ③ 합병·합동하다.
~se 섞이다; 합병되다 : ~*se* dos sociedades.

¡amalhaya! *interj.* 《*Amér.*》 제발, 그렇게만 되었으면! (¡Ojalá!).

amalhayar *tr.* 《*AmérC.*》 열망하다, 욕심을 내다(anhelar, codiciar).

ámalo, la *adj.* 아말로 일가 《고트족의 명문》의. —*m.f.* 아말로 일족에 속하는 사람.

Amaltea *f.* 【신화】 Júpiter를 기른 산양 《뿔에서 소원하는 것이 나온다함》.

amalladar *intr.* 《*Ar.*》 =**malladar.**

amallarse *r.* ① 고기가 그물(malla)에 잡히다. ② 《*Chile.*》 =**amollar.**

amamantador, ra *adj.m.f.* 젖을 먹는 (아이); 양육하는 (사람).

amamantamiento *m.* 수유(授乳); 양육.

amamantar *tr.* ① 젖을 먹이다(dar de mamar). ② 기르다, 양육하다. Contr. criar, lactar.

amamarrachado, da *adj.* 괴짜 (mamarracho) 같은.

amán *m.* *ár.* =**paz, amnistía.**

amanal *m.* 《*Méx.*》 못, 저수지(貯水池)(alberca, estanque).

amancay *m.* 《*AmérM.*》 황수선의 일종.

amancebado, da *adj.m.f.* 불륜의, 정교를 맺는 (사람).

amancebamiento *m.* 불의, 정교(情交) (concubinato).

amancebarse *r.* 불륜의 관계·정교를 맺다 (vivir juntos hombre y mujer sin estar casados).
amancillar *tr.* 더럽히다(manchar, manchillar).
amandina *f.* 【화학】 =**emulsina.**
amanear *tr.* =**manear.**
amanecer *intr.* 31 [비인칭] ① 날이 밝아 오다, 동이 트다(empezar a clarear el día) : *Amanece* tarde en invierno 겨울에는 늦게 날이 샌다. ② 여명을 맞이하다. ③ 동틀녘에 …에 도착하다 (llegar a un lugar al amanecer) : *Amanecí* en Madrid 나는 마드리드에서 아침을 맞았다. ④ 동틀녘에 …이 나타나다(manifestarse alguna cosa al amanecer) : *Amaneció* el campo lleno de rocío 동틀녘에 이슬이 가득한 들이 나왔다.
—*m.* 동틀녘 : el ~ de un día de verano 어느 여름날의 동틀녘.
al ~ 동틀녘에(a la aurora, al rayar el día, al tiempo de estar amaneciendo).
amanecida *f.* 동틀녘, 여명 (amanecer) : Llegó a la ~ 그는 동틀녘에 도착했다.
amaneciente *adj.* 동이 트는, 날이 밝은.
amaneradamente *adv.* 거드름부리며, 틀에 박힌 듯이 : hablar ~.
amanerado, da *adj.* ① 교양이 있는. ② 거드름피우는. ③ 틀에 박힌. ④《*Ecuad.*》=**afable, atento.** Sinón. afectado.
amaneramiento *m.* 거드름피우기 ; 틀에 박혀 묘미가 없는 일, 매너리즘.
amanerarse *r.* ① 싫어지다, 얄미워지다. ② 매너리즘에 빠지다, 틀에 박히다 : Sus ademanes *se amaneran.* ③ 잰 척하다.
amanezc- →**amanecer** 31.
amanezca *f.*《*Méx.*》동틀녘, 새벽, 여명 ; 아침밥값.
amanezquera *f.*《*AmérC.*》동틀녘.
amaniatar *tr.* =**maniatar.**
amanita *f.* 버섯의 일종.
amanojar *tr.* 다발로 묶다 (juntar en manojo varias cosas).
amansa *f.* =**amansamiento.**
amansador, ra *adj.* 길들이는. **—*m.*** 야생말·망아지의 조련사(domador de potros).
amansaje *m.*《*Ecuad.*》=**amansamiento.**
amansamiento *m.* 조련, 길들이기, 익히기 ; 부드러움, 잔잔함.
amansar *tr.* 길들이다, 조련하다, 온순하게 하다 : ~ una fiera 맹수를 길들이다.
~se 길들여지다 ; 가라앉다, 차분해지다(sosegar ; apaciguar, mitigar) : *~se* las pasiones.
amanse *m.* =**amansamiento.**
amantar *tr.* 망토를 걸치다·입히다.
amante[1] *adj.* [+de : …을] 사랑하는, 좋아하는 : pájaro ~ *de* la soledad. **—*m.f.*** 연인, 애인.
amante[2] *m.* [*lat.* améntum] 【선박】 돛줄.
amantillo *m.* (돛의 활대의) 돛줄임줄.
amanuense *m.f.* 필생(筆生) ; 서기. Sinón. escribiente, secretario.
amanzanamiento *m.*《*Arg.*》구획 정리.
amanzanar *tr.*《*Riopl.*》(토지·시가지를) 구획 정리하다.
amañado, da *adj.* ① 노련한, 숙련된 (hábil, diestro) : hombre ~. ② 거짓의, 가짜의 : un telegrama ~.
amañar *tr.* 교묘하게 만들다 ; 위조하다.
~se 숙달하다, 솜씨를 보이다 : *~se a* escribir 글을 쓰는 것에 숙달되다. *~se con* cualquiera 어떤 것에도 솜씨가 있다.
amaño *m.* 손재주 ; 재치 : con *~s* 재간을 부려. Sinón. aperos. **—*pl.*** 도구.
a su ~ 멋대로, 자유로이.
amapola *f.* 【식물】 양귀비 : La ~ es una variedad de adormidera.
amapolarse *r.* ① 얼굴을 붉히다.(ruborizarse) ②【고어】(여자들이) 볼에 연지를 바르다.
amar *tr.* 사랑하다, 좋아하다, 연모하다 (querer, aficionarse, enamorar) : Yo te *amo* 나는 당신을 사랑합니다.
~se 자애(自愛)하다 ; 서로 사랑하다.
amaracino, na *adj.* 마요라나(amáraco)를 쓴 : ungüento ~ 마요라나 연고.
amáraco *m.* 【식물】 =**mejorana.**
amaraje *m.* (수상기의) 착수.
amarantáceo, a *adj.* 【식물】 비름과의. **—*f.pl.*** 【식물】 비름과 식물.
amarantina *f.* 【식물】 천일홍, 천일초.
amaranto *m.* 【식물】 색비름《비름과》. Sinón. borlones.
amarañar *tr.* =**enmarañar.**
amarar *intr.* (수상 비행기·우주선이) 착수(着水)하다(posarse en el agua un hidroavión).
amarchantarse *r.*《*Cuba.*》(상점의) 고객이 되다(hacerse cliente).
amarecer *tr.* =**amorecer.**
amarescente *adj.* 쌀쌀한, 떨떠름한, 씁쓰레한 (ligeramente amargo).
amarete *adj.*《*Arg.*》씁쓸하고 달착지근한 (dulce amargo).
amarfilado, da *adj.* 상아(marfil) 같은.
amargaleja *f.* 오얏나무의 열매(endrina).
amargamente *adv.* 고통스러운 듯이 ; 사무치는 듯이 (con aflicción o disgusto) : llorar ~ 사무치게 울다.
amargar *intr.* 8 ① 씁쓰레하다 : Esta fruta *amarga* 이 과실은 씁쓰레하다. ② 마음 아프다, 가슴 쓰리다. **—*tr.*** 고통을 주다 ; 쓰게 하다 ; 고통스럽게 하다 : ~ la vida.
amargo, ga *adj.* ① 맛이 쓴, 쓴맛의 : almendra *~ga.* ② 고통스러운, 슬픈 ; 불유쾌한, 무뚝뚝한. **—*m.*** 쓴맛, 쓴 것 : Me gusta lo ~ 나는 쓴 것을 좋아한다. Contr. dulce.
~ ***pícrico*** 【화학】 피크린산.
amargón *m.* 【식물】 민들레(diente de león).
amargor *m.* ① 쓴맛 (sabor o gusto amargo). ② 슬픔, 언짢음(amargura).
amargosamente *adj.* =**amargamente.**
amargoso, sa *adj.* =**amargo. —*m.*** 【식물】 마가목.
amarguera *f.* 미나리과 식물.
amarguillo, lla *adj.* [*dim.* amargo] 씁쓸한, 씁쓸하고 달착지근한. **—*m.*** 씁쓸한 과자.
amargura *f.* ① 씀(amargor). ② 쓴맛(sabor amargo). ③ 비통, 고통(aflicción, disgusto).
amaricado, da *adj.* =**afeminado.**
amariconado, da *adj.*《*Amér.*》여자같이 된.
amarilidáceo, a *adj.* 【식물】 수선과의. **—*f. pl.*** 수선과 식물.

amarilídeo, a *adj.f.pl.* =**amarilidáceo.**
amarilis *f.* 【단·복수 동형】【식물】 아마릴리스 : La ~ es originaria de Méjico.
amarilla *f.* 【은어】 금화 (moneda de oro) ; 면양의 간장병.
amarillarse *r.* =**amarillecer.**
amarillear *intr.* 황색으로 보이다 ; 노르스름하다 : Este paño *amarillea.*
amarillecer *intr.* ㉛ 누르스름해지다 (amarillear,ponerse amarillo) : una planta que *amarillece.*
amarillejo, ja *adj.* [*dim.* amarillo] =**amarillento.**
amarillento, ta *adj.* 노르스름한 : ponerse ~.
amarilleo *m.* 노르스름함.
amarillez *f.* 황색, 노르스름함.
amarillo, lla *adj.* 노란, 황색의 : tela ~*lla* 노란 천. raza ~*lla* mongólica 황색 인종. —*m.* ① 노랑, 황색. ② 누에의 이상면(異常眠).
amarilloso, sa *adj.* 《*Chile.*》 =**amarillento.**
amarinar *tr.* ① 식초에 절이다. ② (배에) 승무원을 태우다.
amariposado da *adj.* 나비 모양의.
amaritud *f.* =**amargor.**
amarizaje *m.* =**amaraje.**
amarizar *intr.* ① 여름을 보내다. ② (우주선이) 착수하다.
amarizarse *r.* ⑨ (양이) 교미하다.
amarizo *m.* 《*Sal.*》 가축의 교미 장소.
amaro *m.* 【식물】 샐비어.
amaromar *tr.* =**amarrar.**
amarra *f.* 가슴걸이 《마구》; 밧줄. —*pl.* 비호, 지원(자), 후원(자).
amarraco *m.* (카드 놀이에서) 5점 득점.
amarradera *f.* 《*Col.*》 =**amarra.**
amarradero *m.* 밧줄을 매는 말뚝, 이음 고리 ; 말을 매두는 곳 : atar un caballo al ~ 말을 말뚝에 매다.
amarradijo *m.* 《*Amér.*》 잘못 만들어진 매듭.
amarrado, da *adj.* =**atado.** ② 《*Murc. Cuba.*》 =**agarrado, mazquino.**
amarradura *f.* 붙잡아 맴 ; 계류(繫留).
amarraje *m.* 입항료, 정박료, 착선료, 말을 매두고 내는 요금.
amarrar *tr.* 붙잡아 매다 ; 계류하다 : ~ un barco. —*intr.* 부지런히 힘쓰다.
amarrársela 《*Amér.*》 술에 취하다, 취해서 정신을 잃다(emborracharse, achisparse).
amarre *m.* =**amarradura, atado.**
amarreco *m.* 《*Ál.*》 =**amarraco.**
amarrequear *intr.* 《*Ál.*》 (카드 놀이에서) 5점 득점을 겨냥하다.
amarrete *adj.* 《*AmérC.*》 인색한, 욕심많은 (mezquino, avaro).
amarrido, da *adj.* =**afligido.**
amarro *m.* 붙잡아 매는 밧줄.
amarroso, sa *adj.* 《*AmérC.*》 인색한, 욕심많은.
amarteladamente *adv.* 반해서, 혹해서, 애정을 느껴서(enamordamente).
amartelado, da *adj.* 애정을 느낀, 반한 ; (…에 치우친).
amartelamiento *m.* =**galanteo.**
amartelar *tr.* ① 혹하게 하다, 애정을 느끼게 하다, 사랑하게 하다(galantear, enamorar). ② (…에) 치우치다, (…에) 혹해서 빠지다. **~se** ① 반하다, (이성에게) 홀딱 빠지다, 녹아버리다(enamorarse).
amartillar *tr.* ① 망치(martillo)로 두들기다(martillar). ② 총의 격철을 세우다(montar) : ~ la pistola.
amarulencia *f.* =**resentimiento, amargura.**
amasadera *f.* ① 밀가루 반죽통. ② 《*Murc.*》 (미장이의) 반죽 상자(cuezo).
amasadero *m.* 밀가루를 반죽하는 곳.
amasador, ra *adj.* 반죽하는. —*m.f.* 반죽하는 사람 ; 제빵 기술자(panadero). —*f.* 전동식 빵 반죽기.
amasadura *f.* =**amasamiento.**
amasamiento *m.* ① 반죽. ② 《*Neol.*》 안마 치료, 마사지(masaje).
amasandería *f.* 《*AmérM.*》 작은 빵집, 제빵소.
amasandero, ra *m.f.* 《*AmérM.*》 빵 굽는 사람, 빵장수(panadero).
amasar *tr.* ① (밀가루를) 반죽하다 : ~ el pan. ② 슬그머니 준비하다, 조작하다, 공작하다. ③ 마사지하다. ④ 쌓다, 비축하다.
amasia *f.* 《*Méx. Perú.*》 =**concubina.**
amasiato *m.* 《*Méx. Perú.*》 =**concubinato.**
amasijo *m.* ① 빵의 반죽덩이. ② 일(tarea, obra, trabajo). ③ 착잡, 어수선함. ④ 좋지 못한 상담. ⑤ 《*Venez.*》 (일반적으로) 빵.
~ ***de palos*** 《*Venez.*》 구타.
amatal *m.* 무화과나무 숲.
amatar *tr.* 【고어】 죽이다, 살해하다(matar). **~se** 자살하다(matarse).
amate *m.* 【식물】 아마떼 《무화과(higo) 비슷한 열매가 열리는 나무》.
amateur *m.f.* 아마추어, 팬(aficionado). —*adj.* 아마추어의.
amatista *f.* 【광물】 자수정.
amatividad *f.* 《*Neol.*》 애욕(instinto del amor).
amativo, va *adj.* 반하기 잘하는, 애욕의.
amatorio, ria *adj.* ① 연애의 : cartas ~*rias.* ② 에로틱한, 색골의, 애욕적인(erótico).
amaurosis *f.* 【의학】 흑내장.
amauta *m.* (고대 뻬루의) 현자(賢者) (sabio), 박사.
amayorazgado, da *adj.* 장자 상속의.
amayorazgar *tr.* ⑧ (재산을) 장자 상속으로 지정하다, 상속인을 한정하다.
amayuela *f.* 바지락조개(almeja de mar).
amazacotado, da *adj.* ① 무거운 (pesado). ② 답답한, 갑갑한, 진저리나게 하는 : libro ~.
amazacotar *tr.* mazacote처럼 놓다.
amazolado, da *adj.* 용설란의 줄기로 된, 용설란의 줄기로 나뉜.
amazona *f.* ①【희랍 신화】 여자 전사, 아마존. ② 여장부, 여걸. ③ 여자 기수. ④ 부인용 승마복. ⑤ 모자에 꽂는 타조의 깃털. ⑥【조류】 잉꼬의 일종.
el Amazonas 아마존강.
amazónico, ca *adj.* ① 여전사의, 여전사같은. ② 용맹한. ③ 아마존강(el río de las Amazonas)에 관한.
amazonio, nia *adj.* =**amazónico.**
amazonita *f.* 아마존돌 《녹색돌의 일종》.

ambages *m.pl.* 빙 돌려서 말하기 (rodeos de palabras) : Hable sin ~.
ambagioso, sa *adj.* 애매 모호한, 답답하고 번거로운, 장황스러운 : lenguaje ~.
ambaiba *f.* 《*Arg.*》 【식물】 =**yagrumo.**
ámbar *m.* [*ár.* anber] 호박 《보석》. Sinón. succino.
~ *gris*, ~ *pardillo* 용연향. ~ *negro* 흑옥 (azabache).
ambarado, da *adj.* =**ambareado.**
ambarar *tr.* 용연향의 냄새를 내다.
ambarcillo *m.* 【식물】 오크라 《아욱과의 1년초》 (abelmosco).
ambareado, da *adj.* 《*Perú.*》 용연향의 향료를 바른.
ambarina *f.* ① 용연향정. ② 《*Amér.*》 【식물】 = **escabiosa.**
ambarino, na *adj.* 호박같은 ; 용연향같은 : color ~.
amberino, na *adj.m.f.* 암베레스 《Amberes, 벨지움의 도시》의 (사람).
ambicano *m.* 《*Col.*》 기도사, 주술사.
ambiciar *tr.* =**ambicionar.**
ambición *f.* 야심, 대망, 대지(大志), (장래의) 바람 : La ~ corrompe el corazón.
ambicionar *tr.* ① 갈망하다, 열망하다(desear ardientemente) : ~ el triunfo. ② (…에) 야심을 품다.
ambicionear *tr.* =**ambicionar.**
ambiciosamente *adv.* 야망·야심을 가지고 (con ambición).
ambicioso, sa *adj.* ① 야심적인, 대망을 품은. ② 욕심이 있는. —*m.f.* 야심가. Contr. humilde, modesto.
ambidextro, tra *adj.* 양손잡이의.
ambidiestro, tra *adj.* 양손잡이의.
ambiencia *f.* 《*Galic.*》 =**ambiente.**
ambientación *f.* ① 분위기·환경 묘사 ; 환경 : ~ musical 음악적 기풍. ② (말의) 배경, 무대 장치.
ambiental *adj.* 대기의 ; 환경의 : un descontento ~ 환경에 대한 불만.
ambientar *tr.* ① (시간·장소 등의) 분위기를 나타내다, 두드러지게 하다. ② (소설·연극 등의) 장면·시대를 설정하다 : La novela está *ambientada* en una sociedad 그 소설의 장면은 사회에다 설정하고 있다.
ambiente *adj.* 주위에 있는 : Las estufas vician el aire ~. —*m.* ① 주위의 공기, 분위기 ; 환경 : ~ de trabajo 노동 환경. medio ~ 생활 환경. ~ propicio 전망이 밝은 낌새. ② 주위의 상황 ; …계(界) : ~ musical 음악계. ③ 《*Arg. Chile.*》 (한 구획의) 주거 ; 방.
ambigú *m.* [*pl.* ambigúes] 가벼운 야식(夜食), 그 모임.
ambiguamente *adv.* 불명확하게, 애매 모호하게(con ambigüedad).
ambigüedad *f.* 두 가지 뜻, 애매 모호, 엇갈리기 쉬움.
ambigüífloro, ra *adj.* 양성의 꽃을 가진.
ambiguo, gua *adj.* ① 두 가지 뜻의, 분명치 못한, 불명확한, 애매한 : respuesta ~*gua* 애매한 대답. Contr. claro, neto, preciso. ② 【문법】 남녀 양성의 : género ~ 양성 《예 : mar》.
ambil *m.* 《*Col. Venez.*》 =**ambir.**
ambir *m.* 《*Col. Venez.*》 담배진, 니코틴.
ámbito *m.* ① 경(계)내, 경계, 구내 : ~ del palacio. ② 범위 ; 지역.
amblador, ra *adj.* 앞뒤 발을 함께 움직이는 : caballo ~.
ambladura *f.* (승마에서) 컨디션, 측대보(側對步)(paso de ~). Sinón. portante.
amblar *intr.* 측대보(側對步)로 걷다 《말이 한 쪽의 앞뒤 발을 동시에 들어 걷는 것》.
amblehuelo *m.* [*dim.* ambleo] (무게가) 2파운드 초.
ambleo *m.* ① 대형초. ② 대형 촛대.
ambligonio, nia *adj.* =**obtusángulo.**
ambliopia *f.* =**ambliopía.**
ambliopía *f.* 약시, 시력 박약.
ambo *m.* ① (추첨의) 연속 번호. ② 《*Chile.*》 넓은 옷의 위아래.
ambón *m.* 독경대, 설교단(說教壇).
ambos, bas *adj.pl.* 양쪽의 : con ~*bas* manos 양손으로. *a* ~*s* lados 양옆에. —*pron.* 양쪽, 둘 다.
~ *a dos, ambas a dos* 양쪽 다, 둘 다(ambos, ambas).
ambosada *f.* 《*Can.*》 =**amorzada.**
ambrina *f.* 【식물】 =**pazote.**
ambrosia *f.* =**ambrosía.**
ambrosía *f.* ① 신들의 음식 《불로 불사의 성을 준다는 신의 음식》. ② 진미. ③ 《*Arg.*》 우유와 계란을 넣은 과자. ④ 【식물】 쑥의 일종.
~ *campestre* 【식물】 나도매화나무.
ambrosíaco, ca *adj.* 쑥 냄새가 나는 : perfume ~.
ambrosiano, na *adj.* 성 암브로시오《San Ambrosio (340−397), 밀라노의 주교》의 : canto ~ 밀라노 교회의 찬송가.
ambucia *f.* 《*Chile.*》 걸신(들린 듯한 모양).
ambuciento, ta *adj.* 《*Chile.*》 굶주린, 탐식하는.
ambuesta *f.* =**almorzada.**
ambulación *f.* 유랑, 방랑.
ambulacral *adj.* 가로수길의.
ambulacrífero, ra *adj.* 가로수가 있는.
ambulacro *m.* 가로수길 ; 유원지.
ambulancia *f.* 의무 부대, 위생대, 야전 임시 병원 ; 구급차 : llevar en ~ 구급차로 수송하다.
~ *de correos* 우편차. ~ *fija* 야전 병원. ~ *volante* 응급·이동 치료반.
ambulanciero, ra *m.f.* 위생 대원 ; 야전 병원 근무자.
ambulante *adj.* ① 돌아다니는, 팔러 다니는 : mercader ~. ② 유랑의. ③ 이동하는, 이동성의. —*m.f.* ① 행상인. ② 우편차 승무원 : ~ de correos 우편차 우편 분류원.
ambular *intr.* 유랑하다, 방랑하다.
ambulativo, va *adj.* 방랑성이 있는, 방랑벽의.
ambulatorio, ria *adj.* 걸을 수 있는, 걷는 데 사용하는 : órganos ~*s.*
ambustión *f.* 【의학】 [드뭄] =**cauterización.**
ameba *f.* 【동물】 아메바.
amébido, da *adj.* 【동물】 아메바속의. —*m. pl.*

아메바속.

amechar *tr.* (램프에) 심지를 넣다(mechar).

amedrantar *tr.* =**amedrentar.**

amedrentador, ra *adj.* 겁을 주는, 놀란. —*m.f.* 겁주는 사람.

amedrentante *adj.* 겁을 주는.

amedrentar *tr.* 겁을 주다.
~se 깜짝 놀라다.

ámel *m.* (아라비아의) 추장.

amelar *tr. intr.* ⑲ (벌이) 꿀을 만들다.

amelcochar *tr.* 《*Amér.*》 (…에) 꿀을 넣다.
~se 《*Amér.*》 달게 되다.

amelga *f.* 이랑, 논두렁.

amelgado, da *adj.* 이랑이 불규칙한.

amelgador, ra *adj.m.f.* 논두렁·이랑을 만드는 (사람).

amelgar *tr.* ⑧ (…에) 이랑을 만들다, 논두렁을 내다.

amelía *f.* 아라비아의 추장(ámel)이 지배한 지역.

ameliorar *tr.* 《*Galic.*》 개량하다, 개선하다 (mejorar).

amelo *m.* 【식물】 들국화; 탱알.

amelocotanado, da *adj.* 복숭아 같은.

amelonado, da *adj.* ① 참외(melón) 모양의. ② 연정을 품은, 사랑하는, 반한(anamorado).

amembrillado, da *adj.* 메르멜로(membrilla)와 유사한.

amén *interj.* 아멘 《기도를 끝내고 하는 말》.
—*adv.* ① [+de : …을] 제외하고(excepto). ② …의 위에, 이외에(además) : ~ de lo dicho.
~ *que* 《*Amér.*》 …하려고도.
en un decir ~ 곧장, 곧바로.
decir ~ *a todo* 무슨 일에나 동의하다(consentir a todo).

amenamente *adj.* 선량하게; 쾌적하게.

amenaza *f.* 위협, 협박 : no tener las ~*s.*

amenazador, ra *adj.* 위협하는, 협박하는, 협박하는 것 같은 : carta ~*ra* 협박장. gesto ~ 협박투. —*m.f.* 협박자.

amenazadoramente *adv.* 위협·협박조로.

amenazante *adj.m.f.* =**amenazador.**

amenazar *tr. intr.* ⑨ ① 위협·협박하다 : Le *amenazaron de* muerte con la espada 죽인다고 칼로 위협했다. ② (…할) 우려·위험이 있다. …할 듯하다 : La casa *amenaza* ruina 건물이 무너질 듯하다. *Amenaza* tempestad 폭풍우가 몰아칠 듯 하다. ③ [+*inf.* : …할] 우려·위험이 있다, …할 듯하다 : *Amenaza* llover·nevar 비·눈이 올 듯하다. ④ [+con+*inf.* : …하라고] 협박하다.

amenguadero, ra *adj.* 【고어】 축소하는, 감소하는; 모욕하는.

amenguador, ra *adj.* =**amenguadero.**

amenguamiento *m.* 축소, 감소.

amenguante *adj.* =**amenguadero.**

amenguar *tr.* ⑩ ① 축소하다, 감소하다. [Contr.] aumentar. ② 모욕하다, 더럽히다.

amenidad *f.* 선량함, 마음 좋음; 기분 좋음, 쾌적함, 아늑함. [Contr.] aspereza, desabrimiento.

amenito *adv.* 《*Col.*》 꼭, 에누리없이.

amenizar *tr.* ⑨ 미화(美化)하다, 쾌적하게 하다, 흥을 돋구다.

ameno, na *adj.* 기분좋은, 즐거운, 흐뭇한, 유쾌한, 기쁜.

amenorrea *f.* (병적인) 월경 불순.

amentáceo, a *adj.* 【식물】 미상 화서(尾狀花序) 《갯버들 등의 꽃》의. —*f.pl.* 미상 화서과 식물.

amentar *tr.* ⑲ 가죽끈(correa)으로 묶다.

amentífero, ra *adj.* 미상 화서의.

amentiforme *adj.* 미상 화서 모양의.

amento *m.* ①【식물】 미상 화서. ② 가죽끈.

ámeos *m.* 【식물】 마요라나의 일종.

Amér. América.

amerar *tr.* =**merar.**
~se 축축해지다, 눅눅해지다(recalarse la humedad).

amerengado, da *adj.* 계란 흰자위로 만든 과자(merengue) 비슷한; 달콤한.

América *f.* 아메리카 : la ~ Central, Centro ~ 중앙 아메리카. la ~ del Norte, Norte ~ 북아메리카. la ~ del Sud·del Sur, Sud ~ 남아메리카. la ~ Latina 라틴 아메리카. los Estados Unidos de ~ 아메리카 합중국, 미국.

americana *f.* ① 웃옷, 상의(saco). ② 사륜 마차의 일종. ③ =**habanera.**

americanismo *m.* 아메리카 방언·사투리·숭배.

americanista *adj.* 아메리카의. —*m.f.* 아메리카 연구가.

americanización *f.* 아메리카화.

americanizar *tr.* ⑨ 아메리카식으로 하다.
~se 아메리카화하다, 아메리카풍을 따르다.

americano, na *adj.* 아메리카의. —*m.f.* ① 아메리카인. ②【방언】 아메리카에서 돌아온 사람.

americio *m.* 아메리시움 《알파 방사성 물질》.

américo, ca *adj. desp.* americano.

americoespañol *adj.* =**hispanoamericano.**

amerindio, dia *adj.* 아메리카 인디오의. —*m.f.* 아메리카 인디오.

ameritado, da *adj.* ① 《*Méx.*》 공로·공적이 있는. ② 《*Amér.*》 전술한, 기술한, 앞서 말한.

ameritar *intr.* 《*Amér.*》 가치가 있다, 공로가 있다.

amerizaje *m.* =**amaraje.**

Amér. Merid. América Meridional 남아메리카.

amesquite *m.* 【식물】 멕시코 딸기.

amestizado, da *adj.* 혼혈아같은.

ametalado, da *adj.* ① 쇠붙이같은. ② 잘 울리는.

ametalar *tr.* [드뭄] 여러 금속을 혼합하다.

ametista *f.* 【광물】 자수정(amatista).

ametrallador, ra *adj.* 연발식의, 속사형의 : pistola ~ 연발식 권총. —*m.* 기관총병. —*f.* 기관총, 기관포 : ~ antiaérea 고사(高射) 기관총.

ametrallar *tr.* 기관총으로 쏘다, 소사(掃射)하다 : ~ el ejército enemigo 적군을 기관총으로 소사하다.

amétrope *adj.* 부정시(ametropía)의 (눈).

ametropía *f.* 【의학】 부정시(不正視), 굴절 이상 : La ~ comprende la hipermetropia, la miopia y astigmatismo.

ameyal *m.* 《*Méx.*》 우물 《못가 같은 데 판 우물》.

amezquindarse *r.* 슬픔에 젖다, 적적해 하다

(entristecerse).
a m.f. a mi favor.
ami *m.* =**ameos.**
amia *f.* 【어류】 상어(tiburón).
amiantáceo, a *adj.* 석면같은.
amiantina *f.* 석면포(tela de amianto).
amianto *m.* 석면 : ~ cemento 석면 시멘트. ~ en tejido 석면포.
amiba *f.* 아메바 《최하등 동물》(ameba).
amibiano, na *adj.* 아메바의.
amibo *m.* =**amiba.**
amiboideo, a *adj.* 아메바같은 : movimientos ~*s.*
amicísimo, ma *adj. sup.* amigo.
amida *f.* 【화학】 산(酸) 아미드, 아미드기(基).
amidina *f.* 【화학】 아미진.
amido, da *adj.* 【화학】 =**amídico.**
amidol *f.* 아미돌 현상약.
amiento *m.* (용도가 다양한) 가죽끈.
amiga *f.* ① 【고어】 여학교 (escuela de niñas). ② 【고어】 여학교 여선생. ③ 여자 친구. ④ 정부, 첩(concubina).
amigabilidad *f.* 우의, 우정, 다정함, 친근성.
amigable *adj.* 우정있는, 우호적인, 정다운 ; 가까운.
amigablemente *adv.* 사이좋게, 의좋게, 친밀하게, 정답게.
amigacho *m.* [*desp.* amigo] 나쁜 친구, 장난 친구.
amigado, da *adj.* 친밀한 : un país ~ 우호국.
amigar *tr.* ⑧ =**amistar.**
~se ① 사이가 좋아지다. ② 정교를 맺다(amancedarse).
amigazo, za *m.f.* 《*AmérM.*》 =**amigacho.**
amígdala *f.* [*gr.* amugdalê] 【해부】 편도선.
amigdáleo, a *adj.* 편도 열매 같은.
—*f.pl.* 【식물】 장미과 식물(amigdaláceas).
amigdaláceo, a *adj.* 【식물】 장미과의. —*f.pl.* 장미과 식물.
amigdalina *f.* 편도에서 꺼낸 결정체.
amigdalino, na *adj.* 편도를 함유한 : jarabe ~.
amigdalitis *f.* 【의학】 편도선염 : La ~ aguda exige la ablación de las glándulas enfermas.
amigdaloide *adj.* 편도 모양의, 살구 모양의 : rocas ~*s* 살구 모양의 바위.
amigdalotomía *f.* 편도선의 전부 혹은 일부의 절제.
amigo, ga *adj.* ① 사이좋은, 우정이 있는, 친한, 친밀한 : país ~ 우방 국가. persona ~*ga* 친한 사람. ② [+de : …을] 좋아하는, …이 좋은 : ser ~ de las letras. —*m.f.* ① 친구 : ~ íntimo 친구. viejo ~ 오랜 친구. hacerse ~ de …의 친구가 되다. Contr. enemigo. ② 첩, 정부. ③ 【상업】 거래처.
~ ***de gancho y rancho*** 《*Amér.*》 친구.
~ ***del asa*** 친구.
~ ***del pelillo · de taza de vino*** 이해상의 친구.
A- del buen tiempo, múdase con el viento 【속담】 좋은 시절의 친구가 바람과 함께 사라진다 ; 좋은 시절의 친구가 어려울때는 무용지물이 되기 쉽다.
En el peligro se conoce al~/En la cárcel se conocen los~s 【속담】 어려울 때 친구가 참된 친구다.
amigote *m. aum.* amigo.
amiguero, ra *adj.* 《*Ecuad.*》 사교적인, 사귀기 쉬운 ; 붙임성이 있는, 교제술이 능한(muy sociable).
amiguísimo, ma *adj. sup.* amigo.
amiláceo, a *adj.* 전분질의, 전분을 함유한.
amilamia *f.* 《*Ál.*》 =**hada.**
amilanado, da *adj.* =**acobardado, pusilánime.**
amilanamiento *m.* 겁을 주기, 공포감을 주기.
amilanar *tr.* 겁을 주다, 공포감을 주다, 떨게 하다.
~se 겁을 내다 ; 풀이 죽다.
amilasa *f.* 아밀라아제, 디아스타아제《전분을 당질로 변화시키는 효소》.
amilénico, ca *adj.* 아밀정(amileno)의.
amileno *m.* 【화학】 아밀정(精).
amílico, ca *adj.* 【화학】 아밀의. —*m.* 아밀 알코올 ; 소주.
amillaramiento *m.* 할당, (세금의) 부가; 사정.
amillarar *tr.* 할당하다 ; (세금 등을) 부과하다 ; (그 할당을 위해) 재산 평가를 하다, 사정(査定)하다.
amillonado, da *adj.* 부유한, 대부호의.
amillonar *tr.* 거금을 모으다(juntar millones).
amilo *m.* 【화학】 아밀.
amiloideo, a *adj.* 전분성의.
amilosis *f.* 전분질의 침윤으로 발생한 질병.
amilote *m.* 아밀로떼 《멕시코 호수의 하얀 물고기》.
amín *m.* (모로코의) 재무관.
amina *f.* 【화학】 아민.
amínico, ca *adj.* 아민(amina)의.
aminoácidos *m.pl.* 아미노산.
aminoración *f.* 감소, 축소 (minoración) : ~ productiva 생산 축소.
aminorar *tr.* 적게 하다, 축소하다 (minorar, disminuír).
amir *m.* (아라비아인의) 군주 · 통령. Sinón. emir.
amirí *adj.* 아미리 일족 《꼬르도바의 회교 왕국의 멸망 후, 11세기 경 동부 서반아에 주권을 가지고 있던 Almanzor ben Abiámir의 일문》의.
—*m. f.* 아미리 가문의 사람.
amiscle *m.* 《*Méx.*》 바다 사자 《물개의 일종》.
amisible *adj.* [드뭄] 상실할 수 있는 : derecho ~.
amistad *f.* ① 우정, 우애 : romper las ~*es* 우정이 깨지다. hacer las ~*es* 화해하다. trabar ~ 우정을 맺다. ② 친선, 친목 ; 정교 ; 호의, 은혜. Contr. enemistad.
amistado, da *adj.* [+con : …와] 친한, 사이가 좋은 : Estoy ~ con él.
amistar *tr.* 화해시키다(unir en amistad).
~se ① 친해지다 ; 사이가 좋아지다 : ~*se* con él. ② 화해하다.
amistosamente *adv.* 사이좋게, 우호적으로, 의좋게(con amistad).
amistoso, sa *adj.* 우호적인, 의좋은, 사이좋은 : trato ~.

amitigar *tr.* [드뭄] =**mitigar.**
amito *m.* (십자가 모양의) 가사 《카톨릭에서 주교가 미사 때 alba 밑에 착용하는 것》.
Amman 【지명】 암만 《요르단의 수도》.
amnesia *f.* 【의학】 기억 상실, 건망증.
amnésico, ca *adj.* 건망증의, 기억 상실증의, 쉽게 잊는(desmemoriado).
amnestía *f.* ① 건망증, 기억 상실. ② 【고어】 = **amnistía.**
amnícola *adj.* 【남·여 동형】 강변의, 강변에 사는 : planta ～.
amnios *m.* 【단·복수 동형】 (태아를 싸는) 양막(羊膜).
amniótico, ca *adj.* 양막의 : líquido ～ 양수.
amnistía *f.* (정치범 등에게 주는) 특사. Sinón. indulto.
amnistiar *tr.* ⑫ (…에게) 특사를 베풀다(conceder amnistía).
amo *m.* ① 임자, 주인, 소유주(dueño, posesor). ② 어른, 왕초. ③ 집안의 우두머리.
Nuestro Amo 《*Chile. Méx.*》 하나님.
am.º amigo.
amoblado *m.* =**mobiliario, moblaje.**
amoblado, da *adj.* 가구를 갖춘 : Un funcionario diplomático busca una casa ～*da* 한 외교 공무원이 가구를 갖춘 집을 구하고 있다.
amoblar *tr.* ㉔ (…에) 가구를 갖추다, 조작하다(amueblar) : ～ una cosa.
amocetes *f.* 【동물】 장어의 유충.
amoceto *m.* =**lamprehuela.**
amodita *f.* 독사(alicante)의 일종.
amodorrado, da *adj.* ① 깊이 잠든(dormido). ② 몹시 졸린(adormilado).
amodorramiento *m.* 졸림, 잠이 듦.
amodorrante *adj.* 졸리는.
amodorrar *tr.* 졸리게 하다, 잠들게 하다 (causar modorra, adomecer).
～se 졸리다 ; 잠들다 ; 졸다 (caer en modorra). Sinón. adormecerse.
amodorrecer *tr.* ㉛ 몹시 잠이 오게 하다 (amodorrar).
amodorrido, da *adj.* 정신없이 잠이 오는.
amófilo, la *adj.* 모래땅에 사는. —*m.* 모래땅에 사는 곤충.
amogollarse *r.* 《*AmérC.*》 뒤죽박죽이 되다.
amogotado, da *adj.* 언덕(mogote) 모양의.
amohecerse *r.* ㉛ 곰팡이가 피다.
amohinar *tr.* ⑯ 약을 올리다, 화나게 하다.
～se 약오르다, 보채다 : Ese niño *se amohina* fácilmente.
amohosado, da *adj.* 《*Amér.*》 곰팡이가 핀(enmohecido).
amohosarse *r.* 《*AmérM.*》 =**amohecerse.**
amojamado, da *adj.* 바싹 메마른, 말라 비틀어진.
amojamamiento *m.* 말라 비틀어짐.
amojamar *tr.* 말리다, 마른 것으로 하다.
～se 말라 버리다, 말라 비틀어지다.
amojonador *m.* 경계표를 세우는 사람.
amojonamiento *m.* 말뚝을 박아 경계를 설정 : ～ de un campo.
amojonar *tr.* (…에) 경계표(mojón)를 세우다.
amojosao *m.* 《*Arg.*》 가우쵸의 긴 칼.
amol *m.* 《*Guat. Hond.*》 =**amole.**
amoladera *f.* ① 숫돌. ② 《*Méx. AmérC.*》 수고로움, 귀찮음.
amolador, ra *adj.* 귀찮은 ; 지친. —*m.f.* 연마사(研磨師).
amoladura *f.* 연마, 갈기. —*pl.* 숫돌 찌끼.
amolán *m.* 《*Can.*》 산양 젖으로 만든 버터.
amolar *tr.* ㉔ ① 갈다(afilar). ② 골탕을 먹이다, 난처하게 하다.
amoldable *adj.* 본을 뜰 수 있는.
amoldador, ra *adj.* 본을 뜬, 틀에 맞춘.
amoldamiento *m.* 본을 뜸, 틀에 맞춤.
amoldar *tr.* 본뜨다, 틀에 맞추다 ; 탈취하게 하다.
～se 모양을 만들다 ; 재다 ; 틀에 박히다.
amole *m.* 《*Méx.*》 거품풀 뿌리 《비누 대신 쓰는 풀뿌리》. Sinón. jaboncillo.
amollador, ra *adj.m.f.* 양보하는 (사람).
amolladura *f.* 양보 ; 느슨함.
amollante *adj.m.f.* =**amollador.**
amollar *intr.* ① 물려주다, 양보하다. ② 약해지다, 느슨해지다. ③ (카드 놀이에서) 낮은 패를 내다. —*tr.* 늦추다.
amollentar *tr.* =**ablandar.**
amolletado, da *adj.* 타원형의.
amomáceas *f.pl.* 【식물】 함수초과 식물.
amomáceo, a *adj.* 【식물】 =**amomeo.**
amomeo, a *adj.* 【식물】 단자엽류의 (식물). —*f.pl.* 단자엽류 식물.
amomo *m.* 【식물】 양하 ; 그 종자 《방향 쓴맛의 건위제》.
Amón *m.* (고대 이집트의) 태양신.
amonarse *r.* 취하다(embriagarse).
amondongado, da *adj.* 살이 찐, 뚱뚱한 : persona ～*da.*
amonedación *f.* 주조.
amonedado, da *adj.* ① 주조된. ② 돈이 많은, 부유한(adinerado, rico).
amonedar *tr.* 화폐로 주조하다 (acuñar) : ～ oro. Sinón. acuñar.
amonestación *f.* ① 훈계, 충고. ② (교회가 하는) 결혼의 공시(公示) : correr las ～*es* 결혼의 공시를 하다.
amonestador, ra *adj.* 타이르는, 훈계하는, 충고하는. —*m.f.* 훈계자, 충고자.
amonestamiento *m.* =**amonestación.**
amonestante *adj.m.f.* =**amonestador.**
amonestar *tr.* ① 타이르다, 훈계하다, 충고하다. ② (교회가 신도의) 결혼을 공시하다.
～se 자계(自戒)하다 ; (교회에서 자신의) 결혼을 공시하다.
amoniacal *adj.* 암모니아의, 암모니아성의.
amoniaco, ca *adj.* 암모니아의. —*m.* 암모니아 가스·수 ; 고무상(狀) 수지(樹指).
sulfato de ～ 유안(硫安).
amoníaco, ca *adj.* =**amoniaco.**
amoniático, ca *adj.* 암모니아의 : sal ～*ca.*
amónico, ca *adj.* =**amoniacal.**
amonio *m.* 【화학】 암모늄 : sulfato de ～ 유산 암모늄.
amonita *f.* 【고어·생물】 암몬 조개.
amonites *f.* =**amonita.**
amonítidos *m.pl.* 화석화된 두족류 연체 동물.

amoniuro *m.* 【화학】 암모니아염.
amontar *tr.* 쫓아버리다, 놓치다(ahuyentar). —*intr.*, **~se** (동물이) 산으로 달아나다, 야생으로 돌아가다.
amontazgar *tr.* =**montazgar.**
amontillado, da *adj.* 헤레스산 백포도주의. —*m.* 헤레스산(產) 백포도주의 일종 : un barril de ~.
amontonadamente *adv.* 산같이 쌓여서, 겹겹이 포개어져, 어지러이 널려.
amontonado, da *adj.* 축적된, 포개어진, 가지런하지 못한.
amontonador, ra *adj.* 축적하는. —*m.f.* 축적하는 사람.
amontonamiento *m.* ① 산적, 퇴적 : ~ al aire libre 야적. ~ de mercancías enviadas 체화(滯貨). ② 축적 ; 잡동사니 ; 많이 모이는 일.
amontonar *tr.* ① 축적하다. ② 닥치는대로 끌어 모으다 : ~ textos. ③ 쌓아 올리다.
~se ① 축적되다, 겹겹이 포개어지다, 너저분하게 모이다, 떼지어 모이다, 법석을 이루다. ② 사납게 울부짖다(irritarse). ③ (남녀가) 꼭 붙다. ④《*Méx.*》 떼지어 덮치다. ⑤《*SDgo.*》 난처해지다.
amor *m.* ① 사랑, 애정(cariño) : ~ propio 자존심, 자부심. ~ de las artes 예술의 사랑. ~ de los hijos 자녀들의 사랑. ~ de padre 아버지의 사랑. ② 보드라움, 상냥스러움(blandura, suavidad) : Los padres castigan a los hijos con ~. ③ 연애 : hacer el ~ 연애를 걸다. ④ 애인 ; 소중한 것. ⑤ *pl.* 바람기, 스캔들 ; 사랑의 말·행동·거동. ⑥ 【식물】 마타리과에 속한 식물 : ~ de hortelano. ⑦ 우엉 ; 피. **Contr.** aversión, horror.
~ ***libre*** 혼외 성관계, 혼외 정사.
~ ***platónico*** 플라토닉 러브, 정신적 사랑.
al ~ del agua 흐르는대로 ; 시류에 따라.
al ~ de la lumbre·del fuego 불에 다가가서.
a su ~ 마음 내키는대로.
con·de mil ~es 몹시 기뻐하여, 진심으로.
de ~ y ~ 《*Méx.*》 공짜로, 거저, 무료로.
por ~ al aire =sin recompensa.
hacer el ~ =fornicar.
amoral *adj.* 《*Neol.*》 부도덕한.
amoralidad *f.* 부도덕(falta de moral).
amoralismo *m.* 무도덕 윤리설, 도덕 부족.
amoratado, da *adj.* 보랏빛이 된, 보랏빛 나는 ; 검붉은 빛깔의 : ~ de frío.
amoratarse *r.* 보랏빛이 되다, 검붉게 되다.
amorbar *tr.* 【고어】 =**enfermar.**
amorcillo *m.* 큐핏의 인형.
amordazado, da *adj.* 재갈을 운반하는.
amordazador, ra *adj.* 재갈을 물리는. —*m.f.* 재갈을 물리는 사람.
amordazamiento *m.* amordazar하는 일.
amordazar *tr.* ⑨ ① (…에) 재갈(mordaza)을 물리다 : ~ a un perro. ② 언론의 자유를 박탈하다.
amorecer *tr* ① 숫양이 암양을 덮치다(cubrir el morueco a la oveja). ② 암양이 발정하다(entrar en celo las ovejas).
amoreteado, da *adj.* =**amoratado.**
amorfía *f.* 무정형, 비결정 ; 허무주의, 무정부주의.
amorfino *m.* 《*Ecuad.*》 민속 노래·춤.
amorfismo *m.* =**amorfía.**
amorfo, fa *adj.* 무정형·비결정질의 ; 무조직의.
amorgado, da *adj.* amorgar의 *p.p.*
amorgar *tr.* ⑧ (고기를) 올리브의 쓴 즙(morga)으로 절이다.
amorgonar *tr.* 《*Ar.*》 =**amugronar.**
amoricones *m.pl.* 응석부림, 연모하는 일.
amorío *m.* 정사(情事), 연모, 연애 사건, 스캔들(enamoramiento, amor) : estar atontado con sus ~*s*.
amoriscado, da *adj.* 모로 사람(moro) 같은 : rostro ~ 모로인같은 얼굴.
amorita *f.* =**amorreo.**
amormado, da *adj.* 탄저병(muermo)에 걸린.
amormío *m.* 【식물】 판크라티움.
amorosamente *adv.* 다정스레, 자애롭게, 사랑스럽게 : hablar ~.
amoroso, sa *adj.* ① 애정깊은, 사랑이 넘치는 : carta ~*sa* 연애 편지. ② 자애로운, 다정 다감한, 다정스러운 : padre ~. ③ 부드러운, 느긋한, 쾌적한 : tarde ~*sa*. ④ 경작하기 쉬운 (토지 등) : tierra ~*sa*. —*m.* 【음악】 약간 더디지만 부드러운 템포.
amorquelite *m.* =**amole.**
amorrar *intr.* ① 머리·고개를 수그리다 (bajar la cabeza). ② 틀어지다, 비꼬이다. ③ 뱃머리가 아래로 기울다.
amorriñarse *r.* 전염병을 앓다.
amorrionado, da *adj.* [드뭄] 투구 모양의.
amorronar *tr.* (선박이 구조를 요청하는 신호로) 기를 말다.
amorrongarse *r.* 《*Cuba.*》 =**acoquinarse.**
amortajador, ra *m.f.* 시체를 처리하는 인부.
amortajamiento *m.* ① (시체에) 수의를 입히는 일. ② 숨기는 일.
amortajar *tr.* ① (시체에) 수의를 입히다. ② 두둔하다, 숨기다, 덮다.
amortecer *tr.* ㉛ 완화시키다(amortiguar).
~se 죽은 것처럼 되다, 실신하다, 기절하다.
amortecimiento *m.* 기절, 실신(desmayo).
amortezc- →**amortecer** ㉛.
amortiguación *f.* =**amortiguamiento.**
amortiguador, ra *adj.* 완화하는 : muelle ~. —*m.f.* 완화하는 사람. —*m.* ① 완충기, 완충 장치 : ~ hidráulico. ② (자동차 등의) 범퍼. ③ 【전기】 제동자.
~ ***de luz*** 제광기, 제광 장치.
~ ***de ruido*** 소음기, 소음 장치.
amortiguamiento *m.* 완화 ; 부드러워짐 ; 쇠약.
amortiguar *tr.* ⑩ ① 완화하다 : ~ un golpe, ~ el fuego, ~ el ruido. ② (색조를) 약하게 하다. **Contr.** avivar, atizar.
~se 부드러워지다, 완화되다.
amortizable *adj.* 상각·상환할 수 있는 : renta ~.
amortización *f.* ① 상각, 상환, 변제, 할부 상각 ; 상환액 : ~ acelerada 《*Chile.*》 가속도 상각. ~ anterior 《*Arg.*》 감가 상각 누계액·담보금. ~ de deudas 부채 상환, 채무 변제. ~ degresi-

va 체감 상각법. ~ del ejercicio《*Arg.*》당기 감가 상각비. ~ directa 직접 상각법. ~ indirecta 간접 상각법. ~ lineal 정액 감가 상각법. ~ permitida 감가 상각 담보금. ~ semestral 반년 결제. caja·fondo de ~ 감채 기금, 부채 상각 적립금. ②(법인에게) 부동산의 양도·영구 기증.

amortizar *tr.* 9 ① 상각·상환하다 : ~ un préstamo. ② 감채·상각 기금으로 하다, 원가 상각하다 : ~ en diez por ciento la maquinaria 기계류를 10% 원가 상각을 하다. ③(부동산을) 영구 기증·한정 재산으로 하다. ④(사무에서 어떤 부서를) 없애다·폐지하다.

Amós *m.*【성서】아모스《히브리의 예언자 ; 구약 성서 중의 책 이름》.

amoscamiento *m.* 귀찮음, 성가심 ; 화를 냄 ; 원망.

amoscar *tr.* 7 모기를 쫓다(amosquear), 파리를 쫓다.

~se ① 귀찮아 하다. ② 화내다, 성내다, 빌끈 하다(enfadarse, enojarse). ③ 원망하다. ④《*Amér.*》수치스러워하다.

amosquilado, da *adj.*《*Extr.*》파리를 피하기 위해 덤불로 들어가는 (소).

amosquilarse *r.* (소가) 파리를 쫓아 몸을 피하다.

amostachado, da *adj.* =**bigotudo.**

amostazamiento *m.* 화냄, 성냄, 노함 ; 초조.

amostazar *tr.* 9 ① 성나게 하다, 화나게 하다, 노하게 하다(irritar, enojar). ② 초조하게 하다.

~se ① 노하다, 성내다, 화내다 : *~se* fácilmente. ② 초조해 하다. ③《*Amér.*》부끄러워하다, 수치스러워하다(avergonzarse).

amostrar *tr.*《*Amér.*》【고어】=**mostrar.**

amotape *m.*《*Perú.*》푸른 면포.

amotinadamente *adv.* =**tumultuosamente.**

amotinado, da *adj.* 반란을 일으킨 : pueblo ~. —*m.f.* 반란자. Sinón. insurrecto.

amotinador, ra *adj.* 반란을 일으키게 하는, 선동하는. —*m.f.* 선동자 ; 폭동자, 반란자.

amotinamiento *m.* 폭동, 반란. Sinón. sublevación.

amotinar *tr.* ① 반란을 일으키다, 궐기하게 하다. ② 어지럽히다, 혼란케 하다, 문란케 하다(turbar, inquietar).

~se 반란을 일으키다, 궐기하다, 폭동을 일으키다, 난동을 부리다.

amover *tr.* 25 전임·이동시키다 ; 파면·면직하다 ; 유산하다 ; 번복하다.

amovibilidad *f.*《*Chile.*》=**amovilidad.**

amovible *adj.* 전임시킬 수 있는 ; 면직시킬 수 있는 : funcionario ~.

amovilidad *f.* 전임시킬 수 있음, 파면·면직시킬 수 있음.

amozarse *r.*《*Amér.*》젊은이·아가씨가 되다.

A.M.P. Ave María Purísima.

ampalagua *f.* =**lampalagua.**

ampara *f.*《*Ar. Nav.*》보호 ; 보증.

amparable *adj.* 보호될 수 있는, 두둔·비호할 수 있는.

amparador, ra *adj.* 감싸는, 두둔하는 ; 보호하는 ; 보증하는. —*m.f.* 보호자.

amparanza *f.*【고어】=**amparo, abrigo, refugio, parapeto.**

amparar *tr.* ① 보호하다 ; 감싸주다, 두둔하다, 비호하다(proteger, favorecer). ② 보증하다, 뒷받침을 하다 : el crédito que *ampara* el pedido 주문의 지불을 보증하는 신용장. ③《*Venez.*》빌리다, 꾸다(pedir prestado).

~se ① 호의를 달게 받다, 은혜를 입다, 신세를 지다. ② 은신하다. ③ [+con·de·en : …에] 의지하다 : *~se en* un fuerte. ④ 몸을 지키다, 방위하다 (defenderse) : *~se de·contra* la lluvia. ⑤《*Amér.*》광산 개발권의 조건을 충족시키다.

amparo *m.* ① 두둔, 비호, 도움, 원조(abrigo, defensa). ② 도피(refugio). ③《*Col.*》채광권.

ampelidáceo, a *adj.*【식물】포도과의. —*m.f.* 포도과 식물.

ampelita *f.*【광물】촉탄(燭炭).

ampelografía *f.* 포도 재배법.

ampelográfico, ca *adj.* 포도 재배(법)의.

ampelógrafo, fa *m.f.* 포도 연구자.

amper *m.*【전기】=**amperio.**

ampere *m.*【전기】암페어(amperio).

amperaje *m.* 암페어수(數), 전류량.

amperímetro *m.* 전류계.

amperio *m.*【전기】암페어 : ~ hora 암페어 시(時). ~ vuelta 암페어 횟수.

amplexicaulo, la *adj.*【식물】(식물의) 줄기를 쌓는 (기관).

amplexo, xa *adj.*【식물】다른 것으로 쌓인 식물의 (기관).

amplexográfico, ca *adj* 포도 재배(법)의.

ampliable *adj.* 확대할 수 있는, 확장시킬 수 있는.

ampliación *f.* ① 확장, 확대 : ~ de capital 증자(增資). ~ de fincas demasiado pequeñas 협소한 농장의 확대. ~ de mercado 시장 개발. ~ del negocio 업무 확장. ②(사진의) 확대 : ¿Quiere hacerme una ~ de esta fotografía? 이 사진의 확대를 해 주실 수 있습니까?

ampliador, ra *m.f.* (사진의) 확대기. Sinón. amplificador.

ampliamente *adv.* 널리, 두루두루, 광범하게.

ampliar *tr.* 11 넓히다, 확장하다, 확대하다 ; (사진을) 확대하다.

ampliativo, va *adj.*《*Venez.*》확대적인.

amplificación *f.* 부연 ; 확장 ; 확대, 확충 ; (소리의) 증폭.

amplificador, ra *adj.* 확대하는 : cristal ~ 확대경. —*m.* ① 증폭기. ② 확성기(altavoz).

amplificante *adj.* 확대하는; 증폭하는.

amplificar *tr.* 7 ① 확대하다, 확충 부연하다. ②【물리】증폭하다.

amplificativo, va *adj.* 확대적인 ; 부연적인.

amplio, plia *adj.* 넓은, 광범한 ; 광의(廣義)의.

amplísimo, ma *adj. sup.* amplio.

amplitud *f.* ① 넓이, 넓음, 폭. ② 사정(射程) (~ de tiro). ③【물리】진폭. ④【천문】출몰 방향각, 각거(角距), 각경(角徑). ⑤ 분포폭, 변동 범위 : ~ del poder de representación 대표권의 범위. ~ media 평균 분포폭. ⑥【기하】편각. ⑦ 중요성.

ampo *m.* 순백 ; 설편(雪片).

ampolla *f.* ①(손바닥에 생긴) 물집. ② 거품, 기포. ③(주사액 등의) 앰플. ④ 물주전자, 술주전자. ⑤ 전구(bombilla).
ampollar[1] *adj.* 입이 가늘고 몸통이 굵은.
ampollar[2] *tr.* (…에) 물집이 생기게 하다 ; 속이 비게 하다.
~se 물집이 생기다 ; 속이 비다.
ampolleta *f.* [*dim.* ampolla] 모래 시계.
ampollón, na *adj.* 《*Perú.*》 일이 없는, 게으른.
ampolluela *f. dim.* ampolla.
ampón, na *adj.* 부풀어 오른, 속이 빈.
amprar *m.* 《*Ar.*》 빌리다(pedir prestado).
ampulosamente *adv.* 화려하게; 과대하게.
ampulosidad *f.* 화려함 ; 과대.
ampuloso, sa *adj.* 화려한 ; 과장해서 말하는. Contr. sencillo.
ampurdanés, sa *adj.* 암뿌르단 《Ampurdán, 까따르니아의 한 지방》의. **—***m.f.* 암뿌르단 사람.
amputación *f.* 절단 (수술) : la ~ del brazo.
amputar *tr.* (팔·다리 등을) 절단하다 : Debieron ~le la pierna derecha 그의 오른쪽 다리를 절단해야 했다.
amuchachado, da *adj.* ① 어린애 닮은 : hombre ~ 어린애 닮은 어른. ② 어린애 같은 : rostro·genio ~ 어린애 같은 얼굴·성질.
amuchar *tr.* 《*Arg.*》 불리다(aumentar). **—***intr.* 《*Amér.*》 불어나다 : Las gallinas *amuchan*.
~se 취하다.
amueblado, da *adj.* 가구가 비치된 : cuarto ~ 가구가 비치된 방.
amueblamiento *m.* 가구의 비치 : para responder a una particular necesidad de ~ 가구의 비치의 특별한 필요성에 답하기 위해.
amueblar *tr.* 조작하다 ; (…에) 가구를 들여놓다(proveer de muebles) : ~ su cuarto. Contr. desamueblar.
amuelar *tr.* (밀 등을) 산적해 놓다.
amufar *intr.* [드뭄] =**amurcar.**
amugamiento *m.* =**amojonamiento.**
amugronador, ra *adj.m.f.* 꺾꽂이 하는 (사람).
amugronar *tr.* (포도) 나무를 꺾꽂이 하다 (acodar la vid).
amujar *tr. intr.* 《*AmérM.*》 =**amusgar.**
amuje *m.* 《*Sal.*》 =**esguín.**
amujerado, da *adj.* 여자같은(afeminado).
amujeramiento *m.* =**afeminación.**
amular *intr.* 불임이 되다.
~se 《*Méx.*》 ① 못쓰게 되다(volverse inútil). ② 《*Can.*》 =**enfadarse.**
amulatado, da *adj.* (흑백의) 혼혈아같은 : tez ~*da.*
amuleto *m.* 부적. Sinón. talismán.
amullicar *tr.* 7 (퇴비를) 옮겨 쌓다.
amunicionar *tr.* (…에) 탄약(munición)을 보급하다(muncionar, proveer de municiones) : ~ una tropa.
amunucarse *r.* 《*Chile.*》 =**amohinarse.**
amuñecado, da *adj.* 인형같은.
amura *f.* 돛의 아래 귀퉁이 밧줄.
amurada *f.* (배의) 옆구리, 선측.
amurallado, da *adj.* 성벽으로 둘러쌓인.
amurallar *tr.* 성벽으로 둘러싸다(murar) : ~ una ciudad.
amurar *tr.* ① 돛의 밧줄을 끌어당기다. ② 《*Arg.*》 버리다(abandonar).
amurcar *tr.* 7 뿔로 찌르다(dar cornada).
amurco *m.* (황소가) 뿔로 찌르기.
amurrarse *r.* 《*AmérM.*》 심심해 하다, 쓸쓸해 하다, 풀이 죽다 : semblante *amurrado* 어두운 얼굴 표정.
amurriarse *r.* 11 =**amurrarse.**
amurriñarse *r.* 《*Hond.*》 (가축이) 수종증(morriña)에 걸리다.
amurruñarse *r.* 《*Venez.*》 재롱부리다.
amusco, ca *adj.* 갈색의(musco).
amusgar *tr. intr.* 8 (동물이 놀라거나 경계할 때) 귀를 바싹 세우다. **—***tr.* 응시하다.
~se ① 《*Hond.*》 부끄러워하다(avergonzarse). ② 《*Arg.*》 =**ceder.**
amuso *m.* 【건축】 완전히 편편한 표면.
amustiar *tr.* 구슬퍼하다 ; 능청을 떨다.
an- *pref.* 「무(無)」, 「비(非)」의 뜻을 나타내는 접두어.
ana *f.* ① 약 1m 길이의 단위. ② 【약학】 같은 량.
ana- *pref.* 「반대」, 「재(再)」, 「상(上)」 등의 뜻을 나타내는 접두어.
ana. antífona.
an.[a] anónima.
anabaptismo *m.* 재세례(再洗禮) ; 재세례설 《어린애의 세례를 무의미하다고, 성년 후의 세례를 요구하는 주장》.
anabaptista *adj.* 재세례설의. **—***m.f.* 재세례설 신자.
anabas *m.* 【어류】 (인도산의) 아나바스 《나무에 기어 오르는 고기》.
anábasis *f.* 【의학】 =**aumento, crecimiento.**
anabático, ca *adj.* 상승 기류의.
anabí *m.* =**nabí.**
anabolismo *m.* 【생물】 동화 작용.
anac. anacoreta.
anacahuita *m.* 《*Méx.*》 =**amate.**
anacalo, la *m.f.* 【고어】 빵 배달인. **—***m.* =**añacal.**
anacantino, na *adj.m.* 【어류】 경골속 어류(의).
anacanto, ta *adj.m.* =**anacantino.**
anacarado, da *adj.* 진주같이 흰.
anacardiáceas *f.pl.* 【식물】 화서과 식물.
anacardo *m.* 【식물】 화서(花序)나무 ; 그 열매.
anaco *m.* 《 *Bol. Ecuad. Perú.*》 (인디오 여자들의 한 쪽 옆이 터진) 짧은 허리 치마.
anacoluto *m.* 【문법】 파격 구문.
anaconda *f.* 【동물】 (남미 강가에 사는) 왕뱀 (boa)의 일종.
anacora *f.* =**trompa.**
anacoreta *m.f.* 은자, 선인 ; 수도자(monje).
anacorético, ca *adj.* 은자의, 은자적인.
anacoretismo *m.* 은자의 생활.
anacreóntica *f.* 환락의 노래.
anacreóntico, ca *adj.* ① 아나크레온 《그리스의 쾌락 시인 Anacreonte, 서기전 560−478》 풍의 : poeta ~. ② 환락적인.
anacrónicamente *adv.* 시대에 뒤떨어져서.
anacrónico, ca *adj.* 시대 착오의 ; 시대에 뒤떨어진.
anacronismo *m.* 시대 착오 ; 케케묵은 것.

anacrusis *f.* 【시어】 행두(行頭)의 잉여 음절.
ánade *m.(f.)* 【조류】 거위, 오리(pato) : El ~ se domestica fácilmente.
anadear *intr.* 엉덩이(caderas)를 흔들면서 오리 걸음으로 걷다(nadear).
anadeja *f. dim.* ánade.
anadino, na *m.f.* 새끼 오리(pollo de ánade).
anadiómene *m.* Venus의 별명.
anadón *m.* ① 새끼 오리(pollo de ánade). ② 뜨지 않는 재목(madero ahogadizo).
anaerobio, bia *adj.* 공기를 싫어하는, 혐기성(嫌氣性)의. —*m.* 혐기성의 균.
anafaga *f.* 【고어】 =**costa.**
anafalla *f.* =**anafaya.**
anafaya *f.* 옛날의 면직물.
anafe *m.* 휴대용 난로, 풍로, 난로(infiernillo).
anafiláctico, ca *adj.* 과민증(anafilaxia)의.
anafilaxia *f.* 【병리】 (어떤 약물에 대한) 과민증.
anafilaxis *f.* =**anafilaxia.**
anáfora *f.* ① 【수사】 =**repetición.** ② (그리스 정교의) 성찬식.
anafórico, ca *adj.* ① anáfora의. ② 【의학】 = **emético.**
anafre *m.* =**anafe.**
anafrodisia *f.* 생식 기능 결핍.
anafrodisíaco, ca *adj.* 생식 기능 결핍증의. —*m.f.* 생식 기능 결핍증 사람.
anafrodita *adj.* 성적 금욕의. —*m.f.* 성적 금욕자.
anagálida *f.* 【식물】 =**murajes.**
anaglífico, ca *adj.* 조잡하게 부조된.
anáglifo *m.* 부각(浮彫)한 것.
anagnórisis *f.* ① =**agnición.** ② 희곡의 대단원.
anagnosia *f.* 【방언】 =**agnosia.**
anagoge *m.* =**anagogía.**
anagogía *f.* ① 성서의 신비적 해석. ② 명상.
anagógicamente *adv.* 신비롭게.
anagógico, ca *adj.* 신비적인.
anagogista *m.* 성서 주해자.
anagrama *m.* 어구의 철자 바꾸어 쓰기 《예 : amor → Roma》.
anagramático, ca *adj.* anagrama의.
anagramatista *m.f.* ① anagrama의 작가. ② 익명으로 이름을 숨기는 사람.
anagramista *m.f.* =**anagramatista.**
anahora *adv.* 《*Perú.*》 【속어】 지금 당장.
anaiboa *f.* 《*Cuba.*》 유까(yuca) 뿌리에서 채취된 유해한 즙.
anal[1] *adj.* [*lat.* annâlis] 【고어】 =**anual.** —*m.* 【고어】 =**añal.**
anal[2] *adj.* 항문의.
analectas *f.pl.* 선집, 명언집, 어록. Sinón. florilegio, antología.
analepsia *f.* 체력의 회복.
analéptico, ca *adj.* 회복시키는 : régimen ~. —*m.* 보신제, 강장제, 보약.
anales *m.pl.* ① 연대기. ② 역사(historia).
analfabético, ca *adj.* 무학의, 문맹의.
analfabetismo *m.* 무학, 문맹 ; 무지.
analfabeto, ta *adj.* 낫 놓고 기역자도 모르는, 문맹의. —*m.f.* 무학 문맹자. Sinón. iliterato.
analgesia *f.* 아픈 감각의 마비.
analgésico, ca *adj.* 무통의. —*m.* 진통제.
analgesina *f.* 안티필린. Sinón. antipilina.
analice- → **analizar** ⑨.
análisis *m.(f.)* [*gr.* analusis] 【단·복수 동형】 ① 분해, 분석. ② 검토. ③ 【문법】 분석. ④ 【심리】 (정신) 분석. Sinón. síntesis. ⑤ 【수학】 해석(학).
~ *cualitativo* 정성 분석(定性分析). ~ *cuantitativo* 정량 분석. ~ *de costes·costos* 원가 분석. ~ *de covarianza* 공분산(共分散) 분석. ~ *de factores* 요인 분석, 인자 분석(법). ~ *de gastos* 비용 분석. ~ *de mercados,* ~ *del mercado* 시장 분석. ~ *de secuencia* 경과 분석. ~ *de trabajo* 직무 분석. ~ *de varianza* 분산 분석. ~ *de ventas* 판매·매상 분석. ~ *espectral* 스펙트르 분석·분광. ~ *estadístico* 통계 분석. ~ *financiero* 재정 분석. ~ *gramatical* 문장 분해. ~ *operacional* 작업 분석. ~ *trascendental,* ~ *infinitesimal* 분석학, 해석학.
analisista *m.f.* 분석가, 해석학자.
analista *m.f.* 연대기 편자 ; 분석가 ; 분석·해석학자.
analístico, ca *adj.* 연대기의, 연대의.
analítica *f.* ① 분석학. ② 해부학. ③ 【문법】 분석론.
analíticamente *adv.* 분석적으로, 분해적으로. Contr. sintéticamente.
analítico, ca *adj.* ① 분석의, 분석적인. ② 해부적인. ③ 해석의 : geometría ~*ca* 해석 기하. —*f.pl.* [단수 취급] 분석학, 해부학 ; 【문법】 분석론.
analizable *adj.* 분석·분해·해부할 수 있는.
analizador, ra *adj.* 분해·분석하는. —*m.f.* 분해자 ; 분석자. —*m.* 【광학】 분광자.
analizar *tr.* ⑨ ① 분해하다 ; 분석하다 : ~ un libro·una substancia. ② 해부하다. Contr. sintetizar.
análogamente *adv.* 똑같이 같아지도록.
analogía *f.* ① 유사, 근사, 상사. ② 관계(relación) : El español tiene mucha ~ con el latín. ③ 【논리】 유추. ④ 【수학】 유비(類比), 등비(等比). Contr. diferencia. ⑤ 【문법】 품사론.
analógicamente *adv.* 유추적으로.
analógico, ca *adj.* ① 유사한, 유추적인. ② 【문법】 품사론의.
análogo, ga *adj.* 유사한, 같은 듯한(semejante) : ~ al anterior 앞과 같은. —*m.* ① 유사물. ② 【생물】 유사체. Contr. distinto, diferente.
anamita *adj.* 【남·여 동형】 안남 《Anam, 인도지나의 한 지방》의. —*m.f.* 안남 사람.
anamnesia *f.* 【의학】 =**anamnesis.**
anamnesis *f.* 【의학】 전에 앓았던 병, 병력(病歷) ; 문진(問診).
anamorfosis *f.* ① 일그러져 보이는 상(像), 의상(疑像). ② 【식물】 (잎·꽃 따위의) 기형(奇形), 변체(變體). ③ 【생물】 점변 진화(漸變進化).
anana *f.* 【식물】 =**ananá.**
ananá(s) *m.* [*pl.* ananaes, ananases] 파인애플. Sinón. piña.
ananáceo, a *adj.* 【식물】 파인애플과의.
Ananías *m.* 【성서】 아나니아 《San Pedro에게

거짓말을 해, 아내 Sáfira와 동시에 살해된 개종한 유대인, 바빌로니아왕의 명으로 난로에 던져졌으나 무사히 탈출한 히브리인의 한 사람》.
ananké *f.* =**hado, destino.**
anaoz *m.* 【은어】 사형 집행인.
anapelo *m.* 【식물】 바곳(acónito).
anapéstico, ca *adj.* anapesto의.
anapesto *m.* ①【운율】 약약강조(弱弱强調)《XX ∸》; 단단장조(短短長調)《◡◡—》. ② [형용사적으로] pie ~.
anaplastia *f.* 정형 외과술.
anaptixis *f.* 이중 자음 사이에, 다음에 오는 같은 모음이 들어가는 현상《예 : crónica → corónica ; Inglaterra →Ingalaterra》.
anaquel *m.* 선반의 널.
anaquelería *f.* [집합] 선반.
anaranjado, da *adj.* 오렌지색의. —*m.* ① 오렌지색. ② 오렌지 주스《음료》.
anaranjear *tr.* (…에) 귤을 던지다.
anarcosindicalismo *m.* 무정부주의자와 노동조합주의자가 이끄는 운동.
anarcosindicalista *adj.m.f.* anarcosindicalismo의 (주의자).
anarquía *f.* 무정부, 무정부 상태 ; (사회적 · 정치적인) 무질서, 난맥.
anárquicamente *adv.* 무정부 상태로, 무질서하게.
anárquico, ca *adj.* 무정부(주의)의 ; 무질서한.
anarquismo *m.* 《*Neol.*》 무정부주의 ; 무정부(상태).
anarquista *adj.* 무정부주의적인 : teorías ~*s*. —*m.f.* 무정부주의자.
anarquizante *adj.* 무정부화하는.
anarquizar *intr. tr.* 9 무정부(주의)화하다.
anasarca *f.* 【의학】 (전신의) 부종(浮腫).
anascote *m.* 사지 비슷한 양모천.
anastasia *f.* 【식물】 쑥(artemisa).
anastigmático, ca *adj.* 수차 보정(收差補正)의 : objetivo ~.
anastomizarse *r.* 9 접착하다, 붙다, 합해지다.
anastomo *m.* 【조류】 섭금류의 일종.
anastomosarse *r.* 【생물】 접합 · 유합하다.
anastomosis *f.* 【생물】 접합, 유착.
anástrofe *f.* 【문법】 도치법.
anat. anatomía.
anata *f.* 연수(年收).
anatema *m.* (*f.*) ① (종교적 · 일반적으로) 저주의 말. ② 이단 배척, 파문(excomunión).
anatematismo *m.* =**anatema, excomunión.**
anatematizador, ra *adj.* 파문하는; 저주하는.
anatematizar *tr.* 9 파문하다 ; 저주하다 ; 배격하다.
anátidas *f.pl.* 【조류】 유금류 《물오리 등》.
anatídeo, a *adj.* ánade의 · 같은. —*f.pl.* 【조류】 =**anátidas.**
a nativitate *adv.lat.* 천부적으로, 선천적으로, 날 때부터.
anatomía *f.* ① 해부. ② 해부학, 해부술 ; [일반적] 분해 · 분석적 연구. ③ (해부상의) 구조, 조직. ④ 분석(análisis). ⑤ 해부 표본, 해골(esqueleto).
anatómicamente *adv.* 해부(학)적으로.
anatómico, ca *adj.* 해부의, 해부(학)상의. —*m.f.* 해부학자.
anatomista *m.f.* 해부학자.
anatomizar *tr.* 9 ① 해부하다 (disecar). ② 상세하게 가르치다. ③ 해부학적으로 그리다. ④ 분해 · 분석하다.
anatomopatológico, ca *m.f.* 해부학자.
anatrón *m.* 【고어】 =**natrón.**
anavia *f.* 《*Rioja.*》 【식물】 =**arándano.**
anay *m.* 《*Pilip.*》 【동물】 =**comején.**
ANC Asociación Nacional de Café 국립 커피 협회; Congreso Nacional Africano 아프리카 국가회의.
anca *f.* ① (짐승의) 궁둥이, 둔부. ② 넓적다리, 사타구니. ③【희언】 궁둥이(nalgas).
a (las)* ~*s 궁둥이 쪽에 타고 앉아 ; 추종하여.
en* ~*s 《*Arg.*》 나중에, 다음에, 뒤에.
no sufrir* ~*s 농담을 받아들이지 않다.
llevar · traer a las* ~*s (사람을 자기 돈으로) 돌보아 주다.
***volear el* ~** 《*AmérM.*》 마주 대하다.
ANCAP Administración Nacional de Combustibles Alcohol y Portland 알코올 · 포틀랜드 연료 국가 관리국.
ancara *f.* 《*Perú.*》 호박같은 것을 말리는 그릇.
ancestral *adj.* 선조 때부터의 ; 유전적인(atávico) : predisposiciones ~*es* 유전적 체질.
ancha *f.* 【은어】 커다란 도시.
anchamente *adv.* 널직하게, 여유있게, 느긋하게.
anchar *tr.* [드뭄] 넓히다. —*intr.* 넓혀지다.
anche *m.* 《*AmérM.*》 ① 미닫이. ② 체 찌꺼기.
***sacar el* ~** 알뜰하게 이용하다.
ancheta *f.* ① 아주 적은 상품. ② 이득, 이문. ③ 이득의 폭. ④ 《*Amér.*》 =**bronca.** ⑤ 《*Arg.*》 우둔. ⑥ 《*Perú.*》 폭리.
anchicorto, ta *adj.* 넓고 짧은(ancho y corto).
ancho, cha *adj.* ① 넓은. [Contr.] estrecho. ② 넉넉한, 숫한 : Este traje me está ~ 이 옷은 나한테 품이 넓다. —*m.* 넓이 ; 폭(anchura) : ¿Qué ~ tiene el río? 강의 폭이 얼마쯤 됩니까? Tiene cien metros de ~ 폭이 100미터입니다.
a sus anchas, a sus* ~*s 마음대로, 남의 것을 자기 것인 양 : *a mis anchas* 내 마음대로.
***estar · ponerse muy · tan* ~** 자만하다, 자부하다, 우쭐해지다.
anchoa *f.* 【어류】 멸치의 일종, 안초비 ; 그 소금절임.
anchoar *tr.* (뼈를 제거한 후) 올리브에 멸치로 채우다.
anchor *m.* =**anchura.**
anchova *f.* =**anchoa.**
anchoveta *f.* 《*Perú.*》 정어리(sardina)의 일종.
anchuelo, la *adj.* [*dim.* ancho] 약간 넓은.
anchura *f.* ① 폭, 너비 ; (말의 궁둥이 · 가슴의) 넓이. [Sinón.] latitud. ② 탐스러움. ③ [주로 *pl.*] 방자, 자유(libertad) : ¡Vaya ~*s* tienes! 자네는 태평 세월이군!
anchurosamente *adv.* =**ampliamente.**
anchuroso, sa *adj.* 넓은, 넓고 큰, 광대한 : avenida ~*sa*. [Contr.] estrecho.

ancianamente *adv.* 【고어】 =**antiguamente.**
ancianía *f.* (군대에서) 고참.
ancianidad *f.* 노령 ; 노후. Sinón. vejez.
anciano, na *adj.* ① 나이 많은, 늙은(que tiene muchos años) : la *~na* señora 노부인. ② 《*Galic.*》 고참의(antiguo) ; 은퇴한(retirado) : ~ comerciante 고참 · 은퇴한 상인(comerciante retirado). *—m.f.* ① 노인 : El ~ barbado y descalzo sólo recuerda su apellido 수염이 텁수룩하고 맨발인 노인은 자기의 성만 기억하고 있다. ② 고참자. Contr. joven. Sinón. viejo.
ancilar *adj.* 하녀의 · 에 관한.
anciroide *adj.* 닻(áncora) 모양의.
ancla *f.* ① 닻 (áncora) : ~ de la esperanza 부묘(副錨). echar · levar *~s* 닻을 내리다 · 올리다. ② 【은어】 손(mano). [*N.* 단수로는 el ancla, un ancla].
ancladero *m.* 닻을 내리는 곳, 정박항.
anclaje *m.* ① 정박. ② 닻 내리는 곳. ③ 정박료 · 세, 입항세 : derecho de ~ 정박세.
anclar *intr.* 정박하다, 닻을 내리다.
anclear *tr.* [드뭄] 닻에 배를 매다.
anclote *m.* ① 작은 닻. ② 《*Méx.*》 작은 통.
ancón *m.* ① 만. ② 《*Col.*》 골짜기. ③ 《*Méx.*》 구석(rincón).
anconada *f.* =**ancón.**
áncora *f.* ① 닻(ancla). ② (시계의) 앵커. ③ T 자형의 누름쇠. ④ 의지할 · 기댈 곳.
ancoraje *m.* 《*Méx.*》 =**anclaje.**
ancorar *intr.* 정박하다(anclar).
ancorca *f.* 황토. Sinón. tierra de Venecia.
ancorel *m.* 망(網)을 가라앉히기 위해 그 끝에 매단) 무거운 돌.
ancorería *f.* 닻을 만드는 공장.
ancorero *m.* 닻 만들기 ; 닻을 만드는 사람.
ancorque *m.* [드뭄] =**ancorca.**
ancua *f.* 《*Arg.*》 튀긴 옥수수.
ancuco *m.* 《*Bol.*》 뚜론(turrón) 과자의 일종.
ancudo, da *adj.* 궁둥이가 큰.
ancusa *f.* 【식물】 =**lengua de buey.**
ancuviña 《*Chile.*》 인디오의 묘.
¡anda! *interj.* ① 어머나, 어머 ! 《놀람》. ② 자, 빨리 !, 자, 어서 ! 《재촉, 독촉》. ③ 아이 좋아, 그것 봐 !, 꼴 좋다 !
¡ ~ a paseo ! 나가 버려 !, 꺼져 버려 !
andada *f.* ① 단단하고 납작한 빵. ② 《*AmérM.*》 소풍. ③ (잡고자 하는 짐승의) 발자국 : buscar las *~s.*
volver a las ~s ① 뒷걸음치다, 되돌아가다. ② 범죄 · 과오를 저지르다.
andaderas *f.pl.* (유아의) 보행기.
andadero, ra *adj.* ① 걷기 좋은 (장소). ② 걸어 다니기 좋아하는 (사람).
andado, da *adj.* ① [+más · menos · muy · poco] 인적이 드문 · 많이 다니는 : calle poco *~da* 인적이 드문 거리. ② 흔한. ③ 입어서 헐은 : ropa muy *~da* 입어서 매우 헐은 옷. *—m.* 《*AmérC.*》 걸음걸이.
andador, ra *adj.* 잘 걷는, 건각(健脚)의 : caballo ~. *—m.f.* 건각(健脚). *—m.* ① 법원의 하급 직원. ② 밭이랑, 논둑. *—pl.* (유아의) 걸음를 돕는 줄.
poder andar sin ~es 혼자 해 나갈 수 있다.
andadura *f.* ① 보행. ② 말이 한 쪽 앞뒤 발을 동시에 움직이는 일.
paso de ~ 말의 구보(portante, paso de los caballos).
andaguí *m.* (Colombia의) 원숭이(mono)의 일종.
¡ andallo! *interj.* =**¡ Anda!**
andalón, na *adj.* 《*AmérC.*》 건각의, 잘 걷는.
Andalucía *f.* 【지명】 안달루시아 지방.
andalucismo *m.* ① 안달루시아 방언 · 말씨. ② 안달루시아를 좋아함.
andalucita *f.* 【광물】 홍주석(紅柱石).
andaluz, za *adj.* 안달루시아의. *—m.f.* 안달루시아 사람. *—m.* 안달루시아 방언 · 말씨.
andaluzada *f.* 안달루시아 사람같은 호들갑스러운 표정 : decir *~s.*
andaluzado, da *adj.* 안달루시아 사람같은.
andamiada *f.* 발판 만들기.
andamiaje *m.* =**andamiada.**
andamiento *m.* 걷기; 운동; 행진.
andamio *m.* ① (건축장의) 발판. ② (임시로 축제를 볼 수 있게 하는) 관람대. ③ 신발.
~ óseo 골격, 뼈대(esqueleto).
andana *f.* ① 열, 단(段). ② 《*Amér.*》 뻐드렁니, 덧니. ③ (양잠의) 시렁, 선반.
llamarse ~ 공약을 위배하다, 약속을 어기다 (desdecirse o desentenderse de algo).
andanada *f.* ① 탄막(彈幕). ② (투우장의) 지붕밑 좌석. ③ 호통 : Le soltó una ~ 그를 호통쳤다.
andancia *f.* 《*Amér.*》 ① 급한 일. ② 사건(andanza). ③ 방랑. ④ 【의학】 가벼운 유행병.
andancio *m.* =**andancia.**
andaniño *m.* 보행 보조기(pollera ; andaderas).
¡andandito! *interj.* =**¡ Andando!**
¡andando! *interj.* 즉시 해라 ; 어서 가자 !
andante *adj.* 걷는, 도보의 ; 여러 나라를 순례하는 : caballero ~ 편력 기사. diccionario ~ 살아 있는 사전, 박식한 사람. *—adv.* 【음악】 느리게, 걷는 속도로. *—m.* ① 【음악】 안단테, 완서조(緩徐調). ② 《*Chile. Méx.*》 말.
andantesco, ca *adj.* 편력 기사와 같은.
andantino *m.* 【음악】 안단티노 《andante 보다 조금 빠르게》 ; 안단티노의 곡.
andanza *f.* ① 사건. ② 운(suerte, fortuna) : buena ~ 행운(buena fortuna). mala ~ 비운(悲運)(mala fortuna).
andar *intr.* 41 ① 걷다(caminar) : ~ rápidamente. ② 운행하다 : ~ los planetas. ③ (시계 · 기계가) 움직이다, 운전하다 : El reloj *anda* bien 그 시계는 정확하다. El tren comenzó a ~ 열차가 움직이기 시작했다. ④ 가다 (ir) : ~ a pie 걸어 가다. ⑤ (어떠한 상태에) 있다 (estar) : *Anda* triste 적적해 하고 있다. ⑥ 무엇인가가 있다 (haber) : el ruido que *anduvo* en el jardín 정원에서 난 소리. ⑦ 시일이 경과하다 (pasar, correr). ⑧ [+a+복수 명사 : …을] 먹이다 : *Andaban a* tiros 마구 쏘아댔다. ⑨ [+en : …에] ㄱ) 관계하다 : *Andaban en* pleitos 계쟁중이었다. ㄴ) 손대다, 열중하다 : *andando en* el cajón 서랍을 마구 뒤지면서. ㄷ) (어떤 시기에) 있다 : *Ando en* dieciséis años 현재 16세 이다. ⑩ [+con : …을] 만지작거리다, 가지고 놀다 :

~ *con* pólvora 화약을 만지작거리다. ⑪ [+por : …를] 걷다 : ~ *por* la calle 거리를 걷다. *A- por* Lima es ~ *por* la historia 리마를 걷는 것은 역사를 걷는 것이다.
—*tr.* 걷다, 편력하다 (recorrer) : ~ el camino 길을 걷다. ~ cinco kilómetros 5킬로를 돌아다니다. ~ las calles 거리를 돌아다니다.
—*m.* ① 걷기, 보행 : caballería de buen ~ 잘 걷는 말. ② [주로 *pl.*] 걸음걸이, 걸음새 ; 짓거리, 하는 짓.
—*interj.* 좋아 !, 됐어 ! 《동의·시인을 나타냄》.
~se ① 걷다, 걸어다니다. ② [+a+*inf.* : …하기] 시작하다, (…에) 몰두하다. ③ [+con·en : …을] 쓰다, 사용하다 (emplear, usar) : ~*se con* circunloquios 알아 들을 수 없게 번거롭게 말하다.
~ ***a derechas,*** ~ ***derecho*** 제대로·정직하게 하다.
~ ***a gatas*** 살금살금 기어가다.
~ ***andando*** 《*Amér.*》 여기저기 쏘다니다(vagar).
a largo ~ 시간이 지남에 따라, 마지막에는.
a más ~, ***a todo*** ~ 부랴부랴, 있는 힘을 다해, 전속력으로.
a todos los ~***es*** 《*Amér.*》 (말이) 나는 듯이 빨리.
estar a un ~ (두 개의 방·창문 등이) 같은 층에 있다.
traer a mal ~ 피곤하다, 지치다(cansar) ; 안달하고 다니다(ajetrearse).
Dime con quién andas y te diré quién eres 【속담】 유유 상종.
[직설법 부정과거 : anduve, anduviste, anduvo, anduvimos, anduvisteis, anduvieron. 접속법 과거 : anduviera, anduviese ; anduvieras, anduvieses ; anduviera, anduviese ; anduviéramos, anduviésemos ; anduvierais, anduvieseis ; anduvieran, anduviesen].

andaraje *m.* 물레방아의 물레 바퀴.

andaraz *f.* 《*Cuba.*》 【동물】 =**hutía.**

andariego, ga *adj.* 다리힘이 좋은 ; 여기저기 쏘다니는. —*m.f.* 건각(健脚).

andarín, na *adj.* 잘 걷는 (andador). —*m.* 우체부 ; 걸음이 빠른 사람.

andarina *f.* 【조류】 제비《제비과의 철새》(andorina, golondrina).

andarivel *m.* 나룻배의 줄 ; (난간 대신에 쓰는) 난간줄 ; (배의) 구명줄 ; 케이블 카의 철책.

andarríos *m.* ① 【조류】 검은등할미새《할미새과의 새》(aguzanieve). ② 【곤충】 물거미.

andas *f.pl.* 문짝, 판자 ; 널, 관.
en ~ ***y en volandas*** 쏜살같이, 눈 깜짝할 사이에, 나는 듯이.

¡ande! *interj.* =**¡anda!**

ANDE Administración Nacional de Electricidad 국가 전력 관리청.

andén *m.* ① 복도, 플랫폼. ② 잔교(棧橋). ③ 《*Hond. Guat.*》 보도, 인도(acera de calle). ④ 선반 판자(anaquel). ⑤ *pl.* 《*Perú.*》 안데스 산록의 계층을 이룬 땅. ⑥ 열심, 부지런함.

andenería *f.* 《*Perú.*》 잉카족이 언덕 위에 만들었던 층계 땅.

andero *m.* 운구부(運柩夫).

Andes, los *m.pl.* 안데스 산맥. [*N.* 드물게 el Ande가 있음].

andesina *f.* 【광물】 중성장석(中性長石).

andesita *f.* 【광물】 안산암(安山岩).

andhraní *adj.m.f.* 안드라 프라데쉬 《Andhra Pradesh, 인도의 한 주》의 (사람).

ANDI Asociación Nacional de Industriales 《*Hond.*》 국립 공업 연맹 ; 《*Col.*》 전국 공업 협회.

andinismo *m.* 《*Amér.*》 안데스산 등산 ; 등산열.

andinista *m.f.* 《*Amér.*》 안데스산 등산가.

andino, na *adj.* ① 안데스 산맥 (los Andes)의 : valles ~*s.* ② 안데스 《Andes, 이탈리아 만뚜아 부근에 있던 도시》의. —*m.f.* 안데스 사람.

ándito *m.* (건물의) 외곽의 보도.

-ando *suf.* 동사의 현재 분사 ; 행위 직전의 상태 : gradu*ando.*

andola *f.* 안돌라 《17세기 경의 민요》.

andolina *f.* 【조류】 제비(andorina).

andón, na *adj.* 《*Amér.*》 잘 걷는 (말). —*m.* 걸음걸이(paso de andadura).

andorga *f.* 【속어】 배, 복부(vientre, barriga).

andorina *f.* 【조류】 제비(golondrina).

andorra *f.* 거리를 헤매는 여인 ; 매춘부, 갈보.

Andorra *f.* 【지명】 안도라 공화국 《피레네 산속의 작은 나라》.

andorrano, na *adj.* 안도라의. —*m.f.* 안도라 사람.

andorrear *intr.* 분주하게 여기저기 돌아다니다, 쏘다니다(cazcalear).

andorrero, ra *adj.* ① 쏘다니기 좋아하는 (muy amigo de callejear) : mujer ~*ra.* ② 궁둥이가 가벼운. Contr. casero.

andosco, ca *adj.* 두 살 짜리의 (송아지).

andrado, da *m.f.* 【고어】 =**alnado, alnada.**

andrajero, ra *m.f.* 넝마주이(trapero).

andrajo *m.* 넝마 : ir vestido de ~*s.* —*m.f.* 불결·더러운 사람, 치사한 사람.

andrajosamente *adv.* 거지 차림으로, 누더기 옷을 입고, 누더기 옷차림으로.

andrajoso, sa *adj.* 누덕누덕한, 누더기를 입은 (lleno de andrajos).

andrehuela *f.* 《*Cord.*》 겨울철 수박의 일종.

andriana *f.* (부인이 입었던) 넓고 긴 웃옷.

andrina *f.* =**endrina.**

andrino *m.* 【식물】 자두나무.

androceo *m.* 【식물】 [집합] 수술.

androfobia *f.* 남성 공포증.

andrófobo, ba *adj.* 남성 공포증(androfobia)에 걸린.

andrógino, na *adj.* ① 남녀 양성의. ② 【식물】 암술·수술을 고루 갖춘.

androide *m.* 자동 인형, 로봇.

androlatría *f.* 인물 숭배.

Andrómaca *f.* 【희랍 신화】 안드로마까 《Héctor의 충실한 아내》.

andromanía *f.* 색광, 색정광, 호색한.

Andrómeda *f.* ① 【천문】 안드로메다 별자리. ② 【희랍 신화】 안드로메다 《이디오피아의 공주, 바다의 괴물에게 잡아 먹힐 뻔한 것을 Perseo가 구출해 주고 아내로 삼음》.

andrómina *f.* [주로 *pl.*] 거짓말, 터무니없는 말 : No me venga con ~*s.*

androsemo *m.* 【식물】 고추나물(todabuena).

andujareño, ña *adj.m.f.* 앙두하르《Andújar, Jaén주의 도시》의 (사람.)
andulán *m.* (필리핀의) 등에 지는 광주리.
andularios *m.pl.* 두루마기, 긴 가운.
andullo *m.* ① 담배의 만 잎. ② 담배잎의 다발. ③《*Cuba.*》 씹는 담배(tabaco de mascar).
andurriales *m.pl.* 샛길 ; 길이 없는 곳.
anduve andar의 직·부정과거·1·단수.
anduvie- → **andar** 80.
anduvieron andar의 직·부정과거·3·복수.
anduvimos andar의 직·부정과거·1·복수.
anduviste andar의 직·부정과거·2·단수.
anduvisteis andar의 직·부정과거·2·복수.
anduvo andar의 직·부정과거·3·단수.
anea *f.* 【식물】 큰 부들, 향포.
aneaje *m.* 아나로 재는 일.
anear *tr.* 아나(ana)로 재다 (medir por anas) : ~ la tela. —*m.* 부들.
aneblarse *r.* 19 안개(niebla)가 끼다 ; 어두워지다.
anécdota *f.* 우스갯소리, 짧은 이야기, 일화, 삽화.
anecdotario *m.* [집합] 일화(逸話), 일화집 (colección de anécdotas).
anecdótico, ca *adj.* 일화의, 삽화적인.
anecdotista *m.f.* 일화 작가, 일화 편집자.
aneciarse *r.* 11 벽창호가 되다, 먹통이 되다 (hacerse necio).
anegable *adj.* 범람하기 쉬운.
anegación *f.* 범람, 홍수(inundación).
anegadizo, za *adj.* 범람하기 쉬운, 곧잘 물난리가 나는 : terreno ~.
anegamiento *m.* 범람, 홍수(anegación, inundación).
anegar *tr.* 8 ① 범람시키다(inundar) : ~ un huerto. ② (물에) 빠지게 하다 : ~ en sangre 피투성이로 만들다. ③ (적은) 물로 괴롭히다. ④ 빼앗다, 몽땅 없애다 : ~ la libertad 자유를 빼앗다. —*intr.* 침수하다(naufragar).
~se ① 물에 빠지다 ; 범람하다 ; 넘쳐 흐르다 : *Se anegó de* alegría 그는 기쁨에 겨웠다. ② 난파하다.
anego *m.* 《*Perú.*》 =**anegamiento.**
anegociado, da *adj.* 팔방 미인같은, 많은 사업에 손을 대는 : hombre muy ~.
anejar *tr.* =**anexar, agregar, unir.**
anejín *m.* =**refrán.**
anejir *m.* =**anejín.**
anejo, ja *adj.* ① 부속의(anexo) : edificio ~ 부속 건물. ② 본래·고유의. —*m.* 부속물 ; 부록 ; 부속 교회·예배당 ; 부속 부락 ; 부속·추가 서류.
aneldo *m.* 【식물】 시라(eneldo).
anélido *adj.* 【동물】 환형 동물의. —*m.pl.* 환형동물 《지렁이, 거머리 등》.
anemia *f.* 【의학】 빈혈(증).
anémico, ca *adj.* 빈혈의. —*m.f.* 빈혈증이 있는 사람 : El hierro es bueno para los ~*s* 철은 빈혈증이 있는 사람에게 좋다.
anemocordio 【악기】 =**arpa colia.**
anemófilo, la *adj.* 【식물】 풍매(風媒)의.
anemografía *f.* 자기 풍력학.
anemográfico, ca *adj.* anemografía의.
anemógrafo *m.* 자기 풍력계(自記風力計).
anemomancia *f.* 바람으로 치는 점.
anemomancía *f.* =**anemomancia.**
anemometría *f.* 풍력 측정(법) (medida de la fuerza o velocidad del viento).
anemométrico, ca *adj.* 풍력 측정의 ; 풍력계의.
anemómetro *m.* 풍력계.
anemona *f.* =**anemone.**
anémona *f.* =**anemone.**
anemone *f.* 【식물】 아네모네.
~ *de mar* 【동물】 말미잘(actinia o estrellamar).
anémone *f.* =**anémone.**
anemoscopio *m.* 풍신기(風信器).
anencéfalo, la *adj.* 뇌가 없는, 무뇌(無腦)의.
aneota *f.* 《*Gran.*》 =**toronjil.**
anepigráfico, ca *adj.* 무비명(無碑名)의, 무표제(無標題)의.
anerobio, bia *adj.* =**anaerobio.**
aneroide *adj.* 무액의 : barómetro ~ 무액 청우계.
anestesia *f.* ① 지각 마비, 무감각. ② 【의학】 마취(법) : ~ local 국부 마취.
anestesiar *tr.* 11 (…를) 마취시키다, 무감각하게 하다(provocar la anestesia).
anestésico, ca *adj.* 마취의, 감각을 마비시키는. —*m.* 마취제, 마취약.
anestesista *m.f.* 마취 담당 의사.
aneto *m.* 《*Ar.*》 =**aneldo.**
aneurisma *m.* 【의학】 동맥류(動脈瘤).
aneurismático, ca *adj.* 동맥류의 : tumor ~.
anexar *tr.* 부가하다 ; 병합하다, 합병하다 ; 부속시키다.
anexidades *f.pl.* ① 부속 권리 (derechos de otra principal). ② 부대물.
anexión *f.* 병합, 합병.
anexionamiento *m.* 《*Chile.*》 =**anexión.**
anexionar *tr.* =**anexar.**
anexionismo *m.* 합병주의.
anexionista *adj.* 합병주의의. —*m.f.* 합병주의자.
anexo, xa *adj.* 부가의, 부속의. —*m.* 동봉물, 부가물, 부속물, 부첨서, 부속 문서.
ANFE Asociación Nacional de Fomento Económico 《*CRica.*》 국가 경제 개발 연합.
anfesibena *f.* =**anfisbena.**
anfi- *pref.* [*gr.* amphi] 「양쪽」「양쪽의」「주위」를 뜻하는 접두어 : *anfi*teatro. *anfi*scios.
anfibio, bia *adj.* 【동물】 양서류의 ; 수륙 양용의 : avión ~ 수륙 양용 비행기. —*m.pl.* 양서류 동물.
anfíbol *m.* 【광물】 각섬석(角閃石).
anfibolita *f.* 【광물】 각섬암.
anfibología *f.* 두 가지 뜻이 있는 어구 ; 뜻이 애매한 어구 《예 : en amor de Dios 신에 대한 사랑 : 신으로부터의 사랑》.
anfibológicamente *adv.* 글의 뜻이 애매하여 ; 두 가지 뜻을 내포시켜 : hablar ~.
anfibológico, ca *adj.* 두 가지 뜻이 있는 ; 애매모호한.
anfíbraco *m.* (그리스·라틴시의) 단장단(短長短)·억양억조(抑揚抑調).
anfictión *m.* (고대 그리스의) 근린 동맹회 의

원.
anfictionado *m.* anfictión의 직.
anfictionía *f.* (고대 그리스의) 근린 동맹 (회의).
anfictiónico, ca *adj.* 근린 동맹의 : Congreso de Panamá.
anfígamo, ma *adj.* 남녀 양성의.
anfímacro *m.* (그리스·라틴시의) 장단장조.
anfión *m.* 【희랍 신화】 하프의 명수, 그의 위력으로 Tebas의 성벽을 쌓음.
anfioxo *m.* 【어류】 활유어.
anfipróstilo *m.* 【건축】 양향 배식(兩向拜式).
anfisbena *f.* 【동물】 머리가 두 개인 도마뱀, 남미산의 구렁이; (전설상의) 머리가 두 개인 뱀 (culebra fabulosa de cabezas).
anfiscio, cia *adj.* 적도 지대의. —*m.f.* 그림자가 두 개인 사람. —*m.pl.* 적도 지대에 사는 사람
anfisibena *f.* =**anfisbena.**
anfiteatro *m.* ① 원형 극장. ②반원형석. ③ 계단 강당 : ~ anatómico 해부학 교실(sala de disección).
anfitrión, triona *m.f.* [*fr.* amphitryon](손님 대접을 잘하는) 주인, 접대역.
anfitrite *f.* 【희랍 신화】 바다의 여신 《Océano의 딸, Neptuno의 아내; 로마 신화의 Nereida》.
—*m.* ① 목성과 화성 중간에 있는 보이지 않는 별. ②【동물】 실지렁이.
ánfora *f.* [*lat.* amphora] ① (그리스·로마 시대의 손잡이가 양쪽에 달린) 항아리 ; 성유(聖油)를 담은 단지. ② 《*Méx.*》 투표함(urna para votaciones).
anfractuosidad *f.* 《*Neol.*》 곡절 ; 요철(凹凸).
anfractuoso, sa *adj.* 《*Neol.*》 울퉁불퉁한, 고르지 못한, 요철의.
anganillas *f.pl.* ① 《*Ar.*》 =**aguaderas.** ② 《*Ar.*》 =**jamugas.**
angarillar *tr.* (말에) angarillas 를 대다.
angarillas *f.pl.* ① 들것, 담가. ② 버드나무. ③ (바구니가 달린) 길마. ④ 식탁용 조미료대.
angarillear *tr.* 《*Amér.*》 angarillas로 나르다.
angarillón *f.* 커다란 버드나무 바구니.
angaripola *f.* 캘리코우 《평직으로 짠 흰 무명》, 옥양목. —*pl.* 촌스러운 장식(andornos de mal gusto).
ángaro *m.* (신호로 올리는) 모닥불.
angarrio *m.* 《*Col.*》 말라깽이 (사람·동물).
angas (por) *adv.* 《*Chile.*》 어떤 경우에도, 모든 수단을 다해, 좌우지간(en todo caso, de todos modos).
angazo *m.* (새우 같은 것을 잡는) 고리 바늘.
ángel *m.* [*gr.* aggelos] ① 천사. ② 마음씨 고운 사람.
~ ***custodio,*** ~ ***de la guarda*** 수호신.
~ ***de mal*** 【어류】 엔젤피시.
~ ***de tinieblas,*** ~ ***malo*** 악마.
~ ***patudo*** 풍채만은 그럴 듯한 사람.
tener ~ 매력이 있다.
Angela *f.* 앙헬라 《여자의 이름》.
¡ ~ María! *interj.* 놀람을 표시할 때의 감탄사.
angélica *f.* 【식물】 미나리 : ~ carlina 꽃이 노랗게 피는 엉겅퀴.
angelical *adj.* ① 천사의·같은 : coros ~*es.* ② 순진하고 귀여운, 천진한 : niña ~ .
angelicalmente *adv.* 천사같이, 천진스레, 순진하게, 귀엽게(candorosamente, de modo inocente).
angélico, ca *adj.* =**angelical.** —*m.* ① 어린 천사. ② 어린아이.
angelín *m.* 【식물】 =**pangelín.**
angelito *m.* [*dim.* ángel] 어린 천사(ángel pequeño) : 어린아이(niño de muy tierna edad).
estar con los ~***s*** 자고 있다 ; 멍청해 있다.
angelizarse *r.* 9 티없이 맑아지다.
angelón *m.* *aum.* ángel.
~ ***de retablo*** 어지간히 살찐 사람.
angelote *m.* [*aum.* ángel] ① 커다란 천사의 상 : ~ de piedra. ② 복실복실하고 듬직하게 생긴 어린아이. ③ 단순하고 조용한 사람. ④【어류】 엔젤피시.
ángelus *m.* 카톨릭 교회에서의 기도 《Angelus Dómimi라는 말로 시작되는 기도》, 그 시간을 알리는 종 《아침·정오·저녁에 울림》 : escuchar el *A*-.
angina *f.* 【의학】 후두염(inflamación de la garganta) : ~ de Vincent 빈센트 후두염. ~ de pecho 협심증.
anginoso, sa *adj.* 후두염의. —*m.f.* 후두염 환자.
angiografía *f.* (인체의) 맥관지(脈管誌).
angioleucitis *f.* 【의학】 임파관염.
angiología *f.* 혈거학, 맥관학(脈管學).
angioma *m.* 【의학】 혈관종(血管腫).
angiospermas *f.pl.* 【식물】 피자(被子).
angiotomía *f.* 【해부】 맥관 절제.
angla *f.* 곶, 갑(cabo).
anglesita *f.* 【광물】 황산연광(黃酸鉛鑛).
anglicanismo *m.* 영국 국교.
anglicanizado, da *adj.* 영국풍에 의한.
anglicanizar *tr.* 9 영국식으로 만들다, 영국풍으로 하다.
~se 영국화하다.
anglicano, na *adj.* 영국(Inglaterra) 국교의 : Iglesia ~*na* 영국 국교 ; 영국 교회. —*m.f.* 영국 국교도.
anglicismo *m.* 영어식 말씨·어투, 영어 계통의 언어.
anglicista *m.* 영국 것을 좋아하는 사람(aficionado a lo inglés).
anglo, gla *adj.* 앵글족 《6세기 경 영국에 도착했던 게르만계 종족》의. —*m.f.* 앵글족.
angloalemán, na *adj.m.f.* 영독의 (사람).
angloamericano, na *adj.* 영미국의; 영국계 아메리카의; 북미 합중국의. —*m.f.* 북 아메리카 사람.
angloárabe *adj.* 영국과 아랍종이 섞인 말의.
anglofilio, lia *adj.* 영국을 좋아하는. —*m.f.* 친영파. Contr. anglófobo.
anglófobo, ba *adj.* 영국을 혐오하는. —*m.f.* 영국 혐오자.
anglofrancés, sa *adj.m.f.* 영불의 (사람).
anglohablante *adj.m.f.* (모국어로) 영어를 사용하는 (사람).
anglomanía *f.* 영국 광·숭배.
anglómano, na *adj.* 영국 숭배의, 영국이라면 미치는. —*m.f.* 영국 숭배자·찬미자·심취자.
angloparlante *adj.* 영어를 하는. —*m.f.* 영어

를 하는 사람.

anglosajón, na *adj.* 앵글로 색슨계의. **—***m.f.* 앵글로 색슨말.

angola *adj.* ① 앙고라(Angola)의. ② 《*Arg.*》 = **bozal.** —*m.f.* 앙고라 사람.

Angola *f.* 【지명】 앙고라.

angolán *m.* 【식물】 앙골란 《인도의 나무》.

angoleño, ña *adj.m.f.* 앙고라의 (사람).

anglés, sa *adj.m.f.* =**angoleño.**

ángor *m.* 【의학】 =**angina de pecho.**

angora *m.f.* 앙고라 고양이·토끼·산양.

angorra *f.* (몸의 특수 부분을 보호하기 위해) 대는 천·가죽.

angostamente *adv.* 협소하게, 좁게.

angostar *tr.* 좁히다(estrechar).

angosto, ta *adj.* 좁은(estrecho) : pasadizo ~ Contr. ancho.

angostura *f.* ① 협소, 편협 ; 좁은 곳. ② 【식물】 앙고스뚜라 《남미산 귤의 일종》; 그 나무 껍질 《해열 강장제로 쓰임》.

angra *f.* 만(灣)(ensenada, bahía).

anguarina *f.* (옛날에) 망토, 잠방이.

angüejo *m.* 수련의 일종(oreja de abad).

anguiforme *adj.* 뱀 모양의.

anguila *f.* 【어류】 뱀장어, 장어. —*pl.* (배를 진수시킬 때 쓰는) 활주대.

~ ***de cabo*** (노예선의) 채찍. ~ ***de mar*** 【어류】 붕장어. ~ ***elétrica*** 전기 뱀장어.

anguilazo *m.* 채찍질.

anguilera *f.* 뱀장어 양식장.

anguilero, ra *adj.* 뱀장어의. —*m.* 장어 광주리.

anguiliforme *adj.* 뱀장어 모양의.

anguilo *m.* 《*Sant.*》 작은 붕장어.

anguílula *f.* (사람·짐승의) 기생충.

anguilla *f.* 《*Amér.*》 =**anguila.**

anguina *f.* 【의학】 늑간 정맥.

angula *f.* 새끼 뱀장어.

angulado, da *adj.* =**anguloso.**

angular *adj.* 모퉁이의, 각이 진, 모난, 모퉁이에 있는 : forma ~ 모난 모양·형태. piedra ~ 모퉁이돌.

objetivo gran ~ 광막 렌즈.

angularmente *adv.* 각·모가 져서.

angulema *f.* 마포, 삼베. —*pl.* 겉치레 인사, 아부, 아첨(zalamerías) : hacer ~*s* 알랑거리다, 아부하다, 아첨하다.

ángulo *m.* [*lat.* angulus] ① 모서리, 모퉁이. ② 각(角)(esquina) : Hay tres clases de ~*s* : el agudo, el recto y el obtuso 각에는 예각, 직각 및 둔각 세 종류가 있다. ③각도. ④ 구석(rincón).

~ ***agudo*** 예각. ~ ***facial del ojo*** 눈초리 ; 눈시울. ~ ***de incidencia*** 입사각. ~ ***de mira*** 시각. ~ ***de reflexión*** 반사각. ~ ***de refracción*** 굴절각. ~ ***de tiro*** 사각(射角), 척각(擲角). ~ ***muerto*** 사각(死角), ~ ***obtuso*** 둔각. ~ ***retilíneo*** 직선각. ~ ***recto*** 직각. ~***s adyacentes*** 접각(接角). ~***s alternos*** 착각. ~***s correspondientes*** 동위각. ~***s opuestos por el vértice*** 대정각.

angulosidad *f.* 모가 남 ; 울퉁불퉁함.

anguloso, sa *adj.* 울퉁불퉁한, 각이 진, 모가 난 : rostro ~ 모가 난 얼굴.

angurria *f.* ① 요도 협착. ② 《*Amér.*》 욕심, 이기주의, 에고이즘.

angurriento, ta *adj.* 《*Amér.*》 욕심많은.

angustia *f.* ① 고뇌, 고민(aflicción). ② 【은어】 감옥(cárcel, prisión).

angustiado, da *adj.* ① 슬퍼 몸부림치는, 괴로워하는(afligido, congojado). ② 재물을 다랍게 아끼는, 인색한(codiosos). ③ 《*Méx.*》 답답한, 옹색한. —*m.* 【은어】 죄인.

angustiar *tr.* ⑪ 괴롭히다, 걱정시키다(afligir, acongojar).

~se 번민하다 : ~*se* por poca cosa.

angustiosamente *adv.* 괴로운 듯이, 괴롭게 (con angustia).

angustioso, sa *adj.* ① 걱정하는, 괴로운, 고뇌에 찬 : hablar con voz ~*sa* 괴로운 목소리로 말하다. ② 어두운, (빛·빛깔·소리 따위가) 희미한, 흐리터분한, 흐릿한 : luz ~ 희미한 불빛.

angustura *f.* 【식물】 =**angostura.**

angelación *f.* 숨이 참 ; 열망, 갈망.

anhelante *adj.* 헐떡거리는 ; 원하는, 갈망하는, 열망하는, 열망적인.

anhelar *intr.* ① 헐떡이다(respirar con dificultad). ② [+por : …을] 간절히 원하다, …을 동경하다 : ~por fortuna. —*tr.* ① 갈망하다, 열망하다, 탐내다 : ~empleos. ② 토하다, 게우다.

anhélito *m.* 괴로운 듯한 호흡.

anhelo *m.* 갈망, 동경 : con ~ 갈망하여 ; 열심히.

anhelosamente *adv.* 사무치는 듯이, 갈망하여 (con anhelo).

anheloso, sa *adj.* ① 사무치는, 절절한, 간절한, 열망하는, 갈망하는. ② 헐떡이고 있는 : sentirse ~. Sinón. ansioso.

anhídrido *m.* 【화학】 무수물(無水物) : ~ arsénico 이산화 비소. ~ carbónico 탄산가스. ~ sulfúrico 무수 황산(無水黃酸). ~ sulfuroso 아황산 가스.

anhidrita *f.* 무수 석고, 경석고(硬石膏).

anhidro, dra *adj.* 【광물·화학】 무수(無水)의 : sal ~*dra.*

anhidrosis *f.* 【의학】 무한증(無汗症), 소한증(少汗症), 발한(發汗) 감소(disminución del sudor).

aní *m.* 【조류】 (멕시코산의) 뻐꾸기. [*N.* 다른 나라에서는 garrapatero. chamón, samurito].

aniaga *f.* 《*Murc.*》 농부의 연봉.

Aníbal *m.* 한니발《카르타고의 명장, 247-183? a. de. J.C》.

Anica *hip.* Ana.

anidar *intr* ① 보금자리를 마련하다(hacer su nido) : El águila *anida* en las rocas más escarpadas. ② 살다, 주거·거주하다(morar, habitar, vivir).

—*tr.* 비호·두둔·보호하다(abrigar).

anidiar *tr.* 《*Sal.*》 벽을 하얗게 칠하다.

~se 《*Sal.*》 머리를 빗다(peinarse, arreglarse el pelo).

anidio *m.* 《*Sal.*》 벽을 하얗게 칠하기 ; 머리를 빗는 일.

anieblarse *r.* 안개가 끼다 ; 날씨가 흐리다.

aniego *m.* 홍수, 범람(inundación).

aniejar *tr.* 【고어】 《*And.*》 =**añejar.**

ANIERM Asociación Nacional de Importadores Exportadores de la Repúbulica Mexicana 멕시코 수출입 업자 협회.

anihilar *tr.* [드뭄] =**aniquilar.**

anilina *f.* 【화학】 아닐린 《염료 용해액》.

anilla *f.* 커튼의 고리, 작은 쇠고리.

anillado, da *adj.* ① 곤두선 (털). ②【동물】 환형의, 환상(環狀)의 고리가 있는. —*m.* 환형, 환상. —*pl.* 환형 동물.

anillar *tr.* ① 원형으로 하다. ② 원형으로 늘어세우다. ③ 고리를 채우다(sujetar con anillos) : ~ una cortina. ④ (새에) 다리 고리를 채우다.

anillejo *m. dim.* anillo.

anillete *m. dim.* anillo.

anilleto *m. dim.* anillo.

anillo *m.* [*lat.* anneullus] ① 고리, 바퀴(aro pequeño) : un ~ de metal 쇠고리. ② 반지(sortija) : ~ de boda 결혼 반지. ~ de oro 금반지. ~ de plata 은반지. ~ de servilleta 냅킨 통·바퀴. ③ (기계 부품의 링). ④【건축】 기둥 끝의 둥그런 부분(collarino de columna).
— *m.pl.* 【은어】 칼, 족쇄 ; 유치장.
de ~ 허울·이름 뿐인.
venir como ~ al dedo 잘 어울리다, 제대로 들어맞다.

ánima *f.* [단수로는 el ánima] ① 영, 넋, 혼령, 영혼(alma) ; (지옥에서) 구제 받지 못할 영혼. ② (케이블 등의) 심 ; 구경(口徑). ③ *pl.* (ánima를 위해 기도를 권하기 위한) 아니마의 종 : 만종(晩鐘) ; 그 시각. ④ *pl. interj.* 《*Méx.*》 =**ojalá.**

animación *f.* 생기, 활력, 활기(vivacidad) ; 홍청거림 ; 동화(動畵).

animadamente *adj.* 활기가 넘쳐, 씩씩하게 ; 홍청망청.

animado, da *adj.* 홍청거리는 ; …에 기운이 난.

animador, ra *adj.* 활기 띠게 하는 ; 분위기를 돋우는, 신바람이 나게 하는.

animadversión *f.* ① 적의, 반감(enemistad). ② 혹평, 비난. ③ 계고(戒告).

animadvertencia *f.* 【고어】 =**advertencia, aviso.**

animal *m.* [*lat.* animal] ① 동물 : ~ doméstico 가축. ~ racional 인간. ~ irracional 짐승, 축생. ~*es* para matadero 도살용 동물. ~*es* vacunos 소 종류. ② 몰인정한 사람, 매정한 사람 : ~ de bellota 【동물】 돼지(cerdo) ; 어리석은 인간. —*adj.* 동물의 ; 동물적, 야수적인, 짐승 같은.

animalada *f.* 지식이나 생각이 얕은 행동·천박한 언행, 치사한 짓(borricada).

animálculo *m.* [*dim.* animal] 아주 작은 동물, 현미경으로나 볼 수 있는 벌레, 원생 동물.

animalejo *m. dim.* animal.

animalia *f.* 【고어】 =**animal.**

animalias *f.pl.* 【고어】 =**sufragios, funerales, exequias.**

animalidad *f.* 동물성, 수성(獸性)(calidad de animal).

animalismo *m.* 동물적 존재·생활 ; 수욕주의(獸欲主義) ; 인간 동물설.

animalista *m.* 동물 화가·조각가.

animalito *m. dim.* animal.

animalizable *adj.* 동물질화할 수 있는.

animalización *f.* (식품의) 동물질화 ; 짐승처럼 되는 일.

animalizar *tr.* 9 (식품을) 동물질로 변하게 하다 ; 동화하다 ; 짐승처럼 굴다.
~se 짐승처럼 되다.

animalucho *m.* [*desp.* animal] 괴수(怪獸).

animante *adj.* 생기·활기·원기를 돋우는.
—*m.* 【고어】 생물 ; 인간.

animar *tr.* ① (…에) 생명을 불어넣다(dar la vida) : El alma *anima* el cuerpo. ② 살리다. ③ 생기·활기·원기를 돋우다, 고무하다(excitar, alentar) : ~ los soldados al combate. ④ (선수 등을) 응원하다. ⑤ 떠들썩하게 하다, 분위기를 돋우다, 홍청거리게 하다 ; 활기 띠게 하다. Contr. desanimar, desalentar.
~se 활기를 띠우다 : ~*se a* hablar 활기있게 이야기하다.

anime *m.* 《*AmérM.*》 아니메, 코바르 나무 ; 그 수지(樹脂)(curbaril) : El ~ se usa contra las enfermedades reumáticas.
tener ~s 《*Col.*》 운이 좋다(tener buena suerte).

animero *m.* (교회에서의) 헌금 받기 ; 그 사람.

anímico, ca *adj.* 정신의, 심령의(psíquico).

animismo *m.* 정령설(精靈說) ; 만유 영동관(萬有靈動觀).

animista *m.f.* 정령설을 주장하는 사람.

animita *f.* ①《*Cuba.*》 개똥벌레(luciérnaga). ②《*Chile.*》 빈소(嬪所).

ánimo *m.* [*gr.* anemos] ① 힘, 원기, 활력, 활기(valor, energía) : cobrar ~ 힘·원기가 솟다. trabajar con ~ 힘을 내서 일하다. Contr. cobardía. ② (…할) 마음, 생각, 작정 : hacer ~ …할 마음이 들다. tener ~ …할 의사가 있다.
—*interj.* 잘해라, 기운을 내라!
caer(se) de ~ 낙담하다.
dilatar el ~ 위로하다.
estrecharse de ~ 마음·생각이 꺾이다.

animosamente *adv.* 힘차게, 활기차게, 활발하게, 신이 나서 : trabajar ~ . Contr. cobardemente.

animosidad *f.* ① 한(恨), 원한(ojeriz tenaz). ② 원기, 활기, 생기(ánimo, valor) : trabajar con ~. Contr. benevolencia.

animoso, sa *adj.* 원기있는, 활기찬, 힘찬, 활발한, 신이 난 : ser ~ para el trabajo. Contr. cobarde

aniñadamente *adv.* 어린애처럼 ; 유치하게.

aniñado, da *adj.* ① 어린애 같은(pueril) : rostro ~ . ② 유치한.

aniñarse *r.* 어린애 같아지다.

anión *m.* 【전기】 음(陰)이온. Contr. catión.

ANIQ Asociación Nacional de la Industria Química 《*Méx.*》 전국 화학 산업 연합.

aniqué *m.* 【식물】 (Cuba의) 난과수(zapote)의 일종.

aniquilable *adj.* 말살·절멸할 수 있는.

aniquilación *f.* =**aniquilamiento.**

aniquilador, ra *adj.m.f.* 절멸시키는 (사람).

aniquilamiento *m.* 절멸, 전멸 ; 말살.

aniquilar *tr.* ① 몽땅 없애다, 전멸시키다 : ~ una población. ② 폐지시키다.
~se ① 모조리 없어지다 ; 전멸하다. ② (건강, 재산 등이) 아주 못쓰게 되다, 무로 돌아가다.

③ 엉망이 되다. ④ 멍청해지다(anonadarse).

anís *m.* ①【식물】회향풀 ; 아니스. ② 아니스술. —*pl.* 《*Col.*》 힘, 정력.

~ ***estrellado · de la China · de las Indias*** 【식물】붓순나무.

estar hecho un ~ 《*Amér.*》 깔끔하게 몸단장을 하고 있다.

anisado *m.* 아니스가 들어간 소주의 일종(aguardiente anisado).

anisal *m.* 《*Chile.*》 아니스밭.

anisar *tr.* (…에) 아니스를 넣다. —*m.* 아니스밭.

aniseros *m.pl.* 《*Col.*》 죽음 : entregar los ~ 죽다. dar los ~ 죽이다.

anisete *m.* 아구아르디엔떼(aguardiente) · 설탕(azúcar) · 아니스(anís)로 빚은 술.

anisillo *m.* 술안주감.

aniso- *pref.* 「부동(不同)」「부등(不等)」의 뜻을 나타내는 접두어.

anisodonte *adj.* 이가 고르지 못한 (동물).

anisofilo, la *adj.* 잎이 고르지 못한.

anisómero, ra *adj.* 【동물 · 식물】불균제(不均齊) · 불규칙의.

anisométrico, ca *adj.* 같지 않은 ; 비등방(非等方)의 (결정 등).

anisopétalo, la *adj.* 【식물】부등 화판의.

anisótropo, pa *adj.* 【물리】이방성(異方性)의.

anito *m.* (필리핀 원주민의) 우상.

anivelar *tr.* =**nivelar, igualar.**

aniversario, ria *adj.* 해마다의(anual). —*m.* 주년제; 기념일, 연기(年忌) : ~ de la firma 회사 창립 · 창업 기념일. asistir a la conmemoración del xx ~ de la independencia 독립 20주년 기념식에 참가하다. Sinón. cumpleaños.

Ankara *f.* 【지명】앙카라 《터키의 수도》.

¡ anjá! *interj.* 《*Amér.*》 아무렴 !, 잘했어 !

ano *m.* [*lat.* anus]【해부】항문.

-ano, na *suf.* ① 명사 · 부사에서 형용사 어미 : comarc*ano*, lej*ano*. ②「기원 · 소속」을 뜻하는 접미어 : alde*ano*, cuenc*ano*.

anoche *adv.* 지난 밤에, 간밤에, 어젯밤에.

anochecedor, ra *adj.* 밤샘하는. —*m.f.* 밤잠이 없는 사람 : Tardío ~, mal madrugador 밤늦게까지 안 자는 자가 으레 늦잠을 잔다 ; 일찍 자야 일찍 일어나는 법이다.

anochecer *intr.* 31 어두워지다 ; 해가 지다, 밤이 되다(venir la noche). [*N.* 보통 단인칭 동사로 사용하나, 장소를 사용하여 인칭 변화를 시킬 수 있음] *Anochecimos* en Talavera 딸라베라에서 해가 저물었다 (우리들의 여행에서). —*m.* 해질녘, 일몰, 석양(crepúsculo, nochecita, vesperino)

~se 광휘 · 광채를 잃다.

al ~ 해질녘에, 석양에, 해거름에(al obscurecer, al acercarse la noche, al atardecer, a crepúsculo, al caer la tarde, al caer el día) : *Al* ~ acerté a hallar una senda por donde se bajaba a la falda 해거름에 나는 산기슭으로 내려가는 오솔길을 우연히 발견했다.

anochecida *f.* =**anochecer.**

anochecido *adv.* 해질 무렵에, 땅거미가 지기 시작할 때에.

anódico, ca *adj.* 【전기】양극의 : rayos ~*es.*

anodinar *tr.* (…에) 진통제를 놓다, 마취시키다.

anodinia *f.* 【의학】통각(痛覺) 마비, 아픈 감각의 마비(analgesia) : La cocaína produce ~

anodino, na *adj.* ① 아픔을 멈추게 하는, 무통의 : remedio ~. Contr. violento. ② 소용없는, 쓸모없는(ineficaz). —*m.* 진통제.

ánodo *m.* 【전기】양극(陽極). Contr. cátodo.

anofeles *m.* 【단 · 복수 동형】(말라리아를 매개하는) 학질 모기.

anomalía *f.* ① 변칙, 파격(irregularidad). ② 이상(異常), 이례, 변태. ③【천문】근일점 거리각(近日點距離角). Contr. regularidad.

anomalidad *f.* 【고어】=**anomalía.**

anomalístico, ca *adj.* 【천문】근일점의 : año · mes ~ 근점년(年) · 월(月)

anómalo, la *adj.* ① 이상의(extraño). ② 변칙의, 불규칙한(irregular).

anón *m.* 【식물】=**anona.**

anona *f.* ①【식물】번여지속 식물 ; 그 열매. ② 식료품의 비축. ③《*AmérC.*》 어리석은 일, 바보스러운 일. —*adj.* 우둔한, 멍청한, 바보스런, 어리석은(tonto).

anonáceo, a *adj.* 번여지(과)의. —*f.pl.* 번여지과 식물.

anonadación *f.* =**anonadamiento.**

anonadador, ra *adj.* 전멸하는 ; 의기 소침한.

anonadamiento *m.* ① 전멸, 절멸(絶滅). ② 낙담, 풀이 죽음, 의기 소침.

anonadar *tr.* 전멸 · 섬멸시키다(aniquilar) ; 때려 누이다 ; 의기 소침하게 하다 : La noticia me *anonadó* 그 소식에 나는 절망했다.

~se 완전히 없어지다 ; 풀이 죽다.

anoncillo *m.* 【식물】《*Cuba.*》 =**mamoncillo.**

anónimamente *adv.* 익명으로, 무기명으로.

anonimato *m.* 《*Amér.*》 =**anónimo, escritor.**

anónimo, ma *adj.* 무기명의 ; 작가 미상의, 익명의 : carta ~*ma* 익명의 편지. sociedad ~*ma* 주식 회사. —*m.* ① 무기명 · 익명의 문서 · 투서 ; 작자 미상 ; 무명씨 : conservar el ~ 이름을 비밀로 하고 있다. ② 이름 감추기.

anopluros *m.pl.* 【동물】이류(類).

anorak *m.* 아노락 《후드 달린 방한용 코트》.

anoraque *m.* =**anorak.**

anorexia *f.* 식욕 상실 · 감퇴(pérdida del apetito).

anoria *f.* =**noria.**

anormal *adj.* 이상의 ; 변태의 ; 상식에서 벗어난. Contr. normal, regular. —*m.f.* 정신 박약아, 기형아 : escuelas de ~*es* 정신 박약아 학교.

anormalidad *f.* ① 이상, 변태, 변칙 (carácter anormal). ② 이상물.

anormalmente *adv.* 이상하게, 정상에서 벗어나(de modo anormal).

anortar *intr.* 북풍으로 하늘이 흐려지다.

anortita *f.* 【광물】회장석.

anos *m.* 【식물】(필리핀산의) 대나무.

anosmático, ca *adj.* 후각 마비의 ; 냄새를 맡지 못하는 ;【동물】무후각(無嗅覺)의.

anosmia *f.* 무후각(증).

anotación *f.* ① 기입 : ~ en el debe【상업】차변 기입. ~ en el haber【상업】대변 기입. ② 주석, 주기, 주입. ③ 각서, 등기, 등록.

anotador, ra *m.f.* 주석자, 주기자(註記者) : (영화 촬영 때의) 기록자.

anotar *tr.* ① 주석·주기하다(poner notas). ② 기록하다(apuntar). ③ 주의하다, 지적하다. ④ 등기·등록하다. ⑤ 승인하다, 인가하다. ⑥【부기】기장하다 : ~ el importe en la cuenta 구좌에 금액을 기장하다.

anovelado, da *adj.* 소설적인 : historia ~*da.*

anovulatorio, ria *adj.*【생리】무배란 (월경)의.

anoxemia *f.* 무산소 혈증《고산병》.

anoxia *f.*【의학】산소 결핍, 무산소증.

anque *conj.*【속어】=**aunque.**

anquear *intr.*《*Amér.*》① (말이) 다리를 지나치게 움직이다 ; (걸을 때) 궁둥이를 흔들다. ②【고어】여기저기 방랑하다.

anqueta *f.* [*dim.* anca] 작은 닻.

estar de media ~ 좌석이 편하지 않다.

anquial *m.*《*Arg.*》호박밭.

anquialmendrado, da *adj.* 궁둥이가 불쑥 나온 (말).

anquiboyuno, na *adj.* 궁둥이가 튀어나온.

anquilosamiento *m.* =**anquilosis.**

anquilosarse *r.* 뼈마디가 굳어지다 ; 딱딱해지다, 제대로 놀리지 못하게 되다 : ideas *anquilosadas.*

anquilosis *f.*【단·복수 동형】관절 경직·유착.

anquimuleño, ña *adj.* 궁둥이가 두루뭉실한.

anquirredondo, da *adj.* 궁둥이가 둥그스름한.

anquiseco, ea *adj.* 궁둥이가 마른.

Anquises *f.*【전설】Eneas의 아버지, Troya 전쟁의 화염 속에서 아버지를 등에 업고 구출한 효자.

ANRPC Asociación Nacional Republicana Partido Colorado《*Parag.*》꼴로라도당 국민 공화파.

ansa[1] *f.* 한자 동맹《중세 북구 여러 도시의 상업적·정치적 동맹》. [*N.* hansa로도 씀].

ansa[2] *f.* [*lat.* ansa]《*Ar.*》(그릇·바구니 등의) 손잡이.

ánsar *m.*【조류】오리과의 새 ; 잿빛 기러기 : ~ careto chico 기러기. ~ careto grande 물오리. ~ doméstico 거위.

ansarería *f.* 거위의 우리.

ansarero, ra *m.f.* 거위를 기르는 사람.

ansarino, na *adj.* 거위의. —*m.* 새끼 거위.

ansarón *m.* =**ánsar.**

anseático, ca *adj.* 한자 동맹(Ansa)《독일의 여러 도시》의.

ansí *adv.adj.*【고어·방언】=**así** : La vida es ~ 인생이란 이런 것이다.

ansia *f.* ① 번민, 초사(angustia, aflicción) : las ~*s* de la muerte. Contr. tranquilidad. ② 열망, 간절한 바람(anhelo, deseo) : ~ de riqueza. ③ 고뇌, 고민. ④【은어】고문(tortura) : cantar en el ~ 고문으로 실토하다. ⑤【은어】물. —*pl.* 구역질, 구토, 매스꺼움(náuseas).

no comer ~《*Méx.*》침착해 있다, 괴로움을 견디어 내다.

ansiadamente *adv.* 조바심하며.

ansiar *tr.* ⑫ 기원·열망하다, 간절히 바라다, 애타게 기다리다.

ansiático, ca *adj.* ① =**anseático.** ②《*Col.*》기분이 나빠지는, 속이 뒤틀린, 속이 뒤집힐 것 같은.

ansiedad *f.* 불안, 초조, 조바심, 안달.

ansimesmo *adv.*【고어】=**así mismo.**

ansimismo *adv.*【고어】=**así mismo.**

ansina *adv.*【고어·방언】=**ansí.**

ansión *m.* [*aum.* ansia] ① 조바심, 초조. ②【방언】애수(哀愁)

ansiosamente *adv.* 불안해 하며, 조마조마하여.

ansiosidad *f.* 조바심, 간절한 마음.

ansioso, sa *adj.* ① 불안에 사로잡힌. ② [+de : …을] 바라면서 ; 욕심스러운 : Estoy ~ *de* ver esa película 나는 그 영화를 보고 싶다. ③《*Col.*》구토증이 나는, 구역질이 날 것 같은.

ansotano, na *adj.m.f.* 안소(Ansó) 계곡의 (사람).

ant. anterior ; anticuado.

anta *f.* ①【동물】큰 사슴. ② 멘힐《menhir, 유사 이전의 커다란 돌》. ③ (문·담의 양쪽·양쪽 끝의) 석주(石柱), 돌기둥.

antagónico, ca *adj.* 반대의, 대립하는 : doctrinas ~*cas.*

antagonismo *m.* 반대성, 적대 (행동) ; 대항 ; 반목.

antagonista *m.f.* ① 대항자, 경쟁 상대. Sinón. adversario. Contr. partidario. ② 반대로 작용하는 물건. ③ 상대역. ④【해부】길항근(拮抗筋) (músculos ~*s*).

antainar *intr.*《*Ast.*》서두르다(darse prisa).

antamilla *f.*《*Sant.*》=**altamia.**

antaniella *f.*《*Sant.*》=**altamia.**

antañada *f.* [드뭄] =**antigualla.**

antañazo *adv.*【속어】호랑이 담배 먹을 적, 옛날 옛적에.

antaño *adv.* 지난해 ; 옛날에. Contr. hogaño.

antañón, na *adj.* 아주 오래된(muy viejo).

antara *f.* (뻬루 원주민의) 피리의 일종.

antarca *adv.*《*Arg.*》뒤로 (넘어지다).

antarquearse *f.*《*Arg.*》뒤로 몸을 젖히다.

antártico, ca *adj.* ① 남극의, 남극 지방의 : círculo polar ~ 남극권. ② 남쪽의. —*m.* 남극양(南極洋) : la *Antártica* 남극 대륙. Contr. ártico, septentrional.

Antártida, la *f.* 남극 대륙.

ante *prep.* ① …의 앞에, …을 앞으로, 앞에 나와 : Compareció ~ el juez 그는 재판관 앞에 출두했다. Misión coreana ~ las Naciones Unidas 유엔 파견 한국 사절단. ② …을 보고, …을 생각하면 : No puedo opinar ~ este asunto 이 사건을 보니 달리 할 말이 없다. —*adv.*【고어】먼저, 전에(antes). —*m.* ① (식사 시작 때의) 먼저 나온 접시. ②《*Méx.*》(식사 때의) 나중에 나오는 접시의 일종. ③《*Perú.*》과즙의 일종. ④【동물】사슴(anta)의 일종 ; 이 사슴의 가죽 : calzones de ~ . ⑤【동물】들소. ⑥《*Guat.*》강낭콩(frijol)이나 옥수수(maíz)의 가루에 설탕(azúcar)을 넣은 과자.

~ *todo* 첫째로, 무엇보다, 먼저, 우선.

ante- *pref.* 시간·공간적으로「앞」을 뜻하는 접두어.

-ante *suf.* -ar동사의 능동 분사; 여성형은 -ta: comedi*anta*.
anteado, da *adj.* ① 사슴(ante) 빛깔의, 누런. ② 《*Méx.*》 팔 물건이 되지 못하는(averiado).
antealtar *m.* 성단(altar) 앞.
anteanoche *adv.* 그저께 저녁에.
anteanteanoche *adv.* 그그저께 저녁에 (trasanteanoche).
anteanteayer *adv.* 그그저께(trasanteayer).
anteantenoche *adv.* =**anteanteanoche.**
anteantier *adv.* 【속어】 그그저께.
antear *tr.* (껍질을) 노랗게 물들이다.
anteayer *adv.* 그저께: *Anteayer* fue domingo. ~ *tarde* 그저께 오후. ~ *noche* 그저께 밤(anteayer por la noche).
antebrazo *m.* 앞팔.
anteburro *m.* 《*Méx.*》 【동물】 맥(tapir o danta).
antecama *f.* 침대의 겉 시트.
antecámara *f.* 대기실, 홀; 3등 선실.
antecapilla *f.* 예배당의 앞.
antecedencia *f.* ① 앞에서 행한 언동; 전력(前歷). ② [집합] 선조(ascendencia).
antecedente *adj.* 앞선, 앞서 간, 선행(先行)의. Contr. consecuente, subsiguiente. —*m.* ① 전례, 전력; 전과, 해온 일(의 하나 하나). ② 【문법】 선행사. ③ 【논리】 전건(前件). ④ 【수학】 전항. —*pl.* 전력, 내력; 소성(素性).
antecedentemente *adv.* 그보다 전에; 앞서, 이전에(anteriormente).
anteceder *tr. intr.* 선행하다(preceder); 앞서 가다(ir delante): Lea usted el párrafo que *antecede*. Contr. seguir.
antecesor, ra *m.f.* 전임자. —*pl.* 선조, 조상 (antepasado). Sinón. predecesor.
anteclásico, ca *adj.* (문학에서) 고전 이전의: escritor ~.
anteco, ca *m.f.* 적도의 남북 같은 거리·동일 자오선상에 있는 사람.
antecocina *f.* 부엌 앞방.
antecoger *tr.* 3 앞에서 붙잡다; 익기 전에 따다.
antecolumna *f.* (열주에서 떨어져) 앞에 있는 기둥.
antecoro *m.* 합창대 앞의 방·공간.
antecristo *m.* 그리스도의 적(anticristo); 그리스도교의 반대자.
antedata *f.* 전일부(前日附), 사실의 월일(月日).
antedatar *tr.* (실제보다) 앞당긴 날로 하다.
antedecir *tr.* 70 [*p.p.* antedicho] 예언하다(predecir).
antedespacho *m.* 사무실의 대기실.
antedía *adv.* (일정한 날의) 그 전날에; 전날에, 2·3일 전에.
de ~ 전날에.
antedicho, cha *adj.* [antedecir의 *p.p.*] 전술한, 전기(前記)의, 상기의.
ante díem *adv. lat.* =**antedía.**
antediluviano, na *adj.* 노아의 홍수 전의; 태고의.
antefija *f.* 【건축】 =**adorno voladizo.**
antefirma *f.* (공문서·사문서 등에서) 서명 전에 쓰는 의례적인 문구, 혹은 직함이나 관직명 등.
antefoso *m.* 【축성】 (하나의 참호 앞에 있는) 보조 참호.
anteguardia *m.* 전위(前衛)(vanguardia).
anteguerra *f.* 전전(戰前)(preguerra). Contr. postguerra.
antehistoria *f.* 선사 시대(prehistoria).
antehistórico, ca *adj.* 유사(有史) 이전의(prehistórico).
anteiglesia *f.* ① 교회의 앞마당·현관. ② (북부 지방에서는) 지역의 교회·사원.
anteislámico, ca *adj.* 회교 이전의.
antejardín *m.* 정원 앞의 작은 뜰.
antejuela *f.* 《*AmérM.*》 =**lentejuela.**
antejuicio *m.* 예심, 예비 심사.
ANTEL Administración Nacional de Telecomunicación 《*Parag.*》 국가 전기 통신 관리청; 《*Salv.*》 전기 통신 관리 공사.
antelación *m.* 앞지름 (anticipación): con ~ 앞질러.
antelar *tr.* 《*Chile.*》 【속어】 미리하다(anticipar).
ANTELCO Administración Nacional de Telecomunicación.
antelucano, na *adj.* 【고어】 새벽의.
antellevar *tr.* 《*Méx.*》 (자기) 앞으로 가져 가다; 짓밟다(atropellar).
antemano *adv. de* ~ 미리 (con anticipación): Ud. debía haber consultado *de* ~ con sus padres sobre su matrimonio con ella 당신은 그녀와의 결혼에 대해 미리 양친과 상의해야 했다.
antemencionado, da *adj.* 기술한, 앞서 말한 (mencionado antes).
antemeridiano, na *adj.* 정오 전의, 오전의.
ante merídiem *adv. lat.* 오전 (antes del mediodía).
antemural *m.* 성채 (fortaleza); 수호, 방호: ~ de la cristiandad 그리스도교의 수호.
antena *f.* ① 【전신】 안테나, 공중선: ~ de cuadro 틀모양의 안테나. bajada de ~ 안테나 인입선. ② 삼각 돛의 돛대(entena). ③ 【동물】 촉각.
antenacido, da *adj.* 조산한.
antenado, da *m.f.* 의붓자식(entenado). —*adj.* 【동물】 촉각(antena)이 있는.
antenallas *f.pl.* 못뽑이; 족집게.
antenatal *adj.* 태어나기 전의.
anteniforme *adj.* 안테나 모양의.
antenoche *adv.* ① 그저께 밤(anteanoche). ② 해지기 전에, 어두워지기 전에.
antenombre *m.* 이름 앞에 붙이는 호칭, 경칭 (san, don *etc.*).
antenunciar *tr.* 11 예고하다, 예보하다.
antenupcial *adj.* 결혼 전의.
anteojera *f.* ① 안경집(caja o estuche para los anteojos). ② 말의 눈가리개 가죽.
anteojero *m.* 안경점; 안경 만드는 사람.
anteojo *m.* 안경, 외알 안경: ~ de Galileo 갈릴레오의 안경. ~ de larga vista 망원경 (catalejo).
—*pl.* ① 안경: ~*s* de color 색안경. ~*s* de automovilista 자동차 선수용 안경. ② 쌍안경: ~*s* de teatro 오페라 글라스. ~*s* prismáticos 프리즘 쌍안경.

anteón *m.* 【식물】 =**bardana.**
antepagar *tr.* 8 선불하다.
antepalco *m.* 극장의 대합실.
antepasado, da *adj.* [드묾] 과거의 (pasado, anterior) : el año ~ 재작년. el mes ~ 저 지난달. la semana ~*da* 저 지난 주. —*m.* [주로 *pl.*] 조상, 선조.
antepasar *intr.* [드묾] 앞서다, 앞서고 있다.
antepechado, da *adj.* antepecho가 있는.
antepecho *m.* ① 흉벽 (parapeto). ② 난간. ③ (마구의) 가슴걸이. ④《*Méx.*》 창닫이(의 판자).
antepenúltimo, ma *adj.* 끝에서 세 번째의.
anteponer *tr.* 61 [*p.p.* antepuesto] ① 앞에 놓다 (preponer) : ~ el artículo *al* nombre. ② 오히려 …을 좋아하다 (preferir), 우선시키다 : Tú debes ~ la obligación *al* gusto 너는 의무를 취미에 우선해야 한다.
antepong- → **anteponer** 61.
antepongo anteponer의 직·현·1·단수.
anteporta *f.* =**anteportada.**
anteportada *f.* 책의 면지《책의 앞뒤의 겉장과 안겉장 사이의 지면》(portadilla).
anteposición *f.* 전치·우선하는 일.
anteproyecto *m.* (토목·건축·기계 등의) 예비 준비·설계 원안; 초고.
antepuerta *f.* 방문 앞에 친 커튼; 겹문의 안쪽 문; (이중문의) 안쪽의 문.
antepuerto *m.* 외항(外港); 항구의 방파제.
antepuesto, ta *adj.* [anteponer의 *p.p.*] 앞에 놓인.
antepus- → **anteponer** 61.
antequerano, na *adj.m.f.* 안떼께라《Antequera, Málaga주의 도시》의 (사람).
antequino *m.* 【건축】 =**esgucio, caveto.**
antera *f.* 【식물】 (꽃의) 꽃밥침.
anteridio *m.* 【식물】 은화 식물의 숫 기관.
anterior *adj.* (시간·공간의) 앞의, 전의 : la civilización ~ a Jesucristo en más de cien años 예수 그리스도 보다 100년 이상 전의 문화. Contr. posterior, ulterior.
anterioridad *f.* ① 앞, 먼저 : con ~ [시간적으로] 전에. ② 우선성. Contr. posterioridad.
anteriormente *adv.* [시간적으로] 전에(con anterioridad). Contr. posteriormente.
antes *adv.* ① [시간적으로] 앞서, 앞에, 전에는 : Lo he dicho ~ 앞서 말한 바 있다. ② [공간적으로] 앞에 : ~ *de* la puerta 문앞에. ③ [+de : …보다] 먼저 : Llegó ~ *de* mí 나보다 먼저 왔다. ④ [de+*inf.*] …하기에 앞서, 하기도 전에 : ~ *de* amanecer 밤이 새기 전에. ~ *de* venir 오기 전에. ⑤ [+(de) que+*subj.*] …하기 전에. ~ *(de) que* venga él 그가 오기 전에. ~ *(de) que* amanezca 날이 새기 전에. ⑥ [+que : …보다] 오히려 : pelo negro ~ *que* castaño 밤색이라기 보다 오히려 검은 머리칼. ~ morir *que* pecar 죄를 범하느니 보다 차라리 죽는 일. ⑦ [때를 가리키는 명사 뒤에서] …전에 : el día ~ 전날에. un día ~ 하루 전에. años ~ 수년 전에. —*conj.* 오히려 : No se acobardó, ~ se encaró con el enemigo 기세가 꺾이기는 커녕, 오히려 적과 마주섰다.
~ ***bien*** 오히려. ~ ***de anoche*** 그저께 밤. ~ ***de ayer*** 그저께. ***cuanto*** ~ 되도록 빨리, 가능한 빨리(lo más pronto posible). ***de*** ~ 오래 전부터, 오래 전의.
antesacristía *f.* (성기구실〈聖器具室〉의) 앞방.
antesala *f.* 접견실, 대기실, 대합실.
hacer ~ 접견실 등에서 차례를 기다리다 (aguardar a ser recibido por una persona).
antesalazo *m.* 《*Chile.*》 (면회 가서) 허탕치기.
antestatura *f.* 임시로 만든 참호·방어물.
antetemplo *m.* 사원의 문, 사원의 앞마당.
anteúltimo, ma *adj.* 끝에서 두번째의 (penúltimo).
antevedimiento *m.* 【고어】 =**previsión.**
antevenir *intr.* 60 미리 오다.
antever *tr.* 38 [*p.p.* antevisto] 예견하다, 예측하다; 미리 보다.
antevien- →**antevenir** 60.
antevin- →**antevenir** 60.
anteviso, sa *adj.* 【고어】 =**advertido, avisado, apercibido.**
antevíspera *f.* (어떤 날의) 전전날.
antevisto, ta *adj.* [antever의 *p.p.*] 미리 본.
anti- *pref.* ①「반대」,「반항」,「적대」를 뜻하는 접두어 : *anti*cristo. ② [드묾]「앞」을 뜻하는 접두어 : *anti*faz.
antia *f.* 【동물】 =**lampuga.**
antiabolicionista *adj.m.f.* (미국의) 흑인 노예 찬성주의자(의).
antiácido, da *adj.* 산(酸)을 중화하는, 제산(制酸)의. —*m.* 제산제(制酸劑).
antiaéreo, a *adj.* ① 방공의 : defensa ~*a* 방공. ② 대공의, 고사의 : ametralladora ~*a* 고사기관총. cañón ~ 고사포. —*m.* 고사포.
antiafrodisiaco, ca *adj.* 성욕을 억제하는. —*m.* 성욕 억제제(劑).
antiafrodisíaco, ca *adj.* =**antiafrodisiaco.**
antiálcali *m.* 알칼리 중화물.
antialcohólico, ca *adj.* 알코올 성분을 없애주는; 알코올 중독 박멸 (운동)의, 음주 반대의 (opuesto al alcoholismo) : liga ~*ca.*
antialcoholismo *m.* 금주 운동.
antiamericano, na *adj.m.f.* 반미의 (주의자).
antiamericanismo *m.* 반미열(反美熱).
antiapopléctico, ca *adj.* 졸도 예방의. —*m.* 졸도 예방약.
antiar *m.*【식물】 안티아르나무《남양산의 독나무》; 독화살에 사용하는 그 독즙.
antiaristocrático, ca *adj.* 귀족에 반대하는. —*m.f.* 귀족 제도 반대자(democrático).
antiartístico, ca *adj.* 비예술적인.
antiartrítico, ca *adj.* 관절염(artritismo)에 듣는. —*m.* 통풍약, 관절염 치료제.
antiasmático, ca *adj.* 천식에 듣는. —*m.* 천식약.
antibalístico, ca *adj.* 대탄도학의.
antibelicista *adj.* 반전주의의. —*m.f.* 반전주의자.
antibilioso, sa *adj.* 가슴앓이에 듣는. —*m.* 가슴앓이약.
antibiótico, ca *adj.* 【생물】 항생의. —*m.* 항생물질·제.

anticanceroso, sa *adj.* 암 투쟁에 적합한.
anticanónico, ca *adj.* 종교에 반대하는, 반교권파(反敎權派)의.
anticaño, ña *adj.* 《*AmérC.*》 아주 오래된.
anticapitalismo *m.* 반 자본주의.
anticapitalista *adj.m.f.* 반 자본주의의 (사람).
anticariense *adj.m.f.* 안띠까리아 《Anticaria, 현재의 Antequera》의 (사람).
anticarro *m.* 대전차포(antitanque).
anticastrista *adj.m.f.* 반카스트로주의의 (사람).
anticatarral *adj.* 감기에 듣는. —*m.* 감기약.
anticátodo *m.* 【전기】 대음극(對陰極).
anticatólico, ca *adj.* 반카톨릭적인.
anticiclón *m.* 【기상】 역선풍. [Contr.] ciclón.
anticientífico, ca *adj.* 비과학적인.
anticipación *f.* ① 미리 하는 일, 앞당김 : con ~ 미리. ② 선불. ③ 【수사】 예변법 《상대편의 반대를 예상하여 선수를 치는 법》.
anticipada *f.* 기선 제압.
anticipadamente *adv.* 미리(con anticipación).
anticipado, da *adj.* 앞지른, 미리 하는 : pago ~ 선불. dar las gracias ~*das* 미리 감사하다. *por* ~ 미리.
anticipador, ra *adj.* 미리 하는, 앞당긴 ; 선불의.
anticipamiento *m.* anticipar 하는 일.
anticipante *adj.m.f.* 미리 하는, 앞당긴, 선수를 치는 (사람).
anticipar *tr.* ① 미리 하다, 앞당겨 하다 : ~ una visita 미리 방문하다. ② (기일 등을) 앞당기다, 빨리 하다 : ~ el día de la marcha 출발 기일을 앞당기다. ③ 선불하다, 가불해 주다. ④ 우선시키다(anteponer). [Contr.] retrasar.
~se ① 앞지르다, 선수를 치다. ② (예정·예측보다) 빨라지다 : *Se anticiparon* las lluvias 생각보다 비가 빨리 왔다.
anticipo *m.* ① 앞당김 (anticipación). [Contr.] retraso. ② 전도금, 선불금(dinero anticipado). ③ 선불 이자, 현금 가불.
~ ***a provedores*** 《*Arg.*》 전도금, 선불금.
~ ***en metálico*** 현금 가불.
anticlerical *adj.* 교권 반대의, 반종교파의.
anticlericalismo *m.* 교권 반대(론·운동).
anticlinal *adj.m.* 【지질】 배사(背斜)(의).
anticohesor *m.* 앤티코히러 《전파 작용으로 저항을 증가시키는 검파기》.
anticolectivismo *m.* 반집단주의.
anticolectivista *adj.m.f.* 반집산주의의 (사람).
anticolonialismo *m.* 반식민주의.
anticolonialista *adj.m.f.* 반식민주의의 (사람).
anticombustible *adj.* 비연소의. —*m.* 비연소물.
anticomintern *adj.* 반공주의의, 국제 공산주의에 반대하는.
anticomunismo *m.* 반공(산)주의, 반공, 반공정신, 반공 운동.
anticomunista *adj.* 반공주의의, 반공적인. —*m.f.* 반공주의자.
anticoncepcional *adj.* =**anticonceptivo.**
anticoncepcionismo *m.* 산아 제한.
anticonceptivo, va *adj.* 피임의 : píldora ~*va* 피임용 정제. —*m.* 피임약, 피임 기구.
anticonformismo *m.* 반체제.
anticongelante *adj.* 부동(不凍)의. —*m.* 부동제(不凍劑).
anticonstitucional *adj.* 헌법에 위배되는, 헌법 위반의, 헌법에 반대하는(contrario a la constitución).
anticonstitucionalidad *f.* 헌법에 위배(되는 일).
anticonstitucionalmente *adj.* 헌법에 반대하여(de una manera contraria a la constitución).
anticontaminación *f.* 감염 예방(제·책).
anticorrosivo, va *adj.* 음식물의 부패를 방지하는. —*m.* 방부제.
anticresis *f.* 이익 저당, 수익 저당 계약.
anticresista *m.f.* 수익 저당 계약의 채권자.
anticrético, ca *adj.* 수익 저당 계약의.
anticristiano, na *adj.* 《*Neol.*》 반그리스도교적인 : libro ~.
anticristo *m.* 그리스도의 적 《세계의 종말에 나타나 인간을 유혹하는 것으로 믿어졌던 것》.
anticrítica *f.* 비판받은 자에 의해 행해진 비판에 반론.
anticrítico *m.* 비판자에의 반론자.
anticuado, da *adj.* ① 케케묵은, 시대에 뒤진, 오래된, 낡은. ② 고어의, 구식의. ③ 없어진, 폐지된.
anticuar *tr.* [15] 폐어(廢語)로 만들다.
~se 낡아지다.
anticuario *m.* ① 【고어】 고고학자(古古學者)(arqueológico). ② 고물 수집가 ; 고물 장수, 골동품 상인.
anticuco, ca *adj.* 《*AmérC.*》 케케묵은, 아주 낡은.
anticucho *m.* 《*Perú.*》 소의 심장구이.
anticuerpo *m.* 【생리】 항체(抗體).
antidemocrático, ca *adj.* 반민주적인.
antidenotante *adj.* 폭발성을 방지하는 : gasolina ~.
antideportivo, va *adj.* 스포츠 반대의.
antideslizante *m.* (자동차 타이어 등의) 슬립 방지.
antidiftérico, ca *adj.* 디프테리아에 효과가 있는.
antidiluviano, na *adj.* 【속어】 노아의 홍수 이전의, 태고의(antediluviano).
antidinástico, ca *adj.* 왕통 반대의 : partido ~.
antidoral *adj.* 보상적인.
antidotario *m.* 약제의 조제서.
antídoto *m.* 해독제 (contraveneno) ; 예방약 ; 예방 조치, 교정(矯正) 수단.
antidumping *m.* 덤핑 방지 : ~ arancelario 덤핑 방지 관세.
antieconómico, ca *adj.* 비경제적인.
antiemético, ca *adj.* 구토를 멎게 하는. —*m* 구토약.
antiepiléptico, ca *adj.* 간질병에 듣는. —*m.* 간질병약.

antier *adv.* 【속어】 =**anteayer.**
antiesclavista *adj.* 노예 제도에 반대하는. —*m.f.* 노예 제도 폐지론자·반대자.
antiescorbútico, ca *adj.* 항괴혈병의. —*m.* 항괴혈병(제).
antiespañol, la *adj.m.f.* ① 서반아에 반대하는. ② 서반아의 이익과 풍습에 반하는.
antiespasmódico, ca *adj.* 경련 진정의. —*m.* 경련 진통제.
antiespiritualismo *m.* 반유심론.
antiespiritualista *m.f.* 반유심론자.
antiestético, ca *adj.* 비미학적인 ; 보기에 거북한, 보기 흉한.
antievangélico, ca *adj.* 복음 반대의.
antifascismo *m.* 반파쇼주의.
antifascista *adj.* 반파시스트주의의. —*m.f.* 반파시스트주의자.
antifaz *m.* 눈 가리개, 안대 ; 가면, 반복면(半覆面).
antifebril *adj.* 해열의. —*m.* 해열제.
antifebrina *f.* 앤티페브린 《해열제》.
antifilosófico, ca *adj.* 반철학적인.
antiflogístico, ca *adj.* 항염(抗炎)의. —*m.* 소염제(消炎劑).
antífona *f.* 【카톨릭】 교송(交誦), 응답 송가(應答頌歌).
antifonal *adj.* ***libro*** ~ 교송서. —*m.* 교송 찬미가집(交誦贊美歌集).
antifonario *m.* =**antifonal.**
antifranquista *adj.* 프랑코 정부에 반대하는. —*m.f.* 반프랑코주의자.
antífrasis *f.* 【수사】 (말뜻의) 반대 사용 《욕심쟁이를 don Generoso로 부르는 사용법》.
antifrástico, ca *adj.* antífrasis의.
antifricción *f.* (기계 굴대받이의) 마찰 방지, 감마제(減磨劑).
antigal *m.* 《*Arg.*》 인디오 묘지의 유적.
antigás *adj.* 방독(防毒) 가스의 : careta ~ 방독면. batallón ~ 대 가스전 부대. máscara ~ 방독면.
antígeno, na *adj.* 【의학】 항원(抗原)의. —*m.* 항원.
Antígona *f.* 【희랍 전설】 Ediopo의 딸, Sófocles의 비극의 제목.
antigotoso, sa *adj.* 통풍(痛風)에 듣는. —*m.* 통풍약.
antigramatical *adj.* 문법에 어긋하는, 비문법적인.
antigripal *adj.* 유행성 감기 예방의.
antigualla *f.* 고물(objeto de antigüedad remota) ; 유행이 지난 것. —*pl.* 고도구류(古道具類), 잡동사니.
antiguamente *adv.* 옛날에는, 오래 전에는 (en lo antiguo).
antiguamiento *m.* 고참·장로가 되는 일.
antiguar *intr.* ⑩ 장로가 되다 ; 고참이 되다.
antigubernamental *adj.* ① 《*Neol.*》 반정부의(contrario al gobierno) : periódico ~ 반정부 신문. ② 야당의.
antigüedad *f.* ① 고대 (tiempo antiguo) : en la ~ 옛날에는. ② 연대가 오래된 것, 오래됨. ③ [집합] 고대인 : Esto creía la ~ 옛날 사람들은 이것을 믿고 있었다. —*pl.* 골동, 골동품 ; 고대의 유물 (monumentos u objetos de arte antiguos) : ~*es* asirias.
antiguo, gua *adj.* ① 고대의 ; 해묵은, 옛날의, 예로부터의 : amigo ~ 오랜 친구. ② 옛날의 ; 고참의. —*m.* 고미술품. —*pl.* 옛날 사람 : Los ~*s* creían que el sol giraba en torno de la tierra.
a la ~gua, a lo ~ 옛날 식으로. ***de ~*** 옛부터. ***desde muy ~*** 호랑이 담배 먹을 적, 옛날부터. ***en lo ~*** 옛날에는.
antihelmíntico, ca *adj.* 회충 구제의. —*m.* 구충제.
antihemorroidal *adj.* 치질에 듣는. —*m.* 치질약.
antihigiénico, ca *adj.* 비위생적인 : Es ~ velar con frecuencia.
antihistamina *f.* 항히스타민제.
antihistérico, ca *adj.* 히스테리에 듣는. —*m.* 히스테리 약.
antihuelguista *m.f.* 반스트라이크 참가자.
antihumanitario, ria *adj.* 《*Neol.*》 비인도적인(contrario al humanitarismo).
antihumano, na *adj.* 《*Neol.*》 인정이 없는, 무자비한 (contrario a la humanidad). **Sinón.** inhumano. **Contr.** humano.
antiimperialismo *m.* 반제국주의.
antiimperialista *adj.* 반제국주의의. —*m.f.* 반제국주의자.
antiinflacionario, ria *adj.* 인플레 방지의.
antiinflacionista *adj.* 반인플레의 : campaña ~ 반인플레 운동. —*m.f.* 반인플레주의자.
antijurídico, ca *adj.* 위법적인, 법에 어긋나는.
antikomintern *adj.* =**anticomintern.**
antilegal *adj.* 불법의, 무법의. **Sinón.** ilegal.
antiliberal *adj.* 《*Neol.*》 반자유의.
antiliberalismo *m.* 《*Neol.*》 반자유주의.
antilla *f.* 안띠야스 제도의 섬의 하나 하나.
antillano, na *adj.* 안띠야스 제도의. —*m.f.* 안띠야스 제도 사람.
Antillas, las *f.* 【지명】 안띠야스 제도.
antilogaritmo *m.* logaritmo에 해당되는 숫자.
antilogía *f.* 모순, 당착.
antilógico, ca *adj.* 비논리적, 논리에 맞지 않는, 모순된.
antílope *m.* 【동물】 영양.
antilopino, na *adj.* 영양(羚羊)의·같은. —*m.pl.* 【동물】 영양속(屬).
antimicrobiano, na *adj.* 항균성(抗菌性)의.
antimilitarismo *m.* 《*Neol.*》 반군국주의.
antimilitarista *adj.* 반군국주의의, 반전(反戰)주의의. —*m.f.* 반전주의자, 반군국주의자.
antiministerial *adj.* 부·장관에 반대하는.
antiministral *adj.* 장관에 반대하는.
antimisil *adj.* 반미사일의.
antimonárquico, ca *adj.* 반군주제의.
antimonia *f.* 【화학】 안티몬.
antimonía *f.* =**antimonia.**
antimoniado, da *adj.* 【화학】 안티몬을 함유한 ; 안티몬의.
antimonial *adj.* =**antimoniado.**
antimoniato *m.* 【화학】 안티몬염.
antimónico, ca *adj.* 안티몬·산소·수소가 합

성된 산의.
antimonio *m.* 【화학】 안티몬.
antimonopolio *m.* 독점 금지.
antimoral *adj.* 부도덕한, 비도덕적인.
antinacional *adj.* 《*Neol.*》 반국가적인. —*m.f.* 비국민.
antinatural *adj.* 부자연스러운(contranatural).
antinefrítico, ca *adj.* 항신염(抗腎炎)의.
antineurálgico, ca *adj.* 항신경통의. —*m.* 신경통제.
antinomia *f.* ① 법의 모순. ②【철학】 이율 배반.
antinómico, ca *adj.* 상호 모순된.
antioqueno, na *adj.m.f.* 안띠오끼아 《Antioquía, 시리아의 도시》의 (사람).
antioqueño, ña *adj.* 안띠오끼아 《Antioquia, 꼴롬비아의 주》의. —*m.f.* 안띠오끼아 사람.
antipalúdico, ca *adj.* 항말라리아열의. —*m.* 말라리아열의 약.
antipapa *m.* 교황 참칭, 불법적으로 선출된 교황(Papa elegido irregularmente).
antipapado *m.* antipapa의 불법 직위.
antipapista *adj.* 반교황의, 교황 반대의.
antipara *f.* 간막이 ; 병풍(biombo) ; [주로 *pl.*] 정강이 받이.
antiparlamentario, ria *adj.* 《*Neol.*》 의회를 부인하는, 의회법을 준수하지 않는. —*m.* 반의회 주의자.
antiparras *f.pl.* 【속어】 안경(anteojos, gafas).
antipatía *f.* 싫어함, 반감, 반발. [Contr.] simpatía.
antipático, ca *adj.* 호감이 가지 않는, 비위에 맞지 않는, 몹시 싫은 : Es un tipo muy ~ 별로 호감이 가지 않는 사람이다.
antipatizar *intr.* ⑨ 《*Amér.*》 [드뭄] (어떤 사람에게) 혐오감을 갖다.
antipatriota *m.f.* 매국노.
antipatriótico, ca *adj.* 비애국적인 : sentimiento ~.
antipatriotismo *m.* 비애국주의.
antiperestroika *adj.* 반 페레스트로카의 : presión ~.
antiperístasis *f.* 성질의 상반 ; 그 힘 ; 그 때문에 반대 성질이 강해지는 것.
antiperistático, ca *adj.* antiperístasis의.
antiperonismo *m.* 반페론주의.
antiperonista *m.f.* 반페론주의자.
antipestilencial *adj.* =**antipestoso.**
antipestoso, sa *adj.* 악역(惡疫) 예방의.
antipirético, ca *adj.* 해열의, 열을 내리게 하는. —*m.* 해열제.
antipirina *f.* 안티피린.
antípoda *adj.* 대차(對蹠)의. —*m.* 대차지(對蹠地), 대차점 ; 대차인.
antipoético, ca *adj.* 반시적인.
antipolín *m.* 【식물】 (필리핀산의) 오리나무.
antipontificado *m.* 로마 교황을 참칭하는 것.
antiprogresista *adj.* 《*Neol.*》 반진보적인. —*m.f.* 진보 사상의 반대자.
antiprohibicionista *adj.* 금지에 반대하는. —*m.* 금지 반대자.
antipútrido, da *adj.* 【의학】 방부의. —*m.* 방부제.
antiquísimo, ma *adj.* [*sup.* antiguo] 아주 옛날의(muy antiguo).
antiquismo *m.* 의고주의(擬古主義) ; 고어(arcaísmo).
antirrábico, ca *adj.* 항광견의 : suero ~ 광견병 치료 혈청.
antirracista *adj.* 반인종 차별주의의 : movimiento ~ 인종 차별 반대 운동. —*m.f.* 반인종 차별주의자.
antirreglamentario, ria *adj.* 법규에 반하는.
antirreligioso, sa *adj.* 반종교적인 (irreligioso) : periódico ~.
antirrepublicano, na *adj.* 공화주의에 반대하는. —*m.f.* 반공화주의자. [Sinón.] librepensador, ateo.
antirreumático, ca *adj.* 류머티즈에 듣는.
antirrevolucionario, ria *adj.* 반혁명의, 혁명에 반대하는. —*m.f.* 반혁명파의 사람.
antirrino *m.* 【식물】 금어초.
antirrobo *m.* 도난 방지.
antiscio *adj.m.* 적도 양쪽의 같은 자오선상에 사는 (사람).
antisegregacionista *adj.m.f.* 반인종 분리 주의의 (사람).
antisemita *adj.* 반유태인의, 유태인 배척의 : campaña ~ 반유태인 캠페인. —*m.f.* 반유태인.
antisemítico, ca *adj.* 유태인을 혐오하는.
antisemitismo *m.* 유태인 배척, 반유태 운동.
antisepsia *f.* 살균, 소독.
antiséptico, ca *adj.* 살균의. —*m.* 살균제, 소독약.
antisifilítico, ca *adj.* 항매독의. —*m.* 항매독약.
antisísmico, ca *adj.* 내진(耐震)의 ; 내진성의.
antisocial *adj.* 반사회적인, 비사회성의.
antisocialista *adj.* 반사회주의의. —*m.f.* 반사회주의자.
antisonoro, ra *adj.* 방음(防音)의.
antisoviético, ca *adj.* 반 소비에트의.
antisubmarino, na *adj.* 대잠수함의 : destructor ~ 대잠구축함.
antisudoral *adj.* 땀을 막는 : crema ~ 땀방지용 크림.
antitanque *adj.* 대전차의 : cañón ~ 대전차포.
antitérmico, ca *adj.* ① 방열(防熱)의 : materiales ~*s* 방열 재료. ② 해열의(febrífugo).
antítesis *f.* ① 대조(물·법) ; 반대. ②【논리】 반립(反立). ③【수사】 대구(對句).
antitético, ca *adj.* 정반대의, 대조의, 대조가 되는 ; 대구적(對句的)인.
antíteto *m.* 【고어】 =**antítesis.**
antitóxico, ca *adj.* 항독성의.
antitoxina *f.* 해독, 항독소.
antitrago *m.* 【해부】 외이 돌기(外耳突起).
antitranspirante *m.* 땀 방지약.
antitrinitario, ria *adj.* 삼위 일체 부인론의. —*m.f.* 삼위 일체 부인론자.
antituberculoso, sa *adj.* 결핵(tuberculosis) 예방·박멸의.
antivenenoso, sa *adj.* 해독의.
antivenéreo, a *adj.* 성병 치료의. —*m.* 성병 치료약.

antiverfúmigo, ga *adj.* 기생충 구제의. —*m.* 기생충 구제약.
Ant.º Antonio.
antocianina *f.* 【생화학】 안토시아닌.
antófago, ga *adj.* 꽃을 먹는 (벌레).
antojadizamente *adv.* 멋대로, 생각이 내키는 대로.
antojadizo, za *adj.* 멋대로의, 변덕스러운.
antojado, da *adj.* ① [+de : …을] 탐내게 된, 가지고 싶어진. ②【은어】 발에 족쇠가 끼워진 (죄수).
antojarse *r.* [우리 말의 주어에 해당하는 말을 간접 목적 대명사(me, te, le, nos, os, les)를 써서 나타낸다] 가지고 싶어지다 ; …을 하고 싶어지다 ; 마음이 들다, 생각이 들다 : *Se* le *antojó* un estuche muy bonito 그는 매우 예쁜 작은 상자를 갖고 싶다. *Se* me *antoja* ir a Busán 나는 부산에 가고 싶어진다. *Se* me *antoja* que nunca volverá ella 나는 그녀가 다시는 돌아오지 않을 것만 같다.
antojera *f.* (말의) 눈가리개 가죽(anteojera).
antojito *m.* 멕시코의 과자의 일종.
antojo *m.* 간절히 가지고 싶어하는 마음 ; 변덕스러운 마음. —*pl.* 변색한 머리칼 ; 멍, 점(mancha natural en la piel). Sinón. capricho.
antojoso, sa *adj.* 《*Amér.*》 =**antojadizo.**
antojuelo *m. dim.* antojo.
antología *f.* 문집, 선집(florilegio) : ~ poética 시선집.
antológico, ca *adj.* 문집 · 선집의.
antoniano, na *adj.* 성 안또니오 교파 (San Antonio Abad)의. —*m.f.* 성 안또니오 교파 사람.
antonimia *f.* 반의(反意). Contr. sinonimia.
antónimo, ma *adj.* 반의(反意)의, 반대의 (contrario) : Belleza y fealdad son ~*s.* —*m.* 반대말, 반의어 《예 : obscuro와 claro》. Contr. sinónimo.
antonino, na *adj.m.f.* =**antoniano.**
antonomasia *f.* [*gr.* anti+onoma] 【수사】 별칭, 환칭, 환명 (el hombre cruel을 un Nerón). *por* ~ 이렇게 바꾸어 부르면 ; 즉.
antonomásticamente *adv.* 별칭으로.
antonomástico, ca *adj.* 환칭의, 별칭의.
antor *m.* 장물 판매자.
antor. anterior.
antorcha *f.* 횃불, 봉화 ; 목표가 되는 것.
antorchar *tr.* =**entorchar**.
antorchera *f.* 《*Ar.*》 =**antorchero.**
antorchero *m.* 봉화대. Sinón. tedero.
antosta *f.* 【건축】 간막이 벽(tabique).
ant.ʳ anterior.
antraceno *m.* 안뜨라센 《방부제》.
antracífero, ra *adj.* 무연탄이 있는.
antracita *f.* 【광물】 무연탄.
antracosis *f.* 【의학】 탄분증(炭粉症).
antranosis *f.* 【의학】 탄저병(炭疽病).
ántrax *m.* 【단 · 복수 동형】【의학】 비탈저(脾脫疽) ; 옹 ; 탄저(炭疽).
antro *m.* 동굴, 암굴(caverna, cueva, gruta).
antrópico, ca *adj.* 인간성의.
antropocéntrico, ca *adj.* 우주 중심 인간주의의.
antropocentrismo *m.* 우주 중심 인간주의.
antropofagía *f.* 사람을 잡아 먹는 풍습 (canibalismo).
antropófago, ga *adj.* 사람을 먹는 : pueblo ~. Sinón. caníbal. —*m.f.* 식인종.
antropografía *f.* 인문 지리학, 인류지(人類志).
antropoide *adj.* 유인원의. —*m.* 유인원(類人猿).
antropoideo, a *adj.* 【동물】 인간을 닮은 ; 유인원류(類人猿類)의.
antropolatría *f.* 인간 숭배.
antropología *f.* ① 인류학 : ~ cultural 문화 인류학. ② 인간학 : ~ criminal 범죄 인간학.
antropológico, ca *adj.* 인류학(antropología)의 : estudios ~*s.*
antropólogo, ga *m.f.* 인류학자.
antropómetra *m.* 인체 측정학자.
antropometría *f.* 인체 측정 · 계측.
antropométrico, ca *adj.* 인간 측정의.
antropomórfico, ca *adj.* antropomorfismo 의.
antropomorfismo *m.* 신인(神人) 동형 동성설(同形同性說), 신의 의인시(擬人視).
antropomorfista *adj.* 신인(神人) 동형 동성설의. —*m.f.* 신인(神人) 동형 동성설 신자.
antropomorfo, fa *adj.* 【동물】 인간 비슷한 (antropoide). —*m.pl.* 유인원류(類人猿類).
antroponimia *f.* 성명 철학.
antropopiteco *m.* 인간의 조상이었다는 동물. Sinón. pitecántropo.
antruejada *f.* 농담, 장난 ; 악담.
antruejar *tr.* (사육제 때) 장난을 하다.
antruejo *m.* 사육제.
antucá *m.* [*fr.* en-tout-cas] =**sombrilla.**
antuerpiense *adj.m.f.* 안뚜에르삐아 《Antuerpia, 현재의 Amberes》의 (사람).
antuviada *f.* 불의의 습격(porrazo).
antuviar *tr.* ⑪ ① 별안간 때리다 (dar un golpe, dar porrazo). ② 선수를 치다 (dar primero que otro).
antuvión *m.* 불의의 타격 (golpe repentino) : de ~ 불의에 (de repente). jugar de ~ (나쁜 일에) 맨 먼저 손을 대다.
antuzano *m.* 집 앞의 소광장 (plazuela ante una casa).
anual *adj.* ① 1년의, 1년간의 : cosecha ~ 1년 수확. plazo ~ 1년의 기한. ② 매년의, 연년의 : memoria ~ 연차 보고서, 연보. sueldo ~ 연봉. ③ 연리(年利)의.
anualidad *f.* 매년 ; 연액(年額), 연금 : ~ vitalicia 종신 연금. ~ de retiro 퇴직 연금. ~ vencida 만기된 연금.
anualmente *adj.* 매년, 해마다(cada año).
anuario *m.* 연감, 연보 : ~ de bosillo 휴대용 연감. ~ de la industria minera ; ~ de minería 광업 연감. ~ del comercio exterior 무역 통계 연감. ~ estadístico 통계 연감. A· Estadístico de la ONU 유엔 통계 연감. ~ industrial 공업 연감.
anúbada *f.* 출전 소집(anúteba).
anubado, da *adj.* =**anubarrado.**
anubarrado, da *adj.* 흐린 ; 구름 무늬를 넣은 ;

구름이 덮인(cubierto de nubes) : cielo ~.
anublado, da *adj.* ①【은어】눈이 먼. ② 흐린, 구름 낀.
anublar *tr.* ① 구름으로 덮다, 흐리게 하다. ② 그늘지게 하다. ③ (식물을) 시들게 하다. ④【은어】감추다.
~se 구름이 끼다, 흐려지다; 없어지다. Contr. despejar.
anublo *m.* 노균병균(露菌病菌)(añublo).
anucar *intr.* ⑦《Arg.》젖을 떼다.
anudador, ra *adj.m.f.* 매듭을 만드는; 결합하는 (사람).
anudadura *f.* =**anudamiento.**
anudamiento *m.* 매듭, 마디; 묶는 일.
anudar *tr.* ① 매듭을 만들다·맺다, 잇다 (hacer nudos) : ~ una cinta. ② 결합시키다. ③ (목소리를) 막히게 하다. ④ (중단했던 것을) 계속시키다 : ~ el relato.
~se ① 마디가 생기다. ② 결합되다. ③ (혀가) 굳어지다. ④ (사람·동물·식물의) 발육이 중지되다.
anuencia *f.* =**consentimiento.** Contr. oposición.
anuente *adj.* 동의의, 승락의. Contr. opuesto.
anulable *adj.* 무효로 할 수 있는, 폐기할 수 있는.
anulación *f.* 무효; 폐기, 취소, 파기 : ~ de contrato 계약 해제. ~ de un pedido 주문의 취소. ~ de una marca 상표의 취소. la ~ de un tratado 조약의 파기. Contr. conservación.
anulador, ra *adj.* 취소·폐기할 수 있는. —*m.f.* 취소자, 폐기자.
anular[1] *tr.* [*lat.* annūllare] 무효로 하다; 폐기하다, 취소하다 : ~ un contrato. Contr. confirmar.
~se 못쓰게 되다, 무효가 되다.
anular[2] *adj.* [*lat.* annulāris] ① 반지의 : dedo ~ 약지. ② 고리 모양의 : eclipse ~ de sol. —*m.* 약지, 네째 손가락.
anulativo, va *adj.* 무효로 하는.
ánulo *m.*【건축】환상, 바퀴 모양.
anuloso, sa *adj.* 환상의, 바퀴 모양의, 둥근 무늬가 있는 고리로 된.
anunciación *f.* ① 알림, 발표; 성명; 광고; 예고, 공고. ②【종교】수태 고지《대천사 San Gabriel이 성모에게 그리스도의 수태를 알렸던 일》; 수태 고지절《3월 25일》.
anunciador, ra *adj.* 알리는. —*m.f.* 발표자, 고지자, 광고주; 사회자.
anunciante *adj.* 광고하는. —*m.f.* 광고주 : los ~*s* de un periódico 신문의 광고주.
anunciamiento *m.* =**anunciación.**
anunciar *tr.* ⑪ 알리다, 발표하다; 광고하다; 예고하다, 예보하다; 포고하다; 설명하다.
anuncio *m.* ① 통지, 알림, 광고 : ~*s* luminosos 광고등, 네온 사인. ~*s* de un diario 일간지 광고. ② 징조, 표적, 전조.
anuo, nua *adj.*【식물】1년생의 (anual) : plantas *anuas* 1년생 식물.
anuria *f.*【의학】무뇨증(無尿症), 요폐색(尿閉索).
anuro, ra *adj.*【동물】꼬리가 없는. —*m.pl.* 무미류(無尾類)《개구리, 두꺼비 등》.
anúteba *f.* 출전 소집; (옛날의) 축성 노역(築城勞役).
anvelope *m.*《Galic.》봉투(sobre).
anverso *m.* ① (화폐·수표 등의) 표면 : ~ de la medalla 메달의 표면. Contr. cruz. ② (책의) 오른쪽 페이지, 겉페이지. Contr. reverso.
anzar *m.* (모로코에서) 샘(manantial).
anzolero, ra *m.f.* 낚싯바늘 만드는 사람; 그 상인.
anzuelo *m.* ① 낚싯바늘 (hamo). ② 끄는 것 (atractivo).
caer·picar en el ~ 낚싯바늘·덫에 걸리다.
aña *f.* ①【동물】하이에나. ②《Ál.》유모(ama de cría, nodriza).
añacal *m.* ① 제분소의 심부름꾼. ② 빵 배달용 판자.
añacalero *m.* =**añacal.**
añada *f.* 경지의 구획.
mala ~ 좋지 않은 계절. ***buena*** ~ 좋은 계절.
añadido *m.* =**postizo** : tener ~*s* en el pelo.
añadidura *f.* 첨가, 첨가물, 부가, 부가물(agregación) : por ~ 그 위에, 더군다나(además).
añadir *tr.* ① 첨가하다, 보태다; 증보하다(agregar) : ~ un capítulo al libro. ② 부언하다.
añafea *f.* 갈색의 포장지.
añafil *m.* 나팔(trompeta)의 일종.
añafilero *m.* añafil을 부는 남자.
añagaza *f.* (새 같은 것을 잡을 때의) 미끼 새, 후리 새. Sinón. anzuelo.
añaje *m.*《Col.》혈통; 외모.
añal *adj.* 생후 1년의 (소·양) (anual). —*m.* 1주기의 제물(祭物).
añalejo *m.* (카톨릭교에서의) 연중 행사 월력, 사원력(寺院曆).
añangotarse *r.*《AmérC.》웅크리다, 오므라들다.
¡añañay! *interj.*《Chile.》아무렴, 물론! (cómo no); 잘한다!, 근사하다!, 잘해라.
añapa *f.*《Arg.》음료의 일종.
añares *m.pl.*《Urug.》=**años.**
hace ~ 여러 해 전에.
añas *m.*《Perú. Ecuad.》=**zorrillo, mofeta.**
añascado *m.*《Arg.》=**labor de deshilado.**
añascar *tr.* ⑦ ① 조금씩 모아가다 (ir juntando poco a poco). ② 헝클어지게 하다.
añasco *m.* 헝클어진 것.
añejador, ra *adj.* 묵은 티가 나는.
añejamiento *m.* añejar하는 것.
añejar *tr.* 묵히다, (…에) 묵은 티가 나게 하다.
~se 낡아지다, 묵은 티가 생기다; (선악의 뜻으로) 낡아 빠지다.
añejo, ja *adj.* ① 묵은 티가 생긴, 오래된 : vino ~ 오래된 술. ② 오래 전부터, 연래(年來)의 : vicio ~ 예전부터의 악습. ③ 케케묵은 : noticia ~*ja* 케케묵은 뉴스.
añero, ra *adj.*《Chile.》1년 교체의《열매가 열리는 해와 열리지 않는 해가 있는 식물》.
añicos *m.pl.* 조각난 조각 : hacer ~ 조각조각으로 하다. hacerse ~ 산산 조각이 되다; 몸을 짓이기다.
añil *m.*【식물】인도쪽, 나무쪽. Sinón. índigo.
añilal *m.*《Col.》=**añilería.**
añilar *tr.* 쪽(añil)으로 물들이다.

añilería *f.* 쪽밭.
añinero *m.* 양피공.
añingotarse *r.* 《*Amér.*》 웅크리다, 책상다리를 하다.
añino, na *adj.* =**añal.** —*m.* 한 살 짜리 양. *m.pl.* 어린 양의 껍질·털.
añiral *m.* 인도쪽밭.
año[1] *m.* ① 해, 연, 1년 : El ~ se compone de trescientos sesenta y cinco días y cuarto 일년은 삼백 육십 오일 여섯 시간이다. ② 연도.
—*pl.* 생일(cumpleaños) : celebrar *los ~s* 생일을 축하하다.
~ *astronómico* 천문·회귀년. ~ *árabe* 태음년. ~ *bisiesto* 윤년. ~ *civil* 민력년(民曆年). ~ *común* 평년. ~ *climatérico* (7년~9년 만에 온다는) 액년(厄年). ~ *económico* 회계 연도. ~ *entrante·proximo·que viene·que entra* 내년. ~ *corriente·en curso* 금년. ~ *escolar* 학년. ~ *fiscal* 회계 연도. ~ *intercalar* 윤년. ~ *lunar* 태음력. ~ *nuevo* 신년. ~ *platónico* 플라톤년 《천체의 운행이 일주하는 것으로 믿어졌던 258,000년》. ~ *sideral·sidereo* 항성년(恒星年) 《365일 6시 9분 8.97초》. ~ *solar·trópico* 태양년, 태양력. ~*-luz* 광년(光年) : un millón de *años-luz* 백만 광년.
~ *a* ~ 해마다.
~ *y vez* 1년 교체 《열매가 열리는 해와 열리지 않는 해가 있는 나무 ; 경작을 하는 해와 하지 않는 해가 있는 경작지》.
estar de buen ~ 잘 있다, 건강하다.
el ~ *de la nanita·nana* 호랑이 담배 먹을 적, 옛날 옛적.
entrado en ~s 나이가 많아져.
entre ~ 연내에.
¡Feliz ~ nuevo! 새해 복많이 받으십시오.
ganar·perder ~ 학기 시험에 합격·낙제하다.
¡mal ~ ! 아무렴!, 당연해!
quitarse ~s 나이를 적게 말하다.
todo el ~ 일년 내내.
todos los ~s 매년, 해마다(cada ~).
año[2] 《*Gal. León.*》 =**recental.**
añojal *m.* 휴경지.
añojo, ja *m.f.* 한 살 된 송아지.
añoñar *tr.* 《*Amér.*》 우쭐대게 하다, 오만하게 하다, (버릇없이) 기어오르게 하다.
añoranza *f.* 사무침, 없는 사람에 대한 그리움 (soledad).
añorar *intr.tr.* (잃은 물건을) 아쉬워하다, 그리워하다.
añoso, sa *adj.* 해묵은, 늙은, 오래된 : árboles *~s* 늙은 나무.
añublado, da *adj.* 【은어】 앞 못보는.
añublar *tr.* =**anublar.**
añublo *m.* 노균병균(露菌病菌).
añudador, ra *adj.m.f.* 묶는 (사람).
añudadura *f.* =**añudamiento.**
añudamiento *m.* 묶는 일.
añudar *tr.* =**anudar, atar.**
añuquir *tr.* 《*Col.*》 꼭 끼우다.
añusgar *intr.* [8] ① 질식하다 (atragantarse). ② 화내다, 성내다, 노하다(enfadarse).
aoísico, sa *adj.m.f.* 아오이스《Aoiz, Navarra주의 소도시》의 (사람).
aojada *f.* 《*Col.*》 채광창.
aojador, ra *adj.* 눈으로 저주하는.
aojadura *f.* =**aojo.**
aojamiento *m.* =**aojo.**
aojar *tr.* ① 눈으로 저주하다. ② 잡아 죽이다. ③ 실패케 하다. ④ (사냥감을) 쫓아내다, 몰아내다 (espantar).
aojo *m.* (저주의) 눈빛.
aónides *f.pl.* 뮤즈신(las musas).
aonio, nia *adj.* ① =**beocio.** ② 뮤즈의 제신(諸神)의.
aoristo *m.* (그리스 문법의) 과거형.
aorta *f.* 【해부】 대동맥.
aorteurisma *f.* 【의학】 대동맥류.
aórtico, ca *adj.* 【해부】 대동맥의.
aortitis *f.* 【의학】 대동맥염.
aovado, da *adj.* 계란형의 (de figura de huevo) : hoja *~da.* [Sinón.] oval.
aovar *intr.* ① 알을 낳다 (poner huevos). —*tr.* 계란형으로 만들다.
aovillarse *r.* 구슬(ovillo)이 되다 ; 둥그레지다, 오므라들다.
AP 《*Perú.*》 Acción Popular 인민 행동당 ; Alianza Popular 인민 동맹.
ap. aparte 별편(別便) ; apóstol 사도.
a/p. a plazos 분할 지불로.
ap.[a] aplica ; apostólica.
apabilar *tr.* (등불의 심지를) 돋우다·자르다.
~se 【방언】 홀쭉해지다.
apabullamiento *m.* =**apabullo.**
apabullar *tr.* 찌그러뜨리다(aplastar) ; 난처하게 만들다.
apabullo *m.* 당혹, 난처함.
apacentadero *m.* 목장, 방목장(pasto).
apacentador, ra *adj.m.f.* 풀을 먹이는 (사람).
apacentamiento *m.* ① 풀을 먹이기, 사육. ② =**pasto.**
apacentar *tr.* [19] ① (소에게) 풀을 먹이다(dar pasto al ganado). ② 기르다. ③ 훈육·훈련시키다(instruir, enseñar). ④ (욕정 등을) 일으키게 하다.
~se ① 풀을 먹다. ② 사육되다. ③ 욕정을 일으키다.
apacibilidad *f.* 평온함, 조용함, 고요함, 안온.
apacibilísimo, ma *adj. sup.* apacible.
apacible *adj.* 평온한, 조용한, 고요한, 안온한 (manso, dulce, tranquilo, agradable) : día ~, viento ~. [Contr.] inquieto.
apaciblemente *adv.* 평온하게, 조용하게, 고요하게, 안온하게.
apaciguador, ra *adj.* 가라앉은, 평온한.
apaciguamiento *m.* 후견, 후원.
apaciguar *tr.* [10] 가라앉히다, 완화시키다 ; 평정하다. [Sinón.] pacificar. [Contr.] alborotar.
apacorral *m.* 중미산 교목 《껍질은 해열제》.
apachar *tr.* ① 《*AmérC.*》 조이다, 짜다. ② 《*Perú.*》 훔치다.
apache *adj.* 아파치족의. —*m.* ① (북아메리카의) 아파치족. ② 멕시코 동북부에 살던 적색 인종 : baile ~ 일종의 거친 댄스. ③ (본래는 파리, 이밖의 대도시의) 건달.
tener ~ *con* 《*Chile.*》 (…와) 친밀하게 지내다.
apacheta *f.* 《*AmérM.*》 ① (고대 뻬루의 토착민

이 돌을 쌓아 만든) 제단. ②《Bol.》 여자 도적.
hacer su ~ 돈을 모으다.
apachetero *m.* 《Bol.》 도적.
apachigo *m.* 《Amér.》 꾸러미(lío, bulto).
apachurrado, da *adj.* 《Amér.》 땅딸막한.
apachurrar *tr.* =**despachurrar.**
apadrinador, ra *adj.* 후원하는, 후견하는. —*m.f.* ① 후원자, 비호자. ② (결투의) 입회인, 보조자.
apadrinamiento *m.* apadrinar하기.
apadrinar *tr.* ① 영세에 대부(padrino)로 데리고 가다. ② 후견하다, 후원하다(proteger).
apagable *adj.* 꺼지는, 꺼질 수 있는, 꺼지기 쉬운. Contr. inextinguible.
apagadizo, za *adj.* 잘 꺼지는, 연소하기 어려운.
apagado, da *adj.* ① 한가로운, 태평스러운. ② 활기·생기가 없는. ③ 저조한. Contr. ardiente, vivo.
apagador, ra *adj.* 불을 끄는. —*m.* 소방수 ; 소화기 ; 촛불 끄는 기구 ; 소음(消音) 장치.
apagaincendios *m.* 【단·복수 동형】 소화기.
apagamiento *m.* 꺼지는 일, 끄는 일. Sinón. extinción.
apagapenol *m.* 【선박】 돛의 가장자리 줄.
apagar *tr.* ⑧ ① (불·등불을) 끄다 : *Se apagaron* las luces 등불이 (모두) 꺼졌다. Contr. encender. ② (라디오를) 끄다. ③ (감정 등을) 없애다, 가라앉히다 : ~ los rencores 원한을 잊다. ④ (색채·소리를) 부드럽게 하다. ⑤ 《Amér.》 사격하다 : Le *apagó* el revólver 그에게 권총 한 방을 쏘았다.
Apaga y vámonos 그만 둬!, 집어 치워!
apagavelas *m.* 【단·복수 동형】 촛불 끄는 기구 (apagador).
apagón, na *adj.* 《Amér.》 잘 꺼지는, 불붙기 어려운. —*m.* 꺼진 등 ; 정전(停電).
apagoso, sa *adj.* 《Amér.》 잘 꺼지는.
apainelado, da *adj.* 【건축】 타원의 : arco ~.
apaisado, da *adj.* 장방형의, 옆으로 퍼진 : libro ~.
apaisanarse *r.* 《Arg. Urug.》 촌스러워지다 (tomar costumbres de paisano).
apajarado, da *adj.* 《Amér.》 멍청한, 경솔한.
apalabramiento *m.* 구두 약속.
apalabrar *tr.* (…에게) 언약하다, 구두로 결정하다.
~se 약속하다 : ~*se* con un amigo.
apalancamiento *m.* 지렛대로 움직이는 일.
apalancar *tr.* ⑦ 지렛대 (palanca)로 움직이다 · 들어올리다.
apalastrarse *r.* 《Amér.》 지치다 ; 나동그라지다 : Está *apalastrado* 나동그라져 있다.
apaleador, ra *adj.* 두들겨 패는.
apaleamiento *m.* 두들겨 패는 일.
apalear *tr.* ① 때리다, 치다 : ~ alfombras. ② 키질을 하여 티를 고르다. ③ (금·은을) 많이 가지다 : ~ oro.
apaleo *m.* (곡물의) 티 고르기(apaleamiento).
apalmado, da *adj.* 손이 펴진.
apalpar *tr.* 【속어】 손으로 만져 보다(palpar).
apampar *tr.* 《Arg.》 얼빠지게 하다.
~se 얼빠지다, 얼간이가 되다.
apanalado, da *adj.* 벌집 모양의, 벌집같은 Sinón. alveolar.
apanar *tr.* 《Perú.》 【속어】 =**empanar.**
apancle *m.* 《Méx.》 =**apantle.**
apancora *f.* 《Chile.》 【동물】 섬게 ; 가시복 ; 복. Sinón. jaiva.
apandar *tr.* 붙잡다 ; 훔치다, 도둑질하다.
apandillar *tr.* 한패로 넣다 : ladrones *apandillados* 한패가 된 도둑.
~se 작당하다.
apandorgarse *r.* ⑧ 《Perú.》 =**apoltronarse.**
apangarse *r.* ⑧ 《AmérC.》 웅크리다.
apaniaguarse *r.* ⑩ 《Amér.》 모의하다, 수작을 꾸미다.
apaninarse *r.* 《Méx.》 [드뭄] 토지·기후에 익숙해지다.
apanojado, da *adj.* 【식물】 원추 화서(圓錐花序)의.
apantallado, da *adj.* 《Méx.》 바보스러운, 멍청한, 저능의(bobo).
apantanar *tr.* 물에 잠기게 하다, 늪지를 만들다 (inundar un terreno).
apantle *m.* 《Méx.》 배수구(acequia).
apantuflado, da *adj.* 덧신 모양의.
apañacuencos *m.* 《Ar.》 =**leñador.**
apañado, da *adj.* ① 천같은, 매끄러운 : tejido ~. ② 숙련된(hábil). ③ 안성맞춤의.
apañador, ra *adj.m.f.* apañar 하는 (사람).
apañadura *f.* 훔치는 일 ; 장식, 꾸밈. —*pl.* (이불이나 의복 등의) 갓단 장식.
apañalarse *r.* 《Méx.》 몸을 의지하다, 도피하다.
apañamiento *m.* =**apañadura.**
apañar *tr.* ① 챙겨 넣다. ② 붙잡다 (asir). ③ 훔치다, 가지다. ④ 옷을 입히다 (ataviar). ⑤ 수선하다 (remendar). ⑥ (챙겨) 싸다. ⑦《Perú.》 (목화를) 따다. ⑧《Perú.》 꾸짖다, 힐책하다, 힐난하다, 때리다.
~se ① 숙달하다, 숙련하다. ② 교활해지다.
apaño *m.* ① 잡아 뜯음. ② 수선 (remiendo). ③ 숙련 (habilidad). ④ 다툼. ⑤ 【속어】 애인.
apañuscador, ra *adj.* apañuscar 하는.
apañuscamiento *m.* 네다바이, 얌생이짓; 포개어 쌓기.
apañuscar *tr.* ⑦ ① 비벼 짜다, 네다바이하다, 얌생이짓을 하다. ②《Amér.》 포개어 쌓다.
apapachar *tr.* 《Méx.》 애무하다(papachar).
apapagayado, da *adj.* 앵무새 (papagayo) 닮은 : nariz ~*da.*
aparador *m.* ① 찬장 ; 작업장 ; 진열장(escaparate). ②《AmérC.》 접대.
estar de ~ 부인이 성장하고 있다.
aparadura *f.* 배 밑바닥의 판자.
aparar *tr.* ① 갖추다, 채비를 하다, 준비하다 (aparejar, adornar). ② (밭 등의) 김을 매다. ③ (과일 등의) 껍질을 벗기다. ④ (두 장의 판자를 맞붙이는 곳에) 대패질을 하다. ⑤ 꿰매다. ⑥ (손·손수건 등을) 펴서 받다 : *Apare* Vd. el pañuelo 손수건을 펴서 받으세요. *Apare en·con* las manos 손으로 받아 주십시오.
aparasolado, da *adj.* ① 양산 모양의. ②【식물】 산형 화서과의(umbelífero).
aparatado, da *adj.* 준비·채비를 마친 (prepa-

rado, dispuesto).

aparatarse *r.* ① 준비를 하다, 채비를 하다. ② 《*AmérM.*》 흐리다, 구름이 끼다 (nublarse el cielo antes de la tempestad).

aparatero, ra *adj.* 【방언】《*Chile.*》=**aparatoso.**

aparato *m.* ① 기구, 기기, 기계 : ~ fotográfico 사진기. ~ eléctrico 전기 기구. ② …기(機), …기(器) : ~ radiotelegráfico 무전기. ~ para esterilizar leche 우유 소독기. ③ 설비, 장치 : ~ de acondicionamiento de aire 냉·난방 장치. ④【생물】기관 : ~ digestivo 소화기. ~ respiratorio 호흡기. ⑤ (병의) 징후. ⑥ 붕대류. ⑦ 화려함, 장려함 (pompa) : ~ escénico 패전트. ⑧《*Amér.*》유령.

aparatosidad *f.* 화려함, 장려함.

aparatoso, sa *adj.* 화려한, 장려한, 현란한; 잰체하는(pomposo).

aparcadero *m.* 주차장.

aparcamiento *m.* 주차, 주차장 : ~ de vehículos.

aparcar *tr.* 7 《*Arg.*》 ① 주차하다 : Vamos a ~ aquí 여기에 주차합시다. Prohibido ~ 주차 금지. ② (포차 또는 탄약을) 배치하다.

aparcería *f.* (농장·목장의) 공동 경영 : cultivo en ~ 소작.

aparcero, ra *m.f.* 공동 경영자; 소작인.

apareamiento *m.* 짝이 되게 하는 일; 맞추는 일.

aparear *tr.* ① 맞추다 : ~ tablas 판자를 같은 모양으로 맞추다. ② 짝이 되게 하다.
~se 짝이 되다. Contr. descabalar.

aparecer *intr.* 31 ① 출현하다, 나타나다; 보이다 : Tu nombre no *aparece* en la lista 너의 이름은 표에 나와 있지 않다. Contr. desaparecer. ② (어떤 상태로) 되어 가다.
~se ① 나타나다. ②《*Galic.*》마음에 떠오르다 (ocurrirse). ③ 보이다, 있다(verse).
[직설법 현재 1인칭 단수 : aparezco. 접속법 현재 : aparezca, aparezcas, aparezca, aparezcamos, aparezcáis, aparezcan].

aparecido *m.* ① 유령, 망령. ②《*Cuba.*》【조류】(푸른 색의) 작은 새.

aparecimiento *m.* =**aparición.**

aparejadamente *adv.* 제대로, 알맞게.

aparejado, da *adj.* 알맞은, 적당한, 꼭 맞는; 준비가 다 된, 갖추어진(apto). Contr. inapto.

aparejador, ra *adj.* 준비를 갖춘, 채비를 차리는. **—***m.f.* 준비자. **—***m.* ① (건축의) 감독, 우두머리. ② (배의) 의장(艤裝) 담당자.

aparejar *tr.* ① 준비하다, 채비를 차리다 (preparar). ② (말에) 마구를 달다. ③ (배를) 의장하다. ④ (그림을 그리기 위해) 옷칠을 하다; (도금을 하기 위해) 애벌칠을 하다.
~se ① [+a·para : …의] 채비·준비를 갖추다 : *~se a·para* el trabajo. ②《*AmérC.*》짝이 되다, 조가 되다.

aparejería *f.* 《*Cuba.*》마구 공장.

aparejo *m.* ① 준비, 채비 (preparación, disposición). ② 도구 : ~ de pesca 낚시 도구. ③ 마구 (arreo). ④ 배의 도구 《돛·그물 따위》. ⑤ 의장 재료. ⑥ 활차(滑車), 고패 : ~ eléctrico 감아올리는 드럼. ⑦ [주로 *pl.*] 자료, 재료, 기재(器材). ⑧ (도금을 위한) 애벌칠. ⑨ (그림의) 번지기 방지, 번지기 방지 가공.
~ *de elevación* (기중기의) 활차. ~ *diferencial* 감아올리는 활차. ~ *redondo* 가로돛 장치; 주름이 많은 시골 부인의 의복의 일종.

aparejuelo *m.* [*dim.* aparejo] 소도구; 소활차.

aparencial *adj.* 외견상의, 표면상의.

aparentador, ra *adj.m.f.* 꾸며대는 (사람).

aparentar *tr.* ① 짐짓 보이다, 꾸며대다 (dar a entender lo que no es o no hay) : ~ alegría 즐거운 듯이 보여주다. ~ creer 믿는 척하다. ② (겉보기에, 어떤) 나이로 보이다.

aparente *adj.* ① 외견상의, 겉으로만 미끈한 : forma ~ 겉만 번지르한 모양. ② 그럴싸한, 안성맞춤의(conveniente) : Esto es ~ *para* el caso 이것은 그 경우에는 안성맞춤이다. ③ 눈에 보이는, 현저한. ④ (…같은) 모양을 한.

aparentemente *adj.* ① 외견상, 겉으로 보기에. ②《*Galic.*》필경은, 분명코.

aparezc- → **aparecer** 31.

aparezca aparecer의 접·현·1·3·단수.

aparezcáis aparecer의 접·현·2·복수.

aparezcamos aparecer의 접·현·1·복수.

aparezcan aparecer의 접·현·3·복수.

aparezcas aparecer의 접·현·2·단수.

aparezco aparecer의 직·현·1·단수.

a pari *adj. lat.* =**por igual.**

aparición *f.* ① 출현. ② 요괴, 혼령, 유령. Sinón. espectro, fantasma. Contr. desaparición.

apariencia *f.* ① 외견(外見), 외관; 풍채 : en ~ 외관상으로. ② 기색, 기미. **—***pl.* 무대 장치, 무대 장치 배경 그림.

aparrado, da *adj.* 가지가 퍼진 (parrado); 땅딸막한.

aparragarse *r.* 8 《*Amér.*》 =**achaparrarse.**

aparrar *tr.* (나무의) 가지를 옆으로 번지게 하다.

aparroquiado, da *adj.* ① 교구(parroquia)에 속하는. ② 고객(parroquiano)의. ③ 득의 양양한.

aparroquiar *tr.* 11 ① 고객으로 삼다, 손님이 붙게 하다. ②《*Chile.*》교회의 신도로 넣다.
~se ① 고객이 생기다. ② 어떤 교구의 신도가 되다.

aparta *f.* 《*Chile. Méx.*》젖을 뗀 가축; 가축떼를 나누는 일 : ganado de ~ 젖을 뗀 가축.

apartadamente *adv.* =**separadamente.**

apartadero *m.* (통로 옆의) 대피소; (열차의) 대피선, 인입선.

apartadijo *m.* 갈라 놓음, 작게 나눔 : hacer ~*s* 여러 몫으로 나누다.

apartadizo, za *adj.* 떨어지기 쉬운, (사람·무리에서) 자주 떨어지는. **—***m.* 떨어져 있는 곳.

apartado, da *adj.* ① 외떨어진, 외진, 벽촌의 (remoto) : pueblo ~. ② 별개의, 다른. **—***m.* ① 별실. ② 사서함 (~ de correos). ③ 우마 등의 가축을 떼어놓는 일. ④ 금광의 선별; 금은의 검정. ⑤《*Arg.*》변소. ⑥《*Méx.*》선광(選鑛); 제련소.

apartador *m.f.* ① 선별자. ② (제지 재료의) 선별공. ③ (금은의) 제련공 : ~ de metales. **—***m.* 소몰이 채찍.

apartamento *m.* 《*Galic. Amér.*》아파트.

apartamiento *m.* ① 분리 ; 떨어진 장소. ② 주거. ③ 방(habitación). ④ 아파트. ⑤ 분실.
~ *de ganado* 【은어】 가축을 훔치는 일.

apartar *tr.* ① 나누다, 가르다, 분리하다, 떼어놓다(separar) : ~ la cortina 커튼 · 휘장을 가르다. Contr. reunir. ② 치우다, 챙기다. ③ 선별하다.
~se 갈라지다, 떨어지다 ; 이혼하다 ; 들어박히다(retirarse).

aparte *adv.* ① 따로, 나누어 : Les dieron dos habitaciones ~ 그들에게 따로 방을 두 개 주었다. ② 떨어져서 : Estaré ~ observando 떨어져 관망하겠다. ③ 별편으로 : enviar ~ 별편으로 보내다. ④ (인쇄 등에서) 별행으로 ; (연극에서) 방백(傍白)으로. ⑤ 별도로 : esto ~, ~ (de) esto 이것은 별도로 하고. —*adj.* 별도의 : cuestión ~ 별도의 문제. tirada ~ 인쇄물의 별도 인쇄. —*m.* ① (연극의) 방백(傍白) : Tiene muchos ~*s* 방백이 많다. ② 단락(段落) (párrafo). ③ 《*Arg.*》 떼어놓음, 떼어놓는 일.

apartidar *tr.* 다른 파 · 당에 가입시키다, 다른 당을 만들다.
~se 다른 파 · 당을 만들다.

apartijo *m.* =**apartadijo.**

aparvadera *f.* (밀을) 그러모으는 농구, 갈퀴(따위)(allegadera).

aparvadero *m.* =**aparvadera.**

aparvar *tr.* (밀을) 모으다 ; 쌓아 올리다.

apasanca *f.* (볼리비아산의) 큰 거미.

apasionadamente *adv.* 열렬하게, 열정적으로 ; 열심히.

apasionado, da *adj.* ① 격하기 쉬운, 격정적인 ; 정열적인, 열렬한. ② (…에) 열을 올린, 심취한, 열중한 : ~ a la pesca 낚시에 열중하여. ③ 아군의(partidario). ④ 환부(患部)의 : parte ~*da* 환부. —*m.* 【은어】 간수, 교도관.

apasionamiento *m.* =**pasión, vivacidad.**

apasionante *adj.* 열중하는, 감격하는.

apasionar *tr.* ① 열중시키다, 감격시키다. ② 고통을 주다, 괴롭히다(atormentar).
~se [+de · por : …에] 열중하다 ; 흥분하다 ; 정신을 쏟다 : ~*se por · del* estudio 공부 · 연구에 열중하다.

apasito *adv.* 《*Cuba.*》 천천히 ; 작은 소리로.

apasote *m.* =**apazote.**

apastar *tr.* (소 · 말에) 꼴을 먹이다(apacentar).

apaste *m.* 《*Guat. Méx.*》 독, 항아리, 병.

apastillado, da *adj.* 《*Méx.*》 연분홍빛의.

apastito *m. dim.* apaste.

apastragarse *r.* 8 (침상 · 땅바닥에) 앉다.

apatán *m.* 필리핀의 용량의 단위 《94ml》.

apatanado, da *adj.* =**rústico, tosco.**

apatía *f.* 무감각 ; 무신경 ; 무기력. Contr. vivacidad.

apático, ca *adj.* 무감각한 ; 신경이 둔한 ; 무기력한. Contr. vivo, animado.

apatita *f.* 【광물】 인회석.

apátrida *adj.* 《*Neol.*》 ① 나라 · 조국이 없는(sin patria). ② 무국적의. ③ 조국을 무시하는.
—*m.f.* 무국적자 ; 조국을 무시하는 사람.

apatronarse *r.* 《*Chile. Perú.*》 ① 왕초 · 지주가 되다. ② 정부를 만들다, 정부가 되다.

apatuscar *tr.* 9 등한시하다, 함부로 다루다.

apatusco *m.* ① 【속어】 의상 ; 장식, 옷치장(adorno, aliño). ② 도구. ③ 《*Venez.*》 속임수 : hacer ~ 속이다.

apazote *m.* 《*Amér.*》 【식물】 수송나물(pasote).

apble(s). apreciable(s).

ap.[co] apostólico.

apda(s). apreciada(s).

apdo. post. apartado postal 사서함.

apea *f.* (말의 앞다리를 묶는) 족쇄.

apeadero *m.* ① (현관 앞 같은 데에 있는) 하마대(下馬臺). ② (길가의) 휴게소. ③ (기차의) 임시 정거장. ④ 우거(寓居).

apeador, ra *adj.* 내리는, 내려놓은 ; 떼어놓은 ; 단념하는.

apealar *tr.* 《*AmérM.*》 (우마의) 발을 묶다, (잡으려고) 오랏줄을 던지다.

apeamiento *m.* (차 · 말에서) 내리는 일, 하차(apeo).

apear *tr.* ① (차 · 말에서) 내려놓다(desmontar) : ~ a uno del carruaje 누구를 차에서 내려놓다. ② (높은 데서) 내리다 ; 강등시키다. ③ 떼어놓다, 떼어버리다 ; 쓰러뜨리다 : ~ un árbol 나무를 쓰러뜨리다. ④ 생각을 달리하게 하다, 단념시키다 (disuadir). ⑤ 극복하다 : ~ un problema 문제를 겨우 해결하다. ⑥ 임시로 받치다, 임시의 받침 기둥을 세우다 ; 사방(砂防)하다. ⑦ (차에) 제동 장치를 하다(calzar) ; (말의) 앞다리를 묶다. ⑧ (땅의) 경계를 정하다. ⑨ 《*AmérC.*》 꾸중하다, 나무라다.
~se ① (차 · 마차에서) 내리다(bajarse) : ¿En qué parada debo ~*me*? 어떤 정류장에서 내려야 합니까? ② 그만두다, 단념하다. ③ 《*Amér.*》 묵다, 숙박하다 (alojarse) ④ 행동하다 : modo de ~*se* 방식.
~ ***el tratamiento*** 경칭을 생략하다.
~***se del burro*** 깨우치다.
no apéarsela 《*Amér.*》 언제나 취해 있다.

apechar *intr.* =**apechugar.** —*tr.* 《*Amér.*》 ① 젖을 주다. ② (언덕길을) 오르다. ③ 여위게 하다 : estar *apechado* 말라 있다.

apechugar *intr.* 8 ① 가슴으로 짓누르다 · 밀다 (dar o empujar con el pecho). ② [+con : …을] 받아들이다 : ~ *con* todo 무엇이든지 받아들이다. —*tr.* 《*Amér.*》 (남의 것을) 가지다 ; 붙잡다.

apechusques *m.pl.* =**enseres, apatuscos.**

apedarse *r.* 《*Arg. Urug.*》 취하다.

apedazar *tr.* 9 ① 조각조각으로 · 가루로 만들다 (despedazar) : ~ un vestido. ② 조잡하게 고치다.

apedernalado, da *adj.* 돌같은, 단단한, 냉혹한 (pedernalino).

apedreadero *m.* (아이들이) 팔매질을 하는 장소.

apedreado, da *adj.* 돌세례를 받은 ; 곰보의 ; 가지각색의.

apedreador, ra *adj.m.f.* 돌팔매질하는 (사람).

apedreamiento *m.* 돌팔매질 ; 우박이 쏟아짐 ; 우박으로 인한 피해.

apedrear *tr.* (…에) 돌을 던지다 ; 돌로 쳐죽이다 ; 돌팔매질을 하다. —*intr.* 우박이 쏟아지다.
~se 우박의 피해를 입다.

apedreo *m.* =**apedreamiento.**
apegadamente *adv.* 진정으로.
apegaderas *f.* 《*Rioja.*》【식물】=**lampazo.**
apegado, da *adj.* =**adicto, adherido, afecto.**
apegarse *r.* ⑧ ① [+a : …에] 애착을 느끼다, 집착·집념하다 : ~ a una persona. Sinón. aficionarse. ②《*Ecuad.*》접근하다, 가까이 하다 (acercarse).
apego *m.* 애착, 집념, 집착. Contr. antipatía, desapego.
apegostrar *tr.* 《*Sal.*》=**apegar.**
apegualar *tr.* 《*Chile.*》(소·말을) 굴레(pegual)에 매다·묶어 놓다.
apelable *adj.* 공소할 수 있는.
apelación *f.* 항소(抗訴), 상고(上告) : interponer la ~ 항소하다. dar por desierta la ~ 항소 기한 만료를 선언하다. desamparar la ~ 항소를 취하하다.
no haber·no tener ~ 호소할 길이 없어지다, 모든 방책이 없어지다.
apelado, da *adj.* ① 승소자(勝訴者)의. ② 상대방에게 고소당한. ③ 털빛이 같은 《쌍두 마차 등》. —*m.f.* 피고(被告); 승소자.
apelambrar *tr.* (피혁의 털을 뽑기 위해) 석회수에 담그다, 탈모하다.
apelante *adj.* 항소(抗訴)하는. —*m.f.* 항소인; 원고(原告) : el ~ y el apelado 원고와 피고.
apelar *intr.* ① 항소하다, 불복 상소하다 : ~ de la sentencia 판결에 항소하다. ② 불평하다 : Esta vez no *apela sobre* lo que usted dice 이번에는 당신의 말에 불복하고 있지 않다. ③ [+a : …의 수단에] 호소하다 : ~ a otro medio 다른 수단에 호소하다. ④ (수단·도구를) 쓰다, 의지하다 : *Apeló a* la fuga 도주하는 방법을 썼다; 도주했다. ~ *a* los pies para salvarse 걸음아 날 살려라 하고 달아나다. ⑤ (쌍두 마차의 말 등이) 털빛깔이 같아지다.
~se 【고어】의지하다, 기대다 : *Me apelo* a mi soledad 나는 자신의 고독 속에 틀어박힌다.
apelativo, va *adj.* 호칭의, 통칭의. —*m.* ①【문법】통칭 명사(nombre común). ②《*Amér.*》성(姓), 호(apellido).
apeldar *intr.* 달아나다(huir). [*N.* 때때로 의미없는 las 앞에서].
apelde *m.* 【속어】① 빵소니 (치는 일). ② (샌프란시스코파 수도원의) 새벽종.
apelgararse *r.* 《*And.*》=**hacerse pelgar.**
apellar *tr.* (가죽을) 무두질하다.
apellidador, ra *adj.* 호명하는.
apellidamiento *m.* 호명.
apellidante *adj.* 호명하는. —*m.* 《*Ar.*》성을 부르는 사람, 호명하는 사람.
apellidar *tr.* ① (누구의) 성을 부르다, 호칭을 붙이다; 호명하다; …라 부르다 (llamar, nombrar). ②【고어】무기를 들라고 불러 모으다; 아우성치다. ③ 소리쳐 부르다, 환호하다.
~se 성을 …이라 부르다 : *Te apellidas* Guzmán.
apellidero *m.* 【고어】징집병.
apellido *m.* ① 성(nombre de familia); 명칭; 별명, 다른 이름(sobrenombre) : nombre y ~ 성명. ②【고어】소집 : por ~ 소집으로. ③ 소집부대. ④ 환성, 외침.
apellinarse *r.* 《*Chile.*》깡마르다; 단단해지다, 조여지다.
apelmazadamente *adv.* 장황하게, 성가시게.
apelmazado, da *adj.* 장황한, 성가신; 차진.
apelmazar *tr.* ⑨ 꽉 조이다; 빈틈없이 하다.
apelotar *tr.* =**apelotonar.**
apelotonar *tr.* ① 소대를 편성하다, 조·반을 짜다. ② 구슬(pelota)을·구슬같이 만들다.
~se 둥글어지다, 둥그렇게 오므라들다 : *Se apelotonó* el pelo.
apena *adv.* 【고어】=**apenas.**
apenachado, da *adj.* 도가머리 모양의.
apenamiento *m.* 《*Ar.*》탄식, 슬픔.
apenar *tr.* 괴롭히다, 탄식하게 하다, 슬프게 하다(afligir). Contr. alegrar, regocijar.
~se ① 슬퍼하다, 괴로워하다. ②《*Amér.*》부끄러워하다.
apenas *adv.* ① 거의 …않다(casi no) : *A-* se oye el ruido; No se oye ~ el ruido 소리가 거의 들리지 않는다. Este aparato ~ parece moverse 이 기계는 거의 움직이는 것같지 않다. ② [si를 붙여 강조] : *Apenas si* se oía 거의 들리지 않았다. ③ 간신히, 겨우 : El caballo sube ~ la cuesta 말은 비탈길을 겨우 오를 수 있다. ④ 고작 : Tardará tres meses ~ 고작 3개월 가량이 걸린다. ⑤ …하자마자(tan pronto como, luego que) : *A-* reunida la asamblea, acabó con el ministro 의회가 소집되자마자 곧 장관을 해임했다. Había acabado ~ y llega otro a visitarle 한 사람이 가니 곧 또 딴 손님이 온다. *A-* traspasé la puerta, *cuando* olvidé el peligro 문지방을 넘어서자 벌써 위험을 잊어버렸다. [*N.* y나 cuando와 대조적으로 쓰여 aun *apenas*라고 강조함]. *Aun* ~ lo había acabado de decir, *cuando* se abalanzó 그 말을 미쳐 마치기도 전에 힘차게 덤벼들었다. [*N.* apenas si는 새로운 사용법].
apencar *intr.* ⑨ =**apechugar.**
apendectomía *f.* 【의학】충수(蟲垂) 절제술.
apéndice *m.* ① 부가물, 부속물; 부록, 추가. ② (사람에게 붙어 다니는) 몸종, 추종자. ③【해부】돌기(突起) : ~ cecal·vermiforme 충양 돌기, 충수(蟲垂).
apendicitis *f.* 【단·복수 동형】【의학】충수염, 맹장염 : ~ aguda 급성 맹장염.
apendicular *adj.* 부속의; 돌기의.
apendículo *m.* 작은 돌기.
apensionar *tr.* =**pensionar.**
~se 《*AmérM.*》① 쓸쓸해 하다, 슬퍼하다 (entristecerse, apesadumbrarse). ② 곤란해하다.
apeñuscar *tr.* ⑨ 쌓아 올리다(agrupar, amontonar, apiñar).
apeo *m.* 하마, 하차; 벌채; 측량; 지적부(地籍簿); 지주, 받침.
apeonado, da *adj.* 《*Chile.*》평범한, 속된.
apeonar *intr.* (새 따위가) 뒤뚱뒤뚱 걷다 (andar a pie).
apeorar *intr.* 《*Amér.*》나빠지다, 악화되다 (empeorar); (품질이) 저하되다.
apepsia *f.* 【의학】소화 불량(falta de digestión).
apequeñado, da *adj.* 빈틈이 없는, 재치가 있는.
apequeñarse *r.* 《*Chile.*》(어린아이가 꾸중듣지

않으려고) 피해 다니다.

aperado, da *adj.* aperar의 *p.p.*

aperador *m.* 농기구 제작인 ; 농장 관리인, 농장 감독 ; 갱부 감독.

aperar *tr.* ① (농기구 · 짐차를) 만들다 · 수선하다. ②《*AmérM.*》(자재를) 준비하다 (proveer). ③ (말에) 안장을 얹다.
~se《*AmérM.*》(재료 · 자재를) 준비하다 ; 안장을 준비하다.

apercancarse *r.* 7《*Chile.*》곰팡이가 슬다 (enmohecerse).

apercatar(se) *intr.* (*r.*)【방언】《*Amér.*》=**percatar.**

aperceptible *adj.* ① 지각할 수 있는(perceptible). ② 경고할 수 있는. ③ 준비할 수 있는.

aperchar *tr.*《*AmérC. Chile.*》포개다, 쌓아 올리다(apilar, amontonar).
~se 산적(山積)하다.

apercibimiento *m.* 준비 ; 지각(知覺), 경고.

apercibir *tr.* ① 준비하다, 미리 채비하다(disponer). ② 타이르다 ; 경고하다(advertir). ③ 꾸중하다, 나무라다. ④ 지각(知覺)하다. ⑤《*Galic.*》알아채다, 눈치채다(notar). ⑥ 멀리 보다.
~se ① [+a · para : …의] 준비를 하다 : *~se a · para* la batalla 전투 준비를 하다. ② [+de : …을] 준비하다, 채비를 하다 : *~se de* ropa 옷을 준비하다. ③《*Galic.*》눈치채다 : *Me apercibí de* ello 그것을 눈치챘다.

apercollar *tr.* ① 덜미를 잡다(coger por el cuello). ② 목을 치다(acogotar). ③《*Arg.*》꼼짝 못하게 하다.

aperdigar *tr.* 8 누르스름하게 굽다(perdigar).

apereá *m.*《*Arg.*》【동물】(인도의) 작은 토끼의 일종.

aperezarse *r.* 9《*AmérC. Col.*》기지개를 켜다.

apergaminado, da *adj.* ① 양피지같은 : piel *~da.* ② 뼈와 가죽 뿐인, 앙상한.

apergaminarse *r.* =**acartonarse.**

apergollar *tr.*《*Cuba.*》① 자기의 것으로 만들다. ②《*Méx.*》체포하다, 붙잡다.

aperiódico, ca *adj.*【물리】비주기적(非周期的)인.

aperitivo, va *adj.* 식욕 증진의 : licor ~. **—***m.* 식욕 자극물, 식욕 증진제 ; 식전 술, 아페리티프.

aperlado, da *adj.* 진주색의(de color de perla).

apernar *tr.* 11 (사냥개가 쫓는 짐승의 다리를) 물어뜯다.

apero *m.* [주로 *pl.*] ① 작업 도구. ②《*Amér.*》농기구. ③ 한 벌의 마구(馬具) : ~ cantor 조잡한 마구. ④《*Méx.*》(경작할 때 소와 말이 쓰는) 도구 일체.

aperreado, da *adj.* 성가신, 귀찮은.

aperreador, ra *adj.m.f.* 괴롭히는 (사람).

aperreamiento *m.* 꼬드기는 일; 넌더리가 남.

aperrear *tr.* ① (…에게) 개를 부추기다, 꼬드기다. ② 넌더리나게 하다, 괴롭히다 : Esta vida me *aperrea.*
~se 넌더리나다 ; 끈질기게 버티다.

aperreo *m.* 애먹이는 일, 괴롭힘, 성가심, 귀찮음(molestia).

aperruchar *tr.*《*SDgo.*》짓밟다, 부수다 ; 납작하게 하다.
~se 찌부러지다.

apersogar *tr.* 8 (동물의) 목을 매다 · 묶다.

apersonado, da *adj.* [bien, mal+] 풍채 좋은 · 나쁜.

apersonamiento *m.* 회견, 회담 ; 출두.

apersonarse *r.* 회견하다 ; 출두하다.

apertura *f.* ① 개시 : ~ de negociaciones 교섭의 개시. ~ de matrículas para el curso 90／91 90 · 91년도 과정 등록 개시. ② 개설 : ~ de cuenta 당좌 개설. ~ de un crédito 신용장 개설. ③ 개통 ; 개업, 개회 : ~ de la asamblea. ④ 개장(開場) ; 시업(始業). ⑤ 귀중한 서류의 개봉. ⑥ 기부(寄附).

apesadumbrado, da *adj.* 비탄에 젖은.

apesadumbrar *tr.* 슬프게 하다.
~se [+con · de · por : …으로] 슬퍼하다, 비탄에 젖다 : *~se con · de · por* la noticia 그 소식으로 슬퍼하다. **Contr.** alegrar.

apesaradamente *adv.* 슬프게, 슬퍼하여.

apesarar *tr.* 슬프게 하다(apesadumbrar).
~se ① 슬퍼하다. ②《*Chile.*》후회하다.

apesgamiento *m.* 괴롭히는 일, 고통을 줌.

apesgar *tr.* 8 괴롭히다, 고통을 주다.
~se 괴로워하다 ; 무거워지다.

¡apesta! *interj.*《*Chile.*》굉장한데!《과장을 표시》.

apestado, da *adj.* 페스트 · 악역(惡疫)에 걸린 ; 진절머리날 정도의 : La plaza está *~da* de verduras 시장은 온통 푸성귀투성이다.

apestar *tr.* ① 페스트 · 악역(惡疫)에 감염시키다. ② 썩히다(corromper). ③ 해치다 ; 타락시키다 · 하다(viciar). ④ 진절머리나다, 구역질나게 하다. ⑤ 가득차게 하다, …투성이로 만들다. ⑥ (악취를) 풍기다. **—***intr.* ① 부패하다. ② [주로 3인칭에만] 악취를 풍기다(despedir mal olor) : La calle *apesta* 거리는 악취 때문에 코를 들 수 없다.
~se ① 페스트 · 악역(惡疫)에 걸리다. ② 부패하다, 타락하다. ③《*AmérM.*》감기에 걸리다 (acatarrarse).

apestillar *tr.*《*Amér.*》붙잡아 두다, 도망가지 못하게 해두다.

apestoso, sa *adj.* ① 고약한 냄새로 견딜 수 없는(mal oliente) : objeto ~. ② 고통스러운, 괴로운(molesto).

apétalo, la *adj.*【식물】화판이 없는.

apetecedor, ra *adj.* 바람직한, 탐이 나는.

apetecer *tr.* 31 탐나게 하다 ; 탐을 내다 ; 가지고 싶어하다 : ~ la fama · la amistad 명성 · 우의를 가지고 싶어하다. ¿Qué le *apetece* tomar? — Parece un poco tiempo 무엇으로 드시겠습니까? — 약간 이른 것 같습니다. **Contr.** aborrecer, rechazar. **—***intr.* =**gustar, agradar.**

apetecible *adj.* 바람직한, 탐이 나는, 바라는.

apetencia *f.* 식욕 ; 자연스런 욕구.

apetezc- → **apetecer** 31.

apetite *m.* ① 소스. ② 식욕 증진물. ③ 자극 (estímulo).

apetitivo, va *adj.* 식욕을 돋구는, 맛있어 보이는(sabroso).

apetito *m.* ① 욕구 : ~ concupiscible · carnal 성욕. ② 식욕(gana de comer) : abrir el ~ 식욕을

자극하다, 식욕을 돋우다. Tengo buen ~ 나는 식욕이 왕성하다. ¡Buen ~! 천천히 많이 드십시오. ③ 유혹. Contr. saciedad, hartura, anorexia.
mandar a hacer ~ 《Cuba.》 쫓아내다 ; 무시하다.
apetitoso, sa *adj.* ① 식욕을 돋구는, 맛있어 보이는(apetitivo), 맛있는(sabroso) : plato ~. ② 미식을 즐기는. Contr. desaborido, desabrido.
ápex *m.* 【천문】 (태양의) 향점(向點) ; 정점.
apezonado, da *adj.* 젖꼭지 모양의 (de figura de pezón).
apezuñado, da *adj.* 편자 모양의.
apezuñar *intr.* (말이) 허우적거리다.
api *m. quechua.* =**mazamorra.**
apiadadero *m.* (가축의) 수를 헤아리기.
apiadador, ra *adj.* 동정하는.
apiadar *tr.* 동정하게 하다, 가엾이 여기게 하다. **~se** [+de : …을] 동정하다.
apianar *tr.* (음성·소리를) 낮추다.
apiastro *m.* 【고어】【식물】 =**toronjil.**
apical *adj.* 혀끝의 : consonante ~ 혀끝의 자음 《l, t 등》.
apicararse *r.* 건달(pícaro)이 되다.
ápice *m.* ① 상단(上端), 정점 : ~ de la lengua 혀끝. ② 미진(微塵). ③ 문자의 상단에 붙이는 부호 《acento, tilde 등》. ④ (문제의) 핵심 : estar en los ~*s* de …을 훤히 알고 있다.
apícola *adj.* 【남·여 동형】 양봉의(abejero).
apículo *m.* 【식물】 선단(先端), 끝 (punta corta y aguda).
apicultor, ra *m.f.* 양봉가.
apicultura *f.* 양봉(업).
apiguatado, da *adj.* 《AmérM.》 발육이 나쁜.
apilado, da *adj.* apilar의 *p.p.*
apilador, ra *adj.* 쌓아 올리는.
apilamiento *m.* 노적, 퇴적.
apilar *tr.* 쌓아 올리다(amontonar).
apilguarse *r.* 10 《Chile.》 (나무가) 움트다.
apilo *m.* 《Méx.》 산적, 노적.
apilonar *tr.* 《Amér.》 =**apilar.**
apimplarse *r.* =**emborracharse.**
apimpollarse *r.* 싹이 나오다, 움트다.
apinto *m.* 《Hond.》 용설란의 일종 《뿌리가 세제로 쓰임》.
apiñado, da *adj.* ① 파인애플 (piña) 형의. ② 가득 들어찬.
apiñadura *f.* =**apiñamiento.**
apiñamiento *m.* 채워 넣음.
apiñar *tr.* 채워 넣다.
~se 가득 차다 : La gente está *apiñada* para ver el desfile 퍼레이드를 보기 위해 사람들이 가득하다.
apiñonado, da *adj.* 《Méx.》 살결이 가무잡잡한 (de color moreno).
apiñuscar *tr.* 《AmérM.》 =**apeñuscar.**
apio *m.* 【식물】 셀러리 : ~ caballar 미르라풀 (esmirnio).
~ *de ranas* 미나리아재비.
apiojarse *r.* 《Col.》 여위다.
apiolar *tr.* ① (사냥한 짐승을 메기 위해) 발을 묶다 ; 포박하다(prender). ② 죽이다(matar).
apiparse *r.* 포식하다(atracarse, hartarse).
apique *m.* 《Col.》 【광산】 수직갱.
apir *m.* 《Chile.》 =**apiri.**
apiramidado, da *adj.* 피라미드 형의.
apire *m.* 《Amér.》 =**apiri.**
apirear *tr.* 《Chile.》 (광석을) 운반하다.
apirético, ca *adj.* 【의학】 열이 없는, 열이 없을 때의 : período 열이 없는 기간.
apirexia *f.* (간헐열의) 열이 없는 동안 ; 열이 없을 때.
apiri *m.* 《AmérM.》 【광산】 광부.
Apis *m.* 고대 이집트 사람들이 예배했던 성우(聖牛).
apisonador, ra *adj.* 롤러로 다지는, 땅을 다지는 : máquina ~*ra* 땅 다지는 기계, 롤러차. — *m.f.* 땅을 다지는 인부.
apisonadora *f.* 롤러차, 땅을 다지는 기계 (máquina para apisonar) : ~ de calzada 도로용 롤러. pasar la ~ por el camino 롤러로 도로를 밀다.
apisonamiento *m.* 땅을 다지는 일.
apisonar *tr.* (밟아서) 땅을 다지다, 롤러로 다지다(pisonear).
apitiguarse *t.* 10 《Chile.》 기운이 늘어지다, 풀이 죽다(abatirse).
apito *m.* 《Sal.》 =**grito.**
apitonado, da *adj.* 성미가 급한.
apitonamiento *m.* apitonar하는 일.
apitonar *intr.* ① 뿔(pitón)이 나기 시작하다. ② 싹트다(abotonar). —*tr.* (병아리가 알의) 껍질을 깨다.
~se 마음이 거북해지다 ; 화를 내다 ; 서로 욕설을 퍼붓다.
apizarrado, da *adj.* 검푸른 (de color de pizarra).
aplac- → **aplazar** 9.
aplacable *adj.* 달래기 쉬운(fácil de aplacar).
aplacador, ra *adj.* 달래는.
aplacamiento *m.* 달램.
aplacar *tr.* 7 달래다 (amansar, suavizar, mitigar) : ~ el ánimo. Contr. irritar, excitar.
aplace- → **aplazar** 9.
aplacer *intr.* 마음에 들다, 기쁘게 해주다 (agradar) : Lo nuevo *aplace* 새로운 것은 좋다. Me *aplacen* las flores 나는 꽃을 좋아한다. Contr. desagradar.
aplacerado, da *adj.* 모래톱의.
aplacible *adj.* 즐거운, 흐뭇한(agradable).
aplaciente *adj.* 마음을 흐뭇하게 하는 (듯한).
aplacimiento *m.* 즐거움, 기쁨, 흐뭇함 (placer).
aplanacalles *m.f.* 【단·복수 동형】 《Amér.》 건달, 게으름뱅이(azotacalles).
aplanadera *f.* 땅 고르는 기계 ; 롤러.
aplanador, ra *adj.* 땅을 고르는. —*m.f.* 땅을 고르는 사람. —*m.* 땅 고르는 기계 ; 땅 고르는 롤러.
~ *de calles* 《Amér.》 거리를 쏘다니는 건달.
aplanadora *f.* 땅 다지는 괭이, 땅 다지는 판자, 롤러.
aplanamiento *m.* 땅 다지기, 땅 고르기 : el ~ de un terreno 땅 고르기, 땅 다지기.
aplanar *tr.* ① (땅을) 고르다 (allanar), 반반하게 하다. ② (장애를) 극복하다. ③ 질겁하게 하다

(pasmar) : La noticia le *aplanó* 그는 그 소식을 듣고 질겁했다.
~se ① 반반해지다. ② 쓰러지다, 무너지다. ③ 낙담하다(desanimarse).
~ *las calles* 《*Amér.*》 시내를 쏘다니다(callejear).
aplanático, ca *adj.* 【광학】 =**aplanético.**
aplanato *m.* 무수차(無收差) 렌즈.
aplanchado *m.* 다리미질.
aplanchador, ra *m.f.* =**planchador.**
aplanchar *tr.* (…에) 다리미(plancha)질을 하다.
aplanético, ca *adj.* 【광학】 무수차(無收差)의 : lente ~ 무수차 렌즈.
aplantillar *tr.* 틀에 맞추다, 틀대로 자르다 : ~ una piedra.
aplantle *m.* 《*Méx.*》 도랑, 용수로(acequia).
aplastador, ra *adj.* 납작하게 하는 ; 압연하는 ; 당황케 하는.
aplastamiento *m.* 짓밟음, 진압.
aplastante *adj.* =**aplastador.**
aplastar *tr.* ① 납작하게 하다 ; 압연하다. ② 당황하게 만들다, 쩔쩔매게 만들다. **Sinón.** apabullar. ③ 진압하다 : Roma *aplastó* toda resistencia 로마는 모든 저항을 진압했다.
~se 《*Arg.*》 녹초가 되다, 주저앉다 ; 기운이 빠져 늘어지다.
aplatanarse *r.* 《*Cuba. Filip.*》 (외국인이) 한 고장의 환경에 익숙해지다.
aplaudidor, ra *adj.* 갈채 · 칭찬하는.
aplaudir *tr.* ① 추켜 올리다, 박수 갈채를 보내다 : ~ a un actor. ② 칭찬하다, 기뻐하다 : *Aplaudo* tu decisión 나는 너의 결심에 대찬성이다. **Contr.** silbar, criticar.
aplauso *m.* 갈채, 박수 ; 칭찬.
aplayar *intr.* (냇물이) 불어나다, 넘치다.
aplazable *adj.* 연기할 수 있는.
aplazamiento *m.* 연기 ; 시일 · 장소의 지정.
aplazar *tr.* 9 ① 연기하다, 지연시키다, 뒤로 미루다 (diferir) : ~ el pago 지불을 연기하다. ② 시일을 정하여 소집하다 ; …으로 시일을 지정하다 ; 연불 · 분할불로 하다.
aplazo *m.* 《*Arg.*》 =**aplazamiento.**
aplebeyar *tr.* 속되게 만들다.
~se 천박해지다. **Contr.** ennoblecer.
aplestia *f.* 병적인 식욕.
aplica. apostólica.
aplicable *adj.* 적용할 수 있는, 응용할 수 있는.
aplicación *f.* ① 응용, 적용. ② 근면, 부지런함 : estudiar con ~. ③ 수속, 절차, 신청(서), 출원 : ~ de solicitud 원서, 신청서. ④ 실시, 시행 : asegurar la ~ de …을 힘써 시키다. ⑤ (의복의) 장식.
aplicadero, ra *adj.* =**aplicable.**
aplicado, da *adj.* ① 근면한, 부지런한(diligente). **Contr.** desaplicado, perezoso, holgazán. ② 응용의 : psicología ~*da* 응용 심리학.
aplicar *tr.* 7 ① (어떤 것 위에) 놓다, 붙이다, 첨가시키다 ; 대다 ; 해당시키다. ② (물건을 용도에 따라) 사용하다 : ~ un instrumento 도구를 쓰다. ③ 적용 · 응용하다, 실시하다 : ~ las reglas. ④ 돌리다 (destinar) : ~ a su hijo a las ciencias 자식을 과학 방면으로 돌리다. ⑤ 탓이라고 하다, 뒤집어씌우다 (atribuir) : ~ un delito 죄를 뒤집어씌우다. ⑥ (누구의) 소유로 판정하다.
~se ①[+a : …에] 적용 · 응용 · 실시되다. ② 종사하다(dedicarse). ③ [+a+*inf.*] 열을 내다, 부지런히 …하다 : *Se aplica a* estudiar 그는 부지런히 공부한다.
aplicativo, va *adj.* ① 해당되는. ② 실제로 보이는, 실제로 볼 수 있는.
aplico. apostólico.
aplique *m.* ① (무대 장치의) 소도구(小道具). ② 《*Galic.*》 (벽에 장치하는) 촛대.
aplomado, da *adj.* ① 납색의 (de color de plomo). ② 묵직한, 고지식한, 성실한 (formal, serio) : hombre ~.
aplomar *tr.* ① (수직함을 확인하기 위해) 추를 늘어뜨리다 : ~ una pared. ② 수직이 되게 하다. ③ (…에) 무게가 나가게 하다. **—*intr.*** 수직이다, 수직이 되다 ; 수연(垂鉛)을 대고 보다.
~se ① 쓰러지다, 허물어지다 (desplomarse). ② 《*Chile.*》 망신당하다. ③ 《*Chile.*》 수치스러워하다, 부끄러워하다 (avergonzarse). ④ 《*Méx.*》 바보가 되다 ; 멍청해지다.
aplomo *m.* ① 묵직함, 거드름 (gravedad). ② 침착 : Ella tiene mucho ~ 그녀는 무척 침착하다. ③ 생각이 깊음. ④ 수직성. **—*pl.*** (말의) 각선(脚線).
aployar *tr.* 《*SDgo.*》 혼내주다 ; 죽이다.
apnea *f.* 【의학】 호흡 폐지, 무호흡.
apo- *pref.* 「분리」「유래」를 뜻하는 접두어.
ap.º apostólico.
ápoca *f.* 《*Ar.*》 수령서(carta de pago o recibo).
apocadamente *adv.* 무기력하게.
apocado, da *adj.* ① 무기력한, 빌빌거리는, 대가 약한 (de poco ánimo) : hombre ~. ② (신분 등이) 비천한 (vil, bajo). **Contr.** esforzado, animoso.
Apocalipsis *m.* 【성서】 묵시록.
apocalíptico, ca *adj.* ① 묵시록의. ② 뜻이 깊은 듯한. ③ 섬뜩한, 무서운, 굉장한.
apocamiento *m.* ① 허약함, 나약함, 무기력함 (cortedad de ánimo). ② 움츠림. ③ 낙담. **Contr.** energía.
apocar *tr.* 7 ① 적게 하다, 줄이다, 덜다 (reducir). ② 짧게 하다 : ~ la manga 소매를 짧게 하다. ③ 낙심시키다(humillar).
~se ① 적어지다. ② 주눅들다, 풀이 죽다, 비굴해지다, 저하하다(humillarse).
apócema *f.* 【고어】 물약, 침제(侵劑) 《약의 성분을 우러나게 하는 약제》 (pócima).
apochinarse *r.* 《*Méx.*》 (실 · 솔기가) 풀리다 (deshilacharse).
apochincharse *r.* 《*Cuba. Méx.*》 배가 꽉 차다 ; 기운없이 늘어지다(repletarse).
apochongarse *r.* 《*Arg.*》 =**amilanarse.**
apocilgarse *r.* 《*Ar.*》 =**arregostarse.**
apócima *f.* =**apócema.**
apocináceo, a *adj.* 【식물】 협죽도의, 마삭나무과의. **—*f.pl.*** 마삭나무과 식물.
apócopa *f.* =**apócope.**
apocopar *tr.* 【문법】 (말의) 어미를 탈락하다.
apócope *f.* 【문법】 어미의 탈락(형) 《alguno의 algún ; cualquiera의 cualquier ; grande의 gran ; bueno의 buen ; primero의 primer ; santo의 san

등》.
apócrifamente *adv.* 거짓으로, 위작으로; 신용을 잃어.
apócrifo, fa *adj.* ① 신용을 잃은. ② 출처가 의심스러운 : documento ～ 괴문서. ③ 위작(僞作)의, 거짓의 : obra ～*fa* 위작.
apocrisiario *m.* (고대 그리스의) 대사, 사절.
apocromático, ca *adj.* *lente* ～*ca* 아포크로마트 렌즈《삼원색의 색체를 없애 주는 렌즈》.
apodacrítico, ca *adj.* 눈물을 방지하는.
apodado, da *adj.* 별명을 가진.
apodador, ra *adj.m.f.* 별명을 늘 사용하는 (사람).
apodar *tr.* (…에) 별명을 붙이다, (…라고) 별명하다.
apodencado, da *adj.* 사냥개(podenco) 같은.
apoderado, da *adj.* (대리로) 위임받은. —*m.f.* 대리(인), 대행(자); 지배인 : por ～ 대리인으로 하여금, 대리인으로서. —*m.* 대리, 대행 : constituir ～ 대리 위임하다, 대행자로 삼다.
apoderamiento *m.* ① 대리, 대행. ② 점령, 점거.
apoderar *tr.* ① 대리·대행시키다. ② (계획을) 세우다.
～se ① [+de : …을] 자기 것으로 만들다, (몽땅) 가지다, 빼앗다 : ～*se de* bienes ajenos 남의 재산을 약탈하다. ② 독점·점령하다 : ～*se de* un mercado 시장을 독점하다. ③ 사로잡히다 : El miedo *se apoderó de* él 그는 완전히 공포에 사로잡혔다.
apodia *f.* 발·다리가 없음.
apodíctico, ca *adj.* 명백한, 필연적인.
apodo *m.* 별명(mote).
ápodo, da *adj.* 【동물】 다리·발이 없는 (falta de pies) : larva ～*da*. —*m.pl.* 무족 동물(無足動物).
apódosis *f.* 【단·복수 동형】 귀결(문). **Contr.** prótasis.
apófige *f.* 【건축】 주두(柱頭)·주근(柱根)의 커브.
apófisis *f.* 뼈의 돌기부.
apofonía *f.* 동어 원어(同語原語)의 모음 전환《예 : hacer에서 hice》.
apogeo *m.* ①【천문】 원지점(遠地點). **Contr.** perigeo. ② 극(極), 절정 : Está en el ～ de la gloria 영광의 절정에 있다.
apógrafo *m.* 사본(copia de un escrito original).
apolilladura *f.* 의류의 좀먹기 ; 그 구멍.
apolillamiento *m.* 좀먹는 일.
apolillar *tr.* ① (의류 등을 벌레가) 좀먹다 : Este gabán *se ha apolillado.* ②《*Arg.*》 [뜻이 없는 la와 같이] 잠자다 (dormir) : *La* está *apolillando* 잠자고 있다. ③《*Venez. AmérC.*》 =**acobardarse.**
apolinar *adj.* 【시어】 =**apolíneo.**
apolíneo, a *adj.* 아폴로신(Apolo)의.
apólisis *f.* ① =**parto.** ② 질병의 기간.
apolismar *tr.* ①《*Amér.*》 피하 출혈케 하다. ② 되게 혼내 주다(magullar).
～se 《*Amér.*》 ① 주눅들다, 겁내다. ② 게을러지다 ; 작아지다.
apoliticismo *m.* 정치적 무관심.
apolítico, ca *adj.* 정치에 무관심한, 정치가가 아닌, 정치성을 띄지 않는, 비정치성의.
apolo *m.* 미남.
Apolo *m.* 【신화】 ① 아폴로신. ② 태양신.
apologético, ca *adj.* 칭찬하는, 예찬하는 ; 변명하는. —*f.* (그리스도교의) 호교론(護敎論), 변증론 : ～ cristiana.
apologetizar *tr.* 변명하다(hacer apologías).
apología *f.* [*gr.* apologia] 찬양 연설, 예찬 ; 변호, 변명. **Contr.** crítica, denigración.
apológico, ca *adj.* 우화의.
apologista *m.f.* ① 찬양자 : Platón fue el ～ de Sócrates. ② 변명자. ③ 그리스도교 호교론자.
apologizar *tr.* 9 변호·옹호하다(defender).
apólogo, ga *adj.* 우화의 ; 우화적인. —*m.* 우화(fábula).
apolónico, ca *adj.* 아폴로(Apolo)의.
apolonio, nia *adj.* =**apolónico.**
apoltronado, da *adj.* =**haragán.**
apoltronamiento *m.* 게을러 빠짐.
apoltronarse *r.* ① 게을러지다 (hacerse poltrón) : ～ con el frío. ② 푹 파묻혀 앉다. **Sinón.** acoquinarse.
apolvillarse *r.* 《*Chile.*》 =**atizonarse.**
apomazar *tr.* 9 경석(輕石) (pómez)으로 문지르다·닦다.
apomorfina *f.* 【화학】 아포모르핀.
aponer *tr.* 【고어】 =**imputar, atribuir, echar la culpa, imponer, aplicar.**
aponeurosis *f.* 【화학】 건막(腱膜) (【속어】 nervio).
aponeurótico, ca *adj.* aponeurosis의.
apontocar *tr.* 7 지탱하다, 받치다.
apoplejía *f.* 【의학】 졸도, 뇌일혈 : ～ fulminante 급성 뇌일혈.
apoplético, ca *adj.* 졸도(성)의 ; 졸도가 되기 쉬운 ; 뇌일혈의 : temperamento ～. —*m.f.* 뇌일혈 환자.
apoque- → **apocar** 7.
apoquinar *tr.intr.* 【속어】 선불하다, 선도(先渡)하다, 전도하다.
aporca *f.* =**aporcadura.**
aporcador, ra *adj.m.f.* 싹트게 하는 (사람).
aporcadura *f.* aporcar 하는 일.
aporcar *tr.* 7 (콩나물·숙주나물을) 싹트게 하다 ; 흙을 돋워 주다.
aporcelanado, da *adj.* 도자기(porcelana) 같은.
aporco *m.* =**aporcadura.**
aporisma *m.* 멍, 혈반, 피하 일혈(皮下溢血).
aporismarse *r.* 멍·피하 일혈을 일으키다.
aporque *m.* 《*Méx.*》 (콩나물·숙주나물 등을) 싹이 나게 하다.
aporracear *tr.* 《*And.*》 =**aporrear.**
aporrar *intr.* 멍해지다, 말문이 막히다.
～se 귀찮게 굴다.
aporratar *tr.* 《*Chile.*》 다져 넣다, 채워 넣다 (abarrotar).
aporreado, da *adj.* ① 괴로운, 답답한. ② 불량배의. —*m.* 《*Cuba.*》 다진 고기 요리 (carne machacada y guisada).
aporreador, ra *adj.m.f.* 때리는 (사람); 애먹이는 (사람).
aporreadura *f.* =**aporreo.**

aporreamiento *m.* =**aporreo.**
aporreante *adj.* 때리는; 애먹이는.
aporrear *tr.* ①(곤봉 등으로) 때리다 (dar de porrazos). ② 애먹이다, 골탕먹이다. ③(파리를) 쫓다.
~**se** 열을 내다, 부지런히 일하다, 고되게 일하다.
aporreo *m.* ① 구타. ② 일을 부지런히 함. ③ 고된 일, 고된 생활.
aporrillarse *r.* (소나 말의 다리 관절이) 붓다.
aporrión *m.* 《*Col.*》 주먹질, 구타.
aportación *f.* ① 부담액, 출자금(액); 지참(재산), 지입 자산 : ~ de capital 출자(出資). ~ del (socio) comanditario 합자 회사에의 출자자의 지입 자산액. ② 기여, 공헌.
aportaderas *f.pl.* ① 길마에 얹는 걸채. ② 포도를 나르는 상자.
aportadero *m.* 선창; 선착장.
aportar *intr.* ① 입항하다. ② 닿다, 도착하다 (llegar). ③ 표착(漂着)하다. —*tr.* ① 가져가다 (llevar). ②(회사 등에 자산을) 불입하다, 지입하다. ③ 제출·제공하다 : ~ argumentos.
~**se** 《*Chile.*》 ① 가까이 가다. ② 들여다 보다.
aporte *m.* 《*Chile.*》 =**aportación.**
aportillado, da *adj.* aportillar의 *p.p.*
aportillar *tr.* (장벽을) 무너뜨리다; 깨뜨리다, 돌파하다.
~**se** 《*Chile.*》 벽의 일부가 무너지다.
aportuguesado, da *adj.* 포르투갈의 스타일에 적당한.
aporuñar *tr.* 《*Chile.*》 조금씩 저축하다(atesorar).
~**se** 《*Chile.*》 예측에 어긋나다.
aposentaderas *f.pl.* 《*And.*》 =**asentaderas.**
aposentador *m.* 숙사 할당인(宿舍割當人).
aposentaduría *f.* aposentador의 직·기능.
aposentamiento *m.* ① 숙박, 투숙. ② 객줏집, 방(aposento).
aposentar *tr.* 숙박시키다, 투숙시키다, 머물게 하다.
~**se** 숙박하다(alojarse).
aposento *m.* ① 방(cuarto). ② 여관, 객줏집 (posada). ③(오래된 극장의) 칸 막은 좌석 (palco). ④ 아파트. ⑤ 숙박.
aposesionarse *r.* [+de : …을] 입수하다, 손에 넣다, 점유하다, 차지하다.
aposición *f.* 【문법】 동위격, 동격 보어 : en ~ 동격으로·의. ~ explicativa 설명 동격 《예 : el león, rey de los animales 백수의 왕, 사자》. ~ especificativa 특수화 동위격 《예 : el rey soldado 무인왕(武人王)》.
apositivo, va *adj.* 동격의, 동위격의.
apósito *m.* 첨약, 바르는 피부약.
apóst. apóstol.
aposta *adv.* 일부러, 고의로(adrede) : hacer una cosa ~.
apostadamente *adv.* 일부러, 고의로(adrede).
apostadero *m.* 숙영(지), 주둔지; 군항, 요항(要港).
apostal *m.* 【방언】 낚시터.
apostante *adj.* 내기를 거는.
apostar[1] *tr.* (인원·초병을) 위치에 세우다, 배치하다.
~**se** 제 위치에 서다.
apostar[2] *tr.* 24 내기를 걸다 (jugar) : *Apuesto* ocho boletos *a* ese caballo 그 말의 마권 8장을 산다. *Apuesto* quinientas pesetas 나는 오백 뻬세따 내기를 걸었다. —*intr.* ① 내기를 하다 : *Apuesto a* que no ganará 나는 내기를 해도 좋아, 그 사람이 이길 까닭이 없어. ② 서로 다투다, 서로 버티다, 겨루다, 다투어 …하다 (competir) : ~ *a* correr 달리기 경쟁을 하다.
~**se** 서로 겨루다, 서로 버티다. [*N.* 이 경우, 뜻이 없는 las가 붙는 수도 있음].
[직설법 현재 : apuesto, apuestas, apuesta, apostamos, apostáis, apuestan. 접속법 현재 : apueste, apuestes, apueste, apostemos, apostéis, apuesten].
apostas *adv.* =**aposta.**
apostasía *f.* 배교(背敎), 개종; 변절; 탈당.
apóstata *m.f.* 배교자(renegado); 변절자; 탈당자.
apostatar *intr.* 배교하다; 변절하다; 탈당하다.
apostema *f.* 【의학】 농창(postema).
apostemarse *r.* 농창이 생기다.
apostemero *m.* 농창 절개의 메스.
apostemoso, sa *adj.* 농창의.
a posteriori *adv. lat.* ① 후천적으로. ② 귀납적으로. ③ 문제를 조사한 뒤에.
apostilla *f.* ① 주(註), 주석, 부기(附記) (postilla). ② 소개.
apostillar *tr.* (…에) 써넣다, 주를 달다, 부기(附記)하다.
~**se** 부스럼(postillas)투성이가 되다.
apóstol *m.* ① 사도 : el ~ de gentes 산 빠블로 (San Pablo)를 가리킴. ② 전도자. ③(주의 주장의) 주창자.
apostolado *m.* 사도의 임무·신분; 교황의 재세(在世); (신사상의) 선전, 주창.
apostolical *m.* 성직자, 중, 승려.
apostólicamente *adv.* 사도처럼; 소탈한 차림으로.
apostólico, ca *adj.* 사도의, 사도적인; 교황청의, 로마 교황의. —*m.* ① 사도단 《여러 교단의 명칭》. ② 사도당 《1820년 혁명 후의 종교적 색채가 있던 서반아의 정당》.
apostolizar *tr.* =**evangelizar.**
apostrofar *tr.* 생략 부호(')를 달다; 악담하다, 욕하다.
apóstrofe *m.(f.)* 【수사】 돈호(頓呼); [주로 *m.*] 악담, 욕지거리, 상소리(dicterio).
apóstrofo *m.* 【문법】 생략 부호(').
apostura *f.* 스마트함; 온후.
apoteca *f.* [드뭄] =**farmacia.**
apotegma *m.* 금언, 격언.
apotema *f.* 【수학】 변심거리; (정다각형의) 각 뿔의 각 삼각형의 높이.
apoteósico, ca *adj.* 열광적인 : recibimiento ~ 열광적인 환영.
apoteosis *f.* 【단·복수 동형】 신으로 모시는 일, 신격화; 예찬, 숭배, 찬미.
apoteótico, ca *adj.* 신격화하는.
apotincarse *r.* 7 《*Chile.*》 책상다리를 하다.
apotrarse *r.* 《*AmérM.*》 고개를 숙이다.
apotrerar *tr.* 《*AmérM.*》 (땅을) 세분하다, 분양하다.

apoyador *m.* 인물 촬영에 사용하는 목받침.
apoyadura *f.* (소의) 젖 분비.
apoyar *tr.* ① 기대다, 기대어 놓다 : *Apoyó* la cabeza en la pared 머리를 벽에 기대었다. ~ el codo en la mesa 책상에 팔꿈치를 고이다. ② 쉬게 하다. ③ 고이다, 받치다, 지지하다 (sostener, ayudar) : Nadie *apoyó* mi proposición 아무도 나의 제안을 지지하지 않았다. ④ 힘이 되다, 의지가 되다 : Me *apoya* el principio 그 원리가 나의 힘이 된다. ⑤ 원호하다 ; 지원하다(favorecer) : ~ una facción 폭도를 지원하다. ⑥ 《*Amér.*》 마지막 젖을 짜다.
—*intr.* 올라 타다, 얹혀져 있다 : La columna *apoya* sobre el pedestal 기둥이 주춧돌 위에 놓여 있다.
~se ① [+en : …에] 의지하다, 기대다 : *~se en* el bastón 지팡이에 의지하다. *Apóyese* usted bien *en* mí 나한테 더 기대세요. *Apóyate* en mi brazo 내 팔에 기대라. ② 지탱이 되다, 의지가 되다 ; 지지를 바라다, 근거로 삼다.
apoyatura *f.* 【음악】 장전타음(長前打音) 《장식음의 일종》.
apoyo *m.* ① 의지(sostén). ② 지지, 지원(auxilio) : ~ de los precios 가격 지지. ~ publicitario 선전 지원. ③ 후원, 원호(protección). ④ 《*Amér.*》 마지막 짜낸 젖(leche de ~).
punto de ~ 지점(支点).
APRA Alianza Popular Revolucionaria Americana 《*Perú.*》 아메리카 인민 혁명 동맹.
apreciabilidad *f.* 평가할 수 있는 일.
apreciable *adj.* 평가할 수 있는, 가치있는, 고마운, 존중할 만한 : su ~ (carta) 귀하의 서신. [Contr.] inapreciable.
apreciación *f.* ① 평가 : ~ de mercancías. ② 존중, 존경. ③ 【상업】 (환시세 등의) 등귀.
apreciadamente *adv.* 존중·존경하여, 소중하게.
apreciado, da *adj.* ① 존중·존경받는, 인기 있는, 높이 평가된. ② 고마운 : su *~da* carta·orden 주신 글월·주문. ③ 귀중한.
apreciador, ra *adj.* 평가하는 ; (응분의) 가치를 인정하는, 존중하는. —*m.f.* 존중·평가하는 사람.
apreciar *tr.* 11 ① (상품에) 가격을 매기다. [Sinón.] tasar. ② 평가하다, 감상·감식하다. ③ 존중하다 : ~ en mucho 높이 평가하다, 대단히 존중하다. ④ 소중하게 생각하다, 중히 여기다. ⑤ 고맙게 생각하다(estimar).
apreciativo, va *adj.* 평가적인 ; 감식안이 있는 ; 감상적인 ; 감사하는.
aprecio *m.* 평가 ; 존중, 존경 : Ella le tiene mucho ~ 그녀는 그를 무척 존경하고 있다. [Contr.] desaprecio.
no hacer ~ 《*Amér.*》 무시하다.
aprehender *tr.* ① 붙잡다(coger). ② 압수하다. ③ 감지하다. ④ 《*Galic.*》 걱정하다, 근심하다, 두려워하다(temer).
aprehendiente *adj.* 붙잡는; 압수하는; 감지하는; 걱정하는.
aprehensible *adj.* 체포할 수 있는; 이해할 수 있는.
aprehensión *f.* 체포 ; 압수 ; 감지 ; 이해 ; 불안, 근심, 걱정.
aprehensivo, va *adj.* 이해·인식이 빠른, 재치 있는, 명민한, 총민한, 총명한.
aprehensor, ra *adj.m.f.* 붙잡는 (사람).
aprehensorio, ria *adj.* 붙잡기 위해 쓰이는.
apremiadamente *adv.* 재촉·독촉하여.
apremiador, ra *adj.* 독촉하는, 강요하는.
apremiante *adj.* 급한, 재촉하는 ; 무리가 되는, 억지로 시키는 ; 성화같은 : una carta ~ 꼭 부탁하는 편지.
apremiantemente *adv.* 급하게, 재촉하여.
apremiar *tr.* 11 독촉하다, 강요하다 ; 꼼짝 못하게 하다 (oprimir) ; 억지로 시키다, 강제하다, 강요하다.
apremio *m.* ① 재촉, 독촉, 압박 ; 거북함 ; 핍박 : ~ económico 경제적 핍박, 불경기. ② 납세의 독촉 ; 연체 과태료(延滯過怠料). ③ 수행 명령.
aprendedor, ra *adj.m.f.* 배우는, 익히는, 학습하는 (사람).
aprender *tr.* ① 배우다, 학습하다 : ~ una lengua 언어를 배우다. ② [+a+*inf* : …하는 것을] 배우다, 익히다 : ~ *a* escribir·*a* manejar 쓰는·운전하는 법을 배우다. ③ 암기하다, 외우다. [Contr.] olvidar. ④ 알다, 헤아려 알다 (conjeturar). ⑤ 《*Galic.*》 가르치다.
~ ***de memoria*** 암기하다, 외우다.
aprendiz, za *m.f.* 견습생, 도제(徒弟).
Aprendiz de todo, maestro de nada 【속담】 박이부정(博而不精).
aprendizaje *m.* 견습생·도제·문하가 되는 일 ; 수업 기간 ; 시련.
aprensador, ra *adj.* 짜는, 조이는, 괴롭히는.
aprensar *tr.* ① 압착기에 넣어 짜다 ; 되게 조이다(oprimir). ② 짜다(prensar). ③ 누르다. ④ 괴롭히다(angustiar).
aprensión *f.* ① 체포 ; 압수. ② [주로 *pl.*] 두려움, 우려, 공포, 걱정(temor, miedo) : ~ de la muerte 죽음의 공포.
aprensivo, va *adj.* 소심한, 걱정이 팔자인 : las personas *~vas.* [Contr.] animoso.
apresador, ra *adj.* 체포의, 포박의 : barco ~.
apresamiento *m.* 체포, 감금.
apresar *tr.* 체포하다 ; 감금하다(aprisionar). [Contr.] soltar.
aprestar *tr.* ① (필요한 물건을) 챙기다, 준비하다(preparar) : ~ para salir. ② (천을) 처리하다.
~se [+de : …을] 챙기다, 준비하다.
apresto *m.* ① 챙김, 준비. ② (피륙의) 처리용 재료 《풀, 아교, 고무 등》.
apresuración *m.* =**apresuramiento.**
apresuradamente *adv.* 서둘러, 급히 : salir ~.
apresuramiento *m.* 독촉 ; 서두르는 일, 조급.
apresurar *tr.* ① 성화를 부리다, 독촉하다. ② 서두르다(dar prisa).
~se ① [+a·en+*inf.*] 급히 …하다, 서둘러 …하다 : *~se a* contestar·*en* responder 서둘러 대답하다. Tendremos que *apresurarnos* 우리는 서둘러야 할 것이다. ② [+por : …하려고] 서두르다 : *~se por* alcanzar a uno 누구를 따라 잡으려고 서두르다.
apretadamente *adv.* ① 단단히, 꼭, 굳게 :

atar ~. ② 끈질기게, 열심히.
apretadera *f.* [주로 *pl.*] 노끈 ; 묶는 끈.
apretadero *m.* 탈장대(脫腸帶).
apretadizo, za *adj.* 쉽게 압축되는. Sinón. compresible.
apretado, da *adj.* ① 단단히 맨, 꽉 조여진 (comprimido) : lío muy ~. ② (지면·활자 등이) 꽉 들어찬. ③ 급박한, 곤궁에 빠진, 위태로운, 위험한 (peligroso). ④ 인색한. —*m.* ① 깨알 같은 글씨로 꽉 들어차게 쓴 것. ②【은어】= **jubón.**
apretador, ra *adj.* 꽉·단단히 조이는(que aprieta). —*m.* 압착기 ; 조끼 ; 어린이용 코르셋 ; 머리 그물.
apretadura *f.* 조임 ; 압박.
apretamiento *m.* =**aprieto.**
apretar *tr.* ⑲ ① 조이다, 조여 매다, 눌러 조이다 : ~ un lío. Contr. aflojar. ② 짓누르다, 압박하다(oprimir). ③ 채워 넣다, 챙겨 넣다. ④ 몰아세우다, 추궁하다, 들볶다, 성가시게 굴다 (acosar). ⑤ [+con : …을] 덮치다. ⑥ (옷·구두가 꽉 끼여) 거북하다, 꽉 끼다 : La ropa me *aprieta* 이 옷은 내게 너무 꽉 낀다. Me *aprietan* mucho los zapatos 신발이 내게 너무 조인다. ⑦ 세게 하다, 엄하게 하다. ⑧ 트집잡다(ser tacaño). ⑨ 괴롭히다, 고통을 주다(afligir). ⑩ 조르다(instar) : *Apriete* los tornillos 나사를 조여 주세요.
~se 조이다 ; 답답해지다, 거북해지다 ; 줄어들다, 오므라들다 ; 괴로워하다, 애먹다.
~ *a correr* 달리기 시작하다(echar a correr).
~ *la mano* 악수하다.
[직설법 현재 : aprieto, aprietas, aprieta, apretamos, apretáis, aprietan. 접속법 현재 : apriete, aprietes, apriete, apretemos, apretéis, aprieten].
apretinar *tr. intr.* 《*Chile. Perú.*》 (옷에) 허리띠를 매다 ; 허리띠를 조이다.
apretón *m.* ① 꽉 조임 : ~ de manos 악수. ② 숨막힘, 궁지, 곤경(conflicto) : estar · verse en un ~ 궁지에 빠지다, 곤경에 처하다. ③ 폭주. ④ 급박. ⑤ 변소길이 다급함 : tener un ~ 별안간 뒤가 마렵다.
apretujar *tr.* 짓누르다 ; 꽉 쥐다.
~se (비좁은 곳에서) 서로 밀치다.
apretujón *m.* 압착 ; 잡아 조임 ; 밀치기.
apretura *f.* 압박 ; 궁박(apuro) ; (사람이) 입추의 여지 없음.
aprevenir *tr.* ⑳【방언】《*Amér.*》 =**prevenir.**
apriesa *adv.* 급하게, 서둘러, 바삐(de prisa).
apriet- → **apretar** ⑲.
aprieta apretar의 직·현·3·단수.
¡aprieta! *interj.* 집어치워 《비난, 힐책》.
aprietan apretar의 직·현·3·복수.
aprietas apretar의 직·현·2·단수.
apriete apretar의 접·현·1·3·단수.
aprieto[1] *m.* ① 조르기, 조이기. ② 곤경, 궁지 : estar · verse en el ~ 궁지에 몰려 있다. ③ 곤궁, 궁박 : poner en el ~ 옴짝달싹 못하게 되다. ④ 꽁꽁 넣기.
aprieto[2] apretar의 직·현·1·단수.
aprimar *tr.* =**afinar, perfeccionar, intensificar.**
a priori *adv. lat.* 선천적으로 ; 연역적(演繹的)으로 ; 전항과 같이, 전술한 대로.
apriorismo *m.* 선천설(先天說), 선험설 ; 연역법.
apriorístico, ca *adj.* 선험설의 ; 연역법의.
aprisa *adv.* 급하게, 서둘러 ; 빨리 : hablar ~. Contr. despacho. Sinón. deprisa, a prisa.
apriscar *tr.* ⑦ (가축을) 우리에 가두다.
aprisco *m.* 우리(corte).
aprisionamiento *m.* 구금, 포로.
aprisionar *tr.* 구금하다 ; 포로로 하다 ; 묶다 (atar) ; 붙잡다.
aprista *m.f.* 《*Perú.*》 APRA 당원.
aproar *intr.* 뱃머리를 돌리다.
aprobable *adj.* 시인해도 되는.
aprobación *f.* 시인, 승인(consentimiento) ; 재가, 인가 ; 합격(probación) : dar *su* ~. Contr. desaprobar.
aprobado, da *adj.* [+de : …의] 자격을 얻은. —*m.* 합격, 합격점. —*m.f.* 합격자.
aprobador, ra *adj.m.f.* 허용·시인·승인·승락하는 (사람).
aprobar *tr.*㉔ ① 허용하다, 시인·승인하다, 승락하다 (asentir, consentir) : ~ el casamiento 결혼을 승락하다. ② 재가·인가하다. ③ 합격으로 하다, 자격을 주다 : ~ *de* cirujano 외과의의 자격을 주다. ④ (…에) 합격하다 : ~ los exámenes 시험에 합격하다. ⑤ 자격을 얻다. ⑥ [자동사적으로] 졸업하다 : José *aprobó* en junio 호세는 6월에 졸업했다. ⑦ 유효로 하다 : La elección *fue aprobada* por el jurado 선거는 위원회에 의해 유효 판정이 났다. Contr. desaprobar.
[직설법 현재 : apruebo, apruebas, aprueba, aprobamos, aprobáis, aprueban. 접속법 현재 : apruebe, apruebes, apruebe, aprobemos, aprobéis, aprueben].
aprobativo, va *adj.* =**aprobatorio.**
aprobatoriamente *adv.* 시인·동의·승인으로.
aprobatorio, ria *adj.* 시인하는 ; 동의의, 승인의. Contr. desaprobatorio.
aproches *m.pl.* ① (군대의) 근접 작업, 공략 : ~ en zigzag 지그재그형 공격. ② 《*Bol.*》 부근, 근교.
aprometer *tr.*【속어】약속하다(prometer).
aprontamiento *m.* 신속히 준비하는 일.
aprontar *tr.* ① 신속히 준비하다 : ~ lo necesario para el viaje. ② (돈 등을) 즉시 주다, 즉시불로 하다, 지체없이 인도하다 : ~ una suma. ③ 《*Ant.*》 선불하다. ④ 《*Urug.*》 나타나다, 오다.
apronte *m.* 《*Arg.*》 =**preparativo.**
apropiable *adj.* 적응할 수 있는, 순응시킬 수 있는.
apropiación *f.* 적합, 적응, 순응 ; 점유.
apropiadamente *adv.* 적절하게, 딱 들어맞게.
apropiado, da *adj.* 적절한.
apropiador, ra *adj.* 적응하는, 적절한.
apropiar *tr.* ⑪ ① 적합하게 하다, 적응시키다, 맞도록 하다, 적절하게 맞추다 : ~ una palabra a la idea 관념에 있는 말을 적절히 맞추다. ② 어울리게 하다.

~se ① 어울리다, 꼭 들어맞다, 적합하다 : *Se apropia* la joya a mi hija 보석이 딸에게 잘 어울린다. ② [+de, (de)] 자기 것으로 하다, 차지하다, 가지다(apoderarse de alguna cosa) ; 점유하다 : Mi hija *se apropió (de)* mi joya 딸이 나의 보석을 가졌다. ③ 얻다, 받다.

apropincuación *f.* 접근, 가까이 감.

apropincuarse *r.* ⑭ 【희언】 가까이 가다, 접근하다(acercarse).

aprovecer *intr.* 【고어】 =**aprovechar ; cundir, propagarse.**

aprovechable *adj.* 도움이 되는, 이용할 수 있는.

aprovechadamente *adv.* 교묘히 이용하여 ; 능률적으로.

aprovechado, da *adj.* ① 허실없이 사용한 : ama de casa muy *~da.* ② 근면한, 부지런한 (aplicado, diligente) : discípulo ~.

aprovechador, ra *adj.m.f.* 이용하는 (사람).

aprovechamiento *m.* ① 이용 : ~ de aguas 수리권(水利權). ② 이익, 수익 : ~ forestal 산림 수익.

aprovechante *adj.m.f.* =**aprovechador.**

aprovechar *intr.* ① 도움이 되다, 이익을 주다. ② (학업 등이) 향상되다, 진보되다, 나아지다 (adelantar) : Tengo deseo de ~ 나는 실력을 더 쌓고 싶다. **—***tr.* 이용하다 : *Aprovecho* esta ocasión para manifestarle mi profundo agradecimiento 이 기회를 이용하여 당신에게 깊은 사의를 표합니다. ¡Que *aproveche*! 천천히 많이 드십시오.

~se ① [+de : …을] 이용하다(utilizar) : *Se aprovechó de* la ocasión 그는 기회를 이용했다. ② 진보·향상되다.

aprovisionador, ra *m.f.* 공급자, 조달자.

aprovisionamiento *m.* 보급(補給), 공급(供給) (abastecimiento) ; 조달 ; 양식(糧食).

aprovisionar *tr.* [+de : …을] 공급·보급하다 (abastecer), 주다.

aproximación *f.* ① 접근, 근사 (proximidad) : la ~ de las fiestas. ② 근사치, 개산(概算), 어림셈 ; (복권 등에서 당첨 번호에) 인접 번호. Contr. exactitud, precisión.

aproximadamente *adv.* 거의, 대략(próximamente). Contr. exactamente.

aproximado, da *adj.* 가까운 ; 대충·대강의 (aproximativo) : peso ~ 개산 중량. presupuesto ~ 개산.

aproximar *tr.* 접근시키다(acercar).

~se [+a : …에] 접근하다, 가깝다 ; 가까이 가다 : No *se aproxime* usted demasiado al peligro 위험에 너무 가까이 가지 마십시오.

aproximativo, va *adj.* 대충·대강의(no muy exacto) : cálculo ~. Contr. exacto, preciso.

aprudenciado, da *adj.* 《*Amér.*》 신중한(prudente) ; 심사 숙고한.

aprudenciarse *r.* ⑪ 《*Amér.*》 신중히 하다, 삼가다.

aprueb- → **aprobar** ㉔.

aprueba aprobar의 직·현·3·단수.

aprueban aprobar의 직·현·3·복수.

apruebas aprobar의 직·현·2·단수.

apruebo aprobar의 직·현·1·단수.

apsara *f.* 【인도 신화】 물의 요정.

ápside *m.* 【천문】 원일점 ; 근일점.

apsiquia *f.* 지능 상실.

aptamente *adv.* 적절히, 적당히.

aptar *tr.* =**adaptar, ajustar, acomodar.**

ápterix *m.* 【단·복수 동형】 【조류】 (호주산의) 키위 (kiwi), 무익조(無翼鳥) 《날개는 없고 깃털이 돼지털과 유사함》, 타조.

áptero, ra *adj.* 【동물】 날개없는 : insecto ~. Contr. alado.

aptitud *f.* 적응성, 적합성, 능력, 재능, 솜씨, 수완 ; 기질, 소질 : ~ para el negocio 사업 수완. ~ para las ciencias 과학에 대한 소질. ~ para el diplomático 외교관 재능. ~ para trabajar 작업·노동·업무 능력. Contr. incapacidad.

apto, ta *adj.* [*lat.* aptus] 적절한, …에 어울리는, …의 소질이 있는(hábil) : El niño es ~ *para* aprender 그 아이는 공부에 소질이 있다.

apuchincharse *r.* 《*Cuba.*》 ① 포식하다. ② 돈을 모으다. ③ 빼앗다, 횡령하다.

apuesta[1] *f.* 내기 ; 거는 것, 거는 돈.

de·sobre ~ 내기를 하여, 내기를 걸어, 억지로.

apuesta[2] apostar의 직·현·3·단수.

apuestamente *adv.* 몸단장을 깔끔하게 하여.

apuesto apostar의 직·현·1·단수.

apuesto, ta *adj.* [apostar의 *p.p.*] 말쑥한, 멋진, 맵시 있는, 스마트한, 차려 입은, 몸단장이 깔끔한.

apulgarar *intr.* 엄지손가락(pulgar)으로 누르다·밀다.

~se 군데군데 얼룩이 생기다 (llenarse la ropa blanca de manchas menudas).

apunarse *r.* 《*AmérM.*》 ① 고산병(soroche)을 당하다. ② 여위다 : caballo *apunado* 여윈 말.

apuntación *f.* ① 기장, 주(注) ; 노트. ② 겨냥. ③ 【음악】 기보(記譜)(notación).

apuntado, da *adj.* ① 겨냥한. ② 끝이 뾰족한 끝이 날카로운(puntiagudo). ③ 【문장】 끝이 맞붙은 : saetas *~das.*

apuntador, ra *adj.* 겨냥하는. **—***m.f.* ① 조준수(照準手). ② 【연극】 프롬프터(traspunte). ③ 진행자. ④ 【은어】 순경, 경관.

apuntalamiento *m.* apuntalar 하는 일.

apuntalar *tr.* (…에) 버팀목(puntal)을 대다(sostener).

apuntamiento *m.* apuntar 하는 일.

apuntar *tr.* ① 겨냥하다, 조준하다(asestar) : ~ el arco. ② 가리켜 보이다, 가리키다, 지적하다 (señalar) : ~ con el dedo. ③ (…에) 돌려지다, 향해지다(indicar) : Ya sé a quién *apuntan* tus quejas 네가 누구를 향해 불평하는지 나는 알고 있다. ④ (서적 등에) 표를 하다. ⑤ 기장하다, 메모하다 (anotar). ⑥ 소묘하다, 데생하다, 스케치하다. ⑦ (못 등으로) 임시로 박아 놓다 : ~ la tabla. ⑧ (실로) 철하다, 임시로 철하다. ⑨ 시침질하다. ⑩ (제본에서) 철하다. ⑪ (칼·창 등의) 날을 세우다. ⑫ (프롬프터가) 대사를 부르다. ⑬ (시험에서) 작은 소리로 가르쳐 주다 (soplar). ⑭ 넌지시 암시하다, 은근히 냄새를 풍기다(insinuar) : *Apuntaron* que se valdrían de armas y fuerzas 무력 사용을 넌지시 비쳤다. **—***intr.* 나타나기 시작하다, 드러나기 시작하다 : *Apuntó* el alba 날이 새기 시작했다. Le *apun-*

tó el bozo 그는 턱수염이 나기 시작했다.
~se ① (술이) 시어지기 시작하다. ② 술기운이 돌기 시작하다. ③《*Méx.*》(밀 등이) 자라기 시작하다.

apunte *m.* ① apunter 하는 일 : libro de ~ 메모장. ② 메모 ; 소묘, 데생, 스케치 : tomar ~*s* 사생하다. ③【연극】프롬프터(의 지시·대본). ④ 괴짜 ; 개구쟁이, 장난꾼.
llevar el ~《*AmérM.*》(여자가) 호감을 보이다 ; 마음에 두다, 마음을 쓰다, 신경을 쓰다 (hacer caso).

apuñadar *tr.*《*Ar.*》=**apuñear.**

apuñalado, da *adj.* 단도 모양의 ; 단도로 찔린.

apuñalar *tr.* 단도로 찌르다(dar de puñaladas) : morir *apuñalado.*

apuñar[1] *tr.*【속어】=**apuñalar.**

apuñar[2] *tr.* ① 쥐다 ; 불끈 쥐다. ② 주먹으로 때리다(apuñear). ③ (가루를) 반죽하다 (sobar la masa). —*intr.* 주먹을 쥐다.

apuñear *tr.* 주먹으로 때리다 (dar de puñadas).

apuñetear *tr.* 주먹으로 쾅쾅 때리다(apuñear).

apuñuscar *tr.*《*Amér.*》눌러 뭉개다, 으깨다 (apañuscar).
~se 다져지다, 빽빽이 들어차다.

apupar *tr.*《*Ecuad.*》=**llevar a cuestas.**

apuracabos *m.*【단·복수 동형】촛대의 일종.

apuración *f.* ① 모두 써 버리는 일. ② (뉴스 등의) 정사(精査), 진상 조사. ③ 몹시 곤궁함 (apuro).

apuradamente *adv.* ① 정확히, 어김없이 (precisamente). ② 우연히.

apurado, da *adj.* ① 가난한, 빈곤한(pobre). ② 어려운(dificultoso). ③ 위험한(peligroso). ④ 괴로운, 곤란한. ⑤ 정확한, 꼭 맞는. ⑥《*Amér.*》급한.

apurador, ra *adj.* apurar하는.
—*m.* =**apuracabos.**

apuramiento *m.* (사건의) 조사, 진상을 캐는 일 ; 순화.

apurar *tr.* ① 순화하다(purificar); 깨끗이 하다 (limpiar). ② 정제·정련하다 : ~ el oro. ③ 진상을 조사하다, 따지다, 캐다 : ~ una noticia 뉴스의 진상을 캐다. ~ la intención 진의를 파악하다. ④ 끝나게 하다 : ~la paciencia 분통을 터뜨리게 하다. ⑤ 할 수 있는 데까지 하다 (agotar, acabar) ; 다 써버리다 ; 빈껍데기로 만들다, 모두 다 마셔 버리다 : ~ una caña 컵의 술을 모두 마셔 버리다. ⑥ 성화를 부리다, 재촉하다, 서둘게 하다 (apremiar). ⑦ 괴롭히다, 곤란하게 만들다 (molestar) ; 안달을 부리게 하다 : *No apures* a tus amigos 친구를 감질나게 만들지 말라.
~se ① 다 되다, 다하다, 전부 없어지다. ② 허둥대다, 서둘다(apresurarse). ③ 곤란해지다 ; 몸부림치다, 슬퍼하다(afligirse) : ~ *se por* poco 하찮은 일에 손을 들다.

apure *m.*【광물】정련 ; 광재(鑛滓).

apureeño, ña *adj.m.f.* 아뿌레《Apure, Venezuela의 주》의 (사람).

apurismado, da *adj.*《*Ecuad.*》【속어】병약한, 약골의, 나약한, 쇠약한.

apuro *m.* ① 곤궁, 궁핍, 빈궁 : pasar ~*s* 어려운 생활을 하다. en ~*s* 곤궁 속에서. ~*s* financieros 재정적인 곤란. ② 비탄, 서글픔, 번민 (aflicción). ③《*Amér.*》졸라댐, 재촉, 긴급, 서두름(prisa).

apurón, na *adj.*《*Chile. Méx.*》졸라대는, 보채는, 재촉이 성화같은. —*m.*《*Arg.*》위기, 어려운 처지 (trance).

apurruñar *tr.*《*AmérC. Cuba.*》① 차곡차곡 쌓다. ② 조이다.
~se 곰팡이가 슬다.

apususarse *r.*《*AmérC.*》(의류가) 좀이 슬다.

aquejador, ra *adj.* 슬픈.

aquejar *tr.* =**acongojar, afligir, fatigar.**

aquejoso, sa *adj.* 슬픔에 겨운.

aquejumbrarse *r.*《*Amér.*》=**quejarse.**

aquel, lla *adj.* [*pl.* aquellos, aquellas] 그, 저 : *aquel* día 그 날. *aquella* casa 저 집. *aquellos* libros 저 책들. *aquellas* horas 그 시각. [*N.* 강조 때는 명사 뒤에 옴 : la mujer *aquella* 그 여자. los tiempos *aquellos* 그 무렵]. —*m.* 매력 (gracia, atractivo) : Juana tiene mucho *aquel* 후아나는 무척 매력있는 여자다.

aquél, lla *pron.* [*pl.* aquéllos, aquéllas] 저 것, 저 사람, 저 분 ; (후자 éste에 대해) 전자 : Prefiero este libro a *aquél* 나는 저 것보다 이 책이 좋다.

aquelarre *m.* 요술사의 집회(reunión de brujos), 마술사의 밤 잔치 ; 수상쩍은 사람들의 모임.

aquellar(se) *tr.(r.)* 그것을 하다. [*N.* 정확한 동사를 쓰지 않고 얼버무려 말할 때 씀] : En lo mejor, *me aquellé* 그것이 한창일 때 내가 그것을 했다.

aquello *pron.* [중성 지시 대명사] ① 저것, 저 일, 그 일 : ¿Qué es ~? 저것은 무엇이냐? ② 그곳 : *Aquello* es muy cálido 그곳은 퍽 더운 곳이다.

aquende *adv.* 이쪽에서 : de ~ los Pireneos 피레네 산맥 이쪽에서. [Contr.] allende.

aquenio *m.*【식물】척과.

aquerarse *r.*《*Sor.*》나무를 좀먹다(apolillarse la madera).

aquerenciado, da *adj.*《*Méx.*》=**enamorado.**

aquerenciarse *r.* [11] ① 본능으로 돌아가다 : El perro *se aquerencia a* la casa de sus amos. ② 반하다, 친해지다.

aqueridarse *r.*《*PRico.*》정교(情交)하다.

Aqueronte *m.*【신화】무덤이 없는 영혼이 헤맨다는 지옥의 냇물.

aquese, sa *adj.pron.*【고어】=**ese, esa.**

aqueste, ta *adj.pron.*【고어】=**este, esta.**

áqueta *f.*【곤충】매미(cigarra).

aquí *adv.* ① 이곳, 이곳에 : *Aquí* vivimos 우리는 이곳에 살고 있다. *Aquí* estamos 다 왔습니다. *Aquí* está 여기 있습니다. ② 지금 : *Aquí* las va a pagar todas.
~ *y allá* 여기저기에. ~ *cerca* 이 부근에. ~ *luego*《*Méx.*》이 가까이에. *de* ~ *allá* 여기서 저기까지. *hasta* ~ 이곳까지 ; 이 때까지, 현재까지 : Todo tiene su *hasta* ~《*Méx.*》모든 것은 한도라는 것이 있다 ; 참는 데도 한도가 있다. *por* ~ 이 부근에 ; 이곳을 지나. *tener mucho de* ~ (이마를 가리키면서) 매우 영리하다.

aquiescencia *f.* [드뭄] 동의, 수락, 승인(con-

sentimiento).
aquiescente *adj.* 동의하는, 승인의.
aquiescer *intr.* 《*Galic.*》 =**asentir.**
aquietador, ra *adj.* 가라앉히는, 진정시키는.
aquietadoramente *adv.* 진정시키는 방법으로.
aquietamiento *m.* 진정시키는 일.
aquietante *adj.* =**aquietador.**
aquietar *tr.* =**sosegar, apaciguar.**
aquifoliáceo, a *adj.* 【식물】 호랑가시나무과의. —*f.pl.* 호랑가시나무과 식물.
aquifolio *m.* =**acebo.**
aquijotado, da *adj.* 동끼호떼같은.
Áquila (el) *f.* 【천문】 독수리좌.
aquilatamiento *m.* 평가; (금속의) 캐럿 감정.
aquilatar *tr.* ① (보석·귀금속의) 캐럿(quilate)을 달다·감정하다. ② 금위(金位)를 정하다. ③ 평가하다(apreciar). ④ 순화하다; 정제하다; 순수하게 하다(apurar).
aquilea *f.* 【식물】 서양 톱풀(milenrama).
Aquiles *m.* 【해부】 아킬레스 건(腱)(tendón de ～).
tendón de ～ 【해부】 아킬레스 건; (문제에서) 가장 미묘한·긴요한 점. *argumento* ～ 가장 중요한 논거(論據), 요점(argumento principal).
aquilino, na *adj.* ① 【시어】 독수리의, 독수리 같은(aguileño) : rostro ～. ② 매부리코의.
aquillado, da *adj.* 용골형(龍骨形)의; 선체가 긴; 몸체가 긴 : buey ～ 몸이 긴 황소.
aquilón *m.* 북; 북풍, 삭풍. **Sinón.** cierzo, bóreas.
aquilonal *adj.* 북풍의; 추운, 겨울의.
aquilonar *adj.* =**aquilonal.**
aquistar *tr.* 손에 넣다, 획득하다(conseguir, adquirir).
aquivo, va *adj.* =**aqueo.**
A.R. Alteza Real.
-ar *suf.* ① 집합 명사의 어미 : tej*ar*. ② 소속의 형용사 : famili*ar*.
ara *f.* ① 제단(altar). ② 제물을 바치는 석대(石臺). ③ 【조류】 앵무새의 일종(guacamayo).
en ～s de …을 위해서, 바쳐.
acogerse a las ～s 피난하다.
arabata *m.* 【동물】 (Orinoco의) 짖는 원숭이 (mono aullador).
árabe *adj.* 아라비아(Arabia)의 : año ～ 태음력. —*m.f.* 아라비아인. —*m.* 아라비아어 (lengua árabe).
arabescar *tr.* 아라비아식 당초 무늬로 장식하다 (adornar con arabescos).
arabesco, ca *adj.* ① 아라비아(식·풍)의(arábigo) : decoración ～. ② 아라비아 당초 무늬의. —*m.* 아라비아식 당초 무늬.
arabí *adj.m.f.* =**árabe, arábigo.**
arabia *f.* 《*Amér.*》 줄무늬 광목 (tela de algodón a cuadros azules y blancos).
Arabia *f.* 아라비아 : la ～ Saudita 사우디 아라비아.
arábico, ca *adj.* =**arábigo.**
arábigo, ga *adj.* 아라비아의 : goma ～*ga* 아라비아 고무. numeración ～*ga* 아라비아 숫자; 10 진법. —*m.* 아라비아어 : papel escrito en ～.
estar en ～ 알기 어렵다.
arabio, bia *adj.* 아라비아의(arábigo). —*m.f.* 아라비아 문학자; 아라비아인.
arabismo *m.* 아라비아식 말투의 사용법.
arabista *m.f.* 아라비아어 학자, 아라비아 문학자.
arabización *f.* 아라비아화.
arabizar *tr.* 9 아라비아식으로 하다.
arable *adj.* 땅을 갈 수 있는, 경작할 수 있는 : suelo ～.
¡araca! *interj.* 《*Arg.*》 승인할 때의 감탄사.
aracarí *m.* 《*Perú.*》 【조류】 =**tucano.**
aráceo, a *adj.* 【식물】 천남성(天南星)·천남성과의. —*f.pl.* 천남성과 식물.
Aracne *f.* 【신화】 Minerva와 베짜기 경쟁을 하여 거미가 된 인물.
arácnido, da *adj.* 【동물】 거미류의. —*m.pl.* 거미류 : Todos los ～*s* tienen ocho patas.
aracnoideo, a *adj.* 거미막의.
aracnoides *f.* 【단·복수 동형】 【해부】 거미막.
aracnología *f.* 거미류학.
aracnológico, ca *adj.* 거미류학의·에 관한.
aracnólogo, ga *m.f.* 거미류 학자.
arada *f.* ① 경작; 경지. ② 하루에 밭갈이할 수 있는 양.
arado *m.* ① 쟁기. ② 쟁기질. ③ 《*Col.*》 경작지, 밭.
arador *m.* ① 밭갈이하는 사람. ② 【동물】 개선충, 옴벌레.
aradro *m.* 쟁기질.
aradura *f.* 【방언】 쟁기질.
Aragón *m.* 【지형】 아라곤 지방 《서반아 동북쪽에 있는 지방; 옛 아라곤 왕국》.
aragonés, sa *adj.* 아라곤의. —*m.f.* 아라곤인. —*m.* 아라곤산의 포도.
aragonesismo *m.* 아라곤 말씨.
aragonito *m.* 【광산】 구세.
araguaney *m.* ① 아라구아네이 《열대 아메리카산의 단단한 나무》. ② 몽둥이 : Le cantó el ～ 그에게 몽둥이질을 해 주었다.
araguato *m.* 【동물】 수염 원숭이 (mono aullador).
el sol de los ～s 낙일(落日), 낙조.
araguirá *m.* 《*Riopl.*》 【조류】 아라기라 《아름답고 붉은 색을 띤 작은 새》.
arak *m.* 아락주 《터키인들이 시어진 우유로 만든 소주의 일종》.
aralia *f.* 【식물】 아메리카의 오갈피나무.
araliáceo, a *adj.* 오갈피과의. —*f.pl.* 오갈피과에 속하는 식물.
arambel *m.* ① 누더기(harapo). ② 장식.
arambeloso, sa *adj.* 너덜너덜한, 누더기같은.
arameo, a *adj.* 아람 《Aram, 셈의 아들》의 자손의; 아람 《시리아, 메소포타미아》 지방의. —*m.* 아람어.
arana *f.* 속임수, 사기(embuste, trampa).
arancel *m.* ① 관세율 : ～ convencional 협정 세율. ～ de columna simple·doble 단일·이중 세율. ～ de importación 수입 세율. ～ proteccionista·protector 보호 관세·관세율. ② 관세표(～ de aduanas). ③ 운임·요금·가격표.
arancelar *tr.* 《*AmérC.*》 납입하다, 지불하다. **～se** 《*Venez.*》 고객·단골이 되다.

arancelario, ria *adj.* 관세(율)의 : derechos ~*s.*
arandanedo *m.* 덩굴월귤 밭.
arándano *m.*【식물】덩굴월귤; 그 열매.
arandela *f.* ① 촛불받이; 탁상 촛대. ② 나무에 걸어 놓는 방충용 물그릇. ③(칼의) 코등. ④【선박】현창의 덮개. ⑤《*Amér.*》셔츠의 소매·옷깃 장식. ⑥ 찻종 받침.
arandillo *m.*【조류】할미새.
arandino, na *adj.m.f.* 아란다 데 두에로 《Aranda de Duero, Burgos주의 마을》의 (사람).
aranero, ra *adj.* 허풍선이의, 속이는 (embustero, tramposo). —*m.f.* 허풍쟁이, 사기꾼.
arangorri *m.*【어류】성대의 일종.
aranoso, sa *adj.m.f.* =**aranero.**
aranzada *f.* 약 40~50아르《옛날 농지 측정의 명칭》.
araña *f.* ①【곤충】거미. ② 샹들리에. ③(새 잡는) 그물. ④ 교활한 인간. ⑤ 매춘부(prostituta). ⑥【해사】거미집, 그물. ⑦《*Chile.*》(작고 낡은) 짐수레(carruaje). ⑧《*Amér.*》거미나무, 거미풀《여러 식물의 속칭》. ⑨【동물】나쁜 말.
~ ***de agua*** 소금쟁이. ~ ***de mar*** 게의 일종.
arañada *f.* =**arañamiento.**
arañador, ra *adj.* 할퀴는. —*m.f.* 할퀴는 사람.
arañagato *m.*【식물】(필리핀산의) 식물의 일종.
arañal *adj.* 거미의, 거미같은.
arañamiento *m.* 할큄; 할퀸 손톱 자국(rasguño) : ~ de gato.
arañar *tr.* ①(손톱 따위로) 세게 긁다, 할퀴다. ②(벽 등에) 굵은 자국을 내다. ③(조금씩) 긁어 모으다.
arañazo *m.* ① 긁힌 자국, 손톱 자국. ② 피부의 긁힌 자리가 지렁이처럼 길게 부어오름.
arañil *adj.* 거미의.
araño *m.* ① 긁는·할퀴는 행위. ② 긁혔던 자국. ③ 손톱 자국.
arañón *m.* 《*Amér.*》=**arañazo, arañamiento.**
arañuela *f.* [*dim.* araña] ① 작은 거미. ②【식물】야생 니겔라.
arañuelo *m.* ① 송충이, 구더기. ②(양의) 진드기 (garrapata). ③ 새 그물. ④ 거미같은 줄을 치는 여러 벌레의 이름.
arapaima *f.* (브라질의) 큰 민물 고기.
aráquida *f.*【식물·학술】땅콩, 낙화생(cacahuete, maní).
arar[1] *tr.* 밭을 갈다.
arar[2] *m.*【식물】(아프리카산의) 낙엽송(enebro).
arara *m.* 《*Bol.*》【조류】금강앵무(ara).
arariba *f.*【식물】연지나무《남미산, 껍질은 분홍색 염료》.
araroba *f.*【식물】=**pangelín.**
arasarí *m.* 《*Perú.*》=**aracarí.**
arate *m.* ①《*Murc.*》운(suerte). ② 기분, 속마음. ③ 우둔함. ④【은어】월경.
~ ***cavate*** 농부의 나날의 일; 촌스러움.
de mal ~ 기분이 언짢은 (de mal humor).
tener ~ 부끄러워하다(tener vergüenza).
araticú *m.* 《*Riopl.*》【식물】여주 (chirimoyo)의 일종.
arato, ta *adj.* 《*Col.*》서로 붙은.
aratorio, ria *adj.* 경작하는.
aratoso, sa *adj.* 귀찮은, 골치 아픈(fastidioso).
araucanismo *m.* 아라우꼬말.
araucanista *m.f.* 아라우꼬 연구자.
araucano, na *adj.* 아라우꼬《Arauco, 현재의 칠레의 한 주에 있던 나라》족의. —*m.f.* 아라우꼬 사람. —*m.* 아라우꼬어《칠레의 토착어》.
araucaria *f.*【식물】(칠레산의) 나무, 남양삼.
arauja *f.*【식물】아라우하 덩굴《브라질산 시라의 덩굴》.
aravico *m.* 고대 뻬루의 시인.
arazá *f.* =**guayabo.**
arbelcorán *m.* 《*Gran.*》【식물】=**alboquerón.**
arbellón *m.* 《*Ar.*》=**arbollón.**
arbequín *m.* 올리브의 변종의 일종.
arbitrable *adj.* 중재할 수 있는; 조정을 기다리는 : cuestión ~.
arbitración *f.* 중재, 재정(裁定).
arbitrador, ra *adj.* 중재의 : juez ~ 중재 재판관. —*m.f.* 중재인, 조정자.
arbitraje *m.* 중재, 조정, 심판; 재정 거래; 조정료(調停料) : ~ comercial 상사(商事) 중재. ~ de cambio·divisas 외국환의 재정(裁定). ~ obligatorio 강제 재정.
arbitral *adj.* 중재의, 조정(調停)의 : juez ~ 중재 재판관. juicio ~ 중재 재판. tribunal ~ 중재 재판소.
arbitram(i)ento *m.* 중재 판정, 중재권.
arbitrante *adj.* 중재하는.
arbitrar *tr.* ①(자유 의사에 의해) 하다 : El hombre *arbitra* sus acciones 사람은 자신의 행위를 자신이 다스린다. ② 중재하다, 재정하다 (juzgar como árbitro). ③《*Galic.*》모으다 : ~ recursos 자료·자금을 모으다.
~se 연구하다, 재치를 부리다.
arbitrariamente *adv.* 혼자 멋대로, 마음 내키는 대로; 독단적으로.
arbitrariedad *f.* 전단(專斷); 전횡(專橫).
arbitrario, ria *adj.* 임의의, 멋대로의; 전횡하는; 제각각의; 중재의(arbitral). **Contr.** legal, justo.
arbitrativo, va *adj.* =**arbitrario.**
arbitratorio, ria *adj.* =**arbitral.**
arbitrero, ra *adj.* =**arbitral.** —*m.* =**arbitrista.**
arbitriano *m.* =**arbitrista.**
arbitrio *m.* ① 의사, 뜻, 의지 : ~ libre 자유 의사. ② 자유 의사, 임의 : al ~, por ~ 임의로. ③ 전단, 전횡. ④ 중재 위원의 재정(裁定), 심판. ⑤ 비상 수단. **Sinón.** expediente. —*pl.* 시·읍·면세 : ~*s* municipales 시세.
~ ***de juez,*** ~ ***judicial*** 정상 참작권.
arbitrista *m.f.* 획책자, 분별없는 계획자.
árbitro *adj.* 중재의, 재정의 : juez ~ 중재 재판관. —*m.* 중재자; 독재자; 재정자(裁定者); (운동 경기의) 심판 : ~ nombrado por las partes 당사자에 의해 선임된 중재자.
árbol *m.* ① 나무, 수목 : ~ frutal 과일 나무. ②【해사】돛대, 마스트 (palo). ③【기계】축, 굴대, 회전축 : ~ motor 중축, 회전축. ④【건축】(나선식 계단의) 주축. ⑤【인쇄】활자의 높이. ⑥(셔츠의) 통. ⑦【은어】인체(人體). ⑧《*Chile.*》옷걸이.

~ *de costados* (나무 모양의) 계도표(系圖表). ~ *de Judas,* ~ *del amor* 【식물】 박태기나무(ciclamor). ~ *de la ciencia (del bien y del mal)* 지혜의·금단의 나무. ~ *cruz* (그리스도의) 십자가. ~ *de la vida* 【식물】 향비파 《미국 동해안의 침엽수》; 【해부】 소뇌활수(小腦活樹). ~ *del cielo* 【식물】 가죽나무 《소태나무과》 (alianto). ~ *del diablo* 파라고무나무. ~ *de María* 표주박나무. ~ *de Navidad* 크리스마스 트리. ~ *de pie* 유실수. ~ *genealógico* 나무 모양으로 나타낸 족보·계보도. ~ *padre* (벌채 후 남긴) 원나무, 입목.

arbolado, da *adj.* 숲이 우거진 : paseo ~. —*m.* ① 산림지. ② 【은어】 꺽다리.

arboladura *f.* 돛대(palos de barco).

arbolar *tr.* ① 세우다(enarbolar). ② (깃발 등을) 올리다, 게양하다 : ~ bandera coreana 한국 국기를 게양하다. ③ (배에) 돛대를 세우다. ④ 기대어 놓다, 세워 놓다 : ~ una escala a la pared 벽에 사다리를 기대어 놓다.
~se 말이 똑바로 서다.

arbolear *tr.* 《*Col.*》 내던지다 : Me *arboleó* (con) el libro 나에게 책을 내던졌다. [*N.* con이 따르면 강조].

arbolecer *tr.* 31 =**arborecer.**

arboleda *f.* 숲; 식림(植林).

arboledo *m.* =**arbolado.**

arbolejo *m. dim.* árbol.

arbolete *m.* [*dim.* árbol] (새를 잡기 위한) 끈끈이 나무.

arbolillo *m. dim.* árbol.

arbolista *m.f.* 원예가, 정원사.

arbollón *m.* 배수로(albollón).

arborecer *intr.* 31 (묘목이) 나무로 자라다.

arbóreo, a *adj.* 나무의; 목질의; 수상(樹狀)의.

arborescencia *f.* 나무가 가지를 편 모양; 수지상(樹枝狀); 수지상 결정(樹枝狀結晶).

arborescente *adj.* 나무같은 : planta ~ 아교목.

arboreto *m.* 실험 식수, 산림 공원.

arborícola *adj.* 나무에 기생하는·사는.

arboricultor, ra *m.f.* 조림가.

arboricultura *adj.* ① 조림, 산림(cultivo de los árboles). ② 조림업, 산림업.

arboriforme *adj.* 나무 모양의, 수지상(樹枝狀)의.

arborista *m.f.* =**arbolista.**

arborización *f.* 수지상 (결정).

arborizado, da *adj.* 수지상의.

arbotante *m.* 【건축】 이중 아치.

arbustivo, va *adj.* 관목(灌木)의, 관목 모양의.

arbusto *m.* [*lat.* arbustus] 관목.

arca *f.* ① 상자. ② 궤. ③ (유리를 굽는) 솥, 가마. ④ 【해부】 흉강(胸腔). ⑤ 《*Arg.*》 쇄골.
—*pl.* 금고 : ~*s* fiscales 국고. hacer ~*s* 회계 감사를 하다.
~ *cerrada* 침묵가. ~ *de agua* 물통, 양수 탱크. ~ *de la alianza* (십계를 넣은) 언약의 상자. ~ *del cuerpo* 동체(胴體). ~ *del diluvio·de Noé* 노아의 방주; 여러 가지 물건이 든 상자; 조개 이름. ~ *del pan* 【속어】 배, 복부.

arcabucear *tr.* (…에) 사격을 가하다; 총살하다.

arcabucería *f.* 사격대, 총포 부대; 총포 만드는 일.

arcabucero *m.* 총포 대원, 화승총을 만드는 사람.

arcabucete *m. dim.* arcabuz.

arcabuco *m.* 《*Amér.*》 밀림.

arcabucoso, sa *adj.* 밀림이 많은.

arcabuz *m.* 화승총; 총포 대원.

arcabuzazo *m.* 화승총의 발사; 그 총상(銃傷).

arcacil *m.* 【식물】 야생 엉겅퀴(alcacil).

arcada *f.* ① 【건축】 아케이드. ② 아치 다리의 교각 사이. ③ 구역질 : tener ~*s* 구역질하다. ④ 【음악】 활의 움직임·놀림.

árcade *adj.* 아르카디아 《Arcadía, 고대 그리스의 한 지방, 전원 목가의 무대가 됐던 곳》의.
—*m.f.* 아르카디아 사람; 순박한 백성.

arcádico, ca *adj.* =**árcade.**

arcadio, dia *adj.* =**árcade.**

arcaduz *m.* ① 수도관. ② (우물의 두레박 등의) 물상자(cangilón). ③ 수단, 방법.

arcaico, ca *adj.* 고어의; 고풍의; 의고주의(擬古主義)의; 소박한.

arcaísmo *m.* 의고주의·문체; 고어. **Contr.** neologismo, modernismo.

arcaísta *m.f.* 의고문가(擬古文家), 회고 취미가.

arcaizante *adj.* 고풍의, 회고적인 : estilo ~.

arcaizar *intr.* 9 16 고어를 쓰다. —*tr.* 고풍으로 하다.

arcanamente *adv.* 신비적으로.

arcángel *m.* 【종교】 대천사, 천사장.

arcangélico, ca *adj.* 대천사의.

arcanidad *f.* 불가사의; 신비.

arcano, na *adj.* 신비스러운, 비밀스러운, 비밀의(secreto). —*m.* 비밀; 비경; 비전.

arcar *tr.* 7 활처럼 휘다; (양털을) 푹신하게 만들다.

arcaz *m.* 큰 궤(arca grande).

arcazón *m.* 《*And.*》 =**mimbre.**

arce *m.* 【식물】 단풍나무.

arcea *f.* 《*Ast.*》 =**chocha.**

arcedianato *m.* arcediano의 직(職)·관구.

arcediano *m.* (그리스도교의) 대집사, 부감독; (카톨릭교의) 부사제.

arcedo *m.* 단풍숲.

arcén *m.* 갓, 가장자리(margen); 솔기.

arcense *adj.m.f.* =**arcobricense.**

archa *f.* (archero가 사용했던) 긴 창(alabarda).

archero *m.* (Carlos 5세가 서반아에 데려온 Borgoña 왕가의) 금위 대원(禁衛隊員).

archi *adj.* [속어로 명사 뒤에 두며] 희한한, 훌륭한 : una comida ~ 진수 성찬.

archi- *pref.* 「주(主)」「대(大)」「제일」「다(多)」의 뜻을 가진 접두어 : *archi*duque, *archi*pobre.

archibribón, na *adj.* 대호색한의·같은.
—*m.f.* 대호색한.

archibruto, ta *adj.* =**muy bruto.**

archicofrade *m.* archicofradía의 일원.

archicofradía *f.* 단체, 조합, 결사.

archidiácono *m.* =**arcediano.**

archidiócesis *f.* =**arquidiócesis.**

archiducado *m.* archiduque의 작위, 공작령.

archiducal *adj.* archiduque의.

archiduque *m.* (오스트리아의) 대공(大公).
archiduquesa *f.* 대공비(大公妃).
archilaúd *m.* 아르칠라우드《laúd (만돌린 비슷한 악기)보다 약간 큰 옛날의 악기; 16～17세기에 사용됨》.
archileído, da *adj.* 많이 읽힌.
archimandrita *m.* (그리스의) 승원장, 수도원장; 관구장.
archimillonario, ria *m.f.* 억만 장자.
archipámpano *m.* 【희언】 엉터리 원님; 가짜 귀족 : el ～ de las Indias.
archipiélago *m.* 다도해; 군도, 제도 : el ～ filipino.
archisabido, da *adj.* 잘 아는; 아는 것이 많은, 해박한, 박식한.
architriclino *m.* 고대 그리스·로마 시대의 향연관(饗宴官).
archivador, ra *adj.m.f.* 기록을 보관하는, 문서를 보존·보관하는 (사람). —*m.* 문서계(文書係); 문서 보관함, 정리 선반.
archivar *tr.* 기록을 보관하다, (문서 등을) 보관·보존하다.
archivero, ra *m.f.* 문서 보관소 직원; 문서 담당자.
archivista *m.f.* =**archivero.**
archivístico, ca *adj.* 자료 보관소의, 자료관의.
archivo *m.* [*lat.* archivum] 옛 기록, 고문서; (문서·기록의) 보관소; (문서·기록 등의) 보관실, 문서실 : ～ de la palabra 녹음 보관실.
archivología *f.* 문서·기록 정리법.
archivolta *f.* 【건축】 아치식 문의 사개.
arch.º archivo.
arcifinio, nia *adj.* 자연의 경계가 있는 (지방, 지역 등).
arcilla *f.* 점토 : ～ verde·figulina 도토(陶土). ～ blanca·caolín 고령토; 자토(磁土). ～ plástica 파이프 백토. ～ refractaria 내화 점토.
arcillar *tr.* (경지에) 객토를 넣다.
arcilloso, sa *adj.* 점토질의; 점토 모양의.
arción *f.* 《*Amér.*》 =**ación.**
arcionera *f.* 《*Amér.*》 =**acionera.**
arciprestazgo *m.* arcipreste의 직·관구.
arcipreste *m.* (카톨릭교의) 수석 사제; 주임 목사; 승정.
arco *m.* [*lat.* arcus] ① 호(弧), 궁형(弓形), 반원형; 호(弧)가 된 것 : ～ iris 무지개. ～ voltaico 아크 등(灯). ② 활 : instrumentos de ～ 찰현 악기 (擦弦樂器). ③ 【건축】 아치 : ～ triunfal, ～ de triunfo 개선문.
～ ***de iglesias*** 어려운 일, 곤란한 일.
～ ***de hierro*** 철대(鐵帶).
arcobricense *adj.m.f.* 아르꼬스 데 라 프론떼라《Arcos de la Frontera, Cádiz주의 도시》의 (사람).
arcón *m.* [*aum.* arca] 큰 궤; (포병의) 탄약차.
arcontado *m.* (고대 아테네의) 집정 정치·정부.
arconte *m.* 아르곤《고대 아테네의 9명의 집정관 가운데 한 사람》.
arcosa *f.* 【광물】 사석(砂石), 사암(砂岩).
arcuación *f.* 호의 휜 모양.
arda *f.* 【동물】 다람쥐(ardilla).
ardalear *intr.* 듬성해지다, 성기게 되다(ralear).
ardasa *f.* (페르시아의) 가장 조잡한 비단.
ardasina *f.* (페르시아의) 가장 좋은 비단.
árdea *f.* 【조류】 알락 해오라기(alcaraván).
ardedura *f.* 타는 일; 연소; 불; 불꽃.
ardentía *f.* ① 굉장한 열 (ardor) : sentir ～ en el estómago. ② 바다의 인광. ③ 가슴이 타는 듯함 (pirosis).
ardentísimamente *adv.* 매우 열렬히, 매우 흥분해서.
ardentísimo, ma *adj. sup.* ardiente.
arder *intr.* ① 불타다 : ～ ***en·de*** amor·ira·odio 사랑·분노·증오에 불타다. La leña mojada no *arde* bien 젖은 장작은 잘 타지 않는다. ② 끓다. ③ 【시어】 빛나다. —*tr.* 태우다, 굽다.
～se ① 불타다 : *Se ardió de* cólera 분노에 타올랐다. El país *se ardía en* guerra 전쟁으로 들끓어 오르고 있었다. ② 두엄이 썩다; 말라 비틀어지다. [*N.* 현재 분사 ardiendo는 형용사 구실을 함 : el horno *ardiendo*].
ardeviejas *f.* =**aulaga.**
ardid *m.* 책략 (artificio, maña, treta). —*adj.* 【고어】 교묘한.
ardidez *f.* =**maña, astucia.**
ardideza *f.* =**ardidez.**
ardido, da *adj.* ① 【고어】 용감 무쌍한, 겁없는 (valiente). ② 간교한(astuto). ③ 물러 썩어 들어가는 (과실). ④ 《*Amér.*》 성난(irritado).
ardidoso, sa *adj.* 간교한(astuto, mañoso).
ardiente *adj.* ① 타는 듯한. ② 타오르는, 뜨거운, 심한, 격렬한 : fiebre ～. ③ 열렬한 (apasionado). ④ 새빨간, 진홍의 (de color rojo o de fuego) : clavel ～. [Contr.] apagado.
ardientemente *adv.* 뜨겁게, 타는 듯이; 열렬하게, 격렬히.
ardiento *m.* 연소; 열중; 대담, 겁이 없음.
ardilla *f.* 【동물】 다람쥐.
ardiloso, sa *adj.* 《*Amér.*》 간사한, 간교한 (astuto); 심술궂은.
ardimiento *m.* 연소; 용기(valor).
ardínculo *m.* (가축의) 종기.
ardiondo, da *adj.* 용감한, 용기있는.
ardita *f.* 《*Col. Venez.*》 【동물】 다람쥐(ardilla).
ardite *m.* 아르디떼《Castilla의 옛날 돈 이름》.
no darsele a uno ***un*** ～; ***no valer un*** ～ 별로 가치가 없다(valer muy poco).
ardor *m.* ① 굉장한 열 (calor grande) : el ～ del estío. ② 흥분 : en el ～ de …에 흥분하여. ③ 열심, 열렬 : con ～ 열심히. ④ 갈망 (anhelo). ⑤ 【시어】 빛남.
ardorada *f.* (얼굴이) 화끈거림·몹씨 달아오름 (oleada de rubor).
ardorosamente *adv.* 타오를 듯이, 격렬하게.
ardoroso, sa *adj.* ① 타는 듯한 : sol ～. ② 격렬한.
arduamente *adv.* 어렵게, 힘들게.
arduidad *f.* 어려움, 곤란.
arduo, dua *adj.* 곤란한, 힘든, 어려운(muy difícil). [Contr.] fácil.
área *f.* ① 면, 지면, 표면(superficie) : el ～ de un edificio 건물의 표면. ～ de un polígono 다면체의 한 면. ② 면적. ③ 아르 《면적의 단위》. ④ 방면, 지구, 지역, 권(圈) : ～ aduanera 관세

징수 지역. ~ de castigo (축구의) 벌칙 구역. ~ de comercio libre, ~ de libre comercio 자유무역 지역. ~ del dólar 달러 지역. ~ económica 경제 지역. ~ metropolitana 대도시권. ~ monetaria 통화 지역.
areca *f.* 【식물】 종려나무(의 일종); 그 열매.
arefacción *f.* 바람에 말리기, 건조.
areito *m.* (안띠야스 제도와 중앙 아메리카의) 인디오의 노래와 춤.
arel *m.* 커다란 체.
arelar *tr.* (밀가루 따위를) 체로 치다.
arena *f.* ① 모래 : banco de ~ 사주(砂洲), 모래톱. ② 금속 가루 (metal en polvo) : ~*s* de oro. —*pl.* 방광의 결석.
edificar sobre ~ 사상 누각을 짓다.
escribir sobre la ~ 덧없는 짓을 하다.
sembrar en la ~ 헛일을 하다.
arenáceo, a *adj.* =**arenoso.**
arenación *f.* 열사 요법(熱砂療法).
arenal *m.* 모래밭.
arenalejo *m. dim.* arenal.
arenar *tr.* ① (…에) 모래를 깔다, 모래를 뿌리다 : ~ un jardín. ② 모래로 닦다 (refregar con arena).
arenaza *f.* 왕모래.
arencado, da *adj.* 마른 청어(arenque) 같은.
arencón *m.* 【어류】 청어(arenque)의 일종.
arenería *f.* 모래 저장소(depósito de arena).
arenero, ra *m.f.* 모래 상인. —*m.* (기관차의) 모래 상자.
arenga *f.* ① 격려 연설. ② 장광설 (discurso largo). ③ 《*Chile.*》 입씨름, 말다툼.
arengador, ra *adj.m.f.* 격려 연설을 하는 (사람); 장광설을 늘어놓은 (사람).
arengar *intr.tr.* [8] ① 격려 연설을 하다 : El general *arengó* a los soldados. ② 장광설을 늘어놓다.
arenguear *intr.* 《*Chile.*》 토론하다.
arenícola *adj.* 모래에서 살고 있는. —*m.* 바닷가 모래에서 살고 있는 환형 동물.
arenífero, ra *adj.* 모래가 들어 있는 : roca ~ 모래가 함유된 바위.
arenilla *f.* [*dim.* arena] ① 가는 모래. ② 잉크 빨아들이는 가루. ③ 초석 가루. ④ 방광 결석.
arenillero *m.* =**salbadera.**
arenisca *f.* 사암(砂岩).
arenisco, ca *adj.* 모래 섞인, 모래땅의, 사질(砂質)의 : terreno ~ 모래땅. [**Sinón.**] gres.
arenoso, sa *adj.* ① 사질의; 모래같은 : roca de consistencia ~*sa.* ② 모래가 많은, 모래 섞인 : terreno ~ 모래땅.
arenque *m.* 【어류】 청어.
arenquera *f.* ① 청어잡이용 그물 (red para arenques). ② 몹시 뻔뻔스러운 여자(verdulera, mujer zafia).
arenquero, ra *m.f.* 청어 상인.
arenuloso, sa *adj.* 가는 모래로 가득찬.
aréola *f.* ① 【의학】 피진 홍륜. ② 【해부】 유륜, 젖꽃판.
areolar *adj.* 피진 홍륜의; 유륜의, 젖꽃판의.
areometría *f.* 액체 비중 측정.
areómetro *m.* 액체 비중계.
areopagita *m.* Areópago의 재판관.
areópago *m.* 재정(裁定) 위원회.
Areópago *m.* 고대 아테네의 최고 법정.
areóstilo *m.* 【건축】 소주식(疏柱式).
arepa *f.* 《*Amér.*》 버터 바른 옥수수빵.
ganarse la ~ 생업을 영위하다, 생계를 꾸리다 (ganarse su pan · la vida).
arepita *f. dim.* arepa.
arequipa *f.* 《*Méx.*》 일종의 우유 과자.
Arequipa 【지명】 아레끼빠 《Perú의 주 · 주도》.
arequipeño, ña *adj.m.f.* 아레끼빠의 (사람).
Ares *m.* ① 【희랍 신화】 전쟁의 신(Zeus)의 아들. ② 【로마 신화】 =**Marte.**
ares y mares 지독한 일, 굉장한 것 · 일.
arestil *m.* ① 산형과(散形科)의 화초. ② 말발굽에 생기는 질병.
arestín *m.* =**arestil.**
arestinado, da *adj.* arestín에 걸린.
areta *f.* 《*Col.*》 =**arete.**
arete *m.* [*dim.* aro] 귀고리(arillo, zarcillo, pendiente).
Aretusa *f.* 【희랍 신화】 시내의 여신.
arfada *f.* 배(barco)의 흔들림 · 동요.
arfar *intr.* (배가) 앞뒤로 흔들리다.
arfil *m.* 【고어】 =**alfil.**
arfueyo *m.* 【식물】 겨우살이(muérdago).
arga *f.* (아메리카의) 올리브(aceituna)같은 열매.
argadijo *m.* =**argadillo.**
argadillo *m.* ① 물레, 자새, 얼레. ② 주책바가지.
argado *m.* 장난; 계략, 속임수.
argalia *f.* 카테테르 《의료기》(algalia).
argallera *f.* 대패, 끌.
argamandel *m.* 누더기, 넝마(andrajo).
argamandijo *m.* [집합] 소도구(小道具). [**Contr.**] chismes, trebejos.
argamasa *f.* 모르타르, 회반죽.
argamasar *tr.* 회반죽을 하다, 반죽하다.
argamasón *m.* 회반죽 덩이.
argamula *f.* 《*And.*》 【식물】 =**lengua de buey.**
argán *m.* 아르간 《아프리카산 나무로 열매를 먹을 수 있으며 씨는 기름을 짠다》.
árgana *f.* 기중기의 일종. —*pl.* 운반용 바구니, 망.
argandeño, ña, *adj.m.f.* 아르간다 《Arganda, Madrid 주의 마을》의 (사람).
arganeo *m.* (닻의) 쇠고리.
árgano *m.* 기중기(árgana).
arganudo, da *adj.* 《*Guat.*》 =**valiente, audaz, intrépido.**
argaña *f.* 곡물의 까끄라기.
argavieso *m.* =**turbión, chaparrón, tormenta.**
argayar *intr.* 토사가 무너져 내리다.
argayo *m.* 무너져 내림 : ~ de nieve 눈사태.
argel *adj.* 오른쪽 앞발이 하얀 (말).
Argel *f.* 【지명】 알제 《알제리의 수도》.
Argelia *f.* 【지명】 알제리.
argelino, na *adj.* 알제 · 알제리의. —*m.f.* 알제 · 알제리 사람.
árgema *f.* 【의학】 눈에 생기는 하얀 구름.
argemone *f.* 【식물】 가시가 많은, 양귀비꽃같은 (식물).
argén *m.* 【문장】 백색, 은색.

argentada *f.* 옛날 여자의 화장.

argentado, da *adj.* ① 은도금한(plateado). ② 은방울같은.

argentador, ra *adj.m.f.* 은도금을 하는 (사람).

argentano *m.* 양은 《동·니켈·아연의 합금》.

argentar *tr.* ① 은도금하다(platear). ② 은색으로 하다, 은빛을 내다 : La luna *argentaba* el paisaje.

argentario *m.* 【고어】 =**platero.**

argente *adj.* 《*Méx.*》 부지런한.

argénteo, a *adj.* ① 은의. ② 은도금한 (plateado). ③ 은빛의(de brillo como de plata) : ondas ~*as.*

argentería *f.* 은·금으로 놓은 자수.

argentero *m.* =**argentario, platero.**

argentífero, ra *adj.* 은을 함유한 : mineral ~.

argentifodina *f.* 은광(銀鑛).

argentina *f.* 【식물】 양지꽃속의 무리.

Argentina, la *f.* 【지명】 아르헨띠나(la República Argentina) 《남 아메리카의 공화국 ; 면적 2, 791,810평방 킬로미터 ; 수도 Buenos Aires》.

argentinidad *f.* 아르헨띠나 국민성·정신·문화.

argentinismo *m.* 아르헨띠나풍의 말씨·방언 ; 아르헨띠나 말씨·사투리.

argentinizar *tr.* 아르헨띠나식으로 하다 (dar carácter argentino).

argentino, na *adj.* ① 은의 ; 은빛의 ; 은방울 소리를 내는. ② 아르헨띠나의. —*m.f.* 아르헨띠나 사람. —*m.* 아르헨띠나의 금화 《5뻬소 짜리》.

argento *m.* [*lat.* argentum] 【시어】 은 : ~ vivo 수은(azogue).

argentoso, sa *adj.* 은을 함유한.

argila *f.* 점토(arcilla).

argiloso, sa *adj.* =**arcilloso.**

argilla *f.* =**argila.**

argilloso, sa *f.* 점토의, 점토질의(arcilloso).

argivo, va *adj.* 아르고스 《Argos, 고대 그리스의 도시》의 ; 아르골리다 《la Argólida, 고대 그리스》의 ; 고대 그리스의. —*m.f.* 아르고스 사람 ; 아르골리다 사람 ; 고대 그리스인.

argo *m.* [*gr.* argus] 【화학】 아르곤(argón).

argólico, ca *adj.* =**argivo.**

argolla *f.* ① 두꺼운 (금속의) 고리. ② 테 안으로 나무공을 굴리며 노는 놀이의 이름. ③ 목에 칼을 씌워 징계하는 옛 형벌. ④ 《*Amér.*》 반지(anillo, sortija) ; 결혼 반지. ⑤ 소정당, 일당 일파. ⑥ 《*Arg.*》 보지, 음문(陰門).
formar ~ 《*AmérC.*》 손에 넣다, 점유하다.
tener ~ 《*Méx.*》 두려워하다 ; 운이 좋다.

argollar *tr.* 《*AmérM.*》 ① 약혼하다. ② 끌어들이다, 한통속으로 만들다.

argolleta *f.* *dim.* argolla.

argollón *m.* [*aum.* argolla] 큰 고리 ; 큰 반지.

argoma *f.* 【식물】 바늘금작화(aulaga).

argomón *m.* *aum.* argoma.

argomal *m.* 바늘금작화가 자란 곳.

argón *m.* =**argo.**

argonauta *m.* ① 【신화】 Argos 호를 타고 금의 양털을 찾아간 사람. ② 【동물】 홍어.

argos *m.* ① 【신화】 【희랍 전설】 눈이 100개 달린 거인. ② 엄중한 감시인. ③ 【조류】 (인도·말레이 지방의) 꿩 비슷한 새. ④ 【천문】 아르고좌.

argot *m.* [*pl.* argots] 은어(jerga, germanía).

argucia *f.* 기지, 섬세(sutileza) ; 기민함, 날렵함 ; 교활함.

argüe *m.* 【선박】 녹로(cabrestante).

arguellarse *r.* 쇠약해지다(desmedrarse, desmejorarse).

arguello *m.* 쇠약.

árguenas *f.pl.* 어깨 앞뒤로 늘어뜨려 걸쳐 메는 자루.

arguenero *m.* ① árguenas의 업자·상인. ② 《*Chile.*》 청과물 행상인.

argueñas *f.pl.* =**árguenas.**

argüidor, ra *adj.m.f.* 증명하는 (사람) ; 나무라는, 책망하는 (사람).

argüir *tr.* [77] ① 미루어 짐작하다, 단정하다 : *De* los medios *arguyó* la excelencia del fin 그는 그 수단에서 결과가 얼마나 훌륭한 것인지를 미루어 짐작했다. ② 명백히 하다, 증명하다 : La viveza de los ojos *arguye* la del ingenio 눈의 날카로움은 두뇌 역시 그렇다는 표시이다. ③ 따지다 (acusar). ④ 나무라다, 힐책·책망하다 : Les *argüía* su avaricia 그는 그들의 허욕을 책망했다. Les *argüía de* avaricia 그들을 탐욕스럽다고 나무랐다. —*intr.* 반론하다 ; 논쟁·토의하다.
[직설법 현재 : arguyo, arguyes, arguye, argüimos, argüís, arguyen. 접속법 현재 : arguya, arguyas, arguya, arguyamos, arguyáis, arguyan. 현재 분사 : arguyendo].

argüitivo, va *adj.m.f.* 【고어】 =**argüidor.**

argumentación *f.* 입론, 의론, 추론(推論) ; 논증.

argumentador, ra *adj.* 추론하는 ; 논증하는. —*m.f.* 논자, 논쟁자.

argumentante *adj.m.f.* =**argumentador.**

argumentar *tr.* ① 논증하다. ② 추정하다 (argüir). ③ 《*Neol.*》 정리하다.
—*intr.,* **~se** 토론·토의하다 ; 반론하다.

argumentativo, va *adj.* 입론·의론·추론의 ; 논증의.

argumentista *m.f.* =**argumentador.**

argumento *m.* ① 논증 ; 토론 : ~ incontestable 정곡을 찌른 토론. ② (소설 등의) 줄거리, 이야기 ; 대강 줄거리 ; 플롯, 구성, 결구 : El ~ de la película parece fantástico.

argumentoso, sa *adj.* =**ingenioso, solícito.**

arguy- → **argüir** [77].

arguye argüir의 직·현·3·단수.

arguyen argüir의 직·현·3·복수.

arguyente *adj.* 단정하는, 짐작하는.

arguyeron argüir의 직·부정과거·3·복수.

arguyes argüir의 직·현·2·단수.

arguyo argüir의 직·현·1·단수.

arguyó argüir의 직·부정과거·3·단수.

aria *f.* 【음악】 아리아, 영창(詠唱), 독창곡 ; 서정조(叙情調).

ariano, na *adj.* 아리아족의, 아리아어족(語族)의. —*m.f.* 아리아 사람.

Arica *f.* 【지명】 아리까시·항《칠레의 Tarapacá 주》.

aricado *m.* 사이갈이.

aricar *tr.* [7] 사이갈이하다.

aridarse *r.* 《*Méx.*》 황폐해지다.
aridecerse *r.* 31 황폐해지다.
aridez *f.* (무미) 건조 ; 황량함, 불모 : la ~ del desierto. Contr. fecundidad, humedad.
árido, da *adj.* ① 말라 비틀어진 (seco). ② 불모의. ③ 무미 건조한 : asunto ~. ④ 열매가 열리지 않는 ; 산출이 없는 (estéril). Contr. húmedo, fecundo. —*m.pl.* 곡류(穀類).
Ariel *m.* (Shakespeare의 작품 Tempestad에 등장하는) 물의 정(精), 공기의 정(精).
arienzo *m.* 까스띠야의 옛날 돈.
Aries *m.* 【천문】 숫양좌 ; 백양궁.
arieta *f.* [*dim.* aria] 단곡(短曲) ; 아리에타.
arietar *tr.* [드뭄] =**expugnar, batir, destruir con ariete.**
arietario, ria *adj.* 충각(ariete)의.
ariete *m.* 충각(衝角) 《성문을 쳐부수는 무기》 ; 파성추(破城鎚).
~ *hidráulico* 자동 양수기.
arietino, na *adj.* 양머리 모양의.
arigue *m.* (필리핀의 건물 건축용) 각재.
arijo, ja *adj.* 경작하기 쉬운 : tierra ~.
arilo *m.* 【식물】 (씨앗의) 가종피(假種皮), 자의(子衣).
arillo *m.* [*dim.* aro] 둥근 귀고리.
arimaspo *m.* (옛 이야기에서 아시아에서 살았다는) 외눈박이.
arimez *m.* (건축물의 보강 · 장식용) 돌출부.
arincarse *r.* 7 《*Chile.*》 배가 고파지다.
arindajo *m.* 【조류】 어치.
ario, ria *adj.* 아리아족 (los arios)의 ; 아리아계의 (indoeuropeo) : Los indoeuropeos son de origen ~. —*m.f.* 아리아족.
-ario, ria *suf.* ①「관계 · 소속」의 형용사 어미 : fraccion*ario.* ②「직업」의 명사 어미 : bibliote*cario.* ③ 장소 : campan*ario.* ④ 받는 사람 : beneficia*rio.*
arique *m.* (어떤 묶는 것을) 대왕야자(yagua) 끈.
ariquipe *m.* 《*Col.*》 =**arequipa.**
arísaro *m.* 【식물】 =**candil.**
arisblanco, ca *adj.* 까끄라기가 하얀 (밀).
ariscar *tr.* 7 《*Amér.*》 겁주다(amedrentar).
~se ① 두려워하다. ② 화내다, 노하다, 성내다 (enfadarse). ③ 달아나다.
arisco, ca *adj.* ① 무뚝뚝한, 다루기 힘든, 성미가 고약한 ; 붙임성이 없는. ② 《*Amér.*》 무서워서 떠는, 아주 기겁해 버리는(miedoso). Contr. amable, tratable.
arismape *m.* =**arismapo.**
arisnegro, gra *adj.* 까끄라기가 검은 : trigo ~ 까끄라기가 검은 밀.
arisprieto, ta *adj.* =**arisnegro.**
arista *f.* ① 【식물】 포(苞), 까끄라기. ② 삼껍질. ③ 능선(稜線). ④ 각(角), 모퉁이 : con las ~*s* saltadas 모가 떨어진.
aristado, da *adj.* 까끄라기가 있는 ; 각 · 모퉁이가 있는.
aristarco *m.* 혹평가.
aristárquico, ca *adj.* =**aristárqueo.**
aristín *m.* 《*Murc.*》 =**aristino.**
aristino *m.* =**arestrín.**
aristocracia *f.* ① 귀족 정치. ② [집합] 귀족. ③ 귀족 사회, 상류 사회, 일류 인사들, 명사들 : ~ de saber 학자들. ~ de dinero 부호들. Contr. democracia.
aristócrata *m.f.* 귀족 ; 귀족파의 사람.
aristocráticamente *adv.* 귀족적으로.
aristocrático, ca *adj.* 귀족 (정치 · 사회)의, 귀족적인.
aristocratismo *m.* 귀족 취미 · 기질.
aristocratista *adj.* 귀족주의의 ; 귀족 기질의 ; 결벽한. —*m.f.* 귀족주의자 ; 성미가 깔끔한 사람.
aristocratizar *tr.* 9 귀족적으로 하다, 귀족화하다, 상류층의 기분을 내다.
aristofánico, ca *adj.* 아리스토파네스 《Aristófanes, 기원전 451—385, 그리스의 희극 작가》풍의 ; 야비한 : farsa ~*ca.*
aristoloquia *f.* 【식물】 마령초.
aristón *m.* (건축의) 각, 모서리.
aristoso, sa *adj.* 까끄라기가 많은.
aristotélico, ca *adj.* 아리스토텔레스의(Aristóteles) : doctrina ~*ca.* —*m.f.* 아리스토텔레스 학파 사람.
aristotelismo *m.* 아리스토텔레스의 철학 (peripato).
aritmancia *f.* 숫자로 치는 점.
aritmética *f.* 산술.
aritméticamente *adv.* 산술적으로, 산술로.
aritmético, ca *adj.* 산술의. —*m.f.* 산술가, 수학자.
aritmo *m.* 【의학】 부정맥(不整脈).
aritmógrafo *m.* 계수기(計數器).
aritmomanía *f.* 계산광.
aritmómetro *m.* 계수기.
aritmología *f.* 계수학.
arito *m.* 《*Amér.*》 =**arete.**
arixa *f.* (모로코의) 다락방(desván).
arjonero, ra *adj.m.f.* 아르호나《Arjona, Jaén 주의 도시》의 (사람).
arjorán *f.* 【식물】 이집트 무화과 ; 플라타너스 (ciclamor).
arlequín *m.* ① 경박한 사람. ② 흑백색의 바둑무늬 옷을 입은 어릿광대. ③ 해괴 망측한 차림의 사람. ④ 2색 아이스크림.
arlequinada *f.* 광대짓, 장난기(ridiculez).
arlequinesco, ca *adj.* 구성진, 우스운 (ridículo).
arlo *m.* ① 【식물】 매자나무속의 나무 (agracejo). ② 다발로 묶은 과일.
arlota *f.* =**alrota.**
arlote *adj.* ① 【고어】 =**holgazán, bribón.** ② 《*Arg.*》 =**descuidado.**
arma *f.* ① 무기, 병기, 전리품 : ~ arrojadiza 날아가는 무기《활 · 창 따위》. ~ blanca 칼과 창, 도검, 무기. ~ defensiva 방어 · 호신용 무기. ~ de fuego 화기 총포. ~ negra 연습용 칼 · 죽창. ~ ofensiva 공격용 무기. ¡~, adelante! 받들어 총! 《군대에서 시키는 구령》. ② 병과, 병종(兵種) : ~ de artillería 포병. ~ de infantería 보병. ~ de caballería 기병. ③ (소의) 뿔 (cuerno). ④ *pl.* 국군, 군대 : las ~*s* de España. —*pl.* ① 도구, 수단(medios). ② 문장(紋章).
¡al ~ !, ¡a las ~s! 전투 준비!
alzarse en ~s 모반 · 반란을 일으키다.

con ~s y equipos 빈틈없는 몸차림으로.
de ~s tomar =resuelto, de cuidado.
descansar las ~s 쉬기 위해 땅에 무기를 기대다.
escudo de ~s 문장(紋章).
estar en ~· en ~s 무기를 들고 서 있다, 반란을 일으키다.
hacer ~s 싸우다, 전쟁하다 ; 무기를 가지고 협박하다 ; 격투하다.
hacer sus primeras ~s 첫 전투에 출전하다(hacer su primera campaña) ; (무엇을) 시작하다(empezar algo).
hecho de ~s 전공(hazaña de guerra).
pasar por las ~s 총살하다(fusilar).
presentar las ~s 받들어 총을 하다.
rendir el ~ 보병이 오른쪽 무릎을 꿇고, 총과 상반신을 구부려 신에게 기도를 드리다.
rendir las ~s 항복의 표시로 무장을 해제하여 무기를 적에게 건네다, 군문에 투항하다.
ser una cosa de ~s al hombro 중요성이 없다.
sobre las ~s 임전 태세로.

armada *f.* ① 해군. ② 함대 : *A-* Invencible 무적 함대. ③ 사냥의 몰이꾼. ④ 《*AmérM.*》 (던지는 오랏줄의) 고리 모양으로 맺은 것. ⑤ 《*Bol. Perú.*》 분할한 1회 : Pagaré en cuatro ~*s* 4회 분할로 지불하겠습니다.

armadera *f.* 선재(船材).

armadía *f.* 뗏목.

armadija *f.* =**armadijo.**

armadijo *m.* 올가미, 덫, 그물(trampa, lazo, red para cazar animales).

armadillo *m.* 【동물】 아르마디요, (남미의) 갑옷쥐.

armado, da *adj.* ① 무장한 : fuerza ~*da* 무력, 군대. ② 장갑한 ; 보강한 : cemento ~ 철근 콘크리트. cristal ~ 쇠그물이 들어간 유리. ③ [+de : …을] 가진, 갖춘 : fauces ~*das de* agudos dientes 날카로운 이빨이 있는 커다란 입. Está siempre ~ *de* un paraguas 늘 우산을 가지고 있다. ④ 조립한, 세트로 된. ⑤ 《*Méx.*》 끈질긴, 완고한 (terco).
—*m.* ① 옷을 입음. ② (행렬 등의) 무사 차림의 사람. ③ 《*Chile.*》 =**armadura.**

armador, ra *m.f.* 의장자(艤裝者) ; (포경선 등을 만드는) 선주(船主) : compañía ~*ra* 선박 회사, 운송 회사. —*m.* 조끼(jubón).

armadoras *f.pl.* 《*Col.*》 속치마.

armadura *f.* ① 갑옷, 병기(兵器). ② 얼거리. ③ (기계 · 건축의) 뼈대. ④ 해골(esqueleto). ⑤ 【전기】 전기자.

armaga *f.* 【식물】 헨루다.

armajal *m.* 수송나물밭.

armajo *m.* 【식물】 수송나물.

armamentista *m.f.* ① 군비 확장론자 ; 무기 제조자. ② 《*AmérC.*》 =**militarista.** —*adj.* armamento의.

armamento *m.* 전쟁 준비 ; 무장, 군비(軍備) : ~ completo 완전 무장. ~ nuclear 핵무장. reducción de ~*s* 군비 축소. ② 전쟁 준비품 ; 무기 ; 장비 ; 의장(艤裝).

armamiento *m.* 【고어】 =**armamento, cornamento.**

armar *tr.* ① 무장시키다 (dar armas) : ~ *con · de* carabina 총으로 무장시키다. ② 발사 장치를 하다 : ~ la pistola 권총의 안전 장치를 풀다. ③ 조립하다 (montar) : ~ una casa 집의 뼈대를 세우다. ~ una máquina 기계를 조립하다. ④ 장치하다 : ~ la trampa 덫을 장치하다. ⑤ (선박을) 의장하다, 만들다 : ~ el barco ballenero 포경선을 만들다. ⑥ 보강하다, 철근 · 철망을 넣다. ⑦ (금 · 은을) 씌우다 : oro *armado* sobre cobre 구리에 씌운 금. ⑧ (나뭇가지 등에) 결나무를 대다. ⑨ (필요한 것을) 주다, 갖추어 주다 (proveer). ⑩ 갖추다, 준비 · 채비하다 (disponer) : ~ un baile 무도회를 열다. ⑪ 제기하다 (causar) : ~ un pleito 소송을 제기하다. ~ un alboroto 소란 · 난리를 피우다. ⑫ [뜻이 없는 la 앞에서] 싸움을 시작하다, 난리판을 벌이다. ⑬ (카드 놀이에서) 눈을 속이다.
—*intr.* ① 맞다, 일치되다 : El vestido no *arma a* su talle 옷이 그의 체격에 맞지 않는다. Esta consideración *arma a* nuestro propósito 그의 생각은 우리의 의사와 일치된다. ②【광산】 (바위 사이에 광상이) 끼어 있다(yacer).
~se ① [+de : …을 무기 · 노획물로서] 준비하다, 들다 ; 무장하다, 군비를 갖추다 ; 전투 준비를 갖추다. ② (필요한 것을) 준비하다, 갖추다. ③ 조립되다, 준비되다. ④ (이상한 일이) 일어나다 : *Se armó* un alboroto 시끄러운 일이 생겼다. ⑤ 마음 가짐을 단단히 하다 : ~*se de* paciencia 마음을 단단히 먹다. ⑥ 《*Amér.*》 (말 등이) 꼿꼿이 서다 (plantarse). ⑦ 《*Amér.*》 (사람이) 끈질기게 저항하다(obstinarse violentamente).
~se la gorda, la de san Quintín o la de Dios es Cristo 스캔들이 생기다, 소란이 일어나다.

armario *m.* ① 책장. ② 벽장. ③ 케비닛, 양복장 : ~ de luna 거울 달린 양복장 (ropero que tiene espejo en la puerta). ④ 찬장, 선반 : ~ archivo 서류 분류용 선반.

armatoste *m.* ① 구질구질한 기계 · 가구 (máquina o mueble tosco). ② 체구만 크고 재주 없는 · 쓸모 없는 사람 (persona corpulenta o inútil). ③ 올가미, 덫, 활고자.

armazón *f.* 골조, 뼈대(armadura) : ~ de máquina 기계의 골조. ~ para paraguas 우산의 살. ② 조립(하기), 발판 조립 ; 짜맞추기, 나무짝. —*m.* ① 골격, 뼈대, 골간(esqueleto). ② 《*And. Amér.*》 선반(anaquelería), 상품 진열장, 상품 진열 상자.

armelina *f.* 백색 담비의 가죽.

armella *f.* 고리 달린 나사(못)(anillo de hierro con una espiga para clavarlo).

armelluela *f. dim.* armella.

Armenia *f.* 【지명】 아르메니아.

arménico, ca *adj.* =**armenio.**

armenio, nia *adj.* 아르메니아의 : bol ~.
—*m.f.* 아르메니아 사람. —*m.* 아르메니아말.

armera *f.* 무기걸이(percha para colocar armas).

armería *f.* ① 무기 박물관 (museo de armas) ; 병기 저장소. ② 무기 제조 기술 ; 병기 판매소 · 상점 (tienda de armero). ③ 총걸이. ④ 문장학(紋章學).

armero *m.* ① 무기 제조자 (fabricante de armas) : ~ mayor 병기고의 우두머리. ② 무기 판매상 (vendedor de armas).

armífero, ra *adj.* =**armígero.**
armígero, ra *adj.* 【시어】 ① 무장(武裝)한 : ángel ~. ② 호전적인 (belicoso). —*m.* (무장·귀족의) 방패잡이.
armilar *adj.* *esfera* ~ 【천문】 천구의(天球儀).
armilla *f.* ① =**astrágalo**. ② 【건축】 고리 장식. ③ (옛날의) 천체의(天體儀).
armillado, da *adj.* 고리(anillo)로 둘러쌓인.
armiñado, da *adj.* 백색 담비 가죽을 걸친 ; 새하얀.
armiño *m.* 【동물】 산 족제비, (흰) 담비.
armipotencia *f.* 무력 ; 무력의 위세.
armipotente *adj.* 무력있는.
armisonante *adj.* 무사답게 보이는.
armisticio *m.* [*lat.* arma + statio] 휴전, 정전 (suspensión de hostilidades) : Firmaron el ~ 휴전에 서명했다.
armón *m.* 포가(砲架) ; (포의) 전차(前車).
armonía *f.* [*gr.* harmonia] ① 조화 (harmonía) : en ~ con …와 조화를 이루어. ② 화합, 일치, 타협, 우의 : vivir en ~. ③ 【음악】 화성(법), 화성악, (협)화음.
armoníaco, ca *adj.* =**amoníaco.**
armónica *f.* 하모니카.
armónicamente *adv.* 조화를 이루어 (de una manera armónica) : vivir ~.
armónico, ca *adj.* 조화를 이룬, 균형 잡힌 : composición ~*ca*. —*m.* 【음악】 배음(倍音).
armonio *m.* 【음악】 오르간(harmonio).
armoniosamente *adv.* 조화를 이루어 : colores ~ unidos.
armonioso, sa *adj.* ① 귀에 듣기 좋은(agradable al oído) : música ~*sa*. ② 조화된 : conjunto de colores ~*s*.
armonista *m.f.* 조화를 아는 사람.
armónium *m.* 【속어】 =**armonio.**
armonizable *adj.* 조화시킬 수 있는, 조화할 수 있는.
armonización *f.* 조화, 화합, 일치 ; 타협 ; 조정 : ~ de los (tipos de) derechos 관세율의 조정.
armonizar *tr.* ⑨ 조화시키다, 화합시키다 : ~ intereses opuestos. —*intr.* 조화되다 ; 타협하다 ; 화합하다.
armoriado, da *adj.* 【방언】 =**balsonado.**
armorial *m.* 문장보(紋章譜), 문장집. [Sinón.] nobiliario.
armuelle *m.* 【식물】 오노니스속의 일종.
arna *f.* =**vaso de colmena.**
arnacho *m.* 【식물】 비름속의 식물(gatuña).
arnasca *f.* 《*Ál.*》 =**pila de piedra.**
arnaucho *m.* 《*Perú.*》 【식물】 고추(ají)나 후추(pimiento)의 일종.
arnaúte *adj.* =**albanés.**
arnés *m.* 갑옷 (armadura). —*pl.* ① 마구(馬具). ② 도구 : ~*es* para cazar.
blasonar del ~ 뽐내다, 으시대다, 떵떵거리다.
árnica *f.* 【식물】 아르니카 《약용 식물》 : tintura de ~.
arnicina *f.* 아르니카정(精).
arnillo *m.* (꾸바의) 물고기의 일종.
aro[1] *m.* ① 바퀴. ② 바퀴 모양으로 된 것 : ~ de gafas 안경테. ③ (통 등의) 테 : ~ de un tonel 통의 테. ④ 바퀴 모양의 어린이 장난감 : jugar al ~. ⑤ 《*Amér.*》 =**sortija.** ⑥ 《*Arg. Chile.*》 귀고리(arete). ⑦ =**servilletero.**
entrar por el ~ 억지로 하다.
hacer ~ 《*Chile.*》 (노래나 춤을) 중지시키다.
pasar por el ~ =entrar por el ~.
aro[2] *m.* [*lat.* arum ; *gr.* aron] 【식물】 타로토란.
~ *de Egipto* 【식물】 (카나리아의) 참마(ñame).
~ *de Etiopía* 【식물】 =**cala.**
¡aro! *interj.* 춤추는 사람들에게 술을 대접하기 위해서 멈추라고 지르는 소리.
aroca *f.* (포르투갈 Arouca의) 린넬 아마포 (lienzo).
aroidáceas *f.pl.* 바퀴 모양의 식물.
aroideo, a *adj.* =**aráceo.**
aroma *m.* [*gr.* aroma] ① 향기, 방향(芳香) (olor muy agradable) : ~ del café · de la canela 커피·계피의 향(기). ② 향료 (perfume). —*f.* 아로모(aromo)꽃.
aromar *tr.* =**perfumar.**
aromaticidad *f.* 향기로움, 그윽함.
aromático, ca *adj.* 향기로운, 그윽한 향내가 나는 : hierbas ~*cas* 그윽한 향기가 나는 풀.
aromatización *f.* 향기·향료를 넣는 일.
aromatizador *m.* 《*Chile.*》 =**vaporizador.**
aromatizante *adj.* 향료·향기를 넣은.
aromatizar *tr.* ⑨ (…에) 향기를 넣다, 향료를 넣다(perfumar) : ~ una bebida con hinojo.
aromo *m.* 【식물】 아카시아의 일종 《꽃이 향기로움》.
aromoso, sa *adj.* 향이 있는, 향기로운 (aromático) : flor ~*sa*.
arón *m.* 【식물】 =**aro.**
arpa *f.* [*gr.* harpê] 【악기】 하프, 수금(竪琴). [*N.* harpa 라고도 씀].
tronar como el ~ *vieja* 실패로 끝나다, 산산 조각이 나다.
arpado, da *adj.* ① 톱니 모양의. ② 【시어】 지저귀는 소리가 아름다운 : el ~ ruiseñor.
arpadura *f.* =**araño, rasguño.**
arpar *tr.* ① 켜다. ② (손톱으로) 긁다(arañar). ③ (발기발기) 찢다(asgar).
~se 《*Col.*》 가득해지다, …투성이가 되다.
arpegiar *intr.* ⑪ 아르페지오(arpegios)를 켜다.
arpegio *m.* 【음악】 급속 탄주(急速彈奏), 아르페지오, 분산 화음(分散和音).
ARPEL Asistencia Recíproca Petrolera Estatal Latinoamericana 라틴 아메리카 국유 석유 상호 원조 ; Asociación de Asistencia Recíproca Petrolera Estatal Latinoamericana 라틴 아메리카 국영 석유 기업 상호 원조 협회.
arpella *f.* 【조류】 새매.
arpende *m.* 서반아의 옛 표면 측량.
arpeo *m.* 금속으로 된 손잡이 ; 작은 닻.
arpía *f.* ① 얼굴은 여자, 몸은 새인 우화적인 새. ② 추녀(醜女). ③ 【조류】 독수리(águila)의 일종. ④ 【은어】 경찰서 말단 관리.
arpillador, ra *m.f.* 《*Méx.*》 포장하는 사람.
arpilladura *f.* 포장.
arpillar *tr.* 《*Méx.*》 ① 올이 굵은 삼베로 감다 : ~ una caja. ② 포장하다.
arpillera *f.* 올이 굵은 삼베(harpillera).
arpinar *tr.* 《*Ecuad.*》 훔치다.

arpista *m.f.* ① 하프 연주가 : una ~ hábil. ② 《*Méx.*》 좀도둑(ratero).
arpón *m.* 작살.
arponado, da *adj.* 작살(arpón) 같은.
arponar *tr. intr.* =**arponear.**
arponear *tr. intr.* (…에) 작살을 던지다 : ~ una ballena.
arponero *m.* 작살을 던지는 사람.
arque- *pref.* 「고(古)·원시」의 뜻을 나타내는 접두어.
arqueada *f.* ①【음악】 활의 조작, 탄현(彈弦). ② 구토(arcada, náusea).
arqueador *m.* ① 배의 적재 검사자. ② 양털을 타는 사람.
arqueaje *m.* 배의 적재량.
arqueamiento *m.* =**arqueaje.**
arquear *tr.* ① 활처럼 휘게 하다 (dar figura de arco) : ~ una vara de avellano. ② (배의 적재량을) 검사하다. ③ (금고 안에 든 것을) 조사하다 ; 계산하다. ④ (양털 등을) 타다. ⑤ 《*Amér.*》 회계 검사를 하다. —*intr.* 속이 울렁거리다(nausear)
~se 활처럼 휘다.
arqueo *m.* ① 만곡(灣曲). ② 배의 용량·적재량 (tonelaje) : ~ bruto 총톤수. ~ neto 적재 톤수. tonelada de ~ 용량톤. ③ (금고 등의) 내용 검사 ; 회계 검사. ④【상업】 현금 잔고표.
arqueo- *pref.* 「고(古)·원시」의 뜻을 나타내는 접두어.
arqueolítico, ca *adj.* 석기 시대(la edad de piedra)의.
arqueología *f.* 고고학 : ~ mejicana.
arqueológico, ca *adj.* ① 고고학의 : expedición ~*ca* 고고학 탐험(대). museo ~ 고고학 박물관. ② 오래된, 케케묵은.
arqueólogo, ga *m.f.* 고고학자.
arquería *f.* [집합] 건물의 아치.
arquero *m.* ① 궁병 (弓兵). ② 활 만드는 사람 ③ 《*Amér.*》 (축구 등의) 골키퍼, 문지기. ④ 회계 주임.
arqueta *f.* [*dim.* arca] 작은 궤, 작은 상자 ; (상자 모양의) 손가방.
arquetípico, ca *adj.* arquetipo의.
arquetipo *m.* 모범 ; 전형 ; 원형.
arquetón *m. aum.* arqueta.
arqui- *pref.* =**archi-.**
arquíatra *m.* (국왕의) 시의(侍醫).
arquibanco *m.* 서랍이 딸린 벤치.
arquidiócesis *f.* 대(주)교구, 대주교 관구.
arquiepiscopal *adj.* 대교구의, 대주교구의(arzobispal) : palacio ~.
arquilar *tr.* 《*Amér.*》 =**alquilar.**
arquilla *f. dim.* arca.
arquillo *m.* (현악기의) 활.
arquimesa *f.* 정리 선반.
arquíptero, ra *adj.m.*【동물】 원치류의 (곤충) 《잠자리 등》. —*pl.* 원치류속 곤충.
arquisinagogo *m.* (유대 교회의) 교회주.
arquispérmeo, a *adj.* =**gimnospermo.** —*f.pl.*【식물】 =**gimnospermas.**
arquitecto *m.f.* 건축가, 건축 기사.
arquitectónico, ca *adj.* 건축(학)의.
arquitectura *f.* ① 건축, 건조 : ~ gótica 고딕 건축. ~ civil 일반 건축. ~ naval 조선(造船). ② 건축술, 건축학. ③ 형, 모양(forma) ; 구조 (estructura) : ~ del cuerpo humano 인체의 구조.
arquitectural *adj.* =**arquitectónico.**
arquitrabe *m.*【건축】 추녀 끝.
arquivolta *f.*【건축】 아치 조형(繰形)(archivolta).
arra *f.* [드뭄] =**arras.**
arrabá *m.* [*pl.* arrabaes]【건축】 아치형 창이나 입구를 싸는 네모난 틀.
arrabal *m.* 교외구 ; 교외 ; 마을 밖, 변두리 : ~ marinero 선창가.
arrabalero, ra *m.f.* 교외의 주민 ; 평민. —*adj.* ① 교외구의, 마을 밖의. ② 조악한(vulgar, bajo).
arrabalesco, ca *m.f.* =**arrebalero.**
arrabiatar *tr.* 《*AmérC.*》 (가축 등의) 꼬리를 매다(rabiatar).
~se 옳다고 따르다.
arrabio *m.*【야금】 주철(hierro colado).
arracacha *f.* ① (남미산의) 당근류. ② 어리석은 일(sandez, tontería).
arracacho, cha *adj.* 《*Col.*》 어리석은 ; 경망스러운, 방정맞은.
arracada *f.* 귀고리(zarcillo, pendiente).
arrachaca *f.* 《*Col.*》 =**arracacha, apio.**
arracimado, da *adj.* 송이를 이룬.
arracimarse *r.* 송이를 이루다, 주렁주렁 열리다(unirse en racimo).
arraclán *m.* ①【식물】 일종의 오리나무. ②【동물】 전갈.
arráez *m.* ① 아라비아군의 대장·선장. ② 우두머리, 두목, 왕초. ③ 《*Filip.*》 선주, 선장.
arraigadamente *adv.* 끈질기게 ; 뿌리깊게, 단단히.
arraigadas *f.pl.*【해사】 늑재(肋材).
arraigado, da *adj.* 뿌리를 박은 ; 부동산·재산이 있는. —*m.* (배가) 정박하는 일.
arraigamiento *m.* 식물의 뿌리박음.
arraigante *adj.* 뿌리박은.
arraigar *intr.* ⑧ ① 뿌리박다(echar raíces) : El esqueje *arraigó*. ② 견고하게 되다(hacerse muy firme) : ~ una costumbre · una idea 풍습·사상이 견고하게 되다.
—*tr.* ① 심다, 정착시키다 : ~ la fe 신앙을 심어주다. ~ el sistema democrático 민주주의 제도를 정착시키다. San Pablo nos *arraigó* en la fe 성 빠블로는 우리에게 신앙을 심어 주었다. ② (재산 등을) 담보로 하다. ③ 《*Amér.*》 (법적으로) 금족시키다.
~se ① 뿌리를 내다, 뿌리를 뻗다, 뿌리를 박다 ; 정착하다, 정주하다. ② (못된 습관이) 깊이 뿌리박다. **Contr.** desarraigar.
arraigo *m.* ① 뿌리박는 일 : planta de difícil ~. ② 정착, 정주. ③ 부동산, 재산 : hombre de ~ 재산가. tener ~ 재산이 있다. ④ 《*Amér.*》 금족.
arraizar *intr.* ⑯ 《*Col.*》 =**arraigar.**
arralar *intr.* 드문드문해지다(ralear).
arramblar *tr.* ① (냇물·홍수가) 토사를 쓸어내리다, (땅을) 토사투성이로 만들다. ② 석권하다 (arrastar). —*intr.* [+con : …을] 날치기하다,

나꿔 채다 : *Arrambló (con)* el dinero y se fue 그는 돈을 날치기하고 도망쳤다.
~se 토사로 매몰되다.
arramplar *tr.* =**arramblar.**
arrancaclavos *m.* 【단 · 복수 동형】 못뽑이.
arrancada *f.* ① 별안간 뛰어나가는 일 ; (배 · 자동차 · 말 등의) 처음 시작, 시동 ; 갑자기 속도를 더하는 일. ② 습격(acometida).
arrancadera *f.* (소의) 왕방울.
arrancadero *m.* 출발점, 스타트.
arrancado, da *adj.* 몰락한(arruinado).
arrancador, ra *adj.m.f.* 뽑아내는 (사람 · 물건).
arrancadora *f.* 뿌리뽑는 기계, 제초기.
arrancadura *f.* 뽑아내는 일 ; 급작스러운 시동.
arrancamiento *m.* =**arrancadura.**
arrancapinos *f.* 작은 사람(hombre pequeño).
arrancar *tr.* 7 ① 뿌리째 뽑다 (sacar de raíz) : ~ la broza *del* suelo · *al* suelo 땅에서 잡초를 뽑다. ② 뽑다 (sacar) : ~ una muela · un clavo 이 · 못을 뽑다. ③ 따다, 떼어내다. ④ 빼앗다, 약탈하다, 강탈하다 ; 훔치다, 울거내다 : ~ la piedad 동정하게 하다. ⑤ 내다, 내게 하다 : ~ lágrimas 눈물을 흘리게 하다. ~ del pecho la voz 가슴으로부터 소리를 내다. ⑥ 떼어놓다, 떨어지게 하다. ⑦ (못된 습관 등에서) 완전히 손을 씻게 하다. ⑧ 움직이게 하다, 뛰어가게 하다 : ~ el automóvil 자동차를 출발시키다. ⑨ 속력을 내다 · 내게 하다. —*intr.* ① 달리기 시작하다, 움직이기 시작하다 : El tren *arrancó.* ② (어떤 장소에서) 움직이다, 이동하다 : Es duro ~ de aquí 이곳을 떠나기란 가슴 아프다. ③ 유래하다, 비롯되다 (provenir) : ~ de mala interpretación 오해에서 비롯되다. ④ 나와 있다, 일어나다, 기점이 되다, 시작하다.
~se 《*Méx.*》 파산하다, 알거지가 되다 ; 죽다.
estar de ~ 《*Méx.*》 이판사판이다.
arrancasiega *f.* (밀 따위를) 가려 베기.
arranchar *tr.* ① (배가 해안을 따라) 항해하다. ② 《*Amér.*》 약탈하다, 붙잡다.
~se ① 한솥밥을 먹다. ② 차려 놓은 음식을 먹다.
arranciarse *r.* 11 (식품이) 변질되다, 썩은 냄새가 나다(enranciarse).
arrancón *m.* ① 《*Col.*》 괴로움 ; 근심 ; 감격. ② 《*Col. Méx.*》 첫 시작(arrancada).
arranque *m.* ① 잡아 뽑기. ② 돌진 ; 스타트, 출동, 발동, 시동 : el ~ de un automóvil 자동차의 시동. aparato de ~ 기동(起動) 장치. botón de ~ 시동 단추. ③ 격노, 발작. ④ 착상, 기발한 말(ocurrencia) : tener muchos ~*s* ingeniosos. ⑤ (팔 · 다리의) 오금. ⑥ 밑둥 ; (아치 · 교각의) 기점 : piedra de ~ 초석. ⑦ 《*Amér.*》 가난.
no servir ni para ~ 《*Méx.*》 아무 짝에도 쓸모가 없다.
arranquera *f.* 《*Amér.*》 빈곤, 궁핍(pobreza extremada).
arranquitis *m.* 《*Amér.*》 =**arranquera.**
arranyar *tr.* 《*Arg.*》 【은어】 =**arreglar.**
arrapar *tr.* 탈취하다(arrebatar).
arrapiezo *m.* 넝마(harapo) ; 빈민.
arrapo *m.* =**arrapiezo.**
arras *f.pl.* ① 착수금, 보증금 : dar · pagar las ~ 착수금을 주다. ② 약혼 선물로 주는 돈.
arrasado, da *adj.* 비단(raso)같은, 보드라운, 매끄러운, 촉감이 좋은 : tela ~*da* 촉감이 좋은 천. Sinón. satinado.
arrasadura *f.* =**rasadura.**
arrasamiento *m.* arrasar하는 일.
arrasar *tr.* ① 매끄럽게 하다, 편평하게 하다, 고르다(allanar). ② 휩쓸다, 부수다 : ~ los muros. ③ 철철 넘칠 정도로 붓다. —*intr.* 활짝 개이다(despejarse el cielo). Contr. nublarse.
~se ① 활짝 개이다(despejarse). ② 가득 차다 : ~*se de* · *en* lágrimas 눈물로 지새우다.
arrascar *tr.* 【속어】 =**rascar.**
arrastra *adv.* =**a la rastra.**
arrastracueros *m.* 《*Venez.*》 =**individuo despreciable.**
arrastrada *f.* ① 갈보, 창녀, 창부, 매춘부(mujer prostituta). ② 《*Méx.*》 질질 끄는 일, 기어 다니는 일.
arrastradamente *adv.* 고생하여 ; 처참하게, 불행하게.
arrastradera *f.* 앞 돛대의 날개(ala de trinquete).
arrastradero m. (목재 등을) 끌어내리는 길.
arrastradizo, za *adj.* 잡아 끌 수 있는, 잡아 끌린 ; 쉽게 탈곡되는.
arrastrado, da *adj.* 변변치 않는, 처참한 (desastrado) : una vida ~*da* 처참한 생활.
—*m.f.* 불량배, 건달(pícaro).
arrastramiento *m.* 잡아 끄는 일.
arrastrante *adj.* 끄는, 기어가는.
arrastrapiés *m.* 저는 다리 (걸음걸이).
arrastrar *tr.* ① 끌다 : ~ los troncos por el suelo 통나무를 질질 끌다. ② 질질 끌고 가다 : ~ los días tristes 슬픈 나날을 억지로 살아가다. ③ 끌어들이다, 끌어넣다.
—*intr.*, **~se** ① 기어가다, 기다 : Las culebras *arrastran* 뱀들은 기어 다닌다. ② 땅에 끌리다 · 끌다 : los que *(se) arrastran por* el suelo 땅위를 기는 것들. ③ 질질 끌다 : Las faldas *(se) arrastran* 스커트가 질질 끌리고 있다. ④ 비굴해지다 (humillarse). ⑤ 덧없는 목숨을 이어나가다.
arrastre *m.* ① 질질 끄는 일. ② 운송, 운반. ③ 운반량, 운반료. ④ 《*Méx.*》 쇄광장(碎鑛場).
arrate *m.* =**libra de dieciséis onzas.**
arratonado, da *adj.* 쥐(ratón)가 갉은 : queso ~ 쥐가 갉은 치즈.
arratonarse *r.* 《*Guat.*》 (식물이) 구루병이 생기다.
arrayador *m.* 《*Ecuad.*》 치수용 평목(rasero para las medidas).
arrayán *m.* 【식물】 도금양(挑金孃).
arrayanal *m.* 도금양밭.
¡arre! *interj.* 소 · 말 · 당나귀를 몰 때 지르는 소리, 이랴! —*m.* 짐말 ; 장난감말.
arrea *f.* 《*Amér.*》 =**recua.**
arreada *f.* ① 《*Amér.*》 가축 도둑. ② 《*Amér.*》 탈취, 약탈. ③ 《*AmérM.*》 (민간인을 군대로) 끌어 모음.
arreado, da *adj.* ① 《*And. Amér.*》 나태한, 게으른(perezoso). ② 몰락한. ③ 빈한한, 곤궁한. ④ 《*Amér.*》 걸음걸이가 더딘, 발이 약한.

arreador *m.* ① 《*AmérM.*》 (소·말을 쫓는) 채찍. ② =**capataz.**

arrear *tr.* ① (소·말을) 몰다. ② 꾸미다, 장식하다, 치장하다(adornar). ③ 《*AmérM.*》 (가축 등을) 훔쳐내다. ④ 《*AmérM.*》 성화를 부리다. ⑤ 《*AmérM.*》 때리다.
—*intr.* 서두르다 : *¡Arrea!* 빨리빨리 !

arrebañaderas *f.pl.* 우물 바닥 치기 (도구).

arrebañador, ra *adj.m.f.* =**rebañador.**

arrebañadura *f.* 남김없이 줍는 일, 모두 먹어버리는 일. —*pl.* 먹다 남은 찌꺼기.

arrebañar *tr.* 모조리 (sin dejar nada) 주워 모으다 ; 깨끗이 먹어 치우다 (apurar el contenido de un plato).

arrebatacapas *m.* 그대로 바람을 맞음 ; 바람을 잘 타는 곳 ; 뒤숭숭한 곳(puerto de ~).

arrebatadamente *adv.* 부랴부랴, 정신없이, 당황해서, 쩔쩔매서 (precipitadamente) : marcharse ~.

arrebatadizo, za *adj.* 흥분 잘 하는 : carácter ~. Contr. tranquilo.

arrebatado, da *adj.* ① 부산한, 떠들썩한, 어수선한(precipitado) : ademán ~. ② 새빨간, 시뻘건(muy encendido) : rostro ~. ③ 격렬한.

arrebatador, ra *adj.m.f.* arrebatar하는 (사람).

arrebatamiento *m.* ① arrebatar 하는 일. ② 격앙, 격노(furor). ③ 흥분(éxtasis).

arrebatar *tr.* ① 비틀어 뺏다·따다, 탈취하다, 낚아채다 : Le *arrebató* el libro 그의 책을 낚아채갔다. ② (마음·정신·주의 등을) 빼앗다·끌다(arrobar). ③ 끌어들이다(arrastrar). ④ 《*AmérC.*》 짓밟다 ; 덮치다.
~se ① 격분하다, 노하다, 격앙하다, 흥분하다 (enfurecerse, irritarse) : ~ *en* cólera · *de* ira. ② 열중하다, 정신을 못차리다. ③ (음식이) 눋다, 타다. ④ (농작물이) 바싹 마르다.

arrebatiña *f.* 서로 빼앗기.

arrebato *m.* =**arrebatamiento.**

arrebatoso, sa *adj.* =**pronto, vivo, repentino, arrebatado.**

arrebiato *m.* 《*Venez.*》 =**reata.**

arrebol *m.* ① 저녁 노을 ; 아침 노을. ② 연분홍, 연지(colorete) : darse ~ a las mejillas 볼에 연지를 바르다. ③ 《*Venez.*》 꾸밈. —*pl.* 아침·저녁 노을에 비친 구름.

arrebolada *f.* 【집합】 아침·저녁 노을에 비친 구름.

arrebolado, da *adj.* 연지를 바른.

arrebolar *tr.* 진홍으로 물들이다, 빨갛게 칠하다.
~se ① 연지를 바르다 ; 새빨개지다 : ~*se* el rostro. ② 진홍빛이 되다. ③ 《*Amér.*》 소란을 피우다 ; 요리조리 도망치다. ④ 《*Venez.*》 치장하다.

arrebolera *f.* ① 분접시. ② 【식물】 분꽃.

arrebollarse *r.* 《*Ast.*》 =**despeñarse, precipitarse.**

arrebosar *intr.* 넘치다.

arrebozar *tr.* 9 싸다 ; 감싸다(rebozar) : ~ con azúcar.
~se (벌·개미·파리 등이) 떼를 이루다 ; 외투·목도리로 몸을 감싸다.

arrebozo *m.* =**rebozo.**

arrebujadamente *adv.* =**confusamente.**

arrebujar *tr.* 꼬깃꼬깃 뭉치다 : ~ la ropa.
~se ① 몸을 잘 감싸다, 외투의 깃을 세우다 : *arrebujado* del manto 외투에 푹 싸여. ② 잠자리에 파고들다.

arrecadar *tr.* 《*Sal.*》 =**guardar bien.**

arrecho, cha *adj.* ① 【방언】 치솟은. ② 《*Amér.*》 힘이 좋은, 팔팔한. ③ 성적 매력이 있는.

arrechucho *m.* 【속어】 발작 ; 가벼운 급환.

arreciar(se) *intr.(r.)* 11 ① 강해지다, 격렬해지다 : ~ el temporal. ② (열이) 오르다. ③ 힘이 생기다, 단단해지다. ④ 추위로 손이 곱아지다(arrecirse).

arrecifar *intr.* 《*And.*》 길을 포장하다 (empedrar un camino).

arrecife *m.* ① 암초 : ~ de coral 산호초. ② 돌로 포장된 길(calzada).

arrecirse *r.* (추위로 손발이) 곱아지다. [*N.* aguerrir와 같은 불구 동사].

arrecoger *tr.* 《*And. Amér.*》 =**recoger.**

arrecular *intr.* =**retrodecer.**

arredilar *tr.* 우리(redil)에 넣다.

arredomado, da *adj.* =**redomado.**

arredomar *tr.* 【은어】 =**juntar, reunir.**
~se 【은어】 =**escandalizarse.**

arredondear *tr.* 둥그렇게 하다(redondear).
~se 둥그레지다.

arredramiento *m.* arredrar하는 일.

arredrar *tr.* ① 나누다(separar). ② 물러가게 하다 ; 되돌아가게 하다. ③ 주춤하게 하다, 겁을 주다(amedrentar, atemorizar).
~se 물러가다 ; 되돌아가다 ; 겁을 내다, 주춤하다.

arredro *adv.* 뒤에, 뒤로(atrás).

arregazado, da *adj.* 걷어 올린(remangado) : nariz ~*da* 들창코.

arregazar *tr.* 9 (옷자락을) 접어 띠에 끼다.
~se 옷자락을 걷어붙이다.

arregladamente *adv.* 규칙적으로, 정연하게, 순서있게 : Procedió ~ *a* lo que le mandó 그는 하라는 대로 제대로 했다.

arreglado, da *adj.* ① 규칙적인. ② 정돈된(ordenado y moderado) : vida ~*da.* ③ 타당한, 합리적인, 알맞은, 적당한(razonable) : precio ~ 적정 가격.

arreglador, ra *adj.* 조정하는. —*m.f.* 조정자 : ~ de averías 해손(害損)의 정산인.

arreglar *tr.* ① 규칙적으로 하다(sujetar a regla) : ~ su vida 생활을 규칙적으로 하다. ② 맞추다, 합치시키다, 가지런히 하다, 조정하다 : ~ el reloj 시계를 맞추다. ③ 정리·정돈하다 (poner orden) : ~ su cuarto 자기의 방을 정돈하다. ④ 수선·수리하다(reparar) : ~ un mueble roto 부서진 가구를 수리하다. ~ un traje 옷을 수선하다. ⑤ (문제를) 해결하다(solucionar) : ~ un asunto 문제를 해결하다. ⑥ 지불하다, 청산하다 : ~ cuentas 계산서를 지불하다. ⑦ 《*Chile.*》 거세하다. ⑧ 치장하다, 꾸미다(decorar, embellecer) : ~ un piso 아파트를 치장하다. ⑨ 수정하다(enmendar) : ~ un escrito 서류를 수정하다. ⑩ 바로잡다, 정정하다(corregir) : ~ un error 잘못을 정정하다. ⑪ 설치·시설

하다(instalar).

~se ① 정리하다, 정돈하다, 가지런히 하다, 깔끔하게 하다 : *~se* el pelo 머리를 단정히 빗다. ② 고르게 하다. ③ 조정하다, 서로 의논하다, 의거하다. Contr. desarreglar, desordenar.

arreglárselas 지혜를 짜내어 일을 잘 처리하다.

arreglista *m.f.* 【음악】 편곡자.

arreglo *m.* ① 정리, 조정, 해결, 청산. ② 수선. ③ 순서, 질서를 세움. ④ 일치, 협정, 타결 : propuesta de ~ 협정안. llegar a un ~ 의견의 일치에 도달하다. ⑤ 우의, 정교. ⑥ 편곡, 각색.

con ~ a …에 따라, …에 의거하여, …에 의하여 : *con ~ a* la ley 법에 따라.

arregostarse *r.* [+a : …을] 도락으로 삼다, 즐기다(engolosinarse).

arregosto *m.* 도락 ; 기호(gusto, afición).

arrejacar *tr.* 7 사이갈이를 하다.

arrejaco *m.* ① 【조류】 =**vencejo.** ② 낚싯바늘(arrejaque).

arrejada *f.* (쟁기의) 보습.

arrejaque *m.* ① 【조류】 칼새(vencejo). ② 낚싯바늘 《세 가닥으로 갈라진 것》.

arrellanarse *r.* ① 느긋하게 하다 : ~ en una butaca. ② (자기 직무에서) 몸을 안정시키다.

arremangado, da *adj.* 팔을 걷어 올린 ; 위로 치켜 오른 (코) ; 치켜 뜬 (눈).

arremangar *tr.* 8 (소매·속치마를) 걷어 올리다·붙이다 : ~ las faldas 스커트를 걷어 올리다.

~se ① 팔을 걷어 붙이다. ② 단호히 결심하다 (tomar una resolución enérgica).

arremango *m.* 걷어 올리기, 팔을 걷어 붙이기 ; 걷어 올린 소맷자락·옷자락.

arremansarse *r.* 《AmérC.》 한데·한군데에 괴다(estancarse) ; 뭉치다, 엉키다.

arrematar *tr.* 【속어】 =**rematar.**

arremedador, ra *adj.* 【고어】 =**remedador, imitador.**

arremedar *tr.* 【속어】 =**remedar, imitar.**

arremetedero *m.* 돌격로, 돌파구.

arremetedor, ra *adj.* (말을) 갑자기 모는.

arremeter *tr.* 습격하다 ; (말을) 갑자기 몰다. **—***intr.* [+a·con·contra·para : …에게] 잽싸게 덤비다·덮치다 : ~ *a·con·contra·para* el enemigo.

arremetida *f.* 습격 ; 찔러 넘어뜨림.

arremetimiento *m.* =**arremetida.**

arremingarse *r.* 8 ① 《Chile.》 (여자가) 점잖을 빼다. ② 《Méx.》 옷자락을 걷어 올리다.

arremolinadamente *adv.* =**amontonadamente.**

arremolinarse *r.* (군중이) 밀치며 웅성거리다, 서로 밀치다 ; (바람·물이) 소용돌이 치다.

arrempujar *tr.* 【속어】 =**empujar.**

arremuecos *m.pl.* =**arrumacos.**

arremuescos *m.pl.* =**arrumacos.**

arrendable *adj.* 남에게 빌려 줄 수 있는.

arrendación *f.* 임대차(alquiler).

arrendadero *m.* (말의) 고삐.

arrendado, da *adj.* 말을 잘 듣는 : caballo ~.

arrendador, ra *m.f.* 대주(貸主) ; 차주(借主), 임대자, 차인 ; 지주(地主) ; 조련사. **—***m.* ① (말의) 고삐(anillo para atar el caballo) ; 장물아비.

arrendadorcillo *m. dim.* arrendador.

arrendajo *m.* ① 【조류】 어치. ② 남의 흉내만 내는 사람. ③ 꼭 닮음.

arrendamiento *m.* ① 임대(차), 임대료 ; 차용증, 차용 계약 : ~ de bienes 재산의 임대. ~ de bienes 재산의 임대. ~ de bienes muebles 동산 임차료. contrato de ~ 임대차 계약. tomar en ~ 임차하다. ② 소작료 : ~ rústico 소작료.

arrendante *adj.* 임대하는 ; 소작을 준 ; 묶어 두는.

arrendar *tr.* 19 ① 임대하다(alquilar). ② 소작을 주다 ; 돈을 받고 빌려 주다. ③ (우마를) 매어 두다 ; 묶어 두다(sujetar). ④ 조련·조마하다. ⑤ 흉내내다(remedar, imitar).

~se ① 임대되다 : Esta casa *se arrienda* 이 집을 세놓습니다. ② 돌아오다, 되돌려 받다(volverse).

arrendatario, ria *adj.* 빌린, 임대한 : compañía *~ria.* **—***m.f.* 빌린 사람 ; 소작인, 소작농.

arrendaticio, cia *adj.* 임대차의.

arrendire *m.* 《Perú.》 소작인.

arrenquín *m.* 《Amér.》 ① 안내마, 선도마. ② 조수, 심부름꾼, 따라다니는 사람.

arrentín *m.* 《And.》 =**arriero.**

arreo *m.* ① 꾸밈, 장식, 복식품(adorno, atavío). ② 《AmérM.》 야수떼(recua). **—***pl.* ① 말의 장신구(guarniciones) : poner los *~s* a la mula. ② 부속품. **—***adv.* 끊임없이.

arrepanchigarse *r.* =**repantigarse.**

arrepápalo *m.* buñuelo의 일종.

arrepasar *tr.* =**repasar.**

arrepentida *f.* (창녀·타락한 여자로서) 마음을 고쳐 먹고 수도원에 들어간 여자.

arrepentido, da *adj.* 후회하는, 개전의 정이 있는. **—***m.f.* 후회하는 사람, 개전의 정이 있는 사람.

arrepentimiento *m.* ① 후회. ② (그림의) 보필(補筆).

arrepentirse *r.* 53 [+de : …을] 후회하다·뉘우치다 : *~se de* sus culpas 자기의 잘못을 후회하다. *Me arrepiento de* mi conducta 나의 행위를 후회하고 있다. Uno *se arrepiente* siempre 사람은 누구나 항상 후회하는 법이다.

arrepiso, sa *adj.* 【고어】 arrepentirse의 *p.p.*

arrepistar *tr.* (제지 원료로) 넝마를 짓이기다.

arrepisto *m.* 넝마를 죽처럼 푸는 일·푼것.

arrepollar *intr.* 《Amér.》 책상다리를 하다.

arrepticio, cia *adj.* 신들린, 수상쩍은, 마가 낀 (endemoniado).

arrequesonado, da *adj.* requesón 같은.

arrequesonarse *r.* (우유가) 엉기다, 굳어지다 ; (우유를) 묽게 하다.

arrequín *m.* 《Cuba.》 =**arrenquín.**

arrequintar *tr.* 《Amér.》 꽉 묶다, 조이다.

arrequive *m.* (의류의) 솔기 장식. **—***pl.* ① 장식(품). ② 사정, 환경.

arrestación *f.* =**arresto.**

arrestado, da *adj.* [arrestar의 *p.p.*] ① 체포된 ; ② 물불을 가리지 않는, 대담한, 통이 큰 : hombre muy ~ 통이 큰 사람. Contr. cobarde, pusilánime.

arrestar *tr.* 검속하다, 체포하다(detener).
~se [+a : …에] 돌진하다 : *~se a*l peligro.
arresto *m.* ① 검속, 체포, 구류(detención). ② 감금 : en ~ 감금하여, 구속하여. ③ [주로 *pl.*] 대담성 : tener ~*s* 대담하다.
arretín *m.* =**filipichín.**
arretirarse *r.* =**retirarse.**
arretranca *f.* 《*Col. Méx.*》 =**retranca.**
arretrancos *m.pl.* 《*Col. Cuba.*》 마구(馬具).
arrevesado, da *adj.* =**enrevesado, revesado.**
arrevolver *tr.* 25 【방언】 =**revolver.**
arrezafe *m.* 【식물】 지느러미 엉겅퀴(cardo borriquero).
arrezagar *tr.* 8 ① 옷을 걷어 붙이다 · 올리다(arremangar). ② 들어 올리다(alzar) : ~ el brazo.
arria *f.* (말의) 무리(recua).
arriada *f.* ① 범람, 홍수, 물난리. ② 돛을 내림, 그물을 늦추는 일.
arriado, da *adj.* 《*Amér.*》 느린, 굼뱅이처럼 굼뜬(tardo).
arrial *m.* =**arriaz.**
arrianismo *m.* 아리우스교.
arriano, na *adj.m.f.* (그리스도의 신성을 부정하는) 아리우스 교도(의).
arriar *tr.* 12 ① (돛 · 기를) 내리다. ② (밧줄을) 늦추다, 풀다. ③ 물에 잠기게 하다. ④ 《*Amér.*》 (소 · 말 등을) 몰다(arrear).
~se 물에 잠기다, 범람하다(inundarse).
arriata *f.* =**arriate.**
arriate *m.* ① 화단. ② 돌을 깐 길. ③ (포도 등의) 시렁.
arriaz *m.* 칼의 손잡이 · 자루.
arriba *adv.* ① 위로 : cuesta ~ 비탈길 위로. ② 위에, 높은 곳에 : allá ~ 저 높은 곳에 ; 하늘에. ③ 위에, 앞에 : ~ mencionado 앞에서 언급한, 위에서 말한. reanudar la narración de más ~ 더 앞으로 거슬러 올라가 말을 계속하다. ④ [+de+숫자+ ~ : …보다] 이상 : Tiene *de diez* años ~ 10세 이상이다. Contr. abajo .
~ ***y abajo*** 위아래로 : Ella movió la cabeza ~ *y abajo* 그녀는 머리를 위아래로 흔들었다. ***boca*** ~ 위를 향하여. ***de*** ~ ① 위에서 ; 하나님으로부터 : venir *de* ~ 하나님으로부터 받다. ② 《*Amér.*》 거저, 무료로(de balde). ***de*** ~ ***abajo*** ① 위에서 아래로 : mirar *de* ~ *abajo* 굽어보다 ; 얕보다. ② 처음부터 끝까지, 하나에서 열까지.
¡arriba! *interj.* 일어나요 !, 자, 해라 !, 만세 !
arribada *f.* ① 표착(漂着). ② 입항 : ~ forzosa 불시 · 긴급 입항. ③ 도래 : la ~ de la paz 평화의 도래.
arribaje *m.* =**arribada.**
arribano, na *adj.m.f.* ① 《*Perú.*》 높은 해안의 (사람). ② 《*Chile.*》 남부 지방의 (사람).
arribante *adj.* 도착하는, 입항하는. —*m.f.* 신출내기, 신참자.
arribanza *f.* 《*Neol.*》 =**arribo, llegada.**
arribar *intr.* ① 입항하다 (llegar la nave al puerto) : ~ con retraso. ② 도착하다 : ~ las cartas. ③ 도달하다 : ~ a la perfección. ④ 표류하다 (dejarse ir con el viento). ⑤ 피난 입항하다. ⑥ (일의) 앞이 내다 보이다. ⑦ (건강 · 재산이) 회복되다. ⑧ [+a+*inf.*] 하기 시작하다 : ~ *a* comprender 이해하기 시작하다.
arribazón *m.* 물고기떼가 밀려옴. Sión. ribazón.
arribeño, ña *adj.m.f.* 《*Arg. Chile.*》 고지대에 사는 (사람).
de ~ 《*Riopl.*》 얌체짓을 하는 ; 남의 돈에 의지하는.
arribismo *m.* =**arrivismo.**
arribista *m.f.* ① 벼락 부자. ② 신출내기.
arribo *m.* 도착(llegada) : el ~ de un paquebote.
arricés *m.* (등자의) 버클.
arricesa *f.* =**arricés.**
arricete *m.* =**restinga.**
arrienda arrendar의 직 · 현 · 3 · 단수.
arriendan arrendar의 직 · 현 · 3 · 복수.
arriendar *tr.* 《*Venez.*》 =**arrendar.**
arriendas arrendar의 직 · 현 · 2 · 단수.
arriendo[1] *m.* ① 임대, 임차, 임대료(alquiler). ② 소작료(arrendamiento). ③ 차용증, 차용 계약.
arriendo[2] arrendar의 직 · 현 · 1 · 단수.
arrieraje *m.* 《*Perú.*》 =**arriería.**
arriería *f.* 마부(arriero)의 직.
arrieril *adj.* 마부의.
arriero *m.* ① 마부. ② 개미의 일종.
arriesgada *f.* 《*Chile.*》 대담(성), 결단성.
arriesgadamente *adv.* 위험을 무릅쓰고, 앞뒤를 가리지 않고, 대담하게.
arriesgado, da *adj.* ① 위험한(peligroso). ② 대담한(osado) : hombre muy ~ 매우 대범한 사람. ③ =**imprudente, temerario.**
arriesgar *tr.* 8 위험을 무릅쓰다(poner a riesgo) : No quiero ~ la vida 나는 생명의 위험을 무릅쓰고 싶지 않다.
~se 모험하다, 위험을 무릅쓰다, 위험한 일을 하다 : *~se a* poderlo todo.
Si no nos arriesgamos no conseguimos nada ; ***El que no se arriesga no pasa la mar ; El que no arriesga no gana*** 【속담】 호랑이 굴에 들어가야 호랑이 새끼를 잡는다.
arrigirse *r.* [드뭄] =**arrecirse.**
arrimadero *m.* 발판, 발디딤.
arrimadizo, za *adj.* ① 기댈 수 있는. ② 아첨하는, 아부하는, 알랑거리는.
arrimado, da *m.f.* 《*Amér.*》 정부(情夫 · 情婦).
arrimador *m.* (난로 안의) 버팀나무가 되는 가장 큰 장작.
arrimadura *f.* =**arrimo, aproximación.**
arrimar *tr.* ① 가까이 하다, 접근하다 (acercar). Contr. alejar. ② 기대어 놓다 : ~ la escalera a la pared 벽에 사다리를 기대어 놓다. ③ 치워 놓다 ; 챙기다. ④ 버리다, 포기하다(abandonar) : ~ los libros 학문을 포기하다. ~ la vara del alcalde 시장직을 그만두다. ⑤ 따돌리다. ⑥ 때리다, 차다 : ~ las espuelas 박차를 가하다. ~ palos 몽둥이로 때리다. ⑦ 【해사】 (짐을) 싣다 (estribar).
~se ① 가까이 가다(acercarse) : *~se* al punto de la dificultad. ② 기대다 ; 의지하다 : *~se* al más fuerte 강한 사람에게 의지하다. ③ 《*Amér.*》 정분을 맺다.
~ ***el hombro*** 돕다, 응원하다.
arrimo *m.* ① 가까이 함, 접근. ② 의지, 기댐.

③ 후원, 두둔, 비호(amparo). ④ 경향. ⑤ 우의. ⑥ 《*Amér.*》 간막이(벽); 땅의 경계담. ⑦ 《*And.*》 =**cortejo, galán.** —*pl.* 《*AmérC.*》 마구의 부품.

arrimón *m.* 길에서 기대어 남을 기다리는 남자. *estar de* ~, *hacer* ~ 기다리다(aguardar).

arrinconado, da *adj.* ①(중심에서) 떨어진(distante del centro). ② 뒤로 물러선; 구석으로 몰린. ③ 잊혀진.

arrinconamiento *m.* 구석에 틀어박힘, 은둔.

arrinconar *tr.* ① 구석에 놓다 (poner en un rincón) : ~ un mueble inútil 쓸모없는 가구를 구석에 놓다. ② 궁지에 몰아넣다 : ~ a un amigo. ③ 저버리다(arrimar) : ~ los libros.
~se 은둔하다.

arrinquín *m.* 《*Amér.*》 =**arriquín.**

arriñonado, da *adj.* 신장(riñón) 모양의 : pedernales ~*s.*

arriostrar *tr.* (기계로) 조이다.

arriquín *m.* 《*Hond. Guat.*》 빌붙어 따라다니는 사람.

arriscadamente *adv.* 대담하게(atrevidamente).

arriscado, da *adj.* ① 대담한(atrevido). ② 날쌘, 민첩한, 날렵한(ágil). ③ 풍채가 좋은(de buena presencia). ④ 울퉁불퉁한 바위투성이의 : monte ~. ⑤ 《*Amér.*》 위로 향한(levantado) : nariz ~*da* 들창코.

arriscador, ra *m.f.* 올리브 줍는 사람.

arriscamiento *m.* 대담.

arriscar *tr.* 7 ① 위험하게 하다, 위태롭게 하다(arriesgar). ② 《*Amér.*》 위로 올리다(arremangar) : ~ el ala del sombrero. —*intr.* 《*Col.*》 이르르다, 닿다.
~se ① 뽐내다, 으시대다, 우쭐대다(engreírse). ②(우마가) 바위를 헛딛다. ③ 발끈하다, 성내다, 화내다(irritarse). ④ 《*Amér.*》 (옷을) 차려입다.

arrisco *m.* 위험.

arritmia *f.* 심장의 리듬이 고르지 못함.

arrítmico, ca *adj.* 심장의 리듬이 고르지 못한.

arritranca *f.* =**retranca.**

arritranco *m.* 《*Amér.*》 못쓸 물건들, 잡동사니. —*pl.* 도구류(道具類).

arrivismo *m.* 《*Galic.*》 야심, 야망.

arrivista *m.f.* 《*Galic.*》 야망가, 야심가; 벼락 출세자(arribista).

arrizafa *f.* =**ruzafa.**

arrizar *tr.* 9 ①【해사】 돛을 줄이다; 닻을 올리다; 배에 물건을 걸다. ② 묶다(atar).

-arro, rra *suf.* 「경멸성」을 뜻하는 접두어 : cach*arro.*

arroaz *m.* 【동물】 돌고래(delfín).

arroba *f.* 아로바 《중량의 단위, 25 libras, 11.502kg, 아라곤 지방에서는 36 libras》.
llevar la media ~ 《*AmérM.*》 득을 보다, 유리하다.

arrobadera *f.* =**robadera, traílla.**

arrobadizo, za *adj.* 쉽게 무아경에 이르는.

arrobado, da *adj.* =**extático.**

arrobador, ra *adj.* 매료·매혹하는.

arrobamiento *m.* 황홀, 무아경(éxtasis).

arrobar *tr.* 매료·매혹하다, (…의) 마음을 빼앗다(embelesar).
~se 황홀경에 빠지다(extasiarse).

arrobeño, ña *adj.* 《*And.*》 =**arrobal.**

arrobero, ra *adj.* 무게 1아로바의. —*m.f.* 빵 배급인.

arrobiñar *tr.* 【은어】 줍다, 챙겨 넣다.

arrobo *m.* =**arrobamiento.**

arrocabe *m.* 【건축】 기둥 위에 가로 얹히는 수평 부분.

arrocado, da *adj.* 나선형의.

arrocería *f.* 논; 벼농사.

arrocero, ra *adj.* ① 쌀의 : molino ~ 쌀 빻는 맷돌. producción mundial ~*ra* 세계의 쌀 생산. En Asia, donde se cultiva y consume alrededor del 90 por ciento de la producción mundial *arrocera,* la cosecha deberá subir por lo menos un 60 por ciento en los próximos 20 años, pues en caso contrario millones de seres humanos morirán de desnutrición y hambre 세계의 쌀 생산의 90퍼센트 가량 재배되고 소비하는 아시아에서, 수확이 향후 20년 동안에 적어도 60퍼센트 증가시켜야 할 것이다. 그렇지 않을 경우에는 수백만 명이 영양 부족과 굶주림으로 사망할 것이다. ② 《*Venez.*》 거친. —*m.f.* ① 쌀 경작자. ② 쌀장수. ③ 《*Perú.*》 돌팔이 의사·약장수.

arrochelarse *r.* 《*Amér.*》 (말이) 날뛰다.

arrocina *f.* 《*Arg.*》 탄 옥수수.

arrocinado, da *adj.* 망나니말(rocín) 같은.

arrocinar *tr.* ① 사납게 만들다. ② 《*Riopl.*》 (야생말을) 길들이다.
~se ① 사나워지다. ② 홀딱 반하다(enamorarse ciegamente).

arrodajarse *r.* 《*AmérC.*》 책상다리를 하고 앉다 (sentarse en el suelo con las piernas cruzadas).

arrodear *tr.intr.* =**rodear.**

arrodelarse *r.* 방패(rodela)로 방위하다.

arrodeo *m.* =**rodeo.**

arrodillada *f.* 《*Sal. Chile.*》 =**genuflexión, arrodillamiento.**

arrodilladura *f.* =**arrodillamiento.**

arrodillamiento *m.* 무릎을 꿇음.

arrodillar *tr.* 무릎을 꿇게 하다(hacer que uno se ponga de rodillas).
—*intr.*, **~se** 무릎을 꿇다(ponerse de rodillas).

arrodrigar *tr.* 8 (식물에) 버팀나무를 세우다.

arrodrigonar *tr.* =**arrodrigar.**

arrogación *f.* ① 월권 행위. ② 입양.

arrogador, ra *adj.m.f.* 입양시키는 (사람).

arrogancia *f.* 오만, 거만, 교만, 불손 (altanería, soberbia) : hablar con suma ~. **Contr.** amenidad, afabilidad.

arrogante *adj.* ① 오만한, 거만한; 우쭐대는; 뽐내는(altanero). ② 화려한, 멋진(gallardo). **Contr.** cortés, afable.

arrogantemente *adv.* ① 오만하게, 거만하게. ② 화려하게.

arrogar *tr.* 8 입양시키다, 양자로 들이다.
~se (능력 등을) 제 것으로 만들다, 횡령·착복하다 : ~*se* poderes excesivos.

arrojadamente *adv.* 단호히, 대담하게.

arrojadizo, za *adj.* 던지기 쉬운, 던질 수 있는 : arma ~*za.*

arrojado, da *adj.* ① 대담한(atrevido) : hombre muy ~ de carácter 성격이 매우 대담한 남자.

Contr. cobarde. —*m.pl.*【은어】바지.

arrojador, ra *adj.* 던지는 ; 뿜는, 쫓아내는.

arrojar *tr.* ① 던지다(lanzar) : ~ fuera 밖으로 던지다. ~ una piedra 돌을 던지다. ② 버리다(echar) : ~ la basura 쓰레기를 버리다. ③ 뿜다 : ~ cañonazos 대포를 쏘다. ④ 얻다, 획득하다(alcanzar) : ~ un gran beneficio 큰 이득을 얻다. ⑤ 쫓아내다 : ~ uno de sí a otro 화를 내어 사람을 쫓아내다. ⑥(계산 등의 결과를) 내다 : ~ una suma muy alta 매우 비싼 금액을 내다.

—*intr.* 토해 내다, 게우다, 내뱉다(vomitar).

~**se** ① 몸을 날리다, 덤벼들다 : *Se arrojó sobre* él. ② 뛰어들다·나가다 : ~*se a·en* el mar *de·por* la ventana 창에서 바다로 뛰어들다. ③ 감행하다 : ~*se a* pelear 감연히 싸우다.

arrojo *m.* ① 대담, 용기(osadía). Sinón. atrevimiento. Contr. cobardía. ②《*Venez.*》구토.

arrollable *adj.* 말 수 있는 ; 석권할 수 있는.

arrollado, da *adj.* 말린 ; 석권된.

arrollador, ra *adj.m.f.* 마는 ; 소용돌이치는, 석권하는.

arrollamiento *m.* arrollar하는 일.

arrollar *tr.* ① 말다, 돌돌 감아 싸다(enrollar) : ~ un mapa 지도를 말다. ② 소용돌이치다 : ~ las piedras. ③ 석권하다 ; (입씨름으로) 이기다 : ~ al enemigo. ④《*Amér.*》(아기를) 흔들다.

—*intr.* (룸바춤에서) 허리를 비틀어대다.

~**se**《*Amér.*》옷자락·옷소매를 걷어 올리다.

arromadizarse *r.* ⑨ 코감기에 걸리다(contraer un romadizo).

arromanzar *tr.* ⑨ 로망스어로 옮기다(poner en romance).

arromar *tr.* (끝을) 무디게 하다.

arromper *tr.* =**roturar.**

arrompido, da *adj* arromper의 *p.p.*

—*m.*=**rompido.**

-arrón *suf. desp.* =**-arro** : abe*jarrón.*

arronazar *tr.* ⑨【해사】지렛대로 움직이다.

—*intr.* 바람이 불어가는 쪽으로 흘러가다.

arropamiento *m.* arropar하는 일.

arropar *tr.* ①(…에 옷을) 입히다, 감아 싸다. ②(포도주에) 시럽을 넣다. ③《*Chile.*》빈정대다.

~**se** ① 입다 (cubrirse con ropa) : ~*se en* la cama. ② 준비하다, 무기를 준비하다.

arrope *m.* 시럽 ; 바짝 끓인 포도즙.

arropea *f.* ① 족쇄(grillete). ② 말의 발 묶는 밧줄.

arropera *f.* 시럽 담는 그릇(vasija para arrope).

arropía *f.* =**melcocha.**

arropiero, ra *m.f.* 밀당과(melcocha) 제조인.

arrorró《*Can. Arg.*》=**arrurrú.**

arroscar *tr.* ⑦【은어】모으다, 합치다(envolver, juntar).

arrostrado, da *adj.* [+bien·mal] 인상이 좋은·나쁜.

arrostrar *tr.* ①(…에) 맞서다(hacer cara). ② 저항하다 : ~ el poder del enemigo. ③ 참다, 견디다. ④ 직면하다. ⑤ 향하고 있다, 향해 가다 : ~ la carrera de leyes 법률 방면으로 공부하다.

—*intr.* [+con·por : …과] 맞서다 : ~ *con·por* los peligros 위험에 맞서다.

~**se** 정면으로 부딪치다.

arroto, ta *adj.* arromper의 *p.p.*

arroyada *f.* (물이 흐르는) 계곡.

arroyadero *m.* =**arroyada ; surco.**

arroyar *tr.* 물이 범람하다, 물난리가 나다 : terreno muy *arroyado.*

~**se** ① 개울이 생기다. ② 노상균(roya)이 끼다 : trigo *arroyado.*

arroyo *m.* ① 실개천. ②(가로 옆의) 배수구. ③ 거리. ④《*AmérM.*》개울, 시내(río).

plantar·poner a uno *en el* ~ 밖으로 몰아내다, 내쫓다.

arroyuela *f.*【식물】털부처꽃(salicaria).

arroyuelo *m.* [*dim.* arroyo] 실개천.

arroz *m.* ①【식물】벼. ② 쌀 : ~ blanco 쌀밥. ~ con pollo 통닭 곁들인 밥. ~ con camarón 새우 볶음밥. sopa de ~ 쌀 수프. La producción mundial de ~ ha crecido sin cesar 쌀의 세계적 생산은 끊임없이 증가해 왔다. ③ 쌀로 만든 요리. ④《*Col.*》삶은 옥수수. ⑤《*Venez.*》집안 끼리의 잔치.

~ *con·de leche* 우유와 설탕을 넣고 찐 밥 ; 놀이의 일종. *polvo de* ~ 분.

haber·tener ~ *y gallo muerto* 음식이 근사하다.

arrozal *m.* ① 논(campo de arroz). ②《*Arg.*》= **mata de arroz.**

arruar *intr.* ⑮ (멧돼지가) 꿍꿍거리다.

arruchar *tr.*《*Cuba. Méx.*》=**desplumar, quitar el dinero.**

arrufadía *f.*【고어】=**engreimiento, envanecimiento.**

arrufadura *f.* 현호(舷弧)《측면에서 본 갑판의 휜 정도》.

arrufaldado, da *adj.* arrufaldar의 *p.p.*

arrufaldarse *r.*【고어】《*Murc.*》=**embravecerse, envalentonarse.**

arrufar *tr.* 반달 모양으로 만들다. —*intr.* 활 모양으로 휘다 ; (개가) 이빨을 드러내고 으르렁거리다(gruñir, regañar).

~**se**《*Venez.*》포악해지다, 성내다, 노하다, 화내다(embravecerse, irritarse).

arrufianado, da *adj.* 망나니(rufián)같은.

arrufianarse *r.* =**hacerse rufián.**

arrufo *m.* =**arrufadura.**

arruga *f.* ① 주름, 구김살 : frente llena de ~*s* 주름이 가득한 이마. hacer ~*s* 구김살을 모으다, 구김살·주름을 만들다. ②《*Amér.*》사기, 속임수(estafa).

arrugación *f.* =**arrugamiento.**

arrugado, da *adj.* 주름진, 구김살이 있는.

arrugamiento *m.* 구겨지는 것, 주름을 만드는 일.

arrugar *tr.* ⑧ ①(…에) 구김살을 모으다 : ~ el entrecejo 미간에 주름을 짓다. ②(…에) 구김살을 만들다. Contr. aplanar. ③《*Méx.*》난처해하다.

~**se** ① 구겨지다 ; 오므라들다. ② 빵소니치다.

arrugia *f.* 금광.

arruinado, da *adj.* 파괴된, 황폐한 ; 파산된.

arruinador, ra *adj.* 황폐·파괴하는 ; 파멸적인.

arruinamiento *m.* 황폐, 파괴, 파멸; 파산, 도산.
arruinar *tr.* ① 황폐시키다; 파괴·파멸시키다, 망가뜨리다: Está *arruinado* su propia salud 그는 자신의 건강을 망가뜨리고 있다. ② 파산시키다; 부수다.
~se 실패하다; 기운이 풀리다, 낙담하다: *Se ha arruinado* después de aquel fracaso 그는 그 실패가 있은 후 낙담했다.
arrullador, ra *adj.m.f.* arrullar 하는 (사람).
arrullar *tr.* 비둘기가 울다; 자장가로 아기를 재우다; 달콤한 말로 구슬리다.
arrullo *m.* 비둘기가 우는 소리; 사랑의 속삭임; 자장가.
arruma *f.* 《*Chile.*》 =**rimero.**
arrumacos *m. pl.* ① 아양, 어리광: hacer ~ 아양을 떨다, 어리광부리다. ② 거창한 치장·화장.
arrumaje *m.* ① 선적(船積); 하적료. ② [집합] (지평선의) 구름.
arrumar *tr.* ① (배에 짐을) 차곡차곡 싣다, 구분해서 배치하다. ② 《*Chile.*》 쌓아 올리다.
~se 수평선에 구름이 일다.
arrumazar *tr.* 《*Col.*》 =**arrumbar.**
arrumazón *f.* ① =**arrumaje.** ② 지평선 위의 구름.
arrumbación *f.* arrumbar 하기.
arrumbador, ra *adj.* arrumbar하는.
arrumbamiento *m.* 방향(dirección, rumbo).
arrumbar *tr.* ① 구석으로 몰다. ② 저버리다, 무사하다. ③ 말로 해내다(arrollar). ④ 침로 《나침반의 바늘이 가리키는 길》로 향하다. —*intr.* 침로를 정하다.
~se 배멀미하다.
arruncharse *r.* 《*Col.*》 오므라들다, 움츠리다, 웅크리다(hacerse un ovillo).
arrunflar *tr.* 카드 놀이에서 같은 종류의 카드를 모으다.
arrunzar *tr.* 《*Perú.*》 빼앗다.
arrurrú *m.* 《*Amér.*》 (아기를) 재우는 소리, 자장가.
arrurruz *m.* [*ing.* arrow-root] 갈분 《칡뿌리에서 얻은 하얀 가루》.
arrutanado, da *adj.* 《*Col.*》 =**arrogante.**
arsáfraga *f.* 【식물】 네델란드 방풍나물(berrera).
arsenal *m.* ① 조선소. ② 병기 창고. ③ 자료집: Esa obra es un ~ de documentos.
arseniato *m.* 【화학】 비산염.
arsenical *adj.* 비소의, 비소가 든: ácido ~ 비산. pirita ~ 독사(毒砂).
arsenicismo *m.* 비소 중독.
arsénico *m.* 【화학】 비소; 쥐약.
arsenicófago, ga *adj.m.f.* 비소를 상용하는 (사람).
arsenioso, sa *adj.* 【화학】 비소의; 아비(亞砒)의: ácido ~ 아비산.
arsenito *m.* 【화학】 아비산염.
arseniuro *m.* 【화학】 비화물.
arsolla *f.* 【식물】 국화과 다년생 화초(arzolla).
art. artículo 상품; 조항.
art.ª artista.
arta *f.* 【식물】 차전초, 질경이.
artal *m.* 【고어】 파이(empanada)의 일종.
artaleje *m. dim.* artal.
artalete *m. dim.* artal.
artámidos *m.pl.* 부리가 갈라진 무리의 새의 과.
artamo *m.* 【조류】 식충류의 새.
artanica *f.* 【식물】 =**artanita.**
artanita *f.* 【식물】 =**pamporcino.**
arte *m.(f.)* ① 솜씨, 기술: con ~ 솜씨있게, 교묘하게. ② 예술: obra de ~ 예술품, 미술품. ③ 기교, 인공. ④ *pl.* 술책, 속임수: hacer uso de malas ~*s* 악랄한 술책을 부리다. ⑤ 낚시 도구. ⑥ *pl.* 학예, 기예: las ciencias y las ~*s* 학문과 기예.
~ ***comercial·publicitario*** 상업 미술. ~ ***decorativa*** 장식 미술. ~ ***mecánica*** 공예. ***bellas*** ~***s*** 미술. ***academia de bellas*** ~***s*** 미술 학교. ~***s liberales*** 중세 대학의 교양학과. ***séptimo*** ~ 영화.
de ~ ***mayor*** 8음절 이상의 (시구).
de ~ ***menor*** 8음절 혹은 그 이하의 (시구).
de buen·mal ~ 상태가 좋은·나쁜.
por ~***de birlibirloque·encantamiento*** ① 유별나게. ② =por azar.
por ~ ***del diablo*** 유별나게.
por amor al ~ 완전 무료로(completamente gratis).
no tener ~ ***ni parte*** 전혀 간섭하지 않다.
ser del ~ 기술자이다.
Hágase según ~ 법에 따라 만드세요.
artefacto *m.* ① 장치. ② 공예품. ③ 기계, 도구; (경멸적으로) 조작품, 건조물.
artejo *m.* (손가락·다리의) 관절.
Artemis *f.* 【희랍 신화】 달의 여신 《해의 신 Apolo의 쌍둥이, 로마 신화의 Diana》.
artemisa *f.* 【식물】 쑥.
~ ***bastarda*** 【식물】 톱풀(milenrama).
artemisia *f.* 【식물】 =**artemisa.**
artemisilla *f.* 【식물】 야생 식물 《꽃이 희고 잎이 쓴맛이 있음》.
artera *f.* (빵에 표를 하는) 인두.
arteramente *adv.* 간악하게, 교활하게.
arteria *f.* ①【해부】 동맥: ~ carótida. ② (철도·송전선 등의) 간선; 배전선. ③ 간선 도로.
artería *f.* 계략, 책략. Contr. sencillez.
arterial *adj.* 동맥의: La sangre ~ es más roja que la venosa 동맥혈은 정맥혈보다 더 붉다.
alta presión ~ 고혈압.
arterialización *f.* (폐에서 정맥혈을) 동맥혈로 바꾸는 일.
arterializar *tr.* 9 (폐에서 정맥혈을) 동맥혈로 바꾸다.
arteriola *f.* 【해부】 소동맥.
arterioesclerosis *f.* 【의학】 =**arteriosclerosis.**
arteriografía *f.* 동맥 묘사.
arteriola *f.* 소동맥.
arteríola *f.* =**atreriola.**
arteriología *f.* 동맥 해부학.
arteriosclerosis *f.* 【의학】 동맥 경화(증).
arterioso, sa *adj.* 동맥의; 동맥이 많은.
arteritis *f.* 【의학】 동맥염.
artero, ra *adj.* 간사한, 음흉한, 엉큼한, 교활한 (mañoso, astuto).
artesa *f.* (빵가루의) 반죽 상자.

artesanado *m.* 기술자 ; 직인 계급.
artesanal *adj.* artesanía의.
artesanía *f.* 직인 계급(artesanado) ; 수공예업 ; 기술자 기질, 기술.
artesano, na[1] *m.f.* 수공예 업자 ; 직공, 기술자.
artesano, na[2] 아르또이스 《Artois, 불란서 북쪽의 옛 주 ; 수도 Arrás》의 (사람).
artesiano *adj.* *pozo* ~ 저절로 물이 솟는 샘.
artesilla *f.* (우물 앞에 놓인) 물통.
artesón *m.* (부엌에 있는) 개수통 ; 격자 천장의 한 구획.
artesonado, da *adj.* 격천장(格天障)의. —*m.* 격천장.
artesonar *tr.* (…에) 격천장을 치다.
artesuela *f. dim.* artesa.
artético, ca *adj.* 관절(통)의 : inflamación ~*ca* 관절염.
arti.[a] artillería.
ártica *f.* 《*Ar.*》 =**artiga.**
ártico, ca *adj.* 북극의 : círculo polar ~ 북극권. Contr. antártico.
articulación *f.* ① 마디, 관절(juntura) : la ~ del codo. Sinón. coyuntura. ② (기계의) 연결(부). ③ 명쾌한 발음 ; 유절 발음(有節發音), 조음(調音) : punto de ~ 조음점. ~ artificial 독순 회화술.
articuladamente *adv.* 또박또박(con pronunciación clara y distinta) : hablar ~ 또박또박 말하다.
articulado, da *adj.* ① 마디가 있는, 관절이 있는 : animal ~. ② 조음·발음의 : lenguaje ~ 글로 된 언어, 흉내 언어. Contr. inarticulado. —*m.* ①【동물】마디 동물. ② [집합] (법률·계약 문서의) 여러 조항·항목. ③【동물】유절류(有節類).
articulador, ra *adj.* 《*Chile.*》 말다툼하기 좋아하는(disputador). —*m.* 《*Perú.*》 반론을 잘 펴는 사람.
articular[1] *tr.* [*lat.* articulâre] ① 이어 맞추다, 연계하다 (enlazar) : ~ dos piezas de una máquina. ② 또렷하고 분명히 발음하다, 조음(調音)하다. ③ 조목조목 쓰다, 조항으로 정리하다. —*intr.* 《*Chile.*》 싸우다, 다투다(disputar) ; 투덜거리다.
articular[2] *adj.* [*lat.* articularis] 관절의.
articulario, ria *adj.* =**articular.**
articulatorio, ria *adj.*【문법】조음의 : movimiento ~ 조음 운동.
articulista *m.f.* 논설 기자, 신문의 기사 집필가. Sinón. periodista.
artículo *m.* ① 관절(articulación). ② 손가락 마디(nudillo). ③ 계기 : ~ de la muerte 임종이 임박한 시간. ④ 항, 항목, 조(條), 개조(個條) : ~ adicional 부칙 조항. ~ de fe 신조. ⑤ 논문, 기사 ; 문장 : ~ de fondo 사설, 논설. He leído un ~ muy interesante 나는 매우 재미있는 기사를 읽었다. ⑥【문법】관사 : ~ genérico·indeterminado 부정 관사. ~ determinado 정관사. ⑦ 상품, 물건, 물품, 제품, 용품 (género, ~ de comercio) : ~ de lujo 사치품, 최고급품. ~ de primera necesidad 필수품. ~ de deporte 운동용품. ~*s* de consumo 소비재(消費材). ~*s* libres 무세품(無稅品). ~*s* para caballeros 신사용품. ~*s* peligrosos 위험 화물. ~*s* prohibidos 금제품(禁制品).
artifara *m.*【은어】빵(pan).
artife *m.*【은어】=**artifara.**
artifero *m.*【은어】빵기술자(panadero).
artífice *m.f.* 예술가(artista) ; 기사, 직인(職人) ; 작가(autor).
artificial *adj.* ① 인공의, 인위의, 인조의 : abono ~ 인조 비료. fuegos ~*s* 꽃불. satélite ~ 인공 위성. seda ~ 인견사. ② 인위적인, 자연이 아닌(no natural, falso). Contr. natural.
artificialidad *f.* 인위적(人爲的) 성격(carácter artificial).
artificialismo *m.* =**artificialidad.**
artificialmente *adv.* 인공적으로, 인위적으로. Contr. naturalmente.
artificio *m.* ① 기교, 궁리. ② 장치, 기구. ③ 기계, 도구(máquina, aparato). ④ 적의, 나쁜 뜻(disimulo). ⑤ 간계, 계책, 속임수, 책략, 수작, 저의(底意). Contr. sencillez, naturalidad.
artificiosamente *adv.* 책략을 꾸며, 못된 마음으로, 수작을 부려, 일부러 꾸며(de manera artificiosa).
artificioso, sa *adj.* 간계·기교를 부린, 잔재주를 부린 ; 교활한, 간사한, 엉큼한, 눈속임을 하는 : conducta ~*sa.*
artiga *f.* ① 덤불로 태우는 일. ② 덤불을 태운 땅.
artigar *tr.* 7 (경작지로 하기 위해) 덤불을 태우다.
Artigas【지명】아르띠가스 《우루구아이의 주; Argentina 와 Brasil의 국경에 있음 ; 수도 Artigas》.
Artigas (José Gervasio) *m.*【인명】아르띠가스 《우루구아이의 독립의 영웅적인 방어자·장군(1764 – 1850)》.
artiguense *adj.m.f.* 아르띠가스 (Artigas)의 (사람).
artilugio *m.* (목적 수행을 위한) 잔재주 ; 책략.
artillado *adj.* 포를 장비한 : torre ~*da* 포탑. —*m.* [집합] 함포, 요새포 ; 포대(artillería).
artillar *tr.* (진지·배에) 포를 장비하다 : ~ una fragata.
~**se**【은어】무기를 준비하다.
artillería *f.* 포병(대) ; [집합] 대포 : ~ antiaérea 대항공기포. ~ de a lomo·de montaña 산포(山砲). ~ de batalla·de campaña·ligera·montada·rodada·volante 야포. ~ de costa 해안포. ~ de plaza·de sitio·gruesa 요새포. ~ de trinchera 맷돌포. ~ pesada 중포(重砲). pieza de ~ 대포.
artillero *m.* 포병 ; 포수(砲手) : ~ de mar 함선의 포수.
artimaña *f.* ① 올가미, 덫(trampa). ② 간책, 책략(artificio, astucia).
artimón *m.*【해사】닻의 일종.
artina *f.* 구기자의 열매.
artiodáctilo, la *adj.*【동물】우제류(偶蹄類)의. —*m.pl.* 우제류 《소, 양, 사슴 등》.
artista *m.f.* 예술가 : un ~ concienzudo.
artísticamente *adv.* 예술적으로.
artístico, ca *adj.* 예술의, 예술적인.
artizado, da *adj.*【고어】=**artificioso, dis-**

mulado, astuto, cauteloso.
artizar *tr.* (어떤 것을) 예술로 하다.
arto *m.* 【식물】 구기자나무(cambronera); (일반적으로) 가시있는 관목.
arto. artículo.
art.º artículo.
artocarpáceo, a *adj.* 【식물】 =**artocárpeo.**
artocárpeo, a *adj.* 【식물】 쌍자엽류의 (식물).
artocarpo *m.* 【식물】 (아시아와 오세아니아의 열대 지방의) 쌍자엽류 식물.
artófago, ga *adj.* 빵을 많이 먹는.
artolas *f.pl.* 2인승 안장.
artos *m.* =**arto, cambronera.**
artralgia *f.* 【의학】 관절통.
artrítico, ca *adj.* 관절염의. —*m.f.* 관절염 환자.
artrítide *f* 【의학】 관절염 피부병.
artritis *f.* 【의학】 관절염.
artritismo *m.* 【의학】 관절부 질환.
artrología *f.* 관절학.
artropatía *f.* 【의학】 관절병.
artrópodo, da *adj.* 【동물】 절족 동물(節足動物)의. —*m.pl.* 절족류 《곤충, 거미 등》.
Arturo *m.* 【천문】 아르투루스, 대각성(大角星) 《목동자리 Bootes에서 제일 큰 별》.
aruco *m.* 《*Col. Venez.*》 【조류】 (아메리카산) 뿔까치. Sinón. kamichi, chajá, camungo.
aruera *f.* 《*Riopl.*》 =**aguaraibá.**
arugas *f.pl.* 【식물】 흰꽃여름국화(matricaria).
árula *f.* 【고어】 작은 제단.
arundíneo, a *adj.* 갈대(caña)의.
aruñar *tr.* 【속어】 할퀴다(arañar).
aruñazo *m.* 【속어】 할퀴는 일; 손톱 자국.
aruño *m.* =**araño.**
aruñón *m.* 【속어】 =**araño.**
arúspice *m.* 내장 점쟁이 《옛 로마에서 희생자의 내장을 조사하여 점을 치던 점쟁이》.
aruspicina *f.* 내장점(占).
arveja *f.* ① 【식물】 참새완두(algarroba) : ~ silvestre 살갈퀴(áfaca). ② 【방언】 《*Amér.*》 =**guisante.**
arvejal *m.* 참새완두밭.
arvejana *f.* =**arveja.**
arvejar *m.* =**arvejal.**
arvejera *f.* =**arveja.**
arvejo *m.* 【식물】 완두(guisante).
arvejón *m.* ① 《*And.*》 【식물】 =**almorta.** ② 《*Amér.*》 완두(guisante).
arvejona *f.* =**arveja.**
~ ***silvestre*** 살갈퀴(arveja silvestre).
arvejote *m.* 《*Ál.*》 【식물】 =**arvejón.**
arvense *adj.* 묘판을 만드는.
arvícola *adj.* =**arvense.**
arz. arzobispo.
arzbpo. arzobispo.
arz.[do] arzobispado.
arzobispado *m.* ① 대주교직. ② 대주교구. ③ 《*Chile.*》 대주교의 저택.
arzobispal *adj.* 대주교의 : dignidad ~. Sinón. arquiespicopal.
arzobispo *m.* [*gr.* arkhiepiskopos] (카톨릭교의) 대주교; (신교의) 대감독; (그리스 정교에서) 대주교; (불교의) 대승정, 대종정.

arzolla *f.* 【식물】 큰 지느러미 엉겅퀴.
arzón *m.* 안장 틀.
as *m.* 고대 로마의 동전; (카드·주사위의) 1의 패, 에이스.
ser un ~ 제일인자이다.
asa *f.* ① 손잡이, 자루. ② 단서. ③ 핑계, 구실. ④ 【은어】 귀. ⑤ (어떤 씨앗의) 즙(jugo) : ~ dulce·olorosa 벤조인 고무.
~ ***fétida*** 【식물】 아위.
en ~***s*** 양손을 허리에 대고.
ser (muy) del ~ (아주) 친밀한 사이이다.
asá *adj.* =**así.**
asaborado, da *adj.* 【고어】 =**divertido.**
asaborar *tr.* =**saborear.**
asaborear *tr.* =**sazonar.**
asacar *tr.* =**sacar, inventar; achacar, imputar; pretextar, fingir.**
asación *f.* 불에 굽는 일; 달인 약.
asadero, ra *adj.* 잘 구어지는, 구으면 좋은 (식품).
asado *adj.* 구운 : gallina ~*da* 구운 닭. —*m.* 아사도, 불고기(carne asada) : servir un ~ de vaca.
pasarse el ~ 기회·시기를 놓치다.
asador *m.* (불에 굽기 위해 쓰인) 쇠꼬챙이, 적쇠; 불고기 (그릇).
parecer que uno ***come·ha comido*** ~***es*** (누가) 쇠꼬챙이를 삼킨 것 같다.
asadura *f.* ① [집합] (동물의) 창자. ② =**pesadez.** ③ =**cargante.** ④ 찌꺼기.
echar las ~***s*** 몹시 열중하다.
asaeteador, ra *adj.* 쏘는, 화살로 죽이는, 다진.
asaetear *tr.* 쏘다; 화살로 죽이다·다치다; 귀찮게 굴다.
asaetinado, da *adj.* 부드러운 비단천 같은.
asafétida *f.* 【식물】 아위.
asainetado, da *adj.* sainete같은.
asaineteado, da *adj.* sainete 풍의.
asainetear *tr.* =**salpimentar.**
asalariado, da *m.f.* 월급쟁이, 샐러리맨; 비굴한 사람. —*m.pl.* 급료 생활자 계급.
asalariar *tr.* 11 (…의) 급료를 정하다, 급료를 …로 하다; 고용하다.
asalmonado, da *adj.* ① 연어(salmón)와 같은. ② 연분홍색의(de color de rosa pálido).
asaltador, ra *adj.* 습격하는. —*m.f.* 습격자.
asaltante *adj.* 습격·공격하는. —*m.f.* 강도, 폭한, 공격자, 습격자.
asaltar *tr.* ① 덮치다, 습격하다 : Fue *asaltado* el viajero por unos bandidos 여행자는 몇 명의 도적에 의해 습격을 받았다. ② 엄습하다. ③ (생각이) 별안간 떠오르다. ④ (병이) 별안간 생기다.
asalto *m.* ① 덮침; 습격 : tropa de ~ 돌격대, 기습 부대. dar ~ 기습하다. ② (권투·펜싱의) 회전, 라운드.
asamblea *f.* 집회; 회의; 의회 : ~ deliberante 심의회. ~ general 총회. ~ general de accionistas 주주 총회. ~ de diputados, ~ nacional 국회. ~ de los tenedores de debentures 사채권자 회의. ~ de los tenedores de obligaciones 채무 증권 소지인 집회. *A-* del

Pueblo 《*Bol.*》 인민 회의. *A-* Parlamentaria Europea 구주 회의. ~ plenaria 총회.
asambleísta *m.f.* ① 국회 의원. ② 참석자.
asar *tr.* ① 굽다, 볶다 : ~ a la lumbre 불로 굽다. ② 괴롭히다(molestar).
~se 무척 덥다(sentir mucho calor) : *~se de* calor.
asarabácara *f.* 【식물】 야생 생강.
asáraca *f.* =**asarabácara.**
asardinado, da *adj.* 정어리(sardina) 늘어 놓듯 늘어놓은.
asarero *m.* 【식물】 야생 자두나무(endrino).
asargado, da *adj.* 서지(sarga)와 비슷한 직물의 : tela *~da.*
asarina *f.* 【식물】 어리두형나무 : La ~ habita entre las peñas.
ásaro *m.* 【식물】 두형나무 : El ~ tiene olor fuerte y nauseabundo.
asaselo *m.* 【은어】 커다란 기쁨.
asativo, va *adj.* 즙을 내는 ; 나온 즙으로 찌는 · 처리하는.
asaye *m.* 《*Bol.*》 야자잎으로 짠 광주리.
asaz *adv.* 【시어】 꽤, 충분히, 상당히(bastante) : Se mostró ~ generoso conmigo 그는 나에게 상당히 관대한 태도를 보였다. *—adj.* 상당한 : ~ tiempo 상당한 시간. *asaces* veces 상당히 여러 번.
asbestino, na *adj.* 석면의.
asbesto *m.* 석면.
asbolita *f.* =**asbolana.**
asca *f.* 【식물】 =**teca.**
ascálafo *m.* 【곤충】 멕시류 곤충 《긴 촉각과 큰 눈을 가짐》.
ascalonia *f.* 【식물】 당파(chalote).
ascalonita *adj.m.f.* 아스깔론《Ascalón, 옛 팔레스티나의 도시》의 (사람).
áscar *m.* (모로코의) 육군.
áscari *m.* (모로코의) 보병.
ascáride *f.* 【동물】 회충(lombriz intestinal).
ascendencia *f.* [집합] 선조 대대. **Contr.** descendencia.
ascendente *adj.* 오르는 : tren ~ 등산 열차.
ascender *intr.* ⑳ ① 오르다(subir). ② 승진하다 : Fulano *ha sido ascendido* a jefe. ③ (금액 · 숫자가 …로) 달하다 : El valor *asciende* a cinco mil wones 가격은 5천원에 달한다. *—tr.* 오르게 하다, 승진시키다 : ~ *a*l trono 왕위에 오르게 하다.
ascendiente *adj.* 오르는(ascendente). *—m.f.* (양친과 조부모를 포함한) 선조, 조상. **Contr.** descendiente. *—m.* 세력, 영향 (influencia) : tener ~ *sobre* uno.
ascensión *f.* 상승, 등귀 ; 승진 ; 등위 (登位) : ~ al pontificado. **Contr.** descenso.
Ascensión *f.* 그리스도의 승천 ; 승천절 《부활절 후의 40일째》.
~ *recta* 【천문】 적경(赤經).
ascensional *adj.* ① 상승의 : fuerza ~ 상승력. ② 상승적인, 위로 향한.
ascensionista *m.f.* 《*Neol.*》 기구에 탄 사람 (aeronauta).
ascenso *m.* 승진 ; 상승 : ~ rápido 시세의 급등 ; 비행기의 급상승.
ascensor *m.* 엘리베이터, 승강기(elevador) ; 리프트 (montacargas) : ~ doméstico 요리를 운반할 때 쓰는 소형 엘리베이터.
ascensorista *m.f.* 엘리베이터 보이 · 걸 ; 엘리베이터 조작공.
asceta *m.f.* 고행자 ; 은둔자.
ascética *f.* =**ascetismo.**
ascéticamente *adj.* 고행으로.
ascético, ca *adj.* 고행의 ; 행자(行者)의 ; 행자적인 : vida *~ca* 고행자의 생활 ; 금욕 생활.
ascetismo *m.* 은둔 생활 ; 금욕주의 생활 ; 고행.
ascidia *f.* 멍게.
ascio, cia *m.f.* 열대 지방 사람.
ascítico, ca *adj.* 복수종(腹水腫)의. *—m.f.* 복수종 환자.
ascitis *f.* 【의학】 복수종.
asclepiadáceo, a *adj.* 【식물】 후추과 상록 덩굴식물의. *—f.pl.* 후추과 상록 덩굴식물.
asco *m.* 메스꺼움, 구역질 ; 혐오 ; 공포(miedo). *—pl.* 《*Col.*》 (무엇인가를) 하고 싶은 마음.
dar ~ 토하게 하다.
estar hecho un ~ 매우 더럽다, 추잡스럽다, 얼굴을 들 수 없다.
hacer ~s 짐짓 언짢은 얼굴을 하다.
tomar ~ 못견디게 싫어지다.
poner de ~ 《*Méx.*》 큰소리로 욕하다.
-asco, ca *suf.* 「소속 · 관계」; 「경멸성」을 뜻하는 접미어 : peñ*asco,* hojar*asca.*
ascomicetos *m.pl.* 자낭균류.
ascórbico, ca *adj.* 비타민 C를 함유한.
ascosidad *f.* 추잡스러움, 더러움, 메스꺼움.
ascoso, sa *adj.* 더러운, 추잡스러운 ; 소름이 끼칠 듯한(asqueroso).
ascua *f.* 새빨갛게 불에 단 것, 이글거리는 불, 불덩이 : ~ de oro 빛을 내며 반짝이는 것.
estar en ~s 들떠 있다, 차분하지 못하다.
arrimar el ~ a su sardina 기회를 이용하다, 때를 놓치지 않다.
aseadamente *adv.* 청결하게, 산뜻하게, 깔끔하게, 단정하게, 미끈하게, 날씬하게.
aseado, da *adj.* 청결한, 깨끗한, 깔끔한, 단정한, 미끈한, 날씬한, 산뜻한.
asear *tr.* 깨끗하게 하다, 정결 · 말끔하게 하다, 소제하다, 청소하다, (방 따위를) 치우다, 정돈하다.
~se 몸단장하다 : Después de *~se* un poco se dirige al comedor para comer 몸단장을 한 후에 식사하러 식당으로 향한다.
asechador, ra *adj.m.f.* 잠복하는 (사람).
asechamiento *m.* =**asechanza.**
asechanza *f.* 잠복 ; 함정, 계략, 속임수.
asechar *tr.* ① 잠복하다, 숨어 기다리다. ② 함정에 빠뜨리다 ; 골탕을 먹이다.
asecho *m.* =**asechanza.**
asechoso, sa *adj.* 음흉한, 엉큼한.
asedado, da *adj.* 비단결(seda)같은, 부드러운.
asedar *tr.* 비단결같이 만들다, 부드럽게 하다 : ~ cáñamo.
asediador, ra *adj.* 포위한. *—m.f.* 포위자, 포위군.
asediar *tr.* ⑪ 포위 · 공격하다 ; 몰려들다 ; 졸라대다, 몰아세우다, 마구 나무라다.
asedio *m.* 포위, 공성(攻城)(sitio).

aseglararse *r.* 속된 생활로 떨어지다.

asegún *m.* 《*Méx.*》【속어】 조건 : con sus ~*es* 그 조건에.

asegundar *tr.* 재연하다 (repetir un acto segunda vez).

aseguración *f.* 보험 계약, 부보(附保).

asegurado, da *adj.* 보증부의, 보험에 든 : objeto ~ 피보험물. suma ~*da* 보험 금액. valor ~ 보험 가액(價額). ② 보증이 된. ③ 단단한, 든든한. ④ 부보(附保)한 : ~ *en* 5.000ptas. 오천 뻬세따의 보험에 든. —*m.f.* 피보험자 ; 부보물.

asegurador, ra *adj.* 보증하는 ; 보험의. —*m.f.* ① 보험 가입자 ; 보험인, 보험 업자 ; 보험 인수자 : ~ marítimo 해상 보험 업자. ② 보증자, 보증인, 인수인. —*m.pl.* 보험 회사.

aseguramiento *m.* 보증 ; (확약) 보험 ; 통과 허가증.

aseguranza *f.* 【고어】 《*Sal.*》 =**seguridad, resguardo.**

asegurar *tr.* ① 단단히 고정시키다 · 고착시키다 (dar firmeza) : ~ el clavo 못을 단단히 박다. ② 단단히 잠그다 · 매다 · 묶다. ③ 확보하다. ④ 보증하다(garantizar) : ~ la paga 지불을 보증하다. ⑤ 확인하다(afirmar) : Le *aseguré de* mis palabras 내 말에 틀림이 없다고 다짐해 두었다. ⑥ 확약하다 : Le *aseguro* que … …라고 당신에게 확약한다. ⑦ 안심시키다. ⑧ 안전하게 하다, 안전하게 지키다 : ~ el edificio, ~ a los niños. ⑨ 보험에 들다 : ~ la casa *contra* el incendio 집을 화재 보험에 들다. ~ las mercancías *contra* riesgos marítimos 상품을 해상 보험에 들다. **~se** ① 단단히 고정시키다. ② 확보되다 ; 안전해지다 : ~*se de* los temores 걱정이 없어지다. ③ 안심하다. ④ [+de : …을] 확인하다 : *Se aseguró de* mis palabras 그는 나의 말의 사실 여부를 확인했다. ④ 보험에 들다 : ~*se contra* todo riesgo 전체 위험에 대해 보험에 들다.

aseguro *m.* 《*Amér.*》【속어】 보험(seguro).

aseidad *f.* (신의) 자존(自存).

asemejar *tr.* ① 비슷하게 하다, 닮게 하다(hacer algo a semejanza) : *Asemeja* el retrato *al* original 그는 그림을 실물과 같게 묘사한다. ② (…와) 닮다 : La forma *asemejaba* una paloma 형태가 비둘기를 닮았었다. ③ (…에) 비유하다 : El poeta *asemeja* la vida a los ríos 시인은 인생을 냇물에 비유하고 있다.
—*intr.*, **~se** [+a : …를] 닮다, 비슷하다 : *Se asemeja a* la madre 그는 어머니를 닮았다. La vida *se asemeja a* los ríos 인생은 강물과 비슷하다.

asemillar *intr.* 《*Chile.*》 꽃이 열매 · 씨앗이 되다.

asendereado, da *adj.* ① 사람의 왕래가 잦은 : camino ~. ② 핼쓱해진. ③ 손에 익은, 숙련된.

asenderear *tr.* ① (…에) 길을 내다(abrirsenderos) : ~ un bosque 숲에 길을 내다. ② 추적하다(perseguir).

asengladura *f.* =**singladura.**

asenso *m.* ① 동의 (consentimiento). ② 허락 (permiso). ③ 신용 : dar ~ 신용하다. **Contr.** negativa.

asentada *f.* 앉아 있는 동안 : leer una novela *de una* ~ 소설을 단숨에 읽다.

asentaderas *f. pl.* 【속어】 엉덩이, 둔부, 힙, 궁둥이(nalgas).

asentadillas (a) *adv.* 여자처럼 타고, 옆으로 걸터 타고(a mujeriegas).

asentado, da *adj.* ① 자리잡고 앉은(sentado). ② 안정된(estable) : un negocio bien ~. ③ 온건한, 속이 깊은.

asentador *m.* ① (식료품을 시장에서 들여오는) 청부인. ② (대장간에서의) 끝마무리 줄. ③ (면도칼용의) 끝마무리 날 가는 가죽 (suavizador).

asentadura *f.* 《*Ecuad.*》 소화 불량(indigestión).

asentamiento *m.* ① asentar · asentarse 하기. ② 정착, 정주. ③ 기장(란), 기재(란). ④ 신중 (cordura).

asentar *tr.* 19 ① 고정시키다, 앉히다(colocar sobre algo sólido) : ~ cimientos. ② (자리 · 지위 · 위치에) 앉히다 : ~ en el trono. ③ 정착시키다 ; 정주시키다. ④ 기초를 닦다, 기반을 잡다. ⑤ 설치하다 ; 설정하다 : ~ las proposiciones 명제를 설정하다. ⑥ 세우다, 건설하다, 수립하다(establecer) : ~ el gobierno 정부를 세우다. ⑦ (확실하다고) 결정하다, 하는 것으로 치다 : Quede *ansentado* que llega mañana 그가 내일 도착하는 것으로 해두십시오. ⑧ 체결하다 (ajustrar) : *Asentó* treguas con él 상대방과 휴전 조약을 체결했다. ⑨ 기입 · 기장하다 : ~ al crédito. ⑩ (정통으로) 타격을 주다. ⑪ (공작물에) 마지막 손질을 하다, (만든 옷에 마지막) 다리미질을 하다. ⑫ (자갈 등을) 롤러로 평탄하게 고르다. ⑬ (칼을 마지막 단계에서) 날을 갈다. ⑭ 《*Méx.*》 슬프게 만들다, 감동시키다(afectar). ⑮ 《*Perú.*》 (음식을) 집어 먹다 : ~ la comida. —*intr.* ① (옷이 몸에) 맞다(sentar). ② 《*Méx.*》 (기분 · 건강에) 맞다.
~se ① 가라앉다, 차분해지다. ② 정착하다 ; 기초가 잡히다, 굳혀지다. ③ 건설 · 수립되다. ④ (…에) 부임하다. ⑤ (새 등이) 앉다(posarse). ⑥ 침전하다(posarse). ⑦ (음식이) 위에 부담을 주다. ⑧ 기억에 아로새겨지다.

asentativo, va *adj.* 《*Perú.*》 밥먹고 · 식후에 마시는 (술).

asentimiento *m.* 동의(同意)(asenso), 승낙 (承諾) (consentimiento).

asentir *intr.* 53 동의 · 승락 · 승인하다 : ~ a un dictamen 의견에 동의하다.

asentista *m.* 어용 상인, 납품 업자.

aseñorado, da *adj.* 양반티를 내는, 거들먹거리는, 사모님 행세를 하는(señorial) : modales ~*s.*

aseo *m.* ① 소제, 청소, 청결, 몸차림(limpieza) : estuche de ~ 세면 도구 · 화장품을 넣는 상자. ② 화장실 ; 화장실 딸린 방(cuarto de ~). **Contr.** suciedad, desaseo.

asépalo, la *adj.* 【식물】 꽃받침이 없는.

asepsia *f.* 【의학】 무균법 ; 무균 상태.

aséptico, ca *adj.* 《*Neol.*》 무균의 ; 방부의 ; 깨끗한, 청결한.

aseptizar *tr.* 9 균을 제거하다 ; 방부 · 소독하다.

asequi *m.* 목축에 부과하던 세금.

asequible *adj.* 손이 미치는, 손에 넣을 수 있는. **Contr.** inasequible.

aserción *f.* =**afirmación.**
aserenar *tr.* =**serenar.**
aseriarse *r.* =**ponerse serio.**
asermonado, da *adj.* 설교같은, 고리타분하게 말하는 : discurso ~ 설교같은 연설.
aserradero *m.* 제재 공장, 제재소 ; 채석장.
aserradizo, za *adj.* 톱(sierra)으로 썰 수 있는 : madera ~*za.*
aserrado, da *adj.* 톱 모양의. —*m.* 톱질, 톱으로 써는 것.
aserrador, ra *adj.* 톱 (sierra) 으로 써는 : máquina ~ *ra* 제재기. —*m.* 톱질하는 사람.
aserradura *f.* 톱으로 써는 일 ; 제재소. —*pl.* 톱밥, 대패밥.
aserraduría *f.* 제재소(serrar).
aserrar *tr.* ⑪ 톱으로 썰다(serrar).
aserrear *tr.* 《*Chile.*》【속어】=**serrar.**
aserrería *f.* ① 목재소, 제재소. ② 톱질하는 직.
aserrín *m.* 톱밥, 대팻밥(serrín).
aserruchar *tr.* 《*Amér.*》 톱(serrucho)으로 자르다.
asertar *tr.* 【속어】 긍정하다, 단언하다, 확언하다, 단정하다(afirmar).
asertivamente *adv.* 단정적으로, 긍정적으로 (afirmativamente).
asertivo, va *adj.* 긍정적인(afirmativo) : proposición ~*va.* Contr. negativo.
aserto *m.* 긍정(aserción). Contr. negación.
asertor, ra *m.f.* 긍정인.
asertorio, ria *adj.* =**afirmativo.**
asesar *intr.* 철이 들다(adquirir seso o cordura).
asesinar *tr.* ① 암살하다 : El presidente *ha sido asesinado* esta mañana 대통령은 오늘 아침에 암살당했다. ② 괴롭히다, 애먹이다 : ~ a disgustos 온통 다 썩히다. ③ 배반하다.
asesinato *m.* 암살 : ~ premeditado 모살(謀殺).
asesino, na *adj.* 암살하는 : puñal ~. —*m.f.* 암살자, 자객, 살인범 : castigar a un ~.
asesor, ra *adj.* 조언하는.
—*m.f.* ① 조언자 ; 보좌(역) ; 고문 : ~ técnico 기술 고문. ② 고문 변호사 · 법학자.
~ ***de averías*** 해손 청산인.
~ ***de la dirección*** 기업 진단자.
~ ***de publicidad*** 광고 컨설턴트.
asesorado *m.* 고문직.
asesoramiento *m.* 충고, 조언 ; 보좌 ; 상담.
asesorar *tr.* 충고 · 조언하다(dar consejo).
~se [+con · de : …에게] 상담하다, 의논하다 : ~*se con · de* un abogado 변호사에게 상담하다.
asesoría *f.* 고문 · 보좌의 직 ; 변호 요금 ; 변호사 사무소.
~ ***técnica*** 기술 자문 위원회.
asestadero *m.* 《*Ar.*》 =**sesteadero.**
asestadura *f.* asestar하는 일.
asestar[1] *tr.* ①(무기를) 겨누다, 겨냥하다 : ~ el cañón 대포를 겨누다. ~ la lanza 창을 겨누다. ② 향하다, 자세를 취하다. ③ 찌르다, 치다, 쏘다 : ~ un tiro. ④ 투척하다 : ~ una pedrada.
asestar[2] *intr.* 《*Ar. Sal.*》(목축이) 응달에서 쉬다 · 휴식을 취하다(sestear el ganado).
asetona *f.* 【화학】 아세톤.
aseveración *f.* 단언, 단정(斷定), 확언, 긍정.
aseveradamente *adv.* 단정적으로.
aseverar *tr.* 긍정하다, 단언 · 확언하다(afirmar). Contr. negar.
aseverativo, va *adj.* 단정의, 긍정의 : oración ~*va* 긍정문.
asexuado, da *adj.* =**asexual.**
asexual *adj.* ①【동물 · 식물】무성의(sin sexo). ②【동물 · 식물】 무성 생식의 : generación ~ 무성 생식.
a s.f. a su favor.
asfaltado, da *adj.* 아스팔트를 깐. —*m.* 아스팔트 포장, 아스팔트 길 · 도로.
asfaltar *tr.* 아스팔트로 포장하다(revestir de asfalto).
asfaltero *m.* (길에) 아스팔트를 까는 노동자.
asfáltico, ca *adj.* 아스팔트의, 아스팔트를 함유한.
asfalto *m.* 아스팔트.
asfíctico, ca *adj.* 질식의, 가사(假死)한.
asfixia *f.* 질식, 가사 (상태).
asfixiador, ra *adj.* =**asfixiante.**
asfixiante *adj.* 질식성의 : gas ~ 질식성 가스.
asfixiar *tr.* ⑪ 질식시키다(producir asfixia).
~se 질식하다, 질식되다 : ~*se con* óxido de carbono.
asfíxico, ca *adj.* =**asfíctico.**
asfódelo *m.* 【식물】 수선화. Sinón. gamón.
asga asir의 접 · 현 · 1 · 3 · 단수.
asgáis asir의 접 · 현 · 2 · 복수.
asgamos asir의 접 · 현 · 1 · 복수.
asgan asir의 접 · 현 · 3 · 복수.
asgar *tr.* ⑧ 잡다, 붙잡다(asir, coger).
asgas asir의 접 · 현 · 2 · 단.
asgo asir의 직 · 현 · 1 · 단수 ·
así *adv.* ① 이렇게, 그렇게, 저렇게, 이런 식으로 (de esta manera) : por decirlo ~ 이렇게 말해도 괜찮다면. ② 그처럼 : No es ~ 그렇지 않다. ③ 비옵건대, 제발 《기원문의 처음에》 : *Así* Dios te ayude 제발 하나님께서 자네를 구원해 주시기를.
—*adj.* [성수(性數)에는 변화 없이] 그러한, 그 따위 : una mujer *así* 그 따위 계집. No *los* hay *así* 그런 것은 없다.
—*conj.* 그 때문에 ; 설령 …라도(aunque).
así …que 그토록 …이기에 : *Así* le habían desfiguraban las penas, *que* no le conocí 고민 때문에 너무나 얼굴 모양이 달라져, 나는 그를 알아보지 못했다. ***así … como*** … 도 … 역시 …도 : La virtud infunde respeto *así* a los buenos *como* a los malos 덕은 착한 사람에게나 악한 사람에게도 존경심을 일으키게 한다. ***y así*** 그러기에 : Nadie quiso ayudarle, *y así,* tuvo que desistir de su noble empeño 누구 한 사람 그를 도우려 하는 사람이 없었다. 그러기에 그는 그 고결한 목적을 단념하지 않을 수 없었다. ***así, así*** 그럭저럭 ; 아쉬운대로 ; 그저 그렇습니다. ***así como*** …과 마찬가지로, 또한, 및 ; …하자마자(luego que, tan pronto como). ***así como así*** 이러나 저러나. ***así que*** ① …하자마자(luego que, tan pronto como) : *Así que* amanezca, saldré 날이 밝자마자, 나가겠다. ② 그러기에 : El enemigo

había cortado el puente ; *así que* no fue posible seguir adelante 적은 벌써 다리를 끊어버렸다. 그러기에 전진이 불가능했던 것이다. ***así o asá ; así o así ; así que así ; así que asado*** (ser, tener, dar 등과 같이 쓰여) 아무려나 마찬가지. ***así sea*** 제발 그랬으면 싶다. ***así fue*** 그대로 되었다. ***así mismo*** 이런 방법으로, 같은 방법으로. ***así y todo*** 비록 그렇더라도. ***así nada más*** 《*Amér.*》 그렇게 손쉽게. ***así no más*** 《*AmérM.*》 우선 아쉬운대로 ; 그렇게 수월하게 ; 그럭 저럭 (así, así).

Asia *f.* 【지명】 아시아.

asialia *f.* 타액 분비의 감소.

asiático, ca *adj.* ① 아시아(Asia)의 : pueblos ~*s.* ② 화려한, 호화로운(suntuoso) : lujo ~ 눈부신 호화로움. —*m.f.* 아시아 사람.

asibilación *f.* 【음성】 찰음화.

asibilar *tr.* 【음성】 찰음화(擦音化)하다.

asicia *f.* 식욕 부진(anorrexia).

asidera *f.* 《*Riopl.*》 (마구의) 배에 두르는 끈 (correón de la silla en que se afianza el lazo).

asidero *m.* ① 자루, 손잡이. ② 의지할 곳. ③ 실마리. ④ 구실, 핑계할 거리(pretexto). ⑤ 기회(ocasión) : Aprovecharé este ~ 이 기회를 이용하겠다.

asiduamente *adv.* 쉬지 않고, 부지런히(con asiduidad).

asiduidad *f.* [*lat.* assiduitas] 근면, 정성스러움.

asiduo, dua *adj.* 부지런한, 근면한 ; 한결 같은 : estudiante ~ al estudio. Contr. inexacto, descuidado.

asient- →**asentar** 19 ; **asentir** 53.

asiento *m.* ① 자리 : tomar ~ 자리에 앉다. *Tome* usted ~ 앉으십시오. ② 좌석 : de un solo ~ 단좌석의, 1인승의. ~ de fumar 흡연석. ③ (직분·위원으로서의) 자리. ④ (도시·건물의) 부지, 지역. ⑤ 《*Amér.*》 광구. ⑥ (엔진·기계를 놓는) 대, 침대. ⑦ 포좌(砲座). ⑧ 기저(基底) : ~ de eje 축받이, 베어링. ⑨ (포장·벽돌) 등을 깐 바닥. ⑩ (기물·찻잔 등의) 바닥, 우물 바닥. ⑪ (부기의) 기장, 기입 ; 기입란 ; 적어 두기, 메모(anotación) : ~ de cierre 결산 기입. ~ de mayor 원장 기입. ⑫ (식료품·물자의) 납품 청부, 조달 계약 : tomar el ~ de un ejército 군대에 납품을 청부맡다. ⑬ 안정, 가라앉음(estabilidad) : tomarse el ~ 일이 안정되다. ⑭ 정착 : hallarse *de* ~ 정착되어 있다. ⑮ (건물 등의 자체 무게에 의해) 내려 앉음, 침강(沈降). ⑯ 침전물, 앙금(poso). ⑰ (먹은 것의) 거북함, 소화 불량. ⑱ (공작물의) 끝마무리 (하는 일). ⑲ 강화(講和). ⑳ 분별 (cordura, prudencia) : hombre de ~ 분별 있는 사람.
—*pl.* ① 밑이 납작한 못 쓰는 진주. ② 궁둥이 (nalgas)
~ ***de colmenas*** 열린 양봉장.
~ ***de pastor*** 【식물】 싸리.

asignable *adj.* 지정할 수 있는.

asignación *f.* ① 지정. ② 할당, 분배, 몫. ③ 충당액, 충당금. ④ 봉급, 급료(sueldo, salario).

asignado, da *adj.* [*fr.* assignat] 지정된. —*m.f.* 인수인 ; 수탁자. —*m.* ① (불란서 혁명 중의) 아시니아 지폐. ② 《*Ecuad.*》 (농장 고용인·경작인에게) 현물 지급.

asignar *tr.* ① 지정하다, 할당하다. ② 제시하다 ; 지명·임명하다 ; 정하다 ; 알리다 ; (…에게) 송부하다.

asignatario, ria *m.f.* 《*Cuba. Chile.*》 (유산 등의) 피지정인(legatario).

asignatura *f.* 학과목 : ~ libre 선택 과목. ~ obligatoria 필수 과목.

asigurar *tr.* 【속어】 =**asegurar.**

asilado, da *adj.* asilar의 *p.p.* —*m.f.* 피수용자 ; 수용아(收容兒).

asilamiento *m.* (요양소 등에) 수용.

asilar *tr.* 숨겨 두다 ; 수용하다 ; 망명시키다.

asílidos *m.pl.* 【곤충】 쌍시류.

asilla *f.* [*dim.* asa] ① (작은) 손잡이. ② 【해부】 쇄골. ③ =**asidero, ocasión, pretexto.**

asilo[1] *m.* [*lat.* asylum ; *gr* ásylon]. ① 피신처 (refugio). ② 보호, 비호(protección) : el ~ de la paz. ③ 수용. ④ (고아 등의) 수용소, 보호소, 양육원. ⑤ 《*Col.*》 유치원. Sinón. refugio.

asilo[2] *m.* [*lat.* asilus] 【곤충】 말벌.

ásilo *m.* =**asilo.**

asilvestrado, da *adj.* 야생화한 (식물).

asimesmo *m.* =**así mismo.**

ASIMET Asociación de Industria Metalúrgica 《*Chile.*》 금속 공업 연맹.

asimetría *f.* 불균형, 비대조(disimetría).

asimétrico, ca *adj.* 균형이 잡히지 않은, 좌우가 고르지 못한, 제각각의.

asimiento *m.* ① 잡는·쥐는 일(acción y efecto de asir). ② 파악. ③ 집착(adhesión).

asimilabilidad *f.* 동화 (작용).

asimilable *adj.* 동화되는, 동화시킬 수 있는 : carbono ~.

asimilación *f.* 유사 ; 동시(同視) ; 동화 (작용). Contr. disimilación.

asimilador, ra *adj.* 같은, 동일한, 한 모양의 : espíritu ~.

asimilar *tr.* ① 비슷하게 하다, 닮게 하다, 동일하게 하다, 한 모양으로 하다(asemejar) : La embriaguez *asimila* el hombre a la bestia. ② 동화하다, 같은 종류화하다. ③ 소화 흡수하다. —*intr.* 유사하다, 닮다(ser semejante). Contr. diferenciar.
~se 동화하다 ; 유화(類化)하다 ; 닮다(parecerse) ; 소화 흡수하다.

asimilativo, va *adj.* 동화의, 동화력이 있는.

asimilista *adj.* (강대국의 식민지 등에 대한) 동화주의의. —*m.f.* 동화주의자.

asimina *f.* 《*Amér.*》 포도나무 ; 그 열매.

asimismo *adv.* ① 또한, 역시, …도(también). ② 게다가, 더우기(además). ③ 같게, 마찬가지로 (igualmente) : *A-* lo cree 그이도 그렇게 믿고 있다.

asimplado, da *adj.* 바보같은, 얼간이같은, 등신같은 : persona ~*da* 바보. el niño de rostro ~ 바보상을 한 아이, 실성한 얼굴을 한 아이.

asimplar *tr.* 바보로 만들다.

asín *adv.* 【고어】 =**así.**

asina *adv.* 【고어】 =**así.**

asinartético, ca *adj.* = **independiente, suelto.**

asincrónico, ca *adj.* 동시적이 아닌.

asincronismo *m.* 동시성의 결여.
asindético, ca *adj.* 【문법】 무접속사의.
asíndeton *m.* 【문법】 접속사 생략(법).
asinino, na *adj.* =**asnino, asnal.**
asinti- →**asentir** 53.
asintie- →**asentir** 53.
asintota *f.* (교차되는 일이 없는) 점근선(漸近線).
asintótico, ca *adj.* 점근선 (asíntota)의 : espacio ~.
asir *tr.* 56 붙잡다, 잡다, 포착하다, 쥐다, 물다 (coger, agarrar, prender) : ~ a uno *de* la ropa 누구의 옷을 붙잡다. ~ a uno *por* los cabellos 누구의 머리칼을 붙잡다. ~ la ocasión 기회를 포착하다. ~ con los dientes 이로 물다. —*intr.* 뿌리박다(arraigar).
~se ① 붙들고 늘어지다, 붙잡히다 : *Se asió a·en·de* una cuerda 밧줄을 붙들고 늘어졌다. ② (무엇을) 구실로 삼다. ③ 맞붙잡고 싸우다 : *Se asía con* el contrario 상대방과 맞붙잡고 싸웠다. [직설법 현재 : asgo, ases, ase, asimos, asís, asen. 접속법 현재 : asga, asgas, asga, asgamos, asgáis, asgan].
Asiria *f.* 【지명】 아시리아 《서남 아시아에 있었던 고대 왕국》.
asirio, ria *adj.* 아시리아의. —*m.f.* 아시리아 사람. —*m.* 아시리아말.
asiriología *f.* 고대 아시리아의 연구.
asiriológico, ca *adj.* 고대 아시리아 연구의.
asiriólogo, ga *m.f.* 고대 아시리아 연구학자.
asistencia *f.* ① 출석 ; 입회 ; 참가 : Agradecemos su ~ 출석해 주셔서 고맙습니다. ② 도움, 원조, 조력, 보조(socorro, favor, ayuda) : ~ económica 경제 원조. ~ financiera pública 공공 자금 원조. *A-* Recíproca Petrolera Estatal Latinoamericana 라틴아메리카 국유 석유 상호 원조. ~ técnica 기술 원조·지도. ③ 사업 ; 구호, 구제, 구조 (auxilio) : ~ a los ancianos 노인 복지 사업. ~ a los jóvenes 청소년 복지 사업. ~ a los mutilados de guerra 전상자 복지 사업. ~ pública 구호 시설. ~ social 사회 구제 사업. ④ 시중, 간호. ⑤ 진료(~ médica). ⑥ 진료 사례금. ⑦ 《*Méx.*》 (친한 사람을 들이는) 응접실. ⑧ 《*Méx.*》 하숙집(casa de ~). —*pl.* 의연금, 구호품, 구제 물자.
asistencial *adj.* 보조의, 보좌의.
asistenta *f.* 종의 아내, 통근하는 하녀 ; 잔심부름하는 여자 ; (수도원의) 수녀원장 대리 ; 궁녀.
asistente *adj.* ① 출석하는 ; 돕는, 원조하는 ; 병간호하는. ② 보조의, 보좌의 : profesor ~ 조교수 《anglicanismo, 서반아어로는 profesor auxiliar로 됨》. —*m.* ① 출석자. ② 보조자, 보좌역. ③ 종졸(從卒). ④ 《*Col.*》 하인.
asistido *m.* 《*AmérM.*》 【광산】 일시적 계약 갱부.
asistimento *m.* 《*Sal.*》 =**servicio, asistencia.**
asistir *tr.* ① (…에) 따르다, 수반(隨伴)하다 (acompañar). ② 돕다, 원조하다, 조력하다, 거들다, 시중들다 ; 보조하다(ayudar). ③ 구하다, 구제하다, 구호하다(socorrer). ④ 구완하다, 병간호하다 : *Asistía* al enfermo toda la noche 나는 밤새도록 환자를 간호했다. ⑤ (의사가) 진찰·진료하다 (cuidar los enfermos) : Le *asiste* un buen médico. —*intr.* ① (어느 장소에) 출석하다 : *Asistió* a la batalla 그 싸움에 참가했다. ② 출석·참석하다, 입회하다 : ~ a la boda *de* tutor 후견인으로서 결혼식에 나오다. ¿*Asistió* usted a la fiesta? 파티에 출석했습니까?
asistolia *f.* 【의학】 심장의 수축 부전(收縮不全).
asistólico, ca *adj.* 심장의 수축 부전의.
asitia *f.* 【의학】 식욕 상실.
áskari *m.* 동아프리카의 유럽 식민지에 주둔하는 원주민 병사.
askenazi *m.* 독일계 유태인.
aslilla *f.* =**asilla clavícula.**
asma *f.* [*gr.* asthma] 【의학】 천식 : El ~ es frecuente en los ancianos.
asmado, da *adj.* 《*Can.*》 =**atónito.**
asmático, ca *adj.* 천식의. —*m.f.* 천식 환자.
asn. asociación.
asna *f.* 【동물】 (암)당나귀. —*pl.* 【건축】 서까래, 연목.
asnacho *f.* 【식물】 (노란 꽃이 피는) 싸리(gatuña).
asnada *f.* 【속어】 =**necedad.**
asnado *m* (알마단에서) =**puntal de la mina.**
asnal *adj.* ① 나귀의. ② 어리석은. ③ 짐승같은 (bestial, brutal).
asnalidad *f.* =**burrada.**
asnallo *m.* 【식물】 =**asnacho.**
asnalmente *adv.* 나귀를 타고 ; 어리석게도; 짐승처럼.
asnaucho *m.* 《*Amér.*》 =**arnaucho, ají, pimiento.**
asnear *intr.* 미욱하게 말하다 ; 행동하다.
asnejón *m. aum. desp.* asno.
asnería *f.* ① 당나귀떼. ② 미련한 언행, 어리석은 짓, 바보짓(tontería) : decir ~*s.*
asnerizo *m.* 당나귀 몰이꾼.
asnero *m.* =**asnerizo.**
asnico *m.* 《*Arg.*》 석쇠를 고정시키는 주방 기구.
asnilla *f.* 지주, 받침 기둥, 버팀목.
asnillo *m.* [*dim.* asno] 【곤충】 반날개.
asnino, na *adj.* =**asnal.**
asno *m.* ① 【동물】 당나귀. ② 바보 : !Qué ~ es *Fulano* ! (아무개는) 정말 바보야 !
Al ~ muerto, la cebada al rabo 【속담】 사후 약방문(死後藥方文).
asobarcar *tr.* 7 【속어】 =**sobarcar.**
asobinarse *r.* (소·말·사람이) 넘어져 움직이지 못하게 되다.
asocarronado, da *adj.* 교활해 보이는, 약게 보이는 : persona ~*da.*
asociable *adj.* 합할 수 있는.
asociación *f.* ① 협동, 합동, 연합 ; 제휴. ② 회(會) ; 협회, 조합, 단체 ; 길드, 연맹 조합 : ~ profesional 동업자 조합. ③ 【심리】 관념 연합, 연상(~ de las ideas).
A- Cafetera de El Salvador 엘살바도르 커피농장 협회. ***A- Caribe de Libre Comercio*** 카리브해 자유 무역 연합. ***A-Centroamericana de Armadores*** 중미 선주(船主) 협회. ***A- Centroamericana de Industrias Textiles*** 중미 섬유 협회. ***A- Colombiana de Mineros*** 꼴롬비아 광업 협회. ***A- Colombiana de Pequeños Industriales*** 꼴롬비아

중소 공업 협회. ~ *comercial* 동업 조합, 산업·사업자 단체. ~ *de aduanas* 관세 동맹. ~ *de aprobación oficial* 검정 협회. *A- de Arbitraje Comercial Coreana* 한국 국제 상사 중재 협회. *A- de Armadores Coreanos* 한국 선주 협회. *A- de Aseguradores de Chile* 칠레 보험업자 협회. *A- de Asistencia Recíproca Petrolera Estatal Latinoamericana* 라틴아메리카 국영 석유 기업 상호 원조 협회. *A- de Azucareros de Guatemala* 구아떼말라 설탕업자 협회. ~ *de capitales* 자본의 결합. ~ *de comerciantes* 상인 길드, 동업(자) 조합. *A- de Comercio Libre de la América Latina* 라틴아메리카 자유 무역 연합. *A- de Contadores de Venezuela* 베네수엘라 회계사 협회. ~ *de cooperativas* 협동 조합 연합회. ~ *de crédito* 신용 조합. *A- de Detallista de Provisiones* 《*Dom.*》 식료품 소매업자 조합. *A- de Distribuidores de Vehículos de Motor* 《*Dom.*》 자동차 배급업자 조합. ~ *de empresas de transporte marítimo* 해운 동맹. *A- de Fabricantes e Importadores de Tabacos y Cigarrillos* 《*Urug.*》 담배 제조업자 및 수입업자 협회. ~ *de firmas exportadoras·importadoras* 수출·수입업자 조합. *A- de Fomento del Intercambio Comercial* 《*Urug.*》 무역 촉진 협회. *A- de Ganaderos de El Salvador* 엘살바도르 축산 협회. *A- de Importadores y Mayoristas de Almacén* 《*Urug.*》 수입업자 및 도매업자 협회. ~ *de industriales* 동업자 조합. *A- de Industria Metalúrgica ; A- de Industriales Metalúrgicos* 《*Chile.*》 금속 공업 연맹. *A- de Industriales del Estado de México* 멕시코주 공업자 협회. *A- de Industriales Latinoamericanos* 라틴아메리카 공업 연맹. ~ *de labradores* 농민 조합. *A- de Lloyd de registro de los buques ingleses y extranjeros* 로이드 선급 협회. *A- de los Exportadores·Importadores de Chile* 칠레 수출업자·수입업자 연맹. ~ *de patronos* 고용자 조합. ~ *de personas* 《*Dom.*》 사단법인. *A- de Productores de Aceites Esenciales* 《*Guat.*》 정유 제조업자 협회. *A- de Congreso Panamericano de Ferrocarriles* 범미철도 회의연합. *A- Dominicana de Dueños de Farmacias* 도미니까 약국 업주 조합. ~ *en participación* 공동 사업, 합변(회사) ; 익명 조합. *A- Europea de Libre Comercio* 유럽 자유 무역 연합. *A- General de Agricultores* 《*Guat.*》 농업자 협회 *A- Guatemalteca de Productos de Algodón* 구아떼말라 면제품 협회. *A- Interamericana pro Democracia y Libertad* 민주주의 및 자유 옹호 전미 연맹. *A- Internacional de Desarrollo·Fomento* 국제 개발 협회. *A- Latinoamericana de Armadores* 라틴아메리카 선주 협회. *A- Latinoamericana de Ferrocarriles* 라틴아메리카 철도 연맹. *A- Latinoamericana de Industriales de Conservas Alimenticias* 라틴아메리카 식품 통조림 공업 연맹. *A- Latinoamericana de Libre Comercio* 라틴아메리카 자유 무역 연합. ~ *mercantil en participación* 《*Dom.*》 익명 조합. *A- Nacional de Bananeros* 《*Ecuad.*》 바나나 재배업자 협회. *A- Nacional de(l) Café* 《*Guat.*》 국립 커피 협회. *A- Nacional de Fomento Económico* 《*CRica.*》 국가 경제 개발 협회. *A- Nacional de Importadores y Exportadores de la República Mexicana* 멕시코 수출입업자 협회. *A- Nacional de Industriales* 《*Hond.*》 국립 공업 연맹 ; 《*Col.*》 전국 공업 협회. *A- Nacional de la Industria Química* 《*Méx.*》 전국 화학 산업 연합. *A- Nacional Republicana del Partido Colorado* 《*Parag.*》 꼴로라도당 국민 공화파. ~ *no lucrativa* 비영리 회사. ~ *(profesional) obrera* 노동 조합. *A- Rural del Uruguay* 우루구아이 농업 협회.

asociacionismo *f.* 관념 연합설 ; 연상 심리학.

asociado, da *m.f.* 조합원, 회원 ; 협동자 ; 수행원. —*adj.* 공동의 : prensa ~*da* 공동 통신.

asociamiento *m.* =**asociación.**

asociante *m.* 조합원.

asociar *tr.* ⑪ ① 합치다(juntar) : ~ *sus* esfuerzos. ② 연합시키다, 협동시키다 ; 조합에 넣다. Contr. separar.

~se ① 연합하다 ; 협동하다, 협력하다 ; 합동하다. ② 참가하다 : *Me asociaré* a su obra 나는 그의 사업에 참가하겠다. ③ 짝맞추다.

asociativo, va *adj.* 합할 수 있는.

asocio *m.* 《*Amér.*》【속어】 협동, 연합, 조합 : en ~ de …과 협동으로.

asolación *f.* 황폐 ; 괴멸(asolamiento).

asolador, ra *adj.* 황폐·괴멸시키는, 쑥대밭으로 만드는. —*m.f.* 황폐시키는 사람.

asolamiento *m.* =**asolación.**

asolanarse *r.* (식물이) solano (돌풍·열풍)의 피해를 입다.

asolapar *tr.* (기왓장 등을) 포개어 늘어놓다.

asolar *tr.* ㉔ 괴멸시키다, 쑥대밭으로 만들다 ; 황폐시키다 : El terremoto *asoló* la comarca 그 지방은 지진으로 황폐되었다.

~se ① 깊이 가라앉다, 침전하다. ② (논밭·농작물 등이) 바싹 말라 버리다. [*N.* ② 의 경우는 규칙 동사].

asoldadar *tr.* =**asoldar.**

asoldar *tr.* ㉔ 고용하다(asalariar) : ~ un regimiento.

asoleada *f.* 《*Amér.*》 일사병(insolación).

asoleado, da *adj.* ① 볕이 잘 드는. ② 《*Amér.*》 멍청한, 우둔한(torpe).

asolear *tr.* 볕에 쪼이다 : Hay que ~ las mantas 모포를 볕에 말려야 한다.

~se ① 볕에 쪼여 더워지다 ; 볕에 그을리다 ; 일광욕을 하다 : Ella *está asoleándose* en la terraza 그녀는 테라스에서 일광욕을 하고 있다. ② 《*Amér.*》 일하다, 노력하다. ③ 《*Guat.*》 바보가 되다.

asoleo *m.* 볕에 쬐임.

asollamar *tr.* 《*Chile.*》 누렇게 태우다.

~se 《*AmérM.*》 (힘을 주어·화내어) 얼굴을 새빨갛게 하다.

asoma *f.* 【조류】 아소마 《꼴롬비아에 흔한 새》.

asomada *f.* 엿봄, 엿보기 ; 어떤 곳이 보이기 시작하는 지점 : hacer una ~ 모습·얼굴을 살짝 보이다.

asomadero *m.* 《*Col.*》 =**asomada.**

asomagado, da *adj.* 《*Ecuad.*》 =**soñoliento.**

asomante *adj.* 엿보는.

asomar *intr.* 엿보다, 보이기 시작하다, 나타나기 시작하다(empezar a mostrarse) : *Asomó* el sol 태양이 나타나기 시작했다. *Asomó* el peligro 위험이 보이기 시작했다. —*tr.* ① 들여다 보

게 하다, 들여다 보이다 : ~ la cabeza *por·a* la ventana 창문에서 머리를 드러내다. ② 나타내다. Contr. ocultar.
~se ① 들여다보다, 나타나다 : *~se a* la ventana 창문에 나타나다. *~se por* la ventana 창문에서 엿보다. ② 취기가 돌기 시작하다.

asombradizo, za *adj.* =**espantadizo.**

asombrador, ra *adj.* 어두운 ; 놀란.

asombrar *tr.* ① 그늘지게 하다, 어둡게 하다 (sombrar) : ~ el rostro *con* el abanico 얼굴을 부채로 가리다. Unos ramos *asombraron* su rostro 나뭇가지가 그의 얼굴을 가렸다. ② 놀라게 하다, 감탄케 하다 : Me *asombra* que usted haya hecho tal cosa 당신이 그런 일을 했다는 것은 놀랍다. *Asombra* a todo el mundo por su genio 그는 그의 재능으로 세인을 놀라게 한다.
~se [+con·de : …에] 놀라다 ; 감탄·감심하다 : *Me asombro con·de* esta maravilla.

asombro *m.* ① 놀람 (sorpresa). ② 감탄 ; 놀라운 것. ③【속어】도깨비.

asombrosamente *adv.* 놀랍게, 놀랄 만큼 (maravillosamente).

asombroso, sa *adj.* 놀라운 ; 놀라게 하는.

asomo *m.* 들여다 봄 ; 조짐, 전조 ; 의혹, 의문. *ni por ~* 조금도, 손톱만큼도, 전혀 (de ningún modo).

asonada *f.* =**motín.**

asonancia *f.* ① 동류음, 동류음의 중복 《악센트가 있는 마지막 모음이 같은 것 : fort*u*na와 m*u*cha》. ② 일치, 동조, 조화 : tener ~ con … 과 앞뒤가 맞다, …과 일치하다.

asonantado, da *adj.* 동류음 형태로 된 : crónica *~da.*

asonantar *intr.* 어조(語調)가 맞다. **—***tr.* 동운·동류음으로 하다.

asonante *adj.* 동류음의 ; 동류음으로 된 : PIE y LEY son *~s* AVE con FÁCIL.

asonántico, ca *adj.* 유음(類音)의.

asonar *intr.* 24 동류음이다 ; 일치하다.

asónico, ca *adj.* 방음(防音)의.

asordante *adj.* 귀머거리로 만드는.

asordar *tr.* 귀머거리로 만들다 (ensordecer) : Ese ruido *asorda.*

asorocharse *r.* ①《*AmérM.*》 고산증에 시달리다, 산멀미하다(padecer del soroche). ②《*C- hile.*》 얼굴을 붉히다(ruborizarse).

asosegar *tr. intr.* 8 =**sosegar.**

asoslayado, da *adj.* =**de soslayo.**

asotanado, da *adj.* 지하실 같은, 지하실 모양으로 만든(hecho a modo de sótano).

asotanar *tr.* (…에) 지하실·지하 창고를 짓다 (hacer sótanos).

aspa *f.* [단수로는 el aspa] ① X자형의 물건 : en ~ 십자형으로. San Andrés murió en el ~ 성 안드레스는 십자가에 못박혀 죽었다. ② 얼레 ; (풍차의) 날개 ; 날개. ③《*AmérM.*》 각(角), 뿔 (cuernos). ④《*Chile.*》 광구(鑛區)의 넓이.

aspadera *f.* 얼레의 테(aspa).

aspado, da *adj.* 양팔을 자유로이 할 수 없는 ; X형의. **—***m.* 두 팔을 꽁꽁 묶은 고행자.

aspador, ra *adj.* 실패에 감는 ; 십자가에 못박는. **—***m.f.* 실을 감는 사람. **—***m.* 얼레(devana dera).

aspalácidos *m.pl.* =**espalácidos.**

aspálato *m.*【식물】자단(紫檀), 화류 ; 레타마 (retama) 등의 가시 있는 관목의 일반적인 호칭.

aspálax *m.* =**espálaco.**

aspalto *m.* ① =**asfalto.** ② =**espalto.**

aspar *tr.* (실을) 실패에 감다 ; 십자가에 못박다 ; 괴롭히다, 족쳐 대다.
~se ① 비명을 지르다 : *~se* a gritos 울부짖다, 신음하다. ② 격앙하다. ③ 열심히 하다 : *~se por* el premio 상을 타려고 열심히 하다.

asparagina *f.*【화학】=**aspargina.**

asparagosa *f.*【화학】=**aspargosa.**

aspárgico, ca *adj.* 아스파라가스에서 얻어진 (산).

aspargina *f.*【화학】아스파라가스의 싹에서 발견된 이뇨 물질.

aspargosa *f.*【화학】아스파라가스 뿌리에 있는 탄수화물.

aspaventar *tr.* =**espantar.**

aspaventero, ra *adj.* 표정이 호들갑스러운 : mujer *~ra.*

aspaventoso, sa *adj.* 호들갑을 떠는.

aspavientarse *r.* 《*AmérC.*》 무서워하다 ; 겁내어 떨다.

aspaviento *m.* 호들갑스러운 감정 표시 : hacer muchos *~s.*

aspécidos *m.pl.* =**espalácidos.**

aspear *tr.*【방언】=**despear.**

aspecto *m.* [*lat.* aspectus] ① 모양, 외양, 외관 ; 광경 : a·al primer ~ 흘깃 보니, 보기에. ② 형상 ; 모습, 용모, 자태 : Tenía el ~ de una bola negra 검은 공같은 생김새를 하고 있다. ③ (문제의) 관점, 견지 : bajo el ~ de …의 견지에서. ④【문법】상(相) : ~ de la acción verbal 동사의 동상(動相).

ásperamente *adv.* 호되게, 험하게, 무뚝뚝하게, 매정스럽게(con aspereza) : hablar ~ 무뚝뚝하게 말하다. Contr. suavemente.

asperarteria *f.*【해부】기관(tráquea).

asperear *intr.* 떫게 되다, 맛이 떫다(tener sabor áspero).

asperete *m.* (과일 등의) 떫은 맛(asperillo).

aspereza *f.* 떫음 ; 땅이 울퉁불퉁함, 까칠까칠(한 상태) ; 사나움 ; 무뚝뚝함 ; 가혹.

aspergear *tr.* =**asperjar.**

asperger *tr.* =**asperjar.**

asperges *m.*【단·복수 동형】살포 ; 살수(撒水) ; 살수기.
quedarse ~ 기대에 어긋나다(quedarse sin lo que esperaba).

aspérgula *m.*【식물】=**amor de hortelano.**

asperidad *f.* =**aspereza.**

asperiego, ga *adj.* 떫은 사과의 일종.

asperilla *f.*【식물】질경이.

asperillo *m.* (술이나 과일의) 떫은 맛 : el ~ de la fruta verde.

asperjar *tr.* =**rociar.**

aspermo, ma *adj.*【식물】씨가 없는.

áspero *m.* =**aspro.**

áspero, ra *adj.* [절대 최상급 aspérrimo, 속어로는 asperísimo] ① 떫은, 까칠까칠한, 감촉이 깔끄러운. La tela es muy *~ra* 그 천은 무척 깔끄럽다. ② 무서운, 사나운 ; 가혹한, 심한(vio-

lento) : Es muy ~ con sus inferiores 그는 아랫사람한테 매우 가혹하다. Contr. suave.
asperón *m.* 사암(砂岩); 거친 숫돌.
aspérrimo, ma *adj.* [*aum.* áspero] 매우 떫은.
aspersión *f.* =**rociadura.**
aspersorio *m.* 살수기(撒水器).
asperura *f.* =**aspereza.**
áspid *m.* 【동물】 이집트 코프라, 독사(víbora).
áspide *m.* 【동물】 =**áspid.**
aspidistra *f.* 【식물】 대왕풀.
aspillador, ra *m.f.* aspillar하는 사람.
aspillar *tr.* 《*And.*》 (통의 포도주 양을) 조사하다.
aspillera *f.* (성벽의) 총안(銃眼); 좁은 틈.
aspillerar *tr.* (…에) 총안을 만들다.
aspiración *f.* ① (호흡의) 흡기. ②【음성】 대기(帶氣); 기식음, 대기음. ③ 들어마심, 도입. ④ 포부, 향상심, 큰뜻, 갈망, 대망, 열망. ⑤ 신의 찬양. Contr. expiración.
aspirado, da *adj.* 기식음의. —*f.* 기식음의 문자《h의 경우》.
aspirador, ra *adj.* 빨아들이는. —*m.f.* 흡기기(吸氣器), 흡입기, 흡취기(吸取器), 흡진기(吸塵器), 전기 소제기(~ de polvo).
aspirante *adj.* ① 빨아들이는, 올리는 : bomba ~ 흡입 펌프. ② 기식(氣息)의, 기식음의. —*m.f.* 취임 자격자; 신청인, 지망자, 지원자 : ~ de marina 해군 지원자.
aspirar *tr.* ① 흡입하다, (공기를) 들이마시다. ② 빨아들이다, 들이마시다. ③ [+a : …을] 동경하다, 열망하다, 포부를 가지다, 큰 뜻을 품다, 갈망하다 : *Aspiro* a este empleo 이 직위에 앉고 싶은 생각이 간절하다. ④ 기식음(氣息音) (ha 하, hi 히, hu 후, he 헤, ho 호) 으로 발음하다. Contr. espirar, soplar.
aspirativo, va *adj.* 기식음의.
aspiratorio, ria *adj.* 흡기(吸氣)의 : movimiento ~.
aspirina *f.* 아스피린.
aspro *m.* 아스프로《터키의 화폐 단위》.
aspudo, da *adj.* 《*Amér.*》 뿔이 커다란.
asquear *intr.tr.* 혐오하다.
asquerosamente *adv.* 가슴이 답답하게, 속이 뒤틀리게.
asquerosidad *f.* 언짢음.
asqueroso, sa *adj.* =**repugnante.**
asquiento, ta *adj.* 《*AmérM.*》 =**asqueroso.**
asta *f.* [*lat.* hasta] [단수로는 el asta] ① (고대 로마의) 창(lanza, pica). ② 창의 손잡이(palo de la lanza). ③ 장대, 깃대 : a media ~ 조기(弔旗)를 올리고. ④ (화필·도구·솔의) 자루(mango). ⑤ 뿔(cuerno) : tomar el toro por las ~*s* 황소가 뿔로 받다.
~ ***bandera*** 《*AmérM.*》 깃대.
~ ***de caracoleada*** 약을 대로 약아빠진 (놈).
astabandera *f.* 《*Méx.*》 깃대.
astabatán *m.* 《*Álava.*》 =**marrubio.**
astacícola *adj.* 게 양식(astacicultura)의 : industria ~ 게 양식 산업.
astacicultor, ra *m.f.* 게 양식자.
astacicultura *f.* 게(cangrejo) 양식.
ástaco *f.* 민물게(cangrejo de río).
astado, da *adj.* 자루 달린; 뿔이 난. —*m.* 고대 로마의 창병(槍兵).
astático, ca *adj.* 불안정한; 자리잡지 못한 : sistema ~ 불안정한 제도. galvanómetro ~ 무정위 전류계. aguja ~*ca* 무정위침.
ástato *m.* 【화학】 아스타틴《방사성 원소》.
astear *tr.* 《*Chile.*》 뿔로 찌르다.
asteísmo *m.* 비난을 가장한 칭찬.
astenia *f.* 【의학】 쇠약, 허약(debilidad, acracia); 무력증(無力症).
asténico, ca *adj.* 허약한, 쇠약한.
astenología *f.* 【의학】 무력증 연구.
aster *m.* ①【식물】 왜쑥부쟁이. ②【생물】 (세포 속의) 성상체(星狀體).
asteria *f.* ①【동물】 해성 불가사리(estrellamar). ②【광물】 성광석(星光石).
asterisco *m.* 별표(*)(estrella).
asterismo *m.* 【천문】 성군(星群), 성좌, 별자리(constelación).
astero *m.* 고대 로마의 창병(astado).
asteroide *adj.* 별모양의. —*m.* (화성과 목성과의 궤도 사이에 산재한 망원경으로만 관측할 수 있는) 소유성, 소혹성 《Ceres, Palas, Juno, Vesta》.
asteroideo, a *adj.* 【동물】 해성류의. —*m.pl.* 해성류.
asti *m.* 아스띠《이탈리아의 포도주의 일종》.
astifino, na *adj.* 뿔이 가늘고 날카로운 (소) (de astas finas) (toro).
astigmático, ca *adj.* 난시의 : ojo ~ 난시눈. —*m.f.* 난시자.
astigmatismo *m.* 【의학】 난시.
astigmómetro *m.* 난시 검사기.
astil *m.* [*lat.* hastile] ① (농기구의) 손잡이 (mango). ② 통, 화살촉, ③ (저울의) 대, 깃털의 축.
Astilejos *m.pl.* =**Astillejos.**
astilla *f.* (나무나 돌의) 부스러기 : ~ de palo 나무 부스러기. ~ de pedernal 규석 부스러기.
sacar ~ 약간의 이득을 보다.
astillar *tr.* ① 산산조각을 내다(hacer astillas).
astillazo *m.* 비말(飛沫) : recibir un ~ en la frente.
Astillejos *m.pl.* 쌍둥이 별자리 중의 별인 카스토르(Cástor)와 뽈룩스(Pólux).
astillero *m.* ① 창걸이 (percha en que se ponen las picas y lanzas). ② 조선소, 독, 선거(船渠) : *Astilleros* y Maestranza de la Armada 《*Chile.*》 해군 공창. ③《*Méx.*》 벌채장.
estar en ~ 중요한 지위에 있다(encontrarse en situación brillante).
astillón *m.* [*aum.* astilla] (나무나 돌의) 부스러기.
astilloso, sa *adj.* ① 부스러기가 되기 쉬운 : madera ~*sa*. ② 까칠까칠한.
astiñar *tr.* 【은어】 =**hurtar, robar.**
astomia *f.* 입이 없는 불구.
astomo, ma *adj.* 입·구멍이 없는.
astorgano, na *adj.m.f.* 아스또르가 《Astorga, León주의 도시》의 (사람).
astracán *m.* 아스뜨라깐 가죽 《새끼양의 가죽》; 아스뜨라깐 직(織).
astracanada *f.* 싱거운·멋없는 익살, 서툰 재담(cuentecillo jocoso).

astrágalo *m.* ① 뜨라가깐또 고무. ②【건축】기둥의 술장식. ③【해부】발뒤꿈치 뼈(taba, chita).
astral *adj.* 별의, 별같은, 천체의. *lámpara* ~ 그림자없는 등.
Astrea *f.*【희랍 신화】Júpiter와 Temis 사이에 태어난 딸《정의의 여신, 황금 시대의 말기에 인류로부터 사라짐》.
astreñir *tr.* ㊾ =**astringir, apretar, estrechar.**
astricción *f.* ① 수축. ② 변비.
astrictivo, va *adj.* 수렴의, 수렴성의.
astricto, ta *adj.* [astringir의 *p.p.*] ① 수렴한. ② 강제된 : ~ a un servicio.
astrífero, ra *adj.*【시어】별이 많은, 별이 빛나는.
astringencia *f.* 수렴성 ; 떫은 맛.
astringente *adj.* 수렴성의 ; 떫은. —*m.* 수렴제.
astringir *tr.* ① 수렴하다. ② 수축시키다. ③ 속박하다, 강제하다(sujetar).
astriñir *tr.* ㊷ =**astringir.**
astro *m.* [*lat.* astrum] ① 천체(cuerpo celeste). ② 굉장한 미인(gran belleza) : Esta mujer es un ~. ③ 스타《예능·스포츠의 유명인》: ~de pantalla 스크린 스타. ~ de fútiol 축구 스타.
astr.º astrónomo.
-astro, tra *suf.* ①「경멸」의 뜻을 나타내는 접미어 : poet*astro.* ②「의붓…」의 뜻을 나타내는 접미어 : madr*astra.*
astrobús *m.* 우주 여행용 탈것.
astrofía *f.* 천체학.
astrofísica *f.* 천체 물리학.
astrofísico, ca *adj.* 천체 물리의. —*m.f.* 천체 물리 학자.
astrofotografía *f.* 천체 사진.
astrografía *f.* 천체학.
astrógrafo *m.*【천문】아스트로 그래프《천체 관측 촬영기》.
astrolabio *m.* (고대의) 천체 고도 측정기.
astrólatra *adj. m.f.* 천체 숭배의 (사람).
astrolatría *f.* 천체 숭배.
astrolito *m.* (천체에서의) 낙석, 운석(aerolito).
astrologar *tr.* ⑧ 별점을 치다.
astrología *f.* ① 점성(占星)술, 점성학(~ judiciaria). ②【고어】천문학(astronomía).
astrológico, ca *adj.* 점성(占星)의 : observación ~*ca.*
astrólogo, ga *adj.* =**astrolóico.** —*m.f.* 점성학자, 점성가(planetista).
astrómetro *m.* 천체 측정 기구.
astronauta *m.f.* 우주 비행사.
astronáutico, ca *adj.* 우주 항법·우주 비행의. —*f.* 우주 항법·우주 비행(의 연구·개발).
astronave *f.* 우주 로켓, 우주선, 우주 여객기.
astronavegación *f.* 우주 비행.
astronométrico, ca *adj.* 천체 측정의 : unidad ~*ca.*
astronomía *f.* 천문학, 성학(星學).
astronómicamente *adv.* 천문학적으로.
astronómico, ca *adj.* ① 천문의 : año ~ 회귀년(回歸年). observatorio ~ 천문대. ② 천문학적인, 천문학용의, 천문학상의 ; (숫자 등이) 천문학적인 : cantidades ~*cas* 천문학적인 숫자. ③ 거대한 ; 과장된, 엄청난, 터무니없이 많은 : precios ~*s* 터무니없는 가격.
astrónomo, ma *m.f.* 천문학자.
astroquímica *f.* 천체 화학.
astrosamente *adv.* 구질구질하게 ; 추접스럽게 ; 천박하게 ; 불결하게.
astroso, sa *adj.* 구질구질한 ; 더러운, 추접스러운 ; 천박한. **Contr.** cuidadoso.
astucia *f.* [*lat.* astutia] 간사함, 간지(奸知) ; 간계(奸計)(ardid) ; 교활. **Contr.** candidez, lealtad.
astucioso, sa *adj.* 간사한, 교활한, 간교한, 약삭빠른(sagaz, astuto).
astur *adj.* 아스또르가《Astorga를 수도로 한 서반아 고대의 지방; 현재의 Oviedo주》의. —*m.f.* 아스뚜리아스 사람(asturiano).
asturianismo *m.* 아스뚜리아 방언·말씨.
asturiano, na *adj.* 아스뚜리아스의. —*m.f.* 아스뚜리아 사람.
Asturias【지명】아스뚜리아스《서반아 북부의 한 지방》: príncipe·princesa de ~ 아스뚜리아스공《서반아 황태자의 칭호》. Miguel Angel ~ 구아떼말라의 문학자 (1899—).
asturicense *adj. m.f.* 아스뚜리까《Astúrica, 현재의 Astroga》의 (사람).
asturión *m.*【동물】조랑말(jaca).
astutamente *adv.* 교활하게.
astuto, ta *adj.* ① 간사한, 교활한 : El zorro es un animal muy ~. ② 빈틈없는. **Contr.** cándido, leal.
asuardado, da *adj.* =**juardoso.**
asubiadero *m.*《*Sant.*》비를 피할 수 있는 장소.
asubiar *intr.*《*Sant.*》비를 피하다(resguardarse o guarecerse de la lluvia).
asueto *m.* 휴식, 단기 휴가, 임시 휴일 : tarde de ~ 휴식하는 오후. día de ~ 휴일.
asumir *tr.* ① 떠맡다, 받아들이다, (자기 쪽으로) 끌어들이다. ②《*Galic.*》취하다(tomar) : ~ el mando 지휘하다. ~ la responsabilidad 책임을 지다. ~ grandes proporciones 증대하다. ~ la cartera del ministro de Asuntos Exteriores 외무 장관직을 맡다. **Contr.** rechazar.
asunción *f.* ① 인수 ; 즉위식. ② (카톨릭교의) 성모의 승천(제) ; 성모 피승천의 축제일《8월 15일》.
Asunción *f.*【지명】아순시온《빠라구아이의 수도》.
asuntado, da *adj.*《*Col.*》…의 이유 때문에·의한(a causa de).
asuntar *intr.*《*AmérC.*》호기심을 작용시키다.
asunto *m.* ① 일, 문제, 사건 : No se meta usted en ~*s* ajenos 다른 사람의 일에 간여하지 마세요. ② (문학 작품 등의) 줄거리, 문제(argumento) ; 논제, 주제, 테마 : ¿Cuál es el ~ de esa escultura? ③ 장사, 사업, 거래(negocio). ④《*Amér.*》주의(atención) : poner ~ 주의하다. *Ministro de Asuntos Extranjeros* 외무 장관.
asuramiento *m.* 눌음, 탐.
asurarse *r.* ① 눋다. ① 가뭄으로 마르다. ③ 조바심하다, 애태우다(asarse).
asurcado, da *adj.* 도랑이 생긴, 도랑이 된.
asurcano, na *adj.* 서로 인접한 (논·밭).
asurcar *tr.* ⑦ (논·밭에) 도랑을 파다 ; 이랑을 만들다 ; (배가) 물을 가르고 나가다(surcar).

asuso *adv.* 【고어】 위로(arriba). [Contr.] ayuso.
asustadizo, za *adj.* 겁이 많은, 잘 놀라는 : caballo ~. [Contr.] impávido.
asustador, ra *adj.* 《*Amér.*》 놀라는.
asustón, na *adj.* 《*Amér.*》 =**asustador.**
asustar *tr.* 흠칫 놀라게 하다(dar susto) : ~ a un perro 개를 놀라게 하다. Me *asustaron* sus gritos 그의 큰 소리로 나는 놀랐다.
~se [+con · de · por : …에] 놀라다, 질겁하다, 겁내다 : ~*se de · con · por* un ruido 기겁을 하다. *Se asustó con* el ruido que hacía 그는 그 때의 소리에 놀랐다.
asutilar *tr.* 미묘하게 하다.
at.ª atenta.
atabaca *f.* 《*And.*》 =**atarraga, olivarda.**
atabacado, da *adj.* ① 담배 색깔의, 다갈색의 : paño ~. ② 《*Bol.*》 =**empachado.**
atabacarse *r.* 《*Amér.*》 담배의 남용으로 중독되다.
atabaiba *f.* 《*Cuba.*》 【식물】 =**lirio.**
atabal *m.* 【음악】 =**timbal.**
atabalear *intr.* (말이) 발버둥치다 ; (테이블을 가볍게) 톡톡 치다.
atabalejo *m. dim.* atabal.
atabalero *m.* atabal의 연주자.
atabalete *m. dim.* atabal.
atabanado, da *adj.* 흰 얼룩 무늬가 있는 (말).
atabardillado, da *adj.* 뇌척수막염성(腦脊髓膜炎性)의.
atabardillarse *r.* 일사병에 걸리다.
atabe *m.* 수도관 끝에 남겨 두는 작은 구멍.
atabernado, da *adj.* 소매하는 술의.
atabillar *tr.* 양모의 직물을 접다.
atabladera *f.* (논밭을 고르기 위해 쓰는) 써레.
atablar *tr.* (논밭을) 써레로 고르다.
atacable *adj.* 공격할 수 있는 : argumento ~. [Contr.] inatacable.
atacado, da *adj.* ① 꾸물거리는, 우유부단한(encogido, irresoluto). [Contr.] atrevido. ② 인색한(miserable, mezquino). [Contr.] generoso.
atacador, ra *adj.* 공격하는 ; 집어넣는. **—*m.f.*** 공격자, 습격자. **—*m.*** ① (무엇을) 집어넣는 것, 작대기 : ~ de tabaco. ② (포의) 꼬질대. ③ 《*Méx.*》 말의 머리에 매는 줄.
atacadura *f.* ① 공격. ② 단추를 채우는 일.
atacameño, ña *adj.m.f.* 아따까마(Atacama)의 (사람).
atacamiento *m.* =**atacadura.**
atacamita *f.* 【광물】 녹염동광(綠鹽銅鑛).
atacante *adj.* 공격하는. **—*m.f.*** 공격자.
atacar *tr.* [7] ① 덮치다, 쳐들어가다, 습격하다, 공격하다(acometer, embestir). ② 도전하다. ③ 침식하다, 작용하다 : El orín *ataca* el hierro. ④ (화약 등을) 장전하다. ⑤ (…의) 단추를 잠그다. ⑥ 【음악】 (음에) 악센트를 붙이다, 두드러지게 강하게 연주하다 · 노래하다.
[접속법 현재 : ataque, ataques, ataque, ataquemas, ataquéis, ataquen. 직설법 부정과거 1인칭 단수 : ataqué].
ataché *m.* 《*Galic. Amér.*》 =**agregado.**
ataco *m.* 【곤충】 천잠충.
atacola *m.* 말 꼬리를 묶는 끈.
ataderas *f.pl.* 대님(ligas para las medias).
atadero *m.* 묶는 것, 끈, 밧줄 ; 잇는 자리, 손댈 곳.
no tener ~ 무질서하다(no tener orden ni concierto) : Ese asunto *no tiene* ~.
atadijo *m.* (작은) 꾸러미 ; 묶는 것, 노끈.
atado, da *adj.* ① 묶여진. ② 어물거리는, 주저주저하는, 어릿어릿한. [Sinón.] apocado. **—*m.*** ① 다발, 뭉텅이, 묶는 것 : un ~ de ropa. ② 《*Arg.*》 궐련 한 봉지(cajetilla de cigarrillos).
atador, ra *adj.* 묶은, 동여맨. **—*m.f.*** (밀 등의) 단을 만드는 사람.
atadora *f.* 단으로 묶는 기계.
atadura *f.* ① 묶음, 결박. ② 묶어 다발로 만드는 것. ③ 밧줄, 끈, 노끈. ④ 결합, 유대(unión, enlace).
atafagar *tr.* [8] ① (주로 강렬한 냄새로) 코를 찌르다, 숨막히게 하다(sofocar): Este olor me *atafaga.* ② 탁하게 만들다. ③ 성가시게 굴다, 괴롭히다(molestar).
atafea *f.* 포식.
atafetanado, da *adj.* 호박단(tafetán) 같은.
atagallar *tr.* =**forzar de vela.** **—*intr.*** 《*Cuba.*》 열망하다.
ataguía *f.* (공사중 물을 막는) 둑, 제방.
ataharre *m.* 밀치끈, 껑거리끈 《마구》.
atahona *f.* =**tahona.**
atahonero *m.* =**tahonero.**
atahorma *f.* 【조류】 물수리.
atahúlla *f.* =**tahúlla.**
ataifor *m.* 회교도의 둥그런 테이블.
atairar *tr.* (창문 등에) ataire를 붙이다 : ventana *atairada.*
ataire *m.* 패널, (문 · 창문 등의) 돌출부 · 가장자리를 깍아서 만든 곡면 · 커브, 널판 또는 벽.
ataja *f.* 《*Arg.*》 =**ataharre.**
atajada *f.* 《*Chile.*》 둑, 보 ; 지름길로 감, 앞지름.
atajadero *f.* 수문(水門), 둑문.
atajadizo *m.* (주로 토지의) 경계 막이 ; 칸막이 한 곳.
atajador, ra *adj.* 방해하는, 막는, 저지하는. **—*m.*** 《*Méx.*》 =**arriero.**
atajamiento *m.* 앞질러 감 ; 저지 ; 방해 ; 당황.
atajaprimo *m.* 《*Cuba.*》 아따하쁘리모 《민속춤의 일종》.
atajar *intr.* 지름길로 가다(ir por el atajo). **—*tr.*** ① (누구를) 앞질러 가다. ② 물줄기를 막다, 저지하다, 가로막다. ③ 방해하다 : ~ al orador 연설자를 방해하다. ~ el discurso 연설을 방해하다. ④ 중지시키다.
~se ① 겁에 질리다. ② 당황하다. ③ 《*And.*》 = **emborracharse.**
atajarria *f.* 【방언】 =**ataharre.**
atajasolaces *m.* 놀이의 방해자.
atajea *f.* =**atarjea.**
atajía *f.* =**atarjea.**
atajo *m.* 지름길 : ir por el ~ 지름길로 가다.
echar por el ~ 손쉬운 수단을 쓰다.
No hay ~ sin trabajo 【속담】 일하지 않고 얻고자 하는 것은 쉬 얻을 수 없다, 노력없는 지름길은 없다.
atajona *f.* 《*Hond.*》 회초리, 채찍(látigo).
atajuelo *m. dim.* atajo.

atalajar *tr.* 동물에 마구를 놓다.
atalaje *m.* ①(포를) 끄는 말. ② 혼수감(ajuar).
Atalanta *f.* 【희랍 신화】 아탈란타《걸음이 빠른 미녀》.
atalantar *tr.* ① 즐겁게 하다, 기쁘게 하다; …에 어울리다(agradar). ② 어리둥절하게 하다, 멍하게 만들다(aturdir).
atalas *m.pl.* (아르헨띠나의) 챠꼬 원주민.
atalaya *f.* 망루; 조망대(眺望臺). —*m.* ① 감시인. ②【은어】 도둑.
atalayador, ra *adj.* 감시하는, 엿보는. —*m.f.* 조사자(averiguador).
atalayar *tr.* ①(망루에서) 감시하다(registrar desde una atalaya). ② 엿보다, 엿살피다, 노리다(espiar).
atalayero *m.* (망루의) 보초병, 감시병.
atalayuela *f. dim.* atalaya.
atalía *f.* 【곤충】(농작물에 피해를 주는) 막시류 곤충.
ataludar *tr.* (…을) 비탈지게 하다(dar talud).
ataluzar *tr.* 9 =**ataludar.**
atalvina *f.* =**talvina.**
atamán *m.* 코사크의 추장.
atamiento *m.* ① 묶기(atadura). ② 캥김, 기가 죽음(cortedad de ánimo).
atanasia *f.* [*gr.* athanasia] ①【식물】 쑥국화류(hierba de Santa María). ②【인쇄】 14포인트 활자.
atanco *m.* =**atasco, atranco.**
atandador, ra *m.f.* 《*Murc.*》 관개 담당자.
atanor *m.* ① 토관, 수관(tubo o cañería). ② 올이 성긴 비단.
atanquía *f.* ① 탈모고(脫毛膏). ② 올이 성긴 비단(adúcar).
atañer *intr.* 51 속하다, 관련이 있다(pertenecer, concernir): Esto no me *atañe* 이것은 내게 관계없는 일이다. [*N.* 제3인칭에만 활용하는 불구 동사].
atapar *tr.* 【고어】 막다(tapar).
atapialar *tr.* 《*Amér.*》 담으로 둘러 싸다, (…에) 담장을 만들다(tapiar, cercar).
atapuzar *tr.* 7 힐책하다, 따지다(atestar).
ataque[1] *m.* ① 공격(agresión). ②(병의) 발작(acometimiento de una enfermedad): ~ de calentura. ③ 싸움.
ataque[2] atacar 의 접·현·1·3·단수.
ataqué atacar의 직·부정과거·1·단수.
ataquen atacar의 접·현·3·복수.
ataquiza *f.* 꺾꽂이.
ataquizar *tr.* 9 《*Arg.*》 =**amugronar.**
atar *tr.* ① 묶다, 동여매다, 엮다, 매다: ~ el caballo 말을 매다. ~ el perro *a* un árbol 개를 나무에 묶다. ~ a uno *de* pies y manos 남의 손발을 묶다. El ladrón le *ató* de pies y manos 도둑은 그의 손과 발을 묶었다. ~ *por* la cintura 허리를 묶다. ~ *por* el cuello 목을 묶다. *Atate* bien los zapatos 구두 끈을 잘 매라. ② 다발로 하다. ③ 속박하다.
~se ① [+a: …에] 당황하다: *~se* en las dificultades 어려운 문제로 당황하다. ② 매달리다, 붙들고 늘어지다: *~se* a una sola opinión 오직 한가지 의견에 매달리다.
~ ***corto*** a uno 누구의 자유를 속박하다.
no ~ ni desatar 이것 저것 헤아리지 않고 몰아세우다.
ataracea *f.* ① 상감 세공(象嵌細工)(taracea). ②(가구 장식의) 쪽매 붙임 (세공).
ataracear *tr.*(…에) 상감 세공을 하다(taracear)
atarantado, da *adj.* ① 독거미 (tarántula)에게 물린. ② 수선을 떠는: un muchacho ~. ③ 멍청해진.
atarantamiento *m.* 멍청하게 되는 일; 당황; 만취.
atarantapayos *m.* 《*Méx.*》 =**espantavillanos.**
atarantar *tr.* 멍청하게 만들다(aturdir).
~se ①《*Chile.*》 당황하다, 서둘다. ②《*Méx.*》 허겁지겁 먹다. ③ 얼근히 취하다.
ataraxia *f.* ① 무정, 무감동(frialdad). ② 마음을 푹 놓음. Contr. sensibilidad.
atarazana *f.* 수리 독·선거(船渠); (작은) 작업장.
atarazar *tr.* 9 ① 씹어 잘게 부수다, 갉다, 쏠다, 물어뜯다(morder, romper con los dientes). ② …에 상감 세공을 하다(ataracear).
atardecer *intr.* 31 해가 지다. —*m.* 일모(日暮), 해질녘, 해질 임시, 해질 무렵, 해거름, 땅거미 질 무렵: llegar el ~.
al ~ 해질녘에, 해질 임시에, 해질 무렵에, 해거름에.
atareado, da *adj.* 바쁜, 분주한, 부산한, 다망한(ocupado): Estoy muy ~ 나는 무척 바쁘다.
atarear *tr.* (…에) 업무를 배당하다, 일감을 주다.
~se 부산하게 일하다, 일에 전념하다, 일에 몰두하다(entregarse mucho al trabajo): *~se a* escribir.
atareo *m.* ① 바쁜 일. ②《*Cuba.*》 바쁜 상태.
atarjea *f.* ① 배수구(排水溝), 배수지; 수로. ②《*Perú.*》 수원지.
atarquinar *tr.* 진흙(tarquín)으로 채우다.
~se 진흙투성이가 되다, 흙탕물을 뒤집어쓰다.
atarracar *tr.* 《*Sal. Méx.*》 =**atracar.**
atarraga *f.* 【식물】 =**olivarda.**
atarragar *tr.* 8 (못·징·굽쇠를) 치다·박다·만들다. —*intr.* 《*And.*》 간신히 걷다(andar con dificultad).
~se 《*Méx.*》 포식하다.
atarrajar *tr.* 《*Venez.*》 =**aterrajar.**
atarraya *f.* 투망(esparavel).
atarrayar *tr.* 《*Amér.*》 잡다, 붙들다, 포획하다; (그물로 고기를) 잡다; (밧줄을 던져 짐승을) 포획하다.
atarria *f.* 《*Méx.*》 =**ataharre.**
atarrillar *tr.* 《*Venez.*》 =**atabardillar.**
atarugamiento *m.* 옹졸함, 소심함(timidez).
atarugar *tr.* 8 ①(마개·못으로) 빠지지 않게 하다, (…에) 마개를 끼우다, 채워 넣다: ~ el bastidor de una puerta. ② 말문이 막히게 하다; 우겨 넣다, 가득 채우다 (atestar, llenar, atracar, hartar).
~se 대답을 못하게 되다; 포식하다; 목구멍에 차다(atragantarse); 당혹하다; 얼떨떨하다.
atasajado, da *adj.* 말에 편안하게 탐.
atasajar *tr.* 고기를 포육으로 만들다 (hacer tasajos la carne).
atascadero *m.* ① 깊은 수렁, 진창. ② 장해.

atascado, da *adj.* [atascar의 *p.p.*] 《*Murc.*》 = **obstinado, pertinaz.**

atascamiento *m.* 장애, 훼방, 방해 (atasco, estorbo, obstáculo).

atascar *tr.* 7 (틈새에) 우겨 넣다, 틈을 메우다 ; 방해하다, 훼방 놓다 ; 움직이지 않게 하다 ; 가득차게 하다. Contr. desatascar.
~se (관 등이) 막히다 ; 움직이지 않게 되다, 움쭉달싹 못하게 되다 ; (연설에서) 말문이 막혀 쩔쩔매다.

atasco *m.* 장애, 훼방, 방해.

atasquería *f.* 《*Murc.*》 =**terquedad.**

ataúd *m. ár.* 널, 관, 영구(靈柩).

ataudado, da *adj.* 관(ataúd) 모양의.

ataujía *f. ár.* 금·은·칠보의 상감 세공(象嵌細工).

ataujiado, da *adj.* 상감 세공된 (금속).

ataurique *m.* 석고 제품의 당초(唐草) 무늬.

ataviado, da *adj.* 장식된.

ataviar *tr.* 12 장식하다(adornar, componer).
~se [+con·de : …으로] 장식하다, 꾸미다, 성장(盛裝)하다, 의상을 걸치다 : *~se con·de* lo ajeno.

atávico, ca *adj.* 격세 유전(隔世遺傳)의.

atavío *m.* 몸치장 ; 장식물, 성장(盛裝). **—***pl.* 장신구.

atavismo *m.* 격세 유전(隔世遺傳), 조부모를 닮음.

ataxia *f.* 운동·보행 실조(失調) : ~ locomotriz 운동 불수.

atáxico, ca *adj.* 운동 실조의. **—***m.f.* 운동 실조된 사람.

atecomate *m.* 《*Méx.*》 물그릇 《호리병 등》.

atecorralar *tr.* 《*Méx.*》 (…에) 흙벽을 두르다.

atediante *adj.* =**tedioso.**

atediar *tr.* 11 싫증나게 하다, 진절머리나게 하다(causar tedio, aburrir, fastidiar).

ateísmo *m.* 무신론.

ateísta *adj.* 신을 믿지 않는, 무신론의. **—***m.f.* 무신론자.

ateje *m.* (Cuba와 Santo Domingo의) 지치과 식물.

atejo *m.* 《*Amér.*》 꾸러미, 묶음(atado).

atejonarse *r.* 《*Méx.*》 웅크리고 앉다.

atelaje *m.* [주로 *pl.*] (포차를) 끄는 말 ; 끄는 말의 마구.

ateles *m.* 【동물】 거미원숭이(mono araña).

atemorizar *tr.* 9 겁을 주다, 벌벌 떨게 만들다, 무섭게 하다, 설설 기게 만들다(atestar).
~se [+de·por : …을] 무서워하다, (…에) 벌벌 떨다 : *Se atemorizó de* la noticia 그는 그 소식에 벌벌 떨었다.

atempa *f.* 《*Ast.*》 낮은 평원의 목장.

atemperación *f.* 완화; 적응, 진정.

atemperado, da *adj.* 완화된, 가라앉은 ; 진정된.

atemperante *adj.m.f.* 가라앉히는, 완화시키는 (사람).

atemperar *tr.* ① 가라앉히다, 완화시키다(temperar). ② 적응시키다, 진정시키다.
~se ① 완화되다. ② 차분해지다. ③ 《*Col.*》 (병세가) 좋아지다.

atenacear *tr.* =**atenazar.**

Atenas *f.* 【지명】 아테네 《그리스의 수도》.

atenazado, da *adj.* [atenazar의 *p.p.*] 부젓가락(tenazas) 모양의.

atenazar *tr.* 9 ① 부젓가락(tenazas)으로 고문하다. ② (발 같은 데의 살을) 쥐어뜯다 : Se le *atenazaron* las piernas. ③ 짓누르다. ④ 죽치다.

atención *f.* ① 주의, 관심 : llamar la ~ 주의·관심을 끌다(despertar la curiosidad). poner·prestar ~ a …에 주의를 기울이다. en ~ a …에 유의하여, …을 고려하여. Contr. distracción. ② 선심, 친절 ; 돌봄. ③ 경의, 호의. ④ 양모의 매매 계약·매입.
—*pl.* 직책, 사무, 용무, 일, 잡무(negocios, ocupaciones) : tener muchas *~es.*
—*interj.* 차렷(의 호령) ; 주의하십시오, 조심하세요 ! (¡Ojo!).

atendedor, ra *m.f.* (인쇄에서) 한 사람은 원문을 읽고 다른 한 사람은 교정을 보는 것.

atendencia *f.* atender하는 일.

atender *tr.* 20 【고어】 기다리다(aguardar).
—*tr. intr.* [+a, 혹은 a 없이 : …에] ① 조심하다, 유의하다, 주의하다, 마음을 쓰다(cuidar) : Nadie me *atiende* 아무도 내 말에 마음을 쓰지 않는다. ② 대접하다. ③ 돌보다 : ~ a un enfermo 병자를 간호하다. ④ (누구의) 용건을 듣다. ⑤ (주문에 따라) 조치를 취하다. Contr. desatender.
[직설법 현재 : atiendo, atiendes, atiende, atendemos, atendéis, atienden. 접속법 현재 : atienda, atiendas, atienda, atendamos, atendáis, atiendan].

atendible *adj.* 주의할 가치가 있는 : razones *~s* 귀담아 들어야 할 이유.

atendido, da *adj.* 《*AmérM. Méx.*》 주의깊은, 신중한.

Atenea *f.* 【희랍 신화】 아테네 《지혜·학예·전쟁의 여신 ; 로마 신화의 Minerva》.

atenebrarse *r.* 캄캄해지다, 어두워지다(entenebrecerse, obscurecerse).

atenecia *f.* =**dependencia, pertenencia.**

ateneísta *adj.* 학예회(ateneo)의. **—***m.f.* 학예회 회원.

ateneo, a *adj.* 【시어】 아테네의(ateniense).
—*m.f.* 아테네 사람. **—***m.* (학예적인) 협회, 학회.

atenerse *r.* 59 ① 바탕으로 삼다, 따르다 : *~se a* lo mejor 가장 좋은 방법에 따라 하다. ② 몰두하다 : Nos veíamos *atenidos a* las moscas 파리 때문에 정신이 없었다. ③ …에 의지하다, 따르다 : *~se a* una orden. *¿A qué ~?* 어떤 수를 써야 할까?

atenido, da *adj.* ① (…에) 몰두한·전념한. ② 《*Col. Méx.*》 남에게 기대기만 하는.

ateniense *adj.* 아테네의. **—***m.f.* 아테네 사람.

atenor *m.* 《*Amér.*》 =**atanor, cañería.**

atentación *f.* ① 반역, 불법, 불법 행위(procedimiento ilegal). ② 폭력 수단(atentado).

atentadamente *adv.* ① 사려깊게, 분별있게, 신중하게(con tiento). ② 법을 무시하여.

atentado, da *adj.* ① 부드러운 ; 신중한, 사려있는, 어김이 없는, 분별있는 : muchacho poco ~. ② 불법의, 반역의 : lo ~ 불법. **—***m.* 불법 행위, 폭력 사태 ; 반역(죄) : Se cometió un ~

contra la vida del ministro.
atentador, ra *adj.* 신중한, 주의깊은 ; 어기는, 나쁜 짓을 저지르는.
atentamente *adv.* 조심해서, 신중하게, 주의깊게 ; 정중하게.
atentar *tr. intr.* ⑲ [+contra · a : …에 대하여 불법 · 반역을] 꾸미다, 꾀하다, 어기다, 저지르다 : ~ *contra* la vida de su amigo 친구의 생명을 노리다. ~ *a* su honor 그의 체면을 깎으려고 벼르다.
~se ① 퍽 조심하다, 신중히 하다. ②《*Chile.*》 =**tentar.**
atentatorio, ria *adj.* 반역적인, 법률을 무시한, 불법의 : medida *~ria.*
atento, ta *adj.* ① 신중한, 조심스러운. ② 정중한, 공손한(cortés) : su *~ta* (carta) 귀한(貴翰). su ~ y seguro servidor 경구(敬具). ~ con … 에 대해 예의바른. ~ *con* las mujeres 여성에 대해 예의바른. Es muy ~ *con* los mayores 그는 연장자한테 매우 예의가 바르다. Contr. desatento. *—adv.* 고려하여, 유의하여(en atención).
~ *a* (…을) 고려하여.
atentón *m.* 【속어】 (손으로) 더듬는 일.
atenuación *f.* ① 경감 ; 완화. ② 묽게 하기, 희석(稀釋). ③【수사】 곡언법(曲言法)《부정의 표현에 씀, 진의를 반대로 긍정할 때의 말 : No soy tan feo》. Contr. agravación.
atenuante *adj.* 늦추는 ; 묽게 하는 ; 정상을 참작한 : circunstancias *~s.* Contr. agravante. *—m.* 희석제, 희석약. *—f.* 정상 참작 : El tribunal ha concedido todas las *~s* posibles 법정은 가능한 모든 정상 참작을 했다.
atenuar *tr.* ⑮ 가늘게 하다, 희박하게 하다, 약하게 하다, 경감하다(minorar, disminuir) : ~ la culpa.
ateo, a *adj.* 무신론의. *—m.f.* 무신론자(ateísta).
atepetarse *r.* 《*AmérC.*》 얼떨떨하다, 당황하다 (obrar sin tino).
atepocate *m.* 《*Méx.*》 올챙이(renacuajo).
atercianado, da *adj.* 간헐열(間歇熱)의. *—m.f.* 간헐열 환자.
aterciopelado, da *adj.* 우단(羽緞)같은 ; 부드러운 : alfombra *~da* 부드러운 융단. papel ~ 부드러운 종이.
aterecerse *r.* ㉛ =**aterirse.**
aterido, da *adj.* (추위로) 언, (손발이) 곱은.
aterimiento *m.* (추위로) 어는 것 · 일, (손이) 곱아짐.
aterirse *r.* 얼다, 곱아지다(pasmarse). [*N.* 부정형과 과거 분사 이외로는 쓰이지 않음].
atermal *adj.* 광천질(鑛泉質)의 : agua ~ 광천.
atermanidad *f.* 내열, 불투열성.
atérmano, na *adj.* 내열의, 불투열성 (不透熱性)의 : El cristal es ~ 유리는 내열성이다. Contr. diatérmano.
atérmico, ca *adj.* =**atérmano.**
ateroma *m.* 【의학】 분류(粉瘤) ; 동맥 아테로마.
aterrada *f.* (배의) 접안(接岸).
aterrador, ra *adj.* ① 공포감을 주는, 놀란, 떠는, 질겁하는 : noticia *~ra* 놀란 소식. ② 접안하는, 착륙하는.
aterrajar *tr.* (…의) 나사를 끊다.
aterraje *m.* 《*Neol.*》 착륙 ; (배의) 접안.
aterramiento *m.* ① 공포(terror). ② 굴욕 (humillación). ③ 질림. ④ 토사(土砂)의 퇴적.
aterrar[1] *tr.* 공포감을 주다, 떨게 만들다 ; 질리게 하다 ; 자지러지게 하다.
~se [+de : …에] 질겁하다, 떨다 : *~se de* ruido.
aterrar[2] *tr.* ⑲ (땅 위에) 쓰러뜨리다, 내리다 ; 흙으로 덮다.
—intr., **~se** (배가) 육지에 접근하다, (항공기가) 착륙하다.
aterrerar *tr.* ①【광산】 부스러기를 버리다. ② =**aterrar.**
aterrillarse *r.* 《*Cuba.*》 =**asolearse.**
aterrizaje *m.* 착륙 : campo de ~ 착륙장. hora de ~ 착륙 시간.
aterrizamiento *m.* 《*Ar.*》 =**aterrizaje.**
aterrizar *intr.* ⑨ 착륙하다(tomar tierra) : *Aterrizamos* en el aeropuerto de Barcelona a las 21, 45. Contr. despegar.
aterronarse *r.* 덩어리가 되다, 뭉쳐지다.
aterrorizar *tr.* ⑨ 질겁을 하게 하다, 떨게 만들다, 전율케 하다(aterrar).
atesar *tr.* ⑲ 팽팽하게 하다.
~se 《*Cuba.*》 도망치다, 뺑소니치다.
atesoramiento *m.* 축적, 저장(貯藏) ; 수장(收藏) : ~ de oro 금의 퇴장(退藏).
atesorar *tr.* 비축하다 ; 거두어 넣다 ; 챙겨 넣다 ; 수장 · 저장하다 ; (좋은 자질 · 덕 따위를) 지니고 있다.
atestación *f.* (증인 · 유언자의) 증언 ; 증서.
atestado, da *adj.* 완고한, 융통성이 없는 ; 고지식한 ; 입추의 여지가 없는 : El omnibús ~ 입추의 여지가 없는 버스. *—m.* 증명서. *—m.pl.* 증거.
atestadura *f.* =**atestamiento.**
atestamiento *m.* 다져 넣기, 꽉꽉 채워 넣기.
atestar[1] *tr.* 증언하다(testificar).
atestar[2] *tr.* ⑲ ① 가득 채우다, (…에) 다져 넣다 ; 끼우다 ; 박아 넣다 ; 쑤셔 넣다. ② 포식하다. ③《*SDgo.*》 (벽이나 나무로) 꽉 누르다.
~se 가득차다 ; 포식하다.
atestiguación *f.* =**atestiguamiento.**
atestiguamiento *m.* 증언(하는 일).
atestiguar *tr.* ⑩ 증언하다, 증명하다.
atetado, da *adj.* 유방형의.
atetar *tr.* (주로 동물에게) 젖을 먹이다.
atetillar *tr.* (수목의) 둘레에 도랑을 파다.
atezado, da *adj.* 볕에 그을은, 가무잡잡해진.
atezamiento *m.* (가죽을) 반들반들하게 함.
atezar *tr.* ⑨ (가죽을) 반들반들하게 하다 ; 검게 하다.
~se 검어지다 ; 볕에 타다.
atibar *tr.* (폐갱 등을) 메우다.
atiborrar *tr.* [+de : …을] …에 가득 채워 넣다, 다져 넣다.
~se 포식하다.
atiburnar *tr.* 《*AmérC.*》 =**atiburrar.**
atiburrar *tr.* 《*AmérC.*》 =**atiborrar.**
áticamente *adv.* 우아하게, 화려하게, 품위있게.
aticismo *m.* (아테네풍의) 우아, 화려.

aticista *m.f.* 고대 아테네 풍의 우아한 작품을 쓰는 작가. Sinón. purista.

ático, ca *adj.* ① 아띠까 《el Atica, 곧 Atenas 부근의 지방》의. ② 우아한 : sal *ática* 품위있는 재담. **—*m.*** ①【건축】지붕밑 방, 다락방. ②【건축】처마에 두른 띠 모양의 장식 (돌출부). ③【해부】(귀의) 상고실(上鼓室).

atiend- →**atender** 20.

atienda atender의 접·현·1·3·단수.

atiendan atender의 접·현·3·복수.

atiendas atender의 접·현·2·단수.

atiende atender의 직·현·3·단수.

atienden atender의 직·현·3·복수.

atiendes atender의 직·현·2·단수.

atiendo atender의 직·현·1·단수.

atierr- →**aterrar** 19.

atierre *m.* ①【광산】낙반. ②《*Méx.*》메우기.

atiesar *tr.* 팽팽하게 캥기다(atesar). Contr. aflojar.

atifle *m.* (가마에서 굽는 도자기들이 서로 닿지 않도록 하는) 연장, 도구. Sinón. artifle.

atigrado, da *adj.* 호랑이 털의, 호랑이 털같은 : caballo ～.

atijara *f.* 상품 ; 상품의 운송로 ; 보상, 답례.

atijarero *m.* 운송자, 운송업자.

atildado, da *adj.* =**pulcro, aseado.**

atildadura *f.* 맵시 부리기, 모양 내기.

atildamiento *m.* =**atildadura.**

atildar *tr.* ①(문자에) 띨데(tilde)를 붙이다. ② 장식하다, 꾸미다, 고치다(asear, componer). ③ 나무라거나 탓하다, 타박하다(censurar). Sinón. emperejilarse.

～se 멋을 부리다, 맵시를 부리다(componerse) : ～*se* mucho 멋을 많이 부리다.

atilintar *tr.* 《*AmérC.*》(밧줄 등을) 팽팽히 캥기게 하다 ; 잡아 늘리다.

atinadamente *adv.* 어김없이, 솜씨있게, 때맞추어.

atinado, da *adj.* =**acertado, oportuno.**

atinar *intr.* ① [+a·con·en : …에] 제대로 …할 수 있다 ; 제대로 맞아들다 : ～ *con* la solución 운좋게 해결할 수 있다. ② 적중되다, 정통으로 맞다, 꼭 들어맞다. **—*tr.*** 제대로·운좋게 발견하다 : ～ el camino.

atíncar *m.*【화학】붕사(硼砂)(bórax).

atinencia *f.* 《*Arg. Urug.*》관련.

atinente *adj.* [+a : …에] 관한, 속한.

atingencia *f.* ①《*Amér.*》접촉, 관련. ②《*Méx.*》생각의 적중, 적절 ; 책임, 임무.

atingir *tr.* 4 《*AmérM.*》압박하다, 학대하다.

～se 《*Chile.*》몹시 애태우다 ; 걱정하다.

atiparse *r.* 다져 넣다 ; 포식하다.

atiplado, da *adj.* atiplar의 *p.p.*

atiplar *tr.* 최고의 곡조(tiple)로 올리다.

～se 최고의 곡조가 되다 ; 소리가 찌렁찌렁해지다.

atipujarse *r.* 《*AmérC. Méx.*》배불리 먹다, 포식하다.

atirantar *tr.* 끈으로 매달다 ; 팽팽하게 하다.

atiriciarse *r.* 11 황달에 걸리다.

atisbadero *m.* 엿보는 구멍 ; 노리던 곳.

atisbador, ra *adj.m.f.* 엿보는, 살피는, 관찰하는 (사람).

atisbadura *f.* 엿봄, 벼르고 기다림.

atisbar *tr.* 잘 관찰하다, 살피다, 슬쩍 엿보다.

atisbo *m.* ① 엿보기(atisbadura). ② 기척.

atisuado, da *adj.* 비단(tisú) 같은.

-ativo, va *suf.* =**-ivo** : altern*ativo.*

atizadero *m.* 부지깽이.

atizador *m.* =**atizadero.**

atizar *tr.* 9 ①(불을) 휘저어서 일으키다(avivar). ②(몽둥이로) 때리다. ③《*Méx.*》초크로 닦다.

¡Atiza! 집어치워라!(¡arrea!, ¡aprieta!).

atizonar *tr.* (돌이나 벽돌 사이를) 꼭 붙이다 ; (벽에 기둥이나 도리를) 끼워 넣다.

atlante *m.*【건축】남상주(男像柱).

Atlante *m.*【희랍 신화】아틀라스 《Júpiter와의 싸움에 패하여 그 벌로 두 어깨에 하늘을 지게 된 거인》(Atlas).

atlántico, ca *adj.* ① 아틀라스산 《el Atlas, 북아프리카에 있는 산》의. ② 대서양의 : el (Océano) *Atlántico* 대서양.

Atlántida *f.* 지브랄타르의 서쪽에 있다가, 신의 벌을 받아 대서양에 함몰되었다는 낙토(樂土). **—*pl.***【천문】히아데스 성단(Híades).

Atlántides *f.pl.* =**Atlantidas.**

atlas *m.* ①【단·복수 동형】지도 ; 도해서. ②【해부】제일 경추(第一頸椎).

Atlas *m.* =**Atlante.**

ATLAS Agrupación de Trabajadores Latinoamericanos Sindicalizados 라틴 아메리카 조직 노동자 연합.

atleta *m.f.* 운동 선수, 체육인 ; (본래는 그리스의) 장사, 경기자 ; 기골이 장대한 사람, 건장한 사람 ; 뛰어난 사람 ; 후원자.

atlético, ca *adj.* ① 힘겨루기의. ② 경기의, 체육(ejercicios ～*s*)의. ③ 건장한, 씩씩한 : formas ～*cas.*

atletismo *m.* 역기(力技), 운동 경기, 육상 경기.

atmiatría *f.* 증기·가스 요법.

atmo. atentísimo.

atmología *f.* 수증기학.

atmómetro *m.* 증발계(蒸發計).

atmosfera *f.* =**atmósfera.**

atmósfera *f.* [*gr.* athmos+sphaira] ① 공기 : ～ cargada 안개. ② 대기 ; 분위기 ; 대기권 ; 천체를 에워싸고 있는 기체. ③ 기압 《압력의 단위》. ④(부근의) 공기, 분위기, 환경, 정황 : ～ bursátil 시장 공기. ⑤(예술품 등에서 풍기는) 기분, 느낌.

atmosférico, ca *adj.* 대기의, 대기 중의 ; 기압의 : depresión ～*ca* 저기압. descarga ～*ca* 공중 방전. presión ～*ca* 기압. **—*m. pl.*** (무전의) 공중 장애 전파, 공전(空電).

ato., at.º anento 정중한.

-ato, ta *suf.* ①「지위」「직업」「임기」를 뜻하는 접미어 : decan*ato.* ②【화학】「…염」을 뜻하는 접미어 : acet*ato.* ③「동물의 새끼」를 뜻하는 접미어 : ciervo → cerv*ato.*

atoaje *m.* 끄는 것, 예인 ; 예선료(曳船料) : lancha de ～ 예인선.

atoar *tr.* (배를) 끌다, 예항(曳航)하다 ; (줄을) 잡아당기다.

atoba *f.* 《*Murc.*》=**adobe.**

atocar *tr.* 7 《*Chile.*》 (…에) 닿다, 손대다, 만지다(tocar).
atocha *f.* 【식물】 알파풀, 스파르트풀(esparto).
atochada *f.* 둑, 제방.
atochal *m.* 알파 초원(espartizal).
atochar[1] *m.* =**atochal.**
atochar[2] *tr.* ① 다져 넣다, 채우다. ②【해사】 매달리게 하다.
atochero, ra *m.f.* atocha 를 소비처까지 운반했던 사람.
atochón *m.* 알파풀의 줄기.
atochuela *f. dim.* atocha.
atocia *f.* 불임(不妊)(esterilidad de la mujer).
atocinado, da *adj.* 뚱뚱한, 살찐.
atocinar *tr.* (돼지를) 자르다, 베이컨으로 만들다; 암살하다.
~se 안절부절하다; 여자에게 빠지다; 홀딱 반하다.
atocinatado, da *adj.* 《*Amér.*》 【속어】 =**atocinado.**
atocle *m.* 《*Méx.*》 기름진 땅, 비옥한 땅, 옥토.
atojar *tr.* 《*AmérC. Cuba.*》 (소·말을) 몰다.
atol *m.* 《*Méx. Cuba.*》 ① =**atole**. ② (일반적으로) 수프, 죽 같은 것.
atole *m.* 《*Méx.*》 ① 옥수수 가루와 우유로 만든 음료. ② 춤의 일종.
¿a qué ~? 왜? ***a caldo y ~*** 절식하여.
dar ~ con dedo 《*Méx.*》 눈속임하다.
atoleadas *f.pl.* 《*Hond.*》 아똘레아다스 《민속 축제》.
atolería *f.* atole 제조처.
atolero, ra *m.f.* 《*Méx.*》 atole을 파는·만드는 사람.
lucero ~ 《*Méx.*》 샛별, 금성(金星).
atolillo *m.* 《*CRica. Hond.*》 아똘리요 《옥수수 가루, 설탕 및 달걀 등을 넣어 끓인 죽의 일종》.
atoll *m.* 환초(還礁)(atolón).
atolladal *m.* 《*Extr.*》 =**atolladero, atascadero.**
atolladar *m.* 《*Extr.*》 =**atolladal, atolladero, atascadero.**
atolladero *m.* 진흙탕(atascadero).
atollar *intr.* 진흙탕에 빠지다.
~se 몸이 놀릴 수 없게 되다(atascarse).
atolón *m.* 환상(環狀) 산호섬, 환초(還礁).
atolondradamente *adv.* 차분하지 못하게, 무분별하게.
atolondrado, da *adj.* 차분하지 못한, 무분별한, 경망스러운, 덜렁거리는: niño ~. Contr. juicioso.
atolondramiento *m.* 덜렁거림: con ~ 경망스럽게.
atolondrar *tr.* 망연 자실케 하다(aturdir).
atomicidad *f.* 【물리】 원자수(原子數); 원자가.
atómico, ca *adj.* 【물리】 원자(原子)의; 원자력의: bomba *~ca* 원자폭탄. energía *~ca* 원자력. fórmula *~ca* 원자식. hipótesis *~ca* 원자설. motor ~ 원자력 발동기. notación *~ca* 원자 기호. núcleo ~ 원자핵. número ~ 원자 번호. peso ~ 원자량. pila *~ca* 원자로. reloj ~ 원자 시계. teoría *~ca* 원자론.
atomismo *m.* ① 원자설, 원자론. ②【철학】 원자론(元子論).
atomista *m.f.* 원자론자; 원자 물리학자.
atomístico, ca *adj.* 원자론의; 원자화한.
atomizar *tr.* 9 원자·미립자로 만들다.
átomo *m.* ① 원자; 미립자: ~ radiactivo 방사성 원자. ② 미세한 것.
atonal *adj.* 【음악】 무조(無調)의.
atonalidad *f.* 【음악】 무조성(無調性); (작곡의) 무조주의.
atondar *tr.* (말에) 박차를 가하다.
atonía *f.* ① 무력(無力): ~ de dinero 금전의 무력함. ② (수축성 기관의) 무긴장(無緊張), 아토니, 이완(弛緩).
atónico, ca *adj.* =**átono.**
atónito, ta *adj.* [+con·de·por: …에] 아연실색하는, 망연 자실하는, 어리둥절하는, 얼이 빠진: ~ *con·de·por* la desgracia 불행에 넋을 잃고. Ella quedó *~ta* 그녀는 어리둥절했다.
átono, na *adj.* ① 힘없는. ②【문법】 악센트가 없는, 약한, 평조의 (말·모음): pronombre ~ 약세 대명사 《me, te, le, nos 등》. Contr. tónico.
atontadamente *adv.* 멍청해서, 얼이 빠져.
atontado, da *adj.* 멍청한; 얼이 빠진.
atontamiento *m.* 아연 실색, 망연 자실,
atontar *tr.* 바보(tonto)로 만들다; 멍청하게 만들다(atolondrar, aturdir).
atontolinar *tr.* =**atontar.**
atopile *m.* 《*Méx.*》 사탕수수밭의 수리(水利) 감시인.
atoque *m.* 《*Ar.*》 =**adorno, aliño.**
atoramiento *m.* 진퇴유곡.
atorar[1] *tr.* [*lat.* obturare] 막다, 저지하다, 방해하다. —*intr.* 막히다.
~se 옴쭉달싹 못하게 되다; 진퇴유곡에 빠지다.
atorar[2] *tr.* 24 (통나무로) 장작을 패다.
atorcazar *tr.* 9 《*Arg.*》 겁을 주다.
atorgar *tr.* 8 주다, 물려주다 (otorgar, conceder, disponer).
atormentadamente *adv.* 괴로움으로 몸부림치면서; 고문하여; 가책을 느껴서.
atormentador, ra *adj.* 가혹하게 괴롭히는; 괴로운, 견딜 수 없는.
atormentante *adj.* 괴롭히는, 들볶는, 고분하는.
atormentar *tr.* 괴롭히다, 들볶다; 고문하다, 형벌을 주다; 맹포격을 가하다.
atornasolado, da *adj.* 비단벌레 빛깔의(tornasolado).
atornillador *m.* 드라이버, 나사 돌리개.
atornillar *tr.* ① 나사로 조이다; 틀어넣다. ② 《*Amér.*》 괴롭히다, 고통을 주다.
atoro *m.* 《*Amér.*》 방해, 훼방; 옹색함; 진퇴유곡 (atoramiento).
atorozarse *f.* 9 《*AmérC.*》 (목이) 막히다(atragantarse).
atorozonarse *r.* (짐승이) 장통(torozón)에 걸리다.
atorra *f.* 《*Ál.*》 (아마·삼으로 만든) 속치마(enagua, saya bajera).
atorradero *m.* 《*Riopl.*》 건달들이 밤을 새우는 곳.
atorrante *adj.m.f.* 《*Arg.*》 건달(의), 게으름뱅이(의)(ocioso, holgazán, vago).
atorrar *intr.* ① 《*Riopl.*》 빈둥거리다, 무위 도식

하다(vagabundear, andar ocioso). ② 잠자다.
atortillar *tr.* 《*Amér.*》 으깨다.
atortojar *tr.* ① 《*Amér.*》 당혹하게 만들다. ② 《*Amér.*》 으깨다 ; 짜다(atortujar).
atortolado, da *adj.* =**enamorado.**
atortolar *tr.* 혼란시키다, 어지럽히다, 당황하게 만들다, 겁을 주다(aturdir, confundir, amedrentar).
~se 허둥대다.
atortorar *tr.* 강색(鋼索)을 여러 겹으로 구부리다.
atortujar *tr.* 으깨다, 짜다.
atorunado, da *adj.* 《*Chile.*》 단단하게 만든.
atorunarse *r.* 《*AmérM.*》 왈패가 되다.
atorzalado, da *adj.* 나선형의, 비틀어 맞춘 : columna *~da* 나선형 기둥.
atos. atentos.
atosigador, ra *adj.m.f.* 독을 넣는; 재촉하는 (사람).
atosigamiento *m.* ① 독을 넣기. ② 재촉.
atosigar *tr.* 8 ① (…에) 독을 넣다(envenenar). ② 족쳐 대다 ; 끈덕지게 재촉하다.
~se 서두르다.
atotumarse *r.* 《*Col.*》 멍청하다.
atoxicar *tr.* 7 [드묾] =**atosigar.**
atóxico, ca *adj.* 독이 없는.
atrabajado, da *adj.* 일에 지친 ; 꾸며낸, 부자연스러운.
atrabajar *tr.* [드묾] ① 일을 초과시키다. ② 일로 지치게 하다.
atrabancar *tr.* 7 ① 서둘러 하다. ② 힘껏 채우다(llenar). ③ 《*Amér.*》 훼방 놓다, 방해하다.
~se ① 궁지에 빠지다. ② 《*Méx.*》 당황하여 쩔쩔매다.
atrabanco *m.* ① 서두름, 재촉. ② 훼방, 방해.
atrabiliariamente *adv.* =**acremente, adustamente.**
atrabiliario, ria *adj.* 【의학】 우울증의 ; 울적한.
atrabilioso, sa *adj.* =**atrabiliario.**
atrabilis *f.* 【의학】 우울, 울적.
atracada *f* ① 배를 매어 두는 일. ② 《*Amér.*》 과식 ; 싸움(pelea).
atracadero *m.* 선창, 선착장.
atracado, da *adj.* 《*Chile.*》 【속어】 엄한, 엄격한 ; 인색한.
atracador *m.* 들치기(salteador de caminos).
atracar *tr.* 7 ① 포식시키다 ; 들치기하다 ; 접근시키다. ② 《*Chile.*》 구타하다, 두들겨 패다.
—*intr.* ① 매다. ② (배가) 접근하다. ③ 《*Amér.*》 빈둥거리다.
~se ① 잔뜩 다져 넣다. ② 《*Amér.*》 고집하다. ③ 싸우다, 치고 받다, 입씨름하다 ; 이러쿵저러쿵 투덜거리다 : No *te atraques* 여러 군소리 말아 !
atracazón *m.* ① 《*Cuba.*》 포식, 과식, 식상(食傷). ② 《*Chile. Guat.*》 인파 ; 다져 넣기.
atracción *f.* ① 끌어당김, 인력(引力), 유인 ; 끄는 것, 매력 : ~ sexual 성적 매력. ② 【물리】 인력 : ~ eléctrica 전인력 (電引力). ~ magnética 자력. ~ molecular 분자 인력. ley de ~ universal 만유 인력의 법칙. **Contr.** repulsión.
—*pl.* 오락.
atraco *m.* 들치기(하기) : *ser* víctima de un ~.
atracón *m.* ① 포식, 과식. ② 《*Amér.*》 싸움. ③ 《*Chile.*》 몸으로 부딪침, 몸으로 미는 일.
atractivamente *adv.* 매력적으로.
atractivo, va *adj.* ① 끌어당기는, 끄는 힘이 있는 : fuerza *~va* del imán 자석의 힘. ② 매력이 있는. **—***m.* 매력 : Es muy bonita pero no tiene ~ 그녀는 예쁘지만 매력이 없다.
atractriz *adj.* 【물리】 =**atractiva** : fuerza ~ 인력.
atraer *tr.* 72 ① 끌어당기다, 끌어들이다 : El imán *atrae* el hierro 자석은 철을 끌어당긴다. ② 매혹하다.
[직설법 현재 1인칭 단수 : atraigo. 접속법 현재 : atraiga, atraigas, atraiga, atraigamos, atraigáis, atraigan. 직설법 부정과거 : atraje, atrajiste, atrajo, atrajimos, atrajisteis, atrajeron. 과거 분사 : atraído. 현재 분사 : atrayendo].
atrafagar *intr.* 8 고심하다.
atragantamiento *f.* 목이 막히는 것, 말이 막힘.
atragantarse *r.* 목이 막히다, 말이 막히다 : ~ con una espina. **Sinón.** atascarse.
atraíble *adj.* 끌어당길 수 있는.
atraicionar *tr.* 배반하다(traicionar).
atraído, da *adj.* atraer의 *p.p.*
atraidorado, da *adj.* 배반적인 ; 배반자와 같은.
atraig- →**atraer** 72.
atraiga atraer의 접·현·1·3·단수.
atraigáis atraer의 접·현·2·복수.
atraigamos atraer의 접·현·1·복수.
atraigan atraer의 접·현·3·복수.
atraigas atraer의 접·현·2·단수.
atraigo atraer의 직·현·1·단수.
atraillar *tr.* 16 traílla (굵은 밧줄)로 매다 ; 속박하다.
atraimiento *m.* 끌어들이는 일, 끌어당기는 일.
atraj- → **atraer** 72.
atraje atraer의 직·부정과거·1·단수.
atrajeron atraer의 직·부정과거·3·복수.
atrajimos atraer의 직·부정과거·1·복수.
atrajiste atraer의 직·부정과거·2·단수.
atrajisteis atraer의 직·부정과거·2·복수.
atrajo atraer의 직·부정과거·3·단수.
atralacarse *r.* 《*Chile.*》 =**tralacarse.**
atramento *m.* 검은 색, 검정색(color negro).
atramojar *tr.* 《*Amér.*》 =**atraillar.**
atramparse *r.* 함정에 빠지다 ; (파이프가) 막히다 ; (자물쇠가) 잠기다 ; 움직이지 못하게 되다.
atrampillar *tr.* 《*PRico.*》 협공하다 ; 몰아넣다 ; 다져 넣다 : *Me atrampillé* un dedo al cerrar la puerta 문을 닫을 때 손가락을 물렸다.
atramuz *m.* 【식물】 루핀(altramuz).
atrancar *tr.* 7 (문 같은 데) 빗장(tranca)을 걸다. **—***intr.* 성큼성큼 걷다 ; 대충대충 읽다.
~se ① 빗장을 걸고 들어박히다. ② 고장을 일으키다, 움직이지 않게 되다. ③ 《*Méx.*》 (자기 주장을) 고집하다.
atranco *m.* =**atolladero.**
atranque *m.* =**atolladero.**

atrapamoscas *f.* 【단·복수 동형】【식물】 파리풀(dionea).

atrapar *tr.* ① (달아나는 것을) 붙잡다 ; 잘 잡다 : ~ un empleo. ② 감쪽같이 속이다(engañar).

atrás *adv.* ① 뒤에, 뒤로 : dar un paso ~ 한 발짝 뒤로 물러서다. No dé usted ni un paso ~ 한 발짝도 물러서지 마십시오. quedarse ~ 뒤에 남다. ② 전에 : unos días ~ 2·3일 전에. Tenía de ~ aquel cargo 전부터 그 임무를 맡고 있었다. Contr. delante.

—*interj.* 후퇴!, 물러서라!

atrasado, da *adj.* ① 늦은 : número ~ 백 넘버. Este país está muy ~ 이 나라는 발전이 매우 늦다. El reloj está ~ 이 시계는 늦다. ② 연체된, 미불의 : pago ~ 후불. ③ 빚에 쪼들리는. ④ 술책에 넘어간.

atrasar *tr.* ① 늦어지게 하다(retardar) : Hay que ~ este reloj cinco minutos 이 시계를 5분 늦게 해야 한다. ② (실제보다) 늦어지다.

—*intr.* (시계가) 늦어지다 : Este reloj *atrasa* cinco minutos al día 이 시계는 하루에 5분 늦다.

~se ① 남보다 늦어지다 ; 뒤져 있다 : *~se en* los pagos 지불이 늦어지다. *Nos hemos atrasado* porque pasamos por el museo 박물관을 들려서 우리는 늦었습니다. ② 《*Amér.*》 (건강을) 해치고 있다. ③ (재산이) 줄어들고 있다 : Está *atrasado* 그의 가세는 쇠퇴 일로에 있다. ④ (성장·발달이) 뒤져 있다.

atraso *m.* 뒤져 있는 것. —*pl.* ① (지불금 등의) 연체, 연체금, 체납액, 미불 잔금. ② 《*Amér.*》 재산의 감소. ③ 《*Chile.*》 임신 : Está con ~ 임신 중이다.

atravesado, da *adj.* 꿰뚫인 ; 사팔뜨기의 ; 혼혈종의 (개 등) ; 근성이 나쁜.

atravesador, ra *adj.* 가로지르는, 횡단하는, 관통하는, 끼어드는.

atravesaño *m.* 【건축·목공】 횡목 ; 얇고 좁은 각재(角材) ; 가로장, 가로대(travesaño)

atravesar *tr.* ⑲ ① 가로지르다, 횡단하다 : ~ la plaza 광장을 가로지르다. ~ el monte 산을 가로지르다. *He atravesado* el Pacífico varias veces 나는 몇 차례 태평양을 횡단했다. ② 꿰뚫다, 관통하다 : ~ el pecho de un balazo 가슴을 한 방으로 꿰뚫다. La bala le *atravesó* el brazo 총탄이 그의 가슴을 관통했다. ③ 가로로 걸치다 : ~ un madero en la calle 행길에 목재를 걸쳐 놓았다. ④ (어떤) 진로를 저지하다, 지나가지 못하도록 가로막다 : ~ el caballo. ⑤ 비스듬히 엇갈려 매어 있다 : La faja le *atraviesa* el pecho 견대(肩帶)가 그의 가슴에 걸려 있다. ⑥ 주문이나 마력으로 요술을 걸다(aojar). ⑦ (뱃머리를 바람부는 쪽으로 향하여) 정선하다. ⑧ 《*Amér.*》 독점하다, 과점하다, 독차지하다, 혼자 떠맡다(monopolizar).

~se ① 안으로 들어가다, 섞이다 : *~se* en el juego. ② 끼어들다. ③ (어떤 도중에 일이) 생기다, (방해가) 끼다·들어오다. ④ 부딪치다 ; 마음에 들지 않다 : José *se atraviesa a* Ana 호세는 아나가 마음에 들지 않는다. ⑤ 다투다, 싸우다. ⑥ (바람부는 쪽으로 뱃머리를 돌려) 배를 세우다.

[직설법 현재 : atravieso, atraviesas, atraviesa, atravesamos, atravesáis, atraviesan ; 접속법 현재 : atraviese, atravieses, atraviese, atravesemos, atraveséis, atraviesen].

atravies- →**atravesar** ⑲.

atraviesa[1] *f.* 《*Col.*》 철늦은 파종.

atraviesa[2] atravesar의 직·현·3·단수.

atravieso[1] *m.* 《*Chile.*》 산을 넘는 길.

atravieso[2] atravesar의 직·현·1·단수.

atrayendo atraer의 현재 분사.

atrayente *adj.* 끌어당기는 ; 매력있는.

atraznalar *tr* 《*Ar.*》 =**atresnalar.**

atrecho *m.* 《*PRico.*》 지름길, 오솔길.

atreguado, da *adj.* ① 실성한, 미친. ② 휴전중의. ③ 뒤늦은. —*m.f.* 미친 사람(lunático).

atreguar *tr.* ⑩ 휴전하다(dar treguas).

atrenzo *m.* 《*Amér.*》 분규, 곤경(conflicto, apuro, dificultad).

Atreo *m.* 아뜨레오 《그리스의 전설에서, Micenas의 왕으로 아우를 증오한 나머지 그 자식들을 살해하여 살을 친아버지에게 먹인 인물》.

atrepsia *f.* 유아의 각 기관 기능의 쇠퇴.

atresia *f.* (배출구의) 폐쇄.

atresnalar *tr* 《*Ar.*》 노적에 다발을 놓다.

atreudar *tr* 《*Ar.*》 영대 차지권(enfiteusis)을 주다.

atrever *tr.* [드뭄] 억지로 시키다 : El amor no te *atreva* a seguirnos 사랑이 그대로 하여금 우리 뒤를 쫓게 하는 일이 없도록.

~se ① [+a+*inf.*] 감히·굳이 …하다 : No *me atrevo a* decirle la verdad 나는 굳이 그에게 사실을 말하지 않는다. ② [+a : …을] 강행·감행하다 : *~se a* cosas grandes 엄청난 짓을 하다. ③ [+con·contra : …에] 대담하고 불손하게 행동하다 : *Se atrevía con·contra* todos 그는 누구에게나 불손했다.

atrevidamente *adv.* 대담하게, 무모하게, 물불을 가리지 않고.

atrevido, da *adj.* 대담한, 물불을 가리지 않는, 무모한.

atrevimiento *m.* 대담, 물불을 가리지 않음 ; 거만.

atribución *f.* (원인 등으로) 돌아가는 일, 부여, 귀속, 귀인(歸因) ; 속성 ; 권능, 직능, 직권.

atribuible *adj.* ① [+a : …으로] 돌아가야 할, …의 탓으로 돌려야 할 : el descubrimiento ~ *a* la casualidad 우연의 소산으로 보아도 되는 발견. ② 귀속하는.

atribuir *tr.* ⑦ ① (성질·역할을) 주다, 부여하다, 할당하다 ; 위탁·기탁하다(asignar). ② (결과를 어떤 원인으로) 돌리다, (…의) 탓으로 보다, 원인·작자를 …으로 보다(achacar) : ~ el descubrimiento *a* la casualidad 그 발견을 우연의 결과로 보다. frases *atribuidas a* fulano 모모한 사람이 말한 것으로 되어 있는 말.

~se ① 자기의 것으로 하다 : *Nos atribuimos* parte de su gloria 그 영광의 일부는 우리들의 것으로 생각하고 있다. ② (책임·의무를) 지다, 도맡다 : Quiero *atribuirme* la culpa 그 죄는 내가 책임지고 싶다.

atribulación *f.* 비탄, 슬픔.

atribuladamente *adv.* 비탄에 싸여, 슬픔에 젖어.

atribular *tr.* 슬픔에 젖게 하다.

~se 슬픔에 젖다.
atributario *m.* 유산의 상속인.
atributivo, va *adj.* 속성의, 속성을 나타내는 : oración ~*va* 명사 술어문.
atributo *m.* ① 속성 ; 특질 ; (본질적으로) 따르기 마련인 것. ② (관직 · 자격을 나타내는) 물건 ; 징표, 상징 : la palma, ~ de victoria 승리의 표징인 야자잎. ③【문법】속사(屬詞).
atribuy- →**atribuir** 77.
atrición *f.* 죄로 인한 슬픔, 죄에 대한 회오.
atril *m.* 성서대(聖書臺), 독서대 ; 악보대.
atrilera *f.* 독서대 · 악보대의 덮개.
atrincarse *r.* 7 《*Méx.*》 몸을 움직이지 못하게 되다(atrancarse).
atrincheramiento *m.* [집합] 참호, 산병호 (trincheras).
atrincherar *tr.* 참호로 강화하다.
~se (참호 · 엄호물에) 숨다 ; 버티다.
atrinchilar *tr.* 《*Méx.*》【속어】몰다.
atrio *m.* ① 앞복도 ; 현관(zaguán) ; (사원의) 안마당, (교회) 앞마당. ②【해부】심방(心房), (귀의) 고실(鼓室) ; (배설강 등의) 강(腔).
atrípedo, da *adj.* 다리가 검은.
atrirrostro, tra *adj.* 부리가 검은 (새).
atristado, da *adj.* =**entristecido, triste.**
atristar *tr.* 쓸쓸하게 하다, 슬프게 하다.
atrito, ta *adj.* 죄를 뉘우치는, 참회하는.
atrocidad *f.* 가혹한 짓, 포학, 무지한 것, 폭거(暴擧), 폭언, 잔학, 흉포 ; 잔학한 행위 ; 포학한 짓 : ¡Qué ~ ! 얼마나 잔학한 행위야 !
atrochar *intr.* 골목길을 걷다.
atrofia *f.*【의학】(기관의) 위축 ; 쇠퇴. Contr. hipertrofia.
atrófico, ca *adj.* 위축 · 쇠퇴의.
atrofiarse *r.* 11 위축 · 쇠퇴하다.
atrojar *tr.* ① 곡창(穀倉)(troje)에 저장하다. ② 《*Amér.*》 넋이 나가게 만들다 ; 지치게 만들다.
~se 《*Méx.*》 앞이 막히다.
atrompetado, da *adj.* 나팔 모양의.
atronadamente *adv.* 허둥지둥하여.
atronado, da *adj.* 당황한, 경솔한, 덤비는 성질의.
atronador, ra *adj.* 귀머거리로 만드는; 넋을 잃게 하는.
atronadura *f.* 나무 줄기의 갈라진 금.
atronamiento *m.* 귀머거리가 되게 하는 일 ; 두들겨 맞아 정신을 잃는 일.
atronante *adj.* = **atronador.**
atronar *tr.* 24 ① 귀머거리로 만들다. ② 넋을 잃게 하다. ③ (소를) 때려 죽이다.
atronerar *tr.* (…에) 총안을 만들다.
atropado, da *adj.* 밀생(密生)한.
atropar *tr.* (건초 등을 한군데) 모으다 ; 짝지어 모으다, 집단으로 모으다, 편대로 짜다.
atropelladamente *adv.* 성급히, 허겁지겁, 조급하게 ; 꾸역꾸역.
atropellado, da *adj.* 허겁지겁하는, 성급한. Contr. tranquilo, pausado.
—*m.* 《*Cuba.*》 과일이 들어 있는 과자.
atropellador, ra *adj.m.f.* 밟는, 짓밟는; 범법을 하는 (사람).
atropellamiento *m.* =**atropello.**
atropellar *tr.* ① 밟다, 짓밟다 : ~ al pobre. ② 밀쳐 넘어뜨리다, 나동그라지게 하다, 밀치다, 치다 : Le *atropelló* un auto 자동차가 그를 치었다. ③ 욕지거리를 퍼붓다. ④ (법을) 무시하다, 범하다. ⑤ 당황해 하다.
~se 허둥지둥하다.
atropello *m.* 짓밟음, 유린 ; 쓰러뜨림 ; 허둥거림 ; 남용, 학대 ; 교통 사고 : Tres peatones fueron víctimas de un ~ 행인 세 사람이 교통 사고에 희생되었다.
atropina *f.*【화학】아트로핀 《독물》.
atropismo *m.* 아트로핀 중독.
Atropos *f.*【희랍 신화】아뜨로뽀스 《운명의 세 여신 Parcas의 한 사람》.
atroz *adj.* 잔학한, 지독한 ; 대단한, 굉장히 큰.
atrozmente *adv.* 처참하게, 가혹하게.
atruchado, da *adj.* 송어(trucha) 빛깔의.
atruendo *m.* =**atuendo.**
atruhanado, da *adj.* 불량배 · 망나니 같은, 막된.
atruhanarse *r.* 망나니 · 불량배가 되다, 막되다.
A.T.S *m.f.* Ayudante Técnico Sanitario.
atta(s). atenta(s) 귀 서한.
attaché *m.* 《*Galic.*》 수행원 ; 대사 · 공사관부 무관(agregado).
atte. atentamente 정중히.
attmo(s). atentísimo(s).
atto(s). atento(s) 정중한.
atuendo *m.* ① 눈부심 ; 자만스러움. ② 의상, 의복. ③ 고도구(古道具)(mueble viejo). —*pl.* 당나귀용 안장 · 마구.
atufadamente *adv.* 화내어, 성내어, 노해서 (con enojo).
atufado, da *adj.* 화내는, 성내는.
atufamiento *m.* =**atufo.**
atufarse *r.* ① [+con · de · por : …에] 성내다, 화내다 : ~*se con · de · por* poco 하찮은 일에 곧 화내다. ② (음식 등이) 냄새가 고약해지다 ; (술이) 시어지다. ③ 《*Amér.*》 어리둥절해지다 ; 우쭐해지다.
atufo *m.* 노함, 화냄(enfado).
atujar *tr.* 《*AmérC.*》 =**atular.**
atular *tr.* 《*AmérC.*》 꼬드기다 (azuzar) ; 부화를 돋구다.
atumultuar *tr.* = **tumultuar.**
atún *m.* 다랑어, 참치.
por ~ y a ver al duque 두 가지 목적으로.
atunara *f.* 다랑어 · 참치 어장(almadraba).
atunera *f.* 다랑어 낚시 바늘.
atunero *adj.* 다랑어의 : barco ~ 참치 어선.
—*m.f.* 참치 낚시꾼 · 장수.
atuntunarse *r.* 《*Col.*》 빈혈을 일으키다 ; 머리가 멍해지다.
aturar *tr.* ① 밀봉하다. ②【고어】멈추게 하다.
— *intr.* ① 《*Sal.*》 =**durar.** ② 판단으로 일을 하다.
aturbonado, da *adj.* 폭풍우의.
aturdidamente *adv.* 멍하니, 정신나간 사람처럼, 덜렁대어.
aturdido, da *adj.* 멍청해진, 넋을 잃은 ; 덜렁대는.
aturdidor, ra *adj.* 정신을 잃은, 망연 자실하는.

aturdimiento *m.* 머리가 멍해지는 일, 어수선해짐 ; (정신적) 착란 ; 경박, 소홀.
aturdir *tr.* 정신을 잃게 하다 ; 놀라 자빠지게 하다 : Me *aturde* el estruendo 큰 소리로 머리가 멍하다.
~se ① 정신을 잃다, 기겁하다 : El alumno *se aturdió* y no supo que contestar 학생은 기겁을 해서 어찌 대답할지 몰랐다. ② 감탄하다.
aturquesado, da *adj.* 짙은 남색의.
aturrarse *r.* 《*AmérC.*》 시들다, 맥빠지다 ; 우글쭈글해지다.
aturrullar *tr.* 【속어】 갈팡질팡하게 하다.
aturullamiento *m.* 난감함, 갈팡질팡, 방황.
aturullar *tr.* 【속어】 난감하게 만들다, 갈팡질팡하게 하다, 방황하게 하다.
atusador, ra *adj.* 가지를 치는, 전정하는 ; (머리를) 매만지는, 맵시를 내는.
atusar *tr.* (식물을) 전정하다 ; (머리를) 매만지다.
~se ① 맵시를 내다. ② 《*PRico.*》 화내다.
atutía *f.* 불순 산화 아연 ; 그 고약.
atuv- →**atener** 59.
Au oro.
AU Unidad Astronométrica 천체 측정 단위 《1AU는 일억 오천만 킬로미터에 상당함》.
auca[1] *f.* ① 【조류】 거위(ánsar). ② 【방언】 운두가 높은 모자.
auca[2] *adj.* 아우까족 《los aucas, 아르헨띠나에 있던 araucanos 족의 한 파》의. —*m.f.* 아우까 사람.
aucano, na *adj.m.f.* =**auca.**
Aud.ª Audiencia.
audacia *f.* 대담, 무적(osadía, atrevimiento) : la ~ de los conquistadores. Contr. timidez, cobardía.
audacísimo, ma *adj. sup.* audaz.
audaz *adj.* 대담한, 통이 큰, 겁없는(osado, atrevido). Contr. tímido.
audazmente *adv.* 대담하게, 겁없이.
audible *adj.* 들을 수 있는, 들리는.
audición *f.* ① 듣는 일, 청취, 히어링 ; 시청(視聽) ; 음악을 듣는 모임 : ~ de cantos populares 민요를 듣는 모임. ② 청력(聽力). ③ 오디션 《가수나 성우·배우 등의 등용 시험》.
audiencia *f.* ① 알현, 접견 : conceder·dar ~ a …을 접견하다, …에게 알현을 허용하다. ② 청소(聽訴) : hacer ~ 호소를 듣다. ③ 접견실, 알현실 ; 법정 ; 법원. ~ provincial 지방 법원. ~ territorial 구역 법원. ④ 지원(支援). ⑤ 재판 관할 지역.
audífono *m.* 보청기.
audio *m.* 가청(可聽) 주파수, 저주파 ; (라디오 방송·텔레비전의) 음성부(音聲部) : ~ visual 시청각(視聽覺).
audio- *pref.* 「청력·청각」을 뜻하는 접두어.
audiófono *m.* =**audífono.**
audiofrecuencia *f.* 【무전】 가청 주파(수), 저주파.
audiograma *m.* 청력 도표.
audiólogo, ga *m.f.* 청각 측정 전문의.
audiometría *f.* 음파·청력 측정.
audiómetro *m.* 음파계, 청력 측정기, 청력계 ; 소음계.
audión *m.* (라디오의) 진공관.
audiovisual *adj.* 시청각의 : clase ~ 시청각 교실·수업.
auditar *tr.* =**proceder.**
auditivo, va *adj.* 청각의 : nervio ~ 청각 신경. —*m.* (전화의) 수화기(auricular).
auditor, ra *m.f.* ① 심문관, 사문관, 심판관 : ~ de guerra 군법 회의 사문관. ~ de marina 해사 심판관. ② 감사 : ~ externo·interno 외부·내부 감사.
auditoría *f.* 심문관의 직·사무소.
auditorio *m.* [*lat.* auditorium] 청중 ; 강당, 강연실.
auditorio, ria *adj.* [*lat.* auditorius] =**auditivo.**
auditorium *m.* 시청각실.
auge *m.* 절정, 정점, 극 (apogeo) ; 영화(榮華)의 절정 ; 폭등 ; 유행, 붐 : en ~ 붐이 되어. ~ de la vida placentera 레저 붐. ~ de petróleo 석유 붐. ~ en la construcción 건축 붐. ~ siderúrgico 철강 붐.
augita *f.* 【광물】 보통 휘석(普通輝石), 사휘석(斜輝石).
augítico, ca *adj.* augita가 풍부한.
augur *m.* 복점관 《고대 로마에서 새 우는 소리·날으는 모양·모이 먹는 모양 등으로 점을 치던 신관》.
auguración *f.* 새점(占).
augurador, ra *adj.m.f.* 예언하는 (사람).
augural *adj.* 점의 ; 전조의.
augurar *tr.* ① 예언하다 ; 예기·예측하다 ; 점을 치다(agorar). ② 《*Amér.*》 축하하다 : Le *auguro* el más brillante éxito.
augurio *m.* ① 전조, 징조, 조짐(agüero, presagío) : ~ feliz. ② 《*Amér.*》 바램, 희망.
augustal *adj.* 로마 황제 아우구스투스의·같은.
augustamente *adv.* 엄숙하게, 장엄하게.
Augusto *m.* 아우구스투스 《로마 최초의 황제, Julio César의 후계자, 27 a. de J.C. ~ 14 d.》
augusto, ta *adj.* [*lat.* augustus] 엄숙한, 장엄한(majestuoso) : persona ~*ta.*
aúja *f.* 《*Amér.*》 【고어】 =**aguja.**
aujerar *tr.* 《*Amér.*》 =**agujerear.**
aujero *m.* 《*Amér.*》 【고어】 =**agujero.**
aujetero *m.* 《*Amér.*》 【고어】 =**alfiletero, agujero.**
aula *f.* [*lat.* aula] ① 강의실, 교실(clase) : el ~ máxima 강당. ② 【시어】 어전(御殿).
aulaga *f.* [*lat.* ulex] 【식물】 바늘금작화 (aliaga) : ~ merina 갈대.
aulagar *m.* 바늘금작화숲.
áulico, ca *adj.* 궁정의. —*m.f.* 조정의 신하.
aulladero *m.* 늑대가 모이는 곳.
aullador, ra *adj.* 짖는. —*m.* (남미산) 짖는 원숭이.
aullante *adj.* 울부짖는.
aullar *intr.* 17 [*lat.* ululare] (개·원숭이가 슬프게) 울부짖다 ; 슬픈 소리를 내다(dar aullidos) : Su hermano *aúlla de* dolor 그의 아우가 슬픔으로 울고 있다.
aullido *m.* (개·원숭이가) 우는 소리, 구슬픈 소리.
aúllo[1] *m.* =**aullido.**

aúllo² aullar의 직·현·1·단수.
aumentable *adj.* 증가할 수 있는.
aumentación *f.* ① 증대, 증가. ②【수사】(점차로 가락을 높여 가는) 점증법.
aumentador, ra *adj.* 늘리는, 증가·증대하는.
aumentante *adj.* =**aumentador.**
aumentar *tr.* ① 늘리다, 불리다, 증가·증대하다 (acrecentar, ampliar) : La compañía *ha aumentado* el sueldo a los empleados 회사는 종업원의 급료를 증액했다. ② (편의·종업원·부등을) 증진·개량·개선하다(adelantar, mejorar).
—*intr.*, ~se 증대하다.
aumentativo, va *adj.* 증대하는, 증가의 : sufijo ~ 증대사. **—*m.***【문법】증대어. Contr. diminutivo.
aumento *m.* ① 증대, 증가 ; 증진 ; 확대 : ~ de capital 증자 (자본). ~ de los impuestos 증세(增稅). ~ de la productividad 생산성의 향상. ~ de los derechos 관세의 인상. ~ de las existencias 재고품의 증가. ~ de precios 가격의 인상. ~ de producción 증산. ~ de productividad 생산성의 증대. ~ de salarios · sueldos 승급, 임금 인상. ~ de valor 등귀. ~ del capital social 주식 자본의 증액. ~ del número de acciones sin ampliación de capital 주식 분할. ~ del rendimiento 수익 증대. ~ del riesgo 위험의 증대. ~ proporcional durante la noche 야간 할증. ~ retroactivo de salarios 임금의 소급인상. ②《*Méx.*》(편지의) 추신.
ir en rápido ~ 급격히 증가하다.
aun *adv.* ① 또한, 더우기, …조차, 까지도 : Te daré cien duros, y *aun* doscientos si quieres 100두로는 물론 원한다면 200두로라도 주겠다. *Aun* los sordos han de oirme 귀머거리라도 내 말은 들릴 것이다. ② [cuando와 같이 쓰여] …해도 아직, …하면 벌써 : *Aun* no había andado media legua, *cuando* le alcancé 미처 반 레구아도 걷기 전에 그를 따라 붙었다. ③ [+현재 분사·과거 분사] …하였는데도 : *Aun* llegando tarde, le recibieron bien 지각하였는데도 그는 대환영을 받았다.
aun cuando *conj.* …하는 때까지도, 설사 …하여도(aunque) : *Aun cuando* no nos respondan tendramos que partir ese día 우리에게 회답이 없다 하더라도 우리는 그 날 떠나지 않으면 안 될 것이다. ***aun así*** 설사 그렇더라도. ***ni aun*** …조차도 아니다 : *Ni aun* su padre lo sabía 그의 아버지조차 그것을 몰랐다.
aún *adv.* 아직(todavía) : María no ha llegado ~ 마리아는 아직 오지 않았다. *Aún* es temprano 아직 이르다.
aunable *adj.* 통일·통합할 수 있는.
aunamiento *m.* 통합, 통일.
aunar *tr.* 17 ① 하나로 하다, 합치다(unir, confederar, aliar) : ~ los esfuerzos. ② 통합하다 ; 통일하다(unificar).
~se 한데 어울리다, 단결하다 ; 조화하다 : *~se* con otro.
aunche *m.* 《*Amér.*》 찌꺼기(residuo).
aunchi *m.* =**aunce.**
aunque *conj.* ① [+*ind.*] : …이기는 하지만, …이라고는 하나(no obstante, a pesar de que) : *Aunque* es viejo, trabaja mucho 그는 늙었지만 일을 많이 한다. *Aunque* estoy malo, no faltaré a la cita 아프지만, 틀림없이 나갑니다. *Aunque* es malo mi hermano, le quiero 내 동생은 악하지만 나는 그를 사랑한다. ② [+*subj.*] 설령…일지라도 : *Aunque* llueva, saldré de casa 설령 비가 내리더라도 외출하겠다. ③ 그뿐더러, 그뿐 아니라 : No traigo nada de eso, ~ traigo otras cosas 그런 것은 가져오지 않았지만, 오히려 다른 것을 가져왔다.
~ ***más*** 제아무리 …하여도 : *Aunque más* tendimos la vista, ni poblado ni persona ni camino descubrimos 제아무리 시선을 멀리 돌려 보아도, 우리는 마을도 사람 그림자도 길도 보지 못했다.
Aunque te digan que sí, espérate a que lo veas【속담】백문이 불여일견.
aúpa *interj.* 어영차! 《무거운 것을 들 때 내는 소리》.
de ~ 굉장한, 희한한 : una casa *de* ~.
aupar *tr.* 17【속어】일으키다 ; 오르는 것을 거들다 ; 높이 올리다 ; 추켜 올리다.
~se 오르다, 올리다(subirse) : *~se* el pantalón.
auque *m.* 《*Chile.*》 도토(陶土).
auqui *m.* ① 《*Perú.*》【광산】착암공(鑿岩工). ② 《*Perú.*》 조부, 선조.
aura¹ *f.* [*lat.* aura; *gr.* aúra] ① 산들바람 ; 가벼운 숨결(aliento). ② 좋은 인기 : ~ popular. ③ 울적하고 답답한 기분, (히스테리나 지랄의) 징조 : ~ histérica, ~ epiléptica.
aura² *f.* 《*Amér. Cuba.*》【조류】작은 콘도르(gallinazo).
auranciáceo, a *adj.*【식물】밀감속(屬)의, 향귤나무류의. **—*m.pl.*** 향귤나무류.
aurelianense *adj.* 오를리앙 《Orleáns, 불란서의 한 도시》의. **—*m.f.*** Orleáns 고장 사람.
áureo, a *adj.*【시어】황금의 ; 황금빛의. **—*m.*** 로마 황제가 주조한 금화.
aureola *f.* ① (순교자나 성자들이 머리에 쓰는) 천국의 면류관 ; (이를 표상하는) 후광 ; 광륜 ; 영광. ②【기상】(개기 일식의) 광관(光冠), 코로나 (corona solar).
auréola *f.* =**aureola.**
aureolado, da *adj.* 후광·광륜이 있는 ; 영광에 빛나는.
aureolar *tr.* (…에) 후광·광륜·광관(光冠)을 붙이다.
aureomicina *f.*【약학】오레오마이신.
aurero *m.* 《*Cuba.*》 작은 콘도르가 모이는 곳.
aurgitano, na *adj.m.f.* 아우르히《Aurgi, 현재의 Jaén》의 (사람).
auricalco *m.* =**latón.**
áurico, ca *adj.* 금의.
aurícula *f.* ①【해부】귓바퀴, 귓불 ; (심장의) 심이(心耳). ②【식물】귀모양으로 붙어 있는 것. ③【식물】(노랑꽃이 피는) 앵초(櫻草)의 일종.
auricular *adj.* [*lat* . auricula] ① 청감(聽感)·청관(聽官)의 ; 수소문의. ②【해부】심이의.
—*m.* 수화기 ; 이어폰 ; 약손가락, 넷째 손가락, 무명지(無名指), 약지(dedo ~).
auriense *adj.* 아우리아 《Auria, 지금의 Orense》

의 ; 오렌세의. —*m.f.* 아우리아 사람(orensano).
aurífero, ra *adj.* 황금의, 금을 함유하는 ; 금광의.
aurificación *f.* (차아에) 금을 씌우는 일.
aurificar *tr.* 7 (치아에) 금을 씌우다.
auriga *m.* 【시어】 마부.
Auriga *m.* 【천문】 마부별자리.
aurígero, ra *adj.* =**aurífero.**
aurimelo *m.* 《*Perú.*》 살구.
aurísono, na *adj.* 【시어】 금의 소리같은 소리를 내는.
aurista *m.f.* 이과의(耳科醫)(otólogo).
aurívoro, ra *adj.* 【시어】 황금에 눈이 먼, 황금광의.
aurochs *m.* 【고고학】 들소(uro).
auromicina *f.* 【화학】 =**aureomicina.**
aurora *f.* [*lat.* aurora] ① 여명, 서광 : despuntar · romper la ~ 날이 새기 시작하다. ② 새벽 기도. ③ (사물의) 시작, 초기. ④ 장미빛 ; 꼭두서니 빛깔. ⑤ 극광(極光), 오로라 (~ polar) : ~ austral 남극광. ~ boreal 북극광. ⑥ 【식물】 쑥. ⑦ 《*Amér.*》 여러 가지 새의 이름.
Aurora *f.* 【로마 신화】 여명의 여신 《희랍 신화의 Eos》.
auroral *adj.* 여명의 ; 극광의.
aurragado, da *adj.* 농사가 잘 되지 않는 (논밭).
aurúspice *m.* =**arúspice.**
auscultación *f.* 【의학】 청진.
auscultar *tr.* 【의학】 청진하다.
ausencia *f.* ① (어떤 장소에) 없음, 부재 ; 결석, 자리의 비움, 부재시(不在時) : en su ~ 당신이 없을 때. ② (무엇이) 빠져 있는 일, 결여(缺如). Contr. presencia.
ausentado, da *adj.* =**ausente.**
ausentar *tr.* 자리를 비우게 하다, 장소에서 떨어지게 하다.
~se ① 자리를 비우다, 없어지다 : ~*se* de Madrid. ② 결석하다 : *Se ausentó de* la clase la vez pasada 지난 번 그는 결석했다. ③ (어떤 사람 · 장소로부터) 떨어지다.
ausente *adj.* (어떤 장소에) 없는, 결석 · 결근한, 불참한 ; 빠져 있는. —*m.f.* 부재자 ; 행방 불명자. Contr. presente.
ausentismo *m.* 지주 부재 경작(absentismo).
ausentista *m.f.* 부재 지주(absentista).
ausetano, na *adj.m.f.* 아우사 《Ausa, 고대 서반아의 도시》의 (사람).
ausoles *m.pl.* 《*Amér.*》 (화산 지대의) 균열 ; 그곳의 샘, 온천.
ausonense *adj.m.f.* =**ausetano.**
ausonio, nia *adj.* 아우소니아 《Ausonia, 고대 이탈리아에 있던 지방》의. —*m.f.* 아우소니아 사람 ; 이탈리아 사람.
auspiciar *tr.* 11 ① (본래는 새가 날으는 것을 보아) 점치다, 예언하다(predecir, amparar). ② 《*Amér.*》 보호하다 ; 후원 · 원조하다 (proteger). ③ 《*Perú.*》 예고 · 예보하다.
auspicio *m.* [*lat.* auspex] ① 징조, 조짐, 전조, 길조. ② [주로 *pl.*] 후원, 원조, 찬조 : bajo (los) ~*s* de …의 후원으로, …의 원조로.
auspicioso, sa *adj.* ① 《*AmérM.*》 징조가 좋은, 유망한. ② 《*AmérC.*》 보호적인, 호의적인(protector).
austeramente *adv.* 엄하게, 엄격하게(con austeridad).
austeridad *f.* 엄함, 엄격, 준엄 ; 긴축, 절약 ; (예술품 등의) 간소, 수수한 맛.
austero, ra *adj.* [*gr.* austêros] ① 엄한, 엄격한 (severo, rígido). Contr. libre. ② 긴축하는. ③ 신 (agrio), 신맛이 있는.
austral[1] *adj.* [*lat.* austrâis] 남극의 ; 남쪽의 : aurora ~ 남극광. hemisferio ~ 남반구. Contr. boreal.
—*m.* 아우스뜨랄 《현재의 아르헨띠나의 화폐 단위》.
austral[2] *adj.* 【고어】 =**austríaco.**
Australia *f.* 【지명】 오스트렐리아.
australiano, na *adj.* 오스트렐리아 · 호주의. —*m.f.* 오스트렐리아 사람.
Austria *f.* 【지명】 오스트리아.
austriaco, ca *adj.* 오스트리아의. —*m.f.* 오스트리아 사람.
austríaco, ca *adj.* =**austriaco.**
austriacoalemán, na *adj.m.f.* =**austroalemán.**
Austria-Hungría *f.* 【지명】 오스트리아 항가리 《오스트리아와 헝가리 및 다른 영토로 구성된 중부 유럽 제국》.
austrida *adj.* [드뭄] =**austríaco.**
austrino, na *adj.* 【고어】 남쪽의(austral).
austrio *m.* 갈륨(galio)《희금속, 1875년 발견》.
austro *m.* 남풍 ; 남쪽.
austro- *adj.* [*lat.* auster, austrum] =**austríaco.** [*N.* 접두어로만 사용 : *austro*húngaro 등].
austroalemán, na *adj.m.f.* 고대 오스트리아 헝가리 제국의 독일어 사용 지방의 (사람).
austroasiático, ca *adj.m.f.* 남아시아(el Asia austral o meridional)의 (사람).
austrohúngaro, ra *adj.* 오스트리아항가리의. —*m.f.* 오스트리아 항가리 사람.
autarca[1] *m.* =**autócrata.**
autarca[2] *adj.m.f.* 자급 자족하는 (사람).
autarcia *f.* 자급 자족 경제.
autárcico, ca *adj.* =**autárquico.**
autarquía *f.* 자립 경제, 자급 자족, 경제 자립책 ; 독재(autocracia).
autárquico, ca *adj.* 자립 경제의 ; 자급 자족의 ; 독재의.
auténtica *f.* 증명서 ; 등본, 사본.
autenticación *f.* 증명, 인증 ; 공증.
auténticamente *adv.* 정식으로 ; 진실로, 진지하게.
autenticar *tr.* 7 인증하다 ; 법적으로 시인하다 ; 신용을 하다(acreditar) ; 서명을 공증하다.
autenticidad *f.* 진정(眞正), 참됨 ; 어떤 일의 진위, 동일성.
auténtico, ca *adj.* 진정한, 진짜의 ; 정식의, 인증 받은, 전거(典據)에 의한 : copia ~*ca* 등본. Contr. falso, fingido.
autentificar *tr.* 7 【속어】 =**autenticar.**
autentizar *tr.* 9 【속어】 =**autenticar.**
autillo *m.* ① 【조류】 (헛간에 사는) 솔부엉이. ② 종교 재판의 특수 판결.
auto *m.* ① 판결 : ~ definitivo 최종 판결. ~ de oficio 궐석 재판. ~ de fe 종교 재판의 화형(火

刑). ②(성서나 상징적 인물이 나오는) 소시극(小詩劇) : ~ sacramental 성찬 신비극. ③(automóvil의 어미 탈락형) 자동차 : ~ triciclo. —*pl.* 소송 수속·서류, 일건 서류 : constar *en ~s* 서류에 기록되어 명확하다.
hacer ~ de fe de (…을) 태우다, 불사르다.
estar en (los) ~s (무엇을) 잘 알고 있다.
poner en ~s 알리다, 가르치다.
auto- *pref.*「자신의」,「독자의」,「스스로 움직이는」의 뜻을 나타내는 접두어.
autoabastecerse *r.* 자급 자족으로 만족하다.
autoabastecimiento *m.* 자급 자족으로 만족.
autoanálisis *m.* =**introspección.**
autoanalizarse *r.* ⑨ 자기 분석하다.
autobiografía *f.* 자전(自傳), 자서전.
autobiográfico, ca *adj.* 자서전의 ; 자서전풍의, 자서전적인.
autobiógrafo, fa *m.f.* 자서전을 쓴 사람, 자서전 작가.
autobombo *m.* 자기 예찬.
autobote *m.* 모터보트.
autobús *m.* [*pl.* autobuses] 승합 자동차, 버스 : ~ imperial 이층 버스.
autocamión *m.* 화물 자동차, 트럭.
autocar *m.* 대형 버스, 관광 버스 ; 장거리 버스.
autocarril *m.* 《*Chile.*》 레일카 ; 레일 검사차. Sinón. zorrilla.
autoclave *adj.* 자동 폐쇄식의. —*f.* 고압 소독기 《의료 기구》; 고압솥 ; 열소독기.
autoconducción *f.* 자기 유도 (로켓).
autoconsideración *f.* 자기 고찰.
autoconsumo *m.* 내부 소비, 자가 소비 《메이커가 자사 제품을 소비하는 것》.
autocontrol *m.* 자동 제어.
autocopia *f.* 등사판 인쇄(물).
autocopiar *tr.* ⑪ 등사 인쇄하다.
autocopista *f.* 등사판 인쇄기 —*m.f.* 등사하는 사람.
autocracia *f.* 전제 정치 ; 독재 제도 ; 절대 주권.
autócrata *m.f.* 독재 군주 ; 독재자 : los *~s* de la antigua Rusia.
autocráticamente *adv.* 독재적으로.
autocrático, ca *adj.* 독재의, 전제의 ; 독재적인.
autocrítica *f.* 자기 비판.
autocrítico, ca *adj.* 자기 비판의. —*m.* 자기 비평가.
autocromía *f.* 천연색 사진 처리.
autócromo *m.* 천연색 투명 사진.
autoctonía *f.* 토착민·원주민의 성질.
autóctono, na *adj.* 토착의. —*m.f.* 토착민, 원주민(aborigen).
autodecisión *f.* 자기 결정.
autodefensa *f.* 자기 방어.
autodesarrollo *m.* 자력 개발.
autodestrucción *f.* 자기 파괴.
autodestructor, ra *adj.* 자기 파괴의.
autodestruirse *r.* 자신이 파괴되다.
autodeterminación *f.* 자기 결정, 자결(自決), 자율 ; 민족 자결(autodecisión).
autodidacto, ta *adj.* 독학의. —*m.f.* 독학자.
autodidaxia *f.* 독학.
autodinámico, ca *adj.* 자기 발동(自己發動)의, 자력의.
autodirigido, da *adj.* 자기 유도의.
autódromo *m.* 자동차 도로·경주장·연습장.
autodominio *m.* 자주, 자율.
autoencendido *m.* 자동 점화.
autoescuela *f.* 자동차 학원·교습소.
autoestimación *f.* 자존, 자중, 자애.
autoestrada *f.* 《*Neol.*》 =**autopista, autovía.**
autogénesis *f.* 자생.
autofagia *f.* 자가 섭취.
autofecundación *f.* 【식물】 자가 수분(自家受粉).
autoferro *m.* 레일식 차량.
autofinanciación *f.* 자기 금융.
autofinanciamiento *m.* =**autofinanciación.**
autogamia *f.* 【식물】 자가 생식.
autogénesis *f.* 자생.
autógeno, na *adj.* 자가 발생의 ; 자생의 ; 가스 발생의 : soldadura *~na* 가스 용접. —*f.* 용접.
autogiro *m.* 오토 자이로 ; 대나무 잠자리 비행기.
autognosia *f.* 자기 인식.
autognosis *f.* =**autognosia.**
autogobierno *m.* 자치 (체제).
autografía *f.* 석판 인쇄.
autografiar *tr.* 석판 인쇄로 쓴 것을 재생하다 ; 석판으로 인쇄하다.
autográficamente *adv.* 석판 인쇄로.
autográfico, ca *adj.* 석판 인쇄의.
autógrafo, fa *adj.* 자필(自筆)의. —*m.* 자필(원고) ; 친필, 친서. —*m.f.* **자필 서명자.**
autoguiado, da *adj.* =**autodirigido.**
autohipnosis *f.* 자기 최면.
autoinducción *f.* 【전기】 자기 유도, 자기 감응.
autoinfección *f.* 자가 전염.
autointoxicación *f.* 자가 중독.
autolisis *f.* 【화학】 자기 분해·소화.
automación *f.* =**automatización.**
autómata *m.* ① 자동 인형, 로봇. ② 남에게 조종되는 인간 : obedecer como un ~. ③ 자동 판매기.
automáticamente *adv.* 자동적으로, 기계적으로 : moverse ~ 자동으로 움직이다.
automaticidad *f.* 자동성(自動性).
automático, ca *adj.* ① 자동적인 : freno ~ 자동식 제동기. pala *~ca* 자동삽. ② 기계적인. ③ 무의지의 : ademán ~. —*m.* 음폐 보턴. —*f.* 자동 장치학.
automatismo *m.* 오토메이션, 자동 조작, 자동성 ; 자동적 기구·구조 ; 【심리】 자동 현상(現象) ; 무의식 행동·행위.
automatización *f.* 자동화, 오토메이션 (장치).
automatizar *tr.* ⑨ 자동화하다 ; (신체의 일부를) 기계적으로 움직이다.
automedonte *m.* ①【로마 신화】(Aquiles의 차를 끌던 사람의 이름에서) 마부(auriga). ②【희언】《*Amér.*》 자동차 운전자.
autómnibus *m.* 【단·복수 동형】 =**autobús.**
automotor, ra *adj.* 자동의 ; 발동기 장치의 :

torpedo ～ 추진기가 달린 어뢰. —*m.* 자동차, 가솔린카 (등)(autovía).
automotriz *adj.f.* ＝**automotora.**
automóvil *adj.* 자동의. —*m.* 자동차 (coche, 《*Amér.*》 carro) : ～ alquilado 렌터카.
automovilismo *m.* 드라이브 ; 경기·운동으로서의 자동차 운전, 자동차 열·붐 ; 자동차 공업.
automovilista *m.f.* (경기·운동으로서의) 자동차 조종자·선수.
automovilístico, ca *adj.* 자동차(auto)의 : accidente ～ 자동차 사고.
autonomía *f.* ① 자치(제·권·단체) : el país que reclama la ～ 자치권을 요구하는 나라. ② 자력·무보급 항속 거리 : ～ de vuelo.
autonómicamente *adv.* 자치로.
autonómico, ca *adj.* 자치의, 자치권이 있는 ; 자력에 의한.
autonomista *adj.m.f.* 자치론자(의) : los ～*s* catalanes.
autónomo, ma *adj.* 자치권이 있는. Contr. heterónomo.
autoómnibus *m.* [드뭄] ＝**autobús.**
autopiano *m.* 자동 피아노.
autopista *f.* 자동차 전용 도로, 고속 도로.
autoplastia *f.* 【의학】 자기 성형 (수술).
autoplástico, ca *adj.* 【의학】 보형(補形) 수술의.
autopropulsado, da *adj.* 자동 추진의.
autopropulsión *f.* (발사체의) 자동 추진.
autopsia *f.* 시체(屍體) 검시·해부.
autopsiar *tr.* 11 (검시적으로) 해부하다.
autópsido, da *adj.* 금속적 광택의.
autor, ra *m.f.* ① 작가 ; 저자 : el ～ del Quijote. ② 범인, 장본인, 일을 일으킨 사람 : El ～ de un accidente es reponsable de él. ③ 발기인. ～ ***de mi ser*** 나의 부친.
autoría *f.* 작가 기질.
autoric- →**autorizar** 9.
autorcillo *m. dim.* autor.
autoridad *f.* ① 권력, 권능 : ～ para decidir 결정권. ～ paterna 부권(父權). imponer su ～ en un cuestión 어떤 문제에서 자신의 권력으로 누르다. ② (부여된) 허가. ③ 권위, 실력 : la ～ de un escritor 작가의 권위. Resultó difícil mantener su ～ 그의 권위를 유지하기가 어렵게 됐다. ④ 권위자 ; 대가. ⑤ 관헌, 당국, 당국자 : una elevada ～ 고위직의 사람. ～*es* aduaneras 세관 당국. ～*es* competentes 주무 관청. ～*es* de vigilancia·control 감독 관청. ～*es* financieras 재정 당국. ～*es* fiscales 세무 당국. ～*es* locales 지방 관헌. La ～ teme que esto sea causa de algún desorden 당국은 이것이 어떤 혼란의 원인이 될까 두려워하고 있다. ⑥ 전거(典據), 범례 : Diccionario de ～*es* 모범 사전 《Academia Española가 처음 편집 출판한 사전의 제1판, 1726—39》.
autoritariamente *adv.* 권력으로 ; 강요하듯이.
autoritario, ria *adj.* 권력에 의한 ; 강요하는 것 같은 ; 권력을 남용하는, 전횡(專橫)한.
autoritarismo *m.* 권력 남용, 전횡.
autoritarista *adj.* 권력 남용의.
autoritativo, va *adj.* 포함하는.
autorizable *adj.* 인가할 수 있는, 허가할 수 있는.
autorización *f.* 권한·권능의 부여 ; 권리 ; 허가, 인가, 허가서(permiso) : ～ de cambio 환허가. ～ del presupuesto 예산의 인가.
autorizadamente *adv.* ① 권위가 있는 듯이 ; 권위를 가지고 : hablar ～. ② 믿을 만한, 정당하게, 정당한 허가를 받아.
autorizado, da *adj.* 허가를 받은 ; 권위있는, 신빙할 만한, 믿을 만한, 공인하는 : capital ～ 수권(授權) 자본. opinión ～*da* 믿을 만한 의견.
autorizador, ra *adj. m.f.* 허용·허용하는 (사람).
autorizamiento *m.* ＝**autorización.**
autorizante *adj.* ＝**autorizador.**
autorizar *tr.* 9 ① (누구에게 무엇을 하는) 권능·권리를 부여하다 ; 허용하다, 허가하다 ; 용서하다. ② 정식의 것으로 하다, 공증하다 : ～ el contrato 공증인이 계약서를 공증하다. ③ (관례·용어 등을) 정당한 것으로서 인정하다 : Lo *autoriza* la costumbre 관습을 정당한 것으로서 인정하다. El gobernador *autorizó* el documento con su firma 총독은 그의 서명이 있는 그 서류를 정당한 것으로 인정했다. ④ (출전에 의거하여) 확실한 것으로 보다 (confirmar) : ～ con su firma 그의 사인으로 확인하다. ⑤ 권위를 세우다.
autorradio *m.* 자동차에 설치된 라디오.
autorrail *m.* [*fr.* autorail] ＝**autorriel.**
autorregistrador, ra *adj.* 자동 기록(식)의.
autorregulación *f.* 자동 통제.
autorretrato *m.* 자화상(自畵像).
autorriel *m.* 《*Amér.*》 ＝**autovía.**
autorruta *f.* 《*Amér.*》 ＝**autopista.**
autosatisfacción *f.* 자기 만족.
autosatisfacerse *r.* 자기 만족을 하다.
autosatisfecho, cha *adj.* 자기 만족의.
autoservicio *m.* 셀프서비스 (판매).
autostop *m.* 자동차 편승 여행, 히치 하이크 : hacer ～ 지나가는 자동차 (따위)에 무료로 편승하여 여행하다, 히치 하이크를 하다.
autostopista *m.f.* 자동차 편승 여행자.
autosuficiencia *f.* 자급 자족 ; 자존, 자신 과잉.
autosuficiente *adj.* autosuficiencia의.
autosugestión *f.* 자기 암시.
autosuperarse *r.* 자아를 극복하다.
autoteatro *m.* 자동차를 타고 들어가는 극장.
autotécnico, ca *adj.f.* 자동차 기술(의). —*m.* 자동차 기사.
autotética *f.* 현상학(現象學).
autotipia *f.* 오토 타이프, 단색 사진판.
autotomía *f.* 자기 희생, 자기 파괴 : Los cangrejos practican la ～.
autotoxina *f.* 자가 독소.
autotrófico, ca *adj.* 【생리】 자주 영양의.
autovacuna *f.* 자가 왁친.
autovía *f.* 자동차 도로(autopista). —*m.* 발동기 딸린 차량, 기동차(automotor).
autumnal *adj.* 【시어】 가을의(otoñal) : plantas ～*es.*
aux.[ar] auxiliar.
auxiliador, ra *adj.* 도움이 되는, 보조하는.

—*m.f.* 조수.
auxiliante *adj.* =**auxiliador.**
auxiliar[1] *adj.* [*lat.* auxiliâris] 보조의 : verbo ~ 【문법】 조동사. profesor ~ 조교수. —*m.* 조수 ; 보조원 ; 조교수.
auxiliar[2] *tr.* 돕다, 도와주다, 원조하다(dar auxilio, ayudar).
auxiliaría *f.* 조교·교수의 직.
auxilio *m.* 도움, 원조, 구원(ayuda, socorro, amparo) : premio de ~ 보조금.
auyama *f.* 《*Amér.*》 호박(calabaza)의 일종.
Av. Avenida.
a/v a la vista.
ava. avería.
av.[a] avería.
ava-ava *f.* 【식물】 (폴리네시아산의) 후추 ; 후추로 빚은 술.
avacado, da *adj.* 소처럼 굼뜬 (말).
avadarse *r.* (길어서 건널 수 있게 개울이) 얕아지다.
avahado, da *adj.* avahar의 *p.p.*
avahar *tr.* 찌다, 덥히다.
—*intr.*, **~se** 김이 나다.
aval *m.* 어음의 이서 ; 연대 보증인의 서명 ; 보증.
avalancha *f.* ①《*Galic.*》 산사태(alud) : en ~ 밀물처럼. ② 홍수 ; 쇄도 : ~ de órdenes·pedidos 주문의 쇄도.
avalar *tr.* 배서하다 ; 연대로 보증하다.
avalentado, da *adj.* 용감한 것처럼 보이는.
avalentamiento *m.* [드뭄] =**bravuconada.**
avalentar *tr.* =**envalentonar, dar ánimos.**
avalentonado, da *adj.* =**valentón.**
avalentonarse *r.* 허세를 부리다, 우쭐대다.
avalista *m.f.* 어음의 이서인·배서인 ; 지불 보증인 (은행).
avalorar *tr.* 가치를 인정하다 ; 격려하다.
avaluación *f.* 평가.
avaluar *tr.* ⑮ 평가하다(valuar), 가치를 정하다.
avalúo *m.* 평가, 사정, 감정 ; 가격 : por ~ 가격에 따라. derechos por ~ 종가세(從價稅).
avallar *tr.* (어떤 곳에) 울타리를 치다.
avambrazo *m.* (갑옷의) 하박(下膊).
avampiés *m.* =**escarpe.**
avanc- →**avanzar** ⑨.
avance *m.* ① 전진 ; (차량의) 앞부분 ; 전도금(前途金) ; 대차 대조표(avanzo) : ~ de balance 대차 대조표. ②《*Cuba.*》 구토. ③《*Chile.*》 럭비의 일종. ④《*Méx.*》 (전쟁 때의) 약탈. —*pl.* 《*Galic.*》 최초, 초기 ; 대담, 과격.
~*s y retroceso* 일진 일퇴.
avanecerse *r.* 과일이 푸석푸석하다.
avanguardia *f.* =**vanguardia.**
avante *adv.* 【고어】【해사】 앞에, 앞으로 : salir ~ 성공하다.
avantrén *m.* 《*Galic.*》 (포의) 앞바퀴.
avanzada *f.* 전초(前哨), 전진 초소.
avanzadilla *f.* 【군사】 =**avanzada.**
avanzado, da *adj.* ① 전진한 ; 진보된, 선구적인, 아주 새로운 : ideas ~*das* 진보적 사상. ② (나이가) 많은 : ~ *de·en* edad 나이든, 지긋한 연배의.
avanzar *tr.* ⑨ ①【고어】 나아가게 하다 : *Avanzó* la mina. ②《*Galic.*》 선불하다, 전도(前途)하다(anticipar) ; 추천하다, 지지하다(sostener). ③《*Col.*》 싸움에 이기다. ④《*Cuba.*》 구토하다. ⑤《*Méx.*》 약탈하다 ; 이기다 ; 훔치다. Contr. retroceder, cejar.
—*intr.*, **~se** 앞서가다, 전진하다 ; 돌출하다 ; (시간이) 흘러가다, 지나가다 : La noche *avanzaba* 밤이 깊어 갔다.
avanzo *m.* 【상업】 정산표, 대차 대조표 ; 수지 예산표.
avaramente *adv.* 탐내어, 욕심 사납게(avariciosamente).
avaricia *f.* 욕심, 탐욕.
avariciosamente *adv.* 욕심많게, 탐내어.
avaricioso, sa *adj.* 욕심많은(avariento). —*m.f.* 욕심꾸러기. Contr. generoso, espléndido.
avariento, ta *adj.* =**avaricioso.**
avariosis *f.* 매독(sífilis).
avaro, ra *adj.* 욕심많은 ; 인색한. —*m.f.* 욕심쟁이 ; 구두쇠, 깍쟁이.
avasallador, ra *adj.* 굴복시키는.
avasallamiento *m.* 복종, 굴복.
avasallar *tr.* 굴복시키다, 복종시키다.
~se 신하가 되다 ; 굴복하다, 복종하다.
ave[1] *f.* [단수형은 el ave] 새. —*pl.* 조류(鳥類).
~ ***canora,*** ~ ***de corral*** 가금(家禽).
~ ***del Paraíso*** 극락새 ; 【천문】 극락새좌.
~ ***de paso·pasajera*** 후조, 철새 ; 한 곳에 오래 머물지 못한 사람.
~ ***de rapiña*** 맹금(猛禽) ; 겁탈하는 사람.
~ ***fría*** 【조류】 댕기물떼새.
~ ***lira*** 금조(琴鳥).
~ ***tonta·zonza*** 【조류】 신천옹(信天翁) ; 바보, 미련둥이. ~ ***toro*** 【조류】 =avetoro.
ave[2] *f. lat.* ***¡Ave María!*** 놀람을 나타내는 말.
avecasina *f.* 《*Chile.*》 =**becada.**
avecilla *f. dim.* ave.
~ ***de las nieves*** =aguzanieves.
avecinar *tr.* =**acercar.**
~se. 가까워지다 (acercarse) ; 정주(定住)하다 ; 이웃이 되다 (avecindarse).
avecindamiento *m.* 정주 ; 정주지(定住地).
avecindar *tr.* 주민으로 받아들이다, 주민이 되다(avecinar)
~se 정주하다, 정착하다.
avechucha *f.* =**avechucho.**
avechucho *m.* 볼품없이 생긴 새 ; 싫은 사람, 멋없이 생긴 사람.
avefría *f.* 【조류】 댕기물떼새(ave fría).
avejentado, da *adj.* 겉늙은, 조로 현상의.
avejentarse *r.* 조로(早老)하다, 겉늙다.
avejigar(se) *intr.(r)* ⑧ 물집(vejiga)이 잡히다.
avellana *f.* ① 개암. ②《*Perú.*》 불꽃의 일종.
avellanado, da *adj.* 담갈색(淡褐色)의 ; 시든.
avellanador *m.* 송곳.
avellanal *m.* 개암나무숲.
avellanar[1] *m.* =**avellanal.**
avellanar[2] *tr.* (구멍을) 넓히다, 도려 파다.
~se 시들다, 쭈그러지다.
avellanate *m.* 개암으로 만든 요리·반죽 가루.
avellaneda *f.* 개암나무숲.
Avellaneda 【지명】 Buenos Aires의 근교 도시.
avellanedo *f.* =**avellaneda.**
avellanera *f.* ① 개암팔이 (여자). ② 개암나무.

avellanero *m.* 개암팔이(vendedor de avellanas).
avellano *m.* 【식물】 개암나무 ; 개암나무 목재.
avemaría *f.* ① 아베마리아에 대한 기도. ② (로사리오 · 염주의) 알. ③ 도고(禱告), 기도 시간을 알리는 종(ángelus).
al ~ 해거름에. *en un* ~ 순식간에.
¡Ave María! *interj.* (놀라움의) 저런 저런 !, 어렵쇼 ! ; (방문 때의) 실례합니다. [*N.* 뒤에 Purísima를 붙이기도 함].
avena *f.* 【식물】 귀리 : ~ boca 목동의 피리.
avenáceas *f.pl.* 귀리, 연맥류(燕麥類).
avenáceo, a *adj.* 귀리 같은.
avenado, da *adj.* 정신병자의 피를 받은 ; 정신병자 같은.
avenal *m.* 귀리밭.
avenamiento *m.* 배수구 · 설비를 갖춤.
avenar *tr.* (…에) 배수구 · 설비를 갖추다(drenar, palear).
avenate *m.* ① 오트밀. ② 《*And.*》 광기(狂氣)의 발작.
avendajar *intr.* 《*Col.*》 바겐 세일을 하다, 할인 판매하다.
avenenar *tr.* (…에) 독을 넣다, 독살하다 (envenenar).
avenencia *f.* ① 일치(conformidad y unión). ② 협정, 동의(concierto). ③ [드뭄] =**venencia.**
aveng- →**avenir** 60.
avenible *adj.* 화목할 수 있는, 협조할 수 있는.
aveníceo, a *adj.* 귀리(avena)의.
avenida *f.* ① 범람, 홍수 ; 운집, 인파. ② 가로수길, 가로(街路) ; …가(街), …로(路) : ~ de acceso 통로. ③ 《*Cuba.*》 알림.
avenido, da *adj.* [bien · mal +] 조화를 이룬 · 조화를 이루지 못한 ; 화목한 · 화목하지 못한 ; 준거(準據)한 · 준거하지 못한 : bien ~ con el tiempo 시기에 알맞게.
avenidor, ra *adj.* 조정하는. —*m.f.* 조정자 (調停者).
avenimiento *m.* 협조, 일치 ; 조정.
avenir *tr.* 60 잘 맞추다, 일치시키다 ; 주선하다, 조정하다. [Contr.] malquistar.
—*intr.* (일이) 일어나다. [*N.* 이 뜻일 때는 제3인칭에만 활용].
~se 참다 ; 의견 · 생각 · 마음이 합치되다 ; 화합 · 화해 · 타협하다 ; 협조하다 ; 조화하다.
avenoso, sa *adj.* 귀리(avena)가 있는.
aventadero *m.* 사금상(砂金床).
aventado, da *adj.* aventar의 *p.p.*
aventador, ra *adj.* (바람 · 빗자루로) 갈라놓는, 풍구질하는 : máquina ~*ra* 풍구질하는 기계, 풍구. —*m.* (건초용의) 풍구(bieldo) ; (스파르타 식으로 만든) 부채 ; (펌프의) 밸브.
aventadura *f.* =**hinchazón, tumor.**
aventaja *f.* 《*Ar.*》 =**adventaja.**
aventadora *f.* 풍구, 풀무.
aventajadamente *adv.* 유리하게.
aventajado, da *adj.* ① 남보다 뛰어난, 보통 것보다 훌륭한 : alumno ~ 뛰어난 학생. estatura ~*da* 커다란 키. ② 유리한. —*m.* 특대병 (特待兵).
aventajar *tr.* ① [+a : …보다] 우선시키다 (anteponer) : *Aventajé* sus deseos *a* mis intereses 나의 이해 득실보다 그의 희망을 먼저 우선시켜 주었다. ② 유리하게 해주다, 이득을 보게 하다.
—*intr.*, **~se** [+a : …보다] 뛰어나다, 빼어나다, 훌륭하다(sobresalir) : El muchacho *aventaja a* todos de su clase 그 소년은 학급의 모두보다 뛰어 난다. (*Se*) *aventajaba a* los que le precedían 그의 전임자들보다 뛰어났다.
aventamiento *m.* 송풍(送風), 통풍 ; 풍구질.
aventar *tr.* 11 ① (…에) 바람을 보내다, 통풍하다 ; 바람에 쏘이다 ; (곡식을) 풍구질하다 ; (바람이) 불어 없애다. ② (남을) 쫓아내다, 몰아내다. ③ 《*Amér.*》 부풀리다 (hinchar) ; (타격을) 가하다 ; 죽여 버리다 ; 습격하다, 위협하다.
~se ① 바람을 받다, 부풀다 ; 달아나다. ② 【방언】 《*Amér.*》 살이 썩다, 죽다.
aventestate *adv* 【속어】 =**abintestato.**
aventón *m.* ① 《*Amér.*》 몸을 부딪침, 몸으로 밀치기. ② 《*Méx.*》 (택시의) 공짜 손님.
aventura *f.* 일, 사건, 진기한 일, 파란 ; 모험 ; 위난.
aventurado, da *adj.* 모험적인 ; 대담한.
aventurar *tr.* ① 운수에 맡기다, 위험을 무릅쓰고 하다 : ~ un capital. ② 도박하다. ③ 위험을 무릅쓰다.
~se ① 모험을 하다 : *Me aventuré* por aquellas andurriales. ② [a+*inf.*] (위험을) 무릅쓰고 …하다.
Quien no se aventura no pasa la mar 【속담】 호랑이 굴에 들어가야 호랑이 새끼를 잡는다.
aventureramente *adv.* 모험적으로 ; 운수에 맡기고.
aventurero, ra *adj.* ① 모험을 좋아하는, 모험적인 ; 용감한. ② 《*Amér.*》 제철이 지난 (과일 등). —*m.f.* ① 모험가 ; 투기자. ② 《*Méx.*》 (고용된) 마부.
aventuroso, sa *adj.* =**aventurado, aventurero.**
average *m. ing.* =**promedio.**
avergonzar *tr.* 28 9 부끄러움을 알게 하다.
~se [+de · por : …을] 수치스러워하다, 부끄럽게 생각하다 : *Me avergüenzo de* pedir 동냥하기가 부끄럽다. *Me avergüenzo por* haber tardado tanto tiempo en contestarle 회답이 이렇게 늦어 부끄럽게 생각하고 있습니다. ~*se por* sus acciones 자신이 한 짓 때문에 부끄러워 하다.
avería[1] *f.* [*ár.* hanâriga] ① 해손(海損) : ~ general · gruesa 공동 해손. ~ parcial 분손(分損). ~ particular 단독 해손. ~ total 전손(全損). repartidor · tasador de ~*s* 해손 정산인. ② 손해 : sufrir ~*s* 손해를 보다. ③ (기계, 자동차 등의) 파손, 고장.
de ~ 《*Venez.*》 강해 보이는 ; 두려운, 무서운.
avería[2] *f.* ① 작은 새집. ② 새떼(averío).
averiado, da *adj.* 해손을 받은 ; 고장난.
averiarse *r.* 12 썩다 ; (상품이) 손상 · 해손을 입다, 흠이 가다, 폐물이 되다 : Con la lluvia *se averió* el cargamento 비로 (배의) 화물이 못쓰게 되었다.
averiguable *adj.* 조사할 수 있는.
averiguación *f.* 조사, 연구, 뒤져 보아 찾음.
averiguadamente *adv.* =**seguramente.**
averiguador, ra *adj. m. f.* 조사 · 연구하는 (사

람) ; 캐내는 (사람).

averiguamiento *m.* =**averiguación.**

averiguar *tr.* ⑩ 조사하다, 연구하다 ; 캐다, 탐구하다 (indagar) : ~ las causas · las dudas 원인 · 의문점을 조사하다. —*intr.* 《*Amér.*》 언쟁하다, 고집을 세우다 ; 소문을 퍼뜨리고 다니다. **~se** ① [+con : …를] 납득시키다 ; 언쟁해서 이기다 : No hay quien *se averigüe con* José 호세와 맞설 사람은 없다. ② 꾸중하다, 나무라다. [접속법 현재 : averigüe, averigües, averigüe, averigüemos, averigüéis, averigüen, 직설법 부정과거 : averigüé, averiguaste, averiguó, averiguamos, averiguasteis, averiguaron].

averío *m.* 새떼.

averno, na *adj.* [*lat.* avernus] 지옥의. —*m.* 【시어】 지옥.

averroísmo *m.* 아베로에스 《Averroes, 꼬르도바 태생, 12세기의 아리스토텔레스의 학풍을 이어 받은 아라비아의 철학가》 철학.

averroísta *adj.m.f.* 아베로메스의 (주의자).

averrugado, da *adj.* 사마귀가 많은, 사마귀투성이의.

averrugarse *r.* ⑧ 사마귀가 사방에 생기다, 사마귀가 생기다.

aversión *f.* 증오, 반감(antipatía).

avesta *m.* 페르시아 · 조로아스터교의 경전.

avestruz *m.* 【조류】 타조 : ~ de América 아메리카 타조, 레아(ñandú).

avetado, da *adj.* 나뭇결(veta)이 있는.

avetarda *f.* =**avutarda.**

avetoro *m.* 【조류】 섭금류의 새.

aveza *f.* =**arveja.**

avezar *tr.* ⑨ 길들이다(acostumbrar, habituar). **~se** 길들다, 익히다 : *~se a* vagancia.

aviación *f.* 《*Neol.*》 비행(술), 항공(술) ; 항공부대.

aviador, ra *adj.* 하늘을 나는, 비상하는, 비행의. —*m.f.* ① 비행가 ; 항공병. ② 송곳의 일종. ③ 《*Amér.*》 (광산 · 농목축의) 융자가(融資家).

aviamiento *m.* =**avío, prevención.**

aviar *tr.* ⑫ ① 여행할 준비 · 채비를 시키다 ; 제공 · 공급하다 : Me *avió con* mil pesos 그는 내게 천 뻬소를 융통해 주었다. Le *avié de* muebles 그에게 가구류를 공급해 주었다. ② 준비하다, 마련하다, 채비를 차리다 : ~ la habitación 방에 생활 용품을 들여놓다. ③ 정리하다 : Vamos *aviando* 빨리 챙기자. Prevenidles que *avíen* 시원스럽게 빨리 끝내도록 일러 두십시오. ④ 《*Amér.*》 (농목축가나 광산 업자에게) 융자하다 ; (물건을) 융통해 주다. **~se** 채비를 차리다, 준비하다, 마련하다, 대비하다 (arreglarse) : *Se aviaron* con esmero para salir.
estar aviado 여러 가지 일로 난처한 처지에 있다.

aviario, ria *adj.* 가금의, 닭의, 양계의 : peste *~ria* 닭의 전염병. —*m.* 조류원, 조류 표본실.

avica *m.* 《*Ál.*》 =**reyezuelo.**

aviceptología *f.* 새잡이 방법.

aviciar *tr.* ① 《*Sal.*》 땅에 비료를 주다(abonar la tierra), 똥을 주다(estercolar). ② 식물에 똥을 주다(dar vicio a las plantas).

avícola *adj.* 【남 · 여 동형】 새를 기르는, 양금(養禽)의, 양계의.

avícula *f.* 진주 조개의 일종.

avicularia *f.* =**migala.**

aviculídeo, a *adj.* 진주 조개(avicula) 같은.

avicúlido, da *adj.* =**aviculídeo.**

avicultor, ra *m.f.* 새 · 닭치는 사람, 양금가.

avicultura *f.* 양계, 양금.

avichucho *m.* 【속어】 《*Amér.*》 =**avechucho.**

ávidamente *adv.* 게걸스럽게, 걸신들린 것처럼 ; 의욕적으로.

avidez *f.* 격렬한 욕구, 갈증, 목마름 : con ~ 의욕적으로.

ávido, da *adj.* [+de : …에] 굶주린, 목마른 : ~ de gloria 공명심에 굶주린.

aviejarse *r.* 노인스러워지다, 겉늙다.

avien- →**avenir** ⑥⓪.

avient- →**aventar** ⑲.

avienta *f.* 풍구질, 키로 까불기.

aviento *m.* (건초용) 쇠스랑, 갈퀴.

aviesamente *adv.* 마음씨가 나쁘게, 사악하게 (siniestra o malamente).

avieso, sa *adj.* 정도에서 벗어난 ; 사악한, 마음씨 나쁜.

avifauna *f.* (한 나라 · 지역 전체의) 조류.

avigorar *tr.* 강하게 하다(vigorar).

Avila 【지명】 아빌라 《서반아의 주 · 시》.

avilantarse *r.* 거만한 태도를 하다.

avilantez *f.* =**avilanteza.**

avilanteza *f.* 방자, 교만, 오만, 거만, 불손 (insolencia).

avilés, sa *adj.* 아빌라 《Avila, 서반아 북부의 도시》의. —*m.f.* 아빌라 사람.

avilesino, na *adj.m.f.* 아빌레스 《Avilés, Oviedo주의 마을》의 (사람).

avillanado, da *adj.* 을씨년스러워진 ; 시들시들해진 ; 촌스러운, 야비한.

avillanamiento *m.* 촌스러움.

avillanarse *r.* 촌스러워지다, 촌스럽다.

avin- → **avenir** ⑥⓪.

avinado, da *adj.* 《*Galic.*》 술취한(ebrio).

avinagradamente *adv.* 무뚝뚝하게, 퉁명스럽게.

avinagrado, da *adj.* ① 신 ; 시큰둥한 ; 떫은, 떨떠름한. ② 퉁명스런, 무뚝뚝한 : gesto ~ 퉁명스런 행동.

avinagrar *tr.* 신맛이 나게 하다 ; 시큰둥하게 하다 ; 무뚝뚝하게 하다. **Sinón.** agriar. **~se** 시큰둥해지다, 성미가 모나다 : *Se avinagró* su ánimo.

avinca *f.* (뻬루산의) 호박(calabaza)의 일종.

avinie- →**avenir** ⑥⓪.

aviñonense *adj.m.f.* =**aviñonés.**

aviñonés, sa *adj.* 아비뇽 《Aviñón, 불란서 도시》의. —*m.f.* 아비뇽 사람.

avío *m.* ① 채비, 준비. ② [주로 *pl.*] 용구, 용품(用品) : *~s* de escribir 문방구. *~s* de coser 바느질 도구. *~s* de afeitar 면도용품. ③ (목장에서 일하는 사람의) 도시락. ④ 《*Amér.*》 (농 · 목축 · 광산업자에게) 융자. ⑤ 《*Chile. Perú.*》 마구류(arreos). ⑥ 《*Ecuad. Méx.*》 여행용 말 (등).
¡al ~! interj. 됐어, 해라!
hacer su ~ 자기 일을 하다.

avión *m.* ① 《*Neol.*》 비행기 : ~ a chorro 제트

기. ~ anfibio 수륙 양용 비행기. ~ bombardero·de bombardeo 폭격기. ~ de caza·combate 공격기, 전투기. ~ de entrenamiento 연습기. ~ de línea 정기 항공기. ~ de tráfico·de transporte 수송기. ~ a·de reacción 제트기. ~ de reconocimiento 정찰기. ② 【조류】 바위제비, 흰털발제비.
en ~ 비행기로, 비행기를 타고.
por ~ 항공편으로.

avionazo *m.* 항공기의 추락·사고.

avionero, ra *m.f.* 《*AmérM.*》 비행가 ; 항공기의 탑승원.

avioneta *f.* 소형 비행기.

avisadamente *adv.* 신중하게, 빈틈없이 : obrar ~ 신중하게 행동하다.

avisado, da *adj.* 빈틈없는, 방심하지 않는, 신중한 ; 현명한(prudente, discerto, sagaz) : mal ~ 얼간이같은, 바보같은, 소갈머리없는 : un hombre muy ~ 매우 신중한 사람. —*m.* 【은어】 법관.

avisador, ra *adj.* 알리는, 통보하는 ; 주의·경고·충고하는. —*m.* 통보자 ; 통보기.

avisaje *m.* 《*Perú.*》 (신문의) 광고란.

avisar *tr.* ① 알리다 ; 눈치채게 하다 ; 주의·경고·충고하다 (advertir, aconsejar) : ¿Quiere usted *avisárselo* de antemano? 그에게 그것을 미리 알려주시겠습니까? Te *aviso* que no se lo digas 그에게 그것을 말하지 말기를 너에게 충고하는 바이다. ② 【은어】 눈치 채다, 낌새를 알아채다(notar).

avisero *m.* 《*Perú.*》 광고·전단 뿌리는 사람 ; 광고 담당자.

aviso *m.* ① 알림, 통지, 안내, 정보 (noticia) : dar ~ 통고하다. carta de ~ 통지서. sin previso ~ 예고 없이. salvo ~ en contra 별도 통지가 없으면. ② 기척, 낌새 ; 징조, 징후 (indicio). ③ 주의, 경고 ; 조심 ; 신중. ④ 경계적 태도 : estar sobre (el) ~ 빈틈없이 경계하고 있다. ⑤ 통보함(通報艦). ⑥ 【속어】 《*Amér.*》 광고 (anuncio).

avispa *f.* [*lat.* vespa] ① 【곤충】 말벌. ② 속이 검은 사람 ; 험담가.

avispado, da *adj.* 빈틈이 없는, 약삭빠른, 기민한(vivo, agudo).

avispar *tr.* ① (말을) 채찍질하다, (…에) 기운을 불어넣다 : Hay que ~ al muchacho. ② 【속어】 겁을 주다, 무섭게 하다.
~se 조바심하다.

avispedar *tr.* 【은어】 슬그머니 보다·노리다.

avispero *m.* ① 장수말벌의 집, 벌집. ② [집합] 장수말벌. ③ 몹시 귀찮은 일 : No quiero meterme en tal ~ 그렇게 귀찮은 일에 참견하고 싶지 않다. ④ 【의학】 종기, 부스럼.

avispón *m.* [*aum.* avispa] ① 【곤충】 말벌류 (moscardón). ② 눈에 쌍심지를 켜고 노려 보는 놈.

avistar *tr.* 멀리서 바라보다, 바라보다 : ~ el horizonte.
~se 회담하다, 만나 이야기하다.

avitaminosis *f.* 【의학】 비타민 결핍(증)(carencia de vitaminas).

avitelado, da *adj.* 우피지(vitela) 같은.

avituallamiento *m.* 식량 보급.

avituallar *tr.* (…에) 식량을 보급하다 : ~ un ejército.

avivadamente *adv.* 활발하게 ; 잽싸게.

avivador, ra *adj.* 생기를 돋우어 주는 (것 같은). —*m.* 【건축】 홈, 사개, 판벽널, 머름.

avivamiento *m.* 격려, 생기를 불어 넣음.

avivar *tr.* ① 격려하다 (excitar) ; 생기를 불어 넣다, (불을) 타오르게 하다 : *Avivé* el fuego echando más leña 장작을 더 많이 넣어 불을 타오르게 했다. ② (색채를) 두드러지게 하다 ; 활기를 불어넣다 ; (눈을) 번득이다 ; (발걸음을) 활발하게 놀리다. Contr. agapagar.
—*intr.*, **~se** 튼튼해지다, 기운이 나다 ; 에누리가 나오다.

avizor *m.* 노리는 사람, 정찰하는 사람 : estar ojo ~ 눈을 똑바로 뜨고 있다 ; 경계하고 있다. —*pl.* 【은어】 눈(ojo). —*adj.* ¡Ojo ~! 조심하시오 (¡cuidado!).

avizorador, ra *adj.m.f.* 노리는·엿보는 (사람).

avizorante *adj.m.f.* =**avizorador.**

avizorar *tr.* 엿보다, 노리다(acechar).

-avo, va *suf.* 수사의 어미에 붙어 분수를 만드는 접두어 : una doz*ava* parte, un doz*avo* 12분의 1. tres dieciseis*avos* 16분의 3. —*m.* 작은 물건.

avocación *f.* (상급 법원으로) 이송, 이심(移審), 송치.

avocamiento *m.* =**avocación.**

avocar *tr.* 7 이심하다, 이송하다, 송치하다.

avocastro *m.* 《*Chile.*》 보기 싫은 놈.

avocatero *m.* 【식물】 아보까떼로.

avoceta *f.* 【조류】 뒷부리 장다리 떼새.

avoira *f.* 【식물】 =**avora.**

avolcanado, da *adj.* 화산이 있는, 화산 지대의.

avora *f.* 【식물】(아프리카 서해안의) 야자나무 (palmera)

avorazado, da *adj.* 《*Méx.*》 =**ávido, ansioso.**

avuara *f.* 【식물】 =**avora.**

avucasta *f.* =**avutarda.**

avugo *m.* 올배.

avuguero *m.* 【식물】 올배나무.

avugués *m.* 《*Rioja.*》 =**gayuba.**

avulsión *f.* =**extirpación.**

avulsivo, va *adj.* 근절·절멸할 수 있는.

avutarda *f.* 【조류】 (아프리카산의) 기러기, 들기러기.

avutardado, da *adj.* 기러기같은.

¡ax! *interj.* 아야! 《아픔을 나타내는 감탄사》.

axial *adj.* 굴대의, 가운데 추의 : raíz ~ 【식물】 곧은 뿌리, 주근(主根).

axil *adj.* =**axial.**

axila *f.* ① (나뭇가지의) 갈래. ② 겨드랑이 (sobaco) : los pelos de la ~ 겨드랑이털. ③ 【식물】 잎의 옆.

axilar *adj.* ① 갈라진 : hojas ~*es* 갈라진 잎. ② 겨드랑 밑의 : transpiración ~.

axinita *f.* 【광부】 부석(斧石).

axiología *f.* 【철학】 가치론.

axioma *m.* [*gr.* axiôma] 자명한 이치 ; 공리(公理).

axiomáticamente *adv.* 자명하게, 명백하게.

axiomático, ca *adj.* 공리의 ; 자명한, 명백한.

axiómetro *m.* 【항공】 타각 표시기(舵角表示器).
axis *m.* [*lat.* axis] ① 축(軸). ②【해부】 축추(軸椎), 제이척추(脊椎). ③ 굴대, 축선(軸線).
axo *m.* 뻬루 원주민이 입는 옷의 앞뒤쪽.
axoideo, a *adj.* 제이척추의 ; 축(軸)의.
axolotl *m.*【동물】(멕시코산의) 도롱뇽(ajolote).
axón *m.* =**neurita.**
axungia *f.* 동물의 기름.
axura *f.* (모로코에서) =**pausa.**
ay *m.* =**perezoso.**
¡ay! *interj.* ① 아아 ! 《비애 · 아픔 · 무서움 · 동정 · 위협》. ② [+de] ¡*Ay de* mí ! 아아, 가엾은 이 내 몸 ! ¡*Ay de*l que me ofenda! 내게 약을 올린 놈은 두고 봐라 ! 《협박으로》. ¡*Ay* me! 【고어 · 시어】 =¡~ de mí ! —*m.* 탄성, 비명, 한숨 : tiernos *ayes* 가엾은 비명 · 한숨.
aya *f.* ayo의 여성.
ayacahuite *m.*【식물】 멕시코의 소나무(pino)의 변종.
ayacuá *m.* (아르헨띠나 원주민 사이에 전해지는) 활을 가진 귀신.
ayahuasa *f.* 《*Ecuad.*》 =**ayahuasca.**
ayahuasca *f.* 《*Ecuad.*》 =**bujuco de muerto.**
ayalés, sa *adj.m.f.* 아얄라 《Ayala, Alava 주의 도시》의 (사람).
ayar *tr.* 《*Col.*》 아이를 돌보다.
ayate *m.* 《*Méx.*》 용설란의 섬유로 짠 직물.
Ayax *m.* Troya의 싸움에서 Aquiles, Ulises와 서로 무술을 다투었던 용사 ; 패하여 자살, 그 피에서 히야신스의 꽃이 피기 시작하였다고 전해짐.
ayayay *m.* 《*Arg. Col. Cuba. Ecuad.*》 아이 아이 아이 《민요의 일종》.
¡ayayay! *interj.* =**¡ay!**
ayear *intr.* [드뭄] 한숨만 내리 쉬다 ; 신음하다.
ayeaye *m.* 【동물】 다람쥐원숭이.
ayecahue *m.* 《*Chile.*》 칠칠치 못한 사람. —*pl.* 엉터리.
AYEE Agua y Energía Eléctrica 《*Arg.*》 전력 공사.
ayer *adv.* [*lat.* heri] ① 어제 : ~ por la tarde 어제 오후에. ② 오래 전에 : Ya no nos acordamos de lo que éramos ~ 우리는 벌써 옛날의 우리를 잊어 버렸다. ③ 과거에(en tiempo pasado).
—*m.* 과거(tiempo pasado).
de ~ acá ; *de ~ a hoy* 어제부터.
~ noche 어젯밤 (anoche).
ayermar *tr.* ① 황무지로 변하다(convertir en yermo). ② =**arrasar, asolar.**
ayes *m.pl.* 비명, 탄성. [*N.* ay의 복수].
aymará *adj.m.f.* =**aimará.**
aymoré *adj.* =**botocudo.**
ayo, ya *m.f.* 양육자, 양육계 담당자.
ayocote *m.*【식물】(멕시코산의) 큰 강낭콩 ; 붉은 꽃잠두.
ayoguascle *m.* 《*Méx.*》 호박씨.
ayoguiste *m.* 《*Méx.*》 아요기스떼 《가시가 많은 호박의 일종》.
ayote *m.* 《*AmérC.*》 ① 호박 (열매). ② 우두머리, 보스. ③ 살인자.
ahumarse el ~ 실패하다.
dar ~s 퇴짜를 놓다 ; 낙제시키다.
ayotera *f.* 《*AmérC.*》 호박.
ayotete *m.* (멕시코산 덩굴식물로서) 호리병박무리.
ayotoste *m.* 《*Méx.*》【동물】 =**armadillo.**
ayte. ayudante.
ayte. Gral. ayudante general.
ayúa *f.* 아유아나무 《아메리카 건축용 재목》.
ayuda *f.* ① 도움, 조력, 시중, 원조 (auxilio). ② 세장기(洗腸器) ; 세장약(洗腸藥)(lavativa, irrigación). —*m.* 하인 : el ~ de cámara 몸종.
~ de parroquia 분회당(分會堂).
no necesitar ~ de vecino 남의 도움을 필요로 하지 않다.
ayudador, ra *adj.* 도와주는, 원조하는. —*m.f.* 심부름꾼, 거드는 사람.
ayudanta *f.* 여자 조수.
ayudante *adj.* 돕는 ; 보좌하는. —*m.* ① 조수, 보좌(관) ; 부관 : ~ de campo 막료(幕僚). ② 임시 교사.
ayudantía *f.* ayudante의 직책 · 관직 · 사무소.
ayudar *tr.* ① 돕다 (auxiliar) ; 거들다, 보좌 · 원조하다 : Le *ayudamos a* subir una carga 우리는 그가 짐을 올리는 것을 거들었다. *Ayúde*me 나를 도와주십시오. ② 살려주다, 구조 · 구원하다 (socorrer) : ~ a los pobres.
~se ① 서로 돕다. ② [+de · con : …의] 도움 · 협력을 얻다. ③ (…을) 이용하다(valerse) : Lo rompió *ayudándose* con los dientes 그는 이를 이용하여 그것을 깨뜨렸다.
ayuga *f.* 【식물】 석송.
ayuiné *m.* 《*Riopl.*》 냄새가 나는 월계수의 일종.
ayuiñandí *m.* 아르헨띠나 월계수의 일종.
ayunador, ra *adj.m.f.* 단식하는 (사람).
ayunante *adj.m.f.* =**ayunador.**
ayunar *intr.* 단식하다 ; 금욕하다 : ~ a pan y agua. —*tr.* (누구를) 외경(畏敬)하다, 경원하다.
ayuno, na *adj.* 아무 것도 먹지 않은 ; 알지 못하는. —*m.* 절식 ; 단식 : en ~ 조반 전에. en *~nas* 아무 것도 모르고.
ayunque *m.* 모루(yunque).
ayuntamiento *m.* ① 시청(municipio) ; 시청사 (casa de ~). ② 시의회 ; 시의회 의사당. ③ 집회 (junta). ④ 교접(交接), 성교(coito).
ayuntar *tr.* 【고어】 모으다 (juntar).
~se 성교를 하다, 교접하다(tener cópula carnal).
Ayunt.° Ayuntamiento.
ayupay *m.* 《*Arg.*》【식물】 =**camalote.**
ayuso *adv.* 【고어】 아래로, 아래에(abajo). **Contr.** asuso.
ayustar *tr.* 【해사】 이어 맞추다, 잇다.
ayuste *m.* 선구(船具)의 짜맞춤 ; 접착.
ayuya *f.* 《*Amér.*》【속어】 =**hallulla.**
azabachado, da *adj.* 흑옥색(黑玉色)의.
azabache *m.* ①【광물】 흑옥(黑玉)(ámbar negro). ②【조류】 곤줄박이, 산작 《박새과에 딸린 새》.
azabachero, ra *m.f.* 흑옥 세공사(細工師).
azabara *f.* 【식물】 노회(蘆薈), 용설란(áloe).
azacán, na *adj.m.f.* 잔심부름하는 (사람) ; 물긷는 남자 ; 인부 ; 잔심부름꾼.
andar · estar hecho un ~ 무턱대고 바쁜 척만 하고 있다.

azacanarse *r.* =**afanarse, diligenciar.**
azacanear(se) *intr.(r.)* 급히 움직이다.
azacaneo *m.* 급히 움직임.
azacúan *m.* 《*Guat. Sal.*》 =**milano.**
azache *adj. seda* ~ 못 쓰는 비단.
azada *f.* 괭이, 곡괭이.
azadada *f.* 괭이질.
azadazo *m.* =**azadada.**
azadilla *f.* [*dim.* azada] 가래(almocafre).
azadón *m.* [*aum.* azada] 큰 괭이(zapapico) : ~ de peto · de pico 곡괭이(zapapico).
azadonada *f.* =**azadonazo.**
azadonar *tr.* 괭이로 파다.
azadonazo *m.* 큰 괭이로 한번 파기.
azafata *f.* 궁녀, 시녀; 스튜어디스.
azafate *m.* ①(버들가지로 엮은) 납작 광주리. ②《*Amér.*》쟁반 (bandeja). ③《*Amér.*》세면기.
azafatero *m.* 광주리(azafate) 제작자 · 판매자.
azafrán *m.* ①【식물】사프란; 사프란 색소, 샛노랑 : ~ bastardo · romí · romín【식물】분홍꽃. ②【선박】타판(舵板), 키의 보강판.
azafranado, da *adj.* 사프란색의, 울금빛의.
azafranal *m.* 사프란밭.
azafranar *tr.* 사프란색으로 물들이다; (…에) 사프란을 넣다 · 섞다.
azafranero, ra *m.f.* 사프란 재배자.
azafranina *f.* 사프란《염료》.
azagadero *m.* 가축의 통로.
azagador *m.* =**azagadero.**
azagaya *f. ár.* 투창.
azahar *m.* 오렌지, 밀감 · 레몬류의 꽃 : agua de ~ 밀감꽃의 증류액.
azainadamente *adv.* 흘기는 눈으로.
azainado, da *adj.* =**algo zaino.**
azalá *m.* (회교도의) 기도, 기원.
azalea *f.*【식물】철쭉, 진달래.
azaleína *f.*【화학】=**fucsina.**
azamboa *f.* 레몬 비슷한 식물의 열매.
azamboero *m.*【식물】레몬 비슷한 식물.
azambogo *m.* =**azamboero.**
azamboo *m.* =**azamboero.**
azanahoriate *f.* ① 당근의 설탕 절임. ② 속 들여다 보이는 공치사.
azanca *f.*【광산】지하샘.
azándar *m.*【식물】《*And.*》=**sándalo.**
azanoria *f.*【식물】당근(zanahoria).
azanoriate *m. ár.* =**azanahoriate.**
azaque *m.* 이슬람 사람들이 신에게 바친 조공.
azar *m.* ① 우연, 되어 가는 모양 (casualidad). ② 재난(災難), (주로 불행한) 사건, 의외의 사고, 춘사(椿事) : los ~*es* de la vida 인생의 부침 · 성쇠. ③【속어】=**azahar.**
al ~ 닥치는 대로 : Es mejor leer pocos libros cuidadosamente que leer muchos *al* ~ 닥치는 대로 많은 책을 읽느니보다는 소수의 책을 정독하는 편이 좋다.
azaramiento *m.* =**asoramiento.**
azarandar *tr.* 체로 치다.
azarar *tr.* =**azorar, conturbar, sobresalir, aturdir ; avergonzar.**
azararse *r.* ①(일이) 뒤틀리다. ② 허둥거리다, 냉정을 잃다. ③《*Amér.*》얼굴을 붉히다(ruborizarse). : Siempre *te azaras* 너는 늘 얼굴을 붉힌다.
azarbe *m.* 낙수천(落水川).
azarbeta *f.* [*dim.* azarbe] 논밭의 낙수, 그 도랑.
azarcón *m.* ①【화학】연단(鉛丹), 광명단(光明丹)(minio). ② 오렌지색.
azarearse *r.* ①《*AmérC.*》놀라다 (azararse). ②《*AmérM.*》화내다 ; 부끄러워하다.
azareo *m.* 《*Amér.*》놀라움 ; 화냄.
azarja *f.* 생사 채취용 기구.
azarolla *f.* 당산사나무 열매(acerola).
azarollo *m.*【식물】당산사나무.
azarosamente *adv.* 위험을 무릅쓰고 ; 불행하게.
azaroso, sa *adj.* 위태로운, 위험이 많은 ; 불안한 ; 불운한.
azaya *f.* 《*Gal.*》=**cantueso.**
azcarrio *m.* 《*Ál.*》【식물】=**arce.**
azcón *m.* =**azcona.**
azcona *f.* (옛날의) 투창.
azemar *tr.* 날을 갈다 ; 연마하다.
azenoria *f.* =**azanoria.**
azímico, ca *adj.* 발효를 막는.
ázimo *adj.* 효모 · 이스트를 넣지 않은 (빵).
azimut *m.* [*pl.* azimuts]【천문】방위, 방위각(方位角)(acimut).
azimutal *adj.* 방위의, 방위각의.
aznacho *m.* 소나무의 일종.
aznallo *m.* ① =**aznacho.** ② =**gatuña.**
azoado, da *adj.* 질소를 함유한.
azoar *tr.* (…에) 질소를 가하다.
azoato *m.* 초산 칼리 ; 초산염.
azocar *tr.* 7 조이다, 잠그다(apretar).
ázoe *m.*【화학】질소(nitrógeno).
azofaifa *f.* 대추 (열매).
azofaifo *m.*【식물】대추나무(azufaifo).
azófar *m.* 놋쇠(latón).
azogadamente *adj.* 안절부절못하여, 차분하지 못하게.
azogado, da *adj.* 수은을 칠한 ; 수은 중독에 걸린 ; 차분하지 못한.
temblar como un ~ 무서움 · 추위로 떨다.
azogamiento *m.* 안절부절; 수은 중독.
azogar *tr.* 8 수은을 칠하다 ; (생석회에) 물을 섞다.
~se 수은 중독에 걸리다 ; 안절부절하다.
azogue *m.* 수은(mercurio) ; 수은선(船) ; 시골의 시장 ; 차분하지 못한 사람.
azoguejo *m.* [*dim.* azogue] 작은 시장.
azoguería *f.* 아말감 공장 ; 그 제품.
azoico, ca *adj.* ① 질소를 함유한. ②【지질】무생물의 : era ~*ca* 무생물 시대.
azolar *tr.* 24 (…에) 자귀(azuela)를 걸어 놓다.
azolvarse *r.* (수도관이) 막히다.
azolve *m.* 《*Méx.*》(파이프 같은 데) 막힌 것 · 진흙.
azollisparse *r.* 《*And.*》=**soliviantarse, inquietarse.**
azonzado, da *adj.* 《*Arg.*》=**atontado.**
azor *m.*【조류】새매류.
azorada *f.* 《*Col. Cuba.*》=**azoramiento.**
azorado, da *adj.* =**receloso, inquieto.**
azoramiento *m.* 공포, 당황

azorante *adj.* 당황하는, 공포에 떠는, 안절부절 못하는.

azorar *tr.* 공포로 떨게 만들다, 난처하게 만들다 ; 안절부절하게 만들다.
~se 난처해지다, 당황하다, 겁내어 떨다 : El estudiante *se azora* en el examen 학생은 시험에 당황한다. La gente huye *azorada* de un incendio 사람들은 화재로 놀라 도망친다. Contr. tranquilizarse.

azorencarse *r.* 7 《*AmérC.*》 머리가 멍해지다.

azoro *m.* ① 《*Amér.*》 허겁지겁함 (azoramiento). ② 《*AmérC.*》 도깨비 ; 유령(aparición).

azorrado, da *adj.* 여우 같은 ; 머리가 멍해진 ; 눈앞이 가물가물하는.

azorramiento *m.* 졸음 ; 악몽(modorra).

azorrarse *r.* 졸다 ; 머리가 아찔해지다.

azorrillar *tr.* 《*Méx.*》 해치우다(dominar).
~se 《*Méx.*》 웅크리다, 새우등을 하고 뒹굴다 ; 낙담하다(amilanarse).

azotable *adj.* 회초리로 때려도 되는.

azotacalles *m.f.* 【단·복수 동형】 거리를 나다니는 건달.

azotado, da *adj.* 얼룩덜룩한. —*m.f.* 태형(笞刑)을 받은 사람 ; 고행자.

azotador, ra *adj.m.f.* 매로 때리는 (사람).

azotaina *f.* 《*And.*》 【속어】 매질(zurra de azotes). Sinón. paliza.

azotalenguas *f.* 《*And.*》 【식물】 =**amor de hortelano.**

azotamiento *m.* 매로 때림 ; (바람·파도가) 세게 침 ; 불행, 참사.

azotaperros *m.* 【속어】 문지기, 좌석 안내원.

azotar *tr.* ① 매질하다(dar azotes) : ~ ladrón 도둑에게 매질하다. ② 강하게 치다, 두들기다, 때리다 : El mar *azota* los peñascos 파도가 바위를 때린다.
~se ① 《*Bol.*》 별안간 뛰어들다, 뛰어나가다. ② 《*Riopl.*》 물로 뛰어들다.

azotazo *m.* 매질 ; 손바닥으로 볼기짝 때리기.

azote *m.* ① (형구로서의) 채찍, 회초리 ; (보통의) 매 ; 매질 ; 손바닥으로 볼기짝 때리기. ② (바람이나 파도의) 몰아침. ③ 재난, 천재(天災), 참사. —*pl.* 태형(笞刑).
~ *y galeras* 한결같은 식사.
besar el ~ 벌을 감수하다, 벌을 달게 받다.
dar ~ 매질하다, 채찍으로 두들기다.
no salir de ~s y galeras 가난하지도 부유하지도 않다, 항상 같은 정도를 유지하다.

azotea *f.* 옥상, 평평한 지붕, 발코니 ; 플랫폼.

azotera *f.* 회초리의 끈.

azotina *f.* 【속어】 =**azotaina.**

azoturia *f.* 【의학】 질소뇨(증).

azotúrico, ca *adj.* 질소뇨(증)의.

azre *m.* =**arce.**

azteca *adj.* 아스떼까족의 : idioma ~. —*m.f.* 아스떼까족 《멕시코 원주민, 14—5세기》. —*m.* ① 아스떼까말(語). ② 아스떼까《멕시코의 20뻬소짜리 금화》.

aztor *m.* 【조류】 =**azor.**

azua *f.* 《*Perú.*》 치차술(chicha).

azuayo, ya *adj.m.f.* 아수아이《Azuay, Ecuador 주 ; 수도 Cuenca》의 (사람).

azucapé *f.* 《*Arg.*》 =**rapadura.**

azúcar *m.(f.)* 설탕 ; 당(糖).
~ *de uvas* 포도당. ~ *blanco·blanca,* ~ *de flor,* ~ *florete,* ~ *refino·refina* 고급 백설탕, 정제당. ~ *candi,* ~ *candil* 얼음 설탕. ~ *de arce* 풍당(楓糖). ~ *de leche* 유당(乳糖)(lactosa). ~ *de lustre* 정백당(精白糖). ~ *de remolacha* 감채당. ~ *de pilón* 막대 설탕. ~ *de plomo* 연당. ~ *en polvo* 분말당. ~ *en bruto* 조당(粗糖). ~ *mascabado·mascabada* 흑설탕. ~ *pilé* 《*Galic.*》 정백당. ~ *quebrado·quebrada* 적설탕. ~ *prieto·prieta,* ~ *negro·negra* 흑설탕. ~ *centrífuga* 분밀당(分密糖). ~ *cubana* 꾸바 설탕. *caña de·terrón de* ~ 각설탕.

azucarado, da *adj.* ① 설탕을 넣은, 설탕같은 ; 단 ; 달콤한(dulce) : sabor ~ 단·설탕같은 맛. ② 다정 다감한(blando) : palabras *~das* 다정 다감한 말.

azucarador, ra *adj.m.f.* 설탕을 바르는 (사람), 달게 하는 (사람).

azucarar *tr.* (…에) 설탕을 바르다·넣다 ; 달게 하다 ; 부드럽게 하다.
~se 《*Amér.*》 (깡통에 든) 꿀이 엉기다.

azucarera *f.* 설탕 그릇·종지·단지 ; 설탕 공장, 제당 공장.

azucarería *f.* 《*Cuba. Méx.*》 설탕 소매점.

azucarero, ra *adj.* 설탕의 ; 제당의. —*m.* ① 설탕 제조인 ; 제당 기사·공장주. ② 설탕 그릇 : ~ perforado 뿌리는 설탕 그릇. ③ 【조류】 설탕새.

azucarí *adj.* 단맛의, 맛이 단 (azucarado) : granada ~ 맛이 단 석류.

azucarillo *m.* 경석당(輕石糖).

azucena *f.* 【식물】 흰백합 ; 나리.
~ *listada* 아마릴리스 《수선화과의 다년초 ; 남아메리카 원산의 관상용 화초》.

azuceno *m.* 《*Col.*》 키나(quina)의 일종.

azuche *m.* (등산용 지팡이 끝을 감는) 쇠.

azud *m.* 양수기 ; 둑.

azuda *f.* =**azud.**

azuela *f.* 큰 자귀.

azufaifa *f.* 대추 (열매).

azufaifo *m.* 【식물】 대추나무.

azufeifa *f.* =**azufaifa.**

azufrado, da *adj.* 유황을 함유한 ; 유황색의. —*m.* 유황 훈증(硫黃燻蒸) ; 유황제의 살포.

azufrador *m.* 유황 훈증기 ; (유황제의) 분무기.

azufral *m.* =**azufrea.**

azuframiento *m.* 유황 소독·훈증.

azufrar *tr.* (…에) 유황을 뿌리다 ; 유황으로 훈증하다·소독하다.

azufre *m.* 【화학】 유황 : ~ vivo 천연 유황. flor de ~ 유황화(硫黃華).

azufrera *f.* 【화학】 유황갱(硫黃坑).

azufrín *m.* 유황으로 굳힌 실.

azufrón *m.* 황철광말(黃鐵鑛末).

azufroso, sa *adj.* 유황을 함유한.

azul *adj.* 푸른, 청색의, 물빛의. —*m.* ① 푸름, 청색, 푸른 색. ② 《*Amér.*》 남색 (염료).
~ *celeste* 하늘색, 남빛. ~ *cobalto* 코발트 청색. ~ *de mar,* ~ *marino* 감색(紺色). ~ *de montaña* 천연 탄산동. ~ *de Prusia* 감청(紺青) 《파랑과 남색의 중간색》. ~ *ultramar,* ~ *ultramarino* 군청(群青) 《선명하고 남빛의 광물성 물

감》. ~ *turquí* 인도남(印度藍), 청람(青藍), 인디고. *la Costa Azul* 불란서의 지중해안.

azulado, da *adj.* 푸르스름한.

azulaque *m.* 접합용 시멘트 용액(zulaque).

azular *tr.* 푸르게 물들이다, 푸르게 칠하다(dar o teñir de azul).

azulear *intr.* 푸르스름해지다 ; 푸르스름하다.

azulejar *tr.* (…에) 타일을 붙이다 · 깔다.

azulejería *f.* 타일 붙이는 직업 ; 타일 붙이기.

azulejero, ra *m.f.* 타일 제조자 · 판매자.

azulejo, ja *adj.* [*dim.* azul] 《*Amér.*》 푸르스름한. —*m.* ① 아라비아 타일, 화장 타일 : ~ antisonoro 방음 타일. ② 【조류】 벌잡이새(abejaruco). ③ 【식물】 수레국화(aciano).

azulenco, ca *adj.* 푸른 빛을 띤.

azulete *m.* 푸르스름한 광택.

azulillo, lla *adj. dim.* azul.—*m.* 《*Venez.*》 인도쪽 물감.

azulino, na *adj.* [*dim.* azul] 푸른 빛을 띤.

azulmina *f.* 【화학】 =**ácido azulimicol**.

azulona *f.* 【조류】(안띠야스의) 비둘기의 일종 《목과 머리가 푸름》.

azuloso, sa *adj.* 푸르스름한, 푸른 빛을 띤.

azumagarse *r.* ⑧ 《*Chile.*》 (금속이) 녹슬다.

azumar *tr.* (모직을) 물들이다.

azúmbar *m.* 【식물】 안식향(安息香) 《때죽나무과의 낙엽 교목》.

azumbrado, da *adj.* azumbre로 잰 ; 취한.

azumbre *f.* 용량의 단위 《2.016 리터》.

azuna *f.* =**zuna.**

azunítico, ca *adj.* =**zunítico.**

azuquero *m.* =**azucarero.**

azuquita *f.* 【속어】 《*Amér.*》 *dim.* azúcar. *de* ~ 한창 신바람이 나서.

azuquítar *m.* =**azuquita.**

azur *adj.* 【문장】 암청색의. —*m.* 암청색.

azurina *f.* 【화학】 아주린 ; 푸른 빛이 도는 색.

azurita *f.* 감청석(紺青石) ; 남동광(藍銅鑛)(malaquita azul).

azurumbado, da *adj.* 《*Guat. Hond.*》 =**atolondrado.**

azurumbarse *r.* 《*AmérC.*》 멍해지다, 당황하다.

azut *f.* 《*Ar.*》 =**azud.**

azutero *m.* 《*Ar.*》 둑지기.

azuzador, ra *adj.m.f.* (개를) 부추기는 (사람).

azuzamiento *m.* (개를) 부추김.

azuzar *tr.* ⑨ (개를) 꼬드기다, 부추기다, 교사(教唆)하다 ; (개 등을) 부추겨서 덤벼들게 하다 ; 남을 선동하다.

azuzón, na *adj.* 꼬드기는, 부추기는 ; 선동하는, 선동적인. —*m.f.* 선동가(煽動家).

B

b *f.* ① 베《서반아어 자모의 두 번째 글자 (segunda letra del abecedario castellano)》: una *B* mayúscula 대문자 B. trazar dos *bes* minúsculas 두 개의 소문자 b를 그리다. ② (가정의) 제이, 둘째, 을(乙). ③【수학】제이의 기지수. ④【음악】나 조(調).
b. Bueno 가(可), 합격.
B. Beato ; Bueno (학업 성적에서) 우(優) ; balboa ; bolívar.
B/, b/. bulto(s) ; botella(s) ; bala(s).
B.ª bolsa.
Baal *m.* [*pl.* Baalim] 바알신《고대 셈족, 페니키아인의 풍요의 신》.
baba *f.* ① 군침. ② 군침 모양의 점액 : ~ del caracol. ③【동물】《*Col. Venez.*》악어(caimán)의 일종.
*caérse*le la ~ a uno ① 군침을 흘리다. ② (기뻐서) 넋을 잃다 : *Se* les caerá la ~ 그들은 기뻐서 넋을 잃을 것이다.
tener ~ 남을 부러워만 하다 ; 남을 잘 원망하다.
babada *f.* =**babilla.**
babadero *m.* 턱받이.
babador *m.* =**babadero.**
babaguí *f.*【조류】바바기《콜롬비아산의 우는 새》.
babanca *f.*《*Sal.*》멍청이, 바보.
babarse *r.* =**babear.**
babatel *m.*《*And.*》=**delantal.**
babaza *f.* ① (동물의) 침. ② 송진. ③【동물】활유(蛞蝓).
babazas *m.* 촌스러운 사람.
babazorro, rra *adj.m.f.* ① 알라바《Alava, 서반아의 한 주》의 (사람)(alavés). ② 숙맥같은 남자, 촌스러운 남자.
babear *intr.* ① 군침을 흘리다(echar la baba). ② 여자의 비위를 맞추다.
babeco, ca *adj.* =**bobo.**
Babel *m.f.* ①【성서】바벨탑《하늘까지 쌓으려다 실패한 탑 ; 성서 창세기 11장 9절》. ② 혼란한 장소, 무질서, 대혼란, 혼잡 : Esta casa es *una* ~ 이 집은 아주 혼잡하다.
babélico, ca *adj.* ① 바벨탑처럼 거대한. ② 혼란한, 혼잡한.
babeo *m.* 군침을 흘리는 일.
babera *f.* ① (투구의) 턱받이. ② (어린애의) 턱받이.
babero *m.* 턱받이(babador).
baberol *m.* (투구의) 턱받이(babera).
babí *m.* 바부교(babismo)의 신도.
Babia *f.* 서반아 레온주의 산악 지대.
estar en ~ 들떠 있다 : Juan *está* siempre *en* ~ 후안은 늘 들떠 있다.
babiano, na *adj.* 바비아(Babia) 지방의. —*m.f.* 바비아 지방 사람.
babichas *f.pl.*《*Mex.*》나머지, 찌꺼기.
babieca *adj.* 바보스런. —*m.f.* 바보, 얼간이.
babílico, ca *adj* ① 바벨탑(Torre de Babel)의. ② 소란한, 법석을 떠는.
babilla *f.* ① (동물 뒷다리의) 무릎 근육. ②《*Méx.*》상처에서 나오는 진물.
Babilonia *f.* ① 바빌론《Babilonia의 수도》. ② 바빌로니아《기원전 2000년경의 메소포타미아의 왕국》. ③ 무질서, 대혼란(Babel) : Esta casa es una verdadera ~.
babilónico, ca *adj.* ① 바빌로니아의. ② 호화롭고 웅장한, 굉장한.
babilonio, nia *adj.* 바빌론 태생의. —*m.f.* 바빌론 사람.
babiney *m.*《*Cuba.*》진흙땅(lodazal).
babión *m.*【동물】몸집이 작은 원숭이의 일종.
babirusa *m.*【동물】바비루사《말레이지아 원산의 멧돼지》: El ~ es del tamaño de un borriquillo.
babismo *m.* 바부교《페르시아의 일신교》.
babista *adj.* 바부교의. —*m.f.* 바부교 신자.
babitonto, ta *adj.* 아주 멍청한.
bable *m.* Asturia주의 방언.
babón, na *adj.* =**baboso**.
babor *m.* (뱃머리 쪽을 향한) 좌현(左舷). **Contr.** estribor.
babosa *f.* ①【동물】활유(limaza) : La ~ es perjudical en las huertas. ②《*Cuba.*》소의 간의 기생물. ③《*Venez.*》뱀(culebra)의 일종.
babosada *f.*《*AmérC. Méx.*》싫은 사람·물건 ; 어리석은 짓 ; 사소함.
babosear *tr.* ① 군침투성이가 되다(llenar de baba). ②《*AmérC.*》속이다. ③《*AmérC.*》엉터리 짓을 하다. ④《*Méx.*》만지작거리다. ⑤《*Méx.*》조롱하다. —*intr.* ① 여자 비위 맞추기에 볼일을 못보다(babear). ②《*AmérC.*》거리를 방황하다.
baboseo *m.* 군침투성이 ; 조롱.
babosilla *f.* [*dim.* babosa]【동물】작은 활유의 일종.
baboso, sa *adj.* ① 군침을 흘리는. ② 여자에게 후한. ③ 제 분수를 모르는. ④《*Amér.*》멍청한, 바보의, 얼간이의. ⑤《*Amér.*》뻔뻔스러운, 철면피한, 낯가죽이 두꺼운. —*m.f.* 군침을 흘리는 사람 ; 여자에게 후한 사람. —*m.*【어류】(지중해의) 불갈치, 불대구. —*m.f.* 아무 곳에도 쓸모가 없는 사람, 무용지물.
babosuelo, la *adj. dim.* baboso.
baboyana *f.*【동물】(꾸바산) 도마뱀.
babucha *f.* ① 뒤축 없는 실내화, 슬리퍼. ②《*Arg.*》끈으로 매는 장화. ③《*Cuba.*》어린이용 조끼. ④《*SDgo.*》부인의 옷. —*pl.*《*Cuba.*》어린

이용 반바지.

a ~ 《*Riopl.*》 업고서, 등에 지고(a hombros).

babuchero, ra *m.f.* 슬리퍼(babucha) 제조자·판매자.

babuino *m.* 《*Galic.*》【동물】 비비(zambo).

babujal *m.* 《*Cuba.*》 사람에게 들리는 악령(惡靈); 신들림(brujo).

baby *m. ing.* [*pl.* babíes] =**nene.**

baca *f.* ①(마차·버스의) 윗부분. ② 윗부분의 포장.

dar ~ 《*Col.*》 (차 따위가) 물러나다, 후퇴시키다.

B

bacalada *f.* 말린 대구.

bacaladero, ra *adj.* =**bacalaero.**

bacalaero, ra *adj.* bacalao 낚시업의.

bacalao *m.*【어류】 대구 : El ~ es veroz.

bacallao *m.* =**bacalao.**

bacallar *m.* 야인(野人)(villano).

bacán *m.* ①《*Arg.*》【속어】 =**galanteador.** ② 《*Arg.*》 부자 차림의 남자. ③《*Cuba.*》 =**tamal.**

bacanal *adj.* 주신 바커스(baco)의. **—***f.pl.* ① 주신제(酒神祭). ② 야단법석.

bacante *f.* ① 주신의 제희(祭姬). ② 주정뱅이 여자.

bacao *m.* 《*Col.*》 카카오(cacao)의 일종.

bácara *f.*【식물】 바까라 《개망초속 식물》(amaro).

bacará *m.* 카드 놀이의 일종.

bácaris *f.*【식물】 =**amaro.**

bacarrá *m.* 바까라 《이탈리아에서 유래된 카드 놀이의 일종》.

bacarrat *m.* =**bacarrá.**

baccífero, ra *adj.* 장과(漿果)를 맺는.

bacciforme *adj.* 장과(baya) 모양의(abayado).

bacelar *m.* [집합] babador 포도나무 시렁.

bacera *f.* 가축의 탄저병(enfermendad carbuncosa).

baceta *f.* ① 돌리고 남은 카드. ② 카드 놀이의 일종.

bachaco *m.* 《*Col. Venez.*》 개미 비슷한 곤충.

bácharo, ra *adj.* 《*Col.*》 =**mellizo.**

bachata *f.* 《*Cuba.*》 =**broma.**

bache *m.* ①(길바닥에 생긴) 구덩이 : carretera llena de ~*s.* ② 마음놓을 수 없는 것. ③ 털을 깍기 전에 양을 몰아넣는 곳.

bachear *tr.* (길의 패인 곳을) 메우다, (길을) 고르다.

bacheo *m.* (패인 곳을) 메우기, (길을) 고르기.

bachicha *m.* 《*Arg. Chile. Perú. Urug.*》 ① 이탈리아 사람(italiano). ②《*Chile.*》 이탈리아말. ③ 《*Méx.*》 여송연의 피우다 남은 것. **—***f.pl.* 《*Méx.*》 (컵의) 마시다 남긴 것.

bachiche *m.* 《*Amér.*》 =**bachicha.**

bachiller, ra[1] *m.f.* 학사(學士) : ~ en letras 문학사.

bachiller, ra[2] *adj.* 수다스러운. **—***m.f.* 수다쟁이 (hablador).

bachillerada *f.* =**bachillería, tontería.**

bachillerar *tr.* 중등 교육 수료 자격을 수여하다. **~se** 중등 교육 수료 자격을 받다, 졸업하다.

bachillerato *m.* ① 중등 교육 수료증. ② 고등과(高等科); 중고등 학교. ③ 학위를 얻기 위한 공부 : estudiar ~.

bachillerear *intr.* 수다를 떨다, 지껄여대다. **—***tr.* 《*Méx.*》 (몇 가지) 학사 자격을 부여하다.

bachillerejo *m. dim.* bachiller.

bachillería *f.* ① 호언 장담. ② 쓸데없는 잡담, 되는대로 지껄임.

bachillero, ra *m.f.* =**charlatán.**

bacía *f.* 납작한 그릇, 수반; 대야; (면도용) 컵.

baciforme *adj.* (포도 따위의) 장과(baya) 모양의.

bácigа *f.* 카드 놀이의 일종.

bacilar *adj.* ① 간균의. ② 간균에 의해 감염된. ③ 큰 섬유 모양을 한 (광물).

baciliforme *adj.* 작은 막대기 모양의, 간상(稈狀)의.

bacilo *m.* [*lat.* bacillus] 간균, 막대박테리아.

bacilosis *f.* 결핵(tuberculosis).

bacillar *m.* ① 포도 시렁. ② 포도의 어린 가지.

bacín *m.* ① 요강. ② 시주를 받는 접시. ③ 하급 관리, 별 볼일 없는 사람.

bacinada *f.* 오물, 더러운 것; 추잡한 일.

bacinejo *m. dim.* bacín.

bacinero, ra *m.f.* 헌금 모으는 사람.

bacineta *f.* 수반(水盤), 적선함.

bacinete *m.* ①(옛날의) 투구. ② 투구병. ③【해부】 골반(pelvis).

bacinica *f.* [*dim.* bacín] 시주받는 접시; 소형 변기.

bacinilla *f.* =**bacinica.**

Baco *m.*【로마 신화】 바커스 《술의 신; 희랍 신화의 Dioniso》.

baconiano, na *adj.m.f.* 베이컨 철학·학파의 (사람).

baconismo *m.* 베이컨《Francisco Bacon (1561—1626), 영국의 철학자》의 철학.

bacteria *f.* [*gr.* baktêria] 세균(細菌), 박테리아. Sinón. microbio.

bacteriáceas *f.pl.* 단세포 수생 세균(水生細菌).

bacteriano, na *adj.* 박테리아의.

bactericida *adj.* 살균의 : suero ~ 살균 혈청. **—***m.* 살균제.

bacteridia *f.* 탄저병 박테리아의 일종.

bacteriología *f.* 세균학.

bacteriológico, ca *adj.* 세균의, 세균학의.

bacteriólogo, ga *m.f.* 세균학자.

bacterioscopia *f.* (현미경에 의한) 세균 검사.

bacteriostático, ca *adj.* 세균 발생 방지의. **—***m.* 세균 발생 방지제.

bacterioterapia *f.*【의학】 세균 요법(細菌療法).

bacteriotoxina *f.* 박테리아 파괴 독소.

bacuachí *adj.m.f.* 《*Méx.*》 =**macuachí.**

báculo *m.* ① 지팡이. ②(권위의 표징으로서의) 지팡이, 홀(笏) : ~ pastoral 주교장(主教杖). ③ 의지, 위안 (consuelo, apoyo) : Esta hija es el ~ de mi vejez 이 딸아이는 내 노년기의 위안거리입니다.

bada *f.*【동물】 바다 《코뿔소(rinoceronte)의 일종》.

badajada *f.* ① 종의 추가 종을 치는 일. ② 난센스, 허튼소리 : soltar una ~.

badajazo *m.* =**badajada.**

badajear *tr.* 수다를 떨다, 지껄여대다, 마냥 노닥거리다(hablar mucho y neciamente).

badajo *m.* ① 종의 추. ② 수다쟁이.

badajocense *adj.* 바다호스《Badajoz, 서반아 남부의 주·수도》의. —*m.f.* 바다호스 사람.

badajuelo *m. dim.* badajo.

badal[1] *m.* [*lat.* badallum] =**acial.**

badal[2] *m.* [*ár.* bádela]《*Ar.*》(소의) 등심 고기.

badalonés, sa *adj. m.f.* 바달로나《Badalona, Barcelona 주의 도시》의 (사람).

badallar *intr*《*Ar.*》=**bostezar.**

badán *m.* 짐승의 몸통.

badana *f.* (양의) 무두질한 가죽. —*pl.m.f.* 게으름뱅이.

media ~ 등가죽 장정.

zurrar la ~ ① 때리다, 구타하다. ② 욕하다.

badanado, da *adj.* 【고어】 무두질한 양가죽으로 덮여진·안감을 댄.

badano *m.* (선박의 목수가 쓰는) 줄.

badea *f.* ① 찌꺼기. ② 참외(melón). ③ 수박(sandía).

badelico *m.* 【은어】 =**badil.**

badén *m.* 빗물이 흐르는 길; 배수구.

baderna *f.* 【해사】 세 가닥으로 꼰 줄.

badián *m.* 【식물】 팔각회향(八角茴香) (anísestrellado).

badiana *f.* =**badián.**

badil *m.* 부삽《부엌용》.

badila *f.* =**badil.**

badilazo *m.* badil로 때리기.

badilejo *m.* (미장이의) 흙손(llana).

badina *f.*《*Ar.*》(길의) 물웅덩이.

badomía *f.* =**despropósito, disparate.**

badulacada *f.*《*AmérM.*》=**bellacada.**

badulaque *adj.* 경망스러운, 변덕스러운; 속임수가 많은. —*m.* 옛날의 화장품.

badulaquear *intr.*《*AmérM.*》덜렁대다, 경망스럽게 굴다, 소갈머리없이 굴다(bellaquear).

baenero, ra *adj.m.f.* 바에나《Baena, Córdoba 주의 도시》의 (사람).

baetón *m.*《*Arg.*》=**bayetón.**

baezano, na *adj.m.f.* 바에사《Baeza, Jaén 주의 도시》의 (사람).

bafear *intr.*《*Sal.*》=**vahear.**

baga *f.* ① 아마(亞麻)의 꼬투리. ② 노끈.

bagá *m.* 바가나무《꾸바산, 열매는 가축의 사료, 뿌리는 부표(浮標)의 재료》.

bagacera *f.* 짠 사탕수수의 찌꺼기를 두는 곳.

bagaje *m.* ① 군용 화물. ② 징발한 사역마(使役馬), 짐을 나르는 짐승: ~ mayor 말이나 노새. ~ menor 나귀. ③《*Galic.*》하물(荷物), 짐(equipaje). ④《*Neol.*》지식, 경험.

bagajero *m.* (bagaje의) 짐꾼.

bagamán *m.*《*Amér.*》【희언】 =**vagamundo.**

bagar *intr.* ⑧ (아마의) 열매가 열리다.

bagasa *f.* 갈보, 매춘부.

bagatela *f.* 잡동사니, 싸구려 물건.

bagayo *m.*《*Arg.*》=**lío de ropa.**

bagazal *m.*《*Cuba.*》바가나무 서식처.

bagazo *m.* ① (아마·사탕수수 등의) 짜고 남은 껍질. ② 꼴보기 싫은 작자, 비위에 맞지 않는 놈.

Bagdad *f.* 【지명】 바그다드《이락의 수도》.

bago *m.* 【식물】 (필리핀의) 바고나무.

bagre *m.* ①【어류】 (남미산의) 메기의 일종. ②《*AmérM.*》호감이 안 가는 남자. ③《*Riopl. Perú.*》추녀, 못난이 여자. ④《*AmérC.*》빈틈없는 사람. ⑤《*Méx.*》등신, 얼간이, 바보.

bagrerío *m.*《*Chile.*》못난이 여자들(의 모임).

bagrero *m.*《*Amér.*》못난 여자를 자주 사랑하는 남자.

BAGRICOLA Banco Agrícola de la República Dominicana 도미니까 공화국 농업 은행.

bagual *adj.*《*Arg. Bol.*》① 사나운 (말·소). ② 난폭한 (사람). —*m.* 야생마(caballo salvaje).

bagualada *f.*《*Arg.*》① 야생말의 떼. ②《*Riopl.*》=**barbaridad.** ③《*Arg.*》바보짓, 어처구니 없는 일(necedad).

bagualón, na *adj.*《*Arg.*》절반쯤 길든 (소·말).

baguarí *m.*《*Arg.*》【조류】 (아메리카의) 황새(barza)의 일종.

baguío *m.* (필리핀의) 태풍(huracán).

¡bah! *interj.* 흥!; 어어!, 어렵쇼!; 바보같으니!《불신·경멸》.

Bahamas (las) 【지명】 바하마스 제도《Florida와 Cuba 사이의 동쪽에 있음; 영연방; 수도 Nassau》.

bahareque *m.*《*Amér.*》=**bajareque.**

baharí *m.* 【조류】 (아시아·아프리카의) 매(halcón)의 일종.

bahía *f.* [*lat.* baia] 만(灣).

Bahía Blanca 【지명】 바이아 블랑까《아르헨띠나 부에노스 아이레스 주의 관할 지역; 그 수도》.

bahorrina *f.* [집합] 오물; 잡놈들; 더러운 것.

baht *m.* 태국의 화폐 단위.

bahuno, na *adj.* 천박한, 상스러운.

baignoire *f. fr.*《*Galic.*》=**palco de platea.**

bailable *adj.* 무도용의 (음악). —*m.* (오페라 중에 삽입된) 무용.

bailadero *m.* (지방 대중의) 무도장: ~ improvisado.

bailador, ra *adj.* 춤추는. —*m.f.* ① 춤추는 사람, 무용가. ②【은어】 도둑.

bailante *adj.* 춤추는(bailarín). —*m.*《*Arg.*》가난한 사람들의 야간 술잔치.

bailar *intr.* [*lat.* ballare] ① 춤추다 (danzar). ② 돌다(girar): hacer ~ un trompo. —*tr.* ① (춤을) 추다, 춤추게 하다: ~ un bolero. ②【은어】 훔치다.

bailarín, na *adj.* 춤추는: niña muy ~*na.* —*m.f.* (직업적인) 무용가, 댄서.

baile[1] *m.* ① 춤 (danza). ② 무도회. ③ 무용극. ④【은어】 도둑.

~ *de contribución*《*AmérC.*》기부금 모집 무도회. ~ *de disfraz*《*Cuba. Ecuad.*》가장 무도회. ~ *de fantasía*《*Amér.*》가장 무도회. ~ *de figuras* 스퀘어 댄스. ~ *de máscaras* 가장 무도회. ~ *de San Vito* 무도병(舞蹈病). ~ *de trajes* 가장 무도.

baile[2] *m.* [*lat.* baiulus] =**magistrado.**

bailejo *m.* =**badilejo.**

bailesa *f.* baile의 아내.

bailete *m.* 극중 무용; 발레.

bailía *f.* ① baile[2]의 통치령. ② (군대에서) bailaje.

bailiaje *m.* San Juan 교파의 지위.

bailiazgo *m.* =**bailía.**

bailío *m.* bailiaje를 가진 사람.

bailón, na *m.f.* 【은어】 늙은 도적. —*adj.* 《*AmérC.*》 =**bailador.**

bailongo *m.* 《*Amér.*》 훌륭하지는 못하나 흐뭇한 춤.

bailotear *intr.* 제멋대로 춤추다.

bailoteo *m.* 제멋대로 춤추기.

bairam *m. turco.* 바이람《Ramadán 후에 열리는 회교도의 축제》.

baivel *m.* (석수장이가 쓰는) 각도자.

baja *f.* ① 값이 떨어짐, 하락 : ~ brusca 급락. ~ de los precios 물가의 하락. ~ repentina 급락. tener tendencia a la ~ 하락 기세이다. ② 인하, 절하 : ~ de derechos 관세의 인하. ~ de los tributos 조세의 인하. Contr. alza. ③ 낙오, 탈퇴 ; 퇴장. ④ 전사상자 : El enemigo tuvo mil ~*s* en el combate. ⑤ 전사상 증명서.
~ de los salarios 감봉.
dar ~, ir de ~, ir en ~ 값·인기를 떨어뜨리다, 가치가 떨어지다 ; 쇠퇴해지다.
dar de ~ 낙오자가 되다 ; 제적하다 ; 제대하다.
darse de ~ 퇴장·탈퇴하다 ; (어떤 직업을) 집어치우다.
jugar a la ~ (증권 시장에서 하락을 예상하여) 공매(共賣)하다.

bajá *m.* (터키의) 문무 고관, 파샤.

bajaca *f.* 《*Ecuad.*》 (화장할 때 여자들이 자주 쓰는) cinta.

bajada *f.* ① 하강, 내림 : ~ de precios 가격의 하락. ② 내리막길, 내리는 길. ③ 내려놓은 일·물건 : ~ de antena 안테나의 인입선. Contr. subida.

bajador *m.* 《*Amér.*》 =**gamarra.**

bajagua *f.* ① 《*Méx.*》 질이 나쁜 담배. ② 《*Col.*》 =**casia.**

bajalato *m.* bajá의 지위·영지.

bajamanero *m.* 【은어】 물건을 사는 체하고 훔침 ; 그 사람.

bajamano *m.* 물건을 사는 체하고 훔침. —*adv.* 옆구리에, 겨드랑이 밑에.

bajamar *f.* 간조(干潮), 저조(低潮) ; 간조시. Contr. pleamar.

bajamente *adv.* 더럽게, 추하게, 추접스럽게, 비열하게.

bajamiento *m.* 내려가는 일.

bajante[1] *f.* 《*Amér.*》 =**marea baja.**

bajante[2] *adj.* 내려가는, 내리는.

bajar *intr.* ① 낮아지다. ② 내려가다, 내리다(descender) : No *baja* la calentura. ③ 하회(下廻)하다 : no ~ de … 을 하회하지 않다. ④ 처져 있다, 내려가 있다 : La falda *baja* 10 cm.
—*tr.* ① 숙이다, 낮게 하다 : ~ la cabeza. ② 내리다, 내려놓다(rebajar). ③ 내리다, 내려가다 : ~ la cuesta · la escalera 언덕·층계를 내려가다. ④ 가격을 인하하다. ⑤ 털다, 혼내다 : Le *bajaré* los bríos 그놈의 콧대를 꺾어 줘야겠다. ⑥ (소리를) 낮추다 : ¿Quieres ~ la radio? 라디오의 소리를 낮추어 주겠나?
~se ① 웅크리다. ② 형편없이 되다. ③ 축 늘어지다. ④ (차·수레에서) 내리다(apearse). Contr. subir, levantar.

bajareque *m.* 《*Amér.*》 ① 흙과 갈대로 만든 벽. ② 《*Cuba.*》 =**bohío, tosco.** Sinón. quincha.

bajel *m.* 배, 선박(barco, buque, embarcación).

bajelero *m.* 배의 주인.

bajera *f.* ① 《*Arg.*》 (마소의 안장 아래 닿는) 등, 등심살. ② 《*Amér.*》 질이 나쁜 담배. ③ 쓸모없는 남자.

bajero, ra *adj.* ① 아래의 ; 아래에 입는, 속에 입는, 아래에 대는 : falda ~*ra*. ② 낮은, 아래에 있는 : sábana ~*ra*.

bajete *m.* 【음악】 상저음(上低音), 바리톤(barítono).

bajeza *f.* ① 낮음, 저급, 비천 : ~ de nacimiento. ② 천박스러움, 비열함, 비겁(~ de ánimo).

bajial *m.* ① 《*Perú.*》 (장마철에 침수되는) 저지(低地). ② 《*Perú.*》 여울.

bajillo *m.* 《*Ar.*》 포도주 통.

bajío *m.* ① 얕은 여울. ② 《*Amér.*》 저지(低地).
dar en un ~ 고장이 생기다.

bajista *adj.* (주식 시세가) 하향 경향의 : tendencia ~ 값이 떨어지는 경향. factor ~ 약재료(弱材料). —*m.f.* ① 마음이 약한 사람. ② 주식·증권을 조금씩 팔아 버리는 사람.

bajito, ta *adj. dim.* bajo.

bajo, ja *adj.* ① 낮은, 키가 작은(poco elevado) : *baja* estatura 작은 키. *baja* actividad económica durante un largo período 장기 정체(停滯). ~ interés 저리(低利), 저금리. precio ~ 싼 값. en voz *baja* 낮은 소리로, 작은 소리로. hombre muy ~ 키가 작은 사람. ② 아래의, 아래에 있는 : piso ~ 1층, 아래층. ③ 아래로 향한 : con los ojos ~*s* 눈을 깔고. ④ (색깔이) 희미한 : azul ~. ⑤ 저음의. ⑥ 천박한, 비열한. ⑦ 하급의, 하등의. Contr. alto, elevado.
—*m.* ① 낮은 땅, 패인 땅. ② 얕은 여울. ③ [주로 *pl.*](말의) 굽쇠. ④ 【음악】 베이스, 저음 ; 저음 악기 ; 저음 가수.
—*pl.* ① (여자의 속옷의) 자락. ② 하층, 지하층.
—*adv.* 아래로, 낮게(abajo) ; 작은 소리로, 낮은 소리로 : hablar ~.
—*prep.* ① … 아래에, … 밑에서(debajo de) : dormir ~ techado 지붕 밑에서 자다. Acaeció ~ el reinado de Isabel 이사벨 치하에서 있던 사건이다. ~ juramento 맹세코, 선서 하에. ~ la par 액면 이하로. ~ pena de muerte 사형에 처한다고 경고하여. ② [+de] … 의 밑에 : Se oculta su impiedad ~ (de) hermosas apariencias 아름다운 외모 속에 그녀의 매정스러움이 감추어져 있다. ③ … 하에, … 위에 서서, … 에서 : ~ esta base 이 기반에 서서(sobre). ~ ese fundamento 이 가정 하에(en). ~ este punto de vista 이 관점에서(desde). ~ la razón social 상호를 가지고(con).
por lo ~ 비밀리에, 살짝, 몰래(secretamente).

bajoca *f.* 《*Murc.*》 =**judía verde.**

bajocar *m.* 《*Murc.*》 땅콩밭.

bajón *m.* [*aum.* baja] ① 폭락. ② (재산·건강·지혜의) 격감 : Francisco ha dado un gran ~ 프란시스꼬의 주가는 극심하게 떨어졌다. ③ 【악기】 바순 ; 바순 주자(奏者).

bajonado *m.* 【어류】 《*Cuba.*》 (꾸바의) dorada 비슷한 고기.

bajonazo *m.* =**golletazo.**

bajoncillo *m.* 【악기】 bajón 비슷한 악기.

bajonista *m.f.* 바순 연주자.

bajorrelieve *m.* 【미술】 부조(浮彫)(bajo relieve).

bajovientre *m.* 아랫배, 하복부.

bajuelo, la *adj. dim.* bajo.

bajuno, na *adj.* [*desp.* bajo] 천박한, 상스러운 (soez).

bajura *f.* ① 낮음, 낮은 정도. ② 《*Ant. PRico.*》 저지, 낮은 땅. Contr. altura.

bakelita *f.* 베이크라이트.

bakelizar *tr.* bakelita로 칠하다.

bala *f.* ① 탄환 : ~ de cañón 대포알. ~ de carabina 칼빈 탄환. ~ fría 실세탄(失勢彈). ~ perdida 빗나간 탄환; 어쩌다 맞는 탄환. ~ en cadena 쇠사슬탄. ② 알사탕. ③ (상품의) 한 꾸러미 : 종이의 한 연《10 resmas》.

a ~s =a tiros.

a prueba de ~ 방탄의.

ni a ~ 《*Amér.*》 결코·절대로 (아니다).

tirar con ~ (rasa) 악의를 가지고 말하다.

balaca *f.* 《*Amér.*》 허세 : echar *~s.*

balacada *f.* =**balaca.**

balacear *tr.* 《*Méx.*》 총으로 탕탕 쏘다.

balacera *f.* 《*Amér.*》 =**tiroteo.**

balada *f.* 발라드; 노랫가락; 민요.

baladí[1] *adj.* [*pl.* baladíes] 쓸모없는, 하찮은 (de poca importancia) : asunto ~ 하찮은 일. Contr. importante.

baladí[2] *adj.* [*ár.* baladí] 땅의.

baladista *m.f.* 발라드 작가.

balador, ra *adj.* 우는 : cordero ~.

baladrar *tr.* 비명을 지르다(dar baladros).

baladre *m.* 【식물】 =**adelfa.**

baladrear *intr.* =**baladrar.**

baladrero, ra *adj.* 수선스러운 (사람).

baladro *m.* 비명 : dar *~s* 비명을 지르다.

baladrón, na *adj.m.f.* ① 허세부리는 (사람). ② 《*Can. Amér.*》 =**pillo.**

baladronada *f.* 허세 : echar *~s* 허세를 부리다.

baladronear *intr.* 허세부리다.

balagar *m.* 《*Ast.*》 (겨울 동안 말먹이용) 짚더미.

balagariense *adj.m.f.* 발라게르 《Balaguer, Lérida 주의 도시》의 (사람).

bálago *m.* ① 지푸라기. ② 짚더미. ③ 비누 방울, 비누 거품.

balaguero *m.* 짚더미.

balai *m.* =**balay.**

balaj *m.* 【광물】 홍강옥(紅鋼玉), 보랏빛 루비 (rubí de color morado).

balaje *m.* =**balaj.**

balalaica *f.* 【악기】 발랄라이까《러시아인과 타타르인들이 사용한 삼현 기타의 일종》.

balance *m.* ① 동요; (배의) 흔들림. ② 주저 (vacilación). ③ 【상업】 청산, 결산. ④ 【상업】 잔고, 결산 잔액 (balanza). ⑤ 대차 대조표, 수지 계산, 손익 계산 : hacer ~ 대차를 맞추다, 수지 계산을 맞추다. ⑥ 《*Col.*》 상거래. ⑦ 《*Cuba.*》 흔들의자. ⑧ 《*Perú.*》 결산 서류.

~ ajustado de comprobación·prueba 【부기】 정리후 시산표, 수정후 시산표. *~ anual* 연차 대차대조표. *~ consolidado* 총 대차 대조표. *~ de banco* 은행 보고. *~ de comprobación* 시산표(試算表); 대차 대조표. *~ de cuenta* 계정식 대차대조표. *~ de pagos (internacionales)* 국제 수지. *~ de prueba* 시산표. *~ de resultados* 손익 계산서. *~ de saldos* 잔고 시산표. *~ de situación* 대차 대조표. *~ de sumas* 합계 시산표. *~ del mayor* 원장 잔고. *~ general·financiero* 재무 제표(財務諸表); (일반) 대차 대조표. *~ general comparativo* 비교 대차 대조표. *~ general consolidado* 총 대차 대조표. *~ revisado* 감사필 대차 대조표. *~ social* 대차 대조표.

balancé *m.* [*fr.* balancé] 춤의 보폭.

balanceador, ra *adj.* 균형을 맞추는, 청산·결산하는.

balanceante *adj.* =**balanceador.**

balancear *tr.* 균형을 맞추다; 청산·결산하다, 손익을 결산하다 : ~ la caja·los libros 결산을 하다.

—*intr.,* **~se** ① 옆으로 흔들리다 : No *te balancees* en la silla; se va a romper 의자를 옆으로 흔들지 마라, 부서질 것이다. ② 주저하다 : ~ en la perplejidad, resolver sin ~.

balanceo *m.* 동요, 옆으로 흔들임; 망설임.

balancín *m.* [*dim.* balanza] ① 가로대, 가름대. ② 【기계】 빔, 레버, 조폐 기계. ③ 곡예사의 막대기. ④ 흔들의자, 시소.

—*pl.* (배의) 밧줄, 돛의 조임줄.

balandra *f.* 【선박】 범선.

balandrán *m.* 깃이 넓고 기장이 긴 법의(法衣).

balandrista *m.f.* balandro 사공.

balandro *m.* 【선박】 돛이 하나인 작은 범선.

balandronada *f.* 허세.

balandronear *intr.* 【속어】 =**baladronear.**

balanífero, ra *adj.* 【식물】 =**cupulífero.**

balanitis *f.* 【의학】 귀두염.

balano *m.* =**bálano.**

bálano *m.* ① 【조개】 삼각굴, 굴. ② 【해부】 귀두 (龜頭).

balanófago, ga *adj.* 도토리를 먹는 (동물).

balanóforo, ra *adj.* 도토리가 열리는 (식물).

balante *adj.* 음메하고 우는. —*m.* 【은어·동물】 양.

balanza *f.* ① 저울, 천칭(天秤) : ~ de cruz 천칭. ~ de Roberval 접시 저울. ~ romana 대저울. ② 비교. ③ 균형. ④ 【상업】 청산. ⑤ 【은어】 교수대(horca). ⑥ 《*Amér.*》 곡예사의 균형봉.

~ comercial 무역 수지·차액, 수출입 균형. *~ comercial activa* 수출 초과. *~ comercial deficitaria·desfavorable* 수입 초과; 무역 역조, 국제·무역 수지의 적자. *~ comercial favorable·ventajosa* 수출 초과, 무역 출초(出超), 무역 수지 흑자. *~ comercial pasiva* 수입 초과. *~ de comprobación·prueba* 시산표(試算表). *~ de divisas* 외화 수지. *~ de pagos* 국제 수지. *~ de pagos desfavorable* 무역 수지 적자. *~ de servicios* 무역외 수지. *~ de transacciones corrientes* 경상 수지.

inclinarse la ~ (누구를 위해 무엇이) 결정되다.

Balanza *f.* 【천문】 저울자리(Lira).

balanzario *m.* 화폐의 계량계(計量係).

balanzón *m.* ① (은세공사의) 금·은 씻는 주발. ② 《*Méx.*》 곡물 수집인.

balao *m.* 【식물】 발라오나무 《필리핀의 향목》.

balaquear *intr.* 《*Amér.*》 =**baladronear.**

balaquero, ra *adj.m.f.* =**baladrón.**

B

balar *intr.* ① (사슴·산양·양 따위가) 울다. ② [+por : … 을] 한사코 원하다.
balarrasa *f.* 독한 소주(aguardiente fuerte).
balastar *tr.* (… 에) 자갈을 깔다·채우다.
balastera *f.* 자갈 채취장.
balasto *m.* ① 자갈. ② 복사(覆砂) 《물에 밀려 논밭에 쌓인 모래》. ③【광물】복대기.
balastrar *tr.*【속어】=**balastar.**
balastre *m.*【속어】=**balasto.**
balastro *m.*【속어】=**balasto.**
balata *f.* ① 옛날의 무도곡. ②《*Amér.*》발라따 고무《베네수엘라산의 고무나무의 일종》.
B
balate *m.* ① 남새밭 두둑. ② (개천·배수구의) 가장자리. ③ 좁은 경사지. ④【동물】해삼(holoturia, cohombro de mar).
balausta *f.* 석류(granada)처럼 생긴 과실.
balaustra *f.*【식물】석류나무(granado)의 일종.
balaustrada *f.* 난간.
balaustrado, da *adj.* 난간이 있는; 손잡이 모양의.
balaustrar *tr.* 손잡이를 달다.
balaustre *m.* 손잡이 : ~ de madera.
balaústre *m.* =**balaustre.**
balay *m.* 《*Amér.*》광주리, 망태기; 키.
balazo *m.* ① 탄환의 명중 : pegar un ~ 한방 먹이다. ② 총상.
ser (un) ~《*Chile.*》솜씨가 있다.
balboa *m.* 발보아《파나마의 화폐 단위; 미화 1달러 상당》: media ~ 반발보아(의 은화)(peso).
balbucear *intr.* 말을 더듬다(balbucir).
balbucencia *f.* 말더듬.
balbuceo *m.* =**balbucencia.**
balbuciente *adj.* 말을 더듬는.
balbucir *intr.* 말을 더듬다(balbucear) : Los niños pequeños sólo saben ~.
balbutir *intr.*【속어】=**balbucir.**
Balcanes, los *m.*【지명】발칸 제국《발칸 반도에 있는 유고슬라비아, 루마니아, 불가리아, 알바니아, 그리스, 유럽 터키 제국》.
balcánico, ca *adj.* 발칸 제국(los Balcanes)의 : península ~*ca* 발칸 반도.
balcanización *f.* =**fragmentación.**
balcanizar *tr.* =**fragmentar.**
balcarrotas *f.pl.* ①《*Méx.*》(멕시코 원주민이 양쪽에 늘어 뜨리는) 머리카락. ②《*Col.*》(길게 기른) 귀밑털.
balcón *m.* [*lat.* balcone] ① 발코니, 노대(露臺) : asomarse al ~. ② =**mirador.**
Es cosa de alquiler ~es 볼만한 가치가 있다.
balconada *f.* (갈리시아의) 발코니.
balconaje *m.* ① 돌출창의 열. ② [집합] 출창.
balconcillo *m.* [*dim.* balcón] ① 작은 발코니, 작은 돌출창. ② 투우장에 투우를 두는 장소의 윗좌석.
balconcito *m.* [*dim.* balcón]《*Perú.*》벼랑을 따라 난 길.
balconear *intr.* 《*Arg.*》발코니에서 보다.
balda *f.* =**anaquel.**
baldada *f.* 《*Arg.*》balde에 넣을 수 있는 것.
baldado, da *adj.* =**tullido.**
baldadura =**baldamiento.**
baldamiento *m.* 운동 불수(不隨).
baldaquín *m.* 천개(天蓋); 제단(altar)의 천정.
baldaquino *m.* =**baldaquín.**
baldar *tr.* ① 불수로 만들다; 몸이 말을 듣지 않게 만들다 : ~ un brazo. ② 여의치 않게 하다.
~se 듣지 않게 되다, 불수가 되다 : ~*se* una pierna 한 쪽 다리가 불수가 되다. ~*se* de un lado 반신 불수가 되다.
baldazo *m.* (balde로) 물을 확 끼얹기.
balde *m.* ① 물주머니, 물항아리, 수통, 물통. ②《*Arg.*》샘, 우물(pozo).
de ~ ① 무료로(gratuitamente) : entrar *de* ~ al teatro 극장에 무료 입장을 하다. ②《*Arg.*》쓸데없이, 무용지물의(inútil).
en ~ 헛되이(en vano) : Le aguardamos a Ud. *en* ~ 우리는 당신을 기다렸지만 허사였다. Discutieron *en* ~ 토의도 소용이 없었다.
estar de·en ~ ① 할 일이 없다. ② 남아돌다.
¡No de ~! 간신히·겨우 알았다.
baldear *tr.* ① (…에) 물을 끼얹다, 물로 씻다. ② 퍼내다, 뿜어내다 : ~ el agua 물을 퍼내다.
baldeo *m.* ① 물을 끼얹음, 뿜어냄. ②【은어】칼, 작은 칼, 주머니칼.
baldería *f.* [집합] =**balde.**
baldero *m.* 《*Arg.*》물통·우물 발견자.
baldés *m.* 양가죽《장갑용》: guantes de ~ 양가죽 장갑.
baldíamente *adv.* 공연히, 헛되이, 쓸데없이.
baldío, a *adj.* ① 미개간의. ② 쓸모없는 (vano, inútil) : argumento ~ . ③ 방랑의(vagabundo). —*m.* 미개간 국유지.
baldo, da *adj.m.f.* =**fallo.**
baldón *m.* 면박; 명예 훼손 (oprobio) : ~ de ignominia.
baldonador, ra *adj.* 면박을 주는; 비웃는, 조롱하는, 조소하는.
baldonar *tr.* 면박을 주다.
baldonear *tr.* =**baldonar.**
baldosa[1] *f.* 포석(舗石), 포장용 벽돌, 틀로 만든 포장용 콘크리트·판석(板石).
baldosa[2] *f.* [*ital.* baldosa] 옛날의 현악기.
baldosado *m.* 《*AmérM.*》포석(舗石) 깔기 (embaldosado).
baldosador *m.* 포석공(舗石工)(embaldosador).
baldosar *tr.* 판석(板石)·포석으로 포장하다 (embaldosar).
baldosilla *f.* =**baldosín.**
baldosín *m.* 잔 포석.
baldosón *m.* 큰 포석.
baldra *f.* =**panza.**
baldragas *m.*【속어】겁쟁이, 배짱없는 사람.
balduque *m.* ① 가느다란 끈, 테이프. ②《*Col.*》=**belduque.**
balear[1] *adj.* 발레아레스 제도《las islas Baleares, 지중해에 있는 서반아령의 섬》의. —*m.f.* 발레아레스 사람.
balear[2] *tr.* 《*Amér.*》① 총을 쏘다, 발포하다. ② 총살하다(abalear).
baleárico, ca *adj.* 발레아레스 제도(los Baleares)의.
baleario, ria *adj.* =**baleárico.**
balénidos *m.pl.*【동물】고래류(類).
baleo *m.* ① 끈으로 둥그렇게 짠 방석(ruedo). ② (불부치는) 부채(aventador). ③《*Amér.*》기총 소사, 사격.

balería *f.* 탄환의 비축(depósito de balas).
balerío *m.* =**balería.**
balero *f.* ① 탄환의 주형(鑄型). ② 《*Amér.*》 공 《어린이용 장난감》(boliche).
baleta *f.* [*dim.* bala] (상품의) 묶음·고리짝·궤짝.
balete *m.* 【식물】 (인도의) higuera.
balhurria *f.* 【은어】 =**gente baja.**
balido *m.* (사슴·산양·양의) 울음 소리.
balija *f.* 【고어】 =**valija.**
balimbín *m.* 【식물】 발림빈 《필리핀의 오렴자(carambolo)》.
balín *m.* [*dim.* bala] 소형 총탄.
balinense *adj.m.f.* 발리 《Bali, 인도네시아의 섬》의 (사람).
balisero *m.* 《*Galic.*》 =**cañacoro.**
balista *f.* [*gr.* ballein] 투석기(投石器), 노포(弩砲) 《돌을 쏘는 옛 무기》.
balistario *m.* 투석기 사용 병사.
balística *f.* 탄도학(彈道學).
balístico, ca *adj.* 탄도학적인, 탄도·탄도학의 : proyectil ~ intercontinental 대륙간 탄도탄.
balístidos *m.pl.* =**esclerodermos.**
balita *f.* ① (필리핀의) 농지 단위 《27, 95 áreas》. ② 《*Amér.*》 =**canica.**
balitadera *f.* (사냥용) 미끼, 유인물.
balitar *intr.* (산양·양·사슴이) 마냥 울다.
balitear *intr.* =**balitar.**
baliti *m.* 【식물】 =**balete.**
baliza *f.* ① (수로의) 표지; 부표(浮標), 표지등, 초표(礁標). ② 《*Cuba.*》 표지봉(標識棒). ③ 《*Urug.*》 소로.
balizaje *m.* ① 입항세(derecho de puerto). ② (항구의) 항로 표지.
balizamiento *m.* =**abalizamiento.**
balizar *tr.* ⑧ 항로 표지를 하다, 표지·부표를 설치하다.
balkánico, ca *adj.* 발칸 반도(los Balcanes)의 : península ~*ca.* 발칸 반도.
ballena *f.* [*lat.* balaena] ① 【동물】 고래 : aceite de ~ 고래 기름. ② 고래 수염(barba de ~) : corsé de ~*s.* ③ 코르셋용 철사.
Ballena *f.* 【천문】 고래좌.
ballenato *m.* 새끼 고래.
ballener *m.* (고래 모양의) 긴 선박.
ballenera *f.* 가벼운 배.
ballenero, ra *adj.* 고래 사냥의, 포경(捕鯨)의 : arpón ~ 포경용 작살. lancha ~*ra* 포경선. —*m.* ① 고래잡이 어부. ② 포경선(捕鯨船).
ballero *m.* 양어용 먹이 고기.
ballesta *f.* ① (옛날의) 큰 활 : Las armas de fuego han destronado las ~*s.* ② (차량의) 스프링, 용수철(muelle de carruaje).
ballestada *f.* 큰 활로 쏨.
ballestazo *m.* =**ballestada.**
ballestear *tr.* 큰 활로 쏘다.
ballestera *f.* 활을 쏘는 구멍, 포안(砲眼), 총안(銃眼)(tronera, saetera).
ballestería *f.* 대궁술, 대궁대(大弓隊).
ballestero *m.* 대궁수; 왕실의 수렵 담당자.
ballestilla *f.* 소형 스프링; (우마의) 채혈기(採血器); (옛날의) 천체 측정기.
ballestón *m. aum.* ballesta.
ballestrinque *m.* 【선박】 nudo의 일종.
ballet *m.* [*pl.* ballets] 《*Galic.*》 발레, 무용(bailete) [*N.* 발음은 balé].
ballico *m.* 【식물】 다년생 독보리(vallico).
ballueca *f.* 야생 귀리(avena loca).
balneación *f.* 목욕하기.
balneario, ria *adj.* ① 해수욕(los baños)의 : estación ~*ria.* ② 온천의, 한증의. —*m.* 온천장, 한증탕.
balneatorio, ria *adj.* 한증의, 온천의 : terapéutica ~*ria.*
balneoterapia *f.* 온천 요법; 광천 요법.
balneoterápico, ca *adj.* 온천 요법의.
balompédico, ca *adj.* 축구의(futbolístico) : sociedad ~*ca.*
balompié *m.* 《*Neol.*》 사커, 축구(fútbol).
balón *m.* ① 큰 궤짝 (fardo grande). ② 종이 묶음의 단위 (~ de papel, 24 resmas). ③ 공, (풋볼 등의) 볼. ④ 기구 (pelota grande de viento). ⑤ 유리공. ⑥ 종이 풍선 : ~ de ensayo 풍향 조사용 작은 기구; 반응을 보기 위해 떠보는 일. ~ de gas (기구 따위의) 가스 주머니, 공기 주머니.
baloncestista *m.f.* 농구 선수(jugador de baloncesto).
baloncesto *m.* 《*Neol.*》 농구, 바스켓볼 (básquet-bol).
baloncita *f.* (촛대 모양의) 금속 조각.
balonmano *m.* 송구, 핸드볼(balón a mano).
balota *f.* (추첨용) 작은 공.
balotada *f.* 말의 도약(salto que da el caballo).
balotaje *m.* 《*Perú.*》 balota로 하는 투표.
balotar *intr.* balota로 투표하다.
balote *m.* 【동물】 해삼.
balsa *f.* ① 물웅덩이(charca). ② 기름을 짜고 남은 찌꺼기 버리는 곳. ③ 뗏목 : Los náufragos se salvaron en una ~ . ④ 《*Amér.*》 【식물】 =**balso.** ⑤ 《*Ecuad.*》 강가에 떠 있는 작은 집. ⑥ 【은어】 방해물. ⑦ 구명 뗏목(~ de salvamento). ***ser una ~ de aceite*** 매우 조용하다, 무사 태평하다(ser muy tranquilo).
balsadera *f.* 나루터.
balsadero *m.* 나루터.
balsamera *f.* 향유병.
balsamerita *f.* =**balsamera.**
balsamero *m.* 【식물】 향유(bálsamo)를 짜는 나무.
balsámico, ca *adj.* 향액의; 향유질의 : líquido ~ 향액.
balsamífero, ra *adj.* 방향성 수지를 분비하는.
balsamina *f.* 【식물】 봉선화.
balsamináceo, a *adj.* 【식물】 봉선화과의. —*f.pl.* 봉선화과 식물.
balsamita *f.* 【식물】 들후추 : ~ mayor 물후추풀(berro).
bálsamo *m.* [*lat.* balsamum] ① 【화학】 향액 (líquido aromático). ② 발삼, 방향성 수지(樹指) : ~ de Perú 뻬루 발삼. ~ de Tolú 똘루 발삼. ③ (약용·의식용) 방향유(芳香油). ④ 위안(물) (consuelo) : Es el ~ de mis penas.
balsamodendro *m.* 【식물】 몰약(mirra)을 채취하는 나무.
balsar *m.* 거치른 땅(barzal).
balseadero *m.* 《*Chile.*》 =**balsadero.**

B

balsear *tr.* 뗏목으로 건너다. —*intr.* 《*Col.*》 떠돌다, 뜨다.
balseo *m.* 《*Chile.*》 =**balsadera.**
balsero *m.* ① 뗏목 타는 사람. ② 《*Amér.*》 쌓아올림, 산적(山積).
balsete *m.* 《*Ar.*》 작은 물웅덩이.
balso *m.* ① (배에 있는) 감아올리는 밧줄. ② 《*Col.*》【식물】 발소.
balsopeto *m.* 가슴에 매다는 큰 자루 ; 가슴속, 마음속.
balsoso, sa *adj.* 《*Ecuad.*》 =**balsudo.**
balsudo, da *adj.* 《*Col.*》 가벼운, 흐늘흐늘한, 푹신푹신한(fofo).
B
Baltasar *m.* 【성서】 ① 발따사르, 동방 삼현인(東方三賢人)(mago)의 한 사람. ② 바빌로니아의 최후의 왕.
festín·cena de ~ 성대한 잔치.
bálteo *m.* 《*Ant.*》 =**cíngulo.**
báltico, ca *adj.* 발틱해 (el mar Báltico)의, 발틱해 연안의 : países ~*s* 발틱해 연안국. —*m.f.* 발틱해 연안 사람.
balto, ta *adj.m.f.* 발틱족 《고드족 중의 한 부족》의 (사람).
baltra *f.* 《*Sal.*》 배, 복부(vientre, panza).
baluarte *m.* 【축성】 ① 성벽 외곽에 삼각형의 축성, 능보(稜堡). Sinón. bastión. ② 의지하는 곳, 거점, 수호(amparo) : ~ de religión. ③ 《*Amér.*》 낚시 도구.
baluma *f.* =**balumba.**
balumba *f.* ① 모임, 퇴적(堆積), 노적(露積), 산적. ② 《*Amér.*》 소동.
balumbo *m.* 무거운 짐 ; 애먹이는 물건.
balumoso, sa *adj.* 부피가 큰, 많은.
baluquero *m.* 《*Amér.*》 화폐 위조자.
balurdo *m.* 《*Arg.*》 바꿔치기한 짐.
balustre *m.* 《*Amér.*》【속어】 =**palustre.**
bamba *f.* ① (터키에서) 요행히 맞음(bambarria). ② 《*Amd.*》 =**columpio.** ③ 《*Hond. AmérC.*》 1뻬소 은화. ④ 《*Guat.*》 서반아의 둥근 동전. ⑤ 《*CRica.*》 금화 (moneda de oro). ⑥ 《*Venez.*》 반뻬소짜리 동전 (moneda de medio peso). ⑦ 《*AmérM.*》 (나무의) 혹. ⑧ 밤바 《멕시코의 춤, 그 음악》.
ni (de) ~ 《*Col.*》 안돼, 안돼.
bambalear(se) *intr.* (*r.*) 흔들리다, 비틀거리다 ; 맥없이 있다.
bambalina *f.* 【연극】 위에서 걸어 내리는 무대의 배경화.
bambalinón *m. aum.* bambalina.
bambalúa *m.* 《*Amér.*》 =**gambalúa.**
bambanear(se) *intr.* (*r.*) 흔들리다, 흔들거리다, 너울거리다.
bambarotear *intr.* =**alborotar.**
bambarria *m.f.* 【속어】 얼간이, 바보. —*f.* 요행히 맞음(acierto casual).
bambarrión *m.* [*aum.* bambarria] 큰 요행.
bambino, na *m.f.* 《*Amér.*》 어린아이.
bambita *f.* ① 《*Guat.*》 반 레아르 동전 (moneda de medio real). ② 《*Guat.*》 푼돈, 잔돈.
bamboa *f.* 《*Amér.*》 (파나마에서) 대나무(bambú).
bambochada *f.* 취태화(醉態畫), 주연화(酒宴畫).
bamboche *m.* 키가 작고 얼굴이 넓은 남자.
bambolear(se) *intr.* (*r.*) 비틀거리다, 흔들거리다, 너울거리다 : mueble que *bambolea.*
bamboleo *m.* 흔들림, 동요.
bambolla *f.* ① 번쩍거림, 화사함 ; 사치(lujo). ② 《*Amér.*》 수다, 재잘거림. ③ 겉치레, 허세, 허영. Contr. sencillez, modestia.
bambollero, ra *adj.* 번쩍거리는, 허영부리는. Contr. sencillo, modesto.
bambonear(se) *intr.* (*r.*) =**bambolear.**
bamboneo *m.* =**bamboleo.**
bambú *m.* [*pl.* bambúes] 【식물】 대, 대나무 : El ~ se utiliza en la fabricación de muebles 대나무는 가구 제조에 사용된다.
cortina de ~ 죽의 장막 《중국 세력권의 장벽》.
bambuc *m.* =**bambú.**
bambuco *m.* 밤부꼬 《꼴롬비아의 민요·춤》.
bambudal *m.* 《*Ecuad.*》 대나무(bambúes) 숲.
bamburé *m.* 《*Col.*》【동물】 큰 뚜꺼비(sapo)의 일종.
bampuche *m.* 《*Ecuad.*》 =**mampuche.**
banaba *f.* 【식물】 백일홍.
banal *adj.* 《*Galic.*》 =**común, trivial.**
banalidad *f.* 《*Galic.*》 평범, 하찮은 일, 진부함(trivialidad).
banalizar *tr.* 9 《*Galic.*》【속어】 평범하게 하다, 속되게 하다.
banalmente *adv.* 《*Galic.*》【속어】 평범하게, 통속적으로.
banana *f.* ①【식물】 바나나 (banano, plátano). ② 바나나 열매(fruto del banano).③ 《*Arg.*》【식물】 단풍.
bananal *m.* 바나나밭.
bananar *m.* =**bananal.**
bananero, ra *adj.* 바나나의 ; 바나나를 심은. —*m.* ①【식물】 바나나. ② 바나나 운반 배. —*f.* 바나나밭.
banano *m.* ①【식물】바나나(plátano). ②=**cambur.**
banas *f.pl.* 《*Méx.*》 교회에서의 결혼 고시(告示).
banasta *f.* 큰 고리짝, 큰 바구니.
banastero, ra *m.f.* ① 고리짝 제조인. ②【은어】 (형무소의) 간수.
banasto *m.* ① 버드나무로 만든 둥근 고리짝. ②【은어】 구치소, 옥사(獄舍), 영창.
banca *f.* ① (등받이가 없는) 나무 의자, 걸상, 평상. ② 《*Amér.*》 의자, (공원같은 곳에 있는) 판매대. ③ (추상적·집합적으로) 은행, 은행업, 은행단 : casa de ~ 은행. negocios de ~ 은행업무. la ~ española 서반아의 은행단. ④ (카드놀이의) 은행(monte). ⑤ (노름판에서의) 판돈. ⑥ (필리핀의) 거룻배. ⑦ 《*Amér.*》. 벤치(banco) : las ~*s* del paseo 산책로의 벤치. ⑧ 《*Arg.*》 (의회의) 의석(escaño) : ~ de los diputados 의원석.
~ *de hielo* 빙원(氷原), 빙야(氷野) ; 유빙(流氷)(banquisa).
tener ~ 세력이 있다.
bancable *adj.* 은행이 담보로 할 수 있는 : efecto no ~ .
bancada *f.* ① 돌로 만든 평대(平臺)·걸상. ② (선반 등의) 대(臺), 습동면(濕動面). ③ (보트의) 좌석. ④ (갱도의) 계단.

bancal *m.* ①(밭의) 구획. ②(계단으로 된 밭의) 계단 : un ~ de lechugas. ③ 걸상의 깔개. ④《*Col.*》 파도의 술렁임. ⑤《*Col.*》 골짜기.
bancalero *m.* =**tejedor de bancales.**
bancar *tr.* 《*Arg.*》 =**financiar.**
bancario, ria *adj.* ① 은행의 : certificado ~ 은행 인증서. descuento ~ 은행의 할인. ② 금융상의. —*m.f.* 은행원.
bancarrota *f.* ①(특히 사기적인 위장) 파산, 도산 : hacer ~ 파산하다. ② 실패, 실수, 파탄.
bancarrotero *m.* (사기) 파산자, 지불 불능자 : La ley castiga a los ~*s.*
bancaza *f.* (보트 위의) 좌석, 벤치.
bancazo *m.* [*dim.* banco] 벤치로 때리기.
banco *m.* ① 벤치, 긴 의자 : ~ azul 의회의 장관석. ② 대(臺), 작업대 : ~ de carpintero 목수의 작업대. ③(환전상의) 카운터. ④ 은행 : billete de ~ 은행권, 지폐. ~ hipotecario 권업 은행. ~ mundial 세계 은행. ⑤ 금융 기관 : ~ de liquidación, ~ de aclaración 어음 교환소. ~ de Ajuste Internacional 국제 결제 은행. ⑥(얕은) 여울(bajío) : ~ de arena 사주(砂洲). ~ de hielo 빙원(氷原). ⑦ 모래톱. ⑧ 물고기떼(cardume) : un ~ de sardina. ⑨【건축】 지하실 (sotabanco). ⑩【지질】 맥(脈) ; 광맥 : ~ de piedra. ⑪【지질】 노출 광상(鑛床). ⑫【은어】 감옥. ⑬《*Col.*》 평지, 평원. —*pl.* ① 은행·당좌 예금. ②《*Arg.*》 예금.
B- Agrario Nacional 《*Venez.*》 국립 농업 은행.
~ *agrícola* 농업 은행.
B- Agrícola de Bolivia 볼리비아 농업 은행.
B- Agrícola de la República Dominicana 도미니카공화국 농업 은행.
B- Agrícola y Pecuario 《*Venez.*》 농목축 은행.
~ *asociado* 가맹 은행.
~ *avisador* (신용장의) 통지 은행.
~ *central* 중앙 은행.
B- Central de Bolivia 볼리비아 중앙 은행.
B- Central de Costa Rica 꼬스따리까중앙은행.
B- Central de Chile 칠레 중앙 은행.
B- Central de Ecuador 에꾸아도르 중앙 은행.
B- Central de Honduras 온두라스 중앙 은행.
B- Central de la República Argentina 아르헨띠나공화국 중앙 은행.
B- Central de la República Dominicana 도미니까공화국 중앙 은행.
B- Central de la República Oriental del Uruguay 우루구아이 중앙 은행.
B- Central de Nicaragua 니까라구아 중앙 은행.
B- Central de Reserva de El Salvador 엘살바도르 중앙 준비 은행.
B- Central de Reserva del Perú 뻬루 중앙 준비 은행.
B- Central de Venezuela 베네수엘라 중앙 은행.
B- Central del Paraguay 빠라구아이 중앙 은행.
B- Centroamericano de Integración Económica 중미 경제 통합 은행.
~ *comercial* 상업 은행.
~ *comercial y mixto* 상업 보통 은행.
~ *confirmador·confirmante* (개설된 신용장의) 확인 은행.
~ *de comercio exterior* 외국 무역 은행.
~ *de compensación* (어음교환소 가맹) 조합은행.
~ *de crédito* 신용 은행.
B- de Crédito Agrícola e Industrial de la República Dominicana 도미니카공화국 농공신용은행.
B- de Crédito Hipotecario Nacional 《*Guat.*》 국립 신용 권업 은행.
B- de Crédito Industrial 공업 신용 은행.
B- de Crédito Local 지방 신용 은행.
B- de Crédito y ahorros 《*Dom.*》 신용저축은행.
~ *depósito* 예금·신탁 은행.
B- de Desarrollo 《*Parag.*》 개발 은행.
~ *de descuentos* 할인 은행.
~ *de emisión* 발권 은행.
B- de España 서반아 은행.
~ *de fomento* 권업 은행.
~ *de giro* (어음 교환소 가맹의) 조합 은행.
B- de Guatemala 구아떼말라 중앙 은행.
B- de Industria 《*Guat.*》 공업 은행.
B- de Inglaterra 영국 중앙 은행.
~ *de inversiones* 투자 은행.
~ *de la caja obrera* 노동 금고 은행.
B- de la Nación Argentina 아르헨띠나국립은행.
B- de la República 공화국 은행 《꼴롬비아의 중앙 은행》.
B- de la República Oriental del Uruguay 우루구아이공화국 은행.
~ *de la reserva federal* (미국의) 연방 준비 은행.
B- de los Trabajadores 《*Venez.*》 노동자 은행.
B- México, S.A. 멕시코 중앙 은행.
B- de Previsión Social 《*Urug.*》 사회 보장 은행.
B- de Reservas de la República Dominicana 도미니카공화국 준비 은행.
~ *de préstamos hipotecarios* 권업 은행, 토지·부동산 저당 은행.
B- de Seguros del Estado 《*Urug.*》 국립보험은행.
~ *de tesorería* 국립 은행.
B- de Trabajadores 《*Guat.*》 노동자 은행.
~ *de un estado* 주립 은행.
B- del Agro 《*Guat.*》 농지 은행.
~ *del comercio* 상업 은행.
B- del Estado 국립 은행.
B- del Estado de Chile 칠레 국립 상업 은행.
~ *del gobierno* 국립 은행.
~ *emisor* 발권 은행.
~ *en forma de sociedad anónima* 주식 은행.
~ *encargado del cobro* (대금) 거래 은행.
~ *estatal* 국립 은행.
B- Estatal de Fomento 《*Perú.*》 국립 권업 은행.
B- Europeo de Inversiones 구주 투자 은행.
~ *fiduciario* 신탁 은행.
~ *filial* 자은행(子銀行).
B- Ganadero 《*Col.*》 목축 은행.
B- Hipotecario de España 서반아 저당 은행.
B- Hipotecario Nacional 《*Arg.*》 국립 부동산 저당 은행.
~ *industrial* 공업 은행.
B- Industrial de la República Argentina 아르헨띠나공화국 공업 은행.
B- Interamericano de Desarrollo 미주개발은행.
B- Internacional de Reconstrucción y Fomento ;
B- Internacional para la Reconstrucción y

B

Desarrollo 국제 부흥 개발 은행.
B- Latinoamericano de Inversiones 라틴아메리카 투자 은행.
B- Minero de Bolivia 볼리비아 광업 은행.
~ municipal 시영 은행.
B- Municipal Autómono 《*Guat.*》 지방 자치제 행.
~ mutualista de ahorro 상호 저축 은행.
~ nacional 국립 은행.
B- Nacional Agrario 《*Guat.*》 국립 농업 은행.
B- Nacional Agropecuario 《*Méx.*》 국립 목축업 은행.
B- Nacional de Comercio Exterior, S.A. 《*Méx.*》 국립 외국 무역 은행.
B- Nacional de Crédito Agrícola 《*Méx.*》 국립 농업 신용 은행.
B- Nacional de Crédito Agrícola y Ganadero, S.A. 《*Méx.*》 농업 목축 금융 은행.
B- Nacional de Desarrollo Cooperativo 《*Méx.*》 협동 조합 조성 은행.
B- Nacional de Fomento 《*Hond.*》 국립 개발 은행 ; 《*Parag.*》 국립 권업 은행.
B- Nacional de Fomento Cooperativo 《*Méx.*》 협동화 촉진 은행.
B- Nacional de la Vivienda 《*Dom.*》 국립주택은행.
B- Nacional de Obras y Servicios Públicos 《*Méx.*》 국립 공공 사업 은행.
B- Nacional de Vivienda 《*Nicar.*》 국립주택은행.
B- Nacional del Trabajo 《*Chile.*》 국립노동은행.
B- Nacional Hipotecario Urbano y de Obras Públicas, S.A. 《*Méx.*》 국립저당공공사업은행.
~ no respaldado 조합외 은행.
B- Obrero 《*Venez.*》 노동 은행.
~ oficial 국립 은행.
~ ordenante (신용장의) 통지 은행.
B- Paraguayo de Crédito 빠라구아이 신용 은행.
~ particular·privado 민간·개인·사설 은행.
~ popular 서민 은행.
B- Popular 《*Col.*》 민중은행 ; 《*Dom.*》 인민은행.
~ provincial 지방 은행.
~ que abre el crédito documentario 신용장 개설 은행.
~ refaccionario 《*Méx.*》 농공 은행.
~ rural 지방 은행.
~ semioficial·semiestatal 반관 반민 은행.
~ de calina 짙은 안개(바다 위의 짙은 안개같은).
estar en el ~ de la paciencia 난처한 입장에 처해 있다.

bancocracia *f.* 은행 전횡(銀行專橫).
bancócrata *adj.* 은행 전횡의. —*m.f.* 은행 전횡자.
bancocrático, ca *adj.* 은행 전횡의.
banda *f.* ① (어깨에서 비스듬히 거는) 어깨띠. ② 줄무늬. ③ 무장한 무리 ; 패거리, 도당. ④ 새의 떼(bandada) : ~ de gorriones. ⑤ 당구대의 가장자리. ⑥ (배의) 현, 현측(costado). ⑦ 악대(樂隊) : ~ militar 군악대. ⑧ 옆(lado) : de la ~ de acá del río 강 이쪽의. ⑨【무전】 주파수대 : ~ de frecuencia (라디오·텔레비전의) 주파대. ~ sonora (필름의) 녹음대. ⑩ 사이드 (라인) : línea de ~ de meta (럭비의) 터치 인 골라인. ⑪ (트랙의) 코스.
~ de dibujos 연속물 만화.
~ magnética 자기(磁器) 테이프.
~ sonora·de sonidos 사운드 트랙.
cerrarse a la ~ 고집을 피우다, 버티다.
llevarse·arriar en ~ =atropellar, embestir.

bandada *f.* ① 무리, 그룹(grupo). ② 새의 떼 : ~ de golondrinas. ③ 《*Amér.*》 물고기의 떼.
en ~s 무리·떼를 지어서.
bandado *m.* 《*Perú.*》 학사.
bandaje *m.* 《*Galic.*》 =**llanta.**
bandalaje *m.* 《*Amér.*》 =**bandidaje.**
bandalla *m.* 《*Arg.*》 좀도둑.
bandarria *f.* 큰 쇠망치(mandarria).
bandarse *r.* 《*Perú.*》 수장 (banda de profesor)을 얻다.
bandayo, ya *m.f.* 《*Arg.*》 망나니.
bandazo *m.* ① (배가) 크게 흔들림. ② =**paseo, vuelta.** ③ 《*Col.*》 =**tumbo.**
bandeado, da *adj.* ① 체크·줄무늬의(listado). ② 《*AmérC.*》 크게 다친.
bandear *tr.* ① 《*Amér.*》 (탄환이) 관통하다. ② 《*Guat.*》 뒤쫓아다니다.
~se 먹고 살아갈 재주·재간을 부리다 : Ese muchacho sabe ~*se.*
bandeja *f.* ① 쟁반 : ~ barnizada 칠을 칠한 쟁반. pasar la ~ 헌금·기부를 돌리기 위해 쟁반을 돌리다. ② 트렁크의 가운데 상자. ③ 《*Col.*》 큰 접시(fuente).
dar·ofrecer en ~ 아주 유리하게 주다.
bandejador *m.* 당원.
bandejar *tr.* 【고어】 당원으로 하다.
bandera *f.* ① 기(旗) : ~ nacional 국기. ② (같은 깃발 아래의) 일대(一隊). ③ 아프리카군의 중대. ④ 신호기수, 신호수, (철도의) 건널목지기.
~ amarilla 전염병선기(傳染病船旗), 검역기(檢疫旗). *~ blanca·de paz* (항복의) 백기. *~ negra* (해적 등의) 도전기(挑戰旗).
a ~s desplegadas 공공연하게, 당당하게.
de ~ =estupendo, magnífico.
alzar·levantar ~(s) 깃발을 올리다, 새로 일을 시작하다 ; 두목이 되다.
arriar (la) ~ 항복하다.
batir ~(s) 배가 기(旗)로 경례하다.
dar la ~ 양보하다.

bandereta *f.* [*dim.* bandera] 작은 깃발.
bandería *f.* 도당, 당파(bando).
banderica *f. dim.* bandera.
banderilla *f.* [*dim.* bandera] ① (투우에서 작은 깃발이 달린) 작살. ② (교정에 메모해서) 부치는 종이. ③ 《*Amér.*》 빈정거림, 덮어 씌우기.
clavar·plantar·poner una ~ 작살을 꽂다 ; 아주 심한 소리를 하다.
banderillazo *m.* 《*Méx.*》 =**petardo.**
banderillear *tr.* (투우에게) 작살을 꽂다 : torero que *banderillea.*
banderillero *m.* 반데릴예로, 투우사의 일종, (투우에게) 작살을 꽂는 투우사.
banderín *m.* [*dim.* bandera] ① 작은 깃발 : ~ de senales 신호기. ② (행군 등의) 향도병. ③ 징병 모집소(~ de enganche).
banderita *f.* [*dim.* bandera] 작은 기.
fiesta de ~ 11월 중순 적십자사의 모금 운동 개

쳐희.

banderizar *tr.* ⑨ 패를 가르다(abanderizar).

banderizo, za *adj.* ① 당파에 가담한. ② 말썽을 부리는(alborotado).

banderola *f.* 작은 깃발; 창에 다는 깃발; (측량에 쓰는 신호용) 깃발.

bandidaje *m.* =**bandolerismo.**

bandido *m.* 도적, 불한당 (bandolero, salteador, ladrón).

bandín *m.* (어떤 종류의 배에) 노젓는 자리.

bandir *tr.* 《*Ant.*》 포고문을 공포하다.

banditismo *m.* 도적 생활.

bando *m.* ① 포고(布告), 공표 : echar ~ 포고하다. poner en ~ 《*Col.*》 방을 외고 다니다. ② 당, 파벌, 사당(私黨); 사병, 동아리, 무리. ③ 【방언】 떼; 고기떼(bandada). —*pl.* 혼인의 고시(告示).

bandola *f.* [*ital.* mandola] ①【악기】만돌린. ②【선박】응급 마스트 : navegar en ~*s*. ③《*Perú.*》투우사의 물레따(muleta de torero). ④《*Venez.*》=**mandador de palo nudoso.**

bandoleón *m.* 《*Arg. Urug.*》 =**bandoneón.**

bandolera *f.* ① 도적의 살림을 맡은 여자. ② (총의) 멜빵 : llevar la escopeta en ~ 총을 어깨에 비스듬히 메다. ③《*Ant.*》수비대의 휘장.

bandolerear *intr.* 《*Amér.*》 도둑질하다.

bandolería *f.* 《*Amér.*》 =**bandolerismo.**

bandolerismo *m.* 도적 횡행(橫行), (집단적인) 도적; 도둑질.

bandolero *m.* ① 들치기, 도둑. ② 악당.

bandolín *m.* 【악기】 만돌린(bandola).

bandolina *f.* ① 포마드의 일종. ②《*Amér.*》【악기】만돌린(bandolín).

bandolinista *m.f.* 만돌린 연주자.

bandolino *m.* 《*Chile.*》【악기】 만돌라.

bandolón *m.* ①【악기】만돌라. ②《*Méx.*》= **bandoneón.**

bandolonista *m.f.* 만돌라 연주자.

bandoneón *m.* 【악기】 반도네온 《아코디온의 일종》. Sinón. concertina.

bandoneonista *m.f.* bandonéon 연주자.

bandós *m.pl.* [*fr.* bandeaux] 《*Neol.*》 (머리의) 가르마.

bandujo *m.* 굵은 순대.

bandullo *m.* ①【속어】창자, 장(腸). ② 배, 복부(vientre).

bandurria *f.* ①【악기】반두리아 《12현의 작은 기타》. ②【조류】(남미산의) 홍학.

bandurrista *m.f.* bandurria 연주자.

bangaña *f.* 【식물】 (아메리카산의) 표주박.

bangaño *m.* 《*Cuba.*》 호박으로 만든 그릇.

Bangkok 【지명】 방콕 《타이의 수도》.

Bangladesh 【지명】 방글레데시.

baniano *m.* 인도의 행상.

banjo *m.* 【악기】 밴조《미국 흑인의 기타》.

banjoísta *m.f.* 밴조 연주자.

bank-note *m. ing.* 은행권, 지폐(billete de banco) [*N.* 발음 : banknot].

bánova *f.* =**vánova.**

banquear *tr.* ①《*AmérM.*》(땅을) 고르다, 반반하게 하다(nivelar el terreno). ② 다지다, 롤러로 밀다.

banqueo *m.* 《*Col.*》 땅의 제초 (desmonte de un terreno).

banquera *f.* 《*Ar.*》 작은 양봉장.

banquero, ra *m.f.* ① 은행가, 금융 업자. ②【은어】간수, 옥리(獄吏). ③ (카드 놀이에서) 패를 돌리는 사람.

banqueta *f.* ① (등받이없는) 걸상. ② 발판. ③ 갱도의 시렁. ④ (축성의) 발판. ⑤《*Guat. Méx.*》인도, 보도(acera).

banquete *m.* 연회; 큰 잔치 : ~ eucarístico 성체 배령(聖體拜領)(la comunión). ~ oficial de bienvenida 공식 환영회.

banqueteado, da *adj.* 《*Ecuad.*》 뻔뻔스러운, 파렴치한, 철면피의, 낯가죽이 두꺼운.

banquetear *tr.* 연회·향연을 베풀다 : no ser amigo de ~.

—*intr.*, **~se** 연회에 참석하다; 아무 연회에나 다 참석하다.

banquilla *f.* =**mesilla de zapatero.**

banquillo *m.* [*dim.* banco] ① 피고석(~ de los acusados). ② 발받침대. ③《*Ecuad.*》교수대.

banquisa *f.* 《*Galic.*》 유빙(流氷). Sinón. ice-field.

banzo *m.* ① (틀의) 뼈대. ② 둑의 비탈진 면.

baña *f.* =**bañadero.**

bañada *f.* (강이나 바다의) 유역.

bañadera *f.* ①《*Amér.*》목욕통, 욕조(浴槽)(bañera). ②《*Arg.*》(무개) 관광 버스. ③《*Riopl.*》낮고 습한 땅(terreno bajo y pantanoso).

bañadero *m.* (동물이) 목욕하는 물웅덩이.

bañado, da *adj.* bañar의 *p.p.* —*m.* ① 변기, 요강(bacín). ②《*AmérM.*》습지.

bañador, ra *adj.* 목욕하는. —*m.f.* 욕객(浴客). —*m.* ① 씻는 상자, 씻는 그릇. ② 해수욕복(traje de baño). ③《*Ecuad.*》=**bañista.**

bañar *tr.* ① 목욕시키다, 멱을 감기다. ② (물 같은데) 담그다 : ~ frutas en almíbar. ③ 물을 끼얹다; 물을 뒤집어쓰게 하다; 적시다. ④ (위에) 칠하다; 덧칠하다; 도금하다, (광택제·덧칠약을) 바르다; (크림·소금·설탕을) 입히다. ⑤ 흥건하게 적시다 : ~ el pañuelo *con·de·en* lágrimas 손수건을 눈물로 적시다. ⑥ (강이나 바닷물이) 철썩이다 : El río *baña* las murallas de la ciudad 냇물은 시벽(市壁)을 씻으며 흐르고 있다. ⑦ (햇빛이나 바람에) 쏘이다. ⑧(광선이) 비추다, 쪼이다 : El sol *baña* la habitación. ⑨ 철철 넘치게 하다.

~se ① 목욕하다 (darse un baño, tomar un baño) : *Me baño* todos los días 나는 매일 목욕한다. ② 목욕탕에 들어가다, 멱감다. ③ 많이·흥건히 젖다 : ~*se* en sangre 피로 젖다. ~*se* en lágrimas 눈물로 젖다. Estaba *bañada en* risa 그녀는 우스워 데굴데굴 구르고 있었다. ④《*Cuba.*》횡재하다.

bañera *f.* ① 목욕탕 여자 종업원. ② 목욕통, 욕조(pila para bañarse).

bañero, ra *m.f.* ① 목욕탕 주인. ② 목욕탕 종업원. ③ 욕객(bañista).

bañezano, na *adj.m.f.* 라 바네사《La Bañeza, León 주의 도시》의 (사람).

bañil *m.* =**bañadero.**

bañista *m.f.* (해수욕·온천 따위의) 욕객; 광천(鑛泉)을 마시러 가는 사람(agüista) : En verano está San Sebastián lleno de ~*s*.

baño *m.* [*lat.* balneum] ① 입욕, 목욕, 멱감기, 해수욕 : ~ de ducha 샤워. ~ solar 일광욕. ~ de vapor 증기탕, 사우나탕. ~ turco 증기탕. traje de ~ 수영복. ② 목욕물 : ~ medicinal. ③ [주로 *pl.*] 광천, 더운 물이 나오는 샘, 온천장(balneario). ④ 욕조, 목욕통(bañera) : ~ de mármol 대리석 욕조. ⑤ 욕탕 : ~ público 대중탕. ⑥ (물을 적시기 위한) 용액조(溶液槽) : ~ de aceite 기름 탱크. ⑦ (도금용의) 전해조(電解槽). ⑧ 과자 위에 입히는 설탕·초콜릿. ⑨ 그림의 덧칠. ⑩ 매열기(媒熱器) : ~ de María 찜 냄비. ⑪ 아라비아인의 감옥. ⑫ 화장실, 변소, 뒷간, 측간(~ menor). ⑬ 《*Amér.*》 힐난, 징계, 벌.

medio ~ 《*Méx.*》 =cuarto de aseo.

dar un ~ *a* …에 차이를 두고 이기다.

tomar·darse un ~ 목욕하다, 해수욕하다 : El fue a *darse un* ~ en el río 그는 강에 목욕하러 갔다.

bañón *m.* 【식물】 쐐기풀(palo de ~).

bañuelo *m. dim.* baño.

bao *m.* 【선박】 도리.

baobab *m.* 【식물】 바오밥 《아프리카의 거목》.

baptismo *m.* =**bautismo.**

baptisterio *m.* ① 세례장(洗禮場). ② 세례용 물쟁반(pila bautismal).

baque *m.* 쓰러짐, 나가자빠짐.

baqueano, na *adj.* 《*Amér.*》 =**baquiano.**

baquear *intr.* ① (배가) 조수에 밀리다. ② =**baquiar.**

baquelita *f.* 베클라이트.

baquero *adj.* =**sayo.**

baqueta *f.* [*ital.* bacchetta] ① (총의) 꽂을대 《소총 속을 청소하는데 쓰는 쇠꼬치》. ② 작대기, 채찍, 회초리. —*pl.* (북의) 채(palillos).

a la ~ 포악하게, 사납게, 호되게.

baquetazo *m.* baqueta로 때리기.

baqueteado, da *adj.* 일에 익숙해진, 숙련된.

baquetear *tr.* ① (벌로서) 채찍으로 때리다. ② 괴롭히다. ③ 《*AmérC.*》 (marimba 북을) 치다. ④ 《*Arg.*》 =**ejercitar.**

baqueteo *m.* 매질, 채찍질 ; 태형(笞刑).

baquetón, na *adj.* 《*Méx.*》 굼뜬 ; 뻔뻔스러운, 철면피인, 낯가죽이 두꺼운.

baquetudo, da *adj.* 《*Amér.*》 =**pachorrudo.**

baquía *f.* ① 지리에 밝음. ② 《*Amér.*》 손재주.

de ~ ① 노련한, 경험이 많은, 익숙한(veterano). ② 지리에 밝은.

baquiano, na *adj.* ① 노련한, 익숙한 : ~ en el comercio 장사 솜씨가 좋은. ② 지리에 밝은, 익히 다니던. —*m.* 길 안내인.

baquiar *tr.* ⑫ 《*Méx.*》 ① 길들이다, 훈련하다(adiestrar) : ~ gallos. ② 길을 안내하다.

báquico, ca *adj.* ① 주신(酒神)·박카스(Baco)의(dionisíaco). ② 취한 : furor ~ 술주정.

baquio *m.* 그리스어·라틴어 시의 각운.

baquira *f.* 《*Amér.*》 【동물】 멧돼지, 산돼지(pécari, saíno).

báquira *f.* =**baquira.**

baquiro *m.* =**baquira.**

bar *m. ing.* ① 술집, 주점, 바(taberna). ② 【물리】 바 《압력 단위》.

baraca *f.* (모로코에서) 시장·지사에게 할당되는 신탁.

baracuda *f.* 【어류】 《*AmérC.*》 창꼬치류.

baracuta *f.* 【어류】 《*AmérC.*》 =**baracuda.**

baracutey *adj.* 《*Cuba.*》 =**misátropo, taciturno.**

baragutey *adj.* 《*Cuba.*》 ① 혼자서 크는 (새). ② 독신의, 혼자 사는 (사람) : vivir a lo ~ 독신 생활을 하다.

barahunada *f.* =**barahúnda.**

barahúnda *f.* 소란, 시끄러움, 법석, 혼란.

baraja *f.* 카드·트럼프의 한 조 : jugar a la ~ 카드 놀이를 하다. La ~ española consta de 48 cartas. —*pl.* 시끄러움, 소란, 싸움(reyerta, lucha).

jugar con dos ~*s* 딴마음으로 하다.

barajada *f.* 카드의 패를 떼는 일.

barajado, da *adj.* [barajar의 *p.p.*] =**confuso, revuelto.**

barajador, ra *adj.m.f.* ① (카드의) 패를 뒤섞는 (사람). ② 방해하는, 훼방 놓은 (사람). ③ 싸우는 (사람).

barajadura *f.* =**barajada.**

barajar *tr.* ① (카드의) 패를 뒤섞다. ② (물건이나 사람을) 뒤섞다(mezclar). ③ 《*Amér.*》 방해하다, 훼방 놓다. ④ 《*Chile.*》 =**parar, detener.**
—*intr.* 싸우다 : ~ *con* el vecino.
~se 섞이다, 뒤범벅이 되다.

~ *el mate* 《*AmérM.*》 ① 마떼차(茶) 그릇을 차례로 돌려 가며 마시다. ② 바로 알아차리다, 이해하다.

baraje *m.* =**barajadura.**

barajo *m.* 《*Ecuad.*》 =**baraja.** —*interj.* 놀라움의 감탄사.

barajones *m.pl.* 《*Sant.*》 (눈 위를 걸을 때 쓰는) 라켓(raquetas).

barajustar *intr.* ① 《*Amér.*》 (말 따위가) 날뛰다. ② 뺑소니치다, 도망치다. ③ 《*AmérC.*》 덮치다. ④ 《*AmérC.*》 시작하다, 착수하다(emprender).

barajuste *m.* 《*Amér.*》 도망갈 구멍을 찾음, 도주 : Arrancó de ~ 도망치기 시작했다.
—*interj.* =**barajo.**

baranda *f.* ① (계단 따위의) 손잡이. ② 당구대의 가장자리. ③ 《*Perú.*》 여러 세대가 사는 공동주택, 다세대 주택.

barandado *m.* =**barandilla.**

barandaje *m.* =**barandilla.**

barandal *m.* (난간의) 손잡이 (횡목) ; 난간.

barandas *m.pl.* 【은어】 =**varandas.**

barandilla *f.* ① 난간. ② 《*Amér.*》 짐수레의 옆테. ③ 《*Chile.*》 =**comulgatorio.**

barangay *m.* ① (필리핀의) 배. ② (필리핀 원주민의) 부락.

barangayán *m.* (필리핀의) 배(gubán).

barańa *f.* =**maraña.**

baraño *m.* 《*Sal.*》 갓 벤 건초의 열.

barata *f.* ① 싼값, 헐값(baratura). ② 교환, 맞바꿈(trueque). ③ 제삼자를 속이는 매매 계약. ④ 《*Chile. Perú.*》 【곤충】 바퀴벌레. ⑤ 《*Méx.*》 염가판매.

baratador, ra *adj.m.f.* ① 싸게 하는 (사람). ② 교환하는 (사람).

baratamente *adv.* 싼값으로, 헐값에, 염가로.

baratar *tr.* ① 싸게 팔다·사다. ②【고어】교환하다.

baratear *tr.* 투매(投賣)하다; (물건을) 값 이하로 팔다.

baratería *f.* ① 사기 매매(詐欺賣買). ② 법관의 수회죄(收賄罪). ③ 선장·선원의 하주(荷主)에 대한 무책임한 행위, 선원의 비행 : La ~ es simple o fraudulenta.

baratero, ra *adj.m.f.* ①《*Col.*》싼값으로 파는 (사람). ②《*Chile.*》에누리 잘하는 (사람). —*m.* 노름판에서 개평꾼.

baratez *f.* 《*Cuba.*》싼값, 헐값 ; 싸구려.

baratía *f.* 《*Col.*》=**baratura.**

baratija *f.* 싸구려 물건, 자질구레한 물건, 잡동사니 : vender ~*s.*

baratillero, ra *m.f.* 싸구려 물건 장수.

baratillo *m.* ① [집합] 자질구레한 물건, 싸구려 복식품, 잡동사니. ② 싸구려 물건 파는 가게. ③《*Amér.*》대염가 판매. Sinón. boliche.

baratío *m.* 《*Amér.*》=**baratillo.**

barato, ta *adj.* ① 값이 싼 : una cosa ~ *ta* 싼 물건. Lo ~ sale caro 싼것이 비지떡이다. Contr. caro. ② 경솔한. ③ 손쉬운(fácil) : *B-* le resulta este negocio. —*m.* ① 염가 판매. ② 놀음에서 딴 사람이 내는 개평. —*adv.* 싸게 (por poco precio) : vender ~.

de ~ ① 거저, 무료로, 공짜로(de balde). ② 무이자로(sin interés).

cobrar el ~ 겁을 주다.

dar un ~ 《*Amér.*》(춤의 상대 등을) 양보하다.

echar·meter a ~ 야유로 꼼짝 못하게 하다.

báratro *m.* [*gr.* barathron]【시어】지옥(infierno).

baratura *f.* ① 싼값, 염가, 헐값(precio muy económico) : la ~ de una mercancía. ② 싼 물건. Sinón. carestía.

barahunda *f.* =**baraúnda.**

baraúnda *f.* 시끄러움, 소란, 소음(ruido, alboroto) : ~ ensordecedora 귀창이 떨어져 나갈 것 같은 시끄러움.

baraustado, da *adj.* [baraustar의 *p.p.*]【은어】단검에 찔려 죽은 (사람).

baraustador *m.*【은어】단도, 비수.

baraustar *tr.* ① 노리다. ② (칼 따위를) 받아 비키다. ③【은어】찔러 죽이다.

barba *f.* ① 턱 : ~ puntiaguda 주걱턱. ② 턱수염 : ~ bien poblada. ③ 턱수염 같은 것 : ~ de ballena 고래 수염. ④ 수염 깎기 : hacerse la ~ 자신의 수염을 깎다. —*pl.* ① 턱수염. ② (식물의) 수염 뿌리. ③ (옷감의) 솔기가 풀림. —*m.* (연극에서의) 노인역.

B- Azul 푸른 수염의 사나이《여섯번이나 아내를 차례로 죽였다는 잔인한 인물》. ~ *cabuna*【식물】=salsifí. ~ *cerrada* 짙고 억센 수염. ~ *corrida* 깍지 않고 그대로 자라게 두는 수염. ~ *de Aarón* 물레나물류. ~ *en punta* 끝이 뾰족한 수염. ~ *de zamorra* 짙은 곱슬 수염. ~*s de chivo* 염소 수염.

~ *honrada* 존경할 만한 사람.

~ *a* ~ 맞대놓고.

a ~ *regalada* 풍부하게.

con toda la ~ =cabal.

en las ~*s de* …의 보는 앞에서, …의 면전에서 (en su presencia, a su vista, en su cara).

para mis ~*s* 맹세코, 확실히.

por ~ 1인당(por persona).

hacer la ~ ① 수염을 깎다(afeitar). ② 애먹이다, 괴롭히다 ; 알랑거리다, 아부하다. 아첨하다 (adular).

subirse a las ~*s de* uno (누구에 대해) 기어오르다.

tener pocas ~*s* 아직 젊다, 익숙하지 못하다.

barbacana *f.* ① 누문(樓門), 망루(望樓). ② (사원의) 바깥 담. ③ 총안(銃眼).

barbacoa *f.* ①《*Amér.*》가마니를 깐 침대. ②《*Amér.*》옥수수 등을 저장하는 높은 시렁. ③《*Amér.*》나무 위의 움집. ④《*Méx.*》불고기용의 늘어놓는 석쇠 ; 그 불고기. ⑤ 불고기 파티.

barbacuá *f.* =**barbacoa.**

barbada *f.* ① (턱밑으로 묶는 재갈을) 묶는 끈. ②【어류】넙치의 일종. ③《*Amér.*》(모자의) 턱끈.

barbadejo *m.*【식물】=**mentironera.**

barbadija *f.*【식물】=**barbarija.**

barbado, da *adj.* 턱수염을 기른 (사람) : hombre bien ~ 턱수염을 기른 남자. Contr. imberbe. —*m.* ① 뿌리가 달린 묘목 : plantar de ~ 뿌리채 이식하다. ②【은어】수산양.

barbaja *f.* ①【식물】escorzonera 비슷한 나무. —*pl.* ①《*Arg.*》갓 심은 나무 뿌리. ②《*And.*》= **agujas de pino.**

barbaján *adj.* 《*Cuba. Méx.*》거칠고 사나운, 난폭한. —*m.* 난폭자.

barbajas *f.pl.* 이식한 식물의 새 뿌리.

barbajuelas *f.pl. dim.* barbajas.

barbar *intr.* ① 턱수염이 나다. ② 뿌리박다.

Bárbara *f.* ① 바르바라 : Santa ~ 태풍과 화기(火器)의 여신. ② (배의) 화약고(santabárbara).

bárbaramente *adv.* 난폭하게, 야만적으로.

barbarear *intr.* 《*Arg.*》=**disparatar.**

barbáricamente *adv.* 야만스레, 야만인처럼, 거칠게.

barbárico, ca *adj.* 야만인의 ; 야만스런, 미개한 ; 야만인같은, 거칠은.

barbaridad *f.* ① 야만, 잔인 ; 난폭, 무모. ② = **necedad, disparate.** ③ 많은 양(gran cantidad) : una ~ de dinero 많은 돈.

¡ Qué ~ *!* 지독하군요《무엇이던지 너무 과다한 것을 볼 때 하는 말》.

comer una ~ 실컷 먹다.

barbarie *f.* [*lat.* barbaries] 야만, 잔인, 미개, 무교양, 거칠음 ; 난폭, 만행, 잔학. Contr. civilización.

barbarija *f.*【식물】=**durillo.**

barbarismo *m.* 야만 ; 야만적인 생활 양식 ; 미개, 미개 상태 ; 거칠은 말투·어법 ; 포학, 폭언, 폭행 ; [집합] 야만인.

barbarizador, ra *adj.m.f.* 야만의 (사람).

barbarizante *adj.m.f.* =**barbarizador.**

barbarizar *tr.* 9 야만화하다, 야만적으로 하다 ; 말을 거칠게 하다, (국어를) 불순하게 하다. —*intr.* 폭언하다, 억지 소리하다.

bárbaro, ra *adj.* ① 야만족《5세기경 북방으로부터 로마 제국으로 침입한 이방인》의. ② 야만스런, 미개의, 야만의(inculto) ; 잔인한, 난폭

한, 거칠은(fiero, cruel) : soldado ~ 난폭한 군인 Contr. civilizado. ③ 무모한, 경솔한(arrojado, temerario) : Este chico es ~ 이 소년은 경솔하다. ④ 굉장한, 엄청나게 큰. —*m.* 야만족, 이방인; 난폭자. —*adv.* 아주 잘(muy bien) : Lo pasé ~.
barbarote, ta *adj.* [*aum.* bárbaro] 【속어】 몹시 야만스러운(muy bárbaro).
barbarucho, cha *adj.* =**barbarote.**
barbasco *m.* 【식물】《*Amér.*》 =**verbasco.**
barbasquear *tr.* 《*Sal.*》 물고기가 정신을 잃게 하기 위해 barbasco를 던지다 : ~ un río.
barbastrense *adj.m.f.* =**barbastrino.**
barbastrino, na *adj.m.f.* 바르바스뜨로《Barbastro, Huesca주의 도시》의 (사람).
barbaza *f.* [*aum.* barba] 아래턱 수염.
barbear *tr.* ① (어떤 높이에) 턱이 닿다 : El toro salta todo lo que *barbea* 소는 턱이 닿는 높이 같으면 뛰어넘을 수 있다. ②《*AmérC. Méx.*》 알랑거리다, 아부하다, 아첨하다(adular). ③《*Amér.*》 (소를) 코끝·뿔을 잡고 쓰러뜨리다. ④《*CRica.*》 수염을 깎다. —*intr.* ① 이발업을 하다. ② (무엇과) 높이가 같다 : ~ con la pared 벽과 높이가 같다.
barbechada *f.* 휴경(休耕).
barbechar *tr.* 논밭을 갈다 《파종, 휴경을 위해》.
barbechera *f.* [집합] 휴한답(休閑畓), 휴경지(休耕地); 휴한(休閑), 휴경(休耕).
barbecho *m.* 휴한지, 휴경지; 휴경.
firmar como en un ~ 내용도 모르고 결제하다.
barbera *f.* 《*Arg.*》 ① 이발사의 아내. ② 턱을 가리는 철모의 부분. ③ (이탈리아의) 포도주의 일종.
barbería *f.* ① 이발소, 이발관 (peluquería). ② 이발사의 직.
barberil *adj.* 이발사의, 이발관의.
barbero, ra *m.f.* ① 이발사(peluquero). ②《*Méx.*》 아첨꾼(adulador, halagador). ③ 【어류】 =**acanturo.**
estar·ponerse ~ 《*Col.*》 시험 공부를 하다.
barberol *m.* (곤충의) 아래턱.
barbeta *f.* 방벽(防壁)보다 더 높이 있는 포좌(砲座); (군함의) 노포탑(露砲塔).
barbi *adj.* 매우 좋은, 우수한.
barbián, na *adj.* 명랑한, 활달한. —*m.f.* 멋쟁이.
barbianería *f.* 매우 좋은 것.
barbibermejo, ja *adj.* 주홍색 수염의.
barbiblanco, ca *adj.* =**barbicano.**
barbicacho *m.* 모자의 턱끈.
barbicano, na *adj.* 흰 수염의.
barbicastaño, ña *adj.* 밤색·다색(茶色) 수염의.
barbiespeso, sa *adj.* 수염의 숱이 많은.
barbicorto, ta *adj.* 수염이 짧은.
barbicubierto, ta *adj.* 완전히 수염으로 덮인.
barbihecho *adj.* 수염을 막 깎은.
barbijo *m.* 《*Amér.*》 모자의 턱끈.
barbilampiño, ña *adj.* 수염이 적은; 수염이 없는, 수염이 나지 않은.
barbilindo, da *adj.m.f.* 말쑥한 (사람).
barbilucio, cia *adj.m.f.* =**barbilindo, guapo.**
barbiluengo, ga *adj.* 수염이 긴.
barbilla *f.* ① 턱끝. ② (잉어 따위의) 수염. ③ 【목공】 작은 염주·구슬.
barbimoreno, na *adj.* 수염이 검숭검숭한.
barbinegro, gra *adj.* 검은 수염의.
barbiponiente *adj.* 턱수염이 나기 시작한 (젊은이); 초심의 (사람).
barbipungente *adj.* =**barbiponiente.**
barbiquejo *m.* ① 모자의 턱끈·턱가죽; (배의) 돛대를 받치는 밧줄. ②《*Amér.*》 (말의) 재갈, 고삐.
barbirrapado, da *adj.* 수염을 깎은.
barbirrojo, ja *adj.* =**barbitaheño.**
barbirrubio, bia *adj.* 적색 수염의; 금색 수염의.
barbirrucio, cia *adj.* 희끗희끗 샌 수염의.
barbitaheño, ña *adj.* 붉은 수염의.
barbiteñido, da *adj.* 수염을 염색한.
barbitonto, ta *adj.* 바보같은 얼굴을 한.
barbitúrico, ca *adj.* 요소(urea)에서 추출한 최면제의.
barbo *m.* 【어류】 뱅어.
~ *de mar* 노랑촉수(salmonete).
barbón *m.* ① 수염난 남자. ② 수산양(cabrón). ③ 찡그린 상의 노인. ④ 속세에 사는 Cartuja 종파의 승려.
barboquejo *m.* (모자 등의) 턱끈·가죽끈.
barboso, sa *adj.* 수염이 많은.
barbotar *tr. intr.* 중얼중얼 말하다(mascullar), 툴툴거리다. Contr. articular.
barbote *m.* 투구의 턱받이; 남미의 인디오가 입술에 끼는 은으로 만든 막대기. Sinón. botoque, tembetá.
barbotear *intr.* =**barbotar, barbullar, mascullar.**
barboteo *m.* 중언 부언함 : un ~ de insultos.
barbotina *f.* =**arcilla.**
barbucha *f.pl.* [*desp.* barba] 《*AmérC.*》 드문드문 난 수염.
barbucho, cha *adj.* 《*Chile.*》 까칠까칠한 수염의.
barbudo, da *adj.* 수염이 많은. —*m.* (식물의) 수염뿌리.
barbulla *f.* 술렁거림, 소란 : armar ~. Sinón. barullo.
barbullar *intr.* 으르렁대다, 떠들어대다, 수근거리다.
barbullón, na *adj.* 떠들썩한, 소란스러운.
barbuquejo *m.* =**barboquejo.**
barca *f.* ① 소형의 배 : ~ chata 평저선(平底船), 나룻배. ~ de pasaje 나룻배. ~ de pesca 고깃배. ② 뱃삯.
barcada *f.* ① 한번 싣는 선하(船荷); 뱃짐. ② 배의 한 항해 : pasar una carga en tres ~*s.*
barcaje *m.* 거룻배로 운반; 그 요금; 도선료.
barcal *m.* ①《*Gal. Ast.*》 (용도가 다양한) 나무상자. ② (안에서 물건을 씻는) 통.
barcarola *f.* [*ital.* barcarola] ① 이탈리아의 민요 : Los gondoleros de Venecia suelen cantar ~*s.* ② 뱃노래.
barcarrón *m.* 크고 볼품 없는 배(barco grande, feo y mal aparejado).
barcaza *f.* 거룻배, 전마선(傳馬船) : ~ de de-

sembarco 상륙용 전마선.
Barcelona *f.* 【지명】 바르셀로나시(市) 《서반아 제2의 도시》.
barcelonense *adj.m.f.* =**barcelonés.**
barcelonés *adj.* 바르셀로나 《Barcelona, 서반아 지중해 연안의 공업 도시》의. —*m.f.* 바르셀로나 사람.
barceloneta *m.* (멕시코 거주의) 불란서 사람.
barceno, na *adj.* =**barcino.**
barcense *adj.m.f.* =**barqueño.**
barceo *m.* 【식물】 골풀(albardín).
barcia *f.* (밀을 빻고 나온) 밀기울, 찌꺼기, 쓰레기.
barciar *tr.* =**volcar, vaciar.**
barcina *f.* ① 《*Méx.*》 그물 자루. ② 《*Méx.*》 짚단 쌓기.
barcinador, ra *m.f.* 《*And.*》 추수하는 사람.
barcinar *intr.* 《*And.*》 추수한 후에 익은 과일 · 밀을 따다.
barcino, na *adj.* 갈색의.
barcinonense *adj.m.f.* =**barcelonés.** [*N.* 과학 용어와 시어로 더 많이 사용됨].
barco *m.* ① 배, 선박, 함선 (buque). ② 얕은 계곡(barranco poco profundo). ③ 《*Hond.*》 큰 호박(calabaza grande).
～ ***de carga*** 화물선. ～ ***de velas*** 범선. ～ ***de vapor*** 기선. ～ ***de vela*** 범선. ～ ***fantasma*** 혼령선. ～ ***tanque*** 탱커, 유조선. ～ ***pontón*** 기중기 하르크 《다른 배의 하역을 맡는 하역선》. ～ ***cisterna*** 유조선. ～ ***de recreo*** 유람선. ～ ***hidroala*** 수중 익선(翼船). ～ ***madre*** 모선. ～ ***meteorológico*** 기상 관측선. ～ ***patrullero*** 순시선, 순시정. ～ ***transportador de contenedores*** 컨테이너선.
barcolongo *m.* (옛날의) 좁고 길쭉한 배.
barcoluengo *m.* =**barcolongo.**
barcón *m.* 부선(艀船), 거룻배, 전마선(barcaza).
barcote *m. aum. desp.* barco.
barchilo, la *adj.* 《*Arg.*》 =**color franciscano.**
barchillón, na *adj.* ① 《*Amér.*》 병원의 전속 간호원 《16세기 Perú에 있던 서반아의 자선가 Pedro Fermín Barchillón의 이름에서》. ② 《*Bol.*》 돌팔이 의사.
barda *f.* ① 말의 갑옷(armadura de caballo). ② (풀이나 짚으로 얹는) 흙의 지붕. ③ 나무 울타리. ④ (수평선의) 비구름.
bardado, da *adj.* ① 말에 갑옷을 입힌. ② 지붕을 얹힌 (담장).
bardaguera *f.* 【식물】 버드나무의 일종.
bardaja *m.* =**bardaje.**
bardaje *m.* =**sodomita paciente.**
bardal *m.* ① 지붕을 얹힌 담장. ② 토담 위의 기와 · 가시. ③ 가시 울타리. ④ 【식물】 가시나무 (zarza).
bardana *f.* 【식물】 우엉(lampazo).
bardanza (de) *adv.* 어칠비칠, 여기저기 : andar *de* ～ 돌아다니다, 방랑하다(vagabundear).
bardar *tr.* (담장에) 풀 · 짚으로 지붕을 이다.
bardero *m.* 땔감 줍기 ; 땔감 줍는 사람.
bardiota *m.* (고대의) 금위병(禁衛兵).
bardito *m.* (고대 게르만 사람의) 군가.
bardiza *f.* 《*Murc.*》 갈대 울타리.
bardo *m.* ① (본래는 고대 켈트 민족의) 시인. ② (일반적으로) 시인. [Sinón.] vate.
bardoma *f.* 《*Ar.*》 진흙, 흙탕, 더러움, 불결함 (suciedad, porquería).
bardomera *f.* 《*Mur.*》 =**broza de los ríos.**
baremo *m.* 가격 조견표.
bareque *m.* 《*Col.*》 =**bajareque.**
barés *m.* [*fr.* barège] 가벼운 양모천(tela de lana ligera).
bargueño *m.* 장식 선반(vargueño).
bargueño, ña *adj.m.f.* 바르가스《Bargas, Toledo주의 소도시》의 (사람).
barí *adj.* 《*And.*》 희한한, 멋진(excelente) : granada ～.
baría *f.* 【식물】 바리아 《쿠바의 목축용》.
baribál *m.* 【동물】 (아메리카의) 흑곰.
baricéntrico, ca *adj.* 중심(重心)(centro de gravedad)의.
baricentro *m.* 중심(重心)(centro de gravedad).
baril *adj.* 《*And.*》 =**barí, excelente.**
Bariloche 【지명】 바릴로체《Argentina의 Río Negro 주 · 수도》.
barimba *f.* 《*Col.*》 바림바 《활 모양의 악기》.
barimetría *f.* 중량의 단위.
barimétrico, ca *adj.* barimetría의.
barín *m. ruso.* =**señor, hidalgo.**
bario *m.* 【화학】 바륨 《금속 원소》.
barisfera *f.* 【지질】 지각(núcleo del globo terrestre).
barita *f.* 【화학】 중정석(重晶石), 중토 산화 바륨.
baritel *m.* 녹로식의 양수기.
barítico, ca *adj.* barita를 포함한.
baritífero, ra *adj.* 중정석(barita)을 함유한.
baritina *f.* 천연 황산 바륨.
barítono *m.* ① 【음악】 바리톤. ② 바리톤 가수. ③ 상저음 관악기(上低音管樂器).
barjoleta *f.* 【고어】 =**barjuleta.** —*adj.m.f.* 《*Méx.*》 =**tonto, mentecato.**
barjuleta *f.* 등짐 자루.
barleta *f.* 《*Arg.*》 품질이 좋은 밀.
barloa *f.* 【해사】 배를 매는 닻줄.
barloar *tr.* (배를) 대다(abarloar).
—*intr.*, ～**se** 정박하다.
barloventear *intr.* ① (배가) 바람부는 대로 나아가다. ② 방랑하다.
barlovento *m.* 바람부는 쪽 : ganar el ～ 바람부는 쪽으로 나가다. por ～ 바람부는 쪽에. [Contr.] sotavento.
barmaid *f. ing.* 술집의 여급.
barman *m. ing.* 술집 종업원.
Bar[mé] Bartolomé.
Barna. Barcelona.
barnabita *m.* 성 빠블로 교단의 수업자(修業者) 《1533년 Milán의 San Bernabé 사원에서 시작됨》.
barnacla *m.* ① 조개삿갓 《패류》. ② 【조류】 (북구의) 바다오리.
barniz *m.* ① 옻, 칠, 와니스, 유약(釉藥). ② 광택성 · 지방성 도료 (연필심의 빛깔 따위). ③ 미안료. ④ 얇은 막, 엷은 가죽. ⑤ 인쇄 잉크.
～ ***del Japón*** 【식물】 옻나무 (ailanto, árbol del cielo).

barnizada *f.* 《*Chile.*》 =**barnizadura.**
barnizado, da *adj.* 옻칠하는, 도장하는. —*m.* 옻칠·와니스를 칠하기.
barnizador, ra *adj.m.f.* barniz를 칠한 (사람).
barnizadura *f.* 옻칠하기, 와니스 칠하기(barnizado).
barnizar *tr.* 9 (…에) 옻·와니스·유약·광택칠를 하다, 도장(塗裝)하다 : un lápiz *barnizado de* verde 녹색 광택제를 칠한 연필.
bárnum *m.* 지방 순회 공연단의 흥행주.
barocéntrico, ca *adj.* =**paricéntrico.**
baroco *m.* 삼단 논법을 꾀하는 기억술 용어.
barógrafo *m.* 자동 기압계(自動氣壓計), 자기 청우계, 자동 고도계(自動高度計).
baroisóbara *f.* =**isalóbara.**
barología *f.* 중력론(重力論).
barometría *f.* 기압 측정법.
barométrico, ca *adj.* 청우계의, 기압계의 : escala ~*ca.*
barómetro *m.* ① 청우계, 기압계 : ~ de mercurio 수은 기압계. ~ magistral 표준 기압계. ~ registrador 자기 기압계. ②【상업】 지표(指標) : ~ comercial 경기 지표. ~*s* económicos 경제 지표.
barometrógrafo *m.* 자기 청우계(自記晴雨計).
barón *m.* 남작(男爵).
baronesa *f.* 남작 부인.
baronet *m.* 영국의 준남작.
baronete *m.* =**baronet.**
baronía *f.* 남작 직위 ; 남작령(男爵領).
baroscopio *m.* 기압계.
barotermógrafo *m.* 자동 기입식 기압계·기온계.
barotermómetro *m.* 자동 기입식 기압 측정기.
baroto *m.* (필리핀의) 거룻배.
barquear *tr. intr.* 배로 건너다 : ~ un río.
barquero, ra *m.f.* 뱃사공. —*m.* 물빈대.
barqueta *f.* [*dim.* barca, barco] 거룻배.
barquete *m.* =**barqueta.**
barquía *f.* 작은 배, 고깃배.
barquichuela *f. dim.* barca.
barquichuelo *m.* [*dim.* barco] 거룻배.
barquilla *f.* ① 과자의 판박이·틀. ② (기구의) 곤도라. ③ (배의) 측정기(測定器).
barquillero, ra *m.f.* 두루말이 구운 과자 만드는 사람·상인. —*m.* 두루말이 구운 과자의 틀·본.
barquillo *m.* ① 두루말이 군과자. ② 거룻배.
barquín *m.* (대장간의) 커다란 풀무.
barquinazo *m.* 차가 크게 흔들림 ; 차의 전복(轉覆).
barquinera *f.* =**barquín.**
barquino *m.* (술이나 기름을 넣는) 가죽 부대·자루(odre).
barra *f.* ① 몽둥이, 막대기 : ~ de hierro 철봉. ~ de lacre 밀랍봉. ~ de turrón 과자 막대기. ② 지렛대(palanca). ③ (금은 등의) 연봉(延棒). ④ 작대기 던지기 놀이·경기, 그 작대기 ; 체조용 작대기 : ~ fija 철봉. ~*s* paralelas 평행봉. ⑤ 줄무늬. ⑥ (직물의) 줄처럼 난 흠. ⑦ (문장의) 작대기 줄무늬. ⑧ (악보의) 소절 분선. ⑨ (법정 같은 데의) 칸막이 : llevar a la ~ 법정에 출두시키다. ⑩ (강어귀의) 얕은 여울(banco). ⑪ 《*Amér.*》 칼 《형구》. ⑫ 《*AmérM.*》 [집합] 방청인. ⑬ 강어귀, 강구(江口), 하구(河口)(desembocadura). ⑭ 《*Arg.*》 불량배 패거리, 망나니 무리, 막된 무리. ⑮ 장벽 : ~*s* arancelarias 관세 장벽.
de ~ a ~ 끝에서 끝까지.
sin parar·mirar reparar·tropezar en ~s 아랑곳하지 않고, 얽매이지 않고.
tirar la ~ 도매로 팔다(vender al mayor precio).
barrabás *m.* [*pl.* barrabases] 망나니, 못된 인간(persona perversa).
barrabasada *f.* 난폭, 못된 짓, 망나니 노릇 : hacer una ~.
barraca *f.* ① 움집, 바라크(caseta tosca) : ~ de tablas. ② 지중해 연안 지방 경작 지대의 농가 건축 《지붕을 짚으로 이었고 급경사진 것이 특징》. ③ 《*Amér.*》 헛간, 창고 : ~ de maderas. ④ 《*Ecuad.*》 (시장의) 노점(puesto).
barraco *m.* 【동물】 돼지(verraco, cerdo, puerco, cochino).
barracón *m.* [*aum.* barraca] 크기만 하고 허름하게 지은 바라크.
barracuda *f.* =**baracuda.**
barrado, da *adj.* [barrar의 *p.p.*] 줄무늬가 진, 줄무늬가 있는 (직물).
barragán *m.* ① 방수 우비. ② 비옷, 우의(雨衣), 비외투. ③【방언】 독신 남자. ④ 《*Méx.*》 =**enaguas de jerga.**
barragana *f.* 첩, 내연의 처(concubina).
barraganería *f.* 불의 (concubinato, amancebamiento).
barraganete *m.* (선박의) 늑재의 마지막 높은 조각.
barrajar *tr.* 《*Arg. Méx.*》 밀쳐 굴러가게 하다 (abarajar) : ~ a uno contra el suelo. —*intr.*, ~**se** 《*Méx.*》 황급히 뛰쳐나오다.
barral *m.* 《*Ar.*》 =**redoma de una arroba.**
barranca *f.* =**barranco.**
barrancal *m.* 벼랑으로 이어짐, 벼랑이 있는 곳.
barranco *m.* ① 벼랑, 단애(斷崖). ② 협곡. ③ 땅의 갈라진 금. ④ 어려움, 곤란. ⑤ 고장(故障).
barrancón *m.* =**arroyada.**
barrancoso, sa *adj.* 벼랑뿐인, 험준한, 가파른 : terreno ~ 가파른 땅.
barraní *adj.* ① =**exterior.** ② (모로코에서) = **forastero.**
barranquear *tr.* (재목을) 떠내려 보내다.
barranquera *f.* 벼랑, 낭떠러지, 단애(斷崖) ; 협곡(barranco).
barraque *m. a traque ~* 항상, 늘, 언제나.
barraquero, ra *adj.* barranca의. —*m.f.* ① barraca를 짓는 목공. ② 《*Amér.*》 헛간·창고 주인.
barrar *tr.* ① (…에) 진흙을 바르다. ② 방재(防材)로 메우다(barrear).
barrazo *m.* barra로 때리기.
barreal *m.* 《*Amér.*》 진흙땅(barrizal).
barrear *tr.* ① 방재로 막다. ② (…에) 나무틀을 끼우다. ③ (글자를 지우기 위해) 작대기를 긋다. ④ 《*Venez.*》 앞발을 묶다. —*intr.* (찌른 창이) 미끄러지다.

~se (멧돼지가) 진흙으로 목욕하다.

barreda *f.* ① 흙을 파내는 곳, 채토장 (barrera). ② (철로 옆·투우장 등의) 말뚝 울타리, 나무 방책(barrera).

barredera *f.* (대도시의) 거리의 청소기.

barredero, ra *adj.* 바닥을 쓸어가는 : red *~ra* 저인망(底引網). barco ~ 트롤선. *—m.* (빵 굽는 가마의 바닥을 쓰는) 비.

barredor, ra *adj.* 쓰는, 청소하는. *—m.f.* 청소부.

barreduela *f.* 《*And.*》 =**plazoleta.**

barredura *f.* 청소. *—pl.* 먼지 ; 쓰레기통 ; 말똥 ; 땅에 떨어진 오물.

barrejobo *m.* 《*Cuba.*》 청소 ; 장애물 치우기.

berreminas *m.* 【단·복수 동형】 소해정(掃海艇).

barrena *f.* ① 송곳, 나사 송곳. ② 드릴, 천공기(穿孔器) : ~ de mano 수동식 드릴.

entrar en ~ 비행기가 곤두박질하듯 떨어지기 시작하다.

barrenado, da *adj.* 미친, 정신 나간, 실성한(lunático, maniático).

barrenador *m.* =**barrenero.**

barrenamiento *m.* 구멍 뚫기; 훼방; 침해.

barrenar *tr.* ① (송곳이나 드릴로) 구멍을 뚫다 : ~ una roca. ② 배에 구멍을 뚫다 : ~ un navío. ③ 훼방을 놓다 : Le *barrenó* su empresa. ④ (법령을) 무시하다, 침해하다.

barrendero, ra *m.f.* 청소부.

barrenero *m.* 석수, 드릴공.

barrenillo *m.* ① (갖가지의) 하늘소벌레의 유충. ② 하늘소벌레의 유충으로 생긴 병. ③ 《*Cuba.*》 =**capricho.**

barreno *m.* ① 착암기. ② 송곳 구멍. ③ 발파 구멍. ④ 《*Chile. Méx.*》 열심, 골몰(manía).

dar ~ (침몰시키기 위해) 배 밑바닥에 구멍을 뚫다.

llevar el ~ a uno 《*Méx.*》 (누구의) 비위를 맞추다 ; 하자는 대로 하다.

barreña *f.* 설겆이 그릇 ; 그릇.

barreño *m.* =**barreña.**

barrer *tr.* ① (먼지나 쓰레기를) 비로 치우다·쓸다(limpiar). ② 소사(掃射)하다.

~se 《*Méx.*》 말이 도망치다(dar una huida el caballo).

~ *de gente* 밀담을 하기 위해 삼자를 보내다.

~ *hacia adentro* 꿍심을 가지고 덤비다, 관심이 있는 것처럼 행동하다(portarse de un modo interesado).

al ~ 차별없이, 무차별하게 (sin distinción).

barrera *f.* ① 울, 나무 울타리, 바리케이트 : Los pasos a nivel, en los ferrocarriles, están cerrados con *~s*. ② 방벽, 요해 ; 장벽 : ~ aduanal·aduanera 관세 장벽. *~s* comerciales 무역 장벽·장애. ③ 고령토 채굴장 ; 찬장 선반.

~ *de golpe* 철도 건널목의 자동 차단기.

barrero *m.* ① 도공(陶工)(alfarero). ② 진흙을 캐는 곳. ③ 수렁(barrizal). ④ 《*AmérM.*》 (가축이 염분을 얻고자 핥는) 초석(硝石)을 함유한 흙. ⑤ 《*Riopl.*》 소금기가 있는 땅.

barreta *f.* [*dim.* barra] ① 작은 지레. ② 구두의 밑창 가죽. ③ 조그마한 쇠뭉치 : ~ de mina (광부·석수들이 쓰는) 끌. ④ 《*Méx.*》 석수의 끝이 뾰족한 망치.

barrete *m.* ① (15세기의) 철모. ② (중세의) 옷.

barretear *tr.* ① (…에) 쇠틀·나무틀을 끼우다 : ~ un baúl. ② 《*Amér.*》 지레로 움직이다. ③ 《*Amér.*》 barreta로 세공하다.

barretero *m.* 【광산】 광부.

barretina *f.* 두건, 까딸루냐의 모자 : La ~ es una especie de gorro frigio.

barretón *m.* 《*Col.*》 =**pico o piqueta del minero.**

barriada *f.* =**barrio.**

barrial *adj.* 《*Méx.*》 모래땅의. *—m.* 《*Amér.*》 진흙땅.

barrica *f.* 큰 통(tonel grande) : una ~ de vino 큰 포도주통.

barricada *f.* 바리케이트, 방책(防柵) ; 장해(물).

barrida *f.* 《*AmérM.*》 =**barrido.**

barrido, da *adj.* barrer의 *p.p.* *—m.* 청소 ; 먼지 ; 말똥 ; 떨어진 쓰레기.

barriga *f.* ① 복부, 배(vientre) : dolor de ~ 복통. ② 배처럼 불쑥 나온 곳. ③ =**comba.**

tener ~ de músico 《*AmérC. Méx.*》 대식가이다.

barrigón, na *adj.* =**barrigudo.**

barrigudo, da *adj.* 배가 불룩한, 배가 나온. *—m.f.* 《*Ant.*》 어린이.

barriguera *f.* (말의) 배대끈.

barril *m.* ① (포도주·액체용) 나무통. ② 물항아리. ③ 《*Amér.*》 연, 지연, 종이연. ④ 《*And.*》 =**frasco, bote.**

comer de ~ 《*Col.*》 변변치 못한 음식을 먹다 ; 공동으로 식사하다.

barrila *f.* 《*Sant.*》 =**botija, vasija de barro.**

barrilaje *m.* 《*Méx.*》 =**barrilamen.**

barrilamen *m.* [집합] 통(barrilería).

barrilejo *m.* *dim.* barril.

barrilería *f.* ① [집합] 통. ② 통 제작소. ③ 통 판매소.

barrilero *m.* 통 만드는 사람 ; 통장수.

barrilete *m.* [*dim.* barril] ① 작은 통. ② (목수가 널빤지를 고정시키는) 쐐기. ③ 바닷게의 일종. ④ 종이연. ⑤ 권총의 탄창. ⑥ 《*Arg. Bol.*》 바람기 있는 여자(~ sin cola). ⑦ 《*Méx.*》 남의 사무실에 근무하는 변호사.

barrilla *f.* ① 【식물】 수송나물 ; 뚱뚱마디 ; 그 재(灰)(almarjo). ② 《*AmérM.*》 천연동(cobre nativo).

barrillar *m.* 수송나물의 풀섶 ; 이것을 태우는 곳.

barrillero, ra *adj.* =**salsoláceo.**

barrillo *m.* =**barro.**

barrio *m.* ① (도시의) 구(區) ; 시내 : en este ~ 이 거리 안에. ② 교외구(郊外區) (arrabal) : el ~ de Triana en Sevilla.

el otro ~ 저승, 저 세상(el otro mundo).

barriscar *tr.* 《*Ar.*》 도매를 팔다(vender a bulto).

barrisco *adv.* 구별없이, 이것저것 한데 섞어, 뒤범벅으로(abarrisco).

barrisquear *tr.* 《*And.*》 거칠게 청소하다.

barrista *m.* =**gimnasta.**

barrita *f.* [*dim.* barra] 회초리 : ~ para soldar

용접봉(溶接棒).

barritar *intr.* 코끼리가 울다(berrear el elefante).

barrizal *f.* 진흙탕, 수렁 : El carro se atascó en un ～.

barro *m.* ① 진흙, 수렁 : calles llenas de ～. ② 도토(陶土) : ～ blanco 테라코타. ③ 물항아리. ④ 변변찮은 것. ⑤《*Arg. Urug.*》착오. —*pl.* 여드름(granillo).

tener ～ a mano 많은 돈을 가지다 (tener dinero sin tasa).

vender por ～ y tierra《*Col.*》염가 판매하다.

barroco, ca *adj.* ① 바로크식《16세기 이탈리아에서 시작되어 17·18세기의 전 유럽에 유행된 곡선이 많은 허식적인 건축 장식》의. ② 허식적인, 장식이 지나친. ③ 엉뚱한, 유별난(extravagante).

barrocho *m.* 바루슈형 마차《포장이 달린 4인승 사륜 쌍두 마차》.

barrón *m.*【식물】나무 이름.

barroquismo *m.* ① 허식, 과잉 장식. ② 유별남.

barroso, sa *adj.* ① 진흙·수렁·흙탕의 : terreno ～. ② 갈색을 띤 오렌지 빛깔의. ③《*Arg. Perú.*》회색의. ④ 여드름투성이의.

—*m.*【은어】항아리, 병.

barrote *m.* 굵은 막대기 ; 문단속용 쇠막대 ; 받침대 : ～*s* de hierro.

barrueco *m.* (모양이 고르지 못한) 못쓸 진주.

barrullo *m.*《*Ecuad.*》=**barullo.**

barrumbada *f.* ① 큰소리, 허풍. ② 초과 낭비. ③《*Amér.*》=**barbaridad.**

barruntador, ra *adj.m.f.* 예지하는 (사람), 선견지명이 있는 (사람).

barruntamiento *m.* =**barrunto.**

barruntar *tr.* 미리 알다, 앞일을 내다보다, 예지하다(prever) : *Barrunto* que me va a dar un sablazo Fulano.

barrunte *m.* =**barrunto.**

barrunto *m.* 징조, 조짐 ; 짐작.

bartola (a la) *adv.* 조심성없이, 주의하지 않고 (sin ningún cuidado) : tumbarse *a la* ～ 조심성 없이 눕다.

bartolear *intr.*《*Méx. Chile.*》=**haraganear.**

bartolillo *m.* 고기 만두.

bartolina *f.*《*AmérC. Méx.*》토굴, 지하 감옥 (calabozo).

Bartolo *m.* [*hip.* Bartolomé] ①【인명】바르똘로. ② 얼간이 : Acertólo ～ 그 얼간이가 그래도 잘해냈다.

Bartolomé *m.*【인명】바르똘로메.

San ～ 성 바르똘로메《그리스도의 12사도 가운데 한 사람 ; 축일 8월 24일》.

estar hecho un San ～ 온몸이 온통 벌겋게 벗겨져 상처투성이다.

bartular *intr.* =**bartulear.**

bartulear *intr.*《*Chile.*》골똘히 생각하다.

bartuleo *m.*《*Chile.*》골똘이 생각함.

bártulos *m.pl.* 갖가지 연장.

liar los ～ (이사·여행을 위해) 치우다, 챙기다.

preparar los ～ 준비하다.

barú *m.*【식물】(필리핀산) 설탕 야자.

Baruc *m.*【성서】구약 성서에 나오는 대 예언자 가운데 한 사람.

baruca *f.* 은근히 숨어서 놓는 훼방.

barulento, ta *adj.*《*Arg. Urug.*》말썽꾼의.

barullero, ra *adj.* 혼란한, 시끄러운 —*m.f.* = **enredador, embustero.**

barullo *m.* 혼란, 혼잡, 난잡, 변잡 (ruido, confusión, desorden).

barza *f.* ①《*Ar.*》=**zarza.** ②《*Amér.*》= **maleza.**

barzal *m.* 가시투성이인 곳.

barzón *m.* ① 어슬렁거림(paseo ocioso) : dar·hacer ～*es* 어슬렁거리다. ② 소를 쟁기에 연결하는 금속 고리.

barzonear *intr.* 쏘다니다, 정처없이 걷다 (pasearse sin destino fijo).

basa *f.* ①【건축】주춧돌, 초석, 기반(base). ② 근본, 기본, 기초, 기원, 시작(principio). ③ (기둥의) 고임돌. ④ (동상 따위의) 대좌(臺座).

basada *f.* (건조중·진수 때 선체를 받치는) 진수가(進水架).

basado, da *adj.* 근거가 있는, 기초가 있는.

basal *adj.* 기저·기부(基部)의 ; 기지의.

basáltico, ca *adj.* 현무암의, 현무암 같은 : roca ～*ca.*

basaltita *f.* =**labradorita.**

basalto *m.*【광물】현무암《건축 자재용》: Los órganos de los gigantes que se ven en algunas comarcas son columnas naturales de ～.

basamento *m.*【건축】주각(柱脚)《대좌와 초석》.

basanita *f.*【광물】현무암(basalto).

basar *tr.* ①…기초·근거를 두다. ② 고정시켜 놓다 : ～ un edificio sobre la roca. ③ 의지해 놓다(apoyar). ④ 세우다(fundar).

～se 근거를 두다.

basáride *f.*【동물】(멕시코산) 팬더 : La ～ tiene en la cola ocho anillos negros.

basca *f.* [주로 *pl.*] ① 메스꺼움, 울렁거림 (náusea) : dar ～*s* 속이 울렁거리다, 구토증을 느끼다. ② 마음에 집힘, 착상. ③ =**fatiga.**

bascosidad *f.* ① 더러움, 추잡스러움(suciedad). ②《*Ecuad.*》야비한 말(palabra soez).

bascoso, sa *adj.* ① 메스꺼운. ② 더러운(sucio).

báscula *f.* ① 앉은뱅이 저울. ② 조교(吊橋)를 올리는 기계.

bascular[1] *adj.* báscula의.

bascular[2] *intr.* =**caer.**

bascuñana *f.* =**trigo fanfarrón.**

base *f.* [*lat.* basis] ① 기초, 토대, 바닥, 기부(基部) : ～ de un edificio. ② 바탕, 근본, 터전, 기본, 밑받침, 기반 : La justicia es la ～ de un Estado 정의는 국가의 기본이다. ③ 근거 ; 원리. ④ 받침돌, 주추, 대좌(basa). ⑤【수학】기선(基線), 기수(基數) ; 밑변, 밑면. ⑥【화학】염기, 유기 염기. ⑦【군사】기지, 근거지 : ～ aérea 항공·공군 기지. ～ de aviación 항공 기지, 항공 센터. ～ de operaciones 작전 근거지. ～ militar 군사 기지. ～ naval 해군 기지. ⑧【측량】기선(基線). ⑨【의학】기제(基劑), 주제(主劑). Contr. vértice.

～ *de avalúo* 과세 표준, 평가 기준.

～ *de depreciación* 감가 상각 기준.

~ *de integración* 통합 기준.
~ *imponible · impositiva · de(l) impuesto · de tributación* 과세 기준.
a ~ de …를 기초 · 근거로 하여.

baseball *m.ing.* 야구(pelota base). [*N.* 발음 : bésbol].

basebol *m.* 야구.

basebolero, ra *adj.* 《*Cuba.*》 야구의. —*m.* 야구 선수.

basicidad *f.* 【화학】 염기도(鹽基度). Contr. acidez.

básico, ca *adj.* ① 기본적인, 근본적인, 기초적인 (fundamental) : sueldo ~ . ② 【화학】 염기성의, 알카리성의. Contr. ácido. ③ 【지질】 기성(基性)의.

basidio *m.* 【식물】 (버섯의) 담자균류(擔子菌類).

basificación *f.* 【화학】 염기화.

basificar *tr.* 7 【화학】 염기화하다.

básig *m.* (필리핀의) 사탕수수로 빚은 소주.

basilar *adj.* 기부(基部)의, 기본이 되는, 기초의.

basilea *f.* 【은어】 =**horca.**

basileense *adj.m.f.* =**basiliense.**

basilense *adj.m.f.* =**basiliense.**

basílica *f.* ① 왕궁(palacio real). ② (고대 로마에서 재판이나 집회에 사용한) 회당. ③ 대교회당, 대본당. ④ 훌륭한 전당.

basilical *adj.* 바실리카 회당의 ; 대교회의.

basilicón *m.* 연고.

basiliense *adj.m.f.* 바실레아 《Basilea, 스위스의 도시》의 (사람).

basilio, lia *adj.m.f.* 성 바실리오(San Basilio)의 승려(의).

basilisco *m.* ① 전설상의 괴사(怪蛇) 《한번 노리거나 입김을 쐼으로써 사람을 죽였다함》. ② 【동물】 도마뱀의 일종 《열대 아메리카산》. ③ (뱀무늬 있는) 옛날 대포.
hecho un ~ 화가 잔뜩 나서(muy colérico).

basket-ball *m. ing.* 농구(básquetbol).

basna *f.* 《*Sant.*》 운반 수레(narria)의 일종.

basquear *intr.* 속이 메슥거리다 : Este guisado hace ~ 이 요리는 속을 메스껍게 한다. —*tr.* 메스껍게 하다.

básquetbol *m.* 【운동】 농구.

basquilla *f.* 가축의 병.

basquiña *f.* 스커트(falda).

basset *m.* 바셀 《다리가 짧은 개; 사냥에서 추적용으로 적당함》.

basta *f.* ① 시침실. ② (솜이 안 나오게) 이불의 호창 시침. ③ 《*And.*》 =**dobladillo.**

bastaje *m.* 인부, 일꾼(ganapán).

bastamente *adv.* 대강대강 ; 조잡하게.

bastante *adj.* 상당한, 충분한(suficiente) : Las razones son ~*s para* ello 그렇게 하는데 이유는 충분하다. —*adv.* ① 많지도 적지도 않게 (ni mucho ni poco), 필요한 것 이상도 이하도 (… 아니다) (ni más ni menos de lo necesario) : tener comida ~ . Contr. escaso. ② 상당히, 충분하게 (no poco) : Tardará ~ en volver 그는 돌아올려면 시간이 상당히 걸릴 것이다. ③ lo를 앞에 두는 수도 있음 : Son (lo) ~ ricos 그들은 상당한 부자다.

bastantear *tr.* (어떤 일의) 유효성을 승인하다 ; 충분하다고 보다.

bastantemente *adv.* =**bastante.**

bastanteo *m.* 유효 증명(서).

bastantero *m.* 유효성을 인정하는 변호사.

bastar[1] *intr.* [*lat.* bastare] ① 충분하다, … 으로 족하다 : Con lo hecho *basta* 실행만으로 족하다. *Basta de* bulla 소란 피우는 것은 이제 충분해. ② 만족하다(satisfacer). ③ 【고어】(필요한 것을) 공급하다(suministrar). Contr. faltar.
~se 도움이 필요없다 (no necesitar ayuda).
¡ Basta! 이제 그만 !, 이제 됐다 !

bastar[2] *tr.* 【고어】《*Venez.*》(… 에) 시침질하다 (bastear, echar bastas).

bastarda *f.* 중간물 ; 옛날의 대포.

bastardeamiento *m.* 퇴화(degeneración).

bastardear *intr.* ① 퇴화하다 : Los árboles frutales *bastardean* si no se cultivan. ② 본성에 어긋나다 : ~ de sus antepasados. —*tr.* 【속어】 ① 퇴화시키다 : ~ una raza. ② 더러워지다.

bastardelo *m.* 공정 증서의 원본.

bastardeo *m.* 【속어】 =**bastardeamiento.**

bastardía *f.* ① 사생아, 서자. ② 체통 깍이는 언행 : cometer una ~ .

bastardilla *f.* 피리의 일종.

bastardillo, lla *adj.* 사체 · 이탤릭의. —*f.* 사자체 활자(斜字體活字).

bastardo, da *adj.* ① 퇴화한 : planta ~*da.* ② 사생아의, 서자(庶子)의 : hijo ~ , hermano ~. Contr. legítimo. ③ 【식물】 진짜가 아닌, 가짜의, 비슷한 : arquitectura ~*da* 비슷한 건축. ④ 천박한, 비열한 : una acción ~*da.* —*m.f.* 사생아, 서자. —*m.* 【동물】 왕뱀, 보아(boa).

baste *m.* ① 시침 ; 시침실(hilván). ② (안장의) 안받침(almohadillado). ③ 【은어】 손가락(dedo).

bastear *tr.* (… 의) 시침질을 하다 : ~ una tela 천에 시침질을 하다.

bastedad *f.* ① 《*Amér.*》 거칠고 엉성함, 조잡 (basteza). ② 《*AmérC.*》 풍부.

basterna *f.* 가마용 마차.

bastetano, na *adjm.f.* 바스떼따니아 《Bastetania, 옛 서반아의 지방 ; 현재의 Jaén, Granada, Albacete, Murcia, 및 Almería주에 해당함》의 (사람).

basteza *f.* 조잡함 ; 난잡함 ; 덜렁거림.

bastezano, na *adj.m.f.* 바스띠 《Basti, 서반아의 옛 도시; 현재의 Granada 주의 Baza 지방》의 (사람).

bastida *f.* (고대의) 전차(戰車).

bastidor *m.* ① 테, 틀 ; (방문 · 창문의) 틀 ; 수틀. ② 캠퍼스. ③ 무대의 배경화. ④ 테를 둘러 짜기. ⑤ (차량 등의) 기초가 되는 틀(armazón). ⑥ 차체(車體). ⑦ 《*Col. Chile.*》 격자창(celosía). ⑧ 《*Cuba.*》 금속 격자 · 그물.
entre ~es 살짝, 살그머니, 몰래.

bastilla *f.* ① (천의) 테두리. ② (풀어지지 않게) 단을 휘감침.

bastillado, da *adj.* (천에) 테두리된.

bastillar *tr.* (천에) 테두리를 하다.

bastimentar *tr.* (군대 · 선박 · 도시에) 식량을 공급하다.

bastimento *m.* ① 양식(糧食). ② 【고어】 선박, 배(embarcación).

bastión *m.* 【축성】 능보(稜堡)(baluarte).
bastionado, da *adj.* 능보가 있는.
bastitano, na *adj.* ① =**bastezano. bastetano.**
basto, ta *adj.* ① 성긴 : tela *basta.* ② 끝손질이 덜 된, 완전히 닦아 놓지 못한. ③ 조잡한, 거친, 투박스러운 (rústico, grosero) : mujer *basta.* Contr. pulido. —*m.* ① 길마. ② 곤봉 《서반아식 카드에 나오는 표의 하나》. ③ 《*Amér.*》 안장 깔개.
bastón *m.* ① 막대기, 나무 토막. ② 단장; 지팡이. ③ 지배권, 권력 : empuñar el ~ 지배권을 장악하다.
dar ~ 포도주의 원액을 작대기로 젓다.
meter el ~ 중재하다.
bastonada *f.* =**bastonazo.**
bastonazo *m.* 지팡이(bastón)로 구타.
bastoncillo *m.* [*dim.* bastón] 조그마한 막대기.
bastonear *tr.* 지팡이·막대기로 때리다; 막대기로 휘젓다.
bastoneo *m.* 지팡이·막대기로 톡톡 때리기.
bastonera *f.* (현관 등에 놓는) 우산·단장을 세워 두는 통.
bastonería *f.* 지팡이 가게.
bastonero *m.* ① 지팡이 만드는 사람. ② (무용의) 지휘자. ③ 전옥보(典獄補).
bastos *m.pl.* (bastón형의) 서반아 카드패의 4개의 palos 중의 하나.
basura *f.* ① 쓰레기, 오물, 먼지. ② (거리의) 말똥.
basural *m.* 《*Amér.*》 쓰레기통, 쓰레기 버리는 곳.
basurear *tr.* 《*Arg. Urug.*》 싸움에서 이기다; 죽이다; 굴리다; 던지다, 버리다.
basurero, ra *m.f.* ① 쓰레기 청소부. —*m.* 쓰레기통, 쓰레기 버리는 곳.
basuriento, ta *adj.* 《*Chile.*》 더러운, 지저분한, 불결한.
basurita *f.* [*dim.* basura] 《*Amér.*》 팁, 심부름값. —*adv.* 조금 더.
bat. batallón.
bata *f.* ① (집에 있을 때 입는) 헐겁고 긴 웃옷, 가운. ② 실내복. ③ 작업복. ④ (실험실 같은 데서 입는) 흰옷. ⑤ 《*Chile.*》 방망이. ⑥ 【은어】 첩 (manceba). —*m.* ① (필리핀의) 인디오·혼혈아 (mestizo). ② 원주민 하인, 머슴.
batacazo *m.* ① 쾅당(하고 사람이 떨어졌을 때의 소리). ② 실패(fracaso, mal éxito).
batahola *f.* 우당탕, 소동(ruido).
batajolear *intr.* 《*Col.*》 싸우다; 장난치다.
batalla *f.* ① 전투, 싸움; (일반적으로) 전쟁 : ~ campal 야전. ~ de flores 꽃싸움. ~ naval 해전. ② 투쟁; 시합. ③ 전투 대형 : en ~ 산개대형(散開隊形)으로. formar la ~ 전투 대형을 만들다. ④ 전쟁화(戰爭畫). ⑤ 안장. ⑥ (사륜마차에서) 굴대 사이의 거리. ⑦ (기계가) 서로 충격을 줌. ⑧ (대패질하는) 대(臺). ⑨ 동요, 불안.
de ~ 일상의, 평상시의(de uso diario) : traje *de* ~.
dar ~ 싸움을 걸다, 도전하다(dar guerra).
perder ~ 패전하다.
batallador, ra *adj.* 맹렬히 싸우는. —*m.* 검객 : el rey don Alonso el *B*-.
batallar *intr.* ① 싸우다 : ~ *con·contra* el enemigo 적과 싸우다. ~ *con·contra* la enfermedad 병마와 싸우다. ② 논쟁하다 (disputar) : ~ por pequeñeces 사소한 것으로 논쟁하다. ③ 동요하다 (fluctrar). ④ =**esgrimir.**
batallero, ra *adj.* 《*Méx.*》 침착성이 없는, 덜렁대는(bullebulle).
batallola *f.* =**batayola.**
batallón, na *adj.* 격렬한 논쟁이 벌어진 : asunto ~ —*m.* 보병 대대; (옛날의) 기병 중대.
batán *m.* ① (직물의) 축융기(縮絨機), 표포기(漂布機). ② 《*Perú.*》 옥수수 빻은 돌.
batanadura *f.* 옷감을 바램.
batanar *tr.* ① (옷감을) 바래다(abatanar). ② 사정없이 때리다(moler a golpes).
batanear *tr.* 마구 때리다, 여기저기 쥐어박다 (sacudir golpes).
batanero *m.* 표포공(漂布工).
batanga *f.* 【선박】 =**flotador lateral.**
bataola *f.* 야단법석; 난리(batahola).
batará *adj.* 《*Arg.*》 벽옥 색깔(color jaspeado).
batarás *m.* 《*Arg.*》 10페소 지폐; 흑백 얼룩닭.
batata *f.* ① 【식물】 고구마. ② 고구마 뿌리. ③ 《*Arg.*》 수치, 수줍음(vergüenza). ④ 거짓말(mentira).
batatal *m.* 고구마밭.
batatar *m.* 고구마밭.
batatazo ① 《*Arg. Chile.*》 (경마에서) 큰 손해 : dar ~ 큰 손해를 보다. ② 머리를 치기·때리기 (chiripa).
batatero, ra *m.f.* 고구마 장수.
batatilla *f.* 【식물】 (아메리카의) 메꽃.
batatín *m.* 작은 고구마.
batávico, ca *adj.* *lágrima* ~*ca* 유리 방울.
bátavo, va *adj.* =**holandés.**
batayola *f.* ① (범선의) 난간. ② 선원의 해먹을 넣어두는 상자.
batazo *m.* bate로 때리기.
bate *m.* 《*Amér.*》 (야구·탁구·크리켓 따위의) 배트, 라켓.
batea *f.* ① 쟁반, 나무통. ② (상자 형태의) 작은 배. ③ 무개차(無蓋車). ④ 《*Amér.*》 빨래통.
bateador, ra *m.f.* (야구의) 타자.
batear *f.* 《*Amér.*》 (공을) 배트·라켓·막대기로 치다.
batehuela *f.* *dim.* batea.
batel *m.* 보트. —*pl.* 【은어】 도적떼.
batelada *f.* 보트가 싣는 짐.
batelejo *m.* *dim.* batel.
batelero, ra *m.f.* 보트를 젓는 사람, 뱃사공 (borquero, botero).
batelón *m.* 《*AmérM.*》 작은 배, 통통배, 거룻배.
bateo *m.* 【속어】 세례식; 베팅.
batería *f.* ① 포병 중대, 포열, 포병 진지, 포대; (군함의) 비포(備砲), 포곽(砲郭); (함상의) 포대 : ~ flotante 수상 포대. ~ de barbeta 노포대(露砲臺). ② 포격. ③ 한 벌의 기구 : ~ de cocina 부엌 도구. ④ 【전기】 전지, 배터리, 건전지 : ~ eléctrica 전지. ~ de pilas 1차 전지. ~ solar 태양 전지. ⑤ 무대의 조명 장치. ⑥ 악

단의 타악기군(群). ⑦ 감동적인 것. ⑧ 몹시 까다로운 일. ⑨ 구타. —*m.f.* 타악기 연주자 : el ~ de la orquesta.
en ~ 병렬로 ; 비스듬히.
aparcar en ~ 자동차를 인도에 비스듬히 주차시키다.

batero, ra *m.f.* 가운 · 실내복(bata) 제조자.
batey *m.* 《*Cuba.*》 제당 부락(製糖部落), 제당장(製糖場).
batiboleo *m.* 《*Méx.*》 소란, 소동.
batiborrillo *m.* 뒤범벅, 뒤섞음.
batiburrillo *m.* =**batiborrillo.**
baticola *f.* ① 밀치끈 《마구의 부품》. ② 《*Perú.*》 =**ataharre.**
baticor *m.* 【고어】 =**pena, dolor, aflicción.**
batida *f.* ① (사냥에서의) 몰이, 사냥, 수렵, 수렵대 : organizar la ~ 사냥판을 벌이다. ② (적이나 도둑을) 몰아냄, 추적.
batidera *f.* ① 반죽 공이. ② (콘크리트 따위의) 교반기(攪拌機).
batidero *m.* ① 연타. ② 울퉁불퉁한 땅(terreno desigual).
batido, da *adj.* ① 잘 짜인 (비단). ② 사람의 내왕이 잦은 : camino ~ 내왕이 잦은 길. —*m.* 반죽 공이 ; 저어 놓은 음료 《우유 따위》.
batidor, ra *adj.* 때리는 ; 휘젓는. —*m.* ① 두들기는 것, 도리깨. ② 휘젓는 것, 휘젓는 기구, 교반기(攪拌機) ; 박타기(箔打器). ③ 탐험자. ④ (행렬의) 향도. ⑤ (사냥의) 몰이꾼. ⑥ 남자의 빗(peine).
~ *de oro · plata* 금 · 은박 기술자.
batidora *f.* 믹서.
batiente *adj.* 때리는, 철썩거리는, 휘젓는. —*m.* ① 갯가, 물가.
② =**hoja de puerta**. ③ (피아노의) 제진자(制震子).
batifondo *m.* 《*Arg.*》 소동, 싸움(batuque).
batihoja *m.* 금 · 은박 기술자.
batihojería *f.* batihoja의 사무소.
batihondo *m.* =**batifondo.**
batimento *m.* (그림의) 음영(esbatimento).
batimetría *f.* 심해 측량(深海測量) ; 심해 연구.
batimétrico, ca *adj.* 심해 측량의 ; 심해 연구의.
batímetro *m.* 측심기(測深器).
batimiento *m.* ① 때림, 두들김. ② 뒤섞음. ③ 금 · 은박 넣기. ④ 【라디오】 바르스 《지속 시간이 매우 짧은 전류 · 변조 · 전파》.
batín *m.* [*dim.* bata] 약식 예복의 일종(bata).
batintín *tr.* 징. **Sinón.** gong.
batir *tr.* ① 세게 치다, 때리다 : Las olas *baten* el acantilado. ② 쓰러뜨리다, 무너뜨리다(arruinar) : La artillería *batió* las murallas enemigas. ③ 타도하다 : ~ los privilegios 특권을 타도하다. ④ 부수다, 철거하다 : ~ la tienda. ⑤ 심하게 움직이다, 흔들다 : ~ las alas 날개를 펄럭이다. ~ los talones 후다닥 뛰어가다. ~ el vuelo 날아가다. ⑥ 휘젓다, 돌리다 : ~ los huevos para la tortilla. ⑦ 믹서로 갈다. ⑧ (머리를) 빗다, 빗으로 빗어 올리다(peinar). ⑨ (금 · 은을) 박다, 금 · 은박으로 하다. ⑩ 주조(鑄造)하다 (acuñar) : ~ moneda 돈을 주조하다. ⑪ (종이를) 추리다. ⑫ 《*Arg.*》 고소(告訴)하다. ⑬ (적을) 무찌르다, 때려 눕히다(derrotar). ⑭ 사격하다, 포격하다 : pieza de ~ 총이나 포. ⑮ (짐승을) 몰아내다, 쫓다 ; 수색하다, 답사하다. ⑯ 《*Galic.*》 (심장이) 두근거리다 : ~ el corazón. ⑰ 《*Amér.*》 (물로) 헹구다(aclarar la ropa). ⑱ (높은데서) 던지다(arrojar) : ~ el agua por la ventana.
~se 서로 때리다 ; 다투다, 싸우다(combatir, pelear) : ~ *se* como un león. ⑱ 방출(放出)하다.
~ *un record* 기록을 깨뜨리다.
~ *en retirada* 퇴각하다, 후퇴하다(retroceder).

batiscafo *m.* 깊이 측정 기구.
batista *f.* 바티스트 마포(麻布).
batita *f. dim.* bata.
batitú *m.* 《*Arg.*》 =**becacina.**
bativoleo *m.* =**bulla.**
bat.[n] batallón.
bato *m.* ① 아버지(padre). ② 얼간이, 바보, 어수룩한 사람.
bató *m.* 《*Galic. Hond.*》 작은 배.
batojar *tr.* (나무 열매 따위를) 작대기로 쳐서 따다.
batología *f.* 불필요한 말의 반복 (repetición inútil).
batometría *f.* 심해 측량.
batómetro *m.* 측심기(測深機).
batón *m.* 《*Arg.*》 =**bata de mujer.**
batracio, cia *adj.* 【동물】 양서류의, 개구리의. —*m.* 개구리. —*m.pl.* [*gr.* batrakhos] 양서류.
batracoideo, a *adj.* 개구리 모양의.
batucar *tr.* ⑦ 《*Amér.*》 =**batuquear.**
batuda *f.* (체조의) 굴림 판자에서 도약.
batueco, ca *adj.* ① 바뚜에까스 《las Batuecas, 살라망까주의 산골짜기, 문화적으로 낙후된 지방》의. ② 얼빠진, 멍청한, 바보같은(bobo, tonto).
—*m.f.* ① Batuecas 사람. ② 멍청이, 바보, 얼간이.
estar en Batuecas 들떠 있다.
batuque *m.* 《*Amér.*》 소란, 소동, 난장판, 싸움(alboroto) : meter ~ 소동을 벌이다.
batuquear *tr.* 《*Amér.*》 ① 흔들다(agitar). ② 자꾸만 쥐어박다(batir). ③ 괴롭히다, 들볶다, 성가시게 굴다, 난처하게 만들다.
baturrada *f.* 신명이 나지 않는 일.
baturrillo *m.* 뒤범벅, 잡탕 : Ese libro es un ~ 그 책은 뒤범벅이다. **Sinón.** batiborrillo.
baturro, rra *adj.* 아라곤 두메 산골의 : cuento ~ . —*m.f.* 아라곤의 시골뜨기(aragonés rústico).
batuta *f.* (오케스트라 지휘자의) 지휘봉.
bajo la ~ *de* …의 지휘로.
llevar la ~ 지휘하다, 조종하다(dirigir, mandar).
batutero *m.* 지휘봉 소지자.
Baucis *f.* 【희랍 신화】 Filemón의 아내.
baúl *m.* [*fr.* bahut] ① 궤짝, 트렁크 (cofre, arca) : ~ mundo 대형 트렁크. ② 배, 복부(vientre).
henchir · llenar el ~ 포식하다.
baulería *f.* 《*Cuba.*》 트렁크 공장, 트렁크 상점.
baulero *m.* 트렁크 만드는 사람 · 상인.
baumo. bautismo.

bauprés *m.* 【선박】 뱃머리에 수평으로 놓여진 커다란 통나무.

bausa *f.* 《*Perú.*》 게으름, 나태, 태만, 빈둥거림 (ocio, holganza, pereza).

bausán, na *m.f.* ① 짚을 채워 넣어 만든 무장 인형. ② 얼간이, 멍청이, 바보. —*adj.* 《*Amér. Perú.*》 게으른, 빈둥거리는.

bautismal *adj.* 세례의 : fuentes ~*es*, inocencia ~.

bautismo *m.* [*gr.* baptismos] ① 세례(식), 침례, 영세 (領洗) : ~ de inmersión 침수 세례. ~ de infusión 관수 세례. ~ de sangre 피의 세례, 순교자의 유혈. ② 최초의 경험 : ~ de fuego 전선으로의 첫 출진. ~ de aire 처녀 비행.

romper el ~ a uno 누구의 머리를 깨다(romper a uno la cabeza.)

bautista *m.* ① 세례 시행자, 세례자. ② 뱁티스트, 침례교인. —*adj.* 침례교의 : iglesia ~ 침례 교회.

Bautista *m.* 세례 요한(San Juan Bautista).

bautisterio *m.* 세례를 받는 곳(baptisterio).

bautizado, da *adj.* 세례를 받은 ; 이름을 붙인. —*m.* =**bautizo.**

bautizante *adj.* 세례를 주는; 이름을 붙이는.

bautizar *tr.* [*lat.* baptizare] ⑨ ① …에게 세례식을 베풀다, …에게 세례명을 붙이다 (cristianar). ② (…에게) 이름을 붙이다, (…으로) 이름을 짓다 : ~ una calle. ③ (물건 · 사람에게) 자기 이름과 다른 이름을 붙이다 : No quiero que me *bauticen.* ④ (술에) 물을 타다. ⑤ (사람에게) 물벼락을 주다.

bautizo *m.* 세례 ; 명명(命名) ; 첫 경험.

bauxita *f.* 【광물】 보크사이트.

bauza *f.* 길이 2 · 3미터로 자른 목재.

bauzado *m.* 《*Sant.*》 =**techumbre de cabaña.**

bauzón *m.* 《*Ast. Gal.*》 (어린이 놀이용) 색색이 그려진 작은 유리 구슬.

bávara *f.* 옛날 마차의 일종.

bavaresa *f.* 차 · 커피, 우유 및 석장생 시럽으로 만든 음료수.

bavaria *f.* 우유(leche), 커피(café)나 초콜릿 (chocolate)으로 만들어진 음료.

bávaro, ra *adj.m.f.* 바비에라 《Baviera, 독일 남부의 주 ; 옛 왕국》의 (사람).

baviera *f.* 《*Chile.*》 맥주의 일종.

baya *f.* ① 【식물】 (포도 따위의) 장과(漿果) : Las ~*s* contienen semillas menudas. ② 히야신스의 일종. ③ 《*Cuba.*》 =**almeja**. ④ 《*Perú.*》 = **catafalco.**

bayá *adj.m.f.* 바야 인종 《남미 빠라구아이강 서부 지방의 원주 민족》 (의).

bayabe *m.* 《*Cuba.*》 굵은 끈의 일종.

dar ~ 붙잡아 매다.

bayadera *f.* 인도의 무희 (bailarina) · 가수 (cantora).

bayahonda *f.* 《*Dom.*》 【식물】 아카시아의 일종.

bayajá *m.* 《*Cuba.*》 십자가 줄무늬 손수건.

bayal *m.* 린넬의 극상품.

bayarte *m.* =**parihuelas.**

bayeta *f.* [*ital.* baietta] ① 학생 복지. ② 걸레. ③ 《*Col.*》 칠칠치 못한 사람.

arrastrar ~*s* 대학에서 공부하다 ; 무언가 바라는 듯이 운동하다.

bayetón *m.* [*aum.* bayeta] ① 《*Col.*》 모포, 뽄쵸. ② 스커트의 일종.

bayo, ya *adj.* 옅은 노란빛을 띈 (de color blanco amarillento) : montar un caballo ~. —*m.* ① 누에의 나방(mariposa del gusano de seda) : El ~ sirve para pescar. ② 《*Chile.*》 【속어】 관(棺).

montar en ~ 《*Ecuad.*》 화내다, 성내다, 노하다.

bayoco[1] *m.* [*ital.* baiocco] (이탈리아의) 옛날 동전, 화폐.

bayoco[2] *m.* 《*Murc.*》 =**higo.**

bayón *m.* 《*Filip.*》 종려잎으로 만든 자루.

Bayona (Arda) *m.f.* 돈을 물쓰듯 하는 사람.

bayonense *adj.m.f.* =**bayonés.**

bayonés, sa *adj.m.f.* 바이욘 《Bayona, 불란서 서부 국경에 있는 불란서령 도시》의 (사람).

bayonesa *f.* 【속어】 =**mayonesa.**

bayoneta *f.* ① 총검 : a la ~ 착검하여. armar · calar la ~ 착검하다. ② 【식물】 =**izote, yuca gloriosa.**

bayonetazo *m.* ① 총검으로 찌름 : Le hirió de un ~. ② 총검에 찔린 상처.

bayoque *m.* =**bayoco**[1].

bayosa *f.* ① 【은어】 칼. ② 【동물】 (Cuba의) 볏도마뱀.

bayoya *f.* ① 【동물】 도마뱀(lagarto)의 일종. ② 《*AmérC.*》 시끄러움, 혼란, 난잡 ; 난맥.

bayú *m.* 《*Cuba.*》 매춘부의 집.

bayuá *f.* =**ayúa.**

bayuca *f.* 【속어】 주점, 술집(taberna).

bayunco, ca *adj.m.f.* ① 《*AmérC.*》 =**huraño.** ② 《*Guat.*》 타국의 ; 타국인.

baza *f.* (카드 놀이에서) 속임수를 쓰는 사람.

hacer ~ 마냥 지껄여대다.

meter ~ *en* … 에 간섭하다 (intervenir en).

no dejar meter ~ (다른 사람에게) 어떤 대화나 일에 참가하게 두지 않다.

bazar *m.* ① (동양의) 장, 시장, 공설 시장(mercado, público). ② 잡화점. ③ 특매장. ④ 백화점. ⑤ 바자, 자선시(慈善市).

bazo, za *adj.* 노르스름한, 갈색의. —*m.* 【해부】 비장(脾臟).

bazofia *f.* ① 먹다 남은 음식 찌꺼기. ② 변변치 못한 음식. ③ 오물, 쓰레기.

bazooka *m. ing.* 【군사】 =**bazuca.** [*N.* 발음 : bazuka].

baztanés, sa *adj.m.f* 바스딴 《Baztán, Navarra 주의 마을》의 (사람).

bazuca *f.* 【군사】 바주카포 《대 (對) 전차 로켓포》.

bazucar *tr.* ⑦ (주로 액체를 그릇 채) 흔들다.

bazuquear *tr.* =**bazucar.**

bazuqueo *m.* 액체를 흔들기.

B/B. billete del Banco.

BBC la British Broadcasting Cooperation, la Asociación Británica de Radiodifusión.

bca. barrica, banca.

BCB Banco Central de Bolivia 볼리비아 중앙은행.

BCIE Banco Centroamericano de Integración Económica 중미 경제 통합 은행.

BCN Banco Central de Nicaragua 니까라구아 중앙 은행.

bco. banco.

BCR *m.* 《*Perú.*》 Banco Central de Reserva del Perú.

BCROU Banco Central de la República Oriental del Uruguay 우루과이 중앙 은행.

BCV Banco Central de Venezuela 베네수엘라 중앙 은행.

bchr. bachiller.

be *f.* 글자 b의 명칭. —*intrj.* 음메! 《산양이나 양의 우는 소리의 의성어》. —*m.* 산양·양의 우는 소리(balido).
be por be 아주 자상하게, 상세히(con todos sus pormenores).
tener las tres bes 우수하다(ser excelente) 《bonito, barato y bueno》

Be berilio.

beaciense *adj.m.f.* =**baezano.**

bearnés, sa *adj.m.f* 베아르느 《Bearne, 블란서의 옛 주》의 (이름).

beata *f.* ① 도를 닦는 여인, 수도녀. ② 독신가(篤信家); 신앙심이 강한 여자. ③【속어】peseta 은화.

beatería *f.* 신앙심이 돈독한 체행동하는 일, 거짓 신앙심; 위선.

beaterio *m.* 수녀원.

beaterío *m.* 경신 (敬神)을 빙자한 사람들, 진실한 신자인 체하는 사람들.

beatificación *f.* ① 축복을 줌. ②【종교】(교황이 주는) 시복(諡福), 시복식(諡福式).

beatíficamente *adv.* 견신(visión beatífica)으로.

beatificante *adj.* 행복하게 하는; 시복하는.

beatificar *tr.* 7 ① 행복하게 하다, 존귀한 것으로 만들다. ② 시복하다 《죽은 이를 복자의 반열에 올림》: *Se beatifica* a los santos antes de canonizarlos.

beatífico, ca *adj.* ① 축복을 주는. ② 시복하는 : visión ~*ca* 견신(見神), 시복 직관. ③ 흐뭇해 하는, 벙글벙글하는.

beatilla *f.* 린넨의 일종.

beatísimo *adj.* ~ *Padre* 교황 성하(聖下) 《경칭》.

beatitud *f.* ① 시복, 천복(天福), 지복(至福). ② 열락(悅樂). ③ 행복(felicidad) : descansar con ~.
Su Beatitud (로마 교황에 대한 경칭) 성하 (聖下).

beato, ta *adj.* [*lat.* beatus] ① 행복한 (feliz). ② 천복·시복을 받은. ③ 신앙심이 두터운(piadoso) : Es hombre muy ~. ④ 신앙심을 빙자한. Sinón. mojigato. —*m.f.* ① 수도자. ② 시복을 받은 사람. ③ 참배를 좋아하는 사람. ④ 신앙심이 두터운 사람.

beatón, na *adj.* =**muy beato.**

beatuco, ca *adj.* [*desp.* beato] 신앙심이 두터운 척 내세우는.

beba *f.* 《*Arg.*》 갓난 여아.

bebe *m.* 《*Arg.*》 갓난 남아.

bebé *m.* 《*Galic.*》 ① 갓난아기, 갓난아이, 갓난애 (nene). ② 인형(muñeca), 어린이용 장난감 (juguete para niños).

bebeco, ca *adj.* 《*Arg.*》 흰털의 (말).

bebedero, ra *adj.* ① 마시기 좋은 (bueno de beber) : vino ~. ② 마실수 있는, 음료의. —*m.* ① (집에서 기르는 새의) 물그릇 : ~ de cristal. ② (동물의) 물마시는 곳(abrevadero). ③ (그릇의) 입대는 곳. —*pl.* 안감으로 대는 천.

bebedizo, za *adj.* =**bebedero.** —*m.* ① 물약 (babida medicinal). ② 미약 (媚藥) (filtro mágico). ③ 독약(veneno).

bebedor, ra *adj.* 잘마시는 : ~ de cerveza. —*m.f.* 음주가, 주정뱅이.

beber[1] ① 음료, 마실 것(bebida) : el comer y el ~ 음식. ② 마시는 일.

beber[2] *tr.* [*lat.* bibere] ① 마시다 : ~ un poco de agua. ② 들이키다, 삼키다 (tragar). ③ (주의·가르침 따위를) 받아들이다 : ~ esa doctrina. —*intr.* ① 술을 마시다; 건배하다 : ~ *a·por* la salud 건강을 축하하며 건배를 들다 (brindar). ② [+de·en : 그 안에서] 떠서 마시다, 꺼내다 : *Beberé de* esta agua 이 물을 떠서 마시겠다. ~ *de·en* buenas fuentes 확실한 근거에서 취재하다.
~ *los vientos* (괴로움이나 간절한 소망에서) 한숨을 내쉬다 (suspirar).
~ *fresco* 태연하다.
dar de ~ 마실 것을 주다, 마실 것을 먹여주다 : *Dame de* ~ 나에게 마실 것을 주라.

beberaje *m.* 《*Riopl.*》 과음(exceso en la bebida).

beberrón, na *adj.*【속어】술을 많이 드는. —*m.f.* 술고래.

bebestible *adj.* =**bebible.**

bebezón *f.* ① 《*Col.*》 취기. ② 《*Cuba.*》 술에 취함 (borrachera); 술, 알코올 음료.

bebible *adj.* 마실만한, 마실 수 있을 만한 : Este café no es ~.

bebida *f.* ① 마실 것. ② 물약.
~ *blanca* 소주(aguardiente).
tener mala ~ 술취한 사람은 쉽게 성낸다; 술버릇이 나쁘다.

bebido, da *adj.* 술기운이 도는, 만취된 (muy ebrio). Sinón. chispo. —*m.* 마실 것(bebida).

bebienda *f.* (특히 알코올성) 음료.

bebistrajo *m.* ① 싸구려 술. ② 독한 혼합주. ③ 싱거운 술, 맛없는 술.

beborrotear *intr.*【속어】홀짝홀짝 마시다 (beber poco a poco).

beca *f.* ① 장학금. ② (옛날 학생들이 어깨에 걸었던) 멜빵. ③ (망토의) 소맷부리의 안.

becabunga *f.*【식물】꼬리풀의 일종(verónica).

becacina *f.* 《*Amér.*》 =**becada.**

becada *f.*【조류】누른도요(chocha).

becado, da *m.f.* 장학금 수혜자.

becafigo *m.*【조류】(지중해 연안의) 작은 철새.

becante *adj.m.f.* 장학금을 지급하는 (사람).

becar *tr.* 8 장학금을 지급하다.

becardón *m.*【방언】=**agachadiza.**

becario, ria *m.f.* 장학생, 급비생.

becasina *f.* =**becacina.**

bacazina *f* 《*Amér.*》 =**becasina.**

becerra *f.* ① (한 살 미만의) 암송아지. ②【식물】금어초(dragón).

becerrada *f.* (아마추어들의) 송아지 투우.

becerrear *intr.* =**berrear, gritar.**

becerrero *m.* 송아지를 기르는 목동(牧童).
becerril *adj.* 송아지의.
becerrilla *f. dim.* becerra.
becerrillo *m.*[*dim.* becerro] 새끼소의 연한 가죽 : zapato de ~.
becerrista *m.f.* becerro와 투우하는 사람.
becerro *m.* ① 한 살이 못된 송아지. ② 송아지의 연한 가죽 : botas de ~. ③ 승원의 기록.
~ *de oro* 화폐. ~ *marino* 【동물】 물개(foca).
bechamel *adj.* =**besamela.**
bechamela *f.* 크림 바른 하얀 소스.
becoquín *m.* 귀가리개가 달린 모자(bicoquín).
becoquino *m.* 【식물】 =**coliflor.**
becuadrado *m.* 그레고리 성가의 하나.
becuadro *m.* 【음악】 본위 기호(本位記號).
bedano *m.* [*fr.* bédane] 홈 파는 끌.
bedar *tr.* 【은어】 가르치다 ; 기구하다, 기도하다.
bedel *m.* (학교에서 수업 시간을 알리는) 수위.
bedelía *f.* bedel의 직.
bedelio *m.* 델리암·고무 수지(樹脂).
bedén *m.* 【동물】 산양(cabra montés).
bederre *m.* 【은어】 사형 집행인(verdugo).
beduino, na *adj.* ① 베두인족 《북 아프리카, 아라비아 지방의 유목 인종》의. ② 야만스러운. —*m.f.* 베두족 사람. —*m.* 야만인.
bedunio, nia *adj.m.f.* 베두니아 《Bedunia, 옛 서반아의 도시》의 (사람).
beduro *m.* 【음악】 =**becuadrado.**
beefsteak *m. ing.* =**biftec.** [*N.* 발음 : biftek].
befa *f.* 악담, 욕지거리, 조롱(burla, mofa).
befar *intr.* (말이) 입을 오물거리다. —*tr.* 비웃다, 조롱하다, 놀려주다(burlar, mofar).
befedad *f.* 안짱다리.
befo, fa *adj.* ① 위턱보다 아래턱이 더 나온. ② 아랫입술이 두툼한. ③ O자형의 (다리). —*m.* 동물의 입술.
befre *m.* 【고어】 =**bíbaro, castor.**
begardo, da *m.f.* 베가르도회 《13·14세기 프랑드르에 일어난 반은 승려 생활, 반은 속인 생활을 하는 종파》의 수도사·수도녀.
begastrense *adj.m.f.* 베가스뜨로 《Begastro, Murcia의 Cehegín 근처에 있는 폐허지》의 (사람).
begohmio *adj.* 【전기】 전기 저항 단위 《10억 옴》.
begonia *f.* 【식물】 베고니아, 추해당속의 식물.
begoniáceo, a *adj.* 【식물】 추해당 (秋海棠)·추해당과의. —*f.pl.* 추해당과 식물.
beguina *f.* 베구파의 수도녀 《12세기에 시작된 벨기에의 수도회》.
beguino, na *m.f.* =**begardo.**
begum *f.* (인도의) 공주의 칭호.
behén *m.* 약초 뿌리의 이름.
behetría *f.* ① (중세기의) 자유 도시 《추장이 주민들의 의사에 의해 선출되었음》. ② 혼란, 무질서.
beige *adj. fr.* 《*Neol.*》 (양털의) 염색·표백하지 않은 원래 빛깔의, 누르스름한, 밝은 회갈색의, 베이지색의. [*N.* 발음 : beye].
beilicato *m.* (터키의) 지사 정부.
béisbol *m.* 야구(basebol).
beisbolero, ra *m.f.* 야구 선수.
beisbolista *m.f.* 야구 선수.
bejarano, na *adj.m.f.* 베하르 《Béjar, 서반아 북서부의 도시》의 (사람) ; 베하르 당원 《포르투갈과 싸웠던 한 파》.
bejín *m.* ① 【식물】 밀불버섯(pedo de lobo). ② 화 잘내는 남자(persona irritable) : Este muchacho es un ~.
bejino *m* 《*Bad.*》 화 잘내는 사람.
bejuca *f.* 《*Col.*》 독사(culebra venenosa).
bejucada *f.* 《*Amér.*》 =**bejucal.**
bejucal *m.* ① 칡투성이인 땅. ② [집합] 덩굴풀.
bejuco *m.* 덩굴풀 ; 등나무 《등, 덩굴 식물을 말함》.
bejuqueada *f.* 《*Amér.*》 =**paliza.**
bejuquear *tr.* 《*Perú. PRico.*》 철썩철썩 때리다 (varear, apalear).
bejuqueda *f.* ① =**bejucal**. ② 《*Perú.*》 몽둥이 찜질, 구타(paliza).
bejuquera *f.* 《*Amér.*》 =**bejucal.**
bejuquero *m.* 《*Amér.*》 =**bejucal.**
bejuquilla *f.* (중미의) 뱀(culebra).
bejuquillo *m.* ① 목걸이의 쇠사슬. ② 【약초】 토근(吐根).
bel *m.* 소리의 강도 단위.
bela *f.* 마르멜로(marmelo)의 열매.
Belcebú *m.* 마왕(Lucifer) ; Lucifer의 하위의 악마.
belcho *m.* 【식물】 마황(麻黄).
beldad *f.* ① 아름다움, 미(美)(balleza, hermosura). ② 아름다운 여자 : Esa actriz es una ~. [Contr.] fealdad.
beldar *tr.* ⑲ =**bieldar.**
belduque *m.* 《*AmérC. Méx.*》 날이 있는 도구, 큰 칼, 도검(刀劍).
belemnita *f.* [*gr.* belemnon] 【고생】 시석(矢石).
belemnites *m.* =**belemnita.**
belemnoide *adj.* 화살 모양의.
belemnoideo, da *adj.* =**belemnoide.**
belén *m.* ① 성탄 인형 《성탄절부터 1월 5·6일까지 장식해 두는 아기 예수, 세 동방 박사와 그들이 탔던 낙타 등의 인형》 : un ~ de cartón pintado. ② 뒤범벅, 혼란, 난잡 : meterse en ~*es* 사태가 지극히 착잡해지다. ③ 《*Méx.*》 【식물】 =**miramelindo.** —*pl.* 《*And.*》 =**pamplinas.**
Belén 【지명】 베들레헴.
beleño *m.* 【식물】 싸리풀.
Belerefonte *m.* 【신화】 Pegaso의 도움으로 Quimera를 죽인 용사.
carta de ~ 가짜 소개장.
belérico *m.* 【식물】 =**mirobálano.**
belermo *m.* 《*Ecuad.*》 가면(máscara).
belesa *f.* 【식물】 좀질경이속 식물.
belez *m.* =**vasija, tinaja.**
belezo *m.* =**belez.**
belfo, fa *adj.* 아래턱이 튀어나온(befo). —*m.f.* 아래턱이 튀어나온 사람. —*m.* (말 등의) 입술.
belga *adj.* 【남·여 동형】 벨기에(Bélgica)의. —*m.f.* 벨기에 사람. —*m.* 벨기에의 프랑화.
Bélgica 【지명】 벨지움, 벨기에.
bélgico, ca *adj.m.f.* =**belga.**
beliano, na *adj.m.f.* 벨리아 《Belia, 옛 서반아의 도시, 현재의 Belchite》의 (사람).
Belica *hip.* Isabel.

bélicamente *adv.* 호전적으로 ; 무력에 의해.

Belice 【지명】 벨리스 《유까딴 반도에 있는 중미의 나라 ; 멕시코와 구아떼말라와 국경을 이룸》.

belicense *adj.m.f.* Belice의 (사람).

beliceño, ña *adj.m.f.* =**belicense.**

belicismo *m.* 주전론 (主戰論) ; 전쟁 도발.

belicista *adj.* 매파의, 호전파의, 호전적인, 전쟁 도발의 ; 전쟁을 찬성하는 : política ~. —*m.f.* 호전적인 사람 ; 전쟁 도발자 ; 주전론자.

bélico, ca *adj.* [*lat.* bellum] ① 전쟁의 : aparato ~ 병기. ② 무력에 의한.

belicología *f.* 전쟁학.

belicosamente *adv.* 전투 기분으로.

belicosidad *f.* 매파, 호전적임, 투쟁적 기질.

belicoso, ca *adj.* 호전적인, 상무 (尙武)의 ; 싸움을 좋아하는 : Los indios araucanos eran muy ~*s.* Contr. pacífico.

beligerancia *f.* ① 교전자, 교전국 : conceder · dar ~ 교전 단체로 인정하다. ② 교전 상태.

beligerante *adj.* 교전 중인. —*m.* ① 전투원 : el no ~ 비전투원. ② [주로 *pl.*] 교전국, 교전 단체 : firmar una tregua los ~*s.*

belígero, ra *adj.* 【시어】 =**guerrero, belicoso.**

belillo *m.* 《*Can.*》 =**lío, envoltorio.**

belinún *m.* 《*Urug.*》 어중이 떠중이, 장삼이사.

belio *m.* 【물리】 소리의 강도의 단위(bel).

belísono, na *adj.* 소리가 큰 : trompeta ~*na.*

Belita *hip.* Isabel.

belitre *adj.m.f.* 【속어】 무뢰한의 ; 무뢰한, 불량배, 망나니(pícaro).

belitrería *f.* 무뢰한 · 불량한 짓.

belitrero *m.* 【은어】 불량배 왕초.

beliz *m.* 《*Méx.*》 핸드백, 손가방.

bellacada *f.* =**bellaquería.**

bellacamente *adv.* 심술궂게 ; 교활하게 ; 용감하게.

bellaco, ca *adj.* ① 마음씨가 나쁜, 심술궂은, 꿍심이 있는(pícaro). ② 교활한(astuto). ③ 《*Amér.*》 입이 무거운, 다루기 어려운 (말). ④ 용감한 (valeroso). —*m.f.* 능구렁이 (같은 사람). —*m.* 《*Méx.*》 바나나의 일종.

bellacuelo, la *adj. dim.* bellaco.

belladama *f.* 【곤충】 멋쟁이나비.

belladona *f.* [*ital.* belladona] 【식물】 벨랴도나 《열매에 독이 있음》.

bellamente *adv.* 아름답게, 깨끗이.

bellaquear *intr.* ① 장난하다, 악당 티를 내다. ② 《*Riopl.*》 (말이) 곤두서다. ③ 《*Riopl.*》 꽁무니를 빼다.

bellaquera *f.* 《*PRico.*》 =**lascivia, lujuria.**

bellaquería *f.* 장난, 망나니 짓 ; 교활함.

bellasombra *f.* 《*And.*》 【식물】 =**ombú.**

bellaumión *f.* (Ecuador의) 꽃.

belleguín *m.* 《*And.*》 =**alguacil.**

bellerife *m.* 【은어】 순경.

belleza *f.* ① 아름다움, 미 : la ~ de Apolo 아폴로의 미. la ~ de un carácter 성격미. ~ ideal 미의 전형. ② 미인, 미녀. Contr. fealdad.

bellico *m* 【식물】 귀리(avena)의 변종.

bellido, da *adj.* =**bello, hermoso, agradable.**

bellísima *f.* 중남미산의 관상용의 덩굴 식물.

bello, lla *adj.* ① 아름다운(hermoso), 보기좋은 : ~ sexo 여성. ~ gesto 《*Galic.*》 선행. mujer ~*lla* 미녀, 미인. ② 아주 좋은(muy bueno) : Es una ~*lla* persona.

hacer el ~ 《*Galic.*》 별나게도 새초롬하다.

B- es morir por la patria 《*Galic.*》 조국을 위해 죽는 것은 아름다운 일이다. [*N.* hermoso를 쓰는 것이 좋다].

el más ~ día de su vida 《*Galic.*》 생애의 가장 아름다운 시절. [*N.* hermoso를 쓰는 것이 좋음].

por su ~lla cara 공평하게, 사심을 버리고.

bellorio, ria *adj.* 회끗한(pardusco).

bellota *m.* ① 도토리. ② 도토리같이 생긴 것. ③ 도토리 모양의 장식. ④ 석죽(石竹)의 보리. ⑤ 알. ⑥ 【해부】 자지 대가리, 귀두. ⑦ 송아지 뿔의 연한 가죽.

~ de mar 삼각굴(bálano).

en forma de ~ 도토리 모양의 · 으로.

bellotal *m.* 도토리밭.

bellote *m.* 긴 못, 담장 못, (철도용) 대가리가 큰 못.

bellotear *intr.* (가축이) 도토리를 먹다.

bellotera *f.* ① 도토리 따는 여인. ② 도토리 상인. ③ 도토리 따는 시기. ④ 도토리로 가축 기르기, 그 기간. Sinón. montanera.

bellotero, ra *m.f.* 도토리 따는 사람. —*m.* 도토리 채집.

belmontina *f.* ① =**cera mineral.** ② 《*Can.*》 = **petróleo.**

Belona *f* 【신화】 전쟁의 여신.

belorruso, sa *adj.m.f.* 백러시아의 (사람).

belorta *f.* =**vilorta del arado.**

belostoma *m.* =**belostomo.**

belostomo *m.* 【곤충】 풍뎅이의 일종.

beluario *m.* ① (고대 로마 원형 투기장의) 맹수와 싸우는 투사. ② (현재의) 맹수 조련.

belvedere *m. ital.* 망루(望樓), 전망대(mirador).

bemba *f.* ① 《*AmérM. Ant.*》 (흑인의) 두툼한 입술. ② (말 따위의) 코끝.

bembe *m.* 《*Ant.*》 =**bemba.**

bembetear *intr.* 《*AmérC.*》 수다를 떨다.

bembo, ba *adj.* 《*Méx.*》 어리석은, 바보같은 (tonto). —*m.* 《*Cuba.*》 두툼한 입술 (labio grueso).

bembón, na *adj.* 《*Amér.*》 =**bembudo.**

bembú *adj.* 【속어】 《*Amér.*》 =**bembudo.**

bembudo, da *adj.* 《*Amér.*》 입술이 두터운 (jetudo, hocicudo).

bemol *adj.* 【음악】 변조 (變調)의, 반음을 내린. —*m.* 【음악】 변음 기호《b》.

tener (tres) ~es 귀찮기 이를 데 없다.

tener una cosa muchos ~es 매우 어렵다(ser muy difícil).

bemolado, da *adj.* 【음악】 변조의.

bemolar *tr.* 【음악】 변조로 하다, 반음 내리다 ; 플랫 기호를 달다 : ~ una nota.

bemolizar *tr.* 【음악】 =**bemolar.**

bemoludo, da *adj.* =**difícil.**

ben *m.* 【식물】 산규나무, 그 기름 ; 벤젠유(油) (moringa).

benceno *m.* 【화학】 벤젠, 벤졸.

bencina *f.* 벤진, 석유 벤진 : La ~ sirve para quitar las manchas de grasa.

bencinismo *m.* 벤진 중독.

bendecidor, ra *adj.* 축복하는.

bendecir *tr.* 70 [*lat.* benedicere] ① 축복하다, (누구를 위해) 하느님의 은총이 있기를 기구하다 : ~ a sus hijos 자식들을 위해 기구하다. Te *bendeciré* 너에게 은총이 있기를 빌겠다. ② 신에게 바치다. ③ 찬미하다(alabar). Contr. maldecir. [과거분사 : bendecido, bendito] [*N.* 미래형, 가능법, 2인칭 단수 명령형 이외에는 decir와 같은 불규칙 활용].

bendiciente *adj.* 축복하는.

bendición *f.* [*lat.* benedictio] ① 축복. ② 칭찬. ③【종교】 성체 강복식(降福式). Contr. maldición.

~*es nupciales* 결혼식(ceremonia del matrimonio).

echar la ~ a (…과) 손을 끊다.

ser una ~ (de Dios) 풍부하다, 푸짐하다, 훌륭하다 : Este artículo se vende que *es una* ~ 이 물건은 날개 돋친 듯 팔린다.

bendig- → **bendecir** 70.

bendij- → **bendecir** 70.

benditera *f.* 《*Sant.*》 성수반(聖水盤)(pila de agua bendita).

bendito, ta *adj.* [bendecir의 *p.p.*] ① 축복받은. ② 시복(諡福)을 받은. ③ 행복한(feliz). ④ 우직스러운. Contr. maldito.

—*m.* 축복받을지어다 (*Bendito* y alabado sea…)로 시작되는 기도.

—*m.* ①《*Riopl.*》(성상을 모시는) 전당. ②《*Venez.*》 마을의 성직자. ③《*Arg.*》 =**toldo.**

benedícite *m.* ① 승려가 휴대하는 여행 허가서. ② 식탁에서의 축복(의 기도) : rezar el ~.

benedicta *f.* 개어서 만든 약, 연약(練藥).

benedictino, na *adj.* 베네딕트파《San Benito가 6세기에 창시한 교단》의. —*m.f.* 베네딕트 파에 속하는 승려·수도자. —*m.* 베네딕틴《포도주》.

benefactor, ra *m.f.* 자선가.

beneficencia *f.* 자선 ; 자선 사업.

beneficente *adj.* 《*Neol.*》 자선의.

beneficentísimo, ma *adj. sup.* benéfico.

beneficiable *adj.* 은혜를 베풀 수 있는; 이용할 수 있는; 개발·개척할 수 있는.

beneficiación *f.* ① 이윤을 올림. ② 야금술(冶金術).

beneficiado, da *m.f.* 자선 흥행의 순이익을 받는 사람. —*m.* 성직록(聖職祿)·특별 연금을 받는 승려.

beneficiador, ra *adj.m.f.* beneficiar 하는 (사람) ; 채광자.

beneficial *adj.* 성직록의.

beneficiar *tr.* 11 ① (…에) 은혜를 베풀다, 이익이 되다, 이로워지다. ② 이용하다, (…에서) 이익을 얻다. ③ 개발·개척하다 : ~ la tierra. ④ 채광·야금하다 : ~ el oro. ⑤ (돈으로 직위를) 사다. ⑥ (어음 따위를) 할인하여 팔다, 환금하다. ⑦《*Amér.*》(도살한 소를) 팔다, (팔기 위해) 자르다. ⑧ (농산물을) 모아들이다·거두어들이다·가공하다, 정제하다.

~se ① 이익을 올리다. ②《*Amér.*》 죽이다, 사살하다.

beneficiario, ria *m.f.* ① 이익·은혜를 받는 사람. ② (신용장·신탁·계약의) 수익자. ③ (보험·연금 따위의) 수취인.

beneficio *m.* [*lat.* beneficium] ① 은혜 ; 복지, 복리. ② 벌이, 이득, 이익 ; 마진, 차익(差益), 판매 차액 ; (사회 보장 제도에 의한) 급부(給付) : ~ acumulado 이익 잉여금. ~ adicional al sueldo 부가 급부. ~ bruto 총마진, 매상 (총) 이익. ~ de explotación 영업 이익·수익·소득·수입. ~ líquido 순익, 순이익. ~ neto 순이익. ~ operativo de la empresa 영업 수익. ~ para desempleo (보험에 의한) 실업 급부. ~ total 총수익. margen de ~ 이익폭. ③ 어음 할인. ④ 이권. ⑤ 효용. ⑥ 경작. ⑦ 채광, 야금. ⑧ 자선 흥행. ⑨ 승원록(僧院祿), 연금부 승직. ⑩《*Amér.*》 도살. ⑪《*AmérC.*》(농산물의) 가공, 정제 ; 그 공장. ⑫《*Chile.*》 가축의 똥으로 만든 퇴비. Contr. pérdida, perjuicio.

~ *de bandera* 자국선(自國船)에 의한 수입 화물의 관세 할인.

a ~ de inventario 한정 상속(限定相續)으로 ; 조건부로.

no tener oficio ni ~ 아무 가치도 없다.

beneficioso, sa *adj.* 소득이 있는(provechoso), 유리한(útil) : un negocio ~.

benéfico, ca *adj.* ① 자선(慈善)의, 선의의 : sociedad ~*ca* 자선 단체. ② 인정이 많은 : ~ *con·para con* los desválidos 불행한 사람에 대해 자비심이 있는. ③ [+a, para : …을 위해] 좋은 : ~ a la salud. Contr. maléfico.

Benelux *m.* ① 베네룩스 삼국 : Bélgica, Holanda, Luxemburgo의 총칭. ② 베네룩스 관세 협정《1948년에 체결한 관세 및 경제 협정》.

Benemerita *f.* 서반아 경찰 : hombres de la ~ 경관들.

benemérito, ta *adj.* 공로가 있는, 표창할 만한.

beneplácito *m.* ① 승인, 허가. ② 아그레망 : negar su ~. ③ 기쁨, 즐거움.

benévolamente *adv.* 자비심으로, 친절하게.

benevolencia *f.* 자비심, 박애 ; 자선, 선행 ; 친절, 인정이 많음 : hablar con ~. Contr. malevolencia.

benevolente *adj.* =**benévolo.**

benevolentísimo, ma *adj. sup.* benévolo.

benévolo, la *adj.* 친절한, 마음씨가 따뜻한, 정이 두터운 : lector ~. Contr. malévolo.

bengala *f.* ① (인도산의) 등나무. ② 벵골 불꽃 (luz de ~). ③ 조명탄. ④ 벵골 무명《명주》.

luz de B- 조명탄.

bengalí *adj.* 벵골(Bengala)의. —*m.f.* 벵골 사람. —*m.* ① 벵골말. ②【조류】 벵골 참새.

bengalina *f.* 《*Chile.*》 =**muselina.**

beni *m.pl.* ben의 복수형.

benignamente *adv.* 다정하게, 인자하게, 친절하게, 회의적으로.

benignidad *f.* ① 인자, 다정함. ② 호의. ③ 완화, 부드러움. ④ 경증(輕症) : ~ de una enfermedad. Contr. malignidad.

benigno, na *adj.* [*lat.* benignus] ① 인자한, 다정한, 친절한, 호의적인(afable, benévolo) : sonrisa ~*na* 인자한 미소. carácter ~ 다정한 성격. Es una persona muy ~*na para (con)* los huéspedes 그는 손님에게 매우 친절한 사람이다. ② (기후가) 온화한 (templado) : estación

~*na* 온화한 계절. ③【의학】양성(良性)의, 경미한, 가벼운 (병) : fiebre ~*na* 가벼운 열. **Contr.** maligno, perverso.

benimerín *adj.* 베니메린족 《los benimerines, 13－14세기 아프리카 북부에 왕국을 건설한 호전적인 한 종족》의 (사람). —*m.f.* 베니메린족 사람.

benito, ta *adj.m.f.* =**benedictino.**

benjamín *m.* 막내, 귀염둥이.

Benjamín *m.* ① 남자 이름. ②【성서】베냐민 《Jacobo의 막내 아들로 José의 동생》.

benjamita *adj.m.f.* 베냐민족 《Benjamín을 조상으로 모시는 이스라엘의 한 종족》의 (사람).

benjuí *m.* 안식향 (安息香)(menjuí) : El ~ es usado en farmacia.

benque *m.* 《*AmérC.*》 강변 ; 강변의 제재소.

benteveo *m.* =**bienteveo.**

bentónico, ca *adj.* 바다 밑바닥의.

benzoado, da *adj.* 안식향을 포함한.

benzoato *m.*【화학】안식향산염(酸鹽).

benzoico, ca *adj.*【화학】안식향(성)의 : ácido ~ 안식(향)산.

benzoílico, ca *adj.* =**benzoico.**

benzol *m.* 벤졸.

beocio, cia *adj.m.f.* ① 베오시아 《Beocia, 고대 그리스의 한 지방》의 (사람). ② 어리석은, 얼빠진.

beodez *f.* 고주망태(embriaguez, borrachera).

beodo, da *adj.* 술취한(embriagado, borracho). —*m.f.* 취객, 술주정뱅이.

beorí *m.*【동물】아메리카 맥(貊).

beotismo *m.* 바보, 우둔, 천치, 백치(idiotez) ; 거칠음(grosería).

beque *m.* ① 뱃머리의 외장(外裝). ② 변기(便器). ③《*Amér.*》 변소. —*pl.* 선원의 변소.

bequeriana *f.* 베케르풍의 시.

bequeriano, na *adj.* 베케르 《Gustavo Adolfo Béquer (1836~1870), 서반아 로망파 시인》풍의.

béquico, ca *adj.* 기침을 멎게 하는.

bequista *m.* 《*AmérC.*》 장학생(becario).

berbecí *m.* 《*Col.*》 화를 잘 내는 사람(persona rabiosa).

berbén *m.* 《*Amér.*》 =**escorbuto.**

berberecho *m.* 서반아 북부에서 나는 조개.

berberí *adj.m.f.* 베르베리아 《Berbería, 북아프리카 지방의 옛 이름》의 (사람). —*m.* 베르베리아 말.

berbería *f.* 《*Amér.*》 ①【식물】협죽도. ② 황색 염료.

berberís *m.* =**bérbero.**

berberisco, ca *adj.m.f.* =**beréber.**

bérbero(s) *m.*【식물】키가 작은 나무의 일종 《크리스마스 장식에 쓰임》; 그 열매(agracejo).

berbi *adj.* 천(paño)의.

berbiquí *m.*【목공】송곳, 구멍 뚫는 기구.

berceo *m.*【식물】골풀(barceo).

bercería *f.*【고어】청과물 시장.

bercero, ra *m.*【고어】청과물 장수, 채소 장수.

bercial *m.* 골풀밭.

berciano, na *adj.* 비에르소 《Bierzo, 서반아 레온 주의 한 지방》의. —*m.f.* 비에르소 사람.

beréber *adj.* =**berberí.**

berebere *adj.* =**beréber.**

berengo, ga *adj.* 《*Méx.*》 솔직한 ; 호인의, 무던한, 사람좋은(cándido).

berenjena *f.*【식물】가지.

berenjenado, da *adj.* 가지 색의·모양의 (aberenjenado).

berenjenal *m.* ① 가지밭. ② 귀찮은 일, 까다로운 일 : meterse en buen·mal ~.

berenjenín *m. dim.* berenjena.

bergadán, na *adj.m.f.* 베르가 《Berga; 바르셀로나 주에 있는 도시와 그 지방》의 (사람).

bergadano, na *adj.m.f.* =**bergadán.**

bergamasco, ca *adj.m.f.* 베르가모 《Bérgamo, 남부 이탈리아의 도시》의 (사람).

bergamota *f.* 불수감(佛手柑), 베르가모따 감(柑) ; 배의 우량종.

bergamote *m.* =**bergamoto.**

bergamoto *m.*【식물】(두 종류의) bergamota 나무.

bergante *m.* 망나니, 불량배.

bergantín *m.* ① 베르간띤선 《쌍돛대 범선》. ② 《*AmérC.*》 (구타하여) 눈을 못 뜨게 함.

bergantinejo *m. dim.* bergantn.

bergidunense *adj.m.f.* 베르히도 《Bergido, 서반아의 옛 도시; 현재의 Huseca 주에 해당함》의 (사람).

beri *m.*【은어】=**el presidio.**

beriberi *m.*【의학】각기증.

berilio *m.*【화학】베릴륨 《원소》.

berilo *m.*【광물】녹주석 (綠柱石) 《변색 에메랄드의 총칭》.

beritense *adj.m.f.* 베리또 《Berito, 불란서의 도시》의 (사람).

berkelio *m.* 베르큠《방사성 원소》.

berlanga *f.* 같은 카드 세 장을 모으면 이기는 카드 놀이.

Berlín【지명】베를린 : ~ Oeste 서베를린. ~ Oriental 동베를린.

berlina *f.* ① 2인승 사륜 마차의 일종. ② (마차나 기차의 앞쪽에 만든) 차실(車室).
en ~ 웃음거리로 : quedar *en* ~ 웃음거리로 되다.

berlinés, sa *adj.m.f.* 베를린 《Berlín, 본래 독일의 수도, 지금은 Berlín Oeste (서독령)와 Berlín Oriental (동독의 수도)로 갈라져 있음》의 (사람).

berlinga *f.* ① 생나무 막대. ②《*And.*》 빨래 장대. ③ 돛대로 쓰이는 재목.

berlingar *tr.* ⑧ 생나무 막대로 휘젓다.

berma *f.* ① (성벽의) 벼랑길 (caminillo). ② 둑의 물매턱. ③《*Amér.*》 포장 안된 길섶.

bermejal *m.* 《*Col. Cuba.*》 시뻘건 땅.

bermejear *intr.* 주홍색이 되다 ; 주홍색을 띠고 있다 : El pelo de Juana *bermejea.*

bermejizo, za *adj.* 주홍색을 띤. —*m.*【동물】큰 박쥐(murciélago grande)의 일종.

bermejo, ja *adj.* 주홍색의 : pelo ~. —*m.*【동물】(멕시코의) 두더지(topo)의 일종.

bermejón, na *adj.* 주홍색의, 주홍색을 띤.

bermejuelo, la *adj. dim.* bermejo.

bermejura *f.* 주홍색.

bermellón *m.* 진사(辰砂), 주사(朱砂) : El ~ es muy usado en pintura.

bermuda *f.* 【식물】 풀과 식물.
bernardina *f.* 허풍, 풍, 과장, 과대, 거짓말 (fanfarronada, mentira).
bernardo, da *adj.m.f.* ① 성 베르나르도 《San Bernardo, 불란서의 성인, 923 − 1008》회의 (수도사·수녀). ② 흰 반점이 있는 큰 개.
más fuerte que B- 아주 센.
bernegal *m.* ① 사발, 공기. ② 《*Amér.*》 물항아리.
bernés, sa *adj.* 베르나 《Berna, 스위스의 도시》의. **—***m.f.* 베르나 사람.
bernia *f.* ① 양탄자, 융단. ② 《*Ant.*》 조잡한 스코틀랜드 직(織); 그 융단으로 짠 망토.
berniz *m.* 《*Ar.*》 =**barniz.**
Bern.º Bernardo.
berra *f.* (질긴) 네델란드 옥수수.
berraco *m.* 《*And.*》 우는 아이.
berraza *f.* ①【식물】 육아(肉芽) 당근. ② = **berra.**
berrazal *m.* =**berrizal.**
berrear *intr.* ① (송아지가) 울다. ② 괴이한 소리를 내다. ③【은어】 실토하다, 자백하다.
berrenchín *m.* ① 성난 멧돼지의 센 콧김. ② 분개(berrinche).
berrendearse *r.* 《*And.*》 =**pintarse el trigo.**
berrendo, da *adj.* ① 2색의 ; 얼룩이가 있는. ② 《*PRico.*》 성난, 화가 난 (colérico). **—***m.* (멕시코산의) 사슴의 일종 : El ~ es parecido al ciervo.
berreo *m.* ① =**berrido.** ② 《*Ecuad. PRico.*》 크게 화냄.
berreón, na *adj.* 《*Sal.*》 =**gritador, chillón.**
berrera *f.* 【식물】 육아 당근.
berrido *m.* ① 동물의 우는 소리. ② 화냄. ③ 어이없는 말.
berrín *m.* 화를 잘 내는 남자(bejín).
berrinche *m.* 【속어】 화냄, 성냄, 분노, 노여움 (enojo) : Le dio un ~.
berrinchudo, da *adj.* 《*AmérC. Méx.*》 화를 잘 내는.
berrizal *m.* berro가 무성한 곳.
berro *m.* 【식물】 네덜란드 겨자 : El ~ se come casi siempre en ensalada.
berrocal *m.* 바위땅.
berroqueña *f.* 화강암(piedra ~).
berroqueño, ña *adj.* 화강암(granito)처럼 단단한.
berrueco *m.* ① 바위(roca). ② 뾰족 바위(peñasco). ③ 찌꺼기 진주. ④【의학】 홍채염 (虹彩炎).
berruga *f.* 검정 사마귀.
bersagliero *m.* [*pl.* bersaglieri] 이탈리아 보병.
berta *f.* (여자용 드레스의 등의) 깃장식.
bertha *f.* 베르타포 《제1차 세계 대전시 독일군의 장거리포》.
berza *f.* 【식물】 양배추, 캐비지(col).
~ *de pastor* 【식물】 명아주.
~ *de perro, perruna* 당면(唐綿).
estar en ~ (야채가) 아직 보들보들하다.
mezclar ~s con capachos 뒤섞다.
berzal *m.* 양배추밭.
berzo *m.* 《*Gal.*》 =**cuna.**
berzotas *m.* =**zoquete.**
bes *m.* 8온스.
besador, ra *adj.* 입맞추는.
besalamano *m.* B.L.M의 약자로 시작되는 제삼자가 쓴 서명이 없는 짧은 용건의 서신.
besamanos *m.* (신하로서의 복종과 경의를 나타내는) 고귀한 사람의 오른손에 입맞춤하는 식, 알현(謁見).
besamel(a) *f.* =**bechamela.**
besana *f.* ① 밭. ② 밭이랑 가르기. ③ 첫 이랑.
besante *m.* ① (비잔틴의) 옛날 금화·은화. ② 문장(blasón)의 모양.
besar *tr.* ① …에 입맞추다, 키스하다 : ~ la mano 손에 입맞추다. ~ los ojos 눈에 키스하다. ~ *a* uno *en* los ojos 누구의 눈에 키스하다. ② (…에) 닿다(tocar) : Los panes suelen ~*se* en el horno.
~se ① 서로 입맞추다. ② 몸을 서로 꼭 대다. ③ (만나자마자) 맞부딪치다.
~ *la jarra* 술을 마시다.
besico *m. dim.* beso.
~ *de monja* 풍경초.
besito *m.* 《*AmérM.*》 ① 비스킷의 일종. ② 가벼운 입맞춤 : dar un ~ 가볍게 입맞추다.
beso *m.* 키스, 입맞춤 : ~ de Judas 속임수의 입맞춤. ~ de paz 사랑의 키스. ~ sonado·estallado 소리가 큰 키스. cubrir de ~*s* 키스를 퍼붓다. comerse a ~*s* 귀여워 계속 키스를 하다.
besotear *tr.* 《*Arg. Urug.*》 =**besuquear, besucar.**
bestezuela *f. dim.* bestia.
bestia *f.* 짐승, 축생(畜生) ; 가축 ; 타수(駄獸) 《말·노새 등》 : ~ de albarda 나귀. ~ de carga 타수. gran ~ 큰 사슴 (el anta), 맥 (tapir). **—***adj. m.* 사나운 (사람), 거칠은 (인물) : ser muy ~.
bestiaje *m.* [집합] 짐을 끄는 소나 말.
bestial *adj.* ① 짐승의, 짐승같은. ② 엄청나게 큰, 굉장한 : apetito ~ 굉장한 식욕. **—***m.* 길마를 지는 마소·나귀·노새(의 하나 하나).
bestialidad *f.* ① 수성(獸性), 동물 근성. ② 몰이해, 막힌 생각. ③ 난폭. ④ 수욕(獸慾), 수간(獸姦).
bestializar *tr.* 9 짐승같이 되게 하다.
~se 짐승같아지다 ; 야수와 같은 생활을 하다.
bestialmente *adv.* 난폭하게, 몹시 흉하게, 사납게.
bestiario *m.* ① =**beluario.** ② (중세기의) 야수문학 (野獸文學).
bestión *m.* [*aum.* bestia] 장식용 조각 맹수.
bestola *f.* =**arrejada.**
besucador, da *adj.m.f.* 함부로 키스하는 (사람).
besucar *tr.* 7 계속 키스하다.
besucón, na *adj.* =**besucador.**
besugada *f.* (기본이 되는) 도미 요리의 향연 : Me convidió a una ~.
besugo *m.* 【어류】 (대서양산의) 도미 : En España se suele comer ~ por Noche Buena. **—***pl.* 【은어】 남자 양말.
Ya te veo, ~ , que tienes el ojo claro 네 뱃속에 들어갔다 나왔어 《타인의 의도를 알고 있다는 것을 시사할 때 씀》.
besuguera *f.* ① 도미 장수 여인. ② 생선 찌개.

besuguero, ra *m.f.* 도미 장수.
—*m.* 도미 낚시.
besuguete *m.* [*dim.* besugo] ①【어류】새끼 도미. ②【어류】볼낙의 일종(pajel).
besuquear *tr.* 계속 키스하다 : No quiero que me *besuqueen.*
besuqueo *m.* 계속하는 키스.
beta[1] *f.* [*gr.* bêta]. ① 베타《그리스 자모의 둘째 문자 B, β ; 서반아어 B, b》: rayos ～【물리】베타선.
beta[2] *f.* [*lat.* vitta] ① 실·밧줄 쪼가리. ②(배에서 쓰는) 밧줄.
betabel *m.* 《*Méx.*》【식물】사탕무(remolacha).
betarraga *f.* =**betabel.**
betarrata *f.* =**betabel.**
betatrón *m.*【물리】베타트론《전자의 자기 유도 가속 장치》.
betel *m.* ①【식물】구장《후추나무과》. ② = **buyo.**
bético, ca *adj.m.f.* 베띠까《Bética, 안달루시아 주의 옛 이름》의 (사람).
betiense *adj.m.f.* =**baezano.**
betilo *m.* 성석(聖石)(piedra sagrada).
betlemita *adj.* 베들레헴(Belén)의 ; 베들레헴 교단《17세기 Guatemala에서 Pedro de Bethencourt가 창시한 교단》의. —*m.f.* 베들레헴 사람 ; 베들레헴 교단원.
betlemítico, ca *adj.* =**betlemita.**
betón *m.* 콘크리트 : ～ armado 철근 콘크리트.
betónica *f.*【식물】곽향.
betuláceo, a *adj.*【식물】자작나무·자작나무과의. —*f.pl.* 자작나무과 식물.
betulense *adj.m.f.* 베뚤로《Betulo, 서반아의 옛 도시 ; 현재의 Badalona》의 (사람)
betumear *tr.* 《*Cuba.*》 =**embetunar.**
betuminoso, sa *adj.* =**bituminoso.**
betún *m.* ① 타르, 역청(瀝青). ② 구두약. ③(수도관 등의) 막힘. ④《*Chile.*》 과자에 바르는 크림.
～ *de judea* 아스팔트(asfalto).
betunería *f.* betún 공장·상점.
betunero, ra *m.f.* ① 구두약 장수. ② 구두닦이.
beuna *f.* ① 적포도(의 일종). ② beuna로 빚은 적포도주.
bey *m.* (옛날의 터키의) 시장·지사.
beylical *adj.* bey의·에 관한.
beylicato *m.* bey의 정부.
bezaar *m.* =**bezoar.**
bezante *m.* =**besante.**
bezar *m.* =**bezoar.**
bezo *m.* ① 두꺼운 입술(labio grueso). ②(상처가) 아물며 나오는 새 살.
bezoar *m.* 우황(牛黃)《소나 양의 장 안에 있는 결석으로 해독제》.
～ *mineral* 과산화 안티몬염.
bezoárdico, ca *adj.* 우황이 든. —*m.* 해독제.
bezoárico, ca *adj.* =**bezoárdico.**
bezote *m.* 옛날 멕시코 원주민의 아랫입술 장식.
bezudo, da *adj.* 입술이 두꺼운.
bezugo *m.*【식물】아카시아의 일종.
BHU Banco Hipotecario del Uruguay 우루구마이 권업 은행.
Bi bismuto.
bi- *pref.* 둘, 양(兩), 쌍(雙), 중(重), 복(複) 따위의 뜻을 갖는 접두어 : *bi*plano.
biaba *f.* ①《*Arg.*》 급습(arremetida). ②《*Arg.*》【은어】구타(paliza) : dar la ～ 구타하다, 때리다 (golpear).
biabar *tr.* 《*Arg.*》 급습하다, 습격하다, 덮치다.
biabista *m.* 《*Arg.*》 강도.
biajaca *f.* Cuba의 물고기의 이름.
biajaiba *f.* Cuba의 물고기의 이름.
biangular *adj.* 두 각의.
biarca *m.* (고대 로마 군대의) 회계.
biarrota *adj.m.f.* 비아리츠《Biarritz Bajos Pirineos의 주에 있는 불란서의 도시》의 (사람).
biarticulado, da *adj.* 마디가 두 개인 (기계·기구).
biatómico, ca *adj.*【화학】복원자(複原子)의, 이원자(二原子)의.
biauricular *adj.* 두 귀의, 양쪽 귀에 쓰이는.
biaza *f.* 길마의 양쪽으로 나누어서 신는 가죽 부대.
bíbaro *m.*【고어】=**castor.**
bibásico, ca *adj.*【화학】2염기성의 : El ácido sulfúrico es ～.
bibelot *m.fr.* [*pl.* bibelots] (책상 위에 장식으로 놓는) 인형, 식물 (등).
biberón *m.* [*fr.* biberon] 젖병.
bibí *m.* 《*Arg.*》【식물】나리과 식물.
bibicho *m.* 《*Hond.*》 =**gato.**
bibijagua *f.* ①《*Cuba.*》 큰 개미의 일종. ② 부지런한 사람.
bibijagüera *f.* 《*Cuba.*》 개미집(hormiguero) : Las ～*s* son montones cónicos que tienen la abertura en la parte superior.
biblia *f.* ① 성서 (la Sagrada Escritura) : La *B-* comprende el Viejo y Nuevo Testamento. ②《*AmérM.*》 지혜, 재치, 재간(astucia).
la ～ *en pasta* 과다한 양.
bíblico, ca *adj.* ① 성서의, 성서같은 : estilo ～. ② 고마운.
Sociedad ～*ca* 성서 선전에 전념하는 신교단.
biblio- *pref.* 「서적」의 뜻을 나타내는 접두어.
bibliofilia *f.* 서적 애호.
bibliófilo, la *m.f.* (특히 초판본이나 희귀본의) 서적 애호가.
bibliografía *f.* ① 사서학(司書學). ② 참고서 목록 : ～ médica.
bibliográfico, ca *adj.* 서지(書誌)의, 사서(司書)의 ; 참고서 목록의 : boletín ～ 신간 도서 안내.
bibliógrafo, fa *m.f.* 사서학자.
bibliólatra *m.* ① 서적 애호가. ②(신교도 중에서) 성서에 너무 집착한 사람.
bibliolatría *f.* 서적 숭배.
bibliología *f.* 사서학.
bibliólogo, ga *m.f.* 서지학자.
bibliomancía *f.* 서적점《책 페이지를 닥치는 대로 들쳐서 치는 점》.
bibliomanía *f.* 장서광, 서음(書淫).
bibliómano, na *m.f.* 장서광.
bibliomántico, ca *adj.* 장서광의. —*m.f.* 장서광.
bibliopola *m.* 서적 상인(librero).

bibliótafo, fa *m.f.* (장서를 남에게 내놓지 않는) 장서광.
biblioteca *f.* ① 서고, 도서관, 도서실 : ~ circulante 순회 도서관. ~ nacional 국립 도서관. ② 장서. ③ 총서(colección) : ~ de jurisprudencia.
bibliotecario, ria *m.f.* 사서, 도서관 직원, 도서관원.
bibliotecnia *f.* 서지학.
biblioteconomía *f.* 도서관학.
bibliótica *f.* 필법 분석학.
bibliótico, ca *adj.* bibiótica의. —*m.f.* =**biblitista.**
bibliotista *m.f.* 필법 분석학자.
biblista *m.f.* 성서 이외의 것은 인정하지 않은 사람.
biblorrapta *f.* 종이 집게.
biblorrapto *m.* 종이 장정.
bica *f.* 옥수수·밀 부침개.
bical *m.*【어류】연어.
bicameral *adj.* 양원(제)의.
bicameralismo *m.* 양원제.
bicampeón *m.* 2회 챔피언 : ~ olímpico de los pesos pesados 올림픽 헤비급 2회 챔피언.
bicapsular *adj.* 꼬투리가 두 개인 (식물)《협죽도 등》.
bicarbonato *m.*【화학】중탄산염(重炭酸鹽) : ~ de soda 중탄산 소다.
bicarburo *m.*【화학】중탄화물(重炭化物).
bicéfalo, la *adj.* 머리가 두 개 달린 : el águila ~*la*.
bicentenario *m.* 2백 주년 기념(제).
bíceps *adj.*【단·복수 동형】양두의. —*m.*【해부】이두근(二頭筋).
bicerra *f.* (서반아의) 야생의 양·산양.
bicha *f.* ① (뱀 culebra라는 말을 피하여) 기다란 벌레. ② (장식 조각에서의) 잎에 숨은 짐승.
bichadero *m.* 《*Riopl.*》 빰빠(pampa)의 감시대.
bichar *tr.* ① =**bichear.** ② 《*Venez.*》 (나무를) 세공(細工)하다.
bicharraco *m. dim. desp.* bicho.
bicharrango *m.* =**bicharraco.**
biche *adj.* ① 《*Col.*》 설익은 (과일). ② 《*Col.*》 나약한 (사람). ③ 《*Col.*》 생소한. —*m.* 《*Perú.*》 큰 남비.
bicheadero *m.* =**bichadero.**
bichear *tr.* ① 탐정하다, 정탐하다, 살펴보다, 엿보다(espiar). ②【은어】훔쳐넣다.
bicheo *m.* 살핌, 정탐.
bichera *f.* 《*Arg.*》 구더기가 자라는 종양.
bichero *m.* (배의) 상앗대.
bichillo *m.* 《*Can.*》 =**solomillo.**
bichín *m.* 《*AmérC.*》 언청이(labio leporino).
bicho *m.* ① 벌레. ② 짐승(bestia). ③ 엉뚱한 사람 : No sé a qué viene aquí ese ~. ④ 《*AmérC.*》 어린이. ⑤ 《*Perú.*》 낙담.
—*pl.* 해충류, 해로운 짐승.
~ ***canasto*** 《*Amér.*》 도롱이 벌레. ~ ***de luz*** = luciérnaga. ~ ***de mar*** =holotoria. ***mal*** ~, ~ ***malo*** 뱃속이 검은 놈. ~ ***viviente*** 모든 사람 (todo el mundo).
bichoco, ca *adj.* 늙은 (말).
bichofear *tr.* 놀리다.
bichofeo *m.* 《*Arg.*》【조류】=**bienteveo.**
bichomoro *m.* 《*Arg.*》 =**cantárida.**
bichoquera *f.* 늙은 말의 질병.
bichozno *m.* =**quinto nieto.**
bici *f.*【속어】=**bicicleta.**
bicicleta *f.* 자전거 : ~ convertible 남녀 양용 자전거.
biciclista *m.f.* 자전거 타는 사람·탈 줄 아는 사람; 자전거 선수.
biciclo *m.* 이륜차, 자전거.
bicipital *adj.* 이두근(músculo biceps)의 : los tendones ~*es.*
bicípite *adj.* 쌍두의(bicéfalo).
bicloruro *m.*【화학】이염화물.
bicoca *f.* ① 하찮은·보잘 것 없는 물건. ② 작은 성채. ③ 《*AmérM.*》 카톨릭 승려가 머리에 쓰는 두건. ④ 《*Chile.*》 주먹.
bicolor *adj.* 2색의, 2색으로 인쇄한 : bandera ~.
bicóncavo, va *adj.* 양쪽이 오목한 : Los miopes usan lentes ~*s.*
biconvexo, xa *adj.* 양쪽이 볼록한 : Los ancianos usan lentes ~*s.*
bicoque *m.* 《*AmérM.*》 주먹.
bicoqueta *f.* =**bicoquete.**
bicoquete *m.* 귀가리개가 달린 모자(gorro).
bicoquín *m.* =**bicoquete.**
bicorne *adj.*【시어】쌍각(雙角)의 ; 뿔이 두 개인 ; 2첨두(尖頭)의.
argumento ~ 딜레마(dilema).
bicornio *m.* (앞뒤로 뾰족한) 2각 모자.
bicromatado, da *adj.*【화학】중크롬염산과 조합한.
bicromato *m.*【화학】중크롬염산.
bicromía *f.* 2색 판, 2색 인쇄.
bicuadrado, da *adj.*【수학】4승의.
bicuento *m.*【고어·수학】조(兆)(billón).
BID Banco Interamericano de Desarrollo 미주 개발 은행.
bidé *m.* =**bidel.**
bidel *m.* 《*Galic.*》 걸터앉아 국부를 씻는 기구.
bidente *adj.*【시어】이가 두 개인. —*m.* 날이 두 개인 괭이.
bidet *m.* =**bidel.**
bidón *m.* 《*Galic.*》 통(bote), 드럼통 ; 비커.
biela *f.* ① (기계의 동력을 전달하는) 연결봉(連結棒). ② (자동차의) 크랭크.
bielda *f.* (건초를 다루는) 갈퀴.
bieldada *f.* bielda로 한번 떠내기.
bieldar *tr.* (겨·먼지·쭉정이와 열매를) 풍구질하다(beldar).
bieldo *m.* =**bielda.**
bielga *f.* 《*And.*》 큰 갈퀴.
bielgo *m.* =**bielda.**
Bielorrusia *f.*【지명】백 러시아(la Rusia Blanca).
bielorruso, sa *adj.m.f.* 백 러시아의 (사람) (belorruso).
biemapareciente *adj.* 잘 생긴(bien parecido).
bien[1] *m.* [*lat.* bene] ① 좋은 일, 선(善) : hombre de ~ 신용할 수 있는 사람. Contr. mal. ② 이익 ; 행복 : ~ de la patria 국가의 복지 안녕. ③ 친절 ; 자선 : hacer ~ 친절을 다하다, 돕다. —*pl.* 부(富), 재산(hacienda, riqueza).

～*es abstractos* 무형 재산. ～*es acabados* 제품, 가공품, 완성품. ～*es agotables* 소모성 자산. ～*es complementarios* 보완재(補完財). ～*es consumibles* 소모품. ～*es de capital* 자본재, 고정 자본·자산. ～*es de consumo (duradero)* (내구) 소비재. ～*es de dominio público* 공유·공공·국유 재산, 정부 소유지. ～*es de equipo* 자본재. ～*es de equipo productor* 자본 설비·장비. ～*es de fortuna* 재산. ～*es del activo inmovilizado* 《*Chile.*》 고정 자산. ～*es del alma* 덕. ～*es del cuerpo* 건강(salud). ～*es de la tierra* 천산물(天產物). ～*es eternos* 천국(cielo). ～*es gananciales* 결혼후에 모든 부부의 공동재산. ～*es muebles* 동산. ～*es inmuebles·raíces* 부동산. ～*es manufacturados* 제품, 가공품. ～*es marítimos* 해산물. ～*es mobiliarios* 동산, 인적 자산. ～*es particulares* 사유 재산. ～*es personales* 인적 재산. ～*es pro indiviso* 공유 재산. ～*es públicos* 공공 재산. ～*es sitios* 부동산. ～*es suntuarios* 사치품. ～*es tangibles* 유형 재산. ～*es terminados* 제품, 완성품. ～*es tributarios* 과세 소득. ～*es semovientes* (재산으로서의) 가축.

No hay ～ *ni mal que cien años dure* 《속담》 양지가 음지되고 음지가 양지된다, 쥐구멍에도 볕들 날이 있다, 사람 팔자 시간 문제다.

bien² *adv.* ① 잘, 훌륭하게, 나무랄 데 없이 : José se conduce siempre ～ 호세의 행실은 언제나 훌륭하다. Está ～ de salud 그는 건강이 좋다. ② 솜씨있게, 멋지게, 잘 : José lo hace todo ～ 호세는 무슨 일이나 잘 한다. ③ 뜻대로, 제대로 : El estratagema salió ～ 작전은 제대로 성공했다. ④ 기꺼이(con gusto) : Yo ～ accedería a tus súplicas 나는 기꺼이 자네 청을 들어 주어야 하겠네. ⑤ 상당히(muy, mucho) ; 충분히, 꽤(bastante) : *Bien* hemos caminado hoy 오늘은 꽤 걸었다. Es ～ rico 그는 돈이 상당히 있다. ⑥ 거의, 대략, 쯤(aproximadamente) : *Bien* tendrá cincuenta años 분명히 50세는 되었을 것이다. ⑦ 확실히(seguramente) ; 불편없이(sin inconveniente), 어려움없이(sin dificultad) : *Bien* se puede hacer esta labor en un día. ⑧ 좋아, 그것으로 돼. ⑨ [+*p.p.* : …이] 좋은 : ～ criado 잘 자라는. ～ hablado 말씨가 정중한. ⑩ [반복되어 배분의 접속사] …이나, 혹은 : Te lo enviaré ～ por el correo de hoy, ～ por el de mañana 오늘이나 내일 우편으로 보내야겠다. Contr. mal.

—*adj. gente* ～ 예의 바른 사람, 상당히 훌륭한 사람.

a ～ *que* =esto que.

～ *a* ～ ; *por* ～ 기꺼이(de buen arado).

antes ～ ; *más* ～ 오히려 : Es una idea o *más* ～ un sentimiento 사상이라기보다 오히려 감정이다.

pues ～ 자, 그러면.

y ～ 그건 그렇다 치고.

～ *que ; si* ～ 설사 …하여도, 설령…이라도(aunque).

～ *(así) como* …하는 것과 마찬가지로(de igual modo que).

no ～ …하자마자(apenas, así que, luego que, tan pronto como) : *No* ～ hubo entrado el gato que estaba escondiendo dio un salto y cerró el morral.

encontrar·hallar ～ 시인·승인하다.

sacar con ～ 자랑스러운 영광을 얻게하다, 성공시키다.

salir ～ 성공하다, 잘되다 (tener éxito).

tener a ～ [+*inf.*]…해 주시다(dignarse) : los pormenores que *han tenido a* ～ comunicarnos 통지해 주신 명세.

bien- *pref.* 「잘」의 뜻을 나타내는 접두어.

bienal *adj.* 2년마다 일어나는, 2년 걸리는, 꼬박 2년의 : obligación ～, sorteo ～.

bienalmente *adv.* 2년마다.

bienamado, da *adj.* 매우 사랑하는·좋아하는 (muy querido)

bienandante *adj.* 운이 좋은, 행복한(feliz, dichoso, afortunado).

bienandanza *f.* 행복, 행운, 운, 다행 (felicidad, suerte, fortuna).

bienaventuradamente *adv.* 행복하게.

bienaventurado, da *adj.* ① 시복(諡福)을 얻은. ② 행복한, 운이 좋은(afortunado, feliz). ③ 어리석은, 바보스런(tonto). Contr. desgraciado.

bienaventuranza *f.* ① 지복(至福), 시복(諡福), 극락 왕생. ② 번영(prosperidad). ③ 행복 (felicidad).

las ocho Bienaventuranzas 【종교】(그리스도가 산상 수훈에서 말한 여덟 가지 복음) 팔복, 진복 팔단(眞福八端).

bienestante *adj.* 《*Arg.*》 =**acomodado.**

bienestar *m.* 여유있는 생활, 안락, 복지 (comodidad) : ～ público 공공 복지. ～ social 사회 복지. gozar de cierto ～ 안락한 생활을 즐기다. Contr. malestar.

bienfortunado, da *adj.* 재수좋은, 행운의.

biengranada *f.* 【식물】 명아주.

bienhablado, da *adj.* 말씨가 고운, 정중한.

bienhaciente *adj.* =**bienhechor.**

bienhadado, da *adj.* 행운의, 행복한 (afortunado, feliz) : ～ acontecimiento. Contr. malhadado.

bienhallado, da *adj.* [bienvenido의 인사에 답하여] 안녕하십니까.

bienhecho, cha *adj.* 몸이 잘 빠진.

bienhechor, ra *adj.* 착한 일을 하는. —*m.f.* 자선가, 선행가(善行家) ; 은인.

bienintencionadamente *adv.* 선의로.

bienintencionado, da *adj.* 선의의, 사심이 없는. Contr. malintencionado.

bienio *m.* 2개년(período de dos años).

bienllegada *f.* 안착 ; 환영(bienvenida).

bienmandado, da *adj.* 말을 잘 듣는, 가정 교육이 잘 된, 공손한 : un niño ～. Contr. malmandado.

bienmesabe *m.* 달걀 흰자위와 설탕으로 만든 과자.

bienoliente *adj.* 향기·냄새가 좋은.

bienpareciente *adj.* 보기좋은, 풍채가 좋은.

bienquerencia *f.* 호의, 호감(bienquerer).

bienquerer *tr.* 68 ① 좋아하다(querer). ② 존경하다, 소중히 하다(estimar). Contr. malquerer. —*m.* 호감, 호의(bienquerencia).

bienqueriente *adj.* 호감·호의가 가는.

bienquier- →**bienquerer** 68.

bienquis- →**bienquerer** 68.
bienquistar *tr.* 화합시키다, 융화시키다. **~se** 서로 화목하다. Contr. malquistar.
bienquisto, ta *adj.* [bienquerer의 *p.p.*] ① 의좋은, 다정한. ② 평이 좋은 (de buena fama) : ~ de sus vecinos. ③ 호감을 가진 : ~ *de·por* todos. Contr. malquisto.
biensonante *adj.* 소리가 잘 나는.
bienteveo *m.* ① 파수막. ②《*Arg.*》(아메리카의) 작은 새.
bienvenida *f.* ① 안착 (llegada feliz). ② 환영 : Le doy a Ud. la ~ 환영합니다.
bienvenido *m.* =**bienvenida.**
bienvenido, da *adj.* 환영(합니다)!, 잘 오셨습니다. [*N.* 환영을 받는 사람의 성·수에 일치함] ¡ *Bienvenida* a Corea! 《여자에게》 한국에 오신 것을 환영합니다. ¡ *Bienvenido* a Corea! 《남자에게》. ¡ *Bienvenidos* a Corea! 《남자들·남자·여자들에게》. ¡ *Bienvenidas* a Corea! 《여자들에게》.
bienviviente *adj.* 안락하게 사는, 정직하게 사는.
bienvivir *intr.* 안락하게 살다 ; 정직하게 살다.
bierzo *m.* (León의) 비에르소직 《린넨의 일종》.
bies *m.* 《*Galic.*》 ① 비스듬함, 비탈, 경사(sesgo). ② 비스듬히 자름 《베 따위》.
al ~ 비스듬히(al sesgo).
bifásico, ca *adj.* 【전기】 2상(相)의.
bife *m.* 《*Riopl.*》 ① 비프스테이크 (biftec). ② (피부의 벗겨진) 붉은 허물. ③ (곳에 따라서는) 카틀렛.
bifenilo *m.* 【화학】 =**difenilo.**
bífero, ra *adj.* 1년에 두 번 열매가 여는.
bífido, da *adj.* 【식물】 둘로 갈라진 : hoja ~*da.*
bifilar *adj.* 이본선(二本線)의.
bífloro, ra *adj.* 【식물】 2화(花)의.
bifocal *adj.* (원시·근시의) 두 초점의 : lente ~ 초점이 두 개인 렌즈.
bifoliado, da *adj.* 【식물】 쌍잎의.
bifolial *adj.* 【식물】 쌍잎의.
biforme *adj.* 【시어】 두 가지 형태의.
bíforo, ra *adj.* 겹문의, 이중창의.
bifronte *adj.* 양면의 ; 두 얼굴의.
biftec *m.* [*ing.* beefsteak] [*pl.* biftecs] 비프스테이크(bistec).
bifurcación *f.* ① 분기(分岐), 두 갈래 : la ~ de una rama. ② (길·철도의) 분기점 : la ~ de un camino.
bifurcado, da *adj.* 머리핀 모양의.
bifurcarse *r.* 8 둘로·두 갈래로 갈라지다 : ~*se* el río·el ferrocarril·la rama.
biga *f.* (고대 로마의) 쌍두 마차 ; 그 말.
bigamia *f.* 이중 결혼 ; 재혼.
bígamo, ma *adj.* 중혼(重婚)의 ; 재혼의. —*m.f.* 중혼자 ; 재혼자.
bigarda *f.* 《*León.*》 =**billalda.**
bigardear *intr.* =**bigardonear, vagabundear.**
bigardía *f.* 시치미를 뗌, 모른 척하기, 딴전 부리기(fingimiento).
bigardo, da *adj.* ① 사이비의. ② 건달의, 놈팽이의.
—*m.f.* ① 돌팔이 수도사. ② 건달, 깡패.
andar hecho un ~ 빈둥거리다.
bigardón, na *adj.* =**bigardo.**
bigardonear *intr.* 【속어】 빈둥거리다, 하릴없이 쏘다니다, 허송 세월을 보내다.
bígaro *m.* (서반아 북부 깐따브리아 해안의) 소라.
bigarrado, da *adj.* 얼룩덜룩한(abigarrado).
bigarro *m.* =**bígaro.**
bigato *m.* 옛 로마의 은화.
bigemo, ma *adj.* 【식물】 싹이 두 개인.
bignonia *f.* 【식물】 능소화.
bignoniáceo, a *adj.* 【식물】 능소화과의. —*f.pl.* 능소화과에 속하는 식물.
bigorneta *f.* [*dim.* bigornia] 소형의 모루.
bigornia *f.* (양끝이 뾰족한) 모루, 받침틀 《공구》.
bigote *m.* ① 콧수염 (mostacho) : quemarse los ~*s.* [*N.* barba 턱수염, patilla 구레나룻]. ② 멘트 《인쇄에서 구획·장식을 겸해 쓰는 양쪽 끝이 가느다란 괘선》. ③ 《*Méx.*》 비고떼 《요리》.
de ~*s* ① 굉장한, 가공할(formidable). ② 거대한 커다란(enorme, muy grande).
no tener malos ~*s* 여자의 용모가 나쁘지 않다.
tener ~*s* 입을 꼭 다물다.
bigotera *f.* ① 수염받이 가죽. ② 수염에 묻은 물·술방울 : ~*s* de chocolate. ③ 리본의 가슴 장식. ④ 자동차·비행기의 접게 된 보조 의자. ⑤ 구두 끝의 덧댄 가죽. ⑥ 소형 컴퍼스(compás pequeño).
pegar una ~ 속이다, 골탕먹이다.
tener buenas ~*s* 용모가 수려하다, 생김새가 훤하다.
bigotudo, da *adj.* 콧수염의 숱이 많은.
biguá *f.* 【조류】 (el Río de la Plata산의) 가마우지.
bigutí *m.* 【미용】 곱슬곱슬하게 하는 핀.
bija *f.* 【식물】 잇꽃, 아나트 (achiote) ; 그 열매 ; 그 열매에서 채취한 염료 《적색 염료》.
bijáguara *f.* 【식물】 Cuba의 야생 나무.
bijao *m.* 《*Amér.*》 【식물】 식물 이름.
bijirita *f.* 《*Cuba.*》 ① 【조류】 (카나리아 닮은) 작은 새. ② =**pequeñez.**
bijugo *m.* (Guatemala의) 작은 새.
bikini *m.* 비키니 《짧은 투피스의 여자 수영복》.
bilabarquín *m.* 《*Galic.*》 =**berbiquí.**
bilabiado, da *adj.* 【식물】 쌍순형(雙脣形)의.
bilabial *adj.* 두 입술의. —*m.* 양순음 《b, p, m 등》.
bilao *m.* 《*Filip.*》 등나무로 짠 쟁반.
bilateral *adj.* ① 양측의, 두 면이 있는. ② 【식물·해부】 좌우 양측의 : parálisis ~ 전신 불수. ③ 【법률】 쌍무적인 : acuerdo ~ 쌍무 협정. contrato ~ 쌍무 계약. tratado ~ 상호 협정.
bilbaíno, na *adj.m.f.* 빌바오 《Bilbao, 서반아 북부의 항구 도시》 의 (사람).
bilbilitano, na *adj.m.f.* ① 빌빌리스 《Bílbilis, 옛 서반아의 도시》 의 (사람). ② 깔라따유드 《Calatayud, Zaragoza 주의 도시》 의 (사람).
biliar *adj.* 담즙의 : vesícula ~ 담낭.
biliario, ria *adj.* =**biliar.**
-bilidad *suf.* 형용사 -ble의 추상 명사 : amable → ama*bilidad.*
bilingüe *adj.* 2개 국어를 말하는 ; 2개 국어 병용의, 대역(對譯)의 : diccionario ~ 대역 사전.

bilingüidad *f.* 2개 국어 병용.

bilingüismo *m.* 2개 국어의 상용 : el ~ paraguayo 빠라구아이의 2개 국어 상용.

bilioso, sa *adj.* ① 담즙이 많은 ; 담즙증의, 담즙질의. ② 성미가 까다로운 : temperamento ~.

bilis *f.* [*lat.* bilis] 담즙.

exaltárse(le) la ~ a uno (누가) 발끈 화내다.

tragar ~ =aguantar.

bilítero, ra *adj.* 두 가지 글자의.

bill *m.* (영국의) 의안, 법률안.

~ ***de indemnidad*** (영국 의회의) 신임 투표.

billa *f.* [*fr.* bille] (당구에서) 구멍에 넣음.

billalda *f.* =**tala** 《어린이 놀이의 일종》.

billar *m.* [*fr.* billard] 당구 ; 당구대.

billarda *f.* =**billalda.**

billarista *m.f.* 당구치는 사람, 당구 선수.

billetado, da *adj.* 【문장】 패(牌) 모양의.

billetaje *m.* [집합] 입장권, 표 ; 표의 매상금.

billete *m.* ① (본래는 간단한) 편지 ; 연문(戀文) : ~ amoroso. ② 권 ; 패 ; 지폐 : ~ de banco 은행권, 태환권 ; 은행 발행권 《수표·어음·메모 따위》. ~ inconvertible 불환 지폐. ~*s* emitidos por los bancos de la reserva federal (미국의) 연방 준비 지폐. ③ 표, 탑승권, 승차권 : ~ de ferrocarril 철도 승차권. ~ circular 회유권(回遊券). ~ de abono 회수 승차권. ~ de ida y vuelta 왕복표. ~ kilométrico 킬로수 승차권. ④ 입장권, 관람권 : ~ de favor 무료 입장권. ~ de teatro 극장 입장권. ~ talonario 쿠폰식 입장권. ⑤ 추첨권. ⑥ 문장의 패 무늬. ⑦ 《*AmérC.*》 (옷의) 덧댄 자리.

billetera *f.* ① 《*AmérC. Chile.*》 (billete용) 지갑. ② 【상업】 어음 명세서. ③ 《*Méx.*》 복권 판매원.

billetero *m.* =**billetera.**

billón *m.* ① 조(兆) (un millón de millones). ② 10억 《북미·불란서에서》.

billonario, ria *m.f.* 억만 장자.

bilma *f.* 《*Amér.*》 고약(bizma).

bilmar *tr.* 《*Amér.*》 =**bizmar.**

bilobulado, da *adj.* 【식물】 화판이 두 개인.

bilocación *f.* 동일 인물을 동시에 두 곳에 나타내는 기적 현상.

bilocarse *r.* 9 ① 동시에 두 곳에 나타나다. ② 《*Arg.*》 얼근하게 취하다. ③ 돌다, 미치다(volverse loco).

bilocular *adj.* 【식물】 구멍이 난.

bilongo *m.* 《*Cuba.*》 =**brujería.**

bilque *m.* 《*Arg.*》 =**birque.**

biltrotear *intr.* 거리를 쏘다니다, 길을 어정거리다(corretear, callejear).

biltrotero, ra *adj.* =**viltrotero.**

bimano, na *adj.* 【동물】 =**bímano.**

bímano, na *adj.* 【동물】 손이 두개인 : Sólo el hombre es ~. —*m.pl.* 분류학에서 사람이 속한 영장류.

bimba *f.* ① 【속어】 실크 해트. ② 《*AmérC.*》 키꺽다리. ③ 《*AmérC.*》 두툼한 입술. ④ 《*Méx.*》 취기(醉氣).

bimbalete *m.* 《*Méx.*》 통나무, 버팀목, 받침대 ; 우물의 물 퍼올리는 장치 ; 어린아이들의 장난·놀이.

bimbo *m.* 《*Col.*》 【조류】 =**pavo.**

bimbral *m.* 【속어】 =**mimbral.**

bimbre *m.* 【속어】 【식물】 =**mimbral.**

bimembre *adj.* 두 손의, 두 발의.

bimensual *adj.* 매월 2회의.

bimestral *adj.* 2개월 마다의, 60일간의.

bimestre *m.* 2개월 ; 2개월분. —*adj.* 2개월 마다의.

bimetalismo *m.* 【경제】 금은 복본위제, 복본위제(複本位制). Contr. monometalismo.

bimetalista *adj.m.f.* 금은 본위제의 (주장자) : pueblo ~.

bimorfo, fa *adj.* =**dimorfo.**

bimotor *adj.* 쌍발의 : avión ~ 쌍발기.

bina *f.* 두 번째의 쟁기질.

binación *f.* =**bina.**

binadera *f.* ① 괭이의 일종. ② 경운기.

binador *m.* =**binadera.**

binadura *f.* =**binazón.**

binar *tr.* 두 번째로 논(밭)갈이를 하다. —*intr.* (제일에) 두 번 미사를 올리다.

binario, ria *adj.* 2단위의, 둘로 된 : número ~ 2진수. compuesto ~ 2원소 화합물.

binaural *adj.* 양쪽 귀에 사용하는.

binauricular *adj.* =**binaural.**

binazón *f.* =**bina.**

bincha *f.* ① 《*Riopl.*》 (소녀의) 리본. ② 《*Arg.*》 (남자의) 수건. ③ 《*Chile.*》 큰 리본.

bingarrote *m.* 《*Méx.*》 용설란으로 빚은 술.

bingo *m.* ① 빙고. ② (승자에게 주는) 상.

binguero, ra *adj.* 빙고의·에 관한. —*m.f.* 빙고장 고용원 ; 빙고 선수.

binguí *m.* 《*Méx.*》 용설란의 발효술.

binitrado, da *adj.* 【화학】 =**dinitrado.**

binocular *adj.* 양안(兩眼)의, 양 눈에 쓰이는, 쌍안용의 : microscopio ~ 쌍안 현미경. telescopio ~ 쌍안 망원경.

binóculo *m.* ① 시력 교정용 안경. ② 쌍안경.

binochón *m.* =**binador.**

binomio *m.* ① 【수학】 2항식. ② 2인조.

bínubo, ba *adj.* 재혼의. —*m.f.* 재혼자.

binucleado, da *adj.* 핵이 두 개인.

binuclear *adj.* =**binucleado.**

binza *f.* (계란·양파 따위의) 얇은 껍질.

biñuelo *m.* =**buñuelo.**

bio- *pref.* 「생명」「생활」을 뜻하는 접두어.

biobibliografía *f.* 생활 서지학.

biobibliográfico, ca *adj.* biobibliografía의.

bióculo *m.* =**binóculo.**

biodinámica *f.* 생활 기능학, 생체 역학.

biofagia *f.* 산 물질의 영향 섭취.

biófago, ga *adj.* 산 물질을 먹는.

biofísica *f.* 생(물) 물리학.

biofísico, ca *adj.* 생(물) 물리학의. —*m.f.* 생(물) 물리 학자.

biogénesis *f.* 【생물】 (생물은 생물에서 발생한다는) 생물 발생설.

biogenético, ca *adj.* biogénesis의.

biógeno, na *adj.* 기생의.

biognosia *f.* 생명학.

biografía *f.* 전기, 일대기, 자서전.

biografiado, da *m.f.* 전기의 대상이 된 인물.

biografiar *tr.* 12 전기를 쓰다, 전기로 쓰다 : ~ a un artista.

biográfico, ca *adj.* 전기의 ; 전기체의 ; 전기적인 : diccionario ~ 인명 사전.
biógrafo, fa *m.f.* 전기 작가.
biología *f.* 생물학.
biológicamente *adv.* 생물학적으로.
biológico, ca *adj.* 생물학(biología)의, 생물학적인 : laboratorio ~.
biologismo *m.* 생물학주의.
biólogo, ga *m.f.* 생물학자.
biombo *m.* 병풍, 간막이.
biomecánica *f.* 생물 역학(生物力學).
biometría *f.* 생물 측정학, 생물 통계학 ; 수명 측정(법).
bioplasma *m.* 【생물】 원생질(原生質) ; 원형질 ; 원생체.
biopsia *f.* 생체 조직 검사.
bioquímica *f.* 생화학.
bioquímico, ca *adj.* 생화학의. —*m.f.* 생화학자.
biota *f.* 【식물】 =**tuya.**
biótico, ca *adj.* 생명의.
biotipo *m.* 【생물】 생물형 《동식물의 특징적인 형》.
biotita *f.* 【광물】 흑운모(黑雲母).
bióxido *m.* 【화학】 이산화물.
bipartición *f.* 두 개로 분열·나눔.
bipartidista *adj.* 두 당의(de dos partidos).
bipartido, da *adj.* 둘로 분열한·나누어진·쪼개진·갈라진 : conferencia ~*da.*
bipartito, ta *adj.* =**bipartido.**
bipartir *tr.* 둘로 나누다.
bípede *adj. m.* =**bípedo.**
bípedo, da *adj.* 두 발을 가진. —*m.* 인간, 사람(hombre).
bipersonal *adj.* 두 사람 사이의, 두 사람만의 : novela ~ 주인공이 둘인 소설.
biplano *m.* 복엽 비행기.
biplaza *m.* 【항공】 2인승 비행기.
bipolar *adj.* 【전기】 이극식의 : imán ~.
bipontino, na *adj.m.f.* 쯔바이브루크 《Zweibruck, Dos Puentes, 독일 라인강 하류의 도시》의 (사람).
biquini *m.* =**bikini.**
birabira *f.* 비라비라꽃 《아메리카산으로 차를 만드는 꽃》.
biraró *m.* 《*Riopl.*》 비라로나무 《아메리카산 용설란과의 식물》.
BIRD Banco Internacional para la Reconstrucción y Desarrollo (유엔) 국제 부흥 개발 은행.
BIRF Banco Internacional de Reconstrucción y Fomento 국제 부흥 개발 은행.
biribís *m.* 내기 놀이의 이름(bisbís).
biricú *m.* 검대(劍帶).
birijí *m.* 《*Cuba.*》 【식물】 (Antillas의) 나무 이름.
birimbao *m.* 구금(口琴) 《입으로 물고 손가락으로 켜는 간단한 악기》.
biriquí *m.* 《*Amér.*》 =**berbiquí.**
birla *f.* ① 《*Ar.*》 =**bolo.** ② 《*Sant.*》 =**tala.**
birlador, ra *adj.m.f.* birlar하는 (사람).
birladura *f.* ① 공을 두 번 던지기. ② 사취. ③ 살해.
birlar *tr.* ① (구기에서 공을) 두 번 던지다. ② 한번 쳐서 쓰러뜨리다. ③ 사취하다(estafar). ④ 죽이다(matar).
birlesca *f.* 도적·불한당들의 모임.
birlesco *m.* 【은어】 밤손님, 도둑, 깡패.
birlí *m.* 각 장 끝의 여백 ; (인쇄공의 남는 여백만큼의) 이득.
birlibirloque *m. por arte de* ~ 마법에 의해, 마술처럼, 요술 부리듯이 : aparecer·desaparecer *por arte de* ~.
birlo *m.* ① =**bolo.** ② 【은어】 도적.
birlocha *f.* 종이연.
birloche *m.* 【은어】 도적, 깡패, 불량배.
birlocho *m.* 4인승의 무개 마차(無蓋馬車).
birlón *m.* 《*Ar.*》 *aum.* birlo.
birlonga *f.* 카드 놀이의 일종.
a la ~ 꾸밈없이, 조작없이.
Birmania 【지명】 버마.
birmano, na *adj.m.f.* 버마(Birmania)의 (사람).
birome *m.* 《*Arg.*》 =**bolígrafo.**
birovescano, na *adj.m.f.* 브리비에스까 《Briviesca, Burgos 주의 도시》의 (사람).
birque *m.* 《*Arg.*》 =**bareño.**
birrefringencia *f.* 【물리】 복굴절(複屈折).
birrefringente *adj.* 【물리】 복굴절의.
birreme *adj.* 노가 두 줄 있는 (배).
birreta *f.* 추기경모(帽) 《로마 교황이 cardenal에게 주는 빨간 모자》.
birrete *m.* ① 추기경모(birreta). ② (행사 때 쓰이는 학과별 구별이 있는) 대학 교수의 모자, 법관모(法官帽), 변호사 모자, 챙이 없는 모자, 두건. ③ 《*Chile.*》 삼각 두건(clac).
birretina *f.* [*dim.* birrete] 두건 ; 모피로 만든 모자. **Sinón.** gorro.
birria *f.* (*m.*) ① 《*Col.*》 저주, 미워함(odio). ② 꼴불견, 흉칙한 것. ③ 《*Col.*》 집념, 끈기.
jugar de ~ 돈을 걸지 않고 놀다(jugar sin interés).
birriagas *m.* =**cobarde.**
birringa *f.* 언행이 칠칠치 못한 여자, 천하게 노는 여자.
birriondo *adj.* 《*Méx.*》 =**mujeriego.**
bis *adv.* ① 【음악】 반복하여, 재창 ; (연주회 등에서) 앙코르. ② (번호의) 2.
bis- *pref.* 「2」「중(重)」「복(複)」을 뜻하는 접두어(bi-).
bisabuelo, la *m.f.* 증조부모. —*m.pl.* 선조.
bisagra *m.* ① 돌쩌귀(gozne) : poner ~*s* a una puerta. **Sinón.** charnela. ② 춤추면서 궁둥이를 흔듬. ③ (제화공이) 구두창을 손질하는데 쓰는 회양목나무.
bisalto *m.* 【식물】 완두(guisante).
bisanual *adj.* 【식물】 =**bienal.**
bisanuo, nua *adj.* 【식물】 2년생의 : La zanahoria es planta ~*nua.*
bisar *tr.* (노래·연주·연극을) 거듭해서 두 번을 하다.
bisarma *f.* 《*Ál.*》 키가 껑충한 사람.
bisayo, ya *adj.m.f.* 비사야스 제도(諸島) 《las Bisayas, 필리핀 군도의 하나》의 (사람). —*m.* 비사야스말.
bisbís *m.* 루렛 비슷한 도박 놀이.
hacer ~ 아이가 오줌을 싸다(orinar el niño).

bisbisar *tr.* 투덜거리다, 불평하다, 잔소리하다.
bisbisear *tr.* =**bisbisar.**
bisbiseo *m.* 투덜거림, 잔소리.
biscambra *f.* =**brisca.**
biscargitano, na *adj.m.f.* =**bisgargitano.**
biscocho *m.* =**bizcocho.**
biscuit *m.* ①《*Galic.*》 질그릇. ② 도기(陶器)에 유약을 바르지 않고 굽는 일.
bisecar *tr.* ⑦ 【수학】 이등분하다.
bisección *f.* 【수학】 이등분.
bisector, triz *adj.* 이등분의. —*f.* 이등분선.
bisegmentación *f.* 【수학】 두 선분으로 나누기.
bisegmentar *tr.* 두 선분으로 나누다.
bisel *m.* 사단면(斜斷面) : cristal cortado en ~. Sinón. chaflán.
biselado, da *adj.* [biselar의 *p.p.*]사단면(bisel)이 있는. —*m.* 비스듬히 자름.
biselador, ra *adj.m.f.* 거울에 모서리를 제거하는 (사람).
biselar *tr.* 비스듬히 자르다, (거울·널판지의) 모서리를 없애다 : ~ un espejo 거울의 모서리를 없애다. Sinón. achaflanar.
bisemanal *adj.* 주 2회의 : una revista ~.
bisemanario *m.* 《*Col.*》 주 2회 발행되는 잡지.
bisexual *adj.* 양성(兩性)의(hermafrodita).
bisgargitano, na *adj.* 비스가르히스《Bisgargis, 현재의 Morella》의 (사람).
bisgo, ga *adj.* 【방언】 =**bizco.**
bisiesto *adj.* [*lat.* bissextilis] 윤년의 : año ~ 윤년.
mudar (de) ~ 언행을 바꾸다.
bisílabo, ba *adj.* 【문법】 2음절의(disílabo).
bismutita *f.* 【화학】 창연탄산염.
bismuto *m.* 【화학】 창연.
bisnieto, ta *m.f.* 증손자, 증손녀 ; 증손.
bisojo, ja *adj.* 사시(斜視)의. —*m.f.* 사팔뜨기.
bisonte *m.* 【동물】 (북 América의) 들소(cíbolo).
bisoñada *f.* 【속어】 어설픈 말이나 행동, 서툰 짓, 서툰말.
bisoñé *m.* 반가면(反假面).
bisoñería *f.* =**bisoñada.**
bisoño, ña *adj.* 애송이의, 초심의, 신참의(nuevo, novicio) : un soldado ~. Contr. veterano. —*m.* 신병(新兵).
bispón *m.* =**rollo.**
bisque *m. fr.* 게 수프(sopa de cangrejos).
bisté *m.* =**bistec.**
bistec *m.* [*pl.* bistecs] 비프스테이크.
bístola *f.* 《*Mancha.*》 =**béstola.**
bistorta *f.* 【식물】 범꼬리.
bistraer *tr.* ⑫ 【방언】 선불하다 ; 가불하다.
bistre *m. fr.* 녹빛 ; 그 안료 : El ~ es parecido a la sepia.
bistrecha *f.* (금전의) 선불.
bistreta *f.* =**bistrecha.**
bisturí *m.* (수술용) 메스, 유엽도(柳葉刀).
bisulco, ca *adj.* 【동물】 발굽이 갈라진 (동물, 소나 양 등) : El buey es un animal ~.
bisulfato *m.* 【화학】 중황산염.
bisulfito *m.* 【화학】 중아황산염.
bisulfuro *m.* 【화학】 이황화물(二黃化物).
bisunto, ta *adj.* 기름진 ; 추잡한, 더러운(grasiento).
bisurco *adj.* 《*Arg.*》 두 개의 (쟁기).
bisutería *f.* 《*Galic.*》 =**joyería, joyas, baratijas** : ~ falsa 모조 보석.
bisutero, ra *m.f.* 보석류 제조자·판매자.
bita *f.* (돛줄을) 매는 기둥.
bitaca *f.* 《*Arg.*》 =**palo borracho.**
bitácora *f.* [*fr.* babitacle] (배의) 나침반 상자.
bitadura *f.* 닻을 내리기 위해 마련된 밧줄.
bitango *adj.* ***pájaro*** ~ 종이연(cometa).
bitas *f.pl.* [*ing.* bitts] (닻줄 따위를 메는) 계주.
bíter *m.* 쓴맛의 맥주, 쓴 술.
bitneriaceas *f.pl.* 【식물】 카카오 모양의 쌍자엽 식물.
bitongo *adj.* ***niño*** ~ 능청떠는 사람.
bitoque *m.* ① (통의) 마개. ②《*Méx.*》 수도꼭지(grifo). ③《*Amér.*》 (관장용의) 통.
bitor *m.* 【조류】 흰눈썹뜸부기, 비오리, 수계(水鷄)(rey de los codornices).
bítter *m. ing.* (식욕 증진제 술로 마시는) 독한 술.
bitubulado, da *adj.* 두 개의 관이 달린.
bituminación *f.* 역청으로 만듦.
bituminizar *tr.* 역청으로 만들다.
bituminoso, sa *adj.* ① 역청(瀝青)(betún)이 함유된 : suelo ~. ② 깐죽거리는.
bivalencia *f* 【화학】 2가(價).
bivalente *adj.* 【화학】 2가(價)의.
bivalvo, va *adj.* 【동물·식물】 양판(兩瓣)의 ; 쌍각(雙殼)의 : fruto ~ 쌍각 열매. La ostra es ~*va* 굴은 쌍각이다.
bivalvular *adj.* 쌍각의.
bivio *m.* 《*Arg.*》 =**empalme de dos caminos.**
bixeas *f.pl.* 【식물】 =**bixíneas.**
bixíneo, a *adj.* 【식물】 잇꽃나무속의. —*pl.f.* 잇꽃나무에 속하는 식물.
biz- *pref.* =**bis-.**
biza *f.* 【어류】 (지중해의) 가다랭이.
bizantinismo *m.* ① 비잔틴식《건축·예술에서의 지나친 꾸밈새》. ② 하찮은 일을 크게 문제삼음. ③ 사대주의.
bizantino, na *adj.m.f.* ① 비잔티움《Bizancio ; Constantinopla, Estambul의 옛 이름》의 (사람). ② 비잔틴의 : arte ~ 비잔틴 예술. estilo ~ 비잔틴 양식. imperio ~ 동양 제국. ③ 보잘것 없는, 무익한 : discusiones ~*nas* 쓸모없는 토의.
La Bizantina 비잔틴 제국의 역사적 유물의 수집.
bizarramente *adv.* 용감하게(con bizarría).
bizarrear *intr.* 용감하게 거동하다.
bizarría *f.* ① 화려함. ② 용감(gallardía). Contr. cobardía. ③ 대범함. ④《*Galic.*》 괴이한 일·것.
bizarro, rra *adj.* [*ital.* bizzarro] ① 용감한(valiente). ② 호방한. ③ 대범스러운, 속이 트인(generoso). Contr. cobarde.
bizarrón *m.* 큰 촛대.
bizazas *f.pl.* 길마에 나누어 싣는 가죽 자루.
bizbirindo, da *adj.* 《*Méx.*》 생생한, 생기있는.
bizcaitarra *m.f.* =**vascófilo acérrimo ; nacionalista vasco.**
bizcar *intr.* ⑦ 눈을 찡그리다, 곁눈질하다, 흘겨보다(bizquear). —*tr.* (신호로써 눈을) 윙크하다,

찡그리다.

bizco, ca *adj.* 사팔눈의. —*m.f.* 사팔뜨기. Sinón. bisojo.
dejar ~ 혼내다. *quedarse* ~ 질겁하다.

bizcochada *f.* 코페빵, 비스킷 수프.

bizcochar *tr.* (빵을) 두 번 구이로 하다.

bizcochera *f.* 카스텔라 상자.

bizcochería *f.* 《*Méx.*》 bizcocho 공장·가게.

bizcochero, ra *adj.* 굳은 빵의. —*m.f.* 굳은 빵 기술자 ; 카스텔라 기술자.

bizcocho *m.* ① 카스텔라 : El ~ sirve de pan a los marineros. ② 굳은 빵(galleta). ③ 《*Galic.*》 유액을 바르지 않은 토기. ④ 《*Galic.*》 석고.
—*adj.* ① 《*Méx.*》 질이 나쁜. ② 《*Méx.*》 겁쟁이의.
~ *borracho* 술에 적신 카스텔라.

bizcochuelo *m. dim.* bizcocho.

bizcorneado *adj.* ① 휘어져 인쇄(imprenta)된. ② 《*Amér.*》 사팔뜨기의.

bizcornear *intr.* 휘어지다 ; 사팔뜨기가 되다.

bizcorneta *adj.m.f.* 《*Amér.*》 사팔뜨기(의).

bizcorneto, ta *adj.m.f.* 《*Col. Méx.*》 =**bizco.**

bizcotela *f.* 카스텔라의 일종.

bizcuerno, na *adj.* 《*Ar.*》 =**bizco, bisojo.**

bizma *f.* 고약, 연고.

bizmar *tr.* …에 고약을 바르다 : ~ un enfermo.

bizna *f.* 호두 열매를 덮는 얇은 막.

biznaga *f.* ①【식물】 야생 당근. ② 《*And.*》 = **varilla de jazmines.**

biznagal *m.* 야생 당근이 풍부한 땅.

biznieto, ta *m.f.* =**bisnieto.**

bizquear *intr.* 곁눈질하다, 흘겨보다(mirar bizco).

bizquera *f.* 사팔뜨기.

Bk berkelio.

blanca *f.* ① (옛날의) 동화. ②【음악】 반음부(半音符). ③【조류】 까치. ④ 《*Salv.*》 =**aguardiente de caña.** ⑤ =**cocaína.**
sin ~ 돈없이(sin dinero).

blancal *adj. perdiz* ~ 【조류】 (북구산) 자고새의 일종.

blancarte *m.* 파쇠.

blancazo, za *adj.* 희끗희끗한(blanquecino).

blanco, ca *adj.* ① 흰, 하얀 ; 백색의, 우유빛의, 눈(nieve)빛의 : La harina es ~*ca* 밀가루는 하얗다. ② (같은 종류의 다른 것보다) 엷은 빛깔의 : pan ~ 엷은 빛깔의 빵. vino ~ 백포도주. ③ 순수한, 티없이 맑은(inocente). ④ 무색의 ; 공백의 : página ~*ca*. ⑤ 백색 인종의 : raza ~*ca* 백인종. ⑥겁쟁이의(cobarde). ⑦ 이윤이 없는 : venta ~*ca* 원가 판매. Contr. negro, sucio.
—*m.f.* ① 백인 : Los ~*s* quisieron esclavizar a los indios de América. ② 겁쟁이.
—*m.* ① 백색(color blanco) : foto en ~ y negro 흑백 사진. ② 표적, 과녁 : dar en el ~ 과녁에 맞다. hacer ~ 과녁을 맞추다. ③ 목적. ④ 공백 : endose en ~ 무기명식·백지 배서. ⑤ 여백 : dejar un ~ en la copia. ⑥ 간격, 틈새, 짬.
~ *como la nieve* 티없이 맑은(inocente). ~ *de ballena* 고래 기름으로 만든 초. ~ *de cerusa,* ~ *de plomo* 백연(白鉛). ~ *de la uña* 속손톱, 손톱의 반달. *lo* ~ *del ojo* 눈알의 흰막. *arma blanca* 무기 《칼·송곳·나사돌리개·야구 방망이, 쇠파이프 등, 사람 또는 사물을 자르거나 찌르면서 해를 가할 수 있는 물건》. *papel* ~ 아무것도 쓰이지 않은 종이, 백지.
de punta en ~ 빈틈없이.
en ~ ① 쓰이지도 않고 인쇄도 안된 : libros *en* ~. ② 기대하지 않고 : quedarse *en* ~. ③ 자지 않고(sin dormir). ④ 이해하지 못한 채 ; 끝내 밝혀지지 않은 채.

blancor *m.* =**blancura.**

blancote, ta *adj.* [*aum.* blanco] ① 새하얀 : cara ~*ta*. ② 겁이 많은(cobarde).

blancura *f.* 하얀 정도, 흰 것.
~ *del ojo* 눈에 생기는 별.

blancuzco, ca *adj.* 《*Neol.*》 =**blanquecino.**

blanda *f.*【은어】 잠자리, 침대.

blandamente *adv.* ① 보드랍게, 푹신하게 (con blandura). ② 부드럽게, 상냥하게, 다정하게 (con suavidad) : hablar ~. Contr. duramente.

blandeador, ra *adj.* blandear하는.

blandear *tr.* ① 완화시키다, 무르게 하다(ablandar). ② (누구에게) 생각을 바꾸게 하다 (hacer cambiar de parecer). ③ (칼날을) 휘두르다(blandir).
—*intr.,* ~**se** ① 부드러워지다, 연해지다, 물러지다(aflojar) : ~ ante la amenaza. ② [+con : …에게] 한 발 양보하다(ceder).

blandengue *adj.* 《*Col.*》 마음이 약한, 소심한, 대범하지 못한. —*m.* ① 마음이 너무 좋은 사람. ② Buenos Aires의 창병(槍兵).

blandenguería *f.* 마음이 약함, 소심.

blandense *adj.m.f.* 블라네스 《Blanes, Gerona 주의 마을》의 (사람).

blandicia *f.* ① 아부, 아첨, 알랑거림(halago). ② 외교적인 언사. ③ =**delicadeza, molicie.**

blandiente *adj.* 휘두르는.

blandir *tr.* ① 휘두르게 하다. ② 휘두르다 : ~ el sable.
—*intr.,* ~**se** 휘두르다.

blando, da *adj.* ① 부드러운(tierno y suave) : almohada ~*da*. ② 상냥스러운, 정다운(suave, apacible) : palabras ~*das*. ③ 비겁한, 겁이 많은(cobarde). ④ 온화한(benigno, templado). Contr. duro. —*adv.* 부드럽게, 상냥하게, 다정스럽게 ; 온화하게.

blandón *m.* 커다란 촛대.

blanducho, cha *adj.* =**blandujo.**

blandujo, ja *adj.* 약간 부드러운(algo blando).

blandura *f.* ① 연함, 부드러움. ② 추위가 풀림. ③ 고름을 빨아내는 고약. ④ 분(afeite). ⑤ 호사, 사치(lujo). ⑥ 감언(甘言). Contr. dureza.

blandurilla *f.* (두발용) 부드러운 포마드.

blanduzco, ca *adj.* 《*Neol.*》 =**blandujo.**

blanqueación *f.* (금속을) 희게 함 ; 벽의 흰칠.

blanqueada *f.* 《*Méx.*》 =**blanqueo.**

blanqueado *m.* 《*Chile.*》 =**blanqueo.**

blanqueador, ra *adj.* 희게 하는 ; 표백의.
—*m.f.* 흰색을 칠하는 사람 ; 표백자.

blanqueadura *f.* =**blanqueo.**

blanqueamiento *m.* =**blanqueo.**

blanquear *tr.* ① 희게 하다 (hacer blanco) : ~ la cera. ② 윤을 내다. ③ 표백하다. ④ 《*Amér.*》 목표를 삼다, 노리다, 겨냥하다. —*intr.* ① 희게

보이다(mostrar blancura) : Esta chocolate *blanquea.* ② 흰 빛을 띠다. ③ 희게 되다(volverse blanco). Contr. ennegrecer.

blanquecedor *m.* 동전을 문지르는 직공.

blanquecer *tr.* 31 (금속을) 닦다, 문지르다 ; 희게 하다.

blanquecimiento *m.* =**blanquición.**

blanquecino, na *adj.* 희뿌연, 빛이 바랜, 흰 빛을 띤 : tez ~*na.* Contr. negrusco.

blanqueo *m.* ① 희게 함, 하얗게 됨. ② 표백 : el ~ de la seda 비단의 표백. ③ 흰 칠.

blanquería *f.* 표백하는 곳, 표백 공장.

blanquero *m.* 《*Ar.*》 =**curtidor.**

blanquet *m.* 옛날 나바라와 아라곤에서 통용된 동전.

blanquete *m.* (여자들이 사용하는) 흰 분.

blanquición *m.* (금속) 광내기.

blanquillo, lla *adj.* 씨가 좋은 밀의 : trigo ~. —*m.* ① 백색 복장의 보병. ② 《*Chile. Perú.*》 하얀 복숭아. ③ 【식물】 배의 일종. ④ (칠레의) 물고기. ⑤ 《*Méx.*》 계란.

blanquim(i)ento *m.* 표백제.

blanquín *m.* Santo Domingo에서 사용되는 천.

blanquinegro, gra *adj.* 흰 색과 검은 색이 혼합된.

blanquinoso, sa *adj.* 희끗한.

blanquizal *m.* 점토갱(gredal).

blanquizar *m.* =**blanquizal.**

blanquizco, ca *adj.* =**blanquecino.**

blao *adj. m.* [*f.r.* bleu] 【문장】 감색(의).

Blas *m.* 블라스.

Lo dijo ~, punto redondo 괜한 참견 말고, 잠자코 있어.

Blasco Ibáñez (Vicente) 【인명】 블라스꼬 이바녜스 《서반아의 소설가(1867—1928) ; 작품으로 Entre Naranjos, Flor de Mayo, Sangre y arena, Mare Nostrum, La catedral 등 다수》.

blasfemable *adj.* 비난할 만한(vituperable).

blasfemador, ra *adj.m.f.* =**blasfemante.**

blasfemante *adj.m.f.* 신을 저주하는, 벌받을 소리를 하는 ; 모독적인 (사람).

blasfemar *intr.* [*lat.* blasphemare] (신·신성한 것을) 모독하다, 불경스러운 말을 하다 : ~ contra Dios.

blasfematorio, ria *adj.* 죄받을, 불경스러운, 모독적인.

blasfemia *f.* [*gr.* blasphêmia] ① 신에 대한 불경, 모독. ② 욕지거리, 폭언. ③ 벌받을 소리.

blasfemo, ma *adj.* ① 신을 모독하는, 불경스러운 : escrito ~. ② 화풀이하는.

blasón *m.* ① 문장학(紋章學)(ciencia heráldica). ② 문장(紋章)(escudo de armas). ③ 가문(家門) 자랑.

hacer ~ de … 을 과시하다.

blasonado, da *adj.* [blasonar의 *p.p.*] 문장으로 유명한.

blasonador, ra *adj.* ① 자랑하는. ② 문장을 정하는.

blasonante *adj.* 문장을 정하는; 자랑하는.

blasonar *tr.* (…의) 문장(escudo)을 정하다. —*intr.* [+de : … 을] 자랑하다 : *Blasona de* sabio 그는 박식한 척하고 있다.

blasonería *f.* 허세(baladronada).

blasónico, ca *adj.* 문장(blasón)의.

blasonista *m.f.* 문장학자(紋章學者).

blastema *m.* 【생물】 씨주머니, 배포(胚胞) ; 원형질, 배종질(胚種質).

blástema *m.* =**blastema.**

blastemático, ca *adj.* blastema의.

blastodérmico, ca *adj.* blastodermo의.

blastodermo *m.* 【식물】 배엽(胚葉) ; 【생물】 포배벽(胞胚壁).

blata *f.* 【곤충】 바퀴벌레(cucaracha)의 이름 중의 하나.

ble *m.* 벽에 대고 치는 공(pelota)의 동작.

-ble *suf.* 가능을 나타내는 형용사 어미 ; -ar동사는 -able ; -er와 -ir 동사는 -ible : am*able,* beb*ible,* sufr*ible.*

bleda *f.* 【식물】 =**acelga.**

bledo *m.* ① 【식물】 당비름. ② 아주 하찮은 것.

no dárse*le a uno* ***un ~ de*** 대수롭지 않다, 일고의 가치도 없다, 무의미하다(ser insignificante) : *No se me da un ~ de* ello 나는 아무 상관없다(No me importa).

no importar·valer un ~ 아무런 가치도 없다.

bledomora *f.* 【식물】 =**espinaca.**

blefárico, ca *adj.* =**palpebral.**

blefaritis *f.* 【의학】 안검염(眼瞼炎), 다래끼.

blefaroconjuntivitis *f.* 눈꺼풀과 결막염.

blefaroplastia *f.* 눈꺼풀 정형 수술.

blefaróstato *m.* (수술 중의) 눈꺼풀 누르는 기구.

blenda *f.* 【광물】 섬아연광(閃亞鉛鑛), 황화 아연.

blenenteria *f.* =**diarrea.**

blenia *f.* 바닷고기의 일종.

blenio *m.* =**blenia.**

blenoftalmía *f.* 【의학】 카타르성 결막염.

blenometritis *f.* =**catarro uterino.**

blenorragía *f.* 【의학】 임질(淋疾) ; 대하(帶下).

blenorrágico, ca *adj.* blenorragia의.

blenorrea *f.* 【의학】 (임질에 의한) 농루(膿淚).

bleque *m.* 《*Arg.*》 =**alquitrán impuro.**

blinda *f.* 【군사】 피갑·참호 구축 재료.

blindado, da *adj.* 장갑의 : coche ~ 장갑차. división ~*da* 기갑 사단.

—*m.* 장갑차.

blindaje *m.* ① 장갑(coraza). ② (참호 따위의) 방탄벽. ③ 【전기】 차단벽.

blindar *tr.* 장갑(裝甲)하다 ; 피복(被覆)하다 : ~ un barco 배를 장갑하다.

b.l.m. ; B.L.M. besa(n) la mano.

bloc *m.* [*ing.* block] =**bloque.**

blocaje *m.* =**bloqueo.**

blocao *m.* 【군사】 군(軍)의 방사(防舍), 토치카 《통나무로 지은 병영》.

blocar *tr.* 【축구】 발로 공을 멈추다.

blonda *f.* 비단 레이스.

estar en ~ 《*Ecuad.*》 취해 있다.

blondina *f.* 좁은 비단 레이스.

blondo, da *adj.* 금발의(rubio). —*f.* 비단 레이스 : vestido de ~*s.*

bloque *m.* ① 덩어리 : ~ de mármol. ② (잘라낸) 돌덩이. ③ (정치 따위의) 파벌. ④ (국가

간·단체간에 제휴한) 블록 : ~ comunista. ⑤ 《*Amér.*》 (일력·메모 종이·편지지의) 블럭·권, 메모장 (taco) : un ~ para cartas 한 권의 편지지.
en ~ 일괄하여(en conjunto).

bloqueador, ra *adj.* 포위하는, 봉쇄하는 (사람).

bloquear *tr.* ① 포위하다(asediar) : ~ una plaza fuerte. ② (해안·예금 따위를) 동결·봉쇄하다 : ~ una cuenta corriente, ~ un puerto. ③ 《*Galic.*》 (…에) 브레이크를 걸다 : ~ con el freno 브레이크를 걸다. ④ 저지하다, 막다, 방해하다 : ~ la salida 출구를 막다. ~ la actividad del nervio 신경 활동을 정지시키다.

bloqueo *m.* ① 포위. ② (저금·예금·군사적인) 봉쇄, 동결 : ~ efectivo 실력 봉쇄. ~ en el papel 선언 뿐인, 지상(紙上) 봉쇄. ③ 봉쇄 부대 ; 봉쇄선 : declarar el ~ 봉쇄를 선언하다. violar el ~중립국의 배가 봉쇄선을 돌파하다.

b.l.p. ; B.L.P. besa(n) los pies.

blues *m. ing.* =**fox trot.**

blufar *intr.* 시치미떼다, 속이다, 눈치채지 못하게 하다 : El póker es útil ~ .

blufear *intr.* 《*Chile.*》 =**fanfarronear.**

bluff *m.* 《*Arg.*》 으시댐, 허세.

blusa *f.* 작업복 ; 블라우스, (부인의) 웃옷.

blusón *m.* [*aum.* blusa] ① (부인의) 웃옷의 일종. ② 무릎 아래까지 내려오는 긴 옷.

bluyin *m.* 블루진.

BNC Banco Nacional de Cuba 꾸바 국립 은행.

BNCE Banco Nacional de Comercio Exterior, S.A. 《*Méx.*》 국립 외국 무역 은행.

BNN Banco Nacional de Nicaragua 니까라구아 국립 은행.

B.[mo] **P.**[e] Beatísimo Padre.

Bo., bo. banco ; beneficio ; Bueno 가(可), 합격.

b.[o] beneficio.

B.[o] Bueno 가(可), 합격.

boa *f.* [*lat.* boa] 【동물】 보아, 왕뱀. —*m.* 보아 《모피, 새털로 만든 여자용 목도리》.

boabad *m.* 【식물】 =**baobab.**

boalaje *m.* (소의) 방목장.

boalar *m.* 마을 공동의 소 방목장.

boardilla *f.* 채광(ventana en el techo).

boato *m.* 잔뜩 맵시를 낸 복장 ; 허식, 허영.

boba *f.* ① 《*Col.*》 【조류】 푸른 앵무새의 일종. ② 《*Col.*》 뱀(culebra).

bobada *f.* 어리석음, 우매함(bobería) : decir·hacer una ~.

bobadal *m.* 《*Arg.*》 =**fofadal, tremedal.**

bobalías *m.f.* 바보, 멍청이, 얼간이, 등신, 병신.

bobalicón, na *adj.* [*aum.* bobo] 어리석기 짝이 없는, 얼빠진, 멍청한 : risa ~*na* 멍청한 웃음.

bobamente *adv.* 어리석게, 멍청하게.

bobarrón, na *adj.m.f.* [*aum.* bobo] 우매한, 바보 같은 (사람).

bobatel *m.* =**bobo.**

bobáticamente *adv.* 어리석게, 멍청하게, 둔하게(bobadamente).

bobático, ca *adj.* 어리석은, 멍청한(bobo).

bobazo, za *adj. aum.* bobo.

bobear *intr.* ① 병신같은 짓을 하다 : pasar el tiempo *bobeando.* ② 바보같이 말하다.

bobera *f.* 백치(白痴).

bobera *adj.* 《*Arg.*》 =**bobo.**

bobería *f.* =**bobera.**

bobeta *adj. m.f.* 《*Arg.*》 바보(의).

bóbilis bóbilis (de) *adv.* ① 무료로, 공짜로, 거저(de balde). ② 힘 안들이고(sin trabajo) : conseguir algo *de* ~ .

bobillo *m.* ① 배가 불룩한 질항아리. ② 여자 옷의 깃 장식 레이스.

bobina *f.* [*fr.* bobine] ① 실패, 보빈(carrete). ② 코일 : ~ inductiva 유도 코일. ~ de carga 하전(荷電) 코일. ~ de película fotográfica 사진 필림의 코일. ~ de reacción 색류(塞流) 코일.

bobinado, da *adj.* [bobinar의 *p.p.*] 【전기】 = **devanado.**

bobinador, ra *adj.* (실·줄을) 감는.

bobinadora *f.* 실패를 감는 기계.

bobinar *tr.* (실·줄을) 감다.

bobito *m.* 《*Cuba.*》 papamoscas의 일종.

bobitonto, ta *adj.* 멍청한, 백치의.

bobo, ba *adj.* ① 멍청한, 우둔한, 바보같은, 어리석은(tonto) : una mirada *boba* 흐리멍텅한 눈길. ② 마음씨 좋은, 다정한. —*m.f.* 바보 : ~ de capirote 어쩔수 없는 바보. ~ de Coria 바보의 본보기. —*m.* ① 【연극】 어릿광대역. ② 【은어】 찾아낸 도둑 물건·장물. ③ 《*Amér.*》 【식물】 수양버들. ④ (México와 Guatemala의) 민물고기.
A los ~s se les aparece la madre de Dios 【속담】 누구한테도 행운은 오는 법이다.
Entre ~s anda el juego 【속담】 피장파장이다.

bobón, na *m.f.* [*aum.* bobo] 매우 우둔한.

bobote, ta *adj.m.f.* =**bobón.**

bobsleigh *m. ing.* (두 대의) 연결 썰매. [*N.* 발음 : bobsleg].

bobuno, na *adj.* 멍청한, 바보같은, 등신같은.

boca *f.* [*lat.* bucca] ① 입 : ~ de espuerta, ~ rasgada 커다란 입. ~ regañada 쭈그렁 입. La ~ es en el hombre órgano de la emisión del la voz 인간에게 입은 소리를 내는 기관이다. ② 입구, 출구 (entrada, salida) : ~ de calle 시가의 입구. ~ de cañón 대포의 주둥이. ~ de horno 난로의 구멍. ③ 구멍, 터진틈, 빈틈(abertura, agujero). ④ (말하는) 입 : abrir la ~ 입을 열다, 말하다. blando de ~ 입이 싼. ⑤ (무엇을 먹는) 입 : abrir ~ 식욕을 돋구다(despertar el apetito). ⑥ 부양 가족수 : tener muchas ~*s* 대식구를 거느리다. ⑦ 감칠맛(sabor) : Este vino tiene buena ~ 이 술은 감칠맛이 있다. ⑧ (괭이·끌 따위의) 날끝. ⑨ (펜치·망치 따위의) 집는 부분, 머리 : tenazas de ~ ancha 쇠집게, 집게. ⑩ [주로 *pl.*] 강어귀 : las ~*s* del Danubio 다뉴브강 어귀.
~ ***de agua*** 수도꼭지. ~ ***de dragón*** 이삭 물수세미. ~ ***de escorpión*** 독설가. ~ ***de espuerta*** 커다란 입. ~ ***de fuego*** 화기 《무기》. ~ ***de gachas*** 혀짧은 소리를 하는 사람 ; 거품을 튀기며 말하는 사람. ~ ***de gáucharo·gaucho*** 【식물】 양귀비, 앵속. ~ ***del estómago*** 명치(cardias). ~ ***de lobo*** 암흑. ~ ***de oro*** 말재주가 좋음, 능변가, 말재간이 있는 사람. ~ ***de riego*** (수도관의) 수전(水

栓), 꼭지.
~ *abajo* 엎드려서.
~ *arriba* 하늘을 보고, 위를 쳐다보고.
a ~ 구두로.
a ~ *de* …의 초순 경 : *a* ~ *de* invieirno 초겨울에.
a ~ *de cañón* 총부리를 들이대고.
a ~ *de costal* 실컷 ; 벌컥벌컥 (마시다).
a ~ *de jarro* 벌컥벌컥 ; 총부리를 들이대고
a ~ *de noche · de sorna* 해질 무렵에(al anochecer).
a ~ *llena* 분명하게, 숨기거나 감추지 않고, 낱낱이.
a pedir de ~ · *a querer de* ~ (누구의) 소원대로.
blando de ~ (우마 등이) 고삐의 움직임에 민감한 ; 잘지껄이는 사람(의).
como ~ *de lobo* 매우 어두운.
de ~ ① 말뿐인. ② 엎드려 : caer *de* ~.
de ~ *en* ~ 입에서 입으로.
duro de ~ (말 따위가 기수의 고삐 조작에) 둔감한 ; 입이 무거운 사람(의).
andar de ~ *en* ~ 널리 퍼져 있다 · 알려져 있다.
calentarse de ~ 화를 내다, 노하다, 성내다(irritarse).
*calentárse*le a uno *la* ~ 어떤 일을 논하다.
cerrar la ~ a uno (누구에게) 말을 다물게 하다.
hablar por ~ *de* …의 생각과 같은 말을 하다.
hablar por ~ *de ganso* 말하라는 대로 말하다.
hacer ~ ① aperitivo를 마시다. ② 가벼운 식사를 들다 : Las aceitunas son buenas para *hacer* ~.
hacer la ~ *a* (말을) 재갈에 길들이다.
*irse*le a uno *la* ~ 말이 너무 많다.
meterse en la ~ *del lobo* 위험에 처해 있다.
no abrir la ~ 실토하지 않다.
no decir esta ~ *es mía, no despegar la* ~ 아무 말도 하지 않다, 입을 다물고 말하지 않다.
quedarse con la ~ *abierta, quedarse con tanta* ~ *abierta* 감탄하다 ; 멍하다.
tapar ~*s* 말막음을 하다.
tapar la ~ 입을 막다.
En ~ *cerrada no entran moscas* 【속담】 입은 화의 근원, 침묵은 금.
Por la ~ *muere el pez* 【속담】 달콤한 말이 위험을 내포하고 있다.

bacabajo *m.* 《*Amér.*》 옛날 노예에게 가하던 엎드려 놓은 형벌. —*adv.* 《*Amér.*》 엎드려서.

bocabarra *f.* (고패의) 작대기를 끼우는 구멍.

bocacalle *f.* 거리의 입구 · 모퉁이(entrada de la calle).

bacacaz *m.* 수문(水門).

bocací *m.* 리넨의 일종.

bocacha *f.* [*aum.* boca] ① 커다란 입(boca grande) ② 나팔 총(bocón) 《옛날 무기》.

bocadear *tr.* ① 물어 떼다(partir en bocados). ② 물다, 갉다(morder)

bocadillo *m.* [*dim.* bocado] ① 얇다란 삼베. ② 가느다란 노끈. ③ (농부의) 간식. ④ 샌드위치 : ~ de gambas 새우 넣은 샌드위치. ⑤ 바나나(plátano) 잎으로 싼 반석류(guayaba)의 빵. ⑥ 《*Amér.*》 (설탕 때로는 야자, 반석류, 고구마, 달걀 따위를 넣은) 우유 과자.

bocado *m.* ① 한 입, 한 모금 : un ~ de pan. ② 가벼운 식사 : tomar un ~. ③ 한 입 거리. ④ 음식에 넣은 독. ⑤ (말의) 재갈 : poner el ~ a la mula. ⑥ 물어뜯기(mordura) : dar un ~. —*pl.* 통조림 과일.
~ *de Adán* 결후(結喉).
~ *sin hueso* 놓쳐서는 안 될 일 ; 수월하면서 돈벌이가 잘 되는 일.
buen ~ 웬만한 것.
caro ~ 격에 맞지 않은 일.
con el ~ *en la boca* 방금 식사를 끝마치고.

bocajarro (a) *adv.* 잘못하여 (발포하다) ; 느닷없이 ; 갑자기.

bocal *m.* ① 큰 술병 《주둥이가 넓고 목이 짧음》. ② 《*Galic.*》 =**tarro.**

bocallave *f.* 자물통 구멍(ojo de la cerradura).

bocamanga *f.* ① 소맷부리. ② 《*Méx.*》 (poncho의) 목구멍.

bocamejora *f.* 《*AmérM.*》 【광산】 보조갱, 통로갱(通路坑).

bocamina *f.* 갱의 입구.

bocana *f.* 《*Amér.*》 강어귀.

bocanada *f.* ① 한 모금 : una ~ de vino. ② 한 모금의 담배 연기.
una ~ *de aire · de viento* 일진 광풍.
~ *de gente* 꾸역꾸역 쏟아져 나오는 군중.

bocarada *f.* 《*Amér.*》 =**bocanada.**

bocarrena *f.* 【지질】 정동(晶洞), 이질 정족(異質晶族).

bocarte *m.* ① 【광산】 쇄석기(碎石機). ② 《*Sant.*》 정어리 새끼(cría de la sardina).

bocartear *tr.* 광석을 빻다.

bocateja *f.* 추녀에 얹는 기와.

bocatería *f.* 《*Venez.*》 =**fanfarria.**

bocatero, ra *adj.* 《*Col. Venez.*》 =**fanfarrón.**

bocatoma *f.* 《*AmérM.*》 취수탑에 물을 들이기 위해 만든 강, (강의) 수취구(水取口), 수문. [Sinón.] bocacaz.

bocaza *f.* [*aum.* boca] 커다란 입(boca grande). —*m.f.* 실없는 소리만 하는 사람, 수다쟁이(hablador). [*N.* 사람한테 사용할 때는 복수형으로 사용하여 단 · 복수, 남녀 양성으로 혼용함 : El oficial era *un bocazas* que no sabía lo que decía].

bocazo *m.* (돌을 폭파할 때의) 실효 작렬(失效作裂), 꽝 하는 소리.

bocear *intr.* =**bocezar.**

bocel *m.* ① 【건축】 둥근 기둥의 홈. ② 홈 파는 끌.

bocelar *tr.* …에 홈을 파다 · 새기다.

bocelete *m. dim.* bocel.

bocelón *m. aum.* bocel.

bocera *f.* (먹거나 마실 때) 입술에 붙은 것 : ~*s* de chocolate.

boceras *m.* 【단 · 복수 동형】 ① 수다쟁이(hablador). ② 바보, 멍청이, 얼간이(tonto).

bocetar *tr.* 스케치하다(esbozar).

boceto *m.* [*ital.* bozzetto] ① 스케치, 데생, 소묘(素描) : ~ a lápiz 연필화. ② 구도, 조조(粗彫).

bocezar *intr.* ⑨ (짐승이) 입을 우물거리다.

bocha *f.* 나무공. —*pl.* 나무공 놀이.

bochado *m.* 【은어】 처형된 사람.
bochar *tr.* ① 나무공놀이에서 던진 나무공을 다른 나무공에 맞혀 움직이게 하다. ②《*Arg.*》 낙제시키다 ; 바람을 맞추다(dar calabazas). ③《*Méx. Venez.*》 미워하다, 싫어하다, 배척하다.
bochazo *m.* (나무공의) 명중.
boche *m.* ① 어린아이들의 돌던지기 놀이에서 땅에 파는 작은 구멍. ②【은어】 사형 집행인. ③《*Galic.*》 *desp.* 독일인. ④《*Amér.*》 대소동, 야단법석. ⑤《*Venez.*》 싫어함. ⑥《*Venez.*》 팔꿈치로 치기 : dar (un) ~ 팔꿈치로 갈기다.
dar (un) ~ 거절하다, 거부하다.
bochero *m.* 【은어】 사형 집행인의 하인.
bochín *m.* 《*Arg.*》 =**boliche.**
bochinche *m.* ① 야단법석, 난장판, 혼란, 대소동(desorden, confusión) : armar un ~ 야단법석을 떨다. ②《*Col.*》 소문, 남의 흉보기. ③《*Méx.*》 무도회. ④ 술집(taberna).
bochinchear *intr.* 《*Amér.*》 수선을 떨다, 야단법석을 떨다(armar un bochinche).
bochinchero, ra *adj.m.f.* =**alborotador.**
bochinchoso, sa *adj.* 《*Amér.*》 =**bochinchero.**
bochista *m.f.* bochas 놀이의 선수.
bochorno *m.* ① (여름의) 열풍, 뜨거운 바람. ② 무더위(calor grande). ③ 얼굴을 붉힘, 무안(vergüenza) : sufrir un ~.
bochornoso, sa *adj.* 무더운 ; 부끄러운.
bocín *m.* (바퀴의) 덧씌운 피복, 바퀴 뚜껑.
bocina *f.* [*lat.* buccina] ① 뿔피리. ② 메가폰, 전성기(傳聲器). ③ (자동차 등의) 나팔, 경적 : ~ eléctrica 클랙슨. ~ de niebla 농무 경적(濃霧警笛). ④ 소라고둥. ⑤ 축음기의 확성기. ⑥《*AmérM.*》 보청기.
Bocina *f.* 【천문】 소웅성(小熊星).
bocinar *intr.* 나팔 · 경적을 울리다 ; 확성기 · 메가폰으로 말하다.
bocinazo *m.* 경적 · 클랙슨의 소리.
bocinero, ra *m.f.* 뿔피리 부는 사람. **—*adj.*** 콧등이 검은 (소).
bocio *m.* ①【의학】 갑상선종(甲狀腺腫) : El ~ es común en los países montañosos 갑상선종은 산악 국가에서 흔하다. ②【동물】 (실의) 단각조개.
bock *m. alem.* ① 맥주 항아리. ② 포도주 항아리에 담긴 맥주의 양.
bocón, na *adj.* ① 입이 커다란. ② 허풍선이의, 입이 건 · 나쁜. **—*m.f.*** 험구가. **—*m.*** (총구가 나팔처럼 생긴 옛날의) 나팔총.
bocoy *m.* 큰 통.
bocudo, da *adj.* 입이 큰.
boda *f.* [주로 *pl.*] 결혼, 혼인, 혼례식, 결혼식 : las ~*s* de Camacho 동끼호떼가 참석한 어지간히 떠들석한 혼례.
~s de negros 요란스러움, 떠들썩한 모임. *~s de oro · de plata* 금 · 은혼식. *~ de oro · de plata sacerdotales* 【종교】 주교 서품 금 · 은축하식(主教叙品金 · 銀祝賀式).
bode *m.* 숫양(macho cabrío).
bodega *f.* ① 술창고. ② 창고(almacén). ③ 선창. ④ 주점. ⑤《*AmérM.*》 (항구 · 터미널의) 창고 : ~ fiscal 보세 창고.
bodegaje *m.* 《*Chile.*》 창고료(almacenaje).
bodegón *m.* ① 식당. ② 대폿집(taberna mala). ③ 목로 주점(taberna). ④ 정물화.
bodegoncillo *m. dim.* bodegón.
~ *de puntapié* 노상 음식점.
bodegonear *intr.* 대폿집을 누비고 다니다.
bodegoneo *m.* 대폿집을 누비고 다님.
bodegonero, ra *m.f.* ① bodegón의 주인. ② 솜씨 없는 요리사(mal cocinero).
bodeguero, ra *m.f.* 창고지기 ; 술창고 주인.
bodegueta *f. dim.* bodega.
bodigo *m.* 밀가루 빵.
bodijo *m.* [*desp.* boda] 어울리지 않는 결혼식, 빈약한 결혼(boda desigual).
bodocal *adj.m.f.* 알맹이가 큰 (포도의 일종) : uva · vid ~ 알맹이가 큰 포도 · 포도나무.
bodocazo *m.* 흙덩이(bodoque)로 때리기.
bodollo *m.* 《*Ar.*》 =**podón.**
bodón *m.* =**charca.**
bodonal *m.* ①《*Sal.*》 흙탕물이 있는 곳. ②《*Sal.*》 골풀밭(juncar).
bodoque *m.* ① (옛날 돌을 쏘는 활에 먹이는) 흙덩어리. ② 덩어리(burujo). ③ 얼간이, 천치, 바보, 어수룩한 사람. ④《*Méx.*》 혹(chichón).
bodoquera *f.* ① 작은 알약(bodoque)의 틀. ② 불어서 쏘는 화살의 일종.
bodorrio *m.* =**bodijo.**
bodrio *m.* ① 맛없는 요리. ② 소시지에 쓰이는 돼지의 피. ③ 혼합, 잡탕.
bodybuilding *m. ing.* 보디 빌딩 《신체 강장법》.
bóer *adj.m.f.* 보아 사람 《남아프리카의 네델란드 이주민》 (의).
boezuelo *m. dim.* buey.
bofadal *m.* 《*Arg.*》 =**tremedal.**
bofarse *r.* 《*Cuba. Méx.*》 =**hincharse, esponjarse.**
bofe *m.* [주로 *pl.*] ① 폐(pulmón) : ~*s* de ternera. ②《*Amér.*》 누워 떡 먹기로 쉬운 일. ③ 싸구려 물건.
echar el ~ · *los* ~*s* ① 일을 많이 하다, 일을 열심히 하다(trabajar afanosamente). ② 기운을 내다. ③ 몹시 탐내다.
bofe, fa *adj.* 싫은, 언짢은.
bofena *f.* 폐(肺).
bofeña *f.* 《*Mancha.*》 돼지 폐로 만든 순대.
bófeta *f.* 얇은 무명천.
bofetada *f.* ① 따귀 때리기, 뺨 때리기. ② 모욕을 주는 일, 창피 주는 일.
dar una ~ 따귀를 때리다 ; 모욕을 주다.
bofetán *m.* =**bófeta.**
bofetear *tr.* 《*Amér.*》 철썩 때리다.
bofetón *m.* ① 호된 따귀 때리기. ②【연극】 회전 무대.
bofia *f.* 【은어】 경찰(policía).
bofo, fa *adj.* ① 폭신폭신한, 푹신푹신한, 연한(fofo). ②《*AmérC.*》 싫은, 언짢은.
boga *f.* ① (노를) 젓는 일 : ~ arrancada 노를 빠르게 저음. ② 유행, 인기, 명성, 호평(fama) : estar en ~ 유행 중이다, 호평이다. ③【어류】 농어. ④【방언】 양쪽 날이 작은 칼. **—*m.f.*** 노를 젓는 사람(remero).
bogada *f.* ① (보트의) 노를 한번 젖기. ②【방언】 표백.

bogador, ra *m.f.* 노젓는 사람.
bogadura *f.* 노젓기.
bogante *adj.* 노를 젓는.
bogar *intr.* ⑧ ① 노를 젓다(remar) : ~ al remo 노를 젓다. ② 바다로 가다. —*tr.* ①《*Col.*》빨다, 들이마시다. ②《*Chile.*》(주물의) 흙을 떨다.
bogavante *m.* ①(galera 선의) 제일 조수(漕手). ②【동물】가재.
boggie *m.* =**bogie** [*N.* 발음 : bog-yi].
bogie *m.* 보기차《차축이 자유로이 전향하는 차량》.
Bogotá【지명】보고따《꼴롬비아의 수도》.
bogotano, na *adj.m.f.* 보고따《Bogotá, 꼴롬비아의 수도》의 (사람). —*f.* (Cuba와 Santo Domingo에서 사용하는) 하얀 천(tela)의 일종.
bogue *m.*《*Chile.*》사륜 마차, 사륜거.
bohardilla *f.* ①(예술가 따위의) 자유 분방한 생활·세계. ② 자유 분방한 생활을 하는 사람. ③ [집합] 보헤미아 사람.
bohemia *f.* 보헤미아 생활; 집시 생활; 방랑 생활.
bohemiano, na *adj.m.f.* =**bohemo.**
bohémico, ca *adj.* 보헤미아《Bohemia, 체코 지방의 옛 이름》의.
bohemio, mia *adj.m.f.* ① 보헤미아의 ; 보헤미아 사람(bohemo). ② 집시족의 ; 집시(gitano). ③ 방랑의 (생활자) ; (특히 예술가들의) 자유 분방한 (생활자). —*m.* ④ 체코말(el checo).
bohemo, ma *adj.* 보헤미아의 ; 보헤미아 태생의. —*m.f.* 보헤미아 사람.
bohena *f.* ① 폐(bofena). ② 돼지 허파로 만든 소시지.
bohío *m.*《*Amér.*》갈대로 만든 오두막, 나뭇가지로 만든 오두막.
bohordo *m.* ①(옛날의) 투창. ②【식물】(수선 등의) 화경(花莖), 꽃줄기.
boicot *m.* =**boicoteo.**
boicoteador, ra *adj. m.f.* 보이콧 하는(사람).
boicotear *tr.* 보이콧하다 : la petición del presidente Carter a cien Gobiernos del mundo de que *boicoteen* los Juegos Olímpicos 올림픽 경기를 보이콧해 달라는 세계 100개국 정부에 보낸 카터 대통령의 청원.
boicoteo *m.* 불매 동맹(不買同盟) ; 배화(排貨).
boíl *m.* 외양간(boyera).
boina *f.* 베레모 : ~ vasca.
boína *f.* =**boina.**
boiquira *f.*《*Amér.*》【동물】방울뱀의 일종.
boira *f.* [드뭄] =**niebla.**
boite *f. fr.* ① 무도장. ② 캬바레.
boj *m.* ①【식물】회양목 ; 회양 목재. ②(구두를 만드는) 틀. ③ 섬·반도의 경계(境界) ; 그 측량 (bojeo).
boja *m.*【식물】쑥의 일종(abrótano).
bojar *tr.* (섬이나 반도의) 경계(境界)를 측량하다 : ~ una isla.
—*intr.* 섬 따위의 주위의 길이가 …이다.
bojazo *m.*《*Col.*》구타.
boje *m.*【식물】회양목(boj). —*adj.m.f.*《*Méx.*》멍청한, 바보스런 ; 바보, 얼간이.
bojear *tr.* (섬이나 반도의) 경계·주위를 측량하다(bojar). —*intr.* 섬이나 반도의 주위를 돌다·주항(周航)하다.
bojedad *f.*《*Méx.*》우둔, 어리석음.
bojedal *m.* 회양나무숲.
bojeo *m.* 섬이나 곶의 경계(境界) ; 그 측정.
bojete *m.*《*Venez.*》=**envoltorio, paquete, lío.**
bojiganga *f.* (옛날의) 순회 악극단.
bojo *m.* 섬 따위의 주위 측량 ; 그 길이.
bojote *m.* ①《*Col. Venez.*》꾸러미, 묶음(bulto, paquete, lío). ② 덩어리.
bol[1] *m.* 투망.
~ ***arménico*** 아르메니아 적점토(赤粘土).
bol[2] *m.* [*ing.* bowl] 손잡이 없는 둥그런 잔.
bola *f.* [*lat.* bulla] ① 구슬, 공 : ~ de billar 당구공. ② 포환, 투포환. ③【해사】신호구(信號球), 원판의 신호. ④ 구두약(betún) : dar ~ a las botas. ⑤ 거짓말(mentira). ⑥【은어】시장. ⑦《*Amér.*》어린이의 구슬 굴리기. ⑧《*Chile.*》둥그런 연. ⑨《*Méx.*》무리, 떼, 군중. ⑩ 반란, 모반, 폭동(rebelión). ⑪ 소동, 싸움 : en ~ 뒤범벅으로, 어지러이. hacerse ~ 뒤섞여 어지러워지다. ⑫《*Col.*》죄수의 호송차.
~ ***de nieve***【식물】인동 덩굴과에 속하는 낙엽교목(mundillo).
~ ***charrua,*** ~ ***pampa,*** ~ ***perdida***《*Amér.*》끈을 매단 돌멩이《무기》.
¡***Dale*** ~ ! 귀찮아 !
dar a la ~ , ***dar con*** ~ , ***dar en*** ~《*Amér.*》맞다, 적중하다(atinar).
dejar rodar la ~ 형편에 맡기다.
no dar pie con ~ 적중시키지 못하다.
raspar la ~《*Chile.*》몰래 달아나다.
bolacear *intr.*《*Arg.*》엉터리짓을 하다, 엉터리말을 하다.
bolaco *m.*《*Chile.*》=**socaliña, ardid, artificio.**
bolacha *f.*《*Bol. Perú.*》원료 고무의 덩어리.
bolada *f.* ① 공 던지기(tiro de bola). ② 포신(砲身). ③ 작은 산사태. ④《*Amér.*》사업상 기회(oportunidad para negocio). ⑤《*Chile.*》사업, 일(negocio, asunto). ⑥《*Cuba. Méx.*》거짓말. ⑦《*Chile.*》과자.
bolado *m.* ① 캐러멜. ②《*Amér.*》일, 사업, 거래, 장사(asunto, negocio). ③《*AmérC.*》소문. ④《*Méx.*》연애 사건.
boladoras *f.pl.*《*Amér.*》=**boleadoras.**
bolaga *f.*《*Cádiz. Murc.*》【식물】=**torvisco.**
bolagar *m.*《*Murc.*》서향나무(torvisco)숲.
bolán *m.* =**bolín.**
bolanchera *f.*《*Cuba.*》=**contradanza.**
bolandistas *m.pl.* (예수교의) 성도전(聖徒傳) 편집 회원.
bolandos *m.pl.* =**bolandistas.**
bolañego, ga *adj.m.f* 볼라뇨스《Bolaños, Ciudad Real 주의 마을》의 (사람).
bolardo *m.* (잔교·갑판의 밧줄을 매어 두는) 기둥(noray).
bolate *m.*《*Col.*》=**confusión, enredo.**
bolazo *m.* ① 공치기. ② 엉터리(disparate).
de ~ ① 함부로. ②《*Méx.*》우연히.
bolchaca *f.*《*Ar.*》*desp.* 옆구리에 차는 주머니.
bolchaco *m. desp.* =**bolchaca.**
bolchevique *adj.m.f.* 볼셰비키《소련 사회 민주 노동당의 다수파》의 (일원) ; 러시아의 과격파의 (사람).

bolcheviqui *adj.m.f.* =**bolchevique.**

bolcheviquismo *m.* 볼셰비즘, 볼셰비키의 정책·사상 ; (러시아의) 과격주의·정책.

bolcheviquista *adj.m.f.* 볼셰비키의 (일원).

bolchevismo *m.* =**bolcheviquismo.**

bolchevista *adj.m.f.* =**bolchevique.**

bolchevización *f.* 과격주의화, 공산화, 적화.

bolchevizar *tr.* ⑨ 과격주의화하다, 공산주의화하다, 공산화하다, 적화하다(convertir al bolcheviquismo).

boldo *m.* 【식물】 볼도 《칠레산 낙엽 관목》.

boleada *f.* ① 《*Arg.*》 투석으로 하는 사냥. ② 《*Méx.*》 구두닦기. ③ 《*Perú.*》 낙제.

boleador, ra *adj.m.f.* 《*Méx.*》 =**limpiabotas.**

boleadoras *f.pl.* 《*Amér.*》 수렵용 투석 《두세 개의 쇠·돌멩이를 얽어맨 것》.

bolear *tr.* ① 던지다(arrojar, tirar). ② 몰아내다. ③ 《*AmérM.*》 boleadoras를 던져 붙잡다. ④ (누구를) 속이다, 사기하다. ⑤ (투표로) 낙선시키다 : ~ a un candidato. ⑥ 낙제시키다. ⑦ 해직시키다, 파면하다. ⑧ 《*Méx.*》 (구두를) 닦다(enbetunar).

—*intr.* ① 공을 치다, 당구를 치다 ; 당구 경기를 하다. ② 거짓말을 하다(mentir). ③ 《*Arg.*》 서툰 시합을 하다.

~se 《*Arg. Urug.*》 ① (말·차가) 뒤집히다. ② 부끄러워하다, 당황하다. ③ 《*Riopl.*》 실수하다, 잘못하다(equivocarse).

~ ***el anca*** 《*Riopl.*》 마주보다.

boleo *m.* 공 던지기 ; 투구장.

bolera *f.* ① =**boliche.** ② bolos 놀이. ③ =**aire andaluz.** —*pl.* 《*Méx.*》 볼레로 《경쾌한 4분의 3박자의 서반아 춤》.

bolero, ra *adj.* ① 태만한, 농땡이 부리는(novillero). ② 거짓말을 잘하는, 허풍을 떠는.

—*m.f.* ① 교활한 사람. ② 허풍선이. ③ 볼레로를 추는 사람. ④ 《*Méx.*》 구두닦이(limpiabotas). ⑤ 《*Venez.*》 잔치만 찾아다니는 사람.

—*m.* ① 볼레로, 볼레로춤. ② 볼레로 《부인용 상의의 일종》. ③ 《*Amér.*》 검옥(劍玉) 《나무로 공기 받기처럼 만들어 노는 장난감》. ④ 《*AmérC. Méx.*》 실크 해트(sombrero de copa alta).

boleta *f.* [*ital.* bolleta] ① 패, 표 : ~ de depósito 예금 임금표. ~ de Depósito de Gastos Consulares 영사 비용 공탁 증서. ~ de empeño 전당표. ~ de sanidad 배의 검역 증명서. ② 입장권(pase ; invitación). ③ (옛날 군대의) 사영권(舍營券). ④ 지불 어음, 인환권(vale, libranza). ⑤ 《*Amér.*》 투표권(cédula para votación).

boletaje *m.* 《*Amér.*》 [집합] =**boletos, boletas.**

boletar *tr.* (담배의) 궐연을 만들다.

boletería *f.* 《*Amér.*》 입장권 매표소(taquilla de boletos).

boletero, ra *m.f.* 《*Amér.*》 매표원, 표·입장권 파는 사람(taquillero). —*adj.* 《*Arg.*》 거짓말을 밥 먹듯이 하는 (사람).

boletín *m.* [*dim.* boleta] ① 표(boleta, cédula, billete) : ~ de entrada 입장권. ~ de pedido 주문서, 주문표, 주문 서식. ~ naviero de buques 배선표(配船表). ② 회원증. ③ 보고, 통보, 공보 : ~ meteorológico 라디오의 기상 통보 ; 신문의 기상난. ④ (공보적인) 작은 잡지, 회보, 시보, …통신 : ~ anual de estadística agrícola 농업 통계 연보. ~ mensual de la comisión nacional bancaria 은행 심의회 월보. ~ mensual 월보. ~ comercial 상업 시보. ~ oficial del Estado 관보. ⑤ 【상업】 증권 시세표, 증권 시세 시보. ⑥ 《*Cuba.*》 승차권.

boleto *m.* ① 《*Amér.*》 표, (극장의) 입장권, (기차의) 승차권(billete). ② 복권, 마권. ③ 【식물】 버섯(hongo) : El hongo yesquero es una especie de ~.

bolichada *f.* ① 투망(boliche)을 던질 때. ② 호기, 찬스.

boliche *m.* ① 볼링공. ② 일종의 공굴리기. ③ 나무병 쓰러뜨리기 놀이. ④ 숯가마. ⑤ 작은 투망. ⑥ 잡어(雜魚). ⑦ 《*Amér.*》 싸구려 식당. ⑧ 싸구려 가게. ⑨ 【은어】 도박장. ⑩ 《*Arg. Méx.*》 bolos놀이. ⑪ 싸구려 담배. ⑫ 《*Chile.*》 목로 주점, 대폿집(tabernucha).

bolichear *intr.* 《*Arg.*》 소매로 팔다, 소매상을 하다 : andar *bolicheando.*

bolichero, ra *m.f.* ① 생선 장수. ② boliche 놀이터 주인. ③ 《*Arg.*》 소매 상인.

bolicho *m.* 【방언】 새우잡이 어망.

bólido *m.* 【기상】 유성, 운석.

bolígrafo *m.* 볼펜 ; 샤프 펜슬.

bolilla *f.* ① 《*Arg.*》 교과 구분, 단원. ② 구슬 (치기).

bolillo *m.* ① 뜨개질바늘, 뜨개바늘. ② 《*Col.*》 경찰봉. ③ 《*PRico.*》 =**carrete.** ④ 말발굽의 뼈. —*pl.* ① 반죽덩이. ② 《*Amér.*》 (북의) 채. ③ (꼴롬비아 경찰의) 경찰봉.

bolín *m.* [*dim.* bolo] ① 곤봉. ② 볼링의 표적이 되는 작은 나무공.

de ~ , *de bolán* 태연히, 태연스레, 무관심하게 (inconsideradamente).

bolina *f.* ① 【선박】 돛의 양끝을 팽팽하게 당기는 밧줄. ② (선원에게 가하는) 태형(笞刑). ③ 싸움판.

de ~ 순풍을 타고.

bolinche *m.* 《*And.*》 검옥(劍玉) 놀이 《나무로 만든 장난감》(canica).

bolindre *m.* 《*And.*》 =**bolinche.**

bolineador, ra *adj.* =**bolichinero.**

bolinear *intr.* 순풍을 타고 달리다.

bolinero, ra *adj.* ① 순풍을 타고 달리는 (배). ② 《*Chile.*》 소동을 벌이는 (건달).

bolingrín *m.* [*ing.* bowl green] 공놀이 하는 잔디밭(jardín de césped).

bolisa *f.* (어떤 지역에서) 불티, 불똥(pavesa).

bolista *m.* 《*Méx.*》 싸움꾼, 혁명가.

bolita *f.* 《*Amér.*》 ① 【동물】 아르마디요(armadillo). ② 《*Chile.*》 투표구(投票球). —*pl.* 유리 구슬.

bolívar *m.* 볼리바르 《Venezuela의 화폐 단위》.

Bolívar (Simón) *m.* 시몬 볼리바르 《해방자(el Libertador)라 불리우는 베네수엘라 출신의 군인이며 정치가》.

bolivarense *adj.m.f.* 볼리바르 《Bolívar, 에꾸아도르의 주》의 (사람).

bolivariano, na *adj.* 시몬 볼리바르 《Simón Bolívar, 베네수엘라, 에꾸아도르, 꼴롬비아를 서반아의 지배에서 벗어나게 한 베네수엘라 정치가·군인(1783 - 1830)》의.

bolivariense *adj.m.f.* 볼리바르《Bolívar, 베네수엘라의 도시》의 (사람).

Bolivia 【지명】 볼리비아 《남미 중서부의 공화국, 면적 1,098,581㎢, 수도 La Paz》.

bolivianismo *m.* 볼리비아식; 볼리비아주의; 볼리비아 어법·말투·사투리.

boliviano, na *adj.m.f.* 볼리비아(Bolivia)의 (사람). **—*m.*** 볼리비아노 《볼리비아의 화폐 단위》.

bolla *f.* ①(옛날의) 직물 판매세. ② 트럼프 제조세. ③【방언】 빵의 일종. ④《*AmérM.*》 양질광(良質鑛). ⑤《*Bol.*》 실크 해트.

bolladura *f.* =**abolladura.**

bollar *tr.* ①(직물에) 상표·인지를 붙이다(sellar los paños). ②(…에) 무늬를 양각하다(abollonar): ~ una cafetera.

bollería *f.* 빵집; 빵 제조소.

bollero, ra *m.f.* bollo 제조자·판매자.

bollo *m.* [*lat.* bulla] ①(달걀·우유 따위를 넣어 만든) 식빵, 케이크: ~ de crema 크림 바른 케이크. ~ maimón 당과를 넣고 만든 빵. ② 금속판에 양각한 무늬: ~ de relieve 금속에 양각하는 세공. ③ 혹(chichón): hacerse un ~ en la frente. ④ 싸움, 소란, 혼란 (lío): armarse un ~ 소동이 벌어지다. hacerse un ~ 어리둥절하다. ⑤《*AmérM.*》 은의 연봉(延棒). ⑥《*AmérM.*》 옥수수 등으로 만든 빵. ⑦《*Arg.*》 주먹질(puñetazo). ⑧《*Arg.*》 (주먹질로 생긴) 혹. ⑨《*Chile.*》 기와 없는데 쓰는 진흙. ⑩ 마른 인분(人糞).

perdonar el ~ por el coscorrón 유용하다기 보다 더 괴로움을 야기시키다.

bollón *m.* ①(대가리가 큰) 장식용 못: adornar un sillón con ~*es*. ② 징을 박음. ③ 구슬 하나로 된 귀고리. ④ 금속의 양각 세공.

bollonado, da *adj.* 장식 못을 박은 (adornado con bollones): silla ~*da*.

bolluelo *m. dim.* bollo.

bolo *m.* ① 작대기: juego de ~*s*. ② 무능한 남자, 허수아비: Fulano es muy ~. ③ (나선식 계단이나 기계 등의) 중축(中軸). ④ 계약에 따라 출연하는 계약 배우. ⑤ 순회 극단. ⑥ 큰 알약. ⑦ (필리핀 원주민의) 단도. ⑧《*Méx.*》 세례 증명서. **—*pl.*** 볼로 놀이 《아홉 개의 나무 bolo를 나무공으로 쓰러뜨리는 놀이》.

~ de Armenia, ~ arménico 아르메니아의 붉은 찰흙.

echar a rodar los ~s 소동을 벌이다, 난장판을 벌이다.

bolo, la *adj.* ①《*Amér.*》 꼬리가 없는(sin cola). ②《*AmérC.*》 술취한(ebrio).

bolométrico, ca *adj.* 볼로 미터의.

bolómetro *m.* 【물리】 볼로 미터.

bolón *m.* ①《*Chile.*》【건축】(기초에 넣는) 자갈. ② 사람의 떼·무리.

bolondrón *m.* ①《*Ant.*》 =**montón**. ②【식물】 =**quingombo.**

bolonio *m.* ① 볼로니아 학원 《Colegio de Bolonia, 서반아의 유학생을 보내기 위해 Bolonia에 18세기에 창립한 학원》의 학생·졸업생. ② 바보, 무식한 사람(ignorante).

boloñés, sa *adj.* 볼로니아 《Bolonia, 이탈리아의 도시》의; 볼로니아 태생의; 볼로니아 지방의. **—*m.f.*** 볼로니아 사람(bononiense).

bolsa *f.* [*gr.* bursa] ① 주머니, 지갑, 쌈지, 가방, 핸드백: ~ de la compra 장바구니. ~ de labor 부인용 손가방, 바느질통. ~ de cuero 가죽 지갑. ② 돈지갑(saquillo para guardar el dinero): no abrir fácilmente la ~. ③(옷의 배나온) 구김살(arruga): El gabán hace ~*s*. ④ 발덮개. ⑤ 호주머니(bolsillo). ⑥ 호주머니 사정; 가지고 있는 돈: Se le acabó la ~ 그는 돈이 떨어졌다. ⑦【해부】 낭(囊): ~ de las aguas 양막. ⑧【해부】 음낭. ⑨【광산】 광(鑛). ⑩ 거래소: *B-* Comercial de Lima 《*Perú.*》 리마 상업 거래소. ~ de cereales 곡물 거래소. ~ de comercio 주식 거래소. agente de ~ y cambio 거래소 직원. ⑪ 입회, 거래: No hay ~ 입회가 없다. ⑫ 주식 시장: ~ comercial 주식 시장. corredor de ~ 주식 브로커. maniobras de ~ 시장 조작. ⑬ 시세: ~ de cambios 외국환 시장. ~ negra 암시세; 암시장. subir la ~ 시세가 오르다.

~ de aire 에어 포켓.

~ del trabajo 직업 소개소.

de ~ 《*Chile.*》 남의 돈으로.

aflojar la ~ 돈을 주다(dar dinero).

alargar la ~ 자금을 준비하다.

hacer ~ 《*Chile.*》 가루로 만들다, 빻다.

jugar a la ~ 거대하다.

volver ~ a (누구를) 속이다, 골탕먹이다.

bolsada *f.* 【광산】 광혈, 광맥류.

bolsazo *m.* 《*Arg.*》 연인을 버리기.

bolsear *intr.* 《*Ar.*》 (옷에) 구김이 생기다 (hacer bolsas la ropa). **—*tr.*** ①《*Méx. Guat.*》 (누구의) 호주머니를 뒤지다, 호주머니에서 슬쩍하다(robar a uno el bolsillo). ② 졸라대어 얻다, 거저 얻다. ③《*Amér.*》 (애인에게) 구애를 거절하다 (dar calabazas). ④ 의중을 탐색하다.

bolseo *m.* 《*Chile.*》 강청.

bolsera *f.* 머리카락 넣는 주머니.

bolsería *f.* ① 부대 제조업·기술. ② 봉지 장수. ③ [집합] 봉지로 된 것.

bolsero, ra *m.f.* ① 봉지 만드는 사람. ② 봉지 파는 사람. ③《*Chile.*》 진드기 (같은 사람) (gorrón), 기생충. ④《*Méx.*》 소매치기(bolsista).

bolsico *m.* 《*Chile.*》 호주머니(bolsillo).

bolsicón *m.* 《*Ecuad.*》 (Ecuador에서 시골 부인들이 가지고 다니는) 양모 뻰쵸.

bolsicona *f.* 《*Ecuad.*》 bolsicón을 입는 여자.

bolsilla *f.* 【은어】 사기꾼이 트럼프를 숨기는 주머니.

bolsillero *m.* =**ratero.**

bolsillo *m.* ① 돈주머니(bolsa para el dinero). ② 호주머니: ~ sobrepuesto 바깥 주머니·돈 넣는 곳. ③ 호주머니 사정: tener buen ~ 호주머니 사정이 좋다. consultar con el ~ 일을 시작하기 전에 호주머니 사정을 알아보다. meterse las manos en los ~*s* 호주머니에 손을 넣다.

de ~ 호주머니에 들어가는 크기의, 휴대용의, 소형의(pequeño): libro *de* ~ 포켓 북. reloj *de* ~ 몸시계, 회중 시계.

de su propio ~ 자기의 부담으로.

meterse a uno en el ~ (누구의) 마음을 사로잡다(granjearse su voluntad).

rascarse el ~ 지불하다(pagar).

bolsín *m.* 【상업】(증권 따위의) 장외(場外) 거

래; 매매 거래소.

bolsiquear *tr.* 《*Arg. Chile.*》 (누구의) 호주머니를 뒤지다, 소매치기하다.

bolsista *m.f.* ① 주식 중개인·브로커, 투기업자. ② 《*AmérC. Méx.*》 소매치기(carterista, ratero).

bolso *m.* ① 지갑(bolsa) : ~ de mano 손가방. ② (바람을 안은) 돛의 부풀음.

bolsón *m.* [*aum.* bolsa] ① 큰 자루(bolsa grande). ② 《*AmérM.*》 학생 가방. ③ 《*Bol.*》 광맥류 : descubrir un ~. ④ 《*Col. Ecuad.*》 멍청이, 바보(tonto). ⑤ 《*Méx.*》 늪(laguna). ⑥ 게으름뱅이. ⑦ 《*Perú.*》 손가방, 핸드백.

bolsor *m.* 【고어】【건축】 =**dovela.**

boludear *intr.* 《*Arg.*》 시간을 보내다(perder el tiempo).

boludo, da *adj.* 《*Arg.*》 =**tonto.**

bomba *f.* [*lat.* bombus] ① 펌프 : ~ alimenticia, ~ de alimentación (기계의) 급수 펌프. ~ aspirante 위로 빨아 올리는 펌프. ~ centrífuga 원심 펌프. ~ de aire 공기 펌프; 공기 압착기. ~ de gasolina 급유기, 가솔린 스탠드. ¿Quiere decirme dónde hay una ~ de gasolina? 가솔린 스탠드가 어디 있는지 가르쳐 주십시오. ~ de incendios 소방 펌프. ~ impelente 밀어 올리는 펌프. ~ rotatoria 회전 펌프, 스프링클러. ~ neumática 기압(氣壓) 펌프. dar a la ~ 펌프질하다. ② 폭탄 : ~ atómica 원자 폭탄. Una ~ atómica destruiría toda la ciudad en un instante 한 개의 원자 폭탄은 일순간에 전시(全市)를 파괴할 것이다. ~ de cohete 로켓탄. ~ de hidrógeno 수소 폭탄. ~ de iluminación, ~ luminosa 조명탄. ~ de mano 수류탄. ~ de tiempo 시한 폭탄. ~ encendedora, ~ incendiaria 소이탄. ~ fétida 악취탄. ~ H 수소 폭탄. ~ nuclear 핵폭탄. ~ postal 우편(으로 배달된) 폭탄. ~ termonuclear 핵융합 폭탄. ③ (램프의) 등피, 글로브(globo). ④ 거짓말, 낭설(mentira). ⑤ 《*Amér.*》【속어】 실크 해트. ⑥ 물거품. ⑦ 둥근 종이연. ⑧ 아프리카 춤의 일종; 그 곡. ⑨ 《*Col.*》 장발. ⑩ 《*Cuba.*》 국자. ⑪ 《*Cuba.*》 은화 이름. ⑫ 《*Ecuad. Venez.*》 경기구(輕氣球). ⑬ [감탄사적으로] 건배!

éxito ~ 대성공.

caer como una ~ 예기치 않은 소식을 받다.

estar echando ~s 몸이 달아 오르다, 몸이 훈훈하다(estar muy caldeada).

estar a tres ~s 《*And.*》 안달하다, 조바심이 나다, 애간장이 타다(estar irritado).

estar en ~ 《*Amér.*》 술취하다, 만취가 되다(estar ebrio).

pasarlo ~ =pasarlo muy bien.

bombáceo, a *adj.* 【식물】 판야·목화속에 속하는. —*f.pl.* 판야과 식물 《바오밥 등》.

bombacha *f.* 《*Arg.*》 옆이 터진 바지(pantalones bombachos); 골프용 바지 (등).

bombacho *adj.* 옆이 터진 : calzón ~.

bombar *tr.* 펌프질을 하다; 펌프로 물을 푸다.

bombarda *f.* ① 박격포, 대포(cañón). ② 옛날의 군함의 이름.

bombardeador, ra *adj.* 폭격하는. —*m.* 폭격기(avión ~).

bombardear *tr.* ① 포격하다; 폭격하다 : ~ un puerto 항구를 폭격하다. ~ en picado 급강하하여 폭탄을 투하하다. Los bombarderos aliados *bombardearon* a la capital esta tarde 오늘 오후 연합군 폭격기는 수도를 폭격했다. ②【물리】 충격을 주다.

bombardeo *m.* 포격; 폭격, 폭탄 투하 : ~ aéreo 공중 폭격. avión de ~ 폭격기. El ~ contra la ciudad fue efectuado por la artillería pesada 도시에 대한 폭격은 중포대에 의해 실시되었다. Toda la ciudad espera un ~ aéreo sin paralelo 전시(全市)는 미증유의 공습을 기대(각오)하고 있다.

bombardero, ra *adj.* ① 포를 장치한 (배) : lancha ~*ra.* ② 폭격용의 : avión ~. —*m.* ① (포의) 사수; 폭격수. ② 폭격기(avión de ~).

bombardino *m.* 【악기】 저음 나팔(barítono).

bombardón *m.* 【악기】 봄바르돈 《군악대의 큰 나팔》.

bombasí *m.* [*lat.* bombax] ① 솜 우단. ② 《*Venez.*》 =**zaraza encarnada.**

bombástico, ca *adj.* 《*Amér.*》 과장된.

bombazo *m.* ① 폭탄의 작렬; 그 폭발 소리, 폭음. ② 《*Arg.*》 =**barbaridad.**

bombé *m.* 2인승 이륜 마차.

bombeador *m.* 《*Arg.*》 탐색자, 척후병, 스파이.

bombear *tr.* ① 포격하다; 폭격하다. ② 질리게 만들다; 추켜 올리다, 추켜세우다. ③ 《*Amér.*》 펌프로 퍼내다. ④ 《*AmérC.*》 (춤을 출 때) 노래하다. ⑤ 《*AmérM.*》 정탐하다, 탐색하다, 탐색시키다(explorar, espiar). ⑥ 《*Col.*》 몰아내다, 쫓아내다.

bombeo *m.* ① (렌즈의) 볼록한 모양, 볼록꼴, 볼록면, 볼록체(convexidad) : ~ de un cristal. ② 석유를 뽑아 올림 : estación de ~ 석유를 뽑아 올리는 장소. ③ 펌프로 물을 퍼올리기. ④ 포격.

bombera *f* 《*Cuba.*》 =**sosera, sosería.**

bombero *m.* ① 소방수. ② 《*Arg.*》 척후병(斥候兵), 탐정, 스파이(espía). ③ 펌프 담당자.

idea de ~ 난잡한 생각.

bómbice *m.* 누에, 누에고치(gusano de seda).

bombilla *f.* [*dim.* bomba] ① 소형 펌프. ② 전구(ampolleta eléctrica). ③ 《*Riopl.*》 주스 빨대, 마떼차 빨대. ④【해사】 현등(舷燈). ⑤ 《*Méx.*》 큰 수저, 주걱, 국자(cucharón).

~ *de destello* 【사진】 섬광 전구.

bombillo *m.* ① (변소의) 방취판. ② 깔때기가 달린 사이펀. ③【해사】 수동식 펌프(bomba pequeña de mano). ④ 《*Col. Cuba. Amér.*》 (전구 따위의) 등 : ~ eléctrico 전구.

bombín *m.* 《*Amér.*》【속어】 실크 해트(el sombrero hongo de fieltro).

bombista *m.* 펌프 제조자; 전구 제조자; 큰 북을 치는 사람.

bombita 《*Col.*》 =**rubor, vergüenza.**

bómbix *m.* =**bómbice.**

bombo, ba *adj.* ① 질겁한(aturdido). ② 《*Cuba.*》 어리석은(atontado). ③ 미적지근한 (물). ④ 맛이 떨어진 : fruta *bomba.* —*m.* ① 큰 북(tambor grande) : Se usa el ~ en las bandas militares. ② 큰 북의 고수. ③ 평저선(平底船). ④ 추천함. ⑤ 아기를 밴 볼록한 배.

con mucho ~ 위세좋게.
dar ~ 추켜 세우다, 과찬하다(elogiar demasiado) : Le *dieron un* ~ en el periódico.
de ~ *y platillos* 내용없이 겉만 번드르한 (작품).
irse al ~ 《*AmérM.*》 실패하다(fracasar).
poner ~ 《*Méx.*》 혼내주다, 야단치다, 무찌르다.
bombón *m.* ① 봉봉 (과자) ; 드롭프스, 캐러멜. ② 필리핀의 대나무를 만든 물통. ③ 《*Cuba.*》 주걱, 국자(cucharón). ④ 까다로운 사람, 멋쟁이.
bombona *f.* 큰 병(botellón).
bombonaje *m.* 《*Amér.*》 =**paja para sombreros.**
bombonera *f.* ① 봉봉 과자 그릇, 과자 그릇. ② 소형 극장.
bombonería *f.* 《*Amér.*》 =**confitería.**
bombote *m.* 《*Venez.*》 평저선, 바닥이 납작한 배 (barco de fondo chato).
bonachón, na *adj.* 호인의. —*m.f.* 호인. Contr. pícaro, tunante.
bonachonería *f.* 호인다움, 호인 기질.
bonaerense *adj.* ① 부에노스아이레스 (Buenos Aires)의. ② 부에노스아이레스 지방 말투가 섞인. —*m.f.* 부에노스아이레스 사람(porteño).
bonancible *adj.* 바람이 잔, 잔잔한, 부드러운, 쾌청한(tranquilo) : mar ~ 잔잔한 바다. tiempo ~ 쾌청한 날씨.
bonanza *f.* ① (바다의) 잔잔함 : mar ~ , mar en ~ 잔잔한 바다. ② 번창, 번영(prosperidad) : ir en ~ 번창하다. ③ 【광산】 풍부한 광맥, 노다지 ; 뜻하지 않은 행운. ④ 【경제】 폭등, 벼락 부자.
bonanzoso, sa *adj.* 크게 번창한, 일이 잘 된.
bonapartismo *m.* 나폴레옹 보나파르트(Napoleón Bonaparte) 옹립파.
bonapartista *adj.* 나폴레옹파의. —*m.f.* 나폴레옹 1세 지지자.
bonasí *m.* 【어류】 (Antillas의) 독이 있는 물고기.
bonazo, za *adj.* [*aum.* bueno] 온후한, 듬직한 (muy bueno y sencillo).
bondad *f.* [*lat.* bonitas] ① 친절 : hablar con ~. ② 착한 마음씨 ; 상냥스러움, 부드러운 성품. Contr. maldad.
tener la ~ *de* + *inf.* … 해 주시다, … 의 호의를 베풀다 : *Tenga la* ~ *de* contar 계산해 주십시오.
bondadosamente *adv.* 친절하게, 다정하게, 부드럽게.
bondadoso, sa *adj.* 친절한, 다정한, 부드러운 : palabras ~*sas.* Contr. malo, perverso.
bonderizar *tr.* (강철에) 녹슬지 않게 하다.
bondoso, sa *adj.* =**bondadoso.**
boneta *f.* ① 【선박】 돛에 붙이는 천. ② (여자들의) 보닛 《턱밑에서 끈을 매게 되어 있는 모자》 (bonete).
bonetada *f.* 모자를 벗고 하는 인사.
bonetazo *m.* bonete나 sombrero로 때리기.
bonete *m.* ① (승려나 학자가 쓰는) 사각 모자 : ~ de doctor. ② 유리 과자 그릇. ③ (반추 동물의) 제2위(胃). ④ 《*Amér.*》 (자동차의) 본넷. ⑤ 【속어】 대처승(帶妻僧), 떠돌이중 ; 인물, 놈 : bravo ~ 속물. gran ~ 중요 인물.
a tente ~ 끈덕지게, 과도하게(con empeño) : porfiar *a tente* ~ .
bonetería *f.* ① 사각 모자(bonete) 공장 · 상점. ② 《*AmérM. Méx. Galic.*》 잡화점.
bonetero, ra *m.f.* ① bonete 직공 · 상인. ② 【식물】 박달나무(evónimo).
bonetillo *m.* 부인용 머리 장식의 일종.
bonetón *m.* 《*Amér.*》 보네톤 《놀이의 일종》.
bonga *f.* 《*Filip.*》 【식물】 =**areca.**
bongo *m.* ① (중미 원주민의) 통나무배, 카누. ② 【식물】 (Panamá의) 목재용 가벼운 나무.
bongó *m.* 《*Cuba.*》 흑인들이 치는 북.
bongosero *m.* bongó 치는 사람.
bonhomía *f.* [*fr.* bonhomie] 《*Amér. Galic.*》 호인, 다정함.
boniatal *m.* 고구마밭.
boniatillo *m.* 《*Cuba.*》 고구마 · 설탕 과자.
boniato *m.* 【식물】 고구마(buniato)의 일종.
bonicamente *adv.* =**bonitamente.**
bonico, ca *adj.* [*dim.* bueno] 【방언】 =**bonito.**
a ~ 【방언】 소근소근 (말하다).
bonicho, cha *adj.* 《*Chile.*》 =**bonito.**
bonificable *adj.* 개선 · 할인할 수 있는 ; 분할 지불할 수 있는.
bonificación *f.* ① 개량, 개선(mejora) : la ~ de las tierras. ② 가격 인하, 할인(rebaja) : ~ de 10% 1할 할인. exagerada ~ 지나친 할인. ③ 이득. ④ 보너스. ⑤ 분할 지불.
bonificar *tr.* 7 ① 개량 · 개선하다 : ~ el campo 토지를 개량하다. ② 가격을 인하하다, 할인하다. ③ 분할 지불로 하다. ④ 보너스를 주다.
bonina *f.* 【식물】 =**manzanilla loca.**
bonísimo, ma *adj.* [*sup.* bueno] 매우 좋은.
bonista *m.f.* 채권 소지인.
bonitalo *m.* 【어류】 가다랑어.
bonitamente *adv.* ① 교묘하게, 감쪽같이. ② 조금씩(poca a poco), 천천히(despacio) : Anda ~ su negocio.
bonitera *f.* 가다랑어 잡이 ; 그 시기.
bonito *m.* 【어류】 가다랑어 : ~ seco 쪄서 말린 가다랑어.
bonito, ta *adj.* ① 고운, 귀여운, 아름다운, 예쁜(lindo) : cara ~*ta.* Contr. feo. ② 훌륭한, 안성맞춤의.
bonitura *f.* 《*Chile.*》 【속어】 귀여움, 예쁨, 깨끗함(lindeza).
bonizal *m.* 기장밭.
bonizo *m.* 【식물】 기장.
Bonn *m.* 【지명】 본 《서독의 수도》.
bono *m.* ① (필수품의) 배급권, 인환권 : ~ de caridad 무료 식당의 식권. ② 공채 증서, 채권, 증권, 사채(社債), 국채 : ~ al portador 무기명 채권. ~ con garantía hipotecaria 담보부 사채 (권). ~ de estado de corto plazo 채무 증서. ~ de fundador 발기인주. ~ del tesoro 재무성 증권. ~ a vencimiento fijo 정기 채권. ~ hipotecario 담보부 사채(권), 부동산 담보 채권, 저당 증권. ~ nominal 기명 · 등록 사채. ~ nominativo 기명 채권 · 공채. ~ sin interés 무이자 채권.
bonomía *f.* =**bonhomía.**
bononiense *adj.m.f.* =**boloñés.**

bonote *m.* 코코야자의 섬유.
bonzo *m.* (불교의) 승려(sacerdote búdico).
boñiga *f.* 쇠똥(bosta).
boñigar *m.* 【식물】 백무화과.
boñigo *m.* 가축의 똥.
boñiguero *m.* =**abanto.**
bookmáker *m. ing.* 마권 영업자.
boom *m. ing.* [발음은 bum] 호황, 붐, 벼락 경기 : ~ de inversiones 투자 경기. ~ de la demanda 수요 경기. ~ en el sector de bienes de cousumo 소비재 부문의 활황(活況). ~ en la construcción 건축 붐. Este es el ~ del turismo sobre las tierras de España 지금은 서반아의 여러 곳에 관광붐이다.
boomerang *m.* =**bumerang.**
Bootes *m.* 【천문】 목동 별자리.
bootlegger *m. ing.* (북미의) 주류 밀매자.
boque *m.* 《*Ar.*》 숫양(macho cabrío).
boqueada *f.* 헐떡임, 단말마의 몸부림 : la última ~ 임종, 말기.
dar las ~s, estar dando las ~s 종말이 되다.
boquear *intr.* ① 입을 벌리다(abrir la boca). ② 임종의 호흡을 하다, 숨이 끊어지다(estar expirante). ③ (어떤 일이) 종말에 가까워지다 (estar a punto de acabarse). —*tr.* 짤막한 말을 하다.
boquera *f.* ① (용수로의) 방수구(放水口). ② (짚을 두는 헛간의 던져 넣는) 창문. ③ 입술 가장자리의 튼 자리. ④ 커다란 입. —*pl.* 《*And.*》 공복(hambre).
boqueriento, ta *adj.* 《*Chile.*》 추접스러운 ; 입술 가장자리가 튼.
boquerón *m.* [*aum.* boquera] ① 커다란 입. ② 커다란 구멍, 분화구. ③【어류】 멸치의 일종.
boqueta *f.* 《*Col.*》 =**lahihendido.**
boquete *m.* ① 좁은 입구. ② 갈라진 틈(brecha) : abrir un ~ en la pared.
boqueto *m.* 《*Venez.*》 =**boqueta.**
boqui *m.* 【식물】 보끼 덩굴 《칠레산, 광주리를 만드는 데 쓰이는 덩굴 식물》.
boqui- *pref.* 「입」의 뜻을 나타내는 접두어.
boquiabierto, ta *adj.* 멍청하게 입을 벌린.
boquiancho, cha *adj.* 입이 큰.
boquiangosto, ta *adj.* 입이 작은.
boquiblando, da *adj.* 다루기 쉬운 (말) ; 입이 싼, 입이 가벼운 (사람).
boquiconejuno, na *adj.* 입이 토끼처럼 생긴 (말).
boquiche *adj.* 《*Perú.*》 =**hablador, parlanchín.**
boquiduro, ra *adj.* 다루기 어려운 (말) ; 입이 무거운, 좀처럼 입을 열지 않는 (사람).
boquiflojo, ja *adj.* 《*Amér.*》 =**boquirroto.**
boquifresco, ca *adj.* ① 입에 침이 많은 : Los caballos ~*s* son obedientes al freno. ② 뻔뻔스런(descarado). ③ 온순한 (말). ④ 말 버릇이 사나운 (사람).
boquifruncido, da *adj.* 새침한, 시무룩한.
boquihendido, da *adj.* 입이 튼.
boquihundido, da *adj.* 입이 납작한.
boquil *m.* 【식물】 =**boquí.**
boquilla *f.* [*dim.* boca] ① 입을 대는 곳 ; (악기의) 입을 닿는 곳. ② (담배의) 파이프. ③【목공】 연결 구멍. ④ (총의) 상대(上帶). ⑤ (칼의) 칼집과 날밑이 맞닿는 부분(brocal). ⑥ (가스 따위의) 불이 나오는 구멍. ⑦ (폭탄의) 충전구(充塡口). ⑧ 물 넣은 구멍(mechero). ⑨ 바지 자락. ⑩ 《*Ecuad.*》 소문. ⑪ (전기의) 소켓.
de ~ 말만으로(de boca).
boquillero, ra *adj.* 《*Cuba.*》 =**hablador.**
boquimuelle *adj.* ① 말이 차분한. ② 말 잘하는. ③ 잘 속는 (사람).
boquín *m.* 폭이 좁고 올이 굵은 나사(羅紗).
boquinegro, gra *adj.* 콧등이 검은(de hocico negro) : perro ~. —*m.* (서반아산) 달팽이.
boquinete, ta *adj.* 《*Méx.*》 =**boquineto.**
boquineto, ta *adj.m.f.* 《*AmérM.*》 언청이(의).
boquino, na *adj.* ① 《*And.*》 =**desportillado.** ② 《*And.*》 =**labio leporino.**
boquirrasgado, da *adj.* 입이 함박만한, 입이 몹시 큰.
boquirroto, ta *adj.* ① 정신없이 지껄여대는, 수다스런(parlanchín). Contr. discreto. ② 입이 큰.
boquirrubio, bia *adj.* ① =**boquirroto.** ② 애송이의(candoroso). —*m.* 잘난 척하는 젊은이.
boquiseco, ca *adj.* ① 입이 마른 : caballo ~.
boquisumido, da *adj.* 입이 오목한.
boquitorcido, da *adj.* =**boquituerto.**
boquituerto, ta *adj.* 입이 비뚤어진.
boraciar *intr.* 《*Arg. Urug.*》 큰소리치다, 떵떵거리다.
boracita *f.* 【광물】 방붕석(方硼石), 방붕광산.
boratera *f.* 《*AmérM.*》 붕사상(硼砂床).
borato *m.* 【화학】 붕산염.
bórax *m.* 【광물】 붕사(硼砂).
borboja *f.* 거품.
borbollar *intr.* ① 끓다. ② 말을 더듬다, 말이 서툴다.
borbollear *intr.* =**borbollar.**
borbolleo *m.* ① 물이 들끓음. ② 말을 더듬음.
borbollón *m.* 들끓음, 끓는 일.
a ~es 누구에게 당하여, 허겁지겁, 허둥대면서 (atropelladamente).
borbollonear *intr.* =**borbollar.**
borbónico, cal *adj.* 부르봉(los Borbones) 왕가《1589년에서 혁명 당시까지 계속된 불란서의 왕가 ; 그 분가인 서반아의 왕가는 Alfonso XIII 가 최후의 국왕, 1931년 퇴위》의 : perfil ~.
borbonismo *m.* 부르봉 제도.
borbor *m.* (물이) 끓는 소리 ; (물이) 뿜어 나오는 소리.
borborigmo *m.* [주로 *pl.*] 배가 부글거림.
borboritar *intr.* =**borbotar.**
borborito *m.* 《*Sal.*》 =**borbotón.**
borbotar *intr.* 부글부글 끓다 ; 콸콸 솟아나오다.
borbotear *intr.* =**borbotar.**
borboteo *m.* 부글부글 끓음 ; 콸콸 솟아나옴.
borbotón *m.* 들끓음 ; 분출(噴出), 뿜어 나옴 (borbollón).
hablar a ~es 다급하여 성화같이 재촉하다.
borceguí *m.* 편상화(編上靴).
borceguinería *f.* 편상화 공장 · 가게 ; 제화점가(街).
borceguinero, ra *m.f.* 편상화 직공.
borcelana *f.* ① 《*Méx.*》 작은 접시 ; 사기 그릇.

② 《*Can. And.*》 =**palangana.**

borda *f.* ① 오두막, 작은 집(choza). ② 큰 돛. ③ (배의) 현(舷).
arrojar·echar·tirar por la ~ 버리다, 허비하다, 낭비하다(deshacerse).

bordada *f.* ① 사항로(斜航路). ② 같은 길을 왔다갔다 하기 : dar ~*s* 왔다갔다 하다.

bordado *m.* 수를 놓음, 자수(刺繡) : ~ a canutillo 금·은 자수. ~ de seda 비단 자수.

bordador, ra *m.f.* 자수가.

bordadura *f.* =**bordado.**

bordaje *m.* 배를 덮는 널판.

bordar *tr.* ① (…에) 수를 놓다 : ~ al tambor 수틀로 수를 놓다. ② 예쁘게 끝마무리하다.

borde[1] *m.* ① (물건의) 모서리, 가장자리(orilla) : ~ del vaso 잔의 가장자리. ~ del camino 길가. al ~ del mar 바닷가에서. llenar el vaso hasta el ~ 잔을 가득 채우다. ②【선박】 현측(bordo).

borde[2] *adj.* [*lat.* burdus] ① 야생의(silvestre) : ciruelo ~. ② 첩에게서 난, 사생의(bastardo, ilegítimo). —*m.f.* 첩의 자식, 사생아, 사생자.

bordear *intr.* ① 왔다갔다 하다. ② 모서리를 따라가다. ③【선박】 바람을 받으며 비스듬히 가다, 사행(蛇行)하다. —*tr.* ① 둘러싸다 ; 가장자리에 있다 : Las flores *bordean* el lago 꽃들이 연못의 가장자리를 둘러싸고 있다. ② (…에) 가깝다, 비슷하다.

bordejada *f.* 《*AmérM.*》 =**bordada.**

bordejar *intr.* 《*Venez.*》 =**bordear.**

bordelés, sa *adj.m.f.* 보르도 《Burdeos, 불란서의 포도주 집산지》의 (사람). —*f.* 《*Arg.*》 225리터 들이 통.

bordeo *m.* bordear 하기.

borderó *m.* [*fr.* bordereau] ① =**extracto de cuenta.** ② 물건의 표·리스트. ③ 《*Chile.*》 =**membrete.**

bordillo *m.* [*dim.* borde] (건축물의) 가장자리 ; 끝 : en el ~ de la acera 보도(步道)의 끝에.

bordo *m.* ①【선박】 현측(costado exterior de la nave). ② 사항로(斜航路).
a ~ 배로, 배에서, 비행기 안에서(~ de avión) : dormir *a* ~ 배에서 자다. ir *a* ~ 배로 가다. subir *a* ~ 승선하다. llevar *a* ~ 배로 운송하다.
al ~ 선측 인도로.
de alto ~ 커다란 (배·인물·거래).
dar ~*s* 배가 바람을 비스듬히 받으며 나아가다.
rendir el ~ *en* …에 닿다.

bordón *m.* ① 석장(錫杖)(bastón largo de los peregrinos). ② (노래의) 후렴. ③ (악기의) 저음현(低音弦). ④ 버릇이 된 말. ⑤ 이끌어 돕는 사람. ⑥【인쇄】 조판에서 빼먹음. ⑦ 《*Col.*》 막내(benjamín).

bordona *f.* 《*Arg.*》 기타의 저현음.

bordoncillo *m.* 입버릇(처럼 하는 말).

bordonear *intr.* ① 지팡이로 더듬으며 걷다. ② 지팡이로 때리다. ③ 지향없이 걷다. ④ 방랑·걸식하다. ⑤ 《*Perú.*》 윙하게 울리다.

bordoneo *m.* ① =**zumbido.** ② 기타줄에서 나는 낮은 소리.

bordonería *f.* 방랑벽.

bordonero, ra *adj.* 떠도는, 유랑의. —*m.f.* 유랑자, 방랑자(vagabundo).

bordonete *m.* 《*Amér.*》 (고름을 빼기 위한) 가제(lechino).

bordonúa *f.* 《*PRico.*》 기타의 일종.

bordura *f.* [*fr.* bordure] (문장에서 방패 모양의) 테 두르기.

boreal *adj.* 북풍의 ; (주로, 천문이나 지리에서) 북(北)의(septentrional) : aurora ~ 북극광. hemisferio ~ 북반구. polo ~ 북극. **Contr.** ártico.

bóreas *m.*【단·복수 동형】 북풍, 삭풍(朔風)(viento norte).

Bóreas *m.*【신화】 북풍의 신.

borgoña *m.* 보르고뉴 《포도주》.

borgoñón, na *adj.m.f.* 보르고뉴 《Borgoña, 불란서 중부의 한 지방》의 (사람).

borgoñota *f.* 중세의 투구의 일종.

borguil *m.* 《*Ar.*》 =**almiar.**

borhidrina *f.*【화학】 =**boroglicérido.**

boricado, da *adj.* 붕산이 들어 있는.

bórico, ca *adj.*【화학】 붕산의 : ácido ~ 붕산. agua ~*ca* 붕산수.

boricua *adj.m.f.* =**borinqueño.**

borincano, na *adj.m.f.* =**borinqueño.**

borinqueño, na *adj.m.f.* 뿌에르또 리꼬 《Puerto Rico, 옛 이름 Borinquén》의 (사람)(portorriqueño).

borla *f.* ① 술, 술장식 : ~*s* de una cortina. ② 박사의 휘장 : tomar la ~ 박사 학위를 얻다, 대학을 졸업하다(graduarse de doctor). ③ 분첩. —*pl.*【식물】 색비름(amaranto).

borlaje *m.* [집합] =**borla.**

borlarse *r.* 《*AmérM.*》 대학을 졸업하다.

borlilla *f.* =**antera.**

borlón *m.* [*aum.* borla] 커다란 술 ; 술이 달린 천. —*pl.*【식물】 색비름(borlas).

borlote *m.* 《*Amér.*》 =**burlote.**

borne *m.* ① 창끝. ② (전기 기구의) 연결 나사, 플러그 : los ~*s* de una pila. ③【식물】 금작화(金雀花)(codeso). ④【은어】 교수대(horca). —*adj.* 무른 (재목).

borneadizo, za *adj.* 잘 휘는 : madera ~*za.*

borneadura *f.* =**borneo.**

borneano, na *adj.m.f.* 보르네오(Borneo)의 (사람).

bornear *tr.* ① 꼬다, 비틀다(torcer). ② (기둥의 주위에) 세공하다(labrar). ③ (선 따위가 잘 그려졌는지) 한 쪽 눈으로 자세히 보다. ④ (주춧돌 따위를) 똑바로 놓다. —*intr.* ① (매어둔 배가) 빙글빙글 돌다. ② (춤출 때) 발로 빙그르 돌다. **~se** ① 뒤틀리다, 휘다 : La madera verde *se bornea.* ② 《*Méx.*》 박사 학위를 따다, 졸업하다.

borneo *m.* ① 뒤틀림, 꼬임. ② (춤에서) 몸을 비트는 일.

borneol *m.*【식물】 용뇌(龍腦).

bornero, ra *adj.* 맷돌로 쓰이는 (돌).

borní *m.*【조류】 물수리 《맹조의 일종》 : El ~ habita en los lugares pantanosos.

bornido *m.*【은어】 교수형을 받은 사람.

bornita *f.*【광물】 반동광(班銅鑛).

bornizo *adj.m.* 처음 벗긴 (코르크) : corcho ~.

boro *m.*【화학】 붕소.

borococo *m.* 《*And.*》 ① =**pisto.** ② 《*Amér.*》 =

amoríos escondidos. ③《*Amér.*》 빵 부스러기 (migaja de pan).

borochi *m.* 《*Bol.*》 =**lobo rojo.**

borona *m.* ①【식물】 기장(mijo). ②【식물】 옥수수(maíz). ③【방언】 옥수수빵(pan de maíz). ④《*Amér.*》 빵 부스러기.

borondo, da *adj.* 둥근(redondo).

boronía *f.* 가지·토마토·호박을 한데 얼버무려 삶은 요리.

boroschi *m.*【동물】(아메리카산) 붉은 털 늑대.

borra *f.* ① 한 살 짜리 새끼양. ②(양털) 찌꺼기 : ~ de algodón 솜 찌꺼기. ~ de lana 양털 찌꺼기. ~ de seda 비단 조각. ③ 속을 채워 넣기 위한 양털. ④(잉크·기름 따위의) 앙금, 침전물(hez) : la ~ del aceite 기름 찌꺼기. ⑤ 소맷자락에 묻은 때, 구석에 모인 먼지. ⑥ 장난말. ⑦【화학】 붕사(bórax).

meter ~ =meter ripio o broza.

borrable *adj.* 지워도 되는 ; 볼일을 마친.

borracha *f.*【속어】 술자루.

borrachada *f.* =**borrachera.**

borrachear *intr.* 술을 자주 마시다, 언제나 취해 있다(beber mucho).

borrachera *f.* ① 술에 잔뜩 취함, 만취, 대취(embriaguez) : tomar una ~. ② 음주 대회. ③ 도취.

borrachería *f.* 《*Méx. Riopl.*》 술집, 선술집.

borrachero *m.*【식물】 흰독말풀.

borrachez *f.* ① 만취(embriaguez). ② 착란.

borrachico *m.* (서반아 북부 지방에서) 산복숭아 열매(fruto del madroño).

borrachín, na *m.f.* [*dim.* borracho] 애주가.

borracho, cha *adj.* ① 술취한(ebrio) : estar ~ perdido. ② 술을 좋아하는, 모주꾼의. ③ 술·위스키가 들어 있는 (과자). ④(과일 따위가) 암홍색(暗紅色)의 : zanahoria ~*cha* 암홍색 당근. ⑤ 감정에 취해 있는(dominado por una pasión) : ~ de ira. ⑥《*Chile.*》 철이 지난 너무 익은 (과일). —*m.f.* 주정뱅이. —*m.* 램주에 젖은 비스킷 과자.

borrachón, na *adj.* 얼근히 취한, 만취한(muy borracho).

borrachuela *f.*【식물】 독맥(毒麥)(cizaña).

borrachuelo, la *adj.m.f. dim.* borracho.

borrado, da *adj.* [borrar의 *p.p.*] 《*Perú.*》 곰보 자국투성이의(picado de viruelas).

borrador *m.* ① 초고, 원고 : ~ de una carta 편지의 문안 초고. ② 일기장. ③ 흑판 지우개. ④(통학용) 문방구갑.

borradura *f.* 고침, 정정, 문자를 지워 버림 : escrito lleno de ~*s.*

borragináceo, a *adj.* =**borragíneo.**

borragíneo, a *adj.*【식물】 지치과의. —*f.pl.* 지치과 식물.

borraj *m.*【화학】 붕사(硼砂)(bórax).

borraja *f.* [*lat.* borrago]【식물】 서양 지치.

borrajear *tr.* 생각나는 대로 적다 ; 장난삼아 낙서하다.

borrajo *m.* 낙엽송 ; 잿속에 묻은 숯불.

borrar *tr.* 지우다, 지워 버리다, (문자를) 말소하다 : ~ de la lista 명부에서 말소하다. La lluvia *borró* su carta 비 때문에 그의 편지가 지워졌다.

~se 지워지다, 사라지다 : *Se borró* de la memoria 기억에서 사라졌다. No *se borrará* nunca su imagen de mi memoria 그의 인상은 내 기억에서 결코 지워지지 않을 것이다.

borrasca *f.* ① 폭풍(tempestad, tormenta) : haber ~ 폭풍이 불다. ② 위험(riesgo, peligro) : las ~*s* de la vida. ③ 급격한 변화. ④【속어】 주연(酒宴). ⑤《*Arg. Méx.*》【광산】 빈광(貧鑛).

borrascoso, sa *adj.* ① 폭풍이 불 듯 싶은 : brisa ~*sa.* ② 풍랑이 일기 쉬운 : tiempo ~. ③ 무질서한(desordenado) : vida ~*sa* 무질서한 생활.

borratinta *f.* 잉크 지우개.

borregada *f.* 새끼 양떼.

borregaje *m.* 《*Chile.*》 =**borregada.**

borrego, ga *m.f.* ①(한 살 내지 두 살 되는) 새끼양. ② 무지 몽매한 사람 : Esa mujer es una verdadera ~*ga.* —*m.* 《*Cuba. Méx.*》 낭설, 허보(虛報).

salir ~ =fallar.

borreguero, ra *adj.* 새끼양에게 먹일 (풀밭). —*m.f.* 새끼양을 키우는 사람.

borreguil *adj.* 새끼양의.

borreguillo *m.* 격리된 구름.

borrén *m.* 안장틀의 밑.

borreno *m.* 《*Venez.*》 =**borrén de la silla.**

borrica *f.* ① 당나귀, (암)나귀. ② 미련한 여자(mujer necia).

borricada *f.* ① 당나귀떼. ② 당나귀로 먼 나들이 : dar una ~. ③ 어리석은 언행, 바보 짓, 어리석은 짓, 멍청이 짓(necedad, tontería) : soltar ~*s.*

borrical *adj.* 나귀의 ; 나귀같은.

borricalmente *adv.* =**asnalmente.**

borrico *m.* ① 당나귀(asno). ② 가대(架臺), 버팀다리. ③ 바보같은 사람.

borricón, na *adj.* 고생이 심한.

borricote *adj.* 고생이 심한 (사람).

borrilla *f.* =**pelusilla.**

borrina *f.* (서반아 북부 지방의) 짙은 안개.

borriqueño, ña *adj.* 당나귀의 ; 당나귀같은.

borriquero *adj. cardo* ~【식물】 지느러미 엉겅퀴. —*m.* 나귀 몰이.

borriquete *m.* (목수의) 가대(架臺), 아래쪽이 벌어진 네 발 달린 발판《미장이 등이 사용함》.

borriquillo *m. dim.* borrico.

borro *m.* (한 살짜리) 새끼양.

borrón *m.* ① 잉크의 얼룩(mancha de tinta) : hacer un ~. ② 초고(草稿). ③(화폭 위의) 데생. ④ 흠, 결점(defecto). —*pl.* (필자가 말하는) 졸고(拙稿).

borroncillo *m.* =**borrón.**

borronear *tr.* =**borrajear.**

borrosidad *f.* 읽기·판독하기 어려움.

borroso, sa *adj.* ① 찌꺼기가 많은 : aceite ~. ② 읽기·판독하기 어려운(difícil de leer) : escritura ~*sa.* **Contr.** claro, legible.

borrufalla *f.* 《*Ar.*》 =**hojarasca.**

borrumbada *f.* 큰소리, 허영, 허풍.

bortal *m.* 《*Ál.*》 =**madroñal.**

boruca *f.* ① 야단법석(bulla) : armar ~ 야단법석을 벌리다. ②《*Méx.*》 당혹, 난처함 : hacerse

～ 어리둥절해지다. volver ～ 당혹시키다.
boruga *f.* 《*Cuba.*》 =**requesón.**
borujo *m.* ①(용해물 중의) 알맹이. ② 올리브 기름의 찌꺼기.
borujón *m.* 약간 큼직한 덩어리 ; 혹.
borundés, sa *adj.m.f.* ① 보룬다(Borunda)의 (사람). ② 바랑까(Barranca)의 (사람).
boruquiento, ta *adj.* 《*Méx.*》 명랑한, 활발한, 떠들썩한.
borusca *f.* 고엽, 낙엽.
boscaje *m.* ① 작은 숲 : un ～ frondoso. ② 나무와 짐승의 그림.
boscoso, sa *adj.* 삼림으로 덮인.
bosea *f.* 【식물】 =**bosia.**
bósforo *m.* 두 대륙간의 해협.
bosniaco, ca *adj.m.f.* =**bosnio.**
bosníaco, ca *adj.m.f.* =**bosnio.**
bosnio, nia *adj.m.f.* 보스니아《Bosnia, 발칸 반도의 한 나라》의 (사람).
bosorola *f.* 《*AmérC.*》 앙금, 가라앉은 찌꺼기.
bosque *m.* ① 숲, 삼림 : ～ maderable 목재림. ②【은어】 수염.
bosquecillo *m.* [*dim.* bosque] 작은 숲.
bosquejar *tr.* ① 데생하다, 스케치하다, 소묘하다 : ～ un retrato. ②(… 의) 개요를 그리다, 초안을 만들다 : ～ un proyecto.
bosquejo *m.* ① 소묘, 데생, 스케치. ② 복안 : en ～ 미완성인 채로.
bosquete *m.* [*dim.* bosque] ① 작은 숲. ②(정원 따위의) 나무. ③ 인공숲(bosque artificial).
bosta *f.* (가축의) 똥(boñiga).
bostear *intr.* 《*AmérM.*》 (동물이) 똥을 누다.
bostezador, ra *adj.* 하품하는 버릇이 있는, 하품을 하는.
bostezante *adj.* 하품하는.
bostezar *intr.* ⑨ 하품하다 : ～ de hastío 싫증이 나서 하품하다.
bostezo *m.* 하품 : El ～ es indicio de tedio, debilidad o sueño.
bosticar *intr.* ⑦ 《*AmérC. Méx.*》 투덜거리다, 투덜대다.
bostón *m.* ①(네 명이 하는) 카드 놀이. ② 현대 무용.
bostonar *intr.* =**bostonear.**
bostonear *intr.* bostón을 추다.
bostrico *m.* 【동물】 갑충류, 초시류.
bota *f.* ①(휴대용) 술자루 ; 통. ② 장화, 편상화, (단추식) 부인화 : ～ de montar 승마화. ～*s* de montaña 등산화. ～ de potro 《*Arg.*》 말의 발가죽으로 만든 · 이음새가 없이 통으로 된 승마화.
estar de ～s · con las ～s puestas 여행 준비가 갖추어져 있다.
ponerse las ～s 부자가 되다, 부유해지다(enriquecerse).
botada *f.* ①(선박의) 진수(進水)(lanzamiento de un buque). ②《*Ant.*》 사람을 몰아내는 일.
botadero *m.* 《*Chile. Perú.*》 ① 쓰레기 수거장. ②《*Amér.*》 =**vado.**
botado, da *adj.* 《*Amér.*》 ① 버려진. ② 뻔뻔스러운, 낯가죽이 두꺼운(descarado). ③(값이) 무척 싼(muy barato). ④ 단념하고 무엇인가 할 작정인. ⑤《*Méx.*》 잠든. —*m.f.* 《*Amér.*》 기아(棄兒) ; 파렴치한 사람.
botador, ra *adj.* ① 던져 버리는. ②《*Amér.*》 씀씀이가 헤픈, 낭비벽이 있는. —*m.* 상앗대, 삿대 ; 지레식 못뽑이 ; 이 빼는 기구.
botadura *f.* (배의) 진수(botada de un barco).
botafango *m.* 《*Amér.*》 흙받이.
botafuego *m.* ① 화승(火繩)대. ②(성미가) 발끈한 사람, 괴팍한 사람.
botafumeiro *m.* ①《*Gal.*》 =**incensario.** ② =**adulación.**
botagua *f.* (빗물이 들어가지 않도록 창문이나 문에 만든) 쇠시리(moldura).
botagueña *f.* 돼지의 간이나 허파로 만든 소시지.
botalodo *m.* 《*Perú.*》 흙받이.
botalón *m.* ① 활죽 《돛을 버티는 살》 (palo que sale fuera de la embarcación). ②《*PRico.*》 밀쳐냄 ; 몰아냄. ③《*Col. Venez.*》 (우마를 매두는) 말뚝.
botamanga *f.* 《*AmérM.*》 =**bocamanga.**
botamen *m.* ① [집합] (약국의) 용기류(容器類), 병. ②(선박의 하물 창고에 적재한) 통, 통의 적재.
botana *f.* (가죽 부대의) 이음 ; (술통의) 마개 ; (붙인) 고약 ; 종기 자국.
botánica *f.* [*gr.* botané] 식물학.
botánico, ca *adj.* 식물학의 : jardín ～ 식물원. —*m.f.* 식물학자(botanista).
botanista *m.f.* 식물학자(botánico).
botanizar *intr.* =**herborizar.**
botanófago, ga *adj.* [드뭄] 식물이 사는.
botanófilo, la *adj.m.f.* 식물학을 좋아하는 (사람).
botanografía *f.* 식물 묘사.
botanográfico, ca *adj.* 식물 묘사의.
botanógrafo, fa *m.f.* 식물 묘사 학자.
botanología *f.* 식물학론.
botanológico, ca *adj.* botanología의.
botanólogo, ga *m.f.* botanología 를 전공하는 사람.
botar *tr.* ① 던지다, 내던지다 (arrojar, echar fuera con violencia). ② 버리다(arrojar, tirar) : ～ el cigarro. ③ 몰아내다, 해고하다, 내쫓다(despedir). ④(배를) 진수시키다 : ～ el buque. ⑤(배의) 진로를 바꾸다 : ～ a babor 배의 방향을 좌측으로 돌리다. ～ a estribor 배의 방향을 우측으로 돌리다. ⑥《*Amér.*》 낭비하다, 소모하다, 허비하다, 다 써버리다(malgastar) : ～ su fortuna. ⑦ 잃다 : *He botado* el pañuelo 나는 손수건을 잃었다.
—*intr.* ①(공이) 튀다(saltar). ②(말이) 뛰다, 뛰어오르다(dar botes). ③ =**malgastar.**
～se 《*Amér.*》 ①(강물이) 넘치다. ② 뛰어들다(arrojarse) : ～*se* al agua. ③ [+a : … 이] 되다(volverse, hacerse) : José *se botó a* escritor 호세는 작가가 되었다.
botaratada *f.* 분별없는 언행.
botarate *m.* ① 분별없는 사람. ②《*Amér.*》 낭비자(manirroto, derrochador). ③《*CRica.*》 =**alborotado.**
botaratear *intr.* 《*Arg.*》 분별없는 사람처럼 행동하다.
botarel *m.* 【건축】 부벽(扶壁)(contrafuerte).
botarete *adj.* 【건축】 *arco* ～ =**arbotante.**

botarga *f.* 옛날의 헐렁한 바지 ; 어릿광대 의상.

botasilla *f.* 승마 (준비의) 나팔.

botavaca *f.* 《*PRico.*》 =**miriñaque.**

botavante *m.* 적선이 접현(接舷)해 오는 것을 막는 긴 장대.

botavara *f.* ①【해사】활대 《배의 돛을 달기 위해 돛대에서 가로지르는 나무(palo)》의 일종. ② 《*AmérM.*》(짐수레 등의) 끄는 손잡이 부분.

bote *m.* ① 작은 배, 보트 : ~ salvavidas 구명 보트. ~ de motor 모터보트. ~ de paso 연락선. ② 바닥이 납작한 그릇, (통조림 등의) 깡통 : ¿Cuánto vale este ~ de jugo de naranja? 이 오렌지 주스 깡통은 얼마입니까? ③ (포마드 등의) 병 ; 약병. ④ (뾰족한 것으로) 찌르기 : ~ de lanza. ⑤ 도약 : dar ~*s* 튀겨 오르다. ⑥ 공이 뜀, 바운드. ⑦ 말의 뒷발 걷어차기. ⑧ 어린아이가 땅에 파는 구멍(boche). ⑨ 《*Amér.*》 던지는 일. ⑩ 《*Amér.*》 휴대용 구유통. ⑪ 《*Méx.*》 감옥.
de ~ en ~ 초만원의(completamente lleno) : En verano la playa está *de ~ en ~* 여름에는 해변이 초만원이다.
de ~ y voleo 곧장, 생각할 겨를도 없이, 부랴부랴, 조급히.

boteal *m.* 광천수 물웅덩이가 많은 곳.

botecario *m.* (옛날의) 전쟁세(금).

boteja *f.* 《*Ar.*》 =**botija, botijo.**

botella *f.* ① 병 : una ~ de vidrio 유리병. ~ termos 보온병. ~ de oxígeno 산소병. ② 병의 내용물 : beberse una ~ de vino 포도주 한 병을 마시다.

botellazo *m.* 병으로 때리기.

botellería *f.* 《*Amér.*》【속어】=**botillería.**

botellero *m.* ① 병을 넣는 상자. ② 저장소에 병을 옮기는 도구.

botellín *m.* [*dim.* botella] 작은 병.

botellón *m.* [*dim.* botella] ① 큰 병. ② 《*Méx.*》 =**damajuana.**

botequín *m.* [*dim.* bote] 소형 보트.

botería *f.* ① 가죽 주머니(bote) 가게. ② [집합] (배에 실은) 통(pipería). ③ 《*Amér.*》 통 제조업. ④ 《*Arg. Chile.*》 양화점(zapatería).

botero *m.* ① 가죽 주머니 제조인·판매자. ② 보트 주인. ③ 《*Chile.*》 직공.
Pedero B- 악마.

botete *m.* (아메리카의) 모기.

botica *f.* ① 약국, 조제실(farmacia). ② [집합] 약, 약제 : dar médico y ~ 의료비를 주다 ; 치료를 가하다. ③【고어·은어】잡화점.

boticaria *f.* 약제사 아내.

boticario, ria *m.f.* ① 약제사. [Sinón.] farmacéutico. ②【은어】잡화 상인, 잡화점 주인.
Como pedrada en ojo de ~【속담】안성맞춤이다.

botiga *f.*【속어】=**botica.**

botiguero *m.* (어떤 지방의) 잡화상 주인.

botija *f.* ① 물항아리. ② 조끼. ③ 《*Amér.*》 묻혀있는 보물. ④ 《*Arg. Urug.*》 =**chiquillo.** ⑤ 《*Cuba.*》 여러 가지 나무 이름.
~ verde 《*Col.*》 모욕을 주는 언사.
estar hecho una ~ ① (아기가) 보채다, 떼쓰다. ② 매우 뚱뚱하다.

botijero, ra *m.f.* 물그릇 만드는 직공.

botijo *m.* ① 물항아리. ② (대절한) 관광 열차 (tren ~).
tren de ~ 유람 열차.

botijón *m.* [*dim.* botijo] 손잡이나 주둥이가 없는 큰 항아리.

botijuela *f.* [*dim.* botija] ① 알선료, 중개료 ; 팁 : de ~ 팁으로. ② 《*Amér.*》 묻혀있는 보물. ③ 《*Cuba.*》 피리의 일종.
de ~ 무료로, 거저, 공짜로(de balde, gratis) ; 팁으로(de propina).
soplar la ~ 아첨하다, 아부하다, 알랑거리다.

botilla *f.* ① 편상화(編上靴)(borceguí). ② 옛날 여자들이 신던 구두.

botiller *m.* =**botillero.**

botillería *f.* (옛날의) 청량 음료를 팔던 가게.

botillero *m.* ① 음료수 제조인·판매자. ② 《*Méx.*》 =**zapatero.**

botillo *m.* [*dim.* bota] 가죽으로 된 작은 술자루.

botín *m.* ① 반장화. ② 전리품, 약탈품. ③ 채찍질. ④ 《*Chile.*》 짧은 양말. ⑤ 《*Chile.*》 통렬한 비난.

botina *f.* ① 각반 ; 장화. ② 단추 달린 부인화.

botinería *f.* 구두 공장, 양화점.

botinero, ra *adj.* 발끝의 털이 검은 (소).
—*m.f.* 각반 만드는 직공.

botiquín *m.* ① 휴대용 약품(farmacia portátil). ② 휴대품 약상자. ③ 《*Venez.*》 술집.

botito *m.* (고무·단추로 흘러 내리지 않게 한 남자용) 장화.

botivoleo *m.* 공놀이.

boto *m.* 《*And.*》 (말의 기수용) 장화.

boto, ta *adj.* ① 끝이 둥근(romo de punta). ② 우둔한, 무딘 : una joven *bota* de ingenio ; una joven de ingenio ~ 우둔한 아가씨. ③ 거칠은, 사나운. —*m.* ① 작은 가죽 주머니. ② (입을 바로 대고 마시는) 술병, 술단지.

botón *m.* ①【식물】싹 (yema). ② (꽃의) 봉오리. ③ (의복 따위의) 단추 : ~ de concha 조개껍질 단추. ~ forrado en tela 호두 단추. ④ 단추형의 물건. ⑤ 장식 보턴. ⑥ 손잡이. ⑦ (초인종 따위의) 누름 단추, 보턴 : ~ eléctrico 벨의 보턴. ~ de tagua 너트 보턴. Cuando oprimí el ~ se abrió automáticamente la puerta 내가 보턴을 눌렀을 때 문이 자동으로 열렸다. ⑧ 《*AmérM.*》【은어】순경. ⑨ 《*Cuba.*》 비난. ⑩ 《*Méx.*》 쌍두 마차. ⑪ 《*SDgo.*》 북풍. —*pl.* 제복의 보이.
~ de florete 펜싱 시합용의 칼끝에 다는 구슬.
~ de fuego 불로 지지는 요법 : pegar un *~ de fuego.*
~ de muestra =ejemplo.
~ de oro【식물】미나리아재비.
al (divino) ~ 《*AmérM.*》 헛되이, 허망하게, 보람없이 (en vano).
ni un ~ 아무 것도 … 아니다 (nada).

botonadura *f.* [집합] (한 벌의) 단추 : una ~ de camisa.

botonar *tr.* 《*Amér.*》 단추를 달다 (abotonar).
—*intr.* 《*Cuba. Chile.*》 싹이 트다.

botonazo *m.* (검술에서) 구슬이 달린 칼로 찌르기.

botoncillo *m.* 《*Amér.*》【식물】=**planta heliántea.**

botonería *f.* 단추 공장・가게.
botonero, ra *m.f.* 단추 제조인・상인.
botoque *m. port.* (브라질의 토인이 입술・귀・코에 꽂는) 나무걸이.
botor *m.* 【고어】 =**buba, tumor.**
botoral *adj.* 종기의, 종기같은.
bototo *m.* ①《*Chile. Ecuad.*》(물 나르는 데 쓰이는) 호리병박. ②《*Amér.*》 =**mate.** ③《*Chile.*》 헐렁한 구두.
botriforme *adj.* (포도) 송이 모양의.
botrino *m.* 《*Ál. Ar. Burg. Lorg.*》 =**butrino, buitrón.**
botriocéfalo *m.* 【곤충】 촌충(寸虫)의 일종.
botulismo *m.* 【의학】 보툴리누스 중독 《상한 소시지・통조림에서 일어남》.
bototo *m.* ①(파파야 따위의 속이 빈) 잎자루. ② 오리노꼬강 유역의 원주민들의 토기로 만든 피리.
bou *m.* (작은 배 두 척으로 하는) 저인망(底引網) 어로, 트롤 어선.
boutique *m.* 《*Galic.*》 고급 양장점.
bóveda *f.* ①【건축】 둥근 지붕; 둥근 천장, 그 방. ② 교회의 지하에 있는 납골당.
~ *celeste* 하늘, 창공 (firmamento).
~ *craneal* 【해부】 두개관 (頭蓋冠).
~ *palatina* 【해부】 구개, 입천장.
bovedilla *f.* [*dim.* bóveda] 천장의 도리와 도리 사이의 곡선.
subirse a las ~*s* 화를 내다, 역정을 내다 (irritarse, encolerizarse).
bóvido, da *adj.* 【동물】 소 종류의. —*m.pl.* 우속(牛屬) 《소, 양, 영양 등》.
bovino, na *adj.* 소의 : especie ~*na.* —*m.pl.* 우속 (牛屬).
bowling *m. ing.* 볼링.
bow-window *m. ing.* 활 모양으로 내민 큰 창 (balcón grande).
box *m.* 《*Amér.*》 ① =**boxeo, pugilato.** ②(말을 한 마리씩 넣는) 한 칸. ③(자동차길 옆의) 급유소, 수리소. ④ 우편함, 우체통.
boxeador, ra *m.f.* 권투 선수.
boxear *intr.* 권투를 하다.
boxeo *m.* 권투, 복싱 (pugilato).
boxístico, ca *adj.* 권투・복싱의.
boy *m. ing.* =**mozo, muchacho.**
boya *f.* 부표 (浮漂); 찌 : ~ de anclaje 계선 부표. ~ luminosa 부등대 (浮燈臺). ~ salvavidas 조난 부표 (助難浮漂).
de buena ~ 행운의, 더욱더 재수있는.
boyada *f.* 소떼 (manada de bueyes).
boyal *adj.* ① 목우(牧牛)의 : dehesa ~. ②《*Amér.*》 가장 경기 좋은 때의 (광산).
boyante *adj.* ① 다루기 쉬운 (투우). ② 운이 좋은, 행복한 (feliz, afortunado) : estar ~. ③ 다시 띄울 수 있는 (배). ④ 지나치게 뜬 (배). ⑤ 날로 더 재수좋은, 경기가 좋은 : ~ en los negocios.
boyar *intr.* ① 물에 뜨다 (flotar). ②《*PRico.*》 배를 젓다.
boyarda *f.* boyardo의 아내.
boyardo *m.* 봉건 러시아 때의 영주.
boyarín *m.* (망 등을) 뜸, 뜨는 일.
boyazo *m.* [*aum.* buey] ①《*Amér.*》 황소(toro). ②《*AmérC. Chile.*》 주먹질, 주먹.
boycot *m.* =**boicot.**
boycotar *tr.* =**boicotear.**
boycotear *tr.* =**boicotear.**
boycoteo *m.* 《*Neol.*》 =**boicot.**
boyera *f.* =**boyeriza.**
boyeriza *f.* 마구간, 외양간.
boyerizo *m.* =**boyero.**
boyero *m.* ① 소몰이, 소치는 사람. ②《*Amér.*》 소몰이 작대기. ③ 샛별, 금성.
Boyero *m.* 【천문】 소몰이 별자리.
boyezuelo *m. dim.* buey.
boy scout *m. ing.* 보이 스카우트. [Sinón.] explorador.
boyuda *f.* 카드의 한 벌.
boyuno, na *adj.* 소의 (bovino).
boza *f.* 【해사】 밧줄.
bozal *adj.* ① 갓 데려온 (검둥이). ② 애송이의, 신입의 (nuevo, novato). ③ 어리석은, 우둔한 (tonto). ④ 야생의 (salvaje) : potro ~. —*m.f.* ① 신참자. ② 바보. ③《*Cuba. PRico.*》 서반아어에 서툰 원주민・외국인. —*m.* ①(짐승의) 입마개. ②《*Amér.*》(말의) 굴레 장식끈, 재갈끈 (bozo).
bozalejo *m. dim.* bozal.
bozalillo *m. dim.* bozal.
bozalón, na *adj. aum.* bozal
bozo *m.* ① 드문드문 자란 수염. ② 입 언저리. ③(말의) 굴레 장식끈.
b.p., B.P. Bueno por; bendición papal.
Br bromo.
br., Br. bachiller.
brabanón, na *adj.m.f.* 브라방 《Brabante, 벨기에의 한 지방》의 (사람).
brabante *m.* ① 플랑드르산 리넨. ② 하얗게 바랜 무명.
brabantés, sa *adj.m.f.* =**brabanzón.**
brabanzón, na *adj.m.f.* =**brabanón.**
bracamarte *m.* 【고어】 (이탈리아의) 단검.
bracarense *adj. m.f.* 브라가《Braga, 포루투칼의 지방》의 (사람).
braceada *f.* 심한 팔운동.
braceador *adj.* 《*Amér.*》 다리를 너무 흔드는 (말).
braceaje *m.* ① 주화 (鑄貨). ② 수심 (水深) (profundidad del mar) : lugar de poco ~.
bracear *intr.* ① 팔을 흔들다. ② 손을 번갈아 앞으로 내뻗으며 헤엄치다. ③ 노력하다. ④ 돛줄을 끌어당기다. ⑤(말이) 앞발을 꺾듯이 하여 걷다.
braceo *m.* 팔을 휘저음 : ~ enérgico.
bracera *f.* =**sierra de espigar.**
braceral *m.* (갑옷의) 팔받이.
bracerismo *m.* 《*Méx.*》 ① 날품팔이 조건. ② [집합] 날품팔이.
bracero, ra *adj.* 던지는 (무기). —*m.* 일을 거들어 주는 사람, 날품팔이, 일용 노무자.
de ~ 팔짱을 끼고.
bracete *m.* [*dim.* brazo] *de* ~ 서로 팔짱을 끼고.
bracil *m.* =**braceral.**
bracillo *m.* 말의 재갈의 하나.
bracio *m.* 【은어】 팔 : ~ godo 오른팔. ~ ledro 왼팔.

bracitendido, da *adj.* =**indolente, holgazán.**
bracmán *m.* =**brahmán.**
braco, ca *adj.* 사자코의 : perro ~ 포인터 개. —*m.f.* 사냥개 (perro de caza)의 일종.
bráctea *f.* 【식물】 꽃턱잎, 화포(花苞).
bracteal *adj.* bráctea의 : hojas ~*es.*
bracteiforme *adj.* 화포(bráctea) 모양을 하고 있는.
bractéola *f.* 【식물】 작은 화포(bráctea pequeña).
bradicardia *f.* 【의학】 맥박 지완(脈搏遲緩).
bradipepsia *f.* 【의학】 소화 불량.
bradipo *m.* 【동물】 늘보원숭이 (perezoso).
brafonera *f.* 팔받이.
braga *f.* ① 밧줄. ② 《*Ar. And.*》 배내옷 (pañal). —*pl.* 반바지, (여자의) 팬티의 일종.
bragada *f.* (우마의) 안쪽 허벅지.
bragado, da *adj.* ① 안쪽 허벅지의 털빛이 변한 : toro ~. ② 힘이 있는 (enérgico).
bragadura *f.* (사람이나 동물의 바지의) 안쪽 허벅지.
bragazas *m.* 【속어】 (특히 여자쪽에서) 다루기 쉬운 남자.
braguerista *m.f.* braguero의 제작자.
braguero *m.* ① 탈장대 (脫腸帶). ② 붕대. ③ 《*Méx.*》 말의 복대(腹帶).
bragueta *f.* (바지의) 앞이 터진 곳. ***casamiento de ~*** 《*Amér.*》 재물을 탐낸 결혼. ***estar como ~ de fraile*** 어이없는 표정을 하다.
braguetazo *m.* 가난뱅이 남자의 돈 있는 여자와의 결혼 : dar ~.
braguetero *adj.m.f.* ① 【속어】 호색(好色)의. ② 《*Amér.*》 돈 많은 여자와 결혼한 가난한 (남자), 여자의 신세를 지는 (남자) ; 호색한.
braguetón *m.* =**nervadura.**
braguillas *m.* 【단·복수 동형】 바지를 입기 시작하는 또래의 어린아이 ; 개구쟁이.
Brahma *m.* 【인도 신화】 브라마, 범천(梵天) 《3대 신격(神格)의 하나로 일체 중생의 아버지》.
brahmán *m.* 브라만, 바라문 (婆羅門) 《인도 4성 (四姓)중의 가장 높은 승려 계급》.
brahmánico, ca *adj.* 바라문교·바라문·인도교의 : doctrina ~*ca.*
brahmanismo *m.* 바라문교 《고대 인도의 경전인 베다를 중심으로 함》.
brahmín *m.* =**brahmán.**
braille *m.* (고안자 Luis Braille의 이름에서) 점자.
brain-drain *m. ing.* 두뇌 유출.
brama *f.* (동물의) 암내 ; 교미기, 발정기(發情期) : estar en ~.
bramadera *f.* ① 딸랑이 《장난감》. ② 호루라기, 피리. ③ 《*Col. Cuba.*》 (아궁이의) 바람 구멍.
bramadero *m.* 《*Amér.*》 ① (도살·굽쇠를 박을 때) 매두는 말뚝. ② (교미기의 사슴 따위가) 모이는 곳.
bramador, ra *adj.m.f.* 우는, 짖는 (맹수).
bramanismo *m.* =**brahmanismo.**
bramante *adj.* 짖는. —*m.* ① 삼끈, 마사 (麻糸) (hilobramante) : atar con ~. ② 플랑드르산의 린넬. ③ 하얗게 바랜 무명.
bramar *intr.* ① (소·맹수가) 울다, 짖다, 포효하다, 으르렁거리다. ② (바람이) 세차게 불다 : El viento *brama* entre los árboles. ③ 성나서 소리치다 (gritar de ira).
bramera *f.* 《*Chile.*》 =**bramadera.**
bramido *m.* ① 동물의 소리. ② 화가 나서 소리침 : dar ~*s.* ③ (바람·바다의) 큰소리 : el ~ del viento.
bramo *m.* 【은어】 노호 (怒號) ; 노성 ; 외침.
bramón *m.* 【은어】 밀고자.
bramona *f.* ***soltar la ~*** 아우성치다.
bramuras *f.pl.* 외침, 아우성.
branca[1] *f.* =**branquia.**
branca[2] *f.* 【고어】 나뭇가지.
branca ursina *f.* 【식물】 =**acanto.**
brancada *f.* 예인망 (曳引網).
brancal *m.* (수레의) 채 《옆으로 길게 댄 나무》.
brandal *m.* 【해사】 줄사다리의 줄.
branderin *m.* =**aguardiente de vino.**
brandy *m.* 브랜디.
branquia *f.* 【학술어】 (물고기의) 아가미(agalla).
branquial *adj.* 아가미의 : respiración ~.
branquífero, ra *adj.* 아가미가 있는 : batracio ~.
branquiuro, ra *adj.m.* 새각류의 (물고기).
branza *f.* (죄인선에서 노를 젓는 죄수의 발을 묶은) 족쇄.
braña *f.* 《*Ast. Gal.*》 여름의 목초·목장.
braquial *adj.* 【학술어】 팔의 : vena ~ 팔의 정맥. bíceps ~ 이두박근.
braquicarpo, pa *adj.* 【식물】 열매가 짧거나 작은 (식물).
braquicefalia *f.* 단두(短頭).
braquicefálico, ca *adj.* 머리와 팔의.
braquicefalismo *m.* =**braquicefalia.**
braquicéfalo, la *adj.* 【인류】 단두 (短頭)의, 머리가 둥근. [Sinón.] dolicocéfalo.
braquidáctilo, la *adj.* 【동물】 발가락이 짧은 (동물).
braquigrafía *f.* 약어 연구 ; 속기술 (taquigrafía).
braquígrafo, fa *m.f.* =**taquígrafo, taquígrafa.**
braquiópodo *adj.m.* 【동물】 완족류 (腕足類)의 (동물, 조개 따위). —*m.pl.* 완족류.
braquiotomía *f.* 팔의 절단.
braquípodo, da *adj.* 발이 짧은 (동물).
brasa *f.* 빨갛게 된 숯불, 뜬 숯불 : estar hecho unas ~*s* 얼굴이 새빨갛게 되어 있다. pollo a la ~ 숯불구이 통닭. ② 【은어】 도둑.
braserillo *m.* [*dim.* brasero] =**estufilla.**
brasero *m.* ① 화로. ② 화형장(火刑場). ③ 【은어】 절취(窃取). ④ 《*Col.*》 모닥불. ⑤ 《*Méx.*》 부뚜막, 아궁이.
brasil *m.* ① 【식물】 다목 ; 다목재 (palo ~). ② 홍목 (紅木). ③ (화장품의) 연지.
Brasil (el) *m.* 【지명】 브라질.
brasilado, da *adj.* 분홍 빛깔의 : madera ~*da.*
brasileño, ña *adj.m.f.* 브라질(el Brasil)의 (사람).
brasilero, ra *adj.m.f.* =**brasileño.**
brasilete *m.* 【식물】 다목류 《빨간 물감을 채취하는 나무》.
brasilina *f.* 【화학】 다목나무 (brasil)의 색소.
brasmología *f.* 해조학 (海潮學).

brava *f.* ①《*Cuba.*》 =**bravata.** ② 빗장으로 쓰는 쇠.
a la ～《*Amér.*》 우격다짐으로, 완력으로.
bravamente *adv.* ① 사납게 (cruelmente). ② 솜씨있게, 잘, 완전히 (perfectamente, bien) : Canta ～. ③ 잔뜩, 풍족하게 (abundantemente) : Hemos bebido ～. Contr. mansamente, cobardemente.
bravata *f.* ① *ital.* 엄포 : echar ～*s* 엄포를 놓다. ② =**fanfarria.**
bravatear *intr.* 《*AmérM.*》 =**bravear.**
bravatero *m.* 강한 체하는 사람.
braveador, ra *adj.m.f.* =**fanfarrón.**
bravear *intr.* 엄포를 놓다, 강한 체하다.
bravera *f.* (부뚜막 · 아궁이 따위의) 바람 구멍.
braveza *f.* 미친 듯 날뜀 ; (풍파의) 사나움 : la ～ del mar 바다의 사나움. ～ de la tempestad 폭풍우의 사나움.
bravío, a *adj.* ① 사나운, 거친 (feroz, salvaje) : toro ～. ② 야생의 (silvestre) : animal ～.
—*m.* 거칠고 사나움 (braveza) : toro de mucho ～. Contr. manso.
bravísimo, ma *adj. sup.* bravo.
¡bravísimo! *interj.* [*ital.* bravissimo] 잘했다 !, 됐다 ! (¡Muy bien !, ¡Perfectamente !)《갈채를 보내거나 열광할 때 사용하는 감탄사》.
bravo, va *adj.* [*ital.* bravo] ① 용맹한 (valiente) : ～ soldado. ② 좋은, 우수한, 뛰어난 (bueno, excelente). ③ 사나운 (feroz) : toro ～. ④ 미개한 (inculto) : país muy ～. ⑤ 성미가 고약한 (áspero de genio). ⑥ 성난, 노한 (irritado, enojado). ⑦ 사나운 : mar ～. ⑧《*Amér.*》 매우 강한 (muy frerte) : ～ como ají chivato. ⑨ =**suntuoso.** ⑩ =**valentón, fanfarrón.** Contr. cobarde, manso.
—*m.* =**aplauso** : Se oían los ～*s.*
—*interj.* 잘했어 !, 만세 !《갈채를 보낼 때 사용하는 감탄사》.
bravocear *tr.* 【고어】 공갈 협박하다. **—***intr.* 으름장을 놓다 ; 용감한 척하다.
bravonel *m.* [드묾] 강한 체하는 사람.
bravosía *f.* =**bravosidad.**
bravosidad *f.* ① 늠름한, 씩씩함, 시원스러움 (gallardía, gentileza). ② 강한 체하기.
bravoso, sa *adj.* =**bravo.**
bravote *m.* 【은어】 =**fanfarrón, matón.**
bravucón, na *adj.m.f.* 허세를 부리는 (사람).
bravuconada *f.* 허세, 강한 체하기.
bravuconear *intr.* 허세를 부리다.
bravuconería *f.* ① 허세 부리기. ②《*PRico. Dom.*》 =**bravuconada.**
bravura *f.* ① 용맹스러움 : la ～ de un soldado. Contr. cobarde. ② 강한 체하기.
braza *f.* ① 브라사《길이의 단위, 1.6718m》. ② 【선박】 돛을 조이는 밧줄.
brazada *f.* ① 팔의 신축. ② 한아름, 한아람드리. ③《*AmérM.*》 =**braza.**
brazado *m.* 한아름 : recoger un ～ de leña.
brazaje *m.* =**braceaje.**
brazal *m.* ① (갑옷의) 팔받이. ② 완장 : el ～ de la Cruz Roja 적십자 완장. ③ 상장 (喪章)(～ de luto). ④ 용수로(用水路).
brazalete *m.* ① 팔찌 (pulsera). ② (갑옷의) 팔받침.
brazo *m.* [*lat.* brachium] ① 팔 : ～ derecho 오른팔. ～ izquierdo 왼팔. ② 팔뚝. ③ 상박 (上膊). ④ 두 팔. ⑤ (네 발 짐승의) 앞다리 (pata delantera) : los ～*s* del caballo 말의 앞다리. ⑥ 팔같이 생긴 것, 완목 : ～ de la cruz 십자가의 가로대. ⑦ (의자의) 가로 나무 : los ～*s* de un sillón. ⑧ (어떤 기계에서) 핸들. ⑨ (기중기의) 팔. ⑩ 버팀나무. ⑪ (나무의) 가지(～ del árbol). ⑫ 힘, 완력 (腕力)(esfuerzo) : Nadie resiste a su ～ 그의 힘을 당해 낼 사람은 없다. ⑬ 용기(valor). ⑭ 지류(支流), 분류(分流)(rama) : los ～*s* de un río.
—*pl.* ① 연줄, 보호자 : valerse de buenos ～*s* 좋은 연줄을 이용하다. ②《*Neol.*》 노동력, 노동자 (obreros), 일꾼 (trabajadores) : carecer de ～*s* 노동력이 없다. Faltan ～*s* a la industria americana 미국의 공업에는 노동자가 부족하다. ③ 인적 자원, 동원 가능 인력.
～ ***de la nobleza*** 귀족원 의원 (貴族院議員)의 선거 모체. ～ ***del reino*** 의회에 대표를 가진 각 계급. ～ ***de gitano*** 케이크의 일종. ～ ***de mar*** 만 (灣). ～ ***de río*** 분류. ～ ***eclesiástico*** 종교계의 대표로 있는 의원단.
～ ***a*** ～ 팔짱을 끼고.
a ～ ***partido*** 맨손으로 (con los brazos solos, sin armas) ; 전력을 다해.
con los ～***s abiertos*** 팔을 벌려, 다정하게(con cariño). (환영하다 등).
estarse con los ～***s cruzados*** 수수방관하다, 아무것도 하지 않다 (no hacer nada).
hecho un ～ ***de mar*** 매우 사치스런.
No dar su ～ ***a torcer*** 굴복하지 않다.
ser el ～ ***derecho de*** … 의 심복이다.
ir de · del ～ ***con*** … 와 팔짱을 끼다.
brazofuerte *m.* 【동물】 개미핥기 (hormiguero).
brazola *f.* 배의 갑판에 있는 승강구의 뚜껑.
brazolargo *m.* 《*Amér.*》【동물】 거미원숭이 (mono araña).
brazotear *intr.* 팔을 흔들다.
brazuelo *m.* [*dim.* brazo] (동물 앞다리의) 무릎에서 윗부분.
brea *f.* ① 타르, 역청 (瀝青)(alquitrán) : ～ líquida 타르. ～ mineral 콜타르. ～ seca 테레빈 착유. ② 전극용 유지 (塡隙用油脂). ③ (포장용의) 유포 (油布), 천막천. ④《*Méx.*》 똥. ⑤《*Guat.*》 돈, 금전 (dinero, moneda).
break *m. ing.* 사륜 마차 [*N.* 발음 : brek].
brear *tr.* ① 【속어】 못살게 굴다, 괴롭히다(maltratar, fastidiar) : Me *brearon* a golpes 나는 실컷 두들겨 맞았다. ② (…에게) 장난을 하다. ③ 조롱하다(chasquear).
brebaje *m.* 맛이 없는 음료수.
brebajo *m.* =**brebaje.**
breca *f.* 【어류】 =**albur.**
brecha *f.* ① (원래는 벽의) 갈라진 틈, 균열, 금 : abrir una ～ en un edificio. ② (대포에 의한) 틈, 균열, 금 : abrir una ～ en la muralla. ③ 돌격로 (突擊路), 돌파구 : abrir ～ 돌파구를 열다. ④ 파괴혈 (破壞穴). ⑤ 강렬하게 받은 인상, 감동 : Nada pudo hacer ～ en él. ⑥ 【은어】 주사위.

abrir ~ 대포로 성벽을 파괴하다.
batir en ~ 돌파구를 열기 위해 포격하다 ; (토론에서) 꼼짝 못하게 하다.
estar siempre en la ~ 방어에 필사적이다, 항상 경계 태세를 취하다.
brechador *m.* 【은어】 부정한 주사위를 쓰는 사람.
brechar *intr.* 【은어】 부정한 주사위를 쓰다.
brechero *m.* 부정한 주사위를 쓰는 남자.
brécol *m.* [주로 *pl.*] 【식물】 모란채.
brecolera *f.* 【식물】 이탈리아 캐비지.
brécoles *m.pl.* =**col.**
brega *f.* ① 기운을 내서 하는 일. ② 다툼 ; 조롱. ③ 고된 일, 힘든 일(trabajo duro).
dar ~ 골탕 먹이다. *andar a la* ~ 열심히 일하다.
bregar *tr.* ⑧ ① 반죽하다(amasar). ② 【투우】 투우하다(torear).
—*intr.* ① 다투다, 싸우다 (luchar, pelear). ② 열심히 일하다 : pasar la vida *bregando.* ③ 열을 올리다. ④ 겨루다.
bregón *m.* 반죽용 방망이.
brema *f.* 【어류】 =**carpa.**
brenca *f.* 수문의 기둥.
breña *f.* (바위 사이의) 거친 땅.
breñal *m.* 일면의 거친 땅, 자갈밭.
breñar *m.* =**breñal.**
breñoso, sa *adj.* 땅이 거친, 자갈투성이의.
breque *m.* ① 【어류】 =**breca.** ② 《*Amér.*》 브레이크, 제동기(制動機). ③ 사륜 마차. ④ (철도의) 화차(貨車).
brequear *tr.* 《*AmérC.*》 (… 에) 브레이크를 걸다.
brequero *m.* =**guardafrenos.**
bresca *f.* 꿀벌의 집, 꿀집(panal de miel).
brescar *tr.* (벌집에서) 꿀집을 꺼내다 (castrar las colmenas).
bretador *m.* 【고어】 (새 사냥용) 미끼새.
bretaña *f.* ① 브레따냐산의 린넬. ② 옛날의 춤. ③ 【식물】 히야신스.
brete *m.* ① 족세. ② 궁지 (aprieto) : poner en un ~ 궁지에 몰아넣다. ③ 토인의 식품. ④ [드뭄] 지하 감옥. ⑤ 《*Arg.*》 우마의 소인 장소.
breteles *m.pl.* 《*Arg.*》 =**hombreras de un vestido.**
brétema *f.* 《*Gal.*》 =**neblina.**
bretón, na *adj.m.f.* 브레따냐 《Bretaña, 불란서의 한 지방》의 (사람). —*m.* ① 브레따냐말. ② 브레따냐 캐비지.
del ~ 《*Amér.*》 서로 팔짱을 끼고.
del ~ *con* … 과 힘을 합하여, … 과 함께.
hecho un ~ *de mar* 맵시를 내어.
no dar su ~ *a torcer* 요지 부동으로 말을 듣지 않다.
bretónica *f.* 【식물】 =**betónica.**
bretzel *f.* =**bollito alemán.**
breva *f.* ① 무화과의 첫 열매 : La ~ es mayor que el higo. ② 독하지 않고 순한 궐련. ③ 이득 (ventaja, ganga) : Se chupó buena ~ 그는 톡톡이 재미를 보았다. ④ 《*Amér.*》 씹는 담배(tabaco de mascar). ⑤ 여러 가지 과실 이름.
de higos a ~*s* 이따금.
más blando que una ~ 전보다 성질이 누구러진.
pelar la ~ 《*Arg. Urug.*》 훔쳐내다, 날치기하다.
ponerse más blando que una ~ 길이 잘 들다, 순하다.
breval *adj.* breva가 열리는 (무화과).
higo ~ =breva.
breve *adj.* [*lat.* brevis] ① (기간이) 짧은, 잠시의, 잠깐 동안의 : discurso ~ 짧은 연설. ② (면적이) 좁은(de corta extensión). ③ 간결한, 간단한. ④ 대단치 않은. ⑤ 【문법】 =**grave.** Contr. largo, prolijo.
—*m.* 로마 교황의 친서(documento pontificio).
—*f.* 【음악】 2전음부(二全音符).
—*adv.* 당장에.
en ~ ① 이내, 곧(dentro de poco tiempo, muy pronto). ② 《*Galic.*》 즉, 결국. ③ 두세 마디로.
brevedad *f.* [*lat.* brevitas] ① (시간의) 짧음, 짧은 시간 : la ~ de una sílaba. ② 간단, 간결 (concisión) : hablar con ~ 간단하게 말하다. Contr. prolijidad, difusión.
brevemente *adv.* 짧게, 간단히 (con brevedad, en breve) : hablar muy ~.
brevet *m.* 《*Galic.*》 특허, 특허증(patente).
brevete *m.* [*dim.* breve] 각서, 메모(membrete).
breviario *m.* ① 기도서. ② 적요 ; 편람. ③ 9포인트 활자. ④ 【은어】 재빠른 남자.
brevilocuo, cua *adj.* =**conciso, breve, sucinto, lacónico.**
brevipenne *adj.* 【동물】 날개가 짧은. —*f.pl.* 단익류(短翼類)(corredoras).
brevirrostro, tra *adj.* 【조류】 부리가 짧은 (새).
brezal *m.* brezo가 우거진 곳.
brezo *m.* ① 【식물】 산매자과 관목 : Las raíces del ~ sirven generalmente para hacer carbón de fragua. ② 흔들이 광주리(cuna).
briáceo, a *adj.* 【식물】 이끼(musgo)의.
briaga *f.* ① 밧줄(braga). ② 《*Méx.*》 취기, 술취함(ebrio).
briago, ga *adj.* 《*Méx.*》 취한.
brial *m.* ① 옛날의 비단 스커트. ② 옛날 군인이 입던 짧은 옷.
briba *f.* 건달 생활 : andar · echarse · vivir a la ~ 건달 생활을 하다.
bribia *f.* 【은어】 추켜세워 속이는 일.
echar la ~ 가난을 가장하여 구걸하다 · 슬피 울다.
bribión *m.* 【은어】 추켜세워 속이는 남자.
bribón, na *adj.* 불량한, 건달의. —*m.f.* 건달, 악당, 심술쟁이, 심술꾸러기 : Este niño es un ~.
bribonada *f.* =**picardía.**
bribonazo, za *adj. aum.* bribón.
bribonear *intr.* 빈둥빈둥 놀다, 불량배 생활을 하다 ; 건달 노릇을 하다.
bribonería *f.* 불량배 생활, 못된 짓, 불량한 짓.
bribonesco, ca *adj.* 깡패같은.
bribonzuelo, la *adj.m.f. dim.* bribón.
bric a brac *m.* 《*Galic.*》 ① 골동품. ② 골동품 상점. ③ 잡동사니.
bricbarca *m.* 돛이 셋 있는 범선.
briche *m.* 《*Angl. Amér.*》 다리(puente).
bricho *m.* (자수용) 금박, 은박.
brick *m.* =**bricbarca.**
brida *f.* ① 고삐. ② 말굴레 《말 매는 기둥 · 고

뼈·재갈 등 일체》. ③ 조임쇠. ④ 레일의 이음쇠.

a toda ~ 전속력으로.

bridecú *m.* 검대(劍帶).

bridge *m. ing.* ①《*Neol.*》 트럼프·카드 놀이의 일종(whist). ②【치과】 브리지, 가공 의치.

bridón *m.* ① 장구(裝具)를 갖춘 말. ②【시어】 기운차고 씩씩한 말.

briega *f* 《*And.*》 =**brega.**

brigada *f.* ① 여단 : ~ mixta 혼성 여단. ② (군대식 편성의) 대(隊), 조(組), 단체 : ~ de carabineros reales 왕실 기총 소대. ~ sanitaria 위생 부대. ~ de acémilas 수송 부대. ~ municipal 시청 직원(의 전체). ③ [집합] 노동자(obreros) : ~ de trabajadores 한 무리의 노동자. ④ 반 ; 반원 : ~ de investigación 연구반. ⑤ 특무 하사. ⑥ 인원, 직원.

~ *de obreros* 노동력.

brigadero *m.* 수송대의 고용인.

brigadier *m.* ① 소장, 준장(general de ~). ② 여단장. ③ 반장.

brigadiera *f.* brigadier의 아내.

brigadista *m.f.* 여단원.

brigán, na *m.f.* 《*AmérC.*》 도적.

brigbarca *f.* 【속어】 =**bricbarca.**

brija *f.* 【은어】 회중 시계의 줄(cadena de reloj).

Briján *m.* 브리한 《나쁜 지혜를 가진 옛 이야기 속의 인물》.

saber más que ~ 영리하고 선견지명이 있다, 빈틈없이 알고 있다, 모르는 게 없다.

brilla *f.* 《*Sant.*》 =**cachurra.**

brillador, ra *adj.* 빛나는, 번쩍거리는.

brillante *adj.* ① 빛나는, 눈부신, 반짝이는 : estrella ~. ② 희한한, 훌륭한, 화려한(admirable, excelente) : ~ escritor. **—***m.* 브리얀트형 다이아몬드(diamante ~). [Contr.] obscuro, pálido.

brillantemente *adv.* 반짝반짝하게, 밝게, 찬란히 ; 선명하게 ; 뛰어나게.

brillantez *f.* 광휘(光輝)(brillo).

brillantina *f.* ① 안감으로 쓰이는 옥양목. ② 마사(磨砂). ③ (두발용) 화장품.

brillantino, na *adj.* 《*Amér.*》【시어】 빛나는.

brillar *intr.* ① 광선을 방출하다, 번쩍번쩍 빛나다(resplandecer) : Las estrellas *brillan* en el cielo. ② (재능·옷 따위가) 빛나다 : ~ en el foro. ③ (기분이) 명랑해지다 : *Brilla* la alegría en su rostro.

brillazón *f.* 《*Arg. Bol. PRico.*》 빰빠 평원의 신기루(espejismo).

brillo *m.* ① 광채 ; 윤기, 광택(lustre o resplandor) : el ~ de oro. ② 영예, 영광(gloria).

brilloso, sa *adj.* 《*Amér.*》 반짝이는, 윤이 잘 나는.

brin *m.* ① 돛의 안 천. ② 안감으로 쓰이는 린넬. ③ 《*Amér.*》 화폭. ④【방언】 사프란 분말.

brincador, ra *adj.m.f.* 잘 뛰는, 잘 튀는 (사람).

brincar *intr.* [7] ① (깡충깡충) 뛰다, 도약하다(dar brincos o saltos). ② 중간 중간을 건너 뛰어 읽다, 일부러 말을 빼먹다(omitir). ③ 금새 얼굴빛을 바꾸다(resentirse y alterarse mucho) : ~ por la menor cosa. **—***tr.* (어린아이를) 높이 들어 먼 데를 보여 주다.

brinco *m.* ① 도약(跳躍) : dar ~*s* 깡충깡충 뛰다. ② (옛날의) 보석.

de un ~ 《*Amér.*》 잠깐 사이에.

brincoteo *m.* 잦은 도약.

brincho *m.* =**flux mayor.**

brindador, ra *adj.m.f.* 건배하는 (사람).

brindar *intr.* ① 건배하다(beber a la salud de) : ~ a·por el rey 국왕을 위해 건배하다. ② [+con : …을] 제공하다(ofrecer) : Le *brindó con* un destino. ③ 보상하다 : La paz *brinda* a los intentos grandes 위대한 노력은 보상받아 평화가 찾아온다. La muerte le *brinda* a descansar 죽음은 그를 편안하게 한다.

—*tr.* 제공하다 ; 바치다.

~se 자발적으로 제공하다 : *Se brindó a* pagar.

brindis *m.* 【단·복수 동형】 축배 ; 축배의 말 ; 헌사(獻辭) : anunciar un ~.

brinquillo *m.* ① 자질구레한 장신구(alhajilla) : hecho un ~ 깔끔하게 차리고. ② 《*Ecuad.*》 장난꾸러기. ③ 사탕 과자.

brinquiño *m.* =**brinquillo.**

briñolero *m.* 【식물】=**aceituna Santo Domingo.**

briñón *m.* 【식물】 춘도(椿桃).

brío *m.* ① [주로 *pl.*] 힘, 원기, 활기(pujanza) : hombre de ~*s* 늠름한 남자. ② 의기, 정신(espíritu, resolución) : hablar con ~. ③ 시원스럽고 씩씩하며 기백이 있음(garbo).

brioche *m.fr.* 밀가루·달걀·버터로 만든 반죽.

brionia *f.* 【식물】 덩굴여지(nueza).

brios! (¡ Voto a) *interj.* =**¡ Voto a Dios!**

briosamente *adv.* 씩씩하게(con brío).

brioso, sa *adj.* 기백이 있는, 정력적인, 힘찬 : caballo ~.

briqueta *f.* 연탄 ; 조개탄.

brisa *f.* ① 산들바람, 미풍(viento fresco y suave) : ~ marina. ② 포도의 짠 찌꺼기. ③ 《*Col.*》 여름의 비바람. ④ 《*Cuba.*》 식욕. ⑤ 《*Venez.*》 동쪽 혹은 동북의 계절풍.

brisada *f.* =**brisura.**

brisar *intr.* 《*AmérC.*》 산들바람이 불다 ; 미풍이 불어오다. **—***tr.* 《*SDgo.*》 토하다, 게우다.

brisca *f.* 카드 놀이의 이름.

briscado, da *adj.* 금실·은실로 짠. [Sinón.] brochado.

briscán *m.* 《*Amér.*》 =**brisca.**

briscar *tr.* [7] 금실·은실을 섞어 짜다.

brisera *f.* 《*Amér.*》 바람막이(guardabrisa).

brisero *m.* 《*Amér.*》 =**brisera.**

briska *m.* (러시아에서 사용했던) 수레.

brisote *m.* 매우 세차고 시원한 바람.

brístol *m.* ① 브리스톨 《카드·명함용 따위의 두꺼운 종이》 : dibujar en ~. ② 인쇄 용지.

brisura *f.* (차남과 사생아를 구별하기 위해) 가문에서 사용하는 서류.

britãnica *f.* =**romaza de hojas.**

británico, ca *adj.* 영국(la Gran Bretaña)의 : costumbres ~*cas* 영국의 풍습.

britanismo *m.* =**anglicismo.**

britano, na *adj.m.f.* =**británico, inglés.**

briza *f.* 【식물】 억새풀의 일종 《목초》. [Sinón.] cedacillo.

brizar *tr.* ⑨ (요람을) 흔들다(cunear).
brizna *f.* ① 가느다란 실(hilo delgado) : ~ de algodón. ②(콩 꼬투리 등의) 줄기, 섬유. ③ (콩·옥수수 따위의) 가루. ④《*Venez.*》가랑비.
briznoso, sa *adj.* 줄기가 많은.
brizo *m.* 요람(cuna).
brl. barril.
broa *f.* ① 비스킷의 일종. ② 얕고 자갈투성이의 만(灣).
brobo *m.* 【은어】 감방의 고참자.
broca *f.* ①(방직기의) 방추(紡錘). ②(나사 모양의) 송곳 끝. ③(구두에 박는) 징.
brocadillo *m.* 얇은 금란(金欄)·직금(織金).
brocado, da *adj.* 금실로 수놓은 비단의 : guadamací ~. —*m.* 금란, 금은 무늬의 가죽.
brocal *m.* ① 우물의 땅 위로 올라온 부분. ② (칼의) 칼집과 날밑의 맞닿는 부분. ③(술자루의) 마시는 부분. ④(방패의) 가장자리.
brocamantón *m.* (부인의 앞가슴에 장식하는) 커다란 브로치.
brocatel *m.* ① 비단천 : cortinas de ~. ② 혼색 대리석.
brocato *m.*《*Ar.*》=**brocado.**
brocearse *r.*《*AmérM.*》(광맥·장사가) 시들해지다.
brocense *adj.m.f.* 브로사스《las Brozas, Cáceres주의 계곡》의 (사람) : Francisco Sánchez, el *B-*.
broceo *m.*《*AmérM.*》시들해짐.
brocha *f.* ①(자루 달린) 솔, 붓. ②《*Cuba.*》tejo 놀이.
de ~ gorda 타고난 재능이 없는, 시원찮은 (그림·화가·작가·작품) : pintor *de ~ gorda* 칠장이 ; 시원찮은 화가.
brochada *f.* ① 솔로 때리기. ②(붓으로) 한번 칠하기.
brochado, da *adj.* 청실홍실로 짠 : seda *~da* 금란. Sinón. briscado.
brochadura *f.* ① 한 벌의 훅. ② [집합] 훅.
brochal *m.* 【건축】 대들보 사이의 십자 목재.
brochar *intr.*《*Cuba.*》brocha 놀이를 하다.
brochazo *m.* =**brochada.**
broche *m.* ① 훅 ; 브로치, 프레스 버튼. ②《*Amér.*》클립. —*pl.*《*Ecuad.*》와이셔츠의 커프스 단추.
~ *de oro* 성공리에 종료.
broché *m.* 색실로 수놓은 비단.
brocheta *f.* 빗(broqueta).
brocho *adj.* (소의 뿔이) 아래로 향한.
brochón *m.* [*aum.* brocha] ① 페인트칠용의 큰 솔 : pintar con ~. ②《*AmérC.*》아첨꾼.
brochuela *f. dim* brocha.
brocino *m.* =**chichón.**
brócul *m.* ①《*Ál. Ar.*》=**bróculi.** ②《*Sal.*》= **coliflor.**
brócula *f.* 송곳, 드릴(taladro).
bróculi *m.* 【식물】 이탈리아 감람(brécol).
brodete *m* 동냥으로 주는 죽 ; 맛없는 요리.
brodequín *m.*《*Galic.*》=**borceguí.**
brodio *m.* =**brodete.**
brodista *m.f. desp.* =**sopista.**
brollador, ra *adj.* 부글부글 끓는. —*m.* =**manantial, surtidor.**
brollar *intr.* ① 부글부글 끓다(borbotar). ②【고어】=**brotar, manar.** —*tr.* 입으로 뱉아내다.
brollo *m.*《*Amér.*》뒤범벅, 분규, 혼란, 소란, 소동.
broma *f.* ① 농담, 재담 : decir en ~ 농담으로 말하다. ② 조롱, 장난(chanza) : ~ pesada 심한 농담, 못된 장난. dar una ~ 장난치다. ③ 야단법석, 환락(bulla, algazara) : meter ~. ④ 선식충(船食虫) : La creosota preserva la madera de la ~. ⑤ 자갈이나 석회를 섞어 반죽한 것. ⑥ 오트밀. ⑦《*Arg. PRico.*》=**lata.**
bromado, da *adj.* 【화학】 취소가 포함한.
bromar *tr.* (선식충이) 갉아먹다.
bromato *m.* 【화학】 브롬산염(sal del ácido brómico).
bromatología *f.* 식품학, 영양학.
bromatólogo, ga *m.f.* 식품학자, 영양학자.
bromazo *m.* 심한 농담, 못된 장난(broma pesada) : dar un ~ 심한 농담을 하다, 못된 장난을 치다.
bromear(se) *intr.* *(r.)* 농담을 하다 : *~se* con todo el mundo.
bromelia *f.* (중남미산의) 파인애플.
bromeliáceo, a *adj.* 【식물】 아나나스과의. —*f.pl.* 아나나스과 식물.
bromhidrato *m.* 【화학】 =**bromuro.**
bromhídrico, ca *adj.* 【화학】 취소와 수소의 합성의.
bromhidrosis *f.* 【의학】 취한증(臭汗症), 취한 분비증(臭汗分泌症) : ~ local.
brómico, ca *adj.* 취소(bromo)의.
bromismo *m.* 취소 중독(臭素中毒).
bromista *adj.* 농담을 좋아하는. Contr. serio, formal. —*m.f.* 농담가 : Es Ud. un ~ 농담 잘 하십니다.
bromo *m.* ①【화학】 취소. ②【식물】 보리.
bromoso, sa *adj.* 귀찮은(fastidioso) : hombre ~ 귀찮은 남자.
bromuro *m.* 【화학】 취화물(臭化物) : El ~ de plata se usa en fotografía.
brona *f.*《*Gal.*》옥수수빵(pan de maíz).
bronca *f.* ① 못된 장난(broma pesada). ② 서로 욕지거리 하기, 싸움질. ③《*Arg.*》증오, 원한.
broncamente *adv.* 까끌까끌하게; 거칠게; 조잡하게.
bronce *m.* ① 청동(青銅) : ~ de cañón 포금(砲金). ② 청동 제품, 동상, 브론즈 : un ~ de Cellini. ③【시어】 대포 ; 종 ; 나팔 : alzarse al ruido del ~. ④【고어】 동화(銅貨).
ser de ~ , *ser un ~* 굳세고 단단하다.
bronceado, da *adj.* 구릿빛의, 청동색의, 햇볕에 그을린 : rostro ~ 구릿빛 얼굴. cuero ~ 청동색 가죽. —*m.* 청동색으로 물들임 : el ~ de las medallas.
bronceador, ra *adj.* broncear하는. —*m.* 햇볕에 그을릴 데 바른 화장품.
bronceadura *f.* =**bronceado.**
broncear *tr.* ①《*Méx.*》청동색으로 만들다 : ~ figuras de yeso. ② 햇볕에 피부를 태우다(tostar el cutis al sol). ③《*Méx.*》쩽그렁 소리를 내다 (traquear).
~se 햇볕에 피부가 타다(quemarse al sol).
broncería *f.* [집합] 청동 기물(器物).

broncíneo, a *adj.* 청동의 ; 청동같은.
broncista *m.* 청동으로 일하는 사람, 청동공(靑銅工).
bronco, ca *adj.* ① 까끌까끌한. Contr. lustroso. ② 거칠은 ; 조잡한, 사나운, 가시 돋친 : ~ de genio 성미가 사나운. ③ 잠긴 (목소리). ④ 부서지기 쉬운, 무른(quebradizo) : metal ~.
broncoestenosis *f.* 【속어】 =**broncostenosis.**
bronconeumonía *f.* 【의학】 기관지 폐렴.
bronconeumótico, ca *adj.* 기관지 폐렴의. —*m.f.* 기관지 폐렴 환자.
broncorrea *f.* 【의학】 기관지 농루.
broncoscopia *f.* 【의학】 (기관지 검사기로) 기관지 검사.
broncoscopio *m.* 기관지 검사기.
broncostenosis *f.* 【의학】 기관지 협착.
broncotomía *f.* 【의학】 기관지 절개.
broncha *f.* 【고어】 비수, 단검.
bronquear *tr.* 《*Cuba.*》 꾸짖다(reprender, reñir).
bronquedad *f.* ① 조잡 ; 거칠음, 사나움. ② 텁텁한 목소리 : la ~ de un sonido. ③ 물렁함, 약함.
bronquera *f.* =**bronquedad.**
bronquial *adj.* 기관지의 : las arterias ~*es.*
bronquina *f.* =**riña, pendencia.**
bronquio *m.* [*gr.* brogkhos] 【해부】 기관지.
bronquíolo *m.* 기관지 최종 분기(última ramificación de los bronquios).
bronquítico, ca *adj.* ① 기관지염의. ② 기관지염에 걸린.
bronquis *m.* 《*And.*》 =**pelea, pendencia.**
bronquitis *f.* 【의학】 기관지염.
broquel *m.* ① 소형 방패. ② 보호 ; 방지(防止). ③ 《*Amér.*》 난간.
broquelarse *r.* 방패로 몸을 막다(abroquelarse).
broquelazo *m.* 방패로 때리기.
broquelero *m.* 방패 기술자 ; 방패 든 사람 ; 싸움질 좋아하기 (그런 사람).
broquelete *m. dim.* broquel.
broquelillo *f.* 둥그런 귀고리(pendiente redondo).
broquelona *f.* 《*Bol.*》 진드기.
broqueta *f.* 꼬챙이 : en ~ 꼬챙이에 낀, 꼬챙이로 꽂아.
bróquil *m.* 《*Ar.*》 =**brécol.**
brosquil *m.* 《*Ar.*》 =**redil.**
brota *f.* 새싹(brote) ; 움틈, 싹틈.
brotación *f.* =**brotadura.**
brotadura *f.* ① (식물의) 발아, 발진. ② 출현. ③ 솟아오름.
brótano *m.* =**abrótano.**
brotar *intr.* ① 새순이 나오다, 움트다, 새싹이 돋다 : Las hojas *brotan* 싹이 나온다. Los árboles *brotan* 나무들이 움트기 시작한다. Las flores silvestres *brotaban* por todas partes 야생 꽃들은 사방에서 움텄다. ② (식물이) 땅에서 나오다, 싹트다 : ~ el trigo. ③피부에 나오다, 발진하다 : ~ diviesos. ④ (물 · 눈물 따위가) 나오다, 솟아나다 : *Brotan* lágrimas de sus ojos. ⑤ 시작하다. —*tr.* 발생시키다.
brote *m.* ① 싹, 순. ② 발아. ③ 【방언】 빵부스러기.
brótula *f.* 【어류】 (아메리카의) 바다 고기.
BROU Banco de la República Oriental del Uruguay 우루구아이 공화국 은행.
browniano *adj. movimiento* ~ 【물리】 브라운 운동 《액체 · 기체 속에 있는 물질의 미립자가 일으키는 불규칙한 운동》.
browning *m. ing.* 브라우닝 자동 권총.
broza *f.* ① 썩은 잎. ② 쓰레기, 찌꺼기. ③ 덤불, 덤불숲(maleza). ④ 헐뜯는 글 · 말. ⑤ 거친 솔. ⑥ 쓸모없는 것 : Esta obra es toda ~.
brozador *m.* =**bruzador.**
brozar *tr.* ⑨ (활자를) 솔로 닦다.
broznamente *adv.* 거칠게, 조잡하게, 조잡스레, 사납게(ásperamente).
brozno, na *adj.* 조잡한 ; 거친.
brozoso, sa *adj.* 썩은 잎이나 쓰레기투성이인.
bruaca *f.* =**burjaca.**
brucero, ra *m.f.* 솔 기술자 ; 솔 장수.
bruces (a · de) *adv.* 엎드려(서), 내려다 보고 (boca abajo) : caer · echarse *de* ~ 꺼꾸로 떨어지다(caer de boca).
brucina *f.* 브루신 《독약》 : La ~ es un veneno violento.
brucita *f.* 【광물】 수활석(水滑石).
brugo *m.* [*lat.* bruches] 【곤충】 꼬마바구미 《떡갈나무의 해충》.
bruja *f.* ① 마법사, 마녀 《악마와 내통하고 있다는 여자》 : no creer en ~*s.* ② 추하고 늙은 여자 (mujer fea y vieja). ③ 【조류】 부엉이 (lechuza). ④ 《*Cuba. PRico.*》 유령. ⑤ 【곤충】 일종의 검은 나비. —*adj.* 《*Cuba. Méx.*》 가난한, 빈털털이의 (pobre, miserable) : Estoy ~ 나는 빈털털이다. *arena* ~ 매우 가는 모래.
traer como panderete de ~ 쉴 틈을 주지 않다.
brujear *intr.* ① 마법을 쓰다. ② 《*Méx.*》 하릴없이 돌아다니다. —*tr.* 《*Venez.*》 (야수를) 사냥하다.
brujería *f.* ① 마술, 마법. ② 《*Méx.*》 가난, 빈곤 (pobreza).
brujesco, ca *adj.* 마녀같은 ; 마법같은.
brujidor *m.* =**grujidor de vidrieros.**
brujilla *f.* 오뚜기.
brujir *tr.* (유리의 자른 면을) 문지르다 (grujir).
brujo *m.* 마법사, 요술사. Sinón. hechicero.
brújula *f.* [*ital.* bussola] ① 자석 : ~ de bolsillo 회중 자석. ② 나침반, 나침의 (compás). ③ 총안(銃眼)(mira).
Brújula *f.* 【천문】 나침반좌.
brujulear *tr.* ① (무엇에) 눈독을 들이다, 점찍어 두다 ; 눈치채다. ② 짐작하다. ③ 찾다 ; 찾아다니다. ④ 《*Col.*》 (일을) 꾸미다. ⑤ 꼬드기다. —*intr.* 《*Perú.*》 빈둥빈둥 놀러 다니다.
brujuleo *m.* brujulear 하기.
brulote *m.* ① (적선에 불을 지르는) 화선 (火船). ② 《*Chile.*》 욕지거리 : Le dije un ~.
bruma *f.* 【기상】 바다 안개.
brumador, ra *adj.* =**abrumador.**
brumal *adj.* 안개의, 안개 낀.
brumamiento *m.* 주저앉음.
brumar *tr.* 주저앉게 하다(abrumar) : ~ de trabajo.
brumario *m.* 불란서 공화력으로 2월 《불란서 혁명력의 둘째달, 10월22일 ~ 11월20일》.

brumazón *m.* [*aum.* bruma] 농무, 짙은 안개.
brumo *m.* 백랍(白蠟).
brumoso, sa *adj.* 안개가 자욱한(nubloso, nublado) : tiempo ~. Contr. sereno, despejado.
brunela *f.* 【식물】 꿀풀과 식물.
bruneta *f.* 【고어】 검은 천.
brunete *m.* 【고어】 조잡한 검은 천.
bruno, na *adj.* 가무잡잡한. —*m.* 【식물】 흑매(黑梅).
bruñidera *f.* ① 왁스를 광내는 판자. ② 《*AmérC.*》 =**molestia, fastidio.**
bruñido, da *adj.* 윤이 나는, 번들번들한. —*m.* 광택, 광택이 나게 함.
bruñidor, ra *adj.m.f.* 광을 내는 (사람). —*m.* 광내는 기구.
bruñidura *f.* 광내기 ; 광택.
bruñimiento *m.* =**bruñidura.**
bruñir *tr.* 52 ① 광을 내다(abrillantar, sacar lustre o brillo) : ~ un metal. ② 《*Amér.*》 괴롭히다, 놀려주다, 놀려대다.
~**se** ① 화장하다(pintarse). ② 수염을 깍다, 면도하다(afeitarse).
bruño *m.* 【식물】 흑매(黑梅)(bruno).
brusca *f.* 《*Cuba.*》 ① =**hojarasca, chamarasca.** ② 《*Venez.*》 【식물】 (약용의) 콩과 식물.
bruscamente *adv.* 돌연, 별안간, 갑자기(de repente).
bruscate *m.* (옛날의) 양고기 요리.
brusco *m.* [*lat.* bruscus] 【식물】 청미래덩굴속(屬)의 식물.
brusco, ca *adj.* ① 갑작스런(súbito) : ataque ~. ② 깔끄러운, 먹기・듣기 거북한 ; 당돌한, 엉뚱한.
—*m.* ① 【식물】 루스쿠스, 아쿨레아투스. ② (난알 등을) 쓸어 모음.
brusela *f.* ① 【식물】 일일초(hierba doncella). ② 《*Chile.*》 =**tripe.**
bruselas *f.pl.* 핀셋(tenacillas) : ~ de relojero 시계 수리인의 핀셋. Contr. pinzas.
bruselense *adj.m.f.* 브뤼셀(Bruselas)시의 (시민).
brusquedad *f.* 거칠음 ; 갑작스러움, 당돌함 : hablar con ~. Contr. suavidad, dulzura.
brutamente *adv.* 난폭하게, 짐승처럼, 잔인하게.
brutal *adj.* ① 짐승과 같은 ; 잔혹한 ; 잔인한, 난폭한, 무지막지한 : conducta ~. Contr. cortés, amable. ② 【속어】 굉장한, 훌륭한 : una velocidad ~ 굉장한 속력. una mujer ~ 굉장한 미인. un salón ~ 굉장히 훌륭한 살롱.
—*m.* 짐승, 동물(bruto).
brutalidad *f.* ① 야수성 ; 잔인 ; 난폭 ; 격정. ② 굉장함. ③ 무능, 무력(incapacidad) : obrar con ~. ④ 거대함(enormidad).
brutalizar *tr.* 난폭하게 다루다.
brutalmente *adv.* 난폭하게 ; 신경질적으로 ; 잔혹하게, 잔인하게 ; 굉장하게(con brutalidad).
brutear *intr.* 《*Arg.*》 =**disparatar.**
brutesco, ca *adj.* =**grutesco.**
bruteza *f.* =**brutalidad, grosería.**
bruto, ta *adj.* [*lat.* brutus] ① 문맹의, 어리석은(necio) : Ese hombre es muy ~. ② 무능한(incapaz). ③ 난폭한, 잔혹한, 잔인한, 방자한. ④ 생긴 그대로의. ⑤ 광택이 없는, 무광택의, 윤이 나지 않는(tosco y sin pulimento) : piedra ~*ta.* ⑥ 총체의, 전체의 ; 포장까지 포함하여 : peso ~ 총중량. importe ~ 총액. producto nacional ~ 국민 총생산. Contr. neto. ⑦ 《*Chile.*》 (수입품에 대하여) 국산의. —*m.* ① 짐승, 축생(畜生) : noble ~ 말 ; 촌스럽고 천한 남자.
a la bruta, a lo ~ 《*Amér.*》 조잡하게, 거칠게 (brutalmente).
en ~ ① 가공하지 않은(sin pulir, sin labrar) : diamante *en* ~ 가공하지 않은 다이아몬드. hierro *en* ~ 선철(銑鐵). ② 《*Amér.*》 지나치게 ; 무자비하게 : Le pegó *en* ~ 호되게 두들겨 팼다.
bruza *f.* (다양하게 쓰이는) 강한 솔.
bruzador *m.* 활자를 솔로 씻는 사람.
bruzar *tr.* 9 (활자에) 솔질을 하다, bruza로 깨끗이 하다.
Bs. As. Buenos Aires.
Bt.[a] Bautista.
bto. bulto ; bruto.
bu *m.* [*pl.* búes] 【아어】 귀신, 도깨비, 무서운 것 : Mira que viene el ~ 저기 귀신이 온다. Sinón. coco.
búa *f.* [*pl.* bubas] 부스럼, 여드름. —*pl.* 가래톳.
buarillo *m.* 【조류】 수리부엉이(buharro).
buaro *m.* =**buarillo.**
búbalo, la *m.f.* 【동물】 (아프리카산의) 영양(羚羊).
bubas *f.pl.* 【의학】 가래톳. [*N.* búa의 복수형].
bubático, ca *adj.* 가래톳이 선. —*m.f.* 가래톳 환자.
bubí *m.* (기네아만 Fernando Poo섬의) 흑인.
bubón *m.* 【의학】 살・서혜(鼠蹊) 림프 절종(節腫). —*pl.* 가래톳.
bubónico, ca *adj.* 가래톳의 : peste ~*ca* 선(腺) 페스트.
buboso, sa *adj.m.f.* 가래톳(bubas)이 선 (사람).
bucal *adj.* 입의 : cavidad ~ 구강(口腔).
bucanero *m.* (17 — 18세기 경의 서인도 제도의) 해적.
bucaral *m.* bucare의 가로수숲.
Bucaramanga 【지명】 부까라망가 《꼴롬비아의 산딴데르 주의 수도》.
bucarán *m.* 《*Ar.*》 =**bocací.**
bucardo *m.* 《*Ar.*》 산양의 수컷.
bucare *m.* 【식물】 부까레 《아메리카산 콩에 속하는 녹음용 식물》 : El ~ sirve para proteger contra el sol los plantíos de café.
búcare *m.* =**bucare.**
búcaro *m.* 방향 점토(芳香粘土) ; 방향 점토로 구워 만든 단지.
buccino *m.* 쇠고둥 무리 《염료로 쓰이는 조가비》.
buccionador *m.* 【해부】 빰의 근육.
buceador, ra *m.f.* 잠수자.
bucear *intr.* 잠수하다 ; 넌지시 떠보다.
bucéfalo *m.* 드세고 사나운 사람 ; 사나운 말 ; 말라 비틀어진 말.
Bucéfalo *m.* Alejandro el Grande의 승마의 이름.
bucelas *f.pl.* 작게 벌어진 집게・핀셋.
bucentauro *m.* 황소의 몸을 한 반인 반마.

buceo *m.* 잠수.
bucero, ra *adj.m.f.* 코가 검은 (사냥개) (sabueso).
buces (de) *adv.* 머리를 숙여(de bruces).
buceta *f.* 소형 선박.
buchaca *f.* ①《*Amér. And.*》자루, 주머니 (bolsa). ②《*Cuba. Méx.*》(당구의) 공주머니. ③《*Hond.*》감옥.
buchada *f.* =**bocanada.**
buche *m.* ①(새의) 모이주머니. ②(동물의) 위 (estómago). ③ 위, 배 (estómago) : llenar bien el ~ 배를 충분히 채우다. ④ 한 모금의 음료수 (bocanada) : tomar ~*s* de adormidera. ⑤ 마음속 (pecho) : No le cupo en el ~ tal cosa 그런 일은 그에게 도무지 납득이 가지 않았다. ⑥ 천의 늘어남(bolsa). ⑦ 갓난 나귀(burro). ⑧ 망나니. ⑨《*Ecuad.*》실크 해트 (sombrero de copa). ⑩《*Cuba.*》=**golfo.** ⑪《*Méx.*》=**bocio.**
bucheta *f. desp.* =**bujeta.**
buchete *f.* 토실토실한 뺨, 탐스러운 볼.
buchí *m.* 【은어】 사형 집행인(verdugo).
buchinche *m.* ① 답답한 방. ②《*And. Cuba.*》대폿집.
buchón, na *adj.* =**barrigón.**
bucle *m.* ① 말린 머리카락. ② 구부러진 파이프.
buco *m.* ① 수산양 (cabrón). ②【생물】 틈, 구멍. ③《*AmérC.*》거짓말, 속임수.
darse ~ 장단을 맞추다, 신나게 만들다.
bucólica *f.* ① 목가, 전원시. ②【속어】 식사.
bucólico, ca *adj.* ① 목동의 (pastoril) : existencia ~*ca.* ② 목가적인 : poeta ~ 전원 시인.
—*m.f.* 전원 시인.
bucolismo *m.* 목가조(牧歌調), 목가 취미.
bucráneo *m.*【건축】우두(牛頭) 장식.
bucul *m.*《*Guat.*》호박으로 만든 대형 그릇.
buda *f.*【식물】부들.
Buda *m.* 불타(佛陀), 부처, 석가여래 ; 대지식자 (大知識者).
Budapest【지명】부다페스트《항가리의 수도》.
budare *m.*《*Col. Venez.*》옥수수빵을 굽는 프라이팬. Sinón. comal.
búdico, ca *adj.* 불교의(budista).
budín *m.* 푸딩《과자》.
budinera *f.* 푸딩틀《푸딩을 만드는 기구》.
budión *m.*【어류】(지중해산의) 붉은 갈치의 일종.
budismo *m.* 부처님(Buda)의 가르침, 불교, 불법 (佛法).
budista *adj.* 불교의 (búdico) : ceremonia ~ 불교 의식. sacerdote ~ 불교 승려. símbolo ~ 불교의 상징. templo ~ 절. —*m.f.* 불교 신도.
budoar *m.*《*Galic.*》작은 객실.
bué *m.*【고어】《*León. Sal.*》=**buey.**
buega *f.*《*Ar.*》=**linde, mojón.**
buen *adj.* bueno의 어미 탈락형 : ~ amigo.
buena *f.*【고어】=**hacienda, bienes, herencia.**
buenaboya *f.* 자원해서 노 젓는 사람.
buenamente *adv.* ① 쉽사리, 손쉽게, 시원시원하게 (fácilmente) : no hacer sino lo que ~ se puede. ② 선뜻, 자진해서, 솔선 수범해서, 솔선해서, 기꺼이 (voluntariamente).
buenandanza *f.* 운, 행운, 다행(bienandanza).
buenastardes *f.*【식물】(Cuba의) 식물의 이름.
buenaventura *f.* ① 행운(dicha). ②(특히 집시의) 점 : echar la ~ 점을 치다.
buenazo, za *adj.* [*aum.* bueno]【속어】=**bonazo.**
buenísimo, ma *adj.* [*sup.* bueno]【속어】=**bonísimo.**
bueno, na *adj.* ① 좋은, 훌륭한, 뛰어난, 우량한, 양호한 : *buena* noticia 좋은 소식. *buena* casa 좋은 집. *buena* familia 좋은 집안. *buena* calidad 양질. *buena* marcha de los negocios 호경기. *buena* moneda 금은화. ② 착한, 선량한, 성실한, 충실한 : Seas ~ 착한 사람이 되어라. ③ 친절한 (amable) ; 인정이 많은, 자비로운 (benévolo) : Eras ~ conmigo 너는 나에게 다정하게 대해 주었다. ④ 교훈을 주는, 도덕의 : *buenas* lecturas. ⑤ 건장한, 건강한 (sano). ⑥ 상당한 (suficiente, bastante) : una *buena* cantidad de dinero 상당한 돈. ⑦ 커다란, 심한 : *buena* calentura 심한 열.
[*N.* 남성 단수 명사의 앞에서 buen이 됨 : un *buen* hombre 호인].
—*m.* 우(優)《시험에서 aprobado의 위》.
—*interj.* ① 좋다, 됐다. ②《*Méx.*》여보세요 (dígame)《전화 대화》.
lo ~ 선(善).
lo ~ es que …이라니 그럴싸하다 : *Lo ~ es que* quiera enseñar a su maestro 자기 선생을 가르치다니 이상하다.
~ que 설령 …하여도.
a buenas ; por buenas ; por la buena 선뜻, 쾌히 (de buen grado).
a dónde bueno ~ ; *¿ (de) dónde buena?* (환영의 말) 잘 오셨습니다.
¿A dónde · Adónde ~? 어디 가십니까? (¿A dónde va?)
a la buena de Dios 조심성 없이, 부주의하게, 태평스럽게 (sin cuidado).
¡ Buena es ésa (ésta)! 됐어, 충분해.
¡ Buenas y gordas! [경멸적으로] 그 따위!
Bueno está 이제 됐어(Basta).
¡ Cuánto · tanto ~ por aquí! 잘 오셨습니다, 환영합니다.
de buenas =de buen humor.
de buenas a buenas 기꺼이, 쾌히 (buenamente).
de buenas a primeras ① 갑자기(de repente). ② 첫 눈에(a primera vista). ③ 재빨리, 곧, 즉시, 당장에 (en seguida).
estar de buenas 기분이 아주 좋다.
estar en la buena《*Amér.*》기분이 아주 좋다 (estar de buenas).
costar su ~《*Chile.*》(누구에게) 부담이 가다, 짐이 되다.
librarse de una buena 큰 위험에서 벗어나다 (escapar de un gran peligro).
tener(se) por ~《*Amér.*》능력이 있다 ; 용기가 있다.
¡ Qué ~! =¡Qué bien!
Buenos Aires【지명】부에노스 아이레스《Argentina의 주 · 수도》.
bueña *f.*【방언】돼지 · 소 · 양의 순대.
buera *f.*《*Murc.*》(헌데 · 상처의) 딱지.
buey *m.* [*lat.* bos] ①(거세한) 소 (toro castrado). ②(배안으로) 밀려 들어오는 파도. —*pl.*

【은어】 카드.
~ marino 해우(海牛).
lengua de ~ 버섯의 일종.
trabajar como un ~ 열심히 일하다(trabajar mucho y con gran ahinco).
El ~ suelto bien se lame 【속담】 자유만큼 좋은 것은 없다.
El ruin ~ holgando se descuerna 【속담】 일하지 않는 자는 쉬 늙는다.
Habló el ~ y dijo mu 【속담】 엉터리같은 짓만 하는 바보들에게 하는 말.

bueyada *f.* 【속어】《*Amér.*》 소떼 (boyada).
bueyazo *m.* [*aum.* buey] 커다란 황소 (boyazo).
bueyecillo *m. dim.* buey.
bueyerizo *m.* =**boyero.**
bueyero *m.* =**boyero.**
bueyezuelo *m. dim.* buey.
bueyuno, na *adj.* 소의 (boyuno) : dehesa *~na.*
¡buf! *interj.* =**¡puf!**
bufa *f.* ① 놀리기, 빈정거림 (burla). ②《*Cuba.*》 취기(醉氣). ③《*Méx.*》 가파른 바위(roca escarpada) : las *Bufas* de Zacatecas.
bufadera *f.* =**bramadera.**
bufado, da *adj.* 불어서 만든 (유리 그릇).
bufador *m.* (화산 지대의) 분화구.
bufaire *m.* [집시어] 밀고자, 고자질쟁이.
bufalino, na *adj.* 들소의.
búfalo, la *m.f.* [*lat.* bubalos] 【동물】 들소.
bufanda *f.* 목도리, 머플러.
búfano, na *adj.* 《*Cuba.*》 =**fofo.**
bufar *intr.* ① (소가) 화가 나서 씩씩거리다, 으르렁대다. ② 화가나서 씩씩거리다 : ~ de coraje.
~se 《*Méx.*》 =**ahuecarse.**
bufarda *f.* 《*Gal .*》 =**buharda.**
bufeo *m.* 《*Amér.*》 【동물】 돌고래(marsopla, delfín).
bufet *m.* 《*Galic.*》 ① (무도회·정류장 따위의) 식당. ② (파티 따위의) 서서 먹는 테이블. ③ (칵테일 파티식의) 간단한 식사, 간식.
bufete *m.* ① (서랍이 달린) 책상 : un ~ de madera de nogal. ② 변호사 사무소 : abrir ~ 변호사 개업을 하다. ③《*Col.*》 =**silleta.**
bufia *f.* 【은어】 술통; 목로 술집.
bufiador *m.* 【은어】 목로 주점의 남자 주인.
bufido *m.* ① (동물의) 으르렁거리는 소리. ② 성난 소리 : dar *~s* de rabia.
bufo, fa *adj.* [*ital.* buffo] 익살꾼의, 광대같은 : ópera *bufa.* —*m.f.* (본래는 이탈리아 오페라의) 어릿광대.
bufón, na *adj.* [*ital.* buffone] 우스운, 익살맞은, 풍자의 : palabras *~na.* —*m.f.* 어릿광대. —*m.* ① 일용품의 싸구려 상점. ②《*Arg.*》 권총, 총.
bufonada *f.* 장난꾸러기, 익살; 빈정거림 : Con buena ~ te vienes.
bufonear(se) *intr.(r.)* 익살을 부리다, 빈정거리다; 핀잔을 주다.
bufonería *f.* =**bufonada.**
bufonesco, ca *adj.* 《*Neol.*》 익살스러운, 빈정대는, 광대같은.
bufonicista *adj.* 사람이 싱거운, 익살스러운. —*m.f.* 싱거운 사람, 익살꾼.
bufonizar *intr.* ⑨ =**bufonear.**
bufoso *m.* 《*Arg.*》 =**revólver.**
bugalla *f.* 【식물】 오배자 (五倍子).
bugambilia *f.* 《*Méx.*》 =**bugavilla.**
buganvilla *f.* 【식물】 부간비야 《장식용 관목》.
buggy *m. ing.* (한 필의 말이 끄는) 이륜 마차.
bugla *f.* ① 【식물】 =**búgula.** ② =**bugle.**
bugle *m.* ① (군대용) 나팔. ② 신호의 나팔.
buglosa *f.* 【동물】 소의 혀(lenguaza).
bugrano *m.* 《*Bol. Galic.*》 =**gatuña.**
búgula *f.* 【식물】 부굴라 《순형과 식물의 일종》.
buhar *tr.* 【은어】 낌새를 알아차리다, 냄새를 맡다; 밀고하다.
buharda *f.* =**buhardilla.**
buhardilla *f.* ① 다락의 창문. ② 다락방(desván) : vivir en una ~.
buhardo *m.* 【조류】 =**buharro.**
buharro *m.* 【조류】 올빼미 비슷한 새.
buhedal *m.* 《*Arg.*》 =**fofadal.**
buhedera *f.* 총안(銃眼)(tronera).
buhedo *m.* 여름에 물이 마르는 늪(bodón).
buhesco, ca *adj.* 지렁이같은 : ojos de redondez ~ 지렁이같은 둥근 눈.
buhío *m.* 날림집(bohío).
buho *m.* [*lat.* bubo] ① 【조류】 큰 부엉이, 수리부엉이. ② 사람을 싫어하는 사람 : Ese hombre es un verdadero ~. ③ 【은어】 냄새를 맡아 내는 사람; 밀고자.
búho *m.* =**buho.**
buhonería *f.* 노점상.
buhonero, ra *m.f.* 값 싼 잡화의 행상인; 노점상인.
buido, da *adj.* =**aguzado, afilado.**
building *m. ing.* =**edificio, bíldin.**
buir *tr.* =**acicalar.**
buitre *m.* [*lat.* vultur] ① 【조류】 남미산 큰 까마귀. ②《*Col.*》 콘도르 : gran ~ de las Indias 콘도르. [*N.* 나라에 따라서 gallinazo, zopilote, urubú 혹은 jote라고도 불리움].
buitreada *f.* 《*Chile.*》 게움, 구토.
buitrear *intr.* 《*Chile. Perú.*》 까마귀 (buitre)를 잡다; 토하다, 게우다.
buitrera *f.* 까마귀를 잡기 위해 먹이를 놓는 장소.
estar ya para ~ (짐승이 말라) 죽어 가다.
buitrero, ra *adj.* 까마귀의. —*m.* 콘도르 사냥꾼.
buitrino *m. desp.* =**buitrón.**
buitrón *m.* ① 자루 그물. ② 돌고래 (perdiz)를 잡는 그물. ③ (은의) 용광로. ④ (야금 용광로의) 재털이.
buja *f.* 《*Méx.*》 =**buje.**
bujarasol *adj.m.* 무르시아산 무화과 : higo ~.
bujarra *f.* =**bujarrón.**
bujarrón *adj.m.* 남색(男色)이 있는, 비역의, 동성 상간 (同性相姦)의 (남자)(sodomita).
buje *m.* ① 굴대받이. ②《*Méx.*》 =**calabacera.**
bujeda *f.* 회양목 (boj) 숲. Sinón. bojedal.
bujedal *m.* =**bujeda.**
bujedo *m.* =**bujeda.**
bujelada *f.* 【고어】 얼굴 화장품의 일종.
bujería *f.* 싸구려 철물점(baratija).
bujero *m.* 【속어】 구멍(agujero).

bujeta *f.* ① 작은 나무 상자. ② 향수병 (pomo) ; 향수병 상자.

bujía *f.* ① 초(vela). ② 촛대. ③ 촉광《광도의 단위》. ④ (내연 기관의) 점화전, 플러그, 스파크.

bujier *m.* (옛날 왕실의) 사촉국장.

bujiería *f.* ① 초 장수 (cerería). ② (옛날 왕실의) 사촉국(司燭局)(cerería).

bujo *m.* 【고어】【식물】《*Burg.*》 =**boj.**

bul *m.* 《*Cuba.*》 물과 설탕을 섞은 맥주.

bula *f.* [*lat.* bulla] ① 고대 로마 귀족의 기장. ② (로마 교황의) 납인 ; (이것을 찍은) 교서. ③ 면죄부. ④ 주인장(朱印狀).
echar las ~s 부담을 지우다 ; 몹시 꾸짖다.
no poder con la ~ 전혀 아무 것도 할 힘이 없다 (estar sin fuerzas para nada).
no valerle a uno la ~ de Meco 하는 수가 없다, 별도리가 없다 (no haber remedio para él).

bulárcama *f.* 【선박】 =**sobreplán.**

bulario *m.* (로마 교황의) 교서집(教書集).

bulbar *adj.* bulbo의.

bulbillo *m.* [*dim.* bulbo] 작은 구근 : ~ de ajo.

bulbo *m.* [*lat.* bulbus] ①【식물】 알뿌리, 구근(球根) (cebolla) : ~ de la cebolla 양파의 뿌리. ~ de lirio 백합의 뿌리. ②【해부】 뿌리 : ~ dentario 치수(齒髓). ~ piloso 모근(毛根). ~ raquídeo 연수(延髓).

bulboso, sa *adj.* ①【식물】 구근이 있는 : Las liliáceas son plantas *~sas.* ② 구근 모양의.

bulbul *m.* 【시어】 =**ruiseñor.**

buldog *m.* [*ing.* bulldog] ①【동물】 불독. ② 구경이 큰 소형 연발 권총.

buldozer *m. ing.* 불도저.

bule *m.* 《*Mex.*》 =**calabaza, güiro.**

bulerías *f.* 《*And.*》 사기, 속임수(engaño, trampa). —*pl.* 블레리아스《안달루시아의 민요·춤》.

bulero *m.* ① bulas를 가지고 가는 사절. ②【은어】 거짓말쟁이.

buleto *m.* 로마 교황의 친서 (breve) 《bula보다 가벼운 것》.

buletín *m.* 소책자, 팸플릿.

bulevar *m.* 《*Neol.*》 ① 번화가, 넓은 가로수길 : Los *~es* de París están siempre animadísimos. ② 가로수가 있는 산책길.

bulevardero, ra *adj.* bulevar의·에 관한.

búlgaro, ra *adj.m.f.* 불가리아(Bulgaria)의 (사람). —*m.* 불가리아말.

búlidos *m.pl.* 조개의 일종.

bulimia *f.* 【의학】 병적인 식욕 증진, 대식증(大食症), 식욕 과다(hambre canina) : La ~ es una enfermedad grave.

bulímico, ca *adj.* 대식(증)의.

bulín *m.* 《*Arg.*》 훌륭한 방(cotorro).

bulina *f.* 《*Mex.*》 ① 강낭콩빵. ② (보통의) 모자.

bulla *f.* ① 소동, 소란(gritería, ruido) : meter ~ 소란을 피우다. meter a ~ 방해하다. ② 인파 (concurrencia de mucha gente) : Había ~ en la plaza. ③ 《*Perú.*》 소요, 소란.

bullabesa *f.* 부야베사《생선이 들어 있는 불란서 수프》.

bullado, da *adj.* 《*Amér.*》 시끄러운, 소란한.

bullaje *m.* 잡담, 혼잡(bulla, multitud).

bullanga *f.* ① 소요, 소동, 소란, 소란스러운 일 (tumulto, motín). ② 《*Arg.*》 =**bulla.**

bullanguería *f.* 《*Chile.*》 =**bullanga.**

bullanguero, ra *adj.m.f.* =**alborotador.**

bullar *tr.* 《*Ar. Nav.*》 =**bollar.**

bullaranga *f.* 《*Amér.*》 =**bullanga.**

bullarengue *m.* ① (허리의 선을 곱게 하는) 스커트의 속옷. ② 《*Col.*》 소란. ③ 《*Méx.*》 부가물, 첨가물. ④ 《*Cuba.*》 가짜. ⑤ 《*Murc.*》 = **peinado.**

bullaruga *f.* 《*Amér.*》 =**bullanga, jaleo.**

bulldog *m.* ①【동물】 불독. ② 소형 연발총.

bulldozer *m. ing.* 불도저.

bullebulle *m.f.* 애먹이는 사람.

bullente *adj.* 끓어오르는; 우글거리는; 빈발하는.

bullero, ra *adj.* 《*Amér.*》 =**bullicioso.**

bulliciero, ra *adj.* 《*Amér.*》 =**bullicioso.**

bullicio *m.* 야단법석(ruido) : el ~ de la calle.

bulliciosamente *adv.* 소란하게, 시끄럽게, 떠들썩하게(con bullicio).

bullicioso, sa *adj.* ① 떠들썩한, 소란한 : calle *~sa.* ② 불온한. Contr. **tranquilo, pacífico.**

bullidor, ra *adj.* 끓어오르는, 들끓는.

bullir *intr.* 50 ① (액체가) 끓어오르다. ② 들끓다 : ~ el sangre 피가 들끓다. ③ 우글거리다, 꿈틀거리다. ④ 뒤얽히다. ⑤ 뛰어다니다. ⑥ 빈발하다 : ~ la risa 자꾸만 웃고 싶어지다. ⑦ 움직이다, 돌아다니다 : José *bullía* más de lo necesario 호세는 필요 이상으로 돌아다녔다. No osaba *~se* 전혀 끄덕도 하게 하지 않았다. —*tr.* 움직이다, 만지작거리다(mover, menear) : no ~ pie ni mano 손발을 움직이지 않다, 꼼짝하지 않다.

bullón *m.* ① (서적의) 도표. ② (옷감의) 구김살 (pliegue). ③ 펄펄 끓는 염료. ④ 《*Amér.*》 [*aum.* bulla] 대소동.

bull-terrier *m.* 불테리어《불독과 테리어의 잡종》. [*N.* 발음 : bulterrié].

bulo *m.* 낭설, 유언 비어(noticia falsa).

bulto *m.* [*lat.* vultus] ① 부피, 체적, 크기 (volumen, tamaño) : libro de poco ~. ② 짐, 부피가 큰 것, 꾸러미, 화물, 상자 : ~ postal 《*Amér.*》 우편 소포. ③ 또렷하지 않은 것, 검은 그림자, 사람 그림자. ④ 혹, 종기(chichón, tumor, hinchazón). ⑤ 소상(塑像)(busto) : imagen de ~. ⑥ 베개맡. ⑦ 《*Amér.*》 가방, 란도셀《주로 국민학교 학생용, 등에 메고 다니는 네모난 가방》.
a ~ 대체로, 한데 합쳐, 잘 검사하지 않고.
de ~ ① 중요한(importante). ② 큰(grande).
buscar el ~ 나쁜 뜻으로 …의 뒤를 따라가다, 잔뜩 노리다.
coger el ~ 독안에 든 쥐 꼴로 만들다.
escurrir·guardar·huir el ~ 위험한 것을 피하다.
poner de ~ 두드러지게 하다.
ser de ~ 눈에 띄다, 또렷하다, 뚜렸하다.

bultuntún (a) *adv.* 깊은 생각없이 ; 앞뒤도 생각하지 않고, 허둥지둥.

bululú *m.* [*pl.* bululúes] ① (옛날의) 혼자하는 떠돌이 광대. ② 《*Venez.*》 [*pl.* bululuses] 소동, 소란(alboroto). ③ 《*SDgo.*》【은어】 달러, 빼소.

bumangués, sa *adj.m.f.* 부까라망가 《Bucara-

manga, 꼴롬비아의 도시》의 (사람).
bumerán *m.* =**bumerang.**
bumerang *m.* 부메랑《호주의 토인들의 던져 맞히는 무기의 하나》.
buna *f.* ①【동물】《*Amér.*》 독개미. ③ 인조 고무, 합성 고무.
bunde *m.* 《*Amér*》 분데 《흑인의 춤의 일종》.
bundestag *m. alem.* 의회.
-bundo, da *suf.* 강도 · 계속성의 동사적 형용사 어미 : medir → medita*bundo*.
bunga *f.* 《*Cuba.*》 적은 수의 악단 · 악대 ; 속임수.
bunga-bunga *f.* 【식물】 =**bunya.**
bungalow *m. ing.* 방갈로 《베란다가 있는 단층집》. [*N.* 발음 : bungaló].
búngaro *m.* 【동물】 인도의 뱀 《크고 매우 위험함》.
buniatal *m.* 고구마밭.
buniatillo *m.* 《*Cuba.*》 고구마 과자 엿.
buniato *m.* 【식물】 고구마(boniato).
bunio *m.* (씨앗을 받기 위해 남긴) 종자 순무.
bunker *m. ing.* 엄폐호, 벙커.
bunquer *m.* =**bunker.**
bunya *f.* 【식물】 분야 《씨가 크고 구운 밤의 맛이 남》.
bunya-bunya *f.* 【식물】 =**bunya.**
buña *f.* 잼의 일종.
buñe *m.* 【은어】 과자(dulce).
buñolada *f.* 한꺼번에 튀긴 고구마의 분량.
buñolería *f.* buñuelo를 파는 가게.
buñolero, ra *m.f.* buñuelo 팔이 · 제조인. —*m.* 투우장에서 투우의 우리문을 여는 사람.
buñuelo *m.* ① 튀김 과자. ② 크로케트. ③ 서툴게 만든 것.
bupresto *m.* 【곤충】 풍뎅이.
buque *m.* ① (큰) 배, 선박(barco de gran tamaño). ② [드뭄] 용적. ③ 선체(casco). ~ *aljibe* 유조선. ~ *ballenero* 포경선. ~ *carbonero* 선탄 운반선. ~ *cisterna* 유조선, 탱커. ~ *costero,* ~ *de cabotaje* 연안 항로선. ~ *de carga* 화물선. ~ *de correo* 우편선. ~ *de guerra* 군함. ~ *de línea* 정기선. ~ *de ruedas* 외륜선(外輪船). ~ *de transporte* 수송선. ~ *de vapor* 기선. ~ *de vela* 범선. ~ *en lastre* 빈배, 저하선(底荷船). ~ *en rosca* 의장(艤裝)이 끝나지 않은 선체. ~ *escuela* 훈련선. ~*-factoría* 모선. ~ *faro* 부등대(浮燈臺). ~ *fletado* 용선(傭船). ~ *frigorífico* 냉동선. ~ *gemelo* 자매선. ~ *madre* 모선. ~ *madrina* 모함(母艦). ~ *mercante* 상선. ~ *petrolero* 유조선, 탱커. ~ *portaaviones* 항공 모함. ~ *que no navega en una ruta fija* 부정기선. ~ *submarino* 잠수함.
buqué *m.* [*fr.* bouquet] ① 꽃다발. ② (포도주의) 향기, 감촉.
buquetero, ra *m.f.* 《*Galic. Amér.*》 꽃장수.
buraca *f.* 《*Bol.*》 =**petaca de cuero.**
buracán *m.* 《*Filip.*》【식물】 나무의 이름.
buraco *m.* 【방언】 =**huraco.**
burata *f.* 《*Venez.*》 돈, 주화(dinero).
buratina *f.* 거칠고 나쁜 양모의 천의 이름.
burato *m.* ① 광동 크레이프 《바탕을 오글쪼글하게 짠 직물의 일종》. ② 실(hilo).
burbuja *f.* 물거품, 거품.
burbujeante *adj.* 거품이 이는.
burbujear *intr.* 거품이 일다, 거품을 내다.
burbujeo *m.* 거품이 일어남.
burbujita *f. dim.* burbuja.
burchaca *f.* 가죽 자루(burjaca).
burche *m.* 탑(torre).
burdamente *adv.* 거칠고 나쁘게; 어리석게.
burdégano *m.* 노새《수말과 암당나귀 사이에서 난 잡종》.
burdel *adj.* 음란한. —*m.* ① 사창굴. ② 소란스러운 집.
burdeos *m.* 【단 · 복수 동형】 부르도(Burdeos)산의 적포도주.
burdo, da *adj.* ① 거칠고 나쁜(tosco, basto) : paño ~. ② 어리석은.
burear *tr.* 《*Col.*》 야유하다, 놀려주다(burlar). —*intr.* 《*Col.*》 즐기다(divertirse, entretenerse).
burel *adj.* 검붉은 (소).
burelado *adj.* 【문장】 오선 무늬의.
burengue *m.* 《*Mur. Perú.*》 =**esclavo, mulato.**
bureo *m.* 낙, 즐거움, 기분 전환, 오락(entretenimiento, diversión).
bureta *f.* [*fr.* burette] 뷰렛《정밀한 눈금이 달린 분석용 유리관》(tubo de cristal).
burga *f.* 온천(manantial de agua caliente) : las ~*s* de Orense. [Sinón.] caldas.
burgadao *m.* =**nerita.**
burgado *m.* 【동물】 바다 달팽이의 일종.
burgalés, sa *adj.m.f.* 부르고스 《Burgos, 서반아의 북쪽의 도시》의 (사람).
burgense *adj.m.f.* =**burgalés.**
burgo *m.* 작은 마을.
burgomaestre *m.* (옛 독일 · 네덜란드 · 벨기에 등의) 시장(市長).
Burgos 【지명】 부르고스 《서반아 북쪽의 주 · 도시》.
burgrave *m.* (중부 유럽의) 성주(城主).
burgravesa *f.* burgrave의 아내.
burgraviato *m.* burgrave의 직.
burgueño, ña *adj.m.f.* ① 작은 마을의 (사람). ②【고어】 =**burgalés.**
burgués, sa *adj.* [*fr.* bourgeois] ① 중산 계급의, 유산 계급의, 부르주아 근성의, 자본주의의 : la vida ~*sa*. [Contr.] proletario. ② 평범한, 범용(凡庸)한. —*m.f.* 중산 계급의 시민 ; 상공업자 《지주 · 농사 · 봉급 생활자에 대한》; 유산자, 자본가, 부르주아.
burguesía *f.* 부르주아 계급, 유산 계급 ; 중류계급 (clase media).
burí *m.* 【식물】 (필리핀산의) 야자 ; 부리야자 잎의 섬유.
buriel *adj.* 검붉은(de color rojo y oscuro).
buril *m.* [*fr.* burin] (금속을 자르는) 끌.
burilada *f.* 끌로 파기.
burilador, ra *adj.m.f.* 끌로 새기는 (사람).
buriladura *f.* 끌로 파기 · 새기기.
burilar *tr.* 끌로 파다 : ~ en cobre 동판에 새기다. ~ un retrato 초상화를 새기다.
burjaca *f.* 대형 가죽 주머니.
burla *f.* ① 우롱, 조소, 야유(mofa) : hacer ~ de …를 놀리다 · 조롱하다 · 야유하다. ② 농담, 장난(chanza) : gastar ~*s* con … 와 장난하다. ③ 속임수(engaño). ④ 《*Perú.*》 경련.

～ *burlando* 모르는 사이에, 살그머니, 살짝, 시치미 떼고 : *B- burlando* hemos andado ya dos kilómetros 모르는 사이에 2킬로미터나 걸었다. *B- burlando* consiguió su empleo 모르는 사이에 그는 일자리를 얻었다. *B- burlando* hemos acabado nuestra tarea 우리는 살짝 일을 끝마쳤다.

de ～s 농담으로 : hablar·jugar *de ～s* 진실이 아니라 농담으로 말·내기를 하다.

de ～s o de veras 거짓이든 진실이든.

burladero *m.* ① 대피소. ② 소에게 쫓긴 투우사의 대피소. ③ (광장·길 모퉁이의) 안전 지대. ④ 철도 선로원의 열차 대피소.

burlador, ra *adj.m.f.* 조롱·우롱·모욕하는 (사람) : ～ de las leyes 법을 모욕하는 사람. —*m.* 난봉꾼, 방탕아, 오입쟁이, 바람둥이.

～ *de Sevilla* 세비야의 바람둥이, 돈환《방탕 생활을 한 서반아의 전설적인 귀족의 이름에서 유래됨 ; Tirso de Molina의 코미디 ; 처음으로 Don Juan이 이 작품 속에서 나타남(1630)》.

burlar *tr.* ① 속이다(engañar). ② 놀리다, 우롱하다, 조롱하다, 조소하다(hacer burla) : *Burlaron* a mi padre. ③ 기대에서 벗어나게 하다(frustrar) : Las circunstancias *burlan* sus deseos. —*intr.* 우롱하다 : ～ *con* la justicia 사직을 우롱하다.

～se ① [+de : …을] 우롱하다, 놀려주다, 애먹이다, 조소하다(hacer burla) : *～se de* sus amos 자기의 주인 내외를 우롱하다. *¿Os burláis de* mí? 나를 우롱할 생각인가? ② (마음을 끌게 한 다음) 여자를 버리다.

burlería *f.* ① 속이기, 사기(engaño). ② 조롱, 우롱, 조소, 놀려주기. ③ (노파의) 밤 이야기(cuento) : contar *～s* a uno (누구에게) 이야기를 하다. ④ 남의 웃음거리로 만드는 일.

burlescamente *adv.* 익살로, 농으로, 호들갑스럽게.

burlesco, ca *adj.* 익살스러운, 우스운, 호들갑스런, 농으로 하는 : historia *～sa.*

burleta *f. dim.* burla.

burlete *m.* [*fr.* bourrelet] (창문이나 문틈) 사이를 막는 천.

burlisto, ta *adj.* 《*AmérC.*》 =**burlón.**

burlón, na *adj.* 장난기가 있는, 놀리는 듯한, 조롱하는 듯한 : aire ～ ; mirada *～na.* —*m.f.* 익살꾼.

burlonamente *adv.* 놀리듯이, 우롱하듯이.

buro *m.* 《*Ar.*》 =**greda.**

buró *m.* [*fr.* bureau] [*pl.* burós] ① 《*Galic.*》 사무용 책상(escritorio). ② 《*Méx.*》 침상 《죽은 사람의 머리맡에 차린 상》. ③ 《*Méx.*》 방(cuarto, habitación). ④ 《*Méx.*》 정부의 국(局).

burocracia *f.* ① 관료 정치, 관료주의, 관료 제도, 관료 사상, 관료 사회 : La ～ es la plaga de los Estados modernos. ② [집합] 관료, 관리.

burócrata *m.f.* 관료, 관리 ; 관료적인 사람 ; 관료주의자.

burocrático, ca *adj.* 관료의, 관료 정치의, 관료적인 : formalidades *～cas.*

burocratismo *m.* 관료 사상, 관료주의, 관료적인 기질.

burra *f.* ① (암)나귀(asna). ② 무지한 여인 : ser muy ～. ③ 참을성이 강한 여자. ④ 짐승, 동물.

irse a uno *la* ～ (누가) 깜박 말을 실수하다.

burrada *f.* ① 당나귀떼. ② 어리석은 일(necedad) : decir *～s.*

burrajear *tr.* =**borrajear.**

burrajo, ja *adj.* 《*Méx.*》 사납고 바보스러운, 어리석은. —*m.* 말린 말똥 《연료》.

burral *adj.* [드뭄] =**asnal, bestial, brutal.**

burreño *m.* =**burdégano.**

burrero *m.* ① 나귀몰이. ② 《*Arg.*》 경마광.

burricie *f.* 우둔, 멍청함.

burriciego, ga *adj.* 잘 보이지 않은.

burriel *adj. desp.* =**buriel.**

burrillo *m.* 【속어】 카톨릭교의 연중 행사 편람 (añalejo).

burrión *m.* 《*Hond.*》 【조류】 벌새과의 일종 (colibrí).

burriqueño, ña *adj.* burro의.

burrito *m.* ① 【조류】 (Argentina의) 작은 새. ② 《*Méx.*》 옥수수빵. ③ 《*Méx.*》 =**flequillo.**

burro *m.* ① 【동물】 당나귀(asno), 나귀. ② (재목을 톱질할 때 받치는) 나무 받침. ③ 카드 놀이의 이름. ④ 바이스 녹로. ⑤ 바보(asno, borrico) : ser muy ～. ⑥ 《*Méx.*》 접는 사다리. ⑦ 《*Arg.*》 【은어】 경마.

～ *cargado de letras* 공부는 많이 했으나 이해력이 부족한 사람, 세상 물정에 어두운 학자.

～ *de carga* 부지런하고 참을성 있는 사람 ; 일을 많이 해서 고생하는 사람.

apearse·bajarse·caerse del ～ 잘못을 깨닫다.

caer de su ～ 자기의 잘못을 깨닫다.

no ver tres en un ～ 아무 것도 보이지 않다(no ver nada).

burrumbada *f.* 【속어】 큰소리 ; 허영(barrumbada).

bursal *adj.* =**bursátil.**

bursátil *adj.* 증권 거래소의, 거래 시장의 : operaciones *～es* 증권 시장 조작.

bursiforme *adj.* 자루 모양의.

burucuyá *f.* 《*Riopl.*》 =**pasionaria, pasiflora.**

burujo *m.* ① 응어리 : un ～ de lana. ② 올리브 기름의 찌꺼기(orujo).

burujón *m.* 혹(chichón) ; 약간 커다란 덩어리.

burundés, sa *adj.m.f.* =**burundi.**

burundi *adj.m.f.* 브룬디(Burundi)의 (사람).

Burundi *m.* 【지명】 브룬디.

burundanga *f.* 《*Cuba.*》 =**morondanga.**

bus *m.* 버스(autobús).

busa *f.* 풀무.

busaca *f.* ① 《*Col.*》 당구대의 구멍(tronera de billar). ② 《*Venez.*》 주머니, 자루(bolsa).

busarda *f.* 《*Ar.*》 =**estómago.**

busardo *m.* 【조류】 매의 일종.

busca *f.* ① 수색, 탐구. ② (사냥에서의 한 떼의) 몰이꾼 : perro de ～. ③ 살아가기 위한 고생. —*pl.*·《*Perú. Méx.*》 부수입 : Ese puesto tiene sus *～s* 그 직책에는 부수입이 있다.

en ～ *de* ① … 을 찾아 ; … 을 얻고자 : Los tres niños salen todos juntos *en* ～ *del* perro 세 아이들은 모두 함께 개를 찾으러 나간다. ② … 을 만나고자 : Fue a su ～ 그를 만나러 갔다.

andar a la ～ 살아갈 궁리를 하다(ingeniárselas para ganarse la vida).

buscabulla *m.* 《*Amér.*》 =**pendenciero.**
buscada *f.* 수색 ; 탐색.
buscador, ra *adj. m.f.* 찾는 (사람) : ~*es* de oro 금을 찾는 사람. —*m.* (광학기의) 파인더.
buscaniguas *m.* 《*Amér.*》 =**buscapiés.**
buscapié *m.* [*pl.* buscapiés] 넌지시 비침, 시사.
buscapiés *m.* (땅위에 길게 깔리운) 뱀꽃불.
buscapiques *m.* 【단·복수 동형】 《*Amér.*》 장난감 뱀꽃불.
buscapleitos *m.* 【단·복수 동형】 다투기 좋아하는 사람 ; 소송광(訴訟狂)(picapleitos).
buscar *tr.* ⑦ ① 찾다, 구하다, 찾아내다 : ~ una casa 집을 찾다·구하다. ~ a María 마리아를 찾다. ② 기대하다. ③ (누구를) 만나러 가다. ④ (…에게) 싸움을 걸다. ⑤ 【은어】 훔치다.
buscársela 살아가기 위해 고생을 하다 ; 싸움을 걸다.
[직설법 부정과거 1인칭 단수 : busqué. 접속법 현재 : busque, busques, busque, busquemos, busquéis, busquen].
buscarruidos *m.f.* 【단·복수 동형】 싸우기 좋아하는 사람.
buscavida *m.f.* =**buscavidas.**
buscavidas *m.f.* 【단·복수 동형】 ① 팔방 미인. ② 부지런한 사람. ③ 냄새를 맡고 다니는 사람. ④ 《*Méx.*》 고자질쟁이.
busco *m.* (수문의) 바닥 부분.
buscón, na *adj.* 찾는, 수색하는. —*m.f.* ① (괴로운 생활을) 헤쳐 나가는 사람. ② 사기꾼. ③ 소매치기. —*f.* 매춘부, 갈보, 창녀.
Buscón (El) Quevedo (1626)의 악당 소설.
busconear *intr.* =**escudriñar, huronear.**
busier *m.* =**bujier.**
busilis *m.* 【단·복수 동형】 난관 : dar con el ~ 난관에 부딪치다.
dar en el ~ 급소를 찾아내다, 어렵게 구하다 (dar en el hito).
business *m. ing.* 사업(negocio). [*N.* 발음 : bisnes].
businessman *m. ing.* 사업가(hombre de negocios).
buso *m.* 【고어】 ① =**agujero.** ② 【선박】 뱃머리가 두 개인 작은 보트. ③ =**busardo.**
busque buscar의 접·현·1·3·단수.
busqué buscar의 직·부정과거·1·단수.
busque- → **buscar** ⑦.
búsqueda *f.* =**busca.**
busquéis buscar의 접·현·2·복수.
busquemos buscar의 접·현·1·복수.
busquen buscar의 접·현·3·복수.
busques buscar의 접·현·2·단수.
busquillo *m.* ① 【식물】 물망초. ② 《*Amér.*》 = **buscavidas.**
busquizal *m.* 《*Sant.*》 =**matorral, zarzal.**
busto *m.* [*ital.* busto] ① 상체. ② 흉상. ③ 가슴둘레. ④ 여자의 가슴.
bustrófeda *f.* =**bustrófedon.**
bustrófedon *adv. m. gr.* 첫 행은 왼쪽에서 오른쪽으로, 다음 행은 오른쪽에서 왼쪽으로 써나가는 방식(으로).
bustrofedón *adv.m.* =**bustrófedon.**
buta *m.* ① 《*Chile.*》 밀모단 두목 ; 모의 주동자. ② 《*Filip.*》 【식물】 부따 《독이 들어 있는 식물 이름》.
butabuta *f.* 【식물】 =**buta.**
butaca *f.* ① 안락 의자 ; 팔걸이의자 : una ~ cómoda 안락한 팔걸이의자. ② =**luneta de teatro** : tomar una ~.
butaco *m.* 《*Venez.*》 =**butaca.**
butagamba *f.* =**gutagamba.**
butanés, sa *adj.m.f.* 부탄 《Bután, 버마의 산속에 있는 나라》의 (사람). —*m.* 부탄말.
butano *m.* 【화학】 부탄 《탄화 수소의 일종》.
butaque *m.* 안락 의자(butaca). ② 《*Venez.*》 접의자(asiento de tijera).
butbolín *m.* 슬롯 머신·핀볼 형태의 오락기.
buten (de) *adj.* 훌륭한, 일등의, 일급의(magnífico, excelente).
butifarra *f.* ① (까딸루냐 지방의) 소시지. ② 《*Perú.*》 (햄·샐러드·치즈 따위를 친) 빵. ③ 헐렁한 양말. ④ 《*Arg.*》 =**farra.**
tomar para la ~ 《*Arg.*》 놀리다(tomar el pelo).
butifarrero, ra *m.f.* 소시지 제조자·판매자.
butileno *m.* 【화학】 블레틴.
butílico, ca *adj.* butileno의 : ácido ~.
butilón *m.* 《*And.*》 과자의 일종.
butiondo, da *adj.* 더러운, 추잡스러운, 고약한 ; 음탕한.
butirato *m.* 【화학】 낙산염.
butírico, ca *adj.* 【화학】 낙산의 : ácido ~ 낙산.
butirina *f.* 【화학】 낙산(酪酸) 글리세린.
butiro *m.* 버터(mantequilla).
butirómetro *m.* 버터 시험기, 유락계(乳酪計).
butiroso, sa *adj.* 기름진(mantecoso).
butomeas *f.pl.* 【식물】 단자엽과 식물.
butrino *m.* 자루 그물(buitrón).
butrón *m.* =**butrino.**
butuco, ca *adj.* 《*AmérC.*》 땅딸막한(rechoncho).
butucú *m.* 《*Bol.*》 인디오의 축제(butugú).
butugú *m.* 《*Bol.*》 회전(會戰), 파티, 잔치 《2월 2일에 행하는 원주민의 잔치》.
buyador *m.* 《*Ar.*》 =**latonero.**
buyes *m.pl.* 【은어】 카드(naipes).
buyo *m.* (남양 지방의) 씹는 과자(betel).
buyón *m.* 《*Amér.*》 풍로(hornillo).
buz *m.* ① 예식의 입맞춤. ② 입술(labio).
hacer el ~ 환대의 뜻을 나타내다.
buzamiento *m.* 지층의 경사, 사층(斜層).
buzano *m.* 《*And.*》 식용 연체 동물류(類)(molusco comestible).
buzaque *m.* =**beodo.**
buzar *intr.* ⑨ 땅이 경사지다.
buzardas *f.pl.* 뱃머리의 곡재(曲材).
buzas (de) *adv.* 《*And.*》 =**de bruces.**
buzo *m.* [*gr.* buthios] ① 잠수부 : Los ~*s* utilizan la escafandra y la campana de bucear. ② 【은어】 교묘한 솜씨를 가진 도둑.
buzón *m.* [*ital.* buco] ① 배수구 ; 배수구 뚜껑. ② 우편함, 우체통 : ~ tubular 위층에서 밑으로 떨어뜨리는 장치의 우편물 낙하 장치. ③ 우체통의 투입구.
echar al ~ 투함하다, 우체통에 넣다.

buzonera *f.* 【방언】(안마당의) 하수구.
buzonero *m.* 《*Chile.*》 우편 집배원, 집배원, 우체부.

byroniano, na *adj.* 바이런 《Byrón, 영국의 시인(1788－1824)》 풍의 · 식의, 바이런같은.

C

c *f.* ① 세《서반아어 자모의 셋째 글자 (tercera letra del abecedario castellano)》. ② C는 로마 숫자로 100. ③ 다른 글자와 어울려 CC는 200. ④ XC는 90. ⑤ CIC(M)은 1000. ⑥ IC(D)는 500.

c. capítulo; compañía; cuenta; corriente.

C. centígrado.

c/ caja; calle; capítulo; cargo; contra; corriente; cuenta ; cerca.

C.ª; Ca. compañía.

c/a. cuenta abierta.

C.A. corriente alterna 교류.

ca *f.* 【속어】 집 : en ~ Fulano. [*N.* casa의 어미 탈락형].

¡ca! *interj.* 설마 ! , 글쎄 ! 《회의·불신을 나타냄》 (iquia!).

caá *m. guaraní.* =**hierba.**

caacupeño, ña *adj. m.f.* 까아꾸뻬 《Caacupé, Paraguay에 있는 도시》의 (사람).

caaguaceño, ña *adj. m.f.* 까아구아수 《Caaguazú, Paraguay에 있는 주》의 (사람).

caapia *f.* 【식물】 =**contrahierba.**

caazapeño, ña *adj. m.f.* 까아사빠 《Caazapá, Paraguay에 있는 주·도시》의 (사람).

cab *m. ing.* (뒤에 마부 자리가 있는) 이륜 마차.

cabal *adj.* ① 정확한, 꼭 맞는(exacto, ajustado) : cuentas ~*es* 정확한 계산. ② 완전한(perfecto, pleno); 결점이 없는 : hombre ~ 완전 무결한 사람. —*adv.* 정확히, 완전히. —*interj.* 사실이 그렇다 !

por sus ~es 과부족없이 ; 정확히.

no estar en sus ~es 정신이 이상해졌다, 제정신이 아니다(estar fuera de juicio).

cábala *f.* ① 히브리의 신비 학설. ② 점, 미신 : estudiar la ~. ③ 밀모, 음모(trato secreto) : andar metido en una ~.

cabalar *tr.* =**acabalar, completar.**

cabalero *adj. m.* (아라곤에서) 사자(嗣子)가 아닌 (아들).

cabalgada *f.* 말탄 사람들 ; 적진 진입의 기마대 ; 그 노획물.

cabalgador, ra *m.f.* 말 탄 사람, 승마자.

cabalgadura *f.* 마필, 승마용·하역의 말·당나귀 (등) ; 탈것.

cabalgamiento *m.* cabalgar 하기.

cabalgante *adj.* 말을 타는·타고 가는 ; 수컷이 암컷을 덮치는.

cabalgar *intr.* 8 ① 말을 타다(montar a caballo). ② 말을 타고 가다(viajar a caballo) : *Cabagaron* todo el día 온종일 말을 타고 갔다. —*tr.* ① (말을) 타다. ② (탈것을) 타고 다니다 ; (수컷이) 암컷을 덮치다.

cabalgata *f.* 말을 탄 사람들 ; 승마대, 기마대 ; 탈것의 행렬.

cabalgazón *m.* 말을 타기 ; 수컷이 암컷을 덮치는 일.

cabalhuste *m.* 앞뒤로 높은 안장다리가 있는 옛날의 안장.

cabalista *m.* 히브리 신비 학자 ; 비법가.

cabalísticamente *adv.* 신비스럽게, 비밀이 쌓여.

cabalístico, ca *adj.* 히브리 신비 철학의 ; 신비적인, 비밀에 싸인.

cabalito *adv.* =**cabalmente.**

cabalizar *intr.* 9 점을 치다.

caballa *f.* [*lat.* caballla] 【어류】 고등어(escombro).

caballada *f.* ① 말의 떼(manada de caballos). 《*Amer.*》 엉터리, 터무니없음(animalada) : decir ~*s* a uno (누구에게) 터무니없는 말을 하다.

caballaje *m.* 말·나귀의 교미 ; 교미료.

caballar *adj.* ① 말의 : ganado ~. ② 말같은 : rostro ~ 긴 얼굴, 말상. ③ 말에 관한.

caballazo *m.* ① 《*AmérM.*》 말을 부딪쳐 상대방의 말을 쓰러뜨리는 일. ② 《*Perú.*》 질책, 꾸중.

caballear *intr.* 말을 타고 돌아다니다(andar mucho a caballo).

caballejo *m.* [*dim.* caballo] 짐말 ; 쓸모없는 말 ; 말에 편자를 박을 때 말을 매어두는 나무틀 《고문에 쓰이는 형구의 일종》.

caballerango *m.* 《*Méx.*》 =**caballerizo.**

caballerato *m.* (까딸루냐인에게 국왕이 주는) 기사의 지위.

caballerear *intr.* 신사답게 행동하다.

caballereño, ña *adj. m. f.* 뻬드로·후안·까발예로 《Pedro Juan Caballero, Paraguay에 있는 도시》의 (사람).

caballerescamente *adv.* 기사처럼 ; 훌륭하게.

caballeresco, ca *adj.* ① 기사(도)의 : novela ~*ca* 기사도 소설. ② 신사의. ③ 고결한, 숭고한 (elevado, sublime) : sentimientos ~*s*.

caballerete *m.* 잔뜩 멋을 낸 젊은이.

caballería *f.* ① (승마용의) 말·당나귀 (등) (cabalgadura) : ~ mayor 말이나 노새. ~ menor 당나귀. ② [추상적으로] 기사, 기사도 : libros de ~*s* 기사 이야기. ③ (어떤 지방의) 귀족단. ④ 기병 : ~ ligera 경기병(輕騎兵). ⑤ (종교 단체의 명칭으로) 기사단. ⑥ 면적의 단위 《서반아에서는 3863 áreas; 꾸바에서는 1343 áreas》.

andarse en ~s 지나치게 형식을 차리다.

caballeril *adj.* 【고어】 =**caballeresco.**

caballerismo *m.* =**caballerosidad.**

caballerito *m. dim.* caballero.

caballeriza *f.* ① 마굿간, 외양간(cuadra). ② 한 마굿간의 마필(馬匹). ③ [집합] 마부.

caballerizo *m.* 마부의 우두머리 : ~ de campo, ~ del rey 마차나 가마의 왼쪽으로 가는 마부의 우두머리.

~ *mayor del rey* 마부.

caballero, ra *adj.* ①(…에) 탄, 말을 탄 : ~ *en · sobre* su asno 나귀를 탄. ②[+en : …에] 집착한 : ~ *en* su dictamen 자신의 의견을 완고하게 바꾸지 않는. **—***m.* 기사 ; 신사 ; 나으리 ; (축성에서) 파내어 수북히 쌓인 흙.

~ *andante · aventurero* 순례·편력 기사.

~*cubierto* 서반아의 대공작《왕의 앞에서 모자를 벗지 않아도 되는 귀족》; 모자를 벗지 않는 무례한 사람.

~ *de (la) industria* 사기꾼.

~ *de hábito* 기사단 소속의 기사.

~ *de mohatra* 가짜 신사 ; 사기꾼.

~ *en plaza* 기마 투우사.

a ~ 거드름을 피우고.

armar ~ (정식 기사로 품하는) 갑옷을 입는 의식을 베풀어 주다.

Poderoso ~ es don dinero 【속담】 돈이면 안 될 일이 없다, 돈만 있으면 귀신도 부릴 수 있다.

caballerosamente *adv.* 기사답게, 신사답게.

caballerosidad *f.* 기사다움, 신사다움 ; 고결. Contr. villanía, bajeza.

caballeroso, sa *adj.* ① 기사·신사(caballero)의 : acción ~*sa* 기사·신사의 행동. ② 기사·신사다운 : hombre ~ 기사·신사다운 남자. Contr. villano, ruin.

caballerote *m.* [*aum.* caballero] 사나운 무사 ; 촌스러운 신사.

caballeta *f.* 【곤충】 메뚜기(saltamontes).

caballete *m.* [*dim.* caballo] ①(건물의) 용마루 ; 동(棟) ; 쿳날 ; 받침틀 : ~ de montaje 조립대. ~ elevador 리프터. ② 삼껍질을 벗기는 대. ③(논 등의) 이랑. ④ 캔버스 ; 화가(畵架). ⑤(옛날의) 고문 기구(potro).

caballico *m.* [*dim.* caballo] 《*Ar.*》 기와 틀(galápago).

caballillo *m.* ①(건물의) 용마루. ②【고어】(논밭의) 이랑(caballón).

caballino, na *adj.* 말의(caballar).

caballista *m.f.* ① 말의 명수. ②《*And.*》 말도둑.

caballitero, ra *m.f.* 《*Cuba.*》 곡예사 ; 곡예단의 흥행자.

caballito *m.* [*dim.* caballo] ① 작은 말. ②《*Méx.*》 기저귀. **—***pl.* 목마, 메리고라운드.

~ *del diablo* 【곤충】 잠자리(libélula).

~ *de Bamba* 무용지물.

caballo *m.* ① 말 ; 수말. ②(장기·카드 패의) 말. ③ 나무베는 틀, 말. ④【의학】 가래톳. ⑤《*Amér.*》 바보. ⑥【운동】 안마(鞍馬). **—***pl.* 기병, 기마의 군세(軍勢) : Acometió con sus treinta ~*s* 보유한 기마병 30명으로 습격했다.

~ *blanco* ① 수상한 사업에도 곧 돈을 내는 투자가. ②《*Méx.*》 무슨 일에나 동의하는 사람.

~ *de agua* 【동물】 도롱뇽(~ marino).

~ *de aldaba* 아끼는 말.

~ *de batalla* 군마 ; 특기 ; 논쟁의 중심점.

~ *de buena boca* 결코 이의를 제기하지 않는 사람.

~ *de concurso* 경마용 말.

~ *(de) Frisia* 거마(拒馬).

~ *del diablo* 【곤충】 잠자리.

~ *de mano* 쌍두 마차에서 우측의 말.

~ *de mar* 【동물】 도롱뇽.

~ *de montar* 승마용 말.

~ *de regalo* 아끼는 말.

~ *de silla* 승마용 말 ; 쌍두 마차에서 좌측의 말.

~ *de vapor* 마력 : un motor de dos *caballos de vapor* 2마력 발동기.

~ *ligero* 경기(병)(輕騎)(兵).

~ *marino* ①【동물】 도롱뇽 (hipocampo). ②【동물】 하마(hipopótamo).

~ *muleto* 노새에게 욕정을 내는 말.

~ *padre* 종마(種馬).

~ *recelador* 암말에게 욕정을 돋우는 말.

a ~ ① 말로, 말을 타고, 기마로 : ir *a* ~ 말을 타고 가다. ② 승마의. ③《*AmérM.*》 [andar와 쓰여] 빠져 있다, 부족하다, 모자라다(carecer).

a mata ~ 당황하여 ; 성급히, 허겁지겁, 조급하게(atropelladamente, muy de prisa).

con mil de a ~ 화내어 사람을 쫓아 낼 때 노한 소리.

dar ~ 《*Méx.*》 헹가래치다, 누운 사람을 넷이서 떠메어 나르다.

estar a ~ en 《*Chile.*》(무엇에) 정통하다, 잘 통하다, 잘 알고 있다.

guardar ~ 《*Chile.*》(꼭 필요한 때를 위해) 힘을 모아 두다.

no parar ~ 《*Chile.*》 약속을 어기다.

salir en ~ blanco 《*Guat.*》 사업에 성공하다(salir bien en el negocio).

ser uno *de a* ~ 《*Amér.*》(누가) 말을 잘 타다. *A ~ regalado, no hay que mirarle el diente* 【속담】 선물은 하찮은 것이라도 기꺼히 받아야 한다.

caballón *m.* (논밭의) 이랑 ; (물줄기의 방향을 돌리는) 둑.

caballote *m.* 큰 말.

caballuelo *m. dim.* caballo.

caballuno, na *adj.* 말의, 말같은 ; 보통보다 큰 ; 단단하게 만든.

cabalmente *adv.* 정확하게 ; 완전히 ; 에누리없이(completamente, perfectamente) : pagar ~ 정확하게·에누리없이 지불하다.

cabalonga *f.* 《*Cuba. Méx.*》 =**haba de San Ignacio.**

cabanga *f.* 《*AmérC.*》 쓸쓸함 ; 향수.

cabaña *f.* ① 날림집, 오두막(choza) : ~ de pastor. ② 축사(畜舍) ; 마굿간. ③ 가축 떼 ; 짐말의 떼. ④ 축사 그림. ⑤(당구에서) 보크 라인. ⑥《*Arg.*》 가축류의 교미소. ⑦ 가축의 머릿수(números de cabezas de ganado).

cabañal *adj.* 가축 때가 지나다니는 : camino · vereda ~. **—***m.* [집합] 오두막집, 오두막 부락.

cabañera *f.* 《*Ar.*》 =**cañada.**

cabañería *f.* 목동에게 주는 일주일 분의 식량.

cabañero, ra *adj.* 가축 떼의 : perro ~ 가축을 지키는 개. **—***m.* 가축 떼 사육자.

cabañil *adj.* 축사의, 목사(牧舍)의. **—***m.* 가축 떼 사육자.

cabañuelas *f.pl.* ① 날씨 알아맞추기. ②《*Bol.*》 여름의 첫 비. ③《*Méx.*》 겨울비 ; 볕이 들면서 오는 비.

estar cogiendo ~ 《*Venez.*》 무직으로 빈둥거리고

있다, 허송 세월만 보내다.

cabaret *m. fr.* 《*Neol.*》 카바레.

cabarga *f.* 《*AmérM.*》 (안데스산을 넘을 때 말에 신기는) 가죽신.

cabás *m. fr.* =**sera, esportilla.**

cab.do cabildo.

cabe *prep.* 【고어·시어】 …의 옆에, 가까이에 (junto a) : Se sentó ~ el camino 그는 길가에 앉았다. —*m.* ① (argolla의 놀이에서) 크게 이김 : ~ de pala 호기, 찬스, 좋은 때. ② 손해 : dar un ~ 손해를 입히다·주다.

cabeceada *f.* 《*Amér.*》 =**cabezada.**

cabeceado *m.* b, d 등의 새로선을 굵게 쓰는 일.

cabeceador, ra *adj. m.f.* 《*Amér.*》 (거부하는 뜻에서) 고개를 흔드는 (사람).

cabeceamiento *m.* 머리를 끄덕이거나 가로 젓는 일(cabeceo).

cabecear *intr.* ① 머리를 흔들다(mover la cabeza). ② 머리를 가로 젓다. ③ (졸면서) 꾸벅거리다. ④ (배나 차가) 앞뒤로 흔들리다 ; (화물 등이) 기울다. —*tr.* (글씨의) 윗 부분을 크게 쓰다 ; (새 술에 묵은 술을) 넣다·주입하다·타다 ; 테를 다듬다.

cabeceo *m.* ① =**cabeceamiento.** ② 《*Perú.*》 = **agonía.**

cabecequia *m.* 《*Ar.*》 (용)수로 지기.

cabecera *f.* ① 시초, 시작, 머리 부분 : ~ del río 수원(水源), 수원지. ~ de puente 교두보. ② 상석, 상좌 : ~ de la mesa 탁자의 윗자리. ③ (지방의) 수도. ④ 베개 ; 베개맡 : asistir a la ~ 환자에게서 떨어지지 않고 간호하다. ⑤ (서적의 페이지·장의 시작의) 컷, 첫 부분 : ~ de periódico (신문의 발행자명·편집인명을 넣은) 제명란 ; (서적의 뒤쪽의) 상단 혹은 하단. —*m.* ① 【광산】 갱부의 감독. ② 【방언】 가장(家長).

cabecero, ra *adj.* 【고어】 =**cabezudo.**

cabeciancho, cha *adj.* 머리가 넓은·큰.

cabeciduro, ra *adj.* 《*Amér.*》 완고한, 융통성이 없는, 답답한, 옹고집의.

cabecil *m.* (머리에 물건을 올려놓기 위한) 또아리(rodete).

cabecilla *f.* [*dim.* cabeza] 작은 머리 ; (궐련 끝의) 쏟아지지 않게 하는 것. —*m.f.* 방탕한 사람. —*m.* (반역자 등의) 두목.

cabellado, da *adj.* 광택이 나는 밤색의.

cabelladura *f.* =**cabellera.**

cabellar *intr.* 가발을 쓰다, 털을 펴다. **~se** 가발을 쓰다, 어여머리를 넣다.

cabellejo *m. dim.* cabello.

cabellera *f.* ① 두발, 머리카락. ② 어여머리, 가발. ③ 혜성의 빛나는 꼬리.

cabello *m.* [*lat.* capillus] 머리카락 : ~ merino 숱이 많은 고수머리. —*pl.* 옥수수 수염.
en ~ 머리를 푼채, 감은 머리로.
en ~s 모자를 쓰지 않고.
asirse de un ~ 사소한 구실·기회를 잡다 (aprovechar cualquier pretexto para conseguir algo).
cortar un ~ en el aire 머리가 예리·예민하다.
estar colgado de los ~ s 조마조마하다.
estar pendiente de un ~ 위기에 직면해 있다.
poderse ahogar con un ~ 정신적으로 피로해 있다.
ponerse los ~s en punta·tan altos 소름이 끼치다.
traer por los ~s 되지도 않을 억지일을 하다.
tropezar en un ~ 사소한 일에도 멈칫거리다·궁둥이를 빼다.

cabelludo, da *adj.* ① 머리숱이 많은, 숱이 많은. ② 털·수염이 난 (과일·식물) : raíz *~da* 털이 난 뿌리.
cuero ~ 두개골의 살가죽(piel del cráneo).

cabelluelo *m. dim.* cabello.

caber *intr.* 65 [*lat.* capere] ① 들어가다, 들어갈 수 있다 : El libro no *cabe en* el estuche 그 책은 가방에 들어가지 않는다. ② 들어간다, 여유·여지가 있다 : *En* este local no *caben* los menores 이곳은 미성년자는 입장하지 못한다. No me *cabe* la menor duda 내게는 전혀 의심의 여지가 없다. ③ (행운 등이) 들어맞다 : No me *cabrá* tal suerte 그런 행운이 나에게 들어맞을 까닭이 없다. ④ 능력이 있다 : Todo *cabe en* este chico 이 아이는 무슨 일이나 할 수 있다. ⑤ [+*inf.* …] 할 수 있다(ser posible) : Apenas *cabe dudar* la autenticidad 그 진실성은 거의 의심할 여지가 없다.
—*tr.* ① 용량을 가지고 있다, 수용량이 있다 : Este depósito *cabe* mucho aceite 이 탱크에는 많은 기름이 들어간다. ② 받아들이다, 들여보내다(admitir) : El portero *cabe* a todos 그 수위는 아무나 들여보낸다.
no ~ en sí 자만하고 있다, 우쭐거리고 있다 ; 잔뜩 들떠 있다 ; 신바람이 나 있다 : No *cabe en sí* de gozo 그는 기뻐서 잔뜩 신바람이 나 있다.
No cabe más 이제 꽉 찼다.
No me cabe en la cabeza 나는 이해가 가지 않는다.
[직설법 현재 1인칭 단수 : quepo. 접속법 현재 : quepa, quepas, quepa, quepamos, quepáis, quepan. 직설법 부정과거 : cupe, cupiste, cupo, cupimos, cupisteis, cupieron. 직설법 미래 : cabré, cabrás, cabrá, cabremos, cabréis, cabrán. 가능법 : cabría, cabrías, cabría, cabríames, cabríais, cabrían].

cabero, ra *adj.* 《*Méx.*》 최후의, 맨 끝의.

caberú *m.* (아프리카산의) 들개.

cabestraje *m.* ① [집합] 도우(導牛) (cabestro). ② 길들인 소를 써서 소떼를 몰고 오는 목동에 대한 술대접.

cabestrante *m.* 고패 ; 닻 따위를 감아올리는 기구 (cabrestante).

cabestrar *tr.* (우마에) 고삐(cabestro)를 끼우다 ; 길들인 소로 사냥을 하다.

cabestrear *intr.* 고삐에 끌려 걷다 ; 사람에게 끌려 걷다. —*tr.* 고삐로 끌다.

cabestrería *f.* 밧줄 공장.

cabestrero, ra *adj.* (승마에서) 고삐에 끌려가는.

cabestrillo *m.* (팔을 매는) 붕대 ; (옛날의) 목걸이.

cabestro *m.* [*lat.* capistrum] ① 고삐. ② (소떼의) 도우(導牛), 길들여 놓은 소. ③ 목걸이.

cabete *m.* 노끈의 끝의 쇠붙이(herrete).

cabeza *f.* [*lat.* caput] ① 머리 : bajar la ~ 머리

를 숙이다 ; 따르다, 굴복하다. La ~ contiene el cerebro y los órganos de varios sentidos 머리에는 뇌와 여러 감각 기관이 있다. ② 두개골(cráneo) : romper la ~ a uno (누구의) 두개골을 부수다. ③ 두뇌, 재능 : flaco de ~ 생각하는 것이 경솔한. Es gran ~ 그는 훌륭한 인물이다. ④ 정신(espíritu) : tener algo metido en la ~. ⑤ 이성(razón), 냉정(sangre fría) : perder la ~ 이성을 잃다. ⑥ 가장자리, 끝, 머리 : ~ del clavo 못의 머리. ④ (산의) 정상, 꼭대기 ; (책의) 위끝. ⑤ 시작, 처음, 원천(origen, fuente). ⑥ 사람, 인원수 (persona) : por ~ 1인당. ⑦ 가축, 그 머릿수 (res) : rebaño de cien ~s 100 마리의 떼. ⑧ 수도(capital, ~ del partido) : ~ de distrito 지방의 수도.

—*m.* ① 두목, 추장 : hacer ~ 어떤 일·사람들을 주관하고 있다. ② 가장(家長)(cabeza de familia).

~ ***de chorlito*** 경솔한 사람.

~ ***de lobo*** 《*Méx.*》 구실, 핑계.

~ ***de pájaro*** 변덕쟁이.

~ ***de perro*** 【식물】 여우모란꽃.

~ ***de partido*** 지방의 제일 큰 도시, 수도.

~ ***de tarro*** 얼간이, 바보, 멍청이.

~ ***de turco*** 호박의 일종.

~ ***dorada*** 양장(洋裝)한 책의 도련을 친 윗머리에 금박(金箔)을 입힘.

~ ***dura*** 우둔한 사람.

~ ***mayor*** 소·말·나귀(등) ; 종가(宗家).

~ ***menor*** 양·산양 (등).

~ ***de puente*** 교두보.

~ ***rendonda*** 석두(石頭), 얼간이.

~ ***torcida*** 위선자.

a la ~ 선두로, 선두에.

de ~ ① 다짜고짜로, 불문 곡직하고, 별안간. ② 기억으로(de memoria) : aprender *de* ~ 암기하다, 외우다.

en ~ 《*AmérM.*》 모자를 쓰지 않고.

por ~ 1인당(para cada uno) : Sale a tanto *por* ~ 1인당 이렇게 이렇게 된다.

abrir la ~ (누구의 머리를) 깨다.

alzar ~ = levantar ~.

andarse la ~ 현기증이 나다.

calentarse la ~ (어려운 작품 등으로) 머리를 짜내다.

cargarse la ~ 머리가 무겁다.

dar de ~ 몰락하다 ; 실각하다.

dar en la ~ 처음부터 기를 꺾어 놓다.

encajarse·meterse en la ~ 집념으로·끈덕지게 공상하다.

escarmentar en ~ ***ajena*** 남의 실패에서 배우다.

henchir la ~ ***de viento*** 추켜세우다.

ir de ~ 점점 악화되어 가다(ir de mal en peor).

irse la ~ 정신이 아찔해지다 ; 멍해지다 ; 미치다 (volverse loco).

levantar ~ 궁지에서 벗어나다 ; 쾌차해지다.

no levantar uno ~(독서·글쓰기에) 매우 바쁘다.

no tener uno ***dónde volver la*** ~ 아무한테도 도움을 청할 수 없다(no poder pedir ayuda a nadie).

pasarle a uno una cosa ***por la*** ~ 마음이 들다.

perder la ~ 이성을 잃다.

quebrarse la ~ 일사불란해지다.

romper a uno ***la*** ~ 머리를 부수다·깨다.

romperse la ~ =calentarse la ~.

sacar la ~ 머리를 내밀다, 나타나다.

sentar la ~ 분별을 찾다·정하다.

subirse a la ~ 바싹 달아오르다, 충격을 받다, (무엇에) 취하다.

tener mala ~ 판단없이 행하다.

tener la ~ ***a las once·a pájaros*** 들떠 있다.

tocado de la ~ 정신이 이상해져.

torcer la ~ 병으로 쓰러지다 ; 사망하다, 죽다.

vestirse por la ~ 여자이다 ; 승려이다.

volverse la ~ 《*Méx.*》 멍해지다.

Más vale ser ~ ***de ratón, que cola de león*** 【속담】 용의 꼬리보다 뱀의 머리가 되는 것이 낫다.

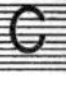

cabezada *f.* ① 머리를 부딪침, 머리의 구타. ② (졸면서) 꾸벅거리기 : dar ~*s* 졸면서 꾸벅거리다. ③ (배가) 앞뒤로 흔들림. ④ 절. ⑤ (말의) 굴레, 장식 띠. ⑥ (구두의) 등가죽. ⑦ (서적의) 제본할 때 접지한 책을 실로 꿰매기.

darse de ~***s*** 조사하기에 싫증이 나다.

cabezal *m.* ① (작은) 베개, 기다란 베개. ② (상처에 대는) 무명. ③ 차체의 앞부분. ④ (문짝을 다는) 기둥. ⑤ (움직이는 다리의) 원기둥. ⑥ 《*Chile. Méx.*》 (문짝·창문의) 마루 귀틀.

cabezalejo *m. dim.* cabezal.

cabezalero, ra *m.f.* 유언(遺言) 집행인 (testamentario).

cabezazo *m.* (축구에서) 헤딩, 박치기 (cabezada).

cabezo *m.* 산봉우리 ; 작은 산 ; 암초 ; (와이셔츠의) 깃.

cabezón, na *adj.* ① 머리가 큰. ② 고집이 센, 완고한. ③ 《*Chile.*》 독한 (술). —*m.* (와이셔츠의) 깃 ; (옷에서 목이 들어가는) 구멍. —*m.pl.* 《*Col.*》(강·바다의) 소용돌이.

~ ***de serreta*** 조마용(調馬用)의 굴레 장식.

de los ~***es*** 억지로 잡아 끌어, (누구의) 의사에 반해 : llevar *de los* ~*es* a uno.

cabezonada *f.* 완고함, 고집이 셈.

cabezorro *m.* [*aum.* cabeza] 크고 볼품이 없는 머리.

cabezota *f.* [*aum.* cabeza] 굉장히 큰 머리. —*m.f.* 대갈장군 ; 외고집쟁이, 완고한 사람 (terco).

cabezote *m.* 《*Cuba.*》 다듬지 않은 큰 돌(cabezudo).

cabezudamente *adv.* 외고집으로, 완고하게 (terca y obstinadamente).

cabezudo, da *adj.* ① 머리가 큰. ② 고집센, 완고한. ③ 독한 (술). ④ 《*Cuba.*》 타다 말고 꺼지는 (잎담배). —*m.* ①【어류】 숭어. ② (가장 행렬의) 머리 큰 난쟁이.

cabezuela *f.* [*dim.* cabeza] ① 작은 머리. ② (밀가루의) 두 번째 빻은 가루. ③ 포도주의 곰팡이. ④ (향료를 뽑는) 장미꽃의 봉오리. ⑤【식물】 (서반아산의) 대싸리 명아주. ⑥【식물】 두상화(頭狀花). —*m.f.* 분별력이 모자라는 사람.

cabezuelo *m. dim.* cabezo.

cabiái *m.* 《*Col.*》 =**capibara.**

cabiblanco *m.* 《*Col. Venez.*》 =**belduque.**

cabida *f.* ① 용량 ; 땅의 면적·평수 ; 스페이스. ② 세력, 얼굴 : tener ~ con (…에) 얼굴이 통

하다. ③【상업】 선복, 등록 톤수.
cabido, da *adj.* [caber의 *p.p.*]【고어】 잘 받은. —*m.* =**mojón, término.**
cabila *f.* 아프리카 원주민의 야만적 사회.
cabildada *f.* 불법적인 결의.
cabildante *m.* 《*Amér.*》 승려회 · 시참사회의 의원.
cabildear *intr.* ①(승려회 · 시의회 · 조합 등에서) 암약하다 ; 단체 선거에 참여하다. ② 《*Venez.*》 (목축이) 여기저기 떼지어 모이다.
cabildeo *m.* 암약, 이면 공작 ; 로비 활동 : La votación fue precedida por largos ~*s*.
cabildero *m.* 로비 활동가.
cabilderos *m.pl.* 로비.
cabildo *m.* [*lat.* capitulum] 승려회 ; 시의회 (ayuntamiento), 시 · 읍 · 면의 참의회 ; 선원 조합 ; 이러한 회의 · 회의실 ; 종교 행사 ; 주교의 선거 ; 노예의 모임.
cabileño, ña *adj.* 야만 사회의. —*m.f.* 야만인.
cabilla *f.*【선박】(밧줄을 얽어매 두는) 쇠못.
cabillero *m.* 밧줄을 얽어매 두는 곳의 통나무 · 금속판. Sinón. propoa.
cabillo *m.* (꽃이나 잎의) 자루(pezón).
cabima *f.*【식물】(아메리카의) 고추나무과 식물.
cabimiento *m.* =**cabida, entrada.**
cabina *f.* [*fr. cabine*] ① 작은 방, (침대차 · 여객기 등의) 캐빈 : ~ a presión 기밀실. ~ corrediza (주행 기중기 등의) 운전실. ② 조종실. ③ 전화실, (전화의) 박스 (~ de teléfono). ④ 영사실. ⑤ 탈의실.
cabinera *f.* 《*Col.*》 여객기의 스튜어디스(azafata de avión).
cabinero, ra *m.f.* (여객기의) 승무원.
cabio *m.* 문미(門楣) 《문설주 사이의 상부 위에 가로지른 돌 · 나무》 ; 서까래 연목.
cabizbajo, ja *adj.* 고개를 떨군, 풀이 죽은, 맥없는.
cabizcaído, da *adj.* =**cabizbajo.**
cabizmordido, da *adj.* 목이 무기력한.
cable *m.* [*lat.* capulus] ①(일반적으로) 굵은 밧줄(maroma gruesa) ; 돛줄 ; 케이블, 철사줄 : Hay ~*s* de cáñamo y de alambre 삼과 철사로 만든 밧줄이 있다. ② 길이의 단위 《120길》. ③ 해저 전선(~ submarino) ; 해저 전신(cablegrama) : por ~ 전신으로. ~ de alambre 케이블. ~ eléctrico 전선. ~ de submarino 해저 전선. poner un ~ (해외로) 전보를 치다. ④ 구조.
cablegrafiar *tr.* ⑪ 해저 전선으로 통신하다.
cablegráfico, ca *adj.* ① 전신 · 전보의 : dirección ~*ca* 전신 약호. oficina ~*ca* 전신국. ② 해저 전신의.
cablegrama *m.* 전보 ; 해저 전신.
cablero, ra *adj. m.* 해저 케이블(cables submarinos)을 설치하거나 수선하기 위해 만들어진 (배).
cabo *m.* [*lat.* caput] ① 끝, 가장자리(extremo). ② 종말, 말단(fin). ③(도구류의) 자루(mango). ④ 실, 끈 ; (배의) 강선(鋼線), 밧줄(cuerda) : ~ blanco 기름칠을 하지 않은 밧줄. ⑤(세관에서) 작은 포장물. ⑥ 갑(岬), 곶 : ~ de Buena Esperanza 희망봉. ⑦ 두목, 우두머리 ; 대장 ; 육군 하사(caudillo). ⑧ 장소(lugar, sitio, lado). ⑨ 연설 등에서 언급한 여러 지엽적인 사항. —*pl.* ① 의상의 부속품 · 소소한 물건 (구두 · 양말 · 넥타이 등). ② 말의 꼬리 · 갈기 · 다리 등 : yegua castaña con ~*s* negros 꼬리 · 코 · 다리 등이 검은 밤색털의 말. ~*s* negros 여자의 검은 머리 · 눈썹 · 눈동자.
~ ***de año*** 일년기(一年忌). ~ ***de cañón*** 포수(砲手). ~ ***de escuadra*** 반장. ~ ***de fila*** 행렬의 제일 오른편의 병사. ~ ***de labor*** 조범장(操帆長). ~ ***de maestranza*** 인부의 우두머리. ~ ***de mar*** 수부장(水夫長). ~ ***de ronda*** 경비 · 야경 반장.
~ ***suelto*** 예상 밖의 사정 ; 미해결점.
al ~ 끝내, 드디어.
al ~ ***de*** (…의) 마지막에 : *al* ~ *de* mis años 내가 말년에 가서.
atar ~***s*** 앞뒤를 맞추다.
dar ~ ***a*** (…을) 완성시키다.
dar ~ ***de*** (…을) 괴멸하다.
de ~ ***a*** ~, ***de*** ~ ***a rabo*** 처음부터 끝까지.
estar al ~ ***de, estar al*** ~ ***de la calle*** (…을) 알고 있다, 이해하고 있다.
llevar a ~ · ***al*** ~ 실행 · 완성 · 완료하다.
llevar hasta el ~ 집요하게 끝까지 하다.
no tener ~ ***ni cuerda*** 전혀 손을 댈 수 없다.
cab.° caballero.
caboclo *m.* 《*Col.*》 개간지에 들어간 사람.
cabomba *f.*【식물】수련과 식물.
cabortero, ra *adj.* 《*AmérM.*》 어려운, 불가능한 ; 길들이기 어려운 : yegua ~*ra* 길들이기 어려운 암말.
caboso *m.*【어류】=**gobio.**
cabotaje *m.* ① 연안 항해 · 무역 : gran ~ 지중해에서 아프리카 서해안 블랑꼬 곶까지의 연안 무역. ② 근해 항로.
cabra *f.* [*lat.* capra] ①【동물】산양, 암양. ② (옛날의) 투석기(投石機). ③ 《*Amér.*》 속임수 주사위. ④ 《*Chile.*》 이륜의 짐수레 ; 버팀나무. ⑤ 《*Amér.*》 교활한 방법(trampa). ⑥ 《*Arg.*》 뒤가 무른 투계. ⑦ [la C-]【천문】스바르별.
~ ***de almizcle*** 사향 노루.
cargar las ~***s*** (누구에게) 손해를 공동으로 부담하게 하다 ; 죄를 뒤집어씌우다.
La ~ ***siempre tira al monte***【속담】세 살 버릇 여든까지 간다.
cabracoja *f.* 《*Sant.*》 =**cornicabra, terebinto.**
cabracho *m.* =**escorpina.**
cabrada *f.* 양떼(rebaño de cabras).
cabrahigadura *f.* 암무화과 나무에 야생 무화과 나무를 접목.
cabrahigal *m.* =**cabrahigar.**
cabrahigar[1] *m.* 야생 무화과 밭.
cabrahigar[2] *tr.* 암무화과 나무에 야생 무화과 나무를 접목하다.
cabrahígo *m.* ①【식물】야생 무화과(higuera silvestre)나무. ② 야생 무화과 열매.
cabrahiguero, ra *adj.* (카나리아에서 나는) 무화과의.
cabrajo *m.*【동물】가재.
cabrear *tr.* 걱정시키다, 괴롭히다, 애먹이다 (molestar). —*intr.* ① 《*Chile.*》 펄쩍펄쩍 뛰다. ② 《*Perú.*》 (뒤쫓는 사람을) 따 돌리고 도망치다.

~**se** ① 걱정하다, 근심하다, 우려하다. ②《*Chile.*》지치다, 싫증내다.
cabreo *m.* 걱정, 괴로움.
cabrería *f.* ① 산양의 젖을 파는 상점. ② 산양의 우리.
cabreriza *f.* 산양의 우리 ; 산양 치는 여자.
cabrerizo, za *adj.* 산양의. —*m.f.* 산양 치기.
cabrero, ra *m.f.* 산양 치기 ; 산양 치기의 아내.
ponerse ~ 《*Arg.*》 몹시 화를 내다.
cabrestante *m.* 고패 《높은 곳에 기 따위를 달고 내리는데 줄을 걸치는 작은 바퀴나 고리》: Se levantan las anclas de los barcos por medio del ~고패로 배의 닻줄을 올린다.
cabrestear *intr.* 【속어】 =**cabestrear.**
cabresto *m.* 【방언】 =**cabestro.**
cabrete *m.* 《*Sant.*》 가난한 집 마루에 있는 안방.
cabretón *m.* 《*Sant.*》 질이 나쁜 판자.
cabreúva *m.* 《*Arg. Parag.*》 【식물】 콩과 식물.
cabria *f.* 기중기 ; 크레인.
cabriada *f.* 《*Arg. Urug.*》 =**armadura.**
cabrífolio *m.* 《*Gal.*》 =**madreselva.**
cabrilla *f.* [*dim.* cabra] 【어류】 보리새우 ; (다리 셋인) 나무 베는 틀, 세 갈래. —*pl.* ① 불을 오래 쬐어 생기는 반점. ② 일렁이는 파도.
Cabrillas *f.pl.* 【천문】 묘성(昴星), 좀생이, 육련성(六連星)(las Pléyades).
cabrillear *intr.* 하얀 물결이 일다 ; 반짝반짝 빛나다(rielar).
cabrilleo *m.* 하얀 파도의 일렁거림.
cabrillona *f.* 《*Arg. Urug.*》 새끼 산양.
cabrio *m.* 【건축】 서까래 ; 밤기둥.
cabrío, a *adj.* 산양의(de la cabra): ganado ~ 산양. macho ~ 씨 산양. —*m.* 산양 떼(rebaño de cabras).
cabriola *f.* 도약 ; 공중제비를 넘음(voltereta): dar ~*s.*
cabriolar *intr.* 껑충껑충 뛰다 ; 제비넘기를 하다(dar cabriolas).
cabriolé *m.* ① 인력거 형의 마차·자동차. ② 손을 낼 수 있는 망토. ③ 조교(弔橋)의 기중기.
cabriolear *intr.* =**cabriolar.**
cabrita *f.* (옛날의) 돌던지기용 기구.
cabritero, ra *m.f.* 산양 고기를 파는 푸줏간.
cabritilla *f.* 새끼 양·새끼 산양의 무두질한 가죽: guantes de ~.
cabrito *m.* ① 새끼 산양. ②《*Méx.*》 어린이다운 어린이. ③《*Perú.*》 모든 사람으로부터 놀림받는 사람. —*pl.* 《*Chile.*》 불에 볶은 옥수수.
a ~ 걸터앉아(a horcajadas).
cabrituno, na *adj.* 새끼 산양의.
cabro *m.* ① 【고어】 《*Amér.*》 수산양(cabrón). ②《*Chile.*》 어린이 ; 애인.
cabrón *m.* ① 수산양. ②《*AmérM.*》 아내에게 매음 행위를 시키는 남편 ; 뚜쟁이(rufián).
cabronada *f.* 굴욕을 감수하는 일.
cabronazo *m.* 《*Méx.*》 =**trancazo.**
cabronzuelo *m. dim.* cabrón.
cabruno, na *adj.* 산양의: ruda ~*na.*
cabruñar *tr.* (낫 등의) 날을 세우다(afilar).
cabuchón *m.* 부인용 모자에 다는 보석, (특히) 흑요석(黑曜石).
cabuja *f.* 【식물】 =**cabuya.**
cabujón *m.* =**cabuchón.**
cábula *f.* 《*Arg.*》 =**trampa.**
cabulear *intr.* 《*Arg.*》 =**armar cábulas.**
cabuleo *m.* 《*Perú.*》 교활함, 속임수, 책략.
cabulero *m.* 《*Amér.*》 교활한 사람, 속이는 사람.
caballería *f.* =**cabuyería.**
caburé *m.* 까부레 《남미산의 주먹 만한 크기의 맹금(猛金)》.
cabusa *f.* (모로코의) 엮은 갈대 오두막.
cabuya *f.* 【식물】 용설란(龍舌蘭)(pita); 그 섬유 ; 밧줄.
dar ~ 《*AmérM.*》 매다, 묶다(amarrar, atar).
ponerse en la ~ 통달하다(enterarse de un asunto).
cabuyera *f.* 햄목의 줄.
cabuyería *f.* [집합] 가느다란 줄.
caca *f.* ① 똥, (특히) 어린이의 똥. ② 부정·불결한 것(defecto, vicio). ③ [callar, ocultar, tapar, descubir 등의 직접 보어로서] 흠, 결함, 결점.
cacabear *intr.* 메추리가 울다.
cacaería *f.* 《*SDgo.*》 초콜릿 공장.
cacahual *m.* 코코아밭. **Sinón.** cacaotal.
cacahuatal *m.* =**cacahual.**
cacahuate *m.* = **cacahuete.** —*adj.* 《*Méx.*》 곰보 자국투성이의.
no valer un ~ 《*Méx.*》 아무 쓸모도 없다.
cacahuatero, ra *m.* 《*Méx.*》 (행상·노점의) 땅콩 장수.
cacahué *m.* =**cacahuete.**
cacahuero *m.* 《*Amér*》 코코아 재배자·상인.
cacahuete *m.* 【식물】 낙화생(maní).
cacahuetero, ra *m.f.* 낙화생 장수.
cacahuey *m.* = **cacahuete.**
cacalina *f.* 《*Méx.*》 쓸모없는 것.
cácalo *m.* 《*Méx.*》 엉터리.
cacalota *f.* 《*AmérC.*》 빚, 차금(借金), 부채(負債)(deuda).
cacalote *m.* ①《*AmérC. Méx.*》 튀긴 옥수수(rosetas de maíz). ②《*Méx. Cuba.*》 엉터리(absurdo, disparate). ③《*Méx.*》 【조류】 까마귀(cuervo).
cacana *adj.* =**calchaquí.**
cacao *m.* ① 【식물】 코코아 나무 ; 코코아 열매(【학술어】 teoboma) ; 코코아. ② 고대 멕시코 Aztecas 제국에서의 최저 통화(最低通貨).
no valer un ~ 아무런 가치도 없다.
pedir ~ 《*Amér.*》 동정·자비를 빌다.
tener ~ 《*Amér.*》 힘·돈이 있다.
cacaotal *m.* 코코아밭(cacahual).
cacaraña *f.* ① 곰보, 마마 자국. ②《*AmérC.*》 서툰 글씨.
cacarañado, da *adj.* 곰보 자국투성이의(picoso, hoyoso, lleno de cacarañas): rostro ~.
cacarañar *tr.* 【방언】 《*Méx.*》 벅벅 쥐어뜯다, 곰보로 만들다(arañar, pellizcar).
cacaraquear *intr.* 《*Amr.*》 =**cacarear.**
cacaré *m.* 《*Bol.*》 【조류】 까까레 《깃이 검고 사람이 보면 많이 우는 새》.
cacareador, ra *adj.* ① (닭이) 크게 우는: gallina ~*ra* 크게 우는 암탉. ② 허풍떠는.
—*m.f.* 허풍쟁이.
cacarear *intr.* (닭이) 크게 울다. —*tr.* 허풍떨며

남에게 말하다.

cacareo *m.* 닭의 큰 울음; 허풍을 떨며 소문내는 일.

cacarico, ca *adj.* 《*AmérC.*》 (손·발 등이) 곱은.

cacarizo, za *adj.* 《*Méx.*》 =**cacarañado.**

cacarro *m.* 《*Ál.*》 떡갈나무의 마디.

cacaruso, sa *adj.* 《*Col.*》 =**cacarañado.**

cacaste *m.* 《*AmérC. Méx.*》 =**cacaxtle.**

cacastle *m.* ① 《*AmérC. Méx.*》 (동물의) 해골(esqueleto). ② 《*AmérC. Méx.*》 등에 지는 광주리, 망태기.

cacastlero *m.* 《*AmérC. Méx.*》 cacastle로 물건을 나르는 토착인.

cacata *f.* (산또 도밍고의) 독거미의 일종.

cacatúa *f.* 【조류】 (오스트렐리아산의) 앵무새.

cacaxtle *m.* ① 《*Hond.*》 = **cacastle.** ② 《*Méx.*》 작은 사다리.

cacaxtlero *m.* 《*Méx.*》 =**cacastlero.**

cacea *f.* cacear 하는 일.

cacear *tr.* 나무 국자(cazo)로 젓다; (늘어뜨린 낚싯줄을) 움직이다.

cacera *f.* ① 관개 수로. ② 【방언】 수렵대.

cacereño, ña *adj. m.f.* 까세레스 《Cáceres, 서반아의 중부에 있는 주·도시》의 (사람).

cacería *f.* 수렵대; 사냥에서 잡은 것; 수렵.

cacerina *m.* 탄약합(彈藥盒)(canana).

cacerola *f.* (손잡이 달린) 냄비.

cacerolada *f.* 한 냄비(의 분량).

caceta *f.* 구멍 뚫린 국자.

cacha *f.* ① (나이프 등의) 자루·손잡이; 그 한 쪽. ② 한 쪽 뺨. ③ (죽은 토끼 등의) 반쪽. ④ 《*Bol.*》 나무 상자. ⑤ (투계에게 끼워 주는) 며느리발톱. ⑥ 《*Amér.*》 사기, 속임수(engaño). ⑦ 《*Amér.*》 남용. ⑧ 《*Col.*》 뿔(cuerno).
a medias ~s 《*Méx.*》 얼근히 취해.
hasta las ~s 극도로.
hacer ~ ① 《*Amér.*》 속이다. ② 《*Chile.*》 겁을 주다, 을러대다. ③ 《*Chile. Perú.*》 놀리다, 야유하다, 놀려주다, 조롱하다.

cachaciento, ta *adj.* 《*AmérM.*》 =**cachazudo.**

cachaco, ca *m.f.* ① 《*AmérM.*》 멋부리는 젊은이. ② 《*Perú.*》 순경(policía). ③ 《*Cuba.*》 서반아 사람. —*pl.* 《*Col.*》 (여자 머리칼을) 둥글게 말아 올린 머리.

cachada *f.* ① 《*Amér.*》 뿔로 찌르기. ② 《*Riopl.*》 우롱, 조소, 놀려줌, 야유, 놀리기(burla).

cachafaz, za *adj.* 《*Arg. Chile.*》 =**picaro, descarado.**

cachafo *m.* 《*Méx.*》 담배 꽁초.

cachagua *f.* 《*Méx.*》 =**albañal.**

cachalote *m.* 【동물】 향유고래.

cachamarín *f.* 돛대가 두 개인 작은 범선(quechemarín).

cachanlagua *f.* =**canchalagua.**

cachanlahua *f.* 【식물】 까찬라우아 《약용 식물》.

cachanlahuen *m.* 《*Chile.*》 【식물】 까찬라우엔 《약용 식물》.

cachano *m.* 악마(diablo).
llamar ~ 기대할 수 없는 일을 기대하다.

cachaña *f.* 《*Chile.*》 ① 【조류】 작은 앵무새의 일종. ② 우롱, 야유, 조소, 놀려주기 : hacer ~ 놀려주다. ③ 귀찮은 일; 서로 빼앗기.

cachañar *tr.* 《*Chile.*》 우롱하다.

cachañear *tr.* 《*Chile.*》 =**cachañar.**

cachapa *f.* 《*Venez.*》 옥수수빵.

cachapera *f.* 《*Vallad.*》 나뭇가지로 만든 오두막.

cachar *tr.* ① 빻다; (나무를) 세로로 빠개다·쪼개다. ② (논밭을) 갈다·이랑을 만들다. ③ 《*Amér.*》 야유하다, 놀리다, 놀려주다(burlar). ④ 사기치다, 속이다(engañar). ⑤ 얻다, 획득하다(conseguir). ⑥ 붙잡다, (현장에서) 덮치다·찾아내다(sorprender). ⑦ 제대로 찾아 내다 : *Caché* el tranvía 제대로 전차를 탈 수 있었다. *Cachó* la pelota 공을 제대로 받았다. ⑧ 도둑질하다, 훔치다(robar). ⑨ 뿔로 찌르다. ⑩ 간파하다, 꿰뚫어보다(penetrar).

cacharpa *f.* ① 《*León.*》 그릇, 용기. ② 《*Amér.*》 때때옷, 화려한 의상·마구. —*pl.* ① 제도구(諸道具), 잡동사니. ② 《*CRica.*》 크고 낡은 구두.

cacharpada *f.* 《*León.*》 [집합] 잡동사니.

cacharpari *m.* ① 《*AmérM.*》 송별회(送別會). ② 《*Perú.*》 송별 무도회·파티.

cacharpaya *f.* ① 《*Bol. Perú.*》 =**cacharpari.** ② 《*Arg. Bol.*》 카니발, 송별로 하는 파티.

cacharpearse *r.* 《*Chile.*》 나들이옷·외출복을 차려 입다.

cacharpero *m.* 《*Chile.*》 =**ropavejero.**

cacharrazo *m.* 《*Amér.*》 =**trago.**

cacharrear *tr.* 《*AmérC.*》 감옥에 가두다.

cacharrería *f.* 사기점.

cacharrero, ra *m.f.* ① 사기 그릇 장수. ② 《*Col.*》 =**buhonero.**

cacharro *m.* ① 사기 그릇; 그 부스러기. ② 《*AmérC.*》 감옥. ③ 《*Col.*》 싸구려 물건.

cachava *f.* 어린이 골프; 어린이 골프 클럽; 목동의 지팡이(cayado).

cachavazo *m.* 지팡이로 때리기.

cachaza *f.* ① 고요, 평온, 태평, 한가로움(lentitud); 냉정. ② 당밀주; 짜낸 사탕수수 즙의 거품.

cachazo *m.* 《*Amér.*》 =**cornada.**

cachazudo, da *adj.* 평온한, 한가로운, 태평스러운.

cache *adj.* 《*Arg. Urug.*》 옷맵시가 없는, 어울리지 않게 옷을 입은(chabacano).

cachear *tr.* ① (흉기를 소지했는 지를) 조사하다, 소지품·신체 검사를 하다. ② 《*Amér.*》 뿔로 찌르다(acornear).

cachelos *m.* (갈리시아의) 고기나 생선 조각과 감자 및 후추로 만든 요리.

cachemarín *m.* 돛대가 두 개인 작은 범선(quechemarín).

cachemir *m.* 캐시미어직(織)(casimir).

cachemira *f.* =**cachemir.**

cachencho *m.* 《*Chile.*》 호인.

cachené *m.* 《*Galic. Chile.*》 목도리, 스카프.

cacheo *m.* ① 소지품 검사. ② 《*SDgo.*》 야자로 빚은 술.

cachera *f.* ① 보푸라기가 일어나고 올이 촘촘하지 못한 천으로 만든 옷. ② 《*Bol.*》 =**cacha.** ③ 《*Guat.*》 매춘부, 매음부, 창녀, 갈보.

cachería *f.* ① 《*Amér.*》 소매점. ② 《*Arg.*》 칠칠한 옷매무새.

cachero, ra *adj.* ①《*Amér.*》허풍선이의 ; 졸라대는, 억지 쓰는. ②《*AmérC.*》부지런한. ③《*Perú.*》장난치는(burlón). —*m.f.* 허풍선이, 거짓말쟁이 ; 억지 부리는 사람.
cachet *m.*《*Galic.*》약품의 봉인표.
cacheta *f.* ①문고리, 걸쇠, 걸림쇠 (gacheta). ②(바르는) 풀.
cachetada *f.*《*Amér.*》=**bofetada.**
cachetazo *m.*《*Amér.*》=**bofetada.**
cachete *m.* ①손을 펴서 머리나 얼굴을 때리기. ②볼룩한 뺨, 탐스러운 볼. ③공짜를 좋아함. ④주먹. ⑤단검, 단도, 비수(puñal).
de ~ 거저, 무료로, 공짜로(gratis).
cachetear *tr.*《*Chile.*》주먹으로 때리다 (dar cachetes). —*intr.*《*Méx.*》(말이) 머리를 흔들다.
~se 《*Chile.*》잘 먹다.
cachetero *m.* ①단검, 비수, 단도. ②넘어진 소의 숨통을 끊는 투우사 ; 숨통을 끊어 놓는 일. ③《*Col.*》금화. ④《*Méx.*》좀도둑.
cachetero, ra *adj.*《*Venez.*》피우기 곤란한 (여송연). —*f.*《*Hond.*》=**carabina.**
cachetina *f.* 주먹 싸움.
cachetón, na *adj.* ①《*Amér.*》=**cachetudo.** ②《*Méx.*》뻔뻔스러운, 낯가죽이 두꺼운, 철면피의. ③《*Chile.*》거만한.
cachetudo, da *adj.* (볼의) 아래쪽이 볼룩한 : cuchillo ~.
cachi *m.*《*Arg. Bol.*》순경, 경관.
cachi- *pref.*「거의」를 뜻하는 접두어.
cachibajo, ja *adj.*《*Col.*》=**cabizbajo.**
cachicamo *m.*《*Amér.*》【동물】아르마딜료《다람쥐의 일종》(armadillo).
cachicán *m.* ①십장, 인부 감독, 공사판의 감독(capataz). ②간사한, 간교한. —*m.f.* 돼먹지 못한 사람, 교활한 사람.
cachicuerno, na *adj.* 뿔로 만든 손잡이가 달린 : navaja ~*na.*
cuchicha *f.*《*Hond.*》=**berrinche.**
cachidiablo *m.* ①무당(exorcista). ②주문을 외우는 사람 ; 도깨비의 가면을 쓴 사람.
cachiflín *m.*《*Hond.*》=**buscapiés.**
cachifo, fa *m. f.* ①《*AmérC. Col. Venez.*》어린이(niño, jovencito). ②《*Col. Ecuad.*》(학교의) 신입생(estudiante novel).
cachifoliar *tr.* ⑪【속어】=**cachifollar.**
cachifollar *tr.* 체면을 잃게 하다, 쑥스럽게 만들다, 망신을 주다 ; 조롱하다, 놀리다.
cachigordete, ta *adj. dim.* cachigordo.
cachigordo, da *adj.* 땅딸막한(pequeño y gordo).
cachilo *m.*《*Arg.*》【조류】후취류과의 새.
cachilla *f.*《*Chile.*》삶은 밀.
cachillada *f.* =**lechigada.**
cachimaco *m.*《*Venez.*》=**mulita.**
cachimán *m.*《*Arg.*》=**añona.**
cachimba *f.* ①낚시 광주리. ②(담배) 물부리, 파이프. ③《*Arg.*》깊지 않은 우물 ; 샘.
fregar ~《*Chile. Perú.*》괴롭히다, 난처하게 만들다(molestar).
cachimbazo *m.*《*AmérC.*》충격 ; 뺨 때리기 ; 두들겨 패기, 때리기 ; 꿀꺽 마시기.
cachimbo *m.* ①《*Amér.*》물부리, 파이프 (pipa) : chupar ~ 물부리를 빨다 ; 어린애가 손가락을 빨다. ②《*Cuba.*》큰 금속 그릇. ③《*Perú.*》흑인. ④《*Cuba.*》소규모의 설탕 공장. ⑤《*Perú.*》경비대 ; 악단원.
cachina *f.*《*Perú.*》(발효한) 포도즙(mosto de uva).
~ *blanca*《*Bol. Perú.*》견고한 명반(alumbre sólido).
cachingo *m.*《*Perú.*》서툰 악사.
cachinplín *m.*《*AmérC.*》=**cohete.**
cachiparejo, ja *adj.* =**imperturbable, descarado.**
cachipodar *tr.*【방언】전정(剪定)하다.
cachipolla *f.*【곤충】하루살이. Sinón. efímera.
cachiporra *f.* 경찰봉, 곤봉. Sinón. porra.
—*adj.*《*Chile.*》익살부리는, 자랑하는(farsante).
cachiporrazo *m.* cachiporra로 때리기.
cachiporrearse *r.*《*Chile.*》=**jactarse.**
cachiporro *m.* 가시가 있는 · 끝이 둥근 몽둥이.
—*adj.*【속어】볼이 볼록한(cariancho).
cachiri *m.*《*Venez.*》(인디오의) 발효 음료.
cachirla *f.*【조류】까치를라.
cachirre *m.*【동물】(남미의) 악어(caimán)의 일종.
cachirula *f.* (여자들이 사용하는) 뜨개질한 머리 수건 (mantilla de punto)《특히 종교 의식용》.
cachirulo *m.* ①술병. ②작은 돛배. ③【속어】애인. ④《*Méx.*》바지의 안감 대기.
cachivache *m.*【주로 *pl.*】①접시나 작은 사발 : ~*s* de la cocina. ②잡동사니 ; 너절한 물건 ; 폐인, 쓸모없는 인간.
cachivachería *f.*《*Perú.*》[집합] 잡동사니 ; 자질구레한 물건 · 싸구려 가게.
cachivachero, ra *m.f.*《*Perú.*》잡동사니 장사, 자질구레한 물건을 파는 사람.
cachiyuyo *m.*《*Arg.*》【식물】=**jume.**
cachizo *adj.* 굵은 (통나무 재목).
cacho, cha *adj.* 밑으로 향한(gacho). —*m.* ①조각, 쪼가리, 부스러기(pedazo). ②카드 놀이의 이름. ③노랑촉수《강에서 사는 고기의 일종》. ④《*Amér.*》뿔(cuerno) ; 뿔로 만든 그릇, 뿔로 만든 술잔. ⑤《*Amér.*》바나나의 두 송이. ⑥《*Chile.*》상품의 견본. ⑦《*Venez.*》놀림, 야유, 조롱.
echar ~《*Col.*》뛰어나다, 우세하다.
estar fuera de ~ 안전하다.
un ~ 약간.
cachón, na *adj.*《*Amér.*》뿔이 큰(cornudo).
—*m.pl.* 물가에 부서지는 파도 ; 몰려와 부서지는 물.
cachona *adj.* =**cachonda.**
cachondearse *r.*【속어】=**burlarse.**
cachondeo *m.* =**guasa.**
cachondez *f.* 성욕, 애욕.
cachondo, da *adj.* 색정에 빠진 ; 발정기의.
cachopín, na *m. f.* =**cachupín.**
cachopo *m.* 나무의 마른 원통.
cachorra *f.* 펠트 모자.
cachorrada *f.*《*Venez.*》퉁명스러움, 퉁명스런 대답.
cachorrear *tr.*《*Ecuad.*》농담으로 괴롭히다.
—*intr.*《*Perú.*》=**dormitar.**
cachorreñas *f.pl.* 야채 수프의 일종.

cachorrillo *m.* 소형 권총, 호주머니 권총. Sinón. pistolete.
cachorrito, ta *m.f.* [*dim.* cachorro] 강아지.
cachorro, rra *m.f.* 강아지; (맹수 등의) 새끼. —*m.* 소형 권총. —*adj.* ① 《*Amér.*》 고집 불통의 (terco). ② 심술궂은, 퉁명스러운, 막되먹은, 버릇이 없는.
cachote *m.* 《*Méx.*》 움, 땅속에 구덩이를 파고 물건을 간수하는 곳.
cachú *m.* =**cato.**
cachua *f.* =**cachúa.**
cachúa *f.* 《*AmérM.*》 까츄아 《안데스 산간 지방 원주민의 춤》.
cachuar *intr.* 15 cachúa를 추다.
cachuco *m.* 《*Méx.*》 위조 화폐(moneda falsa).
cachucha *f.* ① 작은 배, 보트. ② 모자의 이름. ③ 안달루시아의 춤; 그 곳의 가곡. ④ 《*Bol.*》 사탕수수로 빚은 소주. ⑤ 《*Perú.*》 손바닥으로 때리기(bofetada). ⑥ 《*Méx.*》 혼합주.
cachuchear *tr.* 【방언】 =**mimar, engreir.**
cachuchero *m.* cachucha 제조자·판매자.
cachucho *m.* ① 기름의 분량 《1/4 libra》. ② 탄약통. ③ 바늘겨레. ④ 보트. ⑤ 【은어】 황금, 금화. ⑥ 【어류】 (안띨랴스 제도의) 식용어.
cachudo, da *adj.* ① 《*Chile.*》 교활한, 간악한, 잔꾀가 많은(astuto, mañero). ② 《*Col.*》 부자의, 돈많은. ③ 《*Méx.*》 씁쓸한 표정의. —*m.* ① 《*Guat. Perú.*》 악마. ② 【조류】 《*Chile.*》 관조(冠鳥).
cachuela *f.* ① 토끼 고기로 만든 잡탕 요리. ② 새의 밥통. ③ 《*Bol. Perú.*》 폭포, 분류 (rápido).
cachuelo[1] *m.* ① 【어류】 가시지느러미과 물고기. ② 《*Perú.*》 팁(propina).
cachuelo[2] *m.* 《*Murc.*》 =**gayola.**
cachulera *f.* 《*Murc.*》 =**cueva.**
cachumba *f.* 까춤바 《필리핀의 식물 이름》.
cachumbo *m.* ① (야자 열매 등의) 딱딱한 껍질. ② 《*Col.*》 말린 머리털.
cachunde *f.* =**cachú.**
cachupín, na *m.f.* ① 중남미에서 정주하는 서반아 사람. ② 손을 못쓰게 하는 광인의 옷.
cachupinada *f.* 촌사람의 파티·모임.
cachureco, ca *adj. m.f.* ① 《*Guat. Hond.*》 보수주의 사상을 가진 (사람), 보수주의의 (사람), 믿음이 강한. ② 《*Méx.*》 형태가 이지러진, 꼴사나운, 보기에 흉칙한(torcido, deforme, chueco).
cachureo *m.* 《*Chile.*》 (도둑 물건의) 부정 거래.
cachurra *f.* ① 《*Sant.*》 cachava 비슷한 놀이. ② 《*Cuba.*》 =**casuca.**
cacica *f.* 여추장; 추장의 아내; 여자 두목; 지방 호족(豪族)의 아내.
cacicato *m.* =**cacicazgo.**
cacicazgo *m.* 추장의 지위·영지; 지방 호족의 세력.
cacicuto *m.* 《*Cuba.*》 =**bija.**
cacillo *m.* 작은 나무 국자.
cacimba *f.* (해변의) 샘; 통, 물통.
caciplas *m.* 《*Ast. León.*》 =**caciplero.**
caciplero, ra *adj.* 《*Ast. León.*》 공연히 참견하는 (사람).
cacique *m.* ① 추장; 두목, 보스, 왕초; (서반아 지방의) 호족; 토후. ② 《*Arg.*》 【조류】 (Corrientes, Chaco, Misiones 및 Formosa의 꼬리는 붉고 검은 색의) boyero 비슷한 새. Sinón. chorcha, tocho, tojo, chicao.
caciquear *intr.* ① (두목으로서) 세력을 떨치다. ② 멋대로 지휘하다·행세하다.
caciquesco, ca *adj.* cacique의.
caciquil *adj.* 추장의; 보스적인, 지방 호족의.
caciquismo *m.* 추장 정치; 보스 정치; 지방 호족의 세력.
cacito *m.* 《*Cuba.*》 금속 항아리·통·그릇.
caciz *m.* ① 마호메트의 법률 박사. ② (페르시아에서) 기독교 사제.
cacle *m.* ① 《*Méx.*》 가죽 샌들. ② 《*Cuba.*》 = **chancleta.**
caco *m.* ① 소매치기(carterista, ratero). ② 대가 약한 사람. ③ 《*Cuba. Guat.*》 icaco의 열매.
cacodilato *m.* 【화학】 메틸화 비소산염.
cacodílico, ca *adj.* 【화학】 비소 유기산의.
cacodilo *m.* 【화학】 메틸화 비소.
cacofonía *f.* ① 동음(同音)의 중복. Contr. eufonía. ② 불협화음. Contr. armonía.
cacofónico, ca *adj.* ① 불협화음(不協和音)의 : música ~*ca.* Contr. armónico. ② 동음 중복의, 말소리가 고르지 못한; 귀에 거슬리는.
cacografía *f.* 오자(誤字). Contr. ortografía.
cacología *f.* = **solecismo.**
cacológico, ca *adj.* cacología의.
cacomiscle *m.* 《*Méx.*》 【동물】 =**basáride.**
cacomite *m.* (멕시코산) 백합류 《구근(球根)은 식용으로 쓰임》.
cacomixtle *m.* 《*Méx.*》 【동물】 =**basáride.**
cacomiztle *m.* 【동물】 =**basáride.**
cacoquimia *f.* 악액질(惡液質); 소화 불량; 괴혈병.
cacoquímico, ca *adj.* 악액질의. —*m.f.* 소화 불량 환자; 괴혈 환자.
cacoquimio, mia *m.f.* 약골, 약질.
cacorro *m.* 《*Col.*》 =**marica.**
cacosmia *f.* 뇌염에서 올 수 있는 나쁜 냄새.
cacreco, ca *adj.* 《*AmérC.*》 =**enclenque.**
cactáceo, a *adj.* 【식물】 선인장과의. —*f.pl.* 선인장과 식물.
cácteo, a *adj.* =**cactáceo.**
cacto *m.* 【식물】 선인장.
cactus *m.* [*gr.* kaktos] 【식물】 =**cacto.**
cacuí *m.* 《*Arg.*》 =**cacuy.**
cacuja *m.* 《*Cuba.*》 우유로 만든 크림.
caculear *intr.* 《*PRico.*》 =**mariposear.**
caculo *m.* 《*PRico.*》 유독성 풍뎅이.
cacumen *m.* 예민함, 날카로움(agudeza); 간악함.
cacunda *f.* 《*Arg. Urug.*》 새우등; 새우등처럼 등이 굽은 사람.
cacuy *m.* 《*Arg.*》 【조류】 까꾸이 《구슬피 우는 밤새》.
CAD Comité de Acción Cultural.
cada[1] *adj.* 【단·복수 동형】 각각 (하나)의, 저마다, 각(各)… : ~ tres días 3일에 한번. ~ día 나날이 [*N.* todos los días 매일]. Melva va ~ semana 멜바는 주마다 간다.
~ ***cual,*** ~ ***uno*** 각자, 저마다 : *Cada cual* acude por su parte 각자가 저마다의 방향에서 온다.
~ ***vez más*** 점점 : Los romanos eran ~ *vez*

más débiles 로마 사람들은 점점 약해졌다.
~ *vez que* …할 때마다, …할 때는 언제나 : Me pide dinero ~ *vez que* viene 그는 올 적마다 나에게 돈을 요구한다.
~ *y cuando que* …하면 언제나(siempre que).
a ~ *momento* 끊임없이.

cada² *m.* =**enebro.**

cadahalso *m.* 판잣집.

cadalecho *m.* 나무의 가지를 엮어서 만든 침대(cama de ramas).

cadalso *m.* (본래는) 식단(式壇) ; 교수대, 처형대.

cadañego, ga *adj.* 매년 열매가 열리는.

cadañero, ra *adj.* 1년이 걸리는 ; 1년마다의 ; 해마다의(anual) ; 해마다 태어나는·새끼를 낳는 ; 해마다 갱신되는.

cadarzo *m.* ① 올이 툭툭한 비단(atanquia). ② 툭툭한 비단으로 만든 리본.

cadáver *m.* 시체, 송장(cuerpo muerto).

cadavérico, ca *adj.* ① 시체의, 시체같은 : rigidez ~*ca* 시체의·같은 경직(성). ② 시체처럼 창백한(pálido como un cadáver).

cadaverina *f.* =**tomaína.**

cadaveroso, sa *adj.* [*desp.* cadavérico] 시체로 가득 찬.

caddie *m. ing.* 【골프】 캐디 《골프백을 메고 시중드는 사람》.

caddy *m. ing.* =**caddie.** [*N. pl.* caddies].

cade *m.* 【식물】 =**enebro, cada.**

cadejo *m.* ① 머리카락의 얽힘 ; 감은 실. ② 《*Amér.*》 갈기. ③ 《*AmérC.*》 뿔이 달린 괴수.

cadena *f.* [*lat.* catena] ① 쇠사슬, 사슬 줄 : ~ de reloj 회중 시계의 줄. ② (자전거 등의) 체인, (축구의) 체인. ③ 일련, 연속 : ~ de montañas 산계(山系). ④ 【화학】 연쇄 : reacción en ~ 연쇄 반응. ⑤ 연쇄 경영 : ~ de emisoras de radio·televisión 방송국망. ~ de establecimientos 연쇄점. ~ de hoteles 제휴·체인 호텔. ⑥ (라디오의 제일·제이의) 방송 ; (텔레비전의) 채널 : el matinal de la segunda ~ 제이 채널의 주간부. ⑦ 오랏줄, 포승, 속박 ; 죄수를 호박 넝쿨처럼 묶은 모양. ⑧ (항구 등의) 방재(防材). ⑨ 【건축】 부벽(扶壁).
~ *perpetua* 종신형.
en ~ 연쇄식의·으로 ; 연속적의·으로 : choque *en* ~ 연쇄 충돌. trabajo *en* ~ 컨베이어 시스템.
romper sus ~*s* 자유를 쟁취하다.

cadencia *f.* ① (정연한) 리듬 ; 율동 ; (시의) 운율 ; (음성의) 억양 : ~ uniforme 무억양, 경읽기. ② 보조. ③ 【음악】 (악장·악구 등의) 종지(終止) : ~ imperfecta 불완전 종지. ④ 【음악】 카덴짜 《음악 피날레의 장식적인 처리》.

cadenciosamente *adv.* 율동적으로 ; 조화를 이루어.

cadencioso, sa *adj.* ① 곡조가 조화된 : voz ~*sa* 조화된 소리. ② 율동적인 : andar ~ 율동적으로 걷다.

cadenear *tr.* 땅을 cadena로 재다.

cadenero, ra *m.f.* ① (토지 측량에서) 줄치는 인부, 측량사(cadena). ② 《*Arg. Urug.*》 차를 끄는 보조의 우마.

cadeneta *f.* ① (편물이나 자수에서) 쇠사슬 모양 : bordar a punto de ~. ② 책의 표지의 자수.

cadenilla *f. dim.* cadena.

cadente *adj.* ① 쓰러져 가는. ② 조화가 이루어진(cadencioso).

cadera *f.* 〔주로 *pl.*〕 허리, 힙. —*pl.* =**caderillas.**

cadereta *f.* =**órgano pequeño.**

caderillas *f.* (스커트 자락을 넓히기 위해 주로 고래의 뼈를 넣은) 허리 받침.

caderudo, da *adj.* 허리가 굵은.

cadetada *f.* =**ligereza.**
hacer una ~ 소견머리없이 굴다.

cadete *m.* ① 견습 사관 ; 사관 후보생, 사관 학생(alumno de una academia militar). ② 《*Amér.*》 점원 견습.
hacer el ~ 소견머리없이 굴다.

cadi *m.* 【식물】 까디 《에꾸아도르의 야자나무의 일종》.

cadí *m.* (회교 국가의) 민사 법관(juez civil).

cadiazgo *m.* cadí의 직.

cadillar *m.* cadillo 밭.

cadillo *m.* ① 【식물】 도꼬마리 비슷한 파슬리. ② 【방언】 강아지. ③ 《*Amér.*》 (도꼬마리 등의) 옷에 붙는 풀의 열매.

Cádiz 【지명】 까디스 《서반아의 안달루시아 지방에 있는 주·항구 도시》.

cadmia *f.* 【화학】 산화 아연.

cadmiado *m.* cadmio 전기 치료.

cadmiar *tr.* cadmio 전해조로 덮다.

cadmio *m.* 카드늄 《원소》.

Cadmo *m.* 【희랍 전설】 용을 퇴치하고 Tebas 도시를 건설하여, 페니키아 문자를 그리스에 도입시켰다는 페니키아의 용사.

cado *m.* 《*Ar.*》 =**madriguera.**

cadoce *m.* =**gobio.**

cadoso *m.* 소용돌이치는 깊은 못.

cadozo *m.* =**cadoso.**

caducamente *adv.* 허망하게, 덧없이, 약하게, 맥없이, 쇠진하여, 힘없이(débilmente).

caducante *adj.* 노쇠한, 늙은 ; 효력을 잃은.

caducar *intr.* 7 ① 노쇠하다, 늙다(chochear). ② (법률 등이) 효력을 잃다 : ~ el tratado. ③ (권리가) 소멸되다, (기한이) 끝나다 : cheque *caducado* 실효 수표. ④ 소용없게 되다 ; 무용지물이 되다.

caduceo *m.* [*lat.* caduceum] 신의 사도 Mercurio의 지팡이 《올리브 나무를 두 마리의 날개 가진 뱀이 칭칭 감고 있는 것 ; 화해·상업의 상징》.

cadúceo *m.* =**caduceo.**

caducidad *f.* (법령·권리 등의) 실효 ; 소멸 ; 노쇠, 쇠진.

caducifolio, lia *adj.* 【식물】 조락성(早落性)의, (꽃 따위가) 쉬 지는.

caduco, ca *adj.* [*lat.* caducus] ① 노쇠한 ; 덧없는, 허망한(perecedero). ② 【식물】 매년 잎이 떨어지는, 낙엽성의.

caduquear *intr.* =**caducar.**

caduquez *f.* 노쇠, 늙으막(edad caduca).

C.A.E. Cóbrase al entregar.

caecias *m.* (지중해의 유럽 분지에서) 북동풍(viento del nordeste).

caedizo, za *adj.* 떨어지기 쉬운, 자빠지기 쉬

운, 넘어질 듯한, 쓰러지기 쉬운. —*m.* 《*Amér.*》 천막, 차일.

caedura *f.* 솜 부스러기, (일반적으로 떨어진) 보푸라기, 떨어져 나온 부스러기.

caer *intr.* 73 [*lat.* cadere] ① 떨어지다, 쓰러지다, 넘어지다, 자빠지다 : ~ de cabeza 머리를 박고 떨어지다. ~ de espaldas 벌렁 나가 자빠지다. ~ del caballo 말에서 떨어지다. El avión *cayó* en el mar 비행기가 바다에 떨어졌다.

② 무너지다, 붕괴되다 : ~ un gobierno 내각이 붕괴되다.

③ 빠지다, 뽑혀 버리다, 빠져 버리다, 탈락되다 : ~(*se*) los dientes 이가 빠지다.

④ 떨어지기 시작하다, 늘어지기 시작하다 : La cabellera *cae* sobre los hombros 머리카락이 어깨까지 늘어져 있다.

⑤ (그물·함정·농간 등에) 걸려 들다, 빠지다 : ~ en la red 그물에 걸리다. ~ en emboscada 복병에게 걸려 들다.

⑥ (위험이나 과오에) 빠지다.

⑦ (병에) 걸리게 되다 : *Cayó* gravemente enfermo 몹쓸 병에 걸렸다.

⑧ 이해가 가다, 알게 되다 : Ya *caigo* 이제 알았다. ~ en la cuenta 알아 채다 ; 양해하다 (advertir).

⑨ 쇠약해지다, 쇠퇴·감퇴하다 (debilitarse) ; 몰락하다 ; 약해지다 : *Cae* el viento 바람이 자다.

⑩ (기한이) 되다, 차다, 다하다 : *Cayó* el plazo 기한이 마감됐다.

⑪ (운·직장·일이) 들어맞다(tocar) ; 해당되다 : La fiesta *cae en* domingo 축제일은 일요일에 해당된다. La boda *caerá por* San Juan 결혼식은 산·후안 무렵이 될 것이다.

⑫ (어떤 방향에) 해당되다, 향하고 있다 : La tienda *cae* a la derecha, en la calle, hacia el norte 가게는 오른쪽 한길에 면한 북향이다.

⑬ 해당되다, 포함되어 있다 : ~ en el artículo 25 제25조에 해당되다. ~ bajo la denominación 그 명칭 하에 포괄되어 있다.

⑭ [+bien, mal] 맞다, 어울리다 ; 알맞다(venir, sentar) : El peinado le *cae* bien 그 머리 스타일은 당신에게 잘 어울린다. La comida no me *cae* bien 음식이 내게 맞지 않는다.

⑮ 죽다, 쓰러지다(morir, fallecer, dejar de vivir).

⑯ (일이) 벌어지다(sobrevenir).

⑰ (해가) 지다(ponerse), (el día나 la tarde가) 지다 : al ~ el día 해거름에.

⑱ [+sobre : ~을] 덮치다, 습격하다 : *Cayeron sobre* la ciudad 도시를 습격했다.

⑲ 《*Arg. Urug.*》 오다.

⑳ 《*Chile.*》 (과일이) 주렁주렁 열리다.

—*tr.* 【속어】 ① 떨어뜨리다 : Lo *caí* 나는 그것을 떨어뜨렸다(Lo *dejé caer*). ② 《*Méx.*》 찾아내다(sorprender).

~se ① 떨어지다, 자빠지다 ; 탈락하다 : Por poco *me caí* 나는 하마터면 넘어질 뻔했다. *Se* me *cayó* un diente 나는 이가 하나 빠졌다. ② 전락하다 ; 슬픔에 젖다.

~*se muerto de* [risa, susto, miedo 등 앞에서] 자지러지게 웃다·질려 버리다·쥐구멍을 찾다.

dejar ~ 떨어뜨리다 : *Dejé* ~ el libro que tenía 손에 들었던 책을 떨어뜨렸다. Lo *dejé* ~ 나는 그것을 떨어뜨렸다.

estar al ~ 금새라도 일어날·있을 것같다.

cayendo y levantando 떠올랐다 가라앉았다 하여.

[직설법 현재 1인칭 단수 : caigo. 접속법 현재 : caiga, caigas, caiga, caigamos, caigáis, caigan. 직설법 부정과거 : caí, caíste, cayó, caímos, caísteis, cayeron. 접속법 불완료과거 : cayera, … ; cayese, …. 현재 분사 : cayendo. 과거 분사 : caído].

CAES Comité Asesor Económico Social del Acuerdo de Cartagena.

CAF Corporación Andina de Fomento 안데스 개발 공사.

caf. costo y flete 운임 포함 가격.

CAFADE Comisión Nacional de Administración del Fondo de Apoyo al Desarrollo Económico 《*Arg.*》 경제 개발 원조 자금 위원회.

café *m.* [*pl.* cafés] [*fr.* café ; *turco.* cahvé] ① 커피나무(cafeto). ② 커피씨(semilla del cafeto). ③ (제품·음료수로서의) 커피 : una taza de ~ negro 우유는 빼고 커피 한 잔만. ④ 커피숍, 카페 : ~ cantante 나이트 클럽. ~ concierto 캬바레. ⑤ 《*Arg. Chile, Urug.*》 질책, 나무람, 꾸중(reprimenda) : dar ~ 꾸중하다, 나무라다, 질책하다(reprender). —*adj.* 커피색의 : cinta ~ 커피색 리본.

cafeína *f.* 【화학】 카페인, 커피 소(素).

cafeísmo *m.* 커피 중독.

cafería *f.* =**aldea, cortijo.**

cafetal *m.* 커피 재배원.

cafetalero, ra *adj.* 커피 재배원의. —*m.f.* 《*AmérC. Perú.*》 커피 재배원 주인.

cafetalista *m.f.* 《*Cuba. PRico.*》 커피 재배원 주인.

cafetán *m.* 안감을 댄 망토의 일종.

cafetear *intr.* ① 커피를 자주 마시다(tomar café con frecuencia). ② 커피를 습관으로 마시다 (tomar café por costumbre). —*tr.* ① 《*Arg. Urug.*》 나무라다, 꾸중하다(reprender). ② 《*Panamá.*》 죽이다(matar).

cafetera *f.* 커피 주전자 : ~ exprés 탁상 커피 끓이는 기구. ~ eléctrica 커피 끓이는 전기 기구.

cafetería *f.* 카페테리아, 셀프서비스의 간이 식당, 커피숍, 다방 ; 커피 소매점.

cafetero, ra *adj.* 커피의. —*m.f.* 커피 농장의 일꾼 ; 커피 상인 ; 커피숍 주인, 카페 주인.

cafetín *m.* [*dim.* café] 작은 커피 숍·카페.

cafeto *m.* 【식물】 커피나무.

cafetucho *m.* [*desp.* café] 질이 낮은 카페·커피.

caficultor, ra *m.f.* 커피 재배자, 커피 농장주.

caficultura *f.* 커피 재배(업).

cáfila *f.* 많음 : una ~ de 무수한.

cafiroleta *f.* 《*Cuba.*》 고구마(batata)·야자(coco)와 설탕(azúcar) 과자.

cafre *adj.* ① (남아프리카의) 카프레리아(Cafrería)의. ② 야만의, 잔인한(bárbaro, cruel). ③ 난폭한. —*m.f.* 카프레리아 사람 ; 야만인.

caftán *m.* 까프딴 《터키인이나 아라비아인의 수

놓은 옷》.
caftén *m.* 《*Arg.*》 =**rufian.**
cafúa *f.* 《*Arg.*》【은어】 감옥.
cafuche *m.* ①《*Col.*》 사이노(saíno) 《멧돼지류》. ② 커피의 종류 이름. ③ 담배의 일종.
cagaaceite *m.*【조류】 연작(連雀).
cagachín *m.* ①【곤충】 등에모기. ②【조류】 작은 비파.
cagada *f.* ①【속어】 대변, 똥(excremento). ② 잘못, 실패.
cagadero *m.* 변소, 변기.
cagado, da *adj.* =**apocado, cobarde.**
cagafierro *m.*【광물】 광재(鑛滓)(escoria de hierro).
cagajón *m.* 말 똥.
cagalaolla *m.* =**máscara, botarga.**
cagalera *f.*【속어】 설사.
cagaluta *f.* =**cagarruta.**
cagamuja *f.*【식물】 =**tártago.**
cagancia *f.* =**cagalera, correncia.**
cagandando *m.* =**cagueta.**
caganido(s) *m.* ① 마지막 낳은 새. ② 막내둥이. ③ 병약한 사람.
cagar *intr.* 8 똥을 싸다. —*tr.* (누구에게) 똥을 뉘다 ; 더럽히다(manchar) ; 못쓰게 만들다, 망가뜨리다.
~se 똥을 누다, 대변을 보다(exonerar el vientre).
cagarrache *m.* ① 올리브의 씨앗 씻기. ②【조류】 연작.
cagarria *f.*【식물】 들싸리버섯. **Sinón.** morrilla, colmenilla.
cagarropa *m.*【곤충】 각다귀.
cagarruta *f.* ① (양·사슴·토끼 등의) 똥. ② 《*Arg.*》 무기력한 사람.
cagarrutada *f.* [집합] =**cagarrutas.**
cagatinta(s) *m.* 사무원, 하급 관리, 말단 공무원(oficinista).
cagatorio *m.* =**cagadero.**
cagón, na *adj. m.f.* 똥싸개 ; 뭉개는 사람 ; 무기력한 (사람).
caguama *f.* 《*Cuba.*》【동물】 까구아마 자라 ; 까구아마 자라의 껍데기.
caguanete *f.* 《*Cuba.*》 (솜 등의) 털, 솜털.
caguará *m.* 《*Cuba.*》 둥근 조개.
caguaré *m.* (América의) 개미핥기(oso hormiguero)의 일종.
caguayo *m.* 《*Cuba.*》 =**iguana.**
cague *m.*【조류】 (남미 남단 부근의) 바다 오리.
cagueta *f.* 《*And. Col.*》 설사(diarrea).
cagüil *m.* =**cáhuil.**
cagüinga *f.* 《*Col.*》 =**mecedor.**
cahiz *m.* 곡식량의 단위《지방에 따라 다름》.
cahíz *m.* =**cahiz.**
cahizada *m.* un cahiz의 씨앗을 뿌릴 수 있는 땅의 면적.
cáhuil *m.*【조류】 (칠레산) 갈매기.
cahuín *m.* 《*Chile.*》 음주 대회.
caí[1] *m.* 《*Amér.*》【동물】 (남미산) 작은 원숭이의 일종.
caí[2] caer의 직·부정과거·1·단수.
caíble *adj.* 떨어질 듯한, 곧잘 떨어지는.
caico *m.* 《*Cuba.*》 암초.
caíco *m.* (바위섬을 이루는) 암초.
caíd *m.* (회교국의 옛날) 판관.
caída *f.* ① 낙하 : ~ pluvial 강우량. ~ radiactiva 방사능재의 낙하. La ~ de una manzana reveló a Newton el sistema del universo 사과의 낙하를 보고 뉴톤은 만유 인력의 법칙을 발표했다. ② 하강(descenso) ; 하락, 급락 : ~ de los precios 폭락. ~ fuerte 급락. ③ 떨어뜨림, 내리는 일 : la ~ de los ojos 내리깐 눈. ④ 전락, 함락, 붕괴, 도괴, 몰락(ruina) : La ~ del imperio napoleónico fue un alivio para Europa 나폴레옹 제국의 몰락은 유럽에는 한숨 돌리는 일이 되었다. ⑤ 경사(declive). ⑥ (지층 등이) 내려 앉음. ⑦ 걸이 (커튼·벽걸이 등), 이것을 늘어뜨리는 일. ⑧ 실패(fracaso) : ~ de un drama. ⑨ 타락. ⑩【은어】 창피를 주는 일(afrenta). ⑪ 매춘, 그 수입. —*pl.* 적절한 문구, 경구(警句) ; 빠진 머리카락 ; (소맷부리 등의) 접어 올린 부분.

~ de agua 폭포(catarata).
a la ~ de la tarde 오후 늦게.
a la ~ del sol 석양에, 해거름에.
caído, da *adj.* [caer의 *p.p.*] ① 떨어진 ; 쓰러진 ; 맥이 풀린 ; 기운이 빠진. ② 기한이 다된 : cheque ~ 기한 경과 수표. —*m.f.* 전사자 : el Valle de los *Caídos* 전사자의 계곡《마드리드 근교에 있는 시민 전쟁(1936—39) 때 희생된 무명 용사의 위령탑과 성당이 있는 곳》. —*m.pl.* ① 글쓰기용 사선괘. ②【상업】 미불, 체납, 연체금, 미불금.
caifás *m.*【속어】 몰인정함, 냉혹한 마음씨.
caiga caer의 접·현·1·3·단수.
caigáis caer의 접·현·2·복수.
caigamos caer의 접·현·1·복수.
caigan caer의 접·현·3·복수.
caigas caer의 접·현·2·단수.
caigo caer의 직·현·1·단수.
caigua[1] *f.*【식물】 까이구와 오이《페루산》; 그 열매에 다진 고기를 넣은 식품.
caigua[2] *adj. m.f.* 까이구와 원주민(의) 《빠라구이, 우루구아이의 산간 지방의 원주민》.
caima *adj.* 《*AmérM.*》 얼뜬 ; 싱거운, 잔재미가 없는.
caimacán *m.* (터키의) 부총독.
caimán *m.* ①【동물】 까이만, 아메리카의 악어 : El ~ alcanza hasta seis metros de largo 까이만은 길이가 육미터까지 이른다. ② 음흉스러운 사람. ③《*Col.*》 욕심꾸러기. ④《*Méx*》 대형 드라이버.
caimanera *f.* 《*Cuba.*》 악어가 모이는 곳.
caimaneso *m.* 《*Col.*》 대리인.
caimiento *m.* 낙하 ; 쇠약 ; 낙담.
caimital *m.* 난과수(卵果樹)밭.
caimitero *m.*【식물】 =**caimito.**
caimito *m.*【식물】 난과수 ; 그 열매.
Caín *m.*【성서】 카인《Adán과 Eva의 아들, 동생 Abel을 죽였음》.
pasar las de ~ 모진 고생을 하다, 온갖 고난을 다 겪다(padecer mucho).
caingán *adj. m.f.* (Brasil의 남부 지방의) 토착민(의).
caingang *adj. m.f.* =**caingán.**
caingúa *adj. m.f.* (Argentina의 Misiones 주에

서 살았던) 뚜삐구아라니족에 속하는 토착 종족의 (사람).

cainita *adj.* Caín같은; 형제를 죽인; 무자비한, 잔인한.

caipón *m.* (산또 도밍고의) 선박 건조용 질이 우수한 목재.

caique *m.* (지중해 연안 지방의) 가벼운 배의 일종.

caire *m.* 【은어】 돈, 쇠푼.

cairel *m.* 머리털; 어여머리; (옷의) 술기 꾸밈. —*pl.* 장식.

cairelar *m.* (옷의) 깃장식을 달다.

cairelota *f.* 【은어】 얼룩 무늬 셔츠.

cairino, na *adj. m.f.* =**cairota.**

cairorar *tr.* 어여머리로 장식하다(guarnecer con caireles).

cairo *m.* 《*Cuba.*》 =**torcida de algodón.**

Cairo (El) *m.* 【지명】 카이로《Egipto의 수도》.

cairota *adj. m.f.* 카이로《El Cairo, Egipto의 수도》의 (사람).

caita *adj. m.f.* ①《*Chile.*》 용감한(bravo), 야만의, 미개한(salvaje). ②《*Chile.*》 붙임성·사교성이 별로 없는(poco sociable). —*m.* (수확기에) 고향에 가는 사람, 귀향자.

caite *m.* 《*AmérC.*》 조잡한 샌들.

caito *m.* 《*Bol.*》 거친 털실.

caja *f.* ① 상자: ~ de cartón 마분지·판지 상자. ~ de socorro 구급함. ② (나무·종이 상자, 광주리, 새장 등의) 용기(容器). ③ 상자 모양으로 된 것: ~ de música. ④ (시계·도르레 등의) 안쪽, (저울의) 지침함(指針函), (차량의) 차체; 총신; 박스: ~ de engranajes 기어 박스. ⑤ 상자 모양의 테. ⑥ (바이올린·기타 등의) 몸통, 공명 상자; 북(tambor): ~ clara 작은 북. ⑦ 관, 널(ataúd): preparar la ~ a un muerto 죽은 사람의 관을 준비하다. ⑧ 금고(~ fuerte, ~ de caudales): ~ de alquiler 대여 금고. ~ registradora 금전 출납기, 현금 출납 등록기. ⑨ [추상적] 금고, 자금, 현금: cantidad en ~ 소지한 현금. libro de ~ 현금 출납부. ⑩ 출납과, 회계부: Favor de pagar en la ~ 회계에서 지불해 주십시오. ⑪ [때로는 *pl.*] 은행, 예금국: ~ de ahorros 저축 은행. Sírvanse abrir en sus ~*s* un crédito 귀편에서 신용장을 개설하여 주십시오. ⑫ 징병소 (~ de reclutamiento), 병영. ⑬ 집배 우체국. ⑭ 【인쇄】 활자 상자. ⑮ 【목공】 장부《이쪽 끝을 저쪽 구멍에 맞추고자 끝을 가늘게 한 부분》: ~ y espiga 장부와 장붓구멍. ⑯《*Bol. Chile.*》 빈광층(貧鑛層)(salbanda). ⑰《*Chile.*》 하상(河床)(lecho).

~ ***del cuerpo*** 흉부, 흉곽(tórax).

a la ~ 《*Cuba.*》 제대로, 꼭 들어맞게.

en ~ 정상으로: entrar *en* ~ 정상으로 돌아가다. Tiene el pulso *en* ~ 맥박은 정상이다.

despedir·echar con ~***s destempladas*** 화내어 쫓아내다.

cajamarquino, na *adj. m.f.* 까하마르까《Cajamarca, Perú에 있는 주·도시》의 (사람).

cajear *tr.* ① (목재에) 구멍을 파다(abrir cajas en la madera). ②《*AmérC.*》 찰싹찰싹 때리다.

cajera *f.* 【해사】 밧줄을 통하게 하는 구멍.

cajería *f.* 상자 가게(tienda de cajas).

cajero, ra *m.f.* ① 상자 만드는 직공·사람. ② 현금 출납 담당자, 회계 담당자, 회계 과원: ~ cobrador 수납 담당자. ~ pagador 지출 담당자.

cajeta *f.* [*dim.* caja] ① 작은 상자. ②《*Ar.*》 시주 상자. ③ 【해사】 세 가닥으로 꼰 밧줄. ④《*Amér.*》 둥그런 과자 상자; 과자.

de ~ 《*Amér.*》 희한한, 멋진.

cajete *m.* 《*Méx.*》 (토기) 공기.

cajetear *tr.* 《*Dom.*》 총을 발사하다. —*intr.* 《*Dom.*》 =**insistir.**

cajetero, ra *adj.* 《*AmérC.*》 이상한, 괴상한.

cajetilla *f.* [*dim.* cajeta] 담배 포장지·종이 상자. —*m.* 《*Arg.*》 멋쟁이.

cajetín *m.* 증서·증권 등에 찍는 도장; 그 기입; 활자판의 구획; 전선을 덮는 홈이 파인 널빤지.

cají *m.* 《*Cuba.*》 【어류】 카리브해의 물고기.

cajiga *f.* 【식물】 =**quejigo.**

cajigal *m.* =**quejigal.**

cajilla *f.* [*dim.* caja] ① 작은 상자. ② 【식물】 꼬투리, 삭과.

cajista *m.f.* 【인쇄】 식자공(tipografo).

cajo *m.* (책의) 겹홀치기.

cajón *m.* [*aum.* caja] ① 큰 상자: ~ de munición 탄약 상자. ② 서랍. ③ (책장의) 책꽂이. ④ (기중기의 운전수나 가두의 순경이 들어가는) 박스. ⑤ 상자 파는 가게. ⑥《*Amér.*》 상점: ~ de ropa 의료품점. ⑦《*Amér.*》 골짜기. ⑧《*Chile.*》 (물살이 센) 도랑.

~ ***de sastre*** 뒤범벅; 머리 속에 여러 가지 생각이 들끓고 있는 사람.

ser de ~ 흔히 찾는 일·물건이다, 특별한 것이 아니다(ser muy corriente).

cajonear *intr.* ①《*Cuba.*》 북을 치다. ②《*Méx.*》 이 가게 저 가게를 기웃거리며 다니다.

cajonera *f.* ① (사원에서 예식복·여러 도구를 넣어 두는) 선반, 옷장. ②《*Ecuad.*》 보따리 장수.

cajonería *f.* [집합] 서랍.

cajonero, ra *adj.* 《*Amér.*》 아주 흔한. —*m.f.* 《*Méx.*》 점포 주인.

cajonga *f.* 《*Hond.*》 (거친 옥수수 가루로 만든) 큰 빈대떡(tortilla).

cajuela *f.* 《*Méx.*》 좌석 밑의 상자. ②《*AmérC.*》 용량의 단위《16리터 정도》.

cajuil *m.* =**marañón.**

cajún *m.* 【식물】 =**pita, agave.**

caki *adj.* 카키색의, 감색의. —*m.* ① 감색, 카키색. ② 감.

cal *f.* 석회: ~ anhidra, ~ viva 생석회. ~ apagada, ~ muerta, ~ de fondo 소석회. ~ hidráulica 수경 석회. dar de ~ 석회를 바르다.

de ~ ***y canto*** 단단한, 강한(fuerte, sólido).

cala *f.* ① calar하기; 천공(穿孔); 끼워 넣기. ② (수박·오이 등을) 얇게 썰기; 한 조각. ③ 변비약. ④ 배밑, 선저(船底), 선박의 창고. ⑤ (낚시하기에 좋은) 바다(ensenada). ⑥ (상처의 깊이를 알아보는) 바늘(tienta). ⑦ 【식물】 토란의 일종. ⑧ 【은어】 구멍.

calaba *f.* =**calambuco.**

calabacear *tr.* 낙제시키다; (남자에게) 딱지를 놓다(dar calabazos).

~se 딱지를 맞다(darse de calabazadas).

calabacera *f.* 【식물】 호박.

calabacero, ra *m.f.* 호박 장수. **—***m.* 【은어】 금고 도둑.
calabacil *adj.* 호리병 모양의 (배).
calabacilla *f.* 호리병의 귀고리.
calabacín *m.* ① 【식물】 풋참외. ② 머저리, 바보, 멍청이, 백치(tonto, idiota).
calabacinate *m.* 풋참외 요리의 일종.
calabacita *f.* [*dim.* calabaza] 【식물】 풋참외 (calabacín).
calabacino *m.* 호리병 《술 등을 담는 그릇》.
calabaza *f.* ① 【식물】 호박 《씨·식물을 포함》. ② 호리병박(~ vinatera). ③ 머저리, 바보, 얼간이(persona torpe). ④ 다 낡은 배. ⑤ 【은어】 자물통을 여는 철사.
dar ~s 낙제시키다; (여자가 남자를) 딱지놓다 : Le *dieron ~s* en el español 그는 서반아어에 낙제했다. Juana *dio ~s* a Manolo 후아나는 마놀로를 딱지놓았다.
calabazada *f.* 박치기; 머리 구타.
calabazar *m.* 호박밭.
calabazate *m.* 호박 과자.
calabazazo *m.* 호박을 메어침; 머리 부분의 타박.
calabazo *m.* ① 호박씨. ② 호리병 (그릇). ③ 다 낡은 배.
calabazón *m. aum.* calabaza.
calabazona *f.* ① 《*Murc.*》 【식물】 겨울 호박. ② 《*Ál.*》 【식물】 =**calabazón.**
calabazuela *f.* 【식물】 깔라바수엘라 《Sevilla 주의 산에서 자라는 식물; 독사에 물린 상처에 사용함》.
calabobos *m.* 【단·복수 동형】 가랑비, 이슬비, 보슬비(llovizna).
calabocero *m.* =**carcelero.**
calabozaje *m.* (죄수가 간수에게 준) 돈.
calabozo *m.* ① 감옥; 지하 감옥; 독방. ② 낫.
calabrés, sa *adj.* 깔라브리아 《Calabria, 이탈리아의 한 지방》의. **—***m.f.* 깔라브리아 사람.
calabriada *f.* ① 적백(赤白) 포도주의 혼합 (mezcla de vino blanco y tinto). ② (일반적으로) 혼합물.
calabriar *tr.* 혼합하다, 섞다, 뒤범벅으로 만들다(mezclar).
calabrotar *tr.* 세 가닥으로 꼬다(acalabrotar).
calabrote *m.* ① 세 가닥으로 꼰 밧줄. ② 《*Venez.*》 못된 인간, 방탕아, 파렴치한.
calacuerda *f.* 화승총 발사 신호용 북.
calache *m.* 《*AmérC.*》 =**cachivache.**
calada *f.* ① 물에 적심; 흠뻑 젖음; 물에 가라앉는 일. ② (새의) 빠른 속도로 날기.
dar una ~ 심하게 꾸중하다·나무라다(reprender severamente).
caladera *f.* 《*Murc.*》 (숭어 잡이용) 그물·어망 (red).
caladero *m.* 그물을 치는 곳.
caladio *m.*【식물】 천남성과 식물.
caladizo, za *adj.* =**coladizo.**
calado *m.* ① (레이스의) 투명하게 하기, 실뽑기, 속이 비치게 하는 레이스 짜기. ② (우표 등의) 잔구멍이 뚫린 절취선, 천공. ③ 투명 무늬. ④ 【해사】 흘수, 수심. ⑤ 《*Neol.*》 (모터의) 무효 폭발. ⑥ 【은어】 발각.
calado, da *adj.* calar의 *p.p.*
calador *m.* ① 구멍을 뚫는 사람. ② 실을 뽑는 사람. ③ (외과 의사의) 상처의 깊이를 재는 바늘. ④ 전극(塡隙) 주걱. ⑤ 《*Amér.*》 (화물의 내용을 검사하는) 꼬챙이. ⑥ 《*Chile.*》 통의 내용물을 닦아내는 꼬챙이.
caladora *f.* 《*Venez.*》 대형 카누(canoa grande).
caladre *m.* 【조류】 종달새(alondra).
caladura *f.* (수박·참외 등의) 조각.
calafate *m.* 뱃밥으로 틀어막는 사람; 배목수.
calafateado *m.* 뱃밥으로 틀어막는 기술; 뱃밥으로 틀어막음.
calafateador *m.* =**calafate.**
calafateadura *f.* =**calafateo.**
calafatear *tr.* (…에) 뱃밥을 틀어 막다; (일반적으로) 벌어진 틈을 막다.
calafateo *m.* 뱃밥으로 틀어막기.
calafatería *f.* =**calafateo.**
calafatín *m.* 뱃밥으로 틀어막는 일의 견습공.
calagozo *m.* 낫(calabozo).
calagraña *f.* 깔라그라냐 《포도의 한 종류》.
calaguala *f.* 《*Amér.*》 (뿌리가 약에 쓰이는) 양치류 식물.
calaguasca *f.* 《*Col.*》 소주의 일종.
calagurritano, na *adj. m.f.* 깔라구리스 《Calagurrís, 옛 도시의 이름; 현재의 Logroño 주의 Calahorra시》의 (사람).
calahorra *f.* (기근이 일어났을 때의) 빵 배급소.
calahorrano, na *adj. m.f.* =**calagurritano.**
calahorreño, ña *adj. m.f.* =**calagurritano.**
calaínos *m.pl. coplas de ~* 예측에서 어긋남·어긋난 말.
calaíta *f.* =**turquesa.**
calaje *m.* 《*Ar.*》 서랍(cajón, naveta).
calalú *m.* ① 《*Ant.*》 야채국. ② 《*PRico.*》 소동, 싸움.
calaluz *m.* (인도 지방의) 작은 배.
calamaco *m.* 《*Méx.*》 ① 이집트콩. ② 용설란으로 빚은 술. ③ (플랑드르산의) 격자 무늬로 된 직물, 깔라망꼬시아직(織).
calamar *m.* 【동물】 오징어 : El ~ segrega un líquido negro con el que enturbia el agua cuando lo persiguen.
calambac *m.* 【식물】 향나무의 일종.
calambar *m.* 【식물】 =**calambac.**
calambre *m.* 【의학】 경련, 쥐 : ~ de estómago 위경련. ~ del escribiente 서경. Me dio un ~ mientras subí por la escalera 나는 계단을 오르는 동안 쥐가 났다.
calambuco *m.* 【식물】 (서인도산의) 단풍나무 (árbol de María). ② 《*Col.*》 (수송용의) 우유병. ③ 《*Méx.*》 얼간이, 천치, 바보.
calambur *m.* 《*Galic.*》 신소리, 말장난.
calamento *m.* ① 【식물】 탑꽃. ② 그물을 치는 일.
calamidad *f.* [*lat.* calamitas] ① 재난, 참화, 천재(天災) : las *~es* de la guerra 전쟁의 참화. ② 불행, 비운. ③ 폐스러움; 방탕아.
calamiforme *adj.* 【식물·동물】 관상(管狀)의.
calamillera *f.* 자재 갈고리《매달아 물건을 마음대로 올리고 내릴 수 있게 만든 갈고리》(liares).
calamina *f.* 【광물】 이극광(異極鑛), 천연 탄화아연(piedra calaminar).

C

calaminar *adj.* 이극광의, 천연 탄화 아연의 : piedra ~.
calaminta *f.* 【식물】 탑꽃(calamento).
calamistro *m.* 옛 사람들이 머리를 지지는데 쓰던 쇠붙이.
calamita *f.* ①【동물】 청개구리 (calamite). ②【광물】천연 자석 ; 자석(기)(brújula).
calamite *f.* 【동물】 청개구리.
calamitosamente *adv.* 처참하게, 불쌍하게 (desgraciadamente, con calamidad).
calamitoso, sa *adj.* 재난·천재(天災)가 심한 ; 처참한, 가엾은, 불행한(desgraciado, infeliz.)
cálamo *m.* [*lat.* calamus] ①(옛날) 퉁소. ②【시어】(갈대 등의) 줄기(caña). ③【시어】 펜. ④【식물】 창포 : ~ aromático 창포 뿌리.
~ ***currente*** 붓 가는 대로, 부랴부랴, 허둥지둥 ; 갑자기, 돌연, 급히, 불시로, 뜻하지 아니하게, 별안간(de repente, con presteza).
calamocano, na *adj.* ① 얼근히 취한 (borracho). ② 늙어 버린. —*m.* 루피나스의 열매(altramuz).
calamoco *m.* 고드름(canelón).
calamocha *f.* 【광물】 황자토(黃赭土).
calamón *m.* ①【조류】 쇠물닭. ②(밑에 깐 것을 고정시키는) 정. ③ 저울의 부분품. ④ 착유기의 장대의 지주.
calamonarse *r.* (풀·식물이) 썩다, 부패하다 (corromperse, fermentar).
calamorra *f.* ①【속어】 머리(cabeza). ② 면양의 일종.
calamorrada *f.* 머리 타박(cabezada).
calamorrazo *m.* =**calamorrada.**
calamorro *m.* 《*Chile.*》 =**zapatón.**
calanchín *m.* 《*Col.*》 =**pujador, testaferro.**
calandra *f.* 압착기, 압연기(calandria).
calandraca *f.* ① 옥수수 비스킷 수프. ② 《*Murc.*》 화난 대화. ③《*Arg.*》 =**calandrajo.**
calandraco *m.* 《*Antilla. Col.*》 넝마 ; 무능력자.
calandrado *m.* 광택을 내기.
calandrajo *m.* ① 넝마, 찢어져 늘어진 천조각. ② 꼴불견. ③ 감루. ④ 교활한 사람.
calandrar *tr.* (종이·천을) 광택기에 넣다, 광을 내다.
calandria[1] *f.* [*gr.* kálandra] 【조류】 종달새 (alondra).
calandria[2] *f.* [*gr.* kylindros] ① 캘린더. ② 광택용 기계, 압연기, 압착기. ③ 선박의 일종.
—*m.f.* ① 꾀병 환자(enfermo fingido). ②【은어】 방을 외고 다니는 사람. ③《*Méx.*》 주거 부정인 사람, 방랑자(vago).
cálanis *m.* 창포의 뿌리(cálamo aromático).
calántica *f.* (옛날 부인들이 사용한) 천 머리 장식.
calaña *f.* ① 모형, 규격. ② 견본. ③ 성질(índole) : de su ~ 같은 부류의. ④ 부채(abanico).
calañas =**sombrero calañés.**
Calañas *m.* 【지명】 깔라냐스 《서반아 우에르바 주의 한 지방》.
calañés, sa *adj.* 깔라냐스의. —*m.f.* 깔라냐스 사람. —*m.* 깔라냐스 모자(sombrero ~).
cálao *m.* 【조류】(필리핀의) 흰 목도리 무소새.
calapa *f.* 【동물】 게의 일종.
calapatillo *m.* 【동물】 바구미.
calapé *m.* 《*Amér*》(등껍질을 남비로하여 구운) 거북.
calapitrinche *m.*《*Perú*》 속인, 멋없는 사람.
calar[1] *adj.* ① 석회(질)의. ② 침투성의. —*m.* 석회층·상(床).
calar[2] *tr.* ①(액체 등이) 스며들다 : Le *caló* la lluvia todo el vestido 그는 비로 옷을 흠뻑 적셨다. ②(칼·송곳 등을 무엇에) 꿰뚫다 : *Caló* la tabla *con* la barrena 드릴로 널빤지에 구멍을 뚫었다. ③(천에다) 실뽑기를 하다 ; (종이·널빤지 같은 데) 투시 구멍을 뚫다. ④ 간파하다 ; (사람의 성질 등을) 알아채다 : ~ a fondo 속속들이 다 알다. ⑤(수박 등을) 자르다. ⑥ 덮어씌우다 ; (구멍 같은 데) 끼워 맞추다. ⑦ 숨어들다, 침입하다 : El ladrón *caló* la casa 도둑이 집에 침입했다. ⑧(고기잡이 도구 등을) 물에 넣다 ; 물에 담그다 ; (배가) 물에 깊이 들어가다. ⑨(칼 같은 것의) 자국을 내다. ⑩【은어】(남의 호주머니에) 손을 넣다. ⑪《*Amér.*》 발췌 검사를 하다, 내용물을 검사해 보다. ⑫ 《*Arg. Urug.*》 천천히 쳐다보다. ⑬《*Col.*》 납작하게 만들다.
~se ① 물에 흠뻑 젖다. ②(모자를) 눌러 쓰다 : *Se caló* la gorra hasta las cejas 그는 모자를 이마까지 눌러 썼다. ③(안경을) 단단히 끼다. ④ 들이닥치다, 끼워지다. ⑤(새가) 먹이를 잡으려고 덤벼들다. ⑥(모터가 헛돌아 차가) 움직이지 못하게 되다. ⑦【은어】(무엇을 훔치려고) 숨어 들다.
calasancio, cia *adj.* =**escolapio.**
calatear *tr.* 《*Perú.*》 벌거벗기다.
~se 벌거벗다, 알몸이 되다 ; 빈털터리가 되다.
calatería *f.* 《*Perú.*》 ① 나체, 나형(裸形). ② 무일푼의 가난. ③ 벌거숭이 어린이들.
calato, ta *adj.* 《*Perú*》 ① 벌거벗은(desnudo). ② 빈털터리의, 무일푼의, 가난한.
cálato *m.* 옛날의 광주리.
calatraveño, ña *adj.* 깔라뜨라바 《Calatrava, 서반아 중부·만챠, 옛 승병단의 성채가 있던 곳》의. —*m.f.* 깔라뜨라바 사람.
calatravo, va *adj.* 깔라뜨라바(Calatrava) 승병단(僧兵團)의. —*m.f.* 깔라뜨라바 승병단 단원.
calavera *f.* [*lat.* calvaria] 두개골, 해골 바가지 (cráneo). ② 나비의 일종. ③《*Méx.*》 자동차의 후미등. ④ 만령제 《11월2일》에 받는 선물.
—*m.* 못된 인간, 방자한 사람, 방탕아, 파렴치한(hombre sin juicio vicioso) : ser un ~.
calaverada *f.* 방자함 ; 난행(亂行).
calaverear *intr.* 망나니짓을 하다, 못된 짓을 하다, 난봉을 부리다(hacer calaverada).
calaverita *f.* =**teleruro de oro.**
calavernario *m.* 납골당(osario).
calaverón *m.* *aum.* calavera.
calazo *m.* ①《*Hond.*》 술·소주 한 모금. ② 《*AmérC.*》(팽이를) 치는 것, 부딪침, 맞부딪치기 : en dos ~*s* 순식간에.
calazón *m.* 흘수(calado).
calboche *m.* 《*Sal.*》(손잡이 달린) 진흙 남비·솥
calbote *m.* ①《*Sal.*》 구운 밤(castaña asada). ② 《방언》 도토리와 밤으로 만든 빵.
calbotes *m. pl.* 《*Ál.*》 풋 강낭콩(judías verdes).
calca *f.* 【은어】 ① 다니는 길. ②《*Perú.*》 곡간

(granero). —*pl.* 【은어】 발자국.
calcado *m.* 트래싱.
calcador, ra *m.f.* 트래싱하는 사람 ; 모사(模寫)하는 사람. —*m.* 투사기(透寫機).
calcáneo *m.* 【해부】 발뒤꿈치뼈(hueso del talón).
calcañal *m.* 발뒤꿈치(talón).
calcañar *m.* =**calcañal.**
calcaño *m.* =**calcañal.**
calcañuelo *m.* (벌이 걸리는) 병.
calcar *tr.* ① 투사(透寫)하다. ② 베끼다(copiar) ; 모방하다(imitar). ③【드물】 짓밟다, 횡포·유린하다.
calcáreo, a *adj.* 석회의, 석회가 들어 있는.
calcatrife *m.* 【은어】 날품팔이, 막품팔이(ganapán).
calce *m.* [*lat.* calceus] ① (차의) 쇠바퀴 ; 쐐기(calza). ②《*AmérC. Méx. PRico.*》 공백, 여백(pie de un documento) : El notario firmó al ～. *al* ～ (문서의) 끝·말미에 : firmar *al* ～ 끝에 서명하다.
calceatense *adj. m.f.* 산또 도밍고 델 라 깔사다《Santo Domingo de la Calzada, Logroño 주의 도시》의 (사람).
calcedonense *adj. m.f.* =**calcedonio.**
calcedonia *f.* 【광물】 옥수(玉髓).
calcedonio, nia *adj. m.f.* 깔세도니아《Calcedonia, 소시아의 옛 비띠니아시(市)》의 (사람).
cálceo *m.* (고대 로마인의) 목이 긴 구두.
calceolaria *f.* 【식물】 현삼과 원예 식물.
calcés *m.* 【선박】 장루(cofa)와 장모(tamborete) 사이의 메인 마스트(palo mayor).
calceta *f.* ① 긴양말, 스타킹(media). ② 족쇄《형구》. ③《*Col.*》 (뜨는 배를 만드는) 파초의 줄기. —*adj.*《*Arg.*》 다리에 털·날개가 있는.
calcetar *intr.* 긴양말·스타킹을 만들다.
calcetería *f.* ① 양말 제조·기계. ②【고어】 바지·긴양말 가게.
calcetero, ra *m.f.* ① 양말 만드는 직공 ; 옛날 바지를 만들던 직공. ②【은어】 족쇄를 채우는 관리. —*adj.*《*Méx.*》 다리가 흰 (소).
calcetín *m.* [*dim.* calceta] (남자용) 양말.
calceto, ta *adj.*《*Amér.*》 발에 깃털이 있는(calzado).
calcetón *m.* [*aum.* calceta] 두텁고 긴 양말.
cálcico, ca *adj.* 석회질의, 칼슘을 함유한 : sales ～*cas.*
calcicosis *f.* 【의학】 석회분성 폐렴(石灰粉性肺炎).
calcídico *m.* 회랑.
calcífero, ra *adj.* 석탄을 함유한.
calcificación *f.* 석회화(石灰化) ;【의학】 석회침전(石灰沈澱).
calcificar *tr.* [7] 석회화하다.
calciforme *adj.* 술잔 모양의 : células ～*s* 술잔 모양의 세포. papilas ～*s* 술잔 모양의 젖꼭지.
calcillas *f. pl.* 반바지. —*m.* 소심한 사람, 좀스러운 사람 ; 답답함 ; 답답한 사람.
calcímetro *m.* 칼슘 정량계(定量計).
calcina *f.* 회반죽(hormigón).
calcinable *adj.* 석회로 할 수 있는.
calcinación *f.* ① 굽는·태우는 일. ②【화학】 하소(煆燒) ; 석회 소성(燒成). ③【야금】 배소(焙燒), 소광법(燒鑛法).
calcinado, da *adj.* calcinar의 *p.p.*
calcinador, ra *adj. m.f.* 석회·재로 만드는 (사람).
calcinaguas *f.pl.*《*Col.*》 부인용 바지.
calcinamiento *m.* =**calcinación.**
calcinar *tr.* ① 태워서 석회로 만들다 ; 재로 만들다 : campo *calcinado* 불탄 들판. ②【화학】 (광석을) 굽다. ③ 괴롭히다(fastidiar).
calcinatorio *m.* 하소기(煆燒器).
calcio *m.* 【화학】 칼슘.
calcita *f.* 【광물】 방해석(方解石).
calcitrapa *f.* 【식물】 별엉겅퀴.
calco *m.* ① (투명한 것에 대고 베끼는) 복사. ②【은어】 구두.

calcocita *f.* 【광물】 휘동광(輝銅鑛).
calcografía *f.* 동판 인쇄 ; 동판 인쇄소,
calcografiar *tr.* [12] 동판으로 하다(estampar láminas).
calcográfico, ca *adj.* 동판 조각의 : arte ～.
calcógrafo *m.* 동판 인쇄 기술자.
calcomanía *f.* 전사 인화법 ; 그 인화·원화.
calcopirita *f.* 【광물】 황동광.
calcorrear *intr.* 【은어】 뛰다, 달리기 시작하다.
calcorreo *m.* 【은어】 뛰는 일.
calcorro *m.* 【은어】 구두.
calcotipia *f.* 동판 인쇄.
calculable *adj.* ① 계산할 수 있는, 헤아릴 수 있는 : El número de las estrellas no es ～ 별의 숫자는 헤아릴수 없다. ② 상상할 수 있는.
calculación *f.* 계산(cálculo).
calculadamente *adv.* ① 계산상, 계산에 따라(con cálculo). ② 신중히.
calculador, ra *adj.* ① 계산·셈하는 : máquina ～*ra* 계산기. ②《*Amér.*》 타산적인, 이기적인(egoista) : hombre frío y ～ 냉정하고 타산적인 사람.
—*m.f.* 계산적인 사람, 타산적인 사람. —*f.* 계산기 : ～ electrónica 전자 계산기.
calcular *tr.* ① 계산하다(hacer cálculos) : ～ mentalmente 암산하다. ② 계획하다. ③ 타산하다. ④ 숙고하다. ⑤ 예정하다 : ¿Cúando *calcula* usted hacer el viaje? 언제 여행할 예정입니까? ⑥ 추측하다.
calculatorio, ria *adj.* 계산의.
calculista *adj.* ① 계산하는, 계획하는. ②《*AmérM.*》 셈에 밝은. —*m.f.* 계산하는 사람, 계획하는 사람, 셈에 밝은 사람.
cálculo *m.* [*lat.* calculus] ① 계산, 셈 : hacer ～ 계산하다. regla de ～ 계산자. ② 타산(egoísmo). ③ 추측(conjetura) ④ 신중 : obrar con ～. ⑤【의학】 결석(結石) : ～ biliario 담석. —*pl.* (신장 등의) 결석병(mal de piedra). ～ ***diferencial*** 미분. ～ ***integral*** 적분. ～ ***infinitesimal*** 미적분. ～ ***mental*** 암산. ～ ***prudencia*** 목산(目算), 눈어림, 어림수, 어림셈.
calculoso, sa *adj.* 결석병의. —*m.f.* 결석병 환자.
Calcuta 【지명】 캘커터《인도 동북부의 항구》.
calcha *f.*《*AmérM.*》 ① (노동자의) 옷·침구. ② (말 등의) 다리의 털. ③《*Arg.*》 (말의) 안장.

calchadura *f.* 《*Chile.*》【식물】(약으로 쓰이는 여러 가지) 이끼.

calchaquí *adj. m.f.* [*pl.* calchaquies] 깔챠끼족 《Argentina 북부 지방에서 살았던 원주민》의 (사람).

calchear *tr.* 《*Perú.*》(식물을 보호하기 위해 식물의 뿌리를) 흙으로 덮다(cubrir con tierra).

calchín *adj.* 깔친족 《아르헨띠나 중북부에서 농업에 종사하는 한 종족》의. —*m.f.* 깔친족 사람.

calchón, na *adj.* 《*Chile.*》 발에 털이 난 (말·새).

calchona *f.* 《*Chile.*》(인적이 드문 호젓한 곳에서 사람을 놀라게 한다는) 도깨비 ; 마귀 할멈 ; 마녀 ; 무섭게 생긴 노파 ; 마차.

calchudo, da *adj.* 《*Chile.*》 교활한(mañoso).

C

calda *f.* 가열, 뜨겁게 하는 일 ; 용광로에 연료의 투입 : dar ~ 덥히다. —*pl.* 온천(termas, baños termales).

caldaico, ca *adj.* 깔데아 《Caldea, 바빌로니아 지방》의. —*m.f.* 깔데아 사람.

caldaria *adj.* 탐탕(探湯)의 : ley ~ 물의 신재(神裁)《펄펄 끓는 물에 손을 담그게 해서 죄를 가려내던 옛 풍습》.

caldario *m.* (옛날의) 로마 목욕(탕), 한증(탕).

caldeamiento *m.* 가열 ; 용접.

caldear *tr.* ① (높은 온도로) 가열하다, 데우다, 기온을 높이다. ② 단접(鍛接)·용접하다.
—*intr.* 《*Méx.*》 사탕수수에서 많은 즙액이 나오다.
~**se** (분위기가) 뜨겁다 : La atmósfera *se caldeó* mucho 분위기가 무척 뜨거웠다.

caldeísmo *m.* 깔데아말의 독특한 어투·방법.

caldén *m.* 【식물】콩과속 식물《Argentina의 숲에서 많이 자라는 높이가 약 10미터이고 단단하여 건축 용재로 씀》.

caldense *adj. m.f.* 깔다스 《Caldas, Colombia에 있는 주》의 (사람).

caldeo *m.* =**caldeamiento, calda.**

caldeo, a *adj.* 깔데아 《Caldea, 바빌로니아 남부의 옛 지방》의. —*m.f.* 깔데아 사람. —*m.* ① 칼데아말. ② 기온의 상승 ; 가열, 뜨겁게 하는 일 (caldea).

caldera *f.* [*lat.* caldaria] ① (가마)솥. ② 한 솥의 분량 : una ~ de azúcar 설탕 한 솥. ③ 보일러. ④【악기】동(銅)북. ⑤【지질】칼데라《중심부가 움푹 패인 분화구》. ⑥《*Arg.*》 주전자. ⑦《*Chile*》 찻병.
~ ***acuatubular*** 수관식 보일러. ~ ***de hogar interior*** 내연식 보일러. ~ ***de jabón*** 비누 공장. ~ ***de tubos de humo*** 염관 보일러. ~ ***de vapor*** 보일러. ~ ***locomóvil*** 이동식 보일러. ~ ***marina*** 선박용 보일러. ~ ***tubular*** 관식(管式) 보일러. ***las ~s de Pedro Botero*** 지옥(el infierno).

calderada *f.* 한 솥의 분량.

calderería *f.* ① 솥장수. ② 솥 판매소. ③ 솥 제조 기술. ④ 제철소의 대장간.

calderero *m.* 솥 만드는 사람, 보일러 다루는 사람 ; 솥장수.

caldereta *f.* [*dim.* caldera] ① 남비, 성수 그릇, 통. ②생선과 파를 넣고 끓인 것 ; 양고기·산양고기를 끓인 것. ③《*Venez.*》 3월과 10월 경의 열풍.

calderetero *m.* 《*And. Guat.*》 =**calderero.**

calderil *m.* 《*Sal.*》(부엌에 솥을 걸기 위한) 장부족이 딸린 통나무.

calderilla *f.* 성수 그릇 ; 동전·백동전 (등).

caldero *m.* [*lat.* caldarium] ① 바닥이 둥그런 남비 : ~ de colada (잿물을 따르는) 그릇. ② 남비 하나의 분량.

calderón *m.* [*aum.* caldera] ① 큰 솥. ② (문장의) 절의 부호 《§와 같은 용법》. ③ (악보의) 끊는 부호《𝄐》. ④ (산수에서) 1000의 부호.

Calderón de la Barca (Pedro) *m.*【인명】 뻬드로 깔데론 데 라 바르까 《서반아의 극작가 (1600—1681) ; 200 작품 이상의 극작품을 썼음 ; 코메디 중 가장 유명한 작품은 Casa con dos puertas mala es de guardar ; La drama duende ; El secreto a voces y No hay burlas con el amor이 있고, 드라마 중에서는 La vida es sueño ; La devoción de la Cruz ; El médico de su honra ; El mayor monstruo, los celos ; El alcalde de Zalamea ; Amar después de la muerte가 있다》.

calderona *f.* 《*Cuba.*》 주책바가지 여자(mujer intrusa).

calderoniano, na *adj.* 깔데론 《Pedro Calderón de la Barca, 1600-1681, 서반아의 극작가》풍의 : versos ~*s.*

calderuela *f.* [*dim.* caldera] 칸델라 (밤사냥에 쓰이는).

caldibache *m. desp.* calducho.

caldibaldo *m. desp.* calducho.

caldillo *m.* ①《*Méx.*》(육수 곁들인) 잘게 썬 고기(picadillo de carne). ②《*Chile.*》 생선, 조개, 감자 따위로 만든 수프.

caldo *m.* [*lat.* calidus] ① 육즙, 수프 : ~ de gallina. ②《*Méx.*》 사탕수수의 즙. —*pl.* (상품 등에서) 술·식초·기름류.
~ ***esforzado*** 자극·활력을 주는 수프. ~ ***de carne*** 짙은 쇠고기 수프. ~ ***de cultivo*** (세균의) 부용 배양기(培養基). ~ ***de bordelés***【원예】보르도액 ; 농약의 일종 《황산동과 생석회를 물에 탄 살충제 ; 불란서의 Bordeaux에서 처음으로 사용한 데서 유래됨》.
hacer el ~ gordo 많은 편의를 보아 주다(facilitarle medios de conseguir una cosa).

caldoso, sa *adj.* 육수·즙이 많은.

calducho *m.* [*desp.* caldo] ① 맛이 없는 수프. ②《*Chile.*》 학교의 특별 휴가.

calduda *f.* 《*Chile.*》 샌드위치의 일종.

caldudo, da *adj.* 《*Chile.*》 =**caldoso.**

cale *m.* 타격, 때리기, 가볍게 때리는 일(golpe) : dar un ~ en el sombrero 모자를 탁 치다.

calé *m.* ①《*And.*》 집시(gitano). ②【은어】 3센띠모 짜리 동전. ③《*Amér.*》 너푼 짜리 동전.

calecer *intr.* ㉛ 뜨거워지다 ; 덥히다.
~**se** 《*Amér. Sal.*》 고기가 썩다.

calecico *m. dim.* cáliz.

caledoniano, na *adj. m.f.* 고대 스코틀랜드의 (사람).

caledónico, ca *adj. m.* 고생대(era paleozoica)의 산악 주기(의).

caledoniense *adj. m.f.* 스코틀랜드의 데본기 땅의 하부층의.

caledonio, nia *adj.* 깔레도니아 《Caledonia, 스코틀랜드 북부 지방의 옛 이름》의 (사람).

calefacción *f.* 가열 ; 온열 ; 난방 (장치) : ~ a · por vapor 증기 난방. ~ y alumbrado 난방과 조명. ~ central 중앙 제어식 난방 장치, 센트럴 히팅.

calefactor *m.* [드뭄] 온수기 ; 난방기.

calefactorio *m.* (승원의) 난방 《몸을 녹히는 방》.

calefón *m.* 《*Arg. Urug.*》 (물을 가열하기 위한) 전기 · 가스 기구.

caleidoscópico, ca *adj.* 만화경의(calidoscópico).

caleidoscopio *m.* 만화경(calidoscopio).

calejo *m.* 《*Sal.*》 유창한 노래.

calembé *m.* 《*Cuba.*》 =**taparrabo.**

calembour *m.fr.* 낱말 놀이(juego de palabras).

calena *f.* 【조류】 (오세아니아의 몇몇 섬에 살고 있는) 비둘기의 일종.

calenda *f.* 순교 성자복. —*pl.* ① 때, 시대, 시기, 무렵. ② 옛 로마력의 매달 그믐.

las ~s griegas 무기한.

pagar por las ~s griegas 지불하지 않다, 지불을 무기한 연기해 가다.

calendar *tr.* 【드뭄】 (서류에) 연월일을 쓰다 · 넣다, 날짜를 기입하다(fechar).

calendario *m.* [*lat.* calendarium] 달력, 월력(almanaque) : ~ americana · exfoliador · foliado · de pared · de taco 일력, 넘기는 달력, 주력(柱曆). ~ de Flora 꽃 달력. ~ foliado 《*Méx.*》 넘기는 달력. ~ juliano 줄리안력(曆), 로마력. ~ gregoriano · nuevo · reformado 그레고리력. ~ lunar 음력. ~ perpetuo 만년력(萬年曆). ~ solar 양력.

hacer ~s 멋대로 상상하다.

calendas *f. pl.* [*lat.* calendae] (로마인들의) 초하루.

calendarista *m.f.* 달력 편집가.

calender *m.* 13세기 경의 Yusuf가 창시한 회교의 극렬파 승려.

caléndula *f.* 【식물】 금잔화(maravilla).

calentador, ra *adj.* 가열하기 위해 사용하는. —*m.* ① 히터 ; 가열기(加熱器) ; 난방 장치 : ~ de bolsillo 회로(懷爐) 《물리 요법이나 방한(防寒)을 위하여 불을 담아 품고 다니는 작은 화로》. ② 방열기 ; 보온기. ③ 【속어】 초대형 회중시계.

calentamiento *m.* ① 가열. ② 【의학】 폐를 침식하는 섬게로 생기는 병.

calentano, na *adj.* 《*Col.*》 열대 지방의. —*m.f.* 《*Col.*》 열대 지방 사람.

calentar *tr.* [19] ① 데우다, 가열하다, 뜨겁게 하다(poner caliente) : ~ un horno 화덕을 덥히다. [Contr.] enfriar, refrescar. ② 촉진하다(avivar) ③ 구타하다(azotar). —*intr.* 《*Chile.*》 ① 공부를 하지 않는다. ② 귀찮게 하다, 괴롭히다, 애먹이다.

~se ① 따뜻해지다. ② (토론 등으로) 흥분되다. ③ (가축에) 암내가 나다. ④ 《*Chile.*》 화내다(enfadarse).

~ la pelota 공을 던지지 않고 가지고 있다.

~ la silla · el asiento 궁둥이가 질기다.

~se la cabeza 머리를 짜내어 생각하다.

[직설법 현재 : caliento, calientas, calienta, calentamos, calentáis, calientan. 접속법 현재 : caliente, calientes, caliente, calentemos, calentéis, calienten].

calentito, ta *adj.* [*dim.* caliente] 아직 뜨거운 ; 갓 만들어진 : ¡*Calentitas* asadas! 방금 구워 따끈따근하다.

calentón *m.* 열의 급상승 : darse un ~ 갑자기 뜨거워지다.

calentura *f.* ① (병의) 열(fiebre) ② 체온. ③ 《*Chile.*》 폐결핵(tisis). ③ 《*Col.*》 화가 남, 분노(rabieta). ④ 《*Ecuad. Venez.*》 말라리아열(paludismo). ⑤ 《*Arg. Parag. Urug.*》 성적 자극 · 흥분(excitación sexual). ⑥ 《*Cuba. PRico.*》 쌓인 담배의 분리.

calenturiento, ta *adj.* 열이 있는, 뜨거운, 달아오른. —*m.f.* ① 미열 환자. ② 《*Chile.*》 결핵 환자.

calenturilla *f.* [*dim.* calentura] 가벼운 열(calentura ligera).

calenturón *m.* [*aum.* calentura] 고열.

calenturoso, sa *addj.* =**calenturiento.**

caleño, ña[1] *adj.* 석회를 생산하는.

caleño, ña[2] *adj.m.f.* 깔리 《Cali, Colombia에 있는 도시》의 (사람).

calepino *m.* 【속어】 라틴어 사전(diccionario latino).

caler *intr.* 《*Ar.*》 =**convenir, importar, interesar.**

calera *f.* ① 석회암상(石灰岩床). ② 석회 굽는 가마. ③ 《*Méx.*》 석회 저장소.

caleria *f.* 석회 공장.

calero, ra *adj.* 석회의. —*m.* 석회 공장 주인 · 상인 · 직공.

calés *m.* 바퀴가 둘이나 넷인 포장 마차.

calesa *f.* ① =**calés.** ② 《*Sal.*》 썩기 시작한 고기에 자란 구더기.

calesera *f.* 안달루시아의 calesero의 웃옷.

a la ~ 깔레사 풍의 ; 마부 풍속의.

calesero *m.* calesa의 마부.

calesín *m.* 두 마리의 말이 끄는 사륜 마차.

calesinero *m.* 마차 제조인 ; 마차를 빌려주는 사람 ; calesín의 마부.

calesitas *f. pl.* 《*Arg. Parag. Urug.*》 회전 목마, 메리고라운드(tiovivo).

caleta *f.* ① 후미. ② 《*PRico.*》 연안선(沿岸船). —*m.* 【은어】 ① 도둑놈. ② 《*Venez.*》 부두 노동자 조합.

caletear *intr.* 《*Chile. Perú.*》 연안 항해를 하다.

caletero *m.* ① 《*Venez.*》 부두 노동자(estibador). ② 【은어】 도둑.

caletre *m.* ① 능력 ; 통찰력 ; 약삭빠름, 눈치 빠름.

caleza *f.* 통찰력, 관찰력(penetración).

cali *m.* 【화학】 알칼리(álcali).

Cali 【지명】 깔리 《꼴롬비아 Valle del Cauca 주에 있는 도시》.

calibeado, da *adj.* =**calibeo.**

calibeo, a *adj.* 강철 모양의.

calibes *m. pl.* 엘 뽄또(el Ponto)에 살았던 옛 주민.

calibo *m.* 《*Arg.*》 =**rescoldo.**

calibración *f.* 《*Arg.*》 측경 《직경 · 구경을 재는 일》.

calibrador *m.* 측경기(測徑器), 게이지, 가리파

스, 노기스 : ~ de alambres 철사 게이지학. ~ de exterior 한계 게이지. ~ exterior · interior 외 · 내 가리파스. ~ micrométrico 마이크로미터, 측미기.
calibrar *tr.* 구경 · 직경 · 두께를 재다 ; (사람의) 능력 · 성질을 검정하다.
calibre *m.* ① 구경, 내경. ② (탄환 · 철사 등의) 직경 · 굵기 ; (금속관의) 두께. ③ 성질 : de buen ~ 대형의 ; 성질이 좋은. de mal ~ 소형의 ; 성질이 나쁜.
calicanto *m.* 석조 건축 (공사) ; 콘크리트.
calicata *f.* 광질(鑛質) 조사, 시굴(試掘).
calicifloro, ra *adj.* 【식물】 화판(pétalo)과 수술(estambre)이 꽃받침(cáliz)에 끼인 것 같은 (식물).
caliciforme *adj.* 【식물】 꽃받침 모양의 (꽃), 악(萼) 모양의.
calicó *m.* 무명의 천(tela de algodón).
calicud *f.* 【고어】 가는 명주천.
caliculado, da *adj.* 【식물】 부악(副萼)이 있는.
calicular *adj.* 【식물】 부악 (모양)의.
calículo *m.* ① 【식물】 부악, 꽃대. ② 【해부 · 동물】 소배(小杯) 기관 ; 배(杯) : ~ oftálmico 안배(眼杯).
caliche *m.* ① 벽돌에 섞인 작은 돌멩이 ; 벽에서 벗어져 떨어지는 석회. ② 《*AmérM.*》 초석 ; 초석층.
calichera *f.* 《*Bol. Chile. Perú.*》 초석층.
calichoso, sa *adj.* 《*Col.*》 돌멩이투성이의.
calidad *f.* [*lat.* qualitas] ① 질, 품질, 성질 ; 양질 : de ~ 양질의. ② [주로 *pl.*] 성정, 자질. ③ 자격, 유능, 유자격. ④ 가문. ⑤ 중요성(importancia) : hombre de ~ 요인(要人).
a ~ de que …하는 조건으로.
en ~ de …의 자격으로(con carácter de) : Me mandaron *en ~ de* representante 나는 대표의 자격으로 파견되었다.
calidez *f.* 【의학】 열(calor).
cálido, da *adj.* ① 더운(caluroso) ; 뜨거운 : clima ~ 더운 기후. país ~ 더운 나라. ② 난색(暖色)의. ③ 【고어】 교활한. —*m. pl.* 《*Ecuad.*》 탕약.
calidonio, nia *adj. m.f.* 깔리돈이나 깔리도니아(Calidón o Calidonia)의 (사람).
calidoscópico, ca *adj.* 만화경(calidoscopio)의.
calidoscopio *m.* 만화경.
calientacabezas *m.f.* 【단 · 복수 동형】 강의를 모르면서 듣고 있는 학생.
calientacamas *m.* 【단 · 복수 동형】 화로, 보온기, 각파(脚婆)(calentador).
calientapiés *m.* 【단 · 복수 동형】 족온기(足温器)(braserillo para los pies)
calientaplatos *m.* 【단 · 복수 동형】 탁상 보온기.
calientasillas *m.f.* 【단 · 복수 동형】 궁둥이가 질긴 사람 ; 끝까지 기다리는 사람.
caliente *adj.* ① 뜨거운 : El café está demasiado ~ 커피가 너무 뜨겁다. [Contr.] frío. ② 더운, 따뜻한 ; 난색(暖色)의. ③ 심한 (싸움 등)(acalorado) : una disputa ~. ④ 암내가 난. ⑤ 용감한(valiente).
—*m.* 《*Col.*》 뽄쵸(poncho)의 일종.
en ~ 뜨거울 때에 ; 때를 놓치지 않고 ; 재빨리, 즉시(al instante).
~ de cascos 쉽게 노하는.
Calif. California.
califa *m.* [*ár.* jalifa] 칼리프 《회교국의 왕, 마호메트의 후계자》.
califal *adj.* 칼리프 (시대)의.
califato *m.* 칼리프의 지위 · 시대 · 영토.
calífero, ra *adj.* 석회질의.
calificable *adj.* 품질 · 자격을 정할 수 있는 ; (…라고) 형용할 수 있는.
calificación *f.* ① 자격, 권능, 능력, 적격성, (품질의) 평가 ; 자격의 결정 · 부여 ; (시험의) 평가 · 평점 · 사정(査定). ② 《*Méx.*》 부과 수속.
calificadamente *adv.* 충분한 자격을 가지고 ; 의심할 여지없이, 유능하게, 능력있게.
calificado, da *adj.* ① 중요한 : sujeto ~. ② 자격이 있는, 조건이 갖추어진, 능력있는. ③ 의심할 여지가 없는, 분명한 : robo ~ 명백한 도난.
calificador, ra *adj.* ① 심사하는, 판정하는 : el tribunal ~. ② 자격 · 능력이 있는. —*m.f.* 적격자 ; 심사자 : ~ de Santo Oficio 이단 심문소의 서적물 등의 검열관.
calificar *tr.* [7] ① (…의) 질을 정하다, 평가하다, 평정하다. ② 【문법】 수식하다. ③ [+de : …으로] 형용하다, (…으로서) 보다 ; …이라고 말하다. ④ 훌륭한 것으로 하다(ilustrar) : El glorioso fin *califica* su vida. ⑤ 자격을 갖추도록 하다. ⑥ [+de : …의] 자격 · 면허를 주다.
~se 자격이 있음을 보여 주다 ; 귀족임을 증명하다.
calificativo, va *adj.* 【문법】 성질을 나타내는, 성질의, 품질의. —*m.* 【문법】 품질 형용사(adjetivo ~).
california *f.* ① 《*Arg. Urug.*》 두 세 마리의 말이 벌이는 경마. ② 《*PRico.*》 20 뻬소 · 20 미국 달러 금화.
California, la *f.* 【지명】 깔리포르니아만 · 반도 《멕시코의》 ; 미국의 주이름.
californiano, na *adj. m.f.* =**californio.**
califórnico, ca *adj.* =**californio.**
californio *m.* 【화학】 칼리포르늄 《방사성 원소》.
californio, nia *adj.* 깔리포르니아의. —*m.f.* 깔리포르니아 사람.
cáligas *f. pl.* 고대 로마병의 가죽 샌들 ; 중세의 승려들이 신던 각반.
calígine *f.* 【시어】 ① 안개(niebla). ② 암흑(obsurcuridad). ③ 더운 열.
caliginoso, sa *adj.* 【시어】 ① 안개 낀(nubuloso). ② 어두운(obscuro). ③ 후덥지근한.
caligrafía *f.* 습자, 서법(書法), 서도(書道), 달필, 능서(能書).
caligrafiar *tr.* [12] 글씨를 예쁘게 쓰다.
caligráfico, ca *adj.* 습자의, 달필의, 서도의.
calígrafo, fa *m.f.* 능서가, 서도가, 서예가, 달필가, 능필(pendolista).
calilo, la *adj.* 《*Ar.*》 =**tonto, mentecato.**
calilla *f.* [*dim.* cala] ① 변비약. ② 《*Amér.*》 번거로움, 귀찮음(molestia) : echar ~*s* 애먹

이다. ③ 골칫거리, 귀찮은 사람. ④《Chile.》(외상 매입으로) 불어난 빚; 온갖 고생.

calima *f.* ① 안개(calina). ②【해사】계류 부표(浮標).

calímaco *m.* =**calamaco.**

calimba *f.* 《Cuba.》(우마용) 낙인(carimba).

calimbar *tr.* 《Cuba.》(우마에게) 소인·낙인을 찍다.

calimbo *m.*【속어】질, 품질.

calimoso, sa *adj.* =**calinoso.**

calina *f.* ①【기상】안개(niebla) : banco de ~ 짙은 안개, 농무(濃霧). ②【방언】【고어】더위(calor).

calinda *f.* 《Cuba. Méx.》토인의 춤.

calino, na *adj.* 석탄을 함유한.

calinoso, sa *adj.* 안개 낀, 안개가 짙은.

Calíope *f.*【신화】서정시와 웅변의 여신.

calípedes *m.*【동물】나무늘보.

calipedia *f.* 우생술(優生術).

calipédico, ca *adj.* 우생술의.

Calipso *f.*【희랍 전설】Origia 섬의 여왕; Ulises를 7년 동안 이 섬에 잡아 두었던 물의 요정.

caliptra *f.* =**pilorriza.**

calisaya *f.* 깔리사야《볼리비아 원산, 키나의 일종》; 그 껍질.

calistenia *f.* 유연·미용 체조.

calitcalit *m.*【식물】(필리핀의) 포도나무.

calitipia *f.* 칼리타이프, 사진의 복사, 복사법.

calitríquidos *m.pl.*【동물】원숭이과 동물.

calitrix *m.*【동물】원숭이의 일종.

cáliz *m.* [*lat.* calix] ① 성배(vaso sagrado). ②【시어】술잔. ③【식물】꽃받침.

caliza *f.*【광물】석회암 : ~ lenta 백운암, 백운석.

calizo, za *adj.* 석회질의 : piedra *~za* 석회석. terreno ~ 석회질의 땅.

calla *f.* 《Amér.》이식용(移植用) 인두, 구멍 뚫는 막대기.

callacuece *m.f.* =**mátalas callando.**

callada *f.* ① 무언, 침묵(silencio) : dar la ~ por respuesta 입을 다물고 대답을 하지 않다(no contestar). ② 풍파가 가라앉음. ③ callos를 먹는 모임.

a las ~s 살그머니.

de ~ 살며시, 몰래, 비밀리에(secretamente).

calladamente *adv.* 말없이(callando), 살며시, 비밀리에(con secreto, silenciosamente).

calladito *m.* 《Chile.》노래없이 하는 민속춤.

callado, da *adj.* ① 조용한(silencioso) : Es una persona muy *~da* 그는 매우 조용한 사람이다. ② 호젓한; 소리없이 한, 말이 없는 : permanecer ~ 잠자코 있다. Quedó ~ 그는 침묵을 지켰다. **Contr.** hablador.

callaguaya *adj. m.f.* (페루의 고원 지방에 사는) 인디오(의).

callahucaya *m.* 《Bol. Perú.》떠돌이 약장수. —*f.* 《Bol.》토인들이 추는 춤의 일종.

callamiento *m.* 무언, 침묵.

callampa *f.* ①《Chile. Ecuad. Perú.》버섯(hongo, seta). ②《Chile.》중절모(sombrero de fieltro). ③《Chile.》커다란 귀.

callana *f.* ①《Amér.》봉급(salario, sueldo). ②《Chile. Perú.》흑인과의 혼혈아의 궁둥이에만 있다는 점. ③ 아직 쓸 수 있는 설광(屑鑛). ④《Chile.》커다란 회중 시계. ⑤《Arg. Col. Chile. Perú.》질그릇, 질그릇 조각.

callandas (a las) *adv.* 《And.》=**callando.**

callandico *adv. dim.* callando.

callandito *adv. dim.* =**callando.**

callando *adv.* 슬그머니, 조용히, 살짝, 말없이; 시치미를 딱 떼고.

callantar *tr.* 침묵시키다(acallar).

callanudo, da *adj.* 《Chile.》뻔뻔스러운, 철면피한, 낯가죽이 두꺼운.

callao *m.* ① 돌멩이, 자갈(guijaro o china). ②《Can.》(카나리아섬의) 자갈땅.

Callao *m.*【지명】까야오《페루의 주·시》.

callapo *m.* 《Bol. Chile.》【광물】갱목; 들것.

callar *tr.* ① 말하지 않다, 침묵을 지키다 (no hablar, dejar de hablar, guardar silencio). ② 말하지 않고 두다 : ~ un secreto. ③ 할 말을 빠뜨리다, 할 말을 잊다(omitir). ④ 우는 것·소리지르는 것·노래부르는 것·악기 연주를 멈추다. ⑤ (바다·바람·화산 따위가) 소리를 중지하다.

—*intr.*, **~se** 입을 다물다; 잠자코 있다.

¡Calla!; ¡Calle! 뭐라구!

calla callando 살짝, 살그머니.

Calla y cuez 잠자코 자기 일만 해라.

¡Cállate! 입 닥쳐!, 조용히 해라!

A buen ~le llaman Sancho【속담】말은 함부로 해서는 안된다.

Quien calla otorga【속담】잠자코 있는 것은 찬성한 것이다.

calle *f.* [*lat.* callis] ① 도로, 길, 통로, 가로 : ~ pública 공도(公道). ~ de árboles 가로수길. ② 왕래. ③ (집안에 대해) 바깥, 가두. ④【은어】자유.

~ hita 가가호호.

abrir ~ 사람을 헤치다, 통로를 열다, 길을 열다, 통행시키다.

azotar ~s 한길을 쏘다니다.

dejar en la ~ 길을 잃게 만들다, 행운이나 직업을 빼았다.

echar por la ~ de·en medio 모든 것을 다 억누르다.

echarse a la ~ ① 소동을 벌이다, 난동을 부리다. ② 외출하다(salir de casa).

hacer ~ 사람을 헤치다.

llevarse a la ~ 무시하다.

plantar·poner en la ~ 쫓아내다.

callear *tr.* 포도 덩굴을 정리하다, 포도밭에 길을 내다(hacer calles en las viñas).

callecalle *m.* 《Chile.》=**irídea de flores blancas.**

calleja *f.* [*dim.* calle] ① 좁은 골목, 작은 길 (callejuela). ②【은어】(경찰의 체포망에서) 도망다니는 일.

Sépate·Ya se verá·Ya verán, quién es ~ 내 위력을 보여 주겠다.

callejear *intr.* 길을 어정거리다(andar paseando las calles).

callejeo *m.* 한길을 어정거리고 다니는 일.

callejero, ra *adj.* 걷기를 좋아하는; 곧잘 길을 어정거리는. —*m.* 길 안내기; (신문 등의) 구독자 주소록.

C

callejo *m.* 《*Sant.*》 (맹수·짐승을 잡기 위해 파 놓은) 구덩이(hoyo).

callejón *m.* [*aum.* calleja] 좁은 통로, 소로(小路)(calleja).
~ *sin salidas* 막다른 골목; 어려운 사업.

callejuela *f.* [*dim. desp.* calleja] ① 좁은 뒷골목, 소로(小路). ② 발뺌하기 위한 핑계.

callicida *f.* 못·티눈 빼는 약.

callista *m.f.* (손발에 생기는) 못·티눈 빼는 의사. Sinón. pedicuro.

callizo *m.* ① 《*Ar.*》 =**callejón.** ② 《*Ar.*》 =**callejuela.**

callo *m.* (손발의) 못; 티눈 : Los obreros suelen tener ~*s* en las manos. —*pl.* 소·양의 곱창 전골.

callón *m.* 송곳 숫돌.

callonca *adj.* 설 구워진 (밤 등). —*f.* ① 약삭빠른 중년 여인. ② 창녀, 매춘부.

callosidad *f.* (피부의) 굳은 살; 못.

calloso, sa *adj.* (손 같은 데) 못이 잔뜩 박힌 : manos ~*sas.*

calludo, da *adj.* 《*Arg.*》 =**calloso.**

callueso *m.* 《*Murc.*》 채소를 갉아 먹는 곤충.

calma *f.* ① 무풍(無風), 바람이 잠, 고요함, 잔잔함 : ~ chicha 몹시 잔잔함. ~*s* ecuatoriales 적도 무풍 해역. Después de la tormenta vino la ~ 태풍 후에 무풍 상태가 되었다. ② 고요함, 잔잔함, 진정; 평온, 무사(paz). ③ 부진, 침체; (어음의) 정지 : ~ en los negocios 경기 후퇴 기세. estación de ~ 초목이 서리를 맞는 시절; 불경기 시대. ④ 한가로움, 태평스러움(apatía). Contr. tubación, tumulto.

calmado, da *adj.* [calmar의 *p.p.*] =**sudoroso, caliente, fatigado.**

calmante *adj.* 고요한, 잔잔한, 가라앉히는, 진정시키는 (것같은). Contr. turbador; excitante. —*m.* 진정제, 진통제 : La esperanza es el ~ de los ~*s* 희망은 진정제 중에서 최상의 약이다.

calmar *tr.* 가라앉히다, 진정시키다, 잠잠하게 만들다(sosegar) : Esta medicina *calma* el dolor 이 약은 통증을 가라앉힌다. —*intr.* (바람이) 자다 : *Calmó* el viento 바람이 잤다. Contr. agitar, irritar, excitar.
~se 차분해지다; 가라앉다(sosegarse).

calmaría *f.* 【고어】 =**calma.**

calmazo *m.* [*aum.* calma] (바다가) 몹시 잔잔함.

calmear *tr.* 《*And.*》 =**embromar.**

calmil *m.* 《*Méx.*》 (집 옆의) 남새밭.

calmo, ma *adj.* ① 휴경(休耕)의, 밭을 놀린. ② 《*Chile.*》 침착한, 가라앉힌, 잔잔해진(tranquilo).

calmoso, sa *adj.* ① 고요하고 평온한, 잔잔한(tranquilo) : tiempo ~. ② 굼뜬. Contr. activo.

calmudo, da *adj.* =**calmoso.**

calnado *m.* 【고어】 =**candado.**

calo *m.* (속에 물이 들어 있는 남아메리카의) 두껍고 키가 큰 사탕수수.

caló *m.* [*pl.* 없음] 집시족(gitanos)의 언어; 하층 사회의 슬랭·속어·비어.

calobiótica *f.* 생활 개선(법); 생활 조정의 경향.

calocéfalo, la *adj.* 머리가 예쁘게 생긴.

calofilo, la *adj.* 잎이 고운 : planta ~*la* 관상엽 식물.

calofriarse *r.* ⑫ 오한이 들다(sentir calofríos).

calofrío *m.* [주로 *pl.*] 오한, 한기(escalofrío) : Los ~*s* son el indicio de muchas enfermedades 오한은 많은 병의 징후이다.

calografía *f.* =**caligrafía.**

calología *f.* 미학(estética).

calomel *m.* 【화학】 감홍(甘汞)(calomelanos).

calomelanos *m.* =**calomel.**

calón *m.* 깊이를 재는 장대.

calonche *m.* 선인장의 즙과 설탕으로 만들어진 알코올 음료.

caloñar *tr.* 【고어】 ① =**calumniar.** ② =**castigar.**

caloptérix *m.* 잠자리의 일종.

calóptero, ra *adj.* 깃털이 아름다운.

calor *m.* [*lat.* calor] ① 열; (병의) 열. ② 더위, 서기(暑氣) : hacer ~ 날씨가 덥다. tener ~ 몸이 덥다. Hace mucho ~ 날씨가 무척 덥다. ¿ Tiene Vd. ~? 덥습니까? Contr. frío. ③ 열렬, 격렬, 열심, 기세 : ~ del combate 싸우는 도중.
~ *animal* 체온. ~ *canicular* 혹서, 무더위. ~ *específico* 비열(比熱). ~ *latente* 잠열(潛熱). ~ *natural* 평열(平熱).
al ~ de …의 비호로.

calorazo *m. aum.* calor.

calorcillo *m. dim.* calor.

caloría *f.* 【물리】 열량, 칼로리.

caloriamperímetro *m.* 【전기】 전열량계(電熱量計).

caloricidad *f.* ① 【생리】 (체내의) 열량 발생 능력. ② 열량 발생·보지성(保持性).

calórico, ca *adj.* 열의. —*m.* 【물리】 열소(熱素); 열(calor) : ~ radiante 복사열.

calorífero, ra *adj.* 열을 전하는. —*m.* ① 난방기(aparato de calefacción) : ~ de vapor 증기 난방. ② 난로(estufa) : Los ~*s* de combustión lenta son peligrosos 서서히 연소하는 난로는 위험하다. ③ 발을 불에 쬐기, 불에 쪼이기(calientapiés).

calorificación *f.* 체열의 발생.

calorífico, ca *adj.* 열을 내는·발하는; 전열성의, 열량의. —*m.* 난방기.

calorifugar *tr.* =**hacer calorífugo.**

calorífugo *adj.* (열)부전도의; 불연성의.

calorimetría *f.* 열량 측정.

calorimétrico, ca *adj.* 칼로리·열량 측정의 : unidad ~*ca* 열량 측정 단위.

calorímetro *m.* 【물리】 열량계.

calorimotor *m.* 전기 발열 장치.

calorina *f.* 《*Murc.*》 =**calina.**

calorosamente *adv.* =**calurosamente.**

caloroso, sa *adj.* =**caluroso.**

calosfriarse *r.* =**calofriarse.**

calosfrío *m.* [주로 *pl.*] 추위, 한기, 오한.

caloso, sa *adj.* 물기를 빨아 들이는 (종이).

calostro *m.* (분만 후의) 초유(初乳)(primera leche que da la hembra).

calota *f.* ① 《*Galic.*》 둥근 모자. ② 【해부】 두개관(頭蓋冠)(casquete).

calote *m.* 《*Arg. Urug.*》 ① 속임수(engaño). ② 도둑질(robo).

caloteador, ra *adj.* 《*Arg.*》 =**engañador, ladrón.**

calotear *tr.* 《*Arg.*》 속이다(engañar); 훔치다, 등쳐 먹다(robar).

calotipia *m.* =**calitipia.**

caloto *m.* 《*AmérM.*》 주술용 돈.

calotórax *m.* 【조류】 (아름다운 깃의) 참새의 일종.

caloyero *m.* (그리스의) 성 바실리오 승려.

caloyo *m.* 갓 태어난 양·산양(cordero o cabrito recién nacido).

calpamulo, la *adj. m.f.* 《*Méx.*》 (중국인 등의) 혼혈 종족(의).

calpense *adj.* 깔뻬 《Calpe, Jibraltar를 가리킴》의. —*m.f.* 깔뻬 사람.

calpixque *m.* 《*Méx.*》 【고어】 농장의 감독.

calpuchero *m.* 《*Sal.*》 =**calboche.**

calpul *m.* 《*AmérC.*》 모의를 위한 모임; 원주민이 만든 작은 동산.

calquín *m.* 《*Arg. Chile.*》 【조류】 새매(gavilán)의 일종.

calseco, ca *adj.* 석회로 처리한.

calta *f.* 【식물】 나물류의 일종.

caltrizas *f.pl.* 《*Ar.*》 =**angarillas.**

calucha *f.* 《*Bol.*》 야자·편도·호두의 속껍질.

caluma *f.* 《*Perú.*》 ① (안데스 산맥의) 협곡·골짜기. ② 《*Perú.*》 인디오의 골짜기.

calumbán *m.* 【식물】 =**baguilumban.**

calumbarse *r.* 《*Ast. Sant.*》 =**chapuzarse, zambullirse.**

calumbo *m.* 《*Ast. Sant.*》 잠수.

calumbre *f.* =**moho del pan.**

calumnia *f.* 중상, 모략, 비방, 허위 고소, 무고, 무고죄: Todo lo que dice son ~*s* 그가 말하는 것은 모두 중상이다.

calumniador, ra *adj.* 중상하는, 중상적인, 비방하는, 모략하는. —*m.f.* 중상자, 모략자.

calumniar *tr.* ⑪ 중상하다, 모략하다, 비방하다, 누명을 씌우다.

calumniosamente *adv.* 중상적으로.

calumnioso, sa *adj.* 중상의, 중상적인, 모략의.

calungo *m.* 《*Col.*》 【동물】 중국의 개(의 일종).

calura *f.* [드묾] =**calor.**

caluro *m.* 【조류】 깔루로 《중남미산 딱따구리의 일종》.

calurosamente *adv.* 열정적으로, 열렬하게.

caluroso, sa *adj.* ① 무더운: día ~ 무더운 날. ② 열심의, 열렬한, 뜨거운, 열정적인, 격렬한 (vivo, ardiente): un ~ ofrecimiento.

caluyo *m.* 《*Bol.*》 인디오의 춤.

calva *f.* ① 대머리. ② 숲 속의 빈터·공지(calvero). ③ 뿔이나 돌로 만들어진 공놀이의 일종.

calvar *tr.* 속이다(engañar).

calvario *m.* 십자가의 길(Vía Crucis) 《그리스도의 수난을 기념하여 14기의 십자가를 세운 곳》; 십자가의 언덕 골고다(Gólgota); 괴로움과 슬픔; (외상 물건 사기에) 불어난 빚.

calvatrueno *m.* 【속어】 요강 대가리; 대머리; 방탕아.

calverizo, za *adj.* calvero가 많은 (땅).

calvero *m.* 삼림 지대의 공지; 찰흙 캐는 곳.

calvete *adj. dim.* calvo.

calvez *f.* 대머리.

calvicie *f.* [*lat.* calvities] =**calvez.**

calvinismo *m.* 칼빈 《불란서 태생의 신학자 Juan Calvino(1509—61), 스위스의 종교 개혁의 지도자》 주의.

calvinista *adj.* 칼빈파의. —*m.f.* 칼빈주의자, 칼빈 교도(hugonote).

calvitar *m.* =**calvijar.**

calvo, va *adj.* [*lat.* calvus] 머리가 빠진; 아무것도 나지 않은 민머리의; 대머리의(pelón). —*m.f.* 대머리, 독두(禿頭).

calza *f.* (물건 아래· 수레 바퀴를 지탱하기 위한) 버팀·쐐기, (가축의 발에 감는) 표적. —*pl.* ① 바지; 반바지. ② 긴 양말(medias calzas). ③ 【은어】 족쇄.
~ *de arena* (형구용) 양말. ~*s bermejas* (귀족이 입는) 빨간 바지. *medias* ~*s* 목이 긴 양말. *en* ~*s prietas* 이러지도 저러지도 못한 궁지에, 난감한 처지에.

calzacalzón *m.* 다리와 넓적다리를 덮는 긴 바지.

calzada *f.* ① 돌을 깐 길; 포장 도로; 하이웨이, 자동차길: ~ romana 서반아 각지에 남아 있는 로마인이 건설한 공도. ② (지질의) 층.

calzadera *f.* (가죽 샌들의) 삼으로 만든 끈; 차바퀴의 제동기, 제동철(制動鐵).

calzado, da *adj.* [calzar의 *p.p.*] ① 신발·구두를 신은: religioso ~. ② 발에 털이 돋은: pichón ~. ③ 다리 아랫도리의 털 빛깔만 다른: yegua negra ~*da*. —*m.* 발에 신는 것 《구두·양말·짚신·보선 등》: ~ de cuero.

calzador *m.* ① 구두 주걱. ② 《*Arg.*》 【고어】 펜대. ③ 《*Bol.*》 샤프펜슬(lapicero).

calzadura *f.* 신발·구두 신는 일; (차바퀴에) 끼우는 것.

calzar *tr.* ⑨ [*lat.* calceare] ① 신발·구두를 신기다; 장갑을 끼우다: ~ por su mano al niño 자기 손으로 아기에게 구두를 신기다. ② (박차·바퀴 등을) 끼우다, 빠지지 않게 대다. ③ (신발을 누구에게) 제공하다: Visto y *calzo* a mis criados 나는 종업원들에게 옷이나 구두까지 대주고 있다. El zapatero me *calza* 그 구둣방이 내 구두를 늘 만들고 있다. ④ (차바퀴·기물 아래에) 제동기·고정 장치를 대다. ⑤ (탄환을) 장전할 수 있다, (총포에 어떤 크기의 탄환이) 끼워지다. ⑥ 《*Amér.*》 흙을 돋우다.
—*intr.* ① 구두를 신다: *Calza* bien 좋은 신발을 신고 있다. ¿Qué número *calza*? 어떤 사이즈를 신으십니까? ② 유능하다, 머리가 좋다, 머리가 잘 돌다: Tu criado *calza* muy poco 자네의 머슴은 형편없는 인간이야.
~se ① 신발을 신다; 장갑을 끼다, 착용하다: *Se calzó* las botas 그는 장화를 신었다. ② (누구를 이용하여) 조종하다. ③ [+con: 권력적인 것을 몸에] 지니다, …을 행사하다.

calzo *m.* 쐐기(cuña, alza); (지렛대의) 버팀점.

calzón *m.* [*aum.* calza] [주로 *pl.*] ① 반바지; 바지. ② 카드 놀이의 명칭. ③ 《*Méx.*》 수분의 부족으로 인한 사탕수수의 위축병. ④ 《*Perú.*》 여자의 바지. ⑤ 《*Bol.*》 매운 돼지고기 요리.
~ *bombacho* 옆 단추가 달린 반바지. ~*es blan-*

cos 속바지 ; 펜티(calzoncillos).
ponerse una mujer *los calzones* 내주장을 발휘하다, 아내가 집안일을 맡아 하다, 엄처시하에 살다.

calzonarias *f.pl.* 《*Col.*》 바지걸이(tirantes) ; 여자의 바지.

calzonario *m.* 《*Col. Panamá.*》 여자의 바지.

calzonazos *m.* 【단·복수 동형】 공처가, 마음이 약한 호인(bragazas).

calzoncillo *m.* 《*Venez.*》 앵무새의 일종.

calzoncillos *m.pl.* 《*Méx.*》 속바지 ; 팬티.

calzonear *intr.* 똥을 싸다.

calzoneras *f. pl.* 《*Méx.*》 (양쪽 옆구리에 위에서 밑까지 단추가 달린) 바지의 일종.

calzonudo, da *adj.* ① 《*Amér.*》 어리석은. ② 《*Méx.*》 씩씩한, 기운이 좋은(enérgico). **—***m.* 《*AmérC.*》 ① (여자가 말하는) 사내(라는 것). ② 《*Méx.*》 원주민 토인.

calzorras *m.* =**calzonazos.**

cama *f.* [*lat.* cama] ① 침상, 침대 : vagón ~ 침대차. ~ redonda 여럿이 뒤섞여 자는 곳. ② 잠자리에 까는 짚. ③ (동물의) 잠자리 : una ~ de conejos. ④ 수레의 바닥. ⑤ (수박 등의) 밑부분. ⑥ 한배 새끼(camada de los animales). ⑦ (삽·가래의) 굴대.
~ *de podencos* 잠자기에 불편한 침대.
caer en (la) ~ 아파서 들어눕다, 병에 걸리다 (contraer enfermedad).
estar en ~, *guardar (la)* ~ 병상에 있다, 아파 누워 있다(acostarse por estar enfermo).
hacer ~ 잠자리를 만들다 ; 병상에 있다.
hacer la ~ (누구를) 속이다 ; 잠자리를 준비하다.

camacero *m.* 【식물】 (아메리카의 열대 지방의) 가지과 식물.

camacita *f.* =**hierro meteórico.**

Camacho *m.* 까마쵸 《동끼호떼 제 2 부에 나오는 인물》.
bodas de ~ 훌륭하고 성대한 결혼 ; 굉장한 음식 잔치.

camachuelo *m.* 【조류】 홍방울새(의 무리).

camada *f.* ① 한배 새끼 : ~ de lobos. ② 한 다발(로 된 것), 한줄로 늘어놓음 ; 늘어 놓은 것. ③ 한 무리의 도둑.

camafeo *m.* [*ital.* cameo] 얕게 양각한 보석, 캐미오 세공, 조각한 보석.

camagua *adj.* 《*AmérC. Col. Méx.*》 익기 시작한 (과일·옥수수). **—***f.* 늦 옥수수(maíz tardío).

camagüe *adj.* 《*Guat.*》 =**camagua.**

camagüeyano, na *adj.* 까마구에이 《Camagüey, Cuba의 한 지방》의. **—***m.f.* 까마구에이 사람.

camahuas *m.pl.* 까마우아스족 《뻬루 Ucayal 강변에 살았던 미개 민족》.

camahueto *m.* 《*Chile.*》 강에 살면서 홍수를 나게 한다는 가공의 괴수.

camaina *m.* 《*Venez.*》 악마.

camaján, na *adj.* 《*Méx.*》 속이 시커먼, 엉큼한, 교활한.

camal *m.* ① 말고삐, 도살한 돼지를 매다는 나무. ② 《*AmérM.*》 도살자, 백정.

camaldulense *adj.* =**camandulense.**

camaleja *f.* 《*Murc.*》 써래의 소형 스프링.

camaleón *m.* ① 【동물】 카멜레온. ② 줏대가 없는 사람, 지조가 없는 사내. ③ 《*Bol.*》 갈기도마뱀(iguana). ④ 《*Cuba.*》 녹색 도마뱀. ⑤ 《*CRica.*》 【조류】 육식조(ave de rapiña). ⑥ 【식물】 =**ajonjera.** ⑦ 【천문】 카멜레온좌.

camaleonesco, ca *adj.* 카멜레온의·같은.

camaleónico, ca *adj.* =**comodaticio.**

Camaleopardo *m.* 【천문】 카멜레온좌.

camalero *m.* 《*Perú.*》 도살업자, 백정 ; 식육점 주인.

camalotal *m.* 《*Arg.*》 camalote밭.

camalote *m.* 【식물】 아욱의 일종.

camama *f.* 【속어】 거짓말, 속임수, 가짜(chasco, burla, engaño).

camambú *m.* 【식물】 가지과 식물.

camamear *intr.* =**andar con camamas.**

camamila *f.* 【식물】 카밀레(camomila).

camanance *m.* 《*AmérC.*》 보조개, 볼우물 (hoyuelo en la mejilla).

camanay *f.* 《*Perú.*》 【조류】(California에서 Chile까지 태평양의 연안에 살고 있는 발이 푸른) 펠리컨(alcatraz)의 일종.

camanchaca *f.* 《*Chile. Perú.*》 Tarapacá 고원의 짙은 안개.

camándula *f.* ① 수도승의 종파명. ② 염주의 이름. ③ 거짓 신앙, 허위, 가면 : gastar ~*s* 고양이의 탈을 쓰고 있다. ④ 【식물】 =**jaboncillo.**

camandulear *intr.* ① 신앙심이 독실한 것처럼 꾸미다, 고양이의 탈을 쓰다. ② 《*Ast. Sal.*》 = **corretear, chismear.**

camandulense *adj. m.f.* 카만둘라 파의 (승려) : religioso ~.

camandulería *f.* ① 위선자 기질. ② =**gazmoñería.**

camandulero, ra *adj.* ① 신앙심이 두터운 척하는 ; 위선적인(hipócrita). ② 《*Arg. Urug.*》 간에 붙었다 쓸개에 붙었다 하는, 기회주의의. **—***m.f.* 위선자.

camanonca *f.* (옛날 옷의 안감용) 천(tela).

camao *m.* 《*Cuba.*》 【조류】 (황갈색의) 작은 야생 비둘기.

cámara *f.* [*lat.* camera] ① ㄱ) 큰 홀, 방(sala, habitación) : ~ nupcial 결혼 예식홀. ㄴ) 궁정, 왕실 : pintor de ~ 왕실 화가. ㄷ) 알현실. ② 회관(ayuntamiento), 회의장, 회의 장소 : ~ de comercio e industria 상공 회의소. ③ 의원, 의회 : ~ alta·baja 상·하원. ~ de diputados 《*Ecuad.*》 하원. ~ de representantes 《*Col.*》 하원. ④ 선실 ; (군함의) 사관실 ; 고급 선원실, (비행기의) 좌석실. ⑤ 창고, 곳간. ⑥ (권총의) 윤동(輪胴), (총의) 약실 ; (보일러의) 실, 작은 간막이. ⑦ (자동차·자전거의) 튜브(cámara de aire). ⑧ 사진기, 촬영기 : ~ cinematográfica 영화 카메라. ~ fotográfica 사진기. ~ de televisión 텔레비전 촬영기. ⑨ 【해부】 소실(小室), 강(腔). ⑩ 배변 ; [주로 *pl.*] 설사.
~ *acorazada* 금고실, 큰 금고.
~ *apostólica* 교황청 금고 ; 교황청 재정 회의.
~ *clara,* ~ *lúcida* 카메라 루시다, 사생기(寫生器).
~ *compensadora · de compensación* 어음 교환소.

~ *de aire* (타이어의) 튜브; (기구·비행선의) 기낭(氣囊); (건물 입구 등의) 에어 커튼, 공기 도어.
~ *de Indias* 식민지회 의원(院).
~ *de los Comunes·de los Lores* 영국의 하원·상원.
~ *de seda* 양잠실.
~ *frigorífica* 냉장고, 냉장실.
~ *mortuoria* 장의실.
~ *obscura* 사진의 암실, 암상자.
~ *televisora* 텔레비전 촬영기.
padecer ~*s* 설사를 하다(tener flujo de vientre).

camarada *m.* ① 친구, 동배(同輩), 동료, 동지, 동창(compañero de colegio): Charlaron como viejos ~*s* 그들은 오래 사귄 동료처럼 이야기했다. ② 동아리; (공산당이 말하는) 동무. —*f.* 동료들.

camaradería *f.* 동료간의 우의(amistad entre camaradas).

camaraje *m.* 곡물 창고의 임대(료).

camaranchón *m.* 다락방(desván); 곡간, 광(granero).

camarera *f.* ① 시녀장: ~ mayor 시종관. ② (여관·다방의) 여급, 하녀, 여급사, 종업원; 스튜어디스: ~ de avión 스튜어디스.

camarería *f.* 종업원의 직.

camarero *m.* (여관·식당·자동차의) 종업원, 보이, 급사; (옛날의) 시종.
~ *mayor* (왕의) 시종관.

camareta *f.* [*dim.* cámara] ① 작은 선실. ② 《*AmérM.*》 폭죽.

camareto *m.* 《*Cuba.*》 노란 고구마의 일종.

camarico *m.* ① (남미의 원주민이 승려나 서반아 사람에게 바쳤던) 곡물. ② 《*Chile.*》 자주 다니는 곳. ③ 사랑 싸움(amorío): tener un ~.

camariento, ta *adj.* 설사를 하는. —*m.f.* 설사 환자.

camarilla *f.* 서반아의 왕당파; 그 추종자.

camarillesco, ca *adj. desp.* camarilla의.

camarín *m.* [*dim.* cámara] 소예배실; 성상의 의상을 두는 방; (극장의) 탈의실, 분장실; 별실, 작업실.

camarista *m.* ① 《*Méx.*》 =**camarero.** ② 국정원 참의. —*f.* 궁녀.

camarlengado *m.* camarlengo의 직위.

camarlengo *m.* 교황청 재정회의 의장《최고 추기경》; 시종.

camaro *m.* =**camarón.**

camarógrafo, fa *m.f.* (신문사 등의) 사진 반원; 【영화】 촬영 기사; 사진사.

camarón *m.* ① 【동물】 새우: arroz con ~ 새우 덮밥. ② 《*Amér.*》 팁(propina); 옹골진 수확. ③ 《*Perú.*》 속임수, 배반, 배신: hacer ~ 다른 정당으로 옮기다. ④ 《*Perú.*》 10 솔(sol) 지폐. ⑤ 《*Chile.*》 (아름드리 나무를 운반하는) 수레.

camaronear *tr.* 《*Amér.*》 새우를 잡다. —*intr.* 《*Perú.*》 배반하다, 배신 행위를 하다.

camaronera *f.* 새우잡이 그물.

camaronero, ra *m.f.* ① 새우잡이 어부. ② 새우 장수. —*m.* 《*Perú.*》 【조류】 물총새(martín pescador).

camarote *m.* 선실(dormitorio de barco).

camarotero *m.* 《*Amér.*》 (배의) 보이.

camarroya *f.* 【식물】 야생 상추.

camarú *m.* 【식물】 까마루《기나(guina)와 비슷한 껍질의 남아메리카의 약용 나무; 제목이 roble의 제목과 닮아 roble de Orán 이라고도 함》.

camasquince *m.f.* 주책바가지.

camastra *f.* 《*Chile.*》 =**maña, astucia, ardid, treta.**

camastrear *intr.* 《*Chile.*》 술수를 쓰다, 계책을 쓰다, 엉큼한 짓을 하다, 교활한 짓을 하다.

camastro *m.* [*desp.* cama] 엉성한 침대.

camastrón, na *adj.* 뱃속이 검은, 기회주의의. —*m.f.* 뱃속이 검은 사람, 기회주의자.
hacerse el ~ 모른 척하다.

camastronería *f.* 기회주의.

camatón *m.* 《*Ar.*》 작은 땔감·장작 다발.

camauro *m.* (머리와 귀를 덮는) 교황모.

camayo *m.* 《*Perú.*》 농장의 감독(capataz).

camaza *f.* 《*AmérC.*》 camacero의 열매.

camba *adj.* 깜바의. —*m.f.* ① 깜바 원주민《볼리비아 동북 지방의 미개한 원주민》. ② 흑인(negro).

cambado, da *adj.* ① 《*Can. Venez.*》 =**combado.** ② 《*Amér.*》 다리가 구부러진 (de piernas torcidas).

cambalachar *tr.* =**cambalachear.**

cambalache *m.* ① 값싼 물건의 교환. ② 《*Arg.*》 고물상 주인(prendero).

cambalachear *tr.* 거래하다; (잡동사니, 싼 물건을) 교환하다(hacer cambalaches).

cambalachero, ra *adj.* cambalachear을 좋아하는; 거래하는, 교환하는. —*m.f.* ① 값싼 물건을 좋아하는 사람. ② 《*Arg.*》 고물상 주인(prendería).

cambalada *f.* 《*And.*》 술취한 사람의 비틀거림, 갈짓자 걸음.

cambaleo *m.* 옛날의 남배우 5명과 여배우 1명으로 구성된 극단.

cambalud *m.* 《*Sal.*》 심한 충돌(tropezón violento).

cambar *intr.* 《*AmérM.*》 휘어지다, 뒤틀리다 (combar, curvar).

cambarín *m.* 《*Ál.*》 =**meseta.**

cámbaro *m.* 【동물】 녹색 바닷게.

cambaya *f.* 《*Amér.*》 깜바야 당목.

cambera *f.* 게잡는 그물.

cambeto, ta *adj. m.f.* 다리가 활처럼 휜 (사람).

cambiable *adj.* 변하기 쉬운; 교환할 수 있는; 가변성의.

cambiada *f.* 변경(cambio).

cambiadiscos *m.* 【단·복수 동형】 레코드 자동 교환 장치.

cambiadizo, za *adj.* 변하기 쉬운.

cambiador, ra *adj.* 변하는. —*m.* ① 교환자; 환전상(cambista). ② 이동·전동 장치. ③ 《*Chile. Méx. Perú.*》 전철수(guardagujas). ④ 【은어】 매음굴의 펨프·뚜쟁이.

cambiamiento *m.* 변화(cambio, mutación, variedad).

cambiante *adj.* 변하는: carácter muy ~. [Contr.] constante, fijo, inmutable. —*m.* 환전상 (cambista). —*pl.* 비단 벌레 빛깔, 무지개빛 반사.

cambiar *tr.* 11 ① [+ en：…으로] 바꾸다, 변화시키다, 변경하다(mudar). ② [+ con · por：…과] 바꾸다 · 교환하다(trocar)：~ la pluma *con · por* otra nueva 펜을 다른 새것과 바꾸다. ③ 환전하다(~ dinero)：¿ Quiere ~me diez dólares? 10달러 환전 해주시겠습니까? ~ mil pesetas *en* calderilla 천뻬세따를 동전으로 바꾸다. ④ 바꾸다, 교환하다：~ saludos 인사를 교환하다. ~ impresiones 받은 인상을 서로 이야기하다. Contr. mantener. perpetuar. —*intr.* ① 달라지다：Esta ciudad *ha cambiado* mucho desde que la visité hace diez años 이 도시는 10년 전 내가 방문한 이래 많이 달라졌다. El tiempo *cambia* mucho 날씨가 변덕스럽다. ② [+de：…을] 바꾸다, 대체하다：Permítame un momento para ~ *de* traje 옷을 바꿔 입게 잠깐만 실례합니다. ~ *de* asiento *con* el vecino 옆 사람과 자리를 바꾸다. ③ 풍향(風向)이 달라지다.
~se ① [+en：…으로] 변하다, 변화하다：La risa *se cambió en* llanto 웃음이 눈물로 변했다. ② [+de：…을] 갈다, 바꾸다：~*se de* vestido 옷을 갈아입다. ③ 바람의 방향이 바뀌다. ④ 이사하다, 전거(轉居) · 전주(轉住)하다.
~ ***de aires*** 전지 요양하다.
~ ***de tren*** 열차를 바꿔타다：*Cambiemos de tren* en Zaragoza 사라고사에서 열차를 바꿔 탑시다.
mudarse ~ 《*Arg. Chile.*》 떠나다, 돌아가다, 가버리다(marcharse. irse).
cambiario, ria *adj.* ① (돈을) 환전하는：actividad ~*ria* 환전 행위. mercado ~ 환전 시장. ② 어음 교환의.
cambiavía *m.* 《*Cuba. Méx. PRico.*》 전철기(轉轍機). —*m.f.* 전철수(轉轍手).
cambiazo *m.* ① 바꿔치기：dar el ~ 바꿔치기하다. ② 큰 변화, 전신(轉身)(하는 솜씨).
cambija *f.* 물 저장 탱크.
cambímbora *f.* 깊고 불규칙한 구멍.
cambín (잔 고기잡이용) 버들가지 광주리.
cambio *m.* ① ㄱ) 바꾸기, 변하기：~ de casa 이사, 전거(轉居)：~ en el personal 인사 이동. ㄴ) 변화; 변경; (차의) 바꿔 타기：~ de tren 열차 바꿔 타기. ② 교환; 교역：libre ~ 자유 무역. ③ 환산(율)：precio · tipo del ~ 환율. ~ a la par 등가 환산율. ¿A cómo está el ~ de dólar? 달러의 환산율은 얼마나 됩니까? ④ 환(換); 환시세; 외환(外換)：alza de ~ 환시세의 등귀. comisión de ~*s* 환 관리국. cotización de ~*s* 환 시세표. letra de ~ 환어음. ⑤ 전철(轉轍)：aguja de ~ 철도의 전철기, 변경 장치. ~ de marchas 변속기. —*pl.* 잔돈, 거스름돈(suelto)：¿Tiene usted ~? 잔돈 있습니까?
a ~ de …의 대신에(en lugar de. en vez de).
al ~ de …의 환율로.
en ~ 이에 반하여, 그 대신으로, 반면에.
a las primeras de ~ 처음 보아, 처음에, 한번 보기만으로(al primer encuentro. al comienzo. a primera vista).
cambista *m.f.* ① 환전상, 외환 상인; 어음 중개인. ② 《*Arg.*》 전철수.
cambium *m.* 【식물】 형성층.

cambiza *f.* 《*Sal.*》 벤 곡식 수집가.
cambizar *tr.* 《*Sal.*》 벤 곡식을 모으다.
cambizo *m.* 《*Sal.*》 써래의 키.
cambo *m.* 《*Sal.*》 돼지 순대가 작대기에 걸린 방.
Camboya *f.* 【지명】 캄보디아.
camboyano, na *adj.* 캄보디아의. —*m.f.* 캄보디아 사람.
cambray *m.* 질이 좋은 옥양목, 캄브레산의 린넬.
cambrayado, da *adj.* =**acambrayado.**
cambrayón *m.* 캄브레 비슷한 린넬.
cambriano, na *adj.* ① 【지질】 캄브리아기(紀) · 계(系)의. ② 웨일즈(Gales. 영국 Wales)의.
cámbrico, ca *adj.* =**cambriano.**
cambrillón *m.* (구두 깔창과 바닥 사이의) 가죽 늘리기.
cambrón *m.* 【식물】 쇄기풀의 무리; 딸기의 일종.
cambronal *m.* cambrón · cambronera 밭.
cambronera *f.* 【식물】 구기자(artos).
cambroño *m.* 【식물】 =**piorno.**
cambrún *m.* 《*Col.*》 양모로 짠 천(tela de lana).
cambucha *f.* ① 《*Ast.*》 수레의 큰 바퀴. ② 《*Chile.*》 종이 연.
cambuche *m.* 《*Arg.*》 =**botijo.**
cambucho *m.* 《*Chile.*》 ① 삼각 자루; 광주리, 허섭쓰레기를 담는 그릇. ② 골방, 작은 방(cuarto pequeño). ③ (병에 씌우는) 짚 덮개; 종이 연.
cambuí *m.* 《*Arg. Urug.*》 【식물】 =**guayabo.**
cambuj *m.* 탈, 가면.
cambujo, ja *adj.* ① 검붉은 (털 · 살 빛깔). ② 《*AmérC. Méx.*》 새까만 (동물). ③ 《*Arg. Urug.*》 토인과 흑인과의 혼혈아.
cámbulo *m.* 《*Col.*》 =**cachimbo.**
cambullón *m.* 《*Amér.*》 속임수; 물물 교환.
cambur *m.* 【식물】 바나나(plátano)의 일종.
cambute ① 【식물】 (열대 지방의) 화본과 식물. ② 《*Cuba.*》 =**cambutera.** ③ 덩굴풀 열매 · 꽃. ④ (태평양 연안의) 큰 식용 달팽이.
cambutera *f.* 《*Cuba.*》 【식물】 덩굴풀.
cambuto, ta *adj.* 《*Perú.*》 키가 앙바틈한, 땅딸막한(rechoncho). —*f.* 《*Col.*》 =**cuco.**
CAME Consejo de Ayuda Mutua Económica 동구(東歐) 경제 상호 원조 회의.
camea *f.* 《*Galic.*》 =**camafeo.**
camedrio *m.* 【식물】 개곽향의 일종.
camedris *m.* =**camedrio.**
camedrita *m.* 개곽향을 넣고 빚은 포도주.
camelador, ra *adj.* camelar하는. —*m.f.* 유혹자.
camelar *tr.* ① 사랑을 호소하다(enamorar). ② (여자에게) 친절을 보이다, 살살 거리다. ③ 유혹하다. ④ 《*Méx.*》 보다, 노리다(ver. mirar. acechar).
cameleóntidos *m.pl.* =**camaleónidos.**
camelete *m.* (성벽을 부수기 위해 사용했던) 대포.
camelia *f.* ① 【식물】 동백꽃; 동백나무. ② 《*Cuba.*》 【식물】 개양귀비.
cameliáceas *f.pl.* 【식물】 =**camelieas.**
camélido *adj.* 【동물】 낙타속의. —*m.pl.* 【동물】

낙타류에 속하는 동물.

camelieo, a *adj.* 【식물】 산다화(山茶花)과의 (teáceo). —*f.pl.* 산다화과 식물.

camelina *f.* 【식물】 냉이의 일종.

camelo *m.* ① 사랑의 호소, 구슬리기, 여자에게 보이는 친절(galanteo). ② 속임수, 놀려주기, 얼렁뚱땅하기(burla). ③ 거짓말(mentira).

camelopardal *m.* 【동물】 기린 《아프리카 특산 종임》(camello pardal).

camelotado, da *adj.* 굵고 툭툭한 피륙으로 짠 (직물).

camelote *m.* ① 굵고 툭툭한 피륙, 낙타 모직물. ② 열대산 화본과 식물.

camelotina *f.* camelote의 일종.

camelotón *m.* 낙타 모직물, camelote 비슷한 피륙.

camella *f.* ① camello의 암컷. ② (논의) 이랑. ③ 구유통.

camellejo *m. dim.* camello.

camellería *f.* 낙타 몰이꾼의 직.

camellero *m.* 낙타 기르는 사람, 낙타 몰이꾼.

camello *m.* [*lat.* camelus] ① 【동물】 (혹이 두 개인) 낙타(dromedario) : ~ pardal 기린. ② 두레박식 부양 장치(浮揚裝置). ③ =**bruto, bestia.** ④ 약 소매 상인.

El C- Pardal 【천문】 기린좌.

camellón *m.* [*aum.* camella] ① 이랑. ② 대형 구유통·물 먹이통. ③ 《*Méx.*》 작은 섬에 만든 농경지.

camena *f.* 【시어】 시신(詩神)(musa).

camenal *adj.* 시신(詩神)의.

cámera *f.* 사진기(cámara fotográfica de cine).

camerá *f.* 《*Col.*》 【동물】 야생 토끼(conejo silvestre)의 일종 《색깔이 검고 몸집이 크며 고기가 맛있음》.

cameraman *m.* 카메라맨(camarógrafo).

camerano, na *adj. m.f.* 까메로스 산맥 《la sierra de Cameros, Logroño 주에 있음》의 (사람).

camero, ra *adj.* 침대용의 : colchón ~ 침대용 방석·요. cama ~*ra* 1인용 침대, 대형 침대. —*m.f.* 침대·침구 직공 ; 침구 대여상. —*m.* 《*Col.*》 국도, 공로(公路).

camerrino, na *adj.* 코가 넓적한 (사람).

Camerún 【지명】 카메룬 《적도 아프리카의 독립국》.

camerunense *adj. m.f.* 카메룬의 (사람).

camíbar *m.* 《*AmérC.*》 =**copaiba.**

cámica *f.* 《*Chile.*》 지붕의 경사(declive de techo).

camilucho, cha *m.f.* 《*Amer.*》 ① 농장에 1일 고용 되는 원주민. ② *desp.* 가우쵸(gaucho).

camilla *f.* ① 소형 침대 ; 운반 침대. ② 들것. ③ 밑에 화덕을 넣은 테이블.

camillero *m.* 들것을 드는 사람 ; 담가병(擔架兵).

caminada *f.* 하루의 일정(jornada).

caminador, ra *adj.* 다리힘이 좋은, 걸음걸이가 빠른, 많이 걷는. —*m.f.* 빨리 걷는 사람, 많이 걷는 사람.

caminante *adj.* 여행하는, 걷는. —*m.f.* 길가는 사람, 나그네, 여행자. —*m.* ① 마부, 말구종. ② 《*Amér.*》 【조류】 종달새와 아주 비슷한 새.

caminar *tr. intr.* ① 걷다(andar) : Hoy *he caminado* diez kilómetros 오늘 나는 10킬로 걸었다. ② 길을 가다, 여행하다 (viajar). ③ 진행·운행하다. Los ríos *caminan* en dirección del mar 강물은 바다쪽으로 흐른다.

~ *derecho* 정직하게 세상을 살아가다.

caminata *f.* 하이킹, 소풍, 원족, 긴 여행.

caminejo *m. dim. desp.* camino.

caminero, ra *adj.* 길의. —*m.* 도로 공사 인부. *peón* ~ 도로 순찰 담당자.

caminí *m.* 마테차의 일종.

caminillo *m. dim.* camino.

camino *m.* ① 길 : Tomó el ~ hacia oeste 그는 서쪽으로 향했다. El ~ está asfaltado hasta Magdalena 길은 막달레나까지 아스팔트가 되어 있다. ② 방법(modo) : Eso no es el ~ para hacerse rico 그것은 부자가 되기 위한 방법이 아니다. **Sinón.** procedimiento, vía. ③ 《*AmérM.*》 통로에 까는 융단,

~ *asendereado* 왕래가 잦은 길. ~ *carretero* · *carretil* 차도(車道). ~ *de herradura* 말이 다닐 수 있는 산길. ~ *de hierro* 철로(ferrocarril). ~ *de ronda* 외곽로, 순찰 도로. ~ *de Santiago* 은하(銀河). ~ *de sirga* 배를 끄는 길. ~ *real* 국도. ~ *trillado* 익숙한 길 ; 늘 쓰는 수단. ~ *vecinal* 지방도(地方道).

a medio ~ 도중에서.

de ~ 도중에서.

en ~ *de* …의 도중에 : Está *en* ~ *de* restablecerse 그는 회복되어 가고 있다. ¿Hay puestos de gasolina *en el* ~? 도중에 주유소가 있습니까?

ir fuera de ~ 도리에 맞지 않는 짓을 하다, 가당치않다.

llevar ~ 도리에 맞다.

ponerse en ~ 발족하다 ; 길을 나서다, 출발하다 : *Me puse en* ~ 나는 출발했다.

salir el ~ 들치기를 하다.

camión *m. fr.* 《*Neol.*》 ① 트럭, 화물 자동차. ② 《*Méx.*》 합승 버스.

~ *cisterna* 급수차. ~ *de carga pesada* 중량 트럭. ~ *de transporte de carga colectiva* 혼재(混載) 트럭편(便). ~ *trailer* 트레일러 ~ *volquete* · *volteo* 덤프 트럭.

camionaje *m.* 트럭 운수·운임.

camionero, ra *m.f.* 트럭 운전수.

camioneta *f.* 《*Neol.*》 소형 트럭(camión pequeño) : ~ de tres ruedas 삼륜 트럭.

camireño, ña *adj. m.f.* 까미리 《Camiri, Bolivia에 있는 도시》의 (사람).

camisa *f.* [*lat.* camisia] ① 셔츠, 와이셔츠(~ de hombre), 티셔츠 ; 슈미즈(~ de mujer) ; 스모크. ② (과일의) 엷은 껍질 ; (뱀의) 허물. ③ (벽의) 덧칠, 덧바르기. ④ (용광로의) 반사판. ⑤ 짐의 포장지. ⑥ 《*Chile.*》 (벽지의) 초배(지).

~ *alquitranada* · *embreada* · *de fuego* 역청(瀝青)·기름에 담근 방화용의 헌 넝마. ~ *de fuerza* (광폭성 정신 병자에게 입히는) 특수한 옷.

cambiar de ~ 의견·당을 바꾸다.

dejar sin ~ 완전히 파산시키다 ; 가진 것을 몽땅 빼앗다(quitar cuanto tenía).

en ~ 지참금이 없는·알몸만 가진 (아내를 맞이하다).
en mangas de ~ 셔츠 바람으로, 웃옷을 입지 않고.
jugar hasta la ~ 노름에 미치다.
meterse en ~ *de once varas* 공연한 애를 먹이다, 아무 관계도 없는 일에 끼어들다.
mudar de ~ =cambiar de ~.
*no llegar*le a uno *la* ~ *al cuerpo* 무서워 떨고 있다(estar con mucho miedo).
vender hasta la ~ 몽땅 팔아 치우다.

camisería *f.* 셔츠 상점, 양품점; 양품 공장.
camisero, ra *m.f.* 셔츠 만드는 재봉사; 양품점 주인.
camiseta *f.* 속셔츠; 소매짧은 셔츠, 내의.
camisilla *f.* 《*Arg. Urug.*》 =**camiseta.**
camisola *f.* ① 와이셔츠; 장식이 달린 운동 셔츠. ② 《*Arg.*》 작업복. ③ 《*Chile.*》 여자의 간단한 블라우스. ④ 《*Col.*》 슈미즈.
camisolín *m.* (앞 가슴을 가리는) 가슴 받이 (pechera postiza)의 일종.
camisón *m.* ① 나이트 가운, 긴 셔츠, 슈미즈, 여자의 잠옷. ② 《*Amér.*》 일반적으로 검은 비단으로 된 부인복.
camisote *m.* 갑옷과 투구.
camistrajo *m. desp.* cama.
Camita *m.* 성서의 인물 함(Cam)의 자손.
camítico, ca *adj.* 함(Camita)족의, 함 어족의.
camito-semítico, ca *adj.* 셈족·이집트에 속하는. —*m.* 셈족말.
Cam.° camino.
camoatí *m.* 《*Arg.*》 ① 【곤충】 벌; 벌집. ② 어수선한 곳.
camochar *tr.* 《*Hond.*》 나무를 자르다(desmochar los árboles).
camodar *tr.* 【은어】 완전히 바꿔다(trastrocar).
camomila *f.* 【식물】 =**manzanilla.**
camón *m.* [*aum.* cama] ① 미사 때의 옥좌. ② 베란다. ③ 유리를 낀 간막이 문. ④ 원형 천장의 골조.
camonadura *f.* 《*Cuba.*》 [집합] 베란다.
camoncillo *m.* [*dim.* camón] 둥그런 의자, 걸상; 간막이 문.
camorra *f.* 싸움, 입씨름, 논쟁(riña): buscar ~ 싸움을 걸다.
camorrear *intr.* 《*Arg. Urug.*》 싸우다.
camorrero, ra *adj.* 싸움을 좋아하는 (aficionado a riñas). —*m.f.* 싸움 좋아하는 사람, 싸움패.
camorrista *adj. m.f.* =**camorrero.**
camota *m.f.* 《*Murc.*》 둔한 사람, 멍청이(cabeza dura, persona torpe).
camotal *m.* 《*Amér.*》 고구마밭.
camote *m.* 《*Amér.*》 ① 【식물】 고구마. ② (이 밖의) 구근(球根). ③ 반해 버림. ④ 《*Chile. Perú.*》 연인(amante, querida); 정부. ⑤ 《*Chile.*》 거짓말(mentira). ⑥ 《*Méx.*》 뻔뻔스러운 사람; 얼간이, 바보, 천치, 멍청이. ⑦ 《*Salv.*》 =**verdugón.** ⑧ 《*Guat.*》 =**pantorilla.**
camotear *intr.* ① 《*AmérC.*》 골탕먹이다. ② 《*Méx.*》 헛되이 찾아 헤메다.
camotero, ra *m.f.* 《*Méx.*》 고구마 장수.
camotillo *m.* 《*Perú.*》 고구마로 만든 과자. ② 《*AmérC.*》 【식물】 울금(cúrcuma).
camp. campesino.
campa *adj.* 헐벗은, 나무가 없는. —*f.* 헐벗은 땅, 나무가 없는 맨땅.
campaca *f.* 【식물】 =**champaca.**
cámpago *m.* (로마 귀족의) 구두.
campal *adj.* ① 평야의: batalla ~ 야전, 회전(會戰); 결전. ② 야외의, 집 밖의: misa ~ 야외 미사.
campamento *m.* 야영(지); 캠프; 야영대: ~ de la observación del eclipse 일식 관측대의 기지. Los ~*s* están abiertos desde el 15 de mayo al 15 de octubre 캠프장은 5월 15일부터 10월15일까지 개방되어 있다.
campamiento *m.* 보다 뛰어남.
campana *f.* [*lat.* campana] ① 종; 종 모양으로 된 것: ~ de chimenea 난로 위의 종 모양 장식. ② 지방의 사원, 관구. ③ 【은어】 스커트.
~ *neumática* 배기종(排氣鐘). ~ *de rebato* 경종. ~ *de buzo* 잠수복.
a ~ *herida·tañida* 종을 쳐서.
echar las ~ *a vuelo* 자꾸만 남에게 퍼뜨리고 다니다, 헛소문을 퍼뜨리다.
campanada *f.* ① 종을 침(toque de campana). ② 소동; 대사건.
por ~ *de vacante* 《*Méx.*》 아주 드물게.
campanario *m.* 종루, 종각.
de ~ 근시안적인, 천한, 인색한: política *de* ~ 근시안적인 정치.
campanazo *m.* 《*Amér.*》 =**campanada.**
campanear *intr.* ① 종을 마구 치다. ② 말을 퍼뜨리다. ③ 《*AmérM.*》 보다, 노리다.
~se 성큼성큼 걷다.
campanela *f.* 댄스의 스탭.
campaneo *m.* ① 요란한 종소리(el repetido toque de campanas). ② 흐느적거리며 사뿐사뿐 걷는 모양(contoneo).
campanero *m.* ① 종 제조인. ② 종을 치는 중. ③ 【곤충】 사마귀.
campanero, ra *adj.* 《*AmérC. Perú. PRico.*》 = **novelero.**
campaneta *f.* [*dim.* campana] 작은 종.
campaniforme *adj.* 종 모양의.
campanil *adj.* 종의, 종을 만드는데 쓰는. —*m.* 종루; 종치는 사람.
campanilo *m.* (건물을 갈라놓는 이탈리아 교회의) 종루·종각(campanario): El ~ más celebre es el de Florencia.
campanilla *f.* ① 방울, 초인종, 벨(timbre): tocar la ~ 벨을 울리다, 초인종을 누르다. ② 거품(burbuja): La lluvia forma ~*s* en el agua. ③ 【해부】 목젖(úvula). ④ 【식물】 종상화(鐘狀花); 풍경초, 나팔꽃(의 무리): ~ de invierno 【식물】 갈란투스.
de (muchas) ~*s* 권세가 당당한, 두드러진, 현저한(notable, importante).
campanillazo *m.* 강한 벨의 소리; 벨의 울림.
campanillear *intr.* 벨을 울리다(tocar la campanilla).
campanilleo *m.* 벨소리.
campanillero *m.* (신호의) 종·벨을 울리는 사람.
campanillo *m.* 《*Ál.*》 종 모양의 동제품 방울.

campano *m.* ① 벨, 종(cencerro). ② 마호가니(나무)의 일종(esquila).

campanología *f.* 종소리를 내는 기술.

campanólogo, ga *m.f.* (음악의) 종치는 사람.

campante *adj.* ① 더 뛰어난, 훌륭한. ② 우쭐대는(ufano). ③ 만족스런(satisfecho) : Se quedó tan ~.

campanudo, da *adj.* 종 모양의 ; 큰 소리를 내는, 크게 울리는. —*m.* 【은어】 방패.

campánula *f.* 【식물】 풍경초(farolillo).

campanuláceo, a *adj.* 【식물】 도라지(과)의. —*f.pl.* 도라지과 식물.

campaña *f.* ① 평원, 평야(campo llano) : una ~ fértil 비옥한 평야. ② 싸움, (어떤 것에 대한) 투쟁, …전 : ~ electoral 선거전. ~ contra el paro 스트라이크 대항책. ~ huelguística 스트라이크 운동. ③ 야전 : artillería de ~ 야포대. hospital de ~ 야전 병원. ④ (어떤 분야에서의) 활약 시대 : ~ política 정계 활약 시대. ~ publicitaria · de anuncios · de propaganda · de publicidad 광고 활동, 광고 캠페인. ⑤ 출정 (기간) ; 출진(expedición militar) : salir a (la) ~ 출진하다(ir a la guerra). ⑥ 항해 (기간). ⑦ 《*Amér.*》 논바닥(campo).

campañista *m.* =**campañisto.**

campañisto *m.* 《*Chile.*》 (평원 · 언덕 · 산악 지방의) 목동(pastor).

campañol *m.* 【동물】 들쥐(ratón de campo).

campar *intr.* ① 낫다, 뛰어나다(sobresalir). ② 야영하다(acampar) : ~ en el bosque.

camparín *m.* 《*Ál.*》 =**cambarín.**

campatedije *m.* 《*Méx.*》 =**fulano.**

campeada *f.* ① 불의의 습격, 별안간 덮침. ② 《*Amér.*》 들의 수색, 교외의 답사.

campeador *adj.* 뛰어난 ; 발군의 전공을 세운. —*m.* ① 뛰어난 전공자. ② [el C-] 반전설적인 영웅 el Cid Ruy Díaz de Vivar (1043~1099).

campear *intr.* ① (동물이) 들 · 밖으로 나가다. ② (밭이) 푸르러지다. ③ 더 낫다(campar). ④ 야전(野戰)하다, 군대를 평야로 진출시키다. ⑤ 수색하다. ⑥ 《*Amér.*》 들을 뒤지다 ; 이탈한 우마를 찾아나서다.

campecico *m. dim.* campo.

campecillo *m. dim.* campo.

campecito *m. dim.* campo.

campechana *f.* ① 《*Cuba. Méx.*》 혼합주의 일종. ② 《*Venez.*》 해먹. ③ 매춘부, 창녀, 갈보.

campechanamente *adv.* 소탈하게, 예사롭게.

campechanería *f.* 《*Amér.*》 소탈함, 싹싹함. (carácter campechano).

campechanía *f.* =**campechanería.**

campechano, na *adj.* ① 싹싹한, 인색하게 굴지 않는 : carácter ~. ② 깜뻬체의. ③ 《*Venez.*》 시골의, 들의. —*m.f.* 캄뻬체 사람.

campeche *m.* 깜뻬체 목재 《멕시코 Campeche 에서 수출하는 콩과 식물의 재목》.

Campeche *m.* 깜뻬체 《멕시코의 주 · 시》.

campeo *m.* 《*Sal.*》 동물이 들로 나갈 수 있는 장소.

campeón *m.* ① 챔피언, 우승자 : ~ de tenis. ② 옹호자(defensor) : ~ de la democracia 민주주의의 옹호자. ~ de la fe 신앙의 옹호자. ③ 전사(guerrero). **Sinón.** paladín. ④ (옛날의) 투사(luchador, combatiente).

campeonato *m.* 《*Neol.*》 선수권, 패권 : ~ de natación · esgrima 수영 · 펜싱 선수권.

campera *f.* ① 《*Amér.*》 잠바 : ~ de punto 실로 짠 잠바. ② 야외용 재킷.

camperero, ra *adj.* 《*Sal.*》 도토리로 돼지를 돌보는 (사람).

campería *f.* 《*Sal.*》 (돼지가 도토리를 찾으러 다니는) 도토리 시즌.

campero, ra *adj.* ① 바람 부는대로 내버려진. ② 놓아 기른 · 먹인, 함부로 자란 : ganado ~. ③ 옆으로 퍼지는, 곁가지를 뻗치는 (수목). ④ 《*Méx.*》 들의, 밭의(campesino). ⑤ 《*Riopl.*》 들일에 밝은 ; 산야에 익숙한.

campesinado *m.* [집합] 노동자 계급.

campesinato *m.* 《*Amér.*》 [집합] 시골 사람.

campesino, na *adj.* ① 들의 : ratón ~ 들쥐. ② 논바닥의 ; 시골의. —*m.f.* 시골 사람, 농부 : baile de ~*s* 시골 사람들의 춤.

campestre *adj.* 들의, 들판의 ; 시골의(campesino, del campo). —*m.* 멕시코의 옛날 춤.

campichuelo *m.* ① 《*Arg.*》 초원. ② 작은 평원 · 들(campo pequeño).

campilán *m.* 끝이 넓은 직도(直刀), 도신(刀身), 넓은 칼.

campilotropo *adj.* 【식물】 구부러진 모양의.

campillo *m.* [*dim.* campo] 들판 ; 이웃 마을과의 공유지(ejido) ; 작은 운동장.

camping *m.* 캠핑 : guía de ~*s* 캠프 안내.

campiña *f.* 평야, 경지(耕地), 경작지의 큰 공지.

cerrarse de ~ 뜻을 굽히지 않다.

campiñés, sa *adj. m.f.* 비야까리요 《Villacarrillo, Jaén 주의 마을》의 (사람).

campirano, na *adj.* 《*Méx.*》 시골의 ; 들판의, 논바닥의 ; 농목에 환한. —*m.f.* 독농가 ; 말의 조련사.

campista *adj. m.f.* ① 캠프를 치는 (사람). ② 《*AmérC.*》 =**campesino.** —*m.* ① 소 먹이는 사람. ② 《*Méx.*》 광산의 대주(貸主)(arrendador de una mina).

campizal *m.* 군데군데 잔디로 덮인 땅.

camp.º campesino.

campo *m.* [*lat.* campus] ① 들, 들판 ; (산에 대하여) 평원(campiña) ; 평지 : ~ raso 넓직한 평지, 들. ② 논바닥, 밭. ③ (도시에 대해) 시골, 마을, 지방 : Tío Pepe vive en el ~ 뻬뻬아저씨는 시골에서 사신다. ④ 바탕, 바탕 빛깔. ⑤ (특정한) 장소, 곳 : ~ de fútbol 축구 경기장. ⑥ 영역, 분야, 범위 : el ~ de la poesía 시의 분야. ⑦ 구획. ⑧ 진영, 진지 : levantar el ~ 진지를 철수하다 ; 어떤 사업을 그만두다.

~ *a través* 크로스 컨트리 (로드) 레이스. ~ *de Agramante* 야단법석. ~ *de batalla* 전쟁터, 전장(戰場). ~ *de concentración* 적국인 · 포로 수용소. ~ *del honor* 결투장 ; 전쟁터, 전장. ~ *de pinos* 【은어】 매춘부집. ~ *de labor* 경지. ~ *magnético* 자장(磁場). ~ *santo* 묘, 묘지(cementerio). ~ *visual* 시야. *Campos Eliseos · Elisios* 【신화】 낙원 ; (파리의 거리 명칭) 샹 · 젤리제. *casa de* ~ 별장(villa, quinta).

~ *a* ~ 전력을 다해 (싸우다 등).
a ~ *abierto* (울타리가 없는) 들판에서의 (결투).
a ~ *raso* 들판에서.
a ~ *traviesa · travieso* (길을 따라 가지 않고) 들을 가로질러.
quedar en el ~ 싸움터에서 전사하다.
reconocer el ~ (싸움터 등을) 탐색하다 ; 사정을 조사하다.
sacar al ~ 도전하다.
salir al ~ 결투하러 가다.

camporruteño, ña *adj. m.f.* 깜뽀로블레스 《Camporrobles, Valencia주의 마을》의 (사람).
camposanto *m.* 묘지, 공동 묘지(campo santo, cementerio).
camposino, na *adj. m.f.* 비얄깜뽀 《Villalcampo, Zamora주의 소도시》의 (사람).
campucha *f.* [*desp.* cama] 조잡한 침대 · 잠자리.
campuroso, sa *adj.* 《*Sal.*》 =**anchuroso, espacioso.**
campurriano, na *adj.* 깜뽀 《Campóo, 산딴데르의 한 지방》의. —*m.f.* 깜뽀 사람.
campus *m.* (주로 대학의) 교정, 구내.
campusano, na *adj.* 《*Arg.*》 =**campesino.**
campuso, sa *adj.* 《*Arg.*》 =**campesino.**
camuatí *m.* 《*Arg.*》 =**camoatí.**
camucha *f. desp.* cama.
camuesa *f.* ① 서양 사과 (열매). ② 어리석은 여자(mujer necia).
camueso *m.* ①【식물】서양 사과 (나무). ② 어리석은 남자, 무식한 남자. —*adj.* 어리석은, 배우지 못한(necio).
camuflaje *m.* 《*Galic.*》 위장(disfraz), 캄플라주.
camuflar *tr.* 《*Galic.*》 위장하다(disfrazar) : Los fenómenos sociales *camuflaban* la verdad 사회현상은 진실을 위장했었다.
camuliano, na *adj.* 《*Hond.*》 익기 시작할 때 과일의.
camungo *m.* 【조류】 =**aruco.**
camuñas *f.pl.* 【방언】 잡곡류.
camuza *f.* 【동물】 영양 ; 그 가죽(gamuza).
camuzón *m. dim.* camuza.
can[1] *m.* [*lat.* canis] ①【시어】개(perro) : ~ de busca 수색견. ② (총의) 격철 (gatillo de un arma de fuego). ③【건축】 추녀 받침 (modillón). ④【시어】큰 개좌(座).
Can Luciente 【천문】 낭성(娘星), 시리우스.
Can Mayor · Menor 큰 · 작은 개좌.
can[2] *m.* 칸(kan) 《달단족의 군주》.
can.[a] canícula.
cana *f.* ① 흰머리, 백발 (cabello blanco) : Se encontró la primera ~ 그는 (자신의) 최초의 흰머리를 발견했다. ② 《*AmérM.*》【은어】 감옥 : estar en la ~.
echar una ~ *al aire* 기분풀이를 하다, 즐기다 (divertirse).
peinarse ~*s* 노경에 접어들다.
quitar mil ~*s* 매우 기쁘게 하다.
Canaán *m. Tierra de* ~ 가나안의 땅 《팔레스타인의 서쪽의 땅 ; 신이 이스라엘인에게 약속한 땅》; (그와 같은) 이상향.
canabáceo, a *adj.* 【식물】 =**canabíneo.** —*f.pl.* 【식물】 =**canabíneas.**
canabíneo, a *adj.* 【식물】 아마과의. —*f. pl.* 아마(과) 식물.
canaca *m.* ① 《*Chile.*》 황색 인종, 중국인. ② 펨프, 매춘부집 주인 ; 매춘부집.
canáceas *f. pl.* =**cannáceas.**
canaco, ca *m.f.* (남양의) 카나카 사람. —*m.pl.* 카나카족. —*adj.* 핏기가 없는, 창백한, 누르끄름한.
canacuate *m.* 《*Méx.*》【동물】 큰 물뱀.
canadiella *f.* (옛날의) 액체 용량의 단위.
canadiense *adj. m.f.* 캐나다(el Canadá)의 (사람).
canadillo *m.* 【식물】 뱀밥(belcho).
canadio *m.* =**iridio.**
canal *m.* (*f*). [*lat.* canalis] ① 도랑, 수로. ② 운하 : el ~ de Mozambique. ③ (좁은) 해협. ④ 수도(水道). ⑤ 좁고 긴 평야. ⑥【해부】관, 도관 ; 인후(faringo). ⑦【목공】 홈. ⑧ (마소용) 길쭉한 물통. ⑨ 도살해서 내장을 드러낸 짐승. ⑩ 대를 뺀 삼. ⑪ (텔레비전의) 채널. ⑫【전기】통화 · 통신로.
en ~ 대쪽을 쪼개듯이.
canalado, da *adj.* 홈을 판(acanalado).
canaladura *f.* 【건축】 세로 홈.
canaleja *f.* [*dim.* canal] 홈, 도랑.
canalera *f.* ① 《*Ar.*》 지붕의 홈(canal del tejado). ② (비가 올 때) 홈으로 떨어지는 물.
canaleta *f.* ① 《*AmérM.*》 나무의 접한 홈. ② 《*Arg.*》 작은 도랑(canaleja). ③《*Chile.*》 =**canalete.**
Canal de la Mancha *m.* 【지명】 영국 해협.
canalado, da *adj.* =**acanalado.**
canalete *m.* (통나무 배의 국자 모양의) 노 : El ~ sirve para bogar en las canoas.
canalí *m.* 《*Cuba.*》 야자의 일종으로 만들어진 노.
canaliculado, da *adj.* ① =**acanalado.** ② 소관(canalículo)으로 가로지르는.
canalículo *m.* [*dim.* canal]【해부】 소관, 세관 : ~ biliar 담세관.
canalizable *adj.* 도랑 · 운하를 팔 수 있는 ; 운하로 만들 수 있는, 운하가 될 수 있는.
canalización *f.* ① 운하를 개설, 운하화 : la ~ de un río. ② 도관(cañería) : ~ de gas. ③ 《*Amér.*》 =**alcantarillado.**
canalizar *tr.* 9 ① (…에) 수로 · 운하를 만들다 ; 운하로 하다. ② 유도하다.
canalizo *m.* 해협, 좁은 수로(canal estrecho).
canalón *m.* ① 낙수받이. ② 옛날 승려들이 쓰던 모자.
canalla *f.* 천박한 사람들. —*m.* 악당, 망나니 : portarse como un ~.
canallada *f.* 장난, 상것 · 망나니들의 소행.
canallería *f.* =**canallada.**
canallesco, ca *adj.* 망나니같은 ; 악당같은 : risa ~*ca*.
canana *f.* ① 탄약띠. ② 《*Col.*》 =**camisa de fuerza.** ③ 《*CRica.*》 =**bocio.** ④ 《*Dom.*》 농담 (broma), 못된 짓(mala jugada). —*pl.* 《*Col.*》 수갑(esposas).
cananeo, a *adj. m.f.* ① 가나안(Tierra de Ca-

naán)의 (사람). ② 팔레스티나(Palestina)의 (사람).

canapé *m.* [*pl.* canapés] 침대 의자; 긴 등의자. ~ ***cama*** 침대 의자.

canard *m.* 《*Galic.*》 거짓말, 낭설, 허위 보도.

canaria *f.* 카나리아의 암컷.

canariacultor, ra *m.f.* 카나리아를 기르는 사람.

canaricultura *f.* 카나리아를 기르는 직업.

canariense *adj.* 카나리아 제도(las islas Canarias)의. **—***m.f.* 카나리아섬 사람.

canariera *f.* ① 카나리아 새장. ② 【속어】 실크해트(sombrero de copa).

canario, ria *adj. m.f.* ① 카나리아 제도의 (사람). ② 《*Riopl.*》 까넬로네스(Canelos)의 (사람). **—***m.* ① 【조류】 카나리아. ② 카나리아 춤. ③ 《*Chile.*》 (새 울음 소리를 흉내낸) 물피리. ④ 《*Chile.*》 정부(情夫). ⑤ *Chile.* (팁을 듬뿍 주는) 봉. ⑥ 《*Arg.*》 100뻬소의 지폐. ⑦ 소형 선박의 일종.

—*interj.* 유쾌·불쾌·놀람의 감탄사.

~ ***de alcoba*** 어린아이(niño).

canasta *f.* ① (둥그렇고 넓은) 고리짝, 광주리. ② 《*Amér.*》 (일반적으로) 손으로 엮은 광주리.

canastada *f.* 한 광주리의 분량.

canastero, ra *m.f.* ① 광주리 제조인·장수. ② 《*Chile.*》 (광주리에 물건을 가지고 다니는) 행상.

canastilla *f.* [*dim.* canasta] ① 버들가지로 엮어 만든 작은 광주리. ② 배내옷: hacer la ~ ③ 《*Venez.*》 양품점.

canastillero, ra *m.f.* canastillo 제조자·판매자.

canastillo *m.* ① 버들가지로 엮은 작은 광주리. ② 꽃다발: un ~ de geranios. ③ 《*AmérM.*》 신부용의 도구. ④ 《*AmérM.*》 배내옷.

canastita *f.* 《*Arg.*》 늪지의 작은 새.

canasto *m.* [*lat.* canistrum] 운두가 높은 고리짝·바구니.

¡canastos! *interj.* 노하거나 놀람의 감탄사.

canastro *m.* =**canasto.**

canastrón *m. aum.* canastro.

canaula *f.* 《*Ar.*》 (말의 목에 방울이 매달려 있는) 나무 목걸이(collar de madera).

canavá *m.* 《*Arg. Méx. Urug.*》 =**cañamazo.**

cancagua *f.* ① 화로로 쓰는 돌. ② 《*AmérM.*》 벽돌 만드는데 쓰이는 모래.

cáncamo *m.* ① 몰약(沒藥). ② 나사못, 볼트. ③ 《*Cuba.*》 무능한 남자. ④ 못생긴 여자. ⑤ 《*And.*》 =**alcayata.**

~ ***de argolla*** 고리 볼트. ~ ***de gancho*** 갈고랑이 볼트. ~ ***de ojo*** 환두(環頭) 볼트. ~ ***de mar*** 커다란 파도의 철썩거림.

cancamurria *f.* 슬픔, 울적함, 뽀로통함, 토라짐(murria).

cancamusa *f.* 암생이짓, 속임수(engaño): armar una ~.

cancán[1] *m. fr.* 《*Neol.*》 ① (19세기 후반의 불란서계의) 천한 춤, 캉캉춤. ② 《*CRica.*》 (말을 못하는) 앵무새의 일종.

cancán[2] *m.* 《*Chile.*》 【식물】 종려의 일종.

cáncana[1] *f.* (발이 짧고 몸이 큰) 거미.

cáncana[2] *f.* [*lat.* carcannum; *gr.* karkinos] ① 《*Arg. Chile. Perú.*》 =**asador.** ② 《*Col.*》 여윈 사람(persona macilenta).

cancaneado, da *adj.* 《*CRiea.*》 곰보 자국이 있는 (사람).

cancanear *intr.* ① 방황하다(errar, vagar, pasear, sin saber adónde ir). ② 어칠거리다, 어정거리다. ③ 《*Amér.*》 선뜻 말을 못하다, 말을 더듬거리다, 입속으로 어물거리다(tartajear, tartamudear). ④ 《*Amér.*》 곰보로 만들다. ⑤ 《*Riopl.*》 캉캉춤을 추다. ⑥ 《*Riopl.*》 정치적으로 배신하다.

cancaneo *m.* 《*Méx.*》 말을 더듬는 일, 더듬는 소리(tartamudeo, tartajeo).

cáncano *m.* 【속어】 이(pjopo).

andar como ~ loco 어찌할 바를 모르다.

cáncano, na *adj.* 《*Sal.*》 =**tonto, bobo.**

cancanoso, sa *adj.* 말이 번거로운.

cancar *m.* 《*Perú.*》 =**boca del gaznate.**

cancel *m.* ① (이중문의) 유리문. ② 통풍창. ③ 안쪽 문. ④ 《*Méx.*》 간막이. ⑤ 《*Méx.*》 병풍(biombo).

cancela *f.* ① (서반아식 현관의) 덧문. ② 《*Arg.*》 문의 철책.

cancelación *f.* ① 취소, 말소, 해제, 해약. ② 지불, 청산. ③ 【수학】 약분.

canceladura *f.* =**cancelación.**

cancelar *tr.* ① 취소하다, 무효로 하다: ~ un viaje 여행을 취소하다. ② 해약·해제하다. ③ 말소하다, 지우다(abolir). ②(어음을) 지불하다. ⑤ 잊다. ⑥ 【수학】 약분하다.

cancelaría 교황청의 법원.

cancelariato *m.* cancelario의 직.

cancelario *m.* ① (국왕·교황을 대리한 옛날의) 대학 총장. ② 《*Bol.*》 대학 학장.

cancelativo, va *adj.* 【수학】 약분하는.

cancelería *f.* =**cancelaría.**

cáncer *m.* [*lat.* cancer] ① 【의학】 암: ~ uterino 자궁암. ~ del estómago 위암. ~ del pulmón 폐암. Algunos ~*es* se curan hoy día por medio de la fulguración eléctrica 오늘날 약간의 암은 전기 요법으로 치료된다. ② 암종. ③ (암같은) 사회악: La burocracia es el ~ de muchos gobiernos 관료 사상은 많은 정부의 사회악이다. 【천문】 거해궁(巨蟹宮); 게성좌.

cancerado, da *adj.* 암에 걸린, 암이 생긴; (정신적으로) 부패한.

cancerar *tr.* 쇠퇴시키다; 쇠약하게 만들다; 못살게 굴다, 괴롭히다.

~se ① 암에 걸리다. ② 암으로 괴로워하다. ③ 중병에 걸리다. ④ 부패하다.

cancerbero *m.* (지옥의 문을 지키는) 머리가 셋 달린 개. ② 감시원.

canceriforme *adj.* 암 모양의.

cancerígeno, na *adj.* 암을 유발하는.

cancerización *f.* 암으로 전환.

cancerología *f.* 암의학.

cancerológico, ca *adj.* 암의학의.

cancerólogo, ga *m.f.* 암전문의.

canceroso, sa *adj.* ① 암을 앓는. ② 암 모양의, 암성의: células ~*sas.* ③ 암을 유발하는.

cancha *f.* ① (하이아라이·테니스 등 구기의) 코트, 시합장, 경기장: ~ de esquí 스키장. ~ de pelota 구기장. ~ de fútbol 축구장. ② 투계

장, 골프장. ③《AmérM.》(울타리를 두른) 공지 : ~ de mina. ④《AmérM.》하치장(荷置場) : ~ de maderas 재목을 쌓아 둔 곳. ⑤경마장(hipódromo). ⑥강의 너비. ⑦물웅덩이. ⑧《Col.》(노름판의) 자리값. ⑨《Perú.》구운 옥수수(maíz tostado) : ~ blanca《Perú.》튀긴 옥수수(rosetas de maíz). ⑩《Urug.》길.
—*pl.*《Urug.》남을 속이는 수단, 솜씨.
—*interj.*《Riopl.》비켜라!
abrir·dar·hacer ~《AmérM.》길을 비키다; 길을 양보하다.
echar en ~《Chile.》배신하다, 배반하다.
estar en su ~《AmérM.》우쭐거릴만한 자리에 있다.
tener ~《Arg.》세력이 있다.

canchador *m.*《Perú.》(역의) 짐꾼; 날품팔이.
canchal *m.* 바위투성이인 땅(peñascal).
canchalagua *f.* 깐찰라구아《여러 가지 약초 이름》.
canchamina *f.*《Arg. Bol. Chile.》【광산】선광장(cancha de mina).
canchaminero *m.*《Chile.》선광부(?選鑛夫).
canchar *intr.*《Perú.》짭짤한 재미를 보다; 약간의 일을 하고 돈을 요구하다. —*tr.*《Méx.》등에 지다.
~se《Amér.》(모자를) 푹 눌러 쓰다.
canche *adj.* ①《Guat.》금발의(rubio). ②《Guat.》불그레한, 불그죽죽한. ③《Col.》맛이 다 들지 않은.
canchear *intr.* ①바위에 올라가다. ②《Chile.》게으름을 피우며 놀기만 하다.
canchelagua *f.* =**canchalagua.**
cancheo *m.*《Chile.》게으름피우기.
canchera *f.*《Sal.》종양(llaga); 큰 부상(herida grande).
canchero, ra *adj.*《Arg. Chile.》(…에) 밝은, 정통한, 환한, 통달한(experto). —*m.* ①《Chile.》(역의) 짐꾼, 포터. ②《Perú.》억지로 사례금을 우려내는 승려·변호사. ③시합의 채점 기록자. ④시합장 관리인. ⑤경기장의 감시인.
canchila *f.*《Cuba.》=**hernia.**
canchinflín *m.*《AmérC.》=**cachinflín.**
canchita *f.* 빈터.
cancho *m.* ①큰 바위. ②《Chile.》사례금; 팁. ③《Perú.》봉급(salario). —*pl.* 바위가 많은 곳. —*adj.*《Col.》설익은 (바나나).
canchón *m.* [*aum.* cancha]《Perú.》목원(牧原), 널찍한 빈터.
cancilla *f.* 창살이 있는 문, 대문, 작은 성문.
canciller *m.* [*lat.* cancellarius] ①관방 장관. ②《Amér.》외무 장관. ③수상 : ~ de Alemania Federal 독일 연방의 수상. ~ mayor 국쇄상서. ~ mayor de Castilla 트레이드 대주교. ④(어떤 나라에서는 대사관이나 영사관의) 하급 직원(empleado auxiliar).
cancillera *f.*《Sal.》경작지 경계의 수로.
cancillerato *m.* canciller의 직.
cancilleresco, ca *adj.* cancillería의.
cancillería *f.* 대·공사관 사무국; 외무부.
canción *f.* [*lat.* cantio] 노래 : ~ de cuna 자장가. ~ de trilla 보리 타작의 노래.
~ *nacional*《Chile.》국가(himno nacional).
volver a la misma ~ 전에 말했거나 했던 것을 반복하다.
cancioneril *adj.* (옛날의) 시적 노래의 (양식).
cancionero *f.* (여러 작가 것을 모은) 가곡집 : El ~ de Baena contiene composiciones de 55 poetas españoles de los siglos XIV y XV.
cancioneta *f. dim.* canción.
cancionista *m.f.* 가요 작곡가; 가수.
canco *m.* ①《Chile.》단지, 항아리. ②《Chile.》화분(maceta, tiesto). ③《Bol. Chile.》궁둥이, 엉덩이(nalga). ④요강, 요기(尿器). —*pl.*《Bol. Chile.》여자의 커다란 궁둥이.
cancón *m.* 【아어】도깨비(bu).
hacer un ~《Méx.》공연히 놀라게 하다.
cancona *adj. f.*《Chile.》궁둥이가 큰 (여자).
cancro *m.* ①암(cáncer). ②(나무의) 혹.
cancroide *m.* 【의학】피부암; 피부 종양(tumor canceroso de la piel) : La pipa suele causar el ~ de los labios.
cancroideo, a *adj.* 암 모양의 : tumor ~.
cancudo, da *adj.*《Chile. Bol.》궁둥이가 커다란.
cancura *f.*《Perú.》=**ranchería.**
candado *m.* ①자물통 : ~ común 보통 자물통. ~ de combinación 자동 자물통. ②귀고리. ③《Col. Perú.》(아래턱의) 짤막한 수염.
candajón, na *adj.*《Sal.》여기저기 쏘다니기를 좋아하는.
candalera *f.*《Vallad.》소나무의 중간 가지.
candaliza *f.* 돛줄의 일종.
candallero *m.*《Amér.》(선반 따위) 굴대받이.
cándalo *m.* ①《Sal.》잎이 없는 가지(rama sin hojas). ②《Sal.》낟알이 없는 이삭. ③《Vallad.》소나무의 중간 가지.
candamo *m.* (옛날의) 촌스런 춤.
candanga *f.*《AmérC.》악마 : Se lo llevó ~ 악마가 빼앗아 달아났다. —*adj.* ①《Cuba.》멍청한, 바보스러운, 무지한. ②약골의, 병약한.
cándano *m.*《Sal.》(그릇 바닥에 액체가 남긴) 엉긴 덩어리.
candar *tr.* ①(…에) 자물통을 잠그다. ②(…에) 단속을 하다.
cándara *f.*《Ar.》=**criba.**
candarín *m.* (옛날의) 중국의 화폐.
cande *adj.* *azúcar* ~ 얼음 설탕. 【방언】하얀.
candeal *adj.* [*lat.* candidus] (밀·밀가루·빵에 대해) 하얀 : trigo ~ 백맥(白麥).
—*m.*《Riopl. Chile.》밀크·코냑·계란을 섞은 음료(candiel).
candeda *f.* 밤나무꽃(candela, flor del castaño).
candela *f.* ①양초(vela). ②촛대(candelero). ③불(lumbre) : pedir ~ para encender el cigarro 담배불을 붙이기 위해 불을 요청하다. ④빛(luz) : rubio como unas ~*s*. ⑤저울눈의 기울기. ⑥수직 : en ~ 수직으로. ⑦밤나무꽃. ⑧【방언】떡갈나무 따위의 꽃.
acabarse la ~ 초·기한·수명이 다하다.
arrimar ~ 몽둥이로 두들겨 패다(dar de palos).
como unas ~*s* 명랑하게.
dar ~《AmérC.》성가시게 굴다, 괴롭히다, 귀찮게 굴다(fastidiar).
estar con la ~ *en la mano* 위기·임종에 가까워지다.

candelabro *m.* ① 가지 장식이 달린 촛대(candelero de varios brazos). ② 《*Méx.*》 【식물】 (Argentina 산) 선인장.
candelada *f.* 모닥불(hoguera).
candelaria *f.* ① 성촉제(聖燭祭) 《2월2일》. ② 【식물】 현삼과 식물(gordolobo).
candelario, ria *adj.* 《*Perú.*》 =**tonto, necio.**
candelecho *m.* 포도밭의 원두막.
candeledano, na *adj. m.f.* 깐델레라 《Candelera, Avila주의 마을》의 (사람).
candeleja *f.* 《*Amér.*》 =**arandela.**
candelejón *adj. m.f.* 《*Col. Chile. Ecuad. Perú.*》 호인(의)(cándido).
candelera *f.* 《*Col.*》 천박한 여자, 음란한 여자.
candelerazo *m.* 촛대로 때리기.
candeleritos *m.pl.* 《*Arg.*》 =**frailecitos.**
candelero *m.* ① 촛대. ② 램프(velón). ③ (야간 낚시·어로에 켜는) 칸데라. ④ (갑판 등의) 기둥. ⑤ 《*Méx.*》 선인장의 일종. ⑥ 《*Bol. Perú.*》 목사·신부의 자식. ⑦ 《*Col.*》 쇄골(clavícula). ⑧ (배의) 화부. ⑨ 정부(情夫).
en ~ 고위·고관 직에(en posición elevada).
candeleta *f.* =**candaliza.**
candelilla *f.* [*dim.* candela] ① 작은 초. ② (상처의 깊이를 재는 물렁한) 바늘. ③ 【식물】 유제화서(amento). ④ 《*AmérC. Chile.*》 【곤충】 개똥벌레(luciérnaga). —*pl.* 《*Amér.*》 도깨비불, 유황불(fuego fatuo).
hacer ~s los ojos 술에 취해 눈이 아물아물하다.
hacer ver ~s a uno 눈에서 불꽃이 튀기게 하다.
candelizo *m.* 고드름(carámbano).
candelón *m* 《*Ant. Méx.*》 =**mangle.**
candencia *f.* 백열, 달아오름.
candente *adj.* ① 한창 달아오른 : El hierro ~ es maleable. ② 불타는, 열렬한, 뜨거운(ardiente) : amor ~ 뜨거운 사랑. patriota ~ 열렬한 애국자.
cuestión ~ 중대한 문제, 심각한 문제.
candi *adj.* =**cande** : azúcar ~ 얼음 사탕.
candial *adj.* =**candeal.**
candidación *f.* 설탕을 결정화시킴.
cándidamente *adv.* 악의없이, 천진하게.
candidato, ta *m.f.* (입)후보자, 지원자 : ~ a la presidencia 대통령 후보자. ~ a diputado 국회의원 후보자. ~ al bachillerato 고등학교 지원자. ~ presidencial 대통령 후보자. presentar (como) ~ para la reelección 재선거에 후보를 세우다. Hubo cinco ~*s* a la cátedra vacante 공석의 교수직에 5명의 후보자가 있었다.
~ *al hoyo* 《*Amér.*》 죽어 가는 사람.
candidatura *f.* ①[집합] 후보자. ② 후보자 일람. ③ 입후보 : presentar su ~ a una cátedra vacante 공백의 교수 자리에 후보를 세우다. Ha retirado su ~ para la presidencia 그는 대통령 입후보를 철회했다. ④ 지원.
candidez *f.* 순박함 ; 천진함 : decir una ~. [Sinón.] ingenuidad, simplicidad. [Contr.] astucia.
cándido, da *adj.* ① 흰(blanco). ② 천진한, 악의가 없는, 앳띤(sencillo). ③ 어리석은, 멍청한(tonto, bobo). [Contr.] astuto, vicioso.
candiel *m.* 계란 노른자·설탕을 버무려서 만든 포도주.
candil *m.* ① 기름 등잔 : El ~ es lámpara más primitiva que se conoce 기름 등잔은 알려진 것 중에서 가장 원시적인 등잔이다. ② 모자의 끝(pico del sombrero). ③ 사슴 뿔의 끝. ④ 《*Méx.*》 샹들리에(araña). —*pl.* 【식물】 토란과의 무리 ; 식용 천남성(arísaro).
Adóbame esos ~es 불빛을 고쳐다오 《논리에 맞지 않다 ; 그것은 탈선이다, 하는 뜻》.
arder en un ~ 불을 대면 타오를 만한 (독한 술 ; 날카로운 말) : Le escribió una carta que *ardía en un* ~.
ni buscado con un ~ 아무리 찾아도 얻을 수 없는 (적임자).
candilada *f.* 기름 등잔에서 엎질러진 기름.
candilazo *m.* candil로 구타.
candileja *f.* ① (기름 등잔의) 기름 접시 ; 기름 단지. ② 【식물】 선옹초. —*pl.* (무대의) 각광.
candilejo *m.* [*dim.* candil] ① 작은 기름등. ② 【식물】 선옹초(lucérnula).
candilera *f.* 장식용 풀.
candilero *m.* 《*Murc.*》 (초를 걸기 위해 송곳 구멍이 뚫린) 나무 걸이.
candiletear *intr.* 《*Ar.*》 여기저기 어칠비칠 돌아다니다.
candiletero, ra *m.f.* 《*Ar.*》 공연히 참견하는 사람.
candilillos *m.pl.* 【식물】 =**arísaro.**
candilón *m.* [*aum.* candil] 큰 기름등.
estar con el ~ [병원의 은어] 위독 환자가 있다.
candín *adj.* 《*Sal.*》 =**cojo.**
candinga *f.* ① 《*Chile.*》 =**molestia.** ② 뒤얽힘, 혼란(enredo). ③ 《*Méx.*》 악마(diablo).
candiota *f.* 포도주통, 술항아리, 술통(barril, tonel). —*adj. m.f.* 칸디아섬 《Candía, 동 지중해에 있는 섬》의 (사람).
candiotera *f.* ① 술창고, 양조장. ②[집합] 술통.
candiotero *m.* 술통 제조인.
candombe *m.* ① 《*Riopl.*》 흑인들의 야단스러운 춤. ② 《*Arg.*》 일종의 작은 북. ③ 《*Riopl.*》 부정, 배신.
candombear *intr.* 《*Riopl.*》 ① candombe를 추다. ② (정치적으로) 불신 행위를 하다.
candombero *adj.* 《*Riopl.*》 부도덕한.
candonga *f.* ① 《*Amér.*》 얌생이짓(cancamusa). ② 아첨, 아부, 알랑거림. ③ 심한 장난 : dar ~ 심하게 놀려주다. ④ 짐을 나르는 나귀(mula de tiro). ⑤ 《*Col.*》 =**veleta de chimenea.** —*pl.* = **pendientes.**
candongo, ga *adj. m.f.* ① 말만 번드르르한, 교활한(astuto). ② 나태한·게으른 (사람)(holgazán). [Contr.] **activo.**
candongueo *m.* 놀려주기.
candonguear *trr.* 놀려주다, 놀려대다(dar candonga). —*intr.* 일하지 않겠다고 떼를 쓰다.
candonguero, ra *adj.* 놀리는, 놀려주는, 빈둥거리는.
candor *m.* [*lat.* candor] 공평 무사, 허심 탄회, 담백, 솔직(sinceridad). [Sinón.] ingenuidad, inocencia, pureza. [Contr.] disimulo, hipocresía.
candorosamente *adv.* 악의없이, 천진스럽게, 순진하게, 순박하게(con candor).
candoroso, sa *adj.* 천진스러운, 순박한, 순진

하고 귀여운(cándido).
candray *m.* 항구 내의 하역용 거룻배.
canducho, cha *adj.* 【방언】 늠름한, 씩씩한 (fornido).
candujo *m.* 【은어】 맹꽁이 자물쇠(candado).
candungo, ga *adj.* 《*Perú.*》 천진스러운; 멍청한, 바보스러운. —*m.* 그릇, 용기.
cané *m.* 카드 놀이의 일종.
canear *intr.* 《*And.*》 =**encanecer.** —*tr.* 《*Murc.*》 (무엇을) 볕에 뜨겁게 하다.
caneca *f.* ① 질그릇 술병: una ~ de ginebra. ② 《*Cuba.*》 진흙으로 만든 병. ③ 《*Arg.*》 나무통. ④ 《*Cuba. Riopl.*》 용량의 단위(litros).
canecente *adj.* 옛날부터 있는.
canecillo *m.* ① 【건축】 추녀 받침(can). ② = **modillón.**
caneco, ca *adj.* 《*Bol.*》 술취한(ebrio, borracho). —*m.* =**caneca.**
canéfora *f.* (그리스 제전에서) 제물의 광주리를 머리에 이는 아가씨.
caneforias *f. pl.* (고대 그리스의) 달의 여신 Diana의 축제.
caneicitos *m. pl.* 《*Cuba.*》 민속 축제.
¡canejo! *interj.* 《*Riopl. PRico.*》 =**¡caramba!**
canela *f.* ① 계피(桂皮), 육계: La ~ se emplea para perfumar el chocolate. ② 진미.
¡canela! *interj.* =**¡caramba!**
canelada *f.* 매(halcón)의 먹이.
canelado, da *adj.* 육계색의; 육계맛의(acanelado).
canelazo *m.* 《*Ecuad.*》 소주 적당량에 계피를 달인 약.
canelar *m.* 육계나무의 숲.
canelero *m.* 【식물】 육계나무, 계수나무.
canelilla *f.* 【식물】 대극과 식물.
canelillo *m.* 《*CRica.*》 【식물】 =**canelo.**
canelina *f.* 육계소(肉桂素).
canelo, la *adjj.* 육계색의, 붉은 털의: perro ~. —*m.* ① 【식물】 계수나무. ② 《*Chile.*》 태산목속의 교목.
canelón *m.* ① 물받이, 홈통(canalón). ② 고드름. ③ 계피 과자. ④ 채찍끈의 끝. ⑤ 《*Méx.*》 (팽이와 팽이의) 부딪침. ⑥ 《*Guat. Venez.*》 (인공적인) 고수머리, 말린 머리(bucle).
caneo *m.* 《*Amér.*》 =**bohío, choza.**
canequí *m.* 옥양목(caniquí).
canequita *f.* 《*Cuba.*》 (2리터가 조금 넘은) 액체 용량 단위.
canero *m.* 《*Ar.*》 =**salvado grueso.**
canesú *m.* (소매없는) 부인복의 허리, 셔츠의 몸통 부분.
canevá *m.* 《*Arg. Méx. Urug.*》 =**cañamazo.**
caney *m.* ① 《*Cuba.*》 시냇물의 굽이. ② 《*Cuba.*》 오두막(bohío). ③ 《*Ant.*》 추장의 집. ④ 갈대로 만든 초가집.
canezá *m.* 《*Galic. Amér.*》 =**cañamazo.**
canfín *m.* 《*AmérC.*》 석유(petróleo).
canfinflero *m.* 《*Arg.*》 =**rufián.**
canfol *m.* 【화학】 (보르네오의) 장뇌(alcanfor).
canfor *m.* 《*Galic.*》 장뇌(樟腦).
canforato *m.* 【화학】 장뇌유.
canfórico, ca *adj.* 장뇌의.
canga *f.* ① (옛날 중국의 형구인) 목칼, 목에 칼을 씌우는 형벌. ② 《*And.*》 (말 두 필이 끌게 하는) 멍에. ③ 《*AmérM.*》 점토 철광.
cangagua *f.* 《*Ecuad.*》 (벽돌용) 흙.
cangalla *f.* ① 《*Amér.*》 말라빠진 사람·동물. ② 《*Amér.*》 겁쟁이. ③ 광석설(鑛石屑). ④ 길마. —*m.* 《*Riopl.*》 천박한 사람. —*pl.* 《*Arg. Chile.*》 강탈; 도둑 물건.
cangallada *f.* 《*Amér.*》 강탈, 약탈.
cangallar *tr.* 《*Bol. Chile.*》 광산에서 광석을 훔치다; 강탈하다; 얌생이짓을 하다.
cangallero *m.* 《*Chile. Perú.*》 ① 광석 도둑; 그것을 사는 사람. ② 【은어】 달구지꾼.
cangallo *m.* ① 《*And.*》 【방언】 키다리, 꺽다리. ② 《*Salv.*》 【은어】 짐수레.
cangar *tr.* ⑧ 【방언】 방해하다, 불법으로 점거하다.
cangiar *m.* 아라비아칼의 일종.
cangilón *m.* ① 물항아리, 물병; 두레박. ② (물차의) 물상자, 양동이: elevador de ~*es* 양동이 엘리베이터. ③ (준설선·채광기·기중기의) 덧대는 판자. ④ 《*Amér.*》 한길에 생긴 수레바퀴 자국: camino lleno de ~*es.* ⑤ 폭포수 모양으로 물이 흐르는 곳. ⑥ 차가 전복된 곳. ⑦ 《*Col.*》 북, 장고(tambor). —*pl.* 《*Perú.*》 빚: tener ~*s.*
cangre *m.* 《*Cuba.*》 유까(yuca) 줄기.
cangreja *f.* ① 평행하지 않는 사변형 돛. ② 게의 구멍.
cangrejal *m.* 《*Riopl.*》 (게가 많은) 소택지.
cangrejera *f.* 게의 구멍.
cangrejero, ra *m.f.* 게장수; 게 잡는 사람. —*m.* ① 백로의 일종. ② 《*Chile.*》 게구멍.
cangrejo *m.* [*lat.* cancer] ① 【동물】 게: ~ de mar, ~ moro 바닷게. ② 【해사】 활대.
cangrejo, ja *adj.* 《*Amér.*》 ① 바보같은, 어리석은(tonto). ② 약골의. ③ 쓸모없는. ④ 교활한, 간사한(pícaro)
cangrejuelo *m. dim.* cangrejo.
cangrena *f.* 【고어】 =**gangrena.**
cangrenarse *r.* =**gangrenarse.**
cangrina *f.* ① 《*Col.*》 침착하지 못함. ② 귀찮음 (molestia). ③ 《*Cuba.*》 (가축의) 탄저병.
cangro *m.* 《*Amér.*》 【의학】 암(cáncer).
cangroso, sa *adj.* 【고어】 암을 앓는.
canguelar *intr.* 【은어】 겁내다.
canguelo *m.* 【은어】 두려움, 걱정(miedo).
cangüeso *m.* 【어류】 깡구에소 《물고기의 일종》.
canguil *m.* 《*Ecuad.*》 품질 좋은 작은 옥수수.
canguro *m.* 【동물】 캥거루.
cania *f.* 【식물】 =**ortiga menor.**
caníbal *adj.* 식인종의; 잔인한. —*m.f.* 식인종 (antropófago): Se encuentran aún ~*es* en el centro de Africa.
canibalismo *m.* ① 식인 풍습, 서로 잡아 먹기 (antropofagia). ② 잔인한 행위(ferocidad).
canica *f.* 《*Cuba.*》 야생 육계. —*pl.* 【방언】 《*Méx.*》 유리 구슬; 구슬치기 놀이의 이름.
canicie *f.* 백발, 흰머리.
canícula[1] *f.* [*lat.* canicula] 【기상】 대서(大暑) 《7월 23일; 9월2일》, 삼복(三伏).
canícula[2] *f.* 낭성(狼星)(Sirio).
canicular *adj.* 대서의, 삼복의: calores ~*es* 삼

복 더위. —*m.pl.* 대서, 삼복(의 기간).

canicularío *m.* =**perrero.**

canículo, la *adj.* 《*Cuba.*》 =**mentecato, necio.**

caniche *m. adj.* 《*Galic.*》【동물】 개의 일종.

cánido *adj.* 【동물】 개에 속하는. —*m.pl.* 견속(犬屬).

canijo, ja *adj.* 병약한, 쇠약한, 약골의(débil, enclenque, enfermizo.)

canil *m.* ① 흑빵. ②【방언】 어금니.

canilla *f.* ① 팔이나 다리의 긴 뼈. ② 날개 뼈. ③ (통이나 단지의) 부리, 꼭지. ④ (재봉틀·방직기의) 보빈, 실타래, 북통. ⑤ 피륙에 다른 빛깔이 들어간 흠. ⑥《*Col. Arg.*》 가느다란 종아리. ⑦《*Méx.*》 완력, 힘 : *a* ~ 힘으로, 우격다짐으로. ⑧《*Arg.*》 =**grifo.**

—*m.* 《*Perú. Urug.*》 신문팔이.

irse como una ~, ***irse de*** ~ ① 설사를 하다. ② 마냥 지껄여대다.

tener ~ 《*Méx.*》 힘이 있다.

canillado, da *adj.* 고르지 못한 (천).

canillazo *m.* 《*Amér.*》 투계가 발로 차는 일.

canillera *f.* ① 정강이 받이(espinillera). ②《*Col.*》 =**pánico, espanto, terror.** ③《*Ecuad.*》 =**temblor.**

canillero, ra *m.f.* canilla의 직공 ; 수도 꼭지를 넣는 구멍.

canillita *m.* 《*Chile. Riopl.*》 신문팔이.

canillón, na *adj.* ①《*Amér.*》 다리가 긴. ②《*Ecuad.*》 키가 너무 자란.

canilludo, da *adj.* 《*AmérM. Arg.*》 다리가 긴(zanquilargo).

canime *m.* 《*Col.*》 =**copaiba.**

canina *f.* ① 개똥. ②【고어】 =**canícula.**

caninamente *adv.* 미친 개처럼.

caninero *m.* canina 수집자.

caninez *f.* ① 게걸스러움 : hambre ~ 심한 허기. ② 탐욕.

canino, na *adj.* ① 개의 : Las razas ~*nas* son muy diversas. 개의 혈통은 매우 다양하다. ② 개같은. ③ 문자 rr의 : letra ~*na* 사자. —*m.* 송곳니(colmillo) : Las fieras tienen ~*s.*

diente ~ 송곳니(colmillo).

hambre ~***na*** 심한 허기.

caniquí *m.* 옥양목.

canistel *m.* 《*Cuba.*》【식물】 적철과 식물.

canistro *m.* (고대의) 갈대로 엮은 광주리.

canivete *m.* 《*Sal.*》 전정용 가위 모양의 칼.

canje *m.* 교환(cambio, trueque) : ~ de notas diplomáticas 외교 문서의 교환. hacer ~ 교환하다.

canjeable *adj.* 교환할 수 있는.

canjear *tr.* 교환하다(hacer canje) : ~ prisioneros 포로를 교환하다.

canjilón *m.* =**cangilón.**

canjilón, na *adj. m.f.* 깡하야르 《Canjáyar, Almería 주의 마을》의 (사람).

canjuro *m.* 《*CRica.*》【식물】 깡후로 《공작새들이 열매를 먹는 나무》.

cannabáceo, a *adj.* 【식물】 =**canabíneo.** —*f.pl.* 【식물】 =**canabíneas.**

cannabináceo, a *adj.* 【식물】 =**canabíneo.** —*f.pl.* 【식물】 =**canabíneas.**

cannabíneo, a *adj.* 【식물】 =**canabíneo.** —*f.pl.* 【식물】 =**canabíneas.**

cannáceo, a *adj. f.* =**canáceo.**

cano, na *adj.* ① 백발이 있는 : caballera ~*na.* ② 늙은, 노령의. ③【시어】 눈같이 흰 (색).

canoa *f.* ① 카누, 통나무배, 가죽배 : una ~ de corteza. ② 가벼운 배. ③ 모터 보트(~ automóvil). ④《*Amér.*》 길쭉한 배. ⑤ 구유통. ⑥《*Amér.*》 물받이(canal). ⑦ 길쭉한 통.

canoaje *m.* 《*Neol.*》 카누 경기.

canódromo *m.* 그레이하운드의 트랙.

canoero, ra *m. f.* 카누를 젓는 사람, 카누 선수 ; 통나무배를 젓는 사람 ; 모터 보트 조종사.

canoísmo *m.* 카누 항해.

canon *m.* [*lat.* canon] ① 규칙 ; 규범, 기준 (regla, precepto) : los *cánones* de la Iglesia. ②【종교】 교리, 계율 ; 정전(正典). ③ (카톨릭 교회가 허용한) 성전 목록(聖典目錄). ④ 목록, 카탈로그. ⑤【인쇄】 캐논 활자. ⑥【음악】 캐논, 추복곡. ⑦ 차지료(借地料). ⑧《*Chile.*》 임대료(alquiler). —*pl.* 교회 법규 ; (일반적으로) 법규, 규정, 규범.

canonesa *f.* 교단의 수녀.

canónica *f.* 수도원의 계율 생활.

canonical *adj.* ① 교회법에 의한. ② 정전(正典)으로 인정된. ③ 규범적인, 표준적인.

canónicamente *adv.* 교회법에 의해, 교회법상으로 : consagrar ~.

canonicato *m.* 성당 참사회 의원에게 주는 수당(canonjía), 승려 수당.

canonicidad *f.* 교회법상의 성격.

canónico, ca *adj.* [*lat.* canonicus] 교회법에 의한 ; 교회법상의 ; 성전 목록(聖典目錄)의.

canóniga *f.* ① 식사 전의 낮잠(siesta hecha antes de comer). ② 만취(borrachera) : coger una ~.

canónigo, ga *adj.* ①《*Col.*》 성미가 발끈한, 화 잘 내는(colérico). ② 다루기 힘든. —*m.* 옛날의 계율을 준수하는 수도승 (~ reglar, ~ regular) ; 승려회 의원, 교단 회원.

canonista *m.* 교회법 학자 ; 종규 학자(宗規學者) ; 종교 법규에 통달한 사람.

canonizable *adj.* 성인으로 추앙될 수 있는, 복자에 올릴 수 있는.

canonización *f.* 열성식(列聖式) ; 복자에 오름, 성인 대열에 섬 : El papa pronuncia la ~ de los santos.

canonizar *tr.* ⑨ ① 시성(諡聖)하다 ; 성인으로 추앙하다, 복자에 올리다. ② 시인하다. ③ 자꾸만 추켜올리다.

canonjía *f.* ① 성당 참사회 의원의 수당. ② 불로 소득.

canope *m.* (미이라 시체의 내장을 담는) 이집트 무덤에 있는 병·잔.

Canopo *m.* 【천문】 Navio 성좌에 있으며 두 번째로 밝은 별.

canorca *f.* 《*Val.*》 =**cueva, caverna.**

canoro, ra *adj.* ① 멜로디같은, 아름다운(melodioso) : voz ~*ra.* ② 지저귀는 (새) : los ~*s* ruiseñores encantan nuestros oídos.

canoso, sa *adj.* 백발의, 머리가 하얀, 흰 털이 많은 : barba ~*sa.*

canotaje *m.* =**canoísmo.**

canotié *m.* 《*Galic.*》 =**canotier.**

canotier *m.* 《*Galic.*》 맥고 모자(sombrero de paja).

canquén *m.* 《*Chile*》 【조류】 야생 거위 (avutarda).

cansadamente *adv.* 지쳐서, 피곤하여 ; 귀찮게 ; 따분한 듯이.

cansadas (a las) *adv.* 《*AmérM.*》 몹시 늦게.

cansado, da *adj.* ① 지친, 피곤한 : ~ *de* trabajar 일에 지친. Si están ~*s* nos sentaremos debajo de este árbol 피곤하면 이 나무 아래 앉자. Sinón. fatigado. ② 피폐한. ③ 이제는 별로 소용이 안되는, 쓸모없는(que ya sirve poco) : pluma ~*da* 별로 쓸모가 없는 펜. ④ 권태로운.

cansador, ra *adj.* 《*Arg.*》 =**cansado.**

cansancio *m.* 피곤, 피로(fatiga) : Está muerto de ~. Contr. descanso.

cansar *tr.* ① 피곤하게 하다(fatigar) : Esta letra *cansa* la vista 이 글자는 눈을 피로하게 한다. ② 권태롭게 만들다, 성가시게 굴다, 귀찮게 굴다(importunar).

~se 피곤해지다(fatigarse) : *Se cansó con · del* trabajo 일에 지쳤다. ② 싫증을 내다. ③ (땅이) 토박해지다. ④ 고집을 부리다. Contr. descansar.

cansera *f.* ① 귀찮음, 골치 아픔(molestia). ② 《*Amér.*》 품팔이꾼.

cansí *m.* 《*Cuba.*》 옛날 추장의 집.

cansino, na *adj.* ① 나태한, 게으른(perezoso). ② 느릿느릿한(lento) : Se alejó con paso ~. ③ 날뛰다 지친 (소 등). ④ 귀찮은, 지친.

cansío, a *adj.* =**canso.**

canso, sa *adj.* 【방언】 《*Amér.*》 =**cansado.**

cansón, na *adj.* 《*Amér.*》 피곤한 ; 힘드는 (일 등).

canta *f.* 《*Ar.*》 =**cantar, canción, copla.**

cantábile *m. ital.* 【음악】 칸타빌레의 악조.

cantable *adj.* 노래할 수 있는, 노래할 수 있게 작사한 : un trozo ~. —*m.* 천천히 노래하는 곳 ; 칸타빌레조 ; 희가극(喜歌劇)의 가창부(歌唱部).

cantábrico, ca *adj.* [*lat.* cantabricus] 깐따브리아 《Cantabria, 서반아 북부 지방》의 : mar ~.

cantabrio, bria *adj.* 【고어】 =**cántabro.**

cántabro, ra *adj. m.f.* 깐따브리아 태생의 (사람).

cantada *f.* ① 【음악】 칸타타, 가요곡(cantata). ② 《*Méx.*》 자백(하는 일). ③ 성탄절의 노래.

cantador, ra *m.f.* 가수 : ~ flamenco.

cantal *m.* 바윗덩이, 암초지(岩礁地)(peñasco).

cantalear *intr.* (비둘기가) 울다.

cantaleta *f.* 야유 음악 ; 놀려주는 노래 ; 놀려줌 : dar ~ 놀려주다.

cantaletear *tr.* 《*Amér.*》 ① 자꾸만 귀찮게 하다. ② 놀려주다, 놀려대다(dar cantaleta). ③ 듣기 싫은 노래를 하다.

cantalinoso, sa *adj.* 돌맹이가 많은 (땅).

cantamañanas *m.f.* 【단·복수 동형】 미욱한 사람.

cantamisa *f.* 《*Amér.*》 사제가 첫 미사를 노래하기.

cantamisano *m.* 《*Méx.*》 =**misacantano.**

cantamora *f.* =**bu.**

cantante *adj.* 노래부르는 ; 노래가 있는. —*m.f.* (직업) 가수(cantor o cantora de profesión) : un ~ de la ópera.

café ~ 캬바레.

llevar la voz ~ 지휘하다, 조정하다.

cantar[1] *tr. intr.* [*lat.* cantāre] ① 노래부르다 : ~ armoniosamente. ② 시를 쓰다. ③ 읊다. ④ (새가) 울다, 지저귀다 ; (시냇물 따위가) 졸졸거리다. ⑤ 찬양하다, 칭찬하다(alabar, celebrar) : ~ la virtud. ⑥ (여럿이 한꺼번에) 구령을 지르다. ⑦ (펄펄 끓는 물·삐꺽거리는 차가) 소리를 내다, 울다. ⑧ 실토하다, 자백하다(confesar lo que se ocultaba) : El reo *cantó* en el potro. ⑨ 말하다 : ~ las claras 숨김없이 솔직히 말하다. ~ mal y porfiar 듣고 싶지도 않은 말을 반 강제로 들려주다. ⑩ 《*Cuba.*》 고약한 냄새가 나다.

~ de plano 모든 것을 자백하다·털어놓다(confesarlo todo).

cantar[2] *m.* ① 노래(copla). ② 《*Cuba. Chile.*》 = **chisme.**

~ de gesta 중세기의 무훈을 읊은 노래.

~ de los Cantares 【성서】 아가(雅歌).

Ese es otro ~ 그것은 별문제다.

cántara *f.* ① 항아리, 단지(cántaro). ② 용량의 단위 《16.13리터》.

cantarada *f.* 한 단지·한 항아리의 분량.

cantaral *m.* 《*Ar.*》 =**cantarera.**

cantarano *m.* 장농과 책상을 겸한 가구.

cantarela *f.* 【음악】 기타나 바이올린의 제1현. ② 식용 버섯의 일종.

cantarera *f.* 항아리·단지 받침.

cantarería *f.* 옹기점.

cantarero *m.* 사기 그릇 제조인.

cantárida *f.* 【곤충】 반묘(abadejo).

cantarilla *f.* 옹기.

cantarillo *m.* 작은 물항아리.

cantarín, na *adj.* ① 항상 노래하는 : Solía sentarse cerca de una fuente ~*na.* ② 노래 솜씨를 자랑하는. —*m.f.* 가수(cantante).

cántaro *m.* [*lat.* cantharus] ① 단지, 물항아리, 항아리 : un ~ de vino. ② 투표용 구슬을 넣는 상자. ③ 《*Méx.*》 여자에게 알랑거림, 달콤한 말.

a ~s 풍부하게(abundantemente) ; 매우 강하게 (con mucha fuerza).

entrar en ~ 잘 들어가다.

estar en ~ 준비가 되어 있다.

llover a ~s 비가 억수처럼 내리다(llover copiosamente).

Tanto va el ~ a la fuente que alguna vez se quiebra 【속담】 꼬리가 길면 밟히는 법이다.

cantata *f.* 【음악】 칸타타 《가요곡과 낭독조를 섞은 가곡》.

cantatriz *f.* 여가수(cantante, cantadora, cantarina).

cantauriense *adj. m.f.* 캔터베리 《Cantorbery, 영국에 있는 도시》의 (사람).

cantazo *m.* ① 돌팔매질. ② 《*Amér.*》 채찍질.

al ~ 《*PRico.*》 현금으로.

de ~ 길이로 늘어 세워.

cante *m.* 노래(canto) : ~ flamenco · jondo · hondo 안달루시아의 집시의 노래.

canteado, da *adj.* [cantear의 *p.p.*] 길이로 늘어 놓은 (벽돌).
cantear *tr.* ① (널빤지나 돌의 가장자리에) 가공하다. ② 길이로 차곡차곡 쌓아올리다. —*intr.* 《*Chile.*》 돌을 가공하다(labrar piedras).
~se 《*And.*》 =**instalarse.**
cantel *m.* 파이프에 사용하는 가장자리 조각.
cantera *f.* ① 채석장 : Las ~*s* suelen establecerse a cielo abierto. ② 채토장. ③ 재능(talento). ④ 《*Méx.*》 =**cantería.**
cantería *f.* ① 돌가공 (기술). ② 석조, 가공된 돌 : casa de ~.
canterios *m.pl.* 지붕의 도리.
canterito *m.* 빵 부스러기.
canterla *f.* 《*Ast.*》 =**cantesa.**
cantero *m.* ① 석공. ② 딴딴한 껍질 : un ~ de pan. ③ 《*Amér.*》 화단.
cantesa *f.* 《*Ast.*》 쇠테.
cántica *f.* 【고어】 간단한 시적 노래·작문.
canticio *m.* 귀찮은 노래 소리.
cántico *m.* [*lat.* canticum] ① 찬미가 : El tedéum es un ~ de alabanza a Dios. ② 노래(canto) : ~ de alegría 기쁨의 노래. ~ de amor 사랑의 노래.
cantidad *f.* [*lat.* quantitas] ① 양 : ~ de movimiento 운동량. **Contr.** calidad. ② (어느 특정한) 분량, 수량. ③ 다량. ④ 금액 : ~ alzada 총액. ~ concurrente 부당액.
una gran ~de 많은, 다량의.
hacer buena una ~ =abonar.
cantiga *f.* 가곡, 노래.
cántiga *f.* =**cantiga.**
cantil *m.* ① 층층이로 된 해안. ② 해저붕(海底棚). ③ 《*Amér.*》 깎아지른 벼랑 가장자리. ④ 《*Grat.*》 구렁이의 일종.
cantilagua *f.* 《*Ar.*》 【식물】 =**canchilagua.**
cantilena *f.* ① 노래. ② 상투적인 말 : Siempre viene con esa ~.
cantilever *adj. m. ing.* 【건축】 외팔보(의).
cantillo *m.* ① 자갈, 팔매질 돌. ② 《*And.*》 모퉁이, 구석(esquina).
cantimpla *adj. m.f.* 《*Riopl.*》 어리석은, 얼간이 같은, 반멍청이(의)(medio tonto).
cantimplora *f.* 사이펀 ; 굽은 판 ; 물통.
cantina *f.* ① 다방. ② 술집. ③ 찬합. ④ 도시락이나 휴대용 양식 상자. ⑤ 술창고. ⑥ 《*Amér.*》 술집(taberna). ⑦ 《*Col.*》 우유통.
cantinela *f.* =**cantilena.**
cantinero, ra *m.f.* ① 다방·술집의 주인. ② 다방·술집 의 판매원·급사.
cantiña *f.* 속요(cantar).
cantiñear *tr.* =**canturriar.**
cantío *m.* ① 《*AmérC. Cuba. PRico.*》 새의 지저귐. ② 《*Cuba. Panamá. PRico.*》 민요(canto popular).
cantista *adj.* 노래 부르는, 노래가 있는. —*m.f.* 가수.
cantizal *m.* 자갈땅(terreno peñascoso).
canto[1] *m.* [*lat.* cantus] ① 노래 : un ~ armonioso 가락이 좋은 노래. un ~ guerrero 전쟁 노래. ② 창법(arte de cantar) : dedicarse al ~. ③ 성가 : ~ llano 단선 성가. ④ 서사시의 장. ⑤ 시작(詩作) : Los ~*s* del poeta refieren las hazañas de la patria.
~ ***del cisne*** (시인·음악가의) 마지막 작품.
canto[2] *m.* ① 끝, 가장자리(extremo, borde) : el ~ de la mesa 테이블의 가장자리. ② 빵의 단단한 껍질(cantero de pan). ③ 칼의 등. ④ 횡단면. ⑤ (책의) 단면. ⑥ (물건의) 두께 : Este madero tiene cuatro dedos de ~. ⑦ 돌멩이, 돌덩어리(peñasco, guijarro) : un ~ de mármol. ⑧ 《*Col.*》 =**regazo, falda.** ⑨ 건물의 모퉁이(cantón).
~ ***rodado·pelado*** 반들반들한 돌멩이.
a·al ~ 바로 곁에, 아주 가까이에(muy cerca, inmediatamente).
al ~ del gallo 새벽에.
al ~ de los gallos ① 한밤중에. ② 《*Amér.*》 즉석에서.
de ~ ① 세로로. ② 옆의(de lado) : colocar ladrillos *de* ~.
en ~ llano 단순 명쾌하게.
por el ~ de un duro 별로 (…없다).
prueba al ~ 즉시(inmediatamente).
ser ~ llano 소박하여 꾸밈이 없다.
cantollanista *m.f.* 단선 성가(單旋聖歌)(canto llano)의 가수.
cantón *m.* ① (건물의) 모서리(esquina). ② 지방, 향토 ; 군, 고향. ③ 군대의 분숙지(分宿地). ④ (중국 광뚱의 지명에서) 캐시미어 무명의 일종. ⑤ 문장(紋章)에서 왼쪽 위의 한 모퉁이.
cantonada *f.* 건물의 모서리(esquina).
dar ~ ① 따돌리고 도망치다. ② 난처하게 만들다.
cantonado, da *adj.* cantonar의 *p.p.*
cantonal *adj.* 지방 분립주의의 : división ~. —*m.f.* 지방 분립주의자.
cantonalismo *m.* 지방 분립주의·정책.
cantonalista *adj. m.f.* =**cantonal.**
cantonar *tr.* =**acantonar.**
~se 분숙하다.
cantonear *intr.* 할 일없이 어정거리다.
~se =**contonearse.**
cantoneo *m.* =**contoneo.**
cantonera *f.* ① (표지 따위의) 모서리 대기. ② 구석에 놓는 삼각 책상(rinconera). ③ 창녀. ④ 《*Col.*》 씹는 담배를 넣는 곽.
cantonero, ra *adj. m.f.* 어정거리고 다니는 (사람)(ocioso, callejero).
cantonés, sa *adj. m.f.* 광뚱(廣東)(Cantón)의 (사람). —*m.* 광뚱말.
cantor, ra *adj.* 노래하는, 지저귀는 : pájaros ~*res* 지저귀는 새. —*m.f.* ① 가수 : un ~ célebre 유명한 가수. ② 【은어】 고문에 못이겨 죄를 자백하는 사람.
de puro ~ 《*Chile. Perú.*》 남을 위하는 척하며 실속을 차리는.
cantora *f.* 【속어】 《*Chile.*》 요강(bacín, orinal).
cantoral *m.* 합창곡집(libro de coro).
cantoria *f.* =**calabaza bonetera.**
cantorio *m.* =**canto.**
cantorral *m.* 자갈땅(cantizal, peñascal).
cantoso, sa *adj.* 돌멩이투성이의.
cantramilla *f.* 《*Arg. Bol. Parag. Urug.*》 (마차의) 쇠붙이.
cantú *m.* 【식물】 깐뚜 《Bolivia와 Perú산의 정원

수》.

cantúa *f.* 《*Cuba.*》 고구마(batata), 야자(coco), 설탕(azúcar) 따위로 만든 과자.

cantuariense *adj. m.f.* 켄터베리(Cantorbery)의 (사람).

cantueso *m.* 【식물】 라벤더.

canturia *f.* =**canturía.**

canturía *f.* ① 노래 방법, 창법. ② 단조로운 곡조.

canturrear *intr.* 콧노래를 부르다, 윤창(輪唱)하다.

canturreo *m.* 콧노래, 흥얼거림.

canturria *f.* 【방언】 《*Peru.*》 단조로운 노래, 싱거운 노래.

canturriar *intr.* 11 =**canturrear.**

cantusar *intr.* 【방언】 =**canturrear.**

cantuta *f.* 《*Amér.*》 【식물】 패랭이꽃.

canuco, ca *adj.* 【고어】 =**canoso.**

canudo, da *adj.* 【고어】 =**canoso.**

cánula *f.* 주사 바늘 ; (장 세척기의) 끝 파이프.

canular *adj.* cánula의.

canutazo *m.* =**cañutazo.**

canute *m.* 《*Murc.*》 ① =**cañuto.** ② 병이 나서 며칠 후에 죽은 누에고치.

canutera *f.* 《*Perú.*》 펜대.

canutería *f.* =**cañutería.**

canutero *m.* ① 바늘통(cañutero). ② 《*Amér.*》 펜대. ③ 《*Amér.*》 만년필.

canutillero *m.* =**cañutillero.**

canutillo *m.* ① 유리관. ② 금 · 은실. ③ 메뚜기의 알집(cañutillo).

canuto *m.* ① (대 · 갈대 따위의) 마디 사이. ② 관. ③ 제대(除隊). ④ 메뚜기가 땅에다 뚫는 산란 구멍. ⑤ 《*AmérC. Méx.*》 펜대. ⑥ 《*Méx.*》 아이스크림의 일종. ⑦ 《*Chile.*》 신교의 목사, 신교도(新敎徒).

~ ***sonador*** 갈대 피리.

en ~ 꽃피어(en cierne).

caña *f.* [*lat.* canna] ① (흔히 속이 빈, 화본과 식물의) 줄기 : la ~ del trigo 밀짚. ② 【식물】 갈대. ③ 【식물】 사탕수수(~ de azúcar) : La ~ es una de las riquezas de las Antilllas. ④ 작대기 모양으로 된 것. ⑤ 지팡이. ⑥ 낚싯대(~ de pescar). ⑦ 【음악】 피리. ⑧ 【건축】 기둥(fuste). ⑨ 총대, (옛날의) 포신(砲身). ⑩ (닻의) 축신(軸身). ⑪ (기계의) 굴대. ⑫ (팔이나 다리의) 뼈 ; 그 골수(tuétano) : ~ de vaca 소 다리의 뼈, 그 골수. La ~ de buey da buen gusto a los guisados 소의 다리뼈는 요리에 좋은 맛을 가미한다. ⑬ (양말 · 장화의 다리 부분을 제외한) 위로 올라간 부분. ⑭ (양주, 때로 맥주용) 술잔. ⑮ 포도주 용량의 단위. ⑯ (남부 서반아에서) 땅 면적의 단위. ⑰ 안달루시아 민요의 하나. ⑱ 【광산】 갱도. ⑲ 【선박】 타봉(舵棒) ; 조타(操舵) ; 방향 : cambiar la ~ 선박의 진로를 바꾸다. ⑳ 《*Amér.*》 사탕수수로 빚은 술. ㉑ 《*AmérM.*》 허위 보도, 낭설. ㉒ 《*AmérM.*》 짐짓 강한 척하기 : dar ~*s* 짐짓 큰소리치다. ㉓ 《*Col.*》 춤의 이름. ㉔ 《*Cuba.*》 1뻬세따화. ㉕ 《*Venez.*》 꿀꺽 마시는 일 · 삼키기(trago).

~ ***de azúcar,*** ~ ***dulce,*** ~ ***melar*** 【식물】 사탕수수. ~ ***de Bengala,*** ~ ***de Indias*** 【식물】 등(籐)(rotan). ~ ***de Castilla*** 《*Méx.*》 사탕수수(caña de azúcar). ~ ***de cuentas,*** ~ ***de la India*** 【식물】 =cañacoro. ~ ***del pulmón*** 【해부】 기관(tráquea). ~ ***espiña*** 【식물】 가시대나무. ~ ***fístula*** 【식물】 =cañafístula. ***aguardiente de*** ~ = tafia.

dar · meter ~ 《*Cuba.*》 때리다 ; 싸우다.

meterse en ~ 《*Cuba.*》 취하다(embriagarse).

Las ~***s se vuelven lanzas*** 【속담】 개천에서 용난다.

cañacoro *m.* 【식물】 칸나.

cañada *f.* ① 골짜기. ② 소 · 양의 이주길(real cañada). ③ 쇠다리의 골수. ④ 《*Amér.*》 냇물, 내, 개천. ⑤ 《*Cuba.*》 =**arroyuelo.** ⑥ 《*Arg.*》 =**torrentera.**

cañadilla *f.* 【동물】 팥고둥.

cañado *m.* (갈리시아에서 사용된) 용량의 단위 《37 리터》.

cañadón *m.* 《*Amér. Arg.*》 협곡.

cañadulzal *m.* =**cañaduzal.**

cañaduz *f.* 《*And. Col.*》 사탕수수(caña de azúcar).

cañaduzal *m.* 【방언】 《*Col.*》 사탕수수밭(canamelar).

cañafístola *f.* =**cañafístula.**

cañafístula *f.* 【식물】 카시아나무 《인도 지방에 있는 녹나무과의 큰 나무 ; 그 열매는 완화제》.

cañagua *f.* =**cañahua.**

cañaguate *m.* =**cañahuate.**

cañaheja *f.* 【식물】 고무 채취 식물 ; 대회향(大茴香).

~ ***hedionda*** 【식물】 흰뿌리 당근, 범의귀.

cañaherla *f.* =**cañaheja.**

cañahua *f.* 【식물】 (Bolivia · Perú산의) 기장.

cañahuatal *m.* cañahuate 숲.

cañahuate *m.* 《*Col.*》 【식물】 구와야코나무.

cañahueca *m. f.* 무슨 말이나 다 지껄여대는 입이 가벼운 사람.

cañajelga *f.* =**cañaheja.**

cañal *m.* ① 갈대밭(cañaveral). ② 사탕수수밭. ③ (고기잡이에 쓰이는) 대발. ④ 물고기를 잡기 위해 파놓은 도랑.

cañaliega *f.* (고기잡이에 쓰이는) 대발.

cañamacero, ra *m.f.* cáñamazo 제조자 · 판매자.

cañamal *m.* 삼밭(plantío de cáñamo).

cañamar *m.* =**canamal.**

cañamazo *m.* 올이 굵은 거친 삼베, 허드레 삼, 자수용 · 수를 놓는 올이 굵은 베. —*pl.* 《*Cuba.*》 작업할 때 입는 옷.

cañamelar *m.* 사탕수수밭.

cañameño, ña *adj.* 삼으로 짠(de cáñamo) : tela ~*ña* 삼으로 짠 천.

cañamero *m.* 《*Ál.*》 【조류】 =**verderón.**

cañamero, ra *adj.* 삼의(del cáñamo) : industria ~*ra* 삼베 짜는 업.

cañamiel *f.* 【식물】 사탕수수(caña de azúcar).

cañamiza *f.* 껍질을 벗긴 삼대의 줄기.

cáñamo *m.* ① 【식물】 삼, 대마 : ~ en rama 원료삼. ② 마포, 삼 제품. ③ 《*Amér.*》 (일반적으로) 섬유 식물 ; 삼실, (올이 좀 굵은) 실. ④ 《*Amér.*》 노끈.

~ ***de Manila,*** ~ ***de China,*** ~ ***Amboino*** 마닐라삼(abacá). ~ ***de áloe*** 알로파이바.

cañamón *m.* 삼의 열매 : Los ~*es* sirven generalmente para alimentar los pájaros.

cañamoncillo *m.* [*dim.* cañamón] 도토(陶土)의 일종.

cañamonero, ra *m.f.* cañamón 판매자.

cañar *m.* ① 갈대밭. ② 사탕수수밭(cañal). ③ (고기잡이용) 대발. —*pl.* 《*Col.*》 곧 죽어도 큰 소리치기 : echar ~*s.*

cañareja *f.* =**cañaheja.**

cañarejo, ja *adj. m.f.* 까냐르《Cañar, Ecuador 에 있는 주》의 (사람).

cañarense *adj. m.f.* =**canarejo.**

cañariego, ga *adj.* ① 옮기는 도중에 죽은 양의 껍질. ② 양·소를 옮기는데 따라가는 (사람, 개, 말).

cañarroya *f.* 【식물】 개물통이(parietaria).

cañavera *f.* 【식물】 부들, 물갈대(carrizo).

cañaveral *m.* 갈대밭 ; 사탕수수밭.

cañaverear *tr.* =**cañaverear.**

cañaverero, ra *m.f.* caña를 판매했던 사람.

cañazo *m.* ① 등나무·갈대·대나무로 구타. ② 《*Amér.*》 램주.

dar ~ 의기 소침하게 만들다.

darse ~ 실패하다.

cañear *intr.* 《*And.*》 =**beber cañas.**

cañedo *m.* =**cañaveral.**

cañengue *adj.* 《*Cuba.*》 마른, 여윈 (사람).

cañeo *m.* 《*And.*》 cañear하기.

cañera *f.* =**cañero.**

cañería *f.* ①[집합] (수도나 가스의) 도관 : ~ de plomo 연관(鉛管). ② 도관 ; 배선 : agua de ~ 수도물.

cañerla *f.* =**cañaherla.**

cañero, ra *adj.* ① 사탕수수의. ② 제당의 : industria ~*ra* 제당업. ③ 《*AmérM.*》 곧 죽어도 큰 소리치는 ; 허풍선이의. —*m.* ① 도관 제조업자 ; (가스·수도의) 도관공. ② 【방언】 낚싯대. —*adj. m.* 《*Méx.*》 사탕수수를 (두는 곳). —*m.f.* 《*Cuba.*》 사탕수수 판매원·장수.

cañeta *f.* 【식물】 부들, 물갈대(carrizo).

cañete *m.* [*dim.* caño] 《*PRico.*》 럼, 럼주.

cañí *adj. m.f.* 【은어】 《*And.*》 =**gitano.**

cañifla *f.* 《*AmérC.*》 가느다란 팔, 가느다란 다리.

cañilavado, da *adj.* 다리가 가는·가느다란 : una yegua ~*da.*

cañilero *m.* 《*Sal.*》 =**saúco.**

cañilla *f.* 《*Chile.*》 (연의) 얼레.

cañillera *f.* =**canillera.**

cañinque *adj.* 《*Amér.*》 =**enfermizo, enclenque.**

cañirla *f.* =**caña.**

cañista *m.f.* cañizo의 직공.

cañita *m.* ① 《*PRico.*》 저질의 램주(ron de inferior calidad). ② 《*Venez.*》 aguardiente를 마시는 사람.

cañivano *adj.* =**cañihueco.**

cañiza *f.* 린넬(lienzo)의 일종. —*adj.* 결이 곧은 (목재).

cañizal *m.* =**cañaveral.**

cañizar *m.* =**canizal.**

cañizo *m.* ① (갈대·싸리로 엮은) 발 : Los gusanos de seda se crían en ~*s.* ② 외(隈) 《흙을 바르고자 벽 속에 엮은 나뭇가지》.

caño *m.* (금속·유리·도기 따위의) 관(tubo corto) : un ~ de barro. ② 하수구. ③ 우물. ④ 수로(chorro). ⑤ 움막. ⑥ 【광물】 갱도. ⑦ 《*Col.*》 작은 시냇물, 작은 운하. ⑧ 《*And.*》 = **grifo.**

cañocal *adj.* 쪼개지기 쉬운 (재목).

cañón *m.* [*aum.* caño] ① (일반적으로 속이 빈 기다란) 관, 통, 파이프 : ~ de órgano 파이프 오르간의 파이프. ~ de anteojo 망원경의 통. ② ㄱ) 총신(~ de escopeta) : de doble ~ 2연발의. ㄴ) 포신(砲身) ; 대포 : ~ del setenta y cinco (특히, 1차 세계 대전 때의 블란서나 미국의) 75센티 포. ③ 연도(煙道) ; 갱도(坑道) : ~ de chimenea 연통. ~ de desagüe 배수 갱도. ~ de escalera 층계에서 밖과 통한 기둥 사이. ④ 깃털 축 ; 깃털 펜 ; 나오기 시작한 깃털, 나기 시작한 수염 ; 수염 뿌리의 밑. ⑤ 【은어】 건달. ⑥ 《*Amér.*》 산 사이의 좁은 길(paso estrecho entre montañas). ⑦ 《*Col.*》 나무 줄기(tronco). ⑧ 《*Méx.*》 협곡 ; 두메 산골(cañada). ⑨ 《*Perú.*》 길.

mujer ~ 여장부. ~ ***antiaéreo*** 고사포. ~ ***antitanque· anticarro*** 대전차포. ~ ***atómico*** 원자포. ~ ***de campaña*** 야포. ~ ***de escopeta*** 총신(銃身). ~ ***de montaña*** 산포(山砲). ~ ***de gran alcance*** 장거리포. ~ ***de plaza*** 요새포. ~ ***de tiro rápido*** 속사포. ~ ***marino*** 함포. ~ ***obús*** 곡사포(曲射砲), 유탄포(榴彈砲). ~ ***rayado*** 라이플포.

ni a ~ ***rayado*** 《*Amér.*》 절대로 아니다.

cañonazo *m.* ① 포격 : batir a ~*s* 포격하다. ② 총성, 포성 : oir ~*s.* ③ 《*AmérM.*》 뜻밖의 뉴스 (noticia inesperada).

cañonear *tr.* ① 포격하다(acañonear, batir a cañonazos) : ~ un barco. ② 《*Venez.*》(누구의 문앞에서) 북치고 피리 불어 축하하다.

cañoneo *m.* 포격(acción de cañonear).

cañonera *f.* ① 포안(砲眼), 총안(tronera) ; 포좌(砲座). ② 야영 텐트. ③ 《*Amér.*》 권총집 (pistolera).

cañonería *f.* ① 포열(砲列). ②[집합] (오르간의) 관.

cañonero, ra *adj.* 포를 장비한 : lancha ~*ra.* —*m.* 포함(砲艦).

cañota *f.* ① 【식물】 사탕 옥수수의 일종. ② 잘린 나무의 밑둥.

cañucela *f.* =**caña delgada.**

cañuela *f.* 김의 털무리 《목초의 일종》.

cañutazo *m.* ① 고자질, 밀고. ② 험담(soplo o chisme) : venirle a uno con un ~.

cañutería *f.* ① 금·은실 세공. ② 포(砲)의 배열. ③ 파이프 오르간의 파이프의 전체.

cañutero *m.* 바늘통(alfiletero, canutero para guardar las agujas).

cañutillo *m.* ① 작은 유리관(tubito de vidrio) : guarnición de ~ 소형 유리관 장식. ② 금·은 실. ③ 몰 : bordar a ~. ④ 메뚜기의 난소.

cañuto *m.* ① 갈대·대나무 등의 마디 사이, 마디 하나. ② 작은 관. ③ 고자질쟁이, 밀고자 (soplón, acusón).

cao *m.* 《*Cuba.*》 까오 《까마귀의 일종》.

caoba *f.* ①【식물】 마호가니. ② 마호가니 목재 : un armario de ~.
caobana *f.* 【고어】 =**caoba.**
caobilla *f.* 《*Cuba.*》【식물】 대극과 식물.
caobo *m.* =**caoba.**
caolín *m. chino.* 고능토, 백도토(白陶土)(arcilla blanca).
caología *f.* 우주 형상지.
caológico, ca *adj.* caología의.
caos [*gr.* khaos] *m.* ① (성서에서 천지 창조 이전의) 혼돈, 카오스. Contr. cosmos. ② 혼란, 무질서(desorden, confusión).
caótico, ca *adj.* 혼란한, 혼돈스러운, 어지러운.
cap *m.* 《*Ar.*》 =**cabeza principal.**
cap. capital ; capitán ; capítulo.
CAP Compañía de Acero del Pacífico 《*Chile.*》 태평양 제강(製鋼)회사 ; Corporación Argentina de Productores de Carne 아르헨띠나 식육 생산자 협회.
capa [*lat.* capa] *f.* ① 가빠, 긴 망토 ; 투우용의 가빠 ; (투우사의) 짧은 망토(~ torera). ② 당의(糖衣), 옷 : una ~ de azúcar. ③ 겉껍질, 표피. ④ 층, 기층(氣層), 지층(estrato) : ~*s* del terreno. ⑤ 말 따위의 털의 색깔. ⑥ 가장, (감추기 위한) 구실 : so ~ de valiente 용감한 사람답게. ⑦ 재산, 자산. ⑧ 선장 수수료. ⑨ 숨겨 주는 사람. ⑩【은어】 밤. ⑪ 《*Amér.*》 잎담배에서 위에 만 잎.
~ ***aguadera · gascona*** 비옷(la impermeable). ~ ***consistorial · magna*** 대주교·주교의 제례복의 일종. ~ ***del cielo*** 하늘, 창공. ~ ***pluvial*** 성당 참사회 의원이 입는 제례복의 일종. ~ ***rota*** 밀사.
a la ~ 돛을 배가 멎은 상태로 조종하여 ; 기회가 무르익기를 노리면서. ***de so*** ~ 아무도 모르게 ; 살그머니. ***so · bajo*** ~ ***de*** …을 핑계·구실로(con el pretexto de).
andar · ir de ~ ***caída*** 사업이나 건강이 나쁘다(andar mal de negocios de salud).
dejar la ~ ***al toro*** 큰 위험을 막고자 적은 손해를 보다.
echar la ~ ***al toro*** 누구를 위해 분발해서 도와주다.
hacer de su ~ ***un sayo*** 자신의 일을 스스로 처리하다.
hacer la ~ 누구를 감싸다.
tirar de la ~ 위험을 경고해 주다, 위험에서 구출하다.
Debajo de una mala ~ ***hay un buen bebedor*** 【속담】 겉만 보고 판단해서는 안된다(No se debe juzgar por las apariencias).
Una buena ~ ***todo lo tapa*** 【속담】 외모가 좋으면 많은 결점을 감출 수 있다.
capá *m.* 【식물】 (중남미의) 떡갈나무, 까빠 떡갈나무 《조선용 재목》.
capacear *tr.* 《*Murc.*》 버들가지 바구니로 옮기다.
capaceta *f.* 과일 바구니를 덮는 넓은 가빠.
capacete *m.* ① (옛날의) 철모. ② 《*AmérC.*》 기마병이 화살을 막고자 머리에 쓰는 포대. ③ 《*Cuba. Méx.*》 망토, 외투(capota).
capacidad *f.* ① 용량 : ~ térmica 열용량. Tiene una ~ de 50 litros; Su ~ es de 50 litros ; 그 용량은 50리터이다. ② 수용력 : sala de mucha ~. ③ 용적, 적재량. ④ 능력 : ~ competitiva 경쟁력. ~ contributiva 담세력(擔稅力). ~ de carga 화물 적재력. ~ de competencia 경쟁력. ~ de compra 구매력. ~ de ganancia 수익력. ~ de producción 제조·생산 능력. ~ de producción disponible 생산 가능 능력. ~ de transporte 수송 능력. ~ del embarque 적하 능력. ~ económica 경제력. ~ ejecutora 작업 능력. ~ financiera (회사 등의) 자산 상태. ~ inactiva 유휴 생산 능력. ~ para trabajar 작업·노동·업무 능력. ~ productiva 생산·설비 능력. ~ tributaria 담세 능력. Es persona de gran ~ 그는 굉장히 능력이 있는 사람이다. ⑤ 수완(talento) : persona de gran ~ 대단한 수완가. ⑥ 권능 ; 자격. Contr. incapacidad, impericia.
capacillo *m.* 《*PRico.*》 목재용 나무.
capacitación *f.* 권능, 자격 (부여), 훈련 : ~ mientras se trabaja 직장 연수.
capacitado, da *adj.* 능력·자격이 있는 ; 쓸모가 있는. —*m.f.* 유능한 사람, 유자격자 ; 수완가.
capacitar *tr.* 능력·자격을 부여하다(habilitar) ; (권능을) 위임하다.
~se =**enterarse.**
capacha *f.* ① =**capacho, espuerta.** ②【고어】 감옥(cárcel).
capachada *f.* 《*Chile.*》 바구니에 넣은 것.
capacheca *f.* 《*Bol. Chile.*》 지붕을 씌운 수레·노점.
capachero *m.* 바구니로 옮기는 사람.
capachito *m.* 《*Perú.*》 어린이 구두.
capacho *m.* ① 골풀·버들가지로 엮은 바구니 ; 식료품 따위를 담는 바구니 ; 등에 지는 광주리. ② (손잡이가 없는 식기를 덮는) 발. ③ 《*Bol. Riopl.*》 다 헤어진 모자. ④ 《*Col.*》 옥수수의 과포(果包).
capada *f.* 가빠나 망토의 자락으로 쌀 수 있는 분량.
capador *m.* ① 거세하는 사람, 불알 까는 사람. ② 《*Col.*》 갈피리(zampoña).
capadura *f.* ① 거세 ; 거세한 상처 자국. ② 《*Cuba.*》 담배의 허드렛잎.
capagumense *adj. m. f.* 까빠굼 《Capagum, 옛 서반아의 도시 ; 현재의 Ronda》의 (사람).
capango *m.* 《*Bol. Méx.*》 유리알, 유리 구슬.
capar *tr.* ① 거세하다. ② 잡치게 하다, 맥을 못추게 하다. ③ 《*Bol.*》 (…에) 손을 대다(empezar, encentar) : ~ un queso. ④ 《*Perú.*》 가지나 잎을 자르다, 전정하다(podar). —*intr.* 《*Col. Chile.*》 게으름부리다, 게으름피우다, 결석하다 : ~ a la clase 결석하다.
caparacho *m.* =**carapacho.**
caparachón *m.* =**caparazón.**
caparazón *m.* ① 말옷 ; 안장 덮개, (차량 등의) 덮개 : ~ de coche. ② (말의) 보릿자루. ③ (갑각류의) 껍질, 등껍질(concha) : ~ de cangrejo · de tortuga. ④ 발이나 날개가 없는 조류의 몸체.
caparídeo, a *adj.* 【식물】 풍조초·풍조초과의. —*f.pl.* 풍조초과 식물.

caparina *f.* 【방언】 나비(mariposa).

caparra *f.* ① 신호(señal). ②【곤충·방언】 진드기(garrapata). ③【식물】 풍조목(風鳥木)(alcaparra).

caparro *m.* 【동물】 (남미산의) 흰털 원숭이.

caparrón *m.* 【식물】 싹(botón).

caparrós *m.* 《*Ar.*》 =**caparrosa.**

caparrosa *f.* 【화학】 반류(礬類), 유산염 : ~ azul 유산동(硫酸銅), 담반(膽礬) (sulfato de cobre) : ~ blanca 유화 아연. ~ roja 유산 코발트, 적반(赤礬). ~ verde 유산철, 녹반산.

capataz *m.* 십장, 감독 : ~ de cultivo 무자격 농림 기사. Sinón. contramaestre.

capataza *f.* capataz의 아내.

capaz *adj.* [*lat.* capax] ① 용량·능력·재간이 있는 ; 유능한 : Es una persona muy ~ 그는 매우 유능한 사람이다. ② [+para : …의] 권능·자격이 있는. ③ 널직한. ④ [+de : …을] 받아들일 수 있는 ; …할 수 있는, …않으리라고 장담할 수 없는 : una caja ~ de diez arrobas 10 아로바가 들어갈 수 있는 상자. No es ~ de mentir 거짓말을 할 만한 사람이 아니다. ⑤ [+para : …을] 수행할 수 있는, 자격이 있는 : un joven ~ *para* el empleo 그 일을 할 수 있는 청년. La sala es ~ *para* reunir 60 alumnos 그 방은 60명의 아동을 모을 수가 있다. ⑥ 《*Amér.*》 가능한 (posible) : Es muy ~ que esté en casa 집에 있는지도 모른다. Contr. impotente, incapaz.

no ser ~ de … 차마 하지 못하다.

capaza *f.* 《*Ar.*》 =**capacho, espuerta, sera.**

capazmente *adv.* 널직하게, 넓게, 여유있게.

capazo *m.* ① =**capacho.** ② 광주리로 때림.

capazón *m.* 《*Méx.*》 거세(하는 일).

capción *f.* ① =**captación** ②【고어】 =**captura.**

capciosamente *adv.* 사기로, 속임수로.

capciosidad *f.* 속임수, 사기 ; 나태, 게으름, 태만.

capcioso, sa *adj.* 사기의, 속이는, 속임수의 (insidioso, engañoso).

capea *f.* 【투우】 가빠(capa)로 소를 다루기, 어린 소의 투우.

capeador *m.* 가빠로 소를 다루는 남자·투우사.

capear *tr.* ① 날치기하다. ② (소를) 가빠(capa)로 다루다(capotear). ③ 입으로 생색을 내다 (entretener). ④ 《*Arg.*》 훔치다, 도둑질하다 (robar).

—*intr.* 맞바람에 떠밀리지 않도록 돛을 조정하다.

capeja *f.* *desp.* 작은·나쁜 가빠.

Capela *f.* 【천문】 산양좌(山羊座).

capelete *m.* (옛날의) 높은 모자.

capelina *f.* ① (머리에 감는) 붕대 (vendaje para la cabeza). ② 《*AmérC. Riopl.*》 여자의 두건(cofia).

capelo *m.* [*lat.* capellus] ① 주교·승정(obispo)의 특권. ② 교황청 추기경의 붉은 모자. ③ 추기경의 지위. ④ 《*Méx.*》 유리종 (campana de cristal). ⑤ 《*Amér.*》 박사의 가운(~ de doctor).

capellada *f.* (구두 등·끝, 양말에 대는) 덧이음, 구두의 콧등.

capellán *m.* (예배당 전속의) 사제, 목사, 승려 ; (왕실·대저택·육해군·학교·이 밖의 단체 시설에 종사하는) 사제승, 종군 목사, 교회사(教誨師).

~ ***de honor*** 왕실 등의 사제승. ~ ***mayor*** 전항(前項)의 관장(管長) 혹은 한 사원의 원장. ~ ***mayor del Rey*** 왕실 제사 총장. ~ ***real*** 왕실 예배당의 친임 사제(親任司祭)·승(僧).

capellanía *f.* ① capellán의 직. ② 《*Col.*》 원한, 반감(ojeriza, antipatía).

capellar *m.* 아라비아(풍의) 망토.

capellina *f.* ① (옛날의) 철모 ; 철모를 쓴 기병. ② 솔이 달린 두건. ③ 모자처럼 걸친 붕대.

capeo *m.* (투우의) 가빠로 다루기. —*pl.* 송아지만으로 하는 투우.

capeón *m.* 투우에 나가는 세 살 미만의 소.

capero *m.* ① 예식 망토(capa pluvial)를 입는 승려. ② 망토걸이(cuelgacapas).

caperucear *tr.* (절하기 위해 썼던 것을) 벗다, 탈모하다.

caperuceta *f.* *dim.* capuruza.

caperuza *f.* ① 고깔 모자. ② 뾰족 지붕.

caperuzado, da *adj.* =**capirotado.**

caperuzón *m.* *aum.* caperuza.

capeta *f.* 짧은 망토.

capeto *m.* 【은어】 =**guardia, polizonte.**

capetonada *f.* 더위를 먹어 갑자기 일어나는 구토.

capi *m.* =**capí.**

capí *m.* ① 《*Bol.*》 흰 옥수수. ② 《*Chile.*》 (푸르고 연한 동안의 콩 따위의) 꼬투리.

capia *f.* 《*Arg.*》 ① 까삐아 《옥수수의 일종》. ② 흰 옥수수 빵.

capialzado *m.* (문이나 창문의) 아치 모양의 챙.

capialzar *tr.* 아치를 세우다.

capialzo *m.* 둥근 지붕의 박공선의 경사면.

capiango *m.* 《*Arg.*》 가공의 동물.

capibara *m.* 《*Arg.*》 =**carpincho.**

capicúa *f.* ***número*** ~ 앞뒤 어디서부터 읽어도 같이 읽어지는 낱말이나 수 《예 : 27072》.

capichola *f.* 비단으로 동그랗게 꼰 끈.

capicholado, da *adj.* capichola 같은.

capidengue *m.* (옛날 여자의) 숄.

capigorra *adj.* *m.f.* =**capigorrón.**

capigorrista *adj.* *m.f.* =**capigorrón.**

capigorrón *adj.* *m.f.* ① (옛날의) 가난한 선비. ② 진득하지 못한 게으름뱅이(의). ③ 만년 말단 승려.

capiguara *m.* 《*Arg. Bol.*》 =**carpincho.**

capilar *adj.* [*lat.* capillus] ① 모발(毛髮)의 ; 모발같은. ② 모세관의 : vasos ~*es* 모세 혈관. ③ 모세관처럼 가느다란. —*f.* 【식물】 양치류의 일종.

capilaridad *f.* ① 털 모양으로 된 것. ② 섬세. ③【물리】 모세관 현상.

capilarímetro *m.* (알코올의 순도를 재는) 모관계(毛管計).

capiliforme *adj.* 【식물】 모세관처럼 가느다란.

capilla *f.* ① (외투나 망토의) 두건. ② 예배당 : ~ ardiente 사자(死者)의 제단 ; 법요전(法要殿). ~ real 왕실 예배당. ③ 예배당 전속 승려단 ; (교회·사원의) 합창대·영가대(詠歌隊).

④ 제본 전의 인쇄된 전지 : leer un libro en ~s. ~ *negrra* 【조류】 박새.

estar en (la) ~ 사형의 집행을 기다리고 있다; 마지막 임종의 때를 기다리고 있다.

capillada *f.* 두건에 가득히 넣기; 두건으로 때리기.

capilleja *f. dim.* capilla.

capillejo *m.* ① 명주 실패(madeja de seda). ② 옛날의 머리 그물. ③《*Bol.*》 야자잎으로 엮은 광주리·바구니.

capiller *m.* 예배당 지기.

capillero *m.* =**capiller.**

capilleta *f.* [*dim.* capilla] 작은 예배당 형의 제단(nicho).

capillo *m.* [*lat.* capidulum] ① 갓난아기의 두건; 갓난아기의 안팎이 모두 흰 세례복; 매사냥 때 매에게 씌우는 두건; 옛날 부인용의 두건. ② 번데기. ③(꽃의) 봉오리(capullo). ④ 구두 앞꿈치. ⑤ 토끼 잡는 그물. ⑥(약병 같은 데 붙이는·씌우는) 종이. ⑦《*Perú.*》 세례·결혼 기념 메달·비망록.

Lo que en el ~ se toma, con la mortaja se deja 【속담】 세 살적 버릇 여든까지 간다(Las costumbres que se toman en la niñez no se pierden nunca).

capilludo, da *adj.* 두건 모양의; 두건을 쓴.

capimonte *m.* 《*And.*》 =**capa de monte.**

capincho *m.* 《*Riopl.*》 =**carpincho, capibara.**

capingo *m.* 《*Arg.*》 짧은 망토(capa corta), 어깨 가빠·망토.

capirotada *f.* ① 곁두리로 쓰는 계란·나물·마늘·야채. ② 육류·옥수수·치즈 등을 원료로 한 요리. ③《*Méx.*》 공동 묘지의 구덩이.

capirotazo *m.* 손끝으로 튀김; (머리를 쥐어 박는) 주먹.

capirote *m.* ① 옛날의 길다란 두건; 박사의 예식용 가운. ② 삼각 모자; (성 주간의 행사 때 쓰는) 끝이 뾰족한 복면. ③ 옛 기마병이 호신용으로 머리에 쓰던 부대같은 것(capota). ④ 주먹(capirotazo). —*adj.* 머리의 빛깔이 검은 (소).

tonto de ~ 숫제 바보인, 도무지 어리석은.

capirucho *m.* 【속어】 =**capirote.**

capisayo *m.* ① 앞자락이 벌어진 반 가빠; 주교복. ②《*Col.*》 =**camiseta.**

capiscol *m.* ①(사원의) 합창 대장(chantre). ② 【은어】 수탉; 오리 따위의 무리.

capiscolía *f.* capiscol의 직.

capiscúa *f.* =**capicúa.**

cápita *lat. per* ~ 1인당.

capitá *m.* 《*Arg.*》【조류】 까삐따 《몸이 검고 머리가 붉은 색깔을 띤 작은 새》.

capitación *f.* (세금의) 인원수대로의 할당; 인두세(人頭稅).

capitado, da *adj.* 【식물】 두상화형의.

capital *adj.* ① 머리의, 생명에 관계되는 : pena ~ 사형. ② 수위의, 주요한 : ciudad ~ 수도, 서울, 수부(首府). ③ 극히 중요한·중대한(importantísimo) : secreto ~ 극비. error ~ 중대한 잘못. ④ 기본적인, 근본적인, 본래의 : siete pecados ~*es* 【종교】 일곱 가지 원죄《el orgullo, la avaricia, la lujuria, la envidia, la gula, la ira y la pereza》. Lo ~ en la vida es la honradez 인생의 기본은 정직이다. ⑤ 머리글자의(mayúscula) : letra ~ 대문자. —*m.* ① 원금, 밑천 : comerse el ~ 원금을 까먹다. **Contr.** renta, interés. ② 자본, 자금 : aumento·ampliación de ~ 증자(增資). ~ autorizado 수권 자본. ~ circulante·líquido 유동 자본. ~ de reserva 준비금, 적립금. ~ de rotación 회전 자금. ~ fijo 고정 자본. ~ realizado 불입필 자본. ~ suscrito y pagado 불입 완료 자본. ~ a corto plazo 단기 자본. ③[노동 trabajo에 대한] 자본. ④(혼인에서) 남편의 재산 : Aquella compañía tiene un ~ de cien millones de dólares 저 회사는 1억 달러의 자본금을 가지고 있다. —*f.* ① 수도, 서울 : ¿De qué país es la ~ Buenos Aires? 부에노스·아이레스는 어느 나라의 수도입니까? ② 머리글자(mayúscula). ③【축성】 기본선.

capitaleño, ña *adj.* =**capitalino.**

capitalidad *f.* 수도·수도로서의 조건.

capitalino, na *adj.* 수도·서울의.

capitalismo *m.* ① 자본 (집중)주의 : ~ de estado 국가 자본주의. ②[집합] 자본가.

capitalista *adj.* 자본(주의)의; 자본가의. —*m.f.* ① 자본가; 투자자; 출자자 : socio ~ 투자 사원, 익명 사원. ② 금융업자. ③ 부호, 재벌. ④ 자본주의자.

capitalizable *adj.* 원금으로 불입할 수 있는 : intereses ~*s* cada trimestre 3개월마다 원금으로 계상되는 이자.

capitalización *f.* 자본화, 자본 환원. ② 자본금의 견적.

capitalizar *tr.* ⑨ 자본화하다; 자본·원금으로 돌리다; (이윤에 대한) 원금을 산출하다(convertir en capital) : ~ los intereses.

—*intr.* =**atesorar.**

capitalmente *adv.* 심하게, 치명적으로.

capitán *m.* [*lat.* caput] ① 대장, 두목, 우두머리 : ~ de bandoleros. ② 육군 대위. ③ 선장, 함장; 장군.

~ *de aviación* 항공·비행 대장. ~ *de bandera* 기함(旗艦) 함장. ~ *de corbeta* 해군 소령. ~ *de fragata* 해군 중령. ~ *de navío* 해군 대령. ~ *de navío de primera* 해군 소장. ~ *de puerto* 항무 소장(港務所長). ~ *general* 육군 대장; 군사령관, 군단장, 지구 사령관.

capitana *f.* ① 기함(旗艦). ② capitán의 아내; 여성 대장. ③《*Méx.*》【식물】 마령초. ④《*Salv.*》 파티의 여성 구성자.

capitanear *tr.* ①(부대·단체를) 지휘하다(gobernar, conducir gente militar) : ~ una expedición 원정대를 지휘하다. ②(사람을) 지휘·통솔하다(dirigir) : obreros *capitaneados* por un capataz 십장에 의해 통솔되는 노동자.

capitaneja *f.* 《*CRica. Nicar.*》【식물】 까삐따네하《다년생 약용 식물》.

capitanía *f.* ① capitán의 직·사무소. ② 중대. ③ 입항세(anclaje).

~ *de puerto* 항무서(港務署). 항만 관리소. ~ *general.* ① 지구·군단 사령부. ②《*Amér.*》【고어】 특별 자치구. ③ 총감부; 식민지 총독부.

capitel *m.* 【건축】 기둥 머리; 기둥의 장식 머리; 첨탑(尖塔)(chapitel).

capitiluvio *m.* 머리의 약물 목욕.

capitolino, na *adj.* Capitolio《고대 로마 Júpiter의 신전》의 : monte ~ 로마 일곱 언덕의 하나. —*m.* 보석의 머리.

capitolio *m.* ① (로마 Monte Capitolino에 있던) Júpiter의 신전 ; 대전당(大殿堂) ; 아크로 폴리스, 고대의 여러 도시에서 가장 높은 곳(acrópolis). ② 장엄하고 높은 건물 : ~ de Wáshington.

subir al Capitolio 개선(凱旋)하다, 승리하다(triunfar).

capitón *m.* 【어류】 =**cabezudo.** Sinón. mújol.

capitoné *adj.* 《*Galic.*》 =**acolchado.** —*m.* 이전용 철도 화물차, 이삿짐 운반 화차.

capitonear *tr.* 《*Galic. Arg.*》 =**acolchar.**

capitoso, sa *adj.* 《*Galic.*》 독한(fuerte, espiritoso) : licor ~. ② 【고어】 완고한(terco, tenaz).

capítula *f.* (기도 뒤에 외우는) 간단한 성구.

capitulación *f.* ① 협정, 의정(convenio). ② 항복, 투항, (투항을 전제로 한) 개성(開城) ; 인도(引渡). —*pl.* 약혼(contrato de matrimonio), 약혼서(~*es* matrimoniales).

capitulado, da *adj.* 약기한, 요약한. —*m.* 협정 : estar a lo ~ 협정 내용과 같다.

capitulante *adj.* 협정하는 ; 탄핵·비난하는.

capitular *intr.* ① 협정하다, 의정(議定)하다(pactar, convenir) : ~ con el enemigo. ② 항복하다, 항복 조건을 정하다. ③ 결말을 짓다, 끝마무리를 하다. ④ 기도문의 일부분(capítula)을 외우다. —*tr.* 탄핵하다, 비난하다, (남에게) 죄를 지우다. —*adj.* 성직자회의, 참사회의 ; 회의의 : sala ~ 회의실. —*m.* (성직자회 등의) 회의원, 참사회원.

capitulario *m.* 합창용 성가집.

capitularmente *adv.* 회의 형식으로.

capitulear *intr.* 《*Chile. Perú.*》 =**cabildear.**

capitulero *m.* 《*Perú.*》 (마을의) 유지, 명사, 촌장.

capituliforme *adj.* 【식물】 cabezuela 모양의 꽃을 가진.

capítulo *m.* ① (문서의) 장(章). ② (성직자의) 회의·집회 ; 참사회. ③ (성직자에 대한) 비난, 탄핵. ④ 결정, 결심(resolución). ⑤ 협정, 약속 : ~*s* matrimoniales 약혼 ; 약혼서. ⑥ 책임(~ de culpas). ⑦ 양심.

ganar·perder ~ 계획에 성공·실패하다.

llamar·traer a ~ 책임을 지우다, 반성하게 하다.

capn. ; cap.ⁿ capitán.

capnomancia *f.* 연기로 하는 점(占).

capnomancía *f.* =**capnomancia.**

cp.º capítulo.

capó *m.* (자동차의) 모터 덮개.

capoca *f.* =**kapok.**

capodar *tr.* 《*Arg.*》 =**cercenar.**

capolado, da *adj.* capolar의 *p.p.* —*m.* 《*Ar.*》 = **picadillo.**

capolar *tr.* ① =**despedazar.** ② 《*Ar.*》 =**picar la carne.** ③ =**degollar, asesinar.**

capolín *m.* =**capulín.**

capón *adj.* 거세된. —*m.* ① 거세된 사람·짐승·닭. ② 포도 덩굴의 다발. ③ 주먹질. ④ 《*Urug.*》 고립된 산·숲.

~ *de ceniza* 눈에 뿌리려고 천에 싼 재.

capona *f.* 술장식이 없는 견장(肩章).

caponada *f.* 《*Riopl.*》 [집합] 거세한 돼지.

caponar *tr.* (포도 덩굴을) 다발로 묶다.

caponera *f.* ① 거세한 병아리의 비육함(肥育函). ② 태평스럽게 맛있는 것을 먹을 수 있는 곳. ③ 【은어】 유치장, 감옥(cárcel) : estar metido en ~. ④ 【축성】 덮개를 씌운 통로. ⑤ 《*Méx.*》 안내말.

capopotera *f.* 《*Perú.*》 석유 지층(石油地層).

capoquero *m.* =**kapok.**

caporal *m.* ① 두령, 두목, 리더, 보스. ② 목장의 우마 관리자. ③ 《*Amér.*》 목장 감독 ; 반장, 십장(capataz) : ~ de una hacienda 농장의 감독. ④ 《*Arg.*》 질이 나쁜 담배. ⑤ 【은어】 수탉.

caporalista *m.* =**caporal.**

capota *f.* ① (부인용) 모자의 일종. ② (마차의) 포장. ③ 짧은 망토(capeta). ④ 【식물】 치젤풀의 열매.

capotar *intr.* (자동차가) 전복하다 ; (비행기가) 추락하다·격돌하다.

capotazo *m.* ① (투우에서) 가빠로 소를 현혹시키는 일. ② 가빠로 치는 일.

capote *m.* [*dim.* capa]. ① 소매달린 넓은 가빠 : ~ de montar 승마용 망토. ~ de monte 뽄쵸(poncho). Sinón sarape, poncho. ② (군인용) 외투 ; 보병복 : ~ de campaña 전투복. ③ (투우사의) 반 가빠. ④ 【속어】 찡그린 얼굴, 우거지상. ⑤ 【기상】 비구름, 적운(積雲). ⑥ 《*Chile. Méx.*》 구타(paliza).

a·para mi ~ 내 생각으로는.

de ~ 《*Méx.*》 은밀히, 살그머니(ocultamente).

dar a uno ~ (누구에게) 말문이 막히게 하다, 말을 얼버무리다.

darse ~ 《*Méx.*》 두손들다, 진 것을 자인하다.

decir a·para su ~ 혼잣말로 하다, 속으로 말하다.

echar un ~ a uno 어려운 처지에 있는 사람을 돕다(ayudar al que está en apuros).

llevar ~ ① (늦게 온 사람에게) 음식을 남겨 두지 않다. ② 《*Amér.*》 속임수를 쓰다, 놀려주다.

capotear *tr.* ① (투우를) 가빠로 놀리며 다루다(capear). ② 말로 얼버무려 넘기다(dar capote) ; 요리조리 꽁무니를 빼다. ③ (연극에서) 장면을 단축해서 상연하다.

capoteo *m.* =**capeo.**

capotera *f.* ① 《*Hond.*》 옷걸이(percha para la ropa). ② 《*Venez.*》 여행 가방(maleta de viaje).

capotillo *m.* ① 《*Chile.*》 방울(cascabillo). ② 허리까지 오는 짧은 망토 ; 부인용의 반 가빠 ; 이단자 심문소가 회개한 사람에게 씌우던 망토 ; 두 폭으로 된 스커트.

capotudo, da *adj.* =**ceñudo.**

cappa *f.* =**kappa.**

capp.ⁿ capellán.

caprario, ria *adj.* 산양의.

capricante *adj.* 일정치 않은(desigual) : pulso ~ 일정하지 않는 맥박.

capricornio *m.* 【곤충】 하늘소(algavaro).

Capricornio *m.* 【천문】 산양좌 ; 마갈궁.

capricho *m.* [*lat.* capriccio] ① 변덕, 종작없음, 줏대 없음 : a ~ 변덕스럽게, 종작없이, 요량없이, 생각없이. ② 견딜 수 없는 욕망. ③ 광상곡, 광상화(畵) : ~*s* de Goya.

caprichosamente *adv.* 요량없이, 종작없이, 변덕스럽게(con capricho).
caprichoso, sa *adj.* ① 변덕스러운 : niña *~sa.* ② (마음이) 변하기 쉬운, 마음내키는 대로의. ③ 엉뚱한. ④ 환상적인.
caprichudo, da *adj.* =**caprichoso.**
caprificación *f.* =**cabrahigadura.**
caprificar *tr.* =**cabrahigar.**
caprifoliáceo, a *adj.* 【식물】 인동(忍冬)·인동과의. *—f.pl.* 인동과 식물.
capriforme *adj.* 염소 똥같은.
caprino, na *adj.* 【시어】 산양의(cabruno).
caprípede *adj.* =**caprípedo.**
caprípedo, da *adj.* 【시어】 산양의 발의·같은.
cápsula *f.* [*lat.* capsula] ① (병의) 마개 ; 총구의 마개. ② 뇌관(雷管). ③ 【해부】 피낭(被囊), 피막(皮膜). ④ 【식물】 꼬투리. ⑤ 【의학】 캡슐. ⑥ (우주선의) 캡슐.
~ *espacial* 우주선.
capsular[1] *adj.* cápsula의·같은 : forma ~ .
capsular[2] *tr.* cápsula로 씌우다.
captación *f.* 붙잡음 ; 잡는 일 ; 획득 : La ~ del testamento acarrea la nulidad del mismo.
captador, ra *adj.* 포획하는, 획득하는. *—m. f.* 포획자.
captar *tr.* [*lat.* captare] ① 얻다, 획득하다 : ~ la amistad de uno 누구의 우정을 얻다. ② (뿜어 오르는 샘을) 찾아내어 물을 대다. ③ (전파·저의·의도·의미 등을) 파악하다, 포착하다 : No pude ~ lo que me dijo 그가 나에게 말한 것을 파악할 수 없다.
~se (신용 등을) 얻다 : *~se* la confianza de uno 누구의 신뢰를 얻다.
captatorio, ria *adj.* 얻은, 획득한.
captor *m.* 《*Chile.*》 =**aprehensor.**
captura *f.* [*lat.* captura] 체포, 포박 ; 포획 : la ~ de una fiera 맹수의 포획.
capturar *tr.* ① 체포하다, 억류하다(prender) : ~ un ladrón 도둑을 체포하다. El ladrón todavía no ha sido *capturado* 도둑은 아직 잡히지 않았다. ② 《*Galic.*》 잡다(coger) : ~ una liebre 토끼를 잡다.
capuana *f.* 【속어】 =**zurra, paliza.**
capuceta *f. dim.* capuz o chapuz.
capucete *m.* [*dim.* capuz] ① 《*Ar.*》 물에 잠기기. ② 《*Ar.*》 =**capuceta.**
capucha *f.* ① 부인용 두건의 일종, 머리에 쓰는 것. ② 【인쇄】 꺾새표(<).
capuchina *f.* ① 휴대용 램프. ② 종이연의 일종. ③ 【식물】 한련속(旱蓮屬)의 식물.
capuchino, na *m.f.* 캐프친파 《16세기에 Mateo de Bascio가 창시한 종단 ; 같은 무렵 María de Longo가 창시한 여자 수도회》의 탁발승·수도 여승. *—m.* 【동물】 (중남미산) 꼬리말이 원숭이 : El ~ tiene cola prensil. *—adj.* 《*Chile.*》 ① 알이 작은 (과일) : naranja *~na* 알이 작은 오렌지. ② 캐프친파의.
capucho *m.* [*lat.* capuccio] (캐프친파 승복이나 외투의) 두건, 고깔 모자.
capuchón *m.* ① 두건 달린 외투. ② 수의(囚衣) : ponerse el ~ 감옥에 들어가다.
capujar *tr.* ① 《*Arg.*》 공중에서 잡다·받다. ② 남보다 앞질러 말하다, 남의 말을 가로채다.
capuleto *m.* =**capelete.**
capulí *m.* (남미산의) 앵두.
capulín *m.* 《*Méx.*》 =**capulí.**
capulina *f.* ① 《*Méx.*》 독거미(araña venenosa). ② (남미산의) 앵두, 버찌.
capultamal *m.* 《*Méx.*》 까뿔린(capulín) 만두.
capullina *f.* 나무의 수관.
capullo *m.* [*lat.* capitulum] ① 누에고치 : ~ ocal 집이 두 개인 누에고치. El gusano de seda hila un ~ del tamaño de un huevo de paloma 누에는 비둘기 알만한 누에고치를 만든다. ② (꽃의) 봉오리(botón de flor) : ~ de rosa. ③ 도토리의 꽃받침. ④ 누에고치에서 뽑은 실로 짜는 일. ⑤ 《*Amér.*》 (목화씨·옥수수의) 과포(果包), 껍질.
capuz *m.* ① 두건(capucho). ② 두건이 달린 긴 망토 (상복). ③ 잠수(zambullida) : dar un ~ 잠수하다.
capuzar *tr.* 9 물에 넣다(chapuzar) ; (뱃머리를) 물에 잠기게 하다.
—intr., **~se** 물속으로 들어가다.
capuzón *m.* 《*Murc.*》 =**chapuzón.**
caquéctico, ca *adj.* 병으로 쇠약한 ; 창백한. *—m.f.* 병약한 사람.
caquexia *f.* [*gr.* kakhexia] ① 【의학】 악액질. ② 【식물】 =**descoloración.**
caqui *m.* ① 【식물】 (일본어에서) 감나무, 감(kaki). ② 감색 ; 카키색 ; 카키색 복지.
caquinos *m.pl.* 【고어】 《*Méx.*》 =**carcajadas.**
cara *f.* [*lat.* cara] ① 얼굴(rostro) : ~ ovalada·ancha·larga 타원형·넓은·긴 얼굴. lavarse la ~ 얼굴을 씻다. La ~ se lo dice 얼굴에 그렇게 쓰여 있다. En la ~ se le conoce 얼굴을 보면 안다. ② 얼굴빛, 얼굴 표정(semblante) : con buena ~ 기쁜 얼굴로. ③ 체면 : salvar la ~. ④ (물체의) 면, 겉, 표면, 외형 : ~ y cruz 동전의 앞과 뒤 ; 동전을 던져서 하는 점. ⑤ [부사적] …의 쪽을 향하여: ~ al sol 태양을 향하여. ⑥ (동물의) 머리의 앞부분 : la ~ del mono.
~ *a* ~ 얼굴을 맞대고, 마주보고 : Se lo dije ~ *a* ~ 얼굴을 맞대고 나는 그에게 그렇게 말했다.
~ *adelante* 외면하지도 않고.
~ *amarrada* 《*Amér.*》 붕대를 감은 얼굴.
~ *apedreada·empedrada·de rallo* 곰보.
~ *con dos haces* 앙큼스러운 사람, 표리부동한 사람.
~ *de acelga·de gualda* 얼굴이 창백한 사람.
~ *de aleluya·de pascua·de risa* 서글서글한 얼굴, 웃는 얼굴.
~ *de hereje* 붙임성없는 무서운 얼굴.
~ *de juez·de justo juez* 떨떠름한 험한 얼굴.
~ *de perro* 적의를 드러낸 안색.
~ *de pocos amigos·de vinagre* 무뚝뚝한 사람.
~ *de vaqueta* 사나운 얼굴 표정 ; 철면피한 사람, 낯가죽이 두꺼운 사람.
~ *de viernes* 풀이 죽은 얼굴.
~ *larga* 쓸쓸해 보이는 얼굴 표정.
~ *risueña* 항상 미소짓는 얼굴.
a ~ *descubierta* 당당하게, 터놓고, 분명하게(descubiertamente).
a primera ~ 슬쩍 보기만으로.

de ~ 정면으로 : Da el sol *de* ~ 태양이 정면으로 내리 비친다.

por su bella · linda ~ 그럴 듯한 말이기는 하나.

caerse la ~ *de vergüenza* 부끄러워 얼굴을 들 수 없다.

cruzar la ~ 얼굴을 때리다.

dar en ~ (누구의) 책임이라 하여 공격·비난하다.

dar la ~ 꿋꿋이 맞서 가다.

dar la ~ *por* …을 두둔하다 ; 보증하다.

echar a ~ *o cruz* 죽자꾸나하고 덤비다, 이판 새판으로 하다.

echar a la ~ · *en* ~ · *en la* ~ (누구의) 책임이라 하여 공격하다·비난하다(dar en ~).

escupirle en la ~ 면전에서 조롱하다.

guardar la ~ 얼굴을 숨기다 ; 숨다.

hacer ~ *a* ① 저항하다(resistir) : *hacer* ~ *al* enemigo. ② 귀를 기울이다, 말을 따르다.

hacer a dos ~*s* 이심(二心)을 품다, 두마음을 가지고 하다, 꿍심을 가지고 하다.

huir la ~ 꽁무니를 빼다.

lavar la ~ 아부하다, 아첨하다.

salir a la ~ 안색에 나타나다.

saltar a la ~ 냉정을 잃고 화내어 대답하다 ; 분명하다.

Su ~ *defiende su casa* 얼굴이 추악한데 대한 과장.

tener ~ *de corcho* 별로 수치를 느끼지 못하다.

tener dos ~*s* 위선가다(ser hipócrita).

verse las ~*s* (싸움에서) 맞서다 : *Nos veremos las* ~*s* 그리 해보자·한번 겨뤄 보자.

caraba *f.* ①《*Amér.*》=**charla.** ②=**acabóse, disloque, colmo.**

cáraba *f.* (옛날 지중해의) 큰 배.

carabalí *m.f.* 까라발리족《흉폭한 아프리카 원주민》.

carbañuela *f.*《*Co.*》(고기나 생선이 채워진) 유까(yuca)나 감자(patata) 크로켓.

carabao *m.*【동물】(오세아니아의) 물소의 일종..

cárabe *m.* 호박(琥珀)(ámbar).

carabear *intr.*《*Sal.*》=**descuidarse, holgar, distraerse.**

carabela *f.* 세 개의 돛대를 가진 작고 가벼운 범선 : las ~*s* de Colón.

carabelón *m.* 소형 까라벨라선(船).

carábidos *m.pl.*【동물】먼지벌레.

carabina *f.* [*ital.* carabina] ① 카빈총, 단총(短銃), 기병총(騎兵銃) : ~ corto calibre (사격) 복사(伏射). ~ rayada 라이플총. ② 여관(女官), 시녀.

ser la ~ *de Ambrosio* 무용지물이다(no valer nada).

carabinazo *m.* ① 단총의 발사 : matar de un ~. ② 단총의 발사 소리.

carabinear *intr.*《*Cuba.*》단총을 사용하다.

carabinera *adj.* 시원한 미풍의.

carabinero *m.* ① carabina를 든 총수(銃手). ② 군경찰관. ③ 밀수 감시병. ④ 갑각류《어두운 붉은 빛깔의 가재만큼 큰 것》. ⑤《*Chile.*》경관, 순경.

~ *real* 옛날의 근위 기병.

carablanca *m.*【동물】《*Amér. Col.*》원숭이.

cárabo *m.* [*lat.* corvus] ①【조류】솔부엉이(autillo). ②【곤충】먼지벌레. ③ 아라비아 사람의 소형 배.

carabobeño, ña *adj.* 까라보보《베네수엘라에 있는 주》의. —*m.f.* 까라보보 사람.

carabritear *intr.* 수산양이 암컷을 발정으로 추적하다.

caracal *m.*【조류】(열대산) 스라소니의 일종.

caracará[1] *m.*【조류】까라까라새《중미산 맹조》(carancho).

caracará[2] *adj.* 까라까라족《빠라나강 서안에 살았던 인디오》의. —*m.f.* 까라까라족.

caracas *m.* ① 까라까스 코코아《남미 Caracas 해안 지방산의 코코아》. ② 까라까스족《16—17세기 경에 라쁠라따강의 유역에 살았던 종족》. ③《*Méx.*》초콜릿.

Caracas *m.*【지명】까라까스《베네수엘라의 수도》.

caracha *f.* =**carache.**

carache *m.*《*Chile. Perú.*》옴(sarna).

carachento, ta *adj.*《*Amér.*》옴투성이의(sarnoso).

¡caracho! *interj.* 오 !《놀람의 표시》.

caracho, cha *adj.*《*Amér.*》자줏빛·자주색의(violáceo).

carachoso, sa *adj.*《*Perú.*》=**carachento.**

carachupa *f.*《*Perú.*》=**zarigüeya.**

caracoa *f.* 필리핀의 거룻배.

caracol[1] *m.* ①【동물】달팽이 ; 우렁이. ② 나선식 계단(escalera de ~). ③ 똘똘 말린 머리칼. ④【해부】(귀의) 와우각(蝸牛殼). ⑤ (승마에서) 반회전, 반선회.

caracol[2] *m.* [*fr.* caraco] ①《*Méx.*》부인의 잠옷. ②《*Méx.*》=**chambra.**

caracola *f.*【동물】소라고둥.

caracolada *f.* 달팽이 요리(guisado de caracoles).

caracolear *intr.* (말이) 반회전하다.

caracolejo *m. dim.* caracol.

caracoleo *m.* 말이 반회전하는 동작.

caracolero, ra *m.f.* 달팽이 잡는·파는 사람 ; 우렁이·소라 잡이·장수.

¡caracoles! *interj.* 놀라움을 나타냄(caramba).

caracoleta *f.* ①《*Ar.*》=**caracolillo.** ②《*Ar.*》명석하고 심술궂은 소녀.

caracolillo *m.* ① 커피의 일종. ② 마호가니의 일종. ③ 남미산 관상용 꽃의 이름.

~ *de olor* 스위트 피《콩과의 일년생 또는 이년생 만초》.

caracora *f.* 배, 선박(embarcación).

carácter *m.* [*pl.* caracteres] [*gr.* kharakter] ① ㄱ) 성질, 성격 : de medio ~ 성격이 애매한. ㄴ) 특질 ; 개성 : hombre de ~ 개성이 있는 사람. Ella tiene ~ 그녀는 개성이 있다. ㄷ) 오기, 고집. ② 표적, 표 ; (가축의) 소판(燒判), 낙인. ③ 문자 ; 활자, 자체(字體), 글씨체 : ~ chino 한자(漢字). ~ cursivo 사체(斜體) 활자. ④ 자격 : el ~ de profesor 교수로서의 자격. ⑤ 문체(estilo literario) : la ~ de la poesía castellana 서반아시의 문체. —*pl.* [집합] 활자.

con ~ *urgente* 긴급히.

caracterismo *m.* 특질.

característica *f.* ① 특징, 특색, 특질 : ~ cualitativa · cuantitativa 질적 · 양적 특질. Otra ~ es su saludo 또 하나의 특징은 그의 인사이다. ②【수학】(대수의) 지표. ③【연극】늙은 여자 역의 여배우.
característicamente *adv.* 특질적으로, 특징으로서, 두드러지게.
característico, ca *adj.* 특징 · 특질적인, 독특한 : rasgo ~ 특징. El coreano tiene una costumbre muy ~*ca* 한국 사람은 매우 독특한 습관을 가지고 있다. —*m.f.* 【연극】노인역.
caracterización 특징, 특색.
caracterizado, da *adj.* 본질적인, 특징이 있는 ; 현저한(muy distinguido, muy notable) : hombre político muy ~ 정치가로서 현저한 사람.
caracterizador, ra *adj.* 특징이 있는. —*m.f.* =**maquillador.**
caracterizar *tr.* 9 …의 특성 · 특질을 나타내다 ; 특색 · 특징을 주다 ; …이 특징이다 : Le *caracteriza* la amabilidad 친절이 그의 특징이다.
~se (배우가 어떤 인물의) 분장을 하다, 성격을 나타내다.
caracterología *f.* 성격학.
caracú *m.* [*pl.* caracuses] 《*Riopl.*》 ① (식품으로서의) 골수(骨髓) : hasta los *caracuses* 뼛속까지. ② 육질이 좋은 식용우(食用牛).
caracucho *m.* 《*Col.*》 =**balsamina.**
caracul *m.* ①【동물】까라꿀《서아시아의 양의 일종》. ② 까라꿀 모피 · 양모.
carado, da *adj.* [+ bien · mal] 얼굴 생김새가 말쑥한 · 나쁜 ; 즐거운 · 슬픈 얼굴을 한.
caradura *adj.* =**desvergonzado.**
¡carafita! *interj.* 《*Chile.*》 =**¡caramba!**
carago *m.* 《*CRica. Hond. Salv.*》【식물】 = **carao.**
caraguatá *f.* 《*AmérM.*》 용설란(agave, pita) ; 용설란의 섬유.
caraguay *m.* 《*Bol.*》【동물】큰 도마뱀(lagarto grande).
caraira *f.* 《*Cuba.*》 =**caracará, carancho.**
caraísmo *m.* 유태의 신교(新敎).
caraíta *adj.* 유태 신교의. —*m.f.* 유태 신교의 교인.
carajada *f.* =**tontería.**
carajillo *m.* 커피와 알코올로 만들어진 뜨거운 음료수.
carajo *m.* 남자의 성기.
carajote *m.* =**imbécil .**
carama *f.* =**escarcha.**
caramanchel *m.* ① 돛단배의 차일. ②《*Arg.*》 간이 식당. ③《*Chile.*》 카페의 일종. ④《*Perú.*》 차일.
caramanchelero, ra *m.f.* caramanchel의 판매자.
caramanchón *m.* 다락방(camaranchón, desván).
caramañola *f.* 【방언】《*Amér.*》 =**cantimplora.**
caramayola *f.* 《*Arg. Chile.*》 물통.
caramba *f.* ① 18세기 부인들의 쪽진 머리 모양. ②《*Arg.*》 옛날의 유행가.
¡caramba! *interj.* 저런, 제기랄, 빌어먹을 ; 광장하구나! 《놀라거나 화날 때의 감탄사》.
carambanado, da *adj.* 얼어 붙은.
carámbano *m.* 고드름(canelón).
carambillo *m.* 【식물】나문재《명아주과의 일년초》(caramillo).
carambola *f.* ① 우연(azar, casualidad). ② (당구에서) 캐논. ③ 일거 양득, 일석 이조. ④ 속임수. ⑤ carambolo의 열매.
por ~ 우연히 ; 간접적으로 ; 은근히, 넌지시.
¡carambola! *interj.* =**¡caramba!**
carambolearse *r.* 《*Chile.*》 얼근히 취하다.
carambolero, ra *m.f.* 《*Amér.*》 =**carambolista.**
carambolista *m.f.* (당구에서) 캐논 잘하는 사람.
carambolo *m.* 【식물】오렴자(五斂子).
caramel *m.* 【어류】(지중해산의) 정어리의 일종.
caramelización *f.* 엿을 만듦.
caramelizar *tr.* 9 엿으로 버무리다, 엿을 만들다(acaramelar) : ~ un terrón de azúcar.
caramelo *m.* 캐러멜, 엿, 구운 설탕《색깔 · 맛들이는 데 씀》.
caramellas *f.pl.* ①【음악】(포르투갈에서 사용된) 댄스곡. ②【음악】까딸루냐의 전통적이고 전형적인 소야곡.
caramellero *m.* caramellas를 부르는 사람.
caramente *adv.* 고가로, 비싸게 ; 호되게 ; 심하게, 엄격하게.
caramera *f.* 《*Venez.*》 나쁜 치열 · 치아.
caramero *m.* 《*Col.*》 =**palizada.**
caramida *f.* 자석(imán).
caramiello *m.* (아스뚜리아스와 레온의 여자들이 사용한) 모자의 일종.
caramilla *f.* =**calamina.**
caramillar *m.* 나문재 숲.
caramilleras *f.pl.* 《*Sant.*》 =**llares.**
caramillo *m.* [*lat.* calamellus] ①【식물】나문재. ② 갈대 피리(flautillo). ③ 엉망으로 쌓기. ④ 야단법석, 대소동(ruido) ; 속임수(chisme) : armar un ~ 야단법석을 떨다, 속임수를 쓰다.
caramilloso, sa *adj.* 성미가 까다로운.
cáramo *m.* 【은어】포도주, 술.
caramujo *m.* 배의 밑창에 붙는 작은 소라.
caramullo *m.* 《*Ar.*》 =**colmo.**
caramuru *m.* 《*Arg.*》 =**lepidosirena.**
caramuzal *m.* 돛이 세 개인 터키의 상선.
carancho *m.* ①【조류】까라까라새(caracará)의 일종. ②《*Perú.*》 지렁이.
Cada ~ a su rancho 각자는 제 직무에 맞은 일을 하라.
carandaí *m.* 【식물】(아르헨띠나산의) 까란다이 야자의 일종.
caranday *m.* 【식물】 =**carandaí.**
caranegra *f.* 《*Arg.*》 면양의 일종. —*m.* 《*Col. Venez.*》 얼굴이 검은 원숭이.
caranga *f.* 《*Hond.*》 =**carángano.**
caranganal *m.* 얕은 땅.
carángano *m.* 《*Amér.*》 이(piojo, cáncano).
carantamaula *f.* 흉칙한 가면 ; 못생긴 얼굴.
carantón, na *adj.* 《*Perú.*》 얼굴이 큰.
carantoña *f.* 흉칙한 가면(carantamaula) ; 얼굴

에 화장한 노파. —*pl.* 아첨, 아부, 알랑거리기, 비위 맞추기.
carantoñero, ra *adj.* 알랑거리는, 아첨하는. —*m.f.* 아첨쟁이, 알랑쇠, 아첨꾼.
caraña *f.* (여러 가지) 테레빈 무리에 속하는 나무 이름 ; 이 나무의 수지(樹脂).
carañuela *f.* 《*Cuba.*》 =**trampa.**
carao *m.* 《*Salv.*》【식물】 까라오 나무 《열대 아메리카산의 약용수》.
caraota *f.* 《*Venez.*》 강낭콩(judía).
carapachay *m.* 《*Riopl.*》 까라빠차이족 《빠라나 강 부근에 사는 옛 원주민》; 나무꾼, 초부.
carapacho *m.* (거북·게의) 등껍질. —*m.pl.* 까라빠초족 《뻬루 원주민의 한 종족》.
carapato *m.* 피마자 기름.
¡carape! *interj.* =**¡caramba!**
carapopela *f.*【동물】 (브라질의) 독이 많은 도마뱀.
carapucho *m.* ① 《*Ast.*》 =**capucho.** ② 《*Ast.*》 괴상한 모자.
carapulca *f.* 《*Perú.*》 까라뿔까 《감자가 붙은 고기 요리》.
caraqueño, ña *adj.* 까라까스의. —*m.f.* 까라까스 사람.
carasol *m.* =**solana.**
carate *m.* 《*Amér.*》 (꼴롬비아 어느 지역의) 흑인들의 피부병.
cárate *m.* 가라테(karate).
caratea *f.* 《*AmérM.*》 (아메리카의 열대 국가와 습한 국가의) 나력병.
carato *m.* ① 《*Amér.*》 =**jagua.** ② 《*Venez.*》 쌀이나 옥수수로 만든 청량 음료수, 파인애플즙 청량 음료수.
carátula *f.* ① 면, 탈, 가면(careta). ② 표지 ; 표제. ③ (옛날의) 가면 배우. ④ 《*Amér.*》 (서적의) 안 겉장(portada de un libro). ⑤ 《*Méx.*》 (시계의) 문자판.
caratulado, da *adj.* 제명(題名)의, …이라는 이름의 가면을 쓴.
caratulero, ra *m.f.* 가면 제조자·판매자.
caraú *m.* 《*Arg.*》 =**carrao.**
carava *f.* (노동자들이 휴일에 거행하는) 모임.
caravana *f.* [*persa.* karuán] ① (아라비아의) 대상(隊商), 캐러밴. ② 해적 토벌. ③ 단체(multitud de gente) : No me gusta viajar en ~. ④ 《*AmérC. Méx.*》 (어색한 듯한) 예의(cortesía). ⑤【조류】 =**alcaraván.** ⑥ 집시(gitano). ⑦ 《*Amér.*》 트럭 운송대. ⑧ 단체 여행. —*pl.* 《*AmérM.*》 귀고리(pendientes, aretes).
caravanera *f.* 대상이 밤에 내리는 공공 숙박소.
caravanero *m.* caravana의 안내인·길잡이.
caravansera *f.* =**caravasar.**
caravanseray *m.* =**caravasar.**
caravanserrallo *m.* 《*Neol.*》 =**caravasar.**
caravasar *m.* caravana의 숙소.
caray *m.*【동물】 대모(玳瑁)《바다 거북과에 딸린 거북의 한 종류》(carey).
¡caray! *interj.* =**¡caramba!**
carayá *m.*【동물】 (남미산의) 꼬리긴 원숭이(aullador).
carayaga *m.* =**carayá.**
carba *f.*【방언】 떡갈나무의 덤불.
carbalí *adj.* =**carabalí.**
carbamida *f.*【화학】 =**urea.**
cárbaso *m.* ① 엷은 린넬 ; 그 의복. ②【시어】 돛.
carbinol *m.* 메틸 알코올(alcohol metílico).
carbizo *m.* 《*Salv.*》 떡갈나무(roble)의 일종.
carbodinamita *f.* 다이너마이트 《니토로글리세린으로 제조한 폭약》.
carbohidrato *m.* 탄수화물, 함수탄소.
carbol *m.* 석탄산(fenor).
carbólico *adj.* 석탄산의(fénico).
carbolíneo *m.* 목재 방부제.
carbón *m.* [*lat.* carbo] ① 숯, 탄. ② (그림 그릴 때 쓰는) 목탄 : dibujo al ~ 목탄화. ③ 석탄(~ de piedra). ④【식물】 (보리의) 흑수병균. ~ ***animal*** 골탄. ***papel de*** ~ 카본 페이퍼, 복사용 묵지. ~ ***de arranque*** 근탄(根炭). ~ ***de piedra mineral*** 석탄. ~ ***vegetal*** 목탄. ***negro como el*** ~ 시커먼(muy negro).
carbonada *f.* ① 한 부삽의 석탄. ② 숯불에 군 고기. ③ 《*Amér.*》 과자의 이름. ④ 삶은 쌀요리의 일종.
carbonado *m.*【광물】 흑금강석, 흑(黑)다이아몬드 : El ~ sólo se usa para perforar rocas. —*adj.* 탄산염의.
carbonalla *f.* 반사로(反射爐)의 도료.
carbonar *tr.* 숯으로 만들다, 탄화하다(hacer carbón).
carbonario, ria *adj.* [*ital.* carbonario] 까르보나리당의. —*m.f.* 까르보나리당의 당원.
carbonarismo *m.* 까르보나리주의 《19세기초에 조직된 이탈리아 급진 공화주의의 비밀 결사》; 까르보나리당 ; 까르보나리당의 주장.
carbonatado, da *adj.* 탄산화된 (광물) : cal ~ 탄산화된 석탄.
carbonatar *tr.* 탄산화하다.
carbonato *m.*【화학】 탄산염 : ~ de calcio 탄산 칼슘. ~ graso 역청탄. ~ potásico 탄산 카륨, 진주회(眞珠灰). ~ sódico 탄산 나트륨, 세탁용 소다.
carboncillo *m.* (스케치할 때 쓰는) 목탄.
carbonear *tr.* ① 숯을 굽다. ② 《*Chile.*》 격려하다. —*intr.* (선박이) 석탄·연료를 적재하다.
carboneo *m.* 숯구이 : El ~ en pilas es el más común.
carbonera *f.* ① 숯으로 만든 장작 더미 ; 숯구이 화덕. ② 숯 저장소, 저탄소(貯炭所), 탄실(炭室). ③ 《*Col.*》 탄갱. 《*Chile. Méx.*》 석탄차(ténder).
carbonería *f.* 숯가게, 연탄집, 탄실(炭室).
carbonero, ra *adj.* 목탄의, 석탄의 : industria ~*ra* 석탄 산업. —*m.f.* 숯장이 ; 숯장수.
carbónico, ca *adj.* 탄소의 : ácido ~ 탄산. gas ~ 탄산 가스.
carbónidos *m.pl.* 탄화물(炭化物).
carbonífero, ra *adj.* ① 석탄을 생산하는, 석탄의 : terreno ~. ②【지질】 석탄기(石炭紀)의.
carbonil *adj.* 숯·석탄의.
carbonilo *m.*【화학】 석탄산.
carbonilla *f.* ① 분탄, 가루 코크스. ② 《*Arg.*》 =**carboncillo.**
carbonita *f.* 폭약.

carbonización *f.* 탄화(炭化) : La ~ de los huesos produce el negro animal.
carbonizar *tr.* ⑨ 탄화하다(convertir en carbón).
carbono *m.* [*lat.* carbo] 【화학】 탄소.
carbonoso, sa *adj.* 숯을 함유한 ; 숯에 가까운 ; 숯같은 : aspecto ~ .
carboquímica *f.* 석탄 화학.
carborundo *m.* 금강사(金剛砂).
carbuncal *adj.* 탄저병(성)의.
carbunclo *m.* [*lat.* carbunculus] ① 【의학】 탄저(병) : ~ bacteridiano 탄저. ~ maligno 악성 탄저. ② 【광물】 루비, 홍옥(紅玉)(rubí).
carbunco *m.* ① 【의학】 =**carbunclo** : ~ bacteridiano 탄저, 비탈저(脾脫疽). ~ maligno 악성 탄저. ② 【동물】 《*AmerC.*》 =**cocuyo.**
carbuncosis *f.* 탄저병 감염.
carbuncoso, sa *adj.* 탄저병의 : mosca ~*sa*.
carbúnculo *m.* 【고어】 루비(rubí).
carburación *f.* (철의) 강화(鋼化) ; (가솔린의) 기화(氣化).
carburado, da *adj.* 탄소(carbono)를 함유한.
carburador *m.* (가솔린 기관의) 기화기(氣化器) ; 카뷰레터 ; (자동차의) 기통(氣筒).
carburante *adj.* 탄화 수소를 함유한 ; 기화·연소시키는. —*m.* 탄화 수소 가스 ; 액화 탄화 수소 (연료).
carburar *tr.* ① (탄화 수소 가스에 공기를 넣어) 연소시키다. ② (철을) 강화(鋼化)하다 : ~ el hierro. ③ (가솔린을) 기화시키다.
carburo *m.* 탄화물 : ~ de calcio 카바이트.
carca *adj. m.f. desp.* carlista. —*f.* ① 《*Amér.*》 옥수수 술을 빚는 항아리. ② 《*Perú.*》 묻은 때.
carcabonera *f.* 《*Sal.*》 =**peñascal.**
carcacha *f.* 《*Méx.*》 고물차.
carcahuesal *m.* 《*Riopl.*》 습기찬 땅(terreno pantanoso).
carcaj *m.* ① (화살을 넣는) 화살통, 전통. ② 십자가의 밑받침. ③ 《*Méx.*》 소총 케이스(funda de rifle).
carcajada *f.* 너털웃음, 홍소(哄笑), 폭소 : reírse a ~*s* 홍소하다, 너털웃음을 웃다, 깔깔 웃다. soltar ~*s* 너털웃음을 웃다. Ellos se rieron a ~*s* 그들은 홍소했다.
carcajal *adj.* 너털웃음의, 홍소의, 폭소의, 깔깔 웃는.
carcajear *intr.* 《*Amér.*》 깔깔 웃다, 홍소하다, 너털웃음을 웃다(reir a carcajadas).
carcamal *m.* 늙고 병든 사람.
carcamán, na *m.f.* ① 《*Arg. Perú.*》 능력 없는 야심가. ② 《*Arg.*》 이탈리아 사람. —*m.* ① 크고 낡은 배. ② 《*Méx.*》 =**carcamal.**
cárcamo *m.* =**cárcavo.**
carcañal *m.* =**calcañar.**
carcaraña *f.* 《*Arg.*》 【동물】 까르까라냐 《맹금류》.
carcasa *f.* 소이탄의 일종.
cárcava *f.* =**hoya, zanja.**
carcavina *f.* =**hoya, zanja.**
cárcavo *m.* 물레방아의 도는 부분.
carcavón *m.* 물이 흘러간 자국, 협곡.
carcavuezo *m.* 깊은 구멍·구덩이.
carcax *m.* [*pl.* carcajes] ① 화살통, 전통 (carcaj). ② 팔찌, 발고리(ajorca).
carcaza *f.* =**carcaj.**
cárcel *f.* [*lat.* carcer] ① 감옥, 형무소, 교도소 : Le metieron en la ~ 그는 교도소에 들어갔다. ② (널판지를 맞붙이는) 클램프. ③ 수문에서 판자문이 있는 도랑. ④ =**lugar desagradable.**
carcelario, ria *adj.* 감옥의.
carcelazo *m.* 《*Amér.*》 투옥(投獄).
carcelera *f.* 고역(苦役)을 테마로 한 안달루시아 지방의 민요.
carcelería *f.* 금족(禁足) : guardar ~ 금족을 지키다.
carcelero, ra *adj.* 감옥·형무소·교도소의. —*m.f.* 옥리(獄吏), 교도, 간수.
carcinógeno, na *adj.* 암을 유발할 수 있는, 발암의 (물질).
carcinología *f.* 갑각류 취급 동물학.
carcinológico, ca *adj.* carcinología의
carcinólogo, ga *m.f.* carcinología 학자.
carcinoma *m.* 【의학】 암종(癌腫).
carcinomatoso, sa *adj.* =**canceroso.**
carcocha *f.* 《*Perú.*》 낡아빠진 차.
cárcola *f.* 베틀신, 베틀의 디딤판(pedal de los telares).
carcoma *f.* ① 나무벌레 ; 나무벌레의 똥. ② 두통거리. ③ 재산을 탕진하는 자. ④ 【은어】 통로.
carcomer *tr.* 좀먹다, 벌레먹다(roer la carcoma la madera).
~se 온통 벌레에 먹히다 ; (건강을) 해치다, 잠식 당하다(consumir poco a poco).
carcunda *adj. m.f. desp.* carlista.
carchar *tr.* 《*Riopl.*》 날치기하다, 흐뜨러 뺏다.
carchí *m.* 《*Col.*》 절인 고기(carne salada).
carda *f.* ① (빗 등으로) 빗는 일, 보푸라기를 세우는 일. ② 보푸라기를 일으키는 기구. ③ 선인장(cacto)의 열매. ④ 질책, 나무람, 꾸중 (reprensión, regaño) : dar una ~ 질책하다. *Todos somos de la* ~ 사람의 귀천은 없다.
cardada *f.* 한번 빗은 양털.
cardador, ra *adj.* (양털 등을) 빗는 ; 보푸라기를 일으키는 : máquina ~*ra* 보푸라기를 일으키는 기계. —*m.f.* 보푸라기를 일으키는 직공. —*m.* 【곤충】 노래기.
cardadura *f.* (빗 같은 것으로) 빗기, 보푸라기 세우기.
cardal *m.* ① 《*Riopl.*》 엉겅퀴밭, 잡초가 우거진 땅. ② 《*Parag.*》 용설란(caraguatá, agave).
cardamina *f.* 【식물】 후추(mastuerzo).
cardamomo *m.* 【식물】 생강과의 다년생 식물.
cardán *m.* (자동차의) 차동기(差動機).
cardancho *m.* 《*Riopl.*》 【식물】 (먹을 수 없는) 떫고 큰 엉겅퀴.
cardar *tr.* (양털·삼 등을) 빗다 ; (옷감에) 보푸라기를 세우다.
cardaviejas *f.* 【식물】 【속어】 =**aulaga.**
cardelina *f.* 【조류】 =**jilguero.**
cardenal *m.* ① (교황청의) 추기경. ② 【조류】 홍관조(紅冠鳥). ③ 【의학】 멍, 혈반(血斑) (equimosis). ④ 《*Chile*》 【식물】 제라늄, 양아욱 (geranio)
cardenalato *m.* 추시경의 직위 : elevar al ~.
cardenalicio, cia *adj.* 추기경의 : dignidad ~.

cardenalizar *tr.* 추기경의 칭호를 붙이다.
cardencha *f.* ① 치젤 ; 치젤의 열매(cardón). ② 보푸라기를 일으키는 기구.
cardenchal *m.* 치젤(cardencha) 밭.
cardenillo *m.* 녹청, 엷은 쪽빛.
cárdeno, na *adj.* 보라빛을 띤 ; 쥐색의 (소) ; 유백색의 (액체), 미색의.
cardeña *f.* 《*Sal.*》 불똥(pavesa).
cardería *f.* 소모사(梳毛糸) 공장 ; 보푸라기 일으키는 기계 만드는 곳.
cardero *m.* 보푸라기 세우는 사람.
cardíaca *f.* 【식물】 익모초(agripalma).
cardiáceo, a *adj.* 심장형의.
cardiaco, ca *adj.* 심장의 ; 심장병의 : vena ~*ca*. —*m.f.* 심장병 환자.
cardíaco, ca *adj.* =**cardiaco.**
cardialgia *f.* 【의학】 위통(胃痛).
cardiálgico, ca *adj.* 위통의 ; 명치가 아픈 : dolor ~.
cardias *m.* 【해부】 (위의) 분문(噴門).
cárdigan *m.* 카디건 《여성 의복》.
cardillar *m.* 엉겅퀴숲, 잡초지.
cardillo *m.* ①【식물】 금 엉겅퀴. ② (*Méx.*》 반사. ③ 《*Méx.*》 해시계.
cardimuelle *m.* 《*Ál.*》 자물쇠.
cardinal *adj.* [*lat.* cardinalis] ① 기본의, 주요한(fundamental, principal). ② 기수(基數)의 : números ~*es* 기수. puntos ~*es* 기본 방위, 사방, 동서남북(norte, sur, este y oeste).
cardinas *f.pl.* 【건축】 엉겅퀴잎 무늬 (조각).
cardinche *m.* 《*Ál.*》 =**cardimuelle.**
cardiófono *m.* 심장 근육의 소리를 듣는 기구.
cardiografía *f.* 심장학 ; 심장 운동 검사.
cardiógrafo, fa *m.f.* 심장병 전문 의사. —*m.* 심장 박동계.
cardiograma *m.* 【의학】 심장 박동계 도표.
cardiología *f.* 심장(병)학.
cardiólogo, ga *m.f.* 심장병 전문 의사.
cardiópata *adj.* =**cardiopático.**
—*m.f.* 심장병 전문의.
cardiopatía *f.* 심장병의 일종.
cardiopático, ca *adj.* cardiopatía의 ; cardiopatía에 걸린. —*m.f.* 심장병 환자.
cardioscopio *m.* 심장 경련 측정기.
cardítico, ca *adj.* 심장의.
carditis *f.* 【의학】 심장염(inflamación del corazón).
cardizal *m.* 잡초가 우거진 땅 ; 엉겅퀴의 들판.
Card.[1] Cardenal.
cardo *m.* [*lat.* cardus] ①【식물】 엉겅퀴 : El camello se pinchó con un ~ del camino 낙타는 길거리의 엉겅퀴에 찔렸다. ② 《*Amér.*》 용설란.
~ ***ajonjero*** · ***aljonjero*** 노란꽃의 엉겅퀴. ~ ***borriqeño,*** ~ ***borriquero*** 지느러미 엉겅퀴. ~ ***cabezudo*** 선인장의 일종. ~ ***cabrero,*** ~ ***lechero*** =cártamo. ~ ***de María,*** ~ ***mariano*** 큰 지느러미 엉겅퀴. ~ ***de San Pelegrín*** 【식물】 = ajonjera.
cardón *m.* ① 보푸라기 세우기 ; 그 일. ②【식물】 치젤(cardencha). ③ 《*AmérM.*》 선인장.
cardona *f.* 《*Cuba.*》 (해안의) 선인장의 일종.
Cardona ① [사람의 성] 까르도나. ②【지명】 서반아의 마을 이름.
ser más listo que ~ 앙큼하고 빈틈이 없다.
cardonal *m.* 《*AmérM.*》 선인장이 우거진 곳.
cardoncillo *m.* 【식물】 큰 지느러미 엉겅퀴 (cardo mariano).
carducha *f.* 굵은 보푸라기를 세우는 기계.
cardume *m.* =**cardumen.**
cardumen *m.* 《*AmérM.*》 어군(魚群) ; 엄청난 고기떼(banco) ; 엄청나게 많은 것(multitud).
carduzador, ra *m.f.* ① 털을 빗는 일을 하는 직공. ②【은어】 장물을 사는 사람.
carduzal *m.* =**cardizal.**
carduzar *tr.* 9 (양털을 빗으로) 빗다(cardar).
carea *f.* 《*Sal.*》 대질.
careado, da *adj.* 《*Sal.*》 데리고 가는 (가축).
careador, ra *adj.* 《*Sal.*》 가축을 안내하는 (개). —*m.* 《*Dom.*》 (투계하는 동안) 닭을 돌보는 사람.
carear *tr.* ① 대질시키다, 대결시키다(confrontar). ② [+con : …과] 대조하다(cotejar) : ~ una copia *con* el original 사본을 원본과 대조하다. ③ (가축을) 데리고 가다. ④ 《*Amér.*》 (투계를) 훈련시키다. ⑤ 꼬드기다. —*intr.* 얼굴을 돌리다 ; 마주보다 : La casa *carea* a la montaña 집은 산쪽을 향해 있다.
~se ① 면담하다 ; 대질 · 대결하다. ② (주로 유쾌하지 못한 일에서) 담판하다.
carecer *intr.* 31 [+de : …이] 빠져 있다, 없다, 부족하다, 필요하다 : ~ *de* recursos 자금이 부족하다, Hoy Egipto *carece de* fuerza 오늘날 이집트는 힘이 없다. La costa en su parte oriental *carece de* bahías 해안은 동부에 만(灣)이 없다. —*tr.* 《*Urug.*》 필요하다(requerir, ser necesario).
[직설법 현재 1인칭 단수 : carezco. 접속법 현재 : carezca, carezcas, carezca, carezcamos, carezcáis, carezcan].
careciente *adj.* 부족한, 빠진 ; 필요한.
carecimiento *m.* 결핍, 전무(全無)(carencia).
carel *m.* (배 · 접시 등의) 가장자리.
carena *f.* [*lat.* carina] ① 선체 수리. ② 조소, 조롱(burla) : dar · sufrir · llevar · aguantar ~.
carenado *m.* =**carenadura.**
carenadura *f.* 선체의 수선.
carenaje *m.* 《*Galic.*》 =**carena, carenadura.**
carenar *tr.* (선체를) 수선하다(dar carena a la nave) : ~ de firme 대대적으로 수리하다.
carencia *f.* ① 전무, 부족, 결핍 : enfermedad por ~ 비타민류의 소모증 · 결핍증. La ~ de datos nos imposibilita estos estudios 자료의 부족은 우리에게 이런 연구를 불가능케 한다. ②【의학】 (영양소 · 비타민류의) 결핍, 결핍증.
carencial *adj.* (음식물에) 비타민이 부족한.
carenero *m.* 선박 수선소.
careniforme *adj.* (배의) 용골(quilla) 모양의.
carenóstilo *m.* 【곤충】 보행충(步行虫) (무리).
carenote *m.* (양륙 중인 선박을 지탱하는) 버팀나무.
carente *adj.* [+de : …이] 없는 · 빠진(careciente).
careo *m.* ① 대질, 대결. ② 대면, 대화, 면담, 담판(conversación, charla, holgorio). ③ 대조 : El ~ de los testigos no dio resultado.

carero, ra *adj.* 비싸게 파는. —*m.f.* 비싸게 파는 상인.

carestía *f.* ① 부족 : La ~ ha subido los precios 부족 현상으로 물가가 올랐다. ② 궁핍. ③ 물가 앙등·등귀 : ~ de la vida 생활비의 앙등.

careta *f.* 마스크, 탈, 가면(máscara, mascarilla, antifaz); (검술·야구·양봉가 등이 쓰는) 마스크 : ~ antigás 방독면.

careto, ta *adj.* ① 면을 쓴, 안면만 하얀 (우마). ② 《*Hond.*》 더러운(sucio) : un niño ~ 더러운 아이.

carey *m.* 【동물】 대모 《바다 거북의 일종》.

carezc- → **carecer** 31.

carezca carecer의 접·현·1·3·단수.

carezcáis carecer의 접·현·2·복수.

carezcamos carecer의 접·현·1·복수.

carezcan carecer의 접·현·3·복수.

carezcas carecer의 접·현·2·단수.

carezco carecer의 직·현·1·단수.

carga *f.* ① ㄱ) 적하(積荷) : peso de ~ 선적 중량. puerto de ~ 선적항. ㄴ) 하물 : ~ a granel 포장하지 않은 짐. barco·buque·vapor de ~ 화물선. tren de ~ 화물 열차. vagón de ~ 화차(貨車). El camión ya no puede llevar más ~ 트럭은 이제 더 이상 짐을 실을 수 없다. ② 부과세, 부담금 : ~ concejil·vecinal 시·읍·면세. ~ personal 노역. ~ real 부동산세. ~ tributaria 세금. ③ 과료(科料). ④ 고민, 고뇌. ⑤ 충전, 전하(電荷). ⑥ 급습, 습격; 작약(炸藥); 장전, 화약의 1회 분량 : ~ abierta 산개 공격. ~ cerrada 밀집 공격. ⑦ 의무.
a ~ cerrada 대충대충; 한꺼번에.
a ~s 실컷 : *A ~s* le vienen los regalos 선물이 산더미처럼 들어온다.
echarse con la ~ 분개하다, 지치다.
llevar la ~ de …을 짊어지고 서다.
ser de ciento en ~ 전혀 신기하지 않다.
ser en ~ 두통거리다, 골칫거리다.
terciar la ~ 짐을 똑같은 분량으로 나누다.
volver a la ~ 끈덕지게 주장하다.
No se ponga ~ encima 하적 무용(下積無用).

cargaburro *m.* 《*Chile.*》 카드 놀이의 이름.

cargadas *f.pl.* 카드 놀이.

cargaderas *f. pl.* 《*Col.*》 바지의 멜빵·걸이 (tirantes).

cargadero *m.* ① 적하장(積荷場), 하역장. ② (창문이나 입구의) 상인방(dintel).

cargadilla *f.* 이자 가산으로 인한 부채액의 증대.

cargado, da *adj.* ① 무더운, 후덥지근한; 찌는 듯이 더운. ② 진한(fuerte) : café muy ~ 무척 진한 커피. ③ (…을) 짊어진, 머금은 : ~ de espaldas 새우등의. ④ 임신한(embarazada) : mujer *~da* 임신한 여인.

cargador *m.* ① 부두 노동자; 짐꾼 : ~ de muelle 항만 노동자. ② 포크 모양의 작살창 (bieldo). ③ 장전기(裝塡器) : ~ de acumulador 축전지 충전기. ④ 《*Amér.*》 (역 등의) 짐꾼; 소화물 운반인. ⑤ 노끈. ⑥ 《*AmérC.*》 불꽃놀이, 폭죽. ⑦ 《*Chile.*》 치고 남은 포도 덩굴.
—*pl.* 《*Col.*》 바지의 멜빵.

cargadora *f.* 《*Venez.*》 아이 보는 여자.

cargadura *f.* 무기를 장전하는 일.

cargalaburra *f.* 《*Perú.*》 =**cargaburro.**

cargamento *m.* 선하(船荷), 적하(積荷), 배에 실은 짐 (전체) : acumulación de ~*s* 체화(滯貨). ~ aéreo 항공 수송 화물. ~ bajo cubierta 선창(船倉) 화물. ~ de un buque 적하.

cargancia *f.* 《*Sal.*》 =**molestia, pesadez.**

cargante *adj.* ① 귀찮은, 골치 아픈(molesto, pesado) : un niño que se pone muy ~. ② cargar 하는.

cargar *tr.* 8 [*lat.* carricare] ① ㄱ) (짐을) 지다 : ~ el saco *a·en* hombros 자루를 어깨에 메다. ㄴ) 싣다 : ~ leña *en* el carro 차에 장작을 싣다. ~ las mercancías a bordo 상품을 선적하다. ㄷ) 실어 보내다, 발송하다; 운반하다, 옮기다. ② [+de …을] (…에) 싣다·지우다 : ~ el barco *de* trigo *para* América 미국으로 갈 소맥을 배에 싣다. ~ el mulo *de* leña 노새에게 장작을 지우다. Los peones *cargaron* el camión *de* azúcar 인부들이 트럭에 설탕을 실었다. ③ 잔뜩·빽빽하게 달다 : La *cargó de* joyas 그녀를 보석투성이로 만들었다. ④ ㄱ) 장탄(裝彈)하다 : ~ el fusil. ㄴ) 충전하다 : ~ la cámara 카메라에 필름을 넣다. Hay que ~ la batería 바테리에 충전을 해야 한다. ⑤ ㄱ) (부담 등을) 무겁게 하다(agravar). ㄴ) (부담·세금·책임 등을) 지우다·부과하다(imponer) : La *cargó* la responsabilidad 그에게 책임을 지웠다. ㄷ) 탓으로 돌리다, 책임으로 돌리다(imputar) : Le *cargó* la culpa al mal tiempo 잘못을 날씨 탓으로 돌리다. ⑥ 공격·습격하다(acometer) : ~ a la bayoneta 총칼을 휘둘러 습격하다. La artillería comenzó a ~ sobre los enemigos 포병대는 적에게 공격을 개시했다. ⑦ 애먹이다, 괴롭히다, 부담이 되게 하다(molestar) : Le *carga* este libro 이 책이 그에게는 부담된다. ⑧ 차기(借記)하다 : ~ en cuenta 차변 계정에 기입하다. Sírvanse ~nos *en cuenta* todos los gastos 제반 경비는 폐사의 부담으로 부탁 드리겠습니다. **Contr.** abonar, datar. ⑨ 앞으로 끌어 떨어뜨리다, 넘어뜨리다, 자빠뜨리다. ⑩ (돛을) 말다. ⑪ 《*Amér.*》 (동물이) 덤벼들다.
—*intr.* ① [+con : …을] 인수하다, 떠맡다 : El padre *cargó con* costas 아버지가 비용을 떠맡으셨다. ② [+sobre : …에] 죄·부담을 주다. ③ (음식을) 꾸역꾸역 넣다 : *Habéis cargado* mucho en la venta. ④ 터질 듯해지다, 떼지어 모이다, 운집하다 : *Cargó* el público en el teatro 극장은 구경꾼으로 꽉 들어찼다. ⑤ 주렁주렁 열매가 열리다 : Este año los olivos *han cargado* 올해는 올리브가 주렁주렁 열렸다. ⑥ ㄱ) 무게·부담이 가다. ㄴ) 얹히다, 얹혀 있다 : La bóveda *carga sobre* las columnas 둥그런 천장은 기둥으로 받쳐져 있다. ⑦ (악센트가 어떤 음절에) 있다 : El acento *carga* en la penúltima sílaba 악센트는 끝에서 두 번째 음절에 있다. ⑧ 치우치다, 기울다 : La tempestad *carga* hacia el norte 폭풍은 북쪽으로 기울어져 있다.
~se ① [+de : …을] 짊어지다, 떠맡다, 잔뜩·많이 가지고 있다·짊어지다 : *Se cargaba de* razón 충분한 이유가 있었다. *~se de* hijos 자식들이 많다. ② 【속어】 없애다, 살해하다, 죽이다(matar) : *Se* lo *cargaron* de un tiro 그를 한 방으로 사살했다. ③ 처분하다, 포기하다 : Ese

profesor *se ha cargado* la mitad de los alumnos 그 선생은 생도의 절반을 포기했다. ④[뜻이 없는 la 앞에서] 어떤 일의 결과나 죄를 혼자 떠맡다 : *Me la he cargado* por todos 모두의 죄를 나 혼자 뒤집어썼다. ⑤비구름이 잔뜩 피어 오르다 : ~*se* el horizonte 수평선이 비구름으로 덮이다.
[접속법 현재 : cargue, cargues, cargue, carguemos, carguéis, carguen. 직설법 부정과거 1인칭 단수 : cargué].

cargareme *m.* 영수증(recibo).

cargatasajo *m.* 《*Cuba.*》 카드 놀이의 일종.

cargazón *f.* ①선하(船荷), 뱃짐(cargamento). ②(머리·위가) 뻐근함, 묵직함(pesadez). ③비구름(cúmulo de nubes). ④《*Chile.*》 과실이 주렁주렁 열림.
de ~ 《*Amér.*》 난폭한, 난잡한, 조잡한, 거치른, 조악한.

cargo *m.* ①적하(積荷); (무거운) 짐; 부담. ②ㄱ) 채무; 차변(借邊) : ~ y data 차변과 대변. ㄴ) 임무, 직무; 소임, 책임 : a mi ~ 나의 책임하에. ③관리, 감리(監理). ④과실, 책임. ⑤화물선. ⑥《*Chile.*》 (서류의) 접수인. ⑦《*Perú.*》 접수 : recibir con ~ 접수하다.
~ ***bancario*** 은행 수수료. ~ ***de conocimiento*** 양심의 가책. ~ ***de salvamento*** 해난 구조비. ~ ***fijo*** 고정 비용. ~ ***permanente*** 고정 비용·경비. ~ ***cobro*** 집금 비용. ~ ***por pago de intereses*** 이자 비용, 금리 부담. ~ ***social*** 《*Arg.*》 공과(公課).
a ~ ***de*** …의 책임하에; 아무개 앞으로 : librar *a* ~ *de* …앞으로 어음을 발행하다.
con ~ ***a*** …에 의거하여.
hacer ~ ***de*** …의 책임을 지우다.
hacerse ~ ***de*** …을 떠맡다, …을 인수하다 : *Me haré* ~ *de* representante 대표를 인수하겠다. Tendrá que *hacerse* ~ *de* su sucursal 지점장이 되지 않으면 안 될 것이다. ②…을 잘 납득하다; …을 참작하다.
ser en ~ (누구에게) 부채가 있다, 채무자이다.
tomar a ~ (자신의 책임으로) 떠맡다.

cargosear *tr.* 《*Chile. Riopl.*》 괴롭히다, 애먹이다.

cargosería *f.* 《*Chile. Riopl.*》 애먹이는 일.

cargoso, sa *adj.* 무거운, 귀찮은, 짐스러운, 짐이 되는(molesto).

carguera *f.* 《*Venez.*》 아이 보는 여자. —*pl.* 《*Arg.*》 길마, 짐 싣는 짐승.

carguero, ra *adj.* 운반의, 운반하는. —*m.* 《*Amér.*》 ①짐꾼. ②화차, 화물선. ③화물 인부. ④《*Arg.*》 짐말, 짐을 나르는 짐승.

carguío *m.* (운송하는) 짐; 무거운 짐.

cari *adj.* 《*Amér.*》 엷은 쥐색의(de color pardo claro). —*m.* ①【식물】《*Amér.*》 딸기. ②《*Chile.*》 후추(pimienta). ③《*Arg.*》 poncho의 일종.

caria *f.* 【건축】 주신(柱身), 주체(柱體).

cariacedo, da *adj.* (얼굴빛이) 험상궂은(desapacible, desagradable, enojado).

cariaco *m.* ①사탕수수로 빚은 술. ②【동물】 (북아메리카의 숲에 사는) 사슴의 일종. ③(쿠바의) 민속춤.

cariacontecido, da *adj.* 겁을 낸, 당황한(turbado); 가엾은 표정의, 고통을 얼굴에 들어낸.

cariacos *m.pl.* 서인도의 식인종.

cariacuchillado, da *adj.* 얼굴에 상처 자국이 있는.

cariado, da *adj.* 카리에스에 걸린; 충치의.

cariadura *f.* 카리에스·충치(가 되는 일).

cariaguileño, ña *adj.* 메부리코에 얼굴이 갸름한.

carialegre *adj.* 웃는 얼굴의(risueño).

carialzado, da *adj.* 머리를 우뚝하게 세운.

cariampollado, da *adj.* =**cariampollar.**

cariampollar *adj.* 뺨이 토실토실한.

cariancho, cha *adj.* 얼굴이 넙적한(de cara ancha).

cariar *tr.* ⑪ 충치·카리에스를 만들다(producir la caries) : una muela dañada suele ~ las demás.
~se 카리에스가 되다; 충치가 되다(padecer caries).

cariátide *f.* 【건축】 여인상 기둥; 인상주(人像柱).

caríbal *adj. m.f.* [드묾] =**caníbal.**

caribe *adj.* 서인도의 식인종 까리베족(los caribes)의; 카리브해(el Mar Caribe)의. —*m.f.* ①까리베 인종. ②잔인한 사람(hombre cruel, hombre inhumano).
—*m.* 【어류】 까리베 고기.

caribello *adj.* 이마에 흰 얼룩이 있는 (소).

caribito *m.* 《*Col.*》【어류】 =**palometa.**

cariblanca *f.* 【동물】 (중남미산의 몸집이 작은) 얼굴이 흰 원숭이.

cariblanco *m.* 【동물】 (빠나마의) 멧돼지.

caribú *m.* 【동물】 (카나다의) 순록(rengífero).

carica[1] *f.* [*dim.* cara] 《*Ar.*》 =**judía de careta.**

carica[2] *f.* 【식물】 (열대 아메리카의) 파파야속 식물. [*N.* 주요 종류는 el papayo].

caricáceo, a *adj.* 【식물】 =**papayáceo.** —*f.pl.* 【식물】 =**papayáceas.**

caricari *m.* 【조류】 (브라질산의) 매.

caricarillo, lla *m.f.* 이복 형제·자매.

caricato *m.* ①가극에서 광대역을 하는 저음 가수. ②《*Urug.*》 만화(caricatura).

caricatura *f.* 만화; 풍자화.

caricatural *adj.* =**caricaturesco.**

caricaturar *tr.* =**caricaturizar.**

caricaturesco, ca *adj.* 만화의; 만화같은 : retrato ~.

caricaturista *m.f.* 만화가(dibujante de caricaturas).

caricaturizar *tr.* ⑨ 만화로 그리다(hacer una caricatura).

caricia *f.* ①애무 : hacer ~*s* a un niño 어린애를 쓰다듬다. ②애정의 표시·거동(halago). ③【은어】 처지에 맞지 않는 일.

cariciosamente *adv.* =**cariñosamente.**

caricioso, sa *adj.* 상냥한, 사랑스런, 자애로운, 애정이 깊은, 다정한(cariñoso).

caricompuesto, ta *adj.* 신중한 표정의.

carichato, ta *adj.* 얼굴이 납작한(chato).

caridad *f.* [*lat.* caritas] ①자비, 자선, 구제(limosna) : hecer la ~ a los pobres 가난한 사람에게 자비를 베풀다. [Contr.] egoísmo. ②정의, 어진 사랑. ③돕고자 주는 물건 : hacer ~.

④ 어떤 여승에 대한 경칭. ⑤《*Méx.*》 죄수의 음식.
La ～ bien ordenada empieza por uno mismo 【속담】 타인을 생각하기 전에 우리 자신을 생각하자.

caridelantero, ra *adj.* 주책바가지의, 뻔뻔스럽게 주책부리는.

caridoliente *adj.* 고통을 얼굴에 드러낸, 안스러운 얼굴의, 가엾은 표정의(cariacontecido); 당황한.

cariedón *m.* 호두 벌레《호두의 해충》.

carientismo *m.* 풍자, 비꼼, 빈정거림(ironía).

caries *f.* [*lat.* caries] 【단·복수 동형】 ①【의학】 카리에스; 충치. ②【식물】 선옹초(tizón).

carifresco, ca *adj.*《*Cuba.*》 넉살 좋은, 낯가죽이 두꺼운, 뻔뻔스러운, 철면피한, 체면 부지의.

carifruncido, da *adj.* 우거지상의, 얼굴을 찡그린.

carigordo, da *adj.* 얼굴이 커다란·살이 찐.

cariharto, ta *adj.* ① 둥근 얼굴의(carirredondo). ② 볼이 토실토실한, 얼굴이 복스러운(mofletudo).

carilampiño, ña *adj.*《*AmérM.*》 수염이 나지 않은(barbilampiño).

carilargo, ga *adj.* ① 얼굴이 긴, 말상의. ② 후줄근하게 풀이 죽은, 기운없이 축 늘어진.

carilimpio, pia *adj.*《*Amér.*》 =**carifresco.**

carilindo, da *adj. m.f.* 얼굴이 예쁜 (사람).

cariliso, sa *adj.*《*Col.*》 넉살 좋은, 뻔뻔스러운, 철면피한, 체면 부지의.

carilucio, cia *adj.* 얼굴에서 빛이 나는.

carilla *f.* ① 양봉가의 면(面)(careta). ② 페이지, 지면, 쪽(página).

carilleno, na *adj.* 얼굴이 큰, 얼굴이 토실토실한·피둥피둥한.

carillo, lla *adj.* 사랑스러운; 귀여운. *—m.f.* 애인.

carillón *m.* ① (종루의) 한 벌의 종. ② (오르간의) 종음전(鍾音栓). ③ 종소리를 내는 악기·장치.

carimba *f.* (옛날 뻬루에서 노예한테 달아오른 쇠로 찍은) 낙인(marca).

carimbar *tr.*《*AmérM.*》 (노예·가축에게) 낙인·소인을 찍다.

carimbo *m.* ①《*AmérM.*》 (노예의 몸에 찍었던) 낙인·소인. ②《*Bol.*》 가축에게 낙인 찍는 쇠(hierro para marcar terneros).

carina *f.* 울기 위해 초상집에 고용되던 여자.

carincho *m.* 【방언】 =**cariucho.**

carinegro, gra *adj.* 얼굴이 검은, 갈색 얼굴의.

carininfo, fa *adj.* 약해 보이는, 연약해 보이는, 물러 보이는, 얼굴이 여성적인(de cara afeminada).

cariñana *f.*《*Galic.*》 카리냥(carignan) 두건《17세기의 부인들이 썼던 것》.

cariñar *intr.*《*Ar.*》 그리워하다, 향수에 젖다, 향수를 느끼다(sentir nostalgia o añoranza).

cariñena *f.* 카리녜나 포도주《사라고사 지방산의 명주》.

cariño *m.* ① 애정, 애착(amor). Contr. odio. ② 귀여워함 : Mi abuela me tenía mucho ～ 할머님은 나를 무척 귀여워하신다. ③ 소중스러움 : profesar ～ a uno 누구를 소중해 하다. ④ (일에 대한) 열중(esmero). *—pl.* 인사; 안부; 애무《키스·포옹 등》.
mi ～ 여보《부부·연인들의 호칭》.

cariñosamente *adv.* 사랑스러운 마음으로, 자애롭게, 다정스럽게, 정답게(con cariño) : ～ suyo 경구(敬具), (편지의) 안녕.

cariñoso, sa *adj.* 사랑스러운, 자애로운, 애정이 깊은, 다정한(afectuoso) : Era muy ～ conmigo 그는 나에게 무척 다정했다. Los coreanos llamamos al esposo y a la esposa muy ～*s* "Incobubu" 우리 한국인들은 매우 금슬이 좋은 부부를「잉꼬 부부」라고 한다.

carioca *adj.* ①《*Riopl.*》 브라질의 : acontecimientos ～*s* 브라질의 사건. ② 리오데자네이로의. *—m.f.* 브라질인, 리도데자네이로인.
—f. ① 까리오까《브라질의 노래》. ②《*Urug.*》 야채의 일종.

cariocinesis *m.* =**mitosis.**

cariofiláceo, a *adj.* 【식물】 =**cariofileo.**
—f.pl. 【식물】 =**cariofileas.**

cariofilada *f.* 【식물】 =**cariofilata.**

cariofilata *f.* 【식물】 향기롭고 강장제로 쓰이는 장미과 식물.

cariofíleo, a *adj.* 【식물】 석죽과(石竹科)의.
—f.pl. 석죽과 식물.

cariología *f.* 【세포】 핵학(核學).

cariópside *f.* 【식물】 곡과(穀果)《밀같은 열매》.

caripálido, da *adj.* 얼굴이 창백한.

caripando, da *adj.* 어리숙한 얼굴의, 얼굴이 바보스런.

cariparejo, ja *adj.* 절대로 안색을 변하지 않는.

caripelado *m.*《*Col.*》【동물】 원숭이의 일종.

carirraído, da *adj.* 염치없는, 넉살 좋은, 체면 부지의, 철면피한, 낯가죽이 두꺼운, 뻔뻔스러운(descarado).

carirredondo, da *adj.* 얼굴이 둥글둥글한.

cariseto *m.* 툭툭한 양모 천.

carisias *f.pl.* 미(美)·온아·환희를 다스리는 세 여신(las Gracias)의 축제.

carisma *m.* (어떤 사람에게) 신으로 부터 풍족하게 주어지는 것, 신지(神知).

carismático, ca *adj.* 초인간적인.

caristias *f.pl.* (로마인의) 친척끼리의 오붓한 잔치《2월 18일, 20일》.

carita *f.*《*Arg.*》 =**estampa.**
dar·hacer ～ 탐이 나게 하다; 실망시키다.
de ～ ①《*Col.*》 ① 우량의. ②《*SDgo.*》 공짜로, 거저, 무료로.

caritativamente *adv.* 자비롭게, 자애롭게 (con caridad).

caritativo, va *adj.* ① 자선의; 정이 깊은. ② [+con·para·para con : …에게] 자애로운 : una mujer ～*va para·con·para con* los pobres 가난한 사람에게 자비로운 여자.

carite *m.*《*Venez.*》 물고기 이름.

caritieso, sa *adj.* 얼굴이 심각한.

cariucho *m.*《*Ecuad.*》 까리우쵸 요리《고기와 고추 요리》.

cariz *m.* ① 날씨. ② 형편, 낌새, 기척 : Esto va tomando mal ～ 이것은 점점 사정이 더 악화되

어 가고 있다.

carla *f.* (인도 지방의) 채색된 천.

carlanca *f.* ①《*Ecuad.*》개목걸이(taragallo). ②《*Amér.*》족쇄(grillete). ③《*Hond. Chile.*》번거로움, 귀찮음(molestia). —*pl.* 시커먼 속 : tener muchas ~*s* 뱃속이 새까맣다, 속셈을 너무 차리다.

carlancón, na *adj.* 속이 검은, 교활한(astuto, mañoso). —*m.f.* 교활한 사람, 속이 시커먼 사람.

carlanga *f.*《*Méx.*》=**pingajo, harapo, guiñapo.**

carlear *intr.* 헐떡거리다, 숨을 가쁘게 쉬다(jadear).

carleta *f.* 줄.

carlín *m.* 까를린《현재 4센띠모에 해당되는 까를로스 5세 시대의 작은 은화》.

carlina *f.* 엉겅퀴의 일종(angélica ~).

carlinga *f.* ①【선박】돛을 끼우는 구멍. ②(항공기의) 기체(機體).

carlino, na *adj.* =**carlista.**

carlismo *m.* 까를로스당《까를로스 친왕 Don Carlos de Borbón(1788—1855)의 왕위 계승을 주장하는 사람 (cristino의 반대당)》; 그 당파, 까를로스왕 지지.

carlista *adj.* 까를로스당(carlismo)의. —*m.f.* 까를로스 당원《1833—76년 세 번의 왕위 계승 싸움의》.

carlita *f.* 독서용 렌즈.

Carlitos *hip.* Carlos.

carló *m.*《특히 Sanlúcar de Barrameda에서 제조되는 적포도주》.

Carlomagno *m.* 샤를 대제(大帝), 까를로마그노 불란서 국왕, 서 로마 제국 황제, Carlos I, 742? —814》.

carlón *m.*《*And.*》=**carló.**

carlovingio, gia *adj.* 샤를 대제(Carlomagno)의 ; 샤를 대제 후예의(carolingio).

carmañola *f.* ① 일종의 짧은 웃옷·윗도리옷. ② 불란서 공포 정치 때(1793)의 혁명가(革命歌).

carme *m.*《*Gran.*》정원과 채소밭이 있는 별장(carmen).

carmel *m.*【식물】차전초(llantén)의 일종.

carmelina *f.* 비꾸냐(vicuña)의 털.

carmelita *adj.* ① 까르멘파의. ② 커피·담배 빛깔의. —*m.f.* 까르멘파의 탁발승. —*f.* 옥금련화(玉金蓮花)의 꽃 ; 옥금련화의 향기.

carmelitano, na *adj.* 까르멘 종파의, 까르멘 종파에 관한.

carmen *m.* ① 까르멘파《12세기에 el Carmelo 산에서 시작, 14세기에 개혁된 탁발승의 한 종파》. ② 라틴어 시의 한 형식. ③《*Gran.*》정원과 채소밭이 있는 별장(quinta con huerto y jardín).

carmenador *m.* ①(양털·비단을) 빗겨서 추리는 직공 ; 그 도구. ② 얼멍빗 ; 머리빗(batidor, peine).

carmenadura *f.* carmenar하는 일.

carmenar *tr.* ① 빗어서 풀다. ② 머리채를 나꿔채다(tirar del pelo). ③(누구의) 호주머니에 든 것을 훔쳐내다(robar).

carmes *m.* (떡갈나무의) 암연지벌레(quermes).

carmesí *adj.* [*pl.* carmesíes] 연지 빛깔의, 심홍색(深紅色)의. —*m.* ① 연지빛, 심홍색. ② 연지 가루. ③【식물】왜전나무.

carmín *m.* ① 양홍(洋紅) ; 양홍색, 심홍색 : ~ bajo 연분홍. ② 붉은 장미.
hierba ~【식물】염주 산호초.

carminar *tr.* 배출하다.

carminativo, va *adj.* 방귀가 나오게 하는. —*m.* 구풍제(驅風劑).

carmíneo, a *adj.* 양홍색의.

carminoso, sa *adj.* =**carmíneo.**

carnación *f.*【문장】(사람의) 살빛.

carnada *f.* ① 먹이, 모이(cebo). ② 함정.

carnadura *f.* 기골이 건장함 ; 상처가 아무는 일.

carnaje *m.* (배에 싣는) 소금에 절인 고기.

carnal *adj.* ① 살의, 육체의. ② 같은 부모·같은 조부에게서 나온, 핏줄이 이어진 : primo ~, sobrino ~, tío ~. ③ 색정의, 육욕의, 육감적인 : apetito ~ 색욕. amor ~ 육체적 애정. ④ 세속적인, 현세주의의(terrenal). **Contr.** espiritual.

carnalidad *f.* 육욕, 색정, 음락(淫樂),

carnalmente *adv.* 육체적으로, 음탕하게 ; 세속적으로.

carnario *m.* 묘, 묘혈(carnero).

carnauba *f.*【식물】아르헨띠나의 야자(carandaí).

carnaval [*ital.* carnevale] *m.* ① 사육제, 카니발. ② 야단법석.

carnavalada *f.* 술 마시고 노래하며 떠들기, 카니발 같은 때의 장난질.

carnavalesco, ca *adj.* 카니발·사육제의·같은.

carnaválido, da *adj.* =**carnavalesco.**

carnaza *f.* ① 피혁의 내피·면. ②(낚시나 사냥의) 모이·미끼. ③ 함정. ④ 지나치게 살이 쩜.
echar a uno *de* ~《*Amér.*》(누구에게) 몸을 부딪치고 도망치다.

carnazón *f.*《*Sal.*》상처의 염증.

carne[1] *f.* [*lat.* caro, carnis, carnem] ① 살, 육신 : de ~ y hueso 살과 뼈의, 살아 있는. El también es *de ~ y hueso* 그도 사람의 자식이다. ②(새나 생선의 살에 대해) 수육(獸肉), 고기 : día de abstinencia de ~ 육류를 먹지 않는 날. Los argentinos comen mucha ~ 아르헨띠나 사람들은 고기를 많이 먹는다. ③ 과육(果肉) : ~ de membrillo 마르멜로의 통조림. ④ 재목의 심재(心材). ⑤(정신에 대한) 육체 ; 정욕(情欲), 육욕(肉欲).
~ *abogadiza* 질식사한 짐승의 살코기. ~ *cediza* 썩어가는 살. ~ *de cañón* 전투의 희생 ; 무시되는 평민들. ~ *de gallina* 소름 ; 닭살. ~ *de Castilla*《*Chile.*》양고기. ~ *de pelo* 토끼같은 작은 짐승의 고기. ~ *de pluma* 새고기. ~ *mollar* 비계가 없는 살. ~ *momia* 가장 좋은 살코기. ~ *sin hueso* 톡톡이 재미볼 거리.
en ~s 알몸으로(en cueros, desnudo).
en ~ viva 살가죽이 벗겨진 알몸.
cobrar·echar ~s ① 살이 붙다, 살찌다. ②《*Méx.*》악담을 퍼붓다.
ser ~ y riña 사이가 좋다.
ser de ~ y hueso 분별력이 있다.

*temblar*le a uno *las* ~*s* 공포·무서움을 느끼다. *C-, ~ cría, y peces, agua fría* 【속담】 육류가 생선보다 양분이 더 많다.

carne² *f.* [*lat.* quaternus] (도박 테이블의) S자 모양의 오목한 부분.

carné *m.* [*pl.* carnés] =**carnet.**

carneada *f.* 《*Amér.*》 ① 도살, 도살 해체(解體). ② 도살장.

carnear *tr.* ① 《*AmérM.*》 (식용 짐승을) 도살해서 발기다; 칼로 쳐 죽이다. ② 《*Chile. Arg.*》 속이다(engañar).

cárneas *f. pl.* 아폴로(Apolo)를 모시던 옛 축제.

carnecería *f.* 【고어】 =**carnicería.**

carnecilla *f.* 혹.

cárneo, a *adj.* 【고어】 고기의.

carnerada *f.* 양떼.

carneraje *m.* 양고기 값으로 지불하는 세금.

carnerario *m.* 《*Ar.*》 묘, 묘혈(carnero).

carnereamiento *m.* 양을 해친 죄로 받은 벌.

carnerear *tr.* ① (양을 해친 상대를) 죽이다. ② 《*Arg. Urug.*》 배척하다, 제거하다.

carnerero *m.* 양치기.

carneril *adj.* 양이 풀을 뜯는 (목장).

carnero¹ *m.* [*lat.* carnarius] ① 【동물】 양; 양고기. ② 《*Amér.*》 의지가 없는 사람. ③ 《*Bol. Perú.*》 야마(llama).
~ de la sierra 《*Arg.*》 야마(llama). *~ del Cabo* 신천왕. *~ llano* 거세한 양. *~ marino* 바다표범(foca).
cantar para el ~ 《*Arg.*》 죽다(morir).
mandar al ~ 《*Arg. Urug.*》 죽이다(matar).
No haber tales ~s 그런 일은 없다.

carnero² *m.* ① 묘, 묘혈. ② 납골당(osario). ③ (교회의) 가족 묘지.

carneruno, na *adj.* 양의·같은.

carnestolendas *f. pl.* 사육제(carnaval).

carnet *m.* 《*Galic.*》 [*pl.* carnets] ① 신분 증명서 : ~ de conductor 《*Arg.*》 자동차 운전 면허증. ~ de identidad 신분 증명서. ~ sindical 조합원증. ¿Es difícil sacar el ~ de conducir? 운전면허증을 얻기가 어렵습니까? [*N.* 발음 : karné]. ② =**librito.** ③ =**agenda.**

carnicera *f.* 《*Chile.*》 살코기를 넣는 광주리.

carnicería *f.* ① 푸주, 고깃간, 정육점, 푸줏간. ② 도살, 학살, 대량 살상.
hacer ~ 상처를 많이 입히다; (누구의) 살을 많이 자르다.

carnicero, ra *adj.* ① 식육용의; 식용 짐승의 (목장); 고기를 좋아하는. ② 【동물】 육식류의. ③ 잔혹한(cruel). —*m.f.* 정육점 주인.
—*m.pl.* 육식류 동물.

cárnico, ca *adj.* carne의.

carnicol *m.* 【동물】 발굽(pesuño). [**Sinón.**] zapatilla.

carnícoles *m.pl.* 《*Sal.*》 *estar en ~* 새가 깃이 없다.

carnificación *f.* 육질 변화(肉質變化), 육화.

carnificarse *r.* ⑦ 육질로 변하다.

carniforme *adj.* 육상(肉狀)의, 살 모양의.

carnina *f.* 【화학】 육소(肉素).

carniseco, ca *adj.* 살이 빠진, 마른, 여윈.

carnívoro, ra *adj.* ① 육식하는, 육식류의 : El hombre es ~, pero no carnicero. ② 【식물】 식충류의 (식물). —*m.pl.* 육식류.

carniza *f.* 허드레 고기; 썩은 고기.

carnización *f.* =**carnificación.**

carnosidad *f.* ① 군살. ② 혹. [**Sinón.**] excrecencia. ③ 과대 비만(gordura extremada).

carnoso, sa *adj.* 살이 많은, 육질(肉質)의.

carnudo, da *adj.* =**carnoso.**

carnuz *f.* 《*Ar.*》 (썩기 시작하는) 죽은 고기 (carne muerta).

carnuza *f.* 맛없는 고깃덩어리.

caro *m.* 《*Cuba.*》 게의 알젓.

caro, ra *adj.* [*lat.* carus] ① 비싼, 고가(高價)의 : precio ~ 고가(高價). Este diccionario no es ~ 이 사전은 비싸지 않다. Lo barato sale ~ 싼 것이 비지떡이다. La vida en los Estados Unidos es más bien *cara* 미국에서는 생활비가 차라리 비싸다. ¡Qué ~! ¿No tiene más barato de esta forma? 굉장히 비싸군요. 이런 형으로 더 싼 것 없습니까? [**Contr.**] barato. ② 사랑하는, 친애하는(querido, amado) : mi *cara* mitad 사랑하는 남편·아내.
—*adv.* 높게, 비싸게 : vender ~ 비싸게 팔다.
—*m.* 《*Cuba.*》 게의 알; 그 요리.

caroca *f.* ① 성체절(聖體節)(Corpus)의 거리 장식. ② 속이 들여다 보이는 엉터리짓. —*pl.* 아양, 어리광, 알랑거림 : hacer ~ 아양 떨다, 어리광을 부리다, 알랑거리다.

carocha *f.* =**carrocha.**

carochar *tr.* =**carrochar.**

carofitas *f.pl.* 【식물】 =**caráceas.**

carola *f.* ① 옛날의 춤. ② 《*Chile.*》 =**carona.**

caroleno *m.* 《*Méx.*》 아이들의 은어.

carolingio, gia *adj.* =**carlovingio.**

carolino, na *adj.* ① 까롤리나 제도(las Carolinas)의. ② 까를로스 5세 황제의. —*m.f.* 까롤리나 제도의 사람. —*m.* 까롤리노 《옛 유럽 동전들의 이름》.

carolo *m.* 《*Sal.*》 (간식으로 날품팔이에게 주는) 빵조각(pedazo de pan).

cárolus *m.* (까를로스 5세 때 서반아에서 통용되었던) 플랑드르 동전.

caromomia *f.* 미이라의 살 (carne de momia) : La ~ se usó antiguamente en medicina 미이라의 살은 옛날에 약으로 쓰였다.

carón, na *adj.* ① 《*Amér.*》 토실토실한 얼굴의. ② 《*Col.*》 철면피한, 낯가죽이 두꺼운, 뻔뻔스러운, 염치없는.

carona *f.* ① (우마의) 안장 깔개. ② (우마의) 안장을 얹는 부분. ③ 《*Riopl.*》 등심. ④ 【은어】 셔츠.
con las ~s 《*Arg. Urg.*》 사업 등에 실패하여.

caronchado, da *adj.* 《*Sal.*》 좀먹은 (목재).

caroncharse *r.* 《*Sal.*》 좀먹다(carcomerse).

caroncho *m.* 《*Ast. Sal.*》 =**carcoma.**

caronchoso, sa *adj.* 《*Sal.*》 좀먹은 (목재).

caronería *f.* 《*Col.*》 뻔뻔스러움, 철면피.

caronjo *m.* 《*León.*》 =**carcoma.**

Caronte *m.* 【신화】 Estigia의 늪에서 죽은 자를 태우고 건너는 나룻배의 사공.

caroñoso, sa *adj.* 상처투성이의 (말), 폐마(廢馬)의.

caroquero, ra *adj.* 아양 떠는, 알랑거리는. —*m.f.* 알랑거리는 사람

carosiera *f.* 사과야자 (열매).
carosiero *m.* 【식물】(브라질산의) 사과야자 나무.
carosis *f.* 혼수.
caroso, sa *adj.* 《*Perú.*》 ① 살빛깔의, 금발의 (rubio). ② 빛이 바랜.
carotena *f.* 당근에서 빼낸 비타민.
caroteno *m.* 【화학】 =**carotina.**
carótida *f.* 【해부】 경동맥 : La sección de las ~*s* es casi siempre mortal.
carotina *f.* 당근의 색소.
carozo *m.* ① (옥수수의) 빈 이삭. **Sinón.** zuro. ② 《*Amér.*》 과일의 속. ③ 《*Perú. Venez.*》 = **corozo.** ④ 올리브의 씨 《돼지 먹이》.
carpa *f.* [*lat.* carpa] ① 【어류】 잉어. ② 포도 송이의 갈라진 송이. ③ 《*Amér.*》 텐트(toldo), 텐트를 친 가게.
carpancho *m.* 《*Sant.*》 (생선·채소 등을 나르는) 둥근 쟁반·상자.
carpanta *f.* ① 심한 공복 : ¡Qué ~ se trae usted! 당신은 몹시 시장하시군요! ② 《*Méx.*》 야단법석을 떠는 무리 ; 키다리 여자.
CARPAS Comisión Asesora Regional de Pesca del Atlántico del Suroeste 남서 대서양 지역 수산 자문 위원회.
carpe *m.* 【식물】 자작나무과에 속하는 낙엽 교목 (hojaranzo).
carpedal *m.* 자작과에 속하는 낙엽 교목 숲.
carpelar *adj.* carpelo의.
carpelo *m.* 【식물】 (암술의) 과엽(果葉), 심피(心皮).
carpeño, ña *adj. m.f* 까르뻬오 《Carpio, 바야돌리드주의 마을》의 (사람).
carpera *f.* 잉어(carpa) 양어장.
carpeta *f.* ① 문서철, 파일, 서류함. ② (유가 증권류의) 명세표, 일람표, 요령서. ③ 상보, 테이블보. ④ 선술집의 입구에 친 발. ⑤ 《*Perú.*》 사무용 책상.
carpetano, na *adj. m.f.* 까르뻬따니아 《Carpetania, 옛날 Toledo 왕국》의 (사람).
carpetazo *m.* 서류를 내동댕이 침 : dar ~ 원서 등을 보류하다 ; 제작을 중지하다.
carpetear *tr.* 《*Venez.*》 감추다 ; 중지하다 ; 얌체짓하다.
carpiano, na *adj.* 손목(carpo)의.
carpidor *m.* 《*Amér.*》 호미, 괭이.
carpincho *m.* 【동물】 까르삔쵸 《남미산 신장 1미터 가량의 쥐처럼 생긴 동물》.
carpintear *intr.* (직업적으로·목수 아닌 사람이) 목수일을 하다.
carpintera *adj.* *adeja* ~ 호박벌.
carpintería *f.* 목수의 일·작업장.
carpinteril *adj.* 목수의.
carpintero *m.* [*lat.* carpentarius] ① 목수. ② 【곤충】 호박벌. ③ 【조류】 딱따구리(pájaro ~, pico).
~ *de blanco* 소목장이, 소목장. ~ *de ribera* 선박 목수. ~ *de armar·de obra de afuera* 발판 목수. ~ *de prieto·de carretas* 수레 목수.
carpir *tr.* ① 할퀴다, 세게 긁다, 쥐어뜯다(rasgar, arañar). ② 실신시키다, 까무러치게 만들다 ; 질겁하게 만들다. ③ 《*Amér.*》 김을 매다 ; 땅을 고르다.
carpo *m.* [*gr.* karpos] 【해부】 손목 ; 팔의 관절.
carpófago, ga *adj.* 과실을 주식으로 하는.
carpología *f.* 과실학(果實學).
carqueja *f.* 【식물】 식물의 일종.
carquesa *f.* 유리를 굽는 가마.
carquesio *m.* (그리스인들이 사용했던) 받침 달린 잔.
carquexia *f.* 【식물】 레타마 《콩과의 낙엽 관목》의 무리.
carquiñol *m.* 《*Ar. Bal.*》 밀가루, 달걀 및 편도 열매로 만든 반죽.
carr.[a] carrera.
carraca *f.* ① 까라까배 《이탈리아인이 만든 2000톤급 큰 목조선》. ② 노후한 배. ③ 노후 건물. ④ (현재는 주로 까디스의) 조선소. ⑤ 딸랑이 《완구》. ⑥ 《*Amér.*》 턱 (mandíbula, guijada) ; 광대뼈.
carracero, ra *adj. m.f.* 알까라스 《Alcarraz, Lérida 주의 소도시》의 (사람).
carraco, ca *adj.* 늙은, 노쇠한, 쇠약한, 약골의 (achacoso). —*m.* ① 《*Col.*》 【조류】 콘도르. ② 《*CRica.*》 【조류】 까라꼬 《기러기의 일종》. ③ = **catartes.**
Carracuca *m.* 까라꾸까 《가공 인물의 이름》.
estar más perdido que ~ 몹시 딱한 처지에 있다.
más feo que ~ 대단히 추한.
carrada *f.* 짐수레 한 대 분의 짐.
carrafa *f.* 《*Sal.*》 algarrobo 열매.
carral *m.* (운송용) 술통.
carraleja *f.* 【곤충】 =**cubillo.**
carralero *m.* 술통 만드는 직공.
carramarro *m.* 《*Ál.*》 =**cámbaro.**
carramplón *m.* ① 《*Col. Méx.*》 총. ② 《*Col.*》 (구두에 박는) 징. ③ 《*Col.*》 토인의 악기.
carranca *f.* =**carlanca.**
carrancla *f.* 《*Cuba.*》 낡아 빠진 차 ; 쓸모없는 사람.
carranchoso *adj.* 조잡한, 거칠고 나쁜, 조악한 (áspero, rudo).
carrandilla *f.* 《*Chile.*》 잇대어진 것, 열(列), 줄 ; 많음.
carraña *f.* 성냄, 노함(ira, coraje, irritación, enojo).
carrañón, na *adj. m.f.* 《*Ar.*》 =**regañón.**
carrañoso, sa *adj.* 《*Ar.*》 =**iracundo.**
carrao *m.* ① 《*Venez.*》 까라오 《물새의 일종》. ② 《*Col. Cuba.*》 다 떨어진·헤어진 구두 (zapatos ramplones).
carraón *m.* 【식물】 납작밀.
carrasca *f.* ① 【식물】 떡갈나무(encina). ② 《*Amér.*》 (토인들이 사용하는) 타악기의 이름.
carrascal *m.* ① 떡갈나무숲. ② 《*Chile.*》 자갈밭.
carrascalejo *m. dim.* carrascal.
carrasco *m.* ① 【식물】 떡갈나무(carrasca). ② 《*Amér.*》 잡목림(雜木林).
carrascón *m. aum.* carrasca.
carrascoso, sa *adj.* 떡갈나무(carrasca)가 들어선.
carraspada *f.* (꿀과 향료가 섞인) 포도주.
carraspante *adj.* =**áspero, acre.**
carraspear *intr.* 목이 쉬다, 목이 잠기다(tener

carraspera).
carraspeño, ña *adj.* 쉰·잠긴 목소리의.
carraspeo *m.* =**carraspera.**
carraspera *f.* 목이 잠김·쉼(ronquera en la garganta).
carraspina *f.* 《*Ál.*》 =**colmenilla.**
carraspique *m.* 【식물】 이베리스꽃 《백·적·자색의 꽃이 피는 겨자과의 관상 식물》.
carrasposo, sa *adj.* ① 목이 항상 잠겨 있는·쉬어 있는. ② 《*Amér.*》 깔끄러운, 우툴두툴한 ; 떫고 신.
carrasquear *intr.* 《*Ál.*》 (딱딱한 물건이 이 사이에서) 딱딱거리다.
carrasqueño, ña *adj.* ① 떡갈나무(carrasca)의, 떡갈나무같은. ② 사나운, 거친, 무지막지한, 포악한, 흉포한 ; 고통스러운(áspero y duro).
carrasquera *f.* =**carrascal.**
carrasquilla *f.* 【식물】 =**camedrio.**
carrasquizo *m.* 《*Ál.*》 (잎과 열매가) 떡갈나무 비슷한 관목.
carraza *f.* 《*Ál.*》 =**ristra.**
carrazo *m.* 《*Ál.*》 =**racimillo.**
carrazón *m.* 《*Ál.*》 =**romana grande.**
carredano, na *adj. m.f.* 비야까리에도 《Villacarriedo, Santander주의 도시》의 (사람).
carrejo *m.* 《*Sant.*》 =**pasadizo, corredor.**
carrendera *f.* 《*Sal.*》 도로, 한길.
carrendilla *f.* ① 《*Chile.*》 =**hilera, sarta.** ② 《*Chile.*》 =**muchedumbre.**
de ~ 암기하여, 보지 않고(de carretilla).
carreña *f.* 《*León.*》 포도 송이로 가득찬 덩굴(sarmiento lleno de racimos).
carrera *f.* ① 달리기(corrida) : tomar ~ 도주하다. ② 러닝, 경주 : ~ corta 단거리 경주. ~ de bicicletas 자전거 경주. ~ de obstáculos 장애물 경주 ; 허들 레이스. ~*s* de caballos · hípicas 경마. ~*s* de automóviles 자동차 경주. Tiene mucha afición por las ~*s* de caballos 그는 경마를 무척 좋아한다. ③ 주로(走路) ; 행정(行程), 주정(走程). ④ (피스톤의) 왕복 ; (진자의) 진폭. ⑤ 가도(街道), 가로(街路)(carretera) ; (행렬이 지나가는) 길, 경로(經路) ; (천체의) 궤도 : ~ del sol. ⑥ 열(列) : ~ de árboles 가로수. ⑦ 길, 방법. ⑧ 【건축】 도리. ⑨ (인생의) 경력 : Está preparándose para la ~ diplomática 그는 외교관의 경력을 위해 준비를 하고 있다. Cuando joven siguió la ~ sacerdotal 그는 젊었을 때 성직자의 길 (경력)을 밟았다. ⑩ 직업, 생활 : ~ de las letras 문필업.
~ *de Indias* (옛날의) 미국 내왕.
a la ~, *de* ~ 서둘러 : Tuvo que escribir *a la* ~ 그는 서둘러 써야 했다.
dar ~ 학자금을 대주다.
hacer la ~ 몸을 팔다, 갈보짓을 하다
no poder hacer ~ *con* · *de* (누구와) 아무 일도 못하다, (누구를) 어찌하지 못하다.
carrerear *tr.* 《*Méx.*》 서두르다, 서둘러 하다.
carrerilla *f.* 무용의 빠른 스텝 ; 한 음계의 올림과 내림 ; 고저 음계의 악보.
carrerista *m.f.* ① 경마·자전거 경주·자동차 경주의 팬. ② 자전거 경주·자동차 경주 선수. ③ (행렬의) 선두.
carrerita *f. dim.* carrera.
de una ~ 총총걸음으로.
carrero *m.* ① 달구지 등의 마부. ② 【방언】 바퀴 자국, 발자국 ; 항적(航跡).
carreta *f.* ① 짐차, 달구지. ② 《*Ecuad.*》 실패(carrete de hilo).
~ *de mano* 《*Venez.*》 손수레(carretilla).
carretada *f.* ① 한 차의 짐. ② 다량, 많음.
a ~*s* 많이, 다량으로, 충분히(en gran copia o abundancia).
carretaje *m.* 운반료 ; 짐수레·화차 운송.
carrete *m.* ① 실패, 보빈(bobina). ② 【전기】 코일 : ~ de inducción 감응·유도 코일. ③ 【사진】 필름 롤 ; (영화 필름의) 권(卷).
dar ~ 낚싯줄을 늦추다 ; 요리조리 승락한다는 말을 피하다.
carretear *tr.* ① 차로 운반하다. ② (차를) 다루다. —*intr.* 활주(滑走)하다.
carretel *m.* 감는 기계 : ~ de manguera 호스 감는 기계.
carretela *f.* [*ital.* carrettella] 4인승 포장 마차.
carreteo *m.* 운송, 운반 ; 활주.
carretera *f.* 하이웨이, 고속 도로 ; 차도 ; 가도(街道) : ~ de vía libre 고속 도로. ~ general 일반 도로. *C-* Internacional 판아메리칸 하이웨이. ¿ De dónde y a dónde va esta ~? 이 하이웨이는 어디에서 어디까지 갑니까? ¿Está en buen estado esa ~? 그 하이웨이는 상태가 좋습니까?
carretería *f.* ① [집합] 짐수레, 거마. ② 거마로의 운송. ③ 수레 목공소. ④ 수레 목수가 모여 사는 거리. ⑤ 17세기의 춤.
carreteril *adj.* carretero의·에 관한.
carretero *m.* ① 차 전용로. ② 수레 목수. ③ 마부, 소몰이, 말구종. ④ 《*Venez.*》 【방언】 =**carrete.** ⑤ 【은어】 얌생이, 속임수. —*adj.* 차도(車道)의.
carretil *adj.* 차의, 차가 다니는 : camino ~ 차도.
carretilla *f.* [*dim.* carreta] ① 손수레, (구내, 공장 내에서의) 운반차. ② (어린아이의) 보행 보조기. ③ 땅 위에 길게 놓아 터뜨리는 불꽃놀이의 일종(buscapiés). ④ 《*Amér.*》 (보통의) 짐수레(carreta). ⑤ 《*Arg. Chile.*》 (동물의) 턱(mandíbula, quijada).
de ~ ① 암기하여, 보지 않고 : saber *de* ~ una cosa 어떤 것을 암기하여 알고 있다. ② 해 오던 솜씨로.
carretillada *f.* 손수레 한 대 분.
carretillero *m.* ① 손수레를 미는 사람. ② 《*Riopl.*》 달구지꾼, 짐수레꾼.
carretillo *m.* 활차·도르래의 일종.
carretón *m.* ① 작은 짐마차(carro pequeño) ; 운반차 ; 유모차. ② 발로 받치는 숫돌 《연마기》. ③ 《*Amér.*》 짐수레 ; 달구지, 포장마차. ④ 《*AměrC.*》 실패(carrete de hilo).
carretonada *f.* carretón 한 대 분량의 짐.
carretonaje *m.* 《*Chile.*》 자동차 운송 ; 그 운임.
carretoncillo *m.* [*dim.* carretón] 소형 짐수레 ; 썰매.
carretonero *m.* ① 《*Amer.*》 =**carretero.** ② 《*Col.*》 【식물】 클로버(trébol)의 일종.

carric *m.* [*pl.* carrics, carriques] =**carrick.**
carricera *f.* 【식물】 뚝새풀(vulpino).
carricillo *m. dim.* carrizo.
carrick *m.* [*pl.* carriques] 긴 외투의 일종.
carricoche *m.* ① 낡아빠진 마차. ② 틀을 끼운 짐수레. ③ 포장마차.
carricuba *f.* 살수차(carro de riego).
carriego *m.* =**buitrón.**
carriel *m.* ①《*AmérM.*》허리에 차는 주머니. ②《*CRica.*》여행용 손가방; 손주머니.
carril *m.* ① 수레바퀴 자국, 바퀴 자국. ② (밭의) 도랑. ③ 레일, 궤도(raíl, riel); (도로의) 차선. ④《*Chile. PRico.*》철도; 기차(tren).
carrilada *f.* (수레) 바퀴 자국.
carrilano *m.* ①《*Chile. Arg.*》선로 인부. ② 도둑(ladrón).
carrilera *f.* ① 바퀴 자국. ②《*Col.*》철도. ③《*Cuba.*》(철도의) 인입선, 대피선.
carrilero *m.*《*Perú.*》철도 노무자.
carrillada *f.* ① 돼지의 볼. ② 양·소의 머리 부분. ③ 치가 떨리는 전율.
carrillera *f.* ① (동물의) 턱(mandíbula). ② (모자의) 턱끈(correa).
carrillete *m.* (옛날의) 외과 기구.
carrillo *m.* ① 활차(滑車), 도르래(polea). ② 아래턱.
comer · masticar a dos ~s ① 많이 먹다, 정신없이 먹다, 마구 퍼먹다(comer mucho). ② 한꺼번에 여러 가지 옹골진 일을 하다·어떤 직책을 맡다; 양다리를 걸쳐 두 군데서 재미를 보다.
carrilludo, da *adj.* 토실토실한 볼의.
carriño *m.* (옛날의) 포의 앞바퀴.
carriola *f.* 차에 달린 침대; 삼륜 침대.
carriquí *m.*《*Col.*》【조류】 까리끼《아름다운 노래를 부르는 새》.
carrito *m.* [*dim.* carro]《*Cuba.*》전차(tranvía). *~ urbano*《*Chile.*》전차(tranvía).
carrizal *m.* 향포밭·들.
carrizo *m.* ①【식물】 향포, 부들(cañavera). ②《*Guat.*》=**carrete.** —*interj.*《*AmérC.*》=**¡caramba!**
carro[1] *m.* [*lat.* carrus] ① ㄱ) 차(coche): ¡Qué buen ~ tiene usted! ¿Qué marca es su ~? 굉장히 좋은 차를 가지고 있군요. 어느 사의 제품입니까? ㄴ) 짐수레. ②【신화】 전차(戰車). ③ 한 차량의 분량. ④ (인쇄기의) 판상(版床), (타이프라이터의) 행 보내기. ⑤《*Amér.*》차량, 전차, 자동차. ⑥【은어】 도박.
~ de asalto (근대의) 대형 전차. *~ de combate* 무한 궤도와 대포가 장착된 차. *~ de mercancías* 화(물)차. *~ de oro* 낙타털로 짠 고급 비단. *~ de riego* 살수차. *~ de volteo* (전동식) 덤프 트럭, 덤프차. *~ elevador* 리프트 대차(臺車). *~ fuerte* 대차(臺車). *~ fúnebre* 장의차. *~ remolque* 트롤 버스·트럭. *~ triunfal* (행렬 등의) 꽃차. *~ urbano*《*Chile.*》전차(tranvía). *el C- Mayor*【천문】 소웅좌.
*coger*le a uno *el ~* (누구에게) 골치 아픈 일이 생기다.
parar el ~ =detenerse, contenerse.
untar el ~ 소원을 모두 이루게 해주다.
carro[2] *m.*《*CRica.*》【식물】 까로《열매를 먹을 수 있는 태평양 경사지의 나무》.

carro, rra *adj.*《*Ál.*》(과일이) 썩은(podrido, pasado).
carrocería *f.* ① 수레·차량 제작소. ② 자동차의 차체·좌석 부분.
carrocero, ra *adj.* 호화차의. —*m.* 수레 목수.
carrocín *m.* 쌍두 이륜 마차; 가마.
carrocha *f.* (곤충의) 알(huevecillo).
carrochar *intr.* 알을 까다(poner huevos).
carromatero *m.* carromato의 마부.
carromato *m.* 이륜 짐마차.
carrón *m.* (한 사람이 나를 수 있는) 벽돌의 양.
carronada *f.* (옛날의) 대포.
carroña *f.* 썩은 고기(carne corrompida).
carroño, ña *adj.* ① 썩은(corrompido). ②《*Col.*》비겁한, 겁이 많은(cobarde, miedoso).
carroñoso, sa *adj.* 썩은 냄새가 나는, 냄새가 고약한.
carroza *f.* [*ital.* carrozza] ① 호화 마차·자동차; 장식한 차: ~ funeral 장의차. ② 선미(船尾) 갑판. ③《*Perú.*》장의차.
carrozar *tr.* [8] (대에) 차체를 올려 놓다.
carruaje *m.* ① 수레, 마차. ② [집합] 차량.
carruajero *m.* ① 마부. ②《*Amér.*》차량 기술자·목수.
carruata *f.* 【식물】 (아메리카의) 용설란의 일종.
carruca *f.* (고대 로마의) 호화 마차.
carrucar *tr.*《*Sal.*》팽이를 돌리다(correr la peonza).
carruco *m.* [*desp.* carro] 작은 수레.
carrucha *f.* ① 도르래, 활차(滑車). ②《*AmérC. Méx.*》=**carretel.**
carruchera *f.*《*Murc.*》=**dirección, vía.**
carrucho *m.* 작고 나쁜 마차·자동차.
carrujado, da *adj.* 오므라든(encarrujado).
carrujo *m.* 수관(樹冠), 무성한 나뭇가지.
carruna *f.* (레온의 엘 비에르소 지방에서) 샛길(senda).
carrusel *m.* 마상 경기(馬上競技); 회전 목마.
carta *f.* [*lat.* charta] ① ㄱ) 편지, 서한, 서신: papel de ~*s* 편지지. su apreciable ~ 귀 서한. ㄴ) 통첩. ② 패, 카드·트럼프(의 한 장): ¿Qué le parece, jugamos a las ~*s*? 어떻습니까 트럼프 할까요? ③ 지도, 해도(海圖)(mapa): ~ de marear. ④《*Galic.*》차림표, 식단(食單), 메뉴(menú): Comemos a la ~. ⑤ 법규, 규약: ~ del Trabajo 국제 노동 규약. ⑥ (여러 가지) 증명서·허가장: ~ de pago 영수증.
~ abierta 공개장. *~ aparte* 별편. *~ blanca* 백지 위임(장); 무기명 임명서; 독촉장, 독려장. *~ certificada* 등기 (우편). *~ circular* 회람. *~ confidencial* 친전 편지. *~ credencial* 신임장. *~ cuenta* 계산서. *~ de acarreo* 철도 화물 인환증. *~ de amparo* 안전 통행권. *~ de antecedentes* 신용 조회장. *~ de aviso* 적하 통지서. *~ de crédito* 신용장. *~ de creencia* 신임장(~ credencial). *~ de espera* 지급 유예. *~ de fletamento* 용선 증서(傭船證書). *~ de guía* 통과 허가증. *~ de hidalguía* 작위 수여증, 귀족 증명서. *C- de las Naciones Unidas* 유엔 헌장. *~ ejecutoria* 직위 수여증, 귀족 증명서. *~ de marca* 적선 나포 허가서. *~ de contramarca* 상기 허가국의 선박의 나포 허가서. *~ de envío*

철도 화물 인환증. ~ ***de invitación*** 초청장, 초대장. ~ ***de marear*** 해도(海圖). ~ ***de moratoria*** 지불 유예서. ~ ***de naturaleza*** 귀화 인가증. ~ ***de pago y lasto*** 채무 입체 증명. ~ ***de orden*** 명령서. ~ ***de vecindad*** 거주증. ~ ***de venta*** 매도 증서. ~ ***falsa*** 카드의 겉 패. ~ ***familiar*** 일용 서간. ~ ***mensajera*** 전언서. ~ ***pécora*** 고문서. ~ ***postal*** 《*Amér.*》 우편 엽서(tarjeta postal). ~ ***puebla*** 이주 허가서. ~ ***viva*** 전언인(傳言人). ***C- Magna*** 대헌장.

~ ***canta*** 꼼짝달싹할 수 없는 증거가 있다.

a ~ ***cabal*** 나무랄 데 없는, 완벽하게, 완전히 (perfectamente, enteramente, por completo) : honrado *a* ~ *cabal* 아주 정직한. una mujer *a* ~ *cabal* 나무랄 데 없는 여인, 완전한 여인.

echar las ~***s*** 카드로 점을 치다.

jugar a ~***s vistas*** 자신을 가지고 참여하다, 당당하게 행동하다.

jugarse la última ~ (무엇을) 얻기 위해 최선을 다하다.

tomar ~***s en*** …에 간섭하다.

Hablen ~***s y callen barbas*** 【속담】 증거가 있으면 말이 필요없다.

cartabón *m.* (목수들이 쓰는) 곱자, 자 ; 삼각자 ; L자형 자 ; (구둣방의) 발의 칫수 재는 자 ; (측량용) 각도계.

cartabonear *tr.* 《*Amér.*》 (…의) 길이를 재다.

cartagenero, ra *adj.* 까르따헤나 《Cartagena, 기원 전 223년 까르따고의 용장 Asdrúbal이 건립한 남 서반아 지중해의 항구 ; 꼴롬비아의 까리브해에 있는 항구 도시이며 Bolívar주의 수도》의. —*m.f.* 까르따헤나 사람.

cartaginense *adj.* 까르따고의(cartaginés). —*m.f.* 까르따고 사람.

cartaginés, sa *adj.* ① 까르따고의(cartaginense). ② 까르따헤나의(cartagenero). —*m.f.* 까르따고 사람 ; 카르따헤나 사람.

cartaginiense *adj. m.f* =**cartaginense.**

Cartago *m.* 【지명】 까르따고 《기원전 7세기에 페니키아인이 세운 북부 아프리카의 도시 ; Costa Rica의 주 · 주도》.

cártama *f.* =**cártamo.**

cartamo *m.* =**cártamo.**

cártamo *m.* 【식물】 =**alazor.**

cartapacio *m.* ① 잡기장, 공책. ② 학교 가방, 그 내용물. ③ 문서류 ; 문서철.

cartapel *m.* 써서 버린 휴지, 휴지.

cartazo *m.* [*aum.* carta] 따지는 글.

carteado, da *adj.* cartear의 *p.p.*

cartear *intr.* (카드에서) 껍데기 패를 내다. **~se** 서신을 교환하다, 편지를 주고 받다 : *Me carteo* frecuentemente con mis primos.

cartel *m.* ① 붙이는 종이, 포스터, 전단(傳單), 삐라 ; 벽지, 도배지 : Se prohibe fijar ~*es* 포스터 부착 금지. ~ de anuncios 광고, 간판. ② 유명, 평판, 명성(reputación), 인기 (popularidad) : artista de ~ 인기 있는 연예인. tener ~ 명성이 있다, 이름나다. ③ (글을 가르치는) 궤도. ④ 도전장, 결투장(~ de desafío) : enviar ~ 도전장을 보내다, 결투를 청하다. ⑤ 정어리잡이 그물. ⑥ 【경제】 기업 연합, 카르텔 : ~ de exportación 수출 카르텔. ~ de precios 가격 협정. ~ de producción 생산 카르텔, 생산자 조합. ~ de racionalización 합리화 카르텔. ~ internacional 국제 카르텔. ~ obligatorio 강제 카르텔. [*N.* 이 뜻으로는 더러 cártel].

tener ~ (…에) 유명하다, 명성이 자자하다 (tener fama en algo).

cártel *m.* =**cartel.**

cartela *f.* ① (기입용) 카드. ② (나온 창 · 추녀 등의) 받침나무.

cartelera *f.* ① 벽보판 : poner ~*s* en las paredes de un edificio. ② 광고탑, 연극 안내란. ③ 흥행물 광고.

cartelero *m.* 포스터 붙이는 사람.

cartelón *m.* [*aum.* cartel] 대형 포스터, 플래카드.

carteo *m.* 서신의 내왕.

cartera *f.* ① 지갑 ; 시드 《만년필 · 연필 따위를 넣는 가죽 · 비닐집》. ② ㄱ) 문서 가방 : El siempre lleva una ~ negra 그는 항상 검은 서류 가방을 가지고 다닌다. ㄴ) 접는 가방. ③ 종이 집개. ④ 메모장. ⑤ (호주머니의) 뚜껑. ⑥ 문서적인 사무. ⑦ 장관의 직무 : ministro sin ~ 무임소 장관. desempeñar la ~ de Hacienda 재무 장관직을 맡아보다. ⑧ 유가 증권. ⑨ 《*Amér.*》 여성용 핸드백.

cartería *f.* 우편 배달의 직, 집배 사무 ; 그 사무소, 우편과.

carterista *m.f.* 소매치기(ratero).

cartero *m.f.* ① 우편 배달부, 우편 집배인. [*N.* 여자 집배원일지라도 변하지 않는다 ; la cartero]. ② 유가 증권.

cartesianismo *m.* 데카르트 《불란서의 철학자 Descartes》파.

cartesiano, na *adj.* 데카르트파의. —*m.f.* 데카르트파 학자 · 사람.

carteta *f.* 카드 놀이의 일종.

cartilágine *m.* =**cartílago.**

cartilagíneo, a *adj.* 연골(軟骨)의 (어류).

cartilaginoso, sa *adj.* 물렁뼈의, 연골의 ; 연골질 · 성의, 연골로 된 : tejido ~ 연골 조직.

cartílago *m.* [*lat.* cartilago] 【해부】 연골(軟骨) (ternilla) : El esqueleto de muchos peces está formado por ~*s* 많은 물고기의 뼈는 연골로 이루어졌다.

cartilla *f.* ① 초보 독본. Sinón. catón, silabario. ② 편람. ③ 통장, 수첩 : ~ de ahorros 저금 통장. ~ de racionamiento 급식 통장. ④ 교회 연중 행사 일람(añalejo).

no saber la ~ 낫 놓고 기역자도 모른다, 기초 지식도 없다.

cartillero, ra *adj.* 장기의, 특기의, 가장 능한, 특히 자신이 있는 (레퍼터리 등).

cartivana *f.* (지도책 같은 데 두껍게 보이는 자) 끼우는 종이.

cartografía *f.* 지도 · 해도 제작법, 제도.

cartografiar *tr.* 지도를 그리다(trazar un mapa).

cartográfico, ca *adj.* 지도 제작의 · 제도상의 : ciencia ~*ca* 지도 제작학.

cartógrafo, fa *m.f.* 지도 제작자.

cartograma *m.* 통계 지도.

cartolas *f. pl.* ① 2인승 안장(artolas). ② 《*Ál.*》 칸막이(adrales).

cartomancia *f.* 카드・트럼프 점.
cartomancía *f.* =**cartomancia.**
cartomántico, ca *adj. m.f.* 카드 점을 치는 (사람).
cartometría *f.* 해도의 거리 측량.
cartométrico, ca *adj.* 해도의 거리 측량의.
cartómetro *m.* (지도・해도의 거리를 재는) 곡선계, 거리 측량계.
cartón *m.* [*ital.* cartone] ① 후지(厚紙), 판지, 마분지 : ~ acanalado · ondulante 파형(波形) 마분지・판지. ~ paja 마분지. ~ piedra 단단한 마분지. ② 마분지・판지 상자(caja de ~). ③ 밑그림. ④【건축】=**ménsula.**
cartonaje *m.* 종이로 만든 용기, 지기(紙器), 판지 세공품.
cartoné *adj.* 《*Galic.*》 판지로 장정한(encartonado) : en ~ 판지・마분지로 장정하여.
cartonera *f.* ① 뚜껑 달린 마분지 상자. ② 말벌(avispa)의 일종 《둥지가 마분지 상자와 비슷함》.
cartonería *f.* 마분지・판지・두꺼운 종이・종이 용기 공장; 판지 가게.
cartonero, ra *adj.* 두꺼운 종이의; 판지 제조의, 종이 용기업의. —*m.f.* 판지 제조 업자・상인; 종이 용기 직공.
cartoteca *f.* (자료 등의) 카드함・상자.
cartuchera *f.* 탄약통, 탄약대(canana).
cartuchería *f.* 총알・탄약 공장.
cartucho *m.* ① 총알. ② 탄약통, 탄약 상자 : ~ descargado 약포 껍질. ③ (과자의) 삼각 봉지. ④ 말아서 봉한 금화・은화. ⑤ 《*Chile.*》 여자를 모르는 남자.
quemar el último ~ 가장 아끼던 것까지 내던지다, 최후의 노력을 하다.
cartuchón, na *adj.* 《*Chile.*》 시치미를 떼는, 모르는 척하는 : hacerse el ~ 시치미를 떼다, 모른 척하다.
cartuja *f.* 카르토시오 교단《San Bruno가 1086년에 창시한 엄격한 한 종파》; 그 승원・수도원.
cartujano, na *adj.* 카르트시오 교파의 (승려).
cartujo *adj.* 카르토시오 수도회의. —*m.f.* ① 카르토시오 수도사・수도녀. ② 남과 사귀기를 싫어하는 사람.
vivir como un ~ 사교계에서 동떨어져 살다.
cartulario *m.* [*lat.* cartularium] ① 표지를 송아지의 가죽・양피로 포장한 기록부. ② 사법 서기. ③ 공증인(escribano).
cartulina *f.* 얇은 판지《카드 용지》: una tarjeta de ~ 얇은 판지로 만든 카드. **Sinón** bristol.
caruata *f.* 《*Venez.*》 용설란(pita)의 일종.
carúncula *f.* (새의) 볏, 육관(肉冠).
~ *lagrimal* 누선(淚腺), 눈물샘.
carunculado, da *adj.* 볏이 있는.
caruncular *adj.* 볏의, 육관의.
carura *f.* 《*Amér.*》 부족, 결핍(carestía).
carurú *m.* 《*Riopl.*》 까루루 《비름과 식물》.
caruto *m.* 《*Venez.*》【식물】 꼭두서니의 일종.
carvajal *m.* 떡갈나무 숲(robledal).
carvajo *m.*【식물】 떡갈나무(roble).
carvallar *m.* =**carvelledo.**
carvalledo *m.* =**carvajal.**
carvallo *m.*【식물】=**roble.**
carvayo *m.* 《*Ast.*》【식물】=**roble.**
carvi *m.*【식물】 미나리과 식물(alcaravea)의 씨앗.
cas *f.*【속어】 집《casa의 어미 탈락형》: en ~ de José 호세의 집에서. [*N.* en *ca* José로도 됨].
casa *f.* [*lat.* casa] ① 집 : ~ amueblada 가구 딸린 집. estar en ~ 집에 있다. Los domingos estoy en ~ 일요일은 나는 집에 있다. ② 가족 (familia) : Fuimos toda la ~ 우리는 가족이 전부 갔다. ③ …가(家), 가계, 일족 : la ~ de Borbón 부르봉 왕가. ④ 건물. ⑤ 상점, 상사 (~ comercial) : ~ fuerte 장사가 잘 되는 가게. ~ importadora 수입상. ~ exportadora e importadora 무역 회사, 수출입 상사. ⑥ 공장 (fábrica, taller). ⑦ (장기판 등의) 눈금 (escaque). ⑧ 가사 : mujer que lleva bien su ~.
~ *abierta* 사무소. ~ *comercial* 상사. ~ *consistorial* 시읍면 사무소. ~ *cuna* 무료 숙박소. ~ *de aclaración* · *de liquidación* 어음 교환소. ~ *de alquiler* 셋집. ~ *de asistencia* 《*Col. Méx.*》 숙박소. ~ *de ayuntamiento* 시청. ~ *de balcón* 《*Col.*》 (평옥이 아닌) 높은 집. ~ *de banca* 은행. ~ *de baños* 목욕탕. ~ *de beneficencia* 양육원, 자선 병원. ~ *de cambio* 환전소. ~ *de campo* 별장(villa, quinta). ~ *de corrección* 징치감(徵治監). ~ *de correos* 우체국(correo, la oficina de correos). ~ *de Dios* · *del Señor* 승원, 사원, 사찰. ~ *de dormir* 숙박소. ~ *de empeños* · *de préstamos* 전당포. ~ *de expósitos* · *de huerfanos* 고아원(inclusa). ~ *de huéspedes* · *de posada(s)* · *de pupilos* 하숙집. ~ *de juego* 도박장. ~ *de labor* · *de labranza* 농사막. ~ *de locos* · *de orates* 정신 병원 (manicomio); 엉망인 가정. ~ *de maternidad* 산원(產院). ~ *de moneda* 조폐국. ~ *de oración* 사찰, 승원. ~ *de placer* 별장. ~ *de postas* (옛날의) 숙박소. ~ *de Pueblo* 평민 클럽. ~ *de socorro* 구호소. ~ *de tía*【속어】 감옥. ~ *de tócame Roque*【속어】 여러 가구가 사는 집. ~ *de trato* 매춘부집. ~ *de trueno*【속어】 엉망인 가정. ~ *de vacas* 착유소(搾乳所). ~ *de vecindad* 아파트(apartamento, apartamiento). ~ *entresolada* 《*Méx.*》 평옥(平屋). ~ *de ventas por correo* · *correspondencia* 통신 판매점. ~ *editorial* 출판사. ~ *exportadora* 수출 상사, ~ *exportadora e importadora* 무역 회사, 수출입 회사. ~ *extranjera* 외국 회사. ~ *filial* 지점, 지사, 자회사. ~ *fuerte* 성새(城塞). ~ *importadora* 수입 상사, 수입 업자. ~ *local* 《*Méx.*》 점포. ~ *llana* · *pública* 매음굴, 사창가. ~ *matriz* 본점, 본사(casa principal). ~ *mayorista* 도매상. ~ *menorista* 소매상. ~ *mortuora* 초상집. ~ *paterna* 친정. ~ *productora* 제조원, 제조 업자. ~ *profesa* 승원. ~ *real* 왕궁, 왕가. ~ *robada* (가구도 없는) 텅 빈 집. ~ *santa* 예루살렘의 성묘(聖廟). ~ *solar* · *solariega* 종가(宗家), 가장 오래된 집. ~ *Presidencial* 대통령 궁(宮)・관저(官邸)(mansión presidencial). ~ *representante* 대리점. *alquiler de* ~ 집세.
caerse la ~ *a cuestas* 골치 아픈 일이 생기다.
cambir de ~ 이사하다.
echar la ~ *por la ventana* 탕진하다(gastar con

exceso).
levantar la ~ 거처를 옮기다.
poner ~ 가정을 꾸리다.
poner la ~ 가재・가구를 들여 놓다 ; 조작하다.
Casa Blana *f.* 백악관.
Casa Rosada *f.* 까사 로사다《아르헨띠나의 정부 청사》.
casaba *f.* 《*Galic.*》 성곽, 성, 성의 둘레, 요새시(要塞市)(alcazaba).
casabe *m.* =**cazabe.**
casabillo *m.* (얼굴의) 흰 점.
casaca *f.* [*ital.* casacca] ① (옛날의) 연미복 ; 예복. ② 결혼.
volver (la) ~ 당을 옮기다, 반대당에 가입하다, 변절하다.
casación *f.* (판결의) 파기, 취소(anulación).
casacón *m.* [*aum.* casaca] 연미복 비슷한 긴 웃옷.
casadero, ra *adj.* 혼기의, 혼기가 된, 결혼할 나이의 : hija ~*ra* 혼기가 된 딸.
casado, da *adj.* [casar의 *p.p.*] 결혼한 : estar ~ 결혼했다. —*m.f.* 기혼자, 아내 가진 사람 ; 남의 아내, 유부녀 : ser ~ 기혼이다. ¿Es usted ~ o soltero? 결혼하셨습니까, 독신이십니까? los recién ~*s* 신혼 부부. —*m.* 【인쇄】 정판(整版).
El ~ *casa quiere* 【속담】 기혼자는 독립해 살아야 한다.
casaisaco *m.* 《*Cuba.*》 종려나무의 기생 식물.
casal *m.* ① 두메 산골의 농장. ② 《*Amér.*》 암수 한 쌍(la pareja de macho y hembra).
casalicio *m.* =**casa, edificio.**
casamata *f.* 포대(砲臺) ; (포대의) 포곽(砲郭), (군함의) 포탑.
casamentero, ra *adj.* 중매하기 좋아하는. —*m.f.* 중매 좋아하는 사람 : Los ~*s* sólo consiguen a veces crearse enemigos.
casamiento *m.* 결혼(식) : ~ muy lujoso 호화찬란한 결혼(식).
casampulga *f.* 《*Hond. Salv.*》 독거미(araña venenosa).
casamuro *m.* (옛날의) 성벽.
Casandra *f.* 【전설】 까산드라 《Troya의 왕 Príamo의 딸로 그 멸망을 예고한 예언자》.
casapuerta *f.* 현관(zaguán, portal).
casaquilla *f.* =**casaquín.**
casaquín *m.* *dim.* casaca.
casar[1] *tr.* ① 결혼시키다, (성직자가 누구의) 결혼식을 하다. ② 짝을 맞추다, 배합하다 : ~ lo blanco *con* 10 verde.
—*intr.* ① 결혼하다(contraer matrimonio) : ~ con una viuda 과부와 결혼하다. ② 어울리다, 조화를 이루다 : Estos colores no *casan* 이러한 빛깔들은 조화되지 않는다.
~**se** 결혼하다 : ~*se* en segundas nupcias 재혼하다. Ella *se casó con* un joven argentino 그녀는 한 아르헨띠나의 청년과 결혼했다.
no ~*se con nadie* 독립성을 유지하다.
Antes que te cases mira lo que haces 【속담】 매사에 신중을 기해야 한다, 중요한 결정은 오랫동안 생각해야 한다.
casar[2] *m.* [*lat.* cassare] 부락(部落).
casar[3] *tr.* [*lat.* cassâre] 파기하다, 무효로 하다 (anular, abolir, abrogar, derogar) : ~ un testamento 유언(장)을 파기하다. ~ una ley 법률을 파기하다.
casariego, ga *adj.* 《*Ast.*》 =**casero.**
casarón *m.* [*aum.* casa] 덜렁하게 넓은 집, 오래된 저택.
casatienda *f.* 가게 겸 주택.
casba *f.* =**alcazaba.**
casca *f.* ① 포도즙을 짜낸 찌꺼기(hollejo). ② 떡갈나무 무리의 껍질 ; 껍데기(cáscara)..
cascabel *m.* 방울.
de ~ *gordo* 겉만 번드르하고 내용이 빈약한 (문학・예술 작품).
poner el ~ *al gato* 위험・곤란과 싸워 나가다.
serpiente de ~ 【동물】 방울뱀(serpiente de casabela).
cascabela *f.* 《*CRica.*》 【동물】 방울뱀(serpiente de cascabel).
cascabelada *f.* ① 떠들썩한 잔치(fiesta muy ruidosa). ② 어리석음(tontería) : soltar una ~.
cascabelear *tr.* 교묘한 말로 꼬이다, 감쪽같이 속이다. —*intr.* 종이 울리다(sonar los cascabeles). ② 경솔하게 굴다(portarse con ligeza). ③ 《*Chile.*》 투덜거리다, 불평하다.
cascabeleo *m.* ① 방울 소리가 나는 일, 방울 소리. ② 소홀함. ③ 교묘한 선동.
cascabelero, ra *adj.* 경(솔)한, 지각없는. —*m.* 딸랑이 《장난감 이름》.
cascabelillo *m.* 【식물】 매화나무의 한 별종 ; 소형 자두나무 (열매).
cascabillo *m.* ① 방울(cascabel). ② 【식물】 밀의 꼬투리 ; (도토리의) 꼬투리.
cascabullo *m.* 《*Sal.*》 =**cascabillo.**
cascaciruelas *m.f.* 【단・복수 동형】 깡패, 불량배.
hacer lo que C- 별 볼일없이 열심히 하다.
cascada *f.* [*ital.* cascata] 폭포(catarata, salto) : ~ del Niágara 나이아가라 폭포.
en ~ 폭포가 되어, 콸콸.
cascadera *m.* =**cascapiñones.**
cascado, da *adj.* ① 지친, 소모된(enclenque). ② 오래된(viejo). ③ 목소리가 잠긴・쉰 : una voz ~*da* 쉰 목소리.
cascadura *f.* 분쇄(粉碎).
cascajal *m.* ① 자갈밭. ② 짜고 남은 포도 찌꺼기를 두는 곳.
cascajar *m.* =**cascajal.**
cascajera *f.* =**cascajal.**
cascajo *m.* ① 자갈, 돌멩이. ② (호두・밤 등 크리스마스 때 먹는 습관이 있는) 견과(堅果) : comer ~. ③ 낡은 집. ④ 낡은 가구・세간.
estar hecho un ~ 늙다, 노쇠하다, 낡아 빠지다, 노후하다.
cascajoso, sa *adj.* 자갈・돌멩이투성이의.
cascajuelo, la *adj.* *m.f.* 비얄만소 《Villalmanzo, Burgos 주의 마을》의 (사람).
cascalote *m.* 【식물】 까스깔로떼 《아메리카 산 미모사속 약용재》.
cascalleja *f.* 야생 구즈베리의 열매.
cascamajar *tr.* 빻다, 찧다, 부수다 ; 으깨다 (quebrantar machacando).
cascambruca *f.* 《*Cuba.*》 싸움, 언쟁.

cascamiento *m.* =**cascadura.**
cascante *adj.* 빻는, 찧는, 깨는, 부수는.
cascanueces *m.* 【단·복수 동형】 ① 호두까개 (partenueces). ②【조류】 산 갈가마귀. ③ 방정맞은·경박한·무분별한 사람.
cascapiñones *m.* ① 나무 열매 까는 도구. ② 파인애플을 까는 사람.
cascar *tr.* 7 [*ital.* quassare] ① 빻다, 찧다, 깨다; 쪼개다 : ¿Tiene algo con que ~ estas nueces? 이 호두를 까는 것을 가지고 있습니까? ② 찰싹찰싹 때리다(golpear). ③ (건강을) 해치다.
—*intr.* ① 마구 지껄여대다(charlar). ② 《*Chile.*》 열심히 하다 : Vamos *cascando* 열심히 하자.
~se ① 지껄이다. ② 건강을 해치다. ③ 부서지다.
cáscara *f.* ① 껍질 : ¿Dónde pongo las ~*s* de huevos? 계란 껍질을 어디 놓을 까요? ② 나무껍질(corteza) : ~ sagrada 아메리카 쐐기풀; 그 나무 껍질, 완화제. ③【은어】 양말.
de ~ amarga 시건방진 (사람); 첨단적인 사상을 가진 (사람).
cascarada *f.* 【은어】 소동, 싸움.
¡cáscaras! *interj.* 이거 놀랍군! 《놀람·감탄할 때》.
cascarear *tr.* 《*Amér.*》 ① 철썩철썩 때리다. ② (누구에게서) 빼앗다. —*intr.* 《*Amér.*》 빈궁한 처지에 있다, 옹색하다; 일자리를 찾으러 나가다.
cascarela *f.* =**cuatrillo.**
cascarilla *f.* [*dim.* cáscara] ① 까스까리야 《약용》. ② 기나수(幾那樹)의 껍질. ③ 얇은 금속판 : botones de ~ 도금한 단추. ④ (계란 껍질로 만든) 하얀 가루. ⑤ (차로 쓰는) 코코아의 과피(果皮).
cascarillal *m.* 《*Perú.*》 기나수의 야생숲.
cascarillero *m.* cascarilla 수확자.
cascarillina *f.* 【화학】 기나소(幾那素).
cascarillo *m.* 《*Perú.*》【식물】 기나나무, 금계랍나무.
cascarón *m.* [*aum.* cáscara] ① (특히 부화 후의) 계란 껍질. ② 4분의 1의 둥근 천장.
~ *de nuez* 작은 배, 거룻배.
cascarrabias *m.f.* 【단·복수 동형】 =**berrenchín.**
cascarria *f.* 《*Arg.*》 =**mugre.**
cascarrojas *m.pl.* 선충(船虫).
cascarrón, na *adj.* ① 목이 쉰·잠긴(bronco). ② 깔끄러운(áspero).
cascarudo, da *adj.* 큰 껍질이 있는.
cascaruja *f.* 《*Murc.*》 =**cascajo.**
cascaruro, ra *adj.* 껍질이 두꺼운·단단한.
cascaruleta *f.* 턱을 마주쳐 내는 이빨 소리.
casco *m.* ① 두개골(cráneo) ② 머리, 두뇌(cabeza). ③ 사고 방식 : de ~*s* lucios 경망스런. ④ (모자의) 윗부분. ⑤ 모자, 철모, 방화모; 헬멧. ⑥ (도자기·유리의) 쪼가리·파편 : un ~ de botella. ⑦ (양파 등의) 비늘줄기. ⑧ 발굽 : Poco después oyó el ruido que hacían los ~*s* de los caballos que se acercaban 잠시후 그는 가까워지는 말발굽이 내는 소음을 들었다. ⑨ 병; 통 : ~ de cemento 시멘트 통. ⑩ (물건의) 동체, 몸통, 본체 : ~ de casa 건물의 본체. ⑪ (안장의) 몸체; 선체(船體). ⑫ (도시나 읍의) 성(城), 가옥의 밀집 지구(~ de población). ⑬ (필리핀의 5천톤 가량의) 배. ⑭ 《*Amér.*》 (밀감 등의) 주렁주렁 열림. ⑮ 《*Chile.*》 대지, 토지. ⑯ 《*Méx.*》 일단(一團)의 농장. —*pl.* (소·말의 잘라낸) 머리.
alegre · barrendo · ligero de ~s 경솔한, 지각없는, 방정맞은, 경박한.
cortar a ~ 지엽(枝葉)을 몽땅 치다.
lavar el ~ · los ~s 아첨하다, 아부하다.
levantar de ~s 놀리다, 우롱하다.
meterse en los ~s 무작정 믿어 버리다.
romper los ~s (누구의) 머리통을 까다; 신물나게 만들다.
romperse los ~s 골머리를 앓다.
sentar los ~s 몸을 회복하다.
cascorvo, va *adj.* 《*Col.*》 =**cazcorvo.**
cascote *m.* ① 《*Amer.*》 노인. ② 《*Arg.*》 기혼 남자. ③ (건물을 철거한) 파편, 잡동사니, 돌더미, 돌부스러기, 허섭스레기.
cascotear *tr.* ① 《*Arg. Urug.*》 (남에게) 조각·돌멩이를 던지다. ② 《*Perú.*》 (과일의) 껍질을 갉아내다.
cascotería *f.* 돌더미.
cascudo, da *adj.* casco가 큰.
cascundear *tr.* 《*AmérC.*》 딱딱 때리다.
caseación *f.* (우유의) 건낙소(乾酪素)·카세인화(化).
caseico, ca *adj.* =**caseoso.**
caseificación *f.* ① 치즈화(化), 카세인화; 카세인 침전. ②【병리】 건낙화(乾酪化)·변성.
caseificar *tr.* 7 치즈화하다, 낙화(酪化)하다; (우유에서) 카세인을 분리하다.
caseiforme *adj.* 치즈 형태의.
caseína *f.* [*lat.* caseus] 【화학】 건낙소(乾酪素), 카세인.
caseinería *f.* caseína 공장.
cáseo, a *adj.* =**caseoso.**
caseoso, sa *adj.* 치즈의·같은. —*m.* 엉겨 있는 우유.
casera *f.* 《*Ar.*》 (남자만 돌보는) 가정부(ama de gobierno).
caseramente *adv.* 격식을 차리지 않고, 수수하게.
casería *f.* ① 산간의 농장, (농장의) 별채, 별동(別棟). ② 가정(家政). ③ 《*Amér.*》 [집합] 단골손님, 고객(clientela, parroquia).
caserillo *m.* 손으로 짠 삼베(lienzo casero)의 일종.
caserío *m.* 부락; 산간의 농장.
caserna *f.* ① 성채의 무사들이 묵는 집. ② =**casamata.**
casero, ra *adj.* ① 집의 : medicina ~*ra* 가정 상비약. ② 수제(手製)의, 손수 만든 : pan ~ 손수 만든 빵. ③ 집에서 기른 : conejo ~ 토끼. ④ 딴 식구가 끼지 않은 : función ~*ra* 집안 식구들만의 오붓한 행사. ⑤ 집에만 틀어박혀 있는 : una vida ~*ra* 집안에만 있는 생활. ⑥ 집안 살림에 신경을 쓰는. —*m.f.* ① (하숙하는 사람에 대한) 집주인. ② 집 보는 사람. ③ 하숙인. ④ 가정부. ⑤ 《*Amér.*》 (가게의) 단골 손님.
estar muy ~ra (여자가) 평상복으로 옷을 입고

있다.

caserón *m.* [*aum.* casa] 덩그렁하게 넓기만 한 집.

caseta *f.* [*dim.* casa] ① 움막. ② (해수욕장 등의) 탈의소, 탈의실, 탈의장. ③ 산장, 방갈로 : ~ de policía 파출소. ④ (전람회 등의) 전시실.

casete *m.(f.)* 카세트.

caseto *m.* 《*Sal.*》 =**caseta.**

casetón *m.* (격자 천장의) 격자(artesón).

casi *adv.* ① 거의 : botella ~ llena 거의 가득찬 병. cosa ~ increíble 거의 믿을 수 없는 일. Es ~ imposible 그것은 거의 불가능하다. *Casi* me caí 나는 넘어질 뻔했다. ② 대략 : cien años o ~ 100년 아니면 대략 그 정도. ③ [+que 구어로 문장 앞에서] 거의 : *Casi que* parece de ayer 마치 어제의 일처럼 여겨진다. *Casi que* sí 우선은 그렇다, 거의 맞는 이야기다.

casia *f.* 【식물】 카시아.

casicontrato *m.* 준계약(準契約)(cuasicontrato).

casidulina *f.* (지중해·뻬루·빠따고니아에 있는) 조개.

casilla *f.* [*dim.* casa] ① 작은 집. ② 파수막 : la ~ de un paso a nivel 건널목 파수막. ③ 《*Bol. Chile. Perú. Urug.*》 우편 사서함 : ~ postal de correos. ④ 《*Ecuad.*》 변소. ⑤ 【고어】 (극장 등의) 매표소. ⑥ (장기판 등의) 판면. ⑦ (분류해 넣어 두는 그릇의) 구획. ⑧ (여러 용지의) 항, 난(欄). ⑨ 《*Cuba.*》 (새잡는) 그물, 덫. ⑩ 《*Cuba.*》 정육점.

sacar de sus ~s 생활을 바꾸도록 하다 ; 더 이상 참지 못하게 하다.

salir de sus ~s 무척 화내다, 바싹 달아오르다.

casillero, ra *m.f.* 건널목지기. —*m.* (서류의) 정리함, 분류 선반. Sinón. archivo.

casimba *f.* ① 《*AmérM.*》 우물 ; 빗물통. ② 《*Col.*》 작은 집, 움막.

casimir *m.* 캐시미어 《인도 카시미르 지방의 염소 털로 짠 직물》; 또, 이를 모방하여 짠 고급 양복감.

casimira *f.* =**casimir.**

casimiro, ra *adj.* 《*AmérM.*》 【속어】 사팔뜨기의.

casina *f.* 【식물】 차(té)의 일종.

casineta *f.* =**casinete.**

casinete *m.* 《*AmérM.*》 값싼 캐시미어.

casino *m.* [*ital.* casino] ① 카지노 ; 클럽 (회관). ② (동업자·동류자의) 모임(sociedad, círculo) : ~ agrícola 농업회. ③ 교외 유흥장.

Casiopea *f.* 【천문】 카시오페아좌.

casipulga *f.* 《*Nicar.*》 =**casampulga.**

casis *m.* ① 【식물】 검정 구즈베리. ② casis로 빚은 술. ③ 【조개】 (지중해의) 소라고둥의 일종.

casita *f.* [*dim.* casa] =**retrete.**

casiterita *f.* 【광물】 석석(錫石).

casitienda *f.* =**casatienda.**

casmarringo *m.* 【조류】 까스마링고 《아메리카의 열대 지방의 새》.

casmodia *f.* 하품 빈발증.

caso *m.* [*lat.* casus] ① 경우 : en este ~ 이 경우에는. en tal ~ 그런 경우에는. en cualquier ~ 어떤 경우에도. ② 기회. ③ 예, 사례, 보기, 케이스 : Se dan ~*s* 그런 예는 드물지 않다. ④ 일 ; 사건. ⑤ (고려할, 당면한) 문제, 본제(本題), 본론 : Vamos al ~ 본론으로 들어갑시다. ⑥ 환자, 환자수. ⑦ 【문법】 격(格) : ~ nominativo 주격. ~ oblicuo 사격(斜格)《주격·호격 이외의 격》. ~ recto 주격과 호격.

~ ***apretado*** 해결 곤란한 일.

~ ***fortuito*** 불가항력적인 일, 불가항력(fuerza mayor).

~ ***de conciencia*** 도덕상의 회의.

~ ***de honra*** 명예 문제.

a ~ hecho 고의로, 일부러 ; 사실로서.

de ~ pensado 일부러.

en ~ de, ~ que · en ~ de que …할 경우에는, 할 때는.

dado ~ (que) …이라 가정하고.

en todo ~ 아무튼(como quiera que sea, sea lo que fuere) : *En todo* ~ yo iré mañana 아무튼 나는 내일 가겠습니다.

El ~ es que 사실을 말하면 : *El ~ es que* pasé un día horrible 사실을 말하면 나는 무서운 하루를 보냈다.

caer en mal ~ 웃음거리가 되다.

estar en el ~ 사정을 알고 있다.

hablar al ~ 경우에 맞는 말을 하다.

hacer ~ de …을 고려하다 : No *haga ~ de* ella 그녀의 일은 무관심 하세요. No *hizo caso de* sus temores 그의 걱정에 전혀 무관심했다.

hacer ~ omiso de …을 생략하다.

hacer al ~, ser del ~, venir al ~ 용케 들어맞다.

tener ~ 필요하다(hacer caso).

casolero, ra *adj.* 집에만 틀어박혀 있는 (사람).

casón *m.* [*aum.* casa] 커다란 집.

casona *f.* 커다란 집 ; 구가(舊家), 오래된 집.

casorio *m.* 무분별한 결혼 ; 신통치 않은 결혼. Sinón. bodorrio.

caspa *f.* 비듬 ; 부스럼 딱지.

caspera *f.* 참빗.

caspete *m.* 《*Col.*》 =**rancho.**

caspia *f.* 《*Ast.*》 사과의 껍질(orujo de la manzana).

caspicias *f.pl.* 찌꺼기, 남은 것(resto, sobras de ningún valor).

caspio, pia *adj.* 카스피족의 : el Mar *C-* 카스피해. —*m.pl.* 카스피족.

caspiroleta *f.* 《*Amér.*》 까스삐롤레따 《뜨거운 우유에 소주·계란·설탕·육계(肉桂) 따위를 넣은 음료》.

¡cáspita! *interj.* 저런, 저런 ! 《놀라움의 표시》.

caspolino, na *adj. m.f* 까스뻬 《Caspe, Zaragoza주의 도시》의 (사람).

casposo, sa *adj.* 비듬투성이의.

casquería *f.* 내장 요리집.

casquero, ra *m.f.* 내장 요리 장수.

casquetazo *m.* =**cabezazo.**

casquete *m.* 실내용 두건 ; (카톨릭 성직자의) 반원모 ; 투구 ; (머리 한 쪽에 쓰는) 반가발.

~ ***de regadera*** 물뿌리개의 살수구.

casquiacopado, da *adj.* 발굽이 높고 둥그스름한.

casquiblanco, ca *adj.* 발굽이 하얀.

casquiderramado, da *adj.* 발굽이 넓적한.
casquijo *m.* =**guijo.**
casquilucio, cia *adj.* =**casquivano.**
casquillo *m.* ① (지팡이 등의 끝에 붙은) 쇠붙이, 쇠고리, 링. ② 화살촉. ③ 《*Amér.*》 편자(herradura). ④ 《*CRica.*》 펜대(portapluma). ⑤ 《*Cuba.*》 비겁. ⑥ 《*Hond.*》 (모자의) 안감.
casquimuleño, ña *adj.* 발굽이 높고 조그마한 ; 말발굽 모양의.
casquín *m.* 《*AmérC.*》 (손으로 먹이는) 군밤.
casquinón *m.* 《*Murc.*》 (편도나 개암 열매 조각을 넣은) 커다란 캐러멜.
casquite *m.* 《*Venez.*》 =**agriado.**
casquivano, na *adj.* 방정맞은, 지각없는, 무분별한, 주책없는, 경망스런.
casta *f.* [*lat.* castus] ① 혈통(linaje) : cruzar las ~*s* 교배하다. ② (인도의) 계급, 사성(四姓). ③ (어떤 사회의) 계급. ④ 종류, 성질. ⑤ 《*Méx.*》 자체(字體)가 같은 한 벌의 활자.
De ~ le viene al galgo el ser rabilargo 【속담】 부전자전.
castálidas *f.pl.* 뮤즈, 아홉 여신(las musas).
castalio, lia *adj.* 까스딸리아《Castalia, 그리스 Parnaso의 성천(聖泉)》의 ; 뮤즈 신들의.
castamente *adv.* 순결하게, 정결하게, 맑게 (con castidad, de manera casta).
castán *m.* (터키 사람들이 쓰는) 터번(turbante)의 일종.
castaña *f.* ① 밤 : ~ apilada · pilonga 말린 밤. ~ regoldana 산밤. ② 채롱에 든 목이 가는 큰 병(demajuana). ③ (다발로 묶은 머리의) 상투. ④ 《*Méx.*》 작은 통(barril pequeño).
dar la ~ 속이다 ; 골탕먹이다.
secar las ~s del fuego (남을 위해) 위험이나 괴로움을 자처하다.
castañal *m.* 밤나무숲(castañar).
castañar *m.* =**castañal.**
castañazo *m.* 《*Arg. Urug.*》 =**puñetazo.**
castañeda *f.* =**castañal.**
castañera *f.* ① 여자 밤장수. ② 《*Ast.*》 밤나무가 많은 곳.
castañero, ra *m.f.* 밤장수. —*m.* 【조류】 물갈퀴새.
castañeta *f.* ① 캐스터네츠 : Las ~*s* sirven para acompañar diferentes bailes españoles. ② 손가락 튕기기 《가운뎃손가락의 등으로 딱소리 내기》. ③ 투우사의 변발(辨髮).
castañetada *f.* =**castañetazo.**
castañetazo *m.* 군밤 튀기는 소리 ; 캐스터네츠 소리 ; 손가락을 튕겨서 내는 소리
castañete *adj.* [*dim.* castaño] 씨껍질이 붉은 (마늘).
castañeteado *m.* 캐스터네츠 치기 ; 캐스터네츠의 소리.
castañetear *intr.* ① 캐스터네츠를 치다(tocar las castañetas). ② 이를 딱딱 마주쳐 울리다. ③ 손가락을 튕기다. ④ 무릎에서 똑똑 소리가 나다. ⑤ (자고의 수컷이) 울다.
castañeteo *m.* castañetear하는 일.
castañetero, ra *m.f.* ① 캐스터네츠 연주자. ② 캐스터네츠 제조자 · 판매자.
castaño, ña *adj.* 밤색의 : Tiene el pelo ~ 그녀의 머리카락은 밤색이다. —*m.* 【식물】 밤나무.
~ *de Indias* 【식물】 칠엽수(七葉樹).
pasar algo de ~ obscuro 사태가 중대하다.
castañola *f.* 【어류】 까스따뇰라 《지중해의 물고기》.
castañuela *f.* 【악기】 캐스터네츠 : Ella sabe tocar ~*s* muy bien 그녀는 캐스터네츠를 잘 친다.
estar como unas ~s 몹시 즐거워하고 있다.
castañuelo, la *adj.* 밤색 털의 (말).
castel *m.* 【고어】 성(castillo).
castellán *m.* 성주(castellano).
castellana *f.* ① 성의 여주인 ; 성주의 아내. ② 까스띨랴 태생의 여자. ③ 【시어】 8음절 4행의 율격. ④ 옛날의 금화 이름 : ~ de oro.
a la ~ 까스띠야식 · 풍으로.
castellanamente *adv.* 까스띠야식 · 풍으로.
castellanía *f.* 특별 시정 지역(territorio independiente).
castellanismo *m.* 까스띠야 지방의 특유의 말씨 · 사투리.
castellanizar *tr.* ⑨ (외국어를) 서반아어화하다.
castellano, na *adj.* 까스띠야의 : lengua ~*na* 서반아어. —*m.f.* 까스띠야 사람. —*m.* ① 서반아어. ② 성주. ③ 옛날의 금화. ④ 창병(槍兵).
castellar *m.* 【식물】 고추나물(todabuena).
Castellón *m.* 【지징】 까스떼욘 《서반아의 주 · 시》.
Castellón de la Plana *m.* 【지명】 까스떼욘 · 데 · 라 · 쁠라나 《서반아의 주 · 시》.
castellonense *adj.* *m.f* 까스떼욘 데 라 쁠라나 《Castellón de la Plana, 서반아의 주 · 시》의 (사람).
casticidad *f.* ① 순결 ; 정숙 ; 고상 ; 순정(純正). ② 조촐함. ③ 순수한 혈통.
casticismo *m.* =**casticidad.**
casticista *m.f.* 순정주의자.
castidad *f.* 순결, 정결 : ~ conyugal 정조.
castigación *f.* 처벌(castigo).
castigadera *f.* (우마에게) 방울을 달아 주는 끈.
castigador, ra *adj.* castigar하는. —*m.f.* 징벌자 ; 짐짓 반한 척하는 사람 ; 처벌 당국자.
castigar *tr.* ⑧ [*lat.* castigare] ① 벌주다, 혼내주다, 징계하다, 응징하다 : ~le a uno *de* · *por* sus fechorías 어떤 사람의 못된 짓을 벌하다. ② 괴롭히다, 들볶다(afligir) : ~ el cuerpo 신체를 괴롭히다. ③ (문구를) 수정하다(corregir) : ~ con esmero el estilo 문장을 정성껏 다듬다. ④ (비용을) 최대로 줄이다. ⑤ (매력적으로) 애간장을 녹이다. ⑥ 《*Méx.*》 (나사 · 끈을) 조이다.
[접속법 현재 : castigue, castigues, castigue, castiguemos, castiguéis, castiguen. 직설법 부정과거 1인칭 단수 : castigué].
castigo *m.* ① 벌 ; 징벌, 응징 : ~ ejemplar 본보기로 주는 벌. El ~ que le dio fue demasiado duro 그에게 준 벌은 너무 가혹했다. Su padre le impuso un ligero ~ 그의 아버지는 그에게 가벼운 벌을 주었다. ② 수정. ③ 괴로운 일 : ser de ~ 괴롭고 어렵다.
castila *adj.* 《*Filip.*》 서반아 사람의. —*m.f.* 서반

아 사람. —*m.* 서반아어.

castilla *f.* 《*Chile.*》 까스띠야 섬유 《두꺼운 모직물》.

Castilla *f.* 옛 까스띠야 왕국.
Ancha ~ 세상은 넓다. ¡ ~ *cosa*! 멋있다!

castillaje *m.* =**castillería.**

Castilla la Nueva 【지명】 까스띠야·라·누에바 《서반아의 Madrid, Toledo, Ciudad Real, Cuenca 및 Guadalajara 주로 형성된 지방》.

Castilla La Vieja 【지명】 까스띠야·라·비에하 《서반아의 Cantabria, Burgos, La Rioja, Soria, Segovia, Ávila, Valladolid 및 Palencia 주로 형성된 지방》.

castillanismo *m.* 까스띠야의 지방풍·지방색·사투리.

castillejo *m.* [*dim.* castillo] ① (어린아이의) 보행 보조기. ② (건축의) 발판.

castillete *m.* *dim.* castilla.

castillo *m.* [*lat.* castellum] 성(城), 성채; 망루, 망대 : ~ de fuego 장치 꽃불. ~ de popa 사령 갑판, 선미루(船尾樓). ~ de proa 사령전(司令前) 갑판, 선수루(船首樓).
hacer·levantar ~s de naipes 기대할 수 없는 것을 공연히 기대하다.
hacer·formar·fundar ~s en el aire 공중 누각을 만들다.

castilloa *f.* 【식물】 =**castilla.**

castilluelo *m.* *dim.* castillo.

castina *f.* 【야금】 매용제(媒溶劑), 용제.

castizamente *adv.* 순수하게, 바르고 깨끗하게.

castizar *tr.* 《*Cuba. PRico.*》 교배하다.

castizo, za *adj.* ① 혈통이 순수한·정통한·좋은; 순종의. ② (언어의) 순정한, 순수하고 올바른(típico, genuino) : El habla un español ~ 그는 순수하고 바른 서반아어를 한다. ③ 다산계(多產系)의 (prolífico). ④ 《*Amér.*》 =**cuarterón.**

casto, ta *adj.* [*lat.* castus] 순결한, 맑은, 정결한 : una *casta* imagen.

castor *m.* [*lat.* castor] ① 【동물】 해리(海狸), 비버, 바다삵. ② 해리의 가죽. ③ 해리 털로 짠 모직. ④ 【식물】 떡갈나무. ⑤ 《*Méx.*》 속치마.

Cástor *m.* 【천문】 쌍둥이좌 Géminis의 별.
~ *y Pólux* 【신화】 Júpiter와 Leda와의 사이에 태어난 쌍둥이. ② 【천문】 쌍둥이좌의 일등별. ③ (폭풍우 때에 마스트나 첨탑 끝에 나타나는) 방전 현상, 도깨비불(fuego de Santelmo).

castora *f.* 【방언】 실크 해트(sombrero de copa).

castoreño *adj.* ① 바다삵의. ② castor모자의. —*m.* castor 모자.

castóreo *m.* castor향 《약품·향료》.

castorina *f.* ① castor 털과 양모의 혼방. ② 【화학】 카스토린.

castra *f.* ① 거세. ② 채밀(採密). ③ 전정(剪定).

castración *f.* =**castra.**

castradera *f.* 꿀 따는 주걱.

castrado *adj.* 거세된.

castrador *m.* 거세하는 사람.

castradura *f.* 거세; 거세한 자국.

castrametación *f.* 【군사】 포진법(布陣法).

castrapuercas *m.* 【단·복수 동형】 호루라기의 일종.

castrapuercos *m.* 【단·복수 동형】 =**castrapuercas.**

castrar *tr.* ① 거세하다(capar). ② 꿀을 따다. ③ 전정(剪定)하다(podar); 솎아내다. ④ 약하게 하다, 김을 빼다, 맥을 못추게 하다.

castrazón *f.* 벌꿀 따기; 벌꿀 따는 시기.

castrense *adj.* 군사의; 군인의, 무인의 : capellán ~ 종군승(從軍僧).

castreño, ña *adj.* *m.f.* 까스뜨로헤리스 《Castrogeriz, Burgos 주의 마을》, 까스뜨로 델 리오 《Castro del Río, Córdoba 주의 마을》, 까스뜨로 우르디알레스 《Castro Urdiales, Santander주의 도시》, 까스뜨로곤살로 《Castrogonzalo, Zamora 주의 마을》의 (사람).

castrismo *m.* 까스트로 《Fidel Castro(1927~); 꾸바의 수상》주의.

castrista *adj.* 카스트로주의의. —*m.f.* 카스트로주의자.

castro *m.* ① 꿀따는 시기(castrazón). ② 어린아이들의 돌던지기 놀이. ③ (북부 해안에) 거암(巨岩), 단애. ④ 옛 성터.

castrocomunista *m.f.* 카스트로 공산주의자.

castrón *m.* ① 거세한 산양. ② 《*Cuba.*》 거세한 돼지.

castruera *f.* 《*Col.*》 【음악】 까스뜨루에라 《옛 악기》.

cástula *f.* (로마 여인들이 사용했던) 긴 겉옷 (túnica larga).

casual *adj.* [*lat.* casualis] ① 우연의 : Fue un encuentro ~. ② 불의의; 불시의. ③ 【문법】 격(caso)의, 격을 나타내는. **Contr.** previsto.
—*m.* =**casualidad.**

casualidad *f.* ① 우연 : por ~ 우연히, 혹시. ¡Qué ~ encontrarnos en el mismo tren! 같은 열차에서 만난 것은 정말 우연입니다. ② 불의, 예상치도 않은 뜻밖의 일.
de ~ 《*Amér.*》 우연히.

casualismo *m.* 우연론, 우연주의.

casualista *m.f.* 우연론자.

casualmente *adv.* 우연히(por casualidad).

casuar *m.* 【조류】 =**casuario.**

casuárida *adj.* 【조류】 화식조(火食鳥) 속의. —*f.pl.* 화식조속 조류.

casuáridos *m.pl.* 【조류】 =**casuáridas.**

casuarina *f.* 【식물】 (호주·서인도산 식물인) 목마황(木麻黃).

casuario *m.* 【조류】 화식조(火食鳥).

casuca *f.* [*desp.* casa] 누옥(陋屋), 초라한 집, 쓰러져 가는 집.

casucha *f.* =**casuca.**

casucho *m.* =**casucha** .

casuismo *m.* 결의론, 형식론.

casuista *m.f.* 결의론자(決疑論者); 궤변가; 형식론자, 도학자.

casuística *f.* ① 결의론, 의의 신학(疑義神學) 《사회의 관습이나 교리 등에 비추어 도덕 문제를 해결하는 것》. ② 억지로 맞춤, 궤변.

casuístico, ca *adj.* 결의론의, 도학자적인, 의의 신학(疑義神學)의; 특례법의; 궤변적인.

casulla *f.* 카톨릭 신부의 제의(祭衣), 승포(僧袍).

casullero *m.* 승려 의상사(衣裳師).
casumba *f.* 《*Col.*》 =**casucha.**
casunguear *tr.* 《*Perú.*》 때리다 ; 들볶다.
casus belli *m. lat.* 개전 이유(開戰理由).
cata *f.* ① 시식, 시음, 시식 음료. ② 조사, 수색. ③ 《*Amér.*》 【광물】 시굴(試掘). ④ 《*AmérM.*》 감추어진 것. ⑤ 《*Amér.*》 (여러 가지) 앵무새.
dar ~ 마음을 두다 ; 찾다.
darse ~ *de* 알아채다, 눈치채다.
cata- *pref.* [*gr.* kata] 「밑으로」를 뜻하는 접두어 : *cata*cumba, *cata*clismo.
catabi *m.* 《*Col.*》 =**catabre.**
catabolismo *m.* 【생리】 이화 작용(異化作用), 분해 대사(分解代謝).
catabre *m.* 《*Col.*》 말린 호박으로 만든 그릇.
catabro *m.* 《*Col.*》 =**catabre.**
catabrón *m.* 《*Col.*》 커다란 광주리.
catacaldos *m.f.* 무슨 일에나 손을 대는 사람, 약방의 감초 ; 주책바가지.
cataclismo *m.* [*gr.* kataklusmos] 천지 이변(天地異變) ; 대이변(大異變), (정치적·사회적인) 대변혁.
catacresis *f.* [*gr.* katakhrêsis] (낱말의) 전의법(轉義法).
catacumbas *f.pl.* (초기의 그리스도 교도의 예배용) 지하 묘실(墓室).
catadióptrica *f.* 곡절 반사경.
catadióptrico, ca *adj.* 곡절 반사경(曲折反射鏡)의.
catador *m.* 시식자, 시음자 ; 감정인(鑑定人), 눈썰미 있는 사람 : ~ de la pintura.
catadura *f.* ① 시식, 시음. ② 유의(留意). ③ 얼굴 생김새, 표정(semblante) : No tenía muy buena ~.
catafalco *m.* [*ital.* catafalco] 영구대(靈柩臺) 《안에다 저명 인사의 유해·초상 등을 안치해 두는 곳》.
catajarria *f.* 《*Venez.*》 =**sarta.**
catala *f.* =**cotorra.**
catalán, na *adj.* 까딸루냐 《Cataluña, 서반아의 지방》의. —*m.f.* 까딸루냐 사람. —*m.* ① 까딸루냐말. ② 《*Ecuad.*》 (얼굴과 목덜미를 덮는) 모자. ③ 《*Méx.*》 까딸루냐 소주(aguardiente catalán).
catalanidad *f.* 까딸루냐 풍·식, 까딸루냐적인 것.
catalanismo *m.* 까딸루냐 자치당·운동 ; 까딸루냐 말씨·사투리.
catalanista *adj.* 까딸루냐 자치의. —*m.f.* 까딸루냐 자치를 주장하는 사람.
catalanizar *tr.* 까딸루냐식으로 하다, 까딸루냐식 풍습·사상을 주입시키다.
catalejo *m.* 망원경.
catalepsia *f.* 【의학】 경직증(硬直症).
cataléptico, ca *adj.* 근육이 굳어지는. —*m.f.* 근육 경직 환자.
catalicón *m.* 만능약(catolicón).
catalina *f.* (시계의) 큰 톱니바퀴.
catalineta *f.* 《*Cuba.*》 물고기 이름.
catalíquidos *m.* =**pipeta.**
catálisis *f.* [*lat.* katalusis] 【화학】 촉매 작용·반응.
catalítico, ca *adj.* 촉매 작용·반응의.
catalizador *m.* 【화학】 촉매, 촉매제.
catalnica *f.* 【조류】 《*Amér.*》 앵무새의 일종.
catalogación *f.* 목록 작성.
catalogador, ra *m.f.* 목록·카탈로그 작성자.
catalogar *tr.* ⑧ ① (…의) 목록을 작성하다·만들다, 목록에 싣다. ② 사람을 평가하다.
catálogo *m.* ① 목록, 카탈로그 : ~ ilustrado 도해 카탈로그. ② 도서 목록.
cataloguista *m.f.* 목록 작성자.
catalpa *f.* 【식물】 개오동나무.
catalufa *f.* ① 마루에 까는 융단. ② =**catalineta.**
cataluja *f.* 《*Cuba.*》 【어류】 까딸루하 《은빛 붉은색의 중간 크기의 물고기》.
Cataluña 【지명】 까딸루냐 지방 《서반아의 동북부의 자치 지역 ; Barcelona, Tarragona, Lérida 및 Gerona 주로 구성 ; 주도 Barcelona》.
catamarqueño, ña *adj. m.f.* 까따마르까 《Catamarca, Argentina의 주·도시》의 (사람).
catamenia *f.* =**menstruo, menstruación.**
catamenial *adj.* 월경의.
catamita *f.* 《*Col.*》 알랑거리는 말, 입에 발린 치사.
catamito *m.* =**sodomita.**
catán *m.* (동양인의) 칼.
catana *f.* ① 칼(catán). ② 《*Amér.*》 *desp.* (경관의) 사벨, 군도(軍刀). ③ 《*Cuba.*》 무겁고 모양 없는 것. ④ 《*Venez.*》 잉꼬 무리.
catanga *f.* ① 《*AmérM.*》 덜컹거리는 수레. ② 《*Arg.*》 풍뎅이(escarabajo). ③ 《*Bol.*》 과일 운반용 달구지. ④ 《*Col.*》 (물고기를 잡는) 긴 대망(袋網) (nasa). ⑥ 《*Riopl.*》 사벨.
catante *adj.* 살피는 ; 시음·시식하는.
cataplasma *f.* 【의학】 찜질 요법.
cataplexia *f.* ① 【의학】 급발작 ; 졸중 ; 현기증, 어지럼증. ② 신체 일부의 돌연한 근육 경직 ; 급격한 허탈 ; 최면술에 의한 수면.
¡cataplum! *interj.* 꽈당!, 철커덩!, 꽝!, 철썩!, 펑! 《물건 떨어지는 소리, 충돌 때의 의성음》.
¡cataplun! *interj.* =**¡cataplum!**
catapulta *f.* ① 쇠뇌, (옛날의) 대석궁(大石弓). ② 비행기 사출기(射出機), 캐터펄트 《항공 모함의 비행기 사출기》.
catapultar *tr.* 쇠뇌로 쏘다, 캐터펄트로 사출하다.
catar *tr.* ① (…의) 맛을 보다(probar), 시음·시식하다. ② 살피다(examinar). ③ 채밀(採密)하다(castrar) ④ 찾다, 구하다, 얻고자 하다(buscar). ⑤ 【고어】 (…에) 눈을 주다, 보다(mirar).
~se 알아채다, 기미를 알다.
cataraña *f.* (유럽·북아프리카산의) 백로.
catarata *f.* [*gr.* kataraktês] ① (커다란) 폭포 : ~ del Iguazú 이구아수 폭포. ② 억수, 홍수. ③ 【의학】 백내장(白內障). —*pl.* 비구름 : tener ~*s* (무지·격정으로 인해) 앞이 보이지 않다.
catarinita *f.* (멕시코산) 앵무새·잉꼬류.
catarral *adj.* 카타르성의 : tos ~.
catarrear *intr.* 《*Chile. Ecuad.*》 =**fastidiar, importunar, molestar.**
catarriento, ta *adj.* =**catarroso.**
catarro *m.* [*gr.* katarhein] 카타르 (염증) ; 코감

기, 기침 감기 : He cogido un ～ horrible 나는 무서운 감기에 걸렸다.

catarroso, sa *adj.* 카타르에 걸리기 쉬운·잘 걸리는. —*m.f.* 카타르에 잘 걸리는 사람.

catarsis *f.* ① 배변(排便). ② 정신·감정의 정화.

catártico, ca *adj.* [*gr.* kathartikos] ① 세척의, 하제(下劑)의 : sal ～. ② 정신 정화법의. —*m.* 세척제, 하제.

catasalsas *m.f.* =**pinche.**

catascopio *m.* (옛날의) 유람선, 척후선.

catástasis *f.* 대단원의 복선이 될 가장 긴장된 장면.

catastral *adj.* 지적 (조사)의 : lista ～.

catastro *m.* 토지 대장, 지적부(地籍簿).

catástrofe *f.* [*gr.* katastrophê] 큰 재난, 대변재, (비극의) 대단원, (비극적인) 결말·파국; 아주 나쁜 물건.

catastrófico, ca *adj.* 대변동의, 대재난의; 막판의; 파국적.

catata *f.* 《*Cuba.*》 (식물의) 크고 납작한 씨앗.

catatar *tr.* 《*Amér.*》 ① 매혹하다(hechizar). ② 괴롭히다.

catatá *adj.* 《*Cuba.*》 어리석은, 미욱한 (사람).

catauro *m.* 《*Cuba.*》 야자로 만든 상자·바구니.

cataviento *m.* 【선박】 =**grímpola.**

catavino *m.* 술 감정용 컵.

catavinos *m.* ① 주류 감정인. ② 이차 삼차로 술집을 돌며 술을 마시는 사람.

cate *m.* 【속어】 ① 두들김(bofetada, paliza). ② 낙제. ③ 필리핀의 중량의 단위 《1 libra에 상당함》.

cateada *f.* 시굴.

cateador *m.* 《*AmérM.*》 ① 시굴자(試掘者). ② 광물용 해머.

catear *tr.* ① 구하다(catar). ② 【속어】 낙제시키다. ③ 《*AmérM.*》 시굴하다. ③ 가택 수색하다; 엿보다, 낌새를 살피다(acechar).

catecismo *m.* ① (그리스도교의) 교리 문답서; (카톨릭교의) 공교 요리(公敎要理); 교의 문답(敎義問答); 문답식 입문서. ② 문답식 교과서; 문답집.

catecú *m.* [*pl.* catecúes] =**cato.**

catecumenado *m.* (세례를 받기 위해 준비 기간 동안) 세례 지원자의 상태.

catecúmeno, na *m.f.* 세례·수세(受洗) 지원자; 입문자.

cátedra *f.* [*lat.* cathedra] ① 교단; 강의실; 교실. ② 강좌. ③ 교수의 직위 : ～ del Espíritu Santo 설교단. ～ de San Pedro 로마 교황의 지위.

poner ～ 설교하다.

catedral *f.* 대성당, 대가람(大伽藍), (obispo, arzobispo의 법좌가 있는) 대성당, 대회당, 대교회(iglesia catedral).

ser obra de ～ 오래 걸리고 곤란한 일이다.

catedralicio, cia *adj.* 대본당·대회당의.

catedralidad *f.* 대본당인 것.

catedrar *intr.* 【고어】 교육 기관에서 교수직을 얻다.

catedrático, ca *adj.* 교수의; 강좌의. —*m.f.* 교수. —*f.* 교수 부인.

categoría *f.* [*lat.* katêgoria] ① 종류, 부류, 부문, 등급 : ～ de aficionados (경기의) 아마추어 부문. hotel de primera ～ 일등급 호텔. ¿De qué ～ lo quiere usted? 등급이 어떤 것이 좋습니까? ② 높은 신분·계급(jerarquía) : de ～ 계급·신분이 높은; 고급의; 중요한. ③ 범위, 범주, 카테고리.

categóricamente *adv.* 딱 잘라, 단정적으로 (decisivamente).

categórico, ca *adj.* ① 단정적인; 잘라 말하는, 단언하는. ② 자명(自明)한, 명확한 : opiniones ～*cas* 명확한 의견. **Contr.** equivoco, evasivo.

categorismo *m.* 계급·신분 제도.

catela *f.* 금·은의 고리, 사슬.

catenaria *adj.* 느슨한 현수(懸垂)·수곡선(垂曲線)의 : curva ～ 수곡선, 현수 곡선. —*f.* 현수선. **Sinón.** trocoide.

catenular *adj.* 쇠사슬 모양의.

cateo *m.* 《*Amér.*》 탐색; 시굴; 수색.

catequesis *f.* =**catequismo.**

catequismo *m.* 교리 문답; 대화식 교육(법).

catequista *m.f.* 교리 강석자, 대화식 교육자.

catequístico, ca *adj.* 교리 강석의, 문답체의.

catequización *f.* 교리의 가르침.

catequizador, ra *m.f.* 교리 선생; 설득자.

catequizante *adj.* 교리를 가르치는.

catequizar *tr.* ⑨ (…에게) 교리를 가르치다; 설득하다(procurar, persuadir).

cateramba *f.* 【식물】 (이집트산) 클로신드.

caterético, ca *adj.* 가성(苛性)의; 부식성의. —*m.* 가성 물질; 부식제(腐食劑).

caterva *f.* *desp.* 잡동사니; 군중, 군집, 다수 (multitud, copia) : ～ de pillos.

catervarios *m.pl.* (고대 로마의) 격투대(格鬪隊).

catete *m.* 《*Chile.*》 ① 악마. ② 까떼떼, 묽은 죽의 일종(harina cocida con grasa).

catéter *m.* 【외과】 카테테르, 도뇨관(導尿管); 상처의 깊이를 재는 관·바늘.

cateterismo *m.* 카테테르를 쓰는 일, 도뇨(술).

cateterizar *tr.* 도뇨관을 이입시키다.

cateto, ta *m.f.* 촌놈, 시골뜨기, 무골 호인. —*m.* 【수학】 직각 삼각형의 직각을 이루는 두 변.

catetómetro *m.* 수직 미고측기(垂直微高測器).

catey *m.* ① 【조류】 (꾸바산의) 아름다운 잉꼬. ② 《*PRico.*》 선심, 자선 : pedir ～.

cateya *f.* 쇠로 만든 던지는 무기.

catibia *f.* 《*Cuba.*》 (강판에 간) 유까의 뿌리.

catil *f.* 《*Perú.*》 거붉은 (면).

catilinaria *f.* 통렬한 비난(sátira violenta)《카탈리나를 공격한 키케로의 연설에서》.

catimarón *m.* 뗏목의 일종.

catimbao *m.* ① 《*Chile. Perú.*》 (부활절의 행렬에 나가는) 가장한 사람. ② 《*Chile.*》 광대 (payaso). ③ 《*Perú.*》 땅딸보(persona rechoncha).

catín *m.* (제동용) 도가니.

catinga *f.* ① 《*Amér.*》 동식물의 악취; 흑인의 체취. ② 《*Arg.*》 겨드랑 밑의 땀; 암내(mal olor del cuerpo). ③ 《*Chile.*》 (해군이 육군을 경멸해

서 말하는) 육병(陸兵). ④ (브라질의) 숲·잡초 평원.

catingoso, sa *adj.* 《*Arg.*》 체취가 있는, 냄새가 고약한.

catingudo, da *adj.* 《*Riopl.*》 =**catingoso.**

catión *m.* 【전기·화학】 양이온(ión positivo). Contr. anión.

catire *adj. m.f.* 《*AmérM.*》 금발의(rubio), 빨간 머리에 파랗고 누르스름한 눈의 《흑인의 피가 4분1이 섞인 백인》.

catita *f.* 《*Ecuad. Arg. Chile.*》 =**cotorrita.**

catite *m.* ① 막대 설탕(pilón de azúcar). ② 《*Méx.*》 비단천의 일종. ③ 고깔 모자. ④ 가볍게 손바닥으로 때리기 : dar ~ 때리다(dar de golpes) ; 굴복시키다(humillar).

catitear *intr.* 《*Arg.*》 (노인이) 머리를 젓다 ; 무일푼이다 ; 연싸움을 하다.

cativí *m.* 《*Hond.*》 (몸에 반점이 생기는) 수포진형 질병.

cativo, va *adj.* 【고어】 =**cautivo, enclenque.**

catizumba *f.* 《*Guat. Hond.*》 군집, 군중, 다수(multitud).

catlea *f.* 【식물】 까틀레아 《열대 원산인 양란의 일종》.

cato *m.* ① 아선약(阿仙藥). ② 《*Bol. Perú.*》 지적(地積)의 단위. ③ 《*Méx*》 =**golpe.**

cat.º catedrático.

catoche *m.* 【속어】 기분이 언짢음, 시무룩함(mal humor).

catódico, ca *adj.* 【전기】 음극의 : rayas ~*s* 음극선, 엘렉트론 방사선.

cátodo *m.* 【전기】 음극. Contr. ánodo.

catodonte *m.* 고래의 일종.

católicamente *adv.* 카톨릭교에 의해 ; 카톨릭풍으로.

catolicidad *f.* 카톨릭교의 보편성; 카톨릭교 세계 : El papa es el jefe de la ~.

catolicísimo, ma *adj. sup.* católico.

catolicismo *m.* ① 카톨릭교, 천주교 : El ~ es la religión de los pueblos hispanoamericanos. ② 천주교 교단.

católico, ca *adj.* [*gr.* katholikos] ① 가톨릭교의. ② 보편적인(universal). ③ 진정한, 올바른, 건전한. ④ 페르난도 5세와 이사벨 1세가 가진 칭호 : Isabel la *Católica* 카톨릭 여왕 이사벨. Los reyes *Católicos* 페르난도 5세와 이사벨 1세. —*m.f.* 카톨릭 교도, 천주교도.

catolicón *m.* 만병 통치약.

catolizar *tr.* ⑨ 카톨릭교도로 만들다(dar carácter católico).

Catón *m.* ① 카톤 《고대 로마의 정치가로서 엄격한 감찰관(기원전 234−149) ; Dionisio ~ 라틴 문법 학자》. ② [c-] 엄격한 검사역(censor severo) ; 초보 독본(primer libro de lectura).

catoniano, na *adj.* 카톤 풍의.

catonismo *m.* 카톤 풍의 모방 (경향).

catonizar *intr.* ⑨ 신랄하게 비난하다.

catóptrica *f.* 반사광학.

catóptrico, ca *adj.* 반사 (광선)의.

catoptromancia *f.* 거울로 치는 점.

catoptromancía *f.* =**catoptromancia.**

catoptroscopia *f.* 반사경 진단.

catorce *adj.* ① 14의 : ~ libros 책 열네 권. ② 14번째의(décimocuarto) : Luis ~ 루이 14세. —*m.* 14 : el ~ de abril 4월 14일.

catorcena *f.* 14개조.

catorceno, na *adj.* 14번째의(décimocuarto) ; 14세의.

catorrazo *m.* 《*Méx.*》 구타(golpe).

catorro *m.* ① 《*Méx.*》 부딪침,충돌. ② 《*Col.*》 작은 방.

catorzavo, va *adj.* 14등분의 : un ~ 14분의 1. —*f.* 14등분의 1.

catotal *m.* 【조류】 (브라질과 멕시코의) 검은방울새의 일종.

catraca *f.* 《*Méx.*》 꿩(fáisan)의 일종.

catracho *m.* 《*AmérC.*》 【속어】 =**hondureño.**

catre *m.* ① 소형의 접침상 : ~ de viento 접침상 (~ de tijera). ~ de balsa =jangada. ② 《*Arg.*》 뗏목. ③ 《*Chile. Perú.*》 야전 침대.

catrecillo *m.* 접의자(silla pequeña de tijera).

catrera *f.* 《*Arg. Urug.*》 나쁜 침대.

catricofre *m.* 접기식 침실 옷을 넣어 두는 가구.

catrín, na *m.f.* 《*AmérC. Méx.*》 멋쟁이. —*adj.* 《*Méx.*》 =**elegante.**

catrina *f.* 《*Méx.*》 프루케술의 용량 《약 1리터》.

catrinería *f.* 《*Méx.*》 맵시부리기 ; 멋쟁이들.

catrintre *m.* 《*Chile.*》 ① 치즈의 일종. ② 남루한 옷차림을 한 사람. —*adj.* 《*Chile.*》 =**pobre, mal vestido.**

Catuca *hip.* Catalina.

catuche *m.* 《*Amér.*》 =**chirimoya.**

catufo *m.* 《*Col.*》 =**cañuto, tubo.**

Catuja *hip.* Catalina.

Catulo *m.* 카툴루스 《로마의 서정 시인(기원전 84−54)》.

caturra *f.* 《*Chile.*》 【조류】 앵무새의 일종.

catuto *m.* 《*Chile.*》 삶은 밀빵.

catzo *m.* 《*Ecuad.*》 【곤충】 땅벌의 일종.

cauba *f.* 【식물】 (라쁠라따강의) 장식용 식물.

CAUCA Código Aduanero Uniforme Centroamericano 중미 통일 관세법.

caucano, na *adj. m.f.* 까우까《Cauca, 서반아의 옛 도시 ; 현재 Segovia주의 Coca ; Colombia의 주》의 (사람).

caucara *f.* 《*Ecuad.*》 늑골 고기.

caucáseo, a *adj.* 코카서스(el Cáucaso) 산맥·지방의.

caucasiano, na *adj.* =**caucáseo.**

caucásico, ca *adj.* 코카서스 인종의. —*m.pl.* 코카서스 인종 ; 코카서스 방언.

caucau *m.* 《*Perú.*》 까우까우 요리 《내장과 고추가 곁들인 감자 요리》.

cauce *m.* 하상(河床)(lecho de un río) ; 용수구(用水溝)(acequia).

caucel *m.* 《*AmérC.*》 살쾡이의 일종.

caucense *adj. m.f.* 꼬까 《Coca, Segvia주의 마을》의 (사람).

caución *f.* [*lat.* cautio] ① 주의, 조심. ② 보증(금) : ~ juratoria 선서, 맹세.

caucionar *tr.* 조심·주의하다 ; 보증하다 ; 예방하다.

cauco *m.* 까우꼬 《칠레 연안의 물고기의 일종》.

caucha *f.* 【식물】 (칠레산) 엉겅퀴의 일종.

cauchahue *m.* 《*Chile.*》 =**cauchau.**

cauchal *m.* 고무 재배원, 고무나무 숲 : descubrir un ～.
cauchar *tr.* 《*Col. Ecuad.*》 고무를 채집하다.
cauchau *m.* 《*Chile.*》 루마(luma)의 열매.
cauchera *f.* ① 고무나무. ② 《*Col. Venez.*》 (어린아이의) 고무줄 새총.
cauchero, ra *adj.* 고무의 : industria ～*ra.* **—***m.f.* 고무나무 숲을 찾아다니는 사람 ; 고무액을 채집하는 사람.
cauchil *m.* 얕은 우물 ; 물통.
caucho *m.* [*indio.* cahuchu] ① 고무 : ～ endurecido 경화 고무. ～ en hojas 고무판. ～ químico 합성 고무. ～ regenerado 재생 고무. ～ sintético 합성 고무. ～ vulcanizado 황화 고무. sello de ～ 고무인(印) ② 《*Col.*》 방수 가빠 ; 고무신.
cauchotina *f.* (피륙 위에 바르는) 고무액.
cauchutar *tr.* (방수 · 보강을 위해 베에) 고무를 바르다.
cauda *f.* 법의(法衣)의 자락.
caudal *adj.* ① [드묾] 수량(水量)이 많은 (caudaloso) : río ～. ② 꼬리의 : aleta ～ 물고기의 꼬리 지느러미. **—***m.* ① 수량(水量) : Una de las principales características de los ríos españoles es su escaso ～ 서반아의 강들의 주요 특색 중의 하나는 수량이 적다. ② 자산, 자금 : Esa familia tiene mucho ～ 그 가족은 많은 자산을 가지고 있다. ③ 풍부, 다량(abundancia).
hacer ～ de …을 중시 · 존중하다.
caudaleo *m. dim.* caudal.
caudalosamente *adv.* 풍부하게, 흔하게.
caudaloso, sa *adj.* ① 수량이 많은 : El río Sil es muy ～ 씰강은 수량이 매우 많다. ② 풍요한, 부유한(acaudalado), 자산이 많은.
caudatario *m.* ① arzobispo 등의 자락을 잡고 따르는 시승(侍僧). ② =**adulador.**
caudatrémula *f.* 【조류】 할미새(aguzanieves).
caudiforme *m.* 【식물】 가지가 나지 않은 줄기 · 몸통.
caudillaje *m.* ① 대장 · 수령(caudillo)의 지위. ② 전횡. ③ 《*Amér.*》 =**caciquismo.**
caudillismo *m.* =**caudillaje.**
caudillo *m.* 대장, 수령, 두목, 통령, 총통(jefe, capitán) : Bolívar fue el ～ de la Independencia americana 볼리바르는 아메리카 독립의 우두머리였다. El se llamó a sí mismo ～ 그는 자신을 수령이라 불렀다.
caudimano, na *adj.* 꼬리가 손 구실을 하는 (동물).
caudímano, na *adj.* =**caudimano.**
caudón *m.* 때까치(alcaudón).
caula *f.* 《*Amér.*》 속임수, 간계, 계략(treta).
caulescente *adj.* 【식물】 줄기가 있는. Contr. acaule.
caulífero, ra *adj.* 줄기에 꽃이 붙는 (식물).
cauliforme *adj.* 줄기 모양의.
caulinar *adj.* 【식물】 줄기의.
caulista *m.* 《*Chile.*》 =**cablista.**
cauno *m.* =**chajá.**
cauque *m.* 《*Chile.*》 약삭빠른 · 민첩한 인간.
cauquén *m.* 《*Chile.*》 =**canquén.**
cauris *m.* (화폐로서 사용하는) 작은 조개 껍질.
cauro *m.* 북서풍(noroeste).
causa[1] [*lat.* causa] *f.* ① 원인 : ¿ Cuál era la ～ de su muerte? 그의 사망의 원인은 무엇이었습니까? ② 이유, 근거, 내력 : a ～ de …의 이유 · 원인으로. El partido fue pospuesto a ～ de la lluvia 시합은 비때문에 연기됐다. por ～ de … 때문에, 까닭으로. ③ 주장, 주의, 대의(大義), …운동 : ～ de la libertad 자유 옹호 운동. ④ 소인(訴因) ; 소송(pleito) ; 재판(proceso) ; 형사사건 : ～ célebre 유명한 재판 사건. Contr. efecto, resultado, consecuencia.
～ ***eficiente*** 동인(動因), 성인(成因). ～ ***final*** 목적인(目的因), 궁극인(窮極因). ～ ***implusiva motiva*** 동인(動因). ～ ***primera*** 첫 번째 원인 ; 신, 조물주. ～ ***pública*** 일반 민중의 복리, 공익.
hacer · tomar la ～ de …의 편을 들다.
hacer ～ común con …과 협력 · 제휴하다, …과 공동 전선을 펴다.
salir a la ～ de …을 위해 싸우다.
causa[2] *f.* [*quechua.* causay] ① 《*Chile.*》 간식, 군것질, 곁두리, 가벼운 식사. ② 《*Perú.*》 상추(lechugas), 치즈(queso), 올리브 열매(aceitunas), 고추(ají) 등을 넣은 감자 요리.
causador, ra *adj.* (어떤 일의) 원인이 되는. **—***m.f.* 발기인.
causafinalista *m.f.* 목적인(目的因)의 주장자.
causahabiente *m.* 권리를 양도받은 사람.
causal [*lat.* causalis] *adj.* ① 원인의, 원인을 나타내는 : conjunción ～ 원인의 접속사. ② 원인이 되는, 인과 관계의 : relación ～ 인과 관계. **—***f.* 이유 ; 동기.
causalidad *f.* 원인, 근원 ; 인과율.
causante *adj.* (무엇을) 야기시키는. **—***m.* 【법률】 본인(本人) ; 납세자 : ～ mayor · menor 《*Méx.*》 고액 · 저액 소득자.
causar *tr.* ① 불러 일으키다, 야기시키다(originar). ② 가져오게 하다(traer) : Pido perdones por las molestias que le *he causado* 당신한테 끼친 걱정에 대해 용서를 빕니다. ③ (어떤) 원인 · 인연이 되다.
～se 일어나다 : *De* la codicia *se causan* muchos males 많은 재난은 욕심에서 비롯된다.
causativo, va *adj.* ① 원인 · 근본의(causal). ② 【문법】 사역(使役)의 : verbo ～ 사역 동사.
causear *intr.* 《*Chile.*》 간단한 식사 · 간식을 들다. **—***tr.* 《*Chile.*》 먹다(comer) ; 가볍게 이기다.
causeo *m.* 《*Chile. Perú.*》 간단한 식사, 간식.
causía *f.* (고대 로마 · 그리스의) 챙이 넓은 모자.
causídica *f.* 【건축】 =**crucero de iglesia.**
causídico, ca *adj.* 소송 · 재판의, 소송 계류 중에 있는. **—***m.* 【고어】 변호사.
causón *m.* 일시적으로 나는 열.
cáusticamente *adv.* 통렬 · 신랄하게.
causticar *tr.* ⑦ 부식(腐蝕)하다 ; 초조하게 만들다.
causticidad *f.* ① 가성(苛性) ; 부식성(腐蝕性). ② 통렬, 비위를 건드림.
cáustico, ca *adj.* ① 가성(苛性)의 ; 부식성의. ② 통렬한, 신랄한. **—***m.* ① 부식제(腐蝕劑). ② 【물리】 초점.
causuelo *m.* 《*Nicar.*》 =**caucel.**
cautamente *adv.* 신중하게, 빈틈없이, 용의 주도하게. Contr. imprudentemente.

cautela *f.* [*lat.* cautela] ① 조심, 신중(愼重)(precaución). Contr. imprudencia, sencillez. ② 교활함, 간사함, 의뭉스러움(astucia).
cautelar *tr.* 조심하다(prevenir).
~se [+de : …에] 예방 조치를 취하다, 조심하다 : *~se de* un daño 손해 보지나 않을까 조심하다.
cautelosamente *adv.* 빈틈없이, 신중하게, 조심스럽게.
cauteloso, sa *adj.* 조심스러운, 신중한, 빈틈없는. Contr. desconfiado, sencillo.
cauterio *m.* [*gr.* kautêrion] ①【의학】뜸(요법) : ~ de moxa 뜸자리 부식 ; 거친 치료.
cauterización *f.* 뜸(질) ; 부식.
cauterizador, ra *adj. m.f.* 태우는, 지지는 ; 부식시키는 (사람).
cauterizante *adj.* 굽는, 태우는, 뜸을 뜨는.
cauterizar *tr.* 9 ① 굽다, 태우다, 지지다 : ~ una herida 상처를 불로 지지다. ② 부식시키다. ③ 함부로 고치다. ④ 채점·평가를 매기다.
cautín *m.* 용접·납땜 인두.
cautivador, ra *adj.* 남의 마음을 사로잡는 (듯한) : palabra *~ra.*
cautivante *adj.* 마음을 끄는 ; 재미있는, 흥미있는, 신나는(interesante).
cautivar *tr.* ① 포로로 하다, 사로잡다(aprisionar) : ~ a un enemigo. ② (주의·마음을) 잡다, 끌다, 홀딱 반하게 하다(atraer) ; 매혹시키다(seducir), 매료하다 : ~ a un auditorio 청중을 매료하다. Me cautivó el esplendor de sus artes 나는 그의 예술의 화려함에 사로잡혔다. *—intr.*【고어】사로잡다.
cautiverio *m.* 붙잡힌 몸, 포로 생활(prisión) : vivir en ~ 포로 생활을 하다.
cautividad *f.* =**cautiverio.**
cautivo, va *adj.* [*lat.* captivus] 붙잡힌, 포로의(aprisionado). *—m.f.* 포로(prisionero).
cauto, ta *adj.* 빈틈없는, 조심스러운, 신중한(prudente) : Usted tiene que ser ~ en sus negocios 당신은 거래에 신중을 기해야 한다.
cauz *m.* 용수로(用水路).
cava *f.* (땅을) 일구기. *—adj.*【해부】① 정맥간(靜脈幹)의 : vena ~ 정맥간. vena ~ superior 상대 정맥(上大靜脈). ②【의학】공동(空洞)의.
Cava (la) *f.* 전설상의 여성《Julián 공의 딸, 따호강에서 목욕을 하다 Rodríguez왕의 습격을 받음 ; 그 보복으로 아버지가 아라비아인에게 구원을 청함으로써, 회교도 군대를 서반아로 끌어들이는 실마리가 되었음》.
cavacote *m.* 표적으로 파 올려 놓은 흙더미.
cavada *f.*【방언】구멍.
cavadillo *m.* 도랑, 물길.
cavadizo, za *adj.* 일구기·파기 쉬운(fácil de cavar) : tierra *~za* 파기 쉬운 땅.
cavado, da *adj.* =**cóncavo.**
cavador *m.* 구덩이·땅 파는 인부.
cavadura *f.* 땅을 일구기 ; 파엎기.
caván *m.* (필리핀에서) 곡물 용량 단위 《75리터》.
cavanillero, ra *m.f.* 《*Sal.*》 다리가 길고 가느다란 사람.
cavar *tr.* [*lat.* cavare] (괭이 같은 것으로) 파다, 파엎다. *—intr.* ① 깊이 들어가다(ahondar, profundizar) : La herida *cava* para adentro 상처는 안으로 깊다. ② 내려앉다, 함몰하다. ③ [+en : …을] 심사하다, 생각하다 : ~ *en* las verdades.
cavatina *f.* 까바띠나《짧은 서정곡의 일종》.
cavazón *f.* =**cavadura.**
cávea *f.* (고대 로마의) 새장·우리.
caven *m.* ①《*Chile.*》 먹을 수 있는 바닷고기. ②《*Chile.*》 아카시아의 일종.
CAVENDES Compañía Anónima Venezolana de Desarrollo 베네수엘라 개발 회사.
caverna *f.* ① 동굴. ② (폐의) 공동(空洞). ③ (도적 등의) 소굴. ④【은어】집.
cavernario, ria *adj.* 동굴의 ; 혈거의. *—m.f.* 혈거인.
cavernidad *f.* =**cavernosidad.**
cavernícola *adj.* 혈거(穴居)의, 굴에서 사는, 동굴 생활을 하는. *—m.f.* 혈거인.
cavernosidad *f.* 동굴·동혈이 많음 ; 동혈.
cavernoso, sa *adj.* ① 동굴의·같은. ② 우렁우렁한 (목소리 등) : voz *~sa.* ③ 공동음(空洞音)의. ④ 구멍이 많은.
cavero *m.* 배수구 노동자.
caveto *m.*【건축】=**esgucio, moldura.**
caví *m.* 《*Chile. Perú.*》【식물】oca의 뿌리.
cavia *f.* ①【동물】모르모트. ② (물을 대주기 위해서 나무 뿌리 주위에 파는) 물구덩이.
cavial *m.* 까비알 《지중해에서 나는 철갑 상어 esturión의 알젓》.
caviar *m.* =**cavial.**
cavicornio *adj.*【동물】동각속(洞角屬)의(bovino). *—m.pl.* 동각속 《소·양·영양 등》.
cavidad *f.* 홈, 도랑, 구멍 ; 강(腔) : ~ abdominal 복강(腹腔).
cavilación *f.* 심사(深思), 심사 숙고 ; 넘겨짚기(cavilosidad).
cavilar *tr.* 심사 숙고하다. 골똘히 생각하다, 이궁리 저 궁리하다.
cavilosamente *adv.* 심사 숙고해서, 골똘히 생각해서, 이 궁리 저 궁리해서.
cavilosear *intr.* 《*AmérC.*》 =**cavilar.**
cavilosidad *f.* 사서 고생 ; 마음을 쓰는 일.
caviloso, sa *adj.* ① 미심쩍은, 의심이 많은(desconfiado). Contr. despreocupado. ②《*Col.*》 사소한 일에 신경을 쓰는, 화를 잘 내는 (quisquilloso). ③《*CRica.*》 =**chismos.**
cavío *m.* 《*Sal.*》 =**cava.**
cavo, va *adj.* =**hueco.**
cavon *m.* 《*Filip.*》 전분이 많이 함유된 종려.
cay *m.* 《*Arg.*》【동물】꼬리말이 원숭이(mono capuchino)의 일종.
cayada *f.* 목동의 지팡이.
cayado *m.* 목자의 지팡이 ; (주교의) 권표(權標), 홀(笏).
cayán *m.* =**tapanco.**
cayana *f.* 《*Arg. Col.*》 =**callana, budare.**
cayanco *m.* 《*Hond.*》 (뜨거운 풀의) 찜질 요법.
cayapear *intr.* 《*Venez.*》 (확실하게 한 사람을 공격하기 위해) 많은 사람이 모이다.
cayapos *m.pl.* 브라질 중부 (Goiás)의 원주민.
cayari *m.* 《*Cuba.*》 (붉은 색의) 민물게.
caye- →**caer** 73.
cayendo caer의 현재 분사.

cayente *adj.* 떨어지는, 기운, 좀 떨어진.
cayeron caer의 직·부정과거·3·복수.
cayo *m.* 평평한 작은 섬, 암초, 사주(沙洲).
cayó caer의 직·부정과거·3·단수.
cayota *f.* =**cayote.**
cayote *m.* ①【동물】(아메리카 평원의) 이리, 늑대. ②《*Méx.*》=**chayote.**
cayubro, bra *adj.* 《*Col.*》붉은 털의; 화 잘 내는, 성내기 잘하는.
cayuca *f.* 《*Cuba.*》=**cabeza.**
cayuco *m.* (베네수엘라와 엘살바도르에서 사용하는) 작은 배.
caz *m.* 도랑, 용수구. —*m.* 《*Amér.*》통나무배.
caza *f.* ① 사냥, 수렵 : partida de ~ 수렵회, 수렵대. ② 사냥에서 잡은 짐승 : ~ mayor 멧돼지·사슴 등의 잡은 것. ~ menor 토끼·새 등의 잡은 것. ③ 얇은 린넬. —*m.* 공격기(avión de caza) : ~ bombardero 폭격기. 50 ~*s* bombarderos F-105 volaban a 130 kilómetros al norte de la capital F105 전투 폭격기 50대는 수도의 북방 130킬로의 곳을 비행하고 있었다.
andar·ir a ~ de …을 찾아 다니다 : Los periodistas *andaban a ~ de* noticias 기자들은 뉴스를 찾아다녔다. *andar a ~ de* gangas 적은 비용으로 이익을 구하다, 싼거리를 찾아 다니다.
dar ~ ① 몰아세우다. ② 추적하다(perseguir) : *dar ~* a un misterio 어떤 비밀을 캐다.
espantar la ~ 사냥감을 놓치다.
levantar la ~ 자기가 노린 것을 남에게 눈치채이다.
ponerse en ~ 도망치다.
cazabe *m.* 고구마에서 얻은 녹말, 따삐오까; 그 빵.
cazabombardero *adj. m.* 전천후 폭격기(의).
cazaclavos *m.* 【단·복수 동형】못뽑이.
cazadero *m.* 수렵장, 사냥터.
cazador, ra *adj.* 사냥하는; 사냥에 쓰는. —*m.f.* ① 수렵가; 사냥꾼 : ~ de alforja 밧줄·덫 사냥꾼. ~ de destino 구직자. ~ mayor 사냥꾼의 우두머리. ② (무엇을) 뒤쫓는 사람. —*m.* 경기병(輕騎兵).
cazadora *f.* ① 웃옷(chaqueta, americana)의 일종. ②《*AmérC.*》소형 트럭. ③《*Col.*》큰 뱀의 일종.
cazaguate *m.* (멕시코산) 패션꽃의 일종.
cazalla *f.* 아니스로 빚은 소주의 일종.
cazallero, ra *adj. m.f.* 까사야 데 라 씨에라 《Cazalla de la Sierra, Sevilla 주에 있는 도시》의 (사람).
cazamoscas *m.* 《*Venez.*》=**papamoscas.**
cazar *tr.* [*lat.* captiare] ⑨ 사냥·수렵하다; 잡다 : ~ jabalíes 멧돼지를 사냥하다. ② 손에 넣다(conseguir). ③ 붙잡다. ④ (남의 비밀을) 찾아내다(sorprender).
~ muy largo 빈틈이 없다.
cazarra *f.* 《*Ál.*》나무 몸통으로 만든 구유통.
cazarro *m.* 도랑 모양으로 속이 빈 나무 몸통.
cazasubmarino *m.* 구잠정(驅潛艇).
cazata *f.* 수렵(cacería).
cazatorpedero *m.* 구축함(contratorpedero).
cazcalear *intr.* 바쁜 듯이 쏘다니다.
cazcarria *f.* ① 흙탕물, 진흙(lodo, barro) : estar lleno de ~*s.* ②《*Riopl.*》가축의 똥.
cazcarriento, ta *adj.* 진흙·흙탕물투성이의.
cazcorvo, va *adj.* 안짱다리의. —*m.* 【고어】= **podadera.**
cazo *m.* 나무로 만든 국자; 주머니칼의 등.
cazolada *f.* 국자 하나 가득, 한 웅큼.
cazoleja *f.* [*dim.* cazuela] =**cazoleta.**
cazolero *adj.* 여자의 일에 간섭하는(cominero).
cazoleta *f.* [*dim.* cazuela] ① (고대 화기의) 불켜는 단지; 반구형 단지. ② 향료 이름. ③ 향로. ④ (담배 파이프 등의) 담배 재는 부분.
cazoletear *intr.* =**cominear.**
cazoletero *adj.* =**cazolero.**
cazolilla *f.* [*dim.* cazuela] 작은 냄비.
cazolón *m.* [*aum.* cazuela] 스튜팬; 냄비.
cazón *m.* ①【어류】상어. ② 적설탕.
cazonal *m.* ① 상어 그물, 상어 잡이 어구; 까다로운 일, 골치 아픈 일 : meterse en un ~.
cazonete *m.* (밧줄 고리에 꿴) 비녀장.
cazudo, da *adj.* 덩치가 큰, 무거운.
cazuela *f.* ① 토제 냄비. ② 냄비 요리. ③ (옛날 극장의) 부인석, 입석.
cazuelero, ra *adj.* 《*Cuba.*》=**cazolero, cominero.**
cazumbrar *tr.* (통의) 벌어진 틈을 메우다 : ~ una cuba.
cazumbre *m.* 통의 벌어진 틈에 메워 넣는 것.
cazumbría *f.* 과묵, 과언.
cazumbrón *m.* 통메장이.
cazuñar *tr.* 《*AmérC.*》양생이짓을 하다, 훔치다.
cazurrería *f.* 과묵, 말이 없음.
cazurría *f.* =**cazurrería.**
cazurro, rra *adj.* 통 말이 없는, 뚱한. —*m.f.* 말이 없는 사람, 과묵한 사람, 뚱보.
cazuz *m.* 【식물】덩굴(hiedra).
cazuzo, za *adj.* 《*Chile.*》=**hambriento.**
CBF Corporación Boliviana de Fomento 볼리비아 개발 공사.
cc. centímetros cúbicos.
cc; C.C. carta de crédito; cuenta corriente; corriente continua.
c/c cuyo cargo.
CCC Cámara de Compensación Centroamericana 중미 결제 기구.
CCD Comité Consultivo de Defensa 방위 자문 위원회.
CCE Comité de Cooperación Económica del Istmo Centroamericano 중미 지협(地峽) 경제 협력 위원회.
CCIA Cámara de Comercio, Industria y Agricultura 《*Panamá.*》상공농(商工農) 회의소.
CCIR Comité Consultivo Internacional de Radiocomunicaciones 국제 무선 통신 자문 위원회.
CCT Comisión Centroamericana de Telecomunicación 중미 전기 통신 위원회.
c/cta; c/c^ta cuya cuenta.
c/cte. cuenta corriente.
CCTI Centro Cooperativo Técnico Industrial 《*Hond.*》산업 기술 협력원.
Cd. ciudad.
C.D. corriente directa.

c/d. cuenta de.
c/d.[to] con descuento.
C. de J. Compañía de Jesús.
c.d.v. cuenta de venta.
ce *f.* 문자 c의 명칭. —*interj.* 여보세요.
~ ***por be,*** ~ ***por*** ~ 상세하게.
por ~ ***o por be*** 이럭저럭 : *Por ce o por be* se salió con la suya 이럭저럭 그는 잘 해냈다.
CE Comunidad Europea 유럽 공동체.
C. en C. Compañía en Comandita.
cea *f.* 【해부】 좌골(座骨)(cía).
CEAEO Comisión Económica para Asia y Extremo Oriente (유엔) 아시아 극동 경제 위원회.
ceajo, ja *m.f.* 한 살 미만의 새끼 양.
ceanoto *m.* 【식물】 차(茶)의 일종.
cearina *f.* 【화학】 세아린.
ceática *f.* 【의학】 좌골 신경통.
ceba *f.* ① 비축 사료(肥畜飼料). ② 석탄을 기관에 넣는 일. ③《*Amér.*》 도화선.
cebada *f.* [*lat.* civada] 보리, 대맥 : ~ perlada 정맥(精麥).
cebadal *m.* 보리밭.
cebadar *tr.* (가축에게) 먹이로 보리를 주다 : ~ una mula.
cebadazo, za *adj.* 보리의 : paja ~*za* 보릿짚. —*f.* 보릿짚.
cebadera *f.* ① 보릿자루 《노역 중인 마소에게 먹이를 주는 자루》; 보리통. ② (용광로에 광석을 넣는 뚜껑의) 손잡이. ③ 【선박】 사형(斜桁) 《돛을 펼치는 활대》, 사형범(斜桁帆).
cebadero *m.* ① 보리 장수. ② (객줏집의) 말먹이를 맡은 사람. ③ 매사냥꾼. ④ 안내말. ⑤ 사육장. ⑥ 미끼를 놓은 자리. ⑦ (용광로의) 광석 투입구.
cebadilla *f.* ① 야생 보리 : La ~ se emplea como estornutatorio. ② 세바딜랴 《멕시코산 식물에서 뽑은 살충제》.
cebado, da *adj.* 《*Amér.*》 인육(人肉)의 맛을 안 (맹수) : bien ~ 사료를 충분히 먹인.
cebador, ra *adj.* cebar의 *p.p.* —*m.* 화약통.
cebadura *f.* cebar하는 일.
cebamiento *m.* =**cebadura.**
cebar *tr.* [*lat.* cibare] ① 먹이를 주다 : ~ *con* bellota 도토리를 먹이다. ② 타오르게 하다, (등불에) 기름을 넣다; (불에) 장작·석탄을 넣다; (용광로에) 광석을 투입하다; (총포·꽃불에) 화약을 재다 : ~ un horno. ③ (기계에) 운전을 개시하게 하다; 활력을 주다; (펌프 등에 물을) 부어 넣다; (자철에) 자기(磁氣)를 보급하다. ④ (누구의) 감정을 북돋우다 : ~ el alma *con* esperanzas 희망으로 남의 마음을 잔뜩 부풀케 하다. ⑤ 유인하다(atraer) : ~ al enemigo. ⑥ (못·나사가) 깊이·단단히 박히다. ⑦《*Arg. Bol.*》 (마떼차를) 끓이다 : ~ mate.
—*intr.* (못·나사가 판자·나사 구멍에) 단단히 박히다.
~se ① [+en : …에] 전념하다 : ~*se en* el estudio 공부에 전념하다. ② (무엇을) 실컷 하다 : *Se cebó en* llanto 실컷 울었다. *Se cebaba de* esperanza 희망으로 가슴이 벅차 있었다. ③ 잔인성을 발휘하다 : *Se cebaron en* su víctima 피해자를 실컷 괴롭혔다. ④ (나쁜 병이) 몹시 유행하다. ⑤《*Méx.*》 (화약이) 불발로 끝나다; 실패하다.
cebellina *f.* 【동물】 검은 담비(marta ~).
cebiche *m.* 《*Col. Ecuad. Perú.*》 세비체 《레몬·굴·새우·포도주·후추·고추 등을 넣고 만든 생선회》.
cébidos *m.pl.* 【동물】 원숭이과의 일종.
cebípiro *m.* 《*Amér.*》 【식물】 세비삐로 《브라질의 약용 나무; 껍질은 류머티즈 치료제》.
cebique *m.* 《*Sal.*》 (새가 새끼에게 주는) 먹이.
cebo[1] *m.* [*lat.* cibus] ① 비축 사료; 미끼, 먹이 : ~ natural. ② 도화선; 화약. ③ 양식. ④ 활기.
hacer ~ 《*Venez.*》 사랑을 호소하다.
cebo[2] *m.* 【동물】 (아프리카산의) 꼬리말이 원숭이 (cefo).
cebolla *f.* ① 【식물】 양파. ② 알뿌리, 구근(球根)(bulbo). ③ 기름 접시. ④《*AmérC.*》 권위, 명령 : agarrar la ~.
~ ***albarrana*** 【식물】 해총(海葱). ~ ***escalonia*** 당파, 실파. ***morder*** ~ =rabiar.
cebollada *f.* 양파 요리.
cebollana *f.* 【식물】 세보야나 《파의 일종》 : Las hojas de la ~ se comen en ensalada.
cebollar *m.* 양파밭.
cebollero, ra *adj.* (벌레가) 아주 큰 : grillo ~ 왕귀뚜라미. —*m.f.* 양파 장수.
cebolleta *f.* 파; 저장해 둔 양파.
cebollín *m.* 《*Cuba.*》 =**cebolleta.**
cebollino *m.* ① 양파의 묘상. ② 양파의 종자. ③ =**cebollana.**
escardar ~***s*** 시원찮은 짓을 하다, 아무 이익도 되지 않는 일을 하다.
cebollón *m.* [*dim.* cebolla] 맛이 덜 매운 양파의 일종.
cebollón, na *adj.* 미혼의. —*m.f.* 《*Chile.*》 노총각, 노처녀(solterón).
cebolludo, da *adj.* ① 【식물】 구근의. ② 뚱보의.
cebón, na *adj.* 인육의 맛을 본. —*m.f.* 인육을 맛본 동물.
ceborrincha *f.* 야생의 양파.
cebra *f.* 【동물】 얼룩말 : La ~ se domestica fácilmente.
cebrado, da *adj.* 얼룩털의
cebratana *f.* 불어서 쏘는 화살; 귀머거리용 전성기(傳聲器)(cerbatana).
cebreado, da *adj.* =**cebrado.**
cebruno, na *adj.* 사슴털의(cervuno).
cebú *m.* 【동물】 인도소 《등에 큰 혹이 있는 것이 특징》.
cebuano, na *adj.* 세부 《Cebú, 필리핀의 섬》의. —*m.f.* 세부 사람. —*m.* 세부의 방언.
ceburro *adj.* =**candeal.** —*m.* 흰 빵.
CEC Consejo Económico Centroamericano 중미 경제 이사회.
ceca *f.* 【고어】 ① 조폐국(casa de moneda). ② (모로코에서) 돈.
ir de ~ ***en meca*** 여기저기 쏘다니다(ir de una parte a otra).
cecal *adj.* 맹장의 : apéndice ~.
ceceante *adj.* s를 c로 발음하는.
cecear *intr.* s를 c로 발음하다 : Los niños pequeños suelen ~. —*tr.* ¡ce! ¡ce!하고 남을 부르다.

ceceo *m.* [s]음(s)과 [θ]음(c, z)의 혼용.
ceceoso, sa *adj. m.f.* s를 c로 발음하는 (사람).
cechero *m.* (사냥에서) 잠복하는 사람.
cecí *m.* 《*Cuba.*》【어류】도미(pargo) 비슷한 물고기.
cecial *m.* 건어(乾魚), (특히) 말린 대구.
cecidia *f.* 【식물】 =**agalla.**
cecina *f.* 건육(乾肉), 육포, 구은 고기.
cecinado, da *adj.* 고기를 구운·말린.
cecinar *tr.* 고기를 굽다, 말리다, 육포로 만들다 (aceinar la carne).
CECLA Comisión Especial de Coordinación Latinoamericana 라틴 아메리카 조정 특별 위원회.
cecografía *f.* (맹인용) 점자(點字), 점자학.
cecográfico, ca (맹인용) 점자의, 점자학의.
cecógrafo *m.* 점자판.
cecrífalo *m.* 부인의 머리망.
cécubo *m.* 고대 로마의 유명한 포도주.
ceda[1] *f.* [*lat.* seta] z자의 명칭.
ceda[2] *f.* =**cerda.**
cedacear *intr.* 시력이 약해지다, 눈이 가물가물해지다.
cedacería *f.* ① 체·키 제작소. ② 체·키 판매자. ③ 체·키 제작술.
cedacero *m.* 체·키 만드는 사람.
cedacillo *m.* ① 작은 체·키·조리. ② 입이 가벼운 사람.
cedacito *m. dim.* cedazo.
cedazo *m.* ① 체, 키 : ~ eléctrico 전기체. ② 어망의 일종. ③ 《*Cuba.*》 왈츠의 일종.
cedazuelo *m. dim.* cedazo.
cedente *m.f. adj.* 양보하는. —*m.f.* 양도인.
ceder *tr.* [*lat.* cedere] ① 양보하다 : ~ el paso 길을 비켜 주다. ② 양도하다. —*intr.* ① [+a : … 에] 굴복하다(rendirse) : ~ a la autoridad 권력에 굴복하다. ② 지다 : La puerta empezó a ~ al empujón 문은 밀려서 시나브로 열리기 시작했다. ③ 양보하다. ④ 기운이 죽다, 약해지다 : *Cedió* el viento. ⑤ [+de : …을] 단념하다, 포기하다, 버리다.
cedilla *f.* 고어에서 c 밑에 붙였던 부호(ç) (zedilla).
cedizo, za *adj.* 썩기 시작한 : Las carnes ~*s* son peligrosas.
cedo *adv.* 【고어·방언】 곧장, 즉시, 바로.
cedoaria *f.* 【식물】 심황; 그 뿌리 《건조시켜 약용·향료·염료로 씀》.
cedral *m.* 삼나무숲.
cedras *f.pl.* 안장에 다는 가죽 주머니.
cedreleón *m.* 삼나무 기름.
cedria *f.* 서양삼(cedro)의 수지(樹脂).
cédride *f.* 서양삼의 열매.
cedrino, na *adj.* 서양삼의 : madera ~*na.*
cedrito *m.* 포도주와 삼(杉)의 수지로 만든 음료.
cedro *m.* [*lat.* cedrus] 【식물】 삼나무, 서양 삼나무 : ~ de la India, deodara 히말라야 삼나무. ~ del Líbano 레바논 삼나무.
cedróleo *m.* 삼나무의 수정(樹精).
cédula *f.* 주민 등록증 ; 표, 권 ; 증서 ; 증권 ; 신청서 ; 투표 용지 (등).
~ *ante díem* (협의한 의원에게 미리 통고하는) 의안 통고서. ~ *de abono* 납입·납세 고지서. ~ *de aduana* 통관증. ~ *de cambio* 환어음 (letra de cambio). ~ *de identidad* 신분 증명서, 거주 증명서. ~ *de vecindad* 거주 증명서. ~ *del tesoro* 국고 증권. ~ *en blanco* 백지 위임장. ~ *personal* 신분 증명서. ~ *real*·*Real* 칙허장. ~ *testamentaria* 유언을 보충해줄 메모. *dar* ~ *de vida* 목숨만을 살려 주다.
cedulario *m.* 칙허증(cédulas reales)의 집록(集錄).
cedulón *m.* [*aum.* cédula] ① 방(榜), 게시. ② 풍자글, 낙서(pasquín). ③ 《*Méx.*》 =**albarán.**
CEE Comunidad Económica (para) Europea 유럽 경제 위원회.
cefalalgia *f.* 【의학】 두통(dolor de cabeza).
cefalálgico, ca *adj.* 두통의.
cefalea *f.* 【의학】 만성 두통.
cefálico, ca *adj.* 머리 부분의 : vena ~*ca.*
cefalitis *f.* 【의학】 뇌염.
céfalo *m.* 【어류】 농어(róbano).
cefaloideo, a *adj.* 머리 모양의.
cefalópodo *adj.* 【동물】 두족류(頭足類)의. —*m.pl.* 두족류 《낙지, 오징어》.
cefaloscopia *f.* 뇌와 두개골 검사, 뇌와 척추의 : líquido ~.
cefalotórax *m.* (갑각류·거미 등의) 두흉부(頭胸部).
cefear *intr.* 《*Sal.*》 =**hozar.**
Cefeo *m.* ①【희랍 전설】 케페우스 《이디오피아왕 Casiopea의 남편》. ②【천문】 케페우스 별자리.
céfiro *m.* [*gr.* zephuros] ①【시어】 서풍 ; 산들바람. ② 삼 비슷한 무명. ③ 《*SDgo.*》 부족, 손실.
cefo *m.* 【동물】 (아프리카산의) 원숭이의 일종.
cegado, da *adj.* cegar의 *p.p.*
cegador, ra *adj.* 현기증이 나게 하는 (듯한).
cegajo *m.* 두 살 짜리 산양.
cegajoso, sa *adj.* 언제나 눈물을 질끔거리는; 짓무른 눈의.
cegar *intr.* ⑲ ⑧ [*lat.* caecare] 장님이 되다, 시력을 잃다(perder la vista) : ~ *de* cólera 화가 나서 앞이 안보이다. —*tr.* ① 눈이 멀어지다 : La codicia le *ciega* el juicio 욕심이 그의 이성을 흐리게 만든다. Me *ciega* esa luz tan fuerte 이렇게 강한 빛에 눈이 멀어진다. ② (구멍·통로 등을) 막다(tapar).
~se ① 눈이 멀어지다. ② (구멍 등이) 막히다.
[직설법 현재 : ciego, ciegas, ciega, cegamos, cegáis, ciegan. 접속법 현재 : ciegue, ciegues, ciegue, ceguemos, ceguéis, cieguen. 직설법 부정과거 1인칭 단수 : cegué].
cegarra *adj. m.f.* =**cegato.**
cegarrita *adj. m.f.* 눈을 가늘게 뜨고 보는 (사람) : a ~*s* 눈을 가늘게 뜨고, 눈길을 모아.
cegato, ta *adj.* 시력이 약한(corto de vista), 근시안의, 반 장님의. —*m.f.* 시력이 약한 사람.
cegatón, na *adj.* 《*Amér.*》 =**cegato.**
cegatoso, sa *adj.* =**cegajoso.**
cegesimal *adj.* C.G.S.법 《centímetro, gramo, segundo를 단위로 하는 물건》의 : sistema ~.
cegrí *m.* 세그리 가문 《그라나다 왕국의 대씨족 Cegríes》에 속하는 사람 : ~*es* y abencerrajes 원

수 사이 ; 세력 다툼.
cegua *f.* 《*AmérC.*》 유령.
cegue, cegué →**cegar** ⑲ ⑧.
ceguecillo, lla *adj. m. f.* ciego.
ceguedad *f.* 장님 ; 실명(失明) ; 앞이 안 보임, 이성을 잃는 일.
ceguera *f.* =**ceguedad.**
ceguezuelo, la *adj. m.f. dim.* ciego.
ceiba *f.* ①【식물】 판야나무. ②【식물】 마름, 조류(藻類).
ceibal *m.* 판야숲 ; 세이바숲.
ceibo *m.* ①【식물】 세이보나무 《남미산의 관상수》. ② =**ceiba.**
ceíbo *m.* 《*Riopl.*》 =**ceibo.**
ceibón *m.* ceiba의 일종.
Ceilán *m.* 【지명】 세일론.
ceilanés, sa *adj.* 세일론의. —*m.f.* 세일론 사람.
ceína *f.* 제인 《옥수수의 정(精)》.
ceja *f.* [*lat.* cilia] ①【해부】 눈썹. ②(물건의) 약간 두둑한 곳. ③(산꼭대기에 걸리는) 비낀 구름. ④(산의) 등성이. ⑤(악기의) 줄받이. ⑥《*Amér.*》 도로로 구획된 삼림의 구획. ⑦《*Amér.*》 좁은 길(camino estrecho).
hasta las ~s 극한까지, 더 이상 갈 수 없도록.
dar entre ~ y ~ 거침없이 말해 주다.
quemarse las ~s 기를 쓰고 공부하다.
tener entre ~ y ~ 경계하는 눈으로 보다 ; 마음에 두다 : Mi jefe me *tiene entre ~ y ~* 부장님은 나를 경계하는 눈으로 바라보신다.
cejadero *m.* (말의) 후퇴용 고삐.
cejador *m.* =**cejadero.**
cejar *intr.* ① 후퇴하다(retroceder). ② 주장을 포기하다, 양보하다, 사양하다.
cejijunto, ta *adj.* ① 이마·미간이 좁은. ② 우거지상의, 찡그린 얼굴의.
cejilla *f.* [*dim.* ceja] (기타의) 줄받이.
cejo *m.* ① 아침의 강에 낀 안개. ② 아프리카 야자잎(esparto)으로 꼰 줄.
cejudo, da *adj.* 눈썹의 숱이 많고 길다란.
cejuela *f. dim.* ceja. =**cejilla.**
cejunto, ta *adj.* =**cejijunto.**
celada *f.* ①(옛날의) 면(面)이 달린 투구 : la ~ de Don Quijote. ② 복병(emboscada). ③ 덫, 올가미, 함정(trampa) : caer en ~ 함정에 빠지다.
celadamente *adv.* 살짝, 남몰래 지그시, 살그머니.
celadón *m.* 청자색(青磁色)(verde claro).
celador, ra *adj.* 감시하는, 망보는(vigilante). —*m.f.* 감시인.
celaduría *f.* celador의 직·사무소.
celaje *m.* ① 채광창. ② 전조(前兆)(presagio, indicio). —*pl.* ① 약간 낀 구름 ; 저녁 노을, 잔조(殘照) (구름) ; 구름의 덩어리. ②《*Amér.*》 유령, 허깨비 : como un ~ 재빨리.
celajería *f.* 구름의 덩어리, 바다에 뜨는 구름.
celambre *f.* =**celos.**
celán *m.* 【어류】 청어(arenque)의 일종.
celandés, sa *adj. m.f.* =**zelandés.**
celante *adj.* 감시하는; 감독하는.
celar[1] *tr.* [*lat.* zelare] 망을 보다, 감시하다, 감독하다(vigilar). —*intr.* [+sobre·por : …을] 감시하다; 새기다 ; 파다.
celar[2] *tr.* 은폐하다, 숨기다, 감추다(ocultar, esconder).
celda *f.* ① 승방. ② 감방, 독방. ③(벌집의) 꿀집(celdilla).
celdilla *f.* [*dim.* celda] ① 작은 방. ② 꿀집, 벌구멍. ③(과실의) 씨방, 화분실. ④ =**nicho.**
cele *adj.* 《*AmérC. Méx.*》 ① 연한, 부드러운(tierno). ② 파릇한(verde).
celebérrimo, ma *adj. sup.* célebre.
celebración *f.* ① 축하하는 것, 축하(식) ; 거행 : la ~ de un matrimonio. ② 갈채, 칭찬(aplauso).
celebrador, ra *adj.* 칭찬하는. —*m.f.* 칭찬하는 사람.
celebrante *adj.* 축하하는 ; 거행하는. —*m.* 미사를 보는 신부.
celebrar *tr.* [*lat.* celebrare] ① 축하하다, 기리다 : Le *celebro* mucho 축하합니다. ② 추켜주다, 칭찬하다(alabar) : ~ la gloria de un héroe. ③ 개최하다, 행하다, 거행하다 : Van a ~ una fiesta en esa familia 그 가정에서 파티를 개최하려 한다. La inauguración se *celebrará* en el 15 de octubre 개회식은 10월 15일에 거행될 것이다. —*intr.* ① 미사를 행하다(decir misa). ②(회견·회의 등이) 개최되다, 열리다.
célebre *adj.* [*lat.* celeber] ① 이름난, 유명한(famoso) : Más vale ser bueno que ~. ② 색다른, 성대한(gracioso, festivo) : ¡Qué ~ es ese chico!
célebremente *adv.* 유명하게 ; 성대하게.
celebrero *m.* 【고어】 장례식에 참석한 사제.
celebridad *f.* ① 고명(高名), 명성, 인기(fama). ② 성대함 ; 향연. ③《*Neol.*》 명사(名士) : la ~ del mundo médico 의학계의 명사.
celebro *m.* =**cerebro.**
celedón *adj.* =**verdeceledón.**
celemín *m.* ① 셀레민 《곡물의 분량, 4,625리터 ; 예전에는 땅 면적의 단위, 밀 1셀레민을 심을 수 있는 넓이, 537평방 미터》. ② 1셀레민의 곡식.
celeminada *f.* 1셀레민의 곡식.
celeminear *intr.* 【방언】 여기저기 거닐다.
celeminero, ra *m.f.* 밀짚과 보리를 나르는 인부.
celenterados *m.pl.* 【동물】 =**celenterios.**
celentéreo *adj.* 【동물】 강장 동물(腔腸動物) 《산호충, 말미잘, 등》의. —*m.pl.* 강장 동물.
celentéreos *m.pl.* =**celenterios.**
celenterios *m.pl.* 【동물】 강장 동물.
celeque *adj.* 《*AmérC.*》 =**cele.**
celera *f.* [보통 *pl.*] =**celos.**
célere *adj.* 【시어】 빠른 (rápido). —*m.* 고대 로마의 경기병(輕騎兵). —*f.pl.* 【신화】 때(horas).
celeridad *f.* [*lat.* celeritas] 날쌤, 기민, 신속(rapidez, prontitud, velocidad) : caminar con ~ 빨리 걷다. Contr. lentitud.
celescopio *m.* 조강경(照腔鏡) 《의료 기구》.
celeste *adj.* ① 하늘의(del cielo) : cuerpo ~ 천체. ② 하늘색의(azul ~). —*m.* 하늘색. —*m.f.* 중국인(chino) : el imperio de los ~*s*. Contr. infernal.
celestial *adj.* ① 천국의 ; 하늘 (나라)의. ② 지

상(至上)의, 완전한, 더 할 나위없는 : música ~ 더 할 나위없는 음악 ; 그림의 떡 ; 식언이나 알맹이가 없는 말. ③【연극】어리석은, 멍청한, 우둔한(bobo, tonto).

celestialmente *adv.* 하늘이 정해 주신 것으로 ; 더 할 나위없이.

celestina *f.* ① 정사(情事)의 중매쟁이 여자. ②【광물】천청석(天靑石).

Celestina (la) *f.* 셀레스띠나 《F. de Rojas의 작품으로 알려진 「까리스또와 메리베아의 희비극」에 나오는 인물》.

celestinesco, ca *adj.* 뚜쟁이 · 기생 오라비 같은, 알랑쇠같은.

celestino, na *adj.* 셀레스띠노 교단 《Pedro Morone가 1251년에 창립》의. —*m.f.* 셀레스띠노 교단의 승려. —*m.* 《*Arg.*》【조류】=**pajarito amarillo.**

celestre *m.* 천을 뜨겁게 해서 했던 목욕.

celfo *m.* =**cefo.**

celia *f.* 옛날의 서반아산 맥주.

celiaca *f.* 설사.

celiaco, ca *adj.* ① 창자의 : arteria ~*ca.* ② 체강의. —*m.f.* 설사 환자. —*f.* 장성(腸性) 소아 체질.

celíaco, ca *adj.* =**celiaco.**

celibatario *m.* 《*Galic.*》 =**célibe, soltero.**

celibato *m.* [*lat.* celibatus] ① 독신 생활(estado de soltero) : el ~ de los religiosos 수도자들의 독신 생활. Contr. matrimonio. ② 독신자.

célibe *adj.* 독신의, 미혼의. —*m.f.* 독신자, 미혼자.

celical *adj.*【시어】=**célico.**

célico, ca *adj.*【시어】하늘의, 천상(天上)의, 천국과 같은, 거룩한, 기특한.

celícola *m.*【시어】천국에 사는 사람, 하늘 나라의 사람.

celidonia *f.*【식물】애기똥풀 : ~ menor 왜젓가락풀.

celinda *f.*【식물】=**jeringuilla.**

celindrate cilantro로 양념한 요리.

cellar *adj.* ***hierro*** ~ 5㎝×1㎝ 각의 철재.

cellenca *f.* 갈보, 매춘부, 매음부, 창녀(mujer pública).

cellenco, ca *adj.* =**achacoso, baldado.**

cellerizo *m.* ① =**cillerizo.** ②【고어】=**cillerero.**

cellisca *f.* 눈과 비가 몰아침.

cellisquear *intr.* 눈과 비가 몰아치다(haber cellisca).

cello *m.* (통의) 쇠테(aro de hierro).

celo *m.* [*lat.* zelus] ① 열심, 열의. ② 걱정, 우려, 근심(cuidado). ③ 짐승의 발정(기) : estar en ~. —*pl.* 질투(achares) : dar ~*s* 질투하다. Tiene muchos ~*s* de su marido 그녀는 남편을 무척 질투하고 있다.

celofán *m.* 셀로판, 유리 종이(papel ~).

celofana *f.* =**celofán.**

celoidina *f.* 셀로이딘 《인화지의 감광제》.

celoma *m.*【동물】체강(體腔).

celosamente *adv.* 열심히, 열의있게, 기를 쓰고, 조심스럽게.

celosía *f.* ① 그물을 댄 창문(enrejado que se pone en las ventanas para ver sin ser visto). ② 질투의 정념 · 불길(pasión de la persona celosa), 투기(celotipia).

celoso, sa *adj.* ① 열심인, 열의적인. ② 질투하는, 질투심이 강한 : estar ~ de todos. ③ 안절부절 못하는(receloso). ④ 《*Amér.*》 발화하기 쉬운, 폭발하기 쉬운.

celote *m.* =**celador.**

celotipia *f.* 질투의 정념 · 불길.

celsitud *f.* =**elevación, excelencia** : Vuestra · Su ~【고어】전하.

celta *adj.* 켈트족 《고대 유럽 중부의 선주 민족》의. —*m.f.* 켈트인. —*m.* 켈트어. —*m.pl.* 켈트족.

celtibérico, ca *adj.* 셀띠베리아 《la Celtiberia, 서반아의 중앙에서 동부에 걸친 지방의 옛 이름》의. —*m.f.* 셀띠베리아인.

celtiberio, ria *adj.pl.* =**celibérico.**

celtíbero, ra *adj.* 셀띠베리아 (태생)의. —*m. pl.* 셀띠베로족 《켈트족과 이베로족의 혼혈족으로 알려진 종족》.

céltico, ca *adj.* 켈트족(los celtas)의.

celtídeo, a *adj.*【식물】=**ulmáceo.** —*f.pl.* = **ulmáceas.**

celtismo *m.* 켈트 어원설 ; 켈트족학.

celtista *m.f.* 켈트어 · 켈트 문학 연구가.

celtohispánico, ca *adj.* 서반아에 있어서의 켈트 문학의.

celtohispano, na *adj.* =**celtohispánico.**

celtolatino, na *adj.* 라틴어에 유입된 켈트 어원의 (말).

célula *f.* [*lat.* cellula] ① 작은 방. ②【의학】작은 주머니, 강(腔), 봉와(蜂窩), 봉방(蜂房). ③【식물 · 동물】세포. ④ 관(管) : ~ fotoeléctrica 광전지, 광전관.

celulado, da *adj.* 세포 조직의 ; 세포같은.

celular *adj.* 세포의 ; 세포 모양의, 봉와 · 봉방의. —*m.* 휴대 전화기, 핸드폰. ***prisión*** ~ 독감방.

celulario, ria *adj.* 세포 구성 · 조직의, 봉와 조직의.

celulita *f.*【화학】셀룰리트.

celulitis *f.* 피하 섬유질의 흥분 · 자극.

celuloide *m.* 셀룰로이드.

celulosa *f.* 셀룰로오스, 식물 섬유소(纖維素).

celulósico, ca *adj.* 셀룰로오스의 : industria ~*ca* 화학 섬유 공업.

celuloso, sa *adj.* 세포가 많은, 세포 모양의.

cementación *f.*【야금】삼탄법(滲炭法).

cementar *tr.* (철을) 강화(鋼化)하다 ; (동의 표면을) 청동화하다.

cementerial *adj.* 묘지의 · 같은.

cementerio *m.* 묘지 ; 공동 묘지(camposanto).

cemento *m.* [*lat.* cementum] ① 시멘트. ② (이의) 백아질(白亞質). ③ (야금의) 접합제. ~ ***armado*** 철근 콘크리트. ~ ***de Portland*** · ***hidráulico*** 수경(水硬) 시멘트. ~ ***refractario*** 내화(耐火) 시멘트. ~ ***amianto*** 석면(石綿) 시멘트.

cementoso, sa *adj.* 시멘트질의.

cemita *f.* 《*Amér.*》 =**acemita.**

cempasúchil *m.* 《*Méx.*》 =**cempoal.**

cempoal *m.* 《*Méx.*》【식물】인도 석죽(flor de los muertos).

cena *f.* [*lat.* cena] 저녁, 저녁밥 ; 만찬(última

comida) : la *Cena* 그리스도 최후의 만찬.
Más mató la ~ que sanó Avicena 【속담】 저녁을 많이 먹으면 건강에 해롭다(El cenar mucho es muy perjudicial a la salud).

cenaaoscuras *m.f.* ① 남을 싫어하는 사람, 교제를 싫어하는 사람, 인간 혐오. ② 소극적인 사람. ③ 구두쇠, 깍쟁이.

cenáculo *m.* [*lat.* cenaculum] 동호회(同好會).

Cenáculo *m.* 그리스도 최후의 만찬실.

cenacho *m.* ① 장바구니. ② 《*PRico.*》 고물 침대.

cenada *f.* 《*Méx.*》 =**cenata.**

cenadero *m.* ① 저녁 식사하는 식당·장소 : tener un ~ en el jardín. ② 정원에 나무 울타리·덩굴나무 등으로 둘러쳐 놓은 곳.

cenado, da *adj.* 저녁을 마친 : estar ~.

cenador, ra *adj.* 저녁밥을 먹는, 저녁 식탁에 앉은. **—***m.f.* 저녁밥을 먹는 사람. **—***m.* ① 정원의 cenadero (glorieta). ② (그라나다에서는) 회랑(回廊).

cenaduría *f.* 《*Méx.*》 =**figón, fonda.**

cenagal *m.* ① 수렁길 ; 수렁, 웅덩이(lugar cenagoso). ② 해결하기 어려운 일, 꼼짝 못할 처지, 난관, 어려움(dificultad, apuro) : meter en el ~.

cenagoso, sa *adj.* cenagal의 : camino ~.

cenancle *m.* 《*Méx.*》 【고어】 옥수수의 과수(果穗).

cenar *intr.* ① 저녁(밥)을 먹다(tomar la cena) : ¿Quiere darme el gusto de ~ conmigo esta noche? 오늘 밤 저와 함께 식사하시겠습니까? ② 만찬에 참석하다. **—***tr.* 저녁밥으로 먹다 : ~ un par de huevos 저녁으로 계란 두 개를 먹다.

cenata *f.* 《*Amér.*》 떠들석하고 잘 차린 저녁.

cenca *f.* 《*Perú.*》 (새의) 볏(cresta de las aves).

cencapa *f.* 《*Perú.*》 =**jáquima de llama.**

cencellada *f.* 《*Sal.*》 =**rocío, escarcha.**

cenceño, ña *adj.* 여윈, 바짝 마른(delgado, flaco).

cencerra *f.* =**cencerro.**

cencerrada *f.* (서반아에서) 재혼자의 첫날 밤을 놀려 주느라고 방울과 나팔을 불어대는 일 : dar ~.

cencerrear *intr.* ① 방울을 미친 듯이 울려대다. ② 엉뚱한 가락으로 기타를 켜다. ③ (수레·창문·기계 등이) 삐걱거리는 소리를 내다. ④ 이가 빠질려고 움직이다.

cencerreo *m.* ① 방울 울리기. ② 요란스럽게 흥을 돋음. ③ 삐걱거리는 소리.

cencerril *adj.* 방울(cencerro)의.

cencerro *m.* (가축의 목에 단) 방울 : ~ zumbón 향도 소의 높은 방울 소리.
a ~s tapados 몰래.

cencerrón *m.* 포도의 허섭쓰레기(redrojo).

cencivera *f.* 《*Ar.*》 작은 조생종 포도의 이름.

cencuate *m.* 【동물】 (멕시코의) 독사(culebra venenosa).

cendal *m.* ① 얇은 비단 ; 가제. ② 승려복. ③ (새의) 털의 털. ④ 아라비아인의 군선(軍船). **—***pl.* 잉크병에 넣은 솜·해면.

cendalí *adj.* cendal의.

cendolilla *f.* 실성한 아가씨.

cendra *f.* (도가니에 쓰는) 골회(骨灰).
ser una ~ · vivo como una ~ 아주 팔팔하다.

cendrada *f.* =**cendra.**

cendradilla *f.* (금·은 정제용) 도가니.

cendrado, da *adj.* cendrar의 *p.p.*

cendrar *tr.* =**acendrar.**

cenefa *f.* (손수건·커튼 등의) 갓단 두르기 ; 갓단의 무늬 ; (옆으로 치는) 차일.

cenegal *m.* 【고어】 《*Amér.*》 =**cenagal.**

ceneque *m.* 【은어】 =**panecillo.**

cenestesia *f.* 일반 감각, 정상 의식.

cenestésico, ca *adj.* 일반 감각·정상 의식의.

cenete *adj.* 세네타족《북아프리카 Zeneta의 야만족》의. **—***m.f.* 세네타 사람.

cenhegí *adj.* 산아가족 《북아프리카 Zanhaga의 야만족》의. **—***m.f.* 산아가 사람.

cení *m.* 얇다란 놋쇠·양철.

cenia *f.* 양수차.

cenicense *adj. m.f.* 라 세니아 《La Cenia, Tarragona주의 마을》의 (사람).

cenicerense *adj. m.f.* 세니세로 《Cenicero, Logroño주의 도시》의 (사람).

cenicero *m.* ① 재털이 : ~ de cristal. ② (아궁이의) 재받이 ; 재 버리는 곳.

cenicienta *f.* 의붓자식 대접을 받는 사람, 천덕꾸러기(criada sucia).

Cenicienta *f.* 신데렐라 《프랑스의 Perrault의 작품》.

ceniciento, ta *adj.* 회색의(de color de ceniza).

cenicilla *f.* 【세균】 오이듐(oídio).

cenismo *m.* 방언의 혼합.

cenit *m.* [복수형은 없음] 【천문】 정상, 천정(天頂). **Contr.** nadir.

cenital *adj.* 꼭대기의, 정상의, 천정(天頂)의 : luz ~.

ceniza *f.* ① [*lat.* cinis] 재 : reducir a ~*s* 잿더미로 만들다, 수포로 돌아가게 하다. ② =**oídio.** ③ =**cernada.** **—***pl.* 유골.
~ azul · verde 에메랄드 빛깔, 그 안료. ***~ de estaño*** (바르는) 퍼티. ***~ de soda*** 소다회.
poner la ~ en la frente (누구를) 꺾다.

cenizal *m.* =**cenicero.**

cenízaro *m.* (꼬스따리까의) 세니사로나무.

cenizo, za *adj.* ① 회색의(ceniciento). ② 비관적인. ③ 불경기의. ④ 운이 나쁜. **—***m.* ① 【식물】 명아주. ② 【세균】 오이듐. ③ 재수없이 생긴 사람, 흥을 깨는 사람(aguafiestas).

cenizoso, sa *adj.* 재를 뒤집어 쓴 ; 잿빛의.

cenobial *adj.* 수도원의.

cenobio *m.* 수도원(monasterio).

cenobita *m.f.* 수도자(fraile, monje, anacoreta).

cenobítico, ca *adj.* 수도하는 사람의, 수도자의 : vida ~*ca.* **Sinón.** conventual, monástico.

cenobitismo *m.* 수도(修道) 생활(vida cenobítica).

cenojil *m.* =**liga.**

cenopegias *f. pl.* (선조의 황야 방랑을 기념하는) 유태인의 가을 축제 《유태력의 7월의 15일부터 7일간》.

cenotafio *m.* 기념비.

cenote *m.* 《*Méx.*》 (동굴 내의) 물웅덩이(pozo u ojo de agua) ; 물이 나오는 동굴.

cenozoico, ca *adj.* 【지질】 신생대의.

censal *adj.* 《*Ar.*》 =**censual.** —*m.* =**censo.**
censalero *m.* 《*Murc.*》 =**censatario.**
censalista *m.f.* 《*Ar.*》 =**censualista.**
censar *intr.* 《*Arg. Urug.*》 인구·국세·시세 조사를 하다(levantar un censo).
censatario *m.* 연공(年貢)·연부금 납입자. Contr. censualista.
censido, da *adj.* 근저당이 된 (부동산).
censista *m.f.* 인구 조사원, 선거인 명부 작성자.
censo *m.* [*lat.* census] ① 인구·국세·시세(市稅) 조사 : levantar el ~ 인구·실태 조사를 하다. ② 실태 조사 원부(原簿) : ~ electoral 선거인 명부. ③ (고대 로마의) 인두세(人頭稅) ; (말사에서 헌납한) 연공금. ④ 부동산의 저당 계약·연부금·땅값 ; 부동산세. ⑤ 골치 아픈 일·사람, 반갑지 않은 일·사람, 힘겨운 일. ~ *agrícola-ganadero* 농축산업 센서스. ~ *agropecuario* 농목업 센서스. ~ *comercial* 상업 센서스. ~ *comercal y de servicios* 상업 및 서비스업 센서스. ~ *consignativo* 부동산 위탁 계약. ~ *de comercio e industria* 상공업 센서스. ~ *de edificio* 건축물 센서스. ~ *de la vivienda urbana* 도시 주택 센서스. ~ *de población* 인구 조사. ~ *de transportes* 운수업 센서스. ~ *de vivienda* 주택 센서스. ~ *económico* 경제 센서스. ~ *industrial* 공업 센서스. ~ *minero industrial* 광공업 센서스. ~ *nacional* 국세 조사. ~ *parcial* 부분적 국세 조사.
censonte *m.* 《*Amér.*》 =**sinsonte.**
censontle *m.* 《*Amér.*》 =**sinsonte.**
censor *m.* [*lat.* censor] ① (흥행·출판·통신 등의) 검열관 ; 감사역. ② 학감, 사감(舍監). ③ (고대 로마의) 감찰관, 감사역 ; 국세·인구 조사관. ④ 비평자, 비난자.
censoría *f.* censor의 직.
censorino, na *adj.* 검열의.
censorio, ria *adj.* =**censorino.**
censual *adj.* ① 국세·시세 조사의. ② 부동산 저당 계약의 : renta ~.
censualista *m.f.* 부동산 계약에 의한 연부금의 수취인, 연금 수취인. Contr. censatario.
censuario *m.* =**censatario.**
censura *f.* ① 검열 : ~ militar 육군 검열부. Las cartas han de pasar por la ~ 편지는 검열을 통과하지 않으면 안된다. La ~ de aquel censor es muy severa 저 검열관의 검열은 무척 엄격하다. ② 비난, 비판, 비평(crítica) : Fue expuesto a la ~ pública 그것은 일반의 비판에 맡겨졌다. ③ 말썽, 평. ④ (고대 로마의) 감찰관·감사관 직책.
censurable *adj.* 비난할 만한(reprobable).
censurador, ra *m.f.* 비판자, 비난자, 비평자.
censurante *adj.* 비난·비판의.
censurar *tr.* ① 검열하다 : ~ una película 영화를 검열하다. ② 비판·비평·비난하다(criticar) : No se puede ~le sólo por lo que ha dicho 그가 말한 것만으로는 그를 비난할 수 없다. Contr. alabar. ③ 이러쿵 저러쿵하다, 구설수에 올리다(murmurar) : ~ *en* uno sus malos hechos 어떤 사람의 못된 짓을 이러쿵 저러쿵 들먹이다.
censurativo, va *adj.* =**censuratorio.**
censuratorio, ria *adj.* 비난하는 투의, 탓하는 듯한.
censurista *m.f.* 잔소리꾼, 꽁생원.
cent. color entero 단색.
centalla *f.* (툭툭 튀는) 불똥.
centaura *f.* 【식물】 (유럽산의) 도깨비부채, 수레국화 : ~ menor 서양 현호색과의 식물.
centaurea *f.* 【식물】 =**centaura.** —*pl.* 범의귀과에 속하는 식물.
centaureo, a *adj.* 범의귀과·용담과의(gencianáceo).
centauro *m.* 【희랍 신화】 반인 반마(半人半馬)의 괴물.
Centauro *m.* 【천문】 인마궁 《남쪽 지평선 가까이 있는 성좌》.
centavo, va *adj.* 100분의 1의(centésimo). —*m.* 센따보 《*Arg. Bol. Col. Cuba. Chile. Dom. Filip. Guat. Hond. Méx. Urug.* 등 여러 나라에서 사용하는 보조 화폐, 단위 화폐의 100분의 1》.
centavería *f.* 《*Ecuad.*》 (짐승의) 우리, 오두막.
centella *f.* ① 번갯불, 섬광(閃光)(rayo) : Cayó una ~ sobre el pararrayos de la torre. ② 불꽃, 스파크(chispa). ③ 원한, 양심. ④ 《*Chile.*》 【식물】 미나리아재비. ⑤ 【은어】 시퍼런 칼날.
centellador, ra *adj.* 불꽃을 튀기는, 번쩍이는.
centellante *adj.* =**centelleante.**
centellar *intr.* =**centellear.**
centelleante *adj.* 불꽃을 튀기는 ; 반짝거리는.
centellear *intr.* 불꽃을 튀기다 ; 번쩍이다, 반짝이다. Sinón. chispear.
centelleo *m.* centellear하기.
centellero *m.* 《*Chile.*》 초를 일곱 개 세울 수 있는 성사(聖事)용 촛대.
centellón *m.* 매우 큰 centella.
centelluela *f.* 가벼운 불꽃.
centén *m.* 옛 금화 《100레아르》.
centena *f.* 100을 단위로 묶은 것, 100단위.
centenada *f.* 100 가량 : a ~*s* 100으로써 계산할 수 있을 정도로 많이.
centenal *m.* ① 라이 보리밭. ② 100단위로 묶은 것(centena). ③ 《*Ar.*》 실패를 묶는 사람.
centenar *m.* ① 100 단위로 묶은 것, 100 단위 : a ~*es* 무수히, 많이(en gran cantidad, en gran número) : Heridos y enfermos murieron a ~*es* 부상자와 병든 사람들이 무수히 죽었다. ② 100년제.
centenario, ria *adj.* 100의 ; 100씩의 ; 100세의. —*m.f.* 100세의 노인. —*m.* ① 100년. ② 100년제 : El quinto ~ de la ciudad se celebró en el salón del ayuntamiento 당시(當市)의 500년제가 시청 회의실에서 거행되었다. El quinto ~ del descubrimiento de América se celebrará en 1992 en Barcelona 아메리카 발견 500주년제가 1992년 발르셀로나에서 열릴 것이다. ③ 100년기(忌).
centenaza *adj.* 호밀의 : paja ~ 호밀짚.
centenero, ra *adj.* 호밀에 적합한.
centeno, na *adj.* 100번째의. —*m.* 【식물】 호밀.
centenoso, sa *adj.* 호밀이 많이 혼합된.
centesimal *adj.* 100등분한.
centésimo, ma *adj.* 100번째의 ; 100분의 1의 : una ~*ma* parte 100분의 1. —*m.* ① 제100, 백

분의 일. ② 센떼씨모 《엘살바도르의 colón, 베네수엘라의 bolívar 단위 화폐의 100분의 1》.
centi- *pref.* [*lat.* centum] 「100」「100분의 1」을 뜻하는 접두어.
centiárea *f.* 100분의 1 아르 《1평방 미터》.
centibario *m.* 대기 압력의 단위 《약 7.5㎜》.
centígrado, da *adj.* 백분도의 ; 섭씨의 : termómetro ~ 섭씨 한란계.
centigramo *m.* 센티그램.
centilitro *m.* 센티리터.
centiloquio *m.* 백장(百章)·백조(百條)(로 된 것).
centimano *adj.* 손이 100개인 (거인).
centímano *adj.* =**centimano.**
centime *m.* 센띠메 《아이티 ; 불란서, 스위스 등의 단위 화폐의 백분의 일》.
centímetro *m.* 센티미터 : ~ cuadrado 평방 센티. ~ cúbico 입방 센티.
céntimo, ma *adj.* 100분의 1의. —*m.* 센띠모 《꼬스따리까의 peso, 서반아의 peseta, 빠나마의 balboa, 빠라구아이의 guaraní, 우루구아이의 peso의 보조 화폐, 단위 화폐의 100분의 1》.
centinela [*ital.* sentinella] *f.* 보초 ; 초병 ; 파수병 ; 파수꾼. —*f.* 《*Bol.*》 판자로 된 잔교(桟橋). ~ ***avanzado*** 전위(前衛). ~ ***de vista*** (포로) 감시병. ~ ***perdida*** 척후.
estar de ~ 보초 서 있다 : Jorge ***estaba de*** ~ 호르헤는 보초 서 있었다. ***hacer*** ~ 보초 서다.
centinodia *f.* 【식물】 마디풀.
centiplicado, da *adj.* =**centuplicado.**
centipondio *m.* =**quintal.**
centola *f.* 【동물】 바다 거미(araña de mar)의 일종.
centolla *f.* =**centola.**
centollo *m.* =**centolla.**
centón *m.* ① 누비 이불, 누비 침대 커버. ② 조각 모포 ; 조각 대기 세공. ③ 남의 글을 조각조각 이어 맞춘 문학 작품.
centonar *tr.* 닥치는 대로 쌓아올리다.
centrado, da *adj.* 중앙에 꼭 맞는.
central *adj.* 중심·중앙의 : La América *C-* 중앙 아메리카. —*f.* ① 중앙부, 본부, 본점, 본국(本局) : la ~ y las sucursales 본점과 지점. ② 중앙 우체국 (~ de correos). ③ 전화 교환국. ④ 발전소 (~ eléctrica). ⑤ 《*PRico.*》 제당소. —*m.* 《*Ant. Perú.*》 ① 제당소. ② 《*Perú.*》 【광물】 제련소.
~ ***atómica*** 원자력 발전소. ***C- de Trabajadores de la Revolución Peruana*** 뻬루 혁명 노동자 중앙 조직. ~ ***eléctrica*** 발전소. ~ ***hidroeléctrica*** 수력 발전소. ***C- Obrera Boliviana*** 《*Bol.*》 전국 노동 조합. ~ ***térmica*** 수력 발전소. ***C- Unica de Trabajadores*** 《*Urug.*》 노동자 통일 본부.
centralic- →**centralizar** ⑨.
centralidad *f.* 중심성.
centralismo *m.* 중앙 집권주의·제도 ; 집중주의.
centralista *adj.* 중앙 집권주의의. —*m.f.* ① 중앙 집권주의자. ② 《*Ant.*》 제당 공장 주인. —*m.f.* (건물 내부의) 전화 교환수.
centralita *f.* 전화 교환기·교환대.
centralización *f.* 집중(화) ; 중앙 집권.
centralizador, ra *adj.* 중앙 집권화하는. —*m.f.* 중앙 집권자.
centralizar *tr.* ⑨ 중심·중앙으로 모으다 ; 집권적으로 하다, 중앙 집권화하다 ; 집중 처리·조작하다 : organización *centralizada* (컴퓨터 등에 의한) 집중 처리 기구.
centrar *tr.* ① 중심에 두다 : ~ un cuadro en la pared 벽의 중앙에 액자를 걸다. ② (물건의) 중심을 맞추다·정하다. ② (대상에 광선·화력 등을) 집중시키다 : Aquí *centran* las líneas ferroviarias 이곳에서 철도선이 집중하고 있다.
céntrico, ca *adj.* (특히 도시) 중심의 ; 중앙부의(central) : calle ~*ca* 중심가. punto ~ 중심점.
centrífuga *f.* 《*Ant. Méx. Perú.*》 (제당용) 원심 분리기.
centrifugación *f.* 원심 분리.
centrifugador, ra *adj.* 원심력을 이용한. —*m.* 원심 분리기.
centrifugadora *f.* 원심 분리기.
centrifugar *tr.* ⑨ 원심 분리하다, 원심 분리기에 걸다.
centrífugo, ga *adj.* ① 원심성의 : fuerza ~*ga* 원심력. ② 원심 분리에 의한 : azúcar ~ 원심 분리에 의한 정제당. fuerza ~*ga* 원심력. Contr. centrípeto.
centrípeto, ta *adj.* 구심성의 : fuerza ~*ta* 구심력. Contr. centrífugo.
centrina *f.* 【곤충】 바다 거미의 일종.
centrisco *m.* (지중해의) 물고기(chocha de mar).
centrista *adj.*중앙의.—*m.f.* 정당의 같은 계열자.
centro *m.* [*lat.* centrum] ① ㄱ) 가운데, 복판 : en el ~ de …의 복판에. ㄴ) 중심(점) : ~ de gravedad 중심(重心). ② ㄱ) 중앙에 있는 것, 중앙 : ~ de la batalla 중앙 부대. ㄴ) 중심지 : ~ comercial 상업·무역의 중심지, 실업계. Hay una gran catedral en el ~ 중심가에 대성당이 있다. ③ ㄱ) 중앙 기관·시설 : ~ docente 교육(중심) 기관, 학원. ㄴ) …협회, 클럽 : ~ excursionista 여행 협회. ㄷ) 클럽, 서클. ④ 주목적, 핵심. ⑤ 《*Bol.*》 조그마한 깔 것. ⑥ 스커트. ⑦ 《*Cuba.*》 바지·와이셔츠·조끼의 셋이 한 벌을 이루는 것. ⑧ 속스커트. ⑨ 《*Hond. Méx.*》 조끼. ⑩ 내장(entrañas) : tener malos ~*s.*
~ ***de mesa*** 테이블 중앙의 꽃장식.
~ ***s nerviosos*** 신경 중추.
estar en su ~ 자신의 본분을 지키며 살아가다.
Centroafricana (República) 【지명】 적도 아프리카의 국가.
centroafricano, na *adj.* 중앙 아프리카 공화국(República Centro-Africana)의. —*m.f.* 중앙 아프리카 공화국 사람.
Centroamérica, Centro América 【지명】 중앙 아메리카.
centroamericano, na *adj.* 중앙 아메리카 (la América Central, Centroamérica)의 : Honduras es una república ~*na.* —*m.f.* 중앙 아메리카 사람.
centrobárico, ca *adj.* 중심(重心)의, 중심 응용의.
centrocampismo *m.* =**mediocampismo.**
centrocampista *adj. m.f.* =**mediocampista.**
centroderechista *adj. m.f.* 중도 우익의 (사

람).
centroeuropeo, a *adj. m.f.* 중부 유럽(la Europa central)의 (사람).
centroizquierdista *adj. m.f.* 중도 좌익의(사람).
centrolense *adj. m.f.* 센뜨랄(Central, 빠라구아의 주)의 (사람).
centromexicano, na *adj. m.f.* 《*Méx.*》 멕시코 중앙 고원의 (사람).
cents. centavos.
cénts. céntimos.
centunviral *adj.* centunvirato의.
centunvirato *m.* (고대 로마의) 백인 법원(百人法院).
centunviro *m.* (고대 로마의) 백인 법원의 판관.
centuplicación *f.* 100배로 하기.
centuplicar *tr.* ⑦ 100배 하다.
céntuplo, pla *adj.* 100배의. —*m.* 100배.
centuria *f.* ① 100년, 세기(siglo). ② (로마의) 100인 부대. ③ (로마의) 100인으로 구성된 정치 단위.
centurión *m.* 로마의 100인 대장.
centurionazgo *m.* 로마의 100인 대장의 직.
cenzalino, na *adj.* 모기의.
cénzalo *m.* 【곤충】 모기(mosquito)의 일종.
cenzaya *f.* 《*Ál.*》 =**cinzaya, niñera.**
cenzayo *m.* cenzaya의 남편.
cenzonte *m.* 《*CRica.*》 =**sinsonte.**
cenzontle *m.* 《*Méx.*》 =**sinsonte.**
ceñar *tr.* 《*Ar.*》 윙크하다(guiñar el ojo, hacer señas).
ceñido, da *adj.* ① 검소한, 검약한, 절약하는(económico, ahorrador). ② (옷의) 통이 좁은. ③ 배 마디가 잘록한 (곤충).
ceñidor *m.* 벨트; 허리띠, 밴드, 배감개.
ceñidora *f.* 약협대(藥莢帶).
ceñidura *f.* 졸라 매는 일, 매는·감는 일.
ceñiglo *m.* 《*Arg.*》 【식물】 명아주 (cenizo)의 일종 : ~ de jardín 【식물】 금작화(金雀花).
ceñir *tr.* ㊾ [+con, de : …을] (…에) 동여매다, 감다 : Le *ciñeron* la frente *con* · *de* flores 사람들은 그의 머리에 화환을 씌웠다. ② 동여매다, 감다, 묶다; 조이다(apretar) : Este cinturón me *ciñe* demasiado 이 허리띠는 너무 조인다. Le *ciñen* la cintura *con* sogas 사람들은 그의 허리를 줄로 묶는다. Te *ceñiré* cadenas 너에게 사슬을 감아 주겠다. Un cordón me *ciñó* los brazos 노끈이 나의 팔에 휘감겼다. ③ (칼 따위를) 차다. ④ 에워싸다(rodear), 둘러싸다(cerrar). ⑤ 간추리다, 요약하다(abreviar). ⑥ (배가) 맞바람을 받으며 가다.
~se ① 절약하다. ② 신중하게 하다, 조심해서 소극적으로 하다(moderarse), …정도로만 하다(limitarse) : *~se a* lo justo 옳은 일이므로 신중히 하다. ③ 마음을 집중시키다, 열중하다.
ceño *m.* ① 찌푸린·찡그린 얼굴, 우거지상. ② 날씨가 궂은 듯한 모양. ③ (통 등의) 테.
ceñoso, sa *adj.* =**ceñudo.**
ceñudo, da *adj*, 인상을 쓴, 얼굴을 찌푸린·찡그린 : Siempre está ~ 그는 항상 찡그린 얼굴을 하고 있다.
ceo *m.* 【어류】 닭고기(gallo) 맛의 생선.
ceoán *m.* (멕시코산의) 큰 새.
CEP Comité Ejecutivo Permanente de la Asociación Latinoamericana de Libre Comercio 라틴 아메리카 자유 무역 연합 상설 집행 이사회.
cepa *f.* [*lat.* ceppa] ① (식물, 특히 포도의) 그루터기·뿌리밑. ② (식물의) 한 그루. ③ (꼬리나 뿔 등의) 밑동. ④ 줄기. ⑤ 선조, 조상, 가문(linaje, casta) : de buena ~ 질적으로 좋은, 가문이 좋은. de pura ~ 소성(素性)이 바른. ⑥ 먹구름. ⑦ 《*AmérC.*》 바나나 한 그루. ⑧ 《*Méx.*》 큰 구멍.
~ *caballo* 노란꽃 엉겅퀴.
CEPAL Comisión Económica para América Latina (유엔) 라틴 아메리카 경제 위원회.
CEPE Corporación Estatal Petrolera Ecuatoriana 에꾸아도르 석유 공사.
cepeda *f.* 잡목 숲.
cepejón *m.* 나무의 원통과 나누어진 가지의 뭉퉁한 부분.
cepellón *m.* 뿌리흙 《나무 뿌리에 붙여 이식하는 흙덩이》.
cepera *f.* =**cepeda.**
cepilladura *f.* =**acepilladura.**
cepillar *tr.* ① (…에) 솔질을 하다; 대패로 밀다(acepillar) : Esta tabla no está bien *cepillada* 이 판자는 대패질이 잘 안된다. ②《*Amér.*》 알랑거리다(adular).
cepillo *m.* ① 솔 : ~ de acero 쇠솔. ~ para la ropa 옷솔. ~ para dientes 칫솔. ~ para la uñas 손톱 소제용 솔. ~ para el cabello 머리솔. ~ para el suelo 마루 소제용 솔. ~ para sombreros 모자 솔. ② 칫솔. ③ 대패 : ~ bocel 골 파는 대패. ④ 헌금함, 시주함(cepo). ⑤ 《*AmérC.*》 알랑쇠(adulador).
cepo[1] *m.* [*lat.* cippus] ① 나무 줄기·가지(rama de árbol), 대목(臺木). ② 헌금함. ③ (총의) 개머리판. ④ 닻의 낯장(~ del ancla). ⑤ 신문 꽂이. ⑥ 굴대, 활차(~ de la polea). ⑦ (죄수용) 수갑·족쇄; (짐승을 잡는) 올가미·덫.
cepo[2] *m.* 【동물】 꼬리말이 원숭이(cefo).
Afeita un ~ parecerá mancebo 【속담】 의복이 날개.
cepón *m.* [*aum.* cepa] 포도 줄기 그루.
ceporro *m.* ① (땔감으로 쓰이는) 그루터기. ② 뚱뚱보.
ceprén *m.* 【방언】 지렛대.
ceptí *adj.* =**ceutí.**
CEPYME la Confederación Española de la Pequeña y Mediana Empresa.
cenqueta *f.* 《*Murc.*》 좁은 도랑·하수구(acequia estrecha).
cequí *m.* (약 10뻬세따에 해당하는 아라비아의) 옛 금화.
cequia *f.* 관개 수로(acequia).
cequiaje *m.* 수리(水利) 부담금.
cequín *m.* =**cequí.**
cequión *m.* 《*Chile. Venez.*》 큰 용수로; 강.
cera [*lat.* cera] *f.* ① 초, 납, 왁스 : figura de ~ 납인형. ~ vegetal 식물성 납. ~ de lustrar 광택용 왁스. ② 밀랍(蜜蠟) : ~ de palma 야자랍. ~ virgen 생랍. ③ 초(에 의한 조명). —*pl.* 꿀벌집 : ~ aleda 벌랍. ~ de los oídos 귓밥.

ser como una ~ · *hecho de* ~ 착하다, 양순하다.
sacar ~ 《*Venez.*》 학교를 게을리하다, 학교를 빼먹다, 사보타주하다(hacer novillos).

ceracate *f.* 마노(瑪瑙).
ceración *f.* 용광 작업(溶鑛作業).
cerafolio *m.* 【식물】 =**perifollo.**
cerámica *f.* [*gr.* keramos] [집합] 도자기(업); 요업(窯業), 제도(製陶); 고도기학(古陶器學).
cerámico, ca *adj.* 도자기의, 제도(製陶)의 : industria ~*ca* 요업. —*m.f.* 도공(artista cerámico).
ceramista *m.f.* 도공(artista cerámico).
ceramita *f.* ① 보석의 일종. ② 경질 벽돌.
ceramografía *f.* 도자기 역사학.
cerapez *f.* (구두 꿰매는 실에 칠하는) 납(cerote).
cerasta(s) *f.* [*gr.* kerastês] 【동물】 (아프리카산의) 뿔뱀(víbora cornuda).
ceraste(s) *m.* =**cerasta.**
cerástide *m.* 【곤충】 밤나비.
ceratias *m.* 꼬리가 두 개인 혜성.
cerato *m.* [*lat.* ceratum] 납고약《추위로 살이 트는 데 듣는 약》.
ceratodo *m.* 【어류】 세라또도《오스트렐리아의 물고기》.
ceráuneo, a *adj.* 번개의 : fulgor ~ 번갯불.
ceraunia *f.* 뇌광석(雷光石), 돌도끼(piedra de rayo).
ceraunomancia *f.* 폭풍우점(占).
ceraunomancía *f.* =**ceraunomancia.**
ceraunómetro *m.* 뇌전계(雷電計).
cerbatana *f.* ① 입으로 부는 화살통 : La ~ es el arma de algunos indios de América. ② (귀머거리의) 전성기(傳聲器), 보청기.
hablar por ~ 인편으로 알리다(hablar por boca de otro).

Cerbero *m.* ① 지옥의 문을 지키는 개(Cancerbero). ② 보초, 문지기.
cerbillera *f.* =**capecete.**
cerbillo *m.* 【고어】 =**cerebro.**
cerca[1] *f.* 담장, 울타리, 담 : El jardín tiene una ~ 정원에 울타리가 있다. —*m.* 가까이서 본 경치 : tener buen · mal ~ 가까이서 본 경치가 좋다 · 나쁘다. —*m.pl.* (그림의) 전경(前景).
cerca[2] *adv.* 가까이, 가까이에(próximamente, junto a) : aquí ~ 이 근처에. ¿Hay buen restaurante por aquí ~ ? 이 근처에 좋은 식당 있습니까?
cerca de ① …에서 가까이, …의 가까이에 : La estación está ~ *de* aquí 정거장은 이 근처에 있다. El plazo está ~ *de* cumplirse 기한이 거의 마감될 듯하다. ② 대략, 거의, 약…, 경(頃)(a eso de, hacia, alrededor de) : Son ~ *de* las ocho 여덟 시 경이다. Murieron ~ *de* dos mil hombres 약 2천명 가량이 죽었다. ③ 【고어】 [외교 용어] …주재의 : embajador ~ *de* la Santa Sede 교황청 주재 대사. ④ [드뭄] …에 관해(acerca de).
de ~ 곁에서, 가까이에서.
en ~ 【고어】 부근에.

cercado *m.* ① 울타리를 친 땅《과수원 · 목장 등》; 담장, 나무 울타리, 책(柵), 우리(cerca). ② 《*Bol.*》 시골의 공유 채초지(採草地). ③ 《*Perú.*》 수도(首都)와 근교지, 수도권.
cercador *m.* (금속판에 테를 대는) 틀.
cercamiento *m.* 둘러치는 일 ; 포위.
cercanamente *adv.* 가까이, 거의 ; 대략, 대충, 대강.
cercanía *f.* 가까운 일, 가까움. —*pl.* 부근, 근교 : Mis tíos viven en las ~*s* de la ciudad 숙부모님께서는 시의 근교에 살고 계신다.
cercano, na *adj.* [+a : …에] 가까운, 부근 · 근처의 : una fábrica ~*na* 부근의 공장. pariente ~ 근친자(近親者). *Cercano* Oriente 근동(近東). Fuimos de excursión a una montaña ~*na* 우리는 근처의 산으로 소풍갔다. Contr. lejano.
cercar *tr.* ⑦ ① 에워싸다, 둘러싸다(rodear), 책 · 담장을 둘러치다 : *Cercaron* la huerta con alambrado 그들은 야채밭에 철조망을 쳤다. ② 포위하다(sitiar). ③ 주위를 돌다 ; (…의) 주위에 있다 : Unos árboles *cercan* la plaza 나무들이 광장 주변에 있다.
cercear *tr.* (마라가떼리아에서) 북풍이 강하게 불다.
cercen (a) *adv.* 몽땅, 고스란히, 뿌리째.
cercén *adv.* =**cercen.**
cercenadamente *adv.* 절약하여 ; 단축하여.
cercenador, ra *adj.* 줄이는 ; 절약하는 ; 쓰다 남은.
cercenadura *f.* ① 줄이는 일. ② [집합] 쓰다 남은 것, 쪼가리 토막 ; 절약.
cercenamiento *m.* =**cercenadura.**
cercenar *tr.* [*lat.* circinare] ① 끝 · 둘레를 깎아내다(cortar el borde · la orilla) : ~ una torta 부침개를 자르다. ② 바짝 줄이다 ; 절약하다 : ~ el gasto 비용을 절약하다.
cércene *adv.* 《*Sal.*》 몽땅, 고스란히, 뿌리째(cercén).
a ~ 몽땅, 고스란히, 뿌리째, 전부.

cerceno, na *adj.* 《*Sal.*》 몽땅 잘린.
cencera *f.* 《*Ar.*》 아주 강하고 계속적인 북풍.
cerceta *f.* 【조류】 홍머리오리. —*pl.* (사슴의) 어린 뿔.
cercillo *m.* ① (덩굴 식물의) 덩굴손. ② [드뭄] 귀고리.
cerciorar *tr.* (…의) 진실을 보증하다.
~se [+de …을] 확인하다 : Quiero ~*me del* hecho 나는 사실을 확인하고 싶다.

cerco [*lat.* circus] *m.* ① (끼워 맞추는) 고리, (수레의) 쇠바퀴테 ; (통의) 테, 틀(aro de tonel) ; 마루턱(marco). ② 해무리, 달무리(aureola). ③ 포위(asedio) : alzar · levantar el ~ 포위망을 풀다, 둘러쳤던 것을 거두다. poner ~ 포위하다. Un soldado rompió el ~ enemigo para pedir ayuda a Roma 한 병사가 로마에 구원을 청하러 가기 위해서 적의 포위를 뚫었다. ④ 사람들이 둘러섬(corrillo). ⑤ 선회. ⑥ 《*Amér.*》 울, 담장, 나무 울타리(cercado). ⑦ 【은어】 우회(迂廻). ⑧ 매춘.
cercopiteco *m.* 【동물】 (아프리카산의) 긴 꼬리 원숭이의 일종.
cercopo *m.* 【동물】 거품벌레.
cercha *f.* ① 굽자. ② 원형을 만드는 둥근 모양의 재목. ③ 《*Amér.*》 =**cimbra.**

cerchar[1] *m.* (물고기떼를 둘러치는) 그물.
cerchar[2] *tr.* (포도를) 꺾꽂이하다(acodar) ; 구부러뜨리다, 휘어뜨리다.
cerchear *intr.*, **~se** 《*Ar.*》 휘다, 틀어지다 (doblarse).
cerchón *m.* 【건축】 홍예문을 만들 때의 나무틀 짜기.
cerda *f.* ① (돼지·멧돼지·말 등의) 뻣뻣한 털. ② 암퇘지. ③ 돼지의 종기. ④ 베어낸 밀이나 벼. ⑤【은어】 칼.
cerdamen *m.* (솔 등의) 뻣뻣한 털의 다발.
cerdear *intr.* ① (투우 등의) 발이 비틀거리다. ② (현악기가) 듣기 싫은 소리를 내다. ③ 주는 것·하는 것을 꺼려하다. ④ 《*Arg. Urug.*》 (말의 꼬리 등을) 솎다. **—***intr.* 《*Col.*》 참가하다.
cerdeo *m.* cerdear하는 일.
cerdo *m.* ①【동물】 돼지 (puerco, chancho) : ~ de muerte 1년 이상된 도살 돼지. ~ de vida 1년이 못된 돼지. ② 지저분한 남자.
~ ***marino*** 【동물】 =marsopa.
cerdoso, sa *adj.* 억센 털이 난 ; 까실까실·꺼끌꺼끌한 : barba ~*sa* 꺼끌꺼끌한 수염.
cerdudo, da *adj.* =**cerdoso.**
cereal *adj.* 곡류(穀類)의, 곡물의, 곡식의 ; 오곡의 여신 Ceres의. **—***m.(f.)pl.* 곡류. **—***f.pl.* Ceres의 축제일.
cerealina *f.* 【화학】 세레알린《맥아가 들어 있는 효모》.
cerealista *adj.* 곡물의, 곡식의 : congreso ~ 곡물 협의회.
cerebelo *m.* 【해부】 소뇌(小腦).
cerebeloso, sa *adj.* 뇌의 : arteria ~*sa.*
cerebral *adj.* ① 뇌의 : anemia · fiebre ~ 뇌빈혈. hemorragia · derrame ~ 뇌일혈. ② 지적인, 두뇌적인 ; 공상적인.
cerebrina *f.* 【약품】 진통제, 신경통약.
cerebritis *f.* =**encefalitis.**
cerebro *m.* [*lat.* cervix] ①【해부】 뇌, 두뇌 : ~ electrónico 전자 두뇌. ② 이해력. ③ 정신, 이지, 지성(mente, inteligencia) : Es un ~ excepcional. ④ 중심(지)(centro) : la capital, ~ del país. ⑤ 학자, 전문가(sabio, gran especialista) : fuga de ~*s.*
cerebroespinal *adj.* 뇌척수(腦脊髓)의 : la meningitis ~ 뇌척수막염.
cereceda *f.* ① 앵두밭 (cerezal). ②【은어】 죄수들의 발에 묶은 쇠사슬.
cerecilla *f.* 【식물】 후추(guindilla).
cereipo *m.* 《*Dom.*》 (뻬루의) bálsamo의 일종.
ceremonia *f.* ① 식, 의식, 제전, 의례 : guardar ~ 의식·의례를 지키다. La ~ fue muy solemne 의식은 매우 장엄했다. ② 거드름피우는 꼴 : sin ~ 거드름피우지 않고. ③ 융숭한 대접 : recibir con mucha ~ 융숭한 대접을 받다. masestro de ~*s* 모임의 사회자. traje de ~ 예복.
de ~ 격식을 차려 ; 의식으로서(의).
por ~ 격식상, 의례적으로.
ceremonial *adj.* 의식의. **—***m.* 예법, 식순 : director del ~ 의전 국장.
ceremonialmente *adv.* 예의 바르게.
ceremoniáticamente *adv.* 예의 바르게, 격식을 차려.
ceremoniático, ca *adj.* [드뭄] 예의 바른.
ceremoniero *m.* 의식·형식에 치중하는 사람.
ceremoniosamente *adv.* 예의 바르게 ; 엄숙하게 ; 점잖을 빼고.
ceremonioso, sa *adj.* ① 예의 바른 : Los coreanos son muy ~*s* 한국인들은 매우 예의 바르다. ② 점잖고 엄한, 근엄한. ③ 격식을 차린 : recepción ~*sa.*
cereño, ña *adj.* ① 납빛의. ② 《*Ar.*》 센, 강한, 단단한, 튼튼한.
céreo, a *adj.* 납(cera)의.
cerería *f.* 초 장수 ; 양초 공장 ; (궁정의) 초를 관장하는 부서.
cerero, ra *m.f.* ① 초 장수·제조자 : ~ mayor 양초국 국장. ② 《*Arg.*》 =**vagabundo.**
Ceres *m.* 【천문】 케레스 《제일 소혹성》. **—***f.* 【로마 신화】 오곡의 여신 《희랍 신화의 Deméter》.
ceresina *f.* 세레신 《벗나무·살구·매화나무 등의 수지(樹脂)》.
cerevisina *f.* 맥아소(麥芽素), 맥주 효모.
cereza *f.* ① 버찌, 앵두 (열매). ② 암적색(暗赤色)(color ~). ③ (금속의) 작열도(灼熱度). ④ 커피콩의 껍질.
cerezal *m.* ① 앵두밭. ②【방언】 벚나무.
cerezo *m.* [*lat.* cerasus] 【식물】 앵두나무 ; 벚나무 : flor de ~ 벚꽃.
ceriballo *m.* 《*Sal.*》 =**huella, rastro.**
cérido *m.* 세륨 금속.
cerifero, ra *adj.* 납(cera)이 나오는.
ceriflor *f.* 【식물】 지치속 식물.
cerilla *f.* ① 나사 모양의 초. ② 성냥 (fósforo) : una caja de ~*s* 성냥 한 갑. ③ 귓밥(cerumen de los oídos).
cerillera *f.* 성냥통(cerillera, fosforera).
cerillero, ra *m.f.* 성냥 장수. **—***m.* 성냥통 (cerillera, fosforera).
cerillo *m.* ①【식물】 (꾸바의) 납나무. ② 나사 모양의 초. ③ 《*Amer.*》 성냥.
cerina *f.* ① 코르크 박달나무의 납. ②【광물】 세륨광.
cerinto *m.* 【식물】 지치속 식물.
cerio *m.* 【화학】 세륨 《금속 원소》.
ceriolario *m.* (로마 시대의) 촛대.
cerita *f.* 【광물】 세륨석, 세륨광.
cermeña *f.* cermeño 열매.
cermeño *m.* ①【식물】 야생 배나무의 일종. ② 거친 남자, 우락부락한 남자.
cerna *f.* (목재의) 심재(心材).
cernada *f.* (잿물의) 재 찌꺼기, (우마용) 재로 만든 고약.
cernadero *m.* 잿물 거르는 천.
cernaguero *m.* =**cernadero.**
cerne *adj.* 마디없는, 마디없이 곧은. **—***m.* 목재의 곧은 부분, 심재(心材)(cerne).
cernear *tr.* 《*Sal.*》 (물건을) 세게 움직이다.
cernedera *f.* =**tamiz.**
cernedero *m.* (밀가루) 치는 곳 ; 밀가루 칠 때 두르는 앞치마.
cernedor, ra *m.f.* 가루를 체로 치는 사람. **—***m.* 밀가루 치는 기계.
cernejas *f.pl.* ① (새나 닭의) 며느리발톱. ② (소·말의) 뒷발톱.

cernejudo, da *adj.* cernejas가 많은.
cerner *tr.* 20 ① 체로 치다; 정선하다. ② (어떤 것을) 곰곰히 생각하다. ③ 망보다(atalayar). —*intr.* ① (꽃이) 만발하다. ② (안개·비가) 자욱히 내리다.
~se ① 궁둥이를 흔들며 걷다. ② 공중에 뜨다. ③ (안개 등이) 끼다. ④ (위험·불행이) 닥치다.
cernícalo *m.* ①【조류】황조롱이. ② 무식하고 무뚝뚝한 사람. ③ 술에 취함. ④【은어】여자 망토.
coger·pillar un ~ 취하다, 곤드레가 되다.
cernidero *m.* =**cernedero.**
cernidillo *m.* ① 안개비. ② 총총걸음.
cernido, da *adj.* 체로 친; 가느다란. —*m.* 체로 치기; 체로 친 가루.
cernidor *m.* 《*Amér.*》 체를 칠 때 두르는 앞치마.
cernidura *f.* 체로 침. —*pl.* 체로 치고 남은 찌꺼기.
cernina *m.* 《*Ast.*》 (카드 놀이의) 속임수.
cernir *tr.* 21 =**cerner.**
cerno *m.* ① =**cerne.** ② 나무의 심.
cero *m.* ① 제로, 영: El avión sale a las ~ y cinco 비행기는 영시 5분에 출발한다. ② 영도: La temperatura está cinco grados bajo ~ 기온은 영하 5도이다.
un ~ *a la izquierda* 필요없는 인간.
ceroferario *m.* (행렬 등의) 촛대 든 사람.
cerógrafo *m.* 로마인이 봉랍(封蠟)을 각인(刻印)할 때 쓰던 반지.
ceroleína *f.* 세롤레인.
cerollo, lla *adj.* 아직 푸르스레한 기가 남아 있는 (이삭).
ceromancia *f.* 촛똥으로 치는 점.
ceromancía *f.* =**ceromancia.**
ceromántico, ca *adj.* 촛똥으로 치는 점의. —*m.f.* 촛똥으로 치는 점쟁이.
ceromático, ca *adj.* 기름과 초를 합성한 (약).
ceromiel *m.* 밀랍 고약.
cerón *m.* 밀랍 찌꺼기.
ceroplástica *m.* 밀랍으로 조상(彫像)하기.
cerorrinco *m.* 아메리카산 매의 일종.
ceroso, sa *adj.* ① 납(cera) 같은; 납이 들어 있는. ② 《*Méx. AmérC.*》 반숙의 (계란).
cerote *m.* ① (구두 꿰매는 실에 문지르는) 초. ② 두려움, 무서움(miedo). ③ 《*Bol.*》 초.
cerotear *tr.* (시침질할 실에) 초를 먹이다. —*intr.* 《*Chile.*》 납이 떨어지다.
cerotico *m. dim.* cerote.
cerotillo *m. dim.* cerote.
cerotito *m. dim.* cerote.
ceroto *m.* 납고약(cerato).
cerque, cerque- →**cercar** 7.
cerquillo *m.* (승려의) 삭발(식). ② 《*Arg. Méx.*》 앞머리.
cerquita *adv.* [*dim.* cerca] 바로 가까이: de ~ 엎어지면 코 닿을 데에, 지척에, 바로 가까이에.
cerra *f.*【은어】손.
cerracatín, na *m.f.* 깍쟁이.
cerrada *f.* (동물의) 등가죽.
cerradera *f.* =**cerradero.**
echar la ~ (청구를) 뿌리쳐 버리다.
cerradero, ra *adj.* cerrar할 수 있는. —*m.* 닫힌 곳; 닫는·잠그는 도구; 자물쇠; (자루의) 조임 줄.
cerradizo, za *adj.* 닫을 수 있는, 잠글 수 있는.
cerrado, da *adj.* [cerrar의 *p.p.*] ① 닫혀진; 잠겨진: La comarca está ~*da* por tres lados de montañas 그 지방은 삼면이 산으로 둘러싸여 있다. Está ~*da* la puerta 문이 닫혀 있다. Contr. abierto. ② 자물쇠가 채워진. ③ 입이 무거운: Es una persona ~*da* 입이 무거운 사람이다. ④ 좁은. ⑤ 풀리지 않는. ⑥ 잔뜩 흐린: cielo ~ 흐린 하늘. El cielo está ~*da* nubes 하늘은 구름으로 잔뜩 흐리다. ⑦ 우둔한; 얼뜬. ⑧ 사투리가 심한: andaluz ~ 사투리가 심한 안달루시아 말씨.
—*m.* 울타리를 두른 땅(cercado).
cerrador, ra *adj.* 폐쇄한. —*m.* ① 잠그는 연모. ② 열쇠, 병마개 따개. ③ 채워 넣는 것.
cerradura *f.* ① 잠그는 일, 폐쇄(하는 일). ② 걸쇠, 고리, 마개 따개. ③ 자물쇠: ~ de combinación 숫자를 맞추어 여는 자물쇠. ~ de golpe·de muelle 스프링 자물쇠, 용수철 자물쇠. ~ de seguridad 안전 자물쇠. ~ dormida 이중 자물쇠.
cerraduría *f.*【고어】=**cerramiento.**
cerraja *f.* ① 자물쇠. ②【식물】세라하 《약용 식물》.
Volverse una cosa agua de cerrajas【속담】새옹지마(塞翁之馬)(reducirse a nada).
cerrajear *intr.* 자물쇠 직공으로 일하다.
cerrajería *f.* 자물쇠 제조공; 자물쇠 공장(taller de ~).
cerrajerillo *m.* 《*Ál.*》 =**reyezuelo.**
cerrajero *m.* 자물쇠 제조자·직공.
cerrajón *m.* 바위산, 벼랑처럼 솟은 언덕(cerro muy alto y escarpado).
cerramiento *m.* 폐쇄; 마감; 폐색물(閉塞物); 울을 친 곳.
cerrar *tr.* 19 [*lat.* serare] ① 닫다, 잠그다: *Cierre* la ventana, por favor 창문을 닫아 주십시오. No *cierre* la puerta 문을 닫지 마십시오. *Cierra* la puerta 문을 닫아라. No *cierres* la ventana 창문을 닫지 마라. ~ la puerta con llave 문에 자물쇠를 걸어 잠그다. Contr. abrir. ② 폐쇄하다: *Cerraron* el puerto 항구를 폐쇄했다. ③ 접다: ~ un abanico 부채를 접다. ④ 막다, 뚜껑을 덮다(tapar). ⑤ 봉하다: ~ una carta. ⑥ 그만두다(terminar, detener); 마감하다(poner fin); 폐회·폐점·종업하다; 중단하다, 덮어 버리다: ~ un debate. ⑦ 마감하다: ~ la cuenta·el libro 계산을·장부를 마감하다. ⑧ 밀집시키다: formación ~*da* 밀집 대형(隊形). ⑨ (행렬 등의) 맨 끝에 있다·오다: El grupo *cerró* la procesión 그 일단이 행렬의 마지막이었다.
—*intr.* ① 닫히다: Esta puerta no *cierra* bien 이 문은 잘 닫히지 않는다. ② 주위에 있다(cercar). ③ [+con: …을] 습격하다(acometer): ~ *con* el enemigo 적군을 습격하다. ¡*Cierra* España!【고어】돌격! ④【경제】에누리가 되다.
~se ① 잠기다; 닫히다; 막히다. ② (상처가) 아물다: *Se cerró* la llaga 궤양이 아물었다. No

se cierra la herida 상처가 아물지 않는다. ③ 마지막이 되다. ④ 밀집·집결하다. ⑤ 자신 속에 갇히다 : *~se en* callar 입을 꼭 다물다.
[직설법 현재 : cierro, cierras, cierra, cerramos, cerráis, cierran. 접속법 현재 : cierre, cierres, cierre, cerremos, cerréis, cierren].

cerrateño, ña *adj. m. f.* 비야무리엘 데 세라또 《Villamuriel de Cerato, Palencia주의 마을》의 (사람).

cerrazón *f.* ① 먹구름. ② 맹추, 어리석음. ③ 《*Arg.*》 안개. ④ 《*Col.*》 =**contrafuerte de una cordillera.**

cerrebojar *tr.* 《*Sal.*》 =**espigar.**

cerrejón *m.* [*dim.* cerro] 작은 언덕, 동산, 둔덕.

cerrería *f.* 품행이 난잡함.

cerrero, ra *adj.* ① 산과 들을 헤매는. ② =**cerril.** ③ 《*Amér.*》 조잡한, 거친, 막 자란, 버릇이 없는, 교양이 없는 ; 길이 들지 않은(no domado) : potro ~. ④ 단맛이 모자란 : café ~.

cerretano, na *adj. m.f.* 세레따니아 《Cerretania, 현재의 Cerdaña》의 (사람).

cerrevedijón *m.* =**vedija grande.**

cerril *adj.* ① 험한, 사나운 : terreno ~. ② 버릇없는. ③ 낯을 가리는, 길이 들지 않은, 망나니 같은(grosero) : hombre ~.

cerrilidad *f.* 버릇 없음.

cerrilismo *m.* =**cerrilidad.**

cerrilmente *adv.* 버릇없이, 망나니처럼, 무뚝뚝하게.

cerrilla *f.* 금·은화의 가장자리 장식을 하는 기계.

cerrillada *f.* 《*AmérC.*》 연구(蓮丘).

cerrillar *tr.* (금·은화에) 가장자리 장식을 새기다.

cerrillo *m.* [*dim.* cerro] 등성이, 동산, 작은 언덕.

cerrión *m.* 고드름(canelón).

cerro[1] *m.* ① 언덕(lomo, colina). ② (동물의) 목 ; 등 : en ~ 안장을 얹지 않는 말에.
echar · ir como por los ~s (de Ubeda) 엉뚱한 방향으로 빗나가다 ; 동문 서답하다.

cerro[2] [*lat.* cirrus] *m.* 삼나무 다발 : hilar el ~ 삼나무 다발을 엮다.

cerrojazo *m.* *dar ~* 별안간 철컥 잠기다. *dar ~ a las cortes* 의회를 갑자기 폐회하다.

cerrojeo *m.* 《*Perú.*》 지향없이 어정거리는 일.

cerrojillo *m.* =**cerrojito.**

cerrojito *m.* 【조류】 자고새(herreruelo).

cerrojo *m.* (문·창의) 작은 빗장, 걸쇠.

cerrón *m.* ① 올이 굵은 삼베. ② 【은어】 열쇠, 걸쇠, 빗장.

cerruma *f.* =**cuartilla.**

certa *f.* 【은어】 셔츠(camisa).

certamen *m.* [*pl.* certámenes] 도전 ; 토론회 ; 학예 장려의 현상(懸賞), 콩쿠르 : La Academia española abre con frecuencia *certámenes* interesantes.

certeneja *f.* ① 《*Chile.*》 (가축이 지나다니지 못하도록 판) 구덩이 ; 강에서 물을 뽑기 위해 판 구덩이. ② 《*Mex.*》 물웅덩이.

certeramente *adv.* 어김없이, 틀림없이, 정통으로, 확실히.

certero, ra *adj.* 어김없는, 정통의, 능력이 있는(hábil) ; 확실한, 틀림이 없는(cierto) ; 사정에 밝은(sabedor).

Certex, CERTEX *m.* Certificado de Reintegro Tributario a la Exportación.

certeza *f.* 확실함, 확신(conocimiento cierto, seguredad).
tener la ~ de …을 잘 알고 있다, 확신하다 : Tengo *la ~ de* que vendrá 그는 확실히 올 것이다.

certf.º certificado.

certidumbre *f.* 정확함, 확신(certeza, seguridad). [Contr.] incertidumbre.

certificable *adj.* 보증·증명할 수 있는.

certificación *f.* ① 증명(하는 일) : la ~ de una carta. ② 증(명)서 : ~ de marcha de obra 공사 진행 증명서. ~ del balance 《*Arg.*》 재무제표의 증명.

certificadamente *adv.* 확실히(con seguridad, ciertamente).

certificado, da *adj.* ① 등기 우편의·에 의한 : carta *~da* 등기 편지. paquete ~ 등기 소포. ② 보증한. **—***m.* ① 증명서(certificación) ; 인가증, 인증서 ; 등기 우편.
~ bancario 은행 인증서. *~ de depósito* 예금증서, 창고 증권. *~ de despacho de aduana* 통관 증명서. *~ de estudios* 학업 증명서. *~ de maestros* 교사 자격증. *~ de nacionalidad* 국적 증명서. *~ de origen* 원산지 증명서. *~ del tesoro* 국고 증권. *~ oro* 금 증권. *~ de salud* 건강 진단서.

certificador, ra *adj.* 보증하는 ; 증명하는. **—***m.f.* 보증인 ; 증명인.

certificar *tr.* [7] ① 보증하다, 보장하다(asegurar) : Me *certificó* de mi vida 나의 생활을 보장해 주었다. ② 증명하다, 증명서·증서를 주다. ③ 등기 우편으로 하다 : Quisiera que me *certifiquen* estas cartas 이 편지를 등기로 보내주세요.
[접속법 현재 : certifique, certifiques, certifique, certifiquemos, certifiquéis, certifiquen. 직설법 부정과거 1인칭 단수 : certifiqué].

certificativo, va *adj.* =**certificatorio.**

certificatorio, ria *adj.* 증명의, 증명이 되는 : documento ~ 증명 서류.

certinidad *f.* =**certeza.**

certísimo, ma *adj. sup.* cierto. [*N.* 문법으로는 이 형이 옳으나, 일반적으로는 ciertísimo의 쪽이 널리 사용되고 있다].

certitud *f.* 정확함, 확실성(certidumbre).

cerúleo, a *adj.* 감청색의, 푸른 남빛의(azul celestre).

cerulina *f.* 【화학】 아닐린 색소.

cerullo *m.* 《*And. Col.*》 =**zurullo.**

ceruma *f.* =**cerruma.**

cerumen *m. lat.* 귓밥 : El ~ protege el oído contra la introducción de los insectos.

ceruminoso, sa *adj.* ① cerumen의. ② 납(cera)같은 : materia *~sa.*

cerusa *f.* 【화학】 백연.

cerusita *f.* 【광물】 백연광.

cerval *adj.* =**cervuno.**

Cervantes *m.* 세르반떼스 《Miguel de Cer-

vantes Saavedra(1547−1616), 서반아의 대문호이며 동끼호떼의 작자》.
Premio Miguel de ~ 세르반떼스상《1976년부터 작품을 서반아어로 쓴 작가 중에서 매년 수상하는 문학상(premio literario)》.

cervantesco, ca *adj.* =**cervantino.**

cervántico, ca *adj.* =**cervantino.**

cervantino, na *adj.* 세르반떼스의; 세르반떼스풍의.
Centro C- 세르반떼스 박물관《서반아 el Toboso에 있는 특수한 박물관으로 세계 각국어로 번역된 동끼호떼의 서명본만 소장되어 있음》.

cervantismo *m.* 세르반떼스 류; 세르반떼스 숭배.

cervantista *adj.* 세르반떼스 연구의. —*m.f.* 세르반떼스 연구자.

cervantófilo, la *adj. m.f.* 세르반떼스 숭배자·작품 수집가(의).

cervariense *adj. m. f.* 세르베라《Cervera, Lérida 주의 도시》의 (사람).

cervario, ria *adj.* 사슴같은; 사슴털의.

cervática *f.* 【곤충】 메뚜기·귀뚜라미 무리.

cervatillo *m.* 【동물】 사향 노루(almizclero).

cervato *m.* [*dim.* ciervo] 새끼 사슴.

cerveceo *m.* 맥주 양조.

cervecería *f.* 맥주 양조장; 맥주홀.

cervecero, ra *adj.* 맥주의. —*m.f.* 맥주 양조자; 맥주홀 주인·마담.

cerverano, na *adj. m.f.* 세르베라 델 리오 알아마《Cervera del Río Alhama, Logroño 주의 마을》, 세르베라 델 리오 삐수에르가《Cervera del Río Pisuerga, Palencia 주의 마을》의 (사람).

cerveza *f.* [*lat.* cervisia] 맥주: ~ de marzo 흑맥주. ~ doble 독한 맥주. ~ estropeada 김빠진 맥주. elaborar ~ 맥주를 만들다. No me gusta lo amargo de la ~ 나는 맥주의 쓴맛을 싫어한다.

cervicabra *f.* 【동물】 캐시미어 산양; 영양(antílope).

cervical *adj.* 목덜미의, 경부(頸部)의: vértebras ~*es* 경골(頸骨).

cérvico, ca *adj.* =**cervical.**

cervicular *adj.* =**cervical.**

cérvido *adj. m.* 【동물】 사슴류의. —*m.pl.* 사슴류.

cervigón *m.* =**cerviguillo.**

cervigudo, da *adj.* ① 목덜미가 굵은, 멧돼지 목같은. ② 고집 불통의, 옹고집의(porfiado).

cerviguillo *m.* 굵은 목덜미, 멧돼지 목.

cervino, na *adj.* =**cervuno.**

cerviz *f.* [*lat.* cervix] 목덜미, 경부(頸部); 목: bajar la ~ 굴복하다, 항복하다, 머리를 숙이다. doblar la ~ 맥이 빠져 축 늘어지다. levantar la ~ 의기 양양해지다. ser de dura ~ 다루기 힘들다.

cervuno, na *adj.* ① 사슴의·같은: color ~. ② 사슴털의. ③ 사슴 가죽의: zapatos ~*s.*

cesación *f.* ① 중단, 중지: La ~ de pagos es el primer acto de la quiebra 지불 중지는 파산의 첫 행위이다. ② 휴직, 면직.

cesamiento *m.* =**cesación.**

cesante *adj.* 휴직된, 면직된. —*m.f.* 면직된 자, 실업자.

cesantía *f.* 휴직; 면직; 휴직한 공무원에게 주는 봉급·퇴직금.

cesar *intr.* [*lat.* cessare] ① 그만두다, 멎다(suspenderse, terminar): *Cesó* el viento 바람이 멎었다. *Cesó* la disputa 싸움이 멎었다. ② 중지하다: ~ *en* el trabajo 일을 그만두다. ③ 휴직·면직되다: La compañía va a ~ a veinte de nosotros 회사는 우리 중에서 20명을 해직시킬려고 하고 있다. ④ [+de+*inf.*: …하는 것을] 그만두다, 중지하다: ~ *de* trabajar 일을 중지하다. *Cesó de* correr 달리는 것을 중지했다. **Contr.** continuar.
sin ~ 계속해서, 줄곧, 잇달아, 그치지 않고(continuamente).

césar *m.* ① (일반적으로) 황제 Julio César와 같은 위대한 인물. ② =**emperador, príncipe, soberano.**
~ *o nada* 모든 것을 얻을 것인가, 잃을 것인가.

César *m.* ① 시이저《기원전 100−44》. ② 로마 황제《특히 Augusto César 계통》.

cesaraugustano, na *adj.m.f.* 세사라우구스따《Cesaraugusta, 현재의 Zaragoza》의 (사람).

cesáreo, a *adj.* 황제·제왕의: operación ~*a* 제왕 절개, 개복 분만 수술.

cesariano, na *adj.* 줄리어스 시이저《Julio César, 100−44 a. de J.C.》의; 시이저 당의; 로마 황제의; 시이저 황제 시대의.

cesariense *adj.m.f.* 세사리아《Cesárea, 팔레스타인의 옛 도시》의 (사람).

cesarino, na *adj.* =**cesariano.**

cesarismo *m.* 무단 정치; 독재 정치.

cesarista *m.* 독재·무단 정치가.

cese *m.* ① 지불 정지서·명령서. ②《*Méx.*》 해고, 파면.
~ *de fuego* 정전(停戰).

cesibilidad *f.* 양도(성).

cesible *adj.* 양도·양보할 수 있는.

cesio *m.* [*lat.* caesius] 【화학】 세슘《금속 원소》.

cesión *f.* 양도: ~ de bienes 채권자에 대한 재산의 양도. acta de ~ 양도증.

cesionario, ria *m.f.* 양수인(讓受人).

cesionista *m.f.* 양도자.

cesonario, ria *m.f.* =**cesionario.**

césped *m.* [*lat.* cespes] ① 잔디: No pisar ~ 잔디를 밟지 마세요. ② 잔디밭.
~ *inglesa* 【식물】 풀잎(bellico).

céspede *m.* =**césped.**

cespedera *f.* 풀을 베어 내는 곳.

cespitar *intr.* =**titubear, vacilar.**

cesta *f.* [*lat.* cista] 바구니, 광주리; 뻴로따 놀이를 하기 위해 사용하는 나무 장대.
llevar la ~ 뚜쟁이 노릇을 하다.

cestada *f.* 바구니 하나(의 분량).

cestaño *m.*《*Rioja.*》 =**canastilla, cestilla.**

cestería *f.* ① [집합] 바구니, 광주리; 손으로 엮은 광주리 따위. ② 광주리 장사·가게.

cestero, ra *m.f.* ① 바구니 제조업자, 바구니 장수. ② 얼간이, 바보, 멍청이. ③ 무용지물.

cesto *m.* ① 바구니, 소쿠리: ~ de papeles 휴지통. ② 로마 시대의 역투자(atleta)의 팔목 보호용 팔찌.
Quien hace un ~ *hará ciento* 【속담】 바늘 도둑

이 소도둑된다.

cestón *m.* ① 큰 바구니. ② (둑의 물을 막기 위한) 흙망태. ③【축성】보람(堡籃). ④《*Col.*》쌓아 올림, 더미(montón). Sinón. gavión.

cestonada *f.* [집합] 바구니, 광주리.

cestonar *tr.* cestón으로 막다.

cesura *f.* (시·음악의) 중간 휴지(休止).

ceta *f.* 문자 *z*의 다른 이름(zeta).

cetáceo, a *adj. m.*【동물】고래 무리의 (동물). —*m.pl.* 고래 무리.

cetárea *f.* =**cetaria.**

cetaria *f.* 양어장.

cetarina *f.* 아이슬랜드 이끼《약용》.

cetario *m.* 고래 따위가 새끼를 낳는 해역.

CETG Consejo Ejecutivo del Tratado General (중미 공동 시장의) 일반 조약 집행 이사회.

cetil *m.* 16세기경 서반아에서 통용한 포르투갈의 동전.

cetina *f.* 고래잡이.

cetoina *f.* =**cetoína.**

cetoína *f.* 세토니아《딱정벌레 무리》.

cetrería *f.* 매의 사육법; 매사냥.

cetrero *m.* 매 사냥꾼; 홀(笏)(cetro)을 받드는 사람; 주도승(主導僧).

cetrino, na *adj.* ① 레몬빛의, 엷은 황색의 : rostro ~. ② 쓸쓸해 보이는(melancólico).

cetro *m.* [*lat.* sceptrum] ① 홀(笏)《왕권의 표상물》, 왕장(王杖); 승홀(僧笏). ② 왕위 : empuñar el ~ 군림하다, 지배하다. ③ 패권 : Felipe II reunió bajo su ~ España, Portugal, los Países Bajos, gran parte de Italia etc. 펠리뻬 2세는 그의 왕권 하에 서반아, 포르투갈, 네델란드, 이탈리아 등 대부분을 병합했다.

CETURIS Corporación Ecuatoriana de Turismo 에꾸아도르 관광 공사.

ceugma *f.* =**zeugma.**

cf. confesor; confirma; costo de flete; confiérase.

Cf californio.

Cf. confer.

c.f., C.F. costo y flete 운임 포함 가격.

CFC Corporación Financiera Colombiana de Desarrollo Industrial 꼴롬비아 산업 개발 금융 공단.

CFI Consejo Federal de Inversiones《*Arg.*》투자 심의회; Corporación de Fomento Industrial《*Dom.*》산업 개발 공단; Corporación Financiera Internacional 국제 금융 공사.

cg. centigramo(s).

CGE Confederación General Económica《*Arg.*》경제 총동맹.

cgo. cargo 부담; 화물

C.G.S. centímetro, gramo y segundo.

CGT Confederación General del Trabajo《*Arg.*》노동 총동맹.

ch *f.* 체《서반아어 자모의 네 번째 문자(cuarta letra del abecedario castellano)》.

ch/[1] chilines 실링.

ch/[2] cheque.

cha *m.* [*pl.* chaes] ①《*Amér. Filip.*》홍차(té). ② (페르시아의) 왕(sha, sah, xa).

chabacanada *f.* =**chabacanería.**

chabacanamente *adv.* 천연덕스럽게, 상스럽게.

chabacanear *intr.* 천박하게·상스럽게 하다.

chabacanería *f.* =**vulgaridad.**

chabacanismo *m.* =**chabacanería.**

chabacano, na *adj.* 천한, 천박한, 상스러운, 천덕스러운, 저속한(grosero) : El siempre hace chistes ~*s* 그는 항상 천한 말을 한다. —*m.*《*Méx.*》【식물】살구(albaricoquero) 비슷한 나무.

chabarco *m.*《*León.*》물웅덩이(charco).

chabela *f.*《*Bol.*》포도주(vino)와 치챠(chicha)의 음료.

chabelón *m.*《*Guat.*》=**cobarde, amujerado.**

chabeta *f.* =**chaveta.**

chabisque *m.*《*And.*》=**bodegón.**

chabola *f.*【방언】움집, 움막, 오두막, 허름한 집 (choza, caseta en el campo). —*pl.* 빈민굴, 슬럼가.

chabolismo *m.* 빈민굴, 슬럼가.

chaca *f.* ①《*Chile.*》굴 (marisco)의 일종. Sinón. taca. ②《*Bol.*》다리, 아치.

chacal *m.* ①【동물】재규어. ② 잔인한 사람 (persona cruel y sanguinaria). ③《*Méx.*》새우 (camarón)의 일종.

chacalín, na *m.f.*《*AmérC.*》① 어린아이, 갓난아기(nene). ② 새우(camarón).

chacana *f.*《*Ecuad.*》=**parihuela, camilla.**

chacanear *tr.* ①《*Chile.*》…에 박차를 가하다 (espolear). ②《*Bol. Riopl.*》일상 생활에 쓰다.

chacaneo *m.*《*Riopl.*》일용, 상용 : para el ~ 일상품으로 쓰기 위한·위해.

chácara *f.* ①《*AmérM.*》시골집; 밭 (chacra). ②《*Col. Venez.*》자루, 부대(bolsa), 케이스 : ~ de gafas 안경집. ③《*Col. Chile.*》궤양, 종기, 부스럼(llaga).

chacarear *intr.*《*Arg.*》시골·밭에서 일하다.

chacarera *f.*《*Arg. Bol.*》요란스레 발을 굴리며 추는 춤.

chacarería *f.*《*Chile.*》① [집합] 야채밭. ②《*Chile. Perú.*》원예.

chacarero, ra *adj.*《*Amér.*》야채 농사를 짓는, 밭의. —*m.f.* ①《*Amér.*》(야채 농사를 짓는) 농부(campesino). ②《*Col.*》돌팔이 의사. ③《*Urug.*》수다.

chacarona *f.*《*Can.*》가공한 생선(pescado curado).

chacarrachaca *f.* 야단법석, 소란.

chacear *intr.*《*Venez.*》=**hacer chazas.**

chacha *f.* ① [어린이] [muchacha 에서] 아기보는 여자. ②《*And.*》아주머니, 아주머님, 아주미 (tía). ③《*Guat.*》=**chachalaca.**

chachacaste *m.*《*AmérC.*》아구아르디엔떼《소주의 일종》(aguardiente).

cha-cha-cha *m.*【음악】차차차《룸바(rumba)와 맘보(mambo)에서 파생된 Cuba에서 유래된 현대의 춤》.

chachaco, ca *adj.*《*AmérC.*》곰보자국투성이의(cacarañado).

chachacoma *f.*《*Chile.*》【식물】식물 이름.

chachacuate *adj.*《*Méx.*》곰보 자국투성이의 (cacarañado).

chachaguate, ta *adj.m.f.*《*AmérC. Méx.*》쌍둥이 형제(의)(hermano mellizo).

chachal *m.* ①《*Perú.*》 납연필(lápiz plomo). ②《*Guat.*》 토착인의 장식용 목걸이.
chachalaca *f.* ①【조류】(멕시코산의) 들닭. ②《*Hond.*》 큰 새우, 큰 가재. —*adj.* 《*AmérC. Méx.*》 수다쟁이의. —*m.f.* 수다쟁이.
chachalaquero, ra *adj.* 《*Méx.*》 수다스러운. —*m.f.* 수다쟁이.
chachalcagüite *m.* 【식물】 미모사(mimosa)의 일종.
chachamol *adj.* 《*Méx.*》 얼굴이 얽은·곰보 자국투성이의(cacarañado).
chachapoyo, ya *adj.* 《*Chile.*》 =**pesado.**
cháchara *f.* 수다 ; 잡담. —*pl.* 싸구려 물건, 잡동사니(baratijas).
chacharachas *f.pl.* 《*Chile.*》 하찮은·싸구려 장신구(baratijas).
chacharear *intr.* ① 쓸데없이 지껄이다 (parlar). ②《*Méx.*》 싸구려 물건 장사를 하다.
chacharería *f.* 싸구려 물건, 변변찮은 것.
chacharero, ra *adj.* 수다스러운. —*m.f.* ① 수다쟁이. ②《*Méx.*》 잡화상.
chacharita *f.* 【동물】(구아야나산의) 멧돼지.
chacharón, na *adj.* 몹시 수다스러운. —*m.f.* 수다쟁이.
chachipé *f.* =**verdad.**
chacho, cha *m.f.* ① [muchacho 에서] 《특히 몸집이 작은 젊은 사람에 대한 애칭》 …형, …선생, 총각 ; 아가씨 따위. ②《*AmérC.*》 쌍둥이. ③ 하인, 하녀. ④《*Méx.*》 고용인(sirviente).
chachupico, ca *adj.* 《*Perú.*》 괴상한 복장을 한.
chacina *f.* 소금 절임 고기 ; 간을 들인 돼지고기 (cecina).
chacinado *m.* 《*Arg.*》 =**chacina.**
chacinar *tr.* 《*Arg.*》 고기를 소금에 절이다.
chacinería *f.* 소금 절임 고깃간 ; 육류 가공업.
chacinero, ra *m.* 고기를 소금에 절이는 사람, 육류 가공 기술자.
chacmool *m.* (멕시코에 있는 마야 제국의) 돌로 만든 조각.
chaco *f.* 《*AmérM.*》 ① (옛날 토인들이 짐승을 둘러 싸고 하는) 몰이 사냥 ; 사냥터. ② 드문드문 숲이 있는 평원. ③《*Bol.*》 밭. ④《*Venez.*》 악어잡이 덫.
chacó *m.* [*pl.* chacós] 경기병 (caballería ligera)의 군모.
chacolí *m.* 바스꼬 지방의 포도주.
chacolotear *intr.* (편자가) 덜컹덜컹 소리내다.
chacoloteo *m.* 느슨해진 편자에서 나는 소리.
chacón *m.* ①【동물】(필리핀산의) 큰 도마뱀. ②《*Perú.*》 인디오 추장(cacique).
chacona *f.* 챠꼬나 《16~17세기의 서반아의 춤·음악》.
chaconada *f.* (19세기 경의) 면사(綿紗).
chaconero, ra *adj.m.f.* ① chacona를 썼던 (사람). ② chacona를 추었던 (사람).
chacota *f.* ① 소동, 소란, 야단법석(bulla). ② 우롱 : hacer ~ de · tomar ~ a …을 놀려대다, …을 놀려먹다. echar a ~ 능청을 떨며 웃음거리로 만들다. meter a ~ 방해하다.
chacote *m.* 《*Bol.*》 비수, 짧고 날이 선 단도.
chacotear *intr.* 우롱하다, 놀려주다, 놀려대다, 놀려먹다, 약올리다(burlarse).
chacoteo *m.* 우롱, 조롱, 비웃음, 비꼬기, 골려먹기, 놀려먹기, 놀려주기, 약올리기.
chacotero, ra *adj.* 익살스러운. —*m.f.* 익살꾼.
chacra *f.* 《*Amér.*》 (야채·과수·옥수수 등의) 밭 ; 농장(finca, granja).
helarse la ~ 《*Chile.*》 실패하다.
chacuaco, ca *adj.* 《*SDgo. Riopl.*》 시골뜨기의, 촌스러운, 버릇없는. —*m.* ① 은의 용광로. ②《*AmérM.*》 여송연의 꽁초 (colilla de cigarro). ③《*Méx.*》 재털이(cenicero).
chacual *m.* (멕시코 인디오의 공놀이에서 끼는) 토시.
chacualear *tr.* 《*Méx.*》 =**chacolotear.**
chacualole *m.* 《*Méx.*》 호박 과자.
chacuaquería *f.* 《*Arg.*》 =**chapucería.**
Chad 【지명】 챠드 《열대 아프리카의 독립 공화국 ; 수도 Fort-Lamy》.
chafaldete *m.* 【항해】 (돛을 올렸다 내렸다 하는) 돛줄.
chafaldita *f.* 농담(broma) : decir ~*s* 농담하다.
chafalditero, ra *adj.* 농담을 좋아하는. —*m.f.* 익살꾼.
chafalmejas *m.f.* 【단·복수 동형】 엉터리 화가 (pintamonas).
chafalonía *f.* ① 그릇에 사용되는 은. ② 금은의 폐물. ③《*Salv.*》 =**pepitoria.**
por ~ 《*Bol.*》 무게로 《매매》.
chafalote, ta *adj.* 《*Riopl.*》 품위없는, 보통의. —*m.* ①《*Amér. Bol.*》 날이 넓은 칼. ②《*Bol.*》 느린 말.
chafallada *f.* 유치원(escuela para párvulos).
chafallar *tr.* 서툴게 만들다 ; 솜씨없게 고치다.
chafallo *m.* 엉터리로 고치기.
chafallón, na *adj.* 솜씨없는, 손재주 없는. —*m.f.* 손재주 없는 사람.
chafandín *m.* 경솔한·경망스러운 사람.
chafar *tr.* ① (풀·머리칼 등을) 눕히다, 쓰러뜨리다. ② (옷을) 구깃구깃하게 하다. ③ (사람을 모욕적으로) 혼내주다 : Me *ha chafado.* ④《*Chile.*》 몰아내다, 해고하다, 파면하다(despedir). ⑤《*Méx.*》 치워 버리다.
chafariz *m.* 【고어】 =**zafareche.**
chafarotazo *m.* chafarote로 치기.
chafarote *m.* 만도(彎刀), 넓적한 칼.
chafarraño *m.* 《*Can.*》 옥수수빵.
chafarrín *m.* 《*Amér.*》 =**chafarrinada.**
chafarrinada *f.* =**chafarrinón.**
chafarrinar *tr.* 더럽히다 ; (…)에 오점을 찍다.
chafarrinón *m.* 오점 : echar un ~ 추잡한 꼴을 드러내다, 트집을 잡다.
chafe *m.* 《*Arg. Urug.*》【은어】 헌병, 순경.
chafirete *m.* 《*Méx.*》 화물 자동차 운전수.
chafirro *m.* 《*CRica.*》 =**cuchillo, machete.**
chaflán *m.* 사단면(斜斷面) : hacer ~*es* en un madero cuadrado 각목의 모서리에 면을 내다. **Sinón.** bisel.
de ~ 《*Venez.*》 비스듬히 (de soslavo).
chaflanar *tr.* (각의) 면을 내다, (…의) 모서리를 깎아내다(achaflanar).
chafo *m.* =**chafe.**
chagolla *f.* 《*Méx.*》 위폐 ; 닳아 빠진 돈.
chagorra *f.* 《*Méx.*》 매춘부, 창녀, 갈보.
chagra *f.* ①《*Col. Ecuad.*》 =**chacra, finca.** ②

《*Cuba.*》=**chaira.**
—*m.* 《*Ecuad.*》 촌놈, 시골뜨기(campesino).
—*adj.* 버릇없는, 시골뜨기 같은.

chagrén *m.* [*fr.* chagrin] 모로코 가죽 (tafilete); 작은 칼 (따위).

chagrero, ra *m.f.* 《*Col.*》 =**chacarero.**

chagrín *m.* =**chagrén.**

chagual *m.* 《*AmérM.*》【식물】 땅두릅 비슷한 파인애플과의 식물.

chaguala *f.* ①《*Col.*》 (인디오의) 코걸이 (nariguera). ②《*Col. Cuba.*》 헌 구두(zapato viejo). ③《*Col.*》 창상(創傷), 날이 있는 물건에 다친 상처. ④《*Méx.*》 실내화, 덧신(chancleta).

chagualo *m.* 《*Col.*》 헤진 구두.

chagualón *m.* 《*Col.*》【식물】 향나무.

chaguar[1] *m.* 《*Bol. Perú.*》 삼으로 꼰 노끈.

chaguar[2] *tr.* ⑩ 《*Arg.*》 (물을) 짜다.

cháguar *m.* 《*Amér.*》 =**chagual, caraguatá.**

cháguara *f.* 《*Arg. Urug.*》 삼으로 꼰 노끈.
dar ~ 때리다, 놀리다.

chaguarama *m.* =**chaguaramo.**.

chaguaramo *m.* 【식물】 (중미산의) 야자나무.

chaguarazo *m.* 《*Arg. Urug.*》 채찍질; 모욕주는 일, 욕지거리(insulto).

chaguaro *m.* 《*Sal.*》 =**mata pequeña.**

chagüeto, ta *adj.* 《*Col.*》 절름발이의, 꼬인 (tuerto, torcido).

chagüí *m.* 《*Ecuad.*》【조류】 (해안 지방의) 참새 (gorrión) 비슷한 작은 새.

chagüiscle *m.* 《*Méx.*》 옥수수병.

chagüite *m.* 《*AmérC.*》 물웅덩이; 못자리.

chah *m.* =**cha.**

chahuar *m.* 《*Amér.*》 =**cháguar, caraguatá.**

chahuiste *m.* ① (밀 같은 데 붙는) 노상균. ②《*Méx.*》 보슬비, 이슬비.

chahuistle *m.* 【식물】 노균병(露菌病) 《식물의 잎이나 줄기가 하얗게 되는 병》.

chahuite *m.* 《*Hond. Salv.*》 물웅덩이; 못자리.

chai *f.* 【은어】 ① 여아, 계집아이(niña). ② 매춘부, 갈보.

chaima *adj.* 차이마 《베네수엘라 서북부의 원주민》족의. —*m.f.* 차이마 사람. —*m.* 차이마말.

chaina *f.* ①《*Perú.*》【조류】 =**jilguero.** ②《*Perú.*》 =**quena.**

chaira *f.* ① (제화공의) 두꺼운 피혁 절단용 도구; 나무 줄; (푸줏간의) 줄. ②《*Arg.*》 꼬리가 벗겨진 말. ③《*Bol.*》 고기와 감자 전분의 요리.

chairar *tr.* 《*Riopl.*》 chaira로 갈다.
dejar a uno *chairando* 《*Urug.*》 누구에게 믿도록 만들다.

chajá *m.* 《*Riopl.*》【조류】 차하 해오라기.

chajal, la *m.f.* 《*Ecuad. Guat.*》 승려의 뒷바라지를 해주는 사람.

chajuá *m.* 《*Col.*》 =**chajuán.**

chajuán *m.* 《*Col.*》 후끈거림, 무더위(bochorno, calor).

chajuanarse *r.* 《*Col.*》 지치다, 피곤해지다.

chal *m.* 숄, 어깨걸이; 모포.

chala *f.* ①《*AmérM.*》 옥수수 껍질. ②《*Bol.*》 곡물의 껍데기, 왕겨. ③《*Arg. Bol.*》 금. —*pl.* 《*Chile.*》 부인용 구두의 일종.
pelar la ~ 훔치다, 털다, 빈털털이로 만들다.

Chala *hip.* Luisa.

chalaco, ca *adj.* 까야오 《뻬루의 항구 도시 el Callao》의. —*m.f.* 까야오 사람.

chalado, da *adj.* ① 몽롱한; (머리가) 혼탁한, 둔한. ② 사랑에 눈이 먼(enamorado).

chaladura *f* 변덕스러움, 시시하게 생각됨.

chalala *f.* 《*Chile.*》 (인디오들의) 샌들(sandalia).

chalán, na *adj.* ① 마소 매매의. ② 입담이 좋은; 잘 둘러붙이는; 말주변이 좋은. —*m.* 말장수; 조마사(調馬師).

chalana *f.* 나룻배.

chalanear *tr.* ① 능란하게 매매하다. ② (야생마를) 길들이다.

chalaneo *m.* 교활한 매매.

chalanería *f.* 말거간꾼의 간사스런 수작.

chalanesco, ca *adj.* 능구렁이 같은, 엉큼한, 사기성이 짙은.

chalar *tr.* 달아오르게 하다, 흥분시키다(alelar).
—*m.* 《*Chile.*》 옥수수 껍질 버리는 곳.
~**se** ① 홀딱 반하다, (너무 열중해서) 제정신을 잃다(enamorarse): ~*se por* una muchacha. ②《*PRico.*》 싫증내다, 물리다.

chalate *m.* 《*Méx.*》 짐수레를 끄는 말, 좋지 못한 말(caballejo).

chalateco, ca *adj.m.f.* 찰라떼낭고《Chalatenango, El Salvador에 있는 주·도시》의 (사람).

¡chalay! *interj.* 《*Arg.*》 냄새 참 좋군요! (¡Qué bien huele!).

chalaza *f.* 난대(卵帶) 《알의 흰자와 노른자를 잇는 끈》.

chalcha *f.* 《*Chile.*》 턱밑의 혹(papada).

chalchal *m.* 《*Riopl.*》【식물】 소나무의 일종.

chalchihuite *m.* ①【광물】 (멕시코산의) 에머럴드 (esmeralda)의 일종. ②《*AmérC.*》 값싼 장식품 (baratija). ③《*Salv.*》 =**cachivache.**

chalchudo, da *adj.* 《*Chile.*》 =**mofletudo.**

chaleco *m.* 조끼.
~ *de fuerza* (난폭한 정신병자에게 입히는) 특수한 옷(camisa de fuerza).
a(l) ~ ①《*Méx.*》 어거지로, 억지로, 폭력으로(a la fuerza). ②《*Méx.*》 변덕스럽게(por capricho).

chalecón, na *adj.* 《*Méx.*》 눈속임이 많은.

chalequear *tr.* ①《*Guat.*》 사취하다. ②《*Méx.*》 훔치다. ③《*Venez.*》 강제로 하다, 중지시키다.

chalequero, ra *m.f.* 조끼 깁는·만드는 사람.

chalet *m.* 《*Galic.*》 [*pl.* chaletes] 산장식 주택; 산장식 호텔; 문화 주택; 방갈로, 별장.

chalilones *m.pl.* 《*Chile.*》 사육제(의 야단법석).

chalina *f.* 길게 늘어뜨린 넥타이; 네커치프.

challa *f.* 《*Chile.*》 =**chaya.**

challar *intr.* 《*Perú.*》 =**chapalear.**

challenge *m. ing.* =**desafío.**

challulla *f.* (뻬루의) 물고기의 일종.

chalmogra *f.* =**chaulmugra.**

chalmugra *f.* =**chaulmugra.**

chalón *m.* 《*Amér.*》 숄(pañolón).

chalona *f.* 《*Bol. Perú.*》 양고기의 육포.

chaloso, sa *adj.* 《*Bol.*》 주름이 진; 구김이 간.

chalote *m.* 【식물】 김장파(cebolla escalonia).

chaludo, da *adj.* ①《*Bol. Riopl.*》 잎·껍질·줄기가 많은. ② 돈이 있는, 부유한.

chalupa *f.* ① 두 개의 마스트가 있는 작은 배; 구명 보트; 연락선(lancha). ②《*Amér.*》 통나무배. ③《*Méx.*》 빵틀의 일종. ④《*Amér.*》 옥수수

지짐이 · 부침개.

chama *f.* (헌 도구 등의) 교환 매매.

chamaco, ca *m.f.* 《*Méx.*》 소년, 소녀; 아기, 어린이.

chamada *f.* ① 땔감, 장작(chamarasca). ② 《*And.*》 불행, 재난(contratiempo).

chamagoso, sa *adj.* ① 《*Méx.*》 더러운, 추잡한 (mugriento, sucio) : mujer ~*sa*. ② 《*Méx.*》 비천한, 천박한(bajo, vulgar).

chamagua *f.* 《*Méx.*》 옥수수밭.

chamal *m.* 《*Chile.*》 인디오의 망토; 허리 가리개.

chamán *m.* 마술사; 무당; 샤먼교의 도사.

chamanismo *m.* 샤머니즘; 샤먼교.

chamanto *m.* 《*Chile.*》 질이 거칠고 나쁜 뽄쵸 (poncho de lana burda).

chamar *tr.* (물건을) 바꾸다, 교환하다(cambiar).

chámara *f.* 땔감, 장작; 모닥불, 화톳불.

chamarasca *f.* =**chámara.**

chamarilear *tr.* =**chamar.**

chamarilero, ra *m.f.* 고물상.

chamarillero, ra *m.f.* =**chamarilero.** —*m.* 노름꾼; 떠돌이 장사꾼.

chamarillón, na *adj.m.f.* 카드 놀이가 서툰 (사람).

chamarín *m.* 《*Cuba.*》 =**chamariz.**

chamariz *m.* 【조류】 검은방울새.

chamarón *m.* 【조류】 굴뚝새(curruca)의 일종.

chamarra *f.* ① 거친 천으로 된 가운. ② 《*Méx.*》 양가죽으로 만든 잠바 · 조끼. ③ 《*Venez.*》 뽄쵸의 일종. ④ 《*Guat.*》 거친 양모 모포. ⑤ 《*Guat.*》 파충류. ⑥ 《*AmérC.*》 속임수 : hacer ~*s* 속이다.

chamarrear *tr.* 《*CRica.*》 =**engañar**.

chamarrero *m.* 《*Venez.*》 시골의 돌팔이 의사.

chamarreta *f.* (부인용) 소매 달린 긴 웃옷.

chamarro *m.* 《*AmérC. Chile. Méx.*》 질이 좋지 못한 모포.

chamba *f.* ① 요행(chiripa). ② 《*Arg. Ecuad.*》 잔디 (césped). ③ 《*Col. Venez.*》 도랑, 고랑, 물웅덩이 (zanja). ④ 《*AmérC. Méx.*》 일, 노동 (trabajo, negocio). ⑤ 《*Ecuad.*》 뒤얽힘, 뒤범벅.

chambada *f.* =**chambado.**

chambado *m.* 《*AmérM.*》 뿔(cuerno)로 만든 술잔(cuerna).

chambaril *m.* 《*Salv.*》 =**zancajo**.

chambear *intr.* ① 《*Col.*》 자르다, 면도하다. ② 《*Col. Ecuad.*》 물웅덩이를 건다. ③ 《*Méx.*》 품삯이 싼 일을 하다; 교환하다.

chambeco *m.* 《*Chile.*》 악마; 경솔.

chambelán *m.* ① 《*Galic.*》 시종; 몸종. ② 《*Méx.*》 분무기(pulverizador).

chamberga *f.* ① 《*And.*》 좁은 비단 리본. ② 《*Col.*》 =**cuerna**. ③ 《*Cuba.*》 【식물】 금잔화. ④ 《*Hond.*》 덩굴식물(planta trepadora).

chambergo *m.* ① 챙이 넓은 부드러운 모자. ② 《*Cuba.*》 노랗고 검정색의 새.

chambergo, ga *adj.* 참베르고 근위대 《Carlos 2세때 Madrid에 만들어진 것》의. —*m.* ① (그의) 근위대. ② 챙이 넓은 일종의 모자. ③ 까딸루냐의 작은 은화. ④ 《*Cuba.*》 【조류】 참베르고 참새 《철새》.

chamberguilla *f.* 《*And.*》 =**chamberga.**

chamberí *adj.* 《*Perú.*》 멋을 부르는. —*m.f.* 멋쟁이.

chamberinada *f.* 《*Perú.*》 휘황찬란, 호화, 사치.

chambilla *f.* 【건축】 철책의 고임돌.

chambo *m.* 《*Méx.*》 가축 판매(venta de bestias).

chambón, na *adj.m.f.* 서툰, 손재주가 없는, 솜씨가 어설픈 (사람).

chambonada *f.* 큰 실수; 장님 문고리 잡기; 함부로 하는 짓.

chambonear *intr.* 《*Amér.*》 서툰 재주를 부리다; 실수하다.

chamborote *adj.* 《*Ecuad. Guat*》 ① 하얀 (후추). ② 뻔뻔스러운, 철면피한, 넉살좋은. ③ 《*Amér.*》 코가 큰(narigón).

chambra *f.* 부인의 평상복, 블라우스.

chambrana *f.* ① 문 · 창문 주위에 대는 돌 · 나무의 테두리. ② 《*Col. Venez.*》 소동; 싸움.

chambre *m.* 《*Mál.*》 =**pillastre.**

chambuque *m.* 《*Col.*》 (목동들이 쓰는) 끝을 고리 모양으로 묶은 던지는 줄.

chamburgo *m.* 《*Col.*》 물웅덩이(charco).

chamburo *m.* 《*Ecuad.*》 【식물】 파파야 (papaya)의 일종.

chamelico *m.* [주로 *pl.*] 《*Chile. Perú.*》 도구류, 잡동사니; 완구.

chamelote *m.* 낙타 · 염소의 모직물; 튼튼한 방수포(camelote).

chamelotón *m.* 저질의 낙타 모직물.

chamerluco *m.* (여자의) 몸에 꽉 끼인 옷.

chamicado, da *adj.* 《*Chile. Perú.*》 ① 튼튼한, 툭툭한. ② 완고한(taciturno). ③ 술주정을 부리는.

chamicera *f.* 산불이 난 자리.

chamicero, ra *adj.* chamizo의 · 같은.

chamico *m.* 【식물】 (아메리카의) 흰독말풀류. *dar* ~ 매혹시키다, 홀리다.

chamiza *f.* ① 【식물】 띠, (약초로 쓰이는) 억새. ② 《*Amér.*》 땔나무, 장작.

chamizar *tr.* ⑨ 띠를 엎다, (지붕에) 띠를 이다.

chamizo *m.* ① 불에 타 죽은 입목; 불에 그을린 목재. ② 지붕에 띠를 인 집. ③ 일없이 노는 사람들의 소굴.

chamorra *f.* 중대가리(cabeza trasquilada).

chamorrar *tr.* =**trasquilar.**

chamorro, rra *adj.* 중머리의, 민머리의 (pelado) : trigo ~ 나맥, 쌀보리. —*m.* 《*Méx.*》 종아리.

champa *f.* ① 《*AmérM.*》 깍은 잔디, 뿌리째 떠낸 잔디, 떼. ② 《*Ecuad.*》 【식물】 용설란(agave, pita). ③ 《*AmérC. Méx.*》 야자잎으로 지붕을 이은 오두막 · 임시 점포.

champagne *m. fr.* =**champaña.**

champán *m.* ① 《*Amér.*》 나룻배; (중국의) 삼판(선). ② 《*Galic.*》 샴페인(champaña).

champaña *m.* 《*Galic.*》 샴페인.

champañazo *m.* 《*Chile.*》 가족 파티(fiesta familiar).

champañización *f.* 샴페인 준비 과정.

champañizar *tr.* 샴페인 준비 과정으로 즙을 처리하다; (포도주가) 거품을 일으키다.

champar *tr.* ① 훔치다, 속여서 빼았다, 사취

하다 (hurtar). ② 《*Méx.*》 (누구의) 배은 망덕함을 책하다, 의리없는 짓을 나무라다.

champear *tr.* 《*Arg. Ecuad.*》 잔디를 심어 둑을 튼튼히 하다.

champiñón *m.* 《*Galic.*》【식물】양버섯(seta).

champola *f.* 《*AmérC. Cuba.*》 파인애플 음료; 청량 음료의 일종.

champú *m.* [*ing.* shampoo] 샴푸.

champurrado *m.* 혼합주.

champurrar *tr.* (술을) 섞다(chapurrar).

champurro *m.* 혼합주.

champús *m.* ① 《*AmérM.*》 옥수수 가루·설탕·밀감 주스를 넣어 죽처럼 끓인 것. ② 《*Perú.*》 (옛 리마의) 옥수수로 만든 비스킷.
estar una cosa hecha un ~ 《*Perú.*》 뒤범벅이 되다, 흐트러지다.

champuz *m.* =**champús.**

chamuco *m.* 《*Méx.*》 악마(diablo).

chamuchina *f.* ① 쓸모 없는 것(pequeñez). ② 《*Amér.*》 속된 무리들 (populacho); 조무라기들. ③ 어리석은 일(necedad). ④ 싸움판.

chamullar *intr.* =**charlar, decir.**

chamullo *m.* =**charla**.

chamuscado, da *adj.* ① 새까맣게 탄. ② 나쁜 버릇·악습에 젖기 시작한.

chamuscar *tr.* ⑦ ① 태워 그을리다. ② 《*Méx.*》 싸게 팔다, 염가 판매하다, 할인 판매하다.
~se ① 눋다, 타다. ② 《*Col.*》 잔뜩 화내다, 노하다, 성내다.

chamusco *m.* =**chamusquina**.

chamusquina *f.* ① 눋는 일; 그을린 자국. ② 언쟁, 말다툼, 싸움(riña). ③ 《*Col. Venez.*》 꼬마들, 어린이들.
oler a ~ 눌어서 씁쓸하다; 주먹다짐이 벌어질 듯하다; 벌을 받을 것만 같다.

chamusquino, na *adj.* 《*Venez.*》 속된.

chan *m.* 《*AmérC.*》 사르비아(salvia)의 열매·씨 《향료》(chia); 그것으로 만든 청량 음료.

chaná *adj.m.f.* (Argentina의 Mesopotamia 지역에 서반아 점령 시대에 살았던) 원주민(의).
—*m.* chaná말.

chanada *f.* 사기, 속임수, 사수(詐數), 암수(暗數), 야바위(chasco, engaño).

chanaco, ca *m.f.* 《*Perú.*》 막내둥이.

chanca *f.* ① 《*Bol.*》 닭고기나 토끼고기에 고추를 곁들인 요리. ② 《*AmérM.*》 부수는 일, (특히) 쇄광(碎鑛); 구타.

chancaca *f.* ① 《*Amér.*》 날설탕; 흑설탕. ② 《*AmérC.*》 카스텔라의 일종. ③ 《*Ecuad.*》 농양(膿瘍).

chancacazo *m.* 《*Chile. Perú.*》 구타.

chancadora *f.* 《*Chile.*》 쇄광기.

chancaquear *tr.* 《*Chile.*》 때리다, (몽둥이로) 두들겨 패다(apalear).

chancaquita *f.* [*dim.* chancaca] 《*Amér.*》 호두 같은 것을 넣은 흑사탕 과자.

chancar *tr.* 《*Chile. Perú.*》 ① 타다, 부수다, 쪼개다, 쇄광하다 (triturar). ② 때리다, 혼내주다. ③ 중간에서 끝내다, 끝을 맺지 않고 끝내다.

chancay *m.* 《*Perú.*》 비스킷의 일종.

chance *m.* [*ing.* chance] 기회, 호기(好機).

chancear *intr.* (*r.*) ① 익살부리다, 농담을 늘어놓다. ② [+con: …를] 놀려대다, 놀려주다: Se divierte en ~*se con* nosotros 그는 우리를 놀려주면서 재미있어 한다.

chancelar *tr.* ① =**cancelar**. ② 《*Arg.*》 결산을 하다(saldar una cuenta).

chancero, ra *adj.* 신소리를 잘하는; 잘 놀려주는. —*m.f.* 신소리 잘하는 사람; 잘 놀리는 사람. —*m.* 【은어】 얼렁뚱땅 물건을 훔치는 사람.

chancha *f.* ① 《*Chile.*》 추잡한 여자. ② 《*Amér.*》 암돼지(hembra del chancho). ③ 나무 수레.
hacer la ~ 학교를 빼먹다, 태업·사보타주하다 (hacer novillos).

chanchada *f.* ① 《*Amér.*》 =**porquería, suciedad.** ② 《*Amér.*》 =**grosería.**

chanchar *tr.* 《*Bol.*》 (장소에서) 급히 꺼내다.

cháncharras *f.pl.* *andar en* ~ *máncharras* 요리조리 핑계를 대어 꽁무니를 빼다.

chancharreta *f.* 《*Perú.*》 낡아 닳아 빠진 신발.

chanche *m.* 《*Ecuad.*》【식물】씨로 염색을 하는 나무.

chanchería *f.* 《*Arg. Chile.*》 순대·소시지 가게 (salchichería).

chanchero, ra *m.f.* 《*Arg. Chile.*》 돼지고기 장수, 돼지 잡는 사람.

chanchiras *f.pl.* 《*Col.*》 =**androjos, harapos.**

chanchiriento, ta *adj.* 《*Col.*》 =**andrajoso, haraposo.**

chancho, cha *adj.* 《*Amér.*》 지저분한; 불결한 (puerco, sucio, desaseado). —*m.f.* 불결한 사람. —*m.* ① 돼지(cerdo, puerco, cochino). ② 《*Chile.*》 쇄광기.
~ *de monte* 《*Perú.*》 멧돼지(pecarí).

chanchullero, ra *adj.m.f.* 약삭빠르게 구는 사람.

chanchullo *m.* 부정한 행위, 부정한 돈벌이.
ander en ~*s* 약삭빠르게 굴다.

chancillar *tr.* =**chancelar.**

chanciller *m.* =**canciller.**

chancillería *f.* (옛날의) 대심원(大審院).

chancla *f.* ① 다 낡은 구두. ② 실내화, 슬리퍼 (chancleta).

chancleta *f.* ① 슬리퍼, 실내화: en ~*s* 뒤꿈치가 다 닳은 구두를 신고. ② 《*Amér.*》 갓난 여자아이. —*m.f.* 무능한 사람, 무능력자.
largar la ~ 《*Cuba.*》 죽다, 무용지물이 되다.

chancletazo *m.* 슬리퍼로 때리기.

chancletear *intr.* ① 뒤축이 닳아 빠진 구두 (슬리퍼)를 질질 끌며 다니다(andar en chancletas). ② 《*Cuba.*》 도망치다(huir). —*tr.* 《*Ecuad. Guat.*》 슬리퍼로 때리다.

chancleteo *m.* 실내화를 질질 끌고 다니는 일.

chancletero, ra *adj.m.f.* =**chancletudo.**

chancletudo, da *adj.m.f.* 《*Ant. Col. Méx.*》 하류층 사회의 (사람).

chanclo *m.* 나막신; 샌들: zapato de ~.

chanco *adj.m.* 《*Chile.*》 치즈(의).

chancro *m.* 【의학】 하감(下疳), 음식창(陰蝕瘡), 변독(便毒) 《남녀 음부에 나는 창병》.

chancua *f.* 《*Arg.*》 맛없는 옥수수(빵).

chancuar *tr.* ⑭ 《*Arg.*》 (맷돌로) 갈다; 가루로 만들다, 으깨다(moler).

chancuco *m.* 《*Col.*》 밀수 담배.

chanda *f.* 《*Col.*》 =**chande.**

chandal *m.* 유니폼, 운동복.

chandala *f.* 인도의 최하층 계급의 사람.
chande *f.* 《*Col.*》【의학】옴(sarna).
chandoso, sa *adj.* 《*Col.*》=**sarnoso.**
chane *adj.m.f.* 《*Hond.*》=**baqueano.**
chané *adj.m.f.* 챠네족 《Bolivia와 Argentina의 챠께냐 지방에서 살았던 원주민》(의).
chaneca *f.* 《*Bol.*》(머리를) 세 가닥으로 땋기.
chanelar *intr.* 【속어】뻔히 알고 있다, 미리 알다, 알다(entender, saber).
chanelo *m.* 《*And.*》=**negocio.**
chaneque *adj.* 《*Guat.*》=**corriente, jovial.** —*m.* 《*Salv.*》=**guía, baqueano.**
chanfaina *f.* ① 내장 졸임·찌개. ② 맛이 없는 스튜. ③【은어】뚜쟁이 패.
chanfle *m.* ①《*Arg. Urug.*》순찰, 순경. ②《*Méx.*》【속어】=**chaflán.**
chanflón, na *adj.* 서툰, 시원찮은. —*m.* ① 옛날의 동화. ②《*Arg.*》순경, 순찰(chanfle).
changa *f.* ①《*Amér.*》농담(broma, chanza). ②《*AmérM.*》짐을 나르는 일. ③《*Arg.*》보수, 팁.
changador *m.* 《*Arg.*》(길에서 손님을 기다리는) 짐꾼(mozo de cuerda).
changadora *f.* 《*Riopl.*》창녀, 매춘부, 탕녀.
changallo, lla *adj.f.* 《*Can.*》=**perezoso, tardo, lento, negligente.** —*m.* 《*Chile.*》새우(camarón)의 일종.
changango, ga *adj.* 《*Bol.*》=**chapucero.** —*m.* 《*Arg. Urug.*》【악기】기타(guitarra).
changar *intr.* ⑧ 《*Bol. Riopl.*》① 짐꾼 노릇을 하다, 짐을 나르다. ② 따분하게 살아가다.
changarra *f.* 《*Sal.*》=**cencerro.**
changarro *m.* 《*Méx.*》판잣집(tendejón).
chango, ga *adj.* ①《*Chile.*》귀찮은. ②《*Méx.*》빈틈없는. ③《*PRico.*》경거 망동하는 ; 경박한, 소갈머리없는. —*m.f.* ①《*Arg.*》사환, 꼬마. ②《*Méx.*》【애칭】애기, 아가. —*m.* ①《*Amér.*》원숭이 (mono). ②《*Chile.*》마음이 내키지 않는 사람.
ponerse ~ 《*Méx.*》조심하다, 익숙해지다 ; 망·파수를 보다, 경계하다.
changolotear *tr.* 《*AmérM. Col.*》흔들어대다.
changue *m.* 【동물】타조의 일종.
changuear *intr.* 《*Amér.*》농담하다, 놀려대다, 놀려주다.
changuería *f.* 《*Hond. Méx. PRico.*》=**broma, diversión.**
changuero, ra *adj.m.f.* ①《*Amér.*》=**bromista.** ②《*Riopl.*》단거리 왕복의 (마차).
changüí *m.* [*pl.* changüíes] 속임수(chasco).
dar ~ 골탕먹이다, 속여 넘기다.
chano chano *adv.* 차근차근, 한걸음 한걸음, 일보 일보(lentamente, paso a paso).
chanquear *intr.* 샌들을 신고 걷다.
chanquete *m.* 【어류】찬께떼 《작은 물고기의 일종》.
chantado, da *adj.* chantar의 *p.p.* —*m.* 《*Gal.*》말뚝 울타리.
chantaje *m.* [*fr.* chantage] 갈취, 들치기.
chantajear *tr.* 갈취하다, 공갈을 치다.
chantajista *m.f.* 공갈자, 갈취를 일삼는 사람.
chantar *tr.* ① 입히다(vestir, poner), 씌우다(poner). ② 말뚝을 꽂아 넣다, 박아 넣다(clavar). ③ (맞대 놓고) 모욕하다 : ~ sus verdades. ④《*Perú. Riopl.*》집어 던지다, (물 따위를) 끼얹다. ⑤ 두들겨 패다, 때리다, 갈기다. ⑥ 그대로 서 있게 하다.
chantillón *m.* 틀나무, 나무자.
chanto *m.* 《*Gal.*》말뚝 ; 포석(鋪石).
chantre *m.* (사원의) 합창 지휘자.
chantría *f.* chantre의 직.
chanza *f.* ① 농담, 신소리, 익살 : hablar *de* ~ 농담하다. Ella siempre habla de ~ 그녀는 항상 농담을 한다. ② 놀려댐 : usar de ~*s* 놀려대다, 놀려주다. ③【은어】속임수.
chanzaina *f.* 【은어】=**sutileza, astucia.**
chanzoneta *f.* ① 송가(頌歌), 속요(俗謠). ② 농담, 익살(chanza).
chanzonetero *m.* 속요 작가.
chaña *f.* 《*Chile.*》탈취, 약탈.
chañaca *f.* 《*Chile.*》① 옴(sarna). ② 불명예.
hacer ~ 《*Chile.*》부수다.
chañacado, da *adj.* 《*Chile.*》산뜻하지 못한, 신통치 못한, 단정치 못한 : La fiesta resultó ~*da* 행사는 신통치 못했다.
chañado, da *adj.* 《*Chile.*》=**desaliñado.**
chañadura *f.* 《*Chile.*》아귀다툼, 서로 빼앗기 ; (공금의) 횡령 ; 실패 ; 칠칠치 못함.
chañal *m.* =**chañar**.
chañaquiento, ta *adj.* 《*Chile.*》=**sarnoso.**
chañar *tr.* 《*Chile.*》서로 빼앗다 ; 부수다, 빻다(destrozar). —*m.* 《*AmérM.*》【식물】차냐르 감람 ; 그 열매.
chañaral *m.* 《*Amér.*》chañar 밭.
chaño *m.* 《*Chile.*》거친 양모의 두꺼운 모포.
¡chao! *interj.* 《*AmerM.*》안녕 ! (¡Adiós!).
chaola *f.* =**chabola.**
chapa *f.* [*fr.* chape] ① (금속·목재의) 얇은 판자 : ~ cruzada 베니어판. ② 합판, 받침널 ; 판금(板金), 금속판 : ~ de cobre 동판. ~ de hierro galvanizado 양철. ③ (구두에 대는) 가죽. ④【해부】엷은 막. ⑤ 연지 칠한 빰 ; 볼에 나타나는 붉은 점. ⑥ (발렌시아산의) 달팽이. ⑦ 삿갓조개. ⑧ 진지함, 고지식함, 착함 (cordura) : persona de ~ 근엄한 사람. ⑨《*Amér.*》자물쇠 (cerradura). —*pl.* ① 두 장의 화폐를 던져서 하는 놀음. ② 새빨간 빰. —*m.* ①《*AmérM.*》스파이질 하는 원주민. ②《*Ecuad.*》순경, 경관(policía).
chapacaca *m.* 《*Ecuad.*》권력을 남용하는 직원.
chapadanza *f.* ①《*Amér.*》=**chanza.** ②《*Col.*》=**desorden.**
chapado, da *adj.* [chapar의 *p.p.*] ① =**chapeado**. ② =**hermoso, gentil, gallardo.**
chapalear *intr.* ① (손·발로 물을) 철벅거리다(chapotear). ② (편자가 헐거워져) 덜컥덜컥 소리내다.
chapaleo *m.* 철벅철벅 (물소리) ; 딸각거리는 소리, 삐걱거리는 소리.
chapaleta *f.* ① (펌프의) 판막. ②《*Bol.*》【광산】공기통, 통풍 구멍.
chapaleteo *m.* 해안을 때리는 파도 소리 ; 추녀 끝의 물 떨어지는 소리.
chapandongo *m.* 《*AmérM.*》분규, 혼란.
chapaneco, ca *adj.* 《*AmérM. Méx.*》오동포동한, 땅딸막한(rechoncho, bajito).
chapapote *m.* (서인도 제도의) 묽지 않고 걸쭉

한 아스팔트.

chapar *tr.* ① 금속판으로 장식하다 ; 도금하다 (chapear) : estar *chapado de* cobre 동판으로 도금되어 있다. ② 두들겨 패다 : Le *chapó* un no. ③ 《*AmérM.*》 엿보다, 살피다, 노리다(mirar, atisbar, acechar). ④ 《*Perú.*》 (달아나는 것을) 붙잡다. ⑤ 《*And.*》 (괭이로) 풀을 매다 · 뽑다.

chaparra *f.* ① 【식물】 연지떡갈나무(coscoja) ; 떡갈나무 숲(chaparro). ② 유개 마차(有蓋馬車)의 일종.

chaparrada *f.* 폭우(暴雨), 소나기, 백우(白雨), 취우(驟雨) (chaparrón, aguacero, chubasco).

chaparral *m.* 떡갈나무(chaparro) 숲.

chaparrazo *m.* 《*Ar. Hond.*》 소나기, 폭우, 백우, 취우(chaparrón, aguacero).

chaparrear *intr.* 비가 억수로 쏟아지다 (caer chaparrones).

chaparreras *f.pl.* 《*Méx.*》 가죽 바지의 일종.

chaparrete *adj.m.f.* 땅딸막한 (사람).

chaparro, rra *adj.* 땅딸막한 (achaparrado) : higuera *~rra.* —*m.* ① 떡갈나무. ② 땅딸막한 남자. ③ 《*Hond.*》 덩굴숲(maleza).

chaparrón *m.* ① 소나기, 폭우 : El primer ~ duró dos minutos 첫 폭우는 2분 걸렸다. **Sinón.** chubasco. ② 범람, 쇄도, 풍부함, 많음 : Lo recibieron con un ~ de preguntas 그들은 질문 세례를 받았다. **Sinón.** aluvión. ③ 《*PRico.*》 =**reprimenda**.

chapatal *m.* =**lodazal.**

chape *m.* ① 《*Col. Chile.*》 머리를 세 가닥으로 땋기. ② 《*Chile.*》 토와(土蝸).

enfermo del ~ 《*Chile.*》 머리가 둔해진.

gente de ~ 《*Chile.*》 돈 많은 사람들, 부자들.

chapeado, da *adj.* ① 도금된 ; 얇은 판 · 베니어 · 금속판을 댄. ② 《*Chile.*》 부유한, 돈 많은 (rico).

—*m.* 《*Amér.*》 합판, 베니어판 ; 금속판을 입힌 마구(馬具).

chapear *tr.* ① [+de : 합판 · 금속판을] (어디에다) 치다. ② 《*Cuba.*》 써레질하다. —*intr.* ① (편자가 헐거워져) 덜컹거리는 소리를 내다. ② 《*Cuba.*》 낫으로 풀을 베다.

chapeca *f.* 《*Arg.*》 =**chapecán.**

chapecán *m.* 《*Chile.*》 ① 세 가닥으로 땋은 머리카락(trenza). ② 마늘 · 양파쪽.

chapecar *tr.* ⑦ 《*Chile.*》 ① 세 가닥으로 땋다 (trenzar). ② (마늘 · 양파 등을) 엮다(enristrar, hacer ristas con ajos o cebollas).

chapeo *m.* 《*Galic.*》 【고어】 모자.

chapera *f.* (미장이가 사용하는) 사다리.

chapería *f.* ① (금속판의) 미늘 장식. ② 《*Ecuad.*》 경찰대 ; 경찰서.

chaperón *m.* 《*Galic.*》 ① 두건. ② (홈통을 댄) 추녀 끝.

chapescar *intr.* ⑦ 【은어】 뺑소니치다(huir).

chapeta *f.* [*dim.* chapa] 뺨에 생긴 빨간 얼룩점. —*adj.* 어설픈, 솜씨없는.

chapetear *intr.* =**chapotear.**

chapetón, na *adj.* 《*Amér.*》 ① 【고어】 (서반아에서 남미로) 도항해 온. ② 미련둥이의. —*m.* 갓 도항해 온 사람 ; 갓 도착한 서반아 사람.

—*m.* ① 폭우(chaparrón). ② 뻬루로 온 외국인이 걸리는 열병의 일종.

pasar el ~ 위험을 면하다.

chapetonada *f.* ① (뻬루에 온 외국인이 걸리는) 열병. ② 《*AmérM.*》 (새로 이사온 사람이 겪는) 얼빠진 일, 바보 짓, 실수.

chapetonar *intr.* 《*AmérM.*》 서툰 짓을 하다.

chapín, na *adj.m.f.* ① 《*AmérC. Col.*》 다리가 굽은 (사람). ② 《*AmérC.*》 구아떼말라(Guatemala)의 (사람). —*m.* ① (코르크 바닥을 댄) 슬리퍼 《부인용》. ② (열대산의) 독(毒) 복어. ③ 분필. ④ 《*Hond. CRica.*》 =**guatemalteco.** ⑤ 《*Hond.*》 =**patojo.** ⑥ 【식물】 난초의 일종.

~ de la reina 왕의 성혼(成婚)에 즈음하여 거국적으로 하는 헌금.

chapinada *f.* 《*AmérC.*》 구아떼말라 사람다움.

chapinazo *m.* 슬리퍼로 때리기.

chapinería *f.* ① 덧신 만드는 기술 · 직업 ; 그 가게. ② 《*AmérC.*》 구아떼말라 사람다운 언행.

chapinero *m.* 덧신 · 슬리퍼 기술자.

chapinismo *m.* 《*AmérC.*》 =**chapinería.**

chapino, na *adj.* 《*AmérM.*》 한 쪽 발을 저는, 발이 뒤틀린 · 꼬인(patojo).

chápiro *m.* 화났을 때 쓰는 소리.

¡por vida del ~ (verde)! ¡voto al ~!

chapisca *f.* 《*Amér. CRica.*》 옥수수 거두어 들이기 ; 그 시기. [*N.* 멕시코에서는 pizca, 엘살바도르에서는 tapisca].

chapiscar *tr.* ⑦ 《*AmérC. CRica.*》 (옥수수를) 거두어 들이다.

chapista *m.f.* 판금공(鈑金工) : ~ soldador 용접공.

chapistería *f.* 판금 공장.

chapitel *m.* ① 피라미드 · 탑의 꼭대기 ; 주두(柱頭)(capitel). ② 【은어】 머리.

chapo *m.* 《*Ecuad.*》 보릿가루죽.

chapó *m.* [*pl.* chapós] 네 사람이 하는 당구의 시합.

chapodar *tr.* (가지를) 솎다, 쳐내다(podar) ; 잘라 내다, 바싹 자르다(cercenar).

chapodo *m.* ① 쳐낸 가지. ② 《*Amér.*》 가지치기, 전정(剪定).

chapola *f.* 《*Col.*》 【곤충】 나비(mariposa).

chapón *m.* (잉크의) 커다란 얼룩.

chapona *f.* ① 《*And.*》 =**chambra.** ② 《*Arg.*》 남자의 짧은 웃옷.

chaponar *tr.* 《*Méx.*》 꼴을 베다, 제초하다.

chapopote *m.* 《*AmérC. Méx.*》 =**chapapote.**

chapote *m.* (이를 깨끗이 하기 위해 아메리카 사람들이 씹는) 검은 밀랍.

chapotear *tr.* 축축하게 적시다 · 축이다 (remojar) : ~ una pared 벽을 축축하게 적시다.

—*intr.* 철벙철벙 물소리를 내다 : *Chapoteaba* el perro 개가 철벙철벙 물소리를 내고 있었다.

chapoteo *m.* (발을) 철벙철벙 물에 적시기 ; 철벙철벙 하는 물장구 소리.

chapucear *tr.* ① 《*Méx.*》 사기를 치다, 속이다 (engañar, trampear). ② 함부로 굴리다 ; 아무렇게나 고치다. ③ 《*Méx.*》 엉큼한 짓을 하다(trapacear).

chapuceramente *adv.* 함부로, 아무렇게나 (con chapucería).

chapucería *f.* ① 함부로 하는 짓 : con ~ 함부로, 아무렇게나(chapuceramente). ② 솜씨가 서

툰 작품.

chapucero, ra *adj.* 아무렇게나 만든; 함부로 되어먹은, 조심스럽지 못한. —*m.f.* 아무렇게나 만든 사람; 함부로 되어먹은 사람, 조심스럽지 못한 사람. —*m.* 대장간; 고철 상인.

chapul *m.* 《*Col.*》【곤충】잠자리(libélula).

chapulín *m.* 《*AmérC. Méx. Venez.*》 ①【곤충】 메뚜기의 일종. ② 어린이.

chapulinada *f.* 《*AmérC.*》 ① 어린이들. ② 철없는 짓, 어린애 같은 일.

chapupo *m.* 《*Guat.*》 =**chapopote.**

chapurrado, da *adj.* chapurrar의 *p.p.* —*m.* ① 혼합주, 칵테일. ② 《*Cuba.*》 매실주.

chapurrar *tr. intr.* ① (외국어를) 서툴게 말하다 : ~ el inglés 영어를 서툴게 말하다. ② 술을 섞다(mezclar licores).

chapurrear *tr. intr.* =**chapurrar**.

chapuz *m.* ① 가치가 없는 작품; 졸작. ② 함부로 한 일. ③ (마스트의) 원재(圓材).
dar ~ 거꾸로 던져 넣다; 뛰어들다.

chapuza *f.* ① =**chapuz.** ② 《*Méx.*》 속임수.

chapuzar *tr.* ⑨ 거꾸로 물속으로 뛰어들다. —*intr.*, **~se** 머리부터 물속으로 뛰어들다, 잠수하다; (배가) 물을 뒤집어쓰다.

chapuzón *m.* 물속으로 거꾸로 떨어뜨림; 거꾸로 뛰어들기, 곤두박혀 들어감, 다이빙; 배가 물을 뒤집어 쓰는 일 : un ruido de ~*es* en el agua.

chaqué *m.* [*pl.* chaqués] 모닝 코트.

chaquear *tr.* 《*Arg.*》 땅을 다지다.

chaqueño, ña *adj.m.f.* 몰이 사냥의; 몰이 사냥꾼.

chaquet *m.* =**chaqué**.

chaqueta *f.* (등이 넓은) 웃옷, 재킷.
cambiar la ~ 《*Amér.*》 변절하다, 생각이 달라지다.
darse vuelta la ~ 《*AmérM.*》 배반하다.

chaquete *m.* (서양 주사위 놀이 비슷한) 놀이.

chaquetear *intr.* ① 《*Cuba.*》【속어】 없어지다, 도망치다(huir, escapar). ② 《*Méx. SDgo.*》 변절하다.

chaquetero, ra *adj.m.f.* 자기 편리한 데로 의견을 바꾸는 (사람); 추종하는 (사람).

chaquetilla *f.* [*dim.* chaqueta] 짧은 재킷.

chaquetón *m.* [*aum.* chaqueta] 긴 웃옷.

chaquiñán *m.* 《*Ecuad.*》 지름길 (atajo, sendero corto).

chaquira *f.* ① 유리알 (abalorios) 《옛날 서반아 사람이 남미의 토인과 물물 교환을 위해 가지고 간 것》. ② 《*Hond.*》 =**llaga.**

¡char! *interj.* 《*Chile.*》 (기마대에게) 출발! 《구령》.

chara *f.* ① 《*Venez.*》 밭. ② 《*Chile.*》 새끼 타조 (avestruz joven).

charabán *m.* 대형 관광 버스.

charabón, na *m.f.* 《*Bol. Riopl.*》 새끼 타조; 아기, 젊은이. —*adj.* 《*Bol.*》 길 잃은, 길을 잘못 든.

charada *f.* ① [*fr.* charade] 문자 놀이 《문자로 하는 수수께끼》. ② [*vasco.* chara] 잠깐의 호출 (llamada de corta duración).

charadrio *m.*【조류】 해오라기(alcaraván).

charal *m.*【어류】 멕시코 강에서 많이 자란 물고기.

estar hecho un ~ 여위다, 마르다.

charaludo, da *adj.* 《*Méx.*》 여윈, 깡마른, 홀쭉한.

charambita *f.* 나팔.

charamita *f.* 나팔.

charamuscar *tr.* ⑦ 《*Cuba. PRico.*》 눌리다, 눌어 붙게 하다, 태우다.

charamuscas *f.pl.* ① 《*Méx.*》 똘똘 말려진 과자, 꽈배기. ② 《*Amér.*》 땔감, 장작, 베어낸 나뭇가지. ③ 《*Cuba.*》 소란, 난리.

charanga *f.* ① 군악대. ② 《*CRica.*》 가정 무도회. ③ 《*SDgo.*》 소동.

charango *m.* ① 《*AmérM.*》 bandurria의 일종. ② 《*Cuba.*》 아주 작은 것.

charanguear *intr.* 《*Perú.*》 피아노 등을 서툴게 치다; 서투른 짓을 하다.

charanguero, ra *adj.m.f.* 자포 자기의, 건성으로 하는 (사람). —*m.* ① 행상인, 노점상 (buhonero). ② 연안 운항선(barco de cabotaje).

charapa *f.* 《*Perú.*》【동물】 거북(tortuga)의 일종.

charape *m.* 《*Méx.*》 용설란 즙·꿀·계피 등으로 빚은 술.

charata *f.* 《*Arg.*》【조류】 야생 칠면조 (pava de monte).

charca *f.* (자연의·인공의) 못; 저수지.

charcal *m.* 물웅덩이, 물이 고인 곳.

charcas *m.pl.* 챠르까족 《잉카 제국에 속했던 원주민》; 그 문화.

charchalear *intr.* 《*And.*》 =**charlar**.

charchina *f.* 《*Méx.*》 여윈 말.

charchuela *f.* 《*Hond.*》 쓸모없는 사람, 신분이 낮은 사람.

charco *m.* ① 웅덩이 물 : La lluvia de ayer formó numerosos ~*s* 어제의 비로 물웅덩이가 많이 생겼다. Hay un ~ de vino en el piso del comedor 식당방에 포도주 웅덩이가 있다. ② 《*Col.*》 =**remanso del río.**
pasar el ~ 바다를 건너다(atravesar el mar).

charcón, na *adj.* 《*Arg. Bol.*》 비쩍 마른. —*m.* 《*Arg.*》 비쩍 마른 말.

Charito *hip.* Rosario.

charla *f.* ① 노닥거리기, 잡담 : estar de ~ 잡담중이다. ②【조류】 황여새, 홍여새(cagaceite).

charlador, ra *adj.* 수다스러운. —*m.f.* 수다쟁이.

charladuría *f.* 허튼 소리.

charlante *adj.m.f.* =**charlador.**

charlar *intr.* 담소하다, 노닥거리다, 잡담하다 : pasarse el día *charlando* 이야기하면서 하루를 보내다. Esta tarde *charlamos* buen rato 오늘 오후 잠시 담소했다.

charlatán, na *ajd.* 수다스러운. —*m.f.* ① 다변가; 수다쟁이. ② 야바위꾼, 사기꾼, 협잡꾼 (embaidor). ③ 돌팔이 의사(curandero). ④ 약장수 (vendedor de drogas) : No debe nunca fiarse uno de los *charlatanes.* ⑤ 노점상.

charlatanear *intr.* =**charlar**.

charlatanería *f.* 다변 (locuacidad, habladuría); 서툰 말솜씨로 지껄이는 사람.

charlatanismo *m.* 수다, 서툰 거짓말 : el ~ de los políticos.

charlear *intr.* =**croar.**

charlería *f.* 허튼 소리.
charlestón *m.* (북 아메리카에서 유래된) 현대 무용의 일종.
charlista *m.f.* 잡담가.
charlón *adj.* 《*Ecuad.*》 =**charlatán, hablador.**
charlot *m.* 채플린이 만든 희극 등장 인물.
charlotada *f.* 가로막은 투우·홍행.
charlotear *intr.* 서툰 수작을 늘어놓다, 서툰 솜씨로 지껄이다(charlar).
charloteo *m.* 노닥거림, 서툰 말소리(charla).
charneca *m.* 【식물】 유향수(乳香樹)(lentisco).
charnecal *m.* 유향나무 숲.
charnel *m.* 【은어】 2maravedí의 동전. —*pl.* 【은어】 잔돈(dinero menudo).
charnela *f.* 돌쩌귀, 경첩, (혁대 장식을 물리는) 물림쇠(bisagra, gozne) ; 암돌쩌귀.
charneta *f.* =**charnela.**
charniegos *m.pl.* 【은어】 족쇄(grillos).
charo *m.* 【은어】 허공, 하늘.
Charo *hip.* Rosario.
charol *m.* 옻(칠), 에나멜, 바니스, (그 외의) 광택제 ; 에나멜 칠한 가죽 : zapatos de ~ 에나멜 구두.
darse ~ 자랑하다, 자만하다, 자부하다.
charola *f.* 《*Amér.*》 ① 칠기 ; 쟁반, 화분. ② 《*AmérC.*》 왕방울눈.
charolado, da *adj.* [charolar의 *p.p.*] 에나멜칠을 한 ; 빛나는, 반짝이는(lustroso, brillante).
charolador *m.* =**charolista.**
charolar *tr.* (…에) 에나멜을 칠하다 ; 빛나게 하다, 광을 내다.
charolista *m.* 에나멜 만드는 사람.
charpa *f.* (권총 등을 매는 걸쇠가 달린) 어깨띠 ; 팔걸이 붕대.
charpes *m.pl.* 돈, 금전.
charque *m.* 《*AmérC. Arg. Méx.*》 =**charquí.**
charqueador *m.* 《*Arg.*》 고기를 말리는 사람.
charquear *tr.* 《*AmérM.*》 육포로 만들다 《햇빛·바람으로 말리는 일》; 난도질하다 ; 죽이다. **~se** (말에서 떨어지지 않으려고) 꼭 매달리다.
charquecillo *m.* 《*Perú.*》 말린 붕장어.
charquería *f.* 《*Chile.*》 【광물】 순수광(純粹鑛).
charquetal *m.* =**charcal.**
charquí *m.* 《*AmérM.*》 볕·바람에 말리기 ; 육포 : fruta de ~ 말린 과일.
darle vuelta al ~ 《*Chile.*》 거듭하다, 되풀이하다.
hacer ~ 《*AmérM.*》 학대하다(maltratar) ; 상처를 입히다(herir) ; 가루로 만들다, 부수다.
¡ojo al ~! 《*Chile. Riopl.*》 조심해 ! (alerta).
charquiar *tr.* 《*AmérM.*》 =**charquear.**
charquicán *m.* 《*AmérM.*》 ① 육포·마늘·콩·감자 등으로 만든 요리. ② 잡동사니, 뒤범벅, 소란.
hacer ~ 《*Chile.*》 마구 찌르다.
charquimanzana *f.* 《*Arg. Urug.*》 말린 사과.
charra *f.* 《*AmérC.*》 챙이 넓은 여자의 승마 모자.
charrada *f.* 얼뜬 모양, 멍청한 짓, 촌스러운 짓 ; 촌스럽게 칙칙한 장식, 촌스러운 작품.
charral *m.* 《*AmérC.*》 덤불, 덤불숲, 잡초지.
charramasca *f.* 《*AmérC.*》 땔감, 장작.
charramente *adv.* 어리숙하게, 촌스럽게, 멋없이(con charrada).
charrán, na *adj.* 엉큼한, 교활한, 구렁이같은 (pillo, tunante, bribón). —*m.f.* 망나니, 무뢰한 : portarse como un ~.
charranada *f.* 못된 짓, 망나니 짓, 난폭, 폭력 (bribonada).
charranear *intr.* =**bribonear.**
charranería *f.* 무뢰한 짓, 사나운 짓, 뻔뻔스러움.
charranesco, ca *adj.* 망나니같은, 교활한.
charranga *f.* =**charanga.**
charrasca *f.* ① 날이 있는 연모, 칼, 사벨 ; 접기식 나이프. ② 《*And.*》 카니발의 악기.
charrascal *m.* 《*Col.*》 =**carrascal.**
charrasco *m.* =**charrasca.**
charrasquear *tr.* 《*Méx.*》 칼로 자르다·썰다.
charrasqueo *m.* 금속성, 쇳소리.
charrería *f.* 장난 삼아 만든 작품.
charret *m.* =**charrete.**
charrete *m.* [*fr.* charrette] (좌석 두 개·네 개가 있는) 이륜 마차.
charretela *f.* 《*Col.*》 =**charretera.**
charretera *f.* ① (대례복의 금실·은실로 만든) 견장. ② 양말 대님으로 쓰이는 고리. ③ 가터 훈장. ④ (물장수의) 어깨 받침(albardilla, almohadilla de aguador).
charrette *m.* =**charrete.**
charriada *f.* 《*Méx.*》 축제일(祝祭日), 축제일의 행사.
charriote *m.* 달구지, 수레.
charro, rra *adj.* ① 살라망까 지방의 ; 어수룩한, 촌스러운, 조잡한. ② 칙칙한, 멋없는. ③ 《*Méx.*》 말을 잘 타는. ④ 휘황찬란한.
—*m.f.* ① 살라망까 지방 사람 ; 살라망까 지방의 인형. ② 《*Méx.*》 순수한 멕시코 사람. ③ 말 탄 사람.
—*m.* 《*Méx.*》 챙이 넓은 멕시코 모자.
charrúa *f.* 예인선 ; 망 《소의 입에 씌우는》.
—*adj.m.* 차루아족의 (사람) 《라·쁠라따강 북부 연안 지방의 여러 종족》; 우루구아이(uruguayo)인 다운.
charruno, na *adj.* =**salmantino.**
charter *m.* 탈것의 대절, 전세 : en vuelo ~ 전세기로.
chartreuse *m.* 서반아 따라고나 시의 까르뚜하 (Cartuja) 교단의 승원에서 빚은 술.
charuto *m.* 《*Bol. Riopl.*》 옥수수 잎으로 만 담배.
chas *interj.* 깨지는 소리, 찰그렁.
al ~ 《*Méx.*》 현금으로, 맞돈으로.
chasca *f.* ① 땔감, 장작, 섶나무 가지. ② 《*AmérM.*》 헝클어진 머리칼. ③ 《*Perú.*》 샛별.
chascá *m.* =**chascás.**
chascada *f.* 《*Hond.*》 =**adehala, regalo.**
chascar *intr.* [7] 혀를 차다 ; (목재의) 쪼개지는 소리가 나다. —*tr.* 들이마시다.
chascarrillo *m.* 우스운 이야기, 기담, 고십 ; 넌지시 하는 말 : contar ~*s.*
chascarro *m.* =**chascarrillo.**
chascás *m.* (옛날의) 창기병의 모자.
chascha *m.* 《*Perú.*》 강아지.
chasco, ca *adj.* 《*Arg. Bol.*》 곱슬곱슬한, 고수머리의.

—*m.* ① 놀려주기, 놀려대기, 속임수 : dar ~ 골탕먹이다. ② 헛다리 짚음, 예측에서 벗어남. ③ 실망 : llevarse ~ 실망하다.
chascón, na *adj.* ①《*Arg.*》 장발의. ② 얼간이의. ③《*Bol. Chile.*》 뒤범벅이 된.
chasconear *tr.*《*Chile.*》 얽히게 하다, 털을 잡아 빼다.
chascudo, da *adj.* =**chascón.**
chasis *m.* [*fr.* chassis]【단·복수 동형】 샤시, 틀, 자동차 차체의 틀, (카메라의) 바깥 테, (라디오·텔레비전의) 샤시 ; 창틀.
chasmeado *adj. adv.*《*Bol.*》 띄엄띄엄한·하게, 군데군데(의).
chaspar *tr.*《*And.*》(괭이로) 풀을 매다·뽑다.
chasparrear *tr.*《*AmérC.*》 태우다, 눌리다. **~se** 타다, 눋다.
chasponazo *m.* 탄환의 찰과상 자국.
chasque *m.*《*AmérM.*》 =**chasqui.**
chasqueador, ra *adj.m.f.* 놀리는 ; 속이는 (사람).
chasquear *tr.* 놀리다 ; 속이다, 어기다 ; 실망시키다 ; (채찍 등을) 씽하게 울리다. —*intr.* (목재가) 갈라지는 소리를 내다.
~se 기대에서 어긋나다, 실망하다.
chasqueteo *m.* 잦은 빠개지는 소리.
chasqui *m.* ①《*Perú.*》(옛날의) 인디오 우체부. ②《*AmérM.*》 편지 심부름꾼(emisario).
chasquido *m.* (채찍 등의) 울리는 소리 ; 나무가 쪼개지는 소리 ; 물건이 빠개지는 소리.
chata *f.* ① (침대용) 변기. ②《*Amér.*》 바닥이 납작한 거룻배, 평저선(平底船)(chalana). ③《*Riopl.*》 넓적한 달구지·수레. ④ 겁쟁이.
chatarra *f.* 고철(hierro viejo).
chatarrería *f.*《*Sant.*》 =**baratillo.**
chatarrero, ra *m.f.* 고물 장수, 폐품 업자.
chatasca *f.*《*Bol. Riopl.*》 =**charquicán.**
chatedad *f.* 평평함.
chato, ta *adj.* ① 납작한 : barca *chata* 평저선(平底船). ② 코가 납작한. [Contr.] narigudo. ③《*Amér.*》 저조한, 앞을 내다보는 눈이 없는 : política *chata.* —*m.f.* 코납작이. —*m.* 운두가 낮은 컵 ; (일반적으로) 술을 따르는 컵.
¡chata mía! 내 사랑이여 !
dejar ~ ①《*Amér.*》 무찌르다, 혼내주다. ②《*Méx.*》 속이다.
desgraciarse la chata《*And.*》 기분이 나쁘다.
quedarse ~ 실패하다, 예상에서 벗어나다.
chatón *m.* (반지 등에 끼운) 보석 ; 장식 단추 ; 장식점.
chatonado, da *adj.* 납작한 못이나 단추로 장식된. —*m.*【은어】[집합] 장식점, 장식 보턴·단추.
chatre *adj.*《*Amér.*》 치장한, 맵시를 낸, 꾸민. —*m.*《*Chile.*》 짧은 스커트(refajo).
chatria *m.* 크사트리야《인도 4성의 둘째 계급, 왕자·무사 계급을 이름》.
chattertón *m.* 면제품 리본(cinta de algodón empegada).
chatura *f.*《*Amér.*》 납작함, 평편함(chatedad).
¡chau! *interj.*《*AmérM.*》 안녕 ! (¡Adiós!).
chaucha *f.* ①《*Bol. Riopl.*》 올감자. ② 설익은 강낭콩. ③《*Bol. Chile.*》 20센따보 화폐 ; 돈(dinero). ④《*Bol.*》 어린애 같음(inocentada).
—*adj.* ①《*Riopl.*》 열등의, 하급의. ② 신통치 못한, 서툰, 생기가 없는. ③《*Chile. Ecuad.*》 설익은, 철 이른.
pelar la ~ ①《*AmérM.*》 칼을 휘두르다. ②《*Bol. Perú.*》 몽땅 털어가다, 파멸시키다. ③ 누워 떡먹기다.
chauchau *m.*《*Chile. Perú.*》 식사(comida) ; 큰 소동.
chau-chau *m* (모로코에서) 식사중 대화.
chauche *m.* 마루에 칠하는 빨간 페인트.
chaucheo *m.*《*Chile.*》 적은 거래.
chauchera *f.*《*Chile.*》 지갑.
chauchero, ra *m.f.*《*Chile.*》 잡역부.
chauffeur *m. fr.* 운전수 [*N.* 발음 : chofer].
chaúl *m.* [*ing.* shawl] 중국 비단천.
chaulmogra *f.*【식물】(문둥병에 사용되는) 인도의 식물.
chaulmugra *f.*【식물】 =**chaulmogra.**
chauna *f.*《*Arg.*》 =**aruco.**
chauvinismo *m.*《*Galic.*》 광적인 애국심, 배타주의(patriotería).
chauvinista *adj.* 배타주의의. —*m.f.* 배타주의자.
chauz *m* (아라비아의) 수위, 경관.
chaval, la *adj.*【속어】 젊은. —*m.f.* 젊은이, 소년, 소녀.
chavalería *f.* =**chiquillería.**
chavalo, la *m.f.*《*AmérC. Venez.*》 시내를 어슬렁거리는 젊은이.
chavalongo *m.*《*Arg. Chile.*》 티푸스열 (fiebre tifoidea).
chavari *m.*【고어】 린넬 아마포.
chavarra *f.*《*Arg.*》 =**aruco.**
chavasca *f.* =**chasca.**
chavea *m.*【방언】 =**chiquillo.**
chaveta *f.* 망치의 일종 ; 평형 핀《기계의 부속품》.
perder la ~ 판단력을 잃다 (perder el juicio), 정신 이상이 되다(volverse loco).
chavo *m.* ochavo의 o 탈락어.
chavó *m.*【은어】 =**chaval.** [*N.* 집시어].
chavola *f.* =**chabola.**
chaya *f.*《*Amér.*》 사육제 때의 야단법석.
chaye *m.*《*Salv.*》 유리 조각.
chayo *m.*《*Chile.*》 = **coladero.**
chayota *f.* =**chayote.**
chayotada *f.*《*Guat.*》 =**tontería.**
chayote *m.* ① 차요떼《멕시코 원산의 오이의 일종》. ②《*Guat.*》 바보, 천치, 멍청이, 미련둥이(tonto, necio). ③《*Hond.*》 겁보, 겁쟁이, 겁꾸러기(cobarde) : huir como un ~.
chayotera *f.*【식물】 챠요떼 오이 넝쿨.
chaza *f.* ① (pelota 놀이에서) 공을 받음 ; 공을 정지시킨 지점. ② 선측(船側)의 포문과 포문과의 사이. ③《*Perú.*》(거룻배를 매어 두는) 항구의 안쪽. ④《*Ecuad.*》 건물의 창부분. ⑤《*Col.*》 쟁반, 화분.
chazador *m.* 공을 잡는 사람.
chazar *tr.* [9] (공을) 잡다·받다 ; (공을 잡은 지점에서) 심판하다.
chazo *m.*《*Can.*》 =**pedazo, remiendo.**
che *f.* 서반어 자모 ch의 명칭.
¡che! *interj.*《*Bol. Riopl.*》 이봐 !《주의를 환기시

키는 감탄사》: ~, oye 이봐, 저 말이야. No puedo, ~ 이봐, 나는 틀렸어.

Chea *hip.* Mercedes.

checa *f.* ①(공산 정권의) 비밀 경찰; 그 감옥. ②《*Guat.*》검은 빵(pan negro).

cheche *m.* 《*Cuba.*》 =**jaque.**

chechear *intr.* 《*Arg.*》 함부로 ¡che! 라는 말을 사용하다.

chécheres *m.pl.* ①《*Col.*》 잡동사니, 너절한 물건(cachivaches). ② 취사용 도구(trastos).

chechón, na *adj.m.f.* 《*Méx.*》 응석부리는(어린이).

checo, ca *adj.* 체코(족)의, 보헤미아의. —*m.f.* 체코 사람. —*m.* 체코말. —*m.pl.* 체코족.

checo(e)slovaco, ca *adj.* 체코슬로바키아의. —*m.f.* 체코슬로바키아 사람.

Checo(e)slovaquia *f.* 【지명】 체코슬로바키아.

chegre *adj.* 《*Chile.*》 미운, 못생긴.

cheik *m.* 《*Galic.*》 라비아 종족의 추장(jeque).

cheira *f.* =**chaira.**

cheje *m.* ①《*Salv.*》 쇠사슬의 고리. ②《*AmérC.*》 딱따구리(carpintero).

chel. chelines 실링.

chelco *m.* 《*Arg.*》 =**matuasto.**

chele *m.* 《*Guat. Salv.*》 =**legaña.** —*adj.m.f.* 《*Amér.*》 금발의 (사람)(rubio).

chelear *tr.* 《*AmérC.*》 희게 하다; 희게 칠하다.

chelín *m.* [*ing.* shilling] 실링《영국 화폐》.

chelo *m.* 《*Méx.*》 =**chele.**

cheltopusic *m.* 【동물】 첼또뿌식《도마뱀의 일종》.

chencha *adj.* 《*Méx.*》 나태한, 게으른(haragán, holgazán). —*m.f.* 게으름뱅이(holgazán).

cheng *m.* 【악기】 챙《대나무로 만든 중국의 악기》.

chenque *m.* 《*Chile*》【조류】 =**flamenco.**

cheo, a *adj.* 술취한(borracho, ebrio).

chepa *f.* ① 곱사·곱사등이의 등(joroba). ②《*Col.*》 =**avispa.**

chepe *m.* 《*Hond.*》 참고서(libro de consulta).

Chepe *hip.* José.

chépica *f.* 《*Chile.*》 [*araucano.* chepidcca] 【식물】[집합] 띠, 억새풀.

chepical *m.* 억새풀 밭.

Chepito *hip.* José.

chepo *m.* 【은어】 가슴(pecho).

cheposo, sa *adj.* 곱사등의, 새우등의.

chepudo, da *adj.* =**giboso, corcovado.**

cheque *m.* ① 수표: ~ cruzado 횡선 수표. ~ de banco 은행 수표. ~ en blanco 백지 수표. ~ desacreditado·denegado·flotante 부도 수표. ~ a la orden 기명식 수표. ~ al portador 자기앞 수표. ~ *por* quinientos mil pesetas 50만 뻬세따 짜리 수표. talonario de ~*s* 수표장. hacer efectivo un ~, cobrar un ~ 수표를 현금으로 바꾸다·지불하다. ②《*Perú.*》 1915년 경에 발행된 지폐의 일종.

~ ***abierto*** 보통·무제한 수표.
~ ***atrasado*** 기한 경과·기한 초과 수표.
~ ***bancario*** 은행 수표.
~ ***caducado*** 지연·실효·시효 수표.
~ ***caído*** 기한 초과 수표.
~ ***cancelado*** 말소 수표.
~ ***certificado*** 지불 보증 수표.
~ ***chimbo*** 위조 수표.
~ ***de remesa*** 송금 수표.
~ ***de·para viajero*** 여행자용 수표, 트래블러즈 체크.
~ ***devuelto*** 반제(返濟) 수표.
~ ***endosado*** 이서 수표.
~ ***enranciado*** 기한 초과 수표.
~ ***específico*** 기명식 수표.
~ ***extendido en dólares*** 달러 수표.
~ ***falsificado*** 위조 수표.
~ ***negociable*** 양도 가능 수표.
~ ***no cruzado*** 보통 수표.
~ ***no negociable*** 비유통·양도 금지 수표.
~ ***nominativo,*** ~ ***para abonar en cuenta*** 비유통·양도 불능 수표.
~ ***ordinario*** 보통 수표.
~ ***pasado*** 기한 초과 수표.
~ ***que no se ha presentado al cobro a tiempo*** 지연 수표.
~ ***rayado*** 횡선 수표.
~ ***sin marca*** 보통 수표.
~ ***sin provisión de fondos*** 공수표.
~ ***vencido*** 기한 초과 수표.
~***s y créditos bancarios*** 예금 통화.

chequear *tr.* 《*AmérC. Ant.*》 ①(수표를) 발행하다 (girar cheques). ② 조사하다, 점검하다, 대조하다: ~ la caja de seguridad. ③ 진단하다. ④(화물을) 발송하다. ⑤ 입금하다, 기장하다 (abonar).

chequén *m.* 《*Chile.*》【식물】 도금양의 일종.

chequeo *m.* 【의학】 건강 진단; 정사(精査); 비교.

chequera *f.* 《*Amér.*》 수표장.

chercan *m.* 《*Chile.*》【조류】 체르깐《우는 소리가 듣기 좋음》.

chercán *m.* 《*Chile.*》 옥수수 가루죽 (gachas de harina de maíz).

chercha *f.* ①《*Venez.*》 조롱, 우롱, 조소, 야유(burla). ②《*Hond.*》 =**charla.**

cherchar *intr.* 농담을 하다, 까불다.

cherinol *m.* 【은어】 도둑·뚜쟁이의 왕초.

cherinola *f.* 【은어】 [집합] 도둑, 뚜쟁이.

cherna *f.* 【어류】 =**mero.**

chero *m.* 《*Méx.*》 감옥.

cherqués, sa *adj.m.f.* =**circasiano.**

cherva *f.* ①【식물】 피마자, 아주까리 (ricino). ② =**mero.**

chervonetz *m.* (1922년에 제정된) 러시아의 새 화폐 단위.

chéster *m.* 영국산 치즈.

cheuque *m.* 《*Chile.*》【조류】 홍학(flamenco).

cheuto, ta *adj.* ①《*Chile.*》 언청이의(labihendido). ②《*Chile.*》 사팔눈의(bizco).

cheviot *m. ing.* 스코치사(糸); 스코치직(織).

chey *f.* 《*Chile.*》 정부(情婦).

chia *f.* ① 상복으로 쓰이는 검은 망토. ② 긴 술이 늘어진 통 모양의 모자.

meter ~《*Méx.*》 불화를 일으키다.

chía *f.* [*méj.* chia]【식물】 세르비아의 일종, 세르비아의 씨《향료, 채유용》; 그 음료.

chian *m.* 《*Hond.*》 =**chía.**

chianti *m.* (이태리 Chianti산의) 포도주.

chiapo *m.* 《*Col.*》 야자나무(palmera)의 일종.
chiba *f.* 《*Col.*》 배낭(mochila).
chibalete *m.* 【인쇄】 조판대(組版臺).
chibarras *f.pl.* 《*Méx.*》 =**chivarras.**
chibcha *adj.* 칩챠족의. —*m.pl.* 칩챠족 《꼴롬비아 보고따 지방에 살던 원주민》. —*m.* 칩챠말.
chibera *f.* 《*Méx.*》 (마부의) 채찍.
chiberro *m.* 《*Hond.*》 =**chilacayote.**
chibola *f.* 《*AmérC.*》 오동포동한 몸.
chibolo *m.* ① 《*Amér.*》 혹, 종기; 구슬. ② 《*Ecuad.*》 오동포동한 몸.
chibuquí *m.* (터키의) 긴 담뱃대, 긴 물부리.
chic *m.* 《*Galic.*》 =**elegancia, gracia.**
chica *f.* ① 술, 음료 (chicha). ② 《*Cuba.*》 흑인이 추는 춤의 일종. ③ 작은 병 (botella pequeña). ④ 소녀; 하녀. ⑤ 염료용 식물. ⑥ 《*Méx.*》 서푼짜리 동전. ⑦ 프루케주(酒)의 용량.
hacer la ~ 《*Méx.*》 해치다.
chicada *f.* ① 발육이 나쁜 양떼. ② 어린애 같은 일 (niñada).
chicago *m.* 《*Perú.*》 방취제(防臭劑); 변소.
chicalé *m.* 【조류】 치깔레 《중미산의 아름다운 작은 새》.
chicalote *m.* 【식물】 엉겅퀴의 일종 (argemone) 《독사 물린 데의 특효약》.
chicana *f.* 《*Amér. Galic.*》 눈속임, 당치도 않은 핑계.
chicanear *intr.* 《*Amér.*》 당치도 않은 핑계를 대다, 둘러대다; 궤변을 늘어놓다.
chicanería *f.* 《*Amér.*》 당치도 않은 핑계, 궤변.
chicanero *m.* 《*Amér.*》 =**chicanería.**
chicao *m.* 《*Col.*》 【조류】 구관조의 일종.
chicar *tr.* ⑦ 《*Riopl.*》 담배를 씹다(mascar tabaco).
chicarrero *m.* 《*And.*》 어린이용 신발 상인.
chicarrón, na *adj.m.f.* [*aum.* chico] 몸집이 큰 (어린이).
chicha *f.* ① [어린이] 고기(carne). ② 《*Amér.*》 치챠 《대부분의 나라에서는 옥수수(maíz)로 빚으나 칠레에서는 포도(uva), 사과(manzana), 배(pera) 등으로 빚고, 구아떼말라에서는 매화의 일종인 호꼬떼 (jocote)로 빚는 알코올 기운이 도는 음료》. ③ 《*AmérC.*》 기분이 언짢음: estar de ~ 기분이 언짢다.
calma ~ 【해사】 바다가 아주 잔잔함.
de ~ *y nabo* 소용없는, 대수롭지 않는, 가치없는 (de poca importancia, despreciable): leer una novela *de* ~ *y nabo.*
no ser ni ~ *ni limonada* 아무 쓸모가 없다 (no valer nada).
tener pocas ~*s* 여윈데다 기운도 없다.
chichagúy *m.* 《*Col.*》 【의학】 =**divieso.**
chícharo *m.* ① 【식물】 완두(guisante). ② 《*Col.*》 질이 나쁜 여송연.
chicharra *f.* ① 【곤충】 매미(cigarra). ② 매미 소리 내는 장난감. ③ 수다쟁이: hablar como una ~. ④ 《*And.*》 번거로움, 귀찮음(molestia).
cantar la ~ 더위가 심하다.
chicharrar *tr.* 태우다, 눌리다, 너무 구워지다 (achicharrar).
chicharrear *intr.* 매미의 울음 소리가 나다.
chicharrero, ra *m.* ① 무더운 곳: Esta casa es un ~. ② 무더위 (gran calor). —*m.f.* 매미 울음 소리를 내는 장난감을 파는 사람; 비계·생선 튀김 장사꾼.
chicharro *m.* 【어류】 고등어; 작은 다랑어; 지방을 짜낸 물고기.
chicharrón *m.* ① 기름에 튀긴 돼지 비계. ② 지방을 짜낸 물고기. ③ 불에 너무 탄 고기. ④ 햇빛에 탄 사람. ⑤ 《*Cuba.*》 duro 은화. ⑥ 《*Cuba.*》 아첨꾼, 아부꾼, 알랑쇠.
chiche *m.* ① 《*Amér.*》 가슴, 유방, 젖통, 젖퉁이 (pecho). ② 《*Chile. Arg.*》 보석, 장신구(alhaja). ③ 《*Arg.*》 장난감. ④ 멋진 것(preciosura). ⑤ 재주 있는 사람. ⑥ 스마트하게 차려 입은 사람.
—*f.* 《*AmérC. Méx.*》 젖; 유모(nodriza).
—*adj.* 《*AmérC.*》 편리한, 간단한, 쉬운, 용이한 (fácil, cómodo).
—*adv.* 《*AmérC.*》 간단하게, 편리하게, 손쉽게, 어렵지 않게.
chichear *intr.* 쉿쉿 하고 놀리다, ch 음이나 s 음을 연발하다 《배우·변사를 비난하기 위해·때로는 남을 불러 세우기 위해》(sisear): ~ a un actor.
chicheme *m.* 《*AmérC.*》 옥수수 가루·우유·설탕이 든 음료수.
chicheño, ña *adj.* 《*Perú.*》 어리석은(tonto).
chicheos *m.pl.* 쉿쉿 하고 놀리기.
chichera *f.* 《*AmérC.*》 감옥, 형무소, 교도소.
chichería ① 《*Amér.*》 바, 술집. ② 《*Amér.*》 chicha를 파는·마시는 곳. ③ 《*Amér.*》 대폿집.
chichero, ra *adj.* chicha를 제조하는. —*m.* chicha 제조자·판매자.
chichi *m.* 《*AmérC. Méx.*》 젖, 젖통, 젖퉁이, 가슴(pecho). —*f.* 유모.
chichicaste *m.* 《*Méx. Guat.*》 【식물】 쐐기풀, 멕시코 마(痲).
chichicuilote *m.* (멕시코산의) 다리가 길고 작은 새.
chichigua *adj.* 《*Amér.*》 새끼를 가진. —*f.* ① 어미소. ② 《*AmérC. Méx.*》 유모. ③ (일반적으로) 정자나무. ④ 《*Cuba.*》 연(鳶)(cometa, papalote pequeño).
chichilasa *f.* 《*Méx.*》 ① 【동물】 독개미. ② 험상궂은 미녀.
chichilo *m.* 《*Bol.*》 【동물】 비단원숭이(tití)의 일종.
chichimeca *adj.* 치치메까족 《멕시코 북서부에 살던 원주민》의. —*m.f.* 치치메까 사람. —*m.pl.* 치치메까족. —*f.* 《*Méx.*》 백일해. —*adj.* 《*Méx.*》 얼이 빠진, 멍한, 아연 실색한.
chichimeco, ca *adj.m.f.* =**chichimeca.**
chichinabo *adj.* =**atolondrado.**
chichinar *tr.* 《*Méx.*》 타다, 굽다, 눋다, 눌리다 (quemar, chamuscar).
chichirimico *m.* 《*Amér.*》 아이들의 놀이 이름.
hacer ~ 《*Perú.*》 놀리다, 낭비하다, 허비하다.
chichirimoche *adv.* 실컷, 몹시.
A la noche, ~ *y a la mañana, chichirinada* 조령모개(朝令暮改).
chichirinada *adv.* 아무 것도 없이(nada).
chichisbear *intr.* =**galantear.**
chichisbeo *m.* 여자의 비위 맞추기; 알랑거리는 남자.
chichito *m.* 꼬마둥이, 꼬마; 중남미에서 태어난 사람.

chicholo *m.* 《*Riopl.*》 옥수수 껍질로 쌓여진 과자.

chichón, na *adj.* 《*AmérC.*》 ① 손쉬운(fácil). ② 유방이 큰. ③ 경솔한. —*m.* (머리의) 혹 : hacerse un ~ al caer 넘어질 때 혹이 생기다.

chichonear *tr.* 《*Riopl.*》 놀리다, 놀려대다, 조소하다(zumbar, bromear, chancear).

chichonera *f.* ① (어린이의 머리에 혹이 나지 않도록 쓰는) 솜이 든 모자. ② 《*Col.*》 싸움, 소동.

chichota *f.* ① 【식물】 (흰)완두콩(tito). ② 《*AmérC.*》 혹, 종기.
sin faltar ~ 없는 것이 없는, 아무 것도 부족한 것이 없는(sin faltar nada).

chichote *m.* 《*AmérC.*》 (머리의) 혹(chichón).

chichurro *m.* 선지로 만든 순대를 넣은 수프.

chiclán *adj.m.f.* 《*And. Cuba. Chile. Méx. Venez.*》 =**ciclán.**

chiclanero, ra *adj.m.f.* ① 치끌라나 데 라 프론떼라 《Chiclana de la Frontera, Cádiz 주의 도시》의 (사람). ② 치끌라나 데 세구라 《Chiclana de Segura, Jaén주의 마을》의 (사람).

chicle *m.* ① 《*Méx. Salv.*》 난과수(卵果樹) (chicozapote)의 수지. ② 《*Méx.*》 때(mugre) ; 불결함, 더러움(suciedad). ③ 《*Amér.*》 씹어 먹는 과자, 추잉검류.

chiclear *intr.* 《*Méx.*》 chicle를 씹다.

chico, ca *adj.* ① 작은 (pequeño) : libro ~ 작은 책. ② 어린. —*m.f.* ① 어린이 (niño, muchacho). ② 아이 : Tengo tres ~*s* 나는 아이가 셋이다. ¡Qué guapa es aquella *chica*! 저 소녀는 무척 잘 생겼군요 ! ③ (어른 등에도 다정스럽게) 녀석, 야 : Es una *chica* muy hacendosa 그녀는 대단히 부지런한 소녀다. ④ 《*Méx.*》 【속어】 [+명사] 아주 큰 : *chicas* narices 주먹코. —*m.* ① 술을 재는 단위 《1/3 cuartillo, 168ml.》 ② 작은 컵 (vaso pequeño). ③ 《*Amér.*》 (당구·도미노 등의) 한판 시합. ④ 《*Cuba.*》 소액 화폐. ⑤ 《*Chile.*》 반 센따보화. ⑥ 《*Perú.*》 1센따보화. ⑦ 《*Guat. Hond.*》 【식물】 난과수(chicozapote).
y grande ~ 큰 것 작은 것을 합쳐, 모두 쓸어잡아, 통틀어서.
hacer ~ 《*Méx.*》 (누구를) 무시하다.
llevar ~ 《*Perú.*》 일방적으로 이기다.

chicoco, ca *m.f.* 《*Chile.*》 [애칭] 힘이 장사인 어린애 ; 난쟁이, 작은 사람(enano).

chicolear *intr.* (여자를) 구슬리다, 사랑을 속삭이다(decir chicoleos, piropear, requebrar).
~**se** 《*Arg.*》 즐기다(divertirse).

chicoleo *m.* (여자를) 구슬르기, 사랑의 말, 사랑의 속삭임(requiebro) : decir ~*s*.

chicolongo *m.* 《*Cuba.*》 =**choclo.**

chicora *f.* 《*Col.*》 【조류】 콘도라 매의 일종.

chicoria *f.* 【식물】 배추(achicoria).

chicoriáceo, a *adj.* 【식물】 배추(achicoria)의. —*f.pl.* 치커리속 식물.

chicorro *m.* 발육이 좋은 소년.

chicorrotico, ca *adj.m.f. dim.* chico.

chicorrotillo, lla *adj.m.f. dim.* chico.

chicorrotín, na *adj.m.f. dim.* chico.

chicorrotito, ta *adj.m.f. dim.* chico.

chicotazo *m.* ① 《*Amér.*》 채찍질 ; 매, 회초리 (latigazo, azote). ② 《*SDgo.*》 【연극】 술을 홀짝 마시기.

chicote, ta *m.f.* 건강하게 살이 찐 어린이. —*m.* ① 《*Amér.*》 채찍, 매, 회초리(látigo). ② 【속어】 여송연. ③ 밧줄의 끝. ④ 《*AmérC.*》 염주. ⑤ 연속, 많음. ⑥ 【곤충】 장수벌레의 일종.

chicotear *tr.* ① 《*Amér.*》 회초리로 때리다. ② 《*Col.*》 죽이다 ; 자르다, 쪼개다, 찢다, 터지다. ③ 《*Chile.*》 (벽의 흙을 잘 붙도록) 치다. ④ 《*Venez.*》 다투다.

chicozapote *m.* 【식물】 난과수(卵果樹)(zapote).

chicuelina *f.* 투우사가 소에 접근해서 소를 다루는 일.

chicuelo, la *adj.m.f.* [*dim.* chico] 아주 작은, 귀여운, 깜찍한 (아이).

chicuite *m.* 《*AmérC.*》 【광산】 물건을 뜨는 용기.

chicurrino, na *adj. dim.* chico.

chiera *f.* 세르비아 씨를 파는 사람.

chifarrada *f.* 《*And.*》 =**herida.**

chiferretear *intr.* 《*And.*》 =**chisporrotear.**

chifla *f.* ① 휘파람부는 일. ② 휘파람 ; 호루라기. ③ 조롱, 조소. ④ (가죽을 가는) 식칼. ⑤ 《*Méx.*》 불쾌, 기분이 언짢음.

chifladera *f.* 호루라기(chiflo).

chiflado, da *adj.* [chiflar의 *p.p.*] ① 약간 미친. ② 조소 받은 ; 욕설을 들은. ③ 문질러진 (가죽). ④ 열중한 ; 마음이 쓰인.

chiflador, ra *adj.m.f.* 놀리는, 조소하는 (사람). —*m.* 《*Chile*》 =**chiflete.**

chifladura *f.* ① 조소 ; 욕설. ② 멍청해지는 일. ③ 맹목적인 사랑. ④ 허황됨.

chiflar *intr.* ① 휘파람을 불다 ; 호루라기를 불다. ② 《*AmérC. Méx.*》 (새가) 울다. —*tr.* ① 조소하다, 비웃다, 욕설을 퍼붓다. ② (술을) 들이키다. ③ (가죽을) 살짝 문지르다, 갈다.
~**se** 멍해지다 ; 홀딱 반하다, 열중하다, 빠져버리다.
chiflárselas 《*AmérC.*》 죽다, 사망하다, 서거하다.

chiflato *m.* 호루라기.

chifle *m.* ① 호루라기(silbato). ② 새피리 《새를 잡는 데 쓰임》. ③ 소뿔로 만든 화약통.

chifleta *f.* 《*AmérC.*》 조롱, 조소(broma satírica, burla, pulla).

chiflete *m.* =**chifle.**

chiflido *m.* =**silbido.**

chiflo *m.* 호루라기.

chiflón *m.* 《*Amér.*》 ① 틈새 바람, 질풍 : Por esa ventana entra un ~ muy fuerte 그 창문으로 강한 바람이 들어온다. ② 여울목, 센 물살. ③ 《*AmérC.*》 폭포. ④ 【광물】 (광산에서의) 낙반 (derrumbe).

chifurnia *m.* 가파른 곳.

chigua *f.* 《*Arg. Bol. Chile.*》 소쿠리, 망태기.

chiguato, ta *adj.* 《*Sal.*》 =**cobarde.**

chigüil *m.* 《*Ecuad.*》 옥수수 껍질에 말아서 찐 빵.

chigüín *m.* 《*Hond.*》 작고 허약한 소년.

chigüiro *m.* 《*Venez. Col.*》 =**carpincho.**

chihua *f.* 《*Chile. Arg.*》 소쿠리, 망태기.

chihuahua *m.* 《*Ecuad.*》 (축제일에 화약을 넣어서 만든) 짚 인형.

chijete *m.* =**chisguete.**
chila *f.* ①《*Salv.*》=**jilosúchil.** ②《*Riopl.*》마른 감자 전분(chuño seco).
chilaba *f.* 아라비아 사람의 두건이 달린 외투.
chilacayote *m.*【식물】수세미(cidra cayote).
chilacoa *f.*《*Col.*》【조류】맷도요(chocha)의 일종.
chilanco *m.* 강가의 물웅덩이(cilanco).
chilapeño m.《*Méx.*》밀짚 모자.
chilaquil *m.*《*Méx.*》① 헤어진 모자. ② 칠라킬《고추즙, 빈대떡의 일종》.
chilaquila *f.*《*Guat.*》칠라낄라《치즈·고추를 넣은 옥수수·빈대떡의 일종》.
chilar *m.* ①《*Méx.*》고추밭. ②《*Guat.*》고추.
chilate *m.*《*AmérC.*》(고추·코코아·군 옥수수를 넣은) 음료.
chilatole *m.*《*Méx.*》(옥수수·돼지고기·고추로 만든) 요리.
chilazote *m.*【식물】가지가 많은 식물.
chilca *f.*《*Amér.*》【식물】송진이 많은 식물.
chilcal *m.*《*Amér.*》chilca 숲.
chilco *m.*《*Chile.*》【식물】빨간 꽃이 피는 푸끄시아(fucsia) 비슷한 식물.
chilchi *m.* =**llovizna.**
chilchil *m.*《*Ecuad.*》【식물】국화과 식물.
chilchomole *m.*《*Méx.*》풋고추 요리(guiso de chile verde).
chilchote *m.*《*Méx.*》【식물】(굉장히 매운) 고추.
chile *m.* ①【식물】고추(ají). ②《*AmérC.*》거짓말(mentira).
a medios *~s*《*Méx.*》얼근히 취해.
Chile *m.*【지명】칠레《남아메리카의 공화국; 수도 Santiago; 면적 741,767㎢》.
chilenismo *m.* 칠레 특유의 단어·어구·말투.
chilenita *f.*《*Arg.*》칠레의 춤·무용.
chilenizar *tr.* 칠레화하다, 칠레풍으로 하다.
chileno, na *adj.* 칠레의. —*m.f.* 칠레 사람.
chileño, ña *adj.m.f.* =**chileno.**
chilero, ra *adj.m.f.* 거짓말쟁이(의).
—*m.f. desp.* ① 고추 재배자. ②《*Méx.*》【고어】식료품점 (상인).
chilguacán *m.*《*Guat.*》파파야(papayo)의 일종.
chilico *m.*《*Col.*》【조류】오리(pato)의 일종.
chilicote *m.*《*Arg.*》【동물】사슴(guazú).
chilihueque *m.*《*Chile.*》【동물】야마 (llama). [*N.* 인디오말에서 유래].
chilillo *m.*《*AmérC.*》=**látigo, azote.**
chilindrina *f* 하찮은 것; 농담; 고십.
chilindrinero, ra *adj.* 농담을 잘하는, 소문을 퍼뜨리는. —*m.f.* 농담을 잘하는 사람, 소문을 잘 내는 사람.
chilindrón *m.* ① 두 사람이나 네 사람이 하는 카드 놀이의 이름. ②《*Col.*》돼지·양의 요리.
chilinguear *tr.*《*Col.*》흔들다, 젓다(columpiar).
chilla *f.* ① 여우 피리《여우·토끼 등의 소리를 흉내내어 동물을 호리는 피리》. ②【건축】(저질의) 엷은 판(板). ③【동물】(칠레나 아르헨띠나 산의) 여우. ④《*Méx.*》가난 : estar en ~ 가난하게 살고 있다. ⑤《*Méx.*》극장에서 맨 위층 맨 뒷자리.
chillada *f.*《*AmérC.*》날카로운 비명·울음 소리.
chillado *m.* 널빤지를 친 천장.
chillador, ra *adj.* 끽끽거리는; 소리지르는, 외치는, 고함치는.
chillar *intr.* ① 끽끽거리다(dar chillidos) : La zorra *chilla.* ② 외치다, 고함치다. ③ 삐걱삐걱 소리내다 (chirriar). ④ chilla를 불다. ⑤ (끓는 기름 같은 데 넣은 것이) 튀는 소리를 내다. ⑥ (빛깔이) 칙칙하다, 강렬하다.
~se ①《*Amér.*》발끈하다, 화내다, 성내다, 노하다(enojarse). ②《*Hond.*》입을 열다(chistar). ③《*Amér.*》부끄러워하다.
chillería *f.* [집합] 날카로운 소리·고함 소리; 비명 소리, 튀기는 소리.
chillido *m.* 고함 소리, 날카로운 소리, 비명; 양철 소리; 삐걱거리는 소리.
chillo, lla *adj.*《*Perú.*》짙은 흑색의, 새까만 빛깔의. —*m.* ① (질이 나쁜) 널빤지, 널판자 (chilla). ②《*AmérC.*》빌린 돈. ③《*Ecuad.*》원한, 앙심, 원성.
chillón, na *adj.* ① 고함 소리로 떠드는, 날카로운 소리를 내는 : un niño muy ~. ② 몹시 불쾌한 : voz ~*na* 몹씨 불쾌한 목소리. ③ 칙칙한, 강렬한 : color ~ 칙칙한 색깔. —*m.* 널빤지를 박는 데 쓰는 못.
chilmole *m.*《*AmérC. Méx.*》(고추·토마토·밀감초 등으로 만든) 소스.
chilostra *f.*《*And.*》=**cabeza, cerebro.**
chilpes *m.pl.*《*Chile. Ecuad.*》넝마, 천조각, 누더기.
chilposo, sa *adj.* ①《*Col. Chile.*》누덕누덕한, 누더기 같은, 머리카락이 흐트러진. ②《*Perú.*》봉두 난발한.
chiltepe *m.*《*Guat.*》고추(ají).
chiltepín *m.*《*Méx.*》=**chiltepe.**
chiltipiquín *m.*《*Méx.*》=**chiltepe.**
chiltote *m.*《*Guat.*》【조류】연작(turpial).
chiltuca *f.*《*Salv.*》독거미(sasampulga).
chima *f.* 기름으로 버문 밀기울.
chimachima *m.*《*Arg.*》【조류】치마치마새《남미 남부 지방의 맹조》(chimango).
chimal *m.*《*Méx.*》흐트러진 머리카락.
chimango *m.* =**chimachima.**
chimar *tr.*《*AmérC. Méx.*》① 표면·표피를 상하게 하다. ② 애먹이다, 괴롭히다, 난처하게 만들다(fastidiar).
chimba *f.* ①《*Col.*》세 갈래로 땋은 머리. ②《*Chile. Perú.*》피안, 저쪽 기슭. ③《*Perú.*》물이 얕은 여울.
chimbador *m.* ①《*Ecuad. Perú.*》(강을 건네주는) 안내원. ②《*Perú.*》키가 큰 말; 짐꾼.
chimbar *intr. tr.* ①《*Ecuad. Perú.*》여울을 건너다. ②《*Perú.*》성공하다.
chimbero, ra *adj.*《*Chile.*》시정배의, 서민 부락의, 대중의.
chimbilá *m.*《*Col.*》【동물】박쥐(murciélago).
chimbo, ba *adj.*《*Col. Venez.*》닳은. —*m.* ①《*Col.*》위조 화폐 : cheque ~ 위조 수표. ②《*Col.*》고기 조각. ③ 빌바오 사람.
chimbombo, ba *adj.*《*Venez.*》빈혈의.
Chimborazo【지명】① 침보라소《Ecuador의 주; 수도 Riobamba》. ② 침보라소산《안데스 산맥에 있는 만년설; 높이 6,310미터》.

chimenea *f.* ① 굴뚝 : He subido al tejado para limpiar la ~ 굴뚝을 청소하기 위해 지붕에 올라갔다. ② 난로 : Acérquese a la ~ 난로 가까이 오십시오. ③ 화덕, 벽로 : ~ francesa 장식 선반이 달린 난로. ~ de campana 연기 빼는 장치가 달린 난로. ④ (화기의) 약실(藥室).
*caer*le a uno *por la* ~ (누구의) 손아귀에 자기도 모르게 들어가다.
fumar como una ~ 골초다, 담배를 입에 물고 살다 : El Sr. Guim *fuma como una* ~ 김선생은 골초다.

chiminango *m.* 치미낭고《꼴롬비아의 큰 나무 이름》.

chimiscol *m.* 《*CRica.*》 사탕수수로 빚은 소주.

chimiscolear *intr* 《*Méx.*》 험담 · 뒷공론을 하다 ; 벌컥벌컥 술을 마시다.

chimiscolero, ra *m.f.* 《*Méx.*》 말전주꾼.

chimó *m.* 《*Cuba. Venez.*》 인디오들이 씹는 담배.

chimojo *m.* 《*Cuba.*》 (담배 · 바나나 껍질 · 약초 등을 배합해서 만든) 진정제, 해열제.

chimole *m.* 《*AmérC. Méx.*》 =**chilmole.**

chimolero, ra *m.f. desp.* 《*Méx.*》 여관집 주인.

chimpancé *m.*【동물】침팬치 : El ~ es uno de los monos más inteligentes 침팬치는 가장 영리한 원숭이 부류 중의 하나이다.

chimú *adj.m.f.* 치무족《고대 뻬루의 해안 지방에 살았던 아메리카 인디오》의 (사람) : Los ~*es* fueron sometidos por los incas en el siglo XV. La capital de su imperio era Chanchán 치무족은 15세기에 잉카족에 의해 정복당했다. 제국의 수도는 찬찬이었다.

chimuelo, la *adj.* 《*Méx.*》 이빨이 없는.

chin *m.* 《*Ant.*》 한줌(pizca).

china[1] *f.* ① 자갈, 돌멩이(guijarro) : Se me ha metido una ~ en un zapato 신발에 돌멩이가 들어갔다. ② (돌멩이를 쥔 손 맞히기) 놀이. ③ 자기, 도자기(porcelana) : una muñeca de ~ 도자기로 만든 인형. ④ 중국 비단, 견포.
poner ~*s* 훼방을 놓다, 방해하다
*tocar*le a uno *la* ~ (누구의) 차례이다, (누구에게) 차례가 가다.
tropezar en una ~ 돌부리에 넘어지다, 하찮은 일에 신경을 쓰다.

china[2] *f.* ①【식물】청미래 덩굴 ; 그 뿌리《약용》. ②【속어】돈(dinero). ③《*AmérM.*》 애인, 정부 ; 하녀, (특히) 하녀에게 고용된 원주민 ; 혼혈 여자. ④《*Ant.*》 (일종의) 단맛이 나는 밀감. ⑤《*Col.*》 팽이. ⑥《*Perú.*》 (병원에서 쓰는) 변기. [*N.* 원래 깨추아말].

China *f.*【지명】중국.
tinta de ~ 먹.

chinaca *f.* 《*Méx.*》 ① (개혁 전쟁 때의) 군대. ② [집합] 빈민.

chinacate *m.* 《*Méx.*》 ① 깃이 없는 닭. ② 하층민.

chinaco, ca *m.* 《*Méx.*》 ① (개혁 전쟁 때의) 사병. ② (경멸적으로) 자유주의자, 좌익 분자, 빨갱이.

chinachina *f.* 《*Amér.*》【식물】치나치나《약초》.

chinagrás *m.*【식물】모시풀.

chinaje *m.* 《*Chile. Riopl.*》 [집합] =**chinos.**

chinama *f.* 《*AmérC.*》 구멍가게 ; 작은 가게 ; 다 쓰러져 가는 집 ; 나뭇가지와 사탕수수로 이은 집.

chinamo *m.* 《*AmérC.*》 구멍가게.

chinampa *f.* (멕시코 시외에 있는) 남새밭, 꽃밭, 습지대.

chinampear *intr.* 《*Méx.*》 (닭이 싸움에서) 도망가다, 피하다(huir, rehusar) ; 두려워하고 있다.

chinampero, ra *adj.* 《*Méx.*》 chinampa 만드는 · 가꾸는 : clavel ~. —*m.f.* chinampa 경작자 ; 화초 재배자.

chinana *f.* 《*Méx.*》 주문(呪文) ; 귀찮음, 폐됨 ; 뒷바라지(molestia).

chinanta *f.* 필리핀의 중량 단위《6,326 g》.

chinapo *m.* 《*Méx.*》【광물】흑요석.

chinar *tr.* ① (콘크리트 작업에서) 자갈을 씻다 ; 자갈을 끼우다. ②【은어】자르다, 갈다, 문지르다.

chinarral *m.* 돌멩이가 많은 곳.

chinarro *m.* [*aum.* china] 돌멩이.

chinaste *m.* 《*Amér.*》 ① 순경. ② 종, 혈통.

chinata *f.* 《*Cuba.*》 자갈, 돌멩이.

chinateado *m.* (광물 위의) 자갈층.

chinazo *m.* [*aum.* china] 돌멩이 ; 돌팔매, 도자기로 때리기.

chincha *f.* ①《*AmérC. Ant.*》【곤충】빈대 (chinche). ②《*Arg.*》 스컹크, 족제비.

chinchal *m.* 《*Méx.*》 지저분한 가게, 구멍가게.

chinchar *tr.*【속어】귀찮게 굴다 ; 죽이다.
~se 따분해지다.

chíncharo *m.* 《*Col.*》 놀이 주사위.

chincharrazo *m.* 칼로 찌르기 ; 칼로 자르기 (cintarazo).

chincharrero *m.* ① 빈대투성이인 곳 · 장소. ②《*Amér.*》 소형 어선.

chinche *f.*【곤충】① 빈대. ② 압정, 압핀. ③《*Chile.*》 풀무(fuelle). ④《*Méx.*》 감옥. —*m.f.* 귀찮게 구는 사람 ; 골치 아픈 사람(persona chinchosa).
caer · morir como ~*s* 대학살이 있다, 연속 쓰러져 죽다(hay gran mortandad).
tener de ~*s la sangre* 골치가 아프다 (ser muy pesado y cargante).

chinché *m.* 연판.

chinchel *m.* 《*Chile.*》 목로 주점(taberna).

chinchemolle *f.* 《*Arg.*》【곤충】바퀴벌레의 일종.

chinchero *m.* ① 빈대 잡는 그릇. ②《*Guat.*》 (투우장의) 볕이 드는 곳. ③《*Cuba.*》 변변치 못한 술집.

chincheta *f.* 압정, 압핀(chinche).

chinchibí *m.* 《*Amér.*》 생강주.

chinchilla *f.*【동물】(남미산의 다람쥐 비슷한) 친칠라 ; 친칠라 모피.

chinchín *m.* ①《*Amér.*》 가랑비. ② 음악 소리. ③ 친친《아이들의 장난감》.

chinchinear *tr.* 《*Hond.*》 =**acariciar, mimar.**

chinchintor *m.* 《*Hond.*》 독사(serpiente muy venenosa).

chincholero *m.* =**escaramujo.**

chinchón *m.*【방언】=**chichón.**

chinchona *f.* 키나 껍질 ; 키니네(quinina).

chinchonear *tr.* 《*Arg.*》 =**chinchar.**

chinchorrazo *m.* 《*Arg.*》 =**cintarazo.**

chinchorrear *tr.* =**chinchar, fastidiar, molestar.**

chinchorrería *f.* ① 건방짐, 거만함, 무례함. ② 아니꼬움, 기분이 언짢음. ③ 골치 아픈 이야기 : venir con ~*s*.

chinchorrero, ra *adj.m.f.* 골치 아픈 이야기를 가져 오는 (사람).

chinchorro *m.* ① 작은 예인망. ② 거룻배. ③ 《*Venez.*》 해먹. ④ 《*Méx.*》 작은 짐승의 떼. ⑤ 《*PRico.*》 지저분한 구멍가게(ventorrillo). ⑥ 《*CRica.*》 초라한 전세집.

chinchoso, sa *adj.* ① 성가신, 귀찮은, 골치 아픈(molesto). ② 《*Amér.*》 화 잘 내는. —*m.f.* 골치 아픈 사람.

chinchudo, da *adj.* 《*Arg.*》 골치 아픈.

chinchulines *m.pl.* 《*Arg.*》 (구워 먹는) 소의 내장.

chincol *m.* 《*AmérM.*》 【조류】 (아메리카 산의) 참새속의 명금(鳴禽).

chincolito *m.* 《*Chile.*》 소주에 타는 물.

chincual *m.* 《*Méx.*》 ① 【의학】 홍역. ② 열망.

chinda *m.f.* (소의) 내장 상인.

chiné *adj.* 《*Galic.*》 알록달록한 : seda ~.

chinear *tr.* ① 《*AmérC.*》 (어린이를) 껴안다, 품다, 업다. ② 《*CRica.*》 응석을 받아 주다.

chinel *m.* 【은어】 감시인.

chinela *f.* ① 덧신, 슬리퍼. ② (부인화의) 구두 커버. ③ 굽이 높은 슬리퍼 ; 구두 위에 신는 덧신 《흙탕길에 쓰임》.

chinelazo *m.* 슬리퍼로 때리기 ; 슬리퍼 끄는 소리 ; 슬리퍼를 던지는 소리.

chinelón *m.* (chinela보다 높은 베네수엘라에서 사용되는) 귀 있는 구두.

chinería *f.* ① 《*Chile.*》 군중. ② 《*Perú.*》 중국인 단·떼·무리.

chinerío *m.* 《*Arg.*》 [집합] 중국인.

chinero *m.* ① (도자기·유리 그릇 넣는) 장식 찬장. ② 《*Chile. Ecuad.*》 (범속한 아가씨에게) 홀딱 빠져 버린 남자.

chinesco, ca *adj.* ① 중국의(chino) : dibujos de aspecto ~. ② 중국풍의 : a la ~*ca* 중국풍의, 중국풍으로, 중국식으로. —*m.* 일종의 방울로 된 악기.

chinga *f.* ① 《*CRica. Venez.*》 (여송연의 남은) 꽁초. ② 《*Hond.*》 빈정거리기, 놀려주기, 야유. ③ 《*Venez.*》 술취함.

hacer ~ 《*Guat.*》 사주하다, 꾀다, 유발하다.

chingado, da *adj.* 《*Perú.*》 정신 나간, 술에 취한.

chingadura *f.* 《*Chile.*》 실패.

chingana *f.* ① 《*AmérM.*》 노래와 춤이 있는 술집. ② 노래와 춤으로 떠들썩함. ③ 《*Bol.*》 물 빼는 지하의 구멍 ; 갱도. ④ 《*Arg.*》 서민들의 축제.

chinganear *intr.* ① 《*Arg.*》 배회하다, 돌아다니다, 헤메다. ② 《*Perú.*》 =**parrandear.**

chingar[1] *m.* 《*And.*》 =**odio.**

chingar[2] *tr.* 8 ① 술에 취하다 (embriagarse). ② 《*AmérC.*》 애를 먹이다, 곤란하게 만들다. ③ 《*CRica.*》 꼬리를 자르다.

~se ① 취하다. ② 《*Amér.*》 실패하다.

chingaste *m.* 《*Guat. Hond. CRica.*》 =**poso.**

chinglar *intr., tr.* (술을) 꿀꺽 마시다.

chingo, ga *adj.* 《*AmérC.*》 ① 짧은 (옷). ② 둥그렇게 된 (칼). ③ 꼬리가 없는. ④ 《*Cuba.*》 작은. ⑤ 《*Venez.*》 코가 납작한.

chingol *m.* =**chincol.**

chingolingo *m.* 《*Guat.*》 장난의 싸움.

chingolo *m.* 《*Riopl.*》 =**chincol.**

chingón, na *adj.m.f.* =**molesto, fastidioso.**

chingue *m.* ① 《*Chile.*》 【동물】 스컹크. ② 《*Col.*》 슈미즈. —*adj.* 《*Chile.*》 눈 뜨고 볼 수 없는.

chinguear *intr.* 《*CRica.*》 ① =**chingar**[1]. ② **chingar**[2].

chinguere *m.* 《*Méx.*》 칭게레《보통 아구아르디엔떼술》.

chinguero *m.* 《*CRica.*》 =**garitero.**

chinguiña *f.* 《*Méx.*》 =**legaña.**

chinguirito *m.* ① 《*Méx. Cuba.*》 질이 나쁜 소주. ② 술 한 모금(trago de licor) : tomar un ~.

chinita *f.* 《*And. Chile.*》 =**cochinilla.**

chinito *m.* 《*And.*》 =**guijarillo.**

chinito, ta *m.f.* [*dim.* chino] ① 중국 사람. ② 《*Riopl.*》 하인.

chino, na *adj.* ① 중국의. ② 《*Amér.*》 (토인과 흑인간의) 혼혈의. ③ 귀여운, 깜찍한. ④ 《*AmérC.*》 털이 없는, 이마가 벗겨진(pelón). ⑤ 《*AmérC.*》 화낸 : estar ~ 화내고 있다. ⑥ 《*Méx.*》 곱슬곱슬한 (털). —*m.f.* ① 중국인. ② 《*Amér.*》 (토인과 흑인 사이의) 혼혈아. ③ 《*AmérM.*》 하인, 하녀. ④ 《*Chile.*》 평민(plebeyo). ⑤ 가련한 사람. ⑥ 어린 아이(niño). ⑦ 《*Cuba.*》 흑인과 혼혈아 사이의 혼혈아. ⑧ 《*Arg. Chile.*》 인디오. —*m.* ① 중국어. ② 《*Arg.*》 화냄 : tener ~. ③ 《*Panamá.*》 감색 바지. —*m.pl.* 《*Méx.*》 고수머리.

engañar como a un ~ 잘 속이다.

chinquirito *m.* 【방언】 =**chinguirito.**

chintoísmo *m.* =**shinto.**

chiñe *m.* 《*Bol.*》 =**zorrino, mofeta.**

chío, a *adj.* 《*Bol.*》 벌레 먹은 : arroz ~ 벌레 먹은 쌀. fruta *chía* 벌레 먹은 과일.

chipa *m.* 《*AmérM.*》 ① (짚으로 엮은) 광주리. ② 감옥. ③ (노름에서의) 속임수, 간계.

chipá *m.* 《*Arg. Parag.*》 옥수수·만디오까 (mandioca)의 부침·빵·케이크.

chipaco *m.* 《*Arg.*》 밀기울 빵.

cara de ~ 쓸쓸해 보이는 얼굴.

chipao *m.* 《*Arg.*》 구운 쇠고기 내장.

chipé *f.* 진실, 진심 : de ~ 멋있는, 근사한 (excelente, de órdago).

chipén *f.* 활기 : de ~ 멋있는.

chipí *adj.* 《*Méx.*》 잘 우는. —*m.f.* 울보.

chipiar *tr.* 《*AmérC.*》 괴롭히다, 애를 먹이다, 애를 태우다(molestar).

chipichape *m.* 큰 싸움 ; 치고 받기 ; 구타.

chipichipi *m.* 《*AmérC. Arg. Méx.*》 보슬비 (llovizna).

chipil *m.* 《*Méx.*》 =**chipí.**

chípili *m.* 《*Méx.*》 차남.

chipilín, na *adj.m.f.* =**chiquitín.**

chipilo *m.* 《*Bol.*》 (여행용 식량으로 가지고 다니는) 튀긴 바나나.

chipirón *m.* (깐따브리아해의) 오징어 (calamar)

: ~ en su tinta 오징어 먹물 요리.

chipojo *m.* 《*Cuba.*》【동물】 =**camaleón.**

chipolo *m.* (꼴롬비아, 에꾸아도르, 뻬루에서) 카드 놀이의 이름.

chipote *m.* ①《*Méx.*》 혹. ②《*AmérC.*》 맨손 바닥으로 때리기(manotada).

chipotazo *m.* 《*AmérC.*》 =**chipote.**

Chipre *f.* 【지명】 키프로스섬 《지중해에 있는 작은 나라》.

chipriota *adj.* 키프로스의. —*m.f.* 키프로스 사람.

chipriote *adj.m.f.* =**chipriota.**

chipuste *m.* ①《*Guat.*》 몸의 혹. ②《*Guat.*》 피둥피둥 살찐 사람. ③《*Salv.*》 (딱딱해진) 빵껍질. ④《*Salv.*》 여드름.

chiqueadores *m.pl.* 《*Méx.*》 두통에 붙이는 고약.

chiquear *tr.* ①《*Cuba. Méx.*》 응석받이로 키우다 ; 알랑거리다. ②《*Perú.*》 대조하다.

~**se** 《*AmérC.*》 =**contonearse.**

chiqueo *m.* 《*Cuba. Méx.*》 ① 응석 받아주기. ② 알랑거림, 아부, 아첨(halago).

chiqueón, na *m.* 《*Cuba. Méx.*》 응석을 잘 부리는. —*m.f.* 응석꾸러기.

chiquerear *tr.* 《*AmérM.*》 (가축들을) 우리에 넣다.

chiquero *m.* 돼지 우리 ; 외양간.

chiquichaque *m.* ① 나무를 켜는 사람(aserrador). ② 쩝쩝 씹는 소리.

chiquigüite *m.* 《*Méx. AmérC.*》 광주리, 바구니, 소쿠리. —*adj.* 《*Méx.*》 쓸모 없는 : hacer ~ 무시하다.

chiquilicuatro *m.* =**chisgarabís.**

chiquillada *f.* 어린애 같은 일, 유치한 일.

chiquillería *f.* [집합] 많은 어린이.

chiquillo, lla *adj.* [*dim.* chico] 어린, 작은 (pequeñuelo). —*m.f.* 어린이 ; 소년, 소녀.

chiquimole *m.* ①《*Méx.*》 분홍방울새의 일종. ② =**chismoso.**

chiquión, na *adj.m.f.* 《*Cuba. Méx.*》 =**mimoso, cariñoso.**

chiquirín *m.* 《*Guat.*》【곤충】 매미 비슷한 곤충.

chiquirrítico, ca *adj.m.f.* [*dim.* chico] 아주 어린, 깜찍하고 귀여운 (아기).

chiquirritillo, lla *adj.m.f.* =**chiquirrítico.**

chiquirritín, na *adj.* [*dim.* chiquitín] 아주 작은, 깜찍한, 어린. —*m.f.* 어린아이, 갓난아기.

chiquirritito, ta *adj.m.f.* =**chiquirrítico.**

chiquisá *m.* 《*Amér.*》 =**abejón.**

chiquitín, na *adj.* [*dim.* chiquito] 정말로 작은 ; 귀여운. —*m.f.* 작고 귀여운 아이.

chiquitito, ta *adj.* [*dim.* chiquito] 작고 귀여운, 아주 작은. —*m.f.* 작고 귀여운 아이.

chiquito, ta *adj.* [*dim.* chico] 작고 귀여운. —*m.f.* 작고 귀여운 어린이, 소년, 소녀.

andarse en ~tas 도망칠 궁리만 하다.

hacerse el ~ 모르는 척하다.

chiquitura *f.* 《*AmérC. Riopl.*》 =**pequeñez.**

chira *f.* 《*Salv.*》 궤양.

chirajo *m.* 《*AmérC.*》 잡동사니, 누더기, 넝마 (andrajos).

chirajoso, sa *adj.* 《*AmérC.*》 누덕누덕한.

chirapa *f.* 《*Bol.*》 ① 누더기(trapo). ② 선광부(選鑛婦). ③《*Perú.*》 여우비(lluvia con sol).

chirca *f.* 《*CRica.*》 =**yegua mala.**

chircal *m.* 《*Col.*》 기와 굽는 곳, 벽돌 공장.

chircaleño *m.* 《*Col.*》 벽돌・기와 제조자・판매자.

chircarte *m.* 《*Col.*》 (조잡한 천으로 된) 스커트.

chirhuar *tr.* ⑮ 《*Perú.*》 쥐어짜다(estrujar).

chiribita *f.* 【식물】 들국화 (margarita). —*pl.* ① 불꽃(chispa) : echar ~*s* 불꽃을 튀기다 ; 머리 끝까지 화를 내다. ② 눈앞에 얼씬거리는 것, 시각의 장애 : hacer ~*s* los ojos 눈이 어릿어릿하다, 현기증이 나다.

chiribital *m.* 《*Col. Venez.*》 황무지(erial).

chiribitil *m.* ① 다락방(desván). ② 구석방. ③ 구석. ④ 답답하고 비좁은 방.

chiricatana *f.* 《*Ecuad.*》 뻔쵸(poncho).

chiricaya *f.* 《*Hond.*》 우유와 계란을 넣은 과자.

chirichi *m.* 《*Ecuad.*》 추위 ; 오한.

chirigaita *f.* 《*Murc.*》【식물】 수세미.

chirigota *f.* 신소리, 농담.

chirigotear *intr.* 신소리하다 ; 농담하다 ; 재담하다.

chirigotero, ra *adj.* 익살을 좋아하는.

chirigua *f.* 《*Venez.*》 물을 나르는 그릇.

chiriguano, na *adj.m.f.* 치리구아노족 《볼리비아와 Argentina 북서부에 살고 있는 guaraní족》의 (사람).

chiriguare *m.* 《*Venez.*》【조류】 새의 일종.

chirigüe *m.* 《*Chile.*》【조류】 멋쟁이새 《가슴은 노랗고 날개가 검은 올리브 빛깔의 새》.

chirimbaina *f.* 《*And.*》 얼간이, 등신.

chirimbolos *m.pl.* 기재, 기물, 도구 : ~ de la cocina.

chirimía *f.* 치리미아 《피리의 일종》. —*m.* 치리미아 불기.

chirimota *f.* 《*Chile.*》 얽힌 양모(lana enradada)

chirimoya *f.* (중미산의) 여주의 열매.

chirimoyo *m.* 【식물】 여주.

chirinada *f.* 《*Riopl.*》 실패(fracaso) : El baile fue una ~.

chiringo *m.* ①《*Méx.*》 부스러기, 찌거기. ②《*PRico.*》 조랑말.

chirinola *f.* ① 말을 넘어뜨리는 어린이 놀이. ② 하찮은 일・물건.

estar de ~ 기분 좋아하고 있다, 신이 나 있다.

chiripa *f.* 요행 ; 횡재수 ; 우연 : por ~ 《*Amér.*》 우연히.

chiripá *m.* (*f.*) 《*AmérM.*》 ① 허리 가리개, 허리에 대는 천(chamal). ② 여성의 음성.

gente de ~ 교양 없는 시골뜨기.

chiripazo *m.* [*aum.* chiripa] 《*Amér.*》 요행수.

chiripear *tr.* (당구에서 점수를) 요행수로 따다. —*intr.* 《*Amér.*》 조그마한 장사를 하다.

chiripero *m.* 재수 좋은 남자(chambón).

chirivía *f.* ①【식물】 작은 당근. ②【조류】 =**lavandera.**

chirivín *m.* 《*Extr.*》 작은 새.

chirivisco *m.* 《*AmérC.*》 땔감.

chirla *f.* ①【동물】 홍합(almeja). ②《*Ecuad.*》 손바닥을 때리기.

chirlada *f.* 【은어】 막대기로 때리기.

chirlador, ra *adj.* 목소리가 굵직하고 탁한.

chirlar *intr.* ① 악을 쓰다. ②【은어】말하다, 입을 열다(hablar). ③《*Ecuad.*》칼로 치다 ; 때리다, 두들겨 패다.
chirlata *f.* 판돈이 적은 노름판 ; (배의) 보수판.
chirlatar *tr.* (배에서 널빤지를 대든가 하여) 보수하다.
chirlazo *m.* =**chirlo.**
chirle *adj.* ① 맛없는(insípido). ②《*Arg.*》물이 많은. —*m.* 양·산양의 똥(sirle).
chirlear *intr.* 《*Ecuad.*》날이 새어 새가 울다.
chirlería *f.* 지껄이기, 수다떨기(charla).
chirlerín *m.* 소매치기, 날치기.
chirlo *m.* ① 안면의 창상(創傷) ; 흉터. ② 얼굴 때리기. ③【은어】상처 ; 타격.
chirlomirlo *m.* 배에 부담을 주지 않는 음식.
chirlón *m.* 【은어】수다, 노닥거림 ; 수다쟁이 ; 야바위, 사기.
chirlura *f.* 《*Arg.*》물이 많은 것.
chirmol *m.* 《*Guat.*》고추 소스.
chirmoloso, sa *adj.* 《*Guat.*》=**embustero.**
chirola *f.* ①《*AmérC.*》감옥. ②《*Arg. Bol.*》20 센따보 은화. ③《*Arg.*》작은 동전. ④《*And.*》머리(cabeza).
chirona *f.* 【속어】감옥 : meter en ～.
chiroso, sa *adj.* 《*AmérC. Col.*》더러운, 누덕누덕한, 누더기를 입은.
chirota *m.* 《*Hond.*》=**marimacho.**
chirotada *f.* 《*Ecuad. CRica.*》=**tontería.**
chirote *m.* ①《*Amér.*》【조류】(뻬루 방면산의 일종의) 분홍참새. ②《*Perú.*》숙맥, 천치, 멍청이, 바보. —*adj.* ①《*CRica.*》훌륭한, 멋진. ②《*Ecuad.*》어리석은.
chirotear *intr.* 《*AmérC.*》거리를 어정거리다·배회하다(callejear).
chirpia *f.* ①《*Ál.*》옮겨 심기 전의 묘목밭. ②《*Ál.*》[집합] 거리의 아이들.
chirpial *m.* 《*Ál.*》=**chirpia.**
chirraca *f.* ① 치리까 고무. ② 향. ③ 아부, 아첨.
chirraco *m.* 치리까 고무나무 《꼬스따리까산의 고무》.
chirrear *intr.* 삐걱거리다, 삐걱거리는 소리가 나다.
chirria *f.* 환성, 떠들썩함.
chirriadero, ra *adj.* =**chirriador.**
chirriado, da *adj.* 《*Col.*》=**gracioso, salado.**
chirriador, ra *adj.* 삐걱거리는.
chirriante *adj.* 삐걱거리는.
chirriar *intr.* ⑫ ① 삐걱거리다 : Las ruedas *chirrían.* ② 직직 소리를 내다 : El pan *chirría* en aceite hirviendo. ③ (새·벌레가) 날카롭게 울다. ④ 서툰 솜씨로 노래하다. ⑤《*Col.*》(추위·공포로) 떨다. ⑥ (불만으로) 울부짖다.
chirrichote *adj.m.f.* 《*Mancha.*》=**necio, fatuo, presumido.**
chirrido *m.* ① 삐걱거리는 소리 : el ～ de una rueda. ② 날카롭게 우는 소리 : el ～ de un grillo. ③ 불쾌한 연속음.
chirrío *m.* =**chirrido.**
chirrión *m.* ① 달구지, 짐수레 : el ～ de basura 쓰레기차. ②《*Amér.*》가죽 채찍(látigo). ③《*AmérC.*》연속, 염주 사슬. ④ 애인끼리의 오순도순한 이야기.
chirrionear *tr.* 《*Col. Méx.*》채찍질하다.
chirrionero *m.* 마차 공장.
chirriquitín, na *adj.* =**chiquitín.**
chirrisco, ca *adj.* ①《*AmérC. Venez.*》인색한, ②《*Méx.*》누구에게나 쉬 반하는 : viejo ～ 누구에게나 쉽게 반하는 노인 (viejo verde). ③《*CRica.*》=**pequeño.**
chirrisquear *intr.* 《*Pal.*》=**carraquear.**
chirula *f.* 바스꼬의 피리.
chirulí *m.* 【조류】치룰리.
chirumba *f* 《*Sal. Vallad.*》말뚝 놀이의 일종.
chirumbela *f.* =**churumbela.**
chirumen *m.* 눈치 빠름, 머리가 잘 도는 일, 솜씨·잔재주가 있는 일(caletre) : una mujer *de* ～ 눈치 빠른·솜씨 있는 여자.
chirusa *f.* 《*Arg. Urug.*》하층 계급의 여자, 교육이 별로 없는 여자.
chiruza *f.* 《*Arg. Urug.*》=**chirusa.**
¡chis! *interj.* ① (입술에 손가락을 대고) 조용히!, 쉿! (ichitón!). ② [거듭해서] 여보세요! 《불러세움》. —*m.* 소변 : hacer ～ 소변을 보다.
chisacá *m.* 《*Col.*》【식물】국화나무.
chiscarra *f.* 【광물】석회암.
chischás *m.* 칼이 서로 부딪히는 소리.
¡chis, chis! *interj.* =**¡ce!**
chischis *m.* 《*AmérC. Col.*》가랑비.
chischisco *m.* 《*Arg.*》=**arrebatiña.**
chiscón *m.* =**tabuco.**
chisgarabís *m.* [*pl.* chisgarabises] 변덕.
chisgo *m.* 《*Méx.*》=**gracia.**
chisgua *f.* 《*Col.*》=**mochila, saco.**
chisguero *m.* 《*Sant.*》=**yesquero.**
chisguetazo *m.* =**chisguete.**
chisguete *m.* ① 한 모금의 술 : echar un ～ 한 모금 마시다. ② (액체가) 뿜어 나옴, 분출. ③《*Amér.*》고무관(tubo de caucho).
chisguetear *tr.* 《*AmérC.*》뿌리다, 흐뜨리다(salpicar).
chislama *f.* [집시어] 아가씨.
chisma *f.* 【고어】=**chisme.**
chismar *intr.* =**chismear.**
chisme *m.* ① 험담, 말전주 : ～ de vecindad 말전주꾼, 남의 이쪽 말은 저쪽에, 저쪽 말은 이쪽에 전해 이간질하는 사람. El anda metiendo ～*s* 그는 험담을 하며 돌아다닌다. ② 잡동사니, 허드레 연장.
chismear *tr. intr.* 중상하다 ; 객담을 하다, 소문을 알아보고 다니다 : Las mujeres son amigas de ～ 부인들은 사람의 험담하기를 좋아한다.
chismería *f.* =**chisme.**
chismero, ra *adj.m.f.* =**chismoso.**
chismografía *f.* 【희극】남의 얘기하기를 일로 삼는 사람 ; 객담, 험담.
chismorrear *intr.* =**chismear.**
chismorreo *m.* 남의 소문 퍼뜨리기.
chismosear *intr.* =**chismear.**
chismoso, sa *adj.* 남의 말하기 좋아하는, 남의 말하기에 정신이 팔린. —*m.f.* 말전주꾼, 험담하기 좋아하는 사람.
chismoteo *m.* 중상, 모략, 험담.
chispa *f.* ① 불꽃, 불똥 ; 스파크 (～ eléctrica) : dar ～*s* 스파크하다 ; 잔뜩 화내다. ¡Cuidado con las ～*s* que salen de la chimenea! 굴뚝에서 나

오는 불똥에 주의하십시오. ② 작은 알맹이의 다이아몬드 (~ de diamante). ③ 이슬비, 보슬비 : Caen *~s* 이슬비가 내린다. ④ 기지(機知); 기민, 민첩 : José tiene mucha ~ 호세는 매우 민첩하다. ⑤ 재치 있는 사람 : José es una ~ 호세는 재치가 있다. ⑥ 취기, 주정(borrachera). ⑦ 미량, 극소량 : Bebió una ~ de vino 그는 포도주를 조금 마셨다. ⑧《*Col.*》 허위, 거짓말(embuste). ⑨《*Méx.*》 이륜 경마차. ⑩ 결과, 성과 : dar ~ 성과가 있다.
—*pl.* 객담, 소문, 험담(chismes).
—*adj.* 《*Méx.*》 이상한, 허무 맹랑한, 우스운.
—*interj.* 어머 ! 《놀람을 나타냄》.

chispar *tr.* 【은어】 =**chismear.**
~se ① 술취하다(emborracharse). ②《*Méx.*》 도망치다, 숨다(zafarse).

chispazo *m.* ① 섬광, 불똥 : Le saltó un ~ a la cara. ② 불똥으로 살이 뎀. ③ 휩쓸려 드는 일. ④ 험담.
dar el ~ 험담을 늘어놓다.
ir con el ~ 험담을 퍼뜨리고 다니다.

chispeante *adj.* ① 번쩍거리는, 번쩍이는; 불꽃·불똥이 튀기는. ② 영특한, 영악한, 판단이 빠른 : la imaginación ~.

chispear *intr.* ① 불꽃·불똥을 튀기다. ② 반짝반짝 빛나다(relucir, brillar). ③ 보슬비가 내리다 : Empieza a ~ 보슬비가 내리기 시작한다. ④ 재기가 번득이다 : Su discurso *chispea.*
~se 《*Arg.*》 얼근히 취하다.

chispería *f.* =**herrería.**

chispero *m.* ① 대장간; 하청 대장간일. ②《*Col. SDgo.*》 말전주꾼. ③《*SDgo.*》 권총. —*adj.* 원기 왕성한.

chíspite *m.* ***dar en el*** ~ 어려움이 부딪치다.

chispo, pa *adj.* ① 얼근히 취한. ②《*Cuba.*》 = **vivo, malicioso.** —*m.* ① 한 모금의 술 (trago) : beber *un* ~. ② 조금, 소량(un poco).

chispoleto, ta *adj.* 팔팔한, 활발한(vivaracho).

chisporretear *intr.* =**chisporrotear.**

chisporrotear *intr.* 툭툭·탁탁 튀다 : *Chisporrotea* mucho esta leña 이 장작은 무척 튄다.

chisporroteo *m.* (장작·기름 따위가) 타면서 튀기는 일·소리 : el ~ del aceite frito.

chisposo, sa *adj.* 탁탁 튀기는 (장작·숯불).

chisque *m.* =**chisquero.**

chisquero *m.* 허리에 차는 주머니.

chisques *m.pl.* 《*And.*》 =**yescas.**

¡chist! *interj.* 조용히 !, 쉿 !

chistar *intr.* 입을 열다. [*N.* 일반적으로 부정문에서 사용함].
sin ~ ni mistar 꿀 먹은 벙어리처럼 (sin paular ni maular).

chiste *m.* ① 재담, 농담. ② 유쾌한·재미나는 일 : Me pasó un buen ~. ③ 놀려주기, 놀려대기.
caer en el ~ 말의 속뜻을 알아채다.
dar en el ~ 어려움에 부딪치다; 알아맞추다.
hacer ~ de una cosa 놀려주다, 놀려대다.

chistera *f.* ① 종다래끼. ② (놀이에서 손에 끼는) 토시(cesta). ③ (어부의) 작은 바구니. ④ 높은 실크 모자.

chistosada *f.* 《*Méx.*》 =**chiste malo.**

chistosamente *adv.* 익살맞게, 구변 좋게.

chistoso, sa *adj.* 익살맞은, 우스꽝스러운.

chistu *m.* 【악기】 치스뚜 《바스끄 지방의 구멍이 세 개인 반음을 내는 피리》.

chistulari *m.* 【음악】 chistu 연주자.

¡chit! *interj.* =**¡chist!**

chita *f.* ①【해부】 (양·황소의) 복사뼈(astrágalo). ② 복사뼈 쓰러뜨리기 놀이.
a la ~ callando (callanda) 살그머니 (a la chiticallando).
dar en la ~ 가장 어려운 점을 해결하다.
tirar a dos ~s 일석이조를 얻다, 일거 양득하다.

chitar *intr.* =**chistar.**

¡chite! *interj.* =**¡chito!**

chiticalla *f.* 남의 소문을 두려워하는 일, 비밀. —*m.f.* 【속어】 말이 없는 사람, 과묵한 사람(persona muy callada).

chiticallando *adv.* 슬쩍, 살짝, 슬그머니, 살그머니, 남몰래(en silencio, sin ruido) : a la ~ 슬쩍, 살그머니.

chito *m.* ① 실크 모자. ② (양·황소의) 복사뼈 넘어뜨리기 놀이; 동전 떨어뜨리기 놀이; 승부를 가리기 위한 놀이; 그 동전을 놓는 받침(나무 또는 뼈). ③《*Méx.*》 기름에 튀긴 새끼 산양 고기. ④《*Méx.*》 기름 묻은 얼룩, 더러움.

¡chito! *interj.* 쉿 !, 조용히 !

chitón *m.* 【조개】 =**quitón.** —*interj.* 쉿 !, 조용히 ! (¡chito!, ¡Silencio !).

chitón, na *adj.* 【고어】 =**quedo, silencioso, mudo.**

chitrulo *m.* 《*Arg.*》 바보, 미련둥이.

chiva *f.* ①《*Guat. Hond.*》 모포, 이불. ②《*Hond.*》 술취함, 취기(borrachera). ③ (암컷의) 어린 산양. ④《*Amér.*》 염소 수염(perilla). ⑤ 화남 : de ~ 몹시 화가 난·나서. ⑥ 장난꾸러기 아가씨, 닳아빠진 여자(cabra). ⑦《*Col. Panamá.*》 합승 버스. ⑧《*Venez.*》 등에 지는 자루. ⑨ 니켈 동전. ⑩【은어】 여자(mujer). —*pl.* 《*Méx.*》 잡동사니 도구.

chivada *f.* 예측에서 벗어남, 실망.

chivado, da *adj.* 《*Cuba.*》 곤란한.

chivar *tr.* 【방언】《*Amér.*》 애를 먹이다; 귀찮게 굴다(fastidiar).
~se ① 잡아 늘어뜨리다. ② 누설해 버리다. ③《*Amer.*》 화내다, 성내다, 노하다.

chivarras *f.pl.* 《*Méx.*》 (산양의 모피로 만든) 바지.

chivarro, rra *m.f.* (한 살부터 두 살까지의) 산양.

chivarse *r.* 깜박 실언하다(irse de la lengua).

chivata *f.* 《*And.*》 양치기의 곤봉.

chivateado, da *adj.* 《*Chile.*》 현금의. —*adv.* 현금으로 : pagar ~ 현금으로 지불하다.

chivatear *intr.* ①《*Chile.*》 함성을 지르다. ②《*Ecuad. Perú.*》 떠들어대다. ③《*Venez.*》 속이다. ④《*Amér.*》 고발·밀고·고자질하다.
~se 《*Cuba.*》 놀라다 (asustarse).

chivateo *m.* 《*AmérM.*》 떠들어댐, 소란을 피움; 고발, 밀고, 고자질.

chivato, ta *adj.* 심술궂은, 엉큼한. —*m.f.* 《*Col.*》 형편없는 인간, 천박한 인간. —*m.* ① (6 개월에서 1년까지의) 새끼 산양. ②《*Col.*》 고추의 일종. ③《*Neol.*》 고자질쟁이, 밀고자. ④《*Bol.*》 조수, 견습생. ⑤《*Chile.*》 값싼 소수. ⑥

《*Venez.*》 높은 양반, 훌륭한 사람, 수완가.
domar el ~ 《*Arg.*》 여자가 독신으로 지내다.

chivatón, na *m.f.* 《*Perú.*》 장난꾸러기, 개구쟁이.

chivaza *f.* 【식물】 (꼴롬비아산의) 등심초.

chivera *f.* ① 《*AmérC. Col.*》 염소 수염 (perilla). ② 《*Venez.*》 헌옷 가게.

chiverre *m.* 《*Salv.*》 =**chilacayote.**

chivetero *m.* 새끼 산양을 기르는 우리.

chiveza *f.* 【식물】 (꼴롬비아산의) 수선.

chivillo *m.* 《*Perú.*》 【조류】 검고 푸른 깃털의 새.

chivital *m.* =**chivetero.**

chivo *m.* ① 새끼 산양 : barbas de ~ 염소 수염. ② (기름 찌꺼기의) 저장소. ③ 《*AmérC.*》 【희언】 국회의원. ④ 《*Col.*》 니켈 동전. ⑤ 《*AmérM.*》 화남, 노함(cólera). ⑥ 《*AmérM.*》 장난꾸러기, 개구쟁이. ⑦ 《*Ant.*》 밀수, 금제품; 부정. ⑧ 《*Méx.*》 일급(日給). ⑨ 《*And.*》 소화 불량(indigestión). ⑩ 《*Arg.*》 음모.
de ~ 《*Ant.*》 무료로, 거저, 공짜로.

chivón, na *adj.* 《*Méx.*》 =**molesto.**

chivoso, sa *adj.* 《*Col.*》 성난, 노한(enfadado).

chiza *f.* 《*Col.*》 감자를 침식하는 벌레.

¡cho! *interj.* 워! 《말을 멈추게 하는 소리》(so).

choapino *m.* 《*Chile.*》 손으로 만든 융단.

choba *f.* 《*Sant.*》 =**bola, embuste, mentira.**

choca *f.* (새에게 주는) 먹이.

chocador, ra *adj.* 기괴한, 기이한, 귀·신경에 거슬리는.

chocallero, ra *adj.* 《*Can.*》 =**hablador, chismoso.**

chocancia *f.* 《*Col. Venez.*》 =**chocarrería.**

chocante *adj.* ① 기괴하게 생각되는; 귀에 거슬리는 : voz ~. ② 온당치 못한. ③ 《*AmérM.*》 철면피의, 뻔뻔스러운. ④ 《*Arg.*》 마음에 마땅치 않은 (repugnante). ⑤ 귀찮은, 역겨운.

chocantería *f.* 《*Amér.*》 철면피, 뻔뻔스러움; 가시 돋친 풍자.

chocar *intr.* ⑦ ① [+con : …과] 부딪치다, 충돌하다 (topar) : Un camión *chocó con* un tren en un paso a nivel 트럭이 건널목에서 열차와 충돌했다. Un coche *chocó contra* un árbol 자동차가 나무에 부딪쳤다. Ellos *chocan* a veces por sus opiniones 그들은 가끔 의견 충돌을 한다. ② 다투다, 싸우다 : *Choca con* los vecinos 그는 이웃과 다툰다. *Chocan* entre sí los vecinos 이웃들은 서로 다툰다. ③ 전투에 들어가다, 싸우다(pelear, combatir). ④ 기이하게 느껴지다 : Me *choca* que usted haya hecho tal cosa 당신이 그런 일을 했다니 실로 의외이다 (불유쾌하다). ⑤ 비위에 거슬리다 : Las costumbres francesas suelen ~ *a* los españoles 불란서의 풍습은 늘 서반아 사람들의 비위에 거슬린다. ⑥ 【속어】 마음에 들다(gustar) : Me *choca* esta fruta 이 과일을 좋아한다. ⑦ (건배의) 잔을 맞추다.
~*la* 악수하다.

chocarrear *intr.* 입에 담지 못할 잡소리·신소리를 하다(decir chocarrerías).

chocarrería *f.* 입에 담지 못할 잡소리; 독설.

chocarrero, ra *adj.* ① 솔직한; 노골적인 : chiste ~. ② 입에 담지 못할. —*m.f.* 잔소리꾼, 신소리꾼, 독설가.

chocha *f.* ①=**chochaperdiz.** ② 《*Col.*》 돈, 동전.

chochaperdiz *f.* 【조류】 멧도요(becada).

chochar *intr.* 《*Amér.*》 =**chochear.**

chochear *intr.* ① 정신이 흐려지다; 멍청해지다 : Los viejos suelen ~ 노인들은 자주 정신이 흐려진다. ② 인정에 빠지다, 인정에 휩쓸리다, 홀딱 빠지다 : El amor hace ~ con frecuencia a los hombres 남자들은 자주 사랑에 빠진다.

chochera *f.* ① 늙어 빠짐, 멍청한 언행, 노망. ② 《*Perú. Riopl.*》 사랑스러운 것·자식 : Esta nieta es la ~ del abuelo.

chochero, ra *m.f.* chocho 장수.

chochez *f.* =**chochera.**

chochín *m.* 【조류】 굴뚝새.

chocho, cha *adj.* ① 노망한. ② 정신 나간, 정에 사로잡힌. —*m.* ① 【식물】 =**altramuz.** ② 계피 과자. ③ 《*Cuba.*》 강낭콩의 일종. —*pl.* (우는 아이의 울음을 멈추게 하는) 맛좋은 과자.

chochocol *m.* 《*Méx.*》 항아리, 단지.

choclar *intr.* 테 안으로 나무공을 굴려 넣다.

choclear *tr.* 녹은 유리를 흔들다.

chocleo *m.* 유리를 흔드는 일.

chocleteo *m.* =**chapaleteo.**

choclo *m.* ① 나무 바닥을 댄 비신·우화(雨靴) (chanclo). ② 《*AmérM.*》 (아직 익지 않는) 옥수수. ③ 《*Arg. Urug.*》 말썽거리, 곤란 : dejar meter el ~ 골치 아픈 일을 뒤집어씌우다; (누구의) 탓으로 돌리다. ④ 《*Méx.*》 굽이 낮은 남자구두.
meter el ~ 《*Méx.*》 잘못하다, 틀리다.

choclón, na *adj.* =**entretenido.** —*m.* ① 나무공 굴려 넣기. ② 《*Arg. Chile.*》 =**hoyuelo.**

choco, ca *adj.* 《*Amér.*》 ① 고수머리의. ② 꼬리가 짧은. ③ 불구의, 한 쪽 다리·귀가 없는. ④ 사팔뜨기의. ⑤ 《*Bol.*》 검붉은. ⑥ 《*Col.*》 얼굴이 가무잡잡한. —*m.* ① (서반아산의) 조그마한 오징어 (jibia). ② 《*AmérM.*》 털복숭이 개 (perro de aguas). ③ 《*Bol.*》 실크 모자. ④ 《*Chile.*》 흰털원숭이.

chocolate *m.* ① 초콜릿(차·색깔) : ~ en barrita 막대 초콜릿. ② 코코아 《음료》.

chocolatera *f.* ① 초콜릿·코코아를 끓이는 기구. ② 나쁜 배(barco malo). ③ 낡은 자동차 (automóvil viejo).

chocolatería *f.* ① 초콜릿 파는 가게; 코코아 홀. ② 《*AmérC. Ecuad.*》 【희언】 머리.

chocolatero, ra *adj.* 초콜릿을 좋아하는. —*m.f.* 코코아·초콜릿을 좋아하는 사람; 초콜릿 만드는 사람·상인.

chocolatín *m.* 초콜릿 과자.

chocolatito *m. dim.* chocolate.

chocolear *tr.* 《*Chile.*》 (말의) 꼬리를 자르다. —*intr.* 《*Col.*》 슬퍼하다, 쓸쓸해 하다.

chocolera *f.* 《*Col.*》 땅의 제초.

chócolo *m.* 《*Col.*》 =**chocho.**

chocolongo *m.* 《*Cuba.*》 =**choclo.**

chocón, na *adj.* 《*Méx.*》 =**antipático.**

chocotear *intr.* 자주 충돌하다.

chodejo, ja *adj.* 《*Méx.*》 더러운, 더럽혀진.

chofas *f.pl.* 《*Bol.*》 색안경.

chofe *m.* [주로 *pl.*] 소의 폐장; 내장(bofes).

chofer *m.* [*fr.* chauffeur] 자동차 운전수.

chófer *m.* [*fr.* chauffeur] =**chofer.**
chofeta *f.* 조그만 화덕, 탁상 곤로.
chofista *m.* (내장만 먹고 있는 듯한) 가난한 학생.
chojín *m.* 잘게 다진 고기, 잘게 썬 고기.
chola *f.* 【속어】 머리 ; 이해력, 두뇌.
cholco, ca *adj.* 《*AmérC.*》 이가 빠진(mellado).
cholear *tr.* 《*Chile.*》 (포도주를) 혼합하다.
choleta *f.* 《*Chile. Perú.*》 옷의 안감.
cholgua *f.* 《*Chile.*》 조개의 일종.
cholhua *m.* 《*Chile.*》 =**choro.**
cholla *f.* ①【속어】 머리, 두뇌, 이해력(cabeza). ②《*Amér.*》 차분함, 침착 : hombre de mucha ~ 아주 침착한 남자. ③《*AmérC.*》 나태, 게으름.
chollar *tr.* 《*AmérC.*》 ① 껍질을 벗기다(desollar). ② 괴롭히다(molestar).
cholloncarse *r.* 《*Chile.*》 웅크리고 앉다, 책상다리를 하고 앉다(ponerse en cuclillas).
cholludo, da *adj.* 《*AmérC.*》 게으름피우는, 원기를 잃은, 등한한.
cholo, la *adj.* 《*Amér.*》 ① 개화된. ② 백인과 인디오 여인 사이에 태어난. ③ 귀여운. ④《*Chile.*》 비겁한, 겁이 많은 (cobarde). —*m.f.* 백인 남자와 인디오 여인 사이에서 태어난 혼혈아(mestizo de blanco e india).
choloque *m.* 《*Amér.*》 【식물】 비누나무 ; 그 열매.
chombo, ba *adj.* 혼혈의. —*m.f.* 《*Panamá.*》 흑인과 인디오 사이의 혼혈아. —*m.* ①《*AmérC.*》 보통 승려·사제. ②《*Perú.*》【조류】 까마귀(aura)의 일종. ③《*Perú.*》 질항아리.
chompa *f.* ①《*AmérM.*》 스웨터. ②《*Venez.*》 철봉.
chompipe *m.* 《*Guat.*》【조류】 칠면조(pavo)의 일종.
Chona *hip.* Concepción.
chonana *f.* 《*Arg.*》 주먹질(papirotazo).
choncholí *m.* 《*Perú.*》 =**chichulines.**
chonchón, na *adj.* 《*Chile.*》 기분 나쁜. —*m.f.* 못생긴 사람. —*m.* 《*Chile.*》 객줏집 ; 아세틸렌등(燈).
chonco, ca *adj.* 《*AmérC.*》 =**chunco.**
chongo *m.* 《*AmérC. Méx.*》 ① 머리칼, 머릿단. ② 신소리, 허튼 소리. ③《*Méx.*》 머리 리본. ④《*Méx.*》 맛있는 요리.
chonguear(se) *intr.* (*r.*) 놀려주다, 놀려대다, 장난치다.
chonta *f.* ①【식물】 (중남미산의) 종려나무의 일종. ②《*Col.*》 뱀의 일종.
chontal *adj.* ①《*Amér.*》 촌딸족 《중남미의 사나운 종족》의. ② 우악스러운, 사나운. —*m.f.* ① 촌딸족. ② 사나운 사람.
chontauro *m.*【식물】 (남미 북부 산의) 야자나무의 일종.
chop *m.* 《*Arg.*》 큰 맥주잔.
chopa *f.* ①【어류】 초빠 도미, 얼룩 도미. ②【선박】 선박 후미.
chopal *m.* 검정 버드나무의 숲.
chopalera *f.* =**chopal.**
chopazo *m.* 《*Amér.*》 주먹질(puñetazo).
chope *m.* 《*Chile.*》 ① 작살, 갈고리(garfio). ② 주먹질, 구타(puñetazo).
chopear *intr.* 《*Chile.*》 갈고리를 쓰다. —*intr.* 두들겨 패다.
chopeco, ca *adj.* 《*Chile.*》 =**astuto, pillo.**
chopera *f.* ① 검정 버드나무의 숲. ②【식물】 =**arraclán.**
chopo *m.* ①【식물】 검정 버드나무 (álamo negro). ②【속어】 총(fusil). —*adj.* 《*Venez.*》 솜씨 없는.
choque *m.* ① 충돌 : Anoche hubo un ~ de dos camiones en el centro de la ciudad 어젯밤 시내 중심지에서 트럭 두 대의 충돌 사고가 있었다. Sinón. colisión. ② 충격, 쇼크 : ~ eléctrico 전기 충격 요법. ③ 전투 : un ~ de caballería.
choquezuela *f.*【해부】 슬개골(rótula).
chorato *m.* 《*Sal.*》 새끼 암소.
chorcha *f.* ①【조류】 멧도요새(chocha). ②《*AmérC.*》 추장 (cacique). ③《*Salv. Hond.*》 (새의) 볏. ④《*Méx.*》 신나게 즐기는 패들, 집안 행사.
chórcholas *f.pl.* 《*Perú.*》【속어】 솔(sol)화(貨).
chordón *m.*【식물】 나무딸기 ; 그것으로 만든 잼.
chorear *intr.* 《*Chile.*》 항변하다, 대들다, 대로하다, 머리끝까지 화내다, (화가 나서) 투덜거리다. —*tr.* 《*Col. Perú.*》【은어】 훔치다.
choreo *m.* 《*Chile.*》 ① 항변 (protesta). ② 대로(refunfuño).
choricera *f.* 소시지 만드는 기계.
choricería *f.* 순대·소시지 공장·가게.
choricero, ra *m.f.* ① 소시지 만드는 사람 ; 소시지 상인 ; 돼지 순대 만드는 사람·장수. ② 에스뜨레마둘라 사람(extremeño).
chorizo *m.* ① 돼지 순대·소시지. ② (줄타기하는 곡예사의) 균형봉. ③《*AmérM.*》 (벽에 바르기 전의) 초벽흙. ④《*Méx.*》 돈뭉치. ⑤《*Col.*》 바보, 얼간이. ⑥《*Arg.*》 낮은 등(lomo bajo). ⑦《*Cuba.*》 *desp.* 혼혈아, 깜둥이. —*adj.* ①《*Col. Ecuad.*》 바보스런, 얼간이의. ②《*Méx.*》 사악한, 돼먹지 못한.
chorla *f.*【조류】 =**ganga común.**
chorlito *m.* ①【조류】 (다리가 긴) 물떼새. ② 경망한 사람(cabeza de ~).
chorlo *m.*【광물】 전기석(電氣石)(turmalina).
choro *m.* ①【방언】 소매치기, 날치기(ratero). ②《*Chile.*》 조개의 일종.
choronazo *m.* 주먹질.
chorote *m.* ①《*Col.*》 코코아 단지. ②《*Cuba.*》 진한 음료. ③《*Méx. Venez.*》 진한 코코아 《음료》.
choroy *m.* 《*Chile.*》 =**papagayo.**
chorquito, ta *adj.* 《*Méx.*》 서툴게 바느질된.
chorra *f.* ①《*Sal.*》 (장애물로 경작하지 않고 둔) 땅 뙈기. ②《*Sal.*》 땅을 경작하지 못할 장애물.
chorrada *f.* 되에서 넘친 것, 덤.
chorreado, da *adj.* ①《*Amér.*》 더러워진 (sucio). ②《*Ecuad.*》 물에 젖은.
chorreadura *f.* 철철 넘쳐 흐름 ; 물이 지나간 자국.
chorrear *intr.* ① 넘쳐 흐르다 ; 솟아 오르다, 방울방울 떨어지다, 졸졸 흘러 나오다 : un líquido que *chorrea* 졸졸 흐르는 액체. ② 조금씩 고이다 : El dinero *chorrea* en esta casa 이 집은 돈이 조금씩 모인다. —*tr.* ①《*Cuba.*》 꾸짖다. ②《*Riopl.*》【은어】 훔치다.
chorrel *m.*【은어】 아들.

chorreo *m.* 분출 ; 흘러 나감, 방울방울 떨어짐 ; 떨어져 모인 것.
chorreón *m.* =**chorreadura.**
chorrera *f.* ① 와이셔츠 가슴의 레이스 장식. ② 물방울 떨어지는 곳 ; 물난 자국 ; 여울.
chorretada *f.* ① 분출, 내뿜음, 뿜어냄, 넘쳐 나옴 : hablar a *~s* 정신없이 지껄여대다. ② 되에서 넘친 것, 덤.
chorrete *m.* 《*Hond.*》 =**chorrea.**
chorrillo *m.* 계속해서 들락날락하는 일 : ~ de dinero.
irse por el ~ 관례 · 습관에 따르다.
sembrar a ~ 줄줄이 흘리듯이 씨앗을 뿌리다.
tomar el ~ *de* …에 익숙해지다(acostumbrarse a).
chorro *m.* ① 흐름, 끊이지 않고 흘러 나감 ; 솟아 나옴, 내뿜음, 분출 : avión a ~ 제트기. ~ de voz 우렁찬 소리. Al abrir el grifo salía un ~ de agua 수도 꼭지를 틀자 물이 계속 나왔다. ② 《*Riopl.*》 【은어】 도둑.
a ~s 듬뿍, 그득하게, 흔하게, 많이, 다량으로 (copiosamente) : Ella habla *a ~s* 그녀는 계속 지껄여댄다.
limpio como los ~s de oro · del agua 매우 아름다운, 매우 깨끗한.
beber a ~ 흐르는 물을 입으로 받아서 마시다.
soltar el ~ 너털웃음을 웃다, 깔깔거리고 웃다 (reír a carcajadas).
chorroborro *m.* 분출, 내뿜음, 넘쳐 흐름, 넘쳐 나옴(aluvión).
chorrón *m.* 빗은 삼.
chortal *m.* 샘이 솟는 연못.
chotacabras *f.* 【단 · 복수 동형】 【조류】 쏙독새.
chote *m.* 《*Cuba.*》 =**chayote.**
chotear(se) *intr.(r.)* ① 야유하다, 조롱하다, 놀려주다, 조소 · 웃음거리로 만들다(mofarse). ② 용두사미가 되다. ③ 《*Méx.*》 일반화하다, 통속화하다, 유행하다(vulgarizarse).
choteo *m.* =**mofa, burla, pitorreo.**
chotis *m.* 쵸띠스 《mazurca 비슷한 그러나 더 느린 2인조 춤》.
choto, ta *m.f.* ① (포유기의) 새끼 산양. ② 송아지 (ternero). —*adj.* 《*Amér.*》 ① 간사한, 줏대가 없는. ② 푸짐한, 풍부한(abundante).
chotuno, na *adj.* 포유기의 ; 몹시 약한.
oler a ~ 냄새가 고약하다, 악취가 코를 찌르다 (oler muy mal).
chova *f.* 【조류】 까마귀의 일종.
choz *f.* 놀람, 충격 : hacer ~ 놀라게 하다. Le *dio* ~ la noticia 그 소식에 그는 흠칫했다.
de ~ 갑자기, 별안간, 느닷없이.
choza *f.* 초가(집), 오두막.
chozno, na *m.f.* 증손자(bisabuelo), 증손녀.
chozo *m.* 조그마한 초가집, 목장에 세운 오두막.
chozpar *intr.* (양 · 산양이) 뛰어다니다.
chozpo *m.* (산양 등이) 깡충깡충 뛰는 일.
chozpón, na *adj.* 깡충깡충 뛰는.
chozuela *f.* [*dim.* choza] 다 쓰러져 가는 집.
¡chss! *interj.* =**¡chis!**
chual *m.* 【식물】 명아주.
chuascle *m.* 《*Méx.*》 ① (노획물을 잡는) 덫, 올가미(trampa). ② 속임수, 사기(engaño).
chubarba *f.* 【식물】 꿩의 비름, 경천(景天).
chubasco *m.* ① 소나기, 스콜, 집중 폭우 (chaparrón) : ~ de nieve 눈보라. ② 대단치 않은 고장. ③ 수평선 위의 비구름.
chubascoso, sa *adj.* =**tormentoso, lluvioso.**
chubasquear *intr.* 소나기가 내리다.
chubasquería *f.* 수평선 위의 비구름.
chubasquero *m.* 비옷(impermeable).
chubutense *adj.m.f.* 츄붙 《Chubut, Argentina에 있는 주》의 (사람).
chuca *f.* 【해부】 거골(taba)의 네 개 옆의 하나.
chucán, na *adj.* 《*AmérC.*》 장난하기 좋아하는 ; 잘 웃기는, 농담 잘하는. —*m.f.* 웃기는 사람 · 역, 장난을 좋아하는 사람, 농담 잘하는 사람.
chucanear *intr.* 농담을 하다(bromear).
chucao *m.* *araucano.* 【조류】 추까오 《깊은 밀림 속에 사는 칠레산 새》.
chúcaro, ra *adj.* 《*Amér.*》 거친, 야생의, 길들지 않은, 훈련되지 않는, 조련되지 않는, 사람을 두려워하는.
chuce *m.* 《*Arg. Perú.*》 인도의 융단의 일종.
chucear *tr.* ① 《*Amér.*》 (창 따위로) 찌르다 · 쑤시다. ② 《*Col.*》 속이다. ③ (마개 등을) 잠그다.
chucero *m.* ① 창기병. ② 【은어】 도적.
chucha *f.* ① 술취함 (borrachera). ② 게으름, 나태. ③ (아메리카 대륙산) 캥거루과의 일종(zarigüeya). —*interj.* 암캐를 야단치는 소리.
Chucha *hip.* Jesús.
chuchada *f.* 《*Guat.*》 =**tacañería.**
chuchango *m.* 《*Can.*》 【동물】 달팽이.
chuchar *tr.* 《*Cuba.*》 ① (개를) 부추기다, 꼬드기다(azuzar). ② 채찍으로 내려치다.
chuchazo *m.* 《*Cuba. Venez.*》 채찍으로 내려치기(latigazo).
chuche *m.* 【은어】 얼굴(cara, rostro, faz).
chuchear *intr.* ① 귀엣말 · 귓속말을 하다, 소근거리다, 속삭이다(cuchichear). ② (쇠그물 · 덫으로) 새를 잡다.
chucheca *f.* 《*CRica.*》 =**ostión.**
chuchería *f.* ① 겉만 번드르한 싼 물건. ② 간단한 음식, 마른 안주. ③ (쇠그물 · 덫으로) 잡는 일.
chuchero *m.* ① 새 사냥꾼. ② 《*Col.*》 =**bunonero.** ③ 《*Cuba.*》 (철도의) 전철수(轉轍手) (guardaagujas).
chuchi *adj.* 《*Chile.*》 비틀린, 꼬인, 굽은 ; 납작한(chato).
chuchín *m.* 《*Nicar.*》 =**bagre.**
chuchingo, ga *adj.* 《*Col.*》 겁이 많은, 비겁한 (cobarde). —*m.* 《*CRica. Chile.*》 여자같은 남자 (hombre afeminado).
Chuchita *hip.* Jesús.
chuchito *m.* 《*Guat.*》 옥수수 · 고추 · 야채를 넣어 잎으로 만 빵.
chucho, cha *adj.* ① 《*AmérC.*》 인색한 (mezquino). ② 《*Col.*》 물이 많은 (과일). ③ 주름살이 진 (사람). —*m.f.* ① 【동물】 개(perro). —*m.* ① 《*Amér.*》 오한, 한기. ② 《*Ant.*》 전철기(轉轍器). ③ 《*Cuba.*》 침, 바늘, 송곳. ④ 《*Cuba.*》 가죽 채찍. ⑤ 《*Chile.*》 감옥. ⑥ 《*Ecuad. Méx.*》 젖, 가슴 (pecho). ⑦ 《*Riopl.*》 두려움, 무서움(miedo) ; 위험(peligro) : Aquí no hay ~.
—*interj.* 이 놈 ! 《개를 꾸짖는 소리》.
chuchoca *f.* ① 《*AmérM.*》 불에 군 옥수수. ② 주

름이 많은 사람 : vieja ~*ca* 주름이 많은 노파.
chuchoco, ca *adj.* 늙은.
chuchuca *f.* =**chuchoca.**
chuchuluco *m.* 《*Méx.*》 못생긴 사람.
chuchumeca *f.* 《*Chile. Perú.*》 갈보, 창녀, 매음부, 매춘부.
chuchumeco, ca *m.f.* ①《*Chile. Méx.*》 망나니, 못된 인간. ②《*Perú.*》 귀여운 사람. ③《*Col.*》 노인.
chuchurrido, da *adj.* 《*And.*》 =**mustio, arrugado.**
chuco, ca *adj.* ①《*Guat.*》 발효된. ②《*AmérC. Ecuad. Méx.*》 썩는 냄새가 나는.
chucua *f.* 《*Col.*》 진흙땅, 진수렁.
chucúa *f.* 《*Col.*》 =**chucua.**
chucuri *m.* 《*Ecuad.*》【동물】족제비(comadreja)의 일종.
chucurí *m.* 《*Ecuad.*》 =**chucuri.**
chucuru *m.* 《*Ecuad.*》 =**chucuri.**
chucuruta *f.* 소금에 절인 양배추.
chucuto, ta *adj.* 《*Venez.*》 꼬리가 없는 : perro ~. —*m.* ① 악마. ②《*Col.*》 원숭이의 일종.
chueca *f.* ①(나무의) 그루터기. ②(뼈의) 돌기부 : la de ~ la rodilla. ③ 하키 ; 하키의 공. ④ 야유, 조롱, 우롱, 조소 : Le han jugado una buena ~. ⑤【은어】어깨.
chueco, ca *adj.* ①《*AmérM.*》 뒤축이 구부러진 : Mis zapatos son ~*s* 내 구두는 뒤축이 구부러졌다. ② 볼품없는. ③《*Méx.*》 한 쪽 팔·다리가 없는. —*m.* 《*Méx.*》 장물 매매.
chuela *f.* ①《*Chile. PRico.*》 자귀. ②《*Méx.*》 희롱 : dar ~ 희롱하다.
hacer ~ 사보타주하다, 태업하다, 일을 게을리하다.
chuequear *intr.* 《*Amér.*》 절름거리다.
chueta *m.f.* (발레아레스 제도에서) 유태계의 그리스도 교도.
chufa *f.* ①【식물】사초의 알뿌리. ② 놀려대기, 놀려주기 : echar ~ 놀려주다.
chufar(se) *intr.(r.)* 비웃다, 조롱하다, 놀리다.
chufería *f.* chufa의 뿌리로 만든 청량 음료 (horchata de chufas)를 마시는 가게.
chufero, ra *m.f.* chufa 장수.
chufeta *f.* 신소리 ; 작은 화로(chofeta).
chufla *f.* 《*And. Amér.*》 =**chufleta ; chofeta, braserillo manual.**
chuflar *untr.* 《*Ar.*》 =**chiflar, silbar.**
chuflay *m.* 《*Chile.*》 아구아르디엔떼 (aguardiente)와 레몬즙이나 오렌지즙을 넣은 음료.
estar ~ 《*Chile.*》 약간 취해 있다(estar ligeramente ebrio).
chufleta *f.* 농담, 신소리(cuchufleta).
chuflete *m.* 《*Ar.*》 =**chiflete, chiflo.**
chufletear *intr.* 신소리를 늘어놓다.
chufletero, ra *adj.m.f.* 농담·신소리를 좋아하는 (사람).
chuflido *m.* 《*Ar.*》 =**silbido.**
chuica *f.* 《*CRica.*》 =**harapo.** —*pl.* 《*CRica.*》 =**trastos.**
chuico *m.* ①《*Chile.*》 망태기에 싼 큰 병. ②(물 담는) 질그릇, 질항아리.
chula *f.* candelabro의 열매.
chulada *f.* 버릇없음 ; 뻔뻔스러움 ; 시원스러움.
chulamo, ma *m.f.*【은어】젊은이, 총각, 계집애, 꼬마 아가씨.
chulanchar *tr.* 《*Arg.*》 몸을 좌우로 흔들다.
chulapear *intr.* 뻔뻔스럽게 행동하다.
chulapería *f.* =**chulería.**
chulapesco, ca *adj.* 망나니의.
chulapo, pa *adj.* 뻔뻔스런, 버릇없는. —*m.f.* 마드리드의 하층민, 망나니(chulo). —*m.* 5빼세따 동전.
chulapón, na *adj.m.f.* =**chulapo.**
chulco, ca *m.f.* 《*Bol.*》 막내, 막내둥이, 막내딸, 막내아들(hijo menor).
chulé *m.* [집시어] 5빼세따 짜리 동전.
chulear *tr.* ① 놀려주다, 조롱하다. ②《*Méx.*》 =**requebrar.**
chulería *f.* 건달패 같은 몸짓·말투 ; 허세, 우쭐거리기; 건달패들.
chulesco, ca *adj.* 건달패 같은 : gesto ~.
chuleta *f.* ①(소·양·돼지 따위의) 갈비 (costilla). ② 불고기 : ~ empanada. ③ 공예품의 흠을 메우는 재료. ④【은어】손바닥으로 때리기. —*pl.* (길게 늘어뜨린) 귀밑털.
chulla *adj.* 가치없는 (sin valor), —*f.*【방언】썰어놓은 고기. —*m.* 《*Ecuad.*》 하층민.
chulleco, ca *adj.* 《*Chile.*》 꼬인.
chullenco, ca *adj.* =**chulleco.**
chullo, lla *adj.* 《*Ecuad.*》 짝짝이가 된 : guante ~ 짝짝이가 된 장갑. —*m.* 《*Perú.*》 2센따보 동전.
chulo, la *adj.* ① 뻔뻔스러운, 철면피한, 버릇없는. ②《*AmérC.*》 깨끗한, 예쁜, 고운, 아름다운 (bonito, lindo). —*m.f.* (마드리드의) 하층민, 건달 ; 젊은이, 아가씨. —*m.* ① 투우사의 조수. ② 뚜쟁이.
chulón, na *adj.* 《*AmérC.*》 벌거벗은.
chulpa *f.* 《*Bol. Perú.*》 잉카 시대의 고분.
chulpi *m.* 《*Ecuad.*》 옥수수의 일종.
chuma *f.* 《*Arg. Ecuad.*》 =**borrachera.**
chumacera *f.* ①(굴대의) 축받이. ②【선박】노걸이, 노받이, 크러치.
chumarse *r.* 《*Ecuad. Riopl.*》 =**embriagarse.**
chumbado, da *adj.* ①《*Arg.*》 탄환으로 부상당한. ② 다친.
¡chúmbale! *interj.* 《*Arg.*》 개를 꼬드기는 소리.
chumbar *tr.* ①《*Bol.*》 사격하다. ②《*Col.*》 허리에 두르다. ③《*Riopl.*》 (개를) 부추기다, 꼬드기다(azuzar).
chumbe *m.* ①《*Col. Perú.*》 토인의 허리띠. ②《*AmérM.*》 어린애의 허리띠.
chumbera *f.*【식물】선인장(cactus)의 일종 (higuera chumba).
chumbo, ba *adj.* 사보텐의 : higo ~ 사보텐의 열매. higuera *chumba* 사보텐(nopal). —*m.* ①《*Riopl.*》 산탄(散彈)(perdigón). ②《*Col.*》 =**chumpipe.**
chumburú *m.*【식물】=**chamburo.**
chumearse *r.* 《*Chile.*》 술취하다.
chumero *m.* 《*AmérC.*》 견습생(aprendiz, aprendiza).
chumo, ma *adj.* ①《*Perú.*》 맛없는(insípido). ②《*Ecuad.*》 술취한.
chumpipe *m.* 《*Méx.*》【조류】칠면조의 일종.
chuna *f.* =**chuña.**

chunche *m.* 《*Col.*》 =**sarna.** —*pl.* 《*AmérC.*》 = **cachivaches.**

chuncho *m.* 《*Perú.*》【식물】 금잔화 (caléndula).

chunchos *m.pl.* 춘쵸족 《뻬루와 에꾸아도르에 살았던 원주민》.

chunchucuyo *m.* 《*AmérC.*》 새의 꼬리뼈 · 미골(尾骨)(rabadilla de ave).

chunchules *m.pl.* 《*Chile.*》 튀긴 양의 내장.

chunchullos *m.pl.* 《*Col.*》 =**chunchules.**

chunco, ca *adj.* ① 《*Salv.*》 짧은 (corto). ② 《*AmérC. Bol. Col.*》 불구의. —*m.f.* 《*Bol. Perú.*》 귀여운 사람.

chunga *f.* 농담 : en ~ 농담으로. estar de ~ 농담 중이다.

chungarse *r.* ⑧ =**chunguearse.**

chungo, ga 《*And.*》. =**ruin, malo.**

chungón, na *adj.* =**burlón.**

chunguearse *r.* 조롱하다, 우롱하다, 놀리다.

chungueo *m.* =**chunga.**

chungungo *m.* 《*Chile.*》 =**coipú.**

chuña *f.* ① 《*Arg.*》【조류】 볏까치. ② 《*Chile.*》 서로 빼앗기(arrebatiña).

chuño *m.* ① 《*AmérM.*》 감자 전분. ② 《*Bol.*》 익은 감자.

chupa *f.* ① 옛날 의상의 이름 ; 군복의 아랫도리. ② 《*Amér.*》 취기.
poner como ~ de dómine 마구 욕설을 퍼붓다.

chupacirios *m.*【단 · 복수 동형】=**santurrón.**

chupada *f.* 마시는 일 ; 빠는 일.

chupaderito *m. dim.* chupadero.

chupadero, ra *adj.* 빨기 좋은, 빨기 쉬운. —*m.* 핥기, 빨기.

chupado, da *adj.* [chupar의 *p.p.*] ① 말라 빠진 : rostro ~ 말라 빠진 얼굴. ② 좁은 : falda ~*da* 좁은 스커트. ③ 《*Arg.*》 술취한(ebrio, borracho).

chupador, ra *adj.* 빠는. —*m.f.* 빠는 사람. —*m.* ① 빨기, 핥기. ② (이가 나오는 동안 아이들에게 끼워 주는) 상아 반지.

chupadorcito *m. dim.* chupador.

chupadura *f.* =**chupada.**

chupaflor *m.* 《*Amér.*》【조류】 악어새(picaflor).

chupalámparas *m.*【단 · 복수 동형】【속어】 사미승.

chupalandero *adj.* 《*Murc.*》 나무와 풀에서 자라는 (달팽이).

chupaleche *f.*【곤충】 나비의 일종.

chupalla *f.* 《*Chile.*》【식물】 아나나스과 식물.

chupamiento *m.* 빨기, 핥기.

chupamirto *m.* 《*Méx.*》【조류】 벌참새(colibrí).

chupandina *f.* =**suerte, ganga.**

chupar *tr.* ① 빨다 : ~ el biberón 젖병을 빨다. ② 흡수하다(absorber) : Las plantas *chupan* el agua de la tierra 식물은 흙에서 물을 흡수한다. ③ 울거내다, 빼앗다 : ~ a uno el caudal. ④ 《*Amér.*》 (담배를) 피우다(fumar). ⑤ 《*Amér.*》 술취하다(embriagarse).
~se ① 몸이 여위다. ② 《*AmérM.*》 (언짢은 일을) 참다(aguantar).

chupatintas *m.f.*【단 · 복수 동형】 말단 사무원.

chupativo, va *adj.* 흡수 · 흡인력이 있는.

chupe *m.* ① 《*Col. Perú.*》 츄뻬요리 《감자 · 계란 · 육류 · 생선 등을 넣고 끓인 것》. ② 도박 놀이. ③ 《*And.*》 =**mamador.**

chupendo *m.* 《*And.*》 세게 한 모금 빨기, 빠는 입맞춤.

chuperretear *tr.* 빈번히 조금씩 빨다.

chupeta *f.* [*dim.* chupa] ① 선미 갑판의 작은 선실. ② 《*AmérC. Cuba.*》 물부리, 빨대. ③ 《*Chile.*》 취함(borrachera).

chupetada *f.* =**chupada.**

chupete *m.* ① 고무젖 ; (젖병의) 꼭지(pezón del biberón). ② 《*Arg.*》 가는 막대가 끼인 캐러멜 (caramelo con palito).
de ~ 아주 좋은, 멋있는.
ser de ~ 훌륭하다, 멋있다.

chupetear *tr. intr.* 홀짝홀짝 마시다 · 빨다.

chupeteo *m.* 홀짝홀짝 마시는 · 빠는 일.

chupetín *m.* ① 주름 장식이 붙은 조끼. ② = **chupeteo.**

chupetón *m.* 세게 한 모금 빨기.

chupido, da *adj.* 《*Arg.*》 꼬리가 없는(sin cola). —*m.* =**chupetón.**

chupilca *f.* 《*Chile.*》 수박즙에 탄 가루.

chupín *m.* 조금 빨기.

chupito *m.* ① 《*And.*》 빨아 들이기. ② 작은 소주잔. ③ 《*Amér.*》 막대가 끼인 캐러멜.

chupo *m.* ① 《*AmérM.*》【의학】 정(疔), 정종(疔腫)(divieso). ② 《*Col.*》 젖병. ③ 《*Col.*》 = **chupador.**

chupón, na *adj.* ① 잘 빨아 들이는 : papel ~ 흡인지. ② 감쪽 같이 돈을 뜯는. —*m.f.* 돈을 뜯는 사람. —*m.* ① 허드레 가지 : Deben cortarse los ~*es.* ② (펌프의) 빨아들이는 구멍, 피스톤. ③ 새의 뻣뻣한 깃털. ④ 《*Amér.*》 젖병 ; (갓난아기들이 빠는) 고무젖. ⑤ 빠는 입맞춤. ⑥ 《*Col.*》 담배 한 모금 빨기 : dar un ~ 한 모금 빨다. Ahora daremos un ~ al cigarro 이제 담배 한 모금 빱시다. ⑦ 《*Arg. Chile.*》【의학】 정종(疔腫). ⑧【식물】 마이나스과 식물의 일종 ; 그 열매.

chupóptero *adj.* 기식 · 기생하는. —*m.* 별로 하는 일도 없이 월급을 받는 사람.

chuporar *intr.* =**beber.**

chupulún *m.* 《*Amér.*》 =**cataplún.**

chuquearse *r.* 《*AmérC.*》 더러워지다.

chuquiragua *f.* 안데스산에 있는 국과의 약초 《해열제》.

chuquisa *f.* 《*Chile. Perú.*》 갈보, 창녀, 매소부, 매음부, 유녀, 매춘부(chusquisa).

churana *f.* 남미 인디오들의 화살통.

churcha *f* (Tierra Firme 원주민들이 말했던) zarigüeya.

churco *m.* 《*Chile.*》 =**chulco.**

churdón *m.* ①【식물】 나무딸기(frambueso). ② 나무딸기의 시럽 · 잼.

churla *f.* 향미료 주머니 《삼에 가죽을 씌운 것》.

churlo *m.* =**churla.**

churo, ra *adj.* 《*AmérM.*》 멋있는 복장의. —*m.* 《*Ecuad.*》 ① 고수머리 (rizo de pelo). ② 나선식 계단.

churqui *m*【식물】 =**churco.**

churra *f.*【조류】 송학(松鶴)(ortega).

churrasco *m.* 《*AmérM.*》 숯불에 구운 고기, 철판구이 고기(carne asada a la brasa).

churrasquear *intr.* 《*Riopl.*》 고기를 불에 굽다, 고기를 숯불에 구워 먹다.

churre *m.* 열에 녹는 지방(脂肪) ; 기름때.
churrear(se) *intr. (r).* 《*Amér.*》 설사하다(tener diarrea).
churrel *m.* =**chiquillo.**
churrera *f.* 튀김 과자(churro) 제조기.
churrería *f.* 튀김 과자(churro) 가게.
churrero, ra *m.f.* 튀김 과자(churro)를 만드는 사람 · 파는 사람.
churreta *f.* ① =**churrete.** ② 가죽끈의 일종. ③ 사탕수수의 압출기.
churretada *f.* =**churretazo.**
churretazo *m.* 큰 얼룩.
churrete *m.* ① (얼굴 · 손의) 얼룩 · 때 · 더러움. ② 《*Arg.*》 가난뱅이.
churretear *tr.* 《*Amér.*》 기름으로 더럽히다. **~se** 《*Amér.*》 기름이 끼다 ; 설사를 하다.
churretoso, sa *adj.* 더러운, 때가 묻은.
churria *f.* 《*Col.*》 =**chiripa.**
—*pl.* ① 《*Col. Dom. Guat.*》 설사(diarrea). ② 《*Arg.*》 야유, 조롱, 조소.
churriana *f.* 【속어】 매춘부, 창녀, 갈보.
churrías *f.pl.* 《*AmérM.*》 【속어】 설사.
churriburri *m.* 밑바닥 인생 · 사회 ; 불량배의 세계 ; 난잡(zurriburri).
churrica *f.* 《*Murc.*》 【조류】 종달새(alondra)의 일종.
churriento, ta *adj.* ① 기름진, 지방질이 많은, 기름으로 더러워진. ② 《*Amér.*》 설사 기운이 있는 (사람).
churrigueresco, ca *adj.* ① 【건축】 츄리게라 《Churriguera, 18세기 초엽의 서반아 건축가》 양식의. ② 번거로운, 귀찮은, 악취미의.
churriguerismo *m.* 과식 건축 ; 야한 장식.
churriguerista *m.* 츄리게라파의 건축가.
churriquearse *r.* 《*Cuba.*》 더러워지다.
churrines *m.pl.* 《*Chile.*》 =**pingos, guiñapos.**
churro, rra *adj.* 뻣뻣한 털의 (양) ; 뻣뻣한 (양털). —*m.* ① 오이(cohombro). ② 졸작(chapuza). ③ 기름으로 튀긴 가느다란 빵 《가벼운 식사용 식품》; 기름으로 튀긴 과자 《일종의 도넛》.
churroso, sa *adj.* 《*Amér.*》 설사 기운이 있는 (que tiene diarrea).
churruchada *f.* 한 순갈(의 분량).
churrullero, ra *adj.* 말이 많은, 수다스런 (charlatán, parlanchín). —*m.f.* 수다쟁이(charlatán).
churruscar *tr.* 7 (불에) 눌리다.
~se 눋다.
churrusco, ca *adj.* 《*Col. Panamá.*》 오무라든. —*m* ① 너무 탄 · 타기 시작한 토스트 빵. ② 《*Col.*》 나비의 유충(oruga, larva de mariposa).
churumbel *m.* =**chiquillo.**
churumbela *f.* ① 【악기】 츄룸벨라. ② 파이프. ③ 마떼(mate)의 빨대.
churumen *m.* 눈치가 빠름 ; 약삭빠름 ; 손재주 · 말재주가 좋음.
churumo *m.* 단물, 요소, 실질, 정수(精髓) : poco ~ 실속없이 겉만 번드르르한 것. tener poco ~ 실속 · 재능 · 돈이 없다.
¡chus! *interj.* (개를 부르는) 이리 와 !
no decir ~ ni mus 꿀먹은 벙어리다, 이렇다 저렇다 말이 없다.
Chusa *hip.* Jesús.
chusca *f.* 《*Chile.*》 갈보, 창녀, 매춘부, 매음녀, 매소부, 유녀(ramera, meretriz).
chuscada *f.* 약삭빠름.
chuscadamente *adv.* 약삭빠르게.
chuscal *m.* 《*Col.*》 대나무로 덮여진 곳.
chusco, ca *adj.* ① 시원스러운, 장난기가 있는. ② 《*Chile. Perú.*》 흔한, 보통의, 일반적인 ; 품위 없는. —*m.f.* 장난기가 있는 사람. —*m.* ① 빵 부스러기 : (군대용의) 빵. ② (혈통이 없는) 교배종의 개.
chusma *f.* [*ital.* ciurma] [집합] ① 노를 젓는 죄수. ② 천민, 빈민, 속된 무리 ; 군중 ; 폭도. ③ 《*Amér.*》 (전쟁에 쓸모없는) 아녀자나 노인 ; 인디오의 무리(muchedumbre de indios).
chusmaje *m.* 《*Amér.*》 군중, 인디오의 무리.
chuso, sa *adj.* 《*Arg.*》 말라 비틀어진. —*m.* ① 《*Chile. Riopl.*》 짐수레 끄는 말, 좋지 못한 말. ② 《*Perú.*》 구두.
chuspa *f.* 《*Arg. Perú.*》 마떼 · 담배 자루 (bolsa para mate o tabaco).
chusque *m.* 《*Col.*》 【식물】 대나무.
chusquear *intr.* 《*And.*》 =**embromar.**
chusquel *m.* 《*Col.*》 【은어】 개(perro).
chusquisa *f.* 《*Chile. Perú.*》 매춘부, 갈보.
chut *m.* 【축구】 슛, 슈팅.
chutar *tr.* ① [*ing.* shoot] (공을) 멀리 차다. ② =**funcionar, pitar.**
Esto va que chuta 이 일은 아주 잘 되고 있다.
¡Y va que chuta! 이제 충분하다.
chute *m.* 《*Salv. Guat.*》 =**púa, aguijón.**
chuto, ta *adj.* 《*Amér.*》 =**rabón.**
chuva *f.* 【동물】 《*Perú.*》 (남 아메리카의) 거미원숭이.
chuyo, ya *adj.* 《*Ecuad.*》 유일한, 단 하나의 : hijo ~ 외아들. —*m.* 《*Perú.*》 【속어】 센따보 《화폐 단위》.
chuza *f.* ① 《*Méx.*》 (볼링 놀이에서) 단번에 핀을 모두 쓰러뜨리기. ② 《*Riopl.*》 창(lanza)의 일종.
hacer ~ 망쳐 버리다.
chuzar *tr.* 9 《*Col.*》 찌르다, 쑤시다(punzar, pinchar).
chuzazo *m.* 창으로 찌르기 · 때리기.
chuznieto *m.* 《*Ecuad.*》 증손자(chozno).
chuzo *m.* ① 창(pica). ② 《*Amér.*》 채찍, 회초리, 날이 선 것(látigo de jinete). ③ (벌레의) 침. ④ (새의) 부리. ⑤ 《*Chile.*》 여윈 말(rocín). ⑥ 《*And.*》 고드름(carámbano). ⑦ 《*Chile.*》 (물의) 급수기(surtidor de agua). ⑧ 《*Perú.*》 구두 (zapato).
caer ~s de punta (비 · 눈 따위가) 억수같이 줄기차게 쏟아지다.
llover (a) ~s 비가 억수로 쏟아지다(llover con mucha fuerza).
nevar (a) ~s 눈이 억수로 내리다.
chuzón, na *adj.* ① 교활한, 빈틈없는(astuto). ② 익살맞은. ③ 얼렁뚱땅하는. ④ 《*Ecuad.*》 털이 뻣뻣한. —*m.f.* 망나니. —*m.* 《*Col.*》 찌르기 (punzado, pinchazo).
chuzonada *f.* 익살, 재담(bufonada).
chuzonería *f.* ① 야유, 조롱, 조소, 놀려대기 (burleta). ② 위조, 모조(contrahechura). ③ 교활, 간사함, 간계, 간사한 꾀, 간교한 계략, 간책.

C.I. cociente intelectual 지능 지수; cédula de identidad 주민증.
cía *f.* [*gr.* ischion] 【해부】 좌골(座骨)(cea).
CIA Confederación Industrial Argentina 아르헨띠나 공업 총동맹.
cía., Cía. Compañía.
ciaboga *f.* (양쪽 현 · 기관을 반대로 움직여) 배를 선회 · 반전하는 일.
hacer ~ 우왕좌왕하다, 갈팡질팡하다.
cianato *m.* 【화학】 시안산염.
cianea *f.* 【광물】 천청석(天青石).
cianhídrico *adj.* 청산(青酸)의; 시안화수소의 : ácido ~ 청산, 시안화 수소산.
ciani *m.* 옛 아라비아인의 금화.
ciánico, ca *adj.* 【화학】 시안의, 청소(青素)의.
cianita *f.* 【광물】 남정석(藍晶石).
cianoficeo, a *adj.* 【식물】 해초류의. —*f.pl.* 해초류.
cianógeno *m.* 【화학】 시안, 청소(青素) 《가연성 유독 가스》.
cianosis *f.* 【의학】 치아노제, 청색증(青色症).
cianotipia *f.* 청사진(술 · 판).
cianuria *f.* 청색뇨 방출.
cianuro *m.* 【화학】 시안화물.
CIAP Comité Interamericano de la Alianza para el Progreso 진보를 위한 미주 동맹 위원회.
ciar *intr.* ⑫ ① (배를) 반대쪽으로 젓다(remar hacia atrás). ② 후퇴하다. Contr. avanzar. ③ (일이) 정체하다.
CIAR Centro Interamericano de Administración del Trabajo 미주 노동 행정 센타.
CIAT Centro Interamericano de Administradores Tributarios 미주 세무 관리자 센타.
ciática *f.* ①【의학】 좌골 신경통. ②【식물】 (페루의) 금빛 꽃을 피우는 식물.
ciático, ca *adj.* 허리의, 좌골의 : nervio ~.
ciato *m.* (로마 시대의) 물그릇.
ciatoideo, a *adj.* 컵 모양의.
cibaje *m.* 아메리카산 소나무의 일종.
cibal *adj.* 음식물의, 영양의.
cibeleo, a *adj.* 시벨레스 (Cibeles)의; 대지(大地)의.
Cibeles *f.* ① 시벨레스 《대지 자연의 여신》. ② 지구, 대지.
cibelina *f.* 【동물】 담비(marta)의 일종.
cibera *adj.* 먹이 · 미끼가 되는. —*f.* 맷돌에 물리게 하는 소량의 밀; 사료로 쓰이는 과일의 껍질; 과즙을 짜고 남은 찌꺼기.
cibernética *f.* [*gr.* kubernêsis] 인간 공학, 인공 두뇌학(人工頭腦學).
ciberuela *f.* =**cibera.**
cibica *f.* =**cabilla.**
cibicón *m. aum.* cibica.
cíbolo, la *m.f.* 들소(bisonte)의 일종.
ciborio *m.* (고대 그리스 · 로마의) 술잔; 성단의 천개(天蓋).
cibucán *m.* 《*Amér.*》 커다란 바구니.
CIC; C.I.C. Cámara Internacional de Comercio 국제 상업 회의소; Consejo Interamericano Cultural 미주 문화 이사회.
cica *f.* 【은어】 지갑.
cicádeo, a *adj.* 매미(cigarra)와 같은.
cicádidos *adj.* 【곤충】 매미 무리의. —*m.pl.* 【곤충】 매미 무리.
cicahuite *m.* 《*Hond.*》 【식물】 =**quebracho.**
cicarazate *m.* 【은어】 사기꾼, 소매치기.
cicatear *intr.* 노랭이짓을 하다, 인색하게 굴다.
cicatería *f.* =**mezquindad.**
cicatero, ra *adj.* 인색한. —*m.f.* ① 노랭이, 깍쟁이. ②【은어】 소매치기, 사기꾼.
cicateruelo, la *adj. dim.* cicatero.
cicatriz *f.* [*lat.* cicatrix] 흉터, 상처 자국, 흔적; (정신적인) 타격.
cicatrización *f.* (상처의) 아뭄, 유착(癒着).
cicatrizado, da *adj.* 잊고 있던; 해묵은.
cicatrizal *adj.* cicatriz의.
cicatrizante *adj. m.* 상처를 아물게 하는 (약제).
cicatrizar *tr.* ⑨ ① (상처를) 아물게 하다, 유착시키다(cerrar una herida llaga). ② =**calmar.** **~se** 상처가 아물다, 유착하다; 완치되다.
cicatrizativo, va *adj.* 아물게 하는, 유착시키는.
cicércula *f.* =**cicercha.**
cicercha *f.* 【식물】 살갈퀴 《앵두속》(almorta).
cícero *m.* 12포인트 활자.
cicerón *m.* 웅변가.
Cicerón *m.* 키케로 《Marco Tulio Cicerón, 로마의 정치가 · 웅변가 · 저술가 (기원전 106—43)》.
cicerone *m. ital.* 명승지 · 고적 안내원. [*N.* chicherone].
ciceroniano, na *adj.* 키케로(Cicerón)의, 키케로 류의, 키케로처럼 웅변하는.
cichón *m.* 《*And.*》 =**chichón.**
cicindela *f.* 【곤충】 개똥 벌레의 유충, 가뢰, 토반묘(土班猫).
ciciones *f.pl.* =**tercianas.**
ciclamen *m.* =**pamporcino.**
ciclamino *m.* 【식물】 =**pamporcino.**
ciclamor *m.* 【식물】 박태기나무.
ciclar *tr.* (보석을) 연마하다.
ciclatón *m.* 중세기의 비단 예복; 그 옷감.
cíclico, ca *adj.* [*gr.* kuklikos] ① 주기의, 주기적인 : 20 años ~*s* 20년 주기. ② 순환적인 : método ~ 순환 교수법. ③ 고리식의; 바퀴 모양의 : flor ~*ca* 윤상화(輪狀花).
ciclismo *m.* 《*Neol.*》 사이클링; 자전거 경주 · 경기.
ciclista *adj.* 《*Neol.*》 사이클링의. —*m.f.* 자전거 선수; 자전거 타는 사람 · 탈 줄 아는 사람.
ciclístico, ca *adj.* 자전거 타기의, 사이클링의.
ciclitis *f.* 【의학】 속눈썹염.
ciclo *m.* [*gr.* kuklos] ① 주기 : ~ lunar 달의 주기. ② 순환기 : ~ económico 경기 순환 (주기); 경제 순환. ③【전기】 주파, 사이클. ④ (어떤 사건 · 인물에 관한) 일련의 전설 : el ~ troyano 트로이 전쟁사 시(詩) 대계. ⑤ 《*Riopl.*》 (학습의) 한 학기, 학과의 한 과정 : ~ de verano 하기 (강좌). Asistí al Segundo *Ciclo* Internacional de Verano de la Universidad de Quito 나는 제2회 끼또 국제 하기 대학에 참가했다.
ciclocrós *m.* 자전거 경주.
cicloidal *adj.* cicloide의.
cicloide *f.* 【수학】 파선, 사이클로이드.

ciclomotor *m.* 보조 엔진부(附) 자전거.
ciclón *m.* [*gr.* kuklos] (인도양의) 회오리바람, 태풍(huracán); 거센 회오리바람; 폭풍우.
ciclonal *adj.* 회오리바람의, 태풍같은.
ciclónico, ca *adj.* =**ciclonal.**
ciclope *m.* 외눈박이 《그리스 신화에서 하늘과 땅의 아들》.
cíclope *m.* =**ciclope.**
ciclópeo, a *adj.* 외눈박이의; 거대한; 거석(巨石)의 : puerta ~*a* 거석 시대의 큰 돌로 쌓아 놓은 문.
ciclópico, ca *adj.* =**ciclópeo.**
ciclorama *m.* 원형 파노라마.
ciclostil *m.* =**ciclostilo.**
ciclostilo *m.* 등사판.
ciclóstomo, ma *adj.* 【동물】 원구류(圓口類)의. —*m.pl.* 원구류(圓口類) 《뱀장어 따위》.
ciclotrón *m.* 【물리】 사이클로트론 《이온 가속기의 일종》.
cicloturismo *m.* 자전거로 하는 관광.
cicuta *f.* [*lat.* cicuta] 【식물】 독당근 : ~ menor 독미나리(etusa).
cicutina *f.* 독미나리의 알칼로이드.
CICYP Consejo Interamericano de Comercio y Producción 미주 통상 생산 심의회.
cid *m.* 통령; 용감한 사람, 호걸.
Cid *m.* 시드 《el *Cid* Campeador, 본명은 Rodrigo Díaz de Vivar, 11세기 경의 비극적인 영웅》.
CID Colegio Interamericano de Defensa 미주 국방 대학.
CIDA Comité Interamericano de Desarrollo Agrícola 미주 농업 개발 위원회.
CIDE Comisión de Inversión y Desarrollo Económico 《*Urg.*》 투자 경제 개발 위원회.
CIDH Comisión Interamericana de Derechos Humanos 미주 인권 위원회.
cidiano, na *adj.* 엘 시드(el Cid)의·에 관한.
CIDIAT Centro Interamericano para el Desarrollo Integral de Aguas y Tierras 미주 토지 및 수자원 통합 개발 센터.
cidra *f.* cidro의 열매.
~ *cayote* 【식물】 호리병박.
cidracayote *f.* 【속어】 =**chilacayote.**
cidrada *f.* 레몬 통조림.
cidral *m.* 구연밭; 구연나무.
cidrato *m.* 【식물】 잼보아, 왕귤나무(zamboa).
cidrayota *f.* 《*Amér.*》 =**chayota.**
cidrera *m.* =**cidro.**
cidro *m.* 【식물】 구연나무, 구연(枸櫞).
cidronela *f.* 【식물】 =**toronjil.**
CIE Centro de Investigaciones Económicas 《*Arg.*》 경제 조사 센타; Comité Interamericano de Educación 미주 교육 위원회.
CIECC Consejo Interamericano para la Educación, la Ciencia y la Cultura 미주 교육 과학 문화 이사회.
cieg-, ciega- →**cegar** [19] [8].
ciegamente *adv.* 맹목적으로, 무턱대고, 닥치는대로, 덮어놓고(con ceguedad).
ciego, ga *adj.* [*lat.* caecus] ① 장님의, 눈이 먼 : ser ~ de nacimiento 태어날 때부터 장님이다. ② 눈이 어두워진 : ~ *de* ira·*con* los celos 노여움·질투로 눈이 어두워진. ~ de amor 사랑에 눈이 먼. ③ (관·구멍 등이) 막힌 (obstruido, cegado) : una tubería *ciega.*
—*m.f.* 장님, 봉사, 소경.
—*m.* ① 맹장(盲腸)(intestino *ciego*). ② 소시지, 순대.
a ciegas 맹목적으로; 무턱대고, 닥치는대로, 덮어놓고(ciegamente) : No atrevo a meterme en el negocio *a ciegas.*
En tierra de ~s el tuerto es rey 【속담】 장님만 있는 곳에서는 애꾸눈이가 왕이다, 무식한 사람만 있는 곳에서는 조금 알아도 돋보이는 법이다.
cieguecico, ca *adj. m.f. dim.* ciego.
cieguecillo, lla *adj. m.f. dim.* ciego.
cieguecito, ta *adj. m.f. dim.* ciego.
cieguezuelo, la *adj. m.f. dim.* ciego.
cielito *m.* [*dim.* cielo] ① 하늘. ② 《*Chile. Rriopl.*》 가우쵸(gauchos)의 원무곡, 그 춤.
cielo *m.* [*lat.* caelum] ① 하늘, 공중 : ~ borreguero 잔뜩 찌푸린 하늘. escupir al ~ 하늘 보고 침을 뱉다. los ~*s* azules del Mediterráneo 지중해의 창공. El ~ está nublado 하늘은 구름이 끼어 있다. No hay ni una sola nube en el ~ 하늘에는 구름 한 점 없다. ② 기후(clima) : ~ saludable 건강에 좋은 기후. ③ 분위기(atmósfera) : ~ alegre 즐거운 환경. ④ 위를 덮는 것, 천장 : ~ de la cama 침대의 천장. ~ raso 반반한 천장. ~ de un coche 자동차의 천장. ~ de la boca 입천장(paladar). ⑤ [주로 *pl.*] 천국(paraíso). ⑥ 신(神) : reino de los ~*s* 신들의 나라. fuego del ~ 번개(rayo). ⑦ 사랑하는 사람에게 다정한 말 : ¡*Cielo* mío! 여보.
a ~ abierto 덮개없이, 노천에서, 야외에서.
a ~ descubierto 노천에서.
bajado del ~ 하늘이 준, 희한한, 안성맞춤의.
llovido del ~ 하늘에서 떨어진 것처럼, 운좋게.
cerrarse·entoldarse el ~ 하늘이 잔뜩 흐려지다.
coger·tomar el ~ con las manos 격분하다.
desencapotarse·despejarse el ~ 맑게 개이다.
desgajarse el ~ 비가 억수처럼 쏟아지다.
estar hecho un ~ 불빛이 환하게 빛나고 있다.
ganar el ~ 천국에 가다.
mover ~ y tierra 온갖 수를 다 써보다, 있는 힘을 다하다, 온갖 노력을 다하다(hacer todos sus esfuerzos para conseguir una cosa).
poner el grito en el ~ 크게 외치다.
ser un ~ 즐겁다.
venirse el ~ abajo 비가 억수처럼 쏟아지다; 난장판이 벌어지다.
ver el ~ abierto·los ~s abiertos 앞길이 열리다, 장래가 촉망되다; 기쁘다(alegrarse).
ciempiés *m.* 【단·복수 동형】 ① 【곤충】 지네. ② 단편적(斷片的)인 작품.
cien *adj.* [ciento의 어미 탈락형, 명사·mil·millones 앞에 올 때의 어미 탈락형] 100의 : *cien* años 백년. *cien* casas 집 백 채. *cien* dólares 백 달러. *cien* hermosas doncellas 백 명의 아름다운 시녀. *cien* valientes soldados 백 명의 용감한 병사. *cien* mil años 십만년. *cien* millones 일억.
~ *por* ~ 완전히(completamente).
CIEN Comisión Interamericana de Energía

Nuclear 미주 핵에너지 위원회.

Cien Años (Guerra de los) 백년 전쟁《영국과 불란서가 1337년부터 1453년까지 했던 전쟁》.

ciénaga *f.* 수렁, 늪지.

ciencia *f.* ① 과학. ② 지식, 학문(sabiduría, erudición). ③ 기술, 기능.
～ ***actuarial*** 보험 수리학. ～ ***auxiliar*** 보조 과학. ～ ***financiera*** 재정학. ～***s económicas*** 경제학. ～***s exactas*** 정밀 과학; 수학. ～***s naturales*** 자연 과학. ～***s ocultas*** 연금술; 점성술; 강신술(降神術) ～***s políticas*** 정치학. ***gaya*** ～ 시학. ***hombre de*** ～ 과학자. ***las*** ～***s y las artes*** 학문과 기예.
a · de ～ ***cierta*** 확실하게 : saber *a* ～ *cierta*.
a ～ ***y paciencia*** 승인하에.

ciénega *f.* 《*Ant. Amér.*》 =**cienaga.**

cienegal *m.* 《*AmérC. PRico.*》 진흙 땅.

ciénego *m.* 《*Arg.*》 =**cienaga.**

CIENES Centro Interamericano de Ensenañza de Estadística 미주 통계 교육 센터.

cienmilésimo, ma *adj.* 10만분의 1의. —*m.* 10만분의 1.

cienmilímetro *m.* 100분의 1 밀리리터.

cienmilmillonésimo, ma *adj.* 천억분의 1의. —*m.* 천억분의 1.

cienmillonésimo, ma *adj.* 1억분의 1의. —*m.* 1억분의 1.

cieno *m.* 진흙.

cienoso, sa *adj.* 수렁이 깊은, 진흙이 많은.

científicamente *adv.* 과학적으로 : trabajar ～ 과학적으로 일하다.

cientificismo *m.* 과학 (만능)주의, 과학 편중.

cientificista *adj.* 과학 (만능)주의의. —*m.f.* 과학 (만능)주의자.

científico, ca *adj.* 학문상의; 과학의, 과학적인 : principio ～. —*m.f.* 과학자(hombre de ciencia).

ciento *adj.* [*lat.* centum] 100의; 100번째의.
—*m.* ① 100 : ～ por ～ 100퍼센트. Ya es usted un mejicano ～ por ～ 이제 당신은 100퍼센트 멕시코인이다. ② 카드 놀이의 이름. [*N.* 명사와 mil, millones의 앞에서는 cien이 됨].
al ～ ***por*** ～ 100퍼센트의; 100퍼센트에서.

cientoenrama *f.* 【식물】 =**corazoncillo.**

cientopiés *m.* 【곤충】 =**ciempiés.**

CIER Centro Interamericano de Educación Rural 미주 농촌 교육 센터.

cierna *f.* 【식물】 꽃받침.

cierne *m.* 무더기로 핌 : trigo *en* ～ 꽃이 달린 소맥.
estar en ～(*s*) 길이 아득하다, 생각이 막연해지다, 전도가 요원하다.

cierone *m.* =**cicerone.**

cierra ① cerrar의 직 · 현 · 3 · 단수. ② 닫아라.

¡cierra! *interj.* 전쟁때 외치는 소리.

cierra-ciérrate *m.* 《*Amér.*》 깜짝풀.

cierrajuntas *m.* 조임테.

cierran cerrar의 직 · 현 · 3 · 복수.

cierrapuertas *m.* 【단 · 복수 동형】 자동 폐문기(閉門器).

cierras cerrar의 직 · 현 · 2 · 단수.

cierre[1] *m.* ① 닫는 일; 폐쇄 : ～ de un establecimiento 가게 · 공장의 폐쇄. ② 폐회; 종지(終止). ③ 마감 : ～ de los libros 장부의 마감. ～ del ejercicio 연도말 회계의 마감. ④ (증권 시장의) 입회가 끝남, 그 때의 시세. ⑤ 봉함, 접기. ⑥ 자물쇠, 걸쇠(cerradura) : de ～ automático 자동적으로 감기는 (자물쇠). ⑦ (아궁이의) 덮개, 뚜껑. ⑧ (가방의) 고리쇠, 걸쇠; (서류 · 종이의) 결이쇠; 지퍼 : ～ de cremallera · relámpago 지퍼. ～ metálico 건물의 셔터.

cierre[2] ① cerrar의 접 · 현 · 1 · 3 · 단수. ② 닫으십시오 : *C*- la puerta 문을 닫아 주십시오. No ～ la puerta 문을 닫지 마십시오.

cierren ① cerrar의 접 · 현 · 3 · 복수. ② 여러분, 닫아 주십시오.

cierres cerrar의 접 · 현 · 2 · 단수.

cierro[1] *m.* ① 폐쇄; 봉함(cierre). ② 《*Chile.*》 담장, 담, 울타리(cerca). ③ 봉투(sobre).
～ ***de cristales*** =mirador.

cierro[2] cerrar의 직 · 현 · 1 · 단수.

cierta *f.* 【은어】 죽음(muerte).

ciertamente *adv.* 확실하게, 안전하게.

cierto, ta *adj.* ① 확실한, 틀림이 없는(seguro, verdadero) : una promesa *cierta* 확약. una noticia muy *cierta* 매우 확실한 소식. Es ～ el día 시간과 날짜는 확실하다. ¿Es ～ que vendrá? 그가 올 것은 확실합니까? ② 확신한(seguro). ③ [부정 형용사로서 명사나 부정관사 앞에서] 어떤(uno, alguno) : ～ día 어떤 날. ～*s* autores 어떤 작가들. ～ Sancho 산쵸라든가 하는 사람. ④ 약간의(un poco de, algo de) : Siento *cierta* tristeza 나는 슬픔을 약간 느낀다.
—*m.* ① 분명한 일. ② 【은어】 사기꾼.
—*adv.* 분명히, 그렇습니다.
al ～, ***de*** ～ 분명히(ciertamente).
por ～ ① 확실히, 확신하건대(ciertamente). ② 그런데(a propósito).
Lo ～ ***es que*** 확신하건대 …이다, 틀림없이 …이다.

cierva *f.* 암사슴 : La ～ carece de cuernos 암사슴은 뿔이 없다.

ciervo *m.* [*lat.* cervus] 【동물】 사슴; 수사슴.
～ ***volante*** 【곤충】 사슴벌레.

cierzas *f.pl.* 포도의 새 순.

cierzo *m.* 북풍.

CIES Consejo Interamericano Económico y Social 미주 경제 사회 이사회.

CIESPAL Centro Internacional de Estudios Superiores de Periodismo para América Latina 대(對) 라틴 아메리카 고등 저널리즘 연수 국제 센터.

CIET Centro Interamericano de Estudios Tributarios 미주 조세(租稅) 연구 센터.

c.i.f.; C.I.F. [*ing.* cost insurance and freight] costo, seguro y flete 운임 보험료 포함 가격.

cifosis *f.* 척추 만곡(彎曲).

cifra *f.* ① 수, 숫자 (número) : una ～ árabe 아라비아 숫자. guarismo de 13 ～*s* 13자리의 수. ② 수량. ③ 암호 : Conviene telegrafiar en ～ 암호로 전보를 치는 것이 좋다. ④ 번지, (호텔의) 호. ⑤ 부첩(符牒). ⑥ 약어(略語) (abreviatura). ⑦ 맞춘 머리글자. ⑧ 개요, 요

약(compendio). ⑨【음악】 약보(略譜). ⑩【은어】 교활함, 간교함, 약은 수(astucia).
en ~ 암호·부호로; 은밀히, 아무도 모르게; 간략하게.

cifradamente *adv.* 요약하여.

cifrado, da *adj.* 암호·부호로 쓴 : mensaje ~ 암호 메시지. telegrama ~ 암호 전보.

cifrador, ra *adj.* 부호·암호로 쓰는.

cifrar *tr.* ① 암호로·부호로 쓰다(escribir en cifra) : ~ un documento diplomático 외교 문서를 암호로 쓰다. ② 간추리다, 요약하다. (resumir). ③[+ en : …인 만큼] 하다 : ~ la dicha *en* estimación pública 세간의 명성을 그런대로 행복으로 생각하다. ~ la esperanza *en* Dios 희망을 오직 신에만 의지하다. ~ *su* ambición *en* una cosa 어떤 것을 갈망하다.

cigala *f.* 【동물】 =**cangrejo de mar.**

cigarra *f.* [*lat.* cicada] ①【동물】 매미. ②【은어】 지갑.

cigarral *m.* 과수원이 있는 유흥지.

cigarralero, ra *m.f.* 별장지기.

cigarrera *f.* 담배 쌈지·곽; 살담배 쌈지·통.

cigarrería *f.* 《*Amér.*》 담배 가게.

cigarrero, ra *m.f.* 담배 제조공; 담배 장수.

cigarrillo *m.* 담배, 궐련.

cigarro *m.* ① 여송연 : ~ de papel 궐련(cigarrillo). ~ puro 여송연. ②《*Ecuad.*》 잠자리(libélula, caballito de diablo).

cigarrón *m.* ①【동물】 메뚜기(saltamontes). ②《*PRico.*》【곤충】 땅벌(abejorro). ③ 여송연(cigarro). ④【은어】 커다란 자루.

cigomático, ca *adj.* 광대뼈의; 뺨의 : arco ~ 관호(顴弧).

cigoñal *m.* 크랭크 축; 조교(弔橋)의 축; 두레박의 장대.

cigoñino *m.* cigüeña의 새끼.

cigua *f.* ①《*Cuba.*》 =**carracol.** ②《*AmérC.*》 밤샘하는 사람에게 나타난다는 말상을 한 여자.

ciguanaba *f.* =**cigua.**

ciguatarse *r.* =**aciguatarse.**

ciguatera *f.* (멕시코만의) 어패류(魚貝類)에 의한 중독.

ciguato, ta *adj.* ①《*Ant. Méx.*》 ciguatera에 걸린. ②《*Venez.*》 창백한 얼굴의.

cigüeña *f.* [*lat.* ciconia] ①【조류】 황새. ②【기계】 굽자루, 크랭크. ③《*AmérC.*》 손으로 돌려 소리나게 하는 풍금의 일종. ④《*Cuba.*》 무개 화차(無蓋貨車).
pintar la ~ 새침하다, 척하다.

cigüeñal *m.* 크랭크 축(軸).

cigüeñear *intr.* 황새가 울다(crotorar).

cigüeño *m.* 다리가 길고 여윈 사람.

cigüeñuela *f.* 굽자루, 크랭크.

CIJ Consejo Interamericano de Jurisconsultas.

cija *f.* 비나 눈이 올 때 양떼를 몰아넣는 움막; 외양간; 【방언】 헛간.

cijo *m.* 《*Chile.*》 =**cisco.**

cilampa *f.* 《*Ant. AmérC.*》 ① 보슬비, 이슬비, 가랑비(lloviza). ② 날샐녘의 추위. ③ 도깨비.

cilanco *m.* 강가의 물웅덩이.

cilantro *m.* 【식물】 =**culantro.**

ciliar *adj.* 속눈썹의·같은.

cilicio *m.* 고행대(苦行帶); 고행의(苦行衣).

ciliforme *adj.* 눈썹 모양의.

cilindrada *f.* =**embolada.**

cilindrado *m.* 롤러로 미는 일.

cilindrar *tr.* (…에) 롤러로 밀다.

cilindrero *m.* cilindro를 연주하는 거리의 악사.

cilindricidad *f.* 원통형, 원추상.

cilíndrico, ca *adj.* 원통형의, 원주상(圓柱狀)의.

cilindro *m.* [*gr.* kulindros] ① 통, 원통, 둥근 통 모양의 물건; 기통(汽筩); 롤러. ②《*Méx.*》 풍금의 일종. ③ 실크 모자(sombrero de copa).
~ *circular* 원주체(圓柱體). ~ *compresor* 땅을 다지는 롤러. ~ *de laminar* 압연 롤러.

cilindroideo, a *adj.* 원통형의.

cilio *m.* 【동물】 (원생 동물의) 섬모(纖毛).

cilla *f.* 곡창; 1할 세금.

cillerero *m.* (수도원의) 관리자.

cillería *f.* (수도원의) 관리자의 직.

cilleriza *f.* (수녀원의) 여자 관리인.

cillerizo *m.* =**cillera.**

cillero *m.* [*ital.* cillarius] 곡창 감독; 곡창세; 창고, 헛간.

CIM Comisión Interamericana de Mujeres 미주 여성 위원회.

cima *f.* [*lat.* cyma] ① 꼭대기, 정상(頂上) : en ~ 정상에. por ~ 꼭대기에; 위에서; 대충. El monte tiene un lago en su ~ 산의 정상에 호수가 있다. ② 수두(樹頭); (엉겅퀴 등의) 줄기. ③ 완성 : dar ~ a …을 완성하다. ④【식물】 집산 화서(花序).

cimacio *m.* [*lat.* cymatium] 【건축】 =**gola, moldura.**

cimario *m.* 【건축】 관(冠) 모양의 골 《단면이 S 자 모양인 것》.

cimarra *f.* 《*Chile. Arg.*》
hacer la ~ 결석하다 (faltar a clase), 사보타주하다(hacer novillos).

cimarrón, na *adj.* ①《*Amér.*》 야생의(salvaje) : cerdo ~ 멧돼지, 산돼지. ② 게으른, 나태한(perezoso). —*m.* 《*Arg.*》 설탕을 넣지 않은 마떼차 : tomar un ~ 마떼차를 마시다.

cimarronada *f.* 《*Amér.*》 야생마·들소 떼.

cimarronear *intr.* ①《*Amér.*》 달아나 숨다(huir, fugarse). ②《*Riopl.*》 설탕없이 마떼차를 마시다(tomar mate cimarrón).
~se 《*Perú.*》 도망쳐 숨다; 야생화하다.

cimate *m.* (멕시코산의) 조미료로 쓰는 들풀.

cimba *f.* ① 고대 로마인의 거룻배. ②《*Arg. Bol. Perú.*》 원주민의 세 가닥으로 딴 머리(simpa).

cimbado *m.* 《*Bol.*》 =**chicote.**

cimbalaria *m.* 【식물】 덩굴풀.

cimbalero *m.* =**cimbalista.**

cimbalillo *m.* 심벌즈, 작은 징.

cimbalista *m.f.* 심벌즈 연주가.

címbalo *m.* ① 작은 종. ②【악기】 심벌즈.

cimbanillo *m.* =**cimbalillo.**

címbara *f.* 작은 낫(rozón).

cimbel *m.* (새를 잡을 때) 미끼새, 후림새; 후림줄.

cimboga *f.* =**acimboga.**

cimborio *m.* =**cimborrio.**

cimborrio *m.* ①【건축】 둥그런 지붕 (cúpula), 돔. ② 둥그런 지붕을 받치는 통 모양의 부분.

cimbra *f.* ① 아치 구축용 틀; 아치의 구부러진 안쪽 면; 선재(船材)의 휘어짐. ②《*Riopl.*》올가미(trampa de caza)의 일종.
plena ~ 반원형의 아치 틀.

cimbrado, da *adj.* cimbrar의 *p.p.* —*m.* ①(서반아의) 댄스 스텝. ②【건축】아치 구축용 틀의 배치.

cimbrador, ra *adj.* cimbrar하는.

cimbrar *tr.* ①(탄력성이 있는 것을) 휘다 : ~ una vara. ② 주먹으로 갈기다. ③(아치 형의) 틀을 짜다.
~se 휘다, 구부러지다.

cimbre *m.* 지하도; 빠질 구멍.

cimbreante *adj.* 쉽게 휘어지는(flexible).

cimbrear *tr.* =**cimbrar** ①.

cimbreño, ña *adj.* 잘 휘는, 나긋나긋한; 호리호리한.

cimbreo *m.* 휘는 일; 뒤틀림.

cimbría *f.* ① =**filete.** ②【건축】=**cimbra.**

címbrico, ca *adj.* cimbro의. —*m.f.* cimbro 사람.

cimbrio, bria *adj.m.f.* =**cimbro.**

cimbro, bra *adj. m.f.* 덴마크의 유틀란드에 살았던 고대 켈트의 (사람). —*m.* 심브로말.

cimbrón *m.* ①《*AmérM.*》찌르는 듯한 아픔(dolor lancinante). ② 경련, 마비. ③《*Chile. Méx.*》칼을 곧게 펴는 일. ④《*Chile.*》[*aum.* cimbra] 나무 골조(armazón).

cimbronazo *m.* ① 칼을 곧게 폄. ②《*Amér.*》심한 경련. ③《*Venez.*》지진.

cimbroso, sa *adj.* =**cimbreño.**

CIME Comité Intergubernamental para Migraciones Europeas 유럽 이민에 관한 다수국 정부간(間) 위원회.

cimentación *f.* 기초 공사; 건설.

cimentado, da *adj.* 기초를 세운. —*m.* (금의) 정련(精練).

cimentador, ra *adj. m.f.* 기초를 세우는 (사람).

cimentar *tr.* ⑲ ①(…의) 기초 공사를 하다 : ~ una pared. ② 세우다, 건설하다(fundar) : ~ una sociedad. ③(학설 등을) 세우다. ④(금을) 정련하다. ⑤ 굳건히 하다(afirmar) : ~ la paz. **Contr.** turbar, agitar, conmover.

cimenterio *m.* =**cementerio.**

cimento *m.* =**cemento.**

cimera *f.* (투구의) 장식 술, 모자의 앞에 꽂는 장식.

cimero, ra *adj.* 꼭대기의, 정상의 : piso ~.

címex *m.* [*lat.* cimex] chinche의 학명.

cimicaria *f.*【식물】말오줌나무(yezgo).

cimiento *m.* [*lat.* caementum] ① 토대, 기초. ② 부지, 대지. ③ 근원, 근본, 본바탕, 바탕(fundamento) : La pereza es ~ de todos los vicios 나태는 모든 악의 근원이다. —*pl.* 기초 공사 : abrir los ~*s* 정지 작업을 하다. Han comenzado los ~*s* de la casa 집의 기초 공사가 시작되었다.
~ *real* 금의 정련제(精練劑). ~ *romano* 《*AmérC.*》함수 석회(含水石灰).

cimillo *m.* (후림새가) 앉는 횃대.

cimitarra *f.* (터키·페르시아의) 신월도(新月刀).

cimófana *f.*【광물】묘안석.

cimógeno, na *adj.* 효소의; 발효소의. —*m.* 치모겐, 효소원; 발효균.

cimorra *f.* 비저병(鼻疽病).

cimorro *m.* [드뭄] 교회의 탑.

cimpa *f.* 《*Perú.*》머리를 세 가닥으로 땋는 것(cimba).

cinabrio *m.* 주사(朱砂), 진사(辰砂); 붉은 색.

cinacina *f.* 시나시나 나무《아르헨띠나산의 콩과 식물, 나무 울타리 등으로 쓰이는 약용 관목》.

cinámico, ca *adj.* 육계(肉桂)의, 계피의.

cinamo *m.*【시어】=**canela.**

cinamomo *m.* [*lat.* cinnamonum]【식물】멀구슬나무; 육계《향료》.
~ *de Manila*【식물】헨나.

cinarocéfalo, la *adj.* 야생 엉겅퀴 머리같은 머리의.

cinaroideo, a *adj.* 야생 엉겅퀴 같은.

cinarra *f.* 《*Ar.*》과자 모양으로 엉긴 눈.

cinc *m.* [*alem.* zink] ①【화학】아연 : flores de ~ 아연화(亞鉛華). ② 토탄 : ~ de canaleja.

cincel *m.* (목재·돌·금속 용) 끌; 강철 끌.

cincelado *m.* =**cinceladura.**

cincelador *m.* 조각사.

cinceladura *f.* (돌·금속에) 조각, 새겨 놓는 일.

cincelar *tr.* (돌·금속을) 파다, 새기다, 끌로 조각하다.

cincha *f.* (말의) 배띠, 배대끈 : ir · venir rompiendo ~*s* 차·말을 전속력으로 몰다.
a revienta ~*s* 《*Amér.*》마지못하여.

cinchada *f.* =**cinchadura.**

cinchadura *f.* 말을 cinchar하는 일.

cinchar *tr.* 배대끈으로 조이다; 철제 테(cincho)로 조이다. —*intr.* 《*Riopl.*》가난하게 살다.

cinchazo *m.* 《*Amér.*》=**cintarazo, cimbronazo.**

cinchera *f.* 배대끈을 매는 배.

cincho *m.* [*lat.* cinctus] ① 띠; 테. ②《*Méx.*》(말의) 배대끈. ③《*Bol.*》삼림 속의 빈터.

cinchón *m.* 《*AmérM.*》안장끈; 배대끈.

cinchona *f.* 《*Perú.*》=**quina.**

cinchuela *f. dim.* cincha.

cíncico, ca *adj.* 아연을 함유한.

cinco *adj.* [*lat.* quinque] ① 5의: Tiene ~ niños 그는 아이가 다섯이다. ② 다섯 번째의(quinto) : libro ~. —*m.* ① 5. ② 5의 패. ③ 5의 숫자. ④《*Amér.*》5센따보화(貨). ⑤《*Venez.*》5현 기타. ⑥ =**nalgas.**
*decir*le a uno ***cuántas son cinco*** (누구를) 위협하다; (누구에게) 진실을 말하다.
esos ~ 손(la mano).
sin ~ 돈없이(sin dinero) : Estoy *sin* ~ 나는 돈없이 있다.

cincoañal *adj.*【고어】5년의.

cincoenrama *f.*【식물】가락지나물.

cincograbado *m.* 아연 판화(版畵).

cincografía *f.* 아연판 인각(印刻).

cincomesino, na *adj.* 5개월의.

cincona *f.*【식물】기나(幾那)나무·껍질.

cinconina *f.* 신코닌《기나의 대용품》.

cincuenta *adj.* [*lat.* quinquaginta] 50의; 50번

째의(quincuagésimo). —*m.* 50.

cincuentañal *adj.* 【고어】 50년의.

cincuentavo, va *adj.* 50등분의. —*m.* 50분의 1.

cincuentena *f.* 50을 한 묶음으로 한 것.

cincuentenario, ria *adj.* 50번의 ; 50주년의. —*m.* 50주년.

cincuenteno, na *adj.* 50등분의. —*m.* 50등분의 1(quincuagésimo).

cincuentón, na *adj. m.f.* 50대의 (사람).

cine *m.* [cinematógrafo의 약자] ① 영화 : ~ mudo 무성 영화. ~ sonoro · parlante 발성 영화, 토키. Le invito a cine 당신을 영화에 초대하겠다. ② 영화관 : Es un nuevo ~ 그것은 새로 지은 영화관이다. Voy al ~ 영화를 보러 가다.

cineactriz *f.* (영화의) 여배우.

cineasta *m.f.* 영화 감독 · 배우, 영화인 (【속어】 peliculero) ; 영화 제작자.

cinedrama *m.* 극영화.

cinéfono *m.* =**cinemáfono.**

cinefórum *m.* 영화 클럽 · 연구회.

cinegética *f.* 수렵(술)(el arte de cazar).

cinegético, ca *adj.* 수렵의.

cinegrafía *f.* =**cinematografía.**

cinegrafiar *tr.* ⑫ =**cinematografiar.**

cineísta *m.f.* ① =**cineasta.** ② 영화팬.

cinema *m.* 영화(관).

cinemadrama *m.* 극영화.

cinemáfono *m.* (발성 영화용) 영사기.

cinemagrafiar *tr.* =**cinematografiar.**

cinemascopio *m.* =**cinestéreo.**

cinemascopo *m.* 【영화】 시네마스코프.

cinemateca *f.* 영화 필름 보관소 · 실 · 상자.

cinemática *f.* 【물리】 운동학.

cinemático, ca *adj.* 운동학의.

cinematografía *f.* 영화 (촬영 · 영사).

cinematografiar *tr.* ⑫ 영화로 촬영하다, 영화를 찍다 (fotografiar con el cine, tomar una película ; filmar).

cinematográficamente *adv.* 영화적으로 ; 영화로, 영화 제작술로.

cinematográfico, ca *adj.* 영화의 : drama ~ 극영화. proyección ~*ca* 영사.

cinematografista *m.f.* 영화 감독 · 촬영 기사.

cinematógrafo *m.* ① 영화 : cámara · película · proyector de ~ 영화용 촬영기 · 필름 · 영사기. ② 영사기 ; 영화관.

cinematurgo, ga *m.f.* 영화 시나리오 작가.

cineración *f.* 소각, 화장, 다비(茶毘).

cinerama *m.* 【영화】 시네라마.

cineraria *f.* 【식물】 시네라리아.

cinerario, ria *adj.* 회색의 ; 재를 넣는, 사리(舍利) 용기의 : urna ~*ria* 납골함, 사리 용기.

cinéreo, a *adj.* 재의 ; 회색의(ceniciento).

cineríceo, a *adj.* 【고어】 =**cinericio.**

cinericio, cia *adj.* 재의 ; 회색의.

cinestéreo *m.* 입체 영화.

cinética *f.* 【물리】 동력학(動力學).

cinético, ca *adj.* 【물리】 운동(학상)의, 동력학의 ; 활동적인.

cinetófono *m.* 토키 영사기.

cingalés, sa *adj.* 세일론(Ceilán)의. —*m.f.* 세일론 사람.

cíngaro, ra *adj.* [*ital.* zingaro] 집시족(gitanos)의. —*m.f.* 집시(gitano).

cingiberáceo, a *adj.* 【식물】 생강과의. —*f. pl.* 생강과 식물.

cinglado *m.* 제강(製鋼), 야금.

cinglador *m.* 제강기, 단철기(鍛鐵機).

cinglar *tr.* ① 쇠를 벼리다, 제강하다. ② 통나무배를 젓다, 노 하나로 젓다.

cíngulo *m.* 승복에 다는 비단끈 ; (무사의 기장인) 삼끈.

cínicamente *adj.* 염치없이, 뻔뻔스럽게 ; 냉소적으로.

cínico, ca *adj.* [*gr.* kuôn] ① 키닉 · 견유 학파(犬儒學派) 《Antístenes, Diógenes 같은 학자의 그리스 철학》의. ② 염치없는, 뻔뻔스러운, 낯가죽이 두꺼운. ③ 비꼬는, 냉소적인, 아이러니컬한. ④ 추잡한, 불결한. **Contr.** casto, decente. —*m.f.* 키닉 학파의 사람 ; 비틀어진 사람.

cínife *m.* [*gr.* kunips] 모기(mosquito).

cinismo *m.* ① 키닉 철학, 시니시즘, 견유 철학. ② 후안 무치(厚顔無恥). ③냉소, 빈정대는 버릇. **Contr.** pudor, reserva, decencia.

cinocéfalo *m.* 【동물】 (아프리카의) 원숭이의 일종.

cinógeno *m.* (자동차의) 스타터.

cinoglosa *f.*【식물】 큰 유리풀의 일종 《지치류》(viniebla).

cinópodo *m.* =**mangosta.**

Cinosura *f.* 【천문】 소웅좌.

cinqueño *m.* 다섯 사람이 하는 카드 놀이.

cinquero *m.* 아연공, 양철공.

cinquillo *m.* =**cinqueño.**

cinquina *f.* =**quina, quinterna.**

cinquino *m.* 16세기 서반아에서 유통된 포르투갈의 화폐.

cinta *f.* ① 폭이 넓은 끈 : ~ del calzoncillo 반바지의 옷자락 끈. ~ manchega 빳빳한 끈. ② 리본(moño) : ~ del pelo 머리 리본. ~ de sombrero 모자의 띠. ~ de máquina 타이프라이터의 리본. Llevaba una ~ amarilla atada al cabello 그녀는 노란색 리본을 머리에 묶고 다녔다. ③ 밴드 : freno de ~ 밴드 브레이크. ④ 벨트 : ~ transportadora 가공품 등을 이송시키는 벨트. ~ transporte 벨트 컨베이어. ⑤ 테이프 : ~ adhesiva transparente 셀로 테이프. ~ de metal 결승점 테이프. ~ magnética · magnetofónica 녹음 테이프. ⑥ (영화의) 필름(película). ⑦ 영화 : La gente está muy interesada en la ~ 사람들은 영화 (화면)을 매우 흥미있게 보고 있다. ⑧ 줄자 : ~ métrica de acero 강철제 줄자. ⑨ 리본 모양의 장식 ; 바이어스 ; 테 두르기 ; 타일의 맨 처음 붙이는 한 줄. ⑩ 다랑어 잡이 그물. ⑪ 《*AmérC.*》 단도. ⑫ 《*Cuba. Riopl.*》 틈막이에 쓰는 좁다란 널. ***en*** ~ 복종하여, 속박당하여 (en sujeción, con sujeción).

cintado, da *adj.* 띠 · 리본으로 장식된.

cintagorda *f.* 다랑어(atún) 잡이 그물.

cintajo *m. desp.* cinta.

cintar *tr.* (건물에) 띠 무늬를 넣다.

cintarazo *m.* 칼의 측면으로 치기.

cintarear *tr.* 칼의 측면으로 치다.
cintarrón *m.* 《*Col.*》 *aum.* cinta.
cinteado, da *adj.* 리본으로 장식한.
cintería *f.* [집합] 리본 종류 ; 리본 판매.
cintero, ra *m.f.* 리본 제조인·상인. —*m.* 부인용 밴드 ; 가느다란 삼끈.
cintilar *intr.* 《*Neol.*》 =**centellear.**
cintillo *m.* ① (모자의) 띠·장식줄·리본. ② 보석을 박은 반지.
cinto *m.* ① 띠 ; 허리띠, 벨트. ② 허리, 몸통 (cintura).
cintra *f.* (둥근 천정이나 아치의) 만곡(彎曲) (curvadura de arco o bóveda).
cintrado, da *adj.* 활처럼 굽은.
cintroniguero, ra *adj.m.f.* 신뜨루에니고 《Cintruénigo, Navarra주의 마을》의 (사람).
cintura *f.* ① 허리, 몸통 : Ella tiene una ~ muy pequeña 그녀의 허리는 매우 작다. ② (허리를 가늘게 하기 위한) 부인용 밴드.
meter en ~ 이해시키다 : Hay que *meter*le *en* ~a ese muchacho 그 소년에게 이해시키는 것이 필요하다.
cinturica *f. dim.* cintura.
cinturilla *f. dim.* cintura.
cinturita *f. dim.* cintura.
cinturón *m.* 띠 ; 혁대, 밴드 ; 벨트 ; 검대(劍帶) ; (부인복의) 밴드 : El lleva puesto un ~ magnífico de cuero 그는 굉장한 가죽 혁대를 차고 다닌다.
~ *de seguridad* 안전 벨트.
CINVA Centro Interamericano de Vivienda y Planeamiento 미주 주택 계획 센터.
cinzaya *f.* 《*Ál. Burg.*》 =**niñera.**
cinzolín *adj.* 붉은 보라의. —*m.* 붉은 보랏빛.
ciñuela *f.* 《*Murc.*》 석류의 변종.
ciñuelero *m.* 《*Bol. Riopl.*》 안내 소(牛).
ciñuelo *m.* 《*Arg.*》 =**madrina (yegua).**
cionitis *f.* 목젖 염증.
CIOSL Confederación Internacional de Organizaciones Sindicales Libres 국제 자유 노동 조합 연합.
CIP Comisión Interamericano de Paz 미주 평화 위원회.
cipa *f.* 《*Venez.*》 진흙.
cipariso *m.* 【식물】【시어】 삼나무의 일종.
cipayo *m.* 유럽의 토인 용병.
cipe *adj.* 《*AmérC. Méx.*》 병약한, 약골의.
CIPE Centro Interamericano para la Promoción de las Exportaciones 미주 수출 촉진 센터.
CIPEC Comité Intergubernamental de Países Productores y Exportadores de Cobre 동생산 수출국 정부간 회의.
ciperáceo, a *adj.* 【식물】 개구리밥과의. —*f. pl.* 개구리밥과 식물.
cipero *m.* 《*Venez.*》 침전물, 응어리, 앙금.
cipo *m.* 묘비, 기념비 ; 도표.
cipotada *f.* =**cipotazo.**
cipotazo *m.* 《*Col. Venez.*》 후려치기, 두들겨 패기.
cipote, ta *adj.* ① 《*Amér.*》 미련한, 둔한, 멍청한 (tonto). ② 《*Guat.*》 땅딸막한(rechoncho).
—*m.* 《*AmérC.*》 어린아이(chiquillo).
ciprés *m.* [*lat.* cypressus] ① 【식물】 삼나무 《묘지에는 꼭 있는 나무》. ② 《*Méx.*》 사원의 대성단(altar mayor).
cipresal *m.* 삼나무가 무성한 곳.
cipresino, na *adj.* 삼나무의·같은.
ciprino, na *adj.* 키프로스섬(Chipre)의, 키프로스에 관한.
ciprio, pria *adj.* 키프로스섬의. —*m.f.* 키프로스 사람(chipriota).
cipriota *adj. m.f.* =**ciprio.**
ciquiribaile *m.* 【은어】 도둑(ladrón).
ciquicata *f.* 【속어】 아부, 아첨.
CIRA Centro Interamericano de Desarrollo Rural y Reforma Agraria 농촌 개발 및 농지 개혁 미주 센타.
circaeto *m.* 독수리 비슷한 새.
circe *f.* 마녀, 속이 검은 여자, 앙큼한 여자.
Circe *f.* 【희랍 신화】 Odisea의 부하들을 모두 돼지가 되게 했다는 마녀.
circense *adj.* (로마의) 원형 연기장의.
circo *m.* [*lat.* circus] ① 서커스 ; 원형 연기장 ; 서커스(의 관람석). ② 작은 마굿간. ③ 《*Perú. Riopl.*》 서커스단 : El ~ tiene diez elefantes y dos monos 서커스단은 코끼리 열 마리와 원숭이 두 마리를 데리고 다닌다.
circ.º círculo.
circón *m.* 【광물】 지르콘, 백수정.
circonio *m.* 【화학】 지르코늄 《원소》.
circuición *f.* 에워쌈, 포위.
circuir *tr.* 77 에워싸다, 포위하다, 둘러치다 (rodear, cercar).
circuito *m.* ① 권내, 지역, 구역 ; 순회(로) ; 주위. ② …망(網) : ~ de carreteras 도로망. ~ de ferrocarriles 철도망. ③ 【전기】 회선, 회로 : corto ~ 단락(短絡), 쇼트.
circulable *adj.* 순환·유포·유통할 수 있는.
circulación *f.* ① 순환 : ~ de la sangre 혈액 순환. ② 통행, 교통 : interrumpir la ~ 교통·통행을 정지시키다. Tengo que estudiar el reglamento de la ~ 나는 교통 법규를 공부해야 한다. ③ 전파(傳播), 유포, 보급, 유통 : ~ fiduciaria 지폐의 유통. poner en ~ 유통시키다, 널리 보급시키다·퍼지게 하다, 회람하다. ④ (신문·잡지의) 보급도, 발행 부수, 발행고 : Este diario tiene mucha ~ 이 신문은 발행 부수가 많다.
circulador, ra *adj.m.f.* 순회하는, 통행하는 (사람).
circulante *adj.* ① 순회의 : biblioteca ~ 순회 도서관. La biblioteca ~ sirvió mucho a los jóvenes de las provincias 순회 도서관은 지방 청년들에게 많은 봉사를 했다. ② 회유의, 순환의 : billete ~ 순환 티켓. ③ 유통의, 유통중인, 소통하는.
circular[1] *intr.* [*lat.* circulare] ① 돌다, 순회하다 : Los convidados *circulan* por el jardín 손님들이 정원 내를 빙빙 돌아다닌다. ② 흐르다, 순환하다 : La electricidad *circula por* el alambre 전기가 전선을 흐른다. La sangre *circula* en los vasos 피는 혈관으로 순환하고 있다. ③ 전해지다, 유포되다 : La noticia *ha circulado* por el pueblo 그 소식은 동네에 퍼졌다. ④ (화폐가) 유통되다 : El dólar *circula* por todo el mundo.

⑤ (자동차가) 통행하다 : Es muy difícil ~ por esta calle 이 거리를 (차로) 통행하기가 무척 힘들다. *Circulan* sinnúmero de automóviles por calles y avenidas 거리와 큰길에 무수한 자동차가 통행하고 있다. —*tr.* 돌리다, 유포시키다, 회람하다, 일반에게 알리다 : ~ el decreto 법령을 주지시키다.

circular² *adj.* [*lat.* circulâris] ① 원형의 : edificio ~ 원형의 건물. ② 회람의 : billete ~ 유람표. carta ~ 회람장. viaje ~ 유람 여행. ③ 환상(環狀)의. —*f.* 회람장 ; 인사장 : Recibí una ~ de la editorial 나는 출판사로부터 인사장을 받았다.

circularmente *adv.* 둥글게(en círculo).

circulatorio, ria *adj.* 순회의 ; 유포하는.

círculo *m.* [*lat.* circulus] ① 원 ; 원주 ; 바퀴, 고리, 테. ② 범위, 구역, 권 : ~ polar ártico · antártico 북극 · 남극권. ~ equinoccial 주야 평분선 ; 적도. ③ 모임, 클럽, 패거리(casino). ④ [주로 *pl.*] 방면, …계(界), 분야, …통(通) : ~*s* bancarios 은행 업계. ~*s* comerciales 실업계. ~*s* económicos 경제계, 실업계. ~*s* financieros 재계(財界). ~*s* industriales de aviación 항공 업계. ~*s* oficiales 관변통. ⑤ 순환 논법(~ vicioso). ⑥《*Perú. Riopl.*》(정치적인) 당파.

circumcirca *adv. lat.* 어림잡아, 대략, 대충.

circumnutación *f.* 【식물】 덩굴손의 회선 작용.

circumpolar *adj.* 극(極) 둘레의 ; 극지(極地) 주변의 : navegación ~ 극지 항해. región ~ 극지.

circun- *pref.* 「둘레(alrededor)」를 뜻하는 접두어 : *circun*navegación, *circun*scribir.

circuncidante *adj.* 할례하는, 잘라내는.

circuncidar *tr.* ① (…에) 할례를 하다(verificar la circuncisión). ② 일부를 잘라내다, 빠듯하게 하다(cercenar).

circuncisión *f.* 할례(割禮) ; 그리스도 할례제 《1월 1일》.

circunciso *adj.* 할례를 받은. —*m.* 할례를 받는 사람. **Contr.** incircunciso.

circundante *adj.* 에워싸고 있는.

circundar *tr.* 돌리다, 돌려치다 ; 둘러싸다, 에워싸다(rodear, cercar).

circunferencia *f.* ① 원주. 원 : ~*s* concéntricas 동심원. ② 주위, 주변.

circunferencial *adj.* 원주의 ; 둘레의, 주변의.

circunferencialmente *adv.* 원주 모양으로.

circunferente *adj.* 둘레를 에워싼.

circunferir *tr.* 54 에워싸다, 둘러싸다, 주위를 막다, 둘레를 만들다.

circunflejo *adj.* *acento* ~ (Λ)부호.

circunfuso, sa *adj.* 주변으로 넓게 퍼진.

circunlocución *f.* 완곡한 말투, 완곡 서법(遠曲叙法).

circunloquio *m.* =**circunlocución.**

circunnavegación *f.* 주항(周航) ; 세계 일주(여행) : Los fenicios fueron los primeros que efectuaron la ~ de Africa.

circunnavegante *adj.* 주항하는. —*m.f.* 세계 일주 항해자.

circunnavegar *tr.* 8 주항하다 : ~ un continente.

circunscribible *adj.* 에워쌓을 수 있는, 둘러칠 수 있는.

circunscribir *tr.* [*p.p.* circunscrito] ① 주위를 에워싸다, 둘러치다 ; 제한하다 : La lucha *se circunscribió* a las capitales 전투는 수도에만 한정되었다. ②【기하】 외접(外接)하다.

circunscripción *f.* ① 한계 ; 제한 ; 한계선, 윤곽, 경계 ; 외곽 설정 ; 구획 정리, 구획. ② 구(區), 선거구(~ electoral). ③【기하】 외접.

circunscri(p)to, ta *adj.* circunscribir의 *p.p.*

circunsolar *adj.* 태양 주변의.

circunspección *f.* 용의 주도함, 신중함, 엄숙, 정숙, 숙연 ; 잰 체하기. **Contr.** aturdimiento, ligereza.

circunspecto, ta *adj.* =**discreto, prudente.**

circunstancia *f.* ① (주위의) 사정, 환경, 상황 : Tenga en cuenta las ~*s* atenuantes 상황이 완화된 것을 고려해 주십시오. ② 정황, 정세. ③ 정상(情狀). ④ 경제 상태.

circunstanciadamente *adj.* 자세하게, 자상하게, 상세하게.

circunstanciado, da *adj.* 자세한, 자상한, 상세한.

circunstancial *adj.* ① 정세에 응한, 상황의, 정황의 : complemento ~ 상황 보어. ② 부수적인 ; 자세한.

circunstante *adj.* 주변 · 주위에 있는 ; 동석한 (presente). —*m.f.* 참석자, 동석한 사람.

circunvalación *f.* 포위, 주위에 있는 일 : ferrocarril de ~ 환상 (철도)선.

circunvalar *tr.* (도시 · 요새의) 주위를 싸다, 포위하다.

circunvecino, na *adj.* 이웃의 ; 근처의, 가까이 있는.

circunvenir *tr.* 속이다(engañar) : ~ a un juez 재판관을 속이다.

circunvolar *tr.* 24 (어떤) 주위를 날다.

circunvolución *f.* ① 회전, 선회, 회오리. ②【해부】(뇌의) 회(回) : ~ cerebral 뇌의 주름. ~ occipital 후두회(後頭回).

circunyacente *adj.* 주위에 존재하는.

cirenaico, ca *adj,* ① 시레네 《Cirene, 아프리카 북쪽 해안의 고대 그리스 식민지》의. ② 시레나이까 《Cirenaica, 이탈리아의 식민지》의. ③ 키레네 철학 《Cirene의 철학자 Aristipo가 주장한 쾌락주의》의. —*m.f.* ① 시레네 사람. ② 시레나이까 사람. ③ 키레네 학파.

cireneo, a *adj.* 시레나이까의. —*m.f.* 시레나이까 사람 ; 심부름꾼.

cirial *m.* (행렬에 들고 다니는) 큰 촛대.

cirigallo, lla *m.f.* 건달.

cirigaña *f.* ①《*And.*》=**adulación, lisonja, zalamería.** ②《*And.*》=**chasco.** ③《*And.*》=**friolera.**

cirio *m.* [*lat.* cereus] ① 대형 초 : ~ pascual 가장 큰 초. ②【식물】 초선인장 《대형 선인장의 일종》. ③ (꾸바산) 소나무의 일종.

cirirí *m.* 《*Col.*》【조류】 새매(gavilán)의 일종.

cirolar *m.* 살구나무가 많은 곳.

cirolero *f.* 살구나무(ciruelo).

cirquero, ra *m.* 《*Méx.*》 곡예사(acróbata, volatinero).

cirriforme *adj.* =**enroscado.**

cirrípedo *adj.* 【동물】 만각류(蔓脚類)의. —*m.pl.* 만각 동물 《조개삿갓, 거북다리, 굴 등》.

cirro *m.* ①【의학】 경성 암종. ②【식물】(포도의) 덩굴손(zarcillo). ③【동물】 촉모(觸毛). ④【기상】 새털구름, 권운(卷雲), 뭉게구름.

cirrópodo *adj. m.pl.* =**cirrípedo.**

cirrosis *f.* 【의학】 경변증 : ~ del hígado.

cirroso, sa *adj.* 경변증의. —*m.f.* 경변증 환자.

cirrótico, ca *adj.* 경변증의.

cirrus *m.* =**cirro.**

ciruela *f.* 살구(꽃), 매실, 자두.

ciruelillo *m. dim.* ciruelo.

ciruelo *m.* 【식물】 살구나무, 자두나무.

cirugía 【의학】 외과 : ~ dental 치과 의학. ~ plástica 정형 외과.

ciruja *m.* 《*Arg.*》 쓰레기 버리는 곳을 찾는 사람.

cirujal *adj.* (서반아에서 많이 경작되는) 올리브의.

cirujano, na *m.f.* 외과의(外科醫).

cis- *pref.* 「이쪽(de la parte de acá)」을 뜻하는 접두어 : *cis*montano. Contr. trans-.

cisalpino, na *adj.* (로마에서 보아) 알프스산 이쪽의. Contr. transalpino.

cisandino, na *adj.* 안데스 산맥에서 이쪽의.

cisca *f.* ①《*Méx.*》 무안, 창피스러움, 수치스러움. ② 화남, 성남, 노함(enojo). ③ =**carrizo.**

ciscar *tr.* 7 ①(똥으로) 더럽히다. ②《*Méx.*》 건드리다, 성나게 하다, 노하게 하다, 화나게 하다. ③ 주의를 딴 데로 돌리게 하다. ④ 더럽히다(ensuciar).
~se 방귀를 뀌다.

cisco *m.* ① 분탄 : hacer ~ 가루가 되게 하다. ② 소란 : meter ~ 소란을 피우다.

ciscón, na *adj.* 《*Méx.*》 부끄럼을 잘 타는.

cisión *f.* ① 잘린 것, 자르는 곳 ; 절개(切開) (cisura). ②《*Col. Perú.*》 분열.

cisionar *tr.* 《*Perú.*》 분열시키다.

cisma *m.* (*f.*) [*gr.* schisma] ①(종교적·정치적) 분열 : ~ de Oriente 그리스 정교의 분립. ② 불화. ③《*Arg.*》 우려, 걱정, 근심. ④《*Col.*》 알랑거리는 말, 간지러운 말 ; 이간질, 험담, 고자질.

cismar *tr.* 《*Sal.*》 분규를 일으키다(meter discordia), 화목을 깨트리다(sembrar cizaña).

cismáticamente *adv.* 불화로, 분규로, 화목을 깨고.

cismático, ca *adj.* ① 분열된 ; 신앙을 버린. ②《*Col.*》 고자질 잘하는. —*m.f.* 이교자 ; 이반자.

cismontano, na *adj.* 산 이쪽의. Contr. ultramontano.

cisne *m.* [*lat.* cycnus] ①【조류】 백조 : ~ negro 흑조. ② 시성(詩聖)(gran poeta). ③【은어】 갈보, 창녀, 매음부, 매춘부. ④《*Riopl.*》 분업.

Cisne *m.* 【천문】 백조좌.

cisneriense *adj. m.f.* 시스네로스 《Cisneros, Palencia 주의 마을》의 (사람).

cisoide *f.* 【기하】 만엽선.

cispadano, na *adj.* (로마에서 보아) 뽀강(Río Po)의 이쪽의.

cisplatino, na *adj.* 쁠라따강 (río de la Plata) 이쪽의.

cisquera *f.* ① 저탄장(貯炭場). ②《*Cuba.*》 무안, 부끄러워 볼 낯이 없음.

cisquero *m.* ① 분탄 장수. ②(무늬·그림을 본으로 뜨기 위한) 분탄 자루.

cisrenano, na *adj.* 라인강(el Rin) 이쪽에 위치한.

cistel *m.* =**cister.**

cister *m.* 시토 수도회 《11세기 San Bernardo가 불란서의 Citaux에 창시한 파》.

cisterciense *adj.* 시토 교회·수도회의. —*m.f.* 시토 수도원의 승려.

cisterna *f.* 빗물, 우물 ; (지하) 물탱크, 물통 : barco · buque · vapor ~ 유조선, 급수선.

cisticerco *m.* 자루벌레 《소·돼지에 기생하는 촌충의 유충》.

cisticercosis *f.* 자루벌레에 의한 감염 상태.

cístico *adj.* 방광의.

cistitis *f.* 【의학】 방광염(膀胱炎).

cisto *m.* 【식물】 시스또 《상록 관목》.

cistocele *f.* 【의학】 방광 탈장.

cistoideo, a *adj.* 【해부】 포낭(quiste) 같은.

cistoma *m.* 【해부】 포낭(quiste).

cistoscopio *m.* 방광경(膀胱鏡).

cistotomía *f.* 방광 절개(술).

cistótomo *m.* 방광 절개용 기구.

cisura *f.* [*lat.* caesura] 절단면, 자른 금 ; 상처.

cita *f.* ①(만날) 약속, 데이트, 약속 : tener ~ 약속이 돼 있다. Tengo una ~ a las cuatro 네 시에 나는 약속이 있다. ② 호출, 소환. ③ 인증(引證), 인용, 인용문 : Es una ~ del Quijote 그것은 동끼호떼로부터의 인용이다.

citable *adj.* 인증·인용할 수 있는.

citación *f.* 회견 신청 ; 시간·장소 등의 지정 ; 인용, 인증(引證) ; 소환장.

citadino, na *adj.* 《*Mex.*》 도시의 : el hombre ~ 도시 사람.

citador, ra *adj.* citar하는.

citano, na *m.f.* =**zutano.**

citar *tr.* [*lat.* citare] ①(만날) 약속을 하다 : ¿A qué hora y dónde *nos citamos*? 우리 몇 시에 어디서 만날까요? ②(회견 시간·장소를) 지정하다. ③(오라고) 부르다, 호출하다 : Fui *citado* a la reunión 나는 모임에 불려 왔다. El médico me *citó* para las dos 의사가 늦어도 두 시까지 나를 오라고 했다. ④ 지명하다 : ser *citado* en la reunión. ⑤ 인증·인용하다 : El *citó* en su libro algunos dichos del presidente 그는 그의 책에 대통령의 말을 인용했다. ⑥(투우에게) 덤벼들도록 충동하다. ⑦(법원에서) 출두를 명령하다 ; 소환하다 : Fui *citado* a comparecer 출두하라고 소환을 받았다. ⑧《*Galic.*》 표창하다 : ~ en el orden del día.

citara *f.* 벽돌담.

cítara *f.* [*lat.* cithara] 【악기】(고대 그리스의) 하프 ; 【악기】(현대의) 기타.

citarilla *f.* [*dim.* citara] 작은 벽돌담.

citarista *m.f.* cítara 연주자.

citatoria *f.* 출두 명령서.

citatorio, ria *adj.* (법원에서) 명령·소환받은.

CITEL Comisión Interamericana de Telecomunicaciones 미주 전기 통신 위원회.

citereo, a *adj.* 시떼레스《Citeres, Chipre, 키프

러스》섬의 ; 미의 여신 Venus의.
citerior *adj.* 이쪽의 : España ~ 반도의 동북부, 로마 시대의 Tarraconense. Contr. ulterior.
cítiso *m.* [*lat.* cytisus] 【식물】 금작화(codeso).
¡cito! *interj.* 옛날에 개를 부르는 소리.
citoblasto *m.* [드뭄] 세포의 핵.
citoide *m.* 백혈구.
cítola *f.* =**tarabilla.**
citolegia *f.* 속독법.
citolisis *f.* 세포의 분해 · 파괴.
citología *f.* 세포학.
citólogo, ga *m.f.* 세포학자.
citoplasma *m.* 【생물】 새포 형질.
citote *m.* 【속어】 무리한 부탁.
citra- *pref.* =**cis-.**
citramontano, na *adj.* 산 이쪽의(cismontano).
citrato *m.* 【화학】 구연산염.
cítrico, ca *adj.* [*lat.* citrus] 레몬의, 구연의 : ácido ~ 구연산. —*m.pl.* 레몬류, 감귤류.
citrícola *adj.* 감귤류 재배의.
citricultura *f.* 감귤류 재배.
citrina *f.* 【화학】 시트린, 비타민 P.
citrino, na *adj.* 레몬의 · 같은 : sabor ~ 레몬의 맛. color ~ 레몬색. Sinón. cetrino.
citrón *m.* 【식물】 레몬(limón).
ciudad *f.* ① 시, 도시 : ~ industrial 공업 도시. ~ jardín 전원 도시. ~ libre 도시 국가. ~ lineal 길쭉한 도시. ~ satélite 위성 도시. ~ universitaria 대학촌, 대학 센타《마드리드와 멕시코시에 있음》. *C-* Eterna 로마를 가리킴. *C-* Santa 예루살렘 · 로마 · 메카 등. En la Ciudad Luz Pablo se encuentra sin recursos ni amigos 빠블로는 루스시에 돈도 친구도 없다. ② 도시 생활(la vida de la ciudad) : La ~ debilita 도시 생활은 허약하게 만든다.
ciudadanía *f.* 시민권 ; 공민권 ; 애국심.
ciudadano, na *adj.* 시(市)의 ; 시민의. —*m.f.* 시민, 공민 : ¿ De qué país es usted ~ ? 당신의 국적은 어딥니까?
Ciudad del Vaticano 【지명】 바티칸시국(市國).
Ciudad Encantada 【지명】 시우닫 엥깐따다《Cuenca 산악 지대에 위치한 기기 묘묘한 바위의 미로 ; Cuenca시에서 북쪽으로 18킬로미터의 거리에 위치함》.
Ciudad Real 【지명】 씨우닫 · 레알《서반아의 주 · 시》.
ciudadela *f.* ① (시의) 성벽 ; 그 내역(內城), 본진(本陣). ②《*Can. Cuba.*》 (가난한 사람용) 집, 주택.
ciudad-realeño, ña *adj.* 씨우닫 · 레알의. —*m.f.* 씨우닫 · 레알 사람. —*m.* 씨우닫 · 레알의 방언.
ciútico *m.* 《*Riopl.*》 =**siútico.**
Civ. civil.
civeta *f.* 【동물】 사향 고양이(gato de algalia).
civeto *m.* 사향(algalia).
cívico *adj.* ① 시의(de la ciudad). ② 시민의 ; 공민의(civil). ③ 애국의 (pariótico) : virtud ~*ca.* ④ 가정의, 가사의 (doméstico). —*m.* ①《*Amér.*》 경관(guardia cívico). ②《*Arg.*》 맥주잔(bock, vaso de cerveza).
civil *adj.* [*lat.* civilis] ① 시의, 시민의 ; 민간의 : gobierno ~ 민간 정부. guerra ~ 내란. estado ~ 결혼 유무. ② (무관에 대한) 문관의, 민간의 : aeronáutica ~ 민간 항공. ③ 민사 · 민법의 : código ~ 민법. ingeniero ~ 토목 기사. muerte ~ 시민 · 공민권의 상실. ④ 공손한, 예의바른. ⑤ 사교적인. Contr. incivil, grosero. —*m.* 경관(guardia ~). —*m.f.* 민간인.
civilidad *f.* ①정중, 공손, 예의 바름 (cortesía). ② 애국심(civilismo).
civilismo *m.* ① 애국심(civismo). ②《*Amér.*》 시민으로부터 신임받는 정부.
civilista *m.f.* 민법학자.
civilizable *adj.* 개화 · 개발 · 교화될 수 있는.
civilización *f.* 문명, 문화, 개화.
civilizado, da *adj.* 진보된 ; 문명의, 문명적인 : país ~ 문명 국가.
civilizador, ra *adj.* 개발의, 문명으로 인도하는, 개명적인. —*m.f.* 개발자 : Los romanos fueron los primeros ~*es* de España 로마인들은 서반아의 첫 개발자였다.
civilizar *tr.* 9 개화하다, 개발하다, 교화하다, 문명으로 이끌다 : Los españoles *civilizaron* a los indígenas de esta isla 서반아 사람들은 이 섬의 원주민에게 문화를 주었다.
civilmente *adv.* ① 정중하게, 예의 바르게, 공손하게. ② 민법에 의거하여 : juzgar ~.
civismo *m.* 애국심(patriotismo).
cizalla *f.* [*fr.* cisailles] ① 종이 재단기. ② 절단한 파쇠. —*pl.* (금속을 자르는) 가위.
cizallador, ra *adj. m.f.* cizallas로 재단하는 (사람).
cizallar *tr.* cizallas로 재단하다.
cizaña *f.* [*lat.* zizania] ①【식물】 독보리. ② 못된 버릇. ③ 해로운 것. ④ 불화(의 씨) : meter · sembrar ~ 화목을 깨다.
cizañador, ra *adj.m.f.* 분규를 일으키는, 화목을 깨트리는, 이간질하는 (사람).
cizañar *tr.* 분규를 일으키다, 화목을 깨다. 사이가 벌어지게 하다, 서로 으르렁 대게 하다, 적대심을 기르다, 불화의 씨를 뿌리다, 이간질하다, 반감을 만들다(sembrar la discordia, meter cizaña) : ser aficionado a ~.
cizañear *tr.* =**cizañar.**
cizañero, ra *adr.* 불화의 씨를 뿌리는. —*m.f.* 고자질쟁이, 불화의 씨를 뿌리는 사람(chismoso).
cje. carretaje.
CJI Comité Jurídico Interamericano 미주 법률 위원회.
cl. centilitro.
c/l. curso legal.
clac *m.* 접을 수 있게 된 실크 해트 · 고깔 모자, 오페라 해트.
claco *m.* 《*Méx.*》 옛날 동전.
no valer un ~ 한푼 짜리도 안되다.
clacofacle *m.* 《*Méx.*》【식물】 마령초(aristoloquia)의 일종.
clacota *f.* 《*Méx.*》 종기, 부스럼.
clacuache *m.* 《*Méx.*》 =**tlacuache.**
clacuachi *m.* 《*Mex.*》 =**zarigüeya.**
clachique *m.* 《*Méx.*》 용설란술(pulque).
CLADES Centro Latinoamericano de Docu-

mentación Económica y Social 라틴 아메리카 경제 사회 정보 센터.
cladodio *m.* 【식물】 잎줄기.
clalisa *f.* 《*Méx.*》 하층 사람, 천민(gente baja y ruin).
clamar *intr.* ① 부르짖다, 소리쳐 부르다 · 애원하다(llamar a gritos) : ~ a Dios 하나님에게 애소하다. Todo *clamaba por* la paz 하나같이 평화를 외치고 있었다. ~ contra …의 타도를 외치다. *Clamaba contra* el viejo orden 구질서의 타도를 절규했다. ② 간절히 바라다, 희구하다 : Las madres *clamaban* al cielo *por* la Paz 어머니들은 평화를 하늘에 갈망하고 있다. La tierrra *clama por* agua 대지는 비를 갈망하고 있다.
—*tr.* 애원하다 : ~ favor.
clámide *f.* [*lat.* chlamys] (고대 로마 · 그리스인의) 어깨받이 옷 : La ~ se usaba principalmente para montar a caballo.
clamidosaurio *m.* 【동물】(오스트렐리아의) 갈기도마뱀과 파충류(reptil iguánido) 《갑옷의 목받이 모양으로 목에 넓은 주름이 있음》.
clamidosauro *m.* 【동물】 =**clamidosaurio.**
clamo *m.* 【은어】 이(diente) ; 병(病).
clamor *m.* ① 외침 ; 애절한 부르짖음(grito) : ~ de angustia 고뇌의 외침. ~ popular 민중의 부르짖음. ② (장례식의) 만종(挽鍾), 명복을 비는 종.
clamoreada *f.* =**clamor.**
clamorear *tr. intr.* ① 외치다(gritar). ② 애원하다, 동정에 호소하다 : ~ *por* socorro 구원을 청하다. ③ 만종이 울리다(doblar).
clamoreo *m.* ① 애절한 부르짖음 : el ~ de la multitud. ② 골치 아픈 청.
clamoroso, sa *adj.* ① 애절한, 탄식하는(lastimoso) : un rumor ~. ② 고통스러운, 부르짖는.
clamosidad *f.* 애절, 탄식.
clan *m.* (본래는 스코틀랜드의) 씨족 ; 일문(一門), 일당, 당(黨), 벌(閥).
clanchichol *m.* 《*Méx.*》 대수롭지 않는 것 · 일.
clandestinaje *m.* 비밀 공작.
clandestinamente *adv.* 비밀리에, 남의 눈을 피하여(secretamente).
clandestinidad *f.* (부정한) 비밀.
clandestinista *m.f.* 《*Guat.*》 아구아르디엔떼(aguardiente) 밀수자.
clandestino, na *adj.* 비밀 · 내밀의(secreto) : publicación ~*na* 비밀 출판. reunión ~*na* 비밀 회의. Contr. público, patente.
clanga *f.* 【조류】 독수리의 일종(planga).
clangor *m.* 【시어】 ① 트럼펫 · 나팔 소리. ② 찌렁찌렁 울리는 소리(sonido vibrante).
clapa *f.* ① (돗자리 등의) 모가 나지 않는 곳. ② 《*Méx.*》【식물】 아주까리.
clapo *m.* 《Méx.》 호두 껍질(cáscara de la nuez).
claque *f.* [집합] 박수 부대 ; 야바위꾼.
hacerse ~ 《*Chile.*》 자화 자찬하다.
claquear *intr.* 시끄럽게 하다, 소란을 피우다.
claqueo *m.* 소란, 시끄러움.
clara *f.* ① 계란의 흰자위. ② 올이 빠진 피륙 ; 털이 없는 부분 : Tiene muchas ~*s* en la frente 그는 이마가 많이 벗겨졌다. ③ 약간의 덩어리. ④ (비가 오다) 활짝 볕이 나는 동안 : Hubo una ~.
claraboya *f.* 채광창.
claramente *adv.* 뚜렷하게, 명백하게, 분명하게 : Pronuncie usted más ~ 더 뚜렷하게 발음하세요. Dígamelo ~ 분명하게 나에게 그것을 말씀하세요. Contr. obscuramente.
clarar *tr.* =**aclarar.**
clarea *f.* ① 백포도주를 묽게 하여 감미료나 향료를 넣은 음료. ②【은어】 낮.
clarear *tr.* [*lat.* clarare] 밝게 하다(dar claridad) : ~ un color.
—*intr.* ① 동이 트다 (empezar a amanecer). ② (흐렸던 하늘이) 밝아 오다 (aclarar) : Me desperté al ~ el día 날이 밝아 올 때 나는 깨었다. ③ 《*Méx.*》 (탄환이) 관통되다 (atravesar de un balazo).
~se 맑아지다 ; 비쳐 보이다 ; 속이 들여다 보이다.
clarecer *intr.* 31 ① 날이 밝아 오다 (amanecer). ② 해가 뜨다(salir el sol).
clarens *m.* 《*Angl.*》 4인승 상자형 사륜 마차.
clarete *adj.* 담홍색의. —*m.* 담홍색 포도주.
clareza *f.* 【시어】 =**claridad.**
claridad *f.* [*lat.* claritas] 환함, 밝음 ; 맑음, 명료함, 분명함, 명백함 : con ~ 분명하게. Se necesita la ~ del estilo 문체의 명료한 것이 필요하다. Contr. obscuridad, confusión.
—*pl.* 지나칠 정도로 분명한 말 : decir ~*es* 사정없이 털어놓고 말하다.
claridoso, sa *adj.* 《*AmérC. Méx.*》 직선적인 ; 버릇없는, 사정없는.
clarificación *f.* clarificar하는 일.
clarificador, ra *adj.* 명백한, 분명한.
clarificadora *f.* 《*Cuba.*》 사탕수수즙을 맑게 하는 그릇.
clarificar *tr.* 7 ① 환하게 하다 (alumbrar). ② 명백 · 분명하게 하다. ③ 맑게 하다 : ~ azúcar. ④ 드문드문하게 하다, 솎아 내다 (aclarar) : ~ el bosque.
clarificativo, va *adj.* 맑게 가라앉히는.
claríﬁco, ca *adj.* 【시어】 =**resplandeciente.**
clarilla *f.* 《*And.*》 재로 건조시킨 표백분.
clarimente *m.* (옛날 여자들의) 얼굴 화장(품).
clarimento *m.* 그림의 밝고 생생한 색깔.
clarín *m.* ① 나팔, 신호 나팔. ② 나팔수. ③ 클라리온 ; 그 연주자. ④ 질이 좋은 천. ⑤ 《*Chile.*》【식물】 시위트 피.
~ *de la selva* 아메리카산 개똥지바퀴 비슷한 새.
clarina *f.* =**clarín.**
clarinada *f.* ① 나팔 소리. ② 멍청이짓, 어처구니 없는 일(tontería).
clarinero *m.* ① 나팔수. ② 《*Guat.*》 =**macho del sanate.**
clarinete *m.* 【악기】 클라리넷 ; 클라리넷 연주자.
clarión *m.* 백묵, 백악(白堊).
clarioncillo *m.* 크레용.
clariosa *f.* 【은어】 물(agua).
clarisa *adj.* 성녀 끌라라 (Santa Clara) 교파의.
—*m.f.* 클라라 수도회의 수녀.
clarividencia *f.* 통찰 · 간파(력) ; 투시.
clarividente *adj.* 뚫어보는, 두뇌가 명석한, 선

견지명이 있는, 환히 속을 들여다 보는 : egoísmo ~ de la mujer.

claro, ra *adj.* [*lat.* clarus] ① 밝은 (luminoso) : una lumbre ~*ra* 밝은 불빛. una casa ~*ra* 밝은 집. una habitación ~*ra* 밝은 방. ② 투명한 (transparente) : cristal ~ 투명한 유리. ③ 맑은 (limpio). ④ 개인 : cielo ~ 개인 하늘. ⑤ 명확한, 명백한(evidente) : el hecho ~ 명백한 사실. ⑥ 명민한, 날렵한 : inteligencia ~*ra*. ⑦ 묽은, 담백한, 싱거운, 심심한 : chocolate ~ 싱거운 초콜릿. **Contr.** denso. ⑧ 엷은, 엷은 빛깔의, 밝은 : verde ~ 밝은 초록빛 · 초록색· **Contr.** obscuro. ⑨ 듬성듬성한(ralo) : pelo ~ 듬성듬성한 머리카락. bosque ~ 듬성듬성한 숲. ⑩ 얇다란 : tela ~*ra* 얇다란 천. ⑪ 버릇이 없는 (투우).

—*m.* ① 빈자리 ; 틈 ; 불빛이 들어오는 구멍. ② 채광열(luz). ③ (글이나 말의) 틈, 사이. ④ (그림에서) 광선이 비치는 부분 : ~ y oscuro 그림의 명암. ⑤【은어】낮(día).

—*adv.* ① 분명하게, 명백하게, 뚜렷이 (claramente) : hablar ~ 숨기지 않고 낱낱이 털어놓다. ② 물론(desde luego) : *Claro* que sí 물론이다, 아무렴 그렇고말고. *Claro* que no 물론 그렇지 않다 · 아니다.

a la clara, a las claras 공공연하게, 터놓고.

de ~ en ~ 명명 백백하게 ; 처음부터 끝까지 : pasar la noche *de ~ en ~* 한숨도 자지 않고 꼬박 밤을 세우다.

por lo ~ 명백하게, 솔직하게.

pasar una noche en ~ 자지 않고 밤을 보내다.

poner · sacar en ~ 분명히 하다, 명백하게 하다, 표명하다.

¡ ~ está! 분명하다 !, 물론 !, 아무렴 !, 그렇고말고 !

claror *m.* =**resplandor, claridad.**

claroscuro *m.* ①【미술】명암법 : en ~ 명암법으로. ② 빛과 그림자. ③ 굵은 글자와 가느다란 글자.

clarovidencia *f.* =**clarividencia.**

clarucho, cha *adj.* [*desp.* claro] 순수한 (술 등).

clascal *m.* 《*Méx.*》 옥수수 부침개 · 지짐이 (tortilla de maíz).

clase *f.* ① 종류, 부류, 등급 : de primera ~ 일류의, 일등(품)의. ② 계급 : ~ artesanal 기술자 계급. ~ asalariada 급료 생활자 계급. ~ media 중류 사회. ~ obrera 노동 계급. lucha de ~ 계급 투쟁. ③ 학급, 조(組), 반 ; 교실 (aula) : sala de ~ 교실. salón de ~ 큰 교실. ④ 수업(enseñanza) : dar la ~ 수업을 하다. ¿ Todavía da usted la ~ de taquigrafía? 아직도 속기를 가르치십니까 ? Doy ~ los lunes por la tarde 월요일 오후는 수업이 있다. ¿ Podría asistir a las ~*s* como oyente? 청강생으로 수업에 출석하시겠습니까 ? ; 청강생으로 수업에 출석해도 되겠습니까 ? Hoy no hay ~ 오늘은 수업이 없다. ⑤ 《*Cuba. PRico.*》 유색 인종 : ser de la ~ 흑인이다.

clásicamente *adv.* 고전적으로, 고풍으로(de un modo clásico).

clasicismo *m.* 고전주의 ; 상고 정신(尙古精神). **Contr.** romanticismo.

clasicista *adj. m.f.* 고전 · 상고 주의의 (사람).

clásico, ca *adj.* ① 고전의 ; 고적적인 : lo ~ 고전적인 것, 고전성. música ~*ca* 고전 음악. **Contr.** moderno. ② 규범적인. ③ 고전주의 · 취미의. **Contr.** romántico.

—*m.f.* 고전 작가. —*m.* 고전.

clasificable *adj.* 분류할 수 있는.

clasificación *f.* 분류 : La ~ facilita las investigaciones 분류는 조사를 쉽게 한다.

~ ***de datos*** (전자 계산기의) 자료 처리. ~ ***de personal*** 인사 고과. ~ ***de riesgos*** 위험 등급 결정. ~ ***del barco*** 선급(船級). ~ ***del trabajo por su calidad*** 직무 평가.

clasificador, ra *m.f.* 분류자. —*m.* 정리 서랍, 정리함. —*adj.* 분류하는.

clasificar *tr.* 7 ① 분류 · 유별하다 : Tengo que ~ estos datos. ② 등급으로 나누다.

~se (어떤 급에) 합격하다.

clasismo *m.* 분류 사회학.

clasista *adj.* 분류 사회학의. —*m.f.* 분류 사회학자.

clástico, ca *adj.* =**frágil, quebradizo.**

clatole *m.* 《*Méx.*》 =**platica larga.**

clatolear *intr.* 《*Mex.*》 비밀리에 말하다, 귓속말을 하다(hablar en secreto).

clauca *f.*【은어】=**ganzúa.**

claudicación *f.* =**cojera.**

claudicante *adj.* =**cojo.**

claudicar *intr.* 9 ① 다리를 절다(cojear). ② 실패하다, 실수를 저지르다.

claustra *f.* =**claustro.**

claustración *f.* =**encierro.**

claustral *adj.* 회랑(回廊)의 ; 수도원의. —*m.f.* 수도승.

claustrar *tr.* =**encerrar.**

claustrillo *m.* 강당, 식장.

claustro *m.* ① (사원 · 수도원 · 대학 등의 안마당에 면한) 회랑. ② 수도원 생활. ③ 교수회(~ de profesores, junta de profesores). ④ 회관, 강당.

~ ***materno*** 자궁(matriz, útero).

claustrofobia *f.* 폐소 공포증(閉所恐怖症).

cláusula *f.* ① (조약 · 법률 따위의) 조목, 조항. ②【문법】절 : ~ compuesta · simple 복합 · 단순문. ③ 정관(定款) ; 조건서(條件書) ; 약정(約定) : ~ de la nación más favorecida 최혜국 조약.

clausulado, da *adj.* ① 조목 · 조항 · 항목별 나열의, 조목조목으로 적은. ② 뜨문뜨문한. —*m.* [집합] 조항 ; 약관.

clausular *tr.* 도중에서 끊다, (문장에) 마침표를 찍다 ; (말에) 매듭을 짓다 ; 조목별로 쓰다.

clausura *f.* ① (수도원 내의) 금역(禁域). ② 금역 생활, 수도원 생활. ③ (의회의) 폐회, 폐회식 : presidir la ~ 폐회식을 사회하다. ④ 폐쇄 (cierre).

clausurar *tr.* ① 닫다(cerrar). ② 폐회하다 : La sesión *se clausuró* a las cinco 회의는 다섯 시에 폐회되었다. ③ (가게 · 흥행을) 폐쇄하다, 문을 닫다.

clava *f.* 몽둥이, 곤봉(porra). **Sinón.** cachiporra.

clavadizo, za *adj.* 장식 못을 박은 (문 · 창문 · 가구).

clavado, da *adj.* [clavar의 *p.p.*] ①(못같은 것으로) 박아 놓은(armado con clavos). ② 안성맞춤의, 어울리는, 꼭 들어맞은 : venir ~ a … 에 꼭 어울리다. ③ 멈추어 있는(parado) : Está el reloj ~ en las tres 시계가 세 시에 멈춰 있다.

clavadura *f.* (못으로 말의 발에 생긴) 상처.

clavar *tr.* ①(…에) 못을 박다, 못으로 고정시키다 : Quiero ~ una tabla aquí 이곳에 판자를 박고 싶다. ~ los maderos en el poste 기둥에 나무를 박다. ② 단단히 고정시키다, 못박아 버리다(sujetar) : Le dejó *clavado a · en* la pared 그를 벽에서 꼼짝 못하게 했다. ③(시선·주의를) 모으다, 쏟다(fijar), 응시하다 : El *clavó* sus ojos *en* mí 그는 나를 응시했다. *Clavé* los ojos · la atención en ella 눈길·주의를 그녀에게 쏟았다. ④(뾰족한 것으로) 쿡 찌르다 : ~ una daga en el pecho 가슴에 단도를 꽂다. Le *clavó* una saeta en el corazón 화살이 그의 심장을 찔렀다. ⑤ 포문에 마개를 하다. ⑥(보석을 금은에) 끼우다(engastar). ⑦ 속이다(engañar) : El tendero me *ha clavado.*

~se ①(뾰족한 것에) 찔리다 : *Se clavó* una espina en un pie 가시에 그의 발을 찔렸다. ② 속다 : *Se ha clavado* en la compra 그는 쇼핑에서 당했다. ③《*Perú.*》(부르지도 않는데) 밀고 들어가다.

clavársela 《*AmérC.*》 술에 취하다.

clavaria *f.* =**clavera.**

clavario, ria *m.f.* (열쇠·보물 등의) 보관자(clavero); 예배당 등의 집사, 예배당 지키는 사람. —*f.* ①【식물】 버섯의 일종. ② =**clavera.**

clavazón *f.* [집합] 못.

clave *f.* [*lat.* clavis] ①(암호의) 풀이, 코드 : Se necesita la ~ para descifrar este telegrama 이 전보를 해독하는 암호부가 필요하다. ②(문제 해결의) 열쇠 : la ~ de un enigma 수수께끼를 푸는 열쇠. ~ de distribución de los costes 비용 배분의 기준. industria ~ 기간 산업(基幹產業). ③ 주해. ④【건축】(아치의) 쐐기돌. ⑤【음악】 음부 기호(音部記號) : ~ de fa 파음·저음부 기호. Las notas están en la ~ de sol 음부는 도음·고음부 기호로 쓰여 있다.

—*m.* 【음악】 =**clavicordio.**

—*adj.* =**esencial, capital.**

echar la ~ 일단락·결말을 내다.

clavecín *m.* (15세기의) 피아노식 건반 악기.

clavel *m.* ①【식물】 네델란드 석죽(石竹), 카네이션. ② 석죽색(石竹色), 복숭아 빛깔.

clavelón *m.* 【식물】 석죽.

clavellina *f.* 【식물】(겹이 아닌) 카네이션.

clavellinera *f.* =**clavellina.**

claveque *m.* (자른) 수정(水晶).

clavera *f.* (못을 박는데 사용되는) 겨냥틀; 목구멍; 경계 푯말을 세우는 자리.

clavería *f.* clavero의 직.

clavero, ra *m.f.* 열쇠·보물 등의 보관자, 금고 담당자. —*m.* ① 본성(本城)의 성주. ② 수도원의 총무장. ③【식물】 정향(丁香)나무. ④《*Méx.*》 옷걸이(percha).

claveta *f.* 나무못.

clavete *m.* [*dim.* clavo] 작은 못; (만돌린을 키는) 골무.

clavetear *tr.* ①(…에) 장식 징을 박다; (…에) 징을 박다 : suela *claveteada* 징을 박은 구두 뒤축. ~ una caja 상자에 장식 징을 박다. ②(노끈의 끝에) 쇠붙이를 달다. ③ 완결·완성하다. ④ 장식 과자를 만들다.

claveteo *m.* clavetear하는 일.

clavicémbalo *m.* 하프시코드.

clavicímbalo *m.* =**clavicémbalo.**

clavicímbano *m.* =**clavicímbalo.**

clavicordio *m.* 【악기】 클라비코드《피아노의 전신》.

clavícula *f.* [*lat.* clavicula] 【해부】 쇄골(鎖骨).

claviculado, da *adj.* 쇄골이 있는.

clavicular *adj.* 쇄골의.

claviforme *adj.* 곤봉형의.

clavija *f.* [*lat.* clavicula] ① 마개, 전(栓), 나무못; (칼의) 걸이못; 쐐기. ② 빨래 집게. ③(전기 코드 끝의) 콘센트, 플러그. ④ 나사 마개. ⑤(현악기의) 줄 조르개.

apretar las ~s 궁지에 몰아넣다, (토의 등에서 차츰) 꼼짝 못하게 따지다.

clavijera *f.* 《*Ar.*》(물이 들어가도록 채소밭의 담에 내는) 구멍(abertura).

clavijero *m.* ① 옷걸이(percha). ② clavijas의 대(臺). ③(전기 기구의) 잭. ④(현악기의) 목.

clavilira *f.* 【악기】(19세기 초에 발명된 페달이 넷 달린) 건반 현악기.

clavillo *m.* =**pasador.**

claviórgano *m.* 【악기】 현악기의 일종.

clavito *m.* =**clavillo.**

clavo *m.* [*lat.* clavus] ① 못, 징, 압정. ② 정자향나무《향료》. ③(발가락에 생기는) 못. ④ 편두통(jaqueca); 가슴 아픈 일. ⑤《*Amér.*》 압정. ⑥《*Méx.*》 광택에서 순도가 높은 부분.

como un ~ 분명히, 확실히, 틀림없이 : *Como un* ~ estaré en tu casa a las diez 열 시에는 틀림없이 자네 집을 들리겠네.

de ~ pasado 분명한, 명백한; 손쉬운, 누워 떡 먹기의.

agarrarse a · en el ~ ardiente 물에 빠진 사람은 지푸라기라도 잡는다.

dar en el ~ 정곡을 찌르다, 꼭 꼬집어 내다.

dar en el ~ y ciento en la herradura 매우 아둔하다(ser muy torpe).

remachar el ~ 잘못을 거듭 저지르다; 증거같은 것을 더 대다; 못박아 말하다.

ser de ~ pasado 매우 분명하거나 쉽다.

Por un ~ se pierde una herradura 【속담】 못 하나 때문에 편자를 잃는다, 큰 방죽도 개미구멍으로 무너진다.

Un ~ saca otro ~ 【속담】 바늘 도둑이 소도둑 된다.

claxon *m.* (전기) 경적, 클랙슨 : los *~s* de los autos.

claymore *f.* 옛 스코틀랜드의 큰 칼.

clazol *m.* 《*Mex.*》 사탕수수를 짜고 난 껍질.

cleidocostal *adj.* 【해부】 쇄골과 늑골의.

cleidoescapular *adj.* 【해부】 쇄골과 견갑골의.

cleidoesternal *adj.* 【해부】 쇄골과 흉골의.

clemátide *f.* 【식물】 미나리아재비과에 속하는 낙엽 덩굴풀.

clemencia *f.* 자비, 관대, 관용, 용서 : Imploro

su ~. Contr. inclemencia. Sinón. misericordia.
clemente *adj.* 인정많은, 자비로운, 관대한. Contr. inclemente, despiadado.
clementemente *adv.* 자비롭게, 관대하게.
clementinas *f. pl.* 클레멘테 법령집 《교황 Clemente V가 편집한 것》.
Clemte. Clemente.
clepsidra *f.* [*gr.* klepsudra] 물시계(reloj de agua).
cleptomanía *f.* 도벽(盜癖)(manía del robo).
cleptomaniaco, ca *adj. m.f.* =**cleptómano.**
cleptomaníaco, ca *adj. m.f.* =**cleptómano.**
cleptómano, na *adj.* 도벽이 있는. —*m.f.* 손버릇이 나쁜 사람, 도벽이 있는 사람.
clerecía *f.* [집합] 승려, 성직자 ; 승직(僧職).
clerical *adj.* ① 승려의, 성직의 : hábito ~ 법의(法衣). vida ~ 성직 생활. ② 성직 지지의.
clericalismo *m.* 승려의 세력 ; 성직자의 횡포.
clericalmente *adv.* 승려로서, 성직자답게.
clericato *m.* 승직, 성직.
clericatura *f.* =**clericato.**
clerigalla *f. desp.* [집합] 악덕 성직자.
clérigo *m.* [*lat.* clericus] ① 승려, 성직자. ② 【고어】 학자.
~ ***de misa*** 사제, 승려, 목사(presbítero, sacerdote).
clerigón *m.* (사원의) 소년 합창단, 합창대 어린이.
cleriguicia *f. desp.* 성직자 수행원.
clerizángano *m.* 《*Amér.*》 (의무 수행에) 게으른 성직자.
clerizón *m.* 미사를 거드는 소년(monacillo, mozo de coro).
clerizonte *m.* 승복을 입은 속인 ; 돌팔이중.
clero *m.* [집합] 승려직, 승려단, 성직자단 : ~ regular 청빈·종순·청결의 세 가지 맹세를 지키는 승려. ~ secular 재가승(在家僧).
clerofobia *f.* 승려를 싫어하기.
clerófobo, ba *adj.* 승려를 싫어하는. —*m.f.* 승려를 싫어하는 사람.
cleuasmo *m.* =**sarcasmo**
clica *f.* (바다의 식용) 연체 동물.
cliché *m.* ① 연판(鉛版). ② 음화, 원판. ③ 상투적인 문구.
clienta *f.* 【속어】 cliente의 여성형.
cliente *m.f.* ① 고객, 단골, 단골 손님, 거래처(parroquiano). ② (누구의) 덕을 보는 사람, 보살핌을 받는 사람.
clientela *f.* ① 애호, 은고(恩顧). ② [집합] 고객, 단골.
cliéntulo, la *m.f. dim.* cliente.
clima *m.* [*gr.* klima] ① 기후 : El ~ de Corea es mejor que el del Japón 한국의 기후는 일본의 기후보다 좋다. ② 풍토. ③ [비유적] 환경, 분위기, (어느 지역·시대의) 풍조, 사조 : ~ político de un país. ④ (기후상으로 본) 지방, 지대(región) : ~ seco·húmedo 건조한·습한 기후. ~ intelectual 지적인 분위기.
climacofobia *f.* 【병리】 계단 공포증.
climaterapia *f.* 【의학】 =**climatoterapia.**
climatérico, ca *adj.* ① (체질이) 갱년기의, 액년(厄年)의, 위기의 : año ~ 액년 《7년 혹은 9년째, 그 배수가 되는 해에 와서 63세를 극히 나쁜 해로 보는 것》. ② 위험한 ; 기분이 언짢은. ③ 풍토의, 기후의.
climaterio *m.* 【생리】 갱년기.
climático, ca *adj.* 기후의.
climatización *f.* 공기 조절.
climatizador *m.* 공기 조절기, 공기 조절 장치.
climatizar *tr.* ⑨ (실내·차내·기내 등의) 공기 조절을 하다 ; 인위적으로 분위기를 바꾸다.
climatología *f.* ① 기후학. ② 【의학】 풍토학.
climatológico, ca *adj.* 기후에 관한, 풍토학의 ; 풍토 특유의.
climatoterapia *f.* ① 풍토 치료학. ② 기후 변화로 생긴 병 치료(법).
climax *m.* 【단·복수 동형】 ① 클라이막스, 절정, 극점. ② 【수사】 점층법(gradación).
clímax *m.* =**climax.**
climoterapia *f.* 【의학】 =**climatoterapia.**
clin *f.* 갈기(crin).
clínica *f.* [*gr.* klinê] 임상 의학 ; (주로 외과의) 병원, 사립 병원.
clínico, ca *adj.* 임상(의학)의 : enseñanza ~*ca* 임상 교육. —*m.f.* 임상의(臨床醫) ; 외과 의사.
clinométrico, ca *adj.* clinómetro의.
clinómetro *m.* 클리노미터《경사계의 일종》; 수준기(水準器).
clinopodio *m.* 【식물】 층층이꽃.
clinoscopio *m.* =**clinómetro.**
Clío *f.* 【희랍 신화】 역사와 시사(詩史)를 담당한 여신.
clip *m.* 귀를 뚫지 않는 귀고리.
clipe *f.* 종이용 가위, 여자의 머리핀, 브로치.
clípeo *m.* 옛 사람들이 쓰던 둥그런 방패.
clíper *m.* [*ing.* clipper] 쾌속 범선 ; 장거리 비행정, 대형 여객기.
clípper *m.* =**clíper.**
clisado, da *adj.* clisar의 *p.p.* —*m.* 연판으로 뜨는 일 ; 연판술(鉛版術).
clisador *m.* 연판공.
clisar *tr.* 연판으로 뜨다.
clisé [*fr.* cliché] ① 연판, 스텔로판. ② 【사진】 음화, 원판.
clisería *f.* [*fr.* clicherie] 연판 공장.
clisos *m.pl.* 【은어】 눈(ojo).
clistel *m.* 세장(洗腸), 관장 (기구).
clistelera *f.* 세장·관장하는 여인.
clister *m.* =**clistel.**
clisterizar *tr.* ⑨ 세장·관장하다.
Clitemnestra *f.* 끌리뗌네스뜨라 《그리스 전설에서 Agamenón의 부정한 아내, 남편이 트로이에서 돌아왔을 때 정부인 Egisto의 힘을 빌어 남편을 살해했으나 후에 아들 Orestes에게 피살됨》.
clitocibina *f.* 버섯에서 뽑아낸 항균 물질.
clitómetro *m.* (비행기·지층 등을 측정하는) 경사계(傾斜計) ; 수준기(水準器).
clítoris *m.* 【해부】 음핵(陰核), 공알, 클리토리스.
clivado *m.* 《*Galic.*》 =**crucero.**
clivoso, sa *adj.* 【시어】 비스듬한, 기운, 경사진.
clo *interj.* 암탉이 알을 품고 울 때의 의성어.
cloaca *f.* [*lat.* cloaca] ① 하수도. ② 불결한 장소. ③ (새의) 배설강(排泄腔).

cloacal *adj.* cloaca에 관한.
clocar *intr.* 24 7 (암탉이) 꼬꼬하고 울다 (cloquear).
cloisoné *m.* 《*Galic.*》 칠보소(七寶燒) 《칠보를 박은 듯이 아름다운 자기》.
clon *m.* 《*Chile.*》 =**maqui.**
clónico, ca *adj.* =**irregular, desordenado.**
clonismo *m.* 경련성 질병의 일종.
clonqui *m.* 《*Chile.*》 =**arzolla.**
clopemanía *f.* =**cleptomanía.**
cloque *m.* [*fr.* cloc](닻 모양의) 걸어 잡는 갈고리(garfio).
cloquear *intr.* (알을 품은 암탉이) 꼬꼬꼬하고 울다(hacer clo, clo las gallinas). —*tr.* (다랑어를) 갈고리로 잡아 올리다.
cloqueo *m.* 알을 품는 시기의 암탉이 우는 소리 (cacareo de la gallina clueca).
cloquera *f.* 포란기(estado del ave que quiere empollar).
clorado, da *adj.* 염소를 함유한.
cloral *m.* 【화학】 클로랄.
cloraldehido *m.* 【화학】 =**cloral.**
cloralismo *m.* 클로랄의 남용으로 생긴 질병의 상태.
cloratado, da *adj.* 염소산염을 포함한.
clorato *m.* 【화학】 염소산염 : ~ de soda 식염, 염화 나트륨.
clorhidrato *m.* 【화학】 염화 수소염.
clorhídrico, ca *adj.* 염화 수소의 : ácido ~ 염산.
clórico, ca *adj.* 염소의, 염소를 포함한 : ácido ~ 염소산.
cloris *m.* =**trago.**
clorita *m.* 【광물】 녹니석(綠泥石).
clorito *m.* 염소산염.
cloro *m.* 【화학】 염소 : depurar con ~ 물을 염소로 살균하다 · 정화하다.
cloroanemia *f.* =**clorosis.**
clorofila *f.* 엽록소(materia verde de los vegetales).
clorofílico, ca *adj.* 【식물】 엽록소의.
clorofilo, la *adj.* 【식물】 녹색 · 노랑색 잎의.
cloroformar *tr.* 《*Amér.*》 =**cloroformizar.**
clorofórmico, ca *adj.* 클로로포름의 · 에 관한.
cloroformización *f.* cloroformizar하는 일.
cloroformizador, ra *adj. m.f.* 클로로포름으로 마취시킨 (사람).
cloroformizar *tr.* 9 클로로포름으로 마취시키다.
cloroformo *m.* 클로로포름 《마취제》.
cloromicetina *f.* 클로로마이세틴.
cloroplasto *m.* 【식물】 엽록체.
clorosis *f.* ① 【의학】 위황병(萎黃病). ② 【식물】 백화(白化) 현상.
cloroso, sa *adj.* 염소(cloro)를 함유한.
clorótico, ca *adj.* 위황병의. —*m.f.* 위황병 환자.
clorurado, da *adj.* 【화학】 염화물을 함유한.
clorurar *tr.* 염화물로 만들다.
cloruro *m.* 염화물 : ~ de cal 염화 칼슘. ~ de sodio 식염, 염화 나트륨.
club *m.* 《*Angl.*》 [*pl.* clubs] ① (사교 따위의) 클럽 : ~ de noche 나이트클럽. ② 동호회. ③ 클럽실 · 회관. ④ 비밀 결사.
clubista *m.f.* 클럽 회원 ; 비밀 결사원.
clubman *m.* =**clubista.**
clueco, ca *adj.* 알을 품는 기간의 (새) ; 연로한. —*f.* 알을 품는 암탉 : echar una ~.
clueque →**clocar** 24 7.
clunesia *f.* 엉덩이의 종기.
cluniacense *adj.* 불란서의 클류니(Cluni) 수도원 · 수도회의. —*m.* 클류니파 수도사.
cluniense *adj. m.f.* 끌루니아 《Clunia, 현재의 Coruña del Conde ; Burgos주의 마을》의 (사람).
cll.º cuartillo.
cm. centímetro(s) 센티미터.
c/m cuenta a medias 공동 계산, 조합 계산 ; cuenta a mitad 공동 계산, 풀 계산.
cm² centímetro cuadrado 평방 센티미터.
cm³ centímetro cúbico 입방 센티미터.
c.m.b., C.M.B. cuyas manos beso 경구(敬具).
c.n.; c/n cuenta nueva; contra nosotros.
CNC Cámara Nacional de Comercio 멕시코 국립 상업 회의소; Consejo Nacional de Contrucción 《*CRica.*》 국가 건설 심의회.
CNDC Consejo Nacional de Desarrollo Comunal 《*Perú.*》 농촌 개발 심의회.
CNE Consejo Nacional de Economía 《*Méx. Panamá.*》 국가 경제 심의회.
CNEA Comisión Nacional de Energía Atómica 《*Arg. Urug.*》 원자력 위원회.
CNP Consejo Nacional de Producción 《*CRica.*》 국가 생산 협의회.
CNPE Consejo Nacional de Planificación Económica 《*Guat.*》 국가 경제 기획 이사회.
CNT Convención Nacional de Trabajadores 《*Urug.*》 전국 노동자 회의.
C.N.T. Confederación Nacional del Trabajo 노동자 국민 동맹.
CNUCD Conferencia de las Naciones Unidas sobre Comercio y Desarrollo 유엔 무역 개발 회의.
Co. Compañía.
C.º cambio.
c/o. carta orden.
c/o en c/c cargo en cuenta corriente.
co- *pref.* 「함께」「더불어」「공통」 등의 뜻을 갖는 접두어.
coa *f.* ① 아메리카 원주민의 목제 농기구. ② 《*Méx.*》 나무 괭이. ③ 《*Chile.*》 은어 : hablar en ~ 은어를 사용하다.
hablar de ~ 《*Chile.*》 말만의 약속을 하다.
coacción *f.* 강제, 강요, 억지.
coaccionar *tr.* 《*Neol.*》 억지로 시키다, 강제 · 강요하다, 강행시키다(forzar).
coacervar *tr.* 긁어 모으다, 쌓아 올리다(juntar, reunir, amontonar).
coacreedor, ra *m.f.* 연대 채권자.
coactar *tr.* 【속어】 억지로 시키다, 강제하다.
coactivo, va *adj.* [*lat.* coactus] 강제적인 : medios ~*s.*
coacusado, da *m.f.* 공동 피고.
coadjutor, ra *m.f.* 보좌관 ; 심부름꾼, 보조자,

거드는 사람 ; 주교보(主敎補).
coadjutoría *f.* coadjutor의 직.
coadministrador *m.* 공동 관리자·경영자 ; 주교 대리.
coadquiridor, ra *adj. m.f.* 공동 취득한 ; 공동 취득자.
coadquirir *tr.* 공동 취득하다.
coadquisición *f.* 공동 취득.
coadunación *f.* 결합 ; 혼합.
coadunamiento *m.* =**coadunación.**
coadunar *tr.* [*lat.* coadunare] 합치다 ; 섞다, 혼합하다, 버무리다. Contr. separar.
coadyutor, ra *m.f.* =**coadjutor.**
coadyutorio, ria *adj.* 보조의.
coadyuvador, ra *m.f.* 협력자, 보조자.
coadyuvante *adj.* 협력하는. —*m.f.* 협력자.
coadyuvar *tr. intr.* [*lat.* coadjuvare] 협력·조력하다, 돕다, 거들다, 보좌하다 : ~ al bien público.
coagente *m.* =**ayudante, cooperador.**
coagulable *adj.* 잘 엉겨 붙는, 응고되기 쉬운.
coagulación *f.* 응결, 응고, 응결된 것.
coagulador, ra *adj.* 엉기는, 응고하는.
coagulante *adj.* 응결성의. —*m.* 응결제.
coagular *tr.* [*lat.* coagulare] 응결시키다, 엉기게 하다, 굳어지게 하다(cuajar).
~se 응결하다, 엉기다 : La sangre *se coagula* al aire.
coágulo *m.* [*lat.* coagulum] 응혈, 엉긴 피 ; 엉긴 덩이(cuajo, grumo).
coaguloso, sa *adj.* 응결·응고하는.
coahuilense *adj.* 꼬아우일라(Coahuila)의. —*m.f.* 꼬아우일라 사람.
coaitá *f.* 《*Amér.*》【동물】=**marimono.**
coala *f.* =**koala.**
coalición *f.* 연합, 동맹, 제휴.
coalicionista *m.f.* 연합론자 ; 제휴자.
coaligar *tr.* ⑧ 《*Galic.*》 동맹·제휴·연합시키다(coligar).
coáltar *m.* 《*Angl.*》 콜타르(brea). [*N.* 발음 : koltar].
coalla *f.* 【조류】 멧도요(chocha).
coamil *m.* 《*Méx.*》 씨앗을 뿌리기 위해 벌채된 땅.
coaptación *f.* 접골.
coaptar *tr.* 접골하다.
coarrendador, ra *m.f.* 공동 임차인(賃借人).
coarrendatario *m.* =**coarrendador.**
coartación *f.* 제한, 제약, 구속.
coartada *f.* 부재 증명, 알리바이 : probar la ~ 알리바이를 증명하다.
coartado, da *adj.* coartar의 *p.p.*
coartador, ra *adj. m.f.* 제한·한정하는 ; 구속하는 ; 훼방놓는 (사람).
coartar *tr.* [*lat.* coarctare] ① 한정·제한한다(limitar, restringir) ; 구속하다 : ~ la voluntad. ② 방해놓다, 훼방놓다.
coasegurador, ra *m.f.* 공동 보험자.
coaseguro *m.* 공동 보험.
coate, ta *adj.* 《*Méx.*》 쌍둥이의(gemelo) ; 영락없이 닮은. —*m.f.* 쌍둥이(cuate).
coatí *m.* 【동물】 (남미산의) 곰(cuatí).
coautor, ra *m.f.* 공동 제작자 ; 공범자.
COB Central Obrera Boliviana 《*Bol.*》 전국 노동조합.
coba *f.* ① 교묘한 속임수 ; 아첨 : dar ~ 아부하다, 아첨하다, 알랑거리다, 살살거리다(adular). ②【은어】 암탉. ③ 1레아르 화폐. ④ (모로코에서) 텐트 ; 둥그런 지붕 ; 사당(祠堂).
cobáltico, ca *adj.* 코발트의 : sal ~*ca.*
cobaltina *f.* 【광업】 코발트광(鑛).
cobalto *m.* [*alem.* kobold] 【화학】 코발트 : azul ~ 코발트색.
cobanero, ra *adj. m.f.* 꼬반 《Cobán, 구아떼말라의 도시 ; 마야의 고고학 유적지임》.
cobarba *f.* 【은어】 대궁(大弓).
cobarde *adj.* ① 겁이 많은, 무서워하는, 비겁한, 치사한(miedosa, pusilánime) : sentimientos ~*s.* Contr. valiente, animoso. ② 시력이 약한. —*m.f.* 겁쟁이 ; 비겁한 사람.
cobardear *intr.* 주춤하다, 겁내다, 주눅들다(tener o mostrar cobardía).
cobardemente *adv.* 비겁하게도 ; 겁내어.
cobardía *f.* 비겁, 겁 많음.
cobardón, na *adj.* [*aum.* cobarde] 무척 겁이 많은(muy cobarde).
cobaya *f.* 【동물】 (브라질에서) 모르모트.
cobayo *m.* 【동물】 모르모트(conejillo de Indias).
cobea *f.* 《*Amér.*》【식물】 메꽃의 일종.
cobear *intr.* =**adular.**
cobero, ra *adj.* 아첨을 잘하는.
cobertera *f.* ① 남비·단지의 뚜껑·마개. ② 뚜쟁이 노릇하는 여자.
cobertizo *m.* 【건축】 본채에 붙은 좁은 마루 ; 곁채 ; (비행기·차량의) 격납고.
cobertor *m.* 이불 ; 이불보, 침대용 모포(manta para la cama).
cobertura *f.* ① 덮개(cubierta), 침대 시트(cobertor de cama). ② 대귀족(el grande de España)의 습작식(襲爵式). ③【경제】 정화(正貨) 준비(~ metálica).
~ *oro* 금준비.
cobez *m.* 【조류】 매의 일종.
cobija *f.* ① 둥근 기와. ② 덮개(cubierta). ③ 비단실로 짠 숄. ④ *pl.* 《*Amér.*》 침대용 모포 ; 잠옷. ⑤ 《*Cuba.*》 보호.
—*adj.* 《*AmérC.*》 비겁한, 겁이 많은.
irse a la ~ 용감하게 덤비다(arremeter audazmente).
cobijador, ra *adj. m.f.* 감싸는, 숨겨 주는 (사람).
cobijamiento *m.* 덮는 일, 엄폐 ; 숙박.
cobijar *tr.* ① 덮다, 씌우다(tapar, cubrir). ② 숙박시키다, 묵게 하다(albergar). ③ 《*Ant.*》 지붕을 이다.
~se 몸을 싸다 ; 묵다, 숙박하다.
cobijera *f.* 《*Venez.*》 도발적이고 대담한 여자.
cobijo *m.* ① 엄폐(cobijamiento). ② 객줏집. ③ 《*Venez.*》 모포 ; 덮개.
cobijón *m.* 《*Col.*》 하물 덮개 가죽.
cobio, bia *m.f.* 《*Cuba.*》 동료, 친구.
cobista *adj. m.f.* 살살이(의), 알랑패(의).
cobla *f.* ① =**copla.** ② [집합] (까달루냐에서) sardanas 연주자.
cobo *m.* ① (서인도산의) 큰 소라고둥. ② 《*Col.*》

어린이용 외투. ③《CRica.》 모포.

cobra *f.* ① 소의 고삐. ② 쟁기를 끄는 한 쌍의 암말. ③ 쏘아서 맞춘 새를 줍는 일. ④【동물】 코브라. Sinón. cobra capello.

cobracapelo *m.* 【동물】 (아프리카와 아시아 열대 지방의) 독사(serpiente venenosa).

cobrable *adj.* =**cobradero.**

cobradero, ra *adj.* 받을 수 있는, 회수할 수 있는(que puede cobrarse).

cobrador, ra *m.f.* 수금 담당자 ; (전차 등의) 차장.

cobranza *f.* ① 수취(受取), 수수(收受), 거둠 ; 수납 (금고) : ~ diaria. ② 회수 : letras en ~ 미회수 어음. ③ 수금(cobro).

cobrar *tr.* ① (돈을) 받다, 수취하다, 추심하다 : ~ en papel de los deudores 현금이 아니라 어음·채권 등으로 채무자에게서 돈을 받다. *Cobran* muy caro en las tiendas en aquella isla 저 섬에서는 상점에서 무척 비싸게 받는다. ¿ Ya *cobró* su sueldo? 급료를 받았습니까?
② 현금으로 받다 : ~ un cheque 수표를 현금으로 바꾸다. efectos · letras a · por ~ 수취 어음. cuenta a ~ 수취 계정.
③ 징수하다, 거두어들이다.
④ 회수·회복하다(recuperar) : ~ las tierras perdidas 잃은 땅을 회복하다.
⑤ (신용을) 얻다, 획득하다(adquirir) : ~ buena fama · crédito 명성·신용을 얻다.
⑥ (원기·기력을) 내다 : ~ valor 용기가 나다.
⑦ (애정 등을) 느끼다, 가지게 되다 : ~ cariño *a* Juan 후안에게 애정을 느끼기 시작하다. ~ afición *a* las letras 문학을 좋아하기 시작하다.
⑧ (줄을) 당기다, 끌어당기다.
⑨ (쏘아 떨어뜨린 짐승을) 줍다.
—*intr.* 두들겨 맞다 : Te aviso que vas a ~ 너는 얻어 맞을테니 경고해 둔다.
~se [+de : …을] 회복하다, 제정신을 차리다 : *~se de* susto 놀라움에서 제정신을 차리다.
Cóbrese el flete al entregar 후불, 착불.

cobratorio, ria *adj.* 수취한, 징수하는, 거두어들인.

cobre *m.* [*lat.* cuprum] ①【광물】 동(銅), 구리 : El ~ fue el metal descubierto por el hombre. ② [집합] 부엌에서 쓰이는 구리로 된 그릇. ③ *pl.* 구리로 된 악기. ④ 둘로 묶은 마른 생선. ⑤《Amér.》 동전.
~ ***amarillo*** 놋쇠(latón). ~ ***quemado*** 황산동(銅). ~ ***rojo*** 순구리(cobre puro). ~ ***verde*** 【광물】 공작석.
batir el ~ 정성들여 하다.
batirse el ~ 부지런히 일하다.

cobrear *tr.* =**encobrar.**

cobreño, ña *adj.* 구리의, 동의.

cobrizo, za *adj.* ① 구리를 포함한. ② 구리빛의 : raza *~za* 동색 인종.

cobro *m.* ① (돈의) 수금, 징수, (대금의) 회수(cobranza) : verificar un ~ 회수하다. ② 추심(推尋).
al ~ 받아야 할, 받아들일 수 있는.
día de ~ 봉급날.
poner ~ ***en*** 받고자 노력하다 ; 마음의 준비를 하고 덤비다.
poner en ~ 안전한 곳에 두다.
ponerse en ~ 안전한 곳으로 옮기다.

coburgo, ga *adj. m.f.* 《Cuba.》 실속만 차리고자 결혼하는 (사람).

COC Comité Olímpico Coreano 한국 올림픽 위원회.

coca[1] *f. aimará.* ①【식물】 코카(hayo, ~ del Perú). ② 코카 잎.

coca[2] *f.* [*lat.* concha] ① 두 갈래로 딴 여자의 머리카락. ② (중세의) 선박. ③【속어】 머리(cabeza). ④ 주먹. ⑤ (밧줄의) 얽힘. ⑥《SDgo. Venez.》 (어린아이에게 있어) 무서운 것, 도깨비, 귀신. ⑦《Col.》 (알·과실의) 껍질.
de ~ 《Méx.》 거저, 무료로, 공짜로(de balde, gratis).

coca[3] *f.* [*catalán.* coca ; *lat.* coquêre] 《Ar. Balear. Val.》 (밀가루, 기름, 설탕, 달걀 등으로 만든) 부침개·지짐이.

cocacola *f.* 코카콜라.

cocacho *m.* ①《AmérM.》 머리에 받는 타격, 박치기(coscorrón). ②《Perú.》 삶을 때 딱딱한 강낭콩.

cocada *f.* ① 야자 열매로 만든 과자. ②《Perú.》 코카 열매로 만든 씹어 먹는 과자.

cocador, ra *adj. m.f.* 달래는, 귀여워하는 (사람).

cocaína *f.* 코카인 《마취제》.

cocainismo *m.* 코카인 남용.

cocainomanía *f.* 코카인 남용, 코카인 중독.

cocainómano, na *adj.* 코카인 중독의. **—***m.f.* 코카인 중독자.

cocaísmo *m.* 《AmérM.》 코카의 남용 ; 코카인 중독.

cocal *m.* ①《Perú.》 코카 숲. ②《Venez.》 코코야자 숲·원(cocotal).

cocamas *m.pl.* 꼬까마스족 《뻬루에 현존하는 옛 종족》.

cocán *m.* 《Perú.》 닭의 가슴 고기(pechuga).

cocar *tr.* ⑦ ① (어린이를) 귀여워하다 ; 달래다, 어르다(mimar). ② 애인끼리 눈빛으로 애정을 나누다(hacer cocos).

cocarar *tr.* 《Perú.》 코카 잎을 주다(proveer de hojas de coca).

cocaví *m.* 《Chile. Perú.》 여행할 때의 식량·도시락.

cocazo *m.* 《SDgo. Urug.》 (머리를 쥐어박는) 주먹다짐.

coccidiosis *f.* 토끼(conejo)의 기생병, 진균증(眞菌症).

coccígeo, a *adj.* 미골(尾骨)의.

coccinela *f.* =**mariquita.**

coccíneo, a *adj.* 자줏빛의(purpúreo).

cocción *f.* 삶기, 찌기 ; (빵·도기·벽돌 등을) 가마에 구움.

cóccix *m.* 【단·복수 동형】【해부】 미저골, 꽁무니뼈, 미골(尾骨)(hueso palomo).

coceador, ra *adj.* 발길질하는 버릇이 있는 (말).

coceadura *f.* =**coceamiento.**

coceamiento *m.* 발길질, 차는 일 ; 발에 채인 자국.

cocear *intr.* ① (동물이) 발길질하다, 차다. ②

고집을 부리다. —*tr.* 《*Arg.*》 (나쁜 쪽으로) 의심하다, 악의로 해석하다(maliciar).

cocedero, ra *adj.* 쉽게 삶아지는; 잘 구워지는. —*m.* 삶는 곳.

cocedizo, za *adj.* =**cocedero.**

cocedor *m.* 가마솥 당번; 가마솥을 걸어 놓은 방.

cócedra *f.* 【고어】 =**cólcedra.**

cocedrón *m. aum.* cócedra.

cocedura *f.* 삶기, 찌기(cocción).

cocer *tr.* 1 25 [*lat.* coquere] ① **불에 얹다; 찌다, 삶다**: ~ a fuego lento 약한 불로 삶다. ¿Lo *cuezo* a la lumbre? 그것을 불에 삶습니까? ② (빵·벽돌·석회 등을) 굽다; 가열하다. ③ 소화(消化)하다(digerir). ④ 고름을 푹 곪도록 두다(madurar). ⑤ (삼 따위를) 물에 담가 두다(enriar). —*intr.* ① 끓다: Espera a que *cueza* el agua 물이 끓는 것을 기다리십시오. ② 발효하다: *Cuece* el vino.

~se 계속 괴로워하다.

no cocérse**le a uno **el pan 누가 몹시 답답해하다.

cocha *f.* ① 《*Chile. Ecuad.*》 못, 늪(charco, laguna). ② 공지(cancha). ③ 세광지(洗鑛池). ④ 들판.

Cochabamba 【지명】 꼬차밤바 《볼리비아의 주; 수도 Cochabamba》.

cochabambino, na *adj. m.f.* 꼬차밤바의 (사람).

cochada *f.* 《*Col.*》 =**cochura.**

cochama *f.* 【어류】 막달레나강의 물고기.

cochambre *m.* 오물, 불결한 것, 더러운 것(suciedad, mugre).

cochambrería *f.* 쓰레기 더미.

cochambrero, ra *adj.* =**cochambroso.**

cochambriento, ta *adj.* =**cochambroso.**

cochambroso, sa *adj.* 오물투성이의.

cocharro *m.* 그릇, 종발, 종기.

cochastro *m.* 새끼 멧돼지.

cochayuyo *m.* 《*AmérM.*》 다시마.

ser como ~ 거무스레하다, 까무잡잡하다(ser negruzco o moreno).

coche[1] *m.* [*turco.* cochí] ① 차; 자동차(carro, automóvil, auto): ~ usado 중고차. en ~ 차로. Vamos en mi ~ 내 차로 갑시다. ② 전차; 마차: un ~ de caballos. ③ 차량(vagón).

~ ***blindado*** 장갑차. ~ ***cama*** 침대차. ~ ***celular*** 죄수 수송차. ~ ***comedor*** 식당차. ~ ***correo*** (열차의) 우편차. ~ ***de aquiler*** 임대 마차, 택시. ~ ***cuna*** 유모차. ~ ***de plaza · de punto · de sitio ·*** ~ ***simón*** 전세 마차. ~ ***de incendios*** 소방차. ~ ***de turismo*** 관광 자동차. ~ ***fúnebre*** 영구차. ~ ***parado*** 번화가를 내려다 보는 창(문). ~ ***remolque*** 트레일러 버스·트럭. ~ ***restaurante*** 식당차. ~ ***salón*** 자동차.

en el ~ ***de San Francisco*** 걸어서(a pie, andando, caminando, paseando).

coche[2] *m.* 【동물】 돼지(cerdo, cochino).

~ ***de monte*** 《*Guat.*》 =saíno, pecarí.

cochear *intr.* 마차를 부리다.

cochecillo *m.* 우마차.

cochera *f.* 차고; 마부의 아내. —*adj.* 마차가 지나갈 수 있는 (문).

cocherada *f.* 《*Méx.*》 =**grosería, brutalidad.**

cochería *f.* 《*Arg.*》 =**cochera.**

cocheril *adj.* 차의; 마부의: traje ~.

cochero, ra *adj.* ① 차의, 마차의, 마차·차 전용의: puerta ~*ra* 마차·차의 출입문. ② 쉬 삶아지는. —*m.f.* 마부, 마차꾼: ~ de punto, ~ simón 합승 마차의 마부.

cocherón *m.* [*aum.* cochera] 큰 차고; (철도의) 원형 기관 차고.

cochevira *f.* 돼지 기름.

cochevís *f.* 【조류】 뿔종다리(cogujada).

cochi *interj.* 꿀꿀꿀 《돼지를 부를 때의 소리》. —*m.* 《*Perú.*》 돼지.

cochifrito *m.* 설익힌 양고기를 기름에 튀긴 요리.

cochigato *m.* 【조류】 (멕시코의) 섭금류 새.

cochina *f.* 암퇘지(hembra del cochino).

cochinada *f.* =**cochinería.**

cochinamente *adv.* 추접스럽게; 비열하게.

cochinata *f.* 《*Col. Cuba.*》 새끼 돼지.

cochinchino, na *adj.* 꼬친치나《Cochinchina, 현재의 베트남》의. —*m.f.* 꼬친치나 지방 사람.

cochinear *intr.* 비열한 짓을 하다.

cochinería *f.* 불결, 오물; 비열한 짓(bajeza): hacer · decir ~*s.*

cochinero, ra *adj.* ① 돼지에게 먹이는. ② 비열한. ③ 돼지같은: trote ~ 뒤뚱뒤뚱 달리기(trotecillo corto).

cochinilla *f.* [*dim.* cochina] ① 【동물】 쥐며느리. ② (선인장에 기생하는) 연지벌레. ③ 양홍(洋紅). ④ 새끼 암퇘지.

de ~ 《*Cuba. Méx.*》 쓸모없는.

pintar en ~ 《*Méx.*》 실패하다(fracasar).

cochinillo *m.* 새끼 돼지(cochino de leche, cochino pequeño).

~ ***de Indias*** =cobaya.

cochino, na *m.f.* ① 【동물】 돼지(cerdo, puerco, chancho)의 이름 중의 하나. ② 불결한 인간; 비천하고 졸렬한 인간. ③ 《*Méx.*》 돼지 저금통. —*adj.* ① 불결한, 더러운, 추잡스러운. ② 별로 가치없는: cinco pestas ~*nas.*

cochío, a *adj.* 【고어】 =**cochero.**

cochiquera *f.* 돼지 우리; 지저분한 집.

cochite hervite *adv.* 허둥지둥, 급히, 매우 빨리(con prisa, muy rápidamente): hacer algo ~. —*m.* 덜렁쇠, 덜렁이.

cochitril *m.* ① =**cochiquera, pocilga.** ② 작고 더러운 방(habitación pequeña y sucia).

cochizo *m.* 광산의 광물이 풍부한 지역.

cocho, cha *adj.* [cocer의 *p.p.*] ① 바짝 졸인; 익힌. ② 불결한, 더러운(sucio). —*m.* ① 《*Ast. Léon.*》 돼지. ② 지저분한 녀석. ③ 《*Arg.*》 볶은 옥수수 가루; 볶은 옥수수 부침개·지짐이.

cochote *m.* 【조류】 (멕시코의) 앵무새의 일종.

cochura *f.* 찌는 일, 굽는 일; 빵집에서 굽는 1회분의 빵.

cochurero *m.* 【광산】 화덕 담당 직공.

cochurra *f.* 《*Cuba.*》 난석류 과자.

cocido, da *adj.* ① 삶은, 찐; 구운: arroz ~ 쌀밥. seda ~*da* 정제 견사(精製絹糸). ② [+en …에] 숙련된. —*m.* 냄비 요리, 전골(olla): El ~ es la comida nacional de los españoles. ③ 요리: ~ coreano 한식 요리.

cociente *m.* (나눗셈의) 상(商) : ~ diferencial 미분 계수. ~ intelectual 지능 지수.
cocimiento *m.* ① 끓어 오름. ② 뜸들임. ③ 달이는 약. ④ (염색 전의) 양모의 세척.
cocina *f.* [*lat.* coquina] ① 주방, 요리장, 부엌, 조리실 : útiles de ~ 부엌 용품. La ~ es muy bonita 부엌이 무척 아름답다. ② 요리(법)(arte culinaria) : ~ española 서반아 요리. ¿Conoce usted la ~ coreana? 한국 요리는 잡수어 보았습니까? ③ 전골(caldo). ④ 부뚜막 풍로, 풍로, 조리대 : ~ de gas 개스대. ~ económica 연료가 별로 들지 않는 풍로. ~ eléctrica 전기 조리대.
cocinar *tr.* 요리하다, 조리하다(guisar) : Yo sé ~ 나는 요리할 줄 안다. —*intr.* 【속어】 참견하다, 간섭하다.
cocinear *intr.* 간섭하다, 참견하다.
cocinería *f.* ① 【고어】 요리법(manera de guisar). ② 《*Chile. Perú.*》 식당(figón).
cocinero, ra *m.f.* 요리사 : La señora es buena ~*ra* 그 부인은 요리 솜씨가 훌륭하다.
cocinilla *f.* [*dim.* cocina] 석유 풍로, 알코올 램프 ; (지방에 따라) 난로. —*m.* 여자의 일에 참견하는 남자.
cocinita *f.* =**cocinilla.**
cocker *m.* 【동물】 (사냥용 영국산) 개의 일종.
cock-tail *m. ing.* 칵테일. [*N.* 발음 : kok-tel].
cóclea *f.* 나선식 양수기.
coclear *adj.* 【식물】 나선형의.
coclearia *f.* 【식물】 약초의 일종.
coclesano, na *adj. m.f.* 꼬끌레(Coclé)의 (사람).
coco *m. aimará.* ① 【식물】 야자, 야자나무, 코코야자 ; 그 열매. ② 《*Amér.*》 야자 열매로 만든 그릇. ③ (과일이나 음식에 붙는) 벌레, 구더기. ④ 염주. ⑤ 탤리코우 무명. ⑥ 요괴, 도깨비 ; 괴짜로 생긴 얼굴. ⑦ 《*Amér.*》 머리(cabeza). ⑧ 《*Col.*》 실크 해트. ⑨ 《*Cuba. PRico.*》 【은어】 달러, 돈. ⑩ 《*Perú. Urug.*》 백목면(白木綿). ⑪ 《*Ecuad.*》 처녀성.
~ *de Indias* 【식물】 코코야자 ; 코코야자의 열매 · 씨. ~ *de Levante* 【식물】 코카.
caerse del ~ 《*Venez.*》 생각지도 않게 실패하다.
hacer ~*s* (어린이를) 달래다 ; 남녀가 눈빛으로 서로 정을 나누다.
parecer · ser un ~ 흉측하다(ser muy feo).
pelar el ~ 머리를 면도로 밀다(afeitar la cabeza).
cocó *m.* ① 《*Col.*》 도깨비, 요괴. ② 《*Cuba.*》 공업용 백토(白土)의 일종.
cocobálsamo *m.* (메카산의) 순수한 발삼(opobálsamo)의 열매.
cocobolear *tr.* 《*Col.*》 목졸라 죽이다, 교살하다, 교수형에 처하다(ahorcar).
~se 목을 매다.
cocodrilo *m.* [*lat.* crocodilus] 【동물】 악어.
lágrimas de ~ 거짓 눈물.
cocol *m.* 《*Méx.*》 빵의 일종.
cocolera *f.* 《*Méx.*》 호도애(tórtola)의 일종.
cocolero *m. desp.* 《*Méx.*》 빵집.
cocolía *f.* 《*Méx.*》 원한, 적의(ojeriza).
cocoliche *m.* ① 《*Arg.*》 이민(移民)의 서툰 말씨. ② 《*Arg.*》 이탈리아인. ③ 《*Perú.*》 셀룰로이드의 큐핏 인형.
cocoliste *m.* 《*Méx.*》 (여러 가지) 전염성 피부병 ; 티프스.
cocolo, la *m.f.* 《*Ant.*》 카리브 해역의 영국령 섬(자마이카, 트리니다드 등)의 흑인.
cocolón *m.* 《*Ecuad. Perú.*》 눌어붙은 쌀밥.
coconete *adj.* 《*Méx.*》 =**chiquito, pequeñito.**
cócono, na *m.f.* 《*Méx.*》 칠면조의 병아리.
cócora *adj.* 잔소리하는. —*m.f.* 잔소리꾼. —*f.* 《*Amér.*》 노함, 성남, 화남 ; 원한.
cocorino, na *adj.* 《*Méx.*》 귀찮은, 성가신, 방해가 되는.
cocorismo *m.* 《*Méx.*》 형편이 나쁨, 지장.
cocoroco *adj.* 《*Chile.*》 =**descarado.** —*m.* =**bollo.**
cocorocó *m.* 《*Amér.*》 꼬끼오, 수탉의 큰 울음(quiquiriquí).
cocorote *m.* 《*Col.*》 나무의 수관(copa de un árbol).
cocoso, sa *adj.* 벌레가 낀 (과일 · 식품).
cocota *f.* 갈보, 창녀, 매음부, 논다니, 매소부, 매춘부.
cocotal *m.* ① 야자원, 야자나무 숲. ② 《*Amér.*》 코카나무 숲.
cocotazo *m.* 《*Amér.*》 (머리를 쥐어박는) 주먹.
cocote *m.* 목덜미(cogote). —*f.* 갈보, 창녀, 논다니, 매음부, 매춘부.
cocotero *m.* 【식물】 야자, 야자나무, 코코야자(coco, palma de coco).
cocotriz *f.* 【고어】 【동물】 악어(cocodrilo).
cocotudo, da *adj.* 《*Cuba.*》 고집이 센, 완고한(testarudo, cabezón).
cocoyol *m.* 《*Méx.*》 =**coyol.**
coctel *m.* 《*Angl.*》 칵테일, 혼합주 ; 칵테일 파티.
cóctel *m.* =**coctel.**
coctelera *f.* 칵테일 조합기, 칵테일 조제 그릇.
cocuche *adj.* 《*Méx.*》 =**desplumado, pelado.**
cocui *m.* 《*Venez.*》 【식물】 용설란(pita).
cocuiza *f.* 《*Méx. Venez.*》 용설란으로 만든 밧줄(cuerda de cocuy).
cocuma *f.* 《*Perú.*》 구운 옥수수.
cocuy *m.* 《*Amér.*》 ① 【식물】 용설란(agave, pita). ② 【동물】 =**cocuyo.**
cocuyo *m.* 【동물】 (중남미 열대 지방 산의 길이 3㎝ 가량의) 커다란 개똥벌레.
cód. código 법전, 법규집, 전신 코드.
C.o.D. *ing.* Cash on delivery 착불(着拂).
coda *f.* [*ital.* coda] 【음악】 종곡(終曲).
codadura *f.* 포도 덩굴.
codal *adj.* 자 모양의 ; 까치발로 받친. —*m.* ① (갑옷의) 팔꿈치 받이. ② (포도의) 어린 싹. ③ 까치발. ④ (자의) 변(邊). ⑤ (사닥다리의) 세로 나무. ⑥ (활톱의) 톱, 테.
codaste *m.* 선미재(船尾材).
codazo *m.* 팔꿈치로 찌르기.
dar ~ a uno 《*Méx.*》 (누구에게) 살짝 · 비밀리에 알려 주다(avisarle secretamente).
codeador, ra *m.f.* 《*AmérM.*》 =**socaliñero.**
codear *intr.* 팔꿈치로 쿡쿡 찌르다.
—*tr.* 《*AmérM.*》 돈을 뜯어내다, 울거 내다.
~se 대등하게 교제하다(tratarse de igual).
codeína *f.* 【화학】 코데인 《아편에서 채취되는 진통 수면제》.

codelincuencia *f.* 공범.
codelincuente *adj.* 공범의. —*m.f.* 공범자.
codeo *m.* ① 팔꿈치로 찌르기. ② 교제. ③ 《*AmérM.*》 돈을 뜯는 사람(socaliña, sablazo).
codera *f.* ① 팔꿈치 장식. ② 팔꿈치에 생기는 옴. ③【선박】배를 묶는 줄.
codesera *f.* 금작화 밭.
codeso *m.*【식물】금작화(borne).
codeudor, ra *m.f.* 연대 채무자.
códex *m.* 처방서, 처방록(farmacopea).
códice *m.* 사본; 고문서, 옛 원고; 미사의 축수서.
codicia *f.* 탐욕, 욕심, 열망 : ~ de saber 지식욕.
La ~ rompe el saco【속담】욕심은 금물.
codiciable *adj.* 못 견디게 탐나는(apetecible).
codiciador, ra *adj.* 탐욕·욕심을 내는. —*m.f.* 욕심쟁이.
codiciante *adj.* 탐내는, 욕심내는.
codiciar *tr.* ⑪ 탐내다, 욕심을 내다(desear con vehemencia) : No debemos ~ los bienes ajenos 남의 재산을 탐내서는 안된다.
codicilar *adj.* 유언 부속서의.
codicilo *m.* 유언 부속서.
codiciosamente *adv.* ① 탐욕스럽게, 욕심을 내어(con codicia). ② 부지런히.
codicioso, sa *adj.* ① 욕심이 많은. ② [+de : …] 욕이 강한 : un hombre ~ *de* honores 명예욕이 강한 남자. ③ 부지런한, 근면한, 일을 좋아하는(laborioso, trabajador). —*m.f.* 욕심꾸러기 : El ~ no es nunca completamente feliz.
codificable *adj.* 법규화 할 수 있는; 부호화 할 수 있는.
codificación *f.* 법전 편찬.
codificador, ra *adj.* 법전을 편찬하는. —*m.f.* 법전 편찬자, 법령 집성자.
codificar *tr.* ⑦ ① 법전으로 편찬하다, 성문화하다, (조목별로) 요약하다 : ~ reglamentos comerciales. ② (…의) 법규를 통일하다.
código *m.* [*lat.* codex] ① 법전. ② (어떤 계급·사회·동업자 등의) 규약, 규정; 신호법; 암호, 약호, 부호. ③ 로마 법전.
~ civil 민법. *~ de comercio* 상법. *~ de la cortesía* 예법. *~ de señal* 수기(手旗) 등의 신호. *~ Morse* 모르스 신호. *~ penal* 형법. *~ telegráfico* 전신 암호(장).
codillera *f.* (말의) 등자 종양.
codillo *m.* ① 등자. ② 동물의 앞다리의 무릎. ③ (수도관의) 구부러진 부분.
codín *m.* 《*Sal.*》 조끼의 좁은 소매.
codina *f.* 《*Sal.*》 삶은 밤 샐러드.
codirección *f.* 공동 관리.
codirector, ra *m.f.* 공동 이사, 공동 지도자.
codito, ta *adj.* 《*Méx.*》 =**tacaño, cicatero, agarrado.**
codo *m.* ① 팔꿈치 : Apoyó los ~*s* en las rodillas y metió la cabeza entre las manos 그는 무릎 위에 팔꿈치를 놓고 양손으로 머리를 감쌌다. Se está rompiendo la chaqueta por los ~*s* 웃옷의 팔꿈치 부분이 헤어진다. ② (동물의) 앞다리의 무릎(codillo). ③ (수도관 등의) 굽은 부분, 그 부품. ④ 길이의 단위《팔꿈치에서 손가락 끝까지의 길이, 약 42㎝》.
—*adj.* 《*Méx.*》 인색한(del ~). —*m.f.* 노랭이 : Juana es muy ~ 후아나는 아주 노랭이다.
alzar·empinar·levantar de(l) ~ 보통보다 많이 마시다, 실컷 마시다.
comerse los ~s de hambre 퍽 가난하다.
dar de ~ (무엇을 알리기 위해) 팔꿈치로 치다.
hablar por los ~s 혼자 지껄여대다, 너무 말을 많이 하다(hablar demasiado).
hincar el ~ 임종을 지켜보다.
meterse hasta los ~s en … (…에) 깊이 집착하다.
morderse un ~ 《*Méx. Riopl.*》 자제하다.
romperse de los ~s 열심히 공부하다.
codón *m.* (말의 꼬리를 보호하기 위한) 꼬리 주머니.
codoñate *m.* 마르멜로(membrillo) 과자.
codorniz *f.*【조류】메추라기 : rey de las *codornices*【조류】흰눈썹뜸부기.
codorno *m.* 《*Sal.*》 단단한 빵껍질(contero de pan).
codorro, rra *adj.* 《*Sal.*》 =**terco, porfiado.**
codujo *m.* ① 《*Ar.*》 소년(muchacho). ② 《*Ar.*》 키가 작은 사람.
codujón *m.* 《*Ar.*》 =**cogujón.**
COEA Consejo de la OEA 미주 기구 이사회.
coeducación *f.* 남녀 공학(제).
coeficiencia *f.* 협력, 공동 작용.
coeficiente *adj.* 공동 작용의, 협력하는. —*m.* ①【수학】계수. ②【물리】율.
~ de dilatación·expansión 팽창 계수. *~ de fricción* 마찰율. *~ de seguridad* 안전율. *~ diferencial* 미분 계수.
coéforo, ra *adj.* 죽은 자를 위해 공물을 지참하는.
coendú *m.*【동물】(남미산의) 호저 무리.
coercer *tr.* [*lat.* coercere] (법률·권력 등으로) 억제·억압·강제하다; 위압하다(reprimir, sujetar, restringir).
coercibilidad *f.* 수압성(受壓性).
coercible *adj.* 위압·강제·억압할 수 있는 : El vapor es ~.
coerción *f.* 억제, 억압; 강제; 위압 : ejercer ~ sobre la conducta de una persona.
coercitivo, va *adj.* 억누르는, 억압적인; 강제적인, 위압적인.
coetáneo, a *adj.* 동시대의, 현대의(contemporáneo). —*m.f.* 동시대인, 현대인.
coeternidad *f.* 영원 공존.
coeterno, na *adj.* 영원히 공존하는 : Las tres personas de la Santa Trinidad son ~*nas.*
coevo, va *adj.* 같은 시대에 있던; 그 무렵의.
coexistencia *f.* 공존, 병립 : ~ pacífica 평화 공존.
coexistente *adj.* 공존하는, 병립하는, 같은 시대의.
coexistir *intr.* [+con : …과] 공존하다; 같은 시대에 존재하다·살다.
coextenderse *r.* ⑳ 똑같이 퍼지다·뻗다 (extenderse igualmente).
cofa *f.*【군사】장루(檣樓).
cofia *f.* 두포(頭布), 머리 그물, 헤어 네트; 여자 모자의 일종.
cofiador, ra *m.f.* 공동·연대 보증인.

COFIDE Corporación Financiera de Desarrollo del Perú 뻬루 개발 금융 공사.
cofiezuela *f. dim.* cofia.
cofín *m.* (과실 등을 담는) 바구니·광주리·소쿠리 : un ~ lleno de higos 무화과가 가득한 바구니.
cofirmante *m.f.* 연대 서명인, 연서인.
cofosis *f.* 완전 귀머거리.
cofrada *f.* cofradía의 여성 회원.
cofrade *m.f.* cofradía의 회원·사원·조합원 : ~ de pala 도적의 부하.
cofradía *f.* ① 신도단 ; 종교 단체. ② 결사, 조합 (asociación). ③ 군중 ; 도적. ④ 부랑패, 부랑배, 건달패.
cofre *m.* ① 궤 ; (단단한) 상자 : ~ fuerte 금고 Sinón. arca. ②【인쇄】나무테. ③【어류】거북복. ④《Amér.》(보석 등의) 상자, 케이스.
cofrecillo *m. dim.* cofre.
cofrero *m.* 상자·가방 만드는 사람.
cofto, ta *adj. m.f.* =**copto.**
cofundador, ra *adj.* 공동 창설·설립의.
—*m.f.* 공동 창설자·설립자.
cogecha *f.*【고어】《Burg. Sor.》=**cosecha.**
cogedera *f.* ① 부지깽이. ② (과일을 따는) 장대, 작대기. ③ 꿀벌의 분리 상자 : ~ de apicultor.
cogedero, ra *adj.* ① 채수기(採收期)의. ② 딸 수 있는 : fruta *~ra* 딸 수 있는 과실.
—*m.* (여러 가지 물건의) 자루(mango, asa) ; 비틀어 따게 만든 장대 ; 꿀벌 분리 상자.
cogedizo, za *adj.* 쉽게 딸 수 있는, 붙잡기 좋은.
cogedor, ra *adj.* 잡을 수 있는 ; 채취용의.
—*m.f.* 채취자, 수집자.
—*m.* 쓰레기통, 쓰레받기, 부삽, 고무래.
cogedura *f.* coger하기 ; 채취, 포착.
coger *tr.* ③ [*lat.* colligere] ① ㄱ) 붙들다, 잡다, 쥐다, 포착하다(tomar) : Le *cogí de · por* la mano 그의 손을 잡았다. ㄴ) (범인 따위를) 붙잡다, 쫓아가서 잡다, 움켜 잡다(asir, agarrar, alcanzar) : Le *cogí* a pocos pasos de su casa 그의 집 바로 가까이에서 붙잡았다. ~ el tren 기차 시간에 대다·타다. ㄷ) (전파 등을) 잡다. ② (소가) 뿔로 들이받다. ③ (질병 따위에) 걸리다 : ~ una enfermedad · frío 질병·감기에 걸리다. ~ miedo 공포에 사로잡히다. ④ 줍다, 채집·채취하다, 긁어 모으다, 수집하다 (recoger) ; 따다, 꺾다 : ~ las aceitunas 올리브를 채집하다·줍다. ~ flores 꽃을 따다. ⑤ 찾아내다(encontrar). ⑥ 이해하다, 파악하다, (말·소리를) 알아듣다 (entender) : No pude ~ lo que me dijeron. ⑦ (위에서) 습격하다, 덮치다, 엄습하다 (sorprender) : Les *ha cogido* la noche en el bosque 밤을 맞이하게 되었다. ~ *de* nuevo 처음 듣는 소리다. Me *cogió* la noticia *de nuevo* 그 소식은 내게는 처음이었다. ⑧ 자리를 잡다 (ocupar) : La alfombra *coge* todo el salón 융단이 방안에 꽉 찬다. ⑨ 넣다, 담다, 용량이 있다, 받아들이다 : La tierra no *ha cogido* bastante agua 물이 충분히 스며들지 못했다. ⑩《Arg.》【속어】(암컷에게) 덤비다 (cubrir), (여자를) 포옹하다, 껴안다.
—*intr.* ① (어떤 상태에) 있다(hallarse) : La casa *coge* muy lejos de mi barrio. ② 들어가다 (caber) : Aquí no *cogen* todos 이곳에는 모두 들어가지 못한다. ③ 결심하다 [*N.* 뒤에 y와 동사를 이음] : *Cogió y* se entró derecho 그는 결심했다, 그리고 성큼성큼 들어갔다.
~se《Ant.》실수 따위를 저지르다 ; 곧잘 다니고 있다 ; 죽이 맞다 : *Me cojo* con José.
[직설법 현재1인칭 단수 : cojo. 접속법 현재 : coja, cojas, coja, cojamos, cojáis, cojan].
cogida *f.* ① (과일의) 수확·채취 : la ~ de la uva 포도 수확. ② coger 하기, 고기가 잡히는 일. ③ 투우가 뿔로 들이받는 일 : El torero tuvo dos *~s*.
cogido, da *adj.* [coger의 *p.p.*] 붙잡은. —*m.* (스커트·커튼 등의) 주름.
cogienda *f.*《Col.》채집, 수확, 거두어 들임 (cosecha).
cogitabundo, da *adj.* 사색·생각에 잠긴 (pensativo).
cogitativo, va *adj.* 생각·사변력(思辯力)이 있는.
cognac *m. fr.* =**coñac.** [*N.* 발음 : koñak].
cognación *f.* (본래는) 여자 쪽의 친척 관계, 혈족 ; 친척, 동족(parentesco).
cognado, da *m.f.* 모계의 친척·일가.
cognaticio, cia *adj.* 여자 쪽 친정 부모의 ; 일가의, 친척의, 동족의.
cognición *f.* =**conocimiento.**
cognomen *m.* 성(姓).
cognomento *m.* [*lat.* cognomentum] ① 별명, 별칭, 이명(異名)(sobrenombre, apodo). ② (특히 동명 이인을 구별하기 위해) 덧붙인 이름 : Alfonso *el Sabio* 현왕 알폰소. Jerusalén *la Santa* 성지 예루살렘.
cognoscibilidad *f.* 인식, 깨달음.
cognoscible *adj.* 인식할 수 있는, 깨달을 수 있는(conocible).
cognoscitivo, va *adj.* 인식의, 인식 능력이 있는 : potencia ~ 인식 능력.
cogocha *f.* =**cococha.**
cogollar *intr.*《Col.》=**acogollar.**
cogollero *m.*《Cuba.》담배의 기생충.
cogollo *m.* ① (배추 등의) 속 ; 싹. ② (사물·문제의) 중심부, 핵심 : ~ de una ciudad. ③《Amér.》사탕수수의 끝 (punta de la caña de azúcar). ④《Arg.》【곤충】매미 (chicharra). ⑤《Col.》(광산의) 광물 표면 부분. ⑥《Chile.》= **alabanza.**
cogolludo, da *adj.* =**excelente.**
cogombrillo *m.* =**cohombrillo.**
cogombro *m.* cohombro의 사투리.
cogorza *f.* =**borrachera.**
cogotazo *m.* 목덜미를 때리기.
cogote *m.* ① 목덜미(nuca). ②쟁반의 들어간 부분 : tieso de ~ 몹시 거만스러운.
de ~《Arg. Urug.》피둥피둥한, 토실토실한.
carne de ~《Arg. Urug.》하찮은 것.
cogotera *f.* ① 모자의 뒤로 늘어뜨리는 천조각. ②《Arg.》소의 굵직한 목.
cogotudo, da *adj.* ① 멧돼지 목덜미의. ② 잔뜩 뻐기는, 거만스러운. ③《AmérM.》돈이 있는 (adinerado). —*m.* 거만한 사람.
cogucho *m.*《Cuba.》찌꺼기 설탕.

cóguil *m.* 《*Chile.*》 보끼(boqui)의 열매.
coguilera *f.* 《*Chile.*》【식물】=**boqui.**
cogujada *f.* 【조류】종달새의 일종.
cogujón *m.* (덧베개·매트리스 등의) 귀·모퉁이·끝.
cogujonero, ra *adj.* cogujón 모양의.
cogulla *f.* [*lat.* cuculla] 두건이 달려 있는 망토 《승려복》.
cogullada *f.* 돼지의 목덜미 살 (papada del cerdo) : un guiso de ~ 돼지의 목덜미 살 요리.
cohabitación *f.* 동거, 동서(同棲).
cohabitar *tr.* 동거시키다. —*intr.* (부부가) 동거하다.
cohecha *f.* (씨뿌리기 전의) 마지막 경운(耕耘).
cohechador, ra *adj.* 매수하는. —*m.f.* 증회자(贈賄者).
cohechar *tr.* [*lat.* coactare] ① 증회·매수하다(sobornar). ② 휴경지를 갈다. ③【고어】= **contribuir, escotar.**
cohecho *m.* ① 매수, 증회 (soborno). ② 오직(汚職) (corrupción). ③ 마지막의 경운기(耕耘期). ④【고어】=**tributo, escote.**
cohén *m.f. hebreo.* 점쟁이 ; 수완가 ; 포주.
coheredar *tr.* (유산을) 공동으로 상속하다.
coheredero, ra *m.f.* 공동 상속인.
coherencia *f.* ① 점착(粘着), 부착 ; 연관성, 통일, 결합(력) ; 단결력 ; 연관. ②【물리】(분자 등의) 응집(력), 분자 인력(cohesión). **Contr.** incoherencia.
coherente *adj.* 연관이 있는, 밀착된, 부착하는, 일관성 있는, 통일성 있는.
cohesión *f.* [*lat.* cohaesum] 점착, 부착 ; 응집(력) ; 통일성, 연관 ; 결합, 결혼(enlace).
cohesivo, va *adj.* 점착력이 있는, 응집력·결합력이 있는.
cohesor *m.* 【전기】코히러 《무선 전신용 검파기의 일종》.
cohete *m.* ① 폭죽, 꽃불, 불꽃 (놀이) : ~ chispero 꽃불을 내는 불꽃. ~ ratero 땅위로 길게 놓는 불꽃. ~ tronador 소리를 주로 한 불꽃. ② 로켓, 로켓탄 : ~ espacial 우주 로켓. ~ radiodirigido 전파 유도탄. ~ tierra-tierra 지대지(地對地) 로켓. ~ de tres tramos 삼단식 로켓. ~ de salvamento 구명 로켓. ~ de señales 비행기 상륙의 유도 조명. ③ 《*Méx.*》【광물】발파, 다이너마이트. ④ 《*Méx.*》 소의 넓적다리 고기조각.
al ~ 《*AmérM.*》 보람없이, 무익하게, 공연스레, 헛되이, 무의미하게(en vano).
escapar como un ~ 전력을 다해 도망치다(huir a todo correr).
cohetear *tr.* 《*Méx.*》 바위에 구멍을 뚫다(barrenar una roca).
cohetera *f.* cohetero의 아내.
cohetería *f.* [집합] 꽃불, 로켓 ; 로켓 제작 공장 ; 로켓 기술.
cohetero, ra *m.f.* 꽃불 만드는 사람 ; 우주 로켓의 기사(技師).
cohibición *f.* 근신, 억제.
cohibir *tr.* ⑲ [*lat.* cohibire] ① 근신하게 하다, 삼가하다, 억제하다 : La vergüenza me *cohibió* las palabras 나는 부끄러워 말을 삼가했다. ② 《*Méx.*》 강제하다(obligar).
cohobación *f.* 【화학】반복 증류.
cohobar *tr.* 반복 증류하다.
cohobo *m.* ① 사슴의 가죽(piel de ciervo). ② 《*Ecuad. Perú.*》 사슴(ciervo).
cohollo *m.* cogollo의 사투리.
cohombral *m.* 오이밭.
cohombrillo *m.* [*dim.* cohombro] 작은 오이.
cohombro *m.* 【식물】오이.
~ *de mar* 【동물】해삼.
Quien hizo el ~, que le lleve al hombro 【속담】일을 한 자가 그 끝을 보아야 한다, 결자 해지(結者解之).
cohonestación *f.* 좋게 보이기 ; 간과, 시인.
cohonestador, ra *adj.* 좋게 보이는 ; 시인·간과하는.
cohonestar *tr.* ① 나쁜 일을 좋은 일인 것처럼 꾸미다, 좋게 보이다. ② 간과하다, 시인하다.
cohorte *f.* ① (고대 로마의) 보병대. ②【시어】군(軍) : ~*s* celestes 천사군(天使軍). ③ 무리, 떼(multitud).
COI Comité Olímpico Internacional 국제 올림픽 위원회.
coihue *m.* 【식물】(안데스 산지의) 떡갈나무의 무리.
coihué *m.* =**coihue.**
coila *f.* 《*Chile.*》【속어】거짓말, 사기, 속임수.
coilero, ra *adj.* 《*Chile.*》 =**mentiroso, embustero.**
coima[1] *f.* [*ár.* couaima] 정부(情婦), 내연의 여자.
coima[2] *f.* ① 《*Cuba. Chile.*》 도박장의 입장료, 개평(gratificación). ② 《*AmérM.*》 뇌물.
coimbricense *adj.* =**conimbricense.**
coime *m.* ① 도박장의 물주. ② 당구장의 사환.
coimear *intr.* 《*Arg. Urug.*》 수회·수뢰(受賂)하다.
coimero *m.* 《*Arg. Urug.*》 수회 관리(收賄官吏).
coincidencia *f.* ① (우연의) 일치, 부합, 합치 : ¡Qué ~ ! 거참 우연의 일치군요. ② 동시 발생, 공소 공재(公所公在), 때를 같이 하는 일.
coincidente *adj.* 일치·부합·합치하는 ; 때를 같이하는 : seguro ~ 이중 보험.
coincidir *intr.* ① [+con : …과] 일치·부합하다 ; 동시에 발생하다, 때를 같이 하다 : La muerte del rey *coincidió con* la victoria 왕의 죽음은 승리와 때를 같이 했다. El descubrimiento de América *coincidió* casi *con* el de imprenta 아메리카의 발견은 인쇄의 발견과 거의 때를 같이 했다. ② [+con : …를] 만나다. ③ [+en : …에] 생각·의견이 일치하다.
coinquilino, na *m.f.* 공동 임차인(賃借人), 동숙자, 공동 전세인.
coinquinar *tr.* [드뭄] 더럽히다(manchar). **~se** 명성을 떨어뜨리다.
cointeresado, da *adj. m.f.* 이해 관계를 같이 하는 (사람·것).
coipo *m.* 【동물】(남미산의) 바다삵(perro de agua).
coipu *m.* =**coipo.**
coirón *m.* 《*Chile.*》【식물】억새풀.
coironal *m.* 《*AmérM.*》 억새풀밭.
coitar *intr.* 성교·교미·흘레·교접하다.

coito *m.* 성교, 교미, 흘레, 교접(交接).

coja *f.* 【속어】 갈보, 매음부, 매춘부, 창녀.

cojear *intr.* ① 다리를 절다, 절름거리다 : *Cojea* de pie izquierdo 그는 왼쪽 발을 절고 있다. ② (책상 따위가) 기우뚱거리다. ③ 약점·나쁜 버릇·결점을 가지고 있다 : saber *de* qué pie *cojea* alguien 누구의 결점을 알고 있다. ④ 실패·실수하다.

cojera *f.* 절름발이 ; 장애, 결함, 실수.

cojetada *f.* 절름발이가 걷는 빠른 걸음.

cojijo *m.* ① 언짢음, 시큰둥함, 불평 불만 ; 원한의 소리. ② 벌레(sabandija).

cojijoso, sa *adj.* 성미가 까다로운, 사소한 일로 불평하는, 잔소리가 많은.

cojillo, lla *m.f.* 《*Perú.*》 키운 자식.

cojín *m.* =**almohadón.**

cojinete *m.* [*dim.* cojín] ① 작은 방석. ② 바늘겨레·방석. ③【기계】 굴대받이, 베어링 : ~ de bolas (rodillas) 볼 베어링. ④ (레일 밑의) 좌금(坐金). —*pl.* 《*Col. Venez.*》 걸채 《길마 위에 덧얹고 곡식단 등을 싣는 기구》.

cojinillo *m.* [*dim.* cojín] 《*Arg.*》 (말의 등에 놓는) 작은 모포.

cojitrancada *f.* =**cojetada.**

cojitranco, ca *adj. m.f.* 심하게 절룩거리는 (사람).

cojo coger의 직·현·1·단수.

cojo, ja *adj.* ① 절룩거리는, 저는 : ~ de nacimiento 날 때부터 저는. ② (가구 등에도 쓰여) 절름발이의 : Esta silla está *coja.* ③ 결함이 있는, 편파적인 : razonamiento ~ 편파적인 이론. —*m. f.* 절름발이.

no ser ~ ni manco 일을 능수 능란하게 처리하다, 일꾼이다, 솜씨가 미덥다.

cojobo *m.* 【식물】 《*Cuba.*》 =**jabí.**

cojolite *m.* 【조류】 (멕시코의) 꿩(faisán)의 일종.

cojudo, da *adj.* ① 아직 거세하지 않은. ② 《*Amér.*》 어리석은, 미련한, 바보같은, 멍청한, 미욱한.

cojuelo, la *adj. m.f.* [*dim.* cojo] 약간 저는.

cojumbral *m.* 《*And.*》 습지 조림·식수.

cok *m.* [*pl.* coques] =**coque.**

col *f.* 【식물】 양배추, 캐비지 ; 감람.

Entre ~ y ~, lechuga 【속담】 어떤 일에 싫증을 내지 않기 위해서는 바꾸어 볼 필요가 있다.

El que quiere a la ~ quiere a las hojas de alrededor 【속담】 선을 베풀면 베푼 만큼 받는다, 인과 응보.

col. columna.

col.ª columna.

cola¹ *f.* [*lat.* cauda] ① 꼬리(rabo) : La ~ del lagarto vuelve a crecer cuando se le corta 도마뱀의 꼬리는 잘리면 다시 자란다. ② 말미, 말단. ③ (노래의) 끝절. ④ (질질 끄는) 자락. ⑤ 열, 줄 : hacer ~ 줄을 짓다. guardar ~ 줄을 흐트리지 않다. ¿Hay que hacer ~ para tomar el tren? 그 열차를 타기 위해서는 줄을 서야 합니까? ¿Es ésta la ~ para tomar el tren de las ocho? 이것이 여덟 시 열차를 타기 위한 열입니까? ⑥【목공】 장부 《나무를 이어 맞추기 위해 끝을 가늘게 한 부분》 : ~ de milano·de pato 비둘기 꼬리처럼 끝이 퍼진 장부. ⑦【식물】 콜라나무, 콜라의 열매 《열대산으로, 그 열매가 청량 음료의 자극제》. ⑧ 《*Guat.*》 미행 형사. ⑨ 《*Venez.*》 실속이 많은 일.

~ ***de caballo*** 【식물】 쇠뜨기 ; 속새, 목적(木賊). ~ ***de golondrina*** 【축성】 각보(角堡). ~ ***de zorra*** 【식물】 뚝새풀 《화본과 식물》.

a la ~ 맨 꽁무니에, 맨 끝의. **Contr.** a la cabeza.

apearse por la ~ 엉뚱한 대답을 하다·말을 하다.

llevar (la) ~ 시험·콩쿠르에서 꼴찌가 되다.

ser arrimado a la ~ 별로 머리가 좋지 않다(ser poco inteligente).

tener·traer ~ un negocio 엉뚱한 결과가 되다.

cola² *f.* [*gr.* kolla] 아교, 풀 : ~ de boca 침으로 붙이는 풀. ~ de pescado 부레로 만든 아교.

colaboración *f.* ① 합작, 공저(共著) ; 협력 : en ~ con …과 공동으로, 합력하여. Lo haré en ~ con ella 그녀와 협력하여 그것을 하겠다. Le pido su ~ en llevar a cabo esta obra 이 사업을 수행하는데 귀하의 협력을 부탁드립니다. ② 공동 경영 ; 공동 연구 ; 협조, 제휴 ; (점령군·적국에의) 협력, 원조.

colaboracionismo *m.* 《*Neol.*》 (적국이나 점령군에의) 협력주의·활동.

colaboracionista *adj. m.f.* 《*Neol.*》 (적국이나 점령군에의) 협력파(의), 협력자(의).

colaborador, ra *m.f.* 합작자, 공동 제작자 ; (신문 잡지의 전속) 기고자 : los *~es* de una revista.

colaborar *intr.* [*lat.* collaborare] 공동으로 일하다, 협력하다 ; 공동 연구하다, 합작하다 ; 제휴하다 ; (자기편을 배반하고 적에게) 협력하다.

colación *f.* ① 교합, 대조(cotejo) : ~ escrupulosa 면밀한 대조. ② 성직 수임, (대학에서) 학위 수여. ③ 교구 ; 교구민. ④ 간식, 간단한 식사(merienda). ⑤ 《*Amér.*》 과자(confite).

~ ***de bienes*** 받기로 되어 있는 유산의 청구 : traer a ~ *de bienes* y partición 받을 유산으로서 신청하다.

sacar·traer a ~ 화제에 올리다, 들먹거리다 ; …에 대해 말하다.

colacionar *tr.* ① 교합하다, 대조하다(cotejar). ② 승려 위원으로 임명하다. ③ 받을 유산으로서 신청하다. ④ 학위를 수여하다.

colactáneo, a *m.f.* 같은 젖을 먹고 자란 형제·자매.

colachón *m.* 손잡이가 긴 기타.

colada *f.* ① (액체를) 거르는 일, 여과. ② 표백(액) ; 표백한 것, 세탁물. ③ 따라붓는 일. ④ (용광로에서 나오는) 쇳물 ; 용해된 묽은 것 : ~ de hormigón 반죽한 콘크리트. ⑤ 가축들의 통로 ; 험로 고갯길. ⑥ 명도(名刀). ⑦ 《*Col.*》 = **arroz con leche.**

salir en la ~ 판명되다, 드러나다, 밝혀지다 : Todo *saldrá en la ~* (협박하는 말로) 곧 갚아주겠다.

coladera *f.* ① 여과기(filtro, colador). ② 《*Méx. PRico.*》 하수관(cloaca). ③ 빨아 들이기

coladero *m.* ① 여과기 ; 거르는 천. ② 애로(隘路), 좁은 길.

coladizo, za *adj.* 스며들기 쉬운.

colado, da *adj.* colar의 *p.p.*

colador *m.* 여과기 ; 홍차 거르는 기구.
coladora *f.* ① 표백용의 물통 · 기구. ② 피륙을 표백하는 여자, 빨래하는 여자.
coladura *f.* ① (액체를) 거르는 일 ; 스며서 배어 나옴, 삼출(滲出) ; 따라 붓기. ② 【속어】 나오는대로 지껄이기, 거짓말, 무책임한 말.
colagogo, ga *adj.* 담즙 분비 촉진의. —*m.* 담즙 분비 촉진제.
colagón *m.* 《*Méx.*》 고랑, 홈통.
colaina *f.* (재목의) 박리(剝離), 벗겨져 떨어지는 일(acebolladura).
colaire *m.* 【방언】 틈새 바람 ; (틈새 바람이 불어 오는) 틈.
colambre *f.* 피혁(corambre).
colana *f.* 【속어】 (술 등을) 꿀꺽 마시는 일.
colandero, ra *m.f.* 옷을 표백하는 사람.
colanilla *f.* (문 · 창의) 고리쇠.
colaña *f.* ① (계단 등의) 난간 ; 간막이 (울타리). ② =**acebolladura.**
colapez *f.* 어교(魚膠), 부레로 만든 아교풀(cola de pescado).
colapiscis *f.* =**colapez.**
colapsar *tr.* 쇠약하게 하다 ; 기력을 잃게 하다. —*intr.*, **~se** 쇠약하다 ; 기력을 상실하다.
colapso *m.* 쇠약, 허탈 ; 기력의 상실.
colar[1] *tr.* [*lat.* collâre] 승려 위원으로 임명하다.
colar[2] *tr.* ㉔ [*lat.* colâre] ① (액체를) 거르다, 여과하다 : El jugo de naranja no está bien *colado* 오렌지 주스는 잘 걸러지지 않는다. ② 스며들게 하다. ③ 바래다, 표백하다. ④ 부어 · 따라 넣다, 붓다. ⑤ (위조 화폐 등을) 몰래 써먹다. —*intr.* ① 비집고 빠져 나가다 · 지나가다 ; (바람이) 몰아쳐 오다 · 빠져 나가다. ② 스며들다, 침투하다. ③ 머리에 들어오다, 이해가 가다 : no ~ una cosa 어떤 일을 믿을 수 없다. ④ 거짓말 · 속임수로 통하다. ⑤ 【속어】 술을 마시다 (beber vino).
~se ① 스며들다, 번지다. ② (살그머니) 스며들다 : *~se en* una reunión. ③ 얼렁뚱땅하다, 입에서 나오는 대로 지껄이다, 무책임한 말을 하다.
colargol *m.* =**plata coloidal.**
colateral *adj.* 양쪽 옆에 붙은, 공동 책임의, 양쪽의 ; 방계(傍係)의(transversal). —*m.* 양측 ; 부저당(副抵當).
colateralmente *adv.* 공동 책임으로.
colativo, va *adj.* 표백의, 표백력이 있는 ; 여과성의, 여과력이 있는.
colayo *m.* =**pimpido.**
colazo *m.* =**coletazo.**
colback *m.* (옛날 서반아와 불란서 병사가 사용했던) 깃털 모자의 일종.
colcha *f.* 침대 시트 · 커버 ; 이불.
colchado, da *adj.* [colchar의 *p.p.*] 솜 · 양털을 넣은. —*m.* ① 솜을 넣은 물건. ② 《*Chile.*》 = **colchadura.**
colchadura *f.* colchar 하는 일.
colchar *tr.* ① (…에) 솜 · 양털을 넣다(acolchar). ② =**corchar.**
colchero, ra *m.f.* 이불 만드는 사람.
cólchico *m.* 【식물】 =**cólquico.**
colchón *m.* 방석, 요 : ~ de aire 에어 쿠션. ~ de muelles 스프링이 들어 있는 요. ~ de tela metálica 쇠그물을 친 요밑. ~ de viento 공기방석.
colchoncillo *m. dim.* colchón.
colchonera *adj. f.* ***aguja*** ~ 이불을 꿰매는 대바늘.
colchonería *f.* 방석 · 요 가게.
colchonero, ra *m.f.* 이불 제조자, 이불 장수.
colchoneta *f.* 기다란 방석, 긴 쿠션.
colcol *m.* =**ñacurutú.**
colcótar *m.* 철단(鐵丹) 《마분(磨粉)으로 쓰임》.
colcrén *m.* 《*Angl.*》 콜드 크림.
cole *m.* 《*Sant.*》 =**chapuzón.**
coleada *f.* (물고기 따위가) 꼬리치기.
coleado, da *adj. m.f.* 《*Chile.*》 낙선한 (사람), 낙제한 (학생), 제외된 (사람).
coleador *m.* 투우를 훈련시키는 기수.
coleadura *f.* colear 하는 일.
colear *intr.* 꼬리를 치다 · 움직이다 · 붙잡다 : Todavía *colea* 아직 매듭이 지어지지 않고 있다. —*tr.* 《*Amér.*》 ① (투계를) 훈련하다. ② (소의) 꼬리를 붙잡아 쓰러뜨리다. ③ 《*AmérM.*》 놀려주다, 놀리다, 놀려대다(fastidiar). ④ 《*Chile.*》 낙선 · 낙제시키다. ⑤ 《*Amér.*》 [+ en : 나이가 …과] 비슷하다 (frisar). ⑥ 《*Guat.*》 미행하다, 뒤를 밟다.
~ ***un negocio*** 아직 결론짓지 못하다.
colección *f.* 수집(품), 채집 ; 전집, 총서, 집성(集成) : El millonario tiene una magnífica ~ de relojes antiguos 백만 장자가 옛날 시계의 훌륭한 수집품을 갖고 있다.
coleccionador, ra *m.f.* 수집자, 수집가 (coleccionista).
coleccionar *tr.* ① 모으다, 수집하다 : *Estoy coleccionando* sellos (de correo) 나는 우표를 수집하고 있다. ② 수금하다, …의 대금을 받다. **~se** 모이다, 모아지다, 수집을 하다.
coleccionista *m.f.* 수집가, 수집자 ; 채집자 (coleccionador) : Los ~*s* de sellos de correo son innumerables 우표 수집가는 헤아릴 수 없이 많다.
colecistitis *f.* 【의학】 담낭염.
colecta *f.* ① 부과, 갹출금(醵出金)의 할당. ② 갹출금. ③ 기도문. ④ 초기 그리스도 교도의 집회.
colectación *f.* 모으기, 모집, 수금 ; (작품의) 집록(集錄).
colectar *tr.* ① (주로 금전을) 징수하다, …의 대금을 징수하다, 모금하다 ; 거두어 들이다. ② (흩어졌던 것을) 모아 정리하다, 집록하다, 수집하다.
colecticio, cia *adj.* 여기저기서 그러모은 : tropa ~*cia* 여기저기서 그러모은 부대.
colectivamente *adv.* 집합적으로, 한데 뭉뚱그려, 공동으로.
colectividad *f.* ① 집합성 ; 집단, 집합체 : ~ obrera 노동자 집단. ② 전체, 총체.
colectivismo *m.* 집산주의(集產主義), 공영 《토지 · 생산 수단 따위를 국가가 관리함》 : Carlos Marx fue uno de los teóricos del ~ 칼맑스는 집산주의의 이론가 중의 한 사람이었다.
colectivista *adj.* 집단주의의 : teoría ~ 집산주의 이론. —*m.f.* 집산주의자.

colectivización *f.* 집단화, 공영화.
colectivizar *tr.* 집단화·공영화하다.
colectivo, va *adj.* 집합적, 집단적인 ; 일체로서의, 공동의 ; 집단의, 총체의. Contr. individual. —*m.* ①【문법】집합 명사(nombre ～). ②《*Arg.*》합승 버스.
fruta ～va【식물】집합과《파인애플 따위》. *liderazgo ～* 집단 지도제. *nombre ～*【문법】집합 명사. *seguridad ～va* (유엔의) 집단 보장. *sistema ～* 집단 안전 보장 제도. *trabajo ～* 집단 작업.
colector, ra *adj.* 수집하는. —*m.f.* ① 수집가. ② 수금원 ; 징수 세리(徵收稅吏).
—*m.* ① 낙수구(溝) ; 지하의 하수도. ②【전기】콜렉터, 집전자(集電子).
colecturía *f.* 징수계, 징수 사무소 ; 기부계.
colédoco, ca *adj.* 담즙이 있는.
colega *m.f.* 동료 ; 동직자 : su ～ mexicano en el Ministerio de Relaciones Exteriores 외무부에 근무하는 그의 멕시코 동료.
colegiación *f.* 동직회조직·가입(inscripción en una corporación oficial).
colegiadamente *adv.* 단체·집단 조직으로.
colegiado, da *adj.* 동직회의. —*m.f.* 동직회원(의사·변호사의).
colegial, la *adj.* 학교의 ; 동직회의. —*m.f.* ① 생도, 학생 ; 기숙생. ②《*Méx.*》얼간이, 천치, 바보 ; 풋내기(novato, inexperto). ③《*Méx.*》말 타는 솜씨가 서툰 사람.
colegialmente *adv.* =**colegiadamente.**
colegiarse *r.* ⑪ 동직회를 조직하다 ; 동직회에 입회하다, 동창회를 만들다.
colegiata *f.* (학교·기숙사 등의) 부속 교회.
colegiatario, ria *m.f.* 공동 수유자(受遺者).
colegiatura *f.* 장학금 ; 학적.
colegio *m.* [*lat.* colligere] ① 학교, 여학교 ; 전문 학교, 국민·중·고등학교, 학원 ; 기숙사 : ～ mayor 대학 기숙사 ; 공적 성질의 학생 기숙사 ; 대학원 ; 군사 학교 ; 육군 대학. Entró en el ～ a los quince años 그는 열 다섯살에 고등학교에 들어갔다. [*N.* colegio는 일반적으로 각종 사립 학교에 해당되고, escuela는 국공립 학교를 뜻한다]. ② 동직 단체, 조합, 모임 : ～ de abogados 변호사회. ～ de corredores 중개인 조합. ～ de médicos 의사회. ③ 회, 회의 : ～ de cardenales 추기경 회의. ～ electoral 선거인회. Sacro *C*- 성교단(聖敎團)(～ de cardenales).
colegir *tr.* ㊺ ① 미루어 헤아리다, 추단·추정하다(deducir) : ～ *de*·*por* los antecedentes 지난 일로 미루어 헤아리다. ② 모으다, 수집하다(juntar, reunir).
colegislador, ra *adj.* 공동 입법 단체의.
coleína *f.*【화학】콜레인.
colemia *f.*【의학】담독증(膽毒症).
coleo *m.* =**coleadura.**
coleóptero, ra *adj.*【동물】갑충류의. —*m.* 딱정벌레. —*m.pl.* 갑충류.
colera *f.* 말의 꼬리 장식.
cólera *f.* [*lat.* cholera] ① 노함 (ira) : montar en ～ 몹시 화를 내다, 격노하다. Estuvo ciego de ～ 그는 몹시 화를 냈다. Aquello le dio mucha ～ 그것은 그를 무척 노하게 했다. ② 담즙(bilis). ③ 고무를 입힌 옥양목.
—*m.*【의학】콜레라 : ～ morbo 급성 콜레라. ～ asiático 진성 콜레라. ～ esporádico 의사 콜레라. El ～ es originario de la India 콜레라는 인도가 발상지다.
cortar la ～ 간식을 먹다 ; 노여움을 가라앉히다. *hecer ～s*《*Méx.*》몹시 화내다, 성을 내다. *tomarse de la ～* 너무 화가 나서 제정신을 잃다.
cólera-morbo *m.* 급성 위장염.
coléricamente *adj.* 화내어.
colérico, ca *adj.* ① 분노의, 화난 ; 화를 잘 내는 : carácter ～ 화를 잘 내는 성격. ② 담즙이 많은. ③ 콜레라의. —*m.f.* 콜레라 환자(enfermo de ～) : hospital de ～*s.* Contr. moderado, plácido.
coleriforme *adj.* 콜레라상(狀)의.
colerín *m.* =**colerina.**
colerina *f.*【의학】의사 콜레라, 경증 콜레라.
colero *m.* ①《*Amér.*》(광산의) 인부 부두목, 조수. ②《*Chile.*》실크 해트.
colesterina *f.* 콜레스테린, 콜레스테롤.
colesterol *m.* =**colesterina.**
coleta *f.* ① 변발(辮髮) : cortarse la ～ 투우사가 변발을 자르다 ; 은퇴하다, 발을 끊다. ② 보주(補注). ③《*Ecuad.*》=**percalina.** ④《*Méx.*》=**mahón.** ⑤《*Cuba.*》=**cañamazo.**
tener·*traer ～* 사태가 중대해지다.
coletazo *m.* 꼬리로 때리는 일(golpe dado con la cola).
coletear *tr.*《*Cuba.*》꼬리로 때리다(dar coletazos).
coletero *m.* 가죽옷 제조자·판매자.
coletilla *f. dim.* coleta.
coletillo *m.* 남자가 입는 소매없는 저고리 : El ～ se usa hoy día entre las serranas de Castilla 꼴레띠요는 오늘날 까스띨랴 산지 여자들이 사용한다.
coleto *m.* ① 가죽옷. ② 몸, 인체(人體)(cuerpo humano). ③ 신병(身病) : pescar a uno el ～ 누구의 신병을 확보하다. ④ 내심 : Dije para mi ～ 나는 속으로 말했다. ⑤ 철면피, 뻔뻔스러움(descaro, desvergüenza). ⑥《*Chile.*》=**papirote.**
echarse al ～ 먹다, 마시다 ; 통독하다.
coletón *m.*《*Venez.*》삼부스러기로 만든 조잡한 천.
coletudo, da *adj.*《*And. Col.*》=**descaro.**
colgadero, ra *adj.* 매다는, 걸 수 있는 : frutos ～*s* 햇빛에 말린 과일. —*m.* (어떤 것을 걸어 놓는) 고리 : enganchar la carne en el ～.
colgadizo, za *adj.* 걸어 놓기 위한. —*m.* ① 건축이 엉성한 집. ② 건물의 튀어나온 지붕 : abrigarse de la lluvia bajo un ～.
colgado, da *adj.* [colgar의 *p.p.*] ① 매달린, 늘어진. ② (dejar, quedar와 함께 쓰여) 엉뚱하게(하는·되는). ③ 불확실한, 예단할 수 없는.
colgador *m.* 양복걸이(colgadero, percha).
colgadura *f.* ① [집합] 커튼, 벽걸이 : ～ de cama 침대 주변에 거는 커튼. ② 장식용 벽에 거는 융단, (족자 등의) 벽 장식품.
colgajo *m.* ① 너절한 누더기 : llevar ～*s en* la falda. ② (과일) 걸어 말리기 : ～ de uvas. ③ 수술 후에 꿰매는 건전한 피부.
colgamiento *m.* colgar 하는 일.

colgandejear *tr.* 《*Col.*》 =**colgar.**
colgandejo *m.* 《*Col.*》 =**colgajo.**
colgandero, ra *adj.* =**colgante.**
colgante *adj.* 매다는 ; 걸린, 늘어진 : monocarril ~ 현수식(懸垂式) 모노 레일. —*m.* ① 목걸이(collar). ② 【건물】 꽃무늬 홈(festón). ③ 매다는 장식.
colgar *tr.* 24 8 [*lat.* collocare] ① [+de · en : …에] 매달다, 걸다, 걸치다(suspender) : ~ la ropa *de* un clavo · *en* la percha 의복을 못에 · 옷걸이에 걸다. Vamos a ~ aquí ese cuadro 그 그림을 여기에 걸자. ② (수화기를) 놓다 : No *cuelgue* usted el receptor 수화기를 놓지 마세요. ③ 커튼 같은 것으로 장식하다. ④ 【속어】 교살하다, 목을 졸라매 죽이다, 교수형에 처하다(ahorcar). ⑤ (누구에게) 죄를 뒤집어씌우다 : Todo se lo *cuelgan* a él 모든 것을 그의 탓으로 돌리다. ⑥ 축하 선물로 보내다. ⑦ 낙제시키다 : Me *han colgado* en matemática 나는 수학에서 낙제했다. Contr. descolgar.
—*intr.* ① 매달리다, 늘어져 있다 : La lámpara *colgaba* del techo 램프는 천장에 매달려 있었다. Nuestra vida parecía ~ del extremo de un hilo telefónico 우리 생명은 풍전 등화와 같았다. ② (누구의) 뜻대로이다, 생각에 달려 있다(depender).
~ a uno *en la galleta* 《*Arg.*》 (누구를) 휴직 · 퇴직시키다.
[직설법 현재 : cuelgo, cuelgas, cuelga, colgamos, colgáis, cuelgan. 접속법 현재 : cuelgue, cuelgues, cuelgue, colguemos, colguéis, cuelguen. 직설법 부정과거 1인칭 단수 : colgué].
coliamarillo *m.* 《*Amér.*》 【조류】 =**diostedé.**
colibacilo *m.* 【세균】 대장균.
colibacilosis *f.* 대장균으로 생긴 병.
coliblanco, ca *adj.* 꼬리가 흰.
colibrí *m.* 【조류】 참새의 일종(pájaro mosca).
cólica *f.* 【의학】 (발작성의) 복통, 산통(疝痛).
colicano, na *adj.* 꼬리에 흰 털이 난.
coliche *m.* (점잖을 뺄 필요가 없는) 소무도회.
cólico, ca *adj.* 【해부】 결장(結腸)의. —*m.* 산통 ; (발작적) 복통 ; (내장의) 폐쇄통(閉塞痛) : ~ hepático 간산통. ~ miserere 장폐색. ~ nefrítico · renal 신산통(腎疝痛). ~ de plomo 연독(鉛毒).
colicoli *m.* 《*Chile.*》 【곤충】 등에 · 말파리(tábano)의 일종.
colicuación *f.* 용해, 액화 ; 설사로 인한 쇠약.
colicuar *tr.* (함께) 녹이다, 액화하다.
colicuativo, va *adj.* 【의학】 급격한 쇠약을 가져오게 하는, 용붕성(溶崩性)의, 탈한성(脫汗性)의 : diarrea ~*va.*
colicuecer *tr.* =**culicuar.**
coliflor *f.* 【식물】 꽃양배추.
coligación *f.* 제휴, 결합 ; 결맹, 동맹.
coligado, da *adj.* [coligar의 *p.p.*] 제휴된, 맹약한 : naciones ~*das* 동맹국. —*m.f.* 제휴자, 결맹자 ; 맹약국(盟約國), 동맹국.
coligadura *f.* =**coligamiento.**
coligamiento *m.* =**coligación.**
coligar *tr.* 8 제휴 · 동맹 · 연합시키다.
~se [+ con : …과] 동맹하다, 단결하다, 맹약하다(unirse, confederarse, ligarse).
coliguacho *m.* 《*Chile.*》 【곤충】 등에의 일종. —*adj.* 《*Chile.*》 잿빛의 ; 덩치가 큰.
colihuacho, cha *adj.* ① 《*Chile.*》 암황갈색의. ② 《*Chile.*》 매우 큰. —*m.* =**coliguacho.**
colihue *m.* 《*Amér.*》 【식물】 =**coligüe.**
coligie- →**colegir** 45.
colilla *f.* 여송연의 꽁초(punta del cigarro).
colillero, ra *m.* 담배 꽁초를 줍는 사람.
colimación *f.* 【광물】 시준(視準), 조준 ; 시준정정(整正).
colimador *m.* (광학기 · 망원경의) 시준기(視準器), 시준의.
colimar *tr.* 【물리】 (광선을) 평행으로 하다.
colimbo *m.* 【조류】 =**somorgujo.**
colín *adj.* 꼬리털이 적은 (말). —*m.* 《*Méx.*》 ① 【조류】 메추라기의 일종. ② 단도.
colina *f.* ① 언덕(cerro, loma). ② 캐비지의 씨앗 ; 캐비지의 묘상(苗床) · 모판. ③ 【화학】 담즙소(膽汁素).
colinabo *m.* 【식물】 순무과의 일종.
colinche *m.* =**pillo, tunante, pícaro.**
colincho, cha *adj. m.f.* 《*Amér.*》 =**reculo.**
colindancia *f.* 인접.
colindante *adj.* 경계를 접한, 인접한 : campo ~.
colindar *intr.* (땅이) 서로 이웃하다, 인접해 있다(lindar).
colineta *f.* 장식용 과자.
colino *m.* 캐비지의 모판.
colipava *adj.* 칠면조 모양의 꼬리를 가진 (비둘기).
colirio *m.* [*fr.* collyrium] ① 점안약(点眼藥). ② 《*Col.*》 세장약(洗腸藥).
colirrojo *m.* =**ruiseñor de paredes.**
colisa *f.* ① [*fr.* coulise] 선회 · 회전 포좌(砲座). ② 선회 · 회전포(砲). ③ 《*Chile.*》 밀짚 모자.
coliseo *m.* ① (로마의) 원형 극장. ② 대극장, 콜로세움. ③ 《*Perú.*》 시합장 : ~ cerrado 실내 체육관, 실내 경기장.
colisión *f.* [*lat.* collisio] ① (물체 · 이해의) 충돌 : ~ de barcos 선박의 충돌. evitar una ~ 충돌을 피하다. ② 충돌로 인해 뚫린 구멍. ③ 알력 : en ~ …과 충돌하여, 뒤얽혀.
colisionar *intr.* 충돌하다.
coliteja *adj.* 아랍식 천 모양의 꼬리를 가진 (비둘기).
colitigante *m.f.* 공동 소송인.
colitis *f.* 【단 · 복수 동형】 【의학】 결장염(結腸炎).
coliza *f.* 선회 포좌(砲座) ; 선회포(砲)(colisa).
coljoz *m.* 콜호스, 집단 농장.
colla *f.* ① (갑옷의) 목받이(gorjal). ② 통발로 하는 고기잡이. ③ (썰매 등을 끄는) 두 마리의 개. ④ (필리핀 방면의) 돌풍. —*adj.* 《*Arg. Perú. Urug.*》 안데스 고원 지방의. —*m.f.* ① 볼리비아 사람. ② (어떤 지방의) 혼혈아. ③ 《*Perú.*》 노랭이, 깍쟁이.
collación *f.* =**colación.**
collada *f.* ① 고갯길, 산등성잇길. ② 같은 바람이 계속 불어옴.
colladiello *m.* [드뭄] =**collado.**

colladía *f.* 구릉지.
collado *m.* ① 언덕(colina, cerro). ② 고갯길(collada).
collalba *f.* 써레, 나무퇴.
collar *m.* ① 목걸이 ; (개 등의) 목걸이 ; (조류의 털빛깔의) 목걸이. ②【기계】축환(軸環). ③ 반지(anillo). ④《Méx. Cuba.》=**collera.** ⑤ (목에 거는) 훈장. ⑥ (죄수·노예의) 목에 거는 족쇄.
collareja *f.* ①《Col.》【조류】비둘기(paloma)의 일종. ②《Méx.》족제비(comadreja)의 일종.
collarejo *m. dim.* collar.
collarín *m.* [*dim.* collar] ① 작은 깃. ② 승복의 깃. ③ (예복 등의) 떼었다 붙였다 하는 칼라.
collazo *m.* ① 젖형제(hermano de leche). ② 더부살이 농부. ③【방언】고용살이.
colleja *f.*【식물】상추의 일종. Sinón. conejera. —*pl.* 양의 뒤통수의 가느다란 신경.
collera *f.* ① (수레를 끄는 말의) 워낭 : ~ de yeguas 쟁기를 끄는 한 쌍의 암말. ~ de yugo (소의 역U자 형의) 멍에. ② 죄수의 발에 끼는 족쇄. ③《Amér.》가죽끈. ④《And. Amér.》= **pareja.** —*pl.* 와이셔츠의 단추(gemelos para camisa).
collerón *m.* (마차를 끄는 말의) 목에 거는 가죽띠, 멍에.
colleta *f.*《Rioja.》=**berza.**
collo, lla *adj.*《Chile.》=**vencido, prisionero.**
collocho *m.*《Chile.》야채의 줄기·대.
collón, na *adj.* 겁이 많은, 겁쟁이의. —*m.f.* 겁쟁이.
collonada *f.* 겁많은 행동.
collonería *f.*【속어】뒤가 무름, 겁이 많음.
collota *f.*《Perú.》=**mano de almirez.**
colma *f.*《Arg.》=**colmo.**
colmadamente *adv.* 엄청나게, 숱하게.
colmado, da *adj.* [colmar의 *p.p.*] [+de : …로] 엄청나게 많은, 철철 넘칠 정도의(copioso) : dos cucharadas ~*das* 수북히 두 숟갈. El salón está ~ *de* gente 홀은 사람으로 가득하다. —*m.* (주로 어패류의) 요리점 ; 식품점, 어물 시장.
colmar *tr.* ① 가득 채우다(llenar), 철철 넘칠 정도로 넣다 ; 듬뿍 주다 : Le *colmaron de* mercedes 그를 선물로 구워 삶았다. ② (공허를) 메꾸다.
colmataje *m.*《Neol.》colmatar 하는 일.
colmatar *tr.*《Neol.》땅을 비옥하게 하다.
colmena *f.* ① 벌통(corcho). ② 벌떼, 군집봉. ③【속어】군중. ④ 실크 해트(sombrero de copa). ⑤《Méx.》【속어】벌(abeja).
colmenar *m.* 벌집의 밀집 ; 양봉장.
colmenear *intr.*《Hond.》숲속에서 벌집을 찾다.
colmenero, ra *m.f.* 양봉가(apicultor). —*adj.* 벌집의 꿀을 훔치는 (곰). —*m.* =**oso hormiguero.**
colmenilla *f.* (여러 가지) 버섯(의 이름).
colmillada *f.* 어금니로 한번 물기(colmillazo).
colmillar *adj.* 송곳니·어금니의.
colmillazo *m.* =**colmillada.**
colmillejo *m. dim.* colmillo.
colmillo *m.* ① 송곳니(canino). ② 상아(marfil).
enseñar los ~s 무서운 꼴을 보여주다.
escupir por el ~ 짐짓 잰 척하다.
tener los ~s retorcidos 남의 농간에 넘어가지 않다, 나잇값을 하다.
colmilludo, da *adj.* ① 송곳니가 큰. ② 빈틈이 없는, 날렵한, 기민한.
colmo, ma *adj.* 넘쳐 흐르는, 넘칠 정도의, 고봉으로의 (되) : una fanega *colma.*
—*m.* ① (철철 넘칠만큼의) 수북히 올림, 산적(山積) ; 최고, 극상 : el ~ de tontería 형편없이 어리석은 짓. ② 완성(complemento) : el ~ de una obra 작품의 완성. ③ 극한(último extremo) : el ~ de la locura. ④ (갈리시아 지방의) 밀짚 지붕(techo de paja).
a(l) ~ 흔하게, 실컷, 많이, 풍부히.
para ~ 게다가, 그것도 모자라서.
no llegar a ~ 완성에까지는 못이르다.
Esto es el ~ 이젠 더 참을 수 없다.
colmoyote *m.*《Méx.》모기의 일종.
colobo *m.*【동물】(남미산의) 원숭이의 일종.
colocación *f.* ① 배치, 배열 : ¿Le agrada la ~ de los árboles? 나무의 배치는 마음에 드십니까? ② 위치 ; 지위, 직책 : agencia de ~*es* 직업 소개소. ¿Cómo te gusta tu nueva ~? 새 직책은 어떻냐? Consiguió una ~ en una tienda 그는 어떤 상점에서 직을 얻었다. ③ 투자(inversión). ④ 판매.
colocar *tr.* 7 ① 두다, 놓다, 배치하다, 늘어놓다, 정렬시키다 : ~ en fila 정렬시키다. ~ por orden 차례대로 늘어놓다. ② 직장을 얻어주다, (어떤 지위에) 앉히다. ③【상업】투자하다(invertir) : ~ dinero *en* fincas · *en* obligaciones 돈을 땅에·채권에 투자하다. ④ (상품을) 시장으로 내다, 팔다, 팔아 없애다.
~se ① 몸을 앉히다, 자리에 앉다. ② 취직하다 : *Me he colocado* en una compañía naviera 나는 선박 회사에 취직했다. Me ayudó a ~*me* en la casa exportadora y hasta me prestó el dinero 그는 나를 수출 회사에 취직하도록 도와주고 심지어는 돈까지 빌려주었다. ③ 팔리다, 나가다 : La naranja *se coloca* bien en Inglaterra 밀감은 영국에서 썩 잘 나간다.
colocasia *f.*【식물】토란.
colocolo *m.*《Chile.》①【동물】살쾡이(gato montés)의 일종. ② 괴물.
colocutor, ra *m.f.* 대화자, 말동무.
colocho *m.*《AmérC.》① 대팻밥. ② 고수머리 ; 말린 머리칼(bucle). ③ 거들음, 시중(servicio).
colodión *m.* [*gr.* kollodês] 콜로듐《사진 원판이나 상처에 칠하여 엷은 막을 만드는 용액》.
colodra *f.* ① 젖 짜는 통 ; 술 따르는 통. ② 뿔로 만든 술잔(cuerna).
ser una ~ 술고래이다.
colodrazgo *m.* 포도주 판매세.
colodrillo *m.* 후두부.
Sinón. cogote, cerviguillo.
colofón *m.* (서적의) 판권장(版權帳)《책의 끝장에 발행인·정가 등을 인쇄한 곳》.
Sinón. pie de imprenta.
colofonia *f.* 콜로포늄《황갈색의 수지》.
colofonita *f.*【광물】녹색 석류석(柘榴石).
cologüina *f.*《Guat.》【조류】순계류의 새.
coloidal *adj.* =**coloide.**
coloide *adj.* 교상(膠狀)의, 콜로이드질의.

—*m.* 콜로이드, 교상체 ; 아교질.

coloideo, a *adj.* =**coloide.**

Colombia *f.* 【지명】 꼴롬비아 《남아메리카의 공화국 ; 면적 1,138,155㎢ ; 수도 Bogotá》.

colombianismo *m.* 콜롬비아 특유의 단어·말씨.

colombiano, na *adj.* 꼴롬비아의. —*m.f.* 꼴롬비아인.

colombicultura *f.* 비둘기 사육.

colombino, na *adj.* 콜롬부스《아메리카 대륙의 발견자 Cristóbal Colón (¿1451? —1506)》의·같은 ; 콜롬부스가의 : fiestas ~*nas.*

colombio *m.* =**niobio.**

colombo *m.* 【식물】 콜롬보 ; 그 뿌리 《수렴제》.

Colombo 【지명】 콜롬보 《세이론의 수도》.

colombofilia *f.* 전서용(傳書用) 비둘기의 사육 (cría de palomas mensajeras).

colombófilo, la *adj.* 전서용 비둘기 사육의. —*m.f.* 전서용 비둘기 사육가, 비둘기 애호가.

colomín, na *adj. m.f.* 산따 꼴로마 데 께랄뜨 《Santa Coloma de Queralt, Tarragona 주의 마을》의 (사람). [*N.* colomino 로도 사용함].

colon *m.* =**colón**[1] .

colón[1] *m.* ① 【해부】 결장(結腸). ② 【문법】 문의 주부(主部) ; (외국어의) (:) 혹은 (;) 부호.

colón[2] *m.* 꼴론 《꼬스따리까·엘살바도르의 화폐단위 ; 그 은화》.

Colón *m.* ① 【인명】 콜롬부스 《Cristóbal Colón, ¿1451? ~ 1506, 미대륙 발견자》. ② 【지명】 꼴론 《파나마 운하 대서양 쪽의 항구 도시》.

colonato *m.* 소작(제) ; 토지 임대.

colonche *m.* 《*Méx.*》 선인장술(aguardiente de tuna).

colonia *f.* ① 식민지 : Alemania perdió todas las ~*s* después de la Primera Guerra Mundial 독일은 제1차 세계 대전 이후 모든 식민지를 잃었다. ② 식민단, 이민단 : Conozco la región donde está establecida la ~ coreana 한국인 이주 지구가 설립되고 있는 지방을 나는 알고 있다. ③ [집합] 조계, 거류지(구), 거류민 : la ~ española de París 파리의 서반아 사람들. ④ 취락, 집단, 부락, 모임 : La ~ coreana de la Argentina tiene un magnífico edificio 아르헨띠나의 한국인회는 굉장한 건물을 가지고 있다. ⑤ 【생물】 군체(群體). ⑥ 【지질】 화석군(化石群). ⑦ 비단 리본. ⑧ 오드콜론 (화장수) (agua de ~). ⑨ 【동물】 군서. ⑩ 【식물】 군락(群落). ⑪ 《*Ant.*》 제당 농장. ⑫ 《*Méx.*》 도시의 확장 구역·분할 구역.

coloniaje *m.* 《*Amér.*》 식민지 시대·정책 ; 굴종.

colonial *adj.* ① 식민(지)의 ; 이민의, 식민지 시대·정책의 : régimen ~. ② 식민지 풍의 ; 케케묵은. ③ 【생물】 군락의, 군체의. ④ 【상업】 외지산의. —*m.pl.* 수입품.

colonialismo *m.* ① 식민(지 개척) 정책. ② 식민지풍·기질.

colonialista *adj.* 식민주의의. —*m.f.* 식민주의자.

colonizable *adj.* 개척·식민할 수 있는.

colonización *f.* (식민·식민지의) 개척 ; 척식(拓植) ; 이식.

colonizador, ra *adj.* 식민·개척하는 : Los ingleses son un pueblo ~ por excelencia 영국인은 우수한 식민 국민이다. —*m.f.* 개척자, 식민자 ; 이주자, 이주민.

colonizar *tr.* 9 식민지로 만들다(estabecer colonia), 식민시키다 ; 입식(入植)하다 ; 이식하다.

colono *m.* ① 식민자 ; 소작인. ② 《*Ant.*》 제당 농장 주인. ③ 《*Cuba.*》 (제조 공장에서의) 하청 소매 상인.

coloño *m.* 《*Sant.*》 장작 다발.

coloque- →**colocar** 7.

coloquial *adj.* 구어의, 일상 회화의 ; 구어체의.

coloquíntida *f.* 콜로신트 《일반적으로, 쥐참외 종류》.

coloquio *m.* ① 대화, 회화, 회담, 토론(회) : ~ abierto 공개 토론. un amable ~ 친절한 대화. ② 대화 문학. ③ 《*Col.*》 노상에서 하는 굿. ④ 《*Méx.*》 성탄절의 노래.

color *m.* [*lat.* color] ① 색, 빛깔 : ~ primario 원색. dar (de) ~, dar ~*es* 색을 칠하다. Daré de ~ rojo a esta caja 이 상자를 붉게 칠하겠다. ② 색조 ; 색체, 채색, 특색 : ~ local 지방색. carecer de ~ político 정치색이 없다. Este periódico carece de ~ político 이 신문은 정치색이 없다. ③ (피부의) 빛, 유색(有色) : ropa *de* ~ 검정이나 흰빛이 아닌, 빛깔이 있는 옷. gente *de* ~ 유색 인종들 ; 백색 인종이 아니라, 특히 흑인과 그 혼혈아. ④ 안색(semblante) : José mudó *de* ~ 호세는 얼굴빛이 변했다 (불그락 푸르락). ⑤ 동기 ; 구실(pretexto) : so ~ de …라는 구실·핑계로. ⑥ 루즈, 입술 연지 ; [주로 *pl.*] 그림 물감 : caja de ~*es* 그림 물감 상자. ⑦ 염료 : ~*es* de anilina 아닐린 염료. ⑧ *pl.* 기, 군기, (특히) 국기 : saludar a los ~*es* nacionales 국기에 경례하다. ⑨ [*N.* 더러 꽃의 이름 앞에서 : …] 빛 : ~ rosa 장미빛. ~ violeta 짙은 보랏빛, 제비꽃 빛깔. ⑩ 약(droga).

~ ***quebrado*** 빛깔·발랄성이 없는 것. ~ ***de cera*** 노르께한 빛깔. ~***es litúrgicos*** 제식(祭式)에 쓰는 여섯 가지 빛깔 《백색·적색·녹색·자색(紫色)·청색·흑색》.

mudar de ~ 창백해지다(palidecer) ; 얼굴을 붉히다(sonrojarse).

pintar con negros ~***es*** 어두운 마음으로·증오심을 가지고 생각하다·보다.

ponerse de miles ~***es*** 수치·분노로 안색이 달라지다.

sacar los ~***es a la cara*** (누구에게) 얼굴을 붉히게 만들다, 창피를 주다, 부끄러움을 알게 하다.

salir los ~***es al rostro·a la cara*** 부끄러워 얼굴빛이 달라지다, 얼굴을 붉히다.

tomar el ~ 채색하다, 물들다.

ver de ~ ***de rosa*** (무엇을) 낙관하다.

coloración *f.* 착색(법) ; 물들이기 ; 채색 ; 배색. Contr. descoloración.

coloradilla *f.* 《*Hond.*》 =**garapatilla encarnada.**

coloradito *m.* 《*Méx.*》 =**monaguillo.**

colorado, da *adj.* [colorar의 *p.p.*] ① 유색의, 색깔이 있는. ② 빨간, 붉은(rojo) : lápiz ~ 빨간 연필. ponerse ~ 부끄러워 얼굴이 붉어지다. Ella se puso ~*da* 그녀는 얼굴이 붉어

졌다. ③ 추잡스러운(verde) : broma ~*da.* ④ 그럴싸한. —*m.* ①우루구아이 자유당 《Partido Liberal; Partido Blanco 의 반대당》의 당원. ②홍당원《빠라구아이의 Asociación Nacional Republicana의 당원; 1887년 창립》. —*m.pl.* ① 《*Méx. Perú.*》 은을 함유한 철광석. ② 《*Amér.*》 원숭이의 일종.

poner ~ =avergonzar.

coloradote, ta *adj.* 얼굴이 붉은.

coloramiento *m.* 착색, 염색.

colorante *adj.* 채색·착색하는, 색깔의 : materia ~ 안료, 염료. —*m.* ① 염료 : ~ sintético 인조 염료. ② 착색제.

colorar *tr.* [*lat.* colorare] [+de : …에] 착색하다; 염색하다, 물들이다 : ~ *de* verde 초록빛으로 물들이다. La clorofila *colora de* verde las hojas de los árboles 엽록소는 나뭇잎을 초록빛으로 물들인다.

colorativo, va *adj.* 물이 잘 드는, 착색의.

coloreado, da *adj.* [colorear의 *p.p.*] ① 물들인. ② 【식물】 (녹색 이외의) 색깔이 있는.

colorear *tr.* ① 착색하다; 염색하다. ② 그럴싸하게 보이다; 어진 행동인 양 꾸미다. —*intr.* (과일 등이) 빨갛게 물들다, 익다.

colorete *m.* 루즈, 입술 연지.

colorido *m.* ① 색의 조화, 색채; 색조; 채색. ② 특징. ③ 구실(pretexto). ④ 입술 연지, 루즈.

coloridor, ra *m.f.* 색채파 화가·문인(colorista).

colorimetría *f.* 비색(比色) 정량, 색도 측정(色度測定).

colorímetro *m.* 비색계, 색도계(色度計).

colorín *m.* 【조류】 홍방울새(jilguero).

—*m.pl.* 강렬한·칙칙한·화려한 빛깔(color vivo) : Esta mujer gusta de ~*es* 이 여자는 화려한 색깔을 좋아한다. Este cuadro tiene demasiados ~*es* 이 그림은 색깔이 너무 강렬하다.

—*adj.* 《*Chile.*》 머리털이 빨간.

y ~ *colorado* (이야기의 끝에 붙이는 어구로) 행복하게 살았다, 이것으로 끝.

colorinche *m.* 《*Arg. Urug.*》 짙은 빛깔.

colorir *tr.* ① 물들이다, 착색하다(dar color) : ~ estampas. ② 그럴싸하게 보이다(colorear).

—*intr.* 물들다.

colorismo *m.* (회화·문학의) 색체 강조 주의.

colorista *adj.* 색채파의, 색채적인 (문장·작가). —*m.f.* 색체파의 화가·문인.

colosal *adj.* 거대한; 굉장한. Contr. pequeño, microscópico.

colosalismo *m.* 거대주의, 거물 예찬.

colosalmente *adv.* 거대하게, 굉장하게.

coloso *m.* ① 거상(巨像) (estatua de magnitud extraordinaria). ② 거인(hombre muy grande). ③ 거물(persona muy poderosa). ④ 대국.

C- de Rodas 기원전 280년경 Rodas항의 입구에 세워진 청동의 Apolo의 거상.

colostro *m.* [*lat.* colostrum] 처음 나오는 젖(primera leche que da la hembra).

colote *m.* 《*Méx.*》 광주리, 바구니, 소쿠리.

colotipia *f.* 【인쇄】 콜로타이프 판.

colouchista *adj. m.f.* Michel Colucci 《불란서의 코메디언》의 (신봉자).

colpa[1] *m.* [*quechua.* ccorpa] ① 《*Méx.*》 순수 광물 덩이. ② 《*Chile. Perú.*》 【광물】 녹반.

colpa[2] *f.* =**colcótar.**

cólquico *m.* 【식물】 꼴끼꼬 《뿌리에 독이 있음》.

Co. Ltda. Compañía Limitada 유한 책임 회사.

coltráu *m.* 《*Chile.*》 =**renacuajo.**

colúbrido *m.* 【동물】 뱀, 살모사. —*m.pl.* 뱀 무리.

colubriforme *adj.* 뱀 모양의.

coludir *intr.* 공모·모의하다.

~se 《*Neol.*》 =**confabularse.**

coludo, da *adj. m.f.* 《*Chile. Méx. Urug.*》 문 닫는 것을 곧잘 잊어 버리는 (사람).

columbario *m.* (고대 로마의) 유골 안치소.

columbear *tr.* 《*Chile.*》 =**columpiar.**

columbino, na *adj.* ① 비둘기의·같은. ② 청순한, 앳된. ③ 열렬한 (키스). —*m.* (보석의) 엷은 자색; 이 색깔의 수정.

columbio *m.* 【화학】 콜룸비움 《희금속 원소》.

columbón *m.* 《*León.*》 나무 그네·시소.

columbramiento *m.* 짐작, 어렴풋이 보임.

columbrar *tr.* ① (멀리) 어렴풋이 보다; 짐작하다. ② 점치다(adivinar).

columbres *m.pl.* 【은어】 눈(ojo).

columbrete *m.* (앞바다에 있는) 섬산(mogote).

columelar *adj. m.* =**canino.**

diente ~ 송곳니(colmillo).

columna *f.* [*lat.* columna] ① 기둥, 원주, 지주(支柱) : ~ salomónica 나선식 기둥. ~ anunciadora 광고탑. ② 기념주(柱). ③ 기둥 모양의 물건·것 : ~ de agua 물기둥. ④ …주(柱) : ~ termométrice 한란계의 수은주. ⑤ (신문 등의) 난·종단; [주로 *pl.*] …란, 지면 : en estas ~*s* 본지(本紙)에서. ~*s* literarias 문예란. ⑥ 종대(縱隊); (함대의) 종렬; 휘하 부대 : en ~ 종대로. la ~ del general N N장군 부대. ⑦ 중진, 주석 : la ~ de la república 공화국의 정신적인 지주. ⑧ 【인쇄】 단(段), 세로줄. ⑨ 【수학】 (행렬식의) 열. ⑩ 【식물】 (수술의) 꽃술대.

~*s de Hércules* 헤라클레스의 기둥 《지브롤터 해협 양쪽 기슭의 바위산 Gibraltar와 Abila을 가리킴》; 도달할 수 있는 극한. ~ *mingitoria* 공중 변소. ~ *motorizada* 기동 부대. ~ *vertebral* 【해부】 척추(espinazo). *la quinta* ~ 제오열(第五列).

columnario, ria *adj.* ① 원주의. ② 두 기둥 무늬의 《18세기 미국에서 만든 은화》.

columnata *f.* 【건축】 열주(列柱), 주열(柱列) (serie de columnas de un edificio).

columniación *f.* 【건물】 기둥 배치·사용(법).

columnista *m.f.* 《*Amér.*》 (신문의) 해설자, 특별 기고가, 칼럼 집필자, 칼럼니스트.

columnita *f.* 【건축】 작고 가느다란 기둥·원주·지주.

columpiar *tr.* ⑪ (그네에 탄 사람을) 밀어 주다; 흔들어 주다(mecer en el columpio) : ~ a un niño.

~se ① 그네를 타다, 흔들거리다. ② (걸을 때) 몸을 좌우로 흔들다(anadear).

columpio *m.* 그네; 시소 : jugar al ~ 그네를 타다.

coluna *f.* [드뭄] =**columna.**

coluro *m.* [*gr.* kolouros] 【천문】 분지 경선(分至經線), 사계선(四季線) : ~ de los equinoccios 이분 경선, 주야 평분권. ~ de los solsticios 이지 경선(二至經線).

colusión *f.* 모의, 공모.

colusor *m.* 공모자.

colusorio, ria *adj.* 공모하는, 서로 친한, 터놓고 지내는 : contrato ~ 공모한 계약.

colutorio *m.* 양치질 물약.

coluvie *f.* 도적의 한패 ; 불결한 곳.

colza *f.* 【식물】 유채(油菜), 평지, 채종.

com- *pref.* 「함께, 더불어」를 뜻하는 접두어 : co-, con-이 p, b의 앞에 올 때의 변형.

com. comisión.

coma[1] *f.* [*lat.* comma] ① 구두점(句讀點), 콤마(,) : punto y ~ 세미콜론(;). sin faltar una ~ 면밀히. ② 【음악】 차음정(差音程).

coma[2] *m.* [*gr.* kôma] 혼수 (상태).

coma[3] *f.* [*lat.* coma ; *gr.* komê] 【고어】 =**crin.**

comadrazgo *m.* 어린이의 생모와 천주교의 대모와의 관계·사이.

comadre *f.* ① 산파(partera). ② 아들을 중심으로 그 생모와 천주교 대모와의 관계에 있는 여자. ③ (마음을 놓을 수 있는) 이웃 아주머니, 이웃 여자 친구. ④ 뚜쟁이.

comadrear *intr.* =**chismear, murmurar.**

comadreja *f.* ① 【동물】 족제비 : La ~ es perjudicial a los gallineros. ② 【동물】 =**zarigüeya.** ③ 【은어】 좀도둑.

comadreo *m.* =**charla.**

comadrería *f.* =**charla.**

comadrero, ra *adj.* 노닥거리기 좋아하는 (amigo de comadrear). —*m.f.* 노닥거리기 좋아하는 게으름뱅이, 잔소리꾼.

comadrón *m.* 산부인과 의사(【학명】=tocólogo).

comadrona *f.* 조산원, 산파(partera).

comal *m.* 《*AmérC. Méx.*》 진흙으로 만든 반반한 것《멕시코·중미에서 옥수수 부침개를 만드는 것》 (disco de barro para cocer las tortillas de maíz).

tener ~ y metate 《*Méx.*》 모든 편의를 가지고 있다.

comalia *f.* 양의 전신 수종병(水腫病).

comalido, da *adj.* =**enfermizo.**

comanche *adj.* 코만치족《텍사스나 뉴멕시코의 부락 원주민》의. —*m.f.* 코만치족. —*m.* 코만치말.

comandancia *f.* 지휘권 ; 사령부 (관구).

comandanta *f.* ① 육군 소령 부인. ② 군관구장의 부인. ③ 【고어】 기함(旗艦).

comandante *m.* 지휘자, 지휘관 ; 선장, 함장 ; 사령관 ; 부대장(副隊長) ; 육군 소령.

~ ***de armas*** 부대의 최고 상관. ~ ***en jefe*** 총사령관. ~ ***general*** 총사령관. ~ ***general de escuadra*** 함대 사령관. ~ ***mayor*** 경리감《중령급》.

comandar *tr.* 【군사】 (군대에서) 지휘하다 (mandar, gobernar un cuerpo de tropas) : ~ un destacamento de tropas.

comandita *f.* [*fr.* commandite] 합자 회사 : sociedad · compañía en ~ 합자 회사.

comanditado *m.* (합자 회사의) 무한 책임 사원, 업무 담당 사원.

comanditar *tr.* 출자하다.

comanditario, ria *adj.* 합자 (회사)의 : sociedad ~*ria* 합자 회사. socio ~ 익명 사원. —*m.* 합자 회사의 출자자·출자 사원, 유한 책임 사원.

comando *m.* 【군사】 지휘, 지배, 통제 ; 본부, 사령부 : ~ en jefe 총사령부.

comarca *f.* 지방, 지구 ; 주(provincia).

comarcal *adj.* comarca의.

comarcalismo *m.* 향토애, 지방주의.

comarcano, na *adj.* ① 지방의. ② 근변의, 인접한(cercano).

comarcar *intr.* 7 인접하다(confinar, lindar) : dos campos que *comarcan* uno con otro. —*tr.* (나무를) 바둑판 무늬 모양으로 심다.

comatoso, sa *adj.* 혼수의 : estar un enfermo en estado ~.

comba *f.* ① 뒤틀림, 휨 ; 굴절. ② 줄넘기(줄) : jugar a la ~. ③ 【은어】 벽(壁).

hacer ~s (걸을 때) 몸을 좌우로 흔들다.

combada *f.* 【은어】 기와, 기왓장(teja).

combadura *f.* 뒤틀림, 휨, 구부림.

combar *tr.* 뒤틀리게 하다, 휘다, 구부리다 : ~ un hierro. —*intr.* 《*Chile.*》 장도리·망치를 쓰다.

~se 뒤틀리다, 휘어지다, 구부러지다.

combate *m.* ① 전투, 교전 : ~ naval 해전. ② 싸움, 격투, 결투(lucha). ③ 《*Méx.*》 (일의) 서로 돕기, 품앗이.

~ ***singular*** =duelo.

dejar fuera de ~ 녹아웃시키다.

combatible *adj.* 공격해도 되는 ; 정복할 수 있는.

combatidor, ra *adj.* 싸우는. —*m.f.* 시합자, 격투원 ; 전투원.

combatiente *m.* 투사(luchador) ; 전사(combatidor) ; (특히) 전투원.

combatir *tr.* ① 싸우다, 전투하다, 격투하다 (pelear, luchar). ② 치다, 공격하다. ③ 욕하다, 저주하다. ④ 무찌르다(acometer) : ~ el enemigo 적을 무찌르다. ~ el incendio 화재를 진압하다. ⑤ 극복하다. ⑥ 반론하다.

—*intr.*, **~se** ① [+con · contra : …과] 욕정을 억제하다. ② 싸우다 : Ellos tuvieron que ~ en la jungla *contra* los enemigos 그들은 정글에서 적과 싸우지 않으면 안되었다.

combatividad *f.* 투쟁성, 감투 정신 : premio de ~ 감투상.

combativo, va *adj.* 투쟁적인 : ánimo ~ 투쟁력. **Sinón.** agresivo, belicoso.

combeneficiado *m.* (사원 내의) 수록(受祿) 성직자.

combés *m.* ① 지붕·천장이 없는 장소. ② 【선박】 중갑판.

combi *f.* =**combinación.**

combina *f.* =**combinación.**

combinable *adj.* 짝지울 수 있는 ; 화합할 수 있는 ; 공작할 수 있는.

combinación *f.* ① 배합 ; 짝맞추기, 결합 : en ~ con …과 배합하여. ② 공작 ; 계획, 흉계, 음모. ③ 콤비네이션《하의》. ④ 【화학】 화합(물).

combinado, da *adj.* =**aliado, unido, coliga-**

do. —*m.* ① 카테일. ②【화학】화합물.

combinador, ra *adj. m.f.* 조합하는, 결합하는, 연합하는, 배합하는 (사람).

combinar *tr.* [*lat.* combinare] [+con : …과] 짝맞추다, 조합하다 ; 조화시키다 ; 결합하다, 연합시키다 ; 배합하다 ;【화학】화합시키다.

~se [+con : …과] 짜다, 어울리다 ;【화학】화합하다.

combinatorio, ria *adj.* 어울린, 짝맞춘, 결합한.

combleza *f.* 첩, 정부(manceba).

comblezo *m.* 기둥 서방, 정부.

combo, ba *adj.* 굽은, 휜, 뒤틀린(combado) : tabla *~ba.* —*m.* ① (화물·통을 얹는) 받침, 대석(臺石). ②《*Chile. Perú.*》큰 쇠망치, 돌 깨는 망치. ③《*Chile.*》주먹.

a ~ y cuña 《*Chile.*》세찬 기운으로.

comboso, sa *adj.* 굽은, 휜, 뒤틀린(combado).

combretáceo, a *adj.*【식물】사군자(과)의. —*f.pl.* 사군자(과 식물).

comburente *adj.* 잘 타게 하는 : El oxígeno es ~ pero no combustible. —*m.* 연소제.

combustibilidad *f.* 가연성, 연소성 : La ~ del carbón varía con su densidad 숯의 연소성은 숯의 밀집 상태로 변한다. Contr. incombustibilidad.

cumbustible *adj.* ① 타기 쉬운, 연소성의, 발화성의 : alimento ~ 탄수화물의 식물(食物). ② 격하기 쉬운. —*m.* 연료 ; 가연물. Contr. incombustible.

combustión *f.* ① 연소 : motor de ~ interna 내연 기관. ② 발화 : ~ espontánea 자연 발화. ③ (유기체의) 산화(~ orgánica). ④ 흥분 ; 소동.

combusto, ta *adj.* 연소하고 있는.

COMCORDE Comisión Coordinadora para el Desarrollo Económico《*Urug.*》경제 개발 조정 위원회.

comedero, ra *adj.* 먹을 수 있는 : Este pollo no es ~. —*m.* ① 여물통 ; 모이통 ; 식당. ②《*Méx. Cuba.*》사람 자주 다니는 곳.

limpiar*le a uno* ***el*** ~ (누구의) 직업·밥줄을 빼앗다.

comedia *f.* [*lat.* comoedia] ① 희극 ; 굿 ; 연극 : ~ de capa y espada 가빠와 검술물《16—17세기의 칼싸움과 연애를 혼합시킨 희극》. ~ de carácter 성격극. ~ de costumbres 가정극. ② 희극적인 장면·사건 ; 희극적 요소 ; 인생극《인생의 희비 양면을 묘사한 작품》. ③ 극장(teatro) : ir a la ~.

hacer la ~ 연극을 하다, 연극을 부리다.

comediante, ta *m.f.* ① 희극 배우, 코미디언. ② 위선가(hipócrata).

comediar *tr.* 11 [+en : …을] 절반씩으로 하다, 반으로 나누다, 평균하다(promediar).

comedidamente *adv.* 정중히 ; 공손히, 조심스럽게.

comedido, da *adj.* 정중한(cortés) ; 조심스런(prudente, moderado). Contr. descortés, descomedido.

comedimiento *m.* ① 정중함(moderación, urbanidad) : hablar a uno con poco ~ 별로 정중하지 않게 말하다. ② 예의, 예법(cortesía). Contr. grosería, impudencia.

comedio *m.* 중앙 ; 과도기. Sinón. promedio.

comediógrafo, fa *m.f.* 극작가.

comedión *m. desp. aum.* comedia.

comedirse *m.* ① [+en : …을] 조심하다, 삼가하다 : *~se en* sus acciones 언행을 조심하다. ② [드묾] 준비하다. ③《*Amér.*》주책을 부리다. Contr. descomedirse.

comedón *m.* 여드름(espinilla).

comedor, ra *adj.* 많이 먹는(comilón). —*m.* 식당방, 식당 : ~ gratuito 극빈자용 무료 식당.

comején *m.* ①【동물】흰개미. ②《*AmérM.*》괴로움, 걱정.

comejenera *f.* ① 흰개미집. ② 빈민자의 집단.

comelengua *f.* (중미의) 구렁이.

comelón *m.*《*Amér.*》=**comilón.**

comenc- →**comenzar** 19 9.

comencé comenzar의 직·부정과거·1·단수.

comendador *m.* ① 기사 단장 ; 승병 단장(僧兵團長) ; 터줏대감, 고을의 우두머리 : *C-* de Calatrava《Tirso de Molina의 작「세빌랴의 바람둥이」에 나오는 인물》. ② 고관. ③ 멜세도회 등의 수도원장.

~ ***de bola***【은어】축제 도둑《축제일에 두루 돌아다니며 도둑질하는 사람》.

comendadora *f.* 수녀원장, 수녀.

comendatario *m.* 특별 급여를 받는 승려.

comendatorio, ria *adj.* 추선(推選)의.

comendero *m.* 영주, 고장의 우두머리.

comensal *m.f.* 식솔, 권솔(persona que come en la misma mesa que otra).

comensalía *f.* 식사 때 자리를 같이 하는 사람.

comentador, ra *m.f.* 주석자 ; 날조자.

comentar *tr.* [*lat.* commentari] ① 논평하다 ; 주석하다 : ~ el Quijote 동끼호떼를 주석·논평하다. No *comento* nada de su libro 나는 그의 책에 대해 논평하지 않는다. ② 헛소문을 퍼뜨리다.

comentariar *tr.*【속어】=**comentar.**

comentario *m.* ① 논평 ; 주해, 주석(注釋), 해설 : Creo no se necesitan *~s* 주석이 불필요하다고 생각한다. ② 평론 ; 비평. —*pl.* 기록 ; 소문, 헛소문.

comentarista *m.f.* 주해·주석자 ; 평론가.

comento *m.* 주석, 주해 ; 날조.

comenzante *adj.* 갓 시작한, 초보의(principiante). —*m.f.* 초보자, 초심자, 신입생.

comenzar *tr. intr.* 19 9 ① 시작하다, 시작되다(empezar, principiar) : Hoy *comenzamos* en la página veinte 오늘은 20 페이지부터 시작합니다. ② [+a+*inf.* : …하기] 시작하다(empezar a+*inf.*) : *Comienza a* andar 걷기 시작한다. ③ [+por] 먼저 …부터 시작하다·시작되다 : Esa amistad *comenzó por* reñir 그 우정은 싸움으로 시작되었다. *Comenzaré por* este libro 이 책부터 시작하겠습니다.

[직설법 현재 : comienzo, comienzas, comienza, comenzamos, comenzáis, comienzan. 접속법 현재 : comience, comiences, comience, comencemos, comencéis, comiencen. 직설법 부정과거 1인칭 단수 : comencé].

comepiojo *m.*《*Arg.*》=**mamoretá.**

comer[1] *intr.* [*lat.* comedêre] 먹다, 식사를 하다, 먹고 가다 ; 저녁 식사를 하다 : ¿A qué hora *comen* ustedes la cena? 저녁 식사를 몇 시에 하십니까? No se puede vivir sin ~ 사람은 먹지 않고는 살 수 없다. Almuerzan a las doce y *comen* a las siete 12시에 점심, 7시에 저녁밥을 먹는다. **—*tr.*** ① 식사하다. ② 씹다, 깨물다(mascar) : ~ frutas. ③ 소비하다(gastar, sumir). ④ 갉아내다(roer, gastar) : Este motor *come* mucha gasolina 이 엔진은 가솔린을 많이 소비한다. ⑤ 침식하다(corroer). ⑥ (일부러 말을) 빠뜨리다, 말을 하지 않다. ⑦ (별이 빛깔을) 바래게 하다. ⑧ 좀이 쑤시게 만들다, 근질근질하다 : La pierna me *come* 나는 다리가 근질근질하다. La envidia le *comía* 그는 샘이 나서 좀이 쑤셨다.

~se ① 먹어 버리다 · 치우다. ② (사람들이) 식사하다 : En este restaurante *se come* bien 이 식당의 음식 솜씨가 좋다. ③ 소비하다 : *Se comió* la hacienda 그는 재산을 탕진해 버렸다. ④ 상쇄(相殺)하다. ⑤ 서로 증오하다.

~ a uno ***vivo*** (누구를) 저주하다.

~ ***y callar*** 말대꾸 같은 것을 하지 않고 남에게 의지하다.

dar de ~ 먹을 것을 주다.

ser de buen ~ 많이 먹다, 식욕이 좋다 ; 한창 먹을 때이다.

sin ~lo ni beberlo 어찌해야 할지 모르고, 간섭을 하거나 받거나 하는 일없이.

tener qué ~ 살기 위해 필요한 것을 가지다.

El ~ y el rascar, todo es empezar 【속담】 무슨 일이나 시작이 가장 어렵다.

comer² *m.* 먹기 ; 음식, 식사, 먹거리(comida, alimento).

comerciable *adj.* ① 매매할 수 있는, 상품이 되는. ② 사교적인, 붙임성이 있는(sociable, afable).

comercial *adj.* ① 상업의, 거래의, 상업에 관한 ; 영리 본위의. ② 통상의, 무역의 : acuerdo ~ 통상 협정. agencia ~ 상업 흥신소. arte ~ 상업 미술. balanza ~ 수출입의 균형, 무역 수지. banco ~ 상업 은행. casa ~ 상점 ; 상사. relaciones ~ 거래 관계. representante ~ 대리점. sociedad ~ 상사. tratado ~ 통상 조약. valor ~ 거래 가격.

comercialidad *f.* 상업성, 상품 가치, 시장성.

comercialismo *m.* 상업주의 · 정신, 영리 본위.

comercializable *adj.* 채산이 맞는.

comercialización *f.* 상업화, 상품화.

comercializar *tr.* 9 상업화하다, 영리적으로 하다, 상품화하다 ; 채산을 맞추다.

comercialmente *adv.* 상업상, 상업적으로 ; 통상상 : obrar ~.

comerciante *adj.* 장사하는 : nación muy ~. **—*m.f.*** ① 상인 : ~ al por mayor · menor 도매 · 소매 상인. ② 실업가(negociante).

comerciar *intr.* 11 ① 장사하다, 무역 · 상업을 하다 : ~ *en* · *con* naranjas 귤을 다루다 · 장사하다. ② 교제하다(tratar unas personas con otras).

comercio *m.* [*lat.* commercium] ① 상업, 통상, 무역, 거래 : ~ exterior 외국 무역. artículo de ~ 상품. balanza de ~ 수출입의 균형, 무역 수지. código de ~ 상법. departamento · facultad de ~ 상과 대학. Ministro de C- e Industria 상공부 장관. ② 상업계. ③ 상점, 상관(商館)(tienda, almacén) ; 상가(商街). ④ 교통. ⑤ 교제. ⑥ 정교(情交), 불장난 (남녀의), 불의의 관계. ⑦ 카드 놀이의 이름.

~ ***al por mayor · menor*** 도매 · 소매업. ~ ***bilateral*** 쌍무 무역. ~ ***costero*** 연안 무역. ~ ***de exportación · importación*** 수출 · 수입 무역(업). ~ ***de tránsito*** 중계 무역. ~ ***exterior*** (외국) 무역, 대외 무역, 수출 무역업. ~ ***externo · extranjero*** 무역. ~ ***favorecido*** 보호 무역. ~ ***intermediario*** 중계 무역. ~ ***internacional*** 국제 무역. ~ ***libre*** 자유 무역. ~ ***marítimo*** 해상 무역. ~ ***mayorista · minorista*** 도매 · 소매 무역. ~ ***multilateral*** 다각 무역. ~ ***mundial*** 세계 무역. ~ ***nacional*** 국내 거래. ~ ***privado*** 민간 거래. ~ ***protegido*** 보호 무역. ~ ***transitorio*** 중계 무역. ~ ***ultramarino*** 해외 무역.

comestible *adj.* 식용의, 먹을 수 있는 : planta ~ 식용 식물. **—*m.pl.*** 식료(食料), 식료품 : tienda · almacén de ~*s* 식품점.

cometa *m.* [*lat.* cometa] 혜성, 살별.
—*f.* ① 연, 종이 연 : ~ paracaídas 낙하산 구실을 하는 연 ; 기상 관측 등에서 쓰는 꼬리없는 연. ② 카드 놀이의 이름. ③ 【은어】 화살.

cometario, ria *adj.* 혜성의 · 같은.

cometedor, ra *adj.* cometer하는. **—*m.f.*** 범인 ; 배반자.

cometer *tr.* [*lat.* committere] ① (죄 · 과실 등을) 범하다, 저지르다 : ~ un delito 어떤 죄를 범하다. *Cometí* un error imperdonable 나는 용서받을 수 없는 실수를 범했다. ~ un crimen 죄를 범하다. ② 맡기다, 위촉 · 위임 · 위탁하다 : ~ a la habilidad de uno un negocio 어떤 사업을 어떤 사람의 수완에 맡기다. ③ (말씨 · 표현을) 쓰다 · 나타내다 : ~ un solecismo.

cometido *m.* ① 위탁, 위촉(encargo). ② 책임(responsabilidad).

cometimiento *m.* 《*Chile.*》 위촉, 위임, 위탁.

cometón *m.* 《*Cuba.*》 =**cometa** ①.

comezón *f.* ① 가려움(picazón) : Los mariscos causan ~ a algunas personas. ② 근질근질함, 답답해 함(inquietud) : sentir ~ por + *inf.* … 하고 싶어 근질근질하다. sentir ~ *por* decir una cosa 무슨 말을 하고 싶어 근질근질하다.

comible *adj.* 먹을 수 있는 : Esta carne es apenas ~.

COMIBOL Corporación Minera de Bolivia 볼리비아 광산 공사.

cómicamente *adv.* 익살스럽게, 장난으로.

comicastro *m.* [*desp.* cómico] 서툰 코미디언 (mal cómico).

comicial *adj.* 선거회의 ; (고대 로마의) 민회의. ***morbo*** ~ 간질병.

comicidad *f.* 희극성.

comicios *m.pl.* [*lat.* comitium] 선거 위원회(~ electoral) ; 선거 ; (고대 로마의) 민회(民會).

cómico, ca *adj.* ① 희극의, 희극적인, 희극풍의 : autor ~ 희극 작가. actor ~ 희극 배우. ② 우스운, 익살스런 : una aventura ~*ca* 우스운 모험. **Contr.** trágico.
—*m.f.* ① 코미디언, 희극 배우(comediante) ; 광대 : ~ de la legua 시골로 다니는 배우. ② 희

극・시나리오 작가.

comichear *tr.* 《*Ar.*》 =**comiscar.**

comida *f.* 음식, 먹거리 ; 식사 ; 점심(almuerzo), 저녁밥(cena) : ~ corrida 《*Méx.*》 정식(定食). La ~ es a las ocho 식사는 여덟 시이다. Interrumpí la ~ para atenderle 나는 그를 응대하기 위해 식사를 중지했다.

cambiar la ~ 구토하다.

~ *hecha, compañía deshecha* 【속담】 친구가 도움이 안될 때 친구를 잊어서는 안된다.

comidero, ra *m.f.* 《*AmérC. Méx.*》 음식점.

comidilla *f.* ① 기호품, 취미 : La lectura es su ~ 독서가 그의 취미이다. ② 소문거리 : la ~ del pueblo 마을에 나도는 소문.

comido, da *adj.* [comer의 *p.p.*] 식사를 마친. ~ *por servido* 먹고 살 정도의 《봉급이 좋지 않을 때 비난하는 말》.

comience comenzar의 접・현・1・3・단수.

comiencen comenzar의 접・현・3・복수.

comiences comenzar의 접・현・2・단수.

comienza comenzar의 직・현・3・단수.

comienzan comenzar의 직・현・3・복수.

comienzas comenzar의 직・현・2・단수.

comienzo[1] *m.* 시작, 처음 ; 기점 : a ~ 처음에. de ~ 처음부터.

comienzo[2] comenzar의 직・현・1・단수.

comigo conmigo의 옛 형태.

comilitón *m.* 전우(戰友)(conmilitón).

comilitona *f.* 【속어】 진수 성찬.

comilón, na *adj.* 많이 먹는, 대식가의. —*m.f.* 식충이, 먹보, 대식가(大食家).

comilona *f.* 【속어】 음식, 음식 대접.

comillas *f. pl.* 겹 괄호, (《 》), " " 부호.

cominear *intr.* (남자가) 여자의 일에 손을 대다.

cominería *f.* =**chisme.**

cominero *adj.* cominear하는. —*m.* 여자의 일에 손을 대는 남자.

Cominform *m.* 코민포름 《공산당 정보국(1947—1956)》.

cominillo *m.* ① 【식물】 독맥(毒麥)(joyo, cizaña). ② 《*Riopl.*》 감주, 단술. ③ 《*Arg. Chile.*》 불안, 걱정 ; 의혹 : tener un ~.

comino *m.* ① 【식물】 카민 ; 그 종자 《조미료, 약용》. ② 가치가 없는 것.

no montar・valer un ~ 별로 가치가 없다.

Comintern *m.* 코민테른, 국제 공산당 《제삼 인터내셔널(1919—1943)》.

comiquear *intr.* 소인극(素人劇)을 하다.

comiquería *f.* [집합] 희극 배우, 코미디언.

comisar *tr.* 몰수하다.

comisaria *f.* comisario의 아내.

comisaría *f.* ① 위원・집행 위원(comisario)의 직책・사무소 ; 집행부・병참부 (등). ② (소련의) 인민 위원회. ③ 《*Amér.*》 경찰서(~ de policía).

comisariato *m.* ① =**comisaría.** ② 《*Col.*》 특별 지구.

comisario, ria *m.f.* ① 위원, 집행 위원, 대리인 ; 대표자. ② 경찰관(~ de policía). ③ 병참 장교(~ de guerra) : ~ general 병참 사령. ④ (소련의) 인민 위원.

comiscar *tr. intr.* ⑦ 조금씩 먹다(comer poco a poco).

comisión *f.* ① 위임, 직권, 위탁 ; 임무 : Le han dado una ~ difícil 그는 어려운 임무를 부여받았다. ② 중간 판매(~ mercantil) : casa de ~ 중간 판매점, 대리점. ③ 수수료, 구전 : ~ del crédere 거간이 받는 대금 지불 보증 수수료. ④ 사절 : La ~ cultural de nuestra universidad habrá llegado ya a Londres 우리 대학 문화 사절단은 이미 런던에 도착했을 것이다. ⑤ (여러 가지 권능을 가진) 부서 : ~ de cambios 환관리국. ⑥ 위원회(comité) : ~ consultiva 자문 위원회. ~ mixta 합동 위원회. ~ permanente 상임 위원회.

en ~ 대리・대표로.

comisionado, da *adj.* 위임・위촉받은. —*m.f.* ① 위원 : ~ de apremio 독촉 담당자. ② 대리자. ③ 《*Cuba.*》 순경, 경찰관, 사법 경찰관.

comisionar *tr.* 대리시키다, 위임・위탁하다.

comisionista *m.f.* ① 중개인(agente ~), 중개 판매인, 중간 상인, 브로커 : ~ expeditor 해운업자, 선박 대리점. ② 위임자, 위탁자, 위탁 판매인.

comiso *m.* [*lat.* commissum] 몰수(품) : caer en ~ 몰수되다.

comis.º comisario.

comisorio, ria *adj.* 기한부의 : pacto ~.

comisquear *tr. intr.* 조금씩 자주 먹다 (comer poco y a menudo).

comistión *f.* =**conmistión.**

comistrajo *m.* 잡탕 요리.

comisura *f.* [*lat.* commisura] ① 접합점. ② 입가 : la ~ de los labios. ③ 눈꼬리 ; 눈두덩.

comitado *m.* (항가리의) 행정 구역 분할.

comital *adj.* =**condal.**

comité *m.* [*ing.* committe] ① 위원회(comisión) : ~ administrativo 행정 위원회. ~ ejecutivo 실행 위원회. C- Olímpico Internacional 국제 올림픽 위원회. ~ organizador 조직 위원회. ~ revolucionario 혁명 위원회. ~ paritario 노자 양쪽 대표 동수의 조정 위원회. ② [집합] 위원.

comitente *adj.* cometer하는. —*m.f.* 의뢰인 ; 위임자.

comitiva *f.* [집합] 수행원(séquito) ; 행렬.

cómitre *m.* 조형수(漕刑囚)의 감독.

comiza *f.* 【어류】 누치의 무리.

como *conj.* [*lat.* quomodo] ① …과 같이, …처럼 : Es rubio ~ el oro 황금과 같은 금발이다. Se quedó ~ muerto 죽은 것처럼 되었다.

② 같은 것 : Veía ~ bultos que se movían 서로 움직이는 그림자 같은 것을 보았다.

③ [관사가 없는 명사 앞에서] …로서(en calidad de) : Asistió a la boda ~ testigo 증인으로서 결혼식에 참가했다.

④ …대로, …한 것처럼 (según, confome) : Hazlo ~ quieras 원하는 대로 해라. Hazlo ~ te digo 내가 네게 말하는 것처럼 해라.

⑤ 그러므로, …때문에(porque) : *Como* recibí el aviso tarde, no pude llegar a tiempo 통지를 늦게 받았기 때문에 시간에 댈 수 없었다.

⑥ [뜻을 강조할 때, 위치가 전도됨] : Impresionada ~ estaba, me había puesto a escuchar (~ estaba impresionada) 나는 몹시 감동을 받아 그대로 귀를 기울였다.

⑦ [que와 어울려] : Lo sé ~ *que* lo vi 그것을 보았기 때문에 나도 눈치채고 있다.
⑧ 대략, 대강, 거의, …가량 (más o menos) : una chica alta, ~ de 20 años 20세 가량의 키 큰 소녀.
⑨ …하자마자 (así que) : *Como* llegamos a la posada, se dispuso la cena 우리가 여관에 도착하자마자 저녁 식사 준비가 되었다.
⑩ [+*subj.*] …하도록, …하기 위해 (para que, a fin de que).
⑪ [대명사적으로 쓰여] 모양, 방법, 까닭 : Sabrás ~ hemos llegado buenos 우리가 무사하게 돌아올 수 있었던 까닭을 들려주겠다. La vida se me aparecía distinta a ~ la había concebido 인생이 그때까지 생각하고 있던 것과는 달라 보였다.
⑫ [관계 부사로서, 현재 분사나 방법의 명사를 받는다] : *Comiendo* es ~ se las hace uno 인간이란 먹으면 식욕이 생기는 법이다. Fíjese bien en *el modo* ~ interpretan las obras los grandes concertistas 위대한 연주가가 작품을 어떻게 해석하는 지를 잘 보시오.
⑬ [tan과 함께 쓰여] …만큼 : Ella es *tan* vieja ~ yo 그녀는 나만큼 늙었다.
~ ***no*** [접속법의 동사 앞에서] …하지 않으면 : *C- no* te enmiendas, dejaremos de ser amigos 네가 행실을 고치지 않으려면 교제를 끊자.
~ ***que*** …때문에 · 이므로 (porque).
~ ***ser*** 《*Amér.*》 ① 같은, 따위의 (como) : Se venden mubeles ~ *ser* camas, mesas, etc. 침대며 테이블 등의 가구류를 팔고 있다. ② …와 비슷한.
~***si*** [+접속법과거] 마치…처럼 : ~ *si* fuera una mujer 마치 여자처럼. Ella habla ~ *si* fuera mi abuela 그녀는 마치 내 할머니처럼 말한다. ~ *si* un soplo hubiera extinguido las luces 일진의 바람이 빛을 꺼버리기나 한 듯이. Al caer se partió en dos, ~ *si* fuera un melocotón 마치 복숭아처럼 떨어질 때 두 조각이 났다.

cómo *adv.* [*lat.* quomodo] [방법 · 모양 · 이유를 나타내는 의문사] ① 어떻게 : ¿*Cómo* está usted? 어떻게 지내십니까?, 건강이 어떻습니까? ¿*Cómo* le gustó el viaje? 여행은 어떠했습니까? ¿*Cómo* está el enfermo? 환자는 좀 어떠십니까?
② 뭐라고 : ¿*Cómo* se llama usted? 당신의 성함은 무어라고 하십니까? ¡*Cómo* llueve! 무슨 비가 이렇게 온담!
③ 왜, 무엇 때문에 (por qué) : ¿*Cómo* no fuiste ayer a paseo? 왜 어제는 산책하지 않았었느냐? No sé ~ no le mato 왜 그를 지독히 혼내주지 못하고 있는지 난 알 수 없다.
④ [+*inf.* : …해야 할] 방법, 이유 : No sé ~ agradecerle tantos favores 그렇게 많은 호의에 대해 감사할 방법을 모르겠습니다. No sabe ~ hacerlo 그는 어찌할 바를 모른다.
⑤ [명사로서] 이유, 방법, 까닭 : No sabe el hombre el por qué ni *el* ~ de la vida 인간은 삶의 이유도 방법도 모르고 있다.
⑥ [수량] ¿A ~ es? 얼마입니까?
¿***Cómo***? 뭐라고요?
¡***Cómo***! 이거 정말!
¿***Cómo así***? 이게 어떻게 된 노릇이지?
¿***Cómo no***?, ¡***Cómo no***!, ***Cómo no*** 물론, 좋고 말고 ; 아무렴(por supuesto, desde luego, ya lo creo) : Mañana partiré, ¿~ *no*, si lo he prometido? 내일 가겠습니다, 약속한 이상, 아무렴요.

com.[o] comercio; comisario.

cómoda *f.* (침실용) 서랍 달린 장농 : ~ escritorio 장농식 책상.

comodable *adj.* 임차(賃借)할 수 있는.

cómodamente *adv.* 안성맞춤으로 ; 편하게 (con comodidad).

comodante *m.f.* 대주(貸主).

comodatario, ria *m.f.* 차주(借主).

comodato *m.* 사용 대차(貸借) : dar en ~ 대여하다. tomar en ~ 빌리다.

comodatorio, ria *adj.* comodato의.

comodidad *f.* 편리, 편익, 편의 ; 설비 ; 쾌적, 안락 : La nueva residencia tiene todas las ~*es* 새로운 주거는 설비가 전부 되어 있다. Viven con mucha ~ 그들은 매우 편하게 살고 있다. Contr. incomodidad, molestia.

comodín *m.* ① 으뜸 패 (카드 놀이에서의). ② 비법, 비방(秘方). ③ 어디에나 두루 쓰이는 것 : Yo no sirvo de ~ 나는 함부로 부림받고 싶지 않다. ④ 상투적인 핑계.
—*adj. m.f.* 《*Amér.*》 =**comodón.**

comodino, na *adj.* 《*Méx.*》 =**comodín.**

comodista *adj. m.f.* =**comodón.**

cómodo, da *adj.* [*lat.* commodus] (집 따위가) 넓은, 널찍한 ; 편리한 ; 폭신폭신한, 안락한 ; 쾌적한 : Esta silla es muy ~*da* 이 의자는 매우 편하다. Contr. incómodo, molesto.

comodón, na *adj.* 자기 고집만 내세우는 ; 쾌적주의의. —*m.f.* 여유있고 한가로운 생활을 하고 싶은 사람, 쾌적 생활가.

comodoro *m.* [*ing.* commodore] ① (영국 · 미국의) 함장 겸 사령관 ; 해군 준장. ② 선임(先任) 선장 · 함장 ; 요트 클럽 회장.

Com.[on] comunicación.

comoquiera *adv.* 아무튼, 겨우겨우, 그럭저럭.

comp., Comp. Compañía.

compa *m.* 《*Amér.*》 【속어】 동지, 동료(compañero, compadre).

Comp.[a] Compañía.

compacidad *f.* =**compactibilidad.**

compactación *f.* 밀집, 촘촘함.

compactado, da *adj.* 《*Perú.*》 악마와 계약을 맺은. —*m.f.* 악마와 계약을 맺은 사람.

compactar *tr.* 《*Amér.*》 가득하게 채워 넣다, 간결하게 하다, 집결하다.

compactibilidad *f.* 빽빽히 들어참, 꽉 참, 밀집함.

compacto, ta *adj.* ① 빽빽하게 찬, 밀집한. ② (천 따위가) 올이 촘촘한, 바탕이 치밀한 ; (체격이) 꽉 짜인. ③ (집 따위가) 아담한. ④ (문체 따위가) 간결한.

compadecer *tr.* 31 불쌍히 여기다, 동정하다 (dolerse de la desgracia ajena, sentir lástima y piedad) : ~ a los pobres.
~se ① 합치하다. ② [+de : …에] 동정하다 : ~*se de* los pobres. ③ [+con : …과] 죽 · 장단 · 뜻이 맞다(comformarse).

compadrada *f.* 《*Riopl.*》 허세부리기 ; 가장.

compadraje *m.* ① (나쁜 의미에서) 패거리, 일당. ② 생부와 대부와의 관계.
compadrar *intr.* 생부와 대부의 관계를 맺다; 친밀해지다.
compadrazgo *m.* ① 대부와 생부와의 관계. ② 같은 패, 일당, 한패(compadraje).
compadre *m.* ① 세례를 받은 아이의 생부와 대부가 서로 부르는 말; 생모가 부르는 대부; 대모로서의 천주교 수녀가 부르는 생부. ② 친한 벗. ③《*Amér.*》같은 패, 패거리; 동행자, 같은 방에 묵는 사람. ④《*Arg.*》툭하면 싸우는 사람. —*interj.*《*Arg.*》놀랍군.
compadrear *intr.*《*Riopl.*》① 허세부리다(baladronear); (무엇을 믿고) 뽐내다·으시대다. ② 채산적으로 사귀다.
compadreo *m.* =**compadraje.**
compadrería *f.* =**compadraje.**
compadrito *adj.*《*Amér.*》아니꼬운, 눈꼴 사나운. —*m.*《*Amér.*》=**compadre.**
compadrón *m.*《*Arg.*》=**compadrito.**
compaginación *f.* ① =**reunión.** ② =**ajuste.** ③ =**acuerdo.**
compaginador *m.* 정리자(ajustador).
compaginar *tr.* 정리하다(ordenar); 짝을 맞추다(ajustar).
~se [+con : …과] 일치하다, 부합하다.
companage *m.* 빵에 곁들여 먹는 fiambre.
compango *m.* =**companage.**
compaña *f.* (정다운 표현으로) 동료, 동반자(compañía) : Comimos en buena ~ 우리는 다정한 사람들과 함께 식사했다.
compañerismo *m.* 동료애, 전우애·동배·같은 반의 친구; 동료 관계.
compañero, ra *m.f.* ① 벗, 동료, 동배(同輩), 친구, 동무; 동반자, 동행자; 짝 : Era mi ~ de estudios 그는 나의 공부 동료였다. ② (물건의) 짝 : Me falta el ~ de este guante 나는 이 장갑의 짝이 없다. ③ 내연의 남편·처.
compañía *f.* ① 동반, 수반 : en ~ de …과 함께, …를 데리고, …을 동반하여. hacer ~ 동행이 되다, 상대하다. ② 동반자, 수반자, (말) 동무, 곁에서 시중드는 사람 : señora de ~ 곁에서 시중드는 부인. ~ del ahorcado 살그머니 없어지는 동반자; 《*Méx.*》말이 없는 동반자. ③ 회사, 상사, 상회(sociedad) : ~ anónima 익명·주식 회사. ~ armadora 선박 회사, 운송회사. ~ aseguradora 보험 회사. ~ asociada 자회사, 계열 회사. ~ comanditarria · en comandita 합자 회사. ~ de seguros 보험 회사. ~ de transporte 운송 회사. ~ de vapores 선박회사. ~ filial 자회사(子會社). ~ por acciones 주식 회사. ④ …회 : la *C-* de Jesús 예수회《S. Ignacio de Loyola가 시작한 카톨릭의 한 파》. ⑤ 극단, 좌(座) : ~ de la legua 시골로만 다니는 극단. ~ titular 레퍼터리식 전속극단. ⑥【군대】보병·공병 중대.
compañón *m.*【속어】=**testículo.**
comparabilidad *f.* 비교성.
comparable *adj.* 비교되는, 비교할 수 있는; 견줄 수 있는, 필적하는.
comparablemente *adv.* 동등하게, 비교될 정도로.
comparación *f.* [*lat.* comparatio] ① 비교, 대조, 비교가 되는 것 : en ~ con …과 비교하여(보면). Es pequeño en ~ con el elefante 코끼리와 비교해서 작군요. no correr la ~ 비교가 되지 않는다. grados de ~【문법】형용사의 비교급. ② 대비(對比).
comparado, da *adj.* [comparar의 *p.p.*] 비교하는, …과 비교하면; 대비의, 비교의 : gramática ~*da* 비교 문법. literatura ~*da* 비교 문학.
comparador *m.* (자의 오차를 보는) 비교 측정기.
comparanza *f.*【속어】=**comparación.**
comparar *tr.* [*lat.* comparare] ① [+a : …에, con : … 과] 비교하다, 대조하다(cotejar) : ~ una cosa *con* otra 무엇을 다른 것과 비교하다. ② 비유하다, 비기다.
comparativamente *adv.* 비교적(으로); 꽤, 상당히, 다소라도 : ~ dicho 비교적으로 말하면. ~ bueno 비교적 좋은, 꽤 좋은.
comparativo, va *adj.* ① 비교의, 비교에 의한 : conjunción ~*va* 비교 접속사. método ~ 비교 연구법. ② 비교적인, 비교상의 : mérito ~ 딴것과 비교하여 나은 점. ③【문법】비교(급)의 : grado ~ 비교급.
ley ~va 비교 법학. ***lingüística ~va*** 비교 언어학. ***literatura ~va*** 비교 문학.
comparecencia *f.* 출두 : ~ personal 자신의 출두.
comparecer *intr.* 31 ① 출두하다 : ~ *ante* el juez 법관 앞에 출두하다. ② 나타나다, 모습을 드러내다(presentarse).
compareciente *m.f.* 출두자.
comparecimiento *m.*《*Venez.*》=**comparecencia.**
comparencia *f.*《*Chile. Riopl.*》출두.
comparendo *m.* 출두 명령서, 소환장 (orden de comparecer).
comparente *m.f.*《*Neol.*》=**compareciente.**
comparición *f.* 출두; 출두 명령.
comparsa *f.* ① [집합] (주연 배우을 제외한) 배우단(원), 엑스트러 : ~ de película 영화의 엑스트러. ② 가장 행렬 : ~ de estudiantes. —*m.f.*【연극】단역.
comparsería *f.* [집합] 연극 공연 단원.
comparsita *f.* [*dim.* comparsa] 단역 여배우; 발레리나; 의견을 같이하기.
comparte *m.f.* 공범자, 종범; 공동 사업가.
compartible *adj.* 나눌 수 있는, 분배할 수 있는.
compartidor, ra *m.f.* 참가자, 분담자.
compartimentar *tr.* 19 (안전 방지를 위해) 구획으로 나누다.
compartimento *m.*《*Amér.*》=**compartimiento.**
compartimiento *m.* ① 분배; 분담. ② 간막이, 구획; (객차·객선 내의) 간막이방, 차실(車室) : ~ de primera clase 일등칸. ③ 차체의 안전 구분(~ estanco). ④ 찬동.
compartir *tr.* ① 나누다, 분배하다 (repartir, dividir) : ~ la fruta *en* dos partes 과실을 두 조각으로 나누다. ② 공동으로 하다, 분담하다 : ~ las penas *con* otro 슬픔을 다른 사람과 함께 나누다. ~ la merienda 간식을 나누어 먹다. ~ la opinión de otro 다른 사람과 의견을 같이

하다 · 찬동하다. *Compartimos* su dolor 당신의 슬픔을 동정합니다.

comparto *m.* 《*Col.*》 승자가 패자에게 부과시킨 전쟁 보상금.

compás *m.* ① 나침반, 나침의 (brújula). ② (제도용) 컴퍼스, 양각기 : ~ divisor, ~ de tornillo, ~ de puntas secas 디바이더, 양각기. ③ 캘리퍼스, 측경기 : ~ de corredera 슬라이드 측경기. ~ de huecos, ~ de patas 내측 캘리퍼스. ~ de gruesos 외측 캘리퍼스. ④ 박자, 리듬 : a ~ 박자를 쳐서. a ~ de …에 따라 · 에 장단을 맞추어. ⑤【음악】박자, 박자를 치는 일 : marcar el ~ con la mano 손으로 박자를 치다. llevar el ~ 지휘봉으로 지휘하다. ⑥ 소절 구분의 세로줄 ; 소절(小節) : ~ mayor 대소절(大小節). ~ menor 4분의 4박자. ⑦ 자 (regla). ⑧ 크기, 사이즈(tamaño). ⑨ 사원의 땅. ⑩ (포장의) 용수철. ⑪【천문】컴퍼스좌.
ir con el ~ en la mano 일을 어김없이 하다.
salir de ~ 실수하다.

compasadamente *adv.* 박자에 맞추어, 박자를 쳐서 ; 침착히.

compasado, da *adj.* [compasar의 *p.p.*] 정돈된 ; 침착한, 신중한(arreglado, mesurado).

compasamiento *m.* compasar 하기.

compasar *tr.* ① 컴퍼스로 재다 (medir con compás). ② (해도 등에서) 거리를 재다. ③ 조절하다, 조정하다(disponer, arreglar) : ~ el gasto · el tiempo. ④【음악】소절로 나누다.

compasible *adj.* 가엾은, 불쌍한, 동정할 만한 ; 인정이 많은(compasivo).

compasillo *m.* 【음악】4분의 2박자.

compasión *f.* [*lat.* compassio] 불쌍히 여김, 동정 : tener ~ de …에 동정하다, …을 불쌍히 여기다. **Sinón.** simpatía. **Contr.** dureza, insensibilidad.

compasivamente *adv.* 동정하여, 다정스럽게.

compasivo, va *adj.* ① 인정많은 ; 다정 다감한, 눈물이 흔한. ② 자비심이 많은 (piadoso) : alma *~va.* **Contr.** duro, insensible.

compaternidad *f.* =**compadrazgo.**

compatía *f.* 동정, 인정.

compatibilidad *f.* 적합 ; 모순이 없는 일, 겸직할 수 있는 일, 공존성, 양립성.

compatible *adj.* [+con : …과] 적합한, 조화되는 ; 양립할 수 있는, 모순되지 않는 ; 공존할 수 있는 : Es ~ *con* la justicia 정의와 양립하다. **Contr.** incompatible.

compatiblemente *adj.* 사이좋게 ; 적합하게.

compatricio, cia *m.f.* =**compatriota.**

compatriota *m.f.* 겨레, 민족, 동국인, 동포 (paisano) : Los *~s* deben ayudarse en el extranjero 동포들은 외국에서 서로 도와야 한다.

compatrón *m.* =**comptrono.**

compatrono, na *m.f.* (노동자 등의) 공동 고용주.

compeler *tr.* 강제 · 강요하다, 억지로 …시키다 : ~ el silencio 침묵을 강요하다, 억지로 침묵케 하다. ~ la obediencia 복종을 강요하다. Le *compelieron a* confesar 그에게 자백을 강요했다. ~le a uno al pago 누구에게 지불을 강요하다.

compendiador, ra. *adj.* 요약하는. —*m.f.* 요약하는 사람.

compendiar *tr.* ⑪ 요약하다, 간략하다(reducir a compendio).

compendiariamente *adv.* 간결하게, 요약해서, 추려내어.

compendio *m.* [*lat.* compendium] 요약, 요강 : estudiar un ~ de gramática.
en ~ 간추려 말한다면(abreviadamente).

compendiosamente *adv.* 요약하여, 간추려 말하면(en compendio).

compendioso, sa *adj.* 요약한(abreviado).

compendista *m.f.* 요약자.

compendizar *tr.* =**compendiar.**

compenetración *f.* 의사 소통, 감정의 교감(交感), 마음이 통함.

compenetrarse *r.* 마음이 서로 통하다, 서로의 기분이 통하다, 감정이 일치하다.

compensable *adj.* 보상할 수 있는.

compensación *f.* ① 배상, 변상, 구상(求償) ; 보상, 보상금. ② 보수 ; 급료, 수당. ③ (채권 등의) 상쇄(相殺). ④【기계】보정(補整) ;【조선】보강. ⑤【심리 · 생리】대상(代償) 작용.
cámara de ~ 어음 교환소.

compensador, ra *adj.* 보상 · 배상(자)의. —*m.f.* 보상자, 배상자. —*m.* (시계의) 보정 진자(振子).
cámara ~ra 어음 교환소.

compensar *tr.* [+con : …으로] 갚다, 보상 · 배상하다 : ~ las pérdidas *con* las ganancias 손해를 이득으로 보상하다. Las ganancias *compensan* los gastos 수익은 경비를 보상한다. Te *compenso* el libro *con* el cuadro 자네의 책을 그림으로 보상하겠네.
~se ① 보상되다 : Las pérdidas *se compensan con* las ganancias 손실은 이득으로 보상된다. ② 갚다, 보복하다, 앙갚음하다 ; 보복당하다.

compensativo, va *adj.* =**compensatorio.**

compensatorio, ria *adj.* 보상하는, 배상의 ; 보정(補整)의 ; 대상(代償)의.

competencia *f.* ① 적성, 자격, 능력. ②【법률】권능, 권한 ; 책임. ③ 경쟁, 겨룸, 다툼 (rivalidad) : ~ de expansión militar 군비 확장 경쟁. ~ de precio 가격 경쟁. ~ desleal · injusta 부당 경쟁. ~ entre dos o más naciones mediante tarifas selectivas 관세 전쟁. ~ excesiva 과당 경쟁. ~ imperfecta 불완전 경쟁. ~ viable 유효 경쟁. a ~ 겨루어, 서로 다투어. sin ~ 겨룰 만한 것이 없는. hacer ~ 경쟁하다, 겨루다. precio de ~ 경쟁 가격. Hay mucha ~ en el comercio 거래에는 경쟁이 심하다. ④ 논쟁 : en ~ con …와 논쟁하여. ⑤ 《*Amér.*》 시합. **Contr.** incompetencia.

competente *adj.* ① 적임의, 유능한 : jugador ~ 유능한 선수. ② 적당한, 충분한, 상당한 : conocimiento ~ de español 상당한 서반아어 지식. ③ (법정) 자격이 있는 ; 관할권이 있는. ④ (누구의 행위가) 합법적인, 허용되는 : licencia ~ 합법적인 허가증. ⑤ 주무(主務)의, 해당의 : autoridad ~ 소관 · 주무 관청. ministro ~ 소관 · 주무 장관.

competentemente *adv.* 정당하게, 정당한 자격으로 ; 십분, 충분히.

competer *intr.* [*lat.* competere] [+a : …에] 해

당하다, (누구의) 책임·담당이다(incumbir).

competición *f.* ① 경쟁, 겨루기. ② 시합, 경기(회); 경쟁 시험. ③ (콩쿠르에) 응모, 시합.

competidor, ra *m.f.* [*lat.* competitor] 경쟁자, 경쟁 상대(rival); 시합 참가자.

competir(se) *intr.* (*r.*) 32 [*lat.* competere] ① (우열을) 다투다, 겨루다, 경쟁하다, 맞서다 : Yo no *compito con* usted *en* la geografía 나는 지리에서는 당신과 경쟁하지 못한다. Ana *compite* en hermosura *con* su hermana 아나는 동생과 미를 겨루고 있다. ② 필적하다, 대항하다.

competitividad *f.* 경쟁력.

competitivo, va *adj.* 경쟁·대항할 수 있는 : precio ~ 경쟁할 수 있는 가격.

compilación *f.* 엮음, 편집, 편찬; 편집물, 편찬물 : escribir una ~ histórica.

compilador, ra *adj.* 편집·편찬·수집하는. —*m.f.* ① 편집자. ② 【컴퓨터】 부호 번역기(器).

compilar *tr.* ① 편집·편찬하다. ② (자료 따위를) 수집하다. ③ (재산 따위를) 이룩하다, 장만하다. ④ 【컴퓨터】 다른 부호·컴퓨터 언어로 번역하다.

compilatorio, ria *adj.* 편집·편찬의.

compinche *m.f.* *desp.* 《*Amér.*》 동료, 막료; 못된 벗, 패거리.

compitales *f. pl.* [*lat.* compitalia] (고대 로마 사람들이) 한길에서 벌이던 축제.

cómpite *adj.* ①《*Venez.*》 공범의. ②《*Col.*》 = **competente.**

compitura *f.* 《*Venez.*》 공범 (관계).

complacedero, ra *adj.* =**complacedor.**

complacedor, ra *adj.* 기쁨을 주는, 즐거운. —*m.f.* 기쁨을 주는 사람.

complacencia *f.* ① 만족(satisfacción). ② 기쁨, 즐거움, 흐뭇함 : tener ~ en …을 기뻐하다.

complacer *tr.* 34 기쁨을 주다, (…에게 있어) 즐겁다 : Me *complace* anunciarle a Vd. 당신에게 알려드리는 것을 나는 기쁨으로 생각합니다. Contr. herir, desagradar.

~se [+con · de · en · por : …을] 기뻐하다; 만족하다.

complacido, da *adj.* =**contento, satisfecho.**

complaciente *adj.* 만족한, 자기 만족의, 득의의, 마음속으로 즐거워하는; 안심한; 사근사근한 : Los amigos más ~*s* no son siempre los más seguros.

complacientemente *adv.* 기꺼이.

complanar *tr.* =**aclarar.**

complejidad *f.* 복잡성, 복합성, 잡다성.

complejo, ja *adj.* [*lat.* complexus] 복잡한; 복합의 : idea ~*ja* 복잡한 생각. Contr. sencillo. —*m.* ① 복합. ② 【화학】 복합물, 복합체. ③ 종합 시설. ④ (정신 분석) 콤플렉스, 열등감, 이상 심리, 고정 관념, 강박 관념 : ~ de inferioridad 열등감·의식.

complementación *f.* 상호 보완 : ~ de la industria automotriz 자동차 산업 보완.

complementar *tr.* 메꾸다, 채우다, 보충하다(completar).

complementario, ria *adj.* ① 메꾸는, 보상의; 메꾸어 넣는, 추가하는, 보충하는 : lecciones ~*rias* 보충 수업. ② 【수학】 여(각·색)의 : ángulos ~*s* 여각(餘角).

complemento *m.* ① 보상, 보충물; 완성, 충족(colmo). ② 【수학】 여각, 여호(餘弧), 여수(餘數). ③ 【문법】 보어 : ~ circunstancial 상황 보어. ~ directo 직접 보어. ~ indirecto 간접 보어. ④ 【음악】 보충 음정. ⑤ 【광학】 여색. ⑥ 【생물】 (혈청 중의) 보체(補體).

completamente *adv.* 완전히, 전혀, 전부.

completamiento *m.* completar 하기.

completar *tr.* 완성하다, 완결짓다, 완전하게 하다 : Se *ha completado* el nuevo edificio 새 빌딩이 완성됐다.

completas *f. pl.* 【종교】 최종 기도 시간, 만과(晩課), 종도(終禱).

completivamente *adv.* 보충을 위해, 보충·보상으로서.

completivo, va *adj.* 완전한, 완벽한, 완전하게 하는, 완성적인.

completo, ta *adj.* [*lat.* completus] ① 완전한, 완벽한; 흠잡을 데 없는, 완비된. ② 부족이 없는(entero). ③ 가득한, 만원의(lleno) : el tranvía ~ 콩나물 시루같은 전차. ④ 전부의, 전부 갖춘. ⑤ 전면적인, 철저한 : fracaso ~ 완(전한 실)패. Contr. incompleto. —*m.* 《*Col.*》 빚진 돈의 잔금.

por ~ 완전히(completamente).

complexidad *f.* 복잡성(complejidad).

complexión *f.* [*lat.* complexio] ① 안색, 피부색. ② 체격, 외관, 모양; 양상, 국면.

complexionado, da *adj.* [bien · mal+] 체격이 좋은·나쁜.

complexional *adj.* 체질의, 체격상의.

complexo, xa *adj.* 복잡한(complejo); 착잡한; (문제가) 어려운. —*m.* =**complejo.**

complicación *f.* ① 복잡, 착잡, 복잡화. ② 분규, 분쟁, 혼란, 말썽거리, (예상외로) 곤란한 사정. ③ 【의학】 여병, 발병, 합병증.

complicado, da *adj.* [complicar의 *p.p.*] 어지럽게 얽힌; 복잡한, 까다로운, 번거로운, 알기 어려운, 어지러운, 미묘한 : El asunto es muy ~ 그 사건은 매우 복잡하다. Contr. sencillo.

complicar *tr.* 7 [*lat.* complicare] ① 복잡하게 하다, 까다롭게 하다, 어지럽게 만들다. ② (병상을) 악화하다 (합병증 따위로). Contr. simplificar.

~se 분규하다; 꽤 까다로워지다, 미묘해지다; 복잡해지다, 복잡성을 띠다.

cómplice *adj.* [*lat.* complex] 공범의. —*m.f.* 공범자 : ser ~ *con* · *de* otros *en* el delito 그 범죄에서 다른 사람과 공범이다.

complicidad *f.* 공모, 공범, 연루(連累).

complot *m.* [*pl.* complots, complotes] 《*Galic.*》 공모, 음모, 모의, 흉계(intriga).

complotar *intr.* [*fr.* complot] 공모하다, 음모를 꾸미다(conspirar).

complutense *adj.* 알깔라·데·에나레스《Alcalá de Henares, 세르반떼스의 탄생지》의. —*m.f.* 알깔라·데·에나레스 사람.

compluvio *m.* (로마 시대 가옥의) 천창(天窓).

compoblano, na *adj.* 《*Cuba.*》 같은 마을의. —*m.f.* 같은 마을 사람.

compón componer의 tú의 긍정 명령.

componedor, ra *m.f.* ① 조립자 ; 수선인. ② 중재인, 조정자 : amigable ~ 딴소리를 못하게 화해 방법에 의한 중재인. ③ 문서 작성자.
—*m.* ①【인쇄】식자가(植字架). ②《*Amér.*》정골의(整骨醫), 접골의.

componenda *f.* 연보 ; 임기 응변 ; 화해 ; 운명으로 돌리게 하는 일.

componente *adj.* 구성하는. —*m.* ① 구성 요소 · 성분 : los ~*s* del agua. ②《*Cuba. PRico.*》(경관이 하는) 체형, 구타. —*m.f.* 구성원.

componer *tr.* 61 [*p.p.* compuesto] [*lat.* componere] ① 조립하다, 조직하다, 구성하다 : ~ una palabra nueva. ② 조제하다 : ~ la medicina 약을 조제하다. ③ 꾸미다 · 장식하다 (adornar). ④ 차려 입히다(ataviar). ⑤ 고치다, 바로잡다, 수선 · 수리하다(arreglar) : Se está *componiendo* la máquina de escribir 타자기 · 타이프라이터는 지금 수리 중이다. ⑥ 중재하다, 화해시키다(concordar) ; (운명으로 돌리게 하여) 단념시키다 ; 흥정하다, 타협을 보다. ⑦ (셈을) 끝마치다. ⑧ (학예적인 작품을) 만들다 ; 저술하다 ; 작사 · 작곡하다 : Beethoven *compuso* muchas sonatas de piano 베토벤은 많은 피아노 소나타를 작곡했다. ⑨ 조판하다. ⑩ 가지런히 하다, 좋아지도록 하다, 기운을 돋우다 : El vino me *ha compuesto* el estómago 포도주로 나는 위가 좋아졌다. ⑪ 부드럽게 하다 (moderar) : ~ el semblante 얼굴을 부드럽게 하다. ⑫《*Amér.*》정골(整骨)하다. —*intr.* 시를 쓰다 ; 작곡하다.
~se [+de : …으로] ① 이루어지다, 구성되다 : La comisión *se compone de* ocho comités 위원회는 8명의 위원으로 구성되어 있다. ② 치장하다, 단장하다, 맵시를 부리다. ③ 흥정하다, 타협하다, 화의하다 : ~*se con* los acreedores 채권자와 화의하다.
componérselas (곤란한 처지에서 벗어나기 위해) 재치를 부리다 : *Compóntelas* como puedas 가능한 데까지 재치를 부려라.

componible *adj.* ① 타협 · 화해할 수 있는. ② 조직 · 조립할 수 있는. ③ 수리 · 수선할 수 있는.

comporta *f.* ① (포도 따는) 광주리 · 항아리. ②《*Perú.*》유황형(硫黃型).

comportable *adj.* ① 견딜만한, 참을 수 있는 (soportable). ② 운반 할 수 있는(llevadero : una carga ~. **Contr.** insufrible.

comportamiento *m.* 한 짓, 행실, 행장, 소행 (conducta · modo de ser).

comportar *tr.* ① 견디다, 참다(tolerar). ②《*Galic.*》가져오다, 가져오게 하다(producir, llevar). ③ 보충하다, 보상하다 : El beneficio no *comporta* los gastos de transporte.
~se 거동하다, 행동하다, 처신하다, 처세하다 (portarse) : *Compórtate* bien 처신을 잘해라.

comporte *m.* ① 행실, 행장, 소행, 태도. ②【은어】객줏집 바깥 주인.

comportería *f.* ① 포도 광주리 제작자의 기술 · 직. ② 포도 광주리 제작자의 공장.

comportero *m.* 포도 광주리(comporta)를 만드는 사람 · 파는 사람.

composáceas *f. pl.*【식물】=**compuestas.**

composición *f.* ① 구성, 조립. 조직 ; 합성, 성분. ② 작문, 작시 ; 저작, 저술. ③【미술】구성, 배치, 배합. ④ 작곡 ; (음악 · 미술의) 작품. ⑤【그림 · 사진】구도. ⑥ (타고난) 기질, 성질. ⑦【인쇄】식자, 조판. ⑧【문법】복합어, 복합법. ⑨ 혼합물, 합성물. ⑩ (외국어의) 작문 연습, 연습 제목. ⑪ 협정 ; 타협 ; 자중.
hacer ~ de lugar 구상을 가다듬다 · 정리하다.

composicionalismo *m.* 구성파 예술.

compositivo, va *adj.* 합성의. —*m.* 접두어, 접두사.

compositor, ra *adj. m.f.* 제작 · 작곡 · 작문하는 (사람).

compostelano, na *adj. m.f.* 꼼뽀스뗄라《Compostela, 현재의 Santiago de Compostela》의 (사람).

compostor *m.* ①《*Galic.*》=**componedor.** ②【방언】=**algebrista.**

compostura *f.* =**arreglo ; aseo, adorno ; ajuste, convenio ; modestia.**

compota *f.* 물과 설탕을 넣어 삶은 과일 과자.

compotera *f.* 과일의 설탕 절임 그릇.

compra *f.* ① 사는 일, 구입, 구매 : ~ a plazos 월부 구입. ~ al contado 현금 구입. ~*s* a crédito 외상 매입. ② 장보기, 쇼핑 : hacer la ~ 물건을 사다. ir de ~*s* 쇼핑하러 가다. salir de ~*s* 장보러 나가다, 쇼핑하러 나가다, 물건 사러 나가다. ¿Vamos de ~*s* o de paseo? 쇼핑 갈까요 아니면 산책갈까요? **Contr.** venta.

comprable *adj.* 살 만한, 사도 손해가 되지 않는.

compradero, ra *adj.* =**comprable.**

compradillo *m.* 카드 놀이의 일종.

compradizo, za *adj.* =**comprable, compradero.**

comprado *m.* 남자의 놀이의 일종.

comprador, ra *adj.* (물건을) 사는. —*m.f.* 살 사람, 살 손님, 사는 쪽, 바이어, 구매자, 매입자, (회사의) 구매 담당자, 수입 업자. **Contr.** vendedor.

comprar *tr.* ① [+a · de : …에게서] 사다, 구입하다 : ~ al contado 현금으로 구입하다. ~ a plazos 분할불로 사다. ~ al fiado 외상으로 사다. ② 매수하다(sobornar). **Contr.** vender.

compraventa *f.* 매매 (계약) ; 고물상 : ~ de libros 헌책방. ~ de antigüedades 고물상, 골동품상. contrato de ~ 매매 계약.

cómpreda *f.*【고어】《*And. Mancha.*》=**compra.**

comprehensivo, va *adj.* =**comprensivo.**

comprehensor, ra *adj.* =**comprensor.**

comprendedor, ra *adj.* 이해하는.

comprender *tr.* [*lat.* comprehendere] ① 이해하다, 양해(諒解)하다(entender) : No *comprendo* lo que está hablando 그가 말하는 뜻을 이해 못하겠다. ¿Me *comprende* usted? —Sí, le *comprendo* bien 내 말을 이해하시겠습니까? —예, 당신의 말을 잘 이해합니다. ② 포함하다, 포함되어 있다(contener, constar de) : La edad moderna *comprende* estas dos épocas 근세는 이 두 시대를 포함하고 있다. Este diccionario lo *comprende* todo 이 사전은 전부 포함되어 있다. ③ 싸 버리다 : Nos *comprendían* las tinieblas 우리는 어둠에 싸였다.

comprendiente *adj.* 이해하는 ; 포함하는.

comprensibilidad *f.* 쉽게 이해함 ; 이해.

comprensible *adj.* [+ a · para : …에] 쉬 이해가 가는 ; 이해할 수 있는. Contr. incomprensible.

comprensión *f.* 이해(entendimiento) ; 이해력, 지성.

comprensividad *f.* 이해력(facultad de comprensión).

comprensivo, va *adj.* ① 이해력이 있는. ② 포함하는 : precio ~ *de* todos los impuestos 일체의 세금을 포함한 가격. ③ 두뇌가 명석한.

comprenso, sa *adj.* comprender의 *p.p.*

comprensor, ra *adj.* 이해하는. **—***m.f.* ① 이해자. ②【종교】영원의 지복을 얻은 사람.

comprero, ra *adj.* 《*Ar.*》 =**comprador.**

compresa *f.* [*lat.* compressa] (붕대 밑에 대는) 가제, 무명베 ; 찜질, 습포 : ~ fría 냉수 찜질. ~ húmeda 습포, 찜질.

compresibilidad *f.* 압축성. Contr. incompresibilidad.

compresible *adj.* 압축 · 압착할 수 있는 : gas ~. Contr. incompresible.

compresión *f.* ① 압축 ; 압착. ②【문법】강모음의 이중 모음화(sinéresis).

compresivo, va *adj.* ① 압축의 ; 압착의 : aparato ~. ② 압박적인 : régimen ~.

compreso, sa *adj.* [comprimir의 *p.p.*] 압박하는 ; 줄어든.

compresor, ra *adj.* 압박하는 ; 압축 · 압착하는. **—***m.f.* 압박자. **—***m.* ① 압축기, 압착기, 압축 펌프, 압착 장치, 컴프레서 : ~ de aire 공기 압착 장치. ② (발동기의) 과급기(過給器). ③【해사】의축근(醫縮筋).

comprimente *adj.* 압축 · 압착하는.

comprimible *adj.* =**compresible.**

comprimido, da *adj.* 억누르는, 압축 · 압착하는 : aire ~ 압착 공기. **—***m.* 정제.

comprimir *tr.* [*lat.* comprimere] 압축하다 ; 압착하다 ; 억제하다. Contr. dilatar, extender. **~se** 줄어들다, 수축하다.

comprobable *adj.* 확인 · 조회 · 증명 · 대조할 수 있는.

comprobación *f.* 대조 ; 증명 ; 확인, 인정.

comprobante *adj.* 증명이 되는, (…을) 증명하는 : documento ~ 증거 서류. **—***m.* 증거 서류, 증거품, 인수증.

comprobar *tr.* 24 [*lat.* comprobare] 확인하다, 조회 · 증명하다 ; 대조하다 : ~ *con* las fechas 날짜와 대조해서 확인하다. No pudo ~ las afirmaciones del acusado 그는 피고의 언질을 입증할 수 없었다.

comprobatorio, ria *adj.* 증거로서 내세우는, 인증 · 입증하는, 증거가 되는.

comprofesor, ra *m.f.* 동직자, 동업자.

comprometedor, ra *adj.* 위태롭게 하는, 위험한 : persona demasiado ~*ra.*

comprometer *tr.* ① 위태롭게 하다, 위험에 빠지게 하다 · 접하게 하다(poner en peligro) : ~ los intereses de la nación 국가의 이해를 위험에 직면케 하다. No puedo ~ el fondo de la compañía 나는 회사의 자금을 위험에 직면케 할 수 없다. ② (누구의) 평판 · 신용을 손상케 하다 : ~ a una persona. ③ (분쟁 등의) 중재를 위촉하다 : ~ un negocio al árbitro 중재인에게 어떤 일의 중재를 맡기다. ④ 강요하다, 우겨서 하게 하다(obligar a uno a una cosa) : Le *comprometió a* que saliera 그를 출발시키도록 했다. **~se** ① 몸을 위태롭게 하다, (위험한 일을) 당하다, 휩쓸리다 : No querían *~se* a la guerra civil 내란의 위험에 휩쓸려들고 싶지는 않았다. ② (책임 · 의무 등을) 떠맡다 : *~se a* todo 무슨 일이나 떠맡다. ③ (어떤 일에) 손을 대다 : *Se comprometió* con José *en* una empresa 호세와 어떤 기업에 손을 댔다. ④ 약속하다 ; 약혼하다 : *Se comprometió a* pagar 지불 약속을 했다. *Se comprometieron* ayer 그들은 어제 약혼했다.

comprometido, da *adj.* =**embarazoso.**

comprometimiento *m.* 언질, 약속, 의무 ; 어려운 처지.

compromisario, ria *m.f.* 조정인. **—***m.*(유권자를 대표하여 선거를 행하는) 선거 위원.

compromiso *m.* ① 타협, 타결 ; 협정서. ② 구속. ③ 약속, 계약 : Tengo un ~ 나는 약속이 있다. ④ 조정의 위임. ⑤ 대표 선거 《선거인을 대표한 위원에 의한 선거》 ; 선거 위원회. ⑥ 역경, 고경(苦境) : estar · poner en ~ 분명했던 것 · 일 같은 것이 수상쩍어지다 · 수상쩍게 만들다 ; 역경에 처하다. ⑦ *pl.* 부채 : satisfacer su *~s* 부채를 지불하다, 변제하다. ⑧ 《*Méx.*》 고수머리.

~ *matrimonial* 약혼. *sin* ~ 강제력이 없이.

compromisorio, ria *adj.* ① 선거 위원에 의한 : elección *~ria.* ② 조정의 위임에 의한. ③ 위태로운.

comprovinciano, na *m.f.* 동향인.

comp.[s] compañeros.

compuerta *f.* ① 수문(水門) : ~ de dique 독의 문. ② 문이 없는 마차의 커튼. ③ (화덕의) 바너 불구멍. ④ 울짱, 목책, 책(柵).

compuesta *f.* ①【문법】합성어, 복합어 《예 : cortaplumas, parasol, prototipo, 등》. ②【은어】도둑의 변장. **—***f.pl.* 【식물】국화과 식물(菊花科植物).

compuestamente *adv.* 복합하여, 함께 ; 신중히, 정연히 ; 조심스럽게 ; 단정히.

compuesto, ta *adj.* [componer *p.p.*] ① 조립된 ; 가지런한. ② 복합의, 복합된 : cuerpo ~ 복합체. tiempo ~【문법】복합 시제, 완료형. hoja *~ta*【식물】복엽, 겹엽. ③ 합성의 : adverbio ~ 합성 부사, 부사구. palabra *~ta* 합성어. ④【식물】국화과(菊花科)의. ⑤ 조심성있는. **—***m.* 화합물, 혼합물, 합성물, 합성 약품. **—***f.pl.* 국화과 식물.

compulsa *f.* 사본, 등본.

compulsación *f.* 대조, 조회, 교정.

compulsador, ra *m.f.* 대조자, 조회자.

compulsar *tr.* ① 대조 · 조회하다(cotejar). ② 등본을 만들다. ③【고어】《*Amér.*》 =**compeler, obligar.**

compulsión *f.* 강제, 억압적인 행동.

compulsivo, va *adj.* 강제의, 강제력이 있는.

compulso, sa *adj.* 강제된.

compulsorio, ria *adj.* 강제적인, 의무적인.

compunción *f.* ① 회한(의 정) ; 안스러움. ② 슬픔, 비탄, 비애. Sinón. contrición.

compungido, da *adj.* =**atribulado, dolorido, contristado.**
compungirse *r.* ④ 후회하다; 슬퍼하다(afligirse) : ~ por la multitud de sus pecados.
compungivo, va *adj.* [드묾] =**punzante, picante.**
compurgación *f.* ① 혐의가 풀리는 일, 무죄의 증명. ②【의학】임질.
compurgar *tr.* ⑧ ① 무죄를 증명하다. ②《*Amér.*》죄값을 하다, 저지른 죄에 대한 보상을 하다.
compus- →**componer** ⑥①.
compusie- →**componer** ⑥①.
computable *adj.* 계산·셈할 수 있는.
computación *m.* 계산(cómputo).
computador, ra *adj.* 계산하는. —*m.* (전자) 계산기(máquina calculadora, máquina computadora).
~ *electrónico* 전자 계산기.
computadora *f.* 전산기, 컴퓨터.
computadorizar *tr.* =**computarizar.**
computarizar *tr.* 컴퓨터로 다루다.
computerizar *tr.* =**computarizar.**
computar *tr.* [*lat.* computare] 셈하다, 계산하다, 산정(算定)하다, 헤아리다(calcular, contar) : ~ el tiempo para formar un calendario.
computista *m.f.* 계산가.
cómputo *m.* 계산, 셈, 산정(cuenta, cálculo).
com.[st] comisionista 위탁 판매인.
comt.[e] comandante; comerciante.
comto, ta *adj.* =**aliñado, pulido, afectado.**
comucho *m.*《*Chile.*》떼, 군(群), 집단, 무리(cumucho).
comulación *f.* =**acumulación.**
comulgante *adj.* comulgar하는. —*m.f.* 성체 배령자(聖體拜領者).
comulgar *tr.* ⑧ (…에게) 성체(聖體)를 수여하다. —*intr.* 성체를 받다; (주의·감정을) 함께하다.
~ *con ruedas de molino* 무엇이나 곧이 곧대로 믿다.
comulgatorio *m.* 성체 배령석(席).
común *adj.* [*lat.* communis] ① 일반의, 보통의 : sentido ~ 상식. opinión ~ 여론. ② 공통·공공·공동·공유의 : ~ a muchos 많은 사람에게 공통적인. bienes ~*es* 공유 재산. pozo ~ 공동 우물. ③ 세상에 흔한, 흔해 빠진, 보통의(vulgar, bajo). —*m.* ① 일반인, 전 주민(todo el mundo, todo el pueblo) : el ~ de los mortales. ② 단체(comunidad). ③ 변소(retrete). —*m.pl.* 하원(下院).
en ~ 공동으로, 공통으로 : hacer *en* ~ 공동으로 하다. tener·poseer *en* ~ 공동으로 소유하다.
por lo ~ 대개, 보통으로, 일반적으로, 통례로, 관례에 따라(generalmente).
comuna *f.*《*Arg. Chile. Perú.*》시청.
comunal *adj.* 공통의; 공유의 : bienes ~*es* 공유 재산. —*m.* 전 주민; 일반인.
comunalmente *adv.* 공동으로.
comunero, ra *adj.* 일반적인, 일반 사람들에게 환영받는, 인기있는(popular). —*m.* 공동 소유자. —*pl.* 공유 목초지를 가진 마을들.
comunicabilidad *f.* 통보·교통 가능성; 친밀감.
comunicable *adj.* ① 연락할 수 있는, 통지할 수 있는 : noticia ~ 통지해도 좋은 소식. ② 서로 다닐 수 있는. ③ 호감이 가는, 사귈 수 있는(sociable). **Contr.** incomunicable.
comunicación *f.* ① 통신, 교신, 연락, 통화 : ~ a la larga distancia 장거리 통화. ~ telefónica 전보 연락. poner en ~ 전화 등을 연결하다. ② 성명서; 통고, 통첩장. ③ 교통; 통로. —*pl.* 우편, 전신, 교통 기관(medios de ~); 통신 기관 : autoridad de ~*es* 체신 당국. ministro de ~*es* 체신부 장관.
comunicado, da *adj.* 통신·교통편이 좋은. —*m.* 코뮈니케, 성명서 : ~ conjunto 공동 성명. publicar un ~ oficial 공식 성명을 발표하다. Hizo entrega de un ~ 성명서를 수교했다.
comunicador, ra *adj.* 통보하는. —*m.* 발신기; 통보기. —*m.f.* 통보자, 발신자.
comunicante *adj.* ① 서로 통하는, 연락하는 : vasos ~*s.* ② (…에) 통하는; 통고·통보·통첩하는. —*m.f.* 통고인, 통첩인.
comunicar *tr.* ⑦ [*lat.* communicare] ① 전달하다, 통보하다, 알리다, 전하다 : ~ la alegría 기쁨을 전하다. Le *comunicaré* por teléfono 전화로 알려드리겠습니다. ② 이어받게 하다 : ~ al talento a su hijo 재능을 자식에게 이어받게 하다. ③ 의논하다. —*intr.* 말하다, 통신하다, 연락하다 : *Comunico con* mi primo 나는 조카하고 연락한다.
~se ① 상통하다; 통신을 하다; 교신하다(tener correspondencia unas personas o casas con otras) : ~*se* por señas 신호를 주고 받다. ② [+con : …과] 상담하다 : *Comuníquese con* nuestro agente 폐사 대리점과 상의하십시오. ③ 연락하다 : ¿Cómo puedo ~*me* con él? 어떻게 해야 그와 연락할 수 있습니까? ④ 통하다 : Los dos edificios *se comunican* por un pasaje subterráneo 두 건물은 지하 통로로 통하고 있다.
[접속법 현재 : comunique, comuniques, comunique, comuniquemos, comuniquéis, comuniquen. 직설법 부정과거 1인칭 단수 : comuniqué].
comunicatividad *f.* 사귀기 쉬움, 막역함.
comunicativo, va *adj.* ① 통하기 쉬운, 사귀기 쉬운, 막역한. ② 말담이 좋은 : un hombre poco ~ 말수가 적은 남자.
comunidad *f.* ① 공통·공유(성) : ~ de ideas 사고 방식의 공통성. ~ de intereses 이해 관계의 공통성. ② (정치·문화·역사를 함께 하는) 사회, 공동 사회, 공동체; 단체 : *C-* Económica Europea 유럽 경제 공동체. *C-* Jurídica Internacional 국제법적 단체《국제 연맹을 말함》. ③ (사상·이해 따위의) 공통, 유사, 일치. ④ (재산의) 공유, 공용. ⑤ (동물의) 군서(群棲); (식물의) 군락. ⑥ 수도원(~ religiosa). —*pl.* (특히 구 Castilla 왕국에서의) 폭동, 반란, 민중 봉기(levantamientos populares) : las ~*es* de Castilla.
de ~ 일반적으로, 흔히; 공평하게, 골고루.

comunión *f.* ① 종교상의 취지가 같은 종파 : ~ protestante 신교 단체. ② 성체 (배령) : recibir la ~ 성체를 배령하다. ③ 정당, 정파(partido político) : ~ tradicionalista 전통파. ④ 수교, 친교. ⑤ 공통성, 공감 : ~ de afectos.
comunique- →**comunicar** 7.
comunismo *m.* 공산주의.
comunista *adj.* 공산주의의 : partido ~ 공산당. —*m.f.* 공산주의자.
comunistoide *adj.* 공산주의에 동조하는·호감을 갖는. —*m.f.* 공산주의 동조자.
comunitario, ria *adj.* 공동체·공동 사회(comunidad)의 ; 전 주민의 ; 유럽 경제 공동체(la Comunidad Económica Europea)의.
comunizar *tr.* 공산화하다.
comúnmente *adv.* 보통, 대체로, 대개, 흔히, 일반적으로(generalmente).
comuña *f.* ① 소맥과 라이 보리의 혼합. Sinón. tranquillón. ② 규약, 규칙 ; 단체 계약, 맹약. —*pl.* 잡곡류.
con[1] *prep.* [*lat.* cum] ① [동반·동거] …과·과 함께·과 더불어(en compañía de) : Voy ~ usted 당신과 함께 갑니다. Estoy ~ mi hermana 나는 누이와 함께 있다. ② [도구·수단] …으로써, 으로 : Ya sé comer *con* palillos 이제 젓가락으로 먹을 줄 안다. Escriba ~ tinta 잉크로 쓰십시오. ③ [+ 추상명사] ~ frecuencia 자주, 빈번히. ~ dificultad 어렵게. ~ facilidad 쉽게. ~ ternura 부드럽게. ④ …을 가진, …이 있는 : café ~ leche 밀크 탄 커피, 밀크 커피. arroz ~ pollo 통닭 곁들인 밥. fresa ~ nata 크림바른 딸기. ⑤ ㄱ) …하에서, 밑에서 : Estudian ~ el profesor 그 교수 지도 하에 공부하고 있다. ㄴ) …의 슬하로 : Me voy ~ el padre 나는 아버지의 슬하로 돌아간다. ⑥ …에 대하여 : Es muy amable ~ sus vecinos 이웃에 대해 퍽 친절하다. [*N.* para ~ 이 되는 수도 있음] : el deber *para* ~ el padre 아버지에 대한 의무. ⑦ [비교] …에 비하여 : Su fuerza no es nada ~ la que profeso 그의 힘은 나의 힘에 비하면 아무 것도 아니다. ⑧ [+*inf.* : 현재 분사와 같은 구실을 함] …하기·했기 때문에 : *Con* declarar se eximió del tormento (declarando…) 자백했기 때문에 고문을 면했다. ⑨ [+*inf.*] …이지만, …한데도·하였는데도 불구하고(aunque) : *Con ser* tan antiguo, le han postergado 그는 그토록 고참인데도 뒤졌다. ⑩ [대명사 mí, tí, sí 의 앞에 붙을 때는, conmigo, contigo, consigo가 됨]. ⑪ …을 가지고서도(a pesar de). ~ ***que*** 그럼, 이것으로 ; …한다는 조건으로, …할 때는(con tal que, a condición de que).
con[2] *m.* (북부 해안 지대에서) 암초.
con- *pref.* 「함께」, 「더불어」를 뜻하는 접두어 : *con*fluir, *con*socio. [*N.* b. p의 앞에서는 com-이 됨 : *com*poner ; 모음 앞에서 co-로도 됨 : *co*operar].
cona *m.* 《*Chile.*》【고어】=**indio de guerra.**
CONACO Confederación Nacional de Comerciantes 《*Perú.*》 전국 상인 연합회.
conacho *m.*【광산】(뻬루의 금이나 은이 함유된 바위를 빻는) 돌, 맷돌·절구통(mortero de piedra).
CONADE Consejo Nacional de Desarrollo 《*Arg.*》 국가 개발 이사회.
CONAHOTU Corporación Nacional de Hoteles y Turismo, S.A. 《*Venez.*》 호텔 관광 공사.
CONASE Consejo Nacional de Seguridad. 《*Arg.*》 국가 안전 보장 회의.
CONASUPO Compañía Nacional de Subsistencias Populares 《*Méx.*》 식량 공사.
conato *m.* [*lat.* conatus] ① 노력(esfuerzo) : poner ~ en su trabajo. ② 경향, 의도 ; 미수 : ~ de robo 절도 미수.
conaza *f.* 대나무(bambú)의 일종. Sinón. seje.
conca *f.* ① =**concha, caracol.** ②【은어】= **escudilla.**
concadenar *tr.* 연계(連繫)하다, 결합하다.
concambio *m.* [드뭄] 교환(canje).
CONCAMIN Confederación de Cámaras Industrias de los Estados Unidos Mexicanos 멕시코 합중국 공업 회의소 연합회.
CONCANACO Confederación de Cámaras Nacionales de Comercio 《*Méx.*》 전국 상업 회의소 연합회.
concanónigo *m.* 동연배의 승려.
concatenación *f.* 연계, 결합.
concatenar *tr.* 잇다, 연결하다(concadenar).
~se 연계하다, 결합하다.
concausa *m.* 원인의 하나(factor).
cóncava *f.* =**concavidad**
concavidad *f.* ① 오목한 모양·면 : la ~ de un espejo 거울의 오목한 면. ② 오목한 곳 : una ~ de la montaña. Contr. convexidad.
cóncavo, va *adj.* [*lat.* concavus] 복판이 들어간, 오목한 (모양의) : espejo ~ 오목 거울. lente ~*va* 오목 렌즈. —*m.* 오목한 면, 오목한 땅, 패인 땅. Contr. convexo, abombado.
concebible *adj.* 생각할 수 있는 ; 납득이 가는 ; 상상할 수 있는 : hipótesis ~.
concebimiento *m.* =**concepción.**
concebir *intr.* 42 [*lat.* concipere] ① 임신하다 (ponerse preñada). ② 생각을 품다 (formar idea).
—*tr.* ① 배다, 임신하다 : *Concibió* un hijo varón 사내 아이를 뱄다. ② 생각하다, 이해하다 : No *concibo* qué motivo puede tener para hacer tal cosa 그가 그런 일을 한 것은 무슨 동기가 있는가 나는 이해할 수 없다. ③ 안다, 품다, 품에 안다 : ~ esperanzas 희망을 품다. ④ 《*Galic.*》 글로 써서 나타내다 : una carta *concebida* en los términos siguientes 다음과 같은 말로 쓴 편지.
~se 생각할 수 있다, 이해가 가다.
concedente *adj.* 양도·양보하는 ; 허용하는. —*m.f.* 양도인 ; 양보자 ; 허용자.
conceder *tr.* [*lat.* concedere] ① 주다 : Le *concedieron* la renta vitalicia 그에게 종신 연금이 주어졌다. ② 허용하다. ③ 물려주다 ; 양도하다. ④ 동의하다 : Le *concedo* a usted que él tiene derecho 그가 권리가 있다는 당신의 말에 동의합니다. ⑤ 추예(猶豫)하다.
Contr. rehusar, rechazar.
concejal *m.* 시의회 의원.
concejala *f.* concejal의 아내 ; 여자 concejal.
concejalía *f.* 시의회 의원의 직무.

concejeramente *adv.* 공공연하게.

concejero, ra *adj.* 공적인, 공공연한 ; 공중의 (público). —*m.f.* 《*Amér.*》 =**consejal.**

concejil *adj.* 시회의 ; 시민의. —*m.f.* (지방에 따라서) 기아, 개구멍받이.

concejo *m.* [*lat.* concilium] ① 시의회 : ～ deliberante 시회. ～ abierto 시민 대회. ② 시청 (municipio, ayuntamiento) ③ (어떤 지방에서) 기아.

conceller *m.* 까딸루냐 시의회 의원.

concento *f.* 【음악】 합창.

concentrabilidad *f.* 집중 능력.

concentrable *adj.* 집중할 수 있는

concentración *f.* ① 집중시키는 일, 집중 : campo de ～ 적국인 · 포로 수용소. ② 집합, 집회 : Se prohiben ～*es* en lugares abiertos 옥외 집회는 금지되어 있다. ③ 응축, 농축 ; 미심쩍은 생각.

concentrado, da *adj.* ① 집중된. ② 농후하게 한. ③ 【화학】 농축한 : alcohol ～ 농축 알코올. ④ 상대를 바라지 않는.

concentrador, ra *adj. m.f.* 집중하는 (사람).

concentramiento *m.* =**concentración.**

concentrar *tr.* ① 집중하다 : El lente convexo *concentra* los rayos solares 볼록 렌즈는 태양 광선을 집중한다. ② 짙게 하다, 농축하다. ③ 권력을 중앙으로 집중시키다.

～se 집중하다 ; 짙어지다 ; 생각에 잠기다 (reconcentrarse). **Contr.** dispersar, diseminar.

concéntrico, ca *adj.* 동심(同心)의 : círculos ～*s* 동심원.

concentrista *m.* 《*Col.*》 =**entración.**

concentuoso, sa *adj.* 하모니 · 조화(armonía)를 이룬(armonioso).

concepción *f.* ① 착상, 구상 ; 개념 ; 이해, 해석. ② 임신 ; 성모 수태 : Inmaculada *C-* 무원죄(無原罪)의 성모 수태, 성모 수태 축하일 《12월 8일》.

concepcionero, ra *adj. m.f.* 꼰셉시온 《Concepción, 빠라구아이의 북부 지방 도시, 빠라구아이강의 항구》의 (사람).

concepcionista *adj. m.f.* 성모 수태 축하일의 (수도사 · 승려).

conceptáculo *m.* 【식물】 포방(胞房).

concepteаr *intr.* 경구(警句)를 남발하다.

conceptibilidad *f.* 이해력, 상상력.

conceptible *adj.* 이해 · 상상 · 예상 · 지각할 수 있는, 느낄 수 있는, 보이는, 들리는.

conceptismo *m.* 기지주의(奇知主義), 경구 문학 《17세기에 나타난 Gómez de Quevedo (1580－1645)를 중심으로 한 일파의 스타일》 : Quevedo es el mejor representante del ～. **Sinón.** culterano.

conceptista *adj.* 경구파(警句派)의, 기지주의의. —*m.f.* 경구 문학자.

conceptivo, va *adj.* 개념 작용의, 생각하는 힘이 있는, 이해할 수 있는, 개념적인.

concepto *m.* ① 생각, 의견(idea, opinión) : en mi ～ 내 생각으로는. Tengo buen ～ de ese joven 나는 그 청년이 좋은 인물이라고 생각하고 있다. ② 【철학】 개념 : formar ～ 생각을 가지다, 개념을 만들다. ③ 판단. ④ 신용 (crédito). ⑤ 경구. ⑥ 【상업】 세목, 품목. ⑦ 《*Arg. Urug.*》 이익, 벌이 ; 비용, 드는 돈.

conceptual *adj.* 개념상의.

conceptualismo *m.* 【철학】 개념론.

conceptualista *adj.* 개념론의. —*m.f.* 개념론자.

conceptuar *tr.* 15 [＋de · por : …라고] 생각하다 : estar *conceptuado de* rico 부자로 알려져 있다. ～ *por* docto 박식하다고 생각하고 있다. Le *conceptúo* de inteligente 나는 그를 머리가 좋은 사람이라 생각한다.

conceptuosamente *adv.* 경구를 사용하여, 기지를 번득여서.

conceptuosidad *f.* 재치 · 기지가 있는 것.

conceptuoso, sa *adj.* ① 재치있는, 기지가 있는 : escritor ～ 재치있는 작가. estilo ～ 기지에 넘치는 스타일. ② 경구를 남발하는.

concercano, na *adj.* =**próximo, alrededor.**

concernencia *f.* 관계(respecto, relación).

concerniente *adj.* [＋a : …에] 관한 : los datos ～*s a* la cooperación técnica internacional 국제 경제 협력 관계 자료. reglamentos ～*s a* los transportes ferroviarios 철도 운송에 관한 법규.

concernir *intr.* 21 [*lat.* concernere] [제삼인칭에만 활용되는 불구 동사] [＋a : …에] 관계되다 (atañer) : En lo que *concerniera a* su hija el gobernador ignoraba todas las leyes 자기 딸에 관한한 총독은 모든 법률을 무시했다.

concertación *f.* 협화(協和) ; 결정 ; 체결 ; 합주, 합창.

concertadamente *adv.* 가지런히, 정연하게.

concertado, da *adj.* ① 가지런한, 정돈이 잘 된. ② 정연한(arreglado) : fiesta bien ～*da.* **Contr.** desconcertado. —*m.f.* ① 《*CRica.*》 사용인, 고용인, 근로자, 종업원. ② 머슴, 하녀(criado, criada). ③ 《*Venez.*》 (경범으로 가정에 배속된) 일꾼 ; 계약 고용인.

concertador, ra *adj.* concertar하는. —*m.f.* concertar하는 사람.

concertaje *m.* 《*Ecuad.*》 원주민의 고용 계약.

concertante *adj.* 맞추는 ; 합주하는, 합창하는. —*m.f.* 합창자, 합주자.

concertar *tr.* 19 ① 맞추다, 끼워 넣다, 조정하다(arreglar, ajustar) : ～ la paz, ～ el casamiento. ② 하나로 합치다. ③ (어떤 것의) 값을 정하다. ④ 협화시키다. ⑤ 【문법】 일치시키다 : Hay que ～ las dos palabras en género y número 두 단어의 성과 수를 일치시켜야 한다. ⑥ 합주 · 합창하다.

—*intr.* ① 협화하다. ② 【문법】 일치하다, 상호 호응하다.

～se (꼭) 들어맞다 ; 의견이 합치되다 ; 일치되다.

concertina *f.* 아코디언 비슷한 육각형의 악기.

concertino *m.* ① 오케스트라의 제일 바이올리니스트. ② 콘서트보다 짧은 음악 작품.

concertista *m.f.* 연주가 ; 합주 지휘자.

concerto *m. ital.* 【음악】 협주곡, 콘서트.

concesible *adj.* 양도 · 양보할 수 있는 ; 허락할 수 있는 ; 조차(租借)할 수 있는.

concesión *f.* [*lat.* concessio] ① 양도, 양여 ; 양보, 용인. ② 허가 ; (정부가 부여하는) 독점권, (사용) 허가, 면허 ; 이권, 개발권, 채굴권 :

obtener la ~ de un ferrocarril. ③ 조차지(租借地) ; 조계, 거류지. ④ 이주지 ; 신규 개발 양도지.

concesionario, ria *m.f.* ① (이권 등의) 양수인 : único ~ 독점 판매인. ② 개발권 소유자 ; 독점 생산·판매권 소유자 ; 허가 이주자.
—*m.* concesión을 가진 기업.

concesivo, va *adj.* ① 양보의, 양여의. ② 양보적인, 양보할 수 있는 ; 양보를 나타내는, 양보하는 : conjunción · oración *~va* 【문법】 양보의 접속사 · 양보문.

concha *f.* ① 조개 ; 조가비 : ~ de perla 진주 모패(母貝). ② (거북의) 등껍질. ③ 조개 형태의 물건. ④ 대모(carey). ⑤ 굴(ostra). ⑥ 무대에서 프롬프터 박스. ⑦【은어】 원형의 방패. ⑧《*Arg. Perú.*》 보지, 음부, 여근, 여성의 성기. ⑨《*Col. Venez.*》 껍질, 가죽(cáscara). ⑩《*Col. Perú.*》 주먹. ⑪ 독설, 빈정거림.
meterse en su ~ 자신의 세계 속에 틀어박혀 버리다.
ser ~s 신중해서 빈틈이 없다.
tener ~ 《*Perú.*》 뻔뻔스런 놈이다.

conchabamiento *m.* =**conchabanza.**

conchabado, da *m.f.* 《*AmérM.*》 일꾼, 고용인.

conchabanza *f.* ① 아늑한 장소, 들어박힌 곳 : buscar una ~. ② 공모.

conchabar *tr.* ① 모으다(unir, juntar). ② 섞다(mezclar). ③《*Amér.*》 (고용인 등을) 고용하다. ④《*Chile. Venez.*》 교환하다.
~se 공모하다, 한패가 되다, 여러 사람이 모이다.

conchabero *m.* 《*Col.*》 =**destajista.**

conchabo *m.* 《*Amér.*》 ① (머슴 등의) 고용 ; 일(trabajo, labor) : ir al ~ 일하러 가다. ②《*Chile.*》 교환(permuta).

conchado, da *adj.* 조개 껍질·등껍질이 있는.

conchal *adj.* 결이 고운 (비단).

conchaperla *f.* =**madreperla.**

conchar *tr.* 《*Ecuad.*》 찌꺼기까지 마시다.
—*intr.* 《*SDgo.*》 운전수 노릇하다.

conchavar *tr.* 《*Amér.*》 =**conchabar.**

conchavo *m.* 《*Amér.*》 =**conchabo.**

conchero *m.* 【고고학】 패총(貝塚).

conchesta *f.* 만년설의 눈.

conchífero, ra *adj.* 패각(貝殼)을 함유한 (지층·토지).

conchil *m.* 【동물】 뼈조개, 골패(骨貝).

Conchita *hip.* Concepción.

concho *m.* ①《*AmérM.*》 앙금, (음식의) 찌꺼기(sobras de comida), 침전물. ②《*Chile. Perú.*》 마지막, 끝 : hasta el ~ 최후까지. ③ 막내, 막내둥이. ④《*SDgo.*》 (합승) 버스.

conchoso, sa *adj.* 《*Chile. Ecuad.*》 찌꺼기·앙금이 많은, 침전물이 많이 남는.

conchucharse *r.* 《*Cuba.*》 =**confabularse.**

conchudo, da *adj.* ① 조개 껍질의, 조가비로 덮힌. ② 교활한(astuto), 앙큼스러운, 음흉스러운.

conchuela *f.* [*dim.* concha] ① 소패각(小貝殼). ②《*Perú.*》 빻은 조개 껍질.

concia *f.* 입산이 금지된 산, 수렵 금지 구역.

conciencia *f.* [*lat.* conscientia] ① 양심, 본심 : Es una persona sin ~ 그는 양심이 없는 사람이다. ② 도의심 ; 신앙 ; 의식 : Con el golpe que recibí en la cabeza perdí la ~ 머리를 맞고 나는 의식을 잃었다. ③ 자각 : no tener ~ de sus propios actos 자신의 행위를 의식하지 않다.
a ~ 양심에 따라, 양심적으로(según ~) : Yo haré todo *a* ~ 나는 모든 것을 양심에 따라 하겠다.
ancho de ~ 작은 일에 구애받지 않고.
en ~ 양심에 따라, 본심으로부터.
acusar · argüir la ~ 양심의 가책을 받다.
cargar la ~ 양심의 가책으로 고통을 받다.
descargar la ~ 양심의 무거운 짐을 덜다 ; 고해(告解)를 하다.
encargar la ~ 마음의 짐으로 괴로워하다.
estrecho de ~ 몸을 부지하기가 어려운.

concienciación *f.* =**conocimiento, conciencia.**

concienciar *tr.* 알다(darse cuenta) ; 알게 하다.

concientización *f.* =**concienciación.**

concientizar *tr.* =**concienciar.**

concienzudamente *adv.* 양심에 따라, 양심적으로, 성실하게(a conciencia) : obrar ~.

concienzudo, da *adj.* 양심에 따른, 양심적인, 진지한, 성실한.

concierto *m.* ① 정돈. ② 일치, 협조 ; 협정, 조화. ③【음악】 합주 ; 협주곡 ; 콘서트, 연주회, 음악회 : Hoy hay un ~ en el salón "Atenas" 오늘 아떼나스 홀에서 음악회가 있다.
al ~ de …에 조화·일치하여.
de ~ 일치하여(de común acuerdo) : obrar *de* ~.

conciliable *adj.* 화해할 수 있는 ; 서로 받아들일 수 있는 : opiniones *~s.* **Contr.** inconciliable.

conciliábulo *m.* 비밀 회합, 밀모, 음모, 모의.

conciliación *f.* 협의 ; 화해, 타협 ; 조정(調停).

conciliador, ra *adj.* 화해시키는 (것 같은), 달래는 듯한. —*m.f.* 조정자.

conciliante *adj.* 달래는 (것 같은), 회유적인 : palabras *~s* 타협적인 언사.

conciliar[1] *tr.* ⑲ [*lat.* conciliāre] ① 화해·타협시키다, 조정하다(poner de acuerdo) : Difícil sería ~ a los dos señores en cuestión 문제의 두 사람을 화해시키기는 어렵겠다. ② (모순 등을) 조화시키다 ; 절충시키다 : ~ dos doctrinas. ③ 회유하다, 달래다, 무마하다. ④ (꿈을) 가지다 : ~ el sueño 잠에 빠지다.
~se ① (환심·호의·존경·적의 등을) 사다 : *Se concilió* el respeto de todos 만인의 존경을 한몸에 모았다. ② 화해·타협하다.

conciliar[2] *adj.* 종교·주교·승정 회의의 : seminario ~. —*m.* 종교·주교·승정회 의원.

conciliativo, va *adj.* =**conciliatorio.**

conciliatorio, ria *adj.* 화해시키는, 조정적인, 회유적인, 위무적인, 융화적인, 유화적인, 타협적인.

concilio *m.* [*lat.* concilium] 협의회, 주교 회의, 종교 회의 ; 그 회의에서의 결정 사항.

concinidad *f.* [드뭄] 우아 ; 조화.

concino, na *adj.* [드뭄] =**armonioso, numeroso, elegante.**

concionador, ra *m.f.* 설교자, 연설자.

concionar *intr. desp.* =**predicar.**

concisamente *adv.* 간결하게, 간단 명료하게.

concisión *f.* 간결, 간명(brevedad) : La ~ es una virtud 간결은 하나의 덕이다.
Contr. difusión, prolijidad.

conciso, sa *adj.* 간결한, 간명한, 간단한 (breve). Contr. difuso, prolijo.

concitación *f.* 부추김, 사주, 꼬드김.

concitador, ra *adj. m.f.* 부추기는, 사주하는, 교사하는 (사람).

concitar *tr.* ① 부추기다, 꼬드기다, 사주하다, 교사하다 : ~ el pueblo *contra* el gobierno 반정부 운동에 국민을 사주하다. ② 감동시키다.
~se (적의·증오를) 사다 : *Se concitó* el odio de todos 만인의 증오 대상이 되었다. Contr. pacificar.

concitativo, va *adj.* 사주하는, 꼬드기는.

conciudadano, na *m.f.* 같은 시민; 동국인, 동포, 겨레, 민족; 같은 고향 사람.

conclave *m.* 교황 선거회; 그 회장(會場); (일반의) 회합, 협의회.

cónclave *m.* =**conclave.**

conclavista *m.* 교황 선거 회의 중에 출입하는 비서.

concluir *tr.* 77 [*lat.* concludere] ① 끝내다, 마치다(acabar, terminar); …에 결말을 짓다; 종결·완결하다 : El director *concluyó* de hablar 회장은 발언을 끝마쳤다. ¿A qué hora *concluyó* la sesión? 회의는 몇 시에 끝났습니까? ② 정하다, 결정하다, 결론짓다, 단정하다 : ~ *de* ignorante 무식한 인간으로 간주해 버리다. ~ *con* negarse a todo arreglo 어떠한 협정도 거부키로 결정하다. Todos *concluyeron* al acusado de inocente 모두 피고를 무죄로 결론지었다. *Concluyo* que es inocente 나는 그가 무죄라고 단정한다. ③ 혼내 주다, 무찌르다, 두말 못하게 하다(convencer). ④ (조약을) 체결하다 : ¿Cree usted que *concluirán* el contrato? 그들이 계약을 체결하리라 믿습니까?
—*intr.*, ~se 끝내다; 결론을 내리다.
[직설법 현재 : concluyo, concluyes, concluye, concluimos, concluís, concluyen. 접속법 현재 : concluya, concluyas, concluya, concluyamos, concluyáis, concluyan. 직설법 부정과거 : concluí, concluíste, concluyó, concluyimos, concluísteis, concluyeron. 현재 분사 : concluyendo].

conclusión *f.* ① 결말, 종결, 종료, 종말. ② 결정. ③ 결론, 단정, 단안 : en ~ 결론으로서, 요컨대, 최후로. ¿Se ha llegado a alguna ~? 어떤 결론에 도달했습니까? ④ 추단. ⑤ (조약 따위의) 체결.

conclusivo, va *adj.* 결론의, 결정적인, 확실한, 끝의, 마지막의, 종국의, 끝마무리의.

concluso, sa *adj.* 결정한, 결심(結審)한.

concluyendo concluir의 현재 분사.

concluyente *adj.* 결정적인; 결론적인.

concluyentemente *adv.* 결정적으로.

concluyeron concluir의 직·부정과거·3·복수.

concluyó concluir의 직·부정과거·3·단수.

concofrade *m.* 동일한 순례자의 모임·조합에 속한 사람.

concoide *adj.* =**concoideo.** —*f.* 【기하】 나사선(螺絲線).

concoideo, a *adj.* 패각상(貝殼狀)의.

concolega *m.f.* 동창생.

concolón *m.* 《*Perú.*》 (남비에) 눌러붙은 것.

concomerse *r.* (가려운 듯이·경멸적으로) 어깨를 움칫거리다; 근질근질해 하다.

concomimiento *m.* concomerse하는 일.

concomio *m.* 【속어】 =**concomimiento.**

concomitancia *f.* 부수, 수반; 병존, 공존(coexistencia).

concomitante *adj.* 상반되는, 부수적인 : circunstancias ~*s* 그에 따른 사정.

concomitar *tr.* 협동하다; 부수·수반하다; 병존하다, 공존하다.

concón *m.* 《*Chile.*》 ①【조류】 수리 부엉이. ② (태평양 연안의) 연풍.

conconete *adj.* 《*Méx.*》 작은(pequeño); 땅달막한(achaparrado.)

concordable *adj.* 화목하게 지낼 수 있는, 일치시킬 수 있는, 타협 가능한.

concordación *f.* 조정; 화합.

concordador, ra *adj.* 화합시키는, 일치시키는. —*m.f.* 조정자, 분쟁 중재자.

concordamente *adv.* 일치하여.

concordancia *f.* ① 일치, 조화, 상응, 조정; 동의 : en ~ con …에 따라서, …와 일치·조화하여. ②【문법】 성수(性數) 일치·상응. ③【물리】 공명(共鳴). ④【음악】 협화음. Contr. discordancia. —*pl.* 용어 색인; (특정 작품·작가의) 용어집(用語集).

concordante *adj.* 화합하는, 조화하는, 일치하는, 협화(음)의 : testimonios ~*s.* Contr. discordante.

concordar *tr.* 24 화합시키다; 조정하다, 조화·일치시키다 : Tú debes ~ el verbo con el sujeto 너는 동사를 주어에 일치시켜야 한다.
—*intr.*, ~se ① [+con : …과] 합치하다, 일치되어 있다 : La copia no *(se) concuerda con* el original 사본은 원본과 일치되어 있지 않다. ② 상응하다.

concordata *f.* =**concordato.**

concordatario, ria *adj.* 화친 조약의.

concordativo, va *adj.* 일치·협화·조화시키는; 협화음의.

concordato *m.* (로마 교황과 여러 나라 정부와의) 정교(政敎)·화친 조약, 종교 협약.

concorde *adj.* [+con : …과] 의견·감정이 일치하는(conforme) : poner ~ 일치시키다. Contr. discorde.

concordemente *adv.* 일치하여.

concordia *f.* ① (의견 등의) 일치; 화합, 화친, 화목; 협정, 협약(ajuste). ② 조정 기관. ③ 반지(sortija). Contr. discordia, desunión.
de ~ 전원 일치로.

concorpóreo, a *adj.* 성체를 받아 신과 합치한.

concorvado, da *adj. desp.* =**corcovado.**

concreción *f.* ① 단결. ② 응결(물), 엉긴 것. ③【의학】 신장 결석(結石)(~ biliar).

concrecionar *tr.* 엉겨 붙다, 응결시키다.
~se 엉겨 붙다, 응결하다.

concrescible *adj.* 한정할 수 있는.

concretamente *adv.* 구체적으로, 분명히 말하

자면(de modo concreto).

concretar *tr.* 굳히다; 응축하다; 구체화하다; 구체적으로 말하다 : *Concrete* usted su idea 당신의 생각을 구체적으로 말하세요.
~se [+a : …에 대해서] 말하다; 한정하다 : *Me concreto a* tus preguntas 초점을 자네의 질문에만 맞추겠네. *Concrétese a* lo que concierne solamente al asunto 그 건에 관계가 있는 것에만 한정하세요.

concretización *f.* =**materialización, realización.**

concretizar *tr.* =**materializar** : ~ un proyecto.

concreto, ta *adj.* [*lat.* concretus] ① 구체적인 : nombre ~ 【문법】 구체 명사. ¿Le han dicho algo ~? 구체적인 것을 무언가 들었습니까? Contr. abstracto. ② 구상의, 유형의. ③ 실제의(real) : número ~ 【수학】 명수(名數). ④ 특수한(particular). ⑤ 응결·응고한; 응축한, 짙은. **—***m.* 《*Amer.*》 ① 응결물(concreción). ② 콘크리트(hormigón) : un muro de ~.
en ~ 구체적으로, 결국; 결론적으로 말해 : Dígame *en* ~ lo que quiere 원하시는 것을 구체적으로 말씀하세요.

concubina *f.* ① 첩, 정부(情婦), 내연의 처(mujer que vive con un hombre sin estar casada con él). ② (다처주의의) 본처 이외의 처.

concubinario *m.* 첩·정부를 가진 사람.

concubinato *m.* 첩·정부의 신분·입장; 정교(情交) 관계(amancebamiento).

concúbito *m.* 성교(性交), 교합(交合)(ayuntamiento).

concuerd- →**concordar** 24.

concuerda (por) *adv.* 원본과 일치하는 (사본·등본).

conculcación *f.* 짓밟음, 법을 어김.

conculcador, ra *adj. m.f.* 짓밟은, 법을 어기는 (사람).

conculcar *tr.* 7 【아어】 짓밟다 (hollar, pisotear); 짓밟아 버리다, (법 등을) 어기다 (infringir).

concuna *f.* 【조류】 (콜롬비아의) 비둘기의 일종.

concuñado, da *m.f.* cuñado 나 cuñada의 형제자매.

concuño, ña *m.f.* 《*Méx.*》 =**cuñado, cuñada.**

concupiscencia *f.* 물욕, 색욕, 출세욕; 사음(邪淫), 호색, 음란, 음탕.

concupiscente *adj.* 욕심많은; 호색의, 음란한, 음탕한, 색정이 강한, 호탕한 : hombre ~.

concupiscible *adj.* 바람직한; 음란한, 음탕한.

concurrencia *f.* ① 운집, 집합. ② 동시 발생. ③ 맞부딪침. ④ (한점으로의) 집합(集合) : ~ de fuerzas 힘의 집중. ⑤ 《*Galic.*》 【상업】 경쟁(상대)(competencia). ⑥ 조력, 원조 : prestar su ~ 원조하다
hasta ~ *de* …의 극한까지, 모든 수단을 다 써서.

concurrente *adj.* ① 겸임의, 겸무의. ② 찬동의, 같은 의견의. ③ 한군데 모이는; 어떤 일이 서로 겹친. **—***m.f.* ① 모인 사람. ② (콩쿠르 등의) 참가자. ③ 《*Galic.*》 경쟁자(competidor).

concurrido, da *adj.* 붐비는, 혼잡한, 꽉찬; 만원의 : Esos lugares son muy ~*s* de gente 그곳은 사람으로 붐빈다.

concurrir *intr.* [*lat.* concurrere] ① 한군데 모으다 : ~ a una junta 회의에 모이다. Los días en primavera aquí *concurre* mucha gente 봄에는 이곳에 많은 사람들이 모인다. ② (서로가) 마주치다, 동시에 일어나다. ③ 협력하다(cooperar) : ~ al éxito de un negocio, *con* cierta cantidad, *en* un designio. ④ 서로 가지고 모이다. ⑤ (의견 등이) 하나로 귀결이 되다. ⑥ (경기·경연회·경쟁 시험·토론회에) 참가하다 : ~ *a*l certamen 경쟁 시험을 보다. Mucha gente *concurrió a*l congreso internacional 많은 사람이 국제 회의에 참가했다. Hoy *he concurrido a* la apuerta del curso 오늘 나는 시업식에 출석했다.

concursado *m.* 파산 선고를 받은 사람.

concursante *m.f.* (콩쿠르 등의) 참가자(concurrente).

concursar *tr.* ① 파산 선고를 하다. ② (경기·채용 시험·콩쿠르 등에) 참가하다(concurrir) : ~ una cátedra 교수 등용 시험을 보다.

concurso *m.* [*lat.* concursus] ① (밀려든) 군중. ② 동시 발생, (어떤 일이) 서로 부딪침. ③ 협력, 조력(ayuda). ④ (돈 등을) 분담해서 내기(concurrencia) : prestar su ~ para una buena obra. ⑤ 경기·경연(회), 콩쿠르 : ~ de belleza 미인 대회. tomar parte en un ~ 콩쿠르에 참가하다. ⑥ 현상; 전형·선발·경쟁 시험 : obtener una cátedra por ~. ⑦ 경쟁 입찰 : abrir un ~ para construir un edificio 어떤 건축의 입찰을 실시하다. ⑧ 집합, 회의 : ~ de acreedores 채권자 회의.

concusión *f.* ① (관리의) 오직(汚職), 독직(瀆職) : La ~ se castiga severamente. ② 진동(震動)(sacudimiento).

concusionario, ria *adj.* 독직한 : un ministro ~ 독직 장관. **—***m.f.* 독직자.

condado *m.* 백작(conde)의 지위·영토.

condadura *f.* =**condado.**

condal *adj.* 백작의 : corona ~.

conde *m.* [*lat.* comes, comitis] ① 백작. ② (안달루시아에서는) 십장, 인부 감독. ③ 집시족(los gitanos)의 족장.
Conde, condadura y cebada para la mula 아무것에도 만족치 못하는 사람을 빈정거리는 속담.

condecente *adj.* 적당한, 안성맞춤의, 적합한(conveniente).

condecir *intr.* 70 =**convenir.**

condecoración *f.* 훈장, 표창.

condecorar *tr.* 훈장을 주다, 표창하다.

condena *f.* 판결(sentencia); 형량; 처형, 형벌 : cumplir ~ 복역하다. El tenía que cumplir su ~ en la "Isla de Demonios" 그는 「악마의 섬」에서 복역해야 했다.

condenable *adj.* 형벌에 처해야 할.

condenación *f.* ① 처형. ② 비난. ③ 자책, 가책. ④ 지옥에 빠지는 일·빠뜨리는 일(~ eterna).

condenado, da *adj.* 처벌된; 지옥행의; 사악한 : genio ~. **—***m.f.* 수형자; 사악한 사람.

condenador, ra *adj.* 처형하는; 비난하는. **—***m.f.* 처벌자; 의리가 없는 사람.

condenar *tr.* [*lat.* condemnare] ① 판결하다, 처벌하다 ; 처형하다 : ~ a presidio · a muerte 징역에 · 사형에 처하다. La *condenaron* a quince años de cárcel 그녀는 15년 징역형에 처해졌다. ② 비난하다(reprobar) : El padre *condenó* su conducta 부친은 그의 행동을 비난했다. ③ (문을) 닫아 버리다, 폐쇄하다.
~se 자책하다 ; 지옥에 빠지다.

condenatorio, ria *adj.* 처형의 ; 죄가 될듯한, 유죄를 주장하는.

condensabilidad *f.* 응축성.

condensable *adj.* 응축 · 압축할 수 있는, 요약 · 집약할 수 있는, 간추릴 수 있는.

condensación *f.* ① 압축, 응축. ②【물리】응결. ③【화학】액화. ④ 응축 상태, 응축물. ⑤ (사상 · 문장의) 요약.

condensador *m.* ① 응축기 · 장치, 응결기 ; 냉각기. ②【전기】축전기(~ eléctrico), 콘덴서 ; 집광 렌즈.

condensante *adj.* 응축 · 압축하는 ; 요약하는.

condensar *tr.* ① 응축 · 압축하다 : Han inventado un nuevo procedimiento para ~ la leche 우유를 응축하는 새로운 방법을 발명했다. ② 농후하게 하다, 농축하다. ③ (기계를) 액화하다. ④ 간략하게 하다, 요약 · 집약하다.

condensativo, va *adj.* ① 응축 · 응결성의. ② 요약한, 간략한.

condenso, sa *adj.* [condensar의 *p.p.*] 응축된, 압축된(condensado).

condesa *f.* 백작 부인 ; 여자 백작.

condesar *tr.*【고어】절약하다.
Quien come y condesa, dos veces pone la mesa【속담】절약하는 자는 부자가 된다.

condescendencia *f.* 관용, 용서 ; 응낙.

condescender *intr.* ⑳ [+a · con · en : …을] 동의 · 응낙하다, 쾌락하다 ; 묵인하다 : *Condescendió a* sus ruegos · *con* lo pedido · *en* ir a verle 간청을 · 부탁받은 일을 · 만나러 가는 것을 승낙했다. La autoridad *condescendió con* la instancia (a los ruegos) 당국은 청원을 승인했다. El *condescendió en* reiterarse 그는 반복하는 것을 응낙했다.

condescendiente *adj.* 관대한, 관용한 ; 쾌락하는.

condesil *adj.*【희언】=**condal.**

condestable *m.* (병선의) 포병장 ; (옛날 군대의) 총수.

condestablesa *f.* condestable의 아내.

condestablía *f.* condestable의 직.

condición *f.* ① 조건 ; 필요 조건. ~ callada · tácita 암묵의 조건. ~ casual 우발 조건. ~ de venta 판매 조건. ~ resolutoria 해제 조건. ~ sine qua non *lat.* 부정할 수 없는 당연한 조건. *~es* de pago 지불 조건. Tiene buenas *~es* pero está mal educada 그녀는 조건이 좋으나 교양이 없다. ¿Cuáles son las *~es* del contrato? 계약 조건은 어떻습니까? Se han estipulado las *~es* 제 조건이 규정되었다. ② 상태(estado) : ¿En qué *~es* se halla la máquina? 기계는 어떤 상태입니까? ③ 사정, 상황(circunstancia). ④ 성질, 자성(資性). ⑤ 지위, 신분, 귀족의 신분 : ~ social 사회적 지위. un hombre de ~ 지체가 좋은 명문 귀족 출신의 남자. ⑥【법률】조건, 규약, 규정. ⑦ 조목, 조항.
de ~ conj. 따라서(de suerte).
a ~ (de) que, con la ~ de que +subj. …이라는 조건으로 : Iré *a ~ de que* vaya usted conmigo 당신이 나와 함께 간다는 조건으로 나는 가겠다.

condicionado, da *adj.* ① 조건부의 : aceptación *~da* 조건부 수락. ② (어떤) 조건에 맞춘(acondicionado). ③ [bien · mal+] 조건 · 질이 좋은 · 나쁜 : trabajo *mal ~* 조건이 나쁜 일.

condicional *adj.* ① 조건부의. ② 제약된. ③【문법】조건을 나타내는 : cláusula ~ 조건절. oración ~【문법】조건문. Contr. firme, formal.

condicionalmente *adv.* 조건부로.

condicionamiento *m.* (직물 등의) 규격 정하기.

condicionar *intr.* 조건을 붙이다, 합치하다.
—*tr.* ① [+a : 어떤 조건에] 맞추다, 부합하다 : ~ el trabajo *a* salario 받는 돈 만큼의 일을 하다. ② (직물에) 규격을 정하다.

condignamente *adv.* 의당, 당연히.

condigno, gna *adj.* [*lat.* condignus] [+de : …에] 따르기 마련인, 당연한 : La pena es *~na del* delito 벌은 죄에 따르기 마련이다. El premio es ~ *de* la virtud 상은 덕에 따르기 마련이다.

cóndilo *m.* [*gr.* kondulos]【해부】골두, 관절두.

condiloma *m.* (음문, 남자 생식기, 항문에 자주 생기는) 사마귀 종양.

condimentación *f.* 조미(調味), 양념.

condimentar *tr.* 조미하다(sazonar), 양념하다.

condimento *m.* [*lat.* condimentum] 조미료, 양념 : Los principales *~s* son la sal, la pimienta, la mostaza, el pimiento, ají o chile, el ajo y la cebolla.

condiscípulo, la *m.f.* 급우, 동급생 ; 같은 제자.

condolecerse *r.* ㉛ =**condolerse.**

condolencia *f.* =**pésame.**

condolerse *r.* ㉕ [*lat.* condolere] ① [+de · por : …에] 동정하다(compadecerse) : ~ *de* sus trabajos (누구의) 고생에 동정하다. *Me conduelo por* sus aflicciones 당신의 슬픔에 동정합니다. ② 조문(弔問)하다.

condominio *m.* 공유, 공동 관리 · 통치.

condómino *m.f.*【남 · 여 동형】=**condueño.**

condón *m.* 콘돔《얇은 고무 따위로 만든 남성용 피임 및 성병 예방 용구》.

condonación *f.* 채무의 말소 ; 사면.

condonante *adj. m.f.* (채무를) 말소시키는 (사람).

condonar *tr.* ① (채무를) 말소시키다 : ~ la deuda al acreedor. ② 사면하다.

condonguearse *r.*《*Col. PRico.*》흐느적흐느적 걷다(contonearse).

cóndor *m.* ①【조류】콘도르 : El ~ tiene hasta tres metros de envergadura y alza el vuelo a una altura prodigiosa. ②《*Col. Chile. Ecuad.*》콘도르의 의장이 있는 금화 : doble ~ (꼴롬비

아의) 100뻬세따 금화.
condoreño, ña *adj.* 《Arg.》 콘도르의 · 같은.
condotiero *m.* [*ital.* condottiere] (본래는 이탈리아의) 외인 부대장, 용병 대장 ; 외인 부대원.
condritis *f.* 【의학】 연골 조직염.
condroblasto *m.* 【해부】 연골강.
condrografía *f.* 연골학.
condrográfico, ca *adj.* 연골학의.
condroide *adj.* 【해부】 =**análogo.**
condroideo, a *adj.* 【해부】 =**condroide.**
condrología *f.* 연골학.
condrológico, ca *adj.* condrología의.
condroma *m.* 연골 조직염.
conducción *f.* ① 도입, 안내 ; 조종, 운전 ; 운반, 운송(료) : ~ por agua 수상 운송. ② (물 · 가스의) 도관 : ~ de aire 용광로의 송풍 장치. ③ (값 · 요금의) 책정, 협정.
conducencia *f.* =**conducción.**
conducente *adj.* [+a : …에] 이끄는, (…에) 관한 : lo ~ 관계있는 것, 관계 서류. el pasillo ~ *a*l salón 홀에의 통로.
conducho *m.* 먹거리, 음식물, 식량(comida).
conducir *tr.* 71 [*lat.* conducere] ① 인도하다, 안내하다, 호송하다, …으로 돌리다(guiar, dirigir) : Un amigo nos *conduce* allí 친구가 그곳에 안내해 준다. Por favor *conduzca* a este señor al cuarto de baño 이 분을 욕실로 안내하세요. ② 조종하다, 다루다, 운전하다(guiar) : ¿Quién *conduce* este coche? 이 차는 누가 운전합니까? ¿Sabe usted ~ autos? 자동차를 운전하실 줄 아십니까? ③ 지도하다, 지휘하다, 관리하다(dirigir). ④ 옮기다, 운송하다, 수송하다(transportar) : ~ la carga en carreta · por mar 짐을 차로 옮기다 · 해상 운송을 하다. ⑤ (도관 · 도선으로) 전하다. ⑥ (임금 · 값을) 정하다, (가격을) 협정하다(igualar).
—*intr.* [+a : …에] 이끌다, 이끌려 들어오다 ; 이르다, 달하다, 향하다, 통하다 : el camino que *conduce* a la playa 해안으로 나가는 길. Esto no *conduce* a nada 이것으로는 있으나 마나다. ¿A dónde *conduce* este pasillo? 이 통로는 어디로 통합니까?
~se ① 몸을 담다, 처신하다, 행동하다(portarse, comportarse) : Ella sabe *~se* elegantemente 그녀는 우아하게 처신할 줄 안다. ② 임금을 주고 고용하다.
Condúzcase con cuidado 취급 주의.
[직설법 현재 1인칭 단수 : conduzco. 접속법 현재 : conduzca, conduzcas, conduzca, conduzcamos, conduzcáis, conduzcan. 직설법 부정과거 : conduje, condujiste, condujo, condujimos, condujisteis, condujeron].
conducta *f.* ① 행위 ; 행동, 행장(行狀), 품행(proceder). ② 지휘, 감독, 지도, 관리(mando, dirección). ③ 임금 협정, 협정 가격. ④【고어】 수송용 마차 ; 화폐 현송(貨幣現送), 현송 화폐 : obtener una ~. ⑤ 모병(募兵), 입영병.
conductancia *f.* 【전기】 콘덕턴스 《전기 저항의 역수》.
conductibilidad *f.* (전기 · 열의) 전도성 : ~ molecular 분자 전도율.
conductible *adj.* (열 따위를) 전도할 수 있는, 전도성의 ; 전도되는.
conductividad *f.* ①【전기】 전도율. ②【물리】 전도성 · 력 · 율 · 도(度).
conductivo, va *adj.* 전도성의, 전도력이 있는, 전도의, 전동체의 : El cobre es el más ~ de los metales.
conducto *m.* ① 관 ; 파이프, 도관(canal, tubo) : ~ de vapor 증기 파이프. ② 암거(暗渠). ③ 경로, 순서 : ~ regular 정당한 경로. ④ 연줄, 중개 : por ~ de …의 손을 거쳐서, …의 중개로, …을 연줄로 해서.
conductor, ra *adj.* 이끄는, 전도성의 ; 지휘 · 조종하는. —*m.* (열 · 빛 · 전기 · 음의) 전도체, 도체, 도선 : ~ de alimentación 급 · 송전선, 텔레비전의 히터선. ~ eléctrico 전기의 도선, 배선. —*m.f.* ①【음악】 악장, 지휘자. ② 조종자. ③ 운전수 : ~ de autobús. ④ 《Amér.》 차장(cobrador).
condueño *m.f.* 【남 · 여 동형】 공동 소유자.
conduerma *f.* 《Venez.》 =**modorra.**
conduj- →**conducir** 71.
conduje conducir의 직 · 부정과거 · 1 · 단수.
condujeron conducir의 직 · 부정과거 · 3 · 복수.
condujimos conducir의 직 · 부정과거 · 1 · 복수.
condujiste conducir의 직 · 부정과거 · 2 · 단수.
condujisteis conducir의 직 · 부정과거 · 2 · 복수.
condujo conducir의 직 · 부정과거 · 3 · 단수.
condumio *m.* ①【회언】 (빵과 함께 먹는) 국, (일반적으로) 음식, 맛있는 음식 : Hay mucho ~. ② 《Ecuad.》 애매한 말 : tener ~ 저의가 있다. ③ 《Méx.》 과자의 일종(cierto turrón).
conduplicación *f.* [*lat.* conduplicatio] 【수사】 중복 접속 서술법 《어구의 끝을 반복하여 다음 얘기로 나아가는 화법》.
condutal *m.* (빗물의) 배수구.
conduzc- →**conducir** 71.
conduzca conducir의 접 · 현 · 1 · 3 · 단수.
conduzcáis conducir의 접 · 현 · 2 · 복수.
conduzcamos conducir의 접 · 현 · 1 · 복수.
conduzcan conducir의 접 · 현 · 3 · 복수.
conduzcas conducir의 접 · 현 · 2 · 단수.
conduzco conducir의 직 · 현 · 1 · 단수.
conectador *m.* ① 연결기. ②【전기】 접속자(接續子).
conectar *tr.* ① 잇다, 접속시키다, 연결시키다 : *Conecte* usted la radio con la antena 라디오를 안테나에 접속시켜 주십시오. ② 《Méx.》 맞추다, 모으다.
conectivo, va *adj.* 접속한 ; 연결한.
coneja *f.* ① 암토끼. ② 아기를 많이 낳은 여자(la mujer que tiene muchos hijos).
conejal *m.* 토끼장.
conejar *m.* =**conejal.**
conejear *intr.* 토끼처럼 몸을 쭈그리다.
conejera *f.* 토끼 구멍 · 집 ; 좁고 안이 깊은 굴 ; 수상한 집합소. **Sinón.** colleja.
conejero, ra *adj.* 토끼를 기르는 ; 토끼를 쫓는 (개). —*m.f.* 양토가(養兎家), 토끼 기르는 사람 ; 토끼를 쫓는 개.

conejillo *m. dim.* conejo.
~ *de Indias* 【동물】 모르모트(cavia).
conejito *m.* [*dim.* conejo] 【식물】 =**dragón.**
conejo *m.* 토끼 ; 집토끼 : ~ albar 흰 토끼. El ~ ido, el consejo venido 이미 소용이 없을 때 충고를 하는 사람을 비난하는 속담. —*adj.* 《*AmérC.*》 맛이 없는, 설탕이 들어 있지 않은.
conejuelo *m. dim.* conejo.
conejuna *f.* 토끼털(pelo de conejo).
conejuno, na *adj.* 토끼의 · 같은 : pelo ~ 토끼의 털.
conexidades *f.* 【고어】 =**conexión.** —*pl.* 부대물(附帶物).
conexión *f.* 연결, 연관, 관련 ; 접속 ; 관계 : ~ íntima 깊은 관계. Esto no tiene ~ alguna con este proyecto 이것은 이 계획과는 아무런 관련이 없다. —*pl.* 친교 ; 사상 · 이해의 공통 관계.
conexionar *tr.* 잇다, 연결하다(conectar).
~se 관계 · 관련을 가지고 있다 ; 이어지다.
conexivo, va *adj.* 관련하는 ; 연결하는.
conexo, xa *adj.* 연결된 ; 관련된 : ideas ~*xas.*
conf. confesor ; confirmación.
confabulación *f.* 간담, 담합 ; 공모 ; 내통. Sinón. complot, trama, maquinación.
confabulador, ra *adj.* 공모하는. —*m.f.* 공모자.
confabular *intr.* ① 모의하다. ② [드뭄] 말하다.
~se 담소하다 ; 공모하다 ; 내통하다, 음모에 가담하다 : ~*se* con el enemigo. Sinón. complotar, tramar.
confalón *m.* [*ital.* gonfalone] 【고어】 =**estandarte.**
confalonier *m.* 기수(旗手).
confaloniero *m.* =**confalonier.**
confarreación *f.* [*lat.* confarreatio] 옛 로마인의 종교적 결혼 형식의 하나.
confección *f.* [*lat.* confectio] ① (복장 · 의류의) 제조, 만드는 일 : de buena ~ 잘 만들어진. de ~ 기성품의. La ~ del vestido es muy mala 옷 만드는 일은 하기가 나쁘다. ② 《*Galic.*》 기성복(ropa hecha) : ~ para obreros 노동복. ③ 조제, 당제(糖劑) ; 조합실. ④ 공전(工錢) : ¿Cuánto es la ~? 공전은 얼마입니까?
confeccionador, ra *m.f.* 제조자, 조제자.
confeccionar *tr.* ① 꾸미다, (옷을) 만들다, 제조하다 : ¿Para cuándo estará *confeccionado?* 언제까지 만들 수 있습니까? ② 조제(調劑)하다. ③ (부정 사용으로, 법률 등을) 만들다.
confector *m.* =**gladiador.**
confederación *f.* [*lat.* confederatio] ① 동맹, 연맹, 연합 : la C- Internacional del Trabajo 국제 노동 연맹. ② [집합] 연방 ; 연합국, 동맹국 ; 연합회, 협회.
confederado, da *adj.* 동맹한. —*m. f.* 맹약자 ; 동맹국, 동맹자.
confederarse *r.* 맹약하다 ; 동맹하다, 연합하다.
confederativo, va *adj.* 동맹 · 연합 · 연방의, 협회의, 동맹국의(federativo).
conferencia *f.* ① 회담 ; 협의(회), 의논, 회의 : sala de ~ 회의실. ~ cumbre 정상 회담. ~ diplomática. 외교 회의. Se sostuvieron muchas ~*s* entre los representantes de ambas naciones para tratar de la cooperación económica 경제 협력을 다루기 위해 양국 대표간에 많은 협의가 있었다. ② 강연 : dar una ~ 강연하다. ~ literaria 문학 강연. El catedrático dio una ~ sobre la literatura colombiana 교수는 꼴롬비아 문학에 관한 강연을 했다. ③ (전화의) 통화 : ~ interurbana 시외 전화. Señorita, una ~ telefónica con Quito, por favor 아가씨, 끼또와 통화를 원하는데요. Quisiera poner una ~ de larga distancia a Buenos Aires 부에노스 · 아이레스에 장거리 전화를 하고 싶은데요.
conferenciante *m.f.* 강연자, 연사.
conferenciar *intr.* 11 협의하다 : *Conferenciaron* varias horas 그들은 여러 시간 협의했다.
conferencista *m.f.* 《*Amer.*》 강연자, 연사.
conferir *intr.* 54 [*lat.* conferre] [+con : …과] 상담 · 협의하다(conferenciar) : El *confirió* con su abogado 그는 그의 변호사와 협의했다.
—*tr.* ① 주다, 수여하다 : ~ poder 권한을 부여하다. Le *confirieron* un empleo en la compañía 그는 그 회사에서 직을 얻었다. ② 협의하다. ③ 입회하여 조사하다. ④ 비교하다, 대조하다(cotejar). ⑤ 통달하다.
confesa *f.* 수도원에 들어가는 미망인.
confesable *adj.* 자백할 수 있는, 남 앞에서 말할 수 있는, 고해(告解)할 수 있는.
confesado, da *m.f.* 고해자(告解者).
confesante *adj.* 고백 · 자백하는. —*m.f.* 고백자, 자백자.
confesar *tr.* 19 ① 실토하다, 털어놓다, 고백하다 ; 자백하다. : ~ de llano 숨김없이 자백하다. *Confieso* que he cometido un error 나는 잘못을 범했던 것을 고백합니다. ② 【종교】 참회 · 고해하다 : ~ a Dios de sus culpas 자신의 죄를 신에게 고해하다. ③ (청죄 사제가) 고해를 듣다 : ~ a un peintente.
~se 고백 · 자백하다 ; 고해하다 : ~*se* (*de*) sus pecados *con* un padre 어떤 신부에게 자신의 죄를 고해하다.
confesión *f.* [*lat.* confessio] ① 실토, 자백, 자인. ② 신앙. ③ 고백. ④ 【종교】 참회, 고해 : ~ anual 신자가 의무로 최소 1년에 한번의 고해. ~ general 한평생의 총 참회. oir de ~ 고해를 듣다.
confesional *adj.* 자백에 의한 ; 참회의 ; 신앙을 밝히는. —*f.* 《*Méx.*》 구공서(口供書).
confesionalidad *f.* 자백, 참회.
confesionario *m.* 참회실, 고해실 ; 청죄 · 고해 규범.
confesionista *adj. m.f.* 루터파의 신앙을 신봉하는 (사람).
confeso, sa *adj.* 참회한 ; 자백한 ; 그리스도교에 개종한. —*m. f.* 자백자 ; 그리스도에 개종한 유태인. —*m.* 평수도사 《수도 생활을 하는 속인》.
confesonario *m.* 고해실.
confesor *m.* 【종교】 청죄 사제, 고해 신부 : ~ de manga ancha 쉽게 죄를 용서하는 사제.
confesorio *m.* =**confesionario.**
confesuría *f.* confesor의 직.
confeti *m.* [*ital.* confetti ; *pl.* 없음] 사육제 때 서로 던지는 색종이 조각 : arrojar ~.

confiabilidad *f.* 신뢰성, 신빙성.
confiable *adj.* 신용할 수 있는 : mujer ~.
confiadamente *adv.* 마음을 놓고, 안심하고 (con seguridad).
confiado, da *adj.* ① 마음을 놓는, 안심해 버린. ② 자만한, 자신을 가진 : ~ (en) que …을 확신하여. Son personas muy ~*das* 저 사람들은 안심할 수 있는 사람들이다. [Contr.] modesto. ③ 믿어 버리는. [Contr.] desconfiado.
confianza *f.* ① 신뢰, 신용 : de ~ 믿을 수 있는 ; 심복의. de toda ~ 완전히 신뢰할 수 있는 · 안전한 · 안심되는. merecer ~ 신뢰 · 신용을 받다. He perdido la ~ en usted 나는 당신에의 신뢰를 잃었다. Tenga ~ en aquel señor 저 사람을 신뢰하십시오. Es mi hombre de ~ 그는 내 오른팔이다. ② 자신, 확신, 자만. ③ 친밀, 화목.
en ~ ① 신용하여, 마음을 놓고. ② 내밀히, 아무도 모르게(en secreto) : Le digo esto *en* ~.
confianzudamente *adv.* 허물없이, 마음을 터놓고, 대담하게, 주저없이.
confianzudo, da *adj.* 허물없이 구는, 대담한.
confiar *tr.* [12] ① [+a · en : …에게] 맡기다, 위탁 · 위임하다, 부탁하다, 예치하다 : *Confío* este asunto *a* · *en* usted 이 일을 선생에게 부탁하겠습니다. ② 숨김없이 말하다, 터놓고 이야기 하다 ; 속말을 하다. ③ 자신을 가지게 하다, 안심시키다 : Tus favores me *confían* 자네의 호의가 나한테 힘이 된다.
—*intr.* [+en : …을] 신용하다, 믿다 : *Confío en* que vendrá 그가 오리라고 나는 믿는다.
~se ① [+de · en : …을] 신뢰하다 : *Me confío en* usted 당신을 믿습니다. ② 안심하다 ; 자신을 가지다 : ~*se de* sí mismo 자신을 갖다.
confidencia *f.* ① 신용, 신뢰(confianza). ② 숨김없이 털어놓는 이야기 : hacer ~*s* a …에게 숨김없이 털어놓다.
confidencial *adj.* ① 내밀의 : carta ~ 친전 서한. ② 기밀에 속하는, 비밀의.
confidencialmente *adv.* 터놓고, 숨김없이.
confidente, ta *adj.* 충실한, 신용이 있는, 믿을 수있는, 은밀한. —*m.* 2인용 팔걸이 의자 (canapé de dos asientos). —*m.f.* 심복 ; 스파이, 간첩, 첩자.
confidentemente *adv.* 은밀히 ; 충실하게.
confier- →**conferir** [54].
confies- →**confesar** [19].
configuración *f.* [*lat.* configuratio] 모양, 형상 ; 배치.
configurado, da *adj.* [bien, mal+] 외모가 좋은 · 나쁜.
configurar *tr.* [*lat.* configurare] (…의) 모양으로 만들다.
~se 형태를 취하다, 형태로 되다.
confín *adj.* =**confinante.** —*m.* ① 경계 (frontera, límite). ② 시야의 끝(horizonte).
confinación *f.* 인접 ; 추방, 유형(流刑) (confinamiento).
confinado, da *adj.* 유배된, 유형된. —*m.f.* 귀양살이 하는 사람 ; 추방자.
confinamiento *m.* 인접 ; 추방, 유형.
confinante *adj.* 경계를 접하는, 인접한.
confinar *intr.* [+con : …에] 접하다, 인접하다 : España *confina con* Francia 서반아는 불란서에 인접해 있다. —*tr.* 유형 · 추방하다 ; 가두어 넣다.
~se 《*Galic.*》 은거하다, 가두어 두다, 유폐되다 (encerrarse).
confingir *tr.* [4] 반죽하여 섞다, 휘저어 섞다.
confinidad *f.* 인접(cercanía).
confir-, confira-, confirie- →**conferir** [54].
confirmación *f.* [*lat.* confirmatio] ① 확인(장) : ~ del pedido 주문 확인장. en ~ de …을 확인하여. ② 확증. ③【종교】견진 (성사), 안수례(按手禮).
confirmadamente *adv.* 분명히, 확실하게.
confirmado, da *adj.* confirmar의 *p.p.*
confirmador, ra *adj.* 확인하는. —*m.f.* 확인자.
confirmando, da *m.f.* 견진 성사를 받으려 하는 사람.
confirmante *adj.* confirmar 하는.
confirmar *tr.* [*lat.* confirmare] ① 확실히 하다, 분명하게 하다, 확고하게 하다, 굳히다 : ~ a uno *en* la fe 어떤 사람의 신념을 더욱 더 굳히다. ② 확인하다, 인정하다 : ~ a uno *por* doctor 어떤 사람을 대가로 분명히 인정하다. ③ 보증 · 확증하다, …이 옳음을 증명하다, 추인하다, 확인하다 : ~ el crédito 신용장을 확인하다. He venido para ~ la reservación 예약을 확인하기 위해 왔습니다. El periódico *comfirmó* los rumores 신문은 풍문을 확인했다. ④ 비준하다. ⑤【종교】…에게 견진 성사를 베풀다, …에게 안수(按手)를 행하다.
confirmativo, va *adj.* =**confirmatorio.**
confirmatorio, ria *adj.* 확인하는, 재확인하는.
confiscable *adj.* 몰수할 수 있는.
confiscación *f.* 몰수, 압수 : ~ de bienes 재산의 몰수.
confiscado, da *m.f.* =**bribón.**
confiscador, ra *adj. m.f.* 몰수하는, 압수하는 (사람).
confiscar *tr.* [7] [*lat.* confiscare] 몰수 · 압수하다.
confiscatorio, ria *adj.* 몰수 · 압수의.
confisgado, da *adj.* 《*AmérC.*》 망나니의.
confitado, da *adj.* ① 당의정의, 설탕물을 입힌. ② 마음을 푹 놓는, 매우 만족하는.
confitar *tr.* ① (과일에) 설탕물을 입히다 ; 꿀을 넣고 찌다. ② 달게 하다(endulzar). ③ 부드럽게 하다(suavizar).
confite *m.* 과자, 캔디 ; 콘페이당(糖).
confitear *intr.*【속어】=**fastidiar, molestar.**
confitente *adj.* [드뭄] 고백한. —*m.f.* 고백자.
confíteor *m.*【단 · 복수 동형】참회의 기도 ; 죄의 고백, 고해 전에 드리는 기도.
confitera *f.* 과자 접시 · 그릇, 과자 상자.
confitería *f.* 다과점, 제과점(pastelería) ; (어떤 지역에서는) 과자, 담배 따위를 파는 카페.
confitero, ra *m.f.* 과자를 만드는 사람, 과자장수.
confitico *m.* =**confitillo.**
confitillo *m.* ① 잔일. ② 《*Cuba.*》 상질의 검은 천. ③ 《*Cuba.*》 =**confiticio.**
confitura *f.* 과일의 설탕 절임, 잼 제조.

confiturería *f.* 《*Amér.*》 =**confitería.**
confiturero *m.* confitura 제조자.
conflación *f.* 용해(fundición).
conflagración *f.* 화재(incendio) ; 대소동, (전란 등의) 재화.
conflagrar *tr.* 활활 타오르게 하다, 불타게 하다, 태우다.
conflátil *adj.* 용해할 수 있는.
conflicto *m.* [*lat.* conflictus] ① 분쟁 ; 투쟁 : ~ laboral · de trabajo 노동 쟁의. ~ salarial · de salarios 임금 투쟁. ~ social 사회 투쟁. ② 열전. ③ 대립, 반목, 충돌. ④ 곤궁, 궁지 : verse en un ~ 궁지 · 곤궁한 처지다.
confluencia *f.* [*lat.* confluentia] 합류(점) ; 군집(群集).
confluente *adj.* 한군데서 만나는, 합류 · 집결하는. —*m.* (강 · 길 등의) 합류점.
confluir *intr.* 77 한곳으로 모여들다, 합류하다, 서로 만나다 ; (군중이) 몰려들다, 집합하다.
conformación *f.* [*lat.* conformatio] 배치 ; 구조, 형태, 형체, 합치 ; 합체 ; 동의.
conformador *m.* 신발 · 모자의 형 · 틀.
conformar *tr.* (어떤 것에) 모양을 갖추다 ; 일치시키다, 적합 · 순응시키다 : Es preciso ~ la conducta *a* · *con* sus palabras 언행을 일치시켜야 한다. —*intr.* 적합하다, 일치 · 합치하다 ; 따르다, 순응하다, 동의하다 : *Conformo con* usted *en* esta materia 이 점에서는 당신과 생각이 같습니다.
~se ① 일치 · 합치하다, 순응하다 : *~se a* · *con* la voluntad de Dios 하나님의 뜻을 따르다. ② [+a · en : …에] 동의하다 : *~se en* hacerlo 그것을 하는데 동의하다. ③ [+con : …을] 참고 따르다, 참다, 인종하다 : Hay que *~se con* las desgracias que no podemos evitar 피할 수 없는 불운는 참아내야만 한다.
conforme *adj.* ① 모양이 같은, 짝이 맞추어진. ② 잘 맞는. ③ 같은 의견의 : Estamos *~s en* este punto 이 점에서 우리의 의견은 일치되어 있다. ④ 참고 있는, 단념한(resignado) : Estamos *~s con* estas desgracias. ⑤ 고통스러운 ; 한가로운.
—*adv.* [+a : …] 처럼 ; …에 따라, 의하여 : Obró ~ *a* su derecho 자신의 권리에 따라 행동했다. ~ *a* lo que determinamos 우리가 결정한 대로.
—*conj.* ① …한 대로, 그대로 : Todo te lo devuelvo ~ lo recibí 받았던 그대로 고스란히 돌려주겠다. ② 하자마자, 한 것과 동시에, …하는 대로(tan pronto como) : *Conforme* amanezca, iré 날이 새는 대로 가겠다.
—*m.* 동의 · 인가의 서명 : El ministro puso el ~ 장관은 동의의 서명을 했다.
conformemente *adj.* (의견이) 일치하여.
conformidad *f.* ① 적합, 일치 : en ~ 일치해서. ② 상사(相似), 유사. ③ 의견의 일치, 일심동체 ; 가지런함, 균형. ④ 준거, 복종. ⑤ 안내, 참을성(resignación).
de ~ con …에 일치하여, …에 따라서, …한대로(conformemente) : *de ~ con* el pedido 주문한 대로.
en esta ~ 사정이 이래서는.
conformismo *m.* ① 일치, 합치, 순응 ; 동의 ; 인내, 인종. ② 영국 국교도.
conformista *m.f.* 영국 국교도 ; (법률 · 사회질서의) 순응자.
conformismo *m.* 순응주의.
confort *m.* *ing.* 《*Angl.*》 =**comodidad.** [*N.* 발음 : konfor].
confortable *adj.* 쾌적한, 편안한, 경쾌한(cómodo) : habitar en una casa muy ~.
confortablemente *adv.* 쾌적하게, 편안하게 : vivir ~.
confortación *f.* 위안, 위로, 격려, 기운을 돋우기.
confortador, ra *adj.* confortar 할 수 있는.
confortamiento *m.* =**confortación.**
confortante *adj.* 위안이 되는 ; 강장의. —*m.* ① 강장제, 청량제. ② 벙어리 장갑(mitón).
confortar *tr.* 위안하다, 위로하다 ; 격려하다 ; 기운을 돋우어 주다(animar) : Hay que ~ a los soldados 병사들을 위문해야 한다.
~se 기운이 나다 ; 안정하다.
confortativo, va *adj.* 기운을 나게 하는, 상쾌하게 해주는.
conforte *m.* 위안(confortación) ; 청량제.
confr. confesor.
confracción *f.* 박살이 남, 분쇄.
confraternal *adj.* 동료의 : amistad ~.
confraternar *intr.* 친밀히 사귀다, 친교하다.
confraternidad *f.* 친교, 친밀, 친화.
confraternizar *intr.* 9 《*Amér.*》 친교를 맺다 (fraternizar, establecer confraternidad).
confricación *f.* 마찰.
confricar *tr.* 7 문지르다, 마찰하다(estregar).
confrontación *f.* 대결, 대질, 대면(對面), 대립 ; 인접 ; 대조 ; 돈독한 정의, 친애의 정 (simpatía).
confrontador, ra *adj.* 대면하는 ; 대조하는.
confrontante *adj.* =**confrontador.**
confrontar *tr.* ① 대면 · 대질시키다(carear) : El procurador *confronta* al acusado *con* un testigo 검사는 피고를 증인과 대질시켰다. Sinón. carear. ② 앞에 놓다 ; 대조하다(cotejar).
—*intr.* 접경하다(confinar) ; 마주보다, 대면하다(carearse) ; 대립하다 : No *confrontan* nuestras ideas.
~se ① 대면하다 ; 대결하다 ; 대립하다. ② [드묾] 마음 · 배짱 · 죽 · 손발이 맞다.
confucianismo *m.* 유교.
confuciano, na *adj.* 유교의. —*m.f.* 유교도 ; 유학자.
Confucio *m.* 공자(孔子) 《Kong-Fu-Tse, 551－479 a. de J.C.》.
confucionismo *m.* =**confucianismo.**
confucionista *adj. m.f.* =**confuciano.**
confulgencia *f.* (동시적인) 반짝임 · 섬광.
confundible *adj.* 혼합 · 혼동할 수 있는 ; 분간하기 어려운, 섞갈리기 쉬운.
confundimiento *m.* 혼합 ; 혼동 ; 당혹.
confundir *tr.* ① 섞다, 아무렇게나 섞다, 혼합하다(mezclar). ② [+con : …와] 섞바꾸다, 혼동하다, 헷갈리게 하다, 잘못 알다 : El me *confundió con* mi hermana 그는 나를 내 누이와 혼동했다. ③ 혼란시키다, 어지럽히다, 당황케 하다.

~se ① 섞여 들어가다, 숨어 들어가다, 한데 어울리다 : *Se confundió en · entre* la muchedumbre 군중 속으로 섞여 들어갔다. ② 뒤섞이다, 혼동하다. ③ 당황하다, 얼떨떨하다, 쩔쩔매다, 망설이다, 어찌할 바를 모르다.

confusamente *adv.* 어수선하게 ; 멍청히, 막연하게 ; 당황하여, 혼란하여, 갈팡질팡하여.

confusión *f.* ① 혼잡, 혼란. ② 혼동, 갈피를 못 잡음, 당황, 얼떨떨함 : en ~ 어수선하게 ; 당황하여, 얼떨떨하여. ③ 의기 소침 ; 무안스러움 (vergüenza). ④ 채권과 채무의 상쇄. ⑤【은어】감옥. ⑥ 길가의 객줏집. [Contr.] claridad, precisión.

confuso, sa *adj.* 어수선한 ; 막연한, 분명하지 못한 ; 당황한, 갈피를 못잡는, 얼떨떨한. 망설이는. [Contr.] claro, neto, preciso.

confutación *f.* 반론 ; 논파(論破).

confutador, ra *adj. m.f.* 반론하는 (사람).

confutar *tr.* 반론하다 ; 논파하다.

confutatorio, ria *adj.* 반론의, 반발의.

conga *f.* ①《*Col.*》【곤충】독개미 ; 큰 개미(hormiga grande). ②《*Cuba.*》【동물】꽁가쥐. ③《*Ant. Riopl.*》아프리카계 꾸바의 춤.

congal *m.* 《*Méx.*》사창가.

congelable *adj.* 얼게 하는 ; 동결할 수 있는, 얼게 할 수 있는 : puerto no ~ 부동항.

congelación *f.* ① 동결, 응결 : punto de ~ 동결점. ② (자산 · 상태의) 동결 : ~ de precios 가격 동결.

congelado, da *adj.* 동결된 : carne *~da* 냉동고기. deuda *~da* 동결 차관.

congelador *m.* 냉동기 ; 냉동실, 냉동 금고.

congelamiento *m.* =**congelación.**

congelante *adj.* 어는, 동결하는, 응결하는.

congelar *tr.* [*lat.* congelare] 얼리다 ; 응결시키다 ; 굳히다 ; (자산을) 동결하다.

~se 얼다, 동결하다, 응결하다, 결빙하다 (helarse).

congelativo, va *adj.* 동결의, 동결력 있는.

congénere *adj.* 같은 종류의, 동속의 : plantas *~s* 동과(同科) 식물. **—***m.f.* 동류 · 동속에 속한 것.

congenial *adj.* 성질 · 기질이 같은, 동일성의, 마음이 맞는, 장단이 맞는, 같은 정신의, 같은 취미의.

congeniar *intr.* ⑪ 죽이 잘 맞다.

congénito, ta *adj.* 타고난, 선천적인 : disposiciones *~tas* 선천적 소질. enfermedad *~ta* 선천적인 병. [Contr.] adquirido.

congerie *f.* [*lat.* congeries] 모인 덩어리, 집괴, 퇴적, 더미.

congestibilidad *f.* 충혈 체질.

congestión *f.* [*lat.* congestio] ①【의학】체증 ; 충혈, 울혈. ② (인구) 과잉, 집결, 밀집 ; (가로의 교통) 혼잡(~ del tráfico) : las horas de ~ 러시 아워. Hay mucha ~ del tráfico en la avenida 큰 길에서는 교통이 매우 혼잡하다. ③ 체화(滯貨)(~ de mercancía).

congestionable *adj.* 출혈할 수 있는.

congestionar *tr.* 충혈시키다.

~se ① 충혈되다 : cabeza *~da* 충혈된 머리. ② 충만하다.

congestivo, va *adj.* 출혈(성)의, 충혈(성)의.

congiario *m.* (로마 황제가 국민에게 하사하던) 특사품.

congio *m.* [*lat.* congius] 액체의 단위《약 3리터》.

conglobación *f.* 둥근 모양으로 하는 일 ; 말이나 감정의 쌓임.

conglobado, da *adj.* [conglobar의 *p.p.*] 공 모양의, 둥근.

conglobar *tr.* 공 모양으로 하다, 둥글게 하다 ; 쌓아 올리다.

conglomeración *f.* 밀집, 집결 ; 덩이, 덩어리, 뭉쳐진 것 ; 군중.

conglomerado *m.* ① 덩어리. ②【지질】역암 (礫岩).

conglomerar *tr.* [*lat.* conglomerare] 모아서 뭉치다, 단단하게 하다(aglomerar).

~se 여기저기서 모여들다, 집결하다.

conglutinación *f.* 점착, 응착.

conglutinante *adj.* 점착(粘着)하는. **—***m.* 점착제.

conglutinar *tr.* [*lat.* conglutinare] 점착시키다, 엉겨붙게 하다, 교착(膠着)시키다, 유착시키다(volver glutinoso) : Ciertos venenos *conglutinan* la sangre 어떤 독은 피를 엉기게 한다.

~se 끈끈하게 엉기다, 엉겨붙다 ; 결합하다.

conglutinativo, va *adj.* 끈끈한, 엉겨붙는, 점착성의, 아교질의. **—***m.* 점착제.

conglutinoso, sa *adj.* 교착력 · 점착력이 있는 ; 끈끈한.

congo, ga *adj.* 콩고의(congoleño). **—***m.f.* 콩고 사람. **—***m.* ①《*Cuba. Méx.*》돼지의 뒷다리, 그 뼈. ② 꽁고《꾸바의 춤》. ③《*AmérC.*》【동물】짖는 원숭이(mono aullador). ④《*Col.*》흑인 (negro).

Congo *m.*【지명】콩고《아프리카의 공화국》.

congoja *f.* ① 고뇌, 비탄(angustia, aflicción). ② 기절, 실신(desmayo).

congojar *tr.* 슬프게 하다(acongojar).

congojosamente *adv.* 비탄하여, 시름에 젖어.

congojoso, sa *adj.* 시름에 젖은, 슬픔에 젖은, 비탄에 빠진(afligido).

congola *f.* 《*Col.*》담뱃대, 파이프(pipa de fumar).

congoleño, ña *adj.* 콩고의. **—***m.f.* 콩고 사람.

congolo *m.* 《*Col.*》=**cóngolo.**

cóngolo *m.* 《*Col.*》(아메리카의) 등나무의 일종.

congolocho *m.* 《*Venez.*》=**congorocho.**

congolona *f.* 《*CRica.*》【조류】들닭.

congolés, sa *adj.* 콩고의. **—***m.f.* 콩고 사람.

congorocho *m.* 《*Venez.*》【곤충】지네의 일종.

congosto *m.* 산협, 산길, 산골길(desfiladero).

congraciador, ra *adj.* 역성을 드는, 후원하는.

congraciamiento *m.* 역성을 듦, 후원, 편듦.

congraciar *tr.* ⑪ 역성들다, 편들다, 기분을 맞추다, 후원하다.

~se [+con : …의] 마음에 들다 : *~se* con su superior 상사의 마음에 들다. El trató de *~se con* la mamá de su novia 그는 그의 연인의 어머니 마음에 들려고 노력했다.

congratulación *f.* 축하, 경하 ; 축사(felicitación, parabién).

congratular *tr.* 축하하다, …에 축사를 하다. **~se** ①[+con : …와] 함께 반가워하다, 기뻐하다. ②[+de · por : …을] 축하하다, 기뻐하다 : *~se de · por* algo 어떤 일이 잘되어 서로 축하하다. *Me congratulo* con usted *por* su graduación 졸업을 축하합니다.

congratulatorio, ria *adj.* 축하 · 경하의 : epístola *~ria.*

congregación *f.* [*lat.* congregatio] 모이기, 모임, 회의 ; 종교 회의 ; 단체 ; 종단(宗團), 종교 단체(cofradía) : ~ de los fieles 전체 카톨릭 교도 ; (교황청의) 성성(聖省), 부국(部局) ; 수도회 ; [집합] 카톨릭 교회.

congregacionalismo *m.* 수도회 종파.

congregacionalista *adj.* 수도회의. *—m.f.* 수도회원, 종단원.

congregacionismo *m.* 종단파.

congregacionista *m.f.* =**congregante.**

congreganista *adj.* 【속어】 종교 모임 · 회의의 : asociación ~. *—m.f.* =**congregante.**

congregante, ta *m.f.* 종교회 의원 ; 종단원, 수도회원 ; 참석자 ; (집회 따위의) 참가자.

congregar *tr.* [*lat.* congregare] 모으다, 소집하다(juntar, unir) : El cura *congregó* a los fieles en la iglesia 주임 사제는 신자들을 교회에 모았다.
~se 모이다 : Los fieles *se congregaron* en la iglesia 신자들은 교회에 모였다.

congresal *m.f.* 《*Amér.*》 =**congresista.**

congresista *m.f.* 의원, 국회의원 ; 출석자, 참석자.

congreso *m.* [*lat.* congressus] ①국회 : ~ de los Diputados 하원. ~ de los Senadores 상원, 참의원. ② 의사당. ③ 국제 회의 ; (학술 · 경제 등의) 회의, 대회 : un ~ científico.

congrio *m.* ①【어류】 붕장어(anguila de mar) : El ~ es un pescado comestible pero muy espinoso 붕장어는 식용 생선이지만 가시가 많다. ② 굼벵이 ; 느림보. ③ 멍청이, 바보(torpe, tonto).

congrua *f.* (어떤 직종의 관리에 대한) 보장 교부금.

congruamente *adv.* =**congruentemente.**

congruencia *f.* ① 적합(성), 일치(점), 조화, 적절, 상관, 일치. ②【수학】 (도형 · 2정수의) 합동(식).

congruente *adj.* [*lat.* congruens] ① 적합한, 적절한, 일치하는, 어울리는, 조화하는(conveniente) : expresiones *~s* 적절한 표현. ②【수학】 합동의. **Contr.** incongruente.

congruentemente *adv.* 적절하게 ; 꼭 들어맞게.

congruidad *f.* 적절성, 적합(congruencia).

congruir *intr.* 《*Neol.*》 적합하다, 적절하다.

congruismo *m.* 미덕(美德)에 관한 한 학설.

congruista *m.* 미덕에 관한 학설 주장자.

congruo, grua *adj.* 적절한(congruente).

conguito *m.* 《*Amér.*》【식물】 고추.

conhortar *tr.* 【고어】 위로하다, 기운을 내게 하다(consolar).

conhorte *m.* 위로, 기운을 복돋움.

conicidad *f.* 원추형.

cónico, ca *adj.* [*gr.* konos] 원추(형)의. *—f.pl.* 원추 곡선.

conidia *f.* 【식물】 =**conidio.**

conidio *m.* 【식물】 (포자 식물의) 분생자(分生子).

conífero, ra *adj.* 【식물】 구과(毬果)를 여는 ; 구과 식물 · 침렵수류의. *—f.pl.* 침렵수류.

coniforme *adj.* 원추형의(cónico).

conimbricense *adj.* 꼬임브라《포르투갈의 학술 도시 Coimbra》의. *—m.f.* 꼬임브라 시민.

conirrostro, tra *adj.* 【동물】 후취류(厚嘴類)의. *—m.pl.* 후취류 《참새, 까마귀 등》.

conivalvo, va *adj.* 껍질이 원추형으로 된 : caracol ~ 껍질이 원추형으로 된 달팽이.

coniza *f.* 【식물】 국화과 다년생 화초 ; 질경이.

conjetura *f.* [*lat.* conjetura] 추측, 억측 ; 추정 ; 짐작 : con · por *~s* 어림 짐작으로. Se hacían muchas *~s* sobre lo que iba a ocurrir 일어났던 일에 관해 많은 억측을 했다.

conjeturable *adj.* 추측할 수 있는 : El resultado es fácilmente ~ 결과는 쉽게 추측할 수 있다.

conjeturador, ra *adj.* 추정하는, 추측하는, 짐작하는.

conjetural *adj.* 추측에 의한, 추정의, 억측의.

conjeturalmente *adv.* 추측해서, 추정적으로.

conjeturar *tr.* 미루어 헤아리다, 추정하다, 추측하다, 짐작하다 : Lo *conjeturo* así por los indicios 징후에 의해 나는 그것을 그렇게 추측했다.

conjuez *m.* 공동 판정인.

conjugable *adj.* 활용할 수 있는, 활용형을 가진 : El verbo YACER no es ~ en todos sus tiempos.

conjugación *f.* ①【문법】 (동사의) 활용, 어형 변화. ②【생물】 (생식 세포 · 원생 동물의) 접합.

conjugado, da *adj.* ①【식물】 맞붙은, 결합된, 접합된, 접합의. ②【물리 · 수학】 공역(共役)의 : punto ~ 공역점. ③【문법】 활용한, 변화된. *—f.pl.* 【식물】 접합 조류(接合藻類).

conjugar *tr.* ⑧ [*lat.* conjugare] ①【문법】 (동사를) 활용 · 변화시키다. ② 접합시키다, 조정하다.
~se (동사가) 활용 · 변화하다.

conjunción *f.* [*lat.* conjunctio] ① 결합, 연결 ; 합동, 관련. ②【천문】 (혹성 등의) 근접, 회합, (달의) 삭월(朔月) : ~ magna 19년마다 나타나는 목성과 토성의 회합. ③【문법】 접속사 : ~ compuesta 접속구. ~ adversativa 배반의 접속사 《pero, sino》. ~ causal 원인의 접속사 《porque, como》. ~ comparativa 비교 접속사 《como》. ~ concesiva 양보의 접속사 《aunque, si bien, pese a》. ~ condicional 조건 접속사 《si, ya que》. ~ consecutiva 결과의 접속사 《luego, pues, con que》. ~ continuativa 계승 접속사 《pues, luego》. ~ copulativa 연결 접속사 《y, ni》. ~ distributiva 배분 접속사 《ya … ya, o …o》. ~ disyuntiva 분리 접속사 《o, o sea》. ~ dubitativa 의문 접속사 《si》. ~ final 목적 접속사 《para que, a fin de que》. ~ ilativa 계승 접속사(~ continuativa). ~ temporal

때의 접속사 《cuando, mientras》.

conjuntamente *adv.* 함께, 같이(juntamente) : obrar ~ con otras personas 다른 사람들과 함께 일하다.

conjuntiva *f.* 【해부】 (눈알의) 결막(adnata).

conjuntival *adj.* 【해부】 결막의 : tejido ~ 결막 조직.

conjuntivitis *f.* 【의학】 결막염.

conjuntivo, va *adj.* 접속의, 접속사의 : modo ~ 접속사구.

conjunto, ta *adj.* ① 일괄된 ; 전체의. ② 연결·결합·연락·연관하는, 관계가 있는. —*m.* ① 전체, 총괄, 총체 : en ~ 일괄하여, 일체가 되어, 더불어서. En ~ el plan me parece magnífico 일괄하여 그 계획은 훌륭하다고 생각한다. El ~ produce una impresión de solemnidad 전체가 장엄한 감이 든다. ② 앙상블 《여성복》. ③【음악】 소편성 악단, 앙상블.

conjuntura *f.* (정치·경제·사회적인) 정세, 국면 ; (그) 제 요소.

conjuntural *adj.* 정세·상황의 : informe ~ 상황 보고.

conjura *f.* 음모(conspiración, conjuración, complot).

conjurable *adj.* 음모를 꾸밀 수 있는.

conjuración *f.* =**conjura.**

conjurado, da *adj. m.f.* 음모에 가담한 (사람).

conjurador, ra *m.f.* 음모자, 주모자 ; 청원자.

conjuramentar *tr.* 맹세코 말하다(juramentar).

~se 맹세하다(juramentarse).

conjurante *adj. m.f.* 음모를 꾸미는 (사람).

conjurar *tr.* [*lat.* conjurare] 맹세코 말하다 ; (위험 등을) 피하다, (악마를) 내쫓다, 몰아내다 ; 청원하다. —*intr.* 음모를 꾸미다 (complotar).

~se 동맹을 맺다.

conjuro *m.* ① 맹세, 선서. ② 청원, 간청(ruego). ③ 편동. ④ 주문(呪文).

conllevador, ra *adj.m.f.* 고생을 함께 하는, 참고 견디는 (사람).

conllevar *tr.* ① (고생을) 함께 하다. ② 참고 견디다(soportar, tolerar).

conmemorable *adj.* 기념할 만한.

conmemoración *f.* [*lat.* commemoratio] ① 기념 : en ~ de …을 기념하여. Este monumento se ha construido en ~ de la independencia 이 기념비는 독립을 기념해서 세워졌다. ~ del V Centenario del Descubrimiento 신대륙 발견 오백 주년 기념. ② 기념식. ③ 공양, 추도 : la ~ de los difuntos 만령제 《11월 2일》.

conmemorar *tr.* 기념하다 ; 공양하다, 추도하다 : El obelisco tenía por objeto ~ victorias u otros acontecimientos importantes 방첨탑은 승리나 다른 중요한 사건을 기념하는 것을 목적으로 했었다.

conmemorativo, va *adj.* 기념의 : santuario ~ del Emperador… … 황제 기념 성당. erigir un monumento ~ 기념비를 세우다.

conmemoratorio, ria *adj.* =**conmemorativo.**

conmensal *m.f.* =**comensal.**

conmensalía *f.* [드묾] =**comensalía.**

conmensurabilidad *f.* 측정 가능 ; 약분.

conmensurable *adj.* ① 잴 수 있는 ; 동일 단위로 잴 수 있는. ②【수학】 약분이 되는. **Contr.** inconmensurable.

conmensuración *f.* ① 균등 ; 균형. ②【수학】 약분, 운산(運算).

conmensurar *tr.* ① 동일 단위로 재다(medir con igualdad). ②【수학】 약분하다.

conmensurativo, va *adj.* 동일 단위로 재는 ; 약분하는.

conmigo [con+mí의 합성어] 나와, 나와 함께 : Ven ~ 나와 함께 가자.

conmilitón *m.* 전우(戰友).

conminación *f.* [*lat.* comminatio] 위협, 협박 (amenaza).

conminador, ra *m.f.* 위협자, 협박자.

conminar *tr.* [*lat.* comminari] 위협하다, 협박하다(amenazar).

conminativo, va *adj.* =**conminatorio.**

conminatorio, ria *adj.* 올러대는, 협박·위협하는, 공갈조의, 협박적인.

conminuta *adj.* 잘게 부서진 : fractura ~.

conmiseración *f.* [*lat.* commiseratio] =**compasión.** **Contr.** indiferencia.

conmiserarse *r.* 《*Perú.*》 동정하다.

conmistión *f.* 혼합, 잡동사니 ; 착잡.

conmisto, ta *adj.* 혼합한, 착잡한.

conmistura *f.* 혼합(물).

conmixtión *f.* =**conmistión.**

conmixto, ta *adj.* =**conmisto.**

conmoción *f.* [*lat.* commotio] ① 진동 : ~ geológica 지진. ② 동요 : Su muerte repentina me causó violenta ~ 그의 갑작스런 사망 때문에 나의 마음은 굉장히 동요했다. ③ 소동 ; 동요, 내란, 모반. ④ 감정.

conmocionar *tr.* 감동시키다.

conmonitorio *m.* 각서 ; 진정서.

conmoración *f.* =**exposición.**

conmovedor, ra *adj.* 감동·감화시키는, 감동시킬 만한, 충격을 주는.

conmover *tr.* 23 ① 떨게 만들다. ② 감동시키다 (enternecer) : *Conmovido* salí del salón de cine 감동되어 나는 영화관을 나왔다. ③ 교란시키다 : Fue un golpe que *conmovió* a todo el Imperio Español 그것은 전 서반아 제국을 교란시키는 일격이었다.

~se 흔들리다, 떨다 ; 뒤흔들리다 ; 감격·감동하다.

conmovible *adj.* 감동할 수 있는.

conmuta *f.* 《*AmérM.*》 =**conmutación.**

conmutabilidad *f.* 교환성, 대체성.

conmutable *adj.* 교환·대체할 수 있는.

conmutación *f.* ① 교환, 변환 ; 대체. ② 감형 (~ de pena).

conmutador, ra *adj.* 교환·대체하는. —*m.* ①【전기】 전환 스위치, 정류자(整流子), 배전반. ② (원소의) 교환자. ③《*Amér.*》 전화 교환대.

conmutar *tr.* ① [+con · en · por : 주로 임무·형벌을, …과·으로] 바꾸다·교체하다(trocar). ② (전류를) 전환시키다. ③ (스위치를) 끊다·넣다.

conmutatividad *f.* 교환성, 대체성.
conmutativo, va *adj.* ① 교환의 : contrato ~ 교환 계약. ② 교호적(交互的)인. ③ 유효한.
conmutatriz *f.* (교류·직류의) 회전 변류기·장치.
connacional *m.f.* 동향인, 동국인.
connato, ta *adj.* 선천적인 ; 동시 발생의.
connatural *adj.* 천부적인, 타고난, 선천적인, 본래의 ; 성미에 맞는.
connaturalización *f.* (기후 등에) 익숙해지는 일, 풍토 순화.
connaturalizar *tr.* ⑨ =**aclimatar.**
~se [+con : …에] 동화(同化)하다, 익숙해지다 : *~se* con el trabajo · el clima 일·풍토에 익숙해지다. Es difícil para los españoles *~se con* el espíritu francés 서반아 사람한테는 불란서 기질에 익숙해지기가 어렵다.
connaturalmente *adv.* 본래 대로.
connivencia *f.* 묵인, 묵과 ; 묵약, 묵계, 공모 : estar *en* ~ *con* los espectadores 관객과 한 덩어리가 되어 있다.
connivente *adj.* ① 묵인의, 묵계가 있는. ② 【생물】 합착된, 서로 붙은.
connotación *f.* ① 함축. ② 먼 친척. ③【논리】 내포(內包). ④ 간접적·상징적 표시어.
connotado, da *adj.* 《*Amér.*》 =**notable.** —*m.* 먼 친척 (관계).
connotante *adj.* 내포하는, 함축하는.
connotar *tr.* (의미를) 내포하다, 함축하다, 관련짓다, 연관시키다.
connotativo, va *adj.* (…의 의미를) 암시하는, 함축성있는 ; 내포적인.
connovicio, cia *m.f.* 신참자들, 수련 수사(修士)들.
connubial *adj.* 혼인의, 결혼의.
connubio *m.* [*lat.* connubium] 【시어】 =**matrimonio.**
connumerar *tr.* 계산에 넣다 ; (…에) 언급하다.
connusco *pron.* 【고어】 =**connosco.**
cono *m.* [*gr.* conos] ①【식물】 송백류의 열매《솔방울, 잣 따위》. ②【기하】 원추(형), 원추체 : ~ truncado 원추대(圓錐台). ③【지질】 첨봉(尖峰), 화산추(火山錐).
conocedor, ra *adj.* (…에) 환한, 정통한, 잘 알고 있는. —*m.f.* (…에) 정통한 사람, (…을) 알고 있는 사람 ; 감정가, 감식가 : ~ *de* caballos 말에 정통한 사람.
conocencia *f.* ① 자백, 진술. ②【속어】 지식, 학식, 인식 ; 학문(conocimiento).
conocer *tr.* ㉜ ① (체험적으로) 알다 ; 알고 있다 : ~ de nombre 이름만 알고 있다. ¿*Conoce* usted al Sr. Alvarez? 알바레스씨를 아십니까? ¿*Conoce* usted Madrid? —Sí, *conozco* 마드리드에 가보셨습니까? —예, 가보았습니다. ② 알다 : El *conoce* muy bien esta canción 그는 이 노래를 잘 알고 있다. ③ 인정하다, 인식하다 (reconocer) ; 깨닫다. ④ 헤아리다, 짐작하다 (presumir). ⑤ (관계관 등이 사건을) 다루다. ⑥ (여자와) 정다운 관계를 맺고 있다, 사귀다. ⑦【고어】 자백·고백하다 ; 감사하다. —*intr.* ① 지식을 가지고 있다 : *Conozco* bien *de* pinturas 그림에 대해 잘 알고 있다. ② 취급하다, 다루다, 처리하다 : ~ *de · en* tal asunto 이러저러한 사건을 다루다.
~se ① 자신을 알다 : *Conozcámonos* bein 우리 자신을 잘 알자. *Conócete* 너 자신을 알아라. ② (서로) 알고 지내다, 교제하다, 사귀다 : *Se conocen* de muchos años 그들은 오랫동안 사귄 벗이다. ¿Cuándo, dónde y cómo *se conocieron* ustedes? 언제, 어디서, 어떻게 당신들은 서로 알았습니까?
dar a ~ 알리다, 공표하다.
ir · visitar para ~ 견학하다.
[직설법 현재 : conozco, conoces, conoce, conocemos, conocéis, conocen. 접속법 현재 : conozca, conozcas, conozca, conozcamos, conozcáis, conozcan].
conocible *adj.* 인식할 수 있는, 깨달을 수 있는.
conocidamente *adv.* =**claramente.**
conocido, da *adj.* ① 세상에 널리 알려진, 유명한(famoso, célebre) : ~ es que … …라는 것은 유명하다. ser ~ por …로 알려져 있다. ② 아는 : el señor ~ 아는 남자. la señora *~da* 아는 부인. —*m.f.* 지기(知己), 친지, 아는 사람 (conocimiento).
conociente *adj.* 아는, 알고 있는.
conocimiento *m.* ① 지식(sabiduría) : llevar a · poner en ~ 알리다, 통고하다. venir en ~ de …를 알다, 양해하다. ② 아는 일, 인식 : teoría del ~ 인식론(epistemología). ③ 지각 (sentido) : perder ~ 실신하다. recobrar ~ 의식을 회복하다. ④ [주로 *pl.*] 학문, 학식. ⑤ 친지, 아는 사람, 지기(知己)(conocido) : trabar ~ con …과 가까워지다. ⑥ (금전·화물의 수취 때 본인임을 증명하는) 증거서·증표 ; 송장(送狀)(factura, ~ de envío). ⑦ 선하 증권(~ de embarque) : ~ clean 완전 선하 증권. ~ sucio (limpio) de embarque 사고부 (무사고) 선하 증권. ~ corrido (a la orden) de embarque 기명식 (지시식) 선하 증권. ~ de embarque rojo 적자 선하 증권. ~ directo de embarque 전항(全航) 선하 증권.
~s reales 《*Arg.*》【회언】 대금.
conocim.[to] conocimiento 선하 증권.
conoidal *adj.* 원추체의, 원추형의(de forma de cono).
conoide *adj.* 원추의. —*m.* 원추체 ; 첨원체(尖圓體).
conoideo, a *adj.* 원추 모양의.
conopial *adj.* 【건축】 반곡선의 : arco ~ 반곡선 아치.
conoscencia *f.* 감사.
conoto *m.* 《*Venez.*》 =**cacique.**
conozc- → **conocer** ㉜.
conozca conocer의 접·현·1·3·단수.
conozcáis conocer의 접·현·2·복수.
conozcamos conocer의 접·현·1·복수.
conozcan conocer의 접·현·3·복수.
conozcas conocer의 접·현·2·단수.
conozco conocer의 직·현·1·단수.
conozqui *m.* 【조류】 꼬노스끼 《멕시코의 새》.
conque *conj.* 그렇다면, 그것으로는 ; 그래도 아직. —*m.* ① 조건 : el ~ indispensable 불가결한 조건. ②《*AmérM.*》【회언】 대금.
conquense *adj.* 꾸엔까 《Cuenca, 서반아 동부의

도시》의. **—***m.f.* 꾸엔까 사람.
cónquibus *m.* 【속어】 돈(cumquibus).
conquiforme *adj.* 조가비 모양의.
conquilífero, ra *adj.* =**conchífero.**
conquiliología *f.* 패류학(貝類學), 패각학(貝殼學)(malacología).
conquiliologista *m.f.* =**conquiliólogo.**
conquiliólogo, ga *m.f.* 패류학자, 패각학자.
conquista *f.* 정복 ; 극복 ; 획득 ; 획득물, 손에 넣은 것 《사람・물건》.
conquistable *adj.* 정복할 수 있는 ; 손에 넣기 쉬운.
conquistador, ra *adj.* 정복하는 ; 획득하는. **—***m.f.* ① 정복자. ② 돈환, 바람둥이, 방탕아, 오입쟁이 : ~ de las muchachas 걸 헌터. Cuidado con él ; es un ~ 그 사람한테 주의하십시오, 그는 바람둥이입니다.
conquistamiento *m.* =**conquista.**
conquistar *tr.* ① 정복하다(tomar) ; 손에 넣다 ; 획득하다. ② 뜻에 따르게 하다. ③ 보이・걸 헌트를 하다. ④ (마음을) 받아들이다 : No pude ~ su amistad 나는 그와 친구가 될 수 없었다.
conrear *tr.* (양모에) 기름을 올리다 ; 이모작하다.
conregnante *adj.* 함께 군림하는.
conreinado *m.* 동시 군림・통치.
conreinar *intr.* 함께 군림하다.
conreo *m.* (양모에) 기름 올리기 ; 이모작.
cons.º consolidado.
consabido, da *adj.* =**sabido, muy conocido.**
consabidor, ra *adj.m.f.* (누구와) 함께 알고 있는 (사람).
consagrable *adj.* (신에게) 바칠 수 있는 ; 헌신할 수 있는.
consagración *f.* 신성화(神聖化), 정화 ; 성별(聖別)(식) ; (obispo의) 서품(식) ; 헌납, 봉헌 ; 헌신, 정진 ; (언어 사용의) 공인.
consagrado, da *adj.* ① (obispo의) 서품을 받은 : lugar ~. ② 바쳐진 : templo ~ a Apolo.
consagrante *adj.* consagrar 하는. **—***m.f.* 서품하는 사제.
consagrar *tr.* [*lat.* consecrare] ① 바치다, 봉헌하다(dedicar) : ~ la vida a la patria 생명을 조국에 바치다. *Consagraba* muchas horas al tocador 맵시를 내는데 몇 시간이나 보냈다. ② 신성하게 하다, 신으로 모시다. ③ 정화하다, 성별(聖別)하다 : ~ el pan y el vino. ④ (obispo 에게) 서품하다. ⑤ (건물・기념물을) 봉납하여 세우다, 봉헌하다 : ~ una iglesia. ⑥ (어떤 뜻에 말을) 맞추다.
~se 몸을 바치다, 헌신・정진하다(dedicarse).
consagratorio, ria *adj.* 봉헌의 ; 성별(聖別)의.
consanguíneo, a *adj.* 혈연의, 혈족의, 피를 나눈 : hermano ~ 피를 나눈 형제. **Contr.** uterino. **—***m.f.* 혈연자.
consanguinidad *f.* 혈연, 혈족, 친족, 동족, 육친.
consciencia *f.* 【철학】 =**conciencia.**
consciente *adj.* [+de : …을] 의식・자각하고 있는 : ~ *de* sus derechos 자기의 분수를 아는.
conscientemente *adj.* 의식하여, 자각하여 : El hombre debe obrar ~ 사람은 자각하여 일해야 한다.
conscripción *f.* 《*Galic.*》 모병, 징병, 징집.
conscripto *m.* ① 《*Galic.*》 신병, 모집병. ② 《*Arg. Chile.*》 장정(壯丁).
padre ~ (로마의) 원로원 의원.
conscrito *m.* =**conscripto.**
consectario, ria *adj.* 부수하는. **—***m.* 필연적 결과.
consecución *f.* 획득 ; 달성, 도달.
consecuencia *f.* ① 결과 : como ~ 결과로서. en ~ 따라서, 그러므로 ; 적절히. La guerra trajo consigo malas ~*s* 전쟁은 자체에 나쁜 결과를 가져왔다. **Contr.** causa, principio. ② 단정(斷定). ③ 중요・중대성 : ser de ~ 중대하다.
guardar ~ 언행을 삼가다.
traer a ~ 재검토하다.
consecuente *adj.* [*lat.* consequens] 결과의 ; 당연한, 모순되지 않는. **Contr.** inconsecuente, antecedente. **—***m.* ① 귀결. ② 【수학】 후항, 후률(後率).
consecuentemente *adv.* 따라서.
consecutivamente *ad.* ① 잇따라, 차례차례로 (inmediatamente después). ② 즉시 (enseguida).
consecutivo, va *adj.* ① 뒤를 있는, 계속된 : diez días ~*s* 연속 10일. ② (어떤) 결과로서 생긴 : enfermedad ~***va a*** la herida 부상으로 생긴 병. ③ 【문법】 결과의, 결과를 나타내는.
conseguimiento *m.* =**consecución.**
conseguir *tr.* 46 [*lat.* consequi] 얻다, 손에 넣다, 입수하다, 구입하다 ; 이루다, 획득하다, (목적을) 달성하다(obtener, lograr, alcanzar), 성취하다 : *Hemos conseguido* nuestra meta 우리는 목표를 달성했다. Ellos *consiguieron* descomponer el aparato 그들은 기계를 분해할 수 있었다.
conseja *f.* 우화, 동화, 이야기, 옛 이야기 ; 음모, 밀모.
consejero, ra *m.f.* 조언자 ; 고문역 ; 이사 ; 심의회원 ; (대사관의) 참사관 ; 보좌관 : ~ presidencial para la defensa nacional 국방 담당 대통령 보좌관. **—***f.* consejero의 부인.
consejillo *m. dim.* consejo.
consejo *m.* [*lat.* consilium] ① ㄱ) 조언, 충고 : Dice que no necesita mis ~*s* 그는 나의 충고가 필요없다고 말한다. ㄴ) 의견, 충언 : dar ~ 조언하다. pedir・tomar ~ 조언을 구하다, 상담하다, 의논하다. El viene a veces a pedirme ~ 그는 가끔 나에게 상담하러 온다. El ministro pide ~ a las personas de experiencia y de conocimientos 장관은 경험과 학식을 겸비한 사람들에게 조언을 구한다. ② 중역 회의 ; 이사회 ; 심의회 ; 내각 : presidente del ~ 수상, 이사회장.
~ ***de Cruzada*** 교황청에 있던 십자군 총감국(總監局). ~ ***de Estado*** 국무원. ~ ***de familia*** 친족 회의. ~ ***de guerra*** 군법 회의 ; 작전 회의. ~ ***de Indias*** 세빌라에 있었던 척무원(拓務院). ~ ***de Instrucción Pública*** 문교 심의회. ~ ***de Ministros*** 국무 회의, 각의(閣議). ~ ***de Seguridad*** (국제 연합의) 안정 보장 이사회. ~ ***deliberante*** 심의 위원회. ~ ***directivo*** 중역회, 이사회.
consenso *m.* (의견 등의) 일치, 합의(asiento, consentimiento) : mutuo ~ 상호 일치・합의.

consensual *adj.* 합의상의 : contrato ~.
consentido, da *adj.* ① 버릇없이 자란(mal educado) : Los niños ~s son insoportables. ② 아내의 부정을 나무라지 않는. ③《*Arg.*》우쭐대는, 경우없이 구는, 인하 무인인, 버릇이 없는.
consentidor, ra *adj.* 관대한, 너그러운 ; 아이를 귀여워하는.
consentimiento *m.* ① 동의, 승락, 시인 : ~ tácito 묵인. dar ~ 승락하다. ② 합의. ③ 버릇없이 굶음. ④ (기물이) 덜컹거리기 시작하는 일.
consentim.º consentimiento 동의, 승락.
consentir *intr.* 53 [*lat.* consentire] ① [+en : …에] 동의하다, 허용·허락하다(permitir, autorizar). ② (분명한 것으로서) 믿다(creer). ③ (기물이) 덜컹거리기 시작하다(aflojarse).
—*tr.* ① 허용하다(permitir), 용인·승락하다 (admitir) : No *consiento* que se burlen de mí 나를 비웃는 것을 용인하지 않는다. ② 넣을 수 있다, 받아들이다. ③ 응석받이로 키우다, 귀여워하다 : La abuelita *consiente* demasiado a sus nietos 할머니는 손자들을 너무 응석받이로 키운다. **Contr.** oponerse, resistirse.
~se (그릇이) 덜컹거리기 시작하다, 아귀가 틀어지기 시작하다 ; 금이 가다.
conserje *m.* 《*Galic.*》 수위 ; 급사 ; 짐꾼 ; 접수담당자 ; (아파트 따위의) 관리인. **Sinón.** portero.
conserjería *f.* 수위·급사의 직 ; 수위실.
conserva *f.* ① 통조림(~ en lata) : ~ de sardinas 정어리의 통조림. Me gustan los melocotones en ~ 나는 통조림 복숭아를 좋아한다. lata de ~, bote de ~ 통조림 깡통. ② 식초에 절임 ; 설탕을 버무려 삶은 과일. ③ 호위 ; 호송선단 : navegar en ~ 호송 선단을 이루고 항행하다. **—*pl.*** 통조림류.
conservable *adj.* 보존·유지할 수 있는.
conservación *f.* 보존, 유지, 자위(自衛) ; 관리(管理) : Los animales tienen el instinto de la ~ muy desarrollada 동물들은 아주 발전적 자위 본능을 가지고 있다.
conservado, da *adj.* [bien·mal +] 보존·손질이 잘 된·잘 안된 ; 젊음을 잘 유지한 : un hombre *bien* ~.
conservador, ra *adj.* 보존·관리하는 ; 보수파·주의의 : partido ~ 보수당. **—*m.f.*** 보존자 ; 관리인 ; 보수주의자.
conservadorismo *m.* =**conservadurismo.**
conservaduría *f.* 관리인의 직 ; 관리 사무소 : la ~ del museo.
conservadurismo *m.* 보수주의.
conservante *adj.* 보존하는 ; 유지하는 ; 호위하는 ; 보관·관리하는.
conservar *tr.* [*lat.* conservare] ① 보존하다 : *Se ha conservado* en buena condición 좋은 상태로 보존되었다. ② 유지하다 ; 호위하다 ; 보관·관리하다. ③ 지키다 : el que te *conserva con·en* salud 자네의 건강을 지켜준 사람. ④ 통조림으로 만들다 : ~ la fruta. **Contr.** perder, destruir.
~se ① 스스로 지키다 ; 유지하다 : *~se en·con* salud 자신의 건강을 유지하다. *Consérvese* seco 습기 엄금. *Consérvese* (en lugar) fresco 냉장을 요함. ② 자신을 위해 가지고 있다.
conservatismo *m.* 《*Amér.*》 보수성, 보수주의.
conservativo, va *adj.* ① 보존의 : virtud *~va* 보존력. ② 보수의.
conservatoría *f.* conservador의 직.
conservatorio, ria *adj.* 보존하는. **—*m.*** ① (주로 국영의) 음악 학교(~ de música). ② 《*Arg.*》 학원(academia, colegio particular). ③ 《*Chile.*》 온실.
conservera *f.* 《*Méx.*》 =**dulcera.**
conservería *f.* 통조림 제조업·장사.
conservero, ra *adj.* 통조림의, 통조림업의 : industria *~ra* 통조림 공업. **—*m.f.*** 통조림 업자·기술자·상인.
considerable *adj.* ① (사람이) 중요한, 유력한 : hombre ~ 유력자. ② 고려할, 무시할 수 없는. ③ (수량 따위가) 꽤 많은, 적지 않은 ; 상당한 : Es una cantidad ~ 그것은 상당한 양이다.
considerablemente *adv.* 적지 않게, 매우, 꽤, 상당히(mucho, muy).
consideración *f.* ① 고려 : en ~ a …를 고려에 넣은. ② 중요한 일, 중대성 : ser de ~ 중요하다. tomar en ~ 고려에 넣다 ; 중요성을 인정하다 ; 의사(議事)로서 채택하다. Yo lo tomaré en ~ 나는 그것을 고려에 넣겠습니다. ③ 경의, 존경(respeto) : de mi ~ 나의 존경하는. por ~ a …에게 경의를 표하여. guardar *~es* 경의를 표하다. El no tuvo ninguna ~ con ella 그는 그녀에게 아무런 경의를 표하지 않았다.
consideradamente *adv.* 신중하게, 사려깊게.
considerado, da *adj.* ① 생각이 깊은, 사려깊은, 신중한. ② 인망·덕망있는. **Contr.** atolondrado, despreciable.
considerador, ra *adj.m.f.* 숙고하는 (사람) ; 존중·존경하는 (사람) ; 판단하는, 생각하는 (사람).
considerando *m.* (법령·선언문에) 이유로서 열거되는 사항, 고려 사항.
considerante *adj.* =**considerador.**
considerar *tr.* [*lat.* considerare] ① 숙고하다, 곰곰이 생각하다, 고려하다, 잘 생각하다(pensar, reflexionar) : *Consideraré* ese problema 그 문제를 잘 생각해 보겠습니다. ② 정중하게 대접하다, 존중·존경하다, …에게 경의를 표하다 (respetar) : La *consideramos* mucho 우리들은 그녀를 무척 존경하고 있다. ③ (…라고) 생각하다, 판단하다(juzgar) : ¿Le *consideras* feliz? 자네는 그가 행복하다고 생각하는가? *Consideras* a nosotros los hombres demasiado malos 너는 우리를 지나치게 나쁜 사람으로 생각하고 있다.
~se 자신을 …라고 생각하다, …인 양 생각되다 : *Se consideraba* en un palacio 그는 궁전에 있는 듯한 생각이 들었다. No te *consideres* feliz 너는 자신이 행복하다고 생각해서는 안된다.
considerativo, va *adj.* 마음·생각이 깊은 ; 신중한.
consient- →**consentir** 53.
consiervo *m.* (같은 주인을 가진) 노예 동료.
consig-, consiga- →**conseguir** 46.
consign. consignación.
consigna *f.* ①【군사】수칙(守則) ; 명령, 지령. ② (철도의) 수화물 예치소.
consignación *f.* ① 충당시키는 일, 물건을 다

른 데로 돌리는 일. ② 지정, 보내는 곳 : a la ~ de nuestro comitente 당방에서 지정한 의뢰인 앞으로. ③ 신탁, 위탁 (판매) : a ~ 위탁 판매로. ④ 예산 계상. ⑤ 공탁(금). ⑥《*Ecuad.*》 술집, 주점.

consignador, ra *m.f.* (판매) 위탁자, 하주(荷主).

consignante *m.f.* =**consignador.**

consignar *tr.* [*lat.* conssignare] ① 충당시키다, 돌리다, (할당시켜) 내다(destinar). ② (예산을) 할당시키다, (예산에) 계상하다. ③ (현금·유가물을) 공탁하다. ④ 적다, 명기(明記)하다. ⑤ (역에서 수하물을) 맡기다, 예치하다, 인도하다(entregar) ; 위탁하다, 위탁 판매로 하다 ; (상품을)보내다, 발송하다.

consignatario, ria *m.f.* ① 수탁자, 하수인 ; 피신탁인 : casa *~ria* de vapores 선박 대리점. ② 보관인, 관재인 ; 저당권자.

consigo [con+sí의 합성어 ; 주어가 3인칭일 때 전치사 con 다음에 오는 명사나 대명사가 주어와 같은 사람일 경우에 사용함] 스스로, 자신과 함께 ; 자기 자신에 대해 : El lleva el libro ~ 그는 손수 책을 가지고 간다. Ella lleva dinero ~ 그녀는 손수 돈을 가지고 있다.

consig.[ón] consignación.

consig.[te] consignante.

consiguiente *adj.* [+a : …에] 의해 일어나는, 원인으로 되는 : gastos *~s* a mi instalación 개업에 따른 비용. **—***m.* ① 결과 : por ~ 따라서, 그러므로. ②【문법】 귀결문(apódosis). ③【논리】 후건(後件). **Contr.** antecedente.
ir · proceder ~ 착실하게 하다.

consiguientemente *adv.* 그러므로, 따라서 (por consiguiente).

consiliario, ria *m.f.* =**consejero.**

consint-, consintie- →**consentir** 53.

consintiente *adj.* 동의·허용·허락하는.

consistencia *f.* 견고성, 단단함, 끈기 ; 확실성.

consistente *adj.* 단단한, 끈기있는, 탄탄한, 꿋꿋한 : ~ en …에 기반을 둔. ~ de …으로 이루어진.

consistir *intr.* [*lat.* consistere] ① [+en : …에] 있다, 기초·기반을 두다 : Su fortuna *consiste en* tierras 그의 재산은 토지이다. ② [+de : …에서] 이루어지다, 성립되다.

consistorial *adj.* (교황청의) 추기경 회의의 ; 시의회의 : casa ~ 시의회 회관. **—***m.* 추기경회 의원 ; 종교 법원 판사 ; 시의회 의원.

consistorialmente *adv.* 추기경 회의로.

consistorio *m.* [*lat.* consistorium] ① 종교 법원 : C- Divino 천상의 법정. ② (로마 교황청의) 추기경 회의, 그 회의실 ; (로마 황제의) 고문 회의. ③ (서반아에 있는 시에서의) 시의회, 시의회당.

cons.[o] consejo.

consocio, cia *m.f.* 동료 ; 공동 출자·경영자.

consograr *intr.* =**consuegrar.**

consola *f.* [*fr.* console] (벽 가까이에 두는) 문갑 ; (재봉틀의) 나무로 된 부분 ; (벽에서) 내민 부분 ; (라디오·텔레비전의) 캐비닛.

consolable *adj.* 마음이 놓이는 ; 위안이 되는 : viuda demasiado ~. **Contr.** inconsolable.

consolablemente *adv.* 즐거운 듯이.

consolación *f.* 위로, 위안, 안위(consuelo).

consolador, ra *adj.* 위로의, 위로가 되는 : reflexión *~ra.* **—***m.f.* 위로하는 사람.

consolante *adj.* =**consolador.**

consolar *tr.* 24 [*lat.* consolari] 위안·위로하다 : Yo siempre la *consolaba* a ella en su desgracia 나는 늘 그녀의 불행을 위로해 주었다.
~se ① 위로하다, 달래다 ; 스스로 달래다 : *~se de* una desgracia 불행을 스스로 달래다. ② 위로가 되다, 즐기다 : *~se con* el estudio 공부를 위로로 삼다. **Contr.** afligir, apesadumbrar.
[직설법 현재 : consuelo, consuelas, consuela, consolamos, consoláis, consuelan. 접속법 현재 : consuele, consueles, consuele, consolemos, consoléis, consuelen].

consolativo, va *adj.* 위로하는 ; 위로되는.

consolatorio, ria *adj.* =**consolador.**

consólida *f.*【식물】 캄프리(consuelda) : ~ real【식물】 비연초.

consolidable *adj.* 굳힐 수 있는, 강하게 할 수 있는.

consolidación *f.* 굳히는 일, 강화, 고정시킴, 공고히 함 ; 단결 ; 합병, 정리 통합 ; 공채 정리.

consolidado, da *adj.* ① (기초가) 튼튼한 ; 합병한 : compañía *~da* 합병 회사. ② 무기한 공채의 : deuda *~da* 정리 사채(社債). **—***m.* 무기한 공채, 정리 공채.

consolidar *tr.* ① 굳히다, 공고히 하다, 단단하게 하다, 강하게 하다 : Hay que ~ nuestro organismo 우리의 기구를 강화해야 한다. ② 정리 통합하다 ; (공채·부채를) 정리하다.
~se 굳세어지다, 단단해지다.

consomé *m.*《*Galic.*》 꼰소메《묽은 수프의 일종》.

consonancia *f.* ①【시어】 동조, 동음운(同音韻)《예 : luna와 fortuna》. ② 협조(協調). ③ 협화, 조화, 일치, 관련(關聯). ④【음악】 협화음.

consonantado, da *adj.* 자음으로 쓰인 : versos *~s.*

consonante *adj.* ① 동조의 ; 협화음의. ② 자음의. **—***m.* 자음 : *~s* compuetas 이중 자음《bl, br, cl, cr, fl, fr, dr, tr 등》. **—***f.* 자음자.

consonantemente *adv.* 협조·일치하여.

consonántico, ca *adj.* ① 자음의 : sistema ~ 자음 조직. ② 협화음의.

consonantismo *m.* (어떤 언어·시대의) 자음 체계·조직.

consonantización *f.* 모음의 자음화.

consonantizar *tr.* 9 (모음을) 자음화하다《예 : Paulo → Pablo》.

consonar *intr.* 24 협화음이 되다 ; 동운(同韻)이 되다 ; 일치·협조·동조하다.

cónsone *adj.*【음악】 협화음의(acorde).

cónsono, na *adj.* 동음의 ; 협화음의. **—***m.* 동음 ; 협화음.

consorcio *m.* [*lat.* consortio] ① 합동, 공동 : por ~ 공동으로. ② 동반자, 부부 사이 : vivir en buen ~. ③ 조합, 재단, 차관단(借款團) : ~ financiero 차관 인수단. ④ 협회(asociación) : ~ de banqueros 은행가 협회.

consorte *m.f.* [*lat.* consortis] ① 배우자, 남편 혹은 아내 : príncipe ~ 부마(駙馬). rey ~ 여왕의 남편. ② 동료, 동무, 벗 ; 친구. ③【법률】

공동 책임자 ; 공동 피고.

conspicuo, cua *adj.* =**ilustre.**

conspiración *f.* 밀모, 음모, 모반, 모의.

conspirado *m.* 음모자, 모반자(conspirador).

conspirador, ra *m.f.* 모의자, 음모가.

conspirar *intr.* [*lat.* conspirare] ① (협력을 얻어) 힘이 되다(concurrir) : Todo *conspira* para su desgracia 만사가 그의 불행을 초래한 근원이 된다. ② 공모하다 : ~ *con* otros en un intento 어떤 목적으로 다른 패들과 공모하다. ③ [+contra : …에 대해] 음모를 꾀하다(conjurarse) : Los nobles aragoneses *conspiraron contra* el rey 아라곤의 귀족들은 왕에 대해 음모를 꾀했다.

conspuir *tr.* 77 《*Galic.*》 모욕하다. 야유하다.

Const. Constitución 정관.

constable *m.* (영국과 필리핀의) 경관.

constancia *f.* ① 정조, 절조(節操), 지조의 굳음 : un hombre de ~ 지조가 굳은 사람. ② 항구, 불변 ; 착실 : trabajar con ~ 쉬지 않고 일을 하다. El consigue por todo su ~ 그는 그의 착실함으로 무엇이든지 달성한다. ③ 확실성 (certeza). ④ 증거(prueba) : No hay ~ de que recibió el dinero 돈을 받았다는 증거는 없다. ⑤ (의사록 등에의) 기록 ; 명기, 기술(記述) (mención) : con ~ de …라고 명기·표시하여. ⑥ 《*Amér.*》 증명(서)(comprobación) : ~ de notas 성적 증명서. ~ tributaria 《*Perú.*》 납세 증명서.

constante *adj.* ① 지조가 굳은 ; 절조 있는. ② 성실한, 충실한, 착실한. ③ 한결같은, 변치 않는, 항구적인, 변함없는, 부단한.

constantemente *adv.* 확실히, 분명하게 ; 쉬지 않고, 성실히, 충실히, 착실히 ; 변함없이, 부단하게, 항구적으로.

Constantino *m.* 콘스탄틴 : *C-* el Grande 콘스탄틴 대제 《280?-337, 동로마의 황제》.

constantinopolitano, na *adj.* 콘스탄티노플 《Constantinopla, 현재의 Estambul》 시의. —*m.f.* 콘스탄티노플 사람.

constar *intr.* [*lat.* constare] ① 분명하다, 확실하다 : *Constan* su nombre y edad 그의 성명과 연령은 틀림이 없다. *Consta* que él no pagó ni un céntimo 그가 일전 한푼도 지불하지 않았다는 것은 분명하다. Me *consta* que recibió el dinero 그가 돈을 받았다는 것이 나로서는 분명하다. *Conste que* …이라는 것을 명기하라. *Conste que* no he mentido 내가 거짓말하지 않는 것을 명기하세요. ② [+de : …으로] 이루어지다 : Esta novela *consta de* veinte capítulos 이 소설은 20장으로 되어 있다. ③ (시구의) 율격(律格)이 정격(正格)이다.

constatación *f.* 대조, 증명(comprobación) ; 명기, 기록.

constatar *tr.* 《*Galic.*》 ① 확증·확인하다 (comprobar). ② (조서·기록에) 기입하다.

constelación *f.* [*lat.* constellatio] ① 【천문】 별자리, 성좌 ; (어떤 시각의) 별의 위치, (점성에서의) 운성(運星). ② 한란(寒暖), 기온(clima).

constelado, da *adj.* ① 별이 많은 : cielo ~ 별이 많은 하늘. ② (별처럼) 가득 뿌려진 : manto ~ *de* pedrería.

constelar *tr. intr.* (…에) 흩어지다(estrellar) : los astros que *constelan* la bóveda celeste.

consternación *f.* 비탄, 탄식, 낙담, 실망.

consternar *tr.* [*lat.* consternare] 낙담시키다, 실망을 주다, 슬픔에 젖게 하다 : Esta noticia me *ha consternado.*

~se 낙담하다, 괴로워하다, 슬픔에 젖다.

constipación *f.* [드뭄] 변비(estreñimiento) : ~ de vientre 변비.

constipado *m.* 【의학】 감기(resfriado) ; 카타르 (catarro).

constipar *tr.* [*lat.* constipare] 감기에 걸리게 하다(resfriar, acatarrar).

~se ① 감기에 걸리다(resfriarse). ② 변비에 걸리다(estreñirse).

constitución *f.* [*lat.* constitutio] ① 제정, 설립, 설치 : la ~ de una sociedad 회사의 설립. ② 성립, 구성, 구조, 조직 : la ~ atmosférica 대기 구조. ③ 체질, 체격(complexión) : ser de ~ robusta 단단한 체질이다. Tiene una ~ muy fuerte 그는 강한 체격의 소유자다. ④ 성격. ⑤ 헌법 : *C-* Coreana 대한민국헌법. ⑥ 정체 ; 정관(定款) ; 법령 : ~ pontificia 로마 교황령. ⑦ 정세 : la ~ actual del Asia 아시아의 현 정세.

constitucional *adj.* ① 헌법의 ; 헌법에 의한, 입헌의 : ley ~. ② 입헌파의, 헌법 옹호파의. ③ 구성·조직상의. ④ 체격·체질상의. —*m.f.* 입헌·호헌파.

constitucionalidad *f.* 합헌성, 합법성(carácter constitucional).

constitucionalismo *m.* 헌정, 헌정 옹호.

constitucionalizar *tr.* 합헌성·합법성을 부여하다.

constitucionalmente *adv.* ① 헌법에 따라 ; 입헌적으로 : gobernar ~ 헌법에 따라 통치하다. ② 체질상, 선천적으로, 태어날 때부터.

constituidor, ra *adj.m.f.* 구성·조직하는 (사람) ; 설립·제정·창립하는 (사람).

constituir *tr.* 77 [*lat.* constituere] ① (요소로서) 만들어내다, 형성하다(formar, componer) : Esta leyenda *constituye* la parte esencial de la obra 이 전설이 작품의 주요 부분을 이루고 있다. ② 구성·조직하다(organizar) : Sudamérica está *constituida* por estas veinte repúblicas 남아메리카는 이러한 20개 공화국으로 구성되어 있다. ③ 설정·제정하다(establecer) ; 설립·창립하다(fundar) : ~ un colegio 학교를 설립하다. ④ [때로는 ~+en : 어떤 상태로] 하다 (poner) : ~ (*en*) impedimento 방해가 되다. ~ *en* una obligación 의무를 지우다. ⑤ 임명하다 : ~les jueces 그들을 법관으로 임명하다. ~ *en* dignidad 지위에 앉히다.

~se ① 구성·조직되다 ; 설정·설립되다. ② 자신을 …으로 하다 : *Se han constituido en* república 공화국이 되었다. ③ [+en · por : …이] 되다, …을 인수하다 : *Se constituyó en* fiador · *por* su guardador 그는 보증인으로 나섰다 · 그것의 보관인이 되었다.

[직설법 현재 : constituyo, constituyes, constituye, constituimos, constituís, constituyen. 접속법 현재 : constituya, constituyas, constituya, constituyamos, constituyáis, constituyan. 직설법 부정과거 : constituí, constituiste, constituyó, constituimos, constituisteis, constituyeron. 현재 분사 : constituyendo].

constitutivo, va *adj.* 형성하는, 구성하는, 조직의. —*m.* 성분, (구성) 요소 ; 조성물.

constituy- →**constituir** 77.

constituyendo constituir의 현재 분사.

constituyente *adj.* 헌법 제정·개정의. —*m. pl.* ① 헌법 제정·개정 의회(reunión de los *Constituyentes*). ② 구성 분자·요소.

constituyeron constituir의 직·부정과거·3·복수.

constituyo constituir의 직·현·1·단수.

constituyó constituir의 직·부정과거·3·단수.

const.[1] constitucional.

consto. consentimiento 동의, 승락.

constreñidamente *adv.* 강제적으로.

constreñimiento *m.* 강제 ; 압박 ; 구속.

constreñir *tr.* 49 ① [+a : …하도록] 강제하다 : *Constriñeron a* que saliera. ② 수축시키다.

constricción *f.* 수축 ; 수렴.

constrictivo, va *adj.* 바짝 조이는, 압축하는, 긴축성의 ; 수렴성의. —*m.* 수렴제(收斂劑).

constrictor, ra *adj.* 강제하는 ; 수축하는. *boa* ~ 【동물】 독이 많은 왕뱀.

constringente *adj.* 수렴성의 ; 압축하는.

constringir *tr.* 【고어】 =**constreñir.**

construcción *f.* [*lat.* constructio] ① 건설, 건조, 건축 : en ~ 건축 중인. el hotel en ~ 건축 중인 호텔. una compañía de ~*es* 건설 회사. materiales de ~ 건축 자재. ② 건조물·건축물(edificio). ③ 제작, 제조 : ~ de buques 조선. ~ naval 조선. ~*es* mecánicas 기계 제조. ~*es* permanentes 가옥. ④ 구조, 구성. ⑤ 【문법】 구문, (어구의) 구성, 성구법(成句法). ⑥ 【수학】 작도. ⑦ 【미술】 구성. ⑧ 건축 공사·작업. Contr. demolición, destrucción.

constructivo, va *adj.* ① 건설적인(que crea) : crítica ~*va.* Contr. destructivo. ② 구조적인.

constructor, ra *adj.* 건조·건설하는 ; 제작하는. —*m.f.* 건축가 ; 제작가, 제조자, 메이커 : ~ de buques 조선 기사. ~ de automóviles, 자동차 메이커. ~ de obras 공사 청부업자.

construir *tr.* 77 [*lat.* construere] ① 건설·건조·건축하다, 제작·제조하다 ; 조립하다 : Este edificio *se construyó* hace más de mil años 이 건물은 천년 이상 전에 건축되었다. ② (문장을) 꾸미다. ③ 【고어】 (외국어를 자국어로) 번역하다. Contr. derribar, demoler, destruir. [직설법 현재 : construyo, construyes, construye, construimos, construís, construyen. 접속법 현재 : construya, construyas, construya, construyamos, construyáis, construyan. 직설법 부정과거 : construí, construiste, construyó, construimos, construisteis, construyeron. 현재 분사 : construyendo].

constuprador *adj.m.f.* =**estuprador.**

constuprar *tr.* =**estuprar.**

consubstanciación *f.* 성체 공존론 《그리스도의 육체가 성체의 빵과 포도주 내에 있다는 설》.

consubstancial *adj.* 동체의, 동질의.

consubstancialidad *f.* 동질, 동체.

consuegrarse *r.* 양가의 부모가 사돈 사이가 되다.

consuegro, gra *m.f.* 사돈 사이.

consuel- → **consolar** 24.

consuela consolar의 직·현·3·단수.

consuelda *f.* 【식물】 캄프리.

consuelo[1] *m.* ① 위로, 위안 : La lectura es un precioso ~. ② 유일한 낙(alegría) : Esta hija es el ~ de mi vejez.
sin ~ 닥치는대로 : Gasta *sin* ~.

consuelo[2] consolar의 직·현·1·단수.

consueta *f.* 예배 규칙서 ; 기도 구절의 하나. —*m.* (연극에서) 대사를 외워 주는 사람(apuntador), 프롬프터.

consuetudinario, ria *adj.* ① 관습의, 관습상의(acostumbrado) : derecho ~ 관습법. ② 상습의. —*m.f.* 상습자.

cónsul *m. lat.* ① 영사 : ~ general 총영사. ~ honorario, ~ ad honorem 명예 영사. vice ~ 부영사. ② (옛날 로마의 대혁명 후의) 집정관. ③ 영사 재판소 판사.

consula *f.* cónsul의 부인.

consulado *m.* ① 영사관 : ~ general 총영사관. ② 영사관 관구. ③ 영사의 임기. ④ 집정관의 직 ; 집정 시대.

consular *adj.* ① 영사의 : certificado ~ 영사 증명서. derechos ~*es* 영사 사증료. dignidad ~ 영사의 직. factura ~ 영사 송장. jurisdicción ~ 영사 관할 (구역). ② 집정관의.

consularmente *adv.* 영사로서.

consulesa *f.* 【속어】 영사 부인.

consulta *f.* ① 상담 ; 협의, 자문, 참고 : libro de ~ 참고서. ② 의견서, 상신서(上申書) : subir la ~ 의견서를 내다. ③ 의사의 진찰(examen de un enfermo por un médico).

consultable *adj.* 상담·의논할 수 있는 ; 참고할 수 있는.

consultación *f.* 협의, 의논.

consultante *adj.* 협의하는, 의논하는.

consultar *tr.* [*lat.* consultare] ① [+a·con : …에게·와] 상담하다 : Quisiera ~le una cosa 한가지 선생께 상담할 일이 있는데요. *Consultaba* las dudas con él 의문을 그에게 상담했다. ② 자문하다 : ~ *a* las Cortes 의회에 자문하다. ③ (의사의) 진찰을 받다 : Quiero ~ *a*l médico 의사의 진찰을 받고 싶습니다. ④ 참고로 보다, (사전을) 찾다, 검색하다 : Se debe ~ el diccionario siempre que se encuentre alguna palabra desconocida 어떤 모르는 말이 있을 때는 언제나 사전을 찾아야 한다. ⑤ 의식하다, 깨닫다 : ~ sus fuerzas. ⑥ 호소하다 : ~ *a*·*con* la razón 이성에 호소하다. ⑦ 의견(서)을 내다, 상신하다. ⑧ 《*Amér.*》 【속어】 돈을 내다, 투자하다(destinar) : ~ una suma para un negocio. —*intr.* ① 상담하다 : No tengo a·con quien ~ 나는 의논할 사람이 없다. ② 의견(서)을 내다.
~ *con la almohada* 심사 숙고하다.

consultivamente *adv.* 자문으로.

consultivo, va *adj.* 친히 재가를 받아야 마땅한 ; 자문의 : comité ~ 자문 위원회. junta ~*va* 고문회.

consultor, ra *adj.* ① 상담에 응하는 : médico ~ 입회 의사. ② 자문의 : junta ~*ra* internacional 국제 자문 위원회. —*m.f.* (기술적인) 고

문, 상담역.

consultorio *m.* ① 상담소 : ~ técnico 기술 상담소. ② 진료소 : ~ médico 의료 진료소.

consumación *f.* ① 종료, 종말 : ~ de los siglos 세상의 종말. ② 성취 ; 수행. ③《*Galic.*》 소비(consumición).

consumadamente *adv.* 완벽하게, 완전히 (perfectamente).

consumado, da *adj.* ① 완성·완료한 : hecho ~ 기정 사실. ② 완전한, 완벽한, 완성 단계에 도달한(perfecto) : ~ *en* la jurisprudencia 법학에 통달한. sabiduría ~*da* 완벽한 지식. Es un nadador ~ 그는 완벽한 수영 선수이다. ③ (범죄 등) 이미 저지른. —*m.* 맑은 수프(consomé).

consumador, ra *adj.* 완료·완성하는. —*m.f.* 완성자, 완료자, 수행자.

consumar *tr.* 남김없이 마치다, 완성·완료하다, 끝마치다, 수행하다 ; (계약을 완전히) 이행하다.

consumativo, va *adj* 완성·완료시키는.

consumero *m. desp.* 식료 수입 세관의 관리.

consumible *adj.* 소비할 수 있는.

consumición *f.* ① 소비, 소비물, 소비량 ; 소모(consumo). ② 쇠약(consunción).

consumido, da *adj.* 무척 여윈, 수척해진 ; 소모된 ; 울상의.

consumidor, ra *adj.* 소비하는 ; 빨아들이는 (듯한), 소모시키는 (듯한) : países ~*es* de petróleo 석유 소비 국가. —*m.f.* 소비자 : ~ final 최종 소비자.

consumimiento *m.* consumir 하는 일 ; 소비, 소모.

consumir *tr.* [*lat.* consumere] ① 다 써 버리다, 소비하다, 소모하다. ② 다 마셔 버리다, 다 먹어 버리다. ③ 없애 버리다 ; 다 태워 버리다. ④ (금전·시간 따위를) 낭비하다. ⑤ 슬프게 만들다. ⑥ (성체를) 받다. ⑦《*AmérC. Col.*》 가라앉히다(sumergir). **Contr.** producir.

~se ① 없어지다, 다하다, 동이 나다, 바닥이 나다, 소멸·소모되다 : *Se consumieron* todas las provisiones 모든 식량이 바닥이 나 버렸다. ② 지쳐 버리다. ③《*AmérC. Col.*》 가라앉다, 잠수하다.

consumo *m.* 소비 : cooperativa de ~ 소비 조합. derechos de ~ 소비세. Se ha acrecentado el ~ nacional 국내 소비가 증대되었다. —*pl.* 식료 수입세 ; 그 세관.

consunción *f.* ① 소비, 소모. ② 여윔. ③【의학】 폐병.

consuno (de) *adv.* 마음을 합하여, 일치하여, 합의 하에.

consuntivo, va *adj.* ① 소비성의, 소모적인. ② 수척해지게 하는. ③ 결핵성의.

consunto, ta *adj.* 소모된 ; 쇠약해진.

consustancial *adj.* =**consubstancial.**

contabescencia *f.* ①【의학】 위축. ② 소모. ③【식물】 화분(花粉)의 위축.

contabescente *adj.* 위축된.

contabilidad *f.* ① 계산할 수 있음. ② 부기 : ~ por partida simple·doble 단식·복식 부기. ③ 회계(과), 회계부 : ~ comercial·financiera 재무 회계. ~ mercantil 기업 회계.

contabilista *m.f.* 회계·부기 담당자.

contabilizar *tr.* 9 장부에 기입하다, 기장하다 (apuntar en los libros de cuentas).

contable *adj.* 셀 수 있는, 계산할 수 있는. —*m.f.*《*Galic.*》 회계사, 회계 담당(tenedor de libros).

contacto *m.* [*lat.* cum + tactus] ① 접촉 : en ~ con …과 접촉하여, …과 연락하여. poner *en* ~ 접촉시키다 ; 연결을 짓다. ponerse *en* ~ *con* el representante 대표자와 교섭하다. Logré ponerme *en* ~ *con* el piloto 나는 파이럿과 연락이 되었다. ② 교제 ; 연락 ; 교섭. ③ 접촉부, 접촉점 : punto de ~ 접점(接點). ④ 섞바뀜. ⑤【전기】 접촉 (장치).

contadero, ra *adj.* 셀 수 있는 ; 계산에 들어가는 : un plazo de 20 días ~*s* desde la fecha 오늘부터 헤아려 20일 간의 기간. —*m.* (차례로 들여보내 사람이나 짐승을) 세는 곳.

contado, da *adj.* ① 드문(raro) : Son ~*das* las personas que saben el griego 그리스어를 아는 사람은 드물다. ②근소한(escaso). ③ 일정한, 어떤(determinado). —*m.*《*Col.*》 분할불 : en tres ~*s* 3회 분할불로.

al ~ 현금으로 : cuenta *al* ~ 현금 계정. pago *al* ~ 현금불. venta *al* ~ 현금 판매.

al ~ *rabioso*《*AmérM. Cuba.*》 현금으로.

de ~ ① 즉각. ②《*Amér.*》 현금으로.

por de ~ 물론, 분명히(por supuesto).

contador, ra *adj.* 셈하는. —*m.f.* ① 회계 담당자, 출납과원 ; 계리사 ; 회계사 : ~ titulado público 공인 회계사. ②《*Ecuad.*》 빚놀이. —*m.* 카운터 ; 금전 출납기, 자동 기록기, 레지스터 ; (물·가스·전기 등의) 계량기 ; 계수기 : ~ de centelleo 신틸레이션 계수관. ~ de Geiger 가이거 계수관.

contaduría *f.* ① 회계, 회계과 ; 경리부 : ~ de ejército 군대의 경리부. ~ de provincia 지방 금고. ② 부기. ③ 입장권 예매처. ④《*Ecuad.*》 전당포.

contagiar *tr.* 11 ①[+con : …을] 감염시키다, 옮게 하다, 옮기다 : Nos *contagió con* sus dolencias 우리들에게 그의 괴로움을 옮겼다. ② (악습 따위에) 물들게 하다. —*intr.* 감염하다, 옮다.

~se ① 감염되다, 옮다 : *Se contagió de · por · con* el roce 접촉에 의해 감염되었다. Ella *se ha contagiado de* la influenza 그녀는 유행성 감기에 감염되었다. ② 옮아 병들다 ; (악습 등에) 물들다.

contagio *m.* [*lat.* contagio] ① 감염, 전염 : por ~ 전염되어. El ~ de la peste es muy rápido 페스트의 전염은 무척 빠르다. ② 전염병 ; 병독, 병균 ; 해독.

contagión *f.* [드뭄] =**contagio.**

contagiosidad *f.* 전염성 : la ~ del cólera.

contagioso, sa *adj.* ① 전염성의 : enfermedad ~*sa* 전염병. ② 전염병에 걸려 있는. —*m.f.* 전염병 환자.

container *m. ing.* 컨테이너(contenedor).

contal *m.* 염주.

contaminable *adj.* 오염될 수 있는.

contaminación *f.* ① (공기, 물 따위의) 오염, 공해 : eliminar la ~ 공해를 제거하다. ② 감염. ③ 모독. —*pl.* 오물, 더러운 것.

contaminador, ra *adj.* 오염·감염시키는.
contaminante *adj. m.f.* 감염·오염시키는 (사람).
contaminar *tr.* [*lat.* contaminare] ① 더럽히다 ; 감염시키다, 물들이다(contagiar) ; 오염하다 : aire *contaminado* 오염된 공기. ② 모독하다.
~se 더럽혀지다 ; (악습 따위에) 젖다 : *~se con* el mal ejemplo 나쁜 짓에 젖다. El muchacho *se ha contaminado* de ese vicio 소년은 그 나쁜 버릇에 젖었다.
contante *adj.* 현금의 : en dinero ~ 현금으로. en dinero ~ y sonante 현금으로 게다가 빳빳한 소리가 나는 새 화폐로.
contar *tr.* 24 [*lat.* computare] ① (물건·수를) 세다, 계산하다 : ~ los huevos *por* docenas 계란을 다스로 계산하다. *Cuente* usted bien la vuelta 거스름돈을 잘 세어 보세요. ② (어떤 수를) 가지고 있다, 계산하다 : *Cuenta* veinte años 그는 20세·20년이 된다. ③ 셈·계산에 넣다, 산입하다. ④ [+por : …으로] 생각하다, 보다 : ~ *por* hecho 이미 완성된 것으로 생각하다. Le *cuento por* mi amigo 그를 친구로 생각하고 있다. ⑤ 이야기하다(referir, narrar) : El viejo le *contó* su historia de amor 노인은 그의 애정 이야기를 했다.
—*intr.* ① 계산하다 : a ~ de …에서 헤아려. ② 수에 들어가다 : Los niños no *(se) cuentan* 어린 이는 그 수 안에 들어가 있지 않다. ③ [+con·sobre : …을] 기대하다, 의지하다, 고려에 넣다 : *Cuento con* su ayuda 당신의 도움을 기대한다. ④ 가지고 있다, …이 있다 : ~ con un sistema 어떤 조직을 가지고 있다.
~se 셀 수 있다 ; 산입하다, 셈에 넣다.
[직설법 현재 : cuento, cuentas, cuenta, contamos, contáis, cuentan. 접속법 현재 : cuente, cuentes, cuente, contemos, contéis, cuenten].
contario *m.* 【건축】 =**contero.**
contarriña *f.* =**discusión.**
con.[te] conveniente.
contemperante *adj.* 가라앉히는, 완화하는.
contemperar *tr.* =**atemperar.**
contemplación *f.* ① 주시, 응시, 정관(靜觀). ② 심사 숙고, 심사(深思) : sin ~ 태연히, 깊은 생각없이. ③ 명상, 관조. **—*pl.*** 고려 ; 정중함 : con *~es* 깊이 생각하여.
contemplador, ra *adj.m.f.* ① 심사 숙고하는 (사람). ② =**contemplativo.**
contemplar *tr.* [*lat.* contemplari] ① 지그시 바라보다 ; 찬찬히 쳐다보다 ; 바라보다, 둘러보다 : *Contemple* usted ese panorama 저 장관을 바라보십시오. ② 심사 숙고하다.
—*intr.* ① [+en : …을] 지그시 바라보다, 생각에 잠기다, 명상하다 : ~ *en* Dios. ② 너그럽다, 도량이 넓다, 아량이 넓다.
contemplativamente *adv.* 응시하며 ; 생각에 잠겨 ; 명상적으로.
contemplativo, va *adj.* [*lat.* contemplativus] 명상적인, 정관적인, 관조적인, 묵상적(默想的)인 ; 응시하는 ; 너그러운.
contemporaneidad *f.* 동시대성, 같은 시대임.
contemporáneo, a. *adj.* ① 동시대(同時代)의 (que existe al mismo tiempo). ② 현대의(del tiempo actual) : historia *~a* 현대사. **—*m.f.*** 동시대의 사람 ; 현대인.
contemporización *f.* 시대나 사람에 영합하는 일, 영합.
contemporizador, ra *adj.* 쉽게 영합하는. **—*m.f.*** 영합하는 사람.
contemporizar *intr.* 9 (시대나 사람에게) 시류를 타다, 시국에 편승하다, 영합하다 : ~ *con* una persona.
contención *f.* ① 제지, 차단 : muro de ~ 칸막이 벽, 차단벽. ② 싸움, 분쟁(contienda) : La demasiada ~ cansa el espíritu 지나친 분쟁은 정신을 피로하게 한다.
contencioso, sa *adj.* 논쟁을 좋아하는 ; 논쟁거리가 되는(litigioso) : asunto ~ 문제점. **—*m.*** 소송 자료.
contendedor, ra *m.f.* =**contendiente.**
contender *intr.* 20 [*lat.* contendere] ① 싸우다, 다투다, 투쟁하다(luchar, competir, batallar) : ~ *con* uno *sobre* cierto asunto. ② 겨루다, 경쟁하다(competir) : ~ *en* hermosura 아름다움을 겨루다. ③ 논쟁하다(disputar), 토론하다 (discutir).
contendiente *adj.* 싸우는, 논쟁하는. **—*m.f.*** 다투는 사람, 투쟁자, 경쟁자, 논쟁자.
contenedor *m.* (화물용) 컨테이너.
contenedor, ra *adj.* 포함하는 ; 자제·억제하는.
contenencia *f.* 새가 공중에서 날개짓을 멈추는 일 ; 춤에서 옆으로 비키는 동작, 사이드 스텝.
contener *tr.* 59 ① (내용으로서) 넣다, 포함하다, 들어 있다 ; 싸다, 포장하다. ② 억누르다, 억제하다 ; 제지하다. ③ 《*Chile.*》 의미하다(significar).
~se 자제·억제하다 : *~se en* sus deseos 자신의 욕망을 억제하다.
conteng- →**contener** 59.
contenido, da *adj.* 억제한 ; 적당한, 지나치지 않는. **—*m.*** ① 내용(물), 알맹이 : el ~ de la caja 상자 속에 든 것. el ~ de la carta 편지의 내용물. ② 함축된 의미.
conteniente *adj.* 포함하는 ; 억제하는 (듯한).
contenta *f.* ① 식사 대접, 선물. ② (선원에게 주는) 선행증(善行證), 감사장. ③【상업】 이서(裏書), 배서(背書)(endoso). ④ 《*Perú.*》 대학의 우등상.
dar la ~ =contentar.
contentadizo, za *adj.* [bien·mal+] contentar 하기 쉬운·어려운.
contentado, da *m.f.* 《*Perú.*》 대학의 우등생.
contentamiento *m.* ① 만족(contento). ② 기쁨(alegría).
contentar *tr.* ① 기쁘게 하다, 만족시키다, 흐뭇하게 하다(poner contento o satisfecho) : ~ a sus amos. Contr. disgustar. ②【상업】[드뭄] 배서(背書)하다(endosar). ③ 《*Amér.*》 화해시키다. ④ 《*Perú.*》 우등생으로 만들다.
~se ① 기뻐하다, 만족하다(estar satisfecho) : *~se con* su suerte 자신의 운명에 만족하다. ② 《*Amér.*》 화해하다.
contentible *adj.* =**despreciable.**
contentivo, va *adj.* ① 만족하는. ② 억제용의 : vendaje ~.

contento, ta *adj.* ① 만족해 하고 있는, 기뻐하고 있는(alegre, satisfecho) : Está ~ *con · de* su suerte 그는 자신의 운명에 만족하고 있다. ② 《*Amér.*》 화해한. —*m.* ① 만족, 희열(alegría, satisfacción, placer) : no caber de ~ 좋아 죽다, 만족감을 느끼다(sentir un gran placer). ② 【은어】 *pl.* 통화(通貨).
a ~ 실컷.

conteo *m.* 《*Amér.*》 계산 ; 평가.

contera *f.* 칼집 끝의 장식 ; 포미(砲尾) ; 노래의 반복 ; 끝, 말단 ; 최후 : echar la ~ 결말을 짓다.
por ~ 최후에 ; 마침내, 결코(por remate).

contérmino, na *adj.* 접경한, 인접한.

contero *m.* 【건축】 염주 모양의 홈.

conterráneo, a *adj.* 고향이 같은(de la misma tierra). —*m.f.* 동향인, 동향 사람.

contertuliano, na *m.f.* =**contertulio.**

contertulio, lia *m.f.* 집회 · 연회(tertulia)의 동석인.

contesta *f.* ① 《*Amér.*》 【속어】 대답(contestación). ② 《*Méx.*》 회화(conversación).

contestable *adj.* ① 대답할 수 있는. ② 수상쩍은, 사연이 있는 : mérito ~. Contr. incontestable.

contestación *f.* ① 답 ; 대답 : una ~ satisfactoria 만족할 만한 대답. ② 입씨름 ; 반론, 항의.
en ~ *a* …에 대한 대답으로, …에 답하여.

contestano, na *adj. m.f.* 꼰떼스따니아 《Contestania, 옛 서반아의 한 지방》의 (사람).

contestar *tr. intr.* [*lat.* contestari] ① 답하다, 대답하다(responder) : *Contesto* tus preguntas 너의 질문에 대답하겠다. *Contestó* pocas palabras 그는 몇 마디 대답을 했다. *Contesto a* tu carta 너의 편지에 대한 답장을 쓰겠다. ② 응하다, 응하여 긍정하다. ③ 【속어】 말하다(platicar). —*tr.* ① 반론하다. ② 《*Galic.*》 거부 · 부정하다.

contestatario, ria *adj.* 반론의, 반역(反駁)의, 항의의.

conteste *adj.* 다른 사람과 같은 말을 하는 (증인).

contesto *m.* 《*Méx. Riopl.*》 대답, 답장.

contestón, na *adj. m.f.* 《*Col.*》 말대답을 잘하는 (사람).

contexto *m.* [*lat.* contextus] 문맥, 결구(結構) ; 문의(文意) ; (말의) 줄거리, 골자 ; 사실(史實).

contextual *adj.* 문맥(상)의 ; 문의상의.

contextuar *tr.* ⑮ 인증하다, 인용하다.

contextura *f.* ① 조직, 구조, 짜임(contexto) : la ~ de los músculos 근육 조직. ② 체격.

contezuelo *m.* [*dim.* cuento] 작은 염주.

conticinio *m.* (만물이 조용해지는) 한밤중(hora de la noche en que todo está en silencio).

contien- →**contener** 59.

contienda *f.* 다툼 ; 싸움 ; 투쟁 ; 입씨름(riña).

contigioso, sa *adj.* 《*Chile.*》 성미가 꽤 까다로운.

contigo *pron.* [전치사 con과 대명사 ti와의 합성형] 너와 (함께), 너에 대해 : Iré ~ a visitar a tu sobrino 네 조카를 방문하러 너하고 가겠다.

contiguamente *adv.* (시간 · 공간적으로) 이어서, 계속 · 연결되어.

contigüidad *f.* 이어져 있는 것, 접속, 인접(성).

contiguo, gua *adj.* 이어진, 서로 이웃한 : habitaciones ~*guas* 잇댄 방. habitación ~*gua al* jardín 마당으로 이어진 방.

contimás *adv.* 【속어】 하물며(cuanto más).

continencia *f.* 자제, (특히 성욕의) 절제, 금욕 ; 정절.

continental *adj.* 대륙의 ; 대륙성의 : clima ~ 대륙성 기후. —*m.f.* 대륙 사람. —*m.* 사설 우편(私設郵便).

continente *m.* [*lat.* continens] ① 대륙, 육지(tierra firme). ② 본토. ③ 안색, 태도 ; (내용물 contenido에 대해) 용기(容器) : el ~ y el contenido 용기와 내용물. —*adj.* 자제하는, 절제를 지키는, 금욕적인 ; 정절이 있는.

continentemente *adv.* 자제하여.

contingencia *f.* ① 우연성, 가능성 ; 우연한 사건, 우발 사고. ② 위험(riesgo). ③ 임시 지출, 임시 지출비.

contingente *adj.* 혹 있을 수 있는 ; 불시의, 임시의, 우연의, 우발의 ; …나름의. —*m.* ① 우연한 일(contingencia) ; 부수 사건. ② 분담금, 할당. ③ 《*Galic.*》 분견대, 파견단, 대표단 ; 일단(一團), (대표적인) 모임. ④ 《*AmérM.*》 강제 노동자의 일단 ; 협력단.

contingentemente *adv.* 우연히, 불시에, 느닷없이, 우발적으로.

contingible *adj.* 일어날 법한, 있을 수 있는(posible).

contino, na *adj.* 【고어】 잇댄, 이어지는 ; 끊임없는(continuo).

continuación *f.* ① 계속(하기), 연속 ; 지속, 영속 : a ~ 계속해서, 이어서, 다음으로. ② 체류, 체재. Contr. cesación, interrupción.

continuadamente *adv.* 빈번히, 끊임없이, 잇따라, 계속하여(constantemente, siempre).

continuado, da *adj.* continuar의 *p.p.*

continuador, ra *adj.* 계속되는. —*m.f.* 계속자, 계승자, 후계자.

continuamente *adv.* 빈번히, 줄곧, 끊임없이, 잇따라, 간단없이(sin intermisión, constantemente, siempre).

continuar *tr.* ⑮ [*lat.* continuare] 계속하다 : *Continúa* su camino 그는 그 길을 계속한다. —*intr.* ① 연속하다, 계속되다, 이어지다 ; 계속해 가다 ; 이어져 가다, 처음과 같은 상태로 있다 : La miseria *continúa* 여전히 비참하다. ② [+현재분사 : …을] 계속하다 : *Continúa* lloviendo 비는 계속 내리고 있다. Contr. cesar, interrumpir.
~**se** 연달다 : ~*se con* algo.
[직설법 현재 : continúo, continúas, continúa, continuamos, continuáis, continúan. 접속법 현재 : continúe, continúes, continúe, continuemos, continuéis, continúen].

continuativo, va *adj.* 연속적, 계속적 ; 연장의 : conjunción ~*va* 연결 접속사.

continuidad *f.* [*lat.* continuitas] 연속(성), 계속, 영속, 연속 : solución de ~ 중단, 중지.

continuismo *m.* 《*Amér.*》 같은 관직에 눌러 있

기, 정책의 계승.

continuo, nua *adj.* [*lat.* continuus] ① 연속적인, 끊이지 않는, 부단한, 잇단 : vivir en ～*nua* zozobra. Contr. momentáneo, transitorio. ② 잇지 않는 : papel ～. —*m.* ① 연속된 것, 일련. ② 통주 저음(通奏低音). ③ 위사(衛士). —*adv.* 끊임없이.

a la ～nua, de ～ 계속, 끊임없이, 잇따라(continuamente).

cont.° contado.

con.to conocimiento 선하 증권.

contómetro *m.* 계산기.

contonearse *r.* 어깨(hombros)와 궁둥이(caderas)를 흔들며 의기 양양하게 걷다.

contoneo *m.* 어깨와 궁둥이를 흔들며 걷기, 성큼성큼 걷기.

contonguearse *r.* 《*Cuba.*》 =**contonearse.**

contorcerse *r.* 25 1 몸을 뒤틀며 몸부림치다; 괴상한 얼굴을 하다.

contorción *f.* 뒤틀기, 찡그린 얼굴.

contornado, da *adj.* contornar의 *p.p.*

contornar *tr.* (주위를) 둘러싸다; 윤곽을 치다.

contornear *tr.* =**contornar.**

contorneo *m.* 윤곽을 잡기.

contorno *m.* ① 주위 : en ～ 주위에. ② 윤곽. —*pl.* 부근, 근교 : los ～*s* de una ciudad 교외; 도시의 주변.

contorsión *f.* [*lat.* contorsio]몸을 뒤틀며 비틀기, 비꼬기; 괴상한 얼굴 표정이나 모양.

contorsionarse *r.* 몸을 뒤틀다; 얼굴을 찡그리다.

contorsionista *m.f.* 몸을 꼬아서 하는 곡예사.

contra *prep.* [*lat.* contra] ① …에 대하여 : Este crédito es utilizable ～ entrega de los documentos 본 신용장은 서류의 인도로 비로소 유효해진다. ② 반대하여, 어기고, 달리, 반하여 : Voy ～ mi voluntad 생각과는 달리 나는 간다, 가고 싶지 않지만 간다. ③ …에·을 향하여 : tropezar ～ una piedra 돌에 부딪치다. marchar ～ el enemigo 적을 향해 진격하다. ④ …의 앞에, 을 마주보고 : La casa está ～ la iglesia 집은 사원의 앞에 있다. —*m.* ① 불리; 불찬성 : el pro y el ～ 이해; 찬부. ② (오르간의) 페달, 발판. —*pl.* (오르간의) 최저 음부. —*f.* ① 고장, 방해, 반대 : 141 en ～ 반대 141표. Ahí está la ～ 거기에 난점이 있다. ② 《*AmérM.*》 해독제.

～ ***avería particular*** 단독 손해 담보.

～ ***todo riesgo*** 전 위험 담보.

de ～ 《*Amér.*》 게다가, 더군다나.

en ～ 반대하여, 불리하게 : obrar *en* ～ 방해하다; 방해가 되다.

hacer la ～ 반대하다, 방해하다.

llevar la ～ 반대하다, 불찬성 쪽에 서다.

contra- *pref.* 「반대」 「대(對)」, 「부차(副次)」 「결들임」을 뜻함 : *contra*ataque 역습. *contra*-veneno 해독제. *contra*almirante 해군 소장.

contraabertura *f.* 【의학】(배농(排膿)을 위해서) 대향부(對向部) 절개.

contraacusación *f.* 맞고소, 반소(反訴), 역고소; 반론.

contraalmirante *m.* 해군 소장.

contraamura *f.* 【선박】 보조 밧줄.

contraaproches *m.pl.* 《*Galic.*》 대향 참호(對向塹壕).

contraatacar *tr.* 7 역습하다.

contraataguía *f.* 둑, 제방, 보조둑.

contraataque *m.* 역습; (검술에서 날쌘) 되받아 찌르기. —*pl.* 방어선 (공사).

contraaviso *m.* (전의 통고에 대한) 반대 통고.

contrabajo *m.* [*ital.* contrabasso] ① 【음악】 콘트라베이스(violón), 그 연주. ② 최저음; 그 가수.

contrabajón *m.* 【음악】 콘트라베이스.

contrabajonista *m.f.* 콘트라베이스 연주자.

contrabalancear *tr.* (…과) 균형이 맞다, 무게가 같다; 보상하다, (…을) 메꾸다 : Sus buenas cualidades *contrabalancean* sus defectos 그의 좋은 성질은 결점을 메꾸어 주고 있다.

contrabalanza *f.* 평형추(contrapeso); 대치, 보상, 메꿈.

contrabandear *intr.* 밀수입을 하다(hacer contrabando).

contrabandista *adj.* 밀수입의(metedero). —*m.f.* 밀수입자; 금제품의 제작자·판매자 : hábil ～.

contrabando *m.* ① 밀수입, 밀매매, 밀조(密造) : hacer ～ 밀수를 하다. ② 밀수품; 금제품 : ～ de guerra 전시 금제품. ③ 부정, 비밀, 은밀 : niño de ～ 비밀히 낳은 자식.

contrabarrera *f.* ① (투우장의) 바깥 울타리. ② 맨 앞줄의 관람석.

contrabasa *f.* (입상이나 돌기둥의) 대석(臺石), 받침돌(pedestal).

contrabatería *f.* 적의 포병 진지에 대한 포격; 대항 포대; 대항 수단.

contrabatir *tr.* (적의 포병 진지를) 사격하다.

contrabocel *m.* 【건축】 =**caveto.**

contrabolina *f.* (배의) 보조망.

contrabraga *f.* =**contramuro.**

contrabranque *m.* 보조 선수재(船首材).

contrabraza *f.* (배의) 보조 돛줄.

contracalle *f.* 주된 거리와 나란히 있는 거리.

contracambio *m.* ① 재교환 : en ～ 재교환으로. ② 역환어음.

contracanal *m.* 도랑, 개천, 수로, 배수로.

contracandela *f.* 《*Cuba.*》 =**contrafuego.**

contracaridad *f.* 【속어】 무자비, 냉혹, 잔인(crueldad).

contracarril *m.* (커브·건널목 같은 데 있는) 안전·보조 레일.

contracarta *f.* 취소 증서(contraescritura).

contracción *f.* [*lat.* contractio] ① 수축, 단축, 축소. ② 경련. ③ (조약 등의) 체결. ④ 【문법】 말의 생략 《a+el의 al, de+el의 del 등》. ⑤ 2모음의 1음화(sinéresis). ⑥ 《*Amér.*》 열심, 근면.

contracédula *f.* 갱신 증권·표.

contracepción *f.* 피임, 피임법.

contraceptivo, va *adj.* 피임의. —*m.* 피임용 약품·기구.

contracifra *f.* 암호의 해독, 코드(clave).

contraclave *f.* (아치의 사북돌의) 첨석(添石).

contracorriente *f.* 역류; 반대 조류.

contracosta *f.* (서인도에서 언제나 지나는 섬의 해안 등의) 반대쪽 해안.

contractable *adj.* 수축될 수 있는.

contractibilidad *f.* =**contractilidad.**
contráctil *adj.* 수축력이 있는 : La fibra de los músculos es ~.
contractilidad *f.* 수축성, 수축력 : La ~ muscular persiste algún tiempo después de la muerte 근육의 수축성은 사망 후 어느 기간 계속한다. Contr. dilatabilidad.
contractivo, va *adj.* 수축성의, 수축시키는.
contracto, ta *adj.* [contraer의 *p.p.*] 수축된, 오므라든 ; 생략된 (말). —*m.* 줄임말, 요약.
contractual *adj.* 계약(契約)의, 계약에 의한 (estipulado por contrato).
contractura *f.* 【의학】 (근육의) 수축.
contradanza *f.* [*ing.* country-dance] 대무(對舞)《몇 쌍의 남녀가 마주보며 동시에 추는 춤》.
contradecir *tr. intr.* 70 반론하다, 반대하다 (decir lo contrario) ; 부인하다 ; 모순을 지적하다. Contr. confirmar.
~se 모순되다.
contradeclaración *f.* 반대 선언 · 성명 : hacer una ~ ante el juez 재판관 앞에서 반대 선언을 하다.
contrademanda *f.* 반소(反訴).
contradenuncia *f.* 반대 포고 · 고발.
contradicción *f.* 부인, 부정 ; 반박, 항의, 반론 ; 모순 : envolver · implicar ~ 모순을 내포하다.
contradicional *adj.* 【속어】 =**contradictorio.**
contradictor, ra *adj. m.f.* 반론하는 (사람) ; 반대되는 말을 하는 (사람).
contradictoria *f.* ① 정반대의 일. ② 【논리】 모순 대당(對當).
contradictoriamente *adv.* 모순되어.
contradictorio, ria *adj.* 반박의, 반대의, 항변적인 ; 모순된.
contradicho, cha *adj.* 반론을 받은 ; 상호 모순된.
contradig- →**contradecir** 70.
contradij- →**contradecir** 70.
contradique *m.* 보조 제방(dique).
contradriza *f.* (배의) 보조 동색(動索).
contradurmiente *m.* ① (목선의) 보받이판. ② 꺾쇠, 검쇠. ③ 집게.
contraeje *m.* (기계의) 대축(對軸), 간축(間軸).
contraemboscada *f.* 복병에 대항하는 복병, 대항 정찰.
contraenvite *m.* (카드 놀이 등에서) 넌지시 쓰는 수.
contraer *tr.* 72 [*lat.* contrahere] ① 오므라뜨리다, 수축시키다 : El frío *contrae* los cuerpos. ② 좁히다, 조이다. ③ 생략하다. ④ ㄱ) (약속을) 하다, 맺다 : ~ un compromiso 약속하다. ~ matrimonio 결혼을 하다. ㄴ) (조약을) 체결하다. ⑤ (빚 · 의무를) 지다 : ~ deudas 빚을 지다. ⑥ (병에) 걸리다 ; (못된 버릇이) 생기다(adquirir). ~ una enfermedad 병에 걸리다. ~ hábitos de templanza 절제하는 버릇이 생기다.
~se ① 줄어들다, 수축되다, 오므라들다 ; 조여들다 : *Se contraen* los músculos con el frío 추위로 근육이 수축된다. ② 경련을 일으키다. ③ (…으로) 한정되다(reducirse) : Nuestro conocimiento *se contrae a* existente. ④ 《*Galic.*》 전력을 쏟다, 전념하다(dedicarse) : ~*se a · en* su estudio.
contraescarpa *f.* (보루의 참호의) 외안(外岸).
contraescota *f.* 【선박】 범각(帆脚).
contraescritura *f.* 취소 증서 《전자의 증서를 무효로 하는 비밀 서류》(contracarta).
contraestay *m.* (선박의) 보조 닻줄.
contrafacción *f.* 《*Galic.*》 위조, 모조.
contrafactor, ra *m.f.* 《*Galic.*》 위조자, 모조자.
contrafagot *m.* 【음악】 콘트라 바곳.
contrafallar *tr.* (앞 승자를) 이겨내다.
contrafallo *m.* 이겨내는 일.
contrafaz *f.* (화폐나 메달의) 안쪽(reverso de moneda o medalla).
contrafianza *f.* 보상 계약서.
contrafigura *f.* (연극에서의) 대역(代役).
contrafilo *m.* 한 쪽 날이 있는 칼끝에 세운 양쪽 날 ; 칼의 뒷등.
contrafoque *m.* (뱃머리의) 보조 삼각돛.
contrafoso *m.* 대호(對壕), 외호(外壕), 바깥 도랑 ; (무대의) 마루 밑의 지하실 《회전 장치나 돌출 장치가 있음》.
contrafuego *m.* 화재의 전진을 막기 위해 숲에 지르는 불.
contrafuero *m.* 규율 · 법을 어김, 위법, 범법.
contrafuerte *m.* ① 【건축】 버팀벽. ② (산의) 지맥, 돌출부. ③ (구두의) 뒤축 가죽 ; 보강물.
contragolpe *m.* (타격의) 반동에 의한 손상 ; (피스톤의) 반동.
contraguardia *f.* 【축성】 보장(堡障) 《성의 바깥에 소규모로 설치한 요새》.
contraguerrilla *f.* 기습 부대 섬멸대.
contraguía *f.* (사두 마차에서) 선두의 왼쪽 노새(mula delantera de izquierda).
contrahacedor, ra *adj.* 모조하는, 위조하는. —*m.f.* 모조자, 위조자 ; 흉내내는 사람, 표절하는 사람.
contrahacer *tr.* 69 ① 모조하다 ; 위조하다 (falsificar) : ~ un libro. ② 흉내내다(imitar) : ~ el canto del gallo 닭의 우는 소리를 흉내내다. ③ (…인) 척하다(fingir) : ~ el dolor 아픈 척하다.
~se (…이) 되어 버린 척하다(fingirse).
contrahaz *f.* (피륙 따위의) 안(revés).
contrahecho, cha *adj.* [contrahacer *p.p.*] 모조 · 위조한 ; 기형의, 병신의, 불구의 ; 모양 · 생김새가 볼품없는.
contrahechura *f.* 위조, 가짜 ; 모조품, 위조품.
contrahic- →**contrahacer** 69.
contrahierba *f.* 【식물】 남미산의 개비파 ; 해독약 ; 조심, 예방.
contrahilo *m.* (직물의) 올과 반대 : a ~ 직물의 올과 반대로. cortar la tela *a* ~ 천을 직물의 올과 반대로 자르다. [*N.* contahílo로도 씀].
contrahuella *f.* 【건축】 층계의 한 단 (판자).
contraig- →**contraer** 72.
contraindicación *f.* 【의학】 요법 · 약효의 반대를 나타내는 일, 금기(禁忌), 타부.
contraindicado, da *adj.* 금기 증상의.
contraindicante *m.* 금기 증상.

contraindicar *tr.* 【의학】 치료에 반대 약효를 주입하다.

contraj- →**contraer** 72.

contraje- →**contraer** 72.

contralmirante *m.* 해군 소장.

contralor *m.* 감시원 ; 회계 감사관 : ~ general 감사원장.

contraloría *f.* 회계 감사실, 감사원.

contralto *m. ital.* 【음악】 콘트랄토, 최저 여성음(부). —*m.f.* 콘트랄토 가수.

contraluz *f.* 역광선 : fotografiar *a* ~ 역광선으로 촬영하다.

contramaestre *m.* [*fr.* contremaitre] 직공장 ; 공장장 ; 병조장.

contramalla *f.* 보조망 ; 이중망.

contramalladura *f.* =**contramalla.**

contramandar *tr.* (앞서의 명령에 대한) 반대 명령을 내다 ; (주문 · 명령을) 취소하다.

contramandato *m.* 명령 변경 ; 주문 변경 ; 취소.

contramaniobra *f.* =**maniobra contraria.**

contramano (a) *adv.* 역류하여 ; 명령을 어기고.

contramarca *f.* 부표(副票) ; 부각인(副刻印) ; 통관인(通關印), 그 요금.

contramarcar *tr.* 7 (화물 · 무기 등에) 부표(副票) · 보조 표지를 하다 ; 통관시키다.

contramarco *m.* 【건축】 보조틀.

contramarcha *f.* ① 되돌아감, 배진(背進), 후퇴 : hacer ~. ② (함대 등의) 방향 전환.

contramarchar *intr.* 되돌아가다, 발길을 돌리다, 후퇴하다 ; (함대 등이) 방향을 전환하다.

contramarea *f.* 역조(逆潮).

contramatar *tr.* 《*Amér.*》 세게 때리다, 혼내주다 ; (역습하여) 반죽음시키다.
~se ① 《*Amér.*》 세게 부딪히다. ② 《*Méx.*》 후회하다(arrepentirse).

contramedida *f.* 대책, 대항 수단.

contramesana *f.* 최후미(最後尾)의 돛대.

contramina *f.* 【축성】 대갱도(對坑道) ; 연락갱 ; 역기뢰 《적의 기뢰를 폭파하는 것》 ; 상대의 허를 찌르는 계략.

contraminar *tr.* 대갱도를 파다 ; 적의 허를 찌르다.

contramuelle *m.* 이중 잔교 ; 이중 스프링.

contramuralla *f.* 부벽(副壁).

contramuro *m.* =**contramuralla.**

contranatural *adj.* 자연에 어긋나는.

contranota *f.* (하부의 결정에 대한 상부의) 반대 결정.

contraofensiva *f.* 반격 : con ~ 반격으로 나서.

contraoperación *f.* 역공 작전(operación contraria).

contraorden *f.* 명령 변경 ; 주문 변경 ; 취소 : dar una ~ 취소 명령을 내다.

contrapar *m.* 【건축】 서까래(cabrio).

contraparte *f.* ① 짝을 이룬 한 쪽, 반대쪽(parte opuesta). ② 정부(正副) 두 통 중의 한 통, (특히) 부본(副本). ③ =**contrapunto.**

contrapartida *f.* (장부에) 반대 기입, 정정(訂正) ; 대응 수단 : como ~ 대응 조치로서.

contrapás *m.* contradanza의 스텝.

contrapasamiento *m.* (반대 진영으로) 전향, 탈주.

contrapasar *intr.* 반대파로 전향하다(pasar al bando contrario).

contrapaso *m.* 되돌림, 뒷걸음질 ; 후퇴 ; 교역 ; 【음악】 대응 음표(對應音標).

contrapear *tr.* 【목공】 나무결을 어긋나게 맞추다.

contrapechar *tr.* (자신의 말의 가슴을) 적의 말의 가슴에 부딪치다.

contrapelo (a) ① 털의 결을 거슬러서(contra la dirección natural del pelo) : acariciar el gato *a* ~ 고양이를 위로 쓰다듬다. ② 거꾸로 ; 난폭하게.

contrapesar *tr.* ① (…과) 무게가 같다, 균형이 맞다(hacer contrapeso, igualar, equilibrar). ② 보상하다, 메꾸다(contrabalancear).
~se 무게가 같다, 균형이 잡히다.

contrapeso *m.* ① 추, 분동(分銅), 평형추. ② 줄타기에서의 균형봉. ③ 보충, 보상 ; 곁두리. ④ 《*Chile.*》 걱정(inquietud).

contrapeste *m.* 페스트 · 유행병의 예방약.

contrapilastra *f.* 【건축】 (문턱 같은 데 붙여 틈새 바람을 막는) 나무.

contrapolicía *f.* 경무 감찰(警務監察).

contraponedor, ra *adj.* 대치하는, 비교하는.

contraponente *m.f.* 반대 의견을 말하는 사람.

contraponer *tr.* 61 ① 대치하다, 반대쪽에 놓다. ② 비교하다, 대조하다(comparar) : *Contrapongo* su riqueza *a* · *con* la mía 그의 재산을 내 것과 비교한다. ③ 대립시키다 : ~ su voluntad *a* la otra.
~se 상대하다, 대립하다.

contrapong- →**contraponer** 61.

contraposición *f.* 대치 ; 대조, 비교 ; 대립.

contrapozo *m.* 대항 폭파.

contrapresión *f.* 반대 압력 ; 반동 ; 반항.

contraprestación *f.* 【법률】 담보.

contraprincipio *m.* 기존 원칙에 반대 단언.

contraproducente *adj.* 언동과는 반대의, 역효과의, 비생산적인.

contrapromesa *f.* 약속의 취소.

contraproposición *f.* =**contrapropuesta.**

contrapropósito *m.* 목적의 변화.

contrapropuesta *f.* 반대 제안.

contraprotesta *f.* 반대 항의.

contraproyecto *m.* 대안(對案).

contraprueba *f.* ① 【인쇄】 재교, 인쇄. ② 《*Col.*》 반증.

contrapuerta *f.* (이중 문의) 안쪽 문 ; (봉당이나 가게에서) 안쪽으로 통하는 문. **Sinón.** antepuerta.

contrapuesto, ta *adj.* [contraponer의 *p.p.*] 대조시킨 ; 대립 · 대위(對位)한.

contrapugnar *tr.* 【고어】 =**combatir, oponerse.**

contrapuntante *m.* 【음악】 수반 선율을 노래하는 사람.

contrapuntarse *r.* 서로 으르렁거리다, 서로 언짢은 말을 하다(contrapuntearse).

contrapuntear *tr.* ① contrapunto로 노래하다. ② 《*Amér.*》 경쟁하다, 겨루다(competir).
~se 서로 으르렁거리다 ; 서로 미워하다.

contrapunteo *m.* 《*Cuba. Perú. Riopl.*》 다툼, 싸움, 겨루기(disputa).
en ~ 《*Perú.*》 팽팽이 맞서.

contrapuntista *m.* 【음악】 contrapunto 작곡가.

contrapunto *m.* ① 【음악】 대위법 ; 수반 선율. ② 《*Amér*》 (시·노래의) 경연 : en ~ 경쟁하여.

contrapunzar *tr.* ⑨ (구멍 속의 못 따위를) 때려 박다 ; 압착하다.

contrapunzón *m.* (구멍 속의 못을 박을 때의) 망치.

contrapus- →**contraponer** ⑥①.

contraquilla *f.* 【선박】 내용골(內龍骨), 배의 바닥에 까는 재목.

contrariado, da *adj.* 《*Amér.*》 화를 낸.

contrariamente *adv.* 반대로, 역으로(en contrario).

contrariar *tr.* ⑫ ① (…에) 반대하다 ; (…에) 거스르다, 방해하다, 애먹이다, 난처하게 만들다, 당황하게 하다 : Esto me *contraría* mucho. ② 《*Galic.*》 짝맞추다, 조합시키다, 배합하다(combinar).

contrariedad *f.* ① 반대, 상반성. ② 방해, 장해, 고장. ③ 《*Galic.*》 골치 아픈 일, 당황.

contrario, ria *adj.* [*lat.* contrarius] ① 반대의, 역의 : el lado ~ 반대편. vientos ~*s* 역풍. ② (…에) 해가 되는(nocivo) : El vino es ~ *a* la artritis 포도주는 관절염에 해롭다. ③ 적의.
—*m.* 반대 ; 방해 ; 고장. —*m.f.* 적(enemigo), 적수, 상대방(adversario).
al ~, *por el* ~, *por lo* ~, *en* ~ 반대로.
al ~ *que* …하는 것과 반대하여
o, de lo ~ 그렇지 않으면.
llevar la contraria 반대를 주장하다, 반대하다(contradecir).

contrarraya *f.* 교차선.

contrarrayo *m.* 【식물】 =**tártago.**

contrarreforma *f.* 개혁 반대, 반대 개혁.

contrarreformismo *m.* (특히 종교에서의) 개혁 반대 운동.

contrarregistro *m.* 재검사.

contrarreguera *f.* (용수로의 큰 고랑에 대한) 작은 고랑.

contrarréplica *f.* 반론에 대한 대답, 재답변(dúplica).

contrarrestar *tr.* ① (…에) 모순되다. ② 방해하다, 저지하다, 방지하다. ③ (공을) 되돌려주다, 되받아치다(volver la pelota desde el saque). ④ (…에) 대처하다.

contrarresto *m.* 저지, 방해, 훼방 ; (공놀이에서) 공을 돌려주는 사람.

contrarrevolución *f.* 재혁명, 반혁명 (운동).

contrarevolucionario, ria *adj.* 반혁명 (운동)의, 반혁명적. —*m.f.* 반혁명 분자.

contrarriel *m.* 레일 보호용 궤도(contracarril).

contrarroda *f.* 선수(船首)와 내용골을 잇는 선재(船材).

contrarronda *f.* (초계소의) 장교 순찰.

contrarrotura *f.* 【약학】 고약(膏藥).

contrasalva *f.* 답례포(答禮砲).

contraseguro *m.* 불입금 환불 보험.

contrasellar *tr.* 연판(contrasello)을 찍다 (poner contrasello).

contrasello *m.* 연판(連判).

contrasentido *m.* ① 부당한 해석(sentido contrario al sentido natural) : cometer un ~ en una traducción. ② 억지로 내리는 결론 ; 몰상식. ③ (차도에서의) 역행.

contraseña *f.* ① 【군사】 암호 ; 응신(應信) 신호 ; 부서(副署). ② (화폐 등의) 부인(副印). ③ 대기 번호표, 부표(副票) ; 표 : ~ de salida 극장에서 잠시 외출했다 돌아올 사람에게 주는 표.

contraseñar *tr.* 암호하다.

contrastable *adj.* 대조할 수 있는 ; 대항할 수 있는.

contrastador *m.* 대항자.

contrastante *adj.* 대조·대비되는 ; 대조적인.

contrastar *tr.* ① (…에) 대항하다(resistir), 대항적으로 나오다. ② (금·은·도량형의) 검정을 하다 ; 그것의 각인·증명을 하다.
—*intr.* ① [+con : …과] 대조하다, 대조가 되다 : las dos personas que *contrastan* 대조적인 두 사람. ② [+ a · con · contra : …에] 대항하다, 반대하다.

contraste *m.* ① 대조 : en ~ con …과 대조하여. **Contr.** parecido, analogía. ② 대항, 다툼. ③ 금질(金質) 검정원 ; 감정소. **Sinón.** almotacén. ④ 생사(生絲)의 법정 중량. ⑤ 풍향의 급변. ⑥ 【은어】 추적자.

contrata *f.* 계약서 ; 도급 : trabajos por ~ 도급 공사.

contratación *f.* 도급 계약 ; 상거래(negocio) : ~ colectiva 단체 교섭. ~ de obras y servicios públicos 공공 시설 도급 계약.

contratado, da *m.f.* 피계약인.

contratante *adj.* 계약한. —*m.f.* 계약자 : ~ de seguros 보험 계약자.

contratapa *f.* (소의) 뒷다리 살코기.

contratar *tr.* 계약하다 ; 거래하다(negociar) ; 청부맡다. —*intr.* 교제하다.

contraterrorismo *m.* 반 테러 행위.

contraterrorista *adj.* 반 테러 행위의. —*m.f.* 반 테러 분자.

contratiempo *m.* 뜻밖의 사고 ; 불행.

contratista *m.f.* 도급인, 도급 업자.

contrato *m.* [*lat.* contractus] ① 계약·예약(서) : Son nulos los ~*s* conseguidos con violencia 폭력에 의해 성립된 계약은 무효다. ② 【은어】 고깃간, 정육점, 푸줏간.
~ *a corto · largo plazo* 단기·장기 계약.
~ *a la gruesa · a riesgo marítimo* 선박 저당·선화 저당(船貨抵當), 보험 대차 계약.
~ *aleatorio* 사행 (도박) 계약.
~ *anual* 연간 계약.
~ *bilateral* 쌍무 계약.
~ *colectivo* 단체 계약.
~ *de alquiler* 임대 계약.
~ *de arrendamiento · de fletamento* 용선 계약.
~ *de locación y conducción* 임대차 계약.
~ *de compraventa* 매매 계약.
~ *de retrovendendo* 환매 조건부 매매 계약.
~ *enfitéutico* 소작 계약.
~ *notarial* 공증 증서.
~ *unilateral* 편무 계약.

～ *verbal* 구두 계약.
contratorpedero *m.* 구축함(cazatorpedero).
contratreta *f.* (적의) 허를 찌르는 계략.
contratrinchera *f.* 대항호(對抗壕).
contratuerca *f.* 【기계】 (이중으로 다는) 조임 너트.
contravalación *f.* (포위군이 적의 주위에 파는) 참호・대호(對壕).
contravalar *tr.* (…에 대하여) 대호를 파다 (construir una contravalación).
contravalor *m.* 다른 것 대신으로 주는 값.
contravapor *m.* (역행・급정지를 위한) 반동 증기 : dar el ～ 역전시키다.
contravención *f.* (명령 등에) 위반.
contraveneno *m.* 해독제 ; 조심, 주의, 경계, 예방.
contravenir *intr.* 60 위배・위반하다, 저촉되다 : ～ a la ley.
contraventana *f.* ＝**puertaventana.**
contraventor, ra *adj.* 위배・위반하는. —*m.f.* 위배자, 위반자.
contraventura *f.* ＝**desdicha, infortunio.**
contravidriera *f.* 이중 유리창의 안쪽 창.
contravien- →**contravenir** 60.
contravin- →**contravenir** 60.
contravisita *f.* (첫 조치의 결과를 보는) 재진찰 : una ～ médica 의사의 재진찰.
contravoluta *f.* 【건축】 주된 소용돌이 장식에 따른 부속 소용돌이 장식.
contray *m.* 《*Galic.*》 쿠르트레(Courtrai)직(織).
contrayente *adj.* 약혼하는. —*m.f.* 약혼자 : El acta de matrimonio debe ser firmada por los dos ～*s* 혼인 증서는 두 약혼자가 서명해야 한다.
contrayerba *f.* ＝**contrahierba.**
contre *m.* 【조류】 모래주머니(molleja).
contrecho, cha *adj.* 신체의 일부가 부자유한, 불구의(baldado).
contri *m.* ＝**contre.**
contribución *f.* [*lat.* contributio] ① 분담금 : ～ de avería 해손(海損) 분담금. ② 조세 : ～ directa 직접세. ～ indirecta 간접세, 소비세. ～ territorial 지세(地稅). ～ de sangre 혈세(血稅), 병역. ③ 기부, 기부금, 의연금, 헌금 ; 공헌 ; 협력, 찬조.
contribuidor, ra *adj.* 공헌하는, 이바지하는 ; 기부의, 출자의. —*m.f.* 부담자 ; 기부자 ; 공헌자.
contribuir *tr. intr.* 77 [*lat.* contribuere] ① (분담금을, 분담금으로서) 내다 ; 납세하다 : ～ el 20% de la renta 연수입의 2할을 내다. ② 기부하다, 기증하다, 헌금하다. ③ 바치다, 기여・공헌하다 : ～ *para* conservar la paz 평화 유지를 위해 이바지하다. ④ 조력・협력하다.
[직설법 현재 : contribuyo, contribuyes, contribuye, contribuimos, contribuís, contribuyen. 접속법 현재 : contribuya, contribuyas, contribuya, contribuyamos, contribuyáis, contribuyan. 직설법 부정과거 : contribuí, contribuiste, contribuyó, contribuimos, contribuisteis, contribuyeron].
contribulado, da *adj.* 슬픔에 젖은, 비탄에 쌓인(atribulado).
contributario, ria *m.f.* 분담자.
contributivo, va *adj.* 과세의, 납세의 : capacidad ～*va* 담세력(擔稅力).
contribuyente *adj.* 납세하는 ; 공헌하는. —*m.f.* 납세자.
contrición *f.* (완전한) 통회(通悔), 회한(悔恨), 참회, 회개. Contr. empedernimiento, impenitencia.
contrín *m.* (필리핀의) 무게의 단위 《0.39 그램》.
contrincante *m.* (채용 시험 등에서) 후보자 세 사람 가운데 한 사람 ; 경쟁자, 경쟁 상대.
contristar *tr.* ＝**afligir, entristecer.** **～se** 슬퍼하다.
contrito, ta *adj.* 죄를 깊이 뉘우치고 있는, 회개한, 슬픔에 젖은, 비통해 하는, 상심한, 양심의 가책을 받은(triste, compungido) : rostro ～ 상심한 얼굴.
control *m.* [*fr.* contrôle] ① 조절 ; 통제, 관제 : ～ de luces 등화 관제. ～ remoto 원격 조절. la torre de ～ 통제탑. ② 검사, 검정.
controlar *tr.* [*fr.* contrôler] 조절하다 ; 관제・통제하다 ; 검사・검정하다.
controversia *f.* 논쟁, 논전.
controversial *adj.* 논쟁의 ; 쟁점의.
controversista *m.f.* 논쟁가, 논객(論客).
controvertible *adj.* 문제가 되는, 의논의 여지가 있는.
controvertir *tr. intr.* 55 논쟁하다.
contubernio *m.* 공서(共棲) ; 동서(同棲), 내연생활 ; 사당(私黨).
contuerza- →**contorcer** 25 1.
contumacia *f.* ① 옹고집, 완고(porfía). ② 피고의 결석.
contumaz *adj.* ① 옹고집이 있는, 완고한 (porfiado, tenaz). ② 소환에 응하지 않는. ③ 병균이 붙기 쉬운. —*m.f.* 외고집쟁이 ; 불출두 피고.
contumazmente *adv.* 외고집을 피워.
contumelia *f.* ① ＝**injuria, ofensa.** ② 《*AmérC.*》 핑계, 구실, 변명.
contumelioso, sa *adj.* ① ＝**injurioso, ofensivo.** ② 《*AmérC.*》 겁이 많은, 뒤가 무른.
contundencia *f.* 타박상을 입힘.
contundente *adj.* ① 타박상을 입은. ② 꼼짝 못하게 하는. ③ 또렷한 : prueba ～.
contundir *tr.* 호되게 때리다, 타박상을 입히다 (producir contusión).
conturbación *f.* ＝**inquietud, turbación.**
conturbado, da *adj.* 당황한, 당혹한.
conturbador, ra *adj. m.f.* 교란하는 (사람).
conturbar *tr.* [*lat.* conturbare] 교란하다 ; 당황하게 만들다, 어쩔줄 모르게 만들다(turbar).
conturbativo, va *adj.* ＝**conturbador.**
contusión *f.* [*lat.* contusio] 타박상.
contusionar *tr.* 【속어】 ＝**contundir.**
contuso, sa *adj.* 때려 눕혀진 ; 타박의, 멍든 (magullado) : herida ～*sa* 타박상.
contutor, ra *m.f.* 공동 후견인.
contuv- →**contener** 59.
contuvie- →**contener** 59.
conuco *m.* 《*Amér.*》 소농장.
conurbación *f.* 교외의 마을의 모임.

convalecencia *f.* (질병의) 쾌차, 회복기 ; 정양소, 요양소.

convalecer *intr.* 31 [*lat.* convalescere] ① (질병에서) 회복하다(entrar en convalecencia) : ~ de una calentura 열에서 회복하다. ② 재기하다, 불경기를 벗어나다.

convaleciente *adj. m.f.* 회복기의, 병후의 (사람).

convalidación *f.* 확인, 증명 ; (다른 기관에서의 연구·업적의) 인정.

convalidar *tr.* 확인하다 ; 증명하다(confirmar) ; 다른 기관에서의 연구·업적을 인정하다.

convección *f.* (열이나 전기의) 대류(對流).

convecino, na *adj.* 인근의, 이웃의(vecino, próximo, inmediato) : lugares ~*s* 인근의 장소. —*m.f.* (같은 장소의) 주민 : entenderse bien con sus ~*s* 이웃 관계가 좋다.

convelerse *r.* [*lat.* convellere] 경련을 일으키다.

convencedor, ra *adj.* 납득하는, 감동하는. —*m.f.* 납득자.

convencer *tr.* 1 [*lat.* convincere] 납득시키다(persuadir), 깨닫게 하다, 감동시키다 : Esta película no me *convence* 이 영화가 나는 탐탁치 않다.

~se [+de : …을] 납득하다, (…임을) 깨닫다.

convencido, da *adj.* =**persuadido.**

convencimiento *m.* 설득 ; 납득(convicción).

convención *f.* ① 협약, 협정, 조약 : ~ Postal Universal 만국 우편 조약. ② 의견의 일치. ③ 회의 ; 국민 회의. ④ 관례, 인습 : de ~ 관습에 의한. ⑤《*Chile.*》선거회.

convencional *adj.* ① 협정의, 협약의. ② 관습적인, 관례에 의한 ; 인습적인, 판에 박힌, 상투적인. —*m.* 회의원(會議員).

convencionalismo *m.* 구습, 전통 존중, 인습주의.

convencionalista *adj.* 예로부터 내려오는 낡은 습관·구습(convencionalismo)에 집착한.

convencionalmente *adv.* 협정하여, 인습적으로, 습관적으로.

convencionista *m.f.* 회의 참석자.

conveng- →**convenir** 60.

convenible *adj.* ① 순종하는, 고분고분한, 유순한(dócil) : hombre poco ~ 별로 고분고분하지 못한 사람. ② 웬만한, 참한. ③ 안성맞춤의(conveniente) : exigir un precio ~ 적당한 값을 요구하다.

convenido, da *adj.* 승락한, 일치한, 합의한 : lo ~ 협정·합의된 점.

conven(i)encia *f.* 꼭 알맞음, 적합, 편리, 편의(comodidad) ; 타협 ; 정하기. —*pl.* ① 부차적인 이득, 임시 수익. ②《*Galic.*》예의 : faltar a las ~*s* 결례하다.

conven(i)enciero, ra *adj.* ① 제멋대로의 (그런 사람). ②《*Méx. Perú.*》협조적인. —*m.f.* = **egoísta.**

conveniente *adj.* ① 편리한(provechoso, útil) : negocio ~. ② 몸가짐이 단정한(decente) : conducta ~. ③ 안성맞춤의, 쓸쓸한, 어울리는. Contr. inconveniente.

convenientemente *adv.* 안성맞춤으로 ; 알맞아, 꼭 들어맞게, 편리하게.

convenio *m.* 협정, 협약(ajuste, pacto) ; (매매) 계약, 노동 협약 ; 타협 : ~ aduanero · arancelario 관세 협정. ~ colectivo (노사간의) 단체 협약, 단체 노동 계약. ~ comercial (internacional) 통상·무역 협정. ~ de asistencia técnica 기술 원조 협정. ~ de producción 생산 협정. ~ de trueque 바터 협정. ~ entre empresarios y trabajadores 노동 협약. C- General sobre las Tarifas y Comercio 관세 및 무역에 관한 일반 협정, GATT. ~ multilateral 다국간 협정. ~ sobre salarios 임금 협정. ~ tripartito 삼국 협정.

convenir *intr.* 60 [*lat.* convenire] ① 의견이 일치되다(estar de acuerdo). ② 회합하다, 만나다. ③ 어울리다, 형편이 좋다, 적당하다(ser conveniente, ser útil) : Me *convendría* mucho.

~se 일치(一致)하다(convenirse) ; 협정하다(concordarse).

conviene a saber 환언하면.

conventico *m.* =**conventillo.**

conventícula *f.* 밀의(密議), 모의, 비밀 집회.

conventículo *m.* =**conventícula.**

conventillero, ra *m.f.*《*Arg.*》남의 말하기 좋아하는 사람.

conventillo *m.* ①《*Arg. Bol. Chile.*》집, 건물 ; 주택 ; 셋방. ② (빈민들이 사는) 싼 아파트, 공동 주택(casa de vecindad).

convento *m.* [*lat.* conventus] ① 수도원, 승원, 수녀원. ② 회의, 회합. ③《*Ecuad. Perú.*》사제의 집(casa del cura).

~ ***jurídico*** 로마 시대의 법원.

conventual *adj.* 수도원의 : vida ~. —*m.* 수도원 전속 사제, 수도원에 있는 승려, 수도승.

conventualidad *f.* 수녀원의 공동 생활 ; 수도자의 승적.

conventualmente *adv.* 공동으로(en comunidad).

convergencia *f.* ① 집중, 여기저기서 모임 ; (의견의) 귀일(歸一) ; 집합, 집중점. ②【물리·수학】수렴(收斂). Contr. divergencia.

convergente *adj.* 한 점으로 모이는 ; 집합성의.

converger *intr.* 3 ① 한 점으로 모이다, 집중하다, 집합하다 : dos líneas que *convergen* 서로 만나는 두선. ② (의견·힘 등이) 일치되다.

convergir *intr.* =**converger.**

conversa *f.*【속어】이야기, 잡담(conversación, charla, plática) : mudar de ~.

conversable *adj.* 이야기하기 좋아하는 ; 말붙이기 쉬운 ; 붙임성이 있는 ; 담화·사교에 알맞은(tratable, sociable).

conversación *f.* [*lat.* conversatio] ① 회화, 환담, 대담, 대화. ② 회담 : ~*es* secretas 비밀 회담, 동석한 사람들. ③ 친교, 사교, 교제.

dejar caer en la ~ 넌지시 말머리를 돌려 가다.

sacar la ~ 말을 꺼내다.

trabar ~ 잡담을 시작하다.

conversada *f.*《*Chile.*》=**conversadero.**

conversadero *m.*《*Arg. SDgo.*》장광설.

conversador, ra *adj. m.f.* ① 좌담하는 솜씨가 좋은 (사람). ②《*Amér.*》수다쟁이(charlatán).

conversante *m.f.* 대화자, 대담자, 말상대.

conversar *intr.* ① 담화하다, 이야기하다 : ~ en · sobre cosas útiles 쓸데없는 이야기를 늘어

놓다. ② 기거를 함께 하다. ③ 교제하다. ④ (대열이) 선회하다, 방향 전환하다. —*tr.* 《*Chile. Ecuad.*》 말하다, 이야기하다(contar).

conversata *f.* 《*Chile.*》 장광설(charla larga).

conversión *f.* [*lat.* conversio] ① 변화, 변경, 전환(mutación, cambio) : La ~ de la plata en oro fue el sueño de los alquimistas. ② 개종, 개심 ; 개변 ; 전향, 개장(改裝), 귀의(歸衣) ; 방향 전환. ③ (외국 화폐 간의) 환산, 환전. ④【상업】(부채의) 차환(借換). ⑤【수사】전환법. ⑥【논리】환위법. ⑦【심리】전환.

conversivo, va *adj.* 전환하는 ; 개종·개심·전향하는.

converso, sa *adj.* [convertir의 *p.p.*] 변한, 전향한. —*m.f.* 전향자, (주로 기독교에의) 개종자(改宗者).

convertibilidad *f.* 환산·교환·태환할 수 있는 것, (화폐의) 태환성.

convertible *adj.* ① 바꿀 수 있는, 개조할 수 있는. ② 개종할 수 있는. ③ 교환·태환·차환할 수 있는 ; 환산할 수 있는. —*m.* 접는 포장이 달린 자동차.

convertidor *m.* ①【전기】변환·변압·변류기. ② 야금, 전로(轉爐). ③【원자 물리】전환로. ④【텔레비전】콘바터.

convertiente *adj.* =**conversivo.**

convertimiento *m.* =**conversión.**

convertir *tr.* 55 [*lat.* convertere] ① [+en] 변화시키다, 전환하다, 전화하다, 바꾸다 : ~ el agua *en* vino 물을 술로 변화시키다. ② 개종·개심·전향시키다. ③ (어떤 방향으로) 돌리다. ④ 태환하다 ; 환산하다, 환전하다 ; 현금화하다. ⑤【상업】(증권 따위를) 교환하다 ; (공채 따위를) 차환하다. ⑥【컴퓨터】(어떤 코드를 다른 코드로) 번역하다 ; (테이프를) 펀치 카드에 옮기다. ⑦【수사】전환하다. ⑧【논리】환위하다. **~se** ① [주로 +en : …으로] 바뀌다, (무엇으로) 변하다. ② 개종하다, 개심하다 : *~se* al catolicismo. ③ 환언하다, 바꾸어 말하다.

convertor *m.* 화성로(化成爐).

convexidad *f.* 볼록한 모양, 볼록면, 볼록체, 철면체(凸面體) ; 복판이 볼록한 부분. **Contr.** concavidad.

convexo, xa *adj.* [*lat.* convexus] 복판이 볼록한 : Los espejos *~s* dan una imagen más pequeña que los objetos.

convexocóncavo, va *adj.* (렌즈의 두 면이) 요철(凹凸)의 : menisco ~ 요철경.

convicción *f.* [*lat.* convictio] ① 확신 ; 신앙, 신념. ② 설득 ; 납득. ③ 죄의 자각, 양심의 가책. ④【종교】뉘우침, 회오.

convicto, ta *adj.* [convencer의 *p.p.*] 신념이 강한 ; 자백하지 않아 단죄된. —*m.f.* (영국의) 징역수, 유형수(流刑囚).

convictorio *m.* 예수회의 학생 기숙사.

convidada *f.* 한턱 내는 술 : dar una ~ 술을 한턱 내다.

convidado, da *m.f.* 초대(받은) 손님, 빈객. ***estar como el ~ de piedra*** 돌부처처럼 점잔 빼며 입을 열지 않고 있다.

convidador, ra *m.f.* 초대자.

convidante *m.f.* =**convidador.**

convidar *tr.* ① 초대하다 : ~ *a* cenar 저녁 식사에 초대하다. ② 권하다 ; 마음을 들뜨게 하다. ③ [+con : …을] 제공하다. **~se** 자진해서 …하다(ofrecerse).

conviert- →**convertir** 55.

convin- →**convenir** 60.

convinie- →**convenir** 60.

convincente *adj.* 설득력·호소력이 있는 : Esa razón es enteramente ~.

convincentemente *adv.* 자신을 가지고.

convirt- →**convertir** 55.

convite *m.* [*lat.* convictus] ① 초대(invitación) : rehusar un ~. ② 초연(招宴) : un alegre ~.

convival *adj.*【고어】초연(招宴)의.

convivencia *f.* 공서(共棲), 공동 생활.

conviviente *m.f.* 공동 생활을 하는 사람.

convivir *intr.* ① 함께 살다, 함께 생활하다(cohabitar). ② 같은 생각을 가지고 있다.

convocación *f.* [*lat.* convocatio] 소집 : ~ de una asamblea 의회의 소집.

convocador, ra *adj.* 소집·소환하는. —*m.f.* 소집자, 소환자.

convocar *tr.* 7 [*lat.* convocare] ① (회의·의회 등을) 소집하다, 모집·소환하다. ② 환호하다, 이구동성으로 소리치다(aclamar).

convocatoria *f.* 소집·모집 영장 ; 소환장, 칙령.

convocatorio, ria *adj.* 소집·모집의.

convolvuláceo, a *adj.*【식물】메꽃과의. —*f. pl.* 메꽃과 식물.

convólvulo *m.* ①【동물】(포도에 꼬이는) 잎말이벌레. ②【식물】메꽃 : ~ tricolor 삼색 메꽃.

convoy *m.* [*fr.* convoi] 호송, 호위, 호위자, 호송대 ; 호송 선단 ; 행렬, 수행인의 대열 ; 열차 ; 약제를 두는 시렁.

convoyante *adj. m.f.* 호송하는 (사람·병정·군함).

convoyar *tr.* ① 호위·호송하다(escoltar). ② 《*Chile.*》 =**ayudar.**

conv.[te] conveniente.

convulsar *tr.* 진동시키다 ; 경련을 일으키게 하다, 몸부림치게 하다 ; 어지럽게 만들다 ; 소요·소란을 일으키다.

convulsión *f.* ① 경련, (특히 소아의) 경기(驚氣). ② (사회·정계 등의) 이변, 동란, 소란. ③ (자연계의) 격동, 변동, 진동. ④ 지진(~ de tierra).

convulsionar *tr.* =**convulsar, trastornar.**

convulsivamente *adv.* 발작적으로 : agitarse ~ 발작적으로 흔들리다.

convulsivo, va *adj.* 경련(성)의 : movimientos *~s* 소요의 움직임.

convulso, sa *adj.* 경련을 일으키는, 경련성의 ; 격동적인 ; 발작적인 ; 격심한.

conyúdice *m.* (동일 사건의) 공동 법관 ; 합의부 판사(conjuez).

conyugal *adj.* [*lat.* conjugalis] 부부의 : fidelidad ~ 부부의 성실.

conyugalmente *adv.* 부부로서.

conyugar *intr.* 8 《*Cuba.*》 결혼하다. 혼인하다.

cónyuge *m.f.* [*lat.* conjux, conjugis] 배우자, 남편, 아내(consorte). —*pl.* 부부 : Los *~s* se deben amor y fidelidad.

conyugicida *m.f.* 남편·아내의 살해(범).
conyugio *m.* =**matrimonio.**
conyugicidio *m.* 남편·아내를 살해하는 일.
cónyugue *m.f.* 【속어】=**cónyuge.**
coña *f.* 【속어】우롱.
coñac *m.* [*pl.* coñacs] 브랜디, 코냑.
coñete *adj.* 《*Chile. Perú.*》=**tacaño.**
coolí *m.* [*ing.* coolee] (인도·중국 등의) 쿨리, 품팔이 인부, 막일꾼. [*N.* 발음 : kulí].
cooperación *f.* ① 협력, 협동, 원조. ② 협동 작업 ; 【경제】 협업. ③ 책응(策應).
~ ***económica*** 경제 협력. ~ ***internacional*** 국제 협력. ~ ***técnica*** 기술 협력.
cooperador, ra *adj.* 협력하는, 협동하는. —*m.f.* 협력자, 협동자.
cooperante *adj. m.f.* =**cooperador.**
cooperar *intr.* ① [+a] 협력하다, 협동하다 ; 조력하다 ; 책응하다. ② [+con : …으로] 원조하다 : *Coopero en* tu viaje *con* quinientas pesetas 자네의 여비로 500뻬세따 주겠네.
cooperario, ria *m.f.* 협력자, 조력자.
cooperativa *f.* 협동 조합 : ~ agraria 농업 협동 조합. ~ de consumo 소비 협동 조합.
cooperativismo *m.* 협동 조합 운동·연구·조성(助成).
cooperativista *adj.* 협동 조합 운동의. —*m.f.* 협동 조합 운동주의자.
cooperativo, va *adj.* 협력(協力)의 ; 협동의 : sociedad ~*va* 협동 조합.
coopositor, ra *m.f.* 채용 시험(oposición)의 경쟁자.
cooptación *f.* (회·조직 등의) 신입 회원 선거.
cooptar *intr.* (신회원 등을) 현 회원이 선거하다 (optar con otro u otras).
coordenadas *f. pl.* 【수학】 좌표(座標).
coordenado, da *adj.* 【수학】 좌표의 ; 좌표 축의.
coordinación *f.* 정돈, 정리 ; 배열 ; 종합, 조정, 통합.
coordinadamente *adv.* 정연하게.
coordinado, da *adj.* ① =**coordenado.** ② 대등 배열의 : oración ~*da* 【문법】 대등 배열문. **Contr.** subordinado.
coordinador, ra *adj. m.f.* 정리하는, 조정하는 (사람), 배열하는 (사람).
coordinamiento *m.* =**coordinación.**
coordinante *adj.* 【문법】=**coordinativo.**
coordinar *tr.* 정돈하다, 정리하다 ; 조정하다 ; 배열하다 ; 분류하다 ; (힘을) 합치다.
coordinativo, va *adj.* 대등한, 대등 병렬의 : conjunción ~*va* 병렬 접속사.
copa *f.* [*lat.* cuppa] ① (다리가 달린) 술잔 ; 컵 : ~ de premio 상배(賞盃). ~ de oro 금배. ~ de plata 은배. beber una ~ de champaña 샴페인 한 잔 마시다. ② 상배 쟁탈전. ③ 수관(樹冠), 나뭇가지나 이파리의 숲 : ~ del pino. ④ 모자의 더미. ⑤ 꼬빠 《서반아의 카드의 무늬 가운데 하나》.
a ~s =acopas.
echar por ~s 《*Col. Amér.*》 지나치게 떠벌리다, 과장하다(exagerar).
irse de ~s 방귀를 뀌다.
para la ~ 《*Arg.*》 팁을 주세요 《팁을 주거나 달라고 조를 때 쓰는 말》.
pedir por ~s 《*And.*》 =pedir mucho.
Copa *f.* 【천문】 컵자리.
copada *f.* 【조류】 뿔종다리(cogujada).
copado, da *adj.* 울창한, 빽빽한, 칙칙한 : árbol muy bien ~. 《*Col.*》 돈 한푼 없는.
copador *m.* 나무 망치, 쇠망치.
copaiba *f.* 【식물】 꼬빠이바 발삼나무, 그 수지(樹脂) : ~ de la India 인도 꼬빠이바·발삼.
copaína *f.* 꼬빠인 《꼬빠이 발삼에서 채집한 물질》(principio sacado de la copaiba).
copal *m.* 꼬빨 《니스 원료의 경질 수지》.
copalli *m.* =**copal.**
copamiento *m.* 공격.
Copán 【지명】 꼬빤 《Guatemala 국경에 인접한 Honduras의 주·소 도시 ; 마야 문화의 요람으로 유명함》.
cópano *m.* (옛날의) 작은 배.
copante *m.* 《*AmérC. Méx.*》 (강을 건널 때의) 징검돌, (허술한) 징검다리.
copaquira *f.* 《*Chile. Perú.*》 【화학】 유산동(硫酸銅).
copar *tr.* ① 도박에서 큰돈을 걸다. ② (적의) 퇴로를 차단하다. ③ (선거에서) 표를 전부 모으다. ④ 《*Perú.*》 반대하다.
coparticipación *f.* 분배(participación entre varios).
copartícipe *m.f.* 관계자, 동료 ; 조합원 ; 합자회사 사원·공동 출자자.
copartidario, ria *adj. m.f.* 같은 당파의 (사람).
copayero *m.* 【식물】 꼬빠이바 발삼나무.
cop.[do] copiado.
cope *m.* 어망의 바닥.
copear *intr.* 【속어】 잔술을 팔다 ; 잔술을 마시다 (beber copas).
copec *m.* =**copeck.**
copeca *m.* =**copeck.**
copeck *m.* 코페크 《러시아의 화폐, 100분의 1루블》.
copeco *m.* =**copeck.**
copela *f.* (금은 시금용) 재털이, 분석로(分析爐) ; 용해기(溶解器).
copelación *f.* 분석로로 고르기.
copelar *tr.* 분석로(分析爐)로 고르다 : ~ el oro.
copeo *m.* 잔술로 마시는 것.
copera *f.* 컵을 넣어 두는 선반, 찬장.
copernicano, na *adj.* 코페르니쿠스 《Copérnico, 1473—1543》 학파의. —*m.f.* 코페르니쿠스 학파의 학도·학자.
copero, ra *adj.* 상배 쟁탈전의 ; 우승배 획득의. —*m.f.* 우승배 획득 선수·팀. —*m.* ① 술잔 선반. ② (귀인의) 술시중 (술 따르는 사람) ; 컵 상자.
copeta *f.* [*dim.* copa] 작은 술잔.
copete *m.* ① (방직하기 전의 면·마(麻)·모(毛) 등의) 덩이. ② 앞 머리칼. ③ (새의) 관모(冠毛). ④ (말의) 앞 갈기. ⑤ 정상, 꼭대기. ⑥ (거울 등의) 맨 윗부분 꾸미기. ⑦ (아이스크림 등의) 수북함.
de alto ~ 고귀한 (사람).
tener mucho ~ 거만하다.
copetín *m.* 《*AmérM.*》 (독주용) 작은 잔.

copetón, na *adj.* ①《*Amér.*》 =**copetudo.** ② 관모의. ③ 가문을 자랑하는. ④《*Venez.*》 겁많은. —*m.*《*Col.*》【조류】 도가마리 참새(gorrión moñudo). —*f.*《*Arg.*》 =**martineta.**

copetona *f.*《*Méx.*》 날씬한 여자.

copetuda *f.*【조류】 종달새(alondra).

copetudo, da *adj.* ① 앞 머리칼·관모가 있는. ② 집안 자랑하는. ③ 으시대는.

copia *f.* [*lat.* copia] ① 다량, 풍부(abundancia, multitud) : una ~ *de* tonterías. ② 베끼기, 복사 : comparar una ~ con el original. ③ 모사 ; 모작(模作) ; 초상화. ④ 꼭 닮음 ; 모방.

copiador, ra *adj.* 베끼는, 복사하는. —*m.f.* 베끼는 사람 ; 모사자, 필경. —*m.* ① (발신한 서류의) 서신 원장(元帳) (libro ~). ② 등사기 : ~ de planos 청사진을 굽는 기계.

copiante *m.f.* =**copista.**

copiar *tr.* 11 ① 베끼다, 복사하다 ; 모작·모사하다(hacer una copia) : ~ un retrato de un buen modelo. ② (구술을) 필기하다. ③ 사생하다. ④ 흉내내다, 모방하다(imitar) ; 커닝을 하다.

copihue *m.*《*Chile.*》【식물】 물메꽃의 일종.

copilador, ra *m.f.* 편집자(compilador).

copilar *tr.* 편집하다(compilar).

copiloto *m.*【항공】 부조종사 ; (차의) 조수.

copina *f.*《*Méx.*》 통째로 벗긴 털가죽.

copinar *tr.* ①《*Méx.*》(동물의 가죽을) 통째로 벗기다(sacar entera la piel de un animal). ②《*Méx.*》 =**soltar, desatar.**

copinol *m.*《*Guat.*》 =**curbaril.**

copión *m.* 모작, 모사.

copiosamente *adv.* 많이, 풍부하게, 다량으로 : Nevaba ~ 눈이 많이 왔다.

copiosidad *f.* 많음, 풍부, 다량.

copioso, sa *adj.* [*lat.* copiosus] 많은, 풍부한(abundante) : comida ~*sa* 많은 음식. **Contr.** mezquino, escaso.

copista *m.f.* ① 베끼는 사람, 모사자, 필경(copiante, copiador). ② 등사 담당자.

copistería *f.* 복사·등사실, 복사·등사 가게.

copla *f.* ① 민요, 짧은 노래, (노래의) 가락(canción popular) : pasar la vida contando ~*s* 노래를 부르면서 소일하다. ② 한 쌍(pareja). ③ *pl.* 시(versos). ④《*AmérM.*》 연결관(管).
~ ***de arte mayor*** 각행 12음절의 8행시.
~ ***de ciego*** 서툰 노래.
~ ***de pie quebrado*** 단행(短行)을 끼워 넣은 시.
~***s de Calaínos*** 아리송한 문구.
andar en ~s 세상에서 평판이 자자하다.

coplanario, ria *adj.* 동일 평면상의.

coplear *intr.* 시를 짓다, 노래하다(hacer o cantar coplas).

coplería *f.* 소곡집(小曲集).

coplero, ra *m.f.* 노래로 물건 파는 사람 ; 엉터리 시인.

coplista *m.f.* =**coplero.**

coplones *m.pl.* [*desp.* copla] 엉터리 노래·시(mala copla).

copo *m.* [*lat.* copum] ① (실로 잣게 될 솜이나 삼, 마, 견섬유 등의) 꾸러미. ② 눈송이, 설편. ③ 거품 등의 일어난 부분 : ~*s* de espuma. ④ 찌꺼기, 앙금, 잔재물. ⑤ 그물 바닥의 자루. ⑥ 한 그물(의 분량). ⑦ (노름에서) 많은 액수를 거는 일. ⑧ 퇴로의 차단. ⑨《*Riopl.*》 적란운(積亂雲), 소낙비구름. ⑩《*Venez.*》 수관(樹冠)(copa del árbol).

copón *m.* [*aum.* copa] ① 큰 술잔. ② 성체 용기(聖體容器). ③《*Col.*》 자루 그물.

coposesión *f.* 공유(共有).

coposesor, ra *m.f.* 공유자.

coposo, sa *adj.* 울창한, 빽빽한(copado) : árbol ~ 울창한 나무.

copra *f.*【식물】 꼬쁘라《야자의 배유(胚乳), 야자 기름의 원료》.

copragogo *m.* =**purgante.**

copresidente *m.* 공동 의장.

coproducción *f.* (영화 등의) 공동 제작.

coproductor, ra *adj.* 공동 제작의. —*m.f.* 공동 제작자.

coprofagia *f.* 사람의 똥을 먹음.

copròfago, ga *adj.* 사람의 똥을 먹는 (곤충) : escarabajo ~.

coprolito *m.*【지질】 분석(糞石)《동물 똥의 화석》.

copropiedad *f.* 공유.

copropietario, ria *adj.* 공유의. —*m.f.* 공유자(coposesor).

cóptico, ca *adj.* =**copto.**

copto, ta *adj.* 콥트교《이집트에 사는 기독교 교도》의. —*m.f.* 콥트인《이집트의 원주민》; 콥트 교도. —*m.* 고대 이집트어.

copucha *f.*《*Chile.*》 ① (그릇으로 쓰이는 동물의) 방광(膀胱). ② 얇은 주머니. ③ 거짓말(mentira).
hacer ~s 뺨을 부풀리다.

copuchar *intr.*《*Chile.*》 거짓말을 하다.

copuchento, ta *adj.*《*Chile.*》 거짓말쟁이의, 허풍선이의.

copudo, da *adj.* 가지가 무성한, 수관(樹冠)이 큰 : árbol ~.

cópula *f.* ① 접합, 결합, 연결. ② 교접, 교미. ③【논리】 계사(繫辭), 연사(連辭). ④【문법】 접속 동사. ⑤【건축】 원형 지붕(cúpula), (지붕 위의) 둥근 탑.

copulación *f.* =**cópula, unión carnal.**

copularse *r.* 교미하다, 교접(交接)하다 ; 결합하다, 연결되다.

copulativamente *adv.* 결합하여, 함께 합치어.

copulativo, va *adj.* ① 연결하는, 결합의, 접속하는 : conjunción ~*va*【문법】 결합 접속사《y 등》. ② 교접의, 교미의. **Contr.** disyuntivo.

copyright *m. ing.* 판권, 제작권(derecho de propiedad literaria).

coque *m.* [*ing.* coke] 코크스, 골탄(骨炭) : ~ desmenuzado 코크스 가루.

coquear *intr.* 코카《coca의 잎 따위》를 씹다.

coquefacción *f.* 코크스로 화하는 것.

coqueluche *f.*《*Galic.*》【의학】 백일해.

coquera *f.* ① 팽이 (장난감)의 머리. ② 코크스 상자, 석탄 뜨는 상자. ③ 돌에 생긴 구멍.

coquería *f.* 코크스 제조소.

coquero, ra *adj. m.f.* 코카를 좋아하는 (사람).

coqueta *adj.* [*f.* coquette] 요사스러운, 요염한. —*f.* ① 요부(妖婦). ②《*Arg. Perú.*》 미녀. ③

《*Cuba. PRico.*》 경대(鏡臺).

coquetazo *m.* =**papirote.**

coquetear *intr.* (여자가) 아양 떨다, 암내내다 ; 요염하게 굴다, 교태를 부리다 ; (남자와) 희롱하다.

coqueteo *m.* =**coquetería.**

coquetería *f.* ① 요염, 교태, 아양 : No tenían ~ alguna. ②《*Amér.*》 고상한 취미.

coquetismo *m.* =**coquetería.**

coqueto *adj. m.f.* =**coquetón.**

coquetón, na *adj.* 요사스러운, 교태부리는, 아양을 떠는 ; 잡스러운 ; 선정적인 ; 남자·여자를 호리는.

coquetonamente *adv.* 요염하게, 교태를 부려, 아양을 떨어.

coqui *m.* 《*Perú.*》 요리사.

coquillo *m.* ①【어린이】 도깨비. ②《*Cuba.*》 일종의 흰 무명. ③【곤충】 =**cuquillo.**

coquina *f.* 【동물】 큰 가리비.

coquinario, a *adj.* 요리의. —*m.f.* 요리인.

coquinero, ra *m.f.* 《*And.*》 조개 줍는 사람 ; 조개 장수.

coquito *m.* ① 아이를 달래는 몸짓·얼굴. ②《*Méx.*》 야자의 어린 나무. ③ 멕시코산 산비둘기의 일종. ④ 코코넛 캔디.

~ de San Antón 【곤충】 무당벌레.

coquizable *adj.* 코크스화할 수 있는.

coquizar *tr.* 석탄을 코크스로 만들다.

COR Comité de Orientación Revolucionaria.

cora *f.* ①《*Perú.*》 잡초의 하나. ② (아라비아의) 군(郡). ③ 멕시코 북부 지방의 방언.

coracán *m.* 【식물】 피나무의 일종.

coráceo, a *adj.* =**coriáceo.**

coracero *m.* 흉갑 기병(胸甲騎兵) ; 질이 나쁜 담배.

coracina *f.* 고기 비늘 모양의 가슴 받이.

coracoides *adj. m.* 【단·복수 동형】 부리 모양의 (돌기).

coracha *f.* 《*Amér.*》 (담배·카카오 등을 넣는) 가죽 주머니.

corachín *m.* [*dim.* coracha] 작은 가죽 주머니.

corada *f.* 소·양 등의 내장, 창자(corazonada).

coraico, ca *adj.* coreo의·에 관한.

coraje *m.* [*lat.*] coragium ① 용기, 기력(ánino, valor). ② 분함, 화(irritación, ira) : El ~ le volvía loco.

corajina *f.* 화남, 성내는 것(rabieta, cólera).

corajinoso, sa *adj.* =**corajoso.**

corajoso, sa *adj.* 화가 난, 격분한, 노여움이 북바치는(rabioso, enojado).

corajudo, da *adj.* ① 화 잘 내는, 격분한 (colérico, rabioso). ②《*Arg.*》 용감한 (valiente).

coral[1] *adj.* ① 합창의 : masa ~ 합창대. ② 통풍(通風)의 : gota ~ 통풍(通風). —*m.* 합창곡.

coral[2] *m.* [*gr.*] korallion 【동물】 산호. —*pl.* 산호의 목걸이 ; (칠면조의) 군살. —*f.* 【동물】 (베네수엘라산의) 살모사.

más fino que un ~ 잽싼, 날쌘, 영리한, 교활한.

coralario, ria *adj.* 【동물】 산호속의. —*m.pl.* 산호속.

coralero, ra *m.f.* 산호 세공사 ; 산호 상인.

coralífero, ra *adj.* 산호질의.

coraliforme *adj.* 산호 모양의.

coralígeno, na *adj.* 산호가 나는.

coralillo *m.* 【동물】 살모사(coral) : El ~ tiene anillos alternativamente negros, rojos y amarillos.

coralina *f.* ①【동물】 산호충. ②【식물】 =**musgo marino.**

coralino, na *adj.* ① 산호의 ; 산호같은 : arrecife ~ 산호초. ② 산호 색의 : labios ~*s.*

coralitos *m. pl.* 《*Cuba. Chile.*》【식물】 약용 식물의 일종.

corambre *f.* 【집합】 가죽, 피혁, 피혁류 ; 가죽 부대·자루.

corambrero *m.* 피혁 상인.

córam pópulo *adv. lat.* 공공연하게, 공개적으로, 여러 사람 앞에서(en público).

Corán *m.* 회교 경전, 코란(Alcorán).

corana *f.* 칠레·페루 토인들이 쓰는 낫.

corancho *m.* 《*Perú.*》【조류】 =**carancho.**

coránico, ca *adj.* 코란의(alcoránico).

coranvobis *m.* 【단·복수 동형】 듬직스러움 (듬직스런 사람) ; 외모가 미끈한 사람.

corar *tr. intr.* 《*Amér.*》 (땅·밭을) 갈다·파다 (labrar chacras, cavar la tierra).

carasí *m.* (꾸바의) 모기(mosquito)의 일종.

coraza *f.* ① 흉갑(胸甲) ; 방탄 조끼. ② (선박의) 장갑판(blindaje). ③【동물】 (거북 등의) 등껍질.

coraznada *f.* ① 소나무의 속. ② 심장 요리.

corazón *m.* [*lat.* cor] ① ㄱ) 심장 : ~ derecho 오른쪽 심장. ~ izquierdo 왼쪽 심장. ㄴ) 마음, 심정 : de ~ 진정으로 마음속에서. ㄷ) 부드러운 마음 : no tener ~ 인정이 없다, 인심이 고약하다. ② 사랑, 애정(amor, afecto) : un ~ de padre. ③ 사랑하는 사람 : mi ~ 그리운 님이여. ④ 원기, 용기, 기력(ánimo, valor). ⑤ 의지 (voluntad) : ~ de bronce 굳은 의지. ⑥ ㄱ) (물건의) 중심, 중심부, 중앙 : el ~ de una ciudad 도심지. ㄴ) 심(芯) : el ~ de un árbol, ~ de una fruta. ⑦ 하트형(으로 된 것).

a ~ abierto 마음을 활짝 열고.

de todo ~ 진심으로.

con el ~ en la mano 아주 솔직하게, 진지하게 (muy francamente).

abrir el ~ 안심하다, 한시름 놓다.

anunciar·dar·decir el ~ 예감이 들다.

llevar el ~ en la mano 솔직히 말하고 행동하다, 솔직하다.

no caber el ~ en el pecho 걱정스러워 견딜 수 없다, 화가 나 견딜 수 없다 ; 기운을 내다.

no tener ~ para decir una cosa 무슨 말을 할 용기가 나지 않다.

corazonada *f.* ① 마음이 내킴 ; 예감(豫感)(presentimiento) : tener una ~. ② 내장, 내장 요리.

corazoncillo *m.* 【식물】 고추나물(hierba de San Juan).

corazonista *adj. m.f.* 성심 수도회 (Sagrado Corazón de Jesús)의 (사람).

corbachada *f.* corbacho로 때리기.

corbacho *m.* 【고어】 (주로 죄인선에서 죄수들을 때리는데 사용한) 채찍(vergajo, látigo,

azote).
corbata *f.* ① 넥타이, 스카프, 목도리, 네커치프. ②(깃대 등의) 장식 리본.
~ ***de lazo*** 나비 넥타이.
corbatería *f.* 넥타이 제조업·판매업.
corbatero, ra *m.f.* 넥타이 제조 업자·상인.
corbatín *m.* [*dim.* corbata] 보타이, 나비 넥타이.
corbato *m.* (증류기의) 냉각조(冷却槽). Sinón. refrigerante.
corbeta *f.* [*lat.* corbita] 옛날의 해방함(海防艦) : capitán de ~ 해군 소령.
corbona *f.* =**cesto, canasto.**
corca *f.* 《*Ar. Murc.*》 =**carcoma.**
corcar *tr.* 《*Ar. Murc.*》 =**carcomer.**
corcel *m.* 준마(caballo muy ligero).
corcesca *f.* 도끼창.
corcha *f.* ① 코르크 껍질. ② 밧줄을 꼬는 일.
corchapín *m.* =**encorchapín.**
corchar *tr.* ①(밧줄·새끼를) 꼬다. ②《*Col.*》 코르크 마개를 하다. ③ 무지를 드러내다. Sinón. acolchar.
corche *m.* 바닥이 코르크로 된 덧신.
corchea *f.* 【음악】 8분 음표.
corchera *f.* (술병을 식히는) 코르크제 통.
corchero, ra *adj.* 코르크의, 코르크업의.
corcheta *f.* 암혹 단추; 자물쇠 (고리)의 구멍.
corchetada *f.* 【은어】 포박군(捕博軍)의 일단.
corchete *m.* ① 훅, 고리. ②(대패질할 때 쓰는) 받침나무. ③ 연쇄 부호 (⌐, ⌐). ④【고어】 포리(捕吏).
corchetesca *f.* 【속어】 =**corchetada.**
corcho *m.* [*lat.* cortex] ① 코르크 : ~ bornizo·virgen 처음 베어내는 코르크. ~ segundero 두 번째 베어내는 코르크. ② 코르크로 만든 것; 코르크 마개(tapón de corcho) : Los ~*s* húmedos dan mal gusto al vino. ③ 바닥이 코르크로 된 덧신; 코르크 상자; 코르크 판자.
estar ~ 《*Col.*》 까맣게 모르고 있다.
hacer el ~ 《*Chile.*》 톡 튀어나오다.
corcho, cha *adj.* 《*Chile.*》 =**acorchado, fofo.**
¡córcholis! *interj.* =**¡caramba!**
corchoso, sa *adj.* 코르크같은. Sinón. suberoso.
corchotaponero, ra *adj. m.f.* 코르크 마개를 만들어 파는 (사람) : la industria ~*ra* de Cataluña.
corcino *m.* 【동물】 새끼 사슴.
corconera *f.* 【동물】 깐따브리아 바다에 사는 바다 갈매기.
corcor *m.* 《*AmérC.*》 꿀꺽꿀꺽 마시는 일.
corcova *f.* ① 곱사등(joroba). ②《*AmérM.*》 축제 다음날.
corcovado, da *adj.* 곱사등이의; 새우등의.
—*m.f.* 곱사등이.
corcovar *tr.* 구부리다; 웅크리게 하다.
corcovear *intr.* ①(말 따위가 등을 구부리고) 날뛰다. ②《*Amér.*》 화내다, 투덜거리다. ③《*Méx.*》 두려워하다; 항거하다.
corcoveo *m.* =**corcovo.**
corcoveta *m.f. desp.* 등이 몹시 구부정한 사람, 곱사등이.
corcovo *m.* ①(말 따위가) 날뜀. ② 굽음, 휨. ③ 요철.
corcuncho, cha *adj.* 《*AmérC.*》 곱사등이의, 새우등의, 등이 구부정한.
corcusido, da *adj.* 실로 꿰맨. —*m.* 실로 꿰매기; 수선.
corcusir *tr.* (찢어진 곳을) 꿰매다, 깁다.
cordaje *m.* ①[집합] (선박의) 밧줄. ②【음악】 (기타의) 줄.
cordal *adj.* ***muela*** ~ 사랑니(muela del jucio).
—*m.* 【음악】 (현악기의) 현(絃) 조리개.
cordato, ta *adj.* 분별있는; 신중한.
cordel *m.* ① 끈, 줄, 실 : ~ de pescar 낚싯줄. ② 다섯 발짝의 거리; 짐승들이 다니는 통로.
a ~ 직선으로(en linea recta).
a hurta ~ 잽싸게; 허점을 탐지하여, 허를 찔러, 배반하여.
cordelado, da *adj.* 끈으로 꾼 : cinta ~*da.*
cordelar *tr.* 측량하다; 구획하다.
cordelazo *m.* (밧줄·끈으로) 후려 때리기.
cordelejo *m.* ① 놀려주기 : dar ~ 놀려주다. ②《*Méx.*》 지체, 지연 : dar ~ a un asunto.
cordelería *f.* ① 밧줄 만들기; 밧줄 장사. ②[집합] 강삭류(鋼索類), 밧줄(cordaje).
cordelero, ra *m.f.* ① 밧줄·끈 제작자·상인·장수. ② 산프란시코 수도회의 성직자.
cordellate *m.* 조잡한 양모 직물.
cordera *f.* ① 새끼 양(의 암컷). ② 유순한 여자.
corderaje *m.* 《*Chile.*》 양·새끼 양의 무리.
cordería *f.* [집합] 강삭(鋼索), 밧줄.
corderilla *f. dim.* cordera.
corderillo *m.* 새끼 양의 모피.
corderina *f.* 무두질해 놓은 새끼 양가죽.
corderino, na *adj.* 새끼 양의 : lana ~*na.*
cordero *m.* ①(한 살 미만의) 새끼 양. ② 순한 남자. ③ 무두질해 놓은 새끼 양가죽 : ponerse guantes de ~.
~ ***de su cesto*** 젖을 먹는 새끼 양.
~ ***pascual*** 히브리 사람들이 축제 때 먹는 새끼 양.
el C- de Dios, el Divino C- 그리스도의 별명.
corderuela *f. dim.* cordera.
corderuelo *m. dim.* cordero.
corderuna *f.* =**corderina**
cordeta *f.* 《*Murc.*》 다발을 묶는 알파풀의 세 가닥 끈.
cordiaco, ca *adj.* 심장의(cardíaco).
cordíaco, ca *adj.* =**cordiaco.**
cordial *adj.* [*lat.* cor, cordis] ① 심장의. ② 배포가 큰. ③ 진심의; 정중한; 성실한, 진실한 : hacer un convite ~ 진심에서 우러난 초대를 하다. ④ 한복판의 : dedo ~ 가운뎃손가락, 장지, 중지(中指). ⑤ 강장의(confortante) : remedio ~.
—*m.* 강심제; 청량제.
cordialidad *f.* ① 진정; 친애. ② 솔직, 진지함(franqueza).
cordialmente *adv.* 진심으로, 충심으로 : tratar ~ a un amigo.
cordiforme *adj.* 하트형의(acorazonado).
cordila *f.* 【어류】 새끼 다랑어.
cordilo *m.* 【동물】 악어 비슷한 20㎝ 가량의 아프리카산 도마뱀; 전설상의 파충류 새끼.
cordilla *f.* 양의 내장 《고양이의 먹이》.

cordillera *f.* 산계(山系), 산맥(sierra) : ~ pirenaica 피레네 산맥.
por ~ 《Cuba. Méx.》 차례로.
cordillerano, na *adj.* 《*Chile. Riopl.*》 ① 안데스산 (지방)의. ② 꼬르디에라 《Cordillera, 빠라구아이의 중부의 주 ; 주도 Caacupé》.
cordita *f.* 코르타이트 《끈 모양의 무연 화약》.
córdoba *m.* 꼬르도바 《니까라구아의 화폐 단위》.
Córdoba *f.* 【지명】 꼬르도바 《서반아 남부의 주 · 도시 ; Argentina의 주 · 도시 ; Colombia 북부의 주》.
cordobán *m.* 산양의 무두질한 가죽.
cordobana *adv.* 발가벗고 : andar a la ~ 발가벗고 걷다.
cordobanero *m.* 산양의 가죽을 무두질하는 기술자.
cordobense *adj. m.f.* =**cordobés** (Argentina의).
cordobés, sa *adj.* 꼬르도바 《Córdoba, 서반아 남부의 도시와 주 ; Colombia의 북부 카리브해에 있는 주》의. —*m.f.* 꼬르도바 사람.
cordojo *m.* 【고어】 =**congoja, angustia, aflicción.**
cordón *m.* ① ㄱ) 끈, 작은 끈 · 줄, 끈 모양으로 된 것 : ~ umbilical 탯줄. ㄴ) 둥그런 끈, 채찍 : ~ para zapatos 구두끈. ~ eléctrico 전기 코드. ② 장식끈. ③ (밧줄의) 끈 부분. ④ 교통 차단선 : ~ sanitario 방역선. ~ de policía 경계선. ⑤ *pl.* (군장비에서) 장식끈. ⑥ 【해부】 색상(索狀) 구조 · 조직 ; 인대(靭帶) : ~ nervioso. ⑦ 《*Riopl.*》 보도의 가장자리. ⑧ 《*Cuba.*》 밧줄의 손잡이. ⑨ 《*Cuba.*》 술의 일종. ⑩ 《*Chile. Perú.*》 줄줄이 이어진 것 : ~ de cerros 연구(連丘). ⑪ 경비선(警備線), 비상선(非常線).
cordonadura *f.* 끈 장식(adorno de cordones).
cordonazo *m.* ① 채찍으로 때리기. ② 《*Cuba. Méx.*》 =**temporal de otoño.**
~ de San Francisco 가을의 추분을 전후해서 부는 폭풍.
cordoncillo *m.* [*dim.* cordón] ① 채찍. ② (피륙의) 무늬. ③ (화폐의) 가장자리 새김. ④ 《*Col. Salv.*》 【식물】 =**matico.**
cordonería *f.* 레이스 · 끈 제조업 ; 끈 상점 ; 끈류(類).
cordonero, ra *m.f.* 끈 꼬는 기술자, 끈 장수.
cordubense *adj.m.f.* =**cordobés.**
cordula *f.* =**cordilo, buen seso, juicio.**
cordura *f.* 사려, 분별(prudencia, juicio). **Contr.** locura.
corea *f.* [*lat.* chorea] ① 꼬레아 《노래를 곁들이는 춤의 일종》. ② 【의학】 무도병(baile de San Vito) : ~ epidémica 유행성 무도광(狂).
Corea *f.* 대한 민국, 한국, 조선.
~ del Sur 남한.
~ del Norte 북한.
Estrecho de ~ 대한 해협.
la República de ~ 대한 민국.
la República Popular Democrática de ~ 조선민주주의 인민 공화국.
coreano, na *adj.* 한국 · 조선(Corea)의. —*m.f.* 한국 사람, 조선 사람. —*m.* 한글.
corear *tr.* ① (합창곡을) 작곡하다 ; 합창하다. ② (…에) 뇌동하다. ③ 《*Perú.*》 잡초를 제거하다.
corecico *m.* 새끼 돼지.
corecillo *m.* =**corecico.**
corecore *m.* 《*Amér.*》 【식물】 제라늄(geranio)의 일종.
coreico, ca *adj.* ① 무도병(la corea)의. ② 무도병에 걸린.
coreidos *m.pl.* 【곤충】 =**heterópteros.**
coreo *m.* ① 합창. ② 그리스 · 라틴 시(詩)의 장단격(長短格). ③ 【곤충】 빈대의 일종.
coreografía *f.* 무용술 ; 안무법(按舞法).
coreográfico, ca *adj.* 무용(술)의.
coreógrafo, fa *m.f.* (무용의) 안무사(按舞師).
coreomanía *f.* 무도광(狂).
corepíscopo *m.* 대리 주교(代理主教) ; 승정 대리.
corete *m.* 못의 좌혁(坐革) 《못을 보이지 않게 하려고 쓰는 둥그런 가죽》.
corezuelo *m.* 새끼 돼지 ; 새끼 돼지 가죽.
CORFO la Corporación de Fomento de la Producción.
cori *m.* 【식물】 고추나물(corazoncillo).
corí *m.* 【동물】 (서인도 제도의) 천축쥐(curiel).
coriáceo, a *adj.* 가죽의 · 같은 ; 질긴.
coriámbico, ca *adj.* coriambo의.
coriambo *m.* 그리스 · 라틴 시(詩)의 단장격.
coriana *f.* 《*Col.*》 모포, 이불.
coriandro *m.* 【식물】 코엔트로(cilantro).
coribante *m.* 여신 Cibeles를 모시던 사제.
coricida *m.* =**callicida.**
corifeo *m.* [*lat.* coryphaeus] (옛날의) 합창 지휘자 ; 합창대의 수창(首唱) 가수.
coriláceas *f.pl.* 【식물】 개암나무속.
corimbo *m.* [*lat.* corymbus] 【식물】 산방 화서(散房花序).
corindón *m.* 【광물】 강옥(鋼玉).
coríntico, ca *adj.* =**corintio.**
corino, na *adj.* 《*PRico.*》 다리가 굽은.
corintio, tia *adj.* ① 코린트 《고대 그리스의 수도 Corinto》의. ② 【건축】 코린트식의 : orden ~ 코린트 양식.
corión *m.* 【동물】 포의(胞衣) 《태아를 싸고 있는 막과 태반》.
coripétalo, la *adj.* 꽃잎을 나누어 둔.
corisco, ca *adj.* 《*Venez.*》 =**rabioso.**
corista *m.f.* 합창 대원. —*m.* 합창 승려.
corito, ta *adj.* ① 나체의, 옷을 벗은, 벌거숭이의(desnudo). ② 겁이 많은, 소심한, 무기력한(tímido).
coriza[1] *f.* *(m.)* [*gr.* koruza] 【의학】 코감기, 비강(鼻腔) 카타르(catarro nasal).
coriza[2] *f.* 《*Ast.*》 【방언】 가죽 샌들(abarca).
corla *f.* =**transflor.**
corlador, ra *m.f.* 금색 와니스 칠장이.
corladura *f.* 금색(金色) 와니스.
corlar *tr.* (…에) 금색 와니스를 칠하다.
corleador, ra *m.f.* =**corlador, ra.**
corlear *tr.* =**corlar.**
corma *f.* 족쇄 ; 거추장스러운 것, 방해물.
cormorán *m.* 【조류】 가우마지(cuervo marino).
cormorano *m.* =**cormorán.**
cornac *m.* ① 코끼리 부리는 사람. ② 안내인(guía, conductor).

cornaca *m.* =**cornac.**
cornada *f.* 뿔로 한번 받기.
cornadillo *m. dim.* cornado.
poner·emplear su ~ 효과적인 수단을 강구하다.
cornado *m.* 14·15세기의 작은 동전.
no valer un ~ 한푼의 가치도 없다.
cornadura *f.* 뿔, 짐승의 뿔.
cornaje *m.* 《*Galic.*》 =**huélfago.**
cornal *m.* 멍에를 매는 가죽끈. Sinón. cobra, coyunda.
cornalina *f.* 【광물】 홍옥수(紅玉髓) (cornelina).
cornalón *adj.* 뿔이 커다란.
cornamenta *f.* [집합] 뿔, 수각(獸角).
cornamusa *f.* ① 피리; 나팔의 일종; (가죽으로 만든) 퉁소. ② 밧줄걸이, 지색전(止索栓).
córnea *f.* (눈의) 각막 : ~ opaca 불투명한 각막.
corneado, da *adj.* =**encornado.**
corneador, ra *adj.* =**acorneador.**
cornear *tr.* 뿔로 받다(acornear).
cornecico *m.* [*dim.* cuerno] 작은 뿔.
cornecillo *m. dim.* cuerno.
cornecito *m. dim.* cuerno.
corneja *f.* 【조류】 작은 까마귀.
cornejal *m.* ① cornejo의 덤불·풀섶. ② (돌담·건물 등의) 모서리.
cornejalejo *m.* 씨나 열매가 포함된 꼬투리의 일종.
cornejo *m.* 【식물】 산수유나무(durillo).
cornelina *f.* =**cornalina.**
córneo, a *adj.* 뿔의; 뿔모양의; 뿔같은.
córner *m.* 《*Angl.*》 (축구에서) 코너.
cornerina *f.* 【광물】 홍옥수(紅玉髓).
corneta *f.* 뿔피리, 나팔; 코르넷. —*m.* 나팔수, 코르넷 연주자.
~ *acústica* (농아용) 보청기. ~ *de llaves* 코르넷. ~ *de monte* 수렵용 나팔. ~ *de órdenes* 호령을 전하는 나팔수. ~ *de posta* 역마차의 신호용 나팔.
cornete *m.* 작은 뿔.
cornetilla *f.* 【식물】 후추의 일종.
cornetín *m.* [*dim.* corneta] 작은 나팔; 작은 코르넷.
corneto, ta *adj.* ① 《*Arg. Chile. Méx. Venez.*》 뿔이 구부러진. ② 《*AmérC.*》 다리가 밖으로 휜(patizambo). ③ 《*Venez.*》 귀를 자른 (말) (tronzo).
cornezuelo *m.* [*dim.* cuerno] 【식물】 올리브의 한 변종(變種); 맥각균(麥角菌).
corniabierto, ta *adj.* 뿔과 뿔 사이가 넓은.
cornial *adj.* 뿔 모양으로 만든.
corniapretado, da *adj.* 뿔과 뿔 사이가 좁은 : vaca ~*da.*
cornicabra *f.* ① 【식물】 테레빈(terebinto). ② 야생 감람나무. ③ 초생달 모양의 올리브. ④ (카나리아 제도산의) 감자의 일종.
cornidelantero, ra *adj.* 뿔이 앞쪽으로 휜 (소).
corniforme *adj.* 뿔 모양의.
cornigacho, cha *adj.* 뿔이 아래로 향한 : toro ~*cho.* Contr. corniveleto.
cornígero, ra *adj.* 【시어】 뿔을 가진.
cornija *f.* 【건축】 배내기(cornisa).
cornijal *m.* ① 끝, 각 : un ~ de colchón. ② 건물의 모퉁이(esquina). ③ 승려가 미사 때에 손가락을 닦는 천.
cornijam(i)ento *m.* =**cornija.**
cornijón *m.* ① 【건축】 처마 도리에 하는 장식. ② 가로의 모퉁이; 한적한 구석.
cornil *m.* =**cornal.**
corniola *f.* 【광물】 홍옥수(cornalina).
cornisa *f.* ① 【건축】 처마 장식 《벽의 윗부분에 장식으로 두른 돌출부》. ② 절벽에 연해 있는 길.
cornisam(i)ento *m.* (고대 건축의) 중인방(中引枋); 소벽(小壁), 띠 모양의 조각. Sinón. entablamento.
cornisón *m.* =**cornijón.**
corniveleto, ta *adj.* 막대 모양의 뿔을 가진 : vaca ~*ta.* Contr. cornigacho.
cornivuelto, ta *adj.* 뒤로 구러진 뿔의.
cornizo *m.* 【식물】 산수유나무.
corno *m.* ① =**cornizo.** ② 【악기】 호른 : ~ inglés. ③ 【식물】 =**cornejo.**
cornucopia *f.* ① 풍요의 뿔 《Júpiter신이 어렸을 때 젖을 먹었다고 전해지는 산양의 뿔》; 그 장식 《뿔 안에 꽃·과일·곡물을 담는 풍요의 상징》. ② 푸짐함, 무진장. ③ 촛대가 달린 경대.
cornuda *f.* 【어류】 상어의 일종(pez martillo).
cornudilla *f.* =**cornuda.**
cornudo, da *adj.* ① 뿔이 난. ② 질투·샘이 많은. —*m.* ① (온두라스의) 원숭이의 일종. ② 오쟁이 진 남편, 서방질한 여자의 남편.
tras de ~ *apaleado* 얻어 맞고 발로 채이고 하여.
cornúpeta *adj.* [*lat.* cornupeta] 뿔로 찌르려 하는 (소 등의 그림). —*m.* ① 투우용 소(toro). ② 《*Hond.*》 원숭이의 일종.
cornúpeto *adj. m.* =**cornúpeta.**
cornuto *adj.* 양도 논법(兩刀論法)·딜레마의 : argumento ~ 양도 논법, 딜레마(dilema).
coro[1] *m.* [*lat.* chorus] ① 합창 : ~ de voces mixtas 혼성 합창. ② 합창단, 합창대, 합창대석; 합창곡.
a ~ 번갈아, 저마다, 동시에(todos a la vez).
hacer ~ 찬성하다(unirse con otros).
coro[2] *m.* [*lat.* caurus] 【시어】 북서풍(cauro).
coro[3] *m.* [*lat.* corus] 히브리의 곡류 단위 《33 decalitros》.
coro (de) *adv.* 암기로, 암송하여(de memoria).
corocoro *m.* 《*Venez.*》 【조류】 꼬로꼬로새 《붉은 색깔의 다리가 긴 새》.
corocha *f.* ① 【곤충】 포도의 잎말이 벌레. ② (옛날의) 연미복.
corografía *f.* 지방 지지(地方地誌), 지세도(地勢圖); 지방(지)에 관한 연구.
corográficamente *adv.* 지방 지지에 의해.
corográfico, ca *adj.* 지방 지지(地方地誌)의.
corógrafo *m.* 지방지 편자·학자.
coroideo, a *adj.* 【해부】 맥락막의 : membrana ~*a.*
coroides *f.* 【해부】 맥락막.
coroiditis *f.* 【의학】 맥락막염.
corojal *m.* 《*Cuba.*》 corojo 숲.

corojo *m.* 【식물】 (남미산의) 상아종려.

corola *f.* [*lat.* corolla] 【식물】 화관(花冠).

corolario *m.* [*lat.* corollarium] ① 필연·당연한 귀결. ② 【수학】 계(系).

coroliflora *adj. f.pl.* 합변 화관류(의).

coroliforme *adj.* 화관 모양의.

corona *f.* [*lat.* corona] ① 관(冠) : ~ de laurel 월계관. ~ fúnebre 장의용 화환, 조사집(弔詞集). ② 왕관, 보관(寶冠)(~ real). ③ 왕권, 왕위 : ceñir(se) la ~ 왕위에 오르다, 군림하다. ④ 왕국(reino, monarquía) : la ~ de España. ⑤ 주권(soberanía) : abdicar la ~. ⑥ 영관(榮冠), 영광(honor, esplendor). ⑦ ㄱ) (어떤 것의) 꼭대기, 봉우리 : ~ de una colina. ㄴ) 머리 꼭대기(coronilla) ; 관 모양으로 면도로 민 머리 ; 원정(圓頂). ⑧ 햇무리, 달무리(halo) ; (일식의) 코로나, 광관(光冠) ; (성상 등의) 광배(光背), 후광(aureola). ⑨ 【식물】 화관 ; 덩굴. ⑩ 【치과】 치관(齒冠). ⑪ 【기계】 좌금(座金)(arandela) ; 장식 쇠붙이(roseta) ; 염주. ⑫ (여러 나라의) 화폐 이름 ; 영국의 크라운화 ; 까스띨랴의 옛날 금화 ; 독일의 10마르크화 ; 포르투갈의 10밀레이스. ⑬ 《*Cuba.*》 (담배의) 상부의 잎. ⑭ 선망(船網).
la C- Austral 【천문】 남관좌(南冠座).
la C- Boreal 【천문】 관좌(冠座).
~ de rey, ~ real ① 왕관. ② 【식물】 전동싸리.
~ imperial 【식물】 패모(貝母).

coronación *f.* ① 대관식. ② 완성. ③ 관(冠)의 장식, 꼭대기 장식.

coronado, da *adj.* ① (…을) 머리에 쓴. ② 《*Cuba. Riopl.*》 【희언】 =**cornudo.** **—***m.* 머리를 관 모양으로 면도질한 중.

coronador, ra *adj.m.f.* coronar하는 (사람).

coronal *adj.* 【해부】 이마뼈의. **—***m.* 이마뼈 (hueso ~).

coronamento *m.* 완성, 준공 ; 관(冠)의 장식 ; 배의 고물의 윗쪽 끝.

coronamiento *m.*=**coronamento.**

coronar *tr.* ① (누구에게) 관을 씌우다 : ~ al poeta *con·de* laureles 시인에게 월계관을 씌우다. ② 왕위에 앉히다 : ~ por monarca 왕으로 추대하다. ③ 완성하다. ④ (어떤 것의) 위에 장식하다 : La sierra está *coronada de* nieve 산봉우리에 눈이 쌓여 있다. ⑤ (장기의 말을) 바꾸어 쓰다. ⑥ 찬양하다, 영예를 지니게 하다 : ~ la virtud·una obra. ⑦ (…의) 꼭대기에 이르다 : ~ la altura 산꼭대기에 오르다. ⑧ (어떤 것의) 정점·꼭대기에 서다·있다 : Este edificio *corona* la ciudad 이 건물은 시내에서 가장 높은 곳에 있다. ⑨ 《*Ant. Perú. Riopl.*》 【희언】 (남편·아내가) 부정을 저지르다, 뿔이 나게 하다.
~se ① 대관하다, 왕위에 오르다 : Napoleón *se coronó* a sí mismo. ② 덮히다(cubrirse) : Los árboles *se coronan de* flores 나무들은 꽃으로 덮혀 있다. ③ (태아가) 머리를 드러내다.

coronaria *f.* (시계의 초침을 움직이는) 관치차(冠齒車)(ruedecilla).

coronario, ria *adj.* ① 관의 ; 관 모양의. ② 관상(冠狀) 동맥의 : afección *~ria* (심장의) 관상 동맥성 질환. insuficiencia *~ria* 관부전(冠不全).

coronda *f.* 《*Riopl.*》 【식물】 꼬론다 《가시 달린 콩과 나무》.

corondel *m.* 【인쇄】 종선괘(縱線罫). **—***pl.* (종이에) 쳐진 세로줄.

coroneja *f.* 《*Murc.*》 =**coxcojilla.**

coronel *m.* [*ital.* colonello] ① 육군 대령 : teniente ~ 육군 중령. ② 【건축】 관장식(冠裝飾).

coronela *adj.* 육군 대령의. **—***f.* 여자 대령, 대령 부인.

coronelato *m.* =**coronelía.**

coronelía *f.* ① 대령의 직. ② 연대.

corónide *f.* 완성, 준공.

coronilla *f.* [*dim.* corona] ① 정수리 : ~ real 왕관. ② 《*And.*》 참외의 일종.
andar·bailar de ~ 열중하다.
dar de ~ 곤두박질하다.
estar hasta la ~ 싫증내다, 진저리내다.
ir de ~ =andar de ~.

coronta *f.* 《*AmérM.*》 ① 【식물】 옥수수 이삭의 심. ② 《*Bol.*》 과일의 딱딱한 껍질.
~ de Guinea 상아종려.

corosol *m.* =**chirimoya.**

corota *f.* 《*Arg.*》 ① 【해부】 음낭. ② 《*Bol.*》 닭의 볏(cresta de gallo).

corotos *m.pl.* 《*Amér.*》 잡동사니.

coroza *f.* ① (죄인의 머리에 씌웠던) 종이 고깔모자. ② (갈리시아 지방 농민이 쓰는) 비옷, 도롱이.

corozal *m.* corozo의 숲.

corozo *m.* ① 【식물】 (남미산의) 상아종려 (corojo). ② 《*Bol.*》 과일의 딱딱한 껍질.
~ de Guinea 상아종려.

corpa *f.* 【광물】 원광(原鑛).

corpa(n)chón *m.* ① 커다란 체격·몸(cuerpo grande). ② 다리와 가슴을 잘라낸 새.

corpazo *m.* [*aum.* cuerpo] 커다란 몸.

corpecico *m.* [*dim.* cuerpo] ① =**corpiño.** ② 작은 몸·체격.

corpecillo *m.* [*dim.* cuerpo] =**corpecico.**

corpecito *m.* [*dim.* cuerpo] =**corpecico.**

corpezuelo *m. dim.* cuerpo.

corpiñejo *m. dim.* corpiño.

corpiño *m.* ① 조끼의 일종. ② 《*Arg.*》 브래지어.

corporación *f.* ① 단체 : una ~ literaria 문학 단체. ② 협동 조합 ; 법인 (단체).

corporal *adj.* ① 육체의, 신체상의, 육체적인 : trabajo ~ 육체 노동. ② 유형의. **—***m.* [주로 *pl.*] 성체포(聖體布).

corporalidad *f.* 구체성 ; 유형물.

corporalmente *adv.* 육체적으로.

corporatismo *m.* 단체의 발전에 호의적 제도.

corporativamente *adv.* 단체로서, 단체적으로.

corporativismo *m.* 【경제】 협동 조합주의.

corporativista *adj.* corporativismo의. —*m.f.* 협동 조합주의자.

corporativo, va *adj.* 단체의 ; 협동 조합의 : intereses *~vas* 협동체의 이익.

corporeidad *f.* 형체성, 형체적 존재 ; 물질성.

corpóreo, a *adj.* 형체가 있는 ; 육신의, 육체의 (corporal).

corps (de) *adj.* 친위대의 : guardia *de* ~ 친위대

—*m.pl.* 《*Galic.*》 군단 ; 본부.
corpudo, da *adj.* =**corpulento.**
corpulencia *f.* 비만, 비대, 거대.
corpulento, ta *adj.* 비만한, 몸집이 큰 ; 거대한.
Corpus *m.* [*lat.* corpus] (카톨릭교에서의) 그리스도 성체절(聖體節).
corpuscular *adj.* 미립자의 ; 미립자로 이루어진 ; 입자 철학의.
corpusculista *m.* 미립자·입자 철학자.
corpúsculo *m.* [*lat.* corpusculum] ① (혈액의) 소구(小球) ; 혈구 미소체(血球微小體). ②【물리】 미립자 ; 원자(原子), 전자(電子).
corra *f.* 《*León.*》 쇠테, 쇠바퀴.
corral *m.* ① (노천의) 울타리를 두른 곳 : ~ de madera 저목장(貯木場) ; 재목상. ② 가축·가금 사육장·우리 ; (옛날에는 잔디를 심은) 마당, 노천 극장. ③ (물고기를) 넣어 두는 곳. ④ 《*Cuba.*》 (주로 돼지의) 종축장.
~ *de abasto* 《*Riopl.*》 도살장. ~ *del Consejo* 《*Cuba.*》 소유자 불명의 가축을 몰아 넣어 두는 곳. ~ *de madera* 나무로 지은 창고. ~ *de vecindad* 이웃집. ~ *de vacas* 다 쓰러져 가는 집. *ave de* ~ 가금.
en ~ 잠복하여.
hacer ~*es* 결석하다, 학교를 빼먹다·빠지다 (hacer novillos).
corralada *f.* 큰 우리.
corraleja *f.* 《*Col.*》 담장, 나무 울타리.
corralera *f.* ① (옛날에는 뒷마당에서 춤출 때 부르던) 안달루시아의 민요. ② 부정한 여자.
corralero, ra *adj.* 뒤뜰의. —*m.f.* 뒤뜰에서 닭·돼지를 치는 사람.
corraliza *f.* 농가의 뒤뜰, 안마당.
corralón *m.* [*aum.* corral] ① 《*Perú.*》 (건축 예정으로) 우리를 두른 곳. ② 《*Riopl.*》 석재(石材)·목재 등을 두는 곳.
correa *f.* ① 가죽 끈, 혁대, 벨트 : ~ de transmisión 가죽 벨트. ~ transportadora 벨트 컨베이어. ~ de un reloj 시계줄. ② 부드러움, 연함. —*pl.* 먼지털이(zorros de cuero para quitar el polvo).
besar la ~ 마지못해 굴복하다.
tener mucha ~ 꾹 눌러 참다 ; 중노동을 이겨내다.
correaje *m.* [집합] 피혁 ; 가죽으로 된 도구.
correal *m.* 무두질한 가죽 : calzones de ~. **Sinón.** estezado.
correar *tr.* 부드럽게 만들다.
correazo *m.* (가죽 채찍·가죽 혁대로) 때리기.
correcalles *m.* 【단·복수 동형】 떠돌이, 불량배, 건달패.
correcamino *m.* 《*Amér.*》【조류】 =**cachilo.**
corrección *f.* ① 수정, 정정 ; 교정(校正)(~ tipográfica). ② 교정((矯正). ③ 질책, 징계 : recibir una severa ~. ④ 《*Galic.*》 단정(端正) : Se porta con la mayor ~.
~ *disciplinaria* (하급자에 대한) 견책.
~ *fraterna·fraternal* 은근한 충고·훈계.
~ *gregoriana* (1582년의 교황 Gregorio XIII에 의한) 그레고리오력(曆).
correccional *adj.* 수정의 ; 징계의. —*m.* 감화원.
correccionalismo *m.* 징계 ; 감화 (제도).
correccionalista *adj.* 징계주의의. —*m.f.* 징계주의자.
correccionalmente *adv.* 벌로, 응징으로.
correcorre *m.* 《*Cuba.*》 이리저리 피해 다님.
correctamente *adv.* 올바로, 정확히 : hablar ~.
correctibilidad *f.* 정정, 수정, 완화의 가능성.
correctible *adj.* 정정·수정할 수 있는 ; 완화할 수 있는.
correctivo, va *adj.* ① 중화성의 ; 완화하는, 부드럽게 하는 : medicamento ~ 완화제. ② 정정(訂正)의 : conjunción ~*va* 정정 접속사 《pero, mas》. —*m.* 중화제 ; 완화제 ; 징벌, 견책.
correcto, ta *adj.* ① [corregir *p.p.*] 바른, 순정(純正)한 (말씨·문장 등). ② 《*Galic.*》 정돈된, 가지런한, 단정한 : Es persona muy ~*ta*.
corrector, ra *adj.* 수정·정정하는 ; 징계하는. —*m.f.* 정정자(訂正者) ; 징계자 ;【인쇄】 교정원 ; (승원의) 감독.
correcho, cha *adj.* 《*León.*》 곧은, 똑바른 (recto, firme).
corredentor, ra *adj.m.f.* =**redentor.**
corredera *f.* ① (문지방 등의) 홈, 고랑, 레일 : puerta de ~ 돌쩌귀로 되어 있지 않은 레일식 문. ② 마장(馬場) ; (옛날에 마장이던) 시가, 거리. ③ 멧돌의 위짝. ④【곤충】 진디 (cucaracha) ; 쥐며느리. ⑤ 뚜쟁이(alcahueta). ⑥【해사】 측정기 ; 측정선. ⑦ (증기 기관의) 미끄럼판. ⑧ 《*Arg.*》 급류.
corredero *m.* ① 《*Col.*》 오래된 하상(河床). ② 《*Méx.*》 (임시적인) 경마장. ③ 《*Venez.*》 사람이 모이는 곳.
corredizo, za *adj.* ① 쉽게 풀어지는 : nudo ~ 잡아당겨 풀게 된 매듭. ② 잘 조여지는. ③ 미끄럼식으로 된 : puente ~.
corredor, ra *adj.* ① 잘 달리는 : galgo ~. ②【조류】 주금류(走禽類)의. —*m.f.* 주자(走者) ; 중매인(仲買人), 브로커 : ~ de bolsa 주식 중개인. ~ de cambios·de oreja 환 중개인 ; 소문을 퍼뜨리고 다니는 여자. ~ de comercio 거래소 중개인. ~ no colegiado 장외 거래 중개인. —*m.* ① 복도, 낭하, 통로. ②【축성】 복도(覆道) ; 척후, 수색병.
corredora *f.*【동물】 주금류(走禽類) 《타조 등》.
corredura *f.* 되에서 넘친 것.
correduría *f.* 거간, 중매, 중개업 ; 중개 수수료. **Sinón.** comisión.
correería *f.* 피혁구(皮革具) 제조·공장·상.
correero, ra *m.f.* 피혁공 ; 피혁 상인.
corregencia *f.* 공동 지배자의 직.
corregente *adj.* 공동 지배의.
—*m.f.* 공동 지배자.
corregible *adj.* 바로 할 수 있는, 수정할 수 있는, 교정할 수 있는 : delincuente ~. **Contr.** incorregible.
corregidor, ra *adj.* 바로 잡는, 고치는, 정정하는, 교정하는. —*m.* (옛날의) 시·읍·면장, 고을의 원님.
corregidora *f.* corregidor의 아내.
corregimento *m.* ① corregidor의 직. ② 관할 구역. ③ (옛날의) 시·읍·면장의 사무소.
corregir *tr.* ㊺ [*lat.* corrigere] ① 바로잡다, 정

정하다, 수정하다; 교정(校正)하다; 교정(矯正)하다: ~ una prueba. ② 훈계·징계하다(amonestar). ③ 중화하다(moderar). ④ 《*Cuba.*》 똥을 누다, 대변을 보다(evacuar el vientre).
~se 마음·생각을 고치다(enmendarse).
[직설법 현재: corrijo, corriges, corrige, corregimos, corregís, corrigen. 접속법 현재: corrija, corrijas, corrija, corrijamos, corrijáis, corrijan. 직설법 부정 과거 3인칭: corrigió, corrigieron. 현재 분사: corrigiendo].

corregüela *f.* =**correhuela.**

correhuela *f.* [*dim.* correa] 【식물】 (뿌리가 붉은) 양귀비과 식물(centinodia); 메꽃.

correinado *m.* (두 왕의) 공동 통치(gobierno simultáneo).

correinante *m.* 공동 통치자.

correísta *m.* 【속어】 우편 집배원, 우체부.

correjel *m.* 두꺼운 가죽; 구두의 창가죽.

correlación *f.* 상호 관계, 상관(relación recíproca).

correlacionar *tr.* 연관시키다, 상관시키다(relacionar), 상호 관계를 맺다.

correlativamente *adv.* 상대적으로, 상호적으로, 상관적으로, 서로 간에(con correlación).

correlativo, va *adj.* 상관적인: Padre e hijo son términos ~*s.*

correlato *m.* 상관 관계에 있는 항.

correligionario, ria *adj. m.f.* 종교가 같은 (사람); 정견이 같은 (사람), 같은 당원; 동지.

correlón, na *adj.* ① 《*Amér.*》 발이 빠른 (corredor): un caballo ~. ② 《*Méx. Col.*》 옹졸한; 비겁한.

correncia *f.* 【속어】 ① 설사(diarrea). ② 수줍음. ③ 수다스러움.

correndilla *f.* 아장아장 달려가기.

correntada *f.* 《*Amér.*》 급류(corriente fuerte).

correntera *f.* 《*Urug.*》 개울·물의 흐름.

correntía *f.* 【속어】 설사(correncia).

correntino, na *adj.* ① corriente의. ② 꼬리엔떼스《Corrientes, 아르헨띠나의 부에노스 아이레스의 동부해안의 갑》.

correntío, a *adj.* 흐르는; 경쾌한.

correntón, na *adj.* 어슬렁거리는; 농담을 좋아하는. **—***m.* 《*Col.*》 급류.

correntoso, sa *adj.* 《*Amér.*》 물살이 센, 빨리 흐르는, 급류(急流)의.

correo *m.* ① 우편, 우편물: ~ aéreo 항공 (우)편. ~ certificado 등기 우편. ~ del exterior 외국 우편. ~ ordinario 보통 우편. ~ próximo 다음 편. ~ separado 별편(別便). ~ urgente 속달 우편. por (el) ~ 우편으로. ② [더러 *pl.*] 우편 사무: casa de ~*s* 우체국(oficina de ~*s*). buzón de ~*s* 우체통. ③ 우편 집배원; 우편 집배차(coche ~). ④ [보통 *pl.*] 우체국. ⑤ 공동 피고. ⑥ 【은어】 악당들 사이의 심부름꾼. ⑦ (옛날의) 우편 집배원; 발이 빠름: ~ a las diez (quince · veinte) 24 시간에 10 (15 ·20) 레구와씩 가던 우체부. ~ de gabinete 공용물 우편 집배원. **—***adj.* 우편물을 나르는: avión ~ 우편물 수송 비행기.

correón *m.* [*aum.* correa] 두꺼운 가죽; 구두의 밑창 가죽.

correoso, sa *adj.* 연한, 부드러운, 단단하여 끊어지지 않을 것 같은, 끈기가 있는; 질긴.

correr *intr.* [*lat.* currere] ① 달리다(ir muy rápidamente): ~ tras uno (…의) 뒤를 달리다. ② (경주에) 참가하다(participar en una carrera): ~ los mil metros. ③ 흐르다, 유동하다(fluir): ~ el río · el agua 강·물이 흐르다. ④ (시간이) 지나다, 흐르다(transcurrir). ⑤ (바람이) 불다(soplar): ~ el viento. ⑥ (잉크 등이) 번지다. ⑦ 유통·통용하다: No *corre* esta moneda 이 동전은 통용되지 않는다. ⑧ 나돌다, 팔리다: *Corre a · por* veinte pesetas 20 뻬세따로 나돌고 있다. ⑨ 도우러 가다(recurrir). ⑩ [+con · por: …을] 인수하다, …의 책임을 지다. ⑪ [뜻이 없는 la 앞에서] 바람을 피우다.
—*tr.* ① (계속) 달리다, 돌다(recorrer): *Ha corrido* medio mundo 세계를 절반이나 돌아다녔다. ② 쫓다, 몰다, 뒤쫓다, 몰아붙이다 (perseguir): ~ los toros 투우를 하다. ③ 쫓아버리다: ~ perros. ④ (적지 등을) 탐색하다 (recorrer). ⑤ 약탈하다, 빼앗다, 훔치다, ⑥ 달리게 하다. ⑦ 창피를 주다. ⑧ 미끄러뜨리다, 움직이다: *Corred* esta silla 이 의자를 옆으로 끌어당기세요. ⑨ (자물쇠를) 잠그다; (커튼을) 치다. ⑩ (경매에) 붙이다; 외판하다; (중개인이) 매매하며 다니다, 주선하다, 거간하다: ~ fincas. ⑪ 《*Amér.*》 몰아내다, 추방하다. ⑫ …에 빠지다(faltar a): ~ la clase · la oficina 수업·근무에 빠지다. ⑬ 《*Arg.*》 겁을 주다.
~se ① 빗나가다; 미끄러지다, 미끄러지기 쉽다. ② (자리를) 좁히다. ③ 부끄러워하다. ④ 녹아 흐르다, 지나치게 녹다. ⑤ 약간 지나치다. ⑥ 비싸게 굴다, 거만 떨다: No *te corras* 비싸게 굴지 마라. ⑦ 《*Amér.*》 주춤하다, 기가 꺾이다, 도망치다.
~ ***a cargo de · por cuenta de*** (누구의) 책임이다: Los gastos *corren por cuenta de*l comprador 비용은 구입자 부담이다.
~ ***peligro · riesgo*** 위험을 당하다, 위험이 있다: La nave *corría peligro de* hundirse 배가 침몰될 위험이 있었다.
a todo ~ 죽을둥살둥.

correría *f.* ① 적지 교란. ② 소풍, 짧은 여행.

correspl. corresponsal.

correspondencia *f.* ① 상응, 대응, 응수, 교섭. ② 교통, 서신 교환, 통신: tener ~ con … 과 서신 내왕이 있다; 거래 관계가 있다. ③ 통신문, 서한, 편지: ~ comercial · mercantil 상업 통신문. ④ 역어(譯語).

corresponder *intr.* ① 응하다, 갚다: ~ *a* un favor 호의를 받아들이다. ~ *con* su bienhechor 은인에게 보답하다. ② 어울리다, 균형이 잡히다. ③ (누구의) 담당·책임이다(tocar): Esto te *corresponde.* **—***tr.* (…에) 상응하다.
~se 상응하다; 서로 내왕하다, 서로 서신을 주고 받다, 서신 교환을 하다; 서로 사랑하다.

correspondiente *adj.* ① 해당되는, 저마다의, 각각의. ② 상응되는: ángulos ~*s* 【수학】 동위각. ③ 상응한, 어울리는. ④ 통신의, 통신에 의한: académico ~ 통신 학회원. **—***m.f.* 통신원; 통신 회원.

correspondientemente *adv.* 상응하여, 대응적으로, 상당하게.

corresponsal *adj.* 통신의, 통신 관계가 있는. —*m.f.* ①(신문의) 통신원 : ~ especial 특파원. ②(상사의) 대리인, 출장원.

corresponsalía *f.* 신문 통신원의 일, 통신부, 지국.

corretaje *m.* 거간(居間), 중개, 주선 ; 수수료(comisión).

corretear *intr.* 여기저기 쏘다니다 ; (아이들이) 뛰놀다, 맴돌다. —*tr.* ①《*Amér.*》 추적하다, 추구하다. ②《*AmérC.*》 쫓아 버리다, 몰아내다(ahuyentar). ③《*Chile.*》 (처리를) 재촉하다.

correteo *m.* 쏘다니는 일, 배회.

corretero, ra *adj. m.f.* 어슬렁거리는 (사람).

corretora *f.* 성가대를 지휘하는 여승.

correvedile *m.f.* 【단·복수 동형】 수다쟁이 ; 뚜쟁이 ; 어슬렁거리는 사람.

correveidile *m.f.* =**correvedile.**

correverás *m.* 【단·복수 동형】 용수철 장치의 장난감 《깜짝 상자 따위》.

corrida *f.* ①진로, 달리기, 주행(走行) ; 질주(carrera) : ~ del tiempo 세월의 빠름. calle de una ~ 《*Méx.*》 일방 통행로. ②【투우】 쫓기, 쫓는 일 : ~ de toros 투우(toros). ③안달루시아의 민요. ④《*Chile.*》 (똑바른) 줄. ⑤광맥.
de ~ 유창하게, 막힘없이, 술술(corridamente, corrientemente) : leer *de* ~.

corridamente *adv.* =**corrientemente.**

corrido, da *adj.* ①초과한 : una medida algo ~*da.* ②무안해·무색해 하는, 난처해 하는(avergonzado) : estar ~ *de* vergüenza. ③약삭빠른, 노련한, 경험이 풍부한(experimentado) : más ~ que zorro viejo 아주 교활한. ④흘려 쓰는, 갈겨 쓰는, 초서체의. ⑤연속적인, 계속된, 잇달은. ⑥완전 무결한, 완전한(cabal, completo) : barba ~*da.*
—*m.* ①(물건을 챙겨두기 위한 헛간에 단) 차일(cobertizo). ②이야기 노래.
—*m.pl.* ①(기한이 되어) 받을 수 있는 이자(caído). ②《*Perú*》 (경찰에서의) 도망자.
~ *de la costa* (주로 기타를 치며 노래하는) 이야기 노래.
de ~ 유창하게, 술술, 막힘없이(de corrida) : leer *de* ~.

corriente *adj.* ①흐르는 ; 유창한(fluido) ; 유통하는 : moneda ~ 통화(通貨). ②ㄱ) 보통의 : de uso ~ 일용의. ㄴ) 흔한 : Eso es cosa ~. ③당연한, 흔한, 평범한 : Es ~ hacer una visita en tal caso. ④당좌의 : cuenta ~ 당좌 예금. ⑤이, 현재의 (주·연·세기 ; 특히 월에 대해) : el cinco *del (mes)* ~ 이 달 5일. ⑥(영수증, 정기 간행물 따위의) 최근, 최후의, 이번 회의.
—*f.* ①흐름 ; 시내, 개천, 개울, 강 : la ~ de un río 시내의 흐름. ②해류 : ~ del Golfo 만류, 특히 멕시코 만류. ③기류(氣流) : ~ de aire 틈새 바람. ④전류(電流)(~ eléctrica) : ~ alterna·alternativa 교류. ~ continua 직류. ~ de convección 대류(對流).
—*adv.* 막힘없이, 술술, 유창하게.
—*interj.* 옳은 말이다, 당연하다.
~ *y moliente* 일반적인.
al ~ 꼬박꼬박, 정확히 : Cobro mi paga *al* ~.
dejarse llevar de la·del ~ 시류·대세에 따르다.
estar al ~ *de* …에 환하다, 잘 알고 있다.
ir·navegar contra (la) ~ 관습·상식적인 관념에 역행하다.
irse con·tras la ~ 대세에 뇌동하다.
poner a uno *al* ~ *de* (누구에게) …을 알리다.

corrientemente *adv.* ①쉽게(sin dificultad, fácilmente) : Se expresa ~ en coreano 한글로 쉽게 표현된다. ②막힘없이, 유창하게.

corrigendo, da *m.f.* 징역수(懲役囚) ; 감화원 입소자(感化院入所者).

corrij- →**corregir** [45].

corrillero, ra *adj. m.f.* 쑥덕거리는 (사람) ; 모사(謀士) ; 방랑자.

corrillo *m.* 쑥덕거리기.

corrimiento *m.* ①유출 : ~ de tierra 토사의 유출. ②여드름, 부스럼. ③창피, 무안. ④포도꽃의 냉해·풍해. ⑤《*Chile.*》 【의학】 류머티즈(reumatismo). ⑥카타르성·수성(水性) 분비물.

corrincho *m.* 깡패·망나니들의 모임.

corrivación *f.* 하천 정리 공사.

corriverás *m.* =**correverás.**

corro *m.* ①둥그렇게 둘러선 사람들, 인파, 군중 : hacer ~ 사람이 둘러서다. hacer ~ aparte 별개 행동을 취하다. ②손을 맞잡고 둥글게 원을 그리는 일 ; 둥그런 빈터·장소(espacio redondo). ③(거래소의) 둥그런 장소.

corroboración *f.* 기운을 돋우어 주기 ; 기운이 남 ; (주장을) 굳히는 일 ; 확증(하는 일) : en ~ de …을 확증하기 위해, …의 확증으로서.

corroboradamente *adv.* 기운이 나서.

corroborante *adj.* 기운을 돋우어 주는 ; 강하게 하는 ; 확증적인. —*m.* 강장제.

corroborar *tr.* ①기운을 돋우다, 힘이 나게 하다, 튼튼하게 하다(fortificar) : El vino *corrobora* el estómago. ②(논거·소신 등을) 굳히다 : La confesión *corrobora* la acusación.

corroborativo, va *adj.* 정력을 보강하는, 힘이 되는 ; 확증이 되는.

corrobra *f.* ①【식물】 은행. ②공증 증서.

corroedor, ra *adj.* 부식하는, 썩는.

corroer *tr.* [74] ①부식하다(roer) : El agua fuerte *corroe* el metal. ②침략하다. ③여위게 하다, (건강을) 해치다.

corrompedor, ra *adj.m.f.* corromper하는 (사람).

corromper *tr.* [*lat.* corrumpere] ①썩히다 : El calor *corrompe* la carne. ②엉망으로 만들다, 무용지물을 만들다, 폐물로 만들다. ③해치다 ; 손상시키다 ; (풍습·말씨를) 문란하게 하다 ; 타락시키다. ④매수하다, 유혹하다(seducir). ⑤【속어】 애먹이다, 난처하게 만들다. —*intr.* 냄새나다, 악취를 뿜다.
~se 썩다, 부패하다 ; 매수되다, 독직하다 ; 타락하다.

corrompidamente *adv.* 구제할 길 없이, 부정한 수단으로, 뇌물을 써서.

corroncha *f.* 《*Hond.*》 =**concha.**

corroncho *m.* 《*Col.*》 꼬론쵸 《작은 민물 고기》.

corronchoso, sa *adj.* 《*AmérC. Col.*》 거칠고 사나운 ; 껍질이 단단한.

corrongo, ga *adj.* 《*CRica. Cuba.*》 귀여운, 예쁜(gracioso, lindo).

corrosal *m.* 【식물】 =**anona.**

corrosible *adj.* 부식되는, 썩는.
corrosión *f.* 부식 ; 여윔, 수척해짐.
corrosivo, va *adj.* 부식성의 ; 침식성의. —*m.* 부식제(腐蝕劑).
corroyente *adj.* 부식하는, 침식성의.
corr.[s] correos ; correspondencias.
corr.[te] corriente.
corruco *m.* 《*Mal.*》 밀가루와 편도로 만든 반죽.
corrugación *f.* 오므라듦.
corrulla *f.* =**corulla.**
corrumpente *adj.* ① =**corruptor.** ② 귀찮은 (fastidioso).
corrupción *f.* [*lat.* corruptio] ① 부패 : La ~ de las carnes es muy rápida en verano 고기의 부패는 여름에는 매우 빠르다. ② 변화, 변질 (alteración) : ~ de la sangre. ③ 타락 ; 오직(汚職). ④ (언어의) 잘못 쓰임, (원문의) 불순화. ⑤ 악취.
corruptamente *adv.* =**corrompidamente.**
corruptela *f.* 부패 ; 악패 ; 오직(汚職).
corruptibilidad *f.* 부패성 ; 타락성 ; 매수 · 수회할 수 있는 일 ; 풍기 문란성.
corruptible *adj.* ① 부패하기 쉬운 : substancia ~. ② 타락하기 쉬운. ③ 매수할 수 있는. Contr. incorruptible.
corruptivo, va *adj.* 썩히는, 타락적인.
corrupto, ta *adj.* [corromper *p.p.*] 썩은 ; 타락된 ; 매수당한. Contr. incorrupto.
corruptor, ra *adj.* 부패시키는 ; 타락시키는. —*m.f.* 미풍 양속을 해치는 사람, 풍기 문란자 ; 더럽히는 사람 ; 증회인(贈賄人), 증뢰자.
corrusco *m.* 빵 부스러기(mendrugo).
corsa *f.* 《*Can.*》 =**narria, rastra.**
corsar *intr.* =**corsear.**
corsariamente *adv.* 노략질하듯이, 해적처럼.
corsario, ria *adj.* 해적선의 ; 포가 장비된. —*m.* 무장선 《적의 상선을 포획 허용받은 선박》 ; 그 선장, 선원 ; 해적(pirata).
corsé *m.* [*fr.* corset] ① 코르셋. ② (바지의) 끈 (trincha de los pantalones).
corsear *intr.* 노략질 · 해적질을 하다(ir al corso).
corsetería *f.* 코르셋 상점.
corsetero, ra *m.f.* 코르셋 제작자 · 상인.
corso *m.* [*lat.* corsus] ① 해적 : en ~ 노략선으로서. ir · salir a ~ 노략에 나서다. venir de ~ 노략질을 하고 오다. ② 산책, 드라이브. ③ 《*Arg.*》 (사육제의) 가장 행렬.
corso, sa *adj.* 코르시카 (Córcega) 섬의. —*m.f.* 코르시카 섬사람.
corta *f.* 벌채 ; 절단.
cortabolsas *m.f.* 【단 · 복수 동형】 소매치기 (ratero).
cortacallos *m.* 【단 · 복수 동형】 티눈뽑이.
cortacésped *m.* 제초기.
cortacigarros *m.* 【단 · 복수 동형】 담배 (특히 시거의) 끝을 자르는 칼.
cortacircuitos *m.* 【단 · 복수 동형】【전기】 안전기(安全器), 퓨즈.
cortacorriente *m.* 【전기】 스위치, 개폐기, 전환기(轉換器)(conmutador eléctrico).
cortada *f.* 《*Amér.*》 베인 상처, 창상(創傷). (cortadura).
cortadera *f.* ① (철물 절단용) 끌. ② (벌집을 자르는) 칼. ③ 【식물】 (남미산의) 물갈대, 부들. Sinón. paja brava.
en ~ 《*Chile.*》 돈 한푼없이, 빈털털리로.
cortadero, ra *adj.* 자르기 쉬운.
cortadillo *m.* (원통 모양의) 작은 컵 : echar ~ 술을 마시다 ; 잰 체하는 · 꾸민 태도로 말하다.
cortado, da *adj.* [cortar의 *p.p.*] ① 잘려진, 절단된, 베어진. ② 꼭 들어맞은, 조이는 (ajustado). ③ 자주 끊어진 (문체). ④ [+ bien · mal] 재단이 잘된 · 잘못된. ⑤ 《*Amér.*》 돈 한푼없는. ⑥ 오한이 나는, 떨리는. —*m.* ① (무용에서의) 도약, 뛰기. ② 작은 술잔.
cortador, ra *adj.* 자르는, 베는, 재단하는. —*m.f.* ① 자르는 · 베는 사람. ② 푸줏간 주인 (carnicero). ③ (구두 · 피륙의) 재단공. —*m.* ① 자르는 것. ② 앞니(diente incisivo). ③ 전류 단속기(電流斷續器) ; 절단기(切斷機).
cortadura *f.* ① 자르기, 절단. ② 자른 금. ③ (산간의) 뚫린 길. ④ 베인 상처 : hacerse una ~ en la mano. ⑤ 오려내기 : ~*s* del periódico. ⑥ 【축성】 돌출부. —*pl.* 재단 · 절단 부스러기 (recortes).
cortafierros *m.pl.* 《*Arg.*》 끌(cortafrío).
cortafrío *m.* (금속을 쪼는) 정, 끌.
cortafuego *m.* 방화선 ; 방화벽(防火壁).
cortahielos *m.* 【단 · 복수 동형】 쇄빙선.
cortahierro *m.* =**cortafrío.**
cortalápices *m.* 【단 · 복수 동형】 연필깎이.
cortamente *adv.* 짧게, 간략하게.
cortamiento *m.* =**turbación, cortedad, encogimiento.**
cortante *adj.* ① 자르는, 베는. ② 잘 드는 (tajante) ; 예리한, 단호(斷乎)한, 날카로운. —*m.* ① 식칼, 고기 자르는 칼. ② 푸줏간 주인 (carnicero).
cortao *m.* (성을 파괴하는) 옛 군대 기계.
cortapapel *m.* 종이 자르는 칼(plegadora).
cortapicos *m.* 【곤충】 집게 벌레.
~ *y callares* 잠자코 있어라 《어린애를 나무라는 말》.
cortapiés *m.* 【단 · 복수 동형】 다리에 난 칼자국.
cortapisa *f.* ① 제한, 제약(limitación). ② 애교, 매력(gracia, sal) : tener ~. ③ 부인복의 다른 천을 댄 장식.
cortaplumas *m.* 【단 · 복수 동형】 작은 칼, 잭나이프, 주머니칼.
cortapruebas *m.* 【단 · 복수 동형】 사진판을 자르기 위한 칼.
cortapuros *m.* 【단 · 복수 동형】 =**cortacigarros.**
cortar *tr.* [*lat.* curtare] ① 자르다, 베다 : ~ pan. ② 짧게 하다, 잘라내다 ; 절단하다 ; (연필, 머리를) 깎다 : *Córte*me el pelo 머리를 깎아 주세요. ③ 베다, 벤 자국을 내다 : Me *corté* un dedo 나는 손가락을 베었다. ④ 새기다, 파넣다 (grabar). ⑤ 가로막다, 차단하다(atajar) : ~ el paso · la comunicación. ⑥ (교량을) 끊다. ⑦ 중지 · 중단하다, 그만두다(suspender). ⑧ (흐름을 · 계속을) 끊다(interrumpir) : ~ la corriente. ⑨ 매듭을 짓다. ⑩ 마름질하다, 재단하다(recortar) : ~ de vestir 옷을 만들다. ⑪

난도질하다. ⑫ 헐뜯다, 험담하다. ⑬ (바람·물을) 가르고 날다·달리다 : El buque *corta* el agua 배가 물을 가르고 달리다. ⑭ (바람이나 추위가) 살을 도려내는 듯이 차다. ⑮ 《*Riopl.*》 (논 등을) 가로 지르다.

—*intr.* ① (칼이) 들다 : Esta navaja no *corta* bien 이 면도칼은 잘 들지 않는다. ② 《*Arg.*》 (집단에서) 벗어나다. ③ 숨이 끊어지다.

~se ① 잘려지다, 끊기다 ; 갈라지다. ② (추위로) 살이 트다(abrirse la piel por efecto del frío). ③ (소스·밀크 등의) 표면이 갈라지다. ④ 놀라다, 겁내다(turbarse). ⑤ 《*Méx. Perú.*》 오한이 나다. ⑥ 당황하다, 얼굴이 붉어지다. ⑦ 말을 중단하다 : *Me corté* cuando habló de mi novio.

cortarraíces *m.* 【단·복수 동형】 뿌리 절단용 기계.

cortaúñas *m.* 【단·복수 동형】 손톱깎이.

cortavidrio *m.* 유리 자르기 ; 그 기구.

cortaviento *m.* (차의) 바람막이.

corte[1] *m.* ① (물건을 자르는 것의) 날(filo) : martillo ~ 쇠를 쪼는 망치. ② 절단, 재단(corta) ; 자르는 방법 : el ~ de pelo 이발. ③ 절단면, 단면, 단면도(sección), (서적 등의) 절단면 : ~*s* dorados. ④ 벌채(corta). ⑤ 《*Amér.*》 추수. ⑥ 중단, 단절 : ~ de cuentas 지불 중지. ⑦ 타협점. ⑧ 재단 : ~ y confección 재단과 마름질. ⑨ 형(型)(tipo). ⑩ (한 벌·한 켤레 분의) 감 : ~ del pantalón. ⑪ 방의 구획. ⑫ 《*Arg.*》 씩씩함, 날렵함(contoneo) : con ~ 씩씩하게. ⑬ 《*Chile.*》 날품팔이, 그 삯, 임금.

~ de agua 단수(斷水).

~ de mangas 팔을 걷어 붙인.

doble ~ 탱고춤에서 이중 회전 스텝.

en ~ 별로 일도 없이 : un paseante *en* ~ 일없는 유랑자.

sin ~s 지향없이, 의지할 곳 없이.

darse ~ 거드름을 피우며 행동하다(darse humos).

corte[2] *f.* [*lat.* curtis] ① 수도 : ~ celestial 천국. ② 조정(朝廷), 궁정(宮廷). ③ 조신(朝臣)들 ; 행렬, 수행원들(séquito) ; 아첨배들, 추종자들. ④ 문안, 문안드리기 : hacer la ~ 문후를 아뢰다 ; 입의 침이 마르게 여자의 비위를 맞추다(cortejar). ⑤ 뒤뜰(corral) ; 목사(牧舍). ⑥ 법원 : *C-* de Apelación 공소·상고 제2심 법원. *C-* Suprema 《*Amér.*》 대법원. **—*pl.*** 국회, 상하 양원 : ~*s* constituyentes 제헌·개헌 의회.

C- Internacianal de Justicia 국제 사법 재판소.

corte. corriente 이 달.

cortedad *f.* 짧음, 협소 ; 빈약함, 소량(少量)(pequeñez) ; 무능 ; 무기력 ; 주저함, 캥김, 기가 죽음(poquedad) ; 머리가 둔함, 소심함.

cortega *f.* =**ortega.**

cortejador, ra *adj.* 알랑거리는, 추종하는. **—*m.f.*** 추종자, 알랑쇠.

cortejano, na *adj.* 《*And.*》 몸이 잘린.

cortejante *adj.m.f.* =**cortejador.**

cortejar *tr.* ① 봉공(奉供)하다. ② (누구의) 비위를 맞추다, 알랑거리다 : ~ *a* los poderosos. ③ (여자를) 구슬리다(galantear).

~se (애인이) 장래를 약속하다.

cortejo *m.* ① 근시(近侍) ; 환대. ② 《*Galc.*》 수행원(séquito) ; 수행(acompañamiento) : ~ fúnebre 장의 행렬. **—*m.*** 연인.

cortera *f.* 《*Chile.*》 창녀, 갈보, 매춘부.

cortero *m.* 《*Chile.*》 날품팔이꾼.

cortés *adj.* 예의바른, 정중한, 공손한 : señoras ~*es.* Contr. descortés.

Cortés *m.* ***Hernán*** ~ 멕시코를 정복한 서반아의 군인 (1485—1547).

ser un C- 용사이다.

cortesana *f.* 【속어】 고급 매춘부(dama ~).

cortesanamente *adj.* ① 예의바르게, 정중하게, 점잖게(con cortesanía). ② 궁중식으로.

cortesanazo, za *adj.* 어줍잖게 예의바른, 어색하게 정중히 대하는.

cortesanesco, ca *adj.* 신하의.

cortesanía *f.* =**cortesía.**

cortesano, na *adj.* ① 궁정(宮廷)의 : costumbres ~*nas.* ② 예의바른(cortés). **—*m.*** 조신(朝臣), 신하.

cortesía *f.* ① 예의, 정중 : falta de ~ 무례. visa de ~ 우대 비자. Contr. grosería. ② 선물(regalo). ③ 경칭, 경어 ; 대우(tratamiento). ④ 호의. ⑤ (어음의) 지불 유예 기간. ⑥ (서적의) 첫 장과 종장의 공백.

cortésmente *adv.* 예의바르게, 점잖게, 공손하게.

corteza *f.* [*lat.* cortex] ① 나무 껍질 : ~ pervina 키나의 껍질. ② (빵 등의) 껍질 : la ~ de pan. ③ 【식물】 피층(皮層). ④ 【해부】 피질(皮質) : ~ adrenal 부신(副腎) 피질. ⑤ 외면, 표면. ⑥ 버릇없음(grosería). ⑦ 【조류】 북방 산새, 들꿩(ortega). **—*pl.*** 【은어】 장갑.

cortezón *m.* [*aum.* corteza] 두꺼운 나무 껍질.

cortezudo, da *adj.* ① 껍질이 두꺼운 : árbol ~. ② 버릇없는, 촌스러운, 거친, 투박한(rústico, inculto) : hombre ~.

cortezuela *f.* *dim.* corteza.

cortical *adj.* 외피의, 나무 껍질의 : capa ~ 외피.

cortijada *f.* [집합] 장원(莊園).

cortijero, ra *m.f.* 장원(莊園)의 주인 ; 장원의 감독 ; 장원의 농부의 우두머리.

cortijo *m.* ① 농지 ; 장원 《노동자에게 부락 생활을 시키는 개인 소유의 농원》. ② 【은어】 사창가, 매춘굴, 창부의 집.

alborotar el ~ 큰 난리를 일으키다 ; 행사에 사람들을 강제 동원하다.

cortil *m.* =**corral.**

cortina *f.* ① 막, 휘장, 장막, 커튼 : correr la ~ 커튼을 치다 ; 들추다, 속을 보이다, 어려움을 일깨우다 ; 잠자코 두다 ; 감추다. ② (극장의) 막(幕), 막 모양의 간막이, 막 모양으로 된 것 : ~ de bambú 죽의 장막. ~ de fuego antiaéreo 대공 탄막(對空彈幕). ~ de gases 가스막. ~ de hierro 철의 장막. ~ de humo 연막. ③ 안벽(岸壁), 호안 공사(護岸工事) : ~ de muelle 안벽(岸壁). ④ 【축성】 막벽(幕壁)(lienzo). ⑤ (저택 부근의) 밭. ⑥ 마시다 남은 술.

a ~ s verdes 노천에서.

detrás de la ~ 몰래, 슬쩍, 살그머니.

cortinado, da *adj.* 【고어】 휘장·장막·커튼이 있는. **—*m.*** 《*Riopl.*》 =**cortinaje.**

cortinaje *m.* [집합] 커튼, 장막으로 치는 천, 한

짝의 커튼 ; 벽걸이 천 따위의 한 벌.
cortinal *m.* 주택에 가까운 과수원·야채밭.
cortinilla *f.* [*dim.* cortina] 작은 커튼.
cortinón *m. aum.* cortina.
cortisona *f.* 부신(glándula suprarrenal)에서 뽑은 약.
corto, ta *adj.* ① 짧은 : novela *~ta.* Contrr. largo. ② 닿지 않는. ③ 소심한(tímido) : ser muy ~. ④ 재주가 없는.
~ de vista · de oído 근시의 · 귀가 먼.
a la corta o a la larga 늦건 빠르건 간에 ; 아무튼, 결국.
quedarse ~ 말문이 막히다(no saber qué decir).
poner de ~ (어린아이에게) 짧은 스커트·바지를 입히다.
cortón *m.* 【곤충】 땅강아지. Sinón. alacrán. cebollero, grillo real.
corúa *f.* (꾸바의) 가마우지(mergo)의 일종.
coruja *f.* 【조류】 부엉이(lechuza, curuja)의 일종.
corujo, ja *adj.* 《*And.*》 기가 꺾인(acoquinado).
corundo *f.* =**corindón.**
coruña *f.* (갈리시아산의) 올이 굵은 삼베.
coruñés, sa *adj.* 꼬루냐 《la Coruña, 서반아 북서단의 항구 도시·주》의. —*m.f.* 꼬루냐 사람.
coruro *m.* 《*Chile.*》 =**tucotuco.**
coruscación *f.* 【시어】 =**brillo.**
coruscante *adj.* 【시어】 =**brillante.**
coruscar *intr.* 7 【시어】 =**brillar, resplandecer.**
corusco, ca *adj.* 【시어】 =**brillante.**
corva *f.* ①【해부】 오금 《무릎의 안쪽》. ②【은어】 커다란 활. ③《*Angl.*》 활통, 무기.
corvado, da *adj.* 【은어】 죽어 있는(muerto).
corvadura *f.* 꺾여진 곳, 휜 곳, 구부러진 곳 ; 만곡(彎曲), 만곡부(彎曲部).
corvar *tr.* =**encorvar.**
corvato *m.* 【조류】 새끼 까마귀.
corvaza *f.* 말의 뒷다리 관절 종기.
corvecito *m. dim.* cuervo.
corvejón[1] *m.* ① (말 등의) 뒷다리의 관절·무릎. ② (새의) 며느리발톱.
corvejón[2] *m.* [*lat.* corvus] 【조류】 가마우지 (cuervo marino).
corvejos *m.pl.* (말 등의) 뒷다리의 무릎 (corvejón).
corveño, ña *adj.m.f.* 꾸에르바 《Cuerva, Toledo 주의 마을》의 (사람).
corveta *f.* (말의) 등약(騰躍) 《앞발이 땅에 닿기 전에 뒷발로 뛰어오르기》.
corvetear *intr.* (말이) 등약하다, 뒷발 만으로 걷다.
córvidos *m.pl.* 【조류】 까마귀 속.
corvillo[1] *adj.* *Miércoles ~* 성회례(聖灰禮), 사순절의 첫 날.
corvillo[2] *m.* ① 뿌리 전정용 짧은 칼. ② (실을 자르는) 작은 낫. ③ 《*Ar.*》 버들 광주리.
corvina *f.* 【어류】 꼬르비나 《대구류》.
corvinera *f.* corvina의 그물.
corvino, na *adj.* 까마귀의·같은.
corvo, va *adj.* 구부러진, 휜, 만곡된(arqueado, curvo). —*m.* ① 갈고리(garfio, gancho). ② 【어류】 꼬르비나. ③ 《*Chile.*》 양쪽 날이 있는 주머니칼.
corza *f.* 【동물】 암노루.
corzo *m.* 【동물】 노루.
corzuelo *m.* 탈곡하고 남은 밀알.
cosa *f.* [*lat.* causa] 일 ; 것 ; 물건 ; 사물 : personas y *~s* 사람과 물건.
~ brava 어처구니없는 일.
~ de oír · de ver 듣는 것 · 보는 것.
~ del otro jueves 대단한 일 ; 옛날 일.
~ dura 묵과할 수 · 참을 수 · 보아 넘길 수 없는 일.
~ hecha 어김없이 ; 일부러.
~ no · nunca vista 이상한 일, 놀라운 일.
~ perdida 구제할 수 없는 인간.
fuerte ~ 골치 아픈 일.
gran ~ 대단한 일 ; 별로 : No es gran ~ 대수로운 일이 아니다.
poquita ~ 겁쟁이.
~ con ~ [부정어 앞에서] 엉망, 엉터리, 난잡 : En aquella casa *no* hay ~ *con* ~ 저 집은 엉망 진창이다. *No* dejó ~ *con* ~ 엉망 진창으로 만들어 버렸다. *No* dirá ~ *con* ~ 터무니없는 소리만 해야 한다.
~ de …가량, 대략, 약 : a ~ *de* cinco metros de distancia 5미터 가량 되는 곳에. *Cosa de* ocho días tardará en concluirse 끝내는데 1주일 가량 걸리겠다.
~ que 《*Amér.*》 …하도록(para que, a fin de que, de manera que, de modo que) : Vete temprano, ~ *que* no faltes a la reunión 모임에 빠지지 않도록 일찍 가거라.
ni ~ que lo valga 그것 비슷한 것조차 없다.
no hay tal ~ 그런 일은 없다, 그럴 까닭이 없다.
no hacer ~ a derechas 실수만 하다.
no ser ~ 아무 쓸모도 없다, 아무 짝에도 쓸 데가 없다(no valer ~).
no tener ~ suya 단정하지 못하다.
no valer ~ 아무 쓸모도 없다.
otra ~ es con la guitarra 잘 생각해 본다면 그런 짓은 하지 않겠지.
¿ qué ~? 뭐라구?, 왜 그래?
¿ qué es ~ y ~? (수수께끼를 낸 다음) 이게 뭐지?
*quedar*le a uno *otra ~ en el cuerpo · en el estómago* 본심은 숨기고 딴 소리만 하다.
ser ~ de 편리하다(ser conveniente)
Cosa mala nunca muere 【속담】 악한 일은 사라지지 않는다.
cosacacho *m.* 《*Chile. Ecuad.*》 =**coscorrón.**
cosaco, ca *adj.* 코사크 종족의 《러시아 남부의 터키계 농목 종족》. —*m.f.* 코사크 사람. —*m.* ① 코사크 기병. ② 사나운 사람 : portarse como un ~.
cosacosa *f.* 【식물】 (에꾸아도르의) 섬유 식물.
cosario, ria *adj.* ① 해적선의, 무장선의 (corsario). ② (사람의) 내왕이 잦은. —*m.* 마부, 운반인 ; (직업적인) 사냥꾼.
coscarana *f.* 《*Ar.*》 (씹을 때 소리가 나는) 가늘고 마른 부침개·지짐이.
coscarrón *m.* 【식물】 (Puerto Rico의) 단단하고 촘촘한 재목.

coscarse *r.* 7 =**concomerse.**
coscas *f. pl.* 《*León.*》 =**cosquillas.**
coscoja *f.* 【식물】 연지 떡갈나무 ; 떡갈나무의 시든 잎.
coscojal *m.* 연지 떡갈나무 숲.
coscojar *m.* =**coscojal.**
coscojita *f.* 돌차기 놀이(coxcojita).
coscojo *m.* 연지 떡갈나무의 마디.
coscolina *f.* 《*Méx.*》 매춘부, 창녀.
coscolino, na *adj.* 《*Méx.*》 형편없는, 감당하기 어려운.
coscomate *m.* 《*Méx.*》 옥수수 창고.
coscón, na *adj.* 교활한, 간사한, 멋대로 구는, 어려운. **—***m.f.* 교활한 사람, 간사한 사람.
coscoroba *f.* 《*Arg. Chile.*》 【조류】 백조, 고니(cisne).
coscorrón *m.* ① 머리에 받는 타격, 멍이 들음 ; 박치기. ② 빵의 딱딱한 껍질.
coscurrón *m.* 빵의 딱딱한 껍질.
cosecante *f.* 【수학】 (삼각법의) 여할(餘割), 코시컨트.
cosecha *f.* ① 수확, 추수, 가을걷이 : la ~ de la aceituna. ② 수확물 ; 수확기 : a la ~ 수확기에. ***ser de su propia*** ~ 자신의 연구에 의한 것이다.
cosechador, ra *adj.* 수확하는, 거두어 들이는. **—***m.f.* 수확자.
cosechadora *f.* (곡식의) 수확 기계.
cosechar *intr.* 수확하다, 가을하다(hacer la cosecha) : ~ uva 포도를 수확하다. **—***tr.* 가을걷이하다, 추수하다, 거두어 들이다, 수확하다, 과일을 따다.
cosechero, ra *m. f.* 과일 따는 사람 ; 베는 사람, 수확하는 사람.
cosecho *m.* 《*Amér.*》 【방언】 =**cosecha.**
cosedura *f.* =**costura.**
coselete *m.* ① (가죽의) 가슴받이. ② 흉갑병(胸甲兵). ③ (곤충의) 흉부(胸部)(tórax).
coseno *m.* 【수학】 (삼각법의) 여현(餘弦), 코사인.
cosepapeles *m.* 【단·복수 동형】 호치키스.
coser *tr.* [*lat.* cusire] ① 꿰매다, 바느질하다 : ~ a mano 손으로 꿰매다. máquina de ~ 재봉틀, 미싱. ② 꼭 맞추다 : ~*se* con·contra …에 꼭 들러붙다. ③ 난도질하다 : ~ a puñaladas. ***ser una cosa ~ y cantar*** 누워 떡 먹기다(ser sumamente fácil).
cosetada *f.* 빠른 걸음.
cosetano, na *adj.* 꼬세따니아 《la Cosetania, 현재의 따라고나 지방의 옛 이름》의. **—***m.f.* 꼬세따니아 사람.
cosi *interj.* 《*Arg.*》 즉, 다시 말하면(es decir).
cosiaca *f.* 《*Amér.*》 하찮은 일·물건.
cosiata *f.* =**cosiaca.**
cosible *adj.* 꿰맬 수 있는.
cósico, ca *adj.* 【수학】 등가(等價)의.
cosicosa *f.* 수수께끼(quisicosa) : escribir ~*s*.
cosido, da *adj.* 바느질된, 꿰맨, 꼭 들러붙은. **—***m.* 꿰매는 일, 꿰매는 법, 재봉 : ~ de la cama 침대의 커버, 이불·요의 호창, 모포의 커버.
cosidura *f.* 밧줄 매는 법, 줄을 맨 마디.
cosificación *f.* 물건으로 바꾸는 일.
cosificar *tr.* 7 물건으로 바꾸다.
cosijo *m.* 《*AmérC. Méx.*》 =**cojijo.**
cosijoso, sa *adj.* 《*AmérC. Méx.*》 귀찮은, 애먹이는(cojijoso).
cosina *f.* 【화학】 =**coseína.**
cosita *f. dim.* cosa.
cositero, ra *adj.* 《*Col.*》 인색한, 소소한.
cosmético *adj.* [*gr.* kosmein] 화장(용)의. **—***m.* 화장품.
cosmetólogo, ga *m.f.* 미용사 ; 전문 미용인.
cósmico, ca *adj.* ① 우주의 : rayos ~*s* 우주선. transbordador ~ 우주 왕복선. ② 세계의.
cosmodromo *m.* 우주선 발사장.
cosmogonía *f.* 우주 진화론·발생론.
cosmogonista *m.f.* 우주 진화론자·발생론자.
cosmogónico, ca *adj.* 우주 진화론·발생론의.
cosmografía *f.* 우주 형상지(誌) : Las leyes de Newton sobre la gravitación universal adelantaron mucho la ~.
cosmográfico, ca *adj.* 우주 형상지에 관한 : dedicarse a estudios ~*s* 우주 형성지 연구에 몰두하다.
cosmógrafo, fa *m.f.* 우주 형상지 학자.
cosmología *f.* 【철학】 우주론(宇宙論).
cosmológico, ca *m.f.* 우주론 학자.
cosmonauta *m.f.* 우주 비행사(astronauta).
cosmonáutica *f.* =**astronáutica.**
cosmonáutico, ca *adj.* 우주 항법(航法)의.
cosmonave *f.* 우주선.
cosmopolita *adj.* 세계주의의 ; 세계를 자신의 집으로 삼는·만국 공통의, 전세계적인 : Los americanos suelen ser ~*s*. **—***m.f.* 세계인, 세계주의자.
cosmopolitismo *m.* 세계주의 ; 초국가주의 ; 일시 동인설(一視同仁說) ; 세계를 집으로 삼는 생활.
cosmorama *m.* 세계 명소가 그려진 요지경·모형.
cosmos *m.* [*gr.* kosmos] ① 우주(universo). Contr. caos. ② 세계(mundo), 천지 만물. ③ 【식물】 코스모스.
cosmovisión *f.* 세계를 관찰하는 방법.
coso¹ *m.* [*lat.* cursus] ① 투우장, 연기장. ② (어떤 도시에서) 대로(大路) : ~ de Zaragoza. ③ 《*Arg.*》 =**chisme.**
coso² *m.* [*lat.* cossus] 【곤충】 목식충(木食蟲)(carcoma).
cospe *m.* 큰 자귀로 통나무 자르기.
cospel *m.* (동전 제작용) 금속 원반.
cosque *m.* =**coscorrón.**
cosqui *m.* 《*And.*》 =**coscorrón.**
cosquillar *tr.* =**cosquillear.**
cosquillas *f. pl.* 간지럼 ; 간지럽힘. ***buscar*** ~ 견딜 수 없게 만들다. ***hacer*** ~ 간지럽게 하다 ; 욕망·호기심을 자극하다. ***tener·no sufrir malas*** ~ 참을성이 없다, 화를 잘 내다.
cosquillear *tr.* 간지럽히다, 간지럽게 하다(hacer cosquillas).
cosquillejas *f.pl. dim.* cosquillas.
cosquilleo *m.* 간지럼.
cosquilloso, sa *adj.* 간지러운 ; 화를 잘 내는,

성미가 까다로운.

costa *f.* ① 해안 : ~ firme 육지, 본토. la línea de la ~ 해안선. barajar la ~ 해안선을 따라 항행하다. ② (구두 만들 때 쓰이는) 나무 줄. ③ 비용, 대상(代償), 희생 : a ~ de …의 비용·부담으로 ; …의 보상으로서, …을 희생하여. a poca ~ 적은 비용으로, 어렵지 않게. ④ *pl.* 소송 비용 : condenar en ~*s* 피고 등에게 소송 비용의 지불을 부담시키다. ⑤ 제화공(製靴工)의 연장.

a toda ~ 어떤 일이 있어도, 어떤 희생을 치르더라도, 무슨 수를 써서라도(por encima de todo) : El Sr. Yi dijo que asistiría *a toda* ~ a la reunión de despedida que ha de celebrarse en honor del Sr. Guim 김군의 송별회에는 어떤 일이 있어도 출석한다고 이선생은 말했다.

Costa del Marfil 【지명】 상아 해안 《서아프리카의 독립국 ; 수도 Abidjan》.

Costa Rica 【지명】 꼬스따리까 《중앙 아메리카의 공화국 ; 수도 San José ; 면적 51,011 평방 킬로미터》.

costado *m.* ① 옆구리 : tener un dolor de ~ 옆구리가 아프다. ② 옆(lado). ③ (군대·대열의) 측면(flanco) ; 선측(船側) : dar el ~ 일제 포격을 위해 군함의 함측을 돌리다. ④ 《*Méx.*》 (역의) 플랫폼(andén del ferrocarril).

cuatro ~*s* 조부모와 외조부모.

costafuera *adj.* ① 앞바다의 ; 바다로 향하는. ② 해외의. —*adv.* 앞바다로 (향하여).

costal *adj.* 【해부】 갈비뼈의, 늑골의. —*m.* ① 커다란 자루. ② (땅을 다지는) 달구, 메. ③ 《*Ecuad.*》 융단, 양탄자, 카펫.

el ~ *de los pecados* 인체(人體).

hecho un ~ *de huesos* 뼈와 가죽만 남아.

no parecer ~ *de paja* 허수아비로는 보이지 않는다, 이성(異性)에 눈이 밝다.

no ser ~ 한꺼번에 모든 말을 다할 수 있는 것은 아니다.

vaciar el ~ 모두 털어놓고 말해 버리다.

Cada quien sabe lo que carga su ~ 【속담】 자신의 일은 자신이 잘 알고 있다.

costalada *f.* 모로 쓰러질 때 몸을 부딪치는 일.

costalar *tr.* 《*Arg. Urug.*》 구르다(rodar).

costalazo *m.* =**costalada.**

costalearse *r.* 《*Chile. Méx.*》 옆으로 쓰러지다 ; 실패하다.

costalejo *m. dim.* costal.

costalera *f.* 《*Méx.*》 [집합] 옆구리.

costalero *m.* 하물 운반(인) ; 행렬에서 가마를 매는 사람.

costana *f.* ① 비탈길(calle en cuesta). ② (선박의) 늑재(肋材)(costilla).

costanera *f.* ① 비탈(cuesta). ② 【건축】 서까래. ③ 《*Cuba.*》 (습지 등의) 언덕.

costanero, ra *adj.* ① 비탈진 : calle ~*ra* 비탈길. ② 연안의, 연해의 : pesca ~*ra* 연안 어업.

costanilla *f.* [*dim.* costana] 좁고 비탈진 길.

costar *intr.* ㉔ ① 비용이 들다, (값이) …이다(tener de costa) : ¿ Cuánto *cuesta* ? 얼마입니까? El diamante *cuesta* muy caro 다이아몬드는 무척 비싸다. ② 노력·희생이 들다, 힘이 들다 : Me *cuesta* mucho confesarlo 나로서는 차마 그 말이 안 떨어진다. *Cuesta* mucho *de* adquirir la fama ; La fama *cuesta* mucho *de* adquirir 명성을 얻으려면 대단한 노력이 필요하다. ③ 필요하다, 요하다(necesitar).

[직설법 현재 : cuesto, cuestas, cuesta, costamos, costáis, cuestan. 접속법 현재 : cueste, cuestes, cueste, costemos, costéis, cuesten].

costarricense *adj. m.f.* =**costarriqueño.**

costarriqueño, ña *adj.* 꼬스따리까(Costa Rica, 꼬스따리까 공화국)의. —*m.f.* 꼬스따리까 사람.

coste *m.* 비용(costa) : ~ medio 평균 원가. precio de ~ 원가.

a ~ *y costas* 원료 값과 비용만으로 ; 이윤을 보지 않고 : ceder *a* ~ *y costas.*

costeado, da *adj.* costear의 *p.p.*

costear *tr.* ① (…의) 비용을 부담하다·내다 : ~ la instrucción a un huérfano 고아의 학비를 대주다. ② 해안을 따라 항행하다. ③ 《*Amér.*》 (양떼를) 기르다. ④ (곤란·위험을) 피하다.

~se ① 수지가 맞먹다 : Ese negocio apenas *se costea.* ② 《*Perú.*》 (누구를) 놀려주다, 놀려대다, 조롱하다, 비웃다(burlarse de). ③ 《*Arg. Chile.*》 고생고생하여 …에 이르다(llegar hasta un sitio con mucho trabajo).

costeño, ña *adj.* 연안의 ; 연해(沿海)의 ; 해안 지방의(costanero) : pueblo ~.

costeo *m.* ① 《*Riopl.*》 연안 항행. ② 사육 가축. ③ 《*Perú.*》 야유, 빈정거림, 놀려주기.

al ~ =a costa de.

costera *f.* ① 측면, 옆구리. ② 해안(costa). ③ 경사, 비탈(cuesta, pendiente). ④ 성어기(盛漁期).

costero, ra *adj.* 연안의(costanero) : estado ~ 연안 국가. navegación ~*ra* 연안 항해. —*m.f.* 해안 지방 사람. —*m.* 나무 껍질이 붙은 판자 ; 용광로의 측벽 ; 광맥의 외층(外層).

costezuela *f.* [*dim.* cuesta] 작은 비탈길.

costil *adj.* 늑골 부분의.

costilla *f.* [*lat.* costa] ① 【해부】 늑골 : ~ falsa 가늑골. El hombre tiene dos pares de ~*s* 사람은 12쌍의 늑골을 가지고 있다. ② 늑골 모양의 것 : las ~*s* de la silla. ③ 과일·잎사귀의 도두룩한 줄기. ④ (배의) 늑재(肋材)(cuaderna). ⑤ (자신의) 아내, 처 : Lo consultaré con *mi* ~ 내 아내와 그것을 상의하겠다. ⑥ 자산(資產)(caudal). —*pl.* 【속어】 척부(脊部), 등(espalda) : Te voy a dar un palo en las ~*s.*

calentar · · *medir* a uno *las* ~*s* (누구의) 허리통을 때리다, 구타하다.

pasear a uno *las* ~*s* (누구를) 짓밟다.

reir a ~*s de* uno 《*Méx.*》 (누구를) 비웃다, 조소하다.

costillaje *m.* [집합] 늑골, 갈비뼈 ; 갈빗대 ; 흉동(胸胴) ; 늑재(肋材), 선재(船材).

costillar *m.* =**costillaje.**

costilleta *f.* 《*Galic.*》 커틀릿 《요리의 일종》.

costillón, na *adj.* 《*And.*》 =**holgazán.**

costilludo, da *adj.* 건장한, 어깨가 넓은, 어깨가 딱 벌어진(ancho de espaldas).

costino, na *adj.* 《*Chile.*》 =**costanero.**

costo[1] *m.* ① 비발, 비용 ; 실비 ; 대가, 값, 대금(costa) : ~ adicional 추가 비용. ~ de depreciación 감가 상각비. ~ de fabricación 제조비.

～ de (la) vida 생계비, 생활비. ～ de las mercaderías vendidas 매상 (상품) 원가. ～ de pernoctación 숙박비. ～ de producción 생산비. ～ de publicidad · propaganda 광고비, 선전비. ～ de transporte 운송비. ～ de uso 사용료. ～ de ventas 판매비 ; 《*Arg.*》 매상 원가. ～ directo 직접비. ～ efectivo 취득 원가. ～ estimado 견적 원가. ～ fijo 고정 원가. ～ indirecto 간접비. ～ medio 평균 원가. ～ predeterminado 예상 원가. ～ primo 원가. ～ proyectado 표시 원가. ～ seguro, flete, comisión e interés 운임 보험료 수수료 및 이자 포함 가격. ～ seguro y flete 운임 보험료 포함 가격, CIF. ～ y flete 운반 포함 가격. a ～ (y costas) 이익도 보지 않고. ② 《*Riopl.*》 애씀, 고생. ③ =**gasto.**

costo² *m.* [*lat.* costus ; *gr.* kostos] 【식물】 코스트스 : ～ hortense 쑥국화(hierba de Santa Maria).

costomate *m.* 【식물】 꼬스또마떼《앵두의 일종》 (capulí) ; 작은 토마토.

costón *m.* 【방언】 나루터, 도선장.

costosamente *adv.* 돈을 써서 ; 애써, 힘들여서.

costoso, sa *adj.* ① 비용이 드는, 값비싼(que cuesta mucho) : un deporte ～ 비용이 드는 스포츠. ② 희생이 큰 : triunfo ～ 희생이 큰 승리.

costra *f.* ① 말라 붙어서 생기는 껍질 ; (부스럼의) 딱지 : ～ láctea 버짐, 백선. ② 촛불, 촛똥. ③ 갈레라선에서 주었던 카스텔라.
～ *láctea* =usagre.

costrada *f.* 설탕, 달걀 및 빵의 카스텔라로 덮힌 파이의 일종.

costroso, sa *adj.* 껍질이 당긴, 콧물 등이 말라 붙은 ; 딱지가 붙은.

costumbre *f.* ① 습관, 습성, 버릇, 습벽(hábito) : como de ～ 여느 때처럼, 언제나 하던 대로. según ～ 관례에 따라. La ～ es una segunda naturaleza 습관은 제이의 천성. Cada país tiene sus ～*s* 나라마다 습성이 있다. ② [특히 *pl.*] 풍속. ③ 월경(月經).
A la mala ～ quebrarle la pierna 【속담】 관례라는 구실로 악습을 계속해서는 안된다.
La ～ hace ley 【속담】 세 살 버릇 여든까지 간다.

costumbrismo *m.* 실생활 묘사 ; 사실주의.

costumbrista *adj. m.f.* 실생활 묘사파의 (작가).

costura *f.* ① 봉재 ; 홀침, 꿰맨 자국 : sentar las ～*s* 꿰맨 데를 다림질하다 ; 혼을 내주다. ② 접합점, 잇댄 곳.
meter en ～ 정상에서 벗어나지 않도록 하다.
saber de toda ～ 세상 물정에 밝다.

costurajo *m.* 《*Méx.*》 =**costurón.**

costurar *tr.* 《*AmérC. Bol. Méx.*》 =**coser.**

costurería *f.* 재봉사의 직.

costurero, ra *m.f.* 재봉사, 마름질하는 사람. —*m.* ① 재봉대. ② 재봉 상자. ③ 《*And. Guat. Méx.*》 재봉실.

costurón *m.* ① 시침질, 대강 꿰매기 (costura grosera). ② 상처.

cota *f.* [*lat.* cotta] ① 쇠비늘 갑옷. ② [드묾] 분담금, 회비(cuota). ③ (지형도 등의) 표고(標高) ; 기준점. ④ 《*Amér.*》 셔츠. ⑤ 일당(日當).

cotama *f.* 《*Amér.*》 =**saco.**

cotana *f.* 【목공】 장붓구멍(muesca) ; (장붓구멍을 파는) 끌.

cotangente *f.* 【수학】 (삼각법에서) 여접(餘接), 코탄젠트.

cotanza *f.* 중급품의 린넬천.

cotarra *f.* 벼랑, 절벽.

cotarrera *f.* 일없이 남의 집을 찾아다니는 여자.

cotarrero *m.* 【은어】 자선 병원의 후원자 (hospitalero) ; 자선 병원에서 환자의 시중을 드는 사람.

cotarro *m.* ① 무료 숙박소. ② 벼랑(cotarra).
alborotar el ～ 큰소동을 일으키게 하다.
andar de ～ en 여기저기 필요없이 찾아다니다.

cotear *tr.* 《*Chile.*》 =**acotar.**

cotejable *adj.* 대조할 수 있는.

cotejar *tr.* 대조하다 : ～ dos textos.

cotejo *m.* ① 대조(對照), 비교. ② 《*Venez.*》 도마뱀의 일종.

cotejo, ja *m.f.* 《*Amér.*》 한패의 상대, 짝.

cotelera *f.* 칵테일 혼합기.

cotense *m.* 《*Amér.*》 올이 굵은 삼베.

cotensia *f.* =**cotense.**

coterna *f.* 《*Col.*》 【속어】 모자.

coterro *m.* 《*Sant.*》 (급경사의) 낮은 언덕.

coterráneo, a *adj.* 같은 고장의, 동향의 (conterráneo). —*m.f.* 동향인.

cotí *m.* 린넨직(織).

cotidianamente *adv.* 나날이, 하루하루, 그날그날(diariamente).

cotidianidad *f.* 일상적인 것 · 일.

cotidiano, na *adj.* 하루의, 매일의, 나날의 (diario) ; 일상의 ; 평범한 : trabajo ～.

cotila *f.* =**cótila.**

cótila *f.* 무명뼈, 관절강(關節腔).

cotiledón *m.* [*gr.* kotulê] 【식물】 떡잎.

cotiledóneo, a *adj.* 【식물】 떡잎의, 떡잎이 있는. Contr. acotiledóneas, criptógamas.

cotilla *f.* 코르셋 《옛날의 부인용》.

cotillear *intr.* 풍문 · 소문을 퍼뜨리고 다니다 (chismosear).

cotilleo *m.* 여자들 간의 대화.

cotillero, ra *m.f.* 코르셋 제조인 · 상인 ; 소문을 퍼뜨리고 다니는 사람.

cotillo *m.* (망치의) 머리.

cotillón *m.* 코틸룡 《2인, 4인 또는 8인이 1조가 되어 추는 불란서의 무용》.

cotín *m.* ① 공을 되받아 치기. ② 린넨직(cotí).

cotinga *m.* 【조류】 (브라질산) 털이 화려한 새.

cotiza *f.* (베네수엘라의 시골 사람이 사용하는) 샌들(sandalia).

cotizable *adj.* 시세를 정할 수 있는 : papel ～.

cotización *f.* 시세 ; 증권 시세, 환시세, 거래 시세 ; 회비, 분담금 ; 견적 ; 가격 (결정), 가격표 : ～ a término 시장 시세. ～ al contado 현금 · 현물 가격. ～ de cambios 환시세(표). ～ de precios 가격표. ～ del dólar 달러 시세. ～ del mercado 시장 시세. ～ libre 자유 시세. ～ máxima · mínima 고가 · 저가. ～ no oficial 자유 시장 가격. ～ oficial 공정 시세.

cotizar *tr.* 9 ① (…에) 시세 · 가격을 매기다 ; 값을 …으로 하다 : precio *cotizado* 매긴 가격.

②《*Amér.*》 분담하다 ; 분배하다. ③《*Perú.*》 팔다.
—*intr.* ①《*Galic.*》 분담금·회비를 내다. ②《*Amér.*》(연금·퇴직금 등의) 분담금을 내다.
~se 정가로 지불하다 ; …에 값을 매기다.

coto¹ *m.* [*lat.* cotus] ① 출입 금지 지역 ; 경계석(境界石)(mojón). ② 경계, 한계 : poner ~ 저지하다, 막다, 못하게 하다, 한계를 짓다. ③ 정한 가격 ; 공인 가격(postura) ; 협정 가격. ④ 같은 소유주의 농원·농장 부락(~ redondo). ⑤ 길이의 단위《손가락 네 개의 너비, 약 10㎝》: ~ toledano 약 12㎞. ⑥【은어】자선 병원. ⑦ 사원 묘지. ⑧【어류】모래무지. ⑨《*Amér.*》【동물】짖는 원숭이. ⑩《*Méx.*》 짧은 망토. ⑪ 담수(淡水) 고기.

coto² *m.*【의학】갑상선종(bocio).

cotomono *m.*《*Perú.*》=**coto.**

cotón *m.* ① 면직물(tela de algodón). ②《*Amér.*》 작업복. ③《*Méx.*》 짧은 셔츠. ④【은어】조끼.
~ *colorado* 태형(笞刑).

cotona *f.* ①《*Amér.*》 작업복. ②《*AmérC. Ecuad.*》 블라우스. ③《*Chile, Venez.*》 속셔츠, 속옷. ④《*Méx.*》 가죽 잠바.

cotonada *f.* 면직물(tela de algodón) ; 리프린트지(地).

cotonía *f.* 무늬 무명《커튼용 천》.

cotopaxense *adj. m.f.* 꼬또빡시(Cotopaxi)의 (사람).

Cotopaxi【지명】① 에꾸아도르의 주 이름. ② 에꾸아도르 중앙 산맥에 있는 눈 덮힌 화산 이름《5,943미터》.

cotorra *f.* ①【조류】잉꼬 ; 까치(urraca). ② 수다, 지껄여대기 ; 수다쟁이 여자.

cotorrear *intr.* 지껄여대다, 수다를 떨다.

cotorreo *f.* (여자의) 지껄여대기, 수다.

cotorrera *f.* ①【조류】잉꼬의 암컷. ② 수다쟁이 여자.

cotorrero *m.* 수다쟁이(hombre hablador, parlachín).

cotorro *m.*《*Arg.*》=**cotarro.**

cotorrón, na *m.f.* 젊어지고 싶어하는 노인.

cotoso, sa *adj.* 갑상선종(coto)이 생긴.

cototo *m.*《*Arg. Chile.*》 혹.

cotral *adj.* 늙은.

cottage *m. ing.* 오두막. [*N.* 발음 : koted-ye].

cotúa *f.*《*Venez.*》【조류】=**mergo.**

cotudo, da *adj.* ① 솜털이 있는(algodonado). ②《*Amér.*》 갑상선종(coto)이 생긴.

cotufa *f.* ①【식물】뚝감자. ② 맛있는 것, 과자. ③《*Bol.*》 살살 구슬리는 소리, 간드러진 목소리.
pedir ~s en el golfo 가망 없는 것을 바라다.

coturno *m.* (고대 그리스·로마의) 각반이 달린 구두 ; (키를 크게 보이기 위한) 뒤축이 높은 구두.
de alto ~ 고급의.
calzar el ~ 장중한 시체(詩體)를 쓰다 ; 비극을 쓰다.

cotutor, ra *m.f.* 공동 후견인.

cotuza *f.*《*AmérC.*》【동물】agutí의 일종.

coulomb *m.* 쿨롱《전기량의 단위》(culombio).

couseína *f.*【화학】=**coseína.**

covacha *f.* ① 작은 동굴. ②《*Ecuad.*》 푸성귀 가게. ③《*Méx.*》(수레의) 짐을 싣는 장소. ④《*Perú. Riopl.*》 광. ⑤《*Ant.*》 허름한 집.

covachuela *f.* [*dim.* covacha] 옛날 외무성의 각 국(各局) ; (빈정거리는 뜻에서) 관청.

covachuelista *m. desp.* 관리, 공무원.

covachuelo *m.* =**covachuelista.**

covadera *f.* ①《*Col.*》 채굴(採掘). ②《*Chile. Perú.*》 초석(硝石)의 채취장.

covanilla *f.* [*dim.* cuéevano] 포도를 따 담는 커다란 광주리.

covanillo *m.* =**covanilla.**

covarrubiano, na *adj. m.f.* 꼬바루비아스《Covarrubias, Burgos 주의 마을》의 (사람).

covezuela *f.* [*dim.* cueva] 동굴, 굴.

covín *m.*《*Chile.*》 볶은 옥수수, 볶은 밀.

coxal *adj.* 허리의 : hueso ~ 요골(腰骨).

coxalgia *f.*【의학】고관절통, 고관절병.

coxálgico, ca *adj.* coxalgia에 걸린. —*m.f.* coxalgia 환자.

coxcojilla *f.* 돌차기 놀이.

coxcojita *f.* =**coxcojilla.**
a ~ 절룩거리면서.

coxcox (a) *adv.*【고어】=**a la pata coja.**

coxígeo, a *adj.* =**coccígeo.**

coxis *m.*【단·복수 동형】【해부】미골(尾骨)(cóccix).

coy *m.* (선원의) 해먹, 그 천.

coya *f.* ① (옛날 뻬루의) 황후·여왕·공주. ②《*Perú.*》 접대부, 매춘부, 매음부, 창녀, 갈보.

coyabra *f.*《*Col.*》=**cuyabra.**

coyamel *m.*《*Méx.*》=**saíno, pecarí.**

coyán *m.*【식물】(칠레산의) 너도밤나무의 일종.

coyocho *m.*《*Chile.*》【식물】순무.

coyol *m.*《*Méx. Guat.*》【식물】꼬욜야자 ; 그 열매《단추 등을 만듦》.

coyolar *m.*《*Guat. Méx.*》 꼬욜야자 숲.

coyoleo *m.*【조류】(아메리카산의) 메추라기(codorniz)의 일종.

coyotaje *m.*《*Méx.*》 고리 대금업, 금융업.

coyote *m.*【동물】꼬요떼《멕시코 중미산의 늑대(lobo)》.

coyotear *intr.*《*Méx.*》 고리 대금업을 하다, 금융업하다.

coyoteo *m.*《*Méx.*》 고리 대금같은 금융.

coyotera *f.* 꼬요떼(coyote)의 무리 ; 야단법석 ; 꼬요떼를 잡는 덫.

coyotero, ra *adj.* 꼬요떼(coyote) 사냥의.
—*m.* 꼬요떼 사냥에 쓰이는 개 ; 꼬요떼 덫.

coyunda *f.* ① 고삐. ② 샌들의 가죽끈. ③ 결혼(unión conyugal). ④ 속박. ⑤《*AmérC.*》 끈, 채찍.

coyundado, da *adj.*【고어】끈으로 묶은.

coyuntero *m.* =**acoyuntero.**

coyuntura *f.* ① (뼈의) 관절(articulación). ② 시기, 시절 ; 기회, 호기(oportunidad) : Era una buena ~ para ganar dinero 돈을 벌기 위해서 좋은 기회였다.
hablar por las ~s 실컷 노닥거리다.

coyuyo *m.*《*Arg.*》【곤충】왕매미.

coz *f.* [*pl.* coces] [*lat.* calz, calcis] ① (동물이 뒷발로) 차는 일 : dar una ~ 탁 차다. dar *coces*

툭툭 차다. dar *coces* contra el aguijón 발버둥치며 생떼를 쓰다. ② 상소리, 욕지거리 : soltar una ~ 욕지거리를 퍼붓다. mandar a *coces* 상소리로 명령하다. ③ (총포 발사의) 반동; 개머리판, 총상(銃床)(culata). ④ (나무·돛대의) 밑둥, 가장 굵은 곳.
andar a ~ y bocado 날 듯이 기뻐하다.
tirar coces 반항하다.
cozojilla *f.* 돌차기 놀이(coxcojilla).
cozolmeca *f.* 《*Méx.*》【식물】 사르사풀(zarza parrilla)의 일종.
cp. copia.
c.p.b., C.P.B. cuyos pies besa 경구(敬具).
cps. compañeros.
C.P.T. Contador Público Titulado.
c/r cuenta y riesgo.
crabrón *m.*【곤충】 호박벌(avispón).
crac *m.* ①【속어】 파산, 도산(倒産) (quiebra) : ~ financiero. ② 찰칵 혹은 찰싹하는 의음(擬音).
-cracia *suf.* 「지배, 힘, 권력」의 뜻을 가진 접미어 : aristo*cracia*, tecno*cracia*.
cracoviano, na *adj. m.f.* 크라코비아 《Cracovia, 폴란드의 도시》의 (사람).
cracoviense *adj. m.f.* =**cracoviano.**
crampa *f.* 《*Galic.*》 경련 : ~ de estómago 위경련.
crampón *m. ing.* ① (구두 바닥에 대는) 스파이크 창. ②【등산】 아이젠, 동철(冬鐵).
cran *m.* 활자의 홈, 새김 금.
craneal *adj.* 두개골의.
craneano, na *adj.* =**craneal.**
cráneo *m.* [*lat.* cranium] 두개골 : El ~ humano está compuesto de ocho huesos.
secarse el ~ 정신이 이상해지다.
tener seco el ~ 정신병자이다.
craneofacial *adj.* 두개골과 얼굴의.
craneografía *f.* 두개골학.
craneología *f.* 두개학(頭蓋學).
craneometría *f.* 두개골 측정.
craneómetro *m.* 두개 측정기(頭蓋測定器).
craneoscopia *f.* 골상학(骨相學).
craniano, na *adj.* =**craneal.**
crápula *f.* ① [*lat.* crapula] 취함, 취기, 주정(embriaguez). ② 방탕.
crapuloso, sa *adj.* 곤드레가 되도록 취한; 신세를 망친; 생활이 방종한.
craquear *tr.* 증류 분해하다.
crasamente *adv.* 아주 무식한.
crascitar *intr.* (까마귀 따위가) 까악까악 울다.
crasedad *f.*【고어】 =**crasitud.**
crasiento, ta *adj.* 지방질이 많은; 기름투성이의(grasiento).
crasis *f.*【문법】 =**contracción.** Contr. diéresis.
crasitud *f.* 비대, 비만(gordura).
craso, sa *adj.* [*lat.* crassus] ① 뚱뚱한, 비만한, 비대한(grueso, gordo) : aceite ~. ② 기름기가 흐르는. ③ 용서할 수 없는, 심한 : error·disparate ~. ④ 《*Amér.*》 버릇없는, 배우지 못한, 무례한.
—*m.* 비만, 비대.
crasuláceo, a *adj.*【식물】 경천과(景天科)의.
—*f.pl.* 경천과 식물.
cráter *m.* ① 분화구(噴火口). ②【천문】 꼬빠좌(Copa).
crátera *f.* 식탁에서 포도주에 물을 타기 위해 그리스·로마 시대에 사용했던 큰 그릇.
crateriforme *adj.* 분화구 모양의.
cratero *m.* =**crátera.**
cratícula *f.* ① (수녀원에서의) 면회창(面會窓). ②【광학】 분광판.
crawl *m.* 크롤 수영법. [*N.* 발음 : krol].
crayón *m.* 크레용.
craza *f.* 도가니.
crea *f.* 삼베의 중등품.
creable *adj.* 창조·창작할 수 있는.
creación *f.* [*lat.* creatio] ① (신에 의한) 창조(물), 창작; 만들어지는 것, 천지, 만물(universo). ② 창설, 건설. ③ (높은 벼슬로의) 서임, (교황의) 선임. ④ (지혜에 의한) 창작(물), 창안 : últimas ~*es* en trajes de señora 부인복의 최신 창작품.
creador, ra *adj.* [*lat.* creator] 만드는; 창조의, 창조적인(que crea) : poeta ~ 창조적 시인. facultades ~*ras* 창조력. **—*m.*** 창조자; 창설자; 창시자; 창안자.
el C- 신, 조물주.
crear *tr.* [*lat.* creare] ① 창조하다(criar); (제도 등을) 창설하다(establecer), 창사하다; 창안하다 : ¿Quién *creó* este instituto? 이 연구소는 누가 창설했습니까? ② (종신 관직에) 선임하다 : Fue *creado* Papa 그는 교황으로 선임되었다.
creatividad *f.* 창조성, 창조력; 창조의 재능.
crébol *m.* 《*Ar.*》 =**acebo.**
crece *f.* 《*Chile.*》 (개천 등의) 물이 불어남, 물난리.
crecedero, ra *adj.* ① 성장할 수 있는. ② 부드럽게 만든 (어린이의 옷).
crecer *intr.* 31 [*lat.* crescere] ① 성장하다 : Conforme *crecía*, iba aumentando su afición por la música 그는 성장함에 따라서 음악에 취미가 증대해 갔다. ② 커지다; 길어지다; 불어나다; 늘어나다; 증가·증대하다 : El capital de la compañía *ha crecido* en estos años 최근 수년에 회사의 자본금이 증가했다. ③ 증수(增水)하다; (조수가) 차다, (달이) 커지다, 차다. ④ (물가가) 오르다, 등귀하다, 앙등하다. Contr. disminuir.
~se 뻐기다, 으시대다, 콧대가 높아지다, 시건방지다.
creces *f. pl.* ① 불어남, 증대(aumento). ② 부품. ③ 덤, 할증(割增).
con ~ 듬뿍(ampliamente, con abundancia) : pagar *con* ~.
de ~ 크게 자랄 것 같은 : un muchacho *de* ~.
crecida *f.* 증수(增水) : La fusión de las nieves produce ~*s*.
crecidamente *adv.* 여분으로, 덤으로 : pagar ~ 넉넉하게 지불하다.
crecido, da *adj.* 성장한; 막대한. **—*f.*** 증수(增水). **—*m.*** (편물의) 늘어난 코.
creciente *adj.* 증대하여 가는 : luna ~ 상현달. **—*f.*** 증수(增水); 밀물(~ del mar); 초승달 때부터 보름달 때까지의 사이(~ de la luna).
en ~ 상승 경향으로.

crecimiento *m.* ① 성장 ; 증대 ; 증수(增水). ② (열이) 오름. ③ (화폐 가치의) 상승 ; 등귀, 앙등.
~ ***de la renta*** 소득의 증대.
~ ***desequilibrado*** 불균형 성장.
~ ***económico · de la ecomomía*** 경제 성장.
~ ***equilibrado*** 균형 성장.

crec.[te] creciente.

credencia *f.* [*ital.* credenza] (계단 옆의) 문갑장 ; (왕 · 제후의) 음료수 상(像).

credencial *adj.* 믿을 만한, 신용할 수 있는, 신임하는, 신임장의 : carta ~ 신임장. **—***f. pl.* ① 신임장 : presentar las ~ 신임장을 제출하다. ② 국서(國書).

credibilidad *f.* 신뢰성, 확실성.

crediticio, cia *adj.* 신용할 수 있는 ; 신용장의.

crédito *m.* [*lat.* creditum] ① 신용 : dar ~ 믿다 (creer), 신용하다(acreditar). No doy ~ a lo que cuenta 나는 그가 말하는 것을 신용하지 않는다. ② 명성, 평판, 신망 : sentar · tener sentado el ~ 신용 · 명성을 얻고 있다. ③ 신용 대부 : nota de ~ 대변 전표. a ~ 신용 대부로, 외상으로. En aquel almacén puedo comprar a ~ 나는 저 백화점에서 외상으로 살 수 있다. ④ 지불 기한 : tres meses de ~ 3개월 지불 유예. ~ a cobrar 대월 계정. ~ a corto plazo 단기 대부. ~ a largo plazo 장기 대부. ~ a medio plazo 중기 대부. ~ con garantía prendaria 담보부 신용 대출. ~ hipotecario 부동산 저당 금융. ⑤ 자산(資産) : ~*s* activos 자산, 채권. ~*s* pasivos 부채. ⑥ 신용장 (carta de ~) : abrir el ~ 신용장을 개설하다. ~ abierto 무조건 · 무제한 신용장, 오픈 크레디트. ~ bancario 은행 신용장, 은행 대출. ~ comprobado 잔고 승인 신용장. ~ confirmado 확인 신용장. ~ de exportación 수출 신용장. ~ documentario · documentado 선하 신용장. ~ documentario confirmado e irrevocable 확인 취소 불능 (선하) 신용장. ~ documentario irrevocable 취소 불능 (선하) 신용장. ~ documentario irrevocable no confirmado 불확인 취소 불능 (선하) 신용장. ~ documentario negociable 양도 가능 (선하) 신용장. ~ documentario revocable 취소 가능 (선하) 신용장. ~ documentario transferible 양도 가능 (선하) 신용장. ~ en blanco 백지 신용장. ~ en descubierto 무조건 신용장. ~ en efectivo 현금불 신용장. ~ hipotecario 담보부 신용장. ~ irrevocable 취소 불능 신용장. ⑦ 차관, 채권, 융자 ; 신용 상태 : ~ agrícola 농업 금융. ~ con garantía personal 개인 융자 · 대부, 대인 신용. ~ en moneda extranjera 외화 차관.

credo *m.* 신조(信條) ; 주의(主義) ; 강령(綱領) : ~ político.
con el ~ en la boca 자기 주장을 내세우고.
en un ~ 잠깐 사이에(en breve tiempo).
que canta el ~ 깜짝 놀랄 만한.
el C- 사도 신경(使徒信經).

crédulamente *adv.* 그냥 곧이 듣고.

credulidad *f.* 경솔한 신뢰 ; 호인.

crédulo, la *adj.* 가볍게 믿어 버리는, 속기 쉬운.

creederas *f. pl.* 【속어】 속기 쉬움 : ¡Buenas ~ tienes! 어지간히 사람이 좋군!

creedero, ra *adj.* 믿는, 신용하는, 믿어야 하는, 믿을 수 있는 (일)(creíble, verosímil). Contr. increíble, inverosímil.

creedor, ra *adj.* =**crédulo.**

creencia *f.* 확신 ; 신념 ; 믿음, 신앙 (fe religiosa) : hombre sin ~*s* 《*Galic.*》 무신앙자. Contr. desconfianza, duda.

creer *tr.* 78 [*lat.* credere] ① [+en : …을] 믿다 ; (…로) 생각하다(juzgar) : *Creo* que sí 그렇다고 생각한다 ; 물론이다. *Creo* que no 그렇지 않다고 생각한다 ; 물론 아니다. Le ***creía*** ignorante ; ***Creía que*** era ignorante 그를 무식한 사람으로 생각하고 있었다. Te ***creía en*** París ; ***Creía que*** estabas en París 네가 파리에 있으리라 생각하고 있었다. ② [+en : …을] 신용하다, 믿다 : *Creo en* ti 너를 믿는다. *Creo en* Dios 나는 신 · 신의 존재를 믿는다.
~se ① …로 믿고 있다 ; 자신을 …로 생각하다 : *Me creía* infeliz 나는 자신이 불행하다고 생각하고 있었다. ② [+de : …을] 신용하다.
~(se) de ligero 경망스럽게 믿어 버리다.
ser de ~(se) 믿어야 한다.
Ya lo creo 물론이다(Claro, Claro que sí, Desde luego, Cómo no).
[직설법 부정과거 : creí, creíste, creyó, creímos, creísteis, creyeron. 접속법 과거 : creyera, … ; creyese, …. 과거 분사 : creído. 현재 분사 : creyendo].

CREFAL Centro Regional de Educación Fundamental para América Latina.

crehuela *f.* 안감으로 쓰이는 삼베.

creíble *adj.* 믿을 수 있는, 믿어도 되는, 믿을 만한 : La disculpa que alega no es ~. Contr. increíble.

creíblemente *adv.* 아마, 아마도, 굳이 의심하지 않는다면, 십중 팔구는.

creído, da *adj.* [creer의 *p.p.*] ① 믿어 버리는 (confiado). ② 《*Amér.*》 경신하는, 가볍게 믿는 (crédulo). ③ 자신있는, 건방진, 우쭐대는 (presumido).

crema[1] *f.* [*lat.* crama] ① 유지(乳脂) ; (식품 · 화장용) 크림 ; 크림 모양으로 된 것 : ~ de afeitar 면도용 크림. ~ dental 튜브 치약. ~ líquida 액체 크림. ~ para zapatos 구두약. ② 《*Galic.*》 최고급, 최상급 : la ~ de la sociedad 상류 사회에서도 최상급 인사들.

crema[2] *f.* 【문법】 u자에 붙이는 부호(··) (diéresis : *cigüeña*).

cremación *f.* [*lat.* crematio] 다비(茶毘), 화장(火葬).

cremallera *f.* [*fr.* crémaillére] 잭, 콘센트, 파스너, 척, 지퍼 ; (톱니바퀴의) 래크 : ferrocarril de ~ (아프터식 철도의) 래크 레일.

crematística *f.* [*gr.* khrêmatistikê] 이식(利殖) ; (정치) 경제(학)(economía política).

crematístico, ca *adj.* 경제의, 이식(利殖)의 (pecuniario).

crematofobia *f.* 【병리】 금전 공포증.

crematorio, ria *adj.* 화장의 : horno ~ 화장로. **—***m.* 화장터.

cremento *m.* [드뭄] 증가 ; 증대(incremento).

cremería *f.* 《*Arg.*》 =**mantequería.**

cremómetro *m.* (우유의) 크림 정량계(定量計).

cremona *f.* 《*Galic.*》 걸쇠의 일종.

cremonés, sa *adj. m.f.* 끄레모나 《Cremona, 이탈리아의 주》의 (사람).

crémor *m.* [*lat.* cremor] 【화학】 주석영(酒石英) (~ tártaro).

cremoso, sa *adj.* 크림의, 크림 모양의.

crencha *f.* [*lat.* crinis] (머리의) 가리마 ; 양쪽으로 가른 머리(의 한 쪽).

crenoterapia *f.* 천연 광수 치료.

creofagía *f.* 고기를 먹는 경향.

creófago, ga *adj.* 【동물】 고기를 먹는.

creosol *m.* 【화학】 크레졸.

creosota *f.* 【화학】 크레오소트.

creosotado, da *adj.* 크레오소트를 넣은. —*m.* 크레오소트를 바르는 일.

creosotar *tr.* 크레오소트로 처리하다, 크레오소트를 바르다.

crep *m.* 《*Galic.*》 크레이프 직(織) : ~ de la China 순견직(純絹織).

crepé *m.* 《*Galic.*》 다리, 월자(月子) 《여자의 머리 숱이 많아 보이도록 덧드리는 딴 머리》 (añadido) ; 크레이프직(crep).

crepitación *f.* ① 탁탁 튀기는 일 ; 폭음 ; 뼈 마디가 우지끈거리는 소리. ② 【의학】 수포음(水泡音).

crepitante *adj.* 탁탁 튀기는 ; 수포음(水泡音)의 ; 불꽃이 튀는.

crepitar *intr.* [*lat.* crepitare] ① 탁탁거리는 소리를 내다 : La leña *crepita* mucho. ② 【의학】 수포음(水泡音)을 내다.

crepón *m.* 《*Ar.*》 새의 미저골(rabadilla de las aves).

crepuscular *adj.* ① 황혼의, 해거름의 ; 해가 질 무렵에 나오는 : mariposa ~. ② 희미한, 첫 새벽의.

crepusculino, na *adj.* =**crepuscular.**

crepúsculo *m.* [*lat.* crepusculum] ① 황혼, (아침 저녁의) 희미하게 밝음 : ~ matutino. ② (특히) 황혼 무렵. ③ =**decadencia.**

crequeté *m.* 《*Cuba.*》 【조류】 소쩍새(chotacabras)와 비슷한 새.

cresa *f.* 【곤충】 여왕벌의 알 ; 구더기.

crescendo *m. ital.* 【음악】 크레센도, 점강 음절, 음성 점강음. —*adv.* 【음악】 점점 강하게.

creso *m.* 부호(富豪).

cresol *m.* 【화학】 크레졸.

crespar *tr.* =**encrespar.**

crespilla *f.* 【식물】 들싸리버섯(cagarria).

crespillo *m.* ① 《*Hond.*》 【식물】 (아메리카의) 미나리아제비과에 속하는 낙엽 덩굴풀. ② 《*And.*》 =**pestiño.**

crespín *m.* 옛날의 여자용 장신구.

crespina *f.* (옛날 부인의) 헤어 네트.

crespo, pa *adj.* [*lat.* crispus] ① 똘똘 말은, 곱슬곱슬해진, 오므라든 : Las hojas de la col son ~*pas*. ② 읽기 힘든. ③ 화낸. —*m.* 말은 머리.

Pedro C- 뻬드로 끄레스뽀 《Calderón의 작품 「사라메라 촌장」의 주인공, 정의와 체면으로 뭉친 사람》.

crespón *m.* ① 축면사(縮緬紗), 크레이프 [*N.* crep로 쓰는 수도 있음]. ② 얇은 비단, 사(紗) : ~ de luto 상장(喪章). ③ 우울.

cresta *f.* [*lat.* crista] ① (새의) 볏 : la ~ del gallo. ② 관모(冠毛), 도가머리 : una ~ de plumas. ③ 산정(山頂), 산꼭대기(cumbre). ④ 거품이 이는 파도 끝. ⑤ 《*Col.*》 애인.

~ *de gallo* 【식물】 맨드라미.

alzar·levantar la ~ 거만을 떨다.

dar en la ~ 꼼짝 못하게 하다, 몰아치다.

picar la ~ 《*Méx.*》 건드리다, 도발하다.

crestado, da *adj.* 볏·관모가 있는(que tiene cresta).

crestería *f.* ① 【건축】 (천탑(天塔) 아치식 건축의) 도림질 세공. ② 【축성】 거벽(鋸壁) 《톱날 모양으로 총안을 둔 성벽》. ③ 연봉(連峯).

crestiforme *adj.* 【식물】 볏 모양의.

crestomatía *f.* (교재용) 모범·발췌 문집. Sinón. antología, florilegio.

crestón *m.* [*aum.* cresta] ① (투구의) 깃장식, 장식털. ② (광맥·암석 등의) 노출(露出), 원광(原鑛).

crestón, na *adj.* ① 《*Amér.*》 =**crestudo.** ② 《*Col.*》 잘 반하는 (남자).

crestudo, da *adj.* 도가머리·볏이 큰 ; 으시대는, 거만한.

creta *f.* [*lat.* creta] 백악(白堊) ; 분필.

Creta 【지명】 끄레타섬 《지중해의 섬 ; 그리스령(領)》.

cretáceo, a *adj.* 【지질】 백악기·계의 ; 백악의. —*m.* 【지질】 백악기·계(系).

cretense *adj.* 끄레따섬의. —*m.f.* 끄레따 섬사람.

crético, ca *adj. m.f.* =**cretense.**

cretinismo *m.* 【의학】 크레틴병 《알프스 산지 등의 풍토병, 갑상선이 비대해져 백치가 됨》.

cretino, na *adj.* ① 크레틴병의. ② 백치같은, 멍청한, 우둔한(idiota, estúpido). —*m.f.* 크레틴병 환자.

cretona *f.* 크레톤 사라사 직(織) 《커튼, 의자 커버용》.

creyente *adj.* 믿는. —*m.f.* 신자, 신도.

creyón *m.* [*fr.* crayon] 크레용, 크레용화(畵) ; 사생용 목탄.

crezc- →**crecer** 31.

crezco crecer의 직·현·1·단수.

crezneja *f.* 세 가닥으로 땋은 머리 ; 밧줄.

cría *f.* ① 사육, 양육 : ~ de ganado·animales 축산. la ~ de gusanos de seda 양잠. El pueblo vive de la ~ de cerdos 마을은 돼지 사육으로 살고 있다. ② (젖먹이) 아이, 동물 : la ~ de una oveja 젖먹이 양. ama de ~ 유모. ③ 한배 새끼. ④ 《*Amér.*》 (좋은) 가문.

de (la) ~ ① 가문이 좋은 ; 용감한. ② 《*Perú.*》 바보의, 멍청한, 우둔한.

criada *f.* ① 하녀 : ~ de adentro 《*AmérC.*》 청소를 맡은 하녀. ② 다듬이 방망이.

criadero, ra *adj.* 다산(多產)의. —*m.* ① 묘목밭(plantel). ② 양어장, 사육장. ③ 광택, 원광.

criadilla *f.* ① 고환, 불알(testículo). ② 감자. ③ 둥그런 빵.

~ *de mar* 낙지의 일종.

~ *de tierra* 송로(松露)의 일종.

criado, da *adj.* [criar의 *p.p.*] 성장한, 길러진 ; [bien · mal+] 가정 교육이 좋은 · 나쁜 ; 사육된. —*m.f.* 하인, 하녀. —*m.* 농장 노동자. Sinón. mozo.

criador, ra *adj.* 사육하는, 번식에 적합한. —*m.f.* ① 사육자. ② 사육 담당자 ; 양조가. *el C-* 조물주(Dios).

criadora *f.* 유모(乳母)(nodriza, ama de cría).

criaduelo, la *m.f. dim.* criado.

criamento *m.* 생육 ; 사육 ; 양조(釀造).

criamiento *m.* =**criamento.**

criancero, ra *m.f.* 《*Chile.*》 (동물의) 사육자 (criador).

criandera *f.* 《*Amér.*》 유모(乳母) (nodriza, ama de cría).

criandero *m.* 《*Col.*》 (가축을) 치는 · 기르는 사람.

crianza *f.* ① 포유(기) ; 사육 ; 가정 교육 ; 예의 : época de la ~ 포유기. persona sin ~ 예의 없는 사람. ② 《*Chile.*》 (동물의) 사육장 ; 식림장(植林場).

criar *tr.* 12 ① 키우다, 기르다 : El sol *cría* a las plantas 태양은 식물을 기른다. ② 치다, 사육하다. ③ 젖먹여 키우다(nutrir). ④ 낳다, 생기다(producir). ⑤ 육성하다(fomentar) ; 양조하다 ; 창설하다 (crear). ⑥ (문서를) 작성하다. **~se** 자라다 ; 생겨나다 ; 커지다 ; 술이 빚어지다.
~ *motivo para* …를 구하다.

criatura *f.* ① 창조물. ② 인간, 생물. ③ 갓난아기, 유아(niño), 태아 : llorar como una ~. ④ 부하.

criazón *f.* ① 동물의 새끼 ; 한배 새끼. ② 【고어】 가족(familia) ; 기식자(寄食者). Sinón. harnero, tamiz.

criba *f.* 키, 체 : ~ clasificadora 선별기.
estar como ~, hecho una ~ 체처럼 온통 구멍투성이다.
¡*Voto a ~s*! 이런, 빌어 먹을 ! 《분노, 위협의 감탄사》.

cribado *m.* 체로 까부는 일 : el ~ de las semillas.

cribador, ra *adj. m.f.* 체로 치는 ; 선광(選鑛)하는 (사람).

cribar *tr.* ① 체로 치다 ; 체로 쳐서 선별하다. ② 선광(選鑛)하다. : ~ mineral.

cribas! (**¡Voto a**) *interj.* =**¡Voto a Cristo!**

cribete *m.* 엉성한 침대(camastro)의 일종.

cribo *m.* [*lat.* cribum] ① 체(criba). ② 《*Riopl.*》 투명 레이스.

criboso, sa *adj.* 체와 같이 구멍투성이의 : hueso ~ del cráneo.

cric *m.* [*pl.* crics] ① (무거운 것을 드는) 잭, 작은 기중기(gato). ② 우둑우둑하는 소리.

crica *f.* 보지, 음문, 여근, 소문(小門), 하문(下門), 음부(陰部), 국부(局部).

cricket *m. ing.* =**criquet.**

cricoides *adj. m.* 환상(環狀)의 (연골).

cricquet *m.* =**criquet.**

crimen *m.* [*lat.* crimen] ① 범죄(delito grave) : cometer un ~ imperdonable. ② 중죄 사건(重罪事件).

criminación *f.* 고발 ; 죄를 씌우기.

criminal *adj.* 죄가 되는 ; 범행의 ; 형법상의 : juicio ~.
—*m.f.* 죄인 ; 범인(犯人) : castigar a un ~.

criminalidad *f.* ① 유죄성 ; 범죄 건수. ② [집합] 범죄 : En todos los países aumenta la ~ con el alcoholismo 각국에서 알코올 중독으로 범죄가 늘고 있다.

criminalista *adj.* 형사 법원의 ; 형법에 관한. —*m.f.* 형법 학자 : Beccaria fue un gran ~.

criminalizar *tr.* 민사 재판을 형사 재판으로 바꾸다.

criminalmente *adv.* 죄를 범하여 ; 형법에 의하여 : juzgar una causa ~.

criminar *tr.* ① 고발하다(acriminar). ② 꾸중하다, 나무라다, 비난하다(censurar).

criminología *f.* 범죄학 ; 형사학.

criminológico, ca *adj.* 범죄학의, 형사학적인 ; 형무 관리(刑務管理)의.

criminoso, sa *adj.* 죄가 있는 ; 죄가 많은(criminal) : acto ~. —*m.f.* 죄인(delincuente).

crimno *m.* 거칠게 탄 가루 · 밀가루.

crin *f.* [*lat.* crinis] 【동물】 갈기.
~ *vegetal* (융단 따위를 짜는) 식물 섬유.
tenerse a las ~es 현재의 지위에서 떨어지지 않으려고 물고 늘어지다.

crinado, da *adj.* 【시어】 장발의(de cabello muy largo).

crinar *tr.* (머리칼을) 풀다(peinar).

crineja *f.* 《*And. Amér.*》 =**crizneja.**

crinera *f.* 갈기가 난 말의 목 윗 부분.

crinito, ta *adj.* 꼬리 달린 (연).

crinolina *f.* 《*Galic.*》 ① (테를 둘러 깃을 벌린) 스커트. ② 빳빳한 피륙. ③ 《*Méx.*》 오랏줄을 휘두르는 일. ④ 《*Perú.*》 악보대(樂譜臺).

crío *m.* 갓난아이, 신생아(新生兒)(el recién nacido).

crioja *f.* 【은어】 살코기 ; 살.

criojero *m.* 【은어】 푸줏간, 고깃간, 정육점.

criolita *f.* 【광물】 빙정석(氷晶石).

criollismo *m.* 《*Amér.*》 (중남미에서의) 토착 기질 ; 토착의 것을 좋아함.

criollo, lla *adj.* 《*Amér.*》 ① (외래인이 아닌) 토착의, 그 지방 고유의, 중남미 태생의. ② 아메리카풍의 : manjar ~. ③ (중남미 제국이 말하는) 자국(自國)의(nacional) ; 국산의 : industria *criolla* 국내 산업 · 제품. —*m.f.* ① 아메리카 태생의 백인 · 흑인. ② 《*Perú.*》 자국인.
a lo ~, a la criolla 《*Perú. Riopl.*》 ① 예의 · 형식을 차리지 않고 소탈하게. ② 《*Perú.*》 고향에서 하듯이.

criometría *f.* 저온 측량.

criometro *m.* 저온 한란계.

criopatía *f.* 【의학】 한랭증.

crioscopia *f.* 빙점 측정법.

crioscopio *m.* 빙점 측정기.

crioterapia *f.* 한랭 요법.

cripta *f.* (사원의 지하) 납골실 · 예배당.

criptoanalisis *m.* 암호문 해독(법 · 학 · 연구).

criptógamo, ma *adj.* 【식물】 은화 식물(隱花植物)의(acotiledóneo). —*f.pl.* 은화 식물.

criptografía *f.* 암호법, 암호문.

criptográfico, ca *adj.* 암호(법)의.

criptograma *m.* 암호 (문서).

criptología *f.* 암호술.
criptón *m.* 크립톤《희가스류 원소의 하나》.
criquet *m.* [*ing.* cricket] 크리켓《영국의 국기로 11인씩 두 조로 행함》.
cris *m.* (필리핀·말레지아의) 칼(puñal).
crisálida *f.* 【곤충】 번데기(ninfa).
crisalide *f.* =**crisálida.**
crisantema *f.* =**crisantemo.**
crisantemo *m.* 【식물】 국화나무, 국화꽃.
criselefantino, na *adj.* 상아(marfil)와 금(oro)의.
crisis *f.* [*lat.* crisis ; *gr.* krisis] 【단·복수 동형】 ① (병의) 위험한 고비 ; 위기 : ~ de divisas extranjeras 외화 위기. ~ del sistema monetario internacional 국제 통화 (제도의) 위기. ~ económica (mundial) (세계적) 경제 위기·공황. ~ energética·de energía 에너지 위기. ~ ministerial 내각 위기, 정변. ~ monetaria 금융 위기, 재정 위기. ~ petrolera 석유 위기. ② 공황(恐慌) : ~ comercial. ③ 엄밀한 비판.
crisma *f.(m.)* [*gr.* khrisma] ① 성유(聖油). ② 【속어】 머리(la cabeza).
romper la ~. a uno(누구의) 머리에 부상을 입히다(descalabrar, herir a uno en la cabeza).
crismal *m.* =**crismera.**
crismar *tr.* 【고어】 =**bautizar, confirmar.**
crismazo *m.* 《*And.*》 머리를 때림, (머리에 받는) 충격, 구타.
crismera *f.* 성유 단지.
crismón *m.* 그리스도의 명(銘)《X와 P를 어울려 쓴 것(lábaro)》.
crisneja *f.* 세 가닥으로 땋은 머리 ; 머리채 ; 새끼줄(crizneja).
crisoberilo *m.* 【광물】 금록석(金綠石), 알렉산더석(石).
crisocalco *m.* 금빛이 나는 청동(bronce)의 일종.
crisol *m.* ① 도가니. ② 용광로의 바닥. ③ 시련(prueba) : el ~ de la experiencia. ④ 약이나 화학 물질을 빻는 기구.
crisolada *f.* 도가니의 뜨거운 물.
crisolar *tr.* ① (도가니에서) 정련하다(acrisolar).
crisolita *f.* =**peridoto.**
crisolito *m.* 【광업】 감란석 《녹색 보석》(~ de los volcanes) : ~ oriental 황옥.
crisología *f.* =**crematística.**
crisopacio *m.* =**crisoprasa.**
crisopeya *f.* 연금술(練金術).
crisoprasa *f.* 【광물】 녹옥수(綠玉髓).
crispación *f.* =**crispatura.**
crispadura *f.* =**crispamiento.**
crispamiento *m.* 경기, 경련(crispatura).
crispar *tr.* [*lat.* crispare] 경련을 일으키게 하다.
~se 경련·경기를 일으키다.
crispatura *f.* 경기, 경련.
criss *m.* =**cris.**
crista *f.* ① =**crestón de casco.** ② 《*Ecuad.*》 = **cresta.**
cristal *m.* [*gr.* krustallos] ① 결정체 ; 수정(水晶) : ~ de roca 수정. El ~ de roca es sílice pura 수정은 순수한 규산이다. ~ tártaro 주석영(酒石英). ② 유리 : ~ deslustrado·esmerilado 불투명 유리. ~ hilado 실유리. ~ tallado 커트 글라스. Se me han roto los ~*es* de las gafas 안경의 유리가 깨졌다. Los ~*es* de Venecia son célebres en el mundo entero 베니스의 창유리는 세계에서 유명하다. ③ 거울, 거울의 면(luna). ④ 【시어】 물(水) : el ~ de la fuente. —*pl.* 렌즈, 안경 : ~*es* de présbita 돋보기. ~*es* de miope 근시 안경.
cristalera *f.* 유리 창문 ; 유리문 찬장 ; 진열창.
cristalería *f.* ① 유리 공장·점 ② [집합] 유리 기구(器具), 렌즈·안경류.
cristalero *m.* 《*Riopl.*》 유리 그릇(cristalera).
cristalino, na *adj.* 수정의, 수정같은 ; 아름답게 트인 : cuerpo ~ 아름다운 몸매. sonido ~ 수정처럼 맑은 소리. —*m.* (안구의) 수정체.
cristalizable *adj.* 결정·정화(晶化)할 수 있는 ; 실천시킬 수 있는.
cristalización *f.* 결정 ; 결정물, 결정체 ; 정화(晶化).
cristalizado, da *adj.* 수정같은, 수정 형태의 : azúcar ~.
cristalizador *m.* 【화학】 (결정화하는) 넓은 그릇.
cristalizar *tr.* ⑨ 결정·정화(晶化)시키다 ; 실현시키다.
—*intr.*, **~se** 결정(結晶)하다.
cristalografía *f.* 결정학(結晶學).
cristalográfico, ca *adj.* 결정학(結晶學)의, 결정적(結晶的)인.
cristalógrafo, fa *m.f.* 결정학 전문가.
cristaloide *m.* 【화학】 결정질(結晶質).
cristaloideo, a *adj.* 결정질의, 결정 모양의 : piedra ~*a* ; aspecto ~.
cristalometría *f.* 결정체 측정.
cristel *m.* 관장기(灌腸器)(clister).
cristianamente *adv.* 그리스도 교도로서 ; 그리스도 교도답게(de modo cristiano).
cristianar *tr.* ① (…에게) 세례를 베풀다, 그리스도 교도로 만들다(bautizar). ② 미사에 가다(ir a misa).
cristiandad *f.* ① 그리스도교 세계. ② [집합] 그리스도 교도.
cristianesco, ca *adj.* 그리스도 교도같은.
cristianísimo, ma *adj.* [*sup.* cristiano] 불란서 국왕에게 붙였던 칭호.
cristianismo *m.* ① 그리스도교. ② [집합] 그리스도 교도 ; 세례.
cristianización *f.* 그리스도교화.
cristianizar *tr.* ⑨ 그리스도교를 전파하다 ; 그리스도 교풍으로 하다, 그리스도교화하다.
cristiano, na *adj.* ① 그리스도교의. ② 물을 탄(포도주). —*m.f.* ① 그리스도 교도 : ~ nuevo 개종 그리스도 교도. ~ viejo 조상 대대로의 그리스도 교도. ② 【속어】(짐승에 대한) 인간, 사람 : No se ve un ~ por las calles a esta hora 이런 시간에 거리에는 한 사람 보이지 않는다. [Contr.] bruto. ③ 《*AmérC. Méx.*》 호인 ; 얼간이, 바보 ; 끄리스띠나파. ④ 《*Guat.*》 애인. ⑤ 서반아어(español) : Hable usted en ~ 서반아어로 말씀하세요.
cristina *f.* (약 5레알에 해당된) 옛날의 스웨덴 동전.
cristino, na *adj. m.f.* 끄리스띠나파 《carlista의

반대파; María Cristina de Borbón(1806–1878)과 그 딸 이사벨 2세; Isabel Ⅱ(1830–1905)에게 충성을 다한 한 파》의 (사람).

Cristo *m.* [*lat.* christus] ① 그리스도, 신의 아들(el Hijo de Dios). ② 그리스도의 상(crucifijo) : un ~ de marfil 상아로 만든 그리스도상.

donde ~ dio las tres voces 아주 한적한 곳에, 외떨어진 쓸쓸한 곳에서.

estar sin ~ 《*Chile.*》 방 한 칸 없다.

ni por un ~ 막무가내로(응하지 않는); 도저히 (이룰 수 없는).

sacar el ~ 옴쭉달싹 못하게 하다, 군소리 못하게 하다.

¡voto a ~! 빌어먹을!

cristofué *m.* 《*Venez.*》【조류】 끄리스또푸에 《노랗고 푸른 빛을 띤 새》.

cristus *m.* 자모표; 초보 독본 《처음에 십자가가 있기 때문에》.

no saber el ~ 낫 놓고 기역자도 모른다, 아주 무식하다.

crisuela *f.* 칸델라 등의 기름 접시.

crisúleo, a *adj.* 금을 용해하는·녹이는.

criterio *m.* [*gr.* kritêrion] ① (인식의) 기준. ② 견해 : Ellos no tienen el mismo ~ 그들의 견해는 같지 않다. ③ 자, 척도. ④ 비판·판단(력) : persona de buen ~ 슬기로운 사람. ⑤ 두뇌, 지혜.

criteriología *f.* 진리 규정론·학.

crítica *f.* ① 비평, 비판력. ② 비난(censura) : La ~ es fácil, pero el arte difícil. ③ 감정. ④ 소문, 험담(murmuración).

~ textual 본문 비평.

criticable *adj.* 비판의 여지가 있는; 비난할 만한.

criticador, ra *adj.* 비평하는; 비판적인; 비난하는. —*m.f.* 비판자; 비난자.

críticamente *adv.* 비판적으로; 비난적으로.

criticar *tr.* 7 비판하다; 비난하다(censurar).

criticastro *m. desp.* 엉터리 비판가.

criticidad *f.* 위기성; 비판성.

criticismo *m.* 비판주의; (칸트의) 비판 철학(批判哲學); 비평, 비판.

crítico, ca *adj.* [*lat.* criticus] ① 비평·비판의 : sentido ~ 비판적 감각. ② 위기에 처해 있는, 위기 일발의 : momento ~ 누란(累卵)의·위기일발의 경우. ③ 급소의; 위태로운; 위독한 : área ~*ca* 급소. fase ~*ca* 위독한 상태. ④ 급변적인.

—*m.f.* ① 비평가, 평론가 : ~ literario 문예 평론가. ② 《*Amér.*》 독설가.

criticón, na *adj.* 잔소리가 많은. —*m.f.* 잔소리꾼, 혹평가, 험담가.

critique- →**criticar** 7.

critiqueo *m.* =**crítica.**

critiquizar *tr.* 9 헐뜯다, 혹평하다(criticar demasiado).

crizneja *f.* 세 갈래로 땋은 머리; 새끼 줄.

croaniometría *f.*【의학】 두개 측정(법).

croar *intr.* (개구리가) 울다(cantar la rana).

croata *adj.* 크로아티아《Croacia, 발칸의 한 지방》의. —*m.f.* 크로아티아인. —*m.* 크로아티아말.

crocante *m.* 아멘도제(製)의 누가.

crocino, na *adj.* 사프란의, 크로카스의.

crocitar *intr.* (까마귀 따위가) 까욱까욱 울다(crascitar).

croco *m.*【식물】=**azafrán.**

crocodílidos *m.pl.* (악어 형태를 하고 있는) 파충류(cocodrílidos).

crocodilo *m.*【동물】 악어(cocodrilo).

croché *m.* [*fr.* crochet] 뜨개바늘; 뜨개질 감.

crochel *m.* 종루(鍾樓).

crochet *m. fr.* 뜨개바늘; 뜨개질 감.

crol *m.*【수영】 크롤, 자유형.

crolofílico, ca *adj.* 엽록소의.

cromado, da *adj.* 크롬을 함유한 : hierro·acero ~. —*m.* 크롬 도금.

Cro-Magnon *m.* 크로마뇽 인종(raza de ~).

cromar *tr.* 크롬으로 도금하다.

cromático, ca *adj.* ①【음악】 반음계의, 반음의 : escala ~*ca* 반음계. ② 색의, 색채의, 착색(着色)의; 색수차(色收差)가 있는. ③【생물】 염색체의. —*f.* 색채학.

cromatina *f.*【생물】 크로마틴, 염색질.

cromatismo *m.* ①【광학】 색수차(色收差). ②【식물】(녹색부의) 변이색. ③【의학】 색채 환각.

cromato *m.*【화학】 크롬 산염.

cromatóforo *m.* ①【동물】 색소 세포(色素細胞). ②【식물】 유색체(有色體).

cromatología *f.* 색채학.

cromita *f.* ①【광물】 크롬 철광. ② 아(亞)크롬 산염.

crómlech *m.* =**crónlech.**

cromo *m.* [*gr.* khrôma]【화학】 크롬; 착색 석판화(cromolitografía).

cromocinematografía *f.* 천연색 영화.

cromofotografía *f.* 컬러 사진, 천연색 사진.

cromógeno, na *adj.* 색채를 나타내는.

cromógrafo *m.* 간단한 등사판의 일종.

cromolitografía *f.* 착색 판화(술).

cromolitografiar *tr.* 착색 판화 인쇄를 하다.

cromolitográfico, ca *adj.* 착색 판화(술)의.

cromolitógrafo, fa *m.f.* 착색 판화가.

cromoplasto *m.*【식물】 유색체(有色體).

cromosfera *f.*【천문】(태양의) 채층(彩層).

cromosoma *f.*【생물】 염색체.

cromotipia *f.* 착색 인쇄.

cromotipografía *f.* 착색 인쇄술; 착색판.

cromotipografiar *tr.* 12 착색 인쇄하다.

cromotipográfico, ca *adj.* 착색 인쇄의.

crónica *f.* [*gr.* khronos] 연대기, 역사 기록; (신문) 기사, 뉴스 해설.

crónicamente *adv.* 만성적으로, 줄곧.

cronicidad *f.* (질병의) 만성(慢性).

cronicismo *m.* (질병의) 만성; 만성병(慢性病).

crónico, ca *adj.* [*gr.* khronos] 만성의, 연래(年來)의. —*m.* 연대기(crónica).

cronicón *m.* 짧은 편년기(編年記).

cronista *m.f.* ① 연대기(年代記)의 작자·편자. ② 역사가(historiador). ③ 기록관. ④ 시사 해설자 : ~ de radio 뉴스 해설·방송원. ⑤ 신문 기고자.

cronístico, ca *adj.* 연대기의; 뉴스 해설의.

crónlech *m.*【고고학】 환상 열석(環狀列石).

cronografía *f.* =**cronología.**

cronógrafo *m.* ① 연대 학자(年代學者). ② 초시계(秒時計), 스톱워치.

cronología *f.* 연대학 ; 연대표, 연기(年記), 연표, 시간 계량법.

cronológicamente *adv.* 연차순으로, 연대순으로.

cronológico, ca *adj.* 연대학(年代學)의 ; 연차(年次)의 ; 시대적인, 시간적인.

cronologista *m.f.* =**cronólogo.**

cronólogo, ga *m.f.* 연대 학자(年代學者).

cronometrador, ra *m.f.* (경기 등에서) 시간 기록원. —*m.* 시간 기록기.

cronometraje *m.* 크로노 미터에 의한 측정.

cronometrar *tr.* (경기 따위에서) 표준 시계로 재다.

cronometría *f.* 시각 측정(법).

cronométrico, ca *adj.* 시간 측정의 ; 크로노 미터에 의한.

cronómetro *m.* 표준 시계, 정밀 시계, 크로노 미터.

Cronos *m.* 【희랍 신화】 시간의 신 《신들의 아버지》.

cronoscopia *f.* 시간 측정.

cronoscopio *m.* 분초 측시기(分秒測時器) 《광속을 측정함》.

croquet *m.* 《*Angl.*》 크로켓 ; 공놀이.

croqueta *f.* [*fr.* croquette] 크로켓 《튀김》.

croquis *m.* 【단·복수 동형】 [*fr.* croquis] 배치도 ; 데생, 소묘(boceto).

croscitar *intr.* (까마귀가) 울다(crascitar).

crosé *m.* =**crochet.**

crosoma *m.* 【생물】 염색체.

crospétalo, la *adj.* 꽃잎이 리본·술 모양인.

cross-country *m. ing.* 장애물 경기(carrera de obstáculos a campo traviesa). [*N.* 발음 : cros-kontre].

crótalo *m.* ① 캐스터네츠의 일종. ② 【시어】 캐스터네츠(castañuela). ③ 【동물】 방울뱀(serpiente de cascabel).

crotalogía *f.* 캐스터네츠를 치는 기술.

crotón *m.* 【식물】 피마자(ricino).

crotorar *intr.* (황새, 학 등이) 울다.

crrte. corriente.

cruce *m.* ① 횡단 ; 엇갈림, 서로 길이 바뀜. ② 교차로, 교차, 교차점 : el ~ de dos caminos. ③ 【전신】 간섭, 방해. ④ 【언어】 (두 말의) 혼합.

cruceiro *m.* 끄루제이루 《브라질의 화폐 단위》.

cruceño, ña *adj. m.f.* 끄루스·끄루세스 《Cruz · Cruces, 서반아나 아메리카의 여러 지방에 있음》의 (사람).

crucería *f.* 고딕 건축 : bóveda de ~.

crucero *m.* ① (행렬의) 십자가를 든 사람. ② 십자로, 네거리(encrucijada) ; 전당의 nave(열주와 열주 사이)와 nave의 교차점. ③ 순양함(巡洋艦) : ~ acorazado 장갑 순양함. ④ 순양함대 ; 그 순항 해역.

Crucero *m.* 【천문】 남십자성(Cruz).

cruceta *f.* ① (편물 등의) 십자코. ② 【선박】 장두(檣頭), 장루(檣樓), 가로 돛대.

crucetear *intr.* 《*Cuba.*》 여기저기 쏘다니다.

crucial *adj.* ① 십자형의 : incisión ~ 십자 절개(切開). ② 결정적인, 중대한(decisivo) : fase ~ de la guerra 결정적인 전국. ③ 비평의(crítico).

cruciata *f.* 【식물】 용담의 일종.

cruciferario *m.* (행렬 등에서) 십자가를 든 사람.

crucífero, ra *adj.* ① 【식물】 십자화과(十字花科)의. ② 훈장을 단. —*m.* 십자가를 든 사람 : Santa Cruz 교단의 승려. —*f. pl.* 【식물】 십자화 식물.

crucificado, da *adj.* 십자가에 못박힌 : el C- 십자가에 못박힌 예수 그리스도.

crucificar *tr.* 7 ① 십자가에 못박다(clavar en una cruz). ② 체형에 처하다. ③ 몹시 괴롭히다, 박해하다(sacrificar) : Esto me *crucifica.*

crucifijo *m.* 그리스도 수난상(imagen de Jesucristo crucificado).

crucifixión *f.* 십자가에 못박는 형벌, 십자가에 못박힌 예수 ; 괴로운 시련 ; 정신적인 고뇌.

crucifixor *m.* 십자가에 못박는 사람.

cruciforme *adj.* 십자형의.

crucígero, ra *adj.* 【시어】 훈장을 단.

crucigrama *m.* 크로스워드 퍼즐, 십자형의 빈칸 메우기 퀴즈(palabras cruzadas).

crucillo *m.* 장신구 세트.

cruciverbista *m.f.* crucigrama를 푸는 사람.

crudamente *adv.* 생(生)으로 ; 호되게, 혹독하게(ásperamente).

crudelísimo, ma *adj.* [*sup.* cruel] 잔인 무도한(cruelísimo).

crudeza *f.* ① 가공하지 않은 것, 천연 그대로임, 날것 : la ~ de las frutas. ② 생경(生硬) : la ~ de la expresión. ③ 조잡 : con ~ 노골적으로 ④ 알록달록한 빛깔 ; 칙칙한 빛깔. ⑤ 극심한 추위. ⑥ 가혹·엄격함(rigor) : hablar con ~ 가혹하게 말하다. —*pl.* 소화되지 않고 가슴이 답답함.

crudillo *m.* 조잡한 천(tela basta).

crudo, da *adj.* ① 날것의, 산 채로의(que no está cocido) : carne *cruda* 날고기. No me gusta el pescado ~ 나는 날 생선을 싫어한다. Las ostras se comen *crudas* 굴은 날것으로 먹는다. ② 미숙한 : fruta *cruda* 익지 않은 과일. agua *cruda* 경수(硬水). ③ 배가 거북한, 소화되지 않는. ④ 생으로, 아직 조제하지 않은 : seda *cruda* 생사. ⑤ 까끄러운, 거친, 생경한. ⑥ 심한, 혹독한(cruel) : frío ~ 모진 추위. El habla de una manera muy *cruda* 그의 말하는 법은 매우 혹독하다. ⑦ 건성으로 뻐기는. ⑧ 아직 완전히 곪지 않은 (종기). ⑨ 《*Arg Méx.*》 노리께한, 노르스름한(de color amarillento) : camisa *cruda* 노르스름한 와이셔츠. ⑩ 《*Méx.*》 숙취(宿醉)한. —*m.* ① 원유(原油). ② 《*Amér.*》 거칠게 짠 피륙.

cruel *adj.* [*lat.* crudelis] ① 잔혹한, 잔인한, 가혹한, 비인간적인(inhumano, despiadado) : Domiciano fue un tirano ~ 도미시아노는 잔인한 폭군이었다. ② 처참한, 지독한, 모진 : dolores ~*es* 지독한 통증. batalla ~ 처참한 전투. ③ 피를 좋아하는 : El tigre es ~ 호랑이는 피를 좋아하는 동물이다. Contr. dulce, clemente, humano.

crueldad *f.* ① 잔혹, 잔인성 ; 격렬함 : la ~ de la suerte. ② 혹독 ; 만행. Contr. dulzura, clemencia.

cruelmente *adv.* 잔혹하게, 잔학하게, 가혹하게, 처참하게, 호되게(con crueldad).

cruentamente *adv.* 처참하게, 가혹하게, 잔혹하게.

cruento, ta *adj.* 잔혹한, 유혈의, 피투성이의, 피비린내 나는(sangriento) : drama ~.

crúiser *m. ing.* 요트.

crujía *f.* ① 복도(corredor) ; 그 방들 : ~ de piezas 잇대어 있는 방들. ② (병원의 입구의) 병실(sala de hospital). ③ (건물의 큰 벽과 큰 벽의) 간격 ; (뱃머리에서 뱃꼬리로 가는) 통로. *pasar* ~, *sufrir una* ~ 고생을 하다(padecer trabajos).

crujidera *f.* 《*Amér.*》 (구두 밑창의) 삐걱거리는 가죽.

crujidero, ra *adj.* =**crujiente.**

crujido *m.* 삐걱거림 ; 삐걱거리는 소리 ; 째지는 소리 ; 이를 갊.

crujidor, ra *adj.* 삐걱거리는 : follaje ~.

crujiente *adj.* 삐걱거리는 : seda ~ 스치는 소리를 내는 비단.

crujir *intr.* ① 삐걱거리다 : ~ los dientes 이를 갈다. ② 소리를 내며 찢어지다.
~se 《*Méx.*》 얼다(helarse).

crúor *m.* ① 혈색소(hemoglobina). ② 핏기, 응혈. ③【시어】 피, 혈조(血潮).

cruórico, ca *adj.* 혈색소의 ; 피의.

crup *m.*【의학】[*pl.* crups] 의막성 후염(義膜性喉炎)(garrotillo).

crupal *adj.* ①【의학】의막성 후염의. ② 목이 잠긴 : la voz ~ 잠긴 목소리.

crural *adj.* 넙적다리의 : arteria ~.

crustáceo, a *adj.*【동물】갑각류의. **—***m. pl.* 갑각류.

crústula *f.* =**cortezuela.**

cruz *f.* [*lat.* crux] ① 십자형, 십자가 ; 십자장(十字章), (여러 종류의) 훈장 : Gran ~ 대십자장. ② 경화(硬貨)의 뒷면 : jugar *a cara o* ~ 동전의 앞뒤로 내기하다. ③ 길갑(鬐甲) 《우마의 키를 재는 가장 높은 곳》. ④ (나뭇가지의) 밑둥. ⑤【인쇄】단검표 《+, 죽은 이의 이름 앞에 붙이는 표》. ⑥ 고난 : llevar su ~ con paciencia 묵묵히 자신의 고난을 이겨 나가다. ~ del matrimonio 부부간의 고생. ⑦ [C-]【천문】남십자성(crucero). ⑧【은어】길(camino).
~ *de mayo* 산타 크루스 축제 《5월 3일》. ~ *de San Andrés* X의 모양. ~ *de San Antonio* 丁자형. ~ *geométrica* 옛날의 천체 측정기. ~ *griétrica* 정(正) 십자형. ~ *latina* 세로가 긴 십자형. ~ *patriarcal* 복십자형. *C- Roja* 적십자. *la C- del Sur, la C- de Mayo*【천문】남십자성.
~ *y raya* 제발 다시는 싫다.
de la ~ *a la fecha* 처음부터 끝까지.
en ~ 십자로 교차된, 십자형으로 ; 두 팔을 옆으로 벌려.
entre la ~ *y el agua bendita* 위기에 몰려, 곤경에 빠져.
*hacer*le a uno *la* ~ (누구를) 싫어하다.
hacerse la cruz · cruces (놀라움 · 기이함을 나타내어) 십자를 긋다.
transquilar a cruces 머리를 쥐가 뜯어먹은 것처럼 깎다.

cruza *f.* 《*Chile. Riopl.*》 그루갈이.
hacer la ~ 《*Chile.*》 결투에 응하다, 대항하다(resistir, oponerse).

cruzada *f.* ① (성지 탈환을 위한) 십자군. ② (교황청의) 십자군 총감국 ; 개혁 · 박멸 운동(campaña) : la ~ antialcohólica 금주 운동. ③ 십자로(encrucijada).

cruzadillo *m.* 면포, 면직물.

cruzado, da *adj.* [cruzar의 *p.p.*] ① 십자형의, 교차된(en cruz) : líneas ~*das* 교차선. con los brazos ~*s* 팔장을 끼고 ; 게으름을 피워. ② 십자장을 받은, 훈장을 단. ③ 교배종(交配鍾)의. ④ 능직의 : tela ~*da*. ⑤ 줄을 친 : cheque ~ 횡선 수표. **—***m.* ① 십자군의 병사(兵士). ② (무용에서) 교차하는 일. ③【은어】길(camino). ④ 십자 모양의 화폐.

cruzador *adj.* 십자로 조립되는 : 십자형이 되는.

cruzamiento *m.* 교차 ; 서로 사귀는 일(cruce) ; 교배 ; 횡단 ; 서훈(叙勳).

cruzar *tr.* ⑨ ① ㄱ) 교차하다 : ~ las piernas 두 다리를 포개다. ㄴ) 횡단하다, 가로지르다(atravesar) : Este camino *cruza* la carretera. 이 길은 찻길을 가로지르고 있다. ㄷ) (다리 등을) 건너다 : Usted *cruzará* un puente después de caminar unos cinco minutos 약 5분 걸으면 다리를 건널 수 있다. ② 교배하다. ③ 줄을 긋다. ④ 서훈하다. ⑤ (군함이) 순항하다. ⑥ 때리다 : ~ la cara 얼굴을 때리다. ⑦ 《*Amér.*》 그루갈이를 하다. ⑧ 싸우다. **—***intr.* ① 사이가 틀어지다. ② (옷의 앞 자락이) 맞다 Este chaleco no *cruza* bien 이 조끼는 앞이 잘 맞지 않는다. ③ 《*Perú. PRico. SDgo.*》 통행하다.
~se ① 짝맞추다, 포개다 : ~*se* los brazos 팔짱을 끼다 ; 게으름 피우다. ② (선 따위가) 서로 만나다, 교차하다 ; 엇갈리다, 길이 엇갈리다 : Mi carta *se ha cruzado con* la suya 나의 편지는 당신의 것과 서로 엇갈렸다. ③ 십자장 · 훈장을 받다, 서훈(叙勳)하다. ④ (어떤 일이) 서로 겹치다, 어지러워지다. ⑤ (사회적인 운동에) 참가하다. ⑥ 《*Chile. Perú.*》 싸우다 : ~*se* con … 에 덤치다, 습격하다, …와 싸우다.
~ *palabras con* …와 간단히 대화하다, …와 토론하다.

cruzeiro *m.* 끄루제이루 《브라질의 화폐 단위》.

cs. cuartos; centavos; céntimos.

C.S. costo y seguro 보험료 포함 가격.

c.$ córdoba.

CSCE la Conferencia de Seguridad y Cooperación Europea.

c.s.f., C.S.F. cotso, seguro y flete 운임 보험료 포함 가격.

C.S.F.C.e.I. costo, seguro, flete, comisión e interés 운임 보험 수수료 이자 포함 가격.

C.S.F.e.I. costo, seguro, flete e interés 운임 보험 이자 포함 가격.

C.S.F. y C. costo, seguro, flete y comisión 운임 보험료 수수료 포함 가격.

C.S.F. y G. costo, seguro, flete y gastos de cambio 운임 보험료 어음 비용 포함 가격.

ct. centavo(s) ; céntimo(s).

cta. cuenta.

cta/c. cuenta corriente.

cta. cte.; cta. corr.[te] cuenta corriente.
cta. de vta; cta. d/v cuenta de venta.
cta/a. cuenta anterior 전회(前回) 계정.
cta. en part. cuenta en participación.
cta/m. cuenta a medias (a mitad) 공동·조합 계산, 합병 계산, 풀계정.
cta/n. cuenta nueva 신규 계산·계정.
cta. simda. cuenta simulada 견적 매상 계산서, 계산서.
cta/vta. cuenta de venta 매상 계정서.
cte. corriente 금월의; 금년의; 목하의; 당좌의.
ctenóforos *m.pl.* =**tenóforos.**
cto. cuarto 네 번째의, 4분의 1.
cts. cuartos; céntimos; centavos.
c.u., c/u. cada uno 각자.
cu *f.* [*pl.* cúes] 문자 q의 명칭. **—***m.* 《*Méx.*》 옛날 멕시코의 절.
Cu cobre.
cuaba *f.* ①《*Amér.*》【식물】 테레빈과 나무. ②《*Cuba.*》 식물의 부스러기로 만든 횃불. ③《*Cuba. SDgo.*》 골치 아픈 일, 귀찮은 일; 셈이 질긴 사람.
cuabal *m.* 《*Cuba.*》 cuaba의 숲.
cuaca *f.* 《*Amér.*》【식물】 실난초(yuca).
cuacar *tr.* ⑦ 《*Col. Chile.*》 마음에 들다(gustar): Esto no me *cuaca* 이것은 마음에 들지 않는다.
cuácara *f.* ①《*Col.*》 연미복(levita). ②《*Chile.*》 윗도리, 웃옷(chaqueta).
cuacareo *m.* 개구리의 울음 소리.
cuaco *m.* ①《*Amér.*》 실난초(yuca)의 뿌리에서 따는 전분. ②《*And.*》 망나니. ③《*Méx.*》 여윈 말.
cuacorruin *m.* 《*Méx.*》【조류】 소쩍새(chotacabras)의 일종.
cuachate *m.* 《*Méx.*》 마떼차의 잎담배.
cuad. cuadrado.
cuaderna *f.* ①(선박의) 늑재(肋材)(costilla de la nave): ~ maestra 주늑재(主肋材). ② 판자놀이의 쌍. ③ 옛날 화폐의 이름《8 maravedís》.
cuadernal *m.* 【선박】 복활차(複滑車).
cuadernillo *m.* ① 2절지의 1첩 《5장》. ② 카톨릭교 연중 행사 편람, 사원력(寺院歷)(añalejo).
cuaderno *m.* [*lat.* quaternus] ① 수첩, 장부, 공책: ~ de música 악보장. ② 중학생·국민학생에게 주는 가벼운 벌. ③ 카드의 한 벌. ④(인쇄에서) 한 대분 《16페이지》.
~ ***de bitácora*** 항해 일지.
~ ***de Cortes*** (국회의) 의사록.
cuadra *f.* [*lat.* quadra] ① 마굿간; 큰 방, 창고, 헛간; 행랑방; (병영, 감옥의) 여럿이 자는 방. ② 길이의 단위 《1/4 마일》. ③ 말의 등쪽(grupa). ④《*Amér.*》(도시의) 한 구획(manzana). ⑤ 길이의 단위 《*Arg. Bol. Chile.* 150 varas., *Col. CRica. Parag. Urug.* 100 varas》.
cuadrada *f.* 【음악】 이전 음부(breve).
cuadradamente *adv.* 꼭 들어맞게.
cuadradillo *m.* ① 자(regla). ② 각설탕. ③ 셔츠의 겨드랑이 밑에 대는 천.
cuadrado, da *adj.* ① 네모 반듯한, 네모진: madera ~*da* 각재(角材). ② 완전한, 꼭 맞는 (perfecto). ③ 자승한, 제곱한: tres metros ~*dos* 3평방 미터. raíz ~*da* 평방근. ④《*Col.*》 세련된, 멋진(donairoso). **—***m.* ① 평방형; 사각형. ②【수학】 자승(自乘); 자. ③【인쇄】 공목(空木). ④(화폐·메달의) 틀. ⑤ 양말에 놓은 수. ⑥ 셔츠의 겨드랑이 밑에 대는 천. ⑦【은어】 단도, 비수; 지갑. ⑧《*Cuba. Riopl.*》 덜렁이.
de ~ 정통으로; 정면의, 정면에서, 꿋꿋이 일어서서.
dejar de ~ 정통으로 저의를 알아 내다; 아픈 데를 찌르다, 정곡을 찌르다.
cuadragenario, ria *adj.* ① 40 단위의: número ~. ② 40세의.
cuadragésima *f.* 사순절(cuaresma).
cuadragesimal *adj.* 사순절의: ayuno ~.
cuadragésimo, ma *adj.* 제40 번째의, 40등분한. **—***m.* 40분의 1. **—***f.* 사순절(四旬節).
cuadral *m.* 【건축】 사선형으로 얹은 들보.
cuadrangular *adj.* 네모진, 사각의: edificar una pirámide ~.
cuadrángulo, la *adj.* 사각형의, 네모난. **—***m.* 정방형, 사각형.
cuadrantal *m.* (옛 로마의) 액체 용량의 단위.
cuadrante *m.* ① 사분원(四分圓). ②【기하】 상한(象限). ③【천문·항공】 사분의(四分儀), 상한의(象限儀). ④(항공에서) 타병호(舵柄弧). ⑤ 해시계. ⑥ 로마의 동화(銅貨). ⑦【건축】 사선형으로 얹은 들보(cuadral). ⑧《*Méx.*》(세례·결혼·사망 등의) 등기소. ⑨《*Neol.*》 시계의 문자반(disco).
cuadranura *f.* (제목의 가운데서) 켜는 일.
cuadrar *tr.* ① 네모나게 만들다; 네모로 자르다. ②(수효를) 제곱하다. ③(…의) 면적을 구하다. ④ 선을 바둑 무늬처럼 긋다.
—*intr.* ① 합치되다(conformarse): No *cuadra* una persona *con* las señas 어떤 사람이 그 인상서와 맞지 않다. ② 마음에 들다(gustar): No me *cuadra* hacer eso 나는 그것을 하고 싶지 않다. ③《*Chile.*》 준비되다(estar listo).
~se ① 부동 자세를 취하다. ② 성을 내다, 발끈하다; 정색하다. ③(마소가) 네 발을 버둥거리다. ④《*AmérC.*》 유복해지다. ⑤《*Venez.*》 자랑스러운 영예를 얻다.
cuadrático, ca *adj.* 【수학】 이차의, 이차 방정식의.
cuadratín *m.* 【인쇄】 공목(空木).
cuadratura *f.* ① 정방형: la ~ del círculo 둥근 정방형, 얻을 수 없는 것. ② 정방형으로 하는 일. ③【천문】 구상(矩象).
cuadrera *f.* 《*Urug.*》 마굿간.
cuadrero, ra *adj.* 《*Arg.*》 준족의, 발이 빠른, 똑바로 달리는.
cuadrete *m. dim.* cuadro.
cuadricenal *adj.* 40년마다의, 40년째에 있는.
cuadriciclo *m.* 사륜 자전거(velocípedo de cuatro ruedas).
cuadrícula *f.* 방안(方眼), 바둑판의 눈금.
cuadriculación *f.* 바둑판 모양으로 하는 일.
cuadricular *adj.* 정방형의, 사각형의, 바둑판 눈금의, 방안(方眼)의. **—***tr.* 바둑판 눈금 모양으로 하다, 방안을 치다: ~ un papel.
cuadrienal *adj.* ① 4년마다의: Los juegos

olímpicos eran ~*es.* ② 4년간 계속되는.

cuadrienio *m.* 4년간.

cuadrífido, da *adj.* 【식물】 네 가닥으로 갈라진.

cuadrifoliado, da *adj.* 【식물】 네 잎으로 구성된.

cuadrifolio, lia *adj.* 【식물】 잎이 네 장인, 넉 장의.

cuadriforme *adj.* 사면체의; 네모의, 네모난.

cuadriga *f.* 사두 마차; 로마 시대의 사두 이륜 마차: Los triunfadores romanos iban en una ~ de caballos blancos.

cuadrigato *m.* (옛 로마의) 은화.

cuadriguero, ra *m.f.* 사두 마차(cuadriga)를 모는 사람.

cuadril *m.* 엉덩이뼈(el hueso del anca); 엉덩이(anca, cadera).

cuadrilateral *adj.* 【기하】 사면의.

cuadrilátero, ra *adj.* 사변형의. —*m.* 사변형.

cuadriliteral *adj.* =**cuadrilitero.**

cuadrilítero, ra *adj.* 네 문자의.

cuadrilla *f.* ① 조(組); 대(隊), 집단: ~ de albañiles. ② 일당: ~ de ladrones 도적의 일당. en ~ 단독범에 대한, 집단으로. ③ 꾸아드릴랴 《특히 19세기 경에 성행했던 네 사람이 추는 춤》. ④ 투우사의 일단.

cuadrillar *intr.* 《*Amér.*》 ① 꾸아드릴랴를 추다. ② 집단으로 짜다; 조·대를 편성하다.

cuadrillazo *m.* 《*AmérM.*》 집단으로 습격하는 일.

cuadrillero *m.* ① 단장, 조장(組長); 대장. ② 《*Filip.*》 순경, 경관, 경찰관. ③ 《*Chile. Ecuad.*》 집단의 일원.

cuadrillo *m.* (옛날의) 끝이 뾰족하고 네모진 투창.

cuadrilobulado, da *adj.* 네 잎으로 갈라진: hoja ~*da.*

cuadrilocular *adj.* 넷으로 나누어진.

cuadrilón, na *adj.* =**anquíseco.**

cuadrilongo, ga *adj.* 장방형의, 구형(矩形)의, 네모진(rectangular). —*m.* 구형, 장방형, 직각 사각형.

cuadrimestre *adj.* 4개월 마다의; 4개월 간의 (cuatrimestre).

cuadrimotor *m.* 네 발 비행기.

cuadringentésimo, ma *adj.* 400번째의; 400등분의. —*m.* 400등분의 1.

cuadrinieto, ta *m.f.* 네 번째 손자·손녀.

cuadrinomio *m.* 【수학】 4항식.

cuadripétalo, la *adj.* 【식물】 꽃잎이 네 개인: una flor ~*la.* **Sinón.** crucífera.

cuadriplicado, da *adj.* cuadriplicar의 *p.p.*

cuadriplicar *tr.* 7 =**cuadruplicar** .

cuadrisílabo, ba *adj.* 4음절의(cuatrisílabo). —*m.* 4음절의 말·시구.

cuadrivalente *adj.* 【화학】 =**tetravalente.**

cuadrivalvo, va *adj.* 밸브가 네 개의.

cuadrivio *m.* [*lat.* quadrivium] ① 십자로 (encrucijada). ② 사학(四學) 《중세 대학에서 가르치던 산수·기하·음악·천문》.

cuadrivista *m.* 사학(cuadrivio) 전문가.

cuadríyugo *m.* =**cuadriga**.

cuadro, dra *adj.* [드뭄] 사각의, 네모진 (cuadrado): vela ~*da.*
—*m.* ① 사각, 장방형(rectángulo); 네모진 것: en ~ 사각으로. ② 그림: ¿Qué le parece este ~ coreano? 이 한국화는 어떻습니까? ③ 틀, 그림틀: ~ vivo 활인화. ④ 광경, 정경, 장면; (극에서의) 장(場). ⑤ (경기의) 팀. ⑥ 네모진 화단. ⑦ (군대에서의) 방진(方陣); (대대·연대의) 간부. ⑧ 틀, 테, 프레임, (자전거의) 차체(車體). ⑨ 《*Col.*》 흑판. ⑩ 《*Cuba.*》 꽃밭, 야채밭, 밭의 구획. ⑪ 《*Chile.*》 도살장. ⑫ 【은어】 단검(短劍).
~ *de conmutador* 배전반, (전화의) 교환기.
~ *de distribución* (전기의) 배전반; (전화의) 교환기.
~ *de servicio* 열차 발착 시간표.
~ *indicador* 스코어보드, 득점 게시판.
a ~s 체크 모양으로: El lleva puesto un traje *a ~s* 그는 체크 모양의 옷을 입고 있다.
estar·quedarse en ~ (가족·재산을 잃고) 외톨이가 되다; (군대가 사병을 잃고) 간부만 남다.

cuadropea *f.* =**cuatropea.**

cuadrumano, na *adj.m.* =**cuadrúmano.**

cuadrúmano, na *adj.* 【동물】 손이 네 개인. —*m. pl.* 사수류(四手類) 《원숭이 등》.

cuadrupedal *adj.* 사족(四足)의.

cuadrupedante *adj.* 【시어】 =**cuadrúpedo.**

cuadrúpede *adj.* =**cuadrupedal.**

cuadrúpedo, da *adj.* 사족(四足)의. —*m.* 사족수(四足獸).

cuádruple *adj.* [*lat.* quadruplex] 4배의, 4중의, 네 통의: tamaño ~ 4배의 크기.

cuadrupleta *f.* 사인석 자전거.

cuadruplicación *f.* cuadruplicar하는 일.

cuadruplicado *m.* 4통, 4부.

cuadruplicar *tr.* 7 네 겹·배로 하다; (문서 등을) 네 통 작성하다: factura ~*da* 네 통의 송장.

cuádruplo, pla. *adj.* 4배의, 4중의, 네 겹의, 네 통의: alianza ~*pla* 4국 동맹. en ~ 네 통으로 하여. factura en ~ 송장 네 통.

cuaga *m.* 【동물】 꾸아가 《남아프리카산 얼룩말의 일종》.

cuagga *m.* =**cuaga.**

cuaima *f.* ① 【동물】 (베네수엘라산) 독사 (serpiente venenosa). ② 빈틈없는 사람.

cuairón *m.* 《*Huesca. Zar.*》 =**coairón.**

cuajada *f.* ① 응어리진 젖, 엉긴 젖; 우유 두부. ② 힘든 것.

cuajadera *f.* (옛날의) cuajada를 파는 여자.

cuajadillo *m.* 비단 레이스의 일종.

cuajado, da *adj.* [cuajar의 *p.p.*] ① 응결한; 엉긴, 엉겨 붙은. ② [+de: …으로] 가득찬, 주렁주렁 열린: árbol ~ de flores 꽃이 만발한 나무. La calle estaba *cuajada de* gente 거리는 사람으로 가득 찼다. ③ (놀라) 멍해 버린: Se quedó ~ al oírlo 그 말을 듣자 멍해 버렸다. —*m.* 고기 파이 《계란으로 덮은 고기·야채·과일 등》.

cuajadura *f.* 응결, 엉김.

cuajaleche *m.* 【식물】 갈퀴덩굴(amor de hortelano).

cuajamiento *m.* =**coagulación.**

cuajaní *m.* 《*Cuba.*》 (목재로 주요시되는) 나무.

cuajar[1] *m.* 소 · 양의 네 번째 위(胃).

cuajar[2] *tr.* [*lat.* coagulare] 응결시키다. **—*intr.*** ① 쓸만한 것이 되다; 성공 · 성취하다 : *Cuajó* la pretensión 소원이 성취되었다. ② 마음에 들다(gustar) : No me *cuaja* su proposición. ③ 《*Méx.*》 거짓말을 하다. ④ 잡담하며 시간을 보내다.

~se ① 굳다, 응결하다(coagularse) : La sangre *se cuajó* en el suelo 피는 지면에 응혈했다. ② 성공 · 성취하다. ③ 잠들다. ④ 가득해지다(llenarse) : *Se cuajó de* gente la plaza 광장은 사람으로 가득 찼다. ⑤ 《*AmérC.*》 술에 취하다.

cuajarejo *m. dim.* cuajar.

cuajarón *m.* 응결물; 선지, 핏기(~ de sangre).

cuajicote *m.* 《*Méx.*》【곤충】(나무 줄기에 집을 짓는) 호박벌의 일종.

cuajinicuil *m.* 《*Salv.*》 =**guaba.**

cuajiote *m.* (중미산 약용 수지를 채집하는) 꾸아히오떼 나무.

cuajo *m.* [*lat.* coagulum] ① 응유 효소(凝乳酵素). ② 응결. ③ 소 · 양의 네 번째 위. ④ 《*Méx.*》 잡담, 실없는 거짓말. ⑤ 이루지 못할 계획. ⑥ (학교의) 쉬는 시간.

de **~** 뿌리째(de raíz) : arrancar *de* ~.

ensancbar el **~** 참고 견디다.

tener buen · mucbo **~** 한가로이 지내다.

volverse el **~** (갓난아이가) 우유를 토하다.

cuakerismo *m.* 퀘이커교.

cuákero, ra *adj.* 퀘이커 교도의.

—*m.f.* 퀘이커 교도.

cual *pron. relat.* [*N.* 선행사의 성수(性數)에 일치하는 정관사를 동반해서 el cual, la cual, los cuales, las cuales, lo cual의 형으로, 관계 대명사] : Llamaron a la criada, *la* ~ dormía 그들은 자고 있는 하녀를 불러댔다.

—*conj.* ① …처럼, 같이(como). ② …에 의하면 · 의한다면 : La cosecha, ~ se presenta, será mediana 수확은 농작물 상태로 본다면 중간 정도일 것이다. ③ [+si] 마치 …처럼 : Escuchábamos su demanda ~ *si* frisase en locura 마치 광기에 가까운 그의 간청을 우리는 듣고 있었다.

—*adj.* [*pl.* cuales : tal과 함께, 또는 tal 없이] …과 같은 : *C-* es Pedro, *tal* es Juana 빼드로가 빼드로이듯 후아나는 후아나이다, 결국 같은 거야, 피장파장이다. *C-* es el amo, *tal* es el criado 그 주인에 그 하인. Nos hizo *tal* servicio ~ requería nuestra necesidad 우리가 필요로 했던 대로 도와주었다. Levantaron un alboroto ~ se puede presumir de la gente apasionada 사람들의 흥분 상태로 상상할 수 있을 만큼의 소란을 피우기 시작했다.

~ *o* **~** 하나나 둘의, 한두 사람의.

~ *si* 마치 …처럼(como si).

tal **~** ① 대수롭지않은, 근소한 : Entró *tal* ~ persona 별것도 아닌 사람이 들어왔다. ② 보통의, 그저 그런, 웬만한 : El dibujo estaba *tal* ~ 그림은 그저 그랬다.

cuál *pron.* 어떤 것, 어느 것 : *¿C-* de sus comedias te parece mejor? 당신은 그의 극작품에서 어느 것이 좋다고 생각하십니까?

—*adj. interrog.* ① 어느, 어떤 (것의) : *¿C-* camino es más corto? 어떤 길이 훨씬 가깝습니까? ② 어떠한 : *¿ C-* es la medida? 사이즈는 어떻습니까?

—*adv.* 어떻게(cómo) : ¡*C-* se verán los infelices! 불행한 사람들은 어떻게 하고 있을까요!

~ … ~ 혹은 …또 혹은; 저마다 : Tengo muchos libros, *~es* de historia, *~es* de poesía 나는 역사책이며 시집이며 많은 책을 가지고 있다.

~ *más,* **~ *menos*** 비록 정도는 다를지언정 저마다.

a **~ *más*** 하나같이 빠지지 않고 : un grupo de mujeres *a* ~ *más* bellas 하나같이 빠지지 않는 아름다운 여자의 일단.

cualesquier *adj. ind. pl.* cualquier의 복수형.

cualesquiera *pron. ind. pl.* cualquiera의 복수형 : *C-* que sean las causas … 원인이 무엇일지라도.

cualidad *f.* [*lat.* qualitas] =**calidad.**

cualificar *tr.* ⑦ =**calificar.**

cualitativo, va *adj.* 성질의; 분량상의, 양에 관한 · 의한 : análisis ~ 정량 분석.

cualque *pron.* 【고어】=**alguno.** [*N.* 몇몇 주에서는 아직도 사용되고 있음].

cualquier *adj.* [*pl.* cualesquier; cualquiera가 단수 명사 앞에 놓일 때의 형] ~ libro 어떤 책이라도. ~ mujer 어떤 여자라도.

cualquiera *pron. ind.* [*pl.* cualesquiera] 어떤 것이라도, 누구라도 : ~ de los dos 두 사람 가운데 누구라도.

—*adj. ind.* 어느 · 누구라도 괜찮은. [*N.* 명사앞에 올 때는 마지막 a를 뺀다] : llamar a un médico ~ 아무라도 좋으니 의사를 부르다. *Cualquier* día viene a casa 언젠가 그는 집에 온다.

ser un **~** 별로 중요 인물이 아니다, 쓸모가 없는 인물이다.

¡ ~ *crea eso!* 그런 일을 누가 믿을 수 있을까!

cuan[1] *adv. ind.* [cuanto가 형용사 · 부사의 앞에 올 때의 형] ① 그만큼 : Se tendió ~ largo era 자랄대로 다 자랐다. ② [tan과 상대적으로 쓰여] …과 같은 정도 · 분량으로 : *Tan* piadoso sois para querer dar salud, ~ poderoso para darla 당신께서는 건강을 주시려는 자비로운 마음이시고, 또 그만한 힘도 가지고 계시나이다.

cuan[2] *m.* ① 《*Col.*》 줄, 밧줄(tomiza). ② 《*Hond.*》 아기 보는 여자.

cuán *adv. interrog.* [*lat.* quam] [cuánto가 형용사 · 부사의 앞에 올 때의 형] 얼마나, 어떻게 : No puedes imaginarte ~ desgraciado soy 내가 얼마나 불행한지 너는 상상도 할 수 없다. ¡*Cuan* rápidamente caminan las malas nuevas! 나쁜 소식이란 참으로 빨리 퍼진다!

cuando *conj.* [*lat.* quando] [때의 접속사] ① …할 · 했을 때 : Venga ~ usted quiera 좋을 때 오십시오. Era ya de noche ~ llegamos a casa 우리가 집에 도착했을 때는 벌써 밤이었다. ② …면 : *C-* usted venga se lo diré 당신이 오시면 그것을 말씀드리겠습니다. ③ 그때 : Llegamos a casa, ~ era ya de noche 우리가 집에 도착했는데, 그때는 벌써 밤이었다. ④ …이라면, 하는 것을 보니(puesto que) : *C-* tú lo dices, verdad será 네가 말하는 것을 보니, 사실일거야. ⑤…일지라도, 일지언정(aunque) : No faltaría a la verdad, ~ le fuera en ello la vida 비록 그의 생명이 그것에 달려 있더라도 진실을 굽히지는 않을 것이다. ⑥[apenas, aun no, no bien, luego 등과 함께] …하자마자 : *Apenas* estaba sosegada la gente, ~ sintió que llamaban a la puerta 사람들이 모두 잠잠해졌다고 생각하자 곧 또 문간에서 부르는 소리가 들렸다.

~ ***más,*** ~ ***mucho*** 고작해야, 많다 하여도, 많아야 : *C- más* costaría treinta pesos 많아야 30뻬소일 것이다.

~ ***menos*** 적어도.

de ~ ***en*** ~, ***de vez en*** ~, ***de*** ~ ***en vez*** 이따금, 때때로, 가끔 : El viene a mi casa *de vez en* ~ 그는 이따금 내 집에 온다. El viene *de* ~ *en* ~ 그는 가끔 온다.

~ ***no*** …이 아니면.

aun ~ 한다해도, 할 때라도.

cuándo *adv. inttrog.* [*lat.* quando] [때의 의문사] ① 언제 : ¿ desde ~? 언제부터 ? ¿ para ~? 언제까지 ? ¿*Cuándo* volverá? 언제 또 오시겠습니까 ?
②[반복하여] 혹은… 또 혹은… : Siempre están riñendo ~ con motivo, ~ sin él 동기가 있거나 없거나, 그들은 늘 싸우고 있다.
③[명사적] 어느 때 : el cómo y el ~ 어떤 방법으로 또 언제.
④[감탄사적] 《*Amér.*》 그럴 리가 없어 !
¿De ~ acá? 응, 별난 일도 다 있군, 언제부터라고 ?

cuandú *m.* =**coendú.**

cuantía *f.* ① 분량, 수량(cantidad) ; 다량. ② 중요·중대성(importancia) : de mayor ~ 아주 훌륭한·중요한. de menor ~ 아주 쓸모없는. personaje de ~ 중요 인물.

cuantiar *tr.* ⑫ 어림하다, 평가하다(apreciar, valuar, tasar).

cuántico, ca *adj.* 양자론의.

cuantidad *f.* ①【수학·철학】양(量) (cantidad) 《특히 기하 학자들이 단정적으로 사용하는 용어임》. ② 액(額), 정량(定量).

cuantificar *tr.* ⑦ 수량적으로 나타내다.

cuantimás *adv.* [cuanto y más의 생략형] 하물며 ; 있으면 있을수록, 더욱더, 있는 대로 한없이.

cuantiosamente *adv.* 다량으로, 많이, 숱하게.

cuantioso, sa *adj.* 많은, 다량의, 막대한, 숱한 : *~sa* fortuna 막대한 재산. **Contr.** escaso.

cuantitativo, va *adj.* 분량의 ; 정량의 : análisis ~ 정량 분석.

cuanto, ta *adj. relat.* [*lat.* quantus] [*N.* todo+관사+명사+que의 뜻 ; todo를 앞에 두는 수도 있음] ①…할 수 있는 대로의·모든 : Lea *~s* libros que le envíe 보내드린 책은 모두 읽으십시오. Entraron *~tas personas (todas las personas que)* quisieron entrar en el teatro 입장하고 싶었던 사람은 모두 극장 안으로 들어갔다. ②[tanto와 함께] …과 같은 정도의 : *Cuanta* alegría él lleva, *tanta* tristeza nos deja 그가 초래한 기쁨이 컸던 만큼 남긴 슬픔도 같은 정도로 크다. ③[unos, unas+] 약간의 : unos *~s* años 몇 년. unas *~tas* páginas 수 페이지. Quizás sea posible ir a la luna dentro de unos *~s* años 아마 몇 년 내에 달에 가는 것이 가능할 것이다.

—*pron.* ① 모든 것(todo lo que) : Le di ~ tenía (Le di *todo lo que* tenía) 나는 가진 것을 모두 그에게 주었다. El perdió ~ tenía (*todo lo que* tenía) 그는 가지고 있던 것을 모두 잃었다. Vengan *~s* quieran (*todos los que* quieran) 오고 싶은 사람은 모두 다 오십시오. Morían *todos ~s* saltaban a tierra 상륙했던 사람은 모두 죽었다. ②[unos, unas+] 얼마간의 것 : Tengo *unos ~s* 내가 얼마간 가지고 있다.

—*adv.* [*N.* 형용사·부사의 앞에서 cuan이 됨] [비교어 tanto, más, menos 등과 상대적으로 쓰여서] …하면 그만큼 더, …하면 할수록 : *Tanto* vales ~ tienes 가지고 있으면 너에게는 그만큼의 가치가 붙게 된다. Tengo *tanto más* empeño en acabar la obra ~ que mañana no podré dedicarme a ella 내일은 일을 할 수 없으니, 일을 빨리 끝마치고 싶은 심정이다.

—*conj.* …하면 곧장, 하자마자 : Iré a verle (en) ~ anochezca 해가 지자마자 그를 만나러 가겠다.

—*m.* 【물리】 양자(量子) : teoría de los *~s* 양자론.

~ ***a, en*** ~ ***a*** …에 대해서는·관하여·대해서 (acerca de, respecto a) : *(En)* ~ *a* ti puedes estar tranquilo 네 일 같으면 너는 안심하고 있어도 좋다.

~ ***antes,*** ~ ***más antes*** 가능한한 빨리, 될 수 있는 대로 빨리(lo más pronto posible, lo antes posible) : Yo volveré ~ *antes* 될 수 있는 대로 빨리 돌아오겠습니다.

~ ***más*** 하물며 …에 있어서랴 : Se rompen las amistades antiguas, ~ *más* las recientes 오랜 우정도 깨진다, 하물며 새로운 우정에 있어서랴.

~ ***más, mejor*** 다다익선(多多益善), 많으면 많을수록 더욱 좋다.

~ ***más … (tanto) más*** …하면 할수록 더욱더 … : *C- más* tiene *tanto más* quiere 가지면 가질수록 더 가지고 싶어한다. *C-* más lejos se está de su madre, *más* se siente su sagrado amor 사람은 어머니한테서 멀어지면 멀어질수록 그녀의 성스런 사랑을 느낀다.

~ ***más que,*** ~ ***y más que*** …뿐 아니라 더욱.

en ~ …하자 곧, 하자마자 ; …하는 동안 : *En* ~ cantaba, ella le escuchaba 그가 노래하는 동안 계속 그녀는 듣고 있었다. *En* ~ llegue avíseme inmediatamente 그가 도착하자마자 즉시 나에게 알려주십시오.

por ~ 그 때문에, 그래서, 그러므로.

cuánto, ta *adj. interrog.* [분량·수·정도·시간·값에 관한 의문사] 몇 개의, 얼마 만큼의, 얼마나 : ¿ *Cuántos* metros tiene de alto? 높이는 몇 미터나 됩니까 ? ¿*Cuánto* dinero tiene usted? 당신은 돈을 얼마나 가지고 계십니까 ? ¿ *Cuánta* agua hay en la botella? 병에 물이 얼마나 있느냐 ? ¿ *Cuántos* hijos tiene usted? 자녀가 몇입니까 ? ¿ *Cuántas* hermanas tiene usted? 누이가 몇입니까 ?

—***adv.*** *interrog.* [부사나 형용사 앞에서 cuán 이

됨] 얼마나, 얼마 만큼, 얼마 : No sabes ~ me alegro 내가 얼마나 기뻐하는지 너는 알지 못할 것이다. *¿Cuánto* es? *¿Cuánto* vale? *¿Cuánto* cuesta? 얼마입니까? *¿Cuánto* vale este libro? 이 책은 얼마입니까? *¿Cuánto* pesa? 무게가 얼마나 됩니까? *¿Cuánto* hay de aquí a Málaga? 여기서 말라가까지는 거리가 얼마나 됩니까? *¿Cuánto* se tarda de Seúl a Busán en avión? 서울에서 부산까지 비행기로 얼마나 걸립니까? *¿Cuánto* ha que partió? 그가 얼마쯤전에 출발하였느냐? *¿Cuánto* se tarda de aquí allá? 여기서 거기까지 가는데 시간은 얼마나 걸리느냐?

—*interj.* 얼마나 : *¡Cuánto* me alegro de verle a usted! 당신을 만나게 되어 얼마나 기쁜지 모르겠습니다. *¡Cuánto* tiempo sin verte! 오랫만이군. *¡Cuánto* trabajo me cuesta! 나한테는 얼마나 힘든 일인지 모르겠다. *¡Cuánto* tarda! 왜 이렇게 늦지!

¡Por ~ …! 별 재주를 다 부려도 해 낼 까닭이 없어! : *¡Por* ~ dejaría José de ir a la comedia! 호세가 코미디 구경 가는 것을 단념할 까닭이 없어!

cuapastle *adj.* 《*Méx.*》 어두운 황갈색의.

cuapinol *m.* 《*Méx.*》 =**curbarril.**

cuaquerismo *m.* 퀘이커교 ; 퀘이커 교도의 교의(教義)·관습 (등).

cuáquero, ra *adj.* [*ing.* quaker] 【종교】 퀘이커교 《영국의 George Fox (1624-91)가 종교의 간소화를 꾀하여 일으킨 일파》의.

—*m.f.* 퀘이커 교도.

cuarango *m.* 《*Perú.*》 키나(quina)의 일종.

cuarcífero, ra *adj.* 석영(cuarzo)을 함유한.

cuarcita *f.* 【광물】 석영암(石英岩), 규암(硅岩).

cuarenta *adj.* [*lat.* quadraginta] 40의 ; 40번째의. —*m.* 40 ; 40번째.

acusar las ~ 사정없이 비난하다.

cantar las ~ 【속어】 눈부신 승리를 하다.

cuarentavo, va *adj.* 40등분의. —*m.* 40분의 1.

cuarentena *f.* ① 40개로 된 1조, 40일, 40개월, 40년. ② 【종교】 사순절(cuaresma). ③ 검역 정선(檢疫停船), 격리, 통행 금지 : poner un barco en ~ 검역을 위해 정선시키다. ④ 확인의 보류 : poner en ~ 보류하여 조사하다.

cuarentenal *adj.* 40의, 40가량의.

cuarentenario, ria *adj.* cuarentena의.

cuarenteno *m.* 4천사(絲) 베틀의 바디.

cuarentón, na *adj.* 40대의. —*m.f.* 40대의 사람.

cuaresma *f.* 사순절.

cuaresmal *adj.* 사순절의.

cuaresmario *m.* 사순절의 설교.

cuaresmero *m.* 【조류】 꾸아레스메로 《뻬루의 새 이름》.

cuarta *f.* ① 4분의 1. ② 【천문】 사분원, 상한(象限). ③ [길이의 단위] 4분의 1 vara 《palmo, 약 21㎝》. ④ 【음악】 4도 (음정). ⑤ 《*AmérC. Cuba. Méx.*》 가죽 채찍 ; 가죽끈.

a la ~ 《*Amér.*》 처절하게, 처참하게, 초라하게.

cuartago *m.* 몸집이 중간의 말.

cuartana *f.* 4일열(四日熱).

cuartanal *adj.* 4일열의.

cuartanario, ria *adj.* 4일열의.

—*m.f.* 4일열 환자.

cuartazo *m.* 《*Cuba. Méx.*》 채찍질(latigazo).

cuartazos *m.pl.* 【속어】 뚱뚱보.

cuarteador, ra *adj.* 넷(cuatro)으로 나눈.

—*m.* 《*Arg.*》 =**encuarte.**

cuartear *tr.* ① 사분(四分)하다, 넷으로 나누다, 토막토막 자르다(descuartizar). ② 값을 올리다. ③ (차·수레를) 사행(蛇行)시켜 오르게 하다. ④ 넷이서 하는 놀이에 끼다. ⑤ 《*Amér.*》 밧줄로 잡아당기다. ⑥ 《*Méx.*》 채찍으로 때리다.

—*intr.* (투우에서) 몸을 비틀어 소를 피하다.

~se ① 금이 가다, 트다(henderse) : *~se* la pared 벽이 금이 가다. ② 《*Cuba.*》 도전하다. ③ 《*Méx.*》 주눅들다 ; 겁내다 ; 비열하게 굴다 ; 비밀을 폭로하다.

cuartel *m.* ① 4로 나눈 것의 하나. ② 【문장】 네 구분 가운데 한 구획. ③ 각 시의 끝에 있는 4행시(cuarteto). ④ 모난 꽃밭. ⑤ 병영(兵營) ; 병사(兵舍). ⑥ 주거, 거처, 집. ⑦ (항복자에 대한) 후대, 환대 : dar ~ 후대하다.

~ *de la salud* 대피소.

~ *general* 본영, 총사령부.

~ *real* 대본영.

de ~ 대기(待機)의.

cuartelada *f.* 군대의 폭동 ; 군부에 의한 쿠데타.

cuartelado, da *adj.* cuartelar의 *p.p.*

cuartelar *tr.* 네 등분하다.

cuartelazo *m.* =**cuartelada.**

cuartelero, ra *adj.* 병영(兵營)의, 병사(兵舍)의. —*m.* ① 청소 당번(의 병) ; 군수계(軍需係)(의 사병). ② 《*Perú. Ecuad.*》 호텔의 종업원·웨이터.

cuartelesco, ca *adj.* 병영의, 군의, 군대식의.

cuartelillo *m.* 병영지.

cuarteo *m.* ① 네 토막으로 절단. ② (투우에서) 몸을 비키는 일. ③ 갈라진 틈. ④ 《*Col.*》 겨울철의 비가 오다 개인 동안(suspensión de la lluvia en el invierno).

cuartería *f.* 《*Chile.*》 집의 각 방 ; (아파트같은) 공동 가옥.

cuartero, ra *m.f.* 【방언】 농토의 관리인.

cuarterola *f.* 넷으로 나눈 통 《un tonel의 4분의 1의 용량이 드는 통》; 130 litros의 용량의 단위.

cuarterón, na *adj.* 《*AmérM. Ant.*》 백인과 혼혈아 사이에 태어난. —*m.f.* 백인과 혼혈아 사이에 태어난 아메리카인. —*m.* ① 4분의 1 ; 4분의 1파운드 《약 110그램》. ② (창문에 낸) 작은 창(postigo). ③ 문이나 창문을 장식하는 창살. ④ 《*Chile.*》 【건축】 사재(斜材).

cuarteta *f.* 8음절 4행시(redondilla).

cuartete *m.* =**cuarteto.**

cuarteto *m.* ① 11음절 4행시. ② 【음악】 4부 중주(곡) : ~ de cuerdas 현악 4중주.

cuartilla *f.* 4절지 ; 원고 용지 ; [중량의 단위] 1/4 arroba 《약 3㎏》; [액체량의 단위] 1/4 cántara 《4.033리터》; 곡식량의 단위 《1/4 fanega, 13.87리터》.

cuartillo *m.* ① [곡식량의 단위] 1/4 celemín 《1.156리터》; [액체량의 단위] 1/4 azumbre 《0.5리터》; 옛날의 동전 《1/4 real》. ② 【음악】 4연음부.

cuartizo *m.* =**cuartón.**

cuarto, ta *adj.* [*lat.* quartus] ① 네 번째의 : el ~ día. ② 4등분한 : tres ~*tas* partes 4분의 3. —*m.* ① 4분의1 : tres ~*s* 4분의 3. ② (시간의) 15분(un ~ de hora) : Son las cuatro y ~ 4시 15분이다. ③ 방, 실(室)(habitación) : ~ amueblado 가구가 비치된 방. ~ de baño 욕실. ~ de dormir 침실(alcoba, dormitorio). ~ de estar 거실(sala). ~ o(b)scuro 암실. En mi ~ hay un reloj de pared 내 방에 벽시계가 있다. ④ 옛날 동전의 이름 : sin un ~ 무일푼으로. ⑤ (짐승·새의 머리를 잘라 낸 나머지의) 4분의 일. ⑥ (옷의) 폭 : ~*s* delanteros · traseros 앞·뒤폭. ⑦ (보초병 등의 하룻밤을 4등분한) 보초 서는 시간. ⑧ 조부모·외조부모의 혈통. ⑨ 초승달부터 다음 초승달까지를 4등분한 기간 : ~ menguante · creciente. ⑩ 사륙배판 : un libro en ~ 사륙배판의 책.
—*pl.* 돈, 금전 ; 체격 : tener buenos ~*s*.
~ ***de aseo*** 세면소, 화장실.
~ ***de banderas*** (군대의) 기를 두는 장소.
~ ***de baño*** 욕실, 화장실.
~ ***de conversión*** 45도의 방향 전환.
cuatro ~s 얼마 안 되는 돈 : no valer *cuatro ~s* 아무 가치도 없다. Compró una finca *por cuatro ~s* 별 돈 안 들이고 땅을 샀다.
dar un ~ al pregonero 말을 퍼뜨리게 하다(divulgar una cosa).
de tres al ~ 동전 한 닢이면 살 수 있는 ; 가치가 없는.
echar su ~ a espadas 남이 하는 말에 참견하다.
estar a la cuarta pregunta 돈이 없다(estar sin dinero).
estar sin un ~ 방이 없다.
hacer ~s 갈기갈기 찢다, 깨뜨리다, 부수다.
no tener uno ***un ~*** 돈이 없다(carecer de dinero).
poner ~ 별거하다, 별거시키다.
El ~ falso, de noche pasa 골치 아픈 일은 건드리지 않고 덮어두다.

cuartogénito, ta *adj. m.f.* 네 째 자식(의).

cuartón *m.* (제재에서) 각목 ; 토지의 한 구획.

cuartuco *m.* =**cuartucho.**

cuartucho *m.* [*desp.* cuarto] 답답한·갑갑한·초라한 방(cuarto malo).

cuarzo *m.* 【광물】 석영(石英) ; 수정 : ~ ahumado 연수정. ~ hialino 수정.

cuarzoso, sa *adj.* 석영(石英)을 포함한, 석영질의.

cuascle *m.* 《*Méx.*》 (말에게 씌우는) 망토.

cuasi *adv.* [드묾] 거의(casi).

cuasia *f.* 【식물】 (남미 원산의) 소태나무, 꾸아시아 ; 여기서 얻은 쓴 액체 《강장제, 구충제》.

cuasicontrato *m.* 가계약(casi contrato).

cuasidelito *m.* 과실죄, 준범죄.

cuasimodo *m.* 부활절 후의 첫 일요일(domingo de ~).

cuate, ta *adj.* 《*Méx.*》 쌍둥이의(gemelo) ; 친구의 ; 똑같은, 아주 닮은.
—*m.f.* 쌍둥이 ; 친구. —*m.* 비교되는 것(igual) : no tiene ~ 필적할 만한 것이 없다.

cuatepín *m.* 《*Méx.*》 머리를 때리기.

cuatequil *m.* 《*Méx.*》 옥수수(maíz).

cuaterna *f.* (네 개의 숫자가 나왔을 때) 옛날의 복권의 당첨.

cuaternario, ria *adj.* ① 네 개로 된 ; 네 요소를 가진. ② 【지질】 제 4기층의. —*m.* 제4기(第四紀).

cuaternidad *f.* 넷으로 이루어진 짝 ; 4인조.

cuaterno, na *adj.* 넷으로 짝지어진.

cuatezón, na *adj.* 《*Méx.*》 뿔이 없는(descornado) ; 친한 (벗) ; 겁이 많은.

cuati *m.* 【동물】 =**cuatí.**

cuatí *m.* 【동물】 《*AmérM.*》 곰의 일종(coatí).

cuatorvirato *m.* cuatorviro의 직.

cuatorviro *m.* 옛 로마의 네 집정관의 한 사람.

cuatralbo, ba *adj.* 네 발에 하얀 털이 난 : caballo ~; yegua ~*ba.*

cuatratuo, tua *adj.* 혼혈아와 서반아인과의 사이에 태어난 (아메리카인)(cuarterón).

cuatreño, ña *adj.* 4세의 (마소).

cuatrerear *tr.* 《*Arg.*》 (가축을) 훔치다.

cuatrero, ra *adj.* ① 《*AmérC.*》 배반자의. ② 《*Méx.*》 거짓말쟁이의. —*m.* ① 《*AmérM.*》 말도둑(ladrón de caballos). ② 《*Perú.*》 악당(pícaro).

cuatricromía *f.* 4색 인쇄.

cuatriduano, na *adj.* 4년마다의(cuadrienal) : planes ~*es* 4년 계획.

cuatrienio *m.* =**cuadrienio.**

cuatrillizo, za *adj. m.f.* 네 쌍둥이(의).

cuatrillo *m.* 넷이서 하는 카드 놀이.

cuatrillón *m.* 100만조(兆)의 100만배 《1에 0을 24개 붙인 수》.

cuatrimestral *adj.* 4개월마다의, 4개월간의.

cuatrimestre *adj.* 발동기가 4개인. —*m.* 4개월간, 4/4분기(cuadrimestre).

cuatrimotor *adj.* 발동기가 네 개인. —*m.* 사발비행기.

cuatrín *m.* (별로 가치가 없는) 옛 서반아의 동전.

cuatrinca *f.* (주로 주교의) 네 명의 후보자, 네 개가 한 벌인 짝.

cuatrisílabo, ba *adj. m.* 4음절의 (말·시구).

cuatro *adj.* [*lat.* quatuor] 4의, 네 번째의. —*m.* ① 4. ② 네 번째. ③ (카드 등의) 넷의 패. ④ 【음악】 4부 합주곡. ⑤ 【은어】 말 : ~ de menor 【은어】 나귀. ⑥ 《*Méx.*》 속임수, 술책.
más de ~ 상당한 수의.

cuatrocentista *adj. m.f.* (특히 이탈리아의) 15세기의 작가·예술가(의).

cuatrocientos, tas *adj.* 400의, 400번째의. —*m.* 400.

cuatroclores *m.* 《*Guat.*》 【조류】 후취류.

cuatrodoblar *tr.* 네 배하다(cuadriplicar).

cuatropea *f.* 다리 네 개인 짐승, 가축 시장, 그 시장세.

cuatropeado *m.* 춤의 율동.

cuatropeo *m.* 【은어】 =**cuartago.**

cuatrotanto *m.* 【속어】 =**cuádruplo.**

cuátuor *m.* 《*Galic.*》 =**cuarteto.**

cuayote *m.* 【식물】 꾸아요떼 《멕시코의 나무 ; 열매는 호박의 일종》.

cuba *f.* [*lat.* cupa] ① 나무 통, 양조용의 통. ② 양조용 통에 들어 있는 액체. —*m.f.* ① 배불뚝이, 올챙이 배. ② 모주꾼.
~ ***libre*** 코카콜라와 럼주로 만든 칵테일의 일

종; 꾸바 리브레.
estar hecho una ~ 술취해 있다, 만취되어 있다(estar muy borracho).

Cuba *f.* 【지명】 꾸바 《카리브해의 섬나라; 수도 La Habana; 면적 114, 524㎢》.

cubación *f.* =**cubicación.**

cubaje *m.* 《*Galic. Amér.*》 =**cubicación.**

cubanismo *m.* 꾸바의 사투리.

cubanizar *tr.* 꾸바화하다.

cubano, na *adj.* 꾸바섬·꾸바국(國)의. —*m.f.* 꾸바인, 꾸바에서 온 사람.

cubeba *f.* 【식물】 큐베바, 이것을 말린 열매.

cubería *f.* [집합] 통, 통 만드는 사람, 통 공장.

cubero *m.* 통 만드는 사람.

cubertura *f.* 덮개(cobertura).

cubeta *f.* [*dim.* cuba] ① 손잡이 달린 통. ② (청우계의) 수은조(水銀槽). ③ (대개는 유리·질그릇으로 된) 물쟁반. ④ 《*Méx.*》 실크 해트(sombrero de copa).

cubeto *m.* [*dim.* cubo] 통, 나무통, 작은 통.

cúbica *f.* ① 얇은 나사(羅紗). ② 《*And.*》 =**ganga.**

cubicación *f.* 세제곱하는 일, 체적(體積).

cubicar *tr.* 7 삼승(三乘)하다, 세제곱하다, 체적을 구하다.

cúbico, ca *adj.* ① 세제곱의, 정육면체의 : raíz ~*ca* 세제곱근. metro ~ 세제곱미터. ② 3차의, 3승의, 세제곱한.

cubiculario *m.* 왕후의 시종.

cubículo *m.* 침실(aposento, alcoba), 작은 방.

cubiche *m.f.* 《*Ant.*》 【속어】 꾸바인.

cubierta *f.* ① 보, 덮개, 씌우개, 커버 : ~ de mesa 테이블보. ~ de cama 침대 커버. ② 책커버(tapa de libro), (가제본의) 표지. ③ 봉투(sobre). ④ 【건축】 지붕. ⑤ 【선박】 갑판 : ~ de aviones 비행 갑판. bajo ~·so ~ 갑판 밑에. ⑥ (차 바퀴의) 타이어. ⑦ 구실, 변명, 핑계(pretexto). ⑧ 【은어】 스커트. ⑨ 《*Amér.*》 칼집.

cubiertamennte *adv.* 살그머니, 남 몰래 넌지시(a escondidas).

cubierto, ta *adj.* [cubrir의 *p.p.*] ① [+de : …로] 덮인, (…으로) 뒤덮인 : La montaña está ~*ta de* la nieve 산은 눈으로 덮여 있다. ② 지붕이 있는. ③ 보험을 건, 부보한.
—*m.* ① 덮개, 지붕 : estar a ~ 지붕 아래 있다, 보호되고 있다. ② 보호 : poner a ~ 보호하다, 감싸다. ③ 식기 한 벌《접시, 포크, 나이프 등》(juego de cuchara). ④ 한 사람 분의 요리, (호텔·레스토랑의) 정식(定食) : ~ especial 특별 서비스 요리.
a ~ 비호해서, 숨겨서.
estar de ~ 보호받고 있다.

cubija *f.* 《*And.*》 보잘 것 없는 집.

cubijar *tr.* ① 덮다, 씌우다, 싸다. ② 묵게 하다(cobijar).
~se 몸을 감싸다; 묵다, 숙박하다.

cubil *m.* (짐승의) 동굴, 잠자리; 하상(河床).

cubilar *m.* (짐승의) 굴, 잠자리(cubil); 목동과 소·양이 묵는 곳(majada).
—*intr.* 숙소에 들다, 투숙하다.

cubileo *m.* 《*Perú.*》 속임수.

cubilete *m.* ① 구리 대접·잔; (옛날의 유리·은 등의) 술잔. ② 고기 요리의 이름. ③ 주사위 종지. ④ 《*Amér.*》 실크 해트. ⑤ 교활, 간계.

cubiletear *intr.* ① (종지 안에 넣어) 주사위를 흔들다. ② 대책을 꾸미다.

cubiletero *m.* ① cubilete 경기자. ② 《*AmérM.*》 음모를 꾸미는 정치가.

cubileteo *m.* cubiletear 하기.

cubilote *m.* 용광로.

cubilla *f.* 【곤충】 가뢰류(cubillo).

cubillo *m.* ① 【곤충】 가뢰류(carraleja). ② 물단지. ③ (옛날 극장의 관람석 밑에 있던) 작은 골방.

cubismo *m.* 【회화】 입체파, 입체주의, 큐비즘.

cubista *adj.* 입체파의. —*m.f.* 큐비스트, 입체파 예술가.

cubital *adj.* [*lat.* cubitalis] ① 팔꿈치(codo) 의. ② (팔꿈치의 길이) 1codo (42cm)의.

cúbito *m.* 【해부】 팔꿈치뼈, 척골(尺骨).

cubo *m.* ① 물통. ② (시계의) 용수철 상자. ③ (수레바퀴의) 바퀴통. ④ (창이나 칼의) 자루 받침. ⑤ 【수학】 입방, 삼승(三乘), 세제곱; 입방체; 정육면체. ⑥ 성벽에 세운 원채(圓砦).

cuboides *adj. m.* 【해부】 주사위 모양의; 입방골(骨).

cubrecadena *m.* (자전거의) 체인 상자·케이스. **Sinón.** cárter.

cubrecama *m.* 침대 커버(sobrecama).

cubrecorjesé *m.* 코르셋을 가리우는 블라우스.

cubrecorsé *m.* =**cubrecorjesé.**

cubrefuego *m.* 《*Galic.*》 소등(消燈) 시각; 그것을 알리는 종(queda).

cubremantel *m.* 질이 우수하고 장식이 된 테이블보.

cubrenuca *f.* 모자 뒤에 장식으로 다는 천(cogotera); (투구의) 목덮개.

cubreobjetos *m.* (세균 배양기·현미경용의) 유리.

cubrepiano *m.* 피아노의 건반을 여러 차례 덮은 수놓은 보자기.

cubrepié *m.* 《*Amér.*》 =**cubrecama.**

cubretor *m.* 이불.

cubrición *f.* 수컷이 암컷을 덮치는 일.

cubrimiento *m.* ① 덮기; 감추기, 가리기. ② 대귀족의 착모식(着帽式).

cubriente *adj.* 덮는, 씌우는, 가리는; 감싸는, 보호하는.

cubrir *tr.* [*p.p.* cubierto] ① 덮다, 씌우다, 가리다(tapar); 감추다(ocultar); 덮어 씌우다(disimular) : *Cubre con* su modestia muchos vicios 그는 숱한 결점들을 얌전한 행동으로 감추고 있다. ② 지키다, 감싸다, 비호·보호·엄호하다(proteger) : ~ la retirada 퇴각을 엄호하다. ③ (건물에) 지붕을 달다. ④ (수컷이 암컷을) 덮치다. ⑤ (수지 균형이) 맞다 : Las ganancias no *cubren* los gastos 이익이 경비를 메우기에도 모자라다. ⑥ 보험을 걸다, (보험에 들어) …를 커버하다 : Sus ingresos no *cubren* sus gastos 그의 수입은 지출을 커버하지 못한다. la póliza de seguro que *cubre* los riesgos marítimos 해상 위험에 부보한 보험 증권. ⑦ (부채·어음 등을) 지불하다 : ~ una cuenta 계정(勘定)을 결제하다. La libranza *será cubierta* a su vencimiento 약속 어음은 기일에 지불될 것입니다. ⑧ (어떤 거리를) 가다, 답파하다, 주

파하다. ⑨ 채우다, 가득히 하다 : Las plazas del hotel están *cubiertas* 호텔이 만원이다. Contr. descubrir.

～se ① [+de · con : …으로] 덮이다 : El campo *se cubre de* doradas mieses 논은 황금의 이삭 물결에 덮여 있다. ② 몸을 감싸다 : un mantón *con* que *se cubre* 몸을 감싼 모포. ③ 모자를 쓰다. ④ 숨다, (엄호물 속에) 들어가다, 몸을 피하다, 숨기다.

cuca *f.* ① 《*Venez.*》 케이크(torta). ② 【곤충】 구더기, 송충이 : mala ～ 속이 검은 사람. ③ 망나니 여자. ④ 【식물】 금방동사니의 구근(球根)(chufa). ⑤ 《*Chile.*》 【조류】 까치. ⑥ =**peseta.** —*pl.* 호두 · 도토리 따위.

cucala *f.* 《*Murc.*》 갈까마귀(grajo)의 일종.

cucalambé *m.* 《*PRico.*》 꾸깔람베 《흑인들의 민속춤 · 노래》.

cucalón *m.* ① 《*Chile.*》 (종군 기자처럼 군대를 따라 다니는) 민간인(paisano). ② 주책바가지. ③ 참견하기 좋아하는 사람.

cucamonas *f.pl.* =**carantoñas.**

cucaña *f.* [*ital.* cuccagna] ① (올라가기 어려운 막대기 끝에 상품을 달아 놓고 이것을 잡게 하는) 놀이, 그 작대기. ② 손쉽게 얻을 수 있는 것.

cucañero, ra *adj.* 쉽게 실속을 차리는, 손 안 대고 코 푸는 격의, 남의 떡에 설 쇠는 격의. —*m.f.* 쉽게 실속을 차리는 사람.

cucar *tr.* ⑦ ① 윙크하다, 눈짓하다(guiñar). ② 비웃다.

cucaracha *f.* ① 【곤충】 (약용의) 쥐며느리(cochinilla), 바퀴벌레, 진디(corredera). ② 가루 담배의 이름(tabaco de ～). ③ 《*Ecuad.*》 10센따보 백동(白銅). ④ 《*Méx.*》 (연결되어 끌려 가는) 전차.

cucarachear *intr.* ① 《*Chile.*》 팽이가 잘 돌지 않다. ② 《*Cuba.*》 =**maposear.**

cucarachera *f.* 바퀴벌레 잡이《기구》.

cucarachero, ra *adj.* 가루로 만든 (담배).

cucaracho, cha *adj.* 《*Méx.*》 곰보의. —*m.* 【곤충】 연지벌레.

cucarda *f.* =**escarapela.**

cucarra *f.* 《*Chile.*》 =**coscorrón.**

cucarrear *intr.* 《*Chile.*》 (팽이가) 목을 흔들다.

cucarro *adj.* 《*Chile.*》 얼근하게 취한. —*m.f.* 얼근하게 취한 사람.

cucarrón *m.* 《*Col.*》 =**escarabajo.**

cucayo *m.* 《*Bol. Ecuad.*》 (여행때 가지고 다니는) 양식.

cucha *f.* ① 《*Bol.*》 【동물】 한 살 된 야마(llama). ② 《*Perú.*》 못. ③ 《*Riopl.*》 개집.

cuchalela *f.* 《*Col.*》 거짓 통증.

cuchar[1] *f.* =**cuchara.**

cuchar[2] *tr.* 퇴비를 주다.

cuchara *f.* ① 숟가락. ② (고기잡는) 작은 그물. ③ (선박에 고인 물 푸는) 그릇. ④ 부삽. ⑤ 《*Amér.*》 (미장이의) 흙손. ⑥ 《*Méx.*》 도둑(ladrón). ⑦ 울상. ⑧ 《*Cuba.*》 미장이.

hacer ～s 울상을 짓다(hacer pucheros).

media ～ 모자라는 사람.

meter su ～ 반갑지 않은 참견을 하다 ; 이해하지 못한 사람에게 상세하게 설명하다.

cucharada *f.* 숟가락 하나 가득.

echar · meter su ～ 자기와 관계없는 일에 참견하다.

cucharadita *f.* 작은 숟가락으로 하나.

cucharal *m.* (목동의 숟가락 넣는) 가죽 주머니.

cucharazo *m.* 숟가락으로 때리기.

cucharear *tr.* 숟가락으로 푸다. —*intr.* ① (선박이) 흔들리다. ② 《*Amér.*》 =**cucharetear.**

cucharero, ra *m.f.* 숟가락 만드는 사람, 숟가락 장수. —*m.* 숟가락 꽂이.

cuchareta *f.* [*dim.* cuchara] ① 작은 숟가락. ② (안달루시아 지방의) 이삭이 넓은 밀.

cucharetazo *m.* 숟가락으로 때림.

cucharetear *intr.* ① 숟가락 · 국자로 젓다. ② 숟가락 소리를 내다. ③ 주책부리다. ④ 남의 일에 간섭하다(meterse en negocios ajenos).

cucharetero, ra *m.f.* =**cucharero.**

cucharilla *f.* [*dim.* cuchara] ① 작은 숟가락, 찻숟가락(～ de café). ② 돼지의 간장병. ③ 젓는 막대기. ④ 【의학】 =**cureta.**

cucharón *m.* [*aum.* cuchara] ① 큰 숟가락, 수프용 숟가락, 나무 국자, 주걱. ② (준설선 · 기중기 등의) 움켜잡는 부분. ③ 《*Guat.*》 뚜깔 《아메리카의 반금류의 새》.

despacharse con el ～ 자기 실속만 차리다.

cuche *m.* 돼지.

cuché *adj. papel* ～ 아트지(紙)의 일종, 광택지.

cucheta *f.* 《*Bol. Riopl.*》 선원의 해먹.

cuchi *m.* 《*Salv.*》 =**cuchí.**

cuchí *m.* 《*Perú.*》 돼지(cochino).

cuchichear *intr.* 귓속말 · 귀엣말하다, 속삭이다, 두런거리다(hablar al oído o en voz baja) : No se debe ～ nunca delante de otra persona.

cuchicheo *m.* 귓속말, 귀엣말, 속삭임.

cuchichiar *intr.* 자고새가 운다.

cuchilla *f.* ① (날이 선 부분이 넓은) 칼. ② (칼과 창의) 날 : ～ de un alfanje. ③ 검. ④ (산맥의) 마루. ⑤ 《*Amér.*》 나이프, 작은 칼, 주머니칼(cortaplumas). ⑥ 【전기】 스위치 플레이트.

cuchillada *f.* 베기, 찌르기, 자상(刺傷). —*pl.* ① 싸움, 언쟁(rifla). ② 속옷이 들여다 보이도록 앞 자락을 트게한 부분.

dar ～ (관객을 많이) 동원하다.

cuchillar *adj.* 나이프의, 날이 있는 도구의, 날이 있는 연장같은.

cuchillazo *m.* 《*Amér.*》 =**cuchillada.**

cuchilleja *f. dim.* cuchilla.

cuchillejo *m. dim.* cuchillo.

cuchillería *f.* 칼붙이 상점 · 공장.

cuchillero, ra *adj.* 날이 있는 도구의 : hierro ～ 강철칼. —*m.* ① 칼붙이 장인(匠人) · 상인. ② (쇠로 만든) 띠(abrazadero). ③ 《*Amér.*》 칼을 휘두르는 싸움패.

cuchillo *m.* [*lat.* cultellus] ① (자루가 있는) 작은 칼, (특히 식탁용의) 나이프, 식칼, 부엌칼(～ de cocina) : ～ mangorero 볼품없이 생긴 식칼. ② 단검(短劍) : ～ bayoneta 총검. ③ 날이 있는 것. ④ 덧대는 천, 삼각 덧천, (양말의) 뒤축천. ⑤ 우주(隅柱), 교주(橋柱). ⑥ 【동물】 긴맛. ⑦ 통치권. ⑧ 삼각돛.

pasar a ～ 칼로 쳐죽이다.

cuchillón *m.* [*aum.* cuchillo] 《*Chile.*》 = **doladera.**
cuchipanda *f.* 즐겁고 흐뭇한 식사.
cuchitril *m.* 돼지 우리, 지저분한 집(cochiquera).
cucho, cha *adj.* ① 《*AmérC. Méx.*》 곱사등이의. ② 《*Méx.*》 납작코의(desnarigado). —*m.* ① 【방언】 두엄, 퇴비. ② 《*Chile.*》 원추 모자(圓推帽子). ③ 《*Chile.*》 고양이(gato). ④ 고양이를 부르는 소리. ⑤ 《*Col. Ecuad.*》 모서리, 귀퉁이. ⑥ 《*Gal.*》 송아지(ternero).
cuchubal *m.* 《*AmérC.*》 밀모(密謀). —*pl* 비상금.
cuchuco *m.* 《*Col.*》 꾸츄꼬 《돼지고기와 보리를 혼합한 국》.
cuchuche *m.* 《*Ecuad.*》 =**coatí.**
cuchuchear *intr.* =**cuchichear.**
cuchufleta *f.* ① 농담, 익살, 해학, 놀려댐. ② 《*Méx.*》 =**bizcocho.**
cuchufletear *intr.* 놀리다.
cuchufletero, ra *adj.* 농담하는, 익살부리는. —*m.f.* 농담꾼, 익살꾼.
cuchugos *m. pl.* 《*AmérM.*》 걸채, (길마에 매는 짝으로 된 작은) 가방.
cuchuña *f.* 《*Chile.*》 수박(sandía)의 일종.
cuchuvo *m.* 《*Amér.*》 =**cuchugo.**
cuclillas (en) *adv.* 웅크리고 앉아, 책상 다리를 하고 : Me puse en ~ para verlo mejor 나는 그것을 더 잘 보기 위해 웅크리고 앉았다.
cuclillo *m.* [*lat.* cuculus] ① 【조류】 두견새, 뻐꾸기(cuco) : reloj de ~ 뻐꾸기 시계. ② 아내를 간통 당한 남자.
cuco, ca *adj.* ① 깨끗한(pulido). ② 예쁜(bonito). ③ 의뭉스런, 엉큼한, 속이 검은(astuto). —*m.* ① 속이 검은 사람. ② 노름꾼, 투전꾼. ③ 도깨비(coco). ④ 【조류】 두견새, 뻐꾸기. ⑤ 【곤충】 구더기, 누에나방으로 되는 애벌레, 모충(毛虫). ⑥ 《*Bol.*》 【식물】 복숭아. —*pl.* 여자의 팬티.
reloj de ~ 뻐꾸기 시계.
hacer ~ 《*Méx.*》 놀리다, 조롱하다, 우롱하다.
hacer el ~ 결석하다, 결근하다, 사보타주하다, 태업하다.
cucú *m.* [*pl.* cucúes] ① 두견새의 울음 소리. ② 뻐꾸기 시계.
cucucha *f.* 《*Méx.*》 작은 비둘기.
cucuche (a) *adv.* 《*AmérC.*》 걸쳐서.
cucufato *m.* 《*Perú.*》 =**santurrón.**
cucuiza *f.* 《*Amér.*》 용설란에서 뽑는 섬유(hilo de la pita).
cuculí *m.* 《*Chile.*》 【조류】 (뻬루산의 아름답게 우는) 산비둘기의 일종.
cuculla *f.* 두건, 두건이 달린 망토 《승려복》.
cucúmero *m.* 【식물】 =**cohombro.**
cucúrbita *f.* 증류기(tretorta).
cucurbitáceo, a *adj.* 【식물】 오이류의, 호리병박과의. —*f. pl.* 호리병박과 식물.
cucuriaco, ca *adj.* 《*Col.*》 숙련된.
cucurucho *m.* ① (과자를 넣는) 세모난 봉지. ② 《*Amér.*》 (끝이 뾰족한 것의) 머리 부분. ③ 산봉우리(cumbre de montaña). ④ 지붕의 머리. ⑤ 《*Cuba.*》 조당(粗糖).
hacer ~ 《*Chile.*》 속이다, 사기치다.
Cúcuta 【지명】 꾸꾸따 《Colombia의 Norte de Santander주의 도시》.
cucuteño, ña *adj. m.f.* 꾸꾸따(Cúcuta)의 (사람).
cucuy *m.* 【곤충】 (남미산의) 커다란 개똥벌레 (cocuyo).
cucuyo *m.* =**cucuy.**
cudia *f.* (모로코에서) 언덕(cerro, colina).
cueca *f.* ① (볼리비아·뻬루·칠레의 민속적인) 무용(zamacueca). ② 《*Amér.*》 (칠레의) 민속 무용.
cuecha *f.* 《*AmérC.*》 씹는 담배(tabaco mascado).
cuelebre *m.* 《*Ast.*》 【동물】 용(dragón).
cuelg- → **colgar** ㉔ ⑧.
cuelga[1] *f.* ① 매달아 놓은 과일 다발. ② 생일 축하 선물. ③ 《*Col. Chile.*》 물을 흐르게 하기 위한 경사.
cuelga[2] colgar의 직·현·3·단수.
cuelgacapas *m.* 【단·복수 동형】 옷걸이.
cuelgan colgar의 직·현·3·복수.
cuelgaplatos *m.* 【단·복수 동형】 (장식용) 걸어 두는 접시.
cuelgas colgar의 직·현·2·단수.
cuelgo colgar의 직·현·1·단수.
cuelgue colgar의 접·현·1·3·단수.
cuelgue- →**colgar** ㉔ ⑧.
cuelguen colgar의 접·현·3·복수.
cuelgues colgar의 접·현·2·단수.
cuelmo *m.* 횃불(tea).
cuellicorto, ta *adj.* 목이 짧은(de cuello corto).
cuellierguido, da *adj.* 목을 쭉 뽑은(tieso de cuello).
cuellilargo, ga *adj.* 목이 긴(largo de cuello).
cuellisacado, da *adj.* 《*And.*》 =**desvergonzado.**
cuello *m.* ① 목 : ¿Cuánto mide su ~? 당신의 목 사이즈는 얼마입니까? Tiene un ~ muy corto 그의 목은 짧다. ② 깃, 칼라 : ~ de la camisa 와이셔츠의 깃. ~ potizo 바꾸어 달 수 있는 칼라. ~ acanalado · alechugado · apanalado · escarolado 옛날 셔츠에 대던 삼베 장식 깃. ③ (그릇의) 목 : el ~ de una botella 병의 목. ④ 물건의 길쭉한 부분. ⑤ 목도리 : ~ de visón. ⑥ 이의 뿌리와 치관(corona) 사이의 부분.
levantar el ~ 불운을 벗어나다; 병이 낫다.
cuenca *f.* ① 나무 주발·종재기. ② 안강(眼腔), 안와(眼窩). ③ 분지(盆地); 협곡, 유역(流域) : la ~ del Ebro.
~ *carbonífero* 탄전(炭田).
Cuenca *f.* 【지명】 꾸엥까 《서반아의 주·시》.
cuencano, na *adj.m.f.* 꾸엥까시 《la ciudad de Cuenca, Ecuador의 도시》의 (사람).
cuenco *m.* ① 깊고 넓은 진흙이나 나무 그릇, 화분, 사발. ② 분지(concavidad).
cuenda *f.* 삼실.
cuent- →**contar** ㉔.
cuenta[1] *f.* ① 헤아리기, 계산(cálculo, cómputo) : ~ de multiplicar 곱셈. la ~ de la vieja 손가락이나 염주로 하는 계산. ② 숫자 안에 들어가기, 중요성(importancia) : persona de ~ 중요 인물. ③ 계정, 계산 : ~ acobrar 수취 계정. ~ a medias 공동 계산. ~ a mitad 공동 출자.

~ a pagar 지불 계정. ~ al contado 현금 계정. ~ abierta 공개 계정. ~ corriente 당좌 예금. ~ acreedora · de crédito 대변 계정. ~ deudora 차변 계정. ~*s* en participación 공동계산, 풀계산. ~ *s* galanas 지나치게 낙관한 계산. ~ simulada 견적 계산서. ~ y mitad 공동계정. ④ 계정한 총액; 계정서, 계산서(estado de ~) : ~ de resaca 반환 어음 계산서. ~ de venta 매상 계산서. ~ del activo 자산 계정. ~ del balance 대차 대조표 항목. ~ del flete 운임 청구서. ~ general (예산의) 일반 회계. ⑤ 책임(cargo, cuidado) : tener ~ 책임을 지다. por mis ~*s* 나의 책임하에. ⑥ 의식, 고려(consideración). ⑦ 염주 : ~ de perdón 염주의 어미알. ~ de leche 유옥(乳玉) 《젖이 잘 나오게 한다는 유백색의 마노 구슬》.

—*interj.* 위험해, 조심해라! : ¡*Cuenta* con la ~! 방심하지 말아라, 섣불리 덤비지 마라!

***a* ~, *a buena* ~** 전도금으로 (일부를 반환하다).

***a la* ~** 보아한즉.

con la* ~ *y razón 조금도 어김없이; 자신은 손해를 보지 않도록.

***de* ~** 중요한.

de* ~ *y riesgo de …의 책임과 위험 하에.

***en* ~** 계정에, 구좌에 : abonar *en* ~ 대변에 기입하다. cargar *en* ~ 차변에 기입하다.

en resumidas* ~*s 요컨대, 결론적으로(en conclusión).

***más de* ~** 너무, 지나치게(demasiado).

***por la* ~** 보아하니(al parecer).

***por mi* ~** 내 생각에는.

***abrir la* ~** 계정을 개설하다.

ajustar* ~*s 청산하다; (겁주는 듯이 하여) 외상을 달아 놓다 : Yo *ajustaré* ~*s* contigo 너한테 반드시 보복을 하겠다.

***caer en (la)* ~** 깨닫다 : No *caigo en la* ~ *de* lo que dice 당신이 말하는 것을 이해하지 못하겠다.

***cerrar la* ~** 계산을 마치다, 끝내다.

***correr de* · *por de* ~** …의 책임이다 : Esto *corre de* mi ~ 이것은 내 책임이다.

***correr por la misma* ~** 같은 목적을 향하고 있다; 같은 상황에 있다.

***cubrir la* ~** 결산하다.

dar* ~ *de ① …의 책임을 지다, 보상하다; 변명·설명을 하다; 보고하여 양해를 얻다 : No *doy* ~ a nadie *de* mi conducta 나는 내 자신이 한 일에 대해 누구에게도 이렇다 저렇다 말하지 않는다. ② 처리하다, 몽땅 없애다.

dar buena* · *mala* ~ *de su persona 자신의 책임을 다하다·남의 신뢰를 배반하다.

***darse en* ~** 깨닫다, 납득하다 : ¿*Te das* ~ *del* resultado? 결과에 대한 납득이 잘 갔나?

echar la* ~, *echar* ~*s 어림하다, 대강 셈을 하다.

***entrar en* ~** 고려에 넣다.

entrar en* ~*s consigo 곰곰 생각하다.

***estar fuera de* ~** (임부가) 산월이 지났다.

***girar la* ~** 계산서를 보내다.

***hacer(se) (la)* ~** 가정하다; 계산에 넣다.

llamarse a* ~*s 고찰(考察)하다, 숙고하다(reflexionar).

no hacer* ~ *de …를 안중에 두지 않다.

no querer* ~*s con …을 상대로 하려 하지 않다.

***no salir la* ~** 기대한 만큼 일·사업이 되지 않다.

no tener* ~ *con …에 관계하지 않다.

***pedir* ~** 변명을 요구하다; 보상을 요구하다.

perder la* ~ *de …을 기억하지 못하다.

***tener* ~** 유익하다.

tener* ~ *de 마음·신경을 쓰다.

***tener* · *tomar en* ~** 고려에 넣다; 잊지 않고 있다 : *teniendo en* ~ que …으로 생각하면. Hay que *tener en* ~ su advertencia 그의 조언을 잊어서는 안된다.

***tomar por su* ~** 자신의 책임으로 받아들이다.

Vamos* · *Estemos a* ~*s 당면 문제를 잘 생각해 보자.

cuenta² contar의 직·현·3·단수.

cuentacacao *m.* 《*Hond.*》【곤충】독거미(araña venenosa)의 일종.

cuentacorrentista *m.f.* 당좌 예금자.

cuentachiles *m.* 《*Méx.*》 여자의 일에 손을 대는 남자.

cuentadante *m.f.* 금전 운영의 보고인.

cuentagotas *m.*【단·복수 동형】점안기(點眼器); 스포이트《잉크·물약 따위를 빨아올려 다른 곳으로 옮기는데 쓰는, 고무 주머니가 달린 유리관》.

cuentahilos *m.*【단·복수 동형】(직물 검사의) 확대 렌즈, 돋보기 안경.

cuentakilómetros *m.*【단·복수 동형】(택시 등의) 미터기, 주행계(走行計); 속도계.

cuentan contar의 직·현·3·복수.

cuentapasos *m.*【단·복수 동형】보도계(步度計). **Sinón.** podómetro.

cuentarrevoluciones *m.*【단·복수 동형】차량의 모터 회전 계량기.

cuentas contar의 직·현·2·단수.

cuente contar의 접·현·1·3·단수.

cuentear *intr.* 《*AmérC.*》 실없는 소리를 지껄이다.

cuenten contar의 접·현·3·복수.

cuenterete *m.* 《*AmérC.*》 조작, 거짓말.

cuentero, ra *adj. m.f.* =**cuentista, chismoso.**

cuentes contar의 접·현·2·단수.

cuentezuela *f. dim.* cuenta.

cuentista *m.f.* 단편 작가; 말담 좋은 사람; 말재주꾼.

cuentistero, ra *adj.* 《*Perú.*》 농담을 잘하는 (사람).

cuento¹ *m.* [*lat.* contus] ① 이야기(relato, relación); 옛 이야기(fábula); 콩트, 단편 소설 : ~ infantil 동화. ② [주로 *pl.*] 따분하게 늘어놓는 말; 고자질, 험담(chisme, enredo) : Que no me venga con ~*s* 끈덕지게 말하지 마라. ③ 사이가 틀어짐, 싸움 : Ana tiene ~*s con* María. ④ 계산(cómputo) : sin ~ 무수한, 무수하게 (sin número). ⑤【고어】100만(millón). ⑥ (창이나 지팡이의) 끝 쇠붙이(contera, regatón) : el ~ de la lanza. ⑦ 버팀 기둥; 새의 날갯죽지.

~ ***de*** ~***s*** 1조(兆)(billón, un millón de millones); 복잡하고 긴 얘기.

~ ***de viejas*** 조작, 괴기담.

~ ***del tío*** 《*AmérC.*》 속임수.

~ largo 말로 밝힐 수 없는 일.
a ~ 적절하게.
como digo · iba diciendo, de mi ~ 그런데 내 말은《이야기를 이을 때》.
degolllar el ~ 남의 말을 꺾다.
dejarse de ~s 서론을 생략하다.
despachurrar · destripar a uno *el ~* (누구의) 말을 앞지르다; (누구의) 하려는 일의 헛점을 찌르다, 의표를 찌르다.
Es el ~ de nunca acabar 끝이 없다, 한이 없다.
Ese es el ~ 그 점이 가장 중요하다.
estar en el ~ 이미 알고 있다.
hablar en el ~ 요점에 대해 말하다.
no querer ~s con serranos 못된 인간을 상대해서 싸우지는 않겠다.
quitarse de ~s 사소한 일에 신경을 쓰지 않다.
ser mucho ~ 대담하다.
soñar ~s con …에 대해 멋대로 생각하다.
traer a ~ 아무 상관없는 이야기까지 들먹거리다.
venir a ~ 적절하다, 꼭 들어맞다; 요령을 알고 있다.
*venir*le a uno *con ~s* (누구에게) 듣고 싶지도 않은 말을 들려 주다.
Se me hace ~ 《*Riopl.*》 글쎄 그럴까, 미덥지가 못해.
Va de ~ 드디어 그 말이 시작됩니다.

cuento² contar의 직·현·1·단수.

cuentón, na *adj.* 고자질하는, 남의 말하기 좋아하는. —*m.f.* 고자질쟁이, 남의 말하기 좋아하는 사람.

cuepa *f.* 《*Col. Salv.*》 (아이들이 가지고 노는) 밀랍으로 만든 오목한 원반.

cueqear *intr.* 《*Chile.*》 꾸에까(cueca)를 추다.

cuequero, ra *adj.* 《*Amér.*》 cueca 춤을 좋아하는.

cuera *f.* ① 각반의 일종. ② 《*Méx.*》 채찍, 회초리. ③ (영양 가죽으로 만든) 바지.

cuerazo *m.* 《*Cuba. Ecuad. Méx. Hond.*》 =**latigazo.**

cuerda *f.* [*lat.* chorda] ① 밧줄, 끈, 줄 : escala de ~ 줄 사다리. ¿Hay alguna ~ para atar este paquete? 이 소포 묶을 줄 있습니까? ② 화승. ③ 굵은 실; 낚싯줄(~ de pescar); 먹줄. ④ (악기·활의) 줄, 현 : instrumento de ~ 현악기. ~ doble 복현(複弦). ⑤ (반원 모양의) 줄. ⑥ 끈 모양으로 된 것; 주렁주렁 매다는 일 : ~ de presos 염주알을 끼워넣는 죄수. ⑦ 산의 꼬리 등성이. ⑧ 색(索) : ~ dorsal 【해사】 배색(背索). ⑨ 【음악】 음역(音域) 《bajo, tenor, contralto, triple 등》. ⑩ 길이의 단위 《8.5 varas》. ⑪ 같은 규격, 동류(同類), 같은 의견 : de la (misma) ~ 똑 같은. —*pl.* 【해부】 건(腱), 힘줄 : ~*s* vocales 성대.
~ de arrastre 잡아당기는 줄. *~ de desgarro* (잡아 당기면 커튼·문 등이 열리는) 줄. *~ de guía* (물건을 다루는) 조종줄. *~ floja* 줄타기하는 줄 : andar·bailar *en la ~ floja* 위험한 줄타기를 하다. *~ sin fin* (양쪽 끝을 묶은) 고리줄. *mozo de ~* 짐꾼, 포터. *por debajo de ~* 살그머니; 시치미를 떼고(disimuladamente). *por ~ separada* 《*Amér.*》 별개로.
aflojar la ~ (al arco) 숨을 돌리다, 쉬다.
andar en la ~ floja 정견이 없다.
apretar la ~ 실·끈을 조이다; (법규 등을) 엄하게 다루다.
calar la ~ 화승에 불을 당기다.
dar ~ 줄·끈을 늦추어 주다; (어떤 일을) 미루다. 연기시키다(dar largas); 부채질하다.
dar ~ al reloj 시계의 태엽을 감다 : Debe de haber olvidado *dar ~ al reloj* 그는 시계의 태엽을 감는 것을 잊었음에 틀림없다.
echar una ~ 어림으로 측량하다.
estar · tener la ~ tirante 엄하게 하고 있다.
estirar las ~s 팔다리를 펴다; 잠시 산책 나가다.
no ser de la misma ~ 의견이 같지 않다(no ser de la misma opinión).
tener mucha ~ 꾹 참다(aguantar mucho).
tirar (de) la ~ 손을 끌고 가다; 억제하다.

cuerdamente *adv.* 진지하게, 신중히, 현명하게.

cuerdezuela *f.* =**cordezuela.**

cuerdo, da *adj.* 제정신의, 현명한, 신중한, 생각이 깊은(juicioso, sabio, prudente).

cuereada *f.* ① 《*AmérM.*》 소의 가죽 벗기기; 그 시기. ② 《*AmérC. Méx.*》 구타(paliza).

cuerear *tr.* ① 《*Amér.*》 (소의) 가죽을 벗기다. ② (가죽 채찍으로) 때리다(azotar, dar una paliza). ③ 비난하다.

cuerera *f.* 《*Chile.*》 극심한 가난.

cuerezuelo *m.* =**corezuelo.**

cueriduro, ra *adj.* 《*Amér.*》 가죽·껍질이 단단한.

cuerito *m. dim.* cuero.
de ~ a ~ 《*AmérC. Méx.*》 끝에서 끝까지.

cueriza *f.* 《*Amér.*》 구타, 두들겨 패기.

cuerna *f.* ① 뿔로 만든 술잔. ② 잔을 만드는 소의 뿔. ③ (가는) 뿔; 뿔(cornamenta). ④ 뿔나팔(trompa de cuerno).

cuérnago *m.* 홈, 도랑(cauce, acequia).

cuernezuelo *m. dim.* cuerno.

cuerno *m.* [*lat.* cornu] ① 뿔(asta) : ~ de búfalo 물소의 뿔. ~ de gamo 사슴뿔. ② 뿔피리 : ③ 뿔로 만든 공예품. ④ (달의) 현각(弦角). ⑤ (곤충 등의) 촉각(antena); (가재·게 등의) 촉수(觸手). ⑥ (대열의) 날개.
—*interj.* 어렵쇼, 어머, 야《놀라움, 노함, 위협의 감탄사》.
~ de abundancia 부(富)의 뿔《부(富)의 상징(cornucopia)》. *~ de amón* 국석(菊石)(amonita). *~ de caza* 뿔나팔. *en los ~s del toro* (andar, dejar, ver 등과 같이 쓰여) 위험한 상태로.
estar de ~ con …과 다투다.
irse al ~ =fastidiarse, malograrse.
levantar hasta · sobre el ~ · los ~s de la luna 터무니없이 마구 칭찬하다, 일전짜리 비행기 태우다.
no valer un ~ 거의 아무 가치가 없다.
poner en los ~s del toro 위험에 빠뜨리다.
poner los ~s 아내가 바람을 피우다, 아내가 부정한 짓을 하다.
poner sobre el ~ de la luna 일전짜리 비행기 태우다, 터무니없이 마구 칭찬하다 : No me *ponga sobre el ~ de la luna* 일전짜리 비행기 태우지

마십시오.
ponerse de ～ *con* …과 다투다·겨루다.
saber a ～ *quemado* 불쾌한 생각이 남다, 뒷맛이 개운치 않다.
Sobre ～*s, penitencia* 우는 아이에게 침주기, 언발에 오줌 누기.

cuero *m.* [*lat.* corium] ① 껍질, 가죽(piel) : ～ curtido 무두질한 가죽. ～ cabelludo 머리 가죽. ～ crudo·en verde 날가죽, 생가죽, 생피(生皮), 가공하지 않은 가죽. ② 피부(piel) : ～ exterior 표피(cutícula). ～ interior 피부(cutis). ③ 술부대(odre). ④《*Amér.*》가죽 채찍 ; 가죽끈.
—*f.*《*Amér.*》고운 여자 ; 정부 ; 창녀, 갈보, 매춘부 ; 할멈.
dejar en ～*s* (누구를) 벌거벗기다.
en ～*s (vivos)* 나체로, 발가벗고, 알몸으로(en carnes, desnudo, sin vestido alguno).
entre ～ *y carne* 본질적으로, 본시.
hecho un ～ 만취하고 있는.
poner ～*s y correas en* 남의 일을 자기 일처럼 도와주다.

cuerpear *intr.*《*Riopl.*》비켜 서다, 몸을 피하다, 슬쩍 빠져 나가다.

cuerpecito *m. dim.* cuerpo.

cuerpo *m.* [*lat.* corpus] ① 몸, 신체 : ～ de hombre 사람의 평균 신장. ～ de caballo 말 한 마리의 길이. ～ humano 인체(人體). ② (alma에 대해) 육체 ; 동체(tronco). ③ (셔츠 등의) 통 ; 몸매, 체격 : tener buen ～ 체격이 좋다. ④ 시체(cadáver). ⑤ 물체, 개체(個體), …체 : ～ celeste 천체. ⑥ 실체, 본체. ⑦ 차체(車體), 기체(機體). ⑧ (펌프의) 통. ⑨ (문서의) 본문. ⑩【화학】분자 : ～ simple 원소. ～ compuesto 화합물. ⑪ (서적의) 권(卷)(volumen). ⑫ 조(組), 단체, 단(團) : ～ facultativo 기술단. El ～ de profesores y todo el alumnado se reúnen en el aula máxima 교수단과 전 학생은 강당에 모인다. ⑬ 전원(全員) ; 군대, 부대 : ～ de ejército 군단, 지구 부대. ～ de guardia 경비대. ～ volante 타격대. ⑭ 본질, 밀도, 농도 : dar ～ 진하게 하다, 술을 독하게 하다. ⑮ (종이·천·얇은 널빤지의) 두께(grueso) : tela de mucho ～ 폭신한 감촉이 있는 피륙. ⑯ 크기(tamaño) : tomar ～ 차츰 커지다. ⑰ 활자의 굵기.
～ *del delito* 범죄의 증거. ～ *muerto*【해부】계류 부이, 계선 부표(繫船浮標). ～ *sin alma* 빌빌거리는 사람. ～ *tiroides*【해부】갑상선.
bienes del ～ 건강.
a ～ *(gentil)* 외투없이. *a* ～ *de rey* 왕후처럼. *a* ～ *descubierto* 무방비로 ; 분명하게. ～ *a* ～ 서로 맞붙어 싸워 ; 지각없이. *de* ～ 전임·전속의 : profesor *de* ～ 전임 교수. *de* ～ *entero* 전신의 (초상화, 사진 등), 온몸의 : escritor *de* ～ *entero* 전신으로 쓰는 작가. *de medio* ～ 상반신의(초상화, 사진 등). *en* ～ ① 외투를 입지 않고(a cuerpo). ② 총동원이 되어. ③《*Méx.*》모자를 쓰지 않고. *en* ～ *y alma* 몸도 마음도 다, 완전히, 모조리(por completo). *suelto de* ～《*Chile. Riopl.*》활발한.
dar ～ 진하게 하다, 술을 독하게 하다.
dar con el ～ *en tierra* 넘어지다, 쓰러지다.
echar ～ *fuera* 비켜서다.
falsear el ～ 비켜서다.
ganar con su ～ 몸을 팔다, 매음을 하다.
hacer del ～ 대변을 보다, 똥을 누다(exonerar el vientre).
huir·hurtar el ～ 재빨리 몸을 피하다 ; 줄행랑 치다.
pedir el ～ algo ＝apetecerle.
quedarse con una cosa *en el* ～ (무엇을) 빠뜨리고 말하다, 덮어 두다 ;《*Méx.*》팔고 남다.
tomar ～ 커지다, 증가하다(aumentarse) : El rumor *toma* ～ 소문이 커지다, 낭설이 사실이 되다.
volverla al ～ 욕지거리를 욕지거리로 답하다.

cuérrago *m.* ＝**cauce, acequia.**

cuerudo, da *adj.* ①《*Amér.*》발이 무거운(lerdo). ② 귀찮은. ③ 가죽이 두터운. ④ 뻔뻔스러운, 철면피한, 낯가죽이 두꺼운.

cuerva *f.* 부리가 빨간 까마귀의 암컷(graja).

cuervo *m.* [*lat.* corvus] ①【조류】까마귀 : ～ marino 가마우지. ～ merendero 부리가 빨간 까마귀(grajo). ②【천문】까마귀좌.

cuesco *m.* ① (과실의) 씨, 핵(核). ② 맷돌. ③ 요란한 방귀. ④【은어】채찍질, 매질.

cuest- →**costar** ㉔.

cuesta[1] *f.* [*lat.* costa] 비탈길, 언덕길 : ～ abajo 비탈길을 아래쪽으로. ～ arriba 비탈길을 윗쪽으로. Ella subió ～ arriba 그녀는 비탈길을 올라갔다.
～ *de enero* 돈에 곤란한 1월의 시기(時期).
a ～*s* 등에 지고(sobre los hombros o espaldas) : La vieja iba llevándose la carga *a* ～*s* 노파는 짐을 등에 지고 갔다.
*hacérse*le a uno ～ *arriba* 마지못해 하다.

cuesta[2] *m.* ＝**cuestación.**

cuesta[3] costar의 직·현·3·단수.

cuestación *f.* 의연금 모금.

cuestan costar의 직·현·3·복수.

cuestas costar의 직·현·2·단수.

cueste costar의 접·현·1·3·단수.

cuesten costar의 접·현·3·복수.

cuestes costar의 접·현·2·단수.

cuestezuela *f. dim.* cuesta.

cuestión *f.* [*lat.* quaestio] ① 문제 : en ～ 문제의, 이 일의. la casa en ～ 문제의 집. ～ aparte 별문제. ～ candente 큰 문제, 귀찮은 문제, 중요 문제. ～ de gabinete 중요 문제 (내각이 무너질 원인이 될만한). ～ de nombre 지엽적 문제. ～ de tiempo 언젠가는 일어날 일. ～ de vida o muerte 사활 문제. ～ económica 경제 문제. ～ pendiente 미결 문제. ～ presupuestaria 예산 문제. ② 질문 ; 건(件) ; 논점. ③ 다툼(riña) : tener una ～ con los vecinos.

cuestionable *adj.* ＝**dudoso, problemático.**

cuestionar *tr.* [*lat.* quaestionare] ① 문제로 삼다 ; 토론하다, 논쟁하다. ②《*Galic.*》묻다, 질문하다.

cuestionario *m.* (시험의) 문제, 문제집 ; 질문서, 앙케트.

cuesto[1] *m.* 언덕(cerro).

cuesto[2] costar의 직·현·1·단수.

cuestor *m.* ① 고대 로마의 재정 담당 사법관. ② 의연금 모집인.

cuestuario, ria *adj.* =**cuestuoso.**
cuestuoso, sa *adj.* 이익이 큰 ; 돈벌이가 되는.
cuestura *f.* [*lat.* quaestor] (로마의) cuestor의 직.
cuétano *m.* 《*Amér.*》 (El Salvador 공화국에서) 나비의 모충.
cuete *adj.* 《*Méx.*》 취한. —*m.* ① 《*Méx.*》 만취. ② (쇠고기에서) 넓적다리 살코기. ③ 말린 털. ④ 《*Méx. Perú.*》 권총.
cuetearse *r.* 《*Col.*》 파열하다 ; 죽다.
cueto *m.* 세모꼴로 된 바위산 ; 요새지.
cuetzal *m.* 【속어】 =**quetzal.**
cueva *f.* ① 동굴(caverna) : una ~ natural. ② 지하실(bodega, sótano) : La temperatura de una ~ debe ser lo más constante posible.
Cueva de Altamira *f.* 알타미라 동굴 《Santander주에 있는 동굴 ; Santillana del Mar에서 3킬로미터 지점에 있음 ; 1879년 발견됨》.
cuévano *m.* [*lat.* cophinus] 큰 바구니 ; (운반용·애기를 넣는) 등 광주리.
cuevero *m.* ① 구멍 파는 사람. ② 《*Arg.*》 (축구 등 운동팀에서) 디펜스, 방어, 수비(defensa).
cuexca *f.* 【은어】 가옥, 집(casa, domicilio, morada).
cuez- →**cocer** ㉕ ①.
cueza *f.* =**cuezo.**
cueza- →**cocer** ㉕ ①.
cuezo[1] *m.* (미장이의) 반죽 상자.
meter el ~ 말참견을 하다, 남의 말에 끼어들다.
cuezo[2] cocer의 직·현·1·단수.
cufifo, fa *adj.* 《*Chile.*》 =**ebrio, peneque, chispo, calamocano.**
cuguar *m.* 【동물】 (아메리카의) 표범, 푸마(puma).
cugujada *f.* =**cogujada.**
cugulla *f.* =**cogulla.**
cuí *m.* 《*Amér.*》 =**cuy.**
cuica *f.* 《*Amér.*》 【속어】 지렁이.
cuicacoche *f.* 【조류】 꾸이까꼬체 《멕시코와 중앙 아메리카의 지저귀는 새》.
cuico, ca *f. adj.* 《*Amér.*》 새로 온, 외지에서 온. —*m.f.* ① 타향 사람. ② 《*Arg.*》 토인과의 혼혈아. ③ 《*Cuba.*》 (하층 계급의) 멕시코 사람. ④ 《*Bol.*》 몸집이 작은 토인. ⑤ 《*Chile. Perú.*》 볼리비아 토인. ⑥ 《*Ecuad.*》 말라깽이. ⑦ 《*Méx.*》 *desp.* 순경(guardia).
cuida *f.* 보육원 등에서 어린이를 돌보는 보모.
cuidado *m.* ① 열심 ; 열의 : trabajar con ~ 열심히 일하다. ② 걱정, 근심, 우려 : de ~ 걱정스러운(cauteloso, peligroso). No pase ~ 걱정하지 마십시오. ③ 일, 보살핌, 돌봄, 거들어줌 : necesitar de ~*s* 여러 가지로 보살펴 주어야 한다. ④ 역할, 책임 : Eso es ~ tuyo. ⑤ 주의, 조심 : con ~ 조심스럽게. tener ~ 주의하다, 조심하다. Tenga ~ 조심하십시오. Ten ~ 조심해라.
—*interj.* ① 조심하세요 ; 위험해 ! ② [+con] 노여움을 나타낸다 : ¡*C- con* el niño, que no se le puede aguantar! 빌어먹을 ! 그녀석 도저히 못 참겠어. ¡*C- con* José, qué terco es! 호세 그놈, 어지간히 고집이 센 놈이야. ¡*C- con*migo! 가만 안 놔두겠어. ¡*C-* me llamo! 내가 지켜 보고 있다. ③ [+con] …에 주의 : ¡*C- con* la pintura! 페인트칠 주의 ! ~ *con* dejar caer 낙하 주의. ~ *con* fuego 화기 엄금. ~ *con* los rateros 소매치기 주의. ¡Ande·Manéjese·Llévese·Condúzcase *con* ~ ! 취급 주의.
de ~ ① 위험한(peligroso) : hombre *de* ~. ② 중대한(grave) : enfermo *de* ~.
correr al ~ *de* …의 책임이다.
estar de ~ 중태이다 ; 생명이 위험하다.
perder ~ 걱정없다(no preocuparse).
salir de (su) ~ ① 아이를 낳다, 출산하다(dar a luz). ② (환자가) 위험에서 벗어나다.
ser de ~ 중대하다, 심각하다.
tener ~ *con* …에 주의·조심하다 : *Tenga* ~ *con* su salud 건강에 주의하십시오.
no tener ~ 걱정없다.
*tener*le·*traer*le a uno *sin* ~ 아무 상관없다(no importarle mada).
Cuidados ajenos mataron al asno 【속담】 자기와 상관없는 일에 간섭해서는 안된다.
cuidado, da *adj.* cuidar의 *p.p.*
cuidador, ra *adj.* 조심하는, 주의하는.
—*m.* 《*Arg.*》 환자. —*f.* 《*Méx.*》 아이 보는 여자(niñera). —*m.f.* ① =**entrenador.** ② 《*Arg.*》 =**enfermero.**
cuidadosamente *adv.* 주의해서, 조심스럽게, 소중하게, 공을 들여, 정성을 다해서.
cuidadoso, sa *adj.* [+con·para con : …에] 주의 깊은, 염려하는 ; 조심스런, 공을 들인 : ~ *con*·*para con* el enfermo 환자에게 공을 들여서. ~ *de*·*por* el resultado 결과에 마음 써서. Las personas ~*sas* ahorran tiempo y dinero 주의 깊은 사람은 시간과 돈을 절약한다.
cuidandero, ra *adj. m.f.* 《*AmérM.*》 보살피는(사람).
cuidante *adj.* 주의·조심하는 ; 손질하는, 관리하는.
cuidar *tr.* ① (…에) 조심하다, 신경을 쓰다 : ~ de sus obligaciones. ② 간호하다, 보호하다, 돕다(asistir) : En esa casa me *cuidan* mucho. ③ 손질하다, 관리하다 : el jardín bien *cuidado* 손질이 잘된 정원. ~ la ropa 옷을 손질하다. ④ 조심해서 다루다.
—*intr.* ① [+de : …의] 시중을 들다, 보살피다 : ¿Quién *cuida de* la casa? 누가 가사를 돌봅니까 ? Mi madre *cuida de* los niños 내 어머님은 아이들의 시중을 드신다. ② …하도록 조심하다 ; 주의·관리하다.
~se ① 섭생하다, 양생하다, 몸조심하다 : Las personas delicadas deben ~*se* mucho 몸이 약한 사람은 몸조심을 해야 한다. ② [+de : …을] 마음쓰다, 신경을 쓰다 : No *se cuida de*l qué dirán 사람들이 무엇을 말하건 그는 신경을 쓰지 않는다.
cuido *m.* 【방언】 보살핌, 관리 : ~ de la huerta.
cuidoso, sa *adj.* =**cuidadoso.**
cuija *f.* ① 【동물】 (멕시코산) 도마뱀의 일종. ② 말라깽이 여자. ③ 가엾은 얼굴.
cuije *m.* ① 《*Salv.*》 남을 돕는 사람. ② 《*Hond.*》 건달, 불량배(bribón). ③ 《*Méx.*》 =**caracara.**
cuilio *m.* 《*Salv.*》 경관.
cuín, na *m.f.* 《*And.*》 【동물】 모르모트(conejillo de Indias).

cuino *m.* 【동물】 돼지(cerdo).

cuita *f.* ① 슬픔, 노고, 걱정, 근심, 염려. ② 《*AmérC.*》 새의 똥(excremento de las aves).

cuitadamente *adv.* 슬픈 듯이, 생각에 잠겨.

cuitado, da *adj.* ① 슬픔에 젖은, 생각에 잠긴(afligido). ② 무기력한, 빌빌거리는(apocado).

cuitamiento *m.* 낙담.

cuitlacoche *m.* 《*Méx.*》 =**cuicacoche.**

cuja *f.* ① (안장이나 재갈에 만들어 매달은) 기·창의 밑받침. ② 침대의 뼈대·틀. ③ 《*Amér.*》 침대(cama, catre). ④ 《*Perú.*》 널(andas). ⑤ 《*Hond. Méx.*》 봉투. ⑥ (짐의) 포장.

cujazo *m.* 《*Amér.*》 =**varazo.**

cuje *m.* ① 《*Amér.*》 (탄력성이 있는) 장대, 작대기. ② 《*Col.*》 개를 홀리는 소리. ③ 《*Cuba.*》 담배를 걸쳐 말리는 작대기.
No hay ~ 《*Col. Cuba.*》 하는 수 없다, 별 방법이 없다, 별 도리가 없다, 처방이 없다.

cujear *tr.* ① 《*Col.*》 부추기다, 꼬드기다(azuzar). ② 《*Cuba.*》 때리다, 꾸짖다, 나무라다, 꾸중하다, 벌하다(castigar).

cují *m.* 【식물】 아카시아 속의 나무(aromo).

cujisal *m.* 《*Venez.*》 아카시아속 나무숲.

cujo *m.* 《*Amér.*》 =**cuje.**

cujón *m.* =**cogujón.**

culada *f.* 엉덩방아.

culantrillo *m.* 【식물】 석장생(石長生).

culantro *m.* 【식물】 꿀란뜨로 《약초로 사용되는 미나리과 식물》.

culata *f.* ① (말의) 궁둥이(anca). ② 개머리판, 개머리판의 바닥, 포미(砲尾). ③ 꽁무니, 최후부. ④ 《*Amér.*》 (가옥의) 합각벽. ⑤ 《*Riopl.*》 기대어 세우는 지붕.
salir el tiro por la ~ 일이 틀어지다, 실패하다.

culatada *f.* (발포 때의) 반동.

culatazo *m.* ① 개머리판 끝으로 때리기. ② (발포 때의) 변동. ③ 《*Col.*》 궁둥이를 때리는 일.

culcusido *m.* =**corcusido.**

culebra *f.* [*lat.* colubra] ① 【동물】 뱀 : ~ de cascabel 방울뱀(crótalo). ② (증류기의) 사관(蛇管)(serpentín). ③ 신입자(新入者) 놀려주기, 우롱(chasco). ④ 돌연한 소동(alboroto). ⑤ 【은어】 줄(lima). ⑥ 《*Méx.*》 소용돌이. ⑦ 《*Col. Ecuad. Perú.*》 셈이 끝나지 않은 계산.
hacer ~ 사행(蛇行)하다, 굽이치다.
saber más que las ~***s*** 아주 영리하다, 빈틈이 없다(ser muy listo).

culebrazo *m.* 놀려주기, 우롱(culebra).

culebrear *intr.* ① 사행(蛇行)하다(hacer culebra). ② 《*Ant.*》 (곤란을) 피하다. ③ 돛을 말아 올리다.

culebreo *m.* 사행(蛇行) : el ~ del rayo.

culebrera *f.* 【조류】 =**pigargo.**

culebrilla *f.* ① 【천문】 사행 유성(蛇行流星). ② (옛날의) 장거리포.

culebrina *f.* 옛날의 길고 구경이 적은 대포.

culebrino, na *adj.* 뱀같은.

culebrón *m.* [*aum.* culebra] ① 커다란 뱀(culebra grande). ② 교활한 남자, 구렁이 같은 남자(persona astuta).

culeco, ca *adj.* ① 《*Amér.*》 날을 듯 기뻐하는. ② 《*Perú. Riopl.*》 잔뜩 반해 버린.

culén *m.* 《*Chile.*》 【식물】 약용 콩과 관목.

culera *f.* (바지의) 궁둥이 대는 천, (아기의 똥이) 스며든 자국.

culero, ra *adj.* 항상 남의 뒤에 처지는. —*m.f.* 게으름뱅이. —*m.* ① 기저귀(pañal). ② 《*Arg. Riopl.*》 (광부들의) 가죽 벨트. ③ = **helera.**

cúlex *m.* 모기(mosquito)의 학명.

culí *m.* 《*Neol.*》 (중국의) 쿨리, 막일꾼.

culicívoro, ra *adj.* 【조류】 말파리를 먹는 (새).

culinario, ria *adj.* 요리의. —*f.* 요리법.

culinegro, gra *adj.* 궁둥이가 새까만.

culito *m. dim.* culo.

culma *f.* ① 《*AmérC.*》 자귀. ② 《*Perú. Riopl.*》 【속어】 어떤 아기의 친어머니와 대모 (수녀)와의 관계에 있는 사람(madrina, comadre).

culminación *f.* ① 최고점, 정점, 최고조, 한창 좋을 때, 극치. ② 【천문】 자오선 통과.

culminante *adj.* 최고의, 절정에 있는, 한창 때의 : punto ~ 정점, 절정, 극점.

culminar *intr.* ① 정점에·절정에 달하다 : Emprendieron contra ellos una campaña que *culminó* en la batalla de Lepanto (서반아 사람들은) 그들 (터키 사람)에 대해 전쟁을 일으켰는데, 그것은 레빤또 전투에서 절정에 달했다. ② 도달하다. ③ (태양이) 자오선을 통과하다. ④ 끝내다, 완료하다.

culo *m.* [*lat.* culus] ① (사람·동물의) 궁둥이, 엉덩이, 항문(ano). ② (사물의) 끝 : un ~ de botella.
~ ***de mal asiento*** 궁둥이가 진득하지 못한 사람.
~ ***de pollo*** 서투른 짜깁기.
~ ***de vaso*** 모조 보석.
a ~ ***pajarero*** 볼기를 까고.

culombio *m.* 쿨롱 《1암페어의 전류가 1초 간에 보내는 전기량》. Sinón. coulomb.

culón, na *adj.* 궁둥이가 큰. —*m.* 【속어】 폐병(廢兵).

culote *m.* 꽉 끼는 여자의 바지(pantalón de mujer muy ajustado).

culpa *f.* [*lat.* culpa] 죄, 과오, 실수, 과실, 허물, 탓 : ~ de las dos partes 쌍방 과실. No es ~ mía 내 잘못이 아니다.
echar la ~ ***a*** …의 탓으로 돌리다, …에게 죄를 뒤집어씌우다 : Le *echaron la* ~ 그들은 그에게 죄를 뒤집어씌웠다.
tener la ~ 탓이다 : Mi secretaria *tiene la* ~ 내 비서 탓이다. ***tener la*** ~ ***de*** …의 책임은 …에 있다 : Yo *tengo la* ~ *de* todo 모두 내 탓이다.

culpabilidad *f.* 나무랄 일, 유죄성, 괘씸한 일, 잘못된 일.

culpabilísimo, ma *adj. sup.* culpable.

culpable *adj.* 죄가 있는, 괘씸한 : deseo ~. —*m.f.* 죄·책임이 있는 사람, 죄인 : Yo soy ~ 내가 나쁘다.

culpablemente *adv.* 죄를 범하여, 괘씸하게도.

culpación *f.* 죄의 전가, 자책.

culpadamente *adv.* 죄를 저질러.

culpado, da *adj.* 죄를 범한·저지른, 잘못한, 실수한. —*m.f.* 죄인, 피고(acusado).

culpante *adj.* 나무라는 ; 죄를 뒤집어씌우는.

culpar *tr.* ① 나무라다 : ～ *de* indolente 게으르다고 나무라다. ② 죄를 씌우다. ③ 비난하다 : ～ el atrevimiento.
～se 스스로 나무라다, 자책하다.
culpeo *m.* 《*Chile.*》 【동물】 커다란 여우.
culpéu *m.* =**culpeo.**
cultalatiniparla *f.* ① 박식한 체 말하기. ② 박식한 척하는 여자(mujer pedante).
cultamente *adv.* ① 교양있게 : escribir ～. ② 교양있는 체하여, 점잔 빼며.
cultedad *f.* 과식(誇飾), 과시(誇示).
culteranismo *m.* ① 과식주의 《gongorismo, 16–17세기에 유명한 Góngora(1561–1627)를 중심으로 하는 과식 있는 시풍(詩風)》 : La poesía lírica tuvo su más eximio represente en España en la persona de Góngora. ② 미사 여구(美辭麗句). Sinón. gongorismo.
culterano, na *adj.* 과식주의의. —*m.f.* 과식주의 시인.
cultería *f.* =**cultedad.**
cultero *m.* =**culterano.**
cultiparla *f.* 과식주의의 말.
cultiparlar *intr.* 박식한 척 말하다.
cultiparlista *adj.* 과식주의의.
—*m.f.* 과식주의자, 짐짓 박식한 척하는 사람.
cultipicaño, ña *adj.* 박식한 척 꾸미는.
cultismo *m.* 짐짓 점잔 빼고 있는 말, 과식주의(誇飾主義)(culteranismo).
cultista *adj.m.f.* =**culterano.**
cultivable *adj.* (밭을) 갈 수 있는, 경작할 수 있는, 개척할 수 있는.
cultivación *f.* [드묾] 경작, 개발, 개척적인 연구.
cultivado, da ① 경작된, 재배된 ; 개발된, 개척된 ; 배양된 ; 연마된. ② =**culto.**
cultivador, ra *adj.* 경작하는, 연구를 추진하는. —*m.* 경운기, 사이갈이 기계.
—*m.f.* 경작자, 개척자, 개발자, 연구자.
cultivar *tr.* ① 경작·재배하다 : ¿Dónde *se cultiva* el olivo? 올리브는 어디서 재배되고 있느냐? ② 개발·개척하다. ③ (세균을) 배양하다, 연구하다, (기능 등을) 닦다, 연마하다, 기르다 : ～ el talento 재능을 닦다. ④ (우의를) 돈독하게 하다 : ～ las amistades 우의를 돈독히 하다.
cultivo *m.* ① 경작, 재배 : En esta región abundan el olivo y otros ～*s* 이 지방에서는 올리브와 다른 경작이 풍부하다. ② 개척, 개발. ③ 배양, 연구, 연마, 교화(敎化).
～ *intensivo* 집약 농법.
culto, ta *adj.* [*lat.* cultus] ① 개발·개척한. ② 재배된. ③ 박식한, 교양이 있는 : lenguaje ～ 교양어. Es un hombre muy ～ 그는 무척 교양이 있다. ④ =**culterano.**
—*m.* ① 신앙, 숭배, 예찬(adoración), 예배, 신앙 예찬 : ～ de dulería 천사 예배. ～ de hiperdulía 성모 예배. ～ de latría 천제(天帝) 예배. ② 예배의 의식 : El ～ empieza a las diez de la mañana 예배는 오전 열 시에 시작한다.
rendir ～ *a* …을 예찬하다, …에게 예배를 드리다 : Ellos *rinden* ～ *a* la belleza 그들은 미를 예찬한다. *Rinden* ～ *a* la diosa de lluvia 그들은 비의 여신에게 예배를 드린다.
cultor, ra *adj.* 숭배·예찬하는. —*m.f.* 예배자, 예찬자.
cultriforme *adj.* 나이프(cuchillo) 모양의.
cultual *adj.* ① 신앙의, 예배의. ② 문화적인.
cultura *f.* [*lat.* cultura] ① 교양, 문화, 문명. ② 훈련, 수련 : ～ física 체육. ③ 재배, 개발.
cultural *adj.* ① 문화적 : la misión ～ 문화 사절(단). ② 교양의, 인문(人文)의, 개발적인.
culturalismo *m.* 문화 운동.
culturalista *m.f.* 문화 운동가.
culturalmente *adv.* 문화적으로.
culturar *tr.* 경작하다, 재배하다(cultivar).
culturización *f.* 문명화.
culturizar *tr.* 7 문명화하다.
cuma *f.* ① 《*AmérC.*》 칼, 짧은 낫. ② 《*Perú. Riopl.*》 【속어】 =**madrina, comadre.**
cumanagoto, ta *adj.* 꾸마나 《Cumaná, Venezuela의 도시·주》의. —*m.f.* 꾸마나인. —*m.* 꾸마나어 《카리브 해안 지방의 토착어》.
cumanés, sa *adj. m.f.* =**cumanagoto.**
cumano, na *adj.m.f.* 꾸마스 《Cumas, 이탈리아의 옛 Campania시》의 (사람).
cumarú *m.* 꾸마루나무 《*Bol. Ripol.* 지방의 콩과의 큰 나무, 그 열매에서 향료와 음료를 얻음》.
cumaruna *f.* 《*Venez.*》 =**cumarú.**
cumba *f.* 《*AmérC.*》 부리가 넓은 술잔.
cumbamba *f.* 《*Col.*》 아래턱뼈.
cumbar *tr.* 《*And.*》 =**combar.**
cumbarí *adj.* 《*Arg.*》 매운 고추의.
cumbé *m.* 꿈베 《흑인들의 춤의 일종》.
cumbia *f.* =**cumbiamba.**
cumbiamba *f.* (꾸바의) 민속춤.
cumbo *m.* ① 《*Salv.*》 입이 둥근 호리병박나무 열매. ② 《*Hond.*》 입이 좁은 호리병박.
cumbre *f.* [*lat.* culmen] ① 꼭대기, 산정, 봉우리(cima) : El castillo está construido en una ～ abandonada de los Andes 그 성은 안데스 산맥의 인적이 드문 산정에 건설되고 있다. ② 정상 : conferencia (en la) ～ 정상 회담. ③ 정점(頂點).
cumbrera *f.* ① 【건축】 대들보, 도리(hilera), 빗장. ② 정상, 연봉(cumbre, cima).
cúmel *m.* 꾸멜주 《독일·러시아 술의 일종》.
cumiar *tr.* 《*Hond.*》 (남의 것을) 빼앗다.
cumiche *m.* 《*AmérC.*》 막내둥이(benjamon, hijo menor).
cumíneo, a *adj.* 카민(comino) 같은.
cuminol *m.* 【화학】 아논드정(精), 카민정(精).
cumpa *m.* 《*AmérM.*》 ① 동료(camarada, compañero). ② 【속어】 친아버지와 대부와의 관계에 있는 사람(padrino, compadre).
cúmplase *m.* (시장 등의) 취임 통고서, 군대에 있어서 명령이나 또는 퇴역 증명시에 하는 고급 장교의 부서.
cumpleaños *m.* 【단·복수 동형】 생일, 탄생일 : ¡Feliz ～! 생일을 축하합니다. Hoy es mi ～. 오늘은 내 생일이다. Reciba mi cordial felicitación en el día de su ～ 당신의 생일에 저의 마음으로부터 축하를 받으십시오.
cumplidamente *adv.* 완전히, 완벽하게, 막힘없이(completamente, cabalmente).
cumplidero, ra *adj.* ① 멀지 않아 없어질·끝날 : plazo ～ 거의 다가온 기한. ② 안성맞춤의.

cumplido, da *adj.* [cumplir의 *p.p.*] ① 완전한(completo) : victoria ~*da* 완승. ② 느긋한 : vestido ~. ③ 예의 바른 : Es una persona muy ~*da* 그는 무척 예의 바른 사람이다. ④ 고지식한. ⑤ 만(…세) : Tiene diecinueve años ~*s* 만 19세이다. ⑥《*Galic.*》행해진. **—m.** ① 예법, 예의(cortesía) ; 가정 교육. ② 기증품, 선물 : Esta alhaja es para *un* ~ 이 장신구는 선물로 준다.

cumplidor, ra *adj. m.f.* 실행하는, 의무를 다하는 (사람), 예의를 다하는 (사람).

cumplimentar *tr.* ⑲ ① 축하하다(felicitar). ② 깍듯이 대접하다, 융숭하게 모시다, 경의를 표하다. ③ (명령을) 집행하다, 실행하다.

cumplimentero, ra *adj. m.f.* 예의를 과장한, 지나치게 정중한 (사람).

cumplimiento *m.* ① 완수, 수행 : El ~ de una promesa resultó muy difícil 약속을 이행하는 것은 매우 어려웠다. Murió en el ~ de su deber 그는 의무를 이행하다 죽었다. ② 만기. ③ 예의 : hacer ~*s* 예의를 다하다. ④ 인사, 수인사, 입에 발린 치사. ⑤ 기증물, 선물. ⑥ 완성, 완벽(complemento).

de ~, *por* ~ 의리상, 의리로 : La aplaudí *por* ~ 나는 그녀에게 의리상 박수를 보냈다.

en ~ *de* …에 따라 · 좇아(conforme a).

sin ~*s* 사양 않고.

cumplir *tr.* [*lat.* cumplire] ① (의무 · 책임 · 소원 등을) 완수하다, 수행하다, 실행하다, 이행하다 : No creo que él *cumpla* su promesa 그가 약속을 이행하리라고 생각하지 않는다. ② 채우다(completar), 만 …살 이다 : Mañana mi hermano *cumple* quince años 동생은 내일 열다섯 살이 된다.

—intr. ① 의무 · 의리를 다하다 : ~ *con* · *por* el amigo 친구에 대해 · 친구를 위해 의리를 다하다. ~ *con* la iglesia 성체를 받다. ② [+con : …을] 완수하다, 다하다 : ~ *con* tus deberes 너의 의무를 다하다. ③ [+por : …의 대신에] 인사하다, 문안드리다 : *Cumpla* usted *por* mí 내 대신 문안 말씀드려 주십시오. ④ 만기가 되다, 기한이 오다 : Esta letra *cumplirá* el 25 de agosto 이 어음은 8월 25일이 만기일이다. ⑤ 적당하다(convenir) : *Cumple* a José hacer un esfuerzo 호세는 더욱 분발하는 것이 좋다.

~se ① 채워지다, 충족되다, 완수되다. ②《*Galic.*》실행 · 실시케 하다, 행하여지다(verificarse). ③ 기한이 되다 : Hoy *se cumple* nuestro plazo 오늘로 우리의 월부는 만기가 된다.

~ *la palabra* 약속을 지키다.

por ~ 예의상, 의리상, 의례적으로 : Le hice una visita *por* ~ 의례적으로 인사하러 갔다.

cumquibus *m.* [*lat.* cum quibus]【속어 · 고어】 돈(dinero).

cumucho *m.*《*Chile.*》=**multitiud, agrupamiento.**

cumulador, ra *adj.* =**acumulador.**

cumular *tr.* [*lat.* cumulare] =**acumular.**

cumulativamente *adv.* 일괄해서(acumulativamente).

cumulativo, va *adj.* 축적 · 누가(累加)적인, 누적하는.

cúmulo *m.* [*lat.* cumulus] ① 퇴적, 산적(montón grande) : ~ de órdenes · pedidos 주문의 산적. ② 누적(累積) : un ~ *de* tontería. ③【기상】적운(積雲), 뭉게구름 : Los ~*s* es resuelven generalmente en lluvia 적운은 대개 비가 되어 분해된다.

~ *estelar* 성운(星雲).

~ *nimbo* 소나기구름, 적란운(積亂雲).

cuna *f.* [*lat.* cuna] ① 요람 : canción de ~ 자장가. ② 출생지, 발상지 : Grecia fue la ~ de la filosofía 그리스는 철학의 발상지였다. ③ 조국(patria), 출생, 가문(estirpe) : un joven de ilustre ~ 명문의 청년. ④ 간단한 조교(吊橋). ⑤【방언】기아 수용서(棄兒收容所)(inclusa).

cunaguaro *m.*【동물】(베네주엘라산의) 표범(gato tigre).

cunar *tr.* =**cunear, mecer.**

cuncalo, la *adj.*《*Arg.*》=**fresco.**

cuncún *m.*《*Arg.*》=**cayaschi.**

cuncuna *f.* ①《*Col.*》【조류】산비둘기. ②《*Chile.*》【곤충】=**oruga.**

cuncho *m.*《*Col.*》=**concho.**

cunda *m.*《*Peru.*》농담 잘하는 사람.

cundeamor *m.*《*Cuba. Venez.*》【식물】덩굴 자스민《호리병박과의 덩굴풀》.

cundiamor *m.*《*Amér.*》=**cundeamor.**

cundido *m.* [*lat.* conditus] (양념과 부식으로 목동 등에게 주는) 식초 · 설탕 · 꿀 · 치즈 · 기름 · 소금 등.

cundido, da *adj.* cundir의 *p.p.*

cundir *intr.* ① 전파하다, 퍼지다, 널리 알려지다, 전해지다, 유포되다 : *Cundió* la noticia 소식이 퍼졌다. Las manchas de aceite *cunden* rápidamente 기름의 얼룩은 빨리 퍼진다. ② 부풀다, 팽창되다 : El arroz *cunde* al cocerse 쌀은 삶을 때 부푼다. **—tr.**《*Sal.*》(빵 등에) 맛을 내다.

cunear *tr.* (요람을 · 요람에 넣어) 흔들다(mecer).

~se 흔들리다(mecerse).

cuneco, ca *m.f.*《*Venez.*》막내둥이(benjamin, hijo menor).

cuneiforme *adj.* 쐐기 모양의 : escritura ~ 설형 문자, 쐐기형 문자.

cuneo *m.* 흔들리는 · 흔드는 일.

cúneo *m.* [*lat.* cuneus] ① 설형 대진(對陣). ② 원형 극장의 통로와 통로 사이의 좌석. ③ 동요.

cunera *f.* (왕자 등의) 요람을 맡아보는 신하.

cunero, ra *adj.* ① 출신이 분명치 않은 (투우), 기아(棄兒)의, 개구멍받이의. ② 외지 사람의, 다른 지방에서 온 (국회의원 · 대의원 · 후보자). **—m.f.** 기아(epxósito), 외래인.

cuneta *f.* (참호 속 · 도로 양측의) 배수구.

cuniculado, da *adj.* 긴 구멍이 있는.

cunicultor, ra *m.f.* 토끼 사육자.

cunicultura *f.* 토끼 사육(cría de conejos).

cuña *f.* [*lat.* cuneus] ① 쐐기 : meter una ~ 쐐기를 박다. ② 쇼핑, 장보기 : poner una ~ debajo de una mesa. ③ 후원자, 조종자. ④ (끝이 잘린 피라미드형의) 바닥 까는 돌. ⑤ (발의) 지골(趾骨)《발가락을 이루는 네 개의 뼈》. ⑥《*Amér.*》유력자, 유지. ⑦《*AmérC. Ant.*》2인승 자동차.

No hay peor ~ *que la de la misma madera*【속담】자기 이외에는 누구도 믿어서는 안된다.

cuñadía *f.* 결혼으로 맺어진 형제 자매 사이, 시누이·올케 사이, 시동생·시아주버니 사이, 처남·매부 사이.

cuñado, da *m.f.* [*lat.* cognatus] 처남, 매부, 시아주버니, 시동생 ; 시누이, 올케, 처제, 처형, 계수, 제수.

cuñar *tr.* (…에) 쐐기를 박다·물리다(acuñar).

cuñete *m.* 작은 통, 저장통 : ~ de metal 드럼통.

cuño *m.* ① (화폐·달러의) 각인(刻印), 자국, 틀 : de nuevo ~ 현대의, 신형의. ② 설형(楔形) 대열(cúneo).

cuociente *m.* [*lat.* quotiens] [드뭄] 【수학】 상(商)(cociente).

cuodlibetal *adj.* =**coudlibético.**

cuodlibético, ca *adj.* cuodlibeto의.

cuodlibeto *m.* [*lat.* quodlibet] 자유 제목의 과학 논문, 졸업 논문, 필요없는 욕지거리, 의미가 없는 욕지거리.

cuota *f.* [*lat.* quotus] ① 몫, 할당액, 할당분, 배당(액), 분담액 : Vamos a fijar la ~ que corresponde para cada uno 각자한테 해당되는 할당액을 정합시다. ② 요금, 회비 : ~ de entrada 입회금. ③ 입금, 일당.

cuotidiano, na *adj.* =**cotidiano, diario.**

cupé *m.* 2인승 사륜 마차(berlina), 합승 마차의 특등석.

cupido *m.* 잘 반하는 남자(hombre muy enamoradizo).

Cúpido *m.* 【신화】 연애의 신(神).

cupilca *f.* 《*Chile.*》 밀가루 비스킷.

cuplé *m.* [*fr.* couplet] 노래, 속요(copla).

cupletista *f.* 《*Galic.*》 샹송 가수(cancionista).

cupo *m.* [*fr.* coupe] ① 할당(분)(cuota). ② 《*Méx.*》 용량. ③ 《*Méx.*》 감옥(la cárcel).

cupón *m.* [*fr.* coupon] ① 쿠폰 : Mándenos el ~ del pie, con su nombre y dirección completos 아래의 쿠폰권에 주소와 성명을 기입하여 보내주십시오. ② 절취표, 절취식 배급권 ; 표, (광고 등에 붙인) 절취권·신청표 : ~ regalo 상품부 경품권.

cupresáceo, a *adj.* 【식물】 송백류의. —*f.pl.* 송백류.

cupresíneo, a *adj.* =**cupresáceo.**

cupresino, na *adj.* 【시어】 실 삼나무 (목재)의.

cúprico, ca *adj.* 【화학】 동(cobre)의 : óxido ~.

cuprífero, ra *adj.* 구리의, 구리가 들어 있는·함유된 : mineral ~.

cuproníquel *m.* 백동, 백동화.

cuproso, sa *adj.* 【화학】 제1동(銅)의 : carbonato ~.

cupuchas *f.pl* 《*Chile.*》 =**nadaderas.**

cúpula *f.* ①【건축】 원형 지붕. ② 회전 포탑(砲塔). ③ (도토리의) 꼭지.

cupulífero, ra *adj.* 【식물】 꼭지·곡두가 있는, 곡두과의. —*f.pl.* 곡두과 식물.

cupuliforme *adj.* 【식물】 원형 지붕(cúpula) 모양의.

cupulino *m.* (원형 지붕의) 첨탑.
Sinón. linterna.

cuquear *tr.* 《*Cuba.*》 꼬드기다(azuzar).

cuquera *f.* 《*Ar.*》 =**gusanera.**

cuquería *f.* =**pillería.**

cuquero, ra *m.f.* 악한·못된 인간.

cuquillo *m.* =**cuclillo.**

cura *f.* [*lat.* cura] ① 치료 : Ella se consagró a las ~*s* de los enfermos 그녀는 환자들의 치료에 헌신했다. ② 치료법(curativo) : ~ de reposo 안정 요법. ③ 《*Chile.*》 취기(醉氣). —*m.* ① 주지, (주임) 사제(~ párroco) : ~ ecónomo 대리 신부. ~ de misa y olla 평범한 승려. este ~ 【속어】 이 사람은, 소생은(yo). El Padre García es el ~ de esta parroquia 가르시아 신부는 이 교구의 주임 사제이다. ②【속어】 입에서 튄 침.
alargar la ~ 일을 미적미적 미루다.
no tener ~ 손댈 길이 없다.
ponerse en ~ 치료를 받다·시작하다.

curabilidad *f.* 치료할 수 있음, 치유될 가망이 있음.

curable *adj.* 치료할 수 있는 : llaga ~ 치료할 수 있는 종양.

curaca *m.* 《*AmérM.*》 =**cacique.**

curación *f.* [*lat.* curatio] ① 치료 ; 완쾌. ② 《*Méx.*》 해장술.

curadera *f.* 《*Chile.*》 취함, 취기.

curadillo *m.* 【어류】 대구(bacalao)의 일종.

curado, da *adj.* [curar의 *p.p.*] ① 완쾌한 ; 치료된. ② 무두질한 (피혁) ; 굳어진 ; 가공한. ③ 소금에 절인. ④ 《*AmérM.*》 술취한(ebrio).

curador, ra *adj.* [*lat.* curator] 시중을 드는 ; 치료하는. —*m.f.* ① 시중꾼 ; 치료자. ② 가공자(加工者). ③ 보좌역, 후견인 : ~ ad bona 금치산자의 후견인. ~ ad lítem 미성년자의 후견인. ④ 재산 관리인.

curaduría *f.* 재산 관리, 미성년자의 후견 : ~ ejemplar 정신 이상자의 후견.

curagua *f.* 《*AmérM.*》 (칠레의 원산의) 알이 딱딱한 옥수수.

cural *adj.* 사제의 : casa ~.

cumagüey *m.* (꾸바의) 독성 덩굴풀.

curandería *f.* 무허가 치료·진료. 돌팔이 의사의 치료.

curanderil *adj.* 무허가 치료의.

curanderismo *m.* 《*Amér.*》 무허가 의원·치료소.

curandero, ra *m.f.* 돌팔이 의사.

curanto *m.* 《*Chile.*》 뜨거운 돌 위의 구멍에 조개, 고기 및 야채를 넣은 요리.

curaña *f.* 《*Chile.*》 (식물에서 얻는) 독(毒).

curar *tr.* [*lat.* curare] ① 치료하다, 고치다 : El *cura* a muchos pacientes 그는 많은 환자들을 치료하고 있다. ② (누구의) 치료비를 내다. ③ 가공하다, 소금에 절이다, 굽다 : ~ pescado al humo 생선을 굽다. ④ (가죽을) 무두질하다. ⑤ (재목을) 재워 두다, (아마 등을) 여러 해 동안 두다.
—*intr.*, **~se** ① (질병·상처 등이) 낫다, 치유되다, 완쾌되다 (sanar) : Ella *(se) ha curado de* la enfermedad 그녀는 병이 완쾌되었다. *Se ha curado* en pocos días 그는 며칠 만에 회복되었다. *Se ha curado* por completo *de* la pulmonía 그는 폐렴이 완전히 나았다. ② [+de : …을] 조심하다, 보살피다, 손질하다 : El *cura de* los caballos 그는 말을 돌보고 있다. ③ [+

de : …에] 신경을 쓰다, 주의하다 (tener cuidado con) : No *(me) curo de* tus palabras 자네 말에 신경을 쓰지 않겠다.
~se ① 치료하다 : *~se con* baños 찜질하다. *~se* en salud 양생(養生)하다. ②《*AmérC.*》 취하다(emborracharse). ③《*AmérC. Méx.*》 해장술을 마시다.

curare *m.* (남미 토인이 화살촉에 바르는) 무서운 독.

curasao *m.* 꾸라사오《오렌지 껍질로 빚은 술》.

curatela *f.* =**curaduría.**

curativa *f.* 치료법, 요양법(método curativo).

curativo, va *adj.* 치료용의 : nuevo método ~ 신치료법. remedios *~s* 치료법. **—***m.* 약제(藥劑).

curato *m.* 주지, 사원 전속 신부(cura)의 직위 ; 그 관구(parroquia).

curazao *m.* =**curasao.**

curazoleño, ña *adj.* 꾸라사오(Curasao) 섬의. **—***m.f.* 꾸라사오 섬사람.

curbaril *m.* 【식물】 코바르나무 ; 그 수지(樹脂).

curca *f.* 《*Chile. Perú.*》 곱사등(joroba).

curco, ca *adj.* 《*Ecuad. Chile.*》 곱사등이의 (jorobado).

curcucho, cha *adj.* =**curcuncho.**

curcliónido, da *adj.* 【곤충】 바구미(gorgojo) 같은.

cúrcuma *f.* 【식물】 심황 ; 심황 뿌리《염료로 쓰임》.

curcuncho, cha *adj.* ①《*Amér.*》 곱사등이의, 굽은(jorobado). ②《*Bol. Ecuad.*》 귀찮은, 번거로운. **—***m.f.* 곱사등이.

curcusilla *f.* (새·짐승의) 둔부, 궁둥이 ; (사람의) 엉덩이 ; 꽁무니(rabadilla).

curda *f.* =**borrachera, embriaguez.** **—***m.f.* 주정뱅이.

curdelón, na *adj.* 《*Arg.*》 술취한(borracho).

curdo, da *adj.* 꾸르디스딴《Curdistán, 꾸르드족(curdos)이 사는 서 아시아 지방》의 (사람).

cureña *f.* [*lat.* currus] 포가(砲架) ; (돌을 재어 쏘는 활에서) 활.
a ~ rasa 엄호받지 않고 ; 야외·노천에서(sin defensa o abrigo) : dormir *a ~ rasa.*

cureñaje *m.* 포가(의 전체).

cureo *m.* 《*Chile.*》【조류】 개똥지바퀴의 일종.

curesca *f.* 옷감을 손질할 때 떨어지는 가윗밥.

curetaje *m.* 《*Galic.*》 =**raspado.**

curetuí *m.* 《*Arg.*》 작은 새의 이름.

curí *m.* ①【동물】 기니아픽. ②【식물】 남미의 거목(araucaria).

curia *f.* ① 민사 법원. ② [집합] 법원 직원. ③ (옛 로마의) 종족. ④ (옛 로마의) 원로원.

curía *f.* ①《*Col.*》 curí의 암컷. ②《*Dom.*》 = **curí.**

curial *m.* 법원의 하급 직원 ; 변리사(辨理士). **—***adj.* curia의.

curialesco, ca *adj.* 법원 식의 : estilo ~.

curiana *f.* 【곤충】 바퀴벌레(cucaracha).

curiara *f.* 남미 토인의 좁고 길쭉한 배.

curiche *m.* 《*Bol.*》 =**pantano, laguna.**

curiel *f.* 《*Cuba.*》【동물】 모르모트(conejilla de Indias).

curio *m.* ① 퀴리《방사능의 단위》. ② 퀴륨《초우라늄 원소의 일종》.

curiosamente *adj.* ① 호기심에서, 진기한 듯이, 신기한 듯이(con curiosidad). ② 열심히, 의욕적으로 ; 청결하게, 깨끗하게.

curiosear *intr.* 호기심을 일으키다. **—***tr.* ① 샅샅이 뒤지다·캐다, 꼬치꼬치 알아보다(fisgonear). ②《*Arg.*》 조사하다.

curiosidad *f.* ① 호기심 : Lo hice por ~ 호기심으로 그것을 했다. Venía traído de la ~ 그는 호기심에 끌려 왔다. ② 청결성. ③ 지식욕.
—*pl.* 골동품, 진품 : El está coleccionando a las *~es* orientales 그는 동양의 골동품들을 수집하고 있다.

curioso, sa *adj.* ① 호기심이 있는, 사물을 알고 싶어하는, 꼬치꼬치 캐고 싶어하는 : ~ *de* noticias 뉴스를 알고 싶어 하는. ~ *por* saber 알고 싶어 꼬치꼬치 캐는. ② 신기한, 진기한, 기묘한 : asunto ~. ③ 열성적인, 집착력이 강한. ④ 깨끗한, 개운한, 산뜻한, 청결한(limpio). **Contr.** discreto ; sucio. **—***m.f.* 호기심이 강한 사람 ; 구경꾼 : Se han reunido muchos *~s* 많은 구경꾼이 모였다.

curiyú *m.* ①《*Arg.*》【동물】 물뱀. ② *guaraní.* 라·쁠라따강.

currar *tr.* 【은어】 =**engañar, timar.**

currican *m.* (배의 고물쪽에 드리우는) 낚싯줄.

curricular *adj.* 교육·이수 과정·커리큘럼의.

currículo *m.* 교육·이수 과정, 커리큘럼.

currículum(vitae) *m. lat.* 이력서.

currinche *m. desp.* 견습 기자.

curro, rra *adj.* 의협심 있는, 씩씩한, 객기가 있는(majo, guapo). **—***m.f.* 의협심이 강한 사람. **—***m.* 《*Ast. León.*》 =**pato.**

curruca *f.* ①【조류】 굴뚝새, 자고새《두견새가 그 알을 이 새의 둥지에 깐다》. ②《*Ar.*》 = **jauría.**

currutaco, ca *adj.* ① 유행(moda)만을 좇는. ②《*AmérM.*》 땅딸막한. **—***m.* 《*Bol.*》 코가 뭉툭한 동물(animal de hocico romo). **—***m.pl.* 《*AmérC.*》 설사.

cursado, da *adj.* [+en : …에] 숙달한, 정통한(versado). **—***m.f.* 맵시를 부리는 사람.

cursante *adj.* 수학(修學)하는. **—***m.f.* 수학생, 수강생, 청강생. **—***m.* 이 달, 이번 달.

cursar *tr.* [*lat.* cursare] ① (…에) 자주 가다 (frecuentar) ; 몇 번이고 하다 : *Curso* la lectura 나는 몇 번이고 읽고 있다. ② (학과 등을) 배우다 : *Cursé* la psicología en la universidad 나는 대학에서 심리학을 배웠다. ③ (서류를 담당계로) 돌리다. ④ (훈령에) 답하다. **—***intr.* ① 면학하다, 배움에 힘쓰다. ②《*Galic.*》【속어】 경과하다(correr) : el 5 del que *cursa* 이 달 5일, 금월.
el mes que cursa 이달, 금월.

cursería *f.* =**cursilería.**

cursi *adj.* [*pl.* cursis ; 【속어】 cúrsiles] 촌스러운 ; 저속한, 악취미의. **—***m.f.* 악취미를 가진 사람.

cursiento, ta *adj.* 《*Arg.*》 =**camariento.**

cursilada *f.* 촌스런 언동.

cursilería *f.* 촌스러운 일, 꼴불견. **—***pl.* 꼴불견들, 악취미를 가진 자들.

cúrsiles *adj. pl.* cursi의 복수형.

cursilón, na *adj. m.f.* [*aum.* cursi] 촌스러운

(사람), 악취미를 가진 (사람).

cursillista *m.f.* (단기 강습의) 청강생 ; 실습생.

cursillo *m.* [*dim.* curso] 단기 강의 ; 단기 강습회 ; 교생 실습.

cursivo, va *adj.* 이탤릭체의, 사자체(斜字體)의 : en ~*va* 이탤릭체로.

curso *m.* [*lat.* cursus] ① 흐름, 진로 (carrera, dirección) : ~ alto 상류. ~ bajo · inferior 하류. ~ medio 중류. Siguieron el ~ del río 그들은 하류(河流)를 따라 갔다. El río es navegable en su ~ bajo 강은 하류에서 선박이 항행할 수 있다. ② 운행 : el ~ de los astros. ③ 과정, 코스, 경과 : en ~ ㄱ) 과정에 있는, 경과중인 : año · mes · semana *en* ~ 금년 · 금월 · 금주. ㄴ) 미결의 : asunto *en* ~ 미해결의 문제. seguir el ~ 과정 · 경과를 더듬다. ④ 경로 : ~ de la vida 인생 항로. ⑤ 연속(serie, continuación) : el ~ de los sucesos. ⑥ 유포, 유통 (circulación, difusión) : dar ~ a …를 유포 · 유통시키다. ⑦ 서류를 차례로 돌리는 일 : dar ~ 돌리다, 다음으로 · 발송할 곳으로 보내다. dar ~ a una solicitud 원서를 접수해서 돌리다. ⑧ 학과, 교육 과정 ; 연속 강의, 강좌 : dar un ~ de agricultura 농업 강의를 하다. ⑨ 학년(grado) : ¿De qué ~ es usted alumno? 당신은 몇 학년생입니까 ? Estudié el ~ de la literatura clásica 나는 고전 문학 과정을 공부했다. ⑩ 강습회. —*pl.* 설사 (diarrea) : tener ~*s* 설사를 하고 있다.

dar libre ~ a …를 발휘하다.

cursómetro *m.* (열차의) 속도계.

cursor *m.* (기계의 부품에서) 활판(滑瓣) ; (행렬의) 감독 사제(司祭).

curtación *f.* =**acortamiento.**

curtido, da *adj.* [curtir의 *p.p.*] ① 무두질한. ② (태양 · 갯바람 등에) 탄. ③ [+en : …에] 단련된, 숙련된 : Es un hombre ~ por la vida. ④ 《*Méx.*》 =**avergonzado, sonrojado.** —*m.* 가죽다루기 ; (가죽을 무두질하는데 쓰는) 나무 껍질. —*pl.* 무두질한 가죽.

curtidor, ra *m.f.* 가죽을 무두질하는 사람.

curtidura *f.* 가죽의 무두질 ; 볕에 그을림, 갯바람에 탐 ; 단련.

curtiduría *f.* 무두질 공장, 피혁 공장(tenería).

curtiembre *f.* ① =**curtimiento.** ② 《*Amér.*》 = **curtiduría.**

curtiente *adj. m.* 제혁(製革)의, 무두질의 ; (무두질에 쓰는) 약재.

curtimiento *m.* 무두질 ; 볕에 탐, 갯바람에 탐 ; 단련.

curtir *tr.* ① (가죽을) 무두질하다(adobar). ② (태양이나 갯바람에) 살을 태우다 (tostar al sol el cutis) : El aire del mar *curte* el rostro. ③ = **encurtir.** ④ 단련하다.

~se ① (태양이나 갯바람에) 타다 : El *se ha curtido* al sol 그는 햇볕에 탔다. ② 숙달되다. ③ 고난 · 한서(寒暑)에 단련되다. ④ 《*AmérC. Col.*》 더러워지다.

curto, ta *adj.* ① 《*Ar.*》 =**corto.** ② 《*Ar.*》 = **rabón.**

curú *m.* 《*Chile. Perú.*》 【곤충】 구더기, 송충(松蟲), 송충이(gusano).

curuca *f.* =**curuja.**

curucú *m.* 《*Nicar.*》 =**quetzal.**

curuguá *m.* 《*AmérM.*》 【식물】 꾸루구아 바나나 《꽃은 향기가 좋고, 열매는 그릇으로 쓰임》.

curuja *f.* 【조류】 부엉이(lechuza).

curul *adj.* [*lat.* curulis] 상아 의자의 (de la silla de marfil) ; 대법관의. —*f.* 고관 · 의장의 의자.

curunda *f.* 《*Ecuad.*》 옥수수의 수염.

cururo, ra *adj.* 검은 색의 (사람 · 동물 · 물건). —*m.* 《*Chile.*》 들쥐.

cururú *m.* 《*Chile.*》 =**cururo.**

curva *f.* ① 곡선, 커브: ~ de nivel 지도의 등고선(等高線), 등심선(等深線). ② 곡선 그래프: ~ de mortalidad 사망률 그래프. ~ de natalidad 출생률 그래프. ~ de temperatura 기온의 그래프 [변화 곡선]. ③ (길 · 노선 · 강 등의) 커브, 만곡부(彎曲部): ~ abierta 완만한 커브. ~ cerrada 급커브. coger · tomar una ~ 커브를 긋다. ④ (몸의) 선(線), 보디 라인.

curvar *tr.* 구부러뜨리다, 휘다.

~se 구부러지다, 휘어지다. Su espalda se curva al andar 그의 등은 걸을 때 구부러진다.

curvatón *m.* =**curva pequeña.**

curvatura *f.* =**curvidad.**

curvidad *f.* [*lat.* curvitas] 만곡(彎曲), 굴곡(屈曲), 휘어진 · 구부러진 정도 · 율(率).

curvilíneo, a *adj.* ① 곡선의: coordinados ~s 곡선 좌표. ② 펑퍼진. ③ (여성의) 몸의 선이 아름다운, 곡선미의.

curvímetro *m.* (곡선의 길이를 재는) 곡선계(曲線計), 곡선 측장기(曲線測長器).

curvo, va *adj.* ① 굽어진, 커브를 그린, 활 모양의. ② 《*Amér.*》 뒤틀린, 이그러진(corvo). ③ 《*Col.*》 다리가 굽은. ④ 《*PRico.*》 왼손잡이의.

cusca *f.* ① 《*Col.*》 =**borrachera.** ② 《*AmérC., Méx.*》 창녀, 갈보, 매춘부.

hacer la ~ 곤란하게 하다, 애먹이다.

cuscha *f.* 《*Amér.*》 안주, 소주.

cusco *m.* 《*Amér.*》 =**cuzco.**

Cusco *m.* 【지명】 =**Cuzco.**

cuscungo *m.* 【조류】 (에꾸아도르의) 부엉이의 일종.

cuscurrear *intr.* 씹을 때 소리를 내다.

cuscurro *m.* 빵의 굳은 껍질.

cuscurrón *m.* =**cuscurro.**

cuscurroso, sa *adj.* 씹을 때 소리가 나는.

cuscús *m.* =**alcuzcuz.**

cuscuta *f.* 【식물】 매꽃과 식물의 일종 《아마과 식물에 기생함》.

cusir *m.* (찢어진 데를) 꿰매다(corcusir).

cusma *f.* 《*Amér.*》 (밀림의 인디오들의) 셔츠 (camisa).

cuspa *f.* 《*Amér.*》 【식물】 야자나무 비슷한 관목.

cuspar *tr.* 《*Chile.*》 쫓아가다, 뒤쫓다.

cusparia *f.* 【식물】 =**galipea.**

cuspe *m.* ① 《*Col.*》 =**trompo.** ② 《*Perú.*》 =**cutí.** ③ 《*Chile.*》 작고 떠들썩한 사람.

cúspide *f.* [*lat.* cuspis] ① 정상(cumbre), 정점(vértice): la ~ de un cono 원추의 정점. ② 이빨의 끝. ③ (원추 따위의) 끝. ④ 절정(絕頂), 극치(極致): llegar a la ~ de la gloria 영광의 절정에 달하다.

custodia *f.* ① 보관, 관리: en ~ 보관 중인. El depositó las joyas en el banco para su ~ 그

는 보관할 목적으로 보석을 은행에 맡겼다. ② 감독. ③ 경호. ④ 관리자, 보호자, (죄수 등의) 감시인. ⑤ 【종교】 성체 현치대(聖體顯置臺); 성궤(聖櫃).

custodiar *tr.* ① 보관하다, 관리하다. ② 감독하다. ③ 에스코트하다, 경호하다, 수호하다, 감시하다(guardar, vigilar): Una pareja de guardias custodiaban al preso 두 간수가 죄인을 감시하고 있었다. ④ 보호하다.

custodio *adj.* 보관하는, 관리하는; 경호하는, 수호하는, 감시하는: ángel ～ 수호신. ―*m.* 보호자, 수호자; 관리자, 보관자; 감시인.

cusube *m.* 《*Cuba.*》 유까의 가루(harina de yuca), 물(agua), 설탕(azúcar) 및 달걀(huevo)로 만든 과자.

cusuco *m.* 《*Salv.*》 =**armadillo.**

cusumbé *m.* 《*Ecuad.*》 =**cusumbo.**

cusumbo *m.* 《*Col.*》 【동물】 (꼬리가 긴) 곰의 일종(coatí).

cususa *f.* 《*AmérC.*》 당밀주(aguardiente de caña).

CUT 《*Chile.*》 Central Unica de Trabajadores.

cutacha *f.* 《*AmérC.*》 길고 곧은 나이프.

cutama *f.* ① 《*Chile.*》 가죽 자루; 옷의 주머니. ② 《*Chile.*》 멍청이.

cutáneo, a *adj.* 피부의: erupción ～*a* 피부의 발진(發疹). enfermedad ～*a* 피부병(皮膚病).

cutara *f.* =**cutarra.**

cutarra *f.* 《*AmérC.*》 =**chancleta.**

cúter *m* [*ing.* cutter] 군함에 탑재한 보트.

cuti *m.* 《*Ven.*》 속어, 상말, 슬랭.

cutí *m.* 이불잇; 엉성하게 짠 삼베.

cutiano, na *adj.* =**cotidiano.**

cutícula *f.* (피부의) 표피(表皮), 외피(外皮); 얇은 막(película).

cuticular *adj.* 표피(表皮)의, 각피(角皮)의.

cutidero *m.* 연타(batidero).

cutio *m.* (육체) 노동; 일. ―*adv.* 계속해서, 잇달아(continuamente).

cutir *tr.* 두들기다, 때리다, 치다.

cutirreacción *f.* 피부 반응: El ha sido sensible a la ～ 그는 피부 반응이 양성이었다.

cutis *m.*(*f.*) 【단·복수 동형】 ① 피부: ～ suave 부드러운 피부. limpieza de ～ 스킨 클리닝. crema para ～ seco 건조한 피부용 크림. quemar el ～ al sol 햇볕에 피부를 태우다. ② 안면(顔面).

cuto, ta *adj.* 《*AmérC., Bol.*》 외팔이의(manco).

cutral *adj.* ① 노쇠한(cansado y viejo). ② 도살장에 가야 할. ―*m.f.* 노쇠한 소; 도살장에 끌려가는 소.

cutre *adj.* ① 천덕스러운, 구질구질한, 초라한, 누추한, 꼴사나운(miserable, ruin). El hotel es un poco ～ 호텔이 약간 구질구질하다. Es un chico de lo más ～ 그는 아주 초라한 소년이다. ② 인색한(tacaño).

cutrería *f.* 지저분함, 누추함, 구질구질함, 초라함, 천덕스러움.

cutrerío *m.* 오합지중, 어중이떠중이.

cutriaco *m.* 《*Arg.*》 고추 넣은 고기 요리.

cutuco *m.* 《*Sal.*》 =**calabaza.**

cuy *m.* ① 《*AmérM.*》 【동물】 =**cobaya.** ② 《*Ecuad.*》 꽃불, 폭죽. ③ (칠레산) 토끼(conejillo de Indias).

cuyá *f.* 《*Chile.*》 【조류】 바위족제비(hurón)의 일종.

cuyabra *f.* 《*Col.*》 호박으로 만든 그릇·용기.

cuyamel *m.* 《*Hond.*》 【어류】 꾸야멜 《강의 물고기》.

cuyano, na[1] *adj.* 꾸요 《Cuyo, 아르헨띠나의 안데스 산록에 있는 지방》의. ―*m.f.* 꾸요 사람.

cuyano, na[2] *adj.* 《*Chile.*》 아르헨띠나의. ―*m.f.* 《*Chile.*》 아르헨띠나 사람.

cuye *m.* 《*Chile.*》 돼지쥐, 천축쥐.

cuyo, ya *pron.* [*lat.* cujus] [관계 소유 대명사, 관계 형용사; 수식하는 명사의 성과 수에 따라서 어미 변화를 함; 선행사인 명사·대명사를 받음] 그것의: la casa ～ tejado es de tejas 지붕이 기와인 집. el cuarto en ～ fondo está la chimenea 안쪽에 난로가 있는 방. el niño ～*s* padres están en Barcelona 부모가 바르셀로나에 있는 아이. el conductor, *cuya* identidad no ha sido revelada 신원이 밝혀지지 않은 운전수. vocablos ～ uso es extendido 광범위하게 사용되는 단어들. en un lugar de ～ nombre no quiero acordarme 내가 기억하고 싶지도 않은 이름의 장소에서. Ayer visité a mi hermano, *cuya* mujer estaba enferma 어제 나는 내 아우를 찾아갔는데 제수씨가 병중이었다. Está en cama el amigo a *cuya* casa me dirijo 그 친구는 앓고 있어 나는 그의 집으로 가고 있다. Viene el hombre *cuya* hija es médica 그의 딸이 의사인 남자와 온다. ―*m.* 【속어】 연인, 애인.

a ～ efecto =con ～ objeto.

con ～ objeto 그 때문에, 그 목적으로.

para ～ fin =con ～ objeto.

en ～ caso 그 경우에: *En ～ caso* se procederá como se indica a continuación 그 경우에 계속해서 지시한 대로 수속을 밟게 될 것이다.

cúyo, ya *pron.* 【고어】 [의문 소유 대명사] 누구의 : ¿*Cúya* es esta pluma? (¿De quién es esta pluma?) 이 펜은 누구의 것입니까? Lázaro cuenta su vida y ～ hijo fue 라사로는 자신의 신상에 대한 일과 자기가 누구의 자식인지에 대해 말한다.

cuyují *m.* 《*Amér.*》 (꾸바의) 부싯돌(pedernal)의 일종.

ser uno ***un*** ～ 《*Cuba.*》 매우 강하다(ser muy fuerte).

cuza *f.* 《*Ast. León.*》 작은 암캐(perra pequeña).

cuzco *m.* 《*Amér.*》 =**gozquecillo.**

Cuzco *m.* 【지명】 꾸스꼬 《께추아어로 배꼽의 뜻으로 배꼽은 중앙이니 곧 수도를 뜻하여 옛 잉카제국의 수도; 1533년 서반아 사람 Pizarro가 정복함; 현재 뻬루의 주·주도; 해발 3,467 미터에 위치함; 이곳에서 기차로 네 시간 거리에 그 유명한 마추삑추(Machupicchu) 유적지가 있음》.

cuzco, ca *adj. m.f.* ① 《*Hond.*》 =**jorobado.** ② 《*Méx.*》 =**goloso.**

¡cuz, cuz! *interj.* 개를 부르는 소리.

cuzcuz *m.* =**alcuzcuz.**

cuzma *f.* (아메리카의 산악 지방 인디오들이 입는) 목과 소매가 없는 양모 가운·겉옷(sayo de lana sin cuello ni mangas).

cuzo, za *m.f.* 《*Ast. León.*》 강아지.

cuzquear *tr.* 《*Amér.*》 《*Arg.*》 구애하다.

—*intr.* 〈*Méx.*〉 (창녀가) 손님을 찾아다니다.

cuzqueño, ña *adj.* 꾸스꼬(Cuzco)의.
 —*m.f.* 꾸스꼬 사람.

C.V. caballo de vapor 마력.

c/v. correo vuelto ; cuenta de venta.

CVC Corporación Autónoma Regional de Cauca.

CVF Corporación Venezolana de Fomento.

CVG Corporación Venezolana de Guayana.

CVM Corporación Autónoma Regional de los Valles Magdalena y el Sinú.

CVP Corporación Venezolana del Petróleo.

c/vta. cuenta de venta.

czar *m.* 러시아의 황제(zar).

czarda *f.* (항가리의) 경쾌한 춤.

czarevitch *m.* =**czarevitz.**

czarevitz *m.* 러시아의 황태자(zarevitz).

czariano, na *adj.* 러시아 황제의(zariano).

czarina *f.* 러시아의 여왕·황후(zarina).

D

d *f.* 데《서반아어 자모의 다섯째 문자(quinta letra del abecedario castellano)》.
D 로마 숫자의 500.
d., d / daño ; de ; día ; dinero.
D. don 돈《남자 이름 앞에 붙이는 경칭》.
da dar의 직·현·3·단수 : *Dá*melo 나에게 그것을 주게.
D.ª doña 도냐《여자 이름 앞에 붙이는 경칭》.
dable *adj.* 가능한, …할 수 있는(posible) : Haré cuanto sea ～ por usted 당신을 위해서라면 가능한 모든 것을 하겠습니다.
daca [da acá의 단축형] 이리 내놓아라 : *Daca* tu dinero 네 돈을 이리 내놓아라.
andar al ～ y toma 토론으로 하루를 보내다(andar en dares y tomares).
da capo *adv. ital.* 【음악】 처음부터 반복하여.
dacio *m.* [*lat.* datio] (어떤 물건의) 세금.
dacio, cia *adj. m.f.* [*lat.* daciuse] 다시아《Dacia, 다뉴브강 좌측에 있었던 고대 국가》의 (사람).
dación *f.* 양여 : ～ en pago 지불 저당.
dacriocistitis *f.* 누낭염(淚囊炎).
dacrióideo, a *adj.* 눈물 같은.
dacrón *m.* ① 데이크론《합성 섬유의 일종 ; 상표 이름》. ② 폴리에스텔 섬유.
dactilado, da *adj.* 손가락 모양의.
dactilar *adj.* 손가락의(digital) : huellas ～*es* 지문.
dactílico, ca *adj.* 【시어】 장단단조·강약약조의 (시구).
dactiliforme *adj.* 【건축】 야자나무 모양의.
dactilioglifia *f.* 반지와 보석 세공술.
dactiliografía *f.* 반지나 세공된 보석 수집 기술.
dactiliógrafo *m.* dactiliografía 전문 고고학자.
dactiliología *f.* 조각한 반지·보석의 연구.
dactiliólogo *m.* dactiliología 전문 고고학자.
dactilión *m.* (피아노 연습의) 손가락끝 연습기.
dáctilo *m.* [*lat.* dactylus] 【시어】 장단단조, 강약약조. **Sinón.** estrújulo.
dactilografía *f.* 타자(打字), 타이프라이팅(mecanografía).
dactilográfico, ca *adj.* 타이프라이터의.
dactilógrafo, fa *m.f.* 타이피스트, 타자수(mecanógrafo).
dactilolalia *f.* 지화(指話)법·술 : Los sordomudos usan la ～ 농아들은 지화법을 사용한다.
dactilología *f.* =**dactilolalia.**
dactilológico, ca *adj.* 지화법의.
dactiloscopia *f.* 지문학, 지문법.
dactiloscópico, ca *adj.* 지문(학)의.
dadaísmo *m.* 다다이즘.
dadaísta *adj. m.f.* 다다이스트(의).
dádiva *f.* [*lat.* dativa] 선물(regalo).
Dádivas quebrantan peñas 【속담】 선물로 가장 큰 어려움이 극복된다.
dadivar *tr.* 선물하다(regalar).
dadivosamente *adv.* 선뜻, 기분좋게.
dadivosidad *f.* 선심.
dadivoso, sa *adj.* 선심의, 물건을 아끼지 않는, 인심이 좋은(generoso). **Contr.** avaro, tacaño.
dado *m.* [*lat.* datum] ① 주사위 : ～ cargado · falso 속임수 주사위. ② 【건축】 기둥 받침, 벽의 기둥(neto, pedestal). ③ 굴대나 나사에 끼우는 주사위 모양의 각목 조각. ④ (깃대의) 바탕 빛깔이 아닌 빛깔.
cargar los ～s 주사위에 속임수 세공을 하다.
conforme diere el ～ 잠시 되어 가는 꼴을 보아, 잠시 경과를 보아.
correr el ～ 운이 트이다.
dar · ecbar ～ falso 속이다(engañar).
estar como el ～ 꼭 들어 맞다(estar bien).
dado, da *adj.* [dar의 *p.p.*] 주어진 ; (…에) 열중한, 빠진.
dado que …이라는 것을 전제로 하여, …하는·인 바에는 : *Dado que* así sea, la veré mañana 만약 그렇다면, 제가 내일 그녀를 만나겠습니다.
mal dadas 썩어버린 싹 ; 빗나감.
dador, ra *m.f.* ① 양도자 ; (편지 등의) 지참인. ② 【상업】 어음 발행인.
dafnáceo, a *adj.* 월계수 같은.
Dafne *f.* 【신화】 Apolo의 사랑을 받아, 아버지에 의해 월계수가 되어 버린 여자.
daga[1] *f.* [*lat.* daga ; *fr.* dague] 비수, 단도, 주머니칼.
llegar a las ～s (어떤 일이) 위기에 처하다·빠지다, 중대한 고비에 접어들다.
daga[2] *f.* [*ár.* taca] 가마 속에 넣은 벽돌의 한 줄.
dagame *m.* 《*Amér.*》 다가메나무《가지가 없고 줄기와 수관(樹冠)만 있는 진기한 나무》.
dagazo *m.* 비수로 찌르기 ; 비수로 찔린 상처.
dagoba *f.* (불교도의 유물 보존용) 사리함·분묘.
dagón *m.* [*aum.* daga] (옛날의) 단도(espada corta).
daguerrotipar *tr.* 은판 사진으로 촬영하다.
daguerrotipia *f.* 은판 사진(술).
daguerrotipo *m.* (옛날의) 은판 사진 ; 은판 사진술 ; 그 카메라.
daguilla *f.* ① 《*And.*》 바늘대. ② 《*CRica.*》 실난초의 잎.
Dahomey 【지명】 다호메이《서 아프리카의 독립국 ; 수도 Porto Novo ; 면적 115,762㎢》.
daifa *f.* 정부, 소실, 첩.
daira *f.* (모르코에서) 벌금(multa).

dais dar의 직·현·2·복수.
dala *f.* (배의) 배수 펌프 통.
dalaga *f.* 《*Filip.*》 처녀, 아가씨.
¡dale! *interj.* 멋대로 해라. [*N.* *¡Dale* que *dale!* 라고도 하며, 나무랄 때에 쓰는 감탄사].
dalia *f.* 【식물】 달리아.
dalla *f.* 《*Ar.*》 =**dalle.**
dallador, ra *m.f.* 곡식을 베는 사람. Sinón. segador.
dallar *tr.* 낫질하다(segar con el dalle).
dalle *m.* 낫(guadaña).
dallo *m.* =**dalle.**
dálmata *adj.* 달마시아 《Dalmacia, 중부 유럽의 한 지방》의. —*m.f.* 달마시아 사람.
dalmática *f.* 고대 로마인의 하얀 두루마기 ; 부제복(副祭服).
dalmático, ca *adj.* =**dálmata.** —*m.* 달마시아 말.
daltoniano, na *adj.* 색맹의. —*m.f.* 색맹 환자.
daltonismo *m.* 【의학】 색맹.
dama[1] *f.* [*fr.* dame ; *lat.* domina] ① 귀부인, 숙녀 : primero las ~*s* 레이디 퍼스트. primera ~ 퍼스트 레이디. (para las) ~*s* 부인용. ~ cortesana 창녀, 갈보, 매춘부. ② 시녀 : ~ de palacio 여관(女官). ③ 남자의 시중을 받는 여자. ④ 여배우 : ~ joven 처녀역의 여배우. ⑤ 첩, 소실, 정부(manceba). ⑥ (damas 장기의) 말 : (서양 장기의) 여왕. ⑦ 애인 : soplar la ~ 남의 애인을 가로채다. ⑧ 경계표.
—*pl.* 서양 장기, 체스.
ser muy ~ 기품이 있다. 매우 우아하다.
dama[2] *f.* [*alem.* damm](용광로의) 방벽(防壁).
dama[3] *f.* [*lat.* dama]【동물】 사슴(gamo)의 일종.
damaceno, na *adj.* =**damasceno.**
damajuana *f.* (망태기에 싼) 큰 병. Sinón. castaña.
damán *m.* 【동물】(아프리카·아시아산의) 모르모트(marmota)의 일종 《다람쥐과에 속하는 짐승》.
damasana *f.* 《*Amér.*》 =**damajuana.**
damasanio *m.* =**alisma.**
damascado, da *adj.* =**adamascado.**
damascena *f.* 【식물】 서양 살구.
damasceno, na *adj.* 다마스커스의. —*m.f.* 다마스커스 사람.
damasco *m.* ① 금·은으로 수 놓은 비단. ② 【식물】 서양 살구나무. ③ 서양 살구.
Damasco *m.* 【지명】 다마스커스 《시리아의 수도》.
damasina *f.* =**damasquillo.**
damasonio *m.* 【식물】 택사(澤瀉)(azúmbar) 《택사과에 속하는 다년생 식물》.
damasquillo *m.* ① 다마스꼬(damasco) 비슷한 직물. ② 【방언·식물】 살구.
damasquinado *m.* 금은의 상안 세공.
damasquinado, da *adj.* damasquinar의 *p.p.*
damasquinar *tr.* (철·강철에) 금은의 상감을 하다.
damasquino, na *adj.* 다마스커스산의.
a la ~ ***na*** 다마스커스풍·식으로.
damería *f.* 우아, 기품 ; 세심.
damero *m.* 장기판.
damezana *f.* 《*Amér.*》 =**damasana.**

damisela *f.* ① 숙녀처럼 행동하는 젊은 아가씨. ② 창녀, 갈보, 매춘부, 매소부, 매음부, 거리의 여인(dama cortesana, mujer mundana).
damnación *f.* =**condenación.**
damnificación *f.* =**daño, perjuicio.**
damnificado, da *adj.* damnificar의 *p.p.* —*m.f.* 피해자.
damnificador, ra *adj.* 해치는 ; 피해를 주는.
damnificar *tr.* 6 해치다. (…에게) 폐·손해를 끼치다(perjudicar) : La inundación *ha damnificado* a los pueblos ribereños 홍수는 연안의 마을에 피해를 주었다.
Damocles *m.* 【희랍 전설】 Dionisio의 신하.
la espada de ~ 끊임없이 다가오는 위험.
Dánae *f.* 【희랍 신화】 Argos 왕의 딸.
danaide *m.* 【곤충】(밤색 날개의 아메리카의) 나비(mariposa).
danaides *f.pl.* 【희랍 신화】 Dánao 왕의 50명의 딸.
dancaire *m.f.* 【은어】 대리 노름꾼.
dance *m.* 【방언】 칼춤, 칼춤의 노래.
danchado, da *adj.* 【문장】 이(diente) 모양의, 서로 이가 맞는(dentado).
dandi *m.* 《*Angl.*》 멋쟁이, 허영 많은 사람.
dandismo *m.* 화려함, 멋부리기 ; 멋쟁이들.
dandy *m. ing.* [*pl.* dandíes] 멋쟁이.
danés, sa *adj.* 덴마크의 : perro ~ 덴마크 개. —*m.f.* 덴마크(Dinamarca) 사람. —*m.* 덴마크말 (dinamarqués).
dango *m.* 【조류】 참매(planga).
dánico, ca *adj.* =**danés.**
Daniel *m.* 다니엘 《히브리의 예언자》; (구약 성서의) 다니엘서.
danta *f.* 【동물】 들소(anta) ; 맥(貘)(tapir).
dante[1] *m.* [*ar.* lamt] 【동물】 들소.
dante[2] *adj.* 주는(que da). —*m.f.* 주는 사람.
Dante Alighieri *m.* 단테 《이탈리아의 시인 (1265~1321) ; Divina Commedia(신곡)의 작자》.
dantellado, da *adj.* 【문장】 이(diente) 모양의 (dentellado).
dantesco, ca *adj.* 단테(Dante)의, 단테풍의 : poesía ~*ca* 단테풍의 시.
dantismo *m.* 단테주의·경향.
dantista *m.f.* 단테 연구가, 단테 숭배자.
danto *m.* 《*AmérC.*》【조류】 단또 《약한 소의 울음소리를 내는 가슴이 붉은 새》.
danubiano, na *adj.* 다뉴브강의 ; 다뉴브강 유역 지방의.
Danubio *m.* 【지명】 다뉴브강 《남서 독일에서 흘러 흑해로 들어감 ; 독일명 Donau》.
danza *f.* ① 춤, 무용 : Dio una conferencia sobre la historia de la ~ 그는 무용의 역사에 관해서 강연을 했다. Sinón. baile. ② 연무(連舞) (~ de cintas). ③ 아바나춤(habanera). ④ 싸움 : ¡Buena ~ se armó! 큰 싸움이 벌어졌다! ⑤ 수상쩍은 일 : estar · andar en la ~ ; meter a uno en la ~ ; guiar · seguir la ~.
~ ***de arcos*** 【건축】 일련의 아치(arcada). ~ ***de espadas*** 칼춤 ; 싸움 ; 난투. ~ ***de macabra*** 도깨비춤. ~ ***hablada*** 대사를 외우면서 추는 무도. ~ ***prima*** 중세 서반아의 춤. ***baja*** ~ 저(低) 독일의 춤.

danzado, da danzar의 *p.p.* —*m.* 춤, 무용 ; 춤추는 사람.

danzador, ra *adj.* 춤을 추는. —*m.f.* 춤추는 사람, 무희, 댄서.

danzante, ta *adj.* 춤을 추는. —*m.f.* ① 무용가. ② 민완가. ③ 경망한 사람, 방정맞은 사람.

danzar *intr.tr.* ⑨ ① 춤추다(bailar) : ~ a compás, ~ a la guitarra. ② 춤을 추게 하다. ③ 공연한 참견을 하다 : ¿Qué *danza* usted en este negocio?

danzarín, na *m.f.* ① 무용가. ② 주책바가지.

danzón *m.* ① 단손 《꾸바의 춤》. ② 촌스러운 춤.

danzonear *intr.* 《*Cuba.*》 danzón을 추다.

dañable *adj.* =**perjudicial.**

dañado, da *adj.* [dañar의 *p.p.*] ① 못된 ; 악에 물든, 악랄한(malo) : hombre muy ~. ② 상한, 썩은 : fruta ~*da* 상한 과일. ③ [드뭄] =**réprobo.** ④ 《*Can.*》 =**leproso.** ⑤ 《*Sal.*》 =**hidrófobo.**

dañador, ra *adj. m.f.* dañar하는 (사람).

dañar *tr.* ① 해치다, 상처를 입히다 : ~ al prójimo en la honra 이웃의 영예를 더럽히다. ② 못쓰게 만들다 ; 손상하다, 망가뜨리다 : La inundación *ha dañado* los cimientos de las casas 홍수로 집의 토대에 피해가 있었다. La sequía *ha dañado* las cosechas 한해로 수확에 피해가 있었다.

~se ① 괴로워하다. ② 손해를 입다 ; 상처를 입다 : Al atracar se le *dañó* en un costado al barco 접안할 때 배의 옆에 상처를 입었다. ③ 못쓰게 만들다. ④ 썩다.

~se del pecho 가슴을 앓다.

dañero, ra *adj.* 《*Venez.*》 속임수를 쓰는, 야바위의.

dañificar *tr.* 《*Perú.*》 (…를) 해치다.

dañinear *tr.* 《*Chile.*》 =**dañar.**

dañino, na *adj.* 해로운(nocivo) : animal ~. **Contr.** benéfico.

daño *m.* ① 해 : hacer ~ 해치다, 손해를 주다. No me haga mucho ~ 아프게 하지 마세요. ② 손상, 손해, 상처 : ~*s* y perjuicios 【상업】 손해. Estos zapatos me hacen ~ 나는 이 구두가 아프다. ③ 《*Chile. Riopl.*》 저주, 마력(maleficio).

a ~ de …의 책임으로.

en ~ de …을 희생하여.

sin ~ de barras 서로가 손해없이.

Poco ~ espanta, y mucho amansa 【속담】 재앙이 잦으면 놀라움도 적어진다.

dañosamente *adv.* 해를 끼쳐, 해롭게도(con daño, con peligro).

dañoso, sa *adj.* 유해한, 해로운, 해가 되는 ; 아무런 도움도 되지 못하는 : empleo ~.

dar[1] *tr.* ⑳ [*lat.* dare] ① 주다, 수여하다(donar) : ~ un regalo 선물을 주다(regalar). Mi tío me dio este reloj 삼촌한테서 이 시계를 얻었다.

② 부여하다 ; 건네주다, 넘기다(entregar). *Dé*melo usted 나에게 그것을 주십시오. *Da*me el libro que está en la mesa 탁자 위에 있는 책을 나한테 주라.

③ 제공하다(proporcionar) ; 남에게 넘겨주다, 내던져 버리다.

④ (번거롭게 수고를) 끼치다 : ~ poco trabajo 별로 애먹이지 않다.

⑤ 여물게 만들다, 생기다, 낳다(producir) : La higuera *da* brevas e higos ; Un olivar *da* buena renta.

⑥ (사례·축사·조사 등을) 말하다, 알리다 : ~ enhorabuenas·pésames 축사·조사를 말하다. Le *doy* gracias *por* su bondad 베풀어 준 친절에 대해 감사합니다.

⑦ (약 등을) 바르다(aplicar) : ~ una medicina·un remedio.

⑧ [+de : 무엇에 …을] 바르다, 칠하다 : ~ *de* barniz un mueble·*de* manteca el pan 가구에 니스·빵에 버터를 바르다. ~ *de* blanco la pared 벽을 희게 칠하다.

⑨ [감정·감각의 명사를 직접 목적어로 하여] 일으키다, 느끼게 하다(causar, ocasionar) : No me *da* la gana 나는 바라지 않는다. ~ gusto a todos 모두에게 기쁨을 주다.

⑩ (모임 등을) 개최하다, 열다 : Los García van a ~ un banquete (una fiesta) en su jardín 가르시아 가족은 정원에서 연회 (파티)를 열었다.

⑪ 상연·상영하다 : *Dan* una película española en ese teatro 그 극장에서는 서반아 영화를 상연하고 있다.

⑫ [+por : …으로] 하다, 생각하다, 인정하다 : Lo *doy por* hecho 그것을 한 것으로 간주한다. ~ *por* inocente 무죄임을 인정하다.

⑬ [동작의 명사를 직접 목적어로 하여, 그 동작을] 하다 : ~ muerte 살해하다, 죽이다. Ellos *dieron* muerte a un vigilante 그들은 경비원을 죽였다. ~ un abrazo 끌어안다(abrazar). ~ un paseo 산책하다. ~ saltos 뛰다(saltar). ~ barreno 배의 밑바닥에 구멍을 뚫다(barrenar).

⑭ [타격·위험 등의 명사를 목적어로, 혹은 de를 동반하는 수도 있으나 : …을] 가하다·먹이다 : ~ un golpe 때리다. ~ una bofetada 손바닥으로 때리다. Juan le *dio una bofetada* a Manolo 후안은 마놀로의 따귀를 쳤다. ~ un bofetón·un tiro 손바닥으로 한대 먹이다·사격을 한 방 가하다. ~ un puntapié 한 대 걷어차다. ~ *de* bofetones·*de* palos 손바닥으로·몽둥이로 때리다.

⑮ 느낌이 들게 하다, 예감(presentimiento)이 들게 하다(anunciar, presagiar) : Me *da el corazón* que Tomás sanará 나는 또마스가 나을 것 같은 생각이 든다.

⑯ 꺼내다, 빼다, 뽑다 : ~ el hueso 뼈를 뽑다, 씨를 빼다.

⑰ (시계·종 등이 시간을) 알리다, 치다 : El reloj de la torre acaba de ~ las dos 탑의 시계가 방금 두 시를 쳤다.

—*intr.* ① (시계 등이) 치다 : Acaba de ~ el roloj 지금 시계가 막 쳤다. *Han dado* las cinco 다섯 시를 쳤다. *Dará* la una 한 시를 칠 것이다.

② (추위·고통이) 일어나다, 닥쳐오다(sobrevenir) : Le *dio* un escalofrío·un dolor.

③ 느껴지다, 예감이 들다 : A mí me va a ~ algo 무슨 일이 일어날 것 같다.

④ [+a : …으로] 향하여·면해 있다 : La puerta *da a* la calle 입구는 통로 쪽으로 면해 있다. La ventana *daba a*l Norte 창문은 북향이었다.

⑤ [+con : …을] 부딪치다, 마주치다 (tropezar) : *Di con* la frente en la puerta.
⑥ [con과 en을 짝지어, 어떤 곳에] 가버리다, 가게 하다, 보내다 ; 쓰러지다, 넘어뜨리다 : *Di con*migo *en* París 나는 끝내는 파리에 갔다. *Di con*migo *en* el suelo 나는 땅바닥에 쓰러졌다. *Di con* él *en* tierra 나는 그를 땅바닥에 쓰러뜨렸다. *Dieron con* don Quijote *en* la cama 모두 힘을 모아 돈끼호떼를 침대에 붙잡아 눕혔다.
⑦ [+de : 그 부분을 밑에다 두어] 쓰러지다 (caer sobre) : ~ *de* espaldas · *de* costillas 반듯이 위를 보고 · 모로 쓰러지다.
⑧ [+en : …에] 빠지다, 열중하다, 집착 · 몰두하다(empeñarse, entregarse) : *Daba en* este tema · *en* una locura · *en* hacer una cosa.
⑨ [+en: …에] 떨어지다, 빠지다(caer, incurrir) : *Dio en* un error 실수했다. *Dio en* una trampa 함정에 걸렸다.
⑩ [+en : …에] 요행히 맞다, 생각이 미치다 (acertar) : ~ *en* el punto · *en* un chiste 생각대로 꼭 들어맞다.
⑪ [+sobre : …을] 덮치다, 습격하다 : ~ *sobre* la ciudad.
⑫ [+tras : …을] 몰아내다.
⑬ 《*Arg.*》 [+contra : …을] 공격하다.
~se ① 굴복하다(entregarse) : Ya *se ha dado* el que disputaba.
② (일이) 일어나다, 있다 : *Se da* el caso ; en circunstancias *dadas* 이러한 사정하에서.
③ 만들어 내다, 생산하다(producirse) : *Se dan* bien las patatas.
④ 《*Méx.*》 박살이 나다(estrellarse).
⑤ [+a : …에] 열중 · 전념하다 ; 홀딱 빠지다 (ocuparse) : ~ *se a*l estudio · *a* estudiar 공부에 전념하다. ~*se a*l vino · *a* beber 음주 · 술에 푹 빠지다.
⑥ [+a+creer · imaginar] : ~*se a creer* 믿다, 생각하다(creer). ~*se a imaginar* 상상하다 (imaginar).
⑦ [+contra : …에] 부딪치다 : ~*se contra* un poste 기둥에 부딪치다. ~*se de* cabezazos 맞부딪치다.
~ ***a*** + 「인지 동사」 …시키다 : ~ *a* conocer · *a* entender · *a* saber 알리다 · 발표하다 · 알게 하다 · 깨우치게 하다.
~ ***de*** + 음식 · 생활의 동사 …하는 것을 주다 : ~ *de* beber · *de* comer 마실 것 · 먹을 것을 주다. ~ *de* trabajar · *de* vestir 할 일 · 의복을 주다.
~ ***que*** + *inf.* …할 거리 · 재료를 주다, …하게 하다 : ~ *que* decir 남의 입에 오를 만한 거리를 만들다 ; 트집 · 잔소리하게 하다. ~ *que* hablar 소문 거리를 만들고 다니다, 세상에 소문이 자자하게 퍼지다. ~ *que* hacer 할 일거리를 주다, 수고를 끼치다. ~ *que* pensar 생각하게 만들다, 머리 아프게 만들다. ~ *que* sentir 슬픔을 주다.
~ + 「*p.p.*」 …해주다 : ~ *fiado* 임대 매매하다. ~ *mascada* una cosa 알아듣도록 차근차근히 설명해 주다. ~ *prestada* una cosa 어떤 것을 빌려 주다.
~ ***por*** + 「*p.p.*」 …한 것으로 간주하다 : ~ *por concluida* · *conclusa* una cosa 어떤 일을 끝마친 것으로 보다. ~ *por hecha* una cosa 어떤 일을 이루어 놓은 것으로 보다.
~***se por*** + 「*p.p.*」 ① 자신을 …한 것으로 보다 · 생각하다, 자인하다 : *Se dio por* perdido · *por* muerto 그는 자신이 파멸된 것 · 죽은 것으로 생각했다. ② (쫓기던 짐승이) 지쳐서 멈추어 섰다 : ~*se por* vencido 자신이 패했음을 시인하다, 두손들다. *Se daba por* sentida 그녀는 화를 냈다.
Ahí me las den todas 아무렇지도 않아, 나는 관계가 없다.
a mal ~ 나쁘게 말해도, 결과 여하를 불문하고.
¡ Dale!, ¡dale que le das!, ¡ dale que dale!, ¡ dale que le darás! 멋대로 해 !
¡ dale con los médicos! 야, 정말 말 많군 ; 저 의사놈들이란 !
~ ***algo*** (음식물에) 저주(malefico)의 말을 퍼붓다(maleficiar).
~ ***a luz*** 낳다, 출산하다(parir) ; 세상에 밝히다, 공표 · 발표하다 ; (초판 · 창간호 등을) 발행하다, 출판하다(publicar).
~ ***bien*** · ***mal*** 이길 운 · 질 운이 생기다.
~ ***de sí*** (가죽이나 피륙이) 늘어나다 ; (그 때문에) 좋아지다 · 나빠지다.

~ ***en blando*** · ***en duro*** 어렵지 않게 소원을 이루다 · 이루지 못하다.
~ ***en ello*** 맞장구치다, 납득하다 (caer en la cuenta).
~ ***en qué entender*** 괴롭히다, 애먹이다.
~ ***en qué pensar*** 의혹을 품게 하다.
~ ***en vacío*** · ***en vago*** 반응이 없다.
~ ***por quito*** (누구를) 면제하다.
~ ***lo mismo*** 어느 것이라도 상관이 없다 · 마찬가지다 : Me *da lo mismo* 나는 어느 쪽이라도 상관이 없다.
~, ***que van dando*** 당한 만큼의 보복을 하지 않을 수 없다.
~***la de*** 짐짓 …인 척하다(echarla de presumir) : *La dio de* valiente 용감한 척했다.
~***se a buenas*** 순순히 응하다.
~***se a conocer*** 신분을 밝히다.
~***se a entender*** 자신의 생각을 눈짓 · 손짓 · 외국말로 알게 하다.
~***se la mano*** · ***las manos*** 악수하다.
~***se prisa*** 서둘다 : *Date prisa* 서둘러라. No *te des prisa* 서둘지 마라. *Dése prisa* 서두르십시오. No *se dé prisa* 서두르지 마세요. *Daos prisa* 너희들 서둘러라. No *os deis prisa* 너희들 서두르지 마라. *Demonos prisa* 서두릅시다. No *nos demos prisa* 서두르지 맙시다.
~***sela*** a uno (누구를) 골탕먹이다, 병신으로 만들다, 놀려대다 ; 속이다(pegársela).
~***selas de*** …라고 자처하다.
~***sele*** a uno ***algo*** · ***mucho*** · ***poco*** (어떤 일이) 약간 · 크게 · 별로 (누구의) 마음에 걸리다 · 걸리지 않다.
~***sele*** a uno ***tanto por lo que va como por lo que viene*** 어떤 일이 일어나건 전혀 상관이 없다.
~ ***y tomar*** 말다툼하다 : En esto hay mucho que ~ *y tomar* 이 점에는 얼마든지 논쟁할 만한 것이 있다. Estuvieron un buen rato *dando y tomando* sobre lo que convenía hacer 어떻게 해야 할 것인지, 상당히 오랜 시간에 걸쳐 논쟁했다.

de dónde diere 엉터리로, 아무렇게나, 크게 신경쓰지 않고.
no ~ golpe 아무것도 하지 않다(no hacer nada).
no ~sele a uno *nada* (누구에게) 상관·관계가 없다(no importar).
Donde las dan, las toman 【속담】 이에는 이, 눈에는 눈; 인과 응보(因果應報).
[직설법 현재 1인칭 단수 : doy. 접속법 현재 : dé, des, dé, demos, deis, den. 직설법 부정과거 : di, diste, dio, dimos, disteis, dieron. 접속법 과거 : diera,…; diese,…].

dar² *m.* [*ár.* dar] (모로코에서) 집(casa), 주거용 건물(edificio para habitar).

dardabasí *m.* 【조류】 (아프리카의) 황조롱이·검정 솔개의 일종.

dardada *f.* 투창으로 찌르기.

dardanio, nia *adj.* 다르다니아 《Dardania, 트로야(Troya)의 별명》의.

dárdano, na *adj.m.f.* 다르다노(Dárdano)의 자손; 트로야의 (사람)(troyano).

dardo *m.* ① 투창. ② 불어 닥치는 불꽃. ③ 빗댐, 빈정거림; 폭언.

dares y tomares *m.pl.* ① 금전 주고 받기. ② [andar, haber, tener 와 함께 쓰여] 의논 : andar en ~ con alguno.

darico *m.* 페르시아의 금화.

dársena *f.* 항구 내의 정박 구역, 내항(內港) : descargar en la ~.

darviniano, na *adj.* 다윈(설)의; 다윈 진화론의, 진화론에 관계되는.

darvinismo *m.* 다윈 《영국의 박물 학자 Carlos Darwin, 1809−82》의 학설·진화론. Sinón. evolucionismo.

darvinista *m.f.* 다윈파의 진화론자.

darwiniano, na *adj.* = **darviniano.**

darwinismo *m.* = **darvinismo.**

darwinista *m.f.* = **darvinista.**

dasímetro *m.* =**baroscopio.**

dasocracia *f.* 산림 경영학, 영림학(營林學).

dasocrático, ca *adj.* 영림의.

dasonomía *f.* 산림학.

dasonómico, ca *adj.* 산림학의.

data *f.* [*lat.* data] ① (편지·서류의) 날짜, 연월일(fecha). ② 수취인 주소. ③ (물통 따위의) 물구멍. ④ 【부기】 대변(abono en cuenta, haber) : cargo y ~ 대변과 차변. ⑤ 매화의 일종 (ciruela de ~).
de larga ~ 먼 옛날의, 태고의.
estar de buena · mala ~ 기분이 좋다·언짢다.

datar *tr.* ① (편지·서류에) 날짜를 기입하다 (fechar) : ~ un libro 책에 날짜를 기입하다. ② (어떤 사건의) 때를 추정하다. ③ 대변에 기입하다 (abonar) : Nos *dataron de* nuestra remesa 그들은 우리의 송금을 당사 계정의 대변에 기입했다. —*intr.* [+de : …에] 유래·기원하다, 비롯되고 있다, …부터이다 : Nuestra relación *data del* año pasado 우리의 관계는 작년부터이다.

dataría *f.* 로마 교황청의 비서국.

datario *m.* 로마 교황청 비서국장.

dátil *m.* [*lat.* dactylus] ① 【식물】 대추야자. ② 【조개】 대추 조개. —*pl.* 【속어】 손가락(dedos). Sinón. uña.

datilado, da *adj.* 대추야자 같은, 대추야자 (열매) 빛깔의.

datilera *f.* 【식물】 대추야자(palma ~). —*adj.* 열매가 여는 (야자나무).

datilero *m.* 【식물】 대추야자나무 《높이가 15 ~ 20미터에 이름》.

datilillo *m. dim.* data.

datismo *m.* 동의어의 병렬(並列).

dativo, va *adj.* 【문법】 여격의. —*m.* 여격 《간접 목적어로 되는 말; 흔히 a, para 를 전치한 형》 : ~ ético 심성 여격(心性與格).

dato¹ *m.* [*lat.* datum] ① 자료 : carecer de ~*s* 자료가 부족하다. ~*s* sobre Corea 한국에 관한 자료. ② 정보; 논거, 기초.

dato² *m.* (동양의 몇 나라에서) 고관직의 명칭 (título de alta dignidad).

datura *m.* 【식물】 =**estramonio.**

daturina *f.* 【화학】 아트로핀 《datura에서 뽑는 독소》.

dauco *m.* 【식물】 야생 당근(biznaga).

daudá *f.* 《*Chile.*》 【식물】 개비파(contrahierba).

davalar *intr.* 항로에서 벗어나다(devalar).

david *m.* 【식물】 율무.

davídico, ca *adj.* 다윗(David)의; 다윗풍의 (시).

daw *m.* 【동물】 (남아프리카의) 얼룩말 (cebra)의 일종.

daza *f.* 【식물】 수수(adaza, zahína).

dazibao *m.* (중국의) 대자보.

dB decibel, decibelio.

Dbre. diciembre 12월.

dc. docena(s) 다스.

DC Democracia Cristiana.

dcha(s). derechas.

DD. doctores.

DDT, D.D.T. *m.* diclorodifeniltriclorotano 살충제.

de¹ *f.* 문자 d의 명칭.

de² *pref.* [*lat.* de] ① [소유·귀속] …의, …이 가진, …을 가진, …에 속하는 : los ojos negros *de* la niña 소녀가 가진 검은 눈. la niña *de* los ojos negros 검은 눈을 가진 소녀.
② [재료] …의, …제의; …으로 : juguete *de* celuloide 셀룰로이드제 장난감. un vaso *de* plata 은제의 컵. hecer *de* paño trajes 천으로 옷을 만들다. pintar *de* rojo el coche 차를 붉은 색으로 칠하다. Puede usted usar *de* esta mesa 당신은 이 책상을 써도 좋습니다.
③ [a의 대조로, 기점·기원, 떨어지는 점·출처]…에서(desde) : *de* Madrid *a* Barcelona 마드리드에서 바르셀로나까지. *de* aquel entonces 그때부터. No sale *de* casa 그는 집에서 나오지 않는다. Es *de* Seúl 그는 서울 태생이다. Lo conocí *de* niño 그를 어렸을 때부터 알고 있었다. Vamos *de* Madrid *a* Toledo 우리는 마드리드에서 똘레도까지 간다.
④ [en 과 함께] …에서 …으로 : *de* calle *en* calle 거리에서 거리로. *de* rama *en* rama 가지에서 가지로.
⑤ [내용] …의; …라고 하는; …에 대하여·에 관한 : un vaso *de* agua 물 한 잔. el mes *de* febrero 2월이라는 달. arte *de* cocina 요리 기술. Hablábamos *de* usted 당신에 대한 말을 하

고 있었다. Se trata *de* este problema 이 문제에 대해 적혀 있다. la señal *de* que lo encontraron 그것을 찾아냈다는 신호.
⑥ [무관사의 명사·형용사 앞에서, 재료 내지 내용] …로서, …로서의, …인 듯한 : sus deberes *de* ciudadano 시민으로서의 의무. una mirada *de* miope 근시인 듯한 눈초리. La calificó *de* peligrosa 그 일을 위험하다고 단정했다. con una tranquilidad *de*l que duerme 잠들어 있는 사람같이 편안하게.
⑦ [부류] …에서·로, …의 : *¿De* qué color es este lápiz? 이 연필은 무슨 색이냐? La medida es *de* 38 centímetros 사이즈는 38 센티이다.
⑧ [부분적인 점]…하는 점에서, …에 대해서는 : el hombre ancho *de* espaldas 어깨가 떡 벌어진 남자. Tiene 12 pies *de* ancho y 9 *de* largo 넓이 12피트이고 길이 9피트이다.
⑨ [부분, 전체에서 일부를 취하는 경우] …중에서, …을 : Bebía *de* aquel vino 그 포도주를 마셨다. El tío podía comer *de* lo que pescaba 숙부는 자기가 잡은 고기를 먹을 수 있었다.
⑩ [원인·이유] …에서, …때문에, …로 말미암아(por) : Lo hice *de* miedo 무서워 그랬다. morir *de* hambre 굶어 죽다. Me muero *de* hambre 나는 배고파 죽겠다. María se murió *de* frío 마리아는 동사했다. Me alegro *de* verle a usted 당신을 뵙게 되어 반갑습니다.
⑪ [감정 동사나 어떤 종류의 동사의 수동태로 행위하는 사람] …부터, …에 의하여 : Era querida *de* todos 그녀는 모든 사람으로부터 사랑을 받았다. Era temido *de* muchos 많은 사람으로부터 두려움을 받고 있었다. Juana irá *acompañada de* la madre 후아나는 어머니와 함께 갈 것이다. Corría *seguido de*l perro 개를 데리고·개를 따라 달려 갔다.
⑫ [목적] …을 위한, …위해 ; …에 적당한, …해야 할(para) : recado *de* afeitar 면도 도구. máquina *de* coser·*de* escribir 재봉틀·타이프라이터. hora *de* comer 식사 시간. Es hora *de* comer 식사 시간이다. Es hora *de* terminar la clase 수업을 끝마칠 시간이다. Ya es hora *de* marcharme 떠날 시간이다. No tengo *de* venir 나는 오지 말았어야 했다.
⑬ [수단·방법] …로서, …로써 : *de* un salto 단걸음에. trabajar *de* modista 재봉사로서 일하다. servir *de* intérprete 통역으로서 일하다. Acabemos *de* una vez 단번에 해치워 버리자. Lo hizo *de* intento 그것을 일부러 했다. Los gitanos viven *de* mentira y rapiña 집시는 거짓말과 도둑질로 살아가고 있다.
⑭ [상태] …서, …이다, …하고 있다 : Almorzó *de* pie 그대로 서서 먹었다. estar *de* viaje·*de* charla 여행중·잡담하는 중이다. Ya está *de* vuelta 그는 벌써 돌아와 있다.
⑮ [시간을 나타냄] …에, 에는 : *de* día 대낮에. Era *de* día 그것은 낮에 있던 일이었다. *de* madrugada 해뜰 무렵에. Llegó *de* noche 그는 밤에 닿았다.
⑯ [성질의 강조] el bueno *de* Manuel 사람이 좋은 마누엘. la taimada *de*l ama 뱃속이 시커먼 마누라 같으니.
⑰ [감탄적인 표현으로] ¡Diablo *de* muchacho! 그 빌어먹을 새끼 같으니 ! ¡Pobre *de* mi hermana! 불쌍하게도 내 누이동생은 ! ¡Ay *de* los vencidos! 진 사람이 얼마나 가엾은 지 모르겠구나 ! ¡Infeliz *de* mí! 아, 이 내 불행 !
⑱ [de+*inf.*] …한다면(si) : *De* oirlo se reirían 그것을 듣는다면 모두 다 웃을 것이다. Alegraré *de* verle a usted 당신을 뵙게 되면 기쁘겠습니다.
⑲ [+*inf.*] …해야 할, 해야 할 일 : dar *de* comer 먹을 것을 주다. [*N.* ⑫ 항 목적을 참조하십시오].
de balde 무료로, 거저, 공짜로.

dé dar 동사의 접·현·1·3·단수 : *Dé*melo 나에게 그것을 주십시오. No me lo *dé* 나에게 그것을 주지 마십시오.

dea *f.* 【시어】 여신(diosa).

deal *adj.* 여신(diosa) 같은.

deambulación *f.* 배회 ; 방랑.

deambular *intr.* =**pasear, vagar.**

deambulatorio *m.* 【건축】 주보낭(周步廊).

deán *m.* 【종교】 수석 사제 ; 추기경 회장 ; 수석 수사(修士) ; 대학 학부장 ; 외교 단장.

deanato *m.* deán의 직·지위.

deanazgo *m.* =**deanato.**

¿deay? *interj.* 《*AmérC. Ecuad.*》 그리고 그 다음은 ?

debacle *f. fr.* =**catástrofe, revolución.**

debajero *m.* ① 《*Chile.*》 안장 깔개. ② 《*Ecuad.*》 속치마(rebajo).

debajo *adv.* 아래에, 아래로 ; 밑에서(en lugar inferior) : En lugar de poner las cosas ~, póngalas encima 물건을 아래에 놓지 말고, 위에 놓으세요.
~ ***de*** ① …의 아래에(bajo) : ~ *de* la mesa 테이블 아래. ~ *de*l árbol 나무 아래. He encontrado el libro en cuestión ~ *de* la mesa del despacho 나는 서재 탁자 아래에서 문제의 책을 발견했다. ② 【고어】 …의 보호하에·의.
~ ***de mano*** 비밀리에, 은밀하게, 몰래.
por ~ ***de*** …의 아래에, 아래에서, 아래를 : El río corre *por* ~ *de*l puente 강은 다리 아래를 흐른다.

debate *m.* 토론, 논쟁, 다툼, 입씨름.

debatible *adj.* 논쟁의 여지가 있는, 문제되는 ; 미해결의, 논쟁 중의.

debatir *tr.* 토론·논쟁하다, 입씨름하다, 다투다 (discutir, contender, altercar).
~se 《*Galic.*》 몸부림치다 ; 기를 쓰다.

debe *m.* 【부기】 차변 (계좌) : ~ y haber 차변과 대변. llevar el importe al ~ de …누구의 차변 계정에 금액을 기장하다. sentar·pasar al ~ 차변 계정에 기입하다.

debelación *f.* 무력 정복.

debelador, ra *adj.* 정복하는. —*m.f.* 정복자.

debelar *tr.* 정복하다(rendir a fuerza de armas al enemigo).

deber¹ *tr.* [*lat.* debere] ① (의무·채무·은혜를) 지다, 입다 : ¿ Cuánto le *debo*? 얼마 드리면 됩니까 ? (얼마를 당신에게 빚을 지고 있습니까 ?) *Debo* cien pesos *a* un amigo 친구에게 100 뻬소를 빚지고 있다. José *debe* la fama *a* sus amigos 호세의 명성은 친구 덕분이다. ② …의 의무·의리가 있다 : *Debemos* obediencia *a* nuestros padres 우리는 부모에게 순종해야 할

의무가 있다. ③ [+*inf.*] …하지 않으면 안된다(tener que) : *Debemos* obedecer *a* nuestros padres. ④ [deber de+*inf.*] …일 것이다. …임에 틀림없다 : *Debe de* ser las cinco 다섯 시임에 틀림없다. *Debe de* ser así 아마도 그럴 것이다. *Debe (de)* haber hecho fortuna en América 그는 아메리카에서 재산을 모았음에 틀림없다.
~se 《*Neol.*》 [+a : …의 · 에] 덕을 보다, 신세를 지다 ; (…에) 원인이 있다. : *¿A* qué *se deberá* esto? 이것은 무엇에 원인이 있습니까? Esto *se debe a* la sequía 이것은 한발 때문이다.

deber² *m.* ① 의무 : Cumplieron con sus *~es* de ciudadano 시민으로서의 의무를 다했다. ② 부채 · 채무(deuda). ③ 《*Galic.*》 숙제, 연습 문제. ***últimos ~es*** 장례.
hacer su ~ 의무를 다하다 · 완수하다 · 지키다 · 이행하다.

debidamente *adv.* 정확히, 완전하게, 넉넉하게(cumplidamente) ; 반드시 그래야 할, 올바로 ; 예정대로 : El barco ha llegado ~ 배는 예정대로 도착했다.

debido, da *adj.* 반드시 그래야 할, 규정대로의 : en *~da* forma 그래야 할 형태로.
~ a …에 의하여, …때문에, …의 이유로 : El tren se ha llegado atrasado muchas horas *~ a* la inundación 열차는 홍수 때문에 여러 시간 연착했다. La cosecha, *~ a* la sequía, era mala 계속 날이 가물어, 수확은 좋지 않았다.
como es ~ 정해진 대로, 그것이 당연하다는 듯이.

débil *adj.* [*lat.* debilis] ① 약한(endeble) : Después de su enfermedad se ha quedado muy ~ 그는 병후 매우 쇠약해졌다. ② 마음이 약한 ; 힘이 없는. **Contr.** robusto, fuerte, animoso. ③ 《*Galic.*》 빈약한. **—*m.f.*** 허약자 ; 무력자. **—*m.*** 【속어】 약점 : Conozco tu ~ 나는 너의 약점을 알고 있다.

debilidad *f.* ① 약함 ; 약점. ② 무력 : ~ muscular. ③ 마음이 약함 ; 쇠약. ④ 공복(hambre). ⑤ 《*Galic.*》 집착, 애정(afecto) : Sentía por él una invencible ~ 누를 수 없는 애정을 그에게 느끼고 있었다.

debilitación *f.* =**debilidad.**

debilitadamente *adv.* =**débilmente.**

debilitamiento *m.* =**debilitación.**

debilitante *adj.m.f.* 약한, 허약한 (사람).

debilitar *tr.* 약하게 하다, 허약하게 만들다 (disminuir la fuerza o el poder de una persona o cosa).
~se 약해지다, 허약해지다, 쇠약해지다 : Su influencia *se ha debilitado* visiblemente 그의 힘(영향력)은 눈에 띄게 약해졌다.

débilmente *adv.* 기운없이, 허약하게, 약하게 (con. debilidad).

debitar *tr.* 차변에 기입하다.

débito *m.* [*lat.* debitum] ① 부채(deuda), 차변 : nota de ~ 차변 전표. ② 부부로서의 의무(~ conyugal).

debla *f.* 애조띤 4행의 안달루시아의 민요.

debó *m.* 가죽의 무두질에 쓰는 도구.

debocar *intr.* ⑦ 《*Arg. Bol.*》 토하다(vomitar).

debrocar *tr.* ⑦ ① 《*León. Bal.*》 (기물을) 기울이다(inclinar, ladear). ② 【고어】 =**enfermar.**

debut *m.* [*pl.* debuts] [*fr.* début] 초연, 첫 무대 ; 처녀작 발표 ; 데뷔(estreno).

debutante *adj.* 초연의, 데뷔의, 첫 무대의. **—*m.f.*** 첫 무대의 배우.

debutar *intr.* [*fr.* débutar] 데뷔하다, 첫 무대를 밟다 ; 세상에 나오다(estrenarse).

deca- *pref.* 「10」의 뜻을 갖는 접두어 : *decá*metro, *decá*gono.

década *f.* [*gr.* dekas] ① 10으로 된 것, 순일(旬日) : la primera ~ de febrero 2월 초순. ② 10일 ; 10년 : en la primera ~ de este siglo 금세기의 첫 10년 간에. ③ 10장 · 10권으로 된 서적. ④ 10인전(人傳).

decadario, ria *adj.* década의.

decadencia *f.* 쇠미 ; 퇴폐 ; 타락 ; (문예상의) 데카당 운동. **Contr.** progreso.
ir en ~ 쇠퇴해 가다, 타락해 가다.

decadente *adj.* 몰락한 ; 쇠퇴기에 있는 ; 퇴폐주의의, 데카당의.

decadentismo *m.* (문예상의) 데카당티즘, 데카당 운동 ; 퇴폐주의.

decadentista *adj.m.f.* 퇴폐주의의 (작가), 데카당스.

decaedro *m.* 10면체.

decaer *intr.* ⑬ ① [+de · en : …이] 쇠하다, 기운이 빠지다, 쇠퇴(衰退)해지다(ir a menos, disminuir) : ~ *de* ánimo · *en* salud 기운이 · 건강이 나빠지다. *Ha decaído* su salud 그의 건강은 나빠졌다. El *ha decaído de* su salud 그는 건강이 나빠졌다. ② 몰락하다, 퇴락해지다, 형편없이 되다. ③ (배가) 물에 떠밀리다.

decagonal *adj.* 10각형 · 10변형의.

decágono, na *adj.* 10각형 · 10변형의. **—*m.*** 10각형, 10변형.

decagramo *m.* 데카그램 《10 그램》.

decaído, da *adj.* [decaer의 *p.p.*] 약한 ; 쇠약해진 ; 몰락한, 쇠퇴한 ; 위축된.

decaig- →**decaer** ⑬.

decaimiento *m.* =**decadencia ; abatimiento, desaliento.**

decalaje *m.* decalar 하는 일.

decalar *tr.* 《*Galic.*》 빠르거나 이르다.

decalco *m.* 그림의 복사 · 모방.

decalitro *m.* 10리터, 데카리터.

decálogo *m.* 십계 : el *D-* de Moisés 모세의 십계(tabla de la ley).

decalvación *f.* 단발, 삭발 ; 삭발형(刑).

decalvar *tr.* [*lat.* decalvare] (대부분 형벌로서) 까까머리로 만들다.

decamerón *m.* [*gr.* deka+hêmera] 10일 ; 10일 이야기 : el *D-* de Bocacio.

decámetro *m.* [*gr.* deka+metron] 데카미터 《10m》.

decampamento *m.* 진지의 철수.

decampar *intr.* 진지에서 철수하다 (levantar el campo).

decanato *m.* 학장 · 장로(decano)의 직 · 임기 ; 학장실.

decania *f.* 사원 소속의 토지.

decano, na *m.f.* [*lat.* decanus] 장로 ; 최고참(자) ; (대학의) 학장, 학과장, 주임 교수.

decantación *f.* 맑은 윗국물 ; 윗국물을 따르는 일.

decantar *tr.* ① (액체를) 가만히 다른 그릇으로

옮기다 : ~ una disolución. ② 야단스럽게 칭찬하다 ; 과장하다 : ~ las proezas de un héroe.
decapar *tr.* 탈산하다, 산소를 제거하다.
decapitación *f.* 참수(斬首).
decapitar *tr.* 목을 치다·자르다, 참수형에 처하다(degollar) : Herodes hizo ~ a San Juan Bautista 헤롯은 세례 요한의 목을 자르게 했다.
decápodo, da *adj.* 【동물】 다리가 10개인. —*m.pl.* 십족류(十足類).
decápolis *f.* 열 개의 도시 연맹.
decárea *f.* 10 아르, 1000 평방미터.
decasílabo, ba *adj.* 10음절의 : verso ~ 1행 10 음절로 된 시. —*m.* 10음절의 시구(詩句).
decastéreo *m.* 10㎥의 단위.
decastilo *m.* 십주식(十柱式).
decatlon *m.* =**decatlón.**
decatlón *m.* 【운동】 십종 경기 《carreras de 100m, 400m, 1.500m (100미터·400미터·1500미터 달리기), 110m vallas(110미터 허들) saltos de altura (높이 뛰기), de longitud(멀리뛰기), con pértiga (장대 높이 뛰기), y lanzamientos de peso(포환 던지기), disco(원반 던지기) y jabalina(창던지기)》.
decay- →**decaer** 73.
deceleración *f.* 【물리】 감속, 감가 속도.
decemnovenal *adj.* =**decemnovenario.**
decemnovenario *adj.* 19년 주기의 : ciclo ~.
decena *f.* ① 10개조 ; 10년. ② 【음악】 10도 음정.
decenal *adj.* [*lat.* decennalis] 10년의 ; 10년마다의 : exposición ~.
decenar *m.* 열 명 한 조.
decenario, ria *adj.* 10의. —*m.* 10년간 ; 작은 구슬 10개와 큰 구슬 1개로 된 염주.
decencia *f.* [*lat.* decentia] ① 우아함, 품위가 있음 : vivir con ~. ② 복장이나 행동이 바름, (언행이) 고상함, 청초함 : vestir con ~. ③ 강직, 공정. ④ 조심스러움, 근신 : portarse con ~. **Contr.** indecencia.
decenio *m.* 10년(간).
deceno, na *adj.* [드뭄] 열 번째의(décimo).
decentar *tr.* 19 ① (…에) 손을 대다, 시작하다 (empezar) : ~ un pastel. ② 소비하기 시작하다, ③ 못쓰게 만들기 시작하다, (완전했던 것에) 상처를 내다 : ~ la salud.
~se (병석에 오래 누워) 살이 진무르다·쓸리다.
decente *adj.* [*lat.* decens] ① 버젓한, 알맞는, 볼꼴 사납지 않는, 남부끄럽지 않는. ② 예의 바른, 점잖은. ③ 우아한, 청초한, 단정한.
decentemente *adv.* 품위있게, 부끄럽지 않게, 단정하게, 교양있게 ; 조심스럽게 ; (비꼬는 말로) 상당히.
decenvir *m.* =**decenviro.**
decenviral *adj.* decenviro에 관한.
decenvirato *m.* decenviro의 직·직위.
decenviro *m.* [*lat.* decemvir] 12동표(銅表) (Doce Tablas)의 제정을 맡겼던 고대 로마의 입법관.
decepción *f.* [*lat.* deceptio] 환멸, 낙심, 실망 (desilusión, chasco, engaño).
decepcionar *tr.* 《*Galic.*》 환멸을 일으키다, 실망시키다(desilusionar, chasquear) : Salió *decepcionado* 그는 실망해서 나갔다.
deceptorio, ria *adj.* 【고어】 =**engañoso.**
decernir *intr.* 【고어】 =**decretar, discernir.**
decerrumbar *tr.* 【고어】 =**derrumbar.**
decesión *f.* =**precedencia en el tiempo.**
deceso *m.* 【고어】 =**muerte.**
decesor, ra *m.f.* 【고어】 =**predecesor, ra.**
dechado *m.* [*lat.* dictatus] ① 견본(muestra), 형(型). ② 본보기. ③ (수예의) 연습.
deci- *pref.* 「10분의 1」을 뜻하는 접두어.
deciárea *f.* 10분의 1 아르 《10평방 미터》.
decibel *m.* =**decibelio.**
decibelio *m.* 데시벨 《음향 강도의 단위, 기호 : dB》.
decible *adj.* 말로 나타낼 수 있는 : No es ~.
decideras *f.pl.* 능변(facundia).
decidero, ra *adj.* 말해도 상관이 없는 : Ese cuento no es ~.
decididamente *adv.* ① 굳게 마음 먹고, 결정적으로, 단단히. ② 《*Galic.*》 틀림없이, 반드시.
decidido, da *adj.* ① 굳게 결심한, 확고한. **Contr.** indeciso. ② 대담한. ③ 해결된.
decidir *tr.* [*lat.* decidere] ① 정하다, 결정하다 : No *he decidido* todavía 나는 아직 결정하지 않았다. ② 해결하다 (resolver) : ~ la cuestión 문제를 해결하다. ③ [+*inf.* : …할] 결심을 하다 : Casals *decidió* volver a París 까살스는 파리에 돌아갈 결심을 했다. Entonces *decidí* levantarme a las cuatro 그때 나는 네 시에 일어날 것을 결정했다. En esta cuestión *decidimos* insistir 이 문제에서는 양보하지 않을 결심이다. ④ 결심시키다 : Procuré ~le. ⑤ [a+*inf.* : …할] 결심을 시키다.
~se ① [+a+*inf.*] 결심하다 : *Se decidió a* marcharse en seguida 그는 즉시 출발하기로 결정했다. *Me he decidido a* ir 가기로 결심했다. ② [+en·por : …로] 결정하다 : *Nos decidimos por* este sistema *a* favor del padre 이 방식으로 아버지 편에 서기로 결심했다. ③ 해결되다.
decidor, ra *adj.* 이야기가 재미있는, 유쾌한, 신나는. —*m.f.* 말하는 사람.
deciduo, dua *adj.* 낙엽의.
decigramo *m.* 데시그램 《10gr》.
decilitro *m.* 데시리터 《10분의 1리터》.
décima *f.* [*lat.* decima] ① 10분의 1 ; 1할(세) (diezmo). ② 8음절 10행 시. ③ (체온의) 분(1/10도). ④ 10분의 1레알의 동전.
decimacuarta *adj.* =**decimocuarta.**
decimal *adj.* ① 10등분한. ② 10진법의 : la numeración ~ 10진법. ③ 1할(세)의 : tributo ~ 1할세. —*m.* 10진법, 10등분, 1할.
—*m. pl.* 《*Méx.*》 돈(dinero, centavos).
decimalizar *tr.* 9 10등분하다.
decimanona *adj.* =**decimonona.**
decimaoctava *adj.* =**decimoctava.**
decimaquinta *adj.* =**decimoquinta.**
decimaséptima *adj.* =**decimoséptima.**
decimasexta *adj.* =**decimosexta.**
decimatercera *adj.* =**decimotercera.**
decimatercia *adj.* =**decimotercia.**
decímetro *m.* 데시미터 《10㎝》 : ~ cuadrado 1제곱 데시미터. ~ cúbico 세제곱 데시미터, 1리터.

D

décimo, ma *adj.* [*lat.* decimus] 열 번째의 ; 10등분한 : una ~*ma* parte 10분의 1. **—*m.*** ① 10분의 1. ② 분할 판매 복권. ③《*Col. Ecuad. Méx.*》 10센따보 은화.

decimoctavo, va *adj.* 18번째의.

decimocuarto, ta *adj.* 14번째의.

decimonono, na *adj.* 19번째의.

decimonoveno, na *adj.* =**decimonono.**

decimoquinto, ta *adj.* 15번째의.

decimosegundo, da *adj.* 【방언】 =**duodécimo.**

decimosé(p)timo, ma *adj.* 17번째의.

decimosexto, ta *adj.* 16번째의.

decimotercero, ra *adj.* 열세 번째의 (decimotercio).

decimotercio, cia *adj.* 열세 번째의 (decimotercero).

deciocheno, na *adj.* 18번째의.

decir[1] *m.* 말, 문구, 한 말(dicho) ; 말하는 법 (modo de decir). **—*pl.*** 명언 : Sus ~*es* nos cautivaban 우리는 그의 명언에 끌렸다.

D

decir[2] *tr.* 70 [*lat.* dicere] [*p.p.* dicho] ① ㄱ) 말하다 : Ella *dice* la verdad 그녀는 진실을 말한다. *Dice* que es verdad 진실이라고 그는 말한다. No *digo* mal *de* nadie 나는 누구에 대해서도 나쁘게 말하지 않는다. Lo *dijo* de memoria 그는 그것을 암기해서 말했다. ㄴ) 언명하다 (asegurar) : *Díga*me usted lo que piensa 생각하고 계신 것을 말씀하세요. *Díga*me usted por dónde se va a la estación 역에 갈려면 어디로 해서 가는지 말씀해 주세요.

② [+que+*subj.*] …하라고 말하다, 명령하다 (mandar, ordenar) : Le *he dicho* que venga 그에게 오라고 말했다. *Díga*le que me llame al hotel 호텔로 저에게 전화 걸어 달라고 그에게 말씀해 주십시오.

③ 말하다, 알리다, 표명하다 : Su semblante *dice* su dolor 그의 얼굴이 고통을 말해 주고 있다.

④ 말하고 있다, 적혀 있다, 말하기를, 왈(曰) : Lo *dice* la Escritura 성서에 그렇게 적혀 있다. ¿Qué *dice* el periódico (de) hoy? 오늘 신문에 뭐라고 쓰였습니까?

⑤【속어】 부르다(llamar) : ¿Cómo *se dice* su hermano?—Le *dicen* Paco 아우는 뭐라고 불리는가? —빠꼬로 불리고 있다.

—*intr.* ① [+bien · mal] 잘 어울리다 · 어울리지 않다 : El verde *dice mal a* una morena 녹색은 갈색 여자에게는 어울리지 않는다. ②《*Venez.*》 [+a+*inf.*] …하기 시작하다 (empezar) : *Dijo a* llorar 그는 울음을 터뜨렸다. *Dice a* correr 그는 달리기 시작한다.

~se ① 말이 있다 ; 불리다. ② [3인칭 단수에서는] …이라고 한다 : *Se dice* que es verdad 사실이라고 한다(Dicen que es verdad).

~ *(de) nones* 계속 부정하다.

~ *de sí* 긍정하다.

~ *dos por tres* 과장해서 말하다.

~ *una hasta ciento* 서슴없이 노골적인 말을 하다.

~ *entre · para sí* 반성하다 ; 혼잣말을 하다.

~ *por* ~ 말하기 위해서 말하다, 무슨 말이고 상관없이 하다.

~ *y hacer* 말하자마자.

a ~ *verdad* 사실을 말하자면.

como dijo el otro 누군가도 말했듯이.

como quien dice, como si dijéramos, es un ~, *vamos al* ~, *voy al* ~ 말하자면.

como quien no dice nada 바로 말해서, 이건 글로 볼 것이 아니야.

diciendo y haciendo 말하자마자.

Diga usted 네, 무엇입니까.

¡Diga! ¡Dígame! ¡Digo! 여보세요《전화를 받을 때》.

¡Digo, digo! 이봐, 들어 봐!

el qué dirán 세상 사람들의 소문.

ello dirá 글쎄 보고만 있어 봐.

es ~ 즉, 다시 말하면, 바꾸어 말하면, 환언하면 (esto es).

no digamos 대강 이래.

ni que ~ *tiene* 분명하다, 명백하다(ser evidente).

¡no me diga!《*Amér.*》 설마!

no haber más que ~ 이제는 이러쿵저러쿵 할 수가 없다 ; 더 할 말이 없다.

por ~*lo así* 말하자면.

por mejor ~ 더 좋게 말해서.

que digamos [부정의 말 뒤에서] 분명하게 : No es ambicioso, *que digamos* 분명하게 그는 야망이 없다.

¡Tú, que tal dijiste! 아아, 그건 진정으로 하는 소리냐!

cuántas son cinco (누구에게) 트집을 잡다, 을러대다, 겁을 주다, 위협하다(amenazar).

Dime con quién andas y te diré quién eres 【속담】 네가 누구와 다니는지 말하면 네가 누구라는 것을 말하겠다 ; 좋은 친구를 사귀어라.

[직설법 현재 : digo, dices, dice, decimos, decís, dicen. 직설법 부정과거 : dije, dijiste, dijo, dijimos, dijisteis, dijeron. 직설법 미래 : diré, dirás, dirá, diremos, diréis, dirán. 접속법 현재 : diga, digas, diga, digamos, digáis, digan. 접속법 과거 : diera, diese ; dieras, dieses ; diera, diese ; diéramos, diésemos ; dierais, dieseis ; dieran, diesen. 가능법 불완료 : diría, dirías, diría, diríamos, diríais, dirían. 현재 분사 : diciendo. 과거 분사 : dicho].

decisión *f.* ① 결심, 결단(resolución). ② 결정, 해결. ③ 결의, 판결, 판례 ; 결정서 ; 판정승 ; 판단력. Contr. indecisión, vacilación.

decisivamente *adv.* 결정적으로, 단연.

decisivo, va *adj.* ① 결정적인, 결정하는 : razón ~*va* 결정하는 이유. ② 의심할 여지가 없는 ; 단호한, 확고한 : manera ~*va* 단호한 태도.

decisorio, ria *adj.* ① 결정적인 (decisivo) : juicio ~. ② 최후의.

declamación *f.* [*lat.* declamatio] ① 낭독 ; 낭송법. ② (연극에서 대사의) 높고 낮음. ③ 연설, 연설법. ④ 열변.

declamador *adj.* [*lat.* declamator] declamar하는.

declamar *tr.intr.* [*lat.* declamare] 낭송 · 낭독하다 ; 연설하다, 열변을 토하다 ; 비난하다.

declamatorio, ria *adj.* 큰 소리로 하는, 힘준, 연설적인 ; 격렬한 (말투, 문장).

declarable *adj.* 언명해도 되는.

declaración *f.* ① 언명, 고백 : ~ de amor 사랑의 고백. ② 공표, 발표. ③ 신청, 진술 : ~ jurada 선서 진술서. prestar ~ 진술하다. ④ 계출(届出), 신고(서) : ~ de bienes 재산 신고. ~ de aduana 세관 신고서. ~ de entrada · salida 입항 · 출항계. Lea su ~ antes de firmarla 서명하기 전에 귀하의 신고서를 잘 읽어 보십시오. ⑤ 통관 절차. ⑥ 선언, 통고 : ~ de guerra 선전포고. ~ de abandono 포기 통고(서). ⑦ 판정, 단정 : ~ autorizada 독단적인 단정.

Declaración de los Derechos del Hombre y del Ciudadano (불란서의 1789년 의) 인권 선언.

Declaración Universal de los Derechos del Hombre 세계 인권 선언.

declaradamente *adv.* 명백하게 ; 공공연하게 (con claridad, manifiestamente).

declarado, da *adj.* [declarar의 *p.p.*] ① 표시한 ; 명백한 : valor ~ 보험액. ② 표시액 : paquete con valor ~ 가격 표시 소포.

declarador, ra *adj.* 언명 · 고백 · 신고하는.
—*m.f.* 언명 · 고백자, 신고자.

declarante *adj.* 언명하는. —*m.f.* 진술자 ; 증인 ; 신고자 ; 진정자 ; 성명자.

declarar *tr.* [*lat.* declarare] ① 밝히다, 선언하다, 포고하다 : ~ la guerra 선전 포고를 하다. ② 언명하다, 단언하다. ③ 공포 · 발표하다. ④ 【법률】 진술하다. ⑤ 신고하다 : ¿Tiene algo que ~? 무슨 신고할 물건이라도 있습니까? ⑥ (심판관 등이 결과를) 선고하다, 판정하다(decidir) : ~ culpable a alguno 어떤 사람을 유죄로 단정하다. ~ a uno *por* enemigo 누구를 적으로 단정하다. ⑦ 【고어】 해명하다(explicar) : ~ el texto, ~ un pasaje.
—*intr.* (피고 · 증인이 선서하여) 진술하다 ; 신고하다.
~se ① (자기가 …임을) 언명 · 선언하다 : *Me declaré* enemigo suyo 나는 그의 적이라고 선언했다. *Se declaró a favor de* José · *por* un partido 그는 호세의 편이 되겠노라고 · 어떤 당을 지지하겠노라고 선언했다. ② 마음속을 털어놓다, 소신을 밝히다, 의중을 밝히다. ③ 공공연하게 나타나다. ④ (재해 등이) 일어나다 : *Se declaró* un incendio · una tempestad 화재가 · 폭풍우가 일어났다. ⑤ (바람 부는 방향 · 강도가) 정해지다 : *Se declaró* el levante 동풍이 되었다. ⑥ 《*Cuba.*》 소리내다.
~ ***bajo juramento*** 선서하다.
~***se en huelga*** 파업에 들어가다.

declarativo, va *adj.* 공표적인, 언명적인, 명시적인, 명백히 한, 설명의.

declaratorio, ria *adj.* 털어놓는, 그대로 밝히는. —*m.* 진정서.

declinable *adj.* 【문법】 어미 변화하는.

declinación *f.* [*lat.* declinatio] ① 내리받이, 경사, 기울기. ② 저락(低落)(caída). ③ 감퇴, 쇠퇴(decadencia). ④ 【문법】 어미 변화 ; 격변화. ⑤ 【천문】 적위(赤緯). ⑥ 【물리】 편차(偏差)(variación) : ~ de la aguja magnética 자기 편각(磁氣偏角).

declinador, ra *adj.* 기우는, 내려가는 ; 쇠하는, 감퇴하는.

declinante *adj.* ① 기운, 기울기 시작한, 기울어있는 (지면 · 벽). ② 내리막길에 있는 : poder ~.

declinar *intr.* [*lat.* declinare] ① (아래로) 기울다, 내려가다. ② 쇠하다, 감퇴하다, 기력이 없어지다 : ~ *en* riqueza · *en* vigor 재산 · 힘이 기울다. ③ (인기 따위가) 떨어지다 ; 쇠미 · 감퇴 · 퇴보하다. ④ 정중히 거절하다, 사절 · 사퇴하다. ⑤ 편차가 생기다.
—*tr.* ① 【문법】 어미 변화를 시키다. ② 《*Galic.*》 기피하다, 거부하다, 사절하다. ③ 기울이다.

declinatoria *f.* 기피 신청.

declinatorio *m.* 편차의(偏差儀), 편차 검정기(偏差檢定器), 적위의(赤緯儀).

declinómetro *m.* 방위각계(方位角計), 자침 편차계(磁針偏差計).

declive *m.* ① 비탈길(pendiente) ; 경사, 내리받이, 기울기, 경사면(pendiente) : en ~ 경사하여. ② 조락(凋落), 감퇴, 쇠퇴, 시들음(decadencia).

declividad *f.* (내리받이의) 경사, 경사도(declive). **Contr.** aclividad.

declivio *m.* =**declividad.**

decocción *f.* [*lat.* decoctio] ① 우려냄 ; 우려 낸 국물, 우려낸 약. ② (신체의) 절단(amputación).

decoctivo, va *adj.* 소화력이 있는.

decolar *intr.* 이륙하다(despegar).

decoloración *f.* 퇴색.

decolorar *tr.* 퇴색시키다(descolorar).
~se 퇴색하다, 빛깔이 바래다.

decomisar *tr.* 몰수하다(comisar).

decomiso *m.* 몰수(comiso).

decontaminación *f.* =**descontaminación.**

decontaminar *tr.* =**descontaminar.**

decoración *f.* ① 장식(품) : la ~ de una sala de teatro. ② 무대 장치. ③ 【고어】 암송. ④ 음절 분리.

decorado, da *adj.* [decorar의 *p.p.*] 장식한, 꾸민. —*m.* ① 꾸밈, 장식(decoración). ② 암기, 암송.

decorador, ra *adj.* 꾸미는, 장식하는. —*m.f.* (실내) 장식가 ; 무대 장치가 : ~ de interiores 실내 장식가.

decorar[1] *tr.* [*lat.* decorâre] ① 꾸미다(adornar) : Las paredes están *decoradas* con las bellas pinturas murales 벽은 아름다운 벽화로 장식되어 있다. ② (…에게) 훈장을 수여하다(condecorar).

decorar[2] *tr.* ① 【고어】 암기 · 암송하다. ② 음절로 나누어 발음하다(silabear).

decorativo, va *adj.* 꾸민, 장식한 ; 장식처럼 : arte ~ 장식 예술.

decoro *m.* [*lat.* decorum] ① 품격, 덕성(德性)(decencia) : guardar el ~ 품격을 유지하다. ② 면목, 영예(honra). ③ 순결, 절조(節操)(pureza). ④ 잰 체하기(gravedad). ⑤ 건축의 장식법.

decorosamente *adv.* 품격을 유지하여, 품위있게(decentemente) ; 영예롭게.

decoroso, sa *adj.* 기품이 있는, 영예로운 ; 지조가 있는 : hombre ~ 지조있는 사람.

decrecencia *f.* 《*Neol.*》 =**decrecimiento.**

decrecer *intr.* 31 [*lat.* decrescere] ① 줄다, 감소

하다, 힘이 쇠하여지다(disminuir) : Las aguas de los ríos *decrecen* en verano 강물은 여름에 감소한다. ② 위축되다. Contr. crecer.

decreciente *adj.* 차츰 줄어들어 가는·쇠퇴해 가는 : velocidad progresivamente ~.

decrecimiento *m.* ① 감소; 감퇴 (disminución). ② 위축(萎縮). Contr. aumento, incremento.

decremento *m.* =**decrecimiento, disminución.**

decrepitación *f.* 불꽃이 튐.

decrepitante *adj.* 불꽃을 튀기며 타는.

decrepitar *intr.* 불꽃을 튀기며 타기 시작하다.

decrépito, ta *adj.* 노쇠한; 쇠퇴해 버린. —*m.f.* 노쇠자.

decrepitud *f.* ① 노쇠, 노령 : La ~ es el último período de la vida humana. ② 쇠퇴.

decrescendo *m. ital.* 【음악】 음이 점점 약해짐. —*adv.* 점차 희미하게.

decretal *adj.* 로마 교황령의. —*f.* (로마 교황의) 교황령, 교서. —*f.pl.* 교명집(教命集).

decretar *tr.* ① 결재하다, 서류에 결재를 기입하다. ② 명하다. ③ 법령으로 공포하다.

D

decretero *m.* ① 법령집. ② 【고어】 피고 명부.

decreto *m.* [*lat.* decretum] ① 결재 : ~ marginal 서류에 적어 넣는 결재. ② 행정 명령; 법령, 정령(政令) : real ~ 칙령. ~ presidencial 대통령령(大統領令). ~ ministerial 부령(部令). ③ 교황령.

decretorio *adj.* 【의학】 병세가 격변한 : día ~.

decúbito *m.* ① 편안히 누움, 눕는 일 : ~ lateral 옆으로 누움. ~ prono 엎드려 누움. ~ supino 반듯이 누움. ② 자리에 오래 누워 살갗이 쓸리는 종기(úlcera de ~).

decumbente *adj.* 아직 자리에 있는, 병중의.

decuplar *tr.* = **decuplicar.**

decuplicar *tr.* ⑦ 10배로 하다.

décuplo, la *adj.* [*lat.* decuplus] 10배의 : cantidad ~*pla.* —*m.* 10배.

decuria *f.* (고대 고마의) 10인조 병사·시민.

decurión *m.* (고대 로마의 10인조의) 조장.

decurionato *m.* decurión의 직.

decurrente *adj.* 【식물】 지느러미 모양의 : Algunos cardos tienen hojas ~*s.*

decursas *f.pl.* 연체금, 미불금.

decursión *f.* 《*Venez.*》 =**decurso.**

decurso *m.* 때의 연속·계속(transcurso).

decusado, da *adj.* =**decuso.**

decusata *adj.* X자형의 (십자가).

decuso, sa *adj.* 【식물】 십자대생(十字對生)의 (잎).

dedada *f.* 손가락으로 한 웅큼의 양 : una ~ de almíbar.

dar una ~ de miel 한 가닥 희망을 걸어 두게 하다·버리지 못하게 하다.

dedal *m.* (재봉의) 골무.

dedalera *f.* 【식물】 =**digital.**

dédalo *m.* 미궁, 미로(laberinto).

dedeo *m.* 【음악】 정교한 손놀림.

dedicación *f.* ① 헌납, 봉헌(奉獻); 헌당제; 봉헌 비문. ② 《*Amér.*》 헌신, 열심.

dedicante *m.f.* 봉헌자; 헌납자; 헌제자(獻題者).

dedicar *tr.* ⑦ [*lat.* dedicare] ① 바치다; 봉헌·헌상하다; 증정하다; 헌납하다 : El autor de este libro *dedica* su libro a su madre 이 책의 저자는 그의 책을 어머니에게 바치는 헌사(獻辭)를 쓰고 있다. ② 충당하다, 돌려다 쓰다 (destinar). ③ 사용하다, 소비하다, 쓰다. ④ 전념하다 : El *ha dedicado* todo su tiempo al estudio de budismo 그는 전생애를 불교 연구에 전념하고 있다.

~se ① [+a : …에] 종사하다, 헌신하다 : El desea *~se al* comercio 그는 상업에 종사하기를 희망하고 있다. ② 전념하다.

dedicativo, va *adj.* =**dedicatorio.**

dedicatorio, ria *adj.* 봉헌·헌납의; 바친, 올린. —*f.* 헌사(獻辭)(envío).

dedición *f.* 고대 로마에 대한 여러 나라·도시의 무조건 항복.

dedignar *tr.* 깔보다, 멸시하다, 무시하다, 업신여기다(desdeñar).

dedil *m.* ① (가죽·고무의) 골무. ② 【은어】 반지.

dedillo *m.* [*dim.* dedo] 작은 손가락.

al ~ [주로 saber, conocer, tener, 등과 함께] 처음부터 끝까지, 낱낱이, 정확하게, 완전히 : saber *al* ~ 완전히 알다(saber perfectamente).

dedo *m.* [*lat.* digitus] ① 손가락, 발가락 : En el mono el pulgar de manos y pies se opone a los otros ~*s* 원숭이한테는 앞발과 뒷발의 발가락은 다른 발가락과는 반대다. ~ pulgar·gordo 엄지, 엄지손가락. ~ índice·mostrador·saludador 검지, 집게손가락. ~ cordial·de en medio·del corazón 장지, 가운뎃손가락. ~ anular·médico 약지, 약손가락. ~ meñique·auricular 새끼손가락. ② 길이의 단위 《18mm》. ③ 편물에서 코 10개의 길이.

a dos ~s de …의 바로 가까이에 (muy cerca de, a punto de).

el ~ de Dios 하느님의 손, 하느님의 위력.

el ~ chiquito 《*Méx.*》 심복.

alzar el ~ (선서를 위해) 엄지를 세우다.

antojársele a uno los ~s huéspedes 너무 의심이 많다(ser muy suspicaz).

atar bien su ~ 확실하게 해 나가다.

cogerse uno los ~s 자신의 함정에 빠지다(caer en sus propias redes).

contar por los ~s 손꼽아 세어 보다.

chuparse los ~s 손가락을 빨다, 몹시 즐겁게 말하다·먹다·하다.

mamarse el ~ 손가락을 빨다; 어리석음을 드러내다.

mamarse los ~s 단순하다, 어리석다.

meterle a uno los ~s (누구의) 비밀을 캐내다.

morderse los ~s 발을 구르다, …을 후회하다 (arrepentirse de).

no mamarse el ~ 매우 영리하다.

pillarse uno los ~s 자신의 함정에 빠지다 (cogerse los dedos).

poner el ~ en la llaga 문제의 난점·상대방의 아픈 곳·불행의 참된 원인을 지적하다.

ponerle a uno cinco ~s en la cara (누구의) 뺨을 때리다.

ponerse el ~ en la boca 끝까지 입을 열지 않다.

señalar con el ~ 남이 있는 데서 욕설을 퍼

붓다 · 비웃다(escarnecer en el público).
ser el ~ malo 계속 시름시름 앓다.
tener malos ~s para organista 어떤 직업에 어울리지 않다.

dedolar *tr.* 24 비스듬하게 절개하다.

deducción *f.* ① 뺌, 공제. ② 차감액, 공제액. ③ 추론, 추정, 추단. ④【논리】연역법. ⑤ 논에 대는 물.

deducible *adj.* 추론 · 추정할 수 있는, 추리할 수 있는 ; 귀납(歸納)하는.

deduciente *adj.* 공제하는, 공제한 ; 추정하는.

deducir *tr.* 71 [*lat.* deducere] ① [+de · por : …로] 짐작하다, 추정 · 추론 · 추리하다(inferir) ; …으로 추정하여 …라 생각하다 : *Deduzco de · por* lo que acabo de oir que es inútil que vayamos 들은 것으로 추정하여 우리들이 가는 것이 소용없다고 생각한다. ② 빼다 : *Deduzca* usted esa cantidad del total 전체에서 그 수량을 빼 주세요. ③ 할인하다.

deductivo, va *adj.* 추정(적)인 ; 연역적인.

deduj- → **deducir** 71.

deduje- → **deducir** 71.

deduzc- → **deducir** 71.

deduzca deducir의 접 · 현 · 1 · 2 · 단수.

deduzco deducir의 직 · 현 · 1 · 단수.

defacto, de facto *adv. lat.* 바로 말해서, 사실상(de hecho).

defalcar *tr.* 7 떼어 내다 ; 위탁금을 횡령하다 (desfalcar).

defamar *tr.* (남의) 명예를 손상하다.

defasaje *m.*【전기】변상(變相), 제상(除相).

defecación *f.* ① 맑음, 맑게 하는 일 : ~ de un líquido. ② 불순물의 제거 ; 배변(排便).

defecar *tr.* 7 [*lat.* defecare] 맑게 하다 ; 찌꺼기 · 앙금을 없애다(clarificar). —*intr.* 똥을 누다.

defecatorio, ria *adj.* defecación의. —*m.* = **cagatorio.**

defección *f.* 탈주 ; 탈당 ; 탈회, 탈퇴 ; 변절.

defeccionar *intr.* 《*Galic.*》 탈주하다 ; 탈당 · 탈회 · 탈퇴하다 ; 변절하다.

defectibilidad *f.* 불완전성 : la ~ de la naturaleza humana.

defectible *adj.* 결함이 있는, 결여되어 있는, 불완전한 : Todos los hombres son ~*s*.

defectivo, va *adj.* [*lat.* defectivus] 불완전한 (defectuoso) : verbo ~ 【문법】 불구 동사 《balbucir처럼 모든 시제나 인칭에서 사용되지 않는 동사》.

defecto *m.* [*lat.* defectus] ① 결점, 결함 ; 단점, 약점, 흠, 결여 : No tiene ~*s* físicos 그는 신체상의 결함은 없다. Deben corregirse los ~*s* de los niños cuando aún son muy pequeños 아이들의 결점은 어릴 때 교정해 주어야 한다. Si hay ~*s*, también hay virtudes 단점이 있으면 장점도 있다. ② 부족, 결손. —*pl.* 【인쇄】 낙장(落帳). Sinórn. perdido.
en ~ de 《*Galic.*》 …이 없어서, …이 없을 경우에(a falta de).

defectuosamente *adv.* 결점투성이로, 불완전하게 ; 불구 상태로.

defectuosidad *f.* 불완전 ; 결함. Contr. perfección.

defectuoso, sa *adj.* 흠 · 결점 · 결함이 있는, 불비한 점이 많은(imperfecto) : dibujo ~. Contr. perfecto, correcto.

defendedero, ra *adj.* =**defendible.**

defendedor, ra *adj.m.f.* =**defensor.**

defender *tr.* 20 [*lat.* defendere] ① 막다, 지키다, 방어 · 방위하다 ; 보호하다 (amparar, librar, proteger) : Hay que ~ a los niños *de* los males 아이들을 악으로부터 지켜야 한다. La pared nos *defiende contra*del frío 벽은 추위로 부터 우리를 보호해 준다. ② 지지 · 옹호하다, 변호하다(proteger) : ~ a un acusado. ③【법률】항변 · 답변하다. ④【고어】방해하다, 훼방 놓다 (vedar, embarazar).
~se ① 몸을 지키다 : *Nos defendemos del* sol *con* un quitasol 우리들은 양산으로 햇빛으로부터 몸을 지킨다. ② 방어 · 방어전을 하다 : *~se del* enemigo. Contr. atacar.

defendible *adj.* 지킬 수 있는 ; 방어 · 변호할 수 있는 : opinión ~.

defendido, da *adj.* defender의 *p.p.*

defenecer *tr.* 7 【방언】 셈을 끝내다.

defenecimiento *m.* 《*Ar.*》 셈의 계산, 청산.

defenestración *f.* (창문 · 발코니 따위로) 던지기.

defensa *f.* ① 방위, 방어, 수비 : gastos de ~ 국방비. ② 방어물. ③ 옹호. ④ [집합] 변호 ; (소 · 코끼리 등의) 뿔. —*m.* (축구 등의) 후위, 디펜스, 풀백. [*N.* 동사는 defender].
~ nacional 국방.
en ~ de …을 지켜 ; …을 변호하여.
legítima ~ 정당 방위.

defensión *f.* 방호, 방어.

defensiva *f.* 수세 ; 방어의 자세 · 위치 ; 방어물 : estar · ponerse a la ~ 수세에 몰려 있다 · 몰리다. Contr. ofensiva.

defensivo, va *adj.* 방어의, 방비용의 ; 수비의 : alianza ofensiva y ~*va* 공수 동맹. el aumento del gasto ~ 국방 비용의 증가. —*m.* ① 수비, 방어(defensa). ② 《*Hond.*》 찜질. Contr. chiqueadores. —*pl.* 《*AmérC. Perú.*》 고약.

defensor, ra *adj.* 수비 · 변호하는. —*m.f.* ① 수비자, 보호자 ; 변호자 : ~ de menores 미성년자의 후견인. ② 방어자. Contr. agresor. —*m.* 변호인.

defensoría *f.* 변호인이 되는 일, 그 입장.

defensorio *m.* 변호문.

deferencia *f.* 공순, 겸허, 겸양 ; 존경 ; 맹종.

deferente *adj.* [*lat.* deferens] ① 공순한 ; 겸허한, 겸양의. ② 맹종적인. ③【해부】수송의 ; 배설의 : canal ~ 수정관.

deferido, da *adj.* deferir의 *p.p.*

deferir *intr.* 54 [*lat.* deferre] (경의를 표하여) 따르다, 양보하다 ; 승락하다 ; 맹종하다 : ~ al dictamen ajeno 남의 의견에 따르다 · 존경하다. —*tr.* 통달하다.

defervescencia *f.* 해열, 신열의 내림 ; (병세의) 감퇴기 ; 무비등(無沸騰).

deficiencia *f.* [*lat.* deficientia] 흠, 결점, 결함 (defecto) : Este libro tiene muchas ~*s* 이 책은 낙정(落丁)이 많다.

deficiente *adj.* 결점 · 결함이 있는 ; 불완전한 (incompleto, insuficiente) : alimentación ~.

deficientemente *adv.* 넉넉하지 못하게.
déficit *m.* 【단·복수 동형】 부족(액), 적자 ; 결손, 손해 : cubrir el ~ 적자를 메우다. Sé que todos los años hay un ~ de quinientas mil pesetas 매년 50만 뻬세따의 적자가 있다는 것을 나는 알고 있다. Contr. superávit.
deficitario, ria *adj.* 적자의, 결손이 되는, 손해가 되는 ; 결손·손해분의.
defiend- → **defender** 20.
defiendo defender의 직·현·1·단수.
defier- → **deferir** 54.
definible *adj.* 정의·규정할 수 있는, 한정할 수 있는, 분명히 할 수 있는.
definición *f.* [*lat.* definitio] ① 한정 ; 정의, 정리(定理). ② 결정, 재결(裁決). ③ 말뜻의 해명. ④ [주로 *pl.*] 규정, 준칙, 수칙(守則).
definido, da *adj.* 결정된 ; 명확한 ; 의의가 정해진(determinado) : artículo ~ 정관사. Contr. indefinido, vago.
definidor, ra *adj.* 결정·정의하는. —*m.* 종무위원(宗務委員).
definir *tr.* [*lat.* definire] ① (의미·의의〈疑義〉·본질·본체를) 분명하게 하다, 해결하다. ② 정의하다 : Los concilios *definen* ciertos puntos de la doctrina 종교 회의는 교의(教義)의 어떤 점을 정의한다. ③ 결정·한정하다. ④ 재결하다. ⑤ (세밀 묘사로) 완결·완성시키다 (concluir).
~se ① 밝혀지다 ; 신분을 밝히다 : *Se define* a su propia persona 자신의 신분을 밝힌다. ② 정의가 내려지다, 정해지다.
definitivamente *adv.* 결론적으로, 최종적으로 (decisivamente, resolutivamente) : ¿ Se ha decidido ~? 최종적으로 결정됐습니까?
definitivo, va *adj.* 결정적인 ; 한정된 ; 종국적인 ; 불변의 ; 불역(不易)의. Contr. provisorio.
en ~va 결정적으로, 종국적으로.
definitorio, ria *adj.* 결정하는, 결정적인. —*m.* 종무 위원회.
defir- → **deferir** 54.
deflación *f.* 【경제】 긴축 ; 통화 긴축, 디플레.
deflacionario, ria *adj.* 통화 긴축·디플레의.
deflacionista *adj.m.f.* 디플레 정책론의 (사람).
deflagración *f.* ① 불타 오름. ② 【화학】 돌발적인 연소, 폭연(爆燃) (작용).
deflagrador *m.* 【전기】 돌연기(突燃器).
deflagrar *intr.* 별안간 불타다, 돌연히 불이 붙다.
deflector *m.* 액체 방향 전환 기구.
deflegmación *f.* 【화학】 분류(分溜).
deflegmador *m.* 【화학】 분류기, 분축기.
deflegmar *tr.* 【화학】 분류하다, …의 수분을 제거하다.
defoliación *f.* 이상 낙엽《병충해 등으로 이른 시기에 잎이 떨어지는 일》.
deforestación *f.* 산림 벌채 ; 난벌(亂伐).
deformación *f.* ① 변형, 기형. ② 모양이 흉함. ③ 【미술】 변형, 데포르마시옹. ④ 【전기】 (전파의) 일그러짐. ⑤ 【물리】 변형.
deformador, ra *adj.* deformar 하는. —*m.f.* 왜곡자.
deformante *adj.* 변형·기형의.
deformar *tr.* ① 이지러뜨리다, 형태를 무너뜨리다, 흉하게 만들다(desformar, desfigurar). ② 왜곡하다 : ~ la verdad 진실을 왜곡하다. ③ (물체를) 변형시키다 : Los espejos cilíndricos *deforman* las imágenes 원통형의 거울은 상(像)을 변형시킨다.
~se 형태가 흐트러지다, 모양이 이지러지다.
deformatorio, ria *adj.* 형태·모양을 흐트러뜨리는, 변형적인.
deforme *adj.* 모양이 흉한, 형태가 무너진 ; 기형의, 불구의 : pie ~ 기형의 발. [*N.* pie *disforme* 보기 흉한 발].
deformemente *adv.* 몰골 사납게, 보기 흉하게.
deformidad *f.* [*lat.* deformitas] 기형(畸形), 불구 ; 흉한 모양, 흉하게 생긴 것 ; 실수.
defraudación *f.* 사취 ; 속임수 ; 기대에 어긋남 ; 방해.
defraudador, ra *adj.* 사취하는 ; 속임수의. —*m.f.* 횡령자.
defraudar *tr.* [*lat.* defraudare] ① 약취하다, 사취하다(usurpar, robar) : Les *defraudó* al heredero *de* sus bienes 상속인에게서 재산을 사취했다. ② ㄱ) 기대에서 어긋나게 하다, (희망을) 저버리다 : Le *defraudó (en)* las esperanzas 그의 희망을 저버렸다. ㄴ) 실패로 돌아가게 하다. ③ 헝클어뜨리다, 방해하다, 어지럽게 하다(turbar) : ~ el sueño 꿈길을 어지럽게 하다.
defuera *adv.* 외부(外部)에서, 밖에서, 바깥에서(exteriormente) : Se ve ~ 밖에서 보이다.
por ~ 바깥으로.
defunción *f.* 사망(muerte, fallecimiento, óbito) : la esquela de ~ 사망 통지.
degeneración *f.* [*lat.* degeneratio] ① 퇴보 ; 악화, 타락, 퇴폐. ② 【생리】 변성, 변질. ③ 【생물】 퇴화. ④ 【의학】 (장기·조직의) 병적 변질·변성.
degenerado, da *adj.* 퇴폐한 ; 타락한. —*m.f.* 타락자 ; 변질자.
degenerante *adj.* (차츰) 퇴폐·퇴화·타락하는. —*m.f.* 타락자.
degenerar *intr.* [*lat.* degenerare] ① 나빠지다, 퇴폐하다, 타락하다, 몰락하다 ; 품질이 저하하다 ; 변모하다. ② 【생물】 퇴화하다 ; 변성하다. ③ 변질하다 : *De* santo *degeneró en* monstruo.
degenerativo, va *adj.* 퇴화적, 타락적, 퇴보적인 ; 변질성의 ; 퇴행성의.
degenerescencia *f.* 《*Galic.*》 =**degeneración.**
deglabración *f.* 【의학】 =**decalvación.**
deglución *f.* 【생물】 삼키기, 연하(嚥下) ; 삼키는 작용 ; 삼키는 힘.
deglutir *intr. tr.* [*lat.* deglutire] 삼키다, 넘기다 (tragar).
degodeo *m.* 《*SDgo.*》 손가락으로 만지작거리는 일 ; 시시덕거림.
degollación *f.* 참수, 목을 베기.
degolladero *m.* ① 도살장 ; 참수장. ② 부인의 옷에서 가슴이 벌어진 곳.
llevar al ~ 몹시 위험한 곳에 가지고·데리고 가다.
degollado, da *adj.* 참수된, 목을 잘린. —*m.* (의복의) 섶이 벌어짐.

degollador, ra *adj.* 목을 베는. —*m.* 목을 베는 사람 ; 도살자.

degolladura *f.* ① 참수, 목을 벰. ② (의복의) 섶의 벌어짐. ③ (벽돌과 벽돌의) 이음짬. ④ (난간의) 기둥머리. ⑤ (쟁기의) 보습.

degollante *adj.m.f.* 좀 귀찮은 (사람)(necio, enojoso).

degollar *tr.* 28 [*lat.* decollare] ① (사람·동물·물건의) 목을 자르다·떼다 : ~ un cabrito. ② 못쓰게 만들다(destruir). ③ (부인의 옷에) 목을 파다. ④ (배우가 역을) 졸연하다. ⑤ 견딜 수 없이 귀찮게 만들다 : Juan me *degüella* 나는 후안이라면 진절머리가 난다.

degollina *f.* =**matanza.**

degradación *f.* ① 관등의 박탈 ; 강등, 좌천. ② 영락(零落), 몰락, 추락, 퇴화, 침잠. ③ 원근법에 의한 사물의 점점 작아짐(desvanecimiento) : ~ de color 색도를 점점 흐리게 하는 일.

degradado, da *adj.* degradar의 *p.p.*

degradador *m.* =**desvanecedor.**

degradante *adj.* 품위·체면을 손상시키는 : la embriaguez es un vicio ~.

degradar *tr.* ① 관등을 박탈하다 ; 강등·좌천시키다 : ~ a un militar. ② (…의) 품위·체면을 떨어뜨리다 ; 몰락하게 하다. ③ (빛깔을) 흐리게 하다 : ~ los colores.

~se 하락하다 ; 몰락하다 ; 추락하다.

degredo *m.* 《*Venez.*》 격리 병원 ; 헛간.

degu *m.* 【동물】(칠레산의) 생쥐.

degüello *m.* ① 참수(matanza). ② (창 따위의) 목.

entrar a ~ (도시 등을) 습격하여 몰살하다.

pasar a ~ 목을 치다.

tirar a ~ 끝까지 못살게 굴다.

tocar a ~ (기병에게) 습격을 명령하다.

degustación *f.* [*lat.* degustatio] 시음, 시식 : ~ de licores 술의 시음.

degustar *tr.* 시음·시식하다(gustar, probar, catar).

dehesa *f.* ① 목장 : ~ carnicera 식용 축산의 사육 목장. ~ boyal carneril 소·양 목장. ② 목초지.

soltar el pelo de la ~ 개화되다(civilizarse).

dehesar *tr.* = **adehesar.**

dehesero *m.* 목초지의 관리인, 목장 감시인.

dehiscencia *f.* 【식물】(꼬투리 등의) 벌어짐.

dehiscente *adj.* [*lat.* dehiscens] 【식물】 열개성(裂開性)의. **Contr.** indehiscente.

deicida *adj.* 신을 살해한 ; 신성 모독의. —*m.f.* 신을 죽인 사람 ; 그리스도를 죽인 자.

deicidio *m.* 신을 죽임 ; 그리스도의 처형 ; 신을 처형한 죄.

deidad *f.* [*lat.* deitas] 신성(神性) ; 신(神) ; 미인.

deificación *f.* 신으로 모시는 일, 신격화(神格化).

deificar *tr.* 7 신으로 모시다 (divinizar) ; 신처럼 받들다, 받들어 모시다.

deífico, ca *adj.* 신의, 신격(神格)의.

deiforme *adj.* 【시어】 신으로 현신하신, 신의 모습을 한, 신과 같은.

deípara *adj.* 【시어】 신을 낳으신 (성모).

deis dar의 접·현·2·복수.

deisidemonia *f.* 보이지 않는 힘에 대한 미신적 공포.

deísmo *m.* 자연신론(自然神論), 자연 신교(自然神教). **Contr.** ateísmo.

deísta *adj.* 자연 신교의. —*m.f.* 자연 신교 신봉자, 이신론자.

deitano, na *adj.m.f.* 데이따니아 《Deitania, 고대 서반아의 동서 지방》의 (사람).

deja *f.* 베어낸 나머지.

dejación *f.* ① 포기(abandono). ② (재산·주식의) 양도(cesión de bienes). ③ 《*Amér.*》 아무렇게나 함, 태만(descuido). ④ 무정(無精).

dejada *f.* 포기, 방임.

dejadero, ra *adj.* 남겨야 할 ; 양도할 수 있는.

dejadez *f.* 권태 ; 태만(pereza) ; 무기력. **Contr.** actividad.

dejado, da *adj.* [dejar의 *p.p.*] 권태로운, 신명이 나지 않는 ; 태만한, 게으른 ; 기력이 없는, 맥이 빠진. **Contr.** cuidadoso.

dejamiento *m.* 포기(dejación) ; 방임 ; 태만 ; 의기 소침.

dejante *adv.* 《*Col. Chile. Guat.*》 게다가, 그뿐더러 : ~ que …한데다가.

dejar *tr.* ① 놓아주다(soltar) : Le *dejó* de la mano 그의 손을 놓았다.
② 방치하다, 놓아두다(abandonar) : *Dejé* el reloj sobre la mesa 나는 책상 위에 시계를 놓아두었다. *Dejó* su paraguas en un rincón 그는 구석에 우산을 놓고 왔다. *Dejaron* el trabajo a las seis 일을 여섯 시까지 방치해 놓았다. ~lo sin·por hacer 그것을 하지 않고 두다.
③ 허락하다. …시키다 (consentir) : *Dejó* a su hijo que saliera 아들에게 외출을 허용했다. [*N.* dejar que 다음에 접속법 동사가 사용됨].
④ 맡기다(encargar) : *Dejó* la casa al cuidado de su hijo ; Le *dejó* el cuidado de la casa 집의 관리를 아들에게 맡겼다.
⑤ 남기다(producir) : Aquel negocio le *dejó* mil pesetas 그 사업으로 그는 천뻬세따를 남겼다. El negocio le *dejó* poca ganancia 그 사업으로 그는 이익을 별로 남기지 못했다.
⑥ 버리다, …에서 떠나다(abandonar) : ~ la cama 자리를 뜨다. ~ *su* esposa 아내를 버리다. La calentura *dejó* al enfermo 환자의 열이 내렸다.
⑦ 【속어】 빌려 주다(prestar) : *Déja*me tu gabán 외투를 빌려 주게.
⑧ [+형용사·부사, 어떤 상태로] 두다, 해두다 : La *dejamos* contenta 그녀를 만족시켜 주었다. Le *dejamos* libre el paso 그를 위해 길을 비켰다. *Déja*me en paz 내게는 상관하지 말아라.
⑨ [dejar+*inf.* : 방임·방치한 채로] …시키다, …하게 하다 : Le *dejé* salir 강제하지도 금지하지도 않고, 그를 외출케 했다. *Déje*me salir 나를 외출시켜 주십시오. ***Déja***me ver 좀 보여 주세요, 좀 보자. Ella no me *deja* dormir 그녀는 나를 잠 못 이루게 한다.
⑩ [dejar + 현재 분사 : …하는대로] 내버려 두다 : La *dejé* llorando en su cuarto 그녀를 방에서 우는대로 그냥 내버려 두었다.
⑪ [dejar + 과거 분사] …해두다 : Lo *dejó* dicho·escrito 그것을 말해·적어 두었다.

D

⑫ [dejar de+*inf.* : …하는 것을] 중지하다, 그만두다 ; 잘못하다 ; 게을리 하다 : *Dejó de* llorar 울음을 멈추었다. *Dejaron de* hacer lo prometido 그들은 약속을 게을리 했다.
⑬ [no dejar de+*inf.*] 반드시 …하다 ; 그냥 내버려 둘 수 없다 : *No deja de* extrañarme tu conducta 자네의 행동은 아무리 생각해도 수상해. *No dejes de* pasar por mi oficina mañana por la tarde 내일 오후에 내 사무실에 꼭 들려 주게.
⑭ [+por : …으로] 하다, 생각하다 : Le *dejó por* heredero 그를 상속인으로 삼았다. La *dejamos por* loca 그녀를 미친 사람으로 해두었다.
~se ① 몸을 맡기다 : *~se* al arbitrio de la fortuna 운명의 손에 몸을 맡기다. ② 열중하다, 정신없이 하다(entregarse) : *~se a* sus rezos 정신없이 기도하다. ③ 등한히 하다, 소홀히 하다, 게을리 하다. ④ [dejarse+*inf.* : …하는대로 자신을] 하도록 내버려두다, 하게 하다 : El potro *se* le *dejó* coger 조랑말은 붙잡으려고 하는 그에게 붙잡도록 가만히 있었다. El ruido *se deja* oir 들으려고 하면 소리가 희미하게 들리는 것이다. ⑤ [+de : …을] 그만두다, 손을 떼다 : *Se dejó de* preguntas 질문을 그만두었다, *Se deja de* molestar 애먹이는 일을 그만두었다.
~ caer 떨어뜨리다 : *Dejé caer* el libro 책을 밑으로 떨어뜨렸다.
~ cargado 차변에 기입하다.
~ en blanco 누락시키다, 빠뜨리다(omitir).
~ feo 망신을 주다, 창피주다(desairar).
~ fresco 깔보다, 얕보다.
~ por hacer 뒤로 미루다.
~se caer 잘못해서 떨어뜨리다 ; 넌지시 빗대어 말하다 ; 별안간 나타나다.
~se decir 깜빡 말해 버리다 ; 시치미를 떼고 말해 버리다 ; 큰마음 먹고 말하다.
~se llevar de …에 따르다, …의 영향을 받다.
~se rogar 손바닥이 닳도록 빌게 만들다.
~ temblando 부들부들 떨게 만들다 ; (접시에 있는 것을) 거의 먹어치워 버리다.
no ~se 《*Méx.*》 보복하지 않고는 두지 않겠다.
no ~se ensillar 남이 말리는 것은 듣지 않다.
por no ~ 《*Chile. Méx. SDgo.*》 위안거리로, 심심풀이로.

dejativo, va *adj.* 침울하고 무기력한, 체념의, 나른하게 기운이 빠진.

deje *m.* 【속어】 《*Chile.*》 뒷맛(dejo).

dejillo *m.* 말꼬리가 처지는 말씨·버릇 ; 뒷맛(deje).

dejo *m.* ① 방치, 포기, 방임(dejación). ② 종말. ③ 뒷맛. ④ 게으름, 나태, 태만. ⑤ (지방의) 말씨 : ~ andaluz 안달루시아풍의 말씨. ⑥ 말꼬리가 처지는 말씨.

dejuramente *adv.* 《*Amér.*》 【속어】 =**ciertamente.**

de jure *adv. lat.* =**de derecho.**

dejuro *adv.* 《*Arg.*》 =**de juro.**

del 전치사 de와 정관사 el과의 생략형 : la cabeza *del* hombre 사람의 머리.

dél 【고어】 전치사 de와 대명사 él과의 생략 : Hablaron *dél* 그들은 그에 관해 말했다.

delación *f.* [*lat.* delatio] ① 고발, 고소 ; 밀고(acusación) ; 고자질(soplo). ② 조약의 폐기 통고(denuncia).

delantal *m.* 앞치마, 에이프런.

delantalada *f.* 앞치마에 들어갈 수 있는 것.

delante *adv.* 앞에(enfrente, a la vista) : *~ de* …의 앞에(서). *D- de* la estación está la catedral 역 앞에 대성당이 있다. No digas esas cosas *~ de* una señora 부인 앞에서 그런 것을 말하지 마라.

delantera *f.* ① 앞부분, 앞쪽 ; 앞으로 가는 일, ② (관람석 등의) 맨 앞줄. ③ (마을이나 저택의) 앞 경계. ④ (의복의) 앞섶. ⑤ (양장한 서적의) 등과 반대되는 쪽. *—pl.* 짧은 바지(zahones) : coger·tomar la ~ 앞서다, 앞서 가다 ; 선구자가 되다 ; 뛰어나다. Nuestro coche *ha tomado la ~* 우리의 자동차가 선두다.

delantero, ra *adj.* 앞에 있는 : fila *~ra* 앞줄. *—m.* 앞 말의 기수 ; (축구 등의) 전위, 포워드.

delatable *adj.* 고발당해 마땅한 ; 밀고해 마땅한, 밀고해도 되는.

delatante *adj.* 고발·밀고하는.

delatar *tr.* 고발·밀고하다 ; 들추어내다, 나타내다, 폭로하다(revelar).
~se 깜빡 속마음을 드러내다 ; 자수(自首)하다.

delator, ra *adj.* 들추어내는. *—m.f.* 고발자 ; 밀고자(denunciador).

delavado, da *adj.* 《*Galic.*》 =**lavado, descolorido.**

dele *m.* (교정의) 삭제인(削除印).

deleátur *m.* =**dele.**

deleble *adj.* 지울 수 있는 ; 어렵지 않게 지워지는 ; 말소되는 : tinta ~.

delectable *adj.* =**deleitable, deleitoso.**

delectación *f.* 즐거움, 기쁨, 열락, 희열, 환희(deleitación) : ~ morosa 망상. Ese león parece contemplar a la leona con ~ 그 사자는 암사자를 만족해서 바라보는 것 같다.

delega *f.* 【속어】 경찰 파출소.

delegación *f.* ① 대표 ; 위임 ; 대표의 임무 ; 대표 사무소. ② 사절단 ; 대표단, 대표부 : El pertenece a la ~ coreana 그는 한국 대표부에 소속해 있다. ③ 경찰서, 파출소, 지서 : Lo llevaron amarrado a la ~ de policía 그는 포승에 묶여 경찰서에 갔다. ④【상업】 대리점 ; (상사 등의) 주재원 사무소, 출장소.

delegado, da *adj.* 위임받은. *—m.f.* ① 대표자, 대리, 대표 위원, 대표단, 사절(使節). ②【상업】 대리인 ; (상사 등의) 주재원, 출장소 근무자.

delegante *adj.* 위임하는 ; 선임하는.

delegar *tr.* ⑧ [*lat.* delegare] ① (권한을) 위임하다. ② 선임하다. ③ (대표로서) 파견하다(enviar, mandar) : ~ a un inspector.

delegatorio, ria *adj.* 권한 위임(權限委任)의 : orden *~ria* 위임 명령. *—m.f.* 위임자.

deleitabilísimo, ma *adj. sup.* deleitable.

deleitable *adj.* 즐거운, 신나는, 기쁜, 반가운(deleitoso).

deleitablemente *adv.* 즐겁게 ; 기쁘게 ; 신나게(deleitosamente, con deleite).

deleitación *f.* =**deleite.**

deleitamiento *m.* =**deleite.**

deleitante *adj.* 즐거움을 주는, 흐뭇하게 하는, 즐거운, 재미나는.

deleitar *tr.* [*lat.* delectare] 즐겁게 하다 : La

música *deleita* el oído 음악은 귀를 즐겁게 해준다.
~se 즐기다, 즐겁게 맛보다 : *Me deleito con · en* la lectura 나는 독서를 즐긴다.
deleite *m.* 즐거움, 흐뭇함, 쾌락(placer) : con ~ 즐겁게. El ~ debilita el alma 쾌락은 영혼을 약화시킨다.
deleitosamente *adv.* 즐겁게 ; 흐뭇하게.
deleitoso, sa *adj.* 즐거운 ; 흥미있는.
deletéreo, a *adj.* 해로운, 유독한 : gas ~ 유독가스.
deletreador, ra *adj.m.f.* 판독·해독하는(자).
deletrear *tr.* ① 또박또박 한 자씩 읽다. ② 분철(分綴)하다 : ¿Quiere usted ~ su apellido? 당신의 성의 철자를 말씀해 주십시오. ③ 판독하다 ; 해석·해독하다(adivinar).
deletreo *m.* ① 단어의 철자를 한 자씩 읽는 일. ② 판독, 해독.
deleznable *adj.* [*lat.* delebilis] ① 헤픈. ② 부서지기 쉬운(que se rompe fácilmente) : arcilla ~. ③ 미끄러지기 쉬운(resbaladizo) : un suelo ~. ④ 덧없는, 허망한.
deleznar *intr.* 【속어】 =**deslizarse, resbalar.**
délfico, ca *adj.* ① 델피 《아폴로의 신전이 있던 그리스의 옛 수도 Delfos》의. ② 델피의 신탁(神託)같은. ③ 애매한.
delfín *m.* [*lat.* delphin] ① 【동물】 돌고래 : Los antiguos consideraban al ~ como amigo del hombre. ② 【천문】 돌고래좌. ③ (1493년부터) 불란서 왕의 장남 : el grande *D-* 루이 14세의 태자.
delfina *f.* 불란서의 태자비.
delfináptero *m.* =**beluga.**
delfinio *m.* 【식물】 캄프리 《원예가들이 통상적으로 부르는 이름》.
delgadamente *adv.* ① 가늘게, 얇게, 엷게(delicadamente). ② 날카롭게(agudamente).
delgadez *f.* 가늘음, 엷음 ; 홀쭉함. Contr. gordura.
delgado, da *adj.* ① 가는, 엷은, 얇은(de poco grueso) : Este libro es muy ~ 이 책은 무척 얇다. ② 여윈, 홀쭉한 (enjuto) : Nuestra profesora se ha quedado muy ~*da* 우리 여선생은 매우 여위었다. ③ 섬세한 (delicado), 미묘한 ; 예민한, 예리한. ④ 땅이 메마른. ⑤ 염분이 있는 (물). Contr. grueso. —*m. pl.* (마소의) 후복부(後腹部).
delgaducho, cha *adj.* 가느다란, 엷은, 좀 여위어 보이는, 날씬한.
Delhi 【지명】 델리 《인도의 옛 수도》 ; 뉴델리 (Nueva ~).
deliberación *f.* 숙고 ; 심의, 토의 ; 깊이 생각한 후의 결정 ; 타산.
deliberadamente *adv.* ① 신중히 생각한 끝에 : Cometió su crimen ~. ② 고의로.
deliberado, da *adj.* [deliberar의 *p.p.*] = **voluntario, intencionado.**
deliberante *adj.* 심의·토의의 : asamblea ~ 심의회. consejo ~ 심의 위원회.
deliberar *intr.tr.* [*lat.* deliberare] ① 곰곰히 생각하다, 숙고하다 ; 심의·검토하다 : *Se está deliberando* en el comité 지금 위원회에서 심의 중이다. ② [+*inf.* : …하기로] 결정하다(decidir) : *Deliberó* hacerlo.
deliberativo, va *adj.* =**deliberante.**
deliberatorio, ria *adj.* =**deliberante.**
delibrar *tr.* =**acabar, terminar, concluir.**
delicadamente *adv.* 화사하게, 우아하고 아름답게, 미묘하게 ; 나약하게(con delicadeza).
delicadez *f.* ① 나약함, 약함, 허약(debilidad, flaqueza). ② 성미가 꽤 까다로움 (escrupulosidad). ③ 끈기가 없음, 무기력함 (flojedad). ④ 섬세, 까다로움. ⑤ 미묘 (delicadeza). ⑥ 태만, 게으름, 나태(pereza).
delicadeza *f.* ① 섬세, 미묘. ② 우미, 우아, 상냥스러움. ③ 화사함, 나약함. ④ 소심함. ⑤ 민감, 예민.
delicado, da *adj.* ① 화사한. ② 나약한. ③ 끈기가 없는. ④ 부드럽고 다정한. ⑤ 연한 : carne ~*da* 연한 고기. ⑥ 맛있는. ⑦ 미묘한 ; 섬세한 ; 우아한. ⑧ 마음 쓰임이 자상한 ; 신경이 날카로운, 다루기 어려운, 성질이 퍽 까다로운.
delicaducho, cha *adj.* 쇠약한, 병약한.
delicia *f.* [*lat.* deliciae] ① 기쁨, 환희(placer). ② 쾌감 ; 그 원천.
deliciosamente *adv.* 가까이, 흔쾌히(condelicia) ; 황홀경에 빠져, 맛있게.
delicioso, sa *adj.* ① 맛있는 : Este Bulgogui está ~ 이 불고기는 맛이 있다. ② 감미로운, 황홀경에 빠지게 하는 : Corre una brisa ~*sa* 감미로운 바람이 분다. ③ 흐뭇한, 즐거운 : He pasado un rato muy ~ 나는 매우 즐거운 시간을 보냈다. Contr. execrable.
delictivo, va *adj.* 죄악의 ; 죄많은 : acto ~.
delictuoso, sa *adj.* = **delictivo.**
delicuescencia *f.* 【화학】 조해(潮解) ; 조해성(潮解性).
delicuescente *adj.* 【화학】 조해성의. Contr. eflorescente.
delimitación *f.* 《*Galic.*》 경계의 설정 ; 한계, 한정 : ~ de poderes 권력의 분립.
delimitar *tr.* 《*Galic.*》 경계를 정하다 ; 한정·국한하다(limitar).
deline- → **delinquir** [6].
delincuencia *f.* 과실, 실수 ; 범죄.
delincuente *adj.* 죄지은. —*m.f.* 범죄자.
delineación *f.* 제도(製圖) ; 도형(圖形).
delineador, ra *adj.* 그림을 그리는, 선을 긋는. —*m.f.* 제도사.
delineamento *m.* =**delineamiento.**
delineamiento *m.* 제도, 작도.
delineante *m.f.* 제도사, 설계사.
delinear *tr.* [*lat.* delineare] 선으로 그리다, 선을 긋다 ; 윤곽을 그리다 ; 제도하다 : ~ el plano de un edificio.
delinquimiento *m.* 범법, 위반 ; 범죄.
delinquir *intr.* [6] [*lat.* delinquere] 위반하다 ; 죄를 범하다, 잘못을 저지르다(cometer un delito) : ~ por ignorancia.
delio, lia *adj.* 델로스섬 《Delos, 에게해의 섬》의. —*m.f.* 델로스섬 사람.
deliquio *m.* [*lat.* deliquium] ① 기절, 혼수(desmayo). ② 【화학】 조해(潮解), 액화(液化).
delirante *adj.* 열이 올라 정신이 혼몽해진 ; 정신없이 흥분한 ; 헛소리를 하는. —*m.f.* 정신없이 홍분한 사람; 헛소리를 하는 사람.

delirantemente *adv.* 미친 사람처럼, 정신없이 흥분해서, 환장한 사람처럼.

delirar *intr.* [*lat.* delirare] 열로 정신을 잃다; 흥분해서 이성을 잃다; 헛소리를 늘어놓다.

delirio *m.* [*lat.* delirium] ① 흥분으로 이성을 잃음; 일시적인 정신 착란; 헛소리; 망령스러운 소리. ②【의학】섬망 상태(譫妄狀態).

delirioso, sa *adj.* =**loco.**

delírium tremens *m. lat.* (알코올 중독으로 인한) 섬망증(譫妄症).

delitescencia *f.* (종기나 염증이) 없어짐, 갑자기 멎음; 잠복.

delitescente *adj.* 잠복하는; 갑자기 멎는.

delito *m.* [*lat.* delictum] 범죄; 범행, 위반; 죄악; 죄 : ~ consumado 완전 범죄. ~ de lesa majestad 대역죄. ~ flagrante · in fraganti 현행범. ~ frustrado 미수범. ~ notorio 여러 사람이 보는 앞에서 저지른 범죄. ~ político 정치범.

della, llo【고어】전치사 de와 대명사 ella · ello 와의 생략형.

~ *con* ~ 상반되는 것의 혼합, 오월동주(吳越同舟).

D

delta *f.* [*gr.* delta] 델타《그리스 자모의 네째 글자(Δ, δ)》. —*m.*【지질】삼각주 : el ~ del Nilo.

deltaico, ca *adj.* 삼각의; 삼각주의 : formación ~*ca.*

deltoideo, a *adj.* 삼각형의.

deltoides *adj.* 삼각의, 삼각상(三角狀)의. —*m.*【해부】삼각근(músculo triangular del hombro).

deludir *tr.* [드뭄] 교묘히 회피하다, 속이다.

delusión *f.* =**engaño, ilusión.**

delusivo, va *adj.* =**engañoso, delusorio.**

delusor, ra *adj.m.f.* =**engañador.**

delusoriamente *adv.* 속여서, 속임수를 써서.

delusorio, ria *adj.* =**engañoso, falso, fingido.**

demacración *f.* 여윔, 쇠약(enflaquecimiento).

demacrado, da *adj.* [demacrarse의 *p.p.*] 여윈, 쇠약한.

demacrarse *r.* 여위다, 살이 빠지다, 쇠약해지다 (enflaquecer) : un rostro *demacrado* por el dolor.

demagogía *f.* [*gr.* dêmagôgia] 선동, 악선전.

demagógico, ca *adj.* ① 선동적인 : discurso ~. ② 민심을 농락하는.

demagogo, ga *m.f.* 선동가, 선동 정치가; 급진적 혁명가; 악랄한 선동가.

demanda *f.* ① 청구, 요구, 요청 : a la ~ 청구 · 요구에 의한 · 의하여. Ha aceptado nuestra ~ de auxilio 그는 우리의 요청을 받아들였다. ② 수요 : ~ y oferta 수요와 공급. ③ 주문 (pedido) : tener ~. **Contr.** oferta. ④ 질문 : ~*s* y contestas 질의 응답; 말다툼, 논쟁. ⑤ 찾아나섬(busca) : ir en ~ de …을 찾아서 가다. ⑥ 기도, 시도, 꾀함(empresa, intento) : salir desairado en su ~ 기도했던 일이 실패하다. ⑦ (얻으러 다니는) 희사, 그것을 거두는 사람; (희사를) 받는 그릇 혹은 어상(御像).

salir a la ~ 반대하다.

demandadero, ra *m.f.* (여승이나 감옥의 죄수를 위해) 심부름하는 사람; 심부름꾼.

demandado, da *adj.* [demandar의 *p.p.*] 요구 · 요청하는; 청원하는. —*m.f.*【법률】민사 피고. **Contr.** demandante, actor.

demandador, ra *adj.* 요구 · 청구하는. —*m.f.* ① 요구자, 청구자. ② 희사 · 기증을 받는 사람. ③【법률】원고. **Sinón.** actor.

demandante *adj.* 청구 · 요구 · 심문 · 질문하는. —*m.f.*【법률】원고.

demandar *tr.* ① 요구하다, 청구하다; 주문하다 (pedir). ② 묻다, 질문하다 (preguntar). ③ 소원(訴願)하다, 소송하다; 청원하다, 호소하다 : El *ha demandado ante* el juez *de* calumnia 그는 재판관에게 중상을 호소했다. ~ por daños y perjuicios 손해 배상으로 소송하다. ④【고어】원하다, 바라다(desear).

demandero *m.*《*Ecuad.*》=**demandador.**

demandero, ra *m.f.* =**mandadero.**

demarcación *f.* 경계선의 확정; 한계의 설정; 구획 정리(지); 경계 : línea de ~ 경계선. ~ minera 광구(鑛區).

demarcador, ra *adj. m.f.* demarcar하는 (사람).

demarcar *tr.* 7 구획을 정리하다; 경계를 정하다(delinear, limitar, determinar) : ~ los límites de un terreno.

demarche *m.*《*Galic.*》(외교상의) 신청, 수단.

demás *adj.* [성 · 수가 변화하지 않음] 나머지의, 이 밖의 : Hemos comido *los* ~ panes 우리는 남어지의 빵을 먹었다. Ha venido *la* ~ gente 이 밖의 사람들이 왔다. Vendrán Antonio, Juan y ~ compañeros 안또니오, 후안 및 다른 동료들이 올 것이다.

—*pron.* [정관사와 함께 쓰임] 나머지, 이 밖의 것, 이 밖의 사람들 : Esta niña es diversa de *las* ~ 이 애는 다른 애들과 다르다.

—*adv.* 이외에, 이 밖에(además) : ~ de esto te daré aquello 이 밖에 저것도 주겠다.

lo ~ 이 밖의 일, 이 밖의 물건.

por ~ ① 보람없이, 무익하게, 헛되이(en vano) : Está *por* ~ que le escribas. ② 너무나(en demasia) : Es *por* ~ cobarde 그는 너무나도 비겁하다.

por lo ~ 그러나, 그건 그렇다치고 : Le saludé, *por lo* ~, no tengo motivo para enojarme con él.

demasía *f.* ① 과다, 과도, 지나친 일, 지나침 (exceso) : en ~ 너무나도, 과도히(excesivamente). ② 무모함, 터무니없음, 무례함(atrevimiento) : cometer ~*s* 혹독한 짓을 하다. ③ 못된 짓, 벌받을 짓, 지나친 행동.

demasiadamente *adv.* 너무나도.

demasiado, da *adj.* [demasiarse의 *p.p.*] 지나친, 과분한, 너무 많은; 과도한 : Había ~*da* gente en la fiesta 파티에는 사람이 너무 많이 있었다. Había ~*da* gente *para* caber en el cuarto 사람이 너무 많아 방에 들어갈 수 없었다.

—*adv.* ① 너무나도, 지나치게(en demasia) : No trabaje ~ 너무 일하지 마세요. beber ~ 과음하다. comer ~ 과식하다. ②《*Amér.*》【속어】상당히, 매우, 몹시, 숱하게(muy, mucho, bastante).

~ …*para* 너무 …해서 …하지 않다 : Es usted

~ hermosa *para* poder creerlo 당신은 너무나 아름다워 그것이 믿어지지 않습니다.

demasiarse *r.* ⑫ =**excederse.**

demediar *tr.* ⑪ 반으로 가르다 ; (어떤 일의) 절반에까지 이르다, (시간의) 절반을 보내다, (길의) 절반을 걷다(promediar) ; (신품에 손대어 그 가치를) 절반으로 떨어뜨리다. —*intr.* 절반씩으로 나누어지다.

demencia *f.* [*lat.* dementia] ① 광란, 광기(locura). ② 정신 착란 (enajenación mental). ③ 천치. ③ 병적 지능 저하 : ~ precoz.

demencial *adj.* 광기·광란의 ; 정신 착란의.

dementado, da *adj.* 《*Amér.*》 =**demente.**

dementar *tr.* =**enloquecer.**
~se 발광하다, 미치다.

demente *adj.* [*lat.* demens] 미친, 정신 착란의, 정신이 이상해진. —*m.f.* 미치광이, 광인, 정신병자(loco).

dementizar *tr.* =**dementar.**

demergido, da *adj.* 몰락한, 형편없이 된(abatido).

demeritar *tr.* 《*Amér.*》 상해(傷害)하다, 상처를 입히다, 손상시키다(menoscabar).

demérito *m.* 불명예 ; 무공적 ; 결점, 흠, 잘못. Contr. mérito.

demeritorio, ria *adj.* 불명예스러운.

Deméter *f.* 【희랍 신화】 농업·오곡의 여신 《로마 신화의 Ceres》.

demias *f.pl.* 【은어】 목이 긴 양말(medias).

demisión *f.* =**sumisión, abatimiento.**

demiurgo *m.* [*gr.* dêmiurgos] (플라톤 철학에서 말하는) 조화의 신 ; 조물주.

democracia *f.* ① 민주제 ; 민주주의, 민주 정체. ② 평민·서민 계급, 민중. ③ 민주주의 국가 : las ~*s* europeas 유럽의 여러 민주주의 나라. Contr. aristocracia.

demócrata *adj.* 민주주의의 ; 민주당의. —*m.f.* 민주주의자, 민주당원. Contr. aristócrata.

domocratacristiano, na *adj.m.f.* =**democristiano.**

democráticamente *adv.* 민주주의적으로.

democrático, ca *adj.* ① 민주적인 ; 민주주의의 ; 민주 정체의 : gobierno ~. ② 민중적인. Contr. aristocrático.

democratización *f.* 민주(주의)화 ; 민중화, 평민화, 일반화 : la ~ del régimen militar.

democratizador, ra *adj.* 민주화의.

democratizar *tr.* ⑨ ① 민주화하다, 평민적으로 하다. ② 민중적·대중적으로 하다 : La bicicleta *ha democratizado* el turismo.
~se 민주화되다 ; 일반적으로 되다 : El placer *se democratizó.*

democristiano, na *adj. m.f.* 민주 기독교주의자(의).

Demócrito *m.* 그리스의 철학자《¿460 ? —¿370 ? a. de J. C.》.

demódex *m.* 【곤충】 옴벌레.

demografía *f.* 인구 통계(학).

demográfico, ca *adj.* 인구의, 인구 통계의 ; 인구학의 : densidad ~*ca* 인구 밀도.

demógrafo, fa *m.f.* 인구 통계 학자.

demoledor, ra *adj.* 파괴하는 : crítica ~*ra.* —*m.f.* 파괴자.

demoler *tr.* ㉕ 부수다, 파괴하다, 망가뜨리다, 분쇄하다, 깨뜨려 부셔 버리다 ; 타파하다 ; 철거하다 (deshacer, arruinar, derribar) : ~ una doctrina.

demoliberal *adj.* 자유 민주주의의. —*m.f.* 자유민주주의 신봉자, 자유 민주당원.

demolición *f.* 파괴, 괴멸.

demonche *m.* 【속어】 =**demonio.**

demoniaco, ca *adj.* 악마의, 악마가 낀, 악마에 씌운(endemoniado). —*m.f.* 악마에 씌운 사람, 마가 낀 사람.

demoníaco, ca *adj.* =**demoniaco.**

demonio *m.* [*lat.* daemon, daemonium] ① 악마(diablo) : Se representa generalmente al ~ con cola y cuernos. ② 정령(精靈)(genio). ③ 뛰어난 사람, 위인 ; 심술쟁이, 몽니쟁이.
—*interj.* 빌어먹을 ! : ¡*D*-, qué calor hace! 빌어먹을, 무슨 날씨가 이렇게 더워 !
estudiar con el ~ 아주 간사하다.
llevarle a uno ***el*** ~ 화내다, 노하다, 성내다(encolerizarse, irritarse).
ponerse uno ***como un*** ~ · ***hecho un*** ~ 너무 화내다·성내다·노하다(encolerizarse o irritarse demasiado).
ser uno ***el*** ~ · ***el mismísimo*** ~ 너무 심술궂다, 지나치게 악독하다(ser demasiado perverso o travieso).
tener uno ***el*** ~ · ***los*** ~***s en el cuerpo*** 지나치게 불안하다·심술궂다.

demoniomanía *f.* =**demonomanía.**

demonismo *m.* 악마 숭배.

demonista *adj. m.f.* 악마를 믿는 (사람).

demoniura *f.* =**diablura.**

demonografía *f.* =**demonología.**

demonólatra *m.f.* 악마 숭배자.

demonolatría *f.* 마신 숭배(魔神崇拜).

demonología *f.* 마신학(魔神學), 요괴학.

demonomancia *f.* 요점술(妖占術).

demonomancía *f.* =**demonomancia.**

demonomanía *f.* 악마에 씌운 것으로 생각되는 정신병, 귀신붙은 병.

demonstrar *tr.* =**demostrar.**

demontre *m.* 악마(demonio).

¡demontre! *interj.* 빌어먹을 ! (¡demonio!).

demoñejo *m.* 좀 도깨비.

demoño *m.* =**demontre.**

demoñuelo *m.* =**demoñejo.**

demora *f.* ① 지연(tardanza) ; 연체 : sin ~지체 없이, 즉시. ② 방향의 빗나감.

demorar *tr.* [*lat.* demorare] 지연·지체시키다(retardar) : ~ la contestación. —*intr.* ① 미적거리다, 꾸물거리다, 지체하다 : ¿Dónde *se demoraron* ustedes? *Nos hemos demorado* en el camino 당신들은 어디서 지체했습니까 ? 우리들은 도중에서 지체했습니다. ② 체류하다. ③ 【해사】 (…의) 방향에 있다.

demos dar의 접·현·1·복수.

demosofía *f.* =**folklore.**

demóstenes *m.* 웅변가.

Demóstenes *m.* 데모스떼네스 《그리스의 웅변가, ¿384 ? ~ 332 a. de J. C.》.

demostino, na *adj.* 데모스떼네스 풍의.

demostrable *adj.* 증명·논증할 수 있는 ; 보일

D

수 있는, 제시할 수 있는.

demostrablemente *adv.* 증명·논증으로; 제시·표시·표명하여.

demostración *f.* ① 증명, 논증, 실증 : De esto no se necesita ~ 이런 식으로는 증명을 요하지 않는다. ② 제시, 표시, 표명. ③ 시위 운동; 선수단 등의 행진. ④ 공개 실연, 데먼스트레이션 : Le recibieron con grandes ~*es* de alegría 그들은 그를 굉장한 기쁨의 표시로 맞았다. ⑤【군사】양동(陽動).

demostrador, ra *adj.m.f.* 증명·제시하는 (사람). —*m.* 표시물; (시계의) 바늘.

demostrar *tr.* 24 [*lat.* demonstrare] ① 드러내다, 보이다, 나타내다 : Ustedes le *demostraron* un gran afecto 당신들은 그에게 굉장한 애정을 표시했다. ② 증명·실증하다 : Ello *demuestra* que el centro de España se romanizó muy pronto 그것은 서반아의 중심부가 매우 빨리 로마화됐음을 증명하고 있다. ③【고어】가르치다.

demostrativamente *adv.* 명확하게.

demostrativo, va *adj.* ① 증명의. ② 실증한. ③【문법】지시의 : adjetivo ~ 지시 형용사 《este, ese, aquel 등》. adverbio ~ 지시 부사 《aquí, ahí, allá, así 등》. —*m.*【문법】지시어.

D

demótico, ca *adj.* (고대 이집트의) 일반적으로 쓰이는 (문자).

demudación *f.* 변화, 변경; 안색이 달라지는 일; 깜짝 놀람.

demudamiento *m.* =**demudación.**

demudar *tr.* [*lat.* demutare] 변장하다, 변형하다 (disfrazar); 달라지다(mudar, desfigurar). —*intr.* 안색이 달라지다 : un semblante *demudado* por la ira.

~se =alterarse, inmutarse.

demulcente *adj.* 부드럽게 하는. —*m.* 완화제.

den dar의 접·현·3·복수.

denantes *adv.*【고어】=**antes.**

denario, ria *adj.* 10단위의; 10진의 : sistema ~ 10진법. —*m.* ① 10인조, 10호 조합. ② 데나리우스 《고대 로마의 은화》.

dende *prep.* 《*And. Amér.*》 =**desde.**

dendrícola *adj.* 나무 위에 사는.

dendriforme *adj.* 나무 모양의, 수목상(樹木狀)의.

dendrita *f.* ①【광물】모수석(模樹石); 화석수(化石樹). ②【화학】수지정(樹枝晶). ③【해부】(신경의) 수지상 돌기(樹枝狀突起).

dendrítico, ca *adj.* 수목상(樹木狀)의.

dendrografía *f.* 수목학(樹木學).

dendrográfico, ca *adj.* 수목학의.

dendroide *adj.* =**dendroideo.**

dendroideo, a *adj.* =**arborescente.**

dendrolita *f.* 석화수(石化樹).

dendrómetro *m.* 나무 줄기의 둘레를 재는 자.

denegable *adj.* 거부할 수 있는.

denegación *f.* [*lat.* denegatio] 거부, 사절, 거절(negativa) : ~ de demanda.

denegar *tr.* 19 8 [*lat.* denegare] 사절하다, 거부·거절하다(negar, rehusar).

~se 《*Arg.*》 거부하다

denegatorio, ria *adj.* 거부·거절의. —*f.* 거부, 거절.

denegrecer *tr.* 31 검게 하다(ennegrecer).

~se 검어지다, 어두워지다.

denegrido, da *adj.* [denegrir의 *p.p.*] 가무잡잡한.

denegrir *tr.* [드뭄] =**denegrecer, ennegrecer.**

dengoso, sa *adj.* =**melindroso.**

dengue *m.* ① 거드럭거리는 일. ② 접게 된 커다란 옷깃. ③【의학】골열병(骨熱病), 뎅그열(熱). ④ 악마(diablo, demonio). ⑤【식물】(칠레산의) 시들음풀 《만지면 꽃이 시들어 버림》.

denguearse *r.* 《*Col.*》 잘난 체 뻐기고 걷다, 의기 양양하게 걷다(contonearse).

denguero, ra *adj.* =**dengoso.**

deniegue- → **denegar** 19 8.

denigración *f.* 명예 훼손, 모욕, 중상.

denigrador, ra *adj.* =**denigrante.**

denigrante *adj.* 명예를 훼손하는, 중상하는, 중상적인, 헐뜯는 : escrito ~. —*m.f.* 명예 훼손자, 중상자.

denigrar *tr.* [*lat.* denigrare] ① 헐뜯다, 명예를 손상시키다, 비방·중상하다(deslustrar) : Los envidiosos lo *denigran* todo. ② 모욕하다, 창피를 주다(injuriar, ultrajar).

denigrativamente *adv.* 모략·비방·중상적으로.

denigrativo, va *adj.* 모욕의, 명예 훼손의, 중상하는 : palabra ~*va.*

denigratorio, ria *adj.* =**denigrativo.**

denodadamente *adv.* 대담하게, 용감하게, 무모하게, 당차게, 겁없이.

denodado, da *adj.* 대담한, 무모한, 용감한. **Contr.** cobarde.

denominación *f.* [*lat.* denominatio] ① 명명(命名); 명칭, 칭호, 명의(名義). ② 단위명(單位名); 종목, 구분. ③【종교】종파.

denominadamente *adv.* 판연히; 종목별로.

denominado, da *adj.* denominar의 *p.p.* *número* ~【수학】명수(名數).

denominador, ra *adj.* 명명(命名)하는. —*m.f.* 명명자(命名者). —*m.*【수학】분모(分母).

denominar *tr.* [*lat.* denominare] (…에) 명칭을 붙이다, 칭하다; 명명하다; (특수한 이름·직함을 …으로) 부르다(nombrar).

denominativo, va *adj.* 명명의, 명칭의, 칭호의, 호칭의, 명칭을 표시하는 : término ~.

denostada *f.* 모욕(injuria, afrenta).

denostadamente *adv.* 대담하게, 무모하게.

denostador, ra *adj. m.f.* 욕설을 퍼붓는, 모욕하는; 중상을 일삼는 (사람).

denostar *tr.* 24 욕하다, 모욕하다, 욕설을 퍼붓다(injuriar); 명예를 훼손하다.

denostosamente *adv.* 대담하게, 당차게, 겁없이, 무모하게(denostadamente).

denostoso, sa *adj.* 모욕하는, 명예를 훼손하는.

denotación *f.* ① 지시, 표시; 표적, 표. ②【논리】외연(外延), 개술(概述). ③【문법】직접 지시어.

denotar *tr.* [*lat.* denotare] ① 나타내다, 나타내보이다(indicar) : ~ su desdén. ② =**significar.**

denotativo, va *adj.* 지시적인, 표시의, 나타내는 : término ~.

densamente *adv.* 짙게, 자욱하게, 진하게, 빽빽하게(con densidad).

densidad *f.* [*lat.* densitas] ① 밀집도, 농밀 ; 밀도, 농도 : ~ de población 인구 밀도. Su ~ media no llega a 30 habitantes por km² 그 인구 평균 밀도는 1평방 킬로미터당 30인에 이르지 못한다. ② 비중(peso específico).
densificar *tr.* ⑦ 짙게 하다, 빽빽하게 하다.
densimetría *f.* (분석의) 밀도법.
densimétrico, ca *adj.* 밀도법의, 밀도법에 관한 : escala ~*ca*.
densímetro *m.* 밀도계. Sinón. aerómetro, pesalicores.
denso, sa *adj.* ① 빽빽한, 단단한(compacto). ② 짙은, 자욱한, 농밀한, 진한(espeso) : humo ~ 짙은 연기. neblina ~*sa* 짙은 안개. La sangre es más ~*sa* que el agua 피는 물보다 진하다. ③ 가득찬(apiñado) : ~ auditorio. ④ 어두운(obscuro) : pensamiento ~ 어두운 생각. ⑤ 내용물이 많은 : carta muy ~*sa*.
dentada *f.* 《*Chile.*》 =**dentellada.**
dentado, da *adj.* 이가 있는 ; 톱니 모양의 : rueda ~*da* 톱니바퀴. —*m.* [집합] 이 ; 톱니바퀴·우표의 천공 : el ~ de los sellos 우표의 천공.
dentadura *f.* 【집합적】 치아 ; 치열(齒列) : ~ postiza 의치, 틀니.
dental *adj.* ① 이의 : crema ~ 치약. nervio ~ 치신경. ②【음성】 치음·잇소리의. —*f.* 잇소리《d, t 등》. —*m.* ① (탈곡기의) 날. ② 술바닥《쟁기에 보습을 대는 부분》.
dentalizar *tr.* ⑨ 치음화하다.
déntalo *m.* 【어류】 =**dentón.**
dentar *tr.* ⑲ (톱 등의) 날을 세우다 ; (톱니바퀴에) 톱니를 자르다. —*intr.* 이가 돋아나다.
dentario, ria *adj.* 이의(dental) : bulbo ~.
dentecillo *m.* [*dim.* diente] 작은 이.
dentejón *m.* (두 마리 소를 연결시킬 때 쓰는) 멍에.
dentelaria *f.* 【식물】 약용 좀갯질경이속 식물.
dentellada *f.* ① 깨무는 일, 무는 일 : Le arrancó una oreja de una ~. ② 이를 갈음 ; 이에 깨물린 상처.
a ~*s* 이로 깨물어.
dentellado, da *adj.* 이가 있는 ; 치열 모양의 ; 이에 물린 자국이 있는.
dentellar *intr.* 이를 딱딱 마주치다 (dar diente con diente, castañetear los dientes) : El miedo le hacía ~.
dentellear *tr.* (우적우적) 깨물다(mordiscar).
dentellón *m.* ① (자물쇠의) 혀. ②【건축】 치열 장식(齒列裝飾)(dentículo).
dentera *f.* ① (신맛·불쾌한 소리 등에 의한) 이가 솟는 듯한 느낌 : sentir ~ 이가 솟다. Me da ~ al oir crujir las puertas pesadas 무거운 문이 삐걱거리는 소리를 들을 때 이가 솟는 것 같은 감이 든다. ② 선망, 부러움(envidia). ③ 갈망(ansia).
dentezuelo *m.* [*dim.* diente] 작은 이.
denticina *f.* 생치 촉진제(生齒促進劑).
dentición *f.* [*lat.* dentitio] 이가 남 ; 이가 나는 시기 : Las muelas de la primera ~ carecen de raíces.
denticulación *f.* 【동물】 작은 이·치열.
denticulado, da *adj.* 이 모양 장식의.
denticular *adj.* 치아 모양의.
dentículo *m.* [*lat.* denticulus] ①【건축】 치상(齒狀) 장식. ②【동물·식물】 치상 돌기(齒狀突起), 치상 구조.
dentífrico, ca *adj.* 이를 닦는 : polvos ~*s* 가루치약. pasta ~ 튜브 치약. —*m.* 이 닦기 : ~ líquido 물로 이 닦기. tubo de ~ 이 닦는 튜브.
dentímetro *m.* 치주 측정 기구(齒周測定器具).
dentina *f.* ① (이의) 상아질. ②《*AmérC.*》 고약한 냄새.
dentirrostro, tra *adj.* 【동물】 치취류(齒嘴類)의. —*m.pl.* 치취류 《까마귀, 개똥지빠귀 무리》.
dentista *adj.* 치과의. —*m.f.* 치과 의사.
dentistería *f.* 《*Neol.*》 치과 의술·의학 ; 치과 의원.
dentivano, na *adj.* 이가 넓고 깨끗한.
dentoide *adj.* 이 모양의.
dentoideo, a *adj.* =**dentoide.**
dentolabial *adj.m.* 【음성】 순치음(의).
dentolingual *adj.m.* 【음성】 설치음(舌齒音)(의).
dentón, na *adj.* 이가 큰. —*m.* 【어류】 귀룡. —*m.pl.* 【은어】 못뽑이.
dentrambos, bas *adj.* 【고어】 [de와 entrambos와의 생략형] 양쪽의.
dentrar *intr.* 【방언】 =**entrar.**
dentrera *f.* 《*Col.*》 =**doncella, criada.**
dentrífico, ca *adj.* 【방언】 =**dentífrico.**
dentro *adv.* ① 안에, 속에 ; 안으로, 속으로 : Los pasajeros irán ~, los equipajes fuera 승객은 안에 타시고 화물은 밖에. La espero ~ 안에서 당신 (여자)을 기다리겠습니다. Hay más gente fuera que ~ 안보다 밖에 사람이 많다. La caja está pintada por ~ 상자는 안쪽이 페인트칠해졌다. ② 안에서, 속에서 ; (각본의 지문에서) 안으로 향해. ③ [+ de : …의] 안에, 안에서 : Ese documento está ~ *de* mi cajón 그 서류는 내 서랍 안에 있다. ④ [시간적으로] …지나면, …지나서 : ~ *de* quince días 2주일 있으면, 2주일 지나서. Se lo devolveré ~ *de* cinco días 5일이면 반환해 드리겠습니다. [*N.* a los quince 2주일째에, *antes de* quince días 2주일 이내에]. ⑤ [때때로, +en] ~ *en* su pecho 그의 마음속에서. ⑥《*Amér.*》[전치사적으로 쓰임] 안에 : ~ el cajón 서랍 안에.
a ~ 안으로, 속으로. *hacia* ~ 안쪽으로. *de* ~ 안쪽에서. *desde* ~ 안에서, 안쪽으로부터. ~ *de poco* 곧, 이윽고. ~ *o fuera* 이거냐 저거냐 (빨리 정해라).
dentroderá *f.* 《*Col.*》 하녀.
dentudo, da *adj.* 이가 커다란. —*m.* 【어류】 (서인도해산의) 상어.
dentuzo, za *adj.* 《*Cuba.*》 =**dentudo.**
denudación *f.* [*lat.* denudatio] 노출, 벌거벗은 상태 : la ~ de los desiertos.
denudar *tr.* [*lat.* denudare] 벌거벗기다 (desnudar), (무엇의) 껍질을 벗기다(despojar). **~se** 노출하다 ; 껍질을 벗기다.
denuedo *m.* 의기 ; 용감(valor) ; 대담, 무모(無謀) ; 결심. Contr. cobardía.
denuesto *m.* 모욕, 욕설, 깔보아 욕보임, 폭언 (injuria, insulto).
denuncia *f.* ① 공포, 포고. ② 호소. ③ 적발,

D

고발; 밀고 : ~ falsa 무고. ④ 밀고서. ⑤ 통고 : ~ de un tratado 조약 폐기 통고.

denunciable *adj.* 통고·고발해야 할.

denunciación *f.* =**denuncia, acusación.**

denunciador, ra *adj. m.f.* =**denunciante.**

denunciante *adj.* 통고·공표·고발하는. —*m.f.* 통고·고발·공표·밀고자.

denunciar *tr.* ⑪ 알리다, 공표하다, 통고하다(declarar, publicar). ② 밀고·고발·적발하다. ③ 예고하다, 예보하다(pronosticar).
~ ***la guerra*** 선전 포고를 하다.
~ ***el armisticio*** 휴전을 제의하다.
~ ***un tratado*** 조약 파기를 통고하다.
~ ***una mina*** 개발을 위해 광산 발견을 계출하다.

denunciatorio, ria *adj.* 밀고의; 고발적인, 비난적인, 폭로의 : escribir una carta ~*ria.*

denuncio *m.* ① 광선이나 사금갱의 발견 신고. ② 《*AmérM.*》 =**denuncia.**

denutrición *f.* =**desasimilación.**

deñar *tr.* =**tener por digno.**
~se =dignarse.

deobrigense *adj.m.f.* 데오브리가《Deobriga, 옛 서반아의 도시, 현재의 Álaba주에 있었음; 현재의 Salamanca의 Béjar 근처에 있었던 것으로 믿어지는 옛 서반아의 도시》의 (사람).

deodara *m.* 【식물】 히말라야 삼나무.

deo gracias *adv.* [*lat.* deo gratias] 실례합니다 《「하나님의 은총으로」의 뜻; 남의 집에 들어 갈 때 하는 말》. —*m.* 순진하고 귀여운 얼굴.

deontología *f.* 의무론(義務論) : ~ médica.

deo volente *adv. lat.* 지장이 생기지 않으면 《「하나님이 원하신다면」의 뜻》 : Iré *deo volente.*

d.e.p. descanse en paz 고이 잠드소서, 영면하소서.

deparador, ra *adj. m.f.* 할당하는 (사람).

deparar *tr.* 주다; 할당하다(suministar, proporcionar).

departamental *adj.* ① 구분의. ② 도·주·성(省)의 : la capital ~ 주도. ③ 관구의; 군구(軍區)(departamento)의. ④ 학과의.

departamento *m.* ① 가르기, 구획, 구분 : casa de ~*s* 아파트(apartamento, apartamiento). ② (관청의) 부(部)(ministerio), 국(局) : ~ ejecutivo 행정부. ~ de Guerra 육군성. ~ de Hacienda 재무부. ~ de Marina 해군성. ③ 차칸. [Sinón.] compartimento. ④ 관할구. ⑤ 주(provincia). ⑥ 《*Perú.*》 방(cuarto); 층, 아파트 (piso). ⑦ (대학의) 학과 : ~ de español 서반아어과. ⑧ 해군관구. ⑨ (백화점의) 부 : ~ de las corbatas 넥타이부.

departidor, ra *adj.* 말하는. —*m.f.* 말하는 사람.

departir *intr.* 말하다 (hablar, platicar) : ~ *con* un amigo *de · sobre* un asunto 친구와 어떤 일에 대해 말하다.

depauperación *f.* ① 가난, 빈궁. ② 쇠약, 마름(enflaquecimiento, extenuación).

depauperar *tr.* [*lat.* depauperare] ① 빈곤하게 만들다(empobrecer). ② 쇠약하게 만들다(debilitar, extenuar).
~se (기관 등이) 쇠약해지다; 가난해지다.

dependencia *f.* ① 예속 : bajo la ~ de …에 예속하여. ② 소속, 부속. ③ 의존. ④ 근친 관계; 친한 사이. ⑤ 지국, 지점, 출장소 (la sucursal). ⑥ 대리업. ⑦ 종업원·점원 일동. ⑧ *pl.* 부속물; 바깥채. ⑨ 정부 산하 기관. ⑩ [집합] 종업원.

depender *intr.* ① [+ de : …에] 속하다, 종속하다; 의존하다, 의지하다, 기대다 : No le gusta ~ de nadie 그는 아무한테도 의존하지 않는다. ② [+ de : …에] 달려 있다, 좌우되다 : *Depende* 경우에 따라 좌우된다. Tu felicidad *depende de* tu conducta 너의 행복은 네 행동에 달려 있다. *Depende de* lo que dice 그의 말에 달렸다. —*tr.* 소비하다.

dependienta *f.* 점원, 종업원.

dependiente *adj.* 종속의. —*m.f.* (주로 상점의) 종업원, 점원; 말단 공무원.

depilación *f.* 탈모(脫毛), 빠지는 털.

depilar *tr.* 《*Neol.*》 털이 빠지다, 탈모하다 (quitar el vello) : ~*se* los brazos con unas pinzas.

depilatorio, ria *adj.* 탈모용의. —*m.* 탈모제.

deplorable *adj.* [*lat.* deplorabilis] 한탄스러운, 슬픈; 가엾은; 구제할 길 없는 : hallarse en una situación ~.

deplorablemente *adv.* 가엾게; 한탄스럽게도, 슬프게.

deplorar *tr.* [*lat.* deplorare] 슬퍼하다, 한탄하다(lamentar).

deponente *adj.* ① 증언하는. ② 【문법】 verbo ~ 이태 동사(異態動詞)《고전어에서 수동형으로, 뜻은 능동적인 것》. —*m.f.* 증언자.

deponer *tr.* 61 [*p.p.* depuesto] ① 버리다(dejar) : ~ la cólera · las armas 노여움을·무기를 버리다. ② 내려 놓다, 내리다, 치워 놓다(apartar) : ~ la imagen. ③ 폐지하다; 강등·좌천·면직·해임시키다, 파면하다 : ~ a un príncipe. ④ 증언하다(afirmar) : José *depone* que lo ha visto 호세는 그것을 보았다고 증언했다. ⑤ 공술하다, 진술하다. ⑥ 똥누다(evacuar el vientre). ⑦ 《*AmérC. Méx.*》 토하다(vomitar).

depong- → **deponer** 61.

depopulación *f.* =**despoblación.**

depopulador, ra *adj.* 황폐하게 만드는.

deportación *f.* [*lat.* deportatio] 추방, 유형, 귀양.

deportante *m.f.* [드뭄] =**deportista.**

deportar *tr.* 추방하다, 귀양시키다, 유형시키다 (desterrar).

deporte *m.* 운동, 스포츠 : campo de ~*s* 경기장. El boxeo es uno de los ~*s* más populares de Corea 권투는 한국에서 가장 인기있는 스포츠 중의 하나이다.

deportismo *m.* 운동 정신, 스포츠 정신; 운동경기·연습, 운동열.

deportista *adj.* 운동을 좋아하는. —*m.f.* 운동가, 스포츠맨.

deportividad *f.* 스포츠 자질.

deportivo, va *adj.* ① 운동 경기의, 스포츠의 : periódico ~ 스포츠 신문. ② 정직한.

deportoso, sa *adj.* 유쾌한(divertido).

deposición *f.* ① 진술, 증언, 공술(供述). ② 면직, 폐위 : la ~ de un rey. ③ 대변을 봄.

depositador, ra *adj.* 기탁·예금하는. —*m.f.*

기탁자; 예금자.

depositante *adj.* =**depositador.**

depositar *tr.* ①(안전한 장소에) 보관하다; 맡기다, 예금하다, 예치하다, 기탁하다 : *He depositado* mi dinero en el Banco Comercial de Corea 나는 돈을 한국 상업 은행에 예금했다. ②(신뢰를) 갖다 : ~ la fama *en* José 호세에게 명성을 주다. *Deposité en* él toda mi confianza 나는 그에게 전폭적인 신뢰를 갖었다. ③넣다, 챙겨 넣다, 보관하다. ④(우편물을) 우체통에 넣다. ⑤가매장하다. ⑥침전시키다.

~se 침전하다.

depositaría *f.* 창고; 예치소; 저장소; 금고(金庫).

depositario, ria *adj.* 기탁의; 보관의. *—m.f.* 예치인, 보관자, 수탁자; 금고 담당자.

depósito *m.* [*lat.* depositum] ①맡기기, 기탁, 공탁; 보관 : en ~ 기탁해 둔; 공탁한; 보관 중인. ②(은행) 예금 : ~ a la orden 요구불 예금. ~ a plazo 정기 예금. ~ en cuenta corriente 당좌 예금. cuenta de ~ 예금 계정. ~ retirable a demanda 통지 예금. ③보관물; 적립금, 보증금, 공탁금(dinero en ~), 계약금, 착수금; 증거금; 기탁물, 공탁물; 저장품. ④보관소; 금고, 보세 창고(almacenes de ~ de aduana); 저장소 : ~ de agua 물탱크. ⑤부착물; 퇴적물, 침전물. ⑥【군사】제일 보충병. ⑦【광산】광상(鑛床).

depravación *f.* [*lat.* depravatio] 악화; 부패; 타락 : ~ de costumbres.

depravadamente *adv.* 사악(邪惡)하게, 몹시 심하게; 타락해서.

depravado, da *adj.* [*lat.* depravatus] 타락한, 부패한, 사악한 : corazón ~ 사악한 마음. literatura *~da* 타락한 문학. Contr. justo, íntegro, virtuoso.

depravador, ra *adj.* (인심 등을) 해치는 : lectura *~ra* 해로운 읽을 거리.

depravar *tr.* [*lat.* depravare] 해치다; 못쓰게 만들다; 타락·악화시키다(viciar), 부패시키다.

~se 악화하다; 타락하다.

deprecación *f.* 간절한 부탁, 애원, 간청.

deprecante *adj.* 간원·간청·애원하는.

deprecar *tr.* 7 [*lat.* deprecare] 간원·애원·간청하다(suplicar).

deprecativo, va *adj.* =**deprecatorio.**

deprecatorio, ria *adj.* 간원의, 탄원의, 간청의, 애원적인.

depreciación *f.* ①값의 하락 : La ~ de la plata ha causado gran perjuicio a las naciones americanas. ②(평가의) 절하; 감가 상각.

depreciar *tr.* 11 [*lat.* depretiare] (물건의) 값을 떨어뜨리다 : ~ una mercancía.

~se 값이 떨어지다 : *Se deprecia* la moneda 화폐 가치가 떨어지다.

depredación *f.* [*lat.* depraedatio] 약탈; (공금 등의) 부정 소비; 부정 징수; 횡령.

depredador, ra *m.f.* 약탈자; (공금) 횡령자.

depredar *tr.* 약탈하다; (공금 등을) 횡령하다; (세금 등을) 청구하다.

depresión *f.* [*lat.* depressio] ①압축. ②내려앉음, 침강, 함몰 : ~ del terreno 지반의 침강. ③하강, 저하 : ~ atmosférica 저기압. ~ de horizonte 부각(俯角). ③움푹 패인 땅. ④활발치 못함. ⑤저조, 불경기 : ~ económica 불황. ⑥맥빠짐, 기운이 빠짐 : ~ de ánimo 기분이 우울함, 원기를 잃음.

depresivamente *adj.* 억압적으로.

depresivo, va *adj.* 억압적인; 함몰성의 (지진).

depresor, ra *adj.* 내려누르는. *—m.* ①억압자; 압제자. ②【해부】하제근(下制筋). ③【의학】억제제.

deprimente *adj.* =**depresivo.**

deprimido, da *adj.* ①평평한. ②풀이 죽은, 기운이 빠진, 무기력한. ③불경기의 : mercado ~.

deprimir *tr.* [*lat.* deprimere] ①압축하다. ②풀이 죽게 하다, 콧대를 꺾다; 내리 누르다; 낙담시키다; 작게 하다. ③(값을) 하락시키다, 떨어뜨리다. ④맥이 빠지게 하다 : La noticia *deprimió* su ánimo.

~se 낮아지다; 파멸되다; 함몰되다; 가라앉다; 하락하다; 무기력해지다; 우울해지다.

deprisa *adv.* 서둘러, 급히(de prisa) : ir ~.

de profundis *m. lat.* 애도의 노래《깊은 못에서의 뜻》.

dept. depósito.

dept.[e] dependiente.

depuesto, ta *adj.* deponer의 *p.p.*

depuración *f.* ①정화(淨化). ②숙청. ③소독. ④정련, 정제(精製) : ~ de la plata.

depurador, ra *adj.m.f.* 정화하는; 숙정하는; 정련·정제하는 (사람). *—m.* 정련·정제·정혈기.

depurar *tr.* ①깨끗하게 하다, 정화하다(purificar, limpiar) : ~ el lenguaje. ②숙정(肅正)하다. ③정련·정제하다.

depurativo, va *adj.* 정화의, 청정용(清淨用)의; 정혈(淨血)의. *—m.* 청정제; 정혈제(淨血劑).

depuratorio, ria *adj.* =**depurativo.**

depus- → **deponer** 61.

deputar *tr.* =**diputar.**

deque *conj.* 【속어】=**después que, luego que.**

derecera *f.* =**derechera.**

derecha *f.* ①오른쪽, 우측, 오른손(mano ~) : a la ~ 오른쪽에·으로. a ~ e izquierda 좌우로. Conserve la ~ 우측 통행(을 지키십시오). Lleve la ~ 우측 통행. Conserve su ~ 우측 통행. Lo encontrará usted arriba a la ~ 오른쪽 위에 그것이 있다. Tome usted el camino de la ~ 우측 길을 도십시오. Doble usted a la ~ 오른쪽으로 굽어지십시오. ②우익(el ala ~); 보수파 : López pertenece a un partido de ~ 로뻬스는 우익 정당에 소속되어 있다.

—interj. 【구령】 우향우!

a (las) ~s 올바로, 정직하게, 정당하게, 공정하게 : El hace todo *a ~s* 그는 모든 것을 공정하게 한다.

derechamente *adv.* 똑바로, 곧장, 일직선으로; 직접적으로; 올바로, 정정당당히, 공정하게, 정당하게.

derechazo *m.* ①오른손으로 때리기. ②【투우】오른손으로 muleta 치기. ③오른발 슛.

derechera *f.* 곧은 길, 똑바른 길(camino derecho). Contr. rodeo.

derechero, ra *adj.* 【고어】올바른(recto); 똑바

른(justo). —*m.f.* 세금 징수원, 징세원.

derechismo *m.* 우익 (정책).

derechista *adj.* 우파의, 우익의, 보수파의. —*m.f.* 우파·우익·보수파의 사람.

derechito *adv.* [*dim.* derecho] 똑바로.

derechización *f.* 보수화 경향.

derechizar *tr.* 보수화시키다.
~se 보수화되다.

derecho *m.* [*lat.* directum] ① 사리에 맞는 일, 정의(justicia). ② 권리, 권한 : de ~ 권리로서의, 권리에 의한. estar en su ~ 그 권한내에 있다. perder de su ~ 양보하다. ¿Con qué ~? 무슨 권리로? No tiene ~ *para·a* hacer tal cosa 그는 그런 일을 할 권리가 없다. ③ …권 : ~ de ejecución 연출·연주·흥행권. ④ (받을 수 있는) 권리금, 요금 ; 세 ; 특전. ⑤ 법, 법률 : según ~ 법에 따라. ⑥ 법학과 : Soy estudiante de ~ 나는 법과 학생이다. ⑦ 길, 사잇길, 오솔길. ⑧ (종이·천·널빤지 등의) 앞면. **Contr.** revés.
—*pl.* ① 세 ; 관세(~*s* aduaneros). ② (법정) 수수료(honorarios) : ~*s* consulares 영사 사증료. ~*s* notariales 공증서 작성 수수료. ~*s* de aduana 관세. ~ de autor 인세. ~*s* de fábrica 세례·장의에 따른 사원의 요금. ~*s* de timbre 인지세. ~*s* reales 상속세, 양도세. libre·franco de ~*s.* 무세(無稅), 면세.
~ ***administrativo*** 행정법. ~ ***canónico·eclesiástico*** 공교법(公敎法). ~ ***cesáreo·civil·común*** 민법. ~ ***consuetudinario*** 관습법. ~ ***criminal*** 형법. ~ ***de gentes*** 국제법. ~ ***de pataleo*** 버둥거림, 받아들여지지 않는 호소. ~ ***de pernada*** 초야권(初夜權). ~ ***de regalía*** 특허권 사용세. ~ ***diferencial de bandera*** 선박의 국적별 화물 수입세. ~ ***escrito*** 성문법. ~ ***internacional público·privado*** 국제 공법·사법. ~ ***mercantil*** 상법. ~ ***municipal*** 국내법. ~ ***natural*** 자연법. ~ ***no escrito*** 불문법. ~ ***penal*** 형법. ~ ***positivo*** (자연법에 대한) 실정법. ~ ***procesal*** 절차법. ~ ***público*** 공법. ~ ***romano*** 로마법·민법.

derecho, cha *adj.* [*lat.* directus] [dirigir의 *p.p.*] ① 똑바른(recto) : línea ~*cha* 직선. ② 바른(justo, legítimo) : a ~*chas* 올바르게, 정직하게. ③ 오른쪽의 : mano ~*cha* 오른손. a mi lado ~ 나의 우측에. ¿Es aquél que tiene un libro azul en la mano ~*cha*? 오른손에 푸른 책을 가진 저 사람입니까? Ud. encontrará una tienda de ultramarinos al lado ~? 우측에 수입식료품점이 있습니다. ④ 우익의. ⑤ (강의 하류쪽을 향하여) 오른쪽 기슭의. ⑥ 《*Amér.*》 행복한(feliz) : estar ~. ⑦ (경사에 대해) 수직의. **Contr.** izquierdo, sinuoso, tuerto.
—*adv.* 똑바로, 곧장 (derechamente) : ir ~ a su casa 곧장 집으로 가다. Vaya Vd. (todo) ~ 똑바로 가십시오. Póngase ~ 기립!, 똑바로 서십시오. Póngase usted la corbata ~ 넥타이를 똑바로 매십시오.

derechoso, sa *adj.* 《*AmérC.*》 공동 소유의. —*m.* 공유자.

derechuelo *m.* 바늘 놀리기, 바느질의 첫걸음.

derechura *f.* ① 똑바름, 곧음(rectitud) : en ~ 일직선으로 (directamente), 곧장 ; 쉬지 않고 (sin detenerse). ② 고지식함. ③ 《*AmérC. Perú.*》 행운(buena suerte).

deriva *f.* ① 벗어남. ②【해사】항차(航差). ③【항공】편류(偏流). ④【포술】편차. ⑤ 표류 : a la ~ 표류하여.
caminar a la ~ 지향없이 걷다.

derivable *adj.* ① 빗나가게 하는. ② 분류(分流)·유도할 수 있는 : corriente ~. ③ 연역(演繹)할 수 있는.

derivación *f.* ① 유도. ② 분파 ; (물·전류의) 분기(分岐), 분류(分流) : de ~ 회로의. ~ de la corriente 분류(分流). ③ 소수(疏水). ④【전기】감실(減失) ; 분전로(分電路). ⑤【의학】(심전도의) 유도법. ⑥【문법】파생, 파생어.

derivada *f.*【수학】도함수(導函數).

derivado, da *adj.* ① 파생의. ②【전기】분로(分路)의. ③【의학】유도의. —*m.* ①【문법】파생어. ②【화학】유도체 ; 부산물 : ~*s* del petróleo.

derivador, ra *adj.m.f.* 파생하는 ; 이끄는 ; 표류하는 (사람).

derivar *tr.* [*lat.* derivare] ① 다른 데로 돌리다, 빗나가게 하다 : *Derivamos* la atención hacia el mar 주위를 바다쪽으로 돌렸다. ② 이끌다. ③ (말을) 파생시키다.
—*intr.*, **~se** ① [+de : …에서] 나오다, 나와 있다 ; 파생되다, 분파하다, 유래하다 : Este verbo *deriba del* sustantivo "…" 이 동시는 …라는 명사에서 파생되고 있다. ② 표류하다.

derivativo, va *adj.* 파생의 (어) ; 유도의. —*m.* 유도약(藥).

derivo *m.* 근원, 기원(origen, procedencia).

derma- *pref.*「피부」의 뜻을 가진 접두어.

dermalgia *f.*【의학】피통(皮痛), 피부 신경통.

dermatitis *f.*【의학】피부염(inflamación de la piel).

dermatoesqueleto *m.*【생물】피골격《게·거북의 겉껍질》.

dermatografía *f.* 피부 기술.

dermatología *f.* 피부병학.

dermatológico, ca *adj.* 피부병학의.

dermatólogo, ga *m.f.* 피부과 전문 의사.

dermatosis *f.* 피부병.

dermesto *m.* [*gr.* dermêstês]【곤충】회충의 일종.

dérmico, ca *adj.* 진피(眞皮)의 : Las uñas son producciones ~*cas.*

dermis *f.* (피부의) 진피.

dermitis *f.*【의학】피부염(dermatitis).

dermorreacción *f.* =**cutirreacción.**

derogación *f.* [*lat.* derogatio] 폐지, 폐기 ; 폐업 ; 쇠퇴, 쇠미.

derogar *tr.* ⑧ ① 폐지하다, 폐기하다(abolir) : ~ un reglamento. ② 폐업하다. ③ 개조하다.
—*intr.* 《*Galic.*》 벗어나다, 배반하다 ; 저촉되다 : ~ a un principio 원리에서 벗어나다.

derogatoria *f.* 《*Amér.*》 =**derogación.**

derogatorio, ria *adj.* 폐지한, 폐기한 : cláusula ~*ria* 폐지 조항·규정.

derrabadura *f.* 꼬리의 절단.

derrabar *tr.* (동물의) 꼬리를 자르다.

derrama *f.* 부과, 할당 ; 특별세.

derramadamente *adj.* 헤프게, 낭비벽이 심해.

derramadero *m.* 하수구, 하수 도랑, 수채 구멍

(vertedero).

derramado, da *adj.* 씀씀이가 헤픈, 낭비성이 심한, 손이 큰(pródigo, gastoso). Contr. tacaño.

derramador, ra *adj.* 흘려 보내는 ; 떠내려 보내는 ; 뿌리는. **—***m.f.* 낭비자.

derramadura *f.* =**derramamiento.**

derramamiento *m.* ① 흘려 보내는 일 ; 마구 뿌리는 일 ; 흘리는 일 : ~ de sangre 피 흘림. ② 할당 ; (한집안이) 뿔뿔이 흩어짐.

derramaplaceres *m.f.* 【단·복수 동형】 눈치 없이 판을 깨는 사람 ; 멋 모르고 남의 방해가 되는 사람, 훼방꾼.

derramar *tr.* ① 뿌리다, 살포하다 ; 흩뜨리다 ; 흘리다, 쏟다 : No *derrames* agua al suelo 바닥에 물을 흘리지 마라. El niño *derramó* el agua en el mantel 아이가 식탁보에 물을 흘렸다. ② (세금 등을) 할당하다. ③ 알리고 다니다. ④ 낭비하다, 여기저기 뿌리다.

~se ① 흘러가다 ; 흩어지다 : La gente *se derrama* por todas partes 사람들은 사방으로 흩어진다. ② 새어 나오다 ; 흘러 나오다·들어가다.

derramasolaces *m.f.* =**derramaplaceres.**

derrame *m.* ① 살포 ; 흘리는 일 ; 떨어지는 일 ; 누실(漏失). ② 사면. ③ (열고 닫는 데 편리하도록 만든 창문의) 경사면, 경사지. ④ 개울에서 물이 잔잔한 곳, 물웅덩이. ⑤ 출혈, 일혈(溢血) : ~ cerebral 뇌일혈(腦溢血).

derramo *m.* 두꺼운 벽의 경사 《문을 활짝 열리도록 하기 위해》.

derrapar *intr.* 《*Méx.*》 (차가) 미끄러지다.

derraspado, da *adj.* =**desraspado.**

derredor *m.* 주위 : al·en ~ de …의 주위에 ; …의 포장지에(rededor).

derrelicción *f.* =**abandono, desamparo.**

derrelicto, ta *adj.* 버려진, 버림받은. **—***m.* 표류선, 무인선 ; 표류물.

derrelinquir *tr.* 6 =**abandonar, desamparar.**

derrenegar *intr.* 19 8 [+ de : …을] 미워하다, 증오하다(aborrecer) : *Derreniego de* ese hombre.

derrengada *f.* 《*Mancha.*》 춤의 동작·율동.

derrengadura *f.* (사람·동물 등의) 허리나 등의 타박상·삠.

derrengar *tr.* 19 8 ① (…의) 허리를 삐다. ② 등을 때리다. ③ 한 쪽으로 모으다. ④ (과일을) 두들겨 떨어뜨리다. ⑤ 기울이다.

~se 자기의 허리·등을 삐다 ; 기울이다 ; 구부리다.

derrengo *m.* 《*Ast.*》 (과일을 따기 위해) 던지는 몽둥이·나무.

derreniego *m.* =**reniego.**

derretido, da *adj.* ① 녹은, 용해된, 탕진된. ② 열렬히 연모한, 끝까지 사랑했던(enamorado locamente). **—***m.* 콘크리트(hormigón).

derretimiento *m.* 용해 ; 탕진 ; 연모.

derretir *tr.* 42 ① 녹이다, 용해시키다 : El sol *ha derretido* la nieve 태양은 눈을 녹였다. ② 모조리 써버리다, 탕진하다. ③ (내기의 돈을 지불하기 위해) 돈으로 바꾸다.

~se ① 녹다 : La nieve *se está derretiendo* 눈이 녹고 있다. ② 애타게 그리워하다. ③ 안절부절하다, 안달하다.

derribado, da *adj.* derribar의 *p.p.*

derribador, ra *adj.* 파괴하는, 전복시키는, 쓰러뜨리는 ; 격추하는. **—***m.* 백정.

derribar *tr.* ① 파괴하다 ; 무너뜨리다, 전복시키다, 엎어버리다, 쓰러뜨리다, 부수다, 허물다 : El gobierno *ha derribado* muchas casas para llevar a cabo la nueva urbanización 정부는 새로운 도시 계획을 수행하기 위해 많은 가옥을 허물었다. Esto ha sido una maniobra para ~ al gobierno 이것은 정부를 전복시키기 위한 공작이었다. Los derechistas *derribaron* el gobierno 우익 분자들은 정부를 전복했다. ② 격추하다 : ~ a tiros 쏘아 떨어뜨리다. ③ 타도하다. ④ 녹초가 되게 만들다(postrar) ; 때려 눕히다.

~se 무너지다, 허물어지다, 쓰러지다, 부서지다, 붕괴하다.

derribo *m.* 무너짐, 허물어짐, 붕괴 ; 격추 ; 실추(失墜) ; 붕괴된 건물의 잔해.

derrick *m.* 기중기 ; (유정의) 굴착 발판.

derriscar *tr.* 《*Amér.*》 =**desriscar.**

derrisco *m.* 《*Cuba.*》 심산 유곡, 깊은 골짜기.

derrisorio, ria *adj.* =**irrisorio.**

derritir *tr.* =**derretir.**

derrocadero *m.* =**despeñadero, cima, precipicio.**

derrocamiento *m.* 전락 ; 도괴 ; 타도 ; 몰락.

derrocar *tr.* 7 굴리다, 전락시키다 ; 몰락시키다, 쓰러뜨리다, 떨어뜨리다, 엎어버리다 (derribar) : La coalición de toda Europa fue necesaria para a Napoleón de su trono 나폴레옹을 왕좌에서 쓰러뜨리기 위해서는 전 유럽의 제휴가 필요했다.

~se 전락·몰락하다 : La niña *se derrocó* por la escalera 여아가 계단으로 떨어졌다.

derrochador, ra *adj.* 낭비하는. **—***m.f.* 낭비자. Contr. aprovechado, ahorrador.

derrochar *tr.* 낭비하다, 허비하다, 탕진하다 (malgastar). Contr. ahorrar, aprovechar.

derroche *m.* 낭비, 허비, 탕진.

derronchar *tr.* 【고어】 =**combatir, pelear.**

derrostrarse *r.* 자기 얼굴에 상처를 내다.

derrota *f.* ① 길 ; 항로 : oficial de ~ 갑판 고급 선원. ② 패배, 괴멸, 패주 : En toda la historia de esas luchas no se registra una sola ~ 그 전투의 역사 중에서 단 한번의 패전도 기록되지 않았다. ③ 방목(放牧)의 허가.

derrotado, da *adj.* =**roto, androjoso.**

derrotar *tr.* ① 부수다 ; 엉망으로 만들다, 쳐부수다, 타파하다, 패주케 하다 : Yacub *derrotó* a las tropas de Alfonso Ⅷ en Alarcos 야꿉은 알라르꼬스에서 알폰스 8세의 군대를 패주시켰다. ② (재산을) 탕진하다(destruir).

~se 항로에서 벗어나다.

derrote *m.* ① 패배, 좌절, 타파 ; 쳐부숨. ② 뿔로 한번 받기(cornada) : dar un ~ el toro 황소가 뿔로 받다.

derrotero *m.* ① 항로 (rumbo, ruta), 경로. ② 수로지(水路誌). ③ 행정(行程), 차례. ④ 《*Cuba.*》 매장된 보물.

derrotismo *m.* 패배·패전주의.

derrotista *adj.* 패배·패전주의의. **—***m.f.* 패전주의자, 패배주의자.

derrotón, na *adj.* 《*And.*》 옷을 찢는.

derrubiar *tr.* 11 (물이) 침식하다.

derrubio *m.* 침식 ; 안벽(岸壁)의 붕괴, 그 토석.
derruir *tr.* 77 =**derribar, arruinar.**
derrumbadero *m.* 벼랑, 단애, 절벽 ; 위험(despeñadero).
derrumbamiento *m.* 단애, 전락 ; 붕괴 ; 낙반.
derrumbar *tr.* 전락시키다, 쓰러뜨리다 ; 무너뜨리다, 허물다, 넘어뜨리다.
~se 굴러 떨어지다 ; 무너지다, 쓰러지다 : La puente *se derrumbó* 다리가 무너졌다.
derrumbe *m.* ① 벼랑, 단애. ② 전락 ; 붕괴 : Hay un ~ en el camino 도중에 도로가 붕괴된 곳이 있다. ③【광산】낙반.
derrumbo *m.* =**derrumbadero, despeñadero.**
dertosense *adj. m.f.* 데르또사《Dertosa, 에브로 강변의 España Tarraconense의 도시 ; 현재의 Tortosa》의 (사람).
derviche *m.* 회교의 승려.
dervís *m.* = **derviche.**
des dar의 접·현·2·단수.
des- *pref.* 「비(非)」「불(不)」「부정」「반대」의 뜻의 접두어.
desabarrancar *tr.* 7 ① 골짜기나 늪에서 끌어 올리다. ② (어려움에서) 구출해 내다(sacar de una dificultad).
desabastecer *tr.* 31 ① 공급을 단절하다(desproveer). ② 식량의 보급로를 끊다(privar del abastecimiento).
desabastecimiento *m.* 공급 단절, 식량 보급로 차단.
desabatir *tr.* =**deshacer el abatimiento.**
desabejar *tr.* (벌을 벌통에서) 모두 옮기다.
desabillé *m.* 《*Galic.*》(여자의) 평상복, 집안에서 입는 옷 : vestir un elegante ~.
desabollador *m.* 백랍제 기물의 쭈그러진 부분을 평평하게 하는 기계.
desabollar *tr.* 쭈그러진 부분을 고치다 : ~ una cafetera.
desabollonar *tr.* =**desabollar.**
desabonarse *r.* (신청·예약을) 취소하다 : ~ de una revista.
desabono *m.* ① 예약 취소, 구독 중지. ② 명예 훼손.
desabor *m.* =**insipidez.**
desaborar *tr.* 맛을 빼다.
desabordarse *r.* (선박이) 떨어지다.
desaborición *f.* = **sinsabor, disgusto.**
desaborido, da *adj.* ① 맛없는, 아무 영양도 없는 : pepino ~. ② 무뚝뚝한, 싱거운, 멋없는 : muchacha ~*da.*
desabotonar *tr.* 단추·버튼·혹을 끄르다 (desabrochar). —*intr.* 꽃이 피다, 개화하다 (abrirse los botones de las flores).
~se 단추를 끄르다 : *Me desabotono* los guantes.
desabridamente *adv.* ① 맛없이, 무미 건조하게.
desabrido, da *adj.* ① 맛 없는 : sandía ~*da* 맛이 없는 수박. ② (기후가) 불순한(destemplado) : tiempo ~ 불순한 날씨. ③ 무뚝뚝한, 언짢은 느낌이 드는(áspero, desapacible).
desabrigadamente *adv.* 의지할 곳없이.
desabrigado, da *adj.* 버려진, 고독한, 의지할 곳 없는(abandonado).
desabrigar *tr.* 8 외투를 벗기다(quitar el abrigo).
~se 외투를 벗다 : No debe uno ~*se* cuando está sudando 땀을 흘릴 때 외투를 벗어서는 안 된다.
desabrigo *m.* 외투를 벗는 일 ; 의지할 곳 없음, 버림(desamparo).
desabrillantar *tr.* 윤기를 없애다(quitar el brillo).
desabrimiento *m.* ① 무미 건조, 맛 없음. ② 퉁명스러움(aspereza) : contestar con ~ 퉁명스럽게 대답하다. ③ 불쾌감, 혐오(disgusto) : sentir ~ interior.
desabrir *tr.* ① 맛이 없게 하다(no sazonar) : ~ la comida. ② 언짢게 만들다, 기분을 상하게 하다.
~se ① 맛이 떨어지다. ② 불쾌하다 : ~*se con* uno (누구와) 사이가 썩 좋지 않게 되다.
desabrochar *tr.* ① 단추·혹을 끄르다. ② 털어놓다, 털어놓고 말하다 : ~ un misterio.
~se ① 단추·혹을 끄르다. ② 비밀·속마음을 털어놓다.
desabusar *tr.* =**desengañar.**
desacalorarse *r.* 신열이 내리다, 식다.
desacatadamente *adv.* 무례하게, 버릇없이, 건방지게도, 불경스럽게.
desacatado, da *adj.* 무례한.
desacatador, ra *adj.* 버릇없는, 무례한.
desacatamiento *m.* =**desacato.**
desacatar *tr.* 착실하지 못하다, 예의에 벗어나다, 버릇없이 굴다, 실례를 범하다(cometer un desacato) : ~ *a* la autoridad.
desacato *m.* ① 불경, 무례 ; 실례 : cometer ~ 무례·실례를 범하다. ② 관권 모독(죄).
desacedar *tr.* 신맛을 없애다.
desaceitado, da *adj.* ① 지방분·기름기가 없는. ② 기름이 떨어진 : máquina ~*da.*
desaceitar *tr.* 기름기·지방분을 빼다.
desaceración *f.* 날이 닳음.
desacerar *tr.* 날이 빠지다 : ~ una cuchilla de capillo.
~se 날이 닳다.
desacerbar *tr.* (…의) 떫은 맛을 없애다 ; 부드럽게 하다.
desacertadamente *adv.* 예상을 뒤엎고, 생각지도 않게.
desacertado, da *adj.* 엉뚱하게 빗나간 ; 납득이 안가는, 예상이 틀어진.
desacertar *intr.* 19 실수하다, 잘못하다. **Sinón.** errar.
desacidificar *tr.* 7 (…에서) 신맛을 없애다 ; 중화하다.
desacierto *m.* 예상에서 벗어남, 실수 : no decir uno sino ~*s.*
desaclimatar *tr.* 전지(轉地)시키다 ; 이주시키다. **Contr.** aclimatar.
desacobardar *tr.* 용기를 ·기운을 북돋우다 (alentar, animar).
desacollar *tr.* 《*Rioja.*》(관개용)뿌리밑을 파다.
desacollarar *tr.* 《*Arg.*》굴레를 벗기다.
desacomedido, da *adj.* =**descomedido.**
desacomodadamente *adv.* 부자유스럽게.
desacomodado, da *adj.* ① 몹시 궁한, 실직한

(parado). ② 불편한, 거북한, 답답한 (incómodo).

desacomodamiento *m.* =**incomodidad.**

desacomodar *tr.* ① 부자유스럽게 만들다, 거북하게 만들다. ② 애먹이다, 난처하게 만들다. ③ 몰아내다, 해고하다.
~se 어려움을 겪다; 실직하다.

desacomodo *m.* 해고; 실직; 곤궁.

desacompañamiento *m.* 몸을 피하기; 동반 불허; 어울리기 싫음.

desacompañar *tr.* 피하다(rehuir); (…에) 동반하지 않다; 어울리기를 싫어하다.

desacondicionar *tr.* ①《*Chile.*》좋은 조건에서 빼다. ②《*Guat.*》혼란시키다.

desaconsejadamente *adv.* 지각없이, 깊은 생각없이.

desaconsejado, da *adj.* ① 지각없는. ② 뻔뻔스런, 철면피한. ③ 진득하지 못한, 변덕스러운 (caprichoso).

desaconsejar *tr.* 설복하다, 단념시키다, 그만두게 하다.

desacoplar *tr.* 서로 떼어놓다, 분리시키다, 이간질하다.

desacordadamente *adv.* 어울리지 않게, 엉뚱하게.

desacordado, da *adj.* 일치하지 않는, 어울리지 않는, 가락이 맞지 않는; 조화를 이루지 못하는; 의견이 맞지 않는.

desacordante *adj.* 조화를 깨는.

desacordar *tr.* 24 조화를 깨다.
~se ① 하모니·조화가 깨지다. ② [+de: …을] 깜빡 잊다(olvidarse).

desacorde *adj.* 가락이 맞지 않는; 조화를 이루지 못한.

desacordonar *tr.* 줄을 풀다·벗기다·늦추다.

desacorralar *tr.* 우리에서 밖으로 내몰다; (소를) 투우장으로 내몰다: ~ un toro.

desacostumbradamente *adv.* 여느 때와 달리, 각별히, 전례없이.

desacostumbrado, da *adj.* 익숙하지 못한; 흔치 않은, 드문.

desacostumbrar *tr.* 습관을 버리게 하다(hacer perder la costumbre).
~se 습관을 잃다·버리다.

desacotado, da *adj.* desacotar의 *p.p.* —*m.* = **desacoto.**

desacotar *tr.* (출입 금지 지역을) 해제하다; 허락하지 않다, 거절·거부하다. —*intr.* 공동으로 하던 일에서 빠지다.

desacotejar *tr.*《*Cuba.*》엉망으로 만들다, 난장판으로 만들다(desarreglar).

desacoto *m.* 해제; 거부.

desacreditado, da *adj.* 평이 좋지 못한; 부도난; 신용이 없는.

desacreditador, ra *adj.m.f.* 신용이 없는 (사람).

desacreditar *tr.* ① 신용을 떨어뜨리다, 평을 나쁘게 하다, 신용을 추락시키다 (disminuir la reputación): Nada *desacredita* tanto como la falta de sinceridad. ② (수표 등을) 부도가 나게 하다.

desacuartelar *tr.* 막사에서 내보내다: ~ un regimiento.

desacuerdo *m.* ① 불일치(不一致)(falta de conformidad); 불화(discordia): en ~ 사이가 틀어져서; 일치되지 않게. ② 잘못, 실수(error). ③ 망각(olvido). ④ 앞뒤 일을 기억하지 못함, 망연(enajenamiento).

desacuñar *tr.* 쐐기를 빼다.

desachirarse *r.*《*Col.*》하늘이 개이다.

desaderezar *tr.* 9 (몸치장·화장을) 엉망으로 만들다(desaliñar).
~se (몸단장·화장이) 흐트러지다.

desadeudar *tr.* 빚에서 벗어나게 하다.
~se 빚에서 벗어나다, 빚을 벗다.

desadorar *tr.* 동경에서 벗어나게 하다.

desadormecer *tr.* 31 ① 깨어나다(despertar). ② (몸의) 저림을 풀다.
~se ① 깨어나다(despertarse). ② 기운을 차리다.

desadornar *tr.* 장식을 제거하다(quitar el adorno de alguna cosa): ~ un palacio.

desadorno *m.* 장식이 없음.

desadvertidamente *adv.* 조심성이 없이, 부주의해서, 모르고.

desadvertido, da *adj.* 조심성 없는, 부주의한, 대비책이 없는(inadvertido).

desadvertimiento *m.* 부주의.

desadvertir *tr.* 55 (…을) 눈치채지 못하다, 조심스럽지 못하다, 대비가 없다.

desafamar *tr.* =**difamar, desacreditar.**

desafear *tr.*《*Neol.*》(사람·물건의) 흉한 면을 감추다.

desafección *f.* =**antipatía.**

desafectar *tr.*《*Neol.*》사랑할 수 없게 하다.

desafecto, ta *adj.* ① 냉담한. ② 싫어하는. ③ 반대의(contrario, opuesto). —*m.* 혐오, 적의 (malquerencia, enemistad): mostrar ~ a alguno.

desaferrar *tr.* 19 ① 풀다, 풀어주다, 놓아주다 (soltar). ② 몽매함을 일깨워 주다. ③ 닻을 올리다(levantar las áncoras).
~se ① 탈출하다. ② 잘못을 깨닫다.

desafiadero *m.* 결투장.

desafiador, ra *adj.* 도전하는, 도전적인.
—*m.f.* 도전자, 결투자.

desafianzar *tr.*《*Neol.*》신임을 잃다(quitar la fianza).

desafiar *tr.* 12 ① 도전하다(provocar): ~ a un rival 라이벌에 도전하다. ~ al tiempo 세월의 흐름에 도전하다. Me *desafió a* una partida de ajedrez 그는 나에게 장기의 시합에 도전했다. ② 결투를 청하다; 다투다, 싸우다: El barco *desafiaba* la tempestad 배는 폭풍우와 싸우고 있었다.
~se 경쟁하다.

desafición *f.* 냉담, 무관심함, 쌀쌀맞음 (desafecto): sentir ~ a la música.

desaficionar *tr.* 싫어하도록 만들다; 취미를 잃게 하다.
~se [+de: …을] 싫어하다: *~se del* tabaco.

desafijar *tr.* (아버지가) 부자 관계를 부인하다.

desafilar *tr.* 날이 빠지다《칼·낫·도끼 등》.
~se 날이 무디어지다.

desafinación *f.* (음악·화제가) 어울리지 않음.

desafinadamente *adv.* 장단・가락이 맞지 않게.

desafinar(se) *intr.(r.)* ①【음악】가락이 흐트러지다, 장단이 맞지 않다 : piano *desafinado.* ② 난데없는・엉뚱한 소리를 하다(hablar con inoportunidad).

desafío *m.* ① 결투 ; 도전 : tener un ~ *a* pistola. ② 경쟁(rivalidad).

desaforadamente *adv.* 터무니없이, 굉장히, 과도하게 : comer ~.

desaforado, da *adj.* ① 엉뚱한, 터무니없는(desmedido). ② 지독한, 굉장한(violento) : dar voces ~*das.* ③ 배반의.

desaforar *tr.* 24 (권리를) 짓밟아 버리다 ; 특전을 박탈・중지하다.
~se 옹고집을 부리다, 억지 쓰다.

desaforo *m.* 《*Cuba.*》 열중, 흥분.

desaforrar *tr.* 안에 댔던 것을 떼어버리다(quitar el forro a una cosa).

desafortunado, da *adj.* 불운한, 불행한(sin fortuna).

desafuero *m.* 폭행, 불법 ; 권리의 박탈.

desagarrar *tr.* 놓아주다, 풀어주다.

desagraciado, da *adj.* ① 불행한(infeliz, desdichado). ② 운치가 없는, 애교가 없는, 살풍경한, 멋이 없는 : obra ~*da* 운치가 없는 작품. —*m.f.* 천벌을 받을 사람.

desagraciar *tr.* 11 (사람・물건의) 매력을 깎다 ; 운치를 잃게 하다 ; 욕설을 퍼붓다.

desagradable *adj.* 불쾌한, 싫은 : ~ *al* gusto 취미에 맞지 않는. música ~ 듣기 싫은 음악. fruta ~ *al* paladar 입에 맞지 않는 과일. ~ *con・para・para con* la gente 남에게 좋은 인상을 주지 못하는.

desagradablemente *adv.* 마지못한 듯이.

desagradar(se) *intr.(r.)* 언짢아 하다, 불쾌하다, 언짢다 : Me *desagradó* su actitud 나는 그의 태도가 언짢았다.

desagradecer *tr.* 31 (…의) 은혜를 잊다, 배은망덕하다.

desagradecidamente *adv.* 배은 망덕하게, 은혜를 저버리고.

desagradecido, da *adj.* [+a・con・para : …에 대하여] 공을 잊은, 은혜를 저버린 : Estaba ~ *a*l beneficio 그는 은혜를 잊었다. ~ *con・para* todos 누구에게나 은혜를 잊어버린. Los egoístas son siempre ~*s* 이기주의자들은 항상 남의 은혜를 저버린다. —*m.f.* 배은 망덕한 사람.

desagradecimiento *m.* 배은 망덕, 망은(忘恩)(ingratitud).

desagrado *m.* 불쾌(disgusto) ; 불만(스러운 표정)(descontento) : mostrar ~ 불쾌한 얼굴을 하다. Sus palabras nos causaron un gran ~ 그의 말은 우리들을 굉장히 불쾌하게 했다. Mostró un ~ en el semblante 그는 얼굴에 불쾌감을 나타냈다.

desagraviar *tr.* 11 (주었던 모욕・손해를) 보상하다 : *Desagravió* el daño que se le causó.
~se [+de : …을] 갚다, 보상받다 : *Se desagravió de*l daño que se le causó 그는 입었던 손해를 보상받았다.

desagravio *m.* 보복, 앙갚음.

desagregable *adj.* 분리・분해하기 쉬운.

desagregación *f.* 분리, 분해 ; 풍화 작용.

desagregar *tr.* 8 분리・분해시키다 : La humedad *desagrega* ciertos cuerpos.

desaguadero *m.* ① 배수도, 관, 통 ; 하수구. ② 한없이 돈이 들어가는 일.

desaguador *m.* =**desaguadero.**

desaguar *tr.* 10 ① 배수하다(sacar el agua) : Es menester ~ esa galería de mina cuanto antes 그 갱도를 될 수 있는 대로 빨리 배수하는 것이 필요하다. ② 소비・낭비하다(disipar). ③ 유출시키다. —*intr.* (냇물이 바다로) 흘러 들어가다 : El Ebro *desagua* en el Mediterráneo 에브로 강은 지중해로 흘러 들어간다.
~se 토하고 싸고 하다.

desaguayungar *tr.* 8 《*Col.*》 놓아주다, 나누다.

desaguazar *tr.* 9 (물난리에서의 물을) 빼다, 배수하다, 뽑아내다 : ~ un huerto.

desagüe *m.* 배수 ; 배수구, 배수관.

desaguisadamente *adv.* 난폭하게, 횡포하게, 무례하게.

desaguisado, da *adj.* 난폭한, 횡포한, 무례한. —*m.* 폭력, 횡포, 무법, 난폭, 무질서.

desaherrojar *tr.* (사람・동물의) 쇠사슬・수갑을 풀다 ; 해방・방면하다.

desahijar *tr.* 16 (어미 짐승에게서 새끼를) 떼어놓다 : ~ una oveja.
—*intr.*, **~se** 분봉(分蜂)시키다 : ~ una colmena.

desahitarse *r.* 16 소화 불량・위장병이 나다.

desahogadamente *adv.* 겨우 한숨을 돌리고, 편안하게 ; 사양하지 않고.

desahogado, da *adj.* ① 뻔뻔스런, 낯가죽이 두꺼운(descarado) : una pescadera may ~*da.* ② 광활한, 탁트인, 널찍한 : una calle ~*da.* ③ 마음이 편안한, 느긋한. Contr. recatado ; apurado.

desahogar *tr.* 8 한숨 돌리게 하다 ; 편히 있게 하다 ; (마음에 맺혔던 일・감정을) 털어놓다. 퍼붓다.
~se ① (열・피곤을) 가볍게 하다, 덜다, 한숨 돌리다, 마음이 편해지다, 무거운 짐을 벗다 : quitarse la ropa para ~*se.* ② (빚에서) 벗어나다. ③ 사정없이 털어놓다 : ~*se* en denuestos 마음껏 욕설을 퍼붓다. ~*se de* su pena 마음속의 괴로움을 털어놓아 평안을 얻다.

desahogo *m.* ① 한숨 돌림, 휴식 : No he tenido un momento de ~ desde que empecé este trabajo 이 일을 시작한 이래 숨을 돌릴 시간이 없었다. ② 해방감, 기분 전환. ③ 마음 편함, 느긋함, 안락 : vivir con ~ 느긋한 마음으로 살아가다. ④ 스스럼 없음. ⑤ 뻔뻔스러움(descaro).

desahuciadamente *adv.* 절망(絶望)하여(sin esperanza).

desahuciar *tr.* 11 ① 절망시키다, 희망을 빼앗다(quitar toda esperanza). ② (의사가) 병의 치료를 단념하다 : Los médicos *han desahuciado* a este enfermo. ③ (세든 사람을) 쫓아내다 ; (소작지를) 빼앗다.
~se 절망에 빠지다.

desahucio *m.* 절망 ; 소작지의 회수 ; 세든 사람을 몰아내기.

desahumado, da *adj.* 김빠진 : aguardiente ~ 김빠진 소주.

desahumar *tr.* ⑯ (자욱한) 연기를 빼다 : ~ una habitación.

desainadura *f.* (말의) 지방 용해증.

desainar *tr.* ⑯ ① (가축 등의) 지방분 · 기름기를 빼다, 여위게 하다(desengrasar) : ~ a un animal. ② 《Cuba.》 쇠약하게 하다(debilitar).

~se 여위다, 마르다, 수척해지다.

desairadamente *adv.* 풀이 죽어, 맥없이(sin aire, sin gracia ni garbo).

desairado, da *adj.* ① 촌스런(desgarbado) : traje ~ 촌스런 옷. ② 축 늘어진, 맥이 빠진. ③ 신통치 못한 ; 실패한 : Quedó ~ 그는 사업에 실패했다.

desairar *tr.* ⑯ ① 볼품없이 만들다(deslucir) ; 무시하다, 경시하다, 체면을 구기다 : No quiero ~le 나는 그를 무시하고 싶지 않다. ② 거부하다. ③ 아무렇게나 다루다, (…에) 주의를 기울이지 않다. ④【상업】어음을 부도내다.

desaire *m.* ① 고상치 못함, 우아하지 못함, 맥빠진 모양. Contr. gracia, donaire. ② 모욕 : sufrir un ~ 모욕을 당하다. ③ 무시, 푸대접 ; 체면이 서지 않음.

desaislarse *r.* ⑯ 고독 · 고립에서 벗어나다.

desajarrar *tr.* 《Chile. PRico.》【속어】자물쇠를 부수다.

desajustar *tr.* 고르지 못하게 하다, 망가뜨리다, 고장내다, 이상이 생기게 하다 : ~ una máquina.

~se (기계가) 고장나다.

desajuste *m.* ① (기계 등이) 고르지 못함, 고장, 잘못됨(desconcierto, desarreglo) : el ~ de un negocio 사업이 잘못됨. ② (교섭의) 난항(難航), 부조(不調).

desalabanza *f.* ① 비평, 비난, 모욕(censura, vituperio). ② 멸시, 경멸(menosprecio).

desalabar *tr.* ① 헐뜯다, 비난하다, 모욕하다(vituperar). ② 경멸하다, 깔보다, 업신여기다, 멸시하다(menospreciar).

desalabear *tr.* 틀어진 데를 바로잡다, (목재의 면을) 고르게 깎다, 평평하게 하다.

desalabeo *m.* 틀어진 데를 바로잡는 일.

desaladamente *adv.* 서둘러, 부랴부랴, 일로 매진하여 ; 몹시 서둘러.

desalado, da *adj.* ① 황급한, 조급한, 서두른(apresurado). ② 날개가 없는. ② 안절부절못하는(ansioso).

desaladura *f.* desalar하는 일.

desalagar *tr.* ⑧ (연못 등의 물을) 완전히 빼다.

desalar *tr.* ① 염분 · 소금기를 빼다(quitar la sal) : ~ pescado 생선에서 소금기를 빼다. ② (새 · 생선의) 날개 · 지느러미를 떼어내다.

—*intr.*, ~se ① 조바심하다 : *Se desalaba por* conseguirlo 그것을 손에 넣고자 조바심했다. ② 종종걸음으로 걷다.

desalbardar *tr.* =**desenalbardar.**

desalentadamente *adv.* 낙담하여, 맥이 풀려.

desalentador, ra *adj.* 낙담 · 실망시키는 ; 맥이 풀리는.

desalentar *tr.* ⑲ ① 실망 · 낙담시키다. ② 맥풀리게 만들다 : No le *desalentemos* en su trabajo 그의 일에서는 그에게 맥이 빠지게 하지 맙시다. ③ 헐떡거리게 만들다 : llegar *desalentado* del mucho correr.

~se ① 낙담하다, 실망하다. ② 맥이 풀리다, 기운이 빠지다 : *Se desalentó* ante las adversidades 그는 역경을 당하여 맥이 풀렸다.

desalfombrar *tr.* (마루 · 방의) 융단 등을 걷다 : ~ una casa.

desalforjar *tr.* (자루에서) 꺼내다.

~se 단추를 풀어 늦추다.

desalhajar *tr.* (건물 · 실내의) 가구를 치우다 (desamueblar) : ~ un cuarto.

desaliar *tr.* 《Neol.》 동맹을 파기하다.

desaliento *m.* 맥빠짐, 실망, 낙담.

desalineación *f.* 무질서, 혼란, 줄의 무너짐.

desalinear *tr.* 열 · 줄을 무너뜨리다, 무질서하게 만들다.

~se 열 · 줄이 무너지다, 대열에서 이탈하다 : Los soldados *se desalinearon* 병사들이 대열에서 이탈했다.

desaliñadamente *adv.* 지저분하게, 단정하지 못하여, 등한하게.

desaliñado, da *adj.* 단정하지 못한, 깔끔하지 못한.

desaliñar *tr.* (장식품을) 치우다 ; (사람의) 화장을 더럽히다, 몸치장을 흐뜨리다, 단정치 못하게 하다.

~se 몸치장을 게을리 하다, 해이해지다, 칠칠하다.

desaliño *m.* ① 단정치 못함, 지저분함 : Es libro escrito con demasiado ~ 그것은 너무나 지저분하게 쓰여진 책이다. Ella va vestida con ~ 그녀는 복장이 단정치 못하다. ② 태만, 부주의(negligencia, descuido). ③ 긴 귀고리의 일종.

desalivar *intr.* 여기저기 침을 뱉다.

desalmadamente *adv.* 인정 사정없이, 잔인하게.

desalmado, da *adj.* ① 잔인한, 포악 무도한 (cruel). ② 양심이 없는(sin conciencia). ③ 무정한, 매정한(inhumano). Contr. generoso.

desalmamiento *m.* ① =**inhumanidad.** ② =**crueldad.**

desalmar *tr.* 듣지 않게 하다 ; 불안하게 하다.

~se 효력을 상실하다 ; 마음이 불안해지다 ; 조바심하다.

desalmenado, da *adj.* 거타(almena)《총안과 총안 사이의 거리》가 없는 : un viejo torreón ~.

desalmidonar *tr.* 풀기를 빼다 : ~ la ropa 옷에서 풀기를 빼다.

desalojado, da *adj.* 쫓겨난.

desalojamiento. *m.* 추방 ; 퇴거, 철거.

desalojar *tr.* 몰아내다, 쫓아내다, 소탕하다 : ~ al enemigo a cañonazos.

—*intr.* 물러나다, 퇴거하다.

desalojo *m.* =**desalojamiento.**

desalquilado, da *adj.* (집 · 토지의) 빌려 줄 사람이 없어진, 빈 : ¿Tienen algún apartamento ~? 빈 아파트 있습니까?

desalquilar *tr.* (세든 집을) 비워 주다.

~se 비다 : Me han dicho que este cuarto *se desalquilará* el mes próximo 이 방은 다음 달에 빈다고 한다.

desalterar *tr.* 가라앉히다, 진정시키다, 안정시키다.
~se 마시다, 목을 축이다(beber).
desalumbradamente *adv.* 눈이 어두워; 상궤를 벗어나서; 실수하여(erradamente).
desalumbrado, da *adj.* 눈이 부신, 현혹된; 아연 실색된.
desalumbramiento *m.* 현혹, 눈이 어두움.
desamable *adj.* 귀여운 맛이 없는.
desamador, ra *adj. m.f.* 미워하는, 정떨어진, 사랑을 그만두는 (사람).
desamanerarse *r.* 매너리즘을 버리다.
desamar *tr.* (…에게) 정이 떨어지다; 멀리하다, 미워하다.
desamarrar *tr.* 밧줄을 풀다 : ~ un barco 배의 밧줄을 풀다. ② 놓아주다; 끄르다; (밧줄 등을) 느슨하게 하다.
desamartelar *tr.* (…의) 애정을 버리다.
desamasado, da *adj.* 용해한, 녹은; 분해한 (deshecho).
desamelgar *tr.* 이랑을 바꾸다·고치다.
desamigado, da *adj.* =**enemistado.**
desamistarse *r.* 원수지다; 적의를 품다.
desamoblar *tr.* 24 =**desamueblar.**
desamodorrar *tr.* 졸음을 빼앗다.
desamoldar *tr.* 조판한 것을 허물어뜨리다; 꼴불견으로 만들다, 모양없이 만들다(desfigurar).
desamontonar *tr.* 쌓아진 것을 흐뜨리다.
desamor *m.* ① 무정, 냉담. Sinón. ingratitud. ② 적의, 증오(enemistad, odio).
desamoradamente *adv.* 쌀쌀하게, 무정하게, 매정하게.
desamorado, da *adj.* 쌀쌀한, 매정한, 무정한.
desamorar *tr.* 사랑을 받아들이지 않다. Contr. enamorar.
~se 애정에 움직이지 않다.
desamoretado, da *adj.* 《*And.*》 별로 정이 없는.
desamoroso, sa *adj.* 매정한; 무정한.
desamorrar *tr.* (남에게) 얼굴을 들게 하다; 이야기에 끼게 하다.
desmortajar *tr.* 수의(mortaja)를 벗기다.
desamortización *f.* desamortizar하는 일.
desmortizador, ra *adj.m.f.* 한정 상속권을 해제하는 (사람).
desamortizar *tr.* 9 (재산에 대해서) 한정 상속 물권을 해제하다.
desamotinarse *r.* 폭동의 대열에서 떨어지다.
desamparadamente *adv.* 소외당해, 방치된 채로.
desamparado, da *adj.* 소외된, 의지할 곳 없는.
desamparador, ra *adj.* 저버리는, 포기하는. —*m.f.* 포기자.
desamparar *tr.* 단념하다; (권력·소유권 등을) 포기하다. Contr. amparar.
desamparo *m.* ① 포기, 단념. ② 무의탁, 무원조 : vivir en completo ~.
desamueblar *tr.* (건물·실내의) 가구를 치우다 : ~ un palacio. Sinón. desalhajar.
desanclar *tr.* (배의) 닻을 올리다·감아올리다.
desancorar *tr.* =**desanclar.**
desandar *tr.* 41 되돌아오다(retrodecer, volver atrás) : ~ el camino 길을 되돌아오다.
desanderado, da *adj.* 《*Cuba.*》 예상 밖의, 생각과 다른, 의외의.
desandrajado, da *adj.* ① 누더기를 걸친, 누덕누덕한(andrajoso). ② 처량한, 처참한.
desanduv- → **desandar** 80.
desangelado, da *adj.* 《*And.*》 천사가 없는.
desangramiento *m.* ① 피뽑기; 다량 출혈. ② 연못에 있는 물을 뽑아 버리는 일.
desangrar *tr.* ① 피를 뽑다(sacar la sangre). ② 재산을 착취하다, 남의 재산을 탕진시키다, 가난하게 만들다. ③ (못·호수의) 물을 뽑아 버리다.
~se 피를 몽땅 뽑다, 심하게 출혈하다.
desangre *m.* 《*Col.*》 =**desangramiento.**
desanidar *intr.* (성장한 새가) 둥지를 떠나다; 사회 생활을 시작하다. —*tr.* 좇아내다 : ~ a los ladrones *de* su guarida.
desanillar *tr.* 고리·테를 떼어내다 : ~ una cortina.
desanimación *f.* 용기를 잃음, 비겁.
desanimadamente *adv.* 초라하게, 풀이 죽어, 축 늘어져, 기운없이, 용기를 잃고.
desanimado, da *adj.* ① 기운없는, 초라한, 축 늘어진, 활기가 없는 : La fiesta estuvo ~*da* 파티는 활기가 없었다.
desanimar *tr.* 용기(ánimo)를 꺾다, (즐거운) 판을 깨다, 맥 빠지게 하다(desalentar) : Debió de ~la mi advertencia 나의 경고가 그녀를 맥 풀리게 했음에 틀림없었다.
~se 마음이 불안해지다; 용기를 잃다, 낙담하다 : *Se desanima* con la menor dificultad 그는 별 어려움이 없는 데도 낙담하고 있다. *Se ha desanimado* ante las adversidades 그는 역경을 당하여 맥이 풀렸다.
desánimo *m.* 기력 상실, 풀이 죽음, 무기력 : Se nota un gran ~ en el pueblo 마을 사람들의 기력 상실이 눈에 띄였다. Contr. valor.
desanublar *tr.* (거울에 낀) 안개를 닦아 내다, (얼굴의) 어두운 그림자를 없애다 : ~ el semblante 밝은 표정을 짓다.
~se (하늘 등이) 밝게 개이다(despejarse).
desanudadura *f.* 매듭·분규의 풀기.
desanudar *tr.* (매듭·분규·얽힌 일 등을) 풀다, 해결하다. Sinón. desenredar, desenmarañar.
desañudadura *f.* =**desanudadura.**
desañudar *tr.* =**desanudar.**
desaojadera *f.* 무당.
desaojar *tr.* 마력을 좇아버리다.
desapacibilidad *f.* 언짢음, 불쾌감.
desapacible *adj.* 불유쾌한, 불쾌감이 드는, 언짢은 느낌이 드는 : ruido ~.
desapaciblemente *adv.* 불쾌하게, 언짢은 느낌이 들게, 꼴 사납게, 비위 상하게.
desapadrinar *tr.* ① 비난하다(desaprobar, censurar). ② 단념·체념하다.
desapanar *tr.* 무너뜨리다, 깨트리다, 부수다 (descomponer).
desaparear *tr.* 짝을 지워 주다; 어중간하게 하다.
desaparecer *tr.* 31 보이지 않게 하다, 숨기다, 감추다.

—*intr.*, **~se** ① 숨다 ; 없어지다, 사라지다. ② (태양이) 지다(ponerse) : El sol *ha desaparecido* por occidente. 태양은 서쪽으로 진다. ③ 자취를 감추다 : El avión *se ha desaparecido entre* las nubes 비행기는 구름 사이로 사라졌다.

desaparecido *m.* 행방 불명자 : Han sido diez los ~*s* tras paso del tifón 태풍이 지나간 후 행방 불명자가 10명이었다.

desaparecimiento *m.* =**desaparición.**

desaparejar *tr.* ① 장비를 벗어 놓다. ② (말의) 마구를 내려놓다 : ~ los caballos. ③ (배의) 의장(艤裝)을 떼다.

desaparición *f.* 없어짐, 소실 ; 멸망.

desaparroquiar *tr.* 고객을 빼앗기다.
~se ① 교회에 가지 않게 되다. ② 고객을 잃다, 고객이 떨어지다.

desapartar *tr.* 《*Amér.*》 =**apartar.**

desapasionadamente *adv.* 열의없이.

desapasionado, da *adj.* [desapasionar의 *p.p.*] =**imparcial.**

desapasionarse *r.* 열이 식다, 흥이 깨지다, 정열・집념을 잃다 : ~ *de*l juego.

desapegar *tr.* 8 ① 떼어・벗겨 내다 ; 따로 떼어 놓다(despegar). ② 냉담하게 하다.
~se ① 벗겨지다 ; 떨어지다, 사이가 벌어지다. ② 냉담하다(desaficionarse).

desapego *m.* 무정 ; 냉담, 무관심 : mostrar ~ a una persona.

desapercibidamente *adv.* ① 준비도・대비도 없이. ② 눈치채지 못하고.

desapercibido, da *adj.* ① 아무런 준비・대비가 없는(desprevenido). ② 《*Galic.*》 눈치채지 못하는 : Me pasó ~ 나는 끝내 눈치채지 못하고 말았다.

desapercibimiento *m.* =**desprevención.**

desapercibirse *r.* 준비를 못하다 ; 의식을 못하다.

desapestar *tr.* 소독하다(desinfectar, sanear).

desapiadadamente *adv.* 몰인정하게, 무자비하게 ; 믿음없이.

desapiadado, da *adj.* 인정머리없는, 몰인정한 ; 무자비한 ; 믿음없는(despiadado).

desapiadarse *r.* 자비심을 잃다 ; 악해지다.

desapiolar *tr.* 끈・묶은 것을 풀다・벗기다.

desaplacible *adj.* =**desagradable, antipático.**

desaplicación *f.* 나태, 태만, 게으름, 무성의.

desaplicadamente *adv.* 무성의하게, 게을리, 태만하게.

desaplicado, da *adj.* 무성의한, 열의가 없는, 부지런하지 못한, 태만한, 게으른 : castigar al estudiante ~ 게으른 학생을 벌하다.

desaplicar *tr.* 7 무성의하게 하다.
~se 태만해지다, 게으름피우다.

desaplomar *tr.* =**desplomar.**
~se 기울다, 어긋나다 ; 허물어지다, 무너져 내리다, 붕괴하다, 도괴하다.

desapoderadamente *adv.* 힘껏 ; 분방하게 ; 과도하게.

desapoderado, da *adj.* ① 힘껏 하는 : correr ~. ② 격렬한, 맹렬한 : tempestad ~*da*. ③ 과도한, 분방한 : ambición ~*da*.

desapoderamiento *m.* 몰수, 탈취, 탈환 ; 위임의 철회 ; 분방(desenfreno).

desapoderar *tr.* ① 빼앗다 ; 되찾다, 탈환하다 ; 몰수하다 : ~ a uno *de* la herencia 누구의 유산을 몰수하다. ② 해임하다.
~se [+de : …을] 탈환하다, 되찾다, 회수하다.

desapolillar *tr.* 좀벌레(polilla)를 없애다 : ~ la ropa.
~se 오랫만에 외출하다.

desaporcar *tr.* 7 (야채 등의) 흙을 털다.

desaposentar *tr.* (방・집에서) 쫓아내다, 철수시키다 ; 밀쳐 내다, 멀리 떠나 보내다(apartar).

desaposesionar *tr.* 탈취하다(desposeer).

desapostura *f.* 볼품이 없음, 품위 없는 모양.

desapoyar *tr.* ① 받침을 치우다. ② 지지・지원하지 않다 : ~ una declaración.

desapreciar *tr.* 11 =**desestimar.**

desaprender *tr.* 배운 것을 잊다 : Para no ~ es preciso aprender toda la vida 배운 것을 잊지 않기 위해서는 평생을 배우는 것이 필요하다.

desaprensar *tr.* (피륙의) 윤기・광택을 없애다 ; (사지의) 압박을 풀다.
~se 광택이 없어지다.

desaprensión *f.* 집착에서 탈피, 걱정이 없음, 긴장이 풀림.

desaprensivo, va *adj.* ① 걱정이 없는. ② 양심이 없는, 비양심적인, 넉살좋은, 뻔뻔스러운.

desapretar *tr.* 19 늦추다(aflojar).

desapretinar *tr.* 《*Chile.*》 혁대・장식을 끄르다・풀다.

desaprisionar *tr.* 출옥・출감시키다, 석방하다, 방면하다 : ~ a un reo. **Sinón.** desaherrojar.

desaprobación *f.* 비난 ; 불합격 ; 불찬성 : manifestar su ~. **Sinón.** reprobación.

desaprobador, ra *adj.* 비난하는, 불찬성의.

desaprobar *tr.* 24 비난하다 ; 불합격시키다, 찬성하지 않다, 인정하지 않다(reprobar) : Yo *desapruebo* su conducta 나는 그의 행위를 인정하지 않는다.

desapropiación *f.* =**desapropio.**

desapropiamiento *m.* =**desapropio.**

desapropiar *tr.* 11 (소유물을) 몰수하다 : ~ a uno *de* la mercancía 누구한테서 상품을 몰수하다.
~se [+de : …을] 놓다, 남의 손에 인계하다・넘기다 : *Se desapropió de* su finca 그는 농장을 남의 손에 넘겨주었다.

desapropio *m.* (소유물・소유권의) 포기.

desaprovechadamente *adv.* 게으름피워, 등한시하여, 열의를 보이지 않고, 헛되이.

desaprovechado, da *adj.* ① 진보가 없는. ② 열의 없는, 힘쓰지 않는. ③ 이익이 없는 ; 비생산적인.

desaprovechamiento *m.* 게으름, 나태, 태만, 불성실 ; 이용치 않음 ; 악용.

desaprovechar *tr.* 헛되이 하다, 이용하지 않다, 악용하다 : ~ la ocasión. —*intr.* 퇴보하다, 게으름피우다.

desapteza *f.* 부적격, 부적당.

desapto, ta *adj.* 부적당한, 부적격한.

desapuesto, ta *adj.* 몰골 사나운, 볼품없는.

desapuntalar *tr.* (건물・벽 등의) 버팀나무를 치우다 : ~ un edificio ruinoso.

desapuntar *tr.* ① 조준을 어긋나게 하다 : ～ el cañón. ② 시침실을 뽑다 : ～ una alforza.
desaquellarse *r.* =**descorazonarse.**
desarbolar *tr.* ① (배의) 마스트를 꺾다·넘어뜨리다. ② 《*Ant. Perú.*》 부수다, 난잡하게 만들다.
desarbolo *m.* 마스트 파괴.
desarchivar *tr.* 문서 보관소에서 서류·문서를 꺼내다.
desarenar *tr.* 토사(土砂)를 제거하다.
desareno *m.* 준설 ; 토사를 버림.
desarmado, da *adj.* 비무장의.
desarmador *m.* (총포의) 공이쇠, 격철.
desarmadura *f.* =**desarme.**
desarmamiento *m.* =**desarme.**
desarmar *tr.* ① 무기를 빼앗다, 무장 해제하다 : Las naciones aliadas *desarmaron* a Alemania y Japón 연합군은 독일과 일본을 무장해제시켰다. ② 분해·해체하다 : Hay que ～ las máquinas de escribir cada dos años para limpiarlas 2년에 한번은 소제하기 위해 타자기를 해체해야 한다. ③ (배의) 의장을 거두다. ④ 중화시키다, 김을 빼다. ④ 풀다 : Ella *desarmó* la cólera 그녀는 노여움을 풀었다.
～se 무기를 버리다 ; 군비를 철폐·축소하다 ; 투항하다.
desarme *m.* 무기의 약탈 ; 무장 해제 ; 군비 철폐·축소 ; 분해, 해체.
desarmonía *f.* 불화, 부조화 : la ～ del matrimonio.
desarmonizar *tr.* [9] 화목을 깨다, 조화를 깨다.
desarraigar *tr.* [8] ① 송두리째 없애다, 뿌리째 뽑다 : ～ un árbol. ② (사상·습관을) 말끔히 씻어 없애다, 전향시키다. ③ [드뭄] 추방하다.
～se 뿌리째 뽑히다 ; 전향하다, 발을 빼다.
desarraigo *m.* ① 잡아 빼기, 송두리째 뽑음. ② 전향.
desarrajar *tr.* ① 《*Amér.*》 자물쇠나 빗장을 부수다. ② 《*Chile.*》 (물건을) 파괴하다·부수다.
desarrancarse *r.* [7] 이탈하다 ; 탈당·탈퇴하다.
desarrapado, da *adj.* =**andrajoso.**
desarrebozadamente *adv.* 공공연하게, 숨김없이.
desarrebozar *tr.* [9] 얼굴에 썼던 것을 벗기다 ; 정체를 파헤치다 ; 환히 볼 수 있게 하다.
～se 얼굴을 드러내다 ; 정체를 밝히다, 명백해지다.
desarrebujar *tr.* ① 매듭·얽힌 것을 풀다. ② (입었던·썼던 것에서) 모습을 드러내다, 벗기다. ③ 해명하다, 밝히다.
～se (뒤집어쓰고 있는 이불·옷을) 벗다 ; 모습을 드러내다.
desarregladamente *adv.* 무질서하게 ; 절제하지 않고, 방종하게 ; 몸단장없이.
desarreglado, da *adj.* 무질서한, 무절제한, 함부로 구는.
desarreglar *tr.* 흐트러뜨리다, 문란하게 하다 ; 허물어뜨리다, 부수다(desordenar) : ～ un reloj.
～se 난잡해지다, 흐트러지다, 무너지다.
desarreglo *m.* 무질서 ; 난맥 ; 방종.
desarrendar *tr.* [19] ① (말의) 고삐를 풀어주다. ② 소작지를 돌려주다.
desarrevolver *tr.* [25] 풀다(desenvolver).
～se 풀리다.
desarrimar *tr.* ① (기대어 놓았던 것을) 떼어놓다. ② (품었던 생각을) 고치게 하다, 체념케 하다, 단념시키다(disuadir).
desarrimo *m.* 무의탁 ; 고립.
desarrollable *adj.* 발전할 수 있는 ; 개발 가능한.
desarrollado, da *adj.* ① 발육·성장한 ; 발전된 : país ～. ② 전개된 : fórmula ～*da* 화학식.
desarrollar *tr.* ① 발육시키다, 육성하다, 진보·발전·발달시키다 : España está *desarrollado* su red de telecomunicación 서반아는 전기통신망을 발전시키고 있다. ② 펼쳐 놓다, 전개하다 ; 논술·부연하다. ③ 【사진】 현상하다. ④ 【화학·수학】 전개하다.
～se ① 자라다 ; 발전·발달하다, 진보하다 : La industria petrolera *se ha desarrollado* mucho en los últimos cinco años 석유 공업은 최근 5년간에 굉장히 발전했다 ② 【화학·수학】 전개하다. ③ 개최되다(tener lugar) : La semana pasada *se desarrolló* la conferencia episcopal.
desarrollo *m.* ① 펼침, 전개. ② 발육 ; 발전, 발달, 진보. ③ 논술. ④ 【사진】 현상.
desarropar *tr.* 옷을 벗기다 ; 이불을 들추다.
～se 옷을 벗다, 이불을 걷어치우다 : ～*se* en la cama.
desarrugadura *f.* 구김살을 펴는 일.
desarrugar *tr.* [8] 주름·구김살을 펴다 : ～ la frente 이마의 주름살을 펴다.
～se 주름·구김살이 펴지다.
desarrumar *tr.* 옮겨 싣다.
desarticulación *f.* ① 탈구, 뼈가 삠 : la ～ del hombro. ② 연결 부분을 떼어놓기.
desarticular *tr.* ① (관절을) 삐다 : ～ el brazo. ② (기계의) 연결을 떼어놓다. ③ (계획·조직 등을) 무너뜨리다. [Sinón.] descoyuntar.
～se 관절을 삐다.
desartillar *tr.* 포를 철거하다 : ～ un buque·una fortaleza.
desarzonar *tr.* (타고 있던 사람을) 떨어뜨리다 : El caballo *desarzonó* al jinete.
desasado, da *adj.* ① 손잡이(asa)가 떨어진 : puchero ～. ② 【은어】 귀를 잘린.
desasar *tr.* 손잡이(asa)를 부수다·빼다.
desaseadamente *adv.* 불결하게, 더럽게, 추잡하게.
desaseado, da *adj.* 불결한, 추잡한, 더러운(sucio).
desasear *tr.* 추잡스럽게·불결하게 하다, 더럽히다(ensuciar). [Contr.] limpiar.
desasegurar *tr.* ① 확실성을 없애다. ② 보증했던 것을 취소하다 ; 계약을 취소하다 : ～ a un empleado 고용인을 해고하다. ③ 보험을 해약하다 : ～ una mercancía 상품에 들었던 보험을 해약하다.
desasentar *tr.* [19] 옮기다, 제거하다.
—*intr.* 꼭 맞지 않다, 개운치 않다, 재미가 없다(desagradar).
～se 자리를 뜨다.
desaseo *m.* =**suciedad, porquería.**

desasg- → **desasir** 36.
desasimiento *m.* ① 해방(解放). ② 무타산(desinterés).
desasimilación *f.* 분해 작용.
desasimilar *tr.* 분해하다.
desasir *tr.* 36 (쥐고·잡고 있던 것을) 놓다, 놓아주다, 풀어주다.
~se [+de : …을] 놓다, 뿌리쳐 버리다, 벗어나다 : *Se desasió de* malos hábitos 그는 못된 버릇에서 벗어났다.
desasistencia *f.* 불참.
desasistir *tr.* =**desamparar.**
desasnar *tr.* 예의를 가르치다, 교육시키다(instruir) : Hay que ~ a ese muchacho.
~se 수양하다.
desasociable *adj.* 사교성이 없는, 남과 사귀기 싫어하는(insociable).
desasociar *tr.* 11 (회사를) 해산하다.
desasosegadamente *adv.* 불안한 듯이, 겁에 질려 ; 안정을 잃고.
desasosegar *tr.* 19 8 들썩거리게 하다 ; 불안하게 만들다, 애태우다, 간장을 녹이다, 걱정을 끼치다(inquietar). Contr. tranquilizar.
~se 불안해지다.
desasosiego *m.* 불안, 초조 ; 공포, 경악.
desasosilio *m.* 《*PRico.*》 =**desasosiego.**
desastar *tr.* (동물의) 뿔을 부수다.
desastradamente *adv.* 단정치 못하게, 칠칠맞게, 더럽게, 추잡하게, 지저분하게 : vestirse ~.
desastrado, da *adj.* ① 처량한, 참담한, 처참한(desgraciado). ② 불행한. Contr. feliz. ③ 더러운, 불결한, 칠칠맞고 지저분한(desaseado, sucio). Contr. hacendozo, limpio.
desastre *m.* ① 재앙, 재액, 재난(calamidad). ② 참패, 실패.
desastrosamente *adv.* 처참하게도, 참담하게도.
desastroso, sa *adj.* 불행한, 불운한, 처참한, 참담한.
desatacador, ra 단추·훅을 푸는.
—*m.* =**sacatrapos.**
desatacar *tr.* 7 ① (바지 따위의) 단추·훅을 끄르다 : ~*se* las bragas. ② (총포의) 충전물을 빼내다 : ~ una pistola.
~se 【고어】 신발·바지 등을 벗다.
desatadamente *adv.* 거침없이, 멋대로, 자유분방하게, 마음내키는 대로.
desatado, da *adj.* 풀린, 해산된.
desatador, ra *adj. m.f.* 푸는 (사람).
desatadura *f.* 해방 ; 자유 분방, 거침 없음 ; 폭위.
desatalentado, da *adj.* 시원찮은, 졸렬한.
desatancar *tr.* 7 (관의) 막힌 데를 청소하다.
~se 궁지에서 벗어나다.
desatar *tr.* ① (묶은 것을) 풀다 : ~ un lío. ② 놓아주다. ③ 조금씩 무너뜨리다, 해산시키다 : ~ una intriga. ④ 【고어】 녹이다(derretir). ⑤ 해결하다(resolver).
~se ① 풀리다. ② 해방되다, 뿌리쳐 버리다 : ~*se de* sus compromisos 약속을 뿌리쳐 버리다. ③ 흥에 겨워 난잡하게 굴다, 멋대로 놀다 : *Se desató en* improvisos 멋대로 독설을 퍼부었다. ④ 난장판을 벌이다 : *Se desataron* las calamidades *sobre* él 재앙이 그에게 빗발치듯 쏟아졌다. ⑤ 폭우가 쏟아지다. ⑥ 【고어】 녹다 : *Se desata* el hielo 얼음이 녹는다.
desatascar *tr.* 7 ① (빠져 있는 차 등을) 끌어올리다 : ~ un carro. ② (관의) 막힌 데를 뚫다. (desatancar) : ~ una cañera. ③ 궁지에서 구출하다.
~se 궁지를 벗어나다.
desatasco *m.* desatascar하는 일.
desataviar *tr.* 12 (몸에서) 장신구를 풀어 놓다 ; 몸단장을 헝클어뜨리다.
desatavío *m.* = **desaliño, descompostura.**
desate *m.* 방약 무인 : un ~ de palabras.
~ ***de vientre*** 【의학】 이질, 설사(flujo de vientre).
desatención *f.* 부주의 ; 무례(descortesía) : tratar a una persona con ~.
desatender *tr.* 20 ① 등한하다, 내버려두다 ; 게을리 하다 : ~ sus deberes 의무를 게을리 하다. ② 신경을 쓰지 않다 : ~ a las visitas 손님을 돌보지 않다. ③ 무시하다. ④ (어음을) 거절하다.
desatentadamente *adv.* 방자하게.
desatentado, da *adj.* 엉뚱한 ; 난폭한 ; 무궤도한, 함부로 구는.
desatentamente *adv.* 버릇없이, 무례하게(descortésmente).
desatentar *tr.* 19 난감하게 만들다, 당황하게 하다, 처치 곤란하게 하다.
~se 난감해지다, 난처해지다.
desatento, ta *adj.* 부주의한, 조심성없는, 딴 생각하는, 예의 바르지 못한, 무례한, 버릇없는 : hombre ~. Contr. urbano, atento, cortés.
desaterrar *tr.* 19 《*Amér.*》 (식물의 뿌리에 모았던) 흙을 치우다 ; (파이프 등의) 흙을 치우다.
desatesorar *tr.* (모았던 것을) 낭비하다, 내버리다, 소비하다.
desatibar *tr.* =**desatorar.**
desatiento *m.* 촉각 마비 ; 불안, 걱정, 초조(inquietud).
desatierre *m.* 《*Amér.*》 =**escombrera.**
desatinadamente *adv.* 엉망으로, 분별없이, 지각없이, 절도없이, 방정맞게, 경솔하게 ; 터무니없이(desmedidamente).
desatinado, da *adj.* 예상에서 벗어난, 마구잡이의, 분별없는, 절도가 없는, 경솔한, 지각없는 : El profesor me dio un consejo ~ 선생님은 나에게 예상에서 벗어난 충고를 하셨다.
desatinar *tr.* 당혹시키다.
—*intr.* 어물거리다 ; 언행이 정상에서 벗어나다. Contr. acertar.
desatino *m.* ① 예상에서 벗어남 : No digas más ~. Contr. acierto, tino. ② 광기, 미친 짓, 광태(locura).
desatolondrar *tr.* 실신 상태에서 정신이 들게 하다.
~se 정신이 들다.
desatollar *tr.* (차량 등을) 수렁에서 건져내다.
desatontarse *r.* 제정신을 차리다.
desatorar *tr.* ① (배의 짐을) 옮겨 싣다(desarrumar). ② (갱내의) 토사를 치우다.
desatornillador *m.* 《*Méx.*》 =**destornillador.**
desatornillar *tr.* (어떤 것의) 나사를 빼다·뽑다(destornillar).

desatracar *tr.* [7] (배를) 출항시키다. —*intr.* (배가 위험에서) 벗어나다.
~se 묶였던 밧줄을 풀다; 출항하다.
desatraer *tr.* [72] 떼어놓다.
desatraillar *tr.* [16] 사슬(traílla)에서 풀어놓다: ~ a los perros.
desatrampar *tr.* =**limpiar, desatascar.**
desatrampar *tr.* [7] ① 빗장·걸쇠를 열다: ~ la puerta. ② 물을 갈다: ~ un pozo.
desatrancarse *r.* 문에 빗장을 벗기다.
desatufarse *r.* ① 탁한 공기에서 벗어나다: Salió a tomar el aire al balcón para ~. ② 흥분을 가라앉히다; 화가 가라앉다(desenfadarse).
desaturdir *tr.* (얼빠진 상태에서) 정신차리게 하다.
~se 제정신이 들다.
desautorided *f.* 무권능; 무허가; 신용 상실.
desautorización *f.* 권능의 박탈; 허가 취소; 불신.
desautorizadamente *adv.* 권능도 권위도 없이; 무허가로; 신용도 없이.
desautorizado, da *adj.* 권능을 박탈당한; 허가를 취소당한; 신용을 상실한; 권위가 없는; 무허가의; 아무 것도 아닌.
desautorizar *tr.* [9] 권능을 박탈하다, (인가·허가를) 취소하다; 신용·권위를 추락시키다.
desavahado, da *adj.* 안개가 끼지 않은.
desavahar *tr.* ① 식게 하다. ② 껴입은 옷을 벗기다. ③ (짓무른 데) 바람을 쏘이다·부치다(orear).
~se 한숨을 돌리다, 편해지다(desahogarse).
desavasallar *tr.* 예속에서 벗어나다.
desavecindado, da *adj.* 아무도 살지 않는.
desavecindarse *r.* 물러가다, 퇴거하다; 마을에서 떠나다.
desavenencia *f.* 불화; 대립, 적대.
desaveng- → **desavenir** [60]
desavenido, da *adj.* =**discorde.**
desavenir *tr.* [60] (의견을) 충돌시키다, 불화케 하다.
~se ① 사이가 틀어지다: ~*se con* unos · *de* otros. ② 조화가 깨지다.
desaventajadamente *adv.* 불리한 입장에서.
desaventajado, da *adj.* 불리한.
desaventura *f.* 불행, 불운, 비운(desventura).
desaviar *tr.* [12] ① 길을 잘못 들게 하다, 길을 잃게 하다. ② (…에게) 필요한 것을 대주지 않다, 필요한 것을 빼앗아 버리다.
~se 길이나 줄거리에서 벗어나다·잘못 들다; 길을 잃다.
desavin- → **desavenir** [60].
desavinie- → **desavenir** [60].
desavío *m.* ① 길을 잃는 일·잘못 드는 일. ② 필요한 물건의 결핍. ② 방탕, 방종, 칠칠맞음.
desavisado, da *adj.* ① 부주의한. ② 뜻밖의. ③ 무식한, 아무 것도 모르는(ignorante).
desavisar *tr.* (이미 알려진 것과는 반대로) 알려주다.
desayudar *tr.* =**estorbar, embarazar.**
desayunado, da *adj.* 조반을 마친.
desayunar(se) *intr.* *(r.)* ① 아침밥을 먹다, 조반을 들다: ¿A qué hora *(se) desayuna* usted? —*(Me) desayuno* a las siete y media 당신은 몇 시에 조반을 드십니까? —7시 반에 듭니다. ② 처음으로 듣다: Ahora *me desayuno de* tu ascenso 너의 승진 소식을 지금 처음으로 알았다.
—*tr.* 아침밥으로 …을 들다: *He desayunado* un café con pan tostado 나는 조반으로 커피와 토스트 빵을 들었다.
desayuno *m.* 아침밥, 조반: ¿Ha tomado usted el ~? 조반은 드셨습니까?
desazogar *tr.* (…에서) 수은을 뽑다·빼다: ~ un espejo.
desazón *f.* ① 맛이 없음, 형편없는 (음식)맛: la ~ de un guisado. ② 불쾌(한 생각). ③ 기분·몸이 언짢음·좋지 않음: sentir *una* ~ en el estómago. ④ (농경·작물에) 적합치 않음, 땅이 메마름.
desazonado, da *adj.* ① (음식이·기분이·사이가) 좋지 않은. ② 기분이 언짢은, 불유쾌한: sentirse ~ después de una comida. ③ 농사 짓기에 적합치 않은.
desazonar *tr.* ① 맛이 없게 하다. ② 성나게 하다, 언짢게 하다, 불쾌하게 하다(disgustar): Su conducta me tiene *desazonado.*
~se ① 맛이 없어지다. ② 몸의 컨디션이 나빠지다.
desazufrar *tr.* 유황을 제거하다: ~ un mineral.
desbabar(se) *intr.* *(r.)* ① 군침을 흘리다. ② 점액을 다 토하다: Los caracoles deben ~ antes de comerse. ③《*Venez.*》코코아의 점액·즙을 빼다.
desbabe *m.*《*Méx.*》점액의 추출.
desbagar *tr.* [8] (아마의 꼬투리의) 껍질을 벗겨내다.
desbalagar *tr.* [8]《*Amér. Méx.*》=**desbaratar, deshacer, malgastar.**
desbambarse *r.*《*Méx.*》(피륙의) 올이 빠지다.
desbancar *tr.* [7] ① (실내·선박의) 의자를 없애다. ② 카드 놀이에서 물주를 파산시키다. ③ (남에게 대한 우정·애정을) 가로채다.
desbandada *f.* 뺑소니침, 이탈, 탈주: La retirada se convirtió en una ~.
a la ~ 갈팡질팡, 무질서하게, 난잡하게.
desbandarse *r.* 뺑소니치다; 뿔뿔이 흩어지다; 동료들로부터 떨어지다; 탈주하다(desertar).
desbande *m.* 해산, 이탈, 뺑소니침, 도망, 도주: ~ general 총 퇴각.
desbarahustar *tr.* =**desbarajustar.**
desbarahuste *m.* =**desbarajuste.**
desbarajustar *tr.* =**desordenar.**
desbarajuste *m.* = **desorden, desconcierto.**
desbaratadamente *adv.* 문란하게.
desbaratado, da *adj.* 방탕해진, 방자한.
desbaratador, ra *adj.* 흐트러지는, 문란한, 방자한. —*m.f.* 방탕자, 방자한 사람.
desbaratamiento *m.* 낭비; 파기; 방자, 방종.
desbaratante *adj.* 부수는; 무너뜨리는; 낭비하는; 방해하는.
desbaratar *tr.* ① 부수다(descomponer): El niño *desbarata* todo lo que está a su alcance 그 아이는 손에 닿는 것을 모두 부순다. ② 혼란하게 하다, 무너뜨리다, 흐뜨리다: *Se han desbaratado* todos nuestros proyectos 우리의 계획은 모두 무너졌다. ③ 낭비하다. ④ 방해하다.
—*intr.* 엉터리 짓을 하다(disparatar).

~se 자제심을 잃다.
desbarate *m.* ① =**desbaratamiento.** ② 설사(~ de vientre).
desbarato *m.* =**desbarate.**
desbarbado, da *adj.* 턱수염이 없는, 턱수염을 깎은; 턱밑이 밋밋한.
desbarbadura *f.* desbarbar하는 일.
desbarbar *tr.* ① (나무의) 수염 뿌리를 자르다 : ~ una planta. ② 수염을 깎아 주다.
~se 수염을 깎다(afeitarse).
desbarbillar *tr.* (포도나무의) 수염 뿌리를 잘라 주다.
desbardar *tr.* (흙담·돌담에) 씌웠던 것(barda)을 벗기다.
desbarnizar *tr.* ⑨ (가구 등의) 바니스(barniz)를 벗기다 : ~ un mueble.
desbarrancadero *m.* 《*Amér.*》 절벽, 낭떠러지, 벼랑, 단애(despeñadero).
desbarrancar *tr.* ⑦ 《*Amér.*》 ① 전락시키다(despeñar). ② 붕괴시키다, 무너뜨리다(arruinar).
~se ① 전락하다, 굴러 떨어지다. ② 벼랑으로 곤두박질하다.
desbarranque *m.* 《*Chile. Perú.*》 전락, 몰락.
desbarrar *intr.* ① 미끄러지다(deslizar). ② 멋대로 굴다. ③ 장대를 던지다, 장대를 될 수 있는 대로 멀리 던지다.
desbarretar *tr.* (…에서) 받침 가죽을 떼어내다; 받침나무를 치우다.
desbarrigado, da *adj.* (먹는 음식의) 양이 적은; 복부가 찢어진; 배가 홀쭉해진, 배가 나오지 않은.
desbarrigar *tr.* ⑧ ① 배를 째다·자르다 : Le *desbarrigó* de un navajazo 칼로 그의 배를 쨌다. ②《*Cuba.*》【속어】아기를 낳다.
desbarro *m.* 장대 던지기; 미끄러지는 일; 방자한 언동.
desbarrumbarse *r.* 《*AmérC.*》 전락하다.
desbarrumbo *m.* 《*AmérC.*》 전락, 몰락.
desbastador *m.* 대충 깎는 데 쓰는 도구《자귀·송곳·칼 따위》.
desbastadura *f.* 대충 깎기; 대충 깎은 것.
desbastar *tr.* ① 대충 깎다 : lima de ~ 날이 거친 줄. ② 써서 닳게 하다. ③ 교화시키다, 교육시키다.
desbaste *m.* ① 대충 깎기 : el ~ de un tronco de árbol. ② 미가공 : una piedra en ~.
desbastecido, da *adj.* 식량이 모자라는.
desbautizar *tr.* ⑨ 개명하다, 이름을 바꾸다.
~se 격앙하다, 달아오르다, 몹시 흥분하다.
desbazadero *m.* =**deslizadero.**
desbeber *intr.*【속어】오줌을 싸다(orinar).
desbecerrar *tr.* (송아지의) 젖을 떼다.
desbenzolar *tr.* 벤졸을 뽑다.
desblanquecido, da *adj.* 희끗한.
desblanquinado, da *adj.* 희끗한.
desbloquear *tr.*【경제】봉쇄를 해제하다.
desbloqueo *m.* 봉쇄 해제.
desbocadamente *adv.* 입에 담지 못할 말로.
desbocado, da *adj.* ① 구경이 넓은 : cañón ~. ② 이가 빠진 (그릇). ③ 대가리가 뭉개진 : matillo ~. ④ 뻔뻔스런, 낯가죽이 두꺼운. ⑤ 입버릇 사나운, 입에 담지 못할 소리를 하는. ⑥ 재갈을 풀어 놓은 (말).
desbocamiento *m.* desbocarse하는 일.
desbocar *tr.* ⑦ 주둥이·가장자리를 부수다 : ~ una vasija. —*intr.* ① 흘러 들어가다, 길이 나다(desembocar) : La calle *desboca* en la avenida.
~se (말의) 재갈을 풀어놓다, 광분하다; 발광하다.
desbonetarse *r.* 모자를 벗다.
desboquillar *tr.* ① 화구(火口)·물부리를 빼어놓다·뜯다 : ~ una pipa. ② 주둥이를 부수다.
desbordado, da *adj.* 넘치는.
desbordamiento *m.* ① 넘쳐 흐름, 분출 : el ~ de un río. ② 방자함, 도가 지나침 : ~ de su conducta. ③ 감정의 격발.
desbordante *adj.* 넘쳐 흐르는; 억제할 길 없는 : una alegría ~.
desbordar(se) *intr.* (*r.*) ① 넘치다, 범람하다 : Este río *desborda* todos los años 이 강은 매년 범람한다. ② (감정이) 격해지다; 도가 지나치다(rebosar) : Su alegría *desborda.*
desborde *m.* =**desbordamiento.**
desbornizar *tr.* ⑨ (코르크 떡갈나무에서) 처음으로 껍질을 벗기다.
desboronar *tr.* 《*Amér.*》 조금씩 허물다 *(desmoronar).*
~se 무너져 내리다.
desborradora *f.* 보풀을 떼는 여직공.
desborrar *tr.* (직물의) 보풀을 자르다.
desborregar *intr.* 《*Sant.*》 굴러 떨어지다.
desbotonar *tr.* 《*Cuba.*》 순을 자르다.
desbragado, da *adj.* ① 기저귀를 채우지 않은 : niño ~ 기저귀를 채우지 않은 아이. ② 초라한, 가엾은, 처량한(descamisado).
desbraguetado *adj.* 바지의 앞 단추가 풀어진.
desbravador *m.* 말을 길들이는 사람, 조마사.
desbravar *tr.* 길들이다 : ~ potros. —*intr.* ① 야성적인 기질이 없어지다 : Este toro *ha desbravado.* ② 화가 풀리다. ③ (물살이) 완만해지다 : La corriente *ha desbravado.* ④ 부드러운 면이 생기다.
~se 길들다; (술의) 독한 맛이 없어지다.
desbravecer(se) *intr.(r.)* ㉛ =**desbravar, aflojar.**
desbrazarse *r.* ⑨ 양팔을 별안간 벌리다; 양팔을 휘둘러대다.
desbrevarse *r.* 약해지다, 기운이 빠지다.
desbridamiento *m.* (상처·종기 등의) 절개(한 곳).
desbridar *tr.* (고삐를) 풀다; (상처를) 절개하다.
desbriznar *tr.* ① 가늘게 쪼개다·자르다. ② 줄기를 벗겨 내다 : ~ legumbres. ③ 암술을 떼어내다 : ~ azafrán.
desbroce *m.* =**desbrozo.**
desbrotar *tr.* (식물의) 군싹을 잘라 내다.
desbrozar *tr.* ⑨ (낙엽 등을) 치우다, 청소하다(desembrozar).
desbrozo *m.* 소제, 청소; 먼지, 허섭쓰레기 : sacar el ~ de una acequia.
desbruar *tr.* ⑮ (피혁의) 기름기를 빼다.
desbrujar *tr.* =**desmoronar.**
desbuchar *tr.* =**desembuchar.**
desbulla *f.* 벗겨진 굴 껍질.

desbullador *m.* 굴 까는 포크(tenedor para ostras).
desbullar *tr.* (굴의) 껍질을 벗기다.
descabal *adj.* 부족한, 짝이 맞지 않은, 어중간한 : colección ~ 짝이 맞지 않는 전집.
descabalamiento *m.* 부족, 짝이 맞지 않음.
descabalar *tr.* 모자라게 하다, 어중간하게 하다. Contr. completar.
~se 짝이 맞지 않게 되다.
descabalgadura *f.* (말에서) 내림.
descabalgar *intr.* 8 (말 따위에서) 내리다.
—*tr.* 포가(砲架)에서 포를 내려놓다 ; (총포를) 파괴하다; 말에서 내려놓다.
descabelladamente *adv.* 무질서하게 ; 난폭하게 : obrar ~.
descabellado, da *adj.* 머리카락이 헝클어진 ; 혼잡한, 난잡한 ; 엉망진창이 된 : ¡Qué proyecto tan ~! 정말 계획이 엉망이군!
descabellamiento *m.* 폭언, 욕지거리, 욕설(despropósito).
descabellar *tr.* 머리카락(cabello)을 헝클어 뜨리다 (despeinar) : una mujer *descabellada.* ② (투우의) 목덜미를 칼끝으로 찔러 직사케 하다.
~se 머리를 풀어 헤치다.
descabello *m.* (목덜미의 급소를 찔린) 소의 즉사.
descabestrar *tr.* 고삐를 풀다.
descabezadamente *adv.* 홍에 겨워 마음놓고.
descabezado, da *adj.* 머리를 잘라 낸 ; 상궤에서 벗어난, 홍에 겨워 문란한.
descabezamiento *m.* ① 참수. ② 파면, 제적. ③ 난관의 돌파. ④ 접경. ④ 심사 숙고.
descabezar *tr.* 9 ① (사람・동물・물건의) 머리・윗부분・끝을 잘라 내다 : Mejor sería ~ ese árbol 그 나무의 끝을 자르는 것이 더 좋겠다. ② 제적하다. ③ 머리를 때리다. ④ 곤란・난관을 극복하다, 헤쳐 나가다 : ~ una dificultad. ⑤ 대형의 방향을 전환하다. ⑥ 《*Col. PRico.*》 (술을) 독하지 않게 다른 것을 타다.
—*intr.* 머리를 대다, 경계를 접하다.
~se ① (심사 숙고로) 머리가 뜨거워지다. ② (보리의) 낟알이 떨어지다.
~ ***el sueño*** 졸다.
descabritar *tr.* 새끼 산양의 젖을 떼다.
descabullirse *r.* 50 스쳐 지나가다. 난관・위험에서 벗어나다 ; 교묘하게 회피하다 ; 논적(論敵)의 필봉을 피하다.
descabuyarse *r.* 《*Col.*》 =**escabullirse.**
descacarañado, da *adj.* 《*Chile.*》 껍질을 벗긴.
descacilar *tr.* 《*And.*》 =**descafilar.**
descachalandrado, da *adj.* 《*Amér.*》 ① 조심성이 없는, 단정하지 못한(descuidado). ② 더러운, 불결한, 추악한 : mujer ~*da.*
descachar *tr.* 《*AmérM.*》 뿔을 자르다・뽑다(descornar).
descacharrado, da *adj.* 《*AmérC.*》 누덕누덕한, 누더기를 입은(andrajoso).
descacharrante *adj.* ① 떠들썩한, 난폭한 : una comedia ~. ② 심한(brutal).
descacharrar *tr.* 《*PRico.*》 =**admirar, sorprender.**
descachazar *tr.* 9 《*Amér.*》 (당밀의) 거품・떫은 맛을 없애다.
descaderar *tr.* 허리에 부상을 입히다.
~se 허리를 삐다 : *Se descaderó* al caer.
descadillador, ra *m.f.* (양털의) 먼지를 털어 내는 (사람).
descadillar *tr.* (양털의) 먼지를 털어내다.
descaecer *intr.* 31 차츰 쇠약해지다・줄어들다・못쓰게 되다 : *Descaeció* su salud en breve.
descaecimiento *m.* =**debilidad.**
descaer *intr.* 73 쇠퇴하다, 퇴폐하다 ; 우울해지다(decaer).
descafilar *tr.* (헌 벽돌을) 깨끗이 닦다.
descaimiento *m.* 쇠퇴, 쇠진, 의욕 상실, 낙담, 영락(decaimiento).
descajetearse *r.* 《*Cuba.*》 ~ ***de risa*** 데굴데굴 구르며 웃다.
descalabazarse *r.* 9 (심사 숙고로) 머리가 뜨거워지다(descrismarse).
descalabrado, da *adj.* ① 머리가 터진・부상한. ② 설설 기어서 : salir ~ de un negocio. ③ 되게 혼이 난.
descalabradura *f.* 머리의 부상 ; 그 자국.
descalabrar *tr.* ① 머리에 부상을 입히다 : ~ con un guijarro 머리에 돌을 부딪히다. ② 혼내주다 : Dejamos su negocio *descalabrado* 그의 사업을 곤경에 빠지게 했다.
~se ① 머리에 상처를 입다 ; 부상당하다. ② 혼나다. ③ 《*Cuba.*》 실패하다, 예상에서 벗어나다, 생각과 달리 되다.
descalabro *m.* 실패 ; 재난, 재액 ; 비참 ; 손해.
descalandrajar *tr.* 갈갈이 찢어 버리다 ; 누더기로 만들다.
descalcador *m.* (배의) 뱃밥 제거 연장.
descalcañar *tr.* 구두의 뒤축을 비틀다.
descalcar *tr.* 8 (선체의 접합부에서) 뱃밥을 제거하다 ; 충전물을 제거하다.
descalce *m.* 땅굴 파기 ; 안으로 먹어 들어가기(socava).
descalcez *f.* 맨발로 있는 일.
descalcificación *f.* 칼슘 부족.
descalcificar *tr.* 칼슘을 없애다.
descalentarse *r.* 《*Ant.*》 화내다 ; 발을 다치다.
descalichar *tr.* 《*And.*》 벽의 덧칠을 벗기다.
descalificación *f.* 실격 ; 무자격.
descalificar *tr.* 7 자격을 잃다, 실격시키다 ; 면목을 잃다.
descalostrado, da *adj.* 생후 수 개월 된.
descalzadero *m.* (그물에 잡힌 비둘기를 잡으러 나가는 비둘기집의 문(puerta del palomar).
descalzadoro *m.* 밑을 파는 도구.
descalzar *tr.* 9 ① 맨발이 되게 하다, 신발을 벗기다(quitar el calzado). ② 끼웠던 것을 벗기다 : ~ una rueda. ③ (무엇의) 밑을 파다(socavar) : ~ un árbol.
~se ① 신발을 벗다 : Para entrar en una casa coreana tenemos que *descalzarnos* en el zaguán 한국의 집에 들어가기 위해서는 현관에서 신발을 벗어야 한다. ② 편자가 벗어지다. ③ (승려가) 선족종(跣足宗)으로 개종하다.
descalzo, za *adj.* [descalzar의 *p.p.*] ① 맨발의, 빈털터리의(desnudo). ② 선족종(跣足宗)의.
—*m.f.* 맨발의 사람 ; 선족종의 승려.

descamación *f.* 겉껍질의 벗김.

descamar *tr.* =**escamar.**
~se (식물·피부 등의) 겉껍질이 벗어지다.

descambiar *tr.* ⑪ =**destrocar.**

descaminadamente *adv.* ① 길(camino)을 잘못 들어(fuera de camino). ② 잘못하여.

descaminado, da *adj.* 길을 잃은.

descaminar *tr.* ① 길을 잘못 들게 하다(desviar) : ~ a un viajero. ② 나쁜 길에 빠지게 하다 : No debemos dejarnos ~ por los malos compañeros 나쁜 친구 때문에 길을 잘못 들어서는 안된다. ③ 밀수하다.
~se 길을 잘못 들다 ; 정도에서 벗어나다.

descamino *m.* ① 길을 잘못 듦. ② 잘못, 실수(error). ③ 밀수(품)(contrabando). ④ 부정(不正). ⑤ 엉터리, 터무니없는 짓.

descamisado, da *adj.* 셔츠를 벗은 ; 불쌍한, 초라한, 가엾은 ; 무일푼의, 빈털터리의. —*m.f.* 가난한 사람 ; 초라한 사람.

descamisar *tr.* 《*Col. Guat. Perú.*》 파멸·파산시키다(arruinar).

descampado, da *adj.* [descampar의 *p.p.*] 황량한 ; 탁 트인 : terreno ~ 황량한 땅. —*m.* 황야. ***en*** ~ 노천에서 ; 야외에서, 황야에서(a campo raso).

descampar *tr.* 빈터로 만들다, 소개하다, 말끔하게 치우다(escampar). —*intr.* 비나 눈이 멎다.

descanar *tr.* 《*Chile.Guat.*》 흰머리를 뽑다.

descangayar *r.* 《*Arg.*》 =**desgastar.**

descansadamente *adv.* 일없이, 한가로이, 마음 편하게, 차분한 마음으로(sin trabajo, reposada).

descansadero *m.* 휴게소.

descansado, da *adj.* 차분한, 가라앉은, 조용한, 잔잔한.

descansar *intr.* ① 쉬다, 휴식·휴게하다(cesar en el trabajo) : *He descansado de* la fatiga 나는 피로를 풀었다. Después de la cena irá usted a ~ 저녁 식사후 쉬러 가십시오. ② 잠자다 : El enfermo *ha descansado* dos horas. ③ 마음을 놓고 있다. ④ [+ en : …에게] 의지하다 : Ese anciano *descansa* en una de sus hijas 그 노인은 한 딸에게 의지해서 생활하고 있다. ⑤ 기대고 있다, 편히 앉아 있다. ⑥ 영원히 잠들어 있다, 영면하다, 편히 쉬다(yacer) : Aquí *descansa* Doña Anacleta Montes de Caro 여기 도냐·아나끌레따·몬떼스·데·까로가 영면하다. —*tr.* ① 쉬게 하다. ② 돕다(ayudar) : ~ a un compañero. ② 얹다, 올려 놓다, 기대 놓다(apoyar) : ~ la cabeza en la almohada. ③ 휴경(休耕)하다.

descansillo *m.* 층계참(層階站).

descanso *m.* ① 쉼, 휴게, 휴식(quietud, reposo, tregua en el trabajo o fatiga) : días de ~ 휴일. sala de ~ 휴게실. Tome usted rato de ~ 잠깐 쉬십시오. El trabajo sin ~ 그는 쉬지 않고 일한다. ② 위로, 위안 (alivio) : Esta lectura es *un* ~ para mí 이 독서는 내게 위안이 된다. ③ 층계참(站). ④ 얹어놓는 자리·대. ⑤ 《*Chile.*》 공중 변소(retrete).

descantar *tr.* (어떤 장소에서) 자갈·돌멩이를 치우다·제거하다.

descantear *tr.* (석재·목재 등의) 모서리·가장자리를 밀다·다듬다.

descanterar *tr.* (빵 등의) 굳어진 겉껍질을 벗겨내다.

descantillar *tr.* (모서리를) 없애다 : ~ un piedra. ② (몇 푼 안 되는 외상을) 떼어먹다 : ~ el pico de la cuenta. ③ 가벼운 부상을 입히다.

descantillón *m.* =**escantillón.**

descantonar *tr.* =**descantillar.**

descañar *tr.* (밀 등의) 줄기를 꺾다.

descañonar *tr.* ① 날개 죽지를 잡아떼다 : ~ un pollo. ② (면도 등을) 거꾸로 밀다. ③ 있는 돈을 몽땅 털어내다(pelar).

descaperuzarse *r.* ⑨ 두건을 벗다.

descaperuzo *m.* 두건을 벗는 일.

descapillar *tr.* (성·궁의) 예배당을 철거하다.

descapirotar *tr.* 복면의 뾰족 두건(capirote)을 벗기다.
~se 두건을 벗다.

descapotable *adj.* (마차·자동차의) 겉포장을 벗길 수 있는, 바꿀 수 있는. Sinón. convertible.

descapotar *tr.* (마차·자동차의) 겉포장을 벗기다.

descapsulador *m.* 병따개. Sinón. destapador.

descaradamente *adv.* 뻔뻔스럽게, 철면피하게(con descaro, con osadía).

descarado, da *adj.* 뻔뻔스러운, 낯가죽이 두꺼운, 부끄러운 것을 모르는, 철면피의(desvergonzado) : Es una mujer *~da* 그녀는 낯가죽이 두껍다. Contr. recatado.

descaramiento *m.* =**descaro, desvergüenza.**

descararse *r.* ① [+ a + *inf.*] 뻔뻔스럽게 …하다 : *~se a* pedir 뻔뻔스럽게 부탁하다. ② [+ con : …에게] 뻔뻔스럽게 대하다 : *~se con* el jefe 윗사람에 대해 뻔뻔스럽게 대하다.

descarbonatar *tr.* 탄산을 제거하다.

descarburación *f.* (산화철의) 탄소 제거, 제탄법(除炭法).

descarburar *tr.* 탄소·탄산을 제거하다.

descardar *tr.* 《*Cuba.*》 풀을 베다, 제초(除草)하다(escardar).

descarga *f.* ① 하역. ② 중량의 경감 : peso de ~ 하역 중량. puerto de ~ 하역항. ③ 발사 : ~ cerrada 일제 사격. ④ 방전 : ~ atmosférica 공중 방전. tubo de ~ 방전관.

descargadero *m.* 하역장, 부두.

descargador *m.* ① 하역 인부, 부두 노동자(sacatrapos). ② 장탄 추출기(裝彈抽出器).

descargadura *f.* (팔고 남은 살을 발라낸) 뼈.

descargar *tr.* ⑧ ① (중압·내용물을 빼내어) 가볍게 하다 ; 짐을 풀다 : ~ el carro *de* paja 수레에서 짚을 부리다. ② 구타하다, 때리다, 주먹세례를 퍼붓다, 주먹다짐하다 : Le *descargó* un puñetazo · un palo 그에게 주먹으로 한 대 먹였다·몽둥이 찜질을 했다. ③ 부담을 덜다, 의무·책임에서 벗어나다 : Esta orden le *descarga* mucho 이 명령으로 그의 부담·책임은 훨씬 더 가벼워진다. ④ 해임하다 : Me *han descargado* del puesto oficial 나는 공직에서 해임되었다. ⑤ 방전하다. ⑥ 살을 뼈에서 발라내다. ⑦ (어음을) 인수하다. ⑧ 사격·발사하다 : *Descargó* un tiro contra el ladrón. ⑨ (총포에서) 탄환을 빼다.

—*intr.* ① (강물이) 흘러 들다(desembocar). ② (통로가) 뚫려 있다 : Esta escalera *descarga* a la puerta 이 층계는 대문으로 통한다. ③ (구름이) 비·싸락눈이 되어 억수로 퍼붓다. ④ 맹타하다. ⑤ 방전하다. ⑥ 두들겨 패다, 덮치다.
~se ① 직무에서 벗어나다, 책임을 벗어나다; 징역·복역을 마치다. ② 사직하다. ③ (누구에게 억지로 씌워 …을) 벗어나다, 떼어 맡기다 : *~se de* algún asunto *en* su secretario 어떤 일을 비서에게 맡기다. *~se con* el ausente 없는 사람에게 떠맡기다.

descargo *m.* ① 하역. ② 책임의 해제. ③ 해임. ④ 부채의 변제, 대변(貸邊)(data). ⑤ 변명 : Alegó en su ~ que no estaba allí 그곳에 없었다고 그는 변명했다. ⑥ 복역.

descargue *m.* 무게·짐의 덜어 놓기, 경감; 하역.

descariñarse *r.* 사랑이 식다, 정이 떨어지다.

descariño *m.* 냉담; 사랑의 냉각.

descarnación *f.* =**descarnadura.**

descarnada *f.* 【고어】 사신(死神).

descarnadamente *adv.* 단적으로, 뻔뻔스럽게, 노골적으로.

descarnado, da *adj.* 살이 없는, 살이 빠진; 앙상한, 뼈만 남은; 노골적인.

descarnador *m.* 【치과】 잇몸을 벗겨 내는 메스.

descarnadura *f.* ① 살을 떼어 내기; 뼈를 발라내기. ② 튀어 나온 뼈. ③ 빼빼 마름. ④ 세속의 일에 구애받지 않음. ⑤ 자기 돈으로 지불하기.

descarnar *tr.* ① (뼈에서) 살을 발라 내다. ② (차츰) 없게 하다; 발라 내다. ⑥ 속된 일에서 벗어나게 하다.
~se ① 앙상해지다, 뼈만 남게 되다; 여위다. ② 세속의 일에 구애되지 않다, 자기 돈으로 지불하다.

descarne *m.* ① 《*Arg.*》 질이 나쁜 가죽의 속 부분. ② 《*Méx.*》 흙의 제거.

descaro *m.* 뻔뻔스러움, 철면피, 무치(無恥)(desvergüenza). **Contr.** recato, respeto.

descarozado *m.* 《*Arg. Chile.*》 말린 복숭아.

descarozar *tr.* 《*Arg. Chile.*》 (과일의) 씨를 빼다.

descarrancarse *r.* =**descomponerse.**

descarretillar *tr.* 《*Chile.*》 턱이 빠지게 하다.

descarriamiento *m.* =**descarrío, extravío.**

descarriar *tr.* ⑫ ① 길(camino)을 잃게 하다(descaminar). ② (짐승 떼를) 갈라놓다.
~se ① 길을 잃다(extraviarse). ② 동지에게서 떨어져 나오다. ③ 못된 길로 빠지다.

descarriladura *f.* 탈선.

descarrilamiento *m.* =**descarriladura.**

descarrilar *intr.* 탈선하다(salir fuera del carril) : ~ el tren 기차가 탈선하다. ② =**desbarrar, escurrirse.**

descarrío *m.* 옆길로 벗어나는 일, 길을 잘못 듦; 가축 떼를 갈라 놓기.

descartar *tr.* 떼어놓다, 제외하다, 밀쳐 내다; 버리다.
~se ① 카드의 가진 패를 버리다 : *Me descarto* de un rey 나는 왕을 버린다. ② 피하다, 도망가다.

descarte *m.* 가진 패를 버리는 일, 버리는 패; 구실, 핑계, 빠져 나갈 구멍.

descartuchar *tr.* 《*Chile.*》 처녀성을 빼앗다.
~se 동정을 잃다.

descasamiento *m.* 결혼 취소, 이혼(離婚)(divorcio).

descasar *tr.* ① 갈라서게 하다; 이혼시키다; 흠이 가게 하다, 갈라놓다. ② 결혼을 취소하다. ③ 《*Amér.*》 (계약·약속을) 파기하다.
~se ① 인연을 끊다, 손을 떼다; 사이가 꼭 맞지 않게 되다. ② 《*Amér.*》 계약·약속이 틀어지다.

descascar *tr.* ⑦ =**descascarar.**
~se ① 껍질이 깨지다·터지다. ② 욕하다. ③ 말을 많이 하다, 큰소리치다.

descascarar *tr.* 껍질을 벗기다(quitar la cáscara).
~se 껍질이 벗겨지다; (성숙해서) 껍질이 터지다.

descascarillado, da *adj.* descascarillar의 *p.p.* —*m.* 얇은 껍질을 벗기는 일.

descascarillar *tr.* 가죽을 벗기다; 얇은 껍질(cascarilla)을 떼내다.

descaspar *tr.* 비듬을 없애다; 부스럼 딱지를 떼내다.

descasque *m.* 코르크 떡갈나무의 껍질 벗기기.

descastado, da *adj.* ① 멸종된, 전멸한. ② (남의 애정을 받아 들이지 않고) 비뚤어진, 성질이 비뚤어지고 별난. ③ 배은 망덕한. —*m.f.* 성질이 비뚤어진 사람; 불행한 사람.

descastar *tr.* ① 멸종·전멸시키다. ② 은혜를 원수로 갚다.
~se 전멸하다.

descatolizar *tr.* ⑨ 카톨릭교에서 파문하다; 가톨릭적인 데를 없애다.
~se 카톨릭교에서 벗어나다.

descaudalado, da *adj.* 자신을 잃은.

descebar *tr.* (총기 등에서) 신관의 화약을 제거하다.

descendencia *f.* ① [집합] 후손, 후예, 자손(descendientes) : Su ~ llegó a establecer una nación 그의 자손은 국가를 수립하기에 이르렀다. ② 혈통, 가계(linaje). **Contr.** ascendencia.

descendente *adj.* 밑으로 처진, 내려온, 밑으로 향한 : escala ~. **Contr.** ascendente.

descender *intr.* ⑳ ① 내리다, 내려가다 : De allí el camino *desciende* hacia el lago 거기서 길은 호수로 향해 내려간다. ② 물러가다. ③ (…에서) 나와 있다·오다 : Se creía que los Incas *habían descendido de* una divinidad 잉카는 신한테서 나왔다고 믿고 있었다. ④ 흘러 내리다. ⑤ (…의) 자손이다 : Ella *desciende de* una buena familia 그녀는 양가 태생이다. —*tr.* 내려뜨리다, 내리다(bajar).

descendida *f.* 내리막길(bajada).

descendiente *m.f.* 자손; 후손 (중의 어떤 한 사람) : línea ~ 자손들. —*adv.* 내려가는 : el tren ~ 하행 열차.

descendimiento *m.* ① 내려옴, 강하, 내려뜨림. ② 십자가에서 그리스도를 내려놓는 그림·상. ③ 몰락.

descendir *intr.* [드묾] =**descender, bajar.**

descensión *f.* 하강(descenso).

descenso *m.* ① 내리는 일, 하강 : Me gusta

más el ~ 나는 하산(下山)하는 편이 더 좋다. ② 내리막길. ③ 하락. ④ (스키의) 직활강(直滑降).
descentrado, da *adj.* 중심에서 벗어난.
descentralización *f.* 지방 분권화.
descentralizador, ra *adj.* 지방 분권화의.
descentralizar *tr.* ⑨ 지방 분권화하다.
descentrar *tr.* 중심(centro)에서 벗어나게 하다 (desencentrar).
desceñido, da *adj.* 풀리지 않는.
desceñidura *f.* 푸는 일.
desceñir *tr.* ㊾ (띠 따위를) 풀다, 벗어 놓다.
descepar *tr.* ① 뿌리째 뽑다; 근절하다. ② (닻에서) 닻장을 빼다.
descerar *tr.* (꿀통에서) 조랍(粗蠟)을 제거하다.
descercado, da *adj.* 담장·성벽이 없는; 포위망·봉쇄가 풀린.
descercador, ra *adj.* 울타리·성벽을 제거한; 봉쇄를 해제하는.
descercar *tr.* ⑦ ① 울타리·성벽을 제거하다 : ~ un campo. ② 포위를 풀다, 포위를 풀게 하다, 봉쇄를 해제하다 : ~ una fortaleza.
descerco *m.* 봉쇄를 해제하는 일.
descerezar *tr.* ⑨ (커피 원두의) 과육을 제거하다·껍질을 벗기다.
descerrajado, da *adj.* ① 자물쇠가 부서진. ② 방종한, 사악한(perverso).
descerrajadura *f.* ① 자물쇠 부수기. ② 발포, 사격.
descerrajar *tr.* ① 자물쇠(cerradura)를 부수고 열다 : *Descerrajó* la puerta 그는 자물쇠를 부수고 문을 열었다. ② 발사·발포·사격하다 (descargar) : Le *descerrajó* un tiro.
descerrar *tr.* 열다(abrir).
descerrumarse *r.* (말 등이) 관절을 삐다.
descervigamiento *m.* (동물의) 목을 구부리기.
descervigar *tr.* ⑧ ① (동물의) 목을 구부리다. ② =**humillar.**
descifrable *adj.* 해독·판독할 수 있는, 풀 수 있는 : una escritura difícilmente ~.
descifrado *m.* =**desciframiento.**
descifrador, ra *m.f.* 암호·전보 번역가; 고서 판독가.
desciframiento *m.* 암호 해독·판독.
descifrar *tr.* ① 판독·해독하다 : El arqueólogo sabe ~ el jeroglífico egipcio 그 고고학자는 이집트의 상형 문자를 해독할 줄 안다. ② (암호를) 번역하다; 풀다, 판독하다.
descifre *m.* 판독, 해독; (암호의) 번역.
descimbramiento *m.* (아치의) 틀을 뜯어내는 일.
descimbrar *tr.* (아치의) 틀을 뜯어내다.
descimentar *tr.* (건물 등의) 기초를 파괴하다.
descinchar *tr.* (말의) 배대끈을 풀다·늦추다.
descinto, ta *adj.* [desceñir의 *p.p.*] 혁대를 푼·끄른.
descivilizar *tr.* 문화·문명을 잃게 하다.
desclavador, ra *adj.* 못을 뽑는. —*m.* (지레식의) 못뽑이.
desclavar *tr.* ① 못을 뽑다 : ~ un mueble. ② (못을) 분리시키다. ③ (끼운 보석 등을) 떼어내다 : ~ una esmeralda.
desclavijar *tr.* 마개·나무못(clavija)을 뽑다·빼다.
descloizita *f.* 납과 아연의 천연 바나듐산염.
descloruración *f.* 염화뇨산의 제거.
desclorurar *tr.* 염을 제거하다.
descoagulante *adj.* (응결물을) 녹이는.
descoagular *tr.* (응결물을) 녹이다·풀다.
descobajar *tr.* (포도알을) 송이에서 따다.
descobijar *tr.* ① 덮개·뚜껑을 열다. ② 외투를 벗기다(destapar).
~se 외투를 벗다.
descocadamente *adv.* 염치 불구하고, 넉살 좋게.
descocado, da *adj.* 철면피한, 체면없는, 염치없는, 뻔뻔스러운 : un niño demasiado ~. —*m.* [주로 *pl.*] 말린 복숭아.
descocador *m.* (긴 손잡이와 끈이 달린) 전정(剪定)가위; 해충 구제기.
descocamiento *m.* 해충 구제, 살충.
descocar *tr.* ⑦ (나무의) 해충을 잡다.
~se 염치없이 굴다; 제멋대로 하다.
descocedura *f.* 위에서 소화된 것.
descocer *tr.* ㉜ 소화하다(digerir).
~se 언짢아지다; 몸이 불편해지다(estar indispuesto).
descoco *m.* =**descaro, desvergüenza.**
descocotar *tr.* 《*Amér.*》 =**desnucar.**
descochollado, da *adj.* 《*Chile.*》 ① 남루한. ② 부도덕한, 사악한(vicioso). ③ 화를 잘 내는, 성을 잘 내는.
descodar *tr.* 《*Ar.*》 (천조각의) 시침실을 뽑다.
descodificación *f.* =**decodificación.**
descodificador, ra *adj. m.f.* =**decodificador.**
descodificar *tr.* ⑦ =**decodificar.**
descoger *tr.* ③ ① 펼쳐 놓다, 뻗다, 펴다 (extender). ② 벗기다. ③ 【속어】 고르다, 선택하다(escoger).
descogollar *tr.* 순을 따다 : ~ un árbol.
descogotado, da *adj.* ① 뿔을 자른. ② 목덜미에 털이 없는.
descogotar *tr.* (사슴의) 뿔을 자르다.
descojonación *f.* ① =**el colmo.** ② =**confusión, caos.**
descojonamiento *m.* =**descojonación.**
descojonante *adj.* ① =**muy gracioso.** ② =**tremendo.**
descojonarse *r.* ① 많이 웃다. ② 많이 일하다.
descolada *f.* 《*Méx.*》 descolar하는 일.
descolar *tr.* ① 꼬리를 자르다 : ~ un perro. Sinón. desrabar. ② (직물 등에서 제조자 이름이 들어 있는) 끝단을 잘라 버리다. ③ 《*Méx.*》 무관심하다, 신경을 쓰지 않다, 무시·경시하다 (despreciar). ④ 휴직·퇴직시키다, 해고하다.
descolchar *tr.* (밧줄의) 꼬인 것을 풀다.
~se 꼬인 것이 풀리다.
descolgar *tr.* ㉔ ⑧ ① (매단·걸어 놓은 것을) 내려놓다, 풀다 : ~ el receptor · el auricular 수화기를 들다. ~ una lámpara 램프를 내리다. *Descuelgue* usted aquel cuadro que está arriba a la izquierda 좌측 상단에 있는 저 그림을 내려놓으십시오. ② (밧줄 같은 것으로 물건을) 매달아 놓다. ③ (건물·방 등의) 벽걸이·커튼을 치

우다 : ~ la casa.
~se ① (밧줄 등을) 타고 내려오다 : El *se descolgó de・por* la pared 그는 벽을 따라 내려왔다. ② 미끄러 떨어지다, 우루루 떨어지다 : Las tropas・los ganados *se descuelgan de・por* las montañas. ③ 별안간 나타나다. ④ 생각지도 않던 것을・말을 하다, 뜻밖의 짓을 하다. [직설법 현재 : descuelgo, descuelgas, descuelga, descolgamos, descolgáis, descuelgan. 접속법 현재 : descuelgue, descuelgues, descuelgue, descolguemos, descolguéis, descuelguen. 직설법 부정과거 1인칭 단수 : descolgué].
descoligado, da *adj.* 동맹에서 탈퇴한.
descolladamente *adv.* 초연하게 ; 도도하게, 건방지게, 우쭐해서.
descollamiento *m.* =**descuello.**
descollante *adj.* 빼어난, 뛰어난.
descollar(se) *intr.* (*r.*) 24 빼어나다, 뛰어나다 (sobresalir).
descolmar *tr.* ① (됫방맹이로) 밀다. ② 줄이다 (disminuir).
descolmillar *tr.* (동물의) 어금니를 뽑아내다・부러뜨리다.
descolocado, da *adj.* 실직한 ; 장소에 어울리지 않는.
descolón *m.* 《*Méx.*》 냉담 ; 무관심.
descoloramiento *m.* 퇴색. **Contr.** coloración.
descolorante *adj.* 변색・탈색하는. **—***m.* 탈색제.
descolorar *tr.* 탈색・변색시키다.
~se 색깔이 바래다.
descolorido, da *adj.* ① 빛깔(color)이 바랜, 빛깔이 벗겨진 : Las cortinas de este cuarto están *descoloridas* por el sol 이 방의 커튼은 일광으로 색이 바래 있다. ② 창백한(pálido) : Después de la enfermedad se quedó muy ~ 그는 병후 안색이 좋지 않았다. ③ 기진 맥진한.
descolorimiento *m.* 퇴색 ; 탈색.
descolorir *tr.* =**descolorar.**
~se 빛깔이 바래다.
descombrar *tr.* 허섭쓰레기를 치우다 (escombrar) ; 소제하다 ; 치워 버리다.
descombro *m.* 청소, 소제.
descomedidamente *adv.* 터무니없이, 엉뚱하게, 당치도 않게 ; 버릇없이.
descomedido, da *adj.* ① 터무니없는 ; 엉뚱한 ; 당치도 않은. ② 버릇없는, 예의없는, 무례한 : Es un muchacho ~ 그는 버릇없는 소년이다. ③ 규격외의.
descomedimiento *m.* 무례함, 버릇없음 (descortesía).
descomedirse *r.* 42 버릇없는 짓을 하다.
descomer *intr.* 【속어】 대변을 보다.
descomodidad *f.* 옹색함, 거북함 ; 불리, 불편 ; 불쾌(incomodidad).
descompadrar *tr.* 불화를 조장하다. **—***intr.* 사이가 틀어지다.
descompaginar *tr.* (기계・어떤 일이) 잘못 되게 하다 ; (컨디션이) 나빠지게 하다.
descompás *m.* 과도, 어울리지 않음 ; 엉터리 ; 난폭.
descompasadamente *adv.* 난폭하게, 심하게.
descompasado, da *adj.* =**descomedido.**
descompasar *tr.* 잘못되게 하다.
~se 버릇없이 굴다(descomedirse).
descompletar *tr.* 불완전하게 하다 ; 미완성으로 하다 ; 부족하게 만들다.
descomponer *tr.* 61 [*p.p.* descompuesto] ① 분해하다 : ~ el agua *en* oxígeno e hidrógeno 물을 산소와 수소로 분해하다. ② 해체하다 ; 분산시키다 : ~ el movimiento・una fuerza. ③ 썩히다, 부패시키다(corromper). ④ 부수다, 파괴하다 ; 어지럽히다, 허물어뜨리다 : ~ la familia 가정을 파괴하다. Mi hijo *descompuso* mi reloj 내 아들이 내 시계를 부셨다. ⑤ 평화를 깨다, 사이가 틀어지게 하다 : Este incidente *descompuso* a los dos hermanos 이 사건이 두 형제 사이를 틀어지게 했다. ⑥ 어쩔 줄 모르게 만들다 ; 안색이 달라지게 만들다.
~se ① 분해・해체되다. ② 썩다(corromperse) : La carne *se descompone* fácilmente en verano 고기는 여름에 쉽게 썩는다. ③ 잘못되다, 부서지다, 망가지다 : *Se descompuso* el teléfono 전화가 고장났다. ④ 건강을 해치다. ⑤ 어지럽히다 : *~se* en palabras 조심성없이 못할 소리를 다하다. ⑥ 안색이 변하다. ⑦ 화목을 잃다.
descompong- → **descomponer** 61.
descompongo descomponer의 직・현・1・단수.
descomponible *adj.* ① 썩을 수 있는, 부패할 수 있는 : substancia ~. ② 분해할 수 있는, 분산할 수 있는 ; 침착성을 잃게 하는.
descomposición *f.* 분해, 분산 ; 붕괴, 파괴 ; 부패 ; 불화 ; 안색이 변하는 일 ; 혼란 ; 화목의 상실.
descompostura *f.* 무질서 ; 분해(分解), 붕괴 (descomposición) ; 난잡 ; 안절부절 ; 몰골 사나움 ; 버릇없음.
descompresión *f.* 감압(減壓).
descomprimir *tr.* 감압하다.
descompuestamente *adv.* 칠칠맞게, 버릇없이.
descompuesto, ta *adj.* [descomponer의 *p.p.*] ① 분해한. ② 컨디션이 나빠진. ③ 무너진 ; 부서진, 고장난. ④ 썩은. ⑤ 난잡해진. ⑥ 안색이 변한 : rostro ~. ⑦ 무례한, 버릇없는. ⑧ 《*Amér.*》 술취한.
descompus- → **descomponer** 61.
descomulgado, da *adj.* ① 파문당한 ; 구원할 수 없는. ② 극악한, 사악한. **—***m.f.* 악인.
descomulgador, ra *m.f.* 파문자.
descomulgamiento *m.* 파문.
descomulgar *tr.* 8 ① 파문하다(excomulgar). ② 악인으로 규정하다.
descomunal *adj.* ① 터무니없는 ; 굉장한, 어처구니없는. ② 특대(特大)의, 거대한. ③ 기막힌 (extraordinario).
descomunalmente *adv.* 어처구니없이 ; 굉장하게 ; 터무니없이 ; 기막하게.
descomunión *f.* 파문(excomunión).
desconceptuar *tr.* 14 =**desacreditar.**
desconcertadamente *adv.* 허둥지둥, 엉망으로, 당황해서, 어쩔 줄 몰라, 뒤죽박죽으로.
desconcertado, da *adj.* ① 방종한 ; 신세를 망친 ; 교란된 : reloj ~. ② 엉터리 같은. ③ 쩔쩔

매는.

desconcertador, ra *adj.* 어지럽히는 ; 놀란.

desconcertadura *f.* 어지럽힘, 망가뜨림 ; 당황, 쩔쩔맴 ; 탈구.

desconcertante *adj.* 어지럽히는, 망가뜨리는, 부서뜨리는 ; 쩔쩔매는 ; 탈구하는 ; (뼈·관절을) 삔(que desconcierta) : cinismo ~.

desconcertar *tr.* 19 ① 어지럽히다, 망가뜨리다, 부서뜨리다, 잘못되게 하다 : ~ una máquina. ② 당황하게 만들다, 쩔쩔매게 하다, 얼떨떨하게 만들다 : Le *desconcertó* una pregunta que hizo su sobrino 그의 조카가 한 질문은 그를 얼떨떨하게 했다. ③ (뼈·관절을) 삐다(dislocar).

~se ① 조화·보조가 흐트러지다. ② 사이가 틀어지다. ③ 당황하다, 얼떨떨해지다, 난처해지다. ④ 뼈를 삐다.

desconchabarse *r.* 《*Méx.*》 관절·뼈를 삐다(descoyuntarse).

desconchado *m.* 벽의 벗겨진 자국 ; 도자기의 유약이 벗겨진 부분.

desconchadura *f.* =**desconchado.**

desconchar *tr.* (벽 등의) 덧칠한 것을 벗기다.

~se 벗어져 떨어지다 : *~se* el techo 천장에서 덧칠한 것이 벗겨져 떨어지다.

desconchinflado, da *adj.* 《*Méx.*》 =**desarreglado, descompuesto.**

desconchón *m.* (벽 등이) 벗겨짐.

desconcierto *m.* ① 상태·가락·형세가 틀어짐 : ~ del reloj. ② 탈구, 뼈를 삠. ③ 혼란, 당황, 난처함. ④ 불화. ⑤ 방탕 : vivir con ~ 방탕한 생활을 하다. ⑥ 설사(diarrea).

desconcordia *f.* 부조화 ; 불화.

desconectación *f.* 연락의 단절.

desconectar *tr.* ① (기계의) 연락·접속을 단절·절단하다. ② (배의 프로펠러를) 끄다.

desconfiadamente *adv.* 의심스럽게, 미심쩍게.

desconfiado, da *adj.* 믿지 않는, 미심쩍은, 의심이 많은(receloso) : hombre ~. Contr. crédulo.

desconfianza *f.* 불신, 의심 ; 단단한 경계.

desconfiar *tr.* 12 ① [+de : …을] 미심쩍어하다, 의심하다, 믿지 않다 : Yo *desconfío de* los aduladores. ② 경계하다 : Tengo motivo para ~ *de* ella 내가 경계하는 데는 이유가 있다.

desconflautar *tr.* 《*Cuba. PRico.*》 ① 부수다, 파괴하다. ② 어지럽히다, 교란하다. ③ 방해하다.

desconformar(se) *intr.(r.)* 의견을 달리하다 : *En* esto *(nos) desconformamos.* Contr. conformar.

desconforme *adj.* (의견 등이) 일치하지 않는 ; 반대의, 불복의(disconforme).

desconformidad *f.* 의견(opinión)의 불일치(disconformidad) : manifestar su ~ con una decisión.

descongelar *tr.* =**deshelar.**

descongestión *f.* 충혈의 경감 ; 혼잡 상태의 완화 (조치) ; 체증의 해소.

descongestionar *tr.* ① 충혈·체증을 고치다 ; 혼잡을 완화하다 : ~ el tráfico 붐비는 차량을 소통시키다. ~ los muelles *de* mercancías 부두의 화물을 분산시키다.

descongojar *tr.* =**consolar.**

desconocedor, ra *adj.* 모르는 ; 기억에 없는 ; 부인하는.

desconocer *tr.* 32 ① 모르다(no conocer) : El *desconoce* los reglamentos 그는 규칙을 모른다. *Desconoce* el inglés por completo 그는 영어를 완전히 모른다. ② 기억에 없다 ; 본 일이 없다, (어떤) 관념을 갖지 않다 : Le *desconozco en* esta ocasión 일찌기 이런 경우의 그를 본 적이 없다. *Desconozco* a Velázquez *en* este cuadro 설마하니 벨라스께스가 이런 그림을 그릴 줄은 몰랐다. ③ 부인하다(rechazar) : ~ su obra 자기가 한 일이 아니라고 부인하다. ④ 모른 척하다 ; 딱 잡아떼다. ⑤ 알아 보지 못하다, 잘못 보다 : Estaba tan cambiada que la *desconocí* 그녀가 너무나 달라져 알아 보지 못할 정도였다. José está *desconocido* 호세는 알아 보지 못할 만큼 변했다.

~se 알아 보지 못하다 : José *se desconoce* 호세는 전혀 못 알아 보는 모양이다.

desconocidamente *adv.* 모르게 ; 배은 망덕하게도, 은혜를 저버리고.

desconocido, da *adj.* ① 알지 못하는, 낯선, 미지의 : un país ~ 낯선 나라. Le sonrió una señorita *~da* 낯선 아가씨가 그에게 미소를 보냈다. ②【고어】은혜를 모르는, 배은 망덕한.

—*m.f.* 낯선 사람, 모르는 사람.

desconocimiento *m.* =**ignorancia.**

desconsentir *tr.* 53 동의·허락하지 않다.

desconsideración *f.* 거들떠 보지 않음, 고려에 넣지 않음, 경의를 표하지 않음.

desconsideradamente *adv.* 지각없이, 철없이 ; 서슴없이, 버릇없이 : hablar de un modo ~.

desconsiderado, da *adj.* 지각없는, 체면없는, 서슴없는, 버릇없는.

desconsiderar *tr.* 고려에 넣지 않다 ; 제대로 대우하지 않다. 경의를 표하지 않다 ; 경시하다.

desconsolación *f.* 위로할 길이 없음 ; 비탄, 실의, 실망.

desconsoladamente *adv.* 위로·위안할 길 없이 ; 소리없이 눈물을 흘리며.

desconsolado, da *adj.* ① 달랠 길 없는, 위로·위안할 길 없는 : una viuda *~da.* ② 침통한, 비통한, 슬픈 듯한 : un rostro ~. ③ (위가) 약한.

desconsolador, ra *adj.* 가슴·마음 아프게 하는, 가슴 아프게 할 만한, 슬픔을 주는 : una noticia *~ra.*

desconsolante *adj.* 슬픔을 주는.

desconsolar *tr.* 24 슬픔을 주다(afligir) : Esta noticia *desconsuela* a sus padres.

~se 슬퍼하다, 슬픔에 젖다.

desconsuelo *m.* ① 비탄, 탄식, 고뇌, 고민(angustia). ② 위가 약함.

descontagiar *tr.* 11 소독하다.

descontaminar *tr.* 정화하다, 오염을 없애다 ; (가스 등을) 제거하다.

descontar *tr.* 24 ① 공제하다 : *Descuente* usted de esta cantidad los gastos de viaje 이 금액에서 여비를 공제하십시오. *Descontando* los domingos y los días de fiesta, quedan en el año unos trescientos días de trabajo 일요일과 휴일을 공제하고 1년에 약 300일의 근무일이 남는다. ② 할인하다 ; 에누리해 생각하다. ③ 확실한 것으로 인정하다 : *Descontemos* la disputa 그 다툼은 있었던 것으로 합시다.

descontentadizo, za *adj.* 쉽게 만족하지 않는, 툭하면 불평하는, 불평・불만이 많은. —*m.f.* 불평이 많은 사람.

descontentamiento *m.* 불만, 불쾌.

descontentar *tr.* 불만(descontento)을 품게 하다(desagradar).
~se 불쾌함을 느끼다, 불만을 품다.

descontento, ta *adj.* [+con・de : …에] 불만스런, 유쾌하지 못한, 언짢은 : estar ~ *de* un contrato 어떤 계약이 썩 마음에 들지 않다. Está ~ *de* mi informe 그는 나의 보고에 불만이다.
—*m.* 불만 ; 불쾌 : Sentí ~ *de* mí mismo 내 자신에게 불만을 느꼈다.

descontinuación *f.* 중지, 중단.

descontinuar *tr.* ⑮ 중단・중지하다, 단절하다(interrumpir).

descontinuo, nua *adj.* 도중에서 끊긴, 이어지지 않은, 계속하지 못하는(no continuo).

descontrol *m.* =**falta de control.**

descontrolarse *r.* control을 잃다.

desconvenible *adj.* 어울리지 않는, 맞지 않는.

desconveniencia *f.* 불일치 ; 타당치 않음 ; 부적 ; 손해.

desconveniente *adj.* 불일치한 ; 타당하지 않은, 어울리지 않는, 부적당한 : una conducta ~ 부당한 행위.

desconvenir *intr.* ⑥⓪ 의견이 서로 다르다 ; 어울리지 않다(no convenir) : dos proyectos que *desconvienen.*

desconversable *adj.* 어울리기 싫어하는.

desconvidar *tr.* ① 초대를 취소하다(anular un convite). ② 약속을 어기다.

desconvin- → **desconvenir** ⑥⓪.

descoñarse *r.* =**escoñarse.**

descopar *tr.* 나무에서 수관(copar)을 떼다.

descorazón *m.* =**descorazamiento, desaliento.**

descorazonadamente *adv.* 의기 소침하여, 시름없이, 풀이 죽어.

descorazonamiento *m.* 의기 소침, 풀이 죽음.

descorazonar *tr.* ① (…의) 심장을 뽑다(arrancar el corazón). ② 풀을 죽이다, 맥・기운이 빠지게 하다, 의기 소침하게 하다(desanimar) : La noticia le *descorazonó.*
~se 낙담하다, 실의에 빠지다.

descorchador, ra *adj.* 껍질을 벗기는. —*m.* ① 코르크 벗기는 사람. ② 코르크(병마개) 뽑이(sacacorchos).

descorchar *tr.* (코르크 떡갈나무의) 껍질을 벗기다 ; (양봉함의) 코르크 판을 깨다 ; (병의) 코르크 마개를 뽑다 ; 억지로 열다 ; 비틀어 떼다.

descorche *m.* 코르크의 껍질 벗기기.

descordar *tr.* ②④ ① 줄을 풀다(desencordar). ② (소의 목덜미를 칼끝으로 찔러 그 자리에서) 죽게 하다.

descorderar *tr.* (새끼 양을) 어미 양에서 떼다.

descoritar *tr.* =**desnudar.**

descornar *tr.* ②④ ① (소 등의) 뿔을 자르다・뽑다 : Suelen ~*se* las vacas para que den más leche. ② 【은어】 찾아내다.
~se 뿔이 빠지다 ; (너무 생각하여) 머리가 뜨거워지다.

descoronar *tr.* (왕)관을 빼앗다.

descorrear(se) *intr.(r.)* (살가죽을 헤치고) 사슴의 뿔이 나오다.

descorregido, da *adj.* =**desarreglado, incorrecto.**

descorrer *tr.* (뛰어서) 되돌아가다 ; (막・커튼 등을) 열다.
—*intr.*, **~se** ① (액체가) 새어 나오다, 방울방울 떨어지다 ; 흐르기 시작하다. ② (구름이) 개다, 걷히다 : al ~*se* las nubes 구름이 걷히면.

descorrimiento *m.* (물이) 샘, 흘러 나옴・들어옴.

descorrotarse *r.* 《*PRico.*》 설사를 하다.

descortés *adj.* 버릇없는, 예의가 없는, 무례한. —*m.f.* 예의가 없는 사람.

descortesía *f.* 무례.

descortésmente *adv.* 버릇없이, 무례하게.

descortezador, ra *adj.* 껍질을 벗기는.

descortezadura *f.* 벗긴 껍질 ; (나무 껍질의) 벗긴 자국.

descortezamiento *m.* 껍질 벗기기 ; 껍질이 벗겨짐.

descortezar *tr.* ⑨ ① 껍질을 벗기다 : ~ un árbol. ② 버릇을 가르치다. ③ 시골티를 벗기다 ; 도시물이 들게 하다(desbastar).
~se 껍질이 벗겨지다 ; 시골티를 벗다, 도시물이 들다.

descortezo *m.* 나무 껍질 벗기기.

descortinar *tr.* 방벽을 폭파・격파하다 ; 장막을 없애다.

descosedura *f.* =**descosido.**

descoser *tr.* (꿰맨 것을) 풀다.
~se 단이 풀리다 ; 경솔하게 입을 놀리다 ; 방귀를 뀌다.
~ ***la boca*** 잠자코 있던 사람이 입을 열다.

descosidamente *adv.* 무질서하게, 난잡하게.

descosido, da *adj.* ① 올이 풀린. ② 입이 가벼운. ③ 말이 많은, 경솔한, 칠칠맞은, 단정치 못한 : mujer ~*da.*
—*m.* 올이 풀림 : ir lleno de ~*s.*
comer como un ~ 많이・지독하게 먹다(comer mucho).

descostarse *r.* 떨어지다(apartarse).

descostillar *tr.* ① 갈비뼈・늑골을 부러뜨리다. ② 구타하다, 갈비뼈를 때리다(dar golpes en las costillas).
~se 벌렁 나가 자빠지다 ; 갈비뼈가 부러지다.

descostrar *tr.* 껍질・부스럼 딱지를 떼다.

descotar *tr.* ① (의류의) 앞가슴을 트다・도려내다(escotar). ② (…에서 물을) 끌어들이다.

descote *m.* (옷의) 앞가슴 트기, 옷깃이 벌어짐 ; 살을 드러낸 가슴・등 ; 레이스의 깃장식(escote).

descotorrar *tr.* 《*Cuba.*》 부수다.

descozor *m.* 《*Chile. Guat.*》 가려움(escozor).

descoyuntamiento *m.* 탈구 ; 관절의 통증.

descoyuntar *tr.* ① 뼈를 삐다. ② 귀찮게 하다(molestar, fastidiar).

descoyunto *m.* =**descoyuntamiento.**
descrecencia *f.* =**descrecimiento.**
descrecer *intr.* 31 =**decrecer.**
descrecimiento *m.* 감소, 감퇴.
descrédito *m.* 평판이 나쁨, 신용 타락 : caer *en ~*.
descreencia *f.* 신앙심이 식음 ; 무신앙.
descreer *tr.* 78 ① 믿지 않다, 의심을 품기 시작하다. ② 신앙을 부인하다.
descreídamente *adv.* 무신앙으로, 믿음이 없이.
descreído, da *adj.* 신앙을 잃은, 믿음이 없는 (incrédulo), 회의적인.
descreimiento *m.* =**incredulidad.**
descrestadera *f.* 《*Col.*》 =**majadería.**
descrestar *tr.* ① (조류의 머리털을) 잘라내다·떼내다. ② 《*Cuba.*》 취하다.
descriarse *r.* 12 ① 건강이 나빠지다, 발육 상태가 나빠지다(desmejorarse). ② 품행이 나빠지다. ③ 못쓰게 되다(estropearse).
describible *adj.* 묘사할 수 있는. Contr. indescriptible.
describir *tr.* [*p.p.* descrito] ① (선·도형 등을) 그리다 : Las hileras de árboles *describen* elegantes curvas 나무의 열이 우아한 곡선을 그리고 있다. ② 묘사하다, 서술하다 : ~ un momento.
descripción *f.* ① 묘사, 기술. ② 도형, 작도. ③ 재산 목록(inventario). ④ 인상서(人相書).
descriptible *adj.* ① 묘사·서술할 수 있는 : una escena apenas ~ 거의 말로 표현할 수도 없는 장면. ② 작도할 수 있는.
descriptivo, va *adj.* ① 묘사의, 서술의 ; 기술·묘사적인 : narración *~va.* ② 도형의, 도형적인 : geometría *~va* 도형 기하학.
descripto, ta *adj.* [describir의 *p.p.*] =**descrito.**
descriptor, ra *adj.* 묘사의 ; 묘사에 임하는. —*m.f.* 묘사가 ; 서술가.
descrismar *tr.* ① (머리에서) 성유(聖油)를 씻다. ② 머리를 때리다 : Cayó al suelo y por poco *se descrisma* 그는 마루에 넘어져 하마터면 머리를 부딪칠 뻔했다.
~se 머리를 부딪치다 ; 머리가 멍해지다 ; 성내다, 노하다.
descristianar *tr.* =**descrismar.**
descristianizar *tr.* 9 그리스도교를 떠나게 하다 ; 파문하다.
~se 기독교를 버리다.
descrito, ta *adj.* [describir의 *p.p.*] 그려진 ; 묘사·기술된 ; 설명된.
descruce *m.* descruzar하는 일.
descruzar *tr.* 9 (교차되었던 것을) 풀다 : ~ los brazos.
descto. descuento 할인.
descuacharrangado, da *adj.* 《*Méx.*》 칠칠맞은, 단정하지 못한.
descuacharrangarse *r.* 《*Méx.*》 =**descuajaringarse.**
descuadernar *tr.* ① (서적 등의) 철했던 것을 풀다 : ~ un libro. ② 어지럽히다, 혼란시키다 : ~ el juicio.
descuadrar *intr.* 《*Méx. PRico.*》 싫다, 비위에 맞지 않다(desagradar, no gustar) : José *descuadró* conmigo 나는 호세가 싫어졌다. —*tr.* 사방의 모를 없애다.
descuadrillado, da *adj.* descuadrillar의 *p.p.* —*m.* (동물의) 엉덩이의 병.
descuadrillarse *r.* 무리에서 떨어져 나가다 ; (마소의 등에) 찰과상이 생기다.
descuajar *tr.* ① (응결물을) 녹이다. ② 실망시키다(guitar la esperanza). ③ 뿌리째 뽑다, 근절하다 : ~ un arbusto.
~se 애쓰다, 고생하다(cansarse mucho por conseguir algo).
descuajaringarse *r.* 8 ① 지치다, 피로해지다(cansarse). ② 《*And. Amér.*》 헐거워지다, 느슨해지다(desvencijarse).
descuaje *m.* =**descuajo.**
descuajilotado, da *adj.* 《*AmérC.*》 창백한, 풀이 죽은.
descuajo *m.* 뿌리 뽑음.
descuartizamiento *m.* 네 토막으로 내기 ; 난도질 ; 발겨 놓는 일.
descuartizar *tr.* 9 ① 넷으로 토막내다(dividir en cuartos) : ~ un cabrito. ② 난도질하다, 발기발기 찢다, 잘게 썰다.
descubar *tr.* 통(cuba)에서 꺼내다 : ~ vino.
descubierta *f.* ① 순찰 ; 해상 정찰 : emprender un viaje de ~. ② (돛대 위에서의) 감시. ③ (아침 저녁의) 선구(船具)의 점검. ⑤ (육군의) 적군의 상황 정찰 ; (진지의) 점검.
a la ~ 공공연하게 ; 노천에서
descubiertamente *adv.* 숨김없이.
descubierto, ta *adj.* [descubrir의 *p.p.*] ① 발견된. ② 숨김없는, 그대로 드러내 놓은. ③ 모자를 쓰지 않은 : andar·estar ~ 모자를 쓰지 않은 채다. ④ 무개(無蓋)의 : vagón ~ 무개 화차. ⑤ 보장하지 않는 : crédito ~ 무조건 신용장, 오픈 크레디트. Contr. cubierto.
—*m.* ① 감실을 열어 신자에게 예수의 상을 보여줌. ②【경제】결손, 부족, 적자(déficit) : en ~ 대월 상태의, 적자로. giro en ~ 어음의 초과 발행. girar en ~ 초과 발행하다. —*f.* 점검.
a ~, a la descubierta, al ~ 터놓고, 공공연하게 ; 야외에서 ; 노천에서 ; 가리는 데도 없이.
al ~ 현물도 없이 ; 무담보로.
en todo lo ~ 두루 알려져.
descubretalles *m.* 작은·소형 부채(abanico pequeño).
descubridero *m.* 전망대, 망루.
descubridor, ra *adj.* 발견하는 ; 탐색에 종사하는, 정찰의. —*m.f.* ① 발견자 : Volta fue el ~ de la pila eléctrica. ② 탐험가 : Cistóbal Colón fue el ~ de América. ③ 수색병(batidor). ④ 정찰선, 순찰선.
descubrimiento *m.* ① 발견(hallazgo, invención, encuentro) : ~ geográfico. ② 탐험. ③ 발견물. ④ 탐험지. ⑤ 제막(식). ⑥ 폭로, 노출.
descubrir *tr.* [*p.p.* descubierto] ① 덮개·뚜껑을 벗기다 : ~ un puchero. ② 드러내다, 내보이다 : acto de ~ 제막식. ③ 들추어 내다. ④ 털어놓다 : ~ el secreto·el pecho 비밀·심중을 털어놓다. ⑤ 발견하다 : Cristóbal Colón *descubrió* el Nuevo Mundo el día 12 de octubre de 1492 끄리스또발·꼴론 (콜럼부스)은 1492년

10월 12일에 신대륙을 발견했다. ⑥ 발명하다 : Gutenberg *descubrió* la imprenta 구텐베르그는 인쇄술을 발명했다. ⑦ 탐험·탐색·정찰하다. ⑧ 멀리 바라보다. ⑨ 분명히 밝히다.
~se ① 멀리서 바라보이다 : Desde esta roca *se descubre* mucho campo. ② 모자를 벗다(quitarse el sombrero). ③ [+a·con : …을] 털어놓고 말하다 : *~se a·con* alguno.

descuello *m.* ① 빼어남, 뛰어남, 탁월(superioridad). ② 거만, 불손(altivez).

descuento *m.* ① 공제. ② 할인(rebaja) : vender con ~ de diez por ciento 10퍼센트 할인해서 팔다. ③ 어음 할인 : tipo de ~ 어음 할인 비율. banco de ~*s* 할인 은행. ④ 할인료.

descuernacabras *m.* 북풍(北風)(cierzo frío y recio).

descuernapadrastros *m.* 【은어】 자귀.

descuerar *tr.* ① (짐승의) 가죽(cuero)을 벗기다(despellejar un res). ② 《*Chile.*》 비난하다, 헐뜯다(desollar, criticar) : ~ a un amigo.

descuernar *tr.* 《*Amér.*》 =**descornar.**

descuerno *m.* ① 면목이 없음, 부끄러움. ② 모욕, 경멸. ③【은어】 찾아낸 것.

descuidadamente *adv.* 방심하여 ; 야무지지 못하게, 단정하지 못하게.

descuidado, da *adj.* ① 부주의한 ; 방심한 : Cogieron ~*s* a los ladrones 도적이 방심한 틈을 타서 붙잡았다. No sea usted ~ en su trabajo 당신의 일에 방심하지 마세요. ② 야무지지 못한, 단정하지 못한(desaliñado) : Es una persona muy ~*da* 그는 매우 단정치 못한 사람이다.
—*m.f.* 방심기가 있는 사람.

descuidar *tr.* ① 게을리 하다, 태만히 하다. ② 방심케 하다 ; 소홀히 하다 : *Descuidó* su trabajo 그는 자기 일을 태만히 한다. ③ (의무·책임 등에서) 벗어나게 하다. 면하다.
—*intr.*, **~se** ① [+de·en : …을] 방심하다, 태만하다 : ~ *de·en* su obligación. ② 안심하다.

descuidero, ra *m.f.* 좀도둑, 날치기, 들치기, 소매치기(carterista, ratero).

descuido *m.* ① 부주의, 방심 : Lo hice con ~ 나는 방심하여 그것을 했다. ② 무관심. ③ 실수(equivocación) : Encontré bastantes ~*s* en su redacción 당신의 작문에 많은 실수를 발견했다.
al ~ 관심이 없는 듯이.
al ~ y con cuidado 짐짓 관심이 없는 듯이.
en un ~ 《*Amér.*》 갑자기, 돌연히, 별안간.

descuitado, da *adj.* 마음 편한, 걱정이 없는.

descular *tr.* (기물의 밑을) 빼내다·부수다·망가뜨리다 : ~ un vaso.

desculatar *tr.* 개머리판을 떼어내다.

descumbrado, da *adj.* 평평한, 모가 없는.

descurtir *tr.* 그을린 피부를 희게 하다.

deschabetado, da *adj.* 《*Perú. Chile.*》 분별력이 없는.

deschalar *tr.* 《*Arg.*》 (옥수수의) 껍질을 벗기다.

deschanzado, da *adj.* 【은어】 찾아낸 ; (더 이상 어쩔 수 없다고 아예) 단념해 버린.

deschapar *tr.* 《*AmérM.*》 =**descerrajar.**

descharchar *tr.* 《*AmérC.*》 휴직 처분하다.

deschavetarse *r.* 판단력을 잃다.

deschuponar *tr.* (과일 나무의) 허드렛가지를 치다 ; (나무 가지를) 다듬다.

desdar *tr.* 거꾸로 돌리다 ; 헐겁게 하다.

desde *prep.* …부터, …이래 : ~ aquí 지금부터, 여기에서. ~ el primero hasta el último 처음부터 끝까지. ~ entonces 그때부터. ~ niño 어릴 때부터. La torre se veía ~ lejos 탑은 멀리서 보였다. Vivimos aquí ~ hace quince años 우리는 15년 전부터 이곳에 살고 있다. *Desde* el mes pasado hasta hoy he estado enfermo 지난 달부터 지금까지 저는 아픕니다. ¿Cuánto hay ~ Seúl hasta Busán? 서울에서 부산까지는 거리가 얼마나 됩니까?
~ ***luego*** 물론 ; 이윽고, 곧장 ; 그러기에.
~ ***que*** …한 이래 : ***Desde que*** gradué de la universidad, trabajo en la casa exportadora e importadora 대학을 졸업한 이래 나는 수출입 상사에 근무하고 있다.
~ ***ya*** 《*Arg.*》 지금부터, 지금 곧(desde luego).

desdecir *intr.* 70 [*p.p.* desdicho] ① 쇠퇴하다, 악화하다, 저하하다, 떨어지다 : ~ *de* sus abuelos 조상 때보다 위세가 떨어지다. ~ *de* su carácter 성격이 나빠지다. ② 어울리지 않다 : Estos cuadros *desdicen de* la suntuosidad del salón 이 그림은 훌륭한 방에는 어울리지 않는다. ③ (모습·본질 등의 점에서) 변하다, (나쁘게) 변질하다(desmentir).
~se [+de : 약속 등을] 어기다 : *~se de* lo que promete.

desdén *m.* ① 경멸, 경시, 얕잡아 봄. **Sinón.** desprecio. ② 냉담, 매정함.
al ~ ① 무관심한 듯이(al descuido). ② 지저분하게, 단정치 못하게.

desdentado, da *adj.* ① 이가 빠진, 앞니가 없는. ②【동물】 빈치류(貧齒類)의.
—*m.pl.* 【동물】 빈치류.

desdentar *tr.* 19 이를 빼버리다, (…의) 이가 빠지다.
~se 이가 없어지다.

desdeñable *adj.* 천시당할 만한, 경시·경멸당해 마땅한, 하찮은(despreciable).

desdeñadamente *adv.* 경멸하여, 냉담하게.

desdeñado, da *adj.* desdeñar의 *p.p.*

desdeñador, ra *adj.m.f.* 업신여기는, 경멸하는(사람) : con un tono ~ 업신여기는 투로, 경멸하는 투로.

desdeñar *tr.* 업신여기다, 경멸하다, 무시하다 : No debemos ~ a los pobres.
~se [+de : …을] 업신여기다, 무시하다.

desdeño *m.* =**desdén.**

desdeñosamente *adv.* 경멸적으로, 매정하게.

desdeñoso, sa *adj.* 오만 불손한, 경멸적인, 매정스러운.

desdevanar *tr.* (짠 실 등의) 타래를 풀다, 실을 뽑다.

desdibujado, da *adj.* 윤곽이 뚜렷하지 않은, 모양이 고르지 못한.

desdibujar *tr.* =**esfumar, desvanecer.**
~se 윤곽이 흐려지다.

desdicha *f.* 불행, 비운 ; 재난 ; 빈궁(desgracia).
poner hecho una ~ 옷을 더럽히다, 옷을 많이 찢다.

desdichadamente *adv.* 불행하게, 처참하게.

desdichado, da *adj.* 불행한 ; 무기력한 : ~ *en·*

para gobernar. —*m.f.* 불운한 사람 ; 무력한 사람.

desdicho, cha *adj.* [desdecir의 *p.p.*] 불행한 ; 무기력한 ; 무능한.

desdij- → **desdecir** ⑰.

desdinerar *tr.* 재정적인 핍박을 받게 하다.

desdoblamiento *m.* ① 펴기, 늘리기. ② 전개. ③ 부연, 해명. ④ 분해, 분열.

desdoblar *tr.* ① 바로 펴다, 펼치다 : ~ una sábana. ② 전개하다. ③ 분열하다.
~se 구부린 몸을 펴다 ; 튀어오르다.

desdonado, da *adj.* 재간이 없는, 서툰.

desdoncellar *tr.* =**desvirgar.**

desdorar *tr.* ① 금박·도금을 벗기다. ② 더럽히다, 명성을 떨어뜨리다(deslustrar) : ~ la reputación.
~se 박(箔)이 떨어지다 ; 명성을 잃다, 인기가 떨어지다.

desdoro *m.* 불명예, 오명(汚名), 명성의 실추 ; 면목없음.

desdoroso, sa *adj.* 면목이 없는, 체면이 서지 않는 ; 명성을 떨어뜨리는.

deseable *adj.* 바람직한 : una posición ~.

deseablemente *adv.* 바람직하게.

deseador, ra *adj.* [+de : …을] 바라는. —*m.f.* 바라는 사람.

desear *tr.* ① 원하다, 바라다, 탐내다 : *Deseo* la fortuna 나는 재산이 탐이 난다. ¿Qué *deseaba* usted? 무엇을 원하셨습니까? Dígame usted lo que *desea* 원하시는 것을 말씀하십시오. Le *deseo* un sin fin de felicidades 무한한 축하를 드립니다. ② [+que+*subj.* : …하기를] 바라다, 원하다 : *Deseo que* ustedes aprendan español 여러분들이 서반아어를 배우시기를 바랍니다. *Deseo que* lo sepas 네가 알아주기 바란다. ③ [+*inf.*] …하고 싶다(querer) : *Deseo* ser millonario 백만 장자가 되고 싶다. *Deseo* llegar a ser diplomático en el futuro cercano 나는 가까운 장래에 외교관이 되고 싶다. *Deseo* saber la verdad 나는 진실을 알고 싶다.
dejar mucho que ~ 유감된 점이 많다.
no dejar nada que ~ 완전 무결하다(ser perfecto).

desebar *tr.* 《*Méx.*》 =**desensebar.**

desecación *f.* 건조.

desecador, ra *adj.* 건조하는, 말리는 ; 간척하는.

desecamiento *m.* =**desecación.**

desecante *adj.* 말리는, 건조하는.

desecar *tr.* ⑦ ① 말리다 ; 간척(干拓)하다 : ~ un pantano. ② 말라붙게 하다 : La envidia *deseca* los corazones.
~se 바짝 마르다, 말라 비틀어지다.

desecativo, va *adj.* 건조력이 있는, 건조(용)의.

desecha *f.* 《*Col.*》 지름길, 사잇길, 오솔길.

desechadamente *adv.* 졸렬하게, 구질구질하게, 치사하게, 지저분하게.

desechar *tr.* ① 버리다 : *Deseché* aquellos zapatos por ser desgastados 나는 저 구두를 닳아서 버렸다. ② 물리치다, 포기·무시하다. ③ 배제(排除)하다. ④ 거절하다(rechazar) : *Desecharon* mi propuesta 나의 제안은 거절되었다. ⑤ 쫓아내다, 해고하다. ⑥ 몰아내다 : ~ un pensamiento. ⑦ 배척하다(reprobar). ⑧ (자물쇠 등을) 열다.

desechito *m.* 《*Cuba.*》 2급품의 여송연.

desecho *m.* ① 찌꺼기, 무거리 : ganado de ~ 팔리지 않고 남은 가축. mercancías de ~ 잔품, 반품. ~*s* de hierro 고철, 파쇠. ② 폐물, 폐품. ③ 모욕, 경멸(desprecio). ④ 《*Amér.*》 지름길, 사잇길, 오솔길. ⑤ 《*Cuba.*》 1급품의 여송연.

desedificación *f.* 악례(惡例), 못된 본보기.

desedificar *tr.* ⑦ 악례(惡例)를 남기다.

deseguida *adj.* 음탕한. —*f.* 방탕한 여자, 매춘부, 창녀, 갈보.

deselectrización *f.* 방전(放電).

deselectrizar *tr.* ⑨ 방전시키다.

deselladura *f.* 우표 떼기.

desellar *tr.* (…에서) 우표를 떼다 : ~ una carta.

desembalaje *m.* 짐 풀기.

desembalar *tr.* 포장을 풀다(desempaquetear) : ~ vajilla.

desembaldosar *tr.* (지면이나 마루에 깐) 포석·벽돌·타일을 걷다.

desembanastar *tr.* ① 광주리에서 꺼내다 : ~ naranjas. ② 쉬지 않고 지껄여대다. ③ (칼 등을) 빼다(desenvainar).
~se ① (동물이) 우리에서 도망치다. ② 차에서 내리다.

desembarazadamente *adv.* 자유로이, 멋대로, 스스럼없이, 구속없이.

desembarazado, da *adj.* 자유로운 ; 방해되는 것이 없는 ; 스스럼 없는, 멋대로 하는.

desembarazar *tr.* ⑨ ① [+de : 장애물을 …에서] 제거하다, 내다, 비우다 : ~ el camino *de* gente 길의 사람들을 비켜서게·들어가게 하다. ~ la sala 방을 텅 비우다. ② 자유롭게 하다. ③ 《*Amér.*》 (아기를) 낳다.
~se [+de : 방해물·골칫거리를] 제거하다·없애다·치워 버리다 : El hombre que quiere trabajar debe ~*se de* los amigos holgazanes 일하고 싶은 사람은 게으른 친구들을 배제해야 한다.

desembarazo *m.* ① 평안, 즐거움(despejo, desenfado). ② 골칫거리를 없앰. ③ 자유. ④ 무장 해제. ⑤ 《*Amér.*》 출산.

desembarcadero *m.* 하역장 ; 부두 ; 상륙 지점. **Contr.** embarcadero.

desembarcar *tr.* ⑦ ① 배에서 짐을 내리다, 하역하다, 양륙하다 : En ese puerto *se desembarcan* los plátanos 그 항구에서 바나나가 하역되었다. ② 상륙시키다. —*intr.* ① 상륙·하선하다 : Cristóbal Colón *desembarcó* en una pequeña isla de las Bahamas 콜롬부스는 바하마 제도의 한 작은 섬에 상륙했다. ② (선원이 직무를 그만두고) 하선하다 ; 하차하다 : *Desembarcó* del barco 그는 배에서 내렸다. ③ (층계가 꺾이는 편편한 곳으로) 나오다.
~se 상륙하다, 하선하다

desembarco *m.* ① 상륙, 하선. ② 양륙, 하역 : puerto de ~ 양륙항. gastos de ~ 양륙비. ③ 층계의 꺾이는 편편한 곳 《그 곳이 집의 입구일 때》.

desembargadamente *adv.* 자유롭게, 아무런 구속없이, 스스럼없이.

desembargador, ra *adj.* 압류를 해제하는.

desembargar *tr.* ⑦ ① …의 방해가 되는 것을 치우다. ② 압류 처분을 해제하다 : ~ una casa 집의 압류를 해제하다.

desembargo *m.* 압류의 해제.

desembarque *m.* 양륙(揚陸), 하선, 상륙(desembarco) : El ~ fue estorbado por la marea.

desembarrancar *tr.* ⑦ (배를) 이초(離礁)시키다. —*intr.* 이초하다.

desembarrar *tr.* 진흙을 털다·없애다.

desembaular *tr.* ⑰ ① 트렁크나 상자에서 꺼내다. ② (가슴속의 고민을) 털어놓다, 말하다.

desembebecerse *r.* ㉛ =**desembelesarse.**

desembelesarse *r.* 제정신으로 돌아오다, 정신 차리다.

desemblantado, da *adj.* 얼굴빛이 변한 : La noticia le quedó ~ 소식에 그는 질려 버렸다.

desemblantarse *r.* ① 얼굴빛이 변하다, 질리다(demudarse). ② 자세를 잃다.

desembocadero *m.* ① (가로 등의) 출구. ② 강어귀, 하구(河口)(desembocadura).

desembocadura *f.* 하구(河口), 강어귀 ; 길의 어귀 ; 출구.

desembocar *intr.* ⑦ ① 입에서 나오다. ② (강물이) 흘러 들다 : El Tajo *desemboca* en el Atlántico 따호강은 대서양으로 흘러 들어간다. ③ (통로·길이 …로) 나오다 : Esta calle *desemboca* en la Avenida General San Martín 이 거리는 라·아베니다·헤네랄·산·마르띤가(街)로 나온다.

desembolsar *tr.* ① 자루·지갑에서 꺼내다. ② 지불·불입하다.

desembolso *m.* 지출(dispendio) ; 지불, 불입 : ~ inicial 선금. **Contr.** cobro.

desemboque *m.* =**desembocadero.**

desemborrachar *tr.* 취기를 깨게 하다.
~se 취기에서 깨어나다.

desemboscarse *intr.* ⑦ 숲에서·매복해 있던 곳에서 나오다.

desembotar *tr.* 날카롭게 하다 ; 갈다, 닦다 : ~ el entendimiento.

desembozar *tr.* ⑨ (얼굴에 썼던 것을 들추고) 얼굴을 드러내게 하다.
~se 가면·복면을 벗다.

desembozo *m.* 얼굴 가리개·복면을 벗기기.

desembragar *tr.* ⑧ 회전축에서 분리하다. **Sinón.** desconectar.

desembrague *m.* 회전축에서 분리.

desembravecer *tr.* ㉛ 길들이다(amansar) ; 부드럽게하다(suavizar).
~se 온순해지다, 길들다.

desembravecimiento *m.* 사육, 길들이기.

desembrazar *tr.* ⑨ ① 팔에서 빼앗다·떼어놓다. ② 힘껏 던지다(arrojar con toda la fuerza del brazo).

desembriagar *tr.* ⑧ 술을 깨게 하다.
~se 술에서 깨다, 술이 깨다.

desembridar *tr.* 고삐를 풀다.

desembrocar *tr.* ⑦ 《AmérC.》 (엎어져 있던 그릇을) 바로 놓다.

desembrollar *tr.* 풀다, 확실하게 하다 : ~ un misterio.

desembrozar *tr.* ⑨ 소제하다(desbrozar).

desembrujar *tr.* 마귀를 쫓다.

desembrutecer *tr.* =**desasnar.**

desembuchar *tr.* ① (새가) 먹었던 것을 토해내다. ② 털어놓고 말해 버리다.

desembullar *tr.* 《Cuba.》 실망시키다.

desembullo *m.* 《Cuba.》 실망, 낙담.

desemejable *adj.* 비길 데 없는, 굉장한.

desemejablemente *adv.* 비길 데 없이, 굉장히.

desemejado, da *adj.* =**desfigurado, cambiado.**

desemejante *adj.* 다른, 전혀 딴판인, 판이한(diferente, diverso) : dos objetos ~*s.* **Contr.** semejante, análogo.

desemejantemente *adv.* 다르게, 판이하게.

desemejanza *f.* =**diferencia, diversidad.**

desemejar *intr.* 닮지 않다. —*tr.* 변모시키다 : La enfermedad le *desemejó* mucho.

desempacar *tr.* ⑦ 짐·포장을 풀다.
~se 마음이 가라앉다, 마음이 풀리다.

desempacharse *r.* (거북했던 속이) 가라앉다, 낫다 ; 속이 후련해지다.

desempacho *m.* =**desahogo, desenfado.**

desempajar *tr.* 《Amér.》 지푸라기를 치우다 ; 지붕의 이엉을 벗기다.

desempalagar *tr.* 식욕이 나게 하다, 식욕을 돋구다.
~se 식욕을 내다, 식욕이 나다 : beber un trago para ~*se.*

desempañar *tr.* ① (거울 등의) 흐려진 곳을 닦다. ② 배내옷을 벗기다.

desempapelar *tr.* ① (포장 등의) 종이를 풀다. ② 벽지를 벗기다 : ~ una habitación. ③ 철회하다.

desempaque *m.* (포장한) 짐을 풀음.

desempaquetar *tr.* (소포·짐을) 풀다 : ~ una caja.

desemparejar *tr.* 짝을 떼어놓다, 짝이 맞지 않게 하다 ; 홀수로 하다.

desemparentado, da *adj.* 의지할 곳 없는.

desemparvar *tr.* (보릿단을) 그러모으다.

desempastar *tr.* 충치 부분에 채운 것을 어금니에서 떼어내다.

desempatar *tr.* ① 결선 투표를 하다, 결승 시합을 하다. ② 《Amér.》 풀다, 벗기다(despavonar).

desempate *m.* 결전 투표·시합으로 정하기 : partido de ~ 결전 시합.

desempavonar *tr.* 녹 방지용 칠을 벗기다(despavonar)

desempedrador *m.* desempedrar하는 일.

desempedrar *tr.* ⑲ ① (길 등에) 깔았던 돌을 제거하다. ② 허겁지겁 날뛰다 : ir *desempedrando* calles 허겁지겁 걷다.

desempegar *tr.* ⑦ 칠했던 타일·페인트를 벗기다.

desempeñamiento *m.* 【고어】 =**desempeño.**

desempeñar *tr.* ① 다하다, 이행·수행하다, 역할을 하다 : El *desempeña* un papel muy importante 그는 매우 중요한 역할을 한다. ② (저당·전당 잡힌 것을) 찾다 : Voy a ~ mi reloj 나는 (저당 잡힌) 시계를 찾으러 간다. ③ (빚·채무 등에서) 벗어나게 하다.

~**se** ① 수행하다, 구실을 하다. ②(채무·위험에서) 벗어나다.

desempeño *m.* ① 수행, 이행 : ~ de un deber 의무의 이행. ② 출연 : ~ de un papel. ③(채무의) 변제. ④(저당 잡혔던 물건) 찾기. ⑤ 헤쳐나가기.

desempeorarse *r.* 회복하다 ; 원기를 되찾다, 건강해지다(mejorar, recuperarse, fortalecerse).

desemperezar(se) *intr.(r.)* 9 기지개를 켜다 ; 게으름을 버리다.

desempernar *tr.* 대못·나사못을 뽑다.

desempleo *m.* 실업, 실직, 무직.

desemplumar *tr.* 깃털을 뽑다·빼다 : ~ una flecha·un ave.

desempolvadura *f.* 먼지를 터는 일.

desempolvar *tr.* ① 먼지를 털다. ② 다시 시작하다(renovar).

desempolvoradura *f.* =**desempolvadura.**

desempolvorar *tr.* =**desempolvar.**

desemponzoñar *tr.* 중독을 치료하다, 독을 뽑아내다, 해독하다.

desempotrar *tr.* (벽에 고정시켜 놓은 것을) 잡아 빼다, 뽑아내다.

desempozar *tr.* 9 우물·물웅덩이에서 끌어내다.

desenalbardar *tr.* 말안장을 풀다, 길마를 벗겨놓다.

desenamorar *tr.* 애정을 잃게 하다.

~**se** 애정이 식다.

desenastar *tr.* 손잡이를 빼내다 : ~ una lanza.

desencabalgar *tr.* 8 (포를) 포가에서 내려놓다 ; (총을) 분해하다.

desencabar *tr.* 《*Amér.*》 =**desenastar.**

desencadenamiento *m.* 쇠사슬에서 풀려남, 해방 ; 광분, 미친 듯이 날뜀.

desencadenar *tr.* ① 쇠사슬에서 풀어놓다 ; 해방시키다, 풀어놓다. ②(전쟁 등을) 시작하다. ③(속을) 털어놓다.

~**se** (감정·풍파가) 설치다, 마구 날뛰다 : ~*se* las pasiones·el viento.

desencajadura *f.* 뺀·빠진 자국.

desencajamiento *m.* 꺼내기 ; 빠져 나오기, 이탈 ; 변모, 핼쓱해짐.

desencajar *tr.* 뽑아내다 ; 뜯어내다.

~**se** 뽑혀 나오다, 빠지다 ; 용모가 변하다 ; 핼쓱해지다 ; 눈빛이 달라지다.

desencaje *m.* =**desencajamiento.**

desencajo *m.* 《*Perú. PRico.*》 =**desencaje.**

desencajonar *tr.* 상자·서랍에서 꺼내다.

desencalabrinar *tr.* 머리가 어지러운 것을 고치다.

~**se** 머릿속이 맑아지다.

desencalcar *tr.* 7 (조였던 것을) 늦추어 주다.

desencalladura *f.* 암초에서 벗어남.

desencallar *tr.intr.* 좌초선을 뜨게 하다, 암초에서 벗어나다.

desencaminar *tr.* =**descaminar, extraviar.**

desencanallar *tr.* 불량배 생활에서 손을 떼다.

desencantador, ra *adj.* 요술을 푸는 ; 환멸을 느끼게 하는.

desencantamiento *m.* 요술·환술을 풀음 ; 환멸.

desencantar *tr.* 요술에서 구해 내다 ; (잘못된 길에서) 눈뜨게 하다 ; 환멸을 느끼게 하다 ; 실망시키다(desilusionar).

~**se** 실망하다 ; (잘못된 생각에서) 깨어나다.

desencantaración *f.* 추천함에서 뽑음 ; 후보자 명부에서 제외.

desencantarar *tr.* 추천함에서 뽑다 ; 후보자 명부에서 제외하다.

desencanto *m.* 요술·환술의 해소 ; 환멸 ; 실망 ; 각성.

desencapar *tr.* (토지의 굳어진 표면을) 갈다.

desencapotadura *f.* 외투를 벗는 일.

desencapotar *tr.* 외투를 벗기다 ; 드러내 놓다 ; (말의) 머리를 들게 하다.

~**se** ① 외투를 벗다. ②(하늘이) 활짝 개이다. ③ 기분·노여움이 풀리다.

desencapricharse *r.* 변덕을 그만 떨다 ; 잘못을 깨닫다, 억지부렸던 것을 깨닫다.

desencarcelar *tr.* 출옥시키다(excarcelar).

desencarecer *tr.* 31 가격을 인하하다. —*intr.* 하락하다(abaratar).

~**se** 가격이 떨어지다.

desencargar *tr.* 위임한 것을 취소하다.

desencarnado, da *adj.* desencarnar의 *p.p.*

desencarnar *tr.* (어떤 것에) 정열·애착을 잃다, 기호를 잃다 ; (사냥개에게) 죽은 고기를 안먹이다·빼앗다.

desencartonar *tr.* 판지(cartón)를 떼어내다.

desencasquillar *tr.* 《*Amér.*》 편자를 떼내다.

~**se** (구두의) 뒷축이 떨어지다.

desencastillar *tr.* ① 성·요새에서 추방하다 : ~ a los sitiados. ② 펴 보이다, 환히 드러내다.

~**se** 분명해지다.

desencenagar *tr.* =**desatascar.**

desencerrar *tr.* 19 감금에서 풀어주다 ; 열다 ; 내보이다.

desencinchar *tr.* 《*Méx.*》 =**discinchar.**

desencintar *tr.* 노끈을 풀다 ; 리본 장식을 떼내다 ; 보도의 구획을 없애다.

desenclavar *tr.* ① 못을 뽑다 ; 못에서 떼어 내다(desclavar). ② 억지로 끌어내다.

desenclavijar *tr.* (현악기의) 코르크를 떼다 ; 떼어 내다, 뽑아 내다.

desencoger *tr.* 3 넓히다, 뻗다(extender).

~**se** 마음이 편해지다, 편히 쉬다.

desencogimiento *m.* 마음이 커짐, 커진 마음 ; 평안, 흐뭇함(despejo). Contr. timidez, cortedad.

desencoladura *f.* 벗기기, 벗겨짐.

desencolar *tr.* (붙였던 것을) 벗기다, 떼다.

desencolerizar *tr.* 9 (노한 사람을) 진정시키다, 화를 풀어주다 ; 못쓰게 만들다, 망가뜨리다. Contr. irritar.

desenconamiento *m.* (염증의) 억제 ; 노여움이 풀림.

desenconar *tr.* (염증을) 억제하다 ; 노여움을 가라앉히다.

~**se** ① 염증이 가라앉다 : ~*se* los oídos con el tiempo. ② 마음이 누그러지다 ③ 부드러워지다.

desencono *m.* 진정, 부드러워짐, 가라앉음 ; 분개했던 것이 가라앉음.

desencordar *tr.* 24 (악기의) 줄을 풀다.

desencordelar *tr.* (포장했던 짐의) 끈을 풀다.

desencorvar *tr.* (구부러진 것을) 똑바로 잡다.

desencovar *tr.* ㉔ 동굴에서 꺼내다; (동물 등을 굴에서) 뛰어나오게 하다.

desencrespar *tr.* (어떤 것의 감았던 모양을) 부수다.
~se (말렸던 머리털 등이) 흐트러지다.

desencuadernado, da *adj.* desencuadernar의 *p.p.* **—***m.* =**baraja.**

desencuadernar *tr.* (책·공책을) 풀어 헤치다 (descuadernar).

desencuartar *tr.* 《*Méx.*》 (말의 얽힌 발을) 풀어놓다.

desenchuecar *tr.* ⑦ 《*Chile.*》 (구부러진 것을) 펴다, 똑바로 잡다.

desenchufar *tr.* (말려 오므라든 것을) 펴다·바로 하다.

desendemoniar *tr.* ⑪ =**desendiablar.**

desendiablar *tr.* 마귀를 쫓다(desendemoniar).

desendiosar *tr.* 거만한 콧대를 꺾어 주다.

desenfadadamente *adv.* 편하게, 스스럼없이.

desenfadaderas *f.pl.* ① 난관을 헤쳐 나가는 재간: tener buenas ~. ② 노력, 애씀.

desenfadado, da *adj.* 널찍한; 시원시원한; 근심이 없는, 쾌활한: hablar con tono ~.

desenfadar *tr.* 노여움을 가라앉히다·풀다 (desenojar, desatufar).
~se 노여움이 풀리다.

desenfado *m.* 평안; 즐거움, 쾌활함: con ~.

desenfaldar *tr.* 옷자락을 펴다·내리다: ~ la capa

desenfardar *tr.* (짐·고리짝을) 풀다, 꾸러미에서 꺼내다.

desenfardelar *tr.* =**desenfardar.**

desenfilar *tr.* (적의 직사로부터) 엄호하다.

desenfocar *tr.* ⑦ 초점이 틀어지게 하다·흐리게 하다.

desenfoque *m.* 초점의 틀어짐.

desenfrailarse *r.* 환속(還俗)하다; 속박을 벗어나다; 휴업하다.

desenfrenadamente *adv.* 멋대로, 거침없이, 아무렇게나; 분방하게.

desenfrenado, da *adj.* =**inmoderado.**

desenfrenamiento *m.* 말의 재갈을 벗기는 일 (desenfreno); 방종, 무절제.

desenfrenar *tr.* (말의) 재갈을 벗기다.
~se 방탕하다, 분방·방종해지다; (바람 등이) 휘몰아치다.

desenfreno *m.* 방탕, 분방; 방종, 품행이 단정하지 못함.
~ ***de vientre*** 심한 설사(flujo precipitado del vientre).

desenfundar *tr.* 씌운 것을 벗기다: ~ la pistola.

desenfurecer *tr.* ㉛ ① 달래다, 노여움을 가라앉히다: ~ a un amigo. ② 기운을 죽이다.
~se 노여움이 가라앉다; 힘이 약해지다.

desenfurruñar *tr.* =**desenfadar, desenojar.**

desengalgar *tr.* 마차에서 끈을 떼다.

desenganchar *tr.* ① (걸쇠에서) 끄르다. ② (말 등을) 마차에서 풀어놓다: ~ los borricos del carro 나귀를 수레에서 풀어놓다.

desengañadamente *adv.* ① 서투르게, 졸렬하게(malamente). ② 정신을 차려, 분명하게, 명백히, 명료하게(claramente, sinceramente, sin engaño).

desengañado, da *adj.* ① 정신을 차린. ② 실망한. ③ 《*Chile. Ecuad.*》 아주 보기 흉한(feo, poco hermoso).

desengañador, ra *adj.* 잘못된 생각·길에서 벗어 나게 하는; 환멸적인.

desengañar *tr.* (그릇된 꿈에서) 깨어나게 하다, 정신을 차리게 하다; 실망시키다: Estoy *desengañado* después de tanta ilusión.
~se ① (그릇된 일에서) 정신을 차리다: *Desengáñate,* que te están engañando 너를 속이고 있으니 정신차려라. ② 환멸을 느끼다, 실망하다.

desengaño *m.* 깨우침, 잘못된 일에서 정신을 차림; 환멸; 실망. **—***pl.* 쓴 경험.

desengargolar *tr.* 《*Col.*》 =**desenredar.**

desengarrafar *tr.* (꼭 움켜잡았던 것을) 놓아주다, 놓치다.

desengarzar *tr.* ⑨ (얽힌 것을) 풀어 주다.

desengastar *tr.* (보석을) 받침에서 분리시키다, 손가락에서 빼내다.

desengomar *tr.* (피륙의) 풀기를 빼다, 김을 쪼이다(desgomar).

desengoznar *tr.* =**desgoznar.**

desengranar *tr.* (맞물었던 것을) 풀어놓다.

desengrasar *tr.* ① (…로부터) 지방분을 빼다; 기름기를 빼다: ~ la carne. ② 《*Chile.*》 디저트로 먹다. **—***intr.* ① 여위다(enflaquecer). ② 입가심으로 담백한 것을 먹다. ③ 참지 못하고 일자리를 바꾸다.

desengrase *m.* 지방분·기름기 빼기.

desengraso *m.* 《*Col. Chile.*》 디저트(postre).

desengrosar *tr.* ㉔ 여위게 하다, 마르게 하다, (enflaquecer, adelgazar). **—***intr.* 여위다, 마르다.

desengrudamiento *m.* 풀기를 빼기.

desengrudar *tr.* 풀기를 빼다: ~ una tela.

desenguantarse *r.* 장갑을 벗다(quitarse los guantes).

desenguaracar *tr.* ⑦ 《*Chile.*》 =**desenrollar.**

desenhebrar *tr.* (바늘의) 실을 빼다 (sacar la hebra de la aguja).

desenhetrar *tr.* (얽힌 머리칼을) 빗어서 풀다.

desenhornar *tr.* 가마솥(horno)에서 꺼내다: ~ el pan.

desenjaezar *tr.* ⑨ (말의) 안장을 끄르다: ~ el caballo.

desenjalmar *tr.* (짐말의) 길마를 끄르다.

desenjaular *tr.* 광주리·우리에서 꺼내다: ~ un papagayo.

desenlabonar *tr.* =**deslabonar.**

desenlace *m.* ① 푸는 일. ② 단락(段落); 해결. ③ (소설·희곡의) 대단원; 결말: un ~ imprevisto.

desenladrillado *m.* 벽돌 치우기.

desenladrillar *tr.* 벽돌을 치우다(quitar los ladrillos).

desenlazar *tr.* ⑨ ① 풀다(deslazar). ② 해결하다, 결말을 짓다.
~se 풀리다; 결말이 나다.

desenliar *tr.* ⑫ 《*Ant.*》 =**desliar.**

desenlodar *tr.* 진흙을 털다(quitar el lodo o barro).

desenlosar *tr.* (땅의) 포석을 걷어치우다.

desenlutar *tr.* 상복을 벗기다, 상장(喪章)을 치우다.
~se 상(喪)을 끝내다; 상복을 벗다.
desenmallar *tr.* (그물에 걸린 짐승·새·고기를) 그물에서 꺼내다.
desenmarañar *tr.* ①(실·머리칼의) 얽힌 것을 풀다. ②해결하다, 결말을 짓다: Yo *desenmarañaré* este asunto. Sinón. desembrollar, desenredar.
desenmascaradamente *adv.* 가면을 벗고, 공공연하게, 노골적으로.
desenmascarar *tr.* 가면을 벗기다(quitar la máscara): ~ a un dominó.
~se 가면을 벗다; 정체를 드러내다.
desenmohecer *tr.* 31 녹·곰팡이를 떨어내다; 닦다.
desenmudecer *intr.* 31 입을 열기 시작하다; 오랜 침묵을 깨다.
desennegrecer *tr.* 검은 것에서 검정색을 제거하다.
desenojar *tr.* 노여움을 풀다, 달래다(calmar, sosegar el enojo, desenfadar).
~se 노여움이 가라앉다; 마음이 후련해지다(distraerse).
desenojo *m.* 노여움이 풀림.
desenojoso, sa *adj.* 노여움을 참는 듯한.
desenredar *tr.* ①얽힌 것을 풀다: ~ una cinta. ②(어떤 일을) 요리하다; 해결하다: ~ una cuestión 문제를 해결하다. ③정리하다.
~se 헤쳐 나가다, 난관을 극복하다.
desenredo *m.* 얽힌 일을 풀음; 정리; 해결; 낙착; (극·소설의) 결말, 대단원(desenlace).
desenrizar *tr.* 9 똑바로 하다; 펴다, 바로잡다(desrizar).
desenrollar *tr.* =**desarrollar, desenvolver.**
desenronar *tr.* 《*Ar.*》 잡동사니를 제거하다.
desenroscar *tr.* 6 (소용돌이 모양·나선형을) 펴다, 감다, 풀다, 나사를 풀어 뽑다.
desenrudecer *tr.* 31 품위있게 행동하다.
desensabanar *tr.* 시트·커버·홑이불(sábana)을 치우다.
desensamblar *tr.* (목재의) 짜맞춘 것이나 장치를 흩뜨리다, 떼어내다, 풀다.
desensañar *tr.* 신경질·노여움을 가라앉히다.
~se 화가 가라앉다; 원한을 잊다.
desensartar *tr.* (염주알처럼 실에 꼬여 있는 것을) 실에서 뽑아내다; 알알이 흩뜨리다: ~ un collar de perlas.
desensatar *tr.* 《*PRico.*》 =**desatar.**
desensebar *tr.* (산양 등의) 지방을 없애다.
—*intr.* ①기분을 전환하다: Voy a pintor un poco para ~. ②일을 변경하다(cambiar de ocupación). ③입가심으로 개운한 것을 먹다. Sinón. desengrasar.
desenseñar *tr.* 뜯어고치다, 재교육하다.
desensetar *tr.* 《*PRico.*》 =**desatar.**
desensillar *tr.* (말 등에서) 안장을 내려놓다.
desensibilizar *tr.* =**privar de sensibilidad.**
desensoberbecer *tr.* 31 콧대를 꺾어 주다, 머리를 쥐어 누르다.
desensortijado, da *adj.* (고수머리의 곱슬곱슬한 것이) 풀린; 뼈가 삔(desarticulado).
desentablar *tr.* ①(…에서) 판자를 벗겨 내다; 붙였던 판자를 부수다. ②(말·교제를) 파기하다(deshacer): ~ una amistad.
desentarimar *tr.* (건물 등의) 마루에 깔았던 판자를 벗겨 내다.
desentejar *tr.* 《*Amér.*》 =**destejar.**
desentendencia *m.* 《*Perú.*》 =**despego.**
desentenderse *r.* 20 모르는 척하다; 참견하지 않다, 관여하지 않다: *Me desentiendo de* este asunto 이 사건을 나는 모른다.
desentendimiento *m.* 무지; 무관심.
desenterrador, ra *m.f.* 발굴자.
desenterramiento *m.* 발굴. Sinón. exhumación. Contr. entierro.
desenterrar *tr.* 19 ①발굴하다, 파내다; (묻혔던 것을) 꺼내다: ~ *de* · *de entre* el polvo 먼지 안에서 찾아내다. ~ un tesoro 보물을 파내다. ②생각해 내다.
desentierramuertos *m.f.* 【단·복수 동형】(죽은 사람에게 매질하는) 악독한 사람.
desentoldar *tr.* ①(차·창문 등의) 포장·차일을 거두다(quitar el toldo). ②장식을 치우다.
~se 《*Méx.*》 하늘이 개이다(aclarar, despejarse el cielo).
desentonación *f.* =**desentono.**
desentonadamente *adv.* 화합이 안되어, 불일치하여(con desentono).
desentonamiento *m.* =**desentono.**
desentonar *tr.* 콧대를 꺾어 주다(humillar).
—*intr.*, **~se** ①조화가 깨지다. ②가락에 맞지 않게 노래하다: Cuando canta, *desentona* 그는 노래 부를 때 박자를 틀린다. ③음성을 거칠게 하다.
desentono *m.* ①부조화, 불일치: con ~. ②음성이 사납고 거침. ③방약 무인한 행동.
desentornillar *tr.* =**destornillar.**
desentorpecer *tr.* 31 ①(손·발의) 저린 것을 풀다: ~ el brazo 팔이 저린 것을 풀다. ②둔한것을 교정하다, 훈련하다.
~se 저린 것이 풀리다; 쓸모있게 하다.
desentorpecimiento *m.* 나무틀 제거.
desentramar *tr.* 《*Arg.*》 나무틀을 부수다.
desentrampar 채무를 완전히 청산하다.
~se 채무를 완전히 청산한다.
desentrañamiento *m.* desentrañarse 하는 일.
desentrañar *tr.* ①창자를 꺼내다(sacar las entrañas). ②(문제의) 핵심에 언급하다. ③탐구하다. ④폭로하다: ~ meridianamente 백일하에 드러내다.
~se (사랑하는 사람을 위해) 모든 것을 버리다.
desentristecer *tr.* 슬픔을 제거하다.
desentronizar *tr.* 9 왕위(trono)에서 쫓아내다 (destronar); (…로부터) 권능을 빼앗다.
desentumecer *tr.* 31 몸의 얼었던 곳이나 저린 것을 풀다: dar un paseo para ~se algo las piernas.
~se 자유로운 몸이 되다.
desentumecimiento *m.* 얼거나 저린 몸이 풀림.
desentumir *tr.* =**desentumecer.**
desenvainar *tr.* ①(칼집에서 칼을) 뽑다: ~ el sable. ②(고양이·맹수 등이 발톱을) 드러내다. ③(감추어 있던 것을) 꺼내다.
desenvelejar *tr.* (배의) 돛을 내리다.

desenvendar *tr.* (…의) 붕대를 풀다, (감았던 것을) 풀다(desvendar).

desenvergar *tr.* ⑧ (돛을) 돛대에서 풀다.

desenviolar *tr.* (더럽혀진 성당 등을) 깨끗이 하다; 정화(淨化)하다.

desenvoltura *f.* ① 개방. ② 쾌활, 명랑, 유쾌; 언변의 명쾌. ③ (부인에 대해서는) 몰염치, 뻔뻔스러움, 철면피(desvergüenza). Contr. timidez, recato, vergüenza.

desenvolvedor, ra *adj.* 꼬치꼬치 캐기 좋아하는, 호기심이 많은. —*m.f.* 꼬치꼬치 캐는 사람.

desenvolver *tr.* ㉕ [*p.p.* desenvuelto] ① 발달시키다, 발전시키다(desarrollar). ② 전개시키다, 부연하다. ③ 밝혀 놓다, 명확하게 하다. ④ 꾸러미를 열다·풀다 : Desenvuelve este paquete 이 소포를 푸십시오.
~se ① 발달하다, 전개하다, 진전하다; 일이 풀리다. ② 주저주저하지 않고 마음이 트이다. ③ 수치심·부끄러움을 잊다. ④ 빠져 나오다.

desenvolvimiento *m.* ① 전개; 발달, 발전, 진전. ② 해명; 부연. ③ 헤쳐 나감.

desenvueltamente *adv.* 자유 분방하게; 마음 편히; 명쾌하게.

desenvuelto, ta *adv.* [desenvolver의 *p.p.*] ① 풀어 헤쳐 놓은, 자유로운. ② 명쾌한 : un niño muy ~. ③ 느긋한. Contr. tímido.

desenyesar *tr.* 석고(yeso)를 제거하다.
~se 석고가 떨어지다(caerse el yeso).

desenyugar *tr.* ⑧ 《*Amér.*》 멍에를 풀어놓다.

desenyuntar *tr.* ① (묶인 것을) 풀어 주다. ② 《*Ant. Col.*》 (쌍두 마차를) 갈라놓다.

desenzarzar *tr.* ⑨ ① (얽힌 덤불에서) 끄집어내다, 꺼내다. ② (싸우고 있는 사람을) 서로 갈라놓다. Contr. enzarzar, azuzar.
~se 덤불을 헤치고 나오다; 의견이 갈라지다.

desenzolvar *tr.* 《*Méx.*》 =**zarzear.**

deseo *m.* 소원, 소망; 욕망 : Tengo muchos (o grandes) ~*s* de conocer Londres 나는 무척 런던에 가고 싶다.
coger a ~ 소원을 성취하다, 손에 넣다.
venir en ~ ***de*** …에 희망을 걸다, …을 원하다.

deseoso, da *adj.* (…을) 염원·갈망하고 (있는) : Estoy ~ *de* ustedes 당신들을 흡족하게 해드리고 싶다.

desequido, da *adj.* 말라 비틀어진 (reseco, demasiado seco).

desequilibrado, da *adj.* ① 불균형의, 조화가 없는. ② 정신 이상의. —*m.f.* 정신 이상자.

desequilibrar *tr.* (…에) 평형·균형을 잃게 하다, 균형을 깨트리다(romper el equilibrio).
~se 균형을 잃다; 정신에 이상이 생기다.

desequilibrio *m.* ① 불균형 : ~ de la balanza comercial 무역 역조, 편무역(片貿易). ② 정신 이상.

deserción *f.* 도망, 탈영, 탈주; 이반(離反); 탈락, 탈회(脫會), 탈당; (고소·상소의) 포기.

deserrado, da *adj.* 오류·잘못이 없는, 틀림이 없는(libre de error).

desertar *tr.* 버리고 도망가다; (상고 등을) 포기하다.
—*intr.*, **~se** ① (병사가) 탈영하다, 탈주하다 : El soldado que *deserta* es un traidor 탈영병은 반역자이다. ② 탈퇴·탈당·탈회하다; 떨어져 나가다, 투항하다.

desértico, ca *adj.* 사막의, 사막성의; 인적이 없는, 사람이 없는.

desertor *m.* 도망자, 탈영·탈주병; 이탈자.

deservicio *m.* (의무·약속·책임의) 불이행·태만.

deservidor, ra *adj.* 의무를 이행하지 않는. —*m.f.* 의무를 이행하지 않는 사람.

deservir *tr.* ㊸ 봉사의 의무를 게을리하다.

desescombrar *tr.* =**escombrar.**

deseslabonar *tr.* (쇠사슬을) 풀어놓다; 끊다, 단절하다.
~se 교제를 끊다.

desespaldar *tr.* 등에 부상을 입히다.
~se 등에 상처를 입다.

desespañolizar *tr.* ⑨ 비 서반아적으로 하다, 서반아의 냄새를 없애다.

desesperación *f.* ① 절망. ② =**cólera, enojo.**

desesperadamente *adv.* 절망적으로, 자포 자기적으로; 난폭하게, 미친듯이 : obrar ~.

desesperado, da *adj.* 절망한; 절망적인, 절망 상태의 : enfermo ~ 가망이 없는 환자. familia ~*da* 절망에 찬 가족.

desesperador, ra *adj.* 절망하는.

desesperante *adj.* 절망적인; 자포 자기적인; 안절부절못하는; 절망을 안겨 주는.

desesperanza *f.* =**desesperación.**

desesperanzar *tr.* ⑨ (…에) 희망을 잃게 하다 : ~ a un candidato.
~se 절망하다, 희망을 잃다(quedarse sin esperanza).

desesperar *tr.* ① 실망·절망(絶望)시키다 (desesperanzar). ② 마음을 불안하게 만들다.
—*intr.*, **~se** ① [+de : …에] 실망·절망하다 : ~ *de* la pretensión 소망을 이룰 수 없다고 실망하다. ~*se* por no recibir una noticia 소식을 받지 못해 절망하다. El que espera, *desespera* 바라는 자는 절망한다. *Se desespera de* salvarle 그를 구출하는 것은 절망적이다. ② 초조해지다; 자포 자기에 빠지다.

desespero *m.* 《*Amér.*》 =**desesperanza.**

desesposar *tr.* 수갑(esposas)을 제거하다.

desestabilizar *tr.* 불안하게 하다.

desestancar *tr.* (정체된 것을) 유통시키다; 전매제(專賣制)를 폐지하다 : ~ el tabaco.

desestanco *m.* 전매(專賣)의 해제.

desestañar *tr.* (…에서) 주석 도금을 벗겨 내다.
~se 주석 도금이 벗겨지다.

desesterar *tr.* (방에 깔았던) 돗자리를 걷어 내다(levantar las esteras que cubren el suelo) : ~ un cuarto en verano.

desestero *m.* 돗자리를 걷어내는 일.

desestima *f.* 경시, 경멸, 멸시; 과소 평가; 거절.

desestimación *f.* =**desestima.**

desestimador, ra *adj.m.f.* 경시·경멸·멸시하는 (사람).

desestimar *tr.* ① 경시·멸시·경멸하다. ② 거절·거부하다, 물리치다.

deséxito *m.* 《*Neol.*》 =**fracaso.**

desfacedor, ra *adj.* 파괴하는; 말소하는.
—*m.f.* 파괴자; 말소자 : ~ de entuertos 의협심

이 강한 사람.
desfacer *tr.* 【고어】 =**deshacer.**
desfachado, da *adj.* =**descarado, desvergonzado.**
desfachatadamente *adv.* 뻔뻔스럽게, 염치없이, 철면피하게, 넉살 좋게.
desfachatado, da *adj.* 염치없는, 뻔뻔스러운, 넉살 좋은, 낯가죽이 두꺼운, 철면피한, 파렴치한(descarado, desvergonzado).
desfachatez *f.* 몰염치, 파렴치(descaro, desvergüenza).
desfajar *tr.* 띠를 풀다.
~se 자기의 띠를 풀다 ; 띠가 풀리다.
desfalcación *f.* = **desfalco, diminución.**
desfalcador, ra *adj.m.f.* 횡령하는 (사람).
desfalcar *tr.* ⑦ 불법 탈취하다 ; 횡령하다 ; 낭비하다 ; 등한시하다, 냉대하다.
desfalco *m.* 일부분을 줄이는 일 ; 횡령 ; 낭비 ; 냉대.
desfallecer *tr.* ㉛ 기운을 빠지게 하다.
—*intr.* ① 쇠약해지다, 기운이 빠지다 : ~ *de* ánimo 마음이 우울해지다. ② 기절·실신하다 : Ella *desfalleció* con la triste noticia 그녀는 그 슬픈 뉴스로 기절했다 (La triste noticia la hizo ~).
desfalleciente *adj.* 쇠약한, 기운이 빠진.
desfallecimiento *m.* ① 쇠약, 기운이 빠짐 : sentir gran ~. ② 실신, 기절. ③ 죽음, 사망.
desfamar *tr.* =**difamar, infamar.**
desfanatizar *tr.* ⑨ 광신에서 깨어나게 하다.
desfaratar *tr.* 《*And.*》 =**malbaratar.**
desfavor *m.* 《*Chile.*》 =**disfavor.**
desfavorable *adj.* ① 불리한 : El interés le será ~ 이자는 그에게 불리할 것이다. ② 신통하지 못한.
desfavorablemente *adv.* 불리하게, 운수 나쁘게, 해롭게.
desfavorecedor, ra *adj.m.f.* 해를 입히는 (사람).
desfavorecer *tr.* ㉛ 불리하게 하다 ; 해를 입히다 ; 두둔하지 않다.
desfibrado *m.* 섬유를 빼는 일.
desfibradora *f.* 섬유를 빼는 기계.
desfibrar *tr.* 섬유를 빼다.
desfiguración *f.* 변모 ; 위장, 속임수.
desfiguramiento *m.* =**desfiguración.**
desfigurar *tr.* ① 얼굴을 추하게 하다 ; 변모시키다 ; 바꾸다, 이그러 뜨리다 : La vejez la *desfiguró* lastimosamente 노령이 그녀의 용모를 지독히 변모시켰다. ② 위장하다 ; 사실을 왜곡해서 말하다.
~se 얼굴이나 모양이 흉해지다·못쓰게 되다 ; 변모하다, 형상이 변하다 ; 변장하다.
desfiguro *m.* ① 《*Arg. Perú.*》 변모. ② 《*Méx.*》 우스운 물건.
desfijar *tr.* 뽑아내다 ; 움직이다.
desfilachar *tr.* =**deshilachar.**
desfiladero *m.* 고갯길, 산길, 산 사이의 좁은 길(paso estrecho entre montañas).
desfilar *intr.* 줄지어 가다 ; 한 사람씩 지나가다 ; 분열 행진을 하다 : Toda suerte de platos *desfilan* por la mesa 모든 요리가 식탁에 줄지어 있다.
desfile *m.* 열, 행열, 분열 ; 분열식 ; 한 사람씩 통과.
desfilvanar *tr.* 꺼풀을 뜯어내다.
desflecar *tr.* ⑦ ① (피륙·끈의 끝을 풀어) 술로 만들다. ② 《*Cuba. PRico.*》 회초리로 때리다(azotar) ; 힐책하다.
desflecharse *r.* 《*Ecuad.*》 =**dispararse.**
desflegmar *tr.* 【화학】 =**deflegmar.**
desflemar *intr.* 가래침을 뱉다. **—***tr.* 【화학】 정류(精溜)하다.
desflocar *tr.* ㉖ ⑦ =**desflecar.**
desfloración *f.* ① 꽃을 꺾음. ② 윤기를 없앰. ③ 처녀성의 상실 ; 더럽힘. ④ 발견.
desfloramiento *m.* =**desfloración.**
desflorar *tr.* ① 꽃을 꺾다. ② 빛을 잃게 하다, ③ 처녀성을 빼앗다 ; 더럽히다. ④ 깨끗이 처리하다. ⑤ 【은어】 찾아내다.
desflorecer *intr.* ㉛ 꽃이 지다·시들다.
desflorecimiento *m.* 낙화(落花).
desfogar *tr.* ⑧ ① (내연하는 불의) 출구를 만들다. ② (석회를) 소석회로 만들다. ③ (감정을) 발산하다, 뿜어내다 : ~ la cólera *en* uno 어떤 사람에게 울화통을 터뜨리다. **—***intr.* 풍랑이 일다 ; 흉어(凶漁)가 되다.
~se (감정이) 폭발하다.
desfogonar *tr.* (포의) 화문을 막다.
desfogue *m.* ① 화염의 분출. ② 격정의 폭발. ③ 《*Méx.*》 (암거의) 배수구.
desfoliación *f.* 잎·꽃잎 뜯기.
desfoliante *adj.* 잎·꽃잎을 뜯는.
desfoliar *tr.* =**deshojar.**
desfollonar *tr.* (수목의) 허드렛가지·잎을 치다.
desfondar *tr.* ① (기물·상자의) 밑을 빼다(descular) ; 배의 밑바닥에 구멍을 뚫다. ② 깊이 갈다(arar profundamente).
~se 밑이 빠지다 ; 배의 밑바닥에 구멍이 뚫리다.
desfonde *m.* 밑바닥을 빼기 ; 배의 밑바닥에 구멍 뚫기 ; (땅을) 깊이 갈.
desformar *tr.* = **deformar.**
desforrar *tr.* 안감을 뜯다.
desfortalecer *tr.* ㉛ (요새 등의) 방비를 철수하다·파괴하다·철거하다.
desfortificar *tr.* 보루·축성을 풀다.
desforzarse *r.* =**vengarse, desagraviarse.**
desfosforación *f.* 인의 제거.
desfosforar *tr.* 인(fósforo)을 제거하다.
desfrenamiento *m.* 제갈의 제거.
desfrenar *tr.* =**desenfrenar.**
desfruncir *tr.* ① =**desplegar.**
desfrutar *tr. intr.* 나무에서 덜 익은 과일을 따다 ; 과일이 떨어지다.
desgaire *m.* 일부러 단정하지 않게 보이는 것 ; 얕잡아 보는 태도.
al ~ 부주의하게, 조심성없이, 방심하여.
desgajadero *m.* =**despenadero.**
desgajadura *f.* 나뭇가지를 꺾음.
desgajamiento *m.* =**desgaje.**
desgajar *tr.* ① (나뭇가지를) 꺾다(arrancar una rama). ② 산산조각 내다(despedazar).
~se 가지가 꺾이다 ; 찢어지다 ; 떨어져 나가다 ; 분리되다.

desgaje *m.* 가지가 꺾어짐 ; 조립한 것의 붕괴 ; 찢어져 나감.

desgalgadero *m.* 비탈진 자갈길 ; 벼랑, 단애.

desgalgar *tr.* 8 =**despeñar, precipitar.**
~se 뛰어들다, 투신하다.

desgalichado, da *adj.* 흉칙한, 보기 흉한 : hombre ~. Contr. airoso.

desgalillarse *r.* 《*Amér.*》 =**desgañitarse.**

desgana *f.* 식욕 부진 ; 권태 ; 마음이 내키지 않음, 혐오.
a ~ 마지못해.

desganado, da *adj.* 식욕이 없는.

desganar *tr.* 싫어하게 하다, 마음이 내키지 않게 하다.
~se ① 식욕이 없어지다 : sentirse ~. ② 싫증이 나다(disgustarse).

desganchar *tr.* ①(나무의) 가지를 치다. ② 《*AmérC. PRico.*》 =**desenganchar.**

desgano *m.* ① 식욕 부진 : comer algo *con* ~ 억지로 무엇을 먹다. ② 권태. ③ 비탄. ④ 실신.

desgañifarse *r.* =**desgañitarse.**

desgañitarse *r.* 울부짖다 ; 목이 잠기게 하다.

desgañotar *tr.* 《*Ant. Perú.*》 목을 잘라 죽이다.

desgarbado, da *adj.* 답답한, 촌스러운 : mujer marchita y ~*da.* Contr. airoso.

desgarbilado, da *adj.* 【방언】 =**desgarbado.**

desgarbo *m.* 촌스러움, 답답함.

desgargantarse *r.* 울부짖다, 외치다, 소리치다, 절규하다 ; 목이 잠기다(gritar, vocear).

desgargolar *tr.* (삼·아마의) 씨를 흔들어 떨어뜨리다, 그 씨를 따다 ; (문·널판자를) 홈에서 빠져 나오게 하다.

desgaritarse *r.* 방향을 잃다 ; 보금자리에서 벗어나다 ; 엉뚱한 방향으로 향하다.

desgarradamente *adv.* 체면 차리지 않고.

desgarrado, da *adj.* =**desvergonzado.**

desgarrador, ra *adj.* 염치없는, 파렴치한.

desgarradura *f.* =**desgarrón.**

desgarramiento *m.* =**desgarro.**

desgarranchado, da *adj.* 《*AmérC.*》 타락된.

desgarrar *tr.* ①(발기발기) 찢다(rasgar) : Le *desgarró* el alma cuando supo la muerte de su hijo 그녀는 아들의 사망을 알았을 때 그녀의 마음은 갈기갈기 찢겼다. ② 부수다 ; 빻다. ③ 가래침을 뱉다(esgarrar).
~se 찢어지다, 째지다 ; (동료에게서) 떨어져 나오다.

desgarretar *tr.* 《*AmérC.*》 =**desjarretar.**

desgarriate *m.* 《*Méx*》 조각(destrozo) ; 실패.

desgarro *m.* ① 찢기, 찢어 발기기 ; 분열. ② 파렴치. ③ 짐짓 강한 척하기. ④《*Amér.*》 가래침(flema).

desgarrón *m.* (의복의) 해짐·찢어짐 ; 찢어져 너덜너덜해진 자락.

desgarronar *tr.* 《*Arg.*》 =**desgarretar.**

desgastamiento *m.* 닳아져 버리는 일 ; 탕진 ; 방탕.

desgastar *tr.* 닳아지게 하다 ; 소모시키다 ; 악화하다 ; 타락시키다.
~se ① 닳아 없어지다 ; 소모되다 ; 쇠하다, 약해지다 : *Se* iba *desgastando* su vigor 그의 원기는 점점 쇠해져 갔다. ② 힘·권력을 잃다 : El alcalde *se ha desgastado* 시장은 해임되었다.

desgaste *m.* 마멸 ; 쇠퇴.

desgatar *tr.* 풀을 뽑다.

desgavilado, da *adj.* =**desvaído, desgarbado.**

desgavilo *m.* =**desgarbo.**

desgay *m.* 《*Ar.*》 =**retal.**

desgaznatarse *r.* =**desgargantarse.**

desglosar *tr.* (서류에서) 주를 삭제하다 ; (서류·철한 것의 일부를) 제거하다·뽑아내다 ; 일부를 따로 철하다.

desglose *m.* 주기(註記)의 말소 ; 서류·철한 것을 뽑아 버리기.

desgobernado, da *adj.* 문란한, 단정하지 못한, 방종한(desarreglado) : mujer ~*da.* Sinón. desarreglado.

desgobernar *tr.* 19 ① 어지럽히다, 문란하게 하다. ② 뼈를 삐게 만들다. ③(배의) 조종간를 잘못 잡다. —*intr.* 키가 말을 듣지 않게 되다 : El timón *desgobierna.*
~se 산란해지다 ; 무정부 상태가 되다, 난맥상을 이루다 ; 뼈가 삐다 ; 몸놀림이 이상해지다.

desgobierno *m.* ① 난맥, 무통제(desorden). ② 탈구(脫臼).

desgolletar *tr.* (병 등의) 목을 깨다 ; 목에 감았던 것을 늦추다·풀다.

desgomadura *f.* 풀기를 뺌.

desgomar *tr.* (피륙 등의) 풀기를 빼다, 증기에 쏘이다.

desgonzar *tr.* 9 =**desgoznar.**

desgorrarse *r.* 모자를 벗다.

desgoznar *tr.* 돌쩌귀를 떼어내다 : ~ la puerta 문에서 돌쩌귀를 떼어내다.
~se 어울리지 않는 몸짓을 하다.

desgracia *f.* ① 불행, 불운(mala suerte) ; 재난 : por ~ 불행히도. Tuvo la ~ de perder su hija 그는 불행히도 딸을 잃었다. Le cayeron encima muchas ~*s* 그에게는 많은 불행이 닥쳤다. No se encontra por ~ 불행히도 그들은 만나지 못했다. ② 무뚝뚝함 ; 솜씨가 없음 ; 결말이 좋지 못함 : caer en ~ 사랑을 잃다. Contr. felicidad, gracia.

desgraciadamente *adv.* 유감스럽게도, 불운·불행하게도 ; 불우한 속에. Contr. felizmente.

desgraciado, da *adj.* ① 불행한, 불우한 : Es una persona muy ~*da* 그는 굉장히 불행한 사람이다. ② 애교가 없는. ③ 맛이 없는, 재미가 없는 : una música ~*da.* ④ 예상에서 벗어난. Contr. feliz, gracioso. —*m.f.* ① 불우한 사람. ② 《*Ecuad. Guat. Méx. Perú.*》 (나쁜 욕으로) 아내를 간음당한 남자 ; 갈보 자식.

desgraciar *tr.* 11 ① 불쾌하게 하다 ; 성나게 하다(enfadar) : Ayer le *desgracié.* ② 못쓰게 만들다, 망가뜨리다(malograr).
~se 못쓰게 되다 ; 실패하다 ; [+de : …의] 사랑을 잃다, (…과) 서먹서먹한 사이가 되다.

desgradar *tr.* =**degradar.**

desgramar *tr.* (밭의) 잡초·잔디(grama)를 뽑다·깎다.

desgranado, da *adj.* (톱니바퀴의) 이가 빠진 : rueda ~*da* 이가 빠진 톱니바퀴.

desgranador, ra *adj.* 타작하는, 낟알을 터는. —*m.f.* 타작·탈곡하는 사람. —*f.* 탈곡기, 타작기.

desgranamiento *m.* 타작; 총공의 마멸.
desgranar *tr.* ① 타작하다, 낟알을 털다 : ~ maíz. ② (화약을) 키로 까불어 갈라놓다.
~se ① 산산(散散)이 흐트러뜨리다, 흩어지다 (desensartarse). ② 총공이 마멸되다. ③ 《*Arg. Chile.*》 =**disgregarse.**
desgrane *m.* 타작; 낟알 훑기; 산란.
desgranzar *tr.* ⑨ ① 탈곡하다. ② 지저분한 것·쓰레기·돌맹이를 가려내다 : ~ el trigo. ③ 그림 물감을 풀다.
desgrasar *tr.* 기름을 빼다 : ~ un tejido de lana.
desgrase *m.* 기름기 빼기, 탈지(脫脂).
desgravación *f.* 세금 인하.
desgravar *tr.* 세금을 인하하다.
desgreñado, da *adj.* [desgreñar의 *p.p.*] =**despeinado.**
desgreñar *tr.* (머리카락을) 헝클어뜨리다 : una mujer *desgreñada.* Contr. peinar, alisar.
~se ① 멱살을 잡고 싸우다, 맞붙어 싸우다 (andar a la greña). ② 산발하고 거리를 활보하다.
desgreño *m.* 《*Arg. Chile.*》 =**catástrofe.**
desguabilar *tr.* 《*Cuba.*》 녹초로 만들다.
desguabinación *f.* 《*PRico.*》 =**desguañangar.**
desguabinar *tr.* 《*Amér.*》 =**desorden.**
desguace *m.* (선박의) 해체(解體).
desgualdrajar *tr.* 《*And.*》 =**deshacer.**
desguanzarse *r.* ⑨ ① 《*AmérC.*》 실신하다. ② 《*Méx.*》 녹초가 되다, 기진 맥진하다.
desguanzo *m.* 《*AmérC. Méx.*》 기진 맥진, 힘·맥이 빠지는 일.
desguañangado, da *adj.* 《*Arg. Chile.*》 =**desarreglado.**
desguañangar *tr.* ⑧ 《*Amér.*》 (…을) 해치다; 못쓰게 만들다.
~se 《*PRico.*》 실신하다.
desguardo *m.* 《*Arg.*》 부적(符籍).
desguarnecer *tr.* ㉛ ① (…에서) 장식·장비를 제거하다; 무방비로 만들다; (기계·도구를) 못쓰게 만들다 : ~ un martillo 쇠망치의 자루를 빼다. ② (상대방의) 군용 장비를 못쓰게 만들다; 마구를 떼어놓다.
desguatar *tr.* 《*Chile.*》 (…의) 배를 터뜨리다.
desguavinado, da *adj.* 《*Col.*》 =**desmadejado.**
desguazar *tr.* ⑨ 나무를 쪼개다; 떼어 내다; (선박을) 해체하다.
desguince *m.* ① (제지용) 재단기. ② 날렵하게 몸을 피하는 일. ③ 언짢은 얼굴(esguince).
desguindar *tr.* (높은 곳의 물건을) 내리다.
~se 밀려 내리다, 흘러 내리다.
desguinzar *tr.* ⑨ 잘게 썰다; 재단하다.
deshabillé *m.* 《*Galic.*》 실내복(traje de casa) : vestir un elgante ~.
deshabitado, da *adj.* 사람이 살지 않는; 황폐한, 황량한. Sinón. inhabitado.
deshabitar *tr.* 퇴거하다, 물러가다; (아무도 사는 사람이 없이) 황폐하게 만들다 : La guerra *deshabitó* la provincia.
deshabituación *f.* 습관·풍습을 버림.
deshabituar *tr.* ⑮ 습관을 버리게 하다.
~se 습관을 버리다·잃다.
deshacedor, ra *adj.* 파괴하는; 말소하는; 분쇄하는. —*m.f.* 파괴자 : ~ de agravios 동끼호떼 같은 의협심이 강한 사람.
deshacer *tr.* ⑲ [*p.p.* deshecho] ① 부수다, 파괴하다, 망가뜨리다, 깨다(destruir, descomponer); 꺾다, 깨뜨리다, 찢다(romper) : Este niño *deshace* todo 이 아이는 모두 찢는다. ② 산산조각 내다, 갈기갈기 찢다, 토막내다 (despedazar) : ~ un res. ③ 해체·분해하다. ④ 못쓰게 하다(desgastar) : ~ el cuchillo 칼을 닳도록 쓰다. ⑤ 파기하다 : ~ un trato. ⑥ 격파하다, 패주시키다(romper) : Un escuadrón de aviones de combate *deshizo* a los enemigos 전투기 중대가 적을 패주시켰다. ⑦ 녹이다 (derretir, desleir).
~se ① 망가지다, 부서지다, 무너지다 : *Se deshizo* mi magnetofón al caer 내 녹음기는 떨어질 때 망가졌다. ② 망치다. ③ [+*inf.* : …하려고] 분골 쇄신하다, 애태우다, 열을 내다 : *Se deshacía* por acabarlo pronto 그는 그것을 일찍 끝내려고 정신이 없었다. ④ 무심하다 : Estaba *deshecho* esperándote 무심하게 너를 기다리고 있었다. ⑤ 녹초가 되다, 울적해지다 : ~*se en* llanto 쓰러져 울다. ⑥ 쇠약해지다, 기운이 죽다. ⑦ 사라지다, 없어지다(desaparecer). ⑧ 녹다, 용해하다, 융해하다. ⑨ [+de : …을] 놓아주다, (…에서) 벗어나다.
deshaldo *m.* 벌통 소재(marceo).
deshambrido, da *adj.* 굶주린(famélico, muy hambriento).
desharrapado, da *adj.* ① 남루한, 누더기를 걸친(andrajoso, vestido de harapos) : niño ~. ② 《*Hond.*》 =**descarado.**
desharrapamiento *m.* 가난, 빈곤; 처참, 비참(miseria, mezquindad, indigencia, inopia).
deshebillar *tr.* 고리쇠를 풀다; 고리쇠에서 풀어놓다.
deshebrar *tr.* 실을 풀다; 얽혔던 것을 풀다; 빻아서 섬유로 만들다.
deshecha *f.* ① 시치미떼기, 능청떨기, 속임수, 간계. ② 정중한 작별 인사. ③ 출구(salida). ④ 일종의 노래. ⑤ 댄스에서 발 놀리는 법의 일종. *hacer la* ~ 속이다, 모른 척하다.
deshechizar *tr.* ⑨ 마법을 풀어 주다; 신들린 상태에서 벗어나게 하다; 악몽에서 깨어나게 하다.
deshecho, cha *adj.* [deshacer 의 *p.p.*] ① 부서진, 깨진, 망가진, 허물어진. ② 녹초가 된. ③ (비·바람이) 심한. ④ 커다란, 굉장한 : tener suerte ~*cha.* —*m.* 《*Col. Chile. Venez.*》 지름길, 출구.
deshelar *tr.* ⑲ (눈·얼음을) 녹이다.
~se 녹다 : El lago *se deshiela* por la primavera 호수의 물은 봄에 녹는다.
desherbar *tr.* ⑲ (땅의) 풀을 뽑다.
desheredación *f.* 폐적(廢嫡); 상속권의 박탈.
desheredado, da *adj.* 재산이 없는; 무산자의. —*m.f.* 무산자, 프롤레타리아.
desheredamiento *m.* =**desheredación.**
desheredar *tr.* 폐적(廢嫡)하다; 상속권을 박탈하다.
~se 부모의 집에서 뛰쳐나오다; 가문을 더럽히다; 상속권을 박탈당하다.

deshermanar *tr.* 똑같지 않게 하다, 가지런하지 못하게 하다, 서로 맞지 않게 하다.
～se 집을 버리다 ; 형제의 사이가 틀어지다, 형제의 의를 끊다.

desherradura *f.* 말의 발바닥에 생긴 상처.

desherrar *tr.* ⑲ (죄인 등의) 수갑을 풀어놓다 ; 편자를 벗기다 : Este caballo *se desherró* una pata.
～se 자유의 몸이 되다 ; 편자가 떨어지다 · 벗어지다.

desherrumbramiento *m.* 녹을 없애기 · 녹을 닦기.

desherrumbrar *tr.* 녹을 없애다 · 닦다 : ～ una herramienta.

deshic-, deshicie- →**deshacer** 69.

deshidratación *f.* 【화학】 탈수 (처리).

deshidratar *tr.* 【화학】 탈수하다, 수분을 제거하다 ; 건조시키다.

deshielo *m.* 해빙.

deshierba *f.* 제초, 풀뽑기(desyerba).

deshierbe *m.* =**deshierba.**

deshijar *tr.* 《*Amér.*》 (식물의) 불필요한 싹을 따다 : ～ el tabaco.

deshijo *m.* 《*Venez.*》 불필요한 싹을 떼는 일.

deshijuelar *tr.* 실밥을 떼다.

deshilachar *tr.* 실을 풀다.

deshilada (a la) *adv.* 일열로 줄지어 ; 모른 척하여, 시치미를 떼고(a la deshecha).

deshiladiz *m.* 《*Ar.*》 =**filadiz.**

deshilado, da *adj.* 줄지어. —*m.* (편물 등의) 내비침 세공, (조각 등의) 도림질 세공.

deshiladura *f.* 실풀기, 피륙의 갓 풀기 ; 풀어놓은 갓.

deshilar *tr.* (피륙의) 실을 뽑다 · 풀다 ; 실로 하다 ; 분봉(分蜂)하다. —*intr.* (병으로) 몸이 여위다(ahilar).

deshilo *m.* 분봉(分蜂).

deshilvanado, da *adj.* 관련이 없는 ; 앞뒤가 맞지 않는, 논리가 서지 않는, 지리 멸렬의 : un discurso ～.

deshilvanar *tr.* 시침실을 풀어내다.
～se 논리가 맞지 않다.

deshincadura *f.* 뽑아 내기, 잡아 빼기.

deshincar *tr.* 7 뽑다, 잡아 빼다. **Contr.** hincar.

deshinchar *tr.* ① 시들게 하다. ② 부기를 가라앉게 하다 ; (화를) 가라앉히다 ; 누그러뜨리다. ③ 작은 기사로 다루다.
～se 시들다 ; 부기가 가라앉다 ; 거만한 콧대가 꺾이다.

deshinchazón *f.* deshinchar 하기.

deshipnotizar *tr.* 9 최면술을 풀다.

deshipoteca *f.* 저당 해제.

deshipotecar *tr.* 7 (담보 물건의) 저당을 해제하다.

deshizo → **deshacer** 69.

deshoja *f.* 《*Sant.*》 잎 · 꽃잎을 뜯는 일.

deshojador, ra *adj.* 잎 · 꽃잎을 뜯는.

deshojadura *f.* =**deshoje.**

deshojamiento *m.* =**deshoje.**

deshojar *tr.* 잎 · 꽃잎을 뜯다 ; 한 장씩 뜯다 : ～ un árbol · un calendario.
～se 흩어져 떨어지다, 잎이 떨어지다.

deshoje *m.* 낙화(落花), 낙엽(落葉).

deshollejar *tr.* (과일 등의) 얇은 껍질을 벗기다.

deshollinadera *f.* (작대기 끝에 천조각을 달아맨) 굴뚝 소제기(deshollinador).

deshollinador, ra *adj.* 그을음을 털어 내는 ; 눈이 높은. —*m.f.* 어중이떠중이 ; 굴뚝 청소부. —*f.* 자루가 긴 빗자루, 굴뚝 청소 도구.

deshollinar *tr.* ① (굴뚝 · 천정 등의) 그을음을 털어 내다. ② 훑어보다.

deshonestamente *adv.* 정직하지 못하게, 뻔뻔스럽게, 부끄러움없이.

deshonestarse *r.* 체면을 깎이다.

deshonestidad *f.* 부정직 ; 부도덕, 파렴치 ; 경박.

deshonesto, ta *adj.* 정직하지 못한 ; 파렴치한 ; 경박한 ; 몰상식한 ; 성의가 없는.

deshonor *m.* 불명예, 치욕, 모욕(afrenta) : Su conducta es el ～ de su familia 그의 행동은 가족의 불명예다.

deshonorar *tr.* 명예를 잃게 하다 ; 오점을 남기다, 더럽히다 ; 직이나 지위에서 몰아내다.
～se 명예가 떨어지다 ; 파렴치해지다, 염치가 없다.

deshonra *f.* 불명예, 면목이 없음 ; 수치스러운 일 : tener a ～ 수치로 여기다.

deshonrabuenos *m.f.* 【단 · 복수 동형】 중상하는 사람(calumniador) ; 체면을 깎는 사람.

deshonradamente *adv.* 불명예스럽게도, 체면을 깎여 가며 ; 염치 불구하고.

deshonrador, ra *adj.* 창피를 주는 ; 듣기에 거북한.

deshonrar *tr.* ① 모욕을 주다(injuriar) ; 체면을 깎다 ; 면목을 잃게 하다 : Nada *deshonra* más a un hombre que el comer sin trabajar 사람에게 있어서 일하지 않고 먹는 것보다 더 수치스러운 것은 없다. ② 능욕하다(violar).
～se 모욕을 당하다, 능욕을 당하다.

deshonrible *adj.* 낯가죽이 두꺼운, 뻔뻔스러운 ; 지저분한, 천박한.

deshonrosamente *adv.* 염치 불구하고, 체통없이, 면목없이(deshonradamente).

deshonroso, sa *adj.* 불명예스러운 ; 부끄러운, 수치스러운, 치욕적인, 꼴사나운.

deshora *f.* 시기를 잃었던 때, 생각지도 않던 때 *a* ～, *a* ～*s* 별안간, 돌연히, 부적당한 때에 : No debes hacer visitas *a* ～ 갑자기 사람을 방문해서는 안된다.

deshornar *tr.* 가마솥(horno)에서 꺼내다.

deshospedamiento *m.* 숙박 거절 ; 몰아냄.

deshuesador, ra *adj.* 가시 · 뼈를 뽑아내는. —*f.* 가시 · 뼈 제거기.

deshuesar *tr.* (동 · 식물의) 가시 · 뼈를 뽑아내다.

deshumanización *f.* 인간성 제거.

deshumanizar *tr.* 9 (작품에서) 인간성을 제거하다.

deshumano, na *adj.* 인정없는, 무정한, 매정한(inhumano, cruel).

deshumedecedor *m.* 건조기.

deshumedecer *tr.* 31 말리다, 건조시키다, 습기를 빼다(desecar, quitar la humedad).
～se 마르다.

desiderable *adj.* 【아어】 =**deseable.**
desiderata *f.* (특히 도서관의) 구입 희망・예정 도서 목록, 구입 계획서.
desiderativo, va *adj.* 원망의, 소원・희망하는, 간절히 바라는 : oración ~*va* 【문법】 원망문.
desiderátum *m.* 절실한 요구, 소원.
desidia *f.* =**negligencia, pereza.**
desidiosamente *adv.* 태평스럽게, 한가롭게.
desidioso, sa *adj.* ① 태만한, 게으른, 게으름 피우는 : mujer ~*sa.* ② 《*Arg.*》 부주의한, 태평스러운. —*m.f.* 게으름뱅이.
desierto, ta *adj.* ① 인기가 없는. ② 황량한. ③ 사람의 내왕이 없는 : A esas horas se hallaba ~*ta* la calle 그런 시간에는 거리에 사람의 그림자가 없다. ④ 인물・적격자가 없는. Contr. habitado, frecuentado, poblado. —*m.* ① 사막, 황야 : el ~ de Sahara 사하라 사막. De allí tuvieron que atravesar un ~ 그곳에서 그들은 사막을 횡단해야 했다. ② 무인지경.
designación *f.* 지정 ; 지명, 임명 ; 배당.
designar *tr.* ① 지정하다 ; 지명・임명하다 : El director *designó* a su sucesor 사장은 자신의 후계자를 지명했다. ② 계획하다, 꾀하다, 안을 세우다 ; 배정하다.
designativo, va *adj.* 지정・지명・임명하는.
designio *m.* 생각, 계획, 안출(案出), 고안.
desigual *adj.* ① 한결같지 않은, 똑같지 않은. ② 맞지 않은, 균형 잡히지 않은. ③ 울퉁불퉁한 : El terreno está muy ~ 토지가 울퉁불퉁하다. ④ 불순한, 변하기 쉬운 : tiempo ~ 불순한 날씨. ⑤ 변덕스러운 : carácter ~ . *salir* ~ 실패하다.
desigualar *tr.* 똑같지 않게 하다, 가지런하지 않게 하다 ; 울퉁불퉁하게 하다.
~se 뛰어나다, 탁월해지다, 경쟁 상대를 멀리 떼어놓다.
desigualdad *f.* ① 불평등, 불균형. ② 요철(凹凸), 고저. ③ 변하기 쉬움, 고르지 못함. ④ 【수학】 부등식.
desigualmente *adv.* 고르지 않게, 불평등하게 ; 울퉁불퉁하게(con desigualdad).
desilusión *f.* 환멸 ; 현실 폭로 ; 과오를 깨닫는 일(desengaño).
desilusionado, da *adj.* 실망한, 낙담한 : estar ~ 실망하다, 낙담하다.
desilusionar *tr.* 환멸을 느끼게 하다, 실망시키다 ; 악몽에서 깨어나게 하다(desengañar) : La realidad *desilusionó* a la muchacha 현실은 소녀의 꿈을 깼다.
~se 환멸을 느끼다 ; 낙담하다 ; 잘못을 뉘우치다.
desimaginar *tr.* 두뇌에서 사라지다 ; 잊다.
desimanación *f.* =**desimantación.**
desimanar *tr.* =**desimantar.**
desimantación *f.* 자기(磁氣)의 제거, 자력 상실・감소.
desimantar *tr.* 자기(磁氣)・자성(磁性)을 제거하다.
~se 자력을 상실하다, 자력이 감소되다.
desimponer *tr.* 61 【인쇄】 정판했던 것을 허물어뜨리다.
desimpresionar *tr.* 잘못을 깨닫게 하다 ; 계발하다(desengañar).
~se 각성하다, 잘못을 깨닫다 : ~*se de* una idea.
desinclinar *tr.* 기울어진 것을 바로잡다, 잘못을 시정하다.
~se 전향하다.
desincorporar *tr.* 분리하다.
~se 떨어지다.
desincrustante *adj.* 앙금을 소제・제거하는. —*m.* (보일러의) 앙금 방지제(tartrífugo).
desincrustar *tr.* 앙금을 소제・제거하다.
desinencia *f.* 【문법】 변화 어미 《복수 어미인 -s, -es 등》; 동사의 활용 어미 《활용한 부분》.
desinencial *adj.* *verbo* ~ 순시 동사(瞬時動詞) 《순간적으로 완료하는 것 : saltar, disparar 등》.
desinfartar *tr.* 응어리를 풀다.
desinfección *f.* 소독.
desinfectante *adj.* 소독(消毒)의 ; 소독용의 (antiséptico). —*m.* 소독제.
desinfectar *tr.* 소독하다 : La ley ordena ~ la habitación de los enfermos epidémicos 법률은 전염병 환자들의 방을 소독하는 것을 명하고 있다.
~se 소독하다 : ~*se* las manos 손을 소독하다.
desinficionar *tr.* =**desinfectar.**
desinflado, da *adj.* 공기가 빠진, 시든.
desinflamación *f.* 염증이 가라앉음.
desinflamar *tr.* 염증을 고치다, 부기를 가라앉히다.
~se 염증이 없어지다, 부기가 내리다 : La herida *se desinflamó* muy rápidamente.
desinflar *tr.* 가스・공기를 빼다 ; 시들게 하다, 수축시키다.
~se 공기가 빠지다 ; 시들어지다.
desinquietud *f.* 《*Ant.*》 불안(inquietud).
desinsaculación *f.* 추첨, 제비뽑기.
desinsacular *tr.* 제비로 정하다, 제비를 뽑다.
desinsectación *m.* 살충 소독.
desinsectar *tr.* 가스 소독하다.
desintegración *f.* 분해 ; 분열 ; 붕괴 : ~ del átomo 원자 분열.
desintegrador *m.* (원료의) 분쇄기.
desintegrar *tr.* ① 붕괴시키다, 분해・분열시키다 : ~ un territorio. ② 《*Amér.*》 들쑥날쑥으로 만들다, 불완전하게 하다.
desinteligencia *f.* =**mala inteligencia.**
desinterés *m.* 무관심, 무사(無事), 무욕(無欲), 공평.
desinteresadamente *adv.* 사심을 버리고, 헌신적으로, 공평하게 ; 이해 관계없이.
desinteresado, da *adj.* 사심이 없는, 욕심・이해 관계를 떠난 ; 공평한.
desinteresarse *r.* 무관심해지다 ; 이해 타산을 버리다.
desintestinar *tr.* 내장을 빼내다 ; 창자를 뽑아내다.
desintoxicar *tr.* 19 해독(解毒)하다.
desinvernar *intr.tr.* 겨울 막사・온실에서 내놓다・내보내다.
desinvertir *tr.* 원상 복귀시키다.
desirv- → **deservir** 43.
desistencia *f.* =**desistimiento.**

desistimiento *m.* 단념, 포기 ; 기권.
desistir *intr.* [+de : …을] 포기하다, 단념하다 : El *desistió de* hacer viaje 그는 여행하는 것을 단념했다. *Desistió de* su herencia 그는 유산 상속을 포기했다.
desjarretadera *f.* 소 등의 무릎을 자르는 반달 모양의 칼.
desjarretar *tr.* 무릎 밑을 잘라 내다.
~se 많은 출혈로 쇠약해지다.
desjarrete *m.* 무릎 뼈마디의 절단.
desjolillar *tr.* 《*And.*》 =**derrengar, desarmar.**
desjuardar *tr.* 얼룩을 빼다.
desjuarde *m.* 얼룩 빼기.
desjugar *tr.* 8 (들어 있는) 즙을 짜내다.
~se 즙이 나오다.
desjuiciado, da *adj.* 판단력이 없는 ; 머리가 이상해진.
desjuntamiento *m.* 분리, 분할.
desjuntar *tr.* 가르다, 떼어놓다(separar).
deslabonar *tr.* ① 쇠사슬의 고리를 풀다 : ~ la cadena. ② 떼어놓다(desunir) ; 흐트러 놓다.
~se 소원해지다 ; 어긋나다 ; 흩어지다.
desladrillar *tr.* =**desenladrillar.**
deslaidar *tr.* 추하게 만들다, 흉한 꼴로 만들다.
deslamar *tr.* (강바닥 등의) 진흙을 치우다.
deslanar *tr.* 양모를 뽑다.
deslastrar *tr.* (배의) 바닥짐(lastre)을 제거하다 ; (기구의) 모래주머니를 버리다.
deslatar *tr.* 양철을 벗겨 내다.
deslavado, da *adj.* ① 대충 씻은. ② 빛깔이 벗겨진. ③ 파렴치한, 뻔뻔스러운(descarado).
—*m.f.* 파렴치한.
deslavadura *f.* 대충 씻는 일 ; 퇴색(褪色).
deslavar *tr.* ① 대충 씻다. ② 퇴색시키다 : tela *deslavada.* ③ 힘을 약화시키다, 기를 꺾다.
deslavazar *tr.* 9 =**deslavar.**
deslave *m.* 《*Amér.*》 유수(流水)의 침식 ; 유토(流土) ; 산의 흙을 쓸고 흐르는 물.
deslayo (en) *adv.* 한 사람씩, 줄지어 ; 남몰래.
deslazamiento *m.* 푸는 일 ; 해결.
deslazar *tr.* 9 =**desenlazar.**
desleal *adj.* 불성실한, 충실치 못한, 부정(不貞)한. **—***m.f.* 배반자.
deslealmente *adv.* 불성실하게, 충실치 못하게 ; 배반하여.
deslealtad *f.* 불충실, 불성실 ; 불의(不義), 부정(不貞).
deslechar *tr.* 《*Col.*》 젖을 짜다(ordeñar).
deslecho *m.* 젖을 짬.
deslechugador, ra *adj. m.f.* 제초하는 (사람).
deslechugar *tr.* 8 (포도의) 불필요한 싹을 따내다 ; 잡초를 뽑다.
deslechuguillar *tr.* =**deslechugar.**
desleído, da *adj.* 물에 녹은 ; 녹인 ; 물을 탄 ; (연설이) 지루한, 장황하게 늘어놓은 : un discurso ~ 장황하게 늘어놓은 연설.
desleidura *f.* 용해.
desleimiento *m.* =**desleidura.**
desleir *tr.* 44 ① [+en : …에] 녹이다, 용해하다(disolver) : ~ la sal *en* agua 물에 소금을 녹이다. ② 산만하게 설명하다.
~se 녹다.
deslendrar *tr.* 11 (머리에 있는) 이·서캐를잡다.
deslenguado, da *adj.* =**desbocado.**
deslenguamiento *m.* 욕부짖음 ; 욕설.
deslenguar *tr.* 10 혀를 짜르다.
~se 욕설을 퍼붓다, 남을 모욕하다, 울부짖다(desvergonzarse).
desliar *tr.* 12 (묶었던 것을) 풀다 : ~ un bulto.
~se 풀리다.
deslic- →**deslizar** 9.
desligadura *f.* 해방 ; 면제 ; 사면 ; 해결.
desligar *tr.* 8 ① 풀다, 풀어 주다(desatar). ② (사건의) 분규를 해결하다. ③ 사면하다 ; 면제·해제하다.
~se 해방하다 ; 해결하다.
deslindable *adj.* 구획을 정리할 수 있는, 한계·경계·구별을 명확히 할 수 있는.
deslindador, ra *adj. m.f.* 구획을 정리하는 (사람).
deslindamiento *m.* =**deslinde.**
deslindar *tr.* 구획을 정리하다 ; 한계·경계·구별을 명확히 하다 ; 분명하게 하다.
deslinde *m.* 구획 정리 ; 경계의 설정.
desliñar *tr.* (직물의) 실 부스러기를 없애다.
deslío *m.* 새로 빚은 술·포도주를 청주와 술재강으로 분리하는 작업.
desliz *m.* ① 미끄러짐. ② 과실, 실책, 실패.
deslizable *adj.* ① 미끄러지기 쉬운. ② 범하기 쉬운 : error ~.
deslizadero, ra *adj.* 미끄러지는 ; 미끄러지기 쉬운(deslizadizo) : suelo ~. **—***m.* 미끄러뜨리는 곳. **—***f.* 미끄럼, 미끄럼틀.
deslizadizo, za *adj.* 미끄러지기 쉬운, 잘 미끄러지는 : Está hoy el piso muy ~. **Sinón.** escurridizo.
deslizador *m.* 미끄럼틀.
deslizamiento *m.* =**desliz.**
deslizante *adj.* 미끄러지는.
deslizar *tr.* 9 ① 굴리다, 미끄러지게 하다. ② (실수로) 놓치다. **—***intr.* ① 미끄러지다 : Ella *deslizó* en unas cáscaras de plátano 그녀는 바나나 껍질에 미끄러졌다. ② 입을 잘못 놀리다. ③ 방심해서 놓치다.
~se ① 미끄러지다, 지치다 : Los patinadores *se deslizan* elegantemente *por* la pista 스케이트 선수들은 멋있게 스케이트장을 미끄러지고 있다. *Nos deslizábamos por* el hielo 우리는 얼음을 지치고 있었다. ② 미끄러져 들어가다, 미끄러지기 시작하다 : La lancha *se deslizó* 거룻배는 미끄러지듯이 떠났다. ③ 깜빡 실수하다 : *~se en* el vicio 깜빡 못된 길로 들다. ④ 달아나다, 도망치다, 도주하다, 몸을 피하다, 옆으로 비켜가다(escaparse, huir).
desloar *tr.* 꾸짖다, 나무라다(vituperar).
deslomada *f.* 《*AmérC.*》 =**despropósito.**
deslomadura *f.* deslomar하는 일.
deslomar *tr.* (등·허리를) 상하다, (등·허리를) 심하게 부딪히다.
~se 일을 많이 하다.
deslucidamente *adv.* 버릇없이, 예의없이.
deslucido, da *adj.* ① 꾸밈없는, 멋없는 : Es profesor de mucho talento pero bastante ~ 그는 재능이 있는 선생이지만 풍채가 없다. ② 명성이 떨어진, 실패한.

deslucimiento *m.* 빛이 흐려짐 ; 산뜻하지 못함 ; 머리의 둔해짐.
deslucir *tr.* 33 광택을 없애다 · 싫게 하다 ; 명성을 떨어뜨리다(desacreditar).
~se 광택이 죽다 ; 명성이 떨어지다.
deslumbrador, ra *adj.* 눈부신, 현란한, 현혹적인.
deslumbramiento *m.* 눈부심, 찬란함, 현혹 ; 어지러움.
deslumbrante *adj.* =**deslumbrador.**
deslumbrar *tr.* 눈부시게 하다, 현혹시키다 ; 당혹시키다. —*intr.* 눈부시게 번쩍번쩍 빛나다.
~se 눈이 아찔해지다 ; 당혹하다 ; 현혹되다.
deslustrador, ra *adj.* 광택을 없애는 ; 오점 · 흠이 되는 ; (명성을) 가로막는
deslustrar *tr.* 광택을 없애다 ; 흐리게 하다, 그늘지게 하다 ; (남의) 명성을 떨어뜨리다(deslucir).
—*intr.*, **~se** 번쩍번쩍 빛나다.
deslustre *m.* 무광택 ; 수치 ; 불명예.
deslustroso, sa *adj.* =**deslucido, feo.**
desmadejado, da *adj.* 노곤한, 나른한, 생기를 잃은 : tener un cuerpo ~.
desmadejamiento *m.* 나른함 ; 피로, 피곤 ; 권태.
desmadejar *tr.* (몸을) 나른하게 만들다.
~se 나른하다, 노곤해지다.
desmadrado, da *adj.* 어미에서 떨어진 · 버려진 : cachorro ~.
desmadrar *tr.* (새끼를) 어미한테서 떼어놓다, 젖을 떼다.
desmadrinarse *r.* 《*Arg.*》 애정을 잃다.
desmagnetización *m.* 자력(磁力)의 감소 · 상실 · 회복.
desmagnetizar *tr.* 9 =**desimantar.**
desmajolar *tr.* 16 ①(포도의 어린 나무를) 뿌리째 뽑아 버리다. ②(구두의) 끈을 풀다 · 헐겁게 하다(aflojar las majuelas del zapato).
desmalazado, da *adj.* =**desmazalado.**
desmalezar *tr.* 9 《*Amér.*》 잡초를 뽑다.
desmallador, ra *adj.* 그물을 찢는 ; 망의 올을 푸는. —*m.* 【은어】 단도, 비수.
desmalladura *f.* desmallar 하는 일.
desmallar *tr.* ①(그물을) 찢다, 풀다. ②《*Chile.*》(개 등의) 꼬리 · 귀를 자르다.
desmamar *tr.* 젖을 떼다 (destetar) : ~ un ternero.
desmameyar *tr.* 《*Cuba.*》 망가뜨리다, 무용지물로 만들다.
desmamonar *tr.* (나무의) 불필요한 싹 · 가지를 치다.
desmamparar *tr.* 【고어】 =**desamparar.**
desmán *m.* ①언동이 지나침, 과도, 과언(exceso). ②폭행, 폭언. ③불운 ; 무례 ; 부정. ④【동물】 뾰족뒤쥐.
desmanarse *r.* (양이) 무리에서 떨어지다.
desmanchar *tr.* ①【고어】 명예를 더럽히다, 모욕을 주다(deshonrar). ②《*AmérM.*》 얼룩(mancha)을 빼다 · 뽑다.
~se 《*Amér.*》 떼다, 떨어져 나가다 ; 도망치다.
desmandado, da *adj.* =**desobediente.**
desmandamiento *m.* 변경 ; 취소.
desmandar *tr.* (명령 등을) 변경시키다 · 취소하다.
~se 명령을 어기다 ; 탈선 행위를 하다 ; 대열에서 벗어나다, 무리에서 떨어지다(desmanarse).
desmandingue *m.* 《*SDgo.*》 =**desastre.**
desmanear *tr.* (동물의) 발에 묶은 끈을 풀다 : ~ un caballo.
desmanganillado, da *adj.* =**desgarbado** : mujer ~*da.*
desmangar *tr.* 8 (기구의) 자루를 빼다.
~se 자루가 빠지다 ; 팔을 걷어붙이다.
desmangarrillado, da *adj.* =**desgarbado.**
desmango *m.* 자루를 뺌.
desmanguillar *intr.* 《*Ecuad.*》 말이 비틀거리다.
desmaniguar *tr.* 10 《*Caba.*》 잡초 · 잡목을 쳐내다.
~se 《*Cuba.*》 도시처럼 되다.
desmano (a) *adv.* =**a trasmano.**
desmanotado, da *adj.* 어색한, 손재간이 없는, 굼뜬 ; 우유부단한 ; 무기력한, 빌빌거리는. Contr. vivo, despabilado.
desmantecar *tr.* 7 (우유를) 탈지(脫脂)하다 : ~ la leche.
desmantelado, da *adj.* 황폐한 : un palacio ~.
desmantelamiento *m.* 방벽의 파괴.
desmantelar *tr.* ①(성채의) 방벽을 파괴하다. ②(가옥의) 장치를 제거하다. ③(배의) 돛대를 쓰러뜨리다(desarbolar). ④의장(艤裝)을 없애다.
desmaña *f.* =**desmaño.**
desmañadamente *adv.* 서툴게, 미숙하게.
desmañado, da *adj.* 서툰(inhábil) : hombre ~. Contr. listo, mañoso.
desmañarse *r.* 《*Méx.*》 (전에 없이) 일찍 일어나다.
desmaño *m.* ①미숙. ②꼴불견, 난잡함. ③일부러 단정치 못하게 함. ④나태(descuido).
desmarañar *tr.* =**desenmarañar, desenredar.**
desmarcar *tr.* 7 (…의) 표시를 지우다.
desmarojador, ra *m.f.* (수목의) 기생물 제거자.
desmarojar *tr.* (수목의) 기생물을 제거하다.
desmarrido, da *adj.* =**mustio, alicaído.**
desmatar *tr.* 잡초 · 잡목을 베다.
desmatonar *tr.* 《*AmérC. Col.*》 =**desmatar.**
desmayadamente *adv.* 힘없이, 맥없이, 맥이 빠져 : gritar ~ 힘없이 외치다.
desmayado, da *adj.* ①기절한, 정신을 잃은 ; 졸도한. ②축 늘어진, 힘이 없는. ③배고픈. ④빛깔이 바랜.
desmayamiento *m.* =**desmayo.**
desmayar *tr.* 실신시키다 ; 무력하게 하다, 기력을 잃게 하다 : Aquella noticia le *desmayó* 그 소식은 그의 기력을 잃게 했다. —*intr.* 기력을 잃다 ; 겁에 질리다, 두려워하다, 소심하다.
~se 실신하다, 졸도하다, 기절하다 : *Se desmayó* al saber la muerte de su esposo 그녀는 남편의 사망을 알았을 때 기절했다.
desmayo *m.* ①실신, 기절, 졸도 ; 무기력. ②【식물】 수양버들(sauce de Babilonia).
desmazalado, da *adj.* ①축 늘어진, 힘이 없는. ②낙담한. ③겁많은, 의기 소침한.

desmechado, da *adj.* [desmechar의 *p.p.*] 《*Méx.*》 머리카락을 쥐어뜯긴.
desmechar *tr.* 《*Méx.*》 머리카락을 쥐어뜯다.
desmechonar *tr.* 《*Méx.*》 =**desmechar.**
desmedidamente *adv.* 터무니없이.
desmedido, da *adj.* 헤아릴 수 없는 ; 엉뚱한, 터무니없는 ; 과도한. Contr. moderado.
desmedirse *r.* 42 터무니없이 굴다 ; 엉뚱한 짓을 하다(excederse).
desmedra *f.* =**desmedro.**
desmedrado, da *adj.* [desmedrar의 *p.p.*] = **desmejorado, flaco, enteco.**
desmedrar *tr.* 못쓰게 하다 ; 부수다, 망가뜨리다(deteriorar). —*intr.* 쇠하다.
~se 해를 입다.
desmedro *m.* 쇠퇴 ; 피해, 손해. Contr. progreso, mejora.
desmejora *f.* 손해 ; 상처, 손상(deterioro).
desmejoramiento *m.* 악화 ; 손해 ; 쇠약.
desmejorar *tr.* (인품 · 가치 등을) 떨어뜨리다, 저하시키다, 나쁘게 하다, 해치다.
—*intr.* 건강을 해치다.
~se 해를 입다 ; 건강이 나빠지다.
desmelancolizar *tr.* 9 기분을 맞추어 주다.
~se 속이 시원해지다, 마음이 풀리다.
desmelar *tr.* 19 (벌집에서) 꿀을 따다.
desmelenado, da *adj.* [desmelenar의 *p.p.*] 머리카락이 헝클어진, 산발의.
desmelenar *tr.* (누구의) 머리카락을 헝클어뜨리다(desordenar el cabello). Sinón. desgreñar.
~se 산발(散髮)하다 ; 신이 나서 난잡을 떨다 : *~se* llorando 《*PRico.*》 눈물이 마를 정도로 울다.
desmembración *f.* 신체의 절단 ; 분단 : ~ de un territorio 영토의 분단.
desmembrador, ra *adj. m.f.* 팔다리를 떼어내는 · 동강내는 · 토막내는 (사람).
desmembramiento *m.* =**desmembración.**
desmembrar *tr.* 19 ① 팔다리를 떼어내다, 동강내다, 토막내다(dividir los miembros del cuerpo). ② 분할 · 분리 · 분단하다(seperar, dividir) : ~ un país.
~se 분리되다, 산산이 흩어지다.
desmemoria *f.* 까맣게 잊어 버림, 깜빡 잊음.
desmemoriado, da *adj.* 잘 잊어 버리는 ; 기억이 불확실한 ; 기억이 없는 ; 기억 상실증의, 건망증이 심한(olvidadizo). —*m.f.* 건방증 환자 ; 기억 상실증 환자.
desmemoriarse *r.* 11 =**olvidarse.**
desmenguar *tr.* 10 줄이다, 축소시키다, 작게 하다(amenguar).
~se 점점 작아지다.
desmentida *f.* ① 거짓을 폭로하는 일. ② 취소, 부인 : dar una ~ a uno 누구의 말을 부인하다.
desmentido *m.* 《*Arg.*》 =**desmentida.**
desmentidor, ra *adj. m.f.* 거짓을 폭로하는 (사람) ; 부인하는 (사람).
desmentir *tr.* 53 ① (상대방의 말을) 거짓말 · 잘못이라고 말하다 ; (누구의) 거짓말을 폭로하다 : ~ al testigo 증인의 말을 거짓이라고 하다. ② 부인하다 ; 반증하다. ③ 숨기다, 행방을 감추다, 인멸하다 : ~ los indicios 증거를 인멸하다. ④ (신분 · 지위에서) 어긋난 짓을 하다 : Su conducta *desmiente* la nobleza de sus antepasados 그의 소행은 자기의 조상의 고귀한 행적에 먹칠하는 처사이다. ⑤ 진실을 토하다.
—*intr.* 한 쪽으로 치우치다.
desmenudear *intr.* 《*Col.*》 소매하다(vender por menor).
desmenuzable *adj.* 부서지기 쉬운(fácil de desmenuzar).
desmenuzador, ra *adj.* 부수는, 산산 조각을 내는.
desmenuzamiento *m.* 분쇄.
desmenuzar *tr.* 9 ① 부수다, 산산 조각을 내다. ② 자세히 · 엄중히 조사하다.
~se 부서지다, 산산 조각나다, 박살나다.
desmeollamiento *m.* (뼈의) 골수 · 정액 제거.
desmeollar *tr.* (뼈의) 골수 · 장액을 없애다.
desmerecedor, ra *adj.* 가치 · 자격을 상실하는.
desmerecer *tr.* 31 받을 자격 · 가치를 상실하다. —*intr.* 가치를 잃다 ; (…보다) 못하다.
~se 자격이 없어지다, 실격당하다.
desmerecimiento *m.* 무자격 ; 무가치 ; 잘못됨(demérito).
desmeritar *tr.* 《*Ant. Col.*》 =**demeritar.**
desmérito *m.* 《*PRico.*》 =**demérito.**
desmesura *f.* 불근신, 몰염치, 과분한 행동, 한도를 넘음.
desmesuradamente *adv.* =**excesivamente.**
desmesurado, da *adj.* ① 측정할 수 없는, 거대한, 과도한 : ambición *~da.* ② 철면피한, 낯가죽이 두꺼운, 파렴치한, 후안 무치의, 체면 부지의(descarado).
desmesurar *tr.* 헝클어뜨리다, 부수다, 소란을 피우다(descomponer, desarreglar, desordenar).
~se 조심스럽지 못하다 ; 신이 나서 지나친 짓을 하다.
desmezclar *tr.* 혼합된 것을 나누다.
desmicador, ra *m.f.* 정찰하는 사람, 염탐꾼, 스파이, 밀정.
desmicar *tr.* 7 【은어】 보다, 살피다, 엿보다.
desmigajar *tr.* 부수다, 분쇄하다 : El pan duro *se desmigaja* con mucha facilidad.
desmigar *tr.* 8 (빵을) 가루로 만들다.
desmilitarizar *tr.* 9 ① 군복을 벗기다. ② 비무장화하다, 비군사화하다 : ~ un país. ③ 군비를 금하다.
zona desmilitarizada 비무장 지대.
desmineralización *f.* 광물질의 결여 · 결핍.
desmineralizar *tr.* 광물질을 뽑다.
desmirlado, da *adj.* 【은어】 방종한, 방탕한(desorejado). —*m.f.* 전과자.
desmirriado, da *adj.* =**flaco, extenuado, consumido.**
desmocha *f.* =**desmoche.**
desmochador, ra *adj.m.f.* 절단하는 (사람) ; 요약하는 (사람).
desmochadura *f.* =**desmoche.**
desmochar *tr.* ① (동물 · 나무 등의) 뿔 · 가지를 절단하다, 치다, 삭제하다 : ~ un árbol. ② (문예 작품을) 줄거리만으로 요약하다. ③ (무엇의) 일부를 잘라 버리다. ④ 【속어】 까까중을 만들다.
desmoche *m.* (사슴 등의) 뿔을 자름 ; 나뭇가지

치기 ; 까까머리 ; 잘라 냄 ; 삭감 : ~ presupuestal 예산 삭감.

desmocho *m.* 잘라낸 나뭇가지 : quemar *~s.*

desmodulación *f.* 【무선】 검파(檢波).

desmodulador *m.* 【무선】 검파기.

desmodular *tr.* 【무선】 검파하다.

desmogar *intr.* 8 새 뿔이 나오다, 뿔을 갈다.

desmogue *m.* 새 뿔이 나옴.

desmolado, da *adj.* 어금니가 없는 : abrir una boca *~da.*

desmolar *tr.* 《*Arg.*》 =**derrengar.**

desmoldar *tr.* 틀에서 꺼내다, 금형을 해체하다.

desmoler *tr.* 25 =**desgastar, corromper.**

desmonetización *f.* 통화의 폐기.

desmonetizar *tr.* 9 통화를 폐기시키다 : Las monedas de plata francesas anteriores al imperio fueron *desmonetizadas.*

desmontable *adj.* 분해・해체할 수 있는, 뗄 수 있는 : coche ~. **—***m.* (타이어를 떼내는) 지레.

desmontado, da *adj.* [desmontar의 *p.p.*] 말이 없는 (기마병).

desmontadura *f.* 벌채 ; (땅을) 허물어 버리기 ; 철거 ; 분해, 뜯어내기 ; 하마(下馬), 하차(下車).

desmontaje *m.* 총에 안전 장치를 하기.

desmontar *tr.* ① (산림을) 벌채하다. ② (산 등을) 허물다 ; 무너뜨리다 ; 땅을 다지다. **Contr.** terraplenar. ③ 분해하다, 해체하다 ; 떼어내다. ④ (차・말에서) 내리게 하다. ⑤ (총의) 공이치기를 젖히다. ⑥ (적의 포를) 격파하다.
—*intr.*, **~se** 하차하다, (마차 등에서) 내리다 (apearse).

desmonte *m.* ① 벌채 ; 무너뜨리기 ; 분해 ; 허물어낸 토석 ; 개간한 곳. ② 《*Amér.*》 찌꺼기, 빈광. **—***pl.* 빈광(貧鑛).

desmontrencar *tr.* 7 《*Venez.*》 어미소에서 떼어놓다.

desmoñar *tr.* 묶은 머리를 풀다(quitar el moño).

desmoralización *f.* ① 풍기 문란, 풍속 퇴폐 : la ~ de la juventud. ② 군률 이완(弛緩), 사기 저하. **Sinón.** corrupción.

desmoralizador, ra *adj.* 퇴폐적인.

desmoralizar *tr.* 9 (…의) 풍기・도덕을 문란케 하다 ; 사기를 저하시키다 : La retirada *desmoraliza* los mejores ejércitos.
~se ① 풍기가 문란해지다. ② 《*Galic.*》 군기가 문란해지다, 사기가 저하되다.

desmorecerse *r.* 31 정감에 사로잡히다.

desmoronadizo, za *adj.* 허물어지기 쉬운, 부서지기 쉬운 ; 쇠진하기 쉬운.

desmoronamiento *m.* 붕괴 ; 쇠진, 미약.

desmoronar *tr.* 허물다, 무너뜨리다, 붕괴하다.
~se (차츰) 무너져 내리다 ; 허물어지다 ; 붕괴하다, 부서지다 ; 쇠약해지다.

desmorono *m.* 《*Col.*》 =**desmoronamiento.**

desmostarse *r.* 포도가 바싹 말라 버리다.

desmostelar *tr.* 《*AmérC.*》 부수다, 파괴하다.

desmotadera *f.* (양모 등의) 작은 티를 제거하는 도구 : ~ de algodón 물레.

desmotador, ra *m.f.* 피륙의 꼬인 것・티를 떼내는 사람. **—***m.* 【은어】 들치기.

desmotadora *f.* =**desmotadera.**

desmotar *tr.* ① (양모・직물의) 짧은 올・티를 떼내다. ② 【은어】 들치기하다. ③ 《*Amér.*》 (솜을) 타다.

desmote *m.* (양모・직물의) 올을 떼는 일.

desmovilización *f.* 군대의 복원(復員) ; 동원 해제(動員解除).

desmovilizar *tr.* 9 동원 해제하다.

desmugrar *tr.* (천에서) 기름을 빼다.

desmultiplicar *tr.* (바퀴를) 연동시키다.

desmullir *tr.* 50 (침대・의자의) 스프링을 부수다・망가뜨리다・빼내다.

desmurador *m.* 《*Ast.*》 사냥 고양이(gato cazador).

desmurar *tr.* 쥐를 잡다 ; 성벽을 부서뜨리다.

desnacionalizar *tr.* 9 국민으로서의 특권을 빼앗다 ; 국적을 박탈하다 ; 국민성을 빼앗다 ; 독립 국가로서의 자격을 박탈하다 ; 비국유화하다.

desnalgar *tr.* 8 《*Chile.*》 (말을) 갑자기 달리게 하다・정지시키다.

desnarigado, da *adj.* 코가 없는 ; 코가 납작한.

desnarigar *tr.* 8 코를 자르다.

desnatadora *f.* (우유 따위의) 분리기, 탈지기(脫脂器) ; 선광기(選鑛器).

desnatar *tr.* (우유의) 유지를 걷어내다 ; 용광(溶鑛)・끓은 물 위에 뜬 것을 떠내다 ; 정수만을 가려내다.

desnaturalización *f.* 국적 상실 ; 변질, 변성.

desnaturalizado, da *adj.* ① 국적을 상실한 ; (부모・아들・형제로서의 본래의) 의무를 저버린 : hijo ~ 불효자. ② 【화학】 변성의.

desnaturalizante *m.* 【화학】 변성제(變性劑).

desnaturalizar *tr.* 9 (…에서) 본성・국적을 박탈하다 ; 변질・변성시키다 ; 나쁘게 만들다.
~se 국적을 상실하다 ; 변성하다, 변질하다.

desnecesario, ria *adj.* 불필요(不必要)한(innecesario).

desnegamiento *m.* 반론, 반대.

desnegar *tr.* 19 8 [드묾] 반론・반대하다.
~se 앞서 한 말을 취소하다.

desnervar *tr.* 약하게 하다, 쇠약하게 만들다 (enervar).

desnevado, da *adj.* 눈이 적은, 제설(除雪)된, 눈이 녹은 (장소).

desnevar *intr.* 19 눈이 녹다(deshacerse o derretirse la nieve).

desnitrificar *tr.* 7 질소・산화물을 제거하다, 탈질(脫窒)・탈산(脫酸)하다.

desnivel *m.* 요철 ; 기복 ; 고저 ; 평평치 않음 ; 균형의 결여 ; 낙차(落差), 수준차(水準差).
cruce a ~ 입체 교차.

desnivelación *f.* 기복, 울퉁불퉁함.

desnivelar *tr.* 기복을 만들다 ; 울퉁불퉁하게 만들다 ; 낙차를 내다.
—*intr.*, **~se** 기복이 생기다, 낙차가 나타나다.

desnucar *tr.* 7 목뼈를 삐다.
~se 목뼈가 부러지다.

desnudador, ra *adj.* 발가벗은.

desnudamente *adv.* 명백히, 분명하게, 솔직하게(muy claramente).

desnudamiento *m.* 탈의(脫衣) ; 초탈(超脫).

desnudar *tr.* [*lat.* denudare] [+de : …을]…에

서 제거하다 ; 발가벗기다 : ~ al niño *de* su vestido 어린이의 옷을 벗기다. El invierno *desnuda* los árboles *de* sus hojas 겨울이 나뭇잎을 떨어뜨린다.
~se ① 벌거벗다, 옷을 벗다 : *Me desnudé* y me tiré a la bañera 나는 옷을 벗고 욕조에 들어갔다. ② [+de : …을] 벗어나다, 뿌리쳐 버리다 : ~ *de* las pasiones.

desnudez *f.* 나체(cuerpo desnudo), 벌거숭이 ; 적나라 ; 나형(裸形) ; 알몸을 드러내 놓음 : la ~ de un terreno · de una montaña 땅 · 산의 헐벗음.

desnudismo *m.* 나체주의 · 운동.

desnudista *adj.* 나체주의의. *—m.f.* 나체주의자.

desnudo, da *adj.* ① 나체의, 벌거숭이의, 맨발의, 그대로 드러내 놓은 : la Maja *~da* 나체의 마하 부인. llevar las piernas *~das* 다리를 그대로 드러내 놓고 다니다. ② 몹시 가난한, 헐벗은. ③ 있는 그대로 : una habitación *~da.* ④ [+de : …이] 없는 : estar ~ *de* méritos · *de* favor 공적이 없는 · 받을 혜택이 없는. ⑤ 명백한 : decir la verdad *~da. —m.* 나상, 누드 사진, 나체화.

desnuncar *tr.* ⑦ 《*Col. Cuba.*》 =**desnucar.**

desnutrición *f.* 영양 부족.

desnutrido, da *adj.* 영양 부족의, 영양 실조의.

desnutrirse *r.* 영양 실조가 되다.

desobedecer *tr.* ㉛ (…을) 어기다, 불복종하다, 순종하지 않다 : ~ las leyes · al padre 법에 · 아버지에게 불복종하다. **Contr.** obedecer.

desobediencia *f.* 명령 위반, 불복종, 불순종. **Contr.** obediencia.

desobediente *adj.* 순종치 않는, 말을 듣지 않는, 고분고분하지 못한. **Contr.** obediente.

desobligar *tr.* ⑧ 의무를 해제하다 ; 어리둥절하게 만들다.
~se 의무를 회피하다.

desobligo *m.* 《*Ecuad.*》 =**desengaño.**

desobstrucción *f.* 막았던 것을 다시 열어 놓음.

desobstruir *tr.* ㊆ ① (폐쇄된 것을) 열다 : ~ un canal. ② 방해물을 없애다(desembarazar).

desobstruyente *adj.m.f.* 여는 (사람).

desocarse *r.* ⑦ 《*Arg. Bol.*》 (말이 너무 걸어서) 다리를 상하다 ; 손발의 뼈를 삐다.

desocasionado, da *adj.* 시기를 잘못 만난, 제철이 아닌, 때를 놓친, 때가 지난.

desocupación *f.* ① 자리가 비어 있는 일. ② 실직, 무직(flata de ocupación). ③ 틈(ociosidad).

desocupadamente *adv.* 한가롭게(libre, desembarazadamente).

desocupado, da *adj.* ① 비어 있는 : una mesa *~da* 비어 있는 테이블. ② 할 일 없는, 한가로운, 무직의 : Estoy ~ 나는 한가롭다, 나는 실직 상태이다. *—m.f.* 실직자, 실업자.

desocupar *tr.* ① (장소를) 비우다 : ¿Aquí hay habitación *desocupada*? 이곳에 빈 방 있습니까? Tenemos que ~ nuestras habitaciones antes del mes próximo 다음달 까지는 우리들은 방을 비워야 한다. ¿Quiere ~ los cajones de este escritorio? 이 책상의 서랍을 치워 주시겠습니까? ② 해고하다. ③ 꺼내다, 치우다.
~se ① 한가로워지다 : ¿Cuándo estará *desocupado*? 언제나 한가하시겠습니까? ② 실직 · 이직하다. ③ 《*AmérM.*》 출산하다.

desodorante *adj.* 악취를 없애는 : crema ~ 겨드랑이 냄새를 없애는 크림. *—m.* 냄새를 없애는 크림 · 로션 ; 탈취제, 방취제(防臭劑).

desodorizar *tr.* 냄새를 제거하다.

desoig- →**desoir** ㊆.

desoir *tr.* ㊆ 못들은 척하다, 무관심하다, 무시하다 : ~ los ruegos.

desojar *tr.* (바늘 등의) 귀를 못쓰게 만들다(quebrar o romper el ojo de un instrumento).
~se 눈을 크게 뜨다.

desolación *f.* 황폐 ; 비통, 비탄.

desolado, da *adj.* 황량한 ; 슬픔에 잠긴.

desolador, ra *adj.* 황폐시키는 (듯한).

desolar *tr.* ㉔ 황폐시키다, 휩쓸다(asolar) : La guerra civil *ha desolado* la mayor parte del país 내란은 나라의 대부분을 황폐시켰다.
~se 슬퍼하다, 한탄하다, 서글퍼하다.

desoldar *tr.* ㉔ 납땜한 것을 뜯어내다.

desolladamente *adv.* 뻔뻔스럽게, 낯가죽이 두껍게, 철면피하게.

desolladero *m.* (동물의) 가죽 벗기는 곳.

desollado, da *adj.* 껍질을 벗긴 ; 뻔뻔스러운(descarado). *—f.* 기름과 설탕을 바른 케이크.

desollador, ra *adj.* 껍질을 벗기는 ; 폭리를 일삼는. *—m.f.* 껍질을 벗기는 사람 ; 폭리배. *—m.* 【조류】 때까치(alcaudón).

desolladura *f.* 껍질 벗기기 ; 껍질이 벗겨짐 ; 유형 무형의 피해.

desollar *tr.* ㉔ ① (…의) 껍질을 벗기다. ② 폭리시키다. ③ 크게 혼내 주다.
~se 껍질이 벗겨지다.
~ *vivo* 산채로 껍질을 벗기다 ; 폭리를 취하다 ; 남을 크게 헐뜯다.

desollón *m.* 【속어】 =**desolladura.**

desopilación *f.* 변비 치료 ; 월경 불순의 치료.

desopilante *adj.* 《*Galic.*》 익살스러운, 우스운.

desopilar *tr.* ① 변이 잘 나오게 하다, 변비를 고치다. ② 월경을 순조롭게 하다. ③ 《*Galic.*》 웃기다.
~se 《*Galic.*》 자지러지게 웃다.

desopilativo *adj.* 변이 잘 나오는. *—m.* 통경제(通經劑).

desopinado, da *adj.* 비방하는, 모략하는, 중상하는.

desopinar *tr.* 비방하다, 모략하다, 중상하다.

desopresión *f.* 압박에서의 해방 ; 해방.

desoprimir *tr.* 압박 · 압제에서 해방하다.

desorbitar *tr.* 《*Arg.*》 =**enloquecer.**
~se 궤도에서 벗어나다.

desorden *m.* [드물게 *f.*] 무질서 ; 난잡 ; 혼란(confusión) ; 무절제 : Reinaba un gran ~ en el país 그 나라는 굉장히 혼란했었다. Hubo grandes *~es* 대혼란 (소동)이 있었다.

desordenación *f.* =**desorden.**

desordenadamente *adv.* 혼란하게, 난잡하게, 무질서하게 ; 무절제하게.

desordenado, da *adj.* 무질서한, 혼란한, 난잡한.

desordenamiento *m.* =**desorden.**
desordenar *tr.* (순서·질서를) 어지럽히다, 난잡하게 하다, 혼란시키다.
~se 어지러워지다 ; 절제를 잃다 ; 질서가 무너지다, 질서없이 살다.
desorejado, da *adj.* ① 말귀를 못 알아 듣는. ② 염치가 없는, 부끄러운 줄을 모르는, 철면피한. ③《*Cuba.*》방탕한. ④《*Bol. Perú.*》귀가 먼. ⑤【방언】《*Col. Chile.*》귀·손잡이가 빠진. ⑥《*Guat.*》멍청한, 바보스런, 어리석은.
desorejamiento *m.* desorejar 하는 일.
desorejar *tr.* ① (…의) 귀(oreja)를 자르다. ②《*Col. PRico.*》(물건의) 손잡이를 부수다·없애다.
desorganización *f.* 조직의 파괴 ; 혼란.
desorganizadamente *adv.* 아무런 조직없이, 혼란하게.
desorganizador, ra *adj.m.f.* 조직을 파괴하는 (사람) ; 일을 망치는 (사람).
desorganizar *tr.* 9 ① (…의) 조직을 파괴하다 : El cloro *desorganiza* los tejidos 염소(鹽素)는 직물의 조직을 파괴한다. ② 혼란시키다.
~se 조직이 파괴되다 ; 질서가 문란해지다, 혼란에 빠지다.
desorientación *f.* 방향 불명 ; 당황.
desorientador, ra *adj.* 방향을 잃은, 갈피를 잡지 못하는, 당황하는.
desorientar *tr.* 방향을 잃게 하다 ; 갈피를 못잡게 하다 ; 당황케 하다.
~se ① 방향을 잃다, 할 바를 잃다 : *Me desorienté* al salir del metro 지하철에서 나갈 때 방향을 잃었다. ② 당황하다 ; 갈피를 못잡다.
desorillar *tr.* (종이·천 등의) 단을 자르다.
desornamentado, da *adj.* 꾸밈이 없는.
desortijado, da *adj.* =**dislocado.**
desortijar *tr.* 초경(初耕)하다.
~se《*Col. Chile.*》(말 등이) 발을 삐다·탈구하다.
desosada *f.*【은어】혀(lengua).
desosar *tr.* 27 (동·식물의) 가시·뼈를 뽑아내다(deshuesar). [*N.* 직설법 현재, 접속법 현재에서 deshueso, deshuesas, deshuese, deshueses 등과 같이 h를 넣음].
desosegar *tr.*《*Sal.*》【고어】=**desasosegar.**
desovado, da *adj.* 산란된.
desovar *intr.* (물고기·벌레 등이) 산란하다.
desove *m.* 산란 ; 산란기(muga).
desovillar *tr.* ① (털 등의) 올을 뽑다. ② 얽힌 것을 풀다. ③ 분명하게 하다, 명백하게 하다. ④ 분기(奮起)시키다.
~se 분규가 해소되다 ; 분명해지다, 명백해지다.
desoxidable *adj.* 탈산(脫酸)할 수 있는.
desoxidación *f.* 탈산, 산소·녹 제거.
desoxidante *adj.* 탈산용의. **—***m.* 탈산제.
desoxidar *tr.* 탈산하다, 산소를 제거하다 ; 녹을 닦아내다·없애다.
desoxigenación *f.*【화학】=**desoxidación.**
desoxigenante *adj.* =**desoxidante.**
desoxigenar *tr.* =**desoxidar.**
desoy- →**desoir** 76.
despabiladeras *f.pl.* 초의 심지 자르는 가위.
despabilado, da *adj.* ① 잠에서 깨어 있는 (despierto). ② 두뇌가 명석한 ; 총명한, 영리한 ; 기민한.
despabilador, ra *adj.m.f.* 초의 심지를 자르는 (사람). **—***m.pl.* 초의 심지를 자르는 가위.
despabiladura *f.* (초의) 심지의 탄 부분.
despabilar *tr.* ① 초의 심지의 탄 부분을 자르다. ② 재빨리 끝마치다 : ~ la comida. ③ 순식간에 없애다 : ~ la hacienda. ④ 훔치다 (robar). ⑤ 기합을 넣다. ⑥ 살해하다, 죽이다 (matar).
~se ① 눈을 뜨다(despertarse). ② 머리를 기민하게 움직이다. ③《*Amér.*》물러나다, 가버리다, 사라지다(marcharse, irse).
despachaderas *f.pl.* 어떤 물음에 확실히 대답하는 것·말.
despachado, da *adj.* =**desfachatado.**
despachador, ra *adj.* 민완하게 처리하는 ; 발송하는. **—***m.f.* ① 사무를 처리하는 사람 ; 발송자. ②《*Amér.*》채굴한 광석을 싣는 광부 ; 배차계 담당자.
despachante *m.*《*Arg.*》점원(dependiente) ; 통관 담당자(~ de aduana).
despachar *tr.* ① 처리하다, 치우다(concluir un negocio) : ~ la correspondencia. ② 보내다, 발송하다(enviar) : ~ un correo. ③ 파견하다. ④ 팔다(vender). ⑤ 물건을 취급하다. ⑥ 쫓아내다, 몰아내다(despedir) : *Despachó* a su criada. ⑦ 죽이다(matar). **—***intr.* ① 처치·처리하다. ② (가게에서 손님을) 응대하다 : ¿Quién *despacha*? ③ 서둘다(darse prisa). ④ 출산하다 (dar a luz). ⑤ 죽다(morir).
~se ① 서둘다(darse prisa) : *Despáchate* 서둘러라. ② 출산하다. ③ [+de : …을] 면하다 (desembarazarse).
despachero, ra *m.f.*《*Chile.*》(대포집 따위의) 술장수, 술집 주인(pulpería).
despacho *m.* ① 처리, 처치, 처분 ; 사무 처리의 재능 : tener buen ~ 수완가이다. ② 발송, 송부, 출하 : Se ha retrasado el ~ de la mercancía 화물의 발송이 늦어졌습니다. ③ 송신, 통신, 통화, 입전(入電) : ~ telegráfico 전보, 전문. ④ 신문 전보. ⑤ 통보 ; (외교적인) 통첩. ⑥ 선적 ; 통관 사무(~ de aduana) ; 출항 인가서, 통관 절차. ⑦ 사무소, 사무실(oficina) : Lo espera en su ~ 그는 당신을 사무실에서 기다리고 있습니다. ⑧ 서재(biblioteca). ⑨ (특정 물품의) 판매장 : ~ de leche 우유 판매장. ~ de billetes · de localidades 매표소. ⑩《*Chile.*》술집. ⑪ 약국. ⑫ 임무 ; 임명, 임명서 : entrega de ~*s.*
despachurramiento *m.* =**despachurro.**
despachurrar *tr.* ① 짓누르다, 으깨다. ② (이야기를) 혼돈시키다 : ~ un cuento. ③ 대답에 궁하게 만들다.
~se ① 짓눌리다, 으깨어지다 : *Se despachurraron* los higos. ② 이야기가 얽히다, 뒤범벅이 되다.
despachurro *m.* 짓누름, 분쇄 ; 이야기가 얽힘 ; 뒤범벅, 혼돈.
despacientarse *r.*【속어】《*Amér.*》안절부절 못하다, 인내성을 잃다(impacientarse).
despacio *adv.* ① 천천히(lentamente, poco a poco) : Por favor hábleme más ~ 더 천천히 말

씀해 주세요. ② 오랜 시간, 언제까지나 : Llorará ~. ③ 조용히. ④ 《*Amér.*》 낮은 소리로(en voz baja).

—*m.* 《*Amér.*》 늦어지는 일, 태평스러움 : No te vengas *con ~s.*

—*interj.* 천천히, 서둘지 말고 ! (¡despacio!). ② 조심해(¡cuidado!).

despaciosamente *adv.* =**despacio.**

despacioso, sa *adj.* =**calmoso.**

despacito *adv.* [*dim.* despacio] 차분하게, 아주 천천히, 느릿느릿하게, 낮은 소리로. —*interj.* 천천히 !

despajador, ra *adj.* 짚이를 가려내는, 광석을 가리는 (사람).

despajadura *f.* 지푸라기를 가려내는 일 ; 키로 까불어 가려내는 일.

despajar *tr.* ① (밀 등의) 짚을 가려내다(apartar la paja del grano). ② (광석을) 가리다.

despajo *m.* =**despajadura.**

despaldar *tr.* =**desespaldar.**

despaldilladura *f.* 등에 부상을 입힘.

despaldillar *tr.* =**desespaldar.**

despaletar *tr.* 《*AmérM.*》 =**despaletillar.**

despaletillar *tr.* 짐승의 어깨에 상처를 입히다 ; 등을 때리다.

despalillado, da *adj.* despalillar의 *p.p.*

despalillador *m.* 담배의 줄기를 없애는 사람.

despalillar *tr.* ① (담배잎・말린 포도의) 줄기를 없애다. ② 《*PRico.*》 (사람을) 죽이다.

despalmador *m.* ① (배 밑바닥 소제에 적합한) 바닷가. ② (우마 등의) 발굽을 갉아 주는 칼.

despalmadura *f.* despalmar하는 일.

despalmante *adj.* (배의 밑바닥을) 소제하는 ; 잡초를 뽑는 ; (말의) 발굽을 깍아내는.

despalmar *tr.* ① (배의 밑바닥을) 소제하다. ② (말의) 굽을 깎아내다. ③ 잡초를 뽑다. ④ 【은어】 강탈하다.

despalme *m.* =**despalmadura.**

despalomado, da *adj.* 《*Col.*》 바보가 된, 둔해진.

despalotar *tr.* 《*PRico.*》 =**despalillar.**

despampanador, ra *m.f.* 가지를 치는 사람.

despampanadura *f.* 포도의 불필요한 싹을 떼내는 일 ; 어리둥절함 ; 하소연.

despampanante *adj.* =**sorprendente.**

despampanar *tr.* 불필요한 싹・가지를 쳐내다, 어리둥절하게 만들다. —*intr.* 마음속을 털어 놓다.

~se 타박상을 입은 데가 우끈거린다.

despampanillar *tr.* =**despampanar.**

despampano *m.* =**despampanadura.**

despamplonar *tr.* (나무의) 새 가지를 솎다.

~se 손목뼈를 삐다.

despancar *tr.* [7] 《*Amér.*》(옥수수의) 껍질을 벗기다.

despancijar *tr.* =**despanzurrar.**

despanchurrar *tr.* =**despachurrar.**

despanzurrar *tr.* (무엇의) 복부를 찢다 ; 파열시키다, 찢어 발기다.

~se 파열하다, 갈라지다.

despanzurro *m.* 《*Chile.*》 엉터리.

despapar(se) *intr.(r.)* 말이 목을 너무 치켜 올리다.

despapucho *m.* 《*Arg. Perú.*》 =**sandez, disparate, patochada.**

desparecer(se) *intr.(r.)* [31] =**desaparecer.**

desparedar *tr.* 담・벽을 무너뜨리다.

desparejar *tr.* (쌍을) 짝짝이로 만들다 : ~ dos cuadros.

~se (쌍이) 짝짝이가 되다 : Los calcetines están *desparejados.*

desparejo, ja *adj.* =**desigual.**

desparejura *f.* 《*Arg.*》 =**desigualdad.**

desparpajado, da *adj.* [desparpajar의 *p.p.*] 볼품이 없는, 이그러진 ; 뻔뻔스러운.

desparpajar *tr.* ① 망가뜨리다, 무너뜨리다, 허물다(desbaratar). ② 뿌리다.

—*intr.*, **~se** ① 수다를 떨다, 재잘거리다. ② 《*AmérC. PRico.*》 눈을 뜨다, 정신을 차리다.

desparpajo *m.* ① 겁이 없음, 뻔뻔스러움. ② 《*AmérC.*》 혼란, 난잡(desorden, desbarajuste). ③ 잡담 ; 악담.

desparramado, da *adj.* 널직한(muy ancho) ; 트인, 열린(abierto).

desparramador, ra *adj.* desparramar하는.

desparramiento *m.* 탕진 ; 확산.

desparramar *tr.* ① 흩뜨리다 ; 탕진하다. ② 《*Arg.*》 물을 타다. ③ (소문을) 퍼뜨리다.

~se ① 흩어지다, 확산하다(esparcirse, extenderse) : *~se* los pájaros 새들이 흩어지다. ② 방탕하다 ; 떠들썩하게 놀다. **Contr.** aprovechar, ahorrar.

desparramo *m.* 《*Amér.*》 ① 흩어 뿌리기, 뿔뿔이 흩어져 도망치는 일. ② 무질서, 혼란, 혼동(desorden). ③ 방탕. ④소란.

desparrancarse *r.* [8] =**esparrancarse.**

despartidero *m.* 《*Ar.*》 갈림길.

despartidor *adj.* 분리하는, 구획하는.

despartimiento *m.* 무승부 ; 중재(仲裁) ; 분리(分離), 구획(區劃).

despartir *tr.* ① 갈라 놓다, 떼어 놓다(separar, apartar, dividir). ② 싸움을 중재하다.

desparvar *tr.* (타작한 보리를) 모으다.

despasar *tr.* (구멍의 끈이나 활차의 줄을) 뽑다.

~se (줄・끈이) 빠지다.

despastar *tr.* 《*Chile.*》 풀을 뽑다.

despatarrada *f.* (무용에서) 발을 크게 벌리는 동작.

hacer la ~ 쓰러져 죽은・아픈 척하다.

despatarrar *tr.* ① (누구에게) 양다리를 벌리게 하다(abrir excesivamente las pirenas a uno). ② 놀라게 하다 : dejar・ponerse *despatarrado* 놀라서・무서워서 옴쭉달싹 못하게 하다・꼿꼿이 서 버리다.

~se ① 다리를 너무 벌리다 : *~se* al caer. ② 깜짝 놀라다 ; 무서워하다 ; 나가 자빠지다.

despatillado, da *adj.* despatillar의 *p.p.* —*m.* (널판자의 단면에서) 엷게 한 부분.

despatillar *tr.* ① 구레나룻을 깎다. ② (목재 끝에) 장붓구멍을 파다. ③ 《*Chile.*》 새 순을 따다.

—*intr.* 《*PRico.*》 당황해서 뛰어가다.

~se ① 귀밑털을 깎다. ② 《*Ant.*》 다리를 벌리다.

despatriar *tr.* [11] 《*Col. PRico.*》 추방하다, 유형시키다.

~se 망명하다.

despaturrar *tr.* 《*AmérM.*》 =**despachurrar.**

despavesaderas *f.pl.* 《*Col. Chile. Ecuad.*》 = **despabiladeras.**

despavesadura *f.* despavesar·despabilar 하기.

despavesar *tr.* =**despabilar.**

despavonar *tr.* (철·강철의) 녹 방지제(pavón)를 제거하다.

despavoridamente *adv.* 기겁해서, 공포에 떨어.

despavorido, da *adj.* 공포에 질린(pavorido).

despavorir(se) *intr.(r.)* 공포(terror)에 떨다 (asustarse).

despeadura *f.* 발의 혹사, 발의 아픔.

despeamiento *m.* =**despeadura.**

despearse *r.* (너무 걸어서) 발이 아프다.

despechadamente *adv.* 원한·악의를 품고; 억울하게, 애석하게 생각하여.

despechar *tr.* ① 앙심을 품게 하다; 억울하게 생각하게 하다 : Me *despecha* el no alcanzarle 그를 따라잡을 수 없는 것이 나는 억울하다. ② 이유하다, 젖을 떼다(destetar). ③ 《*Chile.*》 =**despaldillar.**

~se 억울하게 생각하다.

despecho *m.* ① 원망. ② 분노, 비분. ③ 실망, 절망 : ~ amoroso 실연(失戀). ④ 《*Amér.*》 이유(離乳)(destete).

a ~ de …에도 불구하고(a pesar de, pese a); 유감스럽게도.

por (el) ~ 겁내지 않고.

despechugadura *f.* despechugar 하는 일.

despechugar *tr.* ⑧ (새의) 가슴 고기를 잘라내다 : ~ una gallina.

~se 가슴을 풀어 헤치다(descubrirse el pecho).

despectivamente *adv.* 경멸적으로.

despectivo, va *adj.* 경멸의, 경멸적인 : sufijo ~ 경멸의 접미어. Me habló en tono ~ 그는 나에게 경멸적 어조로 말했다. **—*m.*** 경멸어(despreciativo).

despedazador, ra *adj.m.f.* 난도질하는 (사람).

despedazamiento *m.* 난도질, 토막내기, 발기발기 찢기.

despedazar *tr.* ⑨ ① 토막내다, 발기발기 찢다, 난도질하다 : ~ el animal. ② 상처를 입히다 : ~ el alma·al honra.

despedida *f.* ① 추방; 해고, 해직. ② 이별, 결별, 작별, 환송 : reunión de ~ 송별회. Le dieron una comida de ~ 그를 위해 송별연이 열렸다. ③ (편지 등의) 맺는 말; (노래의) 결구(結句). ④ 물 빼는 구멍(desaguadero).

despedimiento *m.* =**despedida.**

despedir *tr.* ㊷ ① 집어 던지다, 던지다(arrojar, soltar, desprender) : ~ la lanza·una piedra 창·돌을 던지다. A consecuencia del choque uno de los pasajeros fue *despedido* 충돌의 결과로 승객 한 사람이 밖으로 튀어나갔다. ② (냄새를) 풍기다, (빛을) 뿜다, 발산하다(difundir, desprender) : ~ olor 냄새를 발산하다. La rosa *despide* perfume agradable 장미는 기분 좋은 향기를 풍긴다. ③ 쫓아 버리다, 뿌리쳐 버리다 : ~ las tropas mal pensamiento. ④ 내쫓다, 몰아내다, 해고하다(quitar a uno el empleo) : No pude menos de ~ al viejo 노인을 해고하지 않으면 안됐다. ⑤ 전송하다, 바래다 주다 : Me *despidió* en la puerta 현관까지 나를 전송하러 나와 주었다. Voy al aeropuerto para ~ a un amigo mío 나는 친구를 전송하러 공항에 간다.

~se [+de : …에게] 작별을 고하다, 이별하다 : Ahora *me despido de* usted 이제 당신에게 작별을 고합니다. Permítame que me *despida* 작별을 고합니다.

~se a la francesa 작별 인사도 없이 가버리다 (marcharse sin saludar a nadie) : ¡Qué desagradecido *~se a la francesa!* 작별 인사도 없이 가버리다니 배은 망덕하군.

despedrar *tr.* (땅의) 돌멩이를 없애다(limpiar de piedras la tierra); 깔았던 돌을 치우다.

despedregar *tr.* ⑧ (땅의) 돌멩이를 없애다.

despegable *adj.* 벗겨낼 수 있는.

despegadamente *adv.* 냉담하게, 무뚝뚝하게.

despegado, da *adj.* 벗겨진, 떨어진; 냉담한, 무뚝뚝한. **—*m.*** 【항공】 이륙, 이수(離水).

despegador, ra *adj.* 떼어내는, 뜯어내는, 벗겨내는.

despegadura *f.* 벗겨지는 일, 박리(剝離).

despegamiento *m.* 냉담, 무정(despego).

despegar *tr.* ⑧ ① 떼어내다, 뜯어내다(apartar, desir, desprender cosas pegadas) : ~ un sobre 봉투를 떼어내다. ② (입을) 열다 : ~ los labios 입을 떼다, 말하다. El no *ha despegado* los labios 잘 입을 떼지 않았다. ③ 《*Amér.*》 떼어놓다, 벗어놓다(desenganchar). **—*intr.*** (항공기가) 이륙·이수하다, 발진하다(alzarse del suelo). **Contr.** aterrizar.

~se ① 벗겨지다, 박리(剝離)하다, 떼어지다 : El sello *se despegó* con agua caliente 우표는 뜨거운 물로 떼어졌다. ② [+con : …에] 어울리지 않다, 맞지 않다. ③ [+de : …을] 단념하다. ④ 《*Neol.*》 (쫓아오는 적에게서) 벗어나다. ⑤ (항공기가) 이륙·이수하다, 발진하다 : El avión *se despegó* con solamente veinte personas 비행기는 단 20명을 태우고 이륙했다.

despego *m.* 냉담, 무관심, 열의가 없음 (desapego) : tratar con ~.

despegue *m.* (항공기·로켓 등의) 이륙, 이수, 발진.

despeinar *tr.* 땋은 머리카락을 헝클어뜨리다, 머리카락을 헝클다.

~se 머리카락을 풀다·헝클다.

despejadamente *adv.* 신속히, 재빨리; 느긋하게; 시원시원하게, 막힌 데 없이.

despejado, da *adj.* ① 막힌 데 없는; 시원시원한. ② 두뇌가 맑은, 두뇌가 명석한 : muchacho ~ 두뇌가 명석한 소년. ③ (막힌 데가 없이) 광활한, 넓은 : frente *~da* 미끈한 이마. ④ 맑게 개인, 구름 한 점 없는 : cielo ~ 맑게 개인 하늘.

despejar *tr.* ①[+de : …의] …을 비우다·치우다(desembarazar) : El viento *despejo de* nubes el cielo 바람이 하늘의 구름을 쓸어 버렸다. ② 분명하게 하다. ③ 미지수의 수치를 구하다.

~se ① 거북하지 않게 행동하다; 분명하게 하다 : *~se* la situación 사정이 분명해지다. ② 활짝 개다(aclararse, serenarse) : *Se ha despejado* el cielo 하늘이 활짝 개었다. *Se ha despejado* el tiempo 날씨가 활짝 개었다. ③ 즐기다, 기분 전환을 하다(divertirse). ④ (병으로 인한) 열이 가라앉다.

despejo *m.* ① 걷어 치움. ② 자유 분방 ; 기민. Contr. encogimiento, timidez. ③ 투우를 시작하기 전에 모래 사장에서 사람을 퇴장시키는 일. ④ 머리가 명석함(talento, inteligenia).

despelotado, da *adj.* 토실토실한, 안색이 좋은.

despelotar *tr.* (…의) 털을 헝클어 뜨리다 (desgreñar, enmarañar el pelo).
~se 토실토실 살이 찌다.

despelucar *tr.* 7 【방언】 《*Amér.*》 =**despeluzar.**

despeluciado, da *adj.* ① 털이 흐트러진 : un gato ~. ② (빗은 머리가) 헝클어진.

despeluchar *tr.* 【방언】 =**despeluzar.**

despeluzamiento *m.* 머리카락을 헝클어 놓는 일 ; 소름 끼치는 일.

despeluzar *tr.* 9 ① (…의) 털 · 머리카락을 흐트리다. ② 머리털을 곤두서게 하다(erizar). ③ 《*Cuba.*》 털을 뽑다. ④ 한푼 남김없이 빼앗다, 몽땅 빼앗다, 빈털터리로 만들다(pelar).
~se 머리카락 · 털이 헝클어지다 ; 머리털이 곤두서다.

despeluznante *adj.* 머리털이 곤두서는 듯한, 처참한.

despeluznar *tr.* =**despeluzar.**

despellejadura *f.* =**desolladura, desollón.**

despellejar *tr.* ① (동물의) 가죽을 벗기다 : ~ un conejo. ② 욕설을 퍼붓다, 악담을 하다.

despenador, ra *adj.m.f.* 달래는, 위로 · 위안하는 (사람).

despenar *tr.* ① 달래다, 위로하다, 위안하다 (consolar). ② 숨통을 끊어 놓다(rematar). ③ 고통을 덜어주다. ④ 《*Arg.*》 몹시 괴롭히다. ⑤ 《*Chile.*》 절망시키다.

despendedor, ra *adj.* 낭비벽이 심한. —*m.f.* 낭비가 심한 사람.
A padre ganador, hijo ~ 【속담】 부모가 벌면 자식이 쓴다.

despender *tr.* 낭비하다, 소비하다(malgastar, gastar).

despensa *f.* ① 저장 식료품. ② 식료품 저장소, 선반, 찬장. ③ 창고. ④ 식료품의 구입. ⑤ 식료 담당원.

despensería *f.* despensero의 일 · 사무소.

despensero, ra *m.f.* 식품 담당자 ; 식량 담당원.

despeñadamente *adv.* 허둥지둥.

despeñadero, ra *adj.* 가파른, 절벽의, 곤두박질하는, 앞뒤를 가리지 않고. —*m.* ① 절벽, 낭떠러지, 가파른 곳(precipicio). ② 위험(riesgo, peligro).

despeñadizo, za *adj.* ① 굴러 떨어지기 쉬운. ② 위험한. ③ 낙담을 잘하는.

despeñamiento *m.* =**despeño, caída.**

despeñar *tr.* 던지다(arrojar) ; 전락시키다 (precipitar).
~se ① 전락하다 ; 굴러 떨어지다 : ~*se* al río · *en* el mar · *por* una cuesta. ② 신세를 망치다.

despeño *m.* ① 전락(caída precipitada). ② 몰락, 도산(ruina) : el ~ de un negocio. ③ 설사 (diarrea).

despeo *m.* =**despeadura.**

despepitador, ra *adj.m.f.* (과실의) 씨를 빼는 (사람), 아우성치는 (사람).

despepitar *tr.* (과실의) 씨를 빼다.
~se ① 아우성치다 ; 물고 늘어지다 ; 따지고 덤비다. ② [+por : …에] 열중하다.

despercatarse *r.* 《*Ant.*》 =**despreocuparse.**

despercudido, da *adj.* 《*Chile.*》 ① 영리한, 명석한, 시원스러운. ② 살결이 하얀. ③ 선동된, 교사당한.

despercudir *tr.* ① 씻다, 닦다. ② 《*Amér.*》 (기분 등을) 북돋우다(avivar).
~se 《*Méx.*》 기부하다 : *Se despercudió con* $250 para la fiesta 그는 축제를 위해 250 뻬소를 기부했다.

desperdiciadamente *adv.* 낭비 · 허비 · 탕진으로.

desperdiciado, do *adj.* =**desperdiciador.** —*m.f.* 《*Ecuad.*》 망나니, 불량배.

desperdiciador, ra *adj.* 낭비하는, 허비하는, 탕진하는. —*m.f.* 탕진하는 사람, 낭비자.

desperdiciar *tr.* 11 ① 낭비하다, 허비하다, 탕진하다, 보람없이 쓰다(malbaratar, malgastar) : No se debe ~ la comida 음식을 낭비해서는 안된다. *D-* el tiempo es peor que el dinero 시간을 낭비하는 것은 돈을 낭비하는 것보다 더 나쁘다. ② 헛되이 하다, 이용하지 않다, 악용하다 (desaprovachar, perder).

desperdicio *m.* ① 낭비 ; 허비, 탕진 ; 보람없이 씀. ② 찌꺼기, 폐물 : ~*s* de algodón 허드레 솜. ~*s* de piel 가죽 조각. ~*s* y recortes 재단하고 남은 허드레 천 ; 스크랩.

desperdigamiento *m.* 살포 ; 분산.

desperdigar *tr.* 8 뿌리다, 살포하다, 분산시키다, 뿔뿔이 흐트러 놓다(esparcir).
~se 사방으로 흩어지다.

desperecer *intr.* 31 【고어】 죽다, 마르다(perecer) : Esta flor *desperece.*
~se 갈망하다, 열망하다.

desperezarse *r.* 9 기지개를 켜다(estirarse).

desperezo *m.* 기지개(를 켜는 일).

desperfeccionar *tr.* 《*Amér.*》 (무엇에) 상처를 내다, 흠이 가게 하다, 손상시키다, 흠이 간 것으로 만들다(deteriorar).

desperfecto *m.* ① 흠, 결점(falta, defecto). ② 가벼운 피해 · 파손 · 손상.

desperfilar *tr.* 윤곽을 부드럽게 하다 · 흐리게 하다 ; 의장하다.

desperfollar *tr.* 《*Murc.*》 옥수수의 이삭을 뜯다 (deshojar las panochas de maíz).

despernada *f.* (옛날 춤의) 발의 이동.

despernado, da *adj.* ① 발이 없는. ② 발이 피로한 · 지친.

despernancarse *r.* 《*Amér.*》 7 =**esparrancarse.**

despernar *tr.* 19 다리를 자르다, 발을 삐다 · 다치다.

despertador, ra *adj.* 잠에서 깨우는 : reloj ~ 자명종. —*m.f.* 잠을 깨우는 사람. —*m.* ① 자명종 : Ponga el ~ a las seis 자명종을 여섯 시에 놓으십시오. ② 자극, 신호(aviso).

despertamiento *m.* 눈을 뜸 ; 각성.
despertante *adj.* 깨우는, 눈뜨게 하는, 생각나게 하는, 자극하는.
despertar *tr.* ⑲ [*p.p.* despierto] ① 잠을 깨우다, 눈뜨게 하다 : El ruido le *despertó* 그는 소음으로 깨어났다. ¿A qué hora he de ~lo a usted mañana? 내일 몇 시에 당신을 깨울까요? ② 생각나게 하다 : La foto *despierta* mis antiguos recuerdos 그 사진을 보니 나의 옛 기억이 생각난다. ③ 자극하다, 돋우다 : ~ el apetito 식욕을 돋우다. ~ la emoción 감정을 돋우다. **—***intr.*, **~se** ① 눈을 뜨다 ; 깨어나다 : Quiero ~ a las cinco 다섯 시에 깨고 싶다. *Me desperté* a las seis y media esta mañana 나는 오늘 아침 여섯 시 삼십분에 깼다. *Me desperté* del sueño 꿈에서 깨어났다. ② 각성하다.
[직설법 현재 : despierto, despiertas, despierta, despertamos, despertáis, despiertan. 접속법 현재 : despierte, despiertes, despierte, despertemos, despertéis, despierten].
despesar *m.* [드뭄] =**disgusto, pesar.**
despescuezar *tr.* ⑨ 《*PRico.*》 목을 비틀다.
despestañar *tr.* (…의) 눈썹을 뽑다.
~se ① (무엇을 찾고자) 눈에 불을 켜다, 눈을 크게 뜨다. ② 《*Arg.*》 열심히 하다.
despestroncarse *r.* ⑨ 《*Cuba.*》 (질겁을 하고) 도망하다.
despezar *tr.* ⑲ ⑨ ① (못·쐐기 등을 박거나 꽂아 넣기 위해) 끝을 가늘게 하다(adelgazar) : ~ dos tubos para que enchufen. ② (벽돌 쌓는 공사를) 나누어 하다.
despezo *m.* (전기의) 콘센트를 꽂아 넣음 ; 벽돌의 맞추는 면.
despezonar *tr.* ① 돌출부(pezón)를 떼어 내다 : ~ un limón. ② 서로 떼어 놓다, 나누다 (dividir).
~se (수레의 굴대의) 끝이 부러지다 ; (수레바퀴가 벗겨지지 않게 하는) 장치가 부러지다.
despezuñarse *r.* ① 발굽이 갈라지다. ② 《*Amér.*》 서두르다, 서둘러·부지런히 걷다(ir muy de prisa). ③ 열중하다 ; 탐내다.
despiadadamente *adv.* 무자비하게(impío, inhumano, sin piedad).
despiadado, da *adj.* 믿음이 없는 ; 무자비한.
despicar *tr.* ⑦ 직성이 풀리게 하다(desquitar).
~se ① 보복하다 : *~se de* la ofensa. ② 《*Venez.*》 불행해지다. ③ (새가) 부리를 다치다.
despicarazar *tr.* 《*Extr.*》 새가 무화과를 쪼기 시작하다.
despichar *tr.* ① 건조시키다 ; 쥐어 짜다. ② 《*Amér.*》 짓누르다. **—***intr.* 죽다.
despid-, despidie- →**despedir** ㊷.
despidida *f.* 《*Ar.*》 =**salida, desaguadero.**
despidiente *m.* ~ *de agua* (벽 등의) 물매.
despidieron despedir의 직·부정과거·3·복수.
despidió despedir의 직·부정과거·3·단수.
despido[1] *m.* =**despedida.**
despido[2] despedir의 직·현·1·단수.
despiertamente *adv.* 민첩하게, 빈틈없이.
despierto despertar의 직·현·1·단수.
despierto, ta *adj.* [despertar 의 *p.p.*] ① 잠에서 깨어난. Contr. dormido. ② 재치있는, 민첩한, 영리한.
despiezar *tr.* ⑨ =**despezar.**
despiezo *m.* 벽돌 쌓기 분담 공사.
despilaramiento *m.* 《*Amér.*》 (광산의) 갱목 제거.
despilarar *tr.* 《*Amér.*》 (광산의) 갱목을 제거하다.
despilchado, da *adj.* 《*Arg.*》 벌거벗은.
despilfarradamente *adv.* 남루하게, 누덕누덕 ; 헛되게 ; 엉망으로.
despilfarrado, da *adj.* ① 남루한, 찢어진. ② 씀씀이가 헤픈 : mujer *~da.* ③ 《*Chile.*》 듬성듬성. **—***m.f.* 낭비자, 방탕자.
despilfarrador, ra *adj.* 낭비하는, 헤픈.
despilfarrar *tr.* 허비하다(disipar, malgastar, malbaratar).
~se 호세부리다.
despilfarro *m.* ① 낭비, 횡령, 호사 : El ~ es la ruina de las familias. ② 게으름. ③ 넝마.
despilonar *tr.* 《*Chile.*》 귀를 자르다.
despimpollar *tr.* (포도의) 쓸데없는 싹을 따다.
despinces *m.pl.* 티끌을 따내는 작은 가위, 핀셋 (despinzas).
despinochar *tr.* (옥수수의) 껍질을 벗기다.
despintar *tr.* ① (페인트칠 등을) 벗기다, 빛깔이 바래게 하다, 지우다 : La lluvia *despinta* el letrero 비가 간판의 글자를 지운다. ② 못쓰게 만들다. ③ 《*Col. Chile.*》 (눈길을) 피하다 : No me *despintó* la mirada 그는 내게서 눈길을 떼지 않았다. **—***intr.* ① [+ de : …의 이름을] 벗기다, 집안 망신을 시키다 : El chico no *despinta de* su casta 그는 가문에 부끄럽지 않은 아이다.
~se (빛깔·인상이) 지워지다, 바래다 : no *~se* a uno 누구의 기억에서 사라지는 일이 없다.
despinte *m.* 《*Chile.*》 기대에서 어긋난 발굴물·광석.
despinzadera *f.* (직물·모피의) 티끌을 떼내는 여직공 ; 티끌 떼내는 가위.
despinzado, da *adj.* despinzar의 *p.p.* **—***m.* (직물·모피의) 티끌을 자르기.
despinzador, ra *adj.m.f.* (직물·모피의) 티끌을 자르는 (사람).
despinzar *tr.* ⑨ (직물·모피의) 티끌을 자르다.
despinzas *f.pl.* 티끌을 떼내는 작은 가위, 핀셋.
despiojador, ra *adj.* (새와 다른 동물에게서) 이를 제거하기 위해 사용하는 (기구·기계).
despiojar *tr.* ① 이(piojo)를 잡아 주다. ② 구조하다.
~se ① 이를 잡다. ② 가난에서 벗어나다.
despioje *m.* 이잡기 ; 가난에서의 구조.
despique *m.* 앙갚음, 보복. Sinón. desquite.
despistado, da *adj.* 방심 상태의, 얼빠진, 건성의.
despistar *tr.* (추적자를) 떼어 버리다 ; 미궁에 빠지게 하다.
~se 종적을 감추다.
despiste *m.* 추적자를 따돌림.
despizcar *tr.* ⑦ 부수다, 빻다, 분쇄하다.
~se 부서지다 ; 속을 썩이다 ; 열중하다.

desplacer *tr.* ㉞ 불쾌하게 하다. —*m.* 불쾌, 불유쾌(disgusto).
desplaciente *adj.* 불쾌한.
desplanchar *tr.* 마구 구겨 놓다, 주름투성이로 만들다.
~se 구겨지다, 주름지다.
desplantación *f.* ① =**desarraigo.** ② 이식 ; 자세의 뒤틀림.
desplantador *m.* 이식용 흙손・삽.
desplantar *tr.* (이식하기 위해) 뽑다 ; 옮겨 심다 ; 기울이다.
~se 이지러지다, 비틀어지다, 기울다 ; (춤・검술에서) 자세가 허물어지다.
desplante *m.* ① 자세가 허물어짐. ② 폭언, 난폭.
desplatación *f.* ① =**desplate.** ② 은의 추출.
desplatado, da *adj.* 은을 캔 ; 무일푼의.
desplatar *tr.* (…에서) 은을 캐다・추출하다. 《*Col.*》 (누구의) 돈을 몽땅 털어 내다.
desplate *m.* 은의 분리.
desplatear *tr.* 《*Amér.*》 ① (은・은도금을) 벗기다. ② (누구의) 돈을 빼앗다(sacar dinero).
desplayado *m.* 《*Arg.*》 개펄 ; (삼림의) 빈터.
desplayar *intr.* 개펄이 되다, 조수가 빠지다.
desplaye *m.* 《*Chile.*》 썰물.
desplazamiento *m.* ① 배수(량), 톤 수(數) : tonelada de ~ 배수 톤. ② 이전(移轉).
desplazar *tr.* ⑨ ① 배수량이 … 톤이다 : Este buque *desplaza* 7000 toneladas. ② 넘겨 주게 하다. ③ 《*Galic.*》 이전시키다, 전임시키다 (trasladar) ; 이동하다.
~se 가다 ; 물러나다, 전임하다 ; 쫓겨나다.
desplegadura *m.* 전개.
desplegar *tr.* ⑲ ⑧ ① (접었던 것을) 펴다, 전개하다, 전개시키다 : ~ la bandera. ② (군대를) 소개하다 : ~ una tropa. ③ 밝히다 ; 해명하다. ④ 발휘하다 : ~ prudencia 신중하게 하다. ~ actividad 활발하게 하다.
~se 퍼지다 ; 전개되다 : La tropa *se desplegó* al salir a un terreno llano 군대는 평지에 나가면 산개(散開) 되었다.
despleguetear *tr.* (포도 등의) 불필요한 가지를 치다.
despliegue *m.* 넓히는 일, 펼치는 일 ; 전개 ; 산개 ; 해명.
desplomar *tr.* ① (수직에서) 빗나가다, 벗어나다. ② 《*Venez.*》 꾸짖다, 나무라다.
~se 기울다, 경사지다, 도괴하다, 허물어지다 ; 벽이 무너져 내리다.
desplome *m.* 경사 ; 도괴 ; 붕괴 ; 졸도 ; 나무람, 힐책.
desplomo *m.* ① (쓰러져 가는) 경사. ② 《*Venez.*》 힐책, 나무람.
desplumadura *f.* desplumar하는 일.
desplumar *tr.* ① (새의) 깃털을 뽑다 : ~ un pato. ② 가진 것을 모두 털다.
~se 깃털이 빠지다 ; 빈털터리가 되다.
desplume *m.* 깃털을 뽑는 일 ; (도박・내기 등에서) 무일푼으로 만드는 일.
despoblación *f.* 주민 이출(移出) ; 이촌(離村) ; 황폐한 마을・도시.
despoblado *m.* 인적이 없는 장소, 황폐한 장소, 폐허.
despoblador, ra *adj.* 황폐화하는.
despoblamiento *m.* 《*Ant.*》 =**despoblación.**
despoblar *tr.* ㉔ ① (어떤 장소에서 돋아나거나 살고 있는 것을) 없애다, 씨를 말리다, 전멸시키다, 폐허로 만들다, 황폐하게 하다, 인적을 없애다 : ~ un campo *de* árboles 들에 있는 나무를 모두 베어내다. La pobreza *ha despoblado* esta aldea 가난은 이 마을을 황폐시켰다. La guerra *despobló* la ciudad *de* gente 전쟁이 도시에서 사람의 모습을 하나도 볼 수 없게 했다. ②【광산】 법정 요원이 떠나버리다.
~se 황폐하다 ; 인적이 없다, 사람 그림자를 볼 수 없게 되다, 마을을 떠나 버리다 : El pueblo *se despobló* de gente.
despoetizar *tr.* ⑨ ① 황량하게 만들다. ② 시적인 운치를 없애다, 속되게 하다.
despojador, ra *adj.m.f.* 빼앗는 (사람).
despojar *tr.* [*lat.* despoliare] ① [+ de : …을] …에서 약탈하다, 빼앗다 : Le *despojaron del* mando 그의 지휘권을 박탈했다. ~ un árbol *de* su corteza 나무의 껍질을 벗기다. Le *han despojado* hasta *del* último céntimo 그는 마지막 1 센띠모까지 약탈을 당했다. Los ladrones me *despojaron de* todo dinero que llevaba 나는 가진 돈을 몽땅 도둑들에게 털렸다.
~se ① [+ de : …을] 벗다 : *Se despojó del* abrigo 그는 오버를 벗었다. ② 버리다, 팔아 넘기다 : *Me despojé de* mi fortuna 나는 재산을 팔아 넘겼다.
despojo *m.* 약탈, 탈취 ; 박탈 ; 탈취품, 전리품 : ~ de la muerte 생명. ~ del tiempo 미모(美貌). —*pl.* ① 찌꺼기, 나머지, 먹다 남은 것(~*s de* la mesa). ② 새・짐승의 버려진 머리・발・내장 등 잔해. ③ (집 등을) 부수고 남은 쓰레기. ④ 유해, 유물(restos) ; 빈광(석).
despolarización *f.* ①【전기】 복극제・소극제 작용. ②【광학】 편광・편극 소멸.
despolarizador *m.*【전기】 복극제, 소극제.
despolarizante *adj.* 복극・소극하는 ; 편광의 방향을 바꾸는.
despolarizar *tr.* ⑨【전기】 복극・소극하다 ; 편광 방향을 바꾸다.
despolvar *tr.* (…의) 먼지(polvo)를 털다(desempolvar).
despolvorear *tr.* ① (…의) 먼지를 털다, 털어내다. ② 《*Amér.*》 뿌리다, 바르다.
despolvoreo *m.* 먼지 떨기.
desponer *tr.*【고어】 =**deponer.**
~se (가금이) 알을 낳는 것을 중지하다.
despopularización *m.* 인기 폭락.
despopularizar *tr.* ⑨ 평판을 나쁘게 만들다, 인기를 떨어뜨리다.
~se 인기가 떨어지다.
desporrondingarse *r.* ⑧ ① 《*Amér.*》 거창한 체하다 ; 재산을 탕진하다. ② 《*Col.*》 한가로이 살아가다.
desportilladura *f.* (사기 그릇 따위의 가장자리에서 떨어진) 파편 ; 그것이 떨어진 자국.
desportillar *tr.* (기물의) 가장자리를 부수다.
desposado, da *adj.* [desposar의 *p.p.*] ① 신혼의 (recién casado). ② 결혼의. ③ 수갑을 찬. —*m.f.* 신혼자 ; 수갑을 찬 사람.
desposando, da *m.f.* ① 갓 결혼한 사람. ②

(결혼 직전의) 신랑·신부.
desposar *tr.* (사제가 누구의) 혼례를 주례하다.
~se [+con : …와] 약혼하다 ; 결혼하다.
desposeer *tr.* 78 [+de : …을] …에게서 빼앗다, 몰수하다(despojar).
~se [+de : …을] 팔아 버리다, 버리다(desapropiarse).
desposeimiento *m.* 박탈 ; 몰수하는 일.
desposesión *f.* 약탈.
desposorios *m.pl.* 약혼(esponsales) ; 결혼.
despostar *tr.* 《*Amér.*》 (새·짐승을) 토막내다.
desposte *m.* 《*Chile.*》 (새·짐승을) 토막냄.
despostillar *tr.* 《*Ecuad. Méx. Perú.*》 =**desportillar.**
déspota *m.* ① 폭군 ; 전제 군주, 압제자(tirano). ② (고대 그리스의) 가장(家長)(jefe de la familia).
despóticamente *adv.* 사납게, 포악하게.
despótico, da *adj.* 전제의 ; 압제적인, 독재적인, 폭정의.
despotiquez *f.* [드묾] =**despotismo.**
despotismo *m.* 전제주의·정치 ; 독재(주의) ; 횡포.
despotizar *tr.* 9 《*AmérM.*》 횡포 부리다, 학대하다, 압제하다(tiranizar).
despotricar(se) *intr.(r.)* 7 입에서 나오는 대로 지껄이다, 횡설수설하다.
despotrique *m.* 입에서 나오는 대로 지껄이기.
despreciable *adj.* 천박한, 비열한 : hombre ~.
despreciador, ra *adj.* 조롱·멸시·천대하는.
despreciar *tr.* 11 경멸하다, 천대하다 ; 멸시하다 : *Despreció* todos mis consejos 그는 나의 모든 충고를 무시했다.
~se [+de : …을] 스스로 부끄러워하다, 싫어하다 : *Se despreciaba* a los cobardes 비겁자들은 경멸을 받았다. *Se desprecia de* visitarla 그는 그녀를 방문하는 것을 부끄러워했다.
despreciativamente *adv.* 경멸적으로, 업신여겨.
despreciativo, va *adj.* 경멸적인, 업신여기는.
desprecio *m.* 경멸 ; 멸시 ; 조롱, 모욕.
despredicar *tr.* 7 《*Méx.*》 반대를 말하다·설득하다.
desprejuiciarse *r.* 《*Amér.*》 편견에서 벗어나다.
desprender *tr.* ① 풀다, 놓아주다, 발하다, 떼어 놓다(despedir) : La brasa *desprende* chispas. ② 《*Arg. PRico.*》 단추를·호크를 풀다·끄르다(desabotonar).
~se ① 떨어지다 ; 발하다, 나오다. ② 추측할 수 있다(deducirse) : el enojo que *se desprende de* sus palabras 그의 말투에서 풍겨나오는 분노. ③ [+de : …을] 남에게 넘겨주다 ; 버리다, 단념하다 : *Se desprendió de* su fortuna en favor de su hermano 그는 동생을 위해 그의 재산을 단념했다. ④ 《*Arg. PRico.*》 자기의 단추·호크를 풀다·끄르다 : *Se ha desprendido* un botón del saco 웃옷의 단추가 끌러졌다.
desprendido, da *adj.* ① 속박없는 ; 사욕(私欲)이 없는, 욕심이 없는, 인심이 좋은, 너그러운, 관대한(generoso). ② [+de : …이] 떨어진, 버린.
desprendimiento *m.* ① 유리(遊離) ; 흩어짐, 발산. ② 무관심. ③ 산재(散財). ④ 인심이 좋음, 관대함. ⑤ 【회화·조각】 십자가에서 내려놓은 그리스도.
despreocupación *f.* ① 허심 탄회, 마음이 옹졸하지 않음 ; 사리에 밝음. ② 《*Galic.*》 등한, 부주의. ③ 안심.
despreocupado, da *adj.* ① 선입관·편견이 없는. ② 마음에 걸리는 것이 없는. ③ 인습에 사로잡히지 않는, 독창적인.
despreocuparse *r.* 선입관을 버리다 ; 마음에 걸리는 일이 없어지다.
despresar *tr.* 《*Chile. Venez.*》(새를) 토막내다.
desprestigiador, ra *adj.* 명성·권위를 잃는.
desprestigiar *tr.* 11 인기를 떨어뜨리다, 권위를 떨어뜨리다.
~se 명성·권위를 잃다.
desprestigio *m.* 명성·권위의 상실.
despretinar *tr.* 《*Amér.*》 띠를 풀다.
desprevención *f.* 조심성·준비의 결여 ; 방심 ; 곤궁.
desprevenidamente *adv.* 준비없이, 방심하여(sin prevención).
desprevenido, da *adv.* 준비가 없는 ; 방심한.
desprivanza *f.* 신임을 잃음 ; 궁핍.
desprivar *tr.* 신임을 잃게 하다.
despropiar *tr.* 【고어】 《*Chile.*》 =**expropiar, despojar, desposeer.**
desproporción *f.* 불균형.
desproporcionadamente *adv.* 균형을 깨고.
desproporcionado, da *adj.* 어울리지 않는 ; 규격에서 벗어난 ; 균형을 잃은.
desproporcionar *tr.* 불균형을 이루다, 어울리지 않게 하다 ; 규격에 맞지 않게 하다.
despropositado, da *adj.* 목적 이외의.
despropósito *m.* 억지, 부당 ; 불온한 언행 ; 폭언.
desproveer *tr.* 78 (…에서 필요한 것을) 빼앗다 ; 공급을 중단하다.
desproveídamente *adv.* 깜빡 잊고 ; 무의식중에, 생각없이.
desprovisto, ta *adj.* [desproveer의 *p.p.*] ① [+de : …이] 없는, …을 갖지 않는 : un cuento ~ *de* ingenio 기지가 없는 평범한 이야기. ② 무자격의 ; 속수 무책의.
despueble *m.* =**despueblo.**
despueblo *m.* 인구 감소, 이촌(離村) ; 황폐.
despuente *m.* =**marceo.**
después *adv.* ① [시간·장소·순서 등에 쓰임] 그 후, 나중에, 다음에 ; 뒤에, 후에 : un día ~ 하루 뒤에. tres filas ~ 세 줄 뒤에. *Después* entré en un café 그리고 나서 나는 카페에 들어갔다. Nos darán un banquete, y ~ podremos dar un paseo 우리에게 연회를 베풀 것이고 그후 우리는 산책할 수 있을 것이다. ② [+de : …의] 후에·다음에·뒤에 : ~ *de* todo 결국, 아무튼, 여하간에. *Después de todo* resultó muy caro 결국 매우 비쌌다. *Después de* este parque hay una avenida ancha 이 공원 다음에 넓은 가로수길이 있다. ③ [+de+*inf.*] …한 다음(에)·뒤에·후에 : ~ *de* comer 식사 후에. ~ *de* descansar 휴식을 취한 후에. ~ *de* amanecer 날이 샌 다음. *Después de* cenar iremos al cine 저녁 식사 후 영화관에 갑시다. **Contr.** antes.

～ *(de) que* …하고서, …한 후에 : *D- (de) que* amanezca saldremos 날이 샌 다음 떠나자. *D- (de) que* supo la noticia, no volvió a escribirnos 그는 그 소식을 안 이후에는 우리에게 다시는 편지를 하지 않았다.

despulgar *tr.* 8 (…의) 벼룩(pulga)을 잡다.

despulmonarse *r.* =**desgañitarse.**

despulpado, da *adj.* despulpar의 *p.p.* —*m.* (과일의) 과육 벗기기.

despulpador, ra *adj.* (과일의) 과육을 벗기는 ; (커피콩의) 껍질을 벗기는. —*m.* 과육(果肉)을 으깨는 기구. ② (제지의) 펄프 제조기.

despulpar *tr.* ① (과일의) 과육을 갉아 내다. ② 《*AmérC. Méx.*》 (커피콩의) 껍질을 벗기다.

despulsamiento *m.* 맥박이 끊김 ; 안절부절을 못함.

despulsarse *r.* ① 맥박이 끊어지다. ② (…하고자) 서둘다, 안절부절못하다(desvivirse).

despumación *f.* 거품 일으키기.

despumar *tr.* =**espumar.**

despuntador *m.* 《*Méx.*》 쇄광 선별기 ; 쇄광용 망치.

despuntadura *f.* despuntar하는 일.

despuntar *tr.* ① (무엇의) 끝을 못쓰게 하다 · 부러뜨리다 · 꺾다. ② 《*Arg.*》 (어느 것의) 끝 부분을 자르다. ③ (동물이 식물의) 새순을 먹어 버리다 ; 만족시키다. —*intr.* ① 싹트다, 움트다. ② 징조가 엿보이다 : ～ *en* poesía · *por* la pintura 시에 대한 · 그림에 대한 재능이 엿보이다. No *despuntaba* de agudo 그에게서는 예리한 면을 찾아 볼 수 없었다. Ese alumno *despunta* mucho *en* poesía 그 학생은 시에 대한 재능이 많이 엿보인다. ③ 나타나기 시작하다. ④ 날이 새다 : ～ la aurora 날이 밝아 오다. Ya *despunta* el alba 벌써 날이 밝아 온다.
～se 끝이 빠지다, (끝이) 부러지다, 닳다, 꺾이다, 망가지다, 으스러지다.

despunte *m.* ① =**despuntadura.** ② 《*Amér.*》 땔나무, 장작.

desque *adv.* 【시어 · 방언】 바로, …하자마자.

desquebrajar *tr.* =**resquebrajar.**
～se 금이 가다.

desquejar *tr.* 꺾꽂이하다.

desqueje *m.* 꺾꽂이.

desquerer *tr.* 68 싫어하다(dejar de querer).

desquiciador, ra *adj.m.f.* desquiciar 하는 (사람).

desquiciamiento *m.* (마루턱 · 문지방이) 가라앉음 ; 붕괴.

desquiciar *tr.* 11 ① (마루턱 · 문지방에서) 떼어놓다 : ～ una ventana. ② 붕괴시키다 ; 안정 · 발판을 잃게 하다, 돌보지 않다 : ～ a un favorito.
～se ① 마루턱 · 문지방에서 벗어나다. ② 무너지다. ③ 발판을 잃다. ④ 정상에서 벗어나다.

desquicio *m.* 《*Arg.*》 =**desquiciamiento.**

desquijaramiento *m.* 턱을 빼내는 일 ; 턱이 빠짐.

desquijarar *tr.* (…의) 턱을 빼내다, 턱이 빠지게 하다.
～se 턱이 빠지다.

desquilatar *tr.* (…의) 금의 질을 떨어뜨리다 ; 질을 저하시키다 ; 가치를 떨어뜨리다.

desquitamiento *m.* =**desquite.**

desquitar *tr.* **～se** ① [+de : …을] 벌충 · 보충 · 보상하다 : *Me desquitaré de* los esfuerzos hechos 애쓴 노력의 대가로 나는 쉬겠다. ② 대가를 치루다. ③ 만회하다 : El juega otra partida para ～*se* 그는 만회하기 위해 또 시합을 한다.

desquite *m.* ① 벌충, 보충, 보상. ② 앙갚음, 보복.

desrabadillar *tr.* 《*Amér.*》 =**derrengar.**

desrabar *tr.* (새끼 양 등의) 꼬리를 자르다.

desrabotar *tr.* =**desrabar.**

desraizar *tr.* 8 《*AmérM.*》 뿌리째 뽑다 ; 뿌리를 자르다 ; 섬멸하다.

desramar *tr.* (나무의) 가지를 치다 · 자르다.

desrancharse *r.* ① (숙소에서) 퇴거하다, 비워 주다, 명도하다. ② 분산하다.

desraspado *adj.* 따내는 : trigo ～ 겉보리.

desraspar *tr.* =**descobajar.**

desrastrojar *tr.* 《*Arg.*》 그루터기를 뽑다.

desratización *f.* 쥐잡기.

desratizar *tr.* 9 쥐를 잡다.

desrayar *tr.* (밭에) 배수구를 만들다.

desrazonable *adj.* 부당한, 이치에 맞지 않는, 불합리한.

desregladamente *adv.* 혼란하게, 어수선하게 (desarregladamente).

desreglado, da *adj.* [desreglar의 *p.p.*] =**desarreglado.**

desreglar *tr.* 혼란시키다(desarreglar, descomponer, desordenar).

desreputación *f.* 불명예, 악평 ; 불신.

desrielar *intr.* 《*Amér.*》 =**descarrilar.**

desriñonar *tr.* =**derrengar** : quedar *desriñonado* de una paliza 녹초가 되도록 두들겨 맞다.

desriscar *tr.* 7 《*Chile.*》 굴러 떨어뜨리다.

desrizar *tr.* 9 ① (둘둘 만 것을) 펴다 : La lluvia *desriza* el pelo. ② (돛을) 펴다.

desroblar *tr.* (못 등의) 굽은 것을 펴다.

desrodrigar *tr.* 《*Arg.*》 버팀나무를 빼다 · 뽑다.

desroñar *tr.* 【방언】 (나무의) 허드렛가지를 치다 ; 도끼로 끝을 깎다.

destacadamente *adv.* 두드러지게.

destacamento *m.* 파견대, 지대.

destacar *tr.* 7 ① 파견 · 분파하다 : El capitán *destacó* algunos soldados para la escolta 대장은 호위를 위해 몇 명의 병사를 파견했다. ② 두드러지게 하다. —*intr.* 빼어나다, 돋보이게 하다, 현저하다.
～se 돋보이다, 두드러져 보이다, 빼어나다 : *Se destaca* por su estatura 그는 키로 돋보인다.

destace *m.* 토막내기.

destaconar *tr.* (신발의) 뒤축을 닳게 하다.

destachonar *tr.* 장식 챙(tachón)을 뽑다.

destajador, ra *adj.* 일의 조건을 정하는 ; 청부를 맡는. —*m.* (대장간용) 쇠망치.

destajar *tr.* ① 일의 조건을 정하다, 청부 맡다. ② (카드를) 떼다. ③ 《*AmérM. Méx.*》 토막내다 (cortar).

destajazar *tr.* 9 《*PRico.*》 =**destazar.**

destajero, ra *adj.* 청부로 일하는. —*m.f.* 청부인.

destajista *m.f.* 청부인(destajero).

destajo *m.* 도급(공사); 할당, 인수.
a ~ ① 도급으로. ② 부지런히, 쉬지 않고, 빠른 말로 : hablar *a* ~ 말을 너무 많이 하다(hablar demasiado). ③《*Chile.*》눈어림으로, 짐작으로, 어림짐작으로.
destalonar *tr.* ① (신발의) 뒤축을 닳게 하다. ② (수표장 등의 절취선에서 한 장 한 장) 떼내다. ③ (말의) 굽을 갈다.
~se 신발의 뒤축이 닳다.
destallar *tr.* (식물의 쓸데없는) 싹을 따다.
destantearse *r.* 《*Méx.*》 =**desorientarse.**
destanteo *m.* 《*Méx.*》 혼란, 당황.
destapada *f.* =**descubierta.**
destapadura *f.* 뚜껑·마개를 뽑는 것·따는 것.
destapar *tr.* ① (병·상자 등의) 마개·뚜껑·덮개를 따다·벗기다 : ¿Quiere ~ esta botella? 이 병의 마개를 따주시겠습니까? ②《*PRico.*》때리다. —*intr.* 《*Méx.*》 말을 타고 도망치다; 뺑소니치다 : correr·salir *destapado* 도망하기 시작하다.
~se ① 노출되다. ② [+con : …에게] 비밀·속마음을 털어놓다 : *Me destapé con* él 그에게 흉금을 털어놓았다.
destape *m.* destapar하는 일.
destapiado *m.* 담장·울타리의 무너진 자국.
destapiar *tr.* ⑪ (집의) 담·울타리를 철거하다.
destaponar *tr.* (병의) 마개를 뽑다(destapar).
destarar *tr.* (물건 살 때) 포장의 무게를 빼다.
destartalado, da *adj.* ① 난잡한. ② 뒤죽박죽이 된. ③ 악취미의.
destartalar *tr.* 《*Ant. Perú.*》 난잡하게 만들다(desbaratar).
destartalo *m.* 난잡, 무질서.
destazador *m.* 백정.
destazar *tr.* ⑨ (도살한 짐승을) 토막내다.
deste, ta *adj.* 【고어】 de este, de esta의 생략형.
destebrechador, ra *adj.* 【은어】 선언하는, 설명하는, 해석·해명하는.
destebrechar *tr.* 【은어】 =**declarar, explicar, interpretar.**
destechadura *f.* (건물의) 천정 제거.
destechar *tr.* (건물의) 천장을 없애다.
destejar *tr.* ① (지붕의) 기와를 벗겨 내다 : ~ una casa. ② 무방비 상태로 만들다.
destejer *tr.* ① (피륙·실로 뜬 것을) 풀다. ② 망가뜨리다(desbaratar).
~se 풀리다; 망가지다.
destellar *intr.* 번득이다, 반짝이다.
destello *m.* 섬광, 번득임.
destempladamente *adv.* 억제·자제하지 못하고; 절도(節度)없이.
destemplado, da *adj.* 조화되지 않은, 어울리지 않는; 불협화음의; 고르지 못한, 정리되지 않은, 무절제한 : un piano ~ 음률이 고르지 못한 피아노. pulso ~ 고르지 못한 맥박.
destemplanza *f.* 기후의 불순; 폭음 폭식; 방종, 무절도; 몸 컨디션이 나쁨; 불쾌; 난조(亂調); 미열(微熱).
destemplar *tr.* ① 혼란하게 하다. ② 컨디션이 나빠지게 하다. ③ (강철을) 무디게 만들다.
~se ① 컨디션이 나빠지다. ② 맥박이 불규칙하게 되다; 미열이 나다. ③ 강철이 무디어지다. ④ 방종하다, 절도를 잃다. ⑤《*AmérC. Méx.*》안타까운 생각이 들다.
destemple *m.* ① (기계에) 이상이 생김. ② (몸이) 나빠짐. ③ 방종, 무절제. ④ 변조, 흐트러짐. ⑤ 무디어짐.
destentar *tr.* ⑲ (마가 낀 것을) 쫓아버리다.
desteñir *tr.* ⑲ 퇴색시키다, 색을 바래다.
—*intr.*, **~se** 색이 변하다·바래다.
desternillarse *r.* 연골(軟骨)을 다치다.
~ *de risa* 포복 졸도하다, 데굴데굴 구르며 웃다, 배꼽을 쥐고 웃다.
desterradero *m.* 귀양지(destierro), 외떨어진 곳.
desterrado, da *adj.* [deterrar의 *p.p.*] 추방하는, 유배를 보내는.
desterrar *tr.* ⑲ ① 추방하다, 유배 보내다 : Napoleón *fue desterrado* a una isla 나폴레옹은 섬으로 추방됐다. ② 뿌리의 흙을 털다(quitar la tierra) : ~ una planta. ③ 털어내다, 멀리하다 : ~ la tristeza.
desterronamiento *m.* 정지(整地).
desterronar *tr.* (밭의) 흙덩어리를 부수다, 정지(整地)하다 : ~ un campo.
destetadera *f.* 젖떼기 위해 젖꼭지에 부착하는 것.
destetar *tr.* 젖을 떼다.
~se ① 젖을 떼다. ② 독립하다. ③ [+con : …에] 어려서부터 익숙하다.
destete *m.* 이유(離乳), 젖을 뗌.
desteto *m.* 젖을 뗀 가축떼; 그 우리.
destiempo (a) *adv.* 철아닌 때에.
destiento *m.* 흠칫 놀람, 질겁.
destierre *m.* (광물의) 겉더께를 떼냄.
destierro *m.* 추방; 유형; 유랑; 유배지 : Vivió en el ~ hasta su muerte 그는 죽을 때까지 유배지에서 지냈다.
destilable *adj.* 증류·여과할 수 있는.
destilación *f.* [*lat.* distillatio] 증류; 여과; 물방울.
destiladera *f.* ① 증류기; 여과기. ② 교묘한 수단. ③《*Méx.*》병을 넣는 그릇.
destilador, ra *adj.* 증류하는; 증류용의. —*m.f.* 증류자. —*m.* 여과기, 증류기, 물을 받치는 그릇; 증류물.
destilar *tr.* [*lat.* distillare] ① 증류하다 : agua *destilada* 증류수. *Destilando* el vino se obtiene el aguardiente 포도주를 증류하면 소주가 얻어진다. ② 받치다, 여과하다; 방울방울 떨어지게 하다, 새어 나오게 하다, 스며들게 하다. —*intr.* 방울방울 떨어지다, 새어 나오다.
destilatorio, ria *adj.* 증류용의; 여과용의; 양조의. —*m.* 증류소; 여과기.
destilería *f.* ① 증류소. ② 정류소 : ~ de petróleo. ③ 양조장.
destín *m.* 유언장.
destinación *f.* 예정, 지정; 사명; 임명; 목적지, 임지.
destinar *tr.* [*lat.* destinâre] ① [+a : …의 목적·용도로] 충당하다, 어디로 돌리다, 예정해 두다 : ~ los ahorros *a* costear una carrera 저금을 학자금으로 충당하다. ② 하게 하다. ③ 부임시키다 : Le *destinaron* a una sucursal de esta ciudad 그는 이 도시의 어떤 지점에 부임했다.

④ 운명 짓다(designar) : ~ a su hijo *a* médico 아들을 의사로 만들 작정이다.
destinatario, ria *m.f.* 수취인 : el ~ de una carta 편지의 수취인.
destino *m.* ① 운명(hado, suerte) : Su ~ fue trágico 그의 운명은 비극적이었다. ② 일의 경과 : ~ favorable 일이 잘 됨. ③ 부임지, (편지) 받을 곳, 보내는 곳, 목적지 : Su próximo ~ es México, ¿verdad? 당신의 다음 목적지는 멕시코지요? ④ 도착지 : estación de ~ 도착역. puerto de ~ 도착항. con ~ a …로 향하여. Ese barco sale *con* ~ *a* Buenos Aires 그 배는 부에노스·아이레스를 목적항으로 출발한다. ⑤ 근무처, 직장(empleo, colocación) : cazador de ~*s* 구직자. obtener un ~ en Correos 우체국에 직장을 얻다.
destiñar *tr.* 벌집에서 꿀집을 떼내다.
destiño *m.* 빈 꿀집. **Sinón.** macón.
destiranizado, da *adj.* 압제에서 벗어난, 해방된.
destitución *f.* [*lat.* destitutio] 파면, 해고, 면직.
destituible *adj.* 파면·면직·해고시킬 수 있는·해야 할.
destuidor, ra *adj.m.f.* 파면·해고시키는 (사람).
destituir *tr.* 77 ① 파면·면직·해고시키다. ② [+de : …을] (…에게서) 빼앗다.
destitulado, da *adj.* 직함·자격이 있는.
des.to ; dest.o descuento 할인.
destocar *tr.* 7 화장을 지우다 ; 머리를 풀다·헝클어뜨리다.
~se 머리가 풀어지다·헝클어지다, 모자·머리에 썼던 것을 벗다.
destoconar *tr.* 《*Venez.*》 소의 뿔을 자르다.
destorcedura *f.* 꼬인 것을 푸는 일.
destorcer *tr.* 25 1 ① 뒤틀린·꼬인 것을 풀다 : ~ una cuerda. ② 시정하다.
~se 꼬인 것이 풀리다 ; (배가) 진로를 잘못 들다, 잃다.
destorgar *tr.* 8 가지를 치다.
destorlongado, da *adj.* 《*Méx.*》 ① 무질서한, 함부로 하는, 자포 자기의. ② 멍청한, 우둔한.
destorlongo *m.* 《*Méx.*》 누더기 ; 엉터리 ; 낭비, 허비(despilfarro).
destormar *tr.* 《*Ar. Extr.*》 =**desterronar.**
destornillado, da *adj.* 무분별한 ; 경솔한. —*m.f.* 경솔한 사람.
destornillador *m.* 나사 돌리개, 드라이버.
destornillamiento *m.* 나사를 뽑는 일.
destornillar *tr.* 나사를 뽑다.
~se ① 경솔한 몸가짐을 하다. ② 배꼽을 쥐고 웃다 : ~*se* de risa 배꼽을 쥐고 웃다.
destornudar *intr.* 《*Amér.*》 =**estornudar.**
destorrentado, da *adj.* 《*Amér. Méx.*》 엉터리의, 당치도 않는.
destorrentar *tr.*=**ahuyentar.** *adj.*
~se 《*AmérC. Méx.*》 ① 방향을 잃다, 갈피를 못 잡다. ② 못된 길로 빠지다 ; 경솔하게 굴다 ; 난감해 하다.
destoserse *r.* (신호·반대 등을 표시하기 위하여) 헛기침을 하다.
destrabar *tr.* 풀다, 풀어 주다 ; 놓아 주다.
~se 풀리다, 해방되다 ; 면하다.
destrabazón *m.* 석방 ; 해방.
destraillar *tr.* (매어진 개를) 풀어 놓다.
destral *m.* 작은 도끼, 자귀.
destraleja *f.* 작은 도끼.
destralero, ra *m.f.* 도끼 제작자·판매자.
destramar *tr.* (피륙의) 씨실(trama)을 뽑다.
destrancar *tr.* 7 ① =**destrancar.** ② 《*Chile.*》 방귀를 뀌다, 대변을 보다.
destratar *tr.* 《*AmérM.*》 손을 떼다, 절교하다.
destrate *m.* 《*Col. Venez.*》 =**destrueque.**
destre *m.* (Mallorca에서 사용하는) 길이의 단위 《4.21미터》.
destrejar *intr.* 교묘하게 (일을) 하다.
destrenzar *tr.* 9 (땋았던 머리를) 풀다 : ~ el pelo a una niña.
destrero *m.* 《*Ant.*》 (전쟁용) 말.
destreza *f.* 훌륭한 솜씨, 재주, 재간 : obrar con ~.
destrincar *tr.* 7 (묶었던 것을) 풀다.
destripacuentos *m.f.* 【단·복수 동형】 말 참견하는 사람, 남의 이야기를 앞질러 말하는 사람.
destripador *m.* destripar하는 사람.
destripamiento *m.* destripar하는 일.
destripar *tr.* ① (동물·물건의) 내장을 꺼내다. ② 짓누르다 : La rueda le *destripó* un pie 차바퀴가 그의 한 쪽 발을 짓눌렀다. ③ (남의 말을) 앞질러 말하다. —*intr.* 신앙·공부를 포기·중지하다.
destripaterrones *m.* 【단·복수 동형】 머슴 ; 막 노동자, 막일꾼.
destrísimo, ma *adj.* [*sup.* diestro] 아주 익숙한, 솜씨있는.
destriunfar *tr.* (카드 놀이에서) 마지막 장까지 내놓게 해서 이기다.
destrizar *tr.* 9 부수다 ; 동강내다, 갈기갈기 찢다(trizar).
~se 분개하다, 노하다, 성내다.
destrocar *tr.* 24 교환을 취소하다 ; 되찾다.
destrompar *tr.* 코를 부수다.
destrón *m.* 장님의 길잡이(lazarillo de ciego).
destronamiento *m.* 폐위, 왕권 박탈.
destronar *tr.* 폐위하다, 왕권을 박탈하다, 왕위에서 쫓아내다 ; 권좌를 잃게 하다.
destroncado, da *adj.* =**molido, cansado.**
destroncadora *f.* 나무 그루터기 뽑는 기계.
destroncamiento *m.* 줄기 자르기, 움쭉달싹 못하게.
destroncar *tr.* 7 ① 줄기를 자르다, 몸통을 가로지르다. ② 움쭉달싹 못하게 하다. ③ 방해하다, 막다. ④ 파산시키다. ⑤ (동물을) 지치게 만들다. ⑥ 《*Amér.*》 들통내다.
~se 주저앉다 : *Nos hemos destroncado* trabajando.
destronque *m.* 《*Chile. Méx.*》 뿌리째 뽑음, 발본 색원.
destróyer *m.* 《*Angl.*》 [*pl.* destróyers] 구축함 (cazatorpedero).
destrozador, ra *adj. m.f.* destrozar 하는 (사람).
destrozar *tr.* ① 조각 내다, 토막 내다. ② 괴멸시키다, 분쇄하다, 격멸하다, 격파하다 (derrotar) : ~ al enemigo.

destrozo *m.* ① 괴멸 ; 토막냄 ; 토막난 것 중의 한 토막 : La tormenta causó grandes ~*s* en el parque. ② 패배 ; 파괴, 격파.
destrozón, na *adj.* 파손하는, 파괴하는, 부수는 : un niño muy ~. —*m.f.* 파손자.
destrucción *f.* [*lat.* destructio] 파괴, 멸망, 괴멸 ; ② 황폐, 폐허(ruina).
destructibilidad *f.* 부술 수 있음.
destructible *adj.* 부술 수 있는(destruible).
destructivamente *adv.* 괴멸적으로, 파괴적으로.
destructividad *f.* 파괴성 ; 파괴력.
destructivo, va *adj.* 부수는, 파괴의, 괴멸적인.
destructor, ra *adj.* 파괴하는, 분쇄하는, 부수는. —*m.f.* 파괴자. —*m.* 구축함.
destructorio, ria *adj.* =**destructivo.**
destrueco *m.* =**destrueque.**
destrueque *m.* 교환의 취소.
destruible *adj.* 부서지는, 부서지기 쉬운.
destruición *f.* =**destrucción.**
destruidor, ra *adj.* =**destructor.**
destruir *tr.* 77 [*lat.* destruere] 부수다, 멸망시키다, 파괴하다, 깨뜨리다, 격파하다, 패배시키다 : el bombardeo norteamericano *destruyó* toda la ciudad en treinta minutos 미국의 폭격은 전 시가지를 30분 만에 파괴했다.
~se ① 부서지다. ②【수학】(두 가지 수가) 상계되다.
[직설법 현재 : destruyo, destruyes, destruye, destruimos, destruís, destruyen. 접속법 현재 : destruya, destruyas, destruya, destruyamos, destruyáis, destruyan. 직설법 부정 과거 : destruí, destruiste, destruyó, destruimos, destruisteis, destruyeron. 현재 분사 : destruyendo].
destruyente *adj.* 부수는, 파괴적인.
destuerz- → **destorcer** 25 1.
desturtuzar *tr.* 9《*Chile.*》(…의) 목을 비틀다, 목을 자르다(descogotar).
destusar *m.f.* ①《*AmérC. Col.*》(옥수수의) 껍질을 벗기다. ②《*Cuba.*》(말의) 갈기를 잘라주다. ③《*Guat.*》훔치다 ; 욕하다, 비방하다, 헐뜯다.
destutanarse *r.*《*Col. Chile.*》애태우다, 고심하다.
desubstanciar *tr.* 11 (…의) 본질을 잃게 하다 ; 변질시키다(desustanciar).
desucación *f.* 즙액 제거.
desucar *tr.* 7 즙액을 없애다(desjugar).
desudación *f.* 땀을 딲음.
desudar *tr.* 땀을 닦아주다.
~se 땀을 닦다.
desuellacaras *m.f.*【단·복수 동형】① 서툰 이발사. ② 철면피한 사람, 파렴치한.
desuello *m.* ① 껍질 벗기는 일. ② 철면피, 파렴치. ③ 이상 고가(異狀高價).
ser un ~ 엄청나게 값이 비싸다.
desuerar *tr.* (…의) 장수액(漿水液)·유장을 없애다.
desuetud *f.*《*Galic.*》=**desuso.**
desulfuración *f.*【화학】탈유(脫硫).
desulfurar *tr.*【화학】탈유하다, 유황분을 제거·분리하다.
desuncir *tr.* 2 멍에에서 풀어놓다.
desunidamente *adv.* 뿔뿔이, 제멋대로, 동일 없이.
desunicar *tr.* 8《*Chile. Guat.*》=**desunir.**
desunión *f.* 분열 ; 불화, 불일치. **Contr.** unión. concordia.
desunir *tr.* ① 분리하다, 격리시키다 ; 분열시키다 : La idea de libertad *desunió* toda la nación 자유 사상은 전국을 분열시켰다. ② 화목을 깨다, 불화하게 하다 : La política *desunió* a las dos familias 정치가 양가(兩家)를 불화하게 했다.
~se 뿔뿔이 흩어지다, 제멋대로 행동하다 ; 부부 사이가 갈라지다.
desuñar *tr.* (…에서) 손톱·발톱을 뽑다 ; (나무의) 뿌리를 없애다.
~se 작은 일에 열을 내다 ; 도둑질에 열을 내다. **Sinón.** deshacerse. desvivirse.
desuñir *tr.* 52【방언】《*Amér.*》=**desuncir.**
desurcar *tr.* 7 (밭·논의) 이랑·도랑을 없애다·메꾸다.
desurdir *tr.* ① (피륙의) 날실을 뽑다. ② (책략 등을) 뒤엎어 버리다(desbaratar). **Sinón.** urdir. tramar.
desurtido, da *adj.*《*Amér.*》손에 가진 것이 없는, 재고가 떨어진, 절품된.
desurtir *tr.*《*Perú. PRico.*》공급을 끊다.
desusadamente *adv.* 못쓰게 되어 ; 드물게.
desusado, da *adj.* 못쓰게 된, 무용지물의.
desusar *tr.* =**desacostumbrar.**
~se 무용지물이 되다, 못쓰게 되다 : ~ tal vocablo.
desuso *m.* 사용치 않음.
caer en ~ 못쓰게 되다 : Esta palabra va *cayendo en* ~ 이 말은 사용되지 않고 있다.
desustanciar *tr.* 11 (…의) 본질을 잃게 하다, 변질시키다(desubstanciar).
desvahar *tr.* (초목의) 마른 잎·가지를 쳐내다.
desvaído, da *adj.* ① 키만 큰 : mujer ~*da*. ② 색이 바랜.
desvainadura *f.* 꼬투리 까기 ; (칼을) 칼집에서 빼는 일.
desvainar *tr.* 꼬투리에서 빠져 나오다, 꼬투리를 까다 ; (칼집에서) 칼을 빼다.
desválido, da *adj.* 의지할 데 없는 (desamparado). —*m.f.* 의지할 곳 없는 사람.
desvalijado, da *adj.* 도난당한, 도둑맞은.
desvalijador, ra *m.f.* 도둑.
desvalijamiento *m.* 도둑질 ; 노략질 ; 우려 냄.
desvalijar *tr.* ① 도둑질하다 ; 노략질하다 : ~ los cepillos de la iglesia 사원에서 헌금함의 돈을 훔치다. ② 빼앗다, 우려내다.
desvalijo *m.* =**desvalijamiento.**
desvalimiento *m.* 무의탁(desamparo).
desvalorar *tr.* =**desacreditar.**
desvalorización *f.* 가치·평가 절하 ; 하락.
desvalorizar *tr.* 9 ① 가치를 저하시키다 (disminuir el valor). ② 인격을 깎아내리다.
desván *m.* 더그매, 다락방.
desvanecer *tr.* 31 ① 지우다, 소멸시키다 : ~ un color. ② (혐의 등을) 풀다 : ~ las sospechas. ③ 으시대게 두다, 우쭐하게 만들다 (envanecer).

~**se** ① 맥이 빠지다, 김이 빠지다, 시시해지다. ② 없어지다, 소멸하다 : *Se desvaneció* la bruma con el viento 바람으로 안개가 없어졌다. ③ 갈수록 교만해지다. ④ 정신이 아찔해지다, 실신하다 : Al oir la noticia de la muerte de su esposo *se desvaneció* 남편의 사망 소식을 듣고 그녀는 실신했다.

desvanecidamente *adv.* 교만하게, 우쭐해서.

desvanecido, da *adj.* ① 사라진. ② 맥이 빠진. ③ 교만한, 우쭐대는(orgulloso).

desvanecimiento *m.* ① 소실, 소멸. ② 으시댐, 교만, 우쭐거림. **Contr.** humildad, modestia. ③ 현기증, 실신, 기절. **Sinón.** síncope.

desvaneo *m.* 《*Chile. PRico.*》 =**devaneo.**

desvaporizadero *m.* 숨을 돌림 ; 공기 구멍.

desvarar *tr.* 미끄러지게 하다, 이초(離礁)시키다.

—*intr.*, ~**se** 미끄러지다, 이초하다.

desvaretar *tr.* 《*And.*》 (나무의) 허드렛가지를 제거하다.

desvariadamente *adv.* 난폭하게, 질서없이, 두서없이, 마구.

desvariado, da *adj.* ① 헛소리 하는 : enfermo ~. ② 두서없는, 질서없는 : ramas ~*das* 곁가지.

desvariar *intr.* ⑫ 헛소리·잠꼬대를 하다(delirar).

desvario *m.* ① =**delirio, locura.** ② 변덕 (capricho).

desvasar *tr.* 《*Arg.*》 (말 등의) 발굽을 고르게 하다.

desvastador *m.* 《*Guat.*》 공병(工兵)(gastador).

desvastar *tr.* 【속어】 =**devastar.**

desvatigar *tr.* ⑧ 가지를 치다, 전정하다.

desvedar *tr.* ① 해금하다(quitar la prohibición). ② 허가하다(permitir).

desveladamente *adv.* 밤을 새워가며 ; 열심히.

desvelamiento *m.* =**desvelo.**

desvelar *tr.* ① 잠을 못 자게 하다, 밤을 새우다, 철야시키다 : El té fino me *desvela* mucho 순수한 차는 나를 잠 못 이루게 한다. Me *desvelan* los cuidados 여러 가지 걱정으로 나는 잠이 오지 않는다. ② 《*Galic.*》 나타내다, 분명히 하다, 밝히다.

~**se** ① 철야하다, 밤샘하다 : La madre se *desveló* por su hijo enfermo 어머니는 아픈 아들 때문에 밤샘을 했다. ② 세심한 주의를 하다. ③ [+por : …때문에] 애태우다 : ~*se por* su familia.

desvelo *m.* 불면 불휴 ; 애태움, 고생.

desvenar *tr.* ① (나뭇잎·고기의) 줄기·힘줄을 떼내다 : ~ el tabaco. ② 광맥을 채굴하다.

desvencijar *tr.* 느슨하게 하다, 헐겁게 하다.

~**se** 헐거워지다 : ~ una silla.

desvendar *tr.* 붕대를 풀다(quitar la venda) : ~ los ojos.

desventaja *f.* ① 불리, 불이익 ; 불리한 사정·입장·조건, 핸디캡. ② 손해, 손실, 불명예 : llevar ~ en un concurso.

desventajosamente *adv.* 손해를 보며, 불리한 입장에서, 불리하게.

desventajoso, sa *adj.* 불리한, 손해되는 ; 형편상 나쁜, 불편한 : negocio ~. **Contr.** ventajoso.

desventar *tr.* (폐쇄된 장소에서) 공기를 빼다.

desventura *f.* 불운(desgracia) ; 불행.

desventuradamente *adv.* 불운하게, 재수없이.

desventurado, da *adj.* ① 불운한. ② 불행한(infeliz). ③ 위세가 꺾인. ④ 가련한(miserable).

desvergonzadamente *adv.* 염치없이, 뻔뻔스럽게, 체면 불구하고.

desvergonzado, da *adj.* 염치없는 ; 뻔뻔스러운, 낯가죽이 두꺼운, 철면피의, 파렴치한.

—*m.f.* 파렴치한 사람, 낯가죽이 두꺼운 사람.

desvergonzarse *r.* ㉘ ⑧ 염치없는 짓을 하다, 파렴치하게 굴다, 뻔뻔스럽게 굴다 : ~ *con* su amo.

desvergüenza *f.* 파렴치, 철면피.

desvestir *tr.* ㊸ (…의) 옷을 벗기다(desnudar).

desvezar *tr.* =**desavezar, desacostumbrar.**

desviación *f.* ① (정상에서) 벗어남, 한 쪽으로 치우침, 일탈(逸脫) ; 빗나가게 하는 일, 받아 넘김 ; 전향 ; 굴절. ② 【전기】 편차 ; 편류. ③ 【의학】 선외삼윤(腺外滲潤). ④ 【철도】 전철, 분로(分路).

desviador, ra *adj.* 방향을 돌리게 하는 ; 빗나가게 하는, 한 쪽으로 치우치게 하는.

desviar *tr.* ⑫ ① 빗나가게 하다 : ~ a uno del camino recto. ② 단념시키다, 전향시키다. ③ (칼을) 슬쩍 받아 넘기다.

~**se** ① (진로에서) 벗어나다, 빗나가다 : Usted no debe ~*se* del tema 화제에서 빗나가서는 안된다. El avión *se ha desviado* de su ruta 비행기가 루트에서 벗어났다. Los rayos de luz refractados *se desvían* de la línea recta 굴절 광선은 직선에서 빗나간다. ② (방향·진로를) 변경하다, 단념하다.

desviejar *tr.* (산양 등의 가축 무리에서) 늙은 짐승을 분리·격리하다.

desvigorizar *tr.* ⑨ 체력을 약하게 하다, 정력을 감퇴시키다, 원기를 상실하다.

desvincular *tr.* 《*Amér.*》 =**amortizar.**

desvío *m.* ① 한 쪽으로 치우침 ; 빗나감, 빗김. ② 전향. ③ 냉담 : tratar *con* ~. ④ 샛길. ⑤ (철도의) 분기선. ⑥ 《*Amér.*》 대피선(待避線).

desvirar *tr.* (구두의) 코를 닦다 ; (책의) 횡단면을 자르다 ; 감았던 밧줄을 늦추다.

desvirgar *tr.* ⑧ (…의) 처녀성·순결을 빼앗다.

desvirtuar *tr.* ⑮ (…의) 효력·본질을 상실하다 ; (떠도는 소문을) 일축하다.

~**se** 맥이 빠지다 : Los licores *se desvirtúan* al aire.

desvitalizar *tr.* ⑨ 생명력·원기·활력을 빼앗다.

~**se** 생명력·활력·원기를 잃다.

desvitaminizar *tr.* 비타민을 빼다.

desvitrificación *f.* desvitrificar하는 일.

desvitrificar *tr.* ⑦ (유리에 가열하여) 부옇게 만들다.

desvivirse *r.* 열심히 하다, 열중·열광하다 : Mi amigo *se desvive por* complacerme.

desvolcanarse *r.* 《*Col.*》 쓰러지다, 무너지다 (derrumbarse).

desvolvedor *m.* 나사 돌리개, 스패너.

desvolver *tr.* 25 ① (나사를) 풀다. ② 변형·변모시키다, 바꾸다(alterar, cambiar). ③ 밭을 갈다.

desvuelto, ta *adj.* desvolver의 *p.p.*

desyemar *tr.* (식물의) 싹·봉오리를 듬성듬성 따내다.

desyerba *f.* 제초(escarda).

desyerbador, ra *adj.m.f.* 제초하는 (사람).

desyerbar *tr.* 제초하다(desherbar).

desyerbo *m.* 《*Amér.*》 =**desyerba.**

desyugar *tr.* 멍에(yugo)에서 풀어놓다 (desuncir).

deszogar *tr.* 7 ① (누구의) 손·발을 삐다. ② (기둥의) 받침을 없애다.

deszulacar *tr.* 역청을 빼다.

deszumar *tr.* (과일 등의) 즙을 짜다.

detal *m.* =**detall.**

detall *m.* 《*Galic.*》 ① 소매(venta al pormenor) : al ~ 소매로. ② 세목 : en ~ 상세히, 세목에 걸쳐.

detalladamente *adv.* 자상하게, 상세히.

detallar *tr.* ① 상술하다, 자상하게 말하다·기재하다. ② 세목으로 나열하다. ③ 소매하다.

detalle *m.* ① 상세, 세목, 세부 명세서. ② 《*Amér.*》 소매 : vender al ~ 소매하다. ③ 《*Guat.*》 사랑의 획득.

detallismo *m.* 밀화가(detallista) 학원·학교.

detallista *m.f.* 밀화가(密畫家) ; 세목 작성자 ; 소매 상인(minorista).

detalloso, sa *adj.* 《*Amér.*》 야한, 칙칙한.

detasa *f.* 철도 승차권의 환불.

detección *f.* 탐지 ; 검출 ; 발견.

detectar *tr.* 발견하다 ; 간파하다 ; 탐지하다.

detectiva *f.* 휴대용 카메라.

detective *m.* 《*Angl.*》 탐정 ; 사복 형사, 비밀 경찰관.

detectivesco, ca *adj.* 탐정·형사의·같은. —*f.* [추상] 탐정 소설.

detector *m.* ①【무전】검파기 ; 검전기 ; 탐지기 : ~ de mentiras 거짓말 탐지기. ② (보일러) 수량계. ③【화학】검출기.

detención *f.* ① 정지. ② 구류, 유치 : Sufrió dos semanas de ~ 그는 2주일의 구류를 받았다. ③ 가까이에 붙들어 매두는 일. ④ 지체(tardanza) : con ~ 천천히. sin ~ 지체없이, 신속히. Venga sin ~ 지체없이 오십시오. ⑤ 유의, 열심.

detenedor, ra *adj.m.f.* 지체하는, 정지하는 (사람).

detener *tr.* 59 [*lat.* detinere] ① 말리다, 그만두다, 억제하다 : Este medicamento es eficaz para ~ los progresos de la enfermedad 이 약은 병의 진행을 억제하기 위해 효력이 있다. ② 구류·체포하다(arrestar) : *Detuvieron* al protagonista de los ladrones 도둑의 주범이 체포되었다. ③ 소지하다. ④ 구치·보류해 두다 : *Deténgal*e un momento 그를 잠시 구류해 두세요.
~se ① 멈추다(pararse) : *~se* en·con los obstáculos 방해물에 걸려 멈추다. Un auto *se detuvo* delante de mi casa 자동차 한 대가 집 앞에 멈췄다. ② 시간이 걸리다 ; 숙고하다 ; 어물어물 …하다, 머물다, 체재하다 : *~se* a revisar las cuentas.

deteng- → **detener** 59.

detenga detener의 접·현·1·3·단수.

detengo detener의 직·현·1·단수.

detenidamente *adv.* 천천히, 차근차근, 신중하게, 정성들여 : estudiar un negocio ~.

detenido, da *adj.* 우유부단한 ; 소심한, 초라한(miserable) ; 체포·유치된. Contr. resuelto. —*m.f.* 피구류자.

detenimiento *m.* ① 정체(停滯), 지체. ② 망설이는 일. ③ 유의.

detentación *f.* 횡령.

detentador, ra *m.f.* 횡령자, 가로챈 사람 : el ~ de una herencia.

detentar *tr.* [*lat.* detentare] ① 횡령하다. ②【속어】(어떤 지위를) 차지하다 ; 점하다. ③ (어떤 임무를) 맡다(desempeñar).

detente *m.* 제지, 긴장의 완화.

detentor, ra *m.f.* 소지자 ; 구류자.

detergente *adj.* 세척하는. —*m.* (피부·다친 곳 등의) 세척제 ; 표백분.

deterger *tr.* 3 (상처 등을) 씻다.

deterior *adj.* [드뭄] 거칠고 나쁜 ; 하등의.

deterioración *f.* 망가짐 ; 손상 ; 손실 ; 피해 Contr. perfeccionamiento.

deteriorado, da *adj.* 망가진, 파손된, 손상된.

deteriorar *tr.* ① 망가뜨리다, 해치다, 상하다 : fruta *deteriorada* 상한 과일. La humedad *deteriora* hierro 습기는 철을 못쓰게 만든다. ② 망치다 : El granizo *deterioró* los frutales 우박은 과일나무를 해쳤다. Contr. mejorar, perfeccionar.
~se ① 해를 입다. ② 나빠지다 : Los jóvenes *se han deteriorado* mucho por las ideas erróneas de libertad 청년들은 잘못된 자유 사상 때문에 무척 나빠졌다. ③ 손상하다, 파손되다.

deterioro *m.* =**deterioración.**

determinable *adj.* 결정할 수 있는.

determinación *f.* ① 결정 : Tarde o temprano tendré que tomar una ~ 조만간 결정을 내리지 않으면 안될 것이다. ② 확정 ; 인정 ; 해결. ③ 결단, 결심, 결의. ④ 과단(osadía) : mostrar ~.

determinadamente *adv.* 결단성 있게, 과감하게.

determinado, da *adj.* ① 과감한(osado), 대담한 : soldado ~ 대담한 군인. ② 어떤 : un día ~. ③ 일정한, 특정한, 정해진 : artículo ~【문법】정관사. —*m.f.* 과감한 사람.

determinante *adj.* 결정적인. —*m.* ①【수학】행렬식(行列式). ③【생물】결정자(決定子).

determinar *tr.* ① 정하다, 결정하다 : El jefe *determinó* el día de la reunión 사장은 회합 날짜를 정했다. Hay que ~ las condiciones 조건을 정해야 한다. ② 한정하다 : ~ una palabra 말뜻을 한정하다. ③ 보아 정하다(distinguir) ; 판정·인정하다. ④ [+*inf.* : …할] 결심을 하다 : *Determiné* marcharme 가기로 결심했다. ⑤ [+a +*inf.* : …하도록] 결심하게 하다 : Esto me *determinó a* ayudarle 이것이 나로 하여금 그를 돕도록 했다.
~se ① 정하다, 결정하다. ② [+a+*inf.* : …할] 결심을 하다 : *Me determiné a* marcharme 나는 떠날 결심을 했다. ¿Ya *se determinó* usted *a* alojarse ahí? 거기서 숙박할 결심을 했습니까?

determinativo, va *adj.* 결정한, 결정적인 ; 한정의 : adjetivo ~ 【문법】 한정 형용사.

determinismo *m.* 【철학】 결정론, 정명론(定命論).

determinista *adj.* 결정론의. —*m.f.* 결정론자.

detersión *f.* (상처 등의) 세척.

detersivo, va *adj.m.* =**detersorio.**

detersorio, ria *adj.* 세척의 ; 정화하는. —*m.* 세척제(detergente).

detestable *adj.* 증오할 만한(abominable) : Hace un tiempo ~.

detestablemente *adv.* 증오에 차서 ; 배척적으로.

detestación *f.* 혐오, 증오.

detestando, da *adj.* 《*Chile.*》 =**detestable.**

detestar *tr. intr.* [*lat.* detestari] [+de : …을] 미워하다, 저주하다, 혐오하다 ; 싫어하다(aborrecer) : *Detesto* las calumnias 나는 비방을 싫어한다. *Detesto de* la mentira 나는 거짓말을 싫어한다. *Detestamos* al enemigo 우리는 적을 미워한다. Contr. querer.

detien- →**detener** 59.

detienebuey *m.* 【식물】 =**gatuña.**

detinencia *f.* =**detención.**

detonación *m.* ① 폭음. ② 폭발 : ~ nuclear 핵폭발.

detonador, ra *adj.* 울려 퍼지는, 폭음을 내는.

detonante *adj.* 크게 울리는 : pólvora ~.

detonar *intr.* [*lat.* detonare] 크게 울리다, 울려 퍼지다, 폭음을 내다.

detorsión *f.* (근육 · 신경의) 경련, 경련으로 생기는 아픔.

detracción *f.* 중상 ; 비난, 욕, 험담.

detractar *tr.* [드뭄] 헐뜯다, 비방하다, 중상하다, 욕하다.

detractor, ra *adj.* [*lat.* detractor] 험구의, 독설의. —*m.f.* 독설가, 비난자.

detraer *tr.* 72 [드뭄] 헐뜯다, 비방하다(infamar).

detraimiento *m.* 부끄러움, 수치, 창피 ; 불명예.

detraig-, detraj- →**detraer** 72.

detrás *adv.* ① [+de : …의] 뒤에, 뒤에서 : Viene ~ *de* mi 그는 내 뒤에서 온다. Se escondió ~ *de* una mampara 그는 간막이 뒤에 숨었다. Lo oí como si oyera ~ *de* él 마치 그의 배후에서 듣는 것처럼 나는 그것을 들었다. ② 뒤따라 : Iremos ~ 뒤따라 가자. ③ 보이지 않는 데서, 저편에. —*prep.* 《*Amér.*》 【속어】 …의 뒤에서, …을 따라(trás, en busca de).

por ~ ① 뒤에서 : Los enemigos nos atacaron *por* ~ 적은 우리를 뒤에서 공격했다. ② 사람이 없는 데서, 숨어서 : Todos hablan mal *por* ~ *de* él 사람들은 그가 안 듣는 데서 나쁘게 말한다. Pasó a hurtadillas *por* ~ *del* profesor 그는 선생의 뒤를 살그머니 지나갔다. ③ 뒤를 지나서.

detrimento *m.* [*lat.* detrimentum] ① 손해(daño), 손실. ② 건강의 악화. ③ 귀찮음, 골치아픔 : con ~ de …을 귀찮게 해서 ; …에 상관없이. ④ 정신적 타격.

detrítico, ca *adj.* 바윗돌이 붕괴된, 잘게 부스러진 : capa ~*ca* 암설층.

detrito *m.* ① 파편 ; 부스러진 것. ② 【지질】 암설.

detritus *m.* =**detrito.**

deturpar *tr.* 더럽게 하다, 추하게 하다 ; 변형시키다.

detuv- →**detener** 59.

deu *m.* 《*Chile.*》 【식물】 데우 《그을린 곳에 바르는 독이 있는 열매》.

deuda *f.* [*lat.* debita] ① 빚, 채무, 부채 : contraer ~*s* 돈을 빌리다. ② 차관, 공채(~ pública) : ~ a corto plazo 단기 차관, 단기채. ~ congelada 동결 차관. ~ consolidada 장기차관, 정리 채무. ~ del estado 국채. ~ exterior 외국 차관. ~ flotante 단기 차관, 일시 차입금. ~ interior 국내채. ~*s* activas 미상환 부채, 자산. ~*s* pasivas 부채. títulos de la ~ 국채, 공채. ② 은혜를 입음. ③ 죄, 잘못, 실수, 과실(pecado, culpa) : Perdónanos nuestras ~*s* 우리의 죄를 용서해 주십시오.

deudo, da *m.f.* 친척, 일가(pariente) : Acudieron sus ~*s* y amigos. [*N.* 칠레에서는 la deudo 라고도 함]. —*m.* 친척 · 친족 관계(parentesco) : tener ~ *con* uno.

deudor, ra *adj.* ① [+a · de : …에게] 부채를 진 ; 은혜를 입은. ② [+en · por : …의] 부채 · 채무가 있는 : ~ *en* · *por* miles 수천의 빚을 지고 있는. ③ 차변의, 채무자의 : cuenta ~*ra* 차변 계정. saldo ~ 차변 잔고. —*m.f.* 부채자, 채무자.

deuterio *m.* 【화학】 중수소(重水素).

deuterión *m.* =**deutón.**

deuterón *m.* 【화학】 중양자(重陽子) ; 중수소핵.

deuteronomio *m.* 【성서】 신명기(神命記).

deutón *m.* 【물리 · 화학】 중양자(重陽子).

deutóxido *m.* 【화학】 이산화물(bióxido).

devalar *intr.* 항로를 잘못 들다 ; 항로에서 벗어나다.

devalorización *f.* 가치의 절하 ; 하락.

devaluación *f.* 《*Angl.*》 평가 절하 : ~ de la moneda.

devaluar *tr.* 《*Angl.*》 =**desvalorar.**

devanadera *f.* 실꾸리, 실패, 자새 ; 회전 무대.

devanado *m.* 절연 동선(銅線).

devanador, ra *m.f.* 실 감는 사람. —*m.* ① 실 감기, (실을 감는) 관, 목관. ② 《*Amér.*》 실꾸리.

devanagari *m.* 산스크리트의 근대 문자.

devanar *tr.* (실을) 자새 · 실꾸리 · 실패에 감다. **~se** 《*AmérC. Cuba. Méx.*》 (웃음 · 고통 등으로) 몸부림치다 : ~*se* de risa 껄껄거리고 웃다. ~*se* de dolor 괴로움에 몸부림치다, 울며 몸부림치다.

~*se los sesos* 이 궁리 저 궁리하다, 골똘히 생각하다 : *Me* estoy *devanando los sesos* para encontrar una solución.

devaneador, ra *adj.* 헛소리하는, 어리석은 짓을 하는.

devanear *intr.* 헛소리하다, 어리석은 짓을 하다.

deván *adv.* 전에, 이전에.

devaneo *m.* 헛소리, 정신 나간 것(delirio) ; 어린애 장난 같은 놀이 ; 바람기.

devant *adv.* =**deván.**

devantal *m.* =**delantal.**
devastación *f.* 황폐, 참해 ; 약탈.
devastador, ra *adj.* 파괴하는. —*m.f.* 파괴자.
devastar *tr.* 황폐시키다 ; 파괴하다, 괴멸하다 (destruir).
develar *tr.* 《*Calic.*》 =**revelar, descubrir.**
devengar *tr.* ⑧ (이자 등을) 취득하다, 인수하다, 받다 : ~ salarios · intereses 봉급 · 이자를 받다.
~se 받다, 영수하다.
devengo *m.* 봉급 ; 이자.
devenir *intr.* 60 [드뭄] 일어나다(suceder).
deverbal *adj.m.* 동사의 (명사) 《예 : habla : hablar의 명사》.
deverbativo, va *adj.m.* =**deverbal.**
de verbo ad verbum *adv. lat.* =**literalmente, palabra por palabra.**
deviación *f.*=**desviación.**
devinto *adj.* 패배한, 타파된, 항복한.
devisa *f.* 분할 상속령.
devisar *tr.* 《*Méx.*》 =**divisar.**
devisero *m.* (영지의) 분할 상속자.
de vita et moribus *adv. lat* =**de vida y costumbres.**
devoción *f.* [*lat.* devotio] ① 신심(信心), 신앙(심), 귀의. ② 숭배, 공경. ③ 애착. ④ 경도(傾倒). ⑤ 열심, 헌신. —*pl.* 수양, 축수, 기도.
devocionario *m.* 기도서, 축수서.
devolución *f.* ① 반환, 반제(返濟) ; 갚음 : vender con ~ 반품하는 조건으로 팔다. ② 구토.
devolutivo, va *adj.* 반제하는, 반려해야 하는, 되돌려 주어야 하는.
devolutorio, ria *adj.* =**devolutivo.**
devolver *tr.* 25 [*lat.* devolvere] [*p.p.* devuelto] ① 되돌려 놓다 : La noticia le *devolvió* la tranquilidad 그 소식으로 그는 평온을 되찾았다. ② 반환하다, 반려하다, 되돌려 주다 : Tengo que ~ este libro al Sr. Martínez 나는 마르띠네스씨에게 이 책을 되돌려 주어야 한다. ③ 갚다 : ~ bien *por* mal 악을 선으로 갚다. ④ 게우다, 토하다(vomitar).
~se 《*Amér.*》 돌아가다, 돌아오다(volverse) : Fui hasta la plaza y *me devolví* a casa 나는 광장까지 갔다가 귀가했다.
devoniano, na *adj.* 【지질】 데본기(紀) · 계(系)의.
devónico, ca *adj.* =**devoniano.**
devorador, ra *adj.* 굶주린, 탐욕스러운. —*m.f.* 탐욕스러운 사람.
devorante *adj.m.f.* =**devorador.**
devorar *tr.* ① 탐욕 부리다. ② 게걸스럽게 먹다(tragar o comer con ansia). ③ 탐독하다, 정신없이 보다. ④ 전멸시키다, 황폐시키다 : gastos que *devoran* una familia. ⑤ 모조리 불살라 · 부숴 버리다, 부수다 : El fuego *devoró* la casa 불은 집을 모조리 태웠다.
~ ***un libro*** 서둘러 책을 읽다.
~ ***sus lágrimas*** 눈물을 억제하다.
devotamente *adv.* 돈독한 신앙심으로 ; 공손하게 ; 열심으로.
devotería *f.*=**beatería.**
devoto, ta *adj.* ① 신앙심이 깊은 ; 경건한, 숭고한. ② [+de : …으로] 귀의한 ; 반해 버린 : persona muy ~*ta de* uno. ③ 열심인. —*m.f.* 신앙가 ; 귀의자 ; 숭배자. —*m.* 귀의신(歸依神).
devuelta *f.* 《*Ant. Col.*》 거스름돈.
devuelto, ta *adj.* [devolver의 *p.p.*] 반환된 : cheque ~ 반환된 수표.
dexiocardia *f.* 【의학】 심장 우흉위(心臟右胸位), 우심증(右心症).
dexteridad *f.* =**destreza.**
dextrina *f.* 【화학】 호정(糊精), 덱스트린 : La ~ sirve para engomar las telas.
dextro *m.* 사원에 속하는 불가침 지역.
dextrógiro, ra *adj.* 【화학】 우회성의.
dextrorso, sa *adj.* 【물리】 우회하는, 우선회하는.
dextrórsum *adv. lat.* 오른쪽으로 돌아. **Contr.** sinistrórsum.
dextrosa *f.* 【화학】 우선당(右旋糖), 포도당.
dey *m.* 알제리의 총독.
deyección *f.* ① 【지질】 (화산의) 분출물. ② 【의학】 배출 (작용). —*pl.* 배출물, 배설물.
deyector *m.* (증기 기관의) 증기 배출 장치.
dezmable *adj.* 세가 1할 부과되는.
dezmar *tr.* =**diezmar.**
dezmatorio *m.* 1할세 · 1할 연공(年貢)의 납부처 ; 각 사원에 소속된 1할 연공구.
dezmeño, ña *adj.* =**dezmero.**
dezmería *f.* 수확의 1할 징수 구역.
dezmero, ra *adj.* 1할세의 ; 1할 연공의. —*m.f.* 1할세 · 1할 연공 납부자
dezocarse *r.* 7 《*Chile.*》 손의 뼈를 삐다.
d/f. días fecha 일부후 …일불.
d/fha. días fecha.
D.F. Distrito Federal 연방구(聯邦區).
dg. decigramo(s) 데시그램.
Dg. decagramo(s) 데카그램.
Dgo. domingo.
dha(s)., dho(s) dicha(s), dicho(s) 상기의, 전술한.
di ① dar의 부정과거 · 1 · 단수. ② decir의 2인칭 단수 명령.
di- *pref.* ①「반대」「비(非), 불(不)」을 나타내는 접두어 : *di*sentir. ②「기원」을 나타냄 : *di*manar. ③「퍼짐」「연장」: *di*fundir. ④「2」「이중」,「2배」를 나타내는 그리스계의 접두어 : *di*sílabo.
día *m.* [*lat.* dies] ① 날, 일, 1일 : El año se divide en trescientos sesenta y cinco ~*s* y cuarto 일년은 365일 여섯 시간이다. ② 낮, 주간 : En los países que están situados sobre el Ecuador los ~*s* son tan largos en verano como en invierno 적도 위에 위치한 나라에서는 낮은 겨울만큼 길다. ③ 때, 세월 : no pasar el ~ por uno 누구는 세월이 지나는 것도 모르는 듯이 젊다. ④ 날씨, 기후 : Hace mal ~ 날씨가 나쁘다(Hace mal tiempo). ⑤ 축제일, 기념일, 행사 있는 날 : ~ de la raza 민족의 날, 콜럼부스의 미대륙 발견 기념일 《10월 12일》. ⑥ *pl.* 생애, 일생(vida) : al fin de *sus* ~*s* 그의 만년에. entrado *en* ~*s* 늙어서. ⑦ *pl.* 좋았던 시절, 한창 때 : en *mis* ~*s* 내가 젊었을 때는. ⑧ 생일, 탄생일(cumpleaños), 영명(靈名)의 축일 : Hoy son *los* ~*s* de Asunción 오늘은 아순시온의 성일(聖日)이다. ⑨ 생일의 축사 : dar *los* ~*s* 생일을 축하하다.

~ de campo 야유회, 피크닉 ; 야외 잔칫날. *~ de Dios* 그리스도의 성체일 ; 최후의 심판일. *~ de juicio* 최후의 심판일 ; 언제가 될지 모르지만. *~ de los difuntos · finados* 만령제(萬靈祭) 《11월 2일》. *~ de moda* (입장료가 비싼) 특별 관람일. *~ de pescado · de viernes · de vigilia* 정진일(精進日), 육식 금단일. *~ de Reyes* 주현절 《1월 6일》. *~ de trabajo · laborable* 근무일. *~ lectivo* 수업일. *~ puente* 징검다리 연휴일. *~ quebrado* 반공일.

~ a ~ ; ~ por ~ 매일, 나날이.

~ por medio 격일로

~ y noche 끊임없이, 부단히, 밤낮으로.

a ~s 2 · 3일 만큼씩, 때때로.

a …días fecha · vista 일부 후 · 일람후 …일부의 (어음 등).

abrir el ~ 날이 새기 시작하다 ; 하늘이 개다.

al ~ 어김없이, 틀림없이, 늦지 않게 ; 시대의 흐름에 뒤지지 않게 (al corriente) : vivir *al ~* 하루살이 생활을 하다, 무계획적이다.

al otro ~, otro ~ 이튿날, 다음 날에 ; 언젠가.

antes del ~ 새벽에, 날이 새기 전에.

Buen ~ 《*Arg.*》 안녕하세요 《오전 인사》.

Buenos ~s 안녕하세요 《오전 인사》.

cada tercer ~ 격일로, 하루 건너.

como del ~ a la noche 천지 차이가 있다.

¡cualquier ~! 다음에 마음이 내키면!

dar los ~s a uno 생일을 축하하다.

de ~ a ~ ; de un ~ a otro 이제나 저제나 하고.

de ~ en ~ 매일, 나날이.

de ~s 일찌기 언젠가.

de cada ~ 매일 어김없이.

de ~ 낮에, 주간에.

del ~ 현재의, 유행의 ; 철 늦은 것이 아닌 : los hombres *del ~* 현재의 사람, 현대인.

despuntar el ~ 날이 새기 시작하다.

el mejor ~ 언젠가는.

el ~ de mañana 장래, 장차(en el futuro).

el ~ menos pensado 갑자기, 뜻밖에.

el otro ~ 전번에 ; 일전에.

en el ~ de hoy 지금, 당장에, 현재.

en su ~ 다음 번에는.

(en) estos ~s 요즘에는.

entre ~ 낮 동안에, (어떤 날의) 그날 안에는.

estar de ~s 생일이다.

hoy ~ ; hoy en ~ 지금, 당장에 ; 요즈음.

ser de un ~ 고작해야 단 하루의 일이다, 허망하다.

todos los ~s 매일, 날마다(cada día).

Tal ~ hará (hizo) un año 별로 이상한 일은 아니다.

tener los ~s contados 죽음이 가까워지다.

todo el santo ~ 온종일(el día entero).

un ~ sí y otro no 격일로.

vivir al ~ 장래를 생각하지 않고 마구 낭비하며 살다.

D- de mucho, víspera de nada 【속담】 재산이란 항상 있는 것은 아니다.

Hay más ~s que longanizas 【속담】 매사를 심사숙고해야 한다.

diabasa *f.* 【광물】 휘록암(輝綠岩)(diorita).

diabaso *m.* 【곤충】 (중남미산의) 등에, 말파리.

diabetes *f.* [*gr.* diabêtês] 【의학】 당뇨병.

diabético, ca *adj.* 당뇨병의. —*m.f.* 당뇨병 환자.

diabetis *f.* 【의학】 당뇨병.

diabeto *m.* =**aparato hidráulico.**

diabetología *m.* 【의학】 당뇨병학.

diabetómetro *m.* 당뇨 정량기(定量器).

diabla *f.* ① 여자 악마. ② 달구지. ③ 솜타는 기계.

a la ~ 함부로, 신중하지 못하게.

diablear *intr.* 장난질 하다 ; 남을 놀라게 하다 ; 터무니없는 짓을 하다.

diablejo *m.* [*dim.* diablo] 악마, 심술궂은 사람.

diablesa *f.* =**diabla.**

diablesco, ca *adj.* =**diabólico.**

diablillo *m.* [*dim.* diablo] ① 악마 ; 가장한 악마. ② 장난꾼, 말썽꾼. —*pl.* 뒤통수의 머리털.

diablismo *m.* 악마주의《인간의 하는 행위에는 악마가 크게 작용하고 있다는 주장》.

diablito *m.* [*dim.* diablo] 작은 악마 ; 개구쟁이.

diablo *m.* [*gr.* diabolos] ① 악마, 귀신. ② 장난꾸러기, 말썽꾼. ③ 추남(persona muy fea). ④ 《*Chile.*》 목재 운송용 대형차. ⑤ 【은어】 지하 감옥. —*interj.* 제기랄!, 빌어먹을! 《불쾌 · 놀라움을 나타내는 욕설》 : ¡qué *~s*! 이게 무슨 꼴이야! ¿Dónde *~s* estoy? 여기가 어디야? 빌어먹을.

~ cojuelo 장난꾼. *~ encarnado* 극악 무도한 사람. *~s azules* 《*Amér.*》 (알코올 중독에 의한) 섬망 상태(譫妄狀態). *~ predicador* 세상 물정에 밝아 잔소리가 심한 사람. *pobre ~* 가련한 사람, 하찮은 사람.

como el · un ~ 몹시, 심하게 : Esta amarga *como el ~*.

¡con mil ~s! 빌어먹을, 화가 나는군!

dar al ~ 저주하다.

darse al ~ 격앙하다, 절망하다(desesperarse).

de todos los ~s 매우 큰(muy grande).

del ~, de los ~s 심한, 나쁜.

donde el ~ perdió el poncho 《*Amér.*》 먼 곳에, 엉뚱한 곳에.

el ~ que …하는 사람은 없다 : *El ~ que* lo entienda 그것을 아는 사람은 없다.

llevarse al ~ 실패하다(fracasar).

mandar al ~ =mandar a paseo.

tener el ~ en el cuerpo 소란을 · 소동을 피우다.

tirar el ~ de la manta 폭로되다, 들통나다, 발각되다.

Más sabe el ~ por viejo que por ~ 【속담】 경험이 최고다.

diablura *f.* 장난, 난폭 ; 떠들썩하게 만들기.

diabluría *f.* 《*Ant.*》 =**diablura.**

diabólica *f.* 웃옷의 일종.

diabólicamente *adv.* 심하게, 억척스럽게, 굉장하게 ; 엉터리없이 ; 악마 같이.

diabólico, ca *adj.* 악마의, 악마 같은 ; 극악한 ; 지독한, 심한 : ruido ~ 지독한 소음. tiempo ~ 아주 나쁜 날씨.

diabolín *m.* 설탕을 입힌 초콜릿 과자.

diábolo *m.* 디아볼로 《조종하는 팽이의 일종》.

diacanto, ta *adj.* 【식물】 가시가 두 개인.

diacatolicón *m.* 하제(下劑).

diacitrón *m.* 당의에 입힌 구연 껍질.

diacodión *m.* 앵속 시럽, 앵속 엑스.

diaconado *m.* =**diaconato.**
diaconal *adj.* 보조 사제의.
diaconar *intr.* 보조 사제의 일을 보다.
diaconato *m.* 보조 사제직, 집사직.
diaconía *f.* 보조 사제의 교회 지구, 보조 사제의 사택.
diaconisa *f.* (교회의) 여자 집사 ; 목사 보조원.
diácono *m.* [*lat.* diaconus] 【카톨릭】 부제(副祭) ; (장로 교회 따위의) 집사.
diacrisis *f.* 【의학】 다른 위험한 고비를 구별하고 결정하기 위해 쓰이는 위험한 고비.
diacrítico, ca *adj.* ① 음종(音種)구별의 : puntos ~*s* u음에 붙이는 음가 부호(diéresis). ② 감별·진단의, 특징적인 (증상).
diacronia *f.* 【언어】 통시론(痛時論) ; 통시태(痛時態).
diacronía *f.* =**diacronia.**
diacrónico, ca *adj.* 【언어】 통시적(通時的)인.
diacústica *f.* 굴절 음향학.
díada *f.* (한 단위로) 2, 2개조, 한 쌍 ; 2가 원소.
diadema *f.* [*lat.* diadêma] ① 윤관, 왕관. ② (동양에서 왕관 대신의) 머리띠. ③ 왕권, 왕위, 주권.
diademado, da *adj.* 윤관(輪冠)을 쓴.
diádico, ca *adj.* 한 쌍·2개조의 ; 2가 원소의.
diado *adj.* 정해진 (날).
diadoco *m.* [*gr.* diadokhos] 그리스의 황태자.
diafanar *tr.* =**diafanizar.**
diafanidad *f.* 투명, 투광도, 투광성.
diafanizar *tr.* 9 투명하게 하다.
diáfano, na *adj.* 투명한, 훤히 비치는.
diáfisis *f.* 분리, 간격.
diafonía *f.* 【전화】 혼선.
diaforesis *f.* 【의학】 발한(發汗) ; 땀.
diaforético, ca *adj.* 발한의(sudorífico). **—*m.*** 발한제.
diafragma *m.* ① 【해부】 횡격막 ; (동식물·기계의) 격벽, 격막, 막. ② (전지 따위의) 간막이 판. ③ (송·수화기 따위의) 진동판. ④ 【사진】 (렌즈의) 조리개.
diafragmar *tr.* (카메라의 렌즈를) 조이다.
diafragmático, ca *adj.* 격막·격벽·막벽의.
diagnosis *f.* [*gr.* diagnôsis] ① 【의학】 진단(법). ② 식별. ③ 【생물】 특성, 표징.
diagnosticar *tr.* 7 ① 【의학】 진단·진찰하다. ② (정세 따위를) 분석하다.
diagnóstico, ca *adj.* [*gr.* diagnôsis] 진단상의 ; 용태의. **—*m.*** 병의 징후, 증상 ; 진단.
diagonal *adj.* 비스듬한. **—*f.*** 대각선, 중사선(中斜線).
diagonalmente *adv.* 비스듬하게, 엇비슷이.
diagrafía *f.* 분도기·확대 모사기 제도술.
diágrafo *m.* 분도기 ; 확대 모사기(擴大模寫器).
diagrama *m.* [*gr.* diagramma] ① 그래프, 도표, 도식, 도해, 일람도. ② 【수학】 작도.
dial *adj.* [*lat.* dialis] 날의 ; 1일의. **—*m.*** 《*Angl.*》 (전화·라디오의) 다이얼. **—*pl.*** 【천문】 천체 위치 추산표.
diálaga *f.* 【광물】 이박석(異剝石).
dialectal *adj.* 방언(dialecto)의, 사투리가 섞인 : las formas ~*es* del castellano 서반아어의 방언.
dialectalismo *m.* 사투리, 방언 : un ~ de América.
dialéctica *f.* [*gr.* dialgomai] 이론 철학, 변증법 ; 대화법 ; 궤변.
dialéctico, ca *adj.* 변증(법)적인 ; 궤변적인. **—*m.f.*** 이론 철학가, 변증가 ; 궤변가.
dialectismo *m.* =**dialectalismo.**
dialecto *m.* [*gr.* dialektos] 방언, 지방 사투리 ; 토착어 ; (같은 어족에서 갈린) 파생 언어 ; (어떤 직업·계급 특유의) 통용어, 말씨.
dialectología *f.* 방언학, 방언 연구 (estudio de los dialectos).
dialectólogo, ga *m.f.* 방언 학자.
dialefa *f.* 【언어】 (별개의) 두 모음 연속.
dialítico, ca *adj.* 삼투 분석(diálisis)의.
diálisis *f.* 【화학】 삼투 분석(滲透分析).
dializador, ra *adj.* 투석(透析)하는. **—*m.*** 【화학】 삼투 분석기.
dializar *tr.* 9 【화학】 투석(透析)하다.
dialogado, da *adj.* [dialogar의 *p.p.*] 방언 형식으로 쓰인 : un cuento ~ 방언 형식으로 쓰인 단편..
dialogal *adj.* =**dialogístico.**
dialogar *intr.* 8 대화를 하다. **—*tr.*** 대화체로 쓰다 : ~ una fábula.
dialogismo *m.* 자문 자답 ; 대화체, 대화술.
dialogístico, ca *adj.* 대화(체)의 ; 문답의. **—*m.*** 대화문.
dialogizar *intr.* 9 [드뭄] =**dialogar.**
diálogo *m.* [*gr.* dia+loges] 문답, 대화 ; 대화체 ; 대화체의 작품.
dialoguista *m.f.* 문답서 작가.
dialtea *f.* 무궁화 뿌리로 만든 고약.
dialtiro *adv.* 《*AmérC.*》 모조리(del todo), 완전히(por completo).
diamagnético, ca *adj.* 【물리】 반자성(反磁性)의.
diamantado, da *adj.* [diamantar의 *p.p.*] 다이아몬드 같은·닮은·비슷한, 다이아몬드처럼 깎은(adiamantado).
diamantar *tr.* 다이아몬드 비슷하게 만들다, 빛이 나게 하다 : Los rayos del sol *diamantan* el rocío.
diamante *m.* [*gr.* adamos, antos] ① 【광물】 다이아몬드, 금강석 : ~ brillante 브릴란트형으로 간 다이아몬드. ~ bruto·en bruto 아직 세공하지 않은 다이아몬드. ② 유리 자르는 도구. ③ 갱내 램프.
diamantífero, ra *adj.* 다이아몬드를 함유하고 있는, 다이아몬드가 산출되는 : los terrenos ~*s.*
diamantino, na *adj.* ① 다이아몬드의 ; 다이아몬드 같은 : el brillo ~. ② 【시어】 아주 단단한.
diamantista *m.f.* 보석 세공사 ; 보석 상인.
diamela *f.* 【식물】 아라비아 자스민(gemela).
diametral *adj.* 직경의 : línea ~.
diametralmente *adv.* ① 지름으로, 직경으로. ② 실로, 참으로, 완벽하게(enteramente) : ~ opuesto 정반대의.
diámetro *m.* [*gr.* diametros] ① 직경 : Tiene 50cm. de ~ 직경이 50cm이다. El ~ es el doble del radio 직경은 반경의 2배이다. ② 구축(球軸). ③ (물건의) 너비, 폭.
diana *f.* ① 기상 나팔. ② (과녁의) 중심. ③ 【시어】 달.

Diana *f.* 달의 여신으로 숲·처녀성·사냥의 수호신.
¡dianco! *interj.* 《*Ant.*》 =**¡diantre!**
dianche *m.* 【속어】 =**diantre.**
diandro, dra *adj.* 수술이 두 개인 (꽃·식물).
dianegativa *f.* 영화용 음화(陰畫).
dianela *f.* 【식물】 (정원에서 자라는) 백합과 식물.
diaense *adj.m.f.* 데니아 《Denia, Alicante 주의 도시》의 (사람).
dianto, ta *adj.* 꽃이 두 개인. **—***m* 【식물】 (카네이션에 속한) 석죽과 식물의 일종.
diantre *m.* [*fr.* diantre] 【속어】 악마, 귀신(diablo). **—***interj.* 제기랄!, 빌어먹을! (¡diablo!).
diaño *m.* 【방언】 =**diantre.**
diapalma *f.* 【약학】 디아팔마 《유산 아연·연·올리브 기름 등으로 만든 연고》.
diapasón *m.* ① 【물리】 음차(音差). ② 【음악】 음역, 음정, 음의 진폭 : ~ vital 생활의 진폭. bajar·subir el ~ 가락을 울리다·내리다. ③ (오르간의) 기본 음전 ; (바이올린 등의) 손잡이.
diapédesis *f.* 삼투성(滲透性) 출혈, 혈한(血汗).
diapente *adj.* 【음악】 =**intervalo de quinta.**
diaplejía *f.* 【의학】 뇌일혈.
diapositiva *f.* 슬라이드 사진, 투명 양화(陽畫).
diaprea *f.* 【식물】 서양 오얏.
diapreado, da *adj.* 다른 색으로 배합되어 있는.
diaquenio *m.* 【식물】 쌍현과(雙懸果), 쌍폐과(雙閉果).
diaquilón *m.* 연모(鉛母) 연고.
diaquisdodecaedro *m.* 부등 사변형의 24면체 유리.
diarero, ra *m.f.* 《*Arg.*》 신문팔이, 신문 판매원 (vendedor de diarios).
diariamente *adv.* 나날이, 날마다, 매일(cada día, los días).
diariero, ra *m.f.* 《*Amér.*》 신문팔이.
diario, ria *adj.* [*lat.* diarius] 날마다의, 1일의 ; 매일의 : salario ~ 일급. comida ~*ria* 매일의 식사·음식물. el gasto ~ 매일의 경비. uso ~ 일용(日用)
—*m.* ① 일기, 일지 : ~ de navegación 항해 일지. llevar el ~ 일기를 쓰다. Escribía su ~ por las noches 그는 밤마다 일기를 썼다. ② 【상업】 일기장(libro ~). ③ 일간지, 신문 : ~ oficial 관보. ¿Qué dice el ~ de hoy? 오늘 신문에 뭐라고 쓰였습니까? ④ 매일의 필요 경비.
—*adv.* 《*Amér.*》 매일, 날마다, 나날이.
a ~ 매일, 날마다(cada día, todos los días).
de ~ ① 매일, 날마다. ② 매일의, 일상의 : vestido *de* ~ 평상복.
diarismo *m.* 《*Amér.*》 저널리즘(periodismo).
diarista *m.f.* 《*Amér.*》 신문 기자, 저널리스트 (periodista) ; 신문 판매인.
diarquía *f.* 2인 국가 원수인 정부.
diarrea *f.* 【의학】 설사(cámaras) : El aceite de ricino da ~ 아주까리 기름은 설사를 한다.
~ ***infantil*** 어린아이들의 일반적인 병.
diarreico, ca *adj.* 설사의 : flujo ~설사.
diarría *f.* 설사(diarrea).
diartrosis *f.* [*gr.* diatrôsis] 【해부】 전동 관절(全動關節), 가동 결합(可動結合).
diascordio *m.* (아편을 주로 한) 약.
diáspero *m.* [*gr.* diaspora] 【광물】 벽옥(碧玉).
diásporo *m.* 【광물】 수반토, 보크사이트, 디아스포로광.
diaspro *m.* [*ital.* diaspro] 【광물】 벽옥(jaspe)의 일종.
~ ***sanguíneo*** 【광물】 =heliotropo.
diasque *m.* 《*Chile. Hond.*》 =**diablo.**
diastasa *f.* 전분 당화 효소(澱粉糖化酵素), 디아스타제.
diástasis *f.* 관절 이완(弛緩) ; 탈구.
diastático, ca *adj.* 관절 이완의 ; 탈구의.
diástole *f.* 【시어】 음절 연장 ; 심장 확장 운동. **Contr.** sístole.
diastólico, ca *adj.* 심장 확장 운동의.
diastrofia *f.* 뼈의 부러짐 ; 근육의 꼬임.
diatérmano, na *adj.* 【물리】 투열성(透熱性)의 ; 투열 요법의. **Contr.** atermano.
diatermia *f.* 전기 투열 요법.
diatérmico, ca *adj.* =**diatérmano.**
diatesarón *m.* 【음악】 =**intervalo de cuarta.**
diatésico, ca *adj.* 병적 소인(病的素因)의, 특이 체질의.
diátesis *f.* 병적 소인(素因), 특이 체질.
diatomácea *f.* =**distomea.**
diatomea *f.* 【식물】 규조 식물. **—***pl.* 규조류.
diatómico, ca *adj.* 【화학】 2원자(성)의 ; 2가의.
diatónicamente *adv.* 전음계적으로.
diatónico, ca *adj.* 【음악】 전음계적(全音階的)인 : escala ~*ca* 전음계.
diatriba *f.* 혹평, 비방, 논박.
diatrosis *m.* 【해부】 전동(全動)·가동(可動) 관절.
diaula *f.* (옛 그리스의) 피리의 일종.
diávolo *m.* 《*Neol.*》 =**diábolo.**
dibásico, ca *adj.* =**bibásico.**
dibidibi *m.* 【식물】 다비디비 《열매가 염색소로 사용되는 베네수엘라의 나무》.
dibranquio, quia *adj.* 아가미가 두 개인.
dibraquio *m.* =**pirriquio.**
dibujador, ra *adj.m.f.* =**dibujante.**
dibujante *adj.* 그리는, 스케치하는, 제도를 하는. **—***m.f.* 도안가, 삽화가, 도공(圖工) ; 디자이너, 제도가.
dibujar *tr.* (주로 선으로) 그리다(describir), 소묘하다 ; 스케치하다 ; 제도하다. **—***intr.* 삽화를 그리다 : ~ en un periódico.
~se 그려지다, 소묘되다, 스케치되다, 나타나다, 드러나다 : ~*se* los árboles a lo lejos 멀리 나무들이 뚜렷이 보인다. ~*se* una opinión 생각이 뚜렷해지다.
dibujo *m.* ① 그림, 도화(圖畫), 선화, 소묘 ; 삽화 : Leonardo de Vinci nos ha dejado ~*s* admirables 레오나르도 다빈치는 훌륭한 삽화를 우리에게 남겼다. ② 모양. ③ 도안, 디자인 : ~ comercial 상업 디자인. ~ publicitario 광고 디자인. ④ 제도 : lápiz de ~ 제도 연필. mesa de ~ 제도대.
~ ***a pulso*** 자재화(自在畫). ~ ***de lineado perfi-***

lado 약도. ~ *de aguada* 수채화. ~ *del natural* 사생화(寫生畵). ~ *de lápiz* 연필화. ~*s animados* 만화 영화. ~*s humorísticos* 만화.
Es un ~ 아주 마음에 든다.
no meterse en ~*s* 불필요한 일에 관계하지 않다.
dicacidad *f.* 통렬, 독설(mordacidad).
dicaz *adj.* [*pl.* dicaces] 통렬한, 혹평하는.
Dicbre. diciembre 12월.
dicción *f.* 말(palabra); 말씨, 말투; 어법.
diccionario *m.* 사전, 사서, 사전(事典); 용어집 : Consulte el ~ cuando se encuentra una palabra desconocida 모르는 단어가 있을 때는 사전을 찾으십시오.
~ *bilingüe* 대역 사전.
~ *de medicina* 의학 사전.
diccionarista *m.f.* 사전 편집자(lexicógrafo).
dic.[e] diciembre 12월.
dice decir의 직·현·3·단수.
dicen decir의 직·현·3·복수.
dicente *adj.* 말하는, 알리는. —*m.f.* 증인.
díceres *m.pl.* 《*Amér.*》 소문(所聞), 평판(評判) (murmuraciones).
dices decir의 직·현·2·단수.
dicha *f.* 행복, 행운(felicidad) : tener ~. Contr. desventura, desdicha, desgracia.
a · por ~ 운좋게, 재수 좋게, 다행히(por suerte, por ventura).
dicharachero, ra *adj.m.f.* 천한 말을 하는 (사람); 수다쟁이(dichero); 농담가(bromista).
dicharacho *m.* 천한 말씨, 저속한 말.
dichero, ra *adj.m.f.* 재치가 있고 말주변이 좋은 (사람).
dicheya *f.* 【식물】《*Chile.*》 약용 초본과 식물의 속어.
dicho, cha *adj.* [*lat.* dictus] [decir의 *p.p.*] [관사를 동반하는 일없이 명사 앞에 붙어] 앞에 말한, 전술한, 전기(前記)의, 앞서의, 예의 : ~ individuo 전술한 인물.
—*m.* ① 말한 것; 말, 언사; 속담, 경구 : tener buenos ~*s*. ② 증언. ③ 욕설.
—*pl.* 신랑 신부의 선서.
~ *y hecho* 말하자 마자, 재빨리.
Lo ~, ~ 한번 한 말은 취소하지 못한다, 지금 말한 그대로이다.
tomarse los ~*s* 《*And.*》 약혼하다(desposarse).
Del ~ *al hecho hay gran · mucho trecho* 【속담】 약속을 너무 믿어서는 안된다, 말과 행동은 다른 법이다; 말하기는 쉬워도 실행은 어렵다.
dichón, na *adj.* 《*Arg.*》 입버릇이 나쁜, 신랄한.
dichosa *f.* 《*Bol.*》 침을 뱉는 통, 타구(唾具).
dichosamente *adv.* 행복하게, 다행하게도(con dicha · felicidad).
dichoso, sa *adj.* ① 행복한(feliz); 행복을 가져다 주는. ② [명사 앞에서] 화나게 하는, 속상한(enfadoso) : ~ trabajo.
diciembre *m.* [*lat.* december] 12월, 섣달 : El mes de ~ era el décimo según la cuenta de los antiguos romanos.
diciendo decir의 현재 분사.
diciente *adj.* =**dicente.**
diclinismo *m.* 【식물】 양성의 분리.
diclino, na *adj.* 【식물】 자웅 이화(異花)의; 단성(單性)의.
dicotiledón *adj.m.* =**dicotiledóneo.** —*f.pl.* = **dicotiledóneas.**
dicotiledóneo, a *adj.* 【식물】 쌍자엽류의.
—*f.pl.* 쌍자엽류.
dicotomía *f.* ① 양단, 양분; 분열. ② 【식물】 대생(對生). ③ 【논리】 이분법, 양단법.
dicotómico, ca *adj.* 대생(dicotomía)의 : división ~*ca* de una rama.
dicótomo, ma *adj.* [*gr.* dikhotomos] 【식물】 대생의, 두 갈래로 갈라진 : rama ~*ma* 두 개로 갈라진 가지.
dicranócero *m.* 【동물】 동각속(洞角屬) 동물.
dicrocero, ra *adj.* =**dicranócero.**
dicroico, ca *adj.* 보기에 따라 두 빛깔로 보이는.
dicroísmo *m.* 이색성; 착색성.
dicromático, ca *adj.* 이색의.
dictado *m.* [*lat.* dictatus] ① 받아쓰기, 구술(口述) : al ~ 구술로. ② 작위, 칭호 : Merecía el ~ de ignorante 무식하다는 칭호를 받을 만한 일이 있었다. —*pl.* (양심의) 명령, 암시; 관념의식(觀念意識).
dictado, da *adj.* dictar의 *p.p.*
dictador *m.* [*lat.* dictator] 독재자; 집정관.
dictadora *f.* 구술 필기용 녹음기.
dictadura *f.* [*lat.* dictatura] 독재제, 집정 정치; 독재·집정 시대 : imponer una ~ militar 군사 독재를 강요하다.
dictáfono *m.* 딕터폰, 녹음기(dictadora).
dictamen *m.* [*lat.* dictamen] 의견, 판단, 생각 (opinión).
dictaminador, ra *adj.* 의견·생각·판단을 말하는.
dictaminar *intr.* 의견·판단·생각을 말하다.
díctamo *m.* [*gr.* diktamnon] 【식물】 크레타섬에서 나는 박하의 일종.
~ *blanco* 하얀 꽃이 피는 헨루다과 식물.
dictar *tr.* [*lat.* dictare] ① 구술하다, 받아 쓰게 하다 : El *dicta* una carta a su secretaria 그는 비서에게 편지를 구술했다. ② 공포하다. ③ 일러주다. ④ (생각·사상·말을) 떠오르게 하다, 암시하다(inspirar). ⑤ 《*Amér.*》 강연하다, 강의하다 : El rector *dictará* una conferencia sobre la antigua cultura ibérica 총장은 고대 이베리아 문화에 관한 강연을 할 것이다.
dictatorial *adj.* 독재제의; 독재자의; 집정의; 멋대로 하는, 방자한.
dictatorialmente *adv.* 독재적으로, 멋대로.
dictatorio, ria *adj.* [*lat.* dictatorius] 독재자의, 독재자로서의.
dictatura *f.* 【고어】 =**dictadura.**
dicterio *m.* [*lat.* dicterium] 험담, 욕설, 악담.
dictiotáceas *f.pl.* 【식물】 해초류의 바닷말과.
didáctica *f* 교수법.
didácticamente *adv.* 교수법에 의해; 교육적으로.
didacticismo *m.* 교훈주의; 교육자 기질.
didáctico, ca *adj.* ① 교육의, 교훈적인; 교수의 : método ~ 교수법. ② 교육 관계의. —*f.* 교수법.
didáctilo, la *adj.* 손가락이 두 개인.
didactismo *m.* =**didacticismo.**
didascálico, ca *adj.* 교훈의(didáctico) :

poesía ~ca 교훈시.

didelfo, fa *adj.* 【동물】 육아낭(育兒囊)이 있는, 유대류(有袋類)의. —*m.* 유대류 동물. —*pl.* 유대류 동물 《캥가루 등》.

didímeo, a *adj.* 【시어】 Apolo신의.

didimio *m.* 【화학】 디디뮴 《희금속 원소》.

dídimo, ma *adj.* 【식물】 쌍생·대생(對生)의. —*m.* 【동물】 고환(testículo).

didracma *m.* 헤브루의 고전(古錢).

diecinueve *adj.* 19의(diez y nueve). —*m.* 19.

diecinueveavo, va *adj.* 19등분의 1의. —*m.* 19분의 1.

dieciochavo, va *adj.* 18등분의 1의. —*m.* 18분의 1.

dieciocheno, na *adj.* 18번째의. —*m.* 제18.

dieciochesco, ca *adj.* 18세기의·에 관한.

dieciochismo *m.* 18세기적인 일.

dieciochista *adj.* 18세기의.

dieciocho *adj.* 18의(diez y ocho). —*m.* 18.

dieciséis *adj.* 16의(diez y seis). —*m.* 16.

dieciseisavo, va *adj.* 16등분의 1의. —*m.* 16분의 1 : en ~ 사륙 배판 서적.

dieciseiseno, na *adj.* 16번째의(decimosexto). —*m.* 제16.

diecisiete *adj.* 17의(diez y siete). —*m.* 17.

diecisieteavo, va *adj.* 17등분의 1의. —*m.* 17분의 1.

diedro *adj.* 이면(二面)의 : ángulo ~ 이면각. —*m.* 이면각.

diego *m.* 【식물】 분꽃(dondiego).

Diego *m.* 【인명】 디에고.
Lindo Don ~ 잘난 척하는 남자.

dieguino *adj.m.* 산디에고(San Diego) 교파의 (수도사).

Dieguito *hip.* Diego.

dieléctrico, ca *adj.* 【전기】 유전성(誘電性)의, 절연의, 부전도성의 : La resina es ~*ca.* —*m.* 유전체, 절연체.

diente *m.* [*lat.* dens, dentis] ① 이 : El hombre tiene treinta y dos ~*s* : ocho incisivos, cuatro colmillos y veinte muelas 사람은 서른두 개의 이를 가지고 있다. 즉 여덟 개의 앞니와 송곳니 네 개와 어금니 스무 개이다. ② (톱·빗살·톱니바퀴 등의) 이 : ~ de peine 빗살. ~ de sierra 톱니. ③ (일반적으로) 이 모양의 물건. ④ (마늘 등의) 인경(鱗莖).
~ *canino* 송곳니.
~ *de embustero* 뻐드렁니.
~ *de leche* 젖니.
~ *de león* 【식물】 민들레.
~ *de lobo* 마노닦개.
~ *de perro* ① 날이 넓은 정. ② 시침질. ③ 《*Col. Cuba.*》 지표에 나온 바위.
~ *incisivo* 앞니.
~ *molar* 어금니(muela).
~ *postizo* 틀니, 의치.
a regaña ~*s* 싫어 하여, 못마땅해 하여, 마지 못해, 하는 수 없이(a disgusto).
de ~*s afuera* 성의가 깃들지 않은.
entre ~*s* 입속으로 투덜투덜.
aguzar los ~*s* 먹을 준비를 하다.
alargársele a uno *los* ~*s* 이가 뜨다 ; 견딜 수 없이 탐내다(desear algo con ansia).
crujir los ~*s* 이를 악물다.
dar ~ *con* ~ (추위·공포 때문에) 이가 덜덜 맞부딪치다 ; 무척 춥다(tener mucho frío), 무서워서 떨다.
decir·hablar entre ~*s* ① 입속으로 중얼거리다, 알아들을 수 없게 말하다. ② 입속으로 투덜거리다(gruñir, murmurar, refunfuñar).
enseñar·mostrar (*los*) ~*s* ① 잇몸을 드러내 보이다. ② 을러대다, 으름장을 놓다. ③ 《*Chile. Perú.*》 좋은 얼굴을 해보이다.
estar a ~ 굶주린 배를 움켜잡고 있다.
haber nacido·salido los ~*s en* …에 어려서부터 살고 있다 ; …에 종사하고 있다.
hincar el ~ 일부분을 횡령하다 ; 욕하다, 험담하다 ; 난처하게 해주다.
meter el ~ 《*Chile. Perú.*》 욕하다 ; 난처하게 해주다 ; 일부분을 횡령하다(hincar el diente).
no entrar de los ~*s adentro* 혐오감을 느끼다.
pasar los ~*s* (차가운 것이) 이에 저려 오다.
pelar el ~ 《*Amér.*》 알랑거리다, 아부하다.
tener buen ~ 식성이 좋다(ser muy comedor).
tomar·traer entre ~*s* 원망스럽게 생각하다 ; 나쁘게 말하다 ; 벼르다.

dientimella *m.* 《*And.*》 =**dentimella.**

dientimellado, da *adj.* 이가 빠진, (기물의) 이가 나간.

dientudo, da *adj.* 이가 커다란.

diera dar의 접·과거·1·3·단수.

dierais dar의 접·과거·2·복수.

diéramos dar의 접·과거·1·복수.

dieran dar의 접·과거·3·복수.

diere- → **dar** 37.

diéresis *f.* [*gr.* diairesis] ① 모음자 u에 붙이는 부호 《예 : vergüenza》. ② 이중 모음의 분할 발음, 분음부(¨) 《예 : rüido》. ③ 【의학】 절단.

diese dar의 접·과거·1·3·단수.

dieseis dar의 접·과거·2·복수.

diesel *adj.* 디젤식의 : motor ~ 디젤 기관. —*m.* 디젤 기관.

diésel *m.* =**diesel.**

diésemos dar의 접·과거·1·복수.

diesen dar의 접·과거·3·복수.

dieses dar의 접·과거·2·단수.

díes irae *m. lat.* 죽은 사람을 위한 미사의 기도 《이 말로 시작됨》.

diesi *f.* 【음악】 샤프 기호 (♯).

diestra *f.* ① 우측, 오른쪽. ② 오른손(mano derecha).

diestramente *adv.* 멋지게, 교묘하게, 솜씨있게.

diestrísimo, ma *adj. sup.* diestro.

diestro, tra *adj.* ① 우측(右側)의, 오른쪽의(derecho). ② 교묘한. ③ 솜씨있는, 노련한, 숙련된. ④ 운좋은. —*m.* 검술가 ; 투우에서 부상한 소를 마지막으로 죽이는 사람 ; 고삐.
a ~*ra y siniestra* 《*Arg.*》 =a ~ y siniestro.
a ~ *y siniestro* 좌우로 ; 아무렇게나, 닥치는 대로, 순서없이, 엉망진창으로, 뒤죽박죽으로(sin tino, sin orden).

dieta[1] *f.* [*lat.* diaeta] ① 절식(絶食), (환자의) 식이 요법 ; 식이 ; 규정식(規定食) : ~ láctea 우유만을 마시는 식사. ~ hídrica 물만을 마시는 식이. estar·poner a ~ 규정식을 하다, 규정식

을 명령하다.
Más cura la ~ que la lanceta 【속담】 좋은 섭생은 약의 사용보다 건강의 보존 유지를 위해 더 유익하다.

dieta[2] *f.* [*lat.* dies] ① 의회, 국회. ② 1일의 행정(行程)(10 leguas). ③ *pl.* (관리 등의) 일당, 출장 수당 ; 왕진료 ; 국회 의원의 세비, 의회 수당.

dietar *tr.* [드묾] =**adietar.**

dietario *m.* 가계(家計) ; 출납장, 가계부.

dietética *f.* [*lat.* diaetetica] [드묾] 식이 요법, 영양학(higiene).

dietético, ca *adj.* [*lat.* diaeteticus] ① (환자의) 식이의 : régimen ~ 식이 요법. ② 영양의.

dietista *m.f.* 영양 학자 ; 영양사(榮養士).

diez *adj.* [*lat.* decem] ① 10의 : ~ hombres 남자 10명. ② 제10의(décimo) : Alfonzo ~ 알폰소 10세. **—***m.* ① 10. ② 염주알의 10개씩 끊어진 것. ③《*Chile.*》 10센따보 짜리 동전.
las ~ de última 《*AmérM.*》 여러 가지 골치 아픈 일 · 귀찮은 일, 여러 가지 곤란.

diezma *f.* 《*Ar.*》 =**diezmo.**

diezmador *m.* 《*Ar.*》 =**diezmero.**

diezmal *adj.* 1할세(diezmo)의.

diezmar *tr.* [*lat.* decimare] ① 10중 1을 취하다 · 벌하다 · 죽이다 : Los dictadores *diezmaban* las tropas que huían. ② (교회에 1년 수확의) 1할을 헌금으로 바치다(pagar el diezmo a la iglesia). ③ (질병 · 전쟁 등으로) 막대한 사망자를 내다 : La peste *diezmó* el ejército de San Luis durante la octava cruzada.

diezmero, ra *f.* 1할의 세금 · 연공의 납입자 ; 그것을 받는 사람.

diezmesino, na *adj.* 10개월의.

diezmilésimo, ma *adj.* 1만 등분의 1의. **—***m.* 1만분의 1.

diezmilímetro *m.* 10분의 1mm.

diezmilmillonésimo, ma *adj.* 100억 등분의 1의. **—***m.* 100억분의 1.

diezmillo *m.* 《*Méx.*》 등심, 등심살(solomo, solomillo).

diezmillonésimo, ma *adj.* 1000만 등분의 1의. **—***m.* 1000만분의 1.

diezmo *m.* (옛날의 수입 상품에 대한) 1할 관세 ; 교회 · 국왕에 바치는 연공 《수확의 1할》.

difamación *f.* [*lat.* diffamatio] 중상, 모략, 험담 ; 명예 훼손 : La ley castiga severamente la ~.

difamador, ra *adj.* 중상 · 험담하는 : perseguir un libelo ~. **—***m.f.* 중상자, 험담자.

difamante *adj.m.f.* 중상 · 모략하는 (사람).

difamar *tr.* [*lat.* diffamare] 중상 · 모략 · 험담하다 ; 명성을 떨어뜨리게 하다 ; 헐뜯다.

difamatorio, ria *adj.* 중상하는, 모략 · 험담하는, 헐뜯는, 명예 훼손의.

difásico *adj.* =**polifásico.**

diferencia *f.* [*lat.* differentia] ① 상위, 차이 : a ~ de …과는 달리. la ~ de carácter *entre* José y su hermano 호세와 동생과의 성격의 차이. ¿Qué ~ hay entre esto y esto? 이것과 이것은 어떤 차이가 있습니까? La ~ está en su precio y calidad 가격과 품질에 차이가 있다. ② 차액. ③ 차(差) : ~ de precios 가격차. Dos es la ~ entre cinco y tres 5와 3의 차는 2이다. ④ 불화, 싸움 : Tuvimos una ~. Contr. analogía, similitud.

diferenciación *f.* ① 구별. ② 차별 대우. ③【생물】 분화(分化). ④【수학】 미분.

diferencial *adj.* ① 차별하는, 차별적인. ②【수학】 미분의 : cálculo ~. ③【물리 · 기계】 미동의 ; 차동(差動)의, 응차(應差)의 : engranaje ~ 응차 톱니바퀴. **—***f.* ①【수학】 미분. ②【기계】 차동 · 응차 장치.

diferenciar *tr.* 11 ① 차별하다, 따로 하다. ② 구별하다, 구별짓다(distinguir) : ~ el puma *del* jaguar 재규어와 퓨마를 분명하게 구별하다. ③ 바꾸다 : ~ la comida · la escritura 음식물을 · 쓰는 법을 바꾸다. ④ 차(差)를 구하다 ;【수학】 미분하다.
—*intr.* 상위하다, 서로 다르다 : *En* este punto *diferenciamos* usted y yo 이 점에서 당신과 나는 의견이 다르다.
~se ① 서로 다르다 ; 차이(差異)가 생기다 : Primeramente *se diferencian* en que el uno tiene un adorno y el otro no 첫째 하나는 금색 장식이 있는 데 다른 것은 없는 데 차이가 있다. ② 두드러져 보이다. ③【생물】 분화(分化)하다.

diferendo *m.* 《*Chile. Galic.*》 =**diferencia.**

diferente *adj.* [*lat.* differens] ① [+de : …과] 다른(diverso, desigual) : Su color es ~ *del* de su cubierta 그 색은 표지의 색과 다르다. [*N.* ~ a는 잘 쓰이지 않음]. ② [+명사 *pl.*] 여러 가지, 다수의, 몇 개의(varios) : ~*s* veces 몇 번이나. ③ 상위한, 서로 틀리는, 차이가 나는.
—*adv.* 따로따로, 서로 다르게, 달리(diferentemente).

diferentemente *adv.* 서로 다르게 ; 달리, 다른 방식으로 ; 따로따로(diversamente).

diferir *tr.* 54 [*lat.* differre] 미루다, 연기하다 : pago *diferido* 후불. ~ el viaje *a* · *para* otro día 여행을 다른 날로 연기하다. ~ el pago 지불을 연기하다. No hay que ~ la solución de esos asuntos 그 건의 해결을 연기할 필요는 없다.
—*intr.* 상위하다, 다르다, 서로 다르다 : ~ *de* uno *en* costumbres 누구하고 습관이 다르다. El estilo arquitectónico de estos templos difieren mucho 이 사원들의 건축 양식은 아주 다르다. *Difiero de* usted *en* este asunto 나는 이 점에서 당신과는 다르다.

difícil *adj.* [*lat.* difficilis] ① 어려운 : un problema ~ *de* resolver 해결하기 어려운 문제. Es ~ *de* contestar 그것은 대답하기가 어렵다. ②《*Galic.*》 다루기 · 친하기 어려운 ; 까다로운. Contr. fácil.

difícilmente *adj.* 어렵게, 애써서, 힘들여, 겨우(con dificultad).

dificultad *f.* [*lat.* difficultas] 난관, 어려움, 곤란 : con ~ 어렵게, 간신히, 겨우. expresarse con ~ 간신히 자기의 의사를 표명하다. ② 난점, 난문제 : superar · vencer ~ 곤란을 극복하다. Dígame su ~ 당신의 어려운 점을 말씀하세요. Quisiera preguntarle algunas ~*es* sobre la pronunciación 발음에 관한 어려운 점을 질문하고 싶습니다만(objeción, duda). ② 의문, ③ 의심, 이론 : resolver todas las ~*es* 모든 의심을 풀다. ④ 장애, 장해, 고장, 지장(obstáculo, embarazo) : luchar con ~*es* 장애와 싸우다.

Contr. facilidad.

dificultador, ra *adj.m.f.* 어려워하는 ; 훼방놓는 (사람).

dificultar *tr.* [*lat.* difficultare] ① 곤란케 하다 : ~ la resolución de un problema. ② 방해하다. ③ 어렵게 생각하다 : *Dificulto* que logre su propósito 그가 목적을 달성하기에는 어려우리라고 생각한다. —*intr.* 노고·고생하다, 괴로워하다 : *Dificultaba* acerca de esta cuestión 그는 이 문제로 괴로워하고 있었다.

dificultosamente *adv.* 애써서, 고생하여, 겨우.

dificultoso, sa *adj.* ① 곤란한, 꽤 까다로운, 어려운(difícil) : una comisión ~*sa*. ② 기이한 : cara ~*sa* 기이한 얼굴. ③ 어려워하는.

difidación *f.* 선전 포고 ; 선전 포고의 이유.

difidencia *f.* =**desconfianza.**

difidente *adj.* 의심이 많은.

difier- → **deferir** 54.

dífilo, la *adj.* 【식물】 이엽(二葉)의.

difinitorio *m.* =**definitorio.**

difir-, difirie- → **diferir** 54.

difluencia *f.* 확산 ; 전파성.

difluente *adj.* 퍼지는, 알려지는, 전해지는.

difluir *intr.* 77 [*lat.* diffluere] ① 흘러 보내다·나오다, 새어 나오다(derramarse). ② 퍼지다, 유포되다(difundirse).

diforme *adj.* 【속어】 =**deforme.**

difracción *f.* (광선·전파·음파 등의) 회절(回折).

difractar *tr.* 회절(defracción)시키다 : ~ los rayos luminosos.

difrangente *adj.* 【물리】 회절시키는 : superficie ~.

difteria *f.* [*gr.* diphthera] 【의학】 디프테리아.

diftérico, ca *adj.* 【의학】 디프테리아(성)의 : angina ~*ca*.

difteritis *f.* 【의학】 디프테리아성 염증(inflamación diftérica).

difumar *tr.* =**esfumar.**

difuminar *tr.* 【회화】 뿌옇게 만들다(esfuminar) ; 그림을 뿌옇게 문지르다.
~se 흐려지다, 뿌옇게 되다.

difumino *m.* 【회화】 뿌옇게 하기(esfumino).

difundidor, ra *adj.* 보급·유포시키는.

difundir *tr.* [*lat.* diffundere] ① 널리 알리다, 유포·보급시키다 : ~ la enseñanza 교육을 보급시키다. ¿Quién *habrá difundido* esa noticia? 그 소식을 유포한 사람은 누굴까요? ② 방송하다(transmitir) : ~ una emisión radiofónica 라디오 방송을 하다.
~se 퍼지다, 번지다 ; 침윤하다 ; 유포·보급하다 : La noticia *se difundió por* toda la comarca 그 소식은 전 지역에 퍼졌다. La luz *se difunde por* el espacio 빛은 공간으로 퍼진다.

difuntear *tr.* [드뭄] 죽이다.
~se 《*Méx.*》 죽다(morir).

difunto, ta *adj.* [*lat.* difunctus] 죽은, 고인의, 고(故)…(muerto).
—*m.f.* 고인 : ~ de taberna 【은어】 만취되어 쓰러져 자는 사람. —*m.* 시체(cadáver).

difusamente *adv.* 넓게 ; 멍하니, 산만하게.

difusibilidad *f.* ① 분산력, 보급력. ② 【물리】 확산율, 확산성.

difusible *adj.* ① 흩어질 수 있는 ; 전파될 수 있는 ; 보급될 수 있는. ② 【물리】 확산성의.

difusión *f.* ① 산포 ; 전파, 만연, 보급, 유포 : la ~ del vapor de agua en la atmósfera 대기 중의 수증기 확산. ② (문체 따위의) 산만. ③ 【물리】 확산 ; (빛의) 난반사. ④ 【사진】 (초점의) 흐려짐. ⑤ 방송 ; 방송 프로. Contr. concentración.

difusivo, va *adj.* 산포되는 ; 보급력이 있는, 널리 퍼지는 ; 장황한, 산만한 ; 확산성의.

difuso, sa *adj.* [*lat.* diffusus] [difundir의 *p.p.*] ① 확산된, 널리 퍼진 ; 넓은(ancho). ② 요령을 알 수 없는. ③ 종잡을 수 없는, 어리숙한, 흐리멍텅한 : luz ~*sa*. ④ 산만한, 어지러운, 요령부득의, 두서없는 : orador ~, estilo ~. Contr. conciso.

difusor, ra *adj.* 넓히는, 유포하는 ; 방송의.
—*m.f.* 유포자 ; 방송자. —*m.* 사탕무 짜는 기구.

difusora *f.* 방송국(estación ~).

diga decir의 접·현·1·3·단수.

digáis decir의 접·현·2·복수.

digamma *f.* 다이개머《옛 그리스 문자 F ; 음가(音價)는 [w]》.

digamos decir의 접·현·1·복수.

digan decir의 접·현·3·복수.

digas decir의 접·현·2·단수.

digerible *adj.* 소화할 수 있는.

digerir *tr.* 53 ① [*lat.* digerere] 새기다, 소화하다 : Esta comida *se digiere* muy mal 이 음식은 소화가 매우 안된다. ② 감수하다, 참고 견디다 : no ~ una desgracia. ③ 숙고하다. ④ 【화학】 온침(温浸)하다.

digestibilidad *f.* 소화하기 쉬움, 소화성, 소화율.

digestible *adj.* 소화가 잘 되는(fácil de digerir).

digestión *f.* ① 소화 : de mala ~ 소화가 잘 안 되는. ② 【화학】 온침 ; 화학·효소 분해. ③ 【화학】 화농 촉진.

digestivo, va *adj.* 소화의 : aparato ~ 소화기. funciones ~*vas* 소화 작용. Contr. indigesto, pesado. —*m.* 소화제 ; 화농 촉진제.

digesto *m.* [*lat.* digestus] 로마 법전, 로마법 대전.

digestor *m.* 【화학】 온침기(温浸器).

digier- → **digerir** 54.

digir- → **degerir** 54.

digirie- → **digerir** 54.

digitado, da *adj.* [*lat.* digitatus] ① 손가락 모양의, 손바닥 모양의 : hoja ~*da*. ② 발가락이 있는.

digital *adj.* ① 손가락의 ; 손가락이 있는, 손가락 모양의 : huella ~ 지문. músculo ~ 손가락 근육. ② 디지털·계수(計數)형의. —*f.* 【식물】 디기탈리스. Sinón. dedadela.

digitálico, ca *adj.* 디기탈리스(la digital)의.

digitalina *f.* 【화학】 디기탈린, 디기탈리스 정(精)《강심제》.

digitifoliado, da *adj.* 잎이 손가락 모양의.

digitiforme *adj.* 손가락 모양의.

digitígrado, da *adj.* 【동물】 발가락 끝으로 걷는, 지행(趾行)하는. Contr. plantígrado.
—*m.pl.* 지행 동물(趾行動物)《고양이·개 등》.

dígito *m.* ① 아라비아 숫자 《0에서 9까지 ; 0을 빼

는 경우도 있음》. ②【천문】 식분(蝕分)《해·달의 직경의 1/12》.

dignación *f.* [*lat.* dignatio] (특히 하급자가 상급자에게 바라는) 관용, 관대, 묵인(condescendencia).

dignamente *adv.* 품위·위엄있게, 훌륭하게, 당당히.

dignarse *r.* [*lat.* dignare] [+*inf.* …] 하여 주시다(servirse, tener a bien) : *Se dignó* recibirnos 우리를 마중 나와 주셨다. El duque *se dignó* acceder a mi petición 공작은 나의 요구를 승락해 주셨다.

dignatario *m.* 고관; 고승(高僧).

dignidad *f.* ① 품위, 품격; 권위; 위엄, 존엄; 긍지, 자존심 : obrar con ~; atentar contra su ~. ② 고위, 현직(顯職); 고위층, 고관, 현직자, 고관 대작, (특히) 승정, 대승정. **Contr.** indignidad.

dignificable *adj.* 품위·긍지를 가질 수 있는.

dignificación *f.* 품위 있게 함; 위엄을 보임.

dignificante *adj.* ① 위엄·품위를 세우는 : gracia ~. ② 고귀한, 존귀한.

dignificar *tr.* 7 품위·권위를 세우다; 존귀하게 만들다.

~se 품위·권위·위엄이 서다; 품위·긍지를 가지다; 가치가 있다.

digno, na *adj.* [*lat.* dignus] ① 부끄럽지 않은, 훌륭한; 품위있는, 관록이 있는 : Es un caballero ~ 그는 훌륭한 신사다. ② [+de : …에] 어울리는 : Es una persona *digna de* confianza 그는 신뢰하기에 족한 인물이다. ③ [+de+*inf.* : …할] 가치 있는 : Es una película *digna de* ver 감상할 가치가 있는 영화이다. **Contr.** indigno.

dígrafo *m.* 【문법】 복합 문자 《ch, ll, qu 등》.

digresión *f.* [*lat.* digressio] 여담(余談), (이야기의) 탈선.

digresivo, va *adj.* 본론을 벗어난, 여담적인.

dihueñe *m.* 《*Chile.*》 ① 식용 버섯의 일종. ② (떡갈나무류의) 도토리.

dihueñi *m.* 《*Chile.*》 =**dihueñe.**

dij *m.* =**dije**[1].

dije[1] *m.* ① 달고 다니는 장식 《보석, 메달 등》 : tener muchos ~*s* en la cadena del reloj. ② 맵시꾼. ③ 재주가 있는 사람. **Sinón.** estuche.
—*pl.* 큰소리, 호언 장담.

dije[2] decir의 직·부정과거·1·단수.

dijera decir의 접·과거·1·3·단수.

dijerais decir의 접·과거·2·복수.

dijéramos decir의 접·과거·1·복수.

dijeran decir의 접·과거·3·복수.

dijeras decir의 접·과거·2·단수.

dijeron decir의 직·부정과거·3·복수.

dijes *m.pl.* =**bravata.**

dijese decir의 접·과거·1·3·단수.

dijeseis decir의 접·과거·2·복수.

dijésemos decir의 접·과거·1·복수.

dijesen decir의 접·과거·3·복수.

dijeses decir의 접·과거·2·단수.

dijimos decir의 직·부정과거·1·복수.

dijiste decir의 직·부정과거·2·단수.

dijisteis decir의 직·부정과거·2·복수.

dijundear *intr.* 《*Col. Guat. Urug.*》 죽다, 사망하다.

dijustar *tr.* =**disgustar.**

dilaceración *f.* 발기발기 찢기, 토막내기; 손상입은 긍지, 명예 훼손.

dilacerar *tr.* 발기발기 찢다; 토막내다; (긍지·자존심 등을) 상하게 하다.
~se 찢어지다; 발기발기 찢기다; 자존심을 손상당하다.

dilación *f.* [*lat.* dilatio] ① 지연; 시간의 연장, 지체(retraso, demora) : Venga usted a verme sin ~ 지체없이 나를 만나러 오십시오. ② 유예.

dilapidación *f.* 탕진, 허비, 낭비.

dilapidador, ra *adj.* 낭비하는, 허비하는.
—*m.f.* 낭비자.

dilapidar *tr.* [*lat.* dilapidare] ① 황폐시키다, 망쳐 놓다; 파손시키다. ② 헛되이 사용하다, 낭비하다(malgastar) : ~ la hacienda. **Contr.** ahorrar.

dilatabilidad *f.* 넓히는 일, 팽창성.

dilatable *adj.* 부풀어 오르는, 팽창성의. **Contr.** coercible, compresible.

dilatación *f.* [*lat.* dilatatio] 확대, 팽창, 확장; 증대; 팽창부; 연기; 부연(敷衍), 상설(詳說); 【의학】 비대(증).

dilatadamente *adv.* 광활하게; 침착하게; 뒤늦게; 어물어물하며.

dilatado, da *adj.* [dilatar의 *p.p.*] 넓은, 널찍한; 광막한, 광대한, 광활한(extenso, vasto, numeroso) : Tiene las pupilas ~*das* 그녀는 눈동자가 크다.

dilatador, ra *adj.* 늘리는, 펴는. —*m.* 신장기, 확장기.

dilatar *tr.* [*lat.* dilatare] ① 불리다, 늘리다. ② 넓히다(extender, alargar), 확장하다. ③ 펴다(propagar) : ~ la fama 명성을 세상에 떨치다. ④ 팽창시키다. ⑤【고어】《*Amér.*》 늦추다, 연기하다, 미루다(diferir) : ~ un asunto *a·para* otra ocasión 일을 다른 기회까지 미루다. *Dilató* mucho la salida 그는 출발을 질질 끌었다.
—*intr.* 《*Amér.*》 지체하다, 늦어지다(tardar, demorar).
~se 늘어나다, 확대하다, 펴지다; 넓어지다, 연장·확장되다; 지루해지다, 늦어지다, 연기되다, 지연되다; 팽창하다; 말이 길어지다.

dilativo, va *adj.* 늘어나는; 팽창성의.

dilatorias *f.pl.* 지체, 성미가 느림(dilación) : andar con ~ 어물거리다.

dilatorio, ria *adj.* 연기하는; 연기시키는 : excepción ~*ria* 연기의 특례.

dilección *f.* [*lat.* dilectio] 자애(amor tierno y puro).

dilecto, ta *adj.* 자애로운, 귀여운, 귀염을 받는.

dilema *m.* [*gr.* dilêmma] ① 진퇴 양난, 궁지, 딜레마. ②【논리】 양도 논법(兩刀論法).

dilemático, ca *adj.* 딜레마의, 진퇴 양난에 빠진.

diletante *adj.* 딜레탕트의, 예술을 좋아하는 : ~ de la ópera 오페라를 좋아하는. —*m.f.* 딜레탕트, 도락으로 하는 예술가, 예술 애호가, 아마추어 예술가; 호사가.

diletantismo *m.* 《*Cuba.*》 예술 애호, 도락, 취미 본위.

diligencia *f.* ① 근면, 부지런함 : Trabaja con ~ 그는 부지런히 일한다. ② 정성들임. ③ 기민, 민활. ④ 업무, 용무. ⑤ 수속, 절차 : Olvidó una ~ indispensable 그는 필요한 수속을 잊었다. ⑥ 청원. ⑦ (불란서 · 스위스 따위의) 승합 마차, 역마차.

diligenciamiento *m.* 처치(하는 일).

diligenciar *tr.* ⑪ (누구에 대한) 청원 달성을 강구하다, 수속 · 절차를 밟다 ; 진력하다, 애쓰다, 노력하다 ; 처치하다.

diligenciero *m.* 대리인 ; 대리 인수인.

diligente *adj.* ① [*lat.* diligens] 근면한, 부지런한 (trabajador) : ~ *en* su oficio 직책에 부지런한. un muchacho poco ~ 별로 부지런하지 못한 소년. ② 민첩한, 민활한, 재빠른(ágil) : ~ *para* obrar. **Contr.** lento, indolente.

diligentemente *adv.* 근면하게, 부지런하게, 민첩하게, 민활하게, 기민하게, 열심으로, 주의 깊게.

dille *m.* 《*Chile.*》【곤충】 매미(chicharra).

dilleniáceas *f.pl.* 【식물】 =**dileniáceas.**

dilogía *f.* =**ambigüedad.**

dilorar *intr.* 《*PRico.*》【속어】 헛소리하다, 넋두리하다.

dilucidación *f.* 해설, 해명.

dilucidador, ra *adj.* 해설하는. —*m.f.* 해설자.

dilucidar *tr.* 설명하다, 해설하다 ; 명확하게 하다.

dilucidario *m.* 해설 (문장).

dilución *f.* [*lat.* dilutio] 희석(稀釋), 묽게 하는 일.

dilúculo *m.* ① (로마 사람들이 밤을 나누었던) 여섯 부분의 마지막. ② 여명, 새벽.

diluente *adj.* 묽게 하는. —*m.* 희석액.

diluir *tr.* ⑰ [*lat.* diluere] ① 묽게 하다 ; 녹이다, 용해하다(desleir). ② 희석하다. ③ (책임 · 명령을) 분담시키다. ④ 사취 · 편취하다.

diluvial *adj.* ① 대홍수의. ②【지질】 홍적층(洪積層)의. —*m.* 【지질】 홍적층, 최신세(最新世).

diluviano, na *adj.* 홍수의 ; 홍수 같은 ; 노아의 홍수의.

diluviar *intr.* ⑪ 비가 많이 내리다, 비가 억수처럼 오다(llover a cántaros).

diluvio *m.* [*lat.* diluvium] ① 대홍수 ; 호우(豪雨). ② 많음, 풍부(abundancia). ③ [el D-] 노아(Noé)의 홍수.

arca del ~ 노아의 방주.

diluy- → **diluir** ⑰.

diluyente *adj.* =**diluente.**

dimanación *f.* 발생 ; 솟아 나옴, 뿜어 나옴.

dimanante *adj.* 물이 뿜어 나오는 · 넘쳐 나오는 ; 발생하는, 유래하는.

dimanar *intr.* [*lat.* dimanare] (물이) 뿜어 나오다, 넘쳐 나오다 ; 발생하다, 나오다, 유래하다(provenir) : Su éxito *dimana de* su constancia 그의 성공은 착실함에서 비롯된다.

dimensión *f.* [*lat.* dimensio] ① 크기(tamaño) : objeto de gran ~. ② 넓이 ; 높이, 길이. ③ 하나하나의 치수 : índice de tres ~*es* 입체 지수. ④ 음역(音域). ⑤ 용적(容積). ⑥ 규모. ⑦【물리 · 수학】 차원 : cuarta ~ 4차원.

dimensional *adj.* 크기의, 용적의 ; 입체적인.

dimes y diretes *m.* 말다툼, 토론 : andar en ~ 언제나 말다툼만 하고 다니다.

dimicado *m.* 《*Arg.*》 =**calado.**

dimidiar *tr.* =**partir.**

diminución *f.* [*lat.* dimintio] ① 감소, 축소 (merma) : la ~ de las cosechas 수확의 감소. ② 할인, 에누리(disminución).

diminuente *adj.* 축소 · 감소하는.

diminuir *tr.* ⑰ =**disminuir.**

diminutamente *adv.* =**menudamente.**

diminutivamente *adv.* 아주 작게, 조그맣게 하여.

diminutivo, va *adj.* [*lat.* diminutivus] 축소하는, 감소하는, 작게 한 : sufijo ~【문법】 축소 접미사《-ito, -illo, -ecito, -uello, -zuelo 등》. —*m.* 축소어(縮小語) 《perro → perrito, dinero → dinerillo, viejo → viejezuelo 등》. **Contr.** aumentativo.

diminuto, ta *adj.* ① 아주 작은 : pie ~ 아주 작은 발. ② 불완전한.

dimir *tr.* 【방언】 (과일을) 떨어뜨리다.

dimisión *f.* [*lat.* dimissio] 해임 ; 사퇴, 사직 : ~ en pleno 총사퇴. hacer ~ de algún cargo 어떤 직의 사임을 하다. presentar la ~ 사표를 제출하다.

dimisionario, ria *adj.* 사표를 낸 : ministro ~ 사임한 각료.

dimisorias *f.pl.* (승려의) 교적 이전 면장(敎籍移轉免狀).

dar ~ 쫓아내다.

llevar ~ 몰려나다, 쫓겨나다, 해임 당하다.

dimisorio, ria *adj.* (승려의) 교적 이전 면장 (dimisorias)의.

dimitente *adj.* 사직하는. —*m.f.* 사직자.

dimitir *tr. intr.* [*lat.* dimittere] 해임하다 ; 사직 · 사퇴하다, 그만두다 : ~ en pleno 총사직하다.

dimorfismo *m.* ①【생물】 동종 2형, 2형성(形成). ②【결정】 동질 2상(像), 양형(兩形).

dimorfo, fa *adj.* 동종 · 동질 2형의.

dimos dar의 직 · 부정과거 · 1 · 복수.

din *m.* 【속어】 돈(dinero) ; 부, 재화 : el ~ y el don 부와 천품(天稟).

din. dinero.

dina *f.* 【물리】 다인 《힘의 단위》.

dinacho *m.* 《*Chile*》【식물】 오갈피과에 속하는 식물.

Dinamarca *f.* 【지명】 덴마크.

dinamarqués, sa *adj.* 덴마크의. —*m.f.* 덴마크 사람. —*m.* 덴마크어.

dinamia *f.* 【물리】 데나메아 《힘의 단위 : 1킬로그램을 1미터 올리는 힘》.

dinámico, ca *adj.* [*gr.* dunamis] ① 힘의 ; 동력의. ② 동적인, 행동적인, 활동적인, 정력적인 (activo) : un hombre ~ 활동적인 사람. ③ 이동하는. ④ 역학의 ; 역학적인. —*f.* 【물리】 역학, 동력학.

dinamiología *f.* 동력학.

dinamismo *m.* 【철학】 동력론, 역본설(力本說) ; 폭파주의 ; 폭력 ; 활력, 행동력 ; 원동력, 동력.

dinamista *m.f.* 동력론자, 역본설 주장자.

dinamita *f.* 다이너마이트.

dinamitar *tr.* 다이너마이트로 폭파하다 : ~ una roca.

dinamitazo *m.* 다이너마이트 폭파.
dinamitero, ra *adj.* 폭파주의의. —*m.f.* 다이너마이트를 사용하는 폭도.
dinamo *m.* =**dínamo.**
dínamo *f.* 발전기, 다이너모.
dinamoeléctrico, ca *adj.* 발전의. —*m.* 발전기.
dinamógrafo *m.* 동력 기록기, 자기 동력계 ; (근육의) 역량 기록기.
dinamometría *f.* 역량·동력 측정(법).
dinamométrico, ca *adj.* dinamómetro의.
dinamómetro *m.* 역량계, 악력계, 동력계, 전력계.
dinamotor *m.* 직류 발전기.
dinar *m.* 중세 아라비아 금화 ; 이라크·요르단·쿠웨이트·유고슬라비아의 화폐 단위.
dinasta *m.* 군주.
dinastes *m.* =**dinasta.**
dinastía *f.* [*gr.* dunasteia] 왕조, 왕가 : la ~ borbónica 부르봉 왕가.
dinástico, ca *adj.* 왕조의 ; 왕가의, 왕당파의, 왕가파의.
dinastismo *m.* 한 왕가에 대한 충성.
dinde *m.* [드뭄] 어린아이의 매장.
dinerada *f.* 거액 : gastar un ~ en una boda.
dineral *adj.* 금은화 계량의. —*m.* 거액 : gastarse un ~ 거액을 낭비하다.
dineralada *f.* =**dinerada.**
dinerario, ria *adj.* 돈의.
dinerillo *m.* [*dim.* dinero] ① 옛 동화의 이름. ② 근소한 돈 : Tiene ~ ahorrado 적은 금액을 저축하고 있다.
dinero *m.* [*lat.* denarius] ① 돈 : ganar ~ 돈을 벌다. perder ~ 돈을 잃다, 손해를 보다. hacer ~ 돈을 마련하다·모으다. convertir en ~ 환금하다, 현금으로 바꾸다. Pierdo ~ 손해입니다. ② 재산 : un hombre de ~ 돈 있는 남자. ③ 옛 동전의 이름.
~ ***al contado,*** ~ ***contante,*** ~ ***contante y sonante,*** ~ ***en efectivo,*** ~ ***en tabla*** 현금. ~ ***en metálico*** 경화(硬貨). ~ ***burgalés*** 옛날 금화의 이름. ~ ***flotante*** 유휴 자금. ~ ***suelto*** 잔돈 (cambio). ***buen*** ~ 상당한 금액.
~ ***de San Pedro*** 카톨릭 신자들이 교황에게 드리는 헌금.
estar mal con su ~ 돈을 낭비하다.
De ~ y calidad, la mitad de la mitad 재산과 집안 자랑은 반의 반으로 들어라.
dineroso, sa *adj.* 돈이 있는, 부유한(rico).
dineruelo *m. dim.* dinero.
dingo *m.* (오스트렐리아의) 야생의 개.
dingolondangos *m.pl.* 귀여워하기 ; 응석을 받아 주기 ; 달래는 일 : hacer ~ a un niño 아이를 달래다.
dinoceras *m.* 【고생】 공각수(恐角獸).
dinomanía *f.* 【의학】 무도광(舞蹈狂) ; 유행성 무도병(舞蹈病).
dinornis *m.* 【고생】 공조(恐鳥).
dinosaurio *m.* 【고생】 공룡(恐龍).
dinosauros *m.pl.* 【고생】 =**dinosaurios.**
dinoterio *m.* 【고생】 흉맹수(兇猛獸)《제3기의 거대한 코끼리》.
dintel *m.* 【건축】 ① 상인방(上引枋), 윗중방. ② 문미(門楣)《문 위에 가로 대는 나무》.
dintelar *tr.* 상인방을 대다 ; 상인방 모양으로 하다.
dintorno *m.* 윤곽의 안쪽 선.
diñar *tr.* [집시어] 주다, 부여하다(dar).
diñarla 죽다.
diñarse 달아나다.
diñársela a uno (누구를) 속이다.
diocesano, na *adj.* 주교·대주교 교구의 ; 교구를 가진 (승정·대승정) : arzobispo ~.
diócesi *f.* [*gr.* dioikêsis] (주교·대주교의) 교구.
diócesis *f.* =**diócesi.**
díodo *m.* (라디오의) 다이오드, 2극체.
Diógenes *m.* ① 디오게네스《그리스의 키니크 학파의 철학자, 412—323 a. de. J.C.》. ② 통속의 선인(仙人) : la linterna de ~ 참된 인간을 찾던 초롱.
dioico, ca *adj.* 수꽃 암꽃을 따로 갖는.
diomedea *f.* 【동물】 =**albatros.**
dione *f.* =**dionea.**
dionea *f.* 【식물】 파리풀.
dionisia *f.* 【광물】 혈옥수(血玉髓) ; 적철광《취기를 깨게 하는 것으로 알려졌던 돌》.
dionisiaco, ca *adj.* 주신(Dioniso)의 ; 주신과 인연이 있는. —*f.pl.* 주신제.
dionisíaco, ca *adj.* =**dionisiaco.**
Dionisos *m.* 【희랍 신화】 주신, 술과 연극의 신, 바커스《로마 신화의 Baco》.
dioptasa *f.* 【광물】 취동광(翠銅鑛).
dioptra *f.* 광학기의 조준의(照準儀)·조준기.
dioptría *f.* 디옵터《안경 측정 단위》.
dióptrica *f.* 굴절 광학.
dióptrico, ca *adj.* 굴절 광학의 ; 광선 굴절을 응용한.
diorama *m.* 투시화, 디오라마 ; 디오라마관.
diorita *f.* 【광물】 섬록암(閃綠岩).
dios *m.* [*lat.* deus] ① 신 : Los ateos no creen en ~ 무신론자들은 신을 믿지 않는다. ② 모든 것 중에서 존경받는 사람·물건 : El oro es su ~. [*N.* 그리스도교의 유일신은 대문자로 Dios, 신화 등의 신과 기타 잡신은 소문자 dios로 함이 보통].
¡Dios! =¡Válgame Dios!
Dios dirá 장래를 믿는.
~ ***mediante*** 지장이 없다면.
~ ***me perdone, pero*** …실례지만 ; 죄송하지만.
¡ ~ ***mío !*** 경탄·고통 등의 감탄사.
~ ***sabe*** 차마 생각지도 못할 일이다 : *Dios sabe* lo que me cuesta 얼마나 걸릴지 어떻게 알 수 있담.
~ ***te ayude*** 재채기를 하는 사람을 놀리는 말.
Dios hombre 그리스도.
¡ A ~ ! 안녕 (Adiós).
a gracias ~ ; ***a*** ~ ***gracias*** 고맙게도, 덕분으로.
a la buena de ~ 어떤 방법으로던지 ; 쉽게, 곧이 곧대로.
Anda con ~ ①《작별 인사》안녕히 가세요·계십시오. ② 바로 이 때를 참아내야 한다.
¡Aquí de ~ ***!*** 하느님, 굽어 살피시옵소서.
¡ Ay ~ ***!*** 아픔·놀라움·연민을 나타내는 감탄사.
¡Bendito sea ~! 기쁜 일이 생겼을 때 쓰는 감탄

사.
clamar a ~ 슬퍼하다 ; 통탄할 일이다 : Eso *clama a Dios.*
como ~ *manda* =como es debido.
de ~ 몹시, 실컷 ; 흔하게 : Llueve *de Dios.*
Está de ~ *y de la ley* 《*Méx.*》 훌륭하다, 멋있다.
gracias a ~ 덕택에, 덕분에.
estar con ~, *gozar de* ~ 죽어 있다.
estar de ~ 할 수 없는 일이다.
irse bendito de ~, *irse mucho con* ~ 화가 나서·헤어져 가버리다.
irse con ~ 가버리다 ; 작별하다(despedirse).
la de ~ *es Cristo* [haber·armarse 등과 함께 쓰여] 대판 싸움, 대소동(이 있다·일어나다).
llamar a ~ *de tú* 버릇없는·허물없는 말씨를 쓰다.
no llamar ~ a uno *por un camino* (누구는 그 일에 대해) 별로 솜씨가 없다.
no haber para uno *más* ~ *ni Santa María que* … (누구는) …에 푹 빠져 있다, 무엇보다 좋아하다 : *Para* él *no hay más Dios ni Santa María que* el juego 그는 노름이라면 오금을 못 편다.
pasar la de ~ *es Cristo* 엉망으로 보내다.
¡por ~*!* =¡Válgame ~!
Quiera ~ 그렇게만 된다면 얼마나 좋을까만 (극히 미심쩍은 일이다).
recibir a ~ 성체를 배령(拜領)하다(comulgar).
¡Sabe ~ *!* 그지없이 미심쩍다.
si ~ *quiere* 인간이 바라는 것에 어긋나지 않는다면, 사정이 허락하면.
todo ~ 모든 사람(todo el mundo).
¡Válgame·Válgate ~*!* 천만의 말씀!, 이거야 참! 《불쾌·놀라움을 은근히 나타내는 감탄사》.
¡Vaya con ~ *!* (말하는 것을 끊고) 그럼, 잘가요·안녕히 계십시오!
¡Vaya por ~ *!* 여기서 참아야 한다!
¡Vaya usted con ~, *mucho con* ~*!* 안돼, 안돼!
Venga ~ *y véalo* 하나님께서도 보아 주십시오 (이러한 부정한 일이 있어서 된답니까).
venir ~ *a ver* (누구에게) 생각지도 않게 좋은 일이 생기다.
¡Voto a ~ *!* 빌어 먹을!, 제기랄!
A ~ *rogando y con el mazo dando* 【속담】 신에게 요구하지 않고 우리가 할 수 있는 일은 우리 스스로 해야 한다 ; 스스로 할 수 있는 일은 스스로 해야 한다.
El hombre propone y ~ *despone·y la mujer descompone* 【속담】 일은 사람이 꾸미되, 성패는 하늘에 달렸다 ; 모사는 재인(在人)이요, 성사는 재천(在天)이라.

diosa *f.* 여신 ; 절세 미인.

dioscoreáceo, a *adj.* 【식물】 천마과의. —*f.pl.* 천마과 식물.

dioscóreo, a *adj.* =**dioscoreáceo.**

diosdará *m.* 《*Col.*》 【조류】 디오스다라 《지저귀는 소리가 Dios dará라는 소리를 내는 구관조 크기의 새》.

diosma *f.* 《*Arg.*》 【식물】 디오스마 《아르헨띠나 산의 향기 높은 식물》.

dióspiro *m.* 【식물】 (말레이와 인도산의) 감나무 비슷한 식물.

diostedé *m.* 【조류】 (남미산의) 큰 부리새 《기저귀는 소리가 Dios te dé 같은 새》.

dipétalo, la *adj.* 【식물】 화판이 두 개 있는.

diplococo *m.* 【생물】 쌍구균(雙球菌).

diplodoco *m.* 【고생】 양룡(梁龍).

diploma *m.* 칙서 ; 면장, 포장(褒狀) ; 졸업 증서 ; 학위증.

diplomacia *f.* ① 외교. ② 외교단·기관 ; 외교계 : entrar en la ~. ③ 사령(辭令) ; 인사말. ④ 숙련, 능수 능란, 재주(tacto, habilidad) : Sabe conducirse con ~ 그는 능수 능한하게 운전할 줄 안다.

diplomado, da *adj.* 《*Galic.*》 ① 면허장·자격이 있는 : dentista ~. ② 학위·칭호를 가진 (사람) : profesor ~ 학위가 있는 선생. —*m.f.* 대학 졸업자(graduado).

diplomar *tr.* 《*Arg. Chile.*》 (…에게) 면허장을 수여하다, 졸업시키다(graduar).

diplómata *m.f.* 【속어】 외교관(diplomático).

diplomática *f.* 외교(술) ; 외교 교섭, 홍정 ; 고문서학.

diplomáticamente *adv.* 외교적으로 ; 솜씨있게, 홍정에 의해.

diplomático, ca *adj.* ① 외교의, 외교적 : cuerpo ~ 외교단. ② 신비스런, 외교적 수완이 있는, 재치있는 : Es muy ~. —*m.f.* 외교관, 외교가 : ~ de carrera 직업 외교관.

diplomatizar *tr.* ⑨ 외교적으로 하다, 외교술을 쓰다, 외교 교섭을 하다.

diplopía *f.* 【병리】 복시(複視).

diplóptero, ra *adj.* 이중 날개를 가진.

dipneo, a *adj.m.* 【어류】 폐어류(肺魚類)의 (물고기).

dipnéumono, na *adj.* 【어류】 폐가 두 개인.

dipodia *f.* 옛날의 길이의 단위 《2 피트》.

dipsacáceo, a *adj.* =**dipsáceo.**

dipsáceo, a *adj.* 【식물】 체꽃과의. —*f.pl.* 체꽃과 식물.

dipsomanía *f.* ① 만취벽(滿醉癖). ② 【의학】 주갈증(酒渴症).

dipsomaniaco, ca *adj.* 물을 자주 마시는 ; 음주광의. —*m.f.* 술고래, 모주꾼, 주정뱅이, 술부대.

dipsomaníaco, ca *adj.m.f.* =**dipsomaniaco.**

dipsómano, na *adj.m.f.* =**dipsomaniaco.**

díptero, ra *adj.* [*gr.* dipteros] ① 【곤충】 쌍시(雙翅)의 ; 쌍시류의. ② 【건축】 이중 주랑식(柱廊式)의. —*m.pl.* 쌍시류 《파리·모기 등》.

dipterología *f.* 쌍시류학.

díptica *f.* 옛날의 두 쪽으로 접게 된 편지지 《안쪽에 초칠을 하여 뾰족한 촉으로 쓰게 된 것》. —*pl.* 주교 명부.

díptico *m.* (옛 로마의) 두 쪽으로 된 그림·조각 《제단 장식용》 ; 둘로 접게 된 편지지.

diptongación *f.* 이중 모음화.

diptongar *tr.* ⑧ 이중 모음으로 만들다. —*intr.*, **~se** 이중 모음이 되다.

diptongo *m.* [*gr.* diphthongos] 이중 모음 《ai, ia, ei, ie, oi, io, ui, au, ua, ou, uo, iu 등》.

diputación *f.* [*lat.* diputatio] ① 대표 선출. ② [집합] 의원단 : ~ provincial 지방 의원단. ③ 주 의사당. ④ 의원직·임기 : ejercer la ~ 의원으로 일하다. ⑤ 《*Méx.*》 시청사(casa consistorial, palacio municipal) : ir a la ~.

diputado, da *m.f.* 대표 의원 ; 의원, 대의원, 국회 의원(parlamentario) : ~ *a* · *en* cortes 서반아의 국회 의원. ~ provincial 지방 의원. asam- blea de ~*s* 국회. Congreso de los ~*s* 민의원, 하원.

diputador, ra *adj.* 대표하는. —*m.f.* 대표자.

diputar *tr.* 선택하다, (국회 의원을) 선출하다 ; …라고 생각하다(tener por).

dique *m.* [*hol.* dyk] ① 제방 ; 방파제 ; 부두, 선창. ② 선거(船渠), 독 : ~ flotante 부선거. ~ seco 건선거. ③【지질】 암맥(岩脈), 노층(露層). ④ 사마(邪魔) : poner un ~ a las pasiones 감정을 억제하다.

diquelar *tr.*【은어】 =**comprender.**

dirá decir의 미래 · 3 · 단수.

dirán decir의 미래 · 3 · 복수.

dirás decir의 미래 · 2 · 단수.

dirceo, a *adj.* 테베의(tebano) : el cisne ~ 시인. Pindaro · el héroe ~ 테베의 왕 Polinices 《Edipo의 아들로 형제간의 불화로 유명함》.

diré decir의 미래 · 1 · 단수.

dirección *f.* [*lat.* directio] ① 방향, 방각(方角), 방면(sentido) : en todas ~*es* 사방 팔방으로. calle de ~ única 일방 통행로. Esta calle es de ~ única 이 도로는 일방 통행이다. Fuertes vientos soplaban en ~ hacia abajo 강풍이 아래쪽을 향해 불었다. Los proyectiles siguen una ~ parabólica 포탄은 포물선 방향으로 날아간다. ② ㄱ) 지휘 : tomar la ~ 지휘하다. ㄴ) 지도, 감독, 관리 ; 조종. ③ director의 직무, director의 사무소 ; 수뇌부, 간부 ; 국(局), 부, 관리부, 감독국, 지도부 : ~ general 총국. ④ 지시. ⑤ (편지 · 소포의) 수신인 · 수취인 주소 성명 : ~ cablegráfica 전신용 수신인 주소 성명 ; 전보 약호. Hay que escribir la ~ con clar- idad 주소는 분명히 써야 한다.

direccional *adj.* 방향의, 지향적인 : antena ~ 지향성 안테나.

directamente *adv.* 직접적으로 ; 별안간 ; 곧장.

directe ni indirecte *adv. lat.* 직접적으로나 간접적으로나 (…하지 않다).

directivo, va *adj.* 지휘 · 지도 · 통솔 · 관리의 ; 간부(幹部)의 : junta ~*va* 이사회, 간부회.
—*m.f.* 임원, 간부(사원) ; 경영자 : Deseo ha- blar con algún ~ 어느 분이든 임원과 말하고 싶습니다.
—*f.* 이사회 ; 간부 회의, 중역 회의.

directo, ta *adj.* [*lat* directus] ① 곧은, 똑바른 : línea ~*ta* 직선. razón ~*ta* 정비례. ② 직계의, 직속의. ③ 직접의 : complemento ~【문법】 직접 보어. impuesto ~ 직접세. [Contr.] indirec- to. ④ 직통 · 직행의 : tren ~ 직행 열차. vapor ~ 직항선(直航船). ⑤ [감탄사적으로] 곧장, 똑바로 : (Siga) ~ 똑바로 가십시오(Siga derecho).

director, ra *adj.* [*lat.* director] ① 지휘 · 지도 · 지배하는. ② 기준이 되는 : plano ~ 기준면. —*m.f.* ① 사장 ; 지휘자, 지배인 : ~ general 총 지배인, 총국장. ② dirección의 장, 부장 ; 중역, 이사 : ~ gerente 사장, 전무 이사. ③ 교장 : la directora de una escuela 여교장. ④ (영화의) 감독, (연극의) 연출가, 단장 : ~ de espec- táculos 쇼단의 단장. ⑤ (신문의) 편집장, 주필.

directorado *m.* director의 직무.

directoral *adj.* 지휘 · 감독하는 ; 지휘자 · 지배자로서의.

directorio, ria *adj.* 지휘 · 주재 · 통솔 · 지도를 맡은. —*m.* ① 지시, 규정 ; 편람, 명부, 장부 : ~ de teléfonos 전화 번호부. ② 수뇌부 회의, 간부 회의, 이사회, 중역회. ③【종교】 성무(聖務) 안내, 예배 규칙서. ④ 주소록(libros de señas).

directriz *adj.* [director의 여성형으로 여성 명사만 꾸민다] 지휘 · 지도하는 ; 기준이 되는 : línea ~ 지도 방침. —*f.* 기준선 ; 지도 원리.

diréis decir의 미래 · 2 · 복수.

diremos decir의 미래 · 1 · 복수.

dírhem *m.* ① (이집트의) 무게의 단위 《4그람》. ② (서반아에서 사용되었던) 아라비아의 옛 은화. ③ (현재의) 모로코의 화폐 단위.

diría decir의 가능법 · 1 · 3 · 단수.

diríais decir의 가능법 · 2 · 복수.

diríamos decir의 가능법 · 1 · 복수.

dirían decir의 가능법 · 3 · 복수.

dirías decir의 가능법 · 2 · 단수.

dirigente *adj.* 지도(指導)의. —*m.f.* 지도자, 리더(líder).

dirigible *adj.* 유도할 수 있는 ; 지도 · 조정할 수 있는. —*m.* 비행선(globo ~).

dirigir *tr.* [4] [*lat.* dirigere] ① 향하다, 돌리다 : *Dirigió* la mirada a un cuadro 그는 그림에 시선을 돌렸다. ② 이끌다, 인도하다, 유도하다(guiar) : ~ por el atajo 지름길로 안내하다. proyectil *dirigido* 유도탄. ③ 조종하다 : ~ una barca. ④ 지도하다, 감독하다(aconsejar) : ~ a uno *en* una empresa 어떤 일로 누구를 지도하다. ⑤ 지휘 · 통솔 · 지배하다(gobernar) : El *dirige* una empresa como director 나는 사장으로서 기업을 경영하고 있다. ⑥ (우편물 등을) …에게 발송하다 ; 수취인 주소를 적다 : Esta carta viene mal *dirigida* 이 편지는 수취인의 주소와 성명이 틀렸다. ⑦ 헌정하다, 바치다(dedicar) : ~ un soneto.
~se ① 향하다 : La brújula *se dirige a*l norte 자석은 북쪽을 향하고 있다. *Diríjanse* al aparato 탑승해 주십시오. ② 향해 가다 : *Se dirigieron hacia* la montaña 그들은 산으로 향했다. ③ 부임하다. ④ (누구를 향해) 말을 걸다 : Yo *me dirigí a*l profesor para preguntar mis dificultades 나는 난문제를 묻기 위해 선생님께 말을 걸었다. ⑤ (…에게) 편지를 쓰다 : *Me dirijo* a usted para … …하기 위해 당신에게 편지를 보냅니다.

dirigismo *m.* 국가 경제 활동 감독 제도.

dirij-, dirija- → **dirigir** [4].

dirimente *adj.* 취소하는 ; 제외시키는.

dirimible *adj.* 말소 · 해소할 수 있는.

dirimir *tr.* [*lat.* dirimere] ① 취소하다(anular) : ~ el matrimonio. ② 해결 · 해소하다 : ~ la contienda. ③ (곤란을) 배제 · 제거하다.

dirruir *tr.* =**derruir, derribar, arruinar.**

dis- *pref.* 「부정」·「반대」·「분리」 등의 뜻을 나타내는 접두어 : *dis*gustar, *dis*favor.

disanto *m.* 종교상의 축제일.

disartria *f.*【의학】 연결의 어려움.

discantada *adj.* 《*Perú.*》 음악이 따른 : misa ~.

discantado, da *adj.* discantar의 *p.p.*
discantar *tr.* [*lat.* discantare] ① 노래부르다 (cantar). ② 낭송하다, 읊다, 작시하다. ③ 상해(詳解)하다.
discante *m.* ① 소형 기타(guitarrillo). ② 현악기의 합주. ③《*Perú.*》터무니없는 것, 우수운 일 : Es un ~ salir con paraguas un día como hoy 오늘같은 날 우산을 가지고 외출하는 것은 정말 가관이다.
discernible *adj.* 식별·가려낼 수 있는.
discernidor, ra *adj.m.f.* 식별하는, 가려내는 (사람).
discernimiento *m.* ① 식별, 판단 ; 식별력, 판단력. ② 평가. ③《*Galic.*》인가, 수여.
discernir *tr.* 21 [*lat.* discernere] ① 식별하다, 가려내다(distinguir) : El pintor no sabe ~ un color de otro 그 화가는 색을 가릴 줄 모른다. **Contr.** confundir. ② 인가하다 ; 후견인으로 하다. ③《*Galic.*》수여하다(conceder) : ~ un premio.
disciplina *f.* ① 규율, 율칙 : La ~ escolar se ha suavizado mucho recientemente. ② 학통(學統), 예통(藝統). ③ 교련, 훈련 ; 질서, 풍기 : ~ militar 군률, 군기. ④ 징계. —*pl.* 채찍, 회초리.
~s de monjas【식물】색비름.
disciplinable *adj.* 유순한, 복종하는, 고분고분한, 순수히 따르는, 훈련할 수 있는. **Contr.** indisciplinable, rebelde.
disciplinadamente *adv.* 규율 바르게, 정연히.
disciplinado, da *adj.* 규율이 바른 ; 훈련된.
disciplinal *adj.* 규율에 관한, 규율상의.
disciplinante *m.* 고행자, 수도자, 도사, 자신의 몸에 채찍을 가하는 수도사.
disciplinar *tr.* [*lat.* disciplinari] ① 훈육하다, 교련하다, 훈련시키다. ② 채찍질하다(azotar). ③ 규율을 따르게 하다.
disciplinario, ria *adj.* 규율·풍기의 ; 징계의 ; 징벌을 받은 : batallón ~ 징치대(懲治隊). comisión ~ 징계 위원회.
disciplinazo *m.* 채찍질 : dar ~*s* 회초리로·채찍으로 때리다.
discipulado *m.* ① 수학(修學) ; 교정(敎程). ② [집합] 생도, 제자.
discipular *adj.* 제자의, 생도의 ; 제자로서의.
discípulo, la *m.f.* [*lat.* discipulus] 제자 ; 생도.
disco *m.* [*lat.* discus] ① 둥그렇고 반반한 것, 반(盤), 그 표면 : ~ de la luna 달의 표면. ② (경기의) 원반 ; (축음기의) 레코드 ; (전화기의) 다이얼(~ marcador). ③ (철도의) 신호판, 시그널(~ de señales). ④【식물】화반(花盤). ⑤【동물】평원반상(平円盤狀) 조직.
~ *video* 비디오 디스크.
saltarse un ~ rogo =no detenerse.
soltar un ~ 똑같은 말을 자꾸 돌려서 말하다.
discóbolo *m.* 투원반 선수.
discófilo, la *m.f.* 레코드 애호가.
discografía *f.* 음반·레코드 제작·기술.
discográfico, ca *adj.* 음반·레코드 제작의 : empresa ~*ca* 레코드 회사.
discoidal *adj.* 원반형의.
discoideo, a *adj.* =**discoidal.**
discoideo, a *adj.* 원반형의.
díscolo, la *adj.* 싸우기 좋아하는 ; 다루기 힘든 ; 마음이 비뚤어진 : genio ~.
discolor *adj.*【고어】여러 색깔의.
discoloro, ra *adj.* 이색(二色)의.
disconforme *adj.* 불일치의 ; 불복의, 의견이 다른(desconforme).
disconformidad *f.* 불일치 ; 불복 ; 이론, 이의.
discontar *tr.* 24【방언】말하다, 이야기하다.
discontinuación *f.* 정지 ; 폐지 ; 불연속.
discontinuar *tr.* 15 끊다 ; 중단하다.
discontinuidad *f.* 중단, 단절 ; 중절(中絶) ; 단속성(斷續性).
discontinuo, nua *adj.* ① 끊어진. ②【수학】불연속의. **Contr.** continuo.
disconveniencia *f.* 부적당, 불일치 ; 부당 ; 어울리지 않음.
disconveniente *adj.* 불일치의 ; 타당하지 않는 ; 어울리지 않는.
disconvenir *intr.* 60 의견이 상충하다 ; 서로 받아들이지 않다 ; 어울리지 않다(desconvenir) ; 조화가 깨어지다.
discordancia *f.* 부조화 ; 불통일, 불일치 : ~ de opiniones 의견의 불일치.
discordante *adj.* 고르지 못한 ; 귀에 거슬리는, 듣기 거북한 ; 서로 의견이 맞지 않는.
discordar *intr.* 24 [*lat.* discordare] ① [+de : …과] 조화가 안되다. ② (음성·가락이) 맞지 않다 : Estos instrumentos *discuerdan*. ③ (기계 등이) 고르지 못하다 ; 서로 어울리지 않다 : ~ *en* pareceres 의견이 일치하지 않다. ④ 모순하다.
discorde *adj.* [*lat.* discors, discordis] ① 사이가 틀어진 : hallarse ~*s* dos personas. ② 컨디션이 나빠진 ; 고르지 못한. ③【음악】부조화의 (disonante) : Estos violines están ~*s.*
discordia *f.* [*lat.* discordia] ① 불화(不和) (desacuerdo), 부조화 : crear ~ 불화를 일으키다. ② 판정의 불일치. ③ 쟁의(爭議) : tercero en ~ 쟁의의 중재인. **Contr.** concordia.
discoteca *f.* 녹음·레코드 수집·보관실, 보관함, 보관소 ; 디스코장.
discotequero, ra *adj.* ① 축음기판의. ② discoteca의. ③ 디스코장에 가는 (사람).
discrasia *f.*【의학】악액질(惡液質).
discreción *f.* [*lat.* discretio] ① 사려 분별, 이지, 총명, 신중(sensatez). ② 비밀 : ~ absoluta 극비. ③ 빈틈이 없음, 기지, 재치 ; 재치 있는 말. ④ 임의, 자유 재량.
a ~ ① 임의로, 멋대로, 마음 내키는 대로 : fuego *a* ~ 개별 사격. ② 무조건으로, 조건 없이 : Entregóse la fortaleza *a* ~ 요새는 무조건 항복했다. **Contr.** indiscreción.
discrecional *adj.* 신중한, 적의(適宜)의, 임기응변의 ; 자유 재량에 맡겨진 : facultades ~*es* 임의로 행동할 수 있는 권리. fondo ~ 기밀비.
discrecionalmente *adv.* 임의로, 자유 재량으로.
discrepancia *f.* ① 상반, 상위, 불일치. ② 위반, 위약 : la ~ de condiciones 조건의 의견 차이, 조건의 위반.
discrepante *adj.* 앞뒤가 맞지 않는, 불일치한.
discrepar *intr.* [*lat.* discrepare] 서로 어긋나다,

상이하다(diferenciarse).

discretamente *adv.* 빈틈없이, 살그머니.

discretear *intr.* [경멸적으로] 빈틈없는 것처럼 보이다.

discreteo *m.* 빈틈없이 보이는 일.

discreto, ta *adj.* [*lat.* discretus] ① 겉으로 드러나지 않는, 은밀한, 은근한 : una flor *~ta* 아련히 피는 꽃. ② 조심성이 많은, 신중한, 분별있는; 빈틈없는, 재치있는 : palabras *~tas.* ③ 비밀의 : hacer uso ~ de …을 극비로 다루다. ④ 별개의. ⑤ 불연속의, 연관이 없는 : línea *~ta* 불연속선. ⑥ 이산의 : cantidad *~ta* 【수학】 분리량. ⑦ 하나씩 떨어져 있는 : viruelas *~tas.* Contr. continuo. *—m.f.* (어떤 수도원 등의) 상담역.

a lo ~ 조심스럽게, 신중하게, 살그머니, 넌지시, 은근히(a discreción).

discretorio *m.* (종교단 · 수도원 등의) 상담역회(의); 그 회의실.

discrimen *m.* [드묾] ① 화급. ② 위험(riesgo, peligro). ③ 상위, 차이(diferencia).

discriminación *f.* 《*Amér.*》 차별 (대우).

discriminante *adj.* 차별적인, 차별하는.

discriminar *tr.* 《*Amér.*》 구별하다, 차별하다 (distinguir); 차별 대우하다.

discriminatorio, ria *adj.* 차별적인.

discromía *f.* 피부 색깔의 병적 이변(異變).

discuento *m.* 《*Sal.*》 =**noticia, cuento, razón.**

disculpa *f.* 변명, 핑계 : dar *~s* 핑계를 대다. tener ~ 변명하다. Sinón. excusa.

disculpable *adj.* 변명할 수 있는; 용서할 수 있는, 하는 수 없는.

disculpablemente *adv.* 어쩔수 없이.

disculpadamente *adj.* 변명으로.

disculpador, ra *adj.m.f.* 변명하는; 용서하는 (사람).

disculpar *tr.* ① 변명해 주다 : ~ a uno *con* alguien 어떤 사람의 일을 어떤 사람에게 변명해 주다. ② 용서하다, 보아 넘기다(perdonar) : ~ un olvido.

~se [+de : …을] 변명하다 : *~se de* una distracción 자기의 부주의를 변명하다.

discurrir *intr.* [*lat.* discurrere] ① 돌아다니다. ② (물 · 세월이) 흐르다. ③ 심사 숙고하다, 곰곰이 생각하다, 깊이 생각하다; 논하다 (reflexionar) : ~ *en* · *sobre* artes. *—tr.* 생각해내다, 고안하다(idear); (결론을) 이끌어 내다, 추론하다(inferir).

discursante *adj.* 연설을 좋아하는. *—m.f.* 연설을 좋아하는 사람.

discursar *intr.* =**discursear.**

discursear *intr.* 《*Chile.*》 연설을 하다.

discursero, ra *m.f.* 《*AmérC. Chile.*》 =**discursista.**

discursible *adj.* 논할 수 있는; 사색할 수 있는.

discursista *m.f.* 연설가; 말다툼하기 좋아하는 사람.

discursivo, va *adj.* 생각에 잠긴, 사색에 빠진 (meditabundo); 사고의, 사색의, 추리의 : facultad *~va* 추리력. método ~ 추리 방법.

discurso *m.* [*lat.* discursus] ① 사고(력), 사색, 추리(력). ② 이야기 줄거리 : perder el hilo del ~. ③ 연설, 강연 : ~ electoral 선거 유세 · 연설. dar un ~ 연설을 하다. ④ 소논문 : ~ académico. ⑤ 시간의 · 세월의 흐름, 기간 (transcurso) : el ~ de los años.

discusión *f.* [*lat.* discussio] 논의, 토의, 토론; 논쟁.

discusivo, va *adj.* 【의학】 =**resolutivo.**

discutible *adj.* 논의 · 토의할 만한, 문제거리가 되는(cuestionable).

discutidor, ra *adj.* 토론 · 논의하기 좋아하는. *—m.f.* 토론 · 논의 좋아하는 사람.

discutir *tr. intr.* ① 검토 · 정사(精査)하다. ② 언쟁 · 논쟁하다; 논의 · 토의하다, 거론하다 (debatir) : ~ *con* el contratista el precio, ~ *sobre* el precio 청부업자와 값을 · 값에 대해 따지다. ~ el pro y el contra de una proposición 제안의 찬반을 논의하다. *Estuvieron* varias horas *discutiendo* el asunto 그들은 여러 시간 그 건을 토의하고 있었다.

disecable *adj.* 해부할 수 있는; 박제할 수 있는.

disecación *f.* ① 해부; 박제; 책갈피에 넣어 누른 잎(disección).

disecador, ra *m.f.* 해부자(disector). ② 박제사(taxidermista).

disecar *tr.* 7 [*lat.* dissecare] 해부하다; 박제하다; 잎을 책갈피에 넣어 누르다.

disección *f.* ① 해부 : La ~ del cuerpo humano fue considerada largo tiempo como sacrilegio 인체의 해부는 오랫동안 불경스런 일로 간주되었다. ② 박제. ③ 책갈피에 넣어 누른 잎.

disecea *f.* 【의학】 귀머거리, 청각 장애.

disector, ra *m.f.* 해부자, 박제사.

diseminación *f.* 파종; 전파.

diseminador, ra *adj.m.f.* 파종하는, 살포하는 (사람).

diseminar *tr.* 뿌리다, 파종하다, 살포하다 (sembrar).

disensión *f.* [*lat.* dissensio] 의견의 상충 · 불일치; 분쟁, 싸움.

disenso *m.* =**disentimiento.**

disenteria *f.* =**disentería.**

disentería *f.* 【의학】 이질 : La ~ es común en los países cálidos 이질은 열대 국가에서는 흔하다.

disentérico, ca *adj.* 이질의; 이질성의.

disentimiento *m.* 의견의 차이 · 불일치.

disentir *intr.* 53 [*lat.* dissentire] ① [+de : …와] 의견을 달리하다, 의견이 엇갈리다 : ~ *de* otro *en* política. ② 상치하다, …에 반대하다.

diseñador, ra *adj.* 소묘 · 제도 · 도안을 하는. *—m.f.* 제도사, 도안사, 설계자, 디자이너 : el mundialmente conocido ~ 세계적으로 알려진 디자이너.

diseñar *tr.* [*ital.* disegnare] 소묘하다; 설계하다, 제도하다 : ~ el plano de una casa.

diseño *m.* [*ital.* disegno] ① 도(圖), 설계도, 제도; 디자인, 원도(原圖), 스케치, 소묘. ② 간단한 설명.

disépalo, la *adj.* 【식물】 꽃받침 조각이 두 개인.

disertación *f.* 논(論); 논문; 논평, 논설.

disertador, ra *adj.m.f.* 논평하기 좋아하는 (사람).

disertante *adj.* 논설하는. *—m.f.* 논평가.

disertar *intr.* [*lat.* dissertare] 논하다, 논평하다 ; 논설하다.
diserto, ta *adj.* [*lat.* dissertus] 말답이 좋은 ; 이론이 정연한 : un orador ~.
disestesia *f.* 【의학】 이상 감각증, 감각 이상.
disfagia *f.* 【의학】 식사 장애.
disfamación *f.* =**difamación.**
disfamador, ra *adj.m.f.* =**difamador.**
disfamar *tr.* [드뭄] =**difamar.**
disfamatorio, ria *adj.* =**difamatorio.**
disfasia *f.* 【의학】 언어 장애.
disfavor *m.* 무례 ; 무뚝뚝함, 퉁명스러움, 무례한·무뚝뚝한 언동.
disformar *tr.* 이지러뜨리다, 형태를 망가뜨리다, 변형시키다, 흉하게 만들다(deformar).
disforme *adj.* ① 꼴불견의, 기형의 : un construcción ~. ② 보기 흉한, 추악한(feo). ③ 굉장한, 큰 : error ~.
disformidad *f.* =**deformidad.**
disforzarse *r.* 24 9 《*Perú.*》 단정하지 못하다 ; 괴로움을 극복하다(extremarse).
disfraz *m.* 변장, 가장 ; 위장 : sin ~ 환히 드러내 놓고. Ella me habló *sin* ~ 그녀는 나에게 꾸밈없이 말했다.
disfrazadamente *adv.* 변장하여, 가장하여.
disfrazar *tr.* 9 위장·변장시키다 ; 감추다, 숨기다, 속이다(disimular) : ~ sus intenciones 생각을 감추다.
~se [+de : …으로] 위장하다, 가장하다, 가면을 쓰다, 변장하다 : *Se disfrazó de* cartero para hacer abrir la puerta 그는 문을 열게 하기 위해 우편 집배원으로 변장했다.
disfrutar *tr.* 가지고 있다, (…에서) 이익을 보다 : ~ una finca, ~ los productos de la finca. —*intr.* ① [+de : …을] 얻고 있다, 향유하다, 애용하다(gozar) : ~ *de* buena renta 상당한 연수입이 있다. Mi abuelo *disfruta de* muy buena salud 내 할아버지는 매우 건강하시다. ② 향락하다, 즐기다 : ~ *con* la música 음악을 즐기다. *Disfrutamos* mucho *con*·*en* la excursión 우리는 소풍을 무척 즐겼다.
disfrute *m.* 향락, 향수, 향유 ; 즐거움.
disfuerzo *m.* 《*Perú.*》 ① 애교, 아첨, 입발린 칭찬, 간지러운 소리(melindre). ② 무례. ③ 여자들의 척하기.
disfumar *tr.* 흐리게 하다(esfumar).
disfumino *m.* =**esfumino.**
disfunción *f.* 【생리】 기능의 장애·변조.
disgregación *f.* 분열 ; 분리 ; 이산, 흩어짐.
disgregador, ra *adj.* 분열·분리하는.
disgregante *adj.m.f.* 분열하는 (사람).
disgregar *tr.* 8 [*lat.* disgregare] 찢다 ; 나누다 ; 분리하다, 분열시키다. Contr. agregar.
~se 부서지다, 찢어지다, 갈라지다, 분열하다 ; 떨어지다.
disgregativo, va *adj.* 나누어지는, 갈라지는, 분열성의 : la fuerza ~*va* de las aguas.
disgustadamente *adv.* 언짢은 듯이, 불유쾌하게, 마지못해, 못마땅하게(con disgusto).
disgustado, da *adj.* ① 언짢아진, 못마땅한, 속이 좋지 못한, 불유쾌한, 속상한 : estar ~. ② 《*Méx.*》 까다로운, 괴팍한. Contr. contento.
disgustar *tr.* 언짢게 만들다, 불쾌하게 하다, 속상하게 만들다 : Su discurso *disgustó* a todos los que asistían 그의 연설은 참석한 모든 사람들을 불쾌하게 했다. Me *disgusta* la música moderna 나는 현대 음악을 싫어한다.
~se ① 불쾌하다, 언짢아지다 : ~*se con*·*de*·*por* causas frívolas 사소한 일에 화를 내다. *Se disgustó por* aquella carta 그는 그 편지로 불쾌했다. ② 사이가 틀어지다 : *Se disgustó con* los vecinos 그는 이웃 사람들과 사이가 틀어졌다.
disgusto *m.* ① 불쾌 : a ~ 마지못해, 하는 수 없이. ② 화남(enfado). ③ 논쟁 : He tenido un ~ con mi hermano 나는 동생과 싸웠다. ④ 따분함(tedio).
disgustoso, sa *adj.* ① 맛이 없는. ② 불쾌한, 싫은.
disidencia *f.* [*lat.* dissidentia] 의견의 불일치, 분열 ; 탈종(脫宗), 탈퇴.
disidente *adj.* 의견이 맞지 않는 : Se hacen ~*s* 그들은 의견이 엇갈린다. —*m.f.* 탈종자 ; 탈퇴자.
disidir *intr.* 다른 의견을 주장하다 ; 탈종하다 ; 탈퇴하다.
disient- → **disentir** 53.
disilábico, ca *adj.* =**disilabo.**
disílabo, ba *adj.* 2음절의, 2음철의(bisílabo). —*m.* 2음절어.
disímbolo, la *adj.* 《*Méx.*》 불일치의, 서로 맞지 않는.
disimetría *f.* 불균형(asimetría).
disimétrico, ca *adj.* 불균형한, 고르지 못한(asimétrico).
disímil *adj.* 다른 ; 서로 딴판인.
disimilación *f.* 음(sonido)의 전화(轉化)·탈락.
disimilar *tr.* (동류의 음을) 전화시키다.
disimilitud *f.* 부동(不同), 차이점, 상위성, 상위점(desemejanza).
disimulable *adj.* 감출·숨길 수 있는, 보아 넘길 수 있는, 용서할 수 있는(disculpable).
disimulación *f.* 은폐 ; 거짓 ; 시치미 떼기, 능청 떨기. Contr. franqueza, lealtad, sinceridad.
disimuladamente *adv.* 시치미를 뚝 떼고, 모르는 척하고 ; 살그머니.
disimulado, da *adj.* 위장한, 은근히 숨긴 ; 시치미를 뗀, 모르는 척하는. Contr. franco, sincero.
disimulador, ra *adj.* 위장하는, 시치미를 떼는. —*m.f.* 위장자.
disimular *tr.* ① (넌지시) 감추다, 속이다, 눈속임하다 : *Está disimulando* sus intenciones 그는 자기의 의도를 숨기고 있다. ② 위장하다. ③ 시치미를 떼다, 보아 넘겨 주다, 용서하다 : Como la quiere tanto *disimula* todas sus faltas 그는 그녀를 무척 사랑하기 때문에 그녀의 결점을 보아 넘긴다. Contr. divulgar.
disimulo *m.* 시치미 떼기, 능청 떨기 ; 위장 ; 관용. Contr. franqueza, sinceridad.
disint-, disintie- → **disentir** 53.
disipable *adj.* 사라져·없어져 버리는, 흩어져·없어져 버리기 쉬운.
disipación *f.* 소비, 소산(消散) ; 발산 ; 탕진, 방탕, 도락.
disipadamente *adv.* 홀딱 빠져.

disipado, da *adj.* 홀딱 빠져 버린, 도락을 일삼는; 방탕한, 재산을 탕진하는. —*m.f.* 태평스러운 인간; 방탕자.

disipador, ra *adj.* 재산을 탕진하는. —*m.f.* 방탕자, 탕아.

disipante *adj.* 소산하는; 해소시키는; 낭비하는.

disipar *tr.* [*lat.* dissipare] ① 소산시키다 : El sol *disipa* las nubes 태양은 구름을 소산시킨다. ② 낭비하다(malgastar) : El hijo pródigo *disipó* su fortuna en un par de años 방탕한 아들이 2년 만에 그의 재산을 낭비했다. ③ 해소시키다 : Tengo que ~ sus dudas 나는 그의 의심을 해소시키지 않으면 안된다.
~se ① 사라지다 : ~ las nubes · la sospecha 구름 · 의심이 사라지다. ② 발산하다, 해소하다, 증발하다.

disjunto, ta *adj.* 따로따로의, 각자의; 따로 떨어진.

dislacerar *tr.* 【속어】 =**dilacerar.**

dislalia *f.* 【의학】 언어 장해.

dislate *m.* 엉터리, 넌센스(disparate).

dislocación *f.* ① 삠, 탈구, 전위(轉位) : la ~ de un hueso 뼈가 삠. ② (지층 · 광맥의) 어긋남, 산사태, 작은 단층.

dislocadura *f.* =**dislocación.**

dislocamiento *m.* =**disloque.**

dislocar *tr.* (장소에서) 꺼내다; 뼈를 삐게 하다; 열광시키다.
~se 뼈를 삐다, 탈구하다 : *~se* un brazo 팔을 삐다.

disloque *f.* ① 완벽, 최상(colmo). ② 【속어】 탈구(脫臼)(dislocación).

dismembración *f.* 사지 절단; 분단, 분리(desmembración).

dismenorrea *f.* 【의학】 월경 불순, 월경통.

disminución *f.* 감속; 축소; 감소; 단축; 에누리.

disminuido, da *adj.* 감소한; 쇠미한.

disminuir *tr.* 77 [*lat.* diminuere] ① 축소하다, 감소시키다. ② 에누리하다(~ los precios).
—*intr.*, **~se** 줄다; 오므라들다; 쇠해지다, 짧아지다; 감소하다 : En unas horas *disminuirá* el dolor 몇 시간 있으면 고통이 덜어질 것이다. Si *disminuye* el viento, saldremos 바람이 약해지면 우리는 외출할 것이다. Las 'ventas *han disminuido* 매상이 감소됐다.

dismnesia *f.* 【의학】 기억 박약증.

disnea *f.* [*gr.* duspnoia] 【의학】 호흡 장애 · 곤란.

disneico, ca *adj. m.f.* 호흡 장애의; 호흡 장애 환자.

disociable *adj.* 분리할 수 있는.

disociación *f.* 분해; 분리, 분열; 해리(解離).

disociador, ra *adj.* 분리하는, 해체하는.

disociar *tr.* 11 [*lat.* dissociare] ① 나누다, 분리하다; 해체하다, 해리하다(separar). ② 해직하다.

disolubilidad *f.* 가용성(可溶性).

disoluble *adj.* ① 녹는, 풀어지는, 가용성의. **Sinón.** soluble. ② 해소 · 해산할 수 있는(anulable) : unión ~.

disolución *f.* ① 분해, 용해 : ~ del azúcar. ② 용액. ③ 해소 : ~ del matrimonio. ④ 해산, 해체, 이산 : ~ del imperio romano 로마 제국의 해체 · 이산. ~ de la sociedad 회사의 해산. ~ de un contrato 계약의 취소. ⑤ 풍기의 이완(弛緩); 퇴폐. ⑥ 가산의 탕진, 방탕.

disolutamente *adv.* 단정치 못하게; 방탕하게 : vivir ~ 방탕한 생활을 하다.

disolutivo, va *adj.* 용해력이 있는; 해소력이 있는.

disoluto, ta *adj.* [*lat.* dissolutus] 방탕한; 한심스럽게 된, 퇴폐한. **Contr.** austero, virtuoso. —*m.f.* 방탕자, 신세를 망친 사람.

disolvente *adj.* 녹이는, 용해력이 있는. —*m.* 용해제, 용매.

disolver *tr.* 25 [*lat.* dissolvere] [*p.p.* disuelto] ① 녹이다, 용해하다 : El agua *disuelve* la sal 물은 소금을 용해한다. ② 해소 · 해산하다 : ~ las cortes 의회를 해산하다. ~ el matrimonio 결혼을 취소하다. La autoridad ordenó ~ la reunión 당국은 집회의 해산을 명령했다. ③ 퇴폐 · 부패시키다. ④ 무효(無效)로 하다, 말소하다(aniquilar).
~se ① 녹다 : El azúcar *se disuelve en* el agua 설탕은 물에 녹는다. ② 해산하다, 해소하다. ③ 타락하다, 방탕하다.

disón *m.* 【음악】 불협화음(disonancia).

disonancia *f.* 【음악】 불협화음(不協和音); 부조화(disconformidad). **Contr.** consonancia, asonancia.

disonante *adj.* 조화되지 못한; 귀에 거슬리는. **Contr.** asonante.

disonar *intr.* 24 ① 귀에 거슬리는 소리를 내다; 부조화 · 이상하게 들리다, 수상쩍게 생각되다 : Esta noticia *disonará* entre los amigos. ② 고르지 못하게 되다, 조화가 깨어지다. **Contr.** concordar.

dísono, na *adj.* =**disonante.**

disorexia *f.* 식욕 부진 · 감퇴(inapetencia).

disosmia *f.* 【의학】 이취각(異臭覺)증, 취각 장애.

dispar *adj.* [*lat.* dispar] 차이가 큰, 같지 않은, 서로 떨어진, 조화되지 않은(desigual, diferente).

disparada *f.* 《*Amér.*》 ① 탈주, 도주, 도망(fuga). ② 뛰어나가기, 질주(corrida) : a la ~ 전속력으로. de una ~ 급히, 서둘러. tomar la ~ 뛰어 · 달려 나가다.

disparadamente *adv.* ① 허둥지둥, 당황하여(precipitadamente) : salir ~. ② 터무니없이, 엉터리로, 어리석게(disparatadamente).

disparadero *m.* 방아쇠(disprador).
poner en el ~ 부추기다, 약을 올리다.

disparador, ra *adj.* 《*Méx.*》 낭비벽이 있는.
—*m.f.* 낭비벽이 심한 사람.
—*m.* ① 사수. ② 방아쇠. ③ (시계의) 추치차(追齒車), 가시 돋은 고리. ④ (닻의) 닻가지. ⑤ (기계의 벨트를 벗기는) 핸들, 벨트를 한 쪽으로 모는 장치(~ de la correa). ⑥ (카메라의) 셔터 : ~ automático 자동 셔터.
poner en el ~ 사주하다, 부추기다.

disparar *tr.* ① 발사하다, 쏘다 : El *disparó* la escopeta · una flecha · un rifle · un tiro 그는 총 · 화살 · 라이플총 · 한 발을 발사했다. ② (창

따위를) 던지다(arrojar) : Le *disparó* una piedrita 그에게 조그마한 돌을 던졌다.

—*intr.* ① [드뭄] 바보 같은 짓을 하다. ② 《*Méx.*》 돈을 낭비하다.

~se 덤벼들다, 뛰어들다 ; 뛰기 시작하다 ; 탈주하다, 도주하다 ; 질주하다, 폭주하다 ; 엉터리짓을 하다.

disparatadamente *adv.* 아무렇게나, 엉터리로 ; 불법으로.

disparatado, da *adj.* 엉터리의, 터무니없는, 바보스런, 멍청한 ; 어거지의.

disparatador, ra *adj.* 엉터리짓을 하는. **—***m.f.* 엉터리짓을 하는 사람.

disparatar *intr.* 터무니없는 짓을 하다, 엉터리로 굴다, 넌센스 같은 소리를 하다.

disparate *m.* ① 엉터리 ; 이치에 닿지 않는 일. ② 난폭, 불법. ③ 《*Ecuad.*》 아무 쓸모없는 일.

disparatero, ra *adj.m.f.* 《*Amér.*》 =**disparatador.**

disparatorio *m.* 엉터리 없는 담화·연설·문장.

disparejo, ja *adj.* =**dispar.**

disparidad *f.* 부동(不同) ; 불일치, 차이 ; 불균형 : ~ de cultos 종교가 서로 다름으로 인한 결혼 불능.

disparo *m.* ① 발사, 사격 ; 총성 : Se oyó un ~ de fusil. ② 엉터리(disparate).

dispendio *m.* 거액의 비용 ; 낭비.

dispendiosamente *adv.* 비용을 아끼지 않고.

dispendioso, sa *adj.* ① 막대한 비용의, 돈이 많이 드는(costoso). ② 손이 큰, 씀새가 거칠은, 낭비적인.

dispensa *f.* ① 특전 ; 제외예(除外例) ; 특면 : ~ matrimonial 근친자 결혼의 특별 인가. ② 특면증.

dispensable *adj.* 허용할 수 있는, 용서할 수 있는 : culpa ~ 용서할 수 있는 잘못. **Contr.** indispensable.

dispensación *f.* 용서 ; 허용, 허가 ; 면제 ; 특사(dispensa).

dispensador, ra *adj.* 면제해 주는, 눈감아 주는, 허가·허용하는, 용서하는. **—***m.f.* 면제자, 용서자, 허용자.

dispensar *tr.* ① 용서하다, 허용하다, 탓하지 않다 : *Dispénseme* usted 실례합니다만. Está usted *dispensado* 허가합니다. *Dispénseme* que le *detenga* 붙잡아서 죄송합니다만. ② 사면하다 ; 면제하다(eximir) : ~ a José *de* asistir 호세에게 출석 의무를 면제하다. Me *han dispensado de* trabajar de pie 나는 서서 일하는 것을 면제받았다. ③ 분배하다, 나누어 주다 ; 베풀다 : Sabed que desde hacía tiempo deseaba que llegara el momento de saludaros y agradeceros todos los muchos obsequios con que me *habéis dispensado* 나에게 베푼 모든 많은 선물에 대해 인사드리고 감사드릴 순간이 오기를 오래 전부터 바라고 있었다는 것을 알으소서. ④ 부여하다, 주다(conceder) : ~ elogios 여러 가지로 칭찬하다. ~ un apoyo 지지하다. ~ la compasión 동정하다. ⑤ 조제하다, 시약·투약하다. ⑥ (법률 따위를) 실시하다, 시행하다. **Contr.** obligar.

~se [+de : …이] 허용되다, 면제되다, 책임을 면하다, 제외되다 : ~*se de* asistir 출석을 면제받다.

dispensaría *f.* 《*Chile. Perú.*》 =**dispensario.**

dispensario *m.* ① 조제실(調製室) ; 시약소(施藥所) ; (학교·공장 따위의) 진료소 (~ médico), (병원 따위의) 약국. ② 《*Galic.*》 진료소, 진찰소(consultorio). ③ 【속어】 통속 의학 서적.

dispepsia *f.* 【의학】 소화 불량(증), 위장염.

dispéptico, ca *adj.* 소화 불량의. **—***m.f.* 소화 불량 환자.

dispersar *tr.* ① 흩뜨리다, 흩어지게 하다, 뿔뿔이 헤어지게 하다(esparcir) ; 해산시키다 ; 분산시키다 ; (적 따위를) 쫓아버리다, 패주시키다 : La policía *dispersó* a los curiosos 경찰은 구경꾼들을 해산시켰다. ② 퍼뜨리다, 전파시키다(difundir). ③ (구름·안개 등을) 흩어 없어지게 하다. ④ 【물리】 분산시키다.

~se ① 흩어지다 ; 헤어지다, 해산하다, 뿔뿔이 흩어져 도망치다 ; (군인이) 산개(散開)하다 : Los soldados *se dispersaron* aquí y allá 병사들은 여기저기 흩어졌다. ② 허물어져·무너져 내리다. **Contr.** reunir, concentrar.

dispersión *f.* [*lat.* dispersio] 산란(散亂) ; 산포, 전파 ; 분산, 해산 ; 산개 ; 패주 ; 【물리】 (빛의) 분산 ; (염증 따위의) 소산(消散) ; (평균치 따위와의) 편차.

dispersivo, va *adj.* 흐뜨리는, 분산하는, 소산하는 ; 전파성의.

disperso, sa *adj.* 산재하는, 산재된 ; (본대에서) 연락이 끊어진. **—***m.* 본대에서 연락이 끊긴 병사 ; 산재병(散在兵).

dispersor, ra *adj.* 눈뜨게 하는 ; 생각나게 하는.

dispertador, ra *adj.m.f.* =**despertador.**

dispertar *tr.* =**despertar.**

dispierto, ta *adj.* =**despierto, vivo, avisado.**

displacer *tr.* 34 불유쾌하게 하다(desplacer).

displicencia *f.* 냉담, 냉대, 무뚝뚝함 ; 마음이 내키지 않음 : con un gesto de ~ 마음이 내키지 않는 듯이. **Contr.** amabilidad.

displicente *adj.* (남을) 언짢게 할 만한, 무뚝뚝한, 기분이 좋지 못한 ; 불만에 찬 ; 열의가 없는.

disponedor, ra *adj.m.f.* 준비·마련·대비하는 (사람) ; 배치하는 사람.

disponente *adj.* 배치하는 ; 대비·준비·마련하는 ; 처리·조치하는.

disponer *tr.* 61 [*p.p.* dispuesto] ① 배치하다. ② 가지런히 하다, 대비하다, 준비하다, 마련하다 (preparar) : ~ la comida·la habitación *para* el huésped 손님을 위해 식사·방을 준비하다. ③ 조치·처리하다 : El gobierno *ha dispuesto* la mobilización general 정부는 총동원 조치를 취했다. *Disponga* usted lo que quiera 좋으실 대로 처리하십시오. ④ 지시(指示)하다, 명령하다 (mandar).

—*intr.* ① [+de : …을] 쓰다, 마음대로 사용·처리하다, 이용하다(valerse) : *Dispongo de* muy poco tiempo 내가 사용할 시간은 조금 밖에 안 된다. *Disponga* usted *de* mí 무엇이든지 분부만 해주십시오. *Disponga de* mi casa como si fuese suya 내 집을 당신의 집처럼 사용하십시오.

~se ① 배치하다, 위치에 있다 : Las naves *se*

disponen en orden de batalla 함정은 전투 태세를 갖춘다. ② [+a+*inf.* : …할] 준비·태세를 갖추다, …하고자 하다 : ~ *a*·*para* marchar 나갈 준비를 하다. ~ *a* bien morir 죽을 준비를 하다.

dispong- →**disponer** 61.

disponibilidad *f.* ① 이용성(利用性), 가용성(可用性). ② 자유 재량. ③ (관리의) 대기 명령. ④ [주로 *pl.*] 예비금, 예비비.

disponible *adj.* ① 자유로 사용·처리할 수 있는 : surtido ~ 비축품. Tengo muy poco tiempo ~ 나의 (자유로운) 시간은 조금 밖에 안된다. ② 대기 중인.

disponiente *adj.* =**disponente.**

disposición *f.* ① 배치, 포진, 배열 : ~ de una casa 가옥의 거실 배치. ~ de muebles 가구의 배치. ② 결구(結構) : ~ de un discurso 연설문의 구성. ③ 규정, 명령, 법령 ; 처치, 처리, 처분(권), 자유 재량 : última ~, ~ testamentaria 유언. ~ ministerial 행정 명령. a su ~ 귀하의 처분대로·뜻대로·생각대로. tener libre ~ de *sus* bienes 자신의 재산을 자유 처분할 수 있게 되다. ④ 준비, 채비, 수배 : hallarse en ~ de + *inf.* …할 준비가 되어 있다. ⑤ 할 작정, 마음가짐, 기분, 마음의 준비 ; 둘러 맞추는 재간, 임기 응변술 : hombre de ~ 무슨 일을 시원시원하게 하는 사람. ⑤ 소질, 경향, 성향 : tener gran ~ para el teatro 연극의 재질이 많다. Tiene mucha ~ para el trabajo 그는 그럼 소질이 충분하다. ⑥ 상태 ; 건강 상태 : estar en mala ~ 건강 상태가 나쁘다. ⑦ 용모, 풍채, 몸집.

dispositivamente *adv.* 처리·처치하여 ; 장치해서.

dispositivo, va *adj.* 처리·처치하는 ; 장치된. —*m.* 기계, 장치(mecanismo) : ~ antirrobo 도난 방지 장치. ~ de seguridad 안전 장치. ~ para el lanzamiento de aviones 비행기 사출 장치.

dispuesto, ta *adj.* [disponer의 *p.p.*] ① 조치·처리한 : conforme a lo ~ 조치에 따라, 말씀하신 대로. ② 용의가 있는, 준비가 된 : estar ~ a salir 나갈 준비가 되어 있다, 나갈 작정으로 있다 ; 나갈 용의가 있다. ③ 날렵한, 날쌘, 또렷또렷한, 몸 컨디션이 좋은 ; 신바람이 난. ④ 품위 있고 아름다운, 풍채가 좋은.
bien ~ 건강 상태가 좋은 ; 신바람을 내는.
mal ~ 건강이 나쁜, 풀이 죽은.

dispus-, dispusie- → **disponer** 61.

disputa *f.* 논쟁, 분규, 쟁의(debate, discusión) : sin ~ 의심할 여지도 없이. en ~ 분쟁 중인 ; 사이가 틀어져.

disputable *adj.* 논쟁 거리의, 문제가 되는 : punto ~ 문제점. **Contr.** seguro, cierto.

disputador, ra *adj.m.f.* 논쟁·토론·논박하는 (사람) ; 말다툼하는 버릇이 있는 ; 경쟁심이 강한 (사람) ; 싸움을 거는 (사람).

disputante *adj.* 의논·토론하는 ; 언쟁·논쟁하는 ; 다투는, 겨루는.

disputar *tr.intr.* [*lat.* disputare] ① 의논하다, 토론하다(debatir) ; 언쟁하다, 논쟁하다 : ~ *de*·*por*·*sobre*·*acerca de* un asunto 어떤 일에 관해 논쟁·토론하다. Anoche *disputé* con mi hermano *sobre*·*de* la ganancia 어젯밤 나는 형과 이익으로 언쟁을 했다. ② (무엇을 얻고자) 다투다, 겨루다, 쟁탈하다 : Ellos *disputaban* por cualquier cosa 그들은 무슨 일이고 다투었다.
~se 서로 겨루다, 차지하고자 다투다·싸우다 : Ellos *se disputaron* el premio 그들은 상을 겨뤘다.

disputativamente *adv.* 토론·토의에 의하여 ; 경쟁에 의해, 싸워서.

disquisición *f.* 정밀 검사, 논리적 분석의 해명.

disruptivo, va *adj.* 【전기】 파열·분리성의 : voltage ~ 파열성 전압.

distancia *f.* ① 거리 : a (la) ~ 멀리 떨어져서 ; 거리를 두고, 거리에. a dos metros de ~ 2미터 거리에(서). de ~ grande, de larga ~ 원거리의, 장거리의. ¿Qué ~ hay de aquí a Inchón? 여기서 인천까지 거리가 얼마나 됩니까? Está a veinte minutos de ~ caminando 걸어서 20분 거리에 있습니다. Quisiera poner una conferencia (o una llamada) de larga ~ a Buenos Aires 부에노스·아이레스에 장거리 전화를 걸고 싶습니다만. El sonido se debilita a medida que aumenta la ~ 소리는 거리가 멀어짐에 따라 약해진다. ② 차이 ; 사이가 떨어짐, 멀리 떨어짐 : acortar las ~*s* 《*Galic.*》 거리를 좁히다. Hay gran ~ entre un hombre honrado y un ladrón 정직한 사람과 도둑 사이에는 큰 차이가 있다. ③ 격의, 경원.

distanciación *f.* 늦게 하는 일, 뒤로 하는 일, 처지는 일.

distanciado, da *adj.* 《*Galic.*》 (사이가) 멀어진, 뒤늦은(rezagado).

distanciar *tr.* 11 멀리 떼어놓다, 사이를 두다.
~se 떨어지다 ; 뒤지다, 낙후되다.

distante *adj.* ① 먼(remoto). ② 멀리 떨어진 : punto ~ de un centro 중심에서 멀리 떨어진 점. ③ 현격한 차가 있는 ; 경원하는.

distantemente *adv.* 아득히, 멀리.

distar *intr.* [*lat.* distare] ① [+de : …에서] 멀다, 사이가 떨어져 있다, 간격이 있다 : ¿*Dista* mucho *de* aquí? 여기서 멉니까? El pueblo *dista* tres leguas *de* la capital 마을은 수도에서 3레구아 떨어진 거리이다. Nerja *dista* cincuenta y un kilómetros de Málaga 네르하는 말라가에서 51킬로미터 떨어져 있다.

distender *tr.* 20 긴장시키다 ; 늦추다(aflojar).
~se 팽창하다, 신장하다.

distensible *adj.* 긴장시킬 수 있는, 늦출 수 있는 ; 팽창할 수 있는.

distensión *f.* 늘어남, 팽창 (작용·상태).

distermia *f.* 【의학】 체열 이상(體熱異常) ; 지속성 고열(高熱).

dístico, ca *adj.* 【식물】 2열생(列生)의, 대생(對生)의, 연립의. —*m.* 【시어】 연구(聯句), 대구(對句)(pareado).

distinción *f.* ① 현저함, 뚜렷함 ; 식별 ; 선명(도) ; 특이성, 특별. ② 구별, 차별, 구별하기 : a ~ de …와 구별하여. sin ~ 아무 차별없이 ; 평등하게. El no sabe hacer ~ entre el bien y el mal 그는 선악의 구별도 못한다. ③ 빼어남, 탁월 ; 저명 ; 고귀 : persona de ~ 신분이 높은 사람. ④ 품격, 기품, 교결. ⑤ 영예, 우등 ; 수훈 ; 칭호. ⑥ 특별 대우, 특전.

hacer ~ 정당히·높이 평가하다, 특별한 대우를 하다.

distingo *m.* 차이, 구별되는 특징; 한계, 제한.

distingüendo *adj. m.* 《*Chile.*》【문법】남성 여성으로 의미가 다른 (말)《frente, capital 등》.

distinguible *adj.* ① 구별·분별·식별할·가릴 수 있는, 말소리를 가려 들을 수 있는. ② 뚜렷한, 명백한, 현저한. ③ 존경할 만한.

distinguido, da *adj.* ① 빼어난; 뛰어난, 훌륭한, 품위있는, 저명한 : escritor ~ 저명한 작가. persona ~*da* 저명 인사. ② (…의 공을) 세운. ③《*Chile.*》우등상을 탄.

D- Señor : 근계《편지의 서두에 사용하는 말》.

distinguir *tr.* ⑤ [*lat.* distinguere] ① 식별하다 : *¿Distingue* usted los colores a distancia? 당신은 멀리서 색을 식별할 수 있습니까? ② (멀리에·어둠 속에서 무엇을) 또렷하게 보다; 분명하게 하다 : *Distinguió* una lucecita a lo lejos 그는 멀리서 작은 불빛을 또렷이 보았다. ③ 구별·차별하다 : Es muy difícil ~ aquellos gemelos 저 쌍둥이를 구별하기는 퍽 어렵다. ④ 특별 취급하다, 각별히 대우하다, 뛰어나게 내세우다. ⑤ 특징지우다(caracterizar) : La razón *distingue* al hombre 이성은 인간을 특징지운다. ⑧ (영예·훈장 등으로) 응분의 대접을 하다 : ~ a uno *con* una cruz 누구에게 훈장을 수여하다.

~se ① 식별되다, 구별되다. ② 뛰어나 보이다, 두드러지게 들리다. ③ 우수하다, 빼어나다, 뛰어나다(descollar, sobresalir) : Picasso *se distingue* por la gran variedad de su obra 피카소는 작품의 다양성으로 뛰어난다. Contr. confundir.

distintamente *adv.* ① 뚜렷이, 분명히, 명확하게 : hablar ~ 명확하게 말하다. ② 빼어나게. Contr. confusamente.

distintivo, va *adj.* ① 구별·분별이 되는 : signo ~. ② 특색있는, 특징적인. **—*m.*** 배지, 표식, 휘장, 표장, 마크; 특징.

distinto, ta *adj.* ① 다른; 상이한, 판이한 : Es bastante ~ *a* lo que suponía antes 전에 상상했던 것과는 꽤 다르다. La vida parecía *distinta de* lo que creía 인생은 생각과는 달라 보였다. ② 분명한, 선명한. ③ 다수의. Contr. confuso, idéntico.

distocia *f.*【의학】난산(難產), 분만 장애.

distócico, ca *adj.* 난산의, 분만 장해의.

distomatosis *f.* 디스토마로 생긴 병.

dístomo *m.*【곤충】디스토마.

distomo, ma *adj.* 디스토마의.

distorsión *f.* 이지러짐, 뒤틀림, 틀어짐; (사진·전파로) 왜곡.

distracción *f.* [*lat.* distractio] ① 정신의 산란, 건성 상태, 방심. ② 기분 풀이, 오락(물) : mi ~favorita 내가 좋아하는 오락. La pesca es una gran ~ 낚시질은 큰 심심풀이다. ③ 방종. ④ 낭비; 횡령, 유용 : ~ de fondos 공금 횡령·유용. ⑤ 격리, 분리.

distraer *tr.* ⑦② [*lat.* distrahere] ① (…의) 마음·주의를 딴 데로 돌리다, 기분을 풀어주다. ② 얼버무리다, 관심을 딴 데로 돌리다. ③ 즐거움을 주다 : Me *ha distraído* esta novela 이 소설은 나에게 즐거움을 주었다. ④ 잊게 하다. ⑤ (남의 돈·공금을) 유용하다.

~se ① [+con·por : …으로] 마음이 산란해지다; 딴 생각에 잠기다, 방심하다 : Mi hijo *se distrae con* poca cosa 내 아들은 별로 일이 없어 딴 생각에 잠긴다. *Me distraigo por·con* el ruido 소음 때문에 마음이 뒤숭숭하다. ② [+de·en : …을] 심심풀이하다, 정신을 딴 데로 돌리다; 즐기다 : ~*se de·en* la conversación.

distraídamente *adv.* 정신없이, 멍하니, 방심하여 : hablar·responder ~ 정신없이 말하다·대답하다.

distraído, da *adj.* ① 한 눈을 파는, 딴 데 정신이 팔린, 멍한, 건성으로 하는, 방심한 : Ese niño es muy ~. ② 방종한, 멋대로 놀아나는. ③《*Amér.*》갱충적은, 단정치 못한, 헌 누더기를 걸친.

distraig- →**distraer** ⑦②.

distraimiento *m.* =**distracción.**

distraj- →**distraer** ⑦②.

distribución *f.* ① 분배, (영화 등의) 배급, 배포, 할당; 배분 : eje de ~【기계】축. ② 분포; 배치 : sala de ~ 배전실. ③ (비료의) 살포, (인쇄의) 해판(解版). Contr. atento, reflexivo.

distribuidor, ra *adj.* 분배·배급하는; 판매·제공하는. **—*m.f.*** 분배자, 배급자, 판매자 : ~ exclusivo 일수 판매자, 특약 판매점. **—*m.*** 배분기, 배분 장치; (엔진의) 배전기(配電器); 판매기 : ~ automático 자동 판매기; 슬롯 머신.

distribuidora *f.* 비료 살포기.

distribuir *tr.* ⑦⑦ [*lat.* distribuere] ① 나누다, 분배하다, 배급하다 : Los *distribuyó* entre los chicos 그것을 아이들 간에 나누었다. ② 할당하다, 배치하다; 배분하다; 산포하다. ③ (신문 기사·영화 필름을) 제공하다, 공급하다. ④ 위탁 판매하다. ⑤【인쇄】해판하다.

distributivo, va *adj.* 분배·배급·배분·배치의 : conjunción ~*va*【문법】배분 접속사《ora … ora, ya … ya 등》. cláusula·oración ~*va* 배분 문절《unos lloraban, otros reían 이쪽 저쪽이 각각 울고 웃고 했다》.

distributor, ra *adj.m.f.* =**distribuidor.**

distribuyente *adj.* distribuir 하는

distrito *m.* [*lat.* districtus] 구(區), 주(州), 관구 : ~ electoral 선거구. ~ federal 연방구. ~ postal 우편 배달 구역. ~ rural 지방구. ~ de servicio 담당 지구.

distrofía *f.*【의학】영양 실조.

disturbar *tr.* =**perturbar, trastornar, alterar.**

disturbio *m.* 교란, 소란, 소요, 다툼(alteración, perturbación, trastorno).

disuadir *tr.* [*lat.* dissuadere] [+de : …의] 생각을 고쳐 먹게 하다, 설득하다, 설복하다, 단념시키다 : ~ a uno *de* marcharse 떠나는 것을 단념시키다. Contr. persuadir, aconsejar.

disuasión *f.* 설득.

disuasivo, va *adj.* 설득력이 있는, 단념시키는, 타이르는, 생각을 달리 하게 하는.

disuelto, ta *adj.* [disolver의 *p.p.*] 용해된, 녹은, 풀린; 해산된; 해소된.

disuelv- →**disolver** ②⑤.

disuria *f.*【의학】배뇨 곤란, 배뇨통.

disúrico, ca *adj.* 배뇨 장애(증)의.

disyunción *f.* [*lat.* disjunctio] 분리, 분열, 차단; 무연락.

disyunta *f.*【음악】음성의 변화.

disyuntiva *f.* 【논리】 선언(選言) 명제.

disyuntivamente *adv.* 따로따로.

disyuntivo, va *adj.* ①【문법】 분리의 : conjunción *~va* 분리 접속사 《o, o sea 등》. ②【논리】 선언적(選言的).

disyunto, ta *adj.* 저마다의, 따로따로의.

disyuntor *m.* 【전기】 전류 차단기, 브레이커, 안전기, 퓨즈.

dita *f.* ①(빚의) 담보자, 보증인. ②【방언】 《*Amér.*》 월부 상환 채무, 부채(deuda) : estar lleno de *~s.* ③ 고리 대금 업자 : prestar *a* ~ 비싼 이자로 빌려 주다.

ditaína *f.* 【약학】 디타인 《해열제》.

diteísmo *m.* 선악 이신교(二神教).

diteísta *adj.m.f.* 선악 이신교의 (신자).

ditero, ra *m.f.* 【방언】 고리 대금 업자 ; (담보 조건의) 외상 판매자.

dítico *m.* 물에서 사는 갑충류.

ditirámbico, ca *adj.* ① 주신(Baco) 찬가의. ② 열광적인 ; 과분하게 칭찬하는.

ditirambo *m.* ① 주신(Baco)의 찬가. ② 흥분적인 시가(詩歌). ③ 과분한 칭찬.

dítono *m.* 【음악】 전음(全音).

Di.[tor] director.

diuca *f.* 《*Arg. Chile.*》 ①【조류】 여명조 《첫 새벽에 자주 우는 새》. ② 교사의 귀염받는 학생. *al canto de la* ~ 첫 새벽에, 여명에.

diucazo *m.* 《*Arg. Chile.*》 diuca의 우는 소리. *al primer* ~ 새벽에, 첫 새벽에.

diucón *m.* 《*Chile.*》【조류】 디우꼰 《diuca 보다 약간 큰 새 ; 눈이 붉음》.

diuquear *intr.* 밀을 훔치다.

diuresis *f.* 【의학】 배뇨(排尿) ; 오줌을 눔.

diurético, ca *adj.* 이뇨의. **—***m.* 이뇨제.

diurno, na *adj.* ① 낮의, 주간의 : cursos *~s* 주간 코스. tren ~ 주간 열차. ② 주간 활동의 (동물) ; 낮에만 피는 (꽃·잎) ; 하루 피는 (식물). Contr. nocturno. **—***m.* 일과 기도서.

diuturnidad *f.* 영구, 영속(gran espacio de tiempo).

diuturno, na *adj.* 영속하는, 영속적인.

diva *f.* ①【시어】 여신(diosa). ② 유명 여가수.

divagación *f.* 방황 ; 헛소리, 실없는 소리 ; 여담, 한담 : No debemos hacer caso de las *~es* de un borracho 술취한 사람의 헛소리를 무시해서는 안된다.

divagador, ra *adj.m.f.* 방황하는 (사람) ; 헛소리·실없는 소리를 하는 (사람).

divagar *intr.* 8 방황하다(vagar) ; 헛소리를 하다 ; 이 궁리 저 궁리하다, 여담을 늘어놓다.

divalente *adj.* 【화학】 2가(價)의.

diván *m.* ① 터키·페르시아의 국정 회의 ; 그 회의실, 법정. ② 근동(近東) 제국어의 시집. ③ 쿠션이 달린 긴 소파, 침대 의자.

divariar *intr.* 《*Perú. SDgo.*》【속어】 =**desvariar.**

divé *m.* 《*And.*》 =**Dios.**

divergencia *f.* 분기(分岐) ; (의견 등의) 차이, 분열, 구구함 ; 분산 : ~ de rayos 광선의 분산.

divergente *adj.* (끝이 넓게) 갈라져 나온, 차이나는, 분산하는, 발산하는 ; 각각으로 된.

diverger *intr.* 3 =**divergir.**

divergir *intr.* 4 분기(分岐)하다 ; 갈라지다, 차이를 드러내다, 의견을 달리하다, 의견이 분분하다, 의견이 구구해지다(discrepar).

diversamente *adv.* 갖가지로, 여러 가지로.

diversidad *f.* 다양성 ; 다종성(多種性), 잡다함 ; 차이.

diversificación *f.* ① 다양화 ; 다변화, 다각화, 다종화 : ~ de los cultivos 다각 재배. ② 다각 경영 ; 잡다함.

diversificar *tr.* 7 다른 것과 달리하다 ; 다양화·다종화·다각화하다, 잡교(雜交)하다.
~se 변화하다 ; 각양 각색으로 되다.

diversiforme *adj.* 갖가지 모양의.

diversión *f.* [*lat.* diversum] ① 기분 전환, 심심풀이, 오락, 여흥, 위안(recreo, pasatiempo). ②【군사】 견제.

diversivo, va *adj.* 유도의. **—***m.* 유도제, 분리제. Sinón. revulsivo.

diverso, sa *adj.* ① [+de : …와] 다른, 달랐던 : ~ *de* los demás 다른 것과는 달랐던. ~ *en* carácter 성격이 다른. ② 상이한 : dos aspectos *~s* 상이한 두 가지 면. ② [명사의 앞에서] 갖가지의, 여러 가지의 ; 많은, 숱한, 몇 가지의 (varios, muchos) : Lo he visto en *~sas* ocasiones 나는 그것을 여러 기회에 보았다.

divertido, da *adj.* ① 즐거운, 재미나는, 흥미있는, 유쾌한, 기분이 좋은(alegre, de buen humor) : un libro muy ~ 매우 재미있는 책. ② 《*AmérM.*》 얼근히 취한(achispado).

divertimiento *m.* ① 오락, 여흥, 기분 전환. ② 견제(diversión) ; 방심.

divertir *tr.* 55 ① 기쁨을 주다, 즐거움을 주다, 위안을 주다. ② 빗나가게 하다, 딴 데로 돌리다 : Me *divierte* la atención 나의 주의를 딴 데로 돌리게 한다. ③ 견제하다. ④(종기를) 분리·유도하다.
~se ① [+con·en : …을] 즐기다 : *~se en* pintar·*con* amigos 그림을 그리며·친구와 즐기다.
¿Usted *se divirtió* anoche? 어젯밤은 재미있었습니까? Por la noche *me divierto* viendo la televisión? 밤에 나는 텔레비전을 보면서 즐긴다. ② 기분을 전환하다, 심심풀이를 하다.

dividendo *m.* ①【수학】 피제수. ②【상업】 배당금 : ~ activo 이익 배당금. ~ ordinario 통상(通常) 배당금. ~ pasivo 주식 액면에 대한 불입금, 불입 추징금. cupón de ~ 배당금 지불증. Dieron como ~ mil pesos por boleto 마권 한 장당 천뻬소의 배당금이 있었다.

divididero, ra *adj.* 나누어지는.

dividir *tr.* [*lat.* dividere] ① 나누다, 분할하다(partir) : ~ *en* dos 둘로 나누다. ~ por mitad 반씩 나누다. ② 분배하다(repartir) : ~ entre muchos 여러 사람에게 나누어 주다. ③ 분열·분할시키다, 떼어놓다 ; 사이가 틀어지게 하다(desunir).
~se ① 나누어지다, 갈라지다, 분할되다 : Alemania *se ha dividido* en dos estados 독일은 두 개의 국가로 분할되었다. ② 헤어지다.

dividivi *m.* 배네수엘라산 콩과에 속하는 나무 ; 그 열매의 꼬투리 《가죽을 무두질하는 데 쓰임》. Sinón. guarango.

dividuo, dua *adj.* 분할되는, 나눌 수 있는 (divisible).

diviert- → **divertir** 55.
divierta *f.* 《*Guat.*》 오락, 놀이 ; 서민의 춤.
divieso *m.* 【의학】 정종(疔腫)《부스럼의 일종》.
divinal *adj.* 【시어】 이를 데 없이 현명한(divino).
divinamente *adv.* 신의 가호로, 절묘하게, 아주 멋지게, 훌륭하게, 뜻대로 : El toca piano ~ 그는 피아노를 기가 막히게 친다.
divinativo, va *adj.* =**divinatorio.**
divinatorio, ria *adj.* 점술의, 점의.
divinidad *f.* ① 신성(神性), 신격(神格) ; 전지전능, 신의 힘 ; 신 : ~*es* mitológicas 신화의 여러 신. ② 귀한 것, 아름다운 것 · 사람.
divinización *f.* 신성화, 신격화.
divinizar *tr.* 9 ① 신으로 모시다, 신성화하다, 신격화하다. ② 칭찬하다, 받들어 모시다.
divino, na *adj.* 신의 ; 신성한 ; 숭고한 ; 절묘한 ; 경건한, 황공한 ; 희한한, 훌륭한. —*m.f.* 점쟁이(adivino).
divirt-, divirtie- → **divertir** 55.
divirtieron divertir의 부정과거 · 3 · 복수.
divirtió divertir의 부정과거 · 3 · 단수.
divisa *f.* ① 기장(記章), 마크 ; 표어 ; 명(銘), 명기(銘記) ; (투우에서는 소의 출생 목장 별로 다는) 색 리본. ② (부동산의) 유산. ③ [주로 *pl.*] 외화, 환자금(~ extranjera) : control de ~*s* 외화 관리. reservas de · en ~ 외화 보유. fuga · salida de ~ 외화 도피 · 유출. mercado de ~*s* 외환 시장.
divisar *tr.* 멀리에 보이다 · 눈에 띄다.
divisibilidad *f.* 가분성(可分性), 분할 가능성 : la ~ de la materia. Contr. indivisibilidad.
divisible *adj.* ① 나눌 수 있는, 갈라지는. ② 나누어지는 : número ~ por otro. Contr. indivisible.
división *f.* [*lat.* divisio] ① 분할 : ~ de trabajo 분업. ② 분배 ; 분류 ; 조 ; 구분. ③ (의견 · 내부의) 분열, 불화 : sembrar la ~ 불화의 씨를 뿌리다. ④ 분립. ⑤【수학】 나눗셈. ⑥【군사】 사단 : general de ~ 사단장. ⑦ 분함대. ⑧【문법】 분철 부호(-) (guión). Contr. multiplicación.
divisional *adj.* ① 분할의, 구분의, 분류의. ②【군사】 사단의. ③ 조(組)의. ④ 나눗셈의.
divisionario, ria *adj.* 분할의(divisional) : moneda ~*ria* 보조 화폐.
divisivo, va *adj.* ① 분할의, 나누어지는. ② 경계가 되는. Contr. indiviso.
diviso, sa *adj.* [dividir의 *p.p.*] =**partido, dividido.** Contr. indiviso.
divisor, ra *adj.* 【수학】 제수(除數)의. —*m.* 제수(除數) ; 약수 : máximo común ~ 최대 공약수. Contr. dividendo.
divisoria *f.* 분수선, 분수령(~ de aguas) ; 분할선, 분단선, 구분선.
divisorio, ria *adj.* 양분하는 ; 분할의, 구분의 ; 분수의 : línea ~*ria* 분수선. Contr. vaguada.
divo, va *adj.* 【시어】 신(神)의, 신같은, 숭고한(divino). —*m.f.* 신 ; (오페라 등의) 뛰어난 가수.
divorciar *tr.* 11 이혼시키다, 인연을 끊어 놓다(separar legalmente a dos casados) ; 서로 떼어 놓다 · 갈라놓다(separar).
~se [+de : …과] 이혼하다, 헤어지다, 갈라지다(separarse dos çasados) : ~*se de* su consorte.
divorcio *m.* [*lat.* divortium] ① 이혼, 이연(離緣) ; 분열 : ~ de opiniones. ② (식자공 · 타이피스트가 쓰는) 원고 받침. ③《*Col.*》 여자 형무소(cárcel para las mujeres).
divulgable *adj.* 일반에게 알려도 되는.
divulgación *f.* ① 보급, (어떤 뉴스의) 일반화, 유포, 널리 알려짐, 비밀의 누설 : la ~ de un secreto de Estado. ② 공포(公布).
divulgador, ra *adj. m.f.* 공표 · 보급하는 (사람).
divulgar *tr.* 8 [*lat.* divulgare] ① 공표하다, 널리 알리다, 전파하다, 일반화하다 ; 널리 알게 하다, 보급하다 : Ese profesor contribuyó mucho a ~ la arqueología 그 교수는 고고학 보급에 무척 기여했다. ② (비밀을) 누설하다 : No sé quién *divulgó* el secreto 누가 비밀을 누설했는 지 모르겠다.
~se ① 널리 퍼지다, 널리 알려지다, 보급되다 : *Se ha divulgado* mucho la televisión hasta todos los rincones del país 텔레비전은 나라안 구석구석까지 보급되었다. ② (비밀이) 누설되다.
diz dicen, dícese 「…이라고 한다」의 생략형.
dizque dicen que 「…이라고들 말한다」의 생략형. —*m.* 소문. —*adv.* 《*Amér.*》 아마도.
dl. decilitro(s) 데시리터.
Dl. decalitro(s) 데카리터.
dls. dólares.
dm. decímetro(s) 데시미터.
Dm. decámetro(s) 데카미터.
Dn. don.
dna(s)., Dna(s). docena(s) 다스.
d.º daño.
do *m.* [*ital.* do]【음악】 장음계의 제 일음. —*adv.* 【고어 · 시어】 그 곳에, …하는 곳에(donde).
dobla *f.* ① 옛날의 서반아의 10 pesetas 상당의 금화. ② 곱으로 하는 일 : jugar a la ~ 두 갑절로 지불하는 내기를 하다. ③《*Chile.*》 광산주가 광부에게 하루치 채굴분 · 일당을 무료로 주는 일.
doblada *f.pl.* 《*Murc.*》 도블라다 《흑도미 비슷한 물고기》. —*pl.* 《*Cuba.*》 만종(toque de ánimas).
dobladamente *adv.* 배액으로, 이중으로 ; 두마음을 가지고(con doblez).
dobladera *f.* 종이를 접는 주걱 ; 종이칼 (cortapapeles).
dobladilla *f.* 옛날의 카드 놀이의 이름.
dobladillar *tr.* (천 · 모자 따위를) 가두리하다.
dobladillo *m.* 가두리 ; (메리야스 짜는) 실.
doblado, da *adj.* ① 이중의. ② 땅딸막한, 몸집이 작은 : hombre ~. ③ 몹시 울퉁불퉁한, 고르지 못한 : terreno ~. ④ 속셈을 알 수 없는, 응큼한, 음흉한, 음험한. —*m.* 곡창(granero).
doblador *m.* 《*Guat.*》 옥수수 잎.
dobladura *f.* 접은 금, 겹침 ; 예비말.
doblaje *m.* 【영화】 영상, 자막 삽입 : una casa de ~ de películas 영화 자막을 넣는 회사.
doblamiento *m.* 배증(倍增), 곱으로 불어남 ; 중복 ; 우회 ; (접어서) 굽음.
doblar *tr.* ① 두 배 · 이중으로 하다(duplicar) :

～ el consumo 소비를 두 배로 늘이다. ② 구부리다, 꺾다 : ～ el espinazo 등을 구부리다. ～ las rodillas 무릎을 굽히다. ③ 차곡차곡 접다 · 꺾다(plegar) : ～ el abanico · el mantel. ④ (길모퉁이를) 돌아가다, 우회 · 회항하다 : *Doble* usted a la derecha 오른쪽으로 돌아가십시오. ⑤ (누구에게) 의견 등을 달리하게 하다, 굽히게 하다 : ～ la hoja 기분 · 생각을 바꾸다. ⑥ (매매를) 연기하다. ⑦ 혼내 주다, 본때를 보여주다 : ～ a palos 되게 두들겨 주다. ⑧《*Méx.*》 사살하다. ⑨ 어떤 외국 영화에 자기 나라 말을 취입하다.

—*intr.* ① (길모퉁이에서) 꺾이다, 꺾여지다, 휘어지다 : *Doblaron a* la derecha 그들은 오른쪽 길로 돌아들었다. ② 일인 이역하다. ③ 조종(弔鍾)을 치다 : *Doblan por* el difunto 고인을 위한 조종이 울리고 있다. ④ (사제가) 하루에 두 번 근행하다(binar). ⑤ (투우가) 발을 꺾고 쓰러지다. ⑥ 굴하다, 꺾이다, 부러지다(ceder).

～se ① 두 배 · 이중이 되다. ② 구부리다, 꺾이다 : Este bastón *se dobla* 이 지팡이는 구부러진다. Las ramas *se doblaron* con el peso de la nieve 눈의 무게로 가지가 굽어졌다. ③ 몸을 구부리다, 웅크리다. ④ 꺾이다, 자신을 죽이다 ; 굴하다(ceder) : El juez (*se*) *dobló a* la piedad 재판관은 자비심 앞에 굴복했다. ⑤ (토지가) 울퉁불퉁해지다. ⑥【은어】 순순히 오랏줄에 묶이다. ⑦《*Cuba.*》 창피를 당하다, 망신을 당하다.

doble *adj.* [*lat.* duplex] ① 두 배의(duplo) ; 이중의 : ～ vidriera 이중 창문. ② 천이 두꺼운. ③ 겹으로 핀 : clavel ～. ④ (체격이) 딱 벌어지고 튼튼한. ⑤ 음험한, 앙큼한, 꿍심이 있는, 뱃속이 검은, 딴마음을 가진 : trato ～ 빈틈이 없는. Es una persona muy ～ 그는 매우 음험한 사람이다.

—*m.* ① 두 배 : al ～ 두 배로 하여. El pagó el ～ 그는 배를 지불했다. ② 겹침, 접은 금(doblez) : hacer tres ～*s* en la tela 접은 금을 세 개 내다. ③ 조종(弔鍾). ④ (4분의 1리터 들이의) 맥주 조끼. ⑤ (거래의) 연기, 인도 유예, 이월 일보(移越日步). ⑥【은어】 사형수. ⑦ 대역 배우.

—*adv.* ① 이중으로 : Es ～ culpable 이중으로 죄가 있다. ② 앙큼하게, 음험하게, 의뭉스럽게(doblemente).

doblegable *adj.* 접을 수 있는, 구부릴 수 있는 ; 꺾기 쉬운, 다루기 쉬운 : carácter ～.

doblegadizo, za *adj.* =**doblegable.**

doblegar *tr.* ⑧ [*lat.* duplicare] 구부리다 ; 꺾다 ; 굴복시키다, 무릎을 꿇게 하다, 고집을 버리게 하다 : ～ la voluntad de uno 누구의 의지를 꺾어 놓다.

～se 꺾이다 ; 굴복하다 ; 굽히다.

doblemente *adv.* ① 이중으로, 두 가지로. ② 꿍심을 가지고, 딴마음을 먹고, 앙큼스럽게, 음험하게 : portarse ～.

doblero *m.* ① 나사 모양의 빵. ② 크기의 단위. ③ 옛 화폐의 이름.

doblete *adj.* 툭툭한, 두꺼운 (천) : paño ～.

—*m.* ① 붙인 보석. ② 같은 어원의 말, 이중 어원어. ③ (두 주사위의) 한 쪽 눈. ④ (야구에서) 이루타. ⑤ (현미경 등의) 이중 렌즈.

doblez *m.* 구김 ; 주름(pliegue). —*m.*(*f.*) 꿍심, 이심(二心), 의뭉스러움 : con ～ 꿍심을 가지고, 의뭉스럽게.

doblilla *f.* 옛날의 소액 금화 《20 real》.

doblón *m.* 《옛날 서반아 · 칠레의》 금화 《20 pesetas》 : ～ de a cuatro 40뻬세따 《4 doblas, 40 pesetas》. ～ de a ocho 80뻬세따《8 escudos, 80 pesetas》.

～ *de vaca* 소 내장의 토막난 것(callos de vaca).

doblonada *f.* 많은 돈(dinerada).

doc. docena.

doce *adj.* [*lat.* duodecim] ① 12의 : ～ apóstoles 12사도. ② 12번째의 : capítulo ～. —*m.* 12.

doceañista *adj.m.* 1812년 헌법에 찬성한 ; 그 공로자.

docena *f.* 다스, 타 : media ～ 반 다스. ～ y media 한 다스 반. por ～ 다스로. ～ del fraile 13개를 가리킴.

a ～*s* 많이.

meterse en ～ 다른 계급에 속하는 사람들과 상대하다.

no entrar en ～ *con* …와 같지 않다, …와 다르다.

docenal *adj.* 다스의, 타(打)의, 타로 된.

docenario, ria *adj.* 12에서 이루어진.

doceno, na *adj.* [드뭄] 12번째의(duodécimo) ; 12가닥의 날실로 짠.

docente *adj.* [*lat.* docens] 교육의 ; 교시의 ; 교육을 담당하는, 교육적인 : casa ～ 학원(學園). centro ～ 교육 기관.

doceta *adj.* 그리스도 환영설(幻影說)의.

docetismo *m.* 그리스도 환영설(gnosticismo).

docible *adj.* =**dócil.**

dócil *adj.* [*lat.* docilis] ① 고분고분한, 유순한, 순종하는, 순순히 따르는(obediente). ② 다루기 쉬운 : muchacho ～. ③ 가공하기 쉬운 : El cobre es un metal ～.

docilidad *f.* [*lat.* docilitas] 순종, 온순, 고분고분함, 순박함, 유순 ; 가형성(可型性).

docilitar *tr.* 순종케 하다, 길들이다, 고분고분하게 만들다 ; 복종하게 하다 ; 부드럽게 · 연하게 하다.

dócilmente *adv.* 순순히, 순종해서, 고분고분하게, 말썽부리지 않고, 유순하게.

docimasia *f.* ① 광물의 금속 함유량을 측정하는 분석법. ②【의학】 =**experimentación.**

docimástica *f.* =**docimasia.**

docimástico, ca *adj.* 광물 분석의.

dock *m. ing.* ① 독, 선거(船渠). ② 화물 창고.

doct., Doct. doctor 박사 ; 의사.

doctamente *adv.* 박식하게, 현명하게.

docto, ta *adj.* [*lat.* doctus] [＋en : …에] 박식한, 박학한, 지식이 깊은, 정통한 : ～ *en* física.

—*m.f.* 박식한 사람.

doctor, ra *m.f.* ① 박사 : ～ en Derecho por la Universidad Nacional de Seúl 서울 대학 법학 박사. ～ honoris causa 명예 박사. ② 학자. ③ 의사(médico).

doctora *f.* 여자 박사 ; 박사 부인 ; 의사의 부인 ; 유식한 척하는 여자.

doctorado, da *adj.* doctoar의 *p.p.* —*m.* ① 박사 학위, 박사 과정 · 칭호 ; 대학원 박사 과정. ②

깊은 지식.

doctoral *adj.* ① 박사의 : tesis ~ 박사 논문. ② 박사 칭호의; 대학원의. ③ 학자 티를 내는.

doctoralmente *adv.* 박사 티를 내어 : hablar ~.

doctoramiento *m.* 박사 학위 수여; 졸업.

doctorando, da *m.f.* 박사 후보자, 대학을 갓 졸업한 사람.

doctorar *tr.* (…에게) 박사 학위를 수여하다. **~se** 박사가 되다; 졸업하다.

doctorear *intr.* 학자 티를 내다.

doctrina *f.* [*lat.* doctrina] ① 가르침, 교의(教義), 교리(~ cristiana), 교설(教說). ② 학설, 주장, 의견 : ~ común 통설. ③ 가두의 설교, 여기에 모여드는 사람들 : Por esta calle pasa la ~. ④《*Amér.*》 개종하지 않은 원주민 부락.

doctrinable *adj.* 가르칠 만한, 가르친 보람이 있는, 교육할 수 있는.

doctrinador, ra *adj.m.f.* 교리를 가르치는 (사람).

doctrinal *adj.* 교의의; 교리의; 학설의. **—***m.* 교리 요강, 공교 요리(公教要理).

doctrinante *adj.* 교리를 가르치는.

doctrinar *tr.* 교리(教理)를 가르치다 (enseñar la doctrina).

doctrinario, ria *adj.* 이론적인, 이론파의 : político ~ 이론 정치가. luchas ~*rias* 이론 투쟁. **—***m.f.* 이론가, 공론가.

doctrinarismo *m.* 순리론(純理論), 교리주의; 공론, (특히 불란서의) 이론파.

doctrinero *m.* 교리 강사, 사상 교육자; (특히 아메리카의) 전도사.

doctrino *m.* (자선 기관 등의) 수용 고아; 기를 펴지 못하고 주저주저 하는 사람.
parecer un ~ 소심하다, 겁을 먹다.

documentación *f.* ① 문서화(文書化); 인증, 입증. ② [집합] 서류, 문서, 자료 : ~ del buque 선적 서류.

documentado, da *adj.* 관계 서류가 첨부된; 증거·자료를 가진 : crédito ~ 선하 신용장.

documental *adj.* ① 서류·자료에 의한; 서류의; 자료의. ②【영화】 기록된 것의 : película ~ 기록 영화. **—***m.* 기록 영화.

documentalista *m.f.* ① 자료 분석자. ② 기록 영화 제작자.

documentalmente *adv.* 자료에 의해; 서류상으로, 문서로, 기록에 의해.

documentar *tr.* 서류·자료로서 증명하다; 문서·자료를 첨부하다·제공하다.

documentario, ria *adj.* ① 문서를 통한, 서류에 의한 : crédito ~ 선하 신용장. ② 기록된 것의 : noticiario ~ 뉴스 영화.

documentarista *m.f.* 기록 영화 제작자; 기록·자료의 수집가.

documento *m.* [*lat.* documentum] ① 문서, 서류 : ~ histórico 역사적 서류. ~ privado 사문서. ~ público 공문서. ~ oficial 정부 발행 보고서, 백서. ② 관계 서류, 증거 서류. ③ 자료(dato); 기록. ④ 증서, 증권, 어음 : ~ a cobrar 인수 어음. ~*s* vencidos 만기 어음. ~ descontado 할인 증권. ⑤ 담보물. ⑥ 선하 증권.

docum.[to] documento.

dodecaedro *m.* 12면체(面體).

dodecafonía *f.*【음악】12음 음악.

dodecafonismo *m.*【음악】(작곡상의) 12음 기법.

dodecágono, na *adj.* 12각형의. **—***m.* 12각형.

dodecasílabo, ba *adj.* 12음절의 : poema escrito en versos ~*s.*

dodó *m.* =**dronte.**

doga *f.*《*Manch.*》 양조통의 통나무.

dogal *m.* ① 오랏줄; 목을 매는 밧줄. ② 압박, 압정(壓政).
estar con el ~ al cuello, estar con el ~ a la garganta 궁지에 빠져 있다(hallarse en muy gran apuro).

dogaresa *f.* dux의 아내.

dog-cart *m.* 사냥개를 실어 나르는 마차.

dogma *m.* [*gr.* dogma] 교서, 교리, (특히) 카톨릭 교의(教義)(~ católico); 정론, 정설; 이론; 독단.

dogmática *f.* 정리(定理), 정설; 교의.

dogmáticamente *adv.* 교의상, 정설에 따라; 독단적으로, 독재적으로.

dogmático, ca *adj.* 교리의, 교의의; 정리(定理)의; 독단파의(dogmatista); 독단적인; 독재적인. **—***m.f.* 독단론자.

dogmatismo *m.* 독단론;【철학】독단주의; 교리주의.

dogmatista *adj.* 독단론의. **—***m.f.* 독단가.

dogmatizador, ra *adj. m.f.* 허위 교리를 가르치는 (사람); 독단하는 (사람).

dogmatizante *adj.m.f.* =**dogmatizador.**

dogmatizar *intr.* ⑨ 거짓 교리를 가르치다; 독단적으로 판단하다, 지레 짐작하다.

dogo, ga *m.f.* [*ing.* dog]【동물】불독(perro alano).

dogre *m.* [*hol.* dogger] (북부 유럽의) 어선(embarcación de pesca).

doguillo *m.*【동물】새끼 불독.

doladera *f.* (끝을 뾰족하게 깎는) 도끼.

dolado, da *adj.* [dolar의 *p.p.*] =**pulido, acabado, perfecto.**

dolador *m.* 나무 깎는 연장; 석수장이.

doladura *f.* 나무 막대기, 나무·돌·천 조각, 나무 토막, 돌 부스러기; 대충 깎은 것.

dolaje *m.* 술통에 흡수되는 술(의 분량).

dolamas *f.pl.* =**dolames.**

dolames *m.pl.* ① (말이 눈에 띄지 않게 가진) 병적인 버릇; 동물의 병. ②《*And.*》 한탄, 탄식; 불평 : venir con ~. ③ 지병(achaque).

dolar *tr.* ㉔ [*lat.* dolare] (널빤지·돌을 자귀·끌로) 밀다·깎다, 끝을 뾰족하게 깎다.

dólar *m.* 달러, 불(弗).

dolce *adj. ital.*【음악】감미로운(dulce) : voz ~.

dolencia *f.* ① 통증. ② 질병(achaque).

doler *intr.* ㉕ [*lat.* dolere] ① [간접 목적 대명사와 함께 쓰여 : …가] 아프다 : ¿Le *duele?* 아프십니까? ¿Qué le *duele?* 어디가 아프십니까? No me *duele* nada 아무 데도 아프지 않습니다. Me *duele* aquí 여기가 아픕니다. Me *duele* la cabeza · el estómago 머리·배가 아픕니다. Me *duele* mucho la garganta 목구멍이 무척 아픕니다. ② 가슴 아프다, 슬프다, 괴롭다 : Me *duele* decirlo 나는 그런 말하기가 괴롭다. Ahí le *duele* 그야말로 정곡을 찔렀다.

~se ① [+de : …을] 애석해 하다, 후회하다 (arrepentirse) : *~se de* sus pecados. ② 한탄하다, 슬퍼하다 : *~se de* su ignorancia 배우지 못한 것을 슬퍼하다. Nos *dolió* mucho lo que dijo 그가 말한 것은 우리의 감정을 무척 상했다. ③ 동정(同情)하다 : *~se de* la desgracia ajena. ④ 고통·슬픔을 하소연하다(quejarse) : *~se con* un amigo 친구에게 괴로움을 하소연하다.
[직설법 현재 : duelo, dueles, duele, dolemos, doléis, duelen. 접속법 현재 : duela, duelas, duela, dolamos, doláis, duelan].

dolicocefalia *f.* 【인류】 장두(長頭).

dolicocéfalo, la *adj.* ① 장두(長頭)의. ② 【인류】 장두(長頭)족의. [Contr.] braquicéfalo.

dolido, da *adj.* 속이 상한, 괴로운, 고통스러운, 가슴 아파하는 : Estoy ~ *de* sus palabras 나는 그의 말에 가슴 아파하고 있다.

doliente *adj.* 괴로운 ; 슬픈 ; 마음 아픈 ; 병의. **—***m.f.* ① 환자. ② 상제(喪制), 극인(棘人), 상인(喪人).

dolio *m.* ① (옛 로마의) 진흙으로 빚은 잔(vaso de barro). ② 조개류.

dóllar *m.* 달러. [*N.* 발음 : dólar].

dollimo *m.* 《*Chile.*》 담수의 연체 동물.

dolmán *m.* 《*Amér.*》 =**dormán.**

dolmen *m.* 고인돌, 돌멘 : Los dólmenes son muy numerosos en Bretaña.

dolménico, ca *adj.* 돌멘의, 돌멘 같은.

dolo *m.* [*lat.* dolus] 기만, 사기, 흉계(engaño, fraude, simulación, mala fe) : Todo contrato tachado de ~ puede ser anulado.

dolobre *m.* (석수장이의) 끌, 망치 모양의 끌.

dolomía *f.* 【광물】 백운석(白雲石) (calizalenta).

dolomita *f.* =**dolomía.**

dolomítico, ca *adj.* 백운석 같은, 백운석을 함유한 : una roca *~ca.*

dolor *m.* [*lat.* dolor] ① 고통, 아픔 : ~ de cabeza 두통. ~ de estómago 복통. ~ de muelas 치통. ~ dinámico 이동통. ~ sordo 둔통. ~ de viuda·viudo 살이 없는 곳에 어떤 것이 부딪쳤을 때의 심한 아픔. ¡Qué ~! 아이구 아파! ; 아이구 골치야! ② 슬픔 : dar ~ 슬픔을 주다. ③ 괴로움 : ~ de corazón 하나님의 벌 등을 두려워하는 뉘우침.
dar ~ de tripas 귀찮게 굴다.
tener ~ de …가 아프다 : Anoche *tuve ~ de* cabeza 어젯밤에 나는 머리가 아팠다. *Tengo ~ de* estómago 나는 배가 아프다.

dolora *f.* 돌로라 《시인 Ramón de Campoamor (1817-1901)가 희곡적인 자작시에 붙인 짧은 시》 : La ~ es sentimental.

Dolorcitas *hip.* Dolores.

dolorido, da *adj.* ① 아파 오는 : tener el brazo ~. ② 괴로운, 슬픔에 잠긴, 괴로워하는 (afligido). **—***m.* 상제(喪制).

Doloritas *hip.* Dolores.

dolorón *m.* 《*Méx.*》 격통(激痛), 심한 아픔.

dolorosa *f.* 예수의 죽음으로 슬픔에 잠긴 성모 마리아의 상.

dolorosamente *adv.* 고통스럽게, 비탄에 빠져 ; 애처럽게, 슬프게.

doloroso, sa *adj.* 고통스러워하는 ; 불쌍한, 가엾은, 참혹한. **—***f.* 비탄에 잠긴 성모상.

dolosamente *adv.* 거짓으로, 속여, 사기적인 수법으로.

doloso, sa *adj.* 사기의, 거짓의(engañoso) : anular un contrato ~.

dom *m.* 어떤 파의 성직자에게 주는 칭호.

D.O.M. Deo Óptimo Máximo 전지 전능하신 신에게.

doma *f.* ① 야생마 길들이기 : una doma ~. ② 절제, 금욕.

domable *adj.* 훈련시킬 수 있는, 길들일 수 있는 : La cebra es un animal muy difícilmente ~ 얼룩말은 길들이기가 무척 어려운 동물이다.

domador, ra *m.f.* 동물의 훈련사, 맹수 조련사.

domadura *f.* 길들이는 일 ; 제어, 억제.

domar *tr.* [*lat.* domare] ① 길들이다 ; 동물을 훈련시키다 ; 복종시키다. ② 제어하다, 억제하다 : ~ las pasiones.

dombenitense *adj.m.f.* 돈 베니또 《Don Benito, Badajoz주의 도시》의 (사람)

dombo *m.* 【건축】 둥근·원형 지붕 ; 원형 천장 ; 돔(domo).

dómeda *f.* 《*And.*》 =**cantidad, tonga.**

domellar *tr.* =**domeñar.**

domeñable *adj.* 길들일 수 있는.

domeñar *tr.* 굴복시키다(someter), 길들이다, 꼼짝 못하게 하다 : ~ fieras.

domesticable *adj.* 집에서 길들일 수 있는.

domesticación *f.* 길들이는 일 : La ~ del caballo y del perro es antiquísima.

domesticado, da *adj.* domesticar의 *p.p.*

domésticamente *adv.* 가정적으로 ; 집안에서 ; 국내에서, 국내적으로.

domesticar *tr.* [7] ① 길들이다 : ~ un caballo. ② 세상 물정에 익히다.
~se (마음 쓰임이) 원만해지다.

domesticidad *f.* 가축으로 사육하는 일, 길들이는 일 ; 하인의 신분 ; [집합] 가복(家僕), 가노(家奴).

doméstico, ca *adj.* ① 가정의, 가사의 ; 집의, 집에서의 : animales *~s* 가축. quehaceres *~s* 가사, 집안의 여러 가지 허드렛일. ② 집에서 사육되는 : El conejo ~ es menos sabroso que el conejo de monte 집토끼는 산토끼보다 맛이 없다. ③ 가축의. ④ 국내의, 국산의 : aviación *~ca* 국내 항공.
—*m.f.* 하인(criado).

domestiquez *f.* 야수성의 결여 ; 길들임.

domestiqueza *f.* 【드묾】 =**domestiquez.**

domiciliar *tr.* [11] ① 거주지를 정하다, 주소를 정하다. ② 《*Méx.*》 수취인의 이름을 쓰다(poner sobreescrito a una carta).
~se 살다, 거주하다, 주거하다, 정주하다.

domiciliario, ria *adj.* 본적의, 거주지에서의, 가택의, 주택의 : visita *~ria* 가택 수색·방문. **—***m.f.* 거주자.

domicilio *m.* [*lat.* domicilium] ① 본적(~ legal). ② 거주 : adquirir·contraer ~ 거주지를 정하다, 정주하다. ③ 주소 : Avise usted si cambia de ~ 주소를 옮기면 알려 주세요. ④ 소재지, 거주지 : ~ social 회사의 소재지.
a ~ 가택에서, 가정에 가서 : lecciones *a ~* 가정 출장 강의. cobrar *a ~* 가정으로 다니며 수금

하다.

dómida *f.* 《*And.*》=**dómeda.**

dominación *f.* [*lat.* dominatio] ① 통치, 지배(señorío, imperio) : La ~ romana se extendió por todas las orillas del Mediterráneo. ② 감화(感化). ③ 망루, 전망대. —*pl.* 천사 계급의 제 1 성품(聖品).

dominador, ra *adj.* ① 지배적인 : tener un carácter ~. ② 월등한, 우세한, 권력을 휘두르는 : la codicia ~*ra* de los demás instintos 여러 가지 본능을 지배하는 강한 욕심. —*m.f.* 지배자.

dominante *adj.* ① 지배적인, 유력한, 우세한 ; 주조를 이루는 : carácter ~ 유전의 우성·우성 형질. ② 가장 높은 : punto ~ 산의 최고 지점. ③ 압제적인 : mujer ~. ④ 주된 : Los vientos ~*s* de esta región soplan del noreste 이 지방의 주된 바람은 서북에서 불어 온다.
—*f.* 음계의 제 5 음.

dominar *tr.* [*lat.* dominari] ① 누르다, 지배하다 : Su influencia *domina* la asamblea 그의 영향력은 의회를 지배하고 있다. Napoleón quiso ~ a Europa 나폴레옹은 유럽을 지배하려 했다. ② 통제·통어하다, 억제하다(sujetar) : ~ la cólera. ③ (넓게) 굽어보다 : La torre *domina (sobre)* todo el pueblo. ④ 마스터하다, 통달하다(saber a fondo) : El *domina* el español 그는 서반아어를 마스터하고 있다.
—*intr.* 지배적이다, 가장 유력·우세하다 ; 주조가 되어 있다, 우뚝 솟아 오르다·솟아 있다.
~se ① 자제하다 : No pudo ~*se* 그는 자제할 수 없었다. ② 몸을 가누다, 자세를 유지하다.

dominativo, va *adj.* 지배적인(dominante).

dominatriz *adj.* 지배적인 ; 우세한, 월등한. —*f.* 지배자 ; 압제적인 여자, 남편을 휘어잡는 여자.

dómine *m.* ① 라틴어 선생(maestro de latín). ② 선생 티를 내는 사람.

domingada *f.* 일요 행사.

domingo *m.* [*lat.* dominicus dies] 일요일.
hacer ~ 일하지 않고 쉬다.
salir con un ~ ***siete*** 마술을 부리다.

dominguejada *f.* 《*Venez.*》 하찮은 것, 대수롭지 못한 일, 어리석은 일(necedad).

dominguejo *m.* ① =**dominguillo.** ② 《*AmérM.*》 하찮은 인물 ; 허수아비.

dominguero, ra *adj.* ① 일요일에 쓰는·입는 : traje ~ 나들이옷. ② 일요일에는 잔뜩 멋을 부리는·실컷 노는. —*m.f.* 일요일에 실컷 노는·멋을 부리는 사람.

dominguillo *m.* 어린아이들이 짚으로 만든 작은 상·인형.
traer a uno ***como un*** ~ 동시에 많은 것을 하게 하다.

dominguito *m.* 【조류】 도밍기또 《참새과의 일종》.

domínica *f.* [*lat.* dominica] ①【종교】 주일, 안식일. ② 일요 기도서.

Dominica 【지명】 도미니카 《카리브해의 섬 ; 영연방에 속한 독립국 ; 1978년 독립 ; 면적 751㎢ ; 수도 Roseau》.

dominical *adj.* ① 일요일의 : descanso ~ 일요 휴식. escuela ~ 일요 학교. ② 지배권의. ③ 임금에게 바치는. — *f.* (옛날의) 학원·대학의 일요 행사.

Dominicana (República) 【지명】 도미니까 공화국 《카리브해의 독립국 ; 면적 48,442㎢ ; 수도 Santo Domingo》.

dominicanismo *m.* 도미니까 사투리·말투.

dominicano, na *adj.* ① 산또·도밍고 《Santo Domingo, 도미니까 공화국의 수도》의. ② 도미니까 공화국의 : República *Dominicana* 도미니까 공화국. ③ 산또 도밍고회(會)의. —*m.f.* 산또·도밍고 사람 ; 도미니까 사람 ; 산또·도밍고회의 사람.

dominico, ca *adj.* 산또·도밍고회(la Orden de Santo Domingo)의. —*m. f.* ① 산또·도밍고회의 수도사·수녀. ② 《*Amér.*》 바나나의 일종. 《*Cuba.*》【조류】 새의 일종.

domínico, ca *adj.m.f.* 《*Amér.*》=**dominico.**

dominio *m.* [*lat.* domininum] ① 주권 ; 지배권·력, 통치(권) : Estos territorios estuvieron bajo el ~ español 이 지역은 서반아의 지배 하에 있었다. ② 통제. ③ 소유권 : traspasar el ~ 소유권을 이양하다. ④ [주로 *pl.*] 영토 : Jamás se ponía el sol en los ~*s* de Felipe Ⅱ 펠리뻬 2세의 영토에는 태양이 지는 일이 없었다.
perder el ~ ***de sí mismo*** 자제심을 잃다.
ser del ~ ***público*** 주지의 사실이다.

dómino *m.* ① 도미노 ; 도미노 놀이. ② 가장 행렬에서 입는 두건이 달린 두루마기.

dominó *m.* =**dómino.**

domo *m.*《*Arg.*》【건축】 돔, 둥근 지붕 ; 둥근 천장(cúpula).

dom.º domingo 일요일.

Dom.º Domingo 도밍고.

dompedro *m.* ①【식물】 분꽃(dondiego). ② 변기, 요강(orinal).

don[1] *m.* [*lat.* dominus] 돈 《남자의 이름 앞에 붙이는 경칭 ; 옛날에는 귀족 자격을 가진 사람에게만 붙였음》 : ~ Quijote. **Contr.** doña.
no quitarse el ~ 그럴싸하게·시큰둥하게 행동하다.

don[2] *m.* [*lat.* donum] ① 선물, 남에게서 얻은 것, (자비로) 주는 것(dádiva) : los ~*es* de Baco 포도주, 술. los ~*es* de Ceres 곡물. los ~*es* de Flora 꽃. los ~*es* de la Fortuna 부(富). ② 재능, 천부의 재질(talento) : el ~ de gente 남에게 호감을 사는 천성. el ~ de hablar 말주변.
~ ***Juan*** ①【식물】 분꽃(don Pedro). ② 탕아, 난봉꾼 : Es un ~ *Juan.*
don Pedro【식물】 분꽃(dompedro).

Don Quijote de la Mancha (El Ingenioso Hidalgo) 【문학】 동끼호떼 데 라 만챠 《Cervantes의 걸작 ; 주인공은 Don Quijote와 Sancho Panza》.

dona *f.* ① [드뭄]【방언】 여자(dama). ②【고어】《*Chile.*》 증여물, 선물, (특히) 유증물(遺贈物). —*pl.* 신랑이 주는 신부의 선물.

donación *f.* [*lat.* donatio] 증여, 기증, 기부 ; 선물, 기증물, 기부금.

donado, da *m.f.* 탁발 승단의 사동(使童).

donador, ra *adj.* 증여하는, 제공하는. —*m.f.* 증여자, 희사자, 기부자 : ~ de sangre 혈액 제공자. **Contr.** donatario.

donaire *m.* ① 경구, 미묘한 정을 표현하기, 구

수하고 그럴싸한 말 : hablar con ～. ② 늠름한, 씩씩함(gallardía). ③ 우아, 고상(gentileza). ④【연극】(옛날의) 어릿광대역.

donairosamente *adv.* 늠름하게, 날렵하게.

donairoso, sa *adj.* 우미한, 날렵한, 늠름하고 씩씩한 : una persona ～*sa.*

donante *adj. m.f.* =**donador.**

donar *tr.* [*lat.* donare] 선사하다 ; 증여하다, 기부하다.

donatario *m.* 선물·기부를 받는 사람.

donatismo *m.* (4세기 아프리카 북부를 중심으로 한 Donato의) 도나또교.

donatista *adj.m.f.* 도나또 교파의 (교도).

donativo *m.* [*lat.* donativum] 선물, 증여물 ; 기증(품), 기부 (금품)(dádiva) : hacer un ～ a la iglesia 교회에 기부하다.

doncas *adv.* 다시 말하면, 즉(es decir).

doncel *m.* [*lat.* domicellus] ① 14세부터 20세까지의 명문 귀족의 자제(子弟). ② 동자(童子), 동정(童貞). ③ 젊은이. —*adj.* (술·과일 따위의) 단, 달착지근한(dulce) : vino ～.

doncella *f.* [*lat.* domicella] ① 아가씨, 처녀. ② 시녀, 하녀, 몸종. ③【어류】 놀래기(budión). ④【방언】《*AmérM.*》【의학】 표저(panadizo). ⑤《*Perú.*》【식물】 함수초(sensitiva).

doncelleja *f.* [*dim.* doncella] 작은 여자 ; 하녀.

doncellería *f.*【속어】=**doncellez.**

doncellez *f.* 동정, 처녀성(virginidad).

doncellueca *f.* 노처녀(doncella ya madura).

doncelluela *f. dim.* doncella.

donde *adv.* [*lat.* de unde] ① 그곳에서, 그곳에, 그곳으로, …하는 곳에 : *Aquí* fue ～ nos conocimos 이곳이 우리가 알게 된 곳이었다. ② 곳으로(adonde) : Aquella es la *casa* ～ vas 저기가 네가 가는 집이다. Esta es la *casa en* ～ *(en que)* nací 이곳이 나의 생가이다.

—*adj.* …하는 (곳) : Esta es la casa ～ nació el presidente 이것이 대통령이 탄생한 집이다. Lo dijo con *acento* ～ traslucía su hostilidad 적의를 품은 투로 말했다.

—*pron.* ① [장소를 표시하는 부정 대명사] 곳, 곳에, 장소에·로 : Subí por ～ me señalaban 나는 가르쳐 준 곳을 지나 올라갔다. Vamos ～ quieras 네가 원하는 곳으로 가자. Esto me ha dicho, *de* ～ (*de lo cual*) se infiere que no vendrá 그는 이렇게 말했는데, 그로 미루어 생각하면 오지 않을 모양이다. ② [+*inf.* : …할] 곳·장소 : ¿Tienes sitio ～ dormir? 잠잘 곳이 있나? Tengo que buscar ～ acomodarme 나는 차분히 지낼 곳을 찾아야 한다. ③ [전치사적] …이 있는 곳, …의 집에 : Fuimos ～ el cabecilla 우리는 두목한테로 갔다. Estuve ～ Pedro 나는 뻬드로네 집에 있었다.

～ ***no*** 그렇지 않으면 : Págueme, ～ *no,* lo anularé 지불해 주십시오, 그렇지 않으면 취소하겠습니다.

dónde *adv.* [장소의 의문 부사 ; 전치사 a, de, hasta, desde, hacia, por, 등과 같이 쓰일 수 있음 ; a는 adónde로 합할 수 있음] 어디, 어디에, 어디로 : ¿A ～ va usted? 어디 가십니까? *¿Dónde* vive usted? 어디에 사십니까? ¿De ～ a ～ va esta carretera? 이 도로는 어디에서 어디까지 갑니까? *¿Dónde* estamos? 여기가 어디입니까? Nadie sabía *adónde* nos dirigíamos 우리가 어디로 향하고 있는지 아무도 몰랐다. Hay que averiguar ～ se oculta 어디에 숨어 있는지 밝혀 내야 한다. *¿Dónde* vamos? 어디에 갈까? Huía sin saber a ～ ir 어디로 가야할 지를 모르고 나는 도망쳤다.

¿por ～? ① 어디를 지나? : *¿Por* ～ se va al municipio? 시청은 어디로 해서 갑니까? ② 왜?, 무슨 이유로? : *¿Por* ～ tengo de creerlo? 왜 내가 그런 일을 사실로 받아들여야 합니까?

dondequiera *adv.* 어디든지 …하는 곳에·곳에서, 아무 데라도, 어디라도(en cualquiera parte).

dondiego *m.*【식물】 분꽃 (～ de noche) : ～ de día 매꽃.

dondio, dia *adj.*【방언】 연한, 부드러운.

doneadora *adj. m.f.* 부인들의 기분을 잘 맞추는 (사람).

donfrón *m.* 옛날의 피륙으로 된 린넬.

dongón *m.*【식물】 동공《필리핀의 당아욱과 식물 ; 목재가 단단하여 건축 자재로 사용함》.

donguindo *m.* 알이 크고 품종이 좋은 배·배의 일종 ; 배나무.

donillero *m.* (함정을 치고 있는) 협잡 도박꾼.

donjuán *m.* ① 색마, 색광, 색정광, 호색한, 색한, 탕아, 돈환, 바람둥이, 오입쟁이 . ②【식물】 분꽃(dondiego).

donjuanesco, ca *adj.* 탕아의, 호색한의, 돈환(Don Juan Tenorio)《Tirso de Molina(1571? —1648)의 작품 el Burlador de Sevilla y convidado de piedra의 주인공》적인.

donjuanismo *m.* 호색주의, 돈환류·풍.

donosamente *adv.* 매력적으로, 새침하게.

donosidad *f.* 세련, 매력 ; 교태, 애교.

donosilla *f.*《*León.*》=**comadreja.**

donoso, sa *adj.* ① 매력있는, 세련된, 매력적인, 교태의(gracioso) : ～*sa* idea. ② 말솜씨가 좋은. ③ [명사 앞에서 반어적으로] 구성진, 곱살스러운 : una ～*sa* ocurrencia.

donostiarra *adj.* 도노스띠아《서반아의 피서지, Donostia는 San Sebastián의 바스꼬어 이름》 시의. —*m.f.* 도노스띠아·산세바스띠안 시민.

donosura *f.* ① 애교, 매력, 세련, 우미, 우아(gracia). ② 아양, 교태, 귀여움(donaire).

donsantiago *m.*《*Chile.*》 레일을 구부리는 기계.

doña *f.* [*lat.* dômina] ① 도냐《옛날에는 젊었거나 늙었거나 여성의 이름 앞에서 붙였으나, 지금은 일반적으로 나이든 여성의 이름에 붙이는 경어》 : ～ Juana. Contr. don. ②《*Ecuad.*》 인디오 여인(india).

doñeador, ra *adj.* 여자를 설득 잘하는 (사람).

doñear *intr.* 여자를 설득하다.

doñegal *adj.* 무화과의. —*m.*【식물】 무화과의 일종《속이 진분홍 빛》.

doñigal *adj.m.* =**doñegal.**

doquier *adv.*【시어】[장소의 관계어] 어디든지, 아무 데나(dondequiera).

doquiera *adv.* =**doquier.**

d.[or] deudor 채무자.

dorá *f.* (아랍인들이 빵을 만드는) 옥수수의 일종.

dorada *f.* ①【어류】 혹도미. ②《*Cuba.*》 독모기의 일종.
doradilla *f.* ①【어류】 혹도미. ②【식물】 인초(忍草).
doradillo, lla *adj.* 《*AmérC. Arg. Chile.*》 엷은 갈색의 (말). **—*m.*** ① 놋쇠 철사, 가는 금색실. ②【조류】 할미새. ③《*Amér.*》 꿀색의 말(caballo de color meldo).
dorado, da *adj.* ① 금을 입힌, 도금한, 금빛의(de color de oro). ② 찬란하게 빛나는. ③ 한창의, 전성의 : edad *~da* 전성기. ④《*Cuba.*》 엷은 갈색의. **—*m.*** ① 도금. ②【el D-】 황금향(黃金鄕), 보물 더미. **—*m.pl.*** 금구(金具).
dorador, ra *m.f.* 도금하는 사람.
doradura *f.* 금도금(하는 일).
doral *m.* 【조류】 벌참새(papamoscas)의 일종.
dorar *tr.* [*lat.* deaurare] ① 금도금하다 ; (…에) 금을 칠하다 · 씌우다 ; 황금빛으로 하다. ② 누렇게 눋게 하다. ③ 교묘하게 붙이다. **Contr.** desdorar.
~se 금빛으로 빛나다 ; 누렇게 눋다.
dórico, ca *adj.* 도리스《고대 그리스의 도시 국가 Dóride》의 ; 도리스식의 (건축, 기둥 등). **—*m.*** 도리스 방언.
dorífora *f.* 감자 기생충.
dorio, ria *adj.* 도리다《Dórida, 그리스의 옛 지방》의. **—*m.f.*** 도리다 사람.
dormán *m.* 늑골 장식이 된 군복.
dormida *f.* ① 누에의 잠 ; 숙박 : Tenemos tres *~s* 우리는 거듭 3일 동안 묵게 된다. ②《*Amér.*》 보금자리, 잘 곳, 침소, 침실(dormitorio).
dormidera *f.* 【식물】 ① 앵속, 양귀비(adormidera). ②《*Cuba.*》 함수초. **—*pl.*** ① 잠버릇 : tener buenas *~s* 잠버릇이 좋다. ② 수면제.
dormidero, ra *adj.* 최면의 ; 수면의. **—*m.*** ① 가축의 잠자는 우리. ②《*Arg.*》 과도한 잠.
dormido, da *adj.* [dormir의 *p.p.*] 잠자고 있는 ; 미개발의.
dormidor, ra *adj.* 잘 자는. **—*m.f.*** 잠꾸러기.
dormiente *adj.* [드뭄] =**durmiente.**
dormilado, da *adj.* 졸고 있는(adormilado).
dormilento, ta *adj.* =**adormilado, adormitado.**
dormilera *f.* 잠자는 주부.
dormilón, na *adj.* 잘 자는, 잠이 많은. **—*m.f.*** 잠꾸러기.
—*m.* ①【조류】 소쩍새. ②《*Méx.*》 둥근 귀고리(aretes redondos). **—*f.*** ① 낮잠용 안락 의자. ②《*AmérC. Cuba.*》【식물】 함수초. **—*pl.*** 진주 · 다이아몬드 귀고리.
dormir *intr.* 57 [*lat.* dormire] ① 잠자다, 자고 있다 : cuarto de ~ 침실(alcoba, dormitorio). ② 쉬다, 가라앉다, 잠잠해지다, 침착해지다 : Sus pasiones *duermen* 그의 열정이 가라앉았다. ③ (팽이가) 그 자리에 서다, 그 자리에 서서 돌다. ④ [+sobre : …을] 갈팡질팡 생각하다. **—*tr.*** ① 재우다, 잠들게 하다 : La madre *está durmiendo* al niño 어머니가 아이를 재우고 있다. ②《*Ant. Méx.*》 완전히 매혹하다 ; (어떤 사람을) 홀딱 반하게 하다, 황홀경으로 몰아넣다(embaucar).
~se ① 잠들다 ; 졸다 : *Me dormí* en la conferencia 강연 중에 나는 졸았다. ② 게으름부리다. ③ 안절부절못하다 : *~se* una pierna. ④ (자석 등이) 기운이 없어지다.
~ a medias 비몽사몽하다.
~ a pierna suelta 정신없이 잠자다.
~ como un bendito · lirón · tronco 단잠을 자다.
~ con un ojo abierto 정신을 차려 경계하고 있다.
~ la borrachera 술에 취해 자다.
~ la siesta 낮잠을 자다(tomar la siesta).
~ un buen sueño 기분 좋게 푹 자다.
~se sobre sus laureles 지난 날 얻었던 영화로 안이하게 지내다.
dejar ~ (무엇을) 내팽개쳐 두다, 까맣게 잊어버리고 있다 ; 무관심하다(no hacer caso de) : *Deje* usted ~ el asunto hasta que yo vuelva 내가 돌아올 때까지 그 일을 팽개쳐 두십시오.
[직설법 현재 : duermo, duermes, duerme, dormimos, dormís, duermen. 접속법 현재 : duerma, duermas, duerma, durmamos, durmáis, duerman. 직설법 부정과거 3인칭 단수 durmió, 3인칭 복수 durmieron. 현재 분사 : durmiendo].
dormirlas *m.* 숨바꼭질.
dormitar *intr.* 졸다, 꾸벅꾸벅 졸다, 겉잠 들다(estar medio dormido).
dormitivo, va *adj.* 최면의. **—*m.*** 최면제 ; 수면제.
dormitorio *m.* ① 침실 (alcoba, cuarto de dormir, habitación para dormir). ② (대학 따위의) 기숙사 ; 큰 공동 침실.
dormivela *f.* 비몽 사몽, 선잠.
dorna *f.* 《*Gal.*》 고깃배, 어선(lancha de pesca).
dornajo *m.* 둥근 단지, 통.
dorniel *m.* 《*Seg.*》 =**alcaraván.**
dornillero, ra *m.f.* dornillo 제조자 · 판매자.
dornillo *m.* [*dim.* dornajo] 작은 통 ; 종지 ; 가래통.
dorondón *m.* 《*Ar.*》 =**niebla espesa y fría.**
dorsal *adj.* ① 등의 : espina ~ 등뼈. ② 안쪽의. ③【음성】 구개음《문자 : ch, ñ, k 등》의.
dorso *m.* [*lat.* dorsum] ① 등(espalda). ② (손발의) 등. ③ 뒤 : al ~ de …의 이면으로. ~ de letra de cambio 환어음의 이면.
dorstenias *f.pl.* 【식물】 중미산의 식물.
dos *adj.* [*lat.* duo] ① 두 개의. ② 두 번째의(segundo) : el número ~ 제 2 번. lección ~ 제 2 과. tomo ~ 제 2 권.
—*m.* 2, 두 개 ; 듀스 ; 2일.
—*f.pl.* 두 시 : las ~ y cuarto 두 시 십오 분.
a ~ por tres 민첩하면서도 확실하게.
como ~ y ~ son cuatro 분명히, 명백하게.
de ~ en ~ 둘씩 갈라져 : juntar objetos *de ~ en ~*.
en (un) ~ por tres 즉각, 신속히(muy rápidamente) : escribir una carta *en un ~ por tres.*
entre los ~ 두 사람 중에.
hacer un ~ 《*AmérC. Méx.*》 부은 술을 둘로 나누다.
tomar el ~ 가버리다, 줄행랑치다(largarse).
dosalbo, ba *adj.* 두 개의 다리가 하얀.
dosañal *adj.* ① 두 살의 : un cordero ~. ② 2년의.
doscientos, tas *adj.* ① 200의 : ~ hombres 2백명의 사람들. *~tas* casas 2백채의 집. ② 200

번째의. —*m.* 200.
dosel *m.* 무늬가 있는 천막, 밖으로 내붙인 천개(天蓋).
doselera *f.* 천개(天蓋)의 수막.
doselete *m.* [*dim.* dosel] 작은 천개.
dosificable *adj.* 조금씩 나눌 수 있는.
dosificación *f.* ① 약을 복용량으로 나눔, 나누어 포장함. ②【화학】 안분(按分), 비례 안분(법).
dosificar *tr.* 7 ① (약을) 조제하다, 복용량으로 나누다. ② 투약하다. ③【화학】 (비례) 안분하다.
dosillo *m.* 두 사람이 하는 카드 놀이.
dosimetría *f.* 약제 계량 ; 약량학.
dosimétrico, ca *adj.* dosimetría의.
dosis *f.* [*gr.* dôsis] ① (약의) 복용량, 용량 : ~ letal · mortal 치사량. ② 적량 ; 어떤 분량 : una buena ~ de paciencia 상당한 인내.
dosista *m.f.*【은어】(시계나 지갑을 훔치는) 소매치기.
dos piezas *m.* ① 투피스. ② 비키니, 해수욕복.
dotación *f.* ① 지참 재산을 나누어 줌 ; 기본 재산의 기부. ② (천성적인) 자질. ③ (사무소 · 공장 · 농장 등의) 종업원, 요원, 전원(personal) ; (배 · 항공기의) 승무원(tripulación).
dotado, da *adj.* ① [+de : …을] 가진, 구비한 ; 비치한 : Chechudo es ~ *de* un clima excepcional en la época de invierno 제주도는 동기(冬期)에 특별히 좋은 기후를 가졌다. ② [bien · mal+] 재능이 있는 · 없는 : Es un muchacho muy *bien* ~ 그는 비상한 재능을 가진 소년이다.
dotador, ra *adj.* 주는, 기부하는 ; 부여하는. —*m.f.* 지참금을 주는 사람 ; 기본 재산의 기부자 ; 정원 · 경비 등을 정하는 사람.
dotal *adj.* [*lat.* dotalis] 지참 재산(dote)의 : casarse bajo el régimen ~. *póliza* ~ 양로 보험 증권.
dotar *tr.* [*lat.* dotare] ① (결혼할 · 수도원에 들어갈 여자에게 재산 등을) 지참시키다 : El *dotó* a su hija *con* bienes raíces 그는 딸에게 부동산을 지참시켰다. ② (사원 · 자선 단체에 기금 · 기본 재산으로서) 기부하다 : Ese señor *dotó* el hospicio *en* medio millón de pesetas 그 분은 양호 시설에 50만뻬세따를 기부했다. ③ (자질적으로) 부여하다 : El cielo le *dotó de* hermosura 하늘은 그녀에게 미모를 주었다. ④ (직원의 봉급 등을) …으로 정하다 · 주다, 예산을 할당하다. ⑤ (선박 · 사무소 등의 요원을) …이름으로 하다, 배속시키다. ⑥ (필요한 것을) 비치하다 : ~ una casa *de* ascensor 건물에 승강기를 설치하다.
dote *f.(m.)* [*lat.* dos, dotis] 지참 재산, 지참금 : ~ estimada 남자가 아내를 위하여 지참하는 재산. ~ inestimada 아내에게 속하는 재산. —*f.pl.* 천성적인 재능, 천부의 재질, 장점, 아름다운 점 : tener buenas ~*s.* —*m.* 카드에서 각자의 득점.
doublé *m. fr.* =**dublé.**
dovela *f.* [*fr.* douelle]【건축】(아치의) 홍예석.
dovelaje *m.* [집합] 홍예석.
dovelar *tr.* (석재를) 홍예석으로 만들다.
doy[1] dar의 직 · 현 · 1 · 단수.
doy[2] *adv.*【고어】 오늘부터(de hoy, desde hoy).
dozavado, da *adj.* 12면 · 12부로 된.
dozavo, va *adj.* 12등분한(duodécimo). —*m.* 12 등분의 1 : en ~ 사륙 배판의.
d/p días plazo …일 기한.
dr., Dr. doctor.
dra(s). derecha(s).
draba *f.*【식물】 애기냉이.
drac *m.* 《*Arg.*》 =**draque.**
drácena *f.*【식물】 금어초(drago)의 학명.
dracma *f.* [*gr.* drakhmê] ① 고대 그리스 · 로마의 은화. ② 약품의 눈금 단위《3.594㎎, 8분의 1 onza》. ③ 드라끄마《그리스의 화폐 단위》.
draconiano, na *adj.* ① 아테네의 입법가 Dracón 의 · 류의 : El código ~ castigaba con la muerte faltar relativamente ligeras. ② 가혹한, 냉혹한, 극히 엄한 : ley ~*na.*
draga *f.* [*ing.* to drag] 준설기 ; 준설선.
dragado, da *adj.* dragar의 *p.p.* —*m.* 준설, 갯바닥 치기.
dragaje *m.* =**dragado.**
dragaminas *m.*【단 · 복수 동형】 준설선, 소해정(掃海艇).
dragante *m.*【문장】 입을 벌린 용.
dragar *tr.* 8 준설하다 ; 소해(掃海)하다.
drago *m.*【식물】 용혈수(龍血樹) : sangre de ~ 용혈.
dragomán *m.* 통역(intérprete).
dragón *m.* [*gr.* drakôn] ① 용. ②【동물】(필리핀산의) 비행 도마뱀. ③【식물】 금어초(金魚草) ; 다년생 관상용 나무. ④【천문】 천용좌. ⑤ (동물의 눈동자에 생기는) 별, 반점. ⑥ 용기병(龍騎兵). ⑦ 용광로의 불을 빨아들이는 곳(tragante).
dragona *f.* ① 용의 암컷. ② 견장의 일종. ③ 《*Chile. Méx.*》 칼을 늘어뜨리는 장식 가죽. ④ 《*Méx.*》 두건이 달린 망토 ; 소맷부리 장식.
dragoncillo *m.* [*dim.* dragón] 옛날 대포. —*pl.*【식물】 금어초.
dragonear *intr.* 《*Amér.*》 ① 무자격 · 무면허로 영업하다 : ~ *de* médico 돌팔이 의사 노릇을 하다. ② 보란 듯이 하다. ③ 《*Arg. Urg.*》 여자에게 사족을 못쓰다.
dragonete *m.* =**dragante.**
dragonita *f.* 용석(龍石)《남미에서 용의 머리에 있다고 하는 표》.
dragonites *f.* =**dragonita.**
dragontea *f.*【식물】 야자과 식물의 일종.
dragontino, na *adj.* 용의 .
drakkar *m* (바이킹이 사용했던) 스칸디나비아의 배.
drama *m.* [*lat.* drama] ① 극시 ; 희곡 ; 연극. ② 감명 깊은 작품. ③ 극적 사건 (suceso terrible).
dramáticamente *adv.* 극적으로 ; 희곡 풍으로.
dramático, ca *adj.* ① 극시의 ; 극의 ; 희곡의 : obra ~*ca* 극작품. ② 극적인 ; 극시에 어울리는 ; 감동적인 : situación ~*ca.*
—*m.f.* 극작가 ; 배우.
—*f.* 극작법(劇作法) ; 극시 : estudiar la ~. Sinón. dramaturgia.
dramatismo *m.* 희곡성, 극적 흥미.
dramatista *m.f.* 극작가(dramaturgo).
dramatizable *adj.* 극으로 할 수 있는, 각색할

수 있는.
dramatización *f.* 각색, 희곡화.
dramatizar *tr.* ①극으로 꾸미다, 각색하다 : ~ una novela 소설을 희곡으로 각색하다.
dramaturgia *f.* 극작술(dramática).
dramatúrgico, ca *adj.* 극작상의, 연출상의.
dramaturgo, ga *m.f.* 극작가(dramatista).
dramón *m.* 굉장하기만 하고 재미없는 연극.
draque *m.* 《*Col. Cuba.*》 드라께 《물·소주·설탕에 향료를 넣어 만든 술》.
drástico, ca *adj.* [*gr.* drastikos] 대담한, 과감한 ; 극심한. **—***m.* 【의학】 격한 하제(下劑)(purgante violento).
drávida *adj.* =**dravidiano.**
dravidiano, na *adj.m.f.* 옛 인도스탄 종족의 (사람). **—***m.* 인도스탄 종족의 말.
dravídico, ca *adj.* drávidas의.
drecera *f.* (주택, 나무 등의) 직선의 열.
dren *m.* ①《*Gailc.*》 배수구. ②【의학】 배농(排膿) 고무관.
drenaje *m.* 《*Gailc.*》 ① 배수 : canal de ~ 배수구. ② 배수 공사. ③【의학】 배농(排膿)(법).
drenar *tr.* ①《*Gailc.*》 배수하다(encañar). ② 고름을 짜내다, 배농하다.
dría *f.* =**dríade.**
dríada *f.* =**dríade.**
dríade *f.* [*gr.* drus] 【신화】 나무의 정(精), 숲의 요정(ninfa de bosques) 《나무에 붙어 나무와 수명을 같이 한다는 요정》.
dribble *m. ing.* 드리볼.
dribbling *m. ing.* 【축구】 =**regateo.**
driblar *intr.* 【운동】 공을 드리볼하다(regatear).
drible *m. ing.* 드리볼.
driblear *intr.* =**driblar.**
dril *m.* ① 생면직(生綿織) : pantalones de ~ 생면직 바지. ②【동물】 (아프리카산) 원숭이의 일종.
drill *m.* 【동물】 (아프리카의) 원숭이의 일종.
drimirriceo, a *adj.* =**cingiberáceo.**
drino *m.* 【동물】 독사의 일종.
driza *f.* (깃대·돛을 올리는) 줄.
drizar *tr.* ⑨ (기·돛·돛대를) 올리다.
dro(s). derecho(s).
droga *f.* ① 약 ; 약제 ; (주로) 마약, 마취제 ; 원료의 성분. ② 거짓말, 사기, 속임수(embuste). ③ 언짢은 일, 속상한 일, 울화통 : Es mucha ~. ④《*Amér.*》 떼어 먹을 작정인 빚 : hacer ~ 《*Méx.*》 빌린 돈을 끝내 갚지 않다. ⑤《*Cuba.*》 잘 팔리지 않는 상품.
echar a la ~ 쫓아내다, 몰아내다 (mandar a paseo).
drogacito, ta *adj.m.f.* 마약 중독의 (사람) : niño ~ 선천적 마약 중독자, 마약 중독 어머니한테서 태어난 아이.
drogadicción *f.* =**toxicomanía.**
drogadicto, ta *adj. m.f.* =**toxicómano.**
drogado, da *adj.m.f.* 마약 기호의 (사람).
drogar *tr.* (환자에게) 약·마약을 주다.
drogmán *m.* 【고어】 =**dragomán.**
drogón *m.* 《*Cuba..*》 팔리지 않는 상품 ; 골칫거리.
droguería *f.* 약종상 ; 약국 ; 잡화점 《약, 화장품, 담배, 잡지 등을 파는 곳, 때로는 경양 식당》.
droguero, ra *m.f.* ① 약방·잡화점 주인. ②【방언】 식료품 상인. ③《*Amér.*》 셈이 질긴 사람, 빚을 갚지 않는 사람. ④《*Perú. Méx.*》 = **engañador, tramposo.**
droguete *m.* 부능직(浮綾織).
droguista *m.f.* =**droguero.** **—***adj.* 속임수가 많은.
drolático, ca *adj.* =**picaresco, malicioso, sicalíptico, chistoso, chusco, gracioso.**
dromedal *m.* =**dromedario.**
dromedario *m.* 【동물】(아라비아·북아프리카의) 단봉(單峰) 낙타.
dromeo *m.* 【조류】 에뮤 《에뮤과의 새 ; 타조와 비슷한데 키가 1.8미터, 몸무게가 45kg 이상, 다리는 길고 튼튼하며 발톱과 날개는 짧음》.
dromón *m.* (10~12세기 지중해의) 가벼운 배.
Drón. gral. Dirección general.
dronte *m.* 【조류】 반금류새.
dropacismo *m.* 탈모제의 일종.
drope *m.* 쓸모없는 인간.
drosera *f.* 【식물】 끈끈이주걱.
droseráceo, a *adj.* 【식물】 끈끈이주걱 무리의. **—***f.pl.* 끈끈이주걱과의 식물.
drosómetro *m.* 노량계(露量計).
druida *m.* 고대 겔트족의 이교의 승려, 드루이드.
druídico, ca *adj.* 드루이드교의.
druidismo *m.* (떡갈나무 기생목을 섬겼던) 드루이드교.
drupa *f.* [*lat.* drupa] 【식물】 (매화·복숭아 등의) 핵과(核果).
drupáceo, a *adj.* 【식물】 핵과성의.
drupéola *f.* 【식물】 작은 핵과.
drusa *f.* 【지질】 정동(晶洞)(석) ; 이질 정족(異質晶簇).
druso, sa *adj.* 드루스교도 《그리스교와 회교의 절충파의 광신적인 교도, 시리아와 레바논 Líbano 산중에서 생활》의. **—***m.f.* 드루스교도.
dto. directo ; distrito.
Dtor. director.
dúa *f.* 옛날의 요새 공사의 노역 ; 갱부의 한 조.
dual *adj.* ① 두 개의, 두 개를 나타내는 : número ~. ② 이중성의 《【문법】 단수·복수와 더불어 양수》. ③《*Chile.*》 두 사람만 승리자로 남은.
dualidad *f.* ① 이중, 이중성 : la ~ del hombre 인간의 이중성, 영혼과 육체(el alma y el cuerpo). ② 이원, 이원성 ; 이분, 이분성. ③《*Chile.*》 결승전.
dualismo *m.* 이중성 ; 이원론 ; 선악 이신교 ; 그리스도 이성론.
dualista *adj.* 이원론·설의. **—***m.f.* 이원론자.
dualístico, ca *adj.* 이원론적인.
duba *f.* 흙벽, 토벽.
dubio *m.* 【법률】 의심점, 불심점(不審點).
dubitable *adj.* 미심쩍은, 의문스러운 (dudable).
dubitación *f.* [*lat.* dibitatio] 의혹, 의심 ; 주저 (duda).
dubitativamente *adv.* 의심하여, 미심쩍어 : hablar ~.
dubitativo, va *adj.* ① 의심하는 : adverbio ~ 【문법】 의문 부사 《quizás 등》. ② 의심이 많은.
dublé *f.* [*fr.* doublé] 연금 세공.

Dublin *m.* 【지명】 더블린 《아일랜드의 수도》.
duc *m.* 【고어】 =**duque.**
ducado *m.* 공작의 지위 · 영지 ; 옛 서반아 · 오스트리아의 금화.
ducal *adj.* 공작(duque)의
ducas *f.pl.* [집시어] 형벌 : pasar ~.
ducentésimo, ma *adj.* 제 200, 200번째의 ; 200등분한. **—***m.* 200분의 1.
ducha *f.* [*fr.* douche ; *ital.* doccia ; *lat.* ducêre] ① 샤워, 냉수욕, 멱감기 ; 세정(洗淨), 세척 : ~ nasal 콧구멍의 세척. ② 피륙을 처음 짜기 시작할 때의 골. ③ 관장기.
duchar *tr.* 샤워시키다, 냉수욕시키다, 멱을 감기다 ; 세정 · 세척하다.
~se 샤워하다, 냉수욕하다, 멱감다.
duchí *m.* 《*Cuba.*》 걸상, 벤치.
ducho, cha *adj.* 익숙한, 노련한, 숙달한, 숙련된(experimentado).
ducientos, tas *adj.* =**doscientos.**
dúcil *m.* 《*Ast.*》 =**espita.**
dúctil *adj.* [*lat.* ductilis] ① 잡아 늘리기 쉬운, 가연성의 : El oro es el más ~ de los metales. ② 솔직한 ; 너그러운. ③ 융통성이 있는.
ductilidad *f.* ①【물리】 가연성, 신장성. ② 순종, 온순.
ductivo, va *adj.* =**conducente.**
ductor, triz *m.f.* [드뭄] 지도자, 수령 ; 안내인. **—***m.* 상처의 깊이를 재는 바늘.
duda *f.* ① 의심, 의구 : sin ~ 의심없이, 분명히. No cabe ~ 의심할 여지가 없다. ② 의문 : poner en ~ 의문시하다. ③ 주저.
dudable *adj.* 의문 · 의심스러운, 불확실한.
dudar *intr. tr.* [*lat.* dubitare] 의심(duda)하다 ; 주저하다 : Lo *dudo* 그것은 수상쩍다. *Dudo* si vendrá o no 그가 올지 오지 않을지 의심스럽다. *Dudo* (de) que haya vuelto 그가 돌아왔는지 의문이다. *Dudo* que venga 그가 올지 의심스럽다.
dudosamente *adv.* 의심스럽게, 수상쩍게 ; 수상하게 생각하여 ; 의심스러워(con duda).
dudoso, sa *adj.* ① 수상쩍은, 괴이한 : Es un tipo ~ 그는 괴이한 놈이다. ② 불확실한, 믿기 어려운 : crédito ~ 불확실한 신용장. Es ~ que venga 그가 올지도 믿기 어렵다. [*N.* Es ~ que + *subj.*].
duel- → **doler** ㉕.
duela *f.* 통나무.
duelaje *m.* =**dolaje.**
duele doler의 직 · 현 · 3 · 단수.
duelen doler의 직 · 현 · 3 · 복수.
duelista *m.* 결투 규칙 전문가 ; 결투가.
duelo[1] *m.* [*lat.* duellum] 결투(desafío) : El ~ es vestigio de barbarie.
duelo[2] *m.* [*lat.* dolium] ① 비탄 : La muerte del presidente causó gran ~ 대통령의 죽음은 굉장한 비탄에 잠겼다. ② 상(喪), 기중(忌中), 장사(葬事) : Se cerraron las tiendas en señal de ~ 상중(喪中)이라는 표시로 상점이 철시했다. ③ [집합적] 문상객 : Había un numeroso ~ 문상객이 많았다.
—*pl.* 노고, 수고 : Los ~*s* con pan son buenos 이득이 있으면 고생도 할 보람이 있다.
~s y quebrantos 베이컨이 든 오믈렛.
sin ~ 많이.
duelo[3] doler의 직 · 현 · 1 · 단수.
duende *m.* ① 귀신, 요정. ② 비단의 일종(restaño). ③ =**encanto.**
duendesco, ca *adj.* duende의.
duendo, da *adj.* 키워서 길들인(manso) : paloma *duenda* 집비둘기.
dueña *f.* [*lat.* domina] ① 여주인. ②【고어】 귀부인, 명문 가정의 마님 ; 명문 출신의 여승 ; 기혼녀 ; 미망인. ③ 대가의 하녀 우두머리 : la *D-* Dolorida 번뇌하는 부인 《슬픔 밖에는 말하지 않는 동끼호떼 작중 인물》 : ponerle a uno cual digan ~*s* 비난을 많이 하다.
dueñesco, ca *adj.* (대가의) 우두머리 하녀의.
dueño, ña *m.f.* [*lat.* dominus] ① 임자, 소유자(señor) : Es ~ de varias casas 그는 여러 채의 주인이다. El perro miraba a su ~ 개는 주인을 보고 있었다. ~ de sí mismo 자기 자신을 잃지 않는 사람. Siempre es ~ de sí mismo 그는 항상 자제심이 있다. ② (고용인 쪽에서 본) 주인(amo).
hacerse ~ de ① …을 장악하다, 그 자리에서 주인이 되다 : *Se hizo ~ de* esa casa 그는 그 집을 소유했다. ② 완전히 알다.
ser (muy) ~ de 자유로이 …할 수 있는 입장에 있다 : *Es* usted *muy ~* 사양하지 마십시오.
duerma dormir의 접 · 현 · 1 · 3 · 단수.
duerman dormir의 접 · 현 · 3 · 복수.
duermas dormir의 접 · 현 · 2 · 단수.
duerme dormir의 직 · 현 · 3 · 단수.
duermen dormir의 직 · 현 · 3 · 복수.
duermes dormir의 직 · 현 · 2 · 단수.
duermevela *f.* 비몽 사몽, 선잠.
duermo dormir의 직 · 현 · 1 · 단수.
duerna *f.* 반죽통(artesa) ; 구유통.
duerno *m.* ① 두 장을 포개서 접은 인쇄물 《4페이지 짜리》. ② 반죽통, 구유통(duerna).
Duero *m.* (서반아의) 두에로강.
duetista *m.f.* 이중창을 듣는 사람 · 연주자.
düeto *m.* [*ital.* duetto] 【음악】 이중창, 이중주, 듀엣(dúo).
dugo *m.* [주로 *pl.*] 《*AmérC.*》 시중들기, 거들기 : correr · echar buenos · malos ~ 도움이 · 방해가 되다.
de ~ 무료로, 거저, 공짜로(de balde).
dugongo *m.* 【동물】 듀곤 《인도양의 고래》.
duho *m.* (아메리카 인디오의) 걸상, 긴 의자.
dúho *m.* =**duho.**
dujo *m.* 《*Sant.*》 =**colmena.**
dula *f.* 차례로 물을 받는 밭 ; 공동 목장.
dular *adj.* dula의.
dulcamara *f.* 【식물】 가지속 식물.
dulce *adj.* [*lat.* dulcis] ① 맛이 단, 달콤한, 달콤한 맛의 : ~ miel 달콤한 꿀. fruta ~ 달콤한 과일. ~ como la miel 꿀처럼 단. ② 흐뭇한, 감미로운, 마음 느긋한 : voz ~ 감미로운 목소리. ③ 연한, 부드러운 : colorido ~. ④ 온화한, 다정한 : ser de carácter ~ 성격이 온화하다. El tiene un carácter ~ 그는 성격이 온화하다. ⑤ 유연한, 가연성의 : hierro ~. ⑥ 염분 · 소금기가 없는 : agua ~ 민물, 담수(淡水). manjar ~ 소금기가 부족한 음식.
—*m.* ① 달콤한 것 ; 과자 ; 설탕 절임, 설탕 버무

림 : ～ de almíbar 설탕 절임 과일. ② 《AmérC.》 적설탕(papelón).
—*adv.* 맛을 달게, 달콤하게 ; 부드럽게, 상냥하게, 정답게 ; 기분 좋게.

dulcedumbre *f.* 온화 ; 감미로움, 정다움, 다정스러움.

dulcémele *m.* 고대 헤브루 사람의 현악기(salterio).

dulcemente *adv.* ① 달콤하게 ; 기분 좋게 ; 정답게 ; 부드럽게. ② 《Galic.》 조금씩 ; 살그머니.

dulcera *f.* 설탕 절임 과일 그릇 : ～ de cristal.

dulcería *f.* 제과점(confitería).

dulcero, ra *adj.* 단것을 좋아하는. —*m.f.* 과자 제조인・상인(confitero).

dulcificación *f.* ① 단맛. ② 달게 하는 일・되는 일. ③ 부드럽게 하는 일.

dulcificante *adj.* 달게 하는.

dulcificar *tr.* 7 ① 달게 하다, 감미롭게 하다 : ～ una medicina amarga. ② 부드럽게 하다 : ～ el enojo・el carácter. Contr. agriar.
～**se** 달게 되다 ; 담백해지다 ; 부드러워지다.

dulcina *f.* 둘친 《합성 감미료》.

dulcinea *f.* 의중에 둔 여인, 사랑하는 여자 ; 동경(의 대상).
Dulcinea (del Toboso) 동끼호떼의 작중 인물로, 동끼호떼가 사랑했던 아가씨 《el Toboso 마을에 Dulcinea의 생가와 유물이 보존되어 있음》.

dulcísono, na *adj.* 【시어】 가락도 절묘한.

dulero *f.* 공동 목장(dula)의 목동.

dulía *f.* ***culto de*** ～ 천사・성자의 예배・찬미.

dulimán *m.* 터키인의 길다란 옷.

dulleta *f.* 《Galic.》 =**gabán acolchado.**

dulzaina *f.* [*lat.* dulcisona] ① 나팔 피리. ② 맛이 변변치 못한 과자. ③ 【악기】 둘사이나 《버들 여꾸류의 피리》.

dulzainero *m.* dulzaina 연주자.

dulzaino, na *adj.* 달콤한, 지독하게・너무나 단(dulzarrón).

dulzamara *f.* =**dulcamara.**

dulzarrón, na *adj.* 맛이 너무 단, 지독하게 단 ; 기분을 잡치게 하는.

dulzón, na *adj.* =**dulzarrón.**

dulzor *m.* =**dulzura.**

dulzura *f.* ① 단맛 : ～ de la miel 꿀의 단맛. ② 감미로움, 부드러움, 온화 : ～ del clima 기후의 온화함. ③ 상냥스러움, 다정스러움 : Nos habló *con* ～ 다정하게 말을 걸어 주었다. —*pl.* 다정스러운 말. Contr. dureza, aspereza.

dulzurar *tr.* 【화학】 달게 하다 ; 염분을 빼다.

duma *f.* 《Neol.》 제정 러시아의 입법 회의 (asamblea legistativa rusa).

dumdum *adj.m.* 폭발탄(의)(bala ～).

dumping *m. ing.* 【상업】 국외 염가 수출, 덤핑, 투매(投賣).

duna *f.* [주로 *pl.*] [*fr.* dune] 사구(砂丘), 모래 언덕(médano).

dundeco, ca *adj.* 《AmérC. Col.》 =**dundo.**

dundera *f.* 《AmérC.》 바보 짓, 멍청이 짓, 어리석은 일(tontería).

dundo, da *adj.* 《AmérC. Col.》 어리석은, 바보 같은(tonto, bobo). —*m.f.* 바보, 멍청이, 천치.

duneta *f.* 갑판 천막.

dúo *m.* [*ital.* duo] 【음악】 ① 이중주, 이중창, 듀엣. ② 이중창곡, 이중주곡. Sinón. dueto.

duodecimal *adj.* 12등분한 ; 12진법의 : sistema ～.

duodécimo, ma *adj.* 제 12 ; 제 12번째의 ; 12등분한. —*m.* 12등분의 1.

duodécuplo, pla *adj.* 12배의. —*m.* 12배.

duodenal *adj.* 【해부】 십이지장의 : úlcera ～.

duodenario, ria *adj.* 12일 계속되는. —*m.* 12일 근행.

duodenitis *f.* 【의학】 십이지장염(inflamación del duodeno).

duodeno *adj.* 12등분의, 12번째의. —*m.* 【해부】 십이지장.

duomesino, na *adj.* 2개월의.

dupa *m.* 【은어】 봉 《남에게 잘 속는 사람》.

dup.do duplicado 부본.

dupla *f.* (기숙사 같은 데서 특별한 날의) 특별한 메뉴.

dúplex *m.* 【무전】 이중 송신.

dúplica *f.* 답변, 답변서.

duplicación *f.* 배증, 두 배 ; 중복 ; 복사 ; 복제.

duplicadamente *adv.* 이중으로 ; 두 배로 ; 정부(正副) 두 통으로.

duplicado, da *adj.* 이중・두 배로 한 ; 복사한 ; 정부(正副) 두 통으로 한. —*m.* 부본(副本) : en・por ～ 정・부 두 통으로 하여. certificado en ～ 정부 두 통의 증명서. Envíeme por ～ 정부 두 통으로 발송하십시오.

duplicador, ra *adj.* 복사하는. —*m.* 복사기.

duplicar *tr.* 7 [*lat.* duplicare] 두 배로 하다 ; 이중으로 하다 ; 두 통을 작성하다 ; 복사하다 ; 대답하다, 답변하다.

duplicata *m.* 《Neol.》 =**duplicado.**

duplicativo, va *adj.* 배로・곱으로 한 ; 이중의.

duplicatura *f.* =**dobladura.**

dúplice *adj.* ① 이중의(doble). ② 승부(僧部)와 이부(尼部)를 가진 (수도원).

duplicidad *f.* [*lat.* duplicitas] 음험, 음흉스러움, 엉큼함, 꿍심, 두마음 ; 중복.

duplo, pla *adj.* [*lat.* duplus] 이중의, 2배의. —*m.* 2배.

duque *m.* [*lat.* dux. ducis] ① 공작. ② 부인용 망토의 주름 모양. ③ 【조류】 수리부엉이.
gran ～ 대공(大公).

duquesa *f.* 공작 부인 ; 여자 공작.

dura *f.* 오래 쓰는 일(duración) : calzado de mucha ～ 오래 신을 수 있는 신발.

durabilidad *f.* 영속성, 내구력.

durable *adj.* =**duradero.**

duración *f.* ① 영속 ; 기간. ② 내구력 : Este género es de mucha ～ 이 물건은 내구력이 길다.

duraderamente *adv.* 오래오래, 언제까지나.

duradero, ra *adj.* ① 항구적인, 계속성 있는, 내구성이 있는 : tela ～*ra*. ② 흐뭇한, 기분좋은.

duraluminio *m.* 【화학】 두랄루민.

duramadre *f.* 【해부】 경뇌막(硬腦膜), 뇌피막.

duramáter *f.* 【해부】 =**duramadre.**

duramen *m.* [*lat.* duramen] 【식물】 적목질(赤木質) ; 심재(心材).

duramente *adv.* 혹독하게, 엄하게, 심하게 ; 잔혹하게, 사납게, 모질게.

durando *m.* (16세기의) 모직물 이름.

durangués, sa *adj. m.f.* 두랑고《Durango, 서반어와 멕시코의 도시》의 (사람).

durante *adv.* [전치사적] …동안, …이 계속되는·계속된 동안 : ~ la guerra 전시 중. ~ la vida 생애. ~ el reinado de Felipe II 펠리뻬 2세의 통치 동안. ~ las vacaciones 방학 중에, 휴가 중에. ~ unos veinte minutos 약 20분 동안 계속.

—*adj.* 계속되는, 지속하는.

duranza *f.* 《*PRico.*》 헌금 주머니.

durar *intr.* [*lat.* durare] ① 연속되다, 계속하다 : *Ha durado* mucho tiempo en el mismo estado 그것은 같은 상태로 오랫동안 계속됐다. ¿Cuánto *dura* este programa? 이 프로그램은 얼마나 계속합니까? El incendio *duró* todo el día 그 화재는 온종일 계속했다. *Duró* largo tiempo en su servicio 그는 오랫동안 계속 근무했었다. ② 존속하다, 지속하다 : Aún *duran* en pie las pirámides de Egipto 에집트의 피라미드는 아직서 있다. ③ 오래 두고 쓸 수 있다 : Los hombres piensan que el vestido *dura* ocho o diez años 남자들은 옷을 8년이나 10년 입을 수 있다고 생각하고 있다.

durativo, va *adj.* 지속성의, 계속의 : expresión ~*va* 【문법】 계속법 표현 《Estoy escribiendo, Anda buscando 따위》.

duratón *m.* 【은어】 5뻬세따 동전(duro).

duraznense *adj. m.f.* 두라스노 《Durazno, 우루구아이의 도시》의 (사람).

duraznero *m.* 【식물】 복숭아나무.

duraznilla *f.* 【식물】 복숭아 (열매).

duraznillo *m.* 【식물】 여뀌의 일종(persicaria).

durazno *m.* [*gr.* dôrakinon] ① 【식물】 복숭아 (열매·나무)(duraznero). ② 《*Arg.*》 [드뭄] 뻬소 지폐. ③ 《*Venez.*》 5 bolívares 동전.

dureza *f.* ① 단단함, 견고함 : la ~ del mármol. ② 지독스러움, 가혹, 냉혹, 혹독스러움. ③ (근육 내의) 응어리 : ~ de oído 귀머거리. ~ de vientre 변비.

durillo *m.* 【식물】 산수유(cornejo) ; 로베리아 나무.

durindaina *f.* 【은어】 사직, 경찰.

durlines *m.pl.* 관헌, 경찰, 사직.

durmáis dormir의 접·현·2·복수.

durmamos dormir의 접·현·1·복수.

durmidero *m.* 《*Perú. PRico.*》 가금(家禽)의 잠자리.

durmiendo dormir의 현재 분사.

durmiente *adj.* 잠든·잠자고 있는 (사람) : la Bella ~ del bosque 숲에서 잠자는 미녀. —*m.* ① 가로 재목. ② 《*Amér.*》 (철도의) 침목 (traviesa).

durmieron dormir의 직·부정과거·3·복수.

durmió dormir의 직·부정과거·3·단수.

duro, ra *adj.* [*lat* durus] ① 단단한, 딱딱한, 굳은(fuerte) : Este pan es muy ~ 이 빵은 무척 딱딱하다. ② 강한, 튼튼한 : un muchacho ~ *al* cansancio 피로에도 굽히지 않는 아이. ③ 엄한, 심한, 굉장한 : ley ~*ra.* ④ 고된 : trabajo ~ 고된 일. Ha llevado una vida tan ~*ra* 그는 굉장히 고된 생활을 했다. ⑤ 생경(生硬)한 : estilo ~. ⑥ 사나운, 몹시 난폭한 : No seas tan ~ con los animales 동물에게 그렇게 난폭하게 하지 마라. ⑦ 냉혹한(violento, cruel) : Es ~ *de* corazón 그는 냉혹한 사람이다. ⑧ 완고한 (obstinado) : Ella tiene la cabeza muy ~*ra* 그녀는 매우 완고하다. ⑨ 인색한(mezquino). ⑩ 《*Méx. Urug.*》 술취한(ebrio).

—*m.* 두로 《서반아 화폐 단위, 5 pesetas》.

—*pl.* 【은어】 구두 ; 채찍질.

—*adv.* 가혹하게, 엄하게 ; 단단히, 강하게(con fuerza) : pégale ~.

~ ***y parejo*** 《*AmérM.*》 완강히.

ser ~ de cascos 간신히 이해하다 ; 완고하다, 고집이 세다.

ser ~ de oído 간신히 듣다.

Más da el ~ que el desnudo 【속담】 아무 것도 안가진 관대한 사람보다 인색한 자가 더 기대되는 법이다.

A buena hambre no hay pan duro 【속담】 시장이 반찬이다.

durrha *f.* 【식물】 수수(sorgo) 비슷한 사탕수수의 화본과 식물.

durvet *m. fr.* 솜털, 북실북실한 털.

duunvir *m.* =**duunviro.**

duunviral *adj.* 쌍두·이두 정치의.

duunvirato *m.* [*lat.* dunvir] 고대 로마의 2인 연대 집정직 ; 그 임기 ; 이두 정치(二頭政治).

duunviro *m.* 고대 로마의 이두 정치의 집정관 중의 한 사람.

dux *m.* [*ital.* dux] (베네치아 공화국·제노바 공화국의) 최고 집정관, 총독. [*N.* 단·복수 동형 ; 여성형은 dogaresa].

duz *adj.* 【고어·방언】 맛이 단, 달콤한(dulce). ***palo*** ~ 감초(regaliz).

d/v. días vista 일람후 …일.

E

e *f.* 에《서반아어 자모의 여섯 번째 문자(sexta letra del abecedario castellano)》.

e *conj.* [*lat.* et] [접속사 y가 i-, hi-로 시작되는 말 앞에 올 때 y의 대신에 쓰임, 또 말의 첫머리 혹은 hie- 가 붙은 말 앞에서는 y 그대로 쓰임] 그래서, …과 (와) : madre *e* hija 어머니와 딸. ¿*Y* Ignacio? 그래서, 이그나시오는 어쩌지? agua *y* hielo 물과 얼음.

E einstenio.

e/ envío.

E., E/ este ; efectos.

E.A. Ejército del Aire 공군.

¡ea! *interj.* [격려의 감탄사] 자! ; 기운을 내라! ; 거기! : ¡ ~, a ver si sales!

easonense *adj.* 산·세비스띠안의《산·세바스디안(San Sebastián)시의 로마 시대의 라틴어 이름(Oeason)에서》. **—***m.f.* 산·세비스띠안 사람.

ebanista *m.f.* 흑단(ébano) 세공사.

ebanistería *f.* ① 가구 공장. ② [집합] 가구류. ③ 목수의 일.

ebanita *f.* **=ebonita.**

ebanizar *tr.* 목재에 흑단의 색깔을 칠하다.

ébano *m.* [*lat.* ebenus] ①【식물】흑단 : mesa de ~ 흑단으로 만든 탁자. ② 흑단의 목재.
~ ***amarillo*** =jocuma.
~ ***de Canarias*** =barbusano.
~ ***vivo*** 흑인 노예.

ebeje *m.* 〈*Bol.*〉 (야자 잎으로 만든) 부채.

ebenáceo, a *adj.*【식물】감나무과의. **—***f.pl.* 감나무과 식물.

ebionita *adj.* 에비온교《Ebion이 주창한 그리스도의 신격을 인정하지 않는 유태의 초기 그리스도교》의. **—***m.f.* 에비온 교도.

ebonita *f.* 에보나이트 《응결된 고무》.

eborario, ria *adj.* 상아 세공의.

ebriedad *f.* **=embriaguez.**

ebrio, ria *adj.* [*lat.* ebrius] ① 술에 취한(borracho, embriagado). ② [+ de : …으로] 마음이 홀린, 눈이 어두워진, 도취된(ciego) : estar ~ *de* ira. **—***m.f.* 주정뱅이.

ebrioso, sa *adj.* [*lat.* ebriosus] 쉽게 취하는, 취하기 좋아하는.

Ebro *m.* 에브로강.

ebulición *f.* **=ebullición.**

ebuliómetro *m.* **=eblioscopio.**

ebulioscopio *m.* 비등점 측정기.

ebullición *f.* [*lat.* ebullitio] ① 비등, 들끓음(hervor) : punto de ~ 비등점. entrar en ~ 들끓기 시작하다. ② 원기 왕성. ③ 소동, 혼잡.

ebullometría *f.* 비등점 측정술.

ebullómetro *m.* 비등점 측정기.

ebulloscopia *f.* 비등점 측정학.

ebulloscopio *m.* **=ebullómetro.**

eburnación *f.* 뼈의 경화, 상아질 뼈의 발생.

ebúrneo, a *adj.* [*lat.* eburneus] 상아(marfil)의·같은; 흰.

eburnificar *tr.* **=osificar.**

eburno *m.*【고어】상아(marfil).

e/c. en cuenta.

ecapacle *m.*【식물】에까빠끌레 《해열제(febrífugo)로 쓰이는 약초》.

ecarté *m.* [*fr.* écarté] 둘이서 하는 카드 놀이.

ecbólico, ca *adj.* **=abortivo.**

eccehomo *m.* ① 가시관을 머리에 쓴 그리스도상. ② 수척해진 사람 ; 괴로워하는 얼굴.

ecce homo *m.* **=eccehomo.**

eccema *f.*【의학】습진.

eccematoso, sa *adj.* 습진(eccema)의.

ec.[co, ca] eclesiástico, eclesiástica.

eccoprótico *m.* 완하제(緩下劑).

ecdémico, ca *adj.*【의학】전염이 안되는.

E.C.G. electrocardiograma 심전도(心電圖).

echacantos *m.*【단·복수 동형】밥벌레, 무위도식가, 막된 인간.

echacorvear *intr.* 뚜쟁이짓을 하다, 막되먹은 장사를 하다.

echacorvería *f.* 뚜쟁이짓, 펨프 노릇.

echacuervos *m.*【단·복수 동형】① 포주, 뚜쟁이(alcahuete). ② 야바위꾼. ③ (어떤 말을) 퍼뜨리고 다니는 사람.

echada *f.* ① 던지는 일 : ~ de una piedra. ② 쓰러지는 일. ③ 드러누운 사람의 몸의 넓이 : dar un corredor a otro dos ~*s* de ventaja. ④《*Arg. Méx.*》떵떵거림, 큰소리(fanfarronada). ⑤《*Arg.*》거짓말(mentira).

echadera *f.* 《*Sor.*》화덕에 빵을 넣는 삽.

echadero *m.* 누울 자리.

echadillo, lla *m.f.* 기아(棄兒)(echadizo, expósito).

echadizo, za *adj.* ① 간첩으로 파견된. ② (반응을 보기 위해) 퍼뜨린. ③ 불필요한, 쓸모없는(inútil). ④ 버려서 모은. **—***m.f.* ① 간첩, 밀정, 스파이. ② 기아(棄兒).

echado *m.* (지층·광맥의) 경사(buzamiento).

echado, da *adj.* ① 눕혀진. ②《*CRica.*》온화한. ③《*Méx. AmérC.*》일은 별로 하지 않고 봉급을 많이 받는. ④【고어】**=echadizo, expósito.**

echador, ra *adj.* ① 던지는. ②《*Cuba. Méx.*》떵떵거리는 (사람). **—***m.f.* 던지는 사람. **—***m.* 커피·밀크를 따르고 다니는 종업원.

echadura *f.* (암탉의) 알 품기 ; (암탉이) 한번 품은 알. **—***pl.* 키로 까불고 남은 찌꺼기 ; 비로 쓸어서 모은 것.

echamiento *m.* 던지는 일, 내던지기, 던져 넣기, 던져 버리기.

echaperros *m.* (대사원의) 주인 없는 개를 몰아내는 일을 맡는 개쫓기 (사람)(perrero, azotaperros).

echar *tr.* [*lat.* jactare] ① 던지다, 버리다(lanzar, arrojar, disparar) : ~ la basura *a* la calle 길에 쓰레기를 버리다. ~ un papel *por* la ventana 창문으로 종이를 던지다·버리다. *Écha*me la pelota 공을 나에게 던져라. ② 몰아내다, 쫓아내다. ③ 내다, 발하다 : ~ olor·chispas 냄새를 풍기다·불꽃이 튀기다. ~ sangre *por* las narices 코에서 피를 흘리다. ④ 넣다, 떨어뜨려 넣다; 따라·부어 넣다(verter) : ~ aceite *en* una tinaja. ⑤ (싹·꽃·뿌리 등을) 내다; 돋아나다; (이·수염 등이) 나기 시작하다 : El niño *echa* los dientes. ⑥ (수컷이 암컷에) 올라 붙다, 흘레하다, 흘레붙다, 교미하다. ⑦ (자물쇠 등을) 잠그다 : ~ la llave *a* la puerta. ⑧ (세금·부담을) 부과하다, 과하다. ⑨ 탓으로 돌리다; 잘못으로 하다, 뒤집어씌우다 : ~ a presidio 감옥에 처넣다. ⑩ (어떤 일에) 걸다 : ~ una cantidad *a* la lotería. ⑪ 쓰러뜨리다; 기대다, 기대어 놓다; 돌리다, 향하다, 기울이다 : ~ el cuerpo atrás·a un lado 몸을 뒤로·옆으로 뉘다·쓰러뜨리다. ⑫ 주다, 부여하다, 나누어 주다(dar) : ~ *de* comer 먹이다. ~ la comida a las bestias 짐승들에게 먹이를 주다. ⑬ (계산 등을) 하다 : ~ cuentas·cálculos 계산을 하다. ⑭ (나이·값 등을) 짐작하다, 헤아리다 : ¿Qué edad le *echas*? 그의 나이를 몇 살 가량으로 생각하는가? ⑮ 실시하다, 행하다, 하다, 실행하다, 연기를 하다 : ~ un discurso·una comedia·un sermón. ⑯ 말하다, 하다, 노래하다 : ~ bravatas 땡땡거리다, 큰소리를 치다. ⑰ 예고하다 : ~ un baile·las fiestas. ⑱ (차·옷 등을) 처음으로 쓰다 : ~ un coche 새 차를 처음으로 쓰기 시작하다.

—*intr.* ① 나오다, 생기다, 돋아나다. ② [+a+*inf.* : …하기] 시작하다 : ~ *a* reir 웃기 시작하다. ③ [+por : …을] 지나서 가다, 거쳐 가다 : ~ *por* la izquierda·*por* el atajo 좌측으로·지름길로 가다. ④ (직업으로서) …을 택해 가다 : ~ *por* la iglesia 교회 일로 생계를 꾸리다. ⑤ 나오다, 튀어나오다, 불룩하다 : ~ la barriga·las pantorrillas 배불뚝이가 되다·종아리가 굵어지다. ~ carne 살이 찌다, 살이 붙다.

~se ① 몸을 던지다(arrojarse) : ~*se* al agua. ② 드러눕다(tenderse, tumbarse, acostarse) : ~*se* en la cama. ③덤벼들다, 뛰어들다, 뛰어나가다 : *Se echó a* mí·*en* el mar. ④ 쓰러지다 : ~*se por* el suelo·*en* tierra. ⑤ [+a+*inf.*] 별안간 …하기 시작하다 : *Se echó a* correr 그는 별안간 달리기 시작했다. ⑥ 덥석 먹다, 굴꺽 마시다, 확 들이키다 : *Se echó* un bocado·un trago de vino 그는 한입 먹었다·포도주 한 모금 마셨다. ⑦…을 다투다, 겨루다 : ~*se a* saltar 달리기 내기를 하다. ⑧ (닭 등이) 알을 품다. ⑨ (바람이) 자다. ⑩ 골몰하다, 무슨 일에 잠기다 : ~*se a* pensar 생각에 잠기다. ⑪ 《*Amér.*》 (옷·신을) 입다, 신다(ponerse).

~ ***abajo*** 넘어뜨리다, 무너뜨리다, 쓰러드리다, 붕괴시키다, 파괴하다(destruir, derribar).

~ ***a fondo·a pique*** 침몰시키다; 망가뜨리다, 못쓰게 만들다.

~ ***a la cara*** 면책·문책하다(~ en cara).

~ ***al mundo*** 만들기 시작하다, 만들어 내다, 세상에 내놓다.

~***(se) a perder*** ① 썩히다, 썩다. ② 망가뜨리다, 망가지다(estropear) : El muchacho *se echó a perder* con las malas compañías 그 소년은 나쁜 친구들 때문에 타락했다.

~ ***a volar*** 세상에 내놓다, 밖으로 내다(sacar al público).

~ ***boca*** 날을 세우다.

~ ***carnes*** 살이 붙다, 살이 찌다.

~ ***carrillos*** 볼이 토실토실해지다.

~ ***chufas*** 들입다·마구 무리하게 뻐기다.

~ ***de baranda*** 우쭐해지다, 뻐기다, 자만해지다.

~ ***de menos*** ① (무엇이) 빠져 있음을 눈치채다·알아채다 : *Echo de menos* algunos libros. ② 없는 것을 쓸쓸해 하다·서운하게 생각하다 : Te *echaba de menos* 자네가 있었으면 하고 서운해 했었다. *Echaba de menos* el sobretodo 외투를 입었으면 하고 생각했다. *Echo de menos* a mis padres 부모님이 계시지 않아 서운하다.

~ ***de ver*** …을 눈치채다 : *Echó de ver* que su amiga no era tan buena 친구가 별로 착하지 못하다는 것을 그는 눈치챘다.

~ ***el bofe*** 고생하다; 몹시 피로해지다; 열망하다.

~ ***el cuerpo fuera*** (어떤 일에서) 손을 떼다, 관계를 끊다.

~ ***en (la) cara*** 면책·문책하다.

~ ***en falta*** 없는 것을 서운하게·쓸쓸하게 생각하다.

~ ***en tierra*** 쓰러뜨리다, 무너뜨리다.

~ ***la carga a*** (누구에게) 책임·일을 억지로 떠맡기다.

~ ***los hígados*** 지치다; 갈망하다.

~***la de*** 짐짓 …인 척하다 : *La echa de* valiente·*de* maestro 용기가 있는 척하다·교사인 척하다.

~***las*** 《*Chile.*》 뺑소니치다.

~***lo todo a rodar*** 완전히 망가뜨리다, 못쓰게 만들다; 홧김에 앞뒤를 가리지 않다.

~ ***mano de*** …에 손을 대다, 손에 들다.

~ ***por arrobas*** 과장하다.

~ ***por en medio,*** ~ ***por la calle en medio*** 겁없이 돌진하다; 최후의 결심을 하다.

~ ***por largo*** 속셈·홍산을 하다.

~ ***por mayor·por quintales*** 과장하다.

~ ***suertes*** 제비를 뽑다.

~ ***tierra a*** …을 없애다; 방심하다.

~***se a*** [+*inf.* : …하기] 시작하다 : ~ *a correr* 달리기 시작하다. ~*se a llorar* 울기 시작하다.

~***se a dormir*** 방심하다.

~***se atrás*** 슬슬 꽁무니를 빼다, 손을 떼다.

~***se encima*** =ser muy próximo; llegar inesperadamente.

echarpe *m.* 《*Galic.*》 =**bufanda, chal.**

echazón *f.* 던지는 일(echada); (선체나 기체를 가볍게 하기 위해) 실었던 짐을 내버리기.

echón, na *adj.* 《*Venez. Méx.*》 =**jactancioso.**
—*f.* 《*Arg. Chile.*》 =**hoz para segar.**

echona *f.* 《*Arg. Chile. Perú.*》 낫(hoz).

echuna *f.* 《*Arg.*》 =**echona.**

E

ecidiáceos *m.pl.* 【식물】 =**pucciniáceos.**

ecijano, na *adj.* 에시하《Ecija, Sevilla주의 한 도시》의. —*m.f.* 에시하 사람.

eclampsia *f.* 【의학】 자간(子癇), 경련, 경기.

eclámptico, ca *adj.* ① 경련의. ② 경련·자간에 걸린.

eclecticismo *m.* [*gr.* eklegein] 절충주의; 절충학파; 중용(中庸).

ecléctico, ca *adj.* 절충주의의 : escuela ~*ca* 절충학파. —*m.f.* 절충주의자.

eclesial *adj.* =**eclesiástico.**

Eclesiastés *m.* (Salomón에 의해 쓰여진 구약 성서의) 전도서.

eclesiásticamente *adv.* 승려·성직자 풍으로; 종교적으로, 교회법에 따라 : vivir ~.

eclesiástico, ca *adv.* 교회의; 승려의, 성직자의 : traje ~ 승려복, 성직자의 복장. —*m.* 성직자, 승려, 사제(clérigo, sacerdote).

Eclesiástico *m.* 【구약 성서】 경외전(經外典).

eclesiastizar *tr.* 9 교회의 재산으로 하다.

eclímetro *m.* 【측량】 측사기(測斜器), 경사의(傾斜儀), 각도기.

eclipsable *adj.* 그늘지게 할 수 있는; 빛을 잃게 할 수 있는.

eclipsar *tr.* ① 천체(astro)를 차단하다·막다 : La Luna *eclipsa* al Sol cuando se interpone entre este astro y la Tierra. ② 그늘지게 하다, 어둡게 하다(oscurecer). ③ 가리다, 덮다(ocultar) : La gloria de César *eclipsó* la de Pompeyo. **~se** ① 빛을 잃다, 흐려지다. ② 일식·월식이 생기다. ③ 자취를 감추다, 모습을 숨기다, 사라지다, 없어지다(ausentarse, desaparecer).

eclipse *m.* [*gr.* ekleipein] ① 다른 천체에 의해 천체의 일부나 전체를 가림 : Los antiguos consideraban los ~*s* como malos agüeros. ② (사람·물건이) 자취를 감춤. ③ 식(蝕).
~ ***lunar*** 월식(~ de luna).
~ ***solar*** 일식(~ de sol).

eclipsis *f.* 【문법】 생략형(elipsis).

eclíptica *f.* 【천문】 황도(黃道).

eclíptico, ca *adj.* 【천문】 황도의; 일식·월식의 : camino·término ~.

eclisa *f.* (선로의) 접속판(mordaza).

écloga *f.* =**égloga.**

eclógico, ca *adj.* 목가(égloga)의; 목가적인.

eclosión *f.* [*fr.* éclosion] ① 개화, 움틈, 싹틈(nacimiento). ② 출현, 발생(aparición). ③ 【의학】 부화.

eco *m.* [*gr.* ekho] ① 반향, 되울림, 산울림. ② 먼곳의 소리(sonido lejano) : los ~*s* del tambor. ③ 세평(世評) : tener ~ 반향이 있다, 호평을 얻다. ④ 남의 말을 되받아 하는 사람 : ser el ~ de otro. ⑤ 소음(ruido) : los ~*s* de la prensa 인쇄기의 소음. ⑥ (시의) 끝말을 되닫는 문구; (악구의) 약음 반복.
hacer ~ =tener efecto.
hacerse ~ ***de*** =repetir, difundir.

Eco *m.* 【희랍 신화】 산울림, 산의 요정, 숲의 요정《Narciso를 사랑하다 죽고 목소리만 남겼음》.

ecoar *intr.* 【방언】 울리다, 반향하다(hacer eco).

ecografía *f.* 【의학】 초음파 임상 검사·진찰.

ecográfico, ca *adj.* ecografía의.

ecoico, ca *adj.* 반향의; 끝말에 반복을 가진 : poesía ~*ca*.

ecolalia *f.* 【심리】 반향 동작.

ecología *f.* 생태학; 사회·인간 생태학, 환경학.

ecológico, ca *adj.* 생태학의.

ecologismo *m.* 환경·자연 보호주의.

ecologista *adj.* ecología의. —*m.f.* 환경·자연 보호주의자; 자연 보호 전문가.

ecólogo, ga *m.f.* ecología 전문가.

ecómetro *m.* 【물리】 음향 장단계.

economato *m.* 주지 대리직; 감리인(ecónomo)의 직; (각종 단체의) 구매부; 소비자 협동 조합.

econometría *f.* **계량 경제학.**

economía *f.* ① 경제(학). ② (생활체의) 영위, 조화 : la ~ animal. ③ 절약, 검약. ④ 궁핍, 부족, 결핍(escasea). —*pl.* 저축, 저금(ahorros). Contr. dilapidación. prodigalidad. derroche.
~ ***agrícola*** 농업 경제. ~ ***aplicada*** 응용 경제학. ~ ***cerrada*** 봉쇄 경제. ~ ***clásica*** 고전파 경제학. ~ ***colectiva*** 공동 경제. ~ ***competitiva*** 경쟁 경제. ~ ***de consumo*** 소비 경제. ~ ***de escasez*** 희소 경제. ~ ***de exportación*** 수출 경제. ~ ***de guerra*** 전시 경제. ~ ***de la empresa*** 경영학. ~ ***de libre empresa*** 자유 기업 경제. ~ ***de mercado clásica·liberal*** 자유주의 시장 경제. ~ ***de mercado libre*** 자유 시장 경제. ~ ***de trueque*** 물물 교환 경제. ~ ***del bienestar*** 후생 경제학. ~ ***dirigida*** 중앙 계획 경제, 관리·통제·계획 경제. ~ ***doméstica*** 가정학(家政學), 가정 경제. ~ ***energética*** 에너지 경제. ~ ***estatal*** 국가 경제. ~ ***individual*** 개인 경제. ~ ***libral*** 자유 경제. ~ ***libre*** 자유 경제. ~ ***local*** 지방 경제. ~ ***mundial*** 세계 경제. ~ ***nacional*** 국민 경제. ~ ***no monetaria*** 자연·비통화 경제. ~ ***para el bienestar social*** 후생 경제학. ~ ***planificada*** 계획 경제. ~ ***política*** (정치) 경제학. ~ ***regional*** 지방 경제. ~ ***rural*** 농촌 경제. ~ ***social*** 사회 경제. ~ ***socialista*** 사회주의 경제.

económicamente *adv.* 경제상, 경제적으로, 검소하게(de una manera económica) : vivir ~ 검소하게 살다.

economicidad *f.* 경제성.

económico, ca *adj.* ① 경제적, 경제의, 경제상의 : cuestiones ~*cas* 경제 문제. vida ~*ca* 경제 생활. problemas ~*s* 경제 문제. ② 절약하는, 검소한(miserable). Contr. gastoso. ③ 인색한. —*m.* 커다란 핀.
ciencias ~***cas*** 경제학(económicas).

economista *m.f.* 경제 학자.

economizador, ra *adj.* 아끼는, 절약하는. —*m.* 절약가; 저축가; 절약 장치(節約裝置) : ~ de combustibles 연료 절약기.

economizar *tr.* 9 ① 저축하다(ahorrar) : *Economizaba* la mitad de lo que ganaba 그는 벌었던 것의 반을 저축했다. Debemos ~ para la vejez 노년기를 위해 저축해야 한다. ② 절약하다 : Hago esto para ~ el tiempo 나는 시간을 절약하기 위해 이것을 하고 있다. ③ (위험 등을) 피하다 : ~ disgustos. ④ (정력을) 아끼다.

ecónomo, ma *m.f.* ① 주지 대리. ② 성직자의 특별 수당. ③ 감리인(監理人); 금치산자의 재산 감리인.

ECOPETROL Empresa Colombiana de Petróleos 콜롬비아 석유 공사.
e/cta. en cuenta.
ectasia *f.* ①【의학】 확장증. ②(기관의) 팽창.
éctasis *f.* [*gr.* ektasis] ①【시어】 단음절의 장음절화. ②【의학】 팽창.
ectima *f.* 【의학】 습진.
ectoblasto *m.* 【해부】 =**ectodermo.**
ectodermo *m.* 【해부】 외배엽(外胚葉), 외피, 겉껍질.
-ectomía *suf.* 【의학】「절제」의 뜻을 갖는 접미어.
ectoparásito *m.* 체외 기생충《벼룩, 진드기 따위》.
ectopia *f.* (내장의) 이상, 탈장.
ectópico, ca *adj.* (내장이) 탈장된.
ectoplasma *m.* 【생물】 세포 외층, 외형질.
ectropion *m.* 【의학】 눈꺼풀 상태의 착도.
ecuable *adj.* 고른, 균등한, 같은 모양의, 일정한(uniforme).
ecuación *m.* ①【수학】 방정식 : resolver una ~. ②【천문】 차(差), 오차.
~ ***de primer·segundo grado*** 1차·2차 방정식.
~ ***del balance*** 대차 대조표 등식.
~ ***diferencial*** 미분 방정식.
~ ***química*** 화학 방정식.
~ ***personal*** (관측상의) 개인 오차.
ecuador *m.* ① 적도 : El ~ divide la Tierra en dos hemisferios. ② 주야 평분선 : ~ magnética 자적도(磁赤道).
Ecuador, el *m.* 【지명】 에구아도르 공화국《남아메리카의 공화국 ; 수도 Quito ; 면적 270, 670㎢》.
ecuánime *adj.* ① 마음이 편안한, 차분한, 침착한. ② 공평한.
ecuanimidad *f.* (마음의) 평온, 편안함, 차분함, 침착, 냉정 ; 공평.
ecuatorial *adj.* ① 적도의 : línea ~ 적도선. ② 적도 직하의. **—*m.*** 적도의(赤道儀).
ecuatorianismo *m.* 에꾸아도르 특유의 말.
ecuatoriano, na *adj.* 에꾸아도르의. **—*m.*** 에꾸아도르 사람.
ecuestre *adj.* ① 승마의. ② 말 탄 자세의 : estatua ~ 말 탄 자세의 상. ③ 기마(대)의 ; 말의.
ecumene *m.* =**universo.**
ecumenicidad *f.* 세계성, 공통성(universalidad).
ecuménico, ca *adj.* ① 만국의 ; 세계적인(universal). ② 전 그리스도적인.
ecumenismo *m.* =**universalismo.**
ecuóreo, a *adj.* 【시어】 바다의(del mar) : llanura ~*a* 망망 대해.
eczema *f.* [*gr.* ekzema] 【의학】 습진(eccema).
eczematoso, sa *adj.* =**eccematoso.**
eczemoso, sa *adj.* 습진(성)의.
e.d. es decir 즉, 다시 말하면.
edad *f.* [*lat.* aetas] ① 나이, 연령, 연세 : un hombre de ~ 연배. ¿Qué ~ tiene usted? 당신은 몇 살입니까?(¿Cuántos años tiene usted?). Tiene treinta años de ~ 그는 서른 살이다. No tenía ningún amigo de su misma ~ 그는 동갑인 친구가 아무도 없었다. ¿Qué ~ me echa usted? 제가 몇 살이라고 생각하십니까? mayor ~ 성년(~ mayor). menor ~ 미성년(~ menor). Es mayor·menor de ~ 그는 성년이다·미성년이다. mayor de ~ 성년의. menor de ~ 미성년의. ~ adulta 성년기. ~ avanzada 노령, 노년(ancianidad). ~ crítica 갱년기. ~ límite 연령 제한. ~ madura 장년. ~ mental 정신 연령. ~ tierna 유년기. ~ viril 장년《30~50세》. ② 시대, 기(期) : *E-* Antigua 고대《로마 제국의 멸망까지》. *E-* Contemporánea 현대《프랑스 혁명부터 현대까지》. ~ de bronce·de piedra 청동기·석기 시대. ~ cronológica 연대(年代). *E-* del Bronce 청동기 시대. *E-* del Cobre 철기의 첫 기. *E-* del Hierro 철기의 마지막 기. *E-* de los Metales 철기 시대. ~ de oro 황금 시대, 전성 시대. ~ de plata 백은 시대. ~ Media 중세《5세기~15세기 중반까지》. ~ Moderna 근세《15세기 중기 이후》. Alta ~ Media 중세기 초. Baja ~ Media 중세기 말.
~ ***con derecho a pensión*** 연금 수령 유자격 연령.
edáfico, ca *adj.* 토양의, 토양에 관한 : factores ~*s.*
edafología *f.* 토양학(ciencia de los suelos).
edafológico, ca *adj.* 토양학의·에 관한.
edafólogo, ga *m.f.* 토양 학자.
edecán *m.* [*fr.* aide de camp] 막료, 부관 ; 심부름꾼.
edelweiss *m. alem.* 【식물】 에델바이스.
edema *m.* [*gr.* oidêma] 【의학】 부종(浮腫).
edematoso, sa *adj.* 부종(성)의.
edén *m.* [*hebr.* eden] 낙원, 낙토 ; 에덴 동산.
edénico, ca *adj.* 낙원의·같은 : una vida ~*ca* 낙원 같은 생활. **Sinón.** paradisíaco, celeste.
edetano, na *adj.m.f.* 에데따니아《Edetania, 현재 Valencia 주의 해안을 이루는 España Tarraconense 지방》의 (사람).
edición *f.* [*lat.* editio] ① 출판, 간행 ; 판 : ~ agotada 절판. ~ crítica 주석본. ~ de lujo 호화판. ~ diamante 미니판. ~ facsímil 사진판, 모사판. ~ príncipe·princeps 초판본. la segunda ~ 제2판 ; 진짜가 아닌 비슷한 것. ② (정기적으로 개최되는) 회 : la Tercera ~ de Feria de Muestras 제3회 견본시.
edictar *tr.* 《*Galic.*》 =**dictar.**
edicto *m.* [*lat.* edictum] ① 법령(ley, ordenanza) : publicar un ~ de persecusión. ② 포고.
edículo *m.* 작은 건축물 ; 사당.
edificación *f.* ① 건축하는·세우는 일 : La ~ del templo de Jerusalén fue obra de Salomón. ② 건축(물). ③《*Galic.*》 감화 ; 교훈. **Contr.** destrucción, escándalo.
edificador, ra *adj.* ① 건축하는, 세우는 ; 건설적인. ② 교화적인. **—*m.f.*** 건축자 ; 건축주.
edificante *adj.* ① 건설적인. ② 교화적인 : lectura ~. **Contr.** escandaloso.
edificar *tr.* 7 ① 세우다, 건설하다 ; 창설·건립·창립하다 : Los moros *edificaron* un castillo 모로인은 성을 세웠다. Vespasiano mandó ~ el Coliseo de Roma 베스빠시아노는 로마의 콜로세움을 건축케 했다. ② 교화하다, 선도하다. **Contr.** destruir, derribar, escandalizar.
edificativo, va *adj.* 교화적인, 세상에 이익이

E

되는 : un ejemplo ~. Sinón. edificante.
edificatorio, ria *adj.* 건축의.
edificio *m.* ① 건물, 빌딩 : Allá se ve el ~ de las Cortes 저기에 국회 건물이 보인다. La estación está cerca de ~*s* modernos 역은 근대적인 빌딩들 옆에 있다. Entonces verá usted un ~ grande a mano derecha 그러면 오른쪽에 큰 건물이 보일 겁니다. ② 기구 : ~ social 사회 기구.
~ *comercial* 영업소.
~ *para vivienda* 주택용 건물.
~ *público* 공공 건축물.
edil *m.* [*lat.* aedilis] ① (로마 시대의) 사법관. ② 시의회 의원(concejal) ; (로마의) 토목 국장(局長).
edila *f.* 여자 시의회 의원(concejala).
edilicio, cia *adj.* 시의회의 ; 시의회 의원의.
edilidad *f.* edil의 직.
Edimburgo *m.* 【지명】 에딘바라 《스코틀랜드의 수도》.
editar *tr.* 출판하다, 발행하다, 편집 발행하다, 간행하다 : ~ una obra·periódico·folleto·mapa 작품·신문·소책자·지도를 출판하다·발행하다·간행하다.
editor, ra *adj.* [*lat.* editor] 출판의, 출판업의 : casa ~*ra* 《*Neol.*》 출판사(compañía editorial). —*m.f.* ① 발행자 ; 편집인 ; 출판 업자 : ~ responsable 발행 책임자. ② 논설 위원, 사설 담당 기자.
editorial *adj.* 출판의 : casa ~ 출판사. —*m.* (신문 등의) 사설(artículo de fondo). —*f.* 출판사(casa ~).
editorialista *m.* 《*Amér*》 논설 위원, 사설 담당 기자.
Edo. Estado 주, 연방.
edometría *f.* 토지·지반 정비(법).
edomita *adj.m.f.* =**idumeo.**
edrar *tr.* (논을) 그루갈이하다(binar).
edredón *m.* (특히 eíder의) 솜털 ; 깃털 방석.
educable *adj.* 교육·훈육·교화할 수 있는, 가르칠 수 있는, 버릇을 고칠 수 있는 : El perro es un animal fácilmente ~ 개는 쉽게 가르칠 수 있는 동물이다.
educación *f.* [*lat.* educatio] 교육 ; 가정 교육 ; 예법 : mala ~ 가정 교육이 없음, 버릇이 없음. ~ primaria 초등 교육. Es un hombre sin ~ 그는 교육을 못 받은 남자이다. La ~ es el complemento de la instrucción 교육이란 지도의 완성이다. Sinón. cortesía, urbanidad.
~ *física* =gimnasia.
~ *general básica* (14세까지) 의무 교육.
educacional *adj.* 《*Galic.*》 교육의(educativo) : sistema ~ 교육 제도.
educacionista *m.f.* 《*Neol.*》 교육자(教育者)(educador).
educado, da *adj.* 교육을 받은 ; 예의 바른, 가정 교육이 있는 : bien ~ 가정 교육이 잘된, 예의 바른. mal ~ 교육이 잘못된, 예의없는. —*m.f.* 교육을 받은 사람.
educador, ra *adj.* 교육하는. —*m.f.* 교육자.
educando, da *m.f.* 학생, 생도. Sinón. colegial.
educar *tr.* 7 [*lat.* educare] ① 교육하다 ; 단련시키다, 훈련시키다 : *Ha educado* muy bien a su perro 그는 자기의 개를 굉장히 잘 훈련시켰다. ② 계몽시키다 : Hay que ~ al pueblo 국민을 계몽시켜야 한다. ③ 가정 교육을 시키다, 다잡다 : ~ duramente 다잡아 키우다.
educativo, va *adj.* 교육적인 : un libro poco ~ 별로 도움이 되지 않는 책.
educción *f.* 추출 ; 추단 ; 배출 ; 배기.
educir *tr.* 71 [*lat.* educere] [드뭄] 끌어내다 ; 추단하다.
educto, ta *adj.* educir의 *p.p.*
edulcoración *f.* 약을 달게 하는 일.
edulcorante *adj.m.f.* 약을 달게 하는 (사람).
edulcorar *tr.* 달게 하다(endulzar).
EEQ Empresa Eléctrica Quito 《*Ecuad.*》 끼또 전력 공사.
EEUU, EE.UU. Estados Unidos (de América) 아메리카 합중국.
ef./ efectos.
ef./c. efecto a cobrar 인수 어음.
efe *f.* 서반아어 알파벳 f의 명칭.
tener las tres ~s (여자가) 못생기고 거짓말 잘하고 남의 일을 캐고 다니다(ser fea, falsa y fisgona).
efebo *m.* 《*Neol.* 》 [*gr.* ephebos] 미성년자, 젊은이, 청년(joven).
efectismo *m.* 효과주의, 과시주의.
efectista *adj.* 효과주의의, 전시 효과만 노리는. —*m.f.* 겉으로만 그럴듯한 작품을 쓰는 작가·화가.
efectivamente *adv.* 유효·유용하게, 효과적으로 ; 실제로, 사실(realmente).
efectividad *f.* ① 유효, 효력, 유력. ② 【군사】 현역.
efectivizarse *r.* 9 실시·시행되다.
efectivo, va *adj.* ① 유효한, 효과적인. ② 실제의, 현실의(real) ; 실제로 쓰이는 : ayuda ~*va*. ③ 현역의, 현존하는, 현직의. ④ 현금의 : dinero ~ 현금. hacer ~ ① 현금화하다. 실시·실행하다. hacer ~*vas* las letras 수표를 현금으로 바꾸다, 어음을 지불하다. Sinón. aparente, ilusorio.
—*m.* 현금 : en ~ 현금으로. ~ en caja 현금 잔고, 현재 가진 돈. Quisiera que me pagasen en ~ 현금으로 지불해 주길 바랍니다만.
—*m.pl.* 실제 병력, 가용 병력.
efecto *m.* ① 결과, 결론(resultado) : por ~ de …의 결과로. causar ~ 결과를 얻다. Su actuación causó mal ~ 그의 행위는 나쁜 인상을 주었다. No hay ~ sin causa 원인 없는 결과는 없다. ② 효험, 효과, 실효 ; 작용 : ~ legal 법적 효과. ~ producido por la racionalización 합리화에 의해 생긴 효과. hacer·surtir ~*s* 소기의 성과를 보이다, 효과를 나타내다·보이다, 실효가 있다. producir ~ 효험을 나타내다. tener ~ 효과가 있다. ③ 목적(fin) : al ~ 이 목적을 위해. lo que al ~ se ha dispuesto 이를 위해 취해진 조치. ④ 느낌, 감명, 인상 : hacer el ~ de …하는 인상을 주다. hacer ~ 눈에 띄다. ⑤ 놀라움 : Me causó gran ~ su aparición 그가 나타났던 것은 나로서는 커다란 놀라움이었다. ⑥ 사실 : con·en ~ 사실상, 실제로 ; 요컨대. ⑦ 실행, 실현 : llevar a ~ , poner en ~

실행에 옮기다. ⑧ [주로 *pl.*] 수표 ; 어음 : ~*s* a cobrar · recibir 인수 어음 : ~*s* a pagar 지불 어음. ⑨ [*pl.*] 채권. ⑩ 재산. ⑪ 상품, 동산, 가구, 의류, 장신구 ; 자재 : ~*s* de escritorio 문방구.
~***s a cobrar · recibir*** 인수 어음. ~***s a corto plazo*** 단기 어음. ~***s a la vista*** 일람불 · 요구불 어음. ~***s a pagar*** 지불 (약속) 어음. ~***s a vencer*** 유통 어음. ~***s aceptados*** 인수 어음. ~***s agrícolas*** 농업 증권. ~***s bancarios*** 은행 어음. ~***s comerciales*** 상업 어음, 수표 증권. ~***s de comercio*** 유통 증권 《어음, 수표 등》. ~***s de escritorio*** 사무용 소모품. ~***s de favor*** 유통 어음. ~***s financieros*** 금융 어음. ~***s mercantiles*** 무역 · 상업 어음. ~***s negociables*** 유통 · 유가 증권. ~***s públicos*** 국채, 공채.

efectuación *f.* 실현, 실행 ; 이행.

efectuar *tr.* ⑮ ① 행하다 : ~ un pago · una compra 지불 · 차입하다. ② 실행 · 실시 · 실현하다 : ~ operación · un proyecto.
~se 실현되다(cumplirse), 행해지다, 실시되다, 실행되다 : La operación *se efectuará* el día 7 수술은 7일에 실시된다.

efedrina *f.* 【약학 · 화학】 에페드린.

efeleoflo *m.* 《*AmérC.*》 내밀(內密). —*pl.* 장신구 ; 촌스럽게 알록달록한 복장.

efélide *f.* 기미 ; 일사반(日射斑). Sinón. peca.

efémera *adj.* 하루 뿐인, 하루만의 ; 1일열(熱)의 : fiebre ~ 1일열.

efeméride *f.* (동월 동일의) 일(日), 탄생일. —*pl.* ① 천체 역표(tablas astronómicas). ② 일기. ③ 목록. ④ (같은 날에 일어난 사건을 기록한) 동일 기록 : calendarios con ~ . ⑤ 세상 이야기.

efémero *f.* 【식물】 붓꽃과 식물(lirio hediondo).

efendi *m.* 대인 《터키의 관리나 학자들의 이름 뒤에 붙이는 경칭》 : Rechid ~ .

eferente *adj.* ① 【해부】 수출의 : vaso ~ 수출관. Contr. aferente. ② (신경이) 원심성(遠心性)의.

efervescencia *f.* ① 소름이 끼침. ② 발진(hervor de sangre). ③ 흥분, 미쳐 날뜀.

efervescente *adj.* 소름이 끼치는 ; 발진하는 ; 끓어 오르는 ; 흥분하는.

efesino, na *adj.m.f.* =**efesio.**

efesio, sia *adj.* 에베소 《Efeso, 소아시아 서부, Diana 신전이 있던 옛 도시》 의. —*m.f.* 에베소 사람.

éfeta *m.* 옛 그리스의 법관.

efetá *m.* 옹고집, 완고.

efialtes *f.* 악몽, 가위 눌림(pesadilla).

eficacia *f.* [*lat.* efficacia] 효력, 효능 : Organizaron la defensa con la mayor ~ 그들은 아주 효과적으로 방위 태세를 조직했다. Contr. ineficaz.
~ ***de la publicidad*** 선전 효과.
~ ***marginal del capital*** 자본의 한계 효율.

eficaz *adj.* [*lat.* efficax] 유효한, 효과가 있는 ; 효험이 있는 : Dicen que es un remedio muy ~ contra todas las enfermedades 그것은 만병에 듣는 약이라고 한다. Tomó una medida muy ~ 그는 매우 효과적인 조치를 취했다. Contr. ineficaz.

eficazmente *adv.* 유효하게, 효과적으로 : obrar ~.

eficiencia *f.* 유효 ; 효능 ; 능률, 능력.

eficiente *adj.* [*lat.* efficiens] 효력있는 ; 능률적인 : El Sol es causa ~ del calor.

eficientemente *adv.* 효과적으로, 능률적으로.

efigie *f.* [*lat.* effigies] 닮은 모습 ; 상(像) ; 모습 ; 화신(化身), 권화(權化) : la ~ del dolor 슬픔의 화신. en ~ 모습을 꼭 닮게 하여.

efímera *f.* ① 【동물】 하루살이(cachipolla). ② 단명(短命), 박명.

efímero, ra *adj.* ① 하루살이의, 단 하루 동안의 : fiebre ~*ra* 1일열. insecto ~ 하루살이 곤충. ② 단시간의, 일시의 ; 덧없는, 허망한(fugaz) ; 단명(短命)한.

eflorecerse *r.* ㉛ 풍화하다, 풍해하다.

eflorescencia *f.* 풍화(성), 풍해 (작용) ; 발진(發疹) ; (과일 껍질에 생기는) 가루. Contr. delicuescencia.

eflorescente *adj.* ① 【화학】 풍화성의. ② 개화되어 있는.

efluencia *f.* [드묾] =**emanación.**

efluvio *m.* [*lat.* effluvium] ① 발산 ; 방산(放散) ; 유출 : ~ de simpatía. ② 고약한 냄새. ③ 방전(放電)(~ eléctrico).

efod *m.* (유태 제사장의 소매없는 짧은) 법의(法衣).

éforo *m.* [*gr.* ephoros] 스파르타의 최고 집정관 다섯 사람 중의 한 명.

ef/p. efectos a pagar.

ef/r. efectos a recibir.

efracción *f.* 《*Galic.*》 가택 침입 : robo con ~ .

efrateo, a *adj.* 성도 베들레헴《Belén의 예전 이름 Efrata》의. —*m.f.* 에프라따 사람.

efugio *m.* [*lat.* effugium] 핑계, 꽁무니 빼는 말.

efundir *tr.* [드묾] 살수하다, 흘리다.
~se 흐르다.

efusión *f.* [*lat.* effusio] 유출 ; 유혈 ; 정열에 넘침 : con ~ 열정적으로. Me emocionó la ~ de su acogida 그의 열렬한 환영에 나는 감격했다.

efusivo, va *adj.* 뜨거운, 열성적인, 정열적인 ; 감격적인 : recibimiento ~ 대환영.

efuso, sa *adj.* [efundir의 *p.p.*] 흘려 보낸 ; 흘러 내려간.

efvo. efectivo 유효한, 현행의.

egabrense *adj.* 까브라 《Cabra, 서반아 남부 도시》의. —*m.f.* 까브라 사람.

egarense *adj.* 에가라 《Egara, 현재의 Tarrasa, Barcelona 주의 한 도시》의. —*m.f.* 에가라 사람 (tarrasense).

egetano, na *adj.m.f.* 벨레스 《Vélez, 곳곳에 있는 지명》의. —*m.f.* 벨레스 사람.

egialito *adj. m.* 해변에 서식하는 (새).

egida *f.* 하나님의 보살핌 ; 방패 ; 보호, 후원 : bajo la ~ de …의 후원 하에, …의 보호 하에.

égida *f.* =**egida.**

egílope *m.* ① 【식물】 참억새. ② 【의학】 안내각(眼內角)의 천공성 농양(穿孔性膿瘍).

egipán *m.* 반신은 사람이고 반신은 산양인 괴물.

egipciaco, ca *adj.m.f.* =**egipcio.**

egipcíaco, ca *adj.m.f.* =**egipcio.**

egipciano, na *adj.m.f.* =**egipcio.**

egipcio, cia *adj.* 이집트의 : el pueblo ~ 이집

트 국민. —*m.f.* ① 이집트 사람. ② [드뭄] 집시 (gitano). —*m.* 이집트말.

egiptano, na *adj.m.f.* =**egipcio.**

Egipto *m.* 【지명】 이집트 《수도 El Cairo ; 면적 1,000,000㎢》.

egiptología *f.* 이집트 고고학.

egiptológico, ca *adj.* 이집트학의.

egiptólogo, ga *m.f.* 이집트에 관한 전문 학자.

égira *f.* 회교 기원(hégira).

eglantina *f.* 【식물】 해당화.

égloga *f.* 목가(牧歌) ; 목인극(牧人劇).

eglógico, ca *adj.* 목가적인.

eglogista *m.f.* 목가 작곡가.

egocéntrico, ca *adj.* 우주 중심의.

egocentrismo *m.* 우주 중심주의.

egoísmo *m.* 이기주의, 아욕(我欲), 자기 본위 : El ~ es una imperfección del corazón y de la inteligencia. Contr. altruísmo.

egoísta *adj.* 이기주의의, 자기 본위의, 옹고집의 : Es un hombre muy ~ 그는 무척 이기적인 사람이다. —*m.f.* 이기주의자, 옹고집쟁이. Contr. altruísta.

egoístamente *adv.* 제멋대로.

egoistón, na *adj.* 옹고집의. —*m.f.* 옹고집쟁이.

E

ególatra *adj.* 【남·여성 동형】 자화 자찬하는 ; 유아 독존의.

egolatría *f.* 자화 자찬, 유아 독존.

egolátrico, ca *adj.* 자화 자찬의, 유아 독존의.

egotismo *m.* 자기 본위, 자기 본위주의, 자기 발표욕 ; 자부심, 자화 자찬, 자기 예찬.

egotista *adj.* 자기 본위의, 자기 선전적인, 자기 예찬의. —*m.f.* 자기 자랑하는 사람.

egregiamente *adv.* 고귀하게 ; 저명하게, 뛰어나게.

egregio, gia *adj.* 고귀한 ; 저명한, 뛰어난, 유명한(ilustre).

egresar *intr.* ① 《*Amér.*》 출발하다, 나오다, 나가다. ② 《*Arg. Chile.*》 (학교를) 졸업하다. Contr. ingresar.

egresión *f.* 양도.

egreso *m.* ① 《*Amér.* 》 지출, 지불(금). 세출. ② 《*Arg. Chile.*》 출발, 졸업. Contr. ingreso.

¡eh! *interj.* (따져 묻기, 배척, 주의 환기 등) 이봐 !, 여어 !, 야 ! ; 그만 ! ; 위험해 !

eibarrés, sa *adj.m.f.* 에이바르 《Eibar, Guipúzcoa 주의 마을》의 (사람).

eíder *m.* 【조류】 물오리의 일종(pato de flojel).

eidógrafo *m.* 축도기(縮圖器).

einstenio *m.* 【화학】 아인시타이늄.

ej. ejemplar (인쇄물 따위의) 한 부(部).

ejarbe *m.* ① 《*Nav.*》 (많은 비로 인해 강물의) 증수(aumento de agua). ② 《*Nav.*》 =**teja.**

eje *m.* 축(軸), 굴대 ; 중심선 ; 추축(樞軸) ; 【기계】 샤프트, 차축(車軸) ; 북, 방추(紡錘) : asiento de ~ 베어링. El ~ está roto 차축이 부서졌다.

dividir·partir por el ~ 엉망·엉망진창으로 만들다.

ejecución *f.* ① 수행, 이행, 실행 : ~ de un pedido 주문의 이행·조달. ~ dilatada·retrasada 이행 지체. ~ imposible 이행 불능. poner en ~ 이행하다, 실행에 옮기다. ② 성취. ③ 집행, 처형, 사형의 집행. ④ 압류, 경매 처분. ⑤ 【상업】 발송, 출하. ⑥ (주문의) 조달. ⑦ 연주 : La ~ del programa musical fue excelente 음악 프로그램의 연주는 우수했다. ⑧ 제작.

ejecutable *adj.* 실행할 수 있는 ; 강제 집행 시킬 수 있는, 압류할 수 있는, 처분할 수 있는 ; 연주할 수 있는.

ejecutante *adj.* 집행하는 ; 강제 집행하는, 압류하는 ; 연주하는. —*m.f.* 집행자 ; 강제 집행자 ; 연주자.

ejecutar *tr.* ① 실행·이행·시행·수행하다, 해내다 : ~ un proyecto 계획을 실행에 옮기다. ~ una orden 주문·명령을 실행하다. *Se están ejecutando* cambios en el Gabinete 개각이 행해지고 있다. ② 사형을 집행하다 : El condenado *fue ejecutado* 죄수의 형이 집행되었다. ③ 연주하다 : ~ al piano una sonata 피아노로 소나타를 치다. ④ 강제 집행하다, 압류하다.

ejecutiva *f.* 실행·집행 위원회.

ejecutivamente *adv.* 급히, 조급하게, 재빨리, 날렵하게.

ejecutivo, va *adj.* ① 성화같은, 성급한 : No sea usted tan ~ . ② 행정의 : poder ~ 행정권 ; 행정부. ③ 실행·집행의 : comisión ~*va* 집행 위원회. ④ 강제 집행하는 : vía ~*va* 강제 수단. procedimiento ~ 집행 수속.

—*m.* 행정부, 행정권.

—*m.f.* 집행자, 실행 위원 ; 경영자, 경영 간부, 간부, 간부 사원.

ejecutor, ra *adj.* 실행·수행·집행하는. —*m.f.* 수행자 ; 집행인 : ~ de la justicia 사형 집행인(verdugo).

ejecutoria *f.* 귀족 증명서 ; 판결 ; 차압 영장, 집행 명령서 ; 미담(美談).

ejecutoría *f.* 사형 집행인의 직.

ejecutorial *adj.* 집행의, 집행 명령의.

ejecutoriar *tr.* ⑫ (소송 사건에서) 집행력을 부여하다 ; 확실하게 증명하다, 확증하다.

ejecutorio, ria *adj.* 확정된 ; 집행력 있는 : sentencia ~*ria.*

¡ejem! *interj.* 의심·빈정대는 감탄사.

ejemp. ejemplo.

ejemplar[1] *adj.* ① 모범적인 : conducta ~ 모범적인 품행. novelas ~*es* 세르반떼스의 모범 소설집. Ella lleva una vida ~ 그녀는 모범적인 생활을 하고 있다. ② 본보기로 벌주는, 징계의 : castigo ~.

—*m.* ① 본보기, 견본, 전형, 모범, 사례 : sin ~ 공전의, 예가 없는 ; 전례가 되지 않는 ; 믿을 수 없는. ② 본보기로 주는 벌, 징계. ③ (서적·인쇄물의) 부, 책 ; 복사(copia) ; (같은 종류의) 수 : factura consular en tres ~*es* 영사 송장 세통. Quiero dos ~*es* de este libro 이 책을 2부 원합니다.

ejemplar[2] *tr.* [드뭄] =**ejemplificar.**

ejemplaridad *f.* 모범(성).

ejemplarizar *tr.* ⑨ 《*Neol.*》 모범·본보기로 삼다, 본보기를 만들다(dar ejemplo).

ejemplarmente *adv.* 모범으로, 본보기로 : castigar ~ una sedición popular.

ejemplificación *f.* 인례(引例), 예증, 예시.

ejemplificar *tr.* ⑦ 예증·예시하다.

ejemplo *m.* [*lat.* exemplum] ① 본보기, 모범 : dar ~ a …에 본보기를 보이다. El sirve de ~ a los demás 그는 타인의 모범이다. ② 본때를 보임 ; 세상을 살아가는데 이익이 되는 실화. ③ 예, 보기 : por ~ 가령, 예컨대, 예를 들면, 이를테면. sin ~ 예가 없는, 전례가 없는. dar el ~ 전례를 남기다. seguir el ~ de …의 전례에 따르다, …의 보기에 준하다. Déme un ~ porque no entiendo 이해를 못하겠으니 예를 들어 주십시오. Un diccionario sin *~s* es un esqueleto 예가 없는 사전은 해골과 같다.
tomar el ~ 견습하다.

ejercer *tr.* ⊡ [*lat.* exercere] ① 하다, 행하다, 수행하다 : ~ la caridad 자선을 베풀다. ② 영위하다, 업으로 삼다 : Es abogado, pero no *ejerce* 변호사이지만, 아직 개업하지 않았다. *Ha ejercido* ese oficio por mucho tiempo 그는 그 직을 오랫동안 업으로 삼고 있다.

ejercicio *m.* [*lat.* exercitum] ① 취업, 영업, 업무 : el ~ de la abogacía 변호사 업무. ② 운동 : hacer ~ 운동을 하다, 체조하다. *~s* físicos 육체적 운동. ③ 체조(*~s* gimnásticos) : La bicicleta es un excelente ~ 자전거는 굉장히 좋은 운동이다. ④ 훈련, 교련 : ~ militar 군사 훈련. ⑤ 연습, 연습곡, 연습 문제 ; 과제 : ~ de gramática 문법의 연습 문제. ⑥ 회계 기간, 결제기, 영업·회계·사업 연도 : ~ anual·económico·financiero 회계 기간, 영업·사업·재정·회계 연도. ~ irregular 불규칙 연도. ~ regular 정상 연도. el sobrante del ~ anterior 전년도의 잉여금.
El ~ hace maestro 【속담】 연습은 명인을 만든다.

ejercitación *f.* 수업 ; 훈련, 수련 ; 연습.

ejercitado, da *adj.* [ejercitar의 *p.p.*] =**práctico.**

ejercitante *adj.* 연습하는. —*m.f.* 수업자 ; (직업의) 개업자 ; 과제 시험을 받는 사람 ; 실습생.

ejercitar *tr.* [*lat.* exercitare] ① 연습·수업하다. ② (실지로) 연습시키다, 훈련시키다 : ~ *al* niño *en* la lectura 어린이에게 읽는 법을 연습시키다. ③ 실습시키다 : ~ *a* uno *en* un oficio 누구에게 어떤 일을 실습시키다.
~se 연습을 하다, 훈련을 받다, 코치를 받다 (adiestrar) : *~se en* el dibujo.

ejército *m.* [*lat.* exercitus] ① 대군 ; 군대 ; 육군 : El ~ coreano es muy valiente 한국군은 매우 용감하다. ② 대다수(gran número, multitud) : un ~ de acreedores.
~ ***del aire*** 공군. ~ ***de mar*** 해군(armada). ~ ***de ocupación*** 점령군. ~ ***de tierra*** 육군. ***E- de Salvación*** 구세군.

ejidal *adj.* ejido의.

ejidatario *m.* 국유지(ejido) 이용자.

ejido *m.* [*lat.* exitus] 마을 공유 농토, 꼴 베는 곳 ; 미개발 국유지 ; 집단 농장.

ejión *m.* 【건축】 횡목을 받치는 간단한 받침.

ejote *m.* 《*AmérC. Méx.*》 강낭콩 꼬투리.

el *art.* [*lat.* ille] [정관사, 남성 단수형] [a+el = al, de+el =del] *el* libro 그 책 ; 책이라는 것. *el* mismo individuo 바로 그 인물. ① [악센트가 있는 a-, ha- 로 시작되는 여성 단수 명사의 바로 앞에 둠] : *el* ama 여자 주인. *el* águila 【조류】 독수리. *el* agua 물. *el* hacha 토끼. *el* habla 말. ② [옛날에는 똑같은 조건하에서 형용사 앞에도 붙였음] *el* ardua empresa 고된 일. ③ [대명사적으로 쓰여 앞에 나온 명사를 받음] 그것 : mi coche y *el* de usted 내 차와 당신의 그것. ④ [다른 품사의 말이나 글을 명사화함] *el yo* 자아(自我). *el* sí de las niñas 여아들의 긍정적인 대답.
el que determina la política 정책 당국자.
el que otorga patente 특허권 수여자.
El Salvador *m.* 【지명】 엘살바도르 《중앙아메리카의 공화국 ; 수도 San Salvador》.

él *pron.* [*lat.* ille] [*pl.* ellos] [남성 단수의 제3인칭 주격·전치사격 대명사로써 사람이나 물건을 받음] 그, 그 사람 ; 그것 : *Él* es mi padre 그분이 제 부친이다. Lo dice *él* mismo 그 자신이 그렇게 말하고 있다. Hablan de *él* 그 일에·그에 대해 말하고 있다.

elaborable *adj.* 정제(精製)할 수 있는, 작성·단련·훈련시킬 수 있는.

elaboración *f.* 정제(精製), 조제 ; 제조 ; 제작 ; 가공 ; 고심작 ; 작성 ; 정성들임, 문장을 다듬는 것 ; 소화.
~ ***de datos*** (전자 계산기의) 자료·테마 처리.
~ ***de programas*** 프로그래밍, 계획.

elaborado, da *adj.* 제작된 ; 가공된 : productos *~s* 가공품 제품.

elaborador, ra *adj.* 제작·작성하는. —*m.* 제작자, 작성자.

elaborar *tr.* [*lat.* elaborare] ① 제작·정제·조제하다, 만들다 ; 작성하다 : ~ un plan 계획을 작성하다. Pedro pasó muchas horas *elaborando* un plan 뻬드로는 계획을 짜면서 여러 시간을 보냈다. ② 정성들여·지성스럽게 만들어 내다 ; (어떤 생각을) 깊이 더듬다, 회고하다. ③ (쇠를) 벼리다 : ~ el hierro. ④ 소화하다 : El estómago *elabora* los alimentos.

elación *f.* =**altivez, soberbia, presunción ; elevación, grandeza.**

elapso *m.* 【동물】 (열대 아메리카 숲에 사는) 독사의 일종.

elástica *f.* 메리야스 셔츠. —*pl.* 《*Venez.*》 바지 걸이.

elasticidad *f.* 탄성, 탄력, 탄력성 ; 신축성, 융통성(이 있는 일).
~ ***de ingreso*** 소득 탄력성. ~ ***de la demanda·oferta*** 수요·공급의 탄력성. ~ ***general de la oferta*** 공급의 종합적 신축성. ~ ***precio de la demanda*** 수요의 가격 탄력성. ***límite de*** ~ 탄성 한계.

elasticimetría *f.* 탄성계.

elástico, ca *adj.* [*gr.* elastikos] 탄성의, 탄력이 있는 ; 융통성이 있는(acomodadizo). **Contr.** rígido, incompresible.
—*m.* ① 고무칠을 한 천. ② 고무줄 ; 고무로 엮기. ③ 메리야스 셔츠(elástica).
—*pl.* 《*Venez.*》 바지의 멜빵(tirantes).

elastificar *tr.* ⑦ 탄성(彈性)으로 하다.

elastómero *m.* 탄성이 있는 물질.

elaterita *f.* 광성(鑛性) 고무, 탄성 역청.

elayómetro *m.* 지방·기름 비중계, 기름 농도계, 검유기(檢油器).

elayotecnia *f.* 기름 정제 산업.

elche *m.* 배교자, 배신자.

E

eldanense *adj. m.f.* 엘다나 《Eldana, 옛 la España Tarraconense시》의 (사람).
Eldorado *m.* ① 황금의 나라 《남 아메리카에 있다고 믿어졌던 황금의 나라》. ② 엘도라도《아르헨띠나 Misiones주의 행정 구역의 하나 ; 꼴롬비아 수도 보고따의 공항 이름》.
ele *f.* 문자 1의 명칭.
¡elé! *interj.* 【속어】 =**he aquí** : ¡ *Elé* la verdad! 사실은 이래 !
eleagnáceo, a *adj.* 【식물】 보리수 나무과의. —*f.pl.* 보리수 나무과 식물.
eleagno *m.* 【식물】 보리수.
eleático, ca *adj.* 엘레아 《남 이탈리아에 있던 그리스인의 도시 Elea》 의 ; 엘레아 학파의. —*m.f.* 엘레아 사람.
eleatismo *m.* 엘레아 철학.
eléboro *m.* 【식물】 헬리보리 《말발굽과 · 나리과 식물》 : ~ blanco 종려풀.
elección *f.* 선출, 선임 ; 선택 ; [주로 *pl.*] 선거 : ~ de diputados 국회의원 선거. ~ general 총선거. ~ parcial 보궐 선거. ~ primaria 예비 선거.
eleccionario, ria *adj.* 《*Arg. Col. Chile. Ecuad. Urug.*》 선출의 ; 선택의 ; 선거의 (electoral) : libertad ~*ria.*
electividad *f.* 선출하는 일.
electivo, va *adj.* ① 선거의 ; 선거에 의한 : presidente ~ 선거로 선출된 대통령. ② 선택적인.
electo, ta *adj.* [elegir의 *p.p.*] 당선된, 선임된 : el Presidente ~ 당선되어 취임 전의 차기 대통령. —*m.f.* 당선자.
elector, ra *adj.* 선거하는. —*m.f.* ① 선거인 ; 투표자 : ~ amañado 강제 동원한 투표자. ② (독일의) 선거후(候).
electorado *m.* [집합] 선거민, 선거인단, 유권자수 ; 옛날 독일의 선거후의 영토.
electoral *adj.* 선거의 ; 선거인의 : campaña ~ 선거전, 선거 운동. cuerpo ~ 선거 모체. distrito ~ 선거구. perder los derechos ~*es* 선거권을 잃다.
electoralismo *m.* 당의 정책에서 순수한 선거 목적의 간여.
electoralista *adj.* electoralismo의.
electorero *m.* 선거 관리인.
electra *f.* 【속어】 발전소 ; 전기 회사.
eléctricamente *adv.* 전기로, 전기를 써서.
electricidad *f.* 전기 : ~ negativa 음전기. ~ positiva 양전기.
electricismo *m.* 전기 현상 제도.
electricista *adj.* 전기 전문의. —*m.f.* 전기 학자 ; 전기 기사.
eléctrico, ca *adj.* 전기의, 전력의 : alambre ~ 전선. aparato ~ 전기 기구. corriente ~*ca* 전류. motor ~ 전동기.
electrificación *f.* 전화(電化).
electrificar *tr.* ⑦ 전화하다 : ~ un ferrocarril 철도를 전화(電化)하다.
electriz *f.* (독일사의) 선거후(príncipe elector) 부인.
electrizable *adj.* ① 감전 · 대전성(帶電性)의 : cuerpo fácilmente ~. ② 감동 · 감격하기 쉬운.
electrización *f.* 대전(帶電) ; 발전(發電) ; 분발.
electrizado, da *adj.* 대전(帶電)한 ; 분발한.
electrizador, ra *adj.* 대전하는, 감전하는, 발전하는.
electrizante *adj.* 발전시키는 ; 감전시키는 ; 감동 · 감격 · 흥분하는.
electrizar *tr.* ⑨ 대전(帶電) · 감전시키다 ; 발전(發電)시키다, 전류를 통하다 ; 감격을 주다, 감동 · 흥분시키다.
~se 감전·대전(帶電)하다 ; 전기를 일으키다 ; 흥분하다.
electro *m.* [*gr.* elektron] 호박(ámbar) ; 호박금 《금3 은1의 비율로 된 합금》; 전자(철).
electroacústica *f.* 전기 음향학.
electrobús *m.* 트롤리 버스, 무궤도 전차.
electrocardiografía *f.* 심장병 전기 치료법.
electrocardiógrafo *m.* 심장병 전기 치료기.
electrocardiograma *m.* 심전도(心電圖) 《약자 : E.C.G.》.
electrocinética *f.* 전동학(電動學).
electrocución *f.* 전기 사형.
electrocultivo *m.* 전기 재배.
electrocutar *tr.* 전기 의자에 앉히다, 전기 사형을 집행하다, 전살(電殺)하다.
~se 감전사하다.
electrochoque *m.* 【의학】 (치료를 위해) 전기 방전, 전기 충전 요법.
electrodinámica *f.* 전기 역학.
electrodinámico, ca *adj.* 전기 역학의 : teoría ~*ca.*
electrodinamismo *m.* 전류 현상.
electrodinamómetro *m.* 전력계, 동력 전류계.
electrodo *m.* 전극 ; 전기 용접봉.
electrodoméstico, ca *adj.* 가전의 (용품).
electroencefalografía *f.* 뇌전도 (취급) 의학.
electroencefalógrafo *m.* 뇌파 기록기.
electroencefalograma *m.* 뇌전도.
electroestático, ca *adj.* 정전기(靜電氣)의 : máquina ~*ca.*
electrofisiología *f.* 동물 전기 생리학.
electrofónico, ca *adj.* 전기 발성의, 전기 녹음의.
electrófono *m.* 전화, 전송기 ; 축음기, 레코드 플레이어.
electróforo *m.* 전기분(電氣盆), 기전반.
electrogalvánico, ca *adj.* 전지에서 생긴 : una corriente ~*ca.*
electrogalvanismo *m.* 전지에 생긴 효과 이론.
electrógeno, na *adj.* 발전의 ; 전력의 : grupo ~. —*m.* 발전기.
electroimán *m.* 전자(電磁), 전자석, 전자철.
electrólisis *f.* 【화학】 전기 분해.
electrolítico, ca *adj.* 전기 분해의.
electrólito *m.* 전해물, 전해액 ; 전해질.
electrolización *f.* 전기 분해.
electrolizador, ra *adj.* 전기 분해의. —*m.* 전해조(電解槽).
electrolizar *tr.* ⑨ 전기 분해하다.
electrología *f.* 전기 분해학.
electroluminiscencia *f.* 전기 방광, 전기 조명.
electromagnético, ca *adj.* 전자기의 :

fenómenos ~*s* 전자기 현상.
electromagnetismo *m.* 전자기 ; 전자학.
electromasaje *m.* 전기 마사지.
electrometalurgia *f.* 전기 야금(학).
electrometría *f.* 전위 측정.
electrométrico, ca *adj.* 전위 측정의.
electrómetro *m.* 전위계.
electromotor, ra *adj.* 전동(電動)의. —*m.* 전동기.
electromotriz *adj.* 전동력의 : fuerza ~ 전동력. —*f.* 전동력(fuerza ~).
electrón *m.* 전자 : ~ pesado 【화학】 =mesotrón. ~ voltio 전자 볼트.
electronegativo, va *adj.* 【전기 · 화학】 음전기의 ; 음성의.
electronia *f.* 전자 광학(電磁光學).
electrónico, ca *adj.* 전자의 ; 전자 공학의 : bomba ~*ca* 원자 폭탄. calculadora ~*ca* 전자 계산기. computadores ~*s* 컴퓨터, 전자 계산기. productos ~*s* 전자 제품. tubo ~ 전자관(電子管). —*f.* 전자 공학.
electronuclear *adj.* 핵전기의.
electronvoltio *m.* 【물리 · 화학】 원자 물리학의 힘의 단위.
electropositivo, va *adj.* 양전기의.
electropuntura *f.* 전기침 요법.
electroquímico, ca *adj.* 전기 화학의 : fenómenos ~*s* 전기 화학 현상. —*f.* 전기 화학.
electroscopio *m.* 검전기.
electrosemáforo *m.* 전기 신호기.
electrosiderurgia *f.* 전기 제철학.
electrostático, ca *adj.* 정전기(학)의. —*f.* 정전기학.
electrostricción *f.* 【물리】 전기 긴축,
electrotecnia *f.* 전기 기술(학)(técnica de la electricidad).
electrotécnico, ca *adj.* 전기 기술의. —*m.f.* 전기 기사.
electroterapia *f.* 【의학】 전기 요법(tratamiento eléctrico).
electroterápico, ca *adj.* 전기 요법의.
electrotermia *f.* 전열학.
electrotérmico, ca *adj.* 전열(電熱)의.
electrotipia *f.* 전기 제판(製版).
electrotípico, ca *adj.* 전기 제판의.
electrotipo *m.* 전기판, 전기 인쇄.
electuario *m.* [*lat.* electuarium] 연약(練藥), 핥아 먹는 약.
elefancía *f.* [*lat.* elephantia] 【의학】 상피병(象皮病) : La ~ es endémica en los países cálidos 상피병은 열대 국가의 풍토병이다.
elefanciaco, ca *adj.* 상피병의. —*m.f.* 상피병 환자.
elefancíaco, ca *adj.m.f.* =**elefanciaco.**
elefanta *f.* [드묾] 【동물】 암코끼리(hembra del elefante).
elefante *m.* [*gr.* elephas] 【동물】 코끼리 : La inteligencia del ~ es maravillosa.
~ ***blanco*** 《*Amér.*》 유지비만 드는 골치 아픈 것 ; 집에 숨겨둔 금 송아지.
~ ***marino*** 해마(海馬)(morsa).
elefantiasis *f.* =**elefancía.**
elefantíasis *f.* =**elefancía.**
elefantino, na *adj.* 코끼리의 · 같은.
elefantón *m.* 《*AmérM.*》 =**elefancía.**
elegancia *f.* ① 우미, 우아, 단정, 품위, 고상(gracia y distinción) : Las parisienses tienen reputación de ~ muy merecida. ② 뛰어나게 아름다운 것 ; 화려한 옷차림, 최신 유행형 ; 멋 · 맵시 부리기. Contr. grosería, vulgaridad.
elegante *adj.* 우아하고 아름다운, 우아한, 새뜻한, 날씬한, 화려한 : hombre ~ 날씬한 남자. mueble ~ 우아한 가구. traje ~ 산뜻한 · 우아한 옷. Contr. grosero, basto, vulgar, pesado.
elegantemente *adv.* 품위있게, 단정하게, 우아하게, 새뜻하게, 산뜻하게, 날씬하게, 화려하게(con elegancia).
elegantizar *tr.* 9 우아하고 아름답게 하다, 화려하게 꾸미다(dar elegancia).
~se 훌륭해지다, 고상해지다.
elegantón, na *adj.* [*aum.* elegante] 매우 우아한(muy elegante).
elegía *f.* [*gr.* elegeia] 애가(哀歌), 비가, 만가(挽歌) ; 애도가, 애도곡.
elegiaco, ca *adj.* 애가의 ; 애수적인, 애조를 띤 ; 구슬픈, 슬픈(lastimero).
elegíaco, ca *adj.* =**elegiaco.**
elegibilidad *f.* 당선 자격 ; 피선거권.
elegible *adj.* 피선 자격이 있는 : no ser ~ para la diputación.
elegido, da *adj.* [elegir의 *p.p.*] 선임 · 선출된. —*m.* 신의 선민(predestinado).
elegir *tr.* 45 [*lat.* eligere] ① 선거하다, 선임하다, 선출하다(escoger) : ¿A quién *ha elegido* usted alcalde? 당신은 누구를 시장으로 선출했습니까? ② 고르다, (학과를) 선택하다(escoger) : ~ un libro entre varios 여러 권 중에서 한 권을 고르다. ③ 【종교】 (하느님이) 선택하다.
[직설법 현재 : elijo, eliges, elige, elegimos, elegís, eligen. 접속법 현재 : elija, elijas, elija, elijamos, elijáis, elijan. 직설법 부정과거 : elegí, elegiste, eligió, elegimos, elegisteis, eligieron. 현재 분사 : eligiendo].
élego, ga *adj.* 【고어】 =**elegíaco.**
elementado, da *adj.* 《*Col. Chile.*》 멍한, 정신이 딴곳에 있는, 미치광이같은.
elemental *adj.* ① 원소의, 요소의 : cuerpo ~. ② 기초의, 초보의, 기본적인 : curso ~ 초보. libro ~ 기본서. ③ 사대 현상 《땅 · 물 · 불 · 바람》의, 자연의, 대자연의 힘의(fundamental).
elementalmente *adv.* 기본 · 기초적으로.
elementar *adj.* =**elemental.**
elementarse *r.* 《*Col. Chile.*》 어리둥절해지다, 멍청해지다(alelarse, embobarse).
elemento *m.* [*lat.* elementum] ① 원소(cuerpo simple), 요소, (구성) 분자, 성분. ② 사대 요소(tierra, agua, fuego, y aire)의 하나. ③ 본래의 장소《물고기의 물, 새들의 공기》 : El agua es el ~ de los peces. ④ 자기의 영역, 우쭐대 있는 경지 : estar en su ~ 우쭐거릴 수 있는 · 제 실력을 발휘할 수 있는 자리에 앉다. ⑤ 전지, 전극. ⑥ 【군사】 작은 부대. ⑦ 【방언】 《*Amer.*》 미치광이같은 남자 ; 무능력자. ⑧ *pl.* 원리, 기초 지식, 초보 : los ~*s* de la física 물리학 초보. ⑨ *pl.* 생활 수단 : Tiene pocos ~*s* de vida. ⑩

E

pl. 대자연의 위력 ; 폭풍우, 풍파 : los cuatro ~*s* 자연의 사대 요소. Se desataron los ~*s* 폭풍우가 미친 듯이 휘몰아쳤다.
~*s de producción* 자본재(資本財).
~*s del coste* 원가 (구성) 요소.

elemí *m.* 엘레미《고무질의 유향 수지(有香樹脂)》.

elenco *m.* [*gr.* elegkhos] ① 표, 목록, 일람표, 목차, 색인 (catálogo, indice). ②《*Amér*》(극단 등의) 단원, 개스트.

eleocarpáceas *f. pl.* 【식물】(열대와 온대의) 쌍자엽류과 식물.

eleometría *f.* 유지 검량.

eleómetro *m.* =**elayómetro.**

eleotrago *m.* 【동물】(중앙 아프리카와 남아프리카의 습지에 사는 영양(antílope)의 일종.

elequema *f.* 《*CRica.*》 =**elequeme.**

elequeme *m.* 【식물】부까레(bucare)의 일종.

elequemito *m.* 《*Nicar.*》 =**elequeme.**

elevación *f.* ① 올리는 일, 상승(subida) : ~ de un monumento. ② 융기 : ~ de terreno. ③ 승진, 승급, 출세. ④ (값의) 앙등, 등귀. ⑤ 고지(高地). ⑥ 건립. ⑦ 정면도, 앙각(仰角). ⑧ 자아를 잊음. Contr. bajeza, depresión.
~ *de los derechos* 관세 인상. ~ *de precios* 가격 인상. ~ *del rendimiento* 이익 증대.

E

elevadamente *adv.* 높다랗게.

elevado, da *adj.* [*lat.* elevatus] ① 높은(alto) : edificio ~ 높은 건물. ② 인상된 : precio ~ 고가(高價). ③ 숭고한, 고귀한, 고양된 (sublime) : estilo ~. Contr. bajo.

elevador, ra *adj.* 올리는 ; 인양하는, 높이는 : bomba ~*ra* de agua 양수 펌프. —*m.* ① 올리는 것 : ~ de tensión 【전기】승압기. ② (주로 화물용) 엘리베이터, 리프트. ③【해부】거근(擧筋)(músculo ~). ④《*Amér.*》(일반적인) 엘리베이터, 승강기(ascensor).

elevamiento *m.* =**elevación.**

elevar *tr.* [*lat.* elevare] ① 올리다, 높이다, 높게 하다(alzar, levantar) : ~ una carga. ② 승급시키다, 오르게 하다. ③ 세우다, 건립하다, 건설하다 : Aquí van a ~ un monumento a los héroes nacionales 이곳에 국민 영웅들을 기리기 위해 기념비를 세우려 하고 있다. ④ 인양하다. ⑤ 인상시키다.
~**se** ① 등귀·앙등하다. ② 높아지다 ; 오르다 : El avión va *elevándose* a gran altura 비행기는 굉장히 높게 오르고 있다. ③ 빼어나다. ④ 정신없이 좋아하다 : ~*se en* éxtasis 황홀경에 빠지다. ⑤ 우쭐해지다.

elevatorio, ria *adj.* 올리는데 사용하는 : aparato ~ .

elefina *f.* (스칸디나비아의 신화에서) 젊고 아름다운 요정(hada joven y hermosa).

elfo *m.* (스칸디나비아의 신화에서 개구쟁이의) 작은 요정, 작은 귀신.

Elí *m.* 이스라엘의 고승.

Elías *m.* 【성서】헤브루의 예언자.

elidir *tr.* [*lat.* elidere] ① 약하게 하다, 힘을 빼다. ② 어미 모음을 생략하다《모음으로 시작된 말이 다음에 올 때 : de el → del, a el → al》.

eligie- → **elegir** 45.

eligieron elegir의 부정과거·3·복수.

eligió elegir의 부정과거·3·단수.

elija elegir의 접·현·1·3·단수.

elija- → **elegir** 45.

elijable *adj.* 달일 수 있는.

elijación *f.* 달이는 일 ; 달이는 액체.

elijar *tr.* 달이다, 끓이다.

elijo elegir의 직·현·1·단수.

eliminación *f.* ① 삭제, 배제, 제거 : ~ del mayorista 도매 업자의 제거. ② 추방. ③ 철폐 : ~ de derechos 관세의 철폐.

eliminador, ra *adj.* 배제·제거하는. —*m.f.* 제거하는 사람.

eliminar *tr.* [*lat.* eliminare] ① 추방하다. ② 배제·제거하다 : ~ dificultades 어려움을 없애다. ③ 지워 없애다, 삭제하다. ④ 분리시키다 : ~ un veneno.

eliminatorio, ria *adj.* 배제·제거의. —*m.* 【운동】예선.

elimo *m.* 【식물】이삭이 타원형으로 된 보리 (rompesacos).

elipse *f.* [*gr.* elleipsis] 타원(형) : La órbita de la Tierra es una ~ 지구의 궤도는 타원형이다.

elipsis *f.* [*gr.* elleipsis] 【문법】생략형, 생략문 《예 : ¿Qué tal te parece? 에서의 ¿Qué tal?》.

elipsógrafo *m.* 타원·타원형 자.

elipsoidal *adj.* 타원형의, 타원체의.

elipsoide *f.(m.)* 타원면, 타원체.

elípticamente *adv.* 생략형으로, 간단히 : expresarse ~.

elipticidad *f.* 타원형 : la ~ de la órbita terrestre.

elíptico ca *adj.* ① 타원의, 타원형의 : trazar una ~*ca* 타원형을 그리다. ②【문법】생략형의 : proposición ~*ca* 생략문.

elisano, na *adj. m.f.* 루세나《Lucena, Córdoba 주의 한 도시》의 (사람).

elíseo, a *adj.* 선경·극락 세계《희랍·로마 신화의 Campos Elíseos》의 : Campos *Eliseos* 귀인·영웅의 영혼이 산다는 선경 ; 낙원, 황천(黃泉) ; 파리의 샹 젤리제 가로수길. —*m.* [el E-] 신화에서의 Campos Elíseos ; 프랑스 대통령 관저.

elisio, sia *adj.* =**elíseo.**

elisión *f.* 【문법】연어 모음의 생략《예 : a el → al》.

élite *f.* 《*Neol.*》 엘리트.

elitismo *m.* 엘리트에 의한 지배, 엘리트 의식·자존심.

elitista *adj.* elitismo의·에 관한.

élitro *m.* [*gr.* elutron] 【동물】(초시류의) 날개, 날개 덮개 : los ~*s* del abejorro.

elixir *m.* =**elíxir.**

elíxir *m.* ① 연금술사의 약. ② 약술, 강장주 (licor medicinal) : Los ~*es* se usan principalmente como estomacales 엘릭시르는 주로 건위제로 사용된다. ③ 선단. ④ 묘약, 선약, 영약 (medicamento maravilloso) : ~ de larga vida 장수의 영약. ⑤ 정(精), 정수(精粹). ⑥ 방향 감미료《약》.

ella *pron.* [*lat.* illa] [3인칭 여성 단수 주격·전치사격 대명사] 그녀, 그것.
—*f.* [ser와 때나 장소의 부사와 같이 사용하여] 사건, 문제 : Mañana será ~ 내일이 문제다.

Allí fue ~ 그 점이 골칫거리였다.

ellas *pron.* [3인칭 여성 복수 주격·전치사격 대명사] 그녀들, 그것들 : Estamos a ~ 자, 동점이다.

elle *f.* 서반아어 알파벳 ll자의 명칭.

ello *pron.* ① [중성 주격 대명사, 앞에 말한 일이나 말하는 사람의 의식 내용을 가리켜] 그것, 저것, 그 일. ② [ella 와 같은 용법으로] 사건, 문제 : Ahora es ~ 지금이 중요하다, 지금이 문제다.

~ ***es que*** 그것은 어떻든 간에.

Hay de ~ ***con de*** ~ 어느 것이나 다 있다.

ellos, llas *pron.* [3인칭의 복수 주격·전치사격 대명사] 그들, 그것들.

¡A ~! 자, 때려 잡아라 !

e.l.m. ; E.L.M. estrecha la mano.

elocución *f.* [*lat.* elocutio] 화술 ; 철자법 ; 연설법.

elocuencia *f.* [*lat.* eloquentia] 웅변, 능변 ; 웅변법(oratoria).

elocuente *adj.* ① 웅변의, 능변인, 말솜씨 좋은 : orador ~. ② 생각하는 바를 잘 나타내는 : mirada ~ . ③ 감동시키는 : lágrimas ~*s*.

elocuentemente *adv.* 웅변으로, 기막힌 말솜씨로, 능변으로 : defender ~ una causa.

elocutivo, va *adj.* 설득하는.

elogiable *adj.* 칭찬할 수 있는, 찬양할 만한.

elogiador, ra *adj.* 칭찬하는. —*m.f.* 칭찬자, 찬양자.

elogiar *tr.* [11] 칭찬·찬양하다(alabar) : Nunca *elogia* a nadie 그는 절대 아무도 칭찬하지 않는다. [Contr.] censurar, vituperar, criticar.

elogio *m.* [*lat.* elogium] 찬양, 칭찬 ; 상찬(賞讚), 찬사(alabanza, loa, encomio) : abrumar a ~*s* 격찬하다. [Contr.] censura.

elogioso, sa *adj.* 칭찬의, 찬양의. [Contr.] cáustico, crítico.

elongación *f.* ① (태양과 유성의) 거리. ② (신경·신체의) 늘어남, 늘어짐.

elotada *f.* 《*Méx.*》 elote 간식, 군것질.

elote *m.* [*mej.* elotl] 《*Méx. AmérC.*》 연한 옥수수의 이삭(mazorca de maíz tierno).

pagar los ~*s* 남의 허물을 뒤집어쓰다.

elucidación *f.* 해명(解明), 설명(declaración, explicación).

elucidar *tr.* 해명·설명하다, 분명히 하다, 확실히 하다(aclarar, explicar, dilucidar).

elucidario *m.* 설명서, 해명서.

eluctable *adj.* 《*Neol.*》 =**eludible.**

elucubración *f.* =**lucubración.**

elucubrar *tr.* =**lucubrar.**

eludible *adj.* 피할 수 있는.

eludir *tr.* [*lat.* eludere] 벗어나다, 회피하다 : ~ una dificultad 어려움을 벗어나다. ~ la ley 법망을 빠져 나가다.

elusivo, va *adj.* 벗어난, 피하는.

elzevir *m.* =**elzevirio.**

elzeviriano, na *adj.* 16·17세기의 네덜란드의 인쇄소 주인 Elzevir가 발행한 ; Elzevir 책과 같은 활자의 : edición ~*na*.

elzevirio *m.* 엘제비아 본(의 활자체).

E.M. Estado Mayor 참모 본부.

Em.[a] Eminencia.

emaciación *f.* 《*Neol.*》 =**demacración.**

emaciado, da *adj.* 《*Neol.*》 여윈, 쇠약해진, 살이 빠진(demacrado).

emanación *f.* ① 발산, 발산물, 발생 ; 유출(efluvio) ; 발산물, 냄새 : Los olores son ~*es* 냄새는 발산물이다. ②【화학】에마나치온《방사성 희가스 원소 라돈의 다른 이름》.

emanante *adj.* 발산하는 ; 유출하는.

emanantismo *m.* 만유 유출설.

emanantista *adj.* 만유 유출설의. —*m.f.* 만유 유출설 주의자.

emanar *intr.* [*lat.* emanare] ① 발산하다 : el olor que *emana de* las flores. ② 유출하다, 나오다, 스며 나오다(dimanar). ③ 방사하다.

emancipación *f.* ① 해방 : la ~ de las mujeres 여성의 해방. ② 노예 해방. ③ 독립.

emancipador, ra *adj.* 해방하는. —*m.f.* 해방자.

emancipar *tr.* [*lat.* emancipare] 해방하다 : ~ a los esclavos 노예를 해방하다.

~se 해방되다, 자유로운 몸이 되다, 독립하다.

emasculación *f.* 거세(castración).

emascular *tr.* 거세하다(castrar).

emb. embarque 선적.

embabiamiento *m.* =**embobamiento.**

embabucar *tr.* [7] 속이다, 사기하다, 속임수를 쓰다(embaucar).

embachar *tr.* (양 등을 털을 깎기 전에) 발한장(發汗場)에 넣다.

embadurnador, ra *adj. m.f.* 칠하는, 바르는 (사람).

embadurnar *tr.* ① 칠하다(untar, embarrar) : ~ una pared. ② 더덕더덕 바르다·칠하다, 아무렇게나 칠하다(pintarrajear). ③ 더럽히다.

embaición *f.* =**embaimiento.**

embaidor, ra *adj.* 속이는, 속임수의. —*m.f.* 야바위꾼, 바람잡이(charlatán).

embaimiento *m.* 야바위, 속임수.

embair *tr.* ① 유창한 말로 속이다. ② 얼렁뚱땅하다, 속이다(engañar). ③ 혼란시키다, 혼미시키다. ④ 학대하다. [*N.* 활용 어미에 i가 있는 형에만 활용].

embajada *f.* [*ital.* ambasciata] ① 대사관 : *E*~ de la República de Corea en España 서반아 주재 대한민국 대사관. ② [집합] 사절 ; 사절단. ③ 대사의 직(cargo de embajador). ④ 대사 관저. ⑤ 골치 아픈 일 : Con buena ~ me viene usted.

embajador *m.* [*ital.* ambasciatore] ① 대사 : ~ de España en Seúl 서울 주재 서반아 대사. ② 사절(enviado). ③ 밀사(emisario).

~ ***extraordinario y plenipotenciario*** 특명 전권 대사.

embajadora *f.* 여자 대사 ; 대사 부인 ; 여성 사절 ; 심부름하는 여자.

embajatriz *f.* 【속어】 =**embajadora.**

embalador, ra *m.f.* 포장하는 사람 ; 포장 담당자, 발송·운송 부원 ; 포장 업자. —*m.* 운송점.

embaladura *f.* 《*Chile. Perú.*》 =**embalaje.**

embalaje *m.* ① 포장(하는 일), 꾸러미. ② 포장의 중량. ③ 포장비(gastos de ~).

~ ***al precio de coste*** 원가 포장. ~ ***aparte·no incluido*** 포장료 별도 지불. ~ ***de madera*** 나무

E

상자포장. ~ *defectuoso·deficiente* 불완전 포장, 결함 포장, 포장 불비(不備). ~ *especial* 특수 포장. ~ *exterior* 외장(外裝). ~ *impermeable al agua* 내수(耐水) 포장. ~ *inapropiado* 부적당한 포장. ~ *insuficiente* 불충분한 포장. ~ *interior* 내장(內裝). ~ *marítimo* 내항성(耐航性) 포장. ~ *original* 원(原) 포장. ~ *para exprotación* 수출용 포장. ~ *usual·corriente* 통상 포장.

embalar *tr.* 포장하다, 짐을 꾸리다(empaquetear) : ~ una mercancia frágil. [Contr.] desembalar.
—*intr.* ① 바다를 철썩거려 물고기를 그물에 몰아넣다. ② (경기 등에서) 마지막 피치를 올리다, 마지막 힘을 내다, 역주하다. ③ (자동차에서) 액셀러레이터를 밟다. ④《*Ant.*》 도망치다, 피신하다, 피하다. ⑤《*Méx.*》 총에 탄알을 재다.

embaldosado *adj.m.* 납작돌이나 콘크리트 블록(baldosa)을 깐 (곳) ; 포장.

embaldosadura *f.* =**embaldosado.**

embaldosar *tr.* 돌·블록으로 포장하다.

emballenado *m.* 코르셋용 철사로 짠 물건·테.

emballenador, ra *adj.m.f.* 코르셋용 철사로 꾸미는 (사람).

emballenar *tr.* 코르셋 등에 철사를 넣다 : ~ un corsé 코르셋에 철사를 넣다.

emballestado, da *adj.* 발목이 굽은 : un caballo ~ 발목이 굽은 말.

emballestarse *r.* (말의) 발목이 굽다.

embalsadero *m.* 빗물이 고인 곳, 웅덩이.

embalsado *m.* 《*Arg.*》 물풀로 이는 지붕.

embalsamador, ra *adj.* 향수를 뿌리는 ; 방부처리하는.

embalsamamiento *m.* ① 향수를 뿌리는 일. ② 방부(防腐).

embalsamar *tr.* ① (…에) 향수를 뿌리다 : Las flores *embalsamaban* el aire. ② (시체를) 방부 처리하다.

embalsar *tr.* ① 물웅덩이를 파다 ; (물을) 모으다, 저수하다. ②《*Col.*》 배로 건너다.
~**se** 물웅덩이에 흘러 들다 ; 물이 한군데 고이다, 물웅덩이가 되다 ; 물이 넘치다 (rebalsarse).

embalse *m.* 저수지, 댐 ; 저수(량).

embalumar *tr.* 짐을 무질서하게 챙기다·다루다(disponer una carga con desigualdad).
~**se** 골치 아픈 일을 떠맡다.

embanastar *tr.* ① 광주리 안에 넣다 : ~ la fruta. ② 콩나물 시루처럼 우겨넣다. ③ 삼키다 (tragar).

embancarse *r.* 7 ①《*Amér.*》 강이나 늪 등이 흙모래로 막히다. ②《*Méx.*》 용광로 벽에 광재(鑛滓)가 끼다. ③ 선박이 좌초하다.

embanderar *tr.* 깃발로 장식하다.

embanquetado *m.* 《*Méx.*》 보도(步道), 인도 (banqueta, acera).

embanquetar *tr.* 도로에 보도를 내다.

embarazadamente *adv.* 시원찮게, 더듬더듬 : hablar ~ .

embarazado, da *adj.* ① 방해를 받은. ② 임신한(preñada) : una mujer ~*da* de seis meses 임신 6개월의 여자. —*f.* 임산부.

embarazador, ra *adj.* 방해하는 ; 임신시킨.

embarazar *tr.* 9 ① 훼방 놓다, 방해하다, 저지하다(impedir, estorbar) : ~ el paso. ② 임신시키다(poner encinta a una mujer).
~**se** 방해를 받다 ; 임신하다 ; 귀찮게 생각하다.

embarazo *m.* ① 방해 ; 고장, 장해, 장애(obstáculo) : ~ gástrico 위장 장애. ② 임신, 잉태, 회임, 회잉(懷孕)(preñado de la mujer) ; 임신기간.

embarazosamente *adv.* 난처하게, 할 수 없이, 어설프게.

embarazoso, sa *adj.* ① 난처한, 어려운, 괴로운 : situaciones ~*sas* 난처한 입장. ② 방해가 된, 골치 아픈 : paquete ~ .

embarbar *tr.* (소의) 뿔을 붙잡아 꼼짝 못하게 하다.

embarbascarse *r.* 7 ① 뒤범벅이 되다, 얽히다 : ~ en sus explicaciones. ② (쟁기가) 그루터기에 박히다.

embarbecer *intr.* 31 턱수염이 자라다.

embarbillado, da *adj.* embarbillar의 *p.p.*
—*m.* (목재를) 서로 물리게 놓는 일.

embarbillar *tr.intr.* (목재와 목재를) 서로 물리게 놓다 : ~ dos maderos.

embarcación *f.* ① 배, 선박(barco) : ~ menor·pequeña 소형 선박. ② 승선(embarco). ③ 선적. ④ 항해 일수.

embarcadero *m.* ① 잔교 ; 선창, 부두 ; 승선장, 적하장. ②【속어】 (역의) 플랫폼(andén). ③《*Arg.*》 역의 마소가 짐을 싣는 곳.

embarcador *m.* 적재자, 부두 노무자 ; 하주, 화물 탁송인.

embarcar *tr.* 7 ① 배·항공기·기차에 싣다·태우다, 선적하다(poner en un barco) : ~ carbón. ② 배·기차로 발송하다. ③ (사업·골치 아픈 일에) 관계시키다, 끌어들이다(meter a uno en un negocio) : La *embarcaron* en una empresa poco ventajosa. ④《*Amér.*》 속이다.
—*intr.* 승선하다.
~**se** ① 승선하다, 승차하다, 탑승하다(subir a un barco). ② 갑판 위로 파도가 밀어닥치다. ③ 배·기차·비행기를 타고 가다. ④ 연루하다, 관계하다(meterse, enredarse) : ~ *en* un pleito.

embarcinar *tr.* 《*Cuba.*》 실을 뽑다·잣다.

embarco *m.* 승선, 승차 ; 적하.

embardar *tr.* 진흙에 짚을 넣어 이기다 ; 짚이나 가지를 얹다 : ~ una tapia.

embargable *adj.* 압류·강제 관리할 수 있는.

embargado, da *m.f.* 피압류인.

embargador, ra *adj.m.f.* 압류하는 (사람).

embargamiento *m.* 방해(embelesamiento).

embargante *adj.* 가로막는, 방해하는.
no ~ [드뭄] 그럼에도 불구하고(sin embargo).

embargar *tr.* 8 ① 방해하다, 훼방 놓다. ② 구속하다. ③ (감각 등을) 마비시키다 : El dolor me *embargó* los sentidos. ④ 붙잡다 : la emoción que me *embarga* 나를 사로잡은 감동. ⑤ 압류하다 : el *embargado* 압류당한 사람.

embargo *m.* ① 소화 불량, 위가 약해짐 (indigestación). ② 압류 : levantar el ~ 압류를 해제하다. proceder al ~ 압류 수속을 밟다. ③ 선박 억류. ④ 수출 금지, 통상 정지.
~ *precautorio·preventivo* 유치권, 선취 특권.

sin ~ 그렇지만, 그럼에도 불구하고, 그러나 (no obstante).

embarnecer *intr.* 31 살찌다, 비만해지다 (engordar).

embarnecimiento *m.* 비만(해지는 일).

embarnizadura *f.* 니스를 칠하는 일 ; 도장(塗裝) ; 도장 공사.

embarnizar *tr.* 니스를 칠하다 ; 도장(塗裝)하다 (barnizar).

embarque *m.* ① 싣기 ; 선적 ; (주로 선박에서의) 출하, 적송(積送) : ~ de mercancías 적송. ~ en dos puertos 두 항구 선적. ~ en el mes corriente 월내(月內) 선적. ~ inmediato 즉시 선적. ~ mezclado 혼합 선적. ~ parcial 분할 선적. ~ por sí mismo 자가(自家) 선적. conocimiento de ~ 선하 증권. nota de ~ 선적 송장. orden·instrucción de ~ 선적 오더. ② 승선, 승차, 탑승 : tarjeta de ~ 비행기 탑승권.

embarrada *f.* 《*Arg. Chile.*》 예상에서 빗나감, 예상 밖의 일 ; 실책, 과실.

embarradilla *f.* 《*Méx.*》 샌드위치의 일종.

embarrado, da *adj.* embarrar의 *p.p.* —*m.* 흙칠.

embarrador, ra *adj.* ① 흙을 칠하는. ② 거짓말을 잘하는, 속이는. —*m.f.* ① 흙 칠하는 사람. ② 야바위꾼, 사기꾼.

embarradura *f.* 흙을 바르는 일.

embarrancar(se) *intr.* (*r.*) 7 ① (배가) 가라앉다, 좌초하다. ② (차가) 수렁에 빠지다 : El carro *se embarrancó.* ③ 몸을 놀리지 못하게 되다. ④ 벼랑으로 떨어지다.

embarrar *tr.* ① (벽 등에) 초벽을 바르다 ; 벽을 하얗게 칠하다 ; (진흙 따위로) 더럽히다 ; 바르다, 칠하다. ② (지레를) 물리다. ③ (못된 일에) 끌어넣다. ④ 《*Arg. Chile.*》 곤란하게 만들다 (fastidiar).

embarrarla 《*Arg.*》 실책을 범하다(cometer un pifia).

embarrialarse *r.* 《*AmérC.*》 ① 진흙투성이가 되다(enlodarse). ② (진흙 따위로) 막히다.

embarrilador *m.* 통에 물건을 넣는 사람·기계.

embarrilar *tr.* ① 통에 물건을 넣다 : ~ vino. ② 《*Cuba.*》 죽이다.

embarrizarse *r.* =**enlodarse.**

embarrotar *tr.* 잠그다, 압박하다, 조이다(abarrotar, apretar).

embarullador, ra *adj. m.f.* 뒤섞는 (사람).

embarullar *tr.* ① 뒤섞다. ② 아무렇게나 해버리다, 조급하게 해치우다(hacer las cosas atropelladamente).

embasamiento *m.* 【건축】 토대, 초석(basa).

embastar *tr.* 수틀에 끼우다 ; (방석을) 홀치다, 시침질하다 ; 가봉하다, 꿍그리하다 ; (말 따위에) 길마를 얹다.

embaste *m.* 시침질(hilván, costura a puntadas largas).

embastecer *intr.* 31 살찌다(embarnecer). ~**se** 천박해지다.

embate *m.* 맹습, 급습, 강습 ; 파도에 밀려옴 : los ~*s* del mar.

embaucador, ra *adj.* 속이는, 사기하는. —*m.f.* 사기꾼.

embaucamiento *m.* 사기, 속임수, 암수(暗數), 농락(engaño).

embaucar *tr.* 7 17 농락하다, 속이다, 사기치다(embabucar, alucinar, engañar).

embaulado, da *adj.* [embaular의 *p.p.*] =**apretado, apretujado.**

embaular *tr.* 17 ① 트렁크에 채워 넣다 : ~ ropa. ② 실컷 먹다(tragar).

embausamiento *m.* 건성, 방심.

embayarse *r.* 《*Urug.*》 =**enojarse.**

embazador, ra *adj.* 갈색물을 들이는 ; 방해하는 ; 넋을 잃은.

embazadura *f.* ① 갈색으로 칠하기·물들이기. ② 놀람 ; 감탄. ③ 진절머리.

embazar *tr.* 9 ① 갈색물을 들이다 : *Se embazan* los bordados blancos mojándolos en café muy aguado. ② 방해하다. ③ 기막히게 말을 듣다.

—*intr.* 어리둥절해지다, 넋을 잃다.

~**se** ① 따분해 하다. ② 싫증을 내다, 진절머리 내다. ③ 위장에 부담을 주다. ④ 경악하다, 놀라다.

embebecer *tr.* 31 기쁘게 하다, 즐겁게 하다, 몰두시키다, 넋을 잃고 보게 만들다.

~**se** ① 황홀해지다. ② [+ en + *inf.*] 황홀해서 …하다 : ~*se en* mirar 황홀해서 바라보다.

embebecidamente *adv.* 황홀해서, 넋을 잃고.

embebecimiento *m.* 황홀, 심취, 열중, 무아경(embeleo).

embebedor, ra *adj.* 흡수하는, 스며드는.

embeber *tr.* ① 빨아들이다, 흡수하다 : La esponja *embebe* el agua 스펀지는 물기를 빨아들인다. ② 흠뻑 적시다. ③ [+ de·en : …을] 스며들게 하다 : ~ una esponja *de·en* agua 해면에 물을 스며들게 하다. ④ 끼워 넣다 (encajar). ⑤ (한 쪽 귀퉁이를) 접다.

—*intr.* 위축되다, 오므라들다, 줄다 : Las telas de lana suelen ~ cuando se lavan.

~**se** ① 황홀경에 빠지다, 마음이 느긋해지다. ② [+ en : …에] 빠져 있다·심취하다 : ~ *del* espíritu· *en* la poética 술에·시에 도취되다.

embebido, da *adj.* embeber의 *p.p.*

embebimiento *m.* embeber 하는 일.

embecadura *f.* 【건축】 삼각광(enjuta).

embejucar *tr.* 7 《*Amer.*》 ① 덩굴풀로 감다 ; 덩굴풀로 겨루다. ② 난감하게 만들다, 갈피를 못 잡게 하다(desorientar).

~**se** ① 어려워지다, 난감해지다. ② 얽히다. ③ 《*Col.*》 여위다.

embelecador, ra *adj.m.f.* 속이는 (사람).

embelecamiento *m.* =**embeleco.**

embelecar *tr.* 7 속이다(engañar).

embeleco *m.* ① 속임수, 사기 ; 허풍(embuste, engaño). ② 골칫거리 (사람).

embeleñar *tr.* 싸리풀(beleño)로 취하게 하다 ; 황홀경에 빠지게 하다(embelesar).

embelequería *f.* 《*Col. Chile.*》 =**embeleco.**

embelequero, ra *adj.* 《*Amér.*》 =**embelesador.**

embelesador, ra *adj.* 경박스런, 방정맞은, 호들갑스런.

embelesamiento *m.* =**embeleso.**

E

embelesar *tr.* 황홀경에 빠지게 하다 : ~ a los oyentes.
~se ① [+ con : …에] 열중하다 : La madre *se embelesa con* el niño. ② [+ en + *inf.*] 황홀해서 …하다 : ~*se en* oir 황홀해서 듣다.
embeleso *m.* 황홀(경), 무아경, 심취, 열중; 홀딱 빠지게 하는 것·일 : Esta escena es un ~.
embelga *f.* 《*Ast. León.*》 =**bancal.**
embellaquecerse *r.* 31 불량해지다; 깡패가 되다, 불량배가 되다.
embellecedor, ra *m.f.* 미용사; 전문 미용인.
embellecer *tr.* 31 미화하다, 아름답게 꾸미다 : ~ su estilo con las flores de la retórica.
embellecimiento *m.* 미화; 장식.
embermejar *tr.* =**embermejecer.**
embermejecer *tr.* 31 ① 주홍색으로 물들이다 (teñir de bermejo). ② 무안을 주다, 창피를 주다(avergonzar). —*intr.* 주홍색이 되다, 벌겋게 되다.
~se 얼굴을 붉히다.
emberrenchinarse *r.* =**emberrincharse.**
emberrincharse *r.* 성내다, 화내다, 투정하다, 타박하다(enfadarse, encolerizarse) : Los niños *se emberrinchan* fácilmente.
embestida *f.* 강습, 습격, 공격(ataque) : la ~ de un toro.
embestidor, ra *adj.m.f.* 습격하는·덮치는 (사람); (돈이나 물건을) 뜯으러 오는 (사람); 눈물 작전으로 돈을 뜯는 사람.
embestidura *f.* 습격, 공격(embestida, acometimiento).
embestir *intr.* 43 [+ con · contra : …을] 덮치다, 공격하다, 습격하다 (arremeter) : ~ *con · contra* uno. —*tr.* ① (…에) 강청하다, 치근덕거리다, 강요하다. ② 습격하다, 공격하다, 덮치다 : ~ al enemigo.
embetunador *m.* 칠장이; 구두닦이.
embetunar *tr.* ① 칠하다. ② (…에) 콜타르(betún)를 칠하다. ③ (구두에) 구두약을 칠하다 : ~ botas. ④ 《*Cuba.*》 (담배에) 향료를 넣다.
embicadura *f.* 돛대를 비스듬히 눕히는 일; 구멍에 끼워넣기.
embicar *tr.* 7 ① (조의를 표하고자) 돛대를 비스듬히 눕히다. ② 《*Cuba.*》 구멍에 끼워 넣다. ③ 《*Méx.*》 기물을 엎어 놓다·기울이다. —*intr.* 《*Amér.*》 배가 육지에 얹히다.
~se 《*Méx.*》 술을 마시다 : *Se embicó* un trago.
embicharse *r.* 《*Arg.*》 구더기가 끼다.
embijado, da *adj.* [embijar의 *p.p.*] 《*Méx.*》 = **desigual, diferente.**
embijar *tr.* ① 붉게 칠하다; 염색하다 : Hay salvajes que *se embijan* el rostro. ② 《*AmérC. Méx.*》 더럽히다(ensuciar).
embije *m.* embijar하는 일.
embique *m.* 《*Cuba.*》 embicar하는 일.
embizcar(se) *intr.(r.)* 7 사팔뜨기가 되다.
embizmar *tr.* 고약·연고를 붙이다.
emblandecer *tr.* 31 부드럽게 하다, 연하게 하다, 연화시키다(ablandar).
~se 부드럽게·연하게 되다; 상냥해지다.
emblanquecer *tr.* 31 희게 하다, 표백하다; 하얗게 칠하다.
~se 희어지다.
emblanquecimiento *m.* 흰칠; 표백.
emblema *m.(f.)* [*gr.* emblêma] 기호; 기장; 배지, 휘장; 징표, 상징 : La perla es ~ del pudor.
emblemáticamente *adv.* 상징적으로.
emblemático, ca *adj.* 기장(記章)의; 표상의; 상징적인, 전형적인 : Los jeroglíficos son figuras ~*cas*.
emboamiento *m.* =**suspensión, embeleso.**
emboar *tr.* 《*Cuba.*》 속이다, 사기하다, 감언이설로 꼬이다, 등을 치다(hechizar).
embobado, da *adj.* 멍청한.
embobamiento *m.* 황홀, 심취, 열중, 방심(embeleso).
embobar *tr.* 바보로 만들다, 멍청하게 만들다(embelesar, atontar).
~se [+ con · de · en : …으로] 멍청해지다, 황홀경에 빠지다 : ~ *con · de · en* algo.
embobecer *tr.* 31 바보로 만들다, 정신을 빼다. —*intr.*, **~se** 바보가 되다, 멍청이가 되다, 멍청해지다 : ~*se* con novelas.
embobecimiento *m.* 천치, 백치, 얼간이, 바보(bobería).
embocadero *m.* (두꺼운 벽에 낸) 입구, 작은 문, 뒷문(portillo).
embocado, da *adj.* 향기 그윽한(abocado).
embocador, ra *adj.* 끼우는; 입에 넣는.
embocadura *f.* ① 끼어들기. ② (취주 악기의) 부리(boquilla). ③ (마구의) 재갈. ④ (술의) 입대는 부분(bocado). ⑤ 포도주의 맛 : vino de mala ~. ⑥ 강어귀, 하구(河口), 입항로. ⑦ (극장에서) 분장실 입구.
tomar la ~ 손을 대다, (신중하게) 시작하다; 당초의 어려움을 극복하다; (악기를) 조용히 불기 시작하다; 첫 어려움을 이겨내다.
embocamiento *m.* embocar하는 일.
embocar *tr.* 7 ① 안에 넣다, 밀어 넣다, 끼우다 : ~ un tubo. ② 입에 넣다(meter por la boca). ③ 믿게 만들다 : ~ una noticia. ④ 게걸스럽게 먹다. ⑤ 억지로 떼어 맡기다, 떼어 붙다. ⑥ 퍼붓기 시작하다 : ~ a uno un jarro de agua. ⑦ 손을 대다, 착수하다, 시작하다.
~se 끼어들다 : *Me emboqué en* una calleja.
embochicar *tr.* 7 《*Chile.*》 갓을 두르다.
embochinchar *tr.* 《*Amér.*》 말썽을 부리다, 시끄럽게 하다(alborotar).
~se 소란을 피우다.
embocinado, da *adj.* 나팔(bocina) 모양의(abocinado).
embocinarse *r.* 《*Chile.*》 =**enredarse.**
embodegar *tr.* 8 창고·곳간에 넣다, 입고시키다 : ~ el vino.
embojar *tr.* (누에 시렁에) 섶을 넣어 주다.
embojo *m.* 섶을 넣어 주는 일; 섶.
embojotar *tr.* 《*Venez.*》 ① 결속시키다(liar). ② (물건의) 크기·모양을 만들다. ③ 시기치다, 속이다(engañar).
embolada *f.* 모터의 피스톤 밸브 운동.
embolado, da *adj.* embolar의 *p.p.* —*m.* ① 뿔에 나무공을 끼운 투우. ② (연극의) 단역(papel corto). ③ 눈속임.
embolar *tr.* ① (투우의) 뿔에 나무공을 끼우다. ② (구두에) 구두약을 칠하다. ③ 《*AmérC.*

Méx.》 취하게 하다(emborrachar).

embolatar *tr.* 《*Col.*》 ① 일이 꼬이게 만들다, 휘감기게 하다, 혼란하게 하다, 뒤얽히게 하다, 분규를 일으키다, 복잡하게 만들다(enredar). ② 속이다(engañar). ③ 지체시키다, 지연시키다.
~se 《*Col.*》 ① 분규를 일으키다; 일에 말려들다. ② 길을 잃다, 방향을 잃다(perderse).

embolia *f.* [*gr.* embolê] 【의학】 혈전병.

embolicar *tr.* 7 【방언】 뒤죽박죽으로 만들다.

embolinarse *r.* 《*Chile.*》 어쩔 줄 모르고 쩔쩔매다, 당혹하다(confundirse).

embolismador, ra *adj.m.f.* 놀려주는, 우롱하는 (사람), 일을 뒤숭숭하게 만드는 (사람).

embolismal *adj.* (음력에서) 윤달이 든 : mes ~.

embolismar *tr.* ① 놀리다, 조롱·우롱하다. ② 모략하다, 중상하다. ③ 《*Chile.*》 부추기다, 사주하다.

embolismático, ca *adj.* 뜻을 알 수 없는, 혼돈된, 애매한 : lenguaje ~.

embolismo *m.* ① 그리스력의 태양력과 음력의 차이를 메꾸기 위한 윤달 삽입. ② 번잡; 분규. ③ 우롱, 조롱.

embollar *tr.* 《*Ant.*》 바가지를 씌우다; 속이다.

émbolo *m.* [*gr.* embolos] 【기계】 피스톤, 마개, 판. **Sinón.** pistón.

embolsar *tr.* ① 자루·지갑 속에 넣다(poner en una bolsa) : ~ dinero. ② (돈을) 받다, 벌다.
~se 《*Col.*》 무의식적으로 설사를 하다.

embolsicar *tr.* 7 《*Amér.*》 호주머니·지갑·주머니에 넣다; (꾸어 주었던 돈을) 회수하다.

embolso *m.* 돈을 받아들이기, 벌이.

embonada *f.* 개선; 폭넓히는 일; 거름을 주기.

embonar *tr.* ① 개선하다. ② 널판자로 배의 너비·폭을 넓히다. ③ 《*Amér.*》 거름을 주다(abonar). ④ 《*Ecuad.*》 맞추다, 조정하다(ajustar). **—*intr.*** 《*Cuba. Méx.*》 맞다 : Este sombrero no me *embona* 이 모자는 나한테 안 맞는다.

embono *m.* 선체의 겉판자.

emboñigar *tr.* 8 (…에) 쇠똥을 칠하다.

emboque *m.* 빠져 나옴; 끼어 들어가기; 속임수.

emboquillado, da *adj.* emboquillar의 *p.p.*
—*m.* 담뱃대에 재워 넣기; 벽돌의 사이를 메우기.

emboquillar *tr.* ① (담배를) 담뱃대·파이프에 재워 넣다. ② (터널 등의 입구를) 바로 내다. ③ 《*Chile.*》 (벽돌의) 사이를 메우다.

embornal *m.* (갑판의) 배수구.

emborrachador, ra *adj.* (사람을) 취하게 하는; 어질증·현기증을 일으키는.

emborrachamiento *m.* 술에 취함, 대취, 명정(酩酊), 주정(embriaguez).

emborrachar *tr.* ① 취하게 하다(causar embriaguez). ② 최면하다, 잠들게 하다 (adormecer) : Los frutos de ciertas plantas *emborrachan* a los animales.
~se ① [+ con·de : …에] 취하다 : *~se con·de* aguardiente. ② (염색이) 서로 번지다.

emborrar *tr.* ① (…에) 털을 넣어 부풀리다; (양털을) 빗다. ② 단단히 타이르다, 믿게 만들다. ③ 먹다, 삼키다(embocar, tragar).

emborrascar *tr.* 7 성나게 하다, 노하게 하다, 화나게 하다, 격앙시키다(irritar).
~se ① 격분하다. ② 벌이가 시원치 않다, 경기가 없어지다. ③ 《*Amér.*》 (광산에서) 광맥이 끊어지다.

emborrazamiento *m.* emborrazar 하기.

emborrazar *tr.* 9 (통째로 구은 칠면조에) 소금에 간한 돼지고기를 얹다·양념 국물을 치다.

emborricarse *r.* 7 홀딱 반하다; 어떤 일에·사람에게 홀딱 빠지다.

emborrizar *tr.* 9 ① (양털을) 빗다. ② 《*And.*》 (튀길 것을) 계란과 밀가루로 반죽하다.

emborronador, ra *adj.m.f.* 휘갈겨 쓰는 (사람).

emborronar *tr.* (종이에) 긁적거리다; 아무렇게나 쓰다, 마구 휘갈겨 쓰다, 알아보지 못하게 쓰다.

emborrullarse *r.* 서로 말다툼을 하다, 언쟁하다.

emborucar *tr.* 7 《*Méx.*》 혼돈·혼란시키다, 뒤범벅으로 만들다(confundir).

emborujar *tr.* =**emburujar.**

emboscada *f.* 매복; 복병; 함정; 매복 장소.

emboscadura *f.* 매복(asechanza); 매복 장소.

emboscar *tr.* 7 잠복시키다, 매복시키다(poner en emboscada).
~se (덤불 속에) 숨다; 매복하다; 하기 싫은 일에서 꽁무니를 빼다.

embosquecer *intr.* 31 수목이 무성해지다(hacerse bosque) : Aquel país acabó por ~.

embostar *tr.* ① 퇴비(bosta)를 주다. ② 《*Arg. Venez.*》 쇠똥·흙으로 채워넣다.

embotado, da *adj.* ① 칼이 무디어진, 못쓰게 된. ② 통조림으로 된. ③ 장화를 신은.

embotador, ra *adj.* 날이 무딘, 이가 빠진, 둔탁한.

embotadura *f.* 날이 무디어짐, 날이 빠짐.

embotamiento *m.* =**embotadura.**

embotar *tr.* ① 날을 무디게 하다, 들지 않게 하다, (날이 있는 것을) 이가 빠지게 하다 : Las navajas de afeitar *se embotan* fácilmente sino se cuidan. ② (끝이 뾰족한 것을) 둥그스름하게 하다; 둔탁하게 하다. ③ (주로 담배를) 깡통 속에 넣다.
~se ① 무디어지다 : Mi cerebro estaba *embotado* 내 머리가 무디어져 있었다. ② 잘 들지 않게 되다. ③ 장화를 신다(ponerse las botas).

embotellado, da *adj.* 통조림한; 준비해 온 (연설·제안 등); 미리 만들어 둔 (시·노래).

embotellador, ra *m.f.* 병에 채워 넣는 일; 그 사람. **—*f.*** 병에 채워 넣는 기계.

embotellamiento *m.* ① 병에 채워 넣기. ② 암기해 둠. ③ 교통 봉쇄, 교통 체증.

embotellar *tr.* ① 병(botella)에 채워 넣다 : ~ vino. ② 가두어 놓다; (적함을) 봉쇄하다; 몰아세우다; 쩔쩔매게·꼼짝 못하게 하다. ③ 암기하다, 암기해 두다.
~se 《*Ant.*》 포위되다; (연설 등을) 통째로 암기하다.

emboticar *tr.* 7 【방언】 《*Chile.*》 쓸데없이 자꾸만 약을 먹이다; 약을 사모으다.
~se 약을 많이 먹다(medicinarse mucho).

embotijar *tr.* ① 식히는 도기 그릇(botijo,

E

botija)에 넣다. ②(습기가 차지 않도록) 항아리를 마루 밑에 늘어놓다.
~se ① 부풀다(hincharse). ② 화가 나서 뾰루퉁해지다(inflarse); 골내다, 성내다, 화내다, 노하다.

embovedado, da *adj.* [embovedar의 *p.p.*] 둥근 지붕(bóveda) 모양의. **—***m.* [집합] 둥근 지붕.

embovedar *tr.* (…에) 원형 천장을 두르다; 아치 모양으로 하다; 원형 천장 안에 넣다(abovedar).

embozadamente *adv.* 시치미를 떼고, 모르는 척하고, 내색도 하지 않고.

embozado, da *adj.* [embozar의 *p.p.*] =**envuelto, cubierto.**

embozalar *tr.* (개·말에) 부리망 (bozal)을 씌우다.

embozar *tr.* [9] ①(개·말에) 부리망을 씌우다; (얼굴의 눈 아래쪽을) 가리다; 가면을 쓰다, 얼굴을 가리다·감싸다(disfrazar). ② 변장시키다; 감추다, 숨기다(disfrazar).
~se [+ con·en : …으로] 얼굴을 파묻다, 얼굴의 눈 아래쪽을 가리다 : *~se en·con* la capa hasta los ojos.

embozo *m.* ①(망토 등의) 세운 깃; (이불의) 깃. ② 감추기, 숨기기. ③ 시치미 떼기, 능청 떨기; 위장. Contr. franqueza.
—*pl.* 접힌 부분에 대는 기다란 천.

embracilado, da *adj.* 안기는 버릇이 든 (아기).

embracilar *tr.* 안아 주다, 안다.

embragar *tr.* [8] (돌이나 무거운 짐에) 삼끈을 걸치다; (회전축을) 연동시키다, 맞물리다.

embrague *m.* 연동 장치, 클러치.

embramar *tr.* 《*Arg. Chile.*》 (마소를) 단단히 묶다.

embravecer *tr.* [31] 성나게 만들다, 화나게 만들다, 노하게 하다, 골이 나게 하다, 사납게 만들다(irritar, encolerizar). **—***intr.* (초목의 싹이나 나뭇가지가 자꾸만) 무성하게 퍼지다.
~se 사납게 울부짖다; 화를 참지 못하다, 미쳐 날뛰다(enfurecerse) : *~se* el mar.

embravecimiento *m.* =**cólera, furor, ira.**

embrazadura *f.* 방패의 손잡이(asa del escudo).

embrazar *tr.* [9] (방패의 손잡이에) 팔을 꿰다, 방패를 팔에 고정시키다.

embreado, da *adj.* 역청(brea)을 바른. **—***m.* 역청 바르기.

embreadura *f.* =**embreado.**

embrear *tr.* (…에) 역청(brea)을 바르다 : *Se embrean* los cables usados en el mar para evitar que se pudran.

embregarse *tr.* [8] 다투다, 입씨름하다, 언쟁하다, 말다툼하다.

embreñarse *r.* 황야로 들어가다.

embretar *tr.* 《*AmérC. Arg.*》 (마소를) 도살장 등에 들여 보내다.
~se 열중하다, 몰두하다.

embriagador, ra *adj.* ① 취하게 하는 : líquido ~ 취하게 하는 액체. ② 흐뭇한, 느긋한, 도취된.

embriagante *adj.* =**embriagador.**

embriagar *tr.* [8] 취하게 하다 (emborrachar) : Este vino *embriaga* muy fácilmente 이 술은 매우 쉽게 취하게 한다. Estaba *embriagado* por la emoción 감격해서 취해 있었다.
~se 취하다; 도취하다, 넋을 잃다, 열중하다 : *Se embriagaron* en la fiesta 그들은 파티에서 취해 있었다.

embriaguez *f.* 취함, 취기, 주정; 도취, 열중.

embribar *tr.* 《*Sal.*》 식사에 초대하다(convidar a comer, banquetear).

embridar *tr.* (말에) 고삐를 달다(poner la brida) : ~ un asno 당나귀에 고삐를 달다.

embriogenia *f.* 수태, 배태 작용.

embriogénico, ca *adj.* 수태의, 배태 작용의 : estado ~ .

embriología *f.* ①【동물】 발생학. ②【의학】 태생학.

embriológico, ca *adj.* 발생학의, 태생학의 : enseñanza *~ca.*

embrión *m.* [*gr.* embruion] ①【생물】 배(胚). ② 태아. ③ 유충(幼虫). ④ 근원, 기원, 시초; 징조, 싹, 기초, 기틀.

embrionario, ria *adj.* 배(胚)의; 태아의; 배태기의; 만들어지기 시작하는, 움트기 시작하는.

embrisar *tr.* 《*Mancha.*》 (맛을 맞추기 위해) 포도주에 넣다.

embriscar(se) *intr.(r.)* [7] 《*PRico.*》 도망치다, 뺑소니치다, 달아나다(huir).

embrisque *m.* 《*PRico.*》 도망, 도피(huida).

embroca *f.* [*lat.* embrokhě] 습포, 찜질(cataplasma).

embrocación *f.* ① 찜질. ② 약수 도포.

embrocar *tr.* [7] ①(딴 그릇으로) 비우다. ② 《*AmérC. Méx.*》 (그릇을) 엎다. ③(자수실을) 실패에 감다. ④(구두 밑창에) 징을 박다. ⑤ 소가 투우사를 두 뿔로 받다.
~se ① 엎어지다. ② 《*Méx.*》 치맛자락·사라뻬(sarape)를 걷어 올리다.

embrochado, da *adj. adj.* =**brochado.**

embrochalar *tr.* (대들보를) 가로대에 걸쳐 놓다.

embrolla *f.* =**embrollo.**

embrolladamente *adv.* 헝클어져, 일이 시끄러워져, 말썽거리가 되어.

embrollador, ra *adj.* 착잡하게 만드는, 시끄럽게 만드는. **—***m.f.* 말썽꾼.

embrollar *tr.* (일을) 시끄럽게 만들다, 난잡하게 하다, 어지럽히다, 말썽을 부리다.
~se 얽히다, 얽히고 설키다, 일이 시끄러워지다.

embrollista *adj.m.f.* 《*AmérM.*》 =**embrollón.**

embrollo *m.* 분규; 말썽거리; 거짓말, 수작.

embrollón, na *adj.* 수작을 잘 꾸미는; 일을 곧잘 시끄럽게 만드는. **—***m.f.* 말썽꾼.

embrolloso, sa *adj.* 골치 아픈 (사건).

embromador, ra *adj.m.f.* 우롱하는, 놀리는, 귀찮게 구는 (사람).

embromar *tr.* ① 얼렁뚱땅 둘러대다. ② 우롱하다, 업신여겨 놀리다. ③《*Amér.*》 귀찮게 굴다(fastidiar). ④ 해치다.
—*intr.*, **~se** ① 농담하다, 유머·해학을 지껄이다 : Se pasa el tiempo *embromando* a todo

el mundo 그는 누구에게나 농담을 하면서 시간을 보낸다. ②《Amér.》 손해를 입다.

embromista *adj.* 《Chile.》 농담을 하는. —*m.f.* 농담 잘하는 사람.

embromón, na *adj.* 《Ant.》 귀찮은, 골치 아픈.

embroquelarse *r.* 방패로 막다 ; 방위하다.

embroquetar *tr.* (굽기 위해 새의 다리를) 꼬챙이에 끼우다.

embrosquilar *tr.* 《Ar.》 (우리를 친 곳에) 가축을 가두다.

embrujador, ra *adj. m.f.* 우롱하는, 속이는 ; 요술을 부리는 (사람).

embrujamiento *m.* 우롱, 속이기 ; 요술.

embrujar *tr.* ① 골탕 먹이다, 우롱하다, 속이다. ② 요술을 부리다(hechizar).

embrujo *m.* 우롱, 희롱 ; 요술.

embrutecedor, ra *adj.* (남의 마음을) 을씨년스럽게 만드는, 사납게 만드는, 난폭하게 만드는.

embrutecer *tr.* 31 (마음을) 짐승같이 되게 하다, 난폭하게 만들다, 사납게 만들다(volver bruto) : hombre *embrutecido* por el vino 포도주를 마시고 난폭해진 사람.

embrutecimiento *m.* 금수화(禽獸化) ; 마음이 사나움.

embuchacarse *r.* 7 《AmérC. Méx.》 (남의 것을) 자기 호주머니에 넣다, 횡령하다.

embuchado *m.* ① 돼지 순대, 돼지 소시지. **Sinón.** embutido. ② 참고 참은 울화. ③ 표면적인 용건. ④ 부정 투표. ⑤ 나오는 대로 지껄이는 말. ⑥《Ant. Col.》 뱃속이 거북함.

embuchar *tr.* ① 소시지를 만들다 ; 다진 고기를 창자 속에 채워 넣다. ② (음식을) 그러넣다, 통째로 삼키다(tragar).
~se 《Amér.》 공연히 화내다(enojarse sin motivo).

embuciar *tr.* 【은어】 =**embuchar.**

embudado, da *adj.* 깔때기같은.

embudador, ra *m.f.* 깔때기를 꽂는 사람.

embudar *tr.* ① 깔때기를 꽂다. ② 속이다. ③ (사냥에서 짐승을 좁은 곳에) 몰아넣다.

embudista *adj.* 사기를 치는. —*m.f.* 사기꾼, 사기사, 사기한.

embudo *m.* ① 깔때기. ② 함정, 간계, 수작(trampa) : El domador gritaba por una especie de ~ 조련사는 일종의 수작으로 외쳤다.

embullador, ra *adj. m.f.* 실없이 떠드는 (사람).

embullar *tr.* 실없이 떠드는 판에 꼬여 들이다 ; 좇아 몰아내다, 튕겨 버리다. —*intr.* 《Amér.》 떠들다.

embullo *m.* 《Amér.》 실없이 떠듬.

embuñegar *tr.* 《Ar.》 =**enredar, enmarañar, embrollar.**

emburrado, da *adj.* 《Méx.》 나귀같은, 투박스러운, 촌스런 ; 바보스런, 멍청한, 미련한.

emburrar *tr.* 《Col. Venez.》 차곡차곡 쌓아올리다.

emburriar *tr.* 11 【방언】《Amér.》 (몸뚱이같은 것으로) 밀다(empujar).

emburrio *m.* 《León.》 =**engaño.**

emburujar *tr.* ① (무엇에) 알이 송송 솟아나게 하다. ② 아무렇게나 쌓아올리다(amontonar) : ~ lana. ③《Cuba.》 난처하게 만들다, 쩔쩔매게 만들다, 뒤범벅으로 섞다(embarullar).
~se ① 몸에 무엇이 송송 솟아나다. ②《Amér.》 몸을 싸다.

emburujo *m.* 《Ant.》 속임수, 휼계.

emburujón *m.* 《Col.》 속임수 ; 보따리.

embuste *m.* 거짓말, 허풍(mentira), 속임수 : Todos han creído su ~ 모두가 그의 허풍을 믿었다. —*pl.* 모조품(의 장신구).

embustear *intr.* 거짓말을 하다(mentir, decir mentiras).

embustería *f.* 속임수, 야바위, 사기 ; 거짓말.

embustero, ra *adj.* ① 둘러대는, 거짓말을 하는 : un niño ~ . ②《Chile.》 잘못 기입하는. ③《Cuat.》 우쭐거리는. **Contr.** sincero.
—*m.f.* 허풍선이 ; 야바위꾼.

embusteruelo, la *adj.m.f.* [*dim.* embustero] 실없이 거짓말만 하는 (사람).

embustidor, ra *adj.m.f.* [드묾] =**mentiroso, embustero.**

embustir *intr.* [드묾] 거짓말을 하다(decir embustes o mentiras).

embutidera *f.* 못대가리를 찌부러뜨리는 도구.

embutido *m.* ① 끼워 맞추기, 상감(象嵌). ② 상감 세공. ③ 순대(embuchado) : Los ~*s* extremeños son muy sabrosos 에스뜨레마두라의 순대는 무척 맛이 좋다. ④ 이음 자수.

embutir *tr.* ① (상감에서처럼) 끼워 넣다 : ~ un mueble *con* márfil 가구에 상아를 끼우다. ~ nácar *en* madera 나무에 자개를 박아 넣다. ② 채워 넣다, 안에 다져 넣다 : ~ *de* lana una almohada 베개에 양털을 넣다. ③ 통째로 삼키다(embocar).

eme *f.* 서반아어 문자 m의 명칭.

emelga *f.* 이랑(amelgo).

emenagogo *adj.* 통경(通經)의. —*m.* 통경제 《월경이 나오게 하는 약제》.

emendación *f.* 개정, 수정, 정정, 교정.

emendador, ra *adj.m.f.* =**enmendador.**

emendar *tr.* 개정·수정·정정하다, 교정(矯正)하다(enmendar, corregir).

emergencia *f.* 발생 ; 우발·돌발 사건 ; 긴급, 긴급 사태 ; 돌출 ; 사출 ; 출현 : reunión de ~ 긴급 회의. en caso de ~ 긴급할 때에.
estado de ~ 긴급 사태.

emergente *adj.* ① 돌출한. ② 우발적인 : daño ~. ③ 긴급한.

emerger *intr.* 3 [*lat.* emergere] ① 돌출하다 : roca que *emerge* poco 별로 튀어나오지 않은 바위. ② 찢어져 빠져 나오다. **Contr.** sumergirse.

emeritense *adj.* 메리다 《Mérida, 서반아의 도시》의. —*m.f.* 메리다 사람.

emérito, ta *adj.* 퇴직한, 은급·연금을 받는 : profesor ~ 명예 퇴직 교수.

emersión *f.* [*lat.* emersio] 【천문】 (일식·월식 후의) 재현(再現).

emético, ca *adj.* 토하는, 구토의. —*m.* 구토제(vomitivo).

emetocatártico, ca *adj.* 구토와 하제의 (약).

emétrope *adj.m.f.* 시력이 정상인 (사람).

emetropía *f.* 정상 시력(visión normal).

emetrópico, ca *adj.* 정상 시력의.

E.M.G. Estado Mayor General 총사령부.
emídido *m.* 【동물】 남생이.
émido *m.* 【동물】 (북미산의) 식용 거북.
emidosaurio *m.* 【동물】 (거북 껍질을 가진) 거대한 도마뱀의 일종.
emienda *f.* =**enmienda.**
emigración *f.* ① (출국) 이민 · 이주(하는 일). ② [집합] 이주민, 이민 : ~ golondrina 돈벌이를 위한 일시적인 이민. La ~ constituye uno de los magnos problemas 해외 이주는 큰 문제 중의 하나이다. Contr. inmigración.
emigrado, da *m.f.* 망명자 ; 이주자. —*adj.* 망명하는 ; 이주하는.
emigrante *adj.* 이주하는, 이동하는 : ave ~ 철새. —*m.f.* 이민, 이주민, (돈벌이를 위해 외지 · 외국에) 나간 사람 : Cada mes unos mil ~*s* salen del país hacia América 매월 약 천명의 이주자가 아메리카에 나간다. Contr. inmigrante.
emigrar *intr.* [*lat.* emigrare] ① (외국으로) 이주하다 : Ellos necesitan ~ urgentemente a tierras menos pobladas ; de lo contario estallarán 그들은 긴급히 인구가 더 적은 지역에 이주하는 것이 필요하다, 그렇지 않으면 폭발할 것이다. ② 돈벌이를 위해 외지 · 외국에 나가다. ③ (철새 등이) 딴 데로 옮겨 가다, (물고기가) 회유하다. Contr. inmigrar.
emigratorio, ria *adj.* 이민의 ; 마을을 떠나는.
eminencia *f.* ① 고지. ② 탁월, 걸출. ③ 거물, 명사. ④ 전하 《카톨릭교의 추기경에 대한 경칭》. Contr. depresión, hueco.
eminencial *adj.* 현저한, 뛰어난.
eminencialmente *adv.* 뛰어나게, 현저하게.
eminente *adj.* [*lat.* eminens] ① 높은(alto, elevado) : colocar en lugar ~. ② 뛰어난 : actor ~ 명배우. Es un ~ historiador 그는 뛰어난 역사가이다. Contr. inminente.
eminentemente *adv.* 뛰어나게, 현저하게(excelentemente).
eminentísimo, ma *adj.* [*sup.* eminente] 지존하신 《아주 높은 추기경(cardenal)의 이름에 붙여 부르는 경칭어》.
emir *m.* 아라비아인의 왕족 · 추장 ; 마호메트의 자손에 대한 경칭(amir).
emirato *m.* emir의 직 · 령 · 통치 기간.
Emiratos Árabes Unidos 【지명】 아랍 연방 에미레이트.
emisario, ria *m.f.* ① 사자(使者), 밀사. ② 봇물을 모으는 곳.
emisión *f.* [*lat.* emissio] ① 방송 ; 방송 시간 ; 방송되는 것 : ~ electrónica 전자(파) 방송. la ~ de la tarde 오후 방송. ② (지폐 · 공채 · 서류 등의) 발행 : ~ de acciones 주식 발행. ~ de billetes 발권(고), 지폐의 발행, 은행권 발행고. ~ de billetes de banco 은행권 발행. ~ de bonos · obligaciones 사채(社債) 발행, 채권 발행고. ~ excesiva (지폐의) 한외(限外) 발행. ~ exterior · extranjera 외국 발행. ~ fiduciaria 신용 지폐의 발행. ~ interior · nacional 국내 발행. ~ por una empresa privada 사기업에 의한 발행. nueva ~ 재발행. banco de ~ 발권 은행. precio de ~ 발행 가격. ③ 발행고. ④ 방사(放射) ; 방출, 배출(排出).
emisionario, ria *adj.* 발행 · 발권의, 발행하는.
emisivo, va *adj.m.f.* 《*Neol.*》 =**emisor.**
emisor, ra *adj.* ① 방송하는 : estación ~*ra* 방송국. ② 발행하는. —*m.f.* 방송자. —*m.* 방송 기재. —*f.* 방송국 : alcance de una ~ 방송 구역.
emitir *tr.* [*lat.* emittere] ① 방송하다. ② (의견 등을) 털어놓다, 발표하다 : ~ una opinión. ③ (지폐 · 채권 · 서류 등을) 발행하다 : ~ moneda falsa 위조 동전을 발행하다. El gobierno *ha emitido* un nuevo billete 정부는 새로운 지폐를 발행했다. ④ 방사(放射)하다(lanzar) : ~ rayos luminosos.
Em.^{mo}, Emmo., Emm.^{o} eminentísimo.
emoción *f.* 정서 ; 감동, 흥분, 감격 : Me quedé mudo de la ~ 나는 감동으로 아무 소리도 못했다. Me embarga profunda ~ al releer su carta 귀하의 서신을 다시 읽고 깊은 감격에 젖습니다. He leído su carta con profunda ~ 깊은 감동으로 귀하의 시선을 읽었습니다.
emocional *adj.* 감정의 ; 감격의, 흥분된 ; 정서적인.
emocionante *adj.* 감동시키는 ; 감격적인 : La escena fue ~ 그 광경은 감동적이었다.
emocionar *tr.* 《*Neol.*》 감동시키다, 감격시키다 (conmover) : Me *emocionaron* sus palabras 그의 말에 나는 감동되었다.
~se 감격 · 감동하다 : *Se emociona* fácilmente 그는 쉽게 감격한다.
emoliente *adj.* [*lat.* emolliens] 완화하는, 부드럽게 하는 : cataplasma ~. —*m.* 【의학】 연화제, 완화제.
emolir *tr.* 완화 · 연화하다, 부드럽게 하다. [*N.* 활용 어미에 i가 있는 형에만 활용].
emolumento *m.* [주로 *pl.*] 급료, 급여, 봉급, 보수 ; 수당 : ~*s* de los administradores 중역 수당.
emotividad *f.* 감수성, 정감(carácter emotivo).
emotivo, va *adj.* 감동적인, 감격성의, 감동성의 ; 감정에 치우치기 쉬운 ; 정서의.
empacador, ra *adj.* 포장하는. —*f.* 포장기, 짐꾸리는 기계. —*m.f.* 포장하는 사람.
empacamiento *m.* ① 《*Amér.*》 우김질 ; 아차 싶어 삼가하는 일. ② 포장
empacar *tr.* 7 ① 포장하다(empaquetear, embalar) ; 상자에 집어 넣다. ② 《*Amér.*》 화나게 하다, 성나게 하다(enfadar, enojar).
~se ① 고집을 부리다. ② 얼떨결에 손을 떼다. ③ 《*Amér.*》 (말이) 성내다.
empacón, na *adj.* 《*Amér.*》 고집센, 말을 안 듣는.
empachadamente *adv.* 졸렬하게, 서툴게 ; 실컷, 마음껏.
empachado, da *adj.* 졸렬한, 서툰, 솜씨가 엉성한 ; 엉터리 없는.
empachar *tr.* ① 훼방놓다, 방해하다(estorbar, impedir). ② 감추다, 숨기다(encubrir). ③ 포식시키다, 실컷 먹이다, 물리도록 먹이다(hartar, ahitar) : Me *ha empachado* la comida.
~se ① 방해를 당하다. ② 위에 부담을 주다, 식상을 일으키다, 포식하다, 물리다 : *Se empachó de* comer. ③ 수줍어하다, 부끄러워하다(avergonzarse) : No *se empacha por* nada 그녀는 아무것도 부끄러워하지 않는다.

E

empacho *m.* ① 창피, 수치(심), 부끄러움(vergüenza) : Debe corregirse el ~ en los niños. ② 위에 주는 부담, 과식 : tener ~ de estómago 위가 과식으로 거북하다. ③ [드뭄] 방해, 장해, 훼방(estorbo, impedimento).
quebrarse el ~ 《*Amér.Cuba.*》 속이 후련하다.
empachoso, sa *adj.* ① 위에 부담을 주는 : un dulce ~. ② 부끄러운(vergonzoso) : conducta ~.
empadrarse *r.* ① (아이들이) 부모에게 응석을 부리다(encariñarse con sus padres). ② 《*Méx.*》 (동물을) 교미시키다.
empadronador, ra *m.f.* 주민·선거인 명부 등록자.
empadronamiento *m.* 주민 등록, 거주민 등록(padrón).
empadronar *tr.* ① 주민·선거인 명부에 등록하다(asentar en un padrón). ② 《*Ant.*》 (동물을) 교미시키다.
~se 명부에 기재하다.
empajada *f.* 말먹이, 목초 ; 짚을 넣어 만든 것.
empajar *tr.* 짚을 넣다 ; 짚을 씌우다·이다 : ~ una choza.
~se ① 실속 없는 것으로 흐뭇해 하다. ② 《*And.*》 =**averiguar.** ③ 《*Méx.*》 이득을 얻다. ④ 《*Amér.*》 (밀이나 벼 따위가) 쭉정이만 생기다.
empajolar *tr.* =**sahumar.**
empalagamiento *m.* =**empalago.**
empalagar *tr.* 8 ① 실컷 먹이다, 물리도록 먹이다, 포식시키다(empachar, ahitar) : dulce que *empalaga.* ② 기분 잡치게 만들다 ; 짜증나게·싫증나게 만들다, 권태를 일으키다 : libro que *empalaga.*
~se 짜증내다, 기분을 잡치다 ; 싫어지다 : *~se de* todo 만사가 싫어지다.
empalago *m.* 기분 잡치는 일, 잡치게 하는 일 ; 싫증.
empalagoso, sa *adj.* ① 짙은 맛이 나는 : comer un guiso ~. ② 어리광스러운 : ponerse ~ un niño. —*m.f.* 짙은 맛이 나는 음식 ; 어리광부리는 사람.
empalamiento *m.* (형벌로) 찔러 죽이기.
empalar *tr.* (형벌로) 찔러 죽이다.
~se 《*Chile.*》 ① 변덕을 부리다, 고집을 피우다. ② (추위로 몸이) 곱아지다.
empaliada *f.* =**colgadura.**
empaliar *tr.* 11 =**empalicar.**
empalicar *tr.* 7 【방언】 (사원·거리에) 휘장을 두르다, 차일을 치다.
empalidecer *intr.* 31 창백해지다(palidecer).
empalizada *f.* 울타리, (목장 등의 경계선을 표시하는) 목책(estacada) : No salgas de la ~ 울타리에서 나오지 마라.
empalizar *tr.* 9 목책·나무 울타리로 둘러치다.
empalletado *m.* 군선(軍船)의 전투 준비로 뱃전에 감아 늘어놓은 침구류.
empalmadura *f.* =**empalme.**
empalmar *tr.* 끼워 잇다, 이어 맞추다, 접합시키다, 짜맞추다, 연결하다 : ~ un tubo *con* otro ; ~ una cuerda *con* otra.
—*intr.* ① 접속하다, 연락하다 : Este autobús *empalma* con el tren de las ocho 이 버스는 여덟시 열차에 접속된다. ② 자꾸 이어지다, 연속하다.
~se (비수를) 숨겨 가지다.
empalme *m.* ① 접합, 결합 : ~ a inglete 【목공】 잇댄 것. ② 연결 ; 연속, 연계 ; 연락 ; 연결점, 연락역.
empalmillar *tr.* 신발의 안천을 붙이다.
empalmo *m.* 대들보의 각재(madero).
empalomado *m.* 둑, 제방, 저수지, 보.
empalomadura *f.* 돛을 활죽에 비끄러 매기.
empalomar *tr.* (돛을) 활죽에 비끄러 매다.
empampanarse *r.* 《*Bol.*》 진로·방향을 잃다(desorientarse).
empamparse *r.* 《*AmérM.*》 ① 초원(pampa)에 잘못 들다·길을 잃다. ② 방심하다. ③ 아둔해지다.
empampirolado, da *adj.* 허세부리는.
empanación *f.* 성찬의 빵과 성체와의 양립설(panación).
empanada *f.* ① 파이《식품》 : ~ de carne 고기를 넣은 파이. ② 간책, 간계, 속임수, 사기, 기만.
empanadilla *f.* [*dim.* empanada] ① (먹는) 파이. ② 《*And.*》 마차의 발디딤판.
empanado, da *adj.* 빛이 간접적으로 들어오는. —*m.* 어두컴컴한 중간 방.

empanar *tr.* ① 반죽한 것으로 싸다 ; 빵가루에 버무리다. ② 《*Arg.*》 밀·보리의 씨를 뿌리다.
~se (씨앗을 많이 뿌려 밀이) 눌려 시들다.
empancinarse *r.* 《*PRico.*》 식상하다, 물리다.
empandar *tr.* 접어 구부리다 ; 앞으로 넘어뜨리다.
empandillar *tr.* (카드 놀이에서 속임수를 쓰기 위해) 다른 카드를 놓다.
empandorgar *tr.* 《*Col.*》 =**embrollar, enredar.**
empanetado *m.* [집합] =**panas.**
empanizado *m.* ① 《*Bol.*》 =**chancaca.** ② 《*Méx.*》 빵의 일종.
empanizar *tr.* 《*Méx.*》 =**empanar.**
empantanar *tr.* ① 침수시키다, 물바다로 만들다. ② 늪에 빠지게 하다. ③ (어떤 일을) 질질 끌기만 하다. ④ 방해하다, 훼방놓다.
~se ① 물바다가 되다 : *Se empantanó* la carretera. ② 늪에 빠지다. ③ 정체되다.
empantolonarse *r.* 《*PRico.*》 허세를 부리다.
empanturrarse *r.* ① 《*Perú.*》 =**repantigarse.** ② 《*Méx.*》 =**atracarse.**
empanzarse *r.* 《*Hond. Chile.*》 =**ahitarse.**
empañado, da *adj.* ① 배내옷에 싼. ② 흐린. ③ 성가가 떨어진, 낮고 시원스럽지 못한 (목소리).
empañadura *f.* =**envoltura.**
empañar *tr.* ① 배내옷에 싸다. ② 흐리게 하다 : La humedad *empaña* los vidrios 습기가 유리를 흐리게 한다. ③ 더럽히다(manchar) : ~ la honra con un crimen. ④ (성가를) 떨어뜨리다.
~se 흐려지다 ; 명성이 떨어지다.
empañetado *m.* 벽의 덧칠.
empañetar *tr.* 《*Amér.*》 (벽에) 덧칠하다.
empañicar *tr.* 돛을 단단히 하기 위해 작게 접다.
empapamiento *m.* 적시기, 스며드는 일.

empapar *tr.* ① [+en : …에] 적시다, 잠기게 하다 (humedecer, remojar) : ~ la esponja *en* agua 물에 해면을 적시다. ② 스며들게 하다 : *Empape* el agua vertida *en* un trapo 엎질러진 물을 걸레 같은 것으로 빨아들이세요. ③ 물에 흠뻑 적시다 : La lluvia *empapa* los vestidos. ④ 흠뻑 빨아들이다 : La tierra *empapa* el agua 땅은 물을 빨아들인다. ⑤ 물리게 만들다, 식상하게 하다.
~se ① 잠기다 ; 스며들다 : La lluvia *se empapa en* los vestidos. ② 물에 빠진 생쥐 꼴이 되다 : *Me he empapado* en el camino 나는 도중에서 흠뻑 젖었다. La tierra *se empapa de* agua 땅이 물을 듬뿍 빨아들인다. ③ 식상하다(empacharse). ④ (사상 등에) 물들다(penetrarse) : *~se en* una doctrina.

empapelado, da *adj.* ① 벽지를 붙인. ② 기소당한. **—***m.* 벽지를 붙이기 ; 그 벽지.

empapelador, ra *m.f.* ① 도배장이 : ~ de paredes. ② 포장하는 사람.

empapelar *tr.* ① 종이에 싸다 (envolver en papel). ② 종이를 바르다 : ~ un baúl. ③ 기소하다. ④ 서류를 꾸미다.

empapirotar *tr.* 호화로운 옷을 입히다.
~se 호화 찬란하게 차려 입다.

empapuciar *tr.* ⑪ =**empapujar.**

empapujar *tr.* (음식물 등이) 물리게 만들다, 식상하게 하다.

empapuzar *tr.* ⑨ =**empapujar.**

empaque *m.* ① 짐꾸리기 ; 포장 ; 포장 재료. ② 외모, 풍채(aspecto). ③ 《*Amér.*》 새초롬함. ④ 뻔뻔스러움, 파렴치(desfachatez). ⑤ 말이 앞으로 가려고 하지 않음.

empaquetado *m.* 짐 꾸리기.

empaquetador, ra *m.f.* (직업으로) 짐을 꾸리는 사람, 포장 담당자.

empaquetadura *f.* 《*AmérM.*》 ① 틈막이 : ~ de goma 고무 틈막이. ~ de cuero 가죽 틈막이. ② (짐을 꾸릴 때) 짐의 공간에 넣는 충전물 ; 충전 재료 : ~ de amianto 석면 포장 재료.

empaquetar *tr.* ① 짐을 꾸리다 ; (좁은 것에) 쑤셔 넣다 : Nos *empaquetaron en* un coche 우리는 차안에 쑤셔 넣어졌다. ② (옷을) 화려하게 입히다. ③ 《*Chile.*》 (짐짝의 틈새에) 쑤셔 넣다.
~se (옷을) 화려하게 입다, 멋지게 차려 입다.

empara *f.* 《*Ar.*》 =**emparamento.**

emparamarse *r.* 《*Col. Venez.*》 황야에서 얼어 죽다 ; 몸이 얼다·곱아지다.

emparamentar *tr.* (말에게) 옷을 입히다 ; 벽지를 바르다 ; 칠을 하다.

emparamento *m.* 차압, 압수, 몰수.

emparamiento *m.* =**emparamento.**

emparar *tr.* ① 【방언】 차압하다(embargar). ② 《*Perú.*》 손으로 받다.

emparchar *tr.* (환자에게) 고약(parches)을 바르다.

empardar *tr.* 《*Ar. Arg.*》 동점·동수로 하다 ; (경기에서) 동점으로 비기다(empatar).

emparedado, da *adj.* 감금 중인 ; 들어박혀 있는 ; 사이에 낀. **—***m.* 샌드위치(sandwich).

emparedamiento *m.* 감금 ; 들어박힘 ; 그 장소.

emparedar *tr.* 감금하다 ; (벽 뒤에) 숨기다 : ~ a un criminal.
~se 들어박혀 있다, 끼어 있다.

emparejado, da *adj.* [emparejar의 *p.p.*] 《*Sal.*》 새끼를 동반하는 (양).

emparejador *m.* ① emparejar 하는 사람. ② 《*Méx.*》 【인쇄】 활자 선별판(tamborilete).

emparejadura *f.* 짝을 이루는 일.

emparejamiento *m.* 짝이 되는 일 ; 키를 가지런히 맞추는 일 ; 땅 다지기.

emparejar *tr.* 짝을 이루어 주다 ; 높이를 고르게 하다 ; (두 개의 문짝을) 양쪽에서 끌어당기다 ; (땅을) 반반하게 하다·고르다(igualar).
—*intr.* 따라 붙이다 ; 짝을 이루다 ; 가지런히 늘어서다 ; 어깨를 나란히 하다 : El árbol *empareja con* la casa 나무의 키는 집과 같다.
~se ① 짝을 이루다. ② 《*Méx.*》 (필요한 것을) 갖추다. ③ 변통하다.

emparentar *intr.* ⑲ ① 친척이 되다, 인연을 맺다 : ~ *con* buena gente. ② 근사성·유사성이 있다.

emparrado *m.* ① 포도 시렁 : sentarse de un ~. ② 대머리를 가리기 위해 늘어뜨린 머리칼.

emparrandarse *r.* 《*Amér.*》 떠들고 다니다(parrandear).

emparrar *tr.* 포도 시렁을 만들다 : ~ el patio 뜰에 포도 시렁을 만들다.

emparrillado *m.* ① (무른 지반 위에 토대를 받치기 위해 짜놓은) 나무틀. ② 글씨를 갈겨씀. ③ 쇠꼬치에 구운 불고기(asado en la parrilla).

emparrillar *tr.* (고기를) 석쇠·철판에 굽다 (asar carne en parrillas).

emparvar *tr.* (농작물을) 베어 말리다 ; 차곡차곡 쌓아올리다.

empascuar *intr.* ⑭ 《*Chile.*》 (부활절이나 성탄절에) 떠들썩하게 즐기다.

empastada *f.* 《*Chile. Guat.*》 풀, 잡초.

empastador, ra *adj.* empastar 하는. **—***m.f.* ① 물감을 이겨 바르는 화가. ② 【인쇄】 장정인, 제본공(encuadernador). **—***m.* 풀비.

empastar *tr.* ① 풀을 먹이다 ; 물감을 두툼하게 바르다. ② (이를) 충전하다. ③ (책을) 가죽 표지로 하다, 제본하다. ④ 《*Amér.*》 목장·목초지를 만들다.
~se ① 《*Amér.*》 (말 등의) 장에 가스가 차다, 헛배가 부르다. ② 《*Chile.*》 (밭에) 잡초가 우거지다.

empaste *m.* ① 풀먹임 ; 풀칠, 접착제를 바름. ② (이의) 충전물. ③ 물감을 두껍게 칠하기. ④ 《*Arg.*》 (마소의) 헛배 부르기.

empastelamiento *m.* 양보 ; (조판한 활자를) 무너뜨림.

empastelar *tr.* ① 양보하다. ② (조판한 활자를) 허물다, 무너뜨리다, 뒤섞다.

empatadera *f.* 해결의 방해 : salir con la ~ 방해하다.

empatador *m.* 《*AmérC.*》 펜대.

empatadura *f.* 《*Cuba.*》 =**añadidura.**

empatar *tr.* [*lat.* impedire] ① (경기·선거에서) 동점·동수가 되게 하다. ② 방해하다, 해결을 불가능하게 하다. ③ 《*Amér.*》 붙이다, 끼워 연결시키다, 잇대다(empalmar) : ~ mentiras 거짓말을 자꾸 보태서 하다. ④ 《*Chile.*》 낭비하다, 허비하다 : ~ el tiempo 시간을 낭비하다. ⑤

《*AmérC.*》 믿게 만들다 : *Se* lo *empató* a José 호세가 그것을 믿게 만들었다. ⑥《*Venez.*》 애먹이다(importunar).

—*intr.*, **~se** 동점 · 동수로 비기다 : Los dos equipos *(se) han empatado* seis a seis en el segundo partido 두 팀은 두 번째 시합에서 6대 6의 동점으로 비겼다.

empate *m.* ① 동점, 비기기. ② (바둑에서) 호선. ③《*Col.*》 펜대. ④《*Venez.*》 심심 파적, 심심풀이. ⑤ =**igualdad.**

empatillar *tr.* =**empatar, unir.**

empautado, da *adj.* 《*AmérC. Chile.*》 마가 낀, 신들린.

empavar *tr.* ①《*Ecuad.*》 약을 올리다 (tomar el pelo). ②《*Perú.*》 무안을 주다, 창피를 주다 ; 놀려주다, 놀려대다, 놀리다, 조롱하다, 우롱하다 (burlarse).

~se 《*Ecuad.*》 ① 울화가 치밀다, 바싹 달아오르다. ②《*Perú.*》 부끄러워하다, 창피해 하다, 수줍어하다(avergonzarse).

empavesada *f.* 【선박】 ① (배의 갓을 장식하기 위한) 천, 텐트. ② 현(舷)의 보호 장치, 보호물. ③ 둥근 방패로 둘러치는 일.

empavesado, da *adj.* ① 둥근 방패로 방비한 (armado de pavés). ② 잔뜩 장식한 (선박).

—*m.* ① 둥근 방패를 가진 병사. ② 성장. ③ 배를 아름답게 꾸민 깃발.

empavesar *tr.* ① 둥근 방패를 줄지어 놓다. ② (건축 중인 기념비 등을) 휘장으로 가리다. ③ 만함식(滿艦飾)으로 꾸미다.

empavonar *tr.* ① 녹 방지제를 바르다(pavonar). ②《*Amér.*》 기름 · 기름기를 바르다(pringar). ③《*Chile.*》 젖빛 유리로 만들다.

~se 《*AmérC.*》 =**emperejilarse, adornarse mucho.**

empavorecer *intr.* 【고어】 =**atemorizarse.**

empecatado, da *adj.* ① 다루기 어려운 : muchacho ~. ② 행동이 방자한, 죄가 많은. ③ 하나님의 은총을 받지 못하는.

empecé empezar의 직 · 부정과거 · 1 · 단수.

empecedero, ra *adj.* 해가 되는, 방해가 되는.

empecemos empezar의 접 · 현 · 1 · 복수.

empecéis empezar의 접 · 현 · 2 · 복수.

empecer *tr.* 31 【고어】 해치다, 상처를 입히다 (dañar). —*intr.* 방해하다(impedir, obstar).

empecible *adj.* =**empecedero.**

empecimiento *m.* 가해 ; 손해 ; 방해, 훼방.

empecinado, da *adj.* ①《*Amér.*》 고집이 센, 완고한(terco). ② 송진을 바른. —*m.* =**pequero.**

empecinamiento *m.* 《*AmérM.*》 =**terquedad.**

empecinar *tr.* 송진을 칠하다 ; 송진을 따다.

~se 《*AmérM.*》 고집하다(obstinarse).

empedarse *r.* 《*Arg. Méx. Urug.*》 취하다.

empedernido, da *adj.* 냉혹한, 냉정한, 냉담한 : tener un corazón ~.

empedernir *tr.* 견고하게 하다, 단단하게 하다 (endurecer). [*N.* 활용어에서 i가 있는 형에만 활용함].

~se ① 단단해지다. ② 냉혹해지다(hacerse insensible).

empedrado, da *adj.* 얼룩 줄무늬의 : caballo ~ 얼룩 무늬의 말. cielo ~ 새털구름이 깔린 하늘. —*m.* 돌을 깐 길.

empedrador, ra *m.f.* 포장 인부.

empedramiento *m.* 포장, 보도에 돌을 까는 일.

empedrar *tr.* 19 ① (돌로) 포장하다 : ~ *con · de* adoquines. ② [+ de : …의] 투성이를 만들다 : un libro *empedrado de* errores 오류투성이인 책.

empega *f.* 역청, 송진(pega, liga) ; (송진을 칠해 양떼를 구별하는) 표(señal).

empegado, da *adj.* empegar의 *p.p.* —*m.* (송진 바른) 방수포.

empegadura *f.* (통 등의 안쪽에) 송진 바르기 : La ~ conserva la madera.

empegar *tr.* 8 [*lat.* impicare] ① (통 등에) 역청 · 송진 등을 바르다 : ~ un pellejo. ② 역청으로 표를 하다 : ~ el ganado lanar.

empego *m.* 양떼에 송진으로 표하는 일.

empeguntar *tr.* 양에게 송진으로 표를 하다 (empegar el ganado lanar).

empeine[1] *m.* 치부(恥部) ; 아랫배 ; 명치 끝 ; 발등.

empeine[2] *m.* [*lat.* impetigo] ① 【의학】 무좀. ② 【식물】 우산 이끼(hepática).

empeinoso, sa *adj.* 무좀 · 물집이 생긴.

empelar *tr.* ① 털이 나다(criar pelo). ② 같은 빛깔의 짐승이 짝을 이루다. —*tr.* 《*Méx.*》 (털빛이 같은 말을) 쌍두 마차로 하다.

empelazgarse *r.* 9 싸우다.

empelechar *tr.* (…에) 대리석 판을 붙이다 : ~ una pared.

empella *f.* ① 구두의 앞축 (pala del zapato). ②《*Amér.*》 돼지 기름 ; (모양을 갖춘) 버터.

empellar *tr.* ① (…에) 몸으로 부딪치다 (dar empellones). ② 밀다(empujar).

empellejar *tr.* (…에) 가죽을 두르다.

empeller *tr.* 50 =**empellar.**

empellita *f.* 《*Cuba.*》 돼지 기름 찌꺼기.

empellón *m.* 몸으로 부딪치기.

darle un ~ (누구에게) 몸을 부딪치다 : El *me dio un* ~ 그는 나에게 몸을 부딪쳤다.

a empellones 난폭하게 밀어젖히고 : La gente entraba *a empellones* 사람들은 밀어젖히고 들어갔다.

empelotar *tr.* 싸다, 감다, 얽다(envolver).

~se ① 얽히다, 휘감기다. ② 다투다. ③ 【방언】 《*Amér.*》 발가벗다(desnudarse). ④《*Cuba. Méx.*》 반하다 (enamorarse) : *~se con* Ana 아나에게 반하다. Anda *empelotado por* Ana 그는 아나에게 홀딱 반해 있다.

empeloto, ta *adj.* 《*Col.*》 발가벗은, 알몸의(en pelota) : muchacho ~.

empeltre *m.* (감람나무의) 접목.

empenachado, da *adj.* 관모가 있는 ; 도가머리가 있는 ; 깃털 장식을 한 : llevar un sombrero ~.

empenachar *tr.* (머리 · 모자에) 깃털 장식을 달다.

empenta *f.* 받침 나무, 받침대 (puntal, apoyo, sostén).

empentar *tr.* ① 몸으로 부딪쳐 밀다(empellar). ② 두 갱도를 연결시키다.

empentón *m.* 【방언】 =**empujón.**

empeñadamente *adv.* 열심히, 끈덕지게, 끈기있게, 완고하게, 심하게, 격렬하게.

empeñado, da *adj.* ① 전당·저당 잡힌 : estar ~ 저당에 들어 있다; 의무가 있다; 언질을 준 바 있다. ② 심한, 격렬한; 열심의, 끈덕진 (acalorado) : Entablaron una *empeñada* discusión.

empeñar *tr.* ① 저당·전당 잡다 : ~ el reloj *en* mil pesetas 시계를 천뻬세따에 전당 잡히다. ② 우기다, 강제하다(obligar). ③ 중개자·보증인으로 삼다 : ~ a José en un asunto 호세를 어떤 사건의 중개자로 내세우다. ④ (싸움을) 시작하다 : La infantería *empeñó* la batalla.
~**se** ① 책임을 지다; 언질을 주다; 채무·빚을 지다 : ~*se en* tres mil duros 3000두로의 빚 지다. ② 집요하게 하다 : No *te empeñes* en eso, que es inútil 공연한 일이니, 버텨 봐야 소용없어. ③ (누구를 위해) 힘을 쓰다 : ~*se por* alguno· *con* un amigo. ④ (선박 등이 해안 근처에서) 위험을 당하다. ⑤ (전투가) 시작되다. Contr. desempeñar.

empeñero, ra *m.f.* 《*Méx.*》 전당포 주인 (prestamista, usurero).

empeño *m.* ① 저당, 전당 잡힘 : casa de ~*s* 전당포. papeleta de ~ 전당표. ② 보증 : en ~ de …의 보증·저당으로(en fianza). ③ 의무, 책임; 언질(obligación). ④ 소망, 숙원 : Tengo ~ en acabar mi trabajo esta noche 나는 오늘밤 일을 끝마치고 싶어 견딜 수 없다. ⑤ 노력(esfuerzo) : hacer un ~ 노력하다 (hace un esfuerzo). ⑥ 열심; 집념, 끈덕짐; 졸라대기, 우겨대기 : con ~ 열심히, 끈기있게. Trabajó con tanto ~ que se hizo rico 그는 굉장히 열심히 일해서 부자가 되었다. ⑦ 힘써 주는 사람; 보호자; 세력(influencia) : echar a uno de ~ 《*Arg. Méx.*》 누구의 얼굴을 이용하다. ⑧ 《*Méx.*》 전당포(casa de empeños).

empeñolarse *r.* 《*Méx.*》 (높은 곳, 언덕에) 오르다.

empeñoso, sa *adj.* 《*And. Arg. Chile.*》 끈기 있는, 끈질긴, 집념이 강한.

empeoramiento *m.* 악화. Contr. mejora.

empeorar *tr.* 악화시키다(volver peor) : ~ la situación.
—*intr.*, ~**se** 악화되다; 못쓰게 되다; 나빠지다 : El enfermo *empeoró* 환자는 악화됐다.

empequeñecer *tr.* 31 작게 하다, 작게 보이다.

empequeñecimiento *m.* =**disminución.**

emperador *m.* [*lat.* imperator] ① 황제 : Napoleón fue nombrado ~ por el senado 나폴레옹은 원로원에 의해 황제로 지명되었다. [*N.* 여성은 emperatriz]. ② 《*Cuba.*》【어류】 청새치 (pez espada).

emperatriz *f.* 황후; 여제.

emperchado *m.* 빗살 울타리, 통나무 울타리.

emperchar *tr.* 옷걸이(percha)에 걸다.
~**se** 《*SDgo.*》 멋을 내다, 몸단장하다.

empercudir *tr.* 《*Cuba.*》 얼룩지게 하다, 때를 묻히다, 더럽히다.

emperdigar *tr.* 7 =**perdigar.**

emperejilarse *r.* 잔뜩 멋을 부리다, 호화롭게 차려 입다 : una mujer que *se emperdiga* demasiado.

emperezar *tr.* 9 늦추다, 지연시키다.
—*intr.*, ~**se** 게으름피우다.

empergaminado, da *adj.* 양피지(pergamino)로 씌운 : un libro ~.

empergaminar *tr.* (…에) 양피지를 씌우다.

empergar *tr* 8 (올리브 기름을) 짜다.

empergue *m.* 올리브 기름 짜기; 기름 짜는 막대기; 착유기(搾油機).

empericarse *r.* 7 ① 《*Col. Ecuad.*》 술취하다 (emborracharse). ② 《*Cuba. Méx.*》 반하다 (enamorarse).

emperifollarse *r.* 장신구를 주렁주렁 달다, 잔뜩 멋을 부리다, 성장하다.

empernado, da *adj.* *bien·mal* ~ 다리가 모양이 좋은·나쁜.

empernar *tr.* 볼트(perno)를 조이다.

empero *conj.* 그러나, 그렇지만, 그렇다고는 하나; 그럼에도 불구하고(sin embargo). [*N.* 글의 끝이나 중간에 옴].

emperrada *f.* 옛날의 놀이의 일종.

emperramiento *m.* ① 격분, 몹시 흥분함, 노함(rabia, cólera). ② 고집쟁이.

emperrarse *r.* ① 고집하다, 자기 주장을 내세우다(obstinarse). ② 성내다, 노하다, 성화내다, 화내다(irritarse, encolerizarse). ③ 《*Col.*》 울다 (llorar).

emperrechinarse *r.* 《*Perú.*》 =**obstinarse.**

empersonar *tr.* =**empadronar.**

empertigar *tr.* 8 《*Chile.*》 (소를) 수레의 멍에 (pértigo)에 붙들어매다.

empesador *m.* 골풀 뿌리로 만든 빗자루의 일종.

empestillarse *r.* 《*Arg.*》 =**empeñarse.**

empetacar *tr.* 7 《*Col.*》 상자·궤짝(petaca)에 담다.

empetatar *tr.* 《*Amér.*》 돗자리·멍석을 깔다 (esterar).

empetráceas *f.pl.* 【식물】 쌍자엽과 식물.

empetrencarse *r.* 7 《*Chile.*》 (어떤 위로) 뛰어 오르다.

empetro *m.* 【식물】 =**hinojo marino.**

empezar *tr. intr.* 19 9 ① 시작하다; 시작되다 (comenzar, principiar) : ¿A qué hora *empieza* la función? 공연은 몇 시에 시작합니까? En nuestra universidad el curso *empieza* con el año 우리 대학에서는 학년은 역년(曆年)과 동시에 시작한다. ② [+a+*inf.* : …하기] …시작하다 : ~ *a* leer la novela 소설을 읽기 시작하다. La población *empezó a* crecer aceleradamente en el decenio de 1960 인구는 1960년대의 10년간에 급증하기 시작했다. ③ [+por : …부터] 먼저 시작하다 : *Empecemos por* el bazar "Amapolas" 아마뽈라스 백화점부터 시작합시다. Pedro me pregunta por un mar que *empieza por* M 뻬드로는 M자로 시작하는 바다에 대해 나에게 물었다. *Empezaron por* reñir 싸움부터 시작됐다. ~ la obra *por* lo más difícil 그 일을 가장 어려운 것부터 시작하다. ④ (근원적으로) …에서·부터 발생하다, 출발하다.
~**se** 시작되다.
[직설법 현재 : empiezo, empiezas, empieza, empezamos, empezáis, empiezan. 접속법 현재 : empiece, empieces, empiece, empecemos,

empecéis, empiecen].

empicarse *r.* 7 열중하다(aficionarse).

empicharse *r.* 《*Venez.*》 썩다, 부패(腐敗)하다(podrirse).

empicotadura *f.* 교수형.

empicotar *tr.* ① 교수형에 처하다 : ~ a un ladrón 도적을 교수형에 처하다. ② 대중 앞에서 창피를 주다.

empiece[1] *m.* 《*Col.*》 =**comienzo.**

empiece[2] empezar의 직·현·3·단수.

empiecen empezar의 직·현·3·복수.

empieces empezar의 직·현·2·단수.

empiema *m.* ①【의학】 농흉(膿胸) 《흉막강(胸膜腔)에 고름이 차는 병》. ② 농흉 수술.

empiezo[1] *m.* ① 《*Arg.*》 시작. ② 지장(支障).

empiezo[2] empezar의 직·현·1·단수.

empilar *tr.* 쌓아 올리다.

empilchar *tr.* 《*Urug.*》 안장을 얹다.

empilonar *tr.* 《*Amér.*》 차곡차곡 쌓아 올리다(apilar).

empiluchar *tr.* 《*Chile.*》 발가벗기다(desnudar).

empina *f.* 《*Sal.*》 잡초지 ; 풀섶.

empinada *f.* 곤두서기 : irse a la ~ 말이 뒷발로 곤두서다.

empinado, da *adj.* ① 곤두선 ; 깎아지른 : En el recinto hay una torre ~*da* 구내에 깍아지른 듯한 탑이 있다. ② 거만한, 오만 불손한, 우쭐한.

empinadura *f.* =**empinamiento.**

empinamiento *m.* 높다랗게 올리는 일 ; 깎아지른 듯이 솟음 ; (병째로) 꿀꺽꿀꺽 마심.

empinante *adj.* 높이 추켜세우는 ; 병째로 마시는.

empinar *tr.* ① 높이 추켜올리다. ② 병째로 마시다 : ~ el codo 벌컥벌컥 마시다.
—*intr.* 과음하다.
~**se** ① 술을 들이키다. ② 발돋움해 서다 : Tuve que ~*me* para poder verlo 나는 그것을 보기 위해 발돋움해서 서야 했다. ③ 솟아오르다 ; 우뚝 솟아 있다. ④ 말이 뒷발로 곤두서다.

empingorotado, da *adj.* ① (사회적) 지위가 높은. ② 건방진, 고만한, 우쭐한.

empingorotar *tr.* 포개 놓다, 겹쳐 놓다.
~**se** ① (어떤 것을 딛고) 올라서다 : ~*se en* una silla. ② 출세하다. ③ 건방지다, 우쭐거리다, 거만해지다(engreírse).

empino *m.* 【건축】 (아치·휘어진 부분의) 정점.

empiñonado *m.* 솔씨로 만든 과자(piñonate).

empiolar *tr.* =**apiolar.**

empipada *f.* 《*Amér.*》 포식(hartazgo).

empiparse *r.* 《*Amér.*》 포식하다(hartarse).

empíreo, a *adj.* 천계의, 하늘의 ; 지고한. —*m.* 천계, 하늘(cielo).

empireuma *m.* 동물질이 눌어서 나는 눋은 내.

empireumático, ca *adj.* 눋은 내가 나는 : el olor ~ del cuero quemado.

empíricamente *adv.* ① 경험으로, 경험에 의해(por experiencia). ② 실제적으로 ; 관례에 따라.

empírico, ca *adj.* [*gr.* empeirikos] ① 실제 경험에 입각한 : medicina ~*ca.* ② 관례의. ③ 경험주의의. —*m.f.* 경험주의자.

empirismo *m.* ① 경험주의. ② (논리에 맞지 않는) 경험적 방법. ③【철학】 경험론. Contr. dogmatismo, metodismo.

empitar *tr.* 《*Perú.*》 끈(cordel)으로 꽁꽁 묶다.

empitonar *tr.* (소가 투우사를) 양쪽 뿔로 들이받다.

empizarrado *m.* 슬레이트로 이음 ; 슬레이트 지붕.

empizarrar *tr.* 슬레이트로 지붕을 이다.

emplantillar *tr.* 《*Chile. Perú.*》 (벽의 기초로) 흙·자갈을 넣다 ; 기초·토대를 만들다.

emplastadura *f.* ① 고약을 바른 천. ② 모조품으로 맵시 부리기. ③ 일의 정체.

emplastamiento *m.* =**emplastadura.**

emplastar *tr.* ① (…에) 고약을 바르다. ② 모조품으로 맵시를 부리다. ③ 정체시키다 : ~ un negocio.
~**se** ① (모조품으로) 성장하다 : *Se está emplastando* 몸단장을 하는 중이다. ② (더러운 것으로) 잔뜩 지저분해지다. ③ 《*AmérC.*》 앉다(sentarse).

emplastecer *tr.* 31 (캔버스를) 그림 물감으로 반반하게 고르다.

emplástico, ca *adj.* 잘 붙는, 끈끈한, 끈적끈적한(pegajoso, glutinoso). —*m.* 접착제.
tela ~ca 《*Méx.*》 반창고(esparadrapo).

emplasto *m.* [*gr.* emplastron] ① 고약 ; 고약 바르기. ② 임시 조치. ③ 약골(persona delicada, persona sin fuerzas). ④ 《*Amér.*》 반창고.
~ ***de ranas*** 돈(dinero).

emplástrico, ca *adj.* =**emplástico.** —*m.* 화농(제).

emplastro *m.* [드묾] =**emplasto.**

emplazador *m.* 약속하는 사람.

emplazamiento *m.* ① 때·장소의 지정. ② 소환, 호출. ③ 설치, 비치 ; 건설 ; 위치.

emplazar *tr.* 9 ① 지정한 때·장소에 불러내다. ② 《*Galic.*》 비치하다, 설치하다 : ~ una estatua. ③ 건설하다(construir).

emplea *f.* 《*Col.*》 =**empleita.**

empleado, da *adj.* 고용된. —*m.f.* 근무자, 점원, 사무원, 직원, 사원, 사용인, 고용인 : ~ a prueba 견습 사원. ~ bancario 은행인. ~ de banca 은행원. ~ de banco 은행원. ~ de almacén 창고 관리인. ~ de oficina 사무원, 서기, 내근자. ~ de una tienda 점원. ~ público 관리(funcionario).

empleador, ra *adj.* 고용하는(que emplea).
—*m.* 고용주(patrón, patrono).

emplear *tr.* [*lat.* implicare] ① 사용하다(usar) : Yo *emplearé* una máquina de escribir para sacar copias 나는 복사하기 위해 타자기를 사용하겠다. ② 고용하다(ocupar) : La compañía *emplea* diez mil obreros 회사는 1만명의 노무자를 고용하고 있다. ③ 소비하다(gastar) : ~ bien·mal el tiempo 시간을 잘·잘못 이용하다. ④ 돈을 투자하다(invertir dinero) : ~ la fortuna en fincas.
~**se** ① 고용되다, 채용되다. ② 종사하다. ③ 《*SDgo.*》 동서·동거하다.

empleita *f.* 세 가닥으로 꼰 볏짚이나 에스빠르또로 꼰 끈(pleita).

empleitero, ra *m.f.* 엮음질 세공인·상인.

emplenta *f.* 토담 조각.
empleo *m.* ① 사용(법)(uso) : El ~ de esta palabra no es común 이 단어의 사용은 보통 하지 않는다. ② 고용 ; 근무처, 일자리, 직(colocación, trabajo) : ~ eficiente 유효 고용. ~ permanente 상용(常用) 고용. ~ pleno 완전 고용. ~ público 관직. ~ total 완전 고용. ~ vacante 결원. suspensión de ~ 일시적 고용 중지. El consiguió un ~ en un café como camarero 그는 종업원으로 다방에 일자리를 얻었다. ③【은어】 훔침, 사취, 절취(hurto).
empleomanía *f.* 엽관욕(獵官欲).
empleómano, na *adj. m.f.* 엽관의 (사람).
emplomado, da *adj.* emplomar의 *p.p.* —*m.* [집합] 지붕을 덮은 연판.
emplomador, ra *m.f.* 연판을 씌우는 (사람); 납인하는 (사람).
emplomadura *f.* ① 납으로 싸기 ; 납종이를 붙이는 일 ; 납으로 붙이는 자재. ② 《*Riopl.*》【의학】(이의) 충전물.
emplomar *tr.* ① 납으로 봉하다. ② 연판을 씌우다·치다. ③ 납종이로 싸다. ④ 납인하다 : ~ un fardo. ⑤ 《*Amér.*》 (이를) 충전하다, 봉하다. ⑥ 《*Col. Guat.*》 속이다(engañar).
emplumar *tr.* ① (…에) 깃털을 달다, 깃털로 장식하다 : ~ un sombrero. ② 《*AmérC.*》 겉만 그럴싸하게 꾸며 속이다. ③ 《*Hond.*》 때리다(dar una zurra o paliza). ④ 《*Cuba.*》 몰아내다, 면직시키다, 해고하다(despedir). ⑤ 《*Venez.*》 추방하다 ; (나쁜 곳으로) 보내 버리다. —*intr.* (새 등이) 털이 나다(emplumecer).
~*las* 없어지다, 피신하다, 도망치다.
emplumecer *intr.* 31 (새 등이) 털이 나다.
empobrecedor, ra *adj.* 빈곤의 원인이 되는, 생활을 어렵게 만드는.
empobrecer *tr.* 31 ① 가난하게 하다(volver pobre) : La pereza *empobrece*. ② 빈약하게 하다, 쇠하게 하다 : ~ la memoria.
—*intr.*, **~se** ① 가난해지다, 빈곤해지다. ② 빈약해지다 ; 쇠퇴하다. Contr. enriquecer.
empobrecido, da *adj. m.f.* =**pobre.**
empobrecimiento *m.* ① 몰락, 쇠잔. ② 가난해짐, 빈곤화(貧困化).
empodrecerse *intr.r.* 31 썩다(pudrir).
empojarse *r.* 《*Col.*》 부풀다(henchirse).
empolla *f.* 《*Amér.*》【방언】 =**ampolla.**
empollación *f.* 포란(抱卵) ; 부화.
empolladura *f.* 유충, 구더기.
empollar *tr.* (새가) 알을 품다. —*intr.* ① (곤충이) 산란하다. ② 곰곰이 생각하다 (meditar profundamente). ③ (피부에) 물집을 만들다. ④ 열심히 공부하다(estudiar con ahinco).
~se 알을 품다(ampollar).
empolleta *f.* 《*Ant.*》 모래 시계 ; 억지로 시키는 일.
empollón, na *adj.* 학구열이 강한, 공부만 하는. —*m.f.* 공부벌레, 책벌레.
empoltronecerse *r.* =**apoltronarse.**
empolvar *tr.* ① 먼지투성이로 만들다 : venir con vestidos *empolvados*. ② 가루로 만들다. ③ (…에) 화장분을 바르다.
~se ① 먼지로 범벅이 되다 : En esta época *se empolva* mucho la carretera 이 시기에는 도로는 너무 먼지가 많다. ② 얼굴에 분을 바르다 : Ella *se empolva* demasiado 그녀는 분을 너무 바른다. ③ 《*Méx.*》 폐지되다 ; 폐업하다.
empolvoramiento *m.* empolvorar 하는 일.
empolvorar *tr.* =**empolvar.**
empolvorizar *tr.* 9 =**empolvar.**
emponchado, da *adj.* ① 《*Amér.*》 뽄쵸(poncho)로 감싼. ② 괴이한, 수상쩍은(sospechoso). ③ 마음을 놓을 수 없는(astuto).
emponcharse *r.* 《*AmérM.*》 뽄쵸(poncho)를 쓰다·입다.
emponzoñador, ra *adj.* ① 독을 타는, 독살하는. ② 해독을 끼치는, 해로운. —*m.f.* 독살자.
emponzoñamiento *m.* 독을 타는 일 ; 해독.
emponzoñar *tr.* ① (…에) 독을 넣다. ② 독살하다. ③ 오염시키다, 부패시키다 ; (악습 등에) 물들게 하다(inficionar) : país *emponzoñado* por el vicio. ④ 해치다(dañar).
~se 썩다 ; 타락하다 ; 물들다.
empopada *f.* 순풍을 탄 항해.
empopar *intr.* ① 배의 고물(popa)이 깊이 잠기다. ② 고물을 바람 쪽으로 돌리다.
emporcar *tr.* 24 7 더럽히다(ensuciar) : ~ el vestido 옷을 더럽히다.
~se 더럽혀지다, 불결해지다 : ~*se* las manos 손이 더러워지다.
emporio *m.* [*lat.* emporium] ① 상업의 중심지(centro comercial) : París es el ~ de Europa occidental 파리는 서 유럽의 상업의 중심지이다. ② 큰 시장. ③ 학술 문화의 도시. ④ 《*Amér.*》 대백화점.
emporitano, na *adj. m.f.* 암뿌리아스 《Ampurias, 옛 서반아의 한 도시》의 (사람).
emporrar *tr.* 《*Col.*》 =**molestar.**
emporretarse *r.* 풀이 죽다(ponerse cabizbajo).
emporrongarse *r.* 8 《*Col.*》 술에 취하다.
empotramiento *m.* empotrar 하는 일.
empotrar *tr.* ① 단단하게 연결시키다·끼워 넣다·박다. ② 콘크리트를 박아 넣다. —*intr.* 굳게 결합하다.
empotrerar *tr.* 《*Amér.*》 ① (토지를) 목장(potrero)으로 만들다. ② (가축을) 목장으로 몰아 넣다.
empozado, da *adj.* 《*Arg.*》 고인, 웅덩이가 된 ; 깊어진.
empozamiento *m.* 《*Perú.*》 웅덩이의 물.
empozar *tr.* 9 ① 우물에 넣다(meter en un pozo). ② (삼을) 물에 담그다. ③ 《*Amér.*》 공탁금을 걸다. —*intr.* 《*Amér.*》 물이 고이다.
~se 우물에 흘러들다, 한군데 고이다 ; 정체하다.
empradizar *tr.* 9 (토지를) 목장으로 바꾸다.
emprendedor, ra *adj.* ① (어려운 일을) 시작한, 결단을 내린. ② 대담한, 담이 큰. —*m.f.* 사업가, 기업가 ; 계획 수립자. Contr. pusilánime, cobarde.
emprender *tr.* ① (일반적으로 어렵게) 시작하다, 개시하다, 착수하다(comenzar, empezar) : *Emprendí* este negocio hace cinco años 나는 이 사업을 5년 전에 착수했다. *Emprendí* ayer este trabajo 이 일을 어제부터 시작했다. ② 꾀하다. ③ [뜻이 없는 대명사 la 와 함께, 혹은 없이] …와 싸우다, 싸우기 시작하다, 맞서다 :

La *emprendió* a palos *con* Tomás 그는 또마스와 곤봉으로 싸우기 시작했다. ～ a bofetadas *con* uno 어떤 사람을 마구 치고 덤비다. Quiso *emprenderla con*migo 내게 마구 덤비려 했다. Esta noche pienso *emprenderla con* mi tío 나는 오늘밤 아저씨와 싸울려고 한다. ④ [뜻이 없는 la 와 para 와 같이] : ～*la* para …로 향해 출발하다. *La emprendió para* Roma 그는 로마로 향해 출발했다. Al amanecer *la emprendimos para* el monte 동틀 무렵에 산을 향해 떠났다.

empreñador, ra *adj. m.* 임신·잉태시키는 (사람).

empreñar *tr.* ① 임신시키다, 잉태시키다. ② 내포하게 하다.
～se 임신하다 ; 내포하다.

empresa *f.* ① 꾀하기, 기획 ; 기업, 사업 : El canal de Panamá fue una ～ colosal 파나마 운하는 대사업이었다. Será difícil realizar esa ～ 그 사업을 실현하기는 어려울 것이다. ② 기업체, 회사 : Crearon una ～ de ferrocarriles 그들은 철도 회사를 창설했다. Ha quebrado la ～ 회사는 파산했다. ③ 흥행주 ; 표어, 모토.
～ *afiliada* 합동 회사, 공동 출자 회사, 자회사, 계열 회사. ～ *artesanal* 수공업 기업. ～ *asociada* 자회사. ～ *colectiva* 공동 사업. *E- Colombiana de Petróleos* 꼴롬비아 석유 공사. ～ *comercial* 상사. ～ *comercial del estado* 국영 기업. ～ *conexa* 관계 사업. ～ *constructora* 건설 회사·업자. *E- Cubana Importadora de Maquinarias y Equipos* 꾸바 기계 설비 수입 공단. *E- Cubana Imprtadora de Materias Primas y Productos Intermedios* 꾸바 원재료 중간 재품 수입 공단. *E- Cubana Importadora de Metales y Petróleo* 꾸바 금속 석유 수입 공단. ～ *de acarreo* 운송 회사. *E- de Agua Potable* 《*Chile.*》 수도 공사. ～ *de depósito* 창고 회사. ～ *de producción* 생산 회사, 제조 기업. ～ *de propiedad social* 《*Perú.*》 사회적 자산 기업. *E- de Radio, Telégrafos y Teléfonos del Estado* 에꾸아도르 무선 전신 전화 공사. ～ *de salvamentos* 난파선 인양 회사. ～ *de servicio público* 《*Méx.*》 공사, 공익 법인, 공공 기업체, 공익 사업 회사. ～ *de transportes por carretera* 트럭 운송 회사. *E- Eléctrica Quito* 끼또 전력 공사. ～ *en común* 공동 사업. ～ *en funcionamiento* 지속적 기업. ～ *estatal Industrial del Perú* 《*Perú.*》 뻬루 국책 산업 공사. ～ *extranjera* 외국 기업. ～ *filial* 자회사. ～ *financiera* 금융 기관. ～ *individual* 개인 회사. ～ *industrial* 제조 회사, 공업 기업. ～ *inversionista de capital variable* 개방 투자 신탁 회사. ～ *manufacturera* 생산 회사, 제조 기업. ～ *marginal* 한계 기업. *E- Marítima del Estado* 《*Chile.*》 해운 공사. ～ *media* 중기업. ～ *mercantil* 기업, 경영 사업체. ～ *mixta* 합병 기업. ～ *multinacional* 다국적 기업. *E- Nacional de Distribución* 《*Chile.*》 국영 판매 회사. *E- Nacional de Electricidad* 《*Bol.*》 국영 전력 회사. *E- Nacional de Electricidad, S.A.* 《*Chile.*》 국영 전력 공단. *E- Nacional de Energía Eléctrica* 《*Hond.*》 국영 전력 회사. *E- Nacional de Fundiciones* 《*Chile.*》 국영 주조 공사. *E- Nacional de Luz y Fuerza* 《*Nicar.*》 국영 전력 공사. *E- Nacional de Minería* 《*Chile.*》 국영 광업 회사. *E- Nacional de Portuaria Chile.*》 항만 공사. *E- Nacional de Telecomunicaciones* 《*Arg.*》 전기 통신 국영 기업체 ; 《*Chile.*》 전기 통신 공사. *E- Nacional de Transportes Colectivos* 《*Chile.*》 교통 공단. *E- Nacional del Petróleo* 《*Chile.*》 국영 석유 회사. ～ *nacionalizada* 국유 기업. ～ *naviera* 해운 회사. ～ *paraestatal* 반관 반민 기업. ～ *personal* 개인 기업. *E- Petrolera Fiscal* 《*Perú.*》 국영 석유 공사. ～ *porteadora* 운송 회사, 운송업. ～ *privada* 사기업, 민간 기업. ～ *pública* 공기업, 공공 기업. ～ *semipública* 반관 반민 기업. ～ *transporteadora por contrato* 계약 운송 회사·업자.

empresariado *m.* [집합] 기업인 ; 기업계.

empresarial *adj.* 기업의, 경영의 ; 경영학의.

empresario, ria *m.f.* ① 기업가, 흥행주 : ～ de teatros 극장 흥행주. ② 프로모터. ③ 경영자. ④ 청부인.

emprestador, ra *m.f.* 대부자.

emprestar *tr.* ①【방언】《*Amér.*》 빌리다(tomar prestado). ②【고어】【방언】 빌려주다(prestar).

empréstito *m.* ① 빚, 차금 : hacer ～. ② 차관(préstamo), 공채(～ público) : ～ estatal 국채. ～ exterior 외채. ～ interior 내채. ～ municipal 시채. ～ nacional 국채. ～ perpetuo·no amortizable 영구 공채. ～ público 공채. los ～*s* que emite el gobierno 정부 발행 공채. ③ 대부(물·금).
flotar un ～ 기채(起債)하다.

empretecer *intr.* 【고어】 《*Ecuad.*》 ＝**ennegrecer.**

emprima *f.* ① 처녀작. ② 첫 농작물(primicia).

emprimado, da *adj.* emprimar의 *p.p.* **—***m.* 양털을 두 번째 빗기.

emprimar *tr.* ① (양털을) 두 번째로 빗다. ② 돈을 뜯다. ③ 바가지를 씌우다. ④ (캔버스에) 바닥칠을 하다.

empringar *tr.* [8] ＝**pringar.**

empuchar *tr.* (실다발을) 표백액에 담그다.

empuerque →**emporcar** [24] [9].

empuesta (de) *adv.* 새의 뒤에, 새가 지나간 뒤에.

empujada *f.* 《*Guat. Venez.*》 ＝**empujón.**

empujador, ra *adj. m.f.* 미는 ; 밀어 올리는 (사람) ; 재촉하는 (사람) ; 압박·압력을 가하는 (사람).

empujar *tr.* ① 밀다, 밀어 올리다·젖히다 (impeler) : ～ la puerta 문을 밀다. ～ al bicho 짐승을 밀어 젖히다. ～ contra la pared 벽으로 밀어 붙이다. Por favor *empuje* esa silla hacia acá 이쪽으로 그 의자를 미십시오. *Empuje* 미십시오. ② (사람을) 제거하다, 밀어내다. ③ 마구 무리하게 밀어 버리다. ④ 몰아세우다. ⑤ (…에) 압박을 가하다, 압력을 작용하다. ⑥ 재촉하다.

empujatierra *m.* 불도저.

empuje *m.* ① 밀어 붙이기. ② 충동, 충격. ③ 의기(意氣), 기력. ④ (벽·기둥에 걸리는) 무게 ; 중압.
hombre de ～ 박력있는 남자.

empujo *m.* ＝**empuje.**

empujón *m.* ① 밀어 젖히기, 힘껏 밀어 붙이기 : a ～*es* 난폭하게, 사납게, 호되게 ; 몰아붙이는 듯이 ; 몰린 일에서. Este niño ha dado un ~ a Carmen 이 아이는 까르멘을 힘껏 밀어붙였다. ② 급속한 진척.

empulgadura *f.* 벼룩투성이 ; 큰 활로 겨누기.

empulgar *tr.* ⑧ ① 큰 활로 겨누다. ② 벼룩(pulgas)투성이로 만들다. ③《*Arg.*》얼룩투성이로 만들다.

empulguera *f.* ① 큰 활의 창 끝. —*pl.* (엄지손가락 고문용) 기구.

empuntar *tr.* ① 날카롭게 하다, 뾰쪽하게 하다(sacar punta) : ~ los alfileres. ②【방언】《*Col.*》이끌다, 궤도에 올려 놓다.
~**se**《*Venez.*》바싹 매달리다(obstinarse).
~*las*《*Col.*》도망치다.

empuñador, ra *adj.* 쥐는, 잡는 ; 획득하는.

empuñadura *f.* ① 칼자루, 손잡이. ②《*Amér.*》(지팡이 · 우산의) 손잡이. ③ 이야기의 첫머리에 붙이는 말.
Erase que era 옛날 옛적 어느 곳에.

empuñar *tr.* ① 쥐다, 잡다(asir por el puño) : ~ el bastón. ② (직업 · 지위를) 획득하다.

empurpurado, da *adj.* 자줏빛 옷을 입은.

empurpurar *tr.* 자줏빛으로 물들이다 : ~ el horizonte.
~**se** 자줏빛이 되다 ; 자줏빛 옷을 입다.

empurrarse *r.* ①《*AmérC.*》보채다. ② 화내다, 성내다(irritarse).

empusa *f.* =**espectro, vampiro.**

emputecer *tr.* 몸을 팔게 하다, 창녀로 만들다.

empuyar *tr.* 가시로 덮다. [*N.* 아메리카 대륙에서도 사용됨].

emú *m.*【조류】타조의 일종.

emulación *f.* 경쟁, 경쟁심.

emulador, ra *adj.* 경쟁하는. —*m.f.* 경쟁자.
Sinón. émulo, rival.

emular *tr.* ① 지지 않으려고 애쓰다, (우열을) 다투다. ② [+con : …과] 팽팽히 맞서다 : ~ con un santo.
~**se** 경쟁하다.

emulgente *adj.m.*【해부】신장 맥관(의) ; 정화성의 ; 정화제.

émulo, la *adj.* 경쟁의, (…와) 서로 다투는, 겨루는(rival). —*m.f.* 경쟁 상대, 경쟁자, 적수(rival, competidor).

emulsificante *m.* 유화제(乳化劑).

emulsión *f.* ① 유상액(乳狀液), 유제(乳劑) ; 유탁액(乳濁液) : ~ de petróleo 석유 유제. ②【사진】감광 유제.

emulsionar *tr.* 유화(乳化)하다, 유제(乳劑)로 만들다 ; 약제(藥劑)하다.

emulsivo, va *adj.* 유화성(乳化性)의 ; 유제용(乳劑用)의.

emulsor *m.* 유지 교반기《지방분을 뒤섞는 기계》; 유화제.

emunción *f.* 배설.

emuntorio *m.* [*lat.* emunctorium]【해부】배설기관. —*pl.* 임파선.

en *prep.* [*lat.* in] ① ㄱ) [시간 · 장소]…에, …에서 ; …의 안에, …안으로 : Sucedió *en* domingo 일요일의 일이었다. *en* un momento 순식간에. *en* la caja 상자 속에. Está *en* casa 집안에 있다. entrar *en* el cuarto 방안에 들어가다. Está usted *en* su casa 편안히 하세요《방안에서 손님을 맞을 때》. ㄴ) 위에(sobre) : *en* la mesa 책상 위에. ② [상태 · 형상] ㄱ)…으로 : Lo dijo *en* broma 농담으로 말했다. ㄴ)…로, …에 : partir *en* dos 둘로 나누다. hacerse *en* pedazos 산산조각이 나다, 박살이 나다. poner *en* movimiento 움직이게 해놓다. poner *en* conocimiento 알리다. ㄷ)…형태로, …의 모양이 되어(en forma de) : *en* avalancha 밀물처럼. ③ [방법] …으로 : *en* coreano 한글로. *en* español 서반아어로. ④ [creer, leer, pensar, *etc.* +] …을 · 에 관한 일을 : Creo *en* Dios 나는 신을 믿다. Leía *en* un periódico 신문을 읽고 있었다. Pensaba *en* ti 당신의 일을 생각하고 있었다. Pensaba *en* volver 돌아갈 것을 생각하고 있었다. ⑤ …의 점에서, …의 일에서 : Nadie le excede *en* bondad 친절한 점에서는 그를 따를 사람이 없다. ⑥ [+ *inf.* : …하는 것]에 있어서 : No hay inconveniente *en* concederlo 그것을 양보해도 상관이 없다. Le conocí *en* el andar 걸음걸이로 그라는 것을 알았다. ⑦ [+ 현재 분사] …하자마자, …하면 곧 : *En* llegando yo, todos se callaron 내가 도착하자마자 모두 입을 다물었다. [*N.* 현재 분사 앞에 놓일 수 있는 전치사는 en 뿐임].
~ *concreto* 구체적으로(concretamente).
~ *especial* 특히(especialmente).
~ *general* 보통, 대개, 대략, 일반적으로(generalmente).
~ *particular* 특히, 특별히(especialmente).
~ *secreto* 비밀리에(secretamente).

en- *pref.* [*gr.* en] ① 어떤 현상이 되는 것을 나타냄 : *en*noblecer 고귀하게 하다. ② b, p 앞에서는 em 의 형태 : *em*pobrecerse 가난해지다. ③「안에」「사이에」를 나타냄 : *en*céfalo.

enaceitar *tr.* (…에) 기름칠을 하다, 매끄럽게 하다(lubricar, lubrificar).
~**se** 기름이 되다 ; 기름같이 되다, 끈적끈적해지다.

enacerar *tr.* 제강하다, 강철로 하다, 강철같이 하다 ; 강하게 하다.

enaciado, da *adj.*【고어】=**apóstata.**

ENADI Empresa Nacional de Distribución《*Chile.*》국영 판매 회사.

enagua *f.pl.* ① 속치마(falda interior) : unas ~*s* blancas. ② (어머니의) 슬하. ③【방언】《*Amér.*》스커트. [*N.* naguas로도 사용되고 단수형 enagua 로 사용되기도 함].

enaguachar *tr.* ① 물바다로 만들다, 물에 잠기게 하다(llenar de agua) : terreno *enaguachado.* ② (너무 많이 마시고 과일을 너무 먹어) 물배를 만들다.
~**se** 뱃속에 물이 차다 ; 물에 잠기다.

enaguar *tr.* ⑩ =**enaguachar.**

enaguazar *tr.* ⑨ 물웅덩이 · 물바다로 만들다.
~**se** 물웅덩이가 되다, 물바다가 되다.

enagüetas *f.pl.* ① 천으로 만든 허리 가리개의 일종. ② (씨름꾼의) 샅바.

enagüillas *f.pl.* 짧은 속치마, 짧은 허리 가리개.

enajenable *adj.* (소유권을) 양도할 수 있는, 넘겨줄 수 있는 : una propiedad ~. **Contr.** inalienable.

enajenación *f.* ① 양도 : ~ de bienes 재산의 양

도. ② 방심, 멍해짐 ; 황홀. ③ 흥분, 발작 : ~ mental 발광(locura, demencia).
enajenado, da *adj.* 정신 이상이 된. —*m.f.* 정신 이상자.
enajenador, ra *adj.* 양도하는. —*m.f.* 양도자.
enajenamiento *m.* =**enajenación.**
enajenar *tr.* ① 양도하다. ② 소원·경원하다. ③ 이성을 잃게 하다, 몹시 흥분시키다 : El miedo la *enajenó* 그녀는 공포감 때문에 넋이 나갔다. ④ 열중·몰두시키다.
~se ① 마음이 텅 비다, 넋나간 사람처럼 되다 ; 방심하다 ; 흥분하다 : *Se enajenó de* sí 앞뒤를 가리지 않고 화냈다·흥분했다. ② [+de : …을] 버리다, 버리고 돌아보지 않다 ; 남에게 넘겨주다. ③ 소원해지다.
enálage *f.* 【문법】 시간·성·수·법·품사 등의 전환, 환용 : *Iré* al campo mañana, Mañana *voy* al campo 나는 내일 시골에 간다.
enalbar *tr.* [*lat.* inalbare] 가열하다, (쇠를) 벌겋게 달구다(caldear).
enalbardar *tr.* ① 길마를 얹다 : ~ un borrico. ② (기름에 튀긴 것을) 밀가루와 달걀에 버무리다. ③ (구을 닭에 양념으로) 소금에 간한 돼지고기를 얹다.
enalfombrar *tr.* 《*Ecuad.*》 =**alfombrar.**
enalmagrado, da *adj.* ① 자토(almagra)로 칠한. ② 건달패라고 낙인이 찍힌.
enalmagrar *tr.* =**almagrar.**
enaltecedor, ra *adj.* = **que enaltece.**
enaltecer *tr.* 31 ① =**ensalzar.** ② 높이 받들다, 귀하게 모시다.
enaltecimiento *m.* 고양 ; 찬양.
ENALUF Empresa Nacional de Luz y Fuerza 《*Nicar.*》 국영 전력 회사.
enamarillecer(se) *intr.(r.)* 31 노랗게 되다.
ENAMI Empresa Nacional de Minería 《*Chile.*》 국영 광업 회사.
enamoradamente *adv.* 사랑해서, 반해서.
enamoradizo, za *adj.* 쉬 반하는 : Mi hijo de diecinueve años es muy ~*zo* 나의 열아홉 살 난 아들은 잘 반한다.
enamorado, da *adj.* ① [+ de : …을] 사랑하고 있는 ; (…에게) 반한, 연정을 느낀 : María está ~*da de* Juan 마리아는 후안에게 반해 있다. ② 《*Amér.*》 쉬 반하는(enamoradizo).
—*m.f.* 애인 ; 반하는·반한 사람.
enamorador, ra *adj.* 사랑하게 하는, 반하게 하는 ; 이성을 구슬리는. —*m.f.* 유혹자.
enamoramiento *m.* ① 홀딱 반해 버림, 연모 : un ~ súbito. ② 구슬리기. ③ 상사병.
enamorante *adj.* 사랑을 느끼게 하는 ; 사랑을 호소하는.
enamorar *tr.* ① 사랑을 느끼게 만들다, 사랑하게 하다(sentir amor) : hacerse ~ 자신를 좋아하도록 하다. Manuel *enamora* a todas las chicas 마누엘은 모든 아가씨들에게 사랑을 느끼게 만든다. ② 사랑을 호소하다 ; 구슬리다, 호리다.
~se ① [+de : …에게] 반하다, 사랑하다, 연정을 품다 : Ella *se enamoró de* un estudiante francés 그녀는 불란서 학생한테 반했다. José *se enamoró* perdidamente *de* Lola 호세는 정신없이 롤라를 사랑했다, 호세는 롤라한테 홀딱 반했다. ② 심취하다, 도취하다, 빠지다 (aficionarse) : ~*se de* un coche.
enamoricarse *r.* 7 약간 반하다, 혼자 사랑하다, 짝사랑하다(engolondrinarse).
enamoriscarse *r.* 7 【방언】 《*Amér.*》 =**enamoricarse.**
enancarse *r.* 7 《*Amér.*》 ① 남이 타고 있는 말의 궁둥이에 타다. ② 남보다 뒤처지다.
enanchar *tr.* =**ensanchar.**
enangostar *tr.* =**angostar, estrechar.**
enanismo *m.* 왜소 기형.
enano, na *adj.* [*lat.* nanus] 아주 작은, 조그마한, 왜소한 : persona ~*na* 왜소한 사람. árboles ~*s* 분재(盆栽). —*m.f.* 난쟁이, 꼬마. —*m.* 【은어】 단도.
como el ~ de la venta 빛 좋은 개살구격의.
trabajar como un ~ 일을 많이 열심히 하다(trabajar mucho).
enante *m.* 【식물】 독(毒)미나리.
enántico, ca *adj.* 술의 : éter ~.
enanzar *intr.* 《*Nav.*》 =**adelantar, avanzar.**
ENAP Empresa Nacional de Petróleo 《*Chile.*》 국영 석유 회사.
enarbolado, da *adj.* ① 높게 세운. ② 격노한. —*m.* (탑·아치의) 뼈대.
enarbolar *tr.* (기를) 세우다·게양하다 ; 높이 들다 : ~ la bandera 기를 게양하다.
~se ① (말이) 곤두서다. ② 격노하다.
enarcadura *f.* 《*Neol.*》 호(arco, curva).
enarcar *tr.* 7 ① 활처럼 휘다, 구부리다(arquear) : ~ una rama. ② (통에) 테를 끼우다.
~se ① 활처럼 휘어지다 ; 오므라들다. ② (말이) 곤두서다. ③ 당황하다.
~ el ceño 이맛살을 찌푸리다.
enardecedor, ra *adj.* 자극하는, 흥분시키는.
enardecer *tr.* 31 [*lat.* inardescere] 자극하다, 흥분시키다(excitar) : ~ las pasiones.
~se ① 열정을 느끼다, 흥분하다. ② 염증을 일으키다. Contr. apagar.
enardecimiento *m.* 자극 ; 흥분 ; 염증.
enarenación *f.* 석회와 모래의 반죽 ; 벽의 초배 ; 모래를 뿌리는 일.
enarenar *tr.* ① (…에) 모래를 뿌리다·깔다(arenar) : ~ un jardín 정원에 모래를 뿌리다. ② 모래를 넣다·섞다.
~se (배가) 모래 위에 얹히다, 모래 위에 걸리다, 좌초하다(encallar).
enarmonar *tr.* 일으키다, 세우다 ; 서다.
~se (말이) 뒷발로 서다.
enarmónico, ca *adj.* 【음악】 사분 음계의.
enartar *tr.* =**encantar, hechizar.**
enartrosis *f.* 【해부】 구상 관절(球狀關節).
enastado, da *adj.* 뿔이 있는.
enastar *tr.* (무기에) 손잡이(asta)를 달다 : ~ una lanza 창에 손잡이를 달다.
enastilar *tr.* (도구에) 자루(astil)를 달다.
encabador *m.* 《*Col.*》 펜대(mango de la pluma).
encabalgamiento *m.* 포가(砲架), 포차(砲車) ; (물건을 기대어 놓는) 받침.
encabalgante *adj.* 걸터앉은, 올라타는 ; 말을 공급하는 ; (어구의) 행을 나누는.
encabalgar *intr.* 8 걸터앉다 ; 올라타다. —*tr.* ① 말을 공급하다. ② (일련의 어구를) 행을 나

누다.

encaballado, da *adj.* encaballar의 *p.p.* —*m.* 【인쇄】 조판이 무너짐.

encaballar *tr.* ① 끝을 포개어 늘어 놓다 : planas *encaballadas.* ② (기왓장을) 이다. —*intr.* 조판이 무너지다.

encabar *tr.* 《*Amér.*》 (연장에) 자루(cabo)를 달다.

encabellecerse *r.* 31 머리카락이 길어지다.

encabestrar *tr.* ① (짐승에) 고삐(cabestro)를 매다. ② (사나운 소를) 길들인 소에게 이끌게 하다. ③ 권유하다.

~**se** (짐승이) 앞다리를 고삐에 휘감다.

encabezado *m.* 《*PRico.*》 지휘자 ; 십장, 감독 (capataz).

encabezamiento *m.* ① 기재, 등기, 기입, 등록 (registro). ② 과세 인명록. ③ 세율(의 결정). ④ (서류・편지의) 서두의 형식. ⑤ (서류・편지지 등의 윗부분에 인쇄한) 상점명・회사명 기관명・주소 등.

encabezar *tr.* 9 ① 등록・등기・기입・기재하다(registrar, matricular). ② 신청서 등에 맨 먼저 이름을 적다. ③ 서한의 서두의 형식을 갖추다. ④ 알코올분을 강하게 하다(aumentar la parte espiritosa de un vino). ⑤ 목재의 끝과 끝을 맞추다. ⑥ 《*Amér.*》 통솔하다, 지휘하다 (estar a la cabeza, dirigir).

~**se** ① 지불할 액수를 협정하다. ② 큰 손해를 면하기 위해 작은 손해를 달게 받다.

encabezonamiento *m.* =**encabezamiento.**

encabezonar *tr.* =**encabezar.**

encabillar *tr.* 못(cabilla)을 박다.

encabrahigar *tr.* 16 8 (무화과를) 매달아 말리다.

encabriar *tr.* 11 (건조물에) 서까래를 대다.

encabritarse *r.* ① (말이) 발로 일어서다. ② 뱃머리・기수(機首)를 위로 쳐들다 ; 차량의 앞부분이 들리다. ③ 성내다(enojarse).

encabronar *tr.* 《*Cuba. Col. Chile.*》 화나게 하다, 약을 올리다(enfurecer).

encabruñar *tr.* 《*Sal.*》 낫의 날을 갈다.

encabullar *tr.* 《*Amér.*》 =**encabuyar.**

encabuyar *tr.* ① 《*Ant. Venez.*》 삼으로 묶다・싸다(liar con cabuya). ② 연계하다.

encachado *m.* 포석(鋪石)《수로・다리밑・차도・철도 등의》.

encachar *tr.* ① 포석(encachado)을 만들다. ② (면도칼 등에) 접기식 손잡이(cacha)를 대다. ③ 《*Chile.*》 (소가 돌진하기 위해) 머리를 웅크리다. ④ 교각을 보강하다.

encachilarse *r.* 《*Arg.*》 분격하다, 격분하다, 격노하다(enojarse mucho).

encachorrarse *r.* ① 《*Cuba.*》 끈덕지게 버티다. ② 화내다.

encadarse *r.* 웅크리다 ; 움칫하다, 뒷걸음치다.

encadenación *f.* =**encadenamiento.**

encadenado, da *adj.* ① 꽁꽁 묶인. ② 【시어】 끝맞추기식의. —*m.* 【건축】 목재의 연결.

encadenadura *f.* =**encadenamiento.**

encadenamiento *m.* ① 꽁꽁 비끄러 매기. ② 연락, 연계(連繫), 짜맞추기(conexión). ③ (죄수・노예 등을) 쇠사슬로 묶기.

encadenar *tr.* ① 쇠사슬로 매다・묶다 (atar con cadena). ② 연결하다. ③ 꼼짝 못하게 비끄러매다, 몸을 꼼짝 못하게 하다. ④ 가두어 놓다 : ~ en casa.

~**se** 서로 연관・연결되다 : Los sucesos *se encadenan* entre sí 그 사건은 서로 연관이 되어 있다.

encajador *m.* ① 끼우는 사람. ② 끼우는 기구.

encajadura *f.* ① 끼워 넣기. ② 【목공】 장붓구멍. Sinón. encaje.

encajar *tr.* ① 끼우다, 넣다, 박다, 삽입하다 : ~ el anillo *al* dedo · el eje *a* la rueda 반지를 손가락에・바퀴를 차축에 끼우다. ② 꼭 맞추다 : ~ la tapa del baúl 트렁크의 뚜껑을 닫다. ③ 살그머니 넣어 주다 : ~ el dinero. ④ 별안간 하다 : ~ un chiste 자리에 꼭 어울리는 신소리를 하다. ⑤ (위조 지폐를) 안기다. ⑥ 한 대 먹이다, 집어 던지다 : Le *encajó* un palo 몽둥이를 한 대 먹였다. Le *encajó* un tintero *en* la cabeza 그의 머리에 잉크병을 집어 던졌다. ⑦ 들려주다 : ~ un cuento.

—*intr.* ① 꼭 끼다・꼭 맞다 : La puerta *encaja* bien *con* · *en* el cerco 문이 문틀에 꼭 맞다. ② 적합하다 (venir al caso) : Tal frase no *encaja en* el discurso 그런 문구는 연설에 적합하지 않다.

~**se** ① 끼어들다, 끼다 : ~*se en* el tranvía · *en* una reunión. ② 입다, 착용하다 : *Se encajó* un gabán.

encaje *m.* ① 끼워 넣기, 맞추어 박기. ② 【목공】 목재의 이음. ③ (톱니바퀴의) 맞물림. ④ 균형. ⑤ 양상(樣相) : ~ de la cara 얼굴 생김새. ⑥ 레이스 (편물) : una mantilla de ~. ⑦ 【경제】 예비금, 준비금, 적립금 ; (금의) 준비고 ; 정화준비(고) : ~ de oro 금준비고. ~ metálico 정화 준비(금), 경화 준비(금).

encajero, ra *m.f.* 레이스 만드는 사람・상인.

encajetar *tr.* 《*Chile. Arg.*》 =**encajar.**

encajetillar *tr.* (궐련을) 쌈지・종이곽에 넣다.

encajonado, da *adj.* 곽에 넣은 ; (토담의) 틀에 넣은. —*m.* 틀에 넣어 굳힌 흙.

encajonamiento *m.* 상자・틀의 안에 넣기.

encajonar *tr.* 상자 안에 넣다 ; 좁은 곳으로 넣다 ; 틀의 안에 넣다.

~**se** 좁은 곳에 넣다 : El río *se encajona* entre las breñas.

encalabernarse *r.* 《*Cuba.*》 끈덕지게 하다, 집착하다(obstinarse).

encalabozar *tr.* 9 지하 감옥에 넣다.

encalabrinamiento *m.* 머리가 멍해지는 일.

encalabrinar *tr.* 머리를 멍하게 만들다 : El vino le *encalabrinó.* ② 자극하다, 흥분시키다 (excitar).

~**se** 흥분되다 ; 집착하다, 고집하다.

encalada *f.* (말의 마구에서) 쇠붙이.

encalador, ra *adj.* 하얗게 칠하는. —*m.* ① 미장이. ② (모피 탈모용) 석회 물통.

encaladura *f.* encalar 하는 일.

encalambrarse *r.* 《*Col. Arg. Chile.*》 ① 얼다, 손발이 곱아지다(aterirse). ② 사지가 저려오다, 오금이 쑤시다(entumirse).

encalamocar *tr.* 7 《*Amér.*》 =**alelar, confundir.**

encalar *tr.* ① 하얗게 칠하다 : ~ las paredes 벽

에 흰 칠을 하다. ② (가죽 등에) 석회를 뿌리다. ③ (좁은 곳에) 끼워 넣다. ④【방언】떠밀다.

encalatarse *r.* 《*Perú.*》 벌거벗다 ; 알몸이 되다, 무일푼이 되다.

encalcar *tr.* 《*León. Sal. Zam.*》 =**apretar, oprimir, recalcar.**

encalillarse *r.* 《*Chile*》 빚을 지다, 빚에 묶이다, 빚이 태산 같아지다.

encalipto *m.* 【식물】 이끼(musgo)의 일종.

encalladero *m.* ① 좌초하기 쉬운 곳. ② 얕은 여울. ③ 위험한 일.

encalladura *f.* 좌초 ; 하던 일이 막힘.

encallar *intr.* 좌초하다(varar) ; (일이) 꼬이다.
~se 설익어 딴딴해지다.

encallecer(se) *intr.(r.)* 31 ① 손발에 못(callo)이 박히다. ② [+en : …에] 익숙하다, 길들다.

encallecido, da *adj.* 길든, 버릇된(avezado, acostumbrado) : ~ en los trabajos.

encallejonar *tr.* 좁은 곳으로 넣다.

encalmado, da *adj.* 평온한, 조용한.

encalmadura *f.* (피곤·더위로 말에게 생기는) 병.

encalmarse *r.* ① (동물이) 더위를 먹다. ② (바람이) 자다, 평온해지다, (사람이) 진정하다.

encalo *m.* 《*And.*》 =**encaladura.**

encalostrarse *r.* (아이가) 초유(calostro)로 병들다.

encalvar *intr.* 《*Chile.*》 =**encalvecer.**

encalvecer *intr.* 31 대머리가 되다.

encamación *f.* 【광산】 =**entibación.**

encamado, da *adj.* encamar의 *p.p.* **—***m.* (밀 등이) 쓰러지는 일.

encamar *tr.* ① 눕히다. ② 깔다. ③【광산】관목을 깔다.
~se ① 병상에 눕다. ② (짐승이) 쉴 곳에 눕다 : *Se encamó* la liebre. ③ (밀 등이) 쓰러지다.

encamarar *tr.* (곡류·과일을) 창고에 넣어 두다. **Sinón.** entrojar.

encambijar *tr.* 물을 탱크에 끌어올려 급수하다.

encambrar *tr.* =**encamarar.**

encambronar *tr.* 가시 울타리를 치다, 철조망·철책을 치다.

encaminadura *f.* =**encaminamiento.**

encaminamiento *m.* ① 진행. ② (어떤 일을) 돌림. ③ 발족. ④ 발송 : ~ de un paquete.

encaminar *tr.* ① 길을 가르쳐 주다(enseñar el camino) : ¡Mozo! *encamine* a este señor al cuarto 404 보이, 이 분을 404호실에 안내해 주세요. ② 향하게 하다, 가게 하다(dirigir) : ~ un paquete a su destino. ③ 돌리다. ④ 향하다 : ~ todos los esfuerzos a conseguirlo 그것을 얻고자 전력을 다하다.
~se 향하다, 향해 가다, 방향을 잡아 나가다 (dirigirse, orientarse) : *~se* a la ciudad.

encamisada *f.* ① 아군의 표시로 셔츠를 입는 야습. ② 야간 가장 무도회.

encamisar *tr.* ① (…에게) 셔츠를 입히다(poner la camisa). ② (…에) 씌우개·커버를 씌우다 (enfundar). ③ 싸다, 가리다, 감추다(disfrazar).
~se 흰 셔츠를 입다 《야습의 준비를 하기 위해》 ; 셔츠·블라우스를 입다.

encamonado, da *adj.* 【건축】 유리가 낀 : bóveda *~da.*

encamotado, da *adj.* 《*Amér.*》 =**enamorado.**

encamotarse *r.* 《*Amér.*》[+en : …에게] 반하다, 사랑에 빠지다(enamorarse).

encampanado, da *adj.* ① 종 모양의. ② 복잡해진, 꼬인, 뒤얽힌.
dejar ~ 《*Méx.*》 궁지에 빠진 것을 그대로 내버려 두다.

encampanar *tr.* ① 종 모양을 만들다. ② 《*PRico. Venez.*》 높이 쳐들다(elevar). ③ 쫓아내다, 몰아내다. ④ 《*Méx.*》 곤란하게 만들다, 함정에 빠뜨리다.
~se ① 부풀다 ; 허세를 부리다. ② 《*Col.*》 반하다. ③ 《*Perú.*》 분규하다. ④ 《*Méx.*》 (투우에서) 소가 머리를 불끈 들다. ⑤ 난처한 입장에 놓이다, 난처한 처지에 빠지다, 일이 꼬이다·뒤얽히다. ⑥ 《*Venez.*》 들어가 버리다.

encamparse *r.* 【방언】 먼 곳에 가다, 멀어지다, 물러서다.

encanalar *tr.* =**encanalizar.**

encanalizar *tr.* 9 (물이) 개천·물받이로 흘려 보내다.

encanallamiento *m.* 타락 ; 비열 ; 망나니.

encanallar *tr.* 악당·무뢰배·불량배·무뢰한·망나니(canalla)로 만들다.
~se 망나니로 타락되다.

encanar *tr.* 《*AmérM.*》【은어】 체포·구류하다, 감옥(la cárcel)에 넣다.
~se (너무나 울어·웃어) 움직일 수 없게 되다.

encanastar *tr.* 바구니·광주리(canasta)에 담다·넣다.

encancerarse *r.* 암(cáncer)에 걸리다 ; 혹이 생기다(cancerarse).

encanchinarse *r.* ① 《*AmérC.*》 짝사랑하다. ② 노하다, 화내다, 성내다.

encandecer *tr.* 31 ① 새빨갛게 달다 : ~ el hierro. ② 바싹 달아오르다.

encandelar *intr.* 《*Arg.*》 밤나무가 꽃피다 (florecer el castaño). **—***tr.* 《*Cuba.*》 괴롭히다, 귀찮게 하다, 부아를 돋구다, 속을 썩히다, 애먹이다(molestar).

encandelillar *tr.* 《*AmérM.*》 (…에) 시침질하다(sobrehilr).
~se 《*Col. Chile.*》 =**encandilarse, deslumbrarse.**

encandellar *tr.* 《*Col. Perú.*》 불을 피우다.

encandiladera *f.* =**encandiladora.**

encandilado, da *adj.* ① 눈이 어두워진, 현혹당한. ② 충혈된. ③ 일어선. ④ 높은(alto).

encandiladora *f.* =**alcahueta.**

encandilar *tr.* ① 눈부시게 만들다, 황홀하게 만들다, 눈앞이 아찔하게 만들다(deslumbrar). ② (등불의) 심지를 세우다(avivar). ③ (상대방을) 얼렁뚱땅해서 얼이 빠지게 만들다. ④ 《*Perú.*》 눈뜨게 만들다. ⑤ 《*Cuba.*》 불빛으로 고기를 잡다.
~se ① (취기로) 눈에 핏발이 서다, 눈이 충혈되다 : *~se* con la bebida 술을 마셔 눈이 충혈되다. ② 《*Col. Perú.*》 놀라다(asustarse, espantarse). ③ 잠을 깨다.

encanecer *intr.* 31 백발이 성성해지다, 노쇠해지다, 늙다(ponerse cano) : ~ *en* los trabajos.
~se 곰팡이가 끼다·슬다 : *~se* el pan.

encanijamiento *m.* 여윔, 쇠약.

encanijarse *r.* ① 여위다, 마르다(ponerse flaco). ② 병약해지다, 쇠약해지다(ponerse canijo). ③ 《*Ecuad. Perú.*》 추위에 떨다 · 손발이 곱다(aterirse de frío).

encanillar *tr.* (실을) 실패에 감다 : ~ una madeja de seda.

encantación *f.* =**encantamiento, encanto.**

encantado, da *adj.* ① 매우 만족스러운(muy satisfecho) : Estoy ~ *con* mi traje nuevo. ② 멍한, 멍청한 : Parece que estás ~. ③ 환술에 걸린, 마가 낀 (듯한). ④ 황홀경에 빠진, 매혹된. ⑤ 넓기만 하고 사는 사람이 없는 : un palacio ~.
Muy ~ de conocerle 처음 뵙겠습니다.
Encantado 처음 뵙겠습니다, 반갑습니다 ; 기꺼이 그렇게 하겠습니다 ; 참 멋지다, 훌륭하다, 굉장하군.

encantador, ra *adj.* 유혹하는, 넋을 뺏는 (듯한), 매혹적인 : Es una muchacha *~ra* 그녀는 매력이 있는 소녀다. —*m.* 환술사.

encantamento *m.* =**encantamiento.**

encantamiento *m.* [*lat.* incantamentum] 환술 ; 매혹.

encantar *tr.* [*lat.* incantare] ① 환술 · 마법을 걸다 ; 현혹시키다. ② 우롱하다. ③ 매혹시키다, 넋을 빼다 : Me *encanta* este cuadro 이 그림은 나의 넋을 뺀다. Me *encanta* 훌륭하다고 생각합니다. ④ 《*Ar.*》 경매하다(vender en pública subasta).
~se 매혹되다, 넋을 잃다.

encantarar *tr.* 항아리에 넣다 : ~ cédulas para un sorteo.

encante *m.* ① 입찰, 경매(venta en pública subasta) : al ~ 경매에 붙여. ② 경매장.

encanto *m.* ① 매혹 ; 매력 ; 환술. ② 총애(寵愛) : Este niño es mi ~.

encantorio *m.* =**encantamiento, encanto.**

encantusar *tr.* =**engatusar, engañar.**

encanutar *tr.* =**encañutar.**

encañada *f.* 협곡, 두메, 산골짜기, 산협.

encañado, da *adj.* 수도관으로 흘려 보낸 ; 배수 설비가 된. —*m.* ① 수도관 ; 배수구. ② 갈대 · 대나무로 만들어진 격자. ③ 《*Chile.*》 산의 균열.

encañador *m.* 배수구를 만드는 사람.

encañadura *f.* (안장을 채우기 위한) 라이보리의 줄기.

encañar *tr.* ① 수관(水管)으로 보내다 ; (토지의) 배수를 하다. **Sinón.** avenar. ② (식물에) 갈대 · 대나무를 받치다 : ~ un clavel. ③ (실을) 실패에 감다. ④ (숯으로 구울 나무를) 쌓아 올리다.
—*intr.*, **~se** ① 곡물의 줄기가 자라다. ② 《*Urug.*》 술에 취하다.

encañizada *f.* (고기잡이용) 갈대발, 대발.

encañizar *tr.* 9 대발을 넣다 · 치다.

encañonado, da *adj.* 좁은 곳을 휩쓸고 지나가는 (바람) ; 파이프를 통한 (물).

encañonar *tr.* ① (무엇을) 파이프 속에 끼워 넣다. ② (강물을) 파이프로 끌다 · 뽑다 ; (습지에) 배수 설비를 하다. ③ (실을) 실패에 감다. ④ (잡을 짐승을) 겨냥하다. ⑤ (피륙에) 주름을 세우다. ⑥ (제본에서 종이를) 접어 넣어 맞추다. —*intr.* 날개가 돋아나다.

encañutar *tr.* ① 파이프 · 관으로 만들다. ② 관에 넣다, 파이프를 통하다. ③ =**rizar.**

encapacetado, da *adj.* 철모를 사용하는.

encapachadura *f.* 광주리에 넣은 한번에 짜는 올리브.

encapachar *tr.* 광주리 · 바구니(capacho)에 넣다 : ~ aceituna.

encapado, da *adj.* ① 가빠를 입은. ② 노출되지 않은 (광맥).

encapar *tr.* (…에) 가빠 · 덮개를 씌우다 · 입히다.

encaparazonar *tr.* 안장 덮개를 씌우다.

encapilladura *f.* 고깔 · 복면을 씌우기 ; 갱도 파기.

encapazar *tr.* 9 =**encapachar.**

encaperuzar *tr.* 9 (…에) 두건을 씌우다.

encapillar *tr.* ① (…에) 고깔 두건 · 고깔 복면을 씌우다. ② (파도가) 덮치다. ③ 쇠고리줄의 끝을 돛대에 걸치다. ④ 갱도(坑道)를 파기 시작하다. ⑤ (사형수를) 예배실로 데려가다.
~se ① 옷을 입다, 두건을 쓰다. ② 포개어 가지런히 하다. ③ (배가) 물을 뒤집어쓰다.

encapirotado, da *adj.m.f.* 고깔처럼 끝이 뾰족한 복면(capirote)을 쓴 (행열의 사람).

encapirotar *tr.* 고깔처럼 끝이 뾰족한 복면을 씌우다.

encapotado, da *adj.* 《*Cuba.*》 =**alicaído, triste.**

encapotadura *f.* =**ceño, sobrecejo.**

encapotamiento *m.* =**encapotadura.**

encapotar *tr.* 가빠(capote)로 뒤집어쓰다.
~se ① 가빠를 뒤집어쓰다, 외투를 입다. ② 얼굴을 찡그리다(poner rostro ceñudo). ③ (하늘이) 검은 구름으로 덮이다(cubrirse el cielo de nubes negras o tempestuosas). ④ 《*Cuba.*》 (새가) 병들다. ⑤ (말이) 머리를 낮게 숙이다.

encapricharse *r.* ① [+por : …에] 변덕을 부리다. ② [+con · en : …에] 집념하다.

encapuchar *tr.* 여자 두건(capucha)으로 씌우다 · 가리다.
~se 여자 두건을 쓰다.

encapullado, da *adj.* 껍질을 꽃봉오리처럼 오므린 ; 잎이 안으로 오므라든.

encapuzar *tr.* 두건으로 씌우다.

encarado, da *adj.* [bien · mal+] 얼굴이 고운 · 흉한(de buena o mala cara) : Es un tipo mal ~ 그는 인상이 좋지 않는 놈이다.

encaramar *tr.* ① 올리다, 밀어 올리다, 억지로 올려놓다. ② 추켜올리다. ③ (높은 자리에) 앉히다 : Le *encaramaron* en un puesto demasiado difícil. ④ 《*Col.*》 무안을 주다, 창피를 주다. ⑤ 《*Guat.*》 때리다, 두들겨 패다, 한 대 먹이다.
~se ① [+a · en : …에] 오르다, 기어오르다, 엉겨붙어 오르다 : *Se encaramó a · en* un árbol 그는 나무에 기어올랐다. *Se encamaró a*l tejado 그는 지붕에 기어올랐다. ② 자화 자찬하다. ③ 높은 지위에 오르다. ④ 《*Amér. Chile.*》 수치스러워하다, 부끄러워하다, 홍당무가 되다, 얼굴을 붉히다(ruborizarse, avergonzarse).

encaramiento *m.* 마주 향하는 일, 대질, 대면, 벼름.

encarapitarse *r.* 《*Col. Ecuad.*》 =**encara-**

marse.

encarar *tr.* ① 코앞에 들이대다, 들이밀다. ② 겨냥하다(apuntar) : Me *encaró* el fusil.
—*intr.*, **~se** [+con : …과] 마주보다, 마주 향하다(ponerse cara a cara) : *~se con* una persona.

encaratularse *r.* 가면을 쓰다.

encarcavinar *tr.* 구덩이에 처넣다; 숨막히게 하다; 혼미시키다; 악취를 풍기다.

encarcelación *f.* 투옥.

encarcelado, da *adj.* [encarcelar의 *p.p.*] 투옥된; 회반죽 칠이 된. —*m.* 투옥된 사람.

encarcelador, ra *adj.* 투옥하는; 회반죽 칠을 하는.

encarcelamiento *m.* =**encarcelación.**

encarcelar *tr.* ① 투옥시키다 (meter en la cárcel). ② 회반죽 칠을 하다. ③ (아교 풀칠을 한 나무를) 조임 나무로 조이다.

encardarse *r.* 《*Chile.*》 (들이) 온통 엉겅퀴로 뒤덮이다, 엉겅퀴가 번져 가다.

encarecedor, ra *adj.* 입에 침도 바르지 않고 말하는. —*m.f.* 떠버리, 허풍선, 허풍선이, 침소봉대하는 사람.

encarecer *tr.* 31 ① 가격을 인상하다(subir el precio) : *Han encarecido* el precio de la carne 고기 값이 인상되었다. ② 상찬하다, 마구 추켜 올리다; 소문을 퍼뜨리다. ③ 강조하다. ④ 간청하다, 신신 당부하다 : Le *encarezco* a usted que piense en mi petición 내 탄원을 고려해 주시길 간청합니다.
—*intr.*, **~se** 값이 오르다 : Las viviendas *se han encarecido* mucho estos días 주거비가 요즈음 많이 올랐다. ② 품귀 현상을 빚다 : ~ el pan 빵이 품귀 현상을 빚고 있다.

encarecidamente *adv.* 간절히, 열심히, 극구 (con encarecimiento) : Se lo ruego a usted ~ 귀하에게 그 일을 간절히 바랍니다.

encarecimiento *m.* ① 가격 상승. ② 간청, 간구(懇求), 간원, 갈망. ③ 강조; 열심, 열중 : con ~ 열심히; 강력히; 극도로.

encargado, da *adj.* ① [+de : …을] 의뢰받은, 부탁받은, 담당한 : *Está encargado de* la organización de la fiesta 그는 파티의 조직을 담당하고 있다. ② 인수한.
—*m.f.* ① 책임자, 담당자, 대리자 : ~ de la obra 건축 책임자. ~ de negocios 대리 대사·공사(公使). ~ de vía 철도의 보선 담당자. Hable usted con el ~ 담당자와 말씀해 주십시오. ② 계원 : El Sr. García es el ~ de la sección de traducciones al inglés 가르시아씨는 영어 번역과의 계원이다.

encargar *tr.* 8 ① 위임·위탁하다, 맡기다, 부탁하다 : Me *encargaron* que se lo dijese 나는 그에게 그것을 말하도록 부탁받았다. ② 권하다 (recomendar) : Le *encargué* que escribiera la carta. ③ 맞추다, 발주·주문하다(pedir) : ~ maquinaria a los Estados Unidos 기계를 미국으로 발주하다. ~ un vestido·la comida 옷·식사를 주문하다.
~se [+de : …을] 책임지다, 인수하다 : *~se de* un asunto 일을 책임지다. *Se encargó de* una sucursal 그는 지점장이 되었다.

encargo *m.* ① 위임; 의뢰, 위탁. ② 부탁받은 일; 맡은 일, 직무, 임무 : Me ha dado un ~ que no me gusta 그는 내가 싫어하는 임무를 나에게 주었다. ③ 전언(傳言). ④ 주문, 주문품 : por ~ 주문으로. ~ de construcción 건축 주문.
como hecho de ~ 안성맞춤으로.
estar de ~ 《*SDgo.*》 임신 중에 있다.

encargue[1] *m.* 《*Arg.*》 =**encargo.**

encargue[2] encargar의 접·현·1·3·단수.

encargué encargar의 직·부정과거·1·단수.

encarguéis encargar의 접·현·2·복수.

encarguemos encargar의 접·현·1·복수.

encarguen encargar의 접·현·3·복수.

encargues encargar의 접·현·2·단수.

encariñar *tr.* =**despertar, excitar el cariño.**
~se 애정을 느끼다, 좋아지다, 애착을 느끼다 (aficionarse, cobrar cariño) : *~se con* una idea.

encarna *f.* =**encarnadura.**

encarnación *f.* 인격화, 권화(權化), 화신(化身); 살빛, 고기 빛.

Encarnación *f.* 신(神)의 탁신(託身)·현현(顯現); 예수 그리스도.

encarnadino, na *adj.* 살색의, 살빛의, 벚꽃빛깔의.

encarnado, da *adj.* 화신의, 탁신의; 살빛의; 붉은 : una rosa *~da.* —*m.* (소상 등의) 살빛, 적색(赤色).

encarnadura *f.* ① 상처의 아무는 힘 : tener buena·mala ~ 잘 낫는·낫기 어려운 살결이다. ② 화살에 다친 상처, 칼에 벤 상처. ③ (개가 쫓아가 잡은 짐승을) 입으로 질근질근 깨물기.

encarnamiento *m.* (상처의) 새살 나기.

encarnar *intr.* [*lat.* incarnare] ① 사람의 형상을 해서 나타나다. ② 상처에 새살이 나오다 : Esta llaga no consigue ~. ③ (칼 등의 날이 있는 연장이) 몸에 꽂히다, 살 속에 파고들다. ④ 마음속 깊이 사무치다. ⑤ 개가 사냥에서 잡은 짐승을 입으로 질근질근 깨물다(encarnizar).
—*tr.* ① (…의) 화신(化身)이 되다; 실지로 나타나다. ② 구체화하다. ③ (낚싯바늘에) 먹이를 달다. ④ (그림이나 조상에) 살색을 칠하다.
~se (서로 떨어져 있던 것이) 합체하다(unirse), 섞이다(mezclarse).

encarnativo, va *adj.m.* 새살이 나오게 하는 (약).

encarne *m.* ① =**encarna.** ② =**encarnación.**

encarnecer *intr.* 31 살이 찌다, 살이 붙다.

encarnizadamente *adv.* 잔인하게, 처참하게, 무참히.

encarnizado, da *adj.* ① 피에 굶주린; 처참한, 잔인한, 격한 : combate ~. ② 핏발 선 (눈).

encarnizamiento *m.* 잔인성·잔혹성(의 발휘) : con ~ 잔인하게, 잔인성을 발휘하여.

encarnizar *tr.* 9 (사냥개에게) 고기맛을 알게 하다; 잔인하게 하다; 피에 굶주리게 하다; 미쳐 날뛰게 만들다.
~se ① 인정 사정없이 잔인하게 굴다 : El enemigo *se encarnizó con·en* los vencidos. ② 피에 굶주려 미쳐 날뛰다; 온통 피투성이가 되어 싸우다.

encaro *m.* ① 마주봄; 맞부딪침, 맞닥뜨림; 대면, 대질; 으르렁거리며 마주보기. ② 겨냥

(puntería). ③ 겨냥할 때 뺨에 대는 개머리판의 부분. ④ 옛날의 단총(短銃).

encarpetar *tr.* ① 서류 가방에 넣다, (파일에) 철해 넣다. ② 《*Amér.*》 (문서의 처리를) 더디게 하다.

encarriladera *f.* (기관차를) 궤도에 올리는 기구.

encarrilar *tr.* =**encarrillar.**

encarrillar *tr.* 일이 진척되게 하다; (일을) 궤도에 올려 놓다.
~**se** 활차의 줄이 벗겨지다.

encarroñar *tr.* 썩히다, 부패시키다; 잘못되게 하다.
~**se** 썩다, 상하다, 부패하다; 잘못되다.

encarrujado, da *adj.* ① 오므라든; 얽힌: hilo ~. ② 잔주름이 생긴. ③ 《*Méx.*》 온통 울퉁불퉁해진.

encarrujar *tr.* 오므라들게·줄어들게 하다; 얽히게 하다.
~**se** 오므라들다; 곱슬곱슬해지다; 뒤틀리다, 꼬이다; 빙 둘러싸다.

encartación *f.* 특전에 의한 시민권 획득; 특권 구역; 옛날의 속령(屬領).

encartado, da *adj.* ① 엥까르따시오네스 《las Encartaciones, 비스까야 지방의 도시》의.
—*m.f.* ① 엥까르따시오네스 사람. ② 반란자, 모반자.

encartamiento *m.* 궐석·결석 재판; 추방; 사원·동료로 삼는 일(encartación).

encartar *tr.* ① 반도(叛徒)로서 추방하다. ② 영장에 의해 소환하다. ③ (특히, 납세자의) 명부에 등록하다. ④ (사원·점원으로) 채용하다; 동료로 삼다, 같은 패로 인정하다. —*intr.* 잘 맞다, 적합하다. **Contr.** descartar.
~**se** 같은 종류의 카드를 뽑다; 동지가 되다.

encarte *m.* (카드 놀이에서) 같은 종류의 카드를 뽑기.

encartonador *m.* 후지(厚紙) 장정인.

encartonar *tr.* 후지에 싸다; 후지로 장정하다.
~**se** 《*Cuba.*》 여위다.

encartuchar *tr.* ① 《*Amér.*》 삼각형·산(山) 모양으로 감다. ② 《*Chile.*》 (돈을) 호주머니 속에 챙겨 넣다. ③ 《*Chile.*》 (상자에) 탄약을 넣다.

encartujado *m.* 【은어】 여인의 두건(toca femenil).

encasamento *m.* =**encasamiento.**

encasamiento *m.* 【건축】 배내기 《벽 윗부분에 장식으로 두른 돌출부》.

encasar *tr.* (빠진 관절을) 맞추어 넣다, 정골(整骨)하다.

encascabelar *tr.* (…에) 방울을 달다.

encascotar *tr.* (구멍 등에) 돌멩이를 메워 넣다, 잘게 부순 자갈을 처넣다.

encasillable *adj.* 작게 나눌 수 있는, 분류할 수 있는.

encasillado, da *adj.* ① 분류된, 나뉘어진. ② 《*Arg. Chile.*》 바둑판 무늬의. —*m.* [집합] 항목; 여당 후보자 명부.

encasillar *tr.* 분류함·선반에 넣다; 분류하다; 할당하다; (지구별로 후보자를) 배당하다.

encasimbar *tr.* 《*Cuba.*》 암살하다.

encasquetar *tr.* (모자를) 깊숙히 눌러 쓰다; 머리 속에 박히게 하다(encajar).
~**se** 모자를 꼭 눌러 쓰다; 집착하다, 머리에서 떠나지 않다: *Se* me *encasquetó* la idea de viajar 여행할 생각이 내 머리 속에 꽉 차있었다.

encasquillador *m.* 《*Amér.*》 제철공(蹄鐵工).

encasquillar *tr.* ① (…에) 화살촉(casquillo)을 끼우다. ② 《*Amér.*》 굽쇠를 박다. ③ 《*Amér.*》 창피·무안을 주다.
~**se** ① (총의 탄환 등이) 불발이 되다. ② 《*Cuba.*》 무안해하다, 부끄러워하다. ③ 《*Ecuad.*》 말문이 막히다.

encastar *tr.* (가축의) 품종을 개량하다. —*intr.* 번식하다.

encastillado, da *adj.* 잘난 척하는, 건방진, 교만을 떠는, 거드름피우는(altivo).

encastillador, ra *adj.* 들어박힌; 농성하는; 고집하는; 방비하는.

encastillamiento *m.* 들어박힘, 농성; 차곡차곡 쌓아 올림; 의견의 고집; 축성(築城).

encastillar *tr.* 성을 쌓아 방비하다; 쌓아 올리다 (apilar): ~ los maderos. —*intr.* 발판을 짜다.
~**se** 들어박히다, 농성하다; (의견 등을) 고집하다: ~*se en* su dictamen.

encastrar *tr.* (기계 등으로) 맞물리다.

encasullar *tr.* 【방언】 거름·비료를 주다.
~**se** 【방언】 결혼하다.

encatalejar *tr.* 《*Sal.*》 =**columbrar, ver de lejos.**

encatarrado, da *adj.* 감기에 걸린.

encatrado *m.* 《*Amér.*》 (나무를 이어대서 만든) 발판(andamio); 과일 등을 늘어놓는 선반.

encatrinarse *r.* 《*Méx.*》 우아하고 아름답게 꾸미다.

encatusar *tr.* 빌붙다, 알랑거리다, 아부하다, 아첨하다(engatusar).

encauchado *m.* ① 고무를 칠한 두꺼운 베; 고무칠을 한 피륙. ② 《*Amér.*》 방수포(防水布).

encauchar *tr.* 고무를 바르다, (…에) 고무를 칠하다.

encausar *tr.* 소송을 제기하다, 재판에 걸다, 기소하다; (…에 대하여) 법적 수단을 취하다.

encauste *m.* 황제만 쓰던 붉은 잉크.

encausticar *tr.* 7 (…에) 밀랍을 바르다·칠하다: ~ el suelo.

encáustico, ca *adj.* [*gr.* egkaustikos] 밀랍화의.
—*m.* (도료의) 밀랍, 왁스: dar de ~ al suelo 마루에 왁스를 칠하다.

encausto *m.* [*lat.* encaustum] ① 밀랍: pintura al ~ 밀납화. ② 옛날에 황제만 쓰던 붉은 잉크.

encauzamiento *m.* 물길을 내기; 선도, 유도.

encauzar *tr.* 9 (흐르는 물에) 물길을 내다; 선도하다; 유도하다: ~ el torrente popular.

encavarse *r.* (토끼 등이) 굴에 숨다; 집에 틀어박히다.

encebadamiento *m.* 【수의학】 (말 등이 과식에 의해) 배가 꽉 참, 위장 장애.

encebadar *tr.* (말에게 보리·밀 등의 먹이를) 지나치게 먹이다.

encebollado, da *adj.* encebollar의 *p.p.* —*m.* 육류와 양파를 넣고 끓인 요리.

encebollar *tr.* 양파를 많이 넣고 끓이다.

encefalalgia *f.* 뇌통(腦痛).

encefalálgico, ca *adj.* 뇌통의.
encefálico, ca *adj.* 뇌의, 뇌수의 : masa ~*ca* 뇌수〈腦髓〉.
encefalitis *f.* 【의학】 뇌염(inflamación del encéfalo).
encéfalo *m.* 뇌, 뇌수(masa encefálica).
encefalocele *m.* 뇌헤르니아.
encefalografía *f.* 【의학】 뇌의 뢴트겐 사진.
encefalorragia *f.* 뇌출혈.
encefaloscopia *f.* 뇌검사.
encefalotomía *f.* 뇌의 해부.
enceguecer *tr.* 31 시력을 잃게 하다 ; 이성을 잃게 하다.
—*intr.*, **~se** 시력을 잃다 ; 이성을 잃다.
encelado, da *adj.* 《*Ar.*》 [encelar의 *p.p.*] 매우 반해 있는, 질투심이 있는.
encelajarse *r.* 일면에 뜬 구름이 피어 오르다.
encelamiento *f.* 질투.
encelar *tr.* 질투심을 일으키다, 샘이 나게 만들다.
~se 질투하다 ; (동물이) 암내를 내다.
enceldamiento *m.* 수감.
enceldar *tr.* 《*Neol.*》 수감하다(encerrar en una celda).
~se 승방에 들어박히다.
encella *f.* 치즈의 틀.
encellar *tr.* (유제품을) 틀상자에 넣고 굳히다.
encenagado, da *adj.* 수렁 속에 나동그라진 ; 흙탕물의 ; 타락한, 악습에 빠져 있는.
encenagamiento *m.* 악습에 젖음, 수렁에 빠짐.
encenagarse *r.* 8 ① 수렁에 빠지다(meterse en el cieno). ② 악습에 젖다 · 물들다 : ~ *en* la corrupción.
encencerrado, da *adj.* 큰 방울을 단.
encendajas *f.pl.* 불쏘시개, 땔나무.
encendedor, ra *adj.* 불을 켜는, 점화하는, 방화하는. —*m.* 점화기(點火器) ; 라이터 : ~ de gas 가스 라이터.
encender *tr.* 20 ① (…에) 불 · 등을 켜다, 점화 · 점등하다(prender fuego) : ~ un cigarro · un cigarrillo 담배에 불을 붙이다. *Enciende* la luz 불을 켜 주십시오. ② 방화(放火)하다 (incendiar). ③ 불이 활활 타오르게 하다, 불길이 솟아 오르게 하다. ④ (타오르는 듯이) 뜨겁게 하다, 화끈거리게 하다(cauasr ardor) : La pimienta *enciende* la lengua 후추를 먹었더니 혀가 후끈거린다. ⑤ 《*Cuba.*》 때리다, (타격을) 가하다 : Le *encendió* las espaldas 그의 등을 때려 주었다. ⑥ 《*Cuba.*》 (상대보다) 우세해지다. ⑦ (얼굴을) 붉게 만들다 : La fiebre *encendía* sus mejillas.
~se ① (불이) 켜지다, 불이 붙다 ; 타오르다 : ~*se en* ira 분노에 타오르다. Sintió ~*se* la cólera 분노의 불길이 타오르는 것을 느꼈다. ② 싸움이 격렬해지다. ③ 얼굴이 붉어지다, 홍당무가 되다, 새빨개지다(ruborizarse).
~*se en · de ira* 화내다, 성내다(ponerse furioso).
[직설법 현재 : enciendo, enciendes, enciende, encendemos, encendéis, encienden. 접속법 현재 : encienda, enciendas, encienda, encendamos, encendáis, enciendan].
encendida *f.* 《*Cuba.*》 쥐어박기, 두들겨 패기.
encendidamente *adv.* 열렬하게.
encendido, da *adj.* ① 활활 타오르는, 불길이 솟은. ② 불이 붙은, 등이 켜진. ③ 빨간, 시뻘건 : Tenía el rostro ~ por el vino 그는 술 때문에 얼굴이 빨갰다. ④ (감정 · 애정이) 격렬한, 열렬한. —*m.* (내연 기관의) 점화 ; (모터의) 점화 장치.
encendiente *adj.* =**encendedor.**
encendimiento *m.* ① 연소. ② (애정의) 격렬함, 불타 오름 : ~ de la sangre 피가 용솟음치는 느낌. ③ 달아오름, 화끈거림 : ~ del rostro.
encendrar *tr.* =**acendrar.**
encenegarse *r.* 《*Ecuad.*》 =**encenagarse.**
encenizar *tr.* 9 (…에) 재를 끼얹다 · 뿌리다.
encentador, ra *adj.* 손을 대기 시작한.
encentadura *f.* 손을 댐, 사용하기 시작함.
encentamiento *m.* 새로 손대기 시작한 식료 ; 병석에 오래 누워 살이 진무름.
encentar *tr.* 19 (빵이나 치즈 덩어리에) 손을 대다, 쓰기 시작하다(decentar) ; 지체(肢體)를 절단하다.
~se 살이 진무르다.
encentrar *tr.* [드뭄] 중심에 놓다(centrar) ; 중심을 맞추다.
encepador *m.* (총신을) 개머리판에서 떼어놓는 사람.
encepadura *f.* encepar 하기.
encepar *tr.* (…에) 수갑 · 족쇄 · 칼(cepo) 을 끼우다 ; (총신을) 개머리판에서 떼어놓다 ; (닻의) 닻장을 끼우다. —*intr.* 뿌리를 뻗치다.
~se 뿌리를 뻗치다 ; 닻줄이 닻장에 꼬이다.
encepe *m.* 뿌리를 뻗치는 일.
encerado, da *adj.* ① 초 빛깔의(de color de cera). ② 초를 바른(untado con cera). ③ 응결된, 엉긴. —*m.* 방수포 ; 흑판(pizarra) ; 반창고.
encerador, ra *m.f.* 초 제조인. —*f.* 판자에 초를 칠해 광내는 전기 기계.
enceramiento *m.* 초칠하기 ; 촛농 자국.
encerar *tr.* (…에) 초를 칠하다 ; (…에) 초 · 촛농 자국을 남기다 ; 응결시키다.
—*intr.*, **~se** (밀 이삭이) 누렇게 익다.
encernadar *tr.* (…에) 재(ceniza)를 뿌리다.
encerotar *tr.* (실에) 초(cerote)를 칠하다.
encerrada *f.* 《*Chile. Perú. PRico.*》 한거(閑居), 한가히 지냄.
encerradero *m.* ① (양의) 몰이 우리 ; 가축을 가두어 놓은 장소. ② (투우장 안의) 외양간.
encerrado, da *adj.* encerrar의 *p.p.*
encerrador, ra *adj. m.f.* 감금 · 유폐하는 (사람).
encerradura *f.* =**encerramiento.**
encerramiento *m.* =**encierro.**
encerrar *tr.* 19 ① 가두어 넣다, 감금 · 유폐하다(meter en sitio cerrado) : ~ a un preso en la cárcel 죄수를 감옥에 가두어 넣다. ~ a uno en un cuarto (누구를) 방에 가두다. ~ unos papeles en un cajón 서류 상자에 넣어 두다. ② 포함돼 있다, 내포돼 있다, 내부에 갖추고 있다(incluir, contener) : La pregunta *encierra* un intento.
~se 들어박히다, 유폐되다, 은퇴해 있다.
encerrizar *tr.* 《*Ast.*》 =**estimular.**

encerrona *f.* ① 들어박힘, 은퇴 : hacer la ~. ② 몸 둘 곳, 은신처 : preparar a uno la ~ 은신처를 만들어 주다. ③ 슬그머니 하는 투우.
encespedar *tr.* 잔디로 뒤덮다, 잔디밭으로 만들다.
encestador, ra *adj.m.f.* (농구에서) 슛을 하는 (선수).
encestar *tr.* ① 바구니·광주리에 넣다. ② (농구에서) 슛을 하다.
enceste *m.* (농구에서) 슛, 슈팅.
encetadura *f.* =**comienzo.**
encetar *tr.* =**encentar.**
enchalecar *tr.* 《*Amér.*》 =**encuerar.**
enchamarrar *r.* 《*Col.*》 =**embrollar, enredar.**
enchambranar *tr.* 《*Venez.*》 야단법석을 부리다.
enchamicar *tr.* 《*Amér.*》 = **dar chamico.**
enchancletar *tr.* 신발을 발에 걸쳐 신다.
enchancharse *r.* 《*Arg.*》 =**emborracharse.**
enchapado, da *adj.* enchapar의 *p.p.* —*m.* (고기 비늘처럼 붙인) 금속판·널빤지(chapa).
enchapar *tr.* (…에) 엷은 금속판·널빤지를 붙이다(chapear).
enchapinado, da *adj.* 둥근 지붕 위에 설치된.
enchaquetarse *r.* 《*Col. Perú.*》 겉옷·상의를 걸치다; 맵시를 부리다.
encharcada *f.* =**charco.**
encharcar *tr.* [7] 물벼락을 주다; 물바다로 만들다(enaguazar); 물웅덩이를 만들다.
~**se** 물바다가 되다; 뱃속에서 물이 쿨렁거리다; 타락하다 : ~*se en* los vicios.
encharralarse *r.* 《*AmérC.*》 =**emboscarse.**
enchaucharse *r.* 《*Arg.*》 (술 등에) 취하다.
enchicar *tr.* 【고어】 =**achicar, disminuir.**
enchicharse *r.* ① 《*Amér.*》 치차술(chicha)에 취하다. ② 《*Guat.*》 =**emberrenchinarse.**
enchilada *f.* 《*Méx.*》 고추와 고기를 넣어 만든 옥수수 부침개.
enchilado, da *adj.* 《*Méx.*》 빨간(bermejo) : toro ~.
—*m.* 《*Cuba. Méx.*》 고추 소스를 친 생선 요리.
enchilar *tr.* 《*AmérC. Méx.*》 고추(chile)로 간을 들이다; 초조하게 만들다.
~**se** 초조해지다.
enchiloso, sa *adj.* (고추처럼) 입 안이 매운.
enchilotarse *r.* 《*Arg.*》 성나다, 화내다, 노하다(enojarse).
enchinar *tr.* ① (…에) 자갈을 깔다. ② 《*Méx.*》 (머리카락을) 지지다, 고수머리로 만들다.
~**se** 《*Méx.*》 기가 꺾이다, 기가 죽다, 주눅들다.
enchinarrar *tr.* (…에) 자갈을 깔다.
enchinchar *tr.* 《*Méx.*》 공연한 수고를 끼치다, 헛수고를 시키다, 시간을 낭비시키다.
~**se** 《*Amér.*》 화를 내다; 빈대투성이가 되다.
enchipar *tr.* 《*Bol. Col.*》 얽히게 만들다; 싸다.
enchiqueramiento *m.* 외양간에 넣기; 투옥.
enchiquerar *tr.* 외양간에 넣다; 감옥에 넣다.
enchironar *tr.* 우리에 넣다; 감옥에 넣다.
enchispar *tr.* 《*AmérC. Arg. Méx.*》 취하게 하다(achispar).
~**se** 술에 취하다.
enchivarse *r.* ① 《*Col. Ecuad.*》 화를 내다. ② 《*SDgo.*》 (차가) 고장으로 움직이지 않다.
enchuchar *tr.* 《*Ant.*》 전철(轉轍)하다; (어떤 방향으로) 돌리다·향하게 하다.
~**se** 《*Ant.*》 떠나다; 결혼하다.
enchuecar *tr.* [7] 《*Chile. Méx.*》 비틀다, 구부리다(torcer).
~**se** 구부러지다(encorvarse).
enchufar *tr.* (파이프 등을) 잇다·끼워 넣다, 연결하다, 끼워 맞추다, 맞추어 넣다; (전기 기구에서) 소켓을 끼우다; (일에) 관련시키다; 겸임시키다. —*intr.* 끼다, 들어맞다 : La manga no *enchufa* bien en el grifo.
~**se** ① 꼭 맞다·들어가다. ② 겸직·겸업하다. ③ 어떤 자리에 앉다. ④ 《*PRico.*》 발끈하다, 노하다, 화내다, 성내다.
enchufe *m.* ① 연결관(管)의 접합; 접합부. ② 【전기】 접속자, 플러그; 소켓. ③ (관리 등의) 겸직, 겸업; 부대적인 이득.
enchufismo *m.* 엽관 제도.
enchufista *m.f. desp.* 공사(公私) 간에 여러 가지 직책을 겸임하는 사람; 엽관 운동자, 이권 도모자.
enchuletar *tr.* (목수 일에서 반반하게 하기 위해 오목한 곳에) 무엇을 채워 넣다.
enchumbar *tr.* 《*Amér.*》 물벼락을 맞히다, 물벼락을 내리다, 생쥐처럼 물에 적시다.
enchutar *tr.* 《*AmérC.*》 끼워 넣다, 꽂아 넣다.
encía *f.* 【해부】 잇몸, 치경(齒莖).
encíclica *f.* 로마 교황의 회칙(回勅) 《여러 나라 주교에게 보내는 것》.
enciclopedia *f.* ① 백과, 백과 사전, 백과 전서 : ~ andante 박식한 사람. ② 박식한 사람.
enciclopédico, ca *adj.* 백과 사전의; 백과 사전 같은, 박학한, 박식(博識)한 : diccionario ~ 백과 사전. saber ~ 박학 다재, 박학 다식, 박학 다문(博學多聞).
enciclopedismo *m.* ① 18세기 중엽에 불란서에서 출판된 백과 사전의 편집자 Diderot나 D'Alembert의 급진적인 주의·정신. ② 박학 다문, 박학 다식, 박학 다재.
enciclopedista *adj.m.f.* ① enciclopedismo의 정신에 찬동했던 (사람). ② 백과 사전 저자.
encielar *tr.* 《*Chile. Guat.*》 (집이나 차에) 천정을 치다.
encierr- →**encerrar** [19].
encierra[1] *f.* 《*Chile.*》 소를 도살장으로 끌어 넣는 일; 겨울의 목장.
encierra[2] encerrar의 직·현·3·단수.
encierro[1] *m.* ① 황소를 가두어 넣음 : los ~*s* de Pamplona. ② 소를 가두어 넣는 곳. ③ 감금. ④ 은둔 생활. ⑤ 몰아넣어 두는 우리(toril).
encierro[2] encerrar의 직·현·1·단수.
enciguatarse *r.* 《*Cuba.*》 =**aciguatarse.**
encima *adv.* ① 위에 : allí ~ 저 높은 곳에. ② 그 위에, 게다가 (además) : Dio cien pesetas, y otras cincuenta ~ 100뻬세따를 주고, 그 위에 또 50뻬세따를 주었다. Le insultaron y ~ le apalearon 욕지거리를 한 다음에, 또 두들겨 댔다.
~ *de* …의 위에 (sobre) : Ponga el libro ~ *de* la mesa 탁자 위에 책을 놓으시오.
de ~ 《*Chile.*》 게다가.
por ~ 줄잡아, 대략 : Leí el libro muy *por* ~

책을 대충 훑어보았다.

por ~ de ① …의 위를 · 위에서 : Pasó *por ~ de* la casa 집 위로 지나갔다. ② …에 상관하지 않고, 개의치 않고.

por ~ de todo ① 어떤 것보다도(más que cualquier cosa) : Esto me interesa *por ~ de todo* 이것은 어떤 것보다도 나한테는 흥미가 있다. ② =a pesar de todo.

quitarse de ~ 골칫거리를 덜다.

encimar *tr.* ① 위에 놓다, 포개어 놓다. ② 《*Amér.*》 덧붙이다. ③ 《*Ar.*》 【축구】 상대방을 마크하다(marcar a un adversario). —*intr.* ① 위에 나오다. ② 《*Col. Chile.*》 정상에 오르다.

~se (남보다) 뛰어나다, 빼어나다.

encimera *f.* 《*Riopl.*》 가죽 조각.

encimero, ra *adj.* 위에 있는, 위에 붙이는.

encina *f.* 【식물】 떡갈나무 : La ~ puede alcanzar una altura de treinta y cinco metros.

encinal *m.* 떡갈나무숲.

encinar *m.* =**encinal.**

encino *m.* 【방언】 =**encina.**

encinta *adj.* [*lat.* incineta] 임신한, 임신 중인, 잉태 중의, 회임 중(embarazada, preñada) : La señora está ~ 부인이 임신 중이다. [*N.* en cinta라 사용하는 것은 거친 말투임].

encintado, da *adj.* 리본으로 장식한 ; 테 · 갓을 두른 (보도). —*m.* 보도의 테 두르기.

encintar *tr.* (…에) 리본을 달다 · 장식하다 ; (벽이나 · 보도에) 테를 두르다.

encismar *tr.* 불화를 일으키다, 분열시키다 : ~ a un pueblo · a una familia.

enciso *m.* (양들의) 풀 뜯는 장소.

encizañador, ra *adj.m.f.* 이간질하는 (사람).

encizañar *tr.* =**cizañar, encismar.**

enclancharse *r.* 《*Hond.*》 옷을 입다(ponerse una prenda).

enclarar *tr.* 분명히 하다, 명백히 하다.

enclaustrar *tr.* ① 승원에 들여 보내다(meter en un claustro). ② 감추다, 숨기다(encerrar). Contr. exclaustrar.

~se 승원 생활을 하다 ; 자취를 감추다.

enclavación *f.* 못질 (하기).

enclavado, da *adj.* 꼼짝할 수 없게 된 ; 꿰뚫린 ; 깊이 패인 (장소) ; 어떤 사이에 끼인.

enclavadura *f.* 꼼짝 못하게 함 (clavadura) ; (목재를 연결시키는) 장부촉.

enclavar *tr.* ① 못을 박다 (clavar) : ~ una caja 상자에 못을 박다. ② 꿰뚫다(traspasar). ③ 속이다(engañar).

enclave *m.* ① 타국에 있는 국토 : el ~ español de Llivia en Francia. ② (집단 내의) 이질 그룹.

enclavijar *tr.* ① 쐐기(clavija)를 박다 ; 끼워 맞추다. ② (현악기에) 줄조리개를 붙이다 : ~ un violín. ③ 【은어】 단단히 조이다.

enclenco, ca *adj.* 《*Col. PRico.*》 【속어】 병약한.

enclenque *adj.* ① 병약한 (enfermizo). ② 약한 (débil). ③ 《*Méx.*》 빼빼 마른. —*m.f.* 병약자.

enclisis *f.* 【문법】 말의 접합.

enclítico, ca *adj.* 【문법】 동사 어미에 접합하는. —*m.* 【문법】 다른 말의 어미에 접합하는 말 《ruégole의 le》.

enclocar(se) *intr.(r.)* 24 7 새가 둥우리에 들다 : una gallina que *enclоca.*

encloquecer *intr.* 31 =**enclocar.**

enclueque- → **enclocar** 24 7.

encobar(se) *intr.* (*r.*) 알을 품다(empollar los huevos).

encobertado, da *adj.* 모포 · 이불 등을 뒤집어 쓴.

encobijar *tr.* 숨기다, 감추다 ; 덮다 ; 묵게 하다, 숙박시키다(cobijar).

encobrado, da *adj.* 구리를 함유한 ; 구리빛의.

encobrar *tr.* ① (…에) 동판(銅板)을 깔다. ② 《*Chile.*》 (소 등을) 나무나 돌에 매다.

encochado, da *adj.* 마차 · 자동차 등을 몰고 다니는 (사람).

encoclar(se) *intr.* (*r.*) 7 =**enclocarse.**

encocorar *tr.* 속에 울화증을 일으키다 ; 진저리나게 하다(fastidiar, molestar).

~se 울화통이 터지다, 성내다, 화내다.

encodillarse *r.* (토끼 등이) 굴속으로 숨다.

encofinar *tr.* 《*Murc.*》 바구니에 마른 무화과 열매를 넣다.

encofrado *m.* ① 널빤지로 흙을 막기. ② (콘크리트를 부어 넣기 위한) 테 ; 널빤지로 흙이 흘러내리지 않게 막은 갱도.

encofrar *tr.* 널빤지로 흙을 막다 ; 콘크리트를 붓기 위해 테를 짜다.

encoger *tr.* 3 오므라뜨리다, 위축시키다(contraer) : ~ el brazo 팔을 오므라뜨리다. La miseria les *encoge* 가난이 그들의 마음을 위축시킨다. —*intr.* 오므라들다, 위축되다 : Esta camisa no *encoge* si se lava 이 와이셔츠는 빨면 줄어들지 않는다.

~se ① 오므리다, 몸을 웅크리다 · 움츠리다, 바싹 조이다 : *~se de* hombros (잘 모르겠다는 표정으로) 어깨를 움츠리다. *Se encogió de* hombros a mi pregunta 그는 내 질문에 어깨를 움츠렸다. ② 위축되다 ; 겁에 질리다.

encogidamente *adv.* 겁에 질려.

encogido, da *adj.* ① 줄어든, 오므라든. ② 소심한, 겁 많은(tímido, pusilánime) : un hombre muy ~ 무척 소심한 남자.

encogimiento *m.* 오므라들음 ; 사기 저하, 의기 소침, 위축 ; 겁이 많음, 소심.

encogollado, da *adj.* 《*Chile.*》 (새침하게) 으스대는.

encogollarse *r.* (사냥에서 쫓긴 짐승이) 나무 꼭대기로 도망쳐 올라가다.

encohetar *tr.* (소 등을) 폭죽 · 꽃불 등으로 성나게 하다.

~se 《*Cuba.*》 화내다, 노하다, 성내다.

encoj- → **encoger** 3.

encojar *tr.* 절름발이로 만들다(poner cojo) : ~ a uno de una pedrada (누구를) 돌팔매로 절룩거리게 만들다.

~se ① 발을 절다. ② 병들다(caer enfermo). ③ 꾀병을 부리다(fingir enfermedad).

encolado, da *adj.* ① 아교로 붙인 ; 아교칠을 한 ; 끈적끈적한. ② 《*Chile. Méx.*》 점잔 빼는 ; 꾀를 부리는. —*m.* 젤라틴 용액으로 포도주의 뿌연 기운을 가라앉히는 일.

encolador, ra *adj. m.f.* 아교풀을 붙이는 (사람).

encoladura *f.* 아교풀 칠하기, 아교풀을 몇 번 이고 덧칠하기.

encolamiento *m.* 아교풀로 붙이기 ; 아교풀로 칠하기 ; 포도주의 탁한 것을 가라앉히기.

encolar *tr.* ① 아교풀로 붙이다 ; (…에) 아교풀을 칠하다. ② 주우러 가지 못할 곳으로 던져 버리다. ③ (술을) 맑게 가라앉히다.

encolcar *tr.* 7 《*Perú.*》 곡창(colca)에 넣다.

encolerizar *tr.* 9 노하게 하다, 성나게 하다, 화나게 하다, 약을 올리다(enojar).

～se 성내다, 노하다, 화내다.

encolumnarse *r.* 《*Arg.*》 ＝**formar una columna.**

encomendable *adj.* 의뢰할 수 있는.

encomendado, da *adj.* 의뢰받은, 부탁받은, 맡겨진. **—***m.* comendador (자기 소유의 영지를 가진 기사 단원)의 부하.

encomendamiento *m.* 의뢰, 위임.

encomendar *tr.* 19 ① 부탁하다, 위임·위탁하다 (encargar) : Le *encomendé* mi hijo 아들을 그에게 부탁했다. *Encomendé* mi petición al notario 나는 공증인에게 위탁했다. *Encomendarán* la ejecución del proyecto a aquella compañía 그 회사에 계획의 시행을 위임할 것이다. ② 기사·승병 단장으로 임명하다.

～se [＋a·en : …에] ① 의지하다, 부탁하다, 기대다 : *～se a* Dios 신에게 자신을 맡기다, 신에 의지하다. *Me encomiendo en* las manos de usted 당신의 손에 맡기겠다. ② 말을 전하다.

encomendería *f.* 《*Perú.*》 식료품점.

encomendero *m.* ① 부탁받은 사람. ② 식민지에서 칙허에 따라 토인단을 맡았던 사람. ③ 《*Cuba.*》 육류 도매 상인. ④ 《*Perú.*》 식료품점 주인 ; 중매인, 거간꾼, 중개인.

encomenzar *tr.* 19 【속어】 ＝**comenzar.**

encomiador, ra *adj.* 격찬하는 (사람).

encomiar *tr.* 11 침이 마르도록 칭찬하다 (alabar, celebrar mucho) : ～ el mérito de un escritor.

encomiasta *m.* [*gr.* egkômiastês] 알랑쇠, 아첨쟁이(panegirista).

encomiástico, ca *adj.* 칭찬하는 ; 추켜주는 투의 : tono ～ 추켜주는 말투. Contr. denigrador.

encomienda *f.* ① 의뢰, 위탁(encargo). ② 비호(amparo). ③ 칭찬(elogio). ④ 2등·3등 훈장. ⑤ 기사 단원장. ⑥ 종신 소유 영지에서의 수입. ⑦ 기사령(騎士領). ⑧ 개인 소유 영지를 가진 기사 단원 (comendador)의 지위. ⑨ 《*Méx.*》 과일 창고 ; 과일 가게. ⑩ 《*AmérM.*》 등기, 소포 우편 : ～ postal 우편 소포.

encomio *m.* 격찬, 칭찬, 칭송, 찬사(alabanza) : Habló de ti con ～ 그는 너를 격찬했다.

encomioso, sa *adj.* 《*Chile.*》 칭송의, 칭찬의 (encomiástico).

encompadrar *intr.* 【속어】 친부(親父)와 대부(代父)의 사이가 되다 ; 친구가 되다 ; 아주 친한 사이가 되다(compadrar).

enconado, da *adj.* 성난, 노한 : Ella le tiene un odio ～.

enconadura *f.* (상처 등의) 염증.

enconamiento *m.* ① 염증 : El ～ se debe siempre a la falta de asepsia. ② 분개. ③ 증오 (encono). ④ 【고어】 ＝**veneno.**

enconar *tr.* ① 염증을 일으키다(inflamar una llaga). ② 화나게·노하게·성나게 하다. ③＝**intensificar, agudizar.**

～se ① [＋en＋*inf.*] 노해서…하다. ② 염증이 생기다 : *Se* le *ha enconado* una herida 그의 상처가 염증을 일으켰다. ③ 분개하다 : *～se con* alguno. ④ 꺼림칙하게 생각하다. ⑤ 《*Cuba. Méx.*》 도둑질을 하다.

enconchado *m.* 《*Perú.*》 ＝**embutido con nácar.**

enconcharse *r.* 《*Amér.*》 (조개 등이) 껍질을 오므리다 ; 껍질 속에 숨다 ; 조개 껍질에 물리다.

enconfitar *tr.* ＝**confitar.**

encongarse *r.* 8 《*Méx.*》 성을 내다, 화내다, 노하다(encolerizarse).

encono *m.* ① 원한, 앙심 ; 분개 ; 증오. ② 《*Col. Chile.*》 뾰루지, 염증(enconadura).

enconosamente *adv.* 화가 나서, 성이나서.

enconoso, sa *adj.* 성난, 화가 치미는 ; 한이 맺힌 ; 증오의.

enconrear *tr.* ＝**conrear.**

encontradamente *adv.* 정반대로.

encontradizo, za *adj.* 자주 마주치는·만나는 (topadizo). **—***m.* 회우(會遇), 만남 : hacerse (el) ～ 찾고 있으면서 우연히 만난 듯한 표정을 짓다.

encontrado, da *adj.* [encontrar 의 *p.p.*] 만난 ; 마주보는 ; 대립한, 대치하는, 정반대의 : opiniones *～das* 정반대 의견.

encontrar *tr.* 24 ① 찾다, 찾아내다, 발견하다 (hallar) : ¿Dónde está el cuarto de baño?—Allá *encuentra* usted uno 변소는 어디에 있습니까? —저기에 하나 있습니다. *Encontré* este libro en Namwon 나는 이 책을 남원에서 발견했다. ¿Cómo *encuentra* usted el trabajo? 일은 어떻습니까? ② (누구를) 우연히 만나다 (tropezar con uno) : Le *encontré* en el teatro 극장에서 그를 우연히 만났다. Anoche *encontré* a mi amigo en la Calle Mayor 나는 어젯밤에 까예마요르에서 친구를 만났다. ③ (…에) 마주치다 : ～ un obstáculo. ④ 판단하다, 생각하다 (juzgar) : ¿Cómo *encuentras* este libro? 이 책을 어떻게 생각하느냐? ⑤ 보다(ver) : Te *encuentro* mala cara 네 얼굴이 안 좋구나.

—*intr.* 마주치다 (tropezar) : ～ *con* un obstáculo 장애물에 부딪치다.

～se ① 만나다, 마주치다 : Esta mañana *me encontré con* Antonio en el tren 오늘 아침에 나는 열차에서 안또니오를 만났다. ② 부딪치다, 충돌하다 : (*Se*) *encontraron* los dos coches 자동차 두 대가 충돌했다. Los dos trenes *se encontraron con* gran estrépito 열차 두 대가 큰 폭음을 내면서 충돌했다. ③ (의견이) 충돌·대립하다 : Sus opiniones *se encuentran* 그들의 의견은 정면으로 대립하고 있다. ④ (어떤 장소·상태에) 있다 (estar, hallarse, verse) : *～se* mal de salud 건강 상태가 별로 좋지 않다. *～se* en el extranjero 외국에 있다. *～se* sin un céntimo 일전 한푼 없다. ¿Cómo *se encuentra* usted esta mañana? 오늘 아침 어떻습니까? (환자에게). ⑤ (감정이) 일치하다.

[직설법 현재 : encuentro, encuentras, encuentra, encontramos, encontráis, encuentran. 접속

법 현재 : encuentre, encuentres, encuentre, encontremos, encontréis, encuentren].

encontrón *m.* 충돌, 부딪침(golpe, empellón) : Los dos coches se dieron un ～ 자동차 두 대가 서로 충돌했다.

encontronazo *m.* =**encontrón.**

encoñarse *r.* ① =**enamorarse.** ② =**encapricharse.**

encopado, da *adj.* 《*Chile.*》 술취한(ebrio).

encopetado, da *adj.* ① 독선적인, 교만한, 남을 깔보는(altanero, presumido) : una señora muy *～da* 무척 교만한 부인. **Contr.** modesto. ② 명문의, 현직(顯織)의.

encopetar *tr.* 올리다, 높이 들다, 높이 받들다(elevar, alzar).
～se 교만떨다, 자만하다(engreírse).

encorachar *tr.* (운반하기 위해) 가죽 부대에 넣다.

encorajar *tr.* 고무하다 ; 자극하다 ; 격려하다.
～se 격분하다, 격노하다.

encorajinarse *r.* ① 격분하다. ② 《*Chile.*》 실패하다.

encorar *tr.* 24 ① (…에) 가죽을 대다, 가죽으로 싸다(encerrar dentro de un cuero). ② 가죽 주머니에 넣다(encerrar dentro de un cuero). ③ 상처를 아물게 하다.
—*intr.*, ～se 상처에 껍질이 앉다.

encorazado, da *adj.* (철갑으로) 몸통 부분을 감싼, 장갑(裝甲)된 ; 가죽을 두른.

encorazar *tr.* 장갑하다, 철갑으로 덮다(cubrir con coraza).

encorcovar *tr.* 《*Col. PRico.*》 =**encorvar.**

encorchador, ra *adj. m.f.* 병마개를 끼우는 (사람) ; 벌떼를 벌통에 몰아넣는 (사람).

encorchadora *f.* 병마개를 끼우는 기계.

encorchar *tr.* (벌떼를) 벌통에 몰아넣다 ; (병에) 마개를 끼우다 : ～ botellas 병에 마개를 끼우다.

encorchetar *tr.* (…에) 훅을 달다 ; 훅으로 잠그다.

encordado *m.* 《*Arg. Guat.*》 =**encordadura.**

encordadura *f.* [집합] 악기의 현(弦) ; 줄.

encordar *tr.* 24 ① (악기에) 현을 매다(poner cuerdas a los instrumentos de música) : ～ una guitarra 기타에 현을 매다. ② 밧줄로 칭칭 감다. **—*intr.*** 【방언】 조종을 울리다.

encordelar *tr.* 가는 끈으로 묶다 ; 끈을 대다 ; (…에) 끈을 칭칭 감다 : ～ el asa.

encordonar *tr.* (…에) 장식 리본을 달다.

encorecer *intr.* 31 상처에 껍질이 생기다.

encoriación *f.* 상처 등이 나아 껍질이 생기는 일.

encornado, da *adj.* [bien · mal + ～] 뿔의 모양이 좋은 · 나쁜 : una vaca *bien ～da.*

encornadura *f.* (소, 양 등의) 뿔의 모양 ; 뿔(cornamenta) ; 뿔의 자리.

encornar *intr.* 24 《*AmérC.*》 뿔이 나다.

encornudar *tr.* (바람을 피워 남편의) 애간장을 말리다.

encorozar *tr.* (조리 돌림시키는 죄수에게) 종이 고깔 복면을 씌우다.

encorquetarse *r.* 《*Méx.*》 오르려고 달라붙다, 기어오르다, 오르다.

encorralar *tr.* (가축을) 안마당 · 우리안에 몰아넣다.

encorrear *tr.* 가죽 끈으로 묶다 · 감다.

encorselarse *r.* 【방언】 《*Amér.*》 =**encorsetarse.**

encorsetarse *r.* 코르셋을 입다 ; 되게 조이다.

encortinar *tr.* (…에) 장막을 치다 ; 커튼으로 장식하다 : ～ el balcón.

encorvada *f.* 몸을 구부리는 일 ; 춤의 일종. ***hacer la*** ～ 꾀병을 부리다.

encorvado, da *adj.* 구부러진, 활처럼 휜, 구부정한 ; 기우뚱한.

encorvadura *f.* 활처럼 굽음, 만곡 ; 몸을 꺾어 구부리기 ; 허리의 굽음.

encorvamiento *m.* =**encorvadura.**

encorvar *tr.* 구부리다, 활처럼 구부러지게 하다(corvar).
～se ① 활처럼 구부리다 : *～se por* el peso de carga 짐의 무게로 몸이 구부러지다. ② 몸이 구부러지다 : *Se ha encorvado por* la edad 그는 나이때문이 몸이 굽었다. ③ 기울다.

encostalar *tr.* 자루(costal)에 담다.

encostarse *r.* (배가) 해안에 접근해 지나가다.

encostillado *m.* 【광산】 [집합] 갱목.

encostradura *f.* 대리석판 등으로 벽을 꾸미기 ; 흰 벽칠.

encostrar *tr.* 딴딴한 껍질로 씌우다, (…에) 껍질이 생기게 하다.
—*intr.*, ～se 두꺼운 껍질이 생기다 ; 딱지가 생기다.

encovar *tr.* 24 동굴(cueva) 속에 넣다 ; 감추다 ; 밀어 넣다 ; 챙겨 넣다.
～se 동굴에 들어가다, 동굴 속으로 숨다.

encrasar *tr.* (액체를) 짙게 하다 ; (땅을) 기름지게 하다, 비옥하게 하다.

encrespado, da *adj.* 곱슬곱슬해진, 오그라든.
—*m.* =**encrespadura.**

encrespador, ra *adj.* 오므라들게 하는 ; 고수머리로 만드는. **—*m.*** 두발용 드라이어.

encrespadura *f.* 고수머리로 만들기.

encrespamiento *m.* 고수머리 ; 곱슬곱슬함 ; 오므라듬 ; 무서움에 솜털이 곤두서는 일 ; 얼굴 표정이 이지러짐.

encrespar *tr.* 오그라들게 하다(ensortijar) ; 솜털이 곤두서게 하다 ; 화나게 하다, 부아를 돋구다 ; 초조하게 만들다 ; (머리카락을) 곱슬곱슬하게 지지다 ; (파도를) 일으키다.
～se 오그라들다 ; 고수머리로 만들다, 곱슬곱슬하게 하다 ; 솜털이 솟다 ; 분노나 공포로 얼굴 모양이 일그러지다 ; (바람에) 파도가 출렁거리다 ; 일이 꼬이다 · 골치 아프게 되다.

encrestado, da *adj.* 볏을 곤두세운 ; 관모(冠毛) · 도가머리를 곤두세운 ; 거만한.

encristalar *tr.* 유리를 끼우다 : patio *encristalado.*

encrucijada *f.* ① 십자로, 네거리, 교차점, 교차로. ② 적에게 파고 들어갈 수 있는 기회. ③ 딜레마.

encrudecer *tr.* 31 싱싱하게 하다 ; 혹심하게 하다 ; 기를 쓰고 하게 하다 ; (전투 등을) 가열시키다.
～se 격렬해지다 ; 기를 쓰다.

encruelecer *tr.* 31 잔인하게 하다, 냉혹하게 만

들다.
~se 잔인해지다.
encuadernable *adj.* 제본할 수 있는.
encuadernación *f.* 제본, 장정(裝幀) : ~ a la holandesa 양·송아지 가죽 장정. ~ a la·en rústica 종이 장정, 가장정. ② (서적의) 표지 ; 제본소(製本所).
encuadernador, ra *m.f.* 제본공(製本工). —*m.* 제본 기계.
encuadernar *tr.* 제본하다, 장정하다 : ~ a la·en rústica 가장정하다. ~ en pasta 풀로 제본하다.
encuadramiento *m.* =**encuadre.**
encuadrar *tr.* 틀에 넣다, 액자에 넣다 ; 끼워 넣다(encajar) ; (…의) 테를 두르다 : Las patillas *encuadran* el rostro 기다란 구렛나루가 얼굴의 윤곽을 잡아주고 있다.
~se 테두리 안에 들어가다 ; 조로 나뉘다, 조에 들어가다, 조로 편성되다.
encuadre *m.* ① =**enfoque de la imagen.** ② 스크린에서 영상을 집중시키는 규칙적 시스템. ③ =**límite.** ④ [집합] =**los cuadros de una tropa.**
encuartar *tr.* ① (석재·목재의) 규격의 크기를 재다. ② 《*Méx.*》 (다른 사람의) 말에 끼어들다 : Dispense usted que le *encuarte* 실례지만 내 말을 좀 들어 주십시오.
~se 《*Méx.*》 마소가 고삐에 얽히다 ; (일이) 뒤얽히다.
encuarte *m.* 비탈길 같은 데서 따로이 예비한 말 ; 규격외의 목재에 대한 추가 요금.
encuartelar *tr.* 《*Amér.*》 =**acuartelar.**
encuartero *m.* encuarte의 말구종.
encuatar *tr.* 《*Méx.*》 가하다, 첨가하다, 덧붙이다.
encubar *tr.* ① 통(cubo)에 넣다. ② (부모를 살해한 죄수 등을) 통 안에 처넣어 강물에 띄워 버리다. ③ 【광산】 수갱(竪坑) 안에 버팀나무를 대다.
encubertado *m.* 【동물】 =**armadillo.**
encubertar *tr.* ⑪ (초상집에서 상제가 머리카락을) 비단천 등으로 감다 : ~ un caballo con gualdrapas.
~**se** 【고어】 몸을 가꾸다, 갖추다.
encubierta *f.* 은닉.
encubiertamente *adv.* 은밀히, 비밀리에, 살짝, 살그머니 ; 남의 눈을 속여 ; 신중하게, 조심스럽게, 얌전하게.
encubierto, ta *adj.* [encubrir의 *p.p.*] 숨은, 감추어진, 은닉한 ; 가면을 쓴, 정체를 숨긴.
encubridizo, za *adj.* 감추기 쉬운.
encubridor, ra *adj.* 감추는. —*m.f.* 은닉자.
encubrimiento *m.* 은닉 ; 복면 ; 비밀.
encubrir *tr.* [*p.p.* encubierto] 감추다, 은닉하다, 숨기다(ocultar) : ~ sus intenciones. [Contr.] revelar.
encucar *tr.* 《*Ast.*》 개암 열매를 줍다.
encucurucharse *r.* 《*AmérC. Col.*》 오르다, 올라가다.
encuellar *tr.* 《*Col.*》 =**apercollar, acogotar.**
encuendar *tr.* 《*Méx.*》 =**arreglar, concertar.**
encuentro *m.* ① 만남, 상봉 : un ~ casual 우연한 상봉. salir al ~ a·de uno 누구를 마중나가다 ; 요격하다 ; 기선을 제압하다. Salí al aeropuerto al ~ de mis parientes de América 아메리카의 내 친척들을 마중하러 나는 공항에 갔다. Mi hermano me escribió que no dejará de salir a mi ~ a la estación 형님께서는 반드시 역으로 마중하러 오겠다고 말해 보냈다. Nuestro ~ es casi un verdadero milagro 우리가 만난 것은 정말로 기적에 가까웠다. ir al ~ de uno …를 출영하러 가다, 누구와 만나러 가다, 누구를 찾아가다. ② 회합. ③ 부딪침, 충돌(choque) : ~ de dos automóviles 자동차 충돌. ④ 시합 (competición deportiva) : Después de ganar en todos los ~*s* obtuvo el título de campeón 그는 모든 시합에 이겨 챔피언 타이틀을 획득했다. ⑤ 대립(oposición, contradición). ⑥ 원색 인쇄의 색 맞추기. ⑦ 겨드랑 밑(axila). ⑧ 《*Chile.*》 새의 넓적다리 살.
encuerado, da *adj.* 【고어】 《*Amér.*》 =**desnudo.**
encuerar *tr.* ① 【방언】 《*Amér.*》 나체로 만들다, 벌거 벗기다(desnudar). ② 《*Amér.*》 =**enchalecar.**
~se 《*Venez.*》 동거하다(amancebarse).
encuerino, na *adj.* 《*Mal.*》 =**en cueros.**
encuesta *f.* 조사 ; 여론 조사, 앙케트(averiguación, pesquisa) : hacer una ~.
~ ***al consumidor*** 소비자 조사. ~ ***agropecuaria*** 농목업 조사. ~ ***de la opinión pública*** 여론 조사. ~ ***de presupuestos familiares*** 가계 조사. ~ ***exploratoria*** 실지 조사. ~ ***por muestra·muestro*** 표본 조사. ~ ***sobre mercado*** 시장 조사.
encuestado, da *adj.m.f.* 앙케트 조사를 받은 (사람).
encuestador, ra *m.f.* 앙케트 조사자.
encuestar *tr.* 앙케트 조사를 하다. —*intr.* 앙케트를 하다.
encuevar *tr.* 동굴 속에 넣다 ; 감추다, 숨기다 ; 챙겨 넣다(encovar) ; 굴을 파다.
~se 굴속에 들어가다, 굴속으로 숨다.
encuitarse *r.* 슬퍼하다, 탄식하다(acuitarse).
encularse *r.* 《*Méx.*》 (여자에게) 반하다.
enculatar *tr.* (총기 등에) 개머리판을 대다 ; (벌통·우리에) 뚜껑을 달다.
enculecarse *r.* 【방언】 =**enclocarse.**
encumbradamente *adv.* 거만스럽게, 잔뜩 빼기고.
encumbrado, da *adj.* 높은(elevado) ; 높은 지위에 오른.
encumbramiento *m.* 상승 ; 고양(高揚) ; 칭찬 ; 높이, 고지(高地)(altura).
encumbrar *tr.* ① 높이 올리다 (levantar). ② 찬양하다, 칭찬하다(ensalzar) : ~ a un hombre. ③ 승진시키다 ; (산의) 정상을 정복하다. —*intr.* 정상에 오르다(subir a la cumbre).
~se ① 높이 오르다. ② 정상(頂上)에 오르다 (subir a la cumbre). ③ 빼어나다, 탁월하다. ④ 우뚝 솟다. ⑤ 거만 떨다, 불손해지다. [Contr.] rebajar, humillar.
encunar *tr.* 요람(cuna)에 넣다 ; (소가 투우사를) 뿔로 들이받다.
encurdelarse *r.* 《*Arg.*》 =**emborracharse.**
encureñar *tr.* 포가(砲架)에 얹다.
encurrucarse *r.* ⑦ 《*AmérM.*》 쭈그리고 앉다,

몸을 웅크리다.

encurtido, da *adj. m.* [encurtir의 *p.p.*] 식초에 버무린 (과일・야채 등).

encurtir *tr.* 식초에 담그다 ; 소금에 절이다.

endamarse *r.* 《*AmérC.*》 첩을 두다.

ENDE Empresa Nacional de Electricidad 《*Bol.*》 국유 전력 회사.

ende (por) *adv.* 그러니까, 그러기에(por tanto).

endeble *adj.* 약한, 나약한, 약골의(débil) : niña ~ 나약한 소녀.

endeblez *f.* =**debilidad.**

endeblucho, cha *adj.* 몹시 약한, 나약한 : un muchacho ~.

endécada *f.* 11개년.

endecágono, na *adj.* 11각형의. —*m.* 11각형.

endecasílabo, ba *adj.m.* 11음절의 ; 11음절의 시구 : ~ anapésico 제4와 제7의 음절에 악센트가 있는 시구(詩句).

endecha *f.* 엘레지, 비가, 애가(哀歌) ; (각행 6 혹은 7음절의) 4행시의 일종 : ~ endecasílaba · real 3행이 7음절・1행이 11음절인 4행시.

endechadera *f.* (장례식 때에 불려 오는 직업적인) 곡하는 여자(plañidera).

endechar *tr.* (고인을 위해) 애도가를 부르다 ; 곡을 하다.
~se 슬퍼하다(afligirse).

endehesar *tr.* (가축을) 초원으로 몰다.

endejas *f.pl.* =**adarajas.**

endemia *f.* 【의학】 풍토병, 지방병.

endémico, ca *adj.* ① 그 지방에서는 흔한 (사건). ② 풍토병적인 ; 풍토병의 : El cólera es ~ en la India 콜레라는 인도의 풍토병이다.

endemoniado, da *adj.* ① 악마가 씌운 ; 악마의, 악마 같은(diabólico) : invento ~. ② 발끈 화낸. ③ 극악(極惡)한(malísimo) : tiempo ~. —*m.f.* 악마 같은 사람 ; 극악인.

endemoniar *tr.* ⑪ (…에) 악마가 씌우게 하다 ; 분개시키다, 화나게 하다, 성나게 하다, 노하게 하다(irritar, encolerizar) : Estos chicos acabarán por ~me.
~se 발끈해서 화내다.

endenantes *adv.* 【고어】 《*AmérC. Chile. Ecuad.*》 ① 앞서, 그 전에(antes). ② 《*Amér.*》 조금 전에 (hace poco).

endentado, da *adj.* 작은 잇자국 모양의.

endentar *tr.* ⑲ ① (바퀴와 바퀴를) 맞물리다 : ~ dos ruedas 두 바퀴를 맞물리다. ② (바퀴에) 이 모양을 내다 ; 이로 끊다. —*intr.* (바퀴가) 맞물다 ; 연동(連動)하다.

endentecer *intr.* ㉛ (아이에게) 이가 나기 시작하다(empezar a salir los dientes a los niños) : Quien presto *endentece,* presto hermanece.

endeñado, da *adj.* 《*Murc.*》 =**dañado, inflamado, enconado.**

enderezadamente *adv.* 올바로 ; 곧장, 똑바로 ; 정직하게, 바르게(con rectitud).

enderezado, da *adj.* 적당한, 잘 들어맞는 (favorable, propicio).

enderezador, ra *adj.m.f.* 똑바로 고치는, 제대로 고치는, 바로잡는 (사람).

enderezamiento *m.* 똑바로 하기, 바로 잡기 ; 교정(矯正).

enderezar *tr.* ⑨ ① ㄱ) 똑바로 하다(poner derecho) : ~ un clavo. ㄴ) 똑바르게 하다, 정상으로 하다 ; (기울어 넘어진 것을) 일으키다 : ~ un poste. ② (…에게로) 돌리다 ; 바치다 (dirigir, dedicar) : ~ un soneto. ③ 바로 잡다 ; 혼내주다, 벌주다 ; 시정(是正)하다 (enmendar).
—*intr.* 일직선으로 나아가다.
~se 곧게 되다 ; 바로 일어서다 ; 직진하다, 곧장 앞으로 나아가다, (…로) 향해서 가다.

enderezo *m.* 《*Sal.*》 =**enderezamiento.**

ENDESA Empresa Nacional de Electricidad, S.A. 《*Chile.*》 국영 전력 공단.

endespués *adv.* 【고어】 《*Amér.*》 =**después.**

endetrás *adv.* 《*Perú. PRico.*》 【속어】 뒤에, 다음에 (detrás).

endeudado, da *adj.* [endeudarse의 *p.p.*] 빚을 진.

endeudamiento *m.* 빚, 채무 : ~ excesivo 과도한 부채(액).

endeudarse *r.* 빚을 지다(empeñarse) ; 은혜를 입다, 신세를 지다(reconocerse obligado).

endeveras *adv.* 《*Amér.*》 【속어】 실지로, 사실상, 진정(de veras).

endevotado, da *adj.* ① 믿음이 두터운 (devoto). ② [드뭄] 홀딱 반해 버린.

endiablada *f.* 악마의 가장 무도회.

endiabladamente *adv.* 악마처럼, 무섭게 ; 마음이 언짢게.

endiablado, da *adj.* ① 악마에 씌운 ; 몹시 추악한 ; 마음이 비뚤어진 ; 극악 무도한. ② 성마른. 《*Amér*》 골치 아픈, 귀찮은 ; 위태로운.

endiablar *tr.* (…에) 악마를 씌우다 ; 해치다, 못쓰게 만들다(endemoniar, dañar, pervertir).
~se 격앙하다 ; 극악화하다, 포악한 인간이 되다.

endíadis *f.* 불필요한 말의 중복.

endibia *f.* 【식물】 꽃상추(escarola).

endientar *intr.* 《*Col. Chile.*》 이가 나기 시작하다. —*tr.* 《*Col. Guat.*》 =**endentar.**

endija *f.* 《*AmérM.*》 【속어】 갈라진 틈, 트인 자리.

endilgador, ra *adj. m.f.* 돌리는, 향하는 ; 남에게 떠맡기는 (사람).

endilgar *tr.* ⑧ ① (어떤 것으로) 돌리다, 향하다 ; (싫은 일을 남에게) 떠맡기다 : Le *endilgué* un discurso 그에게 설교를 들려주었다. ② 쉽게 하다, 용이하게 하다.

Endimión *m.* 【희랍 신화】 달의 여신 Selene의 사랑을 받아 영원한 꿈속에서 그대로 아름다울 수 있었던 양치는 미소년.

endino, na *adj.* 형편없는 ; 사악한 ; 감당하기 어려운 ; 철면피한, 낯가죽이 두꺼운, 뻔뻔스러운.

endiñar *tr.* 【속어】 =**meter, dar.**

endiosado, da *adj.* [endiosar의 *p.p.*] 신격화된.

endiosamiento *m.* ① 으스대기, 거만(orgullo, altivez). ② 방심.

endiosar *tr.* 신으로 모시다, 신격화하다.
~se 거만떨다 ; 방심하다, 멍하니 있다.

enditarse *r.* 《*Amér.*》 =**entramparse.**

endoblado, da *adj.* 두 마리가 키우는 (양).

endoblar *tr.* (한 마리의 새끼 양을) 두 마리가 키우다.

endoblasto *m.* 배엽의 속잎.
endoble *m.* 【광산】(광부들의 교대를 위한) 이중 작업.
endocardio *m.* 【해부】 심내막(心內膜)(la membrana interior del corazón).
endocarditis *f.* 【의학】 심내막염(inflamación de la membrana interior del corazón).
endocarpio *m.* 【식물】 내과피(內果皮).
endocrino, na *adj.* 【생리】 내분비선의.
endocrinología *f.* 내분비학(內分泌學).
endodermo *m.* ①【동물·식물】 내피(층). ②【해부】 내배엽(內胚葉).
endoesqueleto *m.* 【해부】 내골격(內骨格).
endogamia *f.* 【인류학】 동족 결혼.
endogámico, ca *adj.* 동족 결혼의.
endogénesis *f.* 【생물】 내생(內生).
endógeno, na *adj.* ①【생물】 내생(적)인, 체내에서 생겨나는. ②【지질】 내인성(內因性)의.
endolinfa *f.* (귀의) 미로수(迷路水), 내이액(內耳液) 내의 임파.
endometritis *f.* 【의학】 자궁 내막염.
endomingado, da *adj.* =**dominguero.**
endomingarse *r.* ⑧ 좋은 옷을 입다, 나들이옷을 입다 ; 신수가 훤해지다.
endonefritis *f.* 【의학】 신우염(腎盂炎).
endoparásito *m.* 체내(體內) 기생충.
endopleura *f.* 【식물】 씨앗의 속 엷은 막.
endormir *intr.* 57 《*Urug.*》【속어】 =**dormir.**
endorsar *tr.* 배서하다(endosar).
endorso *m.* 배서(endoso) : ~ en blanco 백지 배서. ~ especial 특수 배서.
endosable *adj.* 배서할 수 있는, 배서(背書) 해도 좋은 ; 배서 양도할 수 있는.
endosado, da *adj.* 배서된 : cheque ~ 배서 수표. —*m.f.* 피배서인(被背書人), 양수인(讓受人).
endosador, ra *m.f.* =**endosante.**
endosante *adj.* 이서하는, 배서하는. —*m.f.* 양도인, 이서인.
endosar *tr.* ① 이서하다, 배서하다 : ~ un cheque · un giro · una letra 수표 · 환 · 어음에 배서하다. ②(싫은 일을 남에게) 떠맡기다 · 지우다.
endosatario, ria *m.f.* 배서 양수인, 피양서인.
endoscopio *m.* 내시경(內視鏡).
endose *m.* 《*Chile.*》 이서(裏書), 배서(背書).
endoselar *tr.* (…에) 장막(dosel)을 늘이다.
endosmómetro *m.* 침투계(浸透計).
endosmosis *f.* =**endósmosis.**
endósmosis *f.* 【물리·생리】 내부 침투. Contr. exósmosis.
endosmótico, ca *ajd.* 내부 침투의 : corriente ~*ca.*
endoso *m.* 배서, 이서 ; 이서 양도 ; 보증 : ~ a la orden 기명식 이서. ~ al portador 무기명(식) 이서. ~ absoluto 절대 이서. ~ completo 기명 이서. ~ completo con exclusión de la responsabilidad 조건부 이서. ~ condicionado 제한부 이서. ~ condicional 조건부 이서. ~ de garantía 보증 이서. ~ de letra 이서. ~ en blanco 백지식 · 무기명식 이서. ~ especial · llenado 기명식 이서. ~ general 무기명식 이서. ~ irregular 불규칙 이서. ~ limitado · restricto 제한부 이서. ~ nominativo 한정 이서. ~ sin recurso 무상(無償) 이서. tenedor por ~ 이서 양수인.
endospérmeo, a *adj.* 배유(endospermo)를 갖춘.
endospermo *m.* 【식물】 배유.
endotelio *m.* 【해부】 내피(內皮), 맥관 내피.
endoterápico, ca *adj.* 내복약(內服藥)의 : insecticida ~*ca* 회충약.
endotérmico, ca *adj.* 【화학】 흡열 작용(吸熱作用)의, 흡열 반응(反應)의. Contr. exotérmico.
endovenoso, sa *adj.* 정맥내의.
endriago *m.* (반은 사람, 반은 동물인) 괴물.
endrina *f.* 자두의 열매.
endrinal *m.* 자두밭.
endrino, na *adj.* 검은, 검푸른. —*m.* 【식물】 자두 (asarero).
endrogarse *r.* ⑧ 《*Amér.*》 함정에 빠지다 ; 빚으로 고생하다, 부채에 허덕이다 ; 마약 중독이 되다.
endulzadura *f.* 달게 하기 ; 순화.
endulzar *tr.* ⑨ ① 달게 하다(poner dulce) : ~ una bebida. ②(올리브의) 쓴맛을 빼다. ③ 순화하다 (suavizar) : ~ el sufrimiento de *uno.*
endulzorar *tr.* 《*And.*》 =**endulzar.**
endurador, ra *adj.* 인색한. —*m.f.* 구두쇠, 노랭이.
endurar *tr.* ① 단단하게 하다(endurecer). ② 견디다, 참다. ③ 지연시키다(dilatar). ④ 절약하다.
~**se** 단단해지다, 견고해지다, 굳어지다.
endurecer *tr.* 31 견고하게 하다, 단단하게 하다 ; 실하게 · 튼튼하게 하다 ; 엄하게 하다.
~**se** ① 딱딱해지다 ; (체격이) 튼튼해지다, 단련되다 : ~*se con · en · por* el trabajo 일을 해서 신체가 단련되다. ② 완고 · 냉혹해지다, 매정스러워지다.
endurecidamente *adv.* 완강하게, 끈덕지게.
endurecimiento *m.* ① =**dureza.** ② 완고, 경화(硬化)(obstinación, tenacidad) : ~ arterial 동맥 경화.
ene *f.* 서반아어 문자 n의 명칭, n자(字). —*adj.* [부정수를 나타냄] Costará ~ pesetas 몇 뻬세따 가량 들 것이다.
~ *de palo* [드뭄] 교수대(絞首臺)(horca).
ser de ~ 필연적이다(ser forzosa o infalible).
ENE estenordeste 동북동(東北東).
enea *f.* 【식물】 큰 부들.
eneaedro *m.* 9면체의 고체.
eneágono, na *adj.* 9각형의. —*m.* 9각형.
eneal *m.* 큰 부들이 무성한 들.
Eneas *m.* 에네아스 《신화에서 Anquises와 Afrodita의 아들, 트로이 전쟁의 용사 ; 로마 건국의 아버지》.
eneasílabo, ba *adj. m.* 9음절의 (시구) : verso ~ 9음절의 시구.
enebral *m.* 두송나무숲.
enebrina *f.* 두송의 열매.
enebro *m.* 【식물】 노간주나무, 두송(cada).
enechado, da *adj.m.f.* 버려진 (자식) (expósito).
ENEE Empresa Nacional de Energía Eléctrica

《Hond.》 국영 전력 회사.

Eneida *f.* 로마의 시인 Virgilio 작의 서사시 《Eneas가 Troya 낙성 후, 여러 나라를 방황할 때부터 로마 건국 때까지의 이야기》.

enejar *tr.* (…을) 굴대·축에 끼우다; (자동차에) 축(軸)을 끼우다 : ~ una rueda de carruaje.

eneldo *m.* 【식물】 =**aneldo.**

enema *f.* 세장약(洗腸藥)(ayuda, lavativa).
—*m.* 【고어】 (심한 상처에 바르는) 지혈제.

enemicísimo, ma *adj. sup.* enemigo.

enemiga *f.* ① 원수인 여자. ② 적의(敵意), 적개심, 증오심(enemistad) : tener*le* ~ *a uno* …에게 적개심을 가지다, …를 증오하다.

enemigamente *adv.* 적으로서, 앙숙으로서; 적의를 품고.

enemigo, ga *adj.* [*lat.* inimicus] ① [+de : …을] 싫어하는 : un hombre ~ de trasnochar 밤샘을 싫어 하는 사람. Es mi ~ personal 그는 내가 개인적으로 싫어하는 사람이다. ② 적의, 상반하는 (contrario, adversario) : dos naciones ~*gas* 두 적대국. país ~ 적국. Contr. amigo.
—*m.f.* 적, 원수 : ~ declarado 공공연한 적. ~ jurado 불구대천의 원수. hacerse ~ de …의 적이 되다, 앙숙 사이가 되다; 싫어지다. limpiar de ~*s* 남은 적을 소탕하다. ¿Quién es tu ~? 너의 상대(적)는 누군가?
—*m.* ① [단수형으로, 추상적] 적, 적군, 적국 : Ataca el ~ 적의 공격이다. El ~ fue rechazado 적군은 격퇴되었다. ② 악마(diablo, ~ malo).
Al ~ que huye, puente de plata 【속담】 적의 도망을 도와 주어야 할 경우도 있다.
¿Quién es tu ~ ? El que es de tu oficio 【속담】 같은 직업을 가진 자는 질투와 경쟁심이 있는 법이다.

enemistad *f.* 적의, 적개심; 증오(aversión, odio) : tener ~ hacia *uno* …에게 적개심을 가지다. Contr. amistad.

enemistar *tr.* ① 미워하게 하다 : ~ a uno *con* Julio 훌리오를 누구에게서 미움받게 하다. ② 적으로 만들다. Contr. amistar.
~se [+con : …을] 증오하다; 증오를 느끼다; 서로 미워하다 : ~*se con* su familia 그의 가족을 미워하다.

éneo, a *adj.* [*lat.* aeneus] 【시어】 동·구리·청동(青銅)(bronce)의.

eneolítico *m.* 청동기 시대.

energético, ca *adj.* 힘을 주는, 에너지의 : política ~*ca* 에너지 정책.

energía *f.* [*gr.* en + ergon] ① 힘; 정력, 기력, 세력(potencia, fuerza) : ~ militar 군사력. ~ muscular 근육의 힘. sin ~ 힘없이. ② 강력함; 행동력, 활동력. ③ 견고, 단단함; 굳건함(firmeza) : la ~ del alma. ④ 효력, 효능(virtud, eficacia) : la ~ de un remedio 처방의 효력. ⑤ 【물리】 세력, 에너지 : ~ atómica · nuclear 원자력. ~ eléctrica 전력. ~ ionización · radiante 방사능. Contr. debilidad, blandura.

enérgicamente *adv.* 정력적으로, 강력하게.

enérgico, ca *adj.* ① 정력적인, 강력한; 힘 좋은 : hablar con tono ~ 강력한 말투로 말하다. Es muy ~ de espíritu 그는 기력이 왕성하다. Contr. débil, indolente, flojo. ② 대담한.

energismo *m.* 【윤리】 정력주의, 활동주의, 행동주의.

energizar *tr.* 9 ① 정력을 주다, 자극하다. ② 【물리】 전류를 흐르다.
—*intr.*, **~se** 정력을 북돋우다.

energúmeno, na *m.f.* 악마에 홀린 사람; 정신이 이상해진 사람 : Se puso hecho un ~ 그는 미쳤다.

enerizar *tr.* =**erizar.**

enero *m.* [*lat.* januarius] 1월, 정월(mes primero de los doce del año civil) : el primero de ~ 1월1일. *E-* consta de treinta y un días 1월은 31일이다.
De ~ a ~, el dinero es del banquero 【속담】 (노름에서) 자금이 풍족한 사람이 이기는 법이다.

enervación *f.* 힘을 잃는 일, 쇠함, 기력이 쇠함; 쇠약, 유약(柔弱)(afeminación).

enervadizo, za *adj.* 기운이 빠지는, 맥이 풀리는; 기분이 잡치는.

enervador, ra *adj.* =**enervante.**

enervamiento *m.* =**enervación.**

enervante *adj.* 맥이 빠지게 하는, 무기력해지는 : entregarse a placeres ~*s.*

enervar *tr.* [*lat.* enervare] 약화시키다, (…의) 힘을 빼앗다, 쇠약하게 하다(debilitar); 무기력하게 하다 : El abuso de los placeres *enerva* a los hombres 쾌락이 지나치면 사람을 무기력하게 한다. Contr. fortificar.
~se 쇠하다; 무기력해지다.

enésimo, ma *adj.* 극도로 큰·작은.

enfadadizo, za *adj.* 잘 화내는, 노하는.

enfadar *tr.* ① 성나게·노하게·화나게 하다 (enojar). Contr. alegrar. ② =**amargar.**
~se 노하다, 화내다, 성내다 : ~*se por* poco *con·contra* un amigo 하찮은 일로, 친구에게 화를 내다. *Se enfadó con*migo *por* poca cosa 그는 하찮은 일로 나한테 화를 냈다. No tengo motivo para ~*me* 나는 성낼 이유가 없다.

enfado *m.* ① 불쾌(한 생각), 노여움, 성남, 화남 (enojo) : manifestar ~. ② 분투, 노력 (afán).

enfadosamente *adv.* 화난 듯이, 노한 얼굴로.

enfadoso, sa *adj.* ① 불쾌한. ② 화가 나는 (enojoso). ③ 귀찮은.

enfaenado, da *adj.* 일·노동에 들어간.

enfajar *tr.* 《Amér.》 =**poner una faja.**

enfajillar *tr.* 《Méx. CRica.》 (인쇄 우편물에) 띠를 두르다.

enfajinar *tr.* 《Perú.》 =**azuzar, excitar.**

enfaldado, da *adj.* 스커트·여자에게만 매달리는 (어린이).

enfaldador *m.* 스커트용 핀.

enfaldar *tr.* ① (나무의) 아랫가지를 치다 (cortar las ramas bajas de los árboles). ② 《Chile.》 산기슭을 따라가다.
~se 스커트 자락을 걷어 올리다; 접어서 끼우다.

enfaldo *m.* 접어 올린 스커트; 접어서 끼우기.

enfaltricarse *m.* 7 주머니에 넣다.

enfandangarse *r.* 8 ① 《Cuba.》 【속어】 노하다, 성내다, 골내다, 화내다.

enfangarse *r.* ① 진흙(fango)에 빠지다. ② 신세가 가련해지다. ③ 주색에 빠지다.
enfardador, ra *adj. m.f.* 싸는, 포장하는 (사람).
enfardar *tr.* 싸다, 포장하다, 꾸러미로 꾸리다 (empaquetear).
enfardelador, ra *m.f.* 포장 담당자.
enfardeladura *f.* 포장.
enfardelar *tr.* =**enfardar.**
énfasis *m.* (*f.*) ① 강조 : dar ~ 강조하다. Me lo dijo con ~ 그는 나에게 그것을 강조해서 말했다. ② 역설 ; 어세(語勢).
enfastiar *tr.* 《*Sal.*》 귀찮게 하다, 진절머리나게 하다 ; 따분하게 하다.
enfáticamente 강조하여.
enfático, ca *adj.* [*gr.* enphatukos] 강조한, 강조의 ; 역설하는 : responder con tono ~.
enfatizar *tr.* 강조하다(dar énfasis).
enfebrecer *intr.* 열이 있다(tener fiebre).
enfermar *intr.* 병에 걸리다, 병들다, 앓다 (ponerse enfermo) : ~ *de*l pecho 가슴앓이를 하다. *Enfermó de* calenturas 그는 열병에 걸렸다.
—*tr.* ① 병에 걸리게 하다 (causar enfermedad). ② 힘을 빼다, 맥을 못추게 만들다(enervar) : La fatiga les *enfermaba* 그들은 피로 때문에 힘이 빠졌다.
~se ①【고어 · 방언】《*Amér.*》 =**enfermar.** ② 《*Guat.*》 임신하다.
enfermedad *f.* [*lat.* infirmitas] 병, 질병, 질환 : ~ atómica 원자병. ~ contagiosa 전염병. ~ de Hansen 한센씨병. ~ endémica · regional 풍토병, 지방병(endemia). ~ infecciosa 전염병. ~ mental 정신병. ~ profesional 직업병. ~ parasitaria 기생충에 의한 병. ~ secreta · venérea (불순한 성교로 생긴) 전염병.
enfermería *f.* ① 병원. ② 병실, 의무실, 처치실. ③ [집합] 환자(수).
enfermero, ra *m.f.* 간호인, 간호부, 간호원.
enfermizo, za *adj.* ① 자주 앓는, 약질인, 병약한(enclenque) : muchacha ~*za* 자주 앓은 소녀. ② 병적인. Contr. sano, saludable. ③ 건강에 좋지 못한, 병의 원인이 될 수 있는 (기후 등) : clima ~, alimento ~.
enfermo, ma *adj.* [*lat.* infirmus] ① 아픈, 병에 걸린 : caer ~ 병에 걸리다. Pablo cayó ~ 빠블로는 병에 걸렸다. Mi padre está ~ 부친께서는 몸이 불편하시다. Mi madre está ~*ma* 모친께서는 몸이 불편하시다. Mis hermanos están ~*s* 내 형제들은 아프다. Mis hermanas están ~*mas* 내 누이들은 아프다. Carmen está ~*ma de* los intestinos 까르멘은 장(腸)이 아프다. Ayer operaron al niño ~ 어제 병든 아이의 수술이 있었다. La madre está ~*ma de*l estómago 어머니는 위가 나쁘다. ② 약질인, 병약한(enfermizo).
—*m.f.* 병자, 환자(paciente) : ¿Cómo se encuentra el ~ esta mañana? 환자는 오늘 아침 어떻습니까?
enfermoso, sa *adj.* 《*Amér.*》 =**enfermizo.**
enfermucho, cha *adj.* 병든 ; 약질의.
enfervorizador, ra *adj. m.f.* 생기 · 원기 · 활기를 돋우는 (사람).
enfervorizar *tr.* 9 =**animar.**
enfeudación *f.* 봉토, 책봉, 영지 사여(領地賜與) ; 영지 사여 증서.
enfeudar *tr.* 봉하다, 영지를 하사하다.
enfielar *tr.* 저울 눈금을 똑바로 하다, 저울을 올바로 달다.
enfierecerse *r.* 잔악하게 · 사납게 되다.
enfiestarse *tr.* 《*Amér.*》 흥에 겨워 떠들다(andar en fiestas).
enfilado, da *adj.* enfilar의 *p.p.*
enfilamiento *m.* enfilar 하기.
enfilar *tr.* ① 줄로 세우다. ② 염주알처럼 묶다 (ensartar) : ~ perlas. ③ (…과) 같은 방향으로 가다 · 떠나다 : El viento *enfilaba* la calle 바람이 거리를 쓸고 지나갔다. ④ 시선을 돌리다. ⑤ 측면을 공격하다.
enfingir *tr.* =**fingir, disimular.**
enfisema *m.* [*gr.* emphusêma]【의학】기종(氣腫).
enfisematoso, sa *adj.* 기종에 걸린 : tumor ~ 종양. —*m.f.* 기종에 걸린 사람.
enfistolarse *r.* 부스럼이 되다.
enfiteusis *f.* 영대 차지권(永代借地權).
enfiteuta *m.f.* 영대 소작인.
enfiteutecario, ria *adj.* =**enfitéutico.**
enfitéutico, ca *adj.* 영대 차지(권)의 : contrato ~.
enflacar *intr.* 7 여위다, 수척하다, 몸이 마르다(enflaquecer, adelgazar).
enflaquecer *tr.* 31 ① 여위게 하다, 수척하게 만들다(poner flaco). ② 기운이 빠지게 만들다.
—*intr.*, **~se** ① 여위다(ponerse flaco). ② 기운이 빠지다 ; 체중이 줄다.
enflaquecimiento *m.* ① 여윔 ; 쇠약해짐 : padecer un ~ rápido. ② 의욕 상실.
enflatarse *r.* 《*AmérC. Méx.*》 ① 괴로워하다, 고통스러워하다. ② 기분이 잡치다, 마음이 언짢아지다.
enflautada *f.* 《*AmérC. Perú.*》 =**extravagancia.**
enflautado, da *adj.* (허영과 교만으로) 가슴이 부푼 ; 우쭐거리는 ; 마음을 긴장한.
enflautador, ra *adj.* 남을 속이는. —*m.f.* 사기꾼 ; 뚜쟁이.
enflautar *tr.* ① 우롱하다, 속이다(engañar). ② (남녀를) 붙여 주다, 매춘 행위를 시키다 (alcahuetear). ③ 《*AmérC. Col. Méx.*》 골탕먹이다. ④ 부풀리다.
enflechado, da *adj.* 화살을 끼운.
enflorar *tr.* ① 꽃으로 꾸미다 · 장식하다(adornar con flores). ② 꽃을 뿌리다.
enflorecer *intr.* 31 꽃이 피다(florecer).
enfocador, ra *adj.* 초점을 맞춘. —*m.* (카메라의) 파인더.
enfocar *m.* 7 ① [+a : …에] 초점을 맞추다 : ~ la cámara cinematográfica a la escena 그 장면에 촬영기의 초점을 맞추다. *Enfoque* la cámara *a* aquel árbol 저 나무에 카메라의 초점을 맞추세요. ② 주의를 집중하다. ③ 비추다 : ~ la linterna 회중 전등을 돌리다. Les *enfocó* con la linterna 회중 전등으로 그들을 비추었다. ④ (문제의) 핵심을 포착하다. ⑤ 생각하다 (considerar), 분석하다(analizar) : ~ un asunto desde el punto de vista religioso 어떤 문제

를 종교적 관점에서 분석하다.
enfoque *m.* 초점 : desde un ~ 초점에서.
enfosado *m.* =**encebadamiento.**
enfoscadero *m.* 《*Sal.*》 좁은 해협.
enfoscado *m.* enfoscar 하는 일.
enfoscar *tr.* ⑦ ①(벽의) 구멍을 막다. ② 덧칠하다.
~se ① 마음이 언짢아지다. ② 깊이 관계하다. ③ 장사가 잘 안되다. ④【방언】숨다 ; 몸을 감싸다. ⑤ 어두워지다, 하늘이 흐려지다.
enfrailar *tr.* 승적에 입적시키다(hacer fraile). **—*intr.*, ~se** 출가하다, 승려가 되다(hacerse o meterse fraile).
enfranjar *tr.* 《*Neol.*》 술(franja)로 장식하다.
enfranje *m.* 《*Chile.*》 =**enfranque.**
enfranque *m.* 구두 밑창의 가장 좁은 부분.
enfranquecer *tr.* ㉛ ① 자유롭게 하다, 해방시키다. ② 무세·면세로 하다 ; 무료로 하다.
enfrascamiento *m.* 열중, 몰두.
enfrascar *tr.* ⑦ 유리병·플라스크에 넣다.
~se ① 덤불에 잘못 들어가다. ② 열중하다, 몰두하다 : *~se en* la política.
enfrenador, ra *m.f.* 재갈을 물리는 사람.
enfrenamiento *m.* 재갈을 물리는 일 ; 제어, 제동 ; 견제.
enfrenar *tr.* ① 말에 재갈(freno)을 물리다. ② 자동차의 브레이크를 걸다. ③ 제어·억제하다. ④(…에) 제동기를 달다.
~se 자제(自制)하다.
enfrentar *tr.* ① 대면시키다 ; 마주 향하게 놓다, 똑바로 맞추다(afrontar) : ~ dos maderas. ② 대항케 하다(arrostrar).
—*intr.*, ~se ① [+con : …에] 마주 대하다, 대면하다. ② 대항하다, 겨루다 : *~se* dos equipos campeones.
enfrente *adv.* ① 앞에, 정면에 : de ~ 정면의. ~ de …의 정면에. casa de ~ 정면의 집. *Enfrente* se ve un edificio muy enorme 정면에 무척 거대한 건물이 보인다. Veo una casa ~ de mí 나의 정면에 집이 한 채 보인다. Vive en la casa que está ~ de la nuestra 그는 우리집 정면에 있는 집에 살고 있다. *Enfrente* hay una casa blanca 정면에 하얀 집이 한 채 있다. Viven en la casa de ~ 그들은 정면의 집에 살고 있다. ② 반대하여 : Todo el pueblo está ~ del proyecto 전 시민이 그 계획에 반대하고 있다.
enfriadera *f.* 냉각기.
enfriadero *m.* 냉각장.
enfriador, ra *adj.* 냉각하는. **—*m.*** =**enfriadero.**
enfriamiento *m.* 냉각.
enfriar *tr.* ⑦ ① 냉각하다, 식히다 ; 차게 하다 (resfriar) : *enfriado* por el aire 공냉식의. Vamos a ~lo con el hielo 얼음으로 그것을 식힙시다. Contr. calenar. ② 미지근하게 하다 (entibiar). ③ =**matar.**
—*intr.*, ~se ① 차가워지다 : Abríguese bien para que no *se* vaya a ~ 몸이 차가워지지 않도록 두툼하게 입으세요. ② 식다 : Ya *se ha enfriado* la sopa 수프가 벌써 식었다. ③ 시원해지다, 추워지다. ④ 냉담해지다.
enfrijolarse *r.* 《*Méx.*》 일이 뒤얽히다, 어지럽게 되다(enredarse).
enfrontar *tr. intr.* ①(…의) 앞에 서다. ② [+con : …과] 대면하다, 마주보다. ③ 대항하다 (afrontar) : ~ *con* los enemigos.
enfrontilar *tr.* 《*And.*》 소에 천을 씌우다.
enfroscarse *r.* ⑦ ① 숲에 잘못 들어가다. ② 몰두하다(enfrascarse).
enfuetarse *r.* 《*Col.*》 강해지다, 단단해지다.
enfullar *tr.* (놀이에서) 꾀를 부리다.
enfullinarse *r.* 《*Chile.*》 성을 내다, 화를 내다 (enfadarse).
enfunado, da *adj.* 《*Cuba.*》 =**vanidoso, ufano.**
enfundadura *f.* 자루·부대에 넣기.
enfundar *tr.* ① 자루·부대(funda)에 넣다. ② (베개를) 씌우다 : ~ una almohada 베개를 채우다. ③ 가득 채우다(llenar).
enfuñarse *r.* 《*Cuba.*》 =**enfurruñarse, gruñir.**
enfurción *f.* =**infurción.**
enfurecer *tr.* ㉛ 화나게 하다, 노하게 하다, 성나게 하다, 약을 올리다(enojar, enfadar) : Le *enfurecieron* mis bromas 내 농담으로 그는 무척 노했다. Contr. calmar.
~se ① 격분하다 : *~se con · contra · por* todo 모든 것에 격분하다. El dueño *se enfureció* al ver a los niños traviesos 주인은 장난이 심한 아이들을 보고 성을 냈다. ② 사납게 날뛰다 : *Se enfurecía* el viento 바람이 사나웠다.
enfurecimiento *m.* 분격 ; 사납게 날뜀.
enfurruñamiento *m.* 분격, 화남, 성냄.
enfurruñarse *r.* 화가 나다(enfadarse, gruñir).
enfurruscarse *r.* ⑦【방언】《*Chile.*》 =**enfurruñarse.**
enfurtido *m.* (모직물의) 빳빳하게 하기.
enfurtir *tr.* (모직물을) 빳빳하게 하다.
enfusar *tr.* ①《*Sal.*》 =**embutir.** 《*Sal.*》 = **atollar.**
engabanado, da *adj.* 외투에 덮인 (cubierto con gabán).
engace *m.* ① =**engarce.** ② =**relación, conexión.**
engafar *tr.* 자물쇠로 잠그다 ; 걸쇠로 걸다 ; (총에) 안전 장치를 하다.
engafetar *r.* 《*Ar.*》 =**encorchetar.**
engaitador, ra *adj.m.f.* 속이는 (사람).
engaitar *tr.* 속이다(engañar).
engajado, da *adj.* 《*Col.*》 곱슬곱슬한(rizado).
engalabernar *tr.* 《*Col.*》 조립하다(ensamblar).
engalanado *m.* =**empavesado.**
engalanador, ra *m.f.* 치장하는 사람.
engalanar *tr.* 꾸미다, 미화하다, 아름답게 하다, 치장하다(adornar, embellecer).
~se 옷치장을 하다 : *~se* para ir a paseo.
engalgado, da *adj.* 돌에 받친.
engalgadura *f.* engalgar 하는 일.
engalgar *tr.* ⑧ (바퀴에) 큰 돌을 받치다 ; (차에) 제동기를 걸다.
engalibar *tr.* 《*Col.*》 치장하다, 몸을 꾸미다, 몸단장하다(acicalar).
engallado, da *adj.* ① 빳빳이 선(erguido). ② 거만한 ; 의기 양양한(arrogante).
engallador *m.* 고삐.
engalladura *m.* =**galladura.**
engallarse *r.* ① 오만·교만·거만해지다, 우쭐

해하다(ponerse arrogante). Contr. humillarse. ② 몸을 젖히다. ③ (말이) 머리를 세우다.

enganchabobos *m.pl.* 《*Ecuad.*》 말아 올린 머리 (bucle).

enganchador, ra *adj.* 자물쇠로 잠그는 ; 쇠고리로 올리는. —*m.* 부두 노동자.

enganchamiento *m.* =**enganche.**

enganchar *tr.* ① 자물쇠를 잠그다. ② 쇠고리로 올리다, 쇠고리에 걸다 : *Enganche* usted su abrigo en la percha 외투를 옷걸이에 걸으십시오. ③ (말에 수레를) 매다. ④ (사람을) 멈추어 세우다 : Le *engancharon* para que ayudase 도와 달라고 그를 멈추어 세웠다. ⑤ 병적(兵籍)에 편입시키다. ⑥ (투우에서) 소가 뿔에 걸쳐 들어 올리다. —*intr.* ① 걸리다. ② 말을 수레에 매다. ③ 《*PRico.*》 오르다(ascender). ④ [y와 타동사 앞에서] 결심하다, 굳게 마음 먹다 : *Enganchó* y dijo 그는 마음을 굳게 먹고 말했다.

~se ① 걸리다 : El pelo *se enganchó en* un corchete 머리카락이 훅에 걸렸다. ② 군인이 되다.

enganche *m.* ① 자물쇠를 잠그는 일. ② 쇠고리로 찍어 올리기. ③ 자물쇠. ④ 《*Méx.*》 계약금, 착수금 : cien pesos de ~.

enganchón *m.* ① =**enganche, desgarrón.**

engandujar *tr.* 《*Col.*》 =**engalibar.**

engandujo *m.* 꼬인 실.

engangrenarse *r.* 《*Ecuad.*》 =**gangrenarse.**

engañabobos *m.f.* 【단 · 복수 동형】 =**embaucador.**

engañachipanga *f.* 《*Chile. Riopl.*》 =**engañifa.**

engañadizo, za *adj.* 속이는, 속이기 쉬운 (fácil de engañar) ; 잘 속는.

engañador, ra *adj.* ① 속이는, 사기하는 (engañoso). ② 마음을 녹이는. —*m.f.* 사기꾼 ; 바람둥이.

engañamundo *m.* 사기꾼.

engañamundos *m.* 【단 · 복수 동형】 사기꾼.

engañanecios *m.* 【단 · 복수 동형】 사기꾼, 사기한(engañabobos).

engañante *adj.* 속이는, 우롱하는.

engañaojos *m.* 《*Col.*》 무질서한 탁자.

engañapastores *m.* 【조류】 소쩍새 (chotacabras).

engañapichanga *f.* 《*Arg. Chile.*》 =**engaño.**

engañar *tr.* [*lat.* ingannare] ① 속이다, 사기치다, 눈속임하다 : ~ a un cliente 손님을 속이다. ~ al comprador *en* peso 저울 눈으로 매입자를 속이다. Nos *han engañado* la vista 우리의 눈을 속였다. Aquellos malos hombres *engañaron* al niño 악인들이 그 아이를 속였다. ② 알랑거리다, 아첨하다, 아부하다.

~se ① 잘못하다, 실수하다 (equivocarse) : *Se engañó* a causa de la niebla 그는 안개 때문에 잘못했다. ② [+con · por : …에] 속다 : *~se con · por* las apariencias 외모로 속다. ③ 진실에 눈을 감다, 진실을 외면하다(no querer ver la verdad). ④ 자신을 속이다 : Nadie puede *~se* a sí mismo 아무도 자기 자신을 속일 수 없다.

dejarse ~ 속다 : No *me dejo ~ de* nadie *en · por* nada.

engañifa *f.* 《*And. Chile.*》 =**engaño, trampa.**

engañifla *f.* 《*And. Chile.*》 =**engañifa.**

engañilar *tr.* 목을 묶다.

engañito *m.* 《*Chile.*》 속셈이 있는 선물.

engaño *m.* ① 실수, 잘못(error) : salir del ~. ② 사기, 거짓말, 속임수. ③ 잘못 생각. ④ 갈피를 잡지 못함. ⑤ (투우에서) 소를 다루는 천.

llamarse a ~ 거짓말이 있었다 하여 약속을 이행하지 않다.

engañosamente *adv.* 속임수로.

engañoso, sa *adj.* 거짓의, 속임수가 많은 : ilusión *~sa.* Contr. verídico, sincero.

engarabatar *tr.* 갈고리(garabato)로 걸치다.

~se 갈고리 모양으로 만들다.

engarabitar *intr.* 꼭대기에 오르다(trepar).

~se ① 꼭대기에 오르다(subir a lo alto). ② 갈고리 모양으로 휘어지다 : *~se* los dedos *con* el frío.

engaratusar *tr.* 《*Amér.*》 =**engatusar.**

engarbado, da *adj.* engarbar의 *p.p.*

engarbarse *r.* ① (새가) 나무 꼭대기에 오르다 (subirse las aves a un árbol). ② 벌채한 나무가 옆 나무에 기대다.

engarbear *tr.* 《*And.*》 =**agrupar.**

engarbullar *tr.* (물건을) 섞다, 뒤범벅으로 만들다, 뒤얽히게 하다.

engarce *m.* ① 줄줄이 매달기. ② (염주알처럼) 줄줄이 꿰는 철사. ③ (보석 등을 끼워 넣는) 손가락. ④ 핀셋. ⑤ 《*Col.*》 싸움(riña).

engargantadura *f.* =**engargante.**

engargantar *tr.* (새가) 목구멍에 넣다, 좁은 데로 넣다. —*intr.* (톱니바퀴가) 서로 맞물리다.

engargante *m.* (톱니바퀴의) 맞물림(engranaje).

engargolado *m.* ① (문지방 등의) 홈. ② 【목공】 《홈과 홈의 접합》.

engargoladura *f.* =**gárgol.**

engargolar *tr.* ① 【목공】 홈과 홈을 접합하다. ② 《*Col.*》 얽히게 하다.

engaripolarse *r.* 《*Venez.*》 맵시를 내다.

engaritar *tr.* ① 속이다, 사기치다, 협잡하다 (engañar). ② (성벽에) 망루를 세우다.

engarmarse *r.* 《*Ast. Sant.*》 경사지(garma)에 목축이 들어가다.

engarnio *m.* 전과자 ; 무용지물, 쓸모없는 인간 (persona intútil).

engarra *f.* =**riña.**

engarrafador, ra *adj.* 단단히 붙잡는 · 매는.

engarrafar *tr.* 단단히 붙잡다 · 잡다(agarrar fuertemente).

engarrar *tr.* 잡다, 붙잡다(agarrar).

engarriar *intr.* 7 기어오르다, 오르다(trepar, encaramar).

~se 높은 지위에 오르다.

engarro *m.* 파악, 붙잡는 일.

engarronar *tr.* 《*Murc.*》 (죽은 동물의) 발을 묶다(apiolar).

engarrotar *tr.* ① 단단히 조이다 (agarrotar). ② 《*Arg.*》 얼리다.

~se 《*Amér.*》 (손발이) 곱아지다.

engarrullar *tr.* 《*Col.*》 =**engarbullar.**

engarruñarse *r.* 《*Amér.*》 =**engurruñarse.**

engarzador, ra *adj.* engarzar 하는.

engarzadura *f.* =**engarce.**

engarzar *tr.* 9 ① 염주처럼 줄줄이 잇다. ② (머리카락을) 곱슬곱슬하게 하다, 지지다(rizar). ③ 끼워 넣다(engastar). ④ 아로 새기다. ⑤《*Col.*》 걸쇠를 걸다.
~se 《*Col.*》 싸우다 ; 무질서하게 되다.
engasar *tr.* 가제(gasa)로 감다.
engastador, ra *adj. m.f.* ① 끼워 넣는 (사람). ②《*Ecuad.*》 =**gastador.**
engastadura *f.* =**engaste.**
engastar *tr.* ① 끼워 넣다. ② [+con : …을] 군데군데 끼워 박다 : ~ una esmeralda *en* oro 금에 에메랄드을 끼워 박다. ~ una sortija *con* perlas 반지에 진주를 군데군데 끼워 박다. ③ 상안(象眼)하다.
engaste *m.* ① 끼워 넣기, 새기기. ② =**montadura.** ③ 흠이 있는 진주.
engatado, da *adj.* 손버릇이 나쁜 ; 속은.
engatar *tr.* 속이다(engatusar).
engatillado, da *adj.* ① 두들겨 이은 (판금). ② 걸쇠로 건. ③ 끼워 얹은 (진주 반지). ④ 목이 굵은 (짐승). **—***m.* 걸쇠로 검 ; 두들겨 연결하기.
engatillar *tr.* ① 두들겨 연결시키다. ② (진주 등을 반지의) 걸쇠로 걸다.
engatusador, ra *adj.m.f.* 속이는, 아부하는, 아첨하는 (사람).
engatusamiento *m.* 아부, 아첨 ; 말주변.
engatusar *tr.* 알랑거리다, 아부하다, 아첨하다 ; 속이다.
engaviar *tr.* 11 높은 곳으로 올리다 (subir a lo alto).
engavillar *tr.* 다발로 만들다(agavillar).
~se 여기저기서 모여들다.
engazador, ra *adj.m.f.* =**engarzador.**
engazamiento *m.* =**engarce.**
engazo *m.* [드뭄] =**engarce.**
engazuzar *tr.* 9 ① 줄줄이 잇다(engarzar). ② 피륙을 짠 다음 염색하다. ③ 그물의 끝에 고리를 만들다.
~se 엉기다, 엉겨 붙다, 얽히다.
engendrable *adj.* [드뭄] 생산할 수 있는.
engendrador, ra *adj.m.f.* =**engendrante.**
engendramiento *m.* 생산 ; 태생 ; 발생.
engendrante *adj.* 생산하는, 만들어 내는, 생기게 하는 ; (…의) 원인이 되는.
engendrar *tr.* ① 생산(生産)하다 ; 만들다, 낳다(producir) : La pereza *engendra* todos los vicios 나태는 모든 비행을 낳는다. ② 야기시키다(causar, ocasionar). ③ (수학에서 원 등을) 그리다.
~se 태어나다 ; 배태하다 ; 생기다, 나타나다.
engendro *m.* ① 생산(producción). ② 태아(胎兒)(feto). ③ 불구의 갓난아기. ④ 미완성 계획·작품.
engentarse *r.* 《*Méx.*》 ① (어떤 일에) 도취되다. ② 사람들에 질리다.
engerido, da *adj.* 【방언】《*Col.*》 =**alicaído.**
engeridor *m.* 접목칼(abridor).
engerirse *r.* 54 《*Col. Méx. Venez.*》 오므라들다.
engero *m.* 《*And.*》 멍에에 묶는 쟁기의 통나무.
engestado, da *adj.* ①《*Amér.*》 =**agestado.** ②《*Arg.*》 화난 얼굴를 한, 불쾌한 표정의.
engestarse *r.* 표정을 짓다.
engibacaire *m.* 망나니.
engibador *m.* =**engibacaire.**
engibar *tr.* ① 새우등을 하다. ② 받다 ; 챙겨 넣다.
~se 새우등이 되다.
englandado, da *adj.* =**englantado.**
englantado, da *adj.* 열매가 달린 떡갈나무의 (문장).
englobar *tr.* 통합하다, 종합하다.
engodo *m.* 《*Cuba.*》 (고기를 낚는) 미끼.
engolado, da *adj.* (개 따위가) 목걸이를 한 ; 깃을 단 ; 사자나 뱀을 입에 문 (문장의 막대) ; 새초롬하게 빼문.
engolfa *f.* 《*Ar.*》 =**algoria, algofra.**
engolfar *tr.* (배를) 만(彎)으로 넣다. **—***intr* (배가) 앞 바다로 나가다.
~se ① 앞 바다로 나가다, 공해로 나가다. ② 탐닉하다, 몰두하다, 열중하다 : ~*se en* la lectura.
engolillado, da *adj.* 수장(golilla)을 단 (법관), 옛 관습을 엄수하는.
engolillarse *r.* ①《*Cuba.*》 빚으로 꼼짝달싹 못하게 되다. ②《*Perú.*》 화내다, 노하다, 성내다.
engollamiento *m.* 자만심(presunción).
engolletado, da *adj.* [engolletarse의 *p.p.*] = **presumido, necio.**
engolletarse *r.* 자만하다(envanecerse).
engolliparse *r.* =**atragantarse.**
engolondrinarse *r.* ① 자만하다, 잘난 척하다 (envanecerse). ② [+de : …을] 짝사랑하다, … 한테 반하다(enamorarse).
engolosinador, ra *adj. m.f.* 유혹하는, 꼬이는 (사람).
engolosinar *tr.* (미끼로) 유혹하다, 꼬이다.
~se [+con : …에] 몰두하다, 열중하다, 빠지다 : ~*se con* el juego.
engomado, da *adj.* ① 고무풀을 입힌, 고무칠을 한. ②《*Chile.*》 잔뜩 멋을 부린.
engomadura *f.* 고무칠.
engomar *tr.* (…에) 고무풀을 입히다, 고무를 칠하다 ; 방수 가공을 하다.
engorar *tr.* 28 완전히·텅 비우다, 공허하게 만들다(enhuerar).
—*intr.,* **~se** 공허해지다 ; 허무해지다.
engorda *f.* 《*Amér.*》 ① 도살한 짐승. ② =**engorde.**
engordadero *m.* (도살하기 위해 돼지를) 살찌우는 장소·시기·사료.
engordador, ra *adj.m.f.* 가축(animales domésticos)을 살찌우는 (사람).
engordar *tr.* 살찌게 하다. **—***intr.* ① 살찌다 : Usted *se ha engordado* 당신은 살이 쪘다. ② 부자가 되다 ; 돈이 생기다.
engorde *m.* 가축을 살찌게 하는 일.
engordero *m.* 《*Chile.*》 =**engordador.**
engorgonar *tr.* 《*AmérC.*》 ① 가축을 낭비하다. ② 연기하다, 미루다.
engorgoritar *tr.* 감언 이설로 구슬리다.
engorrar *tr.* ①《*Venez.*》 괴롭히다, 애먹이다 (molestar). ② 늦추다 ; 가지 못하게 말리다, 하지 못하게 말리다,
~se ① 고리나 못에 걸리다. ② 깊이 박히다. ③ 늦어지다 ; 어물거리다, 더듬거리다.
engorro *m.* ① 지장, 방해, 훼방(estorbo). ② 괴

롭힘(molestia).

engorronarse *r.* 《*Ar.*》 들어박혀 살다.

engorroso, sa *adj.* 귀찮은, 골치 아픈, 반갑지 않은, 따분한(dificultoso, embarazoso, molesto) : un trabajo ~ 따분한 일.

engoznar *tr.* (…에) 경첩을 대다.

engranaje *m.* ① (톱니바퀴의) 맞물림 ; 톱니바퀴 장치 : ~ helicoidal (recto) 나사 모양의 톱니바퀴 (장치). tren de ~*s* 전환 톱니바퀴. ② 연동 장치. ③ (사건이나 사상의) 관련, 연락.

engranar *intr.* ① 서로 맞물다(endentar). ② 연동하다. ③ 연락하다(enlazar).

engrandar *tr.* =**agrandar.**

engrandecer *tr.* 31 ① 증가시키다, 크게 하다(aumentar, agrandar) : ~ el mérito de *uno.* ② 위대하게 하다, 훌륭하게 하다. ③ 높이다(elevar) : ~*se* gracias al propio mérito. ④ 과장하다(exagerar).

engrandecimiento *m.* 증가, 증대, 번영, 발전 ; (명성 등의) 날림 ; 승진 ; 과장.

engranerar *tr.* 창고에 넣다(encerrar en el granero).

engranujarse *r.* ① 여드름투성이가 되다 : tener la cara *engranujada.* ② 건달패(granuja)가 되다.

engrapadora *f.* 호치키스.

engrapar *tr.* 걸쇠로 걸다(asegurar con grapas).

engrasación *f.* 기름칠 ; 기름으로 닦는 일 ; 기름으로 더러워짐 ; 시비(施肥). **Contr.** engrase.

engrasador *m.* =**lubricador.**

engrasamiento *m.* =**engrasación.**

engrasar *tr.* (…에) 기름을 칠하다 ; 기름으로 더럽히다(lubricar) ; 기름을 떨어뜨리다 ; 살찌게 하다(encrasar).

engrase *m.* ① =**engrasación.** ② 윤활 ; 윤활유.

engravar *tr.* 자갈(grava)을 깔다 : ~ el jardín.

engravecer *tr.* 31 무겁게 하다 ; 귀찮게 하다.

engredar *tr.* (…에) 점토를 바르다.

engreído, da *adj.* 우쭐대는.

engreimiento *m.* =**orgullo.**

engreir *tr.* 44 ① 우쭐대게 · 우쭐거리게 하다(envanecer). ② 《*Amér.*》 버릇없이 기르다(mimar). ③ 허영심으로 가득하다.

~se ① 우쭐대다, 자부하다, 자랑하다 : ~*se con · de* su fortuna 재산을 자랑하다. ② 《*Amér.*》 집착하다.

engreñado, da *adj.* =**desgreñado.**

engrescar *tr.* 7 ① 부추기다 ; 싸움을 시키다 : ~ a riña 싸움을 걸다. ② 이끌어 들이다. ③ (소망 · 즐거움을) 부채질하다. **Contr.** calmar, apaciguar.

engrifado, da *ajd.* engrifar의 *p.p.*

engrifar *tr.* 곤두세우다(encrespar).

~se 곤두서다 ; (말이) 곤두서다.

engrillar *tr.* (…에) 족쇄를 끼우다(meter en grillos). ② 《*Col. PRico.*》 속이다(embaucar).

~se ① 감자의 싹이 트다. ② 《*Amér.*》 말이 목을 수그리다. ③ 《*Col.*》 빚지다. ④ 《*PRico. Venez.*》 자만하다, 교만을 떨다.

engrincharse *r.* 《*Cuba.*》 심각해지다.

engringarse *r.* 8 미국인(gringo)에게 물들다.

engrosamiento *m.* 살찌는 일 ; 증대, 증강.

engrosar *tr.* 24 ① 굵게 · 두껍게 하다 ; 살찌게 하다. ② 증강하다 ; 증원하다. —*intr.* 살찌다, 뚱뚱해지다.

engrudador, ra *m.f.* 풀칠하는 사람 ; 풀칠하는 비.

engrudamiento *m.* 풀칠.

engrudar *tr.* 풀(engrudo)을 바르다, 풀로 붙이다 : ~ papel · telas.

~se 끈끈하게 붙다.

engrudo *m.* 풀 : pegar el anuncio con ~ 풀로 광고를 붙이다.

engruesar *intr.* =**engrosar.**

engrumecerse *r.* 31 엉기다, 응결하다 : ~*se* la sangre.

enguachinar *tr.* 물에 잠기게 하다 ; 웅덩이로 만들다(enaguazar).

~se 웅덩이가 되다 ; 배에 물이 차다.

enguadar *tr.* 《*Cuba.*》 =**engatusar.**

engualdar *tr.* 목서 초석(gualda)으로 물들이다.

engualdrapar *tr.* (말에) 말옷(gualdrapa)를 입히다.

engualichar *tr.* 《*Arg.*》 =**endemoniar.**

enguantar *tr.* 장갑을 끼우다.

~se 장갑을 끼다(ponerse los guantes).

enguapearse *r.* 《*Méx.*》 취하다, 만취하다, 술취하다(emborracharse).

enguaracarse *r.* 7 《*AmérC.*》 숨다.

enguatar *tr.* 속을 넣고 누비다(acolchar).

enguatusar *tr.* 《*CRica.*》 =**engatusar, engañar.**

engubiar *tr.* 11 《*Urug.*》 때려 눕히다.

enguedejado, da *adj.* 갈기(guedeja) 모양의 ; 장발의 ; 머리털을 소중하게 하는.

enguedejar *tr.* 갈기 모양으로 머리를 하다.

enguerar *tr.* ① 《*Sal.*》 =**ahorrar, escatimar.** 《*Ar. Nav.*》 =**estrenar.**

enguerrillar *tr.* 《*Venez.*》 소 부대로 나누다 ; 게릴라전을 펴다.

enguijarrado *m.* 자갈을 깐 포장길.

enguijarrar *tr.* (…에) 자갈을 깔다.

enguillotarse *r.* =**enfrascarse.**

engüinchar *tr.* 《*Chile.*》 =**ribetear.**

enguirnaldar *tr.* 화관 장식으로 꾸미다 : ~ un árbol de Nochebuena.

enguitarrarse *r.* 《*Venez.*》 예장을 하다.

enguizgar *tr.* 8 [드묾] ① 선동하다(incitar). ② (개에게) 물라고 시키다.

engullidor, ra *adj.m.f.* =**tragón.**

engullir *tr.* 50 ① (음식물을) 통째로 삼키다 : ~ la comida.

engurrio *m.* 쓸쓸함, 슬픔, 우수, 근심과 걱정(tristeza, melancolía).

engurrioso, sa *adj.* 《*Col.*》 =**envidioso.**

engurruñar *tr.* ① 줄이다, 오므라들다. ② 구기다(encoger).

~se 오므라들다, 줄어들다, 조여들다.

engurruñido, da *adj.* 《*And.*》 =**arrugado, encogido.**

engurruñir *tr.* 52 얼굴을 찡그리다 : ~ el entrecejo.

enhacinar *tr.* 다발로 쌓아올리다.

enhambrecido, da *adj.* =**hambriento.**

enharinar *tr.* 가루로 채우다, 가루로 덮다 : ~

el pan · el pescado.
~se 가루를 뒤집어쓰다.
enhastiar *tr.* 12 싫증을 내게 하다.
~se 신물이 나다, 넌더리나다.
enhastillar *tr.* (화살을) 화살통에 꽂다.
enhebillar *tr.* (가죽띠를) 버클로 고정시키다.
enhebrar *tr.* ① (바늘에) 실을 꿰다. (실을) 바늘귀(el ojo de la aguja)에 꿰다, 실에 꿰다. ② (거짓말 등을) 밥먹듯이 하다.
enhenar *tr.* (…에) 건초를 덮다.
enherbolar *tr.* (…에) 독을 바르다, 독을 칠하다 : ~ las saetas.
enhestador, ra *m.f.* 게양하는 사람.
enhestadura *f.* 높이 세우는 일, 게양.
enhestamiento *m.* =**enhestadura.**
enhestar *tr.* 19 높이 세우다, 게양하다 : ~ la bandera.
enhielar *tr.* 맛을 쓰게 하다(volverse amargo).
enhiesto, ta *adj.* 우뚝 솟아 오른 : torre ~*ta.*
enhilar *tr* ① (…에) 실을 꿰다(enhebrar) : ~ la aguja. ② 순서를 세우다. ③ 말을 조리있게 하다, 이론이 정연하게 하다. ④ 이끌다. ⑤ 같은 방향으로 향하다(enfilar). —*intr.* 향해 가다 (dirigirse).
~se (어떤 목적을) 향해 가다(encaminarse).
enhollinar *tr.* 그을음으로 덮다.
~se 그을음이 덮히다.
enhorabuena *f.* 축하, 경하 ; 축사, 축의, 하의 (felicitación) : Envío a usted mil ~*s* 축하를 보냅니다. Le doy la ~ por su ingreso a la universidad 대학 입학을 축하합니다. **Sinón.** parabién.
—*adv.* ① 운좋게, 다행스레, 행운으로 (felizmente). ② 기꺼히(con mucho gusto) : Venga usted ~. ③ [승인 · 시인을 나타냄] : *E-* que salgas, pero ven pronto 나가도 좋지만, 빨리 돌아오너라.
—*interj.* 반갑습니다, 축하합니다(Sea enhorabuena) : ¡ Mi más cordial ~ ! 진심으로 축하합니다.
enhoramala *adv.* 재수없이, 운 나쁘게, 불행하게도, 하필 : *E-* entré en tu casa 내가 집에 들어갔던 것이 잘못이었다.
enhorcar *tr.* 7 (마늘이나 양파 등을) 걸어서 매달아 놓다.
enhornar *tr.* 솥에 넣다 ; 보일러를 설치하다.
enhorquetar *tr.* 《*Amér.*》 걸터앉게 하다, 걸쳐 놓다 · 싣다.
~se 《*Amér.*》 걸터타다.
enhuecador *m.* 《*Col.*》 =**ahuecador.**
enhuecar *tr.* 7 =**ahuecar.**
enhuerar *tr.* 속이 텅 비게 만들다 ;
—*intr.*, **~se** 속이 텅 비다 : Este huevo *enhueró* con la tormenta.
enhuevar *tr.* 《*Arg.*》 (새가) 알을 낳다(aovar).
enigma *m.* [*lat.* aenigma] ① 수수께끼 : Edipo adivinó el ~ de la esfinge. ② 불가사의 : los ~*s* del universo.
enigmáticamente *adv.* 수수께끼처럼 ; 신비스럽게.
enigmático, ca *adj.* [*lat.* aenigmatikus] ① 수수께끼의 ; 수수께끼같은(que encierra enigma) : palabras ~*cas.* ② 불가사의한(misterioso). ③ 납득이 안 가는, 이해하기 어려운(difícil de comprender) : personaje ~, conducta ~*ca.*
enigmatista *m.f.* 수수께끼로 마음이 통하는 사람.
enigmatizar *tr.* 《*Neol.*》 9 수수께끼로 하다.
enigmística *f.* ① 수수께끼 문자. ② [집합] 수수께끼 ; 수수께끼의 연구.
enjabegarse *r.* (케이블이) 엉키다(enredarse).
enjabonado *m.* 비누로 하는 빨래.
enjabonadura *f.* =**jabonadura.**
enjabonar *tr.* ① 비누로 빨다, 비누칠을 하다, 비누를 풀다(jabonar). ② 아첨하다, 아부하다 (lisonjear, adular). ③ =**reprender.**
enjaezado, da *adj.* enjaezar의 *p.p.* —*m.* 【은어】 =**galano.**
enjaezar *tr.* 9 말에 안장을 달다.
enjaguar *tr.* 10 ① 《*Amér.*》 물로 씻다, 양치질하다(enjuagar). ② 《*AmérC.*》 속이다, 사기하다.
enjagüe *m.* ① 채권자에 의한 선박의 경매. ② 《*Amér.*》 =**enjuague.**
enjalbegado, da *adj.* 희게 칠한 (벽), 단장한 (벽). —*m.* =**enjalbegadura.**
enjalbegador, ra *adj. m.f.* 희게 칠하는 (사람).
enjalbegadura *f.* 흰 벽칠 ; 흰색 도장 공사.
enjalbegar *tr.* 8 희게 칠하다 : ~ la pared.
~se 얼굴에 분을 바르다, 분으로 화장하다 : una mujer que *se enjalbega.*
enjalbiego *m.* =**enjalbegadura.**
enjalma *f.* 길마.
enjalmar *tr.* ① 길마를 얹다 : ~ una mula. ② 길마를 만들다.
enjalmero *m.* 길마를 만드는 사람.
enjambradera *f.* =**abeja maestra.**
enjambradero *m.* (꿀벌의) 벌통을 나누는 곳.
enjambrar *tr.* (꿀벌을) 분봉하다. —*intr.* 분봉하다 ; 번식하다.
enjambrazón *f.* 분봉.
enjambre *m.* [*lat.* examen] ① 벌떼 (grupo de abejas). ② 떼, 다수.
enjambrillo *m.* 작은 벌떼.
enjaminado, da *adj.* 《*Cuba. Venez.*》 =**ataviado.**
enjaquimar *tr.* ① (말에) 껑거리끈(jáquima)을 대다. ② 【방언】 수선하다.
enjaranado, da *adj.* 《*Guat. CRica.*》 ① 빚투성이의. ② =**entrampado.**
enjaranarse *r.* 《*AmérC.*》 돈을 빌리다.
enjarciadura *f.* 색구(索具) 장치.
enjarciar *tr.* 11 (배에) 색구를 장치하다, 의장하다.
enjardinar *tr.* 정원처럼 꾸미다.
enjaretado, da *adj.* enjaretar의 *p.p.* —*m.* (배의 승강구 · 보트의 바닥 따위의) 격자꼴 깔개.
enjaretar *tr.* ① 옷에 끈을 끼우다 : ~ un cordón. ② 급히 · 손쉽게 하다 · 말하다 : *Enjaretó* su trabajo para salirse a paseo. ③ 《*Venez. Méx.*》 끼우다, 넣다.
enjaular *tr.* ① 새장(jaula)에 넣다 : ~ un pájaro. ② 투옥하다, 감방 · 교도소에 넣다(meter en la cárcel).
enjebar *tr.* ① 희게 칠하다 : ~ un muro. ②

《*Méx.*》=**enjabonar.**
enjebe *m.* 명반(alumbre); 명반 용액.
enjergar *m.* [8] 시작하다, 착수하다.
enjertación *f.* 접목(하는 일); 꺾꽂이.
enjertal *m.* 접목한 과수원.
enjertar[1] *tr.* 접목하다(injertar).
enjertar[2] *m.* =**enjertal.**
enjerto *m.* ① 접목; 꺾꽂이(injerto). ② 혼합, 잡탕.
enjicar *tr.* 《*Cuba.*》 해먹(hamaca)에 줄을 달다.
enjiquerar *tr.* 《*Col.*》 배낭(mochila)에 넣다.
enjorguinarse *r.* 주문을 외다, 주술을 걸다.
enjotarse *r.* =**animarse.**
enjoyar *tr.* ① 보석으로 장식하다 (adornar con joyas) : ~*se* demasiado una mujer. ② 보석을 박다. ③ 장식하다, 꾸미다. ④ 찬란하게 하다.
enjoyelado, da *adj.* ① 장신구에 달린 : oro ~. ② 보석 따위로 장식한.
enjoyelador *m.* 보석 장식 제조인; 금은상.
enjuagadientes *m.* 양치질물. [Contr.] enjuague.
enjuagadura *f.* 양치질; 양치질물.
enjuagar *tr.* [8] ① (입을) 물·액체로 가시다·헹구다(limpiar la boca con agua u otro licor). ② 씻다, 헹구다. ③ 《*SDgo.*》 찌르다.
~se 양치질하다, (입을) 물로 헹구다 : Usted debe ~*se* con frecuencia 자주 양치질 하셔야 합니다. Ahora *enjuáguese* la boca 이제 입을 헹구세요.
enjuagatorio *m.* 양치질(enjuague) : El uso del ~ en público después de la comida debe evitarse 식후에 공공연히 양치질을 하는 것은 피해야 한다.
enjuague *m.* 양치질; 양치질물; 양치질용 컵; (특히 성의 뒷문에서의) 책동.
enjugadero *m.* =**enjugador.**
enjugador, ra *adj.* 말리는, 건조시키는. —*m.* 옷 말리기; 건조기; 건조제.
enjugadura *f.* 건조; 닦기.
enjugamanos *m.* 【단·복수 동형】 《*Amér.*》 ① 손수건·타월(toalla). ② 내프킨(servilleta).
enjugar *tr.* [8] ① 말리다(secar) : ~ la ropa a la lumbre 옷을 불에 말리다. ② 닦다, 훔치다. ③ (빚·적자를) 메꾸다.
~se ① 닦다 : ~*se* el sudor·las lágrimas 땀·눈물을 닦다. ~*se* las manos 손을 닦다. *Enjúguese* las manos con esta toalla 이 타월로 손을 닦으세요. ② 마르다 : El sudor *se enjugó* 땀은 말랐다. ③ 살이 빠지다, 여위다, 체중이 내리다.
enjuiciable *adj.* 심판할 수 있는.
enjuiciamiento *m.* 재판에 회부, 제소, 고소; 심판.
enjuiciar *tr.* [11] 재판에 회부하다, 제소하다; 심리하다; 판결을 내리다.
enjulio *m.* [*gr.* egkuklios] (베틀의) 수평으로 놓인 원통형 목재.
enjullo *m.* =**enjulio.**
enjuncar *tr.* [7] 골풀(junco)로 덮다; 골풀로 끈끈으로 묶다.
enjunciar *tr.* 《*Ar.*》 (축제용으로) 거리를 사초(juncia)로 덮다.
enjundia *f.* [*lat.* axungia] ① 지방, 비계. ② 열매, 실질, 알맹이 : un libro de ~ 읽는 보람을 주는 책. ③ 힘; 정력, 기운, 기력, 원기(元氣)(vigor, energía, fuerza) : hombre de poca ~ 박력없는 사람.
enjundioso, sa *adj.* 지방이 많은; 건장한, 씩씩한; 용기있는.
enjunque *m.* 배 밑에 놓은 짐; 짐을 놓는 장소.
enjuta *f.* 【건축】 삼각광.
enjutar *tr.* ① 건조시키다, 말리다(secar) : ~ la ropa. ② 《*Amér.*》 닦다, 훔치다(enjugar).
enjutez *f.* 건조(sequedad).
enjuto, ta *adj.* 여윈, 마른(delgado, flaco) : ~ *de* carnes 살이 빠진. hombre ~ 말라깽이. ② 마른(seco). ③ 말이 적은; 소박한. —*m.pl.* 불쏘시개; 술안주, 마른 안주.
enlaberintarse *r.* 《*Ecuad.*》 =**entusiasmarse.**
enlabiador, ra *adj.m.f.* 말주변만 좋은 (사람).
enlabiar *tr.* [11] ① 그럴듯한 말로 속이다. ② (…에) 입술을 대다. [Sinón.] embaucar.
enlabio *m.* ① 속임수, 사기, 감언 이설(engaño, embaucamiento). ② 말주변.
enlace *m.* ① 연락, 연결 : El ~ de trenes es excelente en esta estación 이 역의 열차의 접속은 굉장히 좋다. ② 결합(unión, conexión) : romper el ~ entre dos asuntos. ③결혼(casamiento) : un feliz ~ 행복한 결혼. Se ha anunciado su ~ 그들의 결혼이 발표되었다.
enlaciar *tr.* [11] 풀이 죽게·기운이 빠지게 만들다 : Las legumbres *se enlacian* con el calor. [Sinón.] ajar.
—*intr.*, **~se** 풀이 죽다.
enladrillado, da *adj.* 벽돌을 쌓은. —*m.* 벽돌 포장.
enladrillador *m.* 벽돌 쌓는 사람, 벽돌 포장을 까는 인부(solador).
enladrilladura *f.* =**enladrillado.**
enladrillar *tr.* (…에) 벽돌을 쌓다·깔다(solar con ladrillos).
enlagunar *tr.* 호수를 파다.
~se 호수로 변하다.
enlajar *tr.* 《*Venez.*》 (…에) 평석(lajas)을 깔다.
enlamar *tr.* 수렁으로 만들다 : Las avenidas e inundaciones *enlaman* los campos.
enlanado, da *adj.* 털에 뒤덮인 (양).
enlanchar *tr.* 《*Sal.*》 =**enlosar.**
enlardar *tr.* 기름에 버무리다(lardar, lardear).
enlatar *tr.* ① 통조림하다, 깡통에 넣다(envasar conservas en botes de lata). ② 《*Amér.*》 양철 지붕을 이다.
enlazable *adj.* 이을 수 있는, 관련이 되는.
enlazador, ra *adj.m.f.* 연결하는 (사람).
enlazadura *f.* =**enlace.**
enlazamiento *m.* =**enlace.**
enlazar *tr.* [9] 연결하다; 묶어서 합치다; 이어 맞추다; 밧줄(lazo)로 붙잡다 : ~ un toro.
—*intr.* (기차 등이) 연결되다.
~se 관련되다, 연락이 되다; 결혼하다; 인척이 되다.
enlechar *tr.* 회반죽으로 칠하다.
enlegajar *tr.* (종이를) 다발로 묶다·철하다.
enlegamar *tr.* =**entarquinar.**
enlejiar *tr.* [12] ① 잿물(lejía)에 담그다 : ~ la ropa. ② 알칼리성으로 만들다.

enlenzar *tr.* ⑲ (조각상 등에) 휘장을 두르다.
enlerdar *tr.* 바보로 만들다, 얼간이로 만들다, 등신으로 만들다.
enligar *tr.* ⑧ 끈끈이로 잡다; (…에) 끈끈이를 바르다·칠하다.
~se (새가) 끈끈이에 걸리다 (prenderse el pájaro en la liga).
enlistar *tr.* 병적에 올리다, 명부에 기입하다 (alistar).
~se ① 입대하다; 병적에 오르다. ② 응모하다.
enlistonado *m.* 【건축】 (벽의) 외(椳) 《흙을 바르기 위해 벽 속에 엮은 가는 나뭇가지》.
enlistonar *tr.* (…에) 외를 엮다(listonar).
enlizar *tr.* ⑨ (방직 기계에) 날실을 걸다.
enllantar *tr.* (차바퀴에) 타이어를 끼우다 (poner llanta a la rueda).
enllenar *tr.* 가득 채우다(llenar).
enllentecer *tr.* ㉛ 연하게 하다, 부드럽게 하다 (reblandecer, ablandar).
enllocar(se) *intr.(r.)* ⑦ =**enclocar.**
enlobreguecer *tr.* ㉛ 어둡게 하다; 음산하게 하다; 암담하게 만들다(obscurecer).
~se 어두워지다, 음산해지다(oscurecerse).
enlodadura *f.* 진흙투성이, 진흙을 바르는 일.
enlodamiento *m.* =**enlodadura.**
enlodar *tr.* ① 진흙을 묻히다(manchar con lodo o barro) : *~se* hasta las rodillas. ② 진흙을 칠하다 : Las ruedas *se enlodaron* por completo 차바퀴가 완전히 진흙으로 칠해졌다. ③ 명예를 더럽히다.
enlodazar *tr.* ⑨ =**enlodar.**
enlomar *tr.* 책표지를 만들다.
enloquecedor, ra *adj.* 미칠 지경의, 정신이 이상해질 정도의, 유혹적인, 매력적인, 매혹하는, 호리는 : una belleza *~ra.*
enloquecer *tr.* ㉛ 미치광이로 만들다, 정신병자로 만들다(volver loco) : La música me *enloquece* 그 음악은 나를 미치게 한다. **—***intr.* ① 미치다(volverse loco) : *Se enloqueció* a causa del golpe que había recibido en la cabeza 머리에 받은 타격으로 그는 미쳐버렸다. Me *enloquece* el jazz 재즈가 나를 미치게 한다. ② 열매가 열지 않게 되다.
enloquecimiento *m.* 발광.
enlosado *m.* 블록을 깐 곳, 돌을 깐 길; 반반한 돌을 포장하기.
enlosador, ra *m.f.* 블록을 까는 일꾼.
enlosar *tr.* (…)에 블록을 깔다 : ~ un a escalera.
enlozanarse *r.* =**lozanear.**
enlozar *tr.* 에나멜·법랑을 칠하다.
enlucido, da *adj.* 흰 벽의. **—***m.* 흰 벽의 윗쪽.
enlucidor *m.* (흰 벽칠하는) 미장이.
enlucidura *f.* =**enlucimiento.**
enlucimiento *m.* 흰 벽을 칠하기; 광택을 냄.
enlucir *tr.* ㉝ ① 희게 칠하다, 흰 벽칠을 하다. ② 갈다, 문지르다, 깨끗하게 하다(limpiar). ③ 윤·광택을 내다, 빛을 내다(lucir) : ~ las armas.
enlustrado, da *adj.* 광택으로 덮인.
enlustrecer *tr.* ㉛ 광택을 내다.
enlutado, da *adj.* =**de luto.**
enlutar *tr.* ① (…에) 상복을 입히다(cubrir de luto). ② 음산하게 하다, 침침하게 하다, 어둡게 하다(obscurecer). ③ 슬프게 하다, 암담하게 만들다(entristecer).
~se ① 상복을 입다. ② 그늘지다. ③ 울적해지다, 슬픔에 젖다 : *Se enlutó* su alma con el dolor.
enmadejar *tr.* 《*Chile.*》 끝을 뾰족하게 깎다 (aspar).
enmaderación *f.* =**enmaderado.**
enmaderado, da *adj.* enmaderar의 *p.p.* **—***m.* 목조, 목조 공사; 판자를 대는 일; (기계 등의) 목재 부분.
enmaderamiento *m.* =**enmaderado.**
enmaderar *tr.* ① 목재를 사용하여 공사하다. ② 판자를 대다 : ~ un techo·una pared 천장·벽에 판자를 대다.
enmadrarse *r.* 엄마를 따르다(encariñarse mucho con su madre).
enmagrecer *tr.* ㉛ 여위게·마르게 하다. **—***intr.*, **~se** 여위다, 마르다.
enmalecer *tr.* ㉛ 못쓰게 만들다, 망가뜨리다.
~se 잡초가 무성해지다.
enmalezarse *r.* ⑧ 《*Chile. Perú. PRico.*》 = **enmalecerse.**
enmallarse *r.* (물고기가) 어망·그물에 걸리다 (mallar).
enmalle *m.* 어망·그물 치기.
enmangar *tr.* ⑧ (도구·연장 등에) 손잡이 (mango)를 달다 : ~ un rastrillo.
enmaniguarse *r.* ⑩ 《*Cuba.*》 잡초가 무성해지다, 초원이 되다; 전원풍이 되다, 전원 생활에 익숙해지다. **Sinón.** enmalezarse.
enmantar *tr.* (…에) 망토·모포를 씌우다 : ~ un caballo.
~se ① 망토·모포를 입다. ② 슬퍼하다, 슬픔에 잠기다(ponerse melancólico). ③ 풀이 죽다, 기가 꺾이다, 의기 소침해지다.
enmarañamiento *m.* 얽히는 일, 분규, 일이 꼬이는 일.
enmarañar *tr.* 꼬이게 하다, 뒤얽히게 하다 (enredar) : ~ el cabello.
~se ① 뒤얽히다, 꼬이다(confundir) : ~ un asunto. ② 엷은 구름에 덮이다.
enmararse *r.* (배가) 앞바다로 나아가다(engolfarse).
enmarcar *tr.* =**encuadrar.**
enmaridar(se) *intr. (r.)* (여자가) 결혼하다(casarse la mujer).
enmarillecerse *r.* ㉛ 누렇게 되다.
enmaromar *tr.* 밧줄로 묶다 (atar o amarrar con una maroma o cuerda) : ~ un toro.
enmascarado, da *adj.* 가면·탈을 쓴, 변장한; 숨겨진. **—***m.f.* 가면을 쓴 사람.
enmascaramiento *m.* 【군사】 은폐 : ~ de los cañones.
enmascarar *tr.* ① 가면을 씌우다. ② 변장하다, 가리다, 숨기다 : ~ la verdad. ③ 은폐하다(disimular). **Contr.** desenmascarar. **Sinón.** disfrazar.
~se 가면을 쓰다; 숨다.
enmasillar *tr.* (창유리 접합용) 퍼티(masilla)로 누르다.
enmatarse *r.* 덤불(mata)에 숨다; 덤불에 엉겨

붙다 · 가리우다.

enmechar *tr.* 【목공】 장부촉에 끼우다.

enmelar *tr.* ⑲ ① (…에) 꿀을 바르다 · 넣다(untar con miel) : ~ una tisana. ② 달게 하다. —*intr.* ① (꿀벌이) 꿀을 만들다. ② 부드럽게 하다, 연하게 하다(endulzar, suavizar).

enmelotar *tr.* 《*Col.*》 =**enmelar.**

enmendable *adj.* 정정할 수 있는 ; 보상할 수 있는.

enmendación *f.* =**enmienda.**

enmendador, ra *adj.m.f.* 수정 · 교정하는 (사람).

enmendadura *f.* =**enmienda.**

enmendar *tr.* ⑲ ① 고치다, 수정하다, 정정하다 (corregir) : Haga el favor de ~ esta copia 이 사본을 정정해 주십시오. ② 개정하다 (reformar). ③ 보상하다(resarcir) : Hay que ~ el perjuicio causado 입은 손해는 보상되어야 한다. ④ (배가 침로를) 변경하다.
~se 개심하다, 마음 · 생각을 고치다 : Si no *se enmienda,* no podrá triunfar nunca 마음을 고쳐 먹지 않으면 결코 성공하지 못할 것이다.

enmendatura *f.* 《*Amér.*》 =**enmendadura.**

enmienda[1] *f.* ① 정정, 수정 (corrección) : poner ~ 수정하다. Va sin ~ 정정 사항 없음. ② 보정(補正) ; 교정 ; 손해 배상, 변상, 보상. ③ 개심(改心). ④ 화학 비료.

enmienda[2] enmendar 직 · 현 · 3 · 단수.

enmocecer *intr.* ㉛ 젊어지다.

enmogotarse *r.* 《*Venez.*》 산중에 숨다.

enmohecer *tr.* ㉛ 곰팡이(moho)가 끼게 하다. **~se** 곰팡이가 끼다 ; 케케 묵게 되다 ; 무용지물이 되다.

enmohecimiento *m.* 곰팡이가 끼는 일.

enmoldado, da *adj.* =**amoldado, modelado.**

enmollecer *tr.* ㉛ =**ablandar.**

enmonar *tr.* 《*Perú. Chile.*》 =**emborrachar.**

enmondar *tr.* (피륙의) 잔털을 떼내다.

enmontañarse *r.* 《*Chile.*》 =**emboscarse.**

enmontarse *r.* 《*Guat. Col.*》 (논 · 밭 등이) 잡초투성이가 되다.

enmordazar *tr.* ⑨ (…에) 부리망(mordaza)을 끼우다(amordazar).

enmostar *tr.* 포도즙으로 얼룩지게 하다.

enmotar *tr.* =**guarnecer de castillos.**

enmudecer *tr.* ㉛ 할 말이 없게 만들다 ; 기가 막히게 만들다 : El susto le hizo ~. —*intr.* 입을 다물다 ; 잠자코 있다 ; 말문이 막히다 : *Enmudeció de* espanto.

enmudecimiento *m.* 입을 다물기, 할 말이 없음, 말문이 막힘.

enmugrar *tr.* 《*Amér.*》 =**enmugrecer.**

enmugrecer *tr.* ㉛ 더럽히다, 지저분하게 만들다(ensuciar).

enmustiar *tr.* ⑪ 시들게 하다.

enneciarse *r.* ⑪ 미련해지다, 바보가 되다, 멍청해지다, 어리숙해지다 ; 마음이 비뚤어지다.

ennegrecer *tr.* ㉛ 검게 칠하다, 검게 물들이다, 검게 하다 ; 암담하게 만들다.
~se 검어지다, 가무잡잡해지다 ; 어두어지다.

ennegrecimiento *m.* 검어짐, 어두워지기, 가무잡잡해지는 일 ; 암담해짐.

ennoblecedor, ra *adj.* 고상한, 고결한, 고귀한.

ennoblecer *tr.* ㉛ ① 고상하게 하다 ; 귀족으로 만들다(hacer noble) : Hay dignidades que *ennoblecen.*

ennoblecimiento *m.* 고결, 고상, 고귀 ; 작위 수여.

ennudecer *intr.* ㉛ (나무 등이) 자라지 않게 되다(anudar).

en.º enero.

enocarpo *m.* 【식물】 (열대 아메리카의) 야자나무(palmera)의 일종.

enodio *m.* (3~5세의) 어린 사슴.

enófilo, la *adj.* 술을 좋아하는, 술에 밝은 (사람).

enófobo, ba *adj. m.f.* 포도주를 싫어하는 (사람).

enojada *f.* 《*Méx.*》 노함, 성냄.

enojadizo, za *adj.* 성을 잘 내는.

enojamiento *m.* =**enojo.**

enojar *tr.* ① 노하게 하다, 성나게 하다, 화나게 하다(causar enojo) : Me *enoja* su conducta 그의 행위는 나를 화나게 한다. ② 골탕먹이다 ; 싫어하는 짓을 하다.
~se ① 화내다, 노하다, 성내다(irritarse, enfurecerse) : Se lo diré si usted no *se enoja* 화내지 않으면 말씀드리겠습니다. ② [+con · contra : …에] 화내다, 성내다, 노하다 : *~se contra · con* el maldiciente. ③ [+de+*inf.* : …해서] 화내다, 성내다, 노하다 : *Enojóse de* verme 그는 나를 보고 화를 냈다. *Se enojó de* lo que dijo Juan 그는 후앙이 말한 것에 화를 냈다. ④ 격해지다 : *~se* el viento 바람이 세차게 불다.

enojo *m.* ① 화냄, 성냄, 노함 (ira, enfado, cólera) : sentir ~ *contra* uno. ② 귀찮음, 골치아픔(molestia, pesar) : Cuánto ~ me ha causado Juan.

enojón, na *adj.* 《*Chile. Méx.*》 =**enojadizo.**

enojosamente *adv.* 화가 나서.

enojoso, sa *adj.* ① 화가 나는. ② 불쾌한. ③ 귀찮은, 골치 아픈. ④ [+a · en · por : …에] 원한을 · 앙심을 품는.

enojuelo *m. dim.* enojo.

enolado *m.* 포도주를 보약으로 하는 약제.

enólico, ca *adj.* 포도주가 든 : medicamento ~.

enología *f.* 포도주 양조법.

enológico, ca *adj.* 양조법의.

enólogo, ga *m.f.* 포도주 연구가.

enomancia *f.* 술로 치는 점.

enomancía *f.* =**enomancia.**

enomanía *f.* (알코올 중독으로 인한) 섬망증 (delirium tremens).

enometría *f.* 포조주의 알코올 검량.

enométrico, ca *adj.* enometría · enómetro의 · 에 관한.

enómetro *m.* 포도주 액체 비중계.

enorfanecido, da *adj.* [드묾] =**huérfano.**

enorgullecedor, ra *adj.* 거만한, 교만한, 불손한.

enorgullecer *tr.* ㉛ 거만 · 오만하게 하다.
~se [+ con · de : …으로 · 을] 불손해지다, 교만 · 거만해지다, 자랑하다 : *~se de · con* sus éxitos 자신의 성공을 자랑하다 · 성공으로 거만

하다. ~*se con* su fortuna 자신의 재산을 자랑하다. Siempre *se enorgullece de* su hijo 그는 언제나 자식을 자랑한다.

enorgullecimiento *m.* 거만, 교만(orgullo).

enorme *adj.* [*lat.* enormis] ① 거대한 : La compañía tiene una ~ fábrica a la orilla del río 회사는 강변에 거대한 공장을 가지고 있다. ② 막대한, 굉장한, 막중한. ③ 심한(grave) ; 중대한(importante) : error ~ 심한·중대한 실수. **Contr.** pequeño, leve.

enormemente *adv.* 거대하게, 크게 ; 굉장하게, 심하게, 몹시.

enormidad *f.* 거대함, 막대함, 굉장함, 막중함 ; 악독함, 극악함 : Ese hombre ha hecho una ~ 그 남자는 악한 짓을 했다.

enormísimo, ma *adj. sup.* enorme.

enostosis *f.* 【의학】 골수 내종.

enoteca *f.* 포도주 박물관(museo del vino).

enotecnia *f.* =**enología.**

enotécnico, ca *adj.* 포도주 양조의.

enqué *m.* 《*AmérM.*》 그릇, 용기.

enquencle *adj.* 【속어】 =**enclenque.**

enquete *f.* 《*Amér. Galic.*》 ① 조사(indagación). ② 앙케트, 앙케트를 위한 문의(encuesta).

enquiciar *tr.* ⑪ ① 기둥틀에 끼우다 : ~ una puerta 문을 기둥틀에 끼우다. ② 순서대로 놓다(poner en orden). **Contr.** desquiciar.
~se 궤도에 오르다 ; 질서가 잡히다.

enquillotrarse *r.* ① 거만을 떨다, 뻐기다, 자만하다(engreírse). ② 반하다(enamorarse).

enquiridón *m.* 요람(要覽), 편람서.

enquisa *f.* 【속어】 =**indagación.**

enquistado, da *adj.* 낭종 모양의, 안에 박힌(encajado).

enquistarse *r.* 낭종(quiste)이 생기다.

enrabar *tr.* ① 차를 뒤로 대다 ; (짐을) 차의 후미에 대다. ② 《*Urug.*》 (동물의) 꼬리를 묶다.

enrabiar *tr.* ⑪ 화나게·노하게·성나게 하다(encolerizar, irritar).

enracimarse *r.* 주렁주렁 열리다(racimarse).

enraizar *intr.* ⑯⑨ 뿌리를 내리다, 뿌리를 뻗다.

enrajonar *tr.* 《*Cuba.*》 =**enripiar.**

enralecerse *r.* ㉛ 드문드문하게 하다.

enramada *f.* ① 가지의 무성함. ② 전정(剪定), 가지치기. ③ 나뭇가지의 장식 : hacer una ~ para una fiesta. ④ 나뭇가지를 지붕에 인 집. ⑤ 정자(亭子).

enramado, da *adj.* enramar의 *p.p.* —*m.* [집합] 선박의 늑재(cuadernas de un buque).

enramar *tr.* (나뭇가지를) 맞추다 ; (배의) 늑재를 맞추다. —*intr.* 무성해지다, 가지가 생기다.
~se 가지가 서로 엉기다 ; 무성한 가지 사이로 숨다.

enramblar *tr.* (천을) 틀에 팽팽하게 끼우다.

enrame *m.* (가지의) 무성함.

enranciado, da *adj.* 낡아빠진 ; 기한이 경과된 : cheque ~ 기한 경과된 수표.

enranciarse *r.* ⑪ ① 낡아지다, 못쓰게 되다, 고물이 되다(ranciarse) ; 무용지물이 되다. ② 기한이 넘다.

enrarecer *tr.* ㉛ 희박하게 하다, 묽게 하다 ; 물건이 귀하게 만들다, 부족되게 만들다.
—*intr.*, **~se** ① 엷어지다, 듬성듬성해지다 : El aire *se enrarece* a medida que se eleva uno en la atmósfera. ② 물건이 귀해지다 : El pan *se enrarece* 빵이 귀해지고 있다.

enrarecimiento *m.* 묽게 하는 일 ; 희박해짐 ; 드물게 보는 일 ; 품귀.

enrasado *m.* 삼각광(enjuta)를 메꾸는 일.

enrasamiento *m.* =**enrase.**

enrasar *tr.* ① 반반하게 고르다 : ~ una pared. ② 높이를 고르게 하다. —*intr.* 반반해지다 ; 높이가 같아지다.

enrase *m.* enrasar 하는 일.

enrastrar *tr.* 《*Murc.*》 (누에고치를) 이어 맞추다.

enratonarse *r.* ① (고양이가) 쥐를 너무 먹어 입맛을 잃다(ratonarse). ② 병이 나다.

enrayado *m.* 【건축】 서까래.

enrayar *tr.* (바퀴에) rayo를 대다 ; (rayo를 묶어) 제동하다.

enrazado, da *adj.* 《*Col.*》 혼혈의 ; 잡종의.

enrazar *tr.* 《*Col.*》 교배하다 ; 혼혈로 만들다.
~se 피가 섞이다, 혼혈이 되다(cruzar).

enredadero, ra *adj.* 덩굴의, (울타리 등으로 뻗어 올라가는) 덩굴손이 되는. —*f.* 【식물】 메꽃.

enredador, ra *adj.* ① 얽히는, 휘감기는, 매달리는. ② (어떤 일을) 시끄럽게 만드는. ③ 잘 속이는, 거짓말을 잘하는(mentiroso). —*m.f.* 거짓말쟁이.

enredar *tr.* ① 그물로 잡다(prender con red). ② 그물을 치다 : ~ la trampa 덫을 놓다. ③ 얽히게 하다, 휘감기게 하다 ; 복잡하게 만들다, 혼란하게 만들다 : El nene *enredó* los hilos de su mamá 갓난애가 어머니의 실을 얽히게 했다. ④ (위험에) 휩쓸려 들다. —*intr.* 장난치다, 떠들어대다 (travesear) : Este niño *está enredando* todo el día.
~se ① 휘감기다 : La cinta *se* le *enredó* al pie 테이프가 그의 발에 휘감겼다. ② [+a·con·en : …에] 감겨 붙다 : ~*se a·con·en* las zarzas 가시가 엉겨 붙다. ③ 얽히다, 휘감기다. ④ 복잡해지다, 어지러워지다. ⑤ 정교를 맺다, 정을 통하다(amancebarse) : *Se enredó con* una vecina 그는 이웃 여자와 정을 통했다. ⑥ 시작하다(empezar) : ~*se a* hablar.

enredijo *m.* =**enredo.**

enredista *adj.m.f.* 《*Amér.*》 =**enredador, chismoso.**

enredo *m.* ① 일이 얽힘, 난처해짐, 분규. ② (소설 등의) 줄거리, 사건의 얽어 맞추기. ③ 장난(기) : ~ de muchachos. ④ 일을 어지럽게 만드는 일. ⑤ 속임수, 사기(engaño), 거짓말, 허언(mentira) : ser aficionado a hacer ~*s.*
—*pl.* 방해물 ; 잡동사니.

enredoso, sa *adj.* ① 난장판이 된, 복잡해진 : un negocio ~. ② 《*Chile. Méx.*》 =**enredista.**

enrejado *m.* ① [집합] 철책(鐵柵) : el ~ de un parque. ② 나무 격자, 발(emparrillado). ③ 【은어】 죄수, 죄인.

enrejadura *f.* 쟁기의 보습으로 생긴 상처.

enrejalar *tr.* =**enrejar, apilar ladrillos.**

enrejar *tr.* ① 철책으로 둘러치다, (…에) 울타리를 치다 : ~ el huerto. ② (재목, 벽돌 등을

사이를 떼어) 쌓아 올리다. ③(쟁기에) 보습을 달다; 쟁기를 걸치다. ④【은어】 투옥하다. ⑤《Amér.》 밧줄로 묶다. ⑥《Méx.》 시침질하다(zurcir).

enrevesado, da *adj.* ① =**revesado, travieso, revoltoso.** ② =**obscuro.**

enriado *m.* =**enriamiento.**

enriador, ra *m.f.* (삼 등을 껍질을 벗기기 위해) 물에 담그는 사람.

enriamiento *m.* 물에 담그기.

enriar *tr.* ⑫ (삼 등을 껍질을 벗기기 위해) 물에 담그다.

enrieladura *f.* 《Ecuad.》 [집합] 레일, 궤도.

enrielar *tr.* ① 연봉(延棒)으로 하다 : ~ plata. ②《Amér.》 궤도에 올려 놓다. ③《Chile.》 레일을 깔다(poner rieles). ④ 레일에 끼우다(encarrilar).

enriendar *tr.* 《Arg.》 (말에) 고삐를 매다(poner la rienda).

enripiado *m.* enripiar 하는 일.

enripiar *tr.* 자갈을 넣어 빈곳을 메우다, 자갈로 채우다.

enrique *m.* 까스띨랴 왕 Enrique IV의 명령으로 만든 금화.

enriquecedor, ra *adj.* 넉넉한, 풍부한.

enriquecer *tr.* ㉛ ① 넉넉하게 하다, 풍부하게 하다(hacer rico) : La industria *ha enriquecido* esa comarca 공업은 그 지역을 풍요롭게 했다. ② 훌륭하게 하다 : El adorno *enriquece* mucho el vestido 장식·액세서리는 옷을 무척 훌륭하게 한다.
—*intr.*, **~se** ① 부자가 되다, 부유해지다 : *Se ha enriquecido* muy de repente 그는 갑자기 부자가 되었다. ② 번영·번창하다.

enriquecido, da *adj.* enriquecer의 *p.p.*

enriquecimiento *m.* 번영, 번창; 풍부.

enriqueño, ña *adj.* ① 까스띨랴 왕 Enrique 2세 (1133—1189)의. ② 훌륭한.

enriscado, da *adj.* 험준한, 바위투성이의.

enriscamiento *m.* (바위산이나 요새에) 농성하기, 꼼짝 않고 있기.

enriscar *tr.* ⑦ 일으키다, 올리다; 우뚝 솟게 만들다.
~se 바위산·요새에 틀어박히다·숨다 : La fiera *se enriscó.*

enristramiento *m.* =**enristre.**

enristrar *tr.* ① (창을) 가슴에 대고 자세를 취하다. ② 똑바로 나아가다(ir derecho). ③ 제대로 맞추다·말려서 엮다 : ~ ajos.

enristre *m.* 창을 앞으로 받는 자세; 겨냥하여 지르기; 머리 땋기.

enrizamiento *m.* 머리칼을 말아 올리는 것.

enrizar *tr.* ⑨ 《Arg. Chile.》(머리칼을) 말다·지지다(rizar).

enro. enero.

enrobinarse *r.* 【방언】 곰팡이가 끼다.

enrocar[1] *tr.* ⑦ (장기에서) 궁을 움직이다.

enrocar[2] *tr.* ㉔ ⑦ (실을) 실패에 감다.

enrodar *tr.* ㉔ 죄수(reo)를 교수형(rueda)에 처하다.

enrodelado, da *adj.* 원형의 방패(rodela)를 가진, 방패로 몸을 가린.

enrodrigar *tr.* ⑧ (덩굴 식물에) 버팀대를 세우다 (rodrigar) : ~ una planta.

enrodrigonar *tr.* =**enrodrigar.**

enrojar *tr.* ① 붉게 하다(enrojecer). ② 난로를 달구다.

enrojecer *tr.* ㉛ ① 붉게 하다(dar color rojo) : La cólera *enrojecía* su rostro. ② 시뻘겋게 태우다. ③ 무안을 주다. —*intr.* 얼굴을 붉히다(ruborizarse).
~se 붉어지다; 얼굴이 붉어지다 (sonrojarse, ponerse rojo·colorado).

enrojecido, da *adj.* 붉어진; 새빨개진.

enrojecimiento *m.* 붉어짐; 새빨개짐.

enrolamiento *m.* =**alistamiento.**

enrolar *m.* 《Amér. Galic.》 명부·병적에 넣다(alistar).

enrollado, da *adj.* enrollar의 *p.p.* —*m.* =**roleo, voluta.**

enrollamiento *m.* enrollar 하는 일.

enrollar *tr.* ① 감다, (둥글게) 말다 (arrollar) : ¿Se puede ~ esta revista? 이 잡지는 말아도 됩니까? ② (…에) 자갈(rollos)을 깔다.

enromar *tr.* (날을) 무디게 하다, 뭉툭하게 하다.

enrona *f.* 《Arg.》 (건물의) 철거하고 남은 지꺼기, 잡동사니.

enronar *tr.* 《Ar.》 잡동사니를 버리다.

enronquecer *tr.* ㉛ 목이 쉬게 만들다·잠기게 하다(poner ronco) : El frío le *enronqueció.*
~se 목이 잠기다.

enronquecimiento *m.* =**ronquera.**

enroñar *tr.* 부스럼을 만들다.
~se 부스럼투성이가 되다.

enroque *m.* (장기에서) 궁을 움직이기.

enroscadamente *adv.* 동그라미 모양으로; 비틀어서.

enroscadura *f.* 칭칭 감기·말기.

enroscamiento *m.* =**enroscadura.**

enroscar *tr.* ⑦ ① 칭칭 감다·말다 : ~ el alambre. ② 나사 모양으로 하다. ③ 쑤셔 넣다.
~se 동그라미가 되다; 타래를 틀어 감다.

enrostrar *tr.* 《Amér.》 면박을 주다 (echar en cara).

enrubidor, ra *adj.* 블론드색의.

enrubiar *tr.* ⑪ 블론드색으로 하다 : El cabello *se enrubia* generalmente con agua oxigenada.

enrubio *m.* 머리를 블론드색으로 하는 염색제.

enrudecer *tr.* ㉛ 우둔하게 하다; 거칠게 하다.

enruinecer *intr.* ㉛ 불량배·망나니가 되다.

enrular *tr.* 《Arg. Bol.》 머리칼을 말다·지지다.

enrumbar *intr.* 《Col.》 길을 더듬다.

enruna *f.* 【방언】 자갈(enrona); 개펄.

enrunar *tr.* 【방언】 (빈터를) 돌로 메우다; 진흙투성이로 만들다.

ensabanada *f.* =**encamisada.**

ensabanado, da *adj.* 몸통은 하얗고 다리와 머리는 검은 (소). —*m.* 백악의 초벽칠.

ensabanar *tr.* (…에) 시트(sábanas)를 깔다.
~se 《Venez.》 해방되다, 자유를 선언하다.

ensacador, ra *m.f.* 자루에 넣는 사람.

ensacar *tr.* ⑦ 자루에 넣다 : ~ la harina.

ensaimada *f.* 롤빵; 롤 과자.

ensalada *f.* ① 샐러드 : una ~ de pimientos y tomates. ② 잡탕, 혼합. ③ (말을) 되받아 넘

김. ④《*Cuba.*》 파인애플(piña)과 레몬(limón)으로 만든 청량 음료.

ensaladera *f.* 샐러드 접시.

ensaladilla *f.* ①(러시아의) 샐러드의 일종. ② 여러 가지를 섞은 과자. ③ 여러 가지를 섞어 박은 보석.

ensalivar *tr.* 침이 나게 하다.

ensalmador, ra *m.f.* 정골사(整骨師), 접골사; 안수사.

ensalmar *tr.* 정골하다; 기도로 고치다, 안수하다.

ensalmista *m.f.* 안수 기도로 고치는 돌팔이 의사.

ensalmo *m.* 안수, 기도 요법 : curar por ~ 기도로 고치다.

por ~ 재빨리(con suma rapidez).

ensalobrarse *r.* 짭짤해지다.

ensalzador, ra *adj.* 칭찬하는.

ensalzamiento *m.* 고양, 선양; 칭찬, 찬양.

ensalzar *tr.* ⑨ ① 칭찬하다, 찬양하다(alabar) : ~ su elegancia. ② 고양하다(exaltar). **Contr.** rebajar.

ensambenitar *tr.* 종교 재판소의 판결에 따라 벌하다; (…에) sambenito를 붙이다.

ensamblado, da *adj.* ensamblar의 *p.p.* —*m.* 접합부(ensambladura).

ensamblador, ra *m.f.* 조립하는 사람.

ensambladura *f.* ① 조립, 접합. ②【목공】 접합부, 가운데를 파내어 맞추기 : ~ de cola de milano 이어 맞추기.

ensamblaje *m.* =**ensambladura.**

ensamblar *tr.* 조립하다, 끼워 맞추다; 복판을 도려내어 잇다.

ensamble *m.* =**ensambladura.**

ensancha *f.* 확장(ensanche).

dar ~s 중간 휴식을 취하다.

ensanchador, ra *adj.* 넓히는, 확대시키는, 확장시키는, —*m* 장갑을 늘리는 기구.

ensanchamiento *m.* 확장, 확대 : el ~ de una carretera 도로 확장.

ensanchar *tr.* ① 넓히다, 확장하다(poner más ancho) : ~ un tubo 관을 넓히다. Quisiera que me *ensanchasen* este pantalón 이 바지를 좀 넓혀 주셨으면 합니다. ② 확대시키다; 펴다(extender) : ~ una ciudad. **Contr.** estrechar.

—*intr.*, **~se** ① 확장되다 : *Se está ensanchando* la carretera 지금 도로가 확장되고 있다. ② 펼쳐지다; 확대되다. ③ 뻐기다, 우쭐해지다(engreírse, hincharse) : ~ *con* el buen éxito.

ensanche *m.* ① 확장 (extensión) : el ~ de sus operaciones. ② 확장 지역. ③ 교외의 신흥 주택지. ④ (재봉에서) 덧대는 천.

ensandecer *intr.* ㉛ 멍청해지다, 바보가 되다; 못 쓰게 되다, 쓸모가 없어지다.

ensangostar *tr.* 좁히다(angostar).

ensangrentamiento *m.* 피투성이; 잔학, 피로 물들이기.

ensangrentar *tr.* ⑲ 피로 물들이다·더럽히다.

~se ① 피투성이가 되다, ② 머리끝까지 화를 내다(irritarse mucho). ③ 무자비하게 행동하다, 잔인하게 굴다 : ~*se con·contra* uno.

ensañado, da *adj.* 흉포한, 흉악한, 포악한.

ensañamiento *m.* 격앙; 흉악, 흉포, 잔인 무도.

ensañar *tr.* 성나게·화나게 하다, 격노시키다(irritar, encolerizar, enfurecer).

~se 흉포성을 드러내다 : ~*se en* el enemigo vencido.

ensarmentar *tr.* =**sarmentar.**

ensarnecer *intr.* ㉛ 옴투성이가 되다 (llenarse de sarna).

ensarta *f.* 《*Amér.*》 줄줄이 꿴 것; 염주(sarta).

ensartar *tr.* ① 실에 꿰다 : ~ las cuentas *en* un hilo. ② (…에) 실을 꿰다(enhebrar) : ~ una aguja. ③ 꿰찌르다 : El toro le *ensartó* el cuerno. ④ 아무렇게나 지껄여대다(hablar sin orden ni medida) : ~ tonterías.

~se ① 염주알처럼 줄줄이 꿰어지다. ② 《*Amér.*》 (무엇에) 휘말려 들다.

ensarte *m.* 《*And.*》 =**ensarta.**

ensarto *m.* 《*Cuba.*》 =**ensarta.**

ensatar *tr.* 《*PRico.*》 동여매다, 묶다(atar).

ensay *m.* =**ensaye.**

ensayado, da *adj.* ensayar의 *p.p.*

ensayador, ra *m.f.* 화폐 검사관, 금화 검사자.

ensayalarse *r.* (거칠은 털로 짠 천·옷을) 입다. —*tr.* 가구를 덮다.

ensayar *tr.* ① 시도하다 : ~ un nuevo método. ② 시험·검사하다 : Hay que ~ la nueva máquina 새로운 기계를 테스트해야 한다. ③ 시연(試演)하다; 연습하다 : Ya es hora de que comencéis a ~ 이제 연습할 시간이다. No han tenido suficiente tiempo de ~ la comedia 그 희극을 연습할 충분한 시간이 없었다. ④ 연습시키다 : ~ al niño *a* andar 아기에게 걸음마를 연습시키다.

~se [+a+*inf.*,+en+명사] 연습하다 : ~*se* a cantar 노래 연습을 하다. ~*se en* la declamación 시낭송을 연습하다.

ensaye *m.* 금속의 분석 시험.

ensayismo *m.* 수필, 수필 문학.

ensayista *m.f.* 수필가, 평론가 : Unamuno, Menéndez Pidal y Ortega y Gasset fueron ~*s.*

ensayística *f.* 논단.

ensayístico, ca *adj.* 수필의, 수필가의.

ensayo *m.* ① 시도; 시험 : tubo de ~ 시험관. ② 테스트, 검사, 시운전, 시연(試演), 연습 : ~ de una máquina 기계 검사. ③ 수필, 논문 : Unamuno es autor de numerosos ~*s.* ④ 금속·화폐의 분석·감정.

~ ***de materiales*** 재료 검사.

ensebar *tr.* (…에) 지방분(sebo)을 넣다.

enseguida *adv.* 당장에, 즉각, 즉시, 바로, 곧(en seguida, inmediatamente, en el acto).

enselvado, da *adj.* 밀림(selva)이나 숲(bosque)으로 가득찬.

enselvar *tr.* 숲속에 매복시키다, 잠복시키다(emboscar).

ensenada *f.* ① 하구(河口), 강어귀(pequeña bahía, rada). ② 《*Arg.*》 작은 목장.

ensenado, da *adj.* 후미진, 숨은, 감추어진.

ensenar *tr.* 주머니 속에 넣다; 후미 안으로 넣다.

~se 배가 강어귀·후미에 들어가다.

enseña *f.* =**insignia.**

enseñable *adj.* 가르치기 쉬운.

enseñado, da *adj.* [enseñar의 *p.p.*] 교육받은 : bien ~ 예의 바른. mal ~ 버릇없는.
enseñador, ra *adj.m.f.* 가르치는 (사람).
enseñamiento *m.* =**enseñanza, instrucción.**
enseñante *adj.* 가르치는 : religioso ~.
enseñanza *f.* ① 가르침, 교육 : la ~ de las matemáticas 수학 교육. dedicarse a la ~ 교육에 전념하다. ② 교수법(método de dar la ~) : La ~ directa es el medio más práctico para el estudio de las lenguas vivas. ③ [주로 *pl.*] 모범(ideas, preceptos) : seguir las ~*s* de un maestro.
~ ***laboral*** 산업 교육.
~ ***media*** 중등 교육.
~ ***mutua*** 상호 교육.
~ ***primaria*** 기초·초등 교육.
~ ***profesional*** 직업 교육.
~ ***superior*** 고등·직업 교육.
~ ***técnica*** 기술 교육.
~ ***vocacional*** 직업 교육.
primera ~ 초등 교육 : La *primera* ~ es obligatoria y gratuita en muchos países 초등 교육은 많은 나라에서 의무적이고 무료다.
segunda ~ 중등 교육, 중학.
escuela de segunda ~ 중학교.
enseñar *tr.* [*lat.* insignire] ① 가르치다(instruir) : ~ el inglés 영어를 가르치다. ~ al niño *a* nadar 어린이에게 수영을 가르치다. ¿Qué *enseña* usted en la universidad? 대학에서는 무엇을 가르치십니까? ② 교육하다, 가르치다 : La desgracia te *enseñará* 불행은 너의 눈을 뜨게 할 것이다. ③ 보이다, 나타내다(mostrar) : ~ un libro. ④ 제시하다; 지적하다, 지시하다, 가리키다(indicar) : ~ el camino 길을 가르키다. ~ el género al parroquiano 물건을 손님에게 보이다. Por favor *enséñeme* usted el camino 저에게 길을 가르켜 주십시오. ⑤ 드러내 보이다 : ~ los dientes 이를 드러내 보이다. ~ los dedos por la totura 갈라진 틈 사이로 손가락을 드러내 보이다.
~se ① 배우다(aprender). ② (…하는 것이) 습관이 되다, 버릇이 되다(acostumbrarse) : ~*se a* andar vagando.
enseño *m.* [드뭄] =**enseñanza.**
enseñoramiento *m.* enseñorearse 하는 일.
enseñoreamiento *m.* =**ensoñoramiento.**
enseñorearse *r.* ① 자제하다. ② [+de : …을] 제 것으로 만들다, 소유하게 되다(apoderarse) : *Se enseñoreó* de toda la casa. ③ (…에) 군림하다.
enserar *tr.* 광주리에 집어 넣다, (…에) 바구니를 씌우다 : ~ una botella.
enseres *m.pl.* ① 도구(류) : ~ de guerra 군수품. ~ de oficina 사무 집기. ② 기구(器具). ③ 가구. ④ 동산(~ efectos).
enseriarse *r.* ⑪ 《*Amér.*》 진지하게 되다(ponerse serio).
ensiforme *adj.* 【식물】 칼 모양의 : hoja ~.
ensilaje *m.* (사일로에) 저장하는 일.
ensilar *tr.* (곡물 등을) 사일로(silo)에 넣다 : ~ granos.
ensilvecerse *r.* ㉛ 밀림(selva)으로 변하다.
ensillada *m.* 움푹 패인 곳.
ensillado, da *adj.* 등이 안으로 휘어 들어간 (말).
ensilladura *f.* (말의) 안장 놓는 등 부분.
ensillamiento *m.* ensillar 하는 일.
ensillar *tr.* ① (말에) 안장을 얹다. ② 《*Méx.*》 괴롭히다(molestar).
ensimismado, da *adj.* ① 사색·생각에 잠긴, 사색하는(pensativo) : ir muy ~. ② 《*Amér.*》 우쭐해진, 뽐내는, 자만하는, 자랑하는, 의기양양한(engreído).
ensimismamiento *m.* ① 생각, 사고, 사색. ② 《*Amér.*》 자존심, 긍지, 자부심, 자만심(orgullo).
ensimismarse *r.* 생각에 잠기다(abstraerse), 깊은 사색에 빠지다. ② 《*Amér.*》 자랑하다, 뽐내다, 우쭐거리다(engreírse).
ensobacarse *r.* 《*Col.*》 =**resistir.**
ensoberbecer *tr.* ㉛ 거만하게 하다.
~se ① 거만하게 굴다, 뽐내다, 우쭐대다, 자랑하다 : ~*se* con la fortuna. ② 파도가 일다, 사나워지다.
ensoberbecimiento *m.* 거만함, 오만 불손한 태도.
ensobinarse *r.* 《*Murc.*》 =**acurrucarse.**
ensogar *tr.* ⑧ 밧줄로 묶다.
ensoguillar *tr.* 《*Bol.*》 ① 밧줄로 묶다. ② 붙잡다 (aprisionar). ③ 《*Perú.*》 단으로 묶다.
ensolver *tr.* ㉕ ① 빨아들이다, 흡수하다. ② (종기 등을) 삭게 하다(resolver, disipar).
ensombrecer *tr.* ㉛ ① 어둡게 하다, 그늘지게 하다(asombrar). ② 슬프게 하다.
~se ① 어두워지다. ② 쓸쓸해 하다, 을씨년스러워지다(entristecerse).
ensombrerado, da *adj.* 모자를 쓴.
ensoñación *f.* 몽상, 공상.
ensoñador, ra *adj.m.f.* 《*Neol.*》 =**soñador.**
ensoñar *intr.* ㉔ 꿈꾸다; 몽상하다.
ensopada *f.* 《*Ant.*》 물에 흠뻑 젖음.
ensopar *tr.* ① 물에 적시다, 담그다 : ~ el pan *en* vino. ② 수프에 축이다.
ensordecedor, ra *adj.* 귀가 찢어지는 (듯한), 시끄러운 : producir un ruido ~.
ensordecer *tr.* ㉛ 귀머거리로 만들다; (소리를) 약하게 하다, 약화시키다 : ~ un sonido.
—*intr.* ① 귀머거리가 되다. ② 잠자코 있다. 입을 다물다(callar).
ensordecimiento *m.* 귀머거리가 되는 일, 귀머거리.
ensortijamiento *m.* 머리를 틀어 올리는 일, 고수머리, 말린 머리카락.
ensortijar *tr.* (털·실을) 감다, 곱슬곱슬하게 만들다; (소 등에) 코뚜레를 끼우다.
ensotarse *r.* 숲속에 들어가다·숨다.
ensuciador, ra *adj.* 더러운.
ensuciamiento *m.* ① 불결, 더러움; 부정한 일.
ensuciar *tr.* ⑪ ① 더럽히다 (manchar) : ~*se con* lodo 흙탕으로 더러워지다. *Ensució* su reputación con su mala conducta 그는 자신의 명성을 악한 행동을 해서 더럽혔다. ② 부정하게 하다. Contr. limpiar.
—*intr.*, ~se ① [+de : …으로] 더러워지다 : Las manos *se ensucian de* tinta 손이 잉크로 더

러워진다. ② 오줌을 싸다 : Este niño *se ensucia en* los calzones 이 아이는 바지에 오줌을 싼다. ③ 독직·오직하다.

ensueño *m.* ① 꿈(sueño). ② 몽상, 환상(ilusión) : el tren superrápido de ~ 환상의 초특급.

ensullo *m.* =**enjullo.**

ensutarse *r.* 《*Venez.*》 살이 빠지다, 마르다, 여위다(enflaquecerse).

entabacarse *r.* ⑦ 《*Amér.*》 ① 담배를 너무 피우다 ; 담배에 중독되다, 담배를 지나치게 피워 어지러워지다. ② 선택에 망설이다.

entabicar *tr.* ⑦ 《*Cuba. Riopl. Chile.*》 = **tabicar.**

entablación *f.* 나무 울타리 (치는 일) ; 게시.

entablado, da *adj.* 판자를 친. —*m.* 판자 받침 ; 판자를 둘러치기.

entabladura *f.* 판자를 둘러치기.

entablamento *m.* 【건축】 중방(cornisamento).

entablar *tr.* ① (…에) 판자로 덮다, 판자를 붙이다, 판자로 울타리를 치다(cubrir con tablas) : *Entablaron* las ventanas 그들은 창문에 판자를 붙였다. ② (…에) 버팀나무를 대다(entablillar). ③ 시작하다, 개시하다 : ~ combate·conversación negociaciones·negocios 전투·회담·교섭·거래를 시작하다. *Se han entablado* negociaciones 교섭이 시작되었다. ④ (장기에서) 말을 배치하다. ⑤ 《*Amér.*》 (소송을) 제기하다. ⑥ 《*Arg.*》 (가축을) 가축떼에 넣어 길들이다. ⑦ 《*Méx.*》 (누구에게) 억지 쓰다. —*intr.* 《*Perú.*》 큰소리치다, 떵떵거리다. **~se** ① (바람의) 방향이 정해지다. ② 《*Arg.*》 (말이) 돌아서지 않다. ③ 《*Méx.*》 (어떤 일이) 진짜가 되다 : *Se entablan* las lluvias 드디어 비가 본격적으로 퍼붓기 시작했다.

entable *m.* ① 판자 둘러치기(entabladura). ② (장기에서) 말의 배치. ③ 《*AmérM.*》 (일의) 배치. ④ 기획, 착수, 사업(empresa).

entablerarse *r.* (투우가 투우 경기 중에) 울타리에 들어붙어 떨어지지 않다.

entablilladura *f.* =**entabillamiento.**

entablillamiento *m.* 팔·다리에 부목을 대기.

entablillar *tr.* (팔·다리 등에) 부목을 대다 : ~ un brazo 팔에 부목을 대다.

entablón, na *adj.* 《*Perú.*》 억지부리는, 함부로 날뛰는.

entablonada *f.* 《*Perú.*》 허세(fanfarronada).

entado, da *adj.* 갈라져 이어 놓은 (문장).

entalamadura *f.* (마차 등의) 포장, 포장용 직포, 갈포 덮개.

entalamar *tr.* (마차 등에) 포장을 치다.

entalegado, da *adj.* entalegar의 *p.p.*

entalegar *tr.* ⑧ ① 자루에 넣다(meter en talegos) : ~ oro. ② (돈을) 저축하다.

entalingar *tr.* ⑧ 닻의 고리에 밧줄을 꿰다.

entallable *adj.* 조각할 수 있는, 조각이 되는.

entallador, ra *m.f.* 조각가.

entalladura *f.* ① 조각(escultura). ② (수지가 흘러내리는) 금 ; (꽂아 넣는 세공의) 넣을 구멍.

entallamiento *m.* =**entalladura.**

entallar *tr.* ① (나무·동판·대리석에) 새기다, 조각하다 : ~ una estatua 상을 조각하다. ~ una lámina 금속판에 조각을 하다. ② (수지가 흘러내릴) 금을 내다. ③ (널빤지를 접합하기 위해) 홈을 파다. ④ (천을) 몸에 맞추어 재단하다. ⑤ 《*Chile.*》 꾸미다, 장식하다. —*intr.* ① (옷이) 몸에 맞다. ② (키가) 자라다 : El muchacho *(se) entalla.* **~se** 키가 자라다 ; 손·손가락이 끼다 : *Me entallé* un dedo *con* una piedra.

entalle *m.* 조각 ; 조각물.

entallecer *intr.* ㉛ 줄기가 뻗다 : patata *entallecida.*

entallo *m.* =**entalle.**

entamar *tr.* (털·솜 등을) 부스러기투성이로 만들다.

entangarse *r.* ⑧ 《*Venez.*》 몸을 싸다·감다.

entapar *tr.* 《*Chile.*》 =**encuadernar.**

entaparado *m.* 《*Venez.*》 비밀(secreto), 은밀한 일(asunto oculto).

entaparar *tr.* 《*Venez.*》 감추다, 숨기다.

entapetado, da *adj.* 카펫·양탄자를 깐, 융단을 깐, 테이블보를 깐.

entapiar *tr.* =**tapiar.**

entapizada *f.* 카펫, 양탄자, 융단, 깔개, 덮개(alfombra).

entapizado *m.* ① 카펫·양탄자·융단을 까는 일. ② =**alfombra.**

entapizar *tr.* ⑨ ① (…에) 융단을 깔다 : ~ la sala con una alfombra. ② (…에) 천으로 씌우다 : ~ la sillería *de* ricas telas. ③ 한 면을 덮다 : papel de ~ 벽지. **~se** 뒤덮이다.

entapujar *tr.* 뒤덮다, 숨기다, 가리다, 비밀로 하다.

entarascarse *r.* ⑦ (특히 못생긴 사람이) 화장을 지나치게 하다.

entarimado *m.* =**entablado.**

entarimador *m.* 마루 까는 목수.

entarimar *tr.* 바닥에 타일 등을 깔다, 마루를 깔다.

entarquinamiento *m.* 객토(客土).

entarquinar *tr.* 진흙 범벅을 만들다 ; 진흙으로 메우다.

entarugado, da *adj.* entarugar의 *p.p.* —*m.* 나무못의 포장.

entarugar *tr.* ⑧ 나무못으로 포장하다. **~se** 《*Venez.*》 =**meterse, encasquetarse.**

éntasis *f.* 【건축】 기둥의 가장 볼록한 부분.

ente *m.* [*lat.* ens, entis] ① 물건, 실체, 존재(ser) : ~ racional 가상의 존재. ② 생활. ③ 웃음거리, 우스운 인간.

entecado, da *adj.* =**enteco.**

entecarse *r.* ⑦ 《*Chile.*》 【방언】 집착하다 ; 여위다.

enteco, ca *adj.* ① 병약한(enfermizo.) ② 여윈, 삐쩍 마른(flaco).

entechar *tr.* 《*Amér.*》 (…에) 지붕을 이다(techar), 기와로 덮다(cubrir con tejas).

entejar *tr.* 《*Amér.*》 지붕을 덮다·이다(tejar).

ENTEL Empresa Nacional de Telecomunicaciones 《*Arg.*》 전기 통신 국영 기업체 ; 《*Chile.*》 전기 통신 공사.

entelarañado, da *adj.* 거미줄투성이의.

entelarse *r.* ① 배에 가스가 차다 (meteorizar). ② 정신이 혼미해지다.

entelequia *f.* 【철학】 완전 실체, 본질.

entelerido, da *adj.* ① (공포·추위에) 바싹 오므라든. ② 《*Amér.*》 깡마른, 말라 빠진(enteco).

entena *f.* 【해사】 돛대.

entenado, da *m.f.* 의붓자식(alnado, hijastro).

entendederas *f.pl.* ① 이해, 이해력(理解力)(entendimiento). ② 지력, 이성, 지성. ③ 머리, 두뇌 : tener malas ~ 머리가 나쁘다.

entendedor, ra *adj. m.f.* 사려 분별이 있는, 이해가 빠른 (사람).

Al buen ~ pocas palabras 【속담】 하나 듣고 열 가지를 알다.

entender *tr.* ⑳ [*lat.* intendere] ① 알아듣다, 이해하다, 납득하다, 알다(comprender) : Yo no lo *entiendo* 나는 당신의 말을 이해할 수 없습니다. ② 알고 있다 : *¿Entiende* usted inglés? 영어 아십니까? No *entiendo* el inglés 나는 영어를 모른다. ③ 생각하다, 믿다; 해석·판단하다 : *Entiendo* que mejor sería no decir nada 아무것도 말하지 않는 편이 좋다고 생각한다. ③ 기대·희망하다 : *Entiendo* que me llame en seguida 지체없이 불러주기를 원하고 있다.

—*intr.* ① 알다, 이해력이 있다. ② [+de·en : …의] 지식이 있다, 잘 알고 있다 : ~ *de* zapatero. ③ (어떤 일을) 맡아 하다 (ocuparse en); (직권을 가지고) 처리하다 : El juez *entiende de·en* esta causa 그 판사가 이 사건의 담당이다.

~se ① 자신을 알다 : Yo *me entiendo* mejor que nadie 나는 어느 누구보다도 내 자신을 잘 알고 있다. Yo *me entiendo* cuando obro así 나 대로 생각이 있어서 이렇게 한다. ② 서로 납득하다, 양해가 이루어지다 : El juez y el defensor *se entienden* para libertar al reo 재판관과 변호사는 피고를 석방하기로 서로 양해한다. ③ [강조 용법] 이해하다, 알아듣다 : *~se* el francés 불란서어를 알아 듣다. ④ [+con : …에] 관계가 있다 : Esta ley no *se entiende con*migo 이 법률은 나와는 관계가 없다.

—*m.* 생각, 판단(opinión) : a mi ~ 내 판단으로는, 내 생각으로는. A mi ~ Barcelona es la segunda ciudad de España 내 판단으로는 바르셀로나는 서반아 제2의 도시라 생각한다.

¡Cómo se entiende!, ¡Qué se entiende! 어떻게 알았지 《보았거나 들었던 일에 대한 분노를 나타내는 감탄사》.

[직설법 현재 : entiendo, entiendes, entiende, entendemos, entendéis, entienden. 접속법 현재 : entienda, entiendas, entienda, entendamos, entendáis, entiendan].

entendidamente *adv.* 교묘하게, 멋지게, 솜씨 있게, 감쪽같이; 양해가 되어; 서로 짜고.

entendido, da *adj.* [entender의 *p.p.*] ① 이해시킨, 일맥 상통한, 서로 짜고 한 : Tengo ~ que España es por su extensión, algo menor que Francia 서반아는 면적에서 불란서보다 약간 작다고 이해하고 있다. ② 상호 양해의 : valor ~ 약정 가격, 양해 사항. ③ 박식한, 해박한, 숙련된 (sabio, docto, perito). **—*pl.*** 소식통. **—*m.f.*** 박식한 사람; 정통한 사람.

no darse por ~ 모른 척하다, 못들은 척하다 : *No se dio por* ~ 그는 모른 척했다

entendidura *f.* 이해하는 방식.

entendimiento *m.* 이해(력); 분별; 판단, 판단력; 지성 : de ~ 분별있는. perder el ~ 분별력을 잃다. El ~ y la razón son una misma cosa 판단력과 이성은 같은 것이다.

entenebrar *tr.* [드뭄] =**entenebrecer.**

entenebrecer *tr.* ㉛ 캄캄하게 하다, 어둡게 하다(obscurecer). [Contr.] aclarar.

~se 어두워지다, 깜깜해지다.

entenga *f.* 《*Álav.*》 긴 쇠못.

entente *m.* 《*Galic.*》 양해, 협약, 협상, 비밀 협정 : ~ cordial 화친 협상.

enteo *m.* 《*Sal.*》 =**deseo, antojo.**

enteo, a *adj.* =**inspirado, arrebatado.**

enteque *m.* 《*Arg.*》 (가축의) 설사(diarrea).

entera *f.* 《*León.*》 =**dintel.**

enterado, da *adj.* ① [+de : …을] 알고 있는 : Estoy ~ *de*l asunto 나는 그 일을 알고 있다. ② 《*Chile.*》 뽐내는, 의기 양양한, 거만한, 교만한, 우쭐대는(orgulloso). **—*m.*** (문서·서류 등의) 승인필 : firmar el ~ 승인필 서명을 하다.

enteralgia *f.* 【의학】 장(신경)통, 장앓이, 내장통.

enteramente *adv.* 완전히, 완벽하게, 통째로, 온통.

enteramiento *m.* ① 통달, 양지. ② 《*AmérM.*》 교만, 오만, 불손, 무례.

enterar *tr.* ① [+de : …을] 가르치다, 알리다, 보고하다(informar, instruir) : Debemos ~ a la policía *de*l robo 우리들은 그 도난을 경찰에 알리지 않으면 안된다. ② 《*AmérC. Méx.*》 지불하다, 납부하다(pagar). ③ 《*Arg. Chile. Perú.*》 잔금을 치르다, (보충하여) 완불하다. ④ 할당금을 정하다·알리다.

—*intr.* 《*Chile.*》 ① 회복되다(mejorar). ② (병세가) 현상을 유지하다. ③ 무위 도식하다.

~se [+de·en : …을] 알다, 양해하다, 승인하다 : *Se enteró de* la intriga 그는 그 음모를 알았다. *Me enteré de* la carta 편지의 내용을 알았다. *~se en* el pleito 소송의 사실을 알고 있다.

entercarse *r.* ⑦ 고집을 부리다(obstinarse).

enterciar *tr.* ⑪ 《*Cuba. Méx.*》 짐을 꾸리다.

entereza *f.* ① 완전, 완벽, 완성, 완전 무결(perfección). ② (의지·지조의) 굳음, 강직, 견고함, 불굴(constancia, fortaleza) : mostrar gran ~ en su conducta. ③ 엄정, 엄격. ④ 침착.

entérico, ca *adj.* 장(腸)의.

enterísimo, ma *adj.* [*sup.* entero] 완전 무결한.

enteritis *f.* 【의학】 장염, 장카타르(inflamación de la mucosa intestinal).

enterito, ta *adj.* [*dim.* entero] ① 완전한. ② 《*AmérC. Venez.*》 모두 다 똑같은.

enterizo, za *adj.* 이음이 없는 : columna *~za* 통나무 기둥.

enternecedor, ra *adj.* 감동시키는 : oir un relato ~.

enternecer *tr.* ㉛ ① 연하게 하다, 부드럽게 하다; 누그러뜨리다(ablandar). [Contr.] endurecer. ② 눈물겹게 하다, 감동시키다.

~se ① 부드러워지다. ② 눈물을 머금다.

enternecidamente *adv.* 눈물겹게.

enternecimiento *m.* ① 온화, 유화. ② 눈물겨움 : experimentar ~ *por* una cosa. ③ 자비, 자애. Contr. dureza, insensibilidad.

entero, ra *adj.* [*lat.* integer] ① 온전한, 완전한(íntegro, completo) : la victoria *~ra* 완전한 승리. leer un libro ~ 책 한 권을 다 읽다. dos semanas *~ras* 만 2주일. Contr. incompleto, parcial. ② 고스란히 그대로의. ③ 거세하지 않은. ④ 지조가 굳은, 정결한, 순결한 ; 강직한 ; 공정한 : un juez muy ~. ⑤ 완고한 ; 고집이 센. ⑥ 《*Amér.*》 아주 닮은, 꼭 그대로의 (idéntico, parecidísimo). **—*m.*** ① 【수학】 정수 (número ~). ② 《*Amér.*》 【상업】 지불, 납부. ③ 완전한 복권표.
por ~ 완전히, 고스란히.

enterocele *f.* 【의학】 장(腸)헤르니아.

enterocolitis *f.* 【의학】 소장 결장염(inflamación de todos los intestinos).

enterorragia *f.* 장기관의 혈변.

enteroso, sa *adj.* 《*Hond.*》 =**enterizo, entero.**

enterotomía *f.* 【의학】 장관(腸管) 절개.

ebterótomo *m.* 장관 절개 기구.

enterozoarios *m.pl.* 장(腸) 기생충(parásitos intestinales).

enterozoo *m.* 장기생충 조직체.

enterrador *m.* ① 매장인(sepulturero). ② 견습투우사. ③ 【동물】 매장충(necróforo).

enterramiento *m.* ① 매장 (entierro). ② 묘, 무덤(tumba, sepultura).

enterrar *tr.* 19 ① 묻다, 매장하다 : ~ un tesoro 보물을 묻다. Quiero que me *entierren* al pie de mi árbol 나는 나무 밑에 나를 매장해 주기를 원한다. ② 영원히 매장해 버리다 : ~ las ilusiones. ③ 잊다, 버리다. ④ 보다 오래 살다 : Esa mujer *ha enterrado* a todos sus hijos. ⑤ 《*Amér.*》 찌르다.
~se 은거하다.

enterratorio *m.* 《*Arg. Chile. Urug.*》 묘지, 공동 묘지(cementerio).

enterregar *tr.* 8 《*Méx.*》 먼지를 뒤집어씌우다, 먼지투성이로 만들다.

enterriar *r.* 《*Sal.*》 =**odiar.**

entesamiento *m.* 긴장 ; 팽팽하게 하는 일.

entesar *tr.* 19 ① 단단하게 만들다, 세게 만들다, ② 팽팽하게 하다 : ~ una cuerda.

entestado, da *adj.* 완고한, 고집센(testarudo).

entestecer *tr.* 31 ① 조이다, 잠그다. ② 단단하게 박다, 견고하게 다지다.

entibación *f.* 【광산】 [집합] 갱목, 갱내 버팀기둥(enmaderación) : La vida del minero depende de la buena ~ de la mina.

entibador *m.* 【광산】 갱목부.

entibar *tr.* (갱도에) 갱목을 맞추어 넣다.
—*intr.* 기대다, 의지하다(estribar).

entibiar *tr.* 11 ① 미지근하게 하다(poner tibio) : ~ el agua. ② 진정시키다, 가라앉히다 (templar, moderar) : ~ las pasiones.

entibo *m.* ① 기초, 토대, 받침 (fundamento, sostén, apoyo). ② 버팀 기둥, 지주. ③ 【광산】 갱목.

entidad *f.* [*lat.* entitas] ① 실체, 본체, 실재물 (ente, ser). ② 가치, 중요성 : de ~ 중요한 (importante). ③ 단체, 조직체, 업체, 기관 : ~ de financiación 금융 기관. ~ local 지방 자치 단체. ~ mercantil 기업체. ④ 회사. ⑤ 정부, 국가.
~ ***sin fines lucrativos,*** ~ ***que no persigue lucro*** 비영리 단체.

entienda entender의 접·현·1·3·단수.

entiendan entender의 접·현·3·복수.

entiendas entender의 접·현·2·단수.

entiende entender의 직·현·3·단수.

entienden entender의 직·현·3·복수.

entiendes entender의 직·현·2·단수.

entiendo entender의 직·현·1·단수.

entierro *m.* ① 매장, 매몰. ② 묘지, 무덤 (tumba, sepulcura). ③ 장례(식)(funerales) : un ~ solemne. ④ 일행, 수행원(comitiva) : Por esta calle pasan muchos *~s.* ⑤ 숨겨진 보물(tesoro oculto) : descubrir un ~.

entiesar *tr.* 《*Amér.*》 굳게 하다(atiesar).

entigrecerse *r.* 31 노하다, 성내다, 격노하다, 사납게 울부짖다, 격분하다(irritarse, enfurecerse, ponerse como un tigre).

entilar *tr.* 《*AmérC.*》 =**tiznar, ennegrecer.**

entimema *m.* 이단 논법 《예 : Pienso, luego soy 나는 생각한다 고로 존재한다》.

entimemático, ca *adj.* 이단 논법의.

entinar *tr.* 항아리(tina)에 넣다.

entintar *tr.* ① 잉크로 더럽히다·물들이다 (manchar con tinta) : ~ una lámina grabada. ② (…에) 잉크를 칠하다·넣다 (meter tintas a un cuadro). ③ 물들이다(teñir).

entirsar *tr.* 《*Cuba.*》 =**entisar.**

entirse *m.* 《*Cuba.*》 장식 리본·끈.

entisar *tr.* 《*Cuba.*》 (그릇을) 동여매다.

entise *m.* =**entirse.**

entitativo, va *adj.* 실체의.

entizar *tr.* 9 《*Amér.*》 당구 큐에 백묵을 칠하다 (poner tiza al taco del billar).

entiznar *tr.* 그을리다 ; 더럽히다(tiznar).

ent.° entretanto.

entofito *m.* (동물의 몸에 기생하는) 식물 조직체.

entoldado, da *adj.* entoldar의 *p.p.* **—*m.*** [집합] 차일 ; 텐트.

entoldamiento *m.* 차일 치기 ; 천 두르기.

entoldar *tr.* ① 막을 쳐서 가리다. ② (…에) 차일을 치다 : ~ la calle 한길에 차일을 치다. ③ (벽에) 천을 두르다 : ~ una iglesia.
~se ① 흐려지다(nublarse). ② 뽐내다, 우쭐거리다, 자만하다(engreírse).

entomatado, da *adj.* 토마토가 섞인, 토마토로 요리한(guisado con tomate).

entomizar *tr.* 9 (흙이나 시멘트가 붙도록 천장과 벽에) 새끼줄을 감다.

entomófago, ga *adj.* =**insectívoro.**

entomófilo, la *adj.* ① 벌레를 좋아하는. ② 【식물】 충매의 : flor *~la.*

entomología *f.* 곤충학.

entomológico, ca *adj.* 곤충학의 : dedicarse a la ciencia *~ca.*

entomólogo, ga *m.f.* 곤충학자.

entomostráceo, a *adj.m.* 【동물】 절갑류(切甲類)의 (벌레).

entompeatada *f.* 《*Méx.*》 =**engaño.**

entompeatar *tr.* 《*Mex.*》 속이다(engañar).

entonación *f.* ① 억양, 음조, 어조, 인토네이션 : ~ exclamativa·interrogativa. ② 거만, 교만 (arrogancia).

entonadera *f.* (오르간의 송풍기를 움직이기 위해 사용하는) 지렛대 (palanca que sirve para mover los fuelles del órgano).

entonado, da *adj.* ① 거만한, 오만한 (arrogante). ② 조화된.

entonador, ra *adj.* 선창하는 ; 장단·가락·기분을 맞추는. —*m.f.* 선창자 ; (오르간의) 증음기 (增音器), 그것을 움직이는 사람.

entonamiento *m.* =**entonación.**

entonar *tr.* ① 억양을 붙이다, 억양을 붙여 말하다. ② 장단에 맞추어 노래하다 ; 박자에 맞추다(ajustarse al tono al cantar). ③ (…에) 장단을 맞추다, 분위기를 돋우다. ④ (오르간을) 치다. ⑤ 선창하다 : ~ un himno a la libertad. ⑥ (색·배색을) 조화시키다(armonizar). ⑦【사진】 색조를 바꾸다. ⑧【의학】 강하게 만들다, 힘을 돋구다 (tonificar). ⑨【음악】 조율(調律)하다.
~se 자만하다, 뽐내다, 우쭐거리다, 거만을 떨다, 오만 불손해지다(engerírse) : Esa mujer *se entona* ridículamente.

entonatorio, ria *adj.* 합창용의 : libro ~.

entonces *adv.* ① 그때 ; 그 당시, 전에 말한 때 (en aquel tiempo) : *E-* fue cuando debí salir. ② 그렇다면,그래서(pues).③ [형용사적] 당시의. —*m.* 당시 : en·por aquel ~ 그 당시, 그때. desde ~ 그 때부터. hasta ~ 그때까지.

entonelar *tr.* 통에 채워 넣다.

entongar *tr.* 7 ① 포개다, 쌓다, 싣다. ② 《*Amér.*》 실성하게 만들다, 미치게 하다 (enloquecer, poner loco). ③ 《*Col.*》 =**atontar.**

entono *m.* ① =**entonacíón.** ② =**arrogancia.**

entononcar *tr.* 《*Chile.*》 =**enlizar.**

entontar *tr.* 《*Amér.*》 =**entontecer, atontar.**

entontecer *tr.* 31 바보로 만들다, 멍청하게 만들다, 우둔하게 만들다, 정신을 빼다(atontar) : La pasión le *entontece.*
—*intr.*, **~se** 바보가 되다, 멍청이가 되다 (volverse tonto) : *Entonteció* con la vida que llevaba.

entontecimiento *m.* 우둔함, 멍청해짐, 어리석음, (정신·감각의) 마비.

entoñar *tr.* 【방언】《*Amér.*》 묻다, 가라앉히다.

entoproctos *m.pl.* =**endoproctos.**

entorcarse *f.* 가축이 깊은 동굴에 빠지다.

entorchado *m.* ① 금실·은실 장식 : bordar con ~. ② (현악기의) 현·줄.

entorchar *tr.* ① 송진에 불을 당기다. ② (불 켜는 초를) 꼬아서 만들다. ③ 금실 은실로 감다. ④ 가는 철사로 감다. ⑤ 《*Perú. PRico.*》 동여매다.

entorilar *tr.* 외양간에 가두어 넣다.

entornar *tr.* ① (문·눈을) 절반쯤 닫다·감다 : ~ la puerta de un armario 옷장의 문을 절반쯤 닫다. ~ los ojos 눈을 절반쯤 감다. ② 기울이다.
~se 기울다 : *Se entornó* la olla.

entornillar *tr.* 나선형으로 만들다.

entorno *m.* ① 환경, 주위의 상황. ② 《*Ar.*》 = **dobladillo.**

entorpecedor, ra *adj.* 무딘, 둔한 ; 조바심나는.

entorpecer *tr.* 31 ① 무디게 하다, 둔하게 하다 : El vino *entorpece* los sentidos. ② 조바심나게 하다. ③ 정체시키다.
~se 무디어지다 ; 마비되다 ; (일이) 정체되다 ; (기구가) 고장나다.

entorpecido, da *adj.* 둔해진 ; 약간 고장이 난 ; 바보가 된.

entorpecimiento *m.* 저림, 마비, 정체(停滯) ; 우둔.

entortadura *f.* =**tortedad.**

entortar *tr.* 24 ① 구부리다 : ~ un alambre 철사를 구부리다. **Contr.** enderezar. ② 애꾸눈으로 만들다(hacer tuerto a uno).

entortijarse *r.* 《*PRico.*》 몸을 꼬다, 몸을 비틀다 (retorcerse).

entosigar *tr.* 8 (…에) 독(毒)을 넣다·타다 (atosigar, intoxicar, envenenar).

entozoario *m.* 【동물】 체내 기생 동물 《기생충, 회충 등》.

entozoo *m.* 【동물】 =**entozoario.**

entrabar *tr.* 《*Amér.*》 ① (동물의) 다리를 묶다 (trabar). ② 방해하다.

entrada *f.* ① 들어감(ingreso) : Está prohibida la ~ ; Se prohibe la ~ 출입 금지. ② 입장, 입회, 입사, 입학 : cuota de ~ 입회금. La ~ es gratis 입장은 무료이다. ③ 진입(進入), 침입 (invasión). ④ 입성, 입항 : ~ del puerto 입항. ⑤ 들어갈 자격 : dar ~ a uno en la sociedad · en el colegio 누구를 입사시키다·누구에게 입학을 허가하다. ⑥ 입구 ; 현관 : a la ~ 입구에서. Tiene dos ~*s* 입구가 둘이다. ⑦ 첫 시작 : de primera ~ 초판에, 우선 처음에. ⑧ (이야기의) 실마리 : Quise hablarle, pero no me dio ~ 말을 걸고 싶었으나 틈을 주지 않았다. ⑨ (저작·연설 등의) 서두, 시작. ⑩ (연·월·계절 등의) 초엽, 첫 무렵. ⑪ 들어간 인원. ⑫ [집합] 입장객 : Hubo gran ~ en el teatro 극장에는 입장객이 대단했다. ⑬ 자리, 좌석 : ~ general 대중석, 극장의 높은 곳의 좌석. ⑭ 입장료, 입장권, 입장권 매상고 : Hay que comprar la ~ 입장권을 사야한다. ⑮ 수입 (ingreso) : ~*s* y gastos 수입과 지출. Las ~*s* superan los gastos 수입은 지출을 상회하고 있다. Este mes he tenido pocas ~*s* 이 달은 수입이 적었다. ⑯ 입금 : ~ por salida 수입과 지출이 상쇄될 만한 금액의 입금 ; 손익이 맞먹을 정도의 일 ; 얼굴만 살짝 비치는 정도의 방문. ⑰ 들어간 부분, 들어가는 곳 ; 이마에서 양쪽의 벗어져 들어간 곳. ⑱【목공】 장부촉. ⑲ 친교 : tener ~ en una familia 어떤 가정과 친밀하다. ⑳【요리】 앙트레 《수프와 고기 사이에 나오는 것》. ㉑【광물】 입갱 시간, 노동 시간. ㉒《*Cuba. Méx.*》 매질, 몽둥이로 때림, 몽둥이 찜질 ; 심한 꾸지람, 혼내줌, 무찌름 (zurra). ㉓《*Perú.*》 실수 : ~ de pueblo 번연히 알면서 하는 잘못. **Contr.** salida.
~ ***bruta*** 총소득·수입. ~ ***de caja*** 현금 수납·수입. ~ ***de capital*** 자본의 유입. ~ ***de pedidos*** 주문의 쇄도. ~ ***mensual mínina*** 최저 월수입. ~ ***nacional*** 국민 소득. ~ ***neta*** 순익, 순소득. ~ ***neta de operación*** 영업 이익·소득·수입. ~

por carga 운임 수입.

entradero *m.* 【방언】 좁은 입구.

entrado, da *adj.* 《*Chile.*》 =**entremetido.**

entrador, ra *adj.* ① 《*Amér.*》 위세가 당당한, 용맹스러운, 대담한. ② 《*Chile.*》 주책바가지의.

entramado, da *adj.* entramar의 *p.p.* —*m.* 【건축】 간주(間柱); 칠하기; 틀 짜기.

entramar *tr.* ① (벽이나 담의) 나무틀을 짜다, 틀을 만들다. ② 분쟁을 일으키다.

entrambos, bas *adj.pl.* 양쪽의, 쌍방의, 양자의 (ambos). —*pron.* 쌍방, 양자, 양쪽(los dos).

entramojar *tr.* 《*AmérC. Venez.*》 (동물을) 묶다·매다.

entramos, mas *pron.* =**entrambos.**

entrampar *tr.* ① (동물을) 함정에 빠뜨리다. ② 속이다(engañar). ③ 골탕을 먹이다. ④ 바가지를 씌우다. ④ 일을 어렵게 만들다, 복잡하게 만들다, 분규를 일으키다. ⑤ 저당 잡히다 : Tiene toda la fortuna *entrampada.*
~se ① 함정에 빠지다. ② 뒤얽히다, 복잡해지다 : Con tantos pareceres *se entrampó* el asunto 의견이 너무 많아 사건이 복잡해졌다. ③ 빚에 묶이다, 빚이 많아지다. ④ 속다, 사기당하다.

entrante *adj.* ① 돌아오는, (들어) 오는 (próximo, que viene) : el año (el mes, la semana) ~ 내년(달, 주). ② 들어간, 들어가는 : ángulo ~ 입각(入角). ③ 신임의, 신참의. Contr. saliente.
—*m.f.* 들어오는 사람·물건.
~s y salientes 볼 일도 없이 들락거리는 사람, 남의 집 사정이나 캐고 다니는 사람.

entraña *f.* [*lat.* interanea] ① [주로 *pl.*] 내장 (víscera). ② 내부, 핵심, 중심. ③ 속, 바닥 : ~ de los montes, ~ de la tierra. ④ 근성, 심덕 (índole, genio) : hombre de buenas *~s.*

entrañable *adj.* ① 친한, 친밀한 (íntimo) : perder un amigo ~. ② 마음에 사무치는, 아주 중요한.

entrañablemente *adv.* 사이좋게, 친하게, 친밀하게, 애정을 다하여, 마음에 사무치게 (con sumo cariño y ternura) : querer ~ a una persona.

entrañar *tr.* ① 마음속에 새기다, 깊이 간직하다. ② 내포하다 : ~ malos pensamientos.
~se ① 빠져 들다 : *~se* en la cueva. ② 사귀다, 친교를 맺다, 지기가 되다.

entrañudo, da *adj.* 《*Arg.*》 =**duro, empedernido.**

entrapada *f.* (커튼에 사용하는) 심홍색의 천 (paño carmesí).

entrapajar *tr.* 천으로 싸다 : ~ el brazo enfermo 아픈 팔을 천으로 싸다.
~se 먼지투성이가 되다(entraparse).

entrapar *tr.* ① (머리에) 기름을 바르다. ② (뿌리에) 누더기를 파묻다.
~se 먼지투성이가 되다, 먼지가 스며들다; (먼지로) 녹슬다.

entrapazar *intr.* 9 =**trapacear.**

entrar *intr.* [*lat.* intrare] ① [+en : …로] 들어오다, 들어가다, 들다 (pasar de fuera adentro) : ~ *en* una habitación 방에 들어가다·들어오다. *Entré en* el cuarto *por* la puerta mayor 대문에서 방으로 들어갔다. ¿Se puede ~ ? 들어가도 됩니까? Contr. salir.
② 참가하다, 가담하다(tomar parte) : ~ *en* una conspiración.
③ 입회·입장·입사·입학하다 : ¿Cuándo *entró* usted *en* esta compañía (o universidad)? 언제 이 회사 (혹은 대학)에 들어 왔습니까?
④ 들어가다, 끼다 (caber) : No me *entra* este zapato 구두가 들어가지 않는다. El sombrero no *entra en* la cabeza 모자가 머리에 들어가지 않는다. La cabeza no *entra en* el sombrero 머리가 모자에 들어가지 않는다.
⑤ (…이) 소용되다, (…에) 필요하다 : *Entra* poca tela *en* este vestido 이 옷은 천이 별로 들지 않는다.
⑥ (시기 등이) 오다, (연령 등이) 되다 : el mes que *entra* 다음 달. hasta bien *entrada* la noche 밤이 깊을 때까지. *entrado en* años 늙으막에, 나이 들어. José *ha entrado* ya *en* la pubertad · *en* los setenta años 호세는 이제 나이가 들었다·70이 되었다.
⑦ 시작되다(comenzar) : Ya *entra* el canto 벌써 노래가 나온다. El verano *entra* el 21 de junio 6월 21일부터 여름이 시작된다.
⑧ 따지고 들다, 덤벼들다(acometer).
⑨ [부정어와 같이] 머리에 들어가지 않다, 납득이 잘 되지 않다 : A este muchacho *no* le *entra* la aritmética 이 소년에게는 산수가 도저히 머리에 들어가지 않는다.
⑩ 취미·성격 등에 맞지 않다.
⑪ (어떤 상태로) 되다 : Me *entró* miedo · sueño 나는 무서워졌다·잠이 왔다. Me *entró* el deseo de comprarlo 나는 그것을 사고 싶었다.
⑫ [+en : …하기] 시작하다, …해지다 : ~ *en* recelo · cuidado 걱정이 되기 시작하다. ~ *en* deseo 탐나게 되다. ~ *en* usos · *en* modas 쓰이기 시작하다·유행되다.
⑬ [+a+*inf.* : …하기] 시작하다(empezar a + *inf.*, comenzar a +*inf.*, ponerse a +*inf.*, principiar a + *inf.*, echarse a + *inf.*) : ~ *a* remar 노를 젓기 시작하다. *Entraron a* cogerlo 그들은 그것을 줍기 시작했다.
⑭ 마음에 들다, 좋다 (gustar) : No me *entra* ese libro 나는 그 책이 마음에 들지 않는다.
—*tr.* ① 안에 넣다 : *Entra* las sillas 의자를 안으로 넣어라.
② 박아 넣다(clavar).
③ (…에) 침입(侵入)하다 (invadir) : ~ la tierra enemiga · la ciudad 적지·도시에 침입하다.
④ 공격하다 (atacar) : A José no hay por donde ~le 호세에게는 공격할 틈이 없다. ⑤ (추적하는 배 따위로) 따라 붙이다(alcanzar).
~se 끼어 들어가다(meterse).
~ *dentro de sí,* ~ *en sí mismo* 반성을 하다.
de ~ y salir 《*Méx.*》 통학·통근하는 (학생·하녀 등).
Lo que entra con el capillo, sale con la mortaja 【속담】 어릴 때 익힌 것은 잊혀지지 않는다.
A la mujer y a la mula, por el pienso les entra la hermosura 위로와 친절은 아름다움에 기여한다.
La letra con sangre entra 성공할려면 열심히 일

해야 한다.

entrazado, da *adj.* 《*Amér.*》 [+bien · mal] 볼품이 있는 · 없는, 모양이 좋은 · 나쁜.

entre *prep.* [*lat.* inter] ① [장소 · 위치 · 시간] (둘 이상의) …의 사이에(서) : ~ los hombres 사람들 사이에서. ~ dos luces 두 개의 등불 사이에. ~ las nueve y las diez de la mañana 오전 9시와 10시 사이에. ~ 1800 y 1850 1800년부터 1850년 사이에. El día pasó ~ agonías y esperanzas 그 날은 불안과 희망 속에 지나갔다. *Entre* todos lo mataron 모두 중에서 그를 죽였다. ¿Qué diferencia hay ~ éste y aquél? 이것과 저것은 어떻게 틀립니까? ② 거의… : ~ dulce y agrio 달착지근한. Contesté ~ agradecido y quejoso 달갑지 않은 친절이라 생각하며 대답했다. ③ …의 안에 : Le cuento ~ mis amigos. ④ …의 마음속에서 : Tal pensaba yo ~ mí 나는 속으로 그런 생각을 하고 있었다. ⑤ (둘이) 공동으로 : Enganchaban ~ los dos los borricos al carro 둘이서 짐수레를 나귀에 댔다. *Entre* tú y yo vamos a abrir esta caja 자네와 내가 이 상자를 열세.

estar ~ (la) espada y (la) pared 진퇴유곡에 빠지다.

entre- *pref.* 「중간」, 「절반」 등을 나타내는 접두어.

entreabierto, ta *adj.* [entreabrir의 *p.p.*] 사이가 벌어진 ; 반쯤 열린 : Deja *~ta* la puerta 문을 반쯤 열어 두어라.

entreabrir *tr.* [*p.p.* entreabierto] 반쯤 · 절반가량 열다(dejar a medio abrir) : ~ una puerta 문을 반쯤 열다. ~ los párpados 눈꺼풀을 반쯤 열다.

entreacto *m.* ① 【연극】 막간, 막간극 · 무용 · 연주(intermedio). ② 작은 여송연(cigarro puro pequeño).

entreancho, cha *adj.* 넓지도 좁지도 않는, 적당한, 알맞은(que no es ni ancho ni angosto) : una tela *~cha* 적당한 넓이의 천.

entreayudarse *r.* 서로 돕다, 상부 상조(相扶相助)하다(ayudarse mutuamente).

entrebarrera *f.* (투우장의) 담과 피신판 사이.

entrecalle *f.* 【건축】 평행한 두 거리의 사이.

entrecanal *f.* 【건축】 (기둥에 판) 홈과 홈 사이.

entrecano, na *adj.* 반백의 (머리카락 · 수염).

entrecasco *m.* =**entrecorteza.**

entrecava *f.* (식물의) 사이갈이, 중경(中耕)(cava o labor ligera) : dar una ~ a la vid.

entrecavar *tr.* 사이갈이하다, 중경하다, 얕게 파다(cavar ligeramente).

entrecejo *m.* ① 미간(眉間). ② 눈살을 찌푸림, 찡그린 얼굴, 우거지상, 언짢은 표정 : mirar con ~ 우거지상을 하고 바라보다.

entrecerca *f.* 담장과 담장 사이, 울 안.

entrecerrar *tr.* ⑲ 《*AmérC. Méx.*》 조금 · 반쯤 닫다(entornar).

entrecielo *m.* (창문 밖에 단) 차일, 차양.

entrecinta *f.* 【건축】 도리의 일종.

entreclaro, ra *adj.* 희미한, 히끗히끗한, 희멀건, 희뿌연, 반투명의 : tela *~ra* 반투명의 천.

entrecogedura *f.* entrecoger 하는 것.

entrecoger *tr.* ③ ① 잡다, 붙잡다, 구속하다. ② 다그치다, 궁지에 몰아넣다.

entrecomar *tr.* (어구를) 괄호 안에 넣다.

entrecomillado, da *adj.* entrecomillar의 *p.p.*

entrecomillar *tr.* 인용 부호 · 따옴표(“ ”) 사이에 넣다.

entrecoro *m.* (성당의) 합창대와 제단 사이.

entrecortado, da *adj.* [entrecortar의 *p.p.*] ① 띄엄띄엄한, 이어졌다 끊어졌다 하는 : sollozos *~s.* ② 도중에 끊어진.

entrecortadura *f.* 중단, 도중에 끊어짐.

entrecortar *tr.* (중간에서) 끊다.

entrecorte *m.* =**entrecortadura.**

entrecorteza *f.* (접목으로 인해 생긴) 재목의 흠.

entrecot *m.* 등심, 등심살.

entrecriarse *r.* ⑫ ① 다른 나무 사이에서 자라다. ② 힘 안들이고 크다, 잘 크다.

entrecruzado, da *adj.* 교차된.

entrecruzamiento *m.* 교차, 교착.

entrecruzar *tr.* ⑨ 교차시키다, 교착시키다 (entrelazar) : ~ los hilos de un bordado. **~se** 교차하다, 교착하다.

entrecubiertas *f.pl.* 【선박】 중갑판. Sinón. entrepuente.

entrecuesto *m.* 등뼈(espinazo) ; 등 ; 등심살, 등살(solomillo).

entrechocar *tr.* ⑨ (두 개를) 서로 부딪치다. **~se** 충돌하다, 서로 부딪치다 (chocar dos cosas una con otra) : Los dos trenes *se entrechocaron* 두 열차가 충돌했다.

entredecir *tr.* ⑳ (말을) 말리다, 중단시키다, 금지시키다.

entredía *m.* 《*Ecuad.*》 간식, 가벼운 식사.

entredicho *m.* ① 금지, 중지(prohibición) : poner en ~ 의문으로 남기다 ; 조치를 보류하다. ② (벌로) 종무(宗務) 정지. ③ 《*Bol.*》 경종.

entredicho, cha *adj.* [entredecir의 *p.p.*] 중단시킨, 금지된.

entredoble *adj.* 천이 약간 두툼한 : una tela ~.

entredós *m.* ① 이음 자수, 꿰매는 박(箔) : adornar un vestido con *entredoses.* ② 출창(出窓)과 출창 사이의 받침대. ③ 【인쇄】 10포인트 활자.

entrefilete *m.* 《*Galic.*》 ① (신문의) 작은 기사 (suelto). ② (기계의 움직이는) 여유, 틈새.

entrefino, na *adj.* 중급(품)의 : paño ~.

entreforro *m.* =**entretela.**

entrefuerte *adj.* 《*Amér.*》 약간 독한, 강한 (medio fuerte).

entrega *f.* ① 인계, 교부, 수교, 인도 : ~ inmediata 속달 우편 ; 즉시 인도. ~ a domicilio 가정 배달. *~s* parciales 분할불. recibo de ~ 인도 증명서, 납품서. venta a su ~ 즉시도 판매(即時渡販賣). hacer ~ de 인도하다 ; 수교하다. Hizo ~ de un comunicado 코뮈니케를 수교했다. ② 명도(明渡), 개성(開城). ③ 분책 배본 : novela por *~s* 정기 배본 소설. ④ (벽 사이에 들어가는) 목재.

entregadamente *adv.* 정말로 ; 완전히.

entregadero, ra *adj.* 인도 · 공급할 수 있는.

entregado, da *adj.* =**embrujado** : ~ de … 을 인수받은. —*m.f.* 담당자.

entregador, ra *adj.* 건네주는, 인도하는, 수교

하는. —*m.f.* 수교자, 인도인.

entregamiento *m.* =**entrega.**

entregar *tr.* ⑧ ① 건네주다, 인도하다, 넘겨주다, 양도하다 : Le *entregaron* a la policía 그는 경찰에 넘겨졌다. *Entrégue*me la llave de mi cuarto 제 방의 열쇠를 주세요. ② [의미없는 la와 같이] 죽다. ③ 회수하다, 회복하다. ④ 지불하다.

~**se** ① 몸을 맡기다, 자신을 잊다. ② [+a : …에] 몰두하다, 종사하다 : *~se a* estudio 연구·공부에 몰두하다. ③ [+a : …에] 탐닉하다, 빠지다 : *~se a* la embriaguez 술에 빠지다. *~se a*l dolor 체면을 돌아보지 않고 탄식하다. *Se entregó a* la bebida 그는 음주에 빠졌다. ④ 항복하다, 굴복하다 : Por fin la ciudad *se entregó a*l enemigo 마침내 그 도시는 적에게 항복했다. ⑤ [+de : …을] 인수하다, 받다, 수취하다.

[접속법 현재 : entregue, entregues, entregue, entreguemos, entreguéis, entreguen. 직설법 부정과거 1인칭 단수 : entregué].

entregerir *tr.* 끼워 넣다, 삽입하다.

entrego *m.* =**entrega.**

entrehierro *m.* 【물리】 자극 사이.

entrejuntar *tr.* 【목공】 접합시키다 ; 합치다, 조립하다.

entrelargo, ga *adj.* 약간 긴(algo largo).

entrelazamiento *m.* 짜는 일, 엮는 일 (enlace).

entrelazar *tr.* ⑨ 엮다, 짜다 : ~ mimbres.

entrelínea *f.* (인쇄의) 행간 ; 행간에 기입.

entrelinear *tr.* 행간에 적어 넣다(escribir entre renglones).

entreliño *m.* (과수원 등의) 나무 줄 사이.

entrelistado, da *adj.* 줄무늬를 넣어 짠 : tela *~da* 줄무늬를 넣어 짠 천.

entrelucir *intr.* ㉝ 비치다, 속이 보이다.

entremediar *tr.* ⑪ 사이에 밀어 넣다, 중간에 넣다·끼우다.

entremedias *adv.* 사이에 : descansar ~ *de* su labor 중간 휴식을 취하다.

entremedio *m.* 《*Amer.*》 =**intermedio.**

entremés[1] *m.* [*fr.* entremets] 《*Ant.*》 (수프·주요리보다 먼저 나오는) 새우 칵테일 따위, 오르되브르《서양식 식사에서 수프가 나오기 전에 간단하게 먹는 음식》, 전채(前菜).

entremés[2] *m.* [*ital.* intermezzo] 막간 광대 놀이.

entremesar *tr.* =**entremesear.**

entremesear *tr.* 막간에 출연하다, 우스꽝스러운 짓을 곁들이다 : discurso *entremeseado* 막간 연설.

entremesil *adj.* 막간 놀이의.

entremesista *m.f.* 막간 놀이 작가·배우(autor de entremeses).

entremeter *tr.* 사이에 넣다, 삽입하다, 끼우다.

~**se** 괜한 참견을 하다 ; 끼어들다 : *~se en* una conversación.

entremetido, da *adj.* 공연한 참견의 : hombre muy ~. —*m.f.* 공연히 참견하는 사람.

entremetimiento *m.* 주책 ; 참견.

entremezcladura *f.* 혼합(mezcla).

entremezclar *tr.* 혼합하다, 섞다, 합하다 (mezclar).

entremiche *m.* 【선박】 새로로 세운 도리.

entremiente *adv.* =**entretanto.**

entremijo *m.* 《*Sal.*》 =**entremiso.**

entremiso *m.* =**expremijo.**

entremorir(se) *intr.(r.)* ㊿ 꺼져 가다, 다해 가다 : *Se entremuere* la candela.

entrenador, ra *m.f.* 《*Neol.*》(운동 경기의) 감독, 코치, 트레이너.

~ *de pilotaje* 조종 훈련 장치.

entrenamiento *m.* 《*Galic.*》 (운동 경기의) 연습, 훈련, 교련, 양성, 단련.

entrenar *tr.* 《*Galic.*》 교육하다, 훈련하다, 코치하다, 양성하다, 가르치다 : ~ al equipo *en* el fútbol 그 팀에서 축구 코치를 하다. ciclista mal *entrenada* 잘못 훈련받은 자전거 선수.

~**se** 연습하다.

entrencar *tr.* ⑦ (벌통 같은 데) 나무 조각을 붙이다.

entrenudo *m.* (나무 따위의) 마디와 마디의 사이 (internodio).

entrenzar *tr.* ⑨ 머리카락을 따다, 줄·끈 등을 꼬다·엮다(trenzar) : ~ dos cuerdas 두 줄을 엮다.

entreoír *tr.* ⑯ 얼핏 듣다 : Algo tengo *entreoído.*

entreordinario, ria *adj.* 여느 때와 좀 다른 ; 좀 이상한 : a la hora *~ria.*

entreoscuro, ra *adj.* 어둠침침한, 어둑어둑한, 어두컴컴한(medio oscuro).

entrepalmadura *f.* 【수의】 말의 발굽 바닥에 난 종기.

entrepán *m.* (가운데 식량이 들어 있는) 중간이 벌어진 빵.

entrepanes *m.pl.* (밭 사이의) 둑.

entrepañado, da *adj.* 널(entrepaño)로 만든.

entrepaño *m.* ① 판벽 널, 장식 판자. ② 벽기둥 사이의 공간. ③ 창사이 벽.

entreparecerse *r.* ㉛ 희미하게·어렴풋이 보이다(traslucirse).

entrepaso *m.* (말의) 가벼운 구보 : tomar el ~.

entrepechuga *f.* (새 등의) 가슴의 살.

entrepeines *m.pl.* 빗에 낀 털·머리칼.

entrepelado, da *adj.* ① 검은 바탕에 흰 얼룩점이 박힌 : caballo ~ de negro y blanco. ② 《*Arg.*》 세 가지 털빛 (흑·백·갈색)의 (말).

entrepelar(se) *intr.(r.)* ① 널·머리칼 색깔이 흑백으로 되다. ② 여러 빛갈로 혼성되다.

entrepernar *iintr.* ⑲ 남의 발 사이로 발을 넣다.

entrepierna *f.* =**entrepiernas.**

entrepiernas *f.pl.* ① 허벅지. ② (바지의) 허벅지 받이. ③ 《*Chile.*》 수영 팬츠.

entrepilastra *f.* 기둥과 기둥의 사이.

entrepiso *m.* 갱도와 갱도의 사이 ; (층계 사이의) 방 ; 가운뎃방.

entrépito, ta *adj.* 《*Venez.*》 =**entremetido.**

entreplanta *f.* (빌딩 등의 상하 2층 사이의) 중간층.

entreponer *tr.* 사이에 끼우다.

entrepretado, da *adj.* 노새·말의 가슴이 약한.

entrepuente(s) *m.* 갑판과 갑판의 사이 (entre-cubiertas).
entrepunta *f.* 크레인 조각 중의 하나.
entrepunzadura *f.* (상처·종기의) 욱씬거림.
entrepunzar *intr.* ⑨ 상처가 욱씬거리다.
Entre Ríos 【지명】 엔뜨레·리오스《아르헨띠나의 주 이름 ; 주의 수도는 Paraná》.
entrerraído, da *adj.* 군데군데 헤진 (옷).
entrerrenglón *m.* 행간·줄 사이의 공간.
entrerrenglonadura *f.* 행간에 기입한 것 : leer la ~.
entrerrenglonar *tr.* 행간에 기입하다 : ~ una carta.
entrerriano, na *adj.* 엔뜨레·리오스의. —*m.f.* 엔뜨레·리오스의 사람.
entrerriel *m.* =**entrevía.**
entresaca *f.* 솎아내기, 간벌(間伐) : hacer una ~ en el monte 산의 나무를 솎아내다.
entresacadura *f.* =**entresaca.**
entresacar *tr.* ⑦ ① 안에서 꺼내다, 끄집어내다. ② 솎아내다 : ~ árboles para aclarar un bosque. ③ 가려내다(escoger).
entrescuro *adj.* 약간 어두운.
entresijo *m.* ①【해부】장간막(腸間膜)(mesenterio). ② 가려진·숨겨진 것. ③ 곤란 : tener muchos ~*s* 어려움이 많다. ④ 신중, 주의 : tener ~*s* 신중하다.
entresuelejo *m. dim.* entresuelo.
entresuelo *m.* 중이층 : vivir en el ~.
entresurco *m.* 논두렁과 밭이랑 사이.
entretalla *f.* =**entretalladura.**
entretalladura *f.* 부조(浮彫).
entretallar *tr.* ① 조각하다, 새기다. ② 붙잡다, 잡고 늘어지다, 차단하다, 길을 막다.
~se 박혀 버리다, 접합되다.
entretanto *adv.* 그러는 사이에, 그럭저럭하는 동안에, (한편) 이야기는 바뀌어(entre tanto). —*m.* 그동안, 그사이(intermedio) : En el ~ se me ocrrrió salir.
en el **~**, ***por*** **~** 그사이에, 그럭저럭하는 동안에(entretanto).
entretecho *m.* 《*Arg. Chile.*》 다락방(desván).
entretejedor, ra *adj.* 얽는, 섞어 짜는.
entretejedura *f.* 교직(交織).
entretejer *tr.* ① 얽다, 섞어 짜다 ; 교차시키다 : ~ ramas. ② 포함되다, 넣다 : ~ citas con el texto.
entretejimiento *m.* 짜는 일, (색깔이 다른 실을 섞어 짜는) 교직(交織), 이리저리 얽힘, 서로 얽힌 가지.
entretela *f.* (양복 저고리에 대는) 심, 그 천. —*pl.* 마음, 심중, 감정(corazón).
entretelar *tr.* (…에) 심을 넣다.
entretención *f.* 《*Amér.*》 =**entretenimiento.**
entretenedor, ra *adj.* 재미있는, 위안이 되는, 기분 전환이 되는.
entretener *tr.* 59 ① 즐겁게 하다 (divertir) : Este libro me *entretiene*. ② (우는 아이를) 어르다, 달래다 : Ella *entretiene* muy bien al niño 그녀는 아이를 매우 잘 달랜다. ③ 위로하다, 위안하다, 기분 전환시키다 : ~ el hambre bebiendo. ④ 지연시키다, 시간을 끌다. ⑤ 손님을 접대하다, 마음을·주의를 딴 데로 돌리다. ⑥ 일을 뒤로 미루다. ⑦ 보유하다(conservar).
~se ① [+ con·en : …로] 향락하다, 즐기다 (divertirse) : ~*se en* leer·*con* mirar 책을 읽으며·보며 즐기다. *Me entretuve* jugando al ajedrez 나는 장기를 두면서 즐겼다. ② 시간을 보내다(perder tiempo).
entretenida *f.* 정부(情婦).
dar (con) la **~** (부탁받은 것을 해주지 않기 위해) 말로만 구슬리다, 잘 타이르다.
entretenido, da *adj.* 유쾌한, 재미있는 (divertido, alegre) : un hombre muy ~. —*m.*【고어】견습(생).
entretenimiento *m.* ① 즐거움, 기쁨, 오락 (distracción, diversión) : un ~ peligroso. ② 시간 보내기. ③ 경영. ④ 보조 ; 유지 : gastos de ~ 유지비. ⑤ 생활 ; 부양(manutención).
entretiempo *m.* 사이의 계절, 봄·가을철 : abrigo de ~ 춘추 오버. un traje de ~ 춘추복.
entretomar *tr.* 계획하다.
entretuv- →**entretener** 59.
entretuvie- → **entretener** 59.
entreuntar *tr.* 18 (기름을) 엷게 바르다.
entrevar *tr.* 【은어】 =**entender, conocer.**
entrevenar *tr.* ① (액체를) 정맥에 주입하다. ② 혈관 (특히 정맥)에 의해 감염이 확대되다.
entrevenir *intr.* 60【고어】참견하다, 간섭하다.
entreventana *f.* 창문과 창문 사이의 벽.
entrever *tr.* 38 [*p.p.* entrevisto] ① 틈으로 엿보다, 희미하게 보다. ② 점치다, 추측하다, 추정하다, 억측하다, 짐작하다 (adivinar) : *Entreveo* su intención 당신의 속셈이 들여다 보인다.
entreverado, da *adj.* =**mezclado.** —*m.* 《*Venez.*》 양의 내장을 구운 고기.
entreverar *tr.* ① 무질서하게 섞다. 혼합시키다 (mezclar en desorden). ② 혼란시키다. ③ 도입하다.
~se 《*Arg.*》 뒤섞이다 ; 난투를 벌이다.
entrevero *m.* 《*Arg. Chile.*》 혼란, 뒤섞임 ; 난투.
entrevía *f.* 궤도와 궤도 사이, 궤도의 너비.
entreviejo, ja *adj.* 약간 늙은(algo viejo).
entrevista *f.* 회견, 회담, 접견, 인터뷰, 협의 : celebrar·tener una ~ con …와 인터뷰를 갖다. El embajador de Chile sostuvo una ~ con el ministro de las Relaciones Exteriores 칠레 대사는 외무 장관과 회견했다.
entrevistador, ra *m.f.* 인터뷰를 하는 사람 ; 방문 기자.
entrevistar *tr.* 회견하다.
~se [+con : …와] 회견하다, 인터뷰하다.
entrevisto, ta *adj.* entrever의 *p.p.*
entrevuelta *f.* (논·밭의) 작은 이랑.
entrillado, da *adj.* entrillar의 *p.p.*
entrillar *tr.* 사이에 집어 넣다, 꼼짝 못하게 끼우다.
~se 꼬집다, 사이에 끼다 : *Me entrillé* el dedo 손가락이 끼었다.
entrincado, da *adj.* =**intrincado.**
entripado, da *adj.* ① 창자의 : dolor ~ 장의 아픔. ② 내장을 꺼내기 전의 (짐승). —*m.* ① 노여움, 화. ② (의자 속에) 채워 놓는 것. ③ 트럼프 놀이의 일종.

entripar *tr.* ①《*Arg. Col.*》화나게 하다, 성나게 하다 (enfadar). ②《*Ant. Méx.*》수프에 축이다, 적시다 ; 흠뻑 적시다.

~se《*AmérM.*》화내다, 성내다, 분격하다.

entristecedor, ra *adj.* 슬픈, 비탄에 빠진.

entristecer *tr.* 31 ① 슬프게 하다, 비탄에 빠뜨리다, 슬픔을 주다(causar tristeza) : La noticia le *entristeció*. ② 쓸쓸하게 만들다. ③ 음산하게 만들다 : La nube *entristece* el paisaje.

~se [+con · de · por : …을] 슬퍼하다, 낙담하다, 가슴 아파하다, 괴로워하다, 쓸쓸해지다 : *~se con* la soledad · *del* bien ajeno · *por* poca cosa 고독으로 · 남의 재산으로 · 적은 일로 괴로워하다. Al sabarlo *se entristeció* 그것을 알고 그는 슬퍼했다. Contr. alegrar.

entristecimiento *m.* =**tristeza.**

entrizar *tr.*《*Sal. Zam.*》=**apretar.**

entrojar *tr.* 곡창(troje)에 곡식을 넣다 : ~ trigo 밀을 곡창에 넣다.

entrometer *tr.* 사이에 넣다, 사이에 끼우다 (entremeter).

~se 주책부리다 ; 간여하다, 참견하다.

entrometido, da *adj. m.f.* =**entremetido.**

entrometimiento *m.* =**entremetimiento.**

entromparse *r.*《*Amér.*》① 노하다, 성내다, 화내다, 분노하다(enojarse). ② 만취하다.

entrompetar *tr.*《*Méx.*》취하게 만들다, 술을 먹이다(emborrachar).

~se 술에 취하다.

entrón, na *adj.* ①《*Col.*》주책이 없는. ②《*Méx.*》위세가 좋은(animoso).

entronar *tr.* =**entronizar.**

entroncamiento *m.* 같은 혈통의 입증.

entroncar *tr.* 7 ① 동일 혈통임을 입증하다. ②《*Méx.*》(같은 털색의 말로) 쌍두 마차를 꾸미다. —*intr.* ① 혈통이 같다 ; 친척이 되다. ②《*Méx.*》(철도 · 도로 따위가) 연결되다(empalmar).

entronerar *tr.* (당구에서 공을) 구멍에 넣다.

entronización *f.* 즉위(即位).

entronizamiento *m.* =**entronización.**

entronizar *tr.* 9 ① 즉위시키다, 왕좌에 앉히다, 왕위에 앉히다 (colocar en el trono). ② 고위직에 임명하다 ; 추대하다. ② 잔뜩 추켜 올리다(celebrar mucho). Contr. humillar.

~se 잘난 척하다, 우쭐대다, 거만을 떨다, 자만하다(engreírse).

entronque *m.* ① 친가 ; 친척 관계. ②《*Amér.*》(철도 등의) 연락.

entropía *f.* ① 엔트로피《열역학(熱力學)에서 추상적인 양의 단위》. ② 정보의 부정확도.

entropillar *tr.*《*Arg.*》(말을) 무리 속에 넣어 길들이다.

entropión *m.*【의학】안검 내곡(眼瞼內曲).

entruchada *f.* ① 간계, 계책, 속임수, 계략, 흉계(trampa, engaño) : armar a uno una ~ (누구를) 꼬이다. ②【방언】분노. ③《*Chile.*》주고받기, 교섭. ④ 잡담 ; 수작.

entruchado *m.* =**entruchada.**

entruchar *tr.* ① (속이기 위해) 유인하다, 꼬여들이다. ②【은어】감추다.

~se《*Méx.*》남의 일에 끼어들다(meterse en negoios ajenos).

entruchón, na *adj. m.* 속임수를 쓰는, 음모를 꾸미는, 수작을 부리는 (사람).

entruejo *m.* =**antruejo.**

entrujar *tr.* ① (올리브 · 곡식 등을) 저장소에 넣다 (entrojar) : ~ aceituna. ② (돈을) 모으다 (embolsar).

entualito *adj.*《*Col.*》곧장, 즉시, 바로(en seguida).

entubajar *intr.*【은어】=**deshacer.**

entubar *tr.* (…에) 관 · 파이프를 시설하다.

entuerto *m.* 모욕(tuerto). —*pl.* 산후통(dolores después del parto).

entufarse *r.*《*Col.*》노하다, 성내다, 화내다 (enfadarse).

entullecer *tr.* 31 방해하다, 중지시키다, 중단시키다(suspender).

—*intr.*, **~se** 반신불수가 되다.

entumecer *tr.* 31 마비시키다, 저리게 만들다, 부자유스럽게 만들다.

~se ① 추위로 손발이 곱다 · 저리다 · 부자유스럽게 되다 : *Me entumezco* con el frío 추위로 손발이 곱아진다. ② (강물이) 붇다.

entumecido, da *adj.* 마비된, 감각이 없어진.

entumecimiento *m.* 저림, 마비, 손발이 곱음.

entumescencia *f.*【의학】부기 ; 종기.

entumirse *r.* (손 · 발 등이) 저려 오다, 오금이 쑤시다.

entunarse *r.*《*Col.*》=**pincharse, punzarse.**

entunicar *tr.* 7 (벽화를 그리기 위해 벽에 석회와 모래를) 바르다.

entuñarse *r.*【방언】주렁주렁 열리다.

entupir *tr.* ① 꼭 막다 : ~ una cañería. ② 단단히 조이다.

~se 막히다.

enturar *tr.*【은어】=**dar ; mirar.**

enturbiamiento *m.* ① 흐림, 혼탁, 혼란 : ~ un líquido. ② 무질서.

enturbiar *tr.* 11 ① 흐리게 하다, 탁하게 만들다 : ~ el agua. ② 헝클어뜨리다, 흐트리다. ② 아리송하게 하다 : ~ un asunto.

~se 혼탁해지다, 흐려지다, 부옇게 되다 ; 흐트리지다, 산란해지다 : *~se* la alegría.

entusarse *r.*《*Ecuad.*》슬퍼하다(acongojarse).

entusiasmado, da *adj.* ① 열광한, 흥분한. ② 심취된 : Los muchachos están *~s* con el entrenador 학생들은 그 코치에 심취되어 있다.

entusiasmante *adj.*《*Neol.*》열광하는, 흥분한.

entusiasmar *tr.* 열광시키다, 감격시키다 (causar entusiasmo) : ~ a la multiud 군중을 열광시키다.

~se 열광 · 열중 · 감격 · 흥분하다 : Los jóvenes *se entusiasman con* la música moderna 젊은 이들은 현대 음악에 열광하고 있다.

entusiasmo *m.* [*gr.* enthousiasmos] ① 열중, 열광 ; 감격 ; 열의 : Sentí un gran ~ por su obra 나는 그의 작품에 굉장한 감격을 느꼈다. ② 흥분.

entusiasta *adj.*【남 · 여 동형】열렬한 ; 열광하기 쉬운 ; 열광적인 : con acento ~ 감격적인 어조로. Contr. apático, frío. —*m.* ① 열심가, 열광자, …광. ② 광신자.

entusiástico, ca *adj.* ① 열렬한, 열광적인, 감격적인 : una exclamación ~*ca*. ② 광신적인.
entutumarse *r.* 《*Col.*》 난처하게 하다, 어리둥절하게 하다, 당황케 하다(confundirse).
enucleación *f.* 【의학】 도려내기 : ~ de un ojo.
enuclear *tr.* 떼어내다.
énula campana *f.* 【식물】 금불초(helenio).
enumerable *adj.* 셀 수 있는, 계산할 수 있는.
enumeración *f.* ① 열거 : hacer ~ 열거하다. ② 계산, 셈. ③ 목록, 세목.
enumerador, ra *adj.* 열거하는.
enumerar *tr.* [*lat.* enumerare] 열거하다 : ~ fechas.
enumerativo, va *adj.* 계산상의 ; 열거적인.
enunciación *f.* [*lat.* enuntiatio] 의견 발표, 언명, 성명 : la ~ de un hecho.
enunciado *m.* =**enunciación.**
enunciar *tr.* ⑪ [*lat.* enuntiare] 언명하다, 표명하다, 선언하다, 발표하다, 진술하다, 설명하다 ; 발음하다.
enunciativamente *adv.* 개설적으로, 서술적으로.
enunciativo, va *adj.* 개설적인 ; 기술적인, 서술적인, 평서적인 : oración ~*va* 평서문(oración aseverativa).
enuresia *f.* 【의학】 =**enuresis.**
enuresis *f.* 【의학】 유뇨(증), 오줌싸개.
envacar *tr.* 《*Sal.*》 소떼에게 소를 가져가다.
envagarar *tr.* 【해사】 대판(臺板)을 설치하다.
envagonar *tr.* 《*PRico.*》 화차 · 차량에 싣다.
envagrar *tr.* =**envagarar.**
envainador, ra *adj.* 똘똘 말리는, 꼬투리가 있는 : hoja ~*ra*.
envainar *tr.* ①(칼 등의) 집에 넣다 : ~ la espada. ② 싸다, 똘똘 말다. [Contr.] desenvainar. —*intr.* 《*Col.*》 기가 · 풀이 죽다(sucumbir). **~se** 《*Col.*》 (곤란한 일에) 말려들다.
envalentar *tr.* ⑲ 《*Amér.*》 =**envalentonar.**
envalentonamietno *m.* 거만, 오만, 만용.
envalentonar *tr.* 용기를 북돋워주다 ; 자만하게 하다, 뻐기게 하다, 거만부리게 하다.
~se 뻐기다, 잘난 체하다, 으스대다 : ~*se con* un pequeño éxito.
envalijar *tr.* 가방에 넣다.
envallicar *tr.* 《*Chile.*》 =**cizañar.**
envanecedor, ra *adj.* 으스대는, 우쭐거리는.
envanecer *tr.* ㉛ 으스대게 두다, 우쭐거리게 두다 : El éxito le *envaneció*.
~se ① 으스대다, 우쭐거리다, 거드름피우다 : ~*se con · de · en · por* el éxito 성공으로 으스대다. ~*se* con el triunfo 승리로 우쭐대다. [Contr.] humillarse. ② 《*Chile.*》 (보리 따위의) 쭉정이가 생기다.
envanecimiento *m.* 오만 불손, 으스대기, 자만, 거들음, 거들거림(soberbia).
envarado, da *adj.* envararse의 *p.p.*
envaramiento *m.* 저림, 마비(entumecimiento) : sentir ~ en un brazo.
envararse *r.* (수족이) 저리다 (entorpecerse, entumecerse).
envarascar *tr.* ⑦ (물고기를 잡기 위해) 물에 독(verbasco)을 타다.
envarbascar *tr.* =**emvarbascar.**
envaronar *intr.* 건장하게 자라다.
envasador, ra *adj. m.f.* 병에 담는, 통조림으로 하는 (사람). —*m.* 대형 깔때기.
envasadora *f.* 병에 담는 기계, 통조림 기계.
envasar *tr.* ① 그릇 · 병 · 깡통 · 상자 같은 데 담다 : ~ aceite. ② 실컷 마시다 (beber con exceso). ③ 자루에 넣다. ④(칼로) 꿰뚫다.
envase *m.* ① 그릇, 용기, 병, 깡통, 자루, 상자 : ~ de cartón. ② 궤짝 같은 데 물건을 담는 일 ; 자루에 넣는 일 · 물건.
envasijar *tr.* 《*Bol. Chile. PRico.*》 =**envasar.**
envedijarse *tr.* ① 얽히다, 휘감기다(enmarañarse), ② 맞붙잡다, 서로 싸우다(enzarzarse, reñir unos con otros).
envegarse *r.* ⑧ 《*Chile.*》 물웅덩이가 되다.
envejecer *tr.* ㉛ ① 노화시키다, 나이들게 하다 (hacer viejo) : Los muchos trabajos le *han envejecido*. ② 오래 묵히다. ③ 헐게 만들다.
—*intr.*, **~se** ① 노쇠하다, 늙다 (hacerse viejo) : *Ha envejecido* mucho desde el año último. ② 헐다, 케케묵다 : ~*se con · de · por* el uso 사용해서 닳다 · 헐다. ③ 오래되다 : ~ *en* un cargo 어떤 직위에 오래 근무하다.
envejecido, da *adj.* 연로한, 나이가 많은 (viejo, anciano) : ~ *de* la miseria 가난으로 겉늙은. ② 익숙한(acostumbrado), 노련한, 경험이 많은(experimentado).
envejecimiento *m.* 노후(老朽) ; 노쇠, 늙음 ; 진부(陳腐) : apresurar el ~ de un licor.
envelar(se) *intr.* (*r.*) 《*Chile.*》 미궁에 빠지다, 도망치다(huir). [*N.* 무의미한 las와 같이 쓰이는 수가 있음].
envenado *m.* 《*Arg. Bol.*》 단도, 칼.
envendar *tr.* (…에) 붕대를 감다(vendar).
envenenado, da *adj.* 중독된.
envenenador, ra *adj.* 독을 타는. —*m.f.* 독살자.
envenenamiento *m.* 독을 타는 일 ; 독살 ; 독해(毒害) ; 중독 : ~ plúmbico 연(鉛) 중독.
envenenar *tr.* ①(…에) 독을 타다 : ~ un manjar. ② 독살하다 ; 독살하기 위해 독을 주다(dar veneno para hacer morir) : ~ a un perro. ③ 중독시키다(emponzoñar). ④ 해치다, 못쓰게 만들다. ⑤ 나쁘게 해석하다.
~se 독살되다, 중독되다 : *Se envenenó con* arsénico.
enverar *intr.* (포도 등이) 익기 시작하다 : Ya empiezan las uvas a ~ 이제 포도가 익기 시작한다.
enverbascar *tr.* =**inficionar.**
enverdecer *intr.* ㉛ (초목이) 푸르러지다, 신록 · 녹색이 되다 : *Enverdece* el campo.
enverdir *tr.* 착색하다.
enveredar *tr.* =**encaminar.**
envergadura *f.* ①(어떤 일의) 폭, 넓이. ③ (고기 · 비행기의) 날개의 폭, 날개 길이. ③ (돛의) 폭. ④ 힘, 능력. ⑤ 규모, 용량 : de gran ~ 대규모의, 대대적인, 커다란.
envergar *tr.* ⑦ (돛을) 돛대에 매다.
envergonzar *tr.* ㉔ ⑨ 【고어】 =**avergonzar.**
envergue *m.* 닻줄.
enverjado *m.* 철책, 철책 격자(enrejado, verja).

envernadero *m.* 【고어】 온실(invernadero).
envernar *tr. intr.* 【고어】 =**invernar.**
envero *m.* 거의 익어가는 빛깔 ; 익어가는 빛깔의 포도.
envés *m.* ① 속, 안(revés) : mirar una tela por el ~. ② 등(espalda).
envesado, da *adj.* 속의, 안의, 뒤집은, 안을 낸.
envesar *tr.* 【은어】 매질하다, 채찍질하다(azotar).
envestidura *f.* 서임(叙任), 임관, 임명, 자격의 부여(investidura).
envestir *tr.* 43 [+de : 자격・권력 등을 …에게] 주다, 부여하다(investir).
envía enviar의 직・현・3・단수.
enviada *f.* =**envío.**
enviadizo, za *adj.* 심부름 보내기에 좋은.
enviado, da *m.f.* 사자, 사신, 사절 : ~ extraordinario 특사. —*adj.* 파견된, 보내된.
enviajado, da *adj.* 【건축】 비스듬한.
enviajarse *r.* 《*Col. Venez.*》 여행 준비를 하다.
envían enviar의 직・현・3・복수.
enviar *tr.* 12 ① 보내다, 부치다, 발송하다(mandar) : ~ aparte 별편으로 보내다. ~ un paquete 소포를 보내다. ~ una carta al correo 편지를 우편으로 보내다. *Envié* aquella carta por correo aéreo 저 편지는 항공편으로 보냈다. ② 심부름 보내다, 파견하다 : ~ *por* el médico 의사를 부르러 보내다. ~ al mozo *por* agua 물을 가지러 하인을 보내다. ~ a uno *de* representante 누구를 대표로 파견하다.
~ a uno ***a escardar, noramala, a paseo*** 화가 나서 해고하다・파면시키다(despedirle con enfado).
[직설법 현재 : envío, envías, envía, enviamos, enviáis, envían, 접속법 현재 : envíe, envíes, envíe, enviemos, enviéis, envíen].
envías enviar의 직・현・2・단수.
enviciamiento *m.* 타락, 악덕에 오염 ; 오염 : ~ de la atmósfera 대기의 오염.
enviciar *tr.* 11 ① 못된 버릇에 물들게 하다, 못되게 만들다, 타락하게 하다 : Las malas compañías le tienen *enviciado.* ② 오염하다.
—*intr.* (열매는 열리지 않고) 잎사귀만 우거지다.
~se ① 타락하다. ② [+con・en : …에] 열중하다, 열심이다, 마음을 빼앗기다, 탐닉하다, 쏠리다 : ~*se con・en* la lectura 독서에 빠지다.
envidada *f.* (노름에의) 꼬임, 도전.
envidador, ra *adj. m.f.* (내기・승부에) 도전하는 (사람).
envidar *tr.* 내기에 도전하다.
envidia *f.* [*lat.* invidia] ① 선망, 질투, 새암, 시새움 : La ~ es un vicio de las almas viles. ② 경쟁심 : Me da ~ ver lo bien que comes.
comerse de ~ 부러운 생각에 괴로워하다.
envidiable *adj.* 시새움하는, 부러운, 탐나는 : situación ~.
envidiador, ra *m.f.* 질투자.
envidiar *tr.* 시새우다, 새암하다, 부러워하다, 선망하다(tener envidia) : No *envidies* la fortuna ajena 남의 재산을 부러워마라. No *envidies* a los ricos 부자를 부러워말라. Le *envidio* la calma que tiene 나는 그의 침착성이 부럽다. No debemos ~ a los que son más ricos que nosotros 우리보다 더 부유한 사람들을 부러워할 필요가 없다.
envidiosamente *adv.* 질투하여, 시새움하여.
envidioso, sa *adj.* 시새움하는, 질투하는, 부러워하는, 남을 부러워하기 잘하는. —*m.f.* 남이 부러워할 만한 사람, 선망가, 선망의 대상 : El ~ nunca es feliz 남이 부러워하는 자는 결코 행복하지 못하다.
envido *m.* (내기・경기에) 걸기.
envíe enviar의 접・현・1・3・단수.
envíen enviar의 접・현・3・복수.
envíes enviar의 접・현・2・단수.
enviejar *tr.* 【방언】 =**envejecer.**
envigado *m.* 【건축】 [집합] 대들보.
envigar *tr. intr.* 8 대들보(viga)를 얹다.
envigorizar *tr.* 9 기운을 돋우다, 힘이 나게 하다, 씩씩하게 만들다(vigorizar).
envilecedor, ra *adj.* 비열한.
envilecer *tr.* 31 비열하게 하다 ; 품위를 떨어뜨리다 : La envidia *envilece* al hombre 시새움은 사람을 비열하게 한다.
~se 비열하다, 품위가 떨어지다 : ~*se en* la embriaguez.
envilecimiento *m.* 비열, 비천함, 천함 ; 겸손.
envinado, da *adj.* 《*Méx.*》 포도주 색깔의 (de color de vino).
envinagrar *tr.* ① (…에) 식초(vinagre)를 치다, 식초를 넣다 : ~ la ensalada. ② 시게 만들다.
envinar *tr.* (…에) 포도주(vino)를 치다.
envío *m.* ① 파견, 발송(물) ; 송부 : ~ gratis 무료 증정. ② 출하. ③ 헌사(獻辭)(dedicatioria).
envión *m.* 밀어 젖힘(empujón).
enviscar *tr.* 7 ① (새를 잡기 위해 나뭇가지 같은 데) 끈끈이를 칠하다. ② 부추기다, 사주하다 : ~*se* un pájaro 새가 끈끈이에 걸리다.
envite *m.* ① 내기, 판돈, 건 돈. ② 제공(ofrecimiento) : aceptar un ~. ③ 밀어 젖힘.
al primer ~ 최초로, 처음부터.
enviudar *intr.* 과부・홀아비가 되다, 남편・아내를 잃다.
envolatado, da *adj.* 《*Col.*》 =**afanado, ocupado.**
envolatarse *r.* 《*Col.*》 떠들다(alborotarse).
envoltijo *m.* 《*Ecuad.*》 =**lío.**
envoltorio *m.* ① 포장(lío) : un ~ de papel. ② 포장지. ③ (저질의 털실을 섞어 짠) 천, 피륙의 흠.
envoltura *f.* ① 포장, 포장지. ② 외투. ③ (기구의) 기낭(氣囊). ④【생물】 외피(外被). —*pl.* (갓난아기의) 포대기 : quitar a un niño la ~.
envolvedero *m.* (갓난아기의) 포대기 받침, 작은 침대.
envolvedor, ra *m.f.* 포장 담당자 : ~*ras* de una fábrica de caramelos. —*m.* 포장지 ; 포대기 받침(envolvedero).
envolvente *adj.* 석권하는 듯한, 휩쓸어 버리는(듯한).
envolver *tr.* 25 [*p.p.* envuelto] ① [+con・en・entre : …으로・에] 싸다, 포장하다 ; 말아 싸다 : ~ al niño *con・en・entre* mantas 아기를 모포

로·모포에 싸다. papel de ～ 포장지. ② 말다, 감다(arrollar) : ～ el hilo *a* la bobina 실을 북에 감다. ③ 끌어들이다 : ～ a uno *en* la contienda 누구를 싸움에 끌어넣다. Los pueblos se vieron *envueltos* en cruel guerra 나라들이 잔학한 전쟁의 와중에 휩쓸려들었다. ④ 포위하다 : Nos *envolvieron* los enemigos 적이 우리를 포위했다. ⑤ 석권하다, 포위 공격을 하다, 몰아세우다.

～se 싸이다 ; 몸을 싸다 ; 감기다, 휘말리다 ; 말려들다, 휩쓸리다 ; 포옹하다 ; 정을 통하다 ; 뒤얽히다. **Contr.** desenvolver.

envolvimiento *m.* ① 포장. ② 몸을 감기. ③ 포위 : El enemigo no supo evitar el ～ 적은 포위를 뚫을 줄을 몰랐다. ④ (마소가) 잘 넘어지는 자리(revolcadero).

envuelta *f.pl.* (아기의) 포대기.

envuelto, ta *adj.* [envolver의 *p.p.*] 싸인 ; 휩쓸려 든, 휘감긴 : El chocolate está ～ en papel de estaño 초콜릿이 석박(錫箔)으로 포장되어 있다. —*m.* 《*Col. Méx.*》 옥수수 가루로 만든 부침개의 일종.

enyerbar *tr.* 《*Col.*》 매혹하다(hechizar).

～se ① 《*Amér.*》 풀이 무성하다. ② 《*Cuba.*》 실패하다. ③ 《*Méx.*》 중독되다. ④ 반하다 (enamorarse).

enyerbo *m.* 《*Col.*》 매혹 ; 주문, 주술(呪術).

enyertar *tr.* 추위로 얼리다 ; 위축시키다.

enyesado *m.* 석고 처리.

enyesadura *f.* 석고 조형, 석고를 칠하기.

enyesar *tr.* (…에) 석고를 칠하다·채워 넣다 ; 석고로 처리하다 ; 석고를 굳히다, 깁스를 대다.

enyetar *tr.* 《*Arg.*》 =**dar la yeta.**

enyugamiento *m.* 멍에(yugo)를 씌우는 일 ; 결혼 ; 이어 맞추기.

enyugar *tr.* ⑧ 멍에(yugo)를 씌우다(uncir).

enyuntar *tr.* =**enyugar.**

enyuyarse *r.* 《*Chile.*》 잡초가 무성해지다.

enzacatarse *r.* 《*Guat. Hond. Méx.*》 잡초에 뒤덮이다, 잡초가 무성하다.

enzainarse *r.* 배신·배반하다.

enzalamar *tr.* (악의로) 교사하다, 선동하다, 사주하다(azuzar).

enzamarrado, da *adj.* zamarra를 입은.

enzanjonarse *r.* 《*Venez.*》 한패가 되다, 한 동아리가 되다, 작당하다, 공모하다.

enzapatar *tr.* 《*Amér.*》 신발을 신기다.

～se 신발을 신다.

enzarzar *tr.* ① 가시밭을 만들다. ② 싸움을 붙이다. ③ (누에 집에) 발을 깔다.

～se ① 덤불 속으로 숨다. ② (난관에) 부딪히다, 빠지다. ③ 서로 싸우다, 논쟁하다 : *～se en* una disputa.

enzima *f.* 【생물】 효소.

enzimología *f.* 효소학(酵素學).

enzocar *tr.* ⑦ 《*Chile.*》 ① 끼워 넣다, 넣다(encajar). ② 투입하다.

enzoico, ca *adj.* 화석(化石)이 있는 (지층), 화석층의.

enzolvarse *r.* 《*Méx.*》 (파이프 등이) 막히다.

enzootia *f.* 동물의 풍토병(epidemia local).

enzoquetar *tr.* (…에) 가로장(zoquete)을 물리다.

enzorrar *tr.* 《*Col. PRico.*》 귀찮게 하다, 넌더리나게 만들다, 애먹이다, 곤란하게 만들다, 괴롭히다(molestar, fastidar).

～se 《*Col. PRico.*》 따분해 하다, 지겨워 하다, 신물이 나다, 싫증을 내다(aburrirse).

enzunchar *tr.* (…에) 강철테 (zuncho)를 메다, 강철 띠로 조이다.

enzurdecer *intr.* ㉛ 왼손잡이가 되다 (volverse zurdo) ; (태어난 이후로) 왼손잡이이다.

enzurizar *tr.* ⑨ 불화를 조장하다, 관계가 틀어지게 만들다.

enzurronar *tr.* 가죽 부대(zurrón)에 넣다 ; 넣다(meter una cosa en otra).

～se 【방언】 (더위로) 열매가 영글지 못하다.

eñe *f.* 문자 ñ의 명칭(nombre de la letra ñ).

eoceno *adj.* 【지질】 (제3기의) 시신세(始新世)의. —*m.* 시신세(始新世) : Los monos aparecen al fin del ～.

eólico, ca *adj.* ① 에올리데 《Eólide, 고대 아시아의 나라》의(eolio). ② 바람의, 바람에 의한 : arpa ～*ca* 풍금. erosión ～ 풍식(風蝕).

—*m.* 에올리데 방언(dialecto ～).

eolio, lia[1] *adj.* 에올리데의 (eólico). —*m.f.* 에올리데 사람.

eolio, lia[2] *adj.* 바람의 신(Eolo)의 ; 바람의, 바람에 의한 : arpa ～*lia* 풍금.

eolípilo *m.* 【물리】 취관 ; 분기관(aparato para producir una corriente de aire en las chimeneas).

eolítico, ca *adj.* 【고고】 원(原) 석기 시대의.

eolito *m.* (석기 시대의) 석기.

Eolo *m.* 【희랍 신화】 바람의 신.

eón *m.* 우주의 한 시대 ; 영세, 영겁 ; (그노스틱교의) 구원의 영체(靈體).

Eos *f.* 【희랍 신화】 여명의 여신 《로마 신화의 Aurora》.

eósforo *m.* 아주 예쁜 윤충(輪蟲).

eosina *f.* 【화학】 에오진.

eozoico, ca *adj.* 【지질】 상시원통(上始原統)의.

¡epa! *interj.* ① 《*Amér.*》 여보세요!, 여어!, 이봐, 이봐! (ihola!). ② 《*Arg.*》 그만, 잠깐, 조심해! (alto, cuidado). ③ 《*Chile.*》 (격려의 뜻으로) 잘해라! (iea!, iupa!).

epacigüil *m.* 《*Méx.*》 =**recino, crotón.**

epacta *f.* 태양력의 1년이 태음력을 초과하는 일수(日數), 가일(加日) 《약 11일》 ; 사원력 (añalejo).

epactilla *f.* 사원력(añalejo).

epagómeno *adj.* 윤(달·년)의.

epanadiplosis *f.* 【수사】 첩어법.

epanáfora *f.* =**anáfora.**

epanalepsis *f.* 【수사】 첩어법, 첩구법.

epanástrofe *f.* =**concatenación, conduplicación.**

epanortosis *f.* 【수사】 환어법(換語法), 바꾸어 말하기(corrección).

epatar *tr.* 《*Galic.*》 놀라게 하다, 경악시키다.

epaté *adj.* 《*Galic.*》 놀란, 아연 실색한.

epazote *m.* 【식물】 멕시코의 차(té de Méjico) : El ～ es medicinal 에빠쏘떼는 약용이다.

E.P.D. En paz descanse 편히 쉬소서, 명복을 빕니다, 영면하소서.

epecha *m.* 《*Nav.*》【조류】 =**reyezuelo.**
epeira *f.* 거미(araña)의 일종.
epéntesis *f.* 【문법】 삽음 현상 《말 가운데 비슷한 음을 삽입하는 일 (예 : crónica에서 corónica)》.
epentético, ca *adj.* 삽음 현상에 의한 (añadido por epéntesis).
eperlano *m.* 【어류】 북구에서 나는 은어의 일종.
EPF Empresa Petrolera Fiscal 《*Perú.*》 국영 석유 공사.
epi- *pref.* [*gr.* epi] 「상(上)」, 「표면」을 뜻하는 접두어 : *epi*carpio, *epí*grafe.
epiblasto *m.* =**ectodermo.**
épica *f.* 서사시, 사시(史詩)(poesía ~).
épicamente *adv.* 서사시적으로.
epicarpio *m.* 【식물】 (과실의) 겉질, 외과피(外果皮).
epícea *f.* 【식물】 =**píceo.**
epicedio *m.* 장송가 (composición poética que se recitaba antiguamente delante de un cadáver).
epiceno *adj.* 【문법】 양성 통용의. —*m.* 양성 통용의 동물 명사 《예 : el águila, el lince, la perdiz, la ardilla, el jilguero, el milano 등》.
epicentro *m.* 진원지, 진앙 (centro de propagación de un temblor de tierra).
epiceyo *m.* =**epicedio.**
epicíclico, ca *adj.* 주전원(epiciclo)의 : movimiento ~.
epiciclo *m.* ①【천문】 주전원. ②【기하】 주전원.
epicicloide *f.* 【수학】 외파선(外擺線).
épico, ca *adj.* ① 서사시의, 사시(史詩)의 : poema ~*ca.* ② 서사시적인, 서사시풍의 : las hazañas ~*cas* de la guerra de la independencia. ③ 웅대한, 웅장한 : estilo ~.
epicureísmo *m.* 쾌락주의, 관능주의.
epicúreo, a *adj.* ① 에삐꾸로 (Epicuro, 기원전 ¿342?-270)파의. ② 쾌락·관능·감각·육욕주의의 ; 관능적인. —*m.f.* 에삐꾸로파 학자 ; 향락·관능주의자.
epidemia *f.* [*gr.* epi + dêmos] 유행병, 전염병 : Las malas condiciones higiénicas favorecen el desarrollo de las ~*s* 위생적인 악조건은 유행병의 확산을 조장한다.
epidemiado, da *adj.* 《*Amér.*》 유행병에 걸린 (que ha sido atacado por una epidemia) : comarca ~*da* 감염 지역.
epidemial *adj.* =**epidémico.**
epidemicidad *f.* 유행성, 전염성 (carácter epidémico de una enfermedad) : la ~ de la peste.
epidémico, ca *adj.* 유행병의, 유행성의 : La cólera es una enfermedad ~*ca* 콜레라는 유행병이다.
epidemiología *f.* 유행병학.
epidérmico, ca *adj.* 표피의, 상피의, 피부의 : tejido ~.
epidermis *f. gr.* 【해부·식물】 ① 표 ; 외피(外皮) : la ~ de un animal o de una planta. ② 세포성 표피.
epidiáscopo *m.* 실물 환등기.
epidota *f.* 【광물】 녹염석.
epidote *m.* =**epidota.**
epífanes *adj.* [*gr.* epiphanês] 딴이름, 이명(異名)(sobrenombre de varios reyes de Oriente, sucesores de Alejandro) : Antíoco *E*-.
epifanía *f.* [*gr.* epiphaneia] ① (동방 삼 박사를 기념하는) 주현절 (manifestación de Cristo a los Reyes magos, que celebra la Iglesia católica el 6 de enero). ② =**entrada, aparición.**
epifenómeno *m.* 수반·부대(附帶) 현상 ; 부증상(副症狀) ; 후유증.
epifilia *f.* 【식물】 전염병의 일종.
epifilo, la *adj.* 잎에서 자란.
epífisis *f.* 【해부】 골단(骨端) ; (뇌의) 송과체(松果體).
epífito, ta *adj.* ① 착생 식물의 : El muérdago es un vegetal ~. ②【의학】 체외 기생 식물·균의. —*f.* ① 착생 식물 《이끼 무리》; 체외 기생균.
epifonema *f.* 【문법】 감탄적 종결어.
epifora *f.* 【의학】 유루(流淚), 유체(流涕).
epigastralgia *f.* 【의학】 윗배앓이, 배앓이, 위통.
epigástrico, ca *adj.* 윗배의 : experimentar dolor en la región ~*ca* 윗배에 통증을 느끼다.
epigastrio *m.* 【해부】 명치, 윗배, 상복부 (parte superior del abdomen).
epigénesis *f.* 【생물】 후생설, 점생설(漸生說).
epiglotis *f.* 【해부】 목젖 (연골), 후두개.
epígono *m.* 추종자.
epígrafe *m.* ① 비명, 비문 ; 헌사, 제사(題辭). ② 《*Méx.*》 제명, 표제.
epigrafía *f.* ① 비명 연구 : La ~ es un precioso auxiliar en el estudio de la antigüedad. ②【집합】 비명, 비문.
epigráfico, ca *adj.* ① 비명(epigrafía)의 ; 비문(풍)의. ② 표제의.
epigrafista *m.f.* 비명·비문 연구가.
epigrama *m.* ① 비명. ② 풍자시. ③ 경구. ④ 촌철적인 표현.
epigramáticamente *adv.* 풍자적으로.
epigramático, ca *adj.* 비명의 ; 경구의 ; 경구적인 ; 풍자적인. —*m.f.* 풍자 작가.
epigramatista *m.f.* 풍자 시인 ; 경구가.
epigramatizar *tr.* 《*Neol.*》 =**hacer epigramas.**
epigramatrio, ria *adj.* =**epigramático.** —*m.* 풍자 시집 ; 경구집.
epigramista *m.f.* =**epigramatista.**
epilatorio, ria *adj. m.f.* =**depilatorio.**
epilense *adj. m.f.* 에삘라 《Épila, Zaragoza 주의 마을》의 (사람).
epilepsia *f.* 【의학】 간질병. Sinón. mal caduco.
epiléptico, ca *adj.* 간질의, 간질 증세가 있는, 지랄병의. —*m.f.* 간질병 환자.
epileptiforme *adj.* 간질성의.
epilogación *f.* =**epílogo.**
epilogal *adj.* 요약한(resumido).
epilogar *tr.* 8 ① 요약하다, 개설하다(resumir). ② (어떤 지난 일의) 뒤를 캐다.
epilogismo *m.* 【천문】 계산(cálculo, cómputo).
epílogo *m.* (문예 작품의) 발문, 결어 ;【연극】 끝맺는 인사말, 에필로그, 종막. Contr. prólogo.

epímone *f.* (강조를 위한) 반복.
epinicio *m.* 개가(凱歌), 승리의 노래(canto de victoria, himno triunfal).
epiornis *m.* (Madagascar에서 살았던 지금은 없어진) 큰 새.
epiplón *m. gr.* =**redaño, omento.**
epiploon *m.* =**epiplón.**
epiquerema *m.* 견강 삼단 논법.
epiqueya *f.* 법률에 유리한 해석, 확대 해석, 아전 인수(我田引水).
epirota *adj.* 에뻬로《Epiro, 그리스의 고대 국가》의. —*m.f.* 에뻬로 사람.
epirótico, ca *adj.* Epiro에 관한, Epiro의.
episcopado *m.* [*lat.* episcopatus] [집합] 주교; 주교의 직·임기·관할; 주교단.
episcopal *adj.* 주교·승정(obispo)의. *Iglesia* ~ 영국의 감독 교회.
episcopalismo *m.* 사교 제일주의.
episcopalista *adj.* 사교 제일주의의. —*m.f.* 사교 제일주의자.
episcopologio *m.* 사교·주교 명부.
episódicamente *adv.* 삽화적으로; 재미있게; 우연히.
episódico, ca *adj.* 삽화의, 삽화적인 : personaje ~. Sinón. accesorio.
episodio *m.* [*gr.* epeisodion] (소설·극 따위 중간의) 삽화; 삽화적인 사건, 에피소드.
epispástico, ca *adj.* 발포성의. —*m.* 발포제.
epistaxis *f.* 【의학】 코피(hemorragia nasal).
epistemología *f.* 【철학】 인식론.
epistilo *m.* 【건축】 =**arquitrabe.**
epístola *f.* [*lat.* epistola] 서간, 편지; 【성서】 사도 서간.
epistolar *adj.* 서간의, 통신문의 : comunicación ~ 서간 통신. un modelo de estilo ~ 모범 서간집.
epistolario *m.* 편지집, 서간집.
epistolero *m.* (미사 때 사도서의) 송독 사제.
epistólico, ca *adj.* 서한의; 편지에 의한.
epistolio *m.* =**epistolario.**
epistológrafo, fa *m.f.* 편지를 많이 쓰는 사람.
epístrofe *f.* 【수사】 결어(結語)의 반복(conversión).
epitafio *m.* 묘비명; 묘지(墓誌).
epitalámico, ca *adj.* 축혼의 : canto·himno ~ 축혼가.
epitalamio *m.* 결혼 축시·축가, 결혼식 노래.
epítasis *f.* (그리스 극시의) 제2단, 신나는 장면; (극에서의) 클라이맥스(enredo, nudo).
epitelial *adj.* 상피(上皮)의, 표피의, 표막의; 상피 세포의 : tejido ~.
epitelio *m.* 【해부】 상피, 표피, 표막 : El ~ prolonga la epidermis.
epitelioma *m.* 【의학】 표피종(表皮腫).
epitelizante *adj.* 표피로 변한.
epitelizar *tr.* 표피로 변환시키다.
~se 표피로 변하다.
epítema *f.* 【의학】 습포(濕布). Sinón. apósito.
epíteto *m.* ①【문법】 특징 형용사《물건의 특징을 나타내어 명사 앞에 붙는 것 : la *blanca* nieve, la *dulce* miel》. ②(편지·서류 등에 적는) 수신인명, 주소 성명.
epítima *f.* ① =**epítema.** ② =**consuelo.**
epitimar *tr.* (…에) 습포를 하다, 고약을 붙이다.
epítimo *m.* 【식물】 새삼류의 식물.
epitomadamente *adv.* 간추려, 요약하여, 줄잡아.
epitomador, ra *m.f.* 발췌자, 요약자.
epitomar *tr.* [*lat.* epitomare] 요약하다, 간추리다 : ~ una gramática latina 라틴어 문법을 요약하다.
epítome *m.* 적요, 개요, 요약; 개략; 발췌, 간추림.
epítrope *f.* 【수사】 =**concesión.**
epizoario *m.* 【동물】 외피 기생충《이 따위》.
epizoico, ca *adj.* =**epizoario.**
epizootia *f.* ① 가축의 전염병(epidemia del ganado) : La ~ es siempre contagiosa 가축의 전염병은 항상 전염된다. ②《*Chile.*》 =**glosopeda.**
epizoótico, ca *adj.* 전염병의, 전염성의 : El muermo es enfermedad ~*ca.*
e.p.m., E.P.M. En propia mano 자필로, 자필의.
época *f.* [*gr.* epokhé] ① 시대; 기(期), 세(世) (era) : ~ de jumbo jet 점보 제트기 시대. ~ industrial 공업·산업 시대. ② 계절, 시기 (período); 경(頃) : aquella ~ 그 무렵, 그 시대. formar·hacer ~ 신기원을 이루다, 한 시기를 그리다, 일세를 풍미하다. En aquella ~ yo me hallaba enfermo 그 무렵의 나는 아팠었다.
epoda *f.* =**epodo.**
epodo *m.* (그리스 서정시의) 종결부; 제3단; (시의 각 연의) 끝 행.
epónimo, ma *adj.* 이름의 기원이 되는 : el héroe ~ 이름의 기원이 되는 영웅. [*N.* 국민·토지·건물 등의 이름의 기원이 되는 것; Alejandro el Grande가 Alejandría라 하는 마을의 epónimo].
epopeya *f.* (민족적) 서사시, 사시(史詩)(poema épico); 서사시적 위업.
epoto, ta *adj.* 도취된.
EPS Empresa de Propiedad Social《*Perú.*》 사회적 자산 기업.
épsilon *f.* 그리스 자모의 제5자《ε, E》.
epsomita *f.* 【화학】 자갈 소금(sal de la Higuera).
eptágono, na *adj. m.* =**heptágono.**
eptílico, ca *adj.* 【화학】 =**enántico.**
epulia *f.* 【의학】 잇몸 종기.
epúlida *f.* =**epulia.**
epulón *m.* [*lat.* epulo] 향락주의자, 미식가.
epuración *f.*《*Galic.*》 =**depuración.**
equi- *pref.* 「동등」을 뜻하는 접두어.
equiángulo, la *adj.* 등각(等角)의 : triángulo ~ 등각 삼각형.
equidad *f.* [*lat.* aequitas] ①【상업】 출하량. ② 공평, 정당, (가격의) 공정; 평정(平靜). Contr. iniquidad, injusticia.
equidiferencia *f.* 【수학】 등차 (급수).
equidistancia *f.* 같은 거리, 등거리 : Los puntos de una circunferencia son ~*s* del centro.
equidistante *adj.* 같은 거리의, 등거리의.
equidistar *intr.* 같은 거리가 되다.
equidna *m.* [*gr.* ekhidna] 【동물】 (오스트렐리

아의) 개미핥기의 일종.

équido *adj. m.* 말과의 (동물 ; 말·나귀·얼룩말).

equilateral *adj.* =**equilátero.**

equilátero, ra *adj.* 등변의 : un triángulo ~.

equilibrado, da *adj.* 균형 잡힌 ; 고요한, 평온한 ; 신중한.

equilibrar *tr.* 평형시키다, 균형을 맞추다, 균형을 이루게 하다 : ~ las fuerzas de dos partidos. **~se** 균형이 잡히다 ; 평형을 유지하다.

equilibre *adj.* 균형이 잡힌.

equilibrio *m.* [*lat.* aequilibrium] ① 평형 : ~ inestable 불안정한 평형. ② 균형 ; 평정 : perder el ~ 균형·평정을 잃다. ~ del presupuesto 예산의 균형. ~ económico 경제적 균형. ~ político 국가간의 세력 균형. Perdió el ~ y se cayó 균형을 잃고 그는 쓰러졌다. ③ 난관, 어려움, 번거로움(dificultades, nimiedades) : andar con ~*s.* —*pl.* 곡예.

equilibrioso, sa *adj.* 《*Perú.*》 =**delicado.**

equilibrismo *m.* 《*Neol.*》 곡예 (arte del equilibrista).

equilibrista *m.f.* 《*Neol.*》 곡예사.

equimosis *f.* [*gr.* ekkhumôsis] 【의학】 혈반, 피하 출혈. **Sinón.** cardenal.

equinita *f.* 【동물】 섬게.

equino *m.* [*gr.* ekhinos] ① 【어류】 섬게. ② 【건축】 (대접 받침의) 만두형.

equino, na *adj* 【시어】 말의, 말같은 : pie ~. —*m.f.* 《*Arg.*》 말(caballo o yegua).

equinocacto *m.* 【식물】 (아메리카의) 선인장.

equinoccial *adj.* 주야 평분의, 춘·추분의 : línea ~ 적도, 주야 평분선. —*f.* 주야 평분선, 적도.

equinoccio *m.* 주야 평분시, 춘분, 추분 ; 【천문】 분점 : ~ de primavera · de otoño 춘분·추분.

equinococo *m.* 【곤충】 촌충의 애벌레.

equinococosis *f.* 인체에 촌충의 애벌레로 생긴 병.

equinodermo *adj.* 극피 동물의. —*m.pl.* 극피 동물 《섬게·해삼 등》 : Los ~*s* son uno de los tipos del reino animal.

equipaje *m.* ① (옷 따위의 여행용) 여장, 행장, 짐, 수하물(~ de mano) : talón de ~ 하물 수취증. Si usted va en avión no podrá llevar mucho ~ 만일 비행기로 가시면 하물을 많이 가지고 가실수 없습니다. ② 군용 행장(行裝) ; 승무원(tripulación).

equipal *m.* 《*Méx.*》 결어서 짠 의자.

equipamento *m.* (항해·군사 작전용) 장구(裝具).

equipar *tr.* ①[+ de · con : …을] 공급하다, 주다, 입히다(proveer) : ~ a uno *de* vestidos 의복의 채비를 차려 주다. ② (…에게 필요품을) 갖추다, (배·군대를) 장비하다 : ~ para un viaje. ③ 설치·설비하다. ④ (선박 등에, 인원·음료 따위의 필수품을) 싣다, 배치하다, 태우다 ; 의장하다.
~se [+de · con : 필요한 물건을] 갖추다, 준비하다 : ~*se* para el viaje. ② 설비를 하다. ③ 장비를 갖추다, 출항 준비를 하다.

equiparable *adj.* 비교할 수 있는.

equiparación *f.* 비교(comparación).

equiparar *tr.* ① 평등화하다. ② 견주어 보다, 비교해 보다(comparar) : ~ un discípulo *a* · *con* otro.

equipo *m.* ① 준비, 채비. ② 비품, 설비, 장비, 일용품, 가정 집기 : ~ de colegial 학용품. ~ de novia 혼수감. ~ de reparto 배급 설비. ~ de soldado 병사의 장비. ③ 가구류 : ~ quirúrgico. ④ 도구, 용구, 기계 (설비), 시설, 플랜트 : ~ de almacén 창고 설비. ~ industrial 자본재(資本制), 산업용 기계. ~ técnico 전문적 설비. ~ (y efectos) de oficina 사무용 설비. ④ (특정 목적의) 부대, 반 : ~ de salvamento 구조대. ⑤ (운동 경기의) 팀 : ~ de fútbol.

equipolado *adj.* =**escaqueado.**

equipolencia *f.* 힘의 균등, 등가치(等價值) (equivalencia).

equipolente *adj.* =**equivalente.**

equiponderación *f.* =**equiponderancia.**

equiponderancia *f.* 무게의 균형.

equiponderante *adj.* 무게가 같은.

equiponderar *intr.* 무게가 같다, 균형을 이루다.

equipotencial *adj.* 힘이 같은.

equis *f.* ① 문자 X의 명칭. ② 미지수 ; [미지수를 나타내는 형용사로서] : Necesito ~ días para terminarlo 나는 그것을 끝마치는데 며칠이 필요하다. una cantidad ~ 얼마만한 분량.
estar en la ~ 《*Amér.*》 ① 여위다. ② 가난하다, 생활이 곤란하다·옹색하다.

equisetáceo, a *adj.* 【식물】 속새·속새속의. —*f.pl.* 속세과 식물.

equisonancia *f.* =**igualdad de sonido.**

equitación *f.* [*lat.* equitatio] 승마 ; 마술(arte de montar a caballo) : aprender la ~ 승마를 배우다.

equitativamente *adv.* 공정하게, 공평하게.

equitativo, va *adj.* 공정한, 정당한, 균등한, 공평한(justo). **Contr.** injusto.

equivalencia *f.* ① 동등, 등가, 등가치(等價値). ② 【기하】 등적.

equivalente *adj.* ① 동등한, 대등한 : cantidades ~*s* 동등한 액. ② 【화학】 동가(同價)의. ③ 【기하】 등면적·등체적의. —*m.* ① 동등한 것 ; 상당(의 것) : el ~ de 18.000 ptas. en dinero y joyas 현금과 보석류 일만 팔천 뻬세따 상당의 것. ② 당량(當量).

equivalentemente *adv.* 동등하게, 대등하게.

equivaler *intr.* 62 ① …과 같다, 상당하다 : Media cucharadita de esos polvos *equivale a* comerse tres huevos 그 가루차 반은 달걀 세 개를 먹는 것과 같다. ② 동등·같은 값이다.

equivalvo, va *adj.* 꼬투리의 한 쪽이 모양과 크기가 같은.

equivocación *f.* 오류, 과실, 잘못, 실수, 틀림, 실책(error) : sufrir ~ 실수하다. Fue una ~ 그것은 (나의) 착오였다. Me lo llevé a casa por ~ 잘못해서 그것을 집에 가져왔습니다.

equivocadamente *adv.* 잘못하여, 실수로 (erradamente, con equivocación) : obrar ~.

equívocamente *adv.* 애매 모호하게, 어물어물 : escribir ~ 애매 모호하게 글을 쓰다.

equivocar *tr.* 7 ①[+con : …과] 착각을 일으

키다, 잘못 알다, 잘못 생각하다. ② 잘못하다, 실수하다 : El *equivocó* mi paraguas *con* el suyo 그는 내 우산을 자기 것으로 착각을 일으켰다. —*intr.* 애매 모호한 태도를 하다, 애매한 말을 하다.
~se ① 잘못하다, 실수하다, 틀리다 : *~se en* el precio 값을 잘못 알다. Usted *se equivoca* 당신이 틀렸습니다. Ayer *me equivoqué* de dirección al tomar el metro 어제 지하철을 탈 때 방향을 틀렸다. Usted *se equivoca de* hora 당신은 시간을 잘못 알고 있다. ② [+con : …와] 몹시 닮다.

equivocidad *f.* 애매, 모호.

equívoco, ca *adj.* [*lat.* aequivocus] ① 애매한 (de doble sentido) : palabra *~ca.* ② 수상한, 미심쩍은(sospechoso) : una conducta *~ca.* ③ 정체를 알 수 없는 : una sonrisa *~ca.* Contr. claro, preciso, categórico. —*m.* ① 양의어(兩義語). ② 애매 모호함. ③ 【고어】《*Amér.*》 잘못, 실수(equivocación, error).

equivoquillo *m.* 가벼운 트집 ; 쓸데없는 이의.

equivoquista *m.f.* 말이 애매한 사람.

era[1] *f.* [*lat.* area] ① 기원 : ~ cristiana · de Cristo 그리스도 기원, 서력 기원. ~ española 시저 기원 《서기보다 38년 전》. ② 연대, 시기, 시대 : Vino una ~ de paz 평화 시대가 왔다. ~ industrial 공업·산업 시대. ③ (꽃·야채의) 밭. ④ 탈곡장 ; (노천의) 작업장.

era[2] ser의 직·불완료과거·1·3·단수.

eradicación *f.* =**erradicación.**

eradicativo, va *adj.* 근절·근치시키는.

erais ser의 직·불완료과거·2·복수.

eraje *m.* 순수한 꿀.

eral *m.* 두 살 미만의 소.

éramos ser의 직·불완료과거·1·복수.

eran ser의 직·불완료과거·3·복수.

erar *tr.* 밭으로 만들다.

erario *m.* [*lat.* aerarium] 국고(國庫).

eras ser의 직·불완료과거·2·단수.

erasmiano, na *adj.* 에라스무스《Erasmo, 네덜란드의 문예 부흥 운동의 선각자, 인문주의자, 신학자 (¿1466? —1536)》의, 에라스무스류의. —*m.f.* 고대 그리스어에 관한 에라스무식 발음을 채용한 학자.

erasmista *adj. m.f.* 에라스무스 풍의 ; 에라스무스 학파에 속하는 (사람).

Erato *f.* 【희랍 신화】 연애시를 맡고 있다는 여신.

érbedo *m.* 《*Ast. Gal.*》 =**madroño.**

erbio *m.* 【화학】 에르븀.

ercavicense *adj.m.f.* 에르까비까 《Ercávica, Cuenca주의 언덕에 있었던 옛 서반아의 마을》의 (사람).

ere *f.* 문자 r의 명칭.

erebo *m.* 암흑계 ; 지옥, 저승(infierno, averno).

erección *f.* [*lat.* erectio] ① 건립 : ~ de una estatua. ② 창설, 설립(fundación). ③ 발기, 긴장(tensión).

eréctil *adj.* 발기하는, 일어서는(capaz de erección) : tejido ~ 발기근.

erectilidad *f.* 발기.

erecto, ta *adj.* =**erguido.**

erector, ra *adj.* [*lat.* erector] 세우는. —*m.f.* 건설자, 건립자, 설립자.

eremita *m.* 은자(ermitaño).

eremítico, ca *adj.* [*lat.* eremiticus] 은자의, 은자같은 : La vida *~ca* nació en Egipto 은자 생활은 이집트에서 생겼다.

eremitorio *m.* 은자가 도를 닦는 곳.

eretismo *m.* 이상 흥분 ; 과민증 ; 색욕(色慾).

erg *m.* [*pl.* ergs] =**ergio.**

ergástula *f.* =**ergástulo.**

ergástulo *m.* (본래는 노예의) 감옥.

ergio *m.* 에르그 《에네르기의 단위 ; 1다인의 힘이 물체를 1㎝ 이동시키는 힘의 양》 : El kilográmetro vale 98.100.000 *~s.*

ergmetro *m.* 에르그 계기.

ergo *conj. lat.* 그래서, 그러므로, 따라서, 그런 까닭에(por tanto, luego).

ergógrafo *m.* 작업 기록기.

ergotear *intr.* 궤변을 늘어놓다.

ergoteo *m.* 궤변, 견강 부회, 억지 이론.

ergotina *f.* 【화학】 에르고틴, 맥각소(麥角素).

ergotismo *m.* 【의학】 맥각 중독.

ergotista *adj. m.f.* 궤변을 일삼는 (사람).

ergotizante *adj.* =**ergotista.**

ergotizar *intr.* 9 궤변을 늘어놓다, 횡설수설하다.

erguen *m.* 【식물】 =**argán.**

erguido, da *adj.* 세워진.

erguimiento *m.* =**erección.**

erguir *tr.* 49 세우다, 일으키다, 올리다, 쳐들다 (levantar) : ~ la cabeza 머리를 쳐들다.
~se 꿋꿋이 서다, 버텨 서다 ; 우뚝 솟다, 솟아오르다 : *Yérgase* usted la cabeza 머리를 바로 쳐드세요. [*N.* seguir와 같은 불규칙 활용 이외에 직설법 현재로 : yergo, yergues, yergue, erguimos, erguís, yerguen ; 접속법 현재로 : yerga, yergas, yerga, yergamos, yergáis, yergan의 활용을 함].

eria *f.* [*lat.* area] 【방언】 밭.

erial *adj.* 황량한, 거친. —*m.* 황무지.

eriazo, za *adj.* =**erial.**

erica *f.* 【식물】 히드.

ericáceo, ca *adj.* 【식물】 산매자 나무과의. —*f.pl.* 산매자 나무과 식물.

ericera *f.* 【방언】 (지붕 없는) 오두막의 일종.

Erídano *m.* 【천문】 에리다누스좌.

erígeron *m.* 에리게론 《벼룩 제충초》.

erigir *tr.* 4 [*lat.* erigere] ① 세우다(levantar). ② 창립·건립·건설하다(construir, edificar, fundar) : ~ un templo · una estatua 사원·상을 세우다. ② (제도로서) 제정하다 : ~ un territorio *en* provincia 지방을 주로 승격하다.
~se (높은 자리에) 앉다 : *~se en* juez 재판관이 되다.

Erín *f.* Irlanda의 별칭.

erina *f.* (외과용) 겸자(pinzas).

eringe *f.* [*gr.* êruggê] 【식물】 엉겅퀴의 일종(cardo corredor).

eringio *m.* 【식물】 =**eringe.**

erinia *f.* 【희랍 신화】 세 사람의 복수의 여신 《로마 신화의 Furia》.

erío, a *adj.* 황무지의. —*m.* 황무지.

Eris *f.* 【희랍 신화】 논쟁과 불화의 여신.

erísimo *m.* 【식물】 장대냉이류의 일종.

erisipela *f.* [*gr.* erusipelas] 【의학】 단독(丹毒).
erisipelarse *r.* 단독에 걸리다.
erisipelatoso, sa *adj.* 단독(성)의 : exantema ～.
erismo *m.* 【식물】 겨자과 식물의 일종.
erístalo *m.* 파리(mosca)의 일종.
erístico, ca *adj.* 언쟁의, 논쟁적인.
eritema *m.* [*gr.* eruthēma] 【의학】 홍반(紅班), 홍진(紅疹).
eritematoso, sa *adj.* eritema의.
eritreo, a *adj.* 홍해(Mar Rojo)의 ; 에리뜨레아 《Eritrea, 옛 이탈리아의 식민지》의. —*m.f.* 에리뜨레아 지방 사람. —*m.* 에리뜨레아 지방 방언.
eritrina *f.* bucare의 학명.
eritrocito *m.* 적혈구(hematíe).
eritrofobia *f.* 공홍병(恐紅病), 홍색 혐오증.
eritrosina *f.* 산성 홍색 염료.
eritroxíleas *f. pl.* 【식물】 (뻬루의) 코카(coca)과 식물.
erizado, da *adj.* ① (머리칼이) 곤두선(rígido, tieso) : tener el pelo ～ 머리카락이 곤두서다. ② 가시투성이의 : muralla *erizada* de púas de hierro.
erizamiento *m.* (머리털 등을) 곤두세우는 일, 소름을 끼치는 일.
erizar *tr.* 9 (머리털 등을) 곤두세우다 : El gato *erizó* el pelo.
～se ① 곤두서다 : El pelo *se* le *erizó* 그의 머리칼이 곤두섰다. ② 온통 가시투성이가 되다. ③ 장애(obstáculos)·어려움(dificultades) 투성이가 되다. ③《*PRico.*》 도망가다, 달아나다.
erizo *m.* [*lat.* hericius] ①【동물】 고슴도치. ② 밤의 가시. ③ 개구쟁이, 망나니. ④ 방금 박은 못이나 가시.
～ ***marino de mar*** 【어류】 섬게.
erizón *m.* 【식물】 싸리(asiento de pastor).
ermar *tr.* 【고어】 [드뭄] =**asolar.**
ermita *f.* ① 암자, 은자의 집. ② 외딴 집. ③ 은자의 생활. ④【속어】 주점, 선술집, 목로 주점(taberna).
ermitaño, ña *m.f.* 수행자(修行者), 수도자, 신선, 도사, 은자(隱者). —*m.* 【어류】 소라게(paguro).
～ ***de camino*** 날치기, 들치기.
ermitorio *m.* =**eremitorio.**
ermunio *m.* (옛날의) 세금 면제자.
ero *m.* 《*Ar.*》 [집합] 야채밭의 판자.
erogación *f.* ① 할당(割當), (자산의) 분배. ② 《*Chile.*》 비용을 냄. ③《*Perú. Venez.*》 선심 쓰는 물건, 증여품, 은혜를 베푼 것. ④《*Ecuad.*》 =**donativo, contribución.**
erogante *adj. m.f.* 《*Amér.*》 분배하는 (사람).
erogar *tr.* 8 [*lat.* erogare] ① 분배하다. ② 《*Amér.*》 (비용을) 분담하다 : ～ gastos.
erogatorio *m.* 【해부】 도관(導管).
Eros *m.* 【희랍 신화】 에로스《Venus의 아들이며 사랑의 신 ; 로마 신화의 Cupido에 해당함》.
erosión *f.* [*lat.* erosio] ① 부식, 침식, 풍화 : ～ fluvial. ② 마모 : una ～ de la piel 가죽의 마모.
erosionar *tr.* 침식하다, 부식하다.
erosivo, va *adj.* 부식성의 ; 침식의 : El poder ～ de los heleros es muy considerable.
erotema *f.* 의문(interrogación).
eróticamente *adv.* 색정적으로, 애욕적으로.
erótico, ca *adj.* [*gr.* erôs] 연애의 : poema ～. ② 성애(性愛)의, 애욕의, 색정적인. —*f.* 연애시(poesía erótica).
erótilo *m.* (멕시코와 남아메리카의) 투구풍뎅이.
erotismo *m.* [*gr.* erôs] 에로(티즘), 호색적 경향·성질, 정욕 ; 연애 지상주의 ; 성욕 ;【심리】 성적 흥분.
erotomanía *f.* 【의학】 색정광(色情狂).
erotomaníaco, ca *adj.* =**erotómano.**
erotómano, na *adj.* 색정광의. —*m.f.* 색마.
erpetología *f.* [*gr.* herpeton] 파충류학.
erpetológico, ca *adj.* 파충류학의 : colección ～*ca.*
erpetólogo, ga *m.f.* 파충류 학자.
errabundo, da *adj.* 유랑의, 방랑의(vagabundo, errante).
errada *f.* [드뭄] =**equivocación, error.**
erradamente *adv.* 잘못하여, 실수로(equivocadamente).
erradicación *f.* 근절, 박멸, 뿌리째 뽑음.
erradicar *tr.* 7 뿌리째 뽑다, 박멸하다, 근절하다.
erradizo, za *adj.* 방랑의, 여기저기 떠도는.
errado, da *adj.* [errar의 *p.p.*] 틀린, 잘못된.
erraj *m.* 올리브 씨로 만든 숯.
errante *adj.* [*lat.* errans] ① 잘못하는, 실수하는. ② 방랑의, 편력의, 유랑의, 유목의(vagabundo) : tribus ～*es* 유목 민족.
errar *tr.* 24 [*lat.* errare] ① 그르치다, 틀리다 : ～ el blanco 과녁을 맞추지 못하다. ② (의무를) 어기다. ③ 배신하다. ④ 게을리하다.
—*intr.* ① [+en : …을] 잘못하다, 틀리다 : ～ *en* la respuesta 대답을 잘못하다. ② 방랑하다, 유랑하다, 떠돌아다니다, 헤매다 : ～ *por* los caminos 길을 헤매다. ③ 이 궁리 저 궁리하다.
～se 잘못하다, 틀리다, 실수하다, 과실을 범하다(equivocarse).
errata *f.* [*lat.* errata] (정정해야 할) 잘못, 틀림, 오자, 오식 : ～ de pluma (기장 상의) 오류.
fe de ～s 정오표.
errático, ca *adj.* [*lat.* erraticus] ① 방랑의(vagabundo) : el estado ～ 방랑 상태. ② 이동성의 : dolor ～. ③ 표착(漂着)한.
errátil *adj.* =**errante, incierto.**
erre *f.* 문자 rr의 명칭.
～ ***que*** ～ 끈질기게, 끝덕지고 질기게(porfiadamente, obstinadamente).
errona *f.* 《*Chile. Méx.*》 (경기자 등의) 실수, 잘못, 실책 : echar ～ 실수하다 ; 미끄러져 넘어지다.
erróneamente *adv.* 잘못해서, 오류를 범해서, 실수로(con error).
erróneo, a *adj.* [*lat.* erroneus] 잘못된, 틀린, 그릇된 : doctrina ～*a* 그릇된 학설. **Contr.** cierto, seguro.
erronía *f.* 반대 ; 증오, 원한, 앙심.
error *m.* ① 잘못, 틀림, 실수 : cometer un ～ 잘못을 저지르다. ② 착각. ③ 과오, 과실, 실책. ④【수학】 오차 : ～ admisible 허용 오차. ～

aleatorio 확률적 오차. ~ constante 계통적 오차. ~ cuadrático medio 평균 제곱 오차. ~ de azar 확률적 오차. ~ de muestreo 표본 오차. ~ de observación 확인 오차. ~ no debido al muestreo 비표본 오차. ~ probable 확률 오차. ~ típico · tipo 표준 오차. ⑤【법률】 착오, 오심 : Salvo ~ u omisión 오기 탈락은 차한(此限)에 부재(不在)함. Esta copia está llena de ~*es* 이 복사는 오류투성이다. Usted está en un ~ 당신은 틀리고 있다. Contr. certidumbre, realidad, verdad.

ersatz *m. alem.* =**substituto, imitación.**

ERTE Empresa de Radio, Telégrafos y Teléfonos del Estado 에쿠아도르 무선 전신 전화 공사.

erubescencia *f.* 창피, 수치, 얼굴을 붉힘 (rubor, vergüenza).

erubescente *adj.* 얼굴을 붉히는 ; 붉어지는.

eructación *f.* [*lat.* eructatio] =**eructo.**

eructar *intr.* [*lat.* eructare] 하품하다.
~se [드묾] 으시대다, 뻐기다, 난 척하다.

eructo *m.* [*lat.* eructus] 하품.

erudición *f.* [*lat.* eruditio] 박학, 학식, 박식 ; 학자, 학계.

eruditamente *adv.* 해박하게, 박식하게.

erudito, ta *adj.* [*lat.* eruditus] 학식있는, 박학의, 석학의, 박식한 : hombre ~ 박식한 사람, 학자. **—*m.f.*** 박식한 사람, 학자 : ~ a violeta 천박한 지식을 가진 사람.

eruela *f. dim.* era.

eruginoso, sa *adj.* 녹슨(ruginoso).

erumnoso *adj.* 힘겨운, 매우 어려운.

erumpir *intr.* 【속어】 =**irrumpir.**

erupción *f.* [*lat.* eruptio] ① (화산의) 폭발, 분화 ; (용암 · 간헐 온천 따위의) 분출 : un volcán *en* ~ 분화중인 화산. La ~ de un volcán suele ir acompañada de temblor de tierra 화산의 분화는 자주 지진을 가져온다. ② (분노 · 웃음 따위의) 폭발 ; (병 따위의) 발생. ③【의학】 발진.

eruptivo, va *adj.* ① 폭발적인, 폭발성의 ; 분화에 의한, 분출성의 : rocas ~*vas* 분출암, 화산암. ②【의학】 발진성의 : enfermedad ~*va.*

erutación *f.* =**eructación.**

eruto *m.* =**eructación.**

erutar *intr.* =**eructar.**

ervato *m.* 【식물】 미나리의 일종(servato).

ervilla *f.* 【식물】 참새 완두(arveja).

es ser(39) 동사의 직 · 현 · 3 · 단수.

es- *pref.* ex-와 같이 「외(外)」, 「배제」, 「제거」 등을 나타내거나 아무 뜻없이 붙이는 접두어.

esa *adj. pron.* ese의 여성형.

ésa[1] *pron.* ése의 여성형.

ésa[2] *f.* (서한문에서) 귀지(貴地), 귀시장(貴市場).

Esau *m.* 에사우 《성서의 인물, Issac와 Robeca 와의 장자》.

esbarar *intr.* 미끄러지다(resbalar).

esbardo *m.* 《*Ast.*》 새끼곰(osezno).

¡ésbate! *interj.* 잠자코 있어 !

esbatimentante *adj.* 음영을 나타내는.

esbatimentar *intr.* 투영하다, 그림자를 넣다 (causar esbatimento). **—*tr.*** (…에) 음영을 넣다.

esbatimento *m.* [*ital.* sbattimento] (그림에서) 음(陰), 음영.

esbeltez *f.* 날씬함, 날씬한 몸매, 화사함.

esbelteza *f.* =**esbeltez.**

esbelto, ta *adj.* [*lat.* svelto] 날씬한 ; 화사한 : cuerpo ~ 날씬한 몸. talle ~ 날씬한 체격.

esbirro *m.* [*ital.* sbirro] 경찰관, 순경(alguacil, polizonte).

esblandecer *tr.* 비위를 맞추다, 아첨하다.

esblencar *tr.* 《*Cuenca.*》 =**desbriznar.**

esborregar(se) *intr.* (*r.*) 《*Sant.*》 미끄러져 넘어지다, 엉덩방아를 찧다(resbalar, escurrir).

esbozar *tr.* ① 스케치하다, 소묘하다(bosquejar) : ~ un retrato literario. ② (미소를) 띄우다 : *Esbozó* una sonrisa 그는 미소를 지었다.

esbozo *m.* [*ital.* sbozzo] 스케치, 소묘(bosquejo, bocejo) ; 복안(腹案).

esbronce *m.* 《*Ar.*》 난폭한 운동.

escabechado, da *adj.* ① 초에 담근 : atún ~. ② 머리를 염색한 : una vieja ~*da* 머리 염색한 노파. ③ 얼굴에 화장을 하는.

escabechar *tr.* ① 식초에 담그다. ② (머리를) 염색하다. ③ 낙제시키다. ④ 죽이다, 학살하다 (matar).

escabeche *m.* [*ár.* cicbech] ① (식초 · 포도주 · 월계수 잎을 넣은) 소스. ② 생선의 식초회. ③ 머리 염색제 《액체》. ④ 《*Chile.*》 야채의 식초 절임.

escabechina *f.* 많은 낙제생 ; 나뭇잎, 찌꺼기 쓰레기.

escabel *m.* [*lat.* scabellum] (기대는 것이 없는) 걸상, 발받침 ; 발판.

escabelillo *m. dim.* escabel.

escabelón *m. aum.* escabel.

escabiosa *f.* 【식물】 송충이풀.

escabioso, sa *adj.* 옴(sarna)의.

escabro *f.* 옴 ; (나무의) 겉껍질.

escabrosamente *adv.* =**ásperamente.**

escabrosearse *r.* 요철이 되다, 울퉁불퉁하다.

escabrosidad *f.* ① 요철(凸凹), 고저, 험난함, 울퉁불퉁함 : la ~ de un terreno 땅의 울퉁불퉁함. ② 사나움, 무뚝뚝함. ③ 추잡스러움, 음탕함, 상스러움.

escabroso, sa *adj.* [*lat.* scabrosus] ① 요철(凸凹)의, 울퉁불퉁한 : terreno ~ 울퉁불퉁한 땅. El coche bajó por una carreterra ~*sa* 자동차는 울퉁불퉁한 도로를 내려갔다. ② 험한, 사나운 (abrupto). ③ 거친(duro) : carácter ~ 거친 성격. ④ 위험한. ⑤ 《*Galic.*》 음란한, 외설의, 난잡한, 추잡한.

escabuchar *tr.* 《*Pal. Rioja.*》 =**escardar, escavanar.**

escabuche *m.* 작은 호미.

escabullarse *r.* 《*Amér.*》 =**escabullirse.**

escabullimiento *m.* 살그머니 빠져 나감.

escabullirse *r.* 50 살그머니 빠지다, 살그머니 빠져 나가다 : ~*se* una anguila.

escacado, da *adj.* 체크 무늬의, 바둑판 무늬의.

escachalandrado, da *adj.* 《*AmérC. Col.*》 = **desgarbado.**

escachar *tr.* 부수다, 망가뜨리다, 깨다, 박살내다 ; 억누르다, 진압하다.

escacharrar *tr.* 깨다 ; 망가뜨리다.

escachifollar *tr.* =**cachifollar.**
escaecer *intr.* 《*Albac. Sal. Seg.*》 =**descaecer, desfallecer, enflaquecer.**
escafandra *f.* 잠수복 : ~ autónoma 자동 잠수 장비. ~ espacial 우주복.
escafandrero *m.* 《*Galic.*》 잠수부(buzo).
escafandro *m.* =**escafandra.**
escafilar *tr.* =**descafilar.**
escafóideo, a *adj.* 배 모양의.
escafoides *adj.* 배 모양의 : hueso ~ 배 모양의 뼈. —*m.* 배 모양의 뼈.
escagüil *m.* 《*Méx.*》 =**escagüite.**
escagüite *m.* 《*Méx.*》【식물】 나무의 일종.
escajo *m.* 황무지.
escajocote *m.* 중미산(產)의 교목(喬木).
escala *f.* [*lat.* scala] ① 사다리 : ~ de bomberos 소방용 사다리. ②【음악】 음계 : ~ diatónica · cromática 전 · 반음계. ~ de do mayor · menor 바조 장 · 단음계. ③ 눈금 : ~ termométrica 온도계의 눈금. ④ 비례, 비율 ; 규모 : ~ de la economía 경제 규모. ~ de precios 요금율, 가격의 누진율. ~ de salarios · sueldos 임금율, 급여율. en gran · pequeña ~ 대 · 소규모로. ⑤ 비례척(尺), 축척 : mapa dibujado a ~ de uno por cincuenta mil 5만분의 1의 지도. ⑥ 척도(尺度) : a · en ~ de …의 척도로. ¿A qué ~ está esta mapa? 이 지도의 척도는? ⑦ 단계, 단계표 : ~ de colores 색도표. ~ óptica 검안 시력표. ⑧ 무관 서열표(escalafón). ⑨ (부대의) 병사 명부. ⑩ 항구 : ~ franca 자유항. ⑪ 기항항(寄航港)(el puerto de ~) ; 기항지, 착륙지 : hacer ~ en …에 기항하다 · 착륙하다. De allí a Río de Janeiro el precio es según el vapor y las ~*s* que hace 그곳에서 리오 · 데 · 하네이로까지 값은 배편과 기항항에 의해서 입니다.
escalabrar *tr.* =**descalabrar.**
escalada *f.* 기어 오르기 : intentar la ~ de la ventana.
escalado, da *adj.* escalar의 *p.p.*
escalador, ra *adj. m.f.* 기어 오르는 (사람).
escalafón *m.* 무관 · 직원 서열표 ; 병사 명부.
escalamera *f.* 놋좆 틈새.
escalamiento *m.* 기어 오르기, 등반.
escálamo *m.*【해사】 놋좆 (tolete).
escalamotes *m.pl.*【해사】 늑골의 상단.
escalante *adj.* 기어오르는.
escalar *tr.* ① 사다리로 오르다, 기어오르다. ② (…에) 침입하다, 쳐들어가다 ; 뛰어들다. ③ (수문을) 열다. ④ (생선 등을) 세로로 가르다. ⑤ 고위직에 오르다. —*m.* 오르막길.
escaldado, da *adj.* ① 혼이 난, 기가 죽은 : El gato ~ del agua fría huye 자라 보고 놀란 가슴 소댕 보고 놀란다. ② 품행이 좋지 못한(libre, deshonesto) : una mujer ~*da* 품행이 단정치 못한 여인.
escaldadura *f.* escaldar하는 일.
escaldar *tr.* ① 끓는 물에 데치다 : ~ la verdura. ② 펄펄 끓다. ③ 새빨갛게 달구다, 태우다, 굽다 : ~ una barra de hierro.
~se 쓰리고 아프다, 따끔따끔 아프다.
escaldo *m.* 고대 스칸디나비아의 음송 시인.
escaldrido, da *adj.* 영리한, 현명한, 기민한.
escaldufar *tr.* 《*Murc.*》 즙 · 수프를 뜨다.
escalecer *tr.* ㉛【방언】 =**calentar.**
escaleno *adj.* ① 부등변의 : triángulo ~. ② 틀어진 (원추).
escalentamiento *m.* 말의 발에 걸린 병.
escalentar *tr.* =**calentar.**
escalera *f.* 계단, 사다리, 층계 : ~ de caracol 나선형 계단. ~ de mano 작은 사다리. ~ de tijera · doble · extensible 접기식 받침 사다리. ~ automática · giratoria · mecánica · móvil · movible 에스컬레이터. ~ de salvamento 비상계단. ~ en escapulario 벽에 붙여 만든 화재 대피용 수직 사다리. Subió la ~ corriendo 그는 계단을 달려 올라갔다. ¿ Bajamos por la ~ mecánica o por la ~ de cemento? 에스컬레이터로 내려갈까요 콘크리트 계단으로 내려갈까요?
escalereja *f. dim.* escalera.
escalerilla *f.* ① 작은 사다리 : en ~ 계단형으로. ② (포카 놀이에서) 스트레이트. ③ (말의 입을 벌려 놓는) 쇠기구.
escalerón *m.* 나무에 오를 때 쓰는 장대 사다리 (espárrago).
escaleta *f.* (자동차의 축이나 바퀴를 올리는) 기구.
escalfado, da *adj.* 벽을 하얗게 칠하는.
escalfador *m.* 물 끓이는 주전자 ; (탁상) 풍로.
escalfar *tr.* (껍질을 까낸 알을) 삶다.
escalfarote *m.* 방한화.
escalfecerse *r.* ㉛【방언】 (전분질로 된 것이) 곰팡이 피다.
escalfeta *f.* 손풍로.
escaliar *tr.* 《*Ar.*》 =**roturar, romper.**
escalinata *f.* [*ital.* scalinata] 돌계단.
escalino *m.* 약 3 real에 해당하는 옛날 돈.
escalio *m.* =**escajo.**
escalmo *m.* =**escálamo.**
escalo *m.* 기어오르기 : robo con ~.
escalofriado, da *adj.* ① 차가운, 으으스한. ② 추위를 타는. ③ 냉담한, 쌀쌀한.
escalofrío *m.* [주로 *pl.*] ① 냉기, 한기 : Tuve ~*s* anoche 어젯밤은 한기가 들었다. ② 으스스함, 오한 : sentir ~ de miedo. ③ 냉담. ④ 풀이 죽음, 실의 ; 흥을 깸, 싫증. ⑤ 공포.
escalón *m.* ① (계단 하나하나의) 층계 (peldaño) : en ~*es* 층계가 되어. ¿ Cuántos ~*es* tiene esta escalera? 이 계단 층계가 몇입니까? ② (승진하는) 계급. ③ 사다리식 대형 · 진 ; 사다리식 편성.
escalona *f.*【식물】 당파. —*m.*【은어】 사다리로 도둑질하는 도적.
escalonado, da *adj.* 순서대로 배열된.
escalonamiento *m.* 서열순으로 분류.
escalonar *tr.* 서열순으로 분류하다 ; 차례로 · 사이를 두어 · 군데군데 배치하다 ; 층층이가 되게 하다.
escalonia *f.*【식물】 당파, 실파(cebolla ~, chalote).
escaloña *f.* =**escalonia.**
escalopar *tr.* 《*Neol.*》 두개골의 피부를 벗기다.
escalope *m.* 《*Galic.*》 얇게 썬 고기.
escalpelo *m.* [*lat.* scalpellum]【의학】 해부도, 메스.
escalplo *m.* 피혁용 칼.

escalpo *m.* 피부가 붙은 벗긴 머리.
escaluña *f.* 【식물】 골파류의 파.
escalla *f.* =**carraón.**
escama *f.* [*lat.* squama] ① 비늘 ; 비늘 모양으로 된 것 : en *~es* 비늘 모양으로. ② 경계심, 의혹 (sospecha, recelo) : quitarse la ~.
tener ~s 빈틈이 없다.
escamada *f.* 비늘 뜨기, 레이스.
escamado, da *adj.* [*lat.* escamar의 *p.p.*] ① 비늘이 있는. ② 경계한, 불신·의혹을 품은 : Anda muy ~ 그는 아주 경계하는 마음으로 있다. ③ 경험으로 단련된. *—m.* (금실·은실로) 비늘 무늬로 짠 수예품 ; [집학] 비늘.
escamadura *f.* escamar 하는 것.
escamar *t.* ① 비늘을 떼다 (quitar las escamas) : ~ un pez. ② 비늘 모양으로 만들다. ③ 의심가게 하다, 경계심이 나게 하다 : Tanta solicitud me *escamó*, Me *escamó de* tanta solicitud 대접이 너무 극진해 나는 경계심이 났다.
~se 경계하다, 조심하다 ; 불신하다, 의혹을 품다 ; 단련되다.
escambroso, sa *adj.* 《*Cuba.*》 ① 놀라기 쉬운, 놀라기 잘하는(espantadizo). ② 의심이 많은.
escamel *m.* (검도의) 단도가.
escamilla *f. dim.* escama.
escamita *f. dim.* escama.
escamocha *f.* 《*Méx.*》 =**escamocho.**
escamochar *tr.* ① 야채의 허드레 잎을 떼다 (quitar las hojas no comestibles a una legumbre). ② 헛되이 만들다.
escamoche *m.* 《*Sal.*》 =**desmoche.**
escamochear *intr.* 《*Ar.*》 =**pavordear, jabardear.**
escamocho *m.* ① 음식 찌꺼기 (sobras de la comida). ② 【방언】 (분봉한 벌) 떼 ; 핑계, 구실.
escamón, na *adj.* 의심이 많은(receloso).
escamonda *f.* =**escamondo.**
escamondadura *f.* 잘라낸 허드레 가지 (ramas inútiles que se cortan).
escamondar *tr.* ① (나무의) 허드레 가지를 쳐내다(mondar). ② [+ de : …을] 잘라내다. ③ 씻다, 깨끗하게 하다(limpiar, lavar) : ~ la cara.
escamondo *m.* 가지 치기, 전정 (monda de ramas de árboles).
escamonea *f.* [*lat.* scammonea] 【식물】 스카모니아 《시리아산의 메꽃과 식물》 ; 그 수지 《하제로 쓰임》.
escamoneado, da *adj.* 스카모니아 성의.
escamonearse *r.* =**escamarse.**
escamoso, sa *adj.* 비늘이 있는 : La piel de las culebras y los lagartos es *~sa.*
escamotar *tr.* =**escamotear.**
escamoteador, ra *adj.* 요술을 부리는 ; 빼앗는. *—m.f.* ① 요술쟁이 : un hábil ~. ② 소매치기.
escamotear *tr.* ① 요술을 부려 감추다, 요술을 부리다. ② 야바위치다, 손재주를 부리다, 소매치기하다 : Me *han escamoteado* una cartera 나는 지갑을 소매치기 당했다. ③ 멋지게 해치우다.
escamoteo *m.* 요술(juegos de ~) ; 야바위.
escampada *f.* (내리던 비가 멈춘) 잠깐 사이.
escampado, da *adj.* 텅 빈 ; 광막한 ; 황량한 (descampado).
escampar *tr.* 말끔하게 치우다, 방해물을 없애다(despejar). *—intr.* ① 비가 멎다 : Esperamos que *escampe.* ② 우리는 비 멎기를 기다리고 있다. ② 중지되다, 그만두게 되다 : Ya *escampa* 이제 그만해 둬. ③ 《*AmérC. Col. PRico.*》 비를 피하다 : *Escampé (de)* el aguacero en el zaguán 나는 현관에서 소나기를 피했다.
escampavía *f.* 소형 선박.
escampilla *f.* 《*Alic. Ar.*》 =**tala.**
escampo *m.* (방해물의) 제거.
escamudo, da *adj.* 비늘이 있는(escamoso) : pez ~ 비늘이 있는 물고기.
escamujar *tr.* (올리브의) 가지를 치다, 전정하다.
escamujo *m.* 전정한 올리브의 가지.
escancia *f.* 술시중.
escanciador, ra *m.f.* 술시중 드는 사람.
escanciano *m.* =**escanciador.**
escanciar *tr.* 술시중 들다, 술을 따르다 : *Escanciaba* el vino al rey. *—intr.* 술을 마시다 : ~ la copa.
escanda *f.* [*lat.* scandula] 밀의 일종.
escandalada *f.* 《*AmérC.*》 =**escandalera.**
escandalar *tr.* 《*Cuenca.*》 (베어 낸 소나무 등의) 가지를 치다. *—m.* (옛 galera배의) 나침의 실.
escandalera *f.* =**escándalo.**
escandalizador, ra *adj.m.f.* 소동을 벌이는, 난장판을 벌이는 (사람).
escandalizar *tr.* 9 ① 대소동을 벌이다, 난장판을 벌이다 : La noticia *escandalizó* al público. ② 중상하다, 모략하다 : Algunos borrachos *escandalizaban* riñendo entre sí.
~se 대소란이 벌어지다.
escandalizativo, va *adj.* 중상·모함 거리가 되는.
escándalo *m.* [*lat.* scandalum] ① 추문 ; 중상, 험담. ② 대소동, 난장판 : Anoche algunos borrachos armaron un ~ en la calle 어젯밤 주정꾼들이 거리에서 소동을 일으켰다. ③ 괘씸한 짓, 물의, 파렴치; 오직(汚職); 놀람.
escandalosa *f.* ① 【해사】 돛. ② 난폭한 말 (palabras duras) : echar a uno la ~.
escandalosamente *adv.* ① 파렴치하게, 뻔뻔스럽게, 철면피하게, 낯가죽이 두껍게. ② 시끄럽게.
escandaloso, sa *adj.* ① 평판 나쁜, 수치스러운 ; 괘씸한, 망측한, 언어 도단의. ② 중상하는, 중상적인, 헐뜯는, 험담의. ③ 파렴치한, 돼먹지 못한 : muchacho ~. **Contr.** edificante, tranquilo.
escandallar *tr.* ① (…의) 수심을 측정하다 (sondar). ② (상품 등을) 몇 개씩 뽑아 검사하다.
escandallo *m.* ① (깊은 바다의) 수심 측정추. ② 임의로 뽑아서 하는 검사, (이것에 의한) 가격 사정·결정.
escandar *tr.* 《*Galic.*》 =**escandir.**
escandecencia *f.* 백열(白熱).
escandecer *tr.* =**calentar.**

escandelar *tr.* =**escandallar.**
escandia *f.* escanda의 일종.
Escandinavia, la 【지명】 스칸나비아 (반도).
escandinavo, va *adj.* 스칸디나비아의. —*m.f.* 스칸디나비아 사람.
escandir *tr.* [*lat.* scandare] (시의) 운율·음절을 고르다.
escanilla *f.* 《*Burg.*》 요람(cuna).
escansión *f.* (시의) 운율.
escantillado *m.* =**escantillón.**
escantillar *tr.* 치수를 재다.
escantillón *m.* ① 자(regla). ② (목재의) 작은 치수.
escaña *f.* =**escanda.**
escañarse *r.* 《*Ar.*》 =**atragantarse, ahogarse.**
escañero *m.* (의사당 내의) 경위.
escañeto *m.* 《*Sant.*》 =**osezno.**
escañil *m. dim.* escaño.
escañillo *m. dim.* escaño.
escaño *m.* ① 등받이 긴 의자 ; 의석, 의원석, 관람석. ② 《*Amér.*》 벤치, 걸상.
escañuelo *m.* (발을 올려 놓는) 발받이.
escapada *f.* 도망, 삼십육계, 뺑소니, 잠적, 도주.
escapamiento *m.* =**escapada.**
escapar *tr.* ① 말을 전속력으로 몰아대다 (hacer correr un caballo con gran velocidad). ② 피신시키다.
—*intr.* 도주하다, 피하다, 벗어나다 ; 면하다 : ~ *de* la muerte 죽음을 면하다. ~ *de* una cárcel 감옥에서 도주하다. la necesidad de ~ al peligro 위험에서 벗어나고자 하는 마음.
~se ① 도망치다 : *Me escapé a* la calle *por* un postigo 나는 작은 창문을 통해 거리로 도망쳤다. *Se ha escapado* nuestro canario *de* la jaula 우리집의 카나리아새가 새장에서 도망쳤다. Tres presidiarios *se escaparon de* la cárcel 3인의 죄수가 형무소를 탈주했다. ② (액체·가스 따위가) 새어 나오다 : Parece que *se está escapando* el gas 가스가 새어 나오는 것 같다. ③ 눈에서 벗어나다 : No *se escapa* nada *a* su penetración 그의 예리한 눈에서 벗어날 수 있는 사람은 없다. ④ 한숨이 나오다, 웃음을 머금다 : Siento haberlo dicho, *se* me *escapó*.
escaparate *m.* ① 진열창, 쇼윈도 : arreglo de ~*s* 진열창·쇼윈도의 장식법. ② 《*Amér.*》 옷장 (armario, ropero).
escaparatico *m. dim.* escaparate.
escapatoria *f.* ① 도주, 도망 : hacer una ~ 도주하다, 도망치다. ② 구실, 핑계(escusa, pretexto) : buscar una ~ 구실·핑계를 찾다. Escipión sitió la ciudad de tal manera que no hubo ~ alguna 에시삐온은 빠져나갈 길이 없도록 그 도시를 포위했다.
escape *m.* ① 탈출, 도망, 도주 ; 몸을 살짝 피하는 일 : a ~ 전속력으로. ② 배기, (자동차의) 배기 가스 ; 배기 장치. ③ (시계 톱니바퀴의) 조임쇠 ; 타이프라이터의 문자 이동 장치.
escapear *tr.* 《*Ant.*》 (말을 전속력으로) 몰다.
—*intr.* (말이) 전속력으로 뛰다.
escapismo *m.* 현실 도피, 도피주의.
escapista *adj.* 도피주의의. —*m.f.* 도피주의자.
escapo *m.* [*lat.* scapus] ① 【건축】 기둥의 몸 (fuste). ② 【식물】 (수선화 등의) 꽃줄기 (bohordo).
escapolita *f.* =**vernerita.**
escápula *f.* [*lat.* scapula] 【해부】 어깨뼈, 견갑골(omóplato).
escapular *tr.* (배가 암초·위험을) 우회하다, 피해 가다. —*adj.* 어깨뼈·견갑골의.
escapulario *m.* [*lat.* scapulae] (승려복의) 어깨에 걸치는 하얀 천(조각) ; (가슴에 매는) 천 조각으로 된 성모상.
escaque *m.* 장기판의 판면 ; 문장(紋章)의 구획. —*pl.* 장기, 체스(ajedrez).
escaqueado, da *adj.* 장기판 무늬의, 바둑판 무늬의.
escaquear *tr.* 정방형으로 나누다.
escara *f.* [*lat.* eschara] 【의학】 부스럼 딱지 ; 상흔(傷跡).
escarabajas *f.pl.* 《*Sal.*》 =**chamarasca.**
escarabajear *intr.* ① 비틀비틀 걷다·움직이다. ② 마구 갈겨쓰다(garabatear). ③ 고민하다, 고통을 겪다(molestar).
—*tr.* 괴롭히다, 진저리나게 만들다(molestar, disgustar, fastidiar mucho) : Esa cuestión me *escarabajea*.
escarabajeo *m.* 비틀거리며 걷기 ; 갈겨쓰기.
escarabajo *m.* [*lat.* scarabeus] ① 【동물】 풍뎅이. ② 딱정벌레 갑충. ③ 피륙의 흠. ④ 땅딸보. —*pl.* 갈겨쓰기.
escarabajuelo *m.* 【동물】 풍뎅이.
escarafullar *tr.* 속이다.
escaramucear *intr.* =**escaramuzar.**
escaramujo *m.* ① 【식물】 야생 장미나무 (rosal silvestre). ② =**percebe.** ③ 《*Cuba.*》 저주의 눈, 주술(mal de ojo).
escaramuza *f.* [*lat.* scaramuccia] 승강이, 경합 ; 소강전, 전초전 ; 말썽 : sostener una ~.
escaramuzador, ra *m.f.* 경합자.
escaramuzar *intr.* ⑨ 승강이를 벌이다.
escarapela *f.* 기장(記章), 약장(略章), 배지 ; 싸움, 언쟁.
escarapelar *intr.* ① 다투다, 말다툼하다, 싸우다(reñir). ② 《*Amér.*》 (겉껍질을) 벗기다 ; 망가뜨리다, 부수다.
~se ① 싸우다. ② 《*Amér.*》 껍질을 벗기다, 알맹이가 드러나다. ③ 진저리치다, 오싹하다.
escarbadero *m.* (동물의) 몸부림치는 곳 : el ~ de un jabalí.
escarbadientes *m.* 【단·복수 동형】 이쑤시개 (mondadientes).
escarbador, ra *adj.* 할퀴는, 긁는. —*m.* 부젓가락, 부지깽이.
escarbadura *f.* 할퀴는·긁는 일, 휘젓기.
escarbaorejas *m.* 【단·복수 동형】 귀이개.
escarbar *tr.* ① 긁다 ; 후비다. ② 휘저어 찾다 : La gallina *escarba* la tierra para buscar su alimento. ③ 불을 타오르게 하다(avivar la lumbre). ④ 조사하다(averiguar).
escarbo *m.* 긁는·할퀴는 일, 휘저어 찾는 일.
escarcear *tr.* 【방언】 솎다.
—*intr.* 《*Arg. Venez.*》 말이 빙빙 돌다.
escarcela *f.* 허리에 차는 주머니 ; 두건 ; (갑옷의) 허리받이 ; (사냥꾼의) 탄약 주머니.

escarcelón *m. aum.* escarcela.
escarceo *m.* [*ital.* scherzo] 일렁이는 파도 ; (말 등의) 빙빙 돌기.
escarcina *f.* 단도의 일종.
escarcinazo *m.* 단도(escarcina)로 찌르기.
escarcuñar *tr.* 《*Murc.*》 =**escudriñar.**
escarcha *f.* 서리(helada blanca) : hojas cubiertas de ～.
escarchada *f.* 【식물】 서리풀 《잎에 얼음덩이 같은 무늬가 있는 덩굴 식물》.
escarchado, da *adj.* 서리가 내린 : un prado ～. **—***m.* 금·은세공(cierta labor de oro o plata).
escarchar *intr.* 서리가 내리다. **—***tr.* (과자에) 설탕을 발라서 굳히다 ; 서리 모양으로 만들다. **～se** 《*Col.*》 (벽이) 벗겨져 떨어지다.
escarche *m.* 금이나 은세공.
escarchilla *f.* 《*AmérM.*》 진눈깨비.
escarchillar *intr.* 《*Chile.*》 진눈깨비가 오다.
escarcho *m.* 【어류】 다랑어의 일종(rubio).
escarda *f.* ① 제초용 괭이. ② 제초 : dar una ～ a los panes.
escardadera *f.* ① 호미(almocafre). ③ 풀 뽑는 여자.
escardador, ra *m.f.* 풀 뽑는 사람.
escardadura *f.* 제초(escarda).
escardamiento *m.* 제초.
escardar *tr.* ① 제초하다. ② [+de : …에서] 가려내다(separar lo malo de lo bueno) : ～ el libro *de* algunas bajezas que contiene.
escardera *f.* =**almocafre.**
escardilla *f.* 호미.
escardillar *tr.* =**escardar.**
escardillo *m.* ① 제초기. ② 번득임, 섬광 ; 반사 : hacer ～ una ventana 창문이 반사로 번득이다. ③ 엉겅퀴꽃.
escarearse *r.* 《*Sal.*》 =**agrietarse.**
escariador *m.* 강철 뚫는 송곳, 확공기(擴孔器), 구멍 다듬이 송곳.
escariar *tr.* ⑪ 구멍을 뚫다·넓히다, 구멍을 다듬다.
escarificación *f.* (땅의) 정지 작업.
escarificado, da *adj.* escarificar의 *p.p.*
escarificador *m.* 써레의 일종, 그루터기 베기 (기구) ; (외과용) 방혈기(放血器).
escarificadora *f.* 써레의 일종.
escarificar *tr.* ⑦ [*lat.* scarificare] ① (땅을) 고르다·정지하다, 흙을 섞다. ② 그루터기를 베어내다. ③ 【의학】 딱지를 떼어내다.
escarioso, sa *adj.* 낙엽 빛깔의.
escarizar *tr.* ⑨ (…의) 딱지를 떼다.
escarlador *m.* (빗장수가 사용하는) 칼.
escarlata *f.* [*lat.* scarletum] ① 주홍색. ② 심홍색 천·비단. ③ 【의학】 성홍열(escarlatina). ④ 질환.
escarlatina *f.* ① 심홍색 나사. ② 【의학】 성홍열(fiebre ～).
escarmenador *m.* 빗(carmenador).
escarmenar *tr.* ① 빗으로 빗다(carmenar). ② 벌하다, 혼내주다. ③ 조금씩 빼앗다. ④ 선광(選鑛)하다.
escarmentado, da *adj.* 혼내주는.
escarmentar *tr.* ⑲ 혼내주다. **—***intr.* 자숙하다 : ～ *con* la desgracia. **～se** [+con·en : …을 보고] 자제하다, 자중하다 : ～*se* (*en*) sus compañeros.
escarmiento *m.* =**castigo, pena.**
escarnecedor, ra *adj.* 조소적인. **—***m.f.* 조소자.
escarnecer *tr.* ㉛ 비웃다, 조소하다, 우롱하다.
escarnecidamente *adv.* 비웃으며.
escarnecimiento *m.* 비웃음, 우롱, 조롱, 야유 ; 모욕.
escarnido, da *adj.* =**descarnado.**
escarnio *m.* =**escarnecimiento.**
escarnir *tr.* =**escarnecer.**
escaro, ra *adj.* 안짱다리의. **—***m.f.* 다리가 굽은 사람, 안짱다리.
escarola *f.* ① 【식물】 꽃상추. ② 주름이 달린 것.
escarolado, da *adj.* ① 오므라든 : cuello ～. ② 주름이 생긴, 우글쭈글해진.
escarolar *tr.* ① (…에) 주름을 내다, 잔주름이 나게 하다(alechugar). ③ 구기다.
escarolero, ra *m.f.* escarola 장수.
escarolita *f. dim.* escarola.
escarótico, ca *adj.* 부식성의(caterético).
escarpa *f.* [*ital.* scarpa] ① 가파른 벼랑, 급경사. ② 비탈, 절벽, 낭떠러지. ③ (축성의) 내안(內岸). ④ 끌(cincel). ⑤ 《*Méx.*》 보도, 인도 (acera).
escarpado, da *adj.* 급경사진, 가파른, 깎아지른 듯한, 험준한(abrupto) : muralla ～*da.*
escarpadura *f.* 급경사 ; 절벽, 벼랑, 낭떠러지.
escarpar *tr.* 이가 거친 줄로 밀다, 강판에 갈다 ; (개울을 내기 위해) 사면으로 땅을 파다.
escarpe *m.* =**escarpa.**
escarpelar *tr.* 【고어】 해부도로 상처를 열다.
escarpelo *m.* 해부도(escalpelo); 이가 거친 줄.
escarpia *f.* 구부러진 못, 고리못 : colgar un cuadro de una ～. Sinón. alcayata. **—***pl.* 【은어】 귀.
escarpiador *m.* 홈통.
escarpiar *tr.* (펴서 말리는 틀의) 갈고리로 묶다.
escarpidor *m.* 얼레빗. Sinón. batidor, carmenador.
escarpín *m.* 창이 얇은 신 ; 무도화.
escarpión (en) *adv.* 구부러진 못 모양으로, 고리 모양으로 되어.
escarpiza *f.* 《*PRico.*》 =**paliza.**
escarramán *m.* (16—17세기에 서반아에서 행했던) 장난기가 있는 춤.
escarramanado, da *adj.* 깡패 기질이 있는.
escarramanchones (a) *adv.* 《*Ar.*》 걸터앉아 (a horcajadas) : subir a ～.
escarrancharse *r.* 【방언】 《*Amér.*》 사타구니를 벌리다(esparrancarse).
escarrio *m.* 《*Burg.*》 단풍나무(arce)의 일종.
escartivana *f.* =**cartivana.**
escarza *f.* (돌·못 등에 발굽을 찔린) 상처.
escarzadura *f.* =**escarzamiento.**
escarzamiento *m.* 벌통 청소.
escarzar *tr.* ⑨ ① 활처럼 휘다. ② (벌통을) 청소하다. ③ (벌통에서) 꿀을 훔쳐내다.
escarzo *m.* ① 꿀이 들어 있지 않은 벌통(panal

sin miel). ② 쓰지 못할 견사. ③【식물】부싯깃 이끼.

escasamente *adv.* ① 겨우, 간신히, 가까스로, 어렵게. ② 부족하게, 모자라게.

escaseada *f.* 바람의 감소.

escaseadura *f.* =**escaseada.**

escasear *tr.* ① 품귀시키다, 아끼다, 인색하게 하다 ; 피하다 : *Escasea* sus visitas 그는 별로 얼굴을 내밀지 않는다. ② 뾰족하게 하다.
—*intr.* ① 부족하다, 모자라다, 결핍되다(faltar). ② 감소되다 : Estos días *escasea* la gasolina en el país 요즈음 국내에는 가솔린이 부족하다. Este año *escasean* las patatas 금년에는 감자가 적다.

escasero, ra *adj. m.f.* 인색한 (사람).

escasez *f.* ① 인색. ② 근소, 부족, 결핍, 품귀 상태 : ~ de divisas 외화 부족. ~ de dólares 달러 부족. ~ de géneros · mercadería 물건 부족. ~ de personal · mano de obra 인력 부족, 노동력 부족. ~ de petróleo 석유 부족. Hay una gran ~ de mano de obra 인력이 굉장히 부족하다. ③ 궁박 : con ~ 인색하게 ; 가난에 시달려. **Contr.** abundancia, generosidad.

escaseza *f.* =**escasez.**

escasitud *f.* 《*PRico.*》 =**escasez.**

escaso, sa *adj.* [*lat.* scarsus] ① 많지 않은, 귀한, 모자라는 : comida ~*sa* 많지 않은 음식. Tenemos una libra ~*sa* de trigo 우리들은 1파운드 부족한 소맥분을 가지고 있다. ② 부족한 : media hora ~*sa* 반 시간도 못되는. andar · estar ~ *de* dinero 돈이 부족되다. La carne está ~*sa* 고기가 부족하다. Este año ha sido ~ en cereales 금년은 곡물이 부족했다. ③ 인색한 : ~ *en* pagar. **Contr.** abundante. generoso.

escatimado, da *adj.* escatimar의 *p.p.*

escatimar *tr.* ① 인색하게 굴다 ; 절약하다, 아끼다, 선뜻 내놓지 않다 : El contratista *escatima* los materiales 청부업자가 재료를 아낀다. ②【고어】=**examinar.**

escatimosamente *adv.* 앙큼하게.

escatimoso, sa *adj.* =**astuto.**

escatofagía *f.* 똥을 먹는 습관.

escatofagio, gia *adj.* 똥을 먹는.

escatófago, ga *adj.* 똥을 먹는 (벌레).

escatófilo, la *adj.* 똥을 좋아하는, 똥에서 생기는 : un escarabajo ~.

escatología[1] *f.* [*gr.* skatos] 분변학(糞便學), 분변 문학 ; 외설 문학.

escatología[2] *f.* [*gr.* eskatos] 종말론 ; 종말관, 내세관.

escatológico, ca *adj.* ① 똥같은. ② 더러운, 치사한. ③ 종말론의, 내세관의.

escaupil *m.* ① (멕시코 인디오들이 화살을 막기 위해 입던) 솜조끼. ②《*Amér.*》(사냥꾼이 쓰는) 자루(mochila, morral).

escavanar *tr.* 《*Arg.*》 사이갈이하다.

escavillo *m.* 작은 괭이.

escayola *f.* [*ital.* scagliuola] 회반죽.

escaza *f.* 《*Ar.*》 큰 나무 국자.

escena *f.* [*gr.* skênê] ① 무대, 스테이지 : desaparecer de ~ 퇴장하다 ; 죽다. poner en ~ 무대에 올리다, 상연하다(disponer para la representación teatral). director de ~ 무대 감독, 프로듀서. Al levantarse el telón la ~ estaba oscura 막이 오를 때 무대는 어두웠다. Su obra se puso en ~ 그의 작품은 상연되었다. ② 연극(teatro). ③ (극의) 장, 장면 : cambio · mutación de ~ 장면의 전환. ~ de película 영화의 장면 쇼트. ~ retrospectiva 영화의 컷백. ④ 사건(의 현장) : El policía llegó a la ~ 경관이 현장에 도착했다. ⑤ 광경, 경치, 정경, 경색(景色).
hacer una ~ 소란을 피우다.

escenario *m.* ① 무대 : ~ preparado 영화 촬영의 세트. ② 주위의 상황. ③ (영화의) 대본, 시나리오(guión).

escénico, ca *adj.* 무대(상)의 ; 연극의 : el arte ~ 무대 예술.

escenificación *f.* 각색 ; 시나리오.

escenificado, da *adj.* 각색된.

escenificar *tr.* 7 각색하다.

escenita *f. dim.* escena.

escenografía *f.* 무대 장치(술), 무대 장식법 ; 배경법, 원근 화법 : estudiar la ~ teatral..

escenográficamente *adv.* 무대 장식 식으로 ; 원근 화법으로.

escenográfico, ca *adj.* 무대 장식의 ; 원근 화법의 : perspectiva ~*ca.*

escenógrafo, fa *m.f.* 무대 장치가.

escenopegias *f.pl.* =**cenopegias.**

escépticamente *adj.* 회의적으로.

escepticismo *m.* 회의주의 ; 회의파 ; 의혹.

escéptico, ca *adj.* [*gr.* skleptomai] ① 회의주의의 : filósofo ~ 회의주의 철학. ② 회의(주의)적인, 의심이 많은. **Sinón.** incrédulo. **Contr.** creyente. —*m.f.* 회의주의자, 회의론자.

esciadofillo, lla *adj.* 잎이 양산 모양인.

esciagrafía *f.* 방사선 사진.

esciágrafo *m.* 방사선 사진 기사.

escibalario, ria *adj.* 똥 속에서 사는.

esciente *adj.* (…을) 알고 있는.

escientífico, ca *adj.* =**científico.**

escila *f.* [*lat.* scilla] ①【식물】양파의 일종(cebolla albarrana). ② 추악한 여자.
entre Escila y Caribdis 진퇴양난에 빠져.

escinco *m.* [*gr.* skigkos]【동물】왕도마뱀(lagarto acuático de gran tamaño).

escíndido *adj. m.*【동물】왕도마뱀 속의 (동물).

escindir *tr.* 절단하다 ; 분열하다, 결렬하다.

escintilar *intr.* 빛나다, 빛을 발하다, 번쩍이다(centellear).

esciografía *f.* =**esciagrafía.**

escirro *m.* [*gr.* sikrros]【의학】경성 암.

escirroso, sa *adj.* 경성 암종(성)의 : hacer la ablación de un tumor ~.

escisión *f.* [*lat.* scissio] 분열, 절교, 결렬 ; 절단.

escisiparidad *f.* =**fisiparidad.**

escita *adj.* 스키트《la Escitia, 흑해와 카스피해 북동 지방의 옛 이름》의.

escítico, ca *adj.* =**escita.**

esciúridos *m.pl.* (다람쥐 등의) 쥐무리과(familia de roedores).

esclafar *tr.*【방언】부수다.

esclarea *f.*【식물】샐비어(amaro).

esclarecedor, ra *adj.* 명백한, 해명하는 ; 밝은, 명쾌한.
esclarecer *tr.* ㉛ ① 밝히다, 환하게 비추다(iluminar). ② 명백히 하다 ; 해명하다 : ~ la verdad. ③ (두뇌를) 밝게 하다 ; 명쾌하게 하다. ④ 유명하게 만들다. —*intr.* ① 날이 밝아 오다. ② 기고 만장해지다. ③ 귀한 몸이 되다.
esclarecidamente *adv.* 숭고하게, 고결하게 ; 명백하게 ; 눈부시게.
esclarecido, da *adj.* ① 숭고한, 고결한. ② 명백한. ③ 저명한, 유명한(ilustre, notable, insigne) : persona de ~*da* fama 명성이 자자한 사람.
esclarecimiento *m.* ① 광휘, 눈부신 상태. ② 명백해짐 ; 명쾌함. ③ 여명, 새벽.
esclavatura *f.* 《*Amér.*》【고어】[집합] (농장의) 노예들(esclavitud).
esclavillo, lla *m.f. dim.* esclavo.
esclavina *f.* 어깨에 걸치는 망토.
esclavista *adj.* 노예 제도 지지론의. —*m.f.* 노예 제도 지지자.
esclavitar *tr.* 《*Col. Cuba.*》 =**esclavizar.**
esclavito, ita *m.f. dim.* esclavo.
esclavitud *f.* ① 노예 신분 (estado de esclavo), 노예 (제도) : El vivió en ~ 그는 노예의·와 같은 생활을 보냈다. ② 굴종, 속박.
esclavizar *tr.* ⑨ ① 노예로 삼다. ② 굴복시키다(subyugar) : estar *esclavizado* por una pasión.
esclavo, va [*lat.* esclavus] *adj.* 굴종한, (…의) 종이 된, 예속이 되어 있는 : un hombre ~ *de* la ambición 야심의 노예가 된 사나이. ser ~ de su palabra 약속을 충실하게 지키다. —*m.f.* 노예(siervo) : Se sublevaron los ~*s* 노예들은 반란을 일으켰다.
esclavón, na *adj.* ① 슬라보냐 《Esclavonia, 옛 중부 유럽에 있던 나라》의. ② 슬라브족의. ③ 《*Cuba.*》 겸손한 ; 비굴해진(servil). —*m.f.* 슬라보냐 사람.
esclavonía *f.* 《*Chile.*》 종교 단체.
esclavonio, nia *adj. m.f.* =**esclavón.**
escleroderma *f.*【의학】경화종 ; 경화증.
esclerosante *adj.* 경화를 일으키는.
esclerósico, ca *adj.* =**escleroso.**
esclerosis *f.*【단·복수 동형】【의학】경화, 경결 : ~ de arteria 동맥 경화.
escleroso, sa *adj.* [*gr.* sklêros] 단단한 ; 경화된.
esclerótica *f.* [*gr.* sklêros]【해부】(눈의) 백막(白膜).
esclerotitis *f.* (눈의) 백막염.
esclisiado, da *adj.*【은어】얼굴에 상처난.
esclusa *f.* [*lat.* exclusa] ① 수문, 갑문 : puerta de ~ 수문. ② 둑 : ~ de limpia 물을 막았다가 흙모래를 떠내려 보내는 장치.
esclusada *f.* 갑문을 열 때 나오는 물의 양.
esc.º escudo.
escoba *f.* [*lat.* scopae] ① 빗자루. ②【식물】댑싸리.
escobada *f.* ① 소제, 청소(barredura) : dar una ~. ② 쓰레기통.
escobadera *f.* 청소부.
escobajar *tr.* 포도 송이를 따다.
escobajo *m.* [*lat.* scopio] ① 닳아 빠진 빗자루. ② 포도알을 뜯어낸 뒤의 송이 껍질.
escobar[1] *m.*【식물】댑싸리(escoba)가 무성한 곳, 댑싸리 밭.
escobar[2] *tr.* [*lat.* scopare] ① 비질하다(barrer con escoba). ②【농업】밀을 쓸어 가르다(abalear el trigo). ③ 《*Cuba. Méx.*》 =**sostener, apuntalar.**
~se 《*Cuba. Méx.*》 남의 덕으로 살아가다.
escobazar *tr.* ⑨ (나뭇가지에 물에 적셔) 물을 뿌리다 : ~ el suelo.
escobazo *m.* ① 빗자루로 때리기(golpe dado con la escoba). ② 한번 쓸기.
escobén *m.*【해사】닻고리.
escobera *f.*【식물】대싸리(retama).
escobero, ra *m.f.* 빗자루 장수 ; 빗자루 만드는 사람.
escobeta *f.* 작은 빗자루(escobilla); 솔, 브러시. *alzar* ~ 《*Méx.*》 기가 죽다, 주눅들다.
escobetear *tr.* 《*AmérC. Méx.*》 ① 빗자루로 쓸다, 소제하다. ② 솔질하다.
escobilla *f.* [*dim.* escoba] ① 작은 빗자루 : una ~ de platero. ②【방언】《*Amér.*》 솔, 브러시(cepillo) : limpiar la ropa con la ~ 솔로 옷을 털다. ③ (전동기의) 탄소봉. ④ 금·은 세공장에서 비로 쓴 먼지. ⑤【식물】산토끼꽃(cardencha) ; 엉겅퀴 무리 : ~ de ámbar. ⑥【식물】호박 엉겅퀴. ⑦ 《*Ecuad.*》 아첨자(adulador).
escobillado *m.* 《*Amér.*》 =**zapateo.**
escobillar *tr.*【방언】《*Amér.*》 ① 솔질하다(cepillar). ② 《*Amér.*》(춤을 출 때) 발로 마루를 구르다. ③ 《*Ecuad. SDgo.*》 (누구의) 수염에 묻은 먼지를 털어 주다. ④ 아부하다, 아첨하다(adular).
escobillear *intr.* 《*Amér.*》 춤출 때 발을 빨리 움직이다.
escobilleo *m.* 《*AmérM. Cuba.*》 =**escobillado.**
escobillón *m.* 포강 소제봉(砲腔掃除棒).
escobina *f.* 톱밥, 찌꺼기(serrín) ; 금속의 다듬기.
escobino *m.* =**escobilla.**
escobio *m.*【방언】협곡.
escobizo *m.* 《*Ar.*》 =**guardalobo.**
escobo *m.* 풀덤불.
escobón *m.* [*aum.* escoba] ① 커다란 빗자루. ②【식물】싸리풀.
escocar *tr.* 《*Ál.*》 =**desterronar.**
escocedura *f.* 혀를 쏘는 일 ; 짜릿한 아픔.
escocer *intr.* ㉕ ① ① 불에 덴 듯한 느낌을 느끼다, 아릿아릿하다 : La pimienta *escuece en* la lengua 후추가 혀를 톡 쏜다. ② 신경이 쓰이다, 마음이 저리다 : Me *escuece* su modo de proceder 나는 그가 하는 것에 마음이 쓰인다.
~se 슬퍼하다 ; 벌겋게 붓다.
escocés, sa *adj.* ① 스코틀랜드의. ② 체크 무늬의, 격자 무늬로 된 (천). —*m.f.* 스코틀랜드인. —*m.* 스코틀랜드 방언.
escocia[1] *f.*【어류】스코틀랜드 대구.
escocia[2] *f.*【건축】깊이 파인 쇠시리.
Escocia *f.*【지명】스코틀랜드 《영국의 북부, 수도는 Edimburgo》.
escocimiento *m.* 화상을 입은 듯한 아픔 ; 마음 아픔(escozor) ; 찌름(picadura).
escocherar *tr.* 《*AmérC.*》 (기물을) 부수다.

escoda *f.* 석공용 쇠망치 ; 포장용 롤러.
escodadero *m.* (사슴 등의) 뿔 가는 곳.
escodar *tr.* ① (돌을) 깎다 : ~ una piedra 돌을 깎다. ② (사슴 등이) 뿔을 갈다.
escofia *f.* 두건(cofia).
escofiado, da *adj.* 머리에 장식을 한, 두건을 쓴.
escofiar *tr.* ⑪ (…에) 두건을 씌우다.
escofieta *f.* ① (여자들의) 옛 머리 장식. ② (아이들의) 모자.
escofina *f.* [*lat.* scobina] 날이 굵은 줄(lima que tiene los dientes gruesos).
escofinar *tr.* 줄로 갈다, 줄질하다(limar).
escofión *m.* 옛 두건(tocado).
escogedor, ra *adj.* 고르는. —*m.f.* 선택자.
escoger *tr.* ③ 뽑다, 선출하다, 택하다, 선택하다, 고르다, 골라 가지다 : ~ una fruta de un cesto 바구니에서 과일을 고르다. ~ por · como esposo 남편으로 고르다. ~ *para* · *por* compañero 동료로 택하다. *Escoja* usted lo que quiera de la lista de platos 메뉴 중에서 좋아하시는 것을 고르십시오. *Escogí* el de color rojo 나는 붉은 것을 골랐습니다.
[직설법 현재 1인칭 단수 : escojo. 접속법 현재 : escoja, escojas, escoja, escojamos, escojáis, escojan].
escogida *f.* 《*Cuba.*》 여송연 선별 ; 선별장.
escogidamente *adv.* 고르고 골라 ; 최고로, 완전히, 완벽하게.
escogido, da *adj.* ① 선별된, 선택된, 가린(selecto) : obras ~*das* 선집. ② 최상급의, 특출한, 우수한 : una sociedad ~*da*.
escogiente *adj.* 선출하는, 뽑는.
escogimiento *m.* 선택, 선출 ; 선별.
escoja escoger의 접 · 현 · 1 · 3 · 단수.
escojáis escoger의 접 · 현 · 2 · 복수.
escojamos escoger의 접 · 현 · 1 · 복수.
escojan escoger의 접 · 현 · 3 · 복수.
escojas escoger의 접 · 현 · 2 · 단수.
escojo escoger의 직 · 현 · 1 · 단수 ·
escolán *m.* =**escolano.**
escolanía *f.* [집합] =**escolanos.**
escolano *m.* 성직 피교육 아동 ; 【방언】 학도.
escolapio, pia *adj.* Escuelas Pías 《가난한 아동 교육을 목적으로 한 일파의 종교단》의. —*m.f.* Escuelas Pías의 승려 · 생도.
escolar *adj.* [*lat.* scholaris] 학생의, 생도의 ; 교육의 ; 학사의, 학교의 : año ~ 학년. consejo ~ 학무 · 교육 위원회. sistema ~ 학제. —*m.f.* ① 학생, 생도, 학도(estudiante). ② 《*Cuba.*》 【어류】 에스꼴라르 《물고기의 이름》.
escolar(se) *intr.* (*r.*) ㉔ (좁은 데를) 빠져 나가다.
escolaridad *f.* ① 학업, 학력 ; 취학 : porcentaje de ~ 취학률. ② 학교 교육. ③ 수업료.
escolariego, ga *adj.* 학생다운.
escolarización *f.* 취학 : ~ total 전 아동의 취학.
escolarizar *tr.* ⑨ 취학시키다.
escolástica *f.* =**escolasticismo.**
escolásticamente *adv.* 스콜라 철학풍으로 ; 너저분하게, 꽤 까다롭게 ; 학교풍으로.
escolasticismo *m.* 스콜라 철학 · 학파.
escolástico, ca *adj.* 스콜라 철학의. —*m.f.* 스콜라 철학자. —*f.* 스콜라 철학(escolasticismo).
escolero, ra *m.f.* 《*Perú.*》 학생, 생도.
escoleta *f.* 【고어】 《*Méx.*》 아마추어 악단.
escoliador, ra *m.f.* =**escoliasta.**
escoliar *tr.* 주석하다, (…에) 주석을 달다 : ~ una obra filosófica 철학 작품에 주석을 달다.
escoliasta *m.f.* 주석자, 주해자.
escolimado, da *adj.* 나약한, 병약한, 약골의 (enclenque) : un muchacho muy ~.
escolimoso, sa *adj.* [드뭄] 불평이 많은, 참을성이 없는 : hombre ~.
escolino, na *m.f.* 《*Bol.*》 학생.
escolio *m.* [*gr.* skholê] 방주(傍註), 주, 주석 (nota).
escoliosis *f.* 【의학】 척주 편곡(증).
escólito *m.* 【곤충】 (북반구의) 나무좀벌레.
escollar *tr.* 《*Arg.*》 (배를) 좌초시키다. —*intr.*, ~**se** 《*Arg. Chile.*》 ① 좌초하다. ② 《*Amér.*》 실패하다(fracasar). ③ 빼어나다, 뛰어나다(sobresalir).
escollera *f.* 방파제.
escollo *m.* [*lat.* scopulus] ① 암초 : Los ~*s* del Cantábrico son peligrosos. **Sinón.** arrecife. ② 위험(peligro, riesgo) : El mundo está lleno de ~*s* para la virtud. ③ 방해물.
escolopendra *f.* [*gr.* skolopendra] ①【동물】 지네(cientopiés)의 학명. ②【식물】 차꼬리 고사리 속의 식물 《우울증 약》(lengua de ciervo).
escolta *f.* [*ital.* scorta] 경호원, 호위대 ; 호위 함대.
escoltar *tr.* ① 호위 · 경호하다 : ~ a un general 장군을 경호하다. ② 호송하다 : ~ a un prisionero 죄수를 호송하다.
escomar *tr.* 【방언】 타작하다.
escomberoides *m.pl.* 고등어과 물고기.
escombra *f.* ① 소탕. ②【방언】 자갈.
escombrar *tr.* ① 말끔히 없애다, 소탕하다 (limpiar). ② (포도의) 흠이 있는 알을 골라내다 ; 정지 작업을 하다.
escombrera *f.* (광산이나 공장의) 폐기물 처리장, 그 퇴적.
escombro[1] *m.* ① 돌 부스러기. ②【광산】 부스러기, 광산, 부스러기 돌, ③ 찌꺼기 포도.
escombro[2] *m.* [*gr.* skombros] 【어류】 고등어 (caballa).
escomendrijo *m.* 천박한 사람.
escomerse *r.* 마멸되다, 마손되다, 부식되다 : El hierro *se escome* con la humedad.
esconce *m.* 귀퉁이, 모서리.
escondecucas *m.* 《*Ar.*》 숨바꼭질 놀이.
escondedero *m.* 감추는 곳, 숨는 곳(escondrijo).
escondedijo *m.* =**escondrijo.**
escondedrijo *m.* =**escondrijo.**
esconder[1] *tr.* [*lat.* abscondere] 감추다, 숨기다 (ocultar) : ¡A ver en dónde *escondiste* esa carta! 그 편지를 어데 숨겼나 봅시다.
~**se** 숨다 : *Se escondieron* en una cueva 그들은 동굴 속에 숨었다.
esconder[2] *m.* 숨바꼭질(escondite).
escondidamente *adv.* 살그머니, 숨어서(a escondidas). **Contr.** abiertamente.

escondidas *f. pl.* 《*Amér.*》 숨바꼭질 : a ~ 숨어서, 살그머니.
escondidas (a) *adv.* 숨어서, 비밀리에, 살그머니(ocultamente, en secreto) : hacer una cosa *a ~* de *sus* padres.
escondidillas *f.pl.* =**escondidos.**
escondidillas (a) *adv.* 숨어서, 살그머니(ocultamente, en secreto).
escondido, da *adj.* 숨은 : mantenerse ~ 숨다, 잠복하다. **—*m.*** ① [드뭄] 숨는 곳 : en ~ 숨어서, 살그머니. ② 《*Amér.*》 숨바꼭질. ③ 《*Arg.*》 가우쵸 춤. **—*m.pl.*** 《*Col. Perú.*》 숨바꼭질.
escondijo *m.* 《*AmérC. PRico. Venez.*》 은닉처. 숨는 곳(escondrijo).
escondimiento *m.* 은닉, 잠복.
escondite *m.* ① 감춘 곳, 은닉처(escondrijo). ② 숨바꼭질(dormirlas) : jugar al ~ 숨바꼭질을 하다.
escondrijo *m.* 은닉처 : un ~ difícil de descubrir 발견하기 어려운 은닉처.
esconzado, da *adj.* 모가 난.
esconzar *tr.* ⑨ (…에) 모를 내다.
escoñar *tr.* ① =**estropear.** ② =**romper.**
~se ① =estropearse. ② =romperse.
escopa *f.* 끌, 정.
escoperada *f.* 뱃전, 배의 가장자리.
escopeta *f.* 엽총 : ~ de viento · de aire comprimido 공기총. ~ de dos cañones 이연발총. ~ negra 직업 사냥꾼.
Aquí te quiero ~ 최후의 결단을 내야 할 때다(Ha llegado el momento de vencer una dificultad que se esperaba).
escopetar *tr.* [*lat.* soopare] 금광의 흙을 치우다(sacar la tierra de las minas de oro).
escopetazo *m.* ① 발사, 사격. ② 총성 : oir un ~. ③ 탄흔(彈痕).
escopetear *tr.* 엽총으로 쏘다 ; 사냥하다 ; 연속 발사하다, 사격하다.
~se 자꾸만 서로 인사·욕지거리를 나누다, 서로 다투다.
escopeteo *m.* ① 사격. ② 인사·욕지거리를 서로 하기 : un ~ de cortesías.
escopetería *f.* ① 엽총대 (tropa armada de escopetas). ② 연발 총소리.
escopetero *m.* ① 엽총공(soldado armado de escopeta). ② 총기 만드는 사람 ; 총기 상인. ③ 직업 사냥꾼.
escopetilla *f. dim.* escopeta 소형 엽총.
escopetón *m. aum.* escopeta.
escopleadura *f.* 끌로 파는 일 ; 그 구멍.
escoplear *tr.* 끌로 파다.
escoplillo *m. dim.* escoplo.
escoplito *m. dim.* escoplo.
escoplo *m.* 끌 : ~ plano 납작 끌.
escopolamina *f.* 스코폴라민 《수면제의 재료》.
escora *f.* (조선·수선 중에 선체를 받치는) 지주 ; 버팀 나무 ; 선복선(船腹線) ; (돛에 받는 바람의 영향으로) 배의 기울기 ; (항공기의) 롤링.
escoraje *m.* 배를 받치는 일.
escorar *tr.* ① (선체에) 지주(支柱)를 대다. ② 《*Amér.*》 버팀 나무를 대다(apuntalar). **—*intr.*** 배가 기울다 ; 썰물이 하한선에 이르다.
~se 《*Cuba. Hond.*》 몸을 숨기다.
escorbútico, ca *adj.* 괴혈병의.
escorbuto *m.* [*hol.* scheurbuik] 【의학】 괴혈병 : El ~ ataca con frecuencia a los marinos.
escorchado, da *adj.* escorchar의 *p.p.*
escorchapín *m.* [*ital.* scorciapino] 옛날 범선의 일종.
escorchar *tr.* (…의) 껍질을 벗기다(desollar).
escorche *m.* =**escorzo.**
escordio *m.* 【식물】 쑥의 일종.
escoria *f.* ① 쇠 찌끼. ② (쇠에서 나오는) 불꽃. ③ 화산암재. ④ 찌꺼기(desecho).
escoriáceo, a *adj.* 화산암재의.
escoriación *f.* 껍질 벗기기, 박탈(剝脫).
escorial *m.* ① 광물 찌꺼기를 버리는 곳. ② 찌꺼기 더미. ③ 《*Bol.*》 단면으로 잘린 산.
Escorial, el *m.* 에스꼬리알 《마드리드 주 Guadarrama 산록에 있는 수도원 ; Felipe 2세가 건립》.
escoriar *tr.* ⑪ (경질의 표면이) 쓸려 벗겨지다 ; 살이 벗겨지다(excoriar).
escorificación *f.* 【화학】 소용(燒溶).
escorificar *tr.* ⑦ 《*Neol.*》 【화학】 소용하다(convertir en escorias) : ~ las materias extrañas de un mineral.
escorpena *f.* =**escorpina.**
escorpera *f.* =**escorpina.**
escorpina *f.* [*lat.* scorpaean] 【어류】 점감펭(diablo de mar).
escorpio *m.* 【천문】 =**Escorpión.**
escorpioide *f.* 【식물】 물망초(alacranera).
escorpión *m.* ① 【곤충】 전갈. ② 【어류】 쑥감펭.
Escorpión *m.* ① 【천문】 전갈궁 ; 전갈자리. ② 옛날에 돌을 재어서 쏘던 큰 활.
escorpionídeos *m.pl.* 【동물】 전갈 속.
escorredero *m.* =**escurridero.**
escorredor *m.* 《*Murc.*》 =**escorredero.**
escorrentía (물이) 넘쳐 흐름.
escorrocho *m.* 《*CRica.*》 =**adefesio.**
escorrofio *m.* 《*Col.*》 =**moscorrofio.**
escorroso *m.* ① 외침 소리, 소란, 소동. ② =**cacareo.**
escorrozo *m.* ① 기쁨, 즐거움, 낙(regodeo). ② 《*Can.*》 =**estropicio.** ③ 《*Amer.*》 =**bulla.**
escorzado *m.* =**escorzo.**
escorzar *tr.* ⑨ 원경을 그리다 ; 줄여서 그리다.
escorzo *m.* 투시·전면 축화법.
escorzón *m.* =**escuerzo.**
escorzonera *f.* 【식물】 우엉 비슷한 국과 식물.
escosa *adj.* 《*Ast.*》 젖이 나오지 않게 된 (소, 양 등).
escosar *intr.* 젖이 나오지 않다(dejar de dar leche).
escoscar *tr.* ⑦ ① 비듬·딱지를 떼다(descaspar). ② 껍질을 벗기다.
~se (가려운 듯이, 장난으로) 어깨를 움직이다.
escota *f.* ① (배의 돛을 매는) 줄. ② 【방언】 석수장이가 쓰는 망치(escoda).
escotado, da *adj.* escotar의 *p.p.* **—*m.*** =**escotadura.**
escotadura *f.* ① (의복의) 목 부분이 터진 앞가슴. ② (무대에서의) 밀어내기 장치(escotillón).

escotar *tr.* ① 자르다, 재단하다 : ~ un vestido. ② (옷의 앞가슴을) 도려내다. ③ (강·못에서) 물을 빼다. ④ 회비를 내다(pagar la cuota).

escote *m.* ① (의복의) 앞가슴 트기. Sinón. descote. ② (의복의) 앞가슴의 깃 장식. ③ (공동 출자하는) 회비, 분담금 : pagar su ~ 분담금을 내다. a ~ 각자 부담으로.

escotero, ra *adj.* ① 짐이 없이 홀가분한. ② 단독 항해하는.

escotilla *f.* 【선박】 (갑판의) 승강구의 뚜껑 ; 해치, 반문(半門), 쪽문, 마루·천정에 낸 출입구의 뚜껑.

escotillón *m.* ① (마루 바닥의) 문. ② (무대의) 밀어내기 장치 : por ~ 급히, 갑자기, 별안간.

escotín *m.* 돛줄.

escotismo *m.* (13-14 세기의) Duns Scotus의 철학.

escotista *adj.* Scotus 철학의. **—***m.f.* Scotus 철학자.

escotorrar *tr.* 《*Pal.*》 =**alumbrar las vides.**

escoyo *m.* 《*Sal.*》 포도 송이의 껍질.

escoznete *m.* 《*Ar.*》 호두의 살을 꺼내는 기구.

escozor *m.* 격통, 심한 통증.

escrachar *tr.* 《*Arg.*》 ① 초상화를 그리다(retratar). ② 《*PRico.*》 부수다, 망가뜨리다.

escracho *m.* 《*Arg.*》 ① (사람의) 얼굴(cara), 초상화(retrato). ② 못생긴 여자.

escriba *m.* 유태인의 율법사·법학 박사.

escribana *f.* ① 공증인의 아내. ② 《*Arg.*》 여자 공증인.

escribanía *f.* ① 공증소 ② 서류함, 책상(escritorio) : meter papeles en una ~. ③ 문방구.

escribanil *adj.* 공증인의.

escribanillo *m.* *dim.* escribano.

escribano *m.* ① 공증인(notario). ② 대서인. ③ 비서(secretario). ④ 법원 서기. ⑤ 달필가.
~ ***del agua*** 【동물】 물거미(girino).

escribido, da *adj.* [escribir의 *p.p.*] ***leído y*** ~ 읽기도 잘하고 쓰기도 잘하는.

escribidor *m.* 솜씨가 서툰 작가(mal escritor).

escribiente *m.f.* 서기, 사무원, 내근자. Sinón. amanuense.
~ ***a máquina*** 타이피스트.

escribir *tr.* [*lat.* scribere] [*p.p.* escrito] ① 쓰다, 필기하다 : máquina de ~ 타자기, 타이프라이터. ~ una carta *con* lápiz 연필로 편지를 쓰다. ~ *a* mano 손으로 쓰다. ~ *a·con* máquina 타이프로 치다. ¿Sabe usted ~ a máquina? 타자 칠 줄 아십니까? ② 저술하다, 저작하다, 작곡하다, 기초하다 : ~ libros 책을 저술하다. ~ música 음악을 작곡하다. ~ *de·sobre* literatura 문학에 대해 쓰다. Los asirios *escribían* con caracteres cuneiformes 아시리아인들은 쐐기형 문자로 썼다. Estos son utensilios para ~ las letras 이것들은 문자를 쓸 도구이다.
—*intr.* ① 편지를 쓰다 : Me *ha escrito* en español 그는 서반아어로 나에게 편지를 썼다. ② 쓸 수 있다 : Esta pluma no *escribe* 이 펜은 쓸 수가 없다. ③ 철자를 쓰다(ortografiar) : ¿Cómo *escribe* usted esta palabra? ④ 표시하다, 나타나다(marcar, señalar) : la ignominia *escrita* 얼굴에 나타난 수치심.
~se ① 써지다, 쓸 수 있다 : *No se escribe* lo maravilloso que es 얼마나 훌륭한지 전부 표현할 수가 없다. ¿Cómo *se escribe* su nombre? 귀하의 성함은 철자가 어떻게 됩니까? ② 서신 교환을 하다, 펜팔하다 : Ana *se escribe con* José. ③ 입단·입대·입회하다(inscribirse).

escriño *m.* ① 짚 광주리(cesta de paja). ② 보석함, 보석 상자.

escripia *f.* 어롱(魚籠), 종다래끼.

escrita *f.* 【어류】 가오리의 일종(escuadro).

escrit.[a] escritura.

escritillas *f.pl.* 새끼 양의 불알·고환.

escrito, ta *adj.* [escribir의 *p.p.*] ① 쓴, 서면화한 : estar ~ 쓰여 있다. ② 문자 무늬로 된 : melón ~. **—***m.* 손으로 쓴 것 ; 편지, 문서, 서류 : ~ privado 개인 서명 증서. por ~ 문서·서면으로. poner por ~ 서면으로 하다, 문서로 하다·적다. Quisiera que me avisasen por ~ 서면으로 알려 주십시오. **—***m.* 저작품.

escritor, ra *m.f.* ① 저자, 작자 ; 저술가, 작가, 문사(文士). ② 글을 쓰는 사람. Sinón. autor.

escritorcillo *m.* [*dim.* escritor] 엉터리 작가.

escritorillo *m.* 서류 분류함과 서랍이 있고 덮개를 접을 수 있는 작은 책상.

escritorio *m.* ① 사무용 책상 : ~ americano 접기식 책상. ~ cómoda 장농식 책상. ~ ministro 고관·사장용 책상. ② 서재 ; 사무실, 사무소 : ~ particular 사실(私室). útiles de ~ 문방구. ③ 장농. ④ 《*Toledo.*》 의료품 도매상. ⑤ 보석 보관용 서랍 달린 소형 가구.

escritorzuelo, la *m.f.* [*desp.* escritor] 엉터리 작가 ; 가난한 작가.

escritura *f.* [*lat.* scriptura] ① 집필, (글씨) 쓰기, 습자. ② [집합] 문자 : ~ fonética 표음 문자. En este país la ~ ocupaba el sitio más sagrado 이 나라에서는 문자가 가장 성스러운 장소를 점하고 있었다. ③ 문서, 증서 : ~ sociedad·social 회사의 정관. ~ de venta 매도 증서, 저당권 양도증. ~ de cesión 양도 증서. ~ de hipoteca 담보 증권. ~ constitutiva 회사 정관, 설립 서류. ~ de constitución 법인 설립 인가증, 회사 정관. ~ de fideicomiso 신탁 증서. ~ de patente 특허증. ~ de propiedad 부동산 권리 증서. ~ de sociedad 회사 정관, 조합 정관. ~ de traspaso 주식 매매 증서. ~ en el cielo 공중 광고. ~ hipotecaria 담보 증권. ~ notarial (pública) 공정 증서. ~ social 회사 설립 증서. ④【법률】 원본, 정본 ; 공증 문서(~ pública). ⑤ 저작물, 작품.

Escritura *f.* 성서(la Santa ~).

escriturar *tr.* 공증 문서를 (작성)하다 : el capital *escriturado* 수권 자본금.

escriturario, ria *adj.* 공증 문서의·에 의한 : obligación ~*ria*.
—*m.* 성서 학자·주석자.

escrnía. escribanía.

escrno. escribano.

escrófula *f.* [*lat.* scrofulae] 【의학】 나력. Sinón. lamparones.

escrofularia *f.* 【식물】 현삼.

escrofulariáceo, a *adj.* 【식물】 현삼과의.
—*f.pl.* 현삼과 식물.

escrofulismo *m.* 나력증, 선병질(腺病質).

escrofuloso, sa *adj.* 나력의, 선병질의 : tumor

~. —*m.f.* 나력 환자, 선병질 환자.
escrotal *adj.* 음낭의.
escroto *m.* 【생물】 음낭.
escrudiñar *tr.* =**escudriñar.**
escrupulear *intr.* 《*Méx.*》 =**escrupulizar.**
escrupulete *m. dim.* escrúpulo.
escrupulillo *m.* 방울 안에 든 알.
escrupulizar *intr. tr.* ⑨ 걱정하다, 사소한 일에 신경을 쓰다 : ~ *en* pequeñeces 사소한 일에 신경을 쓰다.
escrúpulo *m.* [*lat.* scrupulum] ① 근심, 걱정, 불안, 걱정거리 : ~ de monja 하찮은 걱정. ② 세심(한 주의), 염려, 배려(escrupulosidad). ③ 방울 안에 들어간 조약돌 (등). ④ 약량의 단위 《1.198mg》. ⑤ 【천문】 분(分)(minuto).
escrupulosamente *adv.* 빈틈이 없이, 용의 주도하게(con escrupulosidad) : entregar una cuenta ~ exacta 용의 주도하게 정확한 계산서를 넘겨주다.
escrupulosidad *f.* 정확(exactitud) ; 조심, 세심(한 주의) ; 걱정, 근심, 불안 ; 염려, 배려.
escrupuloso, sa *adj.* ① 마음이 쓰이는, 걱정스러운, 공연히 걱정하는, 세심하게 주의하는, 용의 주도한 : hombre ~. ② 어김이 없는, 정확한(exacto) : una cuenta muy ~*sa* 매우 정확한 계산.
escrutador, ra *adj.* [*lat.* scrutator] 따지는, 캐묻기 잘하는, 자세히 조사하는, 꼬치꼬치 따지는 · 캐는(escudriñador, examinador) : mirada ~*ra.* —*m.f.* 검표원 ; 개표원.
escrutar *tr.* ① 자세히 조사 · 검사하다(escudriñar, examinar, inquirir). ② (투표를) 검사 · 계산하다 ; 검표하다.
escrutinio *m.* 정밀 검사, 개표.
escrutiñador, ra *m.f.* 정밀 조사자 · 검사자(examinador).
escs. escudos.
escuad. escuadrón.
escuadra *f.* ① 자, 쇠자 ; 직각 삼각자 : a ~ 직각으로. ~ falsa 각도기. ② 방형(方形) : fuera de ~ 사각(斜角)으로. ③ 각철. ④ (군대의) 반(班) : cabo de ~ 반장, 하사. ⑤ 함대, 지역 함대, 전투 함대 : ~ sutil 항만 경비 함대. ⑥ 《*Col.*》 자동 권총.
escuadrador *m.* 홈을 파는 기구.
escuadrar *tr.* 직각으로 하다 · 자르다 : ~ un madero · un tronco de árbol.
escuadreo *m.* 평면적 계산법, 면적을 재는 일.
escuadría *f.* (나무의) 횡단면(의 면적) ; 각재(角材).
escuadrilla *f.* [*dim.* escuadra] 소함대 ; (비행기의) 소편대.
escuadro *m.* 【어류】 가오리의 일종(escrita).
escuadrón *m.* 기병 중대 ; 비행(중)대.
escuadronar *tr.* 기병 중대로 전투 대원을 형성하다.
escuadroncete *m. dim.* escuadrón.
escuadroncillo *m. dim.* escuadrón.
escuadroncito *m. dim.* escuadrón.
escuadronista *m.* 기병 전술가.
escualidez *f.* 불결, 더러움 ; 초라함 ; 바짝 여윔.
escuálido, da *adj.* [*lat.* squalidus] 불결한, 추잡한, 더러운 ; 바짝 마른 ; 창백한.
escualino, na *adj.* =**escuálido.**
escualo *m.* 【어류】 (일반적으로) 상어.
escualor *m.* =**escualidez.**
escucha *f.* ① 듣기, 경청, 청취 : estar a la ~ · en ~ 조용히 라디오를 듣고 있다. servicio de ~ 적군의 무전 등을 도청하는 곳. ② [집합] 야간 보초. ③ 방청(자). ④ (수도원의) 방청역. ⑤ (베개 머리에 앉아 밤 시중을 드는) 하녀. ⑥ (의회나 법정에서 왕이 몰래 엿듣는) 가림창.
estar de ~ 도청하다.
escuchador, ra *adj. m.f.* =**escuchante.**
escuchante *adj.* 듣는. —*m.f.* 청취자.
escuchar *tr.* [*lat.* auscultare] ① 주의깊게 듣다(oir con atención) : ~ un concierto 연주회를 주의 깊게 듣다. ~ un discurso 연설을 듣다. ~ tras la puerta 문 뒤에서 듣다. ② 귀담아 듣다, 경청하다, (…에) 귀를 기울이다(aplicar el oído para oir) : Debes ~ a los superiores 상관의 말을 경청해야 해. ③ 잠자코 듣다.
~se 대단한 척 말하다, 천천히 말하다.
escuchimizado, da *adj.* 빼빼 마른, 약골의, 나약한(muy flaco).
escucho *m.* 《*León. Sant.*》 속삭임 : a ~ 귀엣말로, 소근소근.
escuchón, na *adj. m.f.* 《*Ecuad.*》 듣고 싶어하는 (사람).
escudaño *m.* 《*Ál.*》 =**abrigaño.**
escudar *tr.* ① 방패로 막다(amparar con el escudo). ② 보호하다(poteger) : La madre *escudó* a sus hijos con su cuerpo. ③ 감싸다.
~se 몸을 방어하다 ; 방패로 삼다 : ~*se* detrás de un árbol.
escuderaje *m.* 하인 · 부하로서의 봉사, 방패지기로서의 봉사.
escuderear *tr.* (…에) 방패 받드는 일로 봉사하다 ; 하인 · 부하로서 봉사하다.
escuderete *m. dim.* escudo.
escudería *f.* =**escuderaje.**
escuderil *adj.* 방패지기의, 하인 · 부하의.
escuderilmente *adv.* 방패 받드는 사람 · 시종 · 하인 · 부하로서 · 처럼.
escudero *m.* ① 방패 드는 사람, 하인, 종자, 시종, 부하 : ~ de a pie 왕실의 종. ② 서반아의 하급 귀족 ; 서반아의 신사(hidalgo). ③ (사냥에서) 늙은 멧돼지를 따라다니는 어린 멧돼지.
escudero, ra *adj.* =**escuderil.**
escuderón *m.* 멋대로 날뛰는 자.
escudete *m.* [*dim.* escudo] ① 소형 방패. ② (일반적으로) 방패 · 하트 모양으로 된 것. ③ (바지의) 덧대는 천. ④ 자물쇠 구멍 뚜껑. ⑤ 【식물】 수련(nenúfar).
escudilla *f.* [*lat.* scutum] 목기(木器).
escudillador, ra *adj.m.f.* 그릇에 담는 (사람) ; (수프 · 요리 등을) 손님에게 돌리는 (사람).
escudillar *tr.* 그릇에 담다 ; (수프, 요리 등을) 손님에게 돌리다 ; 멋대로 처리하다.
escudillita *f. dim.* escudilla.
escudillo *m.* [*dim.* escudo] ① 소형 방패. ② 옛날 금화(doblilla).
escudito *m.* [*dim.* escudo] ① 소형 방패. ② 옛날 금화.
escudo *m.* [*lat.* scutum] ① 방패. ② 문장(紋章)

(escudo de armas). ③ 자물쇠 구멍 뚜껑(escudete). ④ 비호(amparo) : Una madre es el ~ natural de sus hijos. ⑤ 옛날 화폐의 이름 ; (포르투갈의) 화폐 이름 ; 칠레의 화폐 ; 뻬루의 화폐(pesos) ; 서반아의 화폐(peso duro).

Escudo *m.* 【천문】 방패좌.

escudriñable *adj.* 따질 수 있는, 검사할 수 있는.

escudriñador, ra *adj. m.f.* 따지는, 꼬치꼬치 캐묻는, 캐묻기 잘하는, 검색(檢索)하는 (사람).

escudriñamiento *m.* 정밀 검사 ; 검색.

escudriñar *tr.* [*lat.* scrutinare] 자세히 · 철저히 조사하다(inquirir minuciosamente) : ~ la vida de una persona.

escudriño *m.* =**escudriñamiento.**

escuec- →**escocer** 25 1.

escuela *f.* [*lat.* schola] ① 학교 : ~ de comercio 상업 학교. ~ de moda 의상 · 복장 학원. ~ de perfeccionamiento 상급 학교. ~ de trabajo 직업 학교. ~ nocturna 야간 학교. ~ politécnica 공예 학교. ~ técnica 공업 학교. ~ normal · del magisterio 사범 학교. ~ temporal 야외 학교. ② 교육 ; 교훈 : ~ de la desgracia · del mundo. ③ 학설, 주의, 학풍 ; 학파 : ~ clásica 고전파. ~ holandesa 네델란드화파. ~ liberal 자유주의 학파. ~ romántica 낭만파. ④ [집합] 문하생.

Escuelas Pías 1597년에 San José de Calasanz가 설립한 빈곤 아동 교육을 목적으로 한 종단.

E- Superior de Administración Pública para América Central 중미 행정 고등 학원.

escuelante *m.* ① 《*Col.*》 생도, 학생(escolar). ② 《*Méx.*》 학교 선생.

escuelero, ra *adj.* 《*Arg. Venez.*》 학교의. —*m.f.* ① 《*Amér.*》 【속어】 학교 선생(maestro). ② 《*Col. Guat. Venez.*》 학생, 생도(escolar).

escuelista *m.f.* 《*Urug.*》 학생.

escuerzo *m.* [*lat.* scortum] ① 두꺼비(sapo). ② 말라깽이.

escuetamente *adv.* 벌거벗고 ; 아무 꾸밈없이.

escueto, ta *adj.* ① 발가벗은(desnudo). ② 살풍경한, 아무 것도 없는, 무늬가 없는, 장식이 없는(sin adornos).

escuez- →**escocer** 25 1.

escueznar *tr.* 《*Ar.*》 호두의 살을 꺼내다(sacar los escueznos).

escuezno *m.* 《*Ar.*》 호두의 살.

escuimpacle *m.* 《*Méx.*》 약초의 일종.

escuincle *m.* =**escuintle.**

escuintle *m. desp.* 《*Méx.*》 어린이 ; 들개.

esculáceo, a *adj.* 【식물】 =**hipocastanáceo.**

Esculapio *m.* ① 의사(médico). ② 【로마 신화】 의약과 의료의 신.

esculcar *tr.* 7 ① 【고어】 살피다, 정탐하다(espiar, acechar, averiguar). ② 《*Amér.*》 찾다, 조사하다.

esculpidor, ra *m.f.* 조각가(grabador, escultor).

esculpir *tr.* 조각하다 ; 새기다(grabar) : ~ de relieve 부조(浮彫)하다. ~ una figura en mármol 대리석에 인물을 새기다. *Esculpió* un león en mármol 그는 대리석에 사자 한 마리를 조각했다.

escultismo *m.* 탐험, 등산 등을 좋아하는 사람들의 스포츠.

escultista *m.f.* escultismo를 하거나 좋아하는 사람.

esculto, ta *adj.* esculpir의 *p.p.*

escultor, ra *m.f.* 조각가 : hábil ~

escultora *f.* 여류 조각가 ; 조각가의 아내.

escultórico, ca *adj.* =**escultural.**

escultura *f.* ① 조각(술) : ~ griega 그리스 조각(술). ② 조각 작품(obra esculpida) : una ~ en granito 화강암에 조각한 작품. ③ 조상(彫).

escultural *adj.* 조각의 ; 조각 · 조상 같은 : arte ~ 조각술.

esculturar *tr.* 【속어】 =**esculpir.**

escullador *m.* (기름을 뜨는) 국자.

escullar *tr.* 【방언】 액체를 뜨다, 건져내다(escudillar).

escullirse *tr.* 50 살짝 도망치다.

escullón *m.* 《*Murc.*》 =**resbalón.**

escuna *f.* =**goleta.**

escupetina *f.* =**esculpitina.**

escupida *f.* 《*Arg.*》 =**salivazo.**

escupidera *f.* ① 침 뱉는 그릇. ② 《*AmérM.*》 요강(bacín, orinal).

escupidero *m.* ① 침 뱉는 곳. ② 곤란한 처지 : estar en el ~.

escupido, da *adj.* 부모를 빼다 박은, 꼭 닮은 : Juan es ~ el padre 후안은 아버지를 빼다 박았다. —*m.* 침, 가래침(esputo).

escupidor, ra *adj. m.f.* 침을 자주 뱉는 (사람). —*m.* ① 《*And. Amér.*》 침뱉는 그릇(escupidera). ② 《*AmérC. Méx.*》 꽃불의 일종. ③ 【식물】 《*Col.*》 화분과 식물.

escupidura *f.* (가래)침, 담.

escupir *intr.* [*lat.* spuere] 침을 뱉다 : Está prohibido ~ al suelo 땅에 침을 뱉는 것은 금지되어 있다.

—*tr.* ① 뱉다 ; 토하다 : Ella *escupió* sangre 그녀는 피를 토했다. ② 스며나오게 하다.

escupita *f.* =**saliva.**

escupitajo *m.* =**escupidura.**

escupitana *f.* =**escupidera.**

escupitanajo *m.* =**escupidera.**

escupite *m.* 《*AmérC.*》 =**escupidura.**

escupitina *f.* =**escupidera, escupitajo.**

escupo *m.* 《*And. Amér.*》 (뱉은) 침, 가래침(esputo).

escurana *f.* 《*Amér.*》 =**oscuridad.**

escurar *tr.* (직물의) 기름때를 없애다.

escureta *f.* (직물을 깔 때 쓰는) 참빗.

escurialego, ga *adj.m.f.* 에스꾸리알《Escurial, Cáceres 주의 마을》의 (사람).

escurialense *adj.* 에스꼬리알 《El Escorial 사원》의 —*m.f.* El Escorial 계곡의 사람.

escurina *f.* 【방언】 어둠(obscuridad).

escurra *m.* 익살꾼.

escurre *m.* 《*Cuba.*》 후추의 일종.

escurreplatos *m.* 【단 · 복수 동형】 (물에 닦은 접시를 말리는) 선반, 시렁.

escurribanda *f.* ① 도망, 도주, 도피, 탈주(escapatoria). ② 설사. ③ 방귀 뀌기. ④ 타격, 구타(zurribanda).

escurrida *adj.* (여자가) 엉덩이(caderas)가 없

는.

escurrideras *f. pl.* 《*AmérC. Méx.*》 쓰고 남은 물.

escurridero *m.* 식기류를 건조시키는 장소.

escurridizo, za *adj.* 잘 새는 ; 잘 미끄러지는 : lazo ~ 잡아당기면 조여지는 밧줄.

escurrido, da *adj.* ① 허리가 가는 (여자) ; 꼭 끼는 스커트를 입은 (여자). ② 《*Ant. Méx.*》 수치스러워하는, 부끄러워하는(avergonzado) : Quedó ~ 창피스러운 꼴을 당했다.

escurridor *m.* 탈수기 ; 구멍 뚫린 국자 ; 물 거르기 ; (치즈·병·사진 건판 따위의) 물기 빼기 : ~ para placas fotográficas 사진 건판의 건조기.

escurriduras *f.pl.* (술잔이나 술병에 남은 마지막) 몇 방울 : llegar a las ~ 드디어 끝이 나다, 마침내 동이 나다.

escurrimbres *f.pl.* =**escurriduras.**

escurrimiento *m.* ① 건조. ② =**desliz.**

escurrir *tr.* [*lat.* excurrêre] ① 물기를 빼다, 말리다, 건조시키다 : ~ el plato 접시의 물기를 빼다. ② 방울방울 떨어지게 하다 : ~ el vino. ③ 짜다 : máquina de ~ 빨래를 짜는 기구. ④ 【방언】 바래다 주다(despedir). **—***intr.* ① 물방울이 뚝뚝 떨어지다. ② 미끄러지다(deslizar).
~se ① 뚝뚝 떨어지다, 뚝뚝 떨어져 넘치다 : El vino (*se*) *escurre.* ② 미끄러지다(deslizarse) : (*Se*) *escurren* los pies en el hielo 발이 얼음에 미끄러진다. ③ 도망치다, 달아나다, 빽소니치다(escaparse) : *~se de·de entre·entre* las manos 손에서 미끄러져 떨어지다. ④ 실언하다, 실수하다.

escusadas (a) *adv.* 가만히, 살짝, 몰래, 비밀리에.

escusalí *m.* 작은 앞치마(excusalí).

escusón *m.* 방패 모양이 들어 있는 화폐의 뒷면 ; 【문장】 큰 방패 사이에 그려진 작은 방패.

escutelaria *f.* 【식물】 (중국산의) 골무꽃 속의 일종.

escuteliforme *adj.* 【식물】 방패 모양의.

escúter *m.* 스쿠터(motosilla).

escutiforme *adj.* ① 방패(escudo) 모양의. ② =**tiroideo.**

escharchar *tr.* 《*AmérC.*》 부수다(destrozar).

esdrujulizar *tr.* 끝에서 세 번째 음절에 acento를 주다.

esdrújulo, la *adj.* [*ital.* sdrucciolo] 【문법】 끝에서 세 번째 음절에 악센트(acento)가 있는. **—***m.* 끝에서 세 번째 음절에 acento가 있는 말 《예 : gramática, kilómetro》.

ese *f.* ① 문자 s의 명칭, s자 형(으로 된 것). ② 쇠사슬의 고리(esladón).
andar·ir haciendo ~s 비틀거리다, 갈짓자로 걷다(estar borracho).
echar a uno *~ y un clavo* 완전히 우정을 얻다(granjearse por completo su amistad).

ese, sa *adj.* [*pl.* esos, esas] [지시 형용사] ① 그, 그런 : *ese* libro, 그 책. *esa* vida 그런 생활. *ese* libro que tienes a tu lado 당신 옆에 있는 그 책. ② [명사 뒤에 붙으면 경멸조의 느낌] el hombre *ese* 그런 남자. la señora *esa* 그런 여자.

ése, sa *pron.* [*pl.* ésos, ésas] [지시 대명사] ① 그것, 그 일. ② 귀지(貴地) : Mañana *llegaré* a *ésa* por avión 내일 비행기 편으로 귀지에 도착하겠다.
¡a ése! (사람을 추적할 때) 그 놈이다, 그 놈이다!
ni por ésas, ni por ésas ni por esotras 결코, 결단코(de ninguna manera).

ESE. estesudeste.

esecilla *f.* ① 브로치(broche)의 고리, 핀. ② =**alacrán.**

esencia *f.* [*lat.* essentia] ① 본질 : en ~ 본질에 있어서, 본질적으로. ② 【철학】 실제, 실체, 본체. ③ 진수, 정수(lo más puro) : la quinta ~ 화(火)·수(水)·토(土)·기(氣)의 4원 이외의 원질(元質)에 있는 제5원 ; 본질, 정수(精髓) ; 전형. ④ 【화학】 정(精), 에센스. ⑤ 실체, 실제. ⑥ 향수 ; 정유(精油) : ~ de pera 바나나 기름. ⑦ 휘발유(gasolina).

esencial *adj.* ① 본질의 ; 본질적인 ; 기본적인 : La razón es ~ en el hombre 이성은 인간에 있어 본질적인 것이다. ② 필수의, 불가결의(indispensable). ③ 매우 중요한, 긴요한, 요긴한(principal) : condición ~ *a·en·para* el negocio 사업의 기본적인 요소. ④ 불가결한. ⑤ 정의, 정수를 모은. ⑥ 정유의 : aceite ~ 정유(精油). **—***m.* 중요한 점(punto capital) : Es ~ ser honrado 정직은 중요한 것이다.

esencialidad *f.* 본질성 ; 필수성.

esencialmente *adv.* 본질적으로, 본질상 ; 본래 ; 특히(especialmente).

esenciero *m.* 향수병(frasco para esencia).

esenio, nia *adj. m.f.* 엣센파의 (신도) 《기원 전 2세기 경부터 팔레스티나에 있던 유태교 종파》.

esenismo *m.* 엣센파의 종교 교리.

eseoese *m.* 구조 신호, SOS.

esfacelado, da *adj.* 회저·탈저에 걸린.

esfacelarse *r.* 회저·탈저에 걸리다.

esfácelo *m.* =**gangrena.**

esfaratar *tr.* 《*And.*》 =**desfaratar.**

esfeciforme *adj.* 말벌 모양의, 개미허리 같은.

esfenoidal *adj.* 【해부】 esfenoides의.

esfenoides *m.* 【해부】 (두개골의) 설상골(楔狀骨).
hueso ~ 두개골의 설상골 중의 하나.

esfera *f.* [*gr.* sphaira] ① 구(球) ; 구형, 구체(球體), 구면(球面) : ~ celestial 천구 ; 천체. ~ paralela 평행구. ~ recta 직각구. ② 천체. ③ 지구의(地球儀), 천체의. ④ 지구(esfera terráquea, ~ terrestre) ; 세계. ⑤ 지위, 계급, 신분(clase, condición) : las altas *~s* de la sociedad. ⑥ 영역, …계(界) ; (세력)권 : ~ de influencia 세력권. ~ esterlina 파운드 지역. ⑦ (활동) 범위(~ de acción) : ~ de responsabilidad 책임의 범위. ⑧ (시계의) 문자반(mostrador). ⑨ 【시어】 하늘, 창공.

esferal *adj.* 구형의 ; 공 모양의, 둥근 ; 천체의(esférico).

esféricamente *adv.* 구형으로, 공 모양으로, 둥글게.

esfericidad *f.* 구형 ; 구면.

esférico, ca *adj.* 구형의, 구체의 : forma *~ca* 구면체. sector ~ 구저(球底) 원추. segmento ~ 구대(球台). triángulo ~ 구면 삼각형.

esferográfica *f.* 《*Arg.*》 =**bolígrafo.**

esferoidal *adj.* 구상(球狀)의 : La tierra tiene forma ~ 지구는 구면체이다.

esferoide *m.* 구상, 구형, 원형, 편구(扁球).

esferolita *f.* (화성 전면의) 구체(球體).

esferómetro *m.* 구면계(球面計).

esférula *f.* [*dim.* esfera] 작은 esfera.

esfígmico, ca *adj.* 맥박의.

esfigmógrafo *m.* [*gr.* sphugmos] 맥박 기록기 (aparato que mide las pulsaciones de la arterias).

esfigmomanómetro *m.* 혈액 압력계.

esfigmómetro *m.* 맥박계(pulsímetro).

esfinge *f.* (*m.*) [*gr.* sphigx] ① 스핑크스. ② 스핑크스상. ③ 수수께끼의 인물, 불가해한 사람. ④【곤충】박쥐 나방.

esfíngido, da *adj.* 스핑크스 같은.

esfíngidos *m.pl.*【곤충】박쥐 나방 속(의 나방 무리).

esfínter *m.* [*gr.* sphiggein]【해부】괄약근 : ~ anal 항문 괄약근.

esflorecer *intr.* 꽃이 피다; (문명 따위가) 꽃피다, 번영하다.

esfogar *tr.*【속어】=**desfogar.**

esfolar *tr.*【방언】껍질을 벗기다.

esforrocinar *t.* (포도의) 쓸모없는 가지를 치다.

esforrocino *m.* (포도의) 허드레 가지.

esforzadamente *adv.* 억지로; 용감하게.

esforzado, da *adj.* ① 억지의, 우격다짐의. ② 용감한, 힘있는(valiente, animoso) : un corazón ~ 강한 심장. [Contr.] cobarde, débil.

esforzador, ra *adj.m.f.* 용기를 불어넣어 주는 (사람); 노력하는 (사람).

esforzar *tr.* 24 9 [*lat.* esfortiare] 용기를 넣어 주다, 원기·힘을 돋우다(animar).
—*intr.* 원기를 내다.
~ se ① 노력하다(hacer esfuerzo) : *~se por* vencer 이길려고 노력하다. ② [+a·en+*inf.*] 노력해서 …하다 : *~se a·en* trabajar 노력해 일하다.
[직설법 현재 : esfuerzo, esfuerzas, esfuerza, esforzamos, esforzáis, esfuerzan. 접속법 현재 : esfuerce, esfuerces, esfuerce, esforcemos, esforcéis, esfuercen].

esfoyaza *f.* 《*Ast.*》 옥수수 이삭을 따기 위해 모인 사람들의 모임.

esfuerzo[1] *m.* 노력, 분투, 수고 : hacer ~ *por·para* …하기 위해 노력하다. Con un poco de ~ te harás millonario 조금만 노력하면 너는 백만장자가 될 것이다. Su mérito es hijo de su propio ~ 그의 공적은 자신의 노력 때문이다. Hizo un ~ extraordinario para llevarlo a cabo 그는 그것을 완성하기 위해 비상한 노력을 했다.
sin ~ 쉽게(fácilmente).

esfuerzo[2] esforzar의 직·현·1·단수.

esfumación *f.* (그림에서) 윤곽을 흐리게 하기.

esfumado, da *adj.* esfumar의 *p.p.*

esfumar *tr.* (목탄화 등에서) 윤곽을 흐리게 하다; 지우다.
~se 흐려지다; 사라지다 : Las nubes *se esfuman* en el cielo 구름이 하늘에 엷게 사라진다.

esfuminar *tr.* (목탄화 등에서) 윤곽을 흐리게 하다(esfumar).
~se 윤곽이 흐리다.

esfumino *m.* [*ital.* sfumino] 윤곽을 흐리게 하는 데 쓰는 붓.

esgarrar *intr. tr.* ① 헛기침을 하다. ② (가래침을) 힘들여 뱉다(escupir con esfuerzo).

esgarro *m.* =**degarro, esputo.**

esgolizarse *r.* 9 《*Ant.*》 미꾸라지처럼 빠져 나가다.

esgonzar *tr.* 9 =**desgonzar.**

esgrafiado, da *adj.* esgrafiar의 *p.p.* —*m.*【회화】문질러 그리기.

esgrafiar *tr.* 12 [*ital.* sgraffiare] 그림을 문질러 그리다; 글씨를 파서 쓰다.

esgrima *f.* 검술, 펜싱; 검(sable), 무기(armas blancas).

esgrimidor, ra *m.f.* 검술가, 펜싱 선수.

esgrimidura *f.* 검술.

esgrimir *tr.* ① (칼·검을) 사용하다 : ~ el sable 칼을 쓰다. ② (무기로서) 내두르다 : ~ nuevos argumentos 새로운 증거를 들이대다.
—*intr.* 펜싱을 하다.

esgrimista *adj.* 검술의. —*m.f.* 《*AmérM.*》 = **esgrimidor.**

esguardamillar *tr.* 분쇄하다, 뿔뿔이 흩어지게 하다.

esguazable *adj.* 걸어서 건널 수 있는.

esguazar *tr.* 9 [*ital.* sguazzare] ① 걸어서 건너다(vadear). ② 건너다(atravesar) : ~ un río 강을 건너다.

esguazo *m.* 걸어서 건넘; 얕은 여울.

esgucio *m.* [*lat.* scotia]【건축】면이 원의 4분의 1이 되게 파진 사개.

esguila *f.* ① 《*Ast.*》 =**quisquilla, camarón.** ② 《*Ast.*》 =**ardilla.**

esguilar *intr.* (나무에) 오르다.

esguín *m.* 연어 기르기(la cría del salmón).

esguince *m.* ① 몸을 피하는 일; 싫어하는 몸짓; 싫어함, 배척. ②【의학】탈골(torcedura de una coyuntura).

esguízaro, ra *adj. m.f.* =**suizo, helvecio.**

esgunfiar *tr.* 《*Arg.*》 =**cansar.**

eslabón *m.* ① 쇠사슬, 고리. ② 부싯돌. ③ 줄(chaira). ④ (말의) 뼈의 혹. ⑤【동물】전갈(alacrán)의 일종.

eslabonador, ra *adj.* 고리로 연결하는; 결합하는, 맞추는.

eslabonamiento *m.* 연결, 연쇄, 연계.

eslabonar *tr.* (쇠사슬을) 고리로 연결하다; 결합하다, 잇다, 맞추다, 합치다(enlazar) : ~ las voluntades.
~se 결합하다, 연결되다, 이어지다.

eslavismo *m.* =**paneslavismo.**

eslavizar *tr.* 슬라브화하다.

eslavo, va *adj.* 슬라브족의. —*m.f.* 슬라브인. —*m.* 슬라브어(lengua eslava). —*m.pl.* 슬라브족.

eslavófilo, la *adj. m.f.* 슬라브 민족을 좋아하는 (사람), 슬라브당의 (사람), (러시아에서는) 배타주의의 (자).

esledor *m.*【고어】=**elector.** [*N.* Vitoria에서는 아직도 사용되고 있음].

eslilla *f.* 《*Amér.*》【해부】빗장뼈, 쇄골(clavícula).

eslinga *f.* 매달아 올리는 밧줄.

eslingaje *m.* 【건축】 =**manutención de bultos.**

eslingar *tr.* [8] 매달아 올리다.

eslizón *m.* 【동물】 도마뱀의 일종(sepedón).

eslogan *m.* 슬로건, 표어.

eslora *f.* 선체(船體)의 길이.

eslovaco, ca *adj.* 슬로바키아의. —*m.f.* 슬로바키아 사람.

esloveno, na *adj.* 슬로베니아 (Eslovenia)의. —*m.* 슬로베니아어. —*m. f.* 슬로베니아 사람.

esmaltado, da *adj.* 칠보를 박아 넣은.

esmaltador, ra *m.f.* 칠보 세공사.

esmaltadura *f.* 칠보 세공.

esmaltar *tr.* ① (…에) 칠보를 박아 넣다(aplicar esmalte) : ~ un jarro 단지에 칠보를 박아 넣다. ② 법랑을 칠하다. ③ 색색으로 꾸미다, 예쁘게 만들다(adornar con colores varios) : las flores que *esmaltan* los campos por primavera 봄에 들을 색색으로 물들이는 꽃.

esmalte *m.* [*alem.* smalt] ① 에나멜. ② 칠보. ③ 법랑 세공 ; 칠보 세공 : ~ incrustado 박아 넣은 칠보. ④ 감청. ⑤ 윤기, 광택. ⑥ (이빨의) 법랑질.

esmaltería *f.* 칠보 세공(obra esmaltada).

esmaltín *f.* 에나멜 색.

esmaltina *f.* 【광산】 비(砒)코발트광(鑛).

esmaragdino, na *adj.* 에나멜빛의.

esméctico, ca *adj.* [*gr.* smêktikos] 세정의, 세척의(detersivo).

esmeradamente *adv.* 공을 들여, 지성으로, 정성을 들여, 애써.

esmerado, da *adj.* ① 지성의, 정성을 들인 : labor ~*da* 정성을 들인 일. ② 열성의 : un muchacho ~ 열성적인 소년.

esmerador *m.* 보석 연마공.

esmeralda *f.* [*gr.* smaragdos] ①【광물】 에메랄드, 벽옥(碧玉) : ~ oriental 강옥석(剛玉石). ②《*Col.*》【조류】 colibrí의 일종. ③《*Cuba.*》【어류】 에스메랄다 《Antillas 해의 물고기 이름》.

esmeraldino, na *adj.* 에메럴드 색의, 푸른 색의.

esmerar *tr.* ① 광내다, 윤을 내다(pulir, limpiar, ilustrar). ② 닦다(limpiar). ③ 공들여 하다, 정성을 들여서 하다. ④ 바싹 졸이다.

~se ① 공 · 정성을 들이다 : *Se esmeró en* traducir · *en* el trabajo. ② 바싹 졸여지다.

esmerejón *m.* [*ital.* smeriglione] ①【조류】 매의 일종(azor). ② 옛날의 화포.

esmeril[1] *m.* [*gr.* smyris] 금강사(金剛砂) : muela de ~ 금강 숫돌.

esmeril[2] *m.* [*ital.* smeriglio] 옛날의 대포.

esmerilado *m.* 반투명 유리.

esmerilador *m.* 반투명 유리 직공.

esmeriladora *f.* (금강 숫돌의) 그라인더 · 연마반(硏磨盤).

esmerilar *tr.* ① 금강사로 문지르다, 금강 숫돌로 갈다(pulir con esmeril) : ~ un cristal. ② 반투명 유리로 만들다.

esmerilazo *m.* 금강사 던지기.

esmero *m.* 공, 정성, 열성, 지성, 열심 : con mucho ~ 정성들여, 공을 들여.

esmiláceo, a *adj.* 【식물】 청미래 덩굴과의. —*f. pl.* 청미래 덩굴과 식물.

esmilacoideo, a *adj.* =**esmiláceo.**

esmirnio *m.* 【식물】 미르라풀 《셀러리의 일종》.

esmirriado, da *adj.* =**desmirriado.**

esmola *f.* 《*Sal.*》 (시골의 노동자들에게 간식으로 주는) 빵조각.

esmoladera *m.* 숫돌 ; 연마기.

esmoquín *m.* 웃옷의 일종.

esmorecer(se) *intr.* (*r.*) [31] *desp.* 《*And. Can. Amér.*》 실신하다, 졸도하다 ; 쇠약해지다.

esmorecido, da *adj.* [esmorecer의 *p.p.*] 《*Extr.*》 =**aterido, arrecido.**

esmuciarse *r.* [11] 미끄러지다 ; 슬쩍 빠져 오다.

esmuir *tr.* [7] 《*Ar.*》 (올리브를) 따다.

esmuñir *tr.* [52] 《*Murc.*》 (뽕잎 · 올리브를) 따다.

esno. pbo. escribano público 공증인.

esnob *adj. m.f.* [*pl.* esnobs] [*ing.* snob] = **novelero.**

esnobismo *m.* 《*Neol.*》 =**snobismo.**

eso *pron.* [중성 지시 대명사] 그것, 그 일 : ¿Qué es ~ de color verde? 녹색의 그것은 무엇이냐? *Eso* no es nada 그것은 아무 것도 아니다.

~ ***mismo*** 바로 그것.

~ ***de*** … 대략, 약 ….

a ~ ***de*** …경에 : a ~ *de* las ocho 8시 경에.

¡Eso!, ¡Eso es¡ 옳습니다, 그게 사실입니다!

por ~ 그러므로, 그 때문에, 그래서.

Nada de ~ 그런 것은 아니다.

y ~ ***que*** 하기는, 그렇다고는 하나.

esofágico, ca *adj.* 식도(esófago)의.

esófago *m.* 【해부 · 동물】 식도(食道).

esópico, ca *adj.* 이솝(풍)의(de Esopo) : fábulas ~*cas* 이솝 우화.

esotérico, ca *adj.* [*gr.* esôterikos] 비전(秘傳)의 ; 비밀의, 내밀한 ; 비방의 : doctrina ~*ca* 비교(秘敎). **Contr.** exotérico.

esoterismo *m.* 비밀주의, 비공개(非公開) (doctrina esotérica).

esotro, tra *adj. pron.* 【고어】 [ese와 otro의 생략형] 또 하나의, 다른 기타의, 그밖의 : ~ niño, ~*tra* mesa.

espabiladeras *f.pl.* =**despabiladeras.**

espabilar *tr.* =**despabilar.**

espaciador *m.* (타자기의) 스페이스 바 (키).

espacial *adj.* ① 공간의, 공간적인. ② 우주의 : estación · nave ~ 우주 정거장 · 선. transbordador ~ 우주 왕복선. vuelo ~ 우주 비행.

espaciar *tr.* [11] ① (…의) 사이를 띄우다, 간격을 두다 : ~ los renglones 행간을 띄우다. ~ las comidas 식사와 식사 사이의 시간을 띄우다. ~ sus visitas 방문에 간격을 두다. ② 사방으로 뿌리다(esparcir) : ~ los granos 낟알을 뿌리다. ~ una noricia 소식을 사방에 퍼뜨리다. ③【고어】 널리 전하다(divulgar).

~se 시간이 걸리다 ; (이야기나 글이 자꾸) 늘어나다 ; 기분 전환을 하다(esparcirse).

espacio *m.* [*lat.* spatium] ① 우주 : cohete ~ 우주 로켓. nave del ~ 우주선. ② 사이, 공간, 공지, 빈터 : ~ cósmico. · extraterrestre 우주 공간. ~ de muestreo 표본 공간. poner ~ 사이를 두다. ¿Hay ~ para mi equipaje? 제 짐을 넣

을 빈자리 있습니까? ③ 시간; 여유, 여지: dejar ~ 여지를 남기다. ~ muerto 기계가 움직임; 틈, 여유 놀이. ④ 여백, 지면. ⑤ (인쇄에서) 스페이스: Escríbalo a máquina a un ~ 그것을 싱글 스페이스로 타자치세요. Deje doble ~ después de cada frase 각 문장 뒤에 더블 스페이스로 놓으세요. ⑥ 간격, 행간; (악보의) 선 사이. ⑦ 한가로움: con ~ 한가롭게. ⑦【상업】 선복(船服) 예약: ~ para carga 선복.
—*adv.* 《*Méx.*》 천천히(despacio).

espaciosamente *adv.* 느리게, 천천히(lentamente, despacio).

espaciosidad *f.* 널찍한 것; 넓이(anchura, extensión).

espacioso, sa *adj.* [*lat.* spatiosus] ① 널찍한, 앞이 훤히 트인(ancho). ② 태평스러운, 느린, 한가로운(despacioso): un hombre muy ~ 매우 한가로운 사람.

espacle *m.* 《*Méx.*》【식물】 야자과의 식물(sangre de drago).

espachurrar *tr.* =**despachurrar.**

espada *f.* [*lat.* spatha] ① 칼, 검: ~ blanca (시퍼런) 칼날. ~ negra 시합용 칼. ceñir ~ 칼을 차다, 군인이 되다. desnudar ~ 칼을 뽑다. La pluma es más fuerte que la ~ 문필의 힘은 무력보다 강하다. ② 검객: Es una excelente ~. ③【어류】 청새치. ④ (트럼프에서) 검, 칼. ⑤ (기하에서) 화살(sagita).
—*m.* 칼로 투우를 죽이는 투우사: primer ~.
~ de Damocle 몸에 다가오는 위험.
~ de dos filos 양쪽에 날이 있는 칼.
primer · primera ~ 투우사가 제일 먼저 쓰는 검; 제일인자.
entre la ~ y la pared 진퇴양난에 빠져(en trence apurado).
salir con su media ~ 어설픈 지식으로 참견을 하다: El siempre *sale con su media* ~ 그는 항상 어설픈 지식으로 참견을 한다.
ser una cosa ***como la espada de Bernado, que ni corta ni pincha*** 아무 짝에도 쓸모가 없다(no servir para nada).

espadachín *m.* [*ital.* spadaccino] 검객; 싸움을 좋아하는 사람.

espadadero *m.* 삼을 때리는 판자.

espadador, ra *m.f.* 삼대 따는 사람.

espadaña *f.* [*lat.* spadix] ① 종탑(鐘塔). ②【식물】 큰 부들(gladio): ~ fina 노란 창포. ③ (우물의) 두레박걸이.

espadañada *f.* ① 토혈, 각혈, 토사. ② 풍부, 다수, 다량(abundancia).

espadañal *m.* 큰 부들 밭.

espadañar *tr.* (새가 꼬리의 깃을) 부채처럼 펼치다.

espadar *tr.* (삼을) 때려 짓이기다; 빗질하다.

espadarte *m.*【어류】 새치다래;【천문】 검좌(劍座).

espadería *f.* 칼공장, 칼장사; 제검술(製劍術).

espadero *m.* 칼 만드는 사람; 칼장수.

espádice *m.* [*lat.* spadix]【식물】 육수화(肉穗花): un ~ de palmera.

espadilla *f.* [*dim.* espada] ① 작은 검. ② Santiago 종파의 적색 검장(劍章). ③ 삼을 두들기는 막대기. ④ (배에서 임시로 쓰는) 노: remar una ~. ⑤ (카드에서의) 검. ⑥ 머리핀. ⑦ (베틀에서의) 배사기.

espadillado, da *adj.* espadillar의 *p.p.* **—*m.*** 삼을 때려 짓이기는 일; 빗질하기.

espadillar *tr.* =**espadar.**

espadín *m.* 예장(禮裝)·장식용 검.

espadista *m.* ganzúa를 사용하는 도둑(ladrón).

espadita *f.* *dim.* espada.

espadón *m.* [*aum.* espada] ① 큰 검. ② [경멸적으로] 거물, 요인; 환관, 내시.

espadrapo *m.* =**esparadrapo.**

espagírica *f.*【고어】 연광술.

espagírico, ca *adj.* 연광(술)의.

espagueti *m.* 스파게티 《식품》.

espahí *m.* [*persa.* cipahi] (터키의) 기병; (불란서군의) 알제리아 토인 기병.

espalácidos *m.pl.* =**georíquidos.**

espalage *m.* =**espálaco.**

espalar *tr. intr.* 눈을 그러모으다; 눈을 쓸다.

espalda *f.* [*lat.* spathula] ① [주로 *pl.*] (몸의) 등: cargado de ~*s* 새우등을 한. Tiene la ~ encorvada 그는 등이 구부러졌다. La vieja le puso el saco sobre la ~ 노파는 자루를 등에 매었다. ② 배면(背面), 등뒤, 뒤쪽: las ~*s* de la casa 집의 뒤쪽. a sus ~*s* 그의 뒤쪽에. a ~*s* de …의 뒤에. ③ 후위대: La tropa llevaba ~*s* de arcabucería 군대는 사격대의 후위 부대를 가지고 있었다. ④ 《*Ecuad.*》 행운(suerte). ⑤ 후원, 후원자.
dar de ~s 벌렁 나자빠지다.
echarse a la ~s 소홀히 하다: El *se echa* el asunto *a las ~s* 그는 그 일을 소홀히 한다.
echarse sobre las ~s 떠맡다: *Se* lo *echó sobre las ~s.*
tener buenas ~s 참을성이 있다.
tener guardadas las ~s 좋은 후원자를 갖다: El *tiene guardadas las ~s* 그는 강력한 후원자를 갖고 있다.
dar · volver las ~ 등을 돌리다, 무시하다: Ella le *dio* (o *volvió*) la ~ 그녀는 그에게 등을 돌렸다.

espaldar *m.* ① 투구의 등; 의자의 등 (respaldo). ② 등(espalda). ③ (거북의) 등껍질. ④ (벽 가까이에 바싹 붙여 덩굴이 붙게 하는) 울타리. ⑤ (쇠고기의) 등심.

espaldarazo *m.* 남의 등을 칼등·맨손 바닥으로 때리는 일.
dar el ~ 동료로 받아들이다.

espaldarcete *m.* 옛날 투구의 어깨 받이. Sinón. hombrera.

espaldarón *m.* 투구의 등.

espaldear *tr.* ① 파도가 뱃머리를 때리다. ② 《*Chile.*》 배후를 수비하다; (…을) 후원하다.

espalder *m.* =**remero.**

espaldera *f.* 담장.

espaldero *m.* 《*Venez.*》 다른 사람을 뒤따르는 사람.

espaldilla *f.* [*dim.* espalda] ①【해부】 견갑골(omóplato). Sinón. paletilla. ② 등받이(천). ③ (잡은 짐승의) 어깨 살. ④ 《*Méx.*》 돼지의 가슴 윗부분. ⑤ (소의) 앞다리.

espalditendido, da *adj.* 어깨·등이 넓은.

espaldón, na *adj.* [*aum.* espalda] 《*Col.*》 등이

넓은(espaldudo). —*m.* ①【목공】장붓구멍. ②【군사】(대포의 반동을 감안한) 보책(堡棚); 참호, 보루; 방호 엄폐물.
espaldonarse *r.*【군사】엄폐물 뒤에 숨다, 엄폐물로 보호하다.
espaldudamente *adj.* 버릇없이, 무례하게.
espaldudo, da *adj.* 등이 넓은, 떡 벌어진.
espalera *f.* =**espaldera.**
espalmador *m.* (짐승의) 발굽 깎는 칼(despalmador).
espalmadura *f.* 깎은 발굽의 부스러기.
espalmar *tr.* ①(말 따위의) 발굽을 깎다(despalmar). ②잡초를 뽑다.
espalto *m.* [*alem.* spalt] ①(이스라엘에서 나는) 역청, 피치(aspalto). ②검푸른 빛깔.
espamento *m.* 《*Arg.*》=**aspaviento.**
espandirse *r.* 《*Méx.*》=**dilatarse, esponjarse.**
espantable *adj.* 무서운, 굉장한(espantoso).
espantablemente *adv.* 무섭게, 굉장하게.
espantada *f.* ①도망, 도주, 놀라 달아나는 일(fuga). ②기가 죽음.
dar una ~ 흠칫 놀라다.
espantadizo, za *adj.* ①쉬 놀라는(que fácilmente se espanta): Ese caballo es muy ~ 그 말은 무척 쉽게 놀란다. ②기가 죽기 쉬운, 주눅들기 쉬운, 무서움을 잘 타는.
espantador, ra *adj.* ①놀라게 하는. ②《*Col.*》잘 놀라는.
espantagustos *m.*【단·복수 동형】얼굴만 봐도 밥맛이 떨어지는 상대, 보기 싫은 사람.
espantajo *m.* ①(새를 쫓기 위한) 허수아비(estantigua): Se ponen ~*s* en los sembrados para alejar los pájaros. ②싫은·귀찮은 사람.
espantalobos *m.*【식물】센나의 일종.
espantamoscas *m.*【단·복수 동형】파리채.
espantanublados *m.*【단·복수 동형】거지; 주책부리기; 흥을 깨는 사람.
espantapájaros *m.*【단·복수 동형】허수아비(espantajo).
espantapastores *m.*【단·복수 동형】【식물】콜히쿰《씨에서 콜히친을 채집》.
espantar *tr.* ①놀라게 하다, 아연케 하다, 무섭게 굴다(asustar). ②쫓아 버리다(ahuyentar): ~ pájaros 새를 쫓아 버리다.
~se ①놀라다: Ella *se espanta* por muy poca cosa 그녀는 별것이 아닌 것으로도 놀란다. Ese hombre no *se espanta* por nada 그 남자는 어떤 일에도 놀라지 않는다. ②감탄하다: *Me espanto de* verle tan solícito 나는 그가 부지런한 것을 보고 감탄했다. ③무서워하다: ~ *a·con* el estruendo 천둥 소리에 놀라다. No *espantes* el perro, ¿entiendes? 개를 무서워 마라, 알았지?
espantavillanos *m.*【단·복수 동형】실속없이 겉치레만 한 것.
espante *m.* 《*And.*》=**rehuida.**
espanto *m.* ①놀람, 공포(susto, terror, asombro): Los eclipses de sol causaban ~ *a* los antiguos 일식은 고대인들을 놀라게 했다. ②얼러대기(amenaza).
—*pl.* 유령, 도깨비.
dar un ~ el caballo 놀라다.
estar curado de ~ 경험이 있다.
espantosamente *adv.* 놀라(con espanto).
espantosidad *f.* 《*Amér.*》=**horror.**
espantoso, sa *adj.* ①무서운, 공포의, 무시무시한: La peste es una epidemia ~*sa* 페스트는 무서운 전염병이다. ②《*Venez.*》유령이 나오는 (집).
España *f.*【지명】서반아, 에스빠냐, 스페인《수도 Madrid; 면적 503, 491㎢》.
español, la *adj.* 서반아의: un poeta ~ 서반아의 시인. —*m.f.* 서반아 사람. —*m.* 서반아어: en ~ 서반아어로. —*f.pl.* 《*Bol.*》=**patillas.**
a la española 서반아풍의·식의; 서반아풍으로·식으로.
¡Arriba ~! 서반아 만세(¡Viva ~!).
Española【지명】에스빠뇰라《에꾸아도르의 갈라빠고스섬에 있는 사람이 살고 있지 않는 섬》.
Española (la)【지명】에스빠뇰라《1492년 Cristóbal Colón이 현재의 Santo Domingo에 붙인 이름》.
españolada *f.* 서반아풍; 서툴게 서반아식으로 흉내내는 일·물건.
españolado, da *adj.* [españolar의 *p.p.*] [드뭄] 서반아적인.
españolar *tr.* 서반아풍으로 하다.
españolear *intr.* 서반아에 대해 말하다.
españolería *f.* 서반아적인 일.
españoleta *f.* 옛날 서반아춤의 일종.
españolidad *f.* 서반아 기질.
españolismo *m.* 서반아를 좋아함; 서반아 어조(語調); 서반아 기질.
españolista *adj.m.f.* 서반아를 좋아하는 (사람).
españolización *f.* 서반아화.
españolizado, da *adj.* =**españolado.**
españolizar *tr.* ⑨ 서반아풍으로·적으로 하다; 서반아의 습관·양식을 도입하다.
esparadrapo *m.* [*fr.* sparadraop] 반창고.
esparagón *m.* 교직물의 일종.
esparajismo *m.*《*Alb. León.*》=**aspaviento.**
esparamarín *m.* 나무에 오르는 뱀.
esparante *adj.* 《*SDgo.*》외톨이의.
esparaván *m.* ①【조류】매(gavilán). ②【수의】비절 내종(飛節內腫).
esparavel *m.* ①투망. ②(미장이의) 반죽을 받치는 판.
esparceta *f.*【식물】=**pipirigallo.**
esparciata *adj. m.f.* =**espartano.**
esparcidamente *adv.* 모두 흩어져, 따로따로.
esparcido, da *adj.* ①유쾌한, 쾌활한, 명랑한, 싹싹한; 사양하지 않는. ②흩어진.
esparcidor, ra *adj.m.f.* 뿌리는, 살포하는 (사람).
esparcimiento *m.* ①살포, 유포. ②활발함, 명쾌함, 태평스러움.
esparcir *tr.* ② [*lat.* spargere] ①뿌리다, 살포하다(echar): ~ el grano·la arena 곡물·모래를 뿌리다. ②흘리다, 엎지르다(derramar): *Esparcí* la tinta sobre la mesa 나는 탁자 위에 잉크를 엎질렀다. ③퍼뜨리다, 전하다(divulgar): ~ una noticia 소식을 전하다. ④한가롭게 가지게 하다: ~ el ánimo.
~se ①흩어지다, 산재하다, 퍼지다: El rumor *se esparció* rápidamente 소문은 빨리 퍼졌다. ②

즐기다, 재미있게 보내다, 기분 전환을 하다(divertirse, alegrarse).

espardeña *f.* =**esparteña.**

esparo *m.* 【어류】 대가리에 금빛 무늬가 있는 물고기.

esparragado *m.* 아스파라거스 요리.

esparragador, ra *m.f.* 아스파라거스 재배자.

esparragal *m.* 아스파라거스밭.

esparragamiento *m.* 아스파라거스 재배.

esparragar *tr. intr.* ⑧ (아스파라거스를) 재배하다.

esparrragíneo, a *adj.* 아스파라거스 같은.

espárrago *m.* [*gr.* asparagos] ①【식물】 아스파라거스 : ~ triguero 자연생 아스파라거스. ~ perico 대형 아스파라거스. ② 몽둥이 (천막·차일 등의), 긴막대, 긴 기둥. ③ (사닥다리의) 가로 댄 나무. ④【기계】 볼트의 일종.

esparragón *m.* 견직물.

esparraguera *f.* 【식물】 아스파라거스 ; 아스파라거스밭 ; 아스파라거스용 접시.

esparraguero, ra *m.f.* 아스파라거스 재배자·장수.

esparraguina *f.* 【광물】 인회석.

esparramar *tr.* =**desparramar.**

esparrancado, da *adj.* 다리가 벌어진, 다리를 벌린(muy abierto de piernas) : hombre ~ 다리가 벌어진 남자.

esparrancarse *r.* ⑦ 다리를 벌리다(abrirse de piernas).

espartal *m.* =**espartizal.**

espartano, na *adj.* ① 스파르타 도시(Esparta)의. ② 엄격하고 간소한. —*m.f.* 스파르타인. ③ 실질적인 사람.

espartar *tr.* 【방언】 스파르트 풀을 넣다·덮다.

esparteína *f.* 【화학】 스파르트인.

esparteña *f.* 짚신(alborga).

espartería *f.* 스파르트 가게·직업.

espartero, ra *m.f.* 스파르트 직조공·판매자.

espartilla *f.* (동물을 깨끗이 하기 위한 빗자루처럼 쓰이는) 알파풀 두루마리.

espartillo *m.* [*dim.* esparto] 샤프란의 알에 자라는 수염.

espartizal *m.* 스파르트밭.

esparto *m.* [*lat.*spartum] 【식물】 스파르트, 알파풀.

esparvar *tr.* 【방언】 다발로 묶다(emparvar).

esparvel *m.* ①【조류】 《*Ar.*》 매(gavilán). ② 《*Nav.*》 껑충한 사람.

esparver *m.* =**esparvel.**

espasmático, ca *adj.* espasmo의.

espasmo *m.* [*lat.* spasmus] ①【의학】 경련, 경기. ② 놀라움(pasmo).

espasmódicamente *adv.* 경련으로.

espasmódico, ca *adj.* 【의학】 경련(성)의.

espástico, ca *adj.* =**espasmódico.**

espata *f.* 【식물】 (espádice를 싸는) 화포(花苞).

espatáceo, a *adj.* 불염포(佛炎苞)의·와 같은, 불염포가 있는·에 싸인.

espatarrada *f.* 【속어】 =**despatarrada.**

espatarrarse *r.* =**despatarrarse.**

espático, ca *adj.* ① 이석(espato)의, 이석 모양의. ② 얇은 조각으로 된.

espato *m.* [*alem.* spath] 【광물】 이석(泥石) : ~ calizo 방해석(方解石). ~ de Islandia 빙도석(氷島石). ~ flúor 형석(螢石). ~ pesado 중정석(重晶石).

espátula *f.* [*lat.* spathula] (미장이·화가·조각가 등이 사용하는) 작은 주걱, 주걱 해오라기.

espatulomancia *f.* 뼈로 치는 점술.

espatulomancía *f.* =**espatulomancia.**

espaviento *m.* =**aspaviento.**

espavorecido, da *adj.* =**espavorido.**

espavorido, da *adj.* =**despavorido.**

espavorizarse *r.* ⑨ 마음이 풀리다.

espay *m.* =**espahí.**

especería *f.* =**especiería.**

especia *f.* 양념 ; 향료, 향신료 : Las ~*s* vienen casi todas del oriente 향료는 거의 모두가 동양에서 난 것이다.

especial *adj.* [*lat.* specialis] ① 특별한, 특수한, 특히 ; 별개의, 특유의(particular) : servicio ~ 특별 봉사. ② 독특한, 고유의(extraño) : tener un gusto ~ 독특한 취미·맛을 가지다. vino ~ 고유한·독특한 포도주. ③ 전문의, 전공의. ④ 특별용의. —*adv.* 【방언】 《*Chile.*》 특히.
en ~ 특히, 특별히(especialmente).

especialidad *f.* ① 특색, 특성(particularidad). ② 전문, 본직, 전공 : Los retratos son la ~ de este pintor 초상화는 이 화가의 전공이다. ③ (취급 상품의) 전문 분야 ; (음식점의) 전문 요리. ④ 특기, 재주 : Los pasteles son su ~. ⑤ 특산물, 명물. ⑥ 특제품. ⑦ 특허 조제, 특효약(~ farmacéutica). ⑧ 기벽 : Su ~ es meter la pata constantemente.

especialista *adj.* 전문의, 전문가의, 전공의 : un médico ~. —*m.f.* 숙련자, 전문가, 전공자 : Aquel doctor es ~ en los nervios 저 의사는 신경 전문가이다. ~ en exportación e importación 수출입 전문가.

especialización *f.* 특수화, 전문화, 분업화.

especializado, da *adj.* 전문·전공·분업화의.

especializar *tr.* 특수화하다, 전문화하다 ; 한정하다, 국한하다(limitar).
—*intr.*, **~se** [+en : …을] 전공하다, 전문으로 다루다 : Necesitamos un joven que *se haya especializado en* la química aplicada 우리는 응용화학을 전공해온 젊은이가 필요하다.

especialmente *adv.* 특히, 특별(特別)히(en especial).

especiar *tr.* 양념을 치다, 향료를 넣다.

especie *f.* [*lat.* species] ① 종류(clase) : una ~ de manzana 사과의 일종. ② 것, 일, 문제 : Se trató de aquella ~ 그것에 대한 내용의 말이 었다. No me acuerdo de tal ~ 그런 것은 기억에 없다. ③ 사건 ; 논제. ④ 구실, 핑계 : soltar ~ 상대방의 본심을 넌지시 떠보다. ⑤ 소식, 뉴스. —*pl.* 【속어】 =**especias.**
en ~ ① 물건으로 : pagar ~. ② 본질적으로 : Le pagaron en ~ 그는 현품으로 지급받았다.

especiería *f.* 향료류 ; 향료점 ; 약제상.

especiero, ra *m.f.* 향료 상인. —*m.* 약제·향료 상자.

especificación *f.* 상세히 기록하는 것 ; 상기(詳記), 상술 ; 명세(서), 명세 사항, 내역, 품명 명

세 : ~ de embalaje 포장 명세표.

especificadamente *adv.* 상세하게, 자세하게.

específicamente *adv.* 명시적으로, 분명하게.

especificar *tr.* 7 ① 상술하다, 명기하다 ; 열거하다 ; 명세서에 기입하다 : condiciones *especificadas* 명세에 기록된 제반 조건. ② 나누어 기록하다. ③ 특수화하다.

especificativo, va *adj.* 특정의 ; 한정적 ; 특수화의.

especificidad *f.* 《*Neol.*》 특수성.

específico, ca *adj.* ① 특수한, 특정한 ; 독특한 ; 특수화의. ② 특효가 있는. **—*m.*** 특효약 ; 특허매약.

resistencia ~ 비저항. ***derechos*** ~***s*** 종량세. ***peso*** ~ 비중(densidad).

espécimen *m.* [*pl.* especímenes] 견본, 견양, 표본, 샘플(muestra).

especiosamente *adv.* 그럴싸하게, 아름답게.

especioso, sa *adj.* [*lat.* speciosus] ① 아름다운(hermoso, precioso). ② 완벽한(perfecto). ③ 그럴싸한, 겉만 번드르한(aparente) : un razonamiento ~.

especiota *f.* 낭설, 허보 : soltar una ~.

espectable *adj.* 《*Chile.*》 ① 유명한, 저명한 : un político ~. ② 존경할 만한 ; 명백한.

espectacular *adj.* 흥행적인, 구경거리의 ; 장관의.

espectáculo *m.* [*lat.* spectaculum] ① 흥행(물), 관람물 : sala de ~*s* 연주실. ~*s* teatrales y cinematográficos 연극과 영화. Ella es muy aficionada a los ~*s* 그녀는 영화 연극을 무척 좋아한다. La corrida de toros es un ~ muy interesante 투우는 매우 재미있는 구경거리다. ② 광경, 경관 : ~ de la naturaleza. 자연 경관. Esos ~*s* son muy frecuentes en las ciudades 그런 광경은 도시에서 무척 잦은 일이다. ③ 구경거리.

dar ~ 망신을 당하다 : No *des un* ~ llorando en la calle 거리에서 울어서 사람들로부터 망신을 당하지 마라.

espectador, ra *m.f.* [*lat.* spectator] 관객, 구경꾼 ; 방관자.

espectral *adj.* ① 요괴의, 유령의. ② 환영(幻影)의. ③ 괴기한, 소름끼치는, 무시무시한. ④ 【물리】 스펙트럼의, 분광의 : análisis ~ 분광 분석.

espectro *m.* [*lat.* spectrum] ① 유령, 망령, 요괴, 귀신(fantasma) : no creer en ~*s* 귀신을 믿지 않다. ② 공포 : el ~ de guerra 전쟁의 공포. 【물리】 분광, 스펙트럼 : ~ solar 태양 스펙트럼. ③ (눈의) 잔상(殘像) ; (텔레비전에 비치는)상, 영(影) ; (전자파의) 스펙트럼 분포.

espectrografía *f.* =**espectroscopia.**

espectrógrafo *m.* ① 분광 사진기. ② 【물리】 음향 스펙트럼 검출기.

espectrograma *m.* 분광 사진, 스펙트럼 사진.

espectrómetro *m.* 【물리】 분광 광도계.

espectroscopia *f.* 분광학(分光學) : La ~ nos permite conocer la composición de los astros 분광학은 우리에게 천체의 구성을 알려 준다.

espectroscópico, ca *adj.* 분광의, 분광기에 의한 : el método de análisis ~ 분광 분석 방법.

espectroscopio *m.* 분광기(分光器).

especulación *f.* ① 사색, 심사, 숙고. ② 공리, 공론. ③ 투기, 속셈 : arruinarse en ~*es.*

especulador, ra *m.f.* ① 사색가, 이론가 ; 공론가. ② 투기자 : ~ al alza 시세가 오를 것으로 보는 투기자. ~ a la baja 시세가 내릴 것으로 보는 투기자.

especular[1] *tr. intr.* ① [+en : …을] 사색하다, (심사) 숙고하다 : ~ *en* una materia. ② 투기를 하다, 증권을 사다 : ~ *en* carbones · *sobre* los granos 석탄 · 곡물의 투기를 하다.

especular[2] *adj.* 거울같은.

especulativa *f.* 말주변 ; 투기성.

especulativamente *adv.* 사색적으로, 추구적으로 ; 투기적으로.

especulativo, va *adj.* ① 사색적인, 순이론적인, 추론적인. Contr. práctico. ② 깊은 생각에 잠긴. ③ 투기적인 ; 증권 시장의. ④ 위험한. ⑤ 불확실한.

espéculo *m.* 【의학】 금속 반사경 《귀 · 코 · 자궁경 등》.

espejado, da *adj.* ① 거울 같은. ② 빛을 반사하는 : la ~*da* superficie del lago.

espejar *tr.* 갈다 ; 씻어 내다(despejar).

~se 거울을 보다 ; 반사하다 ; 그림자가 비치다.

espejear *intr.* 반사하다, 반짝반짝 빛나다 : Las olas *espejeaban a*l sol.

espejeo *m.* ① 신기루(蜃氣樓)(espejismo). ② 《*Neol.*》 반사, 빛남.

espejera *f.* 《*Cuba.*》 (말의) 종양.

espejería *f.* 거울 가게.

espejero *m.* 거울 제조인 · 장수.

espejico *m.* [*dim.* espejo] 작은 거울.

espejillo *m.* [*dim.* espejo] 작은 거울.

espejismo *m.* 신기루 ; 환영(幻影)(ilusión).

espejito *m.* [*dim.* espejo] =**espejico.**

espejo *m.* [*lat.* speculum] ① 거울 : mirarse en el ~ 거울을 보다. ② 귀감, 본보기, 모범 : Mírate en ese ~ 그것을 본보기로 삼아라. ③ 반영. **—*pl.*** 말의 앞가슴의 갈기털.

~ ***cóncavo*** 오목 거울. ~ ***convexo*** 볼록 거울. ~ ***de cuerpo entero*** 체경. ~ ***de los incas*** 흑요석. ~ ***ustorio*** 볼록렌즈. ~ ***de popa*** 배의 고물에서 평면 부분. ~ ***retrovisor*** 백미러.

espejuelo *m.* [*dim.* espejo] 투명 석고 ; 활석(滑石)의 박 ; 채광창 ; 종달새를 잡기 위한 선회경 ; 나뭇결의 광택 ; 호박 통조림 ; (말의 발에 생기는) 혹. **—*pl.*** ① 안경, (안경의) 알. ② 관심사, 관심을 끄는 것.

espeleología *f.* 동혈학(洞穴學), 동굴 연구, 암굴 연구.

espeleólogo, ga *m.f.* 동굴 연구자.

espelma *f.* 【속어】 =**esperma.**

espelta *f.* [*lat.* spelta] 【식물】 독일밀.

espélteo, a *adj.* 독일밀의.

espelucar *tr.* 7 《*Amér.*》 =**espeluzarse.**

espelunca *f.* [*lat.* spelunca] [드묾] 동혈, 동굴, 암굴.

espelurciar *tr.* =**espeluznar.**

espeluzar *tr.* 8 《*Amér.*》 ① 머리칼을 헝클어뜨리다. ② 전율시키다, 머리칼을 곤두서게 만들다, 소름이 끼치게 만들다(despeluzar).

espeluznamiento *m.* =**despeluzamento.**

espeluznante *adj.* 머리털이 곤두서는 듯한.

espeluznar *tr.* =**despeluznar.**

espeluzno *m.* =**escalofrío.**

espenjador *m.* 【방언】 끝이 갈라지게 만든 작대기.

espeque *m.* [*ing.* handspike] 지주(支柱) ; 지렛대.

espera *f.* ① 대기, 기다림 : sala de ~ 대합실. Después de una larga ~ pudimos entrar 오랫동안 기다린 후에 우리들은 들어갈 수 있었다. ② 유예 기간 : dar ~ 유예시키다. no tener ~ 유예할 수 없다. ③ 기대, 소망. ④ 침착, 인내, 참을성 : tener ~ 참을성이 많다. ⑤ (사냥에서 짐승의) 대기소.

en ~ de …을 기다리면서 : *en ~ de* su pronta respuesta …귀하의 조속한 회답을 기다리면서.

esperable *adj.* 기대할 수 있는.

esperadamente *adv.* [no와 같이] 뜻밖에.

esperador, ra *adj.* …을 기다리는, …에 기대를 거는. —*m.f.* 기다리는 사람.

esperantista *m.f.* 에스페란토어 학자·애호가·사용자.

esperanto *m.* 에스페란토 《폴란드의 안과 의사 Zamenhof가 1887년에 만든 국제어》.

esperanza *f.* ① 희망, 기대, 소망 : dar ~ 희망을 주다. tener ~*s* 희망을 가지다. concebir ~*s* 희망을 품다. La ~ es gran consoladora 희망이란 굉장한 위로가 된다. ② 【수학】 (확률의) 중간수.

La ~ es lo último que se pierde ; Como el tiempo dure, lugar tiene la ~ 【속담】 목숨이 있고서야 희망도 있다.

esperanzado, da *adj.* 희망을 가진.

esperanzador, ra *adj.* =**alentador.**

esperanzar *tr.* ⑨ 희망을 주다(dar esperanza). —*intr.* 희망·기대를 가지다.

esperar *tr. intr.* [*lat.* sperare] ① 기다리다, 대기하다(aguardar) : ~ desesperando 만일을 기대하다. ~ sentado 무작정 기다리다. *Espero* a un amigo 나는 친구를 기다리고 있다. *Espero a* que llegue 나는 그가 오는 것을 기다리고 있다. Perdone que le haya tenido *esperando* tanto tiempo 이렇게 오래 기다리게 해서 죄송합니다. Siento mucho haberle hecho ~ 오래 기다리게 해서 죄송합니다. ¿Me *esperó* usted mucho tiempo? 저를 오래 기다리셨습니까? Tenemos que ~ el tren veinte minutos más 우리들은 열차를 20분 더 기다려야 한다 : Totó *esperó a* que todos guardasen silencio 또또는 모든 사람들이 조용히 하길 기다렸다. [*N.* esperar a que + *subj.*]. ② 바라다, 기대하다, 희망하다 : *Espero que* volverás 네가 돌아오리라 희망한다. *Espero que* vuelvas 네가 돌아올 것을 바란다. El que *espera* desespera 기대하는 자는 실망한다. ③ [+ en : …에] 기대를 걸다, 희망을 두다. ④ [+ *inf.*] …하고 싶어하다. **Contr.** desesperar.

espercer *intr.* 죽다 ; 기진 맥진하다.

esperezarse *r.* ⑨ 기지개를 펴다(desperezarse).

esperezo *m.* ① 기지개(desperezo). ② 게으름 피우기.

espérgula *f.* 【식물】 =**aspérgula.**

esperiego, ga *adj.* 【식물】 =**asperiego.**

esperlán *m.* 【어류】 빙어(氷魚)류의 식용어.

esperma *f.* 【생리】 정충, 정자 ; 정액 : ~ de ballena 경뇌유(鯨腦油).

espermaceti *m.* 경뇌유(鯨腦油).

espermático, ca *adj.* 정충·정자의 ; 정액(精液)의.

espermatorrea *f.* 유정(遺精), 정액누(漏).

espermatozoario *m.* =**esperatozoide.**

espermatozoide *m.* 정자, 정충(zoospermo).

espermatozoo *m.* 정자, 정충, 정사(精糸).

espernada *f.* 쇠사슬(cadena)의 끝에 있는 고리.

espernancarse *r.* ⑦ 《*León. Amér.*》 =**esparrancarse.**

espernible *adj.* 《*And.*》 =**despreciable.**

esperón *m.* ① (배의) 충각(衝角). ② 《*Cuba.*》 기다림 ; 기다리다 허탕침.

esperpentico, ca *adj.* 기괴한, 괴이한.

esperpento *m.* ① 추남, 추녀(persona fea). ② 도깨비. ③ 촌스러운 일. ④ 괴기 문학.

esperquisa *f.* =**marcasita.**

esperriaca *f.* 《*And.*》 =**aguapié.**

esperrugido, da *adj.* 《*Venez.*》 =**desastrado.**

espertar *tr.* ⑪ 【속어】 잠을 깨다(despertar).

espesado, da *adj.* espesar(se)의 *p.p.* —*m.* 《*Bol.*》 죽(gachas)의 일종.

espesamiento *m.* espesar하는 일.

espesar *tr.* ① 짙게 하다 : ~ el chocolate. ② 두껍게 하다, 텁텁하게 하다.

~se 짙어지다, 농후해지다 ; 무성해지다 ; 바싹 졸여지다. —*m.* (산의) 덤불.

espesartina *f.* 【광물】 망간 석류석.

espesativo, va *adj.* 짙게 하는.

espeso, sa *adj.* ① 짙은, 농후한 : un humo ~ 짙은 연기. No me gusta la sopa *espesa* 나는 짙은 국물을 싫어한다. La sangre es más *espesa* que el agua 피는 물보다 진하다. ② 두터운 : los ~*s* muros del castillo 성의 두터운 성벽. ③ 빽빽한, 무성한(tupido) : follaje ~ 무성한 덤불. un bosque ~ 빽빽한 숲. ④ 기름진.

espesor *m.* ① 두께(grosor) : de ~ 두께. La mesa tiene dos centímetros de ~ 책상은 두께가 2센티미터이다. La nieve alcanzó dos metros de ~ 눈은 두께가 2미터에 달한다. ② 농도.

espesura *f.* ① 농도. ② 숱이 많은 머리. ③ 두께. ④ (수목의) 무성함. ⑤ 덤불 : internarse en la ~ 덤불을 헤치고 들어가다. ⑥ 불결, 더러움.

espetado, da *adj.* espetar의 *p.p.*

espetamiento *m.* 딱딱함, 완고함.

espetaperro (a) *adv.* 허겁지겁, 서둘러.

espetar *tr.* ① 꼬챙이에 꿰다. ② 찌르다 : Le *espetó* el cuchillo en la mano 그의 손에 칼을 꽂았다. ③ 들이대다 : Me *espetó* una carta 그는 나에게 편지를 들이댔다. ④ 말하여 놀라게 하다·애먹이다 : Me *espetó* una arenga.

~se 빈틈없이 들어맞다.

espetera *f.* ① (부엌 도구를) 걸치는 판자. ② 많은 훈장. ③ 축 늘어진 유방. ④ 《*AmérC.*》 구실, 핑계.

espeto *m.* =**asador.**

espetón *m.* ① 쇠꼬챙이 ; 부젓가락 ; 커다란 핀. ② 【어류】 동갈치(aguja).

espía *m.f.* 첩자, 밀정, 간첩, 스파이 : ~ doble

이중 스파이. —*f.* ① 정찰. ②【해사】 밧줄 ; 배를 끄는 일.

espiado, da *adj.* [espiar의 *p.p.*]【은어】 =**acusado, delatado.**

espiador, ra *m.f.* =**espía.**

espiantar *tr.*《*Riopl.*》 야바위치다, 훔치다(hurtar). —*intr.*《*Arg. Chile.*》 도망치다.

espiante *m.*《*Arg.*》 =**huida.**

espiar *tr.* ⑫ ① 탐정하다, 남몰래 조사하다. ② 알아채다, 찾아내다. ③ 탐정·스파이 노릇을 하다. —*intr.*【해사】 배를 끌다.

espibia *f.* 말의 목 틀어지기(torcedura del caballo).

espibio *m.* =**espibia.**

espibión *m.* =**espibia.**

espica *f.* 십자형 붕대.

espicanardi *f.* =**espicanardo.**

espicanardo *m.*【식물】(화본과 약초용) 감송(甘松), 감송의 뿌리 ; 감송향(azúmbar).

espich *m.* [*ing.* speech] 연설.

espichar *tr.* ① 찌르다(pinchar). ②《*Chile.*》 마지못해 내놓다. ③ 통에 액체를 빼내는 구멍을 만들다(espitar). —*intr.* ① 죽다, 사망하다(morir). ②《*Arg.*》 남김없이 쏟아지다, 하나도 남지 않게 되다.
~se 《*Col.*》 ① 시들다. ②《*Cuba. Méx.*》 여위다. ③《*Méx.*》 부끄러워하다(avergonzarse). ④《*Guat.*》 주눅들다.

espiche[1] *m.* [*ing.* speech] 연설(discurso).

espiche[2] *m.* ① 끝이 뾰족한 무기. ②(구멍을 막는) 마개.

espichón *m.* (칼·창에) 찔린 상처.

espicifloro, ra *adj.*【식물】(꽃이) 이삭에 돋은.

espiciforme *adj.* 이삭(espiga) 모양의.

espicóleo, a *adj.* 바늘 같이 뾰족한, 깃으로 뒤덮인.

espícula *f.*【동물】(해면 등의) 침골 ; 침상체(針狀體), 바늘 모양으로 된 것.

espiculífero, ra *adj.*【식물】 소수상화의·같은.

espiga *f.* [*lat.* spica] ① 이삭. ② 창끝. ③【식물】 이삭꽃. ④【목공】 장부촉 ; 대가리없는 못, 나무못. ⑤ 접붙이는 데 쓰는 순. ⑥【기계】 가이드핀, 녹핀. ⑦(폭탄의) 도화선. ⑧【선박】 돛대의 꼭대기.

espigadera *f.* 떨어진 이삭을 줍는 여자.

espigadilla *f.* 자생하는 보리.

espigado, da *adj.* ① 다 익은, 다 자란. ② 키가 큰 : muchacha muy *~da* 꺽다리 소녀.

espigador, ra *m.f.* 이삭 줍는 사람.

espigajo *m.*《*Ar.*》 그루터기로 모아진 이삭.

espigar *tr.* [*lat.* spicare] ① 떨어진 이삭을 줍다 ; (자료 등을) 찾아 다니다, 주워 모으다. ②(약혼 때 여자에게) 선물을 주다. ③【목공】 장부촉을 만들다.
—*intr.*, **~se** ① 이삭이 나오다. ② 키가 무척 자라다(crecer mucho) : Esta muchacha *se ha espigado* este año 이 소녀는 금년에 많이 자랐다. ③(야채 등의) 겨울눈이 나다.

espigo *m.* (도구의 접어 넣는) 손잡이 부근.

espigón *m.* ①(못 등의) 끝, 칼날의 끝 : el ~ del cuchillo. ②(벌의) 침. ③ 옥수수 이삭(mazorca). ④ 뾰족한 바위산. ⑤ 선창, 제방.

espiguear *intr.*《*Méx.*》(말이) 꼬리를 흔들다.

espiguela *f.*《*Rioja.*》 =**indirecta, pulla.**

espigueo *m.* 추수(기), 수확(기).

espiguilla *f.* ① 끝이 가는 리본. ②(벼이삭의) 까끄라기.

espillador *m.*【은어】 =**jugador.**

espillantes *m.pl.*【은어】 카드(naipes).

espillar *tr.*【은어】 =**jugar.**

espillo *m.*【은어】 =**juego.**

espín *m.*【동물】 멧돼지(puerco ~).

espina *f.* [*lat.* spinal] ①(식물에 난) 가시 : ~ de rosal 장미의 가시. Se me ha clavado una ~ en un dedo 내 손가락에 가시가 찔렸다. ②(물고기의) 가시, 뼈 : Este pescado tiene muchas *~s* 이 물고기에는 가시가 많다. ③(뼈의) 돌기(突起) ; 척추(espinazo). ④ 걱정, 불안, 근심(sospecha) : dar mala ~ 걱정이다. Me da mala ~ ese hombre 나는 그 남자가 걱정이다.
~ *blanca*【식물】 지느러미 엉겅퀴.
~ *dorsal* 척추.
dejar la ~ en el dedo 오래도록 상처가 남다.
estar en ~s 근심 걱정에 쌓여 있다.
estar en la ~ 몹시 수척해지다.
tener en ~s 마음을 쓰며 걱정하고 있다.

espinablo *m.*《*Ar.*》 =**majuelo.**

espinaca *f.*【식물】 에스삐나까《시금치 비슷한 일년생 식물》: tortilla de *~s.*

espinadura *f.* 찌르기 ; 찔린 상처.

espinal *adj.* 척추의 : médula ~ 척추. meningitis ~ 척추 뇌막염. —*m.*《*Col. Cuba.*》 = **espinar.**

espinape *m.* =**espinapez.**

espinapez *m.* (마루의) 나무 깔기.

espinar[1] *m.* ① 가시 덤불. ② 귀찮음, 어려움, 곤란(dificultad).

espinar[2] *tr.* ① 찌르다. ②(어린 나무를 보호하기 위해) 가시가 많은 것을 대다 : ~ un árbol. ③ 빈정거리다, 풍자하다. ④ 대열을 만들다.
—*intr*, **~se** 가시에 찔리다. Sinón. zaherir.

espinazo *m.*【해부】 척추, 척골(脊骨) : romperse el ~.
doblar el ~ 비굴하게 굴다.

espinel *m.* (바늘을 많이 맨) 낚싯줄.

espinela[1] *f.*【시어】 8음절 10행시(décima).

espinela[2] *f.* [*ital.* spinella]【광물】 밝은 붉은 색 루비(rubí de color rojo vivo).

espíneo, a *adj.* 가시의, 가시가 있는, 가시같은 : corona *~a* 가시관.

espinera *f.*【식물】 가시.

espinescente *adj.*【식물】 가시투성이가 된.

espineta *f.*【악기】 소형 하프시코드《피아노의 전신으로 16—18세기에 많이 쓰였던 건반 악기》(clavicordio pequeño).

espingarda *f.* ①(옛날의) 대포. ②(아라비아의) 총신이 긴 총. ③ 꺽다리 여자.

espingardada *f.* espingarda의 발사·상처.

espingardería *f.* espingarda 부대.

espingardero *m.* espingarda병(兵).

espinica *f.* [*dim.* espina] 작은 가시.

espinilla[1] *f. dim.* espina.

espinilla[2] *f.* ①【해부】 정강이뼈, 경골(canilla de la pierna). ② 여드름(tumorcillo en la cara)

: sacarse una ~ de la frente.

espinillera *f.* (목동 · 축구 선수 · 옛날 갑옷 등의) 정강이 받침(greba).

espinillo *m.* 《*Arg. Urug.*》 【식물】 미모사의 일종.

espinita *f. dim.* =**espinica.**

espino *m.* ①【식물】 단상사나무 (~ blanco). ② 가시(espina) : meterse un ~ en el dedo. ③ 가시 돋친 식물.
~ ***artificial*** (가시 철사에서의) 가시. ~ ***negro*** 【식물】 털갈매나무. ***puerco*** ~ 【동물】 멧돼지.

espinochar *tr.* (옥수수의) 껍질을 벗기다.

espinosismo *m.* 스피노자《Benito Espinosa, 네덜란드의 철학자, 1632-77》의 철학 《절대 일원설》: El ~ afirma la unidad de substancia y considera los seres como formas de dicha substancia única.

espinosista *adj.* 스피노자 철학의. —*m.f.* 스피노자 철학자.

espinoso, sa *adj.* ① 가시투성이의 ; 뼈가 있는 · 많은 : pez ~ 가시가 많은 물고기. ② 곤란한, 힘에 겨운, 어려운, 까다로운, 귀찮은 : resolver un asunto ~ 까다로운 일을 해결하다.

espinudo, da *adj.* 《*Amér.*》 =**espinoso.**

espínula *f.* =**espina pequeña.**

espinzar *tr.* 《*Cuenca.*》 사프란꽃을 떼어내다.

espiocha *f.* [*fr.* pioche] 곡괭이.

espión *m.* [*fr.* espion] 간첩, 스파이(espía).

espionaje *m.* [*fr.* espionnage] 정탐, 정찰, 스파이 · 탐정 · 간첩 행위.

espionar *tr.* 《*Galic.*》 =**espiar.**

espique *m.* =**espicanardi.**

espira *f.* [*lat.* spira] ① 소용돌이. ② 나선. ③ 나선의 1회전. ④ 기둥 받침. ⑤ (소라 고둥 따위의) 나탑(螺塔).

espiración *f.* 숨을 내쉼.

espiráculo *m.* (곤충 · 물고기의) 숨구멍.

espiracusar *intr.* 《*Arg.*》 =**huir, largarse.**

espiradero *m.* =**respiradero.**

espirador, ra *adj.* ① 숨을 내쉬는, 호흡의, 호흡에 의한 : músculo ~. ② 용기를 주는.

espiral *adj.* ① 나선(형)의 : línea ~ 나선. escalera ~ 나선 계단. ② 나선 장치의. ③【수학】 와선(渦線)의. —*f.* 나선. —*m.* 시계의 태엽.
~ ***de Arquímedes*** 아르키메데스 와선.
~ ***de salarios y precios*** 【상업】 임금 및 물가의 악순환.

espiralmente *adv.* 나선형으로.

espirante *adj.* =**fricativo.**

espirar *tr.* [*lat.* spirare] ① 발산하다 (exhalar) : ~ un olor. ② (숨을) 내쉬다 (respirar). ③ 격려하다, 기운을 북돋우다(animar). ④ (…에) 영감을 주다. —*intr.* ① 한숨짓다. ② 숨을 내쉬다. ③ 기운을 내다. ④【시어】 바람이 산들거리다. **Contr.** inspirar.

espirativo, va *adj.* 호흡할 수 있는.

espiratorio, ria *adj.* 호흡의.

espirea *f.* 【식물】 석잠풀 속의 식물.

espiriforme *adj.* 나선형(forma espiral)의.

espirilo *m.* 나균(螺菌), 나선상 세균. **Sinón.** espiroqueta, treponema.

espirita *adj. m.f.* 《*Neol.*》 =**espiritista.**

espiritado, da *adj.* 바싹 마른 : un hombre ~.

espiritar *tr.* [드묾] =**endemoniar.**
~se 마음이 동요되다(agitarse).

espiritillo *m. dim.* espíritu.

espiritismo *m.* 교령술, 강신술(降神術) ; 심령학, 심령론, 유심론.

espiritista *adj.* 신이 내리는 : revista ~. —*m.f.* 강신술사, 교령술사(交靈術師) ; 심령학자.

espiritosamente *adv.* 시원시원하게.

espiritoso, sa *adj.* ① 시원시원한. ② 강한, 생기있는, 활기에 넘치는, 활기찬. ③ 알코올 성분이 많은(espirituoso) : licor ~ 알코올 성분이 많은 술.

espíritu *m.* [*lat.* spiritus] ① 생명. ② 혼, 영혼, 영, 신령(神靈), 정령(精靈) : ~*s* celestiales 하늘의 정령들. ~ inmundo · maligno 악마. *Espíritu* Santo 성신, 성령. ③ 정신, 마음 : ~ de contradicción 반항심. el ~ y la materia 정신과 물질. el ~ y la carne 마음과 육체. ④ 중심 사상 : el ~ y la letra de una ley 법의 정신과 문맥. ⑤ 의식 기분 : ~ de clase 계급 의식. ⑥ 활기, 열의 ; 용기, 의기, 기백(ánimo, brío) : un hombre de ~ 기백이 있는 사람. pobre de ~ 기력이 없는, 기백이 없는, 주눅들린. levantar el ~ 힘을 돋구다. ⑦ (정신면에서 본) 사람 : ~*s* generosos 마음이 너그러운 사람. ~ de la golosina 삐쭉 마른 사람. ⑧ 정(精), 정분(精分). ⑨ 주정, 알코올 : ~ de sal 염산. ~ de vino 에틸 알코올. ~ vital 생명의 요소. ⑩ [주로 *pl.*] 악령.
dar · despedir · exhalar el ~ 사망하다, 죽다.

espiritual *adj.* ① 정신의, 정신적인. ② 영적(靈的)인 ; 성령(聖靈)의, 영(靈)의, 마음의. ③ 《*Galic.*》 재주있는(ingenioso).

espiritualidad *f.* 영적 요소, 정신적임, 영적임, 영성(靈性), 무형 ; 종교 사업, 종교.

espiritualismo *m.* ① 강신술, 교령술(交靈術). ② 정신적 경향, 정신주의. ③【철학】 유심론, 관념론. **Contr.** materialismo.

espiritualista *adj.* 심령설의 ; 유심론의 ; 정신주의의 : filosofía ~. —*m.f.* 유심론자.

espiritualización *f.* 영화(靈化), 정신화, 정화(淨化) ; 정신적 의미에서 해석.

espiritualizar *tr.* ⑨ ① 정신적으로 하다, 영적으로 하다. ② 사령(寺領)으로 편입시키다 (eclesiastizar). ③ 주정화(酒精化)시키다. ④ 정신적인 뜻으로 해석하다.

espiritualmente *adv.* 정신적으로, 마음으로 (con el espíritu).

espirituano, na *adj. m.f.* 상띠 · 스삐리뚜스 (Sancti Spíritus, Cuba에 있는 도시)의 (사람).

espirituoso, sa *adj.* 원기가 있는 ; 활발한 ; 하는 일이 시원스러운 ; 강한 ; 알코올 성분이 많은 (espiritoso).

espiritusanto *m.* 【식물】 (중미산의) 대형 흰색 선인장 꽃의 이름.

espiroidal *adj.* 나선형의.

espirómetro *m.* 폐활량계(肺活量計).

espiroqueta *f.* 스피로헤타 《미생물의 일종으로 모양은 실같은 나선형으로 고등 동물에 기생함 ; 분열에 의해 증식하여 매독 · 회귀열(回歸熱) 등의 병원체가 되지만 병원성(病原性)이 아닌 종류도 있음》.

espita *f.* ① (술통의) 꼭지. ② (술을 빨아내기 위한) 파이프. ③ 주정뱅이, 고주 망태.
espitar *tr.* (술통 같은 데에) 꼭지를 만들다.
esplácnico, ca *adj.* 내장(vísceras)의.
esplacnología *f.* 내장학.
esplandeciente *adj.* =**esplendente.**
esplendente *adj.* 광휘의, 번쩍거리는, 빛나는 (resplandeciente).
esplender *intr.* 【시어】 =**resplandecer.**
espléndidamente *adv.* ① 훌륭하게, 눈부시게, 찬란하게, 빛나게, 멋들어지게. ② 굉장히, 아주 멋지게. ③ 후하게, 듬뿍.
esplendidez *f.* ① 빛남, 광휘, 광채, 찬란. ② 화려, 웅장, 훌륭함. ③ 현저, 탁월. ④ 선심; 은근함.
espléndido, da *adj.* [*lat.* splendidus] ① 빛나는, 찬란한; 화려한, 장려한, 눈부신. ② 훌륭한, 장한; 멋진, 굉장한. ③ 관대한, 선심 잘 쓰는(generoso).
esplendor *m.* [*lat.* splendor] ① 광휘, 광채, 빛남(resplandor) : el ~ del sol. ② 영예, 영광, 고귀(lustre, gloria, honor) : el ~ del trono.
esplendorosamente *adj.* 훌륭하게, 휘황하게, 찬란하게, 화려하게, 눈부시게.
esplendoroso, sa *adj.* 빛나는, 찬란한, 화려한, 눈부신, 휘황찬란한.
esplenético, ca *adj.* =**esplénico.**
esplénico, ca *adj.* 비장(脾藏)의, 지라의 : arteria ~*ca.*
esplenio *m.* 【해부】 판상근(板狀筋).
esplenitis *f.* 【의학】 비장염(inflamación del bazo).
esplicaderas *f.pl.* 말씨, 말투.
espliego *m.* 【식물】 라벤더 《향기가 높고 등나무 빛깔의 꽃풀》. Sinón. alhucema.
esplín *m.* [*ing.* spleen] ① 울화, 침울, 애수. ② 나른함, 권태로움 : El ~ es enfermedad muy común entre los ingleses.
esplique *m.* 새잡이용 올가미.
espolada *f.* ① 박차를 가하는 동작. ② 한 모금 : ~ de vino 술 한 모금(trago de vino).
espolazo *m.* 박차를 가하는 일(espolada).
espoleadura *f.* 박차로 인한 상처.
espolear *tr.* ① (…에) 박차를 가하다. ② 자극하다, 부추기다(estimar) : Me *espolea* para que salga. Sinón. acicatear.
espoleo *m.* espolear 하기.
espoleta *f.* [*ital.* spoletta] ① 신관(信管), 뇌관(雷管), 도화선(detonador) : ~ de tiempos 시한 신관. ② (새가슴의) 쇄골(horquilla).
espoliar *tr.* =**despojar.**
espolín[1] *m.* ① 박차(espuela). ② 【식물】 나래새의 무리.
espolín[2] *m.* [*fr.* espolin] 꽃무늬를 넣은 비단천 (tela de seda brocada).
espolinado, da *adj.* espolinar의 *p.p.*
espolinar *tr.* espolín으로 무늬를 넣다.
espolio *m.* [*lat.* spolium] 사교(司教)의 유산.
espolique *m.* 말을 돌보는 하인.
espolista *m.* =**espolique.**
espolón *m.* ① (새의) 며느리발톱 : los ~*es* del gallo. ② (교각의) 물막이. ③ 호안벽(護岸壁). ④ 방파제(malecón). ⑤ (군함의) 충각(衝角) (tamajar). ⑥ 험한 산의 지맥. ⑦ 【건축】 부벽(扶壁)(contrafuerte). ⑧ 【의학】 추위로 손발이 틈(sabañón).
espolonada *f.* 기병의 습격.
espolonazo *m.* 며느리발톱으로 걷어차기.
espolonear *tr.* =**espolear.**
espolvoreamiento *m.* 먼지 털기.
espolvorear *tr.* =**espolvorizar.**
espolvorizar *tr.* 9 ① 먼지(polvo)를 털다 (espolvorear). ② 뿌리다(esparcir) : ~ azúcar.
espondaico, ca *adj.* 【시어】 양양격의 : verso ~.
espondalario *m.* (아라곤에서) 공개적이고 구두의 유언장의 증인.
espondeo *m.* [*lat.* spondeus] 【시어】 양양격(揚揚格).
espóndil *m.* 【해부】 추골(推骨), 척추골, 등골뼈(vértebra).
espondilitis *f.* 【의학】 척추골염.
espóndilo *m.* =**espóndil.**
espondilosis *f.* 【의학】 추골 무염증 질환.
espongiario *adj.* 【동물】 해면류(海綿類)의. —*m.pl.* 【동물】 해면류 동물.
espongicultura *f.* 해면업(業).
espongina *f.* 해면상(狀), 해면질.
espongita *m.* 다공석(多孔石), 해면석.
esponja *f.* [*lat.* spongia] ① 스펀지, 해면(海綿), 해면 (동물)의 섬유 조직. ② 해면 모양의 것, 흡수물. ③ 해면 모양의 야바위꾼; 사기꾼. ④ 주정뱅이.
esponjado, da *adj.m.* esponjar의 *p.p.* =**azucarillo.**
esponjadura *f.* esponjar 하기.
esponjamiento *m.* 《*Arg.*》 ① 부풀어 오름. ② 허세.
esponjar *tr.* 해면상으로 만들다, 부풀리다 (mullir) : ~ la lana.
~se ① (체격이) 커가다. ② 우쭐거리다, 자만하다. ③ 관록이 붙다, 틀이 잡혀 가다(adquirir salud y lozanía) : ~*se* con la buena idea.
esponje *m.* 《*And.*》 =**esponjadura.**
esponjear *tr.* 《*Cuba.*》 해면으로 닦다·문지르다.
esponjera *f.* 해면 넣는 그릇.
esponjilla *f.* *dim.* esponja.
esponjita *f.* *dim.* esponja.
esponjosidad *f.* 해면상(狀), 해면질.
esponjoso, sa *adj.* 해면 모양의, 해면질의; 잔구멍이 많은; 푹신푹신한, 퍼석퍼석한; 흡수성의. Sinón. fofo. Contr. compacto.
esponjuela *f.* *dim.* esponja.
esponsales *m.pl.* [*lat.* sponsalia] 약혼, 혼인 계약.
esponsalicio, cia *adj.* 약혼·혼약의 : ceremonia ~*cia* 약혼식.
esponsión *f.* (국제법상의) 권한 외의 보증.
espontáneamente *adv.* 자발적으로; 자연적으로, 자연히(voluntariamente).
espontanearse *r.* 속마음을 털어놓다, 비밀을 털어놓다, 고백하다.
espontaneidad *f.* 자발성, 우발성; 자성(自性), 천연성; 마음의 여유를 가질 수 있는 일.
espontáneo, a *adj.* [*lat.* spontaneus] ① 자발

적인, 임의의(voluntario). ②【생물】 자연 발생의 : planta ~*a* 자연 발생 식물. generación ~*a*【생물】 자연 발생. ③ 자연의, 자연적인 : combustión ~*a* 자연 발화. explosión ~*a* 자연 폭발. ④ 마음의 여유를 가진.

espontón *m.* [*ital.* spontone] (옛날 기병 장교가 사용했던) 창의 일종.

espontonada *f.* espontón에 의한 경례.

espora *f.* [*gr.* spora]【식물】 아포(芽胞), 포자; 종자, 인자.

esporádicamene *adv.* 우발적으로.

esporádico, ca *adj.* ① 우발적인, 돌발성의. ②【의학】 산재성의.

esporangio *m.*【식물】 아포낭, 포자낭.

esporidio *m.*【식물】 월동 아포 식물의 일종.

esporífero, ra *adj.* 포자를 포함한.

esporo *m.*【식물】 =**espora.**

esporocarpio *m.*【식물】 포자낭과.

esporofita *adj.* 아포 번식의.

esporogonio *m.* =**esporangio.**

esporón *m.*【고어】 =**la espuela.**

esporozoarios *m.pl.*【동물】 포자충류(胞子虫類).

esporozoo *adj. m.* =**esporozoario.**

esporrondingarse *r.* ⑧《*AmérC. Col.*》 재산을 탕진하다, 패가 망신하다.

esportada *f.* 한 광주리의 분량.

esportear *tr.* 광주리로 나르다 : ~ sal.

esportilla *f.* [*dim.* espuerta] 작은 광주리, 작은 바구니(espuerta pequeña).

esportillero *m.* 막일꾼; 바구니를 나르는 인부.

esportillo *m.* =**esportilla.**

esportón *m.* [*aum.* espuerta] 큰 광주리.

esportona *f.* 큰 광주리.

esportonada *f.* 큰 광주리 하나의 분량.

espórtula *f.*《*Ast.*》 세금.

esporulación *f.* ① 포자(espora)에 의한 박테리아의 번식. ② esporular 하기.

esporular *intr.* 포자를 생산하다.

esposa *f.* ① 아내(mujer). ②《*Amér.*》 주교의 반지. —*pl.* 수갑.

esposado, da *adj. m.f.* 새로 결혼한, 신혼의; 신혼자(desposado).

esposar *tr.* (…에) 수갑을 채우다 (sujetar con esposas).

esposas *f.pl.* 수갑. Sinón. manillas.

esposo *m.* [*lat.* sponsus] 남편(marido). —*pl.* 부부.

espressione (con) *adj. ital.*【음악】 감정이 풍부하게 : tocar *con* ~.

espressivo *adj. ital.*【음악】 감정이 풍부한 (lleno de expresión).

esprí *m.* [*fr.* esprit] 기지(gracia, agudeza).

esprilla *f.*【식물】 =**escaña.**

espuela *f.* ① 박차 : Las ~*s* sin rodaja se llaman acicates. ② 자극, 충동(estímulo, incitativo) : sentirse aguijoneado por la ~ del deseo. Sinón. aliciente. ③ 신호. ④《*Amér.*》 며느리발톱.

~ ***de caballero***【식물】 비연초(飛燕草).

espuelazo *m.*【속어】 =**espolazo.**

espuelear *tr.* ①《*Amér.*》 =**espolear.** ②《*Col.*》 시험해 보다.

espuelón, na *adj.*《*Col. PRico.*》 며느리발톱이 큰.

espuenda *f.*《*Ar. Nav.*》 운하의 가장자리.

espuerta *f.* (증려로 짠) 광주리.

a ~***s*** 실컷.

espulgadero *m.* (거지들의) 이 잡는 곳·죽치고 있는 곳.

espulgador, ra *adj. m.f.* 샅샅이 뒤지는 (사람).

espulgar *tr.* ⑧ ① 벼룩(pulgas)이나 이(piojos)를 잡아주다 : ~ a un perro. ② 샅샅이 뒤지다, 상세히 조사하다 : ~ un libro.

espulgo *m.* espulgar 하기.

espuma *f.* [*lat.* spuma] (한데 뭉친) 거품. (burbuja) : Las olas del mar forman ~ al estrellarse en las rocas. ② 웅어리, 찌꺼기, 무거리. ③ 정수(nata, flor).

~ ***de caucho*** 기포(氣泡) 고무. ~ ***de piata*** 일산화염. ~ ***de mar*** 해포석(海泡石)(sepiolita). ~ ***del mar*** 바닷물의 거품.

crecer como (la) ~ 갑자기 몸이 커지다.

espumadera *f.* 거품을 건져내는 바가지, 구멍이 뚫린 국자, 망으로 짠 체.

espumador, ra *m.f.* 거품을 내는 사람.

espumadura *f.* (주류가) 거품을 내는 일.

espumaje *m.* 거품투성이.

espumajear *intr.* 입에서 거품을 튀기다(arrojar espumarajos) : ~ de ira.

espumajo *m.* =**espumarajo.**

espumajoso, sa *adj.* 거품투성이의.

espumante *adj.* 거품이 일어나는 : vino ~.

espumaollas *m.f.*【단·복수 동형】 =**catacaldos.**

espumar *intr.* ① 거품을 일으키다 : El vino *espuma.* ② 마구 커지다. —*tr.* (…의) 거품을 떠내다(quitar la espuma de) : ~ el caldo.

espumarajo *m.* 입에서 뿜는 거품.

espumear *intr.* 거품을 일으키다 : Las olas *espumean.*

espúmeo, a *adj.* =**espumoso.**

espumero *m.* 바닷물이 자연적으로 소금으로 결정(結晶)되는 곳.

espumescente *adj.* 거품 모양의, 거품이 이는.

espumilla *f.* [*dim.* espuma] ① 작은 거품. ② 비단의 일종. ③《*Amér.*》 여러 가지 과자의 이름.

espumillón *m.* 비단천.

espumosidad *f.* 거품 일기.

espumoso, sa *adj.* ① 거품이 일어나는 : jabón ~ 거품이 일어나는 비누. vino ~ 거품이 일어나는 포도주. ② 다포질의 : cereza ~.

espumuy *f.*《*Guat.*》 paloma의 일종.

espundia *f.* ① (말에 생기는) 궤양(úlcera)의 일종. ②《*PRico.*》 가시; 나뭇잎(púa, astilla).

espúreo, a *adj.* =**espurio.**

espurio, ria *adj.* 사생의; 의붓의, 의붓자식의 (bastardo) : hijo ~ 사생아, 의붓아들. ② 가짜의(falso) : obra ~*ria.* ③ 타락한.

espurrear *tr.* (피륙 같은 데) 입으로 물을 뿜다 : Las planchadoras *espurrean* la ropa con agua antes de plancharla.

espurriar *tr.* ⑫ =**espurrear.**

espurrir *tr.* =**espurrear.**

~se 《*Ast. León. Sant.*》(손이나 발을) 뻗다·

펴다(desperezarse, estirarse).

espururo *m.* 《*CRica.*》 =**broza, residuo.**

esputación *f.* 【의학】 =**esputo.**

esputar *tr.* 침·가래침을 뱉다(expectorar).

esputo *m.* (뱉는) 침·가래침.

esquebrajar *tr.* =**resquebrajar.**

esquejar *tr.* 접목하다, 꺾꽂이하다.

esqueje *m.* 접목, 삽묘(揷苗), 꺾꽂이.

esquela *f.* [*lat.* schedula] ① (간단한) 편지 : ~ amorosa 연애 편지. ② (인쇄한) 통지서·초대장 (등) : ~ matrimonial 결혼 청첩장·초대장. ~ mortuoria 부고(訃告)(aviso de la muerte).

esqueletado, da *adj.* 뼈와 가죽만 남은, 앙상한, 피골이 상접한(esquelético).

esquelético, ca *adj.* 피골이 상접한, 뼈와 가죽만 남은, 앙상한, 해골의, 해골같은 : caja ~*ca.*

esqueleto *m.* ① 해골 ; 골격. ② (건축의) 골조 : reducir a ~. ③ 마른 사람(persona muy flaca). ④ 《*AmérC. Méx. Col.*》 (빈 칸에 적어 넣는) 양식, 서류(formulario). ⑤ 《*Chile.*》 초고(草稿)(bosquejo). ⑥ 【식물】 책갈피에 넣어 말린 나뭇잎.

esquelita *f. dim.* esquela.

esquema *m.* [*gr.* skhêma] 도표, 도해, 도식 ; 강령(綱領) ; 항목, 비목(費目) ; 계획. Sinón. bosquejo.

esquemáticamente *adv.* 도해로서, 도해식으로 : representar ~.

esquemático, ca *adj.* 도해의, 도해식의 : dibujo ~.

esquematismo *m.* 도해법.

esquematizar *tr.* ⑨ 도해하다.

esquena *f.* (물고기의) 등뼈(espinazo).

esquenanto *m.* 【식물】 향등심초. Sinón. junco oloroso.

esquero *m.* 허리에 차는 가죽 주머니.

esquerro, rra *adj.* =**izquierdo.**

esquí *m.* [*pl.* esquís] 스키 ; 스키 타는 일 : ~ acuático 수상 스키.

esquiador, ra *m.f.* 스키를 타는 사람, 스키어, 스키 선수.

esquiar *intr.* ⑫ 스키(esquíes)를 타다(patinar con esquíes).

esquiciado, da *adj.* esquiciar의 *p.p.*

esquiciar *tr.* ⑪ [드뭄] 사생하다, 소묘하다, 스케치하다(esbozar) : ~ un retrato 초상화를 스케치하다.

esquicio *m.* 소묘, 스케치(esbozo, apunte).

esquienta *f.* 《*Sant.*》 산의 정상.

esquifada *f.* ① esquife에 실은 짐(carga de un esquife). ② 도둑, 불량배들의 모임.

esquifado, da *adj.* esquifar의 *p.p.*

esquifar *tr.* ① (배에) 선원·식량을 공급·보급하다. ② 의장(艤裝)하다, 준비를 하다.

esquife *m.* ① 길쭉한 경주용의 1인승 배. ② (배에 실린) 작은 배, 전마선. ③ 【건축】 통 모양의 천정.

esquijuche *m.* 《*CRica.*》 에스끼후체 《향기로운 꽃》.

esquila[1] *f.* 《*al.* schellen》 ① (종 모양의) 방울(cencerro) : colgar una ~ al manso. ② 소형 종 (campana pequeña).

esquila[2] *f.* [*lat.* squilla] ① 【동물】 새우(camarón). ② 물매미, 물무당. ③ 【식물】 해총(海葱).

esquila[3] *f.* (짐승의) 털 깎기, 양털 깎기.

esquilada *f.* 【방언】 방울 소리.

esquiladero *m.* 양털 깎는 장소.

esquilador, ra *adj.* 양털을 깎는. —*m.f.* 양털을 깎는 사람.

esquiladora *f.* 양털 깎는 기계(máquina para esquilar).

esquilar *tr.* ① (양 등의) 털을 깎다 : ~ carneros. ② 《*Sant.*》 나무에 기어오르다(trepar a los árboles). —*intr.* 【방언】 방울이 울리다.

esquileo *m.* 양모의 털 깎기, 털 깎는 곳 ; 양모의 털을 깎는 시기. Sinón. esquila.

esquilero *m.* 어업술.

esquileta *f. dim.* esquila.

esquilimoso, sa *adj.* 나약한(muy delicado) : un niño ~.

esquilmar *tr.* ① (토지에서) 수확을 올리다. ② (식물이 토지에서) 수분·양분을 빨아들이다. ③ (토지를) 메마르게 하다. ④ 가난하게 만들다(empobrecer).

esquilmeño, ña *adj.* 《*And.*》 과일이 많이 열리는 : árbol ~.

esquilmo *m.* ① 《*Chile.*》 (농목의) 수확·수익 : sacar un abundante ~. ② 《*Méx.*》 부수적 경미한 이익.

esquilo *m.* ① (양)털 깍는 시기 ; (양)털 깍기. ② 【동물】 다람쥐의 일종.

esquilón *m.* 큰 방울(esquila grande).

esquimal *adj.* 에스키모(족)의. —*m.f.* 에스키모인. —*m.* 에스키모어.

esquina *f.* ① 모난 모퉁이, 길모퉁이 : Doble usted la ~ 모퉁이를 도십시오. doblar la ~ de la calle a la derecha 길모퉁이를 오른쪽으로 돌다. Viven en la casa de la ~ 그들은 모퉁이의 집에서 살고 있다. Está en la ~ al final de esta calle 이 거리 끝에 모퉁이에 있다. Sinón. rincón. ② 《*AmérM.*》 이발소.

doblar la ~ 《*Chile.*》 죽다.

esquinado, da *adj.* ① 모퉁이가 있는, 모가 난 : una mesa ~*da.* ② 다루기 어려운 (사람).

esquinadura *f.* 모가 나는 일 ; 다루기 어려운 일.

esquinal *m.* 【방언】 (건물의) 모퉁이.

esquinancia *f.* 【의학】 =**esquinencia.**

esquinante *m.* =**esquenanto.**

esquinanto *m.* =**esquenanto.**

esquinar *tr.* ① 모퉁이를 내다, 모퉁이를 만들다, 모를 내다(hacer o formar esquina) : La tienda *esquina* la calle 그 가게가 한길의 모퉁이가 되고 있다. ② 귀퉁이에 있다 : ~ un armario. ③ 네모로 만들다(escuadrar) : ~ un madero. ④ 부아를 돋우다 : ~ a su hijo. —*intr.* 모퉁이가 되다·되어 있다 : La tienda *esquina con* la calle.

~se 사이가 틀어지다, 서로 으르렁거리다 : *Se ha esquinado con* su hijo.

esquinazo *m.* ① 길모퉁이(esquina). ② 《*Arg. Chile.*》 좋아서 시끌덤벙하니 떠들기 (serenata nocturna).

dar ~ (사람을) 따돌리다, 내팽개치다.

esquinco *m.* =**estinco.**

esquinela *f.* =**espinillera.**
esquinencia *f.* 【의학】(화농성) 편도선염, 후두염(angina).
esquinera *f.* 《*Amér.*》 =**rinconera.**
esquinero *m.* 《*Amér.*》 =**esquinera.**
esquinudo, da *adj.* 모퉁이가 있는, 모가 난.
esquinzador *m.* (제지 공장의) 넝마 창고.
esquinzar *tr.* ⑨ (넝마를) 가루로 만들다, 분말하다(desguinzar).
esquipado, da *adj.* esquipar의 *p.p.*
esquipar *tr.* =**equipar.**
esquiparte *m.* 《*Ar.*》 (하구수 청소용) 작은 삽.
esquiraza *f.* (옛날의) 수송선.
esquirla *f.* 돌이나 유리의 파편, 부서진 뼈의 부스러기. Sinón. astilla.
esquirol *m.* ① 《*Neol.*》 (총파업 중의) 임시 고용. ② 【방언·동물】 다람쥐.
esquirro *m.* 《*Galic.*》 =**escirro.**
esquisar *tr.* =**investigar.**
esquisse *f.* 《*Galic.*》 =**boceto.**
esquisto *m.* 【광물】 편암(片岩), 슬레이트(pizarra) : Los ~*s* forman uno de los más antiguos terrenos de sedimento.
esquistoso, sa *adj.* 엷은 조직의, 슬레이트 모양의.
esquitar *tr.* 빚을 탕감하다.
esquite *m.* 《*AmérC. Méx.*》 볶은 옥수수(granos de maíz tostados). Sinón. roseta.
esquitero *m.* 《*Mex.*》 탁탁 튀기는 일.
esquivar *tr.* ① 피하다, 비켜서다(evitar) : ~ un golpe 공격을 피하다. ② 거절하다(rehusar) : ~ una invitación. ③ (적기의 추적을) 뿌리치고 도망가다.
~se 도망가다, 몸을 피하다.
esquivez *f.* 무관심 ; 무뚝뚝함, 냉담 : hablar a una persona con ~. Contr. amabilidad.
esquiveza *f.* =**esquivez.**
esquividad *f.* =**esquivez.**
esquivo, va *adj.* 무뚝뚝한, 붙임성이 없는 : una mujer ~*va.* Sinón. arisco.
esquizado, da *adj.* 얼룩얼룩한 (대리석).
esquizocarpio *m.* 【식물】 분과(分果), 분리관.
esquizofrenia *f.* 정신 분열증.
esquizofrénico, ca *adj.* 정신 분열증의.
esquizoide *adj.* =**esquizoideo.**
esquizoideo, a *adj.* =**esquistoideo.**
esquizomiceto *m.* 【식물】 분열균.
esta *adj.* este의 여성형.
ésta *pron.* éste의 여성형.
está estar의 직·현·3 단수.
estabilidad *f.* ① 안정 ; 안정성, 안정도 : ~ económica 경제 안정. ~ monetaria 통화 안정. ~ emocional 감정적 불변성. ② 공고(鞏固) ; 착실(성), 견실, 부동성. ③ 【기계】 복원성(復原性)·력 (특히 항공기·선박의) : ~ de un barco · de un avión.
estabilísimo, ma *adj. sup.* estable.
estabilización *f.* 안정, 안정화(化) : ~ monetaria 통화 안정. ~ de precios 가격의 안정. ~ económica 경제 안정.
estabilizado, da *adj.* 안정된 : mundo *estabilizado* (전쟁이 없는) 안정된 세계. El cambio está ~ 환율은 안정되어 있다.
estabilizador, ra *adj.* 안정시키는. —*m.* (배·비행기의) 안정 장치, 수평 안정판 ; 수평의 미익(尾翼) ; (변질 등을 방지하는) 안정제.
estabilizar *tr.* ⑨ ① 안정시키다. ② 고정시키다. ③ 견고하게 하다. ④ 안정 장치를 하다.
estable *adj.* [*lat.* estabilis] ① 안정된, 견고한 (firme), 영속적인(permanente) : edificio ~. ② 견실한, 착실한. Contr. inestable.
establear *tr.* (마소를) 외양간에·축사로 몰아넣다.
establecedor, ra *adj. m.f.* 건립·창립·설립하는 (사람).
establecer *tr.* ㉛ ① 건설하다, 건립하다, 창설하다(fundar, instituir). ② 설정·제정하다 (decretar). ③ 개설하다(abrir) : ~ el crédito 신용장을 개설하다. ④ 장착시키다, 단단하게 하다. ⑤ 수립하다 : ~ relaciones diplomáticas 국교를 수립하다. ~ un record 신기록을 수립하다. ⑥ 판정(判定)하다. Contr. abolir, destruir.
~se ① 정주·정착하다 : *Se establecieron* en Cádiz 그들은 까디스에 정착했다. ② 개업하다, 창업하다 : Hace más de cincuenta años que *se estableció* este banco 이 은행이 설립된지 50년이 넘었다.
estableciente *adj.* 건설·건립·창설하는 ; 설정·제정하는.
establecimiento *m.* ① 설립, 설정, 창립 : el ~ de un banco de Estado 법령 제정. ② 규정, 정관. ③ 건물 ; 기관 : ~ de crédito 금융 기관. ④ 사무소, 영업소, 공장 ; 집. ⑤ 개설, 수립.
~ ***de crédito*** 금융 기관.
~ ***de disputa*** 분쟁의 해결.
~ ***de una comunidad*** 공동체의 창설.
~ ***de una unión aduanera*** 관세 동맹의 설립.
~ ***industrial*** 공업 사업소.
~ ***permanente*** 항구적 시설.
~ ***principal*** 주(主) 영업소.
establemente *adv.* 단단히(con estabilidad).
establerizo *m.* =**establero.**
establero *m.* 마구간 지기.
establezc- →**establecer** ㉛
establillo *m. dim.* establo.
establo *m.* [*lat.* stabulum] ① 마구간, 외양간, 축사 : Jesucristo nació en un ~ 예수 그리스도는 마구간에서 태어났다. ② 《*Cuba.*》 말을 빌려주는 곳 ; 차고.
estabón *m.* 《*Albac.*》 콩줄기.
estabulación *f.* [*lat.* stabulatio] (가축의) 우리 안에서 키우기 : ~ prolongada.
estabular *tr.* (마소를) 우리 안에서 키우다 (criar y mantener el ganado en establos).
estaca *f.* [*alem.* stach] ① 말뚝. ② 삽목. ③ 몽둥이, 작대기 : dar con una ~ 몽둥이로 때리다. ④ 큰 못. ⑤ 단도. ⑥ 《*AmérM.*》 (새의) 며느리발톱. ⑦ 【상업】 《*Arg. Chile.*》 광산 소유권. ⑧ 《*Perú.*》 초석상(硝石床) 채굴권. ⑨ 《*Venez.*》 음탕한 말.
arrancar la ~ 《*Méx.*》 애태우다, 탐내다.
llevarse una ~ (일에서) 손해보다, 속다.
estacada *f.* ① 나란히 박은 말뚝, 나무 울타리. ② 결투 장소, 전쟁터. ③ 《*AmérC.*》 찔린 상처.
dejar en una ~ 남을 위험한 장소·상태로 내버

려 두다.
quedar en una ~ 싸우다 죽다 ; 묵사발이 되다.

estacado, da *adj.* estacar의 *p.p.* **—*m.*** =**estacada.**

estacadura *f.* 나란히 박은 말뚝, 말뚝의 줄.

estacar *tr.* ⑦ ① 말뚝에 매다(atar a una estaca) : ~ una cabra. ② 말뚝을 박다, 말뚝으로 사이를 막다 : ~ un camino. ③ 《*Amér.*》 못으로 고정시키다 · 박다 : ~ cueros 가죽을 못으로 고정시키다. ④ 《*Arg.*》 못 박아 죽이다. ⑤ 《*Col. Venez.*》 속이다. ⑥ 《*Venez.*》 찌르다.
~se ① 곧두서다. ② 《*Amér.*》 가시에 찔리다 : *Se estacó* un pie 발이 가시에 찔렸다. ③ 《*Col. Venez.*》 속다, 잘못되다.
~ *el cuero* 《*AmérC.*》 죽다.

estacazo *m.* ① 몽둥이 · 작대기로 때리기(garrotazo). ② 심한 언짢음.

estacha *f.* 고래잡이 작살 ; 배를 매는 밧줄.

estación *f.* [*lat.* statio] ① 계절 : las cuatro ~*es* del año 사계절. En los trópicos hay sólo dos ~*es* 열대에는 두 계절 밖에 없다. ② 시기(temporada) : la ~ actual 이 현재의 시기. ~ de calma 불경기 시대. ③ 역, 정거장 : jefe de ~ 역장. ~ astral 우주 정거장. ~ de mercancías 화물역. ~ de paso 통과역. ~ de término 종착역. Fui a despedir a un amigo mío a la ~ 나는 친구를 전송하러 역에 갔다. ④ (전화 · 전신 · 방송)국 : ~ central 중앙국. ~ emisora · de radiodifusión · transmisora 방송국. ~ de servicio 주유소, 급유소. ~ ferroviaria de destino 목적지역. ~ gasolinera 주유소, 급유소. ~ principal (텔레비전 · 라디오의) 본국. ~ telegráfica 전신국. ⑤ (경찰)서. ⑥ 체류(estancia). ⑦ 휴식 ; 휴식소 : ~ balnearia 온천지(溫泉地). ⑧ 주재소, 주재원. ⑨ 요항(要港). ⑩ 참회를 위해 기도 : rezar las ~*es* 참회의 기도를 하다. ⑪ (십자가를 메고 가다 길에서) 머무름. ⑫ (측량의) 측점. ⑬ (천체의) 변향위(變向位). ⑭ (어떤 식물의) 산지. ⑮ 상태(estado).

estacionado, da *adj.* 주차한 ; 숙박한 ; 체류한.

estacional *adj.* ① 계절 (특유)의 : calenturas ~*es* 계절적인 열병. ② 정착적인, 보기에 움직이지 않는 것 같은 : planeta ~.

estacionamiento *m.* 체류, 정체 ; 정차 ; 주차, 주차장(aparcamento) : ~ de coches.

estacionar *tr.* ① 비치하다 ; 배치하다. ② 주차시키다.
~se ① 멎다, 숙박하다. ② 정체하다. ③ 주차하다(aparcar) : No ~*se* ; No *se estacione* ; Se prohibe ~*se* 주차 금지. ¿Hay espacio para ~*nos*? 주차할 장소가 있습니까?

estacionario, ria *adj.* 주재(駐在)의 ; 움직이지 않는, 부동의, 정체한 ; 안정된 : precio ~ 안정 가격. **—*m.*** 【고어 · 방언】 책 장사 ; (옛날의) 도서 담당, 사서 ; 도서관 직원 (특히 Salamanca 대학의).

estacionero, ra *adj.* 성지에 묵으면서 참배하는. **—*m.f.*** 참배자.

estacón *m.* [*aum.* estaca] 《*Amér.*》 내려 찌르기(pinchazo).

estaconazo *m.* 《*Cuba.*》 내려 찌르기 ; 자상(刺傷).

estada *f.* ① 체재, 체류(estancia). ② 정박.

estadal *m.* 길이의 단위 《3.334m》 ; 신장 ; 그 길이의 초상화 ; 기구할 때 쓰는 끈.

estadía *f.* ① 체재, 체류, 숙박, 정박. ② (모델의) 서있는 시간. ③ 초과 정박 일수 · 요금 ; 용선 정박 기간 ; 체선료. ④ 【토목】 시거 측량(視距測量), 시거의(視距儀).

estadidad *f.* 《*PRico.*》 미국에 관한 연방주 상태.

estadígrafo, fa *m.f.* 통계 연구가.

estadio *m.* [*lat.* stadium] ① 경기장, 스타디움 : el *E*-Olímpico 올림픽 스타디움. ② 정도(程度) ; 단계(período, fase) : los diversos ~*s* de su desarrollo. ③ (병의) 시기, 간헐기. ④ 거리의 단위 《약 200미터》.

estadista *m.f.* ① 정치가(político). ② 통계가, 통계학자.

estadística *f.* 통계 ; 통계학, 통계표 : ~ comercial 기업 통계. ~ de administración pública 행정 통계. ~ de comunicaciones y transportes 통신 운수 통계. ~ de consumo 소비 통계. ~ de empleados públicos 공무원 통계. ~ de salarios 봉급 통계. ~ de seguros 보험 통계. ~ de stocks 재고 통계. ~ de trabajo 노동 통계. ~ de ventas 판매 통계. ~ del comercio exterior 외국 무역 통계. ~ del comercio interior 상업 통계. ~ del tráfico 교통 통계. ~ demográfica (vital) 인구 통계. ~ económica diversa 각종 경제 통계. ~ educativa 교육 통계. ~ finanza 재정 통계. ~ sociológica 사회학적 통계.

estadístico, ca *adj.* 통계의, 통계적인 ; 통계학적인 : ciencia ~*ca*. **—*m.f.*** 통계학자, 통계가.

estádium *m.* 경기장(estadio).

estadizo, za *adj.* 정체한 ; 한군데 괸 : aire · agua ~*za*.

estado *m.* [*lat.* status] ① 상태 : ~ de emergencia económica 경제 비상 상태. ~ actual 현상(現狀). ~ sólido 고형(固形) 상태. ~ de gran prosperidad 호황. ~ de mercado 시황(市況). en ~ de …의 상태에서. El camino está en buen ~ 도로는 상태가 좋다. ② (몸 · 건강의) 상태 : buen ~ de salud 양호한 건강 상태. en buen ~ 무사고로. en ~ ridículo 【속어】 임신중의. de ~ honesto 미혼의 (여성). ③ 신분 : ~ legal 법적 신분. ~ eclesiástico 성직. ~ llano 평민. ¿Su ~ civil? — Soltero 당신의 기혼 독신 별은? —독신입니다. ④ 결혼 생활 : tomar ~. ⑤ 국가 : ~ de bienestar 복지 국가. deuda del ~국채(國債). Jefe del *E*- 국가 원수. hombre de ~ 정치가(estadista, político). ~*s* satélites 위성국. ~ tapón 완충 국가. ⑥ 국무 : ministerio de ~ 국무성, 외무부, 외무성. ⑦ 주(州) : los *Estados* Unidos de América 아메리카 합중국. ⑧ 정체. ⑨ (봉건 시대의) 영지(~ federal). ⑩ 기록, 표 : ~ activo y pasivo, ~ de situación 대차 대조표. ~ anual 연차 영업 보고서. ~ de balance comparativo 비교 대차 대조표. ~ de cuenta 계산서, 재무표. ~ de empleados 직원 명부. ~ de ganancias y pérdidas 손익 계산서. ~ de resultados de operación 영업 손익 계산서. ~ estimado de liquidación 재산 부채표, 파산 대차 대조표. ~ financiero 재무 제표(諸表) ; (파산의 경우 자산 부채

의) 업적표. ⑪(길이의 단위로서의) 키 : estar a siete ~s bajo tierra 땅속 깊이 감추어져 있다.

~ *de excepción* 비상 사태.

~ *de guerra de sitio* 계엄령.

~ *mayor (general)* (총) 사령부 · 참모 본부.

~ *sóliodo* 고형 상태 ; 【전자 공학】 솔리드 스테이트.

~*s generales* (혁명 전의) 불란서 의회.

golpe de ~ 쿠데타.

estadojo *m.* 《*Ast.*》 =**estandorio.**

estadoño *m.* 《*Ast.*》 =**estandorio.**

estad(o)unidense *adj.* 미국의, 북미 합중국의 (norteamericano). —*m.f.* 미국 사람, 북미 합중국 사람.

Estados Árabes Unidos 【지명】 아랍 연맹.

Estados Unidos (los) *m.pl.* (아메리카) 합중국, 미국.

estadual *adj.* 주 · 나라(estado)의.

estafa *f.* ① 사취, 사기. ②(말의) 등자.

estafador, ra *m.f.* 야바위꾼, 사기꾼, 협잡배.

estafar *tr.* 사취하다, 사기하다 : ~ a un tendero.

estafermo *m.* 회전 인형 ; 꼭두각시.

estafeta *f.* [*ital.* stafetta] ① 속달 우편. ② 우체국 지국. ③ 외교 (문서) 우편(correo especial para el servicio diplomático).

estafetero *m.* 우체국 직원, 집배원.

estafetil *adj.* 우편의, 체신의.

estafiate *m.* 《*Méx.*》 쑥(artemisa)의 일종.

estafilino *m.* 【곤충】 =**asnillo.**

estafilino, na *adj.* 【생물】 úvula의.

estafilococia *f.* 포도상 구균종.

estafilococo *m.* 포도상 구균.

estafiloma *m.* 포도종 《눈병》.

estafisagria *f.* 【식물】 비명초 : La ~ es venenosa y sus semillas, reducidas a polvo, sirven para destruir los parásitos.

estagiario *m.* 《*Galic.*》 =**pasante.**

estagnación *f.* 침체, 정체, 부진.

estaje *m.* 《*AmérC.*》 =**estajo.**

estajear *tr.* 《*AmérC.*》 =**destajar.**

estajero *m.* 청부인(destajero).

estajista *m.* =**estajero.**

estajo *m.* 청부, 청부 맡는 일(destajo).

estala *f.* ① 마굿간(establo). ② 기항, 기항지 (escala).

estalación *f.* (종교단의) 계급, 직계(職階).

estalactita *f.* 【광물】 종유석(鍾乳石).

estalagmita *f.* 【광물】 석순(石筍).

estalinismo *m.* 스타린주의(stalinismo).

estalinista *adj.m.f.* 스타린주의의 (사람)(stalinista).

estallante *adj.* 돌발 · 발발하는, (사건이) 일어나는.

estallar *intr.* ① 돌발 · 발발하다, (사건이) 일어나다 : Dicen que *ha estallado* una revolución en la capital 수도에서 혁명이 일어났다고 한다. ② 파열 · 폭발하다 : Al ~ la bomba causó muchos daños 폭탄이 폭발했을 때 많은 피해가 있었다. ③ 격하다 : Aquellas palabras le hicieron ~ 그 말은 그를 격하게 했다.

estallido *m.* 파열 ; 발발, 폭발 ; 폭발음, 폭음 (explosión) : La bomba dio un ~.

estallo *m.* =**estallido.**

estambor *m.* 선미재(船尾材).

estambrado, da *adj.* estambrar의 *p.p.* —*m.* 《*Manch.*》 모사천의 일종.

estambrar *tr.* (실로) 꼬다, 잣다.

estambre *m.* (*f.*) ① 모사(毛糸). ② 실(hilo) : el ~ de la vida 생명의 줄, 생명. ③ 【식물】 수술.

estamental *adj.* estamento의 조직.

estamento *m.* 아라곤 왕국의 집정단(執政團).

estameña *f.* 나사(羅紗).

estameñete *m.* 나사(estameña)의 일종.

estaminal *adj.* (음식 따위가) 정력을 돋우는.

estamíneo, a *adj.* 【식물】 수술(estambre)의.

estaminífero, ra *adj.* 수술만 있는 ; 수꽃의 : planta ~*ra.*

estaminodio *m.* 【식물】 =**estambre estéril.**

estampa *f.* [*ital.* stampa] ① 판화, 목판화 : Los libros con ~*s* facilitan la enseñanza de los niños. ② 풍채, 풍모, 외모(aspecto) : persona de buena ~. ③ 인쇄(imprenta) : dar una obra a la ~ 작품을 출판하다. ④ 추적(huella) : dejar la ~ de sus pasos. ⑤(화폐 · 메달의) 도형, 모형.

~ *de banco banco* 벌집 (공구).

tener mala ~ 싫어하다, 혐오하다(ser antipático) ; 운이 나쁘다(tener mala suerte) ; 추하다(ser feo).

estampación *f.* ① 날염(捺染), 날염 무늬. ② 【제본】 표지의 무늬 박기.

estampado, da *adj.* 인쇄된, 프린트 모양의 ; 날염 무늬의 ; 틀을 박아 넣은, 틀에 넣어 만든. —*m.* 틀을 박아 넣는 일 ; 날염 무늬 · 프린트 원단.

estampador, ra *adj.* 표를 하는. —*m.* 날염자, 인쇄자. —*f.* 압착기.

estampar *tr.* ①(판화 등을) 밀다, 인쇄하다, 날염하다 : ~ un dibujo. ② 표를 하다, 표시하다(señalar) : ~ el pie en la tierra mojada. ③ 틀을 박아내다. ④ 힘껏 누르다. ⑤ 인상에 남게 하다. ⑥ 던지다(arrojar).

estampería *f.* 판화 인쇄소 ; 날염 공장 ; 그림 엽서 가게.

estampero *m.* 판화사 ; 판화상.

estampía (de) *adv.* ① 갑자기, 별안간, 돌연 (de repente) : salir *de* ~. ② 알리지 않고(sin anuncio) : El ejército de Bolívar embistió *de* ~.

estampida *f.* ① 폭음, 총성, 포성(estampido). ② 《*Amér.*》 질주.

de ~ 《*Amér.*》 돌연, 갑자기.

estampido *m.* 폭음, 폭발음 ; 총성, 포성 : el ~ de un cañón. **Sinón.** detonación, estallido, explosión.

estampidor *m.* 《*Ar.*》 =**puntal, apoyo.**

estampilla *f.* ① 인판(印版), 스탬프 : poner ~ a un documento. ② 《*Amér.*》 우표(sello) ; 인지 (印紙)(timbre).

estampillado *m.* 도장을 찍기, 날인.

estampilladora *f.* ① 서류 날인하는 기계. ② 《*Amér.*》 통신물 날인기 (máquina de franquear correspondencia).

estampillar *tr.* 도장을 찍다, 날인하다 (poner una estampilla).

están estar의 직·현·3·복수.
estancación *f.* ① 지체, 정체. ② 전매(專賣) : ~ del tabaco.
estancado, da *adj.* estancar의 *p.p.*
estancamiento *m.* =**estancación.**
estancar *tr.* 7 ① 고이게 하다, 정체시키다 : ~ los expendientes. ② 판매를 금하다 : El tabaco está *estancado* en muchos países. ③ 매점하다 ; 정부의 전매로 하다 : ~ el tabaco.
~se 정체하다 ; 한군데 고이다 : Las aguas *se estancaron.*
estancia *f.* ① 주거(habitación). ② 내실, 거실 (sala, cuarto). ③ 체류, 체제(permanencia) : Feliz ~ en España 서반아에서 즐겁게 보내십시오. ④ 입원 기간, 입원 일수 ; 입원료. ⑤ 시(詩)의 연·절(estrofa). ⑥ 《*Amér.*》 농장, 목장 (hacienda). ⑦ 목사(牧舍). ⑧ 《*Cuba. Venez.*》 별장.
estanciero, ra *m.f.* 《*Amér.*》 농장주, 목장주 (ganadero).
estancionar *tr.* 주둔시키다, 주재시키다 : fuerzas *estancionadas* 주둔 부대.
estanco, ca *adj.* 【선박】 누수(漏水) 방지의, 방수(防水) 장치가 된 : compartimiento ~. **—*m.*** ① 전매제(專賣制). ② 에스땅꼬 《우표·담배·성냥을 파는 곳》; 전매품 매점 ; 담배 가게 ; 우표 판매소. ③ 문서 보관소(archivo). ④ 《*Ecuad.*》 주류 상점.
estándar *m.* 표준, 규격, 기준, 규범, 모범, 수준(nivel) : una nación con un alto ~ de vida 생활 수준이 높은 나라. **—*adj.*** 중간의, 일반적인 : un radio de precio ~.
estandardización *f.* =**estandarización.**
estandardizar *tr.* =**estandarizar.**
estandarización *f.* 표준화, 규격화 ; 통일, 획일.
estandarizar *tr.* 표준에 맞추다 ; 표준화하다, 규격화하다.
estandarte *m.* 기, 군기(軍旗), 단기(團旗) (insignia o bandera).
estandorio *m.* (짐차 양쪽의 짐이 흘러내리지 않게 하는) 목책(木柵).
estanfermo *m.* 《*And.*》 =**estafermo.**
estangurria *f.* 【의학】 오줌이 자주 나오는 임질.
estannato *m.* 【화학】 주석산염(sal del ácido estánnico).
estánnico, ca *adj.* 【화학】 주석의, 제이 주석의 : ácido ~ 주석산. sal ~ 제이 주석염.
estannífero, ra *adj.* 주석이 함유된.
estannito *m.* 【화학】 주석산염 (sal del ácido estannoso).
estannoso, sa *adj.* 【화학】 주석의, 제일 주석의.
estanque *m.* 못, 저수지 : un ~ para el riego.
estanquero, ra *m.f.* ① 저수지지기. ② estanco 담당자. ③ 담배 판매인. ④ 《*Ecuad.*》 술 장수.
estanquidad *f.* 방수가 된 것.
estanquillero, ra *m.f.* =**estanquero.**
estanquillo *m.* ① 전매품 상점. ② 담배 가게. ③ 《*Ecuad.*》 술집. ④ 《*Méx.*》 구멍가게, 노점.
estanquito *m.* 작은 우물·댐.
estantal *m.* 벽의 지주·버팀대 (estribo de la pared).
estantalar *tr.* 벽에 받침대를 받치다.
estante *adj.* 체재의, 체류 중의 ; 정착한. **—*m.*** ① (일반적으로 문이 없는) 책장(armario, ~ de libros). ② 기계의 발 : ~*s* del torno. ③ 《*Arg.*》 선반(anaquel). ④ 《*Amér.*》 =**puntal, estacón.**
estantería *f.* 선반류, 책장 : ~ de un despacho.
estantigua *f.* ① 유령, 도깨비. ② 못생기고 누더기를 걸친 사람.
estantillo *m.* 《*Col. Venez.*》 말뚝(estaca).
estantino *m.* 【방언】 《*Amér.*》 =**ano, trasero.**
estantío, a *adj.* 꼼짝하지 않는, 정체한 ; 쓸개 빠진.
estañado *m.* =**estañadura.**
estañador, ra *m.f.* 주석 세공인.
estañadura *f.* 주석 도금 ; 납땜.
estañar *tr.* ① 주석(estaño) 도금하다 : ~ un perol de azófar. ② 납땜하다 : ~ una lata. ③ 《*Venez.*》 해고하다. ④ 《*Amér.*》 상처를 입히다.
estañero *m.* 주석 세공사.
estaño *m.* [*lat.* stannum] 【광물】 주석 : ~ en barras 주석의 연금.
estaqueada *f.* 《*Amér.*》 구타(paliza).
estaqueadero *m.* 《*Arg. Bol.*》 피혁 건조장.
estaquear *tr.* ① 《*Arg. Urug.*》 (가죽을) 말뚝에 매어 말리다(estirar un cuero entre estacas). ② (사람의 사지를) 네 개의 말뚝에 매다.
estaqueo *m.* 《*Arg. Bol.*》 가죽을 말뚝에 매어 말리기.
estaquero *m.* 말뚝을 박아 넣는 구멍.
estaquilla *f.* (구두굽에 박는) 나무못 ; 대가리가 없는 못 ; 긴 못(estaca).
estaquillador *m.* 송곳(lezna).
estaquillar *tr.* 나무못을 박다(clavar estaquillas) : Los zapateros *estaquillan* los tacones de los zapatos.
estaquita *f.* =**estaquilla.**
estar *intr.* [*lat.* stare] ① 있다, 위치하다 : ¿*Está* la señora? —Sí, *está* en casa 부인 계십니까? —예, 집에 있습니다. Madrid *está* en el centro de España 마드리드는 서반아의 중앙에 있다. ¿Dónde *estamos*? —Estamos en la Nava 여기가 어딥니까? —여기는 라·나바입니다 《열차에 타고 있는 경우 등의 대화》. El terremoto *estaba a* 10 grados 한란계는 10도를 가리키고 있었다.
② [형용사·부사나 전치사를 가진 명사와 함께] …있다 : *Está* tranquilo · tranquilamente · con tranquilidad 그는 마음을 놓고 있다.
③ [+ *adj.* · *adv.* : 어떤 상태가] 되어 있다 : ¿Cómo *está*? —*Estoy* bien 어떻습니까? —잘 있습니다. ~ enfermo 아프다. Debe de ~ viejecito 그는 틀림없이 할아버지가 되어 있을 거야. *Estamos* sentados 우리는 앉아 있다. Los precios *están* bajos 값이 떨어졌다.
④ [+ 현재분사] …하고 있다, …하고 있는 중이다 : *Está amaneciendo* 동이 뜨고 있다, 날이 밝아지고 있다. *Estaba esperándome* ; Me *estaba esperando* 나를 기다리고 있었다. *Está saltando* 깡충깡충 뛰고 있다. *Está llorando de* hambre 배가 고파서 울고 있다.

~se 중이다 : *Se están* de charla 그들은 한창 노닥거리고 있는 중이다.
~ *a* +「명사」…하다 : ~ *a* cuentas 계산하다. ~ *a* examen 시험을 치르고 있다.
~ *a* +「수사」① …일이다 : *Estamos a* primero de enero 오늘은 1월 1일이다. ¿A cuántos estamos? 오늘은 며칠입니까? ② (값이)…이다 : Las patatas *están a* tres pesetas 감자는 3뻬세따입니다.
~ ***a la mira*** 보고 있다, 주의하고 있다.
~ ***a la que salta*** 눈에 불을 켜고 있다.
~ ***al caer*** 바야흐로 …하려는 참이다 : *Están al caer* las cinco 이제 곧 다섯 시를 친다. *Está al caer* tu ascenso 드디어 너는 승진이다.
~ ***a matar*** 서로 증오하고 있다.
~ ***a oscuras*** 깜깜한 어둠 속이다 : Madrid *estaba* completamente *a oscuras.* ② 깜깜하게 아무것도 모르다.
~ ***bien*** ① 건강하다, 잘 있다. ② 단단하다. ③ 튼튼하다, 씩씩하다. ④ 적합하다, 맞다 : Este empleo me *está bien* 이 일은 나에게 적합하다. ⑤[+ con : …과] 사이가 좋다, 죽이 맞다.
~ ***con*** …과 의견·기분을 맞추고 있다, …과 단합하다.
~ ***de*** +「명사」[명사가 뜻하는 일의 실행을 나타냄] : *Están de* charla 노닥거리고 있다. ~ *de* viaje 여행 중이다. *Estoy de* prisa 나는 서두르고 있다. *Está de* vuelta 그는 벌써 돌아왔다.
~ ***de más*** ① 남아돌다(sobrar). ② 공연한 일이다 : Aquí *estoy de más* 나는 여기에 소용이 없는 사람이다. Lo que ayer dijiste *estuvo de más* 네가 어제 한 말은 공연한 말이었어. ③ 헛되이 하고 있다.
~ ***en*** ① …에 원인·까닭이 있다 : *En* eso *está* 거기에는 까닭이 있다. ② 납득이 가다, 알다, 이해하다(entender, comprender) : *Estoy en* lo que usted dice 하시는 말씀은 알겠습니다. ③ …으로 믿다 : *Estoy en* lo que vendrá José 호세가 오리라는 것은 알고 있다. ④ 비용이 들다 : Este vestido me *está en* cuarenta duros 이 옷은 40두로나 들었다.
~ ***en·con ánimo de*** …할 작정으로 있다.
~ ***en grande*** 유복·편안하게 살다 ; 일이 잘 되어 가다.
~ ***en lo cierto*** (언행에) 틀림이 없다.
~ ***en lo firme*** 확실하다, 확신하고 있다.
~ ***en todo*** 매사에 마음을 쓰다, 모든 일을 시원스럽게 처리하다(atender a todo).
~ ***en sí*** 자기가 하는 일을 다 알고 있다 ; 용의주도하게 하다, 신중하게 하다.
~ ***mal*** 알맞지 않다, 적합하지 않다, 적당하지 않다.
~ ***mal con*** (…와) 반목하고 있다.
~ ***para*** +「명사」…하기 위한 것이다 : No *está para* bromas 농담으로 넘길 일이 아니다.
~ ***para*** + *inf.* 막 …하려 하고 있다 : *Está para* morir 다 죽어가고 있다. *Estábamos para* salir 우리는 떠나려 하고 있었다. La casa *está para* caer 집이 무너지려 하고 있다.
~ ***por*** +「명사」…의 편이다, …을 좋아하다 : *Estoy por* José 나는 호세 편이다. *Estoy por* el color blanco 나는 흰색을 좋아한다.
~ ***por+inf.*** ① 아직 …하지 않고 있다 : *Estoy por escribir* una novela 나는 아직 소설을 쓰고 있지 않다. *Está* la carta *por escribir* 편지는 아직 쓰지 않았다. *Están por sazonar* 아직 익지 않았다. ② …하고 있는 중이다 : *Estaba por* comprar ese libro 그 책을 살 뿐이었다. *Estoy por* irme a pasear 산보 나가는 길입니다.
~ ***sobre sí*** 마음을 신중하게 가지다 ; 빼물고 있다.
~ ***verdes*** (여우와 포도의 우화에서, 오기로) 틀렸다.
~ ***viendo*** 분명하다.
Bien está, Está bien 좋아, 괜찮아, 됐어.
Está que brota 몹시 화를 내고 있다.
*¿**Estamos**?* 알았지, 그러면 됐지?
Ya está *《AmérM.》* 이제 됐어, 모두 끝났어.
[직설법 현재 : estoy, estás, está, estamos, estáis, están. 직설법 부정과거 : estuve, estuviste, estuvo, estuvimos, estuvisteis, estuvieron. 접속법 현재 : esté, estés, esté, estemos, estéis, estén. 접속법 불완료과거 : estuviera, … ; estuviese, …].

estarcido *m.* 베낀 그림, 베낀 무늬.
estarcir *tr.* ② (무늬를) 베끼다 ; 베끼는 틀을 놓다.
estaribé *m.* 【은어】 =**la cárcel.**
estarna *f.* 【조류】 자고새의 일종.
estás estar의 직·현·2·단수.
éstasis *f.* (순환의) 정지·정체.
estatal *adj.* ① 국가의 : huésped ~ 국빈. molde ~ 국가 형태. ② 국책(國策)의. ③ 국립의, 국유의.
estatalista *adj.* 국유화의.
estatalización *f.* =**nacionalización.**
estatalizar *tr.* =**nacionalizar.**
estatera *f.* (옛 그리스의) 은화 이름.
estática *f.* 【물리】 정력학(靜力學).
estático, ca *adj.* ① 정지 (상태)의 ; 정적(靜的)인. ② 정전기(靜電氣)의 : electricidad ~*ca* 정전기. ③ 정물화 같은 ; 아연한.
estatificación *f.* 국영(화).
estatificar *tr.* ⑦ 국영화하다 (nacionalizar) : ~ los ferrocarriles 철도를 국유화하다.
estatismo *m.* ① 정적인 상태, 정지 상태. ② 국가 통제주의.
estatización *f.* 국유화.
estator *m.* 【전기】 고정자(固定子).
estatoscopio *m.* ①【물리】 자기 미동(自己微動) 기압계. ②【항공】 승강계(昇降計).
estatua *f.* [*lat.* statua] ① 상(像), 조상(彫像) : ~ ecuestre 기마상의 조상·동상. ~ de bronce 동상. ~ de mármol 대리석상. ~ de la Libertad 자유의 여신상 《Nueva York 항의》. erigir una ~ 상을 세우다. ② 냉정한 사람.
estatuar *tr.* ⑮ 【속어】 =**estatuir.**
estatuaria *f.* 조각, 조상(彫像) ; 조상술.
estatuario, ria *adj.* 조상의 ; 조상용의 (대리석 따위) : mármol ~. —*m.* 조상(彫像)·조각가.
estatúder *m.* (고대 네덜란드의) 총독.
estatuderato *m.* estatúder의 직·임기.
estatuilla *f.* 소상(小像).
estatuir *tr.* ㉗ [*lat.* statuere] ① 건설하다. ② 결정하다. ③ 제정하다, 설정하다, 정하다 (establecer). ④ (진정을) 증명하다.

estatuita *f.* 소상(小像).
estatura *f.* [*lat.* statura] (특히 사람의) 키(talla), 신장.
estatutario, ria *adj.* ① 법령의, 법정(法定)의 : reserva *~ria* 법정 적립금. ② 규약의, 정관에 의한, 회칙의.
estatuto *m.* [*lat.* statutum] ① 법령, 성문법, 법규, 규약 : *E-* del Inversionista 《*Chile.*》 투자가법. ~ real 1834-36년의 서반아의 헌법. ② (법인 단체의) 규칙, 규약, 정관(定款) 제정 : ~ de la compañía 회사 정관. ~ del personal 인사 규칙. ~ secundario 내규(內規). ~ social · de la sociedad 회사 정관. modificación del ~ 정관 개정.
estay *m.* 【선박】 지색(支索) 《돛대를 앞쪽으로 유지하는》; 버팀줄 《전주 · 안테나 따위의》.
est.[da(s)] estimada(s) 존경할 만한 ; 귀 서신.
est.[do. da] estimado, da.
este *m.* ① 동(東)(oriente) : La isla se halla al ~ del promontorio 그 섬은 갑(岬)의 동쪽에 있다. ② 동풍.
este, ta *adj.* [*pl.* estos, estas] ① 이 : *esta* casa ; *estos* libros. ② 이와 같은, 이러한. [*N.* 명사 뒤에 붙으면 경멸 또는 강조 : el señor *este* 이 따위 사람. la casa *esta* 이곳의 이 집].
éste, ta *pron.* [*pl.* éstos, éstas] ① 이것, 이 사람. ② 후자. ③ [여성형 ésta는 통신문 같은 데서] 당지(當地) : Permaneceré en *ésta* dos semanas.
esté estar의 접 · 현 · 1 · 3 · 단수.
estearato *m.* 【화학】 스테아린산염.
esteárico, ca *adj.* ① 【화학】 스테아린의, 스테아린에서 얻은 : ácido ~ 스테아린산. ② 경지제(硬脂製)의 : bujía *~ca* 스테아린초.
estearina *f.* 【화학】 스테아린, 경지(硬脂) 《양초의 원료》.
esteaspina *f.* 【생화학】 스티앱신 《췌장에서 분비되는 지방 분해 효소》.
esteatita *f.* [*lat.* steatitês] 【광물】 동석(凍石)(jabón de sastre) : La ~ o jabón de sastre sirve para trazar rayas y otras indicaciones en las telas.
esteatoma *m.* 【의학】 =**tumor sebáceo.**
esteatopigia *f.* 비계살이 낀 궁둥이 · 엉덩이 (nalgas muy obesas).
esteatosis *f.* 【의학】 =**degenerescencia grasosa.**
esteba[1] *f.* 【식물】 나래새.
esteba[2] *f.* [*lat.* stipes] 조임 나무, 두꺼운 장대 (pértiga gruesa).
estebar[1] *tr.* 염료를 가마솥에 넣다.
estebar[2] *m.* 나래새 밭.
estefanote *m.* 【식물】 에스테파노테 《베네수엘라산 협죽도과의 관상 식물》.
esteganografía *f.* 암호 표기법.
estegomia *f.* (말라리아 매개의) 모기.
estegosaurio *m.* 【고대 생물】 검용(劍龍) 《dinosaurio의 일종》.
esteirosis *f.* 【의학】 불임(증).
estéis estar의 접 · 현 · 2 · 복수.
estela[1] *f.* [*ital.* stella] ① 선적(船跡), 항적(航跡) ; 빛의 꼬리. ② 【식물】 물괭나무(estelaria). ③ 【항공】 비행운(飛行雲).
estela[2] [*lat.* stela] 기념 석주(石柱), 석표(石標) : erigir una ~ funeraria.
estelar *adj.* 별의(sidéreo) : luz ~ 별빛.
estelaria *f.* 【식물】 물괭나무(pie de león).
estelárido, da *adj.* 【동물】 불가사리 무리의. —*m.pl.* 불가사리 무리.
esteliano, na *adj. m.f.* 에스텔리 《Estelí, 우루구아이에 있는 주 · 도시》의 (사람).
estelífero, ra *adj.* 【시어】 별이 빛나는(estrellado) : firmamento ~.
esteliforme *adj.* 별 모양의, 별같이 생긴 ; 방사선 모양의.
estelión *m.* [*lat.* stellio] ① 【동물】 도마뱀의 일종(salamanquesa). ② 두꺼비돌 《두꺼비의 머리에 있는데 액운 방지가 된다는 가공의 돌》.
estelionato *m.* [*lat.* stellionatus] 이중 전매(轉賣) ; 이중 전매죄.
estellés, sa *adj.* 에스텔랴 《Estellla, 나바라의 시가》의. —*m.f.* Estella 사람.
estelo *m.* =**columna, poste.**
estelón *m.* =**estelión.**
estelulado, da *adj.* 별 무늬의, 작은 별 모양의 ; 작은 방사상(放射狀)의.
estema *m.* [*gr.* stemma] (곤충의) 홑눈.
estemato *m.* =**estema.**
estemenares *f.pl.* 【해사】 (배의 중간) 늑재(肋材).
estemos estar의 접 · 현 · 1 · 복수.
estemple *m.* 【광산】 갱목, 버팀 나무(ademe).
estén estar의 접 · 현 · 3 · 복수.
esténcil *m.* 《*Amér.*》 등사판 원지, 스텐실.
estenocardia *f.* 【의학】 협심증(狹心症)(angina de pecho).
estenografía *f.* 속기술(taquigrafía).
estenografiar *tr.* ⑫ 속기하다(taquigrafiar).
estenográficamente *adv.* 속기로.
estenográfico, ca *adj.* 속기의(taquigráfico) : copia *~ca.*
estenógrafo, fa *m.f.* 속기자(taguígrafo) : hábil ~ 유능한 속기사.
estenograma *m.* 속기 교재.
estenomecanografía *f.* 속기 타자법.
estenomecanografa *f.* 속기 타자수.
estenordeste *m.* 동북동 ; 동북동풍.
estenosis *f.* 【의학】 (관 구멍의) 수축, 협착 (estrechez, estrechamiento).
estenotipia *f.* 기계 속기술 : máquina de ~.
estenotipiar *tr.* 기계 속기를 하다.
estenotípicamente *adv.* 기계 속기술로.
estenotípico, ca *adj.* 기계 속기술의.
estenotipista *m.f.* 기계 속기자.
estentino *m.* 【방언】 《*Amér.*》 =**ano, trasero.**
esténtor *m.* 목소리가 큰 사람.
estentóreo, a *adj.* 고성의, 고음의, 쩌렁쩌렁 울리는 : voz *~a.*
estepa[1] *f.* [*ruso.* steppe] (러시아의) 초원 (grandes llanuras) : Las *~s* de Rusia corresponden a las pampas de la Argentina 러시아의 estepa는 아르헨띠나의 pampa에 해당된다.
estepa[2] *f.* [*lat.* stipes] 【식물】 시스토스.
~ ***blanca*** 【식물】 =estepilla.
~ ***negra*** 【식물】 =jaguarzo.
estepal *m.* 《*Méx.*》 붉은 벽옥(碧玉)의 일종.
estepar *m.* 시스토스 초원.

estepario, ria *adj.* (러시아의) 불모 초원성의 : planta *~ria* 초원 식물. lobo ~ 초원의 여우.
estepero, ra *adj.* 시스토스를 생산하는. —*m.* (집에) 시스토스를 쌓아 올리는 장소.
—*m.f.* 시스토스 판매자.
estepilla *f.* 【식물】 흰 잎의 시스투스 (jara blanca, estepa blanca).
estequiología *f.* 생화학.
estequiometría *f.* 신체 조직 구성 화학.
estequiométrico, ca *adj.* estequiometría의.
ester *m.* ①【화학】 에스테르, 복성 에스테르. Sinón. éter sal.
éster *m.* 【화학】 =**ester.**
Ester *m.* 【구약 성서】 에스더서(書) ; 성서의 인물 《Asuero 왕의 아내로 유태인》.
estera *f.* 돗자리, 멍석 : Se cubre con *~s* el suelo de las habitaciones.
~ ***con figuras*** 화문석.
esterador *m.* 방에 멍석을 까는 사람.
esteral *m.* 《*Arg. Urug.*》 소택지, 늪(estero).
esterar *tr.* ① 방에 돗자리·멍석을 깔다 (tender esteras en el suelo) : *Se esteran* las casas en otoño. ② 《*Bol.*》 덮다 : campo *esterado* de frutas 과일에 뒤덮인 밭. ③ 겨울옷을 입히다, 월동 준비를 하다.
—*intr.*, **~se** (일찍부터) 겨울옷을 입다, 겨울 차림이 되다(vestirse de invierno).
estercoladura *f.* 《*Arg.*》 (논밭에) 똥 (estiércol) 주기, (식물에 대한) 시비(施肥).
estercolamiento *m.* =**estercoladura.**
estercolar *tr.* 논밭에 거름을 주다, 밑거름을 주다 ; (가축의) 똥을 거둬 들이다.
—*intr.* (가축이) 똥을 누다.
—*m.* 퇴비장(estercolero, basurero).
estercolero *m.* ① 말똥 줍는 소년. ② 퇴비장 (堆肥場).
estercolizo, za *adj.* 똥(los excrementos)의 · 같은.
estercóreo, a *adj.* 똥의.
estercuelo *m.* 시비(施肥), 밑거름을 주는 일.
esterculiáceas *f.pl.* 쌍자엽류 식물 《카카오 등》.
estéreo *m.* 땔나무의 계량 단위 《약 $1m^3$》.
estéreo, a *adj.* =**estereofónico.**
—*f.* =**estereofonía.**
estereóbato *m.* 【건축】 =**basa sin molduras.**
estereocinoma *m.* =**cinestéreo.**
estereocomparador *m.* 지도 그리는 기계.
estereofonía *f.* 【물리】 입체 음향.
estereofónico, ca *adj.* 입체 음향의 ; 스테레오의.
estereofotografía *f.* 입체 사진.
estereofotograma *m.* (같은 지역의) 한 쌍의 복사 사진.
estereografía *f.* 입체·실체 화법, 묘형술(描形術).
estereográfico, ca *adj.* 실체·입체 화법의, 묘형술의.
estereógrafo, fa *m.f.* 입체·실체 화법 화가.
estereograma *m.* 입체 사진경의 두 장.
estereometría *f.* 입체 기하학 : estudiar la ~.
estereométrico, ca *adj.* 입체 기하의.
estereómetro *m.* 체적계, 비중계.
estereoquímica *f.* 입체 화학 《분자의 입체 구조를 연구하는》.
estereorradián *m.* =**esterradián.**
estereoscopia *f.* 실체 광학.
estereoscópico, ca *adj.* 입체 (사진)경(estereoscopio)의 : mirar una vista *~ca.*
estereoscopio *m.* 실체 사진, 스테레오스코프 ; 실체경(鏡), 입체·쌍안 사진경.
estereóscopo *m.* =**estereoscopio.**
estereotipa *f.* =**estereotipia.**
estereotipado, da *adj.* 연판의 ; 틀에 박힌, 진부한, 상투적인.
estereotipador, ra *m.f.* 연판공(工), 스테레오판공.
estereotipar *tr.* ① 연판으로 하다·인쇄하다. Sinón. clisar. ② 틀에 끼우다, 형식화하다 (fijar) : un nombre *estereotipado* 제대로 틀에 박혀 있는 명칭.
estereotipia *f.* 【인쇄】 연판, 인쇄술 ; 연판 제조법.
estereotípico, ca *adj.* 연판의, 스테레오판의 : impresión *~ca.*
estereotipo *m.* 【인쇄】 연판 ; 연판 인쇄(법).
estereotomía *f.* 절체학(切體學) ; 재석법(裁石法) ; (건축에서) 고체 절단법.
estereotómico, ca *adj.* estereotomía의 : procedimiento ~.
esterería *f.* 돗자리·멍석 공장 ; 돗자리 가게.
esterero *m.* 돗자리·멍석 만드는 사람 ; 돗자리 상인.
esterificación *f.* 산과 알코올 반응.
esterificar *tr.* 산과 알코올 반응을 만들다.
estéril [*lat.* sterilis] ① 아이를 배지 못하는, 불임의, 단종한 : una mujer ~ 아이를 낳지 못하는 여자. ② 메마른, 불모의 : tierra ~ 불모지. Contr. fecundo, fértil. ③ 소득이 없는, 수익이 없는 : trabajo ~ 소득이 없는 일. ④ 효력이 없는, 무익한. ⑤ 과작(寡作)의, 흉작의 : escritor · año ~. ⑥ 균없는, 살균한, 소독한. ⑦ 무효의, (결과를) 낳지 않는. ⑧ 빈약한, 멋없는. ⑨ 【식물】 중성의, 열매를 맺지 않는(que no da fruto) : planta ~.
esterilete *m.* 여자의 자궁에 삽입시키는 피임 장치·기구.
esterilidad *f.* [*lat.* sterilitas] ① 불임(증). ② (토지의) 불모. Contr. fertilidad. ③ 무효, 결과가 없음 ; (사상의) 빈약, 몰취미. ④ 곡식이 익지 않는 일. ⑤ 무수익. ⑥ 과작, 흉작. ⑦ 무균(의 상태). ⑧ 【식물】 중성.
esterilización *f.* ① 불임케 하는 일 ; 메마르게 함 : El calor es el mejor agente de ~. Contr. fecundación. ② 단종(斷種). ③ 살균 소독.
esterilizador *m.* 살균기, 소독기.
esterilizador, ra *adj.* esterilización 하는.
esterilizante *adj. m.f.* 살균하는 (사람), 소독하는 (사람).
esterilizar *tr.* ⑨ ① 불모지로 만들다, 박토로 만들다, 메마르게 하다(hacer estéril) : ~ una tierra. ② 불임케 하다, 단종하다. ③ (사상·흥미를) 없애다 ; 무미 건조하게 만들다. ④ 살균하다, 소독하다 : Se debe ~ la leche que se da a los niños pequeños 어린애들에게 주는 우유는 살균되어야 한다. Contr. fertilizar.

estérilmente *adv.* =**de un modo estéril.**
esterilla *f.* [*dim.* estera] ① 금은 실로 꼰 끈. ② 밀짚으로 납작하게 꼰 것. ③《*Chile. Ecuad.*》발이 툭툭한 삼베. ④《*Arg.*》(의자의) 그물 (rejilla).
esterina *f.* =**esterol.**
esterlín *m.* =**bocací.**
esterlina *adj.* 영국 화폐의 : libra ~ 파운드화.
esterlino, na *adj.* 법정의 순금을 포함한, 영화(英貨)의.
esternal *adj.* 【해부】 흉골(esternón)의.
esternocleidomastoideo, a *adj.* 목 측면 근육의.
esternocostal *adj.* 흉골(esternón)과 늑골(costillas)의.
esternón *m.* [*gr.* sternon] ①【해부】흉골(胸骨), 가슴뼈. ②(곤충 따위의) 흉판.
estero[1] *m.* 겨울 채비를 할 시기 ; 돗자리를 까는 일.
estero[2] *m.* [*lat.* aestuarium] ① 강어귀(estero). ②《*Riopl.*》습지대. ③《*Chile. Ecuad.*》도랑, 개울(riachuelo, arroyo). ④《*Amér.*》=**aguazal.**
esteroide *m.* 스테로이드《지방 용해성 화합물의 속칭으로 스테롤·담즙산·남녀 양성 호르몬 따위를 말함》.
esterol *m.* 스테롤, 스텔린《유지를 비누질할 수 없는 부분이 있는 수정체 알코올 물질》.
esteróscopo *m.* =**estereoscopio.**
esterquero *m.* 퇴비장(堆肥場).
esterquilinio *m.* 퇴비장 ; 쓰레기 버리는 곳.
esterradián *m.* =**unidad de medida de ángulos sólidos.**
esterradiante *m.* =**esterradián.**
estertor *m.* [*lat.* stertere] ①(혼수에 빠진 사람 따위의) 코골기 : ~ de la agonía. ② 쌕쌕거리는 소리.
estertóreo, a *adj.* 코를 고는 : respiración ~*a.*
estertoroso, sa *adj.* (혼수에 빠진 사람 따위의) 코를 고는, 코를 고는 것 같은 : respiración ~*sa.*
estés estar의 접·현·2·단수.
estesiología *f.* 감각 기관 해부학.
estesiómetro *m.* 감도 측정기, 촉각계, 감각계.
estesudeste *m.* 동남동 ; 동남동풍.
esteta *m.f.* [*gr.* aisthêtês ; *fr.* esthéte] 유미주의자, 탐미주의자.
estética *f.* 미학(美學) ; 미적 정서의 연구.
estéticamente *adv.* 심미적으로.
esteticismo *m.* 유미주의.
esteticista *m.f.* 미용술사.
estético, ca *adj.* ① 미의, 미술의, 미학의 ; 심미적인. ② 예술적인(artístico) : mueble ~. ③ 심미안을 가진, 감각적인. —*m.f.* 미학자.
estetoscopia *f.* 【의학】 청진, 타진.
estetoscopio *m.* 청진기 : El fue inventado por el francés Laennec 청진기는 불란서사람 Laennec에 의해 발명되었다.
estetóscopo *m.* =**estetoscopio.**
esteva *f.* (쟁기의) 자루.
estevado, da *adj.* *m.f.* 앙가발이(의).
estevón *m.* =**esteva.**
estezado, da *adj.* esterzar의 *p.p.* —*m.* 낭창낭창한 가죽 : traje de ~.
estezar *tr.* ⑨ ① 가죽을 날것으로 말리다. ②《*And.*》=**zurrar.**
estiaje *m.* ① 여름의 더위 (calor del estío). ②(강·호수의) 갈수기(渴水期) ; 갈수기의 최저 수위.
estiba *f.* ①(포의) 당간(撞杆) (atacador). ② 양모 압축소. ③ 쌓는 법. ④【상업】적하(積荷) ; (배의) 밑바닥 짐.
estibación *f.* 【상업】 적하.
estibador, ra *adj.* 압축하는, 누르는, 쌓아 올리는. —*m.* 양털 포장인 ; 부두 노동자, 화물선 인부.
estibar *tr.* [*lat.* stipare] ①(양털·솜 따위를) 압축하다 ; 조이다. ②(선박에) 균형을 잡아 짐을 싣다 : Los barcos mal *estibados* suelen fenecer.
estibia *f.* (말목을) 삠(espibia).
estibiado, da *adj.* 안티몬 (antimonio)를 함유함.
estibina *f.* 【광물】 휘안광(輝安鑛)(antimonita).
estibio *m.* [*lat.* stibium] 【광물】 안티몬(antimonio).
estíctico, ca *adj.* 【생물】 반점이 있는.
estiércol *m.* [*lat.* estercus] ① 동물의 똥(excremento de un animal) : El ~ de camello se usa como combustible en el desierto. ② 퇴비(fimo).
estigio, gia *adj.* ① la Estige《지옥에 있다는 늪》의. ②【시어】지옥의, 저승의(infernal).
estigma *m.* [*gr.* stigma] ① 자국, 흔적, 낙인(marca o señal) : los ~*s* de las viruelas. ② 오명, 치욕. ③(식물의) 암술 머리. ④【동물·해부】숨구멍, 기공, 기문(氣門). ⑤【의학】소반(小斑) ; 홍반(紅斑), 출혈반(斑). ⑥【종교】성흔(聖痕)《성자의 몸에 나타난다는 그리스도의 상과 같은 모양의 것》.
estígmata *m.* 【속어】 =**estigma.**
estigmático, ca *adj.* =**aplanético.**
estigmatismo *m.* =**aplanetismo.**
estigmatizador, ra *adj.* *m.f.* 낙인을 찍는 (사람) ; 비난하는 (사람).
estigmatizar *tr.* ⑨ ①(…에게) 낙인을 찍다 (marcar a alguien con hierro candente) : ~ a un criminal. ② 오명을 씌우다(infamar), 비난하다(censurar). ③ 작은 반점·성흔(estigma)이 생기게 하다.
estil *adj.* ①《*Sal.*》=**estéril, escaso.** ②《*Sal.*》=**seco, caluroso.**
estilación *f.* 액체가 방울방울 떨어짐.
estilar *tr.* ① 틀에 박다, 형식에 맞추다. ②【고어】《*And. Sal. Amér.*》(물방울을) 뚝뚝 떨어뜨리다.
—*intr.*, **~se** ① 유행하다 : *Se estilan* las mangas cortas 짧은 소매가 유행하고 있다. ② 틀·모양·형식이 유행에 맞다. ③【고어】《*And. Sal. Amér.*》뚝뚝 떨어지다.
estilbita *f.* 속불석(束沸石)《불석의 일종》.
estilbón *m.* 【은어】 =**borracho.**
estilete *m.* ① 단검, 작은 칼(puñal). ②(기구의) 바늘 : el ~ de un reloj de sol. ③ 돗바늘, 뜨개바늘, 송곳 바늘. ④(외과 의사의) 핀셋.
estilicidio *m.* 물방울.

estilismo *m.* 문체·문식(文飾)주의.
estilista *m.f.* 문체를 가다듬는 사람, 미문가(美文家), 문장가.
estilística *f.* 미문론, 문체론.
estilístico, ca *adj.* 미문의, 문체(상)의; 문체에 어떤 특징이 있는.
estilita *adj. m.* (높은 기둥 위에 올라가 고행하던) 기둥 도사(의): San Simeón *E-* pasó la vida subida en una columna.
estilito *m. dim.* estilo.
estilización *f.* 양식화, 인습화.
estilizar *tr.* ⑨ 틀에 박다; 인습화하다; 어떤 틀에 박아 해석하다.
estilla *f.* 【방언】 =**astilla.**
estillar *tr.* 《*Amér.*》 깨다.
~se 쪼개지다, 금이 가다.
estilo *m.* ① 형(型), 형태, 모양, 스타일, 형식: de ~ 틀에 박힌, 인습적인. por el ~ 똑같은. un tipo por el ~ 똑같은 남자. ¿Qué ~ de muebles le gustaría? 어떤 형의 가구가 좋겠습니까? Este jardín es de puro ~ español 이 정원은 순수한 서반아 스타일이다. El nadador batió el récord mundial de 1.000 metros estilo libre 그 수영 선수는 1000미터 자유형의 세계 기록을 깨뜨렸다. ② 방법, 하는 법, 수(manera): ~ medio 중용(中庸). por muchos ~*s* 여러 가지 방법으로. por todos ~*s* 모든 점에서. ③ (시대적·양식적·유파적) 스타일, 유행. ④ 문체. ⑤ 작풍, 화풍, 독특한 표현법. ⑥【건축】 식((式), 양식: ~ dórico 도리아식. ~ gótico 고딕식. ⑦ 쓰는 솜씨(modo de escribir): un ~ fácil. ⑧ 말씨. ⑨【문법】 화법(話法): ~ directo 직접 화법. ~ indirecto 간접 화법. ⑩ 유행, 유행형. ⑪【식물】 암술대. ⑫ 역법(曆法): ~ antiguo 음력, 쥴리어스력. ~ nuevo 태양력, 그레고리력. ⑬ 습관, 풍습, 버릇. ⑭ (옛날의) 철필, 펜. ⑮ (해시계 따위의) 바늘.
estilóbato *m.* 【건축】 기단(基壇), 연주반(連柱盤).
estilogloso, sa *adj.* 혀 근육의.
estilográfica *f.* 만년필(pluma ~, pluma fuente).
estilográfico, ca *adj.* ① 만년필로 쓴; 철필의: pluma ~*ca* 만년필(pluma fuente). ② 만년필용의: tinta ~*ca* 만년필용 잉크.
estilógrafo *m.* 《*Col. Nicar.*》 =**estilográfica.**
estilóideo, a *adj.* 가늘고 뾰족한 철필 모양의, 필상 돌기(突起)의.
estiloides *adj.* 【남·여 동형】【해부】 펜 모양의, 줄기 모양 (돌기)의.
estiloso, sa *adj.* 《*AmérC.*》 =**vanidoso.**
estima *f.* ① 존경: hacer poca ~ de una persona. ② 배의 위치 추정, 추산.
estimabilidad *f.* 존경할 만한 일, 경의를 표할 만한 일.
estimable *adj.* [*lat.* aestimabilis] ① 존중할 만한, 존경할 만한, 경의를 표해야 할: hombre ~. ② 평가할 수 있는: cuadro de un ~ valor.
estimación *f.* [*lat.* aestimatio] ① 평가, 견적, 예산: ~ de la cuota impositiva 조세(租稅) 평가. ~ del presupuesto 예산 견적. ② 가치. ③ 호평(aprecio), 명성, 평판. ④ 존중, 존경: ~ propia 자중, 자애, 자존.
estimado, da *adj.* [estimar의 *p.p.*] ① 존경받고 있는; 존경하는; 고마운: su ~*da* carta 귀 서한. ② 호평을 받는, 평판이 좋은.
estimador, ra *adj.* 존경하는; 평가하는.
estimar *tr.* [*lat.* estimare] ① 존경하다, 존중하다: El *estima* mucho a su amigo 그는 그의 친구를 무척 존경하고 있다. ② 소중히 하다: *Estima* en poco su vida 그는 자신의 생명을 별로 소중히 다루지 않는다. ③ 감사하게 생각하다, 고맙게 생각하다: Le *estimaré* su pronta respuesta 즉시 회답을 주시면 감사하겠습니다. ④ 생각하다, 판단하다(juzgar): *Estimo* que volverá 나는 그가 또 올 것으로 생각한다. No *estimo* conveniente salir ahora 지금 외출하는 것은 적당하다고 생각되지 않는다. ⑤ 평가하다, 어림하다; 사정하다. ⑥ 찬탄하다, 감탄하다: La *estimamos* por sus cualidades 그녀를 그녀의 자질 때문에 높이 평가하고 있다.
~se 자만하다; 자중하다.
estimativa *f.* ① 가치 판단력. ② 견적서. ③ 존경, 존중. ④ (동물의) 본능(instinto).
estimativo, va *adj.* 평가하는: juicio ~.
estimatorio, ria *adj.* 평가의; 평가 조정의.
estimulación *f.* 자극, 흥분, 고무, 격려.
estimulador, ra *adj.* 자극하는, 고무하는.
estimulante *adj.* 자극의. —*m.* 자극물, 흥분제: El café es un ~ poderoso del cerebro.
estimular *tr.* ① 찌르다(aguijonear, picar, punzar). ② 자극하다, 고무하다, 흥분시키다(incitar): ~ el apetito 식욕을 돋구다. ③ 북돋우다, 격려하다(excitar): Le *estimulé a* que se presentara 그를 격려하여 출두하게 했다.
estímulo *m.* [*lat.* stimulus] ① 자극; 자극물. ② 격려: sentir un noble ~.
estinco *m.* 【동물】 (북아프리카의 모래밭에서 사는) 도마뱀(lagarto)의 일종.
estío *m.* 여름(verano): El ~ es la estación más caliente del año 여름은 일년중 가장 더운 계절이다.
estiomenado, da *adj.* estiomenar의 *p.p.*
estiomenar *tr.* (근육 조직이) 진무르게 하다.
estiómeno *m.* 【의학】 탈저(脫疽).
estipe *m.* ①【식물】 (곁가지가 없이 곧은) 줄기: ~ de palmera. ② 끝이 가는 줄기.
estipendial *adj.* 급여·급료·봉급·보수의·에 관한.
estipendiar *tr.* 급료·봉급을 지불하다(dar estipendio).
estipendiario, ria *m.f.* 유급자(有給者); 샐러리맨, 월급쟁이.
estipendio *m.* [*lat.* stipendium] 급료, 급여, 봉급, 보수(salario, remuneración): cobrar ~ de su trabajo.
estípite *m.* ①【건축】 밑이 가는 각주(角柱). ②【식물】 가지가 없는 나무 줄기(estipe).
estipticar *tr.* ⑦ 【의학】 수렴·비결시키다(astringir, estrechar, contraer).
estipticidad *f.* 떫은 맛; 수렴성; 비결(秘結).
estíptico, ca *adj.* [*gr.* stuptikos] ① 떫은(astringente): sabor ~. ② 변비증의(estreñido). ③ 욕심이 많은, 인색한(avaro). ④ 수렴성의.
estiptiquez *f.* 《*Amér.*》 =**estipticidad, estreñimiento.**

estípula *f.* [*lat.* stipula] 【식물】 탁엽(托葉), 부엽.
estipulación *f.* ① 계약, 협정 ; 구두 약속. ② 개조(個條)(cláusula). ③ 규정, 규제.
estipulante *adj.* 협정의 ; 규정하는.
estipular *tr.* 구두 약속하다 ; 규정하다, 협정하다 : *Estipulamos* lo que había de traer.
estique *m.* (날이 톱날처럼 된) 조각칼.
estiquirín *m.* 《*Hond.*》 【조류】 부엉이(búho)의 일종.
estira *f.* (가죽 벗기는데 쓰는) 칼.
estiracáceo, a *adj.* 【식물】 풍향수과의. —*f. pl.* 풍향수과 식물.
estiracear *tr.* (세게) 당기다.
estiradamente *adv.* ① 고작, 겨우, 간신히, 어렵사리(apenas, con dificultad) : tener ~ para comer. ② 억지로, 완력으로, 폭력으로.
estirado, da *adj.* ① 활기에 찬. ② 건방진, 거만한, 우쭐대는(orgulloso, vanidoso). ③ 인색한(cicatero, tacaño).
estirador *m.* ① 펼치는 기구. ② 캔버스 틀.
estirajar *tr.* 【속어】 잡아늘이다(estirar).
estirajón *m.* 【속어】 =**estirón.**
estiramiento *m.* ① 잡아당김 ; 늘어뜨림 ; 늘어남 : el ~ de los tejidos. **Contr.** encogimiento. ② 《*Chile.*》 거만.
estirar *tr.* ① 잡아당기다 · 늘이다 : Al ~ la tela se rompió 천을 잡아당길 때 찢어졌다. ② (…에) 다리미질을 하다(planchar). ③ (돈을) 인색하게 쓰다. ④ (질질) 끌다. ⑤ 《*AmérM.*》 뻗게 만들다 ; 줄이다. ⑥ 《*Perú.*》 속이다(engañar). ⑦ 《*Amér.*》 죽이다(matar).
~se ① (다리를) 뻗다, 늘어지다 : *Se han estirado* las medias 스타킹이 늘어났다. Estas medias *se estiran* al lavarlas 이 스타킹은 씻을 때 늘어진다. ② 기지개를 켜다(desperezarse)
~ *la pierna* 죽다.
estirazar *tr.* ⑨ 【속어】 잡아당기다, 잡아늘이다(estirar).
estirón *m.* ① 잡아당김 : Le dio un ~ a la correa 가죽 끈을 잡아당겼다. ② 급성장(crecimiento rápido) : Los adolescentes suelen dar un ~ hacia los catorce años 사춘기 아이들은 열네 살 경에 자주 급성장한다.
estirpe *f.* [*lat.* stirps, stirpis] 가문, 가계, 혈통 : noble ~.
estirpia *f.* 《*Sant.*》 =**adral.**
estítico, ca *adj.* =**estíptico.**
estitiquez *f.* 《*AmérM.*》 수렴성 ; 변비.
estivación *f.* 여름잠, 하면(夏眠).
estivada *f.* (미경작의) 개간지, 황무지.
estival *adj.* 여름의(del estío) : día ~ 여름날. solsticio ~ 하지.
estive *adj.* =**estival.**
estivo *m.* [*ital.* stivale] 【은어】 =**zapato.**
estivo, va *adj.* 【시어】 여름의(estival).
estivón *m.* 【은어】 =**carrera.**
esto *pron.* [중성 지시 대명사] ① 이것, 이 일, 이 물건 : ¿Qué es ~? 이것은 무엇이냐? *Esto* es una anécdota 이것은 하나의 에피소드다. ② 이곳, 이 장소 : *Esto* es muy árido 이곳은 무척 건조한 땅이다. ③ 이 때 : en ~ 이 때에.
~ *es* 즉, 다시 말하면, 말하자면.
a todo ~ 그럭저럭 하는 사이에, 그렇게 하는 동안.
con ~ 그 때문에 ; 여기서.
en ~ 이 때, 이 때에.
por ~ 그러므로, 그리하여.
estocada *f.* (estoque로) 찌르기 ; 자상(刺傷).
estocafís *m.* [*ing.* stock fish] 【어류】 건 대구, 말린 대구((pejepalo).
estocar *tr.* ⑦ 갑자기 찌르다(estoquear).
Estocolmo *f.* 【지명】 스톡호름 《스웨덴의 수도》.
estoequiometría *f.* 화학량론(化學量論).
estoequiométrico, ca *adj.* 화학량론의.
estofa *f.* ① 수놓은 천(tela o tejido labrado) : ~ recamada. ② 기질, 성질, 질(calidad) : pícaros de baja ~.
estofado, da *adj.* [estofar의 *p.p.*] ① 차려 입은. ② 《*PRico.*》 모자를 쓰지 않은.
estofado *m.* [*fr.* étouffé] ① 약한 불에 구운 고기. ② 동양화적 효과를 노린 자수.
estofador, ra *m.f.* (동양화적 효과를 노린) 자수사.
estofar *tr.* ① (…에) 수를 놓다. ② 금속 바탕에 새기다 · 그리다. ③ estofado 요리를 만들다. ④ 괴롭히다, 애를 먹이다. ⑤ 《*PRico.*》 골탕먹이다(molestar).
estofo *m.* (나무 · 금속 · 화폭에) 그리기 · 새기기.
estoicamente *adv.* 쌀쌀하게, 태연히, 냉정하게.
estoicidad *f.* 냉정, 태연.
estoicismo *m.* ① 스토아 철학. ② 극기, 극기설 ; 금욕주의. ③ 냉정, 태연.
estoico, ca *adj.* [*lat.* stoicus] ① 스토아 철학의 : filósofo ~. ② 금욕의. ③ 태연한, 동요되지 않는, 냉정한(frío). —*m.f.* 스토아 철학자.
estola *f.* [*lat.* stola] ① 【종교】 목도리, 스톨, 영대(靈帶) 《영성체 · 고해 · 미사 때 신부들이 목에 걸치는 목도리 모양의 띠》. ② (밍크 따위의) 목도리. ③ (고대 로마의 길고 헐거운) 겉옷.
estolidez *f.* 우둔, 어리석음.
estólido, da *adj.* 어리석은, 둔한(estúpido). —*m.f.* 어리석은 사람.
estolón *m.* [*lat.* stolo] [*aum.* estola] (딸기 등의) 가지눈.
estolonífero, ra *adj.* 【식물】 가지눈이 있는.
estoma *m.* [*gr.* stoma] 【식물】 기공(氣孔).
estomacacia *f.* 【의학】 입의 궤양.
estomacal *adj.* 위(胃)의 ; 위에 관계되는 ; 위에 좋은 ; 건위의. —*m.* 건위제(健胃劑).
estomagar *tr.* ⑧ ① 진저리나게 만들다 : Ese hombre me *estomaga.* ② =**empachar, ahitar.**
estómago *m.* [*lat.* stomachus] 【해부】 위 : El ~ de los rumiantes tiene cuatro divisiones.
~ *aventurero* 자주 불려 가는 사람.
de ~ 신용할 수 있는.
dolor de ~ 복통.
ladrar el ~ 배가 고프다, 시장하다.
tener mucho ~ 태연하게 모욕을 견디어내다.
tener dolor de ~ 배가 아프다, 복통이다 : *Tengo dolor de* ~ 나는 배가 아프다.
estomaguero *m.* (아기의) 배 덮개.
estomaguillo *m.* [*dim.* estómago] ① 작은 위.

② 약한 위.

estomalgia *f.* 입에 국한된 통증.

estomáquico, ca *adj.* estómago의 : arteria coronaria ~*ca*.

estomatical *adj.* =**estomacal.**

estomático, ca *adj.* 입의 ; 구강(口腔)의(bucal).

estomaticón *m.* 명치 끝에 바르는 향 고약.

estomatitis *f.* 【의학】 구내염(口內炎).

estomatología *f.* 구강병학, 구강 의학.

estomatológico, ca *adj.* 구강 의학의.

estomatólogo, ga *m.f.* 구강 의학 전문 의사.

estompe *m.* 《*Galic.*》 =**difumino.**

estonces *adv.* 【속어】 =**entonces.**

estoniano, na *adj.* =**estonio.**

estonio, nia *adj.* 에스토니아 《Estonia, 핀란드만 남부 지대》의. —*m.f.* 에스토니아인. —*m.* 에스토니아말.

estopa *f.* [*lat.* stupa] ① 삼 부스러기, 부스러기 삼 ; 삼 부스러기로 만든 천. ② 나무 토막. ③ 뱃밥 《배의 틈새로 물이 안 새게 바르는 재료》.

estopada *f.* 삼 부스러기(의 한 덩어리).

estopeño, ña *adj.* 삼 부스러기의 ; 부스러기 삼으로 만든 ; (질이 나쁜) 삼의 : tela ~*ña*.

estopero *m.* estopa를 빗는 사람.

estoperol *m.* [*ital.* stoparuolo] ① 《*Col.*》 둥그런 남비. ② (배에 쓰는) 정. ③ 《*Amér.*》 대못, 장식정.

estopilla *f.* ① 가리고 난 삼 찌꺼기. ② 삼 찌꺼기로 만든 실·천. ③ 비단. ④ (보통의) 면포 (tela ordinaria de algodón).

estopín *m.* (포의) 폭관(爆管), 문관(門管).

estopón *m.* 나쁜 삼 찌꺼기 ; 그것으로 만든 삼베.

estopor *m.* [*ing.* stopper] 【해양】 지색(止索), 묶어 매는 줄.

estoposo, sa *adj.* ① 부스러기 삼의, 삼 부스러기 같은. ② 섬유가 많은(fibroso).

estoque *m.* [*alem.* stock] ① 큰 칼, 단도. ② 무기로도 쓸 수 있게 만든 지팡이(bastón de ~). ③ 【식물】 글라디올러스 《붓꽃속(屬)의 관상 식물》.

estoqueador *m.* 투우를 찌르는 사람.

estoquear *tr.* (칼로) 찌르다(herir de punta con espada o estoque) : El torero *estoquea* al toro.

estoqueo *m.* (칼 같은 것으로) 찌르기.

estoquillo *m.* 《*Cuba.*》 =**ciperácea.**

estor *m.* [*fr.* store] 회전 커튼, 회전막(幕).

estora *f.* (수목의) 늘어진 가지(álabe).

estoraque *m.* [*gr.* sturax] ① 【식물】 소합향 (almea) : La resina muy olorosa del ~ se usa en perfumería y en medicina. ② 《*Venez.*》 무가치한 서적.

~ líquido 안식 향유(安息香油).

estorbador, ra *adj.* 애먹이는 ; 방해하는.

estorbar *tr.* [*lat.* exturbare] 괴롭히다, 애먹이다(molestar) ; 방해하다(dificultar, obstaculizar) : ~ el paso 통행을 방해하다. ~ a uno lo negro 누구는 글자를 모른다, 독서를 싫어하다. La nevada *ha estorbado* el tráfico 눈이 교통을 방해했다. El bosque espeso *estorbaba* nuestra marcha 빽빽한 숲은 우리의 행진을 방해했다. —*intr.* 방해가 되다 : Me *estorbaban* las mangas para lavar la ropa 빨래하기에 소매가 방해가 되었다. Con el calor *estorban* los guantes 더위로 장갑이 거추장스럽다. **Sinón.** incomodar, molestar.

estorbo *m.* 방해물, 거추장스러운 것 : Eso sirve de ~ 그것은 방해되고 있다. **Sinón.** dificultad, molestia, obstáculo.

estorboso, sa *adj.* 거추장스러운, 귀찮은.

estórdiga *f.* ① 《*Sal.*》 가느다란 땅의 지대. ② 《*Sal.*》 =**túrdiga.**

estornija *f.* (바퀴가 빠지지 않게 끼운) 핀, 쐐기.

estornino *m.* [*lat.* sturnus] 【조류】 찌르레기 : El ~ se domestica y aprende a cantar fácilmente.

estornudar *intr.* [*lat.* sternutare] 재채기를 하다 : Aquel polvo me hacía ~ constantemente 그 먼지 때문에 나는 계속 재채기를 했다.

estornudo *m.* 재채기.

estornutatorio, ria *adj.* 재채기가 나게 하는 : polvo ~. —*m.* 재채기약, 재채기 담배.

estovaína *f.* 코카인의 대용품(sucedáneo de la cocaína).

estos *adj. pl.* 이 《este의 복수형》.

éstos *pron. pl.* 이것들 《éste의 복수형》.

estotro, tra *adj. pron.* 【고어·방언】 이 밖의, 다른 또 하나의《este, esta, esto와 otro u otra의 합성어》.

estovar *tr.* =**rehogar.**

estoy estar의 직·현·1·단수.

estozar *tr.* 《*Ar.*》 =**desnucar, descrismar, destozolar.**

estozolar *tr.* 《*Ar. Nav.*》 =**estozar, destozolar.**

estrábico, ca *adj.* 사시(斜視)의, 사팔뜨기의. —*m.f.* 사팔뜨기.

estrabismo *m.* [*gr.* strabismos] 사시(斜視), 사팔뜨기.

estrabón *adj.m.f.* 【고어】 =**bisojo.**

estrabotomía *f.* 사팔뜨기 수술.

estracilla *f.* 천조각, 넝마 ; 하트론지(紙).

estrada *f.* [*lat.* strata] ① 길(camino). ② 여자가 앉는 자리.

batir la ~ 정찰하다.

estradiota *f.* (알바니아계의) 창기병.

estradiote *m.* =**estradiota.**

estradivario *m.* 【악기】 에스뜨라디바리오 《Estradivario, Cremona 바이올린의 유명한 제작자》에 의해 제작된 바이올린.

estrado *m.* ① 대, 단. ② 교단. ③ 반죽해서 빚은 빵을 놓는 자리. ④ 왕관을 놓는 자리. ⑤ (의식 등의) 연단. ⑥ (부인의) 응접실. —*pl.* 법정 : citar para ~*s* 소환하다.

estrafalariamente *adv.* 단정치 못하게 : vestir muy ~.

estrafalario, ria *adj.* ① 단정하지 못한, 야무진 데가 없는. ② 터무니없는(extravagante) : persona ~*ria*. —*m.f.* 야무진 데가 없는 사람.

estragadamente *adv.* 난잡하게, 단정하지 못하게.

estragador, ra *adj.* 무질서한, 난잡한.

estragal *m.* 《*Sant.*》 =**portal.**

estragamiento *m.* 타락, 부패 ; 황폐(estrago).

estragar *tr.* ⑧ ① 못쓰게 만들다, 무질서하게

만들다, 난잡하게 만들다, 악습에 젖게 하다(viciar). ② 더럽히다, 타락시키다. ③ (언어를) 전와시키다 : Las malas traducciones han ido estragando la lengua española. ③ 손해를 입히다 : El granizo *estragó* la cosecha. Sinón. arruinar, dañar, estropear.
~se 해를 입다 ; 타락하다 ; 폐허가 되다.
estrago *m.* [*lat.* strages] ① 해(daño). ② 황폐(asolamiento) : Los terremotos causaron *~s* en la ciudad 지진은 그 도시를 황폐케 했다. La inundación hizo *~s* en la región 그 지방은 홍수로 황폐했다.
estragón *m.* 【식물】 쑥.
estrallar *tr.* 《*SDgo.*》 파열시키다, 폭발시키다.
—*intr.* 《*SDgo.*》 부서지다 ; 파열하다(estrellar).
~se 《*SDgo.*》 충돌하다 ; 박살이 나다.
estrallón *m.* 《*SDgo.*》 =**estrellón.**
estramador *m.* 《*Méx.*》 =**escarpidor.**
estrambosidad *f.* 눈의 찌그러진 모양.
estrambote *m.* [*ital.* strambotto] (소네트의 맨 뒤에 붙이는) 첨구.
estrambóticamente *adv.* 터무니없이, 엉뚱하게 : vestir ~.
estrambótico, ca *adj.* 엉뚱한, 엉터리의(extravagante) : versos *~s.*
estramonio *m.* 【식물】 산사나무 열매 ; 흰독말풀류.
estrangol *m.* (재갈의 압력으로 말의 혀에 생기는) 상처.
estrangul *m.* (관악기의) 부리, 입 대는 곳.
estrangulación *f.* ① 교살 ; 목 졸려 죽음 ; 목조름. ② 【의학】 협착(狹着).
estrangulado, da *adj.* 매우 누르는.
estrangulador, ra *adj. m.* 교살하는 (사람).
—*m.* 기화기의 개폐 장치.
estrangulamiento *m.* 애로, 장해 : ~ de la mano de obra 노동력의 애로, 인적 자원의 애로. ~ externo·interno 대외적·국내적 제약.
estrangular *tr.* [*lat.* strangulare] ① 교살하다. ② 질식시키다(ahogar) : Su corbata le *estrangula.* ③ 【의학】 (도관 등의) 괄약하다.
~se ① 목 졸려 죽다. ② 질식하다. ③ (도관이) 막히다.
estrangurria *f.* 【의학】 임질, 요통(尿痛) 곤란.
estrapalucio *m.* =**estropicio.**
estraperlista *m.f.* 암상인.
estraperlo *m.* ① 암시세(mercado clandestino) : de ~ 암시세로. ② 암거래(mercado negro).
estrapontín *m.* =**traspontín.**
estrapontina *f.* 해먹의 일종.
estrás *m.* 경질 유리.
estrasijado, da *adj.* 《*Amér.*》 =**trasijado.**
estrasijarse *r.* 《*Perú. PRico.*》 (실처럼) 가늘어지다 ; 마르다, 여위다.
estratagema *f.* [*gr.* stratêgêma] ① 계략, 군략, 전략, 작전(ardid de guerra) : Mediante una ~ los griegos tomaron Troya. ② 책략, 계략. Sinón. ardid, treta.
estratega *m.f.* 전략가, 전술가 ; 책략가 : ~ de gabinete 탁상 전략가.
estrategia *f.* 병법, 전술 ; 계략, 책략, 작전 ; 전략 : ~ común para el desarrollo 발전을 위한 공동 전략. ~ para el desarrollo 개발 전략. ~ publicitaria 광고 전략.
estratégicamente *adv.* 전략상, 전략적으로.
estratégico, ca *adj.* ① 전략(상)의, 전략상 중요한·필요한 : material ~ 전략 물자. plan ~ 전략 계획. ② 작전적인, 책략의, 계략적인.
—*m.* 전략가, 병법 학자.
estratego *m.* =**estratega.**
estratificación *f.* ① 【지질】 성층 : la ~ de un terreno. ② (사회 따위의) 계층화, 계급화 : ~ social 사회 계층화.
estratificar *tr.* ⑦ 층을 이루다, 층으로 만들다 : un sedimiento *estratificado.*
~se 층이 되다.
estratiforme *adj.* 층상(層狀)의 : estructura ~.
estratigrafía *f.* 지층학, 지사학(地史學) ; 언어층학(言語層學).
estratigráfico, ca *adj.* 지층(학)의.
estrato *m.* [*lat.* stratum] ① 층(capa). ② 【지질】 지층. ③ 【기상】 층운(層雲), 안개 구름 : Los *~s* crepusculares son signo de buen tiempo. ④ 【생물】 조직층. ⑤ 【사회】 사회적 층.
estratocracia *f.* 군인 정치, 군벌 정치.
estratocúmulos *m.pl.* 【기상】 층적운(層積雲).
estratoesfera *adj.* =**estratosfera.**
estratoesférico, ca =**estratosférico.**
estratosfera *f.* 【기상】 성층권(成層圈) 《지표에서 12㎞ 이상의 곳》.
estratosférico, ca *adj.* 성층권(成層圈)의 : ascensión *~ca* 성층권으로의 상승. vuela *~ca* 성층권 비행.
estrave *m.* [*fr.* étrave] 선수재(船首材)(roda).
estraza *f.* 누더기, 넝마, 천조각(trapo) : papel de ~ 크라프트지(紙).
estrechamente *adv.* ① 밀착해서, 바싹 붙어서. ② 좁다랗게, 단단히 조여. ③ 친밀하게, 긴밀하게. ④ 엄격하게. ⑤ 답답하게. ⑥ 인색하게 : vivir ~.
estrechamiento *m.* ① 긴밀 ; 밀접. ② 좁히는 일, 조이는 일. ③ 거북함. ④ 긴축 : ~ del margen de liquidez bancaria 은행 유동성 마진 긴축.
estrechar *tr.* ① 좁히다 ; 폭을 줄이다 : ~ una manga 소매를 좁히다. Quisiera que usted me *estrechase* el vestido 제 옷을 좁혀 주셨으면 하는데요. Sinón. angostar. ② 조이다, 꼭 움켜쥐다(apretar) : ~ la mano 악수하다. Le *estreché* la mano 나는 그와 악수했다. La madre le *estrechó* a su hijo entre los brazos 어머니는 아들을 팔에 품었다. ③ 밀어 넣다 : ~ al enemigo. ④ 강제하다. ⑤ 단결시키다.
~se ① 조이다 : Me sentaré si *se estrechan* un poco. ② 좁아지다, 거북해지다 ; 줄다, 줄어들다 : *~se* en la butaca. ③ (재정을) 긴축하다, 비용을 줄이다(reducir los gastos) : *Nos hemos estrechado* mucho este mes 우리는 이 달에 긴축을 많이 했다. Siempre *me estrecho* a fin de mes 나는 항상 월말에 비용을 줄인다. ④ 친해지다, 친밀해지다, 제휴하다, 긴밀하게 사귀다(trabar estrecha amistad) : Hacemos votos para que *se estrechen* más los vínculos amistosos

que unen España y México 서반아와 멕시코를 잇는 우애가 더욱 긴밀해지도록 우리는 축원한다.

estrechez ① 좁음, 좁고 답답함, 여유가 없음, 빠듯함 : ~ de miras 시야가 좁음, 소견이 좁음. ② 긴밀, 친교, 친밀(gran amistad, amistad íntima). ③ 절박 ; 핍박, 곤궁, 옹색 : vivir en gran ~ 생활에 몹시 쪼들리다, 곤경에 빠지다. Sinón. indigencia, pobreza.

estrecho, cha *adj.* [*lat.* strictus] ① 좁은, 협소한, 폭이 좁은(que tiene poca anchura) : una puerta ~*cha* 좁은 문. Contr. ancho. Sinón. angosto. ② 가느다란 : una cinta ~*cha* 가느다란 테이프. ③ 조이는, 끼이는, 거북한(ajustado, apretado) : un zapato ~ 꽉 끼인 구두. Este traje me está muy ~ 이 옷은 나한테 꽉 끼인다. Sinón. ceñido. ④ 친밀한, 친한, 가까운(muy íntimo o cercano) : amistad ~*s* 친밀한 우정. Sus relaciones son muy ~*cha* 그들의 관계는 매우 깊다. ⑤ 엄격한(rígido, severo) : mente ~*cha*. ⑥ 인색한(tacaño).

—*m.* ① 궁박, 궁핍(estrechez). ② 해협 : He pasado varias veces por el ~ de Gibraltar 나는 여러 번 지브랄타르 해협을 건넜다.

estrechón *m.* =**socolliada.**

estrechura *f.* =**estrechez, angostura.**

estregadera *f.* 물솔 ; (현관 같은 곳에 놓는) 신발 닦개.

estregadero *m.* (동물의) 목욕탕 ; 빨래터.

estregador, ra *adj.m.f.* 문지르는, 닦는 (사람).

estregadura *f.* 문질러 대기, 문질러 닦음.

estregamiento *m.* =**estregadura.**

estregar *tr.* ⑲ ⑧ [*lat.* stringere] 문지르다, 닦다(frotar).

estregón *m.* 문질러 대기(estregadura).

estrella *f.* [*lat.* stella] ① 별 : ~ de rabo 혜성(cometa). ~ errante · errática 유성(遊星). ~ fija 항성(恒星). ~ fugaz 유성(流星)(exhalación). ~ polar · del Norte 북극성. ②【인쇄】별표(asterisco). ③ 별 모양의 것 ; 성장(星章), 성형(星形) 훈장. ④ 운명, 운세 : tener buena ~ 태어날 때부터 운이 좋다. haber nacido con buena ~ 행운과 더불어 태어나다. ⑤ 스타, 인기 배우, 주역, 명성이 자자한 사람 : Se convirtió en una ~ de cine 그는 영화의 주역이 되었다. ⑥【축성】별 모양의 보루. ⑦ 말 이마의 하얀 털 · 반점. ⑧《*Cuba.*》화폐 이름.

~ ***de mar***【동물】불가사리(estrellamar).

ver ~s ① 눈에서 불이 나다(recibir un golpe violento). ② 심하게 아프다, 심한 통증을 느끼다(sentir gran dolor).

Unos nacen con ~ y otros nacen estrellados【속담】사람의 운이란 각자가 다르다(Es diversa la suerte de los hombres).

estrellada *f.*【식물】들국화(amelo).

estrelladera *f.* (달걀을 부칠 때 쓰는) 주걱.

estrelladero *m.* 반반한 프라이팬(sartén llana)의 일종.

estrellado, da *adj.* [estrellar의 *p.p.*] ① 별 모양의 ; 별이 나온 : cielo ~ 별이 나온 하늘. ② 이마에 하얀 반점이 있는 (말). ③ 기름으로 튀긴 : huevo ~ 튀긴 계란.

estrellamar *f.* ①【동물】불가사리(estrella de mar) ; 말미잘. Sinón. asteria. ②【식물】(별처럼 퍼지는) 질경이(hierba estrella).

estrellar[1] *adj.* [*lat.* stellaris] 별의, 별 모양의 : luz ~ 별빛.

estrellar[2] *tr.* ① 충돌시키다. ② 때려 깨다. ③ (달걀을) 기름에 튀기다.

~se ① 산산조각이 나다 : El avión *se estrelló* contra el monte 비행기가 산에 부딪쳐 산산조각이 났다. ② 부딪쳐 죽다. ③ 좌절되다. ④ 불꽃을 튀기며 싸우다.

estrellera *f.*【선박】=**aparejo real.**

estrellería *f.*【고어】성학(星學)(astrología).

estrellero, ra *adj.* 너무 머리를 쳐드는 (말).

estrellica *f.* [*dim.* estrella] 작은 별.

estrellita *f.* [*dim.* estrella] 작은 별.

estrellizar *tr.* 별로 아름답게 하다.

estrellón *m.* [*aum.* estrella] ① 큰 별. ② 큰 별같이 생긴 인조 불 ; 꽃불의 별 ; 큰 장식 별 : ~ de un Nacimiento 성탄절 장식의 큰 별. ③《*Amér.*》충돌(choque).

estrelluela *f.* [*dim.* estrella] 작은 별.

estremecedor, ra *adj.* 전율케 하는 : ruido ~.

estremecer *tr.* ㉛ 전율케 하다, 떨게 만들다(conmover, hacer temblar) : La detonación *estremecía* el suelo 폭발은 대지를 진동시켰다. La noticia le *estremeció* 그는 그 소식에 벌벌 떨었다.

~se ① 갑자기 떨다, (벌벌) 떨다 : ~*se de* frío. ② 벌벌 떨다, 전율하다 : Al oir su voz *me estremecía* 그의 목소리를 들었을 때 전율했다.

estremecimiento *m.* =**estremezón.**

estremeño, ña *adj.* =**extremeño.**

estremezo *m.*【방언】=**estremecimiento.**

estremezón *m.*《*Bad. Col.*》전율, 진동 ; 부들부들 떨기, 한속기, 오한(escalofrío).

estrena *f.* [*lat.* strena] ① 선물. ② 처음으로 쓰는 일 : ~ del sombrero.

estrenar *tr.* ① 처음으로 사용하다 · 쓰다 · 입다 : ~ un sombrero. ② 초연하다, 개봉하다 : La película *se estrenó* en el Teatro Colón 그 영화는 꼴론 극장에서 개봉되었다.

~se (어떤 회사에) 나가다, 데뷔하다(debutar) : El *se estrenó* en 1940 *con* su novela "Los Pirineos" 그는 1940년에 그의 소설 "로스 · 삐리네오스"로 데뷔했다.

estreno *m.* ① 초연 ; 개봉 ; 데뷔(debut) : El ~ de comedia fue un fracaso. ② 개시. ③《*Venez.*》답례로 주는 선물.

estrenque *m.* esparto의 굵은 밧줄.

estrenuidad *f.* 강함, 단단함.

estrenuo, ua *adj.* [*lat.* strenuus] 강한(fuerte).

estreñido, da *adj.* [estreñir(se)의 *p.p.*] ① 변비를 일으킨. ② 인색한(avaro).

estreñimiento *m.* 변비 : El chocolate suele causar ~.

estreñir *tr.* ㊾ [*lat.* stringere] 변비를 일으키다.

~se 변비가 되다.

estrepa *f.*【식물】=**estepilla.**

estrepada *f.* [*ital.* strappata] (힘을 합하여 밧줄 등을) 힘껏 잡아당기는 일 ; 갑작스러운 질주(arrancada).

estrepilla *f.*【식물】=**estepilla.**

estrepitarse *r.* 《*Cuba.*》 =**alborozarse.**

estrépito *m.* [*lat.* strepitus] ① 큰 소리(ruido muy grande) : Oímos el ~ que produjo la vajilla al caerse. [Sinón.] estruendo. ② 호들갑스러움.

estrepitosamente *adv.* 시끄럽게.

estrepitoso, sa *adj.* 시끄러운, 소란스러운 : una silba ~*sa.* [Sinón.] estruendoso. ② 매우 흥행적인(muy espectacular) : un triunfo ~.

estreptococia *f.* 연쇄 구균(球菌) 감염증.

estreptocócico, ca *adj.* 연쇄 구균종의, 연쇄상 구균의.

estreptococo *m.* 연쇄상 구균(球菌).

estreptomicina *f.* 【약학】 스트렙토마이신 《항생 물질의 일종, 결핵 따위에 대한 특효약》.

estreptotricina *f.* 스트렙토 트라이신.

estrés *m.* 【의학】 (육체 · 정신 · 정서적인) 긴장, 스트레스.

estresante *adj.* estrés의 원인이 된.

estrevegil *adj.* =**barullo, algazara.**

estría *f.* [*lat.* stria] (끌로 판) 세로 홈, 홈통, 새긴 눈금 : lima con ~*s* gruesas 눈이 거친 줄.

estriación *f.* 눈금을 새기는 일, 홈을 팜.

estriado, da [estriar의 *p.p.*] *adj.* 눈금 새긴, 홈을 판.

estriar *tr.* ⑫ (기둥에) 세로 홈을 파다, 눈금을 새기다.
~se 홈이 생기다.

estribación *f.* (산의) 지맥(支脈)(estribo).

estribadero *m.* 거점, 의지할 곳, 발판, 버팀대.

estribar *intr.* ① 받쳐져 있다, 실려 있다. ② 얹어져 있다. ③ [+en : …에] 의거하다, 기초 · 근거를 두다 : *En* eso *estriba* mi fortuna. [Sinón.] radicar, residir.

estribera *f.* ① (자동차 등에서) 디딤판. ② (마구의) 등자. ③ 《*Arg. Urug.*》 말안장 가죽끈, 등자 가죽.

estribería *f.* ① 등자 제작소; 등자 상점. ② 등자 보관소. ③ 《*Arg.*》 등자 가죽.

estriberón *m.* [*aum.* estribera] 대형 등자, 징검다리.

estribillo *m.* (노래 가사의) 후렴, 반복.

estribitos *m.pl.* 《*Bol.*》 어리광; 울상 : hacer ~.

estribo *m.* ① 등자 : Los ~*s* árabes son anchos y profundos. ② (자동차에서의) 발디딤판, 발걸이. ② (납작한) 꺾쇠, 걸쇠. ④ 받침, 근거(apoyo, fundamento). ⑤ 【건축】 부벽(扶壁)(contrafuerte). ⑥ 교각대(橋脚臺) (macizo, contrafuerte) : el ~ de un puente. ⑦ (산의) 지맥.
perder los ~s 대화에서 잘못을 범하다; 흥에 겨워 지나친 짓을 하다; 답답해 하다, 침착성을 잃다(desbarrar en una conversación).

estribor *m.* 【해사】 (배의 진행 방향을 향해) 우현(右舷)(costado derecho del buque). [Contr.] babor.

estribote *m.* 후렴을 넣는 시작(詩作).

estricción *f.* =**constricción.**

estricnina *f.* 【화학】 스트리크닌 : La ~ es uno de los venenos más violentos.

estricote (al) *adv.* ① 난폭하게. ② 《*Ecuad.*》 일상으로, 평시용으로. —*m.* 《*Venez.*》 방종한 생활.

estrictamente *adv.* 엄하게, 엄격히; 엄밀하게, 엄중하게; 엄밀하게 말하자면.

estrictez *f.* 《*AmérM.*》 엄격, 엄함(rigor, severidad).

estricto, ta *adj.* [*lat.* strictus] ① 엄한, 엄격한, 꼼꼼한 : cumplimiento ~ de la ley 법률의 엄격한 이행. una moral ~*ta* 엄한 도덕. ② 정밀한, 엄밀한 : significado ~ 엄밀한 의미. [Contr.] lato.

estridencia *f.* ① 날카로운 소리, 귀를 찢는 듯한 소리, 으르릉거림(estridor). ② 격렬, 과격 : la ~ de un discurso 논조의 과격함.

estridente *adj.* ① 날카로운, (소리가) 찌르는 듯한, 귀에 거슬리는, 삐걱거리는, 쇳소리가 나는, (소리가) 찌렁찌렁한 : una sirena ~. [Sinón.] chirriante. ② 과격한, 아주 심한 : un color ~. [Sinón.] chillón.

estridor *m.* 비단을 찢는 듯한 소리, 날카로운 소리, 으르릉거림 : ~ de un proyectil.

estridular *intr.* 날카로운 소리를 내다.

estrídulo, la *adj.* 【방언】 =**estridente.**

estriduloso, sa *adj.* 【의학】 째는 듯한 : respiración ~*sa.*

estrieg-, estriegue- →**estregar** ⑲ ⑧.

estriga *f.* (실을 잣기 전의) 삼타래.

estrige *f.* [*lat.* strix] 【조류】 부엉이(lechuza).

estrigiforme *adj.* 【조류】 맹금류의. —*f.pl.* 맹금류.

estrígido, da *adj. f.* 【조류】 부엉이속의 (새). —*f. pl.* 부엉이속 조류.

estrigila *f.* (고대 로마 · 그리스의) 욕실의 때미는 기구.

estrilar *intr.* 《*Perú. Riopl.*》 =**rabiar.**

estrilo *m.* 《*Perú. Riopl.*》 =**enojo, enfado.**

estrinque *m.* =**estrenque.**

estripar *tr.* 【방언】 =**destripar.**

estripazón *f.* 《*AmérC.*》 조임, 밀어붙임, 눌러붙임.

estro *m.* [*lat.* oestrus] ① 감흥, 영감, 시정(詩情), 시흥(inspiración) : sentir el ~ poético. ② (동물의) 발정기; 사춘기. ③ 【곤충】 진드기(rezno). ④ 【곤충】 말파리(moscardón).

estrobilación *f.* 【생물】 무성 생식.

estrobilifero, ra *adj.* estróbilo의 · 와 같은.

estróbilo *m.* 【식물】 구과(球果) 《솔방울 따위》.

estrobo *m.* 【사진】 스트로보《방전(放電)으로 섬광 촬영을 하는 장치》.

estroboscopia *f.* 스트로보스코피 《운동 중의 물체의 회전 상태를 관찰하는 방법》.

estroboscópico, ca *adj.* estroboscopia · estroboscopio의.

estroboscopio *m.* 스트로보스코프 《물체의 고속 회전 상태를 관찰하는 장치》.

estrofa *f.* [*gr.* strophê] (시의) 연(連) · 절(節).

estrófico, ca *adj.* (시의) 연 · 절의; 절로 나눈 : poema ~.

estrogénico, ca *adj.* estrógeno의.

estrógeno, na *adj.* 난소에서 생긴 호르몬의. —*m.* 발정을 일으키는 물질; 발정 호르몬.

estroma *m.* ① 【해부】 간질(間質). ② 【식물】 과경(果梗).

estrombo *m.* 조개의 일종.

estronciana *f.* 【화학】 estroncio산.

estroncianita *f.* 【광물】 스트론튬 : La ~ se emplea en pirotecnia.
estróncico, ca *adj.* 스트론튬의.
estroncio *m.* 【화학】 스트론튬 《금속 원소》.
estroncita *f.* =**estronciana.**
estróngilo *m.* gusano parásito의 일종.
estropajear *tr.* (윗벽을) 문질러 닦다.
estropajeo *m.* 문질러 닦기.
estropajo *m.* ① 【식물】 수세미의 솜. ② 찌꺼기 ; 무용지물 (사람, 물건) : tratar a uno como un ~.
estropajosamente *adv.* 불분명하게, 말하기 거북해 하면서, 자꾸 더듬거리면서.
estropajoso, sa *adj.* ① 말뜻을 알 수 없는, 말을 더듬거리는 : lengua *~sa.* ② 단정하지 못한, 더러운 : mujer *~sa.* ③ 심줄투성이의, 씹기 어려운.
estropalina *f.* 털의 제거.
estropeado, da *adj.* [estropear의 *p.p.*] 삔, 상한, 불구의 상처를 입은.
estropeaminento *m.* 불구가 됨, 상처를 입음 ; 삠 ; 엉망진창.
estropear *tr.* ① 삐다, 상하다 : Le *estropearon* de manos y pies 그는 손발을 다쳤다. ② 학대하다(maltratar). ③ 엉망으로 만들다 : Nuestro niño *ha estropeado* este reloj 우리 아이가 이 시계를 엉망으로 만들었다. La humedad *estropeó* los muebles 습기로 가구가 엉망이 되었다. Sinón. deteriorar. ④ 상처를 입히다, 불구로 만들다(lisiar) : *Estropearon* al boxeador a golpes. ⑤ 좌절시키다, 실패로 만들다 : Su actitud *estropeó* el negocio 그의 행동으로 사업이 실패했다. La tormenta *estropeó* el viaje 폭풍우로 여행이 좌절됐다. Sinón. frustrar, malograr. ⑥ 해치다 : El granizo *estropeó* la cosecha 우박은 수확을 해쳤다. Sinón. dañar, echar a perder. ⑦ (석회 등을) 다시 반죽하다.
~se ① 부상을 입다, 다치다, 삐다 : *Se estropeó* un brazo al caer 그는 넘어질 때 팔을 삐었다. ② 손해보다, 해를 입다.
estropecillo *m. dim.* estropeo.
estropeo *m.* 손상, 학대, 손해.
estropicio *m.* 망가뜨림 ; 난장판, 대소동.
estrovo *m.* 띠쇠, 띠고리.
estrucioniforme *adj.* 【조류】 무익류의. *—f.pl.* 무익류과 조류.
estructura *f.* [*lat.* structura] ① 구조 : Los edificios romanos nos maravillan por su sólida ~ 로마 건축은 그 견고한 구조 때문에 우리를 놀라게 한다. ② 구성, 조직, 기구 : ~ de la empresa 영업 구조·기구. ~ de los salarios 급여 구성·구조. ~ de precios 가격 구조. ~ del comercio exterior 무역 구조·기구. ~ económica 경제 구조·형태·기구.
estructuración *f.* 기구의 편성, 구성.
estructural *adj.* 구조의, 구조상의, 조직의, 기구상의 ; 구성적인.
estructuralismo *m.* 구조주의.
estructuralista *m.f.* 구조학파 주의자.
estructurar *tr.* 구성하다, 안배하다(disponer).
estruendo *m.* ① 큰 소리, 울림(ruido grande) : el ~ de un cañonazo. ② 야단법석, 혼란, 소란(confusión). ③ 과장, 허식(aparato, pompa). Sinón. estrépito.
estruendoroso, sa *adj.* 《*Col.*》 =**estruendoso.**
estruendosamente *adv.* 떠들썩하게, 화려하게.
estruendoso, sa *adj.* =**estrepitoso.**
estrujador, ra *adj. m.f.* 짜는 (사람·물건).
estrujadora *f.* 짜는 그릇, 과즙 짜기.
estrujadura *f.* ① 짜는 일, 압착. ② 착취.
estrujamiento *m.* =**estrujadura.**
estrujar *tr.* ① 구겨 짓누르다 : *Estrujó* el papel y lo tiró 종이를 구겨 던졌다. Sinón. apretujar. ② 짜다, 짜내다, 쥐어짜다 : ~ un limón 레몬을 짜다. Sinón. exprimir. ③ 으깨다, 찌부러뜨리다. ④ 착취하다(agotar) : ~ *al* pueblo *con* los impuestos.
estrujón *m.* =**estrujadura.**
estrumoso, sa *adj.* 나력의(escrofuloso) : tumor ~ 나력 종양·종기.
estrumpido, da *adj.* estrumpir의 *p.p.* *—M.* 《*Sal.*》 =**estallido, estampido.**
estrumpir *intr.* 《*Sal.*》 =**estallar.**
estrupador *m.* =**estuprador.**
estrupar *tr.* =**estuprar.**
estrupo *m.* =**estupro.**
estrupro *m.* =**estupro.**
estuación *f.* 밀물.
estuante *adj.* 너무 뜨거운(demasiado caliente).
estuario *m.* 강어귀(estero).
estucado, da *adj.* estucar의 *p.p.* *—m.* (벽을) 희게 칠하기.
estucador *m.* estucado하는 사람.
estucar *tr.* 7 벽을 희게 칠하다, 회반죽을 바르다.
estuche *m.* ① 작은 상자 ; 케이스 : ~ de reloj 시계 케이스. ~ de compases 제도기 케이스 ; 한 벌의 제도 기구. ② 케이스에 들어 있는 한 벌의 도구 : un ~ de aseo 휴대용 화장품 상자. un ~ de cubiertos 휴대용 식사 기구. ③ (카드에서) 가진 패.
ser un ~ 재능이 있다, 능력이 있다, 손재주가 있다(tener habilidad para) : *Es un ~* (de habilidades) 그는 재능이 많은 사람이다.
estuchista *m.f.* 작은 상자 제조인.
estuco *m.* [*ital.* stucco] 회반죽(estuque) : El ~ adquiere fácilmente gran brillo.
estucurú *m.* 《*CRica.*》 【조류】 큰 부엉이(búho grande)의 일종.
estudiado, da *adj.* ① 고의적인, 꾸민. ② 연구한 연후의. ③ 《*Galic.*》 잰 체하며 뽐내는, 잰 체한(fingido, amanerado) : estilo ~.
estudiador, ra *adj.* 공부만 하는, 열심히 공부하는. *—m.f.* 공부 벌레.
estudianta *f.* 【속어】 여학생.
estudiantado *m.* [집합] 학생층, 학생단, 학생사회 ; 전체의 학생.
estudiantazo *m. aum.* estudiante.
estudiante *m.f* ① (특히 고등학교·대학교의) 학생(escolar) : ~ de medicina 의과 학생. ② 연구가.
estudiantil *adj.* 학생의 : fiesta ~ 학생 파티. vida ~ 학창 생활. movimiento ~ 학생 운동.
estudiantillo *m. dim.* estudiante.

estudiantina *f.* 학생 데모, 학생들의 퍼레이드, 학생들의 가장 행렬 : a la ~ 학생식으로.

estudiantino, na *adj.* 학생의(estudiantil).

estudiantón, na *m.f. aum. desp.* 죽자꾸나하고 공부하지만 효과가 없는 학생, 만년 학생.

estudiantuelo, la *m.f. desp.* estudiante.

estudiar *tr. intr.* 11 ① 공부하다, 연구하다 ; 배우다 : ~ *con* un maestro 선생 지도하에 배우다. ~ sin maestro 독학하다. ~ para médico 의사(가 되기 위해) 공부하다. Lo *están estudiando* 사람들은 그를 연구(관찰)하고 있다. *Estudió* la historia del oriente en la universidad 그는 대학에서 동양사를 배웠다. ②(내용을 해설하기 위해 어떤 자료에 관한 책을 혹은 암기하기 위해서) 읽다 : Ella *estudia* la lección de historia 그녀는 역사 과목을 읽는다. El autor *estudia* su papel 작가는 자기의 인쇄물을 읽는다. ③ 외우다 : ~ de memoria 암기하다. ④ 공부시키다 : El hermano me *estudiaba* las lecciones 형이 내 공부를 보살펴 주었다. ⑤ 스케치하다, 사생하다, 데생하다(dibujar).

estudio *m.* [*lat.* studium] ① 공부, 연구(물) : ~ de mercados 시장 연구·조사. ~ de tiempos-(fabricación) 작업 시간 연구. ~ del crédito 신용 조사. ~ del mercado respecto a un producto 제품 계획. ② 학문. ③ 열심 : con ~ 열심히. sin ~ 자연 그대로. ④ 사생, 스케치, 데생 : ~ del desnudo 누드 습작. ⑤【음악】연습곡. ⑥ 서재. ⑦ 사무실, 사무소 : ~ de abogado. ⑧ 아틀리에, 화실 ; (영화의) 스튜디오.

estudiosamente *adv.* 부지런히, 열심히 ; 학구적으로.

estudiosidad *f.* 열심 ; 연구하기 좋아하는 일.

estudioso, sa *adj.* ① 공부에 몰두한, 공부 벌레의, 부지런한, 근면한. Sinón. aplicado. ② 연구를 좋아하는, 연구에 몰두하는, 학문에 힘쓰는, 학구적인. —*m.f.* 연구자 ; 열심히 공부·연구하는 사람, 학문에 힘쓰는 사람, 학자.

estufa *f.* ① 난로 : ~ de gas 가스 난로. ~ eléctrica 전기 난로. Las ~*s* de combustión lenta son peligrosas 느리게 연소되는 난로는 위험하다. ② 온실(invernáculo) : plantas de ~. ③ 건조기. ④ 한증탕. ⑤ 발 쪼이는 기구(estufilla). ⑥ 유리를 낀 차량.

estufador *m.* 스튜 냄비.

estufar *tr.* 따뜻하게 하다, 덥히다.

estufero *m.* =**estufista.**

estufido *m.* 《*Albac. Murc.*》 =**bufido.**

estufilla *f.* [*dim.* estufa] ① 토시 ; 팔 덮개. ② 발을 녹이는 도구(brasillo). ③ 화로(chofeta).

estufista *m.f.* 난로 제조인·상인.

estultamente *adv.* 어리석게, 우둔하게.

estulticia *f.* 어리석음, 우둔(tontería, necedad).

estulto, ta *adj.* 어리석은, 우둔한(tonto, necio).

estuosidad *f.* ① 혹서(酷暑). ② 과열.

estuoso, sa *adj.* 뜨거운(caluroso), 타는 듯한(ardiente).

estupefacción *f.* ① 마취. ② 멍해짐, 몹시 놀람. ③ =**sorpresa, extrañeza.**

estupefacer *tr.* ① 마취시키다. ② 놀라게 하다.

estupefaciente *adj.* ① 놀라운. ② 마취의(narcótico). —*m.* 마취제.

estupefactivo, ca *adj.* ① 놀라게 하는. ② 마비시키는.

estupefacto, ta *adj.* 망연 자실한, 넋을 잃은(atónito, pasmado) : Quedamas ~*s* 우리들은 망연 자실하고 있다. Sinón. atónico.

estupendamente *adv.* 놀랍게도, 아주 멋지게.

estupendo, da *adj.* 엄청난, 굉장한(brutal), 매우 좋은(muy bueno), 매우 아름다운(muy hermoso) : un actor ~ 굉장한 배우. un paisaje ~ 아름다운 경치.

estúpidamente *adv.* 어리석게, 얼이 빠져, 바보처럼, 멍청하게(con estupidez).

estupidez *f.* 우둔, 어리석음, 바보짓.

estúpido, da *adj.* 어리석은, 얼빠진, 멍청한, 바보같은, 재미없는, 무감각한, 덜된, 무신경의(muy torpe) : una respuesta ~*da* 바보스런 대답. Sinón. tonto.

estupor *m.* [*lat.* stupor] ① 무감각 ; 마비, 혼수, 인사 불성 ; 멍함, 경탄, 황홀. ②【의학】혼미.

estuprador *m.* 능욕자.

estuprar *tr.* 능욕하다(cometer estupro).

estupro *m.* 침해 ; 위반 ; 모독 ; 능욕.

estuque *m.* =**estuco.**

estuquería *f.* 석고 세공.

estuquista *m.* 석고 세공사.

esturado, da *adj.* [esturar의 *p.p.*] 《*Sal.*》 = **quemado, amostazado, picado.**

esturar *tr.* (불에) 태우다, 눌리다(asurar).

esturdecer *tr.* 31【방언】넋을 잃게 만들다.

esturgar *tr.* 8 ①(토기를) 마무리 주걱으로 문지르다. ②《*León.*》 다리미질할 때 태우다(tostar al planchar).

esturión *m.*【어류】철갑상어 : El ~ es común en los grandes ríos de Rusia.

estusar *tr.* 《*PRico.*》 (철썩철썩) 때리다.

estuv-, estuvie →**estar** 79.

estuve estar의 직·부정과거·1·단수.

estuviera estar의 접·불완료과거·1·3·단수.

estuvierais estar의 접·불완료과거·2·복수.

estuviéramos estar의 접·불완료과거·1·복수.

estuvieran estar의 접·불완료과거·3·복수.

estuvieras estar의 접·불완료과거·2·단수.

estuvieron estar의 직·부정과거·3·복수.

estuvimos estar의 직·부정과거·1·복수.

estuviste estar의 직·부정과거·2·단수.

estuvisteis estar의 직·부정과거·2·복수.

estuvo estar의 직·부정과거·3·단수.

ésula *f.*【식물】대주과의 식물 《독풀》(lechetrezna).

esvarar(se) *intr.* (*r.*) 미끄러지다(desvarar, resbalar).

esvarón *m.* 미끄러지는 일(resbalón).

esviaje *m.*【건축】경사.

ET. Ejército de tierra 지상군.

eta *f.* 그리스 자모의 일곱 번째 글자 (séptima letra del alfabeto griego).

etalaje *m.* 용광로의 밑부분.

etamina *f.* 《*Amér. Galic.*》 =**estameña.**

etamine *m.* [*fr.* étamine] 거칠게 짠 삼베, (가루 같은 것을) 치는데 쓰는 천.

etanal *m.* =**acetaldehído.**

etano *m.* 가스성 탄화 수소.
etanoato *m.* =**acetato.**
etanoico, ca *adj.* =**acético.**
etanol *m.* 【화학】 에틸 알코올(alcohol etílico).
etapa *f.* ① (행군 중의) 식량(ración). ② 숙영지. ③ (발전의) 단계, 시기(período) : las *~s* de la vida. ④ (라디오·연극의) 무대.
ETC Empresa Nacianal de Transportes Colectivos 《*Chile.*》 교통 공단.
etc. etcétera.
etcétera *f.* …따위, 등등, 기타 《약자 : etc.》.
eteno *m.* 【화학】 =**etileno.**
éter *m.* [*gr.* aithêr] ①【시어】하늘, 천공, 창공 ; (대기 밖의) 정기, 영기. ②【물리·화학】에테르.
etéreo, a *adj.* [*lat.* aethereus] ①【시어】하늘의, 천공의, 창공의 : boveda *~a* 창공. ②【물리·화학】에테르의, 에테르성의 : olor ~.
eterificación *f.* 알코올의 에테르화(化).
eterificar *tr.* [7] (주정을) 에테르로 바꾸다, 에테르화하다(tranformar un alcohol en éter).
eterismo *m.* 에테르 중독.
eterizable *adj.* 에테르화할 수 있는.
eterización *f.* 【의학】 에테르 마취(법).
eterizar *tr.* [9] ① …에게 에테르로 마취시키다. ②【화학】에테르화하다.
eternal *adj.* [*lat.* aeternalis] 영원한, 영구한 (eterno) ; 불후의, 불멸의(inmutable) : vida ~ 영원한 생명, 여생.
eternalmente *adj.* 영구하게, 영원히(eternamente).
eternamente *adv.* ① 영구히, 영원토록, 영원히, 불후하게(sin fin). ② 끊임없이, 노상, 항상 (siempre).
eternidad *f.* [*lat.* aeternitas] 영원, 영구 ; 영원한 생명, 영생 ; (사망 후에 시작되는) 영원한 세계, 내세(來世), 저승.
eternizable *adj.* 영원히 계속할 수 있는.
eternizar *tr* [9] 영원한 것이 되게 하다, 불후하게 하다, 영원화하다, 오래 끌다.
Eterno *m.* 신(Dios).
eterno, na *adj.* [*lat.* aeternus] ① 영원한, 영구한, 영겁의, 무한의, 불멸의, 불후의 : bienes *~s* 천국. la vida *~na* 사후의 생명. [Sinón.] inmortal. ② 여전한, 변함없는.
eternomanía *f.* 에테르 중독.
eteromancia *f.* 새의 비상·노래로 치는 점.
eterómano, na *adj.* 에테르 중독의. —*m.f.* 에테르 중독 환자.
etesio *m.* [*gr.* etêsios] 여름철의 북풍 《지중해의 계절풍》.
ética *f.* [*gr.* êthikos] 윤리학 ; 도덕, 윤리(moral) : un hombre sin ~.
ético, ca *adj.* ① 윤리의, 윤리적인. ② 폐병의 (hético). —*m.f.* ① 윤리학자. ② 폐병 환자.
etileno *m.* 에틸렌 《탄화 수소》, 에틸렌 가스 (eteno).
etílico, ca *adj.* 에틸의 : alcohol ~ 에틸 알코올.
etilismo *m.* =**embriaguez etílica.**
etilo *m.* 【화학】 에틸.
étimo *m.* 어원(語原).
etimología *f.* ① 어원 : La mayor parte de las voces españolas tienen ~ latina. ② 어원학 ; 어원론.
etimológicamente *adv.* 어원적으로.
etimológico, ca *adj.* 어원의, 어원적인 : discusión *~ca.*
etimologista *m.f.* 어원학자(etimólogo).
etimologizante *adj.* 어원 연구의. —*m.f.* 어원 연구가.
etimologizar *tr.* [9] 어원을 조사하다.
etimólogo, ga *m.f.* =**etimologista.**
etinarca *m.* (옛날 로마의) 지방 장관.
etino *m.* =**acetileno.**
etiología *f.* ① 원인론(原因論) ; 원인의 추구. ②【의학】병리학, 병원학(病原學).
etiológico, ca *adj.* 원인론의 ; 병인(病因)(학)의.
etiope *adj.* *m.f.* =**etíope.**
etíope *adj.* 에디오피아의. —*m.f.* 에디오피아 사람. —*m.* 【화학】 묵분(墨粉), 흑색 유화 수은 《유황과 수은의 혼합물》.
Etiopía *f.* 【지명】 에디오피아.
etiópico, ca *adj.* 에디오피아의.
etiópide *f.* 【식물】 셀비어류의 초본.
etiopio, pia *adj.* *m.f.* =**etíope.**
etiquencia *f.* 《*Ant.*》 =**etiquez.**
etiqueta *f.* [*fr.* étiquette] ① 예법 ; 예의 범절, 에티켓 : En la corte inglesa la ~ es estricta. [Sinón.] ceremonial. [Contr.] familiaridad. ② 레테르, 라벨 : Lea usted lo que dice la ~ 레테르에 쓰인 것을 읽어 보십시오. [Sinón.] marbete, rótulo.
de ~ 예법을 갖춘 : una fiesta *de* ~.
etiquetado *m.* etiquetar 하기.
etiquetadora *f.* 상표·라벨·가격표 부착기 : ~ automática 자동 라벨 부착기.
etiquetar *tr.* 상표·레테르를 붙이다(colocar etiquetas o marbetes).
etiquetero, ra *adj.* 딱딱한, 지나치게 예의를 갖춘, 지나치게 격식을 차린.
etiquez *f.* 【의학】 폐결핵(hetiquez).
etita *f.* 【광물】 =**etites.**
etites *f.* 【광물】 수리석.
etmoidal *adj.* 【해부】 (코의) 사골(hueso etmoides)의.
etmoides *adj.* 체 모양의. —*m.* 【해부】 사골.
etnarca *m.* (로마 시대의) 주지사.
etnarquía *f.* etnarca가 통치했던 주.
etneo, a *adj.* 에트나산 《el Etna, 시칠리아섬의 화산》의.
etnía *f.* 인종, 종족(raza).
étnico, ca *adj.* ① 인종적인, 민족적인(racial) : carácter ~. ② 지명(地名)의(gentilicio) : nombre ~.
etnografía *f.* 기술(記述) 인종학, 민족학.
etnográfico, ca *adj.* 인종적인, 민족학적인 : instituto ~.
etnógrafo, fa *m.f.* 인종학자, 민족학자.
etnolingüística *f.* 민족·인종·언어학.
etnología *f.* 인종학, 민족학.
etnológico, ca *adj.* 인종학적인.
etnólogo, ga *m.f.* 인종학자.
etnopsicología *f.* 민족 심리학.
etólico, ca *adj.* 에똘리아 《Etolia, 옛 그리스의

지방》의.
etolio, lia *adj.m.f.* 에똘리아의 (사람).
etolo, la *adj.m.f.* =**etolio.**
etología *f.* 인성학(人性學) ; 풍속학 ; 품성론 ; 병인(病因)(학).
etológico, ca *adj.* 인성학적인.
etopeya *f.* 성격 묘사.
etrusco, ca *adj.* [*lat.* etruscus] 에트루리아 《Etruria, 중부 이탈리아에 있던 옛 나라》의.
—*m.f.* 에트루리아 사람.
—*m.* 에트루리아의 방언.
etusa *f.* 【식물】 독미나리(cicuta menor).
E.U.; E.U.A. los Estados Unidos de América 아메리카 합중국.
eubeo, a *adj. m.f.* 에우베아 《Eubea, 그리스의 섬》의. —*m.f.* 에우베아 사람.
euboico, ca *adj.* 에우베아섬의.
eubolia *f.* 신중한 말씨, 교양있는 말투.
eucalipto *m.* 【식물】 유카리나무.
eucaliptol *m.* 유카리유(油) 《소독제》.
eucaliptus *m.* =**eucalipto.**
eucaristía *f.* 성체, 성찬 《빵과 포도주》 (comunión).
eucarístico, ca *adj.* ① 성체(聖體)의, 성찬의 : sacramento ~. ② 감사의. ③ 장의(葬儀)의 : celebración ~*ca* 장의, 장례식.
euclídeo, a *adj.* =**euclidiano.**
euclidiano, na *adj.* 유클리드 《Euclides, 기원전 300년 경의 알렉산드리아의 기하 학자》의 : gemetría ~*na* 유클리드 기하학.
euclorina *f.* 【화학】 염소 가스.
eucologio *m.* 기도서.
eucólogo *m.* =**eucologio.**
eucrasia *f.* 【의학】 좋은 체질 ; 건강 상태.
eucrático, ca *adj.* 체질이 좋은.
eudemonismo *m.* 【철학】 행복설, 행복주의.
eudiometría *f.* eudiómetro로 산소량 측정술.
eudiómetro *m.* 유디오미터, 측기관(測氣器) 《공중 산소량 측정기》.
eufemismo *m.* 완곡 어법.
eufemístico, ca *adj.* 완곡한.
eufonía *f.* 듣기 좋은 소리. Contr. cacofonía.
eufónico, ca *adj.* 어조에 의한, 음조가 좋은 ; 음조상의 : un vocablo ~.
eufono *m.* 【악기】 에우포노 《섹스폰 비슷한 놋쇠 관악기》.
euforbiáceo, a *adj.* 【식물】 대극의. —*f. pl.* 대극과 식물.
euforbio *m.* 【식물】 등대풀속 식물 《약용》.
euforia *f.* ① 건강, 무병 ; 행복감. ② 다행증 《정신병》.
eufórico, ca *adj.* ① 건강한, 무병의. ② 쾌감의, 도취한 : estado ~. ③ 다행증의.
eufrasia *f.* 【식물】 좁쌀풀.
Eufrosina *f.* 【희랍 신화】 기쁨의 여신.
eufuismo *m.* (16—17세기 경에 유행한) 멋부린 화려한 문체 ; 미사 여구(美辭麗句).
eufuista *adj. m.f.* 미사 여구를 좋아하는 (사람).
eugenesia *f.* 우생학(優生學).
eugenésico, ca *adj.* 우생의, 우생학적인, 인종 개량의.
eugenismo *f.* 인종 개량론.
engenista *m.f.* 인종 개량주의자, 우생 학자.
eugenol *m.* 【화학】 석탄산.
Eug.° Eugenio.
Eumenides *f. pl.* 【희랍 신화】 복수의 여신 (Furias).
eunecta *m.* =**anaconda** 《boa의 일종》.
eunectes *m.* =**eunecta.**
eunuco *m.* 거세된 사람, 환관, 내시, 고자.
eunucoide *adj.* 고자같은.
eupatorio *m.* 【식물】 산란.
eupátrida *m.f.* (옛날의 아테네에서) 귀족에 속한 사람.
eupepsia *f.* 소화 양호(buena digestión).
eupético, ca *adj.* 소화가 양호한, 소화가 잘 되는, 소화를 촉진하는, 소화에 이상없는. —*m.* 소화 촉진제.
eupnea *f.* 호흡 양호(buena respiración).
eurasiático, ca *adj.* =**eurásico.**
Eurasia *f.* 유라시아.
eurásico, ca *adj.* 유라시아 대륙 《Eurasia, Europa와 Asia를 합한 명칭》의 : continente ~ 유라시아 대륙.
¡eureka! *interj.* 알았다!, 됐어!, 바로 이거야! 《Arquímedes가 말했다고 하는, 발견의 기쁨을 나타내는 감탄사》.
eurindio, dia *adj. m.f.* 유럽풍의 인도 사람(의).
euritmia *f.* 쾌조, 협화음, 율동성 ; 맥박의 정상. Contr. arritmia.
eurítmico, ca *adj.* ① 조화를 이룬 ; 율동적인 (armonioso). ② (맥박이) 정상적인.
euro *m.* 【시어】 동풍(東風) : ~ austro · noto 남동풍.
euro- *pref.* 「유럽의」의 뜻을 나타내는 접두어.
euroafricano, na *adj.* 유럽과 아프리카의.
eurocomunismo *m.* 유럽 공산주의.
eurocomunista *adj.* 유럽 공산주의의. —*m.f.* 유럽 공산주의자.
eurodólar *m.* 【경제】 유러달러.
Europa *f.* 유럽 : ~ Oriental 동구(東歐). ~ Occidental 서구(西歐).
europeidad *f.* 유럽인의 기질 · 조건.
europeísmo *m.* 유럽의 편애 ; 유럽인 기질.
europeísta *adj. m.f.* 유럽 패권의 (주의자).
europeización *f.* 유럽화.
europeizante *adj.* 유럽화한, 유럽식의 : Fue una generación ~. —*m.f.* 유럽화한 사람.
europeizar *tr.* 9 유럽식으로 하다, 유럽화하다.
~se 유럽화하다.
europeo, a *adj.* 유럽의, 구라파의. —*m.f.* 유럽 사람.
europoide *adj. m.f.* =**caucaisode.**
eurosocialismo *m.* 유럽 사회주의.
eurosocialista *adj.* 유럽 사회주의의. —*m.f.* 유럽 사회주의자.
eurritmia *f.* 【의학】 정상적이고 규칙적인 리듬.
euscalduna *adj.* 바스꼬말의. —*m.* 바스꼬말 (lengua vasca).
—*m.f.* 바스꼬말을 사용하는 사람(persona que habla vascuence).
éuscaro, ra *adj.* 바스꼬 《필레오산 지방의 한 민족》 말의. —*m.* 바스꼬말(vascuence).

euskalduna *f.* =**eucalduna.**
éuskaro, ra *adj.* =**éuscaro.**
euskero, ra *adj. m.* =**eusquero.**
eusquero, ra *m.* 바스꼬말(idioma vasco). —*adj.* 바스꼬말의.
Eustaquio *m.* 유스따끼오 《16세기 이탈리아의 의사》 : trompa de ~ 【해부】 유스따끼오관, 구씨관(歐氏管).
éustilo *m.* (기둥과 기둥 사이의 거리가 4 módulo 반인) 주간(柱間)(intercolumnio).
eutanasia *f.* 《*Neol.*》 안락사, 인락사술(術).
eutaxia *f.* 【의학】 완벽한 건강 상태.
eutéctico, ca *adj.* 【화학】 쉽게 용해하는, 최저 온도에서 용해되는.
Euterpe *f.* 【희랍 신화】 음악·서정시의 여신.
eutiquianismo *m.* Eutiques 주의.
eutiquiano, na *adj.* 에우띠께스 《Eutiques, 신과 인간이 공존한다는 기독교인들을 부정하는 5세기의 그리스의 사교 교주》주의의. —*m.f.* 에우띠께스주의자.
eutrapelia *f.* 절제가 있는 즐거움 ; 겸양의 기쁨.
eutrapélico, ca *adj.* eutrapelia의.
eutrofia *f.* 영양 양호·정상(buena nutrición).
eutrófico, ca *adj.* 영양 양호·정상의.
eutropelia *f.* =**eutrapelia.**
eutropélico, ca *adj.* 적절한, 적당한 ; 즐거운, 유쾌한.
Eva *f.* 【성서】 이브 《Adán의 아내, 신이 창조한 최초의 여자》 : las hijas de ~ 여성, 여자들. traje de ~ 벌거숭이로 있는 일.
evacuación *f.* ① 배설, 배출, 배변(排便)(~ de vientre). ② 배기(排氣). ③ 명도, 철거, 퇴거. ④【군사】 소개, 철수, 철병. ⑤ 수행, 실행, 처리.
evacuado, da *m.f.* 철수자 ; 피난자, 피난민, 철거민, 소개자.
evacuante *adj. m.* =**evacuativo.**
evacuar *tr.* ⑮ [*lat.* evacuare] (몸에서) 나오게 하다, (대소변을) 배설하다 : ~ el vientre 변이 나오게 하다. ② 고름을 짜내다 : El médico *evacúa* el tumor ; *Evacúa* los humores del tumor 의사가 종기의 고름을 짜내다. ③ (장소를) 비우다(dejar vacío) : *Evacuamos* la casa 우리는 집을 나섰다. ④ (군대를) 철수하다, 철병하다 : ~ la plaza 진지에서 철수하다. ~ heridos 부상자를 철수하다. ⑤ 물러나다, 피난·소개시키다 : El gobierno *ha evacuado* la ciudad *de* mujeres y niños 정부는 그 도시에서 아녀자를 피난시켰다. ⑥ (무엇을) 하다(desempeñar) : ~ la cita 인용하다. ⑦ (의무·약속 따위를) 실행하다, 수행하다 ; 다하다(cumplir). ⑧ 응하다, 처리하다 : ~ la visita 손님을 접대하다. Tengo mucho gusto en ~ cualquier consulta 어떠한 상의에도 응해드립니다. —*intr.* 대변을 보다 : El enfermo no *evacúa* 그 환자는 대변을 보지 못한다.
~se 대변을 보다 : ~*se* el vientre.
evacuativo, va *adj.* 배설의. —*m.* 설사.
evacuatorio, ria *adj.* 배설의(evacuativo). —*m.* 설사 ; 공중 변소.
evadir *tr.* [*lat.* evadere] 피하다, 모면하다, 비키다 : ~ el pago de impuestos 세금 지불을 피하다. Sinón. eludir. ② (질문 따위를) 둘러대다, 발뺌하다 ; (의무·지불 따위를) 회피하다, 도망치다.
~se 달아나다, 도주하다, 도망하다(fugarse) : El preso *se evadió de* la cárcel 죄수가 감옥에서 탈주했다.
evagación *f.* =**devagación.**
evaluación *f.* 평가(valuación) : ~ de puestos 직무 평가.
evaluador, ra *adj.m.f.* 평가하는 (사람).
evaluar *tr.* ⑮ ① 평가하다(valuar). ② 존중하다 ; 칭찬하다. Sinón. apreciar, estimar, valuar. ***póliza evaluada*** 확정 보험 증권.
evalúo[1] *m.* 평가 ; 존중 ; 칭찬.
evalúo[2] evaluar의 직·현·1·단수.
evanescencia *f.* 소실(消失) ; 덧없음.
evanescente *adj.* ① (차차) 사라져 가는. ② 속절없는, 덧없는 : una imagen ~.
evangeliario *m.* 미사 때 쓰는 복음서 초(抄).
evangélicamente *adv.* 복음서에 의해 ; 복음주의에 따라 : vivir ~.
evangélico, ca *adj.* [*lat.* evangelicus] ① 복음(서)의 ; 복음주의의 ; 신교의 : capilla ~*ca.* ② 복음 교회의.
evangelio *m.* [*lat.* evangelium ; *gr.* euaggelion] ① 복음. ② 복음서. ③ 그리스도교 : convertirse al ~. ④ 진실, 진실된 말 : Sus palabras son el ~ 그의 말은 진실하다. decir el ~ 진실을 말하다.
evangelismo *m.* 복음 전도, 복음주의.
evangelista *m.* ① 신약 복음서의 저자. ② 성자 : los cuatro ~*s* 네 성자 《S. Juan, S. Mateo, S. Lucas, S. Marco》. ③ 복음 전도자 ; 복음서를 외우는 승려. ④ 《*Méx.*》 대서인 (memorialista).
evangelistero *m.* (미사에서) 복음서를 읽는 승려.
evangelización *f.* 복음의 전도.
evangelizador, ra *adj.* 복음을 전하는. —*m.f.* 복음의 포교자·전도자.
evangelizar *tr.* ⑨ 복음을 전하다, 전도하다, 기독교에 귀의시키다.
Evang.º Evangelio.
Evang.ta Evangelista.
evaporable *adj.* 증발성의, 증발되기 쉬운 ; 없어지기 쉬운.
evaporación *f.* [*lat.* evaporatio] 증발(vaporización) ; 기화 ; 건조, 탈수(법) ; 증기, 증발기(氣) ; 소산(消散).
evaporado, da *adj.* [evaporar의 *p.p.*] 수분을 뺀, 증발된, 탈수한 : leche ~*da* 분유.
evaporador, ra *adj.* 증발하는. —*m.* 증발기, 증발 조절기.
evaporar *tr.* [*lat.* evaporare] ① 증발시키다 (convertir en vapor) : El sol *evapora* el agua 태양은 물을 증발시킨다. El calor *evapora* los líquidos 열은 액체를 증발시킨다. ② 수분을 빼다, 탈수하다. ③ 소산시키다, 없애다(disipar, desvanecer).
~se ① 증발하다, 소산하다, 소실하다 ; 사라지다 ; 꺼지다 : *Se evaporó* el entusiasmo 흥분이 꺼졌다. ② 자취를 감추다. ③ 《*Col.*》 멍청해지다, 실성하다.
evaporatorio, ria *adj.* 증발용의.

evaporímetro *m.* 증발계.
evaporita *f.* 침전암.
evaporizar *tr.* ⑨ 증발시키다(vaporizar). —*intr.* 증발하다.
evaporómetro *m.* =**evaporímetro.**
evapotranspiración *f.* =**evapotraspiración.**
evapotraspiración *f.* (동식물에서 나온) 생리적 발산(evaporación fisiológica).
evasión *f.* [*lat.* evasio] ①(책임·의무 따위의) 회피, 기피 : ~ de impuetos 탈세. ②핑계, 발뺌, 구실(evasiva). ③도피, 도주, 도망(fuga, huida) : Impidieron la ~ de los presos 포로들의 도주를 막았다.
evasiva *f.* 핑계, 발뺌하는 말, 구실 : ~ para no pagar una contribución 탈세. **Sinón.** subterfugio.
evasivamente *adv.* 회피적으로, 핑계로, 얼버무려 : responder ~.
evasivo, va *adj.* 회피적인, 회피의, 회피하는, 발뺌하는, 핑계대는, 꽁무니를 빼는 : respuesta ~*va.*
evasor, ra *adj. m.f.* 회피하는 (사람).
evata *f.* 흑단 비슷한 검은 목재의 일종.
evección *f.* 【천문】 출차(出差).
evento *m.* [*lat.* eventus] ①사건, (우연히) 일어난 일(suceso) : ~ inesperado 의외의 일. a todo ~ 어떻게 해서라도, 어떤 경우라도(en todo caso). ②(경기의) 종목.
eventración *f.* 【의학】 복부 탈장(hernia ventral).
eventual *adj.* ①우연한, 돌발의, 우발의 : gastos ~*es* 당연히 드는 비용. ②최후의, 종국의; 일어날지도 모르는, 만일의. ③임시의 : ~ reconocimiento 임시 승인. **Sinón.** circunstancial, fortuito, posible. **Contr.** cierto, seguro.
eventualidad *f.* 불의의 사건, 만일의 경우, 우연, 우발(성); 예측하지 못하였던 일. **Sinón.** contingencia, posibilidad.
eventualmente *adv.* 가끔, 드물게, 이따금씩, 시나브로, 어쩌다가, 우연히(casualmente).
eversión *f.* 【의학】 (눈꺼풀, 내장 따위를) 뒤집음(destrucción, ruina) : ~ de los puntos lacrimales.
evicción *f.* [*lat.* evictio] ①도로 찾음, (산 사람으로부터) 다시 삼. ②박탈; 몰수.
evidencia *f.* [*lat.* evidentia] ①명료, 명백 : en ~ 《*Galic.*》 눈에 띄게, 명백하게; 두드러지게. ②《*Angl.*》 증거(물). **Contr.** improbabilidad, incertidumbre. **Sinón.** certeza, certidumbre.
evidenciar *tr.* ⑪ 명백하게 하다; 입증하다, 증명하다 : ~ una mercancía de origen coreano 상품이 한국 원산임을 증명하다. **Sinón.** demostrar, mostrar.
evidente *adj.* 명백한, 뚜렷한 : Es ~ 그것은 명백한 일이다. **Contr.** dudoso, improbable, incierto.
evidentemente *adv.* 명백히, 정확하게(con evidencia).
evilasia *f.* (마다스카르섬의) 흑단의 일종.
evisceración *f.* 내장의 제거.
eviscerar *tr.* (동물에서) 내장(visceras)을 꺼내다.
evitable *adj.* 피할 수 있는, 피해야 할(que se puede evitar).
evitación *f.* 회피, 기피.
evitado, da *adj.* evitar의 *p.p.*
evitar *tr.* [*lat.* evitare] 피하다, 달아나다 : *Evite* las palabras inútiles 쓸데없는 말을 피하십시오. **Sinón.** eludir, esquivar, rehuir. **Contr.** buscar.
eviterno, na *adj.* [*lat.* aeviternus] 끝없는, 영원의 생명을 가진.
evo *m.* 【종교·시어】 영겁(永劫)(eternidad).
evocable *adj.* (영적으로) 호소할 수 있는; 불러들일 수 있는; 생각해낼 수 있는.
evocación *f.* 초혼(招魂); 회상.
evocador, ra *adj.* ①영혼이나 수호신을 불러내는. ②추억이 되는 : un paisaje ~. —*m.f.* 영혼이나 수호신을 불러내는 사람, 초혼자(招魂者).
evocar *tr.* ⑦ [*lat.* evocare] ①(신·죽은 사람 등의 영혼이나 이름을) 부르다, 불러내다, 일깨우다 : ~ espíritus. ②생각해내다(recordar) : *Evocábamos* nuestra infancia en el campo. **Sinón.** recordar, rememorar.
evocativo, va *adj.* 회상·추상(追想)의.
evocatorio, ria *adj.* 초혼의; 회상의.
¡evohé! *interj.* 바카스제에서 주신 Baco에게 기구하는 외침.
evolución *f.* [*lat.* evolutio] ①진전, 발달, 전개; (점차적인) 변화, 전환, 변동 : ~ coyuntural · económica · de la coyuntura 경제 변동. ~ de los precios 물가 변동. ②【생물】 진화 : Darwin sostuvo la teoría de la ~ 다윈은 진화론을 제창했다. ③(댄스 따위의) 전개 동작, 선회 : ~*es* de la danza 댄스의 전개 동작. **Sinón.** giro, vuelta. ④(열·빛 따위의) 방출. ⑤【수학】 개방(開方). **Contr.** involución. ⑥【천문】 (천체의) 형성. ⑦(군대의) 기동 연습, 대형(隊形) 변경 : las ~*es* de un avión.
evolucionar *intr.* ①진전·발달·발전하다; 전개하다. **Sinón.** desarrollarse, desenvolverse. ②진화하다. ③대형(隊形)을 변경하다. ④태도·행실을 바로하다.
evolucionismo *m.* 진화론(transformismo).
evolucionista *adj.* 진화의; 진화론의. —*m.f.* 진화론자.
evoluta *f.* 【수학】 축패선.
evolutivo, va *adj.* 발달·발전의, 진화의.
evónimo *m.* 【식물】 =**bonetero.**
evulsión *f.* 【의학】 =**avulsión.**
ex- *pref.* ①「밖」「거부」「결여」 등을 뜻하거나 강조를 위한 접두어 : *ex*tender, *ex*céntrico; *ex*heredar; *ex*clamar. ②(관직명·형용사 앞에 쓰여) 전의, 전… : *ex*presidente 전 대통령.
exabrupto *adv. lat.* 별안간, 돌연, 갑자기. —*m.* 당돌 : responder con un ~.
exacción *f.* [*lat.* exactio] (세금·기부금 등의) 강제 징수; 강요; 부당 징세(concusión); 강탈.
exacerbación *f.* (나쁜 감정 따위의) 악화; (병세의) 악화; 격분.
exacerbamiento *m.* =**exacerbación.**
exacerbar *tr.* ①격분시키다(causar un grave enojo). **Sinón.** encolerizar, enfurecer, exasperar, irritar. ②(병·괴로움 따위를) 악화시키다, 심하게 하다, 더하게 하다 : No *exacerbes* mi dolor 내 고통을 더하게 하지 마라.

~se 격양하다 ; (병세가) 악화되다.

exactamente *adv.* ① 정확하게(con exactitud). ②[감탄사적] 맞습니다, 옳습니다.

exactitud *f.* ① 정확 : Este trabajo está hecho con mucha ~ 이 일은 매우 정확히 행해지고 있다. La ~ es su cualidad característica 정확함은 그의 성질의 특색이다. ② 정밀(도) ; 확실.

exacto, ta *adj.* [*lat.* exactus] 정확한, 정밀한, 옳은(puntual) : una cuenta *~ta* 정확한 계산. la hora *~ta* 정확한 시간. ciencias *~tas* 정밀과학 ; 수학. Contr. inexacto. ② 고지식한 ; 꼼꼼한. **—*interj.*** 그렇고 말고 !

exactor, ra *m.f.* [*lat.* exactor] 세무 공무원, 수세관 : un ~ severo.

exaedro *m.* 【기하】 =**hexaedro.**

exageración *f.* 과장, 과장된 표현.

exageradamente *adv.* 과장하여.

exagerado, da *adj.* ① 과장된 : No seas ~ en tus elogios 과장해서 칭찬하지 마라. ② 과대한, 과도한 : el precio ~. Contr. moderado, regular.

exagerador, ra *adj.* 과장하는. **—*m.f.*** 과장하는 사람.

exagerante *adj.* 과장적인, 침소 봉대(針小棒大)의.

exagerar *tr.* [*lat.* exaggerare] 과장하다(ponderar) : No le puedo creer porque siempre *exagera* 그는 항상 과장하기 때문에 믿을 수 없다. Los periódicos *exageran* la importancia del accidente 신문은 사고의 중요성을 과장하고 있다. No *exageres* con las bromas 농담으로 과장하지 마라. Sinón. aumentar, abusar. Contr. atenuar, debilitar.

exagerativamente *adv.* 과장하여 (말하자면).

exagerativo, va *adj.* 과장적인, 과장의, 떠발린(exagerado).

exagonal *adj.* 【기하】 =**hexagonal.**

exágono *m.* 【기하】 육각형(hexágono).

exagono, na *adj.* 【기하】 =**hexágono.**

exaltación *f.* ① 높임, 고양. ② 승진, 찬양, 찬미. ③ 의기 양양함, 우쭐함. ④ 광희, 흥분, 열광. ⑤ (교황의) 등위, 등극 ; 국가 원수에 취임. ⑥【화학】 승화, 순화. ⑦【야금】 정련. ⑧【의학】 기관 기능의 이상 항진(亢進). Contr. tranquilidad.

exaltado, da *adj.* 상기된 ; 흥분한 ; 열광적인 ; 과도한(exagerado).

exaltador, ra *adj.* =**exaltante.**

exaltamiento *m.* =**exaltación, elevación.**

exaltante *adj.* 칭찬하는 ; 흥분하는 ; 고양하는.

exaltar *tr.* [*lat.* exaltare] ① 올리다, 오르게 하다. ② 칭찬하다(ensalzar). ③ 흥분시키다.

~se ① 흥분하다 : *~se con* la discusión 토론으로 흥분하다. ② 정신이 고조되다. Contr. rebajar, menospreciar, vilipendiar.

examen *m.* [*lat.* examen] ① 조사, 감사, 검사, 심사, 검열(investigación, indagación) : ~ aduanero 세관 검사. ~ de la mercancía recibida 착하(着荷) 검사. ~ de la probabilidad 확률 검사. ~ del crédito 신용 조사. ~ en la empresa misma 내부 감사. ~ por un revisor independiente 외부 감사. ~ sobre el mercado 시장 조사. los *exámenes* de cociente intelectual 지능 검사. Sinón. estudio. ② 시험 : ~ de ingreso 입학 시험. ~ de reválida 대학의 학위 시험, 졸업 시험. ~ previo 예비 시험. ~ escrito 필기 시험. ~ oral 구두 시험. a ~ 시험하여. presentarse a ~ 시험을 치러 가다. Aprobó el ~ de geografía 그는 지리 시험에 합격했다. El tuvo éxito en el ~ de ingreso 그는 입학 시험에 합격했다.

exámetro *m.* =**hexámetro.**

examinación *f.* 조사, 심사, 검사 ; 진찰 ; 시험.

examinador, ra *m.f.* [*lat.* examinator] 조사하는 사람, 시험관, 검사관, 심사원 : un ~ severo.

examinando, da *m.f.* 수험자.

examinante *adj.* 조사하는, 시험하는.

examinar *tr.* [*lat.* examinare] ① 조사·심사·검사하다 : El ingeniero *examinó* la máquina 기사는 기계를 점검했다. Ya *han examinado* nuestros equipajes 이제 우리의 화물은 검사를 받았다. La censura *examina* un libro 검열국이 어떤 서적을 조사한다. ② 진찰하다 : El médico *examinó* al enfermo 의사는 환자를 진찰했다. ③ 시험하다 : ~ *de* inglés a los alumnos 학생들에게 영어 시험을 보이다.

~se 시험을 치다 : *~se* de …의 시험을 치다. En marzo *me examinaré de* ingreso 3월에 나는 입학 시험을 치른다. Tengo que *examinarme de* ingreso 나는 입학 시험을 치러야 한다. *Me examiné de* español e historia 나는 서반아어와 역사 시험을 치렀다.

exandir *tr.* 【고어】 (호의적으로) 듣다.

exangüe *adj.* [*lat.* exsanguis] ① 핏기가 없는(desangrado). ② 기진 맥진한. ③ 죽은(muerto). Contr. pletórico.

exángulo, la *adj.* 육각형의.

exanimación *f.* 실신(失神), 졸도.

exánime *adj.* ① 죽은(sin vida) : un cuerpo ~ 죽은 시체. Sinón. muerto. ② 생기가 없는, 혼수 상태의, 정신을 잃은(inánime) : Cayó ~ al oírlo 그는 그 소리를 듣자마자 정신을 잃고 넘어졌다. Sinón. exangüe.

exantema *m.* [*gr.* exanthêma] 【의학】 (피부의) 발진(發疹).

exantemático, ca *adj.* 발진성의 : tifus ~.

exantematoso, sa *adj.* =**exantemático.**

exápodo, da *adj.* 다리가 여섯 있는. **—*m.pl.*** 다리가 여섯인 동물·곤충.

exarca *m.* [*gr.* exarkhos] ① (비잔티움 제국의) 태수, 총독. ② (그리스 정교의) 주교(主教).

exarcado *m.* 총독의 직·영토.

exarco *m.* =**exarca.**

exárico *m.* ① 모로의 소작인. ② 모로 태생의 하인.

exasperación *f.* [*lat.* exasperatio] ① 격앙, 격분. ② (병세의) 악화(agravación excesiva) : la ~ de una enfermedad.

exasperado, da *adj.* exasperar의 *p.p.*

exasperador, ra *adj.* =**exasperante.**

exasperante *adj.* 화나는, 약이 오르는, 울화가 치미는.

exasperar *tr.* [*lat.* exasperare] ① 성나게 하다, 격분시키다 : ~ un dolor. ② 화나게 하다(irritar). ③ 더하게 만들다. ④ 신경질이 나게 만들다 : Tu flema me *exaspera* 태평스럽게 있는 것이 화가 난다. Contr. calmar, apaciguar.
~se ① (질병 · 고통 따위가) 심해지다. ② 분격하다.

exastilo *m.* 육주식(六柱式) 건물.

ex bordo 본선도(本船渡).

ex bordo en puerto de arriba 도착항 본선도.

ex buque 착선도(着船渡).

ex fábrica 공장도.

ex muelle 부두도(渡).

Exc.[a] Excelencia.

excandecencia *f.* [드뭄] 격앙, 격노.

excandecer *tr.* ㉛ [드뭄] 격분시키다.

excarcelable *adj.* 석방해도 되는.

excarcelación *f.* 석방, 출옥.

excarcelar *tr.* 출옥시키다, 석방하다(poner en libertad al preso).

excarceración *f.* =**excarcelación.**

ex cáthedra *adv. lat.* (교황의) 법좌에서 ; 권위를 가지고, 장엄하게, 엉뚱하게 : Cuando el Papa define ~, es infalible.

excava *f.* 구멍 파기, 땅파기.

excavación *f.* [*lat.* excavatio] ① 구멍 파기, 땅파기. ②【치과】구멍 우벼내기. ③ 구멍(hoyo, agujero) : Las cavernas son ~*es* naturales. ④【고고학】발굴.

excavador, ra *adj.* 발굴하는, 땅을 파는.
—*m.f.* ① (땅의) 굴착자. ② 굴착기(aparato que sirve para excavar) : ~ de aire comprimido.

excavadora *f.* 굴착기(掘搾機).

excavar *tr.* ① 파다 : ~ la tierra para buscar agua 물을 찾기 위해 땅을 파다. Sinón. cavar. ② 발굴하다 : ~ un pozo. ② 흙을 파다.

excedencia *f.* ① 잉여. ② 초과(sobrante). ③ (관리의) 휴직.

excedente *adj.* ① 잉여의. ② 초과한, 과도한 (excesivo). ③ 휴직 중인 (관리). —*m.* 여분, 잉여(금) ; 초과(액) : ~ de capital 자본 · 불입 잉여금. ~ de explotación 영업 잉여. ~ de las exportaciones (sobre las importaciones) 수출 초과. ~ de las importaciones (sobre las exportaciones) 수입 초과. ~ de libre disposición 처분 자유 잉여금. ~ exportable 무역 수지 흑자. ~ resultante de la retasación de bienes 재평가 잉여금. Contr. déficit.

exceder *tr.* [*lat.* excedere] 초과하다 ; (한도를) 넘다 : El gasto *excede* la entrada en 10.000 pesetas 경비가 수입보다 1만 뻬세따 초과한다.
—*intr.*, **~se** 도를 지나치다 : ~*se a* sí mismo 지나친 짓을 하다. ~*se en* sus facultades 분수에 넘친 일을 하다.

excelencia *f.* 탁월, 우수 : por ~ 특히, 뛰어나 ; 다른 이름으로(por antonomasia) : Admiramos la ~ de su trato.
Su E- 각하.

excelente *adj.* [*lat.* excellens] 우수한, 뛰어난 (muy bueno) : **obra ~** 뛰어난 작품. Gozamos de unas vacaciones ~*s.* Sinón. estupendo, magnífico. Contr. malo, abominable, detestable. ② 훌륭한 ; 썩 좋은. ③ 현저한, 두드러진, 탁월한 : Es un ~ abogado. Sinón. notable. ④ 맛있는 : Nos sirvieron una ~ comida. Sinón. delicioso, exquisito.
—*m.* 15세기의 금화《1 dobla 화폐》.

excelentemente *adv.* 우수하게, 뛰어나게, 훌륭하게(con excelencia).

excelentísimo, ma *adj.* [*sup.* excelente] 아주 훌륭한《각하(Excelencia)의 경칭을 받는 사람에게 쓰는 정중한 말》: ~ señor 각하.

excelsamente *adv.* 지고하게 ; 숭고하게 ; 뛰어나게.

excélsior *adv. lat.* 더 높이(más alto).

excelsitud *f.* [*lat.* excelsitudo] 지고 ; 숭고(suma alteza).

excelso, sa *adj.* [*lat.* excelsus] ① 지고한, 지극히 높으신 : *Excelsa* Majestad 폐하. ② 숭고한. ③ 뛰어난 : un músico ~ 뛰어난 음악가. Sinón. eminente. Contr. ínfimo. ④ [el *E-*] 신 (Dios).

excentración *f.*【기계】위치 변경.

excentrar *tr.* =**desencentrar.**

excéntrica *f.* ①【기계】편심륜(偏心輪). ②【천문】이심권(離心圈). ③【기하】이심원.

excéntricamente *adv.* 편협하게 ; 정상에서 벗어나, 괴짜로, 유별나게 ; 중심을 달리하여.

excentricidad *f.* ① 괴짜, 엉뚱한 것 ; 괴상한 버릇. Sinón. extravagancia. ② 중심이 · 중심에서 벗어나 있는 일, 편심 거리(偏心距離) ; 왜곡.

excentricismo *m.* 유별난 짓, 괴짜 같은 짓.

excéntrico, ca *adj.* ① 유별난, 엉뚱한, 괴짜 같은(extravagante) : porte ~. ② 중심에서 벗어난, 변두리의 : barrio ~ 변두리 지구. ③ 중심을 달리하는 : círculos ~ 이심원(異心圓) Contr. concéntrico. —*m.*【기계】타페트.

excepción *f.* ① 예외 : a · con ~ de …을 예외로 써, …을 제외하고(excepto). No hay regla sin ~ 예외 없는 규칙은 없다. ② 제외. ③ 이의 (objección) : Las ~*es* confirman la regla 이의가 있다는 것은 곧 정칙이 있다는 증거이다. Sinón. regla, norma, principio.
de ~ 특별한 : un regalo *de* ~.

excepcional *adj.* 예외적인 ; 드문, 보통이 아닌, 이례적인 : tiempo ~ 드문 날씨. una cosecha ~ 이례적 수확. una memoria ~ 보기 드문 기억력. Sinón. extraordinario, singular.

excepcionalmente *adv.* 예외적으로 ; 특히, 매우.

excepcionar *tr.* ①【법률】이의를 신청하다 : El abogado *excepcionó* la incapacidad del testigo 변호사가 증인의 무자격을 신청했다. ② 제외하다, 예외로 돌리다.

exceptivo, va *adj.* 예외의, 제외의, 예외를 나타내는.

excepto *prep.* …은 별문제로 치고, …이기는 하지만, 예외로 하고, …을 제외하고(menos, salvo, a excepión de).
—*adv.* …은 별도로 : Son malos ~ (de)Juan 후안을 제외하고는 나쁜 사람들이다. Trabajo todos los días ~ los domingos 나는 일요일은 제외하고 매일 일한다.

exceptuación *f.* =**excepción.**

exceptuar *tr.* [15] [*lat.* exceptare] 제외하다, 예외로 하다 : *Exceptúan* a los enfermos de la obligación de votar.

excerpta *f.* 초록, 발췌, 선집(選集).

excerta *f.* =**excerpta.**

excesivamente *adv.* 지나치게, 과도하게, 너무, 심하게, 터무니없이(con exceso).

excesivo, va *adj.* ① 지나친, 과도한 : Tiene una ~*va* ambición 지나친 야망을 갖고 있다. Sinón. desmedido, desmesurado. ② 부당한, 터무니없는 : Lo venden a un precio ~ 부당한 가격으로 그것으로 팔고 있다. Sinón. exorbitante.

exceso *m.* [*lat.* excessus] ① 과잉, 과열, 과다, 과분, 과도 : en ~ 너무나도, 과도하게, 부당하게. ~ de coyuntura 경기의 과열. ~ de demanda 수요 과잉, 초과 수요. ~ de existencias 공급 과잉 재고. ~ de mano de obra 노동력 공급 과다. ② 여분, 초과 : ~ de peso 중량 초과. ③ 초과액, 초과 요금 : Tengo que pagar ~ de equipaje 나는 화물의 초과 요금을 지불해야 한다. ④ *pl.*지나침, 월권 : ~ de poder 월권 행위. ⑤ 무절제 ; 방자, 지나친 행동, 방자한 행위 ; 난폭. Contr. defecto, falta.

excipiente *m.* (약을 혼합·조제하기 위한) 조제(助劑) : La miel es un excelente ~.

excisión *f.* 작은 부분의 절단.

excitabilidad *f.* 흥분하기 쉬움, 발끈하는 성미, 흥분성 ; 민감 ; (기관(器官) 등의) 피자극성.

excitable *adj.* 흥분하기 쉬운, 발끈해지기 쉬운, 자극할 수 있는, 흥분성의 ; 감수성이 예민한 : un carácter ~.

excitación *f.* ① 자극 : El café produce ~. ② 흥분. ③【전기】 여자(勵磁). ④【물리】 여기.

excitador, ra *adj.* 자극하는, 흥분시키는 ; 격려하는 ; 선동하는. —*m.*【전기】 여자기(勵磁器), 여진기(勵振機) ; 방전기(放電器) ; 전기 치료기.

excitante *adj.* ① 자극의 : una bebida ~. ② 마음을 끌게 하는. ③ 돌발적인. —*m.* 자극물.

excitar *tr.* [*lat.* excitare] ① 자극하다, 흥분시키다. ② 격려하다, 떨치고 일어나게 하다(estimular). ③ (감정 따위를) 일으키다, (흥미·호기심 따위를) 일으키다, 선동하다, 야기시키다 : ~ la multitud *a* la rebelión 군중을 폭동으로 몰고 가다. ④ (전류를) 일으키다, 여자(勵磁)하다. ⑤【물리】 여기하다. Contr. calmar, apaciguar. Sinón. alterar, exaltar.
~se 흥분하다, 자극되다 : Se enfureció y *se excitó* mucho 그는 격분해서 무척 흥분했다.

excitativo, va *adj.* 자극성의 : aplicar un remedio ~. —*m.* 자극제.

excitatriz *adj.* 자극하는 ; 선동하는. —*f.* (교류 발전기에서 필요한) 직류 발전기.

exclamación *f.* ① 외침, 절규 : El pueblo prorrumpió en ~*es* de alegría. ② 감탄. ③【수사】 영탄법. ④【문법】 감탄 부호(signo de admiración).

exclamar *intr.* [*lat.* exclamare] (감탄하여) 외치다 ; 부르짖다 ; 소리쳐 말하다.

exclamativo, va *adj.* =**exclamatorio.**

exclamatorio, ria *adj.* 외치는 듯한, 절규적인, 영탄적인, 감탄조로 : hablar con tono ~.

exclaustración *f.* 사원에서 나오는 일, 출암(出庵).

exclaustrado, da *adj.* exclaustrar의 *p.p.* —*m.f.* 사원을 버린 승려.

exclaustrar *tr.* (승려를) 수도원에서 내보내다.

exclave *m.* ~ *aduanero* 자유 무역 지대.

excluible *adj.* 제외할 수 있는, 배제할 수 있는.

excluidor, ra *adj.* 배척·배제·제외하는.

excluir *tr.* [77] [*lat.* excludere] ① 배척·배제·제외하다 : Se decidió ~le de la lista 그는 리스트에서 제외하기로 결정됐다. Sinón. exceptuar. ② 쫓아내다, 물리치다 : ~ a uno *de* una junta. Sinón. eliminar. Contr. incluir.

exclusión *f.* 배제(排除), 배척, 제외, 제명 ; 거부.

exclusiva *f.* ① 독점권, 전유권(專有權) ; 독점판매 : tener la ~ de la venta de motores 모터 판매 총대리점이 되다. Sinón. exclusividad. ② (가입·참가의) 거부.

exclusivamente *adv.* 배타적으로 ; 독점적으로 ; 특히 ; 완전히 ; 제외하여 : estudiar ~ la historia de América.

exclusive *adv.* [*lat.* exclusive] 제외하여 (exclusivamente) : hasta el primero de enero ~ 1월 1일 까지, 단 1일을 제외함. Contr. inclusive.

exclusividad *f.* =**exclusiva.**

exclusivismo *m.* 배타주의 ; 독점주의. Contr. eclecticismo.

exclusivista *adj.* 배타주의의, 배타적인. —*m.f.* 배타적인 사람.

exclusivo, va *adj.* 배타적인 ; 독점적인, 독점판매하는 ; 독특한, 유일한 : Viajó al campo con el ~ fin de descansar 그는 휴식을 취할 유일한 목적으로 시골로 여행갔다. Sinón. único.

excluso, sa *adj.* [excluir의 *p.p.*] 제외된, 제외하여.

excluyente *adj.* 배척하는.

Exc.[mo(s)]**, Excmo.** Excelentísimo(s) 각하.

excogitable *adj.* 생각해낼 수 있는.

excogitar *tr.* [드묾] 고안하다, 안출하다, 창안하다.

excombatiente *adj. m.f.* (어떤 군대 깃발 아래에서나 정치적 원인으로) 싸웠던 (사람) : agrupación de ~*s* franceses.

excomulgación *f.* =**excomunión.**

excomulgado, da *adj.* excomulgar의 *p.p.* —*m.f.* ① 파문당한 승려. ② 형편없는 인간.

excomulgador, ra *m.f.* 파문하는 사람, 파문선고자.

excomulgar *tr.* [8] 파문하다 ; 추방하다, 제명하다.

excomunicación *f.* =**excomunión.**

excomunión *f.*【종교】 파문 ; 파문장.

excoriación *f.* (피부를) 벗김, 찰과상(escoriación).

excoriar *tr.* [11] [*lat.* excoriare] =**desollar.**

excrecencia *f.* (동식물의) 군살 ; (피부·나무의) 혹 ; 벌레혹, 충영 ; 희생물.

excreción *f.* [*lat.* excretio] 배설 (작용) ; 배설물.

excremental *adj.* =**excrementicio.**

excrementar *intr.* 대변을 보다, 똥을 누다(deponer los excrementos).
excrementicio, cia *adj.* 배설물의, 똥의 ; 똥 모양의.
excremento *m.* [*lat.* excrementum] 대변, 똥 ; 배설물(heces).
excrementoso, sa *adj.* =**excrementicio.**
excrescencia *f.* =**excrecencia.**
excreta *f.* [집합] 배설물.
excretar *intr.* 똥을 누다, 대변을 보다(expeler el excremento). —*tr.* 배설하다.
excreto, ta *adj.* 배설된.
excretor, ra *adj.* =**excretorio.**
excretorio, ria *adj.* 배설의.
excrex *m.* [*pl.* excrez] 《*Ar.*》 신부의 혼인 지참금에 신랑측이 덧붙여 주는 것.
Exc.so, sa Excelso, sa.
exculpación *f.* 면죄(免罪).
exculpar *tr.* 면죄하다.
~se 죄를 면하다.
excupón *m.* 쿠폰이 떨어짐.
excursión *f.* [*lat.* excursio] ① 소풍, 수학 여행, 유람, 관광 여행, 원족, 하이킹 : ~ en coche 드라이브 여행. Ayer fuimos de ~ al campo 어제 우리들은 시골에 원족갔다. Los fines de semana vamos de ~ al campo 우리는 주말마다 시골에 여행간다. ② 출격, 침입 탐사(correría).
excursionear *tr.* 《*Neol.*》 소풍을 가다.
excursionismo *m.* 소풍·견학·여행을 하는 일.
excursionista *m.f.* 소풍객, 견학·연구·여행자, 유람 여행자.
excusa *f.* ① 변명 : El siempre busca ~*s* 그는 항상 구실을 찾고 있다. ② 면제 ; 면죄. ③ = **excusabaraja.**
excusabaraja *f.* 뚜껑이 달린 등자나무로 짠 광주리.
excusable *adj.* 용서받을 만한, 용서해도 좋은, 변명이 되는.
excusación *f.* [드뭄] =**excusa.**
excusadamente *adv.* 필요도 없이, 공연히(sin necesidad).
excusado, da *adj.* [*lat.* escusatus] ① 면한, 면제·면세된. ② 무익한, 필요없는, 소용없는, 불필요한 : pensar en lo ~ 도저히 가망이 없는 일을 생각하다. *E-* es decir que aceptaré cualquier misión que me encomienden 나에게 의뢰한 임무는 무엇이든지 수락하리라는 것은 언어도단이다. ③ 사용(私用)의, 개인용의, 비밀의(secreto) : puerta ~*da.* —*m.* ① 변소(retrete) : Los ~*s* deben mantenerse en perfecto estado de limpieza. ② 옛날의 1할세의 일종.
E- es que +subj. …할 필요가 없다 : *E- es que* yo dé razón a todos de mi conducta 나의 행동을 모두에게 변명할 필요는 없다.
meterse en la renta del ~ 공연한 참견을 하다.
excusador, ra *adj.* 변명하는 ; 용서하는. —*m.* 사면자 ; 대신 떠맡는 사람, 대리자.
excusalí *m.* 작은 앞치마(delantal pequeño).
excusaña *f.* 적을 감시하는 데 고용되는 시골뜨기.
a ~s 숨어서, 비밀리에.
excusapecados *m.* 【단·복수 동형】 남의 죄를 용서하는 사람.
excusar *tr.* [*lat.* excusare] ① 변명하다, …의 구실을 대다, …의 핑계를 대다. ② 용서하다(disculpar, perdonar) : Deben ~*se* las faltas de los jóvenes 젊은이의 잘못은 용서해야 한다. *Excúsale* de sus faltas 그의 잘못을 용서해 주어라. ③ 면해 주다, 면제하다. ④ 거부·거절하다, 피하다(rehusar, evitar) : ~ pleitos 소송을 피하다. ~ disturbios 반란이 일어나지 않도록 하다. *Excusa* el juramento cuanto puedas 가능하다면 맹세하는 일은 피하는 것이 좋다. ⑤ [+*inf.*] …할 필요가 없다 : *Excusamos* decir 두말할 필요가 없다. *Excusas* venir, que ya no haces falta 네가 있을 필요가 없으므로 올 필요가 없다, 오지 않아도 돼.
~se ① 핑계대다, 변명하다 : No sé cómo ~*me* 나는 어떻게 변명해야 할 지 모르겠다. Tengo que ~*me* 나는 구실을 대야 한다. ② 용서받다, 면하다 : *Se excusan* las faltas 그 실수는 용서된다. ③ 회피하다 : *Se excusan de* tomar parte en la votación 투표에 참가하는 것을 회피하다.
Excúseme 죄송합니다, 실례합니다.
excusión *f.* [*lat.* excussio] 【법률】 압류.
excuso *m.* 핑계 ; 면제.
a ~ 살짝, 살그머니, 은밀히, 숨어서(ocultamente, a escondidas).
ex diámetro *adv. lat.* 정반대로 ; 바로.
ex-dividendo *m.* 【주식】 배당에서 제외됨.
exea *m.* 척후병(explorador).
exeat *m.* 외출 허가, 외박 허가.
execrable *adj.* 저주할, 저주스러운, 가증스러운 ; 아주 지긋지긋한.
execrablemente *adv.* 저주의 말이 나오도록 ; 아주 지독하게.
execración *f.* [*lat.* exsecratio] 저주 ; 아주 싫어함 ; 주문(呪文) ; 저주의 말 ; 증오(의 대상). **Contr.** bendición.
execrador, ra *adj.* 저주하는. —*m.f.* 저주하는 사람.
execrando, da *adj.* 저주할(execrable) : conducta ~*da* 저주할 행위.
execrar *tr.* ① 저주하다, 증오하다(odiar, maldecir). ② 몹시 싫어하다, 질색하다(aborrecer). **Contr.** bendecir, adorar.
execrativo, va *adj.* 저주하는, 증오하는.
execratorio, ria *adj.* 저주하는, 저주적인 : juramento ~.
exedra *f.* (반원형의 주위에 걸상을 마련했던 고대의) 회의실, 담화실(談話室).
exégesis *f.* [*gr.* exêgêsis] (성서의) 주석, 주해, 해석.
exegeta *m.* [*gr.* exêgêtês] 성서 주석자.
exegético, ca *adj.* 주석의, 주해의, (법문의) 해석상의.
exención *f.* [*lat.* exemptio] 무세(無稅) ; 면제 : ~ de contribución · derechos · impuestos 면세, 과세 면제, 세액 공제. ~ general de responsabilidad 총괄적 면책 사항. solicitar ~ 면제를 부탁하다.
exencionar *tr.* 【속어】 =**exentar.**
exentado, da *adj.* exentar의 *p.p.*

exentamente *adv.* ① 자유롭게, 면제되어 (libremente). ② 분명하게, 솔직히, 명백하게 (francamente).

exentar *tr.* [+de : …을] 면제하다(eximir) : ~ *de*l servicio a un soldado 제대시키다.
~se 면하다(eximirse).

exento, ta *adj.* [eximir의 *p.p.*] ① [+de] …을 면제 받은, …이 없는(libre) : ~ de derechos 면세의, 세금이 없는. ② 바람 부는 대로 내맡겨진 (장소·건물).

exequátur *m. lat.* (주재국의 정부에서 딴 나라의 영사 또는 상무관에게 주는 집행상의) 인가장, 승인장.

exequial *adj.* 《*Chile.*》 장례의.

exequias *f. pl.* [*lat.* exsequiae] 장례, 장례식 (funeral, funerales) : ~ nacionales 국장.

exequible *adj.* 할 수 있는 ; 획득할 수 있는 (conseguible).

exerción *f.* 《*Neol.*》【의학】섬유 조직의 위축.

exeresis *f.*【외과】절제(切除).

exergo *m.* (메달이나 화폐의 뒷면의) 기본 무늬의 밑부분.

exerto, ta *adj.*【식물】=**saliente.**

exfoliación *f.* ① (나무 껍질 따위가) 벗겨 떨어짐, 박피(剝皮), 박락(剝落) : la ~ de una roca ; la ~ del plátano. ②【의학】비늘 모양으로 표피가 떨어짐.

exfoliador *m.* 《*Neol.*》 날짜 넘기기 ; 날짜를 넘기게 된 달력(taco).

exfoliar *tr.* ⑪ [*lat.* exfoliare] 벗겨 떼다.
~se 벗겨 떨어지다 : ~*se* un hueso.

exfoliativo, va *adj.* exfoliación의.

exhalación *f.* [*lat.* exhalatio] ① 유성(estrella, fugaz). ② 광선(rayo) : Huyó como una ~ 그는 번개처럼 도망쳤다. ③ 증발, 발산. ④ 한숨, (숨을) 내쉼, 내뿜음. ⑤ 번득임, 반짝이는 빛 (centella). ⑥ 수증기, 김(vapor, vaho).

exhalador, ra *adj.* 내뿜는, 발산하는.

exhalar *tr.* [*lat.* exhalare] ① (숨·말 따위를) 내쉬다, 내뿜다, 내뱉다 ; 발산하다, 방출하다 (despedir). ② (한숨·불평 따위를) 늘어놓다 (lanzar) : ~ suspiros 한숨을 쉬다.
~se 조바심하다(desalarse) ; 덤비다.

exhalatorio, ria *adj.* 내쉬는, 내뿜는.

exhaución *f.* 소모, 고갈.

exhaustivo, va *adj.* 남김없는, 철저한 ; (힘·자원 등을) 고갈시키는, 소모적인 : impuestos ~*s* 남김없이 빼앗아 가는 것과 같은 과세.

exhausto, ta *adj.* [*lat.* exhaustus] [+de : …이] 바닥이 난, 소모된, 다한, 다 써버린 : estar ~ de …이 고갈되다, …이 바닥이 나다. El erario está ~ *de* dinero 국고가 돈이 바닥이 났다.

exheredación *f.* 유산 계승권이 박탈, 폐적.

exheredar *tr.* =**desheredar.**

exhibición *f.* [*lat.* exhibitio] ① 전시, 전람, 공개. ② 전람회, 전시회(exposición) : ~ de cuadros 미술 전람회. El gobierno ayuda económicamente ~*es* culturales 정부는 문화적인 전시회를 경제적으로 원조하고 있다. ③ 상연. ④ (서류의) 제출. ⑤ 공시(公示).

exhibicionismo *m.* ① 과시주의, 과시벽, 자기 선전벽. ②【의학】노출증(露出症).

exhibicionista *m.f.* ① 자기 선전가. ② 노출증 환자.

exhibir *tr.* [*lat.* exhibere] ① 보이다, 나타내다. ② 공시(公示)하다. ③ 공개하다. ④ 전람·전시하다 : ~ un cuadro famoso 유명한 그림을 전시하다. Explíqueme usted algo de los cuadros aquí *exhibidos* 여기에 전시된 그림들의 설명을 해주십시오. ⑤ 출품·진열하다. ⑥ 제출하다, 제시하다. ⑦ 《*Méx.*》 지불하다(pagar) : *Exhibió* cien mil pesos al contado 그는 현금으로 10만 페소를 지불했다.
~se 공개되다 ; 출연하다, 상연하다 ; 전시되다 ; 진열·출품되다.

exhíbita *f.* (서류 등의) 제시, 제출.

exhibitor *m.* ① 출품자, 전람회·전시회 출품자. ②【법률】(증거물의) 제시자.

exhortación *f.* 권유, 장려, 권고, 충고 ; 설교, 훈계 ; 설득.

exhortador, ra *adj.m.f.* 권고하는 (사람).

exhortar *tr.* [*lat.* exhortar] [+a+*inf* : …을 하도록] 권하다, 권고하다, 타이르다, 설득하다. Contr. disuadir, alejar.

exhortativo, va *adj.* ① 권고적인, 훈계적인 ; 타이르는. ②【문법】권고·명령·간청하는 : oración ~*va* 명령문.

exhortatorio, ria *adj.* 권고하는, 훈계하는, 간청하는, 타이르는 : discurso ~.

exhorto *m.* (재판관의 동석관에 대한) 의뢰서.

exhuberancia *f.* 풍부(abundancia).

exhuberante *adj.* 풍부한.

exhumación *f.* 발굴.

exhumador, ra *adj. m.f.* 파내는, 발굴하는 (사람).

exhumar *tr.* ① (시체를) 파내다 : ~ un cadáver. ② (무덤을) 발굴하다(desenterrar). ③ 폭로하다. ④ 머리에 떠올리다, 생각해내다. Contr. inhumar.

exigencia *f.* [*lat.* exgentia] 요구 ; 강요, 요청.

exigente *adj.* 요구가 많은 ; 억지의, 끈덕지게 조르는 : un jefe ~. Contr. arreglado, fácil.

exigibilidad *f.* 요구의 가능.

exigible *adj.* ① 강요할 수 있는, 요구할 수 있는 : crédito ~ 요구 신용장.

exigidero, ra *adj.* =**exigible.**

exigir *tr.* ④ [*lat.* exigere] ① (권리·힘으로) 요구하다, 청구하다 : Me *exige* que le pague por delantado 그는 선금으로 지불하도록 나에게 요구한다. No *exija* usted demasiado al Sr. Navarro 나바로씨에게 너무 조르지 마세요. ② 요하다(necesitar, requerir) : Su estado *exige* mucho cuidado. Contr. dispensar, perdonar. [*N.* exigir que 다음에 접속법을 사용함]. [직설법 현재 1인칭 단수 : exijo. 접속법 현재 : exija, exijas, exija, exijamos, exijáis, exijan].

exigüidad *f.* ① 사소한 일(pequeñez) ; 근소(escasez), 미소.

exiguo, gua *adj.* [*lat.* exiguus] ① 얼마 안되는, 작은, 근소한 : un río de caudal ~ 수량이 얼마 안되는 강물. ~*s* bienes 얼마 안되는 재산. una nariz *exigua* 보일락말락하게 작은 코. ② 무능한. Contr. enorme.

exilado, da *adj.m.f.* =**exiliado.**

exilarse *r.* =**exiliarse.**

exiliado, da *adj.* 추방된. —*m.f.* 추방당한 사람.
exiliar *tr.* ⑬ 추방하다.
~se 망명하다.
exilio *m.* 추방(destierro) ; 망명.
eximente *adj.* 면제하는, 용서하는.
eximición *f.* =**exención.**
eximiente *adj.* 면제된 : circunstancia ~ 참작해야만 할 정상.
eximio, mia *adj.* 뛰어난, 훌륭한 : un ~ concertista.
eximir *tr.* [*lat.* eximere] [+de : …을] 면제하다, 용서하다 : Le *eximieron de* trabajo 그의 일을 면제했다. Sinón. dispensar, relevar.
~se [+de : …에서] 면하다 : *~se de*l servicio militar.
exinanición *f.* 쇠약, 허약(debilidad).
exinanido, da *adj.* 쇠약한, 수척해진.
existencia *f.* ① 존재, 실존, 현존 : El Sr. Doctor Pablo adivinó la ~ del mesotrón 빠블로 박사는 중간자(中間子)의 존재를 예언했다. ② 존재물, 실체, 실재물. ③ 생활, 생존(vida). ④ 【상업】 재고, 현물 : ~ al 31 de diciembre 12월 31일 재고량. ~ en caja 현금 잔고. en ~ 현물로. Tenemos estos géneros en ~ 이 상품은 재고품이 있다. Tenemos una gran ~ de estos géneros 이 상품은 재고품이 많다. ⑤ [주로 *pl.*] 재고(품) : ~ en almacén 재고. mercancía en ~ 재고품. agotar las ~*s* 품절되다. libro de ~*s* 재고장. Las ~*s* abarrotaban el almacén 재고품은 가게를 꽉 채웠다. Tenemos grandes ~*s* de esta mercadería 페사에는 이 상품이 다량으로 재고되어 있다.
existencial *adj.* 존재에 관한, 존재의 ; 실존의, 실존주의의 : filosofía ~ 실존주의 철학.
existencialismo *m.* 【철학】 실존주의.
existencialista *adj.* 실존주의의. —*m.f.* 실존주의자.
existente *adj.* ① 현존하는, 존재하고 있는. ② 현행의, 현하의. ③ 재고의.
existimación *f.* 판단, 생각.
existimar *tr.* 판단하다, 생각하다.
existimativo, va *adj.* 간주된(putativo).
existir *intr.* [*lat.* existere] ① 있다, 존재하다 ; 살아 있다, 생존하다 : Dudo que *exista* tal animal 그런 동물이 있으리라 생각지 않는다. Yo pienso, luego *existo* 나는 생각한다, 고로 존재한다. ② 지속하다(durar) : Esta ley *existe* desde hace tres siglos 이 법률은 3세기 전부터 지속되고 있다.
éxito *m.* [*lat.* exitus] 성공(buen ~), 좋은 결과 : ~ rotundo 대성공, 엄청난 매상. tener ~ 성공하다. El salió con buen ~ 그는 성공했다. Salió con mal ~ 그는 실패했다. Ha tenido ~ *en* su empresa 그는 기업으로 성공했다. Ha tenido ~ el cohete coreano 한국의 로켓이 성공했다. Francia tuvo ~ en la prueba de la bomba atómica 불란서는 원폭 실험에 성공했다.
exitoso, sa *adj.* 《*Amér.*》 성공의.
ex libris *m.* 【단·복수 동형】 장서표(藏書票).
exo- *pref.* 「바깥」을 뜻하는 접두어.
exobiología *f.* 외계의 생명체 가능성 연구 생물학.
exocéntrico, ca *adj.* 【언어】 외심적인. Contr. endocéntrico.
exocétidos *m. pl.* =**escombresócidos.**
exoceto *m.* 날치(pez volador)의 학명.
exodermo *m.* =**ectodermo.**
éxodo *m.* [*gr.* exodos] ① 이민 ; 이주, 집단 이주 ; 대량 탈출 : ~ de capital 자본 도피. ② (모세의 인도를 받은 이스라엘인의) 애급에서의 탈출.
Exodo *m.* 【성서】(성서의 구약 제2편) 출애급기.
exoesqueleto *m.* (동물의) 외부 뼈대, 외부 골격, 껍질.
exoftalmía *f.* 안구 돌출(眼球突出).
exoftálmico, ca *adj.* 안구 돌출의.
exogamia *f.* ① 족외혼(族外婚), 이족(異族) 결혼. ② 【생물】 이종(異種) 동물의 교배.
exogámico, ca *adj.* 이족 결혼의, 족외(族外) 결혼의 ; 이종 동물 교배의.
exógeno, na *adj.* ① 밖으로부터 생긴, 외부적 원인에 의한. ② 【생물】 외생적인. ③ 【지질】 외인성(外因性)의. ④ 【식물】 외측 비대경의.
exondación *f.* 범람한 땅의 물의 움직임.
exondamiento *m.* =**exondación.**
exondar *tr.* 범람한 장소를 마르게 두다.
exoneración *f.* 면죄 ; 경감, 면제 ; 배변(排便).
exonerar *tr.* [*lat.* exonerare] ① (부담·의무 등을) 경감하다 : ~ el vientre 대변을 보다. ② 면직하다, 파면하다 ; 면제하다.
exopilativo, va *adj.* 장애물을 제거하는.
exorable *adj.* [*lat.* exorabilis] 인정에 약한, 사정하면 들어주는.
exorar *tr.* 간청하다, 조르다.
exorbitancia *f.* 법외(法外), 과도, 지나침(enormidad), 불법.
exorbitante *adj.* [*lat.* exorbitans] 터무니없는, 과도한, 너무나 심한, 궤도를 벗어난(excesivo).
exorbitantemente *adv.* 터무니없이, 과도하게, 어처구니없이, 심하게.
exorcismo *m.* 액막이, 액땜 ; 귀신을 쫓는 굿.
exorcista *m.f.* [*lat.* exorcista] 귀신 쫓는 사람, 무당.
exorcistado *m.* 귀신 몰아내는 승려의 자격.
exorcizante *adj.* 귀신을 떨쳐버리는.
exorcizar *tr.* ⑨ (악마를) 쫓아내다 ; …의 액막이를 하다, 귀신을 물리치다 ; 정화하다, 부정을 없애다.
exordio *m.* [*lat.* exordium] (강연·설교 따위의) 서론, 서설, 서언, 서두, 전언(前言)(introducción). Contr. peroración.
exornación *f.* 글을 꾸미기, 꾸밈.
exornar *tr.* 글을 꾸미다, 아름답게 하다, (글을) 다듬다 : ~ el discurso *con* galas retóricas.
exortación *f.* 권유, 장려 ; 권고, 훈계.
exosfera *f.* 【항공】 외기권, 극외권.
exosmosis *f.* (엷은 막에서 액체가) 스며나옴. Contr. endósmosis.
exósmosis *f.* =**exosmosis.**
exostosis *f.* 뼈의 혹.
exotérico, ca *adj.* [*lat.* exôtêrikos] 【종교·철학】 일반 대중이 이해할 수 있는 ; 개방적인, 공개적인 ; 통속적인(popular) ; 평범한(simple). Contr. esotérico.
exotérmico, ca *adj.* 【화학】 열을 방출하는.

Contr. endotérmico.
exoticidad *f.* =**exotismo.**
exótico, ca *adj.* [*lat.* exoticus] ① 이국(異國)의, 외래(外來)의 : planta ~*ca* 외래 식물. palabra ~*ca* 외래어. ② 이국 정서의, 이국적인. ③ 외국산의. ④ 괴이한, 진기한 : moda ~*ca.* Contr. indígena, nacional.
exotiquez *f.* [드뭄] 외래성, 이국적임.
exotismo *m.* 이국 취미, 이국 정서.
exotista *adj.* 이국 취미를 좋아하는.
expandir *tr.* 《*Amér.*》 ① 펴다, 넓게 펼치다 : ~ una tela. Sinón. desplegar. ② 넓히다 (extender).
~se 전파하다.
expansibilidad *f.* 【물리】 확장력, 확장성, 팽창력, 신장력, 신장성; 발전성, 발전력.
expansible *adj.* 확장의, 확대의, 확장할 수 있는, 확대할 수 있는, 팽창·신장할 수 있는.
expansión *f.* ① 팽창, 신장, 확장, 확충 : ~ de la economía 경제 확장. ~ del crédito 신용 확장. ~ industrial 산업·공업의 팽창·확충. ③ 전파; 발전 : ~ económica 경제 발전. ④ 심정의 토로, 마음속의 토로 : ~ de la alegría 넘쳐 나오는 환희. ⑤ 【수학】 전개(식).
expansionarse *r.* ① (가스나 증기가) 퍼지다. ② [+con : …과] 심정을 토로하다 : *Se expansionó* con sus amigos.
expansionismo *m.* (영토·경제 따위의) 확장론, 확장 정책, 확장주의.
expansionista *m.f.* 확장론자, 영토 확장 주의자. **—***adj.* 영토 확장 정책·주의의.
expansivo, va *adj.* ① 팽창력이 있는, 팽창성의. ② 확정적인. ③ 전개하는. ④ 광활한, 광막한. ⑤ 마음이 넓은, 포용력이 큰. ⑥ 느긋한, 태평스러운, 솔직한(franco, comunicativo). ⑧ 해방적인. Contr. comprensible, coercible.
expatriación *f.* 국외 추방; 망명.
expatriado, da *adj. m.f.* 추방된 (사람), 국외 추방자, 국적 상실자.
expatriar *tr.* 11 (국외로) 추방하다.
~se 망명하다(abandonar su patria).
expectable *adj.* 존경할 만한(espectable).
expectación ① 예상, 예가. ② 가망, 기대, 대망 : joven de ~ 유망한 청년. ③ 존경 : de ~ 주목·존경할 만한. hombre de ~ 존경할 만한 사람. ④ 기대 요법(期待療法). ⑤ 성모제(祭) 《12월 18일》.
~ ***de vida*** 평균 수명.
expectante *adj.* ① 기대하고 있는, 바라고 있는; 귀추를 기다리는, 대기하는 : una actitud ~ 방관적인 태도. ② 기대적인 : método ~ 기대 요법, 자연 요법. ③ 장래의, 예정된, 올지도 모르는.
expectativa *f.* 기대·희망(을 거는 일) : ~ de la exportación · importación 수출·수입 기대. ~ de pérdida 손실 가능성. ~ de vida 평균 수명. estar a·en la ~ de …을 기대하고 있다. Aumentan sus ~*s de* encontrar trabajo 일자리를 얻을 기대감이 증가하고 있다.
expectativo, va *adj.* 기대를 거는.
expectoración *f.* 가래침 뱉기; 가래침.
expectorante *adj.* 가래를 나오게 하는. **—***m.* 거담제.
expectorar *tr.* (가래를) 뱉다(esputar, escupir).
expectorativo, va *adj.* [드뭄] =**expectorante.**
expedición *f.* ① 운송, 발송 (화물) : gastos de ~ 발송비. ② 파견(대), 원정(대), 탐험(대). ③ (로마 교황청에서의) 통첩. ④ 신속, 급속, 기민, 재빠름. ⑤ 선적 : ~*es* parciales 분할 선적. ~*es* parciales no permitidas 분할 선적 불허.
expedicionario, ria *adj.* 원정의, 파견의 : ejército ~ 원정군. fuerza ~*ria* 원정군. tropa ~*ria* 원정 부대. **—***m.f.* 파견원, 원정·탐험 대원.
expedicionero *m.* (로마 교황청의) 문서 취급자.
expedido, da *adj.* expedir의 *p.p.*
expedidor, ra *m.f.* ① 발송자, 차출인, 하주(荷主), 선주(船主), 운송 업자 : agente ~ 화물 취급인·취급점, 운송 업자.
expediente *m.* ① 수단, 방편, 편법, (임시) 조치 : ~ temporario 임시 방편, 미봉책. ② 구실, 이유. ③ 심리(審理) : formar · instruir ~ 심리하다. ④ (일건의) 서류. ⑤ 처리; 훌륭한 솜씨. ⑥ 저축 준비.
cubrir el ~ 외모를 갖추다.
expedienteo *m.* 서류의 처리; 일건 서류 작성.
expedir *tr.* 42 ① (문서나 상품을) 보내다, 발부·발송하다(remitir) : ~ mercancías 상품을 보내다. ~ un cargamento de carne por avión 비행기편으로 고기의 짐을 보내다. ~ un telegrama 전보를 보내다. Sinón. enviar, mandar, remitir. ② 발행하다(publicar) : ~ una cédula de identidad 신분 증명서를 발행하다. Sinón. despachar. ③ 파견하다. ④ 공포하다. ⑤ (판결 등을) 짓다. ⑥ 처리하다, 처분하다, (일을) 진척시키다; 정리하다. ⑦ 선적하다.
expeditamente *adv.* 신속하게; 힘 안들이고, 어렵지 않게, 문제없이.
expeditar *tr.* 《*Amér.*》 신속히 처리하다; 힘 안들이고 처리하다.
expeditivo, va *adj.* ① 급속한, 신속한, 재빠른, 기민한 : hombre ~ 기민한 남자. ② 응급의 : medio · recurso ~ 응급책, 응급 수단.
expedito, ta *adj.* [*lat.* expeditus] ① 재빠른, 신속한 : un mecánico ~. ② 지체없는, 막힘없는(sin estorbos) : encontrar el camino ~. Sinón. libre. ③ (불통의 철도·도로가) 개통된.
expelente *adj.* 발사하는 : bomba ~.
expeler *tr.* [*lat.* expellerre] (…가운데서) 내다, 배출하다 : El volcán *expele* lava. ② 토하다, 뱉아내다 : ~ sangre por una herida. ③ 내쫓다, 쫓아내다, 추방하다 : ~ *del* reino a un revolucionario 반정부 혁명 분자를 추방하다.
expeliente *adj.* 배출하는; 토하는, 뱉아내는; 쫓아내는, 추방하는.
expendedor, ra *adj.* 소비하는. **—***m.f.* ① 소비자. ② (담배·입장권 등의) 매점원, 판매원 : ~ de billetes de lotería. ③ 위조 화폐를 쓰는 사람.
expendeduría *f.* 전매품의 매점, 담배 가게; 매표장.
expender *tr.* ① 남김없이 써 버리다(gastar) : ~ la fortuna 재산을 탕진하다. ② (담배·소금·

입장권 등을) 팔다, 소매하다(vender al menudeo) : ~ vino. ③ 다 팔아 버리다. ④ 위조 화폐를 쓰다. ⑤ (증권의) 대행 발행·판매하다.

expendición *f.* 소비 ; 소매.

expendio *m.* ① 소비(consumo) : ~ de un género 물건의 소비. ② 비용(gasto). ③ 소매(venta al menudo) ; 소매점 ; (주로) 담배 가게.

expensar *tr.* 《*Amér.*》 경비·비용을 지출하다(costear).

expensas *f. pl.* [*lat.* expensa] ① 비용, 경비(gastos) : a ~*s* de …의 비용으로, …의 부담으로. las ~*s* de un pleito 소송 비용. ② 소송 비용.

experiencia *f.* [*lat.* expenientia] ① 경험, 체험 : saber por ~ 경험으로 알고 있다. No tengo ~ en este trabajo 나는 이 일에는 경험이 없다. La ~ es madre de la sabiduría 경험은 지식의 어머니. Contr. inexperiencia. ② 실험(實驗)(experimento).

experimentación *f.* (화학 등의) 실험 ; 경험(experimento).

experimentado, da *adj.* [experimentar의 *p.p.*] 경험이 있는, 노련한 : un aviador ~ 노련한 비행사. hombre ~ 경험이 풍부한 사람. Sinón. experto. —*m.f.* 경험자, 노련한 사람.

experimentador, ra *adj. m.f.* 실험을 하는 (사람), 시험삼아 하는 (사람).

experimental *adj.* ① 경험의, 경험적인, 경험에 의한 : conocimiento ~ 경험에 의한 지식. ② 실험적인 ; 실험(상)의 : método ~ 실험적 방법. psicología ~ 실험 심리학. estación ~ (농업·광업 따위의) 시험장. ③ 체험적인.

experimentalismo *m.* 실험적 방법(método experimental).

experimentalista *adj.* 실험주의의. —*m.f.* 실험주의자.

experimentalmente *adv.* 경험에 의해 ; 실험으로, 실험적으로, 체험적으로, 시험삼아 : mostrar ~.

experimentar *tr.* ① 실험하다, 시험하다, 시도하다, 테스트하다 : ~ una droga en animales. ② 시험 운전하다 : ~ una máquina 기계를 시운전하다. ③ 경험하다, 느끼다(sentir, notar) : ~ la importancia de la decisión. ④ 맛보다 ; (손해 등을) 보다(sufrir) : ~ una pérdida 손해를 보다.

experimento *m.* ① 실험 : ~ químico 화학의 실험. hacer ~*s* 실험을 하다. ② 시험, 체험, 경험(experiencia). ③ 느낌.

expertamente *adv.* 능란하게, 솜씨 있게, 교묘히, 노련하게.

experticia *f.* 《*Venez.*》 =**prueba pericial.**

experto, ta *adj.* [*lat.* expertus] 숙달된, 숙련된, 노련한 : un ~ abogado 노련한 변호사. ② [+en : …에] 밝은, 훤한. Contr. inexperto.
—*m.f.* ① 숙달자, 숙련가, 명인, 전문가(perito) : ~ de contabilidad 회계·경리 담당자. ~ lingüístico 어학의 전문가. ②【법률】감정인 : evidencia de ~ 감정인의 증언.

expiable *adj.* 보상할 수 있는.

expiación *f.* 속죄, 보상 : la ~ del crimen. ***la suprema*** ~ =pena captal.

expiar *tr.* ⑫ [*lat.* expiare] ① (죄를) 갚다, 보상하다, 죄맴하다, 속죄하다. ② (형을) 받다. ③ 부정한 것을 없애다. ④ 고민하다, 괴로워하다. ⑤ 후회하다, 뉘우치다 : ~ una imprudencia 경솔했던 것을 뉘우치다.

expiativo, va *adj.* 속죄하는.

expiatorio, ria *adj.* 보상의 ; 속죄를 위한, 속죄의 : castigo ~ 속죄를 위한 벌.

expilar *tr.* [드뭄] 약탈하다.

expillo *m.*【식물】카밀레(matricaria).

expiración *f.* ① 임종. ② 만기 : ~ de la póliza 보험 증권의 만기. ~ de una patente 특허권의 소멸. ~ del plazo acordado · estipulado · convenido 협정 기간의 종결.

expirante *adj.* 임종의 ; 종말에 가까운, 임종이 가까운.

expirar *intr.* [*lat.* expirare] ① 숨을 거두다, 죽다(dejar de vivir, morir). ② (기한 등이) 만기가 되다, 마감이 되다, (증명서 등의) 유효 기간이 끝나다 : ~ el plazo 기한이 끝나다. El contrato *expira* hoy 계약은 오늘 (기한이) 끝난다. ③ (달이) 끝나다 : *Expira* el plazo.

explanación *f.* ① 반반하게 하는 일, 땅을 고름(aplanamiento, allanamiento). ② 해설, 설명(explicación, aclaración) : presentar la ~ de un texto. ③ (철도의) 노반(路盤).

explanada *f.* ① 평지 : El meteorito ha caído en una ~ por la que no pasaba nadie 운석이 아무도 다니지 않는 평지에 떨어졌다. ② (성채 따위의 앞의) 공지. ③ 비스듬한 둑(glacis). ④ 포좌(砲座). ⑤ (성벽 위의) 평대(平臺).

explanar *tr.* [*lat.* explanare] ① 반반하게 하다, 정지(整地)하다, 땅을 고르다(allanar, aplanar, igualar, nivelar) : ~ un terreno 땅을 고르다. ② 터서 넓히다 : ~ una carretera 도로를 넓히다. ③ 무너뜨려 경사지게 하다. ③ 천명하다(declarar), 해설·설명하다(explicar) : ~ el sentido de una frase.

explayado, da *adj.* (새가) 날개를 펼치는.

explayamiento *m.* 확대, 전개.

explayar *tr.* 확대하다, 넓히다 (ensanchar, extender) : ~ la vista 시야를 넓히다.
~se ① 펼쳐지다, 전개되다 ; 길어지다(dilatarse) : ~*se en* un discurso. ② 기분 전환하러 가다(esparcirse). ③ 마음속을 털어놓다.

expletivamente *adv.* 무의미하게.

expletivo, va *adj.* [*lat.* expletivus] 단순히 보충적인, 덧붙이기의, 군더더기의, 무의미한 (말). —*m.* 허사(虛辭), 조사(助辭).

explicable *adj.* 설명할 수 있는 : fenómeno fácilmente ~. Contr. inexplicable.

explicablemente *adv.*【고어】뚜렷이.

explicadamente *adv.* 명백히.

explicación *f.* [*lat.* explicatio] 설명, 해설 ; 해명.

explicaderas *f.pl.* 이해력, 해석력 : tener muy buenas ~ 눈치가 빠르다, 이해력이 있다.

explicador, ra *m.f.* 설명자, 해설자.

explicar *tr.* ⑦ [*lat.* explicare] ① 설명하다, 해설하다, 해명하다(aclarar) : Permítame que se lo *explique* a usted 당신에게 그것을 설명해 드리겠습니다. ② 천명하다. ③ 강의하다, 연석(演釋)하다.

~se ① 납득이 가다, 알아채다 : Ahora *me* lo *explico* 이제 그 뜻을 알았다. ② 마음을 털어놓다 : *Explícate* bien 마음을 털어놓아라.

explicativo, va *adj.* 해설적인, 설명의, 설명적인 ; 잘 이해가 가는 : poner una nota *~va.*

explícitamente *adv.* 뚜렷하게, 분명하게, 명백하게 : indicar ~.

explicitar *tr.* 명시하다, 분명히 하다 : Es preferible ~ esas cláusulas del convenio.

explícito, ta *adj.* 명시된, 뚜렷한, 명백한, 분명한. Contr. implícito.

explicotear *intr.* 《*Ant.*》 [드뭄] =**explicar.**

explorable *adj.* 조사·연구할 수 있는 ; 탐험·답사할 수 있는, 탐색할 수 있는.

exploración *f.* ① 답사, 탐험 ; 조사, 탐사, 정찰, 탐구 ; 실지 조사. ②【의학】임상 검사(臨床檢査), 진찰. ③【전기】【텔레비전】주사(走査).

explorador, ra *adj.* 탐험하는, 답사하는, 개발하는. —*m.f.* ① 탐험가 ; 탐구가 : un atrevido ~. ② 정찰병(exea). ③ 보이 스카우트(boy scout). ④【의학】(임상) 검사자.

explorar *tr.* [*lat.* explorare] ① (미지의 땅·바다·하늘 따위를) 탐험하다 : Stanley *exploró* Africa central donde halló a Livingstone 스탠리는 중앙 아프리카를 탐험했으며 거기서 리빙스톤을 발견했다. ② 답사하다, 정찰하다. ③ (우주를) 개발하다. ④ (문제·사건 따위를) 연구·탐구·조사하다 ; 임상 검사하다, 정밀 검사하다 : ~ el pecho. ⑤【의학】(상처를) 찾다, 검사하다 : ~ una herida. ⑥【전기】주사(走査)하다.

exploratorio, ria *adj.* 살펴보는, 알아보는. —*m.* (외과 의사의) 탐침(探針).

explosible *adj.* 폭발하는, 폭발성의 : bala ~.

explosión *f.* [*lat.* explosio] ① 폭발, 폭파, 파열 : ~ atómica·nuclear 핵폭발. hacer ~ 폭발하다. ② (웃음·분노의) 폭발 : una ~ de ira. ③【기계】내연(內燃) : motor de ~ 내연 기관. ~ prematura 역화(逆火). ④【언어】(폐쇄음의) 파열.

explosionar *intr.* 작렬하다, 폭발하다(hacer explosión). —*tr.* 작렬·폭발시키다(provocar una explosión).

explosivo, va *adj.* ① 폭발(성)의, 폭발적인, 파열의. ②【음성】파열음의. —*m.* ① 폭발물, 폭약 : alto ~ 고성능 폭약. La dinamita es un ~ muy poderoso 다이너마이트는 강력한 폭발물이다. ②【언어】(폐쇄음의) 파열, 외파(外破). —*f.* 파음 문자.

explosor *m.* 폭발 장치.

explotable *adj.* 개척할 수 있는 ; 이용할 수 있는 : terreno ~.

explotación *f.* ① 개척, 개발 ; 채굴 : ~ agrícola 농업 개발. ~ de biens raíces 부동산의 개발. ~ de la periferia del puerto 임항(臨港) 개발. ~ de una patente 특허(권)의 개발. ② 이용. ③ 기계 설비 : La compañía ha instalado una magnífica ~ 회사는 훌륭한 기계 설비를 했다. ④ 운영, 경영, 영업 : gastos de ~. ⑤ 착취 : ~ de los trabajadores 노동의 착취·불법 이용.

~ *directa* 자작(自作)

~ *media·mediana* 중간 규모 농장.

explotador, ra *adj.* 개발하는 ; 채굴하는 ; 이용하는 ; 착취하는. —*m.f.* 개척자, 개발자 ; 광산가 ; 착취자.

explotar *tr.* 개척하다, 개발하다 : ~ un bosque 숲을 개발하다. ② 채굴하다 : Aquí están *explotando* mercurio 여기서는 수은이 채굴되고 있다. ③ 이용하다(aprovechar). ④ 착취하다 : ~ a los trabajadores 노동자를 착취하다. ⑤ 경영하다. ⑥ 폭발·작렬시키다.

—*intr.* 폭발하다 : La nitroglicerina *explota* fácilmente 니트로글리세린은 쉽게 폭발한다.

expoliación *f.* 약탈, 강탈, 노획.

expoliador, ra *adj.* 약탈하는, 강탈하는. —*m.f.* 약탈자, 강탈자.

expoliar *tr.* 11 약탈하다, 강탈하다, 노획하다.

expolición *f.*【수사】다른 말에 의한 중복 서술.

expolio *m.* =**expoliación.**

expolionato *m.* 《*Ant. Arg.*》 =**expoliación.**

exponencial *adj.*【수학】지수의 : función ~.

exponente *adj.* 설명적인, 설명하는. —*m.f.* ① 설명자, 해설자, 해석자. ② 출품자, 진열자, 전람회 참가자. —*m.* ① 대표물, 전형(典型). ②【수학】지수(指數).

exponer *tr.* 61 [*lat.* exponere] [*p.p.* expuesto] ① 표명하다, 설명·해명하다 : ~ sus propósitos 의도를 표명하다. *Exponga* usted su idea con más claridad 당신의 생각을 더 분명히 표명하십시오. ② 진열하다, 전시하다, 출품하다 : ~ un cuadro. ③ 진술하다. ④ (바람·햇빛에) 쐬다, 맞히다. ⑤ 노출하다. ⑥ (위험한 일에) 그대로 내맡기다 : ~ la vida 생명을 내놓다. ⑦ (갓난아이를) 버리다, 유기하다.

~se 몸을 드러내 놓다 : *~se* a un desaire 수모를 받다.

expong- →**exponer** 61.

expongo exponer의 직설법 현재 1인칭 단수.

exportable *adj.* 수출할 수 있는 : mercancía ~.

exportación *f.* [*lat.* exportatio] 수출(품) : ~ de capital(es) 자본 수출. ~ directa·indirecta 직접·간접 수출. ~ e importación visible·invisible 상품·무역외 수출입. ~ invisible 무역외 수출. ~ secreta 밀수출. ~ temporal 일시적 수출. prima de ~ (수입품을 재수출할 때의) 환급 세금. Comité Coordinador para el Control de *E*- 대(對)공산권 수출 통제 위원회 (COCOM). Trabaja en una compañía de ~ 그는 어떤 수출 회사에 근무하고 있다. Contr. importación.

exportador, ra *adj.* 수출하는, 수출업의 : una empresa *~ra* de vinos 포도주 수출 회사. —*m.f.* 수출업자. Contr. importador.

exportar *tr.* [*lat.* exportare] 수출하다 : ~ trigo 밀을 수출하다. Las naranjas *se exportan* de este puerto 오렌지류는 이 항구에서 수출된다. Contr. importar.

exposición *f.* ① 표명 : ~ de propósitos. ② 진정 ; 진정서. ③ 설명, 해설. ④【종교】현시(顯示) : ~ del Santísimo 성체(聖體)의 현시. ⑤ 출품, 진열 : sala de ~ 진열실. ⑥【사진】노출(시간) : falto de ~ 노출 부족. dar demasiada ~ 노출이 지나치다. ⑦ 전시(회), 박람회, 전람(회) : ~ ambulante 이동 견본 시장. ~ de automóviles 자동차 전시회. ~ de máquinas-herramientas 공작 기계 전시회. ~ de muestras 견본시. ~ industrial 산업 박람회. ~ internacional 국제 박람회. ~ del libro español 서반아 서적 전시회. ~ de cuadros 회화 전시회. ~ mundial del automóvil 세계 자동차 전시회. ~ permanente 상설 견본 시장. ⑧ (건물의) 방향 : Tiene mala ~ 방향이 나쁘다. ⑨ 몸을 위험에 내맡기는 일, 위험(riesgo). ⑩ (갓난아기 등의) 유기. ⑪ (연극의) 서막(~ previa).

exposímetro *m.* 【사진】 노출계.

expositivo, va *adj.* 설명의, 해설의 : método ~.

expósito, ta *adj.* 버려진. —*m.f.* 기아(棄兒), 버린 아이.

expositor, ra *adj.* 설명하는 ; 출품하는. —*m.f.* 설명자, 해설자 ; 출품자.

expremijo *m.* 치즈의 지방이 흘러 떨어지게 하는 받침.

exprés *adj.* 《*Angl.*》 ① 급행의 (rápido) : tren ~. ② 급한 심부름의. ③ 바로 그대로의. —*m.* ① 급행 열차(tren ~). ② 급행편. ③ 속달 우편. ④ 《*Méx.*》 운송업 ; 운송 업자 ; 통운 회사.

expresado, da *adj.* 전술(前述)한 (antedicho, mencionado).

expresamente *adv.* ① 분명하게, 명백하게, 명확하게 (claramente). ② 일부러, 고의로. ③ 특히(especialmente).

expresar *tr.* 나타내다, 표명하다, 표현하다 : El *expresó* su idea 그는 그의 생각을 표했다. ② 밖으로 드러내다 : Su agitación *expresaba* el temor 그의 동요가 걱정을 나타내고 있었다. ③ 겉으로 드러내다(interpretar).
~se (자기의 생각·감정을) 말로 나타내다·표현하다·술회하다 : Ese hombre no sabe *~se* bien 그 사람은 자기의 감정을 잘 나타내지 못하는 사람이다.

expresión *f.* [*lat.* expressio] ① 표현 : ~ fácil. ② 표현법, 말씨, 말, 어구, 완곡한 표현, 어법 : una ~ incorrecta 옳지 못한 말투. ③ (얼굴·눈 따위의) 표정 : ~ facial. ④ 애정의 표적 ; 선물. ⑤ 압착, 짜냄 ; 짠 즙. ⑥ 【수학】 식 (fórmula) : una ~ algébrica 대수식. ⑦ 말로 전하는 수인사(memorias).
reducir a la mínima ~ 되도록 작게 하다.

expresionismo *m.* (예술의) 표현파, 표현주의.

expresionista *adj.* 표현파의. —*m.f.* 표현파 작가 ; 표현주의의 예술가.

expresivamente *adv.* ① 표현적으로, 표현이 풍부하게. ② 의미 심장하게. ③ 정답게.

expresividad *f.* 표현 방식, 표현성, 표현도 ; 표현이 풍부함.

expresivo, va *adj.* ① (감정 따위를) 나타내는 : La lengua de Homero es muy *~va.* ② 표현적인, 과시적인, 표정적인. ③ 의미 심장한 듯한 : Me dirigió una mirada *~va* 그는 의미 심장한 시선을 나에게 돌렸다. ④ 사랑스러운, 애정어린, 다정스러운(afectuoso) : El siempre me escribe cartas muy *~vas* 그는 항상 다정스런 편지를 나에게 쓴다. ⑤ 정감에 넘치는, 마음속에서의 : mis más *~vas* gracias 내 마음속에서의 깊은 감사. ⑥ 특징·전형적인.

expreso, sa *adj.* [expresar의 *p.p.*] ① 분명한, 명확한, 명백한, 뚜렷이 드러난(claro, evidente, explícito) : voluntad *~sa* 분명한 의지. ② 급행의, 속달(편)의 : correo ~ 속달 우편. tren ~ 급행 열차.
—*m.* 급행 열차 ; 속달 우편. ~ aéreo 항공 속달 ; 운송 회사, 통운 회사.
—*adv.* 일부러, 고의로.

express *m. ing.* ① 급행 열차 (tren expreso). ② 《*Méx.*》 =**expreso de transportes.**

exprimible *adj.* 짜낼 수 있는.

exprimidera *f.* (레몬 따위의) 짜는 기계 ; 압착기.

exprimidero *m.* =**exprimidera.**

exprimido, da *adj.* exprimir의 *p.p.*

exprimidor *m.* 과일 짜는 기계.

exprimión *f.* 《*Ant.*》 【속어】 =**esturjón.**

exprimir *tr.* [*lat.* exprimere] ① (즙을 내기 위해, 말리기 위해) 짜다, 짜내다(estrujar) : ~ una naranja 오렌지를 짜다. ② 표현하다 (expresar).

ex profeso *adv.* [*lat.* ex professo] 고의로, 일부러(de propósito) : el agujero *ex profeso* abierto 일부러 뚫은 구멍.

expropiación *f.* 징발(徵發), 공유화(公有化) ; 접수 ; (토지의) (강제) 수용, 몰수 : ~ forzada 강제 수용. —*pl.* 징발물(徵發物) ; 수용한 물건.

expropiador, ra *adj.* 징발하는, 수용하는. —*m.f.* 징발자, 수용자.

expropiar *tr.* ⑪ ① [+de : …을] 징발하다, 수용하다, 빼앗다. ② 사들이다.

expuesto, ta *adj.* [exponer의 *p.p.*] ① 설명된. ② 모두 다 드러난. ③ (…에) 내맡겨진. ④ 위험한(peligroso, arriesgado) : En aquel tiempo era muy ~ viajar 그 당시에는 여행은 매우 위험했다.

expugnable *adj.* 탈취할 수 있는, 공략할 수 있는, 점령할 수 있는. Contr. inexpugnable.

expugnación *f.* 탈취, 공략, 점령.

expugnador, ra *adj. m.f.* 탈취·공략하는 (사람).

expugnar *trr.* [*lat.* expugnare] (무력으로) 탈취하다, 공략하다, 점령하다.

expulsanieves *m.* 【단·복수 동형】 제설차(除雪車).

expulsar *tr.* [*lat.* expulsare] 추방하다, 몰아내다, 쫓아버리다(expeler, echar fuera, arrojar) : Los Reyes Católicos *expulsaron* a los árabes de España. ② 차단해 버리다(expeler). ③ 구제(驅除)하다.

expulsión *f.* 추방 ; 제명 ; 구제 ; 배척, 배제, 구축.

expulsivo, va *adj.* 몰아내는, 추방하는, 구축하는, 배척하는 ; 배제성의. —*m.* 구제제(驅除劑), 구충제.

expulso, sa *adj.* [expulsar · expeler의 *p.p.*] 추방된.

expulsor, ra *adj.* 추방하는. —*m.* =**eyector.**

expungir *tr.* [드뭄] 지우다, 깍아버리다 ; 삭제·말소하다.

expurgación *f.* [*lat.* expurgatio] ① 청소 ; 세척 ; 숙정(肅正), 정화. ② (검열에 의한) 삭제, 말소 : la ~ de un libro.

expurgador, ra *adj.m.f.* 세척하는 (사람); 정화하는 (사람).
expurgar *tr.* 8 [*lat.* expurgare] ① 세척하다; 위를 씻어내다. ② 깨끗이 하다(limpiar). ③ 정화하다, 청결하게 하다(purificar). ④ 삭제하다, 말살하다.
expurgativo, va *adj.* 청결한, 깨끗한.
expurgatorio, ria *adj.* 순화시키는, 깨끗이 한; 삭제한. —*m.* *índice* ~ 교회에 의해 발매 금지된 서적 목록.
expurgo *m.* =**expurgación.**
expus-, expusie- →**exponer** 61.
exquisitamente *adv.* 더할 나위없이 훌륭하게, 아주 맛있게; 우아하게; 정교하게; 꼭 들어맞게.
exquisitez *f.* 《*Neol.*》 훌륭함; 좋은 맛, 절묘; 정교.
exquisito, ta *adj.* [*lat.* exquisitus] ① 더할 나위없이 훌륭한. ② 더할 나위없이 맛이 있는 : Este pastel está muy ~ 이 파이는 맛이 그만이다. ② 절묘한, 이루 말로 다 할 수 없는; 특별히 우수한 : Ella tiene un gusto muy ~ para vestir 그녀는 복장에 매우 훌륭한 취미를 가지고 있다.
exsangüe *adj.* 【속어】 =**exangüe, desangrado.**
exsangüinación *f.* 【의학】 빈혈(증).
exsudar *intr.tr.* =**exudar.**
extasi *m.* =**éxtasis.**
extasiarse *r.* 12 황홀해지다, 넋을 잃다 : ~ ante un cuadro hermoso.
éxtasis *m.* ① 망아(忘義), 열중, 무아경, 황홀경 : en ~ 황홀하여. ② 【의학】 실신, 의식의 혼탁 상태.
extático, ca *adj.* ① 넋이 빠져 버린, 황홀해 버린, 한없이 좋아하는. ② 깊은, 심오한 (profundo) : felicidad ~*ca.*
extatismo *m.* =**estado extático.**
extemporal *adj.* 때에 늦은, 기대에 어긋난.
extemporáneamente *adv.* 때 늦게, 때를 놓치고; 재수없는 때에.
extemporáneo, a *adj.* 때 아닌, 철 아닌; 때 늦은(inoportuno) : intervención ~*a.*
extendedor *m.* [드묾] 제품에 첨부하는 경품.
extender *tr.* 20 [*lat.* extendere] ① 뻗다, 펼치다; 넓히다, 확장하다 : ~ el dominio 판도를 확장하다. *Extienda* la mano 손을 펴십시오. ② (겹친·포갠·접은 것을) 펼치다(esparcir, desenvolver) : *Extendieron* un mapa sobre la mesa 그들은 책상 위에 지도를 폈다. ③ 폭을 넓히다 : ~ una creencia 신앙을 넓히다. ④ 늘이다, 길게 하다, 연기·연장하다 : ~ el vencimiento 기한을 연장하다. Alejandro *extendió* su dominación hasta la India 알렉산더는 그의 지배를 인도까지 연장했다. ⑤ (줄 따위를) 치다. ⑥ (문서를) 만들다·작성하다, 발행하다 : ~ una factura 송장을 작성하다. ~ un giro 환어음을 발행하다. ~ un cheque 수표를 발행하다. La oficina le *extenderá* un certificado 사무소에서는 당신에게 증명서를 1통 발행할 것이다.
~se ① 퍼지다, 번지다, 유포되다 : *Se ha extendido* esa costumbre por todo el país 그 풍습은 전국으로 퍼졌다. ② 유행하다, 펼쳐져 있다 : La cordillera *se extiende* de Este a Oeste 산맥은 동쪽에서 서쪽으로 펼쳐져 있다. ③ 늘어나다; 연기하다, (기한이) 연장되다(durar). ④ (…하는) 지경에까지 이르다, 닿다, 달하다.
extendimiento *m.* =**extensión, dilatación.**
extendidamente *adv.* 널리, 두루, 광범위하게 (de un modo extenso).
extendido, da *adj.* 뻗친, 편; 넓힌, 넓어진; 광범위의; 확장된; 연장된.
extensamente *adv.* 널리, 광범위하게.
extensibilidad *f.* 넓힐·늘일 수 있음, 연장성; 전개성.
extensible *adj.* 넓힐 수 있는, 늘일 수 있는, 신장성이 있는, 연장할 수 있는.
extensión *f.* [*lat.* extensio] ① 연장, 늘임, 확장; 연기 : ~ de créditos 신용장 기한의 연장. ~ del mercado 판로 확장. ② 확대, 넓힘. ③ 증축, 증설; 부가(물); (철도 따위의) 연장선; 【전화】 내선(內線) : Póngame con la ~ 122 구내선 122번 부탁합니다. ④ 펼쳐짐, 넓이, 범위 : ~ de la cobertura 보전(補塡) 범위. ~ de la protección del seguro 보험의 범위. ⑤ (어구 등의) 부연(敷衍). ⑥ 【상업】 반환금 연체 승인서. ⑦ 【물리】 전충성(塡充性), ⑧ 【논리】 외연(外延). ⑨ 【의학】 (구부러진 수족을) 폄; 탈구(脫臼) 교정; 신장량, 신장도, 신장력.
en toda la ~ *de la palabra* 완전히, 모조리.
extensivamente *adv.* 널리, 광범위하게.
extensivo, va *adj.* ① 넓은, 광대한. ② 광범위한, 대규모의; 확장·신장성의 : fuerza ~*va* 신장력. cultura ~*va* 조방 농업. ③ 【논리】 외연적. Contr. compresivo, coercitivo, intensivo.
extenso, sa *adj.* [extender의 *p.p.*] ① 넓은, 넓게 퍼진 : campo muy ~ 매우 넓은 들. ② 광범위한.
por ~ 널리, 광범위하게 : referir alto *por* ~.
extensómetro *m.* 신축성을 재는 기계.
extensor, ra *adj.* 늘이는, 뻗히는, 신장하는. —*m.* 【해부】 신장근(伸張筋)(músculo ~). Contr. flexor.
extenuación *f.* [*lat.* extenuatio] 여윔, 쇠약.
extenuado, da *adj.* [extenuar의 *p.p.*] 매우 약한, 매우 피곤한.
extenuar *tr.* 15 [*lat.* extenuare] 여위게 하다 (enflaquecer) : el trabajo excesivo me *extenúa.*
~se 기운이 빠지다, 맥이 빠지다, 축 늘어지다.
extenuativo, va *adj.* 기운을 빼는.
exterior *adj.* [*lat.* exterior] ① 밖의, 바깥쪽의; 외면(外面)의 : aspecto ~ 외관. ② 외부의, 외부·외국에서의. ③ 외국의; 대외의 : comercio ~ 대외 무역, 외국 무역. Ministerio de Relaciones *Exteriores* 외무부, 외무성. relaciones ~*es* 대외 관계. Contr. interior.
—*m.* ① 바깥쪽, 외면, 외형 : Su ~ quedó completamente transfigurado 그의 외모는 완전히 변했다. Los niños juegan al ~ de la empalizada 아이들은 울타리 밖에서 놀고 있다. ② 외모 : persona de ~ modesto. ③ 외국(países extranjeros) : correo del ~ 외국 우편. inversión en el ~ 해외 투자. —*pl.* 【영화】 야외 촬영, 로케이션.
exterioridad *f.* ① 외부, 외형, 외면, 외모, 외관. ② 외계. ③ 외부적·외면적 성질. ④ 형식

주의.

exteriorización *f.* ① 표면화, 폭로, 얼굴에 드러내는 일 : la ~ de un sentimiento. ② 외형.

exteriorizar *tr.* ⑨ ① 겉에 드러내다 (revelar) : ~ su pensamiento 생각을 드러내다. ② (…에) 형태를 주다.
~se 감정을 밖으로 드러내다, 마음을 털어놓다.

exteriormente *adv.* 표면적으로, 외면적으로; 대외적으로; 외부에서(por fuera).

exterminable *adj.* 전멸할 수 있는, 근절시킬수 있는.

exterminación *f.* 《*Neol.*》 =**exterminio.**

exterminador, ra *adj. m.f.* 근절시키는, 멸종시키는 : ángel ~.

exterminar *tr.* [*lat.* exterminare] 멸종시키다; 몽땅 없애 버리다, 근절시키다; 전멸시키다, 몰살하다 : Los invasores *exterminaron* a los aborígenes.

exterminio *m.* ① 전멸, 몰살(destrucción completa) : guerra de ~. ② 근절; 박멸.

externado *m.* 통학생만 있는 학교. **Contr.** internado.

externamente *adv.* 외부로부터, 바깥쪽으로, 바깥쪽에서, 외부적으로, 외면적으로; 외관상으로.

externar *tr.* ① 겉으로 드러내다 (exteriorizar). ② 《*Amér.*》 발표·표명하다(manifestar) : ~ su opinión.

externo, na *adj.* [*lat.* exturnus] ① 외면의, 외부의. ② 바깥의, 외모 만의, 바깥쪽의; 외용(外用)의 : medicamento ~. ③ 통학의. **—*m.f.*** 통학생.

exterritorialidad *f.* 【법률】 치외 법권(治外法權)(extraterritorialidad).

ex testamento *adv. lat.* 유언에 의해(por el testamento, en virtud del testamento).

extinción *f.* 소화, 진화; 소멸; 종식; 사멸; (부채의) 상각(償却).

extinguible *adj.* 사라지는, 소멸할 수 있는. **Contr.** inextinguible.

extinguidor *m.* 소화기(extintor).

extinguir *tr.* ⑤ [*lat.* extinguere] ① 없애다; (불·빛 따위를) 끄다(apagar) : ~ el incendio 화재를 끄다. ② (권리를) 소멸시키다(agotar) : ~ una raza. ③ (부채를) 상각하다.
~se 사라지다, 전멸되다.

extintivo, va *adj.* 소멸(消滅)시키는 : prescripción *~va* 소멸 시효.

extinto, ta *adj.* [extinguir의 *p.p.*] ① 없어진, 소멸된, 끊어진. ② 《*Amér.*》 죽은(difunto).

extintor *m.* 《*Neol.*》 =**apagador.**

extirpable *adj.* 뿌리 뽑을 수 있는, 근절할 수 있는, 전멸시킬 수 있는 : un vicio difícilmente ~.

extirpación *f.* 뿌리를 뽑음, 근절, 절멸.

extirpador, ra *adj.* 뿌리를 뽑는. **—*m.*** 뿌리 캐는 삽, 제초기.

extirpar *tr.* [*lat.* extirpare] 뿌리째 뽑다, 근절시키다; 절멸시키다(arrancar de raíz).

extorcar *tr.* ⑦ 《*Galic.*》 =**arrancar, sacar.**

extorno *m.* 보험료의 환불금.

extorsión *f.* [*lat.* extorsio] 강탈; 강청; 손해 : Esa visita me causa mucha ~.

extorsionar *tr.* 《*Galic.*》 ① 강탈하다 (usurpar, arrebatar). ② 피해를 주다, 손해를 입히다.

ext.[r] exterior.

extra *adj.* [*lat.* extra] 【속어】 [extraordinario의 약어] ① 특별한, 각별한. ② 극상의, 초특(超特)의. ③ 여분의. ④ 임시의; 추가의. **—*m.*** 덤, 경품, 추가; 임시비, 추가금, 임시 수당; (신문의) 호외; 여분, 과잉. **—*m.f.*** 【영화】 엑스트러 (comparsa). **—*adv.*** 그 외에, 그 밖에 : El almuerzo se paga ~ 점심은 별도로 지불합니다.
~ *de* …의 외에, 이외에(además de) : *Extra del* sueldo tiene muchas ganancias 그는 급료 이외에도 소득이 많다.

extra- *pref.* 「…외(外) 의」「…의 범위 밖의」을 뜻하는 접두어 : *extra*muros, *extra*ordinario.

extracción *f.* [*lat.* extractio] ① 발췌, 끌어냄, 뽑아내기; 추출(법) : ~ de carbón 석탄 산출. ② (약같은 것의) 달이기. ② 제비뽑기. ④ 뽑아낸 것, 발췌한 것. ⑤ 혈통; 계통 : Es de humilde ~. ⑥ 【수학】 (근의) 개방(~ de raíces).

extracelular *adj.* 세포 밖에 있는 : líquido ~.

extracorriente *f.* 【물리·전기】 여류(餘流), 부전류(副電流).

extracorta *adj. f.* 【전기】 초단파의 : onda ~.

extracta *f.* 《*Ar.*》 서류의 정확한 복사.

extractador, ra *adj.* 발췌하는, 요약하는. **—*m.f.*** 발췌자, 요약자.

extractar *tr.* ① 요약하다, 발췌하다 : ~ un discurso. **Sinón.** resumir. ② 추출하다, 뽑아내다.

extractivo, va *adj.* ① 추출할 수 있는, 추출하는, 추출의; 뽑아내는 : industria *~va* 생산업 《광산, 어업 등》. ② 발췌하는, 발췌적인, 요약하는.

extracto *m.* [*lat.* extractus] ① 요약, 적요, 발췌 (resumen) : reducir a ~ 요약하다. ~ de comprobación 시산표(試算表). ~ de cuenta 재무표(財務表). ② 추출물 달여낸 즙; 정수, 엑스 : ~ de carne 쇠고기 엑스. ~ de Saturno 연백(鉛白). ~ de tanino 탄닌 엑스. ~ tebaico 아편정. ③ 제비뽑기에서 맞은 번호.

extractor, ra *adj.* 뽑아내는, 추출하는. **—*m.f.*** 추출자. **—*m.*** ① 끌어내는 도구, 추출기, 추출장치 : ~ de gas 가스 분리기. ② (외과 의사의) 뽑아내는 기구. ③ 제비 뽑는 사람.

extracurricular *adj.* 정규 과목 이외의, 과외의 : estudios *~es.*

extradición *f.* 【법률】 (도망해온) 외국 범인의 인도, 본국 송환.

extradós *m.* [*pl.* extradoses] 【건축】 홍예의 바깥 둘레·외호면, 아치의 겉면·바깥 후면 (tradós).

extraente *adj. m.f.* 끄집어 내는; 스카우트하는 (사람).

extraer *tr.* ⑫ [*lat.* extahere] ① (이 따위를) 뽑다, 빼내다, 뽑아내다(sacar); 발췌하다 : ~ una muela 이를 뽑다. ~ agua de un pozo 샘에서 물을 퍼올리다. ~ cobre de una mina 광산에서 구리를 채굴하다. Esta medicina *se extrae* de una raíz 이 약은 나무 뿌리에서 뽑아낸 것

이다. ② 끄집어내다. ③ (엑스 따위를) 뽑다 : ~ la esencia de una hierba. ④ 증류해서 얻다, 짜내다, 달여 내다. ⑤ 발췌하다, 초(抄)하다. ⑥【수학】근(raíz)을 구하다.

extraeuropeo, a *adj.* 구주외(歐州外)의 : las dos naciones *~as* 유럽 이외의 두 나라.

extrahumano, na *adj.* 인간성 외의.

extraído, da *adj.* extraer의 *p.p.*

extraig-, extraj- →**extraer** ㉒.

extrajudicial *adj.* 재판 사항 외의, 법의 관할 외의, 법정 외의, 재판 외의; 법에 어긋나는.

extrajudicialmente *adv.* 재판에 의하지 않고.

extralegal *adj.* 법률 외의, 법으로 처리할 수 없는; 불법의, 위법의.

extralimitación *f.* 월권 (행위).

extralimitarse *r.* 월권하다 : *Se extralimitó* al dar órdenes a los soldados. **Sinón.** excederse.

extramuros *adv.* 테두리 밖에; 교외에 : habitar ~ 교외에 거주하다. **Contr.** intramuros.

extranjerado, da *adj.* =**extranjero, extraño.**

extranjería *f.* [집합] 거류 외국인 : departamento de *~s* 외국인 관리국; 외국 상품부.

extranjerismo *m.* 외국 숭배; 외래어.

extranjerizante *adj.* 외국풍의.

extanjerizar *tr.* ⑨ 외국풍으로 하다.

extranjero, ra *adj.* ① 외국의 : productos *~s* 외국 제품. lengua *~ra* 외국어. ②《*Amér.*》(서반아어를 사용하지 않는 나라에 대해서만) 외국의. —*m.f.* 외국인; 낯선 사람, 초면의 사람 : Soy ~ aquí 이곳이 처음입니다. —*m.* 외국, 국외, 해외(país extranjero) : activo del ~ 재외자산(在外資產). viajar por el ~ 외국을 여행하다. Ha vivido mucho tiempo en el ~ 그는 다녀간 외국에서 살았다.

extranjía *f.* ①【속어】=**extranjería.** ② 외국 : de ~ 외국의(extranjero).
—*adj.* ① 외국의(extranjero). ② 진기한, 생각하지도 않은(inesperado).

extranjis *m.* 《*Arg.*》=**extranjero.**

extranjis (de) *adj. adv.* ① =**de extranjía.** ② 밀수로; 암거래로.

extraña *f.*【식물】금불초의 일종.

extrañación *f.* =**extrañamiento.**

extrañamente *adv.* 기묘하게, 이상하게, 이상한 듯이; 수상쩍게, 미심쩍은 듯이(con extrañeza).

extrañamiento *m.* 신기함, 기이감(寄異感); 추방.

extrañar *tr.* [*lat.* extraneare] ① 이상하게 생각하다, 신기하게 보이다, 기이하게 생각하다, 신기해 하다 : *Extraño* el vestido que llevas 네가 입은 옷은 이상하다. ② 이상하게 보이다, 이상하게 들리다, 놀라게 하다 (causar sorpresa) : Me *extraña* que digas eso 네가 그런 말을 하니 나는 이상하게 들린다. ③ 소홀히 하다, 등한시하다 : ~ a sus amigos. ④ (…에) 익숙하지 않다 : No he dormido bien, porque *extrañaba* la cama 잠자리가 전과 같지 않아서 좀처럼 잠이 오지 않았다. ⑤ (국외로) 추방하다. ⑥《*Amér.*》(무엇이 없는 것을) 서운하게 생각하다 (echar de menos) : Mugía la vaca *extrañando* a la cría 소는 새끼를 빼앗겨 울고 있었다. *Extraño a* mi hija 내 딸이 보고 싶다. ⑦《*Amér.*》혹독하게 말하다, 욕지거리를 퍼붓다. —*intr.* 기이하게 생각되다.
~se ① 기이하게·이상하게 생각하다, 놀라다 (maravillarse). ② [+*inf.* : …할 것을] 거부하다, 거절하다 (negarse a hacer). ③ 멀어지다, 사이가 뜸해지다 : *Me extrañé de* José 나는 호세와의 사이가 멀어졌다.

extrañez *f.* [드뭄] =**extrañeza.**

extrañeza *f.* ① 기이(감), 이상스러움. ② 놀라움, 기이 : Me causa mucha ~ tu conducta. ③ 기묘한 일 : sus *~s* de carácter 괴짜. ④ (친구 사이가) 소원함, 멀어짐. ⑤ 경탄, 감탄 : (admiración). **Sinón.** sorpresa.

extraño, ña *adj.* ① 외지의, 외국의, 이국의 (extranjero). ② 서로 다른 직업을 가진. ③ 아무 연관이 없는, 문외한의 : Soy ~ a su proyecto 나는 그의 계획에는 무관하다. ④ 이상한, 특이한, 야릇한, 색다른, 기이한, 기묘한 (extravagante) : *~ña* manía 이상한 버릇. ⑤ 괴상쩍은, 미심쩍은 : un ruido ~ 수상한 소리. ~ de ver 보기에도 이상한. —*m.f.* ① 외국인, 외지에서 온 사람, 낯선 사람, 타인, 남 : los propios y los *~s* 이웃과 남; 부내자와 부외자. ② 아무런 인연이 없는 사람, 문외한 : José es un ~ en su propia familia 호세는 자기 집에서도 딴 식구처럼 군다. Es un ~ 그는 문외한이다. —*m.* (마소 따위가) 놀라워함, 놀람 (sorpresa o susto) : hacer un ~ 별안간 놀라다.

extraoficial *adj.* 직권(職權) 외의, 직무 외의 (oficioso). ② 비공식의(no oficial).

extraoficialmente *adv.* 직권을 벗어나, 비공식적으로.

extraordinariamente *adv.* 심하게, 몹시, 비상하게, 특별히, 엄청나게, 유달리.

extraordinario, ria *adj.* ① 기묘한, 이상한, 예상 밖의, 터무니없는, 괴상한 : un acontecimiento ~ 괴상한 사건. ② 특별한. ③ 임시의. ④ 특명의 : embajador ~ y plenipotenciario 특명 전권 대사. **Contr.** común, vulgar. —*m.* 지급 우편, 호외; 예외; 특별한 성찬.

extraparlamentario, ria *adj.* 원외(院外)의.

extrapolación *f.*【통계】외삽법, 보외법.

extrapolar *tr.*【통계】(변수의 미지의 값을) 외삽법으로 추정하다.

extrarradio *m.* 시·읍·면 같은 곳의 변두리 (지구).

extrarrápido, da *adj.* 초특급의(muy rápido).

extrasensorio, ria *adj.* 초감각적인; 지각 밖의.

extrasocial *adj.* 반사회적인.

extrateatral *adj.* 극장 밖의; 야외의.

extratémpora *f.* (성직자들의) 특별 서품(叙品).

extraterreno, na *adj.* =**extraterrestre.**

extraterrestre *adj.* 지구권 외의.

extraterritorial *adj.* 치외 법권의 : mar ~.

extraterritorialidad *f.*【외교】치외 법권 : Los embajadores disfrutan el beneficio de la ~ 대사들은 치외 법권의 특권을 누린다.

extrauterino *adj.* 자궁 외의 : embarazo ~ 자

궁외 임신.

extravagancia 무법(無法), 불법 행위 ; 사치, 낭비 ; 터무니 없음, 방종한 언행, 엉뚱한 · 터무니없는 생각 : decir ~*s*.

extravagante *adj.* ① 무법 · 불법의. ② 낭비성의, 낭비하는, 사치스러운. ③ 터무니없는, 엄청난, 기괴한(extraño, raro). ④ 지나친, 무모한, 엉뚱한. ⑤ 딴 데 것이 섞여 들어온 (우편물).
—*m.f.* ① 상식 밖의 인간, 괴짜. ② 임시 직원.
—*f.* (종교적인 규정에 의하지 않는 교황의) 교령(敎令). Contr. sabio, prudente, razonable.

extravagantemente *adv.* 엉뚱하게, 무모하게, 지나치게 ; 엄청나게, 터무니없이.

extravagar *intr.* ⑧ 《*Neol.*》 법에 어긋나는 짓 · 말을 하다 ; 어리석은 짓 · 어리석은 말을 하다 (divagar) : no hacer más que ~.

extravasación *f.* (혈액 따위가) 넘쳐 흐름 ; 넘쳐 흐른것.

extravasamiento *m.* =**extravasación** : ~ de la energía 힘이 넘쳐 나옴.

extravasarse *r.* (혈액 따위가) 넘치다, 넘쳐 나오다(salirse la sangre).

extravenar *tr.* ① 피가 넘쳐 흐르게 하다. ② 빗나가게 하다(desviar).
~se ① 일혈 · 뇌출혈하다, 피가 뿜어 나오다. ② (바른 길에서) 벗어나다.

extraversión *f.* ①【심리】외향성. ② 외전(外轉). ③【의학】외번(外飜).

extraverso, sa *adj.* 외향성의. —*m.f.* 외향성의 사람.

extravertido, da *adj.* 외향적인.

extraviado, da *adj.* ① 정도에서 벗어난, 길을 잘못 든. ② 길을 잃은. ③ 타락한.

extraviar *tr.* ⑫ [*lat.* extra + vía] ① 길을 잘못 들게 하다, 엉뚱한 데로 빠지게 하다 : ~ la corriente del río 강의 물줄기를 다른 방향으로 돌리다. ② 길을 잃게 하다(descaminar). ② (눈 · 시선을) 어수선하게 돌리다 ; 당황하게 하다 ; 예상에서 벗어나게 하다. ③ (물건을) 잃어버리다 · 놓고 오다 : *He extraviado* el reloj.
~se ① 탈선하다, 벗어나다, 엉뚱한 길로 들다 : *Nos hemos extraviado* de la carretera 우리는 길에서 딴 데로 벗어났다. *Se extravió a* otra cuestión 다른 문제로 이야기가 빗나갔다. ② 길을 잃다, 방향을 잃어 버리다 : El *se ha extraviado* 그는 길을 잃었다. ③ 행방 불명이 되다 (perderse). ④ 갈피를 잡지 못하다, 방황하다 : *Se extravía en* sus opinones 그는 생각에 갈피를 잡지 못하고 있다. ⑤ 예상에 벗어나다. ⑥ (사람이) 환장하다. ⑦ 타락하다.

extravío *m.* ① 빗나감, (길을) 잘못 듬. ② 실종, 분실. ③ 망설임, 주저. ④ 타락, 탈선 행위, 품행이 단정하지 못함(desorden) : ~ de las costumbres. ⑤ 귀찮은 일. ⑥ 목적 변경.

extrema *f.* ① 종국, 종말, 끝(fin, término). ② 곤궁, 핍박(apuro). ③ 임종. ④ 임종의 도유 의식(塗油儀式)(extremaunción).

extremadamente *adv.* ① 극단(적)으로, 극도로, 극히. ② 매우, 몹시 : El clima de la Meseta es continental ~ 메세따의 기후는 극단적으로 대륙적이다.

extremadas *f. pl.* 치즈 제조기(期).

extremado, da *adj.* 극단적인 : un calor ~ 무더위. una escultura de ~*da* belleza 극치의 미를 가진 조각. Sinón. excesivo.

Extremadura *f.*【지명】에스뜨레마두라의 지방《서반아의 서남에 있음》.

extremamente *adv.* =**extremadamente.**

extremar *tr.* ① 극단적으로 하다, 극도로 발휘하다 : ~ la severidad del castigo. ② (어미 짐승에게서) 떼어놓다. ③ 대청소를 하다.
—*intr.* (양 같은 짐승이) 겨울을 지내기 위해 Extremadura에 가다.
~se [+en : …을] 철저하게 하다 : *Se extremó en* la limpieza 철저하게 청소를 했다, 문질러 윤을 냈다. *Se extrema en* hacerle daño 극단적으로 그를 괴롭힌다.

extremaunción *f.*【종교】종부 성사, 종유의 비적(秘跡), 임종의 도유(塗油).

extremeño, ña *adj.* 에스뜨레마두라 지방의 : Los chorizos ~*s* son famosos. —*m.f.* 에스뜨레마두라 사람. —*m.* 에스뜨레마두라 방언.

extremidad *f.* ① 선단, 말단, 끝, 극단. ② 종말, 임종, 죽음 : aguardar la última ~. —*pl.* ① (사람의) 수족, 손발 (las cuatro ~*es*). ② (몸집 tronco에 대한 팔 · 다리의) 사지(四肢). ③ (동물의) 머리 · 꼬리 · 다리의 총칭.

extremismo *m.* 극단론, 극단주의, 과격주의.

extremista *adj.* 과격주의의, 극단론의. —*m.f.* 과격주의자, 극단론자.

extremo, ma *adj.* [*lat.* extremus] ① 끝의, 끝에 있는 ; 마지막의, 최단의, 종말의(último). ② 극단적인, 급격한, 과격한 : las ~*mas* derechas 극우파. ③ 모진, 심한, 비상한, 격렬한, 대단한(excesivo) : la ~*ma* vejez 극도의 노령. frío ~ 모진 추위. ④ 아득히 먼 : *E-* Oriente 극동 (Lejano Oriente). —*m.* ① 끝, 선단 : el ~ de un dedo 손가락 끝. al · en el ~ de …의 끝에. ② 저쪽 끝 : de ~ a ~ 끝에서 끝까지 ; 처음부터 끝까지. hasta el último ~ 최후까지. Su casa se halla en el ~ de la calle 그의 집은 거리의 끝에 있다. Siéntese usted al ~ de la mesa 탁자의 끝에 앉으세요. ③ 극단, 극도 : con · en · por ~ 극단으로, 극도로, 지나치게, 모질게(excesivamente). ④ *pl.* 극단적인 상태, 굉장한 일 : hacer ~*s* 호들갑스러운 표정을 짓다. ⑤ 월동용 사료. ⑥ (가축의) 피한처. ⑦【수학】외항. ⑧ 논제(論題), 연구 문제.

extremosidad *f.* (행동 · 애정 표현의) 극단.

extremoso, sa *adj.* 극도의, 극단적인, 표정이 풍부한.

extrínsecamente *adv.* 외래적으로 ; 부대적으로.

extrínseco, ca *adj.* [*lat.* extrinsecus] ① 외부의, 외부로부터의, 외적(外的)인, 외래적인 : causas ~*cas* 외적 원인. Contr. intrínseco. ② 부대적인, 본질적이 아닌 : valor ~ 부가 가치. Contr. esencial.

extrorso, sa *adj.*【식물】밖으로 향한.

extroversión *f.* ① 외전(外轉). ② 외향성(外向性). ③【의학】외번(外飜).

extrovertido, da *adj. m.f.*【심리】외향적인 (사람).

extrudir *tr.* 형(形)을 만들다 ; 밀어내다, 내밀다.

extrusión *f.* 압출, 밀어냄 ; 추방 ; 돌기 ; 구축.
extrusor, ra *adj.* ① 밀어내는, 내미는. ②【지질】 분출한 : roca *~ca* 분출암.
extumescencia *f.* 【의학】 부기, 부어 오르기.
exuberancia *f.* ① 풍부, 충만(充滿), 넘쳐 흐름(abundancia). ② 무성, 번성 : la ~ de la vegetación tropical 열대 식물의 번성.
exuberante *adj.* [*lat.* exuberans] 풍부한 (abundante) ; 무성한 ; 원기 왕성한 ; (기력 · 건강 따위가) 넘쳐 흐르는 ; (상상력 · 천분 따위가) 풍부한 ; (언어 · 문제 따위가) 화려한.
exuberar *intr.* 【고어】 과도하게 많다(abundar con exceso).
exúbero, ra *adj.* =**destetado.**
exudación *f.* 스며 나옴, 분비 ; 삼출, 삼출물, 삼출액, 분비물.
exudado, da *adj.* exudar의 *p.p.* —*m.* 【의학】 삼출물(滲出物).
exudar *tr. intr.* (액체가 땀처럼) 스며 나오다 : El árbol *exuda* goma 그 나무는 고무액을 삼출한다.
exulceración *f.* 【의학】 궤양 형성(形成), 궤양화(化).
exulcerar *tr.* 【의학】 궤양을 일으키다.
~se 궤양이 되다, 화농하다.
exultación *f.* [*lat.* exsultatio] 미칠 듯이 기뻐함, 굉장한 기쁨.
exultante *adj.* 매우 기뻐하는.
exultar *intr.* 《*Galic.*》 미칠 듯이 기뻐하다, 기뻐 날뛰다, 몹시 기뻐하다 : Su rostro *exultaba.*
exundarse *r.* (홍수 후에 토지가) 범람하다.
exutorio *m.* (절개한) 배농구(排膿口).
exvoto *m.* 헌납품 ; 그림말(馬).
¡ey! *interj.* 《*Galic.*》 =**¡eh!**
eyaculación *f.* 배설, 분출 ; 사정(射精).
eyaculador, ra *adj.* 배설의, 분출의 : conducto ~.
eyacular *tr.* 배설하다, 분출시키다.
eyaculatorio, ria *adj.* =**eyaculador.**
eyección *f.* 분출, 뱉아 냄 ; 배출물(extracción, deyección, vómito, esputo).
eyectable *adj.* 튀어나올 수 있는 : asiento ~.
eyector *m.* 【기계】 배출기 · 장치, 분출 장치, 제거기.
eyrá *m.* 《*Arg.*》 큰 산고양이(gato montés de gran tamaño).
Ez. Ezequiel.
ezcuahuite *m.* =**escagüite.**
Ezequías *m.* 【성서】 우상을 파괴한 유태의 왕.
Ezequiel *m.* 【성서】 ① 에스겔《기원전 6세기의 헤브루의 대 예언자》. ②【성서】 에스겔서.
ezpatadanza *f.* 바스꼬의 춤.
ezquerdear *intr.* (어떤 물건의 선 · 줄 등이) 왼쪽으로 기울어져 있다 · 보이다, 직선에서 벗어나다(apartarse de lo recto).
Ezrael *m.* (이슬람교의) 죽음의 천사(el ángel de la muerte).
ézula *f.* 【식물】 =**ésula.**
eztquahuitil *m.* 【식물】 (멕시코의) 대극과(科)의 식물.

F

f *f.* ① 에페《서반아어 자모의 일곱 번째 문자(séptima letra del abecedario castellano)》: La *F* es una consonante expirante. ②【음악】바음《계명 창법의 파》; 바조(調).

F faradio, flúor.

f., f/ ① fardo(s) 고리짝, 짚 섬, 선적용하물. ② fecha 날짜. ③ franco 무료; 프랑《불란서 화폐》. ④【광물】철(鐵)의 약자.

F. Fulano 아무개, 누구누구.

°F Fahrenheit.

fa *m.*【단·복수 동형】①【음악】파(음계의 제4음). ②《*Perú.*》즐거움; 잔치, 댄스 파티: tener un *fa.* [이때의 *pl.* faes].

fa. fábrica 공장.

fab. fabricante 제조업자.

f.a.b.; F.A.B. franco a bordo 본선·갑판도 가격.

faba *f.*【식물】【고어】잠두(haba); 강낭콩(judía).

fab.ª fábrica.

fabacrasea *f.*【식물】자줏빛 꿩비름.

fabada *f.*《*Ast.*》① 소금에 절인 돼지고기 요리. ② 강낭콩.

fabaria *f.*【식물】=**hierba callera.**

fabismo *m.*【의학】강낭콩에 의한 중독(envenenamiento por las habas).

fabla *f.*【고어·방언】=**habla; fábula; confablación.**

fabliella *f.* =**hablilla.**

fablo *m.*【식물】너도밤나무.

fabo *m.*《*Ar.*》=**haya.**

fabordón *m.* [*fr.* faux-bourdon]【음악】(교회의) 찬송가: El ～ se usa principalmente para la música religiosa 파보르돈은 주로 종교 음악에 사용된다.

fábrica *f.* [*lat.* fabrica] ① 만듦, 제조, 제작(fabricación): marca de ～ 상표. ② 제작소, 공장: ～ de gas 가스 공장. ～ de hilados 방적공장. ～ de montaje 조립 공장. ～ de paños 직물 공장. ～ de papel 제지 공장. ～ de tabacos 담배 공장. ～ donde se transforman mercancías de importación bajo control aduanero 보세 공장. ～ siderúrgica 제철소. *F-* y Maestranza del Ejército《*Chile.*》육군 공창. ③ 건축(물)(edificio): En todo el mundo no se encuentra una ～ tan secular y bien conservada 전세계에 이렇게 수백년 잘 보존된 건축물은 없다. ④ 시멘트·석조 공사: una pared de ～. ⑤ 사원의 재산. ⑥ 날조, 조작: ～ de mentiras 거짓말을 둘러대기. ⑦《*Col.*》양조장. ⑧ 교회의 수입.

precio de ～ 공장도 가격.

fabricación *f.* [*lat.* fabricatio] ① 제작, 제조, 제품: ～ defectuosa 결함이 있는 제품. ¿De qúe ～ es? Es de ～ coreana 어느 나라 제품입니까? 한국제입니다. ② 날조, 조작.

fabricador, ra *adj.m.f.* ① 제조하는(사람), 만드는, 조작하는(사람); 날조한(사람): ～ de embustes. ②(싸움에서의) 근본 이유.

fabricante *adj.* 제조하는. —*m.f.* ① 제조(업)자, 생산업자, 제조원, 메이커: ～ de papel 제지 업자. ～ de muebles 가구 메이커. ② 공장주(dueño de la fábrica).

fabricar *tr.* 7 [*lat.* fabricare] ① 제조하다, 제작하다. ② 건축·건조하다(edificar, construir): ～ una iglesia 교회를 세우다. ～ un puente 교량을 건조하다. ③ 정련(精鍊)하다: ～ la plata. ④ 날조하다, 조작하다, 만들어내다: ～ una mentira 거짓말을 만들어내다. ～ historias 역사를 날조하다.

fábrico *m.*《*Col.*》=**fábrica.**

fabril *adj.* [*lat.* fabrilis] 제조의: industria ～ 제조 공업.

fabriquero *m.* ① 생산자, 제조업자, 제조자. ② 공장주. ③ 갱부. ④(사원의) 재산 관리인.

fabuco *m.* [드뭄] =**hayuco.**

fábula *f.* [*lat.* fabula] ① 우화: ～ de Esopo 이솝 우화. ② 교훈적 이야기, 우화시, 풍문, 소문; 이야기; 근거없는 말: Todo lo que nos contó es una ～ 그가 우리에게 한 말은 모두 근거없는 말이다. ③ 꾸민 말: ～ milesia 음담 패설, 부도덕한 이야기. ④ 비난의 대상. ⑤ [집합] 신화(mitología), 전설(tradición); 웃음거리(objeto de murmuración): Ella es la ～ del pueblo 그녀는 마을의 웃음거리다.

fabulación *f.*(환상적인 것이나 존재하지 않는 것을 상상하는) 이야기.

fabulador *m.* =**fabulista.**

fabular *tr.* 공상적인 것이나 존재하지 않는 것을 상상하다(imaginar hechos fantásticos o inexistentes).

fabulario *m.* 우화집(colección de fábulas).

fabulesco, ca *adj.* ① 전설상의, 전설적인. ② 거짓말 같은, 터무니없는, 엄청난.

fabulismo *m.* 우화를 이야기하는 습관.

fabulista *m.* 우화 작가(autor de fábulas): Los mejores ～*s* españoles han sido Samaniego e Iriarte.

fabulosamente *adv.* 터무니없이, 엉터리로, 꾸민 얘기처럼; 엉터리 없이(excesivamente): un indiano ～ rico.

fabulosidad *f.* 비현실성, 전설적임.

fabuloso, sa *adj.* ① 전설적인, 꾸민 이야기 같은. ② 황당 무계한, 믿기 어려울 정도의; 놀라운, 터무니없는: precio ～ 터무니없는 값, 너무 비싼 값. ～*sa* ignorancia 놀라운 정도의 무지. ③ 아득한 옛날의(muy antiguo), 선사 이전의(prehistórico): tiempos ～*s*. Contr. histórico, exacto, verdadero.

f.a.c ; F.A.C. franco al costado (de vapor) 선측도 가격.

faca *f.* 단도(cuchillo curvo) ; 대검(cuchillo grande).

facción *f.* [*lat.* factio] ① 도당, 폭도의 무리. ② 전투. ③ 감시 : estar *de* ~ 감시중이다. —*pl.* 용모, 얼굴 생김새, 면모 : ~*es* abultadas 선이 굵은 얼굴 생김새. Ella tiene bellas ~*es* 그녀는 아름다운 용모를 하고 있다.

faccionario, ria *adj.* 당파적인, 도당의, 한패가 된, 서로 내통한. —*m.f.* 한패, 당원.

faccioso, sa *adj.* [*lat.* factiosus] 당파적인, 당파심이 강한 ; 소란을 피우는, 시끄러운 ; 남의 마음을 현혹시킬 만한. —*m.f.* 폭도, 반도, 반란자, 교란자, 난동자.

face-ā-main *m.fr.* 손잡이가 달린 부인용 안경(impertinente). [*N.* 발음 : fasamán].

facecioso, sa *adj.* 풍채가 좋은 ; 얼굴에 표정이 풍부한, 괴짜 같은 표정을 잘 짓는.

facer *tr.* 【고어】 =**hacer.**

facera *f.* 늘어선 집들.

facería *f.* 《*Nav.*》 공동 목초지(牧草地).

facero, ra *adj.* 《*Nav.*》 공동 목초지의 · 에 관한.

faces *f.* faz의 복수형.

faceta *f.* [*fr.* facette] ① 다면체의 면, (보석 · 결정체의) 잘린 면 : las ~*s* de un diamante. ② (사물을 관찰할 때의) 면.

facetada *f.* 《*Méx.*》 ① 애교 ; 귀여운 짓. ② 서툰 재간, 서툰 유머. ③ 촌스러움.

facetar *tr.* (보석을) 자르다 · 다듬다, 네모난 것의 모를 자르다.

facetear *tr.* =**facetar.**

faceto, ta *adj.* 《*Méx.*》 【고어】 ① 멋이 없는(patoso). ② 칙칙한, 촌스러운. ③ 어리광을 부린.

facha *f.* [*ital.* faccia] ① 얼굴 생김새, 용모(traza, aspecto) : un tío de mala ~. ② 《*Chile.*》 =**jactancia.** ③ 얼굴(cara). ④ 추하게 생긴 사람(mamarracho).

a ~ 맞은편에 ; 마주 향하여.

en ~ 맞은편에, 정면에.

darse ~ 《*Chile. PRico.*》 으스대다, 뽐내다, 우쭐거리다, 뻐기다(jactarse).

ponerse en ~ 배가 멈추다, 정선하다 ; (무엇을 하기 위해) 태세를 갖추다.

fachada *f.* ① 외관, 외모, 풍채(apariencia. presencia) : José tiene gran ~ 호세는 풍채가 좋다. ② (보는 쪽에서 보는 건조물의) 정면 ; (집의) 정면 : hacer ~ con …으로 향해 있다. ③ (책의) 속 표지(frontis).

fachado, da *adj.* [bien · mal +] 용모 · 풍채가 좋은 · 나쁜 : un hombre bien ~ 풍채 좋은 사람.

fachear *intr.* (선박이) 정면을 향하다, 정면을 향해 있다.

fachenda *f.* 뽐내기, 으스대기(jactancia). —*m.* 으스대는 사람(fachendoso) : ser un ~.

fachendear *intr.* 으스대다, 뽐내다, 우쭐거리다, 허세를 부리다.

fachendista *adj.m.f.* =**fachendoso.**

fachendón, na *adj.m.f.* =**fachendoso.**

fachendoso, sa *adj.* 허세부리는, 뽐내는, 우쭐거리는, 뻐기는, 으스대는(jactancioso).

—*m.f.* 으스대는 사람.

fachinal *m.* 《*Arg.*》 습지(lugar anegadizo).

fachosear *intr.* 《*Méx.*》 =**fachendear, jactarse.**

fachoso, sa *adj.* ① 보기 흉한, 꼴 사나운, 못생긴. ② 《*Chile. Ecuad. Méx.*》 =**fachendoso.**

fachudo, da *adj.* 못생긴, 못난 ; 우습게 옷을 입은.

facial *adj.* ① 얼굴(rostro)의, 안면의 : ángulo ~ 안면각. arteria ~ 안면 동맥. cirujía ~ 안면외과. expresión ~ 얼굴 표정. músculo ~ 안면근육. nervio ~ 안면 신경. neuralgia ~ 안면 신경통. valor ~ 액면가. ② 본능의.

facialmente *adv.* 본능적으로(intuitivamente).

facies *f.* 【의학】 상, 용모, (환자의) 용태, 외관(rostro, cara, semblante) : ~ hipocrática 죽을 상, 사상(死相).

fácil *adj.* [*lat.* facilis] ① 쉬운, 용이한, 수월한, 평이한 : un problema ~ *de* resolver 해결하기 쉬운 문제. un trabajo ~ 쉬운 일. una lección ~ 쉬운 학과. [Sinón.] sencillo. [Contr.] difícil. ② 손쉬운, 간단한. ③ 손재간이 있는, 힘들이지 않고 하는, 문제없이 일을 처리하는 : versificador ~ 솜씨있는 작시가. ④ 곧잘 …하는 : un hombre ~ *en* creer lo que le cuentan. ⑤ 경쾌한, 부드러운 (문체). ⑥ 순종하는, 고분고분한, 순한, 다루기 쉬운(dócil) : carácter muy ~. ⑦ 가벼운, 경박스러운 (여자) : mujer ~ 가벼운 여자. ⑧ …할 가능성이 많이 있는(muy probable) : *Es* ~ *que* salga hoy 그가 오늘 출발할 가능성이 많다.

—*adv.* 쉽게, 손쉽게, 수월하게(con facilidad).

facilidad *f.* ① 손쉬움, 용이함, 평이함 : la ~ de un trabajo 일의 용이함. Habla español con mucha ~ 그는 서반아어를 쉽게 말한다. [Contr.] dificultad. ② (손쉽게 배우는 · 무엇을 하는) 재치, 솜씨 : Muestra gran ~ para aprender idiomas 그는 언어를 배우는 데 굉장한 능력을 보이고 있다. ③ 가볍게 믿음, 경박. —*pl.* ① 편리, 편의, 편익(comodidad) : ~ de crédito 신용 편의. dar ~*es* 편의를 제공하다. El Gobierno nos ha ofrecido toda clase de ~*es* para la investigación 정부는 조사를 위해 각종 편의를 우리에게 제공했다. ② 편리한 것. ③ 설비, 기관 : ~*es* bancarias 금융 기관. ④ 분할불(分割拂)(~*es* de pago). ⑤ 지불 유예 : conseguir ~*es.*

facilillo, lla *adj.* [*dim.* fácil] [드뭄] 약간 겁이 나는 ; 약간 강한.

facílimo, ma *adj.* 【고어】 *sup.* fácil.

facilísimo, ma *adj. sup.* =**muy fácil.**

facilitación *f.* 용이하게 함 ; 편리화, 간이화 ; 조장, 촉진 ; 융통, 제공.

facilitar *tr.* ① (일을) 쉬워지게 하다, 편해지게 하다 : Este libro le *facilitará* la investigación 이 책은 당신의 조사를 용이하게 해줄 것이다. ② 배우다, 통하게 하다. ③ 주다, 융통해 주다, 제공하다(proporcionar) : ~ datos 자료를 제공하다. ~ cien mil pesetas 십만 뻬세따를 융통해 주다. El Gobierno nos *facilitó* medios de transporte 정부는 우리에게 수송 수단을 제공해 주었다.

F

facilitón, na *adj.* 곧잘 믿어 버리는, 손쉽게 무엇을 생각하기 쉬운. —*m.f.* 남의 말을 잘 믿는 사람, 귀가 엷은 사람.

fácilmente *adv.* 수월하게, 쉽게(con facilidad) : Se le olvida ~ traer el diccionario 그는 사전을 가져오는 것을 자꾸 잊어버린다. Contr. difícilmente.

facilón, na *adj.* 매우 쉬운(muy fácil) : lección muy *~na* 매우 쉬운 학과.

facineroso, sa *adj.* [*lat.* facirorosus] 상습범의 ; 악랄한, 악한, 모진(delincuente, malvado, criminal). —*m.f.* 상습범 ; 악한.

facistol *m.* (합창대의) 악보대 ; 기도서대. —*adj.* ①《*Amér.*》 뽐내는, 아는 척하는 (presumido, petulante). ②《*Cuba.*》 농담 잘하는 (bromista).

facistolería *f.* 《*Ant.* Venez.》 허영, 잘난체 하기, 아는 체하기(petulancia).

facistolero, ra *adj.m.f.* 《*Ant.*》 뽐내는, 허영기가 있는 (사람).

facistor, ra *adj.m.f.* =**facistolero.**

facolito *m.* 바위의 관입체(cuerpo intrusivo de rocas).

facón *m.* 《*Arg. Bol. Urug.*》 [*aum.* faca] 비수 ; (gaucho가 가진) 단도.

facoquerio *m.* 【동물】 파꼬께리오 《아프리카산 멧돼지 비슷한 동물》.

facóquero *m.* 【동물】 =**facoquerio.**

facsímil *m.* 복사, 모사 ; 【통신】 모사 전송 ; 복사판 ; 고무 도장 사인 ; (고서의) 사진판 ; 팩시밀리.

facsimilar *tr.* 사진판으로 하다, 복사하다. —*adj.* 팩시밀리의, 복사의.

facsímile *m.* =**facsímil.**

fact. factura.

fact.ª factura.

factage *m.* 《*Galic.*》 =**facturación.**

factibilidad *f.* 가능성, 실현성.

factible *adj.* ① 할 수 있는, 가능한(posible). ② 손쉬운, 문제가 아닌(hacedero). Sinón. posible, realizable.

facticio, cia *adj.* 인조의, 모조의 : expresión *~cia.*

fáctico, ca *adj.* 사실의, 실제의 ; 행위의.

factitivo, va *adj.* 【문법】 작위(作爲)의 (causativo): verbos *~s* 작위 동사.

factor *m.* [*lat.* factor] ① 행위자. ② 대리상, 대리인, 대리업자. ③ (철도의) 하물 담당자. ④ 【수학】 인수, 인자 : ~ de multiplicación 승수. ~ primo 소인수. ⑤ 재료. ⑥《*Galic.*》 요소, 요인, 원인 : ~ alcista·bajista 증권 시장 강·약 재료. ~ común 공통 인자, 공인자. ~ coyuntural 경기 변동 요인. ~ de producción 생산 요소. ⑦【기계】 계수(係數), 율(率) : ~ de seguridad 안전율.

factoraje *m.* 대리업 ; 대리점(factoría).

factorear *tr.* =**factorizar.**

factoreo *m.* =**factorización.**

factoría *f.* ① 대리업. ② 재외(在外) 대리점, 외국 출장소. ③《*Angl.*》 공장(fábrica). ④《*Ecuad. Perú.*》 제철소.

factorial *adj.f.* 【수학】 계승(階乘)(의).

factorización *f.* 인수 분해.

factorizar *tr.* 인수 분해하다.

factótum *m.* 모든 일을 혼자서 해내는 사람 ; 아내 역할 ; 잡역부, 아무 일이나 하는 사람 ; 약방의 감초.

factual *adj.* 행위의. Sinón. fáctico.

factura *f.* [*lat.* factura] ①【상업】 송장, 인보이스, 납품서, 청구서 : ~ aduanera 세관 송장. ~ comercial 상업 송장. ~ consular 영사 송장. ~ consular en tres ejemplares 영사 송장 세 통. ~ de consignación 위탁 판매 송장. ~ flete 운임 청구서. ~ original 정본(正本) 송장. ~ por duplicado 정부(正副) 두 통에 의한 송장. ~ provisional 약식 송장. ~ simulada, ~ proforma 매입 견적 송장. ② 제작, 제조(hechura) : ~ de tejido. ③ (회화·조각의) 제작 : estatua de bella ~ 훌륭하게 만들어진 조상(彫像). ④《*Ecuad.*》 수수료, 커미션, 구전. ⑤《*Riopl.*》 카스텔라 모양의 과자 ; 빵과자.
arruinar la ~ 사업이 기울기 시작하다.

facturación *f.* 선하 증권·송장 작성·수화물 취급소.

facturador, ra *m.f.* 송장 작성자. —*f.* 송장·전표 발행기.

facturar *tr.* ① 송장에 기재하다, …의 송장을 만들다, 송장을 작성하다 : Me *facturan* 3 rollos de faja 나에게 온 송장에는 벨트 세 롤로 되어 있다. ② (수화물을) 탁송하다, 접수시키다 : No nos han querido ~ el equipaje 수화물을 접수해 주지 않았다.

facturería *f.* 《*Arg.*》 빵과자(factura) 제조업.

facturero, ra *m.f.* =**facturador.**

facturista *m.f.* =**facturador.**

fácula *f.* (태양 표면의) 흰 반점, 백문(白紋).

faculta *f.* 《*Venez.*》 산파, 조산원.

facultad *f.* [*lat.* facultas] ① 힘, 능력(aptitud). ② 자격, 권한, 권능(poder) : ~ para decidir 결정권. ~ de intervención 간섭의 권한. ③ 허가(licencia). ④ (지·정·의의) 능력 : La voluntad, la inteligencia y la sensibilidad son las tres *~es* maestras del hombre. ⑤ 기능 ; 작용 : El imán tiene la ~ de atraer el hierro 자석은 쇠를 끄는 작용을 한다. ⑥ (전문적인) 지식, 기술, 솜씨, 실력. ⑦ (종합 대학의) 단과 대학 : la ~ de medicina 의과 대학. el decano de la ~ de Derecho de filosofía y letras 문과 대학 학장. ⑧ (단과 대학의) 학부. ⑨ [집합] 교수(단). —*pl.* 자금, 자력, 자산.

facultar *tr.* (…에게) 자격·권한·허가를 부여하다 ; 위임하다. Sinón. autorizar.

facultativamente *adv.* 권한으로써, 권위있게 ; 수의로, 임의로.

facultativo, va *adj.* ① 전문적인, 기술상의 : cuerpo ~ 전문 기술단. término ~ 전문어. ② 권능의, 권한에 의한, 자격상의. ③ 임의의. Contr. obligatorio. Sinón. potestativo. ④ 의사의(del médico) : prescripción *~va.* —*m.* 의사(médico).

facundia *f.* =**locuacidad.**

facundo, da *adj.* [*lat.* facundus] 능변의, 말 잘하는, 다변의, 수다스러운, 말이 많은. Contr. lacónico.

fada *f.* ① 요정, 선녀, 정녀(精女) (hada, hechicera) 《운명의 여신》. ② 작은 야생 사과.

fading *m. ing.* 【무선】 페이딩.

fado *m.* ① 포르투갈 민요 · 춤. ② 【고어】 = **hado.**

faena *f.* [*lat.* facienda] ① 일, 노동(trabajo, labor) : las ~*s* del compo 들의 일. ~*s* domésticas 집안의 허드렛일. Contr. tarea, trabajo. ② 《*Guat. Méx.*》 시간외 노동. ③ 《*Chile.*》 한 조의 농장 노동자. ④ 《*Ecuad.*》 아침 노동. ⑤ 《*Arg. Urug.*》 도살(matanza) ; 처리(preparación). ⑥ 투우사가 muleta를 사용하는 일(trabajo del torero con la muleta) : ~ lucida.

faenar *tr.* 《*Arg. Urug.*》 도살하다, 처리하다.

faenero, ra *m.f.* 《*And. Chile.*》 농장 노동자 (obrero agrícola.)

faetón *m.* ① 4인승 마차 《4인용 두 개의 좌석이 나란히 하고 있는 사륜의 높고 위가 터진 마차》. ② (상자형 4인승의) 자동차. ③ 자기의 능력 이상의 일을 하는 사람.

Faetón *m.* 【신화】 파에톤 《태양의 아들, 어느 날 아버지의 허락을 받고 불의 수레를 몰고 너무 지구에 접근하다 화재를 일으킬 뻔하여 Júpiter 의 노여움을 받고 Erídano 강에 쫓겨났음》.

fafarachero, ra *adj.* 《*Col.*》 허세를 부리는. —*m.f.* 허풍쟁이.

fagáceo, a *adj.* 【식물】 곡두과의(cupulífero). —*f.pl.* 곡두과 식물.

fagedénico, ca *adj.* 【의학】 침식성의 : úlcera ~*ca* 침식성 궤양.

fagedenismo *m.* 【의학】 침식성 궤양.

fagina *f.* 【고어】 =**fajina.**

fagocitismo *m.* 식균성(食菌性), 식균 작용(食菌作用).

fagocito *m.* 식균 세포 《백혈구 등》.

fagocitosis *f.* 《*Neol.*》 식균 작용.

fagot *m.* ① 【악기】 파곳, 바순 《저음의 큰 피리》. ② 파곳 연주자.

fagote *m.* 【악기】 =**fagot.**

fagotista *m.* 【음악】 fagot 연주자.

fagüeño *m.* 《*Ar.*》 =**favonio, céfiro.**

faifa *f.* 《*Amér C.*》 담배 파이프, 물부리(pipa).

fainá *m.* 《*Arg.*》 콩가루로 빚은 납작한 빈대떡 (torta chata harina de garbanzos).

fainada *f.* 《*Cuba.*》 =**torpeza.**

faino, na *adj.* =**rústico.**

faique *m.* 《*Ecuad.*》 【식물】 함수초(mimosa)의 일종.

fair play *m. ing.* 페어플레이(juego limpio).

faisán *m.* 【조류】 꿩, 장끼 : La carne del ~*es* deliciosa cuando está manida.

faisana *f.* 【조류】 암꿩, 까투리.

faisanería *f.* 꿩을 기르는 장소.

faisanero, ra *m.f.* 꿩 사육자.

faisánidas *f.pl.* =**fasiánidas.**

faite *m.* 《*Ecuad.*》 =**matón.**

faitear *intr.* 《*Perú*》 싸움을 시작하다.

faja *f.* [*lat.* fascia] ① 끈, 띠, 벨트. ② 코르셋. ③ 띠 모양으로 된 것 · 무늬 · 줄무늬. ④ 지대(地帶). ⑤ (인쇄물 등의) 끈. ⑥ 【건축】 = **fajón.**
—*pl.* 매질, 구타(azotes).

fajada *f.* ① 《*Amér.*》 습격(embestida). ② 《*Venez.*》 실패, 예상에서 벗어남.

fajado, da *adj.* ① 《*Amér.*》 습격하는 (embestido). ② 《*Amér.*》 띠모양의. ③ 두들겨 맞은. —*m.* 【광산】 갱목.

fajadura *f.* ① 띠를 감는 일(fajamiento). ② (밧줄을 튼튼하게 하기 위해 역청을 바른) 돛배 조각.

fajamiento *m.* 띠를 감는 일 ; 붕대 감기.

fajar *tr.* ① (…에) 띠를 두르다, 띠로 감다. ② 붕대를 감다 : ~*se* un brazo herido 다친 팔에 붕대를 감다. ③ 《*Amér.*》 (타격을) 가하다, 때리다 (pegar, golpear) : Le *fajó* bofetadas 그는 따귀를 때렸다. Luis le *fajó* a Juan 루이스가 후안을 때렸다. ④ 《*PRico.*》 빌린 돈을 요구하다(pedir dinero prestado). ⑤ 《*Cuba.*》 (여자를) 구슬리다(cortejar).
—*intr.*, **~se** ① 《*Amér.*》 두 사람이 싸우다 (pelearse dos personas). ② 《*PRico.*》 열심히 일하다(trabajar intensivamente). ③ [+ con : …을] 때리다 ; 습격하다(acometer). ④ 《*Cuba.*》 [+ a : …하기] 시작하다 : *Se fajó a* escribir 그는 글을 쓰기 시작했다.

fajardo *m.* 고기 만두(pastel de carne picada).

fajazo *m.* 《*Ant. PRico.*》 ① 강습, 습격(embestida, acometida). ② 《*PRico.*》 돈을 우려내기.

fajeado, da *adj.* 【건축】 줄무늬의 : columna ~*da.*

fajero *m.* 허리띠 : el ~ de un niño.

fajilla *f.* [*dim.* faja] 《*AmérC. Méx.*》 가는 띠, 가는 벨트.

fajín *m.* [*dim.* faja] ① 작은 띠(faja pequeña). ② (군복 · 예복에서) 장식띠.

fajina *f.* [*lat.* fascina] ① 보릿단 · 밀단 쌓기. ② 땔나무(leña ligera para lumbre). ③ 휴전 나팔 ; 식사 나팔. ④ 【축성】 나뭇단. ⑤ 일(faena) : ropa de ~ 작업복. ⑥ 《*Cuba.*》 시간외 노동 (faena).

fajinada *f.* 【축성】 나뭇단(fajinas).

fajo *m.* [*lat.* fascis] ① 다발, 묶음, 속(束)(haz, atado) : desatar un ~ de papeles 종이 다발을 풀다. ~ de cartas 편지 다발. ~ de billetes 돈다발. Sinón. gavilla, haz, ② (갓난아기의) 포대기. ③ 《*Amér. Méx.*》 술 한 모금 마시기(trago de licor). ④ 《*Méx.*》 (여자용) 가죽 혁대 · 허리띠(cinturón de cuero). ⑤ 《*Méx.*》 구타 (cintarazo). —*pl.* (영아의) 배내옷.

fajol *m.* 【식물】 메밀(alforfón).

fajón *m.* [*aum.* faja](문 · 창문 주위의 회반죽의) 가장자리 장식.

fajón, na *adj.* 《*Cuba.*》 습격하는, 공격하는.

fajuela *f. dim.* faja.

fakir *m.* =**faquir.**

falaces *adj.pl.* falaz의 복수형.

falacia *f.* ① 속임수, 사기, 허위(engaño). Sinón. falsedad, fraude, mentira. ② 거짓말하는 버릇(hábito de decir mentiras o falsedades).

falaciano, na *adj.* 《*Riopl.*》 갈색 포장지(papel de estraza)의.

falaguero, ra *adj.* 【방언】 =**halagüeño.**

falange *f.* [*gr.* phalagx] ① (고대 그리스군의 중무장을 한) 보병 부대. ② 군단, 군대. ③ 동호회, 동지당, 팔랑헤당 : *Falange* Española 팔랑헤당 《1933년 José Antonio Primo de Rivera가 조직한 군부를 배경으로 하는 국수적인 정당 ; 후일의 Franco 장군이 이어받은 Falange Españo-

F

la Tradicionalista》. ④【해부】손가락뼈, 지골(指骨); 발가락뼈, 지골(趾骨).
falangero *m.*【동물】날다람쥐 무리.
falangeta *f.*【해부】제삼 지골(指骨), 최종 지골.
falangia *f.*【곤충】=**falangio.**
falangiano, na *adj.*【해부】손가락뼈의, 지골의 : articulación ~*na* 지골 관절.
falángidos *m.pl.*【곤충】(남미 산의) 독거미속.
falangina *f.*【해부】제이 지골 (segunda falange).
falangio *m.*【곤충】갈거미(segador).
falangismo *m.* falange 주의.
falangista *adj.* 팔랑헤당의. —*m.f.* 팔랑헤당원.
falangita *m.* falange 군인.
falansteriano, na *adj.m.f.* 공동 가옥의, 연립 주택의 (주민); 사회주의 공동 생활 단체의 일원.
falansterio *m.* ①(불란서 사람 Fourier이 제창한) 사회주의 공동 생활 단체; 그 주택. ②공동 가옥, 연립 주택.
falárica *f.* [*lat.* falarica] (옛날의) 던지는 창, 투창(venablo).
fálaris *f.* [*lat.* phalaris]【조류】검정물오리(foja).
falaz *adj.* ①거짓말 잘 하는(mentiroso) : persona ~. ②속임수의, 허위의, 거짓의(falso) : ~ ternura. Sinón. engañoso.
falazmente *adv.* 속여서, 거짓말하여, 허위로.
falbalá *m.*【고어】옷자락 끝의 장식 주름(adorno de la faldilla de la casca).
falca *f.* ①(목재, 판자의) 흠. ②(배의) 방파판(防波板). ③《*Col. Méx. Venez.*》(차량 수송용) 납작한 배(embarcación plana para el transporte de vehículos). ④《*Bol.*》소형 증류기(alambique pequeño). ⑤《*AmérM.*》(그릇·차·배의 주위에 대는) 빠지지 않게 하는 장치, (짐이 흐르지 않게 하는) 목책, 나무 울타리, 짐틀.
falcado, da *adj.* 낫(hoz) 모양의.
falcar *tr.*⑦ ①【방언】쐐기로 물리다. ②【고어】낫으로 베다.
falcario *m.* 낫으로 무장한 로마의 병사.
falce *f.*【고어】작두, 낫 모양의 칼.
falciforme *adj.* 낫 모양의, 굽어진.
falcinelo *m.*【조류】따오기.
falcino *m* 《*Ar.*》【조류】=**vencejo.**
falcirrostro, tra *adj.* 부리가 낫 모양으로 생긴(새).
falcón *m.* ①(16세기 경의) 포(砲). ②《*Cuba.*》【조류】매(halcón)의 일종.
falconés, sa *adj.m.f.* =**falconiano.**
falconete *m.* culebrina의 일종.
falconiano, da *adj.m.f.* 팔꼰 《Falcón, 베네수엘라에 있는 주》의 (사람).
falcónido, da *adj.*【조류】매과의. —*f.pl.* 매과.
falconiforme *adj.* 맹금류의. —*f.pl.* 맹금류과.
falda *f.* [*lat.* falda] ①스커트. ②옷자락 : remangar las ~*s* 옷자락을 걷어 올리다. ③무릎(regazo) : tener en la ~ el niño 아기를 무릎에 안다. Acunó al niño en su ~ 아이를 무릎에서 키웠다. ④산기슭 : El monte tiene un balneario en sus ~*s* 그 산은 기슭에 온천장이 있다. ⑤(매달아 놓은) 쇠고기(carne de res). ⑥(모자의) 챙. ⑦(갑옷의) 팔꿈치 받이; (갑옷의) 허리 받침. —*pl.* (남성에 대해) 여성(mujeres) : cuestión de ~*s* 여성 문제. Pelearon por un asunto de ~*s* 그들은 여성 문제로 다투었다.
faldamenta *f.* =**falda.**
faldamento *m.* =**faldamenta.**
faldar *m.* ①(투구의) 자락. ②【방언】앞치마.
faldear *tr.* (산의) 기슭을 걷다.
faldellín *m.* [*dim.* falda] ①짧은 스커트(falda corta). ②페티코트 (스커트 밑에 입는) (refajo). ③《*Ant. Venez.*》(어린이용) 포대기.
faldeo *m.* 《*Arg. Chile. Cuba.*》산기슭, 기슭(falda de monte).
faldero, ra *adj.* ①옷자락·스커트의. ②여자들 사이에 있기를 좋아하는. —*m.f.* 삽살개. —*f.* 스커트를 깁는 여직공.
perro ~ 삽살개.
faldeta *f.* [*dim.* falda] ①짧은 스커트. ②(연극에서) 연노랑 휘장.
en ~s 속옷 차림으로, 웃옷을 걸치지 않고; (바지 위에) 셔츠를 늘어뜨린 모습으로.
faldicorto, ta *adj.* 옷자락이 짧은, 치마가 짧은(corto de faldas).
faldillas *f. pl.* 옷자락 : las ~*s* de una americana 웃옷의 옷자락.
faldistorio *m.* (의식용) 교황의 자리·의자.
faldón *m.* [*aum.* falda] ①긴 스커트. ②(연미복·블라우스, 이밖의 의복·벽걸이·커튼 등의) 자락 : asirse· agarrarse a los ~*es* 옷자락에 매달리다, 비호해 주도록 의지하다. ③(천의) 안. ④(맷돌의) 윗돌. ⑤(지붕의) 측면.
faldriquera *f.* =**faltriquera.**
faldudo, da *adj.* 자락이 긴, 커다란 스커트를 입은; 두루마기를 걸친.
faldulario *m.* 너무나 긴 옷, 질질 끄는 치마.
faldumenta *f.* =**faldulario.**
falena *f.* [*gr.* phalaina]【곤충】밤나비(mariposa nocturna).
falencia *f.* [*lat.* fallens] ①잘못, 과실, 허물, 과오, 실수(equivocación). ②《*Arg. Col. Chile. Hond. Urug.*》파산(quiebra comercial) : La empresa entró en ~.
falerno *m.* 고대 로마의 명주(vino famoso).
faleucio *adj.* =**faleuco.**
falibilidad *f.* 실수의 가능성, 잘못을 저지를 가능성, 있을 수 있는 잘못 : la ~ de la justicia humana.
falible *adj.* 실수할 수 있는, 잘못할 수 있는 : Todo juez es ~.
fálico, ca *adj.* 음경(falo)의.
falimiento *m.* [드뭄] 속임수, 허위, 거짓.
falismo *m.* falo 예찬론, 남근 신앙주의.
falla[1] *f.* ①(물건에 생긴) 흠, 오점(defecto). ②(옛날 부인들이 쓰던) 두건. ③(지층·광맥의) 단층(斷層). ④《*Amér.*》결점; 결석. ⑤약속 위반. ⑥《*Chile.*》=**falta.** ⑦《*Méx.*》아기의 머리에 쓰는 두건.
falla[2] *f.* (발렌시아의) 민속 축제.
falla[3] *f.* 비단 천(tejido de seda).

F

fallada *f.* ①(카드 놀이에서) 으뜸 패를 내는 일. ②(어떤 일에서) 비방을 쓰는 일.
fallador, ra *m.f.* (카드 놀이에서) 으뜸 패를 내는 사람.
fallanca *f.* 【건축】(창문·문 따위의) 물매(vierteaguas).
fallar[1] *tr.* 결정·판정하다 : ~ a favor·en contra de …에게 유리한·불리한 판결을 내리다.
fallar[2] *tr.* (마지막 비방을) 쓰다. —*intr.* ① 실수하다, 실패하다(frustrarse). ② 듣지 않게 되다 : *Falló* el muro 벽이 무너졌다.
falleba *f.* (창문·문 따위의) 걸쇠.
fallecedero, ra *adj.* (이윽고) 죽는·다하는.
fallecer *intr.* 31 [*lat.* fallere] 서거하다, 죽다(morir); 다하다.
falleciente *adj.* 사망한, 죽은.
fallecimiento *m.* 사망, 서거, 죽음. **Sinón.** defunción, muerte.
fallenque *adj.* 《*Col.*》 돈이 없는.
fallero, ra *adj.* 《*Chile.*》 약속 따위를 잘 어기는; 실수가 잦은, 얼간이 같은. —*m.f.* 얼간이; 약속을 잘 어기는 사람; falla(화톳불)을 쬐는 사람.
fallible *m.* =**falible.**
fallido *m.* 파산.
fallido, da *adj.* ① 못쓰게 된. ② 파산한. ③(거래가) 동결된. ④ 회수 불능의(incobrable) : cuentas·deudas ~*das.* ⑤ 신용이 없는(sin crédito ni reputación). —*m.f.* 파산자 : ~ culpable 사기 파산자.
fallir *intr.* 50 ① 죽다(morir). ② 실패하다 : tentativa *fallida* 실패한 시도. ③(점포를) 폐쇄하다; 없어지다. ④《*Venez.*》 도산하다, 파산하다(quebrar).
fallo *m.* ① 판결(sentencia). ② 결정(decisión) : ~ categórico. ③ 결정적 요소 : echar el ~ 환자의 치료를 단념하다; 최종이라고 판정하다.
al fin y al ~ 《*Amér.*》 마침내, 결국, 끝내, 종말에 가서는.
fallo, lla *adj.* (카드 놀이에서) (좋은 패를) 갖지 못한 : Estoy ~ a oros 황금의 패를 갖지 못했다. —*m.* (카드 놀이에서) 좋은 패가 없음 : Tengo ~ a espadas 검(劍)의 패가 손에 없다.
fallón, na *adj.m.f.* 《*Ecuad.*》 =**faltón.**
falluca *f.* 《*Méx.*》 ① =**comercio ambulante.** ② =**contrabando.**
falluquear *intr.* 《*Méx.*》 =**hacer contrabando.**
falluto, ta *adj.* ①《*Arg.*》【방언】 텅 빈, 허망한. ②《*Arg.*》 가짜의. ③《*PPico.*》 비겁한.
falo *m.* ① 자지, 남근, 음경(pene). ②(고대의 파티나 의식에서) 남성의 심볼.
falocracia *f.* =**machismo.**
falócrata *m.* =**machista.**
falondres (de) *adv.* 《*Cuba. Venez.*》 돌연히, 별안간, 갑자기, 뜻밖에(de repente, súbitamente).
falordia *f.* 《*Ar.*》 꾸민 이야기, 이야깃거리, 우화(寓話), 거짓말.
faloria *f.* 《*Ar.*》 =**falordia.**
falsa *f.* ①《*Ar. Murc.*》 지붕 밑방, 다락방(desván). ②《*Ar. Méx.*》 밑에 받치는 괘지(falsilla). ③【음악】 불협화음, 부조화.
falsaarmadura *f.* =**contraarmadura.**
falsabraga *f.* 【축성】(주요 담 앞에 축성한) 낮은 담.
falsada *f.* (새가) 재빠르게 날음(calada).
falsamente *adv.* 거짓으로, 속여서, 허위로(con falsedad) : acusar ~. **Contr.** francamente, sinceramente.
falsaportada *f.* 책의 면지《책의 앞뒤의 겉장과 안겉장 사이의 지면》(anteportada, portadilla).
falsario, ria *adj.* [*lat.* falsarius] ① 허위의, 위조하는(falsificador). ② 거짓말 잘 하는(mentiroso). —*m.f.* ① 위조자, 위조범(falsificador) : castigar a un ~ 위조범을 벌하다. ② 거짓말쟁이(mentiroso, embustero).
falsarregla *f.* ① 회전자, 각도자(falsa escuadra). ②《*Perú. Venez.*》 밑에 받치는 괘지·인찰지(falsilla).
falseador, ra *adj.* 위조·모조하는. —*m.f.* 위조자.
falseamiento *m.* 속임수, 거짓; 위조, 모조, 가짜; 왜곡.
falsear *tr.* ① 속이다 : ~ la verdad. ② 위조하다. ③ 왜곡하다 : ~ la ley, ~ el pensamiento. ④(투구 등을) 꿰뚫다. ⑤【건축】 비스듬히 자르다.
—*intr.* ① 늘어나다, 느슨해지다 : La pared *falsea.* ②(악기의) 줄이 늘어나다 : El bordón de la guitarra *falsea.*
falsedad *f.* ① 허위(虛僞), 거짓(mentira) : Estoy seguro de que él ha dicho una ~ 그가 허위를 말한 것을 나는 확신한다. ② 날조 : demostrar la ~ de un documento. ③ 탈을 쓰기. **Contr.** verdad, exactitud, realidad.
falseo *m.* ① 속이기. ② 이지러짐. ③ 빗면. ④ 비스듬히 자르기. **Sinón.** alabeo.
falseta *f.* 【음악】 악구(frase melódica).
falsete *m.* ①(통의) 마개. ② 사잇문, 덧문. ③(성악에서) 가성(假聲).
de ~ =de segunda intención.
falsía *f.* =**falsedad.**
falsificación *f.* ① 위조, 변조; 위조물 : La ~ de las substancias farmacéuticas es un delito castigado severamente. ②(서류·화폐의) 위조죄, 위증.
falsificador, ra *adj.* 위조하는. —*m.f.* 위조자 : detener a un ~ de moneda.
falsificar *tr.* 7 위조하다, 모조하다 : ~ moneda 돈을 위조하다. ~ un documento 서류를 위조하다. El *falsificó* un cheque 그는 수표를 위조했다.
falsilla *f.* 밑에 받치는 괘지. **Sinón.** falsarregla, pauta, seguidero.
falsío *m* 《*Murc.*》 고기, 빵, 마늘 및 향료로 만든 순대 비슷한 것.
falso, sa *adj.* [*lat.* falsus] ① 틀린, 그릇된, 옳지 못한, 부정한. ② 거짓의, 허위의 : ~ argumento ~ 허위 논증. peso ~ 무게의 부족. **Sinón.** engañoso, equivocado. ③ 거짓이 많은, 믿지 못할 : amigo ~. ④ 위조의 : moneda ~*sa* 위조 화폐. cuadro ~ 위조 그림. La firma era ~*sa* 서명은 위조였다. ⑤ 모조한, 가짜의 : diamante ~. ⑥ 보강한, 곁들인. ⑦《*Chile.*》 겁이 많은, 비겁한(cobarde). ⑧ 실패한, 서툰 : ~*sa* maniobra. —*m.* ① 안감 천; 덧대는 천. ② 허위

: distinguir lo ~ de lo verdadero.

de·en ~ 속여, 눈속임하여 : edificio construido *en* ~ 눈속임으로 건축된 건물.

dar un paso en ~ =tropezar.

falsopeto *m.* 【고어】 =**farseto.**

falta *f.* [*lat.* fallita] ① 결핍, 부족 : a ~ de …이 없어서. ~ de recursos 자금 결핍. ~ de capital 자금·자본 부족. ~ de divisas 외화 부족. ~ de fondos 자금 부족. ~ de mano de obra 인력 부족. El ha tenido cuatro ~*s* en este mes 그는 이 달에 네 번 결석했다. ② 필요 : hecer ~ 필요하다. Me *hace* ~ dinero 나는 돈이 필요하다. Me *hicieron* ~ tres meses para terminarlo 그것을 끝마칠려면 3개월이 필요하다. *Hace* ~ *que* lo conozcas 네가 그것을 아는 것이 필요하다. No *haces* ~ aquí 자네는 이곳에 있을 필요가 없네. No *hace* ~ el certificado 증명서는 필요없다. ③ 과실, 실수, 잘못. ④ 실수, 과오, 실책, 위배 : caer en ~ 과오를 저지르다. Se hallan muchas ~*s* en esta traducción 이 번역에는 많은 오역이 있다. **Sinón.** error. ⑤ 결과 (~ de asistencia). ⑥ 흠, 하자, 결점(defecto) : ~ oculta·latente 잠재적 결함. Cada uno tiene su ~ 각자는 결점이 있다. ⑦ 거절 : ~ de aceptación 어음 인수 거절. ~ de pago 지불 거절. ~ de pago de un cheque 수표 지불 거절. ⑧ 임신중의 무월경. ⑨ 《*Chile.*》 잡화 상인.

~ ***de ventas*** 매상 부진.

sin ~ 꼭, 틀림없이, 반드시(con seguridad) : Iré a tu casa hoy, *sin* ~ 오늘 틀림없이 너의 집에 가겠다.

A ~ de pan buenas son tortas 【속담】 이가 없으면 잇몸으로.

faltante *adj.* 빠져 있는, 부족한, 모자라는.

faltar *intr.* [*lat.* fallere] ① (있어야 할 곳에) 없다, 모자라다, 부족하다(no haber, carecer) : Hace un mes que *falta de* su casa 집에 없는 지가 1개월 되었다. Le *faltaba* tiempo *para* escribir 그는 글을 쓸 시간이 없었다. Le *falta* un brazo·talento 그는 한 팔이·재능이 없다. *Faltan* los víveres 먹거리가 없다. ② 다하다, 완전히 없어지다 (acabar) : Me *van faltando* las fuerzas 나는 차츰 힘이 다해 갔다. ③ 죽다 (dejar de vivir, fallecer, morir). ④ 빠져 있다 ; 필요하다 ; 남아 있다(restar) : *Faltan* diez minutos *para* las ocho 여덟 시까지는 10분 남았다. *Faltan* tres días *para* la fiesta 축제일까지는 아직도 3일이 남았다. Nos *faltaban* tres kilómetros *para* llegar al pueblo 마을까지는 아직도 3킬로나 남았었다. Sólo me *falta* convencer a mi madre 나는 어머니만 설득시키면 된다. en todo lo que *falta* del año 이 해의 연말까지에. ⑤ 어기다, 배반하다 ; 모자라다, 빠지다 : ~ a su palabra 약속을 어기다. *Faltó a* la lealtad·*a* la palabra 그는 충성을·약속을 어겼다. ⑥ [+a : 의무·은혜·예의에] 벗어나다, 게을리하다 : *Faltó* su deber 그는 의무를 게을리했다. Le *faltó a* su padre 아버지에게 불효했다. ⑦ [+en·de : …을] 게을리하다 : *Faltaba en* el auxilio de su compañero 친구를 돕는데 게을리했다. *Faltaba de* su puesto 그는 직무를 태만했다. ⑧ [+a : …를] 결석·결근하다 : Ayer *falté* a la clase 어제 나는 결석했다. ⑨ 부족하다 : *Faltaba* una peseta para las cien pesetas 100 뻬세따에는 1뻬세따 부족했다. ⑩ [+poco para+*inf.*] : 하마터면 …할 뻔하다 : Me *falté poco para* caer 하마터면 넘어질 뻔했다.

—*tr.* 화나게 하다, 무례한 짓을 하다 : José me *faltó* 호세는 나에게 무례한 짓을 했다.

~ ***el rabo por desollar*** 해결해야 할 어려운 일이 남아 있다.

¡No faltaba más!, No faltaría, más! (청을 거절할 때) 그럴 필요는 없습니다!, 천만에! ; 천부당 만부당한 일이다! ; (불행한 일이 겹칠 때) 그럴 수가 있나!, …이라니 유감이다! : *No faltaba más* sino que viniera yo a ser vuestro juguete 너희들의 장난감이 되려고 온 것은 아니었다.

faltativo, va *adj.* 《*Cuba.*》 무례한, 버릇없는.

falte *m.* 《*Chile.*》 (잡화의) 행상인, 행상, 도붓장수(vendedor ambulante de baratijas).

faltista *adj.* 《*Amér.*》 =**faltón.**

falto, ta *adj.* ① [+de : …이] 없는, 부족한 : ~ *de* recursos 자금이 부족한. ② (…을) 필요로 하는. ③ 깍쟁이 같은, 재물을 다랍게 아끼는, 노랭이의, 인색한(mezquino). **Sinón.** carente.

faltón, na *adj.* ① 미덥지 못한, 약속을 곧잘 어기는. ② 《*Cuba.*》 실례한, 버릇없는.

faltoso, sa *adj.* ① 불완전한, 머리가 모자라는 (incompleto). ② 《*Col.*》 툭하면 싸우는.

faltrero, ra *m.f.* 소매치기(ratero, carterista).

faltriquera *f.* ① 옆구리에 차는 주머니(bolsa). ② 호주머니(bolsillo de las prendas de vestir) : reloj de ~ 회중시계, 몸시계.

falúa *f.* 고급 란치, 소형 주정(舟艇)(lancha).

falucho *m.* ① 소형 선박(embarcación pequeña). ② 연안 항행의 삼각 돛배. ③ 《*Arg.*》 대례복용 2각 모자(sombrero de dos picos).

fama *f.* [*lat.* fama] 소문, 풍문, 명성, 성가(聲價), 고명(高名), 평판 : de buena ~ 유명한. gozar de buena ~ 평이 좋다, 호평을 받고 있다. Ella tiene mala ~ 그녀는 평판이 나쁘다. El maestro tiene ~ de sabio 선생은 현명하다는 평판이다. Es un médico de ~ 그는 명성이 자자한 의사다. **Sinón.** renombre.

correr ~ 널리 알려지다.

dar ~ 유명하게 만들다.

echar ~ 널리 알리다, 평이 나게 하다.

Es ~ que …은 세상에 잘 알려져 있다, …을 모르는 사람이 없다.

Cobra·Cría (buena) ~ y échate a dormir 【속담】 손 안 대고 코 풀다.

Unos tienen la ~ y otros cardan la lana 【속담】 재주는 곰이 넘고 돈은 뙤놈이 번다.

fame *f.* 【고어】 =**hambre.**

famélico, ca *adj.* 배고픈, 시장한, 주린, 굶주린(hambriento).

familia *f.* [*lat.* familia] ① 가족, 가정 : en ~ 가족적으로, 가정적으로. ~ típica·tipo 표준 가족. ~ numerosa 대가족. El tiene una ~ numerosa 그는 대가족을 거느리고 있다. Mi ~ vive en Zaragoza 내 가족은 사라고사에 살고 있다. ② (한집의) 자녀(prole) : Tengo mucha ~ 나는 자식이 많다. ③ 일족, 가문(estirpe) : la ~ de un cardenal. ④ 종파 단체. ⑤ (동식물

의 분류에서) 과(科) : ~ de planta · animales. ⑥【언어】 어족(語族). ⑦《Chile.》 한 때의 벌(enjambre de abejas). ⑧《Perú. SDgo.》 친척, 인척 : tener muchas ~s.
~ *de palabras* 알맹이가 있는 말.
~ *política* 사돈집, 처가집, 시가집.
~ *radiactiva* 방사성 계열.
cabeza de ~ 가장.
en ~ 가족적으로, 친밀하게, 친하게(en la intimidad).

familial *adj.* 《Galic.》 =**familiar.**

familiar *adj.* [*lat.* familiaris] ① 가족의, 가족적인, 가정적인 : Lo unen lazos ~*es.* ② 익숙한, 익혀 알고 있는 : Esta labor le es ~ 그는 이 일에 익숙하다. ③ 일상의, 통속의. ④ 구어(체)의. ⑤ 친한, 다정한, 친밀한. Contr. altanero, arrogante. —*m.* ① 가족에 속하는 사람, 친척. Sinón. pariente. ② 가깝고 정다운 사람, 한집안 같은 사람, 측근자 : los ~*es* del rey. ③ 하인, 종, 머슴, 시종. ④ (좌석이 여럿 있는) 가족 마차. ⑤ *m.pl.* 수호신. ⑥ 옛 종교 재판소 관리.

familiaridad *f.* 친함, 친밀, 친교 ; 허물 없음 : Le habló con ~ excesiva. Contr. arrogancia.

familiarizar *tr.* ⑨ ① 친하게하다, 익히다, 익숙하게 하다, 친해지다 : ~ a un caballo con los obstáculos. ② 보급시키다, 통속화하다(popularizar).
~se [+ con : …과] 익히다 ; 익숙하다 ; 익혀지다 : ~*se con* el peligro 위험에 익숙하다. ~*se* con el ruso 러시아어에 익숙하다. Sinón. acostumbrarse, habituarse.

familiarmente *adv.* ① 가족적으로 ; 허물없이, 터놓고 : hablar ~ con uno 누구와 허물없이 말하다. ② 친숙하게, 버릇없이 ; 통속적으로.

familiatura *f.* 종교 재판소 가족의 신분, 학교 가족 · 하인의 신분.

familión *m.* [*aum.* familia] 대가족(gran familia) : sostener un gran ~.

familisterio *m.* 공동 주택, 연립 주택.

famosamente *adv.* ① 유명하게, 평판 좋게. ② 희한하게, 멋있게(excelentemente, muy bien).

famoso, sa *adj.* [*lat.* famosus] ① 유명한, 이름난(célebre, notable, ilustre) : un libro ~ 유명한 책. un ~ escritor 이름난 작가. vino ~ 유명한 포도주. El Brasil es ~ *por* su café y el Amazonas 브라질은 커피와 아마존강으로 유명하다. ② 굉장한(excelente). ③ 희한한. ④ 놀라운 : ocurrencia ~. Contr. desconocido, oscuro.

fámula *f.* 하녀(sirvienta).

famular *adj.* 하인의.

famulato *m.* 하인의 신분 ; 하인들(servidumbre).

famulicio *m.* =**famulato.**

fámulo *m.* ① (특히 사원 등에서) 하인(sirviente). ② (추기경 · 수도원 등의) 심부름하는 사람, 종자.

fanal *m.* [*gr.* phanos]① (항구 · 선박 등의) 표지등, 선미등(船尾燈) : ~ del barco. ② 칸델라 ; 남포 ; (특히 유리로 된) 갓의 램프(campana). ③ 유리 뚜껑(campana de cristal) : ~ del reloj. —*pl.* 왕눈.

fanáticamente *adv.* 광신적으로, 열광적으로, 맹목적으로.

fanático, ca *adj.* [*lat.* fanaticus] [+ por : …에] 열광적인, 광신적인 ; 열중하는 : ~ *por* la música · el cine 음악 · 영화를 좋아하는. —*m.f.* 광신자 ; 열광자, …광(狂) : ~ *por* fútbol 축구광. Sinón. apasionado.

fanatismo *m.* ① 열광 ; 광신적 행위, 광신 : Es célebre el ~ musulmán. ② 탐닉.

fanatizador, ra *adj.m.f.* 광신하는 (사람).

fanatizar *tr.* ⑨ ① 광적 신앙으로 이끌다(hacer fanático) : El Islam *ha fanatizado* los negros del Africa. ② 열광시키다.

fandanga *f.* 《Venez.》 스커트에 댄 주머니.

fandango *m.* ① 판당고《옛 서반아 사람들이 추던 경쾌한 3박자의 춤 · 노래》. ② 야단법석, 소동. ③《Amér.》 얽히고 설킴, 혼란(desorden tumulto).

fandanguero, ra *adj.* 판당고춤을 좋아하는. —*m.f.* 판당고를 추는 사람.

fandanguillo *m.* fandango 비슷한 민속춤.

fandulario *m.* [드뭄] =**faldulario.**

fané *adj.* 《Galic.》 시들해진 ; (빛이) 바랜.

faneca *f.* 【어류】 (깐따브리아산) 대구의 일종.

fanega *f.* [*ár.* fanica] 파네가《곡물의 단위량 ; Castilla에서는 55.5 litros, Aragón에서는 22.4 litros》 ; 1 fanega의 씨앗을 뿌릴 수 있는 땅의 면적《약 64.4 áreas ; 640 평방미터 ; 토지 면적의 단위》 : ~ de tierra.

fanegada *f.* 밭 · 논의 면적 단위《약 64 áreas》(fanega de tierra).
a ~*s* 흔하게, 풍부하게.

faneguero, ra *m.f.* 《Ast. Gal.》 곡물의 fanega를 징수하는 사람.

fanerógamo, ma *adj* 【식물】 현화 식물(顯花植物)의. —*f.pl.* 현화 식물. Contr. criptógamo.

fanfarrear *intr.* =**fanfarronear.**

fanfarria *f.* ① 뽐내기, 우쭐거림, 잘난체함, 으스대기(jactancia). ② 악단원(conjunto musical).

fanfarrón, na *adj.* ① 으스대는, 뽐내는, 뻐기는, 허세를 부리는. ② 겉보기만 그럴듯한 (물건). —*m.f.* 뻐기는 사람, 허세를 부리는 사람, 과장이 심한 사람.

fanfarronada *f.* 호언장담, 허세, 과장 : echar ~*s* 떵떵거리다, 호언장담하다.

fanfarronear *intr.* 으스대다, 뻐기다, 우쭐거리다, 허세를 부리다.

fanfarronería *f.* 호언장담, 허세, 우쭐거림. Sinón. jactancia, petulancia.

fanfarronesca *f.* =**fanfarronería.**

fanfurriña *f.* 【속어】 분노, 불쾌, 울화, 분통(disgusto).

fangal *m.* 수렁, 진창, 늪. Sinón. barrizal, cenagal, londazal.

fangar *m.* =**fangal.**

fango *m.* ① 진흙 : llenar de ~ 진흙투성이로 만들다 ; 체면을 손상시키다. Sinón. barro, cieno, lodo. ② 평판이 나쁨, 신용 타락(descrédito).

fangolita *f.* 침전 바위(roca sedimentaria).

fangosidad *f.* 진흙투성이.

fangoso, sa *adj.* 질척거리는, 질척질척한, 진흙투성이의.

fanguero *m.* 《Ant. Méx.》 진창길, 진흙땅(fan-

F

go, fangal).

fanguito *m.* 《*Cuba.*》【어류】 팡기또 《물고기 이름》.

fano *m.* [*lat.* fanum] 사원(templo).

fantaseador, ra *adj.m.f.* 상상·공상하는 (사람).

fantasear *tr. intr.* ① 상상하다, 공상하다, 꿈꾸다, 마음으로 그리다 : ~ grandezas 굉장한 일을 꿈꾸다. ~ *de* rico 대단한 부자로 착각하고 있다. ② 자부하다, 자만하다, 뻐기다.

fantaseo *m.* =**ensueño, imaginación.**

fantasía *f.* [*gr.* phantasia] ① 공상, 환상 : baile de ~ 가장 무도회. Toda esa historia es un producto de su ~ 그 모든 이야기는 그의 공상에서 만들어진 것이다. ②【음악】 환상곡. ③ 《*Galic.*》 변덕(capricho) : Vive a su ~ 제멋대로 생활을 하고 있다. ④ 공상적 작품, 허구(ficción) : las ~*s* ingeniosas de los poetas. ⑤ 우쭐거림, 잰 체하기(presunción).
—*pl.* 모조 진주.
con ~ 《*Arg.*》 큰 맘 먹고, 결단코.
de ~ ① 모조…, 인조… (de imitación) : joyería *de* ~. ② 겉만 그럴 듯한 싸구려 물건 : artículos *de* ~ 화장 도구, 복식품.

fantasiar *intr.* =**fantasear, imaginar.**

fantasioso, sa *adj.* ① =**caprichoso.** ② 우쭐대는, 으시대는(presuntuoso).

fantasista *adj.* 《*Galic.*》 =**caprichoso.**

F

fantasma *m.* [*gr.* phantasma] 유령(aparición), 요괴, 환영 ; 우쭐거리는 사람. —*f.* 도깨비.

fantasmada *f.* =**fanfarronada.**

fantasmagoría *f.* 환각, 환영, 환상 ; 변화 무쌍한 광경.

fantasmagórico, ca *adj.* 환각의, 환영적(幻影的)인 : imagen ~*ca.*

fantasmal *adj.* 유령의 ; 유령 같은.

fantasmón, na *adj.* 허영심이 강한, 허영에 들뜬, 허실(虛實)한 ; 자부심이 강한, 겉멋만 부리는. —*m.f.* 허영에 들뜬 사람, 자부심이 강한 사람(fanfarrón). —*m.* [*aum.* fantasma] 유령, 도깨비.

fantasmonada *f.* 허영, 허세.

fantásticamente *adv.* 아주 멋지게 ; 공상적으로, 환상적으로, 꿈처럼 ; 자부심을 가지고.

fantástico, ca *adv.* ① 아주 멋진, 경탄할 만한(maravilloso), 훌륭한(magnífico, estupendo) : casa ~*ca* 훌륭한 집. ② 공상의, 환상적인, 몽상적인. ③ 별난, 기발한, 괴이한, 가공의 : cuentos ~*s* de Bécquer. ④ 믿기 어려울 만한(increíble) : Me daban un sueldo ~ 나는 믿기 어려울 만한 급료를 받았다. ⑤ 자부하는, 자부심이 강한, 우쭐한(presuntuoso). **Contr.** real, verdadero.

fantochada *f.* 허세, 허영(locura).

fantoche *m.* ① 《*Galic.*》 꼭두각시 인형(人形)(figurilla, muñeco), **Sinón.** marioneta, títere. ② 괴짜(persona de aspecto grotesco). **Sinón.** mamarracho. ③ 허세부리는 사람.

fantochería *f.* =**acción.**

fañado, da *adj.* 한 살의 (동물).

fañar *tr.* (가축의 귀를 잘라) 낙인을 찍다.

fañoso, sa *adj.* 《*Ant. Méx. Venez.*》 콧소리의, 코맹맹이의.

FAO ; F.A.O. Organización de las Naciones Unidas para la Agricultura y la Alimentación 유엔 농업 식량 기구.

faquí *m.* 회교도의 법박사(alfaquí).

faquín *m. ár.* [*ital.* facchino] (철도의) 짐꾼, 포터, 인부.

faquir *m. ár.* (회교·불교의) 탁발승(asceta musulmán) ; (힌두교의) 고행승, 행자(行者).

faquirismo *m.* faquir의 생활 방식.

fara *f.*【동물】(아프리카산의) 뱀(cúlebra) 《길이는 1미터 쯤이고 검은 반점이 있는 회색이고 검은 줄무늬가 있음》.

farabusteador *m.*【은어】=**ladrón diligente.**

farabustear *tr.*【은어】=**buscar, hurtar.**

farabuti *m.* 《*Arg.*》 =**estrafalario.**

faracha *f.* 《*Ar.*》 삼을 두드리는 막대기.

farachar *tr.* =**espadar.**

farad *m.* [*pl.* farads]【전기】 패러드 《전기 용량의 실용 단위, Michael Faraday의 이름에서》(faradio).

faraday *m.*【전기】 패러디 《전기 분해에서 쓰는 전기량》.

farádico, ca *adj.*【전기】 유도 전류의, 전류의, 감응 전류의.

faradio *m.* 패러드 《farad의 서반아어화》.

faradización *f.* 감응 전기 치료.

faradizar *tr.* ⑨ 감응·유도 전기 치료를 하다.

faralá *m.* [*pl.* paraláes] (나풀나풀한) 옷자락 꾸밈 ; 칙칙한 장식.

farallo *m.* 빵부스러기.

farallón *m.* (특히 해상에 돌출된) 큰 바위, 바위섬.

faramalla *f.* ① 감언 이설. ② 겉만 근사한 실속 없는 물건. ③ 《*Chile.*》 =**fanfarronada, jactancia.** —*m.* 야바위꾼, 사기꾼, 수다쟁이.

faramallear *intr.* 《*Chile. Méx.*》 감언 이설로 속이다 ; 으시대다, 허세부리다.

faramallero, ra *adj.* ① 수다스러운 말이 많은 : mujer ~*ra.* ② 허세를 부리는. —*m.f.* 수다쟁이 ; 허세를 부리는 사람.

faramallón, na *adj.m.f.* =**faramallero.**

farandola *f.* Provenza의 무용.

farándola *f.*【방언】=**faralá.**

farándula *f.* ① 어릿광대의 일. ② 유랑 희극단. ③ 얼렁뚱땅, 속임수(faramalla). ③ (불란서의) Provenza의 춤.

farandulear, ra *intr.* ① 허세를 부리다(farolear). ② 《*And.*》 =**enredar.**

farandulero, ra *adj. m.f.* =**trapacero, farsante.**

farandúlico, ca *adj.* 어릿광대의, 어릿광대 같은.

faranga *f.* 《*Sal.*》 일의 권태; 해타(懈惰), 게으름, 나태(haraganería).

faranguear *tr.* 《*Bol.*》 (몸을) 살짝 피하다.

faraón, na *m.f.* ① 파라온 《페르시아 정복 때까지의 고대 이집트왕의 칭호》. ② 왕, 여왕 : la *fara ona* de cante jondo. ③ 카드 놀이(juego de naipes)의 일종.

faraónico, ca *adj.* ① faraón의. ② 고급의, 사치스런, 호화 찬란한 ; 거대한.

faraute *m.* ① 편지 심부름하는 사람. **Sinón.** heraldo, mensajero. ② 방을 외우는 배우. ③ 홍

행에서 출연자를 소개하는 일. ④ 주책. ⑤ 중세의 기사.

farcino *m.* [*fr.* farcin] 【의학】 =**muermo cutáneo.**

farda *f.* ① 꾸러미 : una ~ de ropa 옷꾸러미. ② 【목공】 장붓구멍(alfarda).

fardacho *m.* 【동물】 도마뱀(lagarto)의 일종.

fardada *f.* =**presunción.**

fardaje *m.* 하물, 적하(fardería).

fardar *tr.* (…에게) 의류를 공급하다.

fardel *m.* ① (여행자 · 목자의) 어깨에 매는 가방(talega). ② 꾸러미, 고리짝. ③ 지저분한 인간.

fardela *f.* 【방언】 괴나리 봇짐, 등짐 자루.

fardelejo *m. dim.* fardel.

fardería *f.* [집합] 하물, 짐(fardos).

fardero *m.* 【방언】 (역 · 길거리 등의) 짐꾼.

fardialedra *f.* 【은어】 잔돈.

fardo *m.* ① (여행용) 짐 : un ~ de ropa. ② (운송을 위한 상품의) 고리짝. ③ 우편 화물.

fardón, na *adj.m.f.* ① 옷을 잘 입은 (사람). ② =**bonito, vistoso.** ③ =**presumido.**

farellón *m.* =**farallón.**

fares *f.pl.* 《*Murc.*》 =**tinieblas.**

farfalá *m.* 옷자락 장식(faralá).

farfallear *intr.* 말을 더듬거리다(tartamudear).

farfallón, na *adj.* 말을 더듬는, 말이 빠른. —*m.f.* 말더듬이.

farfalloso, sa *adj.* 【방언】 말을 더듬는(tartamudo).

farfallota *f.* 《*PRico.*》 =**parótida.**

farfán *m.* (8세기부터 1830년까지 모로코에 살았던) 서반아의 기독교도.

farfante *m.* =**fanfarrón.**

farfantón *m.* =**farfante.**

farfantonada *f.* 허세, 허풍, 호언 장담.

farfantonería *f.* =**farfantonada.**

fárfara *f.* ① 【식물】 머위. ② 【동물】 난각막(卵殼膜). Sinón. binza.

en ~ 설되게, 어중간하게.

farfaro *m.* 【은어】 =**clérigo.**

farfolla *f.* ① 겨 ; 밀기울(espata del maíz). Sinón. chala. ② 자랑, 자랑거리(bambolla).

farfulla *f.* 말더듬이. —*m.f.* 말을 더듬거리면서 빨리 하는 사람.

farfulladamente *adv.* 당황하여, 허겁지겁.

farfullador, ra *adj.* 말이 빠른, 빨리 지껄이는.

farfullar *intr.* ① (차분하지 못하게) 빨리 지껄이다. ② 건성으로 빨리 하다.

farfullero, ra *adj. m.f.* 말이 빠른 (사람) ; 성미가 급한 (사람).

fargallón, na *adj. m.f.* 성미가 급한 (사람), 차분하지 못한 (사람) : mujer ~*na.*

farillón *m.* =**farallón.**

farináceo, a *adj.* ① 분말상(粉末狀)의, 가루의 ; 제분의(harinoso) : industria ~*a* 제분 공업. ② 【식물】 전분질의.

farinato *m.* 《*Sal.*》 버터, 소금 및 후추로 반죽한 빵 순대.

farinetas *f.pl.* 《*Ar. Gal. Val.*》 =**gachas.**

faringe *f.* [*gr.* pharugx] 【해부】 인두(咽頭) : La ~ deja pasar el aire necesario para la respiración.

faríngeo, a *adj.* 인두의 : músculo ~.

faringitis *f.* 【의학】 인두염(咽頭炎).

faringoscopio *m.* 인두경.

faringotomía *f.* 인두(faringe)에 만들어진 절개구(incisión).

farinoso, sa *adj.* =**harinoso.**

fariña *f.* 《*Bol. Parag, Perú, Urug.*》 만디오까(mandioca)의 뿌리에서 얻은 가루, 따삐오까(tapioca). ② 《*Arg.*》 (따삐오까로 만든) 부침개, 빈대떡(tortilla).

fariño, ña *adj.* 《*Sal.*》 =**flojo, liviano.**

fario *m.* 《*And.*》 ① =**suerte.** ② =**sombra.**

farisaicamente *adv.* 위선적으로, 허례적으로, 형식적으로.

farisaico, ca *adj.* ① 바리새(fariseo)파의. ② 형식적인, 허례 허식의, 위선의(hipócrita) : piedad ~*ca.*

farisaísmo *m.* ① 바리새주의, 바리새파 《형식의 준엄을 중요시한 유태교의 한 종파》. ② =**hipocresía.**

fariseísmo *m.* 바리새파 ; 위선(hipocresía).

fariseo *m.* [*gr.* pharisaios] ① 바리새 사람. ② 형식주의자, 위선자. ③ 꺽다리.

farm. farmacia.

farmaceuta *adj.* 약제(藥劑)의. —*m.* 【속어】 약제사(farmacéutico).

farmacéutico, ca *adj.* 제약의, 약제의, 조제의 ; (제)약학의 : producto ~ 약품. —*m.f.* 약제사. Sinón. boticario.

farmacia *f.* [*gr.* pharmakon] ① 약학, 조제(학), 조제법, 제약술 ; 법 : Facultad de ~ 약학대학. ② 조제실, 약국(botica). ③ 약상자.

fármaco *m.* 약제(medicamento).

farmacodinamia *f.* 약리학(藥理學), 약효학(藥效學).

farmacognosia *f.* 생약학(生藥學).

farmacognosis *f.* 생약.

farmacología *f.* 약(리)학 : estudiar la ~.

farmacológico, ca *adj.* 약(리)학의 : la ciencia ~*ca* coreana.

farmacólogo, ga *m.f.* 약제학자, farmacología 전문가.

farmacopea *f.* 약제서, 조제서, 약국방(藥局方)(recetario).

farmacopola *m.* [드묾] =**farmacéutico, boticario.**

farmacopólico, ca *adj.* 약학의, 약제의.

farnaca *f.* 《*Ar.*》 =**lebrato.**

farniente *m.* 느긋한 무위(ocio agradable).

faro *m.* [*gr.* Pharos] ① 등대 : ~ flotante, buque-*faro* 부동 등대. ② 무전 항로 표시. ③ 헤드라이트 (~ ponente) : El automóvil tenía dos grandes ~*s.*

~ ***radioeléctrico*** 무선 등대(radiofaro).

faro, ra *m.f.* 《*Col. Venez.*》 =**zarigüeya.**

farol *m.* ① 초롱불, 칸델라, 등(linterna) : ~ de señales 신호등(semáforo). ~ de situación 자선(自船) 위치 표시등. ~ de tope 톱 라이트. ② (열차의) 헤드라이트. ③ 가로등. ④ 대(臺). ⑤ 앞으로 내민 복도. ⑥ 허세부리기, 으시대기, 뽐내기, 교만 떨기(fachenda) : ser muy ~. ⑦ 거짓말. ⑧ 【투우】 살짝 비키는 동작(lance). ⑨ 《*Arg.*》 =**mirador cerrado.**

F

～ ***a la veneciana*** 축제용 종이 등.

farola *f.* 가지가 달린 가로등 ; 커다란 초롱.

farolazo *m.* ① 초롱불로 들이치기. ② 헤드라이트 비추기. ③《*AmérC. Méx.*》 한 모금 마시기 (trago de licor).

farolear *intr.* 허세를 부리다, 으시대다, 우쭐거리다(fachendear, papelonear).

faroleo *m.* 허세, 우쭐거리기, 으시대기.

farolería *f.* ① 칸델라·초롱 공장·가게. ② 허세부리기, 허영부리기, 으시대기, 허풍(jactancia).

farolero, ra *adj.* 허세를 부리는, 우쭐거리는, 으시대는, 자만심이 많은. **—*m.f.*** 허세부리는 사람, 우쭐대는 사람. **—*m*** 초롱 제조인 ; 등대지기.

farolillo *m.* [*dim.* farol] ① 작은 초롱 : ～ de papel coreano 창호지 초롱. ②【식물】 풍령초. ***el ～ rojo*** 마지막 초롱·등.

farolito *m.*《*Cuba.*》 =**alquequenje.**

farolón, na *adj.* 허풍을 치는, 허세를 부리는. **—*m.f.*** 허세를 부리는 사람. **—*m.*** [*aum.* farol] 큰 초롱.

farota *f.* [드뭄] 낯가죽이 두꺼운 여자(mujer muy descarada).

farotear *intr.*《*Col.*》 소리를 내다.

farotón, na *adj.* 뻔뻔스러운, 낯가죽이 두꺼운. **—*m.f.*** 낯가죽이 두꺼운 사람.

farpa *f.* (깃대의) 가장자리.

farpado, da *adj.* 가장자리가 너덜너덜한.

farra *f.* ①【어류】 연어(salmón)의 일종. ②《*AmérM.*》 소란, 난장판으로 떠들기(juerga). ***tomar*** a uno ***para la ～***《*Arg. Parag. Urug.*》 …를 놀리다(burlarse de).

farraca *f.*《*Sal. Zam.*》 =**faltriquera.**

farrago *m.* =**fárrago.**

fárrago *m.* 잡동사니, 뒤범벅, 잡탕.

farragoso, sa *adj.* 뒤숭숭한, 난잡한, 뒤범벅이 된 : texto ～.

farraguas *m.f.*【방언】 장난꾼.

farraguista *m.f.* 머릿속이 뒤숭숭한 사람 ; 덤벙덤벙하는 사람 ; 알지도 못하면서 덤비는 사람.

farrapas *f.pl.*《*Ast.*》 =**fariñas.**

farrear *intr.* ①《*AmérM.*》 신이 나서 떠들어대다. ②《*Arg.*》 허비·낭비하다. ③《*Riopl.*》 놀리다, 조롱하다.

farrero, ra *adj.*《*Chile. Perú.*》 (마시면서) 떠들어대는 (사람) ; 낭비벽이 심한 (사람).

farrista *adj.* ①《*Arg. Chile.*》 멋을 부리는, 맵시를 부리는. ②《*Urug.*》 낭비성이 강한. ③ 명랑한. ④ 소란을 잘 피우는. **—*m.f.*** 맵시를 내는 사람 ; 낭비가 심한 사람 ; 명랑한 사람 ; 소란을 잘 피우는 사람.

farro *m.* 압맥(押麥) ; 납작 보리 ; 독일 밀의 일종.

farruco, ca *adj. m.f.* ① (아스뚜리아 사람과 갈리시아 사람이) 자기 고장에서 갓 나온. ② 용감한, 앞뒤 분간이 없는 (사람). **—*f.*** 플라멩꼬 노래·춤.

Farruco *hip.* Francisco.

farruto, ta *adj.*《*Bol. Chile.*》 =**enfermizo, endeble.**

farsa *f.* [*lat.* farsa] ① 광대 놀이 ; 그 일당. ② 엉터리 연극. ③ 속임수, 사기(enredo, trampa, engaño).

farsálico, ca *adj.* 파르살리아《Farsalia, 그리스의 도시》의.

farsante, ta *adj.* 완전히 꾸민, 거짓 탈을 쓴. **—*m.f.*** 광대 ; 거짓 탈을 쓴 사람.

farsantear *intr.*《*Chile.*》 광대처럼 행동하다.

farsear *intr.*《*AmérC. Chile.*》 꾸미다, 익살을 부리다, 농담하다(bromear, chancear).

farsesco, ca *adj.* 광대의 ; 광대 같은 : estilo ～.

farseto *m.* 갑옷의 아래옷.

farsista *m.f.* 광대놀이 작가.

fas *m.* ***por ～ o por nefas*** 아무튼, 좌우간에, 여하간에.

fascal *m.*《*Ar.*》 밀의 노적 ; esparto 줄·끈, 굵은 줄.

fasces *f.pl.* 다발로 묶은 짚의 도끼《다발로 묶은 짚에서 도끼의 날을 나타낸 고대 로마 고관의 권표(權標)》.

fasciculado, da *adj.*【식물】 밀생하는.

fascículo *m.* ① 분책(entrega). ② =**folleto.** ③【식물】 밀생(密生), 총생(叢生). ④【해부】 신경속(神經束).

fascinación *f.* 매혹, 황홀한 지경 ; 매력, 요염.

fascinador, ra *adj.* =**fascinante.**

fascinante *adj.* 매혹적인, 매혹시키는, 농락하는 (듯한).

fascinar *tr.* [*lat.* fascinum] ① 눈(ojo)으로 주시하다, 노려보다(aojar). ② 현혹시키다, 매혹시키다, 황홀케 하다, …의 넋을 빼앗다, 유혹하다, 홀리다, 홀딱 반하게 하다 ; 도취시키다 : Lo *fascinó* la belleza del paisaje. **Sinón.** encantar, hechizar, seducir. ③ 농락하다, 속이다 (engañar).

fascio *m.* 이탈리아의 독재적 국수주의 동맹.

fasciola *f.* =**duela.**

fascismo *m.* 파시즘, 독재적 국가 사회주의《무솔리니를 당수로 한 이탈리아 국수당의 주의》.

fascista *adj.* 파쇼의, fascismo의, 파시즘을 신봉하는. **—*m.f.*** 파쇼주의자, 파시스트 ; (이탈리아의) 파시스트 당원, 파시즘 신봉자, 국수주의자, 파쇼.

fascólomo *m.*【동물】 유대류(marsupiales)의 일종.

fase *f.* [*gr.* phasis] ① (달의) 상(相), 위상(位相) : las ～*s* de la luna 달이 이지러짐. ②【천문】 (천체의) 상(像). ③【화학】 상(相). ④【생물】 상(相). ⑤【물리·전기】 상(相), 위상(位相). ⑥ 면(面), 국면, 방면. ⑦ 상(相), 형상. ⑧ (변화·발달의) 단계, 계단, 상태, 형세 (aspecto) : mirar un asunto bajo todas sus ～*s.* ⑨ 경과, 추이의 현상, 기(期) : ～ de depresión 경기의 하강기. La época desde el año 218 antes de Cristo hasta el Emperador Augusto corresponde a la ～ de invasión latina 서력 기원전 218년부터 아우구스또제(帝)까지의 시기는 라틴어 침입기에 해당한다.

faséolo *m.* [*lat.* phaseolus] =**frísol, fríjol.**

fashion *m. ing.*《*Neol.*》 =**moda elegante.**

fashionable *adj. ing.* 유행의(de moda) : traje ～ 유행하는 옷.

fasiánidas *m.pl.*【조류】 =**fasiánidos.**

fasiánido, da *adj.*【조류】 꿩과(科)의. **—*m.*** 꿩

과 조류.

fasionable *adj.* ① 유행의(de moda). ② 멋있는. —*m.* 멋부리기.

faso *m.* 《*Arg.*》 =**cigarrillo.**

fásoles *m. pl.* 【식물】 강낭콩(judías) ; 꼬투리째 먹는 강낭콩.

fas o por nefas (por) *adv.* =**a todo trance.**

fastial *m.* 【건축】 첨탑의 돌(piedra terminal de un edificio).

fastidiar *tr.* ⑪ ① 귀찮게 하다, 진저리나게 만들다 (hastiar) : ¡No me *fastidies* con esas bromas! 그런 농담을 해서 나를 귀찮게 마라. ② 괴롭히다(molestar).

~se 따분해지다, 진저리가 나다 : *Me he fastidiado* con su charla 그의 이야기에 진저리가 났다.

fastidio *m.* [*lat.* fastidium] ① 싫은 마음, 싫증 : Es un ~ leer este libro 이 책을 읽는 것이 싫증이 난다. ② 불쾌(감) : Ese olor me causa ~ 그 냄새는 나에게 불쾌감을 준다. ③ =**enfado, cansancio.**

fastidiosamente *adv.* 진저리나게, 귀찮게.

fastidioso, sa *adj.* [*lat.* fastidiosus] 진저리가 나는, 귀찮은, 마음이 내키지 않는 (듯한) ; 불유쾌한 : hombre ~ 귀찮은 사람.

fastigiado, da *adj.* 【식물】 copa 모양의.

fastigio *m.* ①【아어】 꼭대기, 정점, 정상(cúspide, vértice, cumbre). ② (건물의) 바람받이 (frontón).

fasto, ta *adj.* [*lat.* fastus] ① 공휴(公休)의. ② 기념할 만한, 경사스러운(feliz, venturoso) : día ~ 경사스런 날. año ~ 경사스런 해. **Contr.** nefasto, aciago. —*m.* 호사스러움, 찬란, 화려 (fausto). —*m.pl.* 비망록 ; 행사력(行事歷), 연대기.

fastosamente *adv.* =**fastuosamente.**

fastoso, sa *adj.* =**fastuoso.**

fastuosamente *adv.* 호화롭게, 호화 찬란하게.

fastuosidad *f.* 호화, 찬란(fausto, ostentación).

fastuoso, sa *adj.* [*lat.* fastuosus] ① 화려한, 호화로운, 호화 찬란한 : casa ~*sa.* **Sinón.** suntuoso. ② 호화로운 것을 좋아하는, 과시적인 : hombre ~. **Sinón.** ostentoso.

fatal *adj.* [*lat.* fatalis] ① 숙명적인, 피할 수 없는(inevitable). ② 치명적인(mortal) : un accidente ~. ③ 운명의, 운명을 가름하는 ; 중대한, 결정적인. ④ 불행한(infeliz). —*adv.* 아주 서툴게(muy mal) : cantar ~ 노래를 아주 서툴게 부르다.

estar ~ 건강이 좋지 못하다.

fatalidad *f.* ① 숙명, 운명, 인연. ② 불운, 불행 (desgracia). ③ 재난, 참사. ④ 불치, 치명적임.

fatalismo *m.* 운명론, 숙명론, 숙명관.

fatalista *adj.* 숙명론적인. —*m.f.* 운명론자, 숙명론자.

fatalizarse *r.* ⑨ ①《*Col.*》 중죄를 범하다. ② 《*Chile.*》 (육체적으로) 치명적 타격을 받다. ③ 《*Perú.*》 모진 보상을 받다.

fatalmente *adv.* ① 치명적으로, 숙명적으로, 인과 응보적으로. ② 나쁘게(mal) : Está escrito este libro ~ 이 책은 나쁘게 쓰여졌다. ③ 피할 수 없이, 필연적으로(inevitablemente) : Había de suceder aquello ~.

fatídicamente *adv.* 저주스럽게, 불길하게 ; 침울하게, 침통하게.

fatídico, ca *adj.* [*lat.* fatidicus] ① 흉조의, 불길한 : sueño ~ 불길한 꿈. ② 침울한, 침통한, 기분이 좋지 못한 : con aire ~. —*m.* 예언자.

fatiga *f.* ① 피로, 피곤(cansancio). ② 호흡 곤란(ahogo) : sentir ~ 숨이 가쁘다. ③ [주로 *pl.*] 따분한 일, 귀찮은 일 : dar ~ 따분하다, 지루하다(fastidiar). ④ (힘드는) 노동, 노고, 노역, 괴로움, 고생 : No hay vida sin ~*s* 고생없는 인생은 없다. Pasaba ~*s* para ganarse la vida 그는 생계 때문에 고통스런 시기를 보냈다. ⑤ 구역질(náuseas). **Contr.** descanso.

fatigación *f.* =**fatiga.**

fatigadamente *adv.* 피곤하여 ; 괴로워 하면서.

fatigador, ra *adj.* 피곤한 ; 귀찮은.

fatigante *adj.* =**fatigoso.**

fatigar *tr.* ⑧ [*lat.* fatigare] ① 피곤케 하다 (cansar, causar fatiga) : *Fatigó* al caballo de tanto galopar 그는 굉장히 빨리 달려 말을 피로케 했다. ② 숨이 차게 만들다. ③ 애먹이다, 고생시키다, 괴롭히다, 지치게 만들다(molestar) : ~ a uno con sus quejas. ④ 훔치다.

~se ① 피곤하다, 피로하다 : El *se ha fatigado* con el trabajo 그는 일로 피곤했다. ② 숨이 차다 : *Me fatigo* fácilmente al subir una cuesta 언덕에 오를 때 나는 쉬 숨이 찬다 (피곤하다). ③ [+por+*inf.* : …하려고] 애쓰다.

fatigosamente *adv.* 힘겹게, 간신히, 애써서, 고생스러운 듯이, 괴로운 듯이.

fatigoso, sa *adj.* ① 피곤한, 피곤케 하는 : trabajo ~. ② 귀찮은, 애먹은. ③ 괴로운 듯한 : respiración ~*sa* 괴로운 듯한 호흡.

fatimí *adj.* 파티마 왕조 《Fátima와 Ali와의 자손으로 이어졌다고 하는 10—11세기에 걸친 이집트의 왕조》의.

fatimita *adj.* =**fatimí.**

fato, ta *adj.* 《*Ar. Ast. Rioja.*》 =**fatuo.** —*m.* ① (후각으로) 코(olfato). ② 고약한 맛. ③ 냄새 (olor).

fatuidad *f.* =**necedad, tontería.**

fatulo, la *adj.* 《*Ant.*》 ① 몸집만 크고 쓸모없는. ② 겁이 많은(cobarde). ③ 가짜의 : noticia ~*la* 가짜 소식.

fatuo, tua *adj.* ① 멍청한, 우둔한, 바보스러운, 등신 같은. ② 허영심이 많은. ③ 실체가 없는, 환상의 : fuego ~ 도깨비불.

fatuto, ta *adj.* ① 《*Col.*》 순종의(neto, puro) : indio ~. ② 【고어】 =**taimado.**

faucal *adj.* 목의, 목구멍의 ; 후음(候音)의.

fauces *f. pl.* ① 인후, 목(faringe). ② 커다란 입. ③ 《*Amér.*》 송곳니, 견치 ; (짐승의) 어금니(colmillos).

fault *m. ing.* =**falta, castigo.**

fauna *f.* ① [집합] (일정한 지역 · 시기의) 동물떼, 동물 구계(區系) : ~ antártica. ② 동물 도감, 동물지(誌).

faunesco, ca *adj.* fauno의 : mirada ~*ca.*

fáunico, ca *adj.* fauna의 : las grandes regiones ~*cas* del globo.

Fauno *m.* 【신화】 임야와 농목의 신 《농부 · 목동들이 받들어 모시는 반은 사람이고 반은 양의 모습》.

fáustico, ca *adj.* (권력욕·금전욕에 혼을 파는) 괴테의 파우스트의·같은.

fausto *m.* [*lat.* fastus] 호화, 호사(lujo extraordinario).

fausto, ta *adj.* [*lat.* faustus] 행복한(feliz) : Bebamos para celebrar tan ~ día 이렇게 행복한 날을 축하하기 위해 (술을) 마십시다. Contr. infausto.

faustoso, sa *adj.* =**fastuoso.**

fautor, ra *m.f.* ① 원조자. ②【속어】 장본인, 범인(culpable).

fautoría *f.* =**favor, ayuda, socorro.**

fauvismo *m.*【미술】 야수주의.

fauvista *adj.* 야수주의의. —*m.f.* 야수파.

faventino, na *adj.m.f.* 파벤시아《Favencia, 옛 서반아의 도시 ; 현재의 Barcelona》의 (사람).

fávico, ca *adj.* favo의.

favila *f.* [*lat.* favilla]【시어】=**pavesa, ceniza.**

favo *m.* 전염병.

favonio *m.*【시어】 서풍(西風)(céfiro).

favor *m.* [*lat.* favor] ① 호의, 친절 : hacer el ~ de + *inf.* …해 주시다. Haga(n) el ~ de + *inf.* …하여 주시오. Haga el ~ de abrir la puerta 문을 열어 주십시오. si me hace el ~ 미안하지만. ② 친절한 행위, 은혜, 돌보아줌, 덕택, 은고 ; 은전 ; 부탁. ③ 각별한 호의, 애호 ; 총애 ; 지지, 찬성. ④ 편역, 편의, 정실. ⑤ (호의·애정을 나타내는) 선물, 기념품. —*pl.* 사랑의 표적. ~ del público 수요자 승인《일반 수요자가 광고를 보고 상품 가치를 인정하는 것》. Contr. desgracia.

a ~ de ① …덕분으로(gracias a) : *a ~ del* calmante 진정제 덕분으로. ② …에 유리한, …의 편에 서서. ③ …(앞으로) 의·에, …을 수취인·수익자로 한 ; 차용한 사람에게 : el cheque por·de 50.000 pesos *a mi ~* 당방 앞으로의 5만 뻬소 짜리 자기앞 수표. el saldo de 50.000 pesos *a ~ de* Vds. 귀 상점 앞으로 된 잔고 5만 뻬소.

en ~ de …을 위해 : Abdicó el trono *en ~ de* su hermano 왕위를 동생에게 양위하고 퇴위했다. Don Quijote preparó el cargo de gobernador *en ~ de* su escudero 돈 끼호떼는 그의 종자를 위해 지사의 직책을 마련해 주었다.

por ~ 아무쪼록, 제발《부탁을 할 때》: *Por ~*, cierre la ventana 제발 창문 좀 닫아주세요.

favorable *adj.* ① 바람직한, 안성맞춤의(propicio) : viento ~. ② 친절한, 호의를 보이는, 호의적인 : mirada ~ 호의적인 시선. su ~ cogida 호의로 각별히 돌보아 주셔서. ③ 긍정적인 ; 순조로운. ④ 유리한 : ~ situación de exportación 호조의 수출 상황. precio ~ 유리한 가격.

favorablemente *adv.* ① 친절히, 호의를 가지고, 호의적으로(con favor, benévolamente) : acoger ~ una súplica. ② 유리하게. ③ 소원대로, 순조롭게.

favorecedor, ra *adj.* ① 유리한, 유리하게 하는. ② 호의적인, 호의를 보여 주는, 각별히 보아주는. —*m.f.* 호의를 보이는 사람.

favorecer *tr.* 31 ① 돕다, 도와주다, 구해 주다 ; 은근히 북돋우다, 두둔해 주다, 비호해 주다, 지원하다(ayudar, amparar) : ~ a los inválidos 불행한 사람을 돕다. La obscuridad *favoreció* su fuga 어둠이 그의 도주를 도왔다. ② (…에게) 호의를 보이다, 호의를 베풀다, 편의·은혜를 베풀다 : Le *favoreció con* un premio 그에게 상을 주었다. Hemos sido *favorecidos con·por* su demanda del cinco 5일자 주문을 고맙게 받았습니다. ③ 돋보이게 하다 : La *favorece* mucho ese vestido 그 옷은 그 여자를 돋보이게 한다. ④《*Amér.*》보호하다, 막다, 지키다(proteger) : ~ una cosa de la lluvia 비에서 어떤 물건을 지키다.

favorecida *f.*《*Amér.*》 귀하의 서한·편지 : Recibí su ~ de ayer.

favoreciente *adj.* 도와주는, 비호하는.

favoritismo *m.* 각별한 보살핌 ; 정실(情實) : El ~ suele matar la emulación.

favorito, ta *adj.* 아주 좋아하는, 마음에 든, 총애를 받는, 귀여움을 독점하는 : libro ~ 마음에 든 책. —*m.f.* 마음에 쏙 드는 사람, 총애받는 사람 ; 총아, (궁정의) 총신(寵臣) ; 각별히 귀염 받는 여자.

faya *f.* ①《*Sal.*》=**peñasco.** ②《*Sal.*》=**precipicio, despeñadero.**

fayá *f.* 비단 직물의 일종.

fayado *m.*《*Gal.*》 다락방(desván).

fayanca *f.* 무례 ; 위태로운 자세 ; (창문의) 물매.

de ~ 단정치 못하게.

fayuca *f.* ①《*Col.*》 잔소리. ②《*Méx.*》=**falluca.**

fayuquear *intr.*《*Méx.*》=**falluquear.**

faz *f.* [*pl.* faces] [*lat.* facies] ① 얼굴(rostro,cara) : una ~ risueña. ② 표면(表面). ③ (화폐·수표 등의) 면(面)(cara) : la ~ de una moneda 동전의 표면. la ~ de una medalla 메달의 표면. ④ =**aspecto.** ⑤ (책의) 오른쪽 페이지.

la Santa F- 그리스도 얼굴의 상(像).

a la ~ del mundo 분명히, 명백하게(clara y ostensiblemente).

fazaleja *f.*【고어】=**toalla, servilleta.**

fazo *m.*【은어】 손수건(pañuelo).

fazoleto *m.* [*ital.* fazzoletto]【고어】=**pañuelo.**

F.B.I Federal Bureau of Investigation.

f.c. ; F.C. ferrocarril 철도.

F.ca fábrica.

FCCC Federación de Cámaras de Comercio de Centro América.

F.C.N. Ferrocarril Nacional 국영 철도.

F.co Francisco.

f.co p. franco de porte 우편세 무료.

fcos. franco(s) 프랑《불란서 화폐》.

F. de T. Fulano de Tal.

fdo. fardo ; firmado.

fe *f.* [*lat.* fides] ① 믿음, 신념(creencia) : artículo de ~ 신조(信條). noticia digna de ~ 믿을 만한 정보. ② 신앙 ; 그리스도교 : morir por la ~ 종지(宗指)를 위해 죽다. ③ 신용, 신뢰(confianza) : prestar ~ 믿다, 신용하다. tener ~ *en* el médico 의사를 신뢰하고 있다. ④ 맹세, 약속(promesa, palabra) : a ~ mía 맹세코. ⑤ 성실, 진실(fidelidad) : guardar la ~ conyugal 부부간의 성실을 지키다. ⑥ 증명 : dar ~ 증명·증언하다. ⑦ 증명서(certificado) : ~ pública 공식

F

증명서. ~ de bautismo 세례 증명서. ~ de nacimiento 출생 증명서. ~ de órfito 사망 증명서. ~ de vida 생존 증명서. ⑧ 증거, 보증. ~ *de erratas* 정오표. ~ *púnica* 배신. *buena* ~ 성실 ; 선의. *mala* ~ 배신 ; 악의.
a ~ 진실로, 분명코(en verdad).
a ~ *que* … 이 분명하다, 진실로 …이다.
a buena ~ 분명코.
de ~ 진실로, 분명코(en verdad).
de buena ~ 성실하게, 선의로.
de mala ~ 악의로 : Lo hizo de *buena (mala)* ~ 그는 그것을 선(악)의로 했다.
por mi ~ 맹세코, 단연코, 명예를 걸고.
hacer ~ 믿을 만하다(garantizar).

feacio, cia *adj.m.f.* 옛 꼬르시라 《Corcira, 현재의 Corfú》의 (사람).

FEAD Fondo Especial de Asistencia para el Desarrollo.

fealdad *f.* 추악함, 망칙스러움 ; 비열(卑劣) : la ~ de su conducta.

feamente *adv.* 비열하게, 비겁하게 : obar ~.

feb. febrero.

Febe *f.* 【신화】 달의 여신(Artemis) ; 【시어】 달.

febeo, a *adj.* ① 【희랍 신화】 해의 신(Febo, Apolo)의. ② 【시어】 태양의.

feble *adj.* ① 나약한, 연약한, 약한(débil). ② 여윈(flaco). ③ [드뭄] 무게가 모자라는 : oro ~.

feblemente *adj.* =**débilmente, flojamente.**

Febo *m.* ① 태양. ② 【희랍 신화】 해·태양의 신(Apolo).

feb.º febrero.

febrera *f.* [드뭄] 용수구(用水溝).

febrerillo *m.* [*dim.* febrero] ~ *el loco* 미친 날씨의 2월.

febrero *m.* [*lat.* februarius] 2월(segundo mes del año) : En los años comunes tiene ~ 28 días y en los bisiestos 29 2월은 평년에는 28일이고 윤년에는 29일이다.

febricitamente *adj.* =**febril, calenturiento.**

febricitante *adj.m.f.* 열이 있는 (사람·환자) (calenturiento).

febrícula *f.* 짧은 기간 동안의 열.

febrido, da *adj.* =**reluciente, bruñido.**

febrífugo, ga *adj.* 【의학】 해열의. —*m.* 해열제 : La quinina es un ~. [Sinón.] antifebril.

febril *adj.* ① 열병의 : pulso ~. ② 열병적인, 흥분한, 열렬한, 격렬한, 고조된(ardoroso) : impaciencia ~. [Sinón.] calenturiento.

febrilidad *f.* =**estado febril.**

febrilmente *adv.* ① 열병으로. ② 열렬히, 격렬하게.

febro. febrero.

febroniano, na *adj.* 페로니우스파 《로마 교황의 재판권을 부인하여 각 사교의 독립을 주장한 Febronio의 설》의.

FECAICA Federación de Cámaras y Asociaciones Industriales de Centro América.

fecal *adj.* 【의학】 인분의, 똥의(excrementicio) : materia ~.

fecaloideo, a *adj.* 【의학】 장의 장애로 생긴 구토의.

feces *f.pl.* fez의 복수형.

fecha *f.* ① 날짜(data) : ~ de cierre 결산일. ~ de llegada 도착일. ~ de nacimiento 탄생일, 생년월일. ~ de presentación 면접일. ~ de salida 출발일. ~ de vencimiento (어음 등의) 만기일. ~ efectiva 어음 결제일. ~ indicada 지정일. por orden de ~*s* 날짜순으로. su grata (con) ~ 5 del actual 이달 5일자의 귀서신. ¿Qué ~ es hoy? 오늘은 며칠입니까? ¿Quiere indicarme la ~ y la hora en que debo ir? 내가 가야할 날짜와 시간을 지정해 주십시오. ② (날짜 이후의) 각 1일 : Esta carta ha tardado tres ~*s* 이 편지는 3일 걸렸다. ③ 연대, 시, 기간 : ~ de apertura de ofertas·sobres 입찰 개시 기일. ~ de entrega 납기, 출하일. ~ del pago 지불 기일. larga ~ 장기(長期). ④ 현재, 지금 : a estas ~*s* 요즈음, 이즈음. desde la ~ de hoy 오늘 이후. hasta la ~ 오늘·현재까지에. con ~ de hoy 오늘 날짜로서.
de la cruz a la ~ 처음부터 끝까지.

fechación *f.* 일부·시의 결정·설정.

fechador *m.* 《*Chile. Méx.*》 일부인(印) ; 소인, 스탬프(matasellos de correo).

fechar *tr.* ① (…에) 날짜를 적다(poner fecha) : ~ una carta 편지에 날짜를 적다. su grata *fechada* 5 del corriente 이달 5일자의 귀서한. ② 연월일을 기록하다. ③ 시대를 추정하다.

fechillo *m.* 《*Can.*》 =**pasador.**

fecho, cha *adj.* 【고어】 hacer·facer의 *p.p.* 《오래된 문서·공문서에서 쓰임》. —*m.* 결제 ; 사적(事蹟), 공적 ; 일부(日附), 기간.

fechoría *f.* 장난, 못된 짓, 나쁜 일, 악행 : cometer ~*s* 악행을 저지르다.

fechuría *f.* =**fechoría.**

fecial *m.* (고대 로마에서 선전 포고·평화를 통고하는) 전령 승려(heraldo).

fécula *f.* 전분(澱粉) : La patata contiene mucha ~.

feculencia *f.* 전분질 ; 침전된 액체 상태.

feculento, ta *adj.* ① 전분을 함유한. ② 침전물이 있는. —*m.* 전분 함유물 : La patata es un ~. [Sinón.] harinoso.

fecutería *f.* 전분 공장(fábrica de fécula).

feculoideo, a *adj.* 전분 같은(parecido a la fécula).

feculoso, sa *adj.* =**feculento, harinoso.**

fecundable *adj.* [*lat.* fecundare] 비옥·풍요하게 할 수 있는 ; 증식할 수 있는 ; 수태할 수 있는.

fecundación *f.* ① 비옥·풍요하게 하는 일. ② 풍요함. ③ 다산. ④ 【생물】 수태 작용, 수태, 수정.

fecundador, ra *adj.m.f.* =**fecundante.**

fecundamente *adv.* 비옥하게, 풍요하게, 푸짐하게.

fecundante *adj.* ① 비옥·풍요하게 하는. ② 다작의, 다산의. ③ 번식력을 주는, 증식시키는. ④ 거름이 되는.

fecundar *tr.* [*lat.* fecundare] ① 비옥·풍요하게 하다(fertilizar) : Las lluvias *fecundan* la tierra. ② 다산(多產)케 하다, 번식시키다. ③ 【생물】 수태시키다 ; 수정시키다. [Contr.] esterilizar.

fecundativo, va *adj.* 비옥하게 하는, 풍요하게 한 ; 번식·증식력이 있는, 다산성의.

fecundidad *f.* [*lat.* fecunditas] ① 번식력, 생식력 : La ~ de algunas peces es extraordinaria

F

몇몇 물고기의 번식력은 대단하다. ② 다산, 다작 : la ~ de Lope de Vega. ③ 비옥 ; 풍부 ; 풍요. Contr. esterilidad.

fecundización *f.* 번식・풍요하게 하는 일.

fecundizador, ra *adj.* 비옥하게 하는.

fecundizante *adj.* =**fecundizador.**

fecundizar *tr.* 9 번식・비옥하게 하다(hacer a una cosa fecunda) : ~ un terreno con los abonos 비료로 땅을 비옥하게 하다. Contr. esterilizar.

fecundo, da *adj.* [*lat.* fecundus] ① 풍요한. ② 다산의 : hembra ~*da.* ③ 다작의 : escritor ~. ④ 비옥한, 기름진(fértil) : tierra ~*da.* Contr. árido, estéril, infecundo.

fedayin *m.f.* 반 이스라엘 팔레스타인 저항 투사.

FEDEAGRO Federación Nacional de Asociaciones de Productores Agropecuarios.

FEDECAMARAS Federación Venezolana de Cámaras y Asociaciones de Comercio y Producción.

FEDECAME Federación Cafetelera de América.

FEDECARBON Federación de Productores del Carbón.

fedegar *tr.* ①《*Sal.*》 =**bregar.** ②《*Sal.*》 = **amasar.**

federación *f.* [*lat.* fœderatio] 연방(confederación) ; 연합, 동맹, 연합회, 협회, 연맹 : *F-* Aeronáutica Internacional 국제 항공 연맹. *F-* Cafetelera de América 미주 커피 연맹. *F-* de Cajas Rurales de Crédito《*Salv.*》 농업 신용 금고 연합회. *F-* de Cámaras de Comercio de Centro América 미주 상업 회의소 연합. *F-* Cámaras y Asociaciones Industriales de Centro América 중미 공업 회의소 연합. *F-* de la Producción de la Industria y el Comercio《*Parag.*》 상공 생산 연합. *F-* de Productores del Carbón《*Col.*》 석탄 생산자 연합. ~ de sindicatos 노동조합 연합(체). *F-* de Trabajadores Portuarios de Venezuela 베네수엘라 항만 노동자 연맹. *F-* Española de Fútbol 서반아 축구 협회. *F-* Latinoamericana de Bancos 라틴 아메리카 은행 연합. *F-* Mundial Sindical 세계 노동 조합 연합.

federal *adj.* ① 연합의, 동맹의, 연방의 : distrito ~ 연방주. gobierno ~ 연방 정부. ② 연방제의 (federativo). ③ 연방주의의(federalista).
—*m.f.* 연방주의자(federalista).

federalismo *m.* 연방제 ; 연방주의・제도.

federalista *adj.* 연방주의자의 ; 연방제의.
—*m.f.* 연방주의자.

federalizar *tr.* =**federar.**

federar *tr.* 연방을 만들다, 연방제로 하다(confederar).
~se《*Amér.*》 ① 연합하다, 연방을 형성하다 (confederarse). ② 동맹을 맺다. ③ 단결하다. ④ 연립하다. ⑤《*Col.*》 이반(離反)하다(rebelarse).

federativo, va *adj.* ① 연합의, 동맹의, 연맹의. ② 연방(제)의 : gobierno ~ 연방 정부. El sistema de gobierno de los Estados Unidos de América es ~ 미국 정부 제도는 연방제이다.

Fedra *f.*【신화】 페드라《의붓아들인 Hipólito에 대한 사연(邪戀)에서 자멸한 여자》.

feedback *m. ing.* ①【전기】 귀환《출력 에너지의 일부를 입력 쪽으로 되돌리는 조작》. ②【생물】 피드백, 귀환. ③【컴퓨터】 피드백《출력쪽의 신호를 제어・수정 따위의 목적으로 입력쪽으로 되돌리기》.

feeder *m.*【전기】 급전선(給電線).

feérico, ca *adj.*《*Galic.*》 몽상적인, 선경 같은, 꿈같은.

féferes *m.pl.*《*AmérC. Ant. Col. Ecuad.*》 잡동사니(trastos).

fehaciente *adj.* 인증된, 믿을 만한 : un documento ~.

feila *f.*【은어】 =**desmayo.**

feísmo *m.* 추악주의.

feite *m.*《*Arg.*》상처가 치료된 후 피부에 생긴 자국.

feje *m.*《*León.*》 =**haz, fajo.**

felá *m.* 이집트의 농부 : Los *felaes* han conservado el tipo de los antiguos egipcios 이집트의 농부들은 옛 이집트인들의 틀을 보존해 왔다.

feladiz *m.*《*Ar.*》 =**trencilla.**

feldespático, ca *adj.* 장석(질)의 ; 장석을 함유하는 ; 장석으로 된.

feldespato *m.*【광산】 장석(長石).

feldmariscal *m.* (영국・독일・러시아의) 육군 원수.

felesquera *f.*【식물】 양치(羊齒).

felfa *f.*《*Ecuad.*》【방언】 =**felpa.**

felibre *m.* 근세 플로방스의 시인(poeta provenzal moderno).

felibrigio *m.*《*Neol.*》 플로방스의 방언을 보존키 위해 설립된 학교.

felice *adj.*【시어】 행복한, 행운의, 다복한, 복많은(feliz).

felicemente *adj.*【고어】 =**felizmente.**

felices *adj.pl.* feliz의 복수형.

felicidad *f.* [*lat.* felicitas] ① 행복(suerte feliz) : El anillo le traerá la ~ 그 반지는 당신에게 행복을 가져다 줄 것이다. ② 요행, 좋은 운수, 행운(dicha, ventura) : Le deseo a usted muchas ~*es* en el Nuevo Año 새해에 행운이 깃들기를 축원합니다. *¡ Felicidades!* 축하합니다. ③ 경사 ; 만족(satisfacción). Contr. calamidad, desgracia.

felicitación *f.* ① 축하 : carta de ~ 하장(賀狀). Reciba usted mis cordiales ~*es* 저의 마음에서 우러나온 축하를 받으십시오. Agradezco a usted sus ~*es* por el ingreso a la universidad de mi hijo 제 자식의 대학 입학을 축하해 주신데 감사드립니다. *¡Felicitaciones!* 축하합니다. ② 축사. Sinón. congratulación, enhorabuena. Contr. censura.

felicitar *tr.* [*lat.* felicitare.] ① 축하하다, 경하하다(congratular) : *Felicito* a usted por el nuevo año 신년을 축하합니다. *Felicito* a usted sinceramente por su ingreso a la universidad 당신의 대학 입학을 진심으로 축하합니다. ② (…에) 축사를 하다 ; (…의) 행복을 빌다.
~se《*Neol.*》 [+de : …의] 기쁨을 말하다, 축하의 말을 하다(congratularse).

félido, da *adj.*【동물】 육식의 ; 고양이・고양이과(科)의. —*m.pl.* 육식 동물 ; 고양이.

feligrés, sa *m.f.* 어떤 교회의 신도.

feligresía *f.* [집합] (교회의) 신자, 신도단 ; 교구(parroquia).

felino, na *adj.* 고양이의 ; (행동이) 고양이 같은 : mirada *~na.* **—*m.*** 고양이 ; 고양이과(科)에 속하는 동물(félidos).

Felipe *m.* 펠리뻬 : ~ Ⅱ 펠리뻬 2세《Carlos 1세의 아들 (1527—98) ; 1556—98 서반아 국왕, 영국의 공격에 무적 함대 파견》.

feliz *adj.* ① 행복한, 유쾌한, 즐거운, 반가운, 즐거운 듯한, 기쁜 : los esposos *felices* 행복한 부부. *F-* debe ser ese hogar 그 가정은 행복해야 한다. ¡*F-* Año Nuevo! 새해 복많이 받으십시오. ¡*F-* Pascuas de Navidad! 즐거운 성탄이 되기를 ! ¡*Feliz* cumpleaños! 생일을 축하합니다. ② 다행한(dichoso). ③ 적절한, 교묘한, 멋들어진 (oportuno, acertado) : una ocurrencia ~. Contr. infeliz, desgraciado.

felizmente *adv.* 행복하게, 즐겁게, 교묘하게, 잘(con felicidad).

fellah *m.* 이집트의 농부(felá).

felón, na *adj.* ① 음험한, 음흉한. ② 중죄를 범한. **—*m.f.*** 배반자, 배신자.

felonía *f.* 불성실 ; 배반 ; 비열(deslealtad).

felónico, ca *adj.* 《*Méx.*》 불성실한 ; 배신의.

felpa *f.* [*alem.* felbel] ① 우단, 벨벳. ② 구타 (paliza, reprensión) : dar *a uno* una ~ (누구를) 때리다 · 구타하다. ③ 질책(áspera reprimenda).

felpado, da *adj.* 우단 · 벨벳 같은(afelpado).

felpar *tr.* ① (…을) 우단 · 벨벳으로 덮다 · 씌우다. ② (부드러운 것으로) 덮다, 싸다 : La tierra *se felpó de* hierba 땅은 풀로 뒤덮였다.

felpeada *f.* 《*Arg. Urug.*》 엄한 꾸중 · 질책 (severos reproches).

felpear *tr.* 《*Riopl.*》 구타하다 ; 질책하다(dar una felpa).

felpilla *f.* 보드라운 비단실로 만든 줄 : La ~ suele usarse para guarnecer vestidos u otras cosas.

felpo *m.* =**felpudo.**

felposo, sa *adj.* 보드라운 털이 덮인.

felpudo, da *adj.* 보들보들한 털이 가득 나 있는 (afelpado). **—*m.*** (집 입구에 있는) 흙 터는 멍석.

felús *m.* (모로코에서) 돈(dinero).

F.E.M. fuerza electromotriz 전동력(電動力).

femar *tr.* 《*Ar.*》 똥으로 시비하다.

fematero, ra *adj.* 《*Ar.*》 똥을 모으는.

femenil *adj.* [*lat.* femina] ① 여자의, 여성의 : gestos *~es* 여자의 몸짓. ademanes *~es* 여자의 태도 · 몸매 · 모양. ② 여자로서의 : ternura ~ 여자다운 상냥스러움. Sinón. femenino. Contr. viril.

femenilidad *f.* 여성다움, 여자의 특성(carácter femenil).

femenilmente *adv.* 여자답게, 여성답게.

femenino, na *adj.* [*lat.* femeninus] ① 여자의, 여성의 : rasgos *~s* 여성의 풍모. gracia *~na* 여성의 정숙. ② 암컷의 : flor *~na.* ③ 여자다운, 연약한, 나약한(débil). ④【문법】 여성의 : género ~ 여성. sustantivo ~ 여성 명사. terminación *~na*【문법】여성 어미. Sinón. femenil. **—*m.***【문법】여성.

fementidamente *adv.* =**falsamente.**

fementido, da *adj.* 부실한 ; 눈속임의, 허위의, 거짓의.

femera *f.* 《*Ar.*》 =**estercolero.**

fémina *f.* [추상적] 여성, 여자(mujer).

femineidad *f.* ① 여자임, 여성의 특성 · 특질 ; 여자다움 : mayorazgo de ~ 여성 상속권. ② [집합] 여성.

femíneo, a *adj.* =**femenil.**

feminidad *f.* =**femineidad.**

feminismo *m.* 남녀 동권주의, 남녀 동등권론, 여권 존중론, 여권 확장 운동, 여성 해방론 : fomentar el ~.

feminista *adj.* 남녀 동등권론 · 여성 해방론의 : periódico ~. **—*m.f.*** 남녀 동등권론자, 여성 해방론자, 여권 주장자.

feminización *f.* 여성화.

feminizar *tr.* 여성화하다.

feminoide *adj.* (남성이) 여성 용모를 한.

femoral *adj.*【해부】대퇴부의, 대퇴골의 : arteria ~ 대퇴부 동맥.

fémur *m.* [*lat.* femur] ①【해부】대퇴골(大腿骨), 대퇴부, 넓적다리. ②【곤충】퇴절(腿節).

fenal *m.* 《*Ar.*》 =**prado.**

fenato *m.* =**fenolato.**

fenazo *m.* 《*Ar.*》 =**lastón.**

fenda *f.* (목재의) 갈라진 틈, 금이 간 자리.

fendi *m.* =**efendi.**

fendiente *m.* 대쪽 쪼개기(hendiente).

fenecer *tr.* 31 끝마치다, 끝내다, 마치다(acabar, concluir) : ~ una cuenta 계산을 끝내다. **—*intr.*** ① (기한이) 다하다(acabarse, terminarse). ② 사망하다, 죽다(morir). ③ 종언(終焉)을 고하다 : *Feneció* el barco en la tempestad.

fenecimiento *m.* 종결 ; 종언(終焉), 사망.

fenianismo *m.* 페니아 회원의 주의 · 운동.

feniano, na *adj.* 페니아회의. **—*m.f.*** 페니아 회원《아일랜드의 독립을 목적으로 한 미국에 사는 아일랜드 사람이 결성한 비밀 결사》.

fenicado, da *adj.* 석탄산(ácido fénico)을 함유한.

fenicar *tr.* 석탄산을 넣다.

fenice *adj.m.f.*【시어】=**fenicio.**

fénices *m.(f.) pl.* fénix의 복수형.

Fenicia *f.*【지명】페니키아《시리아 서북의 고대 국가》.

fenicio, cia *adj.* 페니키아의. **—*m.f.*** 페니키아 사람. **—*m.*** 페니키아말.

fénico, ca *adj.* 콜타르성의 ; 석탄산의 : ácido ~ 석탄산.

fenilamina *f.*【화학】(암모니아 고무에서 채취한) 유기 염기(base orgánica).

fenílico, ca *adj.* ① 석탄이 들어간. ② =**fénico.**

fenilmetano *m.*【화학】=**tolueno.**

fenilo *m.*【화학】페닐기(基).

fénix *m. (f.)* [*pl.* fénices, fénix] ①【이집트 신화】아라비아 사막에서 5백년 또는 6백년에 한번씩 스스로 타 죽고, 그 재 속에서 다시 젊은 모습으로 태어난다는 영조(靈鳥). ② [비유] 불사의 상징. ③ 대(大) 천재. ④ 봉황《중국의 상징적 영조》. ⑤【천문학】봉황좌. ⑥ 불세출의 위인 (persona superior, única en su clase) : Lope de Vega fue llamado por sus contemporáneos "el *Fénix* de los Ingenios". ⑦ 절세 미인 (등) ; 모

범. ⑧【식물】대추 종려(palmera)의 일종.

fennec *m.*【동물】펜넥《여우 비슷한 동물》.

fenogreco *m.*【식물】=**alholva.**

fenol *m.*【화학】석탄산, 페놀.

fenolato *m.*【화학】석탄산염.

fenólico, ca *adj.* 페놀의, 석탄산의.

fenología *f.* 생물 기후학.

fenomenal *adj.* ① 자연현상의, 자연 현상에 관한; 외관상의. ② 이상한. ③ 경이적인, 놀라운, 굉장한(extraordinario): un talento ~ 놀라운 재능. Se dio un golpe ~ 그는 심하게 부딪혔다.

fenomenalismo *m.*【철학】현상론; 실증주의, 경험주의(fenomenismo).

fenomenalista *adj.* 현상론적인; 실증·경험주의의. —*m.f.* 실증주의자, 경험주의자, 현상론자.

fenomenalizar *tr.* ⑨ 현상적으로 생각하다, 현상으로서 나타내다.

fenomenalmente *adv.* 자연 현상으로; 이상하게; 경이적으로, 놀랍게도, 굉장하게.

fenoménico, ca *adj.* 현상의, 외관상의.

fenomenismo *m.* =**fenomenalismo.**

fenómeno *m.* [*gr.* phainomenon] ① 현상(現象), 사상(事象). ②【철학】현상, 외상(外象). ③ 징후: ~ natural 자연 현상. ④ 경이(적인 것), 불가사의한 것, 괴상한 것, 진기한 것, 드물게 있는 사건. ⑤ 비범한 인물: Es un ~ en las matemáticas 그는 수학에 기재(奇才)이다. —*interj.* 훌륭하다!, 근사하다!, 멋있다! —*adv.* 훌륭하게, 근사하게, 멋있게: Con esta pluma se escribe ~ 이 펜으로는 멋있게 쓰인다.

fenomenología *f.*【철학】현상학(現象學).

fenomenológico, ca *adj.* 현상학적인.

fenotípico, ca *adj.*【생물】표현형의.

fenotipo *m.*【생물】현상형(型)《눈에 보이는 생물의 체질》.

feo, a *adj.* [*lat.* foedus] ① 못생긴, 보기 싫은, 추한, 모양이 보기 흉한, 꼴사나운: designio ~ 보기 흉한 디자인. mujer ~*a* 추한 여자, 못생긴 여인. Es una muchacha muy ~*a* 그녀는 매우 못생긴 소녀다. ② 추악한, 사악한; 지긋지긋한: crimen ~ 추악한 범죄. ③ 험악한, 불온한: La situación es ~*a* 사태는 험악하다. ④ 비열한, 비겁한: acción ~*a* 비겁한 행동. ⑤ 일·몸·기계가 말을 잘 듣지 않는: El asunto se pone ~ 일은 재미 없이 되었다. ⑥《*Arg. Col. Méx.*》냄새가 고약한 (de mal olor). ⑦《*Arg. Col. Méx.*》맛이 없는: dejar ~ 체면을 손상시키다.
—*m.* 모욕: Le hizo muchos ~*s* 이러쿵 저러쿵 하면서 모욕을 주었다.
—*adv.*《*Arg. Col. Méx.*》고약하게: Huele ~ 고약한 냄새가 난다. Sabe ~ 맛이 고약하다.

feofíceo, a *adj.*【식물】해초류(海草類)의. —*f.* 해초류과.

feote, ta *adj.* [*aum.* feo] 지독하게 못생긴.

feotón, na *adj. aum.* feote.

FEPRINCO Federación de la Producción de la Industria y el Comercio 상공 생산 연합.

feracidad *f.* 풍요, 비옥(fertilidad).

feral *adj.* [*lat.* feralis] 잔혹한, 잔인한(cruel, feroz). —*f.pl.* (옛날 사람들이 죽은 사람을 기리기 위해 2월에 행한) 축제.

feraz *adj.* [*lat.* feras, acis] 기름진, 비옥한, 풍요한(fértil): vega ~.

féretro *m.* 관, 널. Sinón. ataúd.

feria *f.* [*lat.* feria] ① (일정한 장소나 날짜에 노천에 서는) 장(場), 시장; 견본 시장(~ de muestras): ~ comercial 무역 견본 시장. ~ de exportación 수출 견본 시장. ~ internacional (de muestras), ~ mundial 국제 견본 시장. *F-* Internacional de Comercio de Muestras 국제 견본 시장. ~ flotante 수상(水上) 견본 시장. remate ~ 경매 시장. llevar ganado a la ~ 장에 가축을 데리고 가다. ② 거래(trato). ③ (토요일·일요일 이외의) 요일: ~ segunda 월요일. ~ tercera 화요일. *Ferias* Mayores 성주간의 주일. ④ 휴일(休日), 쉬는 날(descanso o suspensión del trabajo). ⑤《*AmérC.*》팁(propina). ⑥《*Méx.*》잔돈(dinero menudo), 거스름돈(cambio). ⑦ *pl.* 장이 서는 날 내놓는 물건(adehala, ñapa): dar ~*s* (장날에) 물건을 내놓다·선물하다. ⑧ 박람회, 전람회, 전시회: ~ agrícola·del campo 농업 전시회, 농산품평회. ~ de electrotécnica 전자 공학 제품 전시회. ~ de maquinaria 기계 전시회. ~ del hogar 가정용품 전시회. ~ industrial·de la industria 산업 전시회. ⑨ 연례 축제.

feriado, da *adj.* 휴일의, 공휴의: día ~ 휴일 (el día de descanso). —*m.*《*Amér.*》(일반적으로) 휴일: Se declara ~ el 17 십칠일은 휴일로 발표되어 있다.

ferial *adj.* 요일(曜日)의; 장이 서는; 축제의. —*m.* 장이 서는 곳, 시장(feria).

feriante *adj.m.f.* 장에 모이는 (사는 사람·파는 사람).

feriar *tr.* ⑪ [*lat.* feriari] ① 장에서 사다·팔다, 장에서 거래하다. ② 물건을 교환하다. ③ 장날에 선물을 보내다(dar ferias). ④《*Amér.*》모조리 써버리다. —*intr.* 휴업하다.

ferino, na *adj.* [*lat.* ferinus] ① 맹수의, 맹수 같은(feroz, de fiera). ② 흉포한. ③ (병세에서) 악성의: tos ~*na* 백일 기침. Sinón. coqueluche.

fermata *f. ital.*【음악】=**calderón (𝄐).**

fermentable *adj.* 발효성의, 발효될 수 있는: substancia ~ 발효 물질.

fermentación *f.* ① 발효 (작용): ~ alcohólica 알코올의 발효. La ~ de los líquidos azucarados produce alcohol 맛이 단 액체의 발효는 알코올을 만든다. ② 소요, 인심의 동요, 마음의 동요, 흥분.

fermentado, da *adj.* fermentar의 *p.p.*

fermentador, ra *adj.* =**fermentante.**

fermentante *adj.* 발효시키는; 들끓는 (듯한).

fermentar *intr.* [*lat.* fermentare] ① 발효하다. ② (마음이) 동요하다, 끓어오르다, 흥분하다, 들끓다. —*tr.* 발효시키다: *Fermenta* el mosto en la cuba 통에 포도즙을 발효시킨다.

fermentativo, va *adj.* 발효성의, 발효력이 있는.

fermentescible *adj.* 발효할 수 있는.

fermento *m.* [*lat.* fermentum] 효모, 효소, 발효.

fermio *m.*【화학】페르뮴《방사성 원소; 기호

Fm》.
fernandina *f.* (옛날의) 실로 짠 천.
fernandino, na *adj.* Fernando의 이름을 가진 왕 특히 Fernando 7세의.
Fern.[do] Fernando.
feroce *adj.* 【시어】 =**feroz.**
ferocidad *f.* ① 사나움, 흉포성, 잔인성 : la ~ del tigre. ② 폭언 ; 난폭. Contr. dulzura, bondad.
feróstico, ca *adj.* ① =**irritable.** ② 못생긴, 추한, 추악한(muy feo).
feroz *adj.* [*lat.* ferox, ferocis] ① 사나운, 흉포한, 잔인한 : un ~ bandido 잔인한 불한당. mirada ~ 흉포한 시선. El tigre es un animal ~ 호랑이는 사나운 동물이다. Sinón. cruel, inhumano. Contr. manso, suave. ② 굉장한, 지독한 : una ~ inundación 굉장한 홍수. Sinón. tremendo.
ferozmente *adj.* 사납게, 잔인하게, 흉포하게 (con ferocidad).
ferra *f.* 【어류】 =**farra.**
ferrada *f.* [드뭄] =**maza.**
ferrado, da *adj.* [ferrar의 *p.p.*] ① 철의, 철같은. ② 철로 씌운. —*m.* ① 철괴(鐵塊). ② 지적의 단위《4~6 áreas》.
ferrancho *m.* 《*Gal.*》 =**hierro viejo.**
ferrar *tr.* ⑲ 철을 씌우다 ; 철을 대어 보강하다 ; 철로 꾸미다(herrar).
ferrarés, sa *adj.m.f.* 페라라 《Ferrara, 이탈리아의 주》의 (사람).
ferrato *m.* 【화학】 철산염(sal del ácido férrico).
ferre *m.* 《*Ast.*》 【조류】 큰 새의 일종(azor).
ferreal *m.* 《*Sal.*》 포도의 일종.
ferreamente *adv.* 강철 같이.
ferreña *adj.* ***nuez*** ~ 껍질이 단단한 호두.
férreo, a *adj.* [*lat.* ferreus] ① 쇠·철(hierro)의 : vía ~*a* 철도, 레일. ② 철분의, 철을 함유한, 철분성의. ③ 쇠같은, 단단한, 강고(强固)한 : voluntad ~*a* 강고한 의지. ~*a* condición 단단한 상태. ④ 철기 시대의.
ferrería *f.* 제철소, 제강 공장(forja).
ferreruelo *m.* 【고어】 두건이 없는 짧은 망토 (capa corta sin capilla).
ferrete *m.* ① 【화학】 단반(sulfato de cobre) : El ~ se emplea en tintorería. ② (각인에 쓰는) 끌.
ferretear *tr.* 제철하다(ferrar) ; 철로 세공하다 ; (…에) 소인(燒印)을 찍다.
ferretería *f.* ① 제철소(ferrería). ② 철물상. ③ [집합] 철물. ④ 《*Amér.*》 철물 공장.
ferretero, ra *m.f.* 철공소 주인 ; 철물 상인.
ferretreque *m.* 《*Cuba.*》 혼란(lío, desorden).
ferretretes *m.pl.* 《*Col.*》 도구류, 기구류.
ferribote *m.* 연락선, 페리보트.
ferricianuro *m.* 【화학】 페리시안화물(化物).
férrico, ca *adj.* (제2) 철의·을 함유한 ; 철염(鐵鹽)의 : sal ~*ca* 철염.
ferrífero, ra *adj.* 철분이 함유된.
ferrificarse *r.* ⑦ 철화(鐵化)하다.
ferrita *f.* ① 【화학】 아산철염. ② 【야금】 지철 (地鐵).
ferrizo, za *adj.* [드뭄] 철의, 쇠의.
ferro *m.* 닻(áncora, ancla). —*m.pl.* 《*Arg.*》 돈 (dinero).
ferroalumino *m.* 【화학】 알루미늄철.
ferrobús *m.* =**automotor, autovía.**
ferrocarril *m.* 철도 : mandar *por* ~ 철도편으로 보내다. ~ aéreo 고가 철도(teleférico). ~ de cintura·circunvalación 환상선(環狀線). ~ de cremallera 아프트식 철도. ~ de vía ancha·estrecha 광궤·협궤 철도. ~ de Estado 국유 철도. ~ Nacional 《*Arg.*》 국영 철도. ~ de sangre 철도 마차. ~ funicular 케이블카. ~ metropolitano·subterráneo 지하 철도.
ferrocarrilero, ra *adj.* 《*Amér.*》 철도의(ferroviario).
ferrocianuro *m.* 【화학】 페로시안화물(化物).
ferrocino *m.* =**sarmiento bastardo.**
ferroconcreto *m.* 철근 콘크리트.
ferrocromo *m.* 【화학】 크롬철.
ferrolano, na *adj.m.f.* 엘 페롤 델 까우디요 《El Ferrol del Caudillo, La Coruña주의 도시》의 (사람).
ferromagnético, ca *adj.* 【물리】 강자성(强磁性)의, 철자성의.
ferromanganeso *m.* 【화학】 망간철.
ferromolibdeno *m.* 【화학】 몰리브덴철.
ferrón *m.* 제철공(工).
ferronas *f.pl.* 【은어】 =**espuelas.**
ferroníquel *m.* 니켈철 《철과 니켈의 합금》.
ferropea *f.* 《*Gal.*》 =**arropea.**
ferroprusiato *m.* ① =**ferrocianuro.** ② 사진 복사.
ferroso, sa *adj.* 철의 ; 철분을 함유한 ; 산화철의 : óxido ~ 제일 산화철.
ferrotipo *m.* 페로타이프, 철판 사진(법).
ferrotungsteno *m.* 【화학】 텅스텐철.
ferrovía *f.* 철도.
ferrovial *adj.* =**ferroviario.**
ferroviario, ria *adj.* ① 철도(ferrocarril)의 : acciones ~*rias* 철도 주(株). red ~*ria* 철도망. tráfico ~ 철도 운수. ② 철도에 관계되는. —*m.f.* 철도원.
ferruco, ca *adj.* 《*Méx.*》 【고어】 =**catrín.**
ferrugiento, ta *adj.* 철의, 쇠의 ; 쇠같은.
ferrugíneo, a *adj.* [드뭄] =**ferruginoso.**
ferruginoso, sa *adj.* 철분을 함유한 : agua mineral ~ 함철 광수(含鐵鑛水). —*m.* =**medicamento** ~.
ferry-boat *m.* *ing.* 나룻배, 연락선.
fértil *adj.* [*lat.* fertilis] ① 기름진, 비옥한(feraz) : tierra ~. ② 풍부한 : ~ *de*·*en* gracias 질적으로 좋은 것이 많은. Sinón. fecundo, rico. Contr. estéril, árido, infecundo.
fertilidad *f.* ① 비옥, 기름짐(~ natural). ② (창의성 등의) 풍부함, 푸짐함. Contr. esterilidad, aridez.
fertilizable *adj.* 비옥할 수 있는, 비옥하게 할 수 있는.
fertilización *f.* (땅을) 걸게 함, 비옥하게 하는 일 ; 다산화(化).
fertilizador, ra *adj.* =**fertilizante.**
fertilizante *adj.* 비옥하게 하는, 밑거름이 되는. —*m.* 비료(abono) : ~ fosfatado 인산 비료. ~ nitrogenado 질소 비료. ~ químico 화학 비

F

료.

fertilizar *tr.* 9 ① (땅을) 걸게 하다, 비옥하게 하다, 기름지게 하다(abonar). ② 풍요하게 하다 : ~ un terreno. Contr. esterilizar.

férula *f.* ①【식물】아위(cañaheja). ② (때리는 데 쓰는) 나무 주걱. ③ (정골·뼈 치료에 쓰는) 부목(副木).
estar bajo ~ 엄격한 지도를 받고 있다.

feruláceo, a *adj.* 아위(férula) 같은.

fervencia *f.* =**hervencia.**

ferventísimo, ma *adj. sup.* ferviente.

férvidamente *adv.* 열렬히.

férvido, da *adj.* 【시어】불타는 듯한, 열렬한 (ardiente).

ferviente *adj.* 열심인, 열렬한(fervoroso).

fervientemente *adv.* 열심히, 열렬하게, 열정적으로(con fervor).

fervor *m.* [*lat.* fervor] 열정, 열렬, 열심 : con ~ 열심히. ~ de exportación · importación 수출·수입열.

fervorar *tr.* =**fervorizar, enfervorizar.**

fervorín *m.* =**hervor.**

fervorizar *tr.* 9 격려하다(enfervorizar).

fervorosamente *adv.* =**fervientemente.**

fervoroso, sa *adj.* 열심인, 열렬한(ferviente) : hombre ~. Contr. frío.

fervorotada *f.* 《*And.*》 거친 행동.

feseta *f.* 【방언】괭이(azada).

fesoria *f.* =**feseta.**

festear *tr.* 【방언】=**festejar.**

festejada *f.* 《*Méx.*》 때리기, 타격, 구타(zurra, paliza).

festejador, ra *adj. m.f.* 환대하는·비위를 맞추는 (사람).

festejante *adj.* =**festejador.**

festejar *tr.* ① 극진히 대접하다, 환대하다 : ~ a un huésped 손님을 환대하다. ② 축하하다 : Vamos a ~ tu cumpleaños 군의 생일을 축하하자. ③ 구슬리다, 아양 떨다, 비위를 맞추다 (galantear). ④ 《*Méx.*》 때리다, 치다, 구타하다, 매질하다(azotar, golpear).
~se 재미있게 놀다(divertirse).

festejo *m.* ① 축하연, 잔치. ② 환대. ③ 구슬림 (galanteo). —*pl.* 야단법석, 즐겁게 보내기, 잔칫날처럼 떠들썩하게 지내기.

festero, ra *m.f.* =**fiestero.**

festín *m.* [*dim.* fiesta] (가정적인) 연회, 향연 (banquete) : dar un espléndido ~ 굉장한 연회를 베풀다·열다.

festinación *f.* [*lat.* festinatio] 급히 서두름, 신속(gran prisa).

festinar *tr.* ① 《*Amér.*》 빨리 하다, 서두르다, 서둘다(apresurar) : *Festinaron* la revolución 시기를 기다리지 않고 혁명을 일으켰다. ② 《*AmérC.*》 =**festejar.**

festival *m.* [*lat.* festivalis] ① 축제, 제전. ② 예술제, 음악제. ③ (정기적인) 계절의 축제 : un ~ de música 음악제. un ~ de natación 수영축제. el ~ de Wagner 와그너 음악제.

festivamente *adv.* 흥겹게, 쾌활하게, 명랑하게, 즐겁게(alegremente).

festividad *f.* ① [*lat.* festivitas] 축제, 축연, 축전, 제전(fiesta) ; 제일(祭日) : ~ de San Juan 산후안의 제일. Se celebran dos ~*es* en el mes de octubre 10월에는 축제일이 두 번 있다. ② 가벼운 익살(donaire). ③ 경구.

festivo, va *adj.* ① 흥겨운, 명랑한, 쾌활한 : hombre ~ 명랑한 사람. ② 경축의(solemne, de fiesta) : día ~ 경축일.

festón *m.* ① 꽃줄《꽃·잎·색종이·리본 따위를 길게 엮은 장식》. ②【건축】꽃줄 무늬 장식 (adorno a manera de festón).

festonar *tr.* 꽃줄로 장식하다 ; 꽃무늬의 단을 붙이다 ; (…에) 꽃무늬를 새기다 : ~ sábanas 시트·홑이불에 꽃무늬를 새기다.

festoneado, da *adj.* 꽃줄로 장식된.

festonear *tr.* =**festonar.**

festuca *f.* 【식물】(초원에 많이 있는) 풀과 식물.

F.E.T. Falange Española Tradicionalista 서반아 국수 동지당.

fetación *f.* =**desarrollo del feto ; gestación.**

fetal *adj.* 태아(feto)의 : estado ~.

fetén *adj.* ① =**verdadero.** ② =**formidable.** —*adj.* =**muy bien.**

feticida *adj.* 낙태의 : substancia · maniobra ~. —*m.f.* 태아 살해범, 낙태한 여자.

feticidio *m.* 태아 살해, 낙태.

fetiche *m.* [*port.* feitico] (미개인의) 우상. Sinón. ídolo.

fetichismo *m.* 페티시즘, 물신(物神) 숭배, 주물(呪物) 숭배 ; 맹목적인 숭배 ; 미신.

fetichista *adj.* 주물 숭배의 ; 미신적인 : Los negros de Africa suelen ser ~*s*. —*m.f.* 주물 숭배자.

fetidez *f.* 고약한 냄새, 악취(hediontez, hedor) : ~ del aliento.

fétido, da *adj.* 악취가 나는, 냄새가 고약한, 코를 들 수 없는(hediondo).

fetiquismo *m.* =**fetichismo.**

feto *m.* [*lat.* fœtus] 태아(engendro).

fetor *m.* 악취(hedor).

feúco, ca *adj.* 추악한(muy feo).

feúcho, cha *adj.* =**feúco.**

feudal *adj.* 봉건의, 봉건제의 : régimen ~ 봉건제. señor ~ 영주.

feudalidad *f.* 봉건성 ; 봉건 제도, 봉건주의.

feudalismo *m.* 봉건주의, 봉건 제도(régimen feudal).

feudar *tr.* 공물을 바치다(tributar).

feudatario, ria *adj.* 봉지(封地)를 받는. —*m.* 봉신(封臣), 영주.

feudista *m.* 봉건 제도 연구가.

feudo *m.* ① 봉토, 영지 ; (군주에 대한 봉신의) 공물 : pagar ~. ② 신도. ③ 노예.

fez *m.* (터키) 펠트 모자.

FF.CC. ferrocarriles 철도.

FFPS Fondo Fiduciario de Progreso Social 사회 진보 신탁 기금.

FFS Frente de las Fuerzas Socialista 알제리아의 사회주의 군사 전선.

fg frigoría.

fha. fecha 날짜.

fhdo (da). fechado, da …날짜의 : su grata *fhda.* del actual 이 달 5일자의 귀 서한.

fi *f.* =**phi.**

fía *f.* ①《*Extr. Sant.*》 외상 판매. ②《*Logr.*》 = **fianza fiador.**

fiabilidad *f.* 신뢰성, 신빙성.

fiable *adj.* 신용할 수 있는.

fiacre *m.* 《*Galic.*》 마차.

fiado, da *adj.* 일임 받은 ; 신용을 얻은 · 얻어 : comprar · tomar · pedir ~ 후불 · 외상으로 사다.
al ~ 신용으로, 후불로, 외상으로 : comprar *al* ~ 외상으로 사다. venta *al* ~ 외상 판매.
en ~ 보석(保釋)으로, 보증 하에.

fiador, ra *m.f.* 보증인, 인수인 : salir ~ *por* … 의 보증인이 되다. **—***m.* ① 끈(cordón) : ~ del sombrero · del sable. ②(문 · 창문의) 고리, 고리쇠. ③(톱니바퀴의) 제동 장치. ④(총의) 안전 장치 ; (어린아이의) 궁둥이, 둔부(臀部), 엉덩이(nalgas). ⑤《*AmérM.*》 턱끈.

fiadora *f.* (의류나 장신구의) 월부 판매 여인.

fiala *f. gr.* 【고어】 (손잡이가 둘 달린) 항아리.

fiambrar *tr.* 피암브레를 만들다 ; 식은 요리로 만들다 ; 도시락으로 만들다 : ~ tocino.

fiambre *adj.* ① 차갑게 먹는. ② 때늦은 : noticia ~. **—***m.* ①(11월 6일 망령제 전야에 먹는) 피암브레. ② 냉육(冷肉) 요리 : El jamón es un ~. ③《*Arg.*》 초상집에서 밤새하는 모임. ④ 시체(cadáver).
al ~ 《*Guat.*》 외상으로(al fiado).

fiambrera *f.* 도시락통 ; 보온식 찬합 ; 찬장.

fiambrería *f.* ①《*Arg. Chile. Urug.*》 fiambre를 파는 곳. ②《*Arg.*》 순대집(choricería).

fiambrero, ra *m.f.* 《*Arg.*》 피암브레 요리인.

fianza *f.* ① 보증, 담보 : dar ~ 보증하다. ~ de cumplimiento · ejecución 계약 보증. ~ en vigor 유효 보증. ② 보증금, 담보물 : depositar ~ 보증금 · 보석금을 납부하다. Hay que depositar ~ para conseguir ciertos empleos 어떤 직을 얻기 위해서는 보증금을 적립하지 않으면 안된다. bajo ~ 보석금을 내고. ③ 증거금. ④ 채권, 회사채, 공채 증서. ⑤ 보증인.
~ *carcelera* 보석금 : Le han puesto en libertad bajo ~ *carcelera* 그는 보석금을 내고 석방되었다.

fiar *tr.* ⑫ [*lat.* fidere] ① 보증하다. ② 외상으로 맡기다, 기탁하다 : Le *he fiado* mis bienes 나의 재산 관리를 그에게 맡겼다. ③(믿고) 털어놓다 : ~ un secreto 비밀을 털어놓다. ④《*AmérC. Col.*》 외상으로 사다. **—***intr.* [+en · de : …을] 믿다(confiar) : *Fío en* Dios que me socorrerá 하느님이 구해줄 것으로 믿다.
~se [+a · de · en : …을] 신뢰하다, 신용하다 : *Me fío de · a* mi amigo 나는 친구를 신임한다. No *me fío de* lo que dice 그가 말하는 것을 나는 믿을 수 없다.
~ *en sí* 자신을 가지다.
ser de ~ 믿을 만 하다 : Ese hombre no *es de* ~ 그 남자는 믿을 수 없다.

fiasco *m.* [*ital.* fiasco] 실패(fracaso, mal éxito) : un ~ completo 완전한 실패. hacer ~ 실패하다(fracasar).

fíat *m.* 동의, 승락(consentimiento) : dar el ~ 동의하다, 승락하다. **Contr.** veto.

fibra *f.* [*lat.* fibra] ① 섬유 ; 섬유질, 섬유 조직 : ~ artificial 인조 섬유. ~ mineral 광물 섬유. ~ muscular 근육 섬유. ~ química 화학 섬유. ~ sintética 합성 섬유. ②(식물의) 잔뿌리. ③(광석의) 결, 석리(石理). ④ 활력, 힘(energía, vigor) : Es hombre de mucha ~ 그는 매우 늠름한 남자이다.

fibrana *f.* 《*Neol.*》 인조 양모(lana artificial).

fibravidrio *m.* 섬유 유리.

fibrila *f.* =**fibra pequeña.**

fibrilado, da *adj.* 섬유로 된.

fibrilar *adj.* =**fibrilado.**

fibriloso, sa *adj.* 섬유로 만든.

fibrilla *f.* ①(근육 · 신경 세포의) 가는 섬유. ②【식물】 뿌리털, 수염 뿌리.

fibrina *f.* 【생화학】 섬유소 : Aparece la ~ en el momento de la coagulación de la sangre.

fibrinógeno *m.* 【생화학】 섬유소 원(原), 피브리노겐.

fabrinoso, sa *adj.* 섬유가 있는, 섬유질의.

fibrocartilaginoso, sa *adj.* 섬유 연골의.

fibrocartílago *m.* 【해부】 섬유 연골(軟骨).

fibrocemento *m.* (석면과 시멘트의) 합성 건축 재료.

fibroelástico, ca *adj.* 합성 섬유질의.

fibroideo, a *adj.* 섬유성의.

fibroína *m.* 【화학】 견소(絹素), 피브로인.

fibroma *m.* 【의학】 섬유종(纖維腫) (tumor benigno).

fibroso, sa *adj.* 섬유의, 섬유질의, 섬유소가 있는 : carne ~*sa* 섬유질이 들어 있는 고기. tejido ~ 섬유 조직.

fíbula *f.* [*lat.* fibula] 【고고학】 걸쇠.

ficante *m.* 【은어】 =**jugador.**

ficar *intr.* ⑦ ①【은어】 =**jugar.** ②【고어】 = **quedar.**

ficaria *f.* 【식물】 (아네모네 무리에 속하는) 노랑꽃.

ficción *f.* [*lat.* fictio] ① 꾸며낸 이야기, 허구, (허구의) 이야기 : dejarse engañar por una ~ fabulosa. ② 가공, 가설. ③【법률】 의제(擬制), 가설 : ~ legal · de derecho 법률상의 의제.

ficcioso, sa *adj.* 《*Chile.*》 가공의, 허위의, 거짓의(fingido).

fice *m.* 【어류】 (유럽산의) 작은 대구.

ficha *f.* ①(공중 전화 · 주차기 · 지하철 등에서 동전 대신 사용하는) 표 · 토큰 ; 피차 : ~ de teléfono 공중 전화용 피차. ②(도미노 · 마작 등의) 패, 말. ③ 정리 카드 ; 칩, 표(cédula) : ~ de almacén 재고 관리 정리 카드. ~ de delincuente 범죄자 조서 카드. ~ de reloj · tiempos 근무 시간표, 출퇴근 시간 카드. ~ perforada 펀치 카드. ~ de inscripción al club 클럽 가입 등록표. ~ antropométrica 인상 조사표. ④【전기】 플러그. ⑤《*Amér.*》 무뢰한, 건달, 장난꾼(pillo, bribón). ⑥(경찰의) 요시찰인 명부. ⑦《*AmérC. Arg.*》 5센따보화. ⑧《*Hond.*》 작은 은화(moneda de plata pequeña).
de mala ~ 못된, 막되먹은, 돼먹지 못한 ; 딱지가 붙은.

fichaje *m.* (선수의) 전속 입단 ; 그 지불금.

fichar *tr.* ① 카드로 작성하다, 카드에 기입하다, 블랙 리스트에 기입하다(apuntar en una ficha). ② 인상서를 작성하다. ③(선수를) 팀의 전속으로 하다. ④《*Cuba. Col.*》 사기치다, 농락하다, 속이다(engañar). **—***intr.* ① 출근 카드에 시간을

F

기록하다. ② (선수가) 전속이 되다. ③《*Col.*》사망하다, 죽다.

fichero *m.* 카드 상자, 카드 정리함, 파일 케이스 : El ~ es caja o mueble donde se guardan ordenadamente las fichas o cédulas 파일 케이스는 카드나 파일을 순서로 보관되어 있는 상자나 가구이다.

fichingo *m.*《*Bol.*》작은 칼(cuchillo pequeño).

fichú *m.*《*Galic.*》여자의 숄(toquilla)의 일종 ; 스카프.

ficiforme *adj.* 무화과 모양의.

ficoeritrina *f.* 붉은 색소.

ficófago, ga *adj.* 해초를 먹는.

ficoideo, a *adj.*【식물】무화과 무리의. **—***f. pl.* 무화과 무리.

ficología *f.* 해초학.

ficomiceto *m.*【식물】조균류의 일종.

ficticio, cia *adj.* ① 가공의, 상상적인 : historia *~cia.* Sinón. falso, fingido, simulado. ② 거짓의, 허구의, 허위의. ③ 가정상의, 가정적인.

ficúlidos *m.pl.* 조개의 일종.

fidalgo, ga *m.f.*【고어】=**hidalgo.**

FIDE Fondo de Inversiones para el Desarrollo Económico 경제 개발 투자 기금.

fidecomiso *m.* =**fideicomiso.**

fidedigno, na *adj.* 믿을 만한, 정통한, 신뢰할 수 있는(digno de fe) : testimonio ~ 신뢰할 수 있는 증언. Sinón. fechaciente, veraz.

fideería *f.* 피데오·국수(fideo) 가게·공장.

fideero, ra *m.f.* 면·국수(fideo) 제조인(fabricante de fideos y pastas).

fideicomisario, ria *m.f.* 피신탁자, (주식 응모인의) 수탁자 ; 수탁 위원.

fideicomiso *m.* ① 신탁 : ~ caritativo 공익 신탁. ~ de pensiones 연금 신탁. ~ de sociedad anónima 트러스트 결사. ~ irrevocable 취소 불능 신탁. ~ particular·privado 개인 신탁. ~ perpetuo 영구 신탁. dar en ~ 신탁하다. ② 신탁 통치.

fideicomitente *m.f.* 신탁자.

fideísmo *m.*《*Neol.*》신념론, 신앙 절대주의.

fidelería *f.*《*Arg. Perú.*》=**fideería.**

fidelidad *f.* ① 충실, 충성, 성실 ; 정숙 : La ~ de los perros es admirable 개의 충실성은 놀랍다. ② 정확, 정밀(도)(exactitud) : la ~ de un relato 이야기의 정확성. alta ~ 하이파이(전축). La ~ es una virtud 정확함은 아름다운 점이다. El documento se copió con toda ~ 서류는 아주 정확하게 복사됐다. Contr. infidelidad, deslealtad.

fidelísimo, ma *adj.* [*sup.* fiel] 극히 충실한(muy fiel).

fideo *m.* ① 피데오, 면, 국수 ; 스파게티. ② 꼬챙이처럼 마른 사람(persona muy delgada). ③《*Arg.*》야유, 조롱(burla).

fiduciario, ria *adj.* 신탁의, 신용에 의한 : emisión *~ria* 지폐 발행, 신용 발행, 무준비 발행. circulación *~ria* 지폐, 무준비 발행 지폐. papel ~ 지폐, 무준비 발행 지폐. préstamo ~ 무담보 신용 대부금. valor ~ 신탁 가격. **—***m.f.* 수탁자, 피신탁자.

fiebre *f.* [*lat.* febris] ① 열(熱), 발열 ; 열병 (calentura) : ~ amarilla 황열병. ~ cuartana 사일열. ~ escarlatina. ~ héctica 소모열. ~ intermitente 간헐열. ~ láctea 산모의 유방열. ~ palúdica 말라리아열. ~ paratifoidea 파라티프스. ~ peurperal 산욕열. ~ tifoidea 장질부사. ② …열(熱) : ~ de negocios 사업열. ③ 혼란 : la ~ política 정치적 혼란. ④《*Chile.*》악당.

fiel *adj.* ① [+a·con·para·para con : …에 대해] 충실한 : amigos *~es* 충실한 친구. ~ *a·con·para·para con* sus amigos 친구에 대해 충실한. ~ *en* su creencia 신념에 충실한. ~ relato 충실한 보고. ② 정확한(exacto) : reloj ~ 정확한 시계. ③ 마음이 깊은. ④ 정직한(honrado) : empleado ~ 정직한 직원. **—***m.f.* 신자(信者). **—***m.* ① 검사관 : ~ contraste 도량형기 검사관. ~ de romana 도살장의 검사관. ② (저울의) 눈(lengueta). ③ (가위·단단한 용수철·스프링 등의) 못, 굴대(clavija).

en ~ 정확하게.

en el ~ 균형을 이루어.

fielato *m.* ① 검사관의 직. ② 입시(入市) 세관.

fielazgo *m.* =**fielato.**

fieldad *f.* 검사관서(署) ; 정확.

fielmente *adv.* 충실하게 ; 정확히.

fieltrar *tr.* 펠트를 가공하다.

fieltro *m.* ① 펠트 양탄자. ② 펠트 모자(sombrero de fieltro).

fiemo *m.* 똥(estiércol).

fiera *f.* [*lat.* fera] ① [집합] 맹수 ; 야수 : Se puso como una ~ 그는 격분했다. ②【투우】소. ③ 사나운 남성, 잔혹한 사람(persona irritada o cruel). **—***pl.* 맹수류.

fierabrás *m.* [*pl.* fierabrases] 심술 사나운 어린이(niño muy travieso).

fieramente *adv.* 잔혹·잔인하게 ; 격렬하게 (con fiereza).

fiereza *f.* ① 잔인, 잔혹, 냉혹. ② 맹렬, 격렬함 : con ~. ③ 추악.

fiero, ra *adj.* [*lat.* ferus] ① 사나운, 흉포한 (feroz) : animal ~ 사나운 동물. ② 잔인한, 맹수 같은 : corazón ~. ③ 큰, 거대한(grande, enorme) : ~ gigante. ④ 굉장한, 심한, 무시무시한(horroroso) : ~ huracán. ⑤ 더러운, 추잡스런, 추악한(feo) : una niña *~ra.* ⑥《*Galic.*》거만한, 거드름피우는, 거드름부리는. **—***m.pl.* 협박, 위협 : hacer·echar *~s* 협박하다.

fierra *f.*《*Col. Guat. Méx.*》(목축의) 낙인, 소인.

fierro *m.* ①《*Amér.*》철(hierro). ②《*Guat. Hond. Perú.*》소인, 낙인(marca del ganado). ③《*Méx.*》【속어】돈 ; 뻬소(peso). **—***pl.* ①《*Ecuad.*》도구(heramienta). ② 칼. ③《*Amér.*》돈(dinero).

fiesta *f.* [*lat.* festa] ① 환희, 기쁨, 즐거움(alegría) : Estamos hoy de ~. ② 신소리, 농담(broma) : No está para *~s* 웃을 일이 아니다. ③ …제, 제전 ; 축(제)일 : día de ~ 축제일. ~ nacional 국경일. *F-* del Trabajo 메이데이, 노동자의 날. ④ 휴일 : ~ oficial 공휴일. ⑤ 파티, 향연, 축하회, 행사 ; 무도회. ⑥ *pl.* 강탄제·부활절 휴가. ⑦ 어리광 ; 비위 맞추기 : hacer *~s* 비위를 맞추다.

la ~ nacional 투우(corrida de toros).

aguar(se) la ~ 흥을 깨다.
hacer ~ 일을 쉬다.
no estar para ~*s* 기분이 나쁘다, 심기가 불편하다.
Se acabó la ~ (싸움을 말릴 때) 그만둬라.
Tengamos la ~ *en paz* 소란을 피우지 맙시다.

fiestear *intr.* 《*Perú. PRico.*》 신나게 놀다(estar de fiesta).
fiestero, ra *adj.* =**bullanguero.**
fifí *m.f.* 《*Méx.*》 =**petimetre, vago, ocioso.**
fifia *f.* 《*Méx.*》 =**pifia.**
fifiriche *adj.* 《*AmérC. Méx.*》 깡마른, 말라빠진. —*m.* 《*AmérC. Méx. Perú.*》 맵시꾼.
fifirifao *m.* 《*Hond.*》 =**convite escaso y malo.**
figana *f.* (집의 곤충을 없애기 위해 기르는) 닭 종류의 새.
fígaro *m.* ① 이발사 (peluquero, barbero). ② 웃옷의 일종(torera).
figle *m.* [*fr.* ophicléide] 【악기】 저음의 금관 악기 《큰 나팔의 일종》; 그 연주자.
figo *m.* 【고어】 =**higo.**
figón *m.* (싸구려) 식당, 대중 식당, 음식점.
figonero, ra *m.f.* 음식점 주인.
figueral *m.* =**higueral.**
figuerense *adj.m.f.* 피게라스 《Figueras, Gerona 주의 도시》의 (사람).
figueroa *f.* 【식물】 《*Ecuad.*》 피게로아 《재목용 나무》.
figulino, na *adj.* 자기 · 도자기 제품의 : estatuilla ~*na.* —*f.* 도자기 제품의 인형.
figura *f.* [*lat.* figura] ① 모습, 생김새, 맵시, 모양, 외모(aspecto). ② 얼굴, 용모(cara) : el Caballero de la Triste *F*-. ③ 상(estatua) : una ~ de tamaño natural. ④ 초상, 화상. ⑤ 인형. ⑥ 상징(símbolo) : El cordero pascual era ~ de la Eucaristía. ⑦ 인물, 거물(personaje) : ~ decorativa 장식적인 인물. las grandes ~*s* de la historia 역사상의 위대한 인물. ⑧ 그림 무늬; 삽화. ⑨ 카드에서의 무늬패. ⑩ 그림; 【기하】 도형 : trazar una ~. ⑪ 도해. ⑫ 【음악】 음부. ⑬ (무용의) 몸짓 : baile de ~*s* 스퀘어 댄스. ⑭ 【스케이트】 피겨. ⑮ 수사(修辭), 변격(變格). —*m.f.* 못생긴 사람, 추남, 추녀.
figurable *adj.* 상상할 수 있는; 성형(成形)할 수 있는.
figuración *f.* [*lat.* figuratio] ① 도표로 표시하는 일. ② 형상, 형태, 외형. ③ 비유적 표현. ④ 《*Galic.*》 [집합] (연극의) 단역. ⑤ 《*Arg.*》 역할, 구실(papel).
figuradamente *adv.* 전의(轉義)로서, 비유적으로; 수사적으로(con sentido figurado).
figurado, da *adj.* ① 전의의, 전화(轉化)한, 비유적인 : hablar en el sentido ~. ② 수사체의, 파격의, 변칙의 : estilo · lenguaje ~. ③ 처음과 달라진. ④ 무늬가 든.
fermento ~ 세균(細菌), 박테리아(bacteria), 미생물(microbio), 유기 효소(fermento orgánico).

figural *m.* 생각의, 상상의.
figurante, ta *m.f.* (무대의) 보조역, 단역, 엑스트라.
figuranza *f.* 유사, 흡사; 닮은 상.
figurar *tr.* [*lat.* figurare] ① 모양짓다, 조각 · 그림으로 나타내다; 도형으로 나타내다; …에 무늬를 넣다, (…의) 그림을 그리다, 본을 뜨다 : ~ una casa · una montaña 집 · 산의 그림을 그리다. ② 비유로 나타내다, 표상하다, 상징하다 (representar). ③ 가장하다, …인 체하다, 짐짓 꾸미다(fingir) : *Figuró* una retirada 퇴각하는 척했다.
—*intr.* ① 가담하다, 한패가 되다, 한편이 되다 : ~ *en* el número 어떤 멤버에 들다, 들어 있다. Esta palabra no *figura* en el diccionario 이 말은 사전에 실려 있지 않다. ② 두각을 나타내다, 두드러지다 : José *figuraba* mucho 호세는 아주 두드러진 존재였다. Aquel señor *figuraba* entre los candidatos 그 분은 후보자 중에서 두드러졌다.
~se ① 상상하다, 판단하다, (…을) 생각하다 (imaginarse) : Sus lágrimas *se* me *figuran* gotas de rocío 그의 눈물이 내게는 이슬 방울처럼 생각된다. *Se figuraba* ser rey 그는 왕이 된 듯이 생각하고 있었다. No *te figures* que vas a conseguir lo que quieres 원하는 것을 얻으리라고는 꿈에도 생각하지 말라. *Se figura* que puede hacer todo lo que quiere 그는 가능한 모든 것을 할 수 있다고 생각하고 있다. ② 【방언】 말하다 (decir) : *Se* me *figura.* ③ 몽상하다(fantasear).
figurativamente *adv.* 비유적으로, 전의적으로; 상징적으로; 표상적 의미로.
figurativo, va *adj.* [*lat.* figurativus] ① 비유적인, 형용적인, 전의(轉義)의 : uso ~ 비유적 용법. ② 비유가 많은, 수식 문구가 많은, 화려한 : estilo ~ 화려한 문체. ③ 상징적인, 표상적인, (…을) 상징하는. ④ 형상적인, 형상 묘사의 : no ~ 추상적인. arte ~ 형상 미술 《그림 · 조각》. arte no ~ 비형상 미술.
figurería *f.* 익살스러운 얼굴 · 표정 · 모습 (mueca o ademán ridículo) : hacer ~*s.*
figurero, ra *adj.* 익살스러운 표정을 짓는.
—*m.f.* ① 익살스러운 표정을 짓는 사람; 인형 제작자, 마네킹 제조인.
figurilla *m.f.* [*dim.* figura] 작은 사람; 작은 상 · 초상.
figurín *m.* 마네킹 인형; 의상 모델; 의상 모델 사진; 패션 잡지.
figurina *f.* ① 《*Neol.*》 작은 조각상(estatuita) : Las ~*s* de Tánagra son exquisitas obras del arte antiguo. ② 인형; 마네킹; 마네킹 인형.
figurinista *m.f.* 복식(服飾) 디자이너.
figurismo *m.* =**opinión.**
figurita *f.* 《*Arg.*》 =**carita.**
figurón *m.* [*aum.* figura] ① 과대 망상을 하는 사람. ② 선수(船首) 꾸미기. ③ 화살통, 전동 (箭銅)(~ de proa).
comedia de ~ 【고어】 익살을 부리는 배우.

fija *f.* ① 《*Arg. Perú. Urug.*》 확실한 예측. ② (미장이의) 흙손. ③ 경첩(bisagra). ④ 《*Arg.*》 작살 (arpón). ⑤ 《*Perú.*》 (경마에서의) 우승 후보말.
a la ~ 《*Arg.*》 견고하게, 단단히(seguramente).
en ~ 《*Urg.*》 명백히, 분명하게.

fijación *f.* ① 정착, 고정, 고착; 부착, 첨부. ② 비치함. ③ 【사진】 정착 : Se obtiene la ~ por medio del hiposulfito de sosa. ④ 응시. ⑤ 미심쩍은 생각. ⑥ 결정 : ~ de la cuota impositiva, ~ de los derechos 과세 평가. ~ de plazo determinado 일정 기한의 설정. ~ de precios 가격 결정. ~ de salarios mínimos 최저 임금의 결정. ~ del valor del daño 손해 사정액. ⑦ 색의 정착. ⑧【화학】 응고, 불휘성 발화 : la ~ del mercurio.

fijado, da *adj.* fijar의 *p.p.* —*m.*【사진】 정착.

fijador, ra *adj.* fijar하는. —*m.* ①(창문·문을 다는) 목수. ②(사진·그림의) 색조의 정착 재료.

fijamente *adv.* ① 단단히, 굳게(seguramente). ② 꼼짝 않고, 잠자코. ③ 뚫어지게(atentamente) : mirar a uno ~ (누구를) 뚫어지게 바라보다.

fijante *adj.* ① 고정시키는. ② 고각(高角)의 : fuego ~ 고각의 사격.

fijapelo *m.* =**fijador de pelo.**

fijar *tr.* ① 박다, 박아 넣다(clavar). ② 붙이다, 첨부하다(pegar) : ~ un anuncio 광고를 붙이다. ~ un sello 우표를 붙이다. Está prohibido ~ carteles aquí 이곳에 포스터를 붙이는 것은 금지되어 있다. ③ 고착시키다, 정착하다(asegurar). ④ 고정시키다 ; (단단히) 끼우다. ⑤ 결정하다, 정하다(determinar) : ~ el sentido de una palabra 어떤 말뜻을 정하다. ~ la hora de salir 출발 시간을 정하다. ⑥(주의·시선을) 꼼짝 않고 쏟다, 집중시키다, 골똘히 …하다, (주의 따위를) 끌다, 기울이다, 주다 : ~ la atención 주의를 기울이다. *Fijó* la mirada *en* un punto 그는 꼼짝 않고 한군데를 응시했다. ⑦(위치를) 잡다, 정하다(establecer) : ~ la residencia 주거(지)를 정하다. ⑧【사진】 정착하다, 색조를 정착시키다. ⑨(회반죽 같은 것으로) 붙이다. ⑩【화학】 응고시키다; 불휘성으로 하다 .

~se ① 분명하게 결말·결정을 내리다. ② 움직이지 않게 되다. ③ [+en : …에] 시선을 쏟다, 주의를 기울이다 ; …을 보다 : *Fíjate en esto* 이것을 잘 보라. *Fíjese en* lo que le digo 내가 한 말에 주의하십시오. No *me fijé en* ese párrafo de su carta 나는 당신의 편지의 그 단락에 주의하지 않았다.

fijasellos *m.*【단·복수 동형】(사진첩에) 우표 부착용 물건.

fijativo *m.* =**fijador.**

fijeza *f.* ① 부동(不動), 불변. ② 고정, 고착 : mirar con ~ 뚫어지게 바라보다. ③ 확고 ; 응고 : con ~ 의연히. ④ 불휘발성.

fijo, ja *adj.* [fijar의 *p.p.*] ① 꼼짝하지 않고 있는 : estrella *fija.* ② 확고한, 부동의(firme). ③ 정해진, 고정된 : precio ~ 정가, 정찰가. ④ 부착식의 (기계). —*adv.* 《*Perú.*》 확실하게 ; 뚫어지게(fijamente) : mirar muy ~.

a plazo ~ 정기적으로, 기한을 정해.

a punto ~ 뚜렷이, 정확히 : No lo sé *a punto* ~ 정확히는 모른다.

de ~ 분명히(sin duda) : *De* ~ lloverá 분명히 비가 올 것이다.

fil *m.* (저울의) 눈금 바늘.

~ ***de roda*** (배에서) 맨 먼저 ; 곧장, 똑바로.

~ ***derecho*** 개구리 뜀뛰기《웅크리고 앉은 사람의 위를 뛰어넘는 어린이 놀이》.

estar en ~ 줄지어 서 있다.

fila *f.* ① 열, 대열(hilera) : primera ~ 일급, 맨 앞줄. ~ india 연이어지는 대열. ② 얼굴, 용모(rostro). ③ 반감, 증오(tirria, odio). ④ 횡대(橫隊) : Se pusieron en ~ los soldados 사병이 횡대로 섰다. —*pl.* 군대 ; 전열(戰列) : en ~*s* 현역으로. ser llamado a las ~*s* 군에 소집되다.

filacteria *f.* ①(옛날의) 부적(amuleto, talismán). ② 그림이나 조각에서 형겊 같은 것에 썼던 명(銘)이나 설명.

filadelfas *f. pl.*【식물】 =**jeringuilla.**

filadelfia *f.* =**finura.**

filadiz *m.* (쪼개진 누에고치에서 뺀) 비단.

filaila *f.* 《*Cuba.*》 양모의 천.

filamento *m.* ① 섬유 : ~ metálico 금속 섬유. ~ textil 직물 섬유. ②(전구·진공관의) 필라멘트. ③【식물】(수술의) 꽃실.

filamentoso, sa *adj.* ① 가는 실 같은 ; 섬유로 이루어진, 섬유가 있는, 힘줄이 많은, 줄기가 많은 : carne ~*sa.* ② 섬유 모양의 ; 실이 있는.

filandón *m.* 《*Ast. León.*》 여자들이 밤에 모여 실을 잣던 일.

filandria *f.*【곤충】(새에 기생하는) 촌충.

filantropía *f.* [*gr.* philanthrôpia] 박애, 인애 ; 자선. [Contr.] misantropía.

filantrópico, ca *adj.* 박애의, 인애의 ; 자선의 : obra ~*ca* 자선 사업.

filantropismo *m.* 박애 정신·주의.

filántropo *m.* 박애가 ; 자선가. [Contr.] misántropo.

filar *tr.* ① 실을 잣다(hilar). ② 보다(ver, mirar). ③【해사】(밧줄을) 차츰 늦추다.

filaria *f.*【동물】 필라리아, 사상충(絲狀蟲) : Las ~*s* se introducen bajo la piel de los negros de Guinea.

filariasis *f.* =**filariosis.**

filariosis *f.* 사상충으로 발생한 질병.

filarmonía *f.* 음악 애호(amor a la música), 음악광.

filarmónica *f.* 《*Vasc.*》 =**acordeón.**

filarmónico, ca *adj.* 음악을 좋아하는. [Sinón.] melómano. —*m.f.* 음악 애호가.

filástica *f.* 밧줄의 실, 끈 줄(cuerda).

filatelia *f.* 우표 수집·연구·애호.

filatélico, ca *adj.* 우표 수집벽이 있는, 우표 수집·연구의 : exposición ~*ca* 우표 전시회. —*m.f.* 우표 수집가(filatelista).

filatelista *m.f.* 우표 수집가(coleccionista de sellos).

filatería *f.* 청산 유수같은 말솜씨.

filatero, ra *adj.* ① 말솜씨가 좋은(verboso, hablador). —*m.f.* 말솜씨가 좋은 사람. ② 소매치기(ratero, carterista).

filático, ca *adj.* 《*Col.*》 말이 많은 ; 교활한. —*m.* ① 《*Ecuad.*》 =**trapacero.** ② 《*Col.*》 =**caprichoso.**

filatura *f.* 《*Galic.*》 제사 공장(fábrica de hilados) ; 방적(紡績)(hilandería).

filautero, ra *adj.m.f.* =**egoísta.**

filazo *m.* 《*AmérC.*》 칼로 찌르기 ; 자상(刺傷).

filderretor *m.* (옛날의) 양모 직물.

filelí *m.* (옛날의) 견사 교직포.

Filemón *m.* ①【희랍 신화】 필레몬 《변장하여 마을을 찾아온 Júpiter와 Mercurio를 가난한 모습이었지만 후한 대접을 하여 그 보답으로 해로하다 함께 죽을 기쁨을 얻어, 죽은 뒤 자신은

「떡갈나무」encina, 아내 Baucis는「참피나무」tilo로 변했다는 사이 좋은 부부의 상징》. ②【신약 성서】빌레몬서.

fileno, na *adj.* 화사한 ; 섬세한.

fileño, ña *adj.* 《*Col.*》끝이 뾰족한 ; 가느다란, 갸름한(afilado).

filera *f.* 그물을 나란히 치기《고기 잡는 법》.

filero *m.* 《*Méx.*》칼, 나이프.

filete *m.* ① 필레떼《갈비와 허리뼈 사이의 가장 좋은 살코기》, 안심(소·돼지고기의) : ~ asado 구운 등심살. ~ a la parrilla 석쇠·불고기판 구이 등심살. ② 꼬챙이(asador pequeño y delgado). ③【건축】사개. ④《*Neol.*》(인쇄용의) 선, 괘(罫)(lista, raya) : trazar ~*s* dorados 금줄을 긋다. ⑤ 리본. ⑥ (나사못의) 튀어나온 곳. ⑦ 작은 재갈. ⑧【해부】섬유속, 신경망(神經網) : ~ nervioso.

fileteado, da *adj.* ① =**roscado.** ② filete로 장식된.

fileteadora *f.* 나사못 기계.

filetear *tr.* ① (…의) filete(살코기)를 떼어내다. ② 사개·갓을 대다(adornar con filetes). ③ 나사의 철조(凸彫)를 자르다.

filfa *f.* ① =**mentira, engaño.** ②《*Méx.*》= **pifia.**

filiación *f.* [*lat.* filius] ① 가계, 계보, 출신, 혈통(descendencia). ② 부자 관계. ③ 파생, 관련 ; 연락 : ~ de ideas. ④ 인상서(書) : tomar la ~ a uno …의 인상서를 기록하다. ⑤ 병적 원부.

filial[1] *adj.* ① 자식(으로서)의 : abnegación ~ 효행. amor ~ 효성. ② 자(子)의 : banco ~ 자은행(子銀行). casa ~ 지점, 지사, 자회사(子會社). compañía ~ 자회사. iglesia ~ 말사(末寺).

filial[2] *f.* 자회사, 방계 회사 ; 지사(sucursal).

filialmente *adv.* 자식답게, 효성스럽게(con amor de hijo).

filiar *tr.* ⑪ 인상을 말하다 ; 인상서를 작성하다 : una doméstica imposible de ~ 인상을 뭐라고 해야 할지 알 수 없을 만한 하녀.
~se ① 병적에 넣다. ② 가맹하다, 입당하다(afiliarse). ③ 인상서를 작성하다.

filibote *m.* 바닥이 반반한 배.

filibusterismo *m.* 서반아 식민지의 독립 운동(piratería).

filibustero *m.* [*ing.* freebooter] ① 서반아 식민지의 독립 운동원. ② (17－18세기의 서인도 지방의) 해적.

filicalo, a *adj* 양치류의·같은. —*adj.*【식물】양치류의. —*f.pl.* 양치류.

filicida *adj.* 자식을 죽인. —*m.f.* 자식 살해범.

filicidio *m.* 자식 살해 (범죄).

filicíneo, a *adj.* 양치류의·같은. —*f.pl.*【식물】양치류(helechos)의 일종.

fílide *f.* [*gr.* phullon]【곤충】(마른 나뭇잎 같이 생긴) 직시류 곤충(insecto ortóptero).

filiforme *adj.* 실같은(de forma de hilo).

filigrana *f.* [*ital.* filigrana] ① 금은 선세공(金銀線細工) ; 금속 격자 세공. ② (종이를) 투명하게 하기 : Los billetes de banco tienen ~*s* especiales. ③ 섬세한 세공품. ④【식물】(유럽의) 소나무과. ⑤【식물】(꾸바의) 마편초속의 식물.

fililí *m.*【속어】=**delicadeza.**

filimisco, ca *adj.* 《*Col. Venez.*》소심한, 섬세한 ; 얌전 빼는(melindroso).

filipéndula *f.*【식물】석잠풀.

filipense *adj.* ① 필리뽀스《Filipos, 마케도니아 지방의 도시》의. ② San Felipe 회《1554년 로마에서 창립된 San Felipe Neri의 종단》의.

filípica *f.* 인신 공격 (연설) ; 중상 : una ~ contra el gobierno 대 정부 공격 (연설).

filipichín *m.* ① 털로 짠 직물. ②《*Col.*》여자 같은 남자.

filipina *f.* 《*Cuba.*》(남자들이 입는) 깃이 없는 웃옷(blusa de dril).

Filipinas *f.pl.* 필리핀.

filipinismo *m.* ① 필리핀 사람들의 사투리 서반아어. ② 필리핀의 풍습.

filipinista *m.f.* 필리핀의 언어, 풍습 및 역사 연구자.

filipino, na *adj.* 필리핀의. —*m.f.* 필리핀 사람. ***punto*** ~ 조심성이 있는 사람.

filis *f.*【단·복수 동형】【시어】섬세, 여자다운 점 ; 겸양 ; 새초롬함.

filisteo, a *adj.* ① 필리스티아《이스라엘인의 적, 지중해 동쪽 연안의 옛 국가》의. ② 속된, 천한. —*m.* ① 거인(hombrón). ② 교양이 없는 사람(individuo inculto).

filistrín *m.* 《*Venez.*》=**pisaverde.**

fillingo *m.* 《*Riopl.*》작은 칼.

filloas *m.pl.* =**fillós.**

filloca *f.* 《*Zam.*》순대의 일종.

fillós *m.pl.* 튀김 과자(buñuelo)의 일종.

film *m. ing.* [*pl.* films] 필름 ; 영화(película) : ~ publicitario 선전용 영화.

filmación *f.*【영화】촬영 ; 영화화(映畫化). Sinón. rodaje.

filmador, ra *adj.* 영화 촬영하는 (카메라맨). —*m.f.* 촬영 기사. —*f.* 촬영기.

filmar *tr.* 촬영하다 ; 영화로 만들다(cinematografiar) : ~ una novela. Sinón. rodar.

filme *m.* 영화 ; 필름(película) ; 촬영, 영화화.

filmet *m.* 선전용 영화.

fílmico, ca *adj.* 영화의 ; 필림의.

filmografía *f.* ① [집합] 영화. ② 영화 기술.

filmología *f.* 영화 기초 훈련.

filmoteca *f.* 《*Neol.*》필름 보관소 ; 필름 수집.

filo *m.* ① 칼의 날(corte de la espada·del cuchillo) : una arma de dos ~*s* 양쪽에 날이 있는 칼. ~ rabioso 함부로 간 칼날. sacar ~ a una navaja 면도칼에 날을 세우다. ② 2분점, 2분선. ③ 가장자리. ④ (바람의) 방향(方向) (~ del viento). ⑤《*AmérC. Méx.*》굶주림, 빈속, 공복(hambre). ⑥《*AmérC. Méx.*》풍채, 면상, 용모(apariencia). ⑦《*AméC. Méx.*》기력, 원기(brío). ⑧《*Arg.*》【은어】울기 작전으로 나오는 도둑. ⑨《*Arg.*》연인(novio, novia).
al ~ 정확히.
de ~ 《*Col.*》단연코, 거침 없이.
por ~ 정확히(justamente).
dar ~ 《*Ecuad.*》① 나무라다, 꾸짖다, 혼내주다. ②《*SDgo.*》칼로 들이치다.
dar·sacar (un) ~ ***a*** ① …의 날을 갈다(afilar). ② 사주하다(incitar) : Tengo que *sacar* ~ *a* esta navaja 이 면도칼의 날을 갈아야 한다.
herir por los mismos ~*s* 상대와 똑같은 논법으로

해치우다.
tirarse un ~ *con* uno 《*Chile.*》…와 싸움을 하다(disputarse con).
filo- *pref.* 「애호」「사(糸)·엽(葉)」의 뜻을 나타내는 접두어.
filobús *m.* 무궤(無軌) 전차, 트롤리 버스(trolebús).
filocartista *m.f.* 그림 엽서 수집가.
filocladio *m.* =**cladodio.**
filocomunista *adj.* 용공파의, 친공적인, 공산주의에 동조하는. —*m.f.* 용공주의자.
filodio *m.* 【식물】 엽다란 입자루.
filófago, ga *adj.* 잎을 먹는. —*m.* 식엽충(食葉虫)(류).
filogenia *f.* 【생물】 계통 발생(론).
filogenético, ca *adj.* filogenia의·같은.
filología *f.* [*gr.* philos +logos] 언어학; 문헌학: la ~ clásica 고전 언어학. ~ comparada 비교언어학(lingüística).
filológica *f.* =**filología.**
filológicamente *adv.* 언어학적으로.
filológico, ca *adj.* 언어학의; 문헌학의.
filólogo, ga *m.f.* [*gr.* philos+logos] 언어학자; 문헌학자.
filomanía *f.* 잎이 지나치게 무성함.
filomela *f.* 【시어】 나이팅게일, 밤꾀꼬리(ruiseñor).
Filomela *f.* 필로멜라《아테네왕 Pandión의 딸로서 하나님의 뜻으로 ruiseñor로 변해버린 여자》.
filomena *f.* 【시어】 =**filomela.**
filón *m.* ① 광맥, 암맥, 암상(岩床): ~ carbonífero 석탄상(床). ~ metalífero 광산. ② =**ganga.**
filoniano, na *adj.* 광맥의.
filopos *m.pl.* (사냥할 때 짐승에 길을 유도하는) 망.
filosa *f.* ①【식물】 아욱의 일종. ②【은어】 =**espada.**
filoseda *f.* 견(絹)과 모(毛)의 혼방직; 견(絹)과 면(綿)의 혼방직(tela de lana o algodón y seda).
filoso, sa *adj.* 《*Amér.*》 =**afilado.**
filosofador, ra *adj.* 사색하는, 명상에 잠기는. —*m.f.* 명상가, 사색에 잠긴 사람.
filosofal *adj.* ① 철학의: piedra ~ 선석(仙石)《가공의 영석(靈石)》. ② 찾아내기 어려운 것 (cosa imposible de hallar): La paz universal es una especie de piedra ~.
filosofar *intr.* 명상에 잠기다, 사색하다.
filosofastro *m.* [*desp.* filósofo] 사이비 철학가.
filosofía *f.* [*gr.* philos+sophia] ① 철학: ~ empresarial 경영 이념. ② 철리(哲理). ③ 학문: ~ moral 윤리학. ~ natural 물리학. ~ trascendental 초경험론, 선험 철학. ④ 원리. ⑤ 침착, 냉정: aceptar una desgracia con ~ 냉정하게 불행에 대처하다. ⑥ 인생 철학, 처세 철학, 인생관. ⑦ 철학 체계.
filosóficamente *adv.* 철학적으로; 냉정히: aceptar ~ las adversidades.
filosófico, ca *adj.* ① 철학의, 철학적인: razonamiento ~. ② 냉정한, 이성적인, 현명한, 사려깊은.
filosofismo *m.* 사이비 철학; 궤변: un ~ bizantino.
filósofo, fa *adj.* [*gr.* philos+sophia] ① 철학의. ② 깨우친. ③《*Chile.*》 뻔뻔스러운. —*m.f.* 철학자, 철인(哲人), 현인, 지자(知者).
filosoviético, ca *adj.m.f.* 친소련파의, 소련을 좋아하는 (사람).
filotaxia *f.* 【식물】 잎차례.
filotaxis *f.* (식물의) 잎 형태학.
filote *m.* 《*Col.*》 ① 옥수수의 부드러운 과수 (mazorca tierna de maíz). ② 옥수수 수염 (barbas del maíz).
filotear *intr.* 《*Col.*》 옥수수의 잔털이 나오다; 머리털이 나오기 시작하다.
filotecnia *f.* 예술에 대한 사랑.
filotráquea *f.* 거미의 호흡 기관.
filoxera *f.* ①【곤충】 포도 뿌리 진디《포도의 뿌리에 붙는 해충》. ② 만취, 곤드레로 취함(borrachera).
filoxérico, ca *adj.* filoxera에 관한.
filtración *f.* ① 여과(濾過). ② =**malversación.**
filtrado *m.* =**filtración.**
filtrador, ra *adj.m.f.* 여과하는 (사람). —*m.* 여과기(filtro).
filtrante *adj.* 여과하는.
filtrar *tr.* ① 여과하다, 거르다; 여과하여 제거하다(colar): papel de ~ 여과지. Se debe ~ el agua de río cuando no se está seguro de su pureza 순수함이 확실하지 않을 때는 반드시 강물은 여과되어야 한다. ② 금전을 유용하다. —*intr.* 스미다, 번지다.
~se ① 번지다, 스며들다: El agua llovediza *se filtra* a través de la tierra 빗물은 대지를 통해 스며든다. ② (돈·재산 따위가) 줄어들다.
filtro *m.* [*lat.* philtrum] ① 여과기, 여과지(池); 여과 장치: ~ prensa 압착식 여과기. ②【광산】 필터, 여광기(器), 여광판: ~ de color 정색(整色) 스크린. ③【전기】 여과판. ④ (남녀를 화합시키는) 미약(媚藥). ⑤ (해안의 맑은 물이 나오는) 샘.
filudo, da *adj.* 《*Amér.*》 끝이 뾰족한, 날이 선, 날카로운.
filustre *m.* 우아, 단아, 기품, 화려함(finura, elegancia).
filván *m.* 갓 날을 세운 연장의 날의 뾰족하게 나온 곳.
fimbria *f.* (스커트 따위의) 자락; 술장식.
fimbriar *tr.* =**orlar.**
fimo *m.* [*lat.* fimus] 인분, 똥(estiércol). **Sinón.** fiemo.
fimosis *f.* 【의학】 포경.
fin *m.* [*lat.* finis] ① 끝, 종말, 결말: sin ~ 끝없는, 무한한; 순환식의. cadena sin ~ 순환 사슬. ~ de semana 주말. Buen ~ de semana 주말을 즐겁게 보내십시요. Tengo un sin ~ de cosas que hacer 나는 해야 할 일이 한이 없다. ¿Cree usted que llegaremos antes del ~ de la reunión? 회의가 끝나기 전에 우리가 도착하리라 믿습니까? [*N.* 옛날에는 *f.* : *la* ~ del mundo 세상의 종말]. ② 목적(objeto, propósito, mira): ~ de la huelga 스트라이크의 목적. ~ de los gastos 지출 목적. No sé con qué ~ lo dice 무슨 목적으로 그가 그렇게 말했는지 모르겠다. El

～ justifica los medios 목적은 수단을 정당화한다. ③ 죽음, 사망(muerte) : acercarse el ～ de uno 죽음이 가까워지다.

un sin ～ 무수(sinnúmero) : *un sin* ～ de personas 무수한 사람.

a ～ *de* …의 목적에서, …을 위해, [+*inf.*…할] 목적에서.

a ～ *de que* [+*subj.*] …하기 위해, 하도록(para que) : Saldremos *a* ～ *de que* no se sepa 모르게 나가자. Compro esto *a* ～ *de que* mi hijo *estudie* más 내 아들이 더 열심히 공부하도록 이 것을 샀다.

a ～*es de* …의 끝날 무렵에 ; 하순 경에 : Vendrá *a fines de*l mes que viene 그는 다음달 하순에 올 것이다.

al ～ 최후로, 끝내는, 드디어.

al ～ *de* …의 끝에.

al ～ *y al cabo, al* ～ *y a la postre* 끝내는, 결국은.

en ～, *por* ～ 끝내, 드디어, 마침내, 결국(finalmente).

dar ～ 끝나다 ; 사망하다, 죽다.

poner ～ *a* …을 끝마치다, 마지막으로 하다, …의 결말을 내다 : Con el sonido del timbre *puso* ～ *a* nuestra conversación 벨 소리로 그는 우리들의 대화를 끝마쳤다.

finado, da *adj.* 고(故), 죽은. —*m.f.* 고인(difunto).

final *adj.* ① 끝의, 최종의, 최후의, 궁극의. ② 결승의. ③ 목적의, 목적을 나타내는 : conjunción ～【문법】목적 접속사. causa ～【철학】목적인(目的因), 구경(究竟) 원인. —*m.* ① 끝, 결말, 종국 : Usted encontrará su casa al ～ de esta calle 이 거리 끝에 그의 집이 있다. ②【음악】종악장, 종결부, 곡의 종지(終止). ③【연극】최종의 막, 대단원(大團圓), 피나레. —*f.*【경기】결승전(～ de partida).

a ～*es de* …의 하순에.

por ～ 결국, 드디어, 끝내는.

finalidad *f.* ① 목적, 목표, 희망 : Esta visita tiene por ～ estrechar más nuestras amistosas relaciones 이번 방문 목적은 우리의 우호 관계를 더욱 굳히기 위한 것에 있다. ② 종국.

finalismo *m.* 목적론, 목적 원인론(teleología).

finalista *m.f.* ① 결승전에 나가는 선수 : equipo ～ 결승전 출전팀. ② 최종 선발까지 남은 응모자. ③ 준우승자. ④ 목적 원인론자(遠因論者).

finalización *f.* 《*Neol.*》 =**término, conclusión.**

finalizar *tr.* ⑨ 끝마치다(concluir) : ～ su obra. —*intr.* 끝내다, 다하다.

finalmente *adv.* 최후로, 마지막으로 ; 끝내, 결국, 드디어, 마침내(por último).

finamente *adv.* 깨끗하게 ; 교묘하게, 정교하게 ; 예의 바르게 : hablar ～.

finamiento *m.* 사망(fallecimiento).

financiación *f.* ① 융자 : ～ a corto plazo 단기 융자. ～ a largo plazo 장기 융자. ～ a medio plazo 중기 융자. ～ ajena · por terceros 외부 융자. ～ compensatoria 보상 융자. ～ de almacenes de consignación 위탁 판매품에의 융자. ～ de inversiones 투자 자금의 융자. ～ en común 단체 융자. ～ temporal · interina 일시적 융자. ② 자금 조달 · 공급. ③ 금융 : ～ de exportaciones 수출 금융. ～ de importaciones 수입 금융.

financiamiento *m.* =**financiación.**

financiar *tr.* ⑪ 《*Neol.*》 ① (…에) 융자하다(adelantar fondos). ② 비용을 내다.

financiera *f.* 금고.

financiero, ra *adj.* [*fr.* financier] 재정의, 경제의, 금융의, 경리의 : apuros ～*s* 재정적 곤란. plutocracia ～*ra* 재벌. sistema ～ 금융 제도. —*m.f.* 재정가, 금융인, 재정학자, 경제학자, 투자자(capitalista, banquero, bolsista).

financista *m.f.* 재정가(financiero).

finanzas *f.pl.* 《*Galic.*》 국고 ; 금고, 재정, 경제 ; 재산, 재력 : ～ nacionales 국가 재정. Ministerio de ～ 재무부.

finar *intr.* 죽다, 사망하다, 서거하다(morir).
～se 탐내다, 원하다.

finca *f.* ① 부동산, 소유지 ; 가옥. ② 《*Amér.*》 농장, 농원 : ～ cafetera 커피 농장. ③ 《*Col.*》 재화. ④ 《*Col.*》 장신구.

～ *raíz* 《*Col.*》 부동산. *buena* ～ 망나니.

fincabilidad *f.* 부동산.

fincado *m.* 《*Arg.*》 농장.

fincar(se) *intr.* (*r.*) ⑦ ① fincas를 매입하다 · 구하다(adquirir fincas). ② 《*Col.*》 근거를 가지다(estribar) : En esto *finca* la dificultad. —*tr.* ① 박아 넣다, 세우다(hincar). ② 《*Col.*》 경지로 만들다, 농토로 만들다.

finchado, da *adj.* finchar의 *p.p.*

fincharse *r.* 우쭐거리다(engreírse).

finés, sa *adj.* ① 핀족《북구의 한 종족》의 ; 핀어의. ② 핀란드의(finlandés). —*m.f.* 핀족의 사람 ; 핀란드 사람. —*m.* 핀어 ; 핀란드말.

fineta *f.* 면직물.

fineza *f.* ① 상등 ; 정교함, 치밀. ② 상냥스러움, 다정함, 다감함 ; 사랑의 말, 사랑의 몸짓 : El le hizo muchas ～*s* 그는 그녀에게 무척 친절했다. ③ 선물(regalito) : Acepte usted esta ～ 이 선물을 받아 주세요. Contr. grosería.

fingible *adj.* 꾸밀 수 있는.

fingidamente *adj.* 거짓으로, 속 들여다 보이게.

fingido, da *adj.* 꾸민, …척하는, 거짓의, 허위의, 사기의, 속이는.

fingidor, ra *adj.m.f.* (…하는 척) 꾸미는 · 거짓말하는 (사람) ; 눈감고 아웅하는 사람.

fingimiento *m.* 거짓 (꾸미기), 허위, 속이기(simulación, ficción, engaño).

fingir *tr.* ④ [*lat.* fingere] 꾸미다, 짐짓 꾸미다, 빙자하다(simular) : ～ una enfermedad 병을 빙자하다.

～se ① 척하다 : ～*se* abogado 변호사인 체하다. *Se fingió* amigo 그는 친구인 척했다. *Se fingió* enfermo para no trabajar 그는 일을 하지 않기 위해 아픈 척했다. ② 짐짓 시치미떼다. Sinón. simular.

finible *adj.* 【아어】끝나야 할, 끝이 있는(acabable).

finibusterre *m.* 【은어】종말 ; 교수대.

finiquitar *tr.* 결제하다, (폐업과 관계되는 재무 정리를) 결산 · 청산하다(saldar) ; 마감하다 ; 끝마치다(acabar).

finiquito *m.* 결제, 결산, 청산 ; 청산서 ; 영수증 ; 채무 면제 ; 전액 불입.
dar ~ a …을 청산하다 ; …에 결말을 짓다.
finir *intr.* 【고어】《*Amér.*》 끝내다, 끝나다, 마치다(finalizar).
finisecular *adj.* 세기 말의, 일정한 세기의 끝의.
finítimo, ma *adj.* 가까운, 이웃의, 맞닿은, 인접한(vecino, confinante).
finito, ta *adj.* 끝이 있는. Sinón. infinito.
finlandés, sa *adj.* 핀란드의. —*m.f.* 핀란드 사람. —*m.* 핀란드말.
Finlandia *f.* 【지명】 핀란드 《수도 Helsinki》.
fino, na *adj.* ① 질이 우수한 : chocolate ~ 질이 좋은 초콜릿. ② 자세한, 세밀한, 정밀한, 정교한(delicado) : Me gusta una pluma *fina* 나는 정교한 펜이 좋다. ③ 화사한. ④ 예의 바른 ; 친절한(cortés) : un muchacho muy ~ 예의 바른 소년. ⑤ 사무치게 사랑하는. ⑥ 교활한 ; 빈틈없는(astuto) : El zorro es un animal muy ~ 여우는 매우 교활한 동물이다. ⑦ 순수한(puro) : oro ~ 순금. ⑧ 선각(船脚)이 빠른.
finolis *adj.m.* 아니꼬운 (남자).
fino-ugro, gra *adj.* 우랄알타이어 계통의. —*m.* 피노우그로말 《라포니아말, 핀란드말, 항가리말 등》.
finquero *m.* 《*Amér.*》 농장 주인 · 경영자.
finta *f.* ① 칼로 위협. ② 위장 ; 도전.
fintar *intr.* 위장하다.
finura *f.* 정교, 섬세, 교묘함, 정밀함 ; 정중, 우아(cortesía) : hablar con gran ~. Contr. grosería.
finústico, ca *adj.* [*desp.* fino] 고상한 · 우아한 척하는.
finustiquería *f.* 고상한 척하는 일.
fiñana *f.* 아프리카산의 밀.
fío *m.* 《*Amér.*》 =**fiofío.**
¡fio! *interj.* 사람을 조롱할 때 쓰는 말.
fiofío *m.* 《*Chile.*》 【조류】 피오피오《벌레를 잡아먹는 새》.
fiord *m.* (노르웨이의) 협만(峽灣), 협강(峽江).
fiordo *m.* =**fiord.**
fiorituras *f.pl.* 꽃장식, 꽃모양.
FIP Fondo de Inversión Privada 민간 투자 기금.
fique *m.* 《*Col. Méx. Venez.*》 용설란(pita)의 섬유 ; 그것으로 만든 끈.
fiqueros *m.pl.* 《*Perú.*》 인동 덩굴의 일종.
firma *f.* ① 서명, 조인 : ~ en blanco 백지 서명. dar ~ en blanco 백지 위임하다. media ~ 성(姓)만 쓰는 서명. El jefe pone su ~ al pie 부장은 말미에 서명한다. ② 미결재 서류. ③ 상사, 회사, 상점 : ~ competidora 경쟁 회사. ~ especializada en embalaje 포장 전문 업자 · 회사. ~ de expediciones 운송 회사. ~ que anuncia y vende por correo 통신 판매점. ~ importante 일류 상사. buena (mala) ~ 신용이 있는 (없는) 상점. ~ patrocinadora 광고주, 스폰서.
con mi ~ 나의 지휘 아래.
echar ~ 불길을 일으키다.
firmal *adj. m.* [드뭄] (옛날의) 브로치(broche)의 일종.
firmamento *m.* 하늘, 창공. Sinón. cielo.
firmán *m.* [*persa.* fermán] (옛 터키의) 제왕령(帝王令).
firmante *adj.* 서명하는. —*m.f.* 서명자, 조인자(signatario) : el abajo ~하기 서명자.
firmar *tr.* [*lat.* firmare] (…에) 서명 · 조인하다(poner la firma) : ~ en blanco 백지 서명을 하다.
~se …라고 서명하다 : *Se firmaba* Duque de Rivas 그는 리바스 공이라는 서명을 했다. No *se* debe ~ nunca un escrito sin leerlo 서류를 읽지 않고는 절대로 서명해서는 안된다.
firme *adj.* [*lat.* firmus] ① 굳은, 견고한, 단단한(sólido) : un mueble ~ 견고한 가구. oferta ~ 확정 오퍼. tierra ~ 대륙. El mercado está ~ 시황(市況)이 견실하다. Sinón. estable, fijo. ② 튼튼한, 고정된, 안정된. ③ 단호한, 확고한 : medida ~. ④ 견실한, (신념 · 주의 따위가) 변함없는, 일정한, 굳은(constante) : un hombre ~. ⑤ 부동의, 의연한 : Se mantuvo ~ en sus propósitos 그는 굳은 의지를 굽히지 않았다. Sinón. inconmovible, inquebrantable. ⑥ 시세가 떨어질 염려가 없는 (증권). —*m.* ① (도로 등의) 기초 공사 ; 굳은 지반(地盤). ② 《*SDgo.*》 산봉우리 ; 고개. —*adv.* 단단히, 굳게.
de ~ 단단히, 확고하게, 강하게 ; 격렬하게(reciamente) ; 끊임없이, 열심히 : Trabaja *de* ~ 그는 열심히 일한다. Llueve *de* ~ 비가 그치지 않는다.
en ~ 확정 거래로 ; 확정적으로, 확실하게(definitivamente) : comprar *en* ~.
¡Firmes! 차렷 ! 《군대 구령》.
firmedumbre *f.* =**firmeza.**
firmemente *adv.* 확고히, 단단히 ; 확실하게 ; 튼튼하게, 어김없이.
firmeza *f.* ① 견고, 단단함(solidez) : la ~ de unos cimientos. ② 굳건함, 완강, 부동(不動)(entereza) : hablar con ~. ③ (증권 시세의) 절대 안정. ④ 라피르메사《아르헨띠나의 민속춤》.
firmón, na *adj.m.f.* 서명만으로 돈을 버는 (사람) : abogado ~. —*m.* 《*Méx.*》 쓰지 않는 것을 서명하는 사람.
firuletes *m. pl.* 《*AmérM.*》 싸구려 물건으로 장식하기, 칙칙하게 장식하기.
firulístico, ca *adj.* 《*Euad.*》 =**pedante, presumido.**
fisán *m.* 《*Sant.*》 =**judía.**
fisberta *f.* 【은어】 칼, 검(espada).
fiscal *adj.* 국고의, 재정의 : agente ~ 세무관. año ~ 회계 연도. arcas ~*es* 국고. bonos ~*es* 재무 증권. —*m.* ① 회계관. ② 검사관, 검사, 검찰관. ③ 《*AmérM.*》 하급 승려. ④ 《*Amér.*》 약방의 감초.
fiscalear *intr.* 【고어】 =**fiscalizar.**
fiscalía *f.* fiscal의 직 · 사무소.
fiscalizable *adj.* 계정에 올릴 수 있는.
fiscalización *f.* ① (회계상의) 계상(計上). ② 검찰, 사찰(査察). ③ 관리, 통제 : ~ del presupuesto 예산 통제. ~ del cambio 환관리. ④ 비난.
fiscalizador, ra *adj. m.f.* fiscalizar하는 (사람).

fiscalizar *tr.* 9 ① 경리하다. ② 검찰·사찰하다. ③ 통제하다. ④ 비난하다(criticar). ⑤ 조사하다(averiguar) : ~ las acciones ajenas 다른 사람의 일에 끼어들다.

fisco *m.* [*lat.* fiscus] ① 국고(erario) : las cajas del ~. ② (베네수엘라의) 동전(moneda cobre) 《4분의 1 centavo에 해당》.

fiscorno *m.* 【은어】(옛날의) 금속 악기《trombón의 일종》.

fisga[1] *f.* 작살(arpón).

fisga[2] *f.* 《*Ast.*》 =**pan de escanda.**

fisga[3] *f.* [*ital.* fischio] ① 놀리기, 놀려대기, 야유하기, 조롱(burla, zumba, mofa) : hacerle ~ a uno (누구를) 놀려대다·조롱하다. ② 《*Guat.*》 =**banderilla para torear.**

fisgador, ra *adj. m.f.* =**burlón.**

fisgar[1] *tr.* 8 작살을 던지다, 작살로 잡다.

fisgar[2] *tr.* 8 냄새(olor)를 맡고 다니다, 엿보다(husmear) : Esa mujer se pasa la vida *fiscando.*

—*intr.*, **~se** 놀리다, 조롱하다, 놀려주다 ; 엿보다.

fisgón, na *adj.* ① 남을 놀리기 좋아하는. ② 이리저리 캐고 다니는. —*m.f.* 놀리기 좋아하는 사람 ; 남의 일을 캐기 좋아하는 사람, 남의 일을 엿보는 사람.

fisgonear *tr.* 습관적으로 이리저리 캐고 다니다(husmear).

fisgoneo *m.* 일을 캐고 다니기.

fisiatra *m.f.* 물리 요법 전문 의사.

fisiatría *f.* 물리 요법.

fisiátrico, ca *adj.* 물리 요법의.

fisible *adj.* =**escindible.**

física *f.* [*gr.* phusikos] ① 물리학 : ~ atómica 원자 물리학. ~ nuclear 핵물리학. Arquimedes fue uno de los fundadores de la ~ 아르키메데스는 물리학 창시자 중의 한 사람이었다. ② 《*Ecuad.*》【속어】금전.

físicamente *adv.* ① 육체적으로. Contr. moralmente. ② [드묾] 실제로, 구체적으로.

físico, ca *adj.* [*lat.* physicus] ① 물질의, 물리적인, 물적인 : el mundo ~ 물질 세계. las leyes ~*cas* 물질에 관한 법률. ② 신체의, 육체적인 : un defecto ~ 육체적 결함. Contr. moral. ③ 《*Amér.*》 화사한(delicado). ④ 유형의. ⑤ 자연의, 천연의. —*m.f.* ① 물리학자. ②【고어】의사. —*m.* 체격, 육체 ; 몸매, 모양새 : tener un ~ muy feo.

fisicomatemático, ca *adj.* 물리 수학의.

fisicoquímica *f.* 물리 화학. Sinón. química física.

fisicoquímico, ca *adj.* 물리 화학적인, 물리 화학의. —*m.f.* 물리 화학자.

físil *adj.* 갈라지기 쉬운, 쪼개지기 쉬운 ; (원자) 핵분열성의(fisionable).

fisilidad *f.* 분열성.

fisiocracia *f.* 중농주의.

fisiócrata *m.f.* [*gr.* phusis + kratos] 중농주의자.

fisiocrático, ca *adj.* 중농주의의.

fisiognomía *f.* 관상학, 골상학, 관상술.

fisiografía *f.* 지문학(地文學), 지상학(地相學).

fisiología *f.* [*gr.* phusis + logos] 생리학 ; 생리, 생리 기능.

fisiológicamente *adv.* 생리(학)적으로.

fisiológico, ca *adj.* 생리적인, 생리학적인, 생리학상의 : fenómeno ~ 생리적 현상. desarreglo ~ 생리 불순.

fisiólogo, ga *m.f.* 생리학자.

fisión *f.* 【물리】(원자의) 핵분열(escisión del núcleo de los átomos) : la ~ del átomo de uranio.

fisionable *adj.* 【원자·물리】핵분열하는, 핵분열성의 : materia ~ 핵분열 물질.

fisionar *tr.* 핵분열하다.

fisionomía *f.* =**fisonomía.**

fisiopatología *f.* 생리 병리학 : ~ glandular.

fisiopatológico, ca *adj.* fisiopatología의.

fisioterapeuta *m.f.* 물리 요법 의사.

fisioterapéutico, ca *adj.* 물리 요법(物理療法)의(fisioterápico).

fisioterapia *f.* 물리 요법.

fisioterápico, ca *adj.* 물리 요법의.

fisiparidad *f.* 【생물】분열 생식, 분체(分體) 번식.

fisíparo, ra *adj.* 【생물】분열 생식의.

fisípedo, da *adj.* =**bisulco.**

fisirrostro, tra *adj.* 【조류】부리가 갈라진 무리의 (새). —*m.pl.* 부리가 갈라진 무리.

fisoideo, a *adj.* 방광(vejiga) 모양의.

fisonomía *f.* [*gr.* phusis+nomos] ① 용모, 인상 : ~ triste. Sinón. cara, semblante. ② 외모, 외관 : ~ de la aldea. ③ 특색, 특징 : carecer de ~ .

fisonómico, ca *adj.* 인상의, 얼굴 생김새의 : expresión ~*ca.*

fisonomista *adj.* 용모로 알아보기 쉬운 : Lo reconozco porque soy muy ~. —*m.f.* 관상가, 관상학자.

fisónomo *m.* =**fisonomista.**

fisóstomos *m.pl.* =**malacopterigios.**

fisto *m.* 《*Col.*》 =**fogón.**

fistol *m.* [*ital.* fistolo] ① 교활한 사람(hombre astuto y sagaz). ② 《*Amér.*》 넥타이핀(alfiler de corbata).

fistra *f.* =**ameos.**

fístula *f.* [*lat.* fistula] ① 관(管), 호스. ② 피리. ③【의학】누(瘻), 누관 : ~ anal 치루.

fistular[1] *adj.* 파이프의, 관의 ; 빈 관 모양의.

fistular[2] *tr.* 관을 만들다.

fistulina *f.* 버섯의 일종(lengua de buey).

fistuloso, sa *adj.* [*lat.* fistulosus] ① 관상(管狀)의. ②【의학】누관(瘻管)의 ; 누공성(瘻孔性)의 : úlcera ~.

fisura *f.* [*lat.* fissura] ① 터진·갈라진 자리, 틈, 균열. ②【식물·해부】열상 ; 열구(裂溝).

fito- *pref.* 「식물」의 뜻을 나타내는 접두어.

fitófago, ga *adj.* 초식(草食)의.

fitofisiología *f.* 식물 생리학.

fitógeno, na *adj.* 식물에 의해 만들어진.

fitogeografía *f.* 식물 지리학.

fitografía *f.* 기술·해설 식물학.

fitográfico, ca *adj.* 기술·해설 식물학의.

fitolaca *f.* 【식물】열대의 자리공과 식물《약용 식물》.

fitolacáceo, a *adj.* 【식물】 자리공과의. —*f. pl.* 자리공과에 속하는 식물.
fitología *f.* 식물학(botánica).
fitómero *m.* 줄기의 마디.
fitonisa *f.* =**pitonisa.**
fitopatología *f.* 식물 병리학.
fitoplancton *m.* 식물 프랑크톤.
fitoquímica *f.* 식물 화학.
fitotecnia *f.* 식물 재배법.
fitotomía *f.* 식물 해부학(atonomía vegetal).
fiyuela *f.* 《*León.*》 =**fillaga, morcilla.**
fizar *tr.* ⑨ 【방언】 (벌레 따위가) 쏘다, 물다 (picar).
fizón *m.* 【방언】 (벌 따위의) 침.
fjord *m.* 《*Neol.*》 =**fiord.**
fl. florines.
flabelado, da *adj.* 【식물】 부채꼴의(en forma de abanico) : hoja ~*da.*
flabelicornio *adj.* 【동물】 부채꼴 촉각의(de antenas en abanico).
flabelífero, ra *adj.* (의식에서) 부채를 들고 따르는.
flabeliforme *adj.* 부채꼴의.
flabelo *m.* 자루가 긴 큰 부채.
flacamente *adv.* 말라서 나약해 보이는, 기운없이.
flaccidez *f.* 연약, 나약, 무기력, (근육의) 이완 ; 나약함 ; 나태해짐, 게으름.
fláccido, da *adj.* (근육이) 흐늘흐늘한, 늘어진 ; (정신력 따위가) 이완된, 맥풀린, 나약한 (flaco, flojo).
flacidez *f.* =**flaccidez.**
flácido, da *adj.* =**fláccido.**
flaco, ca *adj.* [*lat.* flaccus] ① 여윈, 살이 빠진 (delgado) : caballo ~ 여윈 말. Contr. gordo. ② 박력이 없는 : argumento ~ 박약한 이론. ③ 나약한 : espíritu ~ 나약한 정신. ~ de memoria 기억력이 나쁜. ~ *de* piernas 발이 약한. —*m.* 약점, 결점(defecto) : conocerle a uno el ~ (누구의) 약점을 알다. Ella tiene tantos puntos fuertes como ~ 그녀는 약점과 같이 강점도 있다.
flacón, na *adj.* 《*Arg.*》 매우 여윈, 삐쩍 마른.
flacuchento, ta *adj.* 《*AmérM.*》 =**flacucho.**
flacucho, cha *adj.* [*desp.* flaco] 말라빠진, 말라 비틀어진.
flacura *f.* 삐쩍 마름, 나약함.
flachiquero, ra *m.f.* 선인장의 수액을 채취하는 사람.
flagelación *f.* 채찍질, 매질, 때리기.
flagelado, da *adj.* flagelar의 *p.p.*
flagelador, ra *adj. m.f.* 채찍질하는 (사람).
flagelante[1] *m.* 자신의 몸에 채찍질하는 (고행자).
flagelante[2] *adj.* =**flagelador.**
flagelar *tr.* [*lat.* flagellare] ① 매질하다, 채찍으로 때리다(azotar). ② 욕을 퍼붓다, 심하게 비난하다(censurar severamente) : La comedia *flagela* los vicios. ③ 행패를 부리다.
flageliforme *adj.* 채찍 모양의.
flagelo *m.* ① 채찍(azote). ② (동물의) 편모(鞭毛). ③ 천재(天災), 재해.
flagornero, ra *adj.* 《*Galic.*》 =**adulador.**
flagrancia *f.* 불타 오름 ; 현행 범죄.
flagrante *adj.* ① [*lat.* flagrans, antis] 현행의 : delito ~ 현행범. ② 【시어】 불타 오르는 (ardiente).
en ~ 현장에서 ; 현행범으로, 현행의(en el acto de cometer un delito) : Le cogieron los guardias *en* ~ 경관들은 범행 현장에서 그를 붙잡았다.
flagrar *intr.* 【시어】 불타 오르다(arder).
flai *m.* =**porro.**
flama *f.* ① 불꽃, 화염(llama). ② 빛남.
flamante *adj.* ① 빛나는 ; 번쩍이는, 휘황한 (brillante, resplandeciente). ② 새로운, 새로 맞춘(nuevo) : un traje ~. ③ 최근의, 요즈음의(reciente) : una comedia ~.
flamboyán *m.* 《*PRico.*》 【식물】 =**framboyán.**
flameado *m.* 불꽃을 내뿜음.
flamear *intr.* [*lat.* flammare] ① 불꽃을 내뿜다, 활활 타다(despedir llamas). ② (돛·깃발이) 펄럭이다(llamear). —*tr.* 불로 태워 소독하다.
flamen *m.* [*lat.* flamen] [*pl.* flámines] (고대 로마의) 제사관 : El ~ dial o de Júpiter era uno de los personajes principales de Roma.
flamenco *m.* 【조류】 플라멩꼬, 홍학(紅鶴) 《남유럽·아프리카산》.
flamenco, ca *adj.* ① 플랑드르(Flandes)의. ② 벨기에(belga)의. ③ 집시적 경향의, 안달루시아풍의, 플라멩꼬의 : cante· aire ~ 플라멩꼬 민요. ④ 건달의. ⑤ 육체가 풍만한. ⑥ 《*AmérC.*》 여윈, 마른(delgado, flaco).
—*m.f.* 플랑드르 사람 ; 건달, 망나니.
—*m.* ① 플라멩꼬《서반아의 집시춤·노래》. ② 플랑드르말. ③ 플랑드르 칼. ④ 집시적인 유랑 생활.
flamencología *f.* 플라멩꼬 연구·지식·실천.
flamencólogo, ga *adj.* 플라멩고의. —*m.f.* 플라멩꼬 연구가, 플라멩꼬 무희.
flamenquería *f.* 못된 짓, 망나니 짓.
flamenquilla *f.* ① 중질의 접시. ② 【식물】 금잔화(maravilla).
flamenquismo *m.* 못된·망나니 취미.
flámeo *adj.* [*lat.* flammeum] 불꽃 같은 ; 불빛 깔의. —*m.* 고대 로마에서 신랑 신부에게 씌웠던 불빛의 베일.
flamero *m.* 봉화대.
flamígero, ra *adj.* 【시어】 불꽃이 너울거리는, 불을 뿜는 ; 불꽃 같은.
flamín *m.* 《*Chile.*》 군모의 앞면에 세우는 술 장식·관모, 도가머리.
flámines *m.pl.* flamen의 복수형.
flámula *f.* (보통 삼각형의) 작은 깃발(grímpola).
flan *m.* [*fr.* flan] 플란 《계란 노른자위·우유·설탕으로 만든 과자》.
flanco *m.* [*fr.* flanc] ① 옆, 측면(lado) : por el ~ izquierdo 좌측면에서. ② 옆구리. ③ 약점 : saber a uno el ~.
Flandes *f.* 【지명】 플랑데르 《네덜란드, 벨기에 및 불란서 북부 연안 지방을 포함하는 지역의 옛날 명칭》.
flanear *intr.* 《*Galic.*》 방황하다(vagar, callejear).
flanela *f.* 플란넬.

flaneo *m.* 《*Galic.*》 =**paseo ocioso.**
flanero *m.* =**molde de flanes.**
flanqueado, da *adj.* 측면 엄호를 받은(defendido por flancos) : un señor ~ por dos servidores.
flanqueador, ra *adj.* =**flanqueante.**
flanqueante *adj.* 측면 방비·엄호의.
flanquear *tr.* ① (…의) 측면을 방비하다 : El fuerte *flanquea* la ciudad. ② 측면에서 공격하다. ③ 《*Neol.*》 (…의) 측면에 있다(estar al lado). ④ (…의) 측면에서 버티다.
flanqueo *m.* 측면 공격.
flaón *m.* =**flan.**
flaquear *intr.* 기력이 쇠해지다, 힘이 약화되다 ; (기운이) 빠지다, 의기 소침해지다(debilitarse, perder la fuerza) ; (활동이) 둔해지다(flojear) : El enemigo ya *flaquea.*
flaquedad *f.* 《*Amér.*》 =**flacura.**
flaquencia *f.* 《*Ant. Col. Venez.*》 =**flaqueza.**
flaquenco, ca *adj.* 《*Amér.*》 =**flacucho.**
flaquera *f.* 《*Sal.*》 =**debilidad, extenuación, flaqueza.**
flaqueza *f.* ① 쇠약, 여윔(debilidad). ② 약함, 나약함, 무름(fragilidad) : las ~*s* de la carne. [Contr.] firmeza.
flash *m. ing.* ① 섬광, 번쩍 빛나는 빛. ② 【사진】 플래시.
flato *m.* ① 뱃속에 차는 가스. ② 《*Amér.*》 나른함 ; 불쾌 ; 우울, 울적함(melancolía). ③ 《*Amér.*》 비애, 슬픔(tristeza). ④ 《*Guat.*》 공포, 무서움(miedo).
flatoso, sa *adj.* ① 뱃속에 가스가 생기는. ② 《*Amér.*》 서글픈, 슬픈(triste). ③ 울적한, 우울한(melancólico). ④ 《*AmérC.*》 무서워하는.
flatulencia *f.* =**flato.**
flatulento, ta *adj.* 뱃속에 가스가 생기는, 아랫배가 팽팽해지는 ; 불유쾌한.
flatuosidad *f.* 《*Neol.*》 =**flato.**
flatuoso, sa *adj.* =**flatoso.**
flauta *f.* [*lat.* flatus] 【악기】 피리, 플루트 : ~ travesera 통소. ~ de boca 《*Arg.*》 하모니카. —*m.* 피리 연주가.
¡la gran ~ ! 《*AmérM.*》 놀람의 감탄사.
flautado, da *adj.* 피리 같은, 피리 같이 아름다운 음색의. —*m.* (오르간의) 음전(音栓).
flauteado, da *adj.* 피리 소리 비슷한.
flautero *m.* 피리 제작자.
flautillo *m.* 【악기】 플룻(caramillo).
flautín *m.* 【악기】 고음의 피리, 피콜로 (octavín) 그 연주자.
flautista *m.f.* 피리 연주가.
flautos *m.pl.* 희롱, 장난(pitos ~).
flavina *f.* 【생화학】 플라빈 《비타민 B_2》.
flavo, va *adj.* [*lat.* flavus] 【시어】 황색의, 벌꿀 빛깔의(leonado).
flébil *adj.* 【시어】 울고 싶을 정도의, 슬픔에 젖은, 비통한.
flebitis *f.* 【의학】 정맥염(inflamación de las venas).
flebología *f.* 정맥학, 혈관학.
flebotomía *f.* 【의학】 정맥 사혈(靜脈瀉血) ; 자락(刺胳), 방혈(放血)(sangría) ; 정맥 절개(술).
flebotomiano *m.* 정맥 사혈(flebotomía) 전문의(sangrador).
flebotomista *m.* =**flebotomiano.**
flebótomo *m.* ① 정맥 사혈 기구. [Sinón.] lanceta. ② =**flebotomiano.**
flecar *tr.* [7] 《*PRico.*》 갈갈이 찢다.
flecha *f.* ① 화살(saeta) : ~ del parto 최후의 화살 ; 마지막 내뱉는 말. ② 《*PRico.*》 (수레의) 채. *El tiempo corre como una ~* 【속담】 세월은 유수와 같다.
Flecha *f.* 【천문】 화살좌.
flechador, ra *adj.* 활을 쏘는. —*m.f.* (활의) 궁수.
flechadura *m.* (배의) 줄사다리.
flechar *tr.* ① 활로 쏘다(asaetear). ② 쏘아 맞추다 ; 사살하다(matar o herir con flechas) : San Sebastián fue *flechado.* ③ 홀딱 반하게 하다, 유혹하다. ④ (노름에서) 겁없이 걸다.
flechaste *m.* (줄사다리의) 가로줄.
flechazo *m.* ① (화살을) 쏨. ② 화살에 맞은 부상 : herir de un ~ 화살에 부상당하다. ③ 한눈에 반함, 연심(戀心).
flechera *f.* 《*Venez.*》 ① (인디오들이 사용한) 가벼운 배. ② (오늘날의) 쾌속정.
flechería *f.* [집합] 화살.
flechero *m.* ① 궁수, 사수(arquero). ② 화살 제작자.
flechilla *f.* ① 소형 화살(flecha pequeña). ② 《*Arg. Parag. Urug.*》 (부드러울 때 소들이 뜯는) 뻣뻣한 목초.
fleco *m.* [*lat.* flocus] ① 술, 술장식. ② (천 끝의) 풀어짐. ③ (이마에 내려뜨린) 앞머리.
hacer ~s 《*Col.*》 갈갈이 찢다, 여기저기 흐트리다.
flegma *f.* =**flema.**
flegmasía *f.* 【의학】 염증(inflamación) ; 급성 결합 조직염.
flegmático, ca *adj.* 【고어】 =**flemático.**
flegmón *m.* 【의학】 =**flemón.**
flegmonoso, sa *adj.* =**flemonoso.**
fleja *f.* 《*Ar.*》 =**flejar.**
flejar *m.* 《*Ar.*》 =**fresno.**
fleje *m.* [*lat.* flexus] ① (포장 용의) 철대(鐵帶) (~ de hierro) : Se aseguran con ~*s* las duelas de toneles. ② 쇠테. ③ 용수철, 스프링(resorte).
flema *f.* [*gr.* phlegma] ① 담, 가래. ② 점액 《인체를 구성하는 것으로 보이는 cuatro humores의 하나》. ③ 점액적 성질. ④ 나태, 게으름, 굼뜸(tardanza, pereza) : con mucha ~ 굼뜨게. gastar ~ 게으른 척하다. ⑤ 【화학】 증류액(蒸溜液).
flemático, ca *adj.* ① 가래의, 가래 같은. ② 점액질의. ③ 게으른, 나태한, 굼뜬, 느린, 무기력한(tardo, lento) : Los ingleses suelen ser muy ~*s.*
fleme *m.* (수의용) 방혈침, 자락침, 메스.
flemón *m.* [*gr.* phlegmonê] 【의학】 잇몸 궤양(párulis) ; 봉와 직염(蜂窩織炎) : tener un ~ en la encía 잇몸에 궤양이 있다.
flemonoso, sa *adj.* 봉와 직염(flemón)(성)의.
flemoso, sa *adj.* 가래의 ; 가래 같은.
flemudo, da *adj.m.f.* =**flemático, perezoso.**

fleo *m* 【식물】(말먹이용) 화본과 식물의 일종.
flequetería *f.* 《*Col.*》 속임수(trapacería).
flequetero, ra *adj.* 《*Col.*》 속임수를 쓰는.
flequezuelo *m.* [*dim.* fleco] =**fleco pequeño.**
flequillo *m.* [*dim.* fleco] (이마에 늘어뜨린) 앞머리.
fleta *f.* ① 《*Amér.*》 마찰, 문지르기(friega). ② 《*Cuba.*》 (어린아이를) 때리기(paliza).
fletada *f.* 《*Amér.*》 사기, 속임수(engaño).
fletado, da *adj.* 용선한 : barco ~ 용선(傭船).
fletador, ra *m.f.* 용선자(傭船者); 하주(荷主).
fletamento *m.* 용선(료), 용선 계약, 차터 : 용선 증서 : ~ a término 정기 용선 계약. ~ de viaje 정기 항해 용선 계약. ~ en blanco 항행 자유의 용선. ~ para tiempo determinado 정기 용선. ~ parcial 일부 용선. carta·contrato·póliza de ~ 용선 계약(서).
fletamiento *m.* 용선 계약 : ~ por tiempo 정기 용선 계약.
fletante *m.* 《*AmérM.*》 =**fletador.**
fletar *tr.* ① 용선하다, 차터하다; (차·말을) 빌리다; 화차를 전세내다; (배에) 싣다. ② 《*Chile. Perú.*》 (폭언을) 퍼붓다, (타격 등을) 가하다(soltar) : Le *fletó* una bofetada 그는 따귀를 때렸다. ③ 《*AmérC.*》 마찰하다, 문지르다(frotar). ④ 《*Arg.*》 마지못해 가게 하다.
~se 《*Amér.*》 ① 빵소니치다. ② 《*Arg.*》 (어떤 모임 등에) 살며시 끼어들다. ③ 《*AmérC.*》 진절머리내다, 넌더리치다.
flete *m.* [*ing.* freight] ① 운임, 선임(船賃), 송료 : ~ adelantado 운임 선불, 선불 운임. ~ calculado según el peso 중량에 의한 운임. ~ de ida y vuelta 왕복 운임. ~ de retorno·vuelta 귀항 운임. ~ debido 지불 운임. ~ global 총괄 운임. ~ marítimo 해상·해양·원양 운임. ~ no pagado 미불 운임. ~ pagadero al hacer entrega 운임 후불·착불. ~ pagado·de antemano 운임 선불. ~ pendiente 미불 운임. ~ por cobrar 운임 도착지 불. ~ por transporte de vuelta 반송 운임. ~ por viaje redondo 왕복 운임. ~ según el espacio o volumen 용적 운임. franco·libre de ~ 운임 무료. lista de ~ 운임표. ② 용선료 : falso ~ 사용하지 않은 선박의 용선료. ③ 선하(船荷). ④ 화차 전세료. ⑤ (운반하는) 하물 : Los arrieros buscan ~. ⑥ 《*AmérM.*》 준마(駿馬). ⑦ 《*Cuba.*》 창녀의 봉. ***sin*** ~ 《*Col. Venez.*》 급히 서둘러.
fletear *intr.* 《*Cuba.*》 (거리의 창녀가) 봉을 물색하다.
fletero, ra *adj.* 《*Amér.*》 빌리는, 임대하는(de alquiler). —*m.* ① 운송점. ② 《*Arg.*》 화차의 주인. ③ 《*Ecuad. Guat.*》 운반 인부. ④ 《*Perú.*》 (운송용) 선주.
flexibilidad *f.* [*lat.* flexibilitas] ① 구부리기 쉬움, 굴곡성, 유연성 : La ~ del acero es muy grande. ② 야들야들함, 낭창낭창함; 융통성, 신축성, 탄력성; 적응성, 유순함.
flexibilizar *tr.* ⑨ 유연하게 하다; 고분고분하게 만들다(tornar flexible).
flexible *adj.* [*lat.* flexibilis] ① 구부리기 쉬운, 휘기 쉬운, 낭창낭창한, 탄력성 있는; 나긋나긋한, 유연한 : alambre ~. ② 융통성이 있는. ③ 고분고분한, 유순한 : ~ de carácter 성격이 고분고분한. ④【문법】 어미 변화를 하는. **Contr.** inflexible.
—*m.* 코드 《전등의 실내선》; 펠트 모자.
flexiblemente *adv.* 휘기 쉽게, 낭창낭창하게, 탄력성 있게; 고분고분히.
flexímetro *m.* 굴곡 측정기.
flexión *f.* [*lat.* flexio] ① 굴곡, 굴절; 굴근 작용(屈筋作用) : ~ de un muelle 용수철의 굴절. ~ de un músculo 근육의 굴근 작용. ② 접은 금. ③【문법】 동사·형용사 등의 어미 변화 : las ~*es* del verbo.
flexional *adj.* ① 굴성(屈性)의. ②【문법】 어미 변화상의; 어미 변화가 있는 : terminación ~ 활용 어미(desinencia).
flexionar *tr.* =**hacer flexiones.**
flexivo, va *adj.* 굴곡의, 구부러지는.
flexo *m.* 구부리는 팔이 달린 등·램프.
flexor, ra *adj.* ① 구부리는, 굴절의. ②【해부】 굴근(屈筋)의 : músculo ~ 굴근(屈筋).
flexuosidad *f.* 파도의 이랑; 굴곡성.
flexuoso, sa *adj.* 굴곡이 많은, 꾸불꾸불한, 동요하는, 파상(波狀)의, 물결치듯 움직이는, 물결 모양의.
flexura *f.* =**curva, pliegue, repliegue.**
flictena *f.* (피부에 생기는) 작은 물집 : Las quemaduras producen ~*s* 화상·볕에 탄 데는 물집이 생긴다.
flin flan *m.* 악기 소리의 의성어.
flipado, da *adj.* =**drogado.**
fliparse *r.* =**drogarse.**
flirt *m. ing.* 《*Neol.*》 =**coqueteo, galanteo.**
flirtar *intr.* 《*Neol.*》 =**coquetear.**
flirtear *intr.* [*ing.* flirt] 교태를 부리다, 아양을 떨다(coquetear) : ~ con su primo.
flirteo *m.* 교태, 아양 떨기(coqueteo).
fliscornio *m* =**fiscornio.**
flocadura *f.* [집합] 술장식의 갓 두르기.
floculación *f.* flocular 하기.
floculado *m.* 침전물.
flocular *tr.* 아교질 용해를 덩어리로 침전시키다.
floema *m.* =**líber.**
flogístico, ca *adj.* 연소의; 염증(성)의.
flogisto *m.* 연소;【의학】 염증.
flogosis *f.* =**flegmasía.**
flojamente *adv.* 약하게; 느슨하게; 나른한 듯이; 게을리.
flojear *intr.* 게을러지다; 약해지다(flaquear).
flojedad *f.* ① 약함(debilidad). ② 느슨해짐, 이완. ③ 연조(軟調), 연약 : ~ del mercado. ④ 게으름, 등한, 나태(pereza).
flojel *m.* ① (나사 등의) 잔털, 보푸라기(pelillo del paño). **Sinón.** tamo. ② (새의) 솜털(plumón ligero).
flojera *f.* =**flojedad.**
flojo, ja *adj.* ① 느슨한, 느슨해진 : una cuerda *floja* 느슨한 줄. ② 약한 : vino ~ 약한 술. ③ 게을러 빠진, 굼벵이 같은 : Ese hombre es muy ~ para el trabajo 그 사람은 일에 무척 태만하다. ④ 《*Amér.*》 무서워하고 두려워하는, 비겁한, 겁이 많은(cobarde). —*m.f.* 게으름뱅이.
flojón, na *adj.* =**muy flojo, perezoso.**
flojonazo, za *adj.* =**flojón.**

flojuelo *m.* 《*Ál. Rioja.*》 =**flojel del paño.**

floqueado, da *adj.* 술장식으로 갓을 두른.

flor *f.* [*lat.* flos, floris] ① 꽃 : echar·dar ~ 꽃이 피다, 꽃을 피우다. ~ artificial·de mano 조화. ~ nacional 국화, 나라꽃. Las ~*es* nacen por primavera 꽃은 봄이 되면 핀다. ② 정수, 정화(la ~ y nata) : la ~ y nata de la sociedad 사교계의 스타들. la ~ del ejército 군의 정예. ③ 정선품 : la ~ de la harina 정제(精製) 밀가루. harina de ~ 정선된 밀가루. ④ 화(華) : ~ de cinc 아연화(亞鉛華). ⑤ (과일에 생기는) 가루. ⑥ (주류의 표면에 뜨는) 엷은 막 ; 곰팡이. ⑦ 처녀성, 순결. ⑧ (기력의) 한창(때), (원기의) 왕성. ⑨ 성년(盛年), 성시(盛時) : la ~ de la edad·de la vida 청춘, 꽃다운 젊은 나이(juventud). ⑩ 표면 : a ~ de agua 수면에, 수면으로. a ~ de tierra 지면에, 지면으로. ⑪ (무두질한) 가죽의 표면. ⑫ 《*Chile.*》 (손톱에 생기는) 반점, 흰점. ⑬ *pl.* 뛰어난 시문, 사화(詞華), 문식(文飾) (~*es* de retórica). ⑭ *pl.* 사랑의 말, 우아한 말(requiebro). ⑮ *pl.* 월경(menstruación) : ~*es* blancas 백대하(白帶下). ⑯ 《*Amér.*》 [형용사적] 희한한 : El baile quedó ~ 무도회는 대성공이었다. ⑰ (카드에서) 속임수. ~ ***compuesta*** 국화과 식물의 꽃. ~ ***de amor*** 【식물】 엽계두(葉鷄頭) (amaranto). ~ ***de ángel*** 【방언】 나무 수선. ~ ***de azufre*** 유황화(硫黃華). ~ ***de la maravilla*** 【식물】 연미 붓꽃. ~ ***de la Pasión*** 【식물】 패션꽃. ~ ***de la Trinidad*** 【식물】 삼색오랑캐꽃(trinitaria). ~ ***del embudo*** 【식물】 토란의 일종(cala). ~ ***de lis*** 【식물】 연미 붓꽃 ; 불란서 왕실의 문장. ~ ***de maíz*** 불에 구워 튀긴 옥수수(roseta). ~ ***de mayo*** 성모 찬미의 5월의 꽃축제. ~ ***de muerto*** 【식물】 연미 붓꽃. ***como (unas) mil ~es, de mi ~*** 희한한, 매우 잘, 완전(完全)하게, 완벽하게(muy bien, perfectamente).

andarse a la ~ del berro 즐기다(divertirse).

comprar a la ~ =vender a la ~.

dar en la ~ 잔재주를 피우다, 재주를 부리다, 잔꾀를 쓰다, 약은 꾀를 피우다.

decir·echar ~es (여자를) 달래어 꾀다, (여자에게) 사랑을 호소하다, 구애하다, 구혼하다(requebrar).

estar en ~ 꽃이 피어 있다 ; 한창때이다.

vender a la ~ 《*Ant.*》 꽃이 피어 있을때 과일의 거래를 하다.

tener por ~, tomar la ~ 잔재주를 피우다, 재주를 부리다, 잔꾀를 쓰다, 약은 꾀를 피우다.

flora *f.* ① [집합] (일정한 지역·시기의) 식물군(群) : La ~ polar es muy pobre 극권의 식물은 별로 없다. ② 식물 구계(區系). ③ 식물지(誌), 식물 도감.

Flora *f.* 【로마 신화】 꽃의 여신.

floración *f.* ① 【식물】 꽃이 핌, 개화(開花) (florescencia) : estar en plena ~ 활짝 피어 있다. ② 개화기.

florada *f.* (양봉에서) 꽃의 시기.

floraina *f.* 【은어】 사기, 속임수(engaño).

floral *adj.* 꽃의, 식물(군)의 : verticilo ~ 식물 윤생체. —*pl.* 꽃의 여신(Flora)제(祭).

florar *intr.* 꽃이 피다(dar flor) : *Han florado* los cerezos.

florcita *f.* [*dim.* flor] 작은 꽃.

andar de ~ 《*AmérM.*》 여기저기 돌아다니다(andar de acá para allá).

flordelisar *tr.* flor de lis의 문장(紋章)을 달다 : La bandera *flordelisada* de los reyes de Francia.

floreado, da *adj.* =**de flor de harina.**

floreal *m.* (불란서 공화력의) 8월 《4월 20일에서 5월 19일까지에 해당됨》. —*adj.* =**floral.**

florear *tr.* ① 꽃으로 장식하다, (…에) 꽃을 장식하다(adornar con flores). ② (밀가루를) 비단 체에 넣고 치다 ; 가려내다. —*intr.* ① 칼끝을 흔들게 하다. ② 기타를 마구치다. ③ 사랑의 말을 속삭이다(decir flores). ④ 《*Amér.*》 꽃이 피다. ⑤ 《*Riopl.*》 솜씨를 드러내 보이다.

florecedor, ra *adj.* 꽃이 피는, 개화하는.

florecer *intr.* ㉛ [*lat.* florescere] ① 개화(開花)하다, 꽃이 피다(echar flor) : Las plantas *florecen* por primavera 식물은 봄에 개화한다. No creo que *florezcan* tan pronto los rosales 장미가 그렇게 빨리 피리라고 생각하지 않는다. ② 꽃피다, 번창·번영하다(prosperar) : En su reinado *florecieron* las ciencias 과학이 그의 통치 시대에 꽃피웠다. El comercio *florece* en tiempo de paz 상업은 평화시에 번창한다. ③ 활약하다 : Horacio *floreció* en el siglo primero antes de J.C. 오라시오는 기원전 1세기에 활약했다.

~se 꽃이 피다 ; 곰팡이가 생기다, 곰팡이 슬다·피다(ponerse mohoso) : ~*se* el pan.

florecido, da *adj.* ① 곰팡이 낀(mohoso) : pan ~. ② 《*Ant. Perú.*》 꽃이 핀.

floreciente *adj.* ① 꽃이 피는 : campo ~. ② 번창한, 융성한(próspero) : fortuna ~.

florecimiento *m.* ① 개화 : el ~ de una planta. ② 번창, 융성.

florecita *f.* [*dim.* flor] 작은 꽃.

florencia *f.* 비단천(tela de seda).

Florencia *f.* 【지명】 플로렌스 《이탈리아의 중부의 도시 ; 이탈리아 이름은 Firenze》.

florentín *adj.m.f.* =**florentino.**

florentino, na *adj.* 플로렌스의, 피렌체의. —*m.f.* 플로렌스 사람, 피렌체 사람.

florentísimo, ma *adj.* [*sup.* floreciente] 꽃이 한창 번창한.

floreo *m.* ① 잡담, 여담, 농담 : perder el tiempo en ~*s*. ② (무도에서 한 발로 서는) 선회 동작. ③ 기타를 정신없이 치기. ④ 칼끝을 돌리기.

florería *f.* 《*Amér.*》 꽃가게, 꽃집, 화원.

florero, ra *adj.* 입담이 좋은, 농담·잡담 좋아하는. —*m.f.* 꽃 파는 사람, 꽃장수(florista). —*m.* ① 화분 ; 꽃병(ramilletero) : un ~ de cristal 유리 꽃병. ② 꽃그림.

florescencia *f.* ① 개화 ; 개화기(floración). ② 풍화(風化), 풍해(風解) (eflorescencia) : la ~ del sulfato de hierro 유산철 풍화.

floresta *f.* ① 숲(bosque). ② 삼림 ; 밀림(selva). ③ 풍치림. ④ 선집(選集).

florestero *m.* 숲지기.

floreta *f.* ① 허리띠의 끝장식. ② (춤의) 양발의 움직임.

floretazo *m.* 《*Méx.*》 =**sablazo.**

florete *adj.* 최상급의 (종이·설탕). —*m.* ① 연습용 칼. ② 검술. ③ 빛바랜 무명베.
floretear *tr.* ① 꽃으로 장식하다, (…에) 꽃을 장식하다(adornar con flores). ② 《*Ant. Arg.*》 (여자를) 구슬리다(coquetear). —*intr.* florete를 쓰다.
floreteo *m.* 꽃 장식.
floretista *m.f.* 검술가.
floriado *m.* 《*Perú.*》 (té 따위로 하는) 접대.
florícola *adj.* 꽃에 기생하는.
floricultor, ra *m.f.* 화초 재배자.
floricultura *f.* 화초 재배(법), 꽃가꾸기.
floricundio *m.* 《*Méx.*》 (피륙의) 송이가 큰 꽃무늬.
floridamente *adv.* 화려하게.
floridano, na *adj.* 플로리다 《la Florida, 북미의 반도》의. —*m.f.* 플로리다 사람.
florídeas *f.pl.* 【식물】 해조류.
floridense *adj. m.f.* 플로리다 《Florida, 우루구아이에 있는 주·도시》의 (사람).
floridez *f.* 온갖 꽃이 다투어 핌; 화려.
florido, da *adj.* ① 꽃이 핀, 꽃이 만발한 : campo ~ 꽃이 핀 전원. ② 정선한, 고른(escogido, selecto). ③ 화려한 : letra ~*da* 장식 서체로 쓴 문자(la letra muy adornada).
Pascua Florida 부활제.
florífero, ra *adj.* ① 꽃이 피는, 꽃이 핀.
florígero, ra *adj.* 【시어】 =**florífero.**
florilegio *m.* 명문집(名文集), 사화집(詞華集), 미문집(美文集), 명시선(antología).
florín *m.* 옛날 은화의 명칭; 네덜란드의 은화·화폐 단위; 영국의 은화 《2실링》.
florión, na *adj.* 《*Col.*》 터무니없는, 허풍선이의. —*m.f.* 허풍선이.
floripón *m.* =**floripondio.**
floripondio *m.* ① 【식물】 목련·태산목류의 식물. ② (피륙의) 송이가 큰 꽃무늬. ③ 미사 여구(美辭麗句).
floripundia *f.* 《*Guat.*》 =**floripondio.**
florista *m.f.* 조화 제조인; 꽃 파는 사람, 꽃 파는 소녀.
floristería *f.* 꽃가게.
floritura *f.* =**adorno.**
florlisar *tr.* =**flordelisar.**
floro *m.* 플로로 《푸른 꽃이 피는 Colombia의 나무》.
florón *m.* [*aum.* flor] ① 송이가 큰 꽃. ② 꽃무늬 조각. ③ 꽃장식. ④ 영예.
floronado, da *adj.* florón 장식을 한; 꽃 모양의.
flósculo *m.* (국화과 식물의 꽃의) 작은 꽃.
flosculoso, sa *adj.* 작은 꽃(flóculo)으로 된.
flota *f.* ① 함대(escuadra). ② (상선·어선 따위의) 선대(船隊), 선단(船團) : ~ camaronera 새우 포획 선단. ~ de barcos balleneros 포경 선단. ~ de pesca 어업 선대. ~ mercante 상선대. ~ mercantil 상선대. ③ 비행대. ④ 《*Col.*》 풍(風), 허풍, 뽐내기, 으시대기(fanfarronada, baladronada) : echar ~*s.* ⑤ 《*Chile. Ecuad.*》 군집; 많음(multitud).
flotabilidad *f.* 부력(浮力), 부동성(浮動性).
flotable *adj.* ① 뜰 수 있는, 부력이 있는 : madera ~. ② 뗏목을 띄울 수 있는 : Los ríos se dividen en ~*s* y navegable.
flotación *f.* ① 뜸, 띄움, 부동 : línea de ~ 흘수선.
flotador, ra *adj.* 뜨는, 부동하는. —*m.* ① 낚시찌. ② 부낭, 부표(浮標). ③ 부동기(浮動器). ④ (수상기의) 부주(浮舟)·범주(泛舟). ⑤ (수량 조절의) 뜨는 방울.
~ *de alarma* 경보 부표.
flotadura *f.* =**flotación.**
flotamiento *m.* =**flotación.**
flotante *adj.* ① 떠 있는 : nube ~ 뜬구름. Los cuerpos ~*s* experimentan una pérdida de su peso igual al peso del agua que desalojan 떠 있는 물체는 밖으로 나온 물의 무게만큼 무게를 손해본다. ② 부동하는 : población ~ 부동 인구. deuda ~ 【상업】 유동 부채, 일시 차입금. póliza ~ 선명(船名) 미상 적하(積荷) 보험 계약서. ③ 나풀거리는. ④ 《*Col. Chile.*》 허풍선이의.
flotar *intr.* ① (액체·기체로) 뜨다, 부동하다 : El hierro *flota* sobre el azogue 철은 수은의 위에 뜬다. ② 펄럭거리다(ondear). ③ (공채 따위를) 발행하다. [Contr.] hundirse.
flote *m.* 부동(浮動)(flotación).
a ~ 떠서 : poner un barco *a* ~ 배를 띄우다; 진수시키다.
ponerse a ~ 뜨게 하다; 위험·궁지에서 벗어나다(salir de apuros).
sacar a ~ 떠내려 가게 하다.
flotear *tr.* 《*Col.*》 완전히 없애다.
flotilla *f.* [*dim.* flota] 소선단, 소선대.
flou *f.fr.* =**borroso, desenfocado.** [*N.* 발음 : flu].
flox *m.* 쥐오줌풀과의 일종.
flu *m.* =**dinero.**
fluato *m.* 【고어】【화학】 =**fluoruro.**
fluctuación *f.* ① 떠도는 일, 부동. ② 변동 : ~ a corto·largo plazo 단기·장기 변동. ~ cíclica 경기 변동. ~ coyuntural 주기적 변동. ~ de precios 가격 변동. ~ en la calidad 품질 변동. ③ 동요; 할 바를 모름. ④ 느림, 우물쭈물함(irresolución). ⑤ 갈피를 잡지 못함. ⑥ 【생물】 방황 변이(變異). ⑦ 【의학】 파동.
fluctuante *adj.* 동요·부동·변동하는.
fluctuar *intr.* ⑮ [*lat.* fluctuare] ① 물위에 떠다니다, 부동(浮動)하다(oscilar sobre las aguas) : Los barcos *fluctúan* 배가 흔들린다. ② 동요하다 : *Fluctúa* la opinión 의견이 동요한다. ③ (증권 시장·물가·열 등이) 오르내리다, 변동하다, 동요하다 : Los últimos días *fluctúa* bastante la cotización del dólar americano 요즈음 미국 달러의 시세가 많이 변동하고 있다. ④ 주저하다, 망설이다(vacilar, dudar) : ~ entre dos partidos. ⑤ 위험한 고비에 이르다.
fluctuoso, sa *adj.* 주저하는, 갈피를 잡지 못하는, 망설이는.
fluencia *f.* 《*Neol.*》 ① 샘. ② 개천. ③ 흐름. ④ 유창.
fluente *adj.* 흐르는; 흐르는 듯한, 막힘이 없는, 유창한.
fluidez *f.* ① 유동성 : la ~ del éter es muy notable. ② 능변; 유려함, 유창함. [Contr.] viscosidad.
fluídico, ca *adj.* fluido의.

fluidificar *tr.* 액체가 되게 하다, 액화하다(volver fluido un líquido).

fluido, da *adj.* [*lat.* fluidus] 【고어】 flúido ① 흘러 나오는 : Son consecuencias *fluidas* de tu error 너의 잘못에서 비롯된 결과이다. ② 유동성의. ③ 유려한, 유창한. **—*m.*** 【물리】 유체(流體), 유동물《액체와 기체》, 액체 ; 전류 ; 흐름.

fluir *intr.* 77 [*lat.* fluere] (액체가) 흐르다, 흘러 나오다(correr).

flujo *m.* [*lat.* fluxus] ① 유동 ; 흘러 넘쳐 나옴. ② 밀물 : ~ y reflujo 밀물과 썰물, 조수의 간만(干滿). Contr. reflujo. ③ 【화학】 용제(溶劑), 융제(融劑). ④ 【물리】 속(束) : ~ magnético 자속(磁束). ⑤ 《*Col.*》 취향, 성향. ⑥ 【의학】 설사, 이질.
~ ***blanco*** 백대하(白帶下). ~ ***de palabras*** 마구 지껄여대기. ~ ***de risa*** 깔깔거리고 웃음, 웃음보가 터짐. ~ ***de sangre*** 출혈, 일혈. ~ ***de vientre*** 설사(diarrea).

fluminense *adj.* 리오데자네이로 (Río de Janeiro)의. **—*m.f.*** 리오데자네이로 사람.

flúor *m.* 【화학】 불소(弗素) ; 용제(溶劑)(flujo). ***espato*** ~ 【광물】 형석(fluorina).

fluorado, da *adj.* 불소를 함유한.

fluoresceína *f.* (알코올 용해된) 오렌지빛 가루.

fluorescencia *f.* 형광성, 형광 ; 형광등 : La ~ es una fosforescencia de corta duración.

fluorescente *adj.* 형광(성)의 : cuerpo ~ 형광체. tubo ~ 형광관. lámpara ~ 형광등.

fluorhidrato *m.* 【화학】 불화 수소.

fluorhídrico, ca *adj.* 불화 수소의 : ácido ~.

fluorina *f.* 【광물】 형석(螢石)(fluoruro natural de calcio) : La ~ presenta colores muy bri llantes 형석은 매우 찬란한 빛깔을 낸다.

fluorita *f.* =**fluorina.**

fluorizar *tr.* (음료수에) 불소를 넣다.

fluoroscopio *m.* (엑스선) 형광 투시경.

fluoruro *m.* 【화학】 불화물.

flus *m.* 《*Ant. Arg. Col.*》 세 가지가 한 벌(인 옷) (fux).

fluvial *adj.* 강의, 하천의 : navegación ~.

fluviátil *adj.* 강의, 냇물의, 하천의 ; 강이 있는 : sedimento ~ 하천의 침전물.

fluviógrafo *m.* 측심의(測深儀), 하천 수량계.

fluviómetro *m.* =**fluviógrafo.**

flux *m.* [*fr.* flux, *lat.* fluxus] ① 플라슈《카드 놀이에서, 가진 패가 모두 같은 종류가 되는 일》. ② 《*Amér.*》 (의복의) 세 가지가 한 벌(terno).
estar a ~ ***de todo*** 아무 것도 없다(no tener nada).
hacer ~ 빈털터리가 되다(perderlo todo).
tener ~ 운이 있다(tener suerte).

fluxión *f.* 【의학】 충혈 ; (혈액 따위의) 유입 ; 종기 : ~ de pecho 폐렴.

fluyente *adj.* 흐르는.

FMI Fondo Monetario Internacional 국제 통화 기금.

fo. folio.

¡fo! *interj.* 《*Amér. And. Ast. Gal.*》 싫다, 더럽다!《혐오의 감탄사》.

f.o.b ; F.O.B. franco a bordo 【상업】 본선 인도, 갑판 인도 가격.

fobia *f.* [*gr.* phobos] [본래는 hidrofobia, anglofobia와 같이 공포·혐오를 나타내는 접미어] 공포증 ; 싫어함 : la ~ del agua.

foca *f.* [*lat.* phoca] ① 【동물】 물개, 바다 표범 : Se cazan las ~*s* por su piel y su grasa 물개는 그 가죽과 기름 때문에 사냥을 한다. ② 물개 가죽.
~ ***de trompa*** 코끼리 물개.

focal *adj.* ① 초점의 : distancia ~ 초점거리. distancia ~ de un espejo cóncavo 오목 거울의 초점거리. ② 주요 점의. ③ 병소(病巢)의.

focalización *f.* 초점 집중, 초점화, 초준(焦準).

foceifiza *f.* 모자이크의 일종《유리 조각으로 만들어짐》.

focense *adj.m.f.* 포시다 《Fócida, 옛 그리스의 한 지방》의 (사람).

focha *f.* 【조류】 쇠물닭(foja).

focímetro *m.* 초점거리 측정기.

focino *m.* (코끼리를 부리는 사람이) 손에 든 막대기.

foco *m.* [*lat.* focus] ① 【물리】 초점 : El ~ puede ser real o virtual según son cóncavos o convexos los espejos, convexos o cóncavos los lentes. ② 초점거리 ; (안경 따위의) 초점 맞추기. ③ (높은 촉광의) 전등 : ~ eléctrico. ④ 【연극】 스포트라이트. ⑤ (흥미·나쁜 일 따위의) 한군데 모이는 집중점, 중심, 요점 : ~ de corrupción 부패의 온상. ⑥ 【병리】 병소(病巢).

focometría *f.* 초점(거리)측정 광학.

focómetro *m.* 초점거리 측정 기구.

fóculo *m.* 아궁이, 부뚜막.

fodoli *adj.* =**entremetido, hablador.**

fodongo, ga *adj.* 《*Méx.*》 더러운(sucio). **—*m.*** 《*Méx.*》 =**pedo.**

foetazo *m.* 《*Amér.*》 채찍질(fuetazo).

foete *m.* 《*Amér.*》 채찍, 회초리(fuete).

fofadal *m.* 《*Arg.*》 수렁, 습지(tremedal).

fofo, fa *adj.* 푸석푸석한, 물렁물렁한, 흐늘흐늘한(esponjoso, blando) : zanahoria *fofa.*

fogaje *m.* 《*Amér.*》 ① (옛날의) 가옥세. ② 《*Ecuad.*》 불꽃, 불길, 화염(fogata). ③ 발진(erupción). ④ 상기, 얼굴이 달아오름(bochorno).

fogarada *f.* ① 불꽃, 화염(llamarada) : Se levantó una gran ~. ② 《*And.*》 (얼굴의) 피부 발진(erupción cutánea).

fogarata *f.* =**fogata.**

fogarear *tr.* 《*Ar. Sal.*》 =**quemar, llamear.**

fogaril *m.* ① 봉화(fogata que sirve de señal). ② 모닥불(fogarín).

fogarín *m.* 《*And.*》 모닥불.

fogarizar *tr.* 9 불을 피우다.

fogata *f.* ① 화염, 불꽃, 불길. ② 지뢰.

fogón *m.* ① 부뚜막. ② (증기 기관의) 아궁이. ③ (포의) 화문(火門), 노(爐) : ~ eléctrico 전기로. ④ 《*Amér.*》 모닥불.

fogonadura *f.* ① 【선박】 돛대 구멍. ② (땅바닥·벽에 넣는) 기둥. ③ 《*Col.*》 =**hoguera, hogar.**

fogonazo *m.* (발사할 때의 총·포구의) 섬광, 격렬한 폭염 ; 번쩍하는 불빛.

fogonero *m.* 화부(火夫) : ~ de una locomotora.

fogonista *m.* =**fogonero.**

fogosidad *f.* 열렬, 혈기, 격렬(ardor, viveza excesiva).

fogoso, sa *adj.* (성미가) 불 같은, 괄괄한, 격렬한, 욱하는, 열정의(ardiente) : caballo ~. Contr. tranquilo, pacífico.

fogote *m.* 땔나무 다발(haz de leña menuda).

fogueación *f.* 총포의 열거.

fogueado, da *adj.* =**aguerrido.**

foguear *tr.* ① (총포를) 벼리다. ② (군인을) 포화에 익히게 하다. ③ (일·직업을 주어) 단련시키다, 고생시키다.

fogueo *m.* ① 공포 발사 : municiones de ~ 공포용 화약. ② (견습 시대의) 고생.

foguerear *tr.* 《*Cuba.*》 모닥불을 피우다.

foguero *m.* 《*Venez.*》 =**pirotécnico.**

foguezuelo *m. dim.* fuego.

foguista *m.* 《*Arg. Parag. Urug.*》 (증기 기관의) 화부(fogonero).

foja[1] *f.* [*lat.* fulica] 【조류】 큰 물닭 ; 검둥오리.

foja[2] *f.* [*lat.* folia] 《*Amér.*》 (서류의) 낱장(hoja de papel) : una carta de cuarto ~*s* 네 장으로 된 편지.

fojo, ja *adj.* 《*Mex.*》 =**fofo.**

fol. folio 장수.

fólade *f.* 갈매기 조개 《바위에 구멍을 뚫고 사는 조개》.

foládidos *m.pl.* 갈매기 조개과.

folas *f.* =**fólade.**

folclor *m.* =**folclore.**

folclore *m.* ① 민속, 민간 전승 《풍습·습관·전설·신앙·속담 따위》 ; 민속학 ; 전설 ; 민족 음악 : El ~ andaluz es riquísimo 안달루시아의 민속은 매우 풍부하다. ② =**lío, jaleo.**

folclórico, ca *adj.* 향토의, 민속학적인, 민간 전승의 ; 민족 음악의. —*f.* 민요, 지방 음악.

folclorista *m.f.* 민속학자, 구비 문학가 ; 민요 가수.

foleto, ta *adj.* 《*Neol.*》 미친, 실성한(loco).

folgo *m.* (앉아 있을 때 발을 감싸는 데 사용하는) 가죽 덧신(bolsa de pieles).

folía *f.* [*fr.* folie] ① 통속 음악, 경음악. ② 서반아 무용의 일종. ③ 《*Galic.*》 광기(locura). —*pl.* 포르투갈의 춤 ; 그 가곡.

foliáceo, a *adj.* 【식물】 잎(hoja)의 ; 잎사귀 모양의 : pecíolo ~.

foliación *f.* ① (책의) 페이지 수. ② 잎이 나는 시기. ③ 잎이 나는 모양.

foliado, da *adj.* 【식물】 잎이 나는.

foliar[1] *adj.* 【식물】 잎의, 잎 모양의 : números ~*es* 연속 번호.

foliar[2] *tr.* ⑪ (책의) 페이지·쪽을 매기다, 페이지를 넣다.
máquina de ~ 넘버링.

foliatura *f.* =**foliación.**

folícula *f.* 《*Neol.*》 =**hoja impresa.**

folicular *adj.* ① 【식물】 대과상(袋果狀)의. ② 【동물】 작은 주머니 모양의.

foliculario *m.desp.* 엉터리 기자(periodista sin valor), 엉터리 작가(escritorzuelo).

folículo *m.* [*lat.* folliculus] ① 【식물】 대과(袋果) 《붓순나무, 모란 등의 과실》. ② 【해부】 소낭, 여포(濾胞) : ~ sebáceo.

folijones *m. pl.* (옛날의) 춤의 일종.

folio *m.* [*lat.* folium] ① (서적·장부의) 장수, 페이지. ② (인쇄한 전지의) 2절(二折).
~ *atlántico* (지도 등의) 양 페이지 걸이. ~ *índico* 육계(肉桂)의 잎. ~ *recto* (앞 페이지에만 페이지를 매긴) 앞 페이지. ~ *verso*·~ *vuelto* (페이지가 매겨져 있지 않은) 뒷 페이지.
a primer ~ 한눈에.
de a ~ 커다란(muy grande) : un disparate *de a* ~ 엉터리 같은 짓·말. error *de a* ~ 커다란 잘못·실수.
en ~ 대판의, 2절판의 : Hay libros *en* ~ major y *en* ~ menor.

folíola *f.* 【식물】 =**folíolo.**

foliolar *adj.* 【식물】 folíolo의.

folíolo *m.* (식물의 겹잎의) 작은 잎 ; 꽃받침 : los ~*s* de la acacia.

folión *m.* 《*Gal.*》 모닥불 축제.

folklore *m. ing.* =**folclore.**

folklórico, ca *adj.* ① =**folclórico.** ② **pintoresco, pero desprovisto de seriedad.**

folklorista *m.f.* =**folclorista.**

folla *f.* ① 난전, 혼전. ② 혼란, 착잡. ③ 모든 예술인 경연 대회.

follada *f.* 얇고 작은 파이(empanadilla hojaldrada)의 일종.

follado, da *adj.* follar의 *p.p.* —*m.* 【식물】 (카나리아의) 가막살이나무속(屬)의 식물. —*pl* ① 옛날의 바지의 일종. ② 《*Col.*》 =**enagua.**

follador *m.* 풀무질하는 사람.

follaje *m.* ① 잎(hojas de los árboles) : el ~ del pino. ② 잎이 무성함. ③ 잎모양, 잎무늬. ④ 잎무늬로 장식하기, 치덕치덕 장식하기. ⑤ 군말이 많음, 다변(palabrería).

follar *tr.* ① 접다(plegar). ② 풀무질하다. ③ 【고어】 짓밟다(hollar).
~**se** 소리내지 않고 방귀를 뀌다.

folleo *m.* ① 《*Cuba.*》 =**follisca.** ② 《*Cuba.*》 = **borrachera.**

folleque *m.* 《*Perú.*》 소형 자동차.

follero *m.* 풀무 만드는 사람.

folleteo *m.* =**fornicación.**

folletero *m.* =**follero.**

folletín *m.* [*dim.* folleto] 소책자, 팸플릿 ; (신문의) 문예란 ; 연재 소설, 연속물 : ~ literario.

folletinesco, ca *adj.* 연재 소설 같은 : suceso ~.

folletinista *m.f.* 신문 소설 작가, 연재물 작가 (escritor de folletines).

folletista *m.f.* 문고형 작가, 잡문가(雜文家) (escritor de folletos).

folleto *m.* [*ital.* foglietto] ① (서반아 본국의 규정에 의하면 100페이지 이하 정도의) 소책자, 팸플릿 : ~ de instrucciones para el uso 사용법 설명서. ~ de propaganda 선전용 팸플릿. ~ turístico 관광 소책자. ② =**prospecto.**

folletón *m.* 《*Galic.*》 신문 소설(folletín).

follisca *f.* 《*Col. Venez.*》 싸움, 뒤얽힘, 분규 (riña, pelamesa).

follón, na *adj.* ① 나태한, 게으른(perezoso y negligente). ② 겉만 그럴싸한. ③ 비겁한, 비열한 (vil, canalla).
—*m.* ① 소리 안나는 불꽃. ② 소리 안나게 뀌는

방귀(zullón). ③ 뿌리에서 나오는 싹. ④《*Neol.*》 소란(gresca).
—*m.pl.* 《*Ecuad.*》 =**refajo, enagua.** —*m.f.* 게으름뱅이, 비겁한 사람.

follosas *f.pl.* 【은어】 반바지(calzas).

foluz *f.* (옛날의) 작은 은화 《3분의 1 blanca》.

fomentación *f.* [*lat.* fomentatio] ① 보호, 장려, 조장, 촉진, 조성 ; 선동, 도발. ②【의학】 찜질, 습포(濕布) ; 습포제(fomento).

fomentador, ra *adj.m.f.* 장려·촉진·조성·조장·유발·선동하는(사람) : ~ de discordias.

fomentar *tr.* [*lat.* fomentare] ① 조성·보호·장려하다 ; 촉진하다, 조장하다 : El Gobierno *fomentó* las artes 정부는 예술을 장려했다. ② 부추기다, 도발·유발하다(excitar) : ~ rebeliones. ③《*Cuba.*》 창설하다, 조직하다(fundar) ; (제당 공장을) 건설하다. ④ 덥게 하다, 따뜻하게 하다 : La gallina *fomenta* los huevos 암탉은 알을 따뜻하게 한다. ⑤【의학】 찜질하다, 습포하다.

fomento *m.* ① 조성, 조장, 양성 ; 보호, 진흥, 장려 ; 산업성 : Ministerio de *F-* 산업성. ~ de comercio 무역 진흥. ~ de la economía 경제 진흥. ~ de las exportaciones 수출 진흥·장려. ~ de las inversiones 투자 진흥·조성. ~ de la construcción de viviendas 주택 건축 조성. ~ de ventas 판매 촉진. ~ del desarrollo económico 경제 개발의 조성. ② 덥히는 일, 데움. ③ 연료, 비료 : dar ~ a la lumbre 불을 피우다, 불에 기름을 붓다. ④【의학】 습포, 습포제(劑).

fon *m.* 폰 《소리의 강도의 단위》.

fonación *f.* 발성, 발음.

FONADE Fondo Nacional de Desarrollo Económico 경제 개발 기금 ; Fondo Nacional de Proyectos de Desarrollo 국가 개발 사업 기금.

fonas *f.pl.* (옷섶의) 덧천.

foncarralero, ra *adj.m.f.* 푸엥까랄 《Fuencarral, 옛 마드리드 주의 마을》의 (사람).

fonda *f.* ① 숙박소, 여관. ②《*AmérC.*》 접객업소, 주점, 술집(taberna). ③《*Arg.*》 싸구려 음식점. ④《*Chile.*》 음식점. ⑤ 선박 안의 생활 설비.

fondable *adj.* 정박할 수 있는 : una bahía ~.

fondac *m.* (모로코에서) 대상이 묵는 여인숙.

fondado, da *adj.* ① 바닥을 단단하게 한 : tonel ~. ②《*Col.*》 자금이 있는, 돈이 있는.

fondazo *m.* 《*Venez.*》 주먹질, 주먹다짐.

fondeadero *m.* ① 정박지, 닻을 내리는 곳(anclaje). ②《*AmérC.*》 대금(貸金) 업자.

fondeado, da *adj.* 《*Amér.*》 재력이 있는, 자금이 있는(acaudalado, rico).

fondear *tr.* ① (수심을) 측량하다. ② (배 안을) 임검·조사하다. ③《*Guat.*》 대부·융자하다. ④《*PRico.*》 =**desvirgar.** —*intr.* 닻을 내리다 ; 정박하다(dar fondo) : ~ en la bahía.
~se 《*Amér.*》 ① 돈을 저축하다(enriquecerse). ②《*Guat.*》 취하다.

fondeo *m.* ① 수심 측량. ② 배의 임검·조사. ③ 적하 검사. ④ 정박, 투묘(投錨).

fondero, ra *m.f.* 《*Amér.*》 =**fondista.**

fondillo *m.* ①《*And.*》 =**trasero.** ②《*Chile.*》 = **calzoncillos.** —*m.pl.* 바지의 엉덩이 부분 : ~ del pantalón 바지의 엉덩이 부분.

fondillón, na *adj.* 《*Amér.*》 엉덩이·궁둥이가 큰 (fondilludo). —*m.* ① 포도주통의 바닥에 깔린 찌꺼기. ② Alicante의 묵은 술.

fondilludo, da *adj.* 《*Amér.*》 궁둥이가 큰. —*m.* 여자 같은 남자, 나약한 사내, 빙충이, 빙충맞이(calzonazos).

fondista *m.f.* 여관 주인, 숙박소 주인.

fondo *m.* [*lat.* fundus] ① 바닥, 밑 : sin ~ 바닥이 없는. ~ del río 강바닥. ~ de un vaso 컵의 바닥. el ~ de un pozo 샘의 밑바닥. ② 배밑(obra viva). ③ 깊이(profundidad, hondura). ④ 세로의 깊이 : carrera de ~ 장거리 (레이스). ⑤ 안쪽, 안쪽끝, 막다른 곳 ; 앞에서 안의 길이 : Esta casa tiene mucho ~, aunque poca fachada. ⑥ (무대의) 정면 안쪽 : puerta en el ~. ⑦ 기저(基底), 바닥, 기반이 되는 것. ⑧ 소지(素地), 밑바닥, 바닥 천 : un papel con flores sobre ~ amarillo. ⑨ (그림의) 배경(campo) : El retrato tiene un ~ oscuro 그 초상화는 배경이 어둡다. ⑩ 자산, 자력 ; 재원, 기금, 자금, 기본금, 본전. ⑪ [집합] 자료, 장서 : tener buen ~. ⑫ 자질, 성질(índole) : persona de buen ~. ⑬ 본질, 핵심, 근본 : el ~ de un asunto 일의 본질. la forma y el ~ 형태와 본체. ⑭ (신문 등의) 사설 : artículo de ~ 사설, 논설. ⑮ (스커트의) 속옷. ⑯《*Amér.*》 큰 냄비. ⑰《*Méx.*》 속옷(enaguas). ⑱ *pl.* 자금(caudales) : situar ~*s* 자금을 마련하다. ⑲ 재원(財源). ⑳ *pl.* 돈(dinero) : tener ~*s* disponibles.
~ ***de amortización*** 감채(減債) 기금, 부채 상각 적립금, 공채 상환 기금. ~ ***bloqueado*** 봉쇄 자금. ***F- Centroamericano de Estabilización Monetaria*** 중미통화안정기금. ***F- Centroamericano de Integración Económica*** 중미경제통합기금. ~ ***concedido*** 충당금. ~ ***congelado*** 봉쇄 자금. ~ ***de beneficencia*** 양로 기금. ~ ***de capital*** 자금, 설비 자금. ~ ***de comercio*** 영업권. ~ ***de desarrollo*** 개발 기금. ~ ***de dotación*** 기본금, 기부 자금. ~ ***de Erario*** 공채, 국채 증권. ~ ***de estabilización*** 안정 자금. ~ ***de expansión*** 개발 기금. ~ ***de fideicomiso*** 공탁금. ***F- de la Infancia de las Naciones Unidas*** 유엔 국제 아동 긴급 기금, 유니세프(UNICEF). ***F- de Inversiones para el Desarrollo Económico*** 경제개발투자기금. ~ ***de (la) huelga*** 파업 자금·기금. ~ ***de participación líquido*** 《*Perú.*》 이익배당참가기금. ~ ***de pensión*** 연금 기금, 퇴직준비적립금. ~ ***de previsión·provisión*** 예비 자본, 준비금. ~ ***de previsión social*** 사회보장자금. ***F- de Promoción de Exportaciones*** 《*Col.*》 수출진흥기금. ~ ***de redención*** 공채 상환 기금. ~ ***de rescate*** (공채·사채의) 상환 적립금. ~ ***de reserva*** 준비금, 적립금, 예비비. ~ ***de retiros*** 퇴직준비적립금. ~ ***de seguro de desempleo·paro*** 실업 보험 자금. ~ ***discrecional*** 기밀비. ~ ***en fideicomiso*** 공탁금. ~ ***enviado a su país por inmigrantes*** 이민 송금. ***F- Especial de Asistencia para el Desarrollo*** 개발을 위한 특별 원조 기금. ***F- Europeo*** 구주 기금. ~ ***facilitado*** 정부 지출금, 충당금. ***F- Fiduciario de Progreso Social*** 사회진보신탁기금. ~ ***general*** 일반 자금. ~ ***insuficiente*** 예금·자금 부족. ~ ***invertido*** 투자 자본. ***F- Monetario Internacional*** 국제통화기금. ***F- Nacional de Desarrollo Económico*** 《*Perú.*》 경제개발기금. ***F- Nacional de***

Proyectos de Desarrollo 《*Col.*》 국가개발사업기금. ～ *no realizable* 고정 자금, 비유동 자금. ～ *para accidentes industriales* 산업상해기금. ～ *para (casos) imprevistos* 비상 자금. ～ *para contingencias* 임시 자금. ～ *presupuestario* 예산의 재원. ～ *público* 공금, 공동 기금 ; 정부 자금, 공채, 국채증권. ～ *público destinado a préstamos* 회전 기금. ～ *rotativo* 회전 자금. ～ *sobrante* 잉여금. ～ *social* 합자 자본, 회사 자본. ～ *social indiviso* 미분할 회사 영업 자금. ～ *vitalicio* 종신연금. ～*s invertidos* 투자자본. ～*s de previsión* 예비 자본. ～*s de socorro* 공동 모금.

a ～ 완전하게, 근본적으로 : Quiero aprender *a* ～ el castellano 서반아어를 완전하게 배우고 싶다.

a ～ *perdido* 회복의 기미가 없이.

en el ～ 마음속은, 내심은 ; 본질적으로, 근본적으로 ; (표면과는 달리) 본래는, 근본은 ; 결국, 끝내.

dar ～ 정박하다 ; 바닥이 나다(agotarse).

echar a ～ 침몰시키다.

echarse·irse a ～ 가라앉다, 침몰하다.

estar en ～*s* 충분한 재원·자금이 있다.

tener buen ～ 마음씨가 좋다, 선량하다.

tocar ～ (누구의) 가능성의 끝에 다다르다 ; 불행의 끝에 이르르다.

fondo, da *adj.* 【고어】 =**hondo.**

fondón, na *adj.* ① 궁둥이가 큰. ② 굼벵이의. —*m.* ① (금·은색 실로 수놓은 비단 등의) 바탕 (fondillón). ② 《*Arg.*》 궁둥이로 밀기.

fondonga *f.* 《*Venez.*》 배불뚝이 암소·암말 (vaca o yegua barrigona).

fondongo *m.* 《*Cuba.*》 궁둥이(trasero).

fondongo, ga *adj.m.f.* ① =**fondón.** ② 《*Méx.*》 =**sucio.**

fondoque *m.* [*aum.* fondongo] 《*Cuba.*》 커다란 궁둥이.

fonducho *m.* [*desp.* fonda] 지저분한 여인숙.

fonébol *m.* 투석기《옛날의 무기》.

fonema *m.* ① 【음성】 음소(音素), 음족(音族) 《한 나라 말 안에서 흔히 동일음으로 쓰이는 비슷한 음》. ② 발음, 발음 부호.

fonemática *f.* 음소론(音素論), 음소 체계.

fonemático, ca *adj.* [*gr.* phonêtikos] 음소의, 음족의 ; 발음의.

escritura ～*ca* 표음 문자. **Contr.** escritura ideográfica 표의 문자.

fonendoscopio *m.* 미음(微音) 청진기, 확성 청진기.

fonética *f.* 음성학(fonologia) ; [집합] 음성.

fonético, ca *adj.* [*gr.* phonêtikos] 음성의, 음성상의 ; 음성학의 ; 음성학상의 ; 음성을 나타내는 : valor ～ 음가(音價).

escritura ～*ca* 표음식 철자(법). **Contr.** escritura ideográfica.

fonetismo *m.* 한 언어의 발음 기호의 전체 ; 음표 문자로 쓰는 일.

fonetista *m.f.* 음성학자.

fonfón *m.* 《*Cuba.*》 (옛날의 노예에 대한) 태형 ; 회초리로 때리기.

a ～ 많이, 듬뿍.

-fonía *suf.* 「음」, 「목소리」의 뜻을 나타내는 접미어 : tele*fonía.*

foniatra *m.f.* foniatría 연구가.

foníatra *m.f.* =**foniatra.**

foniatría *f.* 발성 기관의 병을 취급하는 약.

fónico, ca *adj.* 음성의, 발음의 : signo ～ 음표 문자.

fonil *m.* 파이프에 액체를 넣는 깔때기.

fonje *adj.* =**fofo.**

fono. teléfono.

fono- *pref.* 「음(音)」, 「성(聲)」의 뜻을 나타내는 접두어 : *fonó*grafo.

-fono *suf.* 「음」의 뜻을 나타내는 접미어 : telé*fono.*

fonoaudiólogo, ga *m.f.* 소리 감지 전문의.

fonocaptor *m.* (전축·텔레비전의) 픽업.

fonografía *f.* 녹음법, 표음식 필기법.

fonográfico, ca *adj.* 축음기의 ; 표음식의 ; 속기의.

fonógrafo *m.* [*gr.* phônê+graphein] 축음기 ; 녹음기, 재생기.

fonograma *m.* ① 표음 문자. ② (문자가 나타내는) 음운 ; 문자(의 하나 하나). ③ 녹음, 레코드.

fonolita *f.* 【광물】 향암(響岩), 향석(響石).

fonología *f.* [*gr.* phônê+logos] 음운학 ; 음성학 ; 음운론 ; 음운 조직.

fonológico, ca *adj.* 음운학의 ; 음성학의 ; 음운론의, 음운론상의.

fonólogo, ga *m.f.* 음운·음성 학자.

fonometría *f.* 음파 측정 기술.

fonómetro *m.* 음파 측정기, 측음기(測音器).

fonopostal *adj.* 음파 전달의 : correo ～.

fonóptico, ca *adj.* 영상·음성 기록의, 비디오 (테이프)의.

fonoteca *f.* 음향 서류 보관소.

fonotipia *f.* 표음식 속기법·인쇄법.

fonotipo *m.* 표음 활자(체).

fonsadera *f.* (옛날의) 종군, 출정 ; (옛날의) 전역세(戰役稅).

fonsado *m.* ① 구멍 파기. ② =**fonsadera.**

fontal *adj.* 샘물의 ; 처음의(fontanal).

fontana *f.* 【시어】 샘, 샘물(fuente).

fontanal *adj.* 샘의. —*m.* 샘, 우물이 있는 곳.

fontanar *m.* 샘, 우물(manantial).

fontanela *f.* 【해부】 숨구멍 ; (젖먹이의) 숫구멍.

fontanería *f.* 수도 시설 ; 수도, 급수망.

fontanero, ra *adj.* 샘의, 수도의, 분수의. —*m.* 수도 담당자, 수도 수리공·설계자.

fontanoso, sa *adj.* 샘이 많은, 분수가 많은.

fonteforámina *f.* 《*Neol.*》 사람 손으로 판 우물.

fontezuela *f.* [*dim.* fuente] 작은 샘.

fontícola *adj.* 샘에 사는.

fontículo *m.* 【의학】 배농구(排膿口)(fuente).

foñico *m.* 《*And.*》 옥수수의 마른 잎(hoja seca de maíz).

foot-ball *m. ing.* =**fútbol.**

FOPROEX Fondo de Promoción de Exportaciones 수출 진흥 기금.

foque *m.* ① (뱃머리의) 삼각돛. ② 【속어】 빳빳한 칼라.

forado *m.* 《*AmérM.*》 벽의 구멍(agujero).

forajido, da *adj.* (주로 법망에서) 도망·빠져

나간. —*m.f.* 도망범.

foral *adj.* 법정·법령·특권의·에 의한. —*m.* 《*Gal.*》 영세(永世) 차지(借地)·소작지.

foralmente *adv.* 법령·법정·특권에 의해.

foramen *m.* ① 맷돌 중쇠 구멍. ②《*Amér.*》 구멍(agujero).

foraminado, da *adj.* =**agujereado.**

foraminíferos *m.pl.* 【동물】 원생 동물.

foráneo, a *adj.* =**forastero, extraño.**

forango, ga *adj.m.f.* 《*Perú.*》【속어】 외부 사람(의), 떠돌이(의).

forano, na *adj.* 【은어】 =**forastero.**

forastero, ra *adj.* 외지(外地)의, 타국의; 낯선(extraño). —*m.f.* 외지 사람, 타국인, 외국인.

forbante *m.* 《*Galic.*》 해적(pirata).

forcate *m.* 《*Ál. Ar. Rioja.*》 쟁기의 일종.

forcatear *tr.* 《*Ál. Ar. Rioja*》 쟁기(forcate)로 갈다.

force → **forzar** ⑨.

forcé forzar의 직·부정과거·1인칭 단수.

forcejar *intr.* 힘을 내다, 용을 쓰다, 노력하다, 버티다, 몸부림치다; 반항하다, 저항하다; 반대하다.

forcejear *intr.* =**forcejar.**

forcejeo *m.* 몸부림, 버티기, 저항; 반항.

forcejo *m.* =**forcejeo.**

forcejón *m.* 기운을 더 내기.

forcejudo, da *adj.* 힘이 센, 건강한.

fórceps *m.*【단·복수 동형】(산부인과에서 난산일 때 사용하는) 겸자(鉗子); 핀셋.

forcipresión *f.* 겸자로 하는 지혈(법).

forcipresura *f.* =**forcipresión.**

forcípula *f.* 수경(樹徑) 측정기《수목의 직경을 재는 기구》.

forchina *f.* 가래(horquilla) 모양의 쇠무기.

forcito *m.* [*ing.* Ford] 《*Perú.*》 소형 자동차.

forense[1] *adj.* [*lat.* forensis] ① 법령·법정의·에 의한. ② 일반의, 대중의, 공중(公衆)의 : médico ～ 공의(公醫), 경찰의(醫).

forense[2] *adj.* [*lat.* foras] 외국·외국인의(forastero).

forero, ra *adj.* 특권(fuero)의, 특권에 의한. —*m.* 영세 차지인(借地人)·소작인.

forestación *f.* 《*Arg. Chile. Urug.*》 산림 식수.

forestal *adj.* 산림의 : repoblación ～ 조림.

forestar *tr.* 식수하다.

forfait *m.* 인플레에 따른 가격 조정.

forfícula *f.* 【곤충】 집게벌레(tijereta).

forigar *tr.* 《*Ar.*》 =**hurgar, hurgonear.**

forillo *m.* [*dim.* foro] 【연극】 소막(小幕) 《인형극에서 출입구가 있는 막》.

forint *m.* 항가리의 화폐 단위.

forito *m.* 《*PRico.*》 =**forcito.**

forja *f.* ① 단련(鍛練); 제강, 단철(鍛鐵); 노(爐) : horno de ～ 단공로. prensa de ～ 압연기. ② (은세공사의) 화로. ③ 회반죽(argamasa).

forjable *adj.* 단련할 수 있는, 단조(鍛造)할 수 있는 : El hierro caliente es fácilmente ～.

forjado *f.* 【건축】 나무틀, 틀짜기(entramado).

forjado, da *adj.* 단련하는 : hierro ～.

forjador, ra *adj.* 쇠를 벼리는. —*m.f.* 쇠를 벼리는 사람; 날조하는 사람; 개척자.

forjadura *f.* 벽의 초벽칠; 날조.

forjamiento *m.* =**forja.**

forjar *tr.* ① 벼리다; 단련하다; 박아서 구멍을 뚫다; (망치로 두들겨 …의) 형태를 만들다 : ～ el hierro en barras 철을 녹여 철봉으로 만들다. ② (회반죽을) 반죽하다; 회반죽을 바르다, 초벽칠하다. ③ 만들다. ④ 위조하다, 날조하다 : ～ embustes 거짓말을 꾸며대다. **Sinón.** fraguar.
～se ① 머릿속에서 생각하다 : ～ novelas 공상을 그리다. ②《*AmérC.*》 기회를 틈타 피어넣다.

forlipón *m.* 《*Méx.*》【고어】 =**fanfarrón.**

forlón *m.* (옛날의) 4인승 마차.

forma *f.* [*lat.* forma] ① 모양, 형태, 형상, 외형 : dar ～ 모양·형상을 만들다; 준비하다; 정리하다. tomar ～ 모양을 이루다, 형상을 갖추다; 실현하다. No me gusta la ～ de este sombrero 나는 이 모자의 형이 싫다. ② 틀, 형(型) : una torre en ～ de pirámide 피라미드형의 탑. ③ 방식, 형식 : en la ～ de costumbre 관례에 따라. ～ de transporte 수송 방식. ～ de trueque 바터 방식. ～ del mercado 시장 형태. ～ en que se efectuará el pago 지불 방식. ～ organizada 조직 형태. ④ 방법(modo) : ～ de embalaje 포장 방법. ～ de reembolso 결제 방법. No hay ～ de entenderlo 그것을 이해할 방법이 없다. No hay ～ de cobrar 받아낼 방법이 없다. ⑤ 틀, 형, 금형(金型) (molde). ⑥ (인쇄물의) 지형; (서적의) 판, 크기. ⑦ 용자(容姿), 성체(聖體) (hostia). —*pl.* ① 모습, 맵시, 외관, 자태; 빛깔 : tener buenas ～*s.* ② 예식, 예의(modales) : guardar las ～*s* 예법을 지키다.
de ～ 그리하여, 그렇게 하면(de modo).
de ～ que conj. 그래서, 그렇게 해서, 그 때문에 (de modo que) : Lo expuso muy ordenadamente, *de ～ que* convenció 이론 정연히 설명하였기에 설득할 수 있었다.
en ～ 정식으로; 형식상, 형태에 따라, 틀에 맞추어; 컨디션이 양호한 : estar *en* ～ 컨디션이 좋다.
en debida ～ 정식으로, 소정의 방식에 따라서.
de·en esta ～ 이 방법으로, 이런 수단을 써서.

formable *adj.* 형성할 수 있는, 모양을 이룰 수 있는.

formación *f.* ① 형성 : ～ de capital 자본 형성. ～ de la renta 소득 형성. ～ de precios 가격 형성. ② 구조, 형태, 모양(forma). ③ 구성, 조성, 편성, 성립, 조직. ④ 가정 교육. ⑤ 도야, 훈련 : ～ básica 기초 훈련. ～ de especialista 전문가 양성 훈련. ～ de mandos·dirigentes 경영자 양성 훈련. ～ de vendedores 세일즈맨 양성. ～ especial 특별 훈련. ～ especializada 전문적 훈련. ～ profesional 직업 훈련·교육. ～ técnica 기술 훈련. ⑥ 성장, 생성. ⑦ 행렬, 대열. ⑧ 【군사】 편제, 편대; 대형(隊形). ⑨ 【지질】 층, 층군, (지층의) 계통; 암층.

formado, da *adj.* [bien·mal +] 모양이 좋은·나쁜; 가정 교육이 좋은·나쁜.

formador, ra *adj.* 만들어내는, 모양을 이루는; 조직하는. —*m.f.* 구성자, 조직자.

formaje *m.* 치즈 만드는 틀.

formal *adj.* [*lat.* formalis] ① 형식의 : lógica ～ 형식 논리학. ② 형식적인, 표면적인, 외형의.

③ 정식의 : saludo ~ 정식 인사. con orden ~ 정식 명령으로. ④ 필요한. ⑤ 명확한. ⑥ 고지식한, 진지한, 꼼꼼한.

formaldehído *m.* 【화학】 포름 알데히드 《방부 소독제》.

formaleta *f.* 《*Col. Dom.*》 아치의 뼈대.

formalete *m.* 【건축】 =**medio punto.**

formalidad *f.* ① 정식(正式), 형식, 방식. ② 수속 : ~ aduaneras·de aduana 통관 수속. ~*es* previas 예비 수속. ③ 여건. ④ 의식. ⑤ 꼼꼼함, 고지식함, 정확함(seriedad, exactitud) : Ese hombre tiene mucha ~ 그 사람은 무척 꼼꼼하다.

formalina *f.* 【화학】 포르말린. **Sinón.** formal.

formalismo *m.* 형식주의 ; 형식화 : el ~ administrativo 행정의 형식화.

formalista *adj.* 형식주의의. —*m.f.* 형식주의자, 형식론자.

formalización *f.* 형식화, 서식화, 구체화.

formalizar *tr.* ⑨ ① (…의) 형식을 갖추다 ; 서식을 작성하다 ; 정식화하다 ; 격식·방식에 맞게 하다. ② 수속을 밟다. ③ 명확히 하다. ④ 실현시키다, 구체화하다(concretar).

~se ① 형식이 갖추어지다 ; 작성되다 : *Se formalizó* el contrato 계약서가 작성되었다. ② 가정 교육이 몸에 배다 : El niño va *formalizándose* 그 아이는 차츰 어른스러워 간다. ③ 정색을 하다.

formalmente *adv.* 정식으로, 공식으로 ; 형식적으로, 형식을 갖춰 ; 격식에 맞춰 ; 깔끔하게, 고지식하게.

formalote, ta *adj. aum.* formal.

formante *adj.* 형성하는; 조립하는, 구성하는.

formar *tr.* ① 형태를 이루다, 형성하다 : ~ parte en …에 참가하다. Ella *formó* parte del coro 그녀는 합창단의 멤버가 되었다. La cordillera Mariánica *forma* el límite Sur de la Meseta 마리아니까산맥은 서반아 고원의 남쪽 한계를 형성한다. ② 조립하다, 조직하다, 구성하다, 편제하다 : ~ una sociedad anónima 주식회사를 조직하다. ③ 【군사】 정렬시키다, (대형을) 만들다. ④ 길들이다, 훈련하다.

—*intr.* ① 형태를 이루다, (어떤) 모양이 되다. ② 정렬하다. ③ 자라다.

~se 형태를 취하다, 형태가 이루어지다 ; 성장하다 ; 대열에 끼다.

formativo, va *adj.* 형성의, 구성의 ; 조형의.

formato *m.* 《*Galic.*》 =**tamaño.**

formatriz *adj.f.* formador의 여성.

formeno *m.* 【화학】 메탄 (가스).

formentación *f.* 【의학】 찜질, 습포.

formero *m.* 【건축】 (천정을 받들고 있는) 하나의 아치.

formiato *m.* 【화학】 개미산염 : ~ de sosa.

formicación *f.* 《*Neol.*》 【의학】 =**hormigueo.**

formicante *adj.* ① 개미의, 개미 같은, 개미가 기는 듯한. ② 【의학】 미약하면서 빈도가 높은 : pulso ~.

fórmico, ca *adj.* [*lat.* formica] 【화학】 개미산의 : ácido ~ 개미산. aldehído ~ 개미산 알데히드, 방부 소독제.

formidable *adj.* 경이적인, 굉장한 : Se enfrentaban con una competición ~ 그들은 경이적인 경쟁에 직면해 있었다. ② 무서운, 가공할 (muy temible) ; 만만치 않는, 대적하기 어려운 : enemigo ~. ③ 매우 큰, 매우 강한(muy grande o muy fuerte) : ruido ~.

formidoloso, sa *adj.* [*lat.* formidolosus] 무서워하는, 무서운(espantoso).

formol *m.* 【화학】 포르말린(formalina).

formón *m.* (끝이 얇으면서 넓은) 끌 : martillo ~ 마름모꼴로 모가 난 망치.

Formosa *f.* ① 대만, 타이완. ② 포르모사 《아르헨띠나의 주·도시》.

formoseño, ña *adj.m.f.* 포르모사 《Formosa, 아르헨띠나에 있는 주·도시》 의 (사람).

fórmula *f.* [*lat.* formula] ① 형식, 양식, 서식 : ~ legal. ② 방식 ; 예법 : ~ de cortesía. ③ 【수학·화학】 식, 공식 ; 화학식(~ química) : ~ molecular 분자식. ④ 처방(전)(receta) : medicamento compuesto según la ~ 처방에 의해 조합된 약. ⑤ 제법(製法) : según tal o cual ~ 이러저러한 방식으로. ⑥ 상투적인 문구, 판에 박은 말. —*pl.* 《*Chile.*》 생산 방식.

de ~ 형식의, 형식적인.

por (pura) ~ (순전히) 형식적으로, 외형만 ; 의례적으로 : Le saludé *por* ~ 의례적으로 나는 그에게 인사했다.

formulación *f.* formular 하는 일.

formular[1] *tr.* ① 서식대로 기록하다, (문서를) 작성하다 : ~ la nota de débito 외상 장부를 만들다. *Formuló* sus ideas en una memoria 그는 그의 생각을 메모로 작성했다. ② …식으로 만들다, 식으로 나타내다. ③ 처방하다(recetar) : Voy a ~ una receta 처방을 작성할려고 한다. ④ 말로 표현하다, 표명하다(expresar) : ~ un deseo 소망을 표명하다.

formular[2] *adj.* 서식의 ; 양식의, 공식의.

formulario, ria *adj.* 서식의 ; 형식적인 ; 겉보기만의 ; 공식주의적인. —*m.* ① 서류, 서식 ; 서식집 : ~ de aseguramiento 보험금 청구 서류. ~ de cheque 수표 서식. ~ de factura 송장 서식. ~ de pedidos 주문 서식. ~ de proposiciones 입찰 서식. ~ espitolar 서간 서식집. ~ terapéutico 처방서. ② 서식류, 소정 양식 용지 : ~ de pedido 주문 용지. ~ de telegrama 전보 용지.

formulismo *m.* 형식주의, 공식주의.

formulista *adj.* 형식주의의. —*m.f.* 형식주의자.

fornáceo, a *adj.* 【시어】 부뚜막의, 부뚜막 모양의.

fornalla *f.* 《*Cuba.*》 (부뚜막의) 재받이.

fornecino, na *adj.* 사생(私生)의 (아이).

fornel *m.* 《*Ál. Alm. Jaén.*》 =**anafe.**

fornelo *m.* =**chofeta.**

fornicación *f.* 간음, 간통(unión carnal fuera del matrimonio).

fornicador, ra *adj.* 간음하는. —*m.f.* 간음자.

fornicar *intr. tr.* ⑦ [*lat.* fornicari] 간통하다, 간음하다(cometer el pecado de la fornicación).

fornicario, ria *adj.* 간음죄의. —*m.f.* 간음자.

fornicio *m.* 간음 ; 정교.

fornido, da *adj.* 건강한, 건장한, 씩씩한(robusto) : mocetón ~.

fornir *tr.* 【은어】 =**arreciar, fortalecer, refor-**

mar.

fornitura *f.* [*fr.* fourniture] ① 식량 ; 보급품. ②【인쇄】 부족 활자의 주조 ; 그 활자. ③ (시계·라디오 등의) 예비 부품 ; 옷의 부속품《단추, 훅 등》. —*pl.* (사병의) 장구(裝具).

foro *m.* [*lat.* forum] ① (고대 로마에 있던 공적인 일이나 재판·상거래 등을 하던) 중앙 광장. ② 법정 ; 변호사단 ; 법률 사무. ③ (무대의) 정면 안쪽 : telón de ~ 정면 안쪽에 드리워진 막. ④ 토지 임대 계약, (옛날의) 영세 소작 계약 임대료 : tomar a ~ 땅을 빌리다.

por tal ~ 그러한 조건·계약으로.

forofo, fa *m.f.* =**fanático.**

forondo, da *adj.* 《*Chile. Guat.*》 우쭐한, 뻐기는, 으시대는.

fororo *m.* 《*Venez.*》 튀긴 옥수수 비스킷.

forrado *m.* 《*Arg.*》 =**monigote de palo.**

forraje *m.* [*fr.* fourrage] ① (짐승들에게 주는) 꼴(hierba) : La esparceta da excelente ~. ② 《*Arg. Méx.*》 건초(forraje seco). ③ 꼴베기 : salir al ~. ④ 가벼운 허섭스레기.

forrajeador *m.* ① 꼴을 베러 가는 병사. ② 꼴을 베러 가는 사람,

forrajear *tr. intr.* ① 꼴을 베다. ② (병사들이) 꼴을 베러 가다.

forrajera *f.* (기병 모자를 뒤에서 잠그는) 장식끈.

forrajero, ra *adj.* 말먹이가 되는 : La alfalfa y la esparceta son plantas ~*ras.*

forrajicultura *f.* 말먹이 식물 경작술.

forrar *tr.* ① [+de·en·con : …을] 대다, 안감을 대다 : ~ *de* seda un vestido 옷에 비단 안감을 대다. ~ *de·en·con* piel 가죽을 대다. ② (위에·안에) 뚜껑을 대다, 씌우다, 대다 : ~ *de* seda un parasol 양산에 비단을 씌우다. ③ 장정하다 : libro *forrado de* piel 가죽으로 장정한 책.

~se ① 《*Amér.*》 돈을 모으다 : tener el riñón *forrado* 돈을 모으고 있다. ② 《*AmérC.*》 출발 전에 실컷 먹다(comer bien antes de salir).

forrear *tr.* 《*Cuba.*》 속이다, 사기치다, 골탕먹이다(entrampar). —*intr.* 《*Venez.*》 (말이) 콧김을 내뿜다.

forro *m.* [*got.* fodr] ① (어떤 것을) 대기, 씌우기, 안감 대기(abrigo o defensa) : poner ~ a una caja 상자에 안을 받치다. ② 안감 ; 안감천. ③ 거죽에 댄 것, 커버 : ~ de libro 책 커버. ④ 선체의 겉판자, 함석의 바닥에 대는 널판자. ⑤ 《*Ant.*》 침대 시트. ⑥ 《*Cuba. Chile.*》 속임수. ⑦ 《*Chile.*》 능력, 재간.

de ~ 《*Cuba.*》 ① 무료의(de gorra). ② 《*Guat.*》 게다가, 더군다나(además).

ni por el ~ 아무 쓸모도 없는.

echar un ~ ① 《*Chile.*》 곤란케 하다. ② 《*Perú.*》 손해를 주다.

forrufalla *f.* 《*Ar.*》 =**borrufalla.**

fortacán *m.* 용수로의 작은 수문(ladrón).

fortacho, cha *adj.* 《*Amér.*》 건장한, 우람스러운, 늠름한(muy fuerte y robusto).

fortachón, na *adj.* 《*Amér.*》 =**fortacho.**

fortalecedor, ra *adj.* 강화하는, 튼튼하게 하는.

fortalecer *tr.* ㉛ ① 강화하다, 강하게 하다, 튼튼하게 하다(fortificar). ② (…에) 요새를 구축하다 : ~ una ciudad.

~se 튼튼해지다, 강해지다, 힘이 붙다.

fortalecimiento *m.* (체력·정신의) 단련, 강장 ; 보루 ; 보루 구축.

fortaleza *f.* ① 힘, 용기(fuerza, vigor, robustez). ② 요새, 성채 : ~ volante 하늘의 요새, 중폭격기. ③ 《*Chile.*》 악취. —*pl.* 칼집에 생긴 흠.

forte *m. ital.* 【음악】 강음부. —*adv.* 【음악】 강하게.

pos si ~ 《*Ant. Venez.*》 만일(에).

¡forte! *interj.* 정지 ! 《선박에서 작업 중지의 구령》.

fortepiano *m.* 【고어】 =**piano.**

fortezuelo, la *adj. dim.* fuerte.

fortificable *adj.* 강하게·튼튼하게 할 수 있는.

fortificación *f.* 진지 구축, 축성 ; 방비 ; 축성법 ; 보루, 진지 : ~ permanente 영구 진지.

fortificador, ra *adj.m.f.* 강화하는; 요새화하는 (사람).

fortificante *adj.* 강장케 하는 : El chocolate es un excelente ~. —*m.* 강장제.

fortificar *tr.* ⑦ ① 강하게 만들다, 단단하게 하다, 튼튼하게 하다(reforzar). ② 강화하다 : ~ una idea. ③ (…에) 방어 공사를 하다, 요새화하다 : ~ el castillo.

~se 단단해지다, 튼튼해지다, 강해지다, 강화하다 ; 방비를 단단히 하다.

fortín *m.* [*dim.* fuerte] 성채, 작은 보루.

fortiori (a) *adv. lat.* 더욱 강한 이유로.

fortísimo, ma *adj.* [*sup.* fuerte] 매우 강한, 매우 견고한(muy fuerte, muy sólido) : edificar una pared ~*ma* 매우 견고한 벽을 세우다. presiones ~*mas* 강력한 압력.

F.O.R.T.R.A.N. formula translation.

fortuitamente *adv.* 갑자기, 불의에, 별안간 (por casualidad).

fortuito, ta *adj.* [*lat.* fortuitus] 뜻밖의, 우발적인, 생각지 않은, 우연의 : caso ~ 돌발 사건, 우연한 일. **Sinón.** accidental, causal, imprevisto.

fortuna *f.* [*lat.* fortuna] ① 운, 운수, 운명 : probar ~ 운을 시험해 보다. ② 행운, 행복 (suerte) : por ~ 다행히, 우연히도. Por ~ pudieron escapar 그들은 다행히 탈출할 수 있었다. Tuve la ~ de encontrarla 다행히 그녀를 만났다. ③ 재산, 자산(hacienda) : ~ personal 동산. biens de ~ 재산. Perdió la ~ en especulaciones 그는 투기로 재산을 잃었다. Juntó una respetable ~ en América 그는 아메리카에서 상당한 재산을 모았다. ④ 폭풍우 : correr ~ la embarcación 선박이 폭풍우에 휩싸이다. ⑤ 운명의 여신.

correr·probar ~ =aventurarse.

soplar la ~ 일이 잘 진척되다.

fortunio *m.* 【고어】 행운, 행복.

fortunón *m.* [*aum.* fortuna] 행운, 큰 복 ; 엄청난 재산.

fortunoso, sa *adj.* 《*AmérC. Ecuad.*》 =**afortunado.**

forúnculo *m.* 【의학】 곪는 부스럼(furúnculo).

forzadamente *adj.* 우겨서, 강제로 ; 폭력으로.

forzado, da *adj.* ① 폭력에 의해 당한 ; 강제적인, 억지로 시킨 : risa ~*da* 억지 웃음. trabajo ~ 강제 노동. ② 힘드는 (일). ③ 부득이한, 하는 수 없는(forzoso). —*m.* 도형선(徒刑船)의 도형수(徒刑囚).

forzador *m.* 폭행자, 폭한, 폭도.

forzal *m.* 빗의 등부분.

forzamiento *m.* 폭력을 쓰는 일 ; 강제, 강요 ; 강간 ; 밀고·부수고 들어가기.

forzar *tr.* 24 9 ① 폭력으로 하다. ② (문 따위를) 억지로 열다 : ~ una puerta. ③ 강간하다. ④ (…에) 밀치고 들어가다 ; 강제로 점거하다 : Los ladrones *forzaron* la casa 도적들이 그 집에 강제로 들어갔다. ⑤ 강행하다 ; 억지로 하다 : ~ el paso 무리해서 피치를 올리다. ⑥ 강요하다, 강제하다(obligar) : La autoridad le *forzó a* que saliera del pueblo ; La autoridad le *forzó a* salir del pueblo 당국은 그에게 억지로 마을에서 나가게 했다.

forzosa *f.* 의사에 반하는 행위 : hacer la ~ 의사에 반해서 행동하게 하다.

forzosamente *adv.* 하는 수 없이, 마지 못해 (por fuerza).

forzoso, sa *adj.* ① 하는 수 없는, 어쩔 수 없는, 부득이한 : arribada ~*sa* 피난 입항. aterrizaje ~ 불시 착륙. venta ~*sa* 확정·무조건 판매. una visita ~*sa* 부득이한 방문. El retorno era ~ 귀환은 부득이 했다. ② 불가항력의. Contr. evitable.

forzudamente *adv.* 완강하게, 힘껏.

forzudo, da *adj.* 완강한, 강대한, 강력한, 강한 (muy fuerte) : gigante ~.

fosa *f.* [*lat.* fossa] ① 묘구덩이(sepultura). ② 【해부】 구멍(cavidad) : ~*s* nasales 콧구멍. ③ 【야금】 물통.

fosado *m.* 【축성】 참호, 호(壕).

fosal *m.* 묘지(cementerio).

fosar *tr.* (…의) 주위에 호를 파다.

fosario *m.* 【고어】 =**osario.**

fosca *f.* ① 안개. ② 아지랑이(neblina). ③ 《*Murc.*》 잡목숲(bosque enmarañado).

foscarral *m.* 【방언】 나무숲(espesura).

fosco, ca *adj.* ① 기분이 언짢은. ② 무뚝뚝한. ③ 어두운, 암담한(oscuro).

fosfamina *f.* =**fosfina.**

fosfatado, da *adj.* 인산염(fosfato)을 함유한 : alimento ~. —*m.* 인산염 첨가.

fosfatar *tr.* …에 인산염을 첨가하다 : harina *fosfatada.*

fosfático, ca *adj.* 인산염의 : ácido ~ 인산.

fosfato *m.* 【화학】 인산염 : ~ de cal 인산석회. ~ de soda 인산 소다.

fosfaturia *f.* 【의학】 인산염뇨증.

fosfeno *m.* 【생리】 광시증(光視症) ; (눈에서 튀는) 불.

fosfinas *f.pl.* 【화학】 인화 수소(fosfamina).

fosfito *m.* 【화학】 아린산염.

fosforado, da *adj.* 인(fósforo)을 함유한.

fosforecer *intr.* 31 인광을 발하다, 반짝이다.

fosforero, ra *m.f.* 성냥팔이. —*m.* 성냥갑 넣는 통. —*f.* 성냥을 넣기 ; 성냥갑.

fosforescencia *f.* 인광 ; 인화(燐化), 도깨비불 : La ~ del mar es debida a la presencia de diversos protozoarios..

fosforescente *adj.* 인광을 발하는, 퍼렇게 빛이 난.

fosforescer *intr.* =**fosforecer.**

fosfórico, ca *adj.* 인(fósforo)의 : ácido ~ 인산.

fosforismo *m.* 인에 의한 중독(envenenamiento por el fósforo).

fosforita *f.* 인회토(燐灰土) : Se emplea la ~ como abono en la agricultura.

fósforo *m.* ①【화학】 인(燐) : ~. rojo · amorfo 적린(赤燐). ~ amarillo 황린(黃燐), 백린. ② 성냥(cerilla) : encender un ~ 성냥불을 켜다. ③ 샛별(lucero del alba).

fosforoscopio *m.* 인광 시험기, 인광계(燐光計).

fosforoso, sa *adj.* 인의, 인을 함유한 : ácido ~ 아린산.

fosfuro *m.* 【화학】 인화물.

fósil *adj.* [*lat.* fossilis] ① 화석의 : madera ~. ② 시대에 뒤진, 낡은. —*m.* 화석.

fosilífero, ra *adj.* 화석을 함유한 : terreno ~.

fosilización *f.* 화석화 ; 시대에 뒤지게 함.

fosilizarse *r.* 9 ① 화석이 되다, 화석이 되게 하다 (convertirse en fosil) : concha *fosilizada* 화석이 된 조개. ② 시대에 뒤지다 : Ese escritor *se fosilizó.*

fosique *m.* =**fusique.**

foso *m.* [*lat.* fossus] ① 구멍, 구덩이(hoyo). ② (무대의) 지하실 : ~ de la orquesta 오케스트라 박스. ③ 고랑. ④ (보루의) 호, 참호 : En general los castillos coreanos antiguos estaban defendidos por ~*s* 일반적으로 한국의 고성들은 참호에 의해 방어되었다.

fotingo *m. desp.* [*ing.* Ford] ① 《*AmérC. Ant. Perú.*》 소형의 고물 자동차. ② 《*Ant.*》 여자 궁둥이. ③ 《*Cuba.*》 우유 잔.

foto *f.* [*gr.* phôs, phôtos] 사진 [fotografía의 생략형] : una ~ 사진 한 장. —*m.* 1만 룩스에 해당하는 빛의 단위.

foto- *pref.* 빛을 뜻하는 접두어 : *foto*eléctrico 광전의, 광전자의.

fotocalco *m.* 청사진(~ azul).

fotocélula *f.* 광전지(光電池)(célula fotoeléctrica).

fotocolografía *f.* 사진판.

fotocolor *m.* 색채 사진.

fotocomponedora *f.* 사진 식자기(fotocompositora).

fotocomponer *tr.* 사진 식자로 만들다 · 구성하다.

fotocomposición *f.* 사진 식자.

fotocompositora *f.* 사진 식자기.

fotoconductividad *f.* 광전자율.

fotoconductor, ra *adj.* 광전자율의.

fotoconductriz *adj.f.* =**fotoconductora.**

fotocontador *m.* 광자(光子) 계수기(contador de fotones).

fotocopia *f.* 사진 복사 ; 복사 사진.

fotocopiador, ra *adj.* 사진 복사의. —*f.* 복사 사진기.

fotocopiar *tr.* 11 사진으로 복사하다 : ~ algunas páginas de un manuscrito.

fotocromía *f.* 천연색 사진(술) : tirada en ～.
fotocromo *m.* (천연색 사진술로 얻어진) 천연색 사진상.
fotoelectricidad *f.* 【물리】 광전기.
fotoeléctrico, ca *adj.* 광전(光電)의, 광전자의 ; 광전자 사진 장치의 : célula ～*ca* 광전지. corriente ～*ca* 광전류.
fotoelectrón *m.* 【물리】 광전자.
fotoescultura *f.* 입체 사진 ; 사진 조각술.
fotoesfera *f.* =**fotosfera.**
fotofobia *f.* ①【병리】 광선 공포증, 광선 혐기 (horror a la luz). ② 주맹(晝盲).
fotofóbico, ca *adj.* 광선 공포증의, 주맹의. —*m.f.* 주맹 환자, 광선 공포증 환자.
fotófobo, ba *adj.m.f.* 광선 공포·혐기의 ; 주맹의 (사람).
fotofonía *f.* 광음 변환.
fotófono *m.* 광선 전화기, 광음기.
fotóforo *m.* 초롱(farol)의 일종.
fotogenia *f.* 발광(성), 발광체.
fotogénico, ca *adj.* ①【생물】 빛을 내는, 발광성의. ② 사진에 잘 찍히는, 사진을 잘 받는 : facciones ～*cas* 사진을 잘 받는 얼굴. El azul es muy ～ 청색은 사진을 매우 잘 받는다.
fotógeno, na *adj.* 발광의, 발광체의 : bacterias ～*nas* 발광 박테리아.
fotogliptia *f.* 사진 조각(술).
fotoglíptica *f.* 아교질 염료에 의한 그라비아.
fotograbado *m.* 사진판(화) ; 그라비아 : ～ en cobre 동판 사진.
fotograbador, ra *m.f.* 사진판공 : taller de ～.
fotograbar *tr.* 사진판으로 하다 : ～ un mapa.
fotografía *f.* ① 사진(술) : ～ blanco y negro 흑백 사진. ～ de cerca 클로즈업. ～ en colores 천연색 사진. ～ radioscópica 방사선 사진, 뢴트겐 사진. sacar la ～ a …의 사진을 찍다. tomar·hacer una ～ de la escena 그 장면의 사진을 찍다. Hágame la ～ 내 사진을 찍어 주십시오. Sáqueme la ～ de medio cuerpo sólo 반신 사진을 찍어 주십시오. ② 사진 스튜디오, D.P.E. 점.
fotografiar *tr.* ⑫ ① 촬영하다 : máquina de ～ 사진기, 카메라. ～ una escena 어떤 장면을 찍다. ～ un paisaje 경치를 촬영하다. ② 세서(細叙)하다 ; 활사(活寫)하다, 정확히 묘사하다.
fotográficamente *adv.* 사진에서, 사진을 써서.
fotográfico, ca *adj.* 사진의, 사진에 의한 : aparato ～ 사진기. máquina ～*ca* 사진기, 카메라. papel ～ 인화지.
fotógrafo, fa *m.f.* 사진사.
fotograma *m.* =**fotocopia.**
fotogrametría *f.* 사진 측량법 《공중 촬영 따위에 의한》.
fotográmetro *m.* (사진 측량법에 사용하는) 정확한 사진기.
fotoheliografía *f.* 사진 제판 인쇄.
fotointerpretación *f.* 입체실 체경에 의한 공중 사진 해설.
fotolisis *f.* 【생물】 광(선)분해.
fotolito *m.* 사진 석판화.
fotolitografía *f.* 사진 석판(술) ; 그 그림 ; 사진 평판.
fotolitografiar *tr.* ⑫ 사진 석판(石版)·평판으로 하다.
fotolitográficamente *adv.* 석판 사진으로.
fotolitográfico, ca *adj.* 사진 석판(石版)의 : prueba ～*ca.*
fotología *f.* 광학(光學).
fotomecánico, ca *adj.* 【사진】 사진 제판(법)의.
fotometrar *tr.* 광도를 측정하다, 광도를 맞추다.
fotometría *f.* 광도 측정(법).
fotométrico, ca *adj.* 광도계의, 광도 측정의.
fotómetro *m.* ① 광도계. ②【사진】 노출계, 노광계(exposímetro).
fotomicrografía *f.* 현미경 사진, 미소(微小) 사진.
fotominiatura *f.* 사진 착색법 ; 세밀 사진.
fotomontaje *m.* 합성 사진, 몽타주 사진.
fotón *m.* 【물리】 광자(光子) 《빛에너지》.
fotopintura *f.* 사진 착색.
fotopolarímetro *m.* 빛 측정기.
fotoquímica *f.* 광화학.
fotoquímico, ca *adj.* 광화학의.
fotorradiscopia *f.* 엑스선 진찰 사진.
fotoscopia *f.* 복사 사진 ; 광도계.
fotosfera *f.* (태양·항성의) 광구(光球).
fotosíntesis *f.* 광합성(光合成).
fotostato *m.* 복사 사진기 ; 직접 복사 사진기.
fototactismo *m.* 【생물】 일광 감응 작용, 주광성(fototaxis).
fototaxis *f.* =**fototactismo.**
fototeca *f.* 사진 보관소(archivo fotográfico).
fototelegrafía *f.* 사진 전송 ; 전송 사진.
fototelescopio *m.* 사진 망원경.
fototerapia *f.* 광선 요법.
fototerápico, ca *adj.* 광선 치료의.
fototipia *f.* 사진 철판(凸版), 포토타이프 《콜로타이프 및 사진 철판의 별칭》.
fototípico, ca *adj.* 사진 철판의, 콜로타이프의, 망점(網點) 철판의.
fototipo *m.* 사진 인쇄 《콜로타이프, 망점 철판 등》.
fototipografía *f.* 사진 철판술(凸版術).
fototipográfico, ca *adj.* 사진 철판술의.
fototropismo *m.* 【생물】 굴광성(屈光性), 향일성(向日性) ; 포토타이프술 : máquina de ～ 사진 제판 기계.
fótula *f.* 【곤충】 진딧물(cucaracha).
fotutazo *m.* 《*Cuba.*》 =**bocinazo.**
fotutear *intr.* 《*Cuba.*》 소라 고둥을 불다 ; (자동차의 경적을) 울리다.
fotuto *m.* 《*AmérC. Cuba. Perú.*》 (부는) 소라 고둥 ; (자동차의) 클랙슨, 경적 ; 대변자.
fourierismo *m.* =**furierismo.**
fourierista *adj.* =**furierista.**
fo. vto. folio vuelto.
fox *m.* =**perro pequeño de caza.**
fox-terrier *m.* 개의 일종.
foxtrot *m. ing.* 폭스트로트 《둘이서 추는 4분의 4 박자의 비교적 빠른 템포의 사교 댄스》.
foya *f.* 《*Ar.*》 =**hornada de carbón.**
foyer *m.* 《*Galic.*》 (극장의) 관객 휴게실.

FPAD Fundación Panamericana de Desarrollo 범미 개발 기금.

f. púb. fondos públicos.

Fr francio.

fr. favor ; franco(s).

Fr. Fray, Frey. …사(師) 《승려의 명칭》.

fra. factura 송장, 인보이스.

F.R.A. Fuerza Real Aérea 영국 공군.

frac *m. fr.* [*pl.* fraques, fracs] 연미복.

fracasado, da *adj.* [fracasar의 *p.p.*] 실패한, 좌절된 ; 실패하여 정신 이상이 된. —*m.f.* 실패자.

fracasar *intr.* [*ital.* fracassare] ① 실패하다, 좌절하다(frastrarse) : La comedia *fracasó* 그 희극은 실패했다. El proyecto *fracasó* 그 계획은 실패했다. ② 부서지다, 분쇄되다 : La embarcación *fracasó* en un arrecife 배는 암초로 부서졌다. —*tr.* 《*Galic.*》 부수다, 박살내다(romper).

fracaso *m.* [*ital.* fracasso] ① 실패 : El negocio fue un ~ 사업은 실패였다. ② 화, 재앙. ③ 《*Galic.*》 대음향.

fracción *f.* [*lat.* fractio] ① 분할 ; 부분, 단편, 작은 조각(pedazo). ②【수학】 분수(分數)(número quebrado) : ~ impropia 가분수. ~ propia 진분수. ~ continua 연분수. ~ decimal 소수(小數). ③【수학】 소수, 끝수. ④《*Galic.*》 분열, 분파 ; 당파. ⑤【화학】 분별 증류, 분류(分溜). Contr. quebrado.

fraccionable *adj.* 나누어지는, 분할할 수 있는.

fraccionamiento *m.* ① 분할 ; 분열. ②【화학】 분법 증류(법), 분류(법).

fraccionar *tr.* ① 나누다, 분할하다. ②【화학】 분별·분류(分留)·분정(分晶)하다.

~se 《*Galic.*》 (정당, 사회 단체 등이) 분열하다.

fraccionario, ria *adj.* ① 분수(分數)의, 소수(小數)의 ; 끝수의 : número ~ 분수. ② 단편적인 ; 잔돈의.

fractura *f.* ① 분해, 파괴. ② 골절(rotura) : El tratamiento de las ~*s* consiste en la inmovilidad. ③【광산】 단구(斷口).

fracturación *f.* =**procedimiento.**

fracturar *tr.* 부수다, 빻다, 찧다, 억지로 부수다(quebrantar) : ~ una caja de caudales.

~se 부서지다, 깨지다 ; 골절되다, 뼈가 부러지다 · 삐다 : ~*se* un brazo 팔을 삐다.

frada *f.* 《*Ast. Sant.*》 (나무의) 가지치기.

fradar *tr.*【방언】 (나무의) 가지·잎을 모두 쳐 버리다.

fraga *f.* ①【식물】 나무 딸기(frambueso). ② 딸기(fresa). ③ 황무지(breñal).

maza de ~ 말뚝 박는 기계.

fragancia *f.* [*lat.* fragantia] ① 향기로움, 향기, 방향(芳香)(perfume, aroma) : la ~ de los claveles. ② 평판, 명성(fama).

fragante *adj.* [*lat.* fragans] ① 향기로운, 향긋한, 향기있는 ; 방향성(芳香性)의 : rosa ~ 향기로운 장미. ② 현행의(flagrante) : delito ~ 현행범.

en ~ =en flagrante.

fraganti (in) *adv. lat.* =**en flagrante delito.**

fragaria *f.*【식물】 딸기, 나무 딸기(fraga).

fragata *f.* (옛날의) 범주(帆走) 순양함, 소형 구축함 : ~ ligera 소형 쾌속정(corbeta). capitán de ~ 해군 중령. alférez de ~ 해군 소위.

frágil *adj.* [*lat.* fragilis] ① 부서지기 쉬운, 깨지기 쉬운, 취약한(quebradizo) : *¡Frágil!* 깨지는 것 주의. El vidrio es ~ 유리는 깨지기 쉽다. ② 덧없는, 허망한 ; 마음·의지가 약한, 죄에 빠지기 쉬운 : El hombre es ~ ante la tentación 사람은 유혹에 약하다. ③《*Méx.*》 가난한(pobre).

fragilidad *f.* 부서지기 쉬움, 깨지기 쉬움 ; 연약, 허약 ; 의지의 박약 ; 허망함.

frágilmente *adv.* 덧없이, 허망하게.

frágino *m.*【방언】【식물】 딸기 나무(fresno).

fragmentación *f.* 분열, (폭탄 따위의) 파쇄.

fragmentar *tr.* 갈갈이 찢다·쪼개다·나누다.

fragmentario, ria *adj.* 파편의, 부서진 조각의 ; 조각조각으로 된, 단편적인 ; 토막토막의 ; 불완전한.

fragmento *m.* [*lat.* fragmentum] 파편, 단편(斷片), (문장의) 발췌, 단장(斷章) : publicar un ~ de la Odisea.

fragón *m.*【식물】 =**brusco.**

fragor *m.* 굉음, 소음(ruido, estruendo).

fragoroso, sa *adj.* 시끄러운, 소란스러운(estrepitoso, estruendoso).

fragosidad *f.* ① 험난, 험준 : La ~ de una selva. ② 험난한 길(camino áspero).

fragoso, sa *adj.* ① 험한(áspero) : un camino ~. ② 시끄러운.

fragrancia *f.* =**fragancia.**

fragrante *adj.* =**fragante.**

fragua *f.* (대장간의) 노(爐).

fraguado, da *adj.* fraguar의 *p.p.* —*m.* 《*Alb.*》 회반죽 굳히기.

fraguador, ra *adj.m.f.* 생각해 내는 ; 날조하는 (사람), 꾸며대는(fragoroso).

fraguar[1] *tr.* ⑩ ① (철·금속을) 벼리다 : ~ el hierro. ② 생각해 내다(idear) : ~ un plan. ③ 꾸며대다, 날조하다 : ~ mentiras · un pretexto 거짓말·핑계를 꾸며대다.

fraguar[2] *intr.* [*ar.* farraga] (시멘트·회반죽 등이) 굳다 : Esta cal no *fragua* bien, el morteró *fraguó.*

fraguín *m.*【방언】 계류(溪流).

fragura *f.* =**fragosidad.**

frailada *f.* 난폭 ; 폭행 ; 파계.

fraile *m.* ① 승려, 수도사(religioso) : ~ capuchino. ② 백판 《인쇄물에서 잉크가 묻지 않은 곳》.

~ ***de misa y olla*** 교육을 별로 받지 못한 사람.

frailear *tr.* (나무를) 벌거숭이로 만들다.

frailecico *m.* [*dim.* fraile] ①【조류】 댕기물떼새. ② 작은 거품(burbujitas).

frailecillo *m.* [*dim.* fraile] ①【조류】 댕기물떼새. ②《*Ant.*》 중대가리새 《여러 가지 물새의 속칭》.

frailecito *m.* ①《*Cuba.*》 =**chorlito.** ②《*Perú.*》 =**mono.** ③《*Cuba.*》【식물】 =**tuatúa.**

frailejón *m.*【식물】 중대가리 해바리기 《남미 북부에서 나는 해바라기 비슷한 풀》.

frailengo, ga *adj.* 승려 같이 생긴.

fraileño, ña *adj.* =**frailengo.**

frailería *f.* 승려들, 수도사단(團).

frailero, ra *adj.* =**frailesco.**

frailesco, ca *adj.* 승려의, 승려다운.
frailezuelo *m. dim.* fraile.
frailía *f.* 수도 생활.
frailillos *m.pl.* =**arísaro.**
frailote *m.* [*aum.* fraile] 망할 놈의 승려 《승려의 경멸사》.
frailuco *m.* [*desp.* fraile] 얼치기 승려.
frailuno, na *adj. desp.* 승려 티가 나는 ; 가무잡잡한.
framboyán *m.* [*fr.* flamboyant] 【식물】 프람보얀 《Antillas의 아름다운 붉은 꽃을 피는 나무》.
frambuesa *f.* [*hol.* braambezie] 【식물】 나무 딸기 (열매) : confitura de ~*s.*
frambueso *m.* 【식물】 나무 딸기.
frámea *f.* (옛날의 게르만 사람의) 투창.
francachela *f.* ① 술잔치, 잔치(comilona). ② 【속어】 담백, 고지식함(franqueza).
francalete *m.* (주름 장식의) 가죽끈, 조임 가죽.
francamente *adv.* ① 솔직히, 터놓고, 숨김없이(con franqueza) : ~ dicho 솔직히 말해서. ② 무세(無稅)로.
Franc.[co] Francisco.
francés, sa *adj.* 불란서의.
—*m.f.* 불란서인. —*m.* 불란서어.
a la ~sa 불란서식 · 풍으로 · 의.
despedirse · irse · marcharse a la ~sa 아무 말도 하지 않고 가버리다, 작별 인사도 없이 가버리다 (irse sin despedirse).
francesada *f.* ① 불란서풍, 불란서식 말투. ② 1808년 불란서군의 서반아 침입.
francesilla *f.* ① 【식물】 서양 살구의 일종. ② 불란서빵.
francesismo *m.* 불란서 것에 대한 찬양 ; 불란서 기질.
franchote, ta *m.f. desp.* 불란서 사람.
franchute, ta *m.f. desp.* =**franchote.**
Francia *f.* 【지명】 불란서.
francio *m.* 【화학】 프랑슘 《방사성 알칼리 금속 원소》.
francisca *f.* (옛날 게르만족의) 도끼(segur).
franciscano, na *adj.* ① 프란시스꼬회《San Francisco de Asís가 1209년에 창설한 종파》의. ② 회색의(pardo). —*m.f.* 프란시스꼬회 수도사.
francisco, ca *adj.m.f.* =**franciscano.**
Francisquito *hip.* Francisco.
francmasón, na *m.f.* [*fr.* franc-macon] ① 공제(共濟) 비밀 결사원, 프리메이슨. ② (중세에는) 석공(石工)의 숙련공 조합원(masón).
francmasonería *f.* 공제 비밀 결사, 프리메이슨단(團)(masonería).
francmasónico, ca *adj.* francmasonería의 : ceremonias ~*cas.*
franco, ca *adj.* [*lat.* francus] ① 물건을 아끼지 않는(dadivoso) : ~ *a · para · para con* todos 누구한테나 물건을 아끼지 않는. ② 충실한(leal), 성실한(sincero) : carácter muy ~. ③ 담백한 ; 솔직한, 숨김없는 : ~ *de* carácter 성격이 솔직한. ~ *en* decir 말하는 것이 솔직한. Sea usted ~ conmigo 나에게 숨김없이 말씀해 주세요. ④ 장해물이 없는(desembarazado) : el camino ~. ⑤ 자유로운(libre) : puerto ~ 자유항. entrada ~*ca* 자유 출입. ~ de servicio 비번으로. Se estableció un puerto ~ 자유항이 개설됐다. ⑥ (…이) 필요치 않은(exento) : ~ *de* todo gasto. ⑦ 무료 · 무세(無稅)의 : ~ *de* porte · flete 운임 무료 · 운임 후불 · 우편세 면제의. ~ de derechos 면세, 무세. Me enviaron la mercancía ~ de porte 나에게 우송 무료로 그 상품을 보냈다. ⑧ 요금 · 세금 · 경비의 불입이 끝난. ⑨ 불란서의(francés) [특히 대어(對語)를 만들 때] : sociedad *franco*-española 불란서 · 서반아 합자 회사. guerra *franco*alemana 불독(佛獨) 전쟁.
—*adj.m.f.* ① 프랑크 족《라인강 하류에 원주했던 게르만계 종족》의 : lengua ~*ca.* ② (아프리카 해안에서) 유럽의.
—*m.f.* 유럽인(europeo).
—*m.* ① 프랑 《불란서 · 벨기에 · 룩셈부르크 · 스위스의 화폐》. ② 무세시(市), 자유항 : zona (de) ~ 자유 무역 지대. ③ …도(渡) · 제외 가격 : ~ a bordo 본선 인도 가격. ~ a bordo de vapor (en puerto de embarque) (선적항) 본선 갑판도, 갑판도, 선상도, 수출항 본선도. ~ almacén 창고도. ~ en almacén 수입항 지정 창고도. ~ en el muelle 수입항 부두도. ~ en fábrica 공장도. ~ muelle · fuera del buque 부두도, 수입항 본선도. ④ 【속어】 우표. —*pl.* 프랑크족.
Franco *m.* 프랑꼬.
Franciso ~ 서반아의 장군 · 정치가(1892–1975) 《서반아 내란의 반란군 총지휘관 ; 총통 (1939–47), 서반아 왕국의 섭정(1947–)》.
franco- *pref.* 「불란서(의)」의 뜻의 접두어 : *franco*americano 불미(佛美)의.
francófilo, la *adj.m.f.* 불란서를 좋아하는 (사람).
francófobo, ba *adj.m.f.* 불란서를 싫어하는 (사람).
francofonía *f.* [집합] 불란서어 사용국.
francófono, na *adj. m.f.* 불란서어를 말하는 (사람) : Hubo una reunión de los países ~*s.*
francolín *m.* [*ital.* francolino] 【조류】 자고 (perdiz)의 일종.
francolino, na *adj.* 《*Chile. Ecuad.*》 꼬리없는 (닭).
francomacorisano, na *adj.m.f.* 산프란시스꼬 · 데 · 마꼬리스《San Francisco de Macorís, 도미니까 공화국의 도시》의 (사람).
francote, ta *adj.* [*aum.* franco] ① 솔직한. ② 마음이 헤픈, 탁트인, 인심이 좋은 : una mujer muy ~*ta.*
francotirador, ra *m.f.* 저격병, 게릴라, 의용병(guerrillero).
franela *f.* ① 플란넬 : ~ de algodón lisa 평직면 플란넬. ② 《*Amér. Cuba.*》 (남자의) 내의, 속셔츠(camiseta).
frangente *adj.* [드묾] 부수는, 조각내는.
frangible *adj.* 부서지기 쉬운.
frangir *tr.* ④ 나누다, 조각내다, 부수다.
frangle *m.* 【문장】 가느다란 띠.
frangollado, da *adj.* 《*Arg.*》 완전히 길들이지 않은.
frangollar *tr.* ① 되는대로 해치우다(fartullar). ② 《*Bol.*》 겉치레만 하다.
frangollero, ra *adj.m.f.* 《*Arg. Bol. Méx.*》 함부

로·아무렇게나 다루는 (사람·물건).

frangollo *m.* ① 삶은 밀(trigo cocido). ② 《*Cuba.*》 바나나(plátano)와 설탕(azúcar)으로 만든 과자. ③ 《*Arg.*》 맷돌에 탄 옥수수 ; 함부로 다루는 밀. ④ 《*Ant.*》 바나나 과자. ⑤ 《*Chile.*》 맷돌에 탄 밀·옥수수. ⑥ 《*Méx.*》 잡탕 요리. ⑦ 《*Perú.*》 뒤섞음, 혼란.

frangollón, na *adj.m.f.* 《*Amér.*》 아무렇게나 해치우는 (사람).

frangote *m.* (상품의) 고리, 꾸러미.

franhueso *m.* 《*Ast.*》 【조류】 =**quebrantahuesos.**

franja *f.* 《*Galic.*》 ① (옷 따위의) 장식. ② 술, 리본, 끈, 띠.

franjalete *m.* 《*Méx.*》 =**francalete.**

franjar *tr.* franja로 장식을 달다.

franjeado, da *adj.* franja로 장식한.

franjear *tr.* =**franjar.**

franjolín, na *adj.* 《*Amér.*》 꼬리 없는 (닭).

franjolino, na *adj.* =**franjolín.**

franjón *m. aum.* franga.

franjuela *f. dim.* franja.

franklin *m.* 소지주, 향사(鄕士).

franklinio *m.* ① =**franklin.** ② 전하의 단위.

franqueable *adj.* 통과할 수 있는, 넘을 수 있는.

franqueadora *f.* (우편물의) 자동 소인기.

franqueamiento *m.* =**franqueo.**

franquear *tr.* ① (세금 따위를) 면제하다(libertar). ② (방해물을) 없애다(desembarazar). ③ (길을) 개방하다, 열다 ; 자유로이 하다 : ~ el paso 통로를 트다. ~ el puerto 항구를 자유항으로 하다. ④ (노예를) 해방하다(dar libertad) : ~ un esclavo. ⑤ (편지의) 우편세를 지불하다 : Las cartas *franqueadas* insuficientemente suelen pagar de tasa el doble de lo que les falta. ⑥ 양보하다, 주다(conceder, dar) : ~ la entrada. ⑦ 지나가다, 넘다, 극복하다(pasar, salvar).

~se ① 하자는 대로 하다. ② 마음속을 털어놓다(descubrir sus pensamientos) : *~se a·con* un amigo 친구에게 속마음을 털어놓다. ③ 출항 준비가 완료되다.

franqueniáceas *f.pl.* 【식물】 =**albohol.**

franqueo *m.* ① 우편세 : ¿Cuánto es el ~ de esta carta? 이 편지 우편세는 얼마입니까? ② 노예의 해방. ③ 면세 ; 면제.

franqueza *f.* ① 솔직, 담백 : Hable usted con ~ 털어놓고 말씀해 주십시오. Me gusta la ~ de aquella señorita 나는 저 아가씨의 솔직함을 좋아한다. ② 시원스러움. ③ 진지함(sinceridad). ④ 대범, 관대, 너그러움(generosidad). ⑤ 자유(libertad). ⑥ 면제 ; 면세(免稅).

franquía *f.* 출항 태세, 출범 준비 : en ~ 준비가 된 ; 멋대로 할 수 있는. poner un barco en ~ 출범 준비를 하다.

franquicia *f.* (우편세·관세의) 면세, 무세(無稅) ; 면제 : ~ de porte 우편세 면제.

franquismo *m.* 프랑코주의.

franquista *adj.m.f.* 프랑코 정부파의 (사람).

frappé *adj. fr.* 얼음으로 식힌(helado) : champaña ~.

fraque *m.* 연미복(frac).

frasca *f.* ① 베어낸 나뭇가지, 잔가지, 낙엽. ② 《*Méx. Guat.*》 술 마시고 떠들기(fiesta bulliciosa y escandalosa).

frasco *m.* [*lat.* flasca] ① 병, 플라스크 : ~ cuentagotas 점적(點滴)병. ② 병·플라스크의 내용물 : un ~ de vino. ③ 향수병, 화장품병. ④ 뿔로 만든 화약통. Sinón. cebador. ⑤ 《*Riopl.*》 프라스꼬 《액체의 용적 단위 ; 2,37리터》.

Frasco *hip.* Francisco.

Frascuelo *hip.* Francisco.

frase *f.* [*gr.* phrasis] 구(句), 어구(語句), 언구(言句) : ~ hecha 성구, 관용구. ~ proverbial 속담. ~ publicitaria 선전 문구. ② 언어를 구사하는 방법·말투 : La ~ española suele ser larga 서반아어 말투는 늘 길다. ③ 문체, 글씨체. ④ 【음악】 악구(樂句)(~ musical). ⑤ 경구.

frasear *tr.* ① 구(句)로 만들다(formar frases). ② 글을 짓다. —*intr.* 헛소리를 하다, 횡설수설하다.

fraseo *m.* 음악 연주(ejecución musical).

fraseología *f.* [*gr.* phrasis+logos] ① 어법, 표현법, 말투, 말씨 : la ~ griega. ② 필체, 문체, 수사법. ③ [집합] 어구. ④ 다변(verbosidad).

fraseológico, ca *adj.* 말씨의, 어법상의.

fraseta *f.* 【음악】 악구(frase melódica).

frasis *m.* ① 【고어】 =**frase.** ② 【드묾】 =**habla, lenguaje.**

frasquera *f.* ① 병상자. ② =**licorera.**

frasquerío *m.* 《*Méx.*》 [집합] =**frascos.**

frasqueta *f.* (인쇄기의) 서표 《물건이 서로 스치지 않게 사이에 끼워두는 종이》 ; 클립 ; 종이가위.

frasquete *m.* 소형 플라스크(frasco pequeño).

frasquitero *m.* 《*Venez.*》 =**embelecador.**

fratás *m.* (미장이의) 흙손.

fratasar *tr.* 흙손으로 고르다.

fraterna *f.* ① 질책, 꾸중, 나무람, 혼내주기. ② 《*PRico.*》 고역.

fraternal *adj.* ① 형제의, 형제간의 : amor·caridad ~ 형제애. ② 우애적인, 친밀한.

fraternalmente *adv.* 우애적으로, 형제처럼·같이 ; 친밀하게.

fraternidad *f.* ① 형제간, 형제의 정(의), 형제애. ② 우의, 우애 : La ~ es la más noble de las obligaciones sociales 우애란 사회 의무 중에서 가장 고귀한 것이다. ③ 패거리, 동아리. Sinón. hermandad.

fraternización *f.* =**fraternidad.**

fraternizar *intr.* 9 형제처럼 사귀다, 친하게 사귀다, 우정·우의를 돈독히 하다 ; 친해지다(confraternizar).

fraterno, na *adj.* =**fraternal.**

fratría *f.* 【고어】 부족의 일부.

fratricida *adj.* [*lat.* fratricida] 형제를 죽인. —*m.f.* 형제 살해자 : Caín fue el primer ~.

fratricidio *m.* 형제 살해 (범죄).

fraude *m.* [*lat.* fraus, fraudis] 속임수, 사기(engaño, acto de mala fe) : ~ de seguros 보험 사기. Ese hombre cometió un ~ 그 남자는 속임수를 썼다.

fraudelencia *f.* =**fraude.**

fraudulentamente *adv.* 속여서, 부정 수단으

로.

fraudulento, ta *adj.* [*lat.* fraudulentus] 거짓(말)의, 사기(적)인(engañoso) : quiebra *~ta* 위장 도산. manejos *~taos* 사기적 조작. aducir un pretexto ~ 거짓 변명을 입증하다.

fraulein *f. alem.* 심부름하는 소녀, 여자 급사.

fraustina *f.* 여자의 두건과 리본 장식용 나무 가장자리.

fraxíneas *f.pl.* [*lat.* fraxinus]【식물】물푸레나무 모양의 나무.

fraxinela *f.*【식물】=**díctamo.**

fraxíneo, a *adj.*【식물】물푸레나무의.

fray *m.* 신부님, 목사, (스님에 대한 경칭으로) …사(師), 스님, 화상(和尙)(frey). [*N.* fraile의 어미 탈락형].

fraybentino, na *adj.m.f.* 프라이·벤또스《Fray Bentos, 우루구아이의 도시》의 (사람).

frazada *f.* 침대용 모포(manta para la cama) : ~ de algodón 면직 모포.

frazadero *m.* 모포 제조인.

freático, ca *adj.* 물을 함유한 ; 지하수의 : aguas *~cas* 지하수.

frecuencia *f.* [*lat.* frequentia] 빈번, 빈발 : con ~ 자주, 빈번히, 뻔질나게(frecuentemente, a menudo). Ha venido a mi oficina con ~ 그는 자주 내 사무실에 왔다. ② 빈도, 도수, 횟수. ③【수학·물리·전기】진동수 ; 주파수 : alta ~ 고주파. baja ~ 저주파.

frecuentación *f.* 자주 찾아가기·방문하기.

frecuentado, da *adj.* =**concurrido.** ② =**muy visitado.**

frecuentador, ra *adj.m.f.* 자주 방문하는, 빈번하게 내왕하는 (사람).

frecuentar *tr.* ①(…에) 뻔질나게·자주 가다 : *¿Frecuenta* usted el teatro nacional? 당신은 국립극장에 자주 갑니까? ② 자주 하다.

frecuentativo, va *adj.*【문법】반복의, 반복을 나타내는 : aspecto ~ 동사의 반복상. **—*m.*** 반복 동사《golpear, hojear 등》.

frecuente *adj.* [*lat.* frequens, entis] 자주 일어나는, 잦은, 뻔질난, 빈번한 : tos ~ 잦은 기침. un hecho ~ 뻔질난 행위. **Contr.** excepcional.

frecuentemente *adv.* 자주, 흔히, 늘, 빈번히 (a menudo, con frecuencia).

fregadera *f.*《*Méx.*》=**pejiguera.**

fregadero *m.* 접시 씻는 곳, 개숫물통.

fregado, da *adj.*《*Amér.*》① 신경질이 있는. ② 귀찮은, 애먹이는(majadero). ③ 건달 같은, 악랄한(bellaco). **—*m.*** ① 문질러 닦기. ② 흉계 ; 속임수, 사기 ; 분규, 얽힘(enredo, embrollo) : meterse en un mal ~ 나쁜 흉계에 빠지다. ③《*Arg.*》쓸모 없는 인간, 말썽꾸러기.

fregador *m.* ①(접시) 씻는 곳. ② 솔솔. ③ 행주.

fregadura *f.* (접시 등을) 문질러 닦기.

fregajo *m.* 마룻솔, 걸레(estropajo).

fregamiento *m.* 문질러 닦기(fregado).

fregancia *f.*《*Col.*》골치 아픈 일, 귀찮은 일, 애먹이기(molestia).

fregandera *f.*《*Méx.*》=**fregona.**

fregar *tr.* 19 8 [*lat.* fricare] ① 문지르다, 닦다, 씻다 : ¿Usted *friega* los platos? 당신이 접시를 닦습니까? ②《*Amér.*》애먹이다, 애태우다, 귀찮게 굴다, 괴롭히다(fastidiar) : ~ la paciencia 넌더리나게 하다, 진저리나게 만들다. **~se**《*Amér.*》지긋지긋해지다, 귀찮아지다.

fregatina *f.*《*Ant. Chile.*》=**fregancia.**

fregatriz *f.* [드뭄] =**fregona.**

fregazón *m.*《*Ant. Chile.*》헛수고.

fregilo *m.*【조류】까마귀속의 새.

frégoli *m.* 잘 구겨지는·구겨지기 쉬운 모자 (sombrero flexible).

fregón, na *adj.*《*Amér.*》귀찮은, 골치를 썩히는, 애먹이는 ; 우둔한, 어리석은 ; 뻔뻔스러운. **—*m.***《*Ecuad.*》=**fregado.**

fregona *f.* 접시 씻는 하녀 ; 마루 청소하는 하녀.

fregonil *adj.* 식모의, 식모 같은.

fregosa *f.*《*Venez.*》=**té del país.**

fregotear *tr.* (접시 따위를) 자주 씻다(fregar repetidas veces).

fregoteo *m.* fregotear하기.

freidera *f.*《*Cuba. Méx.*》프라이팬.

freidor, ra *m.f.*《*And. Col.*》튀김 생선 장수.

freidora *f.* =**freidera.**

freidura *f.* 튀김, 프라이하기(freimiento).

freiduría *f.*《*And. Méx.*》튀김 가게 : ~ de pescado 생선 튀김 가게.

freila *f.* (승병단의) 수도녀.

freile *m.* (승병단의) 기사, 승병.

freimiento *m.* =**freidura.**

freir *tr.* 44 [*p.p.* freído·frito] [*lat.* frigere] ① 기름에 튀기다, 프라이하다 : ~ *con·en* aceite 기름에 튀기다. *Fría* usted bien el pescado 생산을 잘 튀기십시오. Ella *ha frito* pescados con aceite 그녀는 생선을 기름에 튀겼다. [*N.* ha freído 로도 좋으나, ha frito쪽을 더 많이 사용함]. ② 진저리나게 만들다, 애먹이다 : Me tiene *frito con* sus necedades 바보 같은 짓만 해서 나를 진저리나게 만들고 있다.

estar ~ =estar harto.

Al ~ será el reir【속담】허황된 것을 사실인 것처럼 말하는 사람을 비난하는 말.

freira *f.* =**freila.**

freire *m.* =**freile.**

fréjol *m.*【식물】강낭콩(judía).

frémito *m.* ①【시어】울부짖음, 포효(咆哮)(bramido). ②《*Neol.*》=**estremecimiento.**

frenado *m.* frenar 하기.

frenaje *m.* =**frenado.**

frenar *tr.* 억제하다 ; (…에) 제동기·브레이크를 걸다 : ~ la bicicleta.

frenazo *m.* 급브레이크를 밟는 일 : Dio un ~ al tren.

frenería *f.* freno 판매소.

frenero, ra *m.f.* freno 제조인·판매자.

frenesí *m.* ① 광란, 광포. ② 흥분, 열광. ③ 맹렬(violencia) : con ~ 격렬하게. ④【의학】(뇌염에 의한) 섬망 ; 광기.

frenéticamente *adv.* 미친듯이 ; 열광적으로 ; 격렬하게 ; 난폭하게.

frenético, ca *adj.* 미칠듯이 날뛰는, 미쳐 날뛰는, 광포한 ; 열광적인 ; 맹렬한 ; 섬망성의.

frenetismo *m.* 미쳐 날뛰는 행위.

frénico, ca *adj.* diafragma의 : contracciones *~cas.*

frenillar *tr.*【선박】밧줄로 묶다.

frenillo *m.* [*dim.* freno] ① 경기, 경련. ②【해부】계대(繫帶), 설계대(membrana). ③(물지 못하게 개의 입에 물린) 망, 멍에. ④【선박】배를 매어 두는 밧줄. ⑤《*AmérC. Cuba.*》(연의) 줄.
no tener ~ en la lengua 주책없이 지껄이다, 아무렇게나 지껄이다(hablar con demasiada libertad).

freno *m.* [*lat.* frenum] ①(말의) 재갈. ②제동기; 브레이크 : ~ al vacío 진공 브레이크. ~ aerodinámico 유선형 브레이크. ~ automático 자동 브레이크. ~ de cinta 밴드 브레이크. ~ de mano 수동식 브레이크. ~ hidráulico 수압 브레이크. ~ neumático 진공 제동기. ③구속, 제어, 억제. ④《*Arg.*》공복, 배고픔(hambre).
morder·tascar el ~ 하는 수 없이 따르다(soportar con impaciencia).

frenología *f.* 골상학(骨相學).

frenológico, ca *adj.* 골상학의.

frenólogo, ga *m.f.* 골상 학자.

frenópata *m.* 정신병 의사.

frenopatía *f.* 정신병학(estudio de las enfermedades mentales).

frenopatología *f.* 정신 병리학.

frental *adj.*【동물】이마의(frontal). **—*m.*** 이마끈(frontalera).

frentazo *m.* 《*Méx.*》 ① 박치기(golpe dado con la frente). ② 짐작이 빗나감 : dar un ~.

frente *f.* [*lat.* frons, tis] ① 이마 : ~ ancha 넓은 이마. Una ~ alta es señal de gran inteligencia 넓은 이마는 대단히 지성이 많다는 표시이다. ②(표정으로서의) 얼굴(semblante) : ~ serena 침착한 얼굴 생김새. bajar la ~ 얼굴을 수그리다. arrugar la ~ 얼굴을 찡그리다. ③(측면 lado에 대하여 물건의) 앞쪽. ④(종이에 글을 쓸 때 남겨 두는) 앞의 빈자리. ⑤(건물의) 정면(fachada). **—*m.*** ①(건물·성체·작전에서) 정면 : ~ de ataque 정면 공격. ~ de operaciones 정면 작전. ②(대열의) 앞줄, 전선(前線), 최전선, 제일선 (부대). ③전선(戰線) (~ de batalla) : ~ popular 인민 전선. ~ único 통일 전선. Sin novedad en el ~ (서부) 전선에 이상 없음. El Sr. López está al ~ de la misión 로뻬스씨가 사절단의 단장이다. ④표(表)(anverso). ⑤【기상】전선 : ~ cálido·frío 온난·한랭 전선. ~ ocluido 정체 전선. **—*adv.*** 정면으로(enfrente).
~ a ~ 마주 대놓고(cara a cara) : mirar ~ *a* ~ 상대방의 얼굴을 마주 쳐다보다.
~ por ~ 마주보고(enfrente) : Estaba la casa ~ *por* ~ de la mía 그 집은 내 집과 마주 면해 있었다.
al ~ 정면으로 ; 선두에 : estar *al* ~ *de* un negocio 사업을 선두에서 하다.
en ~ 정면에 : Vive en la casa que está *en* ~ de la nuestra 그는 우리의 집 정면에 있는 집에서 살고 있다. *En* ~ se ve un edificio enorme 정면에 거대한 건물이 보인다.
con (la) ~ levantada 의연하게, 태연하게 ; 철면피하게, 뻔뻔스럽게.
de ~ 단호히, 결연히, 당당히 : llevar *de* ~ un asunto 당당하게 어떤 일에 부딪히다.
¡de ~ 전진!
hacer ~ 대처하다, 대항하다, 버티어 나가다 ; 직면하다, 직접 당해보다 : Tuvo que *hacer* ~ a aquel problema 그는 그 문제에 직접 접해 보아야 했다.

Frente Popular 인민 전선《1936년 서반아와 불란서에서, 1938년과 1948년에 칠레에서 조직된 좌익 정당》.

frentepopulismo *m.* 인민 전선.

frentepopulista *adj.m.f.* 인민 전선의 (주의자·당원·지지자).

frentero *m.* ①(갓난아이의) 이마 받이(천). ②《*Amér.*》(전선에서 일하는) 일꾼(obrero).

frentón, na *adj.* 이마가 넓은(frentudo).

frentudo, da *adj.* =**frentón.**

freo *m.* 좁은 해협 ; 산협 ; 운하(canal).

freón *m.* (냉동용 가스) 프레온.

fres *m.* [*pl.* freses]【방언】=**franja.**

fresa *f.* [*lat.* fraga] ①【식물】딸기, 그 열매 : confitura de ~*s.* ②【기계】프라이스, 천공기의 머리(avellanador).

fresada *f.* 밀가루(harina), 우유(leche) 및 버터(manteca)로 만든 음식.

fresado *m.* (금속 따위에) 구멍 뚫기.

fresador, ra *m.f.* 금속에 구멍을 뚫는 일을 전담하는 직공. **—*f.***【기계】**프레이즈(반)**(avellanadora) : ~ de planear 가로 식으로 된 **프레이즈(반).**

fresal *m.* 딸기밭.

fresar *tr.* =**avellanar.**

fresca *f.* ① 서늘한 기운(fresco) : tomar la ~ 서늘하게 보내다. ②(아침 저녁의) 서늘한 때 : salir con la ~. ③ 진실(verdad) : soltar·decir una ~ 체면 불구한 소리를 하다.

frescachón, na *adj.* [*aum.* fresco] 혈색이 좋은, 원기 왕성해 보이는, 발랄한, 건장한(muy robusto y sano).

frescal *adj.* 짠맛이 별로 없는, 싱거운(poca sal) : sardinas ~*es.*

frescales *m.f.pl.* 철면피한, 뻔뻔스런 사람.

frescamente *adv.* ① 신선하게, 싱싱하게. ② 낯가죽이 두껍게, 철면피하게, 뻔뻔스럽게, 체면도 없이.

fresco, ca *adj.* ① 서늘한, 상쾌한, 시원시원한 : un viento ~ 서늘한 바람. Estoy ~ 나는 기분이 상쾌하다. La noche estaba *fresca* 그 밤은 시원했다. ② 신선한, 새로운(reciente) : El pescado está ~ 생선이 신선하다. ③ 혈색이 좋은, 터질듯한. ④ 아주 차분한. ⑤ 체면이 없는, 철면피한, 낯가죽이 두꺼운, 뻔뻔스러운 : La muchacha es muy *fresca* 그 소녀는 무척 뻔뻔스럽다. ⑥ 얇은 : una tela *fresca.* ⑦ 패배한, 실패한 : estar·quedar ~ 실패로 돌아가다. **—*m.*** ① 시원함, 상쾌함(frescura) : Hace mucho ~ 날씨가 무척 시원하다. Hacía ~ 날씨가 시원했다. tomar el ~ 시원하게 보내다. ② 시원한 바람(viento ~). ③ 싱싱한 생선 ; 싱싱한 소금절이 돼지고기. ④ 프레스코화, 벽화. ⑤《*AmérC. Ecuad. Méx. Perú. Venez.*》 청량 음료수(refresco).
al ~ 야외에서, 노천에서 ; 프레스코화 (벽화)로. *echar ~* 《*Cuba.*》 채찍질하다, 때리다, 매질하다(azotar).

frescor *m.* ① 시원스러움(frescura). ② 시원한

바람(viento fresco). ③ 싱싱한 살빛(color rosado de la carne). ④ 붉은 색의 살코기.

frescote, ta *adj.* [*aum.* fresco] 터질듯하고 혈색이 좋은 : una muchacha muy ~*ta.*

frescura *f.* ① 시원스러움, 상쾌함. ② 침착, 차분함(serenidad). ③ 뻔뻔스러움, 철면피 : con brava ~ 아주 뻔뻔스럽게. ④ 싫은 소리, 빈정거림 : Me respondió una ~ 그는 내게 언짢은 대답을 했다. ⑤ 나태, 태만(descuido, negligencia). ⑥ 농담(broma).

fresera *f.* 【식물】 딸기(fresa).

fresero, ra *m.f.* 딸기 장수.

fresilla *f.* 【식물】 작은 딸기.

fresnal *adj.* 물푸레나무(fresno)의.

fresneda *f.* [*lat.* fraxinus] 물푸레나무숲.

fresnillo *m.* 【식물】 백선(fraxinela)의 일종, 박하 무리(díctamo blanco).

fresno *m.* ① 【식물】 물푸레나무 : ~ de Texas 나왕. ② 물푸레나무의 재목 : La madera del ~ es muy apreciada por su elasticidad.

fresón *m.* 【식물】 (칠레 원산의) 큰 딸기의 일종 : El ~ es oriundo de Chile.

fresquedal *m.* 밭곡식의 아직 푸른 부분(部分) (verdinal).

fresquera *f.* ① 파리통, 파리 방장. ② (환기 장치를 한) 청량 식품 찬장. ③ 《*Arg.*》 =**fiambrera.**

fresquería *f.* 《*Bol. Col. Ecuad. Perú. Venez.*》 ① 청량 음료수 가게. ② 생선 가게. ③ 얼음집 (botillería).

fresquero, ra *m.f.* ① 생선 가게 ; 생선 장수. ② 《*Perú.*》 청량 음료 팔이.

fresquilla *f.* 복숭아(melocotón)의 일종.

fresquista *m.* 프레스코 화가.

freto *m.* =**freo.**

freudianismo *m.* 프로이드 《S. Freud, 1856—1939, 오스트리아의 의사》 학설, 정신 분석 학설.

freudiano, na *adj.* 프로이드 학설 · 학파의, 프로이드적 정신 분석의. **—***m.f.* 프로이드학파 · 학자.

freudismo *m.* =**freudianismo.**

frey *m.* [freile의 어미 탈락형] 수도 기사(freile)에게 붙이는 경칭.

frez *f.* =**estiércol.**

freza *f.* ① (짐승의) 똥. ② 산란(産卵) ; 산란기 (desove). ③ 물고기의 알(huevos de los peces). ④ 유어(幼魚). ⑤ 누에가 뽕잎을 먹는 시기. ⑥ 짐승의 발자국.

frezada *f.* 침대용 모포(frazada).

frezar[1] *intr.* ⑨ (동물이) 똥을 누다(estercolar).

frezar[2] *intr.* [*lat.* fricare] ① 알을 낳다(desovar). ② (야수 · 물고기 등이) 구멍을 파다(hozar un animal). ③ (누에가) 뽕잎을 먹다(comer el gusano de seda).

friabilidad *f.* 약함, 무름, 나약함, 취약성 : ~ de la tiza.

friable *adj.* 약한, 무른, 깨지기 쉬운, 부서지기 쉬운 : piedra ~ 깨지기 쉬운 돌.

frialdad *f.* ① 추위, 냉기 : la ~ de una habitación 방의 냉기. ② 냉정, 냉담(indiferencia). ③ 무관심 ; 혐오 ; 무기력. ④ 어리석음 (necedad). ⑤ 음위(陰萎), 임포. Contr. calor, ardor.

fríamente *adv.* 차겁게 ; 쌀쌀맞게, 냉정하게, 냉담하게 ; 무관심하게 ; 어리석게.

friata *f.* 《*And.*》 =**frialdad.**

friático, ca *adj.* ① 추위를 타는(friolero). ② 어리석은, 우둔한(necio).

frica *f.* 《*Chile.*》 구타(paliza).

fricación *f.* 【음성】 마찰 ; 마찰음.

fricandó *m.* 《*Galic.*》 프리깐도 《식사의 맨 처음에 나오는 쪄서 구운 고기, 불란서 요리의 일종》 : ~ de ternera 송아지고기.

fricar *tr.* ⑦ 문지르다(estregar).

fricasé *m.* 프리까세 《닭 · 송아지의 고기살을 잘게 썰어 버터에 묻힌 것》.

fricasea *f.* 《*Chile.*》 =**fricasé.**

fricativo, va *adj.* 【음성】 마찰의. **—***m.* 마찰음 《[f] [ʃ] [θ] [ʒ]따위》.

fricción *f.* [*lat.* frictio] 마찰 ; 안마 : dar una ~ con el guante de crin 갈기로 만든 장갑으로 문지르다.

friccionar *tr.* 《*Neol.*》 마찰하다, 문지르다, 주무르다(frotar, fregar, estregar).

friega *f.* ① 마찰 ; 안마 : ~*s* de aguardiente. ② 《*Amér.*》 귀찮음(molestia). ③ 때리기(tunda). ④ 어리석은 일. ⑤ 《*Méx.*》 꾸중, 질책, 나무람 (regaño)

friegaplatos *m.* 【단 · 복수 동형】 설거지통, 개수통.

friegue, friegue- → **fregar** ⑲ ⑧.

friera *f.* 손발이 틈(sabañón).

frigánidos *m.pl.* 【동물】 석잠속(石蠶屬)의 동물.

frígano *m.* 【곤충】 물여우(속의 벌레) ; 땅강아지.

frigidaire *m.* 전기 냉장고의 상표 이름.

frigidez *f.* ① 【시어】 한랭 ; 냉담 ; 차가움, 싸늘함, 냉각 : ~ cadavérica 시체처럼 싸늘함. ② 【병리】 불감증, 냉감증.

frigidísimo, ma *adj.* [*sup.* frío] 아주 차가운.

frígido, da *adj.* [*lat.* frigidus] ① 【시어】 찬, 차디찬, 싸늘한, 소름이 끼치는 듯한(frío). ② 냉혹한, 쌀쌀한. ③ 불감증의 : una mujer ~*da* 불감증에 걸린 여자.

frigio, gia *adj.* 프리기아《Frigia, 소아시아의 옛 국가》의. **—***m.f.* 프리기아 사람.

gorro ~ 빨간 두건 《불란서 혁명 때 혁명군들이 자유 해방의 표지로 썼던 것》.

frigoría *f.* 추위를 재는 단위.

frigorífico, ca *adj.* 냉동의, 냉각의 : aparato ~ 냉각기. mezcla ~*ca* 냉동제. **—***m.* 냉각실, 냉장고(nevera).

frigorista *m.* 냉동 기술자.

frigorizar *tr.* =**helar, congelar.**

frigoterapia *f.* 냉각 약제.

friísimo, ma *adj.* [*sup.* frío] 아주 차가운, 추운.

frijol *m.* ① 【식물】 강낭콩(fríjol). Sinón. judía, habichuela, poroto. ② 《*Cuba.*》 숨기는 일. ③ 《*Méx.*》 빈정거림. ④ [주로 *pl.*] 큰소리, 떵떵거리기(bravatas). ⑤ 먹거리, 음식, 식사(la comida) : trabajar para los ~*es.*

¡ frijoles! 《*Ant.*》 안돼 ! .

A la mejor cocinera se le queman los ~es 【속담】

원숭이도 나무에서 떨어지는 법이다.

fríjol *m.* 【식물】 강낭콩(fréjol).

frijolar *m.* ① 강낭콩밭. ② 《*Guat.*》 강낭콩 나무.

frijolear *tr.* 《*AmérC.*》 괴롭히다 ; 곤란하게 만들다(molestar).

frijolillo *m.* ① 《*Ant.*》 【식물】 콩나무 《콩과의 교목》. ② 《*PRico.*》 (갓난아기의 머리에 생기는) 딱지.

frijolizar *tr.* 9 《*Perú.*》 =**hechizar.**

frijón *m.* 《*And.*》 =**fríjol.**

frimario *m.* 불란서 공화력의 제3월 《11월 21일부터 12월 20일까지》.

fringa *f.* ① 《*Hond.*》 =**capote de monte.** ② 《*Hond.*》 =**persona raquítica.**

fringilago *m.* 【조류】 박새(pájaro carbonero).

fringílidos *m.pl.* 《*AmérM.*》 【조류】 멋쟁이새 《참새 무리》.

fringolear *tr.* 《*Chile.*》 =**zurrar.**

frío, a *adj.* [*lat.* frigidus] ① 추운, 찬, 차가운 : guerra *fría* 냉전. El café está ~ 커피가 차다. El hielo es ~ 얼음은 차다. El clima es ~ 기후가 춥다. La sangre de los reptiles es *fría* 파충류의 피는 차다. El algodón es más ~ que la lana 솜은 양모보다 차갑다. ② 찬, 냉담한 ; 냉혹한 : Es de temperamento muy ~ 그는 매우 냉담한 사람이다. ③ 불감증의(insensible) : mujer *fría* 불감증에 걸린 여자. Contr. caliente, ardiente, tórrido.
—*m.* ① 추위 : agarrar · coger ~ 감기 들다. hacer ~ 날씨가 춥다. tener ~ (몸이) 춥다. Hoy hace mucho ~ 오늘은 날씨가 매우 춥다. Tengo mucho ~ 나는 아주 춥다. El ~ polar puede helar el mercurio 극지방의 추위는 수은을 얼릴 수 있다. Contr. calor. ② 싸늘함. ③ 쌀쌀함, 냉담 (indiferencia). ④ 찬 음료수. ardor. —*pl.* 《*Amér.*》 학질, 간헐열.

friofrío *m.* 【식물】 프리오프리오 《꾸바의 콩과 식물》.

friolento, ta *adj.* 차가운, 추운 ; 추위를 잘 타는(friolero).

friolera *f.* 하찮은 일, 사소한 일 ; 하찮은 물건 : Eso es una ~ 그것은 소용없는 일이다.

friolero, ra *adj.* =**friolento.**

frión, na *adj.* 무뚝뚝한, 인정미가 없는, 무미건조한(insípido).

frisa[1] *f.* [*lat.* fresium] ① 나사(羅紗), 모직물(tela de lana). ② 《*AmérM.*》 (직물 등의) 보풀, 잔털. ③ 《*Ant.*》 모포.

frisa[2] *f.* 울타리 담 : caballo de ~ 건축재 철재 들보.

frisado, da *adj.* frisar의 *p.p.* —*m.* (옛날의) 지지미 견직물.

frisador, ra *m.f.* 피륙에 보풀을 일으키는 직공.

frisadura *f.* frisar 하기.

frisar *tr.* ① 오므라들게 하다, 보풀을 일으키다 : ~ el tela. ② 문지르다(restregar). ③ (천, 가죽, 고무 등으로) 선체의 판자 이음새를 메꾸다. —*intr.* ① [+con · en : …에] 가까워지다, 거의 되어 가다 : *Frisaba con · en* los cinuenta años 그는 쉰 줄에 가까워지고 있었다. ② 마음이 맞다(congeniar).

frisca *f.* 《*Chile.*》 구타, 매질, 몽둥이 찜질(paliza, azotaina).

friseta *f.* 양모와 면직천.

frisio, sia *adj.m.f.* =**frisón.**

friso *m.* 【건축】 (벽의 위쪽 · 아래쪽 장식) 그림 무늬 띠 ; 허리선 ; 허리 사개.

frisol *m.* 《*Amér.*》 =**frísol.**

frísol *m.* 《*Col.*》 【식물】 강낭콩(frijol).

frisolera *f.* 강낭콩 숲(mata de frijol).

frisón, na *adj.* 프리시아《Frisia, 네덜란드의 한 지방》의 : caballo ~ 프리시아말. —*m.f.* 프리시아 사람. —*m.* 프리시아말.

frisuelo *m.* =**frísol.**

fritada *f.* [집합] 기름 튀김(cosas fritas) : una ~ de papas y cebollas 감자와 양파 튀김.

fritanga *f.* ① 맛없는 튀김. ② 《*Amér.*》 고기 튀김 ③ 《*Chile.*》 성가신 일, 귀찮은 일.

fritanguera *f.* 《*Chile.*》 튀김 생선 장수. Sinón. friturera.

fritar *tr.* 【방언】 《*Col. Sal.*》 =**freir.**

fritería *f.* 《*Col.*》 튀김집.

fritilaria *f.* 【식물】 패모(corona imperial)

fritillas *f.pl.* 《*Mancha.*》 한 냄비의 과일.

frito, ta *adj.* [freir의 *p.p.*] ① 기름으로 튀긴 : huevos ~*s* 프라이 에그. ② 시샘하는 : estar ~. —*m.* ① 튀김(fritada). ② 《*Venez.*》 나날의 음식.

fritura *f.* =**fritada.**

friturero, ra *m.f.* 튀김집 주인; 튀김 장수.

friura *f.* 《*Venez.*》 =**frialdad.**

frívolamente *adv.* 경망스럽게, 경박하게, 경솔하게, 방정맞게.

frivolidad *f.* 경망, 경박, 경솔.

frívolo, la *adj.* [*lat.* frivolus] ① 이랬다 저랬다 하는, 경망스러운, 경박한, 방정맞은, 가벼운(ligero) : tener un carácter ~ 경망스럽다. ② 하찮은, 쓸모없는. Contr. serio, formal.

friz *f.* 【식물】 너도밤나무(haya)의 꽃.

Frnz. Fernández.

fronda *f.* ① (식물의) 잎 ; 양치류의 잎 ; 숲. ② (골절 등에 쓰는) 어깨에 거는 붕대. —*pl.* 무성한 잎.

fronde *m.* 【식물】 양치류의 잎.

frondífero, ra *adj.* 【식물】 잎이 무성한 : un árbol muy ~ 잎이 무성한 나무.

frondio, dia *adj.* 《*And. Col.*》 ① 마음이 언짢은, 성마른. ② 《*Col. Méx.*》 더러운, 더럽혀진, 오물투성이의(sucio, deseaseado).

frondosidad *f.* 잎이 무성함, 무성한 잎.

frondoso, sa *adj.* 나뭇가지 · 잎이 무성한 : vegetación ~*sa* 잎이 무성한 식물 un árbol muy ~ 잎이나 가지가 무성한 나무.

frontal *adj.* [*lat.* frons, frontis] ① 이마(frente)의 : hueso ~ 이마의 뼈. ② 전면의. —*m.* ① 【해부】 전악골(前顎骨), 전두골(前頭骨). ② 제단의 막. ③ 《*Amér.*》 이마에 댄 가죽.

frontalera *f.* 이마에 댄 가죽, 머리에 동여맨 수건 · 끈 ; 제단의 막.

frontalete *m. dim.* frontal.

frontera *f.* ① 국경 : Los Pirineos son la ~ natural entre España y Francia 피레네 산맥은 서반아와 불란서의 자연의 국경이다. ② (건물의) 정면, 앞면(fachada).

fronterizo, za *adj.* ① 국경의, 국경을 접한 :

una ciudad ~*za* 국경 도시. ② 국경 수비의 : soldado ~ 국경 수비병. ③ 앞에 있는 : una casa ~*za* de otra 다른 집의 앞집.

frontero, ra *adj.* 앞에 있는 ; 대립하는. —*m.* 이마에 대는 천 ; 국경 수비 대장. —*adv.* 정면에, 앞에.

frontil *m.* (소의) 머리에 두른 천.

frontín *m.* ①《*Méx.*》=**papirote.** ②《*Cuba.*》말의 이마에 댄 가죽.

frontino, na *adj.* ① 이마에 표적이 있는 : caballo ~ 이마에 표적이 있는 말. ②《*Arg.*》얼굴에 흰 점이 있는 (동물).

frontis *m.* 【단 · 복수 동형】(건물의) 정면 (fachada) : el ~ de un edificio 건물의 장면.

frontispicio *m.* ①【건물】정면. ② 파풍(波風), 바람막이(frontón). ③ (서적의) 면지(面紙), 속 표지, 권두화 : el ~ de un libro 책의 면지 · 속표지. ④ 얼굴(cara).

frontón *m.* ①【건축】건물의 정면 바람막이 파풍, 박공. ② 뻴로따 놀이《공을 판자벽에 부딪치는 놀이》; 그 판자벽 ; 그 경기장. ③ 벼랑.

frontudo, da *adj.* 이마가 넓은, 짱구머리의.

fros. francos 불란서 화폐 프랑.

frotación *f.* 마찰 ; 접촉.

frotador, ra *adj.m.f.* 마찰하는 (사람), 문지르는 (사람).

frotadura *f.* =**frotación.**

frotamiento *m.* 마찰 : El ~ engendra calor 마찰은 열을 발생시킨다.

frotante *adj.* 문지르는, 마찰하는, 부비는.

frotar *tr.* 문지르다, 마찰하다, 부비다 : Le *froté* espalda con alcohol 나는 그의 등을 알코올로 문질렀다. Carlos *frotó* la piedra contra su camisa para limpiarla y sacarle brillo 까를로스는 자기 셔츠에 돌을 문질러 깨끗이 하고 광을 냈다.

~se 마찰되다, 서로 문지르다 · 문질리다, 쓸리다 : ~*se* las manos 자기의 손을 부비다.

frote *m.* 마찰, (서로) 문지름.

frotis *m.* (현미경 검사에 사용하는) 도포물(塗布物).

frs. frase.

fructidor *m.* 불란서 공화력의 12월, 결실의 달《8월 18일—9월 17일》.

fructíferamente *adv.* =**provechosamente.**

fructífero, ra *adj.* ① 성공적인, 수확이 많은. ② 열매가 열리는(que produce fruto) : rama ~*ra.*

fructificación *f.* ① 결실 ; (고사리 등의) 결실 기관(器管). ② 이식(利植), 이문.

fructificador, ra *adj.* 열매가 열리게 하는 (비료), 결실을 내는.

fructificante *adj.* ① 결실이 좋은 : planta ~ 열매가 열리는 식물, 유실수. ② 유리한, 이익이 많은.

fructificar *intr.* 7 [*lat.* fructificare] ① 열매 맺다 ; 열매가 되다(dar fruto) : un árbol que *fructifica* 과실수. Las buenas obras *fructifican* siempre 착한 행위에는 반드시 열매가 따른다. ② 이익을 낳다, 이익이 생기다 : hacer ~ el dinero.

fructosa *f.* 【화학】과실당(azúcar de frutas).

fructuario, ria *adj.* ① 용익권(用益權)의 (usufructuario). ② 수익 · 수확에 의한.

fructuosamente *adv.* 유리하게, 효과적으로.

fructuoso, sa *adj.* [*lat.* fructuosus] ① 과실이 많은, 과실을 내는, 열매맺는 ; 다산적(多産的)인. ② 유리한(provechoso) : labor ~*sa* 유리한 일. Contr. infructuoso, estéril.

fruente *adj.* 기뻐하는, 환희하는.

fru-frú *m.* 사그락 사그락《비단옷이 끌리는 소리의 의성어》.

frugal *adj.* [*lat.* frugalis] ① 검소한, 소탈한 : Los espartanos eran muy ~*es* 스파르타 사람들은 매우 검소했다. ② 소찬의 : vida · almuerzo ~.

frugalidad *f.* 소찬, 적게 먹기 ; 검소. Contr. gula.

frugalmente *adv.* 검소하게, 소탈하게.

frugífero, ra *adj.* 【시어】열매(fruto)를 맺는 (fructífero).

frugívoro, ra *adj.* 과실을 먹는 (동물).

fruición *f.* 환희, 즐거움, 기쁨, 쾌감(goce, deleite) : escuchar un canto con ~ 노래를 즐겁게 듣다.

fruir *intr.* 77 기뻐하다, 환희하다, 즐거워하다 (gozar).

fruitivo, va *adj.* 즐거운, 기쁜, 환희하는.

frumentario, ria *adj.* 밀의, 곡식의, 벼의.

frumenticio, cia *adj.* =**frumentario.**

frunce *m.* 잔주름(pliegue) : hacer ~*s* 잔주름을 잡다.

fruncido *m.* =**frunce.**

fruncidor, ra *adj.m.f.* 얼굴을 찡그리는(사람). —*m.* 주름 기계.

fruncimiento *m.* 찡그린 얼굴 ; 주름 잡기 ; 잔주름 ; 속임수(embuste).

fruncir *tr.* 2 ① 상을 찌푸리다, 얼굴을 찡그리다 · 찌푸리다(arrugar la frente) : ~ la frente · las cejas · el entrecejo 이맛살을 찌푸리다. ② 주름을 잡다. ③ 그러모으다. ④ 조이다.

~se 새침하다, 시무룩하다, 우거지상을 하다.

fruñirse *r.* 52《*Col.*》진저리를 치다.

fruslera *f.* 놋쇠 그릇에 생기는 깨진 금.

fruslería *f.* 하찮은 일 · 물건(pequeñez).

fruslero, ra *adj.* 하찮은 ; 경박한, 경솔한 (frívolo). —*m.* (반죽에 쓰는) 공이.

frustración *f.* ① 예상에 빗나감, 실망 ; 실패 ; 미수. ②【심리】욕구 불만.

frustráneo, a *adj.* 무익한, 쓸데없는, 헛수고만 하는, 실속없는.

frustrante *adj.* 실패하게 하는.

frustrar *tr.* [*lat.* frustrare] ① 바라던 일을 틀어지게 만들다, 실패로 돌아가게 만들다 : *Frustró* las esperanzas a José 그는 호세의 희망을 꺾었다. ② 미지수로 끝나게 만들다 : robo *frustrado* 절도 미수.

~se 실패하다 ; 미수에 그치다 : ~*se* un delito 범죄가 미수에 그치다.

frustratorio, ria *adj.* ① 무효로 하는 : cláusula ~*ria* 무효화한 조항. ② 실패로 돌아가게 하는 ; 허를 찌르는 듯한.

frustro, tra *adj.*《*Galic.*》마멸된, 다 닳은, 다 낡은.

fruta *f.* ① 과일 : ~ del tiempo 계절의 과일 ; 계절적인 것《겨울의 감기 등》. De postre yo siempre tomaba ~ 나는 디저트로 항상 과일을

먹었다. ② 결과, 성과, 결실(fruto). ③ 《Arg.》 =**abridor, albaricoque.**
~ ***bomba*** =papaya.
~ ***de sartén*** 기름 튀김, 버터 튀김(buñuelo)
~ ***de horno*** 《Méx.》 =pastel.
~ ***nuevo*** 햇것, 새로 나온 것.
~ ***prohibida*** 금단의 나무 열매.
~***s secas*** 껍질이 단단한 과일류 《호두 등》.
pulpa de ~ 과육(果肉).
Uno come la ~ aceda y otro tiene la dentera 【속담】 다른 사람이 저지른 잘못으로 순진한 사람이 고통을 받을 때가 있다.

frutaje *m.* 과실이나 꽃의 정물화.
frutal *adj.* 과실의 : árbol ~ 과수, 과목, 과실나무. huerta ~ 과수원. **—***m.* 과수, 유실수.
frutar *intr.* 열매가 열다(dar fruto).
frutear *intr.* 《Col.》 열매가 열다 ; 과일을 따다.
frutecer *intr.* ㉛ 【시어】 열매가 열기 시작하다.
frutería *f.* 과일 가게.
fruterío *m.* 《AmérC. Ant.》 [집합] 과일.
frutero, ra *adj.* 과일(용)의 : buque ~ 과일 운반선. plato ~ 과일 접시. **—***m.f.* 과일 장수. **—***m.* 과일 접시 ; 그것을 덮는 천 ; 과일 그림 ; 모조 과일을 담아 놓은 바구니.
frutescente *adj.* =**fruticoso.**
frútice *m.* 【식물】 다년생 총생(叢生) 식물 《장미 등》; 관목(灌木).
fruticoso, sa *adj.* 【식물】 가지가 많고 가는, 관목성(灌木性)의 ; 관목상(狀)의.
fruticultura *f.* 과수 재배, 원예.
frutilla *f.* ① 염주알(coco). ② 【식물】 (칠레 원산의) 큰 딸기(fresón).
frutillar *m.* 《AmérM.》 딸기밭.
fruto *m.* [*lat.* fructus] ① 과실, 열매 : ~ comestible 먹을 수 있는 과일. ~*s* carnosos 육과(肉果). ~*s* secos 건과(乾果). Este árbol no da ~ 이 나무는 열매가 열리지 않는다. El ~ de esta planta es venenoso 이 식물의 과일은 유독하다. ② 결실, 소산 : ~ de bendición 사생아가 아닌 정당한 자녀. ~ de amor 애정의 결정, 아이. ③ 결과, 성과 ; 보답(resultado) : ~ de mala educación 나쁜 교육의 결과. ④ 수익, 이익(provecho, utilidad) : el ~ del trabajo 일의 수익·이익. sacar ~ de …에서 수익·이익을 얻다, …을 이용하다 ; 성공하다. **—***pl.* 수확(물) ; 생산물 : ~*s* de la tierra 토산물. mercado de ~*s* 특산품 시장. Inglaterra importa ~*s* españoles 영국은 서반아의 산물을 수입한다.
f.s.a. *lat.* fiat secundum artem 법에 따라 조제할 것.
FSM Federación Sindical Mundial.
ftaleína *f.* 【화학】 프탈레인 (색소).
ftálico, ca *adj.* 【화학】 프탈레인의 : ácido ~ 프탈레인산.
ftiriasis *f.* 【의학】 이 때문에 생기는 피부병 (enfermedad da la piel).
fu *interj.* ① 쳇《경멸적으로》. ② 고양이 소리 같은 의음(擬音).
hacer ~ 도망치다.
ni ~ ni fa 좋지도 나쁘지도 않게.
fuácata *f.* 《Ant.》 빈털터리 : estar en la ~. **—***interj.* 철벅, 쿵 (하고 떨어지거나 쓰러지는 소리).
fucáceas *f.pl.* 퓨커속의 해초.
fucáceo, a *adj.* 【식물】 fuco 닮은.
fúcar *m.* 돈 많은 사람, 부자(hombre muy rico).
fucatina *f.* 《Cuba.》 가난(miseria).
¡fucha! *interj.* 혐오·공포를 나타내는 감탄사.
¡fuchi! *interj.* =**¡fucha!**
fuchina *f.* 《Ar.》 =**escapatoria**
fucilar *intr.* 【시어】 멀리 번갯불이 번쩍이다 ; 반짝반짝 빛나다.
fucilazo *m.* 먼데서 번쩍이는 번갯불. 소리없는 번갯불(relámpago sin ruido) : Los ~*s* son bastante frecuentes en las noches de verano 소리 없는 번갯불이 여름밤에 아주 잦다.
fuco *m.* 【식물】 푸꼬 《거무스름한 황갈색의 바닷말 alga의 일종》.
fucsia *f.* 【식물】 (빨간 꽃이 피는) 푸크시아.
fucsina *f.* 당홍(唐紅)《염료》.
fue ser(㊴), ir(㊵) 동사의 직·부정과거·3·단수.
fué 【고어】 ser(㊴), ir(㊵) 동사의 직·부정과거·3·단수.
fuego *m.* [*lat.* focus] ① 불 : echar leña al ~ 나무에 불을 지피다, 불에 기름을 붓다. Cuidado con·aléjese del·no acercar al·manténgase alejado del·precávase de ~ 화기 엄금. Prometeo enseñó a los hombres el uso del ~ 쁘로메떼오가 인간에게 불의 사용법을 가르쳐 주었다. ② 빨갛게 핀 숯불, 난로불, 불꽃 ; 모닥불, 화톳불 ; 봉수, 봉화(ahumada) ; 화재(incendio) : Hubo ~ en el pueblo 마을에서 화재가 있었다. ③ 사격, 포화, 발포 : Cuando sean las diez prendes el ~ y pones la olla 열시가 되면 불을 피우고 솥을 올려 놓아라. ¡Alto el ~! 휴전!. ④ 격렬, 열렬(violencia, ardor) : ~ de la disputa (las pasiones) 격렬한 논쟁 (정열). ⑤ 정염(情炎), 정열 : ~ de pasiones. ⑥ 가족, 세대 : Ese pueblo tiene trescientos ~*s* 그 마을에는 300세대가 살고 있다. ⑦ 소인(燒印), 낙인, 화인(火印)(cauterio). ⑧ 【의학】 염증 ; 발진 : ~ sacro 단독(丹毒). Sentí un ~ agudo en el estómago 나는 위에 심한 염증을 느꼈다. ⑨ 【축성】 공격 측면(flanco), 정면 공격. **—***pl.* 꽃불 (~*s* artificiales). **—***interj.* 사격!, 발사!
arma de ~ 화기, 총포.
~ ***a discreción*** 개인별 사격 [Contr.] descarga cerrada. ~ ***cruzado*** 십자포화(十字砲火). ~ ***de San Telmo·Santelmo*** 돛대끝의 번갯불. ~ ***fatuo*** 도깨비불. ~ ***graneado*** 맹사(猛射). ~ ***nutrido*** 연속 사격.
a ~ lento 약한 불로 ; 조금씩 조금씩(poco a poco). ***a ~ vivo*** 센 불로. ***a ~ y hierro*** 인정 사정없이. ***bajo el*** ~ 포화를 뚫고.
apagar el ~ 불을 끄다 ; 적의 포격을 침묵시키다.
dar ~ (화약 따위에) 점화하다.
estar·hallarse entre dos ~s 양쪽에서 공격당하다, 앞뒤로 적을 만나다, 앞뒤에서 공격을 받다 : El pueblo *se hallaba entre dos ~s* 마을은 앞뒤에서 공격을 받았다.
hacer ~ 사격하다, 발포하다 : Los soldados *hicieron* ~ 병사들이 발포했다.

jugar con el ~ 중요한 것을 경시하다, (비유적으로) 불장난을 하다.
matar a ~ lento (누구를) 들볶아 말려 죽이다, 귀찮게 하다 (hacer padecer a uno mil disgustos pequeños).
pegar ~ 방화하다, 불을 놓다.
romper el ~ 포문을 열다.
tocar a ~ 경종·조종을 울리다.
Donde hubo ~ hay cenizas 【속담】 아니 땐 굴뚝에 연기날까.

fueguecillo *m. dim.* fuego.

fueguero *m.* ① 《*Amér.*》 꽃불 제조인. ② 《*Arg.*》 【조류】 =**churrinche.**

fueguezuelo *m. dim.* fuego.

fueguino, na *adj.m.f.* 푸에고섬 《Tierra de Fuego. 남미 대륙 남단에 있는 섬》의 (사람).

fuel *m.* 난방용 석유, 등유.

fuellar *m.* =**talco de colores.**

fuelle *m.* [*lat.* follis] ① 풀무 : ~ de herrero 대장장이의 풀무. ② (의류의) 주름. ③ 포장. ④ (카메라 등의) 주름 상자. ⑤ (가방 같은 데 불룩하게 만드는) 옆 주름. ⑥ (산에 걸린) 구름. ⑦ 험담하는 사람(soplón).

fuel-oil *m.* =**mazut.**

fuencarralero, ra *adj.* 푸엔까랄 《Fuencarral. 서반아 마드리드주의 도시》의. **—***m.f.* 푸엔까랄 사람.

fuentada *f.* 접시 하나의 분량.

fuente *f.* [*lat.* fons, fontis] ① 샘, 우물 (manantial) ; 분수 ; 수도 꼭지 ; (마을이나 도시의) 공동 수도·수도전 ; (영세의) 성수반(pila) : ¿Tienen ustedes una ~ en la habitación? 방에 수도는 있습니까? ② 원천, 수원(水源) : El latín es la ~ de la lengua castellana 라틴어는 서반아어의 원천이다. ③ 출처, 출전(出典) : noticia de buena ~ 확실한 소스에서 얻은 정보. Su información es de buena ~ 그의 정보는 출처가 확실하다. ④【요리】 큰 접시, 배식 접시 : La señora entra con una ~ llena de frutas 부인은 과일이 가득 들어있는 큰 접시를 가지고 들어온다. ⑤【의학】 배농구(排膿口).
~ ***de alimentación*** 전원(電源). ~ ***de gasolina*** 가솔린 스탠드. ~***s termales*** 온천(温泉). ~ ***histórica*** 사료(史料).
de ~ fidedigna 믿을 만한 (사람).

fuentezuela *f. dim.* fuente.

fuer *m.* fuero의 생략형.
a ~ de …에 의해, 의 덕분으로, 이유로, 때문에 ; …으로서(a ley de, a fuerza de) : *a ~ de* hombre de bien 착한 사람으로서.

fuera[1] *adv.* ① 바깥에, 밖에, 이외에 : desde ~ 바깥에서. hacia ~ 바깥으로. por ~ 바깥쪽에. Desde ~ no se ve el jardín 바깥에서 정원은 보이지 않는다. ② [+de : …의] 바깥에·이외에, …이 아니고 : ~ *de* tiempo 때 아니게. El está tres días ~ *de* la ciudad 그는 3일간 시외에 있다. Los niños juegan ~ *de* la casa 아이들은 집 밖에서 놀고 있다. *Fuera de* su sueldo gana algún dinero 그는 급료 이외에 약간의 돈을 번다. *Fuera de* eso, pídeme lo que quieras 그것은 말고 무엇이든 요구하라. ③ [+de : …의] 위에(además de). ④ [+de que : …] 하는·했던 일 이외에, 하는·했던 데다가. ⑤ [감탄사적으로, 다시 명사화함] 나가라, 쫓아내라 (등의 성난 소리)(¡afuera!) : Se oía *un* ~ 「그만둬」 하는 성난 소리가 들렸다. *¡Fuera de* aquí! 여기서 나가시오!
estar ~ de sí (분노 등으로) 이성을 잃고 있다, 흥분해 있다, 성이 나 있다(estar muy irritado) : *Estaba ~ de sí* de cólera 그는 성이 나서 흥분해 있었다.
llamarse ~ 《*And.*》 (어떤 일에) 책임지기를 싫어하다(no querer responsabilidad en un asunto).

fuera[2] ser·ir 동사의 접·과거·1·3·단수.

fueraborda *m.* 배 밖에 설치된 엔진(부착 보트).

fuerais ser·ir 동사의 접·과거·2·복수.

fuéramos ser·ir 동사의 접·과거·1·복수.

fueran ser·ir 동사의 접·과거·3·복수.

fuerano, na *adj.* 《*Amér.*》 =**foráneo.**

fueras ser·ir 동사의 접·과거·2·단수.

fuerce forzar의 접·현재·1·3·단수.

fuerce- → **forzar** 24 9.

fuereño, ña *adj.* 《*Méx.*》 ① 시골 출신의 (시내거주자). ② 어리석은, 바보스러운(tonto).
—*m.f.* 바보, 멍청이.

fuerero, ra *adj.* 《*CRica.*》 =**foráneo.**

fuerino, na *adj.* 《*Chile.*》 =**foráneo.**

fuerista *m.f.* 법전 학자 ; 특권 옹호파(의 사람).

fuero *m.* [*lat.* forum] ① (옛 지방 도시가 가졌던 특권적인) 특별법 ; 특권(privilegio). ② 법, 법규(jurisdicción) : a ~ 법에 따라서. de ~ 권리상, 법률상 ; 법에 따라서. ③ 권력, 권능(poder) : ~ eclesiástico 교권(敎權). ④ (여러 가지) 법전 : ~ Juzgo 옛 재판법의 일종. ⑤ 양심(~ interno, ~ de la conciencia) : en su ~ interno 양심에 비추어. **—***pl.* 자만심 ; 으시대기(arrogancia) : No tengas tantos ~*s* 그렇게 으시대지마.
~ ***del trabajo*** 노동 법전.

fueron ser·ir 동사의 직·부정과거·3·복수.

fuerte *adj.* [*lat.* fortis] ① 강한, 강력한(poderoso ; robusto, vigoroso) : brazo ~ 강한 팔. Era muy ~ 그녀는 매우 강한 여자였다. ② 튼튼한, 굳은, 실한, 딴딴한, 견고한(fortificado) : plaza ~ 요새. ciudad ~ 요새화된 도시. ③ 실한, 씩씩한(animoso) ; 격렬한 ; (성격이) 모진, 나쁜, 고약한, 심한, 지독한(terrible) : He cogido un frío muy ~ 나는 매우 고약한 감기에 걸렸다. Hace un frío muy ~ 지독한 추위다. La lluvia era muy ~ 비가 심했다. Lo que le dijo era demasiado ~ 그에게 말했던 것은 너무 심했다. ④ 험한. ⑤ (장점으로서) 특히 뛰어난 : Está ~ en matemáticas 그는 수학에 뛰어나다. ⑥ 《*Chile.*》 냄새가 고약한.
—*m.* ① 요새(fortaleza). ② 장점, 내세울 점, 능란함 : La música es su ~ 그는 음악에 강하다, 음악이 그의 특기다. ③【음악】 강음부(强音部). ④ 《*Col.*》 정화(正貨)인 페소 화폐(peso ~).
—*adv.* ① 강하게(fuertemente), 세게, 힘을 넣어 : Le pegó su madre muy ~ 그의 어머니는 그를 세게 때렸다. Habló muy ~ 그는 큰 소리로 말했다. ② 되게, 단단히, 충분히, 많이(mucho, con abundancia) : cenar ~ 저녁을 많이 먹다. Almorzó ~ 그는 점심을 단단히 먹었다.

fuertemente *adv.* ① 강하게, 힘차게 ; 세게 (con fuerza) : apretar ~ 세게 조여매다. ② 힘을 주어 ; 심하게, 격렬하게 ; 열심히, 열렬히(con vehemencia) : hablar ~ 열렬히 힘을 주어 말하다.

fuertezuelo *m. dim.* fuerte.

fuerza *f.* ① 힘 : El agua y el aire son ~*s* naturales 물과 공기는 자연의 힘이다. Este camión no tiene ~ suficiente 이 트럭은 힘이 충분치 못하다. Contr. debilidad. ② 견고, 단단함 (solidez) : la ~ de un muro 흙담의 견고함. ③ 권력(autoridad) : la ~ del Estado 국가의 권력. ④ 폭력(violencia) : El derecho cede a la ~ 권리가 폭력에 굴하다. ⑤ 효력(energía, actividad) : ~ del veneno 독의 효력. Esta ley carece de la ~ 이 법률은 효력이 없다. ⑥ 용기, 기력(~ de ánimo). ⑦ 전성기 : la ~ de la juventud. ⑧ (기계의) 저항(력). 방비. ⑨ [때로 *pl.*] (군대의) 주력 ; 병력, 군(~ armada) : ~ de Aire · Mar · Tierra 공 · 해 · 육군. ~ de choque 특별 공격부대. ~ aliada 연합군. ~*s* espñolas 서반아군. ~ aérea 공군. Las ~*s* aliadas ocuparon la ciudad 연합군은 그 도시를 점령했다.
~ ***aceleratriz*** 가속력. ~ ***armada*** 무력, 군대. ~ ***atractriz*** 인력(引力). ~ ***bruta*** 실력 ; 폭력, 완력, 완력. ~ ***centrífuga*** 원심력. ~ ***centrípeta*** 구심력. ~ ***de agua*** 수력. ~ ***de brazos*** 인적 자원, 동원 가능 인력, 노동력. ~ ***de inercia*** 타력, 타성. ~ ***de sangre*** 체력 ; 인력(人力) ; 다혈증(plétora). ~ ***de negociación*** 교섭력. ~ ***de trabajo*** 노동력. ~ ***electromotriz*** 【전기】 기전력(起電力), 전동력. ~ ***hidráulica*** 수력. ~ ***mayor*** 불가항력. ~ ***motriz*** 동력, 원동력. ~ ***productiva*** 생산력. ~ ***pública*** 경비력, 경찰력. ~ ***retardatriz*** 감속력. ~ ***viva*** 운동 에너지. ~***s vivas*** 유력자, 추진력(이 되는 사람들).
a · en ~ de ① …의 힘으로, 의 덕분으로 : *a ~ de* voluntad 뜻 때문에. Lo consiguió *a ~ de* dinero 그는 돈의 힘으로 그것을 얻었다. ② [+*inf.* : …하였기] 때문에.
a la ~, por ~ 폭력으로, 억지로 ; 필연적으로 : Lo metieron al automóvil *por ~* 그들은 그를 폭력으로 자동차에 태웠다. Habrá que hacerlo *a la ~* 억지로라도 그것을 해야할 것이다.
a toda ~ 《*Galic.*》 =por ~ .
con toda ~ 전력을 다해.
de ~ ① 《*Méx.*》 =por ~. ② 《*Arg.*》 불가 항력의(forzoso) : ser *de ~*.
mandar ~ 세력을 가지고 있다.
sacar ~s de flaqueza 억지로 힘을 내다, 사력을 다하다.
ser ~ 필요하다 : *Es ~* tomar alguna resolución 어떤 결정을 내리는 것이 필요하다.

fuese ser, ir 동사의 접 · 과거 · 1 · 3 · 단수.

fueseis ser, ir 동사의 접 · 과거 · 2 · 복수.

fuésemos ser, ir 동사의 접 · 과거 · 1 · 복수.

fuesen ser, ir 동사의 접 · 과거 · 3 · 복수.

fueses ser, ir 동사의 접 · 과거 · 2 · 단수.

fuetazo *m.* 《*Galic. Amér.*》 채찍질(latigazo).

fuete *m.* 《*Galic. Amér.*》 채찍 ; 회초리(látigo) : dar ~ 채찍으로 때리다.

fuetear *tr.* 《*Amér.*》 (회초리로) 때리다(azotar).

fuetiza *f.* 《*Ant.*》 두들겨 패다, 때리다.

fufar *intr.* (고양이가) 으르렁거리다.

fufo *m.* =fu.

fufú *m.* ① 《*Amér.*》 삶은 바나나. ② 《*Ant. Col.*》 바나나와 호박으로 만든 요리. ③ 재간, 재치 (talento).

fuga *f.* [*lat.* fuga] ① 도망, 패주, 가출(huida) :
~ de capitales 자본 도피.
~ de divisas 외화 도피 · 유출.
poner en ~ 쫓아 버리다 ; 도망시키다. ② (가스 · 액체의) 누출(漏出), 누수(漏水) ; 분출 (escape o salida de un gas o líquido). ③ 용기, 기력, 힘(fuerza, ardor) : ~ de la juventud 청년기의 용기 · 힘. ④ 《*PRico.*》 =**manía.** ⑤ 《*Col.*》 고기떼의 이동.

fugacidad *f.* 꺼지기 쉬움, 덧 없음, 눈 깜짝 하는 사이.

fugada *f.* 돌풍, 급풍, 확 부는 바람, 일진 광풍 (ráfaga).

fugarse *r.* 8 달아나다, 도주하다, 도망가다 (escaparse) : ~ de los domicilios 가출하다. *Se fugaron* los presos 포로들이 도주했다.

fugaz *adj.* [*pl.* fugaces] [*lat.* fugas, acis] 즉시 없어지는 · 사라지는, 없어지기 쉬운, 허망한, 덧없는 : color · belleza ~ 없어지기 쉬운 색 · 아름다움. estrella ~ 유성. perfume ~ 쉬 없어지는 향기.

fugazmente *adv.* 덧없이, 허망하게.

fúgido, da *adj.* 【시어】 =**fugaz.**

fugitivo, va *adj.* 도망하는 ; 달아나는, 붙잡기 어려운, 덧없는; 빨리 지나가는 : sombra ~*va* 빨리 지나가는 그림자. —*m.f.* 피난자, 도망자, 망명자.

fuguillas *m.* 성미가 조급한 사람.

führer *m. alem.* =**caudillo.**

fui ser(39), ir(40) 동사의 직 · 부정과거 · 1 · 단수.

fuí 【고어】 ser, ir 동사의 직 · 부정과거 · 1 · 단수.

fuimos ser, ir 동사의 직 · 부정과거 · 1 · 복수.

fuina *f.* 【동물】 담비(garduña).

fuiste ser, ir 동사의 직 · 부정과거 · 2 · 단수.

fuisteis ser, ir 동사의 직 · 부정과거 · 2 · 복수.

ful *adj.* 【은어】 ① 가짜의, 아무 쓸 데 없는 (falso). ② 바보스런, 멍청한, 어리석은.
a todo ~ 《*Col.*》 전속력으로.

fula *f.* 《*Col.*》 면제품 천(tela de algodón).

fulano, na *m.f.* 아무개, 모인(某人) : Don *F-* de Tal 누구 누구. ~ mengano y zutano 아무개 아무개와 누구.

fular *m.* [*fr.* foulard] 얇은 비단, 가벼운 천 ; 그 목도리 · 손수건.

fulastre *adj.* 함부로 하는, 지성스럽지 못한 (chapucero).

fulastrón, na *adj.* =**fulastre.**

fulcro *m.* (지레의) 받침점.

fuldense *adj.m.* 성 베르나르도(San Bernardo) 회의 (승려).

fulero, ra *adj.* ① 조잡한, 거친. ② 쓸모없는, 가치없는(sin valor). ③ 거짓말쟁이의 (사람). ④ 못생긴, 미운, 추한(muy feo).

fulgente *adj.* 반짝이는, 빛나는(brillante).

fúlgido, da *adj.* =**fulgente.**

fulgir *intr.* 4 《*Neol.*》 반짝이다, 빛나다(brillar).

fulgor *m.* [*lat.* fulgor] (발광체의) 빛 ; 반짝거

림, 광채(resplandor, brillo).

fulguración *f.* 섬광, 먼데서 비치는 번갯불; 낙뢰.

fulgurante *adj.* ① 눈부시게 빛나는 : rayo ~ 눈부신 광선. ②【의학】갑작스런 (통증) : dolor ~. ③ =**rápido.**

fulgurar *intr.* [*lat.* fulgurare] 눈이 부시다, 반짝거리다(brillar, resplander) : *Fulguró* el cielo 하늘에서 광선이 눈부셨다.

fulgurecer *intr.* 51 =**fulgurar.**

fulgurita *f.*【지질】섬전암(閃電岩)《번갯불의 작용으로 모래나 암석 속에 생기는 유리질의 통》.

fulguroso, sa *adj.* 찬란하게 빛나는, 눈부신, 반짝거리는.

fúlica *f.* [*lat.* fulica]【조류】물닭의 일종.

fuliginosidad *f.* 거무죽죽함.

fuliginoso, sa *adj.* 그을음·매연 (hollín) 같은, 거무죽죽한 : nubes ~*s.*

fulla *f.* ①《*Ar.*》=**mentira, bola.** ②《*Vizc.*》=**barquilla.**

fullear *intr.* =**hacer fullerías.**

fullerar *intr.* ① 꾀를 부려 게으름피우다. ②《*Arg. Col.*》잘난 체하다.

fullerear *intr.*《*Arg.*》=**farfullar.**

fulleresco, ca *adj.* 교활한.

fullería *f.* ① (카드 등에서) 속임수(trampa). ② 꾀가 많음, 교활함; 앙큼한 흉계(astucia, maña) : Ese niño tiene muchas ~*s* 그 아이는 무척 꾀가 많다. ③《*Col.*》허영.

fullero, ra *adj.* 교활한, 간사한; 허풍을 떠는; 일을 소홀히 하는. —*m.f.* 교활한 사람; 야바위꾼, 사기꾼, 사기한.

fullingue *m.*《*Chile.*》=**fuñingue.**

fullona *f.*【속어】악다구니 쓰며 대판으로 싸움.

fulmicotón *m.*《*Galic.*》면화약(綿火藥).

fulminación *f.* 번갯불; 천둥 소리; 작렬; 노호, 고함.

fulminador, ra *adj.* 섬광을 발하는, 작렬하는; 노호하는; 천둥이 치는.

fulminante *adj.* ① 번쩍하는 빛을 내는; 폭발하면서 울리는 : pólvora ~ 폭약. ② 돌발적인. ③【의학】전격 돌발성의 (아픔·병). ④ 돌발하는, 우발의 : apoplejía ~ 뇌일혈, 졸중(卒中). —*m.* 폭발물; 뇌관(雷管).

fulminar *tr.* [*lat.*fulminar] ① (빛·번갯불을) 발하다. ② (폭탄 등을) 투하하다, 작렬시키다. ③ 언도하다. ④ 야단치다, 나무라다, 꾸중하다, 비난하다, 힐책하다, 벽력같은 소리*를 치다. ⑤ 급사시키다; 사살하다; 뇌살하다. —*intr.* ① 폭발하다(hacer explosión). ② 위협하다, 협박하다(amenazar).

fulminato *m.*【화학】뇌산염(雷酸鹽); 폭약, 작약(炸藥).

fulminatriz *adj.f.* =**fulminadora.**

fulmíneo, a *adj.* 번갯불 같은 뇌전성(雷電性)의.

fulmínico, ca *adj.* 폭음성의 : ácido ~ 폭음산, 뇌산(雷酸).

fulminoso, sa *adj.* 번갯불의, 번갯불 같은.

fulo, la *adj.*《*Arg.*》① 화가 나서 새파래진. ②《*Arg.*》더러운, 추악한. ③ 금발의.

fuma *f.*《*Ant.*》① 담배 한 모금(humada). ② 자가용 담배; (담배 공장 공원에게 주는) 담배.

fumable *adj.* 피울 수 있는 (담배).

fumada *f.* ① 담배 한 모금. ②《*Arg.*》야유, 조롱, 놀려주기, 놀려대기(burla).

fumadero *m.* 끽연실(喫煙室).

fumador, ra *adj.* 언제나 담배를 피우는. —*m.f.* 애연가, 골초.

fumante *adj.* ① 담배를 피우는. ②【화학】연기를 내는 : ácido nítrico ~ 연기를 내는 초산.

fumar *intr.* ① 연기를 내뿜다(humear). ② 연기를 마시다, 담배를 빨아 들이다; 끽연하다 : No *fume,* No ~, Prohibido ~, Se prohibe ~ 금연. Papá *fuma* como una chimenea 아빠는 지독하게 담배를 피우신다. ③《*Arg.*》놀리다(burlar); 속이다(engañar).

—*tr.* ① (담배·물부리·아편 등을) 피우다·빨다 : ~ un puro 시거를 피우다. ②《*Ant. Arg.*》(사람을) 굴복시키다, 통치하다, 지배하다(dominar).

~se ① 쉬다; 게으름부리다, 태만하다 : ~*se* la clase · la oficina 학교·사무실을 쉬다. ② 다 써버리다 : *Se fumó* la paga del mes 1개월분 월급을 날려 버렸다. ③【은어】놀려대다, 놀려주다, 야유하다(burlarse). ④ (담배를) 피워버리다.

fumarada *f.* (뻐금하게 나오는) 연기; (담배의) 한 모금; 파이프 1회분 담배.

fumaria *f.*【식물】서양 현호색과의 식물《약용》.

fumariáceo, a *adj.* fumaria 같은.

fumarola *f.* (화산 지대의) 분기공(噴氣孔).

fumeta *m.f.* =**fumador de porros.**

fumífero, ra *adj.*【시어】연기가 나오는, 연기를 내뿜는, 매연의.

fumífugo, ga *adj.* 연기를 없어지게 하는.

fumigación *f.* 불에 그을리기, 소독, 훈증 소독(sahumerio) : una ~ desinfectante 훈증 소독, 불에 그을리는 소독.

fumigador, ra *m.f.* 소독·훈증하는 사람. —*m.* 훈증 소독기.

fumigar *tr.* 8 [*lat.* fumigare] 불에 그을리다; (향을) 피우다, 연기를 피우다; 소독하다, 훈증 소독하다. **Sinón.** sahumar.

fumigatorio, ria *adj.* 소독의, 훈증의. —*m.* 향로(perfumador).

fumígeno, na *adj.* 연기를 내는.

fumista *m.* ① 난로 제조인·직공; ②《*Arg.*》놀려대는 사람.

fumistería *f.* ① 조리대·난로 가게. ②《*Arg.*》=**broma.**

fumívoro, ra *adj.* 완전 연소식의 : horno ~ 완전 연소식 화덕. chimenea ~*ra* 완전 연소식 굴뚝.

fumoir *m.*《*Galic.*》=**fumadero.**

fumorola *f.* =**fumarola.**

fumosidad *f.* =**humosidad.**

fumoso, sa *adj.* 연기가 피는; 연기가 매운.

funambulesco, ca *adj.* =**extravagante.**

funámbulo, la *m.f.* 줄타기 곡예사 (equilibrista).

funcia *f.* ①《*Guat.*》연회, 잔치, 파티. ②《*Venez.*》흥행(función).

función *f.* [*lat.* funtio] ① 일, 작용, 기능

(oficio) : ~*es* digestivas 소화 작용. ~*es* vitales 생활 기능. ② 직무, 직능, 직분, 역활 : las ~*es* del juez 판사의 직무. ③ 흥행, 상연 (espectáculo teatral) : ~ de noche·tarde 야간·주간 흥행. ¿A qué hora empieza la ~ ? 상연은 몇 시에 시작합니까? ④ 의식 ; 예배. ⑤ 축하연, 연회 ; 참석한 사람들. ⑥【군사】작전, 전투. ⑦【수학】함수. ⑧ =**escándalo.**
en ~ *de* =en relación con.

funcional *adj.* ① 기능적인, 기능상의 : desódenes ~*es.* ② 직능·직무상의, 기능 본위의, 합리적인 ; 편리한, 실용적인. ③【수학】함수의.

funcionalismo *m.* (형식보다) 기능 본위, 실질주의.

funcionalista *adj.* funcionalismo의.

funcionamiento *m.* ① 조작, 작용, (기계의) 운전 : entrar en ~ 운전을 시작하다. ② 집무, 직무 집행 ; 영업 : en ~ 영업 중에.

funcionar *intr.* ① 기능을 발휘하다 ; 작용하다, 작동하다, 움직이다, 일하다 : Esta máquina no *funciona* 이 기계는 움직이지 않는다. El desagüe no *funciona* 배수(排水)가 고장이다. El ascensor no *funciona* bien 승강기가 잘 작동하지 않는다. ② (본래의) 일을 하다, 직분·역할·기능을 다하다 ; 작용·기능을 가지다·하다.
hacer ~ 움직이다, 운전시키다, 작동시키다.

funcionariado *m.* [집합] 직원, 종업원.

funcionario, ria *m.f.* 직원, 관리, 공무원 (~ público).

funcionarismo *m.* 관리 기질, 관료주의.

funche *m.* 《*Amér.*》 버터와 소금을 넣은 가루 옥수수.

fund. fundador.

funda *f.* ① (자루 모양의) 덮개, 베갯잇(~ de almohada) ; 커버, 케이스, 꼬투리(cubierta) : ~ de una butaca. ② 《*Col. Venez.*》 스커트 (saya, falda).

fundación *f.* [*lat.* fundatio] ① 건설, 설립, 건립, 창립 : Hoy se celebra el centenario de la ~ de esta ciudad 오늘은 당시(當市) 건설 100 년제가 개최된다. **Contr.** abolición, destrucción. ② [추상적으로] 창립자, 설립자 ; 설립 취지서 ; 조례(條例) ; 처음, 시작, 기원(起源) ; 자선·문화 사업단.

fundacional *adj.* 설립·창설의 : carta ~ 설립 취지서.

fundadamente *adv.* 기초를 굳혀, 단단하게.

fundador, ra *m.f.* 건설·창시·설립·창설자 ; 원조(元祖) : Mahoma fue el ~ del Islam 마호메트는 이슬람교의 창시자였다.

fundamentación *f.* =**fundamento.**

fundamental *adj.* ① 기초의, 근원의, 근본적인, 기본의, 기본적인 : línea ~ 기선. piedra ~ 초석. ② 주요한, 중요한(principal) : ley ~ 주요 법률.

fundamentalmente *adv.* 기본적으로, 근본적으로, 기초부터, 밑바탕부터, 철저히.

fundamentar *tr.* 토대를 만들다, 기초를 잡다, 건설하다 ; 확고하게 하다.

fundamento *m.* ① 토대, 바탕, 기초 (공사) ; 기본, 근거, 이유(razón) : sin ~ 근거없는. ② 착실, 성실(seried). ③ (직물의) 씨올.

fundar *tr.* [*lat.* fundare] ① 세우다 ; 수립하다 ; 건립·건설·설립·창설·창립하다(edificar) : ~ una ciudad. ② 설치하다 : ~ un premio 상을 만들다. ~ un hospital 병원을 설치하다. ③ (기초 위에) 세우다 ; 근거·이유로 삼다 ; 일으키다 : ~ una demanda 요청하다. ~ una reclamación 크레임을 신청하다.
~se ① 건설·설립·창설·창립되다 : *Se fundó* este hospital hace veinte años 이 병원은 20년 전에 설립되었다. ② (기초된 위에) 서다, 의거하다 : *Me fundo* en esto para decírselo 내가 당신에게 그렇게 말씀드리는 것은 이 일에 의거해서 입니다.

fundente *adj.* 【화학·야금】용해의 ; 용해조성의, 용해력이 있는(flujo). —*m.* ① 용해제(鎔解劑), 용제. ②【의학】용해약.

fundería *f.* 주조소(fundición).

fundible *adj.* 용해하는 (금속) ; 주조할 수 있는.

fundibulario *m.* 로마의 투석병(hondero romano).

fundíbulo *m.* 투석기.

fundición *f.* ① (금속의) 용해 : La ~ del estaño se puede conseguir en una llama ordinaria. ② 주조 ; 주철 ; 주물 ; 한 벌의 활자 ; 주조·주물 공장.

fundido, da *adj.* fundir의 *p.p.*

fundidor *m.* 용해공, 주조공.

fundidora *f.* 금속 용해 기계.

fundillo *m.* 《*Amer.*》 (바지 등의) 궁둥이 ; (짐승의) 엉덩이. —*pl.* 《*Chile.*》 반바지.

fundir *tr.* [*lat.* fundere] ① 녹이다, 용해시키다 (liquidar) : El platino es muy difícil de ~ 백금은 녹이기가 무척 어렵다. ② 주조하다 : ~ estatuas. ③ 《*Amtér.*》 몰락시키다.
~se ① 융합하다 ; 합병·합체하다 : *Se fundieron* los dos negocios en uno 두 개의 사업이 하나로 합병했다. ② 《*Amér.*》 (상인·사업 등이) 몰락하다(arruinarse).

fundo *m.* 대지, 부동산(heredad).

fundón *m.* 《*Col. Venez.*》 여자 승마복.

fúnebre *adj.* [*lat.* funebris] ① 장례의 : carro ~ 장의차. ② 불길한. ③ 음침한, 음산한(triste) : canto ~.

fúnebremente *adv.* 음산하게, 구슬프게.

funeral *adj.* 장례(식)의 : carroza ~ 장의차. —*m.pl.* 장례식(exequias) : Le hicieron hermosos ~*es* 그를 위해 아름다운 장례식을 거행했다.

funerala (a la) *adv.* 장례식으로 ; 총구를 밑으로 하여.

funeraria *f.* 장의사.

funerario, ria *adj.* 장의의(funeral) : paño ~ 장례용 천. —*f.* 《*Neol.* 》 장의사. —*m.* 장의 중개인.

funéreo, a *adj.* 【시어】장례의 ; 서글픈, 구슬픈, 암담한, 음침한(fúnebre).

funes *m.pl. meterse a* ~ 《*Col.*》 =entremeterse.

funestamente *adv.* 불길하게 ; 가슴 아프게.

funestar *tr.* 더럽히다(mancillar).

funesto, ta *adj.* ① 불길한, 운수가 나쁜, 싫은 : guerra ~*ta.* ② 가슴 아픈. ③ 치명적인 (fatal).

fungible *adj.* 써서 없애는 : bienes ~*s* 써서 없앤 재산.

fungicida *adj.* 살균의. **—*m.*** 살균제.
fungiforme *adj.* 버섯 모양의 : nube ~ 버섯 구름.
fungir *intr.* ④ 《*AmérC. Méx.*》 ① (일시적으로) 직무를 맡아 하다, 직무를 수행하다(funcionar). ② 교체하다. ③ 주책부리다, 참견하다.
fungistático, ca *adj.* 살균의.
fungo *m.* 【의학】 해면종, 균상종(菌狀腫).
fungoideo, a *adj.* =**fungíforme.**
fungosidad *f.* 【의학】 군살.
fungoso, sa *adj.* 해면상(狀)의; 불어나는, 세균성의(esponjoso).
funguicida *m.* =**fungicida.**
funicular *adj.* [*lat.* funiculus] 케이블의, **삭조**(索條)의 : ~ aéreo, ferrocarril ~ 케이블카, **삭조 철도.** **—*m.*** 케이블카.
funículo *m.* ①【식물】(씨젖의) 주병(珠柄). ②【해부】로프. ③【건축】노끈 모양의 장식.
fuñador *m.* 【은어】 =**pendenciero, camorrista.**
fuñar *intr.* 【은어】 =**armar camorras.**
fuñeda *f.* 《*SDgo.*》 화, 참사(calamidad); 불쾌.
fuñicar *intr.* ⑦ 서툰·손재주 없는 짓을 하다.
fuñido, da *adj.* ①《*Cuba.*》 나약한, 무기력한. ②《*Venéz.*》 싸움을 좋아하는(pendenciero). ③《*Venez.*》 낯가림을 잘하는, 붙임성이 없는(huraño).
fuñingue *adj.* 《*Cuba. Chile.*》 ① 나약한, 무기력한(raquítico). ② 보통의, 질이 나쁜 (담배).
fuñique *adj.* 솜씨없는; 겁이 많은.
fuñir *tr.* ⑫ ①《*Ant. Venez.*》 애먹이다, 괴롭히다(molestar). ②《*Cuba.*》 작게 하다, 축소시키다(encoger, reducir).
~se 《*Ant. Col. Venez.*》 오므라들다; 싫증을 내다.
fuño, ña *adj.* 《*Venez.*》 (목소리가) 코에 걸리는, 코맹맹이 소리가 나는.
fuñón, na *adj.* 《*SDgo.*》 귀찮은.
furaco *m.* 【고어】 =**huraco.**
furaré *m.* 《*Chile.*》【조류】 개똥지빠귀(tordo).
furente *adj.*【시어】미쳐 날뛰는, 격렬한(airado).
furfuráceo, a *adj.* 밀기울 같은.
furgón *m.* [*fr.* fourgon] (뚜껑·덮개가 있는) 화물 운반차; (철도의) 화물차 : ~ nevera 냉동차. ~ de artillería 포차.
furgoneta *f.* 소형 화물차·짐차(camioneta).
furia *f.* ①【희랍 신화】(머리카락이 뱀인 세 명의) 보복의 여신 : ponerse como una ~ 격노하다. ② 노함, 격노, 분노(ira); 미쳐 날뜀, 광포 : la ~ del mar·del viento. ③ (유행병 등의) 최성기. ④ 매우 급함, 화급(prisa) : a toda ~ 화급히, 부랴부랴, 아주 서둘러; 전속력으로. ④《*Méx.*》 난발(亂髮)(copete, cabello revuelto).
furibundo, da *adj.* ① 노기를 띤 : con mirada *~da* 노기띤 시선을 하고. ② 격렬한(furioso) : guerra *~da* 격전.
furiente *adj.* =**furente.**
furierismo *m.* 푸리에 《Charles Fourier, 1772 —1837, 불란서의 사회주의자》 사회주의.
furierista *adj.m.f.* 푸리에 사회주의의 (사람).
furiosamente *adv.* 미쳐 날뛰어; 맹렬하게.
furioso, sa *adj.* ① 격노한 : ~ *contra* José 호세에게 화를 내어. Estaba ~ *con·por* la noticia 이야기를 듣고 화를 내고 있었다. ② 미쳐 날뛰는, 격렬한(terrible) : el viento ~ 격렬한 바람. ③ 굉장한, 막대한 : ~ caudal.
furlana *f.* 이탈리아의 춤 이름.
furlón *m.* =**forlón.**
furnia *f.* ①《*And.*》 =**cueva.** ②《*Cuba.*》 =**sumidero.**
furo, ra *adj.* ① 내성적인, 수줍어 하는, 소극적인(huraño). ②【방언】 사나운(furioso).
—*m.* (설탕을 단단하게 만드는) 설탕 모양의 금형.
hacer ~ 살그머니 감추다·없어지다.
furor *m.* ① 분노, 격분, 분격(cólera); 맹렬(frenesí, violencia). ② 광기, 발광, 미침, 광란(furia) : ~ uterino 여자의 색정광(色情狂). ③《*Galic.*》 열중 : hacer ~ 대유행이다; 깜짝 놀라게 만들다. ④ 시적 감격, 시흥(詩興) : ~ poético. [Contr.] dulzura, moderación.
furriel *m.* (군대의) 보급계, 말먹이 담당; 궁중의 용도계.
furriela *f.* (왕실의) 살림을 맡아보는 직책.
furrier *m.* =**furriel.**
furriera *f.* =**furriela.**
furriña *f.* 《*Méx.*》 분노, 노여움(coraje, enojo).
furrio, rria *adj.* 【방언】《*Amér.*》 =**furris.**
furris *adj.* 【속어】《*Ál. Ar. Nav. Méx. Venez.*》 나쁜, 싫은(despreciable).
furruco *m.* 《*Venez.*》【악기】 푸루꼬 《원주민의 악기》.
furrumala *f.* 《*Cuba.*》 =**gentualla.**
furruminga *f.* 《*Chile.*》 =**embrollo, confusión.**
furrusca *f.* 《*Col.*》 싸움, 소란.
furtivamente *adv.* 살그머니, 살짝, 남모르게(a hurtadillas).
furtivo, va *adj.* 은밀한, 살그머니 하는, 훔치는 듯한 : una mirada *~va* 훔쳐 보기. cazador ~ 밀렵자.
furuminga *f.* 《*Chile.*》 혼란, 어수선함, 혼미.
furúnculo *m.* 【의학】 부스럼, 종기, 곪는 부스럼인 정종(疔腫)의 일종(divieso) 《엉덩이 같은 데에 생겨 피부가 붉게 붓고 고름이 생겨 아픔》.
furunculosis *f.* 【의학】 =**erupción de diviesos.**
furunculoso, sa *adj.* 부스럼이 잘 생기는.
fusa *f.* 【음악】 32분 음부.
fusado, da *adj.* 긴 마름모꼴 무늬의 (문장).
fusca *f.* 【조류】 물오리(pato negro).
fusco, ca *adj.* 어두운 자색의, 어두운, 검붉은.
fuselado, da *adj.* =**fusado.**
fuselaje *m.* 《*Galic.*》 기체(機體).
fusentes *adj. pl.* 썰물의 : aguas ~ 구아달끼빌강 어귀의 썰물을 타는 물살.
fusibilidad *f.* 가용성; 용도(溶度).
fusible *adj.* 용해성의, 녹기 쉬운 : alambre ~ 퓨즈. **—*m.*** 【전기】 퓨즈, 용해선, 쉬 녹는 쪼가리.
fusiforme *adj.* 물레·방추 모양의(ahusado).
fusil *m.* [*ital.* fucile] 총, 소총 : ~ de chispa 부싯돌식 철포. ~ de repetición 자동 연발총. ~ libre 【사격】 프리 라이플. ~ rayado 라이플총.
fúsil *adj.* =**fusible.**
fusilaje *m.* 사격, 총성.

fusilamiento *m.* 총살 ; 표절.
fusilar *tr.* ① 총살하다 : El emperador Maximilano fue *fusilado* en 1867. ② 표절하다.
fusilazo *m.* 사격, 총성 ; 섬광(fucilazo).
fusilería *f.* 소총대 ; [집합] 소총.
fusilero, ra *adj.* 소총의. —*m.* 소총수, 소총병 ; 보병 ; 총살 소대원.
fusión *f.* ① 용해, 융해 : temperatura de ~ 용해도. ② 융합, 융화 : reacción de ~ nuclear 핵융합 반응. ③ (회사·정당 등의) 합병, 합동, 합체.
fusionamiento *m.* 합병, 합동.
fusionar *tr.* 어울리게 하다, 융합시키다 ; 합동·합병시키다. —*intr.* 《*Neol.*》 합동·합병·융합하다(unirse, fundirse).
fusionismo *m.* 합동주의, 합병론.
fusionista *adj.* 병합의, 합동주의의. —*m.f.* 합동 주의자, 합병론자.
fusique *m.* ① (냄새맡는 담배의) 빨대(tabaquera). ② 몸에 거북한 옷.
fuslina *f.* 용광소.
fuso *m.* ①【고어】 =**huso.** ② =**losange**.
fusor *m.* 용광기, 도가니.
fusta *f.* ① (마부가 쓰는) 채찍. ② 잔가지의 땔감. ③ 작은 배의 일종. ④ 모직물의 일종.
fustal *m.* =**fustán.**
fustán *m.* ① 우단의 일종. ② 《*Amér.*》 속 스커트, 페티코트(enaguas).
fustancado, da *adj.* 【은어】 =**apaleado, zurrado.**
fustanear *tr.* 《*Venez.*》 (여자가 남자를) 엄처시하에 두다.
fustanero, ra *m.f.* fustán 제조자.
fustanque *m.* 《*Amér.*》 =**palo, garrote.**
fustansón *m.* 《*Venez.*》 =**enaguas blancas.**
fustaño *m.* =**fustán.**
fustaque *m.* 【은어】 작대기, 막대기, 회초리, 채찍(vara).
fuste *m.* ① 작대기, 자루 : ~ de la bandera de la lanza. ②【건축】 기둥. ③ 안장 틀. ④【시어】 안장. ⑤ 근거, 기초 ; 내용, 실질, 중요성 : hombre de ~ 뼈대가 있는 사람, 심지가 굳은 사람. negocios de poco ~ 쓸모없는 거래. ⑥ 《*AmérM.*》 속스커트, 페티코트(fustán).
fustero, ra *adj.* fuste의. —*m.* =**tornero.**
fustete *m.* 【식물】 황로나무 ; 황색 염료.
fustigación *f.* 채찍질 ; 태형, 채찍으로 때리기 ; 가혹한 질책, 몰아세우기.
fustigador, ra *adj.m.f.* 채찍질하는 ; 나무라는 (사람).
fustigante *adj.* =**fustigador.**
fustigar *tr.* ⑧ 채찍질하다(azotar) ; 심하게 몰아세우다, 질책하다, 나무라다, 책망하다.
fustina *f.* 용광소.
fustrar *tr.* 【속어】 =**frustrar.**
fut. futuro.
futbol *m.* =**fútbol.**
fútbol *m.* 풋볼, 축구(balompié) : campo de ~ 축구장.
futbolín *m.* 인형으로 하는 축구 경기의 놀이 기구.
futbolista *m.* 축구 선수.
futbolístico, ca *adj.* 축구의 (balompédico).
futearse *r.* 《*Col.*》 (감자·과일 등이) 썩다 (podrirse).
futesa *f.* =**fruslería.**
fútil *adj.* [*lat.* futilis] 하찮은, 쓸모없는, 무용한. Contr. serio, grave, importante.
futileza *f.* =**futilidad.**
futilidad *f.* [*lat.* futilitas] 공연한 짓, 무익 ; 하찮은 것·일.
futirse *r.* 《*Ant.*》 =**fastidiarse.**
fut.º futuro.
futraque *m.* 통상 예복(levita) ; 맵시꾼, 멋쟁이.
futrarse *r.* 《*Arg.*》 넌더리내다, 진저리를 내다 (fastidiarse).
futre *m.* 《*AmérM.*》 멋쟁이, 맵시꾼, 여자처럼 구는 남자, 애교 떠는 남자.
futriaco, ca *m.f. desp.* 《*Ant. Col.*》 아무개, 모씨(fulano).
f. uts. fecha ut supra.
futura *f.* 계승권 ; 약혼녀(prometida).
futurario, ria *adj.* 【법률】 장래의 : renta ~*ria* 장래에 받게 될 연금.
futurible *adj.* 장래에 있을 수 있는.
futuridad *f.* 장래성, 미래성 ; 미래의 것.
futurismo *m.* 미래파.
futurista *adj.* 미래파의. —*m.f.* 미래파 예술가.
futurístico, ca *adj.* 미래의, 미래적인.
futuro, ra *adj.* [*lat.* futurus] 미래의(venidero) : lo ~ 장래. tiempo ~ 장래, 장차. Procure usted en lo ~ venir puntualmente a la oficina 앞으로는 사무실에 정각에 나오도록 노력하세요. —*m.f.* 약혼자. —*m.* ① 미래, 장래 : en un ~ próximo 가까운 장래에. ② 후세, 내세. —*pl.* ① 선매(先賣) (계약). ②【문법】 미래형 : ~ imperfecto 불완료 미래형. ~ perfecto 완료 미래형.
futurología *f.* 미래학.
futurólogo, ga *m.f.* 미래학자.
fututearse *r.* 《*AmérC.*》 넌더리·진저리나다, 싫증내다.
fututo, ta *adj.* ① 《*AmérC. Ant.*》 진저리 쳐지는, 넌덜머리 나는, 골치 아프게 하는. ② 《*Col.*》 순수한(puro, neto). —*m.* 소라고둥.
fuxina *f.* [화학] =**fucsina.**
fuyenda *f.* 《*Chile.*》 도주 : tomar la ~ 도망치다, 도주하다.
fuyente *adj.* 도주하는. —*m.f.* 도주자, 도망자.
fvda. favorecida 고마운.
Fz. Fernández.

G

g *f.* ① 헤《서반아어 자모의 여덟째 문자 (octava letra del abecedario castellano)》. ②【음악】도음,. 다조.
g. gramo(s).
g/. giro.
G gauss.
G. gracia ; gracias ; guaraní.
Ga galio.
gaba *f.* (모로코에서) 높은 잡초지(matorral alto).
gabacha *f.* 《*Zam.*》 어깨에 걸치는 천의 일종.
gabachada *f. desp.* 불란서 (사람) 티가 몹시 남.
gabacho, cha *adj.* ① 피리네오(los Pirineos)산기슭의. ② 볼품없는, 애교라고는 없는. ③ 발에 털이 있는 (비둘기). **—***m.f.* ① 피리네오 산기슭에 사는 사람. ② *desp.* 불란서 사람.
—*m.* 불란서어가 섞인 서반아어 : hablar en ~.
gabán *m.* ① 오버 코트, 외투(sobretodo, abrigo). ② 《*Méx.*》 반외투.
gabanear *tr.* 《*AmérC.*》 훔치다(robar).
~se 자기 것으로 하다(apoderarse de).
gabaonita *adj.* 가바온 《Gabaón, 팔레스티나의 Bejamín족의 옛 도시》의. **—***m.f.* 가바온 사람.
gabarda *f.* 【식물】 들장미(escaramujo).
gabardina *f.* 코트, 겉옷, 비옷.
gabarit *m.* (철도의) 궤간계(軌間計), 게이지.
gabarra *f.* 거룻배.
gabarraje *m.* 거룻배 삯 ; 하역.
gabarrero *m.* (거룻배의) 뱃사공 ; 부두 노동자.
gabarro *m.* ① (피륙에 생긴) 흠. ② 오산. ③ 애먹이는 물건. ④ (돌의) 덩어리, 단괴(團塊). ⑤ 회반죽. ⑥ 충전물. ⑦ (닭·오리 등의) 혓병 ; (말 발굽에 생긴) 종기. ⑧【식물】(가는 잎의) 물푸레나무. ⑨ 수복 도료(修復塗料).
gabarrón *m.* [*aum.* gabarra] 큰 거룻배.
gabarse *r.* =**alabarse.**
gabasa *f.* 갈보, 매음녀, 매춘부(bagasa).
gábata *f.* (옛날의 병사나 죄수의) 밥그릇.
gabato, ta *m.f.* 《*And.*》 (한 살이 안된) 사슴 새끼.
gabazo *m.* =**bagazo.**
gabear *intr.* 《*SDgo.*》 기다 ; (산 등으로) 올라가다, 기어오르다(trepar).
gabejo *m.* (짚·땔나무의) 다발.
gabela *f.* [*ár.* cabela] ① 세금(impuesto) : ~ injusta 부당 징세. pagar una ~ excesiva 과도한 세금을 지불하다. ② 부담. ③ 《*Amér.*》 유익, 이익(ventaja).
gabera *f.* =**molde para ladrillos.**
gabijón *m.* 《*Ál. Pal.*》 라이보리 다발.
gabina *f.* =**sombrero de copa.**
gabinete *m.* [*fr.* cabinet] ① (작은) 방, 거실(居室) ; 사실(私室) ; 연구실 : ~ de un médico 의사의 연구실. Mi ~ está arriba 내 연구실은 위층에 있다. ② 화장실 ; 화장 도구. ③ 표본류, 수집품 ; 표본실, 진열실 : ~ de lectura 서적·신문 등의 열람실. ~ de historia natural 박물 표본실. ④ 각의실 ; 내각, 각료, 정부(ministerio) : ~ fantasma 야당 내각. El Nuevo ~ se constituyó por José Vargas 신내각은 호세·바르가스에 의해 조직됐다. El se ha encargado de formar ~ 그는 조각(組閣)을 담당했다. ⑤ 《*Col.*》 출창 ; 거기에 있는 방.
gabita *f.* 《*Ast.*》 =**yunta de encuarte.**
gablete *m.* [*alem.* giebel] 【건축】 박공의 일종.
gabonés, sa *adj.* 가봉 《Gabón, 중앙 아프리카의 공화국》의. **—***m.f.* 가봉 사람.
gabote *m.* 《*Ar.*》 =**volante, rehilete.**
gabrieles *m.pl.* 이집트콩(garbanzos).
gabuzo *m.* 《*León.*》 =**vara de brezo.**
gacel *m.* 【동물】 영양(羚羊)의 수컷.
gacela *f.* 【동물】 (아프리카산) 영양(antílope).
gaceta *f.* [*ital.* gazzetta] ① (특수한) 신문 ; 공보 (~ oficial) ; 관보 : mentir más que la ~ 지나친 허풍을 떨다. ② 집《도기를 담아 가마에 넣는 용기》. ③ 《*Ant.*》 남의 말하기 좋아하는 사람.
gacetable *adj.* 관보에 발표해야 할.
gacetero, ra *m.f.* 신문·관보 기자 ; 신문팔이.
gacetilla *f.* (신문 등의) 가십란, 만평란 ; 소문 ; 소문내기 좋아하는 사람.
gacetillero, ra *m.f.* ① 가십란 기자·편집인. ② =**periodista.** ③ =**correveidile.**
gacetista *m.f.* 신문을 좋아하는 사람 ; 소문을 좋아하는 사람.
gacha *f.* ① 죽, 죽처럼 묽은 것. ② 흙탕(barro). ③ 《*Col. Venez.*》 주발, 종지. **—***pl.* ① 우유죽 : ~ de leche 오트밀. ②【방언】입바른 말 : hacer unas ~*s* 상냥스러운 얼굴을 하다(mostrarse muy cariñoso).
a ~s 네발로 기어 ; 살금살금.
gachapanda (a la) *adv.* 말없이, 조용히(en silencio).
gachapero *m.* 《*And.*》 =**lodazal.**
gaché *m.* ① (집시들이 부르는) 안달루시아 사람. ② (어떤 여자의) 애인.
gacheta[1] *f.* (자물쇠의) 혀 ; 풀(engrudo).
gacheta[2] *f.* [*fr.* gâchette] 장부촉, 장붓구멍.
gachí *f.* 【방언】 여자, 처녀 ; 바람둥이, 말괄량이 ; 색골.
gacho, cha *adj.* ① 굽은, 구부러진, 아래로 향한 : con el ojo ~ 《*Ecuad.*》 눈을 내리깔고. orejas *gachas* 구부러진 귀. ② 뿔이 아래로 구부러진(소) ; 밑을 보는 (말). ③【방언】왼손잡이의. ④ 《*Ant.*》 귀가 없는 (사람·동물). **—***m.* 《*Méx.*》 헐값에 달리는 택시 운전수.
a gachas 발로 기어 : andar *a gachas* 발로 기어

G

가다.

a cabeza gacha 《*Chile.*》 순수하게.

gachó *m.* ① 녀석, 놈. ②【방언】 애인.

gachón, na *adj.* ① 매력적인, 산뜻한, 멋진(gracioso). ② 《*And.*》 응석꾸러기의(mimado) : niño ~ 응석꾸러기 아이. ③ =**cariñoso.**
—*m.f.* 까디스(Cádiz) 태생 사람.

gachonada *f.* =**gachonería.**

gachonería *f.* ① 우아, 매력, 산뜻함, 멋들어짐(gracia, donaire). ②【방언】 응석을 받아 주기.

gachuela *f.* =**gacheta.**

gachumbo *m.* 《*AmérM.*》 (그릇을 만들 수 있는 딴딴한 과일의) 껍질.

gachupín, na *m.f. desp.* 《*Amér.*》 (중남미에 거주하는) 서반아 사람(cachupín).

gachupo, pa *m.f.* =**gachupín.**

gacilla *f.* 《*AmérC.*》 브로치, 훅, 핀.

gadejón *m.* 《*Sal.*》 장작 다발.

gádidos *m.pl.* 고등어속 물고기. —*adj.* 고등어속의.

gaditano, na *adj.* 까디스 《Cádiz, 서반아 서남해안의 한 주, 그 곳의 도시》의. —*m.f.* 까디스 사람(gachón).

gado *m.*【어류】 대구.

gadolinio *m.* 가돌리늄 《희금속 원소》.

gaélico, ca *adj.* 게르족 《los gaélicos, 스코틀랜드, 아일랜드의 켈트족》의. —*m.* 게르말.

gaetano, na *adj.m.f.* 가에따 《Gaeta, 이탈리아의 Latina 주에 있는 도시》의 (사람).

gafa *f.* (무거운 것을 매달아 두는) 갈고랑이 ; 갈고랑이 장대·그물 ; 꺾쇠, 걸쇠(grapa).
—*pl.* ① 안경테 : aro de ~*s* 안경테. ② 안경(anteojos) : ~*s* de protección 보호 안경. ~*s* de sol 선글라스, 색안경.

gafar *tr.* 갈고리·걸쇠로 고정시키다 ; (갈고리로) 걸치다, 잡아 끌다.

gafarrón *m.* 《*Ar. Murc.*》【조류】 =**pardillo.**

gafe *m.* 역병신(神), 불운(한 것).

gafearse *r.* 《*AmérC.*》 (걸어서) 발을 상하다.

gafedad *f.* 손가락이 구부러짐 ; 손가락 신경 마비.

gafete *m.* 훅(corchete).

gafo, fa *adj.* ① 손가락이 구부러진. ② 《*AmérC. Ant. Col.*》 발을 삔.

gag *m.*【연극·영화】 개그.

gago, ga *adj.* ①【방언】 《*Amér.*》 말더듬이의(tartamudo). ②【고어】 =**gangoso.** —*m.f.* 말더듬이.

gagoso, sa *adj.* 《*Col.*》 =**gago.**

gaguear *intr.* 《*Amer.*》 말을 더듬다 ; 소문이 퍼지다.

gagueo *m.* 《*Amér.*》 말더듬이.

gaguera *f.* =**gagueo.**

gaicano *m.*【어류】 빨판상어(guaicán, rémora).

gaita *f.* ① 가죽 피리 ; 뿔나팔. ② 목(pescuezo) : alargar·sacar la ~ 목을 쭉 빼다. ③ 골치 아픈 일, 어려운 일 : Es (una) ~ escribirlo 그것을 쓰는 것은 골치 아픈 일이다.

estar de ~ 명랑하다, 활달하다.

templar ~*s* 추켜 올리다, 비위를 맞추다.

gaitería *f.* 칙칙한·촌스런 복장·차림.

gaitero, ra *adj.* ① 우스우리만큼 명랑한, 지나치게 기뻐하는(demasiado alegre) : un viejo muy ~. ② 칙칙한, 촌스러운 (옷차림·빛깔)(charro, extravagante) : Usa un vestido bastante ~.
—*m.* 피리 연주자.

gaje *m.* ① [주로 *pl.*] 급료, 직무 수당. ② [드뭄] (직업상의) 골치 아픈 일·괴로움(~ del oficio).

gajo *m.* ① (꺾어진) 나뭇가지 ; (포도의) 곁송이 ; 송이, 주렁주렁 널린 가지 : ~ ciruelas. ② (귤 등의) 널린 열매(lóbulo). ③ (농기구의) 보습 끝. ④ (산의) 지맥. ⑤ 털의 끝. ⑥ 《*AmérC. Col.*》 =**bucle.**

gajorro *m.* (안달루시아의) 가정에서 만든 과자.

gajoso, sa *adj.* 포도가 주렁주렁 달린.

GAL Grupos Antiterroristas de Liberación.

gala *f.* ① 예복, 나들이옷, 성장 : ~*s* de novia 신부옷. de ~ 성장한, 대례복의. de media ~ 약식으로 차려 입은. día de ~ 공적·사적으로 성장하는 날. función de ~ 정식으로 초대하는 등의 특별 흥행. ② 미(美), 아름다움, 화려함 : Ella habla con ~. ③ 꽃, 스타 : Ana es la ~ del pueblo 아나는 마을의 꽃이다. ④ 자랑(거리), 자랑으로 내세움 : hacer ~ de …을 자랑하다, 내놓고 자랑하다(tener a ~). El tiene a ~ ser coreano 그는 한국인이라는 것을 자랑으로 여기고 있다. ⑤ 《*Amér.*》 답례, 보수, 팁.
—*pl.* (결혼하는 사람에게 주는) 작별의 선물.
~ *de Francia*【식물】 봉선화(balsamina).

galaadita *adj.m.f.* 길르앗 《Galaad, 요르단 동쪽에 있는 팔레스티나의 산악 지방》의 (사람).

galabardera *f.*【식물】 들장미(escaramujo).

galaberna *f.*【선박】【고어】 =**refuerzo.**

galáctico, ca *adj.*【천문】 은하의.

galactita *f.*【광물】 유석(乳石)(galaxia).

galactites *f.* =**galactita.**

galactofagia *f.* 유양(乳養).

galactófago, ga *adj.* 유양의.

galactómetro *m.* 유즙 비중계, 검유기(檢乳器).

galactosa *f.* 유당(乳糖)(azúcar de leche).

galacho *m.* 《*Ar.*》 (물이 흐르면서 패인) 협곡(barranquera).

galafate *m.* ① 도둑, 괴도(怪盜)(ladrón). ② 포리(捕吏)(alguacil). ③ 부두 노동자 ; 짐꾼(ganapán).

galaico, ca *adj.* 갈리시아 《Galicia, 서반아 서북부 지방》의(gallego) : literatura ~*ca* —*m.f.* 갈라시아 사람.

galalita *f.* 낙소(酪素) 셀룰로이드 《합성 수지》.

galamero, ra *adj.* [드뭄] =**goloso.**

galamperna *f.* 《*Ál.*》【식물】 식용 버섯의 일종.

galán *m.* 미남, 싹싹하고 여자 같은 남자 ; 추근거리는 남자 ; 연애 중인 남자 ; (극의) 풍채 당당한 신사 ; 주연 : el primer·segundo ~ 주연·조연. ~ joven 소년이 맡은 주연 ; 그 소년.
—*adj.* galano의 어미 탈락형.

galanamente *adv.* ① 아름답게, 예쁘게, 곱게, 화려하게(con gala) : vestir muy ~ 화려하게 옷을 입히다·입다. ② 우아하게(con gracia, elegantemente).

galancete *m.* [*dim.* galán]【연극】 젊은이역.

galanga *f.* ①【식물】 심황의 일종 ; 심황의 뿌리. ② 요강.

galanía *f.* =**elegancia.**

galano, na *adj.* ① 성장을 한, 차려 입은 : ¿A dónde va Ud. tan ~ ? 그렇게 차려 입고 어디 가십니까? ② 품위있는, 취미가 고상한. ③ 몹시 오밀조밀한 : discurso · estilo ~. ④《*Cuba. Chile.*》얼룩 무늬가 들어 있는.

echar ~s《*AmérC.*》뻐기다, 우쭐거리다, 으시대다; 공상하다.

hacer ~s《*AmérC.*》장난을 하다, 농담을 하다, 우스갯소리를 하다.

galante *adj.* (특히 여자에게) 상냥스러운, 친절한; 여자를 구슬리는 (남자); 남자에게 빠지기 쉬운 (여자). **—*m.*** (귀부인의) 남자 시종.

galanteador *adj. m.* 여자에게 사랑을 호소하는 (남자).

galantear *tr.* 사랑을 호소하다. 구애를 하다. (여자를) 구슬려대다, 치근덕대다(cortejar); (일반적으로) 사랑을 조르다.

galantemente *adv.* 상냥스럽게, 친절하게; 예쁘게, 아름답게(con galantería).

galanteo *m.* 구슬리기, 아양떨기, 사랑의 호소.

galantería *f.* 상냥, 친절; 우미; 대범, 관대 : portarse c◉ ~ 상냥하게 행동하다.

galantina *f.* [*fr.* galantine] 갈란텡《순대 요리》.

galanura *f.* 미(美), 아름다움, 화려; 우미(elegancia, gracia, gallardía, garbo) : vestir con suma ~. [Contr.] desaliño.

galapagar *m.* 거북들이 모이는 곳.

galápago *m.* ①【동물】큰 거북, 코끼리 거북 : La concha del galápago es estimada. [*N.* tortuga de mar이라고도 함]. ② 바닥이 둥근 도르레. ③ 쟁기의 보습. ④ 기와틀. ⑤ (납·주석·구리 등의) 연봉(延棒). ⑥ (부인용) 안장. ⑦ (아치·둥그런 천장의) 틀. ⑧ 넷으로 접어 대는 붕대. ⑨【◉학】복대(腹帶).

Galápagos, Islas【지명】갈라빠고스 제도《태평양에 있는 에꾸아도르령》.

galapaguera *f.* (거북을 키우는) 연못.

galapaguino, na *adj.m.f.* 갈라빠고의 (사람).

galapero *m.*《*Extr.*》=**guadapero**.

galapo *m.* (실·밧줄의 끈 것을 끼우는) 줄감개.

galardón *m.* 보수, 사례금; 포상(premio) : recibir el justo ~ de sus servicios. [Contr.] castigo, pena.

galardonado, da *adj.* 상을 받은(premiado) : libro ~ 수상한 책. **—*m.f.*** 수상자.

galardonador, ra *adj.* 보수·사례금을 주는; 포상·표창하는.

galardonar *tr.* (…에) 사례금·보수를 주다; 표창·포상하다(premiar, recompensar) : ~ a un poeta 시인에게 상을 주다.

gálata *adj.* 갈라시아《Galacia, 고대 소아시아의 한 지방》의. **—*m.f.*** 갈라시아 사람.

Galatea *f.*【희랍 신화】Chipre의 왕 Pigmalión이 조각한 상아의 소녀상《작자가 이에 연정을 느껴 Venus에게 청하여 생명을 부여 받았음; 목동을 주인공으로 한 소설에서 여주인공의 이름으로 즐겨 쓰이던 것》.

galato *m.*【화학】몰식자산염(沒食子酸鹽)(sal del ácido gálico).

galavardo *m.* 키가 껑충한 사람(homber alto y desgarbado).

galaxia *f.* ①【광물】유석(乳石)(galactita). ②【천문】성운(星雲).

Galaxia *f.* 은하, 은하수(Vía Láctea).

galayo *m.* 노출암.

galbana *f.* 노곤함, 피곤함; 게으름, 나태(pereza) : tener ~.

galbanado, da *adj.* 노란색의, 황색의.

galbanero, ra *adj.* 게으른, 나태한, 게으름뱅이의.

gálbano *m.* ① 약재로 사용되는 고무질 수지. ②【식물】아위.

galbanoso, sa *adj.* 나태한, 게으름뱅이의, 게으른.

gálbula *f.* (송백류의) 열매.

gálbulo *m.* =**gálbula.**

galce *m.* (널빤지를 잇대는 부분에 내는) 홈.

galdido, da *adj.* =**gandido.**

galdón *m.*【조류】=**alcaudón.**

galdosiano, na *adj.* 뻬레스 갈도스 (B. Pérez Galdós)의.

galdrufa *f.*【방언】팽이(peonza).

galea *f.*【은어】=**carreta.**

gálea *f.* (로마인의) 투구.

galeana *adj.*《*Sal.*》알이 굵고 둥근 흰 (포도).

galeato *adj.* 반론이 있을 것을 예상하고 미리 밝혀 놓은 (서문 등).

galeaza *f.* (지중해에서 썼던) 돛대가 세 개인 군선(軍船).

galega *f.*【식물】헨루다의 일종.

galembo *m.*《*Col. Venez.*》=**gallinazo.**

galena *f.* [*lat.* galena]【광물】방연광(方鉛鑛) : La ~es la principal mena del plomo.

galénico, ca *adj.* 갈레노의·에 관한 : doctrina ~*ca.*

galenismo *m.* 갈레노《Galeno, 고대 그리스의 의사》의 학설.

galenista *m.f.* 갈레노학파 사람.

galeno, na *adj.* 산들산들 부는 (바닷바람). **—*m.*** 의사(médico).

gáleo *m.*【어류】톱상어(cazón); 새치 다래(pez espada).

galeón *m.* 갈레온선《옛날에 대서양 횡단의 대형 범선》: En 1770 feneció en la bahía de Vigo un convoy de *galeones.*

galeoncete *m. dim.* galeón.

galeopiteco *m.* =**panique.**

galeota *f.* 갈레오따선《돛대가 두 개에 노가 40개이던 배》: La ~ llevaba dos palos y algunos coñones.

galeote *m.* (galera 배의) 노를 젓는 죄수.

galeotismo *m.*《*Neol.*》매춘 주선 행위.

galeoto *m.* 매춘 주선인, 뚜쟁이.

galera *f.* ① (옛날의) 대형 사륜 포장마차; 전투함. ② 여죄수 감옥. ③ 갈레라선《중세에 지중해 방면에서 노예나 죄인에게 젓게 한 빠른 돛배》: condenar *a ~s* 노 젓는 형(刑)에 처하다. ④ 병실, 병원의 넓은 방(crujía); (그곳에 임시로 놓은) 병상의 줄. ⑤ 일종의 반사로(反射爐). ⑥ (목수들이 쓰는) 끝마무리 대패. ⑦【수학】(나눗셈에서 제수와 피제수와의) 분할선. ⑧【인쇄】게라. ⑨《*AmérC. Méx.*》따로 낸 챙(cobertizo). ⑩《*Arg. Chile.*》중절모, 중산모(sombrero de copa).

galerada *f.* ① galera 마차의 한 대 분량의 짐. ②【인쇄】줄줄이 잇대어 짠 조판 ; 교정쇄, 게라쇄.
galerero *m.* galera 마차의 마부·주인.
galeria *f.* 인시류의 일종.
galería *f.* ① 회랑, 통로 : ~ abierta 테레스, 노대. ② 애로(隘路), 좁은 길, 좁고 험난한 길. ③ 화랑, 진열실 ; 미술관 : ~ de cuadros 화랑. La ~ de cuadros estaba muy concurrida 화랑에는 많은 사람이 운집해 있었다. ④ 수집 미술품. ⑤ (광산·축성의) 갱도, 지하도 : ~ vistable 맨홀. ⑥ (극장의) 최상층석, 삼등석(paraíso). ⑦ 배끝의 전망실. ⑧ 커튼을 거는 막대(bastidor). ⑨《*Galic.*》관중 ; 대중(vulgo). ⑩ 여론(opinión pública) : trabajar para la ~. *—pl.* = **almacenes.**
galerín *m.* [*dim.* galera] ① 작은 복도. ②【인쇄】줄줄이 이어서 짠 조판.
galerita *f.*【조류】종다리(cogujada).
galerna *f.* (서반아 북쪽 해안의) 서북 돌풍.
galernazo *m.*《*Sant.*》=**galerna.**
galerno *m.* =**galerna.**
galerón *m.* ①《*AmérM.*》일종의 연가(戀歌). ②《*AmérC. Ant.*》챙(cobertizo). ③《*Méx.*》커다란 방·거실. ④《*Venez.*》민요의 일종.
galés, sa *adj.* 웰즈의. *—m.f.* 웰즈 사람. *—m.* 웰즈말.
Gales *f.*【지명】웰즈《영국의 서쪽 지방》.
galfarro *m.*《*León.*》①【조류】새미의 수컷(gavilán). ② 파락호, 불량배.
galga[1] *f.* ① 굴러 떨어지는 돌덩이. ② 멧돌(piedra volante). ③【의학】종기. ④ (제동용) 막대기. ⑤ (어깨에 메는) 관. ⑥ 사냥개 그레이하운드의 암컷. ⑦《*Col.*》(자른 나무의) 한 쪽 끝에서 차례로 넘어짐.
galga[2] *f.* [*lat.* caliga] 여자의 구두끈.
galgal *m.* =**monumento céltico.**
galgo, ga *m.f.*【동물】그레이하운드. *—adj.*《*Amér.*》대식의, 양이 큰.
¡Echale un ~! 달성·회복·이해하기가 불가능하다.
G- que muchas liebres levanta, ninguna mata【속담】두 마리 토끼를 쫓는 자는 한 마리도 잡지 못한다.
galgón, na *adj.*《*Ecuad.*》대식의, 양이 큰.
galguear *intr.*《*AmérC. Riopl.*》탐내다, 욕심내다(ansiar, desear).
galgueño, ña *adj.* 사냥개 같은.
galguero, ra *m.f.* galgo를 기르는 사람.
galguesco, ca *adj.* =**galgueño.**
galguita *f.*【동물】그레이하운드(galgo) 비슷한 작은 개.
gálgulo *m.*【조류】긴꼬리새(rabilargo).
Galiana *f.* 트레이드에 훌륭한 궁전을 가졌던 모로인의 공주.
querer los palacios de ~ 야심을 가지다, 지나친 욕심을 부리다.
galianos *m.pl.* 기름을 발라 요리한 부침개·지짐이.
galibar *tr.* 모형·틀에 맞추다.
gálibo *m.* ① (철도의) 적하(積荷) 용적계《선로 위에 U자를 거꾸로 해놓은 모양의 틀》. ② (조선에서 부분품의) 실물 크기의 모형. ③ 우미(優美).
galicado, da *adj.* 불란서 말투가 섞인 : Hay plaga de traducciones *~das.*
galicano, na *adj.* ① 고올《las Galias, 불란서 지방의 옛 이름》의. ② 불란서 말투가 섞인(gallego). ③ 프랑스 교회의.
Galicia *f.*【지명】갈리시아《La Coruña, Lugo, Orense, Pontevedra로 이루어진 서반아 북서부의 옛 지방》.
galiciano, na *adj.* 갈리시아의(gallego). *—m.f.* 갈리시아 사람.
galicismo *m.* 불란서 어조·말씨 ; 불란서어에서 들어온 말, 불란서 어원의 서반아어 ; 불란서 풍의 표현 : Los escritores españoles modernos suelen abusar del ~ 현대의 서반아 작가들은 불란서 어원의 서반아어를 자주 남용한다.
galicista *m.f.* 불란서 말씨를 쓰는 사람.
gálico, ca *adj.* 고올의(galicano) : ácido ~【화학】몰식자산(沒食子酸). *—m.* 매독(sífilis).
galicoso, sa *adj.* 매독의. *—m.f.* 매독 환자.
galifardo, da *adj.m.f.*《*Arg.*》=**holgazán.** *—m.*《*Venez.*》【조류】=**gavilán.**
galilea *f.* (교회당에서 귀인의 묘지 등이 있는) 현관, 안쪽 현관 ; (그리스 정교에서) 부활절부터 승천절까지의 기간.
Galileo *m.* 그리스도.
galileo, a *adj.* 갈릴레아《Galilea, 팔레스티나 북부의 땅》의. *—m.f.* ① 갈릴레아 사람. ② 그리스도 교도.
galillo *m.* 목젖(úvula) ; 목.
galimatías *m.*【단·복수 동형】까닭을 알 수 없는 일 ; 군소리, 헛소리.
galináceo, a *adj.* =**gallináceo.**
galio *m.*【식물】① 갈퀴덩굴속의 식물. ②【화학】갈륨《희금석》.
galiparla *f.* 불란서어식 서반아어.
galiparlante *m.f.* 불란서어식 서반아어를 쓰는 사람.
galiparlista *m.f.* =**galiparlante.**
galipote *m.*《*SDgo.*》동·식물로 모습을 바꿀 수 있는 것으로 전해지고 있는 사람.
galizabra *f.* 서반아 남해안에서 쓰이던 세모 돛이 달린 작은 배.
gallada *f.*《*Col. Chile.*》살짝 보이는 용기.
gallado, da *adj.*《*Cuba.*》얼룩진 (말).
galladura *f.* 알의 눈, (계란 노른자의) 배반(胚盤).
gallar *tr.* (닭을) 교미시키다(gallear).
gállara *f.* =**agalla.**
gallarda *f.* 서반아의 옛날 무도, 그 곡(曲) ; 블레비야 활자《8포인트 활자》.
gallardamente *adv.* 늠름하게, 씩씩하게 ; 날렵하게.
gallardear *intr.* 늠름하게 행동하다(ostentar mucha gallardía).
gallardete *m.* (마스트나 건물에 높이 세우는 삼각현의) 긴 깃대 ; 소형 삼각기.
gallardetón *m.* (장식 또는 신호용의) 끝이 두 갈래로 갈라진 긴 깃대 ; 삼각 깃대.
gallardía *f.* 늠름함, 씩씩함 ; 용기(bizarría) : moverse con ~.
gallardo, da *adj.* ① 늠름한. 씩씩한 : ~ joven

늠름한 청년. ② 보기에 시원스러운. ③ 화려한, 아름다운, 훌륭한, 우수한, 뛰어난(excelente) : ~*da* idea 훌륭한 생각.

gallareta *f.* 【조류】 검은물오리(foja).

gallarofa *f.* 《*Ar.*》 =**perfolla.**

gallarón *m.* 【조류】 들기러기(sisón).

gallaruza *f.* ① 산악 지방에 사는 사람들의 두건이 달린 겉옷. ② 《*Ant.*》 매춘부, 갈보.

gallato *m.* 【화학】 =**agallato.**

gallear *tr.* (닭을) 교미시키다. —*intr.* ① 음성을 거칠게 하다. ② 빼어나다(sobresalir). ③ 주물(鑄物)이 울퉁불퉁해지다. ④ 【투우】 소의 코앞에서 몸을 돌려 비키다.

gallegada *f.* 갈리시아 사람의 떼·집단; 갈리시아 사투리; 갈리시아풍; 갈리시아의 춤·곡.

gallego, ga *adj.* 갈리시아의. —*m.f.* 갈리시아 사람; (중남미에서는 경멸적으로) 서반아 사람. —*m.* ① 갈리시아 방언. ② (중부 서반아 지방에서) 서북풍. ③ 《*CRica.*》 (물속에 사는) 도마뱀의 일종. ④ 《*Cuba.*》 갈매기의 일종.

gallegoportugués, sa *adj.* 갈리시아와 포르투갈의.

galleguismo *m.* 갈리시아 방언·사투리.

galleo *m.* ① 주물의 흠. ② 【투우】 소의 코앞에서 몸을 돌려 비키는 연기. ③ =**chulería.**

gallera *f.* 투계장; 투계를 넣어 두는 광주리.

gallería *f.* 《*Cuba.*》 투계 양성장; 투계장; 이기주의.

gallero, ra *adj.* 《*Amér.*》 투계를 좋아하는. —*m.* 투계가; 투계장.

galleta *f.* ① 비스킷, 마른 과자(bizcocho); 건빵; 단단한 빵. ② 술따르는 병. ③ 구타. ④ 《*AmérC.*》 마떼차를 마시는 그릇. ⑤ 《*Arg.*》 카스텔라 모양의 과자. ⑥ 《*Venez.*》 야유, 놀리기(burla). ⑦ =**confusión, lío.**

visita de ~ 《*Cuba.*》 궁둥이가 질긴 사람.

galletear *tr.* 《*Riopl.*》 목을 자르다, 해고하다.

galletería *f.* 비스킷 가게·공장.

galletero, ra *adj.m.f.* 《*Chile.*》 아첨쟁이(의). —*m.* 건과자·비스킷용 과자 그릇; 제과 업자.

gállico, ca *adj.* 【화학】 =**agállico.**

gallillo *m.* 목젖(galillo).

gallina *f.* 암탉(hembra del gallo) : ~ asada 튀긴 닭. la cría de ~*s.* —*m.f.* 겁쟁이(cobarde) : José es un ~ 호세는 겁쟁이다. ¡ Es usted una ~! 당신은 겁쟁이군.

~ *ciega* 장님놀이, 숨바꼭질. ~ *de agua* 【조류】 검정오리. ~ *de Guinea* 【조류】 색시닭. ~ *de río* 【조류】 목도리 뇌조(雷鳥). ~ *sorda* 【조류】 멧도요. ~ *en corral ajeno* 꾸어다 놓은 보릿자루 같은 사람.

acostarse con las ~*s* 초저녁 잠을 자다.

andar·estar como ~ *clueca* 으시대다, 우쭐대다, 자만하다.

cantar la ~ 마지못해 과오를 자백하다, 두손 들다.

Viva la ~ *y viva con su pepita* 【속담】 지병을 치료하는 것은 위험할 때도 있다.

gallináceo, a *adj.* 【조류】 순계류(鶉鷄類)의; 닭의. —*f.pl.* 순계류.

gallinaza *f.* ① 닭똥. ② 【조류】 =**aura.**

gallinazo *m.* ① 【조류】 =**aura.** ② 《*Col.*》 가이나소《꼴롬비아의 민요와 그 춤》. ③ 《*Ecuad.*》 육류 요리의 일종.

gallinejas *f.pl.* 새의 내장을 튀긴 것.

gallinería *f.* ① [집합] 닭; 닭장; 닭장수. ② 소심증, 겁많은 행동(cobardía, pusilanimidad).

gallinero, ra *m.f.* 양계가; 닭장수. —*m.* ① 닭장; 닭우리·닭장의 닭(의 전체). ② 떠들썩한 곳. ③ (극장의) 천정 관람석(paraíso).

gallineta *f.* ① 【조류】 목도리 뇌조(雷鳥)(fúlica); 멧도요, 물닭(chocha becada, chochaperdiz). ② 《*AmérM.*》 색시닭.

gallineto, ta *adj.* 《*Col.*》 힘이 장사인.

gallinita *f.* 【곤충】 무당벌레.

gallino *m.* 《*And. Murc.*》 (꼬리의 긴 깃이 없는) 수탉.

gallinuela *f.* 《*Cuba.*》 =**polla de agua.**

gallipato *m.* =**salamanquesa.**

gallipava *f.* 커다란 닭의 일종.

gallipavo *m.* ① 【조류】 칠면조의 일종(pavo). ② (노래의) 가락이 엉뚱함.

gallístico, ca *adj.* 닭의, (특히) 투계의.

gallito *m.* ① 스타, 중심 인물. ② 【어류】 (지중해산의) 먹좀홍갈치. ③ 함유량이 풍부한 광물. ④ 《*CRica.*》 【곤충】 잠자리. ⑤ 《*Col.*》 입으로 부는 화살. ⑥ 《*Col.*》 풀피리.

~ *de monte* 【조류】 나팔새. ~ *del rey* 【어류】 농어의 일종.

gallo *m.* [*lat.* gallus] ① 수탉, 웅계(雄鷄) : ~ de pelea 투계(riña de ~*s*). ② 연배의 남자, 어른, 왕초, 두목 : Es el ~ del pueblo 그는 마을의 어른이다. ③ (노래나 이야기의) 엉뚱한 높은 소리 : soltar un ~. ④ 【어류】 달고기류. ⑤ 【건축】 용마루 나무(parhilera). ⑥ 《*Amér.*》 용감한 사람, 힘이 센 사람 : peso ~ (권투·레슬링의) 밴텀급. ⑦ 《*Col.*》 입으로 부는 화살. ⑧ 《*Chile. Perú.*》 소방 펌프의 부속차. ⑨ 《*Méx.*》 고물, 중고품 : vestir de ~*s* 헌옷을 입다.

~ *de monte* 【조류】 어치. ~ *de roca·de penasco* 관비둘기. ~ *silvestre* (북유럽산의) 뇌조(雷鳥). *pata de* ~ (늙어가는 사람의) 눈꼬리의 주름.

en menos que canta un ~ 순식간에, 극히 짧은 동안에(en un instante).

alzar·levantar el ~ 뻐기다, 뽐내다, 우쭐대다, 으시대다(mostrarse arrogante).

andar de ~ 못된 곳에 다니다.

correr el ~ 《*Amér.*》 밤새껏 술을 마시고 다니다.

pelar ~ ① 떠나다, 가버리다(irse). ② 죽다, 서거하다, 저승에 가다(morir).

ser muy ~ 잘생기다; 용감하다.

tener mucho ~ 뻐기고 있다.

gallócresta *f.* 【식물】 (색이 빨간·분홍의) 맨드라미(cresta de gallo).

gallofa *f.* ① (불란서에서 갈리시아로 흘러들어·순례해 왔던 사람들에게 주는) 식사 대접 : andar·darse a la ~ 무료로 식사 대접을 받다(gallofear). ② (샐러드 같은 데에 넣는) 야채. ③ 사원 달력(añalejo). ④ 잡담. ⑤ 불란서빵.

gallofar *intr.* =**gallofear.**

gallofear *intr.* ① 빌어먹다, 구걸하다(pedir limosna). ② 게으름피우다, 빈둥빈둥 놀며 지내다(holgazanear).

gallofero, ra *adj.* 빈둥빈둥 노는. —*m.f.* 게으

름뱅이, 게으름쟁이.

gallofo, fa *adj.m.f.* =**gallofero.**

gallón, na *adj.* 《*Méx.*》 건장한 사람의 ; 잔디풀로 뒤덮인. **—***m.* 뗏장(tepe) ; (건축 장식을) 달걀 모양으로 파기.

gallonada *f.* 잔디 동산, 잔디 울타리 《잔디를 심은 동산》.

gallote, ta *adj.m.f.* 《*CRica. Méx.*》【방언】 맺고 끊는 데가 있는 (똑똑한 사람), 한계(限界)가 분명한 (사람). **—***m.* 《*Panamá.*》 시경찰.

galludo *m.* 상어(tiburón)의 일종.

galo, la *adj.* ① 갈리야의, 고올 《la Galia, 불란서 지방의 옛 이름》의. ② 불란서의 : la capital *gala.* **—***m.f.* 갈리야 사람, 고올 사람. **—***m.* 고올 말.

galocha *f.* 나막신 ; 눈신.

galochero *m.* 나막신 제조자.

galocho, cha *adj.* 망나니의.

galofobia *f.* 불란서를 싫어하는 일.

galófobo, ba *adj.m.f.* 불란서를 싫어하는 (사람) : manifestar sentimientos ~*s.*

galón *m.* ① 장식 끈, 금은 몰. ② 갤런 《액체의 단위, 4.5리터》.

galoncillo *m. dim.* galón.

galoneador, ra *m.f.* 장식끈 제조자.

galoneadura *f.* 금은의 몰 장식(adorno hecho con galones).

galonear *tr.* (…에) 장식끈·몰을 붙이다.

galonista *m.* 【속어】 사관학교의 우등생.

galop *m.* [*pl.* galops] 갤럽 《헝가리계의 일종의 경쾌한 원무》, 그 곡.

galopa *f.* 갤럽(galop).
a la ~ 《*AmérC.*》 전속력으로, 힘을 다해(a galope).

galopada *f.* 빨리 달리기.

galopante *adj.* ① 질주하는 (사람·말), 전속력으로 달리는. ② 【의학】 분마성(奔馬性)의 : tisis · consunción ~ 분마성 폐결핵.

galopar *intr.* (말이·사람이 말을 타고) 전속력으로 달리다(ir a galope) : ~ en un potro 조랑말을 타고 전속력으로 달리다.

galope *m.* 갤롭 《말 등이 한 발 뗄 때마다 네 발 다 떼어 뛰는 걸음》 : a · de ~ 갤롭으로, 전속력으로 ; 말을 몰아.
al ~ ① 전속력으로 ; 말을 몰아. ② 《*Amér.*》 =a galope. ③ 《*Sant.*》 배의 돛대 꼭대기.

galopeado, da *adj.* 벼락치기로 만든, 함부로 만들어진. **—***m.* 때려 누임, 매질.

galopear *intr.* =**galopar.**

galopillo *m.* 부엌에서 허드렛일을 하는 남자.

galopín *m.* ① 조무라기. ② 부엌에서 허드렛일을 하는 사람. ③ 악당, 막된 놈, 막돼먹은 인간(pícaro). ④ 하급 선원(grumete).

galopinada *f.* 무뢰 ; 장난.

galopo *m.* 악당, 장난꾼.

galorromano, na *adj.* 고올과 불란서의 : edificio ~.

galpito *m.* 약하고 병든 병아리.

galpón *m.* 《*AmérM.*》 농노의 오두막 ; (과일 등을 저장하는) 광.

galúa *f.* 《*Cuba.*》 =**bofetada.**

galucha *f.* 《*Col. CRica. Cuba. PRico. Venez*》 = **galope.**

galuchar *intr.* 《*Col. CRica. Cuba. PRico. Venez.*》 =**galopar.**

galusa *f.* 《*Sant.*》 =**ratera, ladrona.**

galvánico, ca *adj.* 유전기의 : pila ~*ca* 전지, 유전지(流電池).

galvanismo *m.* 갈바니 전기, 유전기 ; 그 작용 ; 전기 요법(electroterapia).

galvanización *f.* ① 유전기를 쓰는 일, 유전기 응용·조작 ; 전기 도금, 아연 도금 : La ~ del hierro lo preserva de la humedad. ② 전기 요법.

galvanizado, da *adj.* 전기 도금한 : chapa de hierro ~ 아연을 도금한 철판.

galvanizar *tr.* 9 ① (…에) 유전기를 걸다 ; 전류·전기를 통하다 ; 전기 도금을 하다 : ~ el hierro 철에 전기 도금을 하다. ② 활기·용기를 돋우어 주다, 분발시키다 : Esta esperanza le *galvanizaba.*

galvano *m.* 【인쇄】 전기판(版) ; 전기 도금된 물건 : un ~ de cobre 동전기판.

gálvano *m.* 【인쇄】 =**galvano.**

galvanocaustia *f.* 전기 소작(법).

galvanocauterio *m.* 전기 소작기(燒灼器)·소작법.

galvanómetro *m.* 【전기】 검류기, 전류계.

galvanoplastia *f.* 전기 도금.

galvanoplástica *f.* =**galvanoplastia.**

galvanoplástico, ca *adj.* 전기 도금한 : impresión ~*ca* 전기 도금 압판(押判). reproducción ~*ca* 전기 도금 복제(판).

galvanoscopio *m.* 【전기】 검류기.

galvanoterapia *f.* 【의학】 직류 전기 요법.

gama *f.* ① 【동물】 황록(黃鹿), 누런 사슴. ② 【음악】 음계(표), 음역 ; 색계(色階). ③ 《*Sant.*》 【동물】 뿔(cuerno).
~ montés 사슴(venado)의 일종.
sentarse la ~ 《*Arg.*》 기가 꺽이다, 풀이 죽다.

gamalote *m.* =**gramalote.**

gámaro *m.* [*lat.* cammarus] 《*Salv.*》 왕새우(camarón).

gamarra *f.* (말의) 가슴걸이.

gamarrón *m.* 《*Hond.*》 말의 굴레.

gamarza *f.* 【식물】 =**alhargama.**

gamba *f.* 왕새우의 일종(una especie de camarón grande) : bocadillo de ~*s* 새우 샌드위치.

gambado, da *adj.* 《*Amér.*》 다리가 휘어진 (de piernas torcidas).

gambaj *m.* =**gambax.**

gámbalo *m.* (옛날의) 아마 직물·천.

gambalúa *m.* 키만 크고 능력이 없는 사람 (galavardo).

gámbaro *m.* 【어류】 왕새우(camarón).

gambarse *r.* 《*Ant.*》 다리가 굽어지다·휘어지다 (torcerse las piernas).

gambax *m.* 【단·복수 동형】 (기사들이 갑옷 속에 입은) 옷.

gamberrada *f.* 폭력 행위, 깡패.

gamberrismo *m.* 깡패 ; 폭력 행위.

gamberro, rra *adj.* =**libertino.**

gambesina *f.* 안장 방석.

gambesón *m.* =**gambesina.**

gambeta *f.* ① (무용에서) 도약 ; (말의) 날뜀. ② 《*AmérM.*》 날쌔게 몸을 (돌려) 피하는 일 (esguince) ; 꽁무니 빼는 말, 회피.

gambetear *intr.* ① 펄쩍 뛰다, 도약하다(hacer gambetas). ②《*Col.*》 몸을 틀어 달리다·도망치다. ③《*Méx.*》 옷자락이 펄럭거리다.
—*tr.* 《*Bol.*》 닥치는대로 빼앗다, 남의 눈을 속여 훔치다, 살짝 훔치다(hurtar).

gambeto, ta *adj.* 《*AmérC.*》 뿔이 구부러진 ; 다리가 휜. —*m.* 일종의 긴 가빠.

gambiano, na *adj.m.f.* 잠비아 《Gambia, 서아프리카의 나라》의

gamboa *f.* 【식물】 마르멜로(membrillo)의 일종.

gambocho *m.* 《*Ál.*》 =**toña.**

gambota *f.* 배의 고물에 길게 나온 재목.

gambox *m.* =**cambuj.**

gambuj *m.* =**cambuj.**

gambujo *m.* 가면.

¡gambusina! *interj.* ①《*Cuba.*》 사람이 놀림을 당했을 때 사용되는 표현. ②《*CRica.*》 =**correría, diversión, paseo.**

gambusino *m.* 《*Méx.*》 시굴자(cateador).

gamela *f.* 《*Chile.*》 =**gamella, vasija.**

gamella *f.* 통 ; 구유통 ; (논·밭의) 이랑(camellón, lomo entre surco y surco).

gamellada *f.* (통에) 하나 가득 찬 분량.

gamelleja *f. dim.* gamella.

gamellón *m.* 포도즙을 짜는데 쓰는 통.

gameto *m.* 【생물】 배우자 《알과 정자에 해당되는 것》.

gametofito *m.* 【식물】 배우체.

gamezno *m.* 【동물】 gamo의 새끼.

gamillón *m.* =**gamellón.**

gamitadera *f.* =**balitadera.**

gamitar *tr.* (황록이) 울다.

gamitido *m.* 황록(gamo)의 울음 소리.

gamma *f.* [*gr.* gamma] 감마 《그리스 자모 세번째 문자, g에 해당》 : rayos ~ 【물리】 감마선.

gamo *m.* [*lat.* dama] ①【동물】 황록(黃鹿), 누런 사슴 : El ~ ha desaparecido casi por completo de Europa 황록은 유럽에서 거의 완전히 사라졌다. ②《*Hond.*》(멕시코의) 사슴(ciervo).

gamón *m.* 【식물】 아스포델 《백합과의 식물》.

gamonal *m.* ① 아스포델(gamón)이 나는 밭. ②《*Amér.*》 주장, 왕초.

gamonalismo *m.* 《*Amér.*》 =**caciquismo.**

gamonita *f.* =**gamón.**

gamonito *m.* (초목의 주위에 나는) 싹(retoño).

gamonoso, sa *adj.* 아스포델이 풍부한.

gamopétalo, la *adj.* 【식물】 합판의, 합생(合生) 화판의. **Contr.** diapétalo.

gamosépalo, la *adj.* 【식물】 합생 꽃받침의, 합편(合片)의.

gamuno, na *adj.* 사슴 가죽의.

gamuza *f.* [*ár.* chamus] ①【동물】 영양 : La ~ es notable por lo osado de sus saltos. ② 영양 가죽 : La ~ se usa mucho para limpiar. ③《*Col.*》 옥수수 가루와 설탕을 넣어 만든 초콜릿.

gamuzado, da *adj.* ① 영양의 : piel ~*da* 영양의 가죽. ② 사슴털 빛깔의.

gamuzón *m.* 큰 영양의 일종.

gana *f.* 의욕, 하고 싶은 생각 : ~*s* de comer 식욕. ~ de dormir 졸음.
de **~** 열심히 : trabajar *de* ~ 의욕적으로 일하다. ***de buena*** **~** 기꺼이, 자진해서(con mucho gusto). ***de mala*** **~** 마지못해(de mala vountad).
dar(le) la **~** ***de*** **+** ***inf.*** …하고 싶어지다 : No me *dan* ~*s de* trabajar 나는 일하고 싶지 않다. Me *da la* ~ *de* ir 나는 가고 싶다. No me *da la* ~ *de* hacerlo 그것을 할 기분이 나지 않는다.
Es **~** 《*Méx. Perú.*》 공연한 일이다, 불가능한 일이다(ser imposible).
hasta las **~*s*** 《*Méx.*》 한계점까지, 힘껏.
morirse de **~*s*** 《*Chile. Méx. Perú.*》 자꾸만 원하다.
tener **~*(s)*** ***de*** **+** ***inf.*** …하고 싶다(querer) : *Tengo* ~*s de adelantar* en la convesación española 서반아어 회화를 유창하게 하고 싶다.
tener **~*s*** ***de que*** **+** ***subj.*** …를 바라다·원하다 : *Tengo* ~*s de que* venga Rosario 로사리오가 왔으면 좋겠는데. *Tengo* ~*s de que* llueva 비가 내리기를 원한다.

ganable *adj.* 손에 넣을 수 있는, 득이 있는.

ganada *f.* 《*Arg.*》 벌이, 이윤, 이문, 이익, 이득(ganancia).

ganadería *f.* 목축 ; 목군(牧群) ; 목축업.

ganadero, ra *adj.* 목축의 : región ~*ra* 목축 지대. —*m.f.* 목장주 ; 가축 상인.

ganado *m.* ① 가축, 목축 : ~ mayor 소, 말. ~ menor 양, 산양. ~ de cerda [집합] 돼지. Tiene doscientas cabezas de ~ 그는 200마리의 가축을 가지고 있다. ②(벌이나 사람들의) 떼. ③《*Amér.*》(특히) 소 : ~ vacuno 축우(畜牛).

ganador, ra *adj.* 취득하는, 돈을 버는. —*m.f.* 소득자 : 승리자.

ganancia *f.* ① 벌이, 이득, 이익, 이윤 : ~ bruta 총이익. ~ de explotación 영업 이익. ~ del ejercicio 당기 이익. ~ distribuible 분배 가능 이익. ~ extraordinaria 특별 이익. ~ gravable 과세 대상 이익. ~ imaginaria 예상 이익. ~ imprevista 의외의 이득. ~ íntegra 총이익. ~ líquida·neta·pura 순이익. ~ neta a distribuir 《*Arg.*》 분배 가능 순이익. ~ por enajenación de bienes 자산 매각 소득, 고정 자산 처분 이익. ~ prevista 예견 이익. ~ según libros 장부·지상·가공 이익. ~ susceptible de distribuirse 《*Méx.*》 가처분 이익. ~ total 총이익. ~*s* y pérdidas 손익 (계산). El ha sacado mucha ~ de su negocio 그는 사업으로 많은 이득을 취했다. ②《*AmérC. Méx.*》 경품, 덤.

gananciado, da *adj.* 《*Méx.*》 이익을 남기고 파는.

ganancial *adj.* 벌이가 되는, 이득의, 소득에 관한, 이윤의.
—*m.pl.* 취득 재산(bienes ~*es*).

ganancioso, sa *adj.* 유리한 ; 돈을 버는 ; 이긴. —*m.f.* 돈을 번 사람 ; 승리자.

ganapán *m. desp.* 부두 인부, 인부 ; (역의) 소화물 계원 ; 촌스러운 사람, 야인(野人).

ganapanería *f. desp.* 날품팔이.

ganapierde *m.(f.)* ① 서양 장기의 일종. ② 이길 가망이 없는 게임.

ganar *tr.* [*lat.* ganare] ① 벌다 : ¿Cuánto *gana* usted al mes? 당신은 한 달에 얼마나 법니까? Con esto *ganó* mil pesos 이것으로 천뻬소 벌었다. ② 돈벌이하다, 이문을 보다 : ~ la vida 생활비를 벌다. ③ 손에 넣다; 얻다 : ~ posición 자리를 확보하다, 지위를 얻다. ④ 취득하다, 획득하다(lograr, conseguir) : La vieja *ganó* un premio gordo en la lotería 노파는 복권에서 특상을 받았다. ⑤ 정복하다, 점령하다(conquistar) : ~ una plaza. ⑥ (…에) 이기다(vencer) : ~ un pleito 소송을 이기다. *Ganó* la batalla 그 싸움에 이겼다. Contr. perder. ⑦ (…에) 이르다, 도달하다(alcanzar) : ~ la orilla·la cumbre 언덕에·봉우리에 닿다. ~ tierra 배가 육지에 가까워지다. ⑧ (누구의 호의 등을) 얻다·받다 : El *ganó* el favor del rey 그는 왕의 총애를 받았다. Le *gané* a mi partido con dádivas 선물을 주어 그를 우리 편으로 끌어들였다. ⑨ (…보다) 낫다, 뛰어나다(aventajar) : Le *gano en* geografía y matemática 지리와 수학은 내가 그보다 더 낫다.

—*intr.* ① 돈을 벌다 : *Gana* para sólo vivir 그는 오직 살아가기 위해서만 돈을 번다. ② (어떤 내기에) 이기다 : José le *ganó* al ajedrez 장기에서 호세가 그를 이겼다. ③ 더 낫다. ④ 진보·숙달되다 : Este operario *gana* cada día *en* habilidad 이 직공은 매일 그 솜씨가 나아지고 있다. ⑤ 향상되다, 승진하다 : ~ *en* categoría 지위가 높아지다. ⑥ 《*Chile.*》 도망하다, 도주하다, 몸을 숨기다(refugiarse).

~se ① (자기를 위해서) 돈벌이하다, 돈을 마구 벌다 : El *se ganaba* la vida trabajando 그는 일해서 자활하고 있었다. El político no ha conseguido *~se a* la masa 그 정치가는 대중의 인기를 얻지 못했다. ② 《*Amér.*》 빵소니치다, 도망치다, 도주하다, 몸을 숨기다(rufugiarse).

~ ***para*** 《*Guat. Col. Venez.*》(…의) 쪽으로 가다, 편이 되다.

~ ***por la mano*** 앞지르다, 기선을 제압하다 ; 뛰어나다.

~ ***tiempo*** 시간을 절약하다 : Vamos por este camino para ~ *tiempo* 시간을 절약하기 위해 이 길로 갑시다.

~se la vida 생업을 영위하다, 생활비를 벌다, 자활하다 : ¿Cómo *se gana* él *la vida*? 그는 어떻게 살아가고 있습니까? *Se gana la vida* escribiendo 그는 저술하여 생활하고 있다.

gancha *f.* 《*Albac. León.*》 포도 송이·가지.

ganchada *f.* 갈고리로 단단히 붙잡는 일.

ganchero *m.* ① 뗏목의 길잡이. ② 《*Arg.*》 원조자, 후원자. ③ 《*Chile.*》 혼자서 심심하게 일을 하는 사람. ④ 《*Ecuad.*》 부인 승마용의 말.

ganchete *m.* ***a medio*** ~ 어정쩡하게, 미지근하게, 어중간하게(한).

al ~ 《*Venez.*》 곁눈질로.

de ~ 《*Amér.*》 품팔이로 ; 팔장을 끼고(de bracero) : ir *de* ~.

de medio ~ 산만하게 ; 중간에 떠서.

ganchillo *m.* ① 코바늘(aguja de gancho). ② 편물. ③ 《*Amér. And.*》 머리핀

gancho *m.* ① 갈고리 : en ~ 갈고리 모양으로. echar el ~ 갈고리를 걸치다 ; 감쪽같이 붙잡다·잡다. No usar *~s* 갈고리 사용 못함. Cuelgue su abrigo en aquel ~ 저 갈고리에 외투를 거십시오. ② 갈고리 모양으로 된 것, 갈고리가 붙은 것 ; 갈고리 장대, 양복걸이 ; (갈고리 모양으로 갈라진) 가지 ; 목동들의 지팡이. ③ 뜨개바늘 ; 편물. ④ 여성의 매력 : Ella tiene mucho ~ 그녀는 매력이 굉장하다. ⑤ 손님 끌기 ; (사람을) 잡는 사람, 뚜쟁이(rufián). ⑥ 《*Amér.*》 머리핀 (horquilla). ⑦ 《*Ecuad.*》 부인용 안장. ⑧ 《*Arg. Guat.*》 도움, 원조(ayuda).

hacer ~ ① 원조하다, 도움을 주다, 돕다(ayudar). ② 사랑하게 하다(enamorar).

ganchoso, sa *adj.* 갈고리가 있는 ; 갈고리 같은 hojas *~sas*.

ganchudo, da *adj.* 갈고리 모양의 : nariz *~da* 갈고리코.

ganchuelo *m. dim.* gancho.

gándara *f.* [*port.* gandara] 낮은 땅, 질퍽덕한 잡초지.

gandaya *f.* ① 허송 세월, 무위 도식 : andar a la ~ 빈둥빈둥 놀며 지내다. ② 머리 그물.

gandición *f.* 《*Col. Cuba.*》 포식(glotonería).

gandido, da *adj.* 【고어】 《*Amér.*》 배부르게 먹는, 포식하는(comilón).

gandinga *f.* ① (물에 씻은) 찌꺼기 광석. ② 【방언】 내장. ③ 《*Ant.*》 내장 요리. ④ 《*Cuba.*》 무기력.

buscar la ~ 밥값을 벌다.

tener poca ~ 뻔뻔스럽다, 낯가죽이 두껍다.

gandío, a *adj.* 《*Ant.*》 =**gandido.**

gandiroba *f.* 《*Can.*》 호리병박과 식물.

gandir *tr.* 【고어】 =**comer.**

gandujado, da *adj.* gandujar의 *p.p.* —*m.* (의류의) 주름.

gandujar *tr.* 주름을 넣다, 접다(fruncir, plegar, afollar).

gandul, la *adj.* 빈둥빈둥 노는(vagabundo, holgazán). —*m.f.* 게으름뱅이(vagabundo).

gandulear *intr.* 무위 도식하다, 빈둥빈둥 놀며 보내다(holgazanear).

gandulería *f.* 태만, 나태, 빈둥거리는 생활.

gandumbas *adj.* 게으름뱅이의, 야무진 데가 없는. —*m.f.* 야무지지 못한 사람. —*f.pl.* 《*Venez.*》 고환, 불알.

ganeta *f.* 【동물】 사향고양이(jineta).

ganforro, rra *adj.* 망나니의. —*m.f.* 망나니.

ganga *f.* ① 대매출, 바겐세일. ② (아주 헐값에 산) 진기한 물건. ③ 【조류】 고방오리 무리. ④ 【광물】 모암(母岩) ; 폐석, 내버리는 돌. ⑤ 《*Amér.*》 야유, 빈정대기.

gangarilla *f.* (여자 역할을 하는 소년이 낀 3·4 인조가 일단을 이룬 옛) 유랑 극단.

gangético, ca *adj.* 갠지스강 《el Ganges, 인도의 강》의.

gangliforme *adj.* ganglio 모양의.

ganglio *m.* ① 【해부】 신경절(節). ② 【의학】 절종(節腫).

ganglionar *adj.* 신경절의 : sistema ~.

gangocha *f.* 《*Ecuad.*》 =**gangoche.**

gangoche *m.* 《*AmérC. Méx.*》 =**gangocho.**

gangocho *m.* 《*AmérC.*》 용설란(maguey)으로 짠 툭툭한 피륙 ; 자루, 포대(saco).

gangolina *f.* 《*Arg.*》 =**barullo, bulla, jaleo grande.**

gangosear *intr.* 《*Arg. Col.*》 =**ganguear.**

gangosidad *f.* 콧소리, 코맹맹이 소리.

gangoso, sa *adj.* 콧소리 내는. —*m.f.* 코맹맹이.

gangrena *f.* [*gr.* gaggraina] ① 【의학】 괴저(壞疽), 탈저. ② 부패(corrupción) : El vicio es la ~ del alma 악행은 영혼의 부패이다.

gangrenado, da *adj.* ① 괴저·탈저(gangrena)에 걸린 : un miembro ~ 괴저에 걸린 팔다리. ② 부패한, 썩은(podrido, corrompido) : corazón ~ 부패한 마음.
gangrenarse *r.* ① 괴저·탈저에 걸리다(padecer gangrena) : cortar un miembro *gangrenado* 괴저에 걸린 팔다리를 절단하다. ② 부패·타락하다.
gangrenoso, sa *adj.* 괴저(성)의.
gángster *m.* 《*Neol.*》 갱, 불한당(bandido).
ganguear *intr.* 콧소리로 말하다, 콧소리를 내다 : El resfriado hace ~ 감기는 콧소리를 내게 한다.
gangueo *m.* 콧소리.
ganguero, ra *m.f.* 진기하고 싼 물건 찾기 ; 그 사람.
gánguil *m.* 어선, 고깃배 ; 진흙배 《진흙이나 자갈 따위를 운반해다 버리는 배》.
ganguista *adj.m.f.* =**ganguero.**
Ganimedes *m.* 【신화】 Júpiter에게 술을 따르는 동자.
gano *m.* 《*Chile.*》 =**salario.**
ganosamente *adv.* 기꺼이, 자진해서.
ganoso, sa *adj.* [+de : …을] 하고 싶어 못 견디는, 감질나게 바라는, …을 바라는(deseoso) : estar ~ *de* conseguir algo 무엇을 손에 넣고 싶어하고 있다.
gansada *f.* 어리석은 일, 바보짓, 멍청이짓(sandez, estupidez).
hacer cabriolas y ~s 뛰어다니면서 철없는 짓을 하다.
gansarón *m.* ① 새끼 거위(ansarón). ② 꺽다리.
gansear *intr.* 어처구니없는 짓을 하다·말하다.
gansería *f.* =**gansada.**
gansirulo, la *adj.* =**tonto.**
ganso, sa *m.f.* ①【조류】 거위. Sinón ánsar, oca. ② 바보, 멍청이, 시골뜨기, 미련둥이 : ser muy ~ 무척 미련하다. ③【고어】 가정 교사.
hablar por boca de ~ 다른 사람이 말한 것을 되풀이하다.
ganta *f.* 간따 《필리핀의 용량의 단위, 3리터》.
gante *m.* 간떼 《벨기에산의 삼베》.
gantés, sa *adj.* 간떼《Gante, 벨기에의 도시》의, 간떼에 관한. —*m.f.* 간떼 사람.
ganzúa *f.* 자물쇠 여는 기구, 맞쇠 ; 도적, 금고털이 ; 남의 비밀을 캐내는 사람.
ganzuar *tr.* 15 ① 비밀을 조사하고 다니다. ② 맞쇠로 열다.
gañán *m.* ① 머슴 : ~ de cortijo. ② 강하고 거친 사람. Sinón. jayán.
gañanía *f.* [집합] 머슴 ; 머슴들의 숙소.
gañido *m.* (동물의) 짖는 소리 ; 비명 (소리).
gañiles *m.pl.* ① (동물의) 목, 후두. Sinón. fauces. ② (다랑어의) 아가미.
gañín *m.* 《*Ast. Sant.*》 =**hipócrita, taimado.**
gañir *intr.* 52 (개가) 마구 짖어대다 ; (새가) 까악까악 울다 ; 가쁜 숨을 쉬다.
gañón *m.* 【속어】 목, 후두(喉頭), 기관(氣管)(garguero).
gañote *m.* =**gañón.** —*m.f.* =**gorrón.**
de ~ 거저, 무료로, 공짜로(de balde, gratis).
gao *m.* 【은어】 이(piojo).
gaollo *m.* 《*Pal.*》 brezo의 일종.
gaón *m.* =**canalete, zagual.**
gapalear *intr.* 《*Cuba.*》 정신을 쏟다, 몰두하다, 전념하다, 열중하다 ; 머리를 쥐어짜다.
gáraba *f.* 《*Sant.*》 =**árgoma.**
garabatada *f.* 갈고리로 걸침.
garabatear *intr.* 갈고리를 걸치다 ; 낙서하다 ; 돌려서 말하다. —*tr.* 갈겨쓰다.
garabateo *m.* ① 갈고리로 걸치기·걸치는 일(garabatada). ② 낙서, 갈겨쓰기.
garabato *m.* ① 갈고리, 낚시 갈고리 : echar los ~*s* 갈고리로 걸치다. ② 손 갈고리(almocafre). ③ 갈겨쓰기, 장난으로 쓰기(garrapato). ④ 요염스러움, 우아함(garbo) : tener bastante ~. ⑤ 《*Chile.*》 험담, 욕지거리. ⑥ 《*Arg.*》 아카시아의 일종. —*pl.* 손장난, 장난.
garabatoso, sa *adj.* ① 낙서투성이의 ; 알아볼 수 없는 (글씨) : carta ~*sa.* ② 요염한.
garabero *m.* 【은어】 갈고리 사용 도둑.
garabina *f.* 《*Arg.*》 =**garambaina.**
garabito *m.* (노점상 등의) 목판 ; 갈고리.
garabo *m.* 【은어】 =**garabato.**
garafatear *tr.* 《*Col.*》 =**abofetear.**
garage *m.* =**garaje.**
garagista *m.f.* 《*Neol.*》 차고 주인.
garaje *m.* [*fr.* garage] (자동차의) 차고(車庫)(cochera de automóviles).
garajista *m.f.* =**garagista.**
garama *f.* (모로코 회교도들이 바치는) 연공(年貢) ; (어떤 종족이 남의 물건을 훔친데 대한) 공동 변상 ; 축하 선물.
garambaina *f.* 속되고 어울리지 않는 장식. —*pl.* ① 엉터리로 갈겨쓰기. ② 괴상한 얼굴 표정(visajes) : No me vengas con ~*s* 이상한 얼굴을 하고 나를 쳐다 보지마라.
garambullo *m.* 【식물】 (멕시코산) 선인장의 일종.
garandar *intr.* 【은어】 못된 짓을 하고 다니다.
garandumba *f.* 《*AmérM.*》 나룻배의 일종.
garante *m.f.* (지불) 보증인 : salir ~ 보증인이 되다. —*adj.* 보증하는.
garantía *f.* ① 보증 : ~ a largo plazo 장기 보증. ~ bancaria 은행 (지불) 보증. ~ continua 계속 보증. ~ de calidad 품질 보증. ~ de discreción 극비급 보증. ~ de propiedad 소유권의 보증. la ~ de pago 지불 보증. ~*s* constitucionales 헌법이 보장하는 권리. dar ~ 보증하다. ② 담보, 저당 : en ~ 보증·담보로. ~ adicional·subsidiaria 부대 저당, 부저당. ~ especial 특정 담보. ~ flotante 부동 담보. ~ hipotecaria 부동산 저당. Antes de prestarle el dinero pidió ~ 그는 돈을 빌려주기 전에 담보를 요구했다. ③ 담보 물건 : la ~ de mis tierras.
garantir *tr.* ① 보증하다(garantizar). ② 《*Galic.*》 방어하다, 비호하다. [*N.* 활용 어미에 i가 있는 활용에만 쓰이는 불구 동사].
garantizado, da *adj.* 보증하는, 책임지는(con garantía) : ~ por un año 1년간 보증(함).
garantizador, ra *adj.m.f.* 보증하는 (사람, 물건).
garantizar *tr.* 9 보증하다, (…의) 책임을 지다, 증인이 되다, 보증인이 되다 : La pureza *se garantiza* 순수성을 보증한다. El reloj está *garantizado* 시계는 보증서가 부착되어 있다.

Quiero que usted lo *garantice* 당신이 그를 보증하기를 바랍니다.
[직설법 부정과거 1인칭 단수 : garanticé. 접속법 현재 : garantice, garantices ; garantice, garanticemos, garanticéis, garanticen].

garañón *m.* ①【동물】씨나귀 ; 수낙타. ②《*Amér.*》종마(種馬)(caballo padre).

garapacho *m.* ① (거북 따위의) 등껍질(carapacho). ② 견고한 물체.

garapanda *f.* (망태기 그물을 이용한) 고기잡이.

garapiña *f.* ① (액체가) 얼어서 엉김. ② 엉긴 과자. ③ 장식끈. ④《*Ant. Chile. Méx.*》파인애플의 물.

garapiñar *tr.* ① 굳게 하다. ② (액체를) 얼리다 (helar un líquido) : ~ leche 우유를 얼리다. ③ (식품에) 당밀을 치다(bañar en almíbar) : almendras *garapiñadas* 당밀을 친 편도.

garapiñera *f.* 냉동기, 아이스크림 제조기.

garapita *f.* 눈이 촘촘한 그물.

garapito *m.*【곤충】=**chinche de agua.**

garapullo *m.* (입으로) 부는 화살.

garata *f.*《*Ant.*》=**pelea.**

garatura *f.* 가죽 깎는 기구.

garatusa *f.* ① 아부, 아첨 : hacer ~*s*. ② (격검에서의) 유혹. ③【방언】=**pendencia, riña.**

garauna *f.*【식물】가라우나《브라질의 거대한 나무》.

garavatá *m.*《*Arg.*》=**chaguar, pita.**

garay *m.* 필리핀의 거룻배의 일종.

garba *f.*【방언】(밀 등의) 다발 ; 목초.

garbanceo *m.* 하루의 식사(comida diaria, puchero) : asegurar el ~.

garbancero, ra *adj.* 이집트콩의. —*m.f.* ① 이집트콩 장수. ②《*Méx.*》*desp.* 하인, 하녀.

garbanzal *m.* 이집트콩밭.

garbanzo *m.*【식물】이집트콩 ; 이집트콩 요리. —*f.*《*Méx.*》하녀.
~ *negro* (집단 · 가족 내에서) 기질이 다른 사람, 이단자.

garbanzón *m.*《*Ál.*》【식물】=**agracejo.**

garbanzuelo *m.* =**esparaván.**

garbar *tr.*【방언】(벤 밀 등을) 다발로 묶다.

garbear *tr.* 다발로 묶다 ; 훔치다 ; 속이다. —*intr.* ① 뻐기다, 척하다, 체하다, 거만떨다 ; 얼버무려 지나치다. ②《*Bol.*》보슬비가 내리다.

garbeo *m.* =**paseo.**

garbera *f.* (밀단 등의) 쌓기(tresnal).

garbías *m.pl.* 스튜의 일종.

garbillador, ra *adj.m.f.* 키질하는 (사람).

garbillar *tr.* 키질해서 고르다, 키로 까불다 (ahechar) : ~ trigo 밀을 키로 까불다.

garbillo *m.* 얼멍키 ; 밀가루의 무거리 ; 선광용(選鑛用)의 키 ; 잘디잔 광석.

garbín *m.* (옛날의) 머리 그물.

garbino *m.* 서남풍.

garbo *m.* ① 우아 ; 풍채가 좋음, 늠름한 : vestirse con ~. ② 청렴.

gárboli *m.*《*Cuba.*》숨바꼭질.

garbón *m.*【조류】자고새의 수컷.

garbosamente *adv.* 늠름하게; 날렵하게, 날쌔게; 대범스럽게 : obrar ~ 대범스럽게 행동하다.

garboso, sa *adj.* 늠름한, 훌륭한 ; 날렵한, 날쌘 ; 대범스러운(generoso) ; 청렴한, 청렴 결백한 : una mujer ~*sa*.

gárbula *f.*《*Sal.*》=**vaina seca del garbanzo.**

garbullo *m.* 소란, 혼잡.

garcear *intr.*《*Col.*》지향없이 헤매다.

garcero, ra *adj.* 백로(garza)를 사냥하는 (매).

garceta *f.* ①【조류】작은 백로. ② 귀밑털, 구렛나루.

garcía *m.*《*And. Ast. Rioja.*》여우(zorro).

garda *f.* ①【은어】교환, 서로 바꿈. ②【건물】밑부분(viga).

gardacho *m.*【방언】도마뱀.

gardama *f.*《*Ar. Nav.*》=**carcoma.**

gardenia *f.*【식물】치자, 치자나무(jazmín de la India).

gardo *m.*【은어】젊은이.

garduña *f.*【동물】담비(fuina).

garduño, ña *m.f.* ① 좀도둑, 들치기, 날치기. —*m.*《*And.*》=**zorro.**

gareta *f.*《*Chile.*》=**jareta.**

garetas *adj.*《*Col.*》=**estevado, patizambo.**

garete *m.* 표류 : ir(se) al ~ 표류하다.

garetear *intr.*《*Venez.*》물의 흐름을 타고 내려오다.

garfa *f.* ① (새 · 짐승의) 굽은 발톱 : echar la ~ 발톱을 세우다 · 붙잡다. ② (전선을 매다는) 발톱.

garfada *f.* 발톱으로 움키는 일 · 붙잡는 일.

garfear *intr.* 갈고리를 걸치다.

garfiada *f.* =**garfada.**

garfil *m.*《*Méx.*》【은어】순경.

garfiña *f.*【은어】=**hurto, robo.**

garfiñar *tr.*【은어】훔치다(hurtar).

garfio *m.* 갈고리, 달아매는 갈고리.

gargajeada *f.* =**gargajeo.**

gargajear *intr.* 가래침을 뱉다(esputar).

gargajeo *m.* 가래를 아무 데나 마구 뱉는 것.

gargajiento, ta *adj.m.f.* =**garajoso.**

gargajo *m.* 가래(flema).

gargajoso, sa *adj.m.f.* 아무 데나 가래침을 뱉는(사람)(gargajiento).

gargal *m.*《*Chile.*》떡갈나무의 혹.

gargalismo *m.* 성도착(aberración sensual).

gargamillón *m.*【은어】=**cuerpo, organismo.**

garganchón *m.* =**garguero.**

garganta *f.* ① 목구멍 : Me duele la ~ 나는 목구멍이 아프다. ② 목(cuello). ③ (노래하는 사람의) 음성, 목소리 : tener buena ~ 목소리가 좋다. ④ 산협, 협곡, 골짜기 : ~ de una montaña. ⑤ (일반적으로 어떤 것의) 좁아진 곳 · 부분 : una ~ del río. ⑥ (도르래의) 고랑.

gargantada *f.* 한번 뱉아 내기 : una ~ de sangre.

gargantear *intr.* 목소리를 떨다, 떨리는 목소리로 노래하다. —*tr.*【은어】(고문으로) 자백하다 ; (도르래 같은 곳에) 띠줄을 대다.

garganteo *m.* 떨리는 목소리.

gargantil *m.* 면도 때 쓰는 컵의 오목한 곳, 목받이 ; 오목하게 패인 곳.

gargantilla *f.* 목걸이 ; 목걸이의 하나하나의 구슬.

gargantón *m.* [*aum.* garganta]《*Méx.*》큰 목걸이 ; 목걸이《마구》.

gárgaras *f.pl.* ① 양치질 : hacer ~ 양치질하다. Usted tiene que hacer ~ tres veces al día 당신은 하루에 세 번 양치질을 해야 합니다. ② 《*Amér.*》 치약.
gargarcero *m.* [드묾] =**garguero, tragadero**
gargarear *intr.* 《*Méx.*》 양치질(gárgaras)을 하다 (gargarizar).
gargarismo *m.* 양치질 ; 치약.
gargarizar *intr.* ⑨ 양치질을 하다(hacer gárgaras).
gárgaro *m.* 《*Cuba. Venez.*》 숨바꼭질.
gargavero *m.* [드묾] =**garguero, tragadero.**
gárgol *m.* 【목공】 (장부족의) 고랑, 판자의 이음 홈. —*adj. huevo* ~ 불수정란.
gárgola *f.* ① 홈통의 끝 《지붕물 · 분수 옆의 배수구, 도깨비의 목을 본떠 만든 것》. ② =**baga.** ③ 【방언】 (콩의) 꼬투리.
garguero *m.* 【해부】 기관(氣管), 숨통 ; (특히) 그 윗부분.
gargüero *m.* =**garguero.**
garibaldino, na *adj.m.* 가리발디(Garibaldi)의 병사 · 추종자(의).
garibardina *f.* 붉은 색 블라우스의 일종.
garifo, fa *adj.* ① 날렵한, 시원스러운, 화려한. ② 《*Arg.*》 발랄한, 위세있는. ③ 《*CRica. Ecuad.*》 굶주린(hambriento). —*m.f.* 《*Perú.*》 거지, 걸인.
garigola *f.* 《*Murc.*》 (사냥꾼이 흰족제비를 넣어 둔) 바구니.
gario *m.* ① 《*León. Pal. Seg. Vallad.*》 =**bielda.** ② 《*Alb.*》 =**triple garfio.**
gariofilea *f.* 【식물】 야생 카네이션.
garita *f.* ① (성벽 위에 설치한) 망루. ② 수위실 (portería). ③ 파수막 ; 초소. ④ 변소. ⑤ 《*Méx.*》 (도시의) 입구(puerta).
gariteat *intr.* 노름판에 자주 가다 ; 노름을 좋아하다.
garitero *m.* ① 도박장 주인 ; 노름꾼. ② 【은어】 도둑을 숨기는 사람.
garito *m.* 노름판 ; 노름판에서 따기.
garitón *m.* 【은어】 방(aposento).
garla *f.* 잡담, 환담(charla).
garlador, ra *adj.* 잘 지껄여대는.
garlancha *f.* 《*Col.*》 =**laya, pala.**
garlante *adj.* =**garlador.**
garlar *intr.* 이야기하다, 지껄여대다(charlar).
garlear *intr.* 【은어】 =**triunfar.**
garlero, ra *adj.* 《*Col.*》 =**garlador.**
garlito *m.* ① (물고기나 짐승을 잡는) 자루 어망, 자루망. ② 덫 : caer en el ~ 덫에 걸리다. *coger en el* ~ 급습하다.
garlo *m.* 【은어】 =**garla, charla.**
garlocha *f.* =**garrocha.**
garlochí *m.* 【은어】 =**corazón.**
garlón *m.* 【은어】 =**hablador, parlanchín.**
garlopa *f.* (끝마무리용) 고운 대패.
garlopín *m.* 작은 대패.
garma *f.* 《*Ast.*》 경사가 심한 사다리.
garnacha *f.* ① (법관의) 제복. ② 법관. ③ (옛날의) 소규모 유랑 극단. ④ 적포도의 일종, 그 포도주. ⑤ 【방언】 장발. ⑥ 《*Méx.*》 고기다짐. *a la* ~ 《*AmérC.*》 격렬하게 ; 폭력으로.
garnatada *f.* 《*Ant. Col.*》 손바닥으로 때리기 (bofetada).
garnica *f.* 《*Bol.*》 매우 매운 고추.
garniel *m.* ① 가죽 포대 · 자루(guarniel). ② 《*Ecuad. Méx.*》 가죽 손가방.
garnucho *m.* 《*Méx.*》 주먹질(papirotazo).
garó *m.* 【은어】 =**pueblo, población.**
garojo *m.* 《*Sant.*》 옥수수 이삭.
garosina *f.* 《*Col.*》 대식(大食), 포식.
garoso, sa *adj.* 《*Col.*》 =**glotón, hambriento.**
garpa *f.* =**carpa.**
garra *f.* ① (새 · 짐승의 날카로운) 발톱(zarpa). ② (사람의) 손 : caer en las ~*s* 붙잡을 수 있다, 마수에 걸리다. echar la ~ 손대다, 붙잡다. ③ (닻의) 가지. ④ 《*Amér.*》 가죽의 끝 토막 ; 가죽의 단단해진 가장자리. —*pl.* 누더기 조각 (harapos).
garrabera *f.* 《*Ar.*》 =**zarzamora.**
garrafa *f.* ① 주전자, 부리가 가늘고 긴 병. ② 《*Arg.*》 봄베.
garrafal *adj.* ① 굉장한, 심한 : error · mentira ~ 심한 잘못 · 거짓말. ② 【식물】 크고 달콤한 (버찌 등).
garrafiñar *tr.* 움켜잡다.
garrafón *m.* [*aum.* garrafa] 주둥이가 길고 큰 병(damajuana).
garrama *f.* ① 들치기, 훔치기, 도둑질(robo, pillaje). ② (회교도가 내는) 세금.
garramar *tr.* 들치기하다, 닥치는대로 훔치다.
garraminchao *m.* 《*Ar.*》 (민물게 잡이용) 망태기.
garrampa *f.* 《*Ar.*》 =**calambre.**
garrancha *f.* ① 【속어】 칼, 검(劍)(espada). ② 《*Amér.*》 갈고리(gancho). ③ 【식물】 =**espata.**
garranchada *f.* =**garranchazo.**
garranchazo *m.* 갈고리에 찍힌 자국.
garrancho *m.* ① (나무의 부러진 자국에 남은) 가지 그루(gancho). ② 부러진 나뭇가지.
garranchuelo *m.* 【식물】 사초의 일종.
garrapata *f.* ① 【곤충】 진드기. ② (군대의) 폐마(廢馬), 퇴역한 말. ③ 《*Méx.*》 매춘부, 갈보.
garrapatear *intr.* 글을 갈겨쓰다.
garrapatero *m.* 《*And. Col. Méx. Ecuad.*》 뻐꾸기(aní)의 일종. Sinón. picuí.
garrapato *m.* 낙서 ; 엉망으로 쓰기.
garrapatón *m.* 엉터리(disparate).
garrapatoso, sa *adj.* 엉터리로 쓰는.
garrapiñar *tr.* =**garrafiñar.**
garrapiñera *f.* =**garapiñera.**
garrar *intr.* (배가 멎지 않고) 닻을 끌다.
garrapo, pa *m.f.* 《*Sal.*》 (한 살이 못된) 돼지.
garrasí *m.* (베네수엘라의) 옆구리를 튼 반바지.
garraspera *f.* =**carraspera.**
garrear *intr.* ① =**garrar.** ② 《*Arg.*》 기식(寄食)하다. —*tr.* 《*Arg.*》 훔치다. ② (짐승의) 발의 껍질을 벗기다.
garrete *m.* 《*AmérM.*》 =**jarrete.**
garria *f.* 《*Sal.*》 (나무없는) 초원.
garridez *f.* =**elegancia.**
garrideza *f.* =**elegancia.**
garrido, da *adj.* 아름다운, 예쁜, 고운, 아름답게 꾸민 : una moza ~*da.*
garrir *intr.* ① 【고어】 =**charlar.** ② 앵무새가 울다.
garroba *f.* 【식물】 쥐엄나무(algarroba).

G

garrobal *m.* 쥐엄나무숲(algarrobal).
garrobilla *f.* (가죽 무두질에 쓰이는) 쥐엄나무의 깎은 부스러기.
garrobo *m.* 《*AmérC.*》【동물】도롱뇽의 무리.
garrocha *f.* (투우를 찌르기 위해 끝에 칼날을 댄) 작대기창.
garrochador *m.* 투우를 창으로 찌르는 투우사.
garrochar *tr.* (투우 등을) 작대기창으로 찌르다 (agarrochar).
garrochazo *m.* 쿡 찌르기; 찔린 상처.
garrochear *tr.* =**garrochar.**
garrochero *m.* =**garrochador.**
garrochista *m.* 찌르는 창을 가진 투우사.
garrochón *m.* 투우의 작대기창, 손작살.
garrofa *f.* 쥐엄나무의 열매(algarroba).
garrofal *m.* =**garrobal.**
garrofero *m.* 《*Murc.*》 =**algarrobo.**
garrón *m.* ①(새의) 며느리발톱(espolón). ②(짐승의) 발목. ③나무의 가지 그루(gancho).
garronear *tr.* 《*Arg.*》 (발로) 차다.
garronuda *f.*【식물】(볼리비아산의) 뿌리가 보이는 야자.
garrota *f.* ①몽둥이, 작대기(garrote). ②목동이 사용하는 지팡이(cayado).
garrotal *m.* 올리브 묘목밭.
garrotazo *m.* 몽둥이로 때리기.
garrote *m.* ①작대기, 막대기, 몽둥이, 곤봉. ②(특히 올리브의) 꺾꽂이. ③주리 틀기, 주리 트는 나무. ④주리 트는 고문; 교수형 의자의 형(벌): dar ~ 교수형 의자의 형(벌)에 처하다. ⑤《*Méx.*》 브레이크, 톱니바퀴 제동 장치.
garrotear *tr.*【고어】《*Amér.*》 몽둥이로 때리다, 닥치는대로 후려치다.
garrotero, ra *adj.* 《*Cuba. Chile.*》 인색한. —*m.* ①《*Chile. Ecuad.*》 허세부리는 사람. ②《*Ecuad.*》(정치적인) 압제자·압박자(壓迫者). ③《*Méx.*》 =**guardafrenos.**
garrotillo *m.*【의학】위막성 후두염.
garrotín *m.* 집시의 춤.
garrotiza *f.* 《*Ecuad. Méx.*》 몽둥이로 때리기 (paliza).
garrubia *f.* =**algarroba.**
garrucha *f.* 도르래, 활차(滑車)(polea): ~ fija 고정 도르래. ~ movible 동활차.
garrucho *m.*【선박】(그물을 꿰기 위해 돛의 가장자리에 댄) 바퀴.
garruchuela *f. dim.* garrucha.
garrudo, da *adj.* ①사나운 손·발(garra)을 한. ②《*Méx.*》 힘이 센.
garrulador, ra *adj.* =**gárrulo.**
garrular *intr.* =**garlar, charlar, hablar mucho.**
garrulería *f.* 수다스러움, 말이 많음.
garrulidad *f.* =**garrulería.**
gárrulo, la *adj.* 잘 지저귀는; 수다스러운, 말이 많은, 재잘거리는: viento ~, arroyo ~.
garsina *f.*【은어】=**hurto, robo.**
garsinar *tt.*【은어】훔치다(hurtar, robar).
garúa *f.*【방언】①《*Amér.*》 이슬비, 가랑비, 보슬비(llovizna). ②잔소리: Esa ~ no moja 《*Arg.*》 그런 잔소리는 무섭지 않다. ③《*PRico.*》 소동.
garuar *intr.* ⑮ 《*Amér.*》 이슬비·보슬비·가랑비가 내리다(lloviznar).
garufa *f.* 《*Riopl.*》 떠들썩한 잔치·즐거움.
garufear *intr.* 《*Riopl.*》 즐겁게 떠들다.
garuga *f.* 《*AmérM.*》 =**llovizna.**
garugar *intr.* ⑧ 《*Arg. Chile.*》 이슬비가 내리다 (lloviznar).
garuja *f.* 《*Amér.*》 =**llovizna.**
garujo *m.* 콘크리트(hormigón).
garulla *f.* ①찌꺼기 포도. ②군중.
garullada *f.* 군중, 운집.
garullo *m.* 《*Col.*》 =**garbullo, barullo.**
garvier *m.* (옛날의) 허리에 차는 주머니.
garvín *m.* (여자들의) 머리 장식용 장신구.
garza *f.*【조류】백로, 해오라기: ~ real 푸른 해오라기.
garzal *m.* 《*Col.*》 해오라기가 둥지를 튼 곳.
garzilote *m.* 《*Cuba.*》【조류】garza의 일종.
garzo, za *adj.* 청색의, 푸른: una muchacha de ojos ~*s.* —*m.*【식물】=**agárico.**
garzón *m.* 《*Galic.*》 미소년; 급사.
garzota *f.* ①(모자의) 깃털 장식. ②【조류】푸른 해오라기의 일종.
garzul *adj.* 《*And.*》 *trigo* ~ 밀의 일종.
gas *m.* ①가스, 가스체(體), 기체: tratamiento de ~ 가스 처리. Por favor abra usted el ~ 가스전(栓)을 여십시오. Encienda usted el ~ 가스에 불을 붙여 주세요. ②석탄 가스(~ del alumbrado). ③가스등(luz de ~). ④《*AmérC. Méx.*》 석유(petróleo).
~ ***asfixiante*** 질식성 가스. ~ ***butano*** 부탄 가스 《연료 가스》. ~ ***ciudad*** 도시 가스. ~ ***de aerógeno*** 공기 가스. ~ ***de gasógeno*** 발생로 가스. ~ ***de los pantanos*** 메탄(metano). ~ ***bilarante*** 최소(催笑) 가스. ~ ***lacrimógeno*** 최루 가스. ~ ***natural*** 천연 가스. ~ ***pobre*** 수성 가스. ~ ***propano*** 프로판 가스. ~ ***raro*** 희가스. ~ ***tóxico·venenoso*** 독가스. ~ ***vesicante*** 미란성 가스. ***turbina a*** ~ 가스 터빈.
gasa *f.* ①엷은 깁; 실: ~ de seda 엷은 비단. ~ crespón 크레페. ②가제(~ hidrófila): ~ absorbente 탈지 가제.
gascón, na *adj.* 가스코뉴 《Gascua; *fr.* Gascogne, 불란서의 서남부 지방》의. —*m.f.* 가스코뉴 사람.
gasconada *f.* =**fanfarronada.**
gasconés, sa *adj.m.f.* =**gascón.**
gasear *tr.* ①(물 등으로) 가스를 흡수시키다. ②독가스로 공격하다.
gaseiforme *adj.* 가스상(狀)의: cuerpo ~ 가스체.
gasendismo *m.* 가센디 《Gasendi, Gasendo; *fr.* Gassendi, 불란서의 철학자》의 철학관; 향락주의.
gasendista *adj.m.f.* 가센디의 철학의 (주의자).
gaseosa *f.* 소다수, 탄산수 《음료수》, 청량 음료.
gaseoso, sa *adj.* ①가스상(狀)의: El oxígeno es un cuerpo ~ 산소는 가스체이다. ②탄산 가스를 함유한, 거품이 이는: agua ~*sa* 탄산 가스가 함유된 물.
gasfista *m.* 《*Chile.*》 =**lampista.**
gasfitería *f.* 《*Perú.*》 가스 취급소.
gasfitero *m.* 《*Perú.*》 가스 취급인, 가스공.

gasífero, ra *adj.* 가스가 포함된.
gasificable *adj.* 기화(氣化)할 수 있는.
gasificación *f.* 가스화, 기화(氣化).
gasificar *tr.* ⑦ 가스화하다, 기화하다 : ~ un agua.
gasista *m.* 가스공.
gasné *m.* [*fr.* cache-nez] 비단 머플러.
gasoducto *m.* [집합] 가스관(管).
gasógeno *m.* 가스 발생기 · 발생 장치 ; 탄산수 제조기 ; 벤젠과 알코올의 혼합액.
gasoil *m.* =**gasóleo.**
gas oil *m.* =**gasóleo.**
gasóleo *m.* (디젤 기관용) 연료 가스.
gasoleno *m.* =**gasolina.**
gasolina *f.* 가솔린 : bomba de ~ 가솔린 스탠드. motor de ~ 가스 기관. **Sinón.** bencina.
gasolinera *f.* ① 모터 보트 : ~ rápido 고속 모터 보트. ② 급유소, 가솔린 스탠드, 주유소 (estación de servicio).
gasometría *f.* 가스 계량(술).
gasómetro *m.* 가스 계량기 ; 가스 탱크.
gasón *m.* ① 석고 덩이 ; 흙덩이. ②【방언】잔디풀.
Gaspar *m.*【성서】동방 삼 박사의 한 사람.
gasta *f.* 《*Méx.*》 쓰다 남은 토막 《비누, 초 등》.
gastable *adj.* 쓸 수 있는, 소비할 수 있는.
gastadero *m.* 쓰는 곳 : ~ de dinero · tiempo 돈 · 시간의 쓸 자리. ~ de energía 힘을 쓸 자리. ~ de paciencia 참아야 할 자리.
gastado, da *adj.* ① 닳아 빠진, 파멸된 ; 써서 다 낡아 버린(borrado) : medalla muy ~*da* 닳아 빠진 메달. ② 힘이 다해 버린, 심신이 지쳐 버린 (debiltado, cansado) : hombre ~ por los placeres 즐거움으로 지친 남자.
gastador, ra *adj.* 쓰임새가 거친, 낭비하는. —*m.f.* 낭비자. —*m.* 노역을 하는 죄수 ; (도랑이나 도로를 만드는) 공병(工兵).
gastadura *f.* 마멸, 쇠퇴(desgaste) : ~ de una roca 바위의 마멸.
gastamiento *m.* 소비.
gastar *tr.* [*lat.* vastare] ① 쓰다, 소비하다, 사용하다 : ~ dinero *en* banquete 연회에 돈을 쓰다. *Gasté* un peso *en* la lotería 나는 복권에 1뻬소를 썼다. ② 낭비하다, 써서 없애다 : ~ *de* hacienda 재산을 탕진하다. ③ 소모하다(consumir) : ~ las fuerzas 힘을 소모하다. *Gasta* mucha gasolina 가솔린을 많이 소모한다. ④ (항상) 가지고 있다, 쓰다(usar) : ~ el coche 차를 타고 여기저기 다니다. ~ mal humor 마음이 언짢아 있다. ~ una broma 농으로 받아 넘겨 버리다. ⑤ 입다, 입고 있다 《옷을 입다 · 입어 헐게 만들다, 모자를 쓰다, 구두를 신다 · 신어서 닳게 만들다, 안경을 끼고 있다, 수염을 기르고 있다 등》 : El *gastaba* el sombrero 그는 모자를 쓰고 있었다. El *gastaba* barba 그는 수염을 기르고 있었다. ⑥ 써서 헐게 만들다, 못쓰게 만들다 (echar a perder). ⑦ 소화하다(digerir). ⑧ [뜻이 없는 las와 같이 쓰여] 행동하다(portarse) : Así *las gastas* 네가 하는 일은 그렇다. Bien sé cómo *las gastas* 네가 어떻게 나올 지 알고 있다.
~se 다 써버리다, 전부 낭비하다 ; 써서 닳게 만들다 : *Se ha gastado* esa tela muy pronto 그 천은 매우 빨리 닳았다.
~ *a espuertas* 낭비하다. ~ *a tontas y a locas* 낭비하다. ~ *saliva en balde* 공연한 소리를 지껄이다.
gasteromicetos *m.pl.* 버섯류 식물.
gasterópodo *adj.*【동물】복족류(腹足類)의. —*m.pl.* 복족류 동물.
gasto *m.* ① 낭비, 소비 : hacer ~*s* excesivos 과다한 소비를 하다. ② (가스 · 수도 · 전기 등의) 소비량. —*pl.* ① 비용, 경비 : ~*s* superfluos 불필요한 낭비. ~*s* de conservación 유지비. ~*s* de oficina 사무비. ~*s* diversos · menudos · varios 잡비. ~*s* eventuales 임시비. ~*s* imprevistos 예비비. ingresos y ~*s* de la familia 가계(家計). ~*s* de manutención 유지비. ~*s* de viaje 여비. cubrir ~*s* 비용 · 경비를 갚다. ② (경비로서 받은) 수당금 : ~*s* de representación 직책에 따라 주는 기밀비. ~*s* de residencia 주택 수당.
~ *accesorio* 추가 비용, 임시비. ~ *acumulado* 미불 비용. ~ *adicional* 추가 비용. ~ *administrativo* 관리비, 총경비. ~ *administrativo en general* 일반 관리비. ~ *bancario de administración* 은행 관리 비용. ~ *contingente* 임시비. ~ *corriente* 경상비, 총경비. ~ *de acarreo* 운송비. ~ *de aduana* 통관 비용. ~ *de almacén* 보관료, 창고료. ~ *de arbitraje* 중재 비용. ~ *de carga · cargamento* 선적 비용. ~ *de conservación* 유지비. ~ *de constitución* 창립 · 창업 비용. ~ *de construcción* 건축비. ~ *de consumición* 소모품비. ~ *de correspondencia* 통신비. ~ *de defensa* 방위비. ~ *de demora* 체선료. ~ *de desembarco* 하역비. ~ *de desarrollo* 개발비. ~ *de embalaje* 포장비. ~ *de embarque* 선적 비용. ~ *de entrega* 배달료, 운송료. ~ *de entretenimiento* 유지비. ~ *de envío* 송료. ~ *de estadía* 체선료. ~ *de expedición* 발송비. ~ *de inserción* (신문 등의) 광고비. ~ *de mantenimiento* 유지비. ~ *de manufactura* 제조 경비. ~ *de manutención* 생활비 ; 보수비, 유지비. ~ *de operación* 영업비. ~ *de organización* 《*Arg.*》 창업 · 창립 비용. ~ *de pasajes de ida y vuelta* 왕복 여비. ~ *de personal* 인건비. ~ *de promoción* 개발비. ~ *de promoción de ventas* 판매 촉진비. ~ *de propaganda (comercial)* 광고비. ~ *de publicidad (y propaganda)* 광고비. ~ *de relaciones sociales* 교제비. ~ *de reparación* 수리비. ~ *de rutina* 경상비. ~ *de seguro de transporte* 수송 보험료. ~ *de transferencia* 송금 수수료. ~ *de transporte* 운송비. ~ *de venta* 판매비. ~ *de viaje* 여비, 교통비. ~ *del envío* 배달료. ~ *del trabajo* 하역비. ~ *deducible* 공제액. ~ *estimado de la construcción* 건축 견적비. ~ *extraordinario* 특별 경비. ~ *fijo* 고정 비용. ~ *incurrido con motivo de atenciones a los clientes* 손님 접대비. ~ *legal* 소송 비용. ~ *militar* 군사비. ~ *no operativo* 영업외 경비. ~ *ocasional* 임시 경비 · 지출. ~ *operacional · operativo* 영업비, 영업 경비. ~ *ordinario* 경상비. ~ *para disminuir la amortización* 감가 상각비. ~ *para la defensa* 방위비. ~ *para la seguridad social* 사회 보장비. ~ *para servicio social de los empleados* 종업원 복지 후생비. ~ *relacionado con la enfermedad* 의료비. ~ *suplementario de flete* 추가 발송 비

용.

hacer el ~ (한두 사람이) 이야기의 주역이 되다 ; (어떤 문제가) 화제가 되어 버리다 : Fue él quien *hizo el* ~ de la fiesta 축제에서 주역이 됐던 것은 그였다.

pagar el ~ 모두의 계산을 혼자 떠맡다.

gastoso, sa *adj.m.f.* 쓰임새가 거칠은, 낭비벽이 심한 (사람).

gastralgia *f.*【의학】위통(dolor de estómago).

gastrálgico, ca *adj.* 위통(gastralgia)의 : padecer un dolor ~ 위통을 앓다.

gastrectomía *f.* 위의 수축.

gastricismo *m.* (일반적으로) 위병.

gástrico, ca *adj.* [*lat.* gasticus] 위(estómago)의 : ácido ~ 위산(胃酸). jugo ~ 위액.

gastritis *f.*【의학】위염(胃炎) ; 위카타르 : la ~ de los alcohólicos 알코올 중독자의 위카타르.

gastrocele *m.* 명치 헤르니아.

gastrocolitis *f.* 위결장염.

gastroenteritis *f.*【의학】위장(胃腸) 카타르, 위장염.

gastroenterología *f.* 소화 기관의 질병을 연구하는 의학 전공.

gastroenterólogo, ga *m.f.* gastroenterología 전문 의사.

gastrointestinal *adj.* 위장의.

gastrología *f.* 요리학.

gastrológico, ca *adj.* 요리학의.

gastronomía *f.* 미식(美食), 식도락 ; 요리법(arte culinaria).

gastronómico, ca *adj.* 요리법의 ; 식도락의 : prescripciones ~*cas* 식이 요법.

gastrónomo, ma *m.f.* 요리에 밝은 사람 ; 미식가, 식도락가.

gastrotomía *f.*【의학】위 절개(술).

gastroperitonitis *f.* 위복막염.

gastrópodo, da *adj.* =**gasterópodo.** —*m.pl.* =**gasterópodos.**

gastrovascular *adj.* 소화와 순환의.

gástula *f.*【식물】씨방.

gata *f.* ①【동물】암고양이. ②【식물】오노니스속의 일종(gatuña)《관목 모양의 콩과 식물》. ③ 마드리드 출생의 여자(madrileña). ④ 산의 표면을 덮은 구름(nubecilla que se pega a los montes). ⑤ (군대에서) 모포. ⑥《*Chile. Perú.*》굽은 자루(cigüeña). ⑦《*Méx.*》하녀(moza, criada, sirvienta). ⑧《*Ant.*》상어 비슷한 고기.

a ~*s* ① 발로 기어. ②《*AmérM.*》겨우.

andar a ~*s* ① 발로 기다. ②《*Méx.*》하녀의 뒤꽁무니를 좇다.

echar la ~《*AmérC.*》좀도둑질을 하다.

soltar la ~《*Col.*》훔치다, 도둑질하다.

gatada *f.* 약게 굴음, 앙큼스러움 ; 간계, 휼계(astucia, engaño, trampa) : armar*le a uno* una ~ (누가) 휼계를 꾸미다.

gatallón, na *adj.* =**pillo.**

gatas (a) *adv.* ① 네발로 (기어)(en cuatro pies) : andar *a* ~ 네발로 기다. ②《*Arg.*》겨우, 간신히(apenas, casi).

gatatumba *f.* ① 능청떨기. ② 흉한 가면 ; 못생긴 사람. ③ 위장(僞裝).

gatazo *m.* [*aum.* gato] ① 사취, 사기. ②《*Méx.*》훔치기(hurto) : dar ~ 때리다 ; 협박하다.

gateado, da *adj.* ① 고양이 같은 : ojos ~*s.* ② 줄무늬의 : mármol ~. —*m.* 줄무늬로 된 재목 ; 기어오르기 ; 네 발로 버티기(gateamiento).

gateamiento *m.* 기어오름 ; 네 발로 버팀.

gatear *intr.* ① 기어오르다 ; 네 발로 살살 기다. ②《*Amér.*》연애에 환장하고 다니다.

—*tr.* ① (고양이가) 할퀴다. ② 슬쩍 훔치다, 날치기하다(hurtar).

gatera *f.* ① (벽같은 데 뚫어 놓은) 고양이 통로. ②【선박】닻줄 구멍. ③ 들치기하는 사람. ④《*AmérM.*》시장에 가게를 내는 여자, 청과물을 파는 여자. ⑤ 칠하지 않은 벽의 아랫 부분.

gatería *f.* ① [집합] 고양이. ② 개구장이 떼. ③ (물건을 훔치려 할 때의) 딴전 피우기.

gatero, ra *adj.* 고양이가 사는, 고양이가 자주 가는. —*m.f.* 고양이를 좋아하는 사람 ; 좀도둑.

gatesco, ca *adj.* 고양이의, 고양이 같은.

gatillazo *m.* 격철(擊鐵)의 찰칵하는 소리.

gatillo *m.* ① (총의) 공이치기, 격철. ② (이를 뽑는) 집게. ③ (기계의 부분품으로 찰카닥) 고정시키는 것, 손톱, 제륜자(制輪子)(~ de trinquete). ④ 지렛대. ⑤ (짐승의) 등뼈. ⑥ 좀도둑.

gato *m.* [*lat.* catus] ①【동물】고양이 ; 수코양이 : El león, el tigre, *etc.* pertenecen al género ~ 사자, 호랑이 등은 고양이과에 속한다. ② 지갑. ③ 아무도 모르게 모아 놓은 돈. ④【기계】잭 : ~ de cremallera 상자 잭. Nos hace falta el ~ para cambiar la rueda 바퀴를 바꾸기 위해 잭이 필요하다. ⑤ (포문 등의) 검사기 (~ de registro). ⑥【속어】마드리드 출생의 여자 ; 교활한 사람 ; 좀도둑. ⑦《*AmérC. Col.*》(팔뚝의) 알통. ⑧《*Arg.*》춤의 일종. ⑨《*Méx.*》하인, 종, 머슴. ⑩《*Méx. Venez.*》팁. ⑪《*Venez.*》매독. ⑫《*Perú.*》노천 시장.

~ *cerval·clavo* 살쾡이의 일종. ~ *de Angora·Persa* 페르시아 고양이. ~ *de algalia* 사향고양이. ~ *de Persa chinchilla* 친칠라 고양이. ~ *libre*《*Salv.*》(중미산) 살쾡이의 일종(tigrillo). ~ *montés* 살쾡이. ~ *pampeano* (아르헨띠나와 우루구아이의) 들고양이. *cuatro* ~*s* 소외되고 있는 사람들. *ojos* ~*s* 파란 눈.

dar ~ *por liebre* 양머리를 내걸고 개고기를 팔다 ; 선전은 버젓하지만 내실(內實)이 따르지 못함을 비유하여 이르는 말; 양두 구육(羊頭狗肉)을 팔다 ; 속이다(engañar).

haber ~ *encerrado* 비밀이 있다, 숨겨둔 것이 있다.

haber cuatro ~*s* 사람이 별로 없다(haber poca gente).

llevarse el ~ *al agua* 난관을 극복하다(superar la dificultad).

no haber ni un ~ 아무도 없다(no haber nadie).

G.A.T.T. *ing.* General Agreement on Tariffs and Trade 가트, 관세 및 무역에 관한 일반 협정.

gatuna *f.* =**gatuña.**

gatunamente *adv.* 고양이 같이.

gatunero *m.*《*And.*》밀수 고기 판매자.

gatuno, na *adj.* 고양이의 ; 고양이 같은.

gatuña *f.*【식물】오노니스속의 일종《관목 모양의 콩과 식물》: La raíz de la ~ se usó como aperitivo 가뚜냐의 뿌리는 식욕 증진제술로 사용되었다.
gatuñar *tr.* 할퀴다.
gatuperio *m.* 뒤섞음 ; 흉계.
gaucha *f.* 《*Arg.*》 드센 여자.
gauchada *f.* 《*Riopl.*》 목동 · 가우쵸(gaucho)식의 일 ; 교활함 ; 대담함, 늠름한 행동 ; 헌신적인 봉사 · 원조 ; 즉흥시를 지음 ; 기교, 탁월한 솜씨 · 행동.
gauchaje *m.* 《*Arg. Chile.*》 목동들, 가우쵸들 ; 민중.
gauchear *intr.* 《*Arg.*》 가우쵸식의 생활을 하다 ; 방랑하다 ; 헌신적으로 봉사하다.
gauchesco, ca *adj.* 가우쵸의, 가유쵸다운 : literatura ～*ca* 가우쵸 문학. poesía ～*ca* 가우쵸의 시.
gauchita *f.* 《*Arg.*》 멋진 여자 ; 가우쵸의 노래.
gaucho, cha *adj.* ① 가우쵸족 《라쁠라따강 유역에 사는 원주민》의. ② 고운, 예쁜, 아름다운(bonito). ③ 말을 잘 타는. ④ 촌스러운 ; 시골티가 나는. ⑤ 앙큼스러운. **—*m.*** ① 가우쵸족. ② 《*Riopl.*》 목동, 가우쵸 ; (아르헨띠나 · 우루구아이의 대초원의) 주민. ③ 《*Ecuad.*》 챙이 넓은 모자. ④ 말을 잘 **타는** 기수(buen jinete). ⑤ 《*Chile.*》 【조류】 가우쵸.
gaudeamus *m.* 【단 · 복수 동형】 ① 축제, 잔치, 향연, 파티(fiesta). ② 즐거움, 흥청거림(regocijo) : andar de ～.
gauderio *m.* ① 《*Bol.*》 【고어】 =**gaucho.** ② 《*Arg.*》 =**holgazán.**
gaudón *m.* 《*Ál.*》 =**desollador, alcaudón.**
gavanza *f.* 【식물】 산가시나무꽃.
gavanzo *m.* 【식물】 산가시나무(escaramujo).
gavela *f.* 《*Amér.*》 =**gavera.**
gavera *f.* 《*Amér.*》 (벽돌 · 기왓장의) 틀. ② 《*Col.*》 꿀을 식히는 통. ③ 《*Perú.*》(흙담을 쌓는) 흙틀.
gaveta *f.* (책상 · 재봉틀 등의) 서랍(cajón).
gavia *f.* ① 【선박】 주된 돛, (일반적으로) 돛. ② 정신병자 수용소, 방안에 마련한 감옥. ③ (배수 · 경계의) 도랑. ④ 갱내의 감독, 십장. ⑤ 【조류】 갈매기(gaviota). ⑥ 【은어】 투구(casco).
gavial *m.* 【동물】 인도 악어의 일종 : El ～ suele tener seis metros de largo.
gaviar *intr.* 《*Cuba.*》 (옥수수의) 이삭이 패다 · 꽃이 피다(echar la espiga o flor el maíz).
gaviero *m.* 돛대의 꼭대기에서 감시하는 사람.
gavieta *f.* 【선박】 돛의 일종.
gavilán *m.* ① 【조류】 새매. ② 갈고리 끝. ③ 글씨의 쓰기 시작. ④ 펜끝의 한 쪽. ⑤ 칼의 열십자(＋) 모양의 날 밑. ⑥ 엉겅퀴꽃(vilano). ⑦ 《*Amér.*》 구부러진 손톱. ⑧ 《*Venez.*》 민요의 일종.
～ ***hembra*** 【조류】 새매.
gavilancillo *m.* 야생 엉겅퀴꽃.
gavilucho *m.* 《*Col.*》 =**gavilán.**
gavilla *f.* ① (베어낸 밀 · 보리 · 가지 · 풀 등의)다발, 단 《manojo 보다 크고, haz 보다 작은 다발》. ② 망나니들 : ～ de pícaros, gente de ～.
gavillada *f.* 【은어】 도둑떼.
gavillador *m.* ① 다발을 묶는 사람. ② 도둑의 우두머리.
gavillar[1] *m.* (밀 등의) 다발을 말리는 밭.
gavillar[2] *tr.* ① 단으로 묶다, 모으다. ② 《*Ant.*》 떼지어 습격하다, 패거리로 행동하다.
gavillero *m.* ① 밀단 등을 쌓아 놓은 곳; 늘어놓은 다발. ② 《*Amér.*》 날치기, 들치기. ③ 《*Chile.*》 보리 베는 인부. ④ 《*SDgo.*》 반정부 운동의 음모자.
gavina *f.* [드뭄] =**gaviota.**
gavión *m.* ① (흙 · 돌멩이를 넣어 방벽이나 물을 막는) 보람(保藍), 가마니 속에 흙을 담아 담을 쌓는 것(cestón). ② 큰 모자.
gaviota *f.* 【조류】 갈매기 : La ～ se alimenta de peces que coge en el mar 갈매기는 바다에서 잡은 물고기를 먹는다.
gaviotín *m.* (남부 아르헨띠나산의) 갈매기의 일종.
gavota *f.* [*fr.* gavotte] 가보트 《불란서의 옛날 춤》.
gaya *f.* ① 줄무늬. ② (승자에게 주던) 승리의 깃발. ③ 【조류】 까치(urraca).
gayado, da *adj.* 《*Cuba.*》 하얀 반점이 있는 황금색의 (말).
gayadura *f.* (바탕 빛깔과 다른) 테두르기, 갓장식.
gayar *tr.* 줄무늬를 만들다 · 대다.
gayo, ya *adj.* 명랑한, 경쾌한, 화려한 : *gaya* ciencia 【고어】 시작법(詩作法).
gayola *f.* ① (짐승의) 우리(jaula); 감옥. ② 【방언】 포도밭의 원두막.
gayomba *f.* 【식물】 연옥(連玉).
gayón *m.* 【은어】 =**rufián.**
gayuba *f.* 【식물】 딸기, 양딸기.
gayumba *f.* 《*SDgo.*》 가윰바 《토인들의 악기의 이름》.

gaza *f.* ① 【선박】 밧줄 고리, 밧줄끝의 고리. ② 【은어】 =**gazuza.**
gazafatón *m.* =**gazapatón.**
gazapa *f.* =**mentira.**
gazapatón *m.* 허풍, 터무니없는 거짓말.
gazapera *f.* 토끼굴; 악당들의 소굴; 싸움.
gazapina *f.* 악당들의 모임; 소란, 소동, 싸움(alboroto) ; 착오투성이.
gazapo *m.* ① 【동물】 새끼 토끼. ② 능청 떨기 ; 능청 떠는 사람. ③ 허언, 거짓말(mentira). ④ 잘못, 잘못 쓰기 · 말하기. ⑤ 《*PRico.*》 음모, 계략, 함정.
gazapón *m.* =**garito.**
gazmiar *intr.* 11 비밀을 캐고 다니다.
～se 불평을 털어놓다(quejarse).
gazmoñada *f.* =**gazmoñería.**
gazmoñería *f.* 능청 떨기, 우쭐거리는 표정.
gazmoñero, ra *adj.m.f.* =**gazmoño.**
gazmoño, na *adj.* 능청 떠는. **—*m.f.*** 위선자, 독실한 신앙을 가장하는 신자(mojigato).
gaznápiro, ra *adj.* 바보스런, 바보 같은, 어리석은(bobo). **—*m.f.*** 어리석은 사람, 바보, 멍청이, 얼간이.
gaznar *intr.* (까마귀 따위가) 울다.
gaznatada *f.* ① (주먹 등으로) 목을 때리기. ② 《*Guat. Hond.*》 손바닥으로 때리기(bofetada).
gaznatazo *m.* =**gaznatada.**
gaznate *m.* ① 기관(氣管), 숨통 ; 목구멍(garguero) : No me pasa nada por el ～ 나는 아무것도 목구멍에 넘어가지 않는다. ② 버터로 튀긴 요리의 일종.

gaznatear *tr.* 《*Col.*》 (손바닥으로) 때리다.
gaznatón *f.* ① 목을 주먹으로 때리기. ② 버터로 튀긴 요리의 일종(gaznatada, gaznate).
gaznatón, na *adj.m.f.* 《*Méx.*》 크게 소리치는 (사람)(gritón, alborotador).
gazofilacio *m.* 예루살렘 사원의 헌금하는 곳.
gazpacho *m.* ① 가스빠쵸 《안달루시아 지방의 빵, 기름, 식초, 마늘, 양파를 넣어 만든 냉수프의 일종》 : El ajo blanco es uno de los ~*s* más sabrosos 마늘은 가장 맛있는 가스빠쵸 중의 하나이다. ② 《*AmérC.*》 찌꺼기, 앙금.
gazpachuelo *m.* 기름과 식초를 넣고 물에 삶은 달걀.
gazuza *f.* ① 【속어】 공복, 허기, 배고픔, 시장(hambre). ② 《*AmérC.*》 사람 ; 평민 ; 소란, 소동.
gazuzo, za *adj.* 《*Chile*》 배가 고픈, 허기진, 굶주린(hambriento).
ge *f.* 서반아어 알파벳 g의 명칭.
GE Gas del Estado 《*Arg.*》 가스 공사.
gea *f.* ① [집합] 어떤 지방의 지질 · 광물. ② 광물지(誌).
geato *m.* 【화학】 부식산염(腐食酸鹽).
gecónidos *m.pl.* 【동물】 도마뱀속(屬).
Gedeón *m.* ① 【성서】 이스라엘인을 미데온으로부터 해방시킨 재판관; (전설적으로) 얼빠진 사람의 이름. ② 얼간이, 바보, 천치, 멍청이.
gedeonada *f.* 얼빠진 사람의 우스꽝스러운 짓.
gedeónico, ca *adj.* 얼빠진, 등신 같은, 바보스런.
gehena *f.* 【성서】 지옥(infierno), 초열(焦烈) 지옥.
Geiger *m.* 가이거 : contador ~ 가이거 계수관(計數管)《방사능 측정기》.
géiser *m.* 간헐 온천.
geisha *f.* (일본의) 무희(舞姬), 게이샤. [*N.* 발음 : gueicha].
gejionense *adj.m.f.* =**gijonés.**
gel *m.* 【화학】 겔, 교화체(膠化體).
gelásimo *m.* 【동물】 게(cangrejo).
gelasino, na *adj.* 웃을 때 많이 내민 (이).
gelatina *f.* 젤라틴, 정제 아교풀, 젤리 : ~ vegetal 한천.
gelatiniforme *adj.* 젤라틴상(狀)의, 젤라틴 모양의, 아교풀 모양의.
gelatinografía *f.* 【사진】 젤라틴판, 건판 사진.
gelatinoso, sa *adj.* 아교질의, 한천 · 우무 같은 ; 끈적끈적한, 퍼슬퍼슬한 : substancia ~*sa* 끈적끈적한 물질.
gelatinudo, da *adj.* 《*Amér.*》 =**gelatinoso.**
geldre *m.* 【식물】 인동덩굴과에 속하는 낙엽 교목(mundillo).
gelfe *m.* (세네갈의) 흑인의 한 종족.
gélido, da *adj.* 【시어】 한랭한, 얼어 버린, 얼어붙는 듯한(helado).
gelosa *f.* (현미경 사진에서 사용되는 식물에서 채취한) 끈적끈적한 물질.
gema *f.* [*lat.* gemma] ① 보석(piedra preciosa) : piedra ~ 보석. ② 【식물】 싹(yema). ③ 소금. ④ (껍질이 있는 목재의) 껍질.
sal ~ 광물염(sal mineral).
gemación *f.* 【생물】 발아, 세포 발아, 발아 증식, 아생(芽生).
gemado, da *adj.* 보석으로 장식된.
gemebundo, da *adj.* 굴속에서 우는 · 짖는.
gemela *f.* 【식물】 아라비아 자스민(diamela).
gemelar *adj.* 쌍둥이의, 쌍생아의 : parto ~ 쌍둥이 · 쌍생아의 분만.
gemelo, la *adj.* ① 쌍둥이의, 쌍생의 : hermanos ~*s* 쌍둥이. ② 쌍의 : barco ~ 자매선.
—*m.f.pl.* 쌍둥이 : Ellas parecen ~*las* 그녀들은 쌍둥이 같다.
—*m.pl.* ① [일반적으로 짝을 이룬 것] 안경(anteojos) ; 쌍안경 : ~*s* de tearo 오페라 쌍안경. ~*s* prismáticos 프리즘 쌍안경. Por favor présteme *los* ~*s* 쌍안경을 빌려주십시오. ② 유리 단추. ③ 【해부】 쌍둥이근(筋).
Gemelo *m.* ① 【천문】 쌍둥이좌(Géminis). ② 【해부】 비복근(腓腹筋).
gemido *m.* 비명, 신음 소리(quejido) : profundo ~.
gemidor, ra *adj.* 비명을 지르는, 신음하는, 앓는 듯한.
gemífero, ra *adj.* ① 보석을 산출하는 · 함유한 : arcilla ~*ra.* ② 【생물】 싹(gema)이 나오는.
gemificación *f.* =**gemación.**
geminación *f.* 같은 어구의 중복 《예 : *Huye, huye* de convenientes》.
geminado, da *adj.* 둘로 갈라진 · 쪼개진.
geminar *tr.* 되풀이하다, 이중으로 하다 ; 둘로 나누다.
~se 둘로 갈라지다 · 나뉘다.
geminifloro, ra *adj.* 쌍엽 꽃의.
géminis *m.* 【천문】 쌍둥이좌 《Júpiter의 쌍둥이 Cástor와 Pólux》 ; 쌍둥이궁 《황도의 제3궁》 ; 백연납 고약.
gemiparidad *f.* 【생물】 발아 생식.
gemíparo, ra *adj.* 【생물】 발아 생식의.
gemiquear *intr.* 【방언】《*Chile.*》 =**gimotear.**
gemiqueo *m.* 【방언】 《*Chile.*》 훌쩍거리기.
gemir *intr.* 42 ① 신음하다, 앓다 : El enfermo *está gimiendo* 환자가 신음하고 있다. ② 훌쩍훌쩍 울다 ; 짐승이 괴로운 듯이 앓다 ; 울다.
hacer ~ las prensas 많은 책을 출판하다 : El escritor *hace ~ las prensas.*
[직설법 현재 : gimo, gimes, gime, gemimos, gemís, gimen. 접속법 현재 : gima, gimas, gima, gimamos, gimáis, giman. 직설법 부정과거 3인칭 단 · 복수 : gimió, gimieron. 현재 분사 : gimiendo].
gemología *f.* 보석학.
gemólogo, ga *m.f.* 보석 학자.
gemonias *f.pl.* 고대 로마의 사형수의 시체 폐기장.
gemoso, sa *adj.* 껍질이 붙은 (제재).
gémula *f.* ① 【식물】 유아(幼芽), 어린눈. ② 【동물】 소아체(小芽體).
gen *m.* 【생물】 유전자.
genal *adj.* 볼 · 뺨(mejillas)의.
genciana *f.* 【식물】 용담 ; 용담의 뿌리 《약용》.
gencianáceo, a *adj.* 【식물】 용담과의. —*f.pl.* 용담과 식물(centaureo).
gencianeo, a *adj.* =**gencianáceo.**
gendarme *m.* 《*Galic.*》 헌병 ; 경관.
gendarmería *f.* 헌병대, 헌병 사령부.
gene *m.* [주로 *pl.*] 【생물】 유전자, 유전 단위, 겐.

genealogía *f.* ① 혈통, 가계, 계통 : la ~ de los reyes de España 서반아 왕들의 가계. ② 족보, 계보, 계도(系圖).

genealógico, ca *adj.* 족보의, 가계의, 계보·계도의 : árbol ~ 계보수(樹), 나뭇가지 모양으로 적은 가계도(家系圖).

genealogista *m.f.* 족보 학자, 계보 학자. Sinón. linajista.

geneático, ca *adj.m.f.* 생일로 점을 치는 ; 그 점쟁이.

generable *adj.* 발생할 수 있는.

generación *f.* [*lat.* generatio] ① 생식, 산출. ② 종(種), 종족(casta, género). ③ 자손 ; 시대, 세대 : de ~ en ~ 대대로, 자손 대대에 걸쳐. Ha habido tres ~*es* de abogados en mi familia 내 가족에는 3대가 변호사다. ④ 어떤 시대의 사람들 : la ~ presente 현대의 사람들. la ~ futura 미래의 사람들. la ~ del 98 1898년, 즉 미국·서반아 전쟁 패전을 계기로 신문학 운동에 참가한 작가들. ⑤ (가스·열·전기 등의) 발생, 발전 : ~ por energía atómica 원자력 발전. ⑥【수학】 생성.

generacional *adj.* (어떤) 연대층의.

generador, ra *adj.* ① 산출하는, 발생시키는. ② 기본이 되는, 바탕이 되는 : principio ~ 기본 원리.

—*m.* ① 발전기(motogenerador) : ~ de corriente alterna 교류 발전기. ② 기관(機關). ③【화학】 가스·증기의 발생기·발생로 : ~ de acetileno 아세틸렌 가스 발생기. —*f.*【수학】 모선(母線).

general *adj.* [*lat.* generalis] ① 전반의, 총체의, 전체의, 총… : asamblea ~ 총회. administración ~ 총관리국, 총무부, 총본부 등. ataque ~ 총공격. agente ~ 총대리점·인. El orador lo dijo con una risa ~ 연설자의 말에 모두 웃었다. ② 일반의, 보편적인 : por regla ~ 일반적으로, 통례로. Este error es muy ~ 이러한 잘못은 흔히 세상에 있는 일이다. Era la opinión~ 그것은 일반적인 의견이었다. Compré un billete de entrada ~ 나는 보통 입장권을 한 장 샀다. ③ 대체의, 총괄적인, 막연한(vago) : de un modo ~ 총괄적으로, 대체로. ④ 넓은, 광범한, 지식이 많은(vasto) : un saber ~ 광범한 지식. un hombre muy ~ 광범한 지식을 가진 사람. Contr. particular, especial, individual.

—*m.* ① 장군, 장성(oficial ~) : ~ de banquete 《*Méx.*》 허울 뿐인 장군. ~ de brigada 육군 준장. ~ de división 사단장, 육군 소장. ~ en jefe 총사령관. capitán ~ 육군 대장. teniente ~ 육군 중장. ②【종교】 관장, 총감, 총장.

en·por lo ~ 일반적으로, 보통(generalmente) : *En* ~ es una persona decente 일반적으로 말해서 그는 신중한 사람이다. *Por lo* ~ llego a la oficina antes de las ocho y media 대개 나는 여덟 시 반 전에 사무실에 도착한다.

por punto ~ 일반적으로, 대체적으로.

generala *f.* ① 장군 부인. ② 집합 나팔. ③ 《*Arg.*》 성모상.

generalato *m.*【종교】 관장의 직·임기 ; 장군의 직·사령부, 장성단.

generalero *m.*【방언】 세관리.

generalidad *f.* ① 일반(성), 보편성. ② 대다수(mayor número) : la opinión de la ~ 대다수의 의견 : La ~ de los niños son juguetones 대다수의 아이들은 장난꾸러기들이다. ③ 대체, 대체적인 일, 대략, 개요 : escribir con ~ 일반론적으로 쓰다.

generalísimo *m.* 총사령관, 총지휘관, 대원수, 총통.

generalitat *f. catalán*. =**generalidad.**

generalito *m.* [*dim.* general] 교육이 없는 장군.

generalizable *adj.* 일반화할 수 있는.

generalización *f.* 일반화, 대중화, 보편화, 개괄, 종합 ; 개념, 통칙 ; 귀납적 결과.

generalizador, ra *adj.* 일반적인 ; 개괄적인, 종합적인 : espíritu ~ .

generalizar *tr.* ⑨ ① 넓히다, 보급하다, 일반적으로 하다(volver general) : ~ un método 방법을 보급하다. *Se ha generalizado* el uso del chicle 추잉검의 사용은 일반화 됐다. ② 개괄·종합하다 ; 일반적으로 말하다 : No se puede ~lo 그것을 일반적으로 말할 수 없다. Contr. particularizar.

generalmente *adv.* 일반적으로, 대체로, 통례로(en general, por lo general).

generalote *m.* 교육을 받지 못한 장군.

generar *tr.* ① =**engendrar.** ② 발전(發電)하다.

generativo, va *adj.* ① 발생의, 산출의. ② 발생력이 있는. ③ 생식의, 생식력이 있는.

generatriz *adj.* [generador의 여성형]. —*f.* ① 낳는·산출하는 기체(基體)·모체. ②【수학】 모량(母量)《선·면·입체를 발생시키는 모점·모선·모면》.

genéricamente *adv.* 일반적으로, 대체로, 총체적으로 ; 흔히, 통칭상.

genérico, ca *adj.* ① 종족의, 종류의. ② 일반적인 : nombre ~【문법】 보통 명사 ; 총칭. ③【문법】 성(性)의, 성을 나타낸 : desinencia ~*ca* 명사의 성어미. Contr. específico, individual.

género *m.* [*lat.* genus, generis] ① 종류, 종속(especie, clase). ②【생물】 속(屬). ③ 양식, 방식, 방법(modo) : ¿ Qué ~ de vida haces ? 어떤 생활을 하고 있나 ? tal ~ de hablar 그런 말투. ④ 물품, 상품(mercancía) : ~ de·en depósito 보세 화물. ~ de primera calidad 고급품. ⑤ 직물(tela) : ~ de algodón 무명으로 된 것. ~ de punto 메리야스 제품. ~ de seda 비단옷. La modista usa siempre muy buenos ~*s* 그 양재사는 항상 좋은 직물을 사용한다. ⑥【회화·조각】 풍속 : de ~ 풍속의 (풍속화·화가 등). ⑦【연극】 (어떤 종류의) 극 : ~ chico (sainete 등 2막 이하 정도의) 소극, 경연극. ⑧【문법】 성 : ~ ambiguo 부정성 《el mar, la mar와 같이 남성, 여성이 되는 것》. ~ común 공통성 《el testigo, la testigo처럼 어미가 불변해서 남성도 여성도 되는 것》. ~ epiceno 단성(單性). ~ femenino 여성. ~ masculino 남성. ~ neutro 중성《lo bueno, lo tuyo, esto처럼 추상을 나타내는 것》. ⑨ 예술·문학 작품의 종별.

sin ningún ~ de duda 아무런 의심도 없이.

generosamente *adv.* 관대하게 ; 후하게, 인심좋게, 의연하게, 멋있게(con generosidad) : sacrificarse ~ por la patria 조국을 위해 의연하게 희생되다.

generosidad *f.* ① 관대, 관용, 아량, 친절 : La ~ es la virtud de las grandes almas 관용은 위인들의 덕이다. ② 선심, 대범 ; 고결함, 훌륭함. Contr. avaricia, egoísmo.

generoso, sa *adj.* [*lat.* generosus] ① 관대한 ; 너그러운, 선심 잘 쓰는(liberal, dadivoso) : ~ *con·para·para con* los pobres 가난한 사람들에게 관대한. ② 풍부한. ③ 훌륭한, 고결한(de noble corazón) : ~ de espíritu 정신이 고결한. ~ en acciones 행동이 훌륭한. enemigo ~ 고결한 마음을 쓰는 적. ④ 비옥한, 풍요로운(fértil) : tierra ~*sa* 비옥한·풍요로운 땅. ⑤ 뛰어난, 우수한 : caballo ~ 좋은 말. ⑥ 품질이 좋은 : vino ~ 명주(名酒). ⑦ 여유가 있는. ⑧ 용감한 (valiente) : soldado ~ 용감한 군인. Contr. avaro, egoísta, cobarde, vil.

genes *m.pl.* gen의 복수형.

genesiaco, ca *adj.* 창세기의, 창세기적인.

genesíaco, ca *adj.* =**genesiaco.**

genésico, ca *adj.* 생식의 : instinto ~ 생식 본능.

génesis *f.* [*gr.* genesis] 시작, .기원, 발생 ; 원인, 유래.

Génesis *m.* 창세기 《구약 성서의 제1서》.

genética *f.* 유전학.

geneticista *m.f.* 유전 학자.

genético, ca *adj.* 유전학의 ; 유전적인.

genetista *m.f.* 유전학자.

genetliaca *f.* 생일에 의한 점성술, 음양술.

genetlíaca *f.* =**genetliaca.**

genetlíaco, ca *adj.* 점성(술)의 ; 탄생을 축하하는 : un poema ~. —*m.f.* 점성가.

geniado, da *adj* [bien·mal+] 성질이 좋은·나쁜.

genial *adj.* [*lat.* genialis] ① 낳을 때부터의, 천성적인 ; 천재적인 : Es un poeta ~ 그는 천재적인 시인이다. ② 기발한 ; 궁리가 많은. ③ 재미있는, 즐거운, 유쾌한(placentero). —*m.* 《*Sant.*》 천성, 성질(índole, carácter).

genialidad *f.* 기발함 ; 독창성 : tener ~*es.*

genialmente *adv.* 천성적으로 ; 천재적으로 ; 기발하게, 독창적으로 ; 즐겁게, 유쾌하게.

geniazo *m.* 근성 ; 다부진 성미(genio fuerte).

genicidio *m.* =**genocidio.**

geniculado, da *adj.* 팔꿈치 모양의.

genio *m.* [*lat.* genius] ① 기질, 성질, 성향, 천성(índole, carácter) : tener mal ~ 성질이 나쁘다. Ella tiene buen ~ 그녀는 성질이 좋다. ② 재능, 재간, 재질 : tener ~ de poeta 시인의 재능이 있다. El tiene el ~ de la música 그는 음악에 재능이 있다. ③ 천재, 영재, 수재 : Cervantes es un ~ 세르반떼스는 천재이다. Es un hombre de ~ 그는 천재적인 사람이다. Calderón es uno de los ~*s* de España 깔데론은 서반아가 낳은 천재 중의 한 사람이다. ④ 신(神), 정령(精靈)(deidad) : los ~*s* del mar 바다의 신들. los ~*s* del aire 바람의 신들. ⑤ 악마.

genioso, sa *adj.* 《*Col. Méx. SDgo.*》 화낸, 성낸, 노한(iracundo).

genipa *f.* 《*Amér.*》 【식물】 =**jagua.**

genista *f.* 【식물】 금작화(retama).

genital *adj.* 생식의 : órganos ~*es* 생식기. —*m.pl.* 고환, 불알.

genitivo, va *adj.* ① 출생하는. ② 【문법】 속격의, 소유격의 : caso ~ 속격. —*m.* 【문법】 속격, 소유격.

genitor *adj.* 발생시키는. —*m.* 산출자.

genitriz *f.* 임신한 여자.

genízaro, ra *adj.* 혼혈의 ; 잡종의(jenízaro). —*m.f.* 혼혈아. —*m.* (고대 터키의) 근위병.

Gen.[1] General.

-geno *suf.* 「발생·기원」의 뜻을 나타내는 접미어 : gasó*geno*, pató*geno*.

genocidio *m.* (한 민족의 계획적인) 대학살.

genojo *m.* =**rodilla.**

genol *m.* 【선박】 중간 늑재(肋材).

genoma *m.* 【생물】 게놈 《염색체의 한 조》.

Génova *f.* 【지명】 제노바 《이탈리아의 항구 도시》.

genovés, sa *adj.* 제노바의. —*m.f.* 제노바 사람. —*m.* (16—17세기 경의) 금융가(banquero).

gentado, da *adj.* 《*Col.*》 [bien·mal +] 호의의.

gental *f.* 《*Amér.*》 군중(群衆).

gente *f.* [*lat.* gens. gentis] ① [집합] 사람들(personas) : Había mucha ~ en la iglesia 교회에 사람들이 많이 있었다. ② 직원, 인원, 사원 : La ~ de la fábrica está conforme con su trabajo 공장 직원들은 그들의 일에 잘 맞았다. Sinón. personal. ③ 패거리, 한통속, 일당 ; 부하. ④ 승무원. ⑤ 가족(familia) : Mi ~ está de vacaciones 내 가족은 휴가 중이다. ⑥ 국민(nación) : derecho de ~*s* 국민의 권리. ⑦ 《*Amér.*》 상류의 부유층. ⑧ 《*Méx.*》 인간, 사람 (persona). —*pl.* 이교도.

~ ***baja*** 하층 계급. ~ ***bien*** 《*Galic.*》 상류 계급. ~ ***de armas*** (전투 준비중인) 무장한 사람들. ~ ***de bien*** 선의의 사람들. ~ ***de capa negra*** 품위있는 사람들. ~ ***de capa parda*** 시골 사람들. ~ ***de coleta*** 투우사. ~ ***de escalera abajo*** 천한 사람들. ~***de letras*** 《*Galic.*》 문학자, 문인, 문필가(literato). ~***de medio pelo*** 중류 사람들(clase media). ~ ***de paz*** (수하에 대답하여) 수상한 사람이 아니다. ~ ***de pelo*** 부유층 사람들. ~ ***del bronce*** 원기 왕성한 사람들. ~ ***de seguida*** 도망자 《도둑 등》. ~ ***de toda broza*** 망나니들. ~ ***gorda*** 상류 계급. ~ ***menuda*** 어린이들 ; 평민들, 대중 (plebe). ~ ***de pueblo*** 시골뜨기.

hacer ~ 사람을 모으다(reunir gente).

ser ~ 《*Méx.*》 단정한·예의 바른·점잖한 사람이다.

ser como la ~ 행동이 바르고 친절한 사람이다, 정직하다, 선량하다.

gentecilla *f.* [*dim. desp.* gente] 망나니들.

gentezuela *f.* =**gentecilla.**

gentil *adj.* [*lat.* gentilis] ① 이교도의. ② 품위있는, 온순한, 세련된 : una ~ doncella, ~ donaire. ③ 심한, 지독한, 악바리의, 굉장한, 모진(notable) : una ~ desvergüenza. —*m.f.* 이방인 ; 이교도. Sinón. idólatra, pagano.

gentilares *m.pl.* 《*Perú.*》 고대 뻬루인의 묘지.

gentileza *f.* ① 고상함, 우아함 ; 화려함, 늠름함 : portarse con ~ 고상하게 늠름하게 행동하다. ② 친절(amabilidad), 예의(cortesía) : Tuvo la ~ de invitarme a su fiesta 그는 친절하게도 파티에 나를 초대해 주었다.

gentilhombre *m.* [*pl.* gentileshombres] ① 호인, 호남(好男). ② 궁신(宮臣), 시종, 나인(內人) : ~ de cámara 시종.
gentilicio, cia *adj.* ① 민족의 ; 국가의 ; 지명의 : nombre ~ 지명. ② 가계(linaje)의, 혈통의 ; 세습의.
gentílico, ca *adj.* 이교도의 : templos ~*s* 이교도의 사원. Sinón. pagano.
gentilidad *f.* 이교(異敎), 사교; 사교도; 씨족.
gentilismo *m.* =**gentilidad.**
gentilizar *intr.* ⑨ 사교를 받들다.
gentilmente *adv.* 우아하게, 상냥스럽게, 친절하게 ; 품위있게 ; 예의 바르게 ; 사교도적으로.
gentío *m.* 군중(reunión de mucha gente). Sinón. muchedumbre, multitud.
gentleman *m. ing.* =**caballero.**
gentualla *f.* [*desp.* gente] 패거리, 망나니들. Sinón. chusma.
gentuza *f.* =**gentualla.**
genuflexión *f.* 무릎 꿇고 앉음 ; 무릎 꿇는 예배 : ~ doble 두 무릎을 꿇고 하는 예배.
genuino, na *adj.* [*lat.* genuinus] ① 순종의, 순수한. Sinón. puro. ② 진짜의, 진정의. Contr. falso. ③ 정당한(legítimo). Contr. ilegítimo. ④ 성실한, 진심의, 참된.
genulí *m.* 【광물】 웅황(雄黃), 석웅황(石雄黃), 석황(石黃)(oropimente).
geo- *pref.* 「땅」,「지구」,「토지」를 뜻하는 접두어.
geobotánica *f.* =**fitogeografía.**
geocéntrico, ca *adj.* 지심(地心)의, 지구 중심의 ; 지구를 중심으로 본 · 측정한 : latitud · longitud ~*ca* 지심 위도 · 경도.
geoda *f.* [*gr.* geôdês] 【지질】 정군(晶群), 정동(晶洞), 이질 정족(異質晶族).
geodesia *f* 측지학(測地學) ; 육지 · 삼각 측량.
geodésico, ca *adj.* 측지의 : línea ~*ca* 측지선.
geodesta *m.* 측지 학자 ; 측량 기사.
geodinámica *f.* 물리 지구학.
geoestacionario, ria *adj.* 지구 주둔의 : órbita ~*ria.*
geófago, ga *adj.m.f.* 흙을 먹는 (사람) : ciertos pueblos malayos y polinesios son ~*s.*
geofísica *f.* 지구 물리학.
geofísico, ca *adj.* 지구 물리학의. —*m.f.* 지구 물리학자.
geoforma *f.* =**accidente de relieve.**
geogenia *f.* 지구 형성학 · 생성론.
geogénico, ca *adj.* 지구 형성학의.
geognosia *f.* 지구 구조학.
geognosta *m.f.* 지구 구조 학자.
geognóstico, ca *adj.* 지구 구조학의.
geogonía *f.* =**geogenia.**
geogónico, ca *adj* 지구 형성학 · 생성론의.
geografía *f.* 지리, 지리학 ; 지형, 지세(地勢) : ~ astronómica 우주 형상지(cosmografía). ~ económica 경제 지리(학). ~ física 지문학(地文學). ~ históríca 역사 지리학. ~ humana 인문 지리.
geográficamente *adv.* 지리적으로 ; 지리학상.
geográfico, ca *adj.* 지리(상)의, 지리학적인 : vista ~*ca.*
geógrafo, fa *m.f.* 지리 학자.
geohidrología *f.* =**hidrogeología.**
geoide *m.* 지구 이론.
geología *f.* 지질학 ; 지리.
geológico, ca *adj.* 지질학의, 지질적인 : conmoción ~*ca* 지진.
geólogo, ga *m.f.* 지질 학자.
geomagnetismo *m.* ①【전기】 지자기(地磁氣). ②【전기】 지자기학.
geomancia *f.* =**geomancía.**
geomancía *f.* 흙 · 지세로 치는 점, 땅점《흙 한 웅큼을 뿌려서 치는 점》.
geomántico, ca *adj.* 지관 · 흙으로 치는 점의 (점쟁이).
geómetra *m.f.* ① 기하 학자. ②【곤충】 자벌레.
geometral *adj.* =**geométrico.**
geometría *f.* [*gr.* geometria] 기하학 : ~ analítica 해석 기하. ~ del espacio 입체 기하. ~ descriptiva 도형 기하학. ~ plana 평면 기하.
geométricamente *adv.* 기하학적으로 ; 정확하게.
geométrico, ca *adj.* ① 기하의, 기하학적 : en progresión ~*ca* 등비 급수로 ; 기하 급수적인 셈으로. ② 정확한(muy exacto) : cálculo ~ 정확한 계산. Las ciudades americanas suelen construirse sobre un plano ~ 아메리카의 도시들은 늘 정확한 지도 위에 건설된다.
geometrización *f.* 기하학적으로 하는 일.
geomorfía *f.* 지형학(地形學).
geomórfico, ca *adj.* geomorfología의.
geomorfogenia *f.* 지각(地殼) 형태학, 지모학(地貌學).
geomorfología *f.* =**geomorfía.**
geonomía *f.* 식물 지질학.
geonómico, ca *adj.* geonomía의.
geopolítica *f.* 지정학.
geopolítico, ca *adj.* 지정학의.
geoponía *f.* 농업(agricultura).
geopónica *f.* =**geoponía.**
geopónico, ca *adj.* 농업(학)의.
geoquímica *f.* 지구 화학.
geoquímico, ca *adj.* 지구 화학의. —*m.f.* 지구 화학자.
georama *m.* 지구의 모형, 지오라마.
georgiano, na *adj.m.f.* ① 구르지아《Georgia, 코커서스 공화국》의 (사람). ② 조지아《Georgia, 북아메리카의 주》의 (사람). —*m.* (코커서스 지방의) 구르지아말.
geórgicas *f.pl.* 농사시(詩), 전원시.
geórgico, ca *adj.* 농사의, 정원의 : poema ~ 전원시.
geotectónico, ca *adj.* 【지질】 지열의.
geotermia *f.* 【지질】 지열(地熱).
geotérmico, ca *adj.* 【지질】 지열의.
geotrópico, ca *adj.* 【식물】 향지성(向地性)의, 굴지성(屈地性)의.
geotropismo *m.* 【식물】 향지성, 굴지성(屈地性).
geótrupo *m.* 【곤충】 투구벌레의 일종.
geozoología *f.* 지구 동물학.
geraniáceo, a *adj.* 【식물】 이질풀과의 ; 제라늄의. —*f.pl.* 이질풀과 식물.
geranio *m.* [*gr.* geranion] 【식물】 제라늄, 이질풀 ; 풍로초.

gerbo *m.* 【동물】 날쥐(jerbo).

gerencia *f.* 관리, 사업 경영, 지배 ; gerente의 직·역·사무소.

gerencial *adj.* ① 관리의, 지배의. ② gerente역의.

gerente *m.* 경영자, 지배인, 관리 부장, 이사, 주임, 업무 집행자 ; 지점장 : ~ de ventas 판매 주임·부장. ~ general 총지배인. ~ interino·en funciones 사장 대리, 지배인 대리.

geriatra *m.f.* 노인병 학자, 노인병 전문 의사.

geriatría *f.* 노인 의학.

geriátrico, ca *adj.* 노인병의 ; 노인의 : medicina *~ca* 노인 의학.

gerifalco *m.* 【조류】 =**gerifalte.**

gerifalte *m.* ① 【조류】 매. ② 【은어】 도적. *como un* ~ 감쪽같이, 날쌔게.

germán *adj.* germano의 어미 탈락형.

germana *f.* 【은어】 갈보, 매음부, 매춘부.

germanesco, ca *adj.* 은어의 ; 불량배의 ; 한패의.

germanía *f.* ① (특히 도적·망나니의) 은어. ② (16세기 초에 Valencia의 직업 조합이 결성한) 결사(結社). ③ 정교(情交) ; 첩살림, 첩살이.

germánico, ca *adj.* 게르만·게르만족(la Germania)의 ; 독일의 ; 독일계의 ; 게르만 어속(語屬)의. —*m.* 게르만어.

germanidad *f.* 【고어】 =**hermandad.**

germanio *m.* 게르마늄 《금속 원소》.

germanismo *m.* 독일 말씨 ; 독일어에서 전입된 말, 전입어(轉入語).

germanista *m.f.* 독일말과 문화에 정통한 사람 (persona versada en lengua y cultura germánicas).

G

germanística *f.* 독일학, 독일 연구.

germanización *f.* 독일화.

germanizar *tr.* ⑨ 독일풍으로 하다, 독일화하다.

germano *m.* ① 《*Ant.*》 =**hermano.** ② =**rufián.**

germano, na *adj.* 게르만 《la Germania, 북구 지방의 총칭》 족의 (사람) ; 독일의. —*m.* 독일 사람, 게르만인 ; germanía의 조합원.

germanófilo, la *adj.m.f.* 독일을 좋아하는 (사람).

germanooccidental *adj.* 서독의. —*m.f.* 서독 사람.

germanooriental *adj.* 동독의. —*m.f.* 동독 사람.

germen *m. lat.* ① 【생물】 유아(幼芽), 배종(胚種), 씨 ; 싹. ② 싹틈 : ahogar·matar en ~ 싹이 틀 때 미리 말살해 버리다. ③ 세균, 병원균, 병균 : ~ infeccioso. ④ 기원, 근원 : El descubrimiento de Améica fue el ~ de una nueva civilización 아메리카의 발견은 새로운 문명의 근원이었다. Sinón. origen.

germicida *adj.* 살균의, 살균력이 있는. —*m.* 살균제.

germinación *f.* 【식물】 발아, 맹아(萌芽) ; 발생 : la ~ de las ideas.

germinador, ra *adj.* 싹·움이 트는.

germinal *adj.* 배(胚)의 ; 어린 싹의. —*m.* 불란서 공화력(曆)의 제7월, 아월(芽月) 《3월 21일 ~4월 16일》.

germinante *adj.* 싹트는, 움트는, 발아하는.

germinar *intr.* [*lat.* germinare] ① 싹트다, 움트다, 발아하다 : El trigo *germina* por primavera 밀은 봄에 싹이 튼다. ② 싹트기 시작하다, 움트기 시작하다, 징조가 나타나다 : La virtud *germina* en su corazón 덕은 마음속에서 싹이 트는 법이다.

germinativo, va *adj.* 발아의 ; 발아력이 있는 : El trigo conserva durante largo tiempo su potencia *~va.*

gerontocracia *f.* 노인 정치.

gerontocrático, ca *adj.* 노인 정치의 : gobierno ~ 노인 내각.

gerontología *f.* 노인학, 노인 의학.

gerontólogo, ga *m.f.* 노인병 전문 의사.

gerundense *adj.* 헤로나 《Gerona, 서반아 북단 지중해 연안의 주·시》의. —*m.f.* 헤로나 사람.

gerundiada *f.* 자기 과시적인 표현·말씨·문장 (frase ridícula y afectada).

gerundiano, na *adj.* (Francisco de Isla의 작중 인물 Fray Gerundio de Campazas의 이름에서) 자기 과시적인 (문장).

gerundio[1] *m.* [*lat.* gerundium] 【문법】 현재 분사, 부동(副動) 분사, 접속 분사 《ando, iendo를 어미로 한, 부사적 성질을 가진 동사의 한 변형》 : *Hablando* se entiende la gente 사람들이란 말하면 이해가 통한다. *Reinando* Isabel la Católica se descubrió el Nuevo Mundo 이사벨 여왕 통치 시대에 신대륙은 발견되었다.

gerundio[2] *m.* 현학자 ; 마땅치 않은·싫은 설교사.

gerundivo *m.* (라틴어에서) 동사상(狀) 형용사.

gesta *f.* 무훈, 공로 : cantar·canción de ~ 중세기의 무용 찬가.

gestación *f.* ① 잉태, 회임, 임신(preñez). ② 임신 기간. ③ (사상 등의) 태동, 창조, 창안 : La ~ de la independencia fue larga 독립의 징조는 오래됐다. La ~ del poema fue completa 시의 창안은 완전했다. ④ 배태(胚胎)(germinación).

gestapo *f.* 비밀 경찰, 게슈타포.

gestar *tr.* ① 임신하다. ② 준비하다(preparar) : Durante el viaje, *gestó* su mejor novela 여행동안 그는 그의 가장 훌륭한 소설을 준비했다.

gestatorio, ria *adj.* 들어 나를 수 있는. *silla ~ria* 로마 교황이 자리를 옮길 때 쓰는 의식용 가마.

gestear *intr.* 몸짓·손짓을 하다, 얼굴 표정을 짓다(gesticular).

gestero, ra *adj.* 손짓·몸짓이 많은.

gesticulación *f.* [*lat.* gesticulatio] 안면을 실룩거리는 일, 몸짓, 손짓.

gesticulador, ra *adj.* 손짓·몸짓을 하기 좋아하는.

gesticulante *adj.* 몸짓이 많은, 얼굴 표정이 풍부한.

gesticular[1] *adj.* 몸짓·손짓의, 표정의.

gesticular[2] *intr.* [*lat.* gesticulare] 얼굴에 표정을 짓다, 제스처를 쓰다, 몸짓·손짓을 하며 말하다(hacer gestos).

gesticuloso, sa *adj.* 몸짓·표정이 풍부한.

gestión *f.* 관리, 업무 ; 수속, 처치, 공작, 운동, 교섭 ; 일, 행동 : ~ de aduana 통관. ~ de negocios 업무 집행, 사업적 업무. ~ mercantil

영업. las ~*es* diarias 나날의 일.
gestionar *tr.* ① 처리·처치하다. ②(업무를) 하다, 활동하다 : ~ un negocio 사업을 경영하다. seguir *gestionando* 업무를 계속하다.
gesto *m.* [*lat.* gestus] ① 일그러진 얼굴, 싫은 얼굴(mueca) : hacer ~*s* 싫은 표정을 짓다. ② 손짓, 얼굴 표정, 몸짓, 제스처 : Tenía un ~ muy triste 그는 무척 슬픈 표정을 하고 있었다. ③ 언짢아 함. ④ 사실 ; 행동. ⑤ 얼굴(cara). ⑥ 표정(semblante).
gestor, ra *m.f.* (부·국의) 장, 관리직, 이사 ; (합자 회사의) 무한 책임 사원 ; 영업자 ; 지배인 : ~ administrativo 상무 이사. ~ de negocios 영업 부장, 영업 담당 중역.
gestoría *f.* (일을 처리하는) 개인 사무소(oficina privada).
Gestsemaní *m.* 【성서】 겟세마네 《에루살렘의 동쪽, Huerto de las Olivas의 동산, 그리스도 고난의 지역》.
gestudo, da *adj.* 얼굴을 찡그리는.
getapú *m.* 《*Bol.*》 =**cuña.**
géyser *m.* 간헐천(間歇泉) : Los ~*es* abundan en Islandia 아일랜드에는 간헐천이 많다.
Ghana 【지명】 가나 《아프리카 서부에 있는 영연방 내의 공화국》.
ghanata *adj. m.f.* =**ghaneano.**
ghaneano, na *adj. m.f.* 가나의 (사람).
ghanés, sa *adj.m.f.* 가나의 (사람).
ghetto *m. ital.* 유태인가(街) : Los ~*s* se establecieron hacia el siglo XVI 유태인가는 16세기 경에 설립되었다.
giba *f.* ① 곱사, 곱사등(corcova). Sinón. joroba. ② 골치 아픈 일 (molestia). ③【은어】짐, 부피가 나가는 물건(bulto).
gibado, da *adj.* 새우등의, 곱사등의(corcovado).
gibar *tr.* ① 휘다, 구부리다, 구브러뜨리다(corcovar, jorobar). ② 괴롭히다, 난처하게 만들다(molestar, fastidiar).
gíbaro, ra *adj.* =**jíbaro.**
gibelino, na *adj.* 기벨린당 《중세기에 이탈리아에서 독일 황제에 가담, 로마 교황에 반항한 일파》의 ; 교황에 항거하는.
gibón *m.* 【동물】 (말레이 제도의) 긴팔원숭이.
gibosidad *f.* 융기(된 것·일) ; 혹.
giboso, sa *adj.* 곱사등의. —*m.f.* 곱사, 곱사등이 (jorobado).
gibraltareño, ña *adj.* 지브랄타르 (Jibraltar, Gibraltar)의. —*m.f.* 지브랄타르 사람.
gicleur *m. fr.* (자동차의) 기화기·카뷰레터의 증발기. [*N.* 발음 : yicler].
gienense *adj.* 하엔(Jaén)의(jaenés). —*m.f.* 하엔 사람.
giennense *adj.m.f.* =**gienense.**
giga *f.* 지그 춤, 그 곡 《이탈리아계의 댄스》; 바이올린의 전신인 악기의 이름.
gigahercio *m.* =**gigahertz.**
gigahertz *m.* 【물리】 10억 헤르츠 《진동수의 단위 ; 매초 1000분 1 사이클》.
giganta *f.* ① 몸이 큰 여자(mujer muy grande). ②【식물】 해바라기(girasol).
gigante *adj.* [*lat.* gigas, antis] 거대한, 대형의 (gigantesco) : estatua ~ 거대한 상. —*m.* ① 거인(hombre muy alto). ② (선·악의 뜻에서) 거물(巨物) (el que sobresale en alguna cosa) : Simón Bolívar fue un ~ del arte militar 시몬 볼리바르는 용병술의 거물이었다. ③ 커다란 인형(gigantón).
gigantea *f.* 【식물】 해바라기(girasol).
giganteo, a *adj.* [드뭄] =**gigantesco.**
gigantesco, ca *adj.* ① 거인(gigante)다운 : estatura ~*ca* 거인 같은 상. ② 커다란, 거대한 (colosal) : El canal de Panamá fue una empresa ~*ca* 파나마 운하는 거대한 사업이었다.
gigantez *f.* 거대함 ; 웅대함.
gigantilla *f.* [*dim.* giganta] 귀엽고 우스꽝스럽게 몸집이 큰 여자 ; 머리·손발이 큰 인형 ; 땅딸막한 여자.
gigantillo *m.* 《*And.*》 해바라기(girasol).
gigantismo *m.* (신체의 전부 혹은 일부의) 기형적인 발육 ; 거대증, 거인증.
gigantomaquia *f.* 거인간의 싸움(lucha entre gigantes).
gigantón, na *m.f.* 거인 ; (어떤 행사에서 놀이의 「거리」로 만드는) 큰 인형. —*m.* 해바라기 (girasol).
gigote *m.* 잘게 다진 고기를 버터에 볶은 것 ; 다진 식품 : hacer ~ 잘게 썰다.
gijonense *adj.m.f.* =**gijonés.**
gijonés, sa *adj.* 히혼 《Gijón, 서반아 비스까야 해에 면한 항구 도시》의. —*m.f.* 히혼 사람.
gilbert *m.* 【전기】 길버트.
gilbertio *m.* =**gilbert.**
gilí *adj.* 어리석은, 멍청한, 바보스런, 미련한 (tonto, torpe, bobo, lelo).
gilipollada *f.* =**tontería.**
gilipollas *adj.m.f.* =**tonto.**
gilipollear *intr.* =**hacer tonterías.**
gilipollez *f.* =**tontería.**
gilvo, va *adj.* 꿀색의(de color de miel).
gimnasia *f.* [*gr.* gumnasia] ① 체조 : ~ sueca 스웨덴 체조, 도수 체조. hacer ~ 체조를 하다. ② 체조술 ; 체육, 훈련 ; 미용 체조.
gimnasiarca *m.* =**gimnasta.**
gimnasio *m.* [*lat.* gymnasium] 체육관, 체조장 ; (특히 독일의) 중학교, 김나지움 ; (고대 그리스의) 청년 훈련소.
gimnasta *m.f.* 체육가 ; 체조 교사.
gimnástica *f.* =**gimnasia.**
gimnástico, ca *adj.* 체조(gimnasia)의 : ejercicios ~*s*.
gímnico, ca *adj.* 역기(力技)의. : juegos ~*s*.
gimnosofista *m.f.* (고대 그리스·로마인의 부르는 이름으로) 바라문·파라문 교도, 나행자(裸行者).
gimnoto *m.* 【어류】 전기 장어 : Las descargas del ~ paralizan animales bastante grandes 전기 장어의 방전은 매우 커다란 동물들을 마비시킨다.
gimoteador, ra *adj.* 훌쩍훌쩍 우는. —*m.f.* 훌쩍훌쩍 우는 사람.
gimotear *intr.* 찔찔 울다, 훌쩍훌쩍 울다. Sinón. lloriquear.
gimoteo *m.* 훌쩍훌쩍 울기, 흐느껴 울기(lloriqueo).
gin *m. ing.* 진, 두송주(杜松酒) 《노간주나무의 열

매로 향기를 들인 술》.
gincgo *m.* 【식물】 =**gingko.**
gindama *f.* 【은어】 주눅 들림, 용기를 잃음, 투지 상실, 기가 꺾임.
ginebra[1] *f.* ① 트럼프・카드 놀이. ② 혼잡(confusión). ③ 두런거림. ④【악기】 목금(木琴)의 일종.
ginebra[2] *f.* [*fr.* geniévre] 진, 두송주.
ginebrada *f.* torta의 일종.
ginebrés, sa *adj.m.f.* =**ginebrino.**
ginebrino, na *adj.m.f.* 제네바《Ginebra, 스위스의 도시》의 (사람).
gineceo *m.* ①(고대 그리스의) 여자의 거실, 규방. ②【식물】 자성 기관(雌性器官).
ginecocracia *f.* 부인 정치 ; 엄처 시하.
ginecología *f.* 부인과 의학, 산부인과.
ginecológico, ca *adj.* 부인과 (의학)의 : clínica ~*ca.*
ginecólogo, ga *m.f.* 산부인과 의사.
ginerio *m.* 화본과 식물.
ginesta *m.* 【식물】 금작화(retama).
gineta *f.* 【동물】 (북아메리카산의) 사향고양이 (jineta).
gingidio *m.* 【식물】 =**biznaga.**
gingival *adj.* 잇몸(encías)의.
gingivitis *f.* 【의학】 잇몸 염증, 치경염(齒莖炎).
gingko *m.* 【식물】 은행.
ginglimo *m.* 【해부】 경첩 관절.
gingo *m.* 【식물】 =**gingko.**
ginsén *m.* 【식물】 인삼 ; 그 말린 뿌리 : ~ coreano 고려 인삼.
ginseng *m.* =**ginsén.**
giote *m.* 《*Méx.*》 =**jiote.**
gipaeto *m.* 【조류】 =**el quebrantahuesos.**
gipsífero, ra *adj.* 석고가 함유된.
gipsita *f.* 석고의 흙투성이 침전물.
gipso *m.* [드뭄] =**yeso.**
gipsy *m. ing.* [*pl.* gipsies] =**gitano.**
gira *f.* 소풍, 여행(excursion) ; 순회 : Salió de ~ por el interior del país 그는 나라 안을 순회하러 나갔다.
girada *f.* (무용의) 발끝 선회.
girado, da *m.f.* 어음 지정인(librado) ; (환)어음 지불일.
girador, ra *m.f.* 어음 발행인(librador) : ~ de cheques 수표 발행인.
giralda *f.* (사람・동물 모양의) 풍신기(風信器)・풍신의(風信儀)(veleta de torre).
giraldete *m.* 소맷자락이 없는 승려복의 일종.
giraldilla *f.* [*dim.* giralda] 서반아 북부 지방의 춤의 일종.
girándula *f.* 선회 꽃불 ; 선회 분수 ; 가지 달린 촛대.
girante *adj.* 어음을 발행하는. —*m.f.* 어음 발행인(gibrador).
girar *intr.* [*lat.* gyrare] ① 돌다, 선회・회전하다 (moverse circularmente) : ~ *sobre* el eje 축을 중심으로 회전하다. Galileo afirmó que *giraba* la Tierra alrededor del Sol 갈릴레오는 지구가 태양의 주위를 돈다는 것을 확인했다. ② 빙글빙글 돌다 : La rueda del molino *gira* con el viento 물레방아의 바퀴가 바람으로 돈다. ③ 순회하다, 순방하다. ④ 옮겨가며 돌다 : ~ *de* una parte *a* otra 한 쪽에서 다른 쪽으로 돌다. ⑤ 첫 방향을 바꾸다 : La avenida *gira* a la izquierda 가로수길은 왼쪽으로 방향을 바꾼다. **Sinón.** torcer, volver.
—*tr. intr.* 【상업】 (어음을) 발행하다, 송금하다 : *Hemos girado a cargo de* ustedes una letra a ocho días vista *por* el total de $3.000 귀점 앞으로 총액 3000 달러의 일람후 8일불 어음을 발행하였음. *Giramos sobre* ustedes *contra* los documentos de embarque *por* el montante de la factura 선적 서류에 대하여 송장 금액의 어음을 귀점 앞으로 발행함.
~ ***una visita a*** …를 시찰을 다니다.
girasol *m.* ①【식물】 해바라기. **Sinón.** mirasol, tornasol. ②【광물】 홍색 담백석(紅色蛋白石) (ópalo girasol). ③ 아첨꾼, 알랑쇠.
giratoria *f.* 회전 의자, 회전 책장, 회전 가구.
giratorio, ria *adj.* 선회의, 회전・선회식의 : grúa ~*ria* 회전식 기중기. puerta ~*ria* 회전문.
girifalte *m.* =**gerifalte.**
girino *m.* 【곤충】 물무당 ; 달팽이.
giro *m.* [*lat.* gyrus] ① 선회(旋回), 회전(vuelta). ②(어떤 일의) 되어가는 경과・방향 : tomar otro ~ 어떤 일의 방향이 틀어지다 ; 사정이 달라지다. La educación ha tomado un nuevo ~ 교육은 새로운 방향을 모색했다. No me gusta el ~ que ha tomado este asunto 이 문제의 경과는 마음에 들지 않는다. ③ 말투, 말뜻. ④ 은근히 겁주는 말・문구, 허세부리기 (bravata). ⑤ (주로 얼굴의) 상처 자국(chirla). ⑥【상업】 자금 사정・운전 : una empresa de mucho ~ 자금 사정이 좋은 회사. ⑦【상업】 어음 발행, 송금 ; 환, 환어음 : hacer un ~ *contra* uno 누구에게 환을 떼다.
~ ***a la vista*** 일람불 어음. ~ ***a plazo*** (일람후) 정기불 어음. ~ ***a plazo・término fijo*** 정기불 어음. ~ ***bancario*** 은행 어음. ~ ***comercial*** 상업・무역 어음. ~ ***con garantía subsidiaria・adicional*** 담보부 어음. ~ ***de capital*** 자본 회전율. ~ ***de existencias*** 상품・재고품 회전율. ~ ***de favor*** 융통 어음. ~ ***(del importe total) de $ 3.000.00*** 총액 3천 달라 짜리 어음. ~ ***descontado*** 할인(割引) 어음. ~ ***documentado*** 선적 서류부 어음. ~ ***negociado*** 할인 어음. ~ ***pagadero*** 지불 어음. ~ ***pagadero a plazo fijo después de la vista*** 일람후 정기불 어음. ~ ***pagadero a treinta días después de la fecha*** 30일후 정기불 어음. ~ ***postal*** 우편환. ~ ***postal internacional*** 국제 우편환. ~ ***(postal) telegráfico*** 전신환. ~ ***sin documentos*** 보통 환어음, 무화물 어음.
giro, ra *adj.* 《*Ant. Arg. Col. CRica. Chile. Perú.*》 목과 날개에 노란 깃이 있는 : gallo ~ 알록달록한 닭.
girocompás *m.* 자이로컴퍼스. **Sinón.** brújula giroscópica.
girocho, cha *adj.* 득의 양양(得意揚揚)한.
giroflé *m.* 【식물】 정향나무(clavero).
girola *f.* 후진으로 돌리는 배.
girómetro *m.* 회전 속도계.
girondino, na *adj.m.f.* 지롱 당원《불란서 대혁명 당시의 온건 공화당》(의).
giropiloto *m.* =**piloto automático.**
giroscópico, ca *adj.* 자이로스코프・회전의

(儀)의 : efectos ~*s*.
giroscopio *m.* 자이로스코프, 회전의(回轉儀) ; 뺑뺑이 팽이.
giróscopo *m.* =**giroscopio.**
giróstato *m.* 【물리】 자이로스타트 《회전의의 일종》, 회전 측정기.
giróvago, ga *adj.* =**vagabundo.**
gis *m.* ① 백묵 ; 백악(白堊)(clarión). ② 《*Amér.*》 석필(石筆) ; 분필.
giscardiano, na *adj.* 지스카르주의의. —*m.f.* 지스카르주의자.
giste *m.* 맥주 거품.
gitanada *f.* ① 집시적인 방법. ② 아첨, 아부 ; 속임수, 야바위(adulación, zalamería, gitanería).
gitanamente *adv.* 집시풍으로 ; 교묘한 말로(con gitanería).
gitanear *intr.* 아첨하다, 아부하다 ; 교활하게 굴다, 간살부리다(con gitanería).
gitanería *f.* ① 아첨, 아부. ② [집합] 집시들 ; 집시적인 방법.
gitanesco, ca *adj.* 집시풍・식의.
gitanilla *f.* 세모 귀고리의 일종.
gitanismo *m.* 집시풍, 집시 생활.
gitano, na *adj.* ① 집시족 《13세기 말에 북 인도에서 유럽으로 나온 유랑 민족》의. ② 집시풍의. ③ 간살부리는, 알랑거리기 잘하는. ④ [드묾] 이집트의. —*m.f.* 집시.
glabro, bra *adj.* ① 수염이 없는(lampiño). ② 머리가 벗어진(calvo).
glaciación *f.* ① 빙하・얼음으로 덮임. ② 빙하 작용.
glacial *adj.* [*lat.* glacialis] ① 얼음의, 얼음 같은 : frío ~. ② 【지질】 빙하의 : período・época・era ~ 빙하 시대, 빙하기. ③ 한대의 : zona ~ 한대. ④ 냉담한, 쌀쌀맞은, 찬(frío, desabrido) : recepción ~. ⑤ 【화학】 빙상(氷狀)의 : ácido acético ~ 빙초산.
glacialmente *adv.* 쌀쌀맞게, 냉담하게, 차게.
glaciar *m.* (높은 산 등의) 빙괴, 얼음 덩이, 빙하(helero).
glaciárico, ca *adj.* 빙하의.
glaciario, ria *adj.* 《*Neol.*》 얼음(hielo)의 ; 빙하(helero)의 : período ~ 빙하기.
glaciarismo *m.* 빙하 연구.
glacifluvial *adj.* 빙하로 생긴.
glacis *m.* [*fr.* glacis] ① 급경사(急傾斜). ② 【축성】 (보루 외면의) 비스듬한 둑・제방(explanada).
gladiado, da *adj.* =**enriforme.**
gladiador *m.* (고대 로마의) 검투사, 투사.
gladiator *m.* =**gladiador.**
gladiatorio, ria *adj.* 검투사의.
gladio *m.* 【식물】 =**espadaña.**
gladiolo *m.* 【식물】 글라디올러스, 당창포 《불꽃과의 다년초》(espadaña).
gladíolo *m.* =**gladiolo.**
glagolítico, ca *adj.* San Cililo에 의해 발명된 슬라브어의 첫 자모의.
glande *m.* ① 【해부】 귀두(龜頭), 자지 대가리(bálano). ② 【방언】 도토리(bellota).
glandífero, ra *adj.* 도토리가 자라는.
glandígero, ra *adj.* =**glandífero.**
glándula *f.* [*lat.* glandula] ① 【해부】 선(腺) ; 포(胞) ; 분비선(分泌線) : ~ cerrada 대분비선. ~ lagrimal 눈물샘, 누선(淚腺). ~ mamaria 젖샘. ~ pineal 뇌의 송과선(松果腺). ~ pituitara 점액선(hipófisis). ~ salival 침샘, 타액선. ~ sudorípara 땀샘. ~ tiroides 갑상선. ② 【식물】 선, 선모(腺毛).
glandular *adj.* 【해부】 분비선의, 선질(腺質)의, 선상(腺狀)의 : secreción ~.
glanduloso, sa *adj.* 선(腺)이 있는, 선질의 : epidermis ~*sa* 선질 표피.
glaréola *f.* 【조류】 바다제비(golondrina de mar).
glasé *m.* 《*Galic.*》 광택이 있는 비단의 일종.
glaseado, da *adj.* ① 광택이 있는, 윤이 잘 나는(abrillantado) : papel ~. ② 글라세(glasé) 비슷한 : raso ~.
glasear *tr.* (종이・식품에) 윤・광택을 내다.
glaseo *m.* 윤・광택이 남.
glasto *m.* 【식물】 (염료용) 대청(大靑).
glaucio *m.* 【식물】 (약초의) 애기똥풀 ; 미나리아재비의 일종.
glauco, ca *adj.* 연두색의 : ojos ~*s*.
glaucoma *m.* 【의학】 녹내장.
glaucosis *f.* 【의학】 녹내장성 실명.
glayo *m.* 《*Ast.*》 【조류】 =**arrendajo.**
gleba *f.* [*lat.* gleba] ① (일군) 흙더미 ; 염료. ② 【고어】 대지, 지면.
glena *f.* 【해부】 골와(骨窩) ; 관절와.
glenoideo, a *adj.* 【해부】 움푹한 홈의 ; 관절와(關節窩)의.
glenoides *f.* 【해부】 움푹한 홈 ; 관절와강(腔).
glera *f.* 자갈땅, 자갈밭 ; 모래밭(cascajar).
glicemia *f.* =**glucemia.**
glicerato *m.* 글리세린 산염.
gliceria *f.* 【식물】 벼과의 물풀.
glicérico, ca *adj.* *ácido* ~ 글리 세린산.
glicerina *f.* 글리세린, 리솔린.
glicerinar *tr.* 글리세린을 바르다(untar con glicerina).
glicerol *m.* =**glicerina.**
glicina *f.* 【식물】 등.
glicinia *f.* =**glicina.**
glicirricina *f.* 【화학】 감초 뿌리에 있는 설탕 요소.
glicocola *f.* =**glicina.**
glicogenea *f.* =**glicogénesis.**
glicogénesis *f.* 간 글리코겐 작용.
glicogenia *f.* =**glicogénesis.**
glicogénico, ca *adj.* 글리코겐(질)의 : la función ~*ca* del hígado 간 그리코겐 작용.
glicógeno *m.* 글리코겐, 동물성 전분, 당원(糖原)(glucógeno).
glicografía *f.* 전기 부각(腐刻)・철(凸)판(술).
glicol *m.* 글리콜 《글리세린과 알코올의 중간 물질》.
glicosuria *f.* 【의학】 당뇨.
glifo *m.* [*gr.* gluphis] 어떤 물건에 새겨진 빈 홈.
glíptica *f.* (화폐의) 주형 조각(술) ; 보석 조각(술) : Los egipcios conocían la ~ 이집트 사람들은 보석 조각술을 알고 있었다.
gliptodonte *m.* 【고생】 조치수(彫齒獸).
gliptografía *f.* 【고생】 보석 조각.
gliptoteca *f.* ① (주로 고대의) 조각 진열실. ②

조각 수집 : la ~ del Vaticano. ③ 조각 박물관의 이름 : la *G-* de Munich.

glissando *adv. ital.* 【음악】 키나 현 따위 위에 손가락을 재빨리 미끄러지듯이 놀리면서.

global *adj.* 전체의, 총괄적인, 개산적(概算的)인 (total) : un presupuesto ~ 전체 예산. Se presupone la cifra ~ de 80.000 Ptas. 총액 8만 뻬세따의 예산이 계상된다.

en forma ~ 총괄적으로.

globalmente *adv.* 총괄적으로, 통틀어, 모두해서, 대체로 : Examinaron ~ la situación 대체의 정세를 검토했다.

globitos *m.pl.* =**una enredadera argentina.**

globo *m.* [*lat.* globus] ① 구(球), 구체(球體) : el ~ del ojo 눈알. ~ terráqueo 지구. ② (램프의) 둥그런 갓, 글로브(bomba). ③ 기구(氣球), 풍선 ; 애드벌룬 ; 지구본(~ terráqueo · terrestre). ④ 전구(電球).

~ *aerostático* 경기구. ~ *anunciador* 광고 기구. ~ *cautivo* 계류 기구. ~ *celeste* 천구의(天球儀). ~ *dirigible* 가도 기구(可導氣球), 비행선. ~ *piloto · sonda* 관측 기구.

en ~ 통틀어, 일괄해서.

globosidad *f.* 구상(球狀), 구형(球形).

globoso, sa *adj.* [*lat.* globosus] 구형(球形)의 (esférico, redondo) : fruto ~ 둥그스름한 열매.

globular *adj.* 소구(小球)의 ; 혈구(血球)의 ; 소구로 이루어진 ; 구슬 모양의(globuloso).

globulariáceo, a *adj.* 【식물】 글로블라리아과의. —*f.pl.* 글로블라리아과 · 구화과 식물(球花科植物).

globuliforme *adj.* glóbulo형의.

globulina *f.* 혈구소(血球素).

glóbulo *m.* [*dim.* globo] [*lat.* globulus] ① 소구(小球), 적구(滴球) ; 세구(細球)(pequeño cuerpo esférico) : ~ de aire · de agua. ② 혈구(血球) : ~ blanco 백혈구(leucocito). ~ rojo 적혈구(hematíe).

globuloso, sa *adj.* 소구 · 세구(細球)로 이루어진 ; 세구 모양의 : cuerpo ~.

gloglό *m.* 쿨쿨 《액체가 병에서 나올 때 내는 소리의 의성어》.

glomérido *m.* 【동물】 쥐며느리.

glomérulo *m.* ① (성질이 같은 것의) 집합체. ② 【식물】 단산화(團散花). ③ 【해부】 사구체(糸球體) : ~ renal 신사구체(腎糸球體).

gloria *f.* [*lat.* gloria] ① 영광, 광영, 명예, 자랑 (honor) ; 영예 ; 광휘, 반짝이는 · 빛나는 것(esplendor). ② 천상(天上)의 영광, 극락 왕생, 지복(至福) (bienaventuranza). ③ 즐거움, 기쁨, 낙 (gusto, placer) : Su ~ es el estudio 그의 낙이라면 공부이다. Ver este paisaje es una ~ 이런 경치를 구경하는 것은 즐거움이다. ④ 천국, 하늘 나라(paraíso, cielo) : estar en ~ 천국에 있다, 죽어 있다. ganar la ~ 죽다, 서거하다, 승천하다. ⑤ 과자의 일종. ⑥ 비단의 일종.

—*m.* ① 영광의 찬가, 송가 《Gloria in excelsis 「저 높은 곳에 영광 하느님께 있으라」로 시작되는 것》. ② 글로리아곡. ③ 【연극】 막이 끝날 무렵에 배우가 관객의 박수를 받기 위해 내렸던 막을 다시 올리는 일.

dar ~ 기쁨을 주다.

estar en sus ~s 한창 우쭐거리고 있다.

saber · oler a ~ 굉장한 맛 · 냄새가 나다.

gloriado *m.* 《*AmérC. Col. Ecuad.*》 (설탕, 계피, 레몬, 램주를 주원료로 해서 만든) 음료수의 일종.

gloria patri, gloriapatri *m.* 「성부, 성자, 성신에 영광 있을지어다」의 찬송.

gloriarse *r.* ⑫ ① 뻐기다, 뽐내다, 자랑으로 여기다(jactarse de) : ~ *de* ser un gran escritor 위대한 작가가 된 것을 뻐기다. *Se glorió de* su victoria 그는 승리를 뽐냈다. **Sinón.** presumir. ② 기뻐하다 ; 기쁨을 얻다 : ~*se en* el Señor.

—*tr.* =**glorificar.**

glorieta *f.* 작은 광장(plazoleta). ② 로터리 ; 정자, 암자.

glorificable *adj.* 찬미할 만한.

glorificación *f.* [*lat.* glorificatio] 찬양, 찬미, 찬송 ; 칭찬 : la ~ de los santos.

glorificador, ra *adj.m.f.* 찬미 · 찬양하는 (사람).

glorificar *tr.* ⑦ ① 찬양하다, 찬미 · 칭송하다 : El público *glorificó* al artista. ② (…에) 영광을 부여하다(conferir gloria) : El arrepentimiento la *glorificó*. ③ 지복을 주다.

~se 자랑삼다, 우쭐대다, 잘난 체하다, 뽐내다, 뻐기다 ; 기뻐하다(gloriarse).

Gloriosa (la) *f.* 성모(聖母) ; 명예스러운 혁명 《1868년 9월 서반아 혁명》.

gloriosamente *adv.* 빛나게, 찬란하게 ; 화려하게, 훌륭하게 ; 희한하게 ; 멋지게 ; 의기 양양하게 : Leonidas pereció ~ en las Termópilas.

glorioso, sa *adj.* ① 명예로운, 영광스러운 : hazaña ~*sa*. ② 훌륭한, 찬란한 : obras ~*sas*. ③ (종교적으로) 극히 영광스러운 : la ~*sa* Virgen María. ④ 자부심이 강한, 의기 양양한.

glosa *f.* ① 주해, 주석(註釋). ② 회계 감사 ; 계산서의 내역 기입 ; 이유서 ; 적요란(摘要欄). ③ 《*Col.*》 꾸중, 나무람.

glosador, ra *adj.m.f.* 주해 · 주석하는 (사람), 용어 주해 편집자 ; 회계 감사관, 감사역.

glosar *tr.* ① 주석 · 주기하다, (…에) 주해를 달다 : ~ la ley 법률에 주석을 달다. ② 곡해하다, 악의로 해석 · 평가하다 : inclinado a ~ 오해받기 쉬운. ③ 회계를 감사하다. ④ 《*Col.*》 꾸짖다, 나무라다, 혼내주다.

glosario *m.* 어휘 · 용어 해석 ; 어려운 말사전.

glose *m.* 주해, 해설(하는 일).

glosilla *f.* [*dim.* glosa] 【인쇄】 7포인트 활자.

glosista *m.f.* =**glosador.**

glositis *f.* 【의학】 혀의 염증, 설염(舌炎).

glosocele *m.* 혀의 탈장.

glosofaríngeo, a *adj.* 혀(lengua)와 인두(faringe)의 : nervio ~.

glosomanía *f.* =**manía de charlar.**

glosopeda *f.* 【수의】 (목축의) 전염성 아구창 : La ~ es contagiosa.

glotal *adj.* 【해부】 성문(glotis)의.

glótico, ca *adj.* 성문(聲門)의, 목청의 : orificio ~ de la faringe.

glotis *f.* [*gr.* glottis] 【해부】 성문(聲門), 목청문.

glotitis *f.* 【해부】 성문염.

glotología *f.* =**lingüística.**

glotológico, ca *adj.* =**lingüístico.**

glotón, na *adj.* 게걸스럽게 먹다, 포식하는, 잘 먹는. **—*m.f.*** 대식가. **—*m.*** 【동물】 북극 지방의 포유 동물의 일종.

glotonamente *adv.* 게걸스럽게, 돼지처럼 (먹는) : comer ~ 게걸스럽게 먹다.

glotonear *intr.* 포식하다, 게걸스럽게 먹다, 많이 먹다(comer glotonamente).

glotonería *f.* 대식, 포식(vicio del glotón, avidez). **Contr.** sobriedad, templanza.

glotura *f.* 《*And.*》 =**golosina.**

gloxínea *f.* 【식물】 글로키시니아.

glucemia *f.* 혈액 내의 포도당의 양.

glúcido *m.* 【화학】 당질 ; 사카린.

glucina *f.* 【화학】 산화 글루시늄 : Las sales de ~ tienen sabor dulce 산화 글루시늄염에는 단맛이 들어 있다.

glucinio *m.* 【화학】 글루시늄, 페타륨 《금속》.

glucógeno, na *adj.* 당분이 나오는 ; 당화 작용(糖化作用)의. **—*m.*** =**glicógeno.**

glucólisis *f.* 혈액과 근육에 함유된 포도당의 파괴.

glucómetro *m.* 당분 검량계(檢量計)・검량기.

gluconato *m.* 포도당 산염.

glucónico, ca *adj.* 포도당 산의.

glucosa *f.* 포도당 ; 당소(糖素).

glucósido *m.* 【화학】 배당체, 글리코시드.

glucosuria *f.* 【의학】 당뇨(병).

glucosúrico, ca *adj.* 당뇨병에 걸린.

glu glu *m.* =**gloglό.**

gluglutear *intr.* 칠면조가 울다(gritar el pavo).

gluma *f.* 【식물】 영(穎).

glumáceo, a *adj.* gluma 같은.

glumilla *f.* (벼꽃의) 영.

gluten *m.* 【화학】 글루텐 ; 아교질 ; 점액소.

glúteo, a *adj.* 궁둥이의, 둔부의 : arteria *~a* 둔부 동맥. músculo ~ 둔부 근육. región *~a* 둔부.

glutinosidad *f.* 점착성(粘着性) ; 끈기.

glutinoso, sa *adj.* 끈적끈적한 ; 아교질의, 점착성의, 점착성이 있는(pegajoso. viscoso).

gnatóstomo, ma *adj.m.* =**natóstomo.**

gneis *m.* 【광물】 편마암(neis).

gnéisico, ca *adj.* 편마암(질)의.

gnetáceo, a *adj.* 마황과의(netáceo). **—*f.pl.*** 마황과 식물.

gnétido, da *adj.* 【식물】 =**gnetáceo. —*f.pl.*** 【식물】 =**gnetáceas.**

gnetíneas *f.pl.* =**gnetáceas.**

gnómico, ca *adj.* 격언의, 경구(警句)의, 금언의(nómico) : poesía *~ca* 그리스 격언시.

gnomo *m.* [*gr.* gnômos] ① 격언, 금언. ② (땅속의 보물을 지킨다고 하는) 땅의 정, 지령(地靈). ③ 작은 귀신 ; 소인. **Sinón.** deunde.

gnomon *m.* 해시계, 해시계의 바늘. ~ ***movible*** 각도자, 분도기.

gnomónica *f.* 해시계의 측시학(測時學).

gnomónico, ca *adj.* 해시계의 : plano ~.

gnoseología *f.* 인식론(epistemología).

gnoseológico, ca *adj.* 인식론의.

gnosis *f.* 영적 인식, 신비적 직관(nosis).

gnosticismo *m.* 신지학(神知學) ; 신비 철학 ; 그노시스파 ; 노스틱교, 신지교 《특수한 영적 직관을 중요시한 초기 그리스도교의 일파》(nosticismo).

gnóstico, ca *adj.* 노스틱교의(nóstico). **—*m.f.*** 노스틱 교도.

gnte. gerente.

gnú *m.* 【동물】(남아프리카의) 영양의 일종.

G.º Gonzalo.

goa *f.* 선철 덩이, 철괴(鐵塊).

goajiro *adj.m.f.* =**guajiro.**

goal *m. ing.* =**gol.**

gob. gobierno.

gobelino *m.* 고블랭직(織)《실내 장식용 무늬가 있는 직물》; 거는 양탄자.

gobelete *m.* 《*Galic.*》 =**cubilete.**

gobernable *adj.* 통어・통치할 수 있는 ; 조종할 수 있는.

gobernación *f.* ① 통치, 통할; 조종, 조타(操舵) ; 지휘. ② 내무부(Ministerio de gobernación). ③ 《*Arg.*》 정부 직할구.

gobernador, ra *adj.* 다스리는, 통치하는. **—*m.f.*** 통치자. **—*m.*** ① 지사 ; 시장 ; 총재 ; 장관 : ~ del Banco de España 서반아 은행 총재. ② 총독 : ~ general (식민지 등의) 총독. ③ 태수.

gobernadora *f.* gobernador의 부인 ; 여지사・총독 (등).

gobernadorcillo *m.* (옛날 필리핀의) 하급 사법관.

gobernalle *m.* 【선박】 키(timón).

gobernanta *f.* ① 호텔의 객실 담당자 ; 관리자 ; 호텔 종사자. ② 《*Amér.*》 양육을 맡은 여자(aya). ③ 여자 가정 교사(institutriz).

gobernante *adj.* 다스리는. **—*m.f.*** 통치자, 지배자, 지휘자 ; 주책바가지, 참견꾼.

gobernar *tr.* ⑲ ① (나라・국민을) 다스리다, 통치하다 : El presidente *gobierna* el país 대통령은 나라를 다스린다. **Sinón.** regir. ② 조종하다, (…의) 키를 잡다(guiar, dirigir) : ~ la nave. ③ 지배하다, 지휘하다 ; 다스리다 : El maestro nos *gobierna* con cariño 선생님은 우리를 애정으로 다스린다. Sabe *~se* en todos los aspectos 그는 여러 면에서 지휘할 줄 안다. **Sinón.** manejar. ④ 주재하다. ⑤ 좌우하다. ⑥ 수리하다, 수선하다(componer). ⑦ 《*Arg.*》 부모가 자식을 나무라다 ; 훈육시키다. **—*intr.*** 통치하다 ; 지배하다, 관리하다 ; 조종이 되다 : El buque no *gobierna* bien.

gobernativo, va *adj.* 통치의, 정치의 ; 정부의(gubernativo).

gobernoso, sa *adj.* 정연한 ; 깔끔한, 깔끔하고 매끈한 : mujer *~sa.*

gobierna *f.* [드뭄] 풍신기(veleta).

gobiernista *adj.* 정부의 ; 정부파의, 친 정부의, 여당의(gubernamental). **—*m.f.*** 여당 당원.

gobierno *m.* ① 다스림, 통솔 ; 조종, 단속(團束) ; 지휘, 지배, 관리 : ~ de casa 가정. mujer de ~ 가정부 ; 하녀 감독. ② 통치, 정치, 정체(政體) : ~ absoluto 전제 정치. ~ monárquico 왕정(王政). ~ parlamentario 의회 정치. ~ presidencialista 대통령 중심제. ~ representativo 대의 정치. ~ republicano 공화 정치. ③ 정부 : ~ civil 민간 정부. ~ civil de la provincia 주정부, 주 소재지. ~ militar 군사 정부. ~ militar argentino 아르헨띠나 군사 정부. ~

popular 인민 정부. ~ provisional 임시 정부. ~ revolucionario 혁명 정부. ~ socialista 사회당 정부. ④ 각의(閣議) : El ~ se ha reunido 각의가 소집되었다. ⑤ 정청(政廳), 주정청(州政廳), 총독부 ; 지사·총독의 관구. ⑥ 조종간, 키(gobernalle) ; 제동(制動) ; 조정 : de ~ 조정용의. ⑦ 참고 ; 규범(norma) : para su ~ 귀하의 참고로. servir de ~ 참고·기준·본보기가 되다.

mirar contra el ~ 사팔뜨기이다, 사시이다, 곁눈질로 흘겨보다.

gobio *m.* [*lat.* gobius]【어류】 모래무지 : La carne del ~ es delicada.

~ *de río* 모샘치.

gobno. gobierno.

gob.º gobierno.

gob.ʳ gobernador.

goce *m.* 향수, 향유, 향락, 쾌락 ; 환희, 즐거움, 기쁨 : Aprecia el ~ de los viajes 그는 여행의 기쁨을 소중히 생각하고 있다. [Sinón.] placer.

gocete *m* (옛날의) 뜨개 목걸이.

gocho, cha *m.f.*【속어】 돼지(puerco, cerdo).

godeño, ña *adj.*【은어】 돈이 있는 ; 명사인.

godería *f.*【은어】 공짜로 먹고 마시기.

godesco, ca *adj.* [드뭄] 명랑한, 즐거운. —*m.f.* 명랑한 사람.

godible *adj.* =**godesco.**

godizo, za *adj.*【은어】 =**godeño.**

godo, da *adj.* ① 고트족 《los godos, 기원전 300년경 스칸디나비아에 거주하다 남하하여 서기 300~500년 남유럽에 제국을 건설한 민족》의. ② 귀족의, 고귀한(noble) : ser ~ 귀족 가문이다. hacerse de los ~*s* 가문을 자랑하다. —*m.f.* ① 고트족 사람. ②《*Venez.*》 월경시. —*m.* 《*Arg. Col. Chile. Urug.*》 *desp.* (독립 전쟁 동안) 서반아 사람.

goecia *f.* [*gr.* goes] 마술.

gofio *m.* 《*Amér.*》 ① 설탕을 섞어 볶은 옥수수·밀·보리 가루 ; 그 요리. ②《*Nicar. Venez.*》 옥수수 가루와 설탕으로 만든 과자.

gofo, fa *adj.* ① 무지한, 촌스러운(torpe, grosero). ② 소형·꼬마의.

gofrado *m.* (종이, 직물, 가죽, 목재, 금속 따위의 패인 곳에) 스케치 하기.

gofrador, ra *adj. f.* 스케치하는 (기계).

gofrar *tr.* (종이, 직물, 목재, 금속 따위의 패인 곳에) 스케치·소묘하다.

gol *m.* [*pl.* gols, goles] [*ing.* goal] 결승점, 결승선 ; (축구에서) 득점.

gola *f.* [*lat.* gula] ① 목, 목구멍(garganta). ② (옛날 천으로 만든) 목걸이. ③ (갑옷에서의) 목받이 ; (목에 건 장교의) 근무장(勤務章). ④【건축】 반곡(선). ⑤【축성】 인후부. ⑥ (항행할 수 있게 만든) 항구 ; 하구(河口).

abrir ~ 《*Col.*》 거래·교섭을 시작하다.

golde *m.* 화살전.

goldre *m.* =**carcaj, aljaba.**

goleada *f.* 득점.

goleador, ra *m.f.* 골을 넣는 사람.

golear *intr. tr.* 골인하다, 골대에 넣다.

goleta *f.* 스쿠너 《2~4개의 돛대를 가진 서양식의 범선(帆船)》(escuna).

golf *m. ing.* 골프 : campo de ~ 골프장.

golfa *f.* (마드리드에서) 부랑아 ; 옛날의 매춘부.

golfán *m.*【식물】 수련(nenúfar).

golfante *m.* 파락호, 불량배, 무뢰한.

golfear *intr.* (마드리드에서) 떠돌이 생활을 하다(vivir a la manera de los golfos).

golfería *f.* (마드리드에서) 부랑아의 무리 ; 부랑자 생활.

golfin *m.*【동물】 =**delfín.**

golfín *m.*【고어】 =**ladrón.**

golfista *m.f.* 골퍼, 골프 선수, 골프 치는 사람.

golfo *m.* [*gr.* kolpos] ① 만(灣) : *G-* de México 멕시코만. ② 앞바다. ③【방언】 경첩.

golfo, fa *m.f.* 부랑아, 떠돌이 ; 여자를 좋아하는 남자 ; 매춘부, 갈보. —*adj.* 부랑아의, 떠돌이의.

Gólgota *m.* 골고다의 언덕 《Jerusalén의 그리스도 처형지》(Calvario).

goliardesco, ca *adj.* 불량한, 방탕한, 방종한 : vida ~*ca* 방종한 생활.

goliardo, da *adj.* 불량한, 난폭한, 막돼먹은, 방종한. —*m.* (중세기의) 불량 학생.

Golías *m.*【고어】 =**Goliat.**

goliat *m.* =**gigante.**

Goliat *m.* 골리앗 《성서의 인물, Dávid에게 죽임을 당한 블레셋 족의 거인》.

golilla *f.* [*dim.* gola] ① (옛날의 천으로 만든) 목걸이. ② (토관의) 이음관. ③《*Amér.*》 닭이 약이 올랐을 때 곤두서는 목털. ④《*Cuba.*》 채무, 빚(deuda). ⑤《*Bol. Urug.*》 가우쵸 족의 허리 가리개. ⑥《*Arg. Bol. Urug.*》 (목 주위를 덮는) 삼각형의 스카프. —*m.* 법원의 말단 관리.

alzar ~ ①《*Méx.*》 두려워하다, 무서워하다. ②《*Guat.*》 용감하다.

de ~ 《*Hond.*》 무료로, 공짜로, 거저(gratis, de balde).

golillero, ra *m.f.* 목걸이(golilla)의 제조자.

golimbro, bra *adj.m.f.* 《*And. Sant.*》 =**goloso.**

golimbrón, na *adj.m.f.* 《*And. Sant.*》=**goloso.**

gollería *f.* ① 맛있는 음식물 ; 진수 성찬, 진미(golosina) : comer ~*s.* ② 군더더기 ; 지나친 짓(demasía) : pedir ~*s.*

gollero *m.*【은어】 소매치기.

golletazo *m.* 병의 목을 깨버리는 일 ; 엉망으로 결말 내는 일 ; 소를 목에서 가슴으로 찌르기.

gollete *m.* ① (사람·병·자루 등의) 목. ② 목부분(cuello) : apretar *a uno* el ~ (누구의) 목을 누르다. ③ (승복의) 목받이.

estar hasta el ~ 꽉 차있다. ; 궁지에 빠져 있다 ; 금방이라도 울화통이 터질 것만 같다.

no tener ~ 《*Arg. Urug.*》 분별력이 없다.

golletear *tr.* 《*Col. Venez.*》 (누구의) 목덜미를 잡다(tomar a una persona de la garganta).

golletero, ra *adj.m.f.* 《*Méx.*》 곧잘 에누리하는 (사람).

gollizno *m.* 협곡, 골짜기.

gollizo *m.* =**gollizno.**

golloría *f.* =**gollería.**

golmajear *intr.* 《*Rioja.*》 =**golosinear.**

golmajería *f.* 《*Rioja.*》 =**golosina.**

golmajo, ja *adj.* 《*Rioja.*》 =**goloso.**

golondrera *f.*【은어】 보병 중대.

golondrina *f.* ①【조류】 제비. ②【어류】 날치. ③《*Chile.*》 이삿짐 차·운반차. ④ (바르셀로나

같은 데서) 기선.

~ ***de mar*** 【조류】 제비갈매기 《갈매기 무리》.

Una ~ no hace verano 【속담】 제비 한 마리가 여름을 만들지는 못한다, 단 한가지 예로는 아무것도 추정할 수 없다.

golondrinera *f.* 【식물】 애기똥풀(celidonia).

golondrino *m.* ① 새끼 제비. ② 비어(飛魚), 날치(golondrina). ③ 방랑자. ④ 철새. ⑤ 탈주병. ⑥【의학】 겨드랑이 임파선염 : Ponte piedras calientes en los *~s*.

golondro *m.* 욕심, 탐욕, 탐을 냄(deseo, antojo).

campar de ~ 남에게 빌붙어 살다(vivir de gorra).

golorito *m* 《*Ál.*》 =**jilguero.**

golosa *f.* 《*Col.*》 돌차기 《아이들의 놀이》.

golosamente *adv.* 맛있게 ; 게걸스럽게 (먹다).

golosear *intr.* =**golosinear.**

golosina *f.* ① 맛있는 것, 진수 성찬, 진미. ② 단것, 과자 : No se debe dejar que abusen los niños de las *~s* 아이들이 단것을 남용하게 해서는 안된다. ③ 식도락, 미식(美食). ④ 사치. ⑤ 탐욕, 탐내기.

golosinar *intr.* =**golosinear.**

golosinear *intr.* 단것만 먹다 ; 미식(美食)하다.

golosmear *intr.* =**gulusmear.**

goloso, sa *adj.m.f.* [*lat.* gulosis] ① 맛있는 것을 먹는 (사람) ; 단것을 즐겨하는 (사람) : Los españoles suelen ser muy *~s* 서반아 사람들은 늘 단것을 무척 즐긴다. ② 식욕을 돋구는, 맛있어 보이는(apetitoso) : una comida *~sa.*

tener muchos ~s 남들이 탐을 내고 있다.

golpada *f.* ① =**golpazo.** ②【속어】 다량, 풍부, 풍족(abundancia) : echar *~s* de sangre por la boca 입에서 피가 많이 흐른다.

golpazo *m.* [*aum.* golpe] 때리기, 심한 구타 ; 부딪치기.

golpe *m.* ① 때리기, 타격, 구타 ; 부딪치기 : dar un ~ 때리다. dar *~s* 광광 때리다, 몇 번이고 때리다. dar*le a uno* un ~ en la espalda (누구의) 등을 두들기다 · 때리다. recibir un ~ en la cabeza 머리를 한 차례 얻어맞다. Los *~s* del martillo contra la pared sacudían el edificio 벽에 망치를 때리기 때문에 건물이 흔들렸다. ② 부딪침, 충돌, 충격 : dar un ~ al reloj en el suelo 시계를 마룻바닥에 덜컥 떨어뜨리다. ③ 충격, 놀람, 경탄 : Aquello le dio ~ 그 일이 그를 흠칫 놀라게 했다. ④ 뜻밖의 일 ; 불행(desgracia) : ~ inesperado 예기치 못한 불행. Sufrió un ~ muy fuerte 무척 큰 불행을 겪었다. ⑤ (우하며 밀려 나가곤 하는) 인파 ; 다량, 대량, 풍부, 풍족(abundancia, copia) : ~ de gente 굉장한 인파. ~ de mar 밀려 오는 큰 파도. ⑥ 발작 : ~ de tos 기침의 발작. ⑦ (심장의) 고동(latido). ⑧ (이야기 등의) 중요한 대목, 재미나는 곳, 요긴한 대목 : Tiene ~ ese cuento 그 이야기에는 재미나는 대목이 있다. ⑨ (카드 등에서) 기막힌 수. ⑩ (호주머니의) 뚜껑 ; (옷에 부착한) 몰 끈장식 ; (피스톤의) 충정(衝程) ; 씨앗을 떨어뜨리는 구멍. ⑪ 《*Col.*》 옷의 안감. ⑫ 《*Méx.*》 커다란 쇠망치. ⑬ 《*Venez.*》 벌컥벌컥 마심(trago). ⑭ 민요의 일종.

~ ***de arco*** (바이올린의) 운궁법. ~ ***de estado*** 쿠데타, 혁명적 정변(政變). ~ ***de fortuna*** 행운. ~ ***de gracia*** 최후의 일격, 최종적인 타격. ~ ***de mirada*** 《*Galic.*》 얼핏 보기, 한번 보기. ~ ***de pechos*** 가슴을 치며 후회 · 슬픔을 나타내는 행동. ~ ***militar*** 군사 쿠데타 : Las fuentes dijeron que *el ~ militar* se produjo a las 5.15 A.M. hora local 군사 쿠데타가 현지 시간 오전 5시 15분에 발생했다고 소식이 전했다.

a ~s ① 두들겨 패서, 때리면서. ② 차례차례로, 잇따라 : El agua de cañería salía *a ~s* 도관의 물이 잇따라 나왔다.

al ~ 《*Cuba.*》 곧, 즉시.

de ~ ① 조여 잠근 : cerradura *de ~* 자물쇠. ② 별안간, 갑자기 ; 빨리 ; 한꺼번에(de una vez) : Todos llegaron *de ~* 모두들 한꺼번에 도착했다.

de ~ y porrazo · zumbido 당황하여.

de un ~ 단번에, 단숨에, 한번에 : beber *de un ~* 단숨에 마셔 버리다.

dar el ~ (계획을) 실행하다.

golpeadero *m.* 물건을 광광 부딪치는 곳 ; 폭포수의 물 떨어지는 곳 ; 물건 부딪치는 소리.

golpeado, da *adj.* golpear 의 *p.p.* **—*m.*** 【은어】 =**postigo, puerta.**

golpeador, ra *adj.* 때리는, 치는. **—*m.f.*** 때리는 사람. **—*m.*** 《*Col. Chile. Guat.*》 (현관문의) 노커, 문두드리는 고리쇠(aldaba).

golpeadura *f.* 때리기, 치기, 부딪히기.

golpear *tr.intr.* (몇 번이고) 때리다, 두들기다 (dar un golpe o repetidos golpes) : ~ los tambores 북을 치다. Lo *golpeó* con un bastón 그는 막대기로 그것을 때렸다.

golpecito *m. dim.* golpe.

golpeo *m.* =**golpeadura.**

golpete *m.* (방문이나 창문을 열어 두기 위한) 버팀쇠.

golpetear *tr.intr.* [golpear 보다 강하게] 철썩철썩 때리다 · 두들기다.

golpeteo *m.* 잦은 구타, 두들기기.

golpetillo *m.* 《*And.*》 =**muelle de la navaja.**

golpismo *m.* 쿠데타(golpe de Estado).

golpista *adj.m.f.* 쿠데타의 ; 쿠데타를 일으키는 사람.

golpiza *f.* 《*Guat. Méx.*》 =**paliza.**

goluba *f.* (엉겅퀴를 뽑는 데 쓰는) 거친 장갑.

goma[1] *f.* [*lat.* gummis] ① 고무, 수교(樹膠). ② 고무 지우개(~ de borrar) ; 고무줄. ③【의학】 고무종(腫). **—*m.*** 멋쟁이, 맵시꾼.

—*f.pl.* 오버슈즈, 덧신, 고무신.

~ ***adragante · tragacanta*** 트라칸트 고무. ~ ***arábiga · de pegar*** 아라비아 고무풀. ~ ***elástica*** 탄성 고무. ~ ***de mascar*** 씹는 껌 · 과자. ~ ***espumosa*** 쿠션에 사용하는 거품 고무. ~ ***laca*** 래커(laca).

dar ~ 《*Cuba.*》 두들기다, 때리다, 치다.

mascar ~ 《*Cuba.*》 백인 여자가 흑인에게 반하다.

goma[2] *f.* 《*Amér.*》 숙취 : estar de ~ 숙취로 괴로워하다.

gomal *m.* 《*Perú.*》 고무나무숲.

gomarra *f.* 【은어】 암탉(gallina).

gomarrero *m.* 【은어】 가금 도둑.

gomarrón *m.* 【은어】 병아리.

gomba *m.* ① 곰바《Paraguay의 타악기》. ② 구아라니족(guaraníes)의 춤의 일종.
gomecillo *m.* 소경의 손을 끌어 주는 아이(lazarillo).
gomel *adj.m.f.* =**gomer.**
gomer *adj. m.f.* 베르베르족《tribu berberisca, 아프리카 북부의 옛 종족》의 (사람).
gomería *f.* 《*Arg. Urug.*》 타이어(neumáticos) 판매소·수선소.
gomero, ra *adj.* 고무의. —*m.* ①【방언】고무줄로 만든 새총. ②《*Amér.*》 고무 채집인 ; 고무 상인. ③《*Arg. Urug.*》 타이어 수리공, 타이어를 교체하는 사람.
gomia *f.* ① 괴룡(怪龍), 도깨비(tarasca). ② 폭식가. ③ 낭비가 ; 밑빠진 독처럼 비용이 드는 것.
gomífero, ra *adj.* 고무를 생산하는(que produce goma) : arbusto ~ 고무 생산 관목.
gomina *f.* 머리 염색 재료.
gomioso, sa *adj.*【방언】욕심이 많은, 욕심꾸러기의.
gomista *m.f.* 고무 제품 상인.
Gomorra *f.* 고모라《성서에서 하늘이 내린 불 때문에 전소되었다는 팔레스티나의 도시》.
gomorrano, na *ajd.m.f.* =**gomorrense.**
gomorrense *adj.* 고모라(Gomorra)의 (사람).
gomorresina *f.* 고무 수지(樹脂).
gomosería *f.* 멋부리기 ; 촌스러움.
gomosidad *f.* 고무질(質) ; 끈적거림.
gomoso *m.* [*fr.* gommeux] 《*Neol.*》 =**currutaco.**
gomoso, sa *adj.* ① 고무의 : árbol ~ 고무나무. ② 고무 같은 : zumo ~. ③ 고무종(goma)을 앓는. ④《*AmérC.*》 =**borracha.** —*m.f.* ① 고무종 환자. ② 시건방진 사람. ③ 멋쟁이.
gónada *f.*【의학】생식선(生殖腺).
gonce *m.*【드뭄】=**gozne.**
goncear *tr.* 관절을 움직이다.
gonda *f.* 《*Ecuad.*》 =**cola de zorro.**
góndola *f.* [*lat.* gondola] ①(이탈리아 베니스의) 곤돌라선(船). ②(비행선이나 기구 등의) 곤돌라. ③ 대형 마차 ; (곳에 따라) 유람 버스. ④《*Col. Chile.*》 합승 버스.
gondolero *m.* 곤돌라선의 뱃사공.
gonela *f.* (옛날의 가죽 혹은 비단으로 만든) 두루마기 또는 외투와 비슷한 옷.
gonete *m.* 옛날의 스커트류.
gonfalón *m.* 깃발, 창기(confalón).
gonfalonier *m.* =**confalonier.**
gonfaloniero *m.* =**confaloniero.**
gónfosis *f.* [*gr.* golphos]【해부】뼈에 다른 뼈를 끼워넣는 마디.
gong *m.* [*pl.* gongs] 징(batintín).
gongo *m.* =**gong.**
gongom *m.* =**gong.**
gongorino, na *adj.* 공고라《Luis de Góngora (1561—1627)의 시인》풍의 : poeta ~. —*m.f.* 시의 모방자.
gongorismo *m.* 과식(誇飾)주의《Luis de Góngora 가 시작한 16~17세기의 문학의 일파》, 과식파(誇飾派), 고답주의(高踏主義) ; 난해한 문장(culteranismo).
gongorista *adj.m.f.* 공고라의 작품에 정통한 (사람).
gongorizar *intr.* ⑨ 알기 어려운 글을 쓰다, 문자 투로 말하다.
gonidia *f.*【식물】=**conidia.**
gonidio *m.*【식물】=**conidio.**
goniometría *f.* 각도 측정(술), 측각법.
goniómetro *m.* ① 측각기, 각도계. ②【통신】방위계.
gonococo *m.* 임균(淋菌).
gonorrea *f.* 임질(blenorragia).
Gonz. González.
gonzalito *m.* 《*Col. Venez.*》【조류】=**cacique.**
goral *m.*【동물】(히말라야에 사는) 영양의 일종.
gorbetear *intr.* 《*Méx.*》 (말이) 목을 흔들다.
gorbión *m.* =**gurbión.**
gorbiza *f.* 《*Ast.*》【식물】=**brezo.**
gorciense *adj.m.f.* 고르사(Gorza)의 (사람).
gorda *f.* ① 싸움, 소동 : armarse la ~ 소동이 벌어지다. ②《*Méx.*》 (보통 것보다 큰) 옥수수 부침개(tortilla de maíz).
gordal *adj.* 굵은 ; 커다란 : dedo ~ 엄지.
gordana *f.* (소 따위에서 얻은) 굳기름.
gordetillo *m.* =**babilla.**
gordezuelo, la *adj. dim.* gordo.
gordiano *adj.* 트리기야왕 고르디오우스(Gordio)의.
nudo ~ 어려운 문제, 난제.
gordiflón, na *adj.* 뚱뚱한, 비곗살이 찐. —*m.f.* 뚱뚱보.
gordillo, lla *adj. dim.* gordo.
gordinflón, na *adj.* =**gordiflón.**
gordito, ta *adj. dim.* gordo.
gordo, da *adj.* [*lat.* gurdus] ① 뚱뚱한, 살찐, 비만한(que tiene muchas carnes) : un brazo ~. 살찐 팔. persona *gorda* 뚱뚱보, 비만한 사람. Sinón. grueso. Contr. delgado. ② 지방질이 많은 (graso) : carne *gorda* 지방질이 많은 고기. ③ 커다란, 큰(grande) : piedra *gorda* 큰 돌멩이. ④(보통 느끼는 것보다) 굵은, 두꺼운, 두툼한, 툭툭한(grueso) : una alfombra *gorda* 두꺼운 융단. hilo ~ 좀 굵은 실. lienzo ~ 좀 툭툭한 천. —*m.* ①(동물의) 비계, 지방(sebo). ②(복권의) 1등 당첨(premio mayor de la lotería) : el (premio) ~ 1등·특등 당첨. —*f.* 《*Perú.*》 2센따보 동전.
algo ~ 엄청난 일, 중대 사건.
estar sin gorda 돈이 없다(no tener dinero).
gordolobo *m.*【식물】현삼과(玄蔘科)의 식물(candelaria).
gordor *m.* ①【고어】=**gordura.** ②【고어】《*And.*》 =**grueso.**
gordura *f.* ① 지방질, 비곗살 ; 살찜, 비만 : La demasiada ~ no es buena para la salud. Contr. flacura. ②《*Arg. PRico.*》 우유의 지방·크림.
gorfe *m.* 강의 깊은 물 웅덩이.
gorgojarse *r.* =**agorgojarse.**
gorgojearse *r.* =**agorgojarse.**
gorgojo *m.* [*lat.* gurgulio] ①【곤충】바구미 : El ~ es muy perjudicial 바구미는 매우 유해하다. ②【속어】꼬마.
gorgojoso, sa *adj.* 벌레 먹은 : trigo ~ 벌레 먹은 밀.
gorgón *m.* 《*Col.*》 콘크리트(hormigón).

Gorgonas (las) *f.* ①【신화】 고르곤《머리칼이 뱀으로 되어 있어 이것을 본 사람은 돌로 변한다는 공포와 악의 삼 자매 : Medusa, Euríale, Esteno》. ② [la G-] 고르고나섬《동부 태평양에 있는 꼴롬비아 영토의 섬》.

gorgóneo, a *adj.* 고르곤(Gorgonas)의.

gorgonzola *m.* (Gorgonzola에서 생산되는) 이탈리아 치즈.

gorgor *m.* =**gorgoteo.**

górgora *f.* 콩껍질.

gorgorán *m.* 일종의 견사와 양털 혼직(混織).

gorgorear *intr.* 《*Chile.*》【방언】 =**gorgoritear.**

gorgoreta *f.* (필리핀에서) 물을 차게 보관하기 위한 질그릇.

gorgorita *f.* 작은 거품(burbuja). **—***pl.* (목을 울리는) 떠는 소리(gorgorito).

gorgoritear *intr.* (목을 울리며) 떨리는 소리로 노래하다 ; 목소리를 떨다.

gorgorito *m.* [주로 *pl.*] 목이 떨리는 소리, 떨리는 말, 떨리는 목소리·노래. **Sinón.** gorjeo.

górgoro *m.* ① 꿀꺽 마시기. ②《*Méx.*》(송송 솟아나는) 거품.

gorgorotada *f.* 한번 마심 ; 한번 마시는 분량.

gorgotear *intr.* 부글부글 끓다(borbotar).

gorgoteo *m.* 그르르 그르르, 뽀골뽀골, 부글부글(하는 소리).

gorgotero *m.* (값싼 물건을 놓고 파는) 노점상(buhonero).

gorguera *f.* ① (옛날 부인의) 깃 장식 ; (갑옷의) 목받이(gola). ②【식물】 총포(總苞)(involucro).

gorguz *m.* ① 단창(短槍)의 일종. ② (솔방울 따는) 끝이 벌어진 작대기. ③《*Méx.*》(끝을 창처럼 날카롭게 한) 작대기.

gorigori *m.* (일부러 놀려주려고 하는) 장례식의 독경의 흉내 : cantar*le a uno* el ~.

gorila *m.* ①【동물】 고릴라 ; 대성성. ② =**guardaespaldas.**

gorja *f.* 목, 목구멍(garganta) : estar de ~ 한창 들떠 있다·신바람을 내고 있다.

gorjal *m.* (승려복의) 목받이 ; (갑옷의) 목받이. **Sinón.** gola.

gorjeador, ra *adj.* 목을 떠는, 목소리를 떠는.

gorjeante *adj.* =**gorjeador.**

gorjear *intr.* ①목·목소리를 떨다 (hacer gorgoritos) : Los pájaros *gorjean* al cantar 새는 지저귈 때 목을 떤다. ② (새가) 지저귀다.

~se ① 혀 짧은 소리를 하다. ②《*Amér.*》놀려주다, 야유하다, 놀리다(burlarse). ③ (아이가) 말하기 시작하다(empezar a hablar).

gorjeo *m.* 목소리를 떠는 일, 울리는 소리 ; 지저귀는 소리 ; (아기의) 혀 짧은 소리.

gormador, ra *m.f.* 토하는 사람.

gormar *tr.*【고어】 토하다(vomitar).

gormijo *m.*《*Méx.*》=**chiquillo.**

gorobeto, ta *adj.*《*Col.*》비틀린, 구부러진(arqueado, combado).

gorra *f.* ① 모자《학생모·해군모·맥고 모자 등에서 테가 없이 챙이 있는 것》: Los granaderos usaban una ~ de piel 그라나다 사람들은 가죽 모자를 썼다. ② 식객(gorrista, gorrón). ③ 진딧물(parásito).

~ de cuartel 병사들이 병영에서 사용하는 모자.

de ~ 남의 돈으로, 남의 비용으로(a costa ajena) : comer *de ~* 기식(奇食)하다.

gorrada *f.* =**gorretada.**

gorrear *intr.* ①《*Amér.*》기식하다, 남에게 빌붙어 살다(gorronear). ②《*Ecuad.*》게을러 빠지다(abandonarse a la pereza).

—*tr.*《*Chile.*》남편을 속이다 (engañar al marido).

gorrería *f.* 모자 공장, 모자점.

gorrero, ra *m.f.* 모자 제조인·상인 ; 식객, 입만 가지고 사는 사람 ; 진드기.

gorreta *f. dim.* gorra.

gorretada *f.* 모자로 하는 인사, 고개를 끄덕이는 인사.

gorretazo *m.* 모자로 때리기.

gorrete *f. dim.* gorro.

gorri *m.*《*Ál.*》산딸기.

gorriato *m.*《*And. Áv. Sal. Extr.*》=**gorrión.**

gorrilla *f.*《*Sal.*》펠트 모자.

gorrín *m.* =**gorrino.**

gorrinada *f.* =**gorrinería.**

gorrinera *f.* =**porquería.**

gorrinería *f.* 추접스러움, 더러움 ; 야비함, 조잡함(porquería).

gorrino, na *m.f.* ① (4개월 미만의) 새끼 돼지. ② 돼지(cerdo). ③ 돼지 같은 놈. **—***adj.* 불결한, 더러운.

gorrión *m.* ①【조류】 참새 : El ~ abunda en España. ②《*Amér.*》=**colibrí.**

de ~《*SDgo.*》남의 돈으로, 남에게 빌붙어, 남의 덕으로.

gorriona *f.* 참새의 암컷.

gorrionera *f.* (악당·무뢰한의) 소굴.

gorrista *m.f.* 식객 ; 진드기.

gorro *m.* ① 두건 ; 테도 챙도 없는 모자. **Sinón.** barretina. ②《*And.*》=**gorrón.**

~ frigio·catalán 붉은 모자《불란서 혁명 때 자유의 상징으로 혁명군들이 썼던 모자》.

apretarse el ~《*AmérM.*》서두르다.

estar hasta el ~ 싫증이 나다(estar harto).

poner el ~ ① 체면 불구하고 히히덕거리다. ②《*Chile.*》아내가 배반하다·서방질하다.

gorrón, na *adj.* ① 남의 덕으로 사는, 남의 주머니만 믿는. ②《*AmérC.*》이기주의적인.

—*m.f.* 남에게 들러붙어 사는 사람 ; 식객(食客)(gorrista). **—***m.* 망나니 ; 돌멩이, 자갈(guijarro) ; 비계를 뺀 돼지고기 ; (기계의) 축두(軸頭) ; (가루·곡물의) 찌꺼기, 누에.

pasa ~na 햇볕에 말린 매우 큰 포도.

gorrona *f.* 매춘부, 갈보(prostituta).

gorronal *m.* 자갈밭(guijarral).

gorronear *intr.* 기식하다, 남에게 붙어 살다 (hacer vida de gorrón).

gorronería *f.* 망나니 생활.

gorullada *f.* =**gurullada.**

gorullo *m.* 덩어리, 뭉치 : ~ de lana.

gorullón *m.*【은어】 간수장(alcaide).

gorupo *m.* 두 개의 밧줄을 잇는 매듭.

gosipino, na *adj.* 솜의 ; 솜같은.

gota *f.* [*lat.* gutta] ① 방울, 물방울 : ~ de lluvia 빗방울. Se manchó con una ~ de café 커피 방울로 더러워졌다. ② 적은 양(cantidad muy pequeña) : Toma el té con una ~ de leche 그

는 우유를 약간 넣어 홍차를 마신다. ③【의학】 풍통(楓痛) : ~ coral 간질(la epilepsia). ~ militar 만성 임질. ~ serena 내장염(la amaurosis). —*pl.* 점적약(點滴藥).
~ *a* ~ 한 방울씩 한 방울씩, 조금씩(poco a poco) : caer ~ *a* ~ 한 방울씩 떨어지다.
no ver ni ~ 아무 것도 보이지 않다, 전혀 보이지 않다(no ver nada).
parecerse como dos ~s de agua 많이 닮다, 똑같이 닮다(parecerse mucho).
sudar la ~ gorda · mortal 매우 어려운 일을 달성하기 위해 안간힘을 다하다 (hacer mil esfuerzos por conseguir alguna cosa muy difícil).
La ~ labra la piedra a fuerza de tanto caer 【속담】 우물을 파도 한 우물을 파라.

gotario *m.* 《*Chile.*》 =**gotero.**

goteado, da *adj.* 물방울로 얼룩진 (manchado con gotas).

goteante *adj.* 물이 떨어지는.

gotear *intr.* ① 한 방울씩 떨어지다(caer gota a gota) : *Gotea* el agua del tejado 지붕에서 물이 한 방울씩 떨어지고 있다. La vasija está rota y el vino *gotea* 그릇이 깨져서 포도주가 한 방울씩 떨어진다. ② 비가 한 방울 한 방울 내리기 시작하다. ③ 찔끔찔끔 주다 · 받다. ④《*Ant.*》 뚝뚝 떨어지다 : La fruta (*se*) *goteó*.

goteo *m.* 점적(點滴).

gotera *f.* 비가 샘 ; 비가 새는 곳 ; 그 자국 ; (천개 주위의) 휘장. —*pl.* ① 만성병, 지병, 숙환 (achaques) : estar lleno de ~*s* 지병이 가득하다. ②《*AmérM.*》 교외(afueras de las poblaciones).
ser una ~ 귀찮은 존재이다.

goterano, na *adj.m.f.* =**gotereño.**

gotereño, ña *adj.m.f.* 모라산 《Morazán, El Salvador에 있는 주》의 (사람).

goterear *intr.* 《*Amér.*》 방울방울 떨어지다, 한 방울 두 방울 떨어지기 시작하다.

goterial *m.* 《*Sant.*》 =**canal de tejado.**

gotero *m.* 《*Amér.*》 점안기(點眼器)(cuentagotas).

goterón *m.* ① 커다란 빗방울. ②【건축】 (추녀 끝의) 물매.

gotha *m.* 독일의 군용 비행기.

gótico, ca *adj.* ① 고트족의(godo) : lengua *gótica* ② 고딕식의 : estilo ~ 고딕 양식. ③ 고딕체의 : letra *gótica* 고딕 문자 ; 독일 문자. ④ 숭고한, 기품 있는(ilustre). ⑤ 건방진, 시건방진.
—*m.* 고트족 ; 코트어 ; 고딕 건축 양식.

gotón, na *adj.* [드뭄] 고트족의. —*m.f.* 고트족의 사람.

gotoso, sa *adj.m.f.* 풍통(gota) 앓는 (사람).

gouache *f. fr.* ① 구아시《아라비아 고무 · 수지 따위로 만든 불투명한 수채화 물감》. ② 구아시 수채화(법).

gourde *m.* 아이띠(Haití)의 화폐 단위.

gourmet *m. fr.* 미식가(美食家).

goyesco, ca *adj.* 고야《Francisco José de Goya y Lucientes, 서반아의 화가(1746—1828)》풍의.

Goyo *hip.* Gregorio.

goyorí *m.* 《*Cuba.*》 옥수수 튀김, 옥수수 부침개 · 지짐이(rosetas de maíz).

gozador, ra *adj.m.f.* 즐기는 (사람).

gozante *adj.m.f.* =**gozador.**

gozar *tr.* 9 ① 소유하다, 가지고 있다 ; 향유하다 (poseer) : ~ una gran fortuna 큰 재산을 소유하다 ~el usufructo de una finca 농장을 수익권을 가지다 . ② (관능적으로) 맛보며 즐기다. ③ (남자가 여자와) 성교를 하다 (tener relación sexual). —*intr.* ① [+de : …을] 가지고 있다 ; 향유하다 (disfrutar) : ~ *de* una gran fortuna 많은 재산을 가지고 있다. *Goza de* buena salud 그는 건강하다. ② 즐기다, 기뻐하다, 기쁘게 생각하다, 기쁨을 맛보다 (sentir placer) ; 맛보다 : ~ *con* su presencia 그가 온 것을 기뻐하다. Los españoles saben ~ *de* la vida 서반아 사람들은 인생을 즐길 줄 안다.
~se 즐기다, 행복을 누리다, 향수(享受)하다 (complacerse) : ~*se en* hacer daño 장난질 치며 즐거워하다.

gozne *m.* 경첩, 돌쩌귀. Sinón. bisagra, charnela, pernio.

gozo *m.* [*lat.* gaudium] 즐거움, 향락(placer) ; 기쁨, 환희(alegría) : el ~ de contemplar la naturaleza 자연을 관조하는 즐거움. el ~ de ver crecer a los hijos 자식들이 자라는 것을 보는 기쁨 · 즐거움. ② 불꽃(llamarada).
—*pl.* (성모나 성자의) 찬가.

gozón, na *adj.m.f.* 《*Ant.*》 호사스러운 · 사치스러운 생활을 하는 (사람).

gozosamente *adv.* ① 즐겁게, 즐거이, 기쁘게 (alegremente). ② 흐뭇하게 ; 맛있는 듯이.

gozoso, sa *adj.* 즐거운, 기뻐하는, 흐뭇한 : ~ *de · con* la noticia 소식을 듣고 기뻐…. Sinón. complacido.

gozque *m.* 【동물】 작은 개.

gozquejo *m. dim.* gozque.

g/p ; g. y p. ganancias y pérdidas.

G.P. giro postal.

G.P.U. *f.* 게뻬우 《소련의 비밀 경찰》.

gr grado centesimal.

gr. gramo(s).

graal *m.* =**grial.**

grabación *f.* 조각 ; 녹음 ; 취입 ; 녹화.

grabado *m.* ① (목판 · 동판의) 조각 : ~ en cobre 동판 조각. ② 삽화, 삽화의 사진(estampa) : un libro con ~*s* 삽화가 들어 있는 책.
~ *al agua fuerte* 에칭. ~ *al agua tinta* 식각 요판(蝕刻凹版). ~ *al humo* 색목 동판(橋目銅板)의 일종. ~ *en hueco* 【인쇄】 그라비아판, 그라비아 사진(huecograbado). ~ *en madera* 목판 ; 목판술(xilografía). ~ *en negra* 색목 동판의 일종(~al humo). ~ *en piedra* 석판술, 석판화 (litografía).

grabador, ra *adj.* 새기는, 조각하는 : instrumento ~ 조각하는 기구. —*m.f.* 조각가, 조각공 ; 판화가 ; 녹음자, 취입하는 사람.
—*m.* 녹음기(magnetófono) : ~ de cinta magnética 테이프 녹음기. —*f.* 《*Amér.*》 소리 기록계.

grabadura *f.* 목판 · 동판 조각.

grabar *tr.* ① 조각하다, 목각하다 : ~ tarjetas. ② 새기다, 새겨 넣다 : ~ en la memoria 기억에 새겨 넣다. ③ 녹음하다, 취입하다 : ~ un discurso en la cinta parlante 테이프에 연설을 녹음하다.

grabazón *f.* [집합] 조각품.

gracejada *f.* 《*AmérC. Méx.*》 익살맞음, 장난기

가 서림(gracejo) ; 재치있는 말투.

gracejar *intr.* 재치있는 말을 하다 · 쓰다, 신소리를 하다.

gracejo *m.* ① 재담, 신소리, 기지. ②《*AmérC. Col.*》구성진, 귀염성있는, 재치있는, 재미있는.

gracia *f.* [*lat.* gratia] ① 기품, 우아, 우미, 아름다움 ; 부드러움, 상냥스러움, 정숙함, 귀여움 ; 귀인의 티 ; 매력(sal, donaire). ② 재미스러움, 우스움, 신기함 : Me da ~ eso 내게는 그것이 재미있다. ③ 신소리(chiste) : decir ~*s* 재치있는 소리를 하다. ④ 신의 은혜, 자비 : implorar la ~ divina 자비를 빌다. ⑤ 신에게서 얻은 것 : ~ de Dios 공기 · 햇빛 · 빵을 말함. ⑥ 은혜, 온정, 호의 (beneficio, favor) : obtener una ~. ⑦ 사면(赦免), 특사(特赦), 은사(恩赦)(indulto) : derecho de ~ 특사를 베풀 권리. ⑧ 유예 : días de ~ 【법률】 유예 기간 ; 【상업】 지불의 유예 · 거치 기간. ⑨ 이름, 성함(nombre) : ¿Cuál es su ~? 당신의 성함이 어떻게 되십니까? Dígame usted su ~ 성함을 말씀해 주십시오. ⑩ 장례 후의 문상. **—***pl.* ① 감사. ②【신화】 Venus의 딸로서 아름다움을 상징하는 세 자매 : Aglaya, Talías, Eufrosina =las Tres *Gracias.*

¡Gracias! *interj.* 고맙습니다!

~s a …의 덕택 · 덕분으로 (por causa de).

¡ ~s a Dios! 덕분으로, 감사하게도!

~s por …해 주셔서 감사합니다 : *Gracias por* su invitación 초대해 주셔서 고맙습니다.

de ~ 거저, 공짜로, 무료로(gratis, de balde, gratuitamente).

en ~ a …하기 위해, …을 고려하여 : *en ~ a* la brevedad 간결하게 하기 위해.

caer en ~ 마음에 들다, 즐겁다(agradar) : Me *caía* muy *en ~* esa chica 나는 그 아가씨가 퍽 마음에 들었다.

caer de la ~ 호의 · 총애를 잃다.

dar ~ 기쁘게 해주다, 재미있게 해주다.

dar en la ~ de hacer · decir 필요없이 고집으로 어떤 일을 반복하다.

dar ~s 사의를 표하다, 감사드리다 : Le *doy* muchas *~s por* su bondad 친절하게 해주신데 대해 깊이 감사드립니다.

estar en ~ con …과 친하게 지내고 있다.

hacer ~ ① 용서하다, 사면하다(perdonar). ② 재미있게 하다 : Me *hace ~* equiparar las dos cosas 그 두 가지 일을 비교하기란 나로선 퍽 재미있다.

graciable *adj.* 상냥스러운, 친절한(afable); 거저 주어도 되는, 무상의.

grácil *adj.* 섬세한, 가느다란(sutil) : mujer ~.

gracilidad *f.* 섬세함 ; 화사함.

graciola *f.* 【식물】 히솜풀《옛날 약으로 썼던 차조기과 식물》: La ~ un purgante violento.

graciosamente *adv.* ① 귀엽게, 상냥하게, 사랑스럽게 ; 우아하게 ; 매력적인 ; 요염하게(con gracia) : hablar ~. ② 익살스럽게, 우습게. ③ 호의적으로. ④ 무료로, 거저, 공짜로 (gratis, de balde).

graciosidad *f.* 우미(優美) ; 웃기는 일 ; 재치있는 즐거움(ocurrencia) ; 무료.

gracioso, sa *adj.* ① 사랑스러운, 품위있는, 우미한, 우아한, 요염한, 귀염성있는, 매력적인 (atractivo) : rasgos ~*s.* ② 재치있는, 웃기는, 익살스러운 : escena ~*sa* 웃기는 장면. ③ 고마운, 은혜에 의한 : un don ~ del Señor 신의 은혜. ④ 호의적인, 친절한, 정중한. ⑤ 거저인, 무료의. ⑥ (형식어로서 영국의 왕 · 여왕에게 붙여) 자비로운, 인자한 : Su ~*sa* Magestad británica 영국 국왕 폐하. **—***m.f.* 【연극】 어릿광대역 (figura del donaire), 익살꾼.

gráculo *m.* =**fregilo.**

grada[1] *f.* ① 계단(peldaño). ② 계단석(席). ③ (성단 앞의) 발판 : la ~ del trono. ④ (수도원 등의) 면회 창구(locutorio). ⑤ (건독의) 계단(~ de dique).

—*pl.* ① (현관 앞의) 계단(escalinata delante de un edificio) : las ~*s* de la catedral 성당의 계단. ②《*AmérM.*》자동차 돌리는 곳.

grada[2] *f.* [*lat.* crates] 【농업】 써레, 흙을 잘게 깨는 기구.

gradación *f.* ① 계단식 배열, 계단. ② 계급의 순 ; 음계(音階). ③ 점차적 증가 · 감소 ; 점진적 추이, 점증, 점감. ④ (색깔의) 농담법(濃淡法). ⑤【수사】 점층법(clímax) 《예 : Acude, corre, vuela 급히 달려가라》. ⑥【문법】 비교법.

gradado, da *adj.* 층계로 된.

gradar *tr.* 써레질을 하다, 써래로 고르다.

gradear *tr.* =**gradar.**

gradecilla *f.* 기둥의 술장식.

gradeo *m.* (경지의) 써레질, 땅고르기.

gradería *f.* 계단석 ; (제단 앞의) 계단 : La ~ del altar es de mármol 제단의 계단은 대리석이다.

gradiente *m.* ① (온도, 기압 따위의) 증감의 비율. ② 경사도, 기울기, 물매. ③【물리】 (온도 · 기압 따위의) 변화도, 경사도. **—***f.* 《*Arg. Chile. Ecuad. Urug.*》경사, 비탈(pendiente, declive).

gradilla *f.* ① 사다리. ② 벽돌 틀 ; 시험관 틀. ③《*PRico.*》(길에 생긴) 도랑.

gradina *f.* (조각용) 끌.

gradiolo *m.* =**gradíolo.**

gradíolo *m.* =**gladíolo.**

grado[1] *m.* [*lat.* gradus] ① (계단의 하나 하나의) 층계(escalón) ; 계단 : de ~ en ~ 차츰차츰, 한단한단. por ~*s* 점차로. ② 계급, 등급(clase). ③ 정도 : en cierto ~ 어느 정도에서. en sumo ~ 극도로. ④ 학급, 학년, (학년의) 과정. ⑤ 학위 : ~ de licenciado 학사 학위. ~ de doctor 박사 학위. ⑥ 촌수(寸數), 제 …촌 : el pariente en tercer ~ 오촌 친척. ⑧ (각도 · 경위도 · 온도 등의) 도(度) : El termómetro marcó 3 ~*s* bajo cero 한란계는 영하 3도를 가리켰다. ⑨【대수】 차(次). ⑩【문법】 (형용사 · 부사의) 급 : ~ positivo 원급. en ~ superlativo 최상급으로. ⑪ (재판의) 심급(審級), 제…심 : en ~ de apelación 상고심에서.

—*pl.* (성직자의) 하단 품급.

grado[2] *m.* 기쁨(gusto), 의지(voluntad) : ser de mi ~ 내게는 기쁜 일이다. de (buen) ~ 기꺼이, 마음으로부터, 자진해서. mal de su ~ 그의 뜻을 어겨. de mal ~ 마지못해.

graduable *adj.* 가감 · 조절할 수 있는 ; 등급을 매길 수 있는.

graduación *f.* 눈금 새겨 넣는 일 ; 눈금 ; 등급별, 등급 매기기 ; (군의) 계급 ; 진급 ; 졸업, (함유 알코올의) 도수 ; (증발 등에 의한) 농후화 ; (액체의) 농축.

graduado, da *adj.* ① 눈금을 그려 놓은 : escala *~da* 눈금 자. ② 졸업한 : ~ de doctor 박사 과정을 마친. no ~ 실질적인 ; 학교 졸업이 아닌. ③ 보관(補官)의 : coronel ~ 대령보.
—*m.f.* 졸업생.

graduador, ra *adj.m.f.* 졸업 시키는 (사람).
—*m.* ① 분도기, 눈금기. ②【화학】눈금기, 미터 글라스.

gradual *adj.* 점차적인, 점진적인, 서서히 하는, 완만한 : un aumento ~ de la temperatura. [Sinón.] progresivo. —*m.* (카톨릭교의) 승계경(昇階經), 승계송(昇階誦).

gradualmente *adv.* 차례로, 차차, 차츰차츰, 점차로, 점진적으로.

graduando, da *m.f.* (졸업전의) 졸업 후보생.

graduar *tr.* ⑮ ① 졸업시키다, (…에게) 학위를 수여하다 : ~ de bachiller 학사 학위를 수여하여 졸업시키다. ~ de doctor 박사 학위를 수여하다. ② (…에) 등급을 매기다 : ~ una cosa *de*·*por* buena 물건을 우량품으로 등급을 매기다. ③ (…에) 눈금을 새기다 : ~ un mapa 지도에 눈금을 새기다. ④ 가감·조절·조정하다 : ~ la salida del agua *por* una boquera. ⑤ 점차로 변화하다. ⑥ (도·농도를) 재다 : ~ la densidad de la leche. ⑦ 진급·승급시키다 : ~ *de* comandante 소령으로 승진시키다. ⑧ 점진·점증·점감시키다 : ~ el interés en una obra.
~se 졸업하다, 학위를 받다·주다 : *~se de* una escuela 어떤 학교를 졸업하다. *~se de* licenciado 석사 학위를 얻다. *~se en* letras 문학사가 되다. *~se* de doctor 박사 학위를 받다. *Se había graduado de*·*en* la Universidad Harvard 그는 하바드 대학교를 졸업했다. *Se había graduado* hacía poco *en* la universidad 그는 얼마 전에 대학을 졸업했다.

graffitto *m. ital.* [*pl.* graffitti] 양각 그림 : Los *graffitti* de Pompeya son del mayor interés para el estudio de las costumbres romanas 폼베이의 양각 그림은 로마의 풍습을 연구하는데 최대의 관심사이다.

grafía *f.* ① (부호·문자와 음의 관계에서, 문자의) 쓰기, 표현법, 녹음법.

-grafía *suf.* 「쓴 것」, 「그린 것」을 뜻하는 접미어 : geo*grafía* 지리, cosmo*grafía* 천문지.

gráfica *f.* 도표, 도식(圖式), 그래프 : la ~ de la mortalidad 사망율 그래프.

gráficamente *adv.* 도표로, 도식으로, 그래프로.

gráfico, ca *adj.* ① 문자의, 기호의 : signos *~s* 문자나 기호. ② 도식의, 도표의, 그림·기호로 표시한 ; 사진·그림이 든 : diccionario ~ 그림이 든 사전. dibujo ~ 그림 기호로 그려진 그림. ③ 생생하게 표현하는, 그냥 알 수 있는 : descripción *~ca* 생생한 묘사. ④ 인쇄(imprenta)의 : artes *~cas* 인쇄·사진판·제본을 포함하는 인쇄 기술.
—*m.* ① 도표, 도식 : ~ de ventas 판매 도표·곡선. ② 도해 ; 사진 화보.

grafila *f.* (화폐의) 가장자리 무늬.

gráfila *f.* =**grafila.**

gráfilo *m.* =**grafila.**

grafio *m.* 그림 주걱 ; 조각도.

grafioles *m.pl.* 비스킷(bizcocho)의 일종.

grafismo *m.* =**grafía.**

grafito *m.* [*gr.* graphis]【광석】석묵(石墨), 흑연(lápiz plomo).

grafitoso, sa *adj.* 흑연을 함유하고 있는.

-grafo, fa *suf.* ① 「쓰기·묘사·기록하는 구조」를 뜻하는 접미어 : fonó*grafo*. ② 「직업인」을 뜻하는 접미어 : taquí*grafa*.

grafófono *m.* 원통식 축음기.

grafología *f.* ① 필적학, 문자(文字) 판단. ②【수학】도식법(圖式法).

grafológico, ca *adj.* 필적학의.

grafólogo, ga *m.f.* 필적학자, 필적으로 점치는 사람.

grafomanía *f.* 저술광.

grafomaníaco, ca *adj.m.f.* =**grafómano.**

grafómano, na *adj.* 저술광의. —*m.f.* 저술광.

grafómetro *m.*【토목】측각의(測角儀), 반원의(半圓儀).

gragea *f.* 색색의 알이 든 과자(confites menudos de varios colores).

graja *f.*【조류】갈까마귀의 암컷.

grajear *intr.* (까마귀가) 울다(graznar).

grajera *f.* 갈까마귀의 둥지·모이는 곳.

grajiento, ta *adj.* 《*Amér.*》 냄새가 고약한, 암내가 나는, 악취의(que huele mal).

grajo *m.* [*lat.* graculus] ①【조류】갈까마귀. ② 《*Amér.*》 암내, 액기(sobaquina). ③ 《*Col.*》 = **escarabajo.**

grajuelo *m. dim.* grajo.

grajuno, na *adj.* 갈까마귀의 ; 까마귀 같은.

gral. general.

grama *f.* [*lat.* gramen]【식물】그라마 《화본과의 풀 ; 뿌리는 약용》 : ~ del norte 개밀.

gram.[a] gramática.

gramal *m.*【식물】그라마(grama) ; 그라마 밭, 그라마로 덮인 땅.

gramalla *f.* 사슬 비늘.

gramallera *f.* 《*Gal.*》 =**llares de la cocina.**

gramalote *m.* 《*Amér.*》 남미 북부 지방의 목초의 일종.

gramar *tr.* (빵 반죽을) 다시 다지다.

gramática *f.* [*gr.* gramma] ① 문법(文法) : ~ comparada 비교 문법(比較文法). ~ generativa 생성 문법(生成文法). ~ transformativa 변형 문법(變形文法). ② 문전(文典), 문법서(文法書) ; 라틴어 연구. ~ *parda* 교활, 간사함 (habilidad, astucia).

gramatical *adj.* 문법의, 문법상의, 문법에 맞는 : regla ~ 문법 규칙.

gramaticalidad *f.* 문법적임, 문법성(性).

gramaticalmente *adv.* 문법적으로, 문법의 규칙에 따라(conforme a las reglas de la gramática).

gramático, ca *adj.* 문법의(gramatical).
—*m.f.* 문법 학자.

gramatiquear *intr. desp.* 문법적으로 쓸데없이 따지고 들다.

gramatiquería *f. desp.* 문법 사항 ; 쓸데없는 문법 논쟁.

gramen *m. lat.*【식물】화본과의 일반적인 명칭.

gramil *m.* 평행자 : ~ de carpintero 목수의 평

행자. ～ de mecánico 기계 기사의 평행자.

gramilla¹ *f.* (대마 등의) 빗는 틀 :

gramilla² *f* [*dim.* grama] 《*Arg.*》 목초의 일종.

gramináceo, a *adj.* =**gramíneo.**

gramíneo, a *adj.* 【식물】 화본과의, 벼과에 속하는. —*f.pl.* 화본과(禾本科) 식물 : El trigo es una *gramínea* 밀은 화본과 식물이다 .

gramo *m.* [*gr.* gramma] 그램 《무게의 단위》.

gramofónico, ca *adj.* 축음기의 · 에 관한.

gramófono *m.* 축음기 : ～ eléctrico 전축. ～ portátil 휴대용 축음기.

gramola *f.* 전기 축음기 ; 휴대용 축음기.

gramoso, sa *adj.* 그라마(grama)가 돋아난.

grampa *f.* 핀 ; 걸쇠, 작은 꺾쇠(grapa) ; 척, 지퍼, 파스너 : ～ de correa 벨트의 파스너.

gran *adj.* grande (큰, 위대한)의 어미 탈락형 《남 · 여성 단수 명사 앞에서 탈락함》 : ～ accionista 대주주. ～ almacén 대백화점. ～ libro 커다란 책. ～ casa 커다란 집. ～ empresa 대기업. ～ explotación 대규모 농장. ～ realización 대매출. ～ terrateniente 대지주. un ～ rey 위대한 왕. un ～ filósofo 위대한 철학가. un ～ hombre 위인. una ～ mujer 위대한 여인. El *gran* hombre hace esperar 높은 사람은 남을 기다리게 한다.

grana *f.* ① (곡식의) 결실 ; 결실기(granazón). ② (곡식의) 열매. ③ 【동물】 연지벌레(quermes, cochinilla). ④ 연지떡갈나무의 혹. ⑤ 암홍색, 연지색(color rojo oscuro).

～ ***del Paraíso*** 【식물】 생강과에 속하는 다년초.

granada *f.* ① 석류의 열매(fruto del granado). ② 유탄 : ～ de mano 수류탄. ～ extintora 소화탄. ～ metralla 유산탄.

Granada *f.* 【지명】 그라나다 《서반아 남부에 있는 주 · 도시 ; Nicaragua에 있는 주 · 도시 ; 옛 서(西)사라센 왕국의 수도》.

granadal *m.* 석류밭.

granadera *f.* 수류탄 넣는 자루.

granadero *m.* ① 수류탄병(兵) ; 선발병. ② 키다리(persona muy alta).

granadilla *f.* 【식물】 시계풀 ; 그 꽃 · 열매 : La ～ tiene sabor agradable.

granadillo *m.* 【식물】 《*Cuba. Guat. Hond.*》 자단(紫檀).

granadina *f.* ① 석류즙, 석류 시럽. ② (커튼용) 레이스 천의 일종.

granadino, na *adj.m.f.* ① 그라나다 《Granada, 서반아 남부에 있는 주 · 도시 ; Nicaragua에 있는 주 · 도》의 (사람). ② 석류의. —*m.* 석류의 꽃.

granado *m.* [*lat.* granatum] 【식물】 석류나무 : La corteza del ～ es astringente.

granado, da *adj.* ① 우수한, 빼어난, 두드러진 (notable, ilustre). ② 성숙한 : una mujer ～*da.* ③ 노숙한, 노련한(experto). ④ 키다리의.

granador *m.* 타작용 키 · 체; 키질하는 장소.

granalla *f.* 【광물】 입상광(粒狀鑛).

granar *intr.* ① (곡식이) 여물다. ② 【은어】 돈이 생기다(enriquecerse). —*tr.* ① 타작하다. ② 입상(粒狀)으로 쪻다.

granate *m.* [*lat.* grantum] ① 【광물】 석류석 : ～ almandino 귀석류(貴石類)의 석(石). ② 암홍색. —*adj.* 암홍색의(de color de grana).

granatín *m.* (옛날의) 직물의 일종.

granazón *f.* 결실.

Gran Bretaña 【지명】 영국 본토, 대영 제국.

Gran Bretaña e Irlanda del Norte (Reino Unido de) 대영 제국.

grancé *adj.* 《*Galic.*》 꼭두서니 빛깔의.

grancero *m.* 꼭두서니밭 ; 곡류 저장소.

grancilla *f.* 정제 석탄.

grancina *f.* 꼭두서니 염료.

grancolombiano, na *adj.* 그란 꼴롬비아 《la Gran Colombia, 현재의 Colombia, Venezuela, el Ecuador를 비롯한, Simón Bolívar가 해방시켜 단일 국가로 수립한 대연방 공화국》의.

granda *f.* =**gándara.**

grande *adj.* [*lat.* grandis] ① 커다란, 널직한 : una casa ～ 큰 집, 널직한 집. un mantel ～ 책상보, 테이블보. un hombre ～ 몸집이 큰 사람. ～*s* dificultades 큰 어려움. ② 훌륭한, 위대한 : un *gran* escritor 위대한 작가.

—*m.* 위인 ; 고관 ; 대공작 : ～ de España 서반아 대공(大公) ; 국왕 앞에서 모자를 벗지 않고, 여성 같으면 앉을 수 있었던 최고의 귀족.

a lo ～ 호화스럽게 : Viajaron ***a lo*** ～.

en ～ ① 크게, 함께 하여(en conjunto). ② 훌륭하게. ③ 사치스럽게(con lujo) : vivir ***en*** ～ 호화롭게 살다.

la ～ 《*Arg*》 (복권에서) 특상(el gordo).

grandemente *adv.* 몹시, 극도로, 극히.

grandevo, va *adj.* 【시어】 노령의, 고로(古老)의(de mucha edad, anciano, viejo).

grandeza *f.* 커다람, 막대함, 훌륭함 ; 위대함 ; 권세 ; 대공작의 직위 · 신분.

grandezuelo, la *adj. dim.* grande.

grandífloro *adj.* 아주 큰 꽃의(de flores muy grandes).

grandillón, na *adj.* [*aum. desp.* grande] 커다란, 엄청나게 큰 ; 외형만 큰 : muchacho ～ .

grandilocuencia *f.* 대웅변 ; 대문장, 명문(名文). **Sinón.** altisonancia.

grandilocuente *adj.* 대웅변의 ; 격조 높은.

grandílocuo, cua *adj.* =**grandilocuente.**

grandiosamente *adv.* 장대하게, 웅대하게.

grandiosidad *f.* 웅대, 장대, 훌륭함.

grandioso, sa *adj.* 웅대한, 거대한, 웅장한, 굉장한 : una montaña ～*sa.* **Sinón.** imponente. ② 장대한, 장려한, 훌륭한, 대규모의 : una obra ～*sa.* **Sinón.** extraordinario.

grandísimo, ma *adj.* 매우 큰(muy grande).

grandisonar *intr.* 【시어】 우렁차게 울리다, 울려 퍼지다, 장엄하게 울리다.

grandísono, na *adj.* 【시어】 우렁차게 울리는, 울려 퍼지는(altísono, sonor).

grandón, na *adj.* =**grandote.**

grandor *m.* ① 크기, 사이즈(tamaño). ② =**magnitud.**

grandote, ta *adj.* [*aum.* grande] 매우 큰, 거대한 (muy grande, enorme).

grandulón, na *adj.* 《*Amér.*》 =**grandullón.**

grandullón, na *adj.* 엄청나게 큰, 터무니없이 큰 ; 아주 위대한, 최고로 훌륭한.

granduque *m* 【식물】 =**sampaguita.**

graneado, da *adj.* ① 알갱이로 부서진, 입상(粒狀)의 : pólvora ～*da* 알갱이로 부서진 가루.

tapioca ~*da* 알갱이로 부서진 만디오까의 전분. ② 반점이 있는. Sinón. moteado. ③ 연사(連射)의.
fuego ~ 개인적으로 군인들이 만든 불꽃.
graneador *m.* 화약 키 ; 점각도(點刻刀).
granear *tr.* (낟알이나 씨앗을) 뿌리다 ; 가루로 부수다 ; 점각(點刻)하다.
granel (a) *adv.* ① 묶지 않은 채로, 다발로 쌓아 ; 포장하지 않은 채로 : cargar trigo *a* ~ en un barco 배에 묶지 않은 채로 밀을 싣다. Compró jabón *a* ~ 그는 포장하지 않은 채로 비누를 샀다. Vende uvas *a* ~ 포장하지 않은 채 그는 포도를 팔고 있다. ② 많이, 다량으로(en gran cantidad) : Lee libros *a* ~.
granelar *tr.* =**sacar grano a una piel.**
graneo *m.* granear하기.
granero *m.* ① 곡창. ② 곡창 지대 : Esa zona llegará a ser el ~ del mundo 그 지역은 세계의 곡창 지대가 될 것이다. —*adj.* 《*Arg.*》 옥수수를 먹는 (말 등).
granero, ra *adj.m.f* 엘 그라오 《El Grao, 발렌시아의 항구》의 (사람).
granévano *m.* 트라가칸토 고무(tragacanto).
granguardia *f.* 【군사】 전위 기병대(前衛騎兵隊) ; 대초소(大哨所).
granico *m.* [*dim.* grano] 작은 알갱이, 미립, 세립(細粒).
granido, da *adj.* 【은어】 =**rico, adinerado.**
granífugo, ga *adj.* 우박을 피하는.
granilla *f.* (피륙의 안으로 나오는) 작은 보풀.
granillo *m.* [*dim.* grano] ① 소립(小粒), 세립(細粒). ② 대수롭지 않은 이득. ③ (작은 새의 꽁지에) 좁쌀처럼 돋은 종기. ④ 직물 자수·수예 : mantel de ~ 수예 식탁보.
granilloso, sa *adj.* 좁쌀처럼 돋은 ; 좁쌀처럼 돋은 종기의.
granitado, da *adj.* 화강암(granito) 같은 : superficie ~ da.
granítico, ca *adj.* 화강암(granito)의 ; 화강암 같은.
granito *m.* ①【광물】 화강암 : El ~ es gris o rosa. ② 《*Murc.*》 누에의 알(huevecito del gusano de seda).
granitoideo, a *adj.* 화강암의.
granívoro, ra *adj.* 곡식을 먹는 : ave ~*ra* 곡식을 먹는 새.
granizada *f.* 우박이 쏟아짐 ; 우박처럼 쏟아져 내리는 것 : Les arrojaron una ~ de piedras 그들은 돌벼락을 맞았다. ② 《*And. Amér.*》 얼음 음료수(bebida helada).
granizado *m.* 《*Arg.*》 얼음물, 빙수, 얼음 음료수(granizada) : ~ de café·limón 커피·레몬을 넣은 빙수.
granizal *m.* 《*Col. Chile. Méx.*》 =**granizada.**
granizar *intr.* 9 ① 우박이 오다(caer granizo). ② 우박처럼 쏟아지다. —*tr.* 우박처럼 던지다, 뿌리다.
granizo *m.* ① 우박 ; 우박처럼 (정신 못 차리게) 날아 오는 것. ②【의학】 (눈에 생기는) 별, 점.
armarse el ~ 공기가 갑작스레 흐려지다.
granja *f.* 농장, 장원(莊園) ; 착유장, 제유소(製乳所) ; 우유 제품 판매점, 우유 가게.
~ *colectiva* 집단 농장. ~ *modelo* 모델 농장.
granjeable *adj.* 취득할 수 있는.
granjeador, ra *adj.* 《*Méx.*》 granjear 할 줄 아는.
granjear *tr.* ① (목축의 거래로 돈·재물을) 벌다, 취득하다(adquirir). ② 제 것으로 만들다, 붙잡다(conseguir, captar) : ~ la voluntad *a·de* alguno 누구의 마음을 사로잡다. ③ 《*Chile.*》 훔치다(hurtar).
~se (우정·은혜 등을) 얻다, 차지하다 : *Se granjeó* la amistad del príncipe 왕자의 우정을 얻었다. *Se granjeó* la enemistad de todos 그는 모든 사람들로부터 적의를 얻었다. Sinón. atraerse.
granjeo *m.* 돈벌이, 취득 ; 이득 ; 이익 ; 경작.
granjería *f.* ① (주로 농목 사업에서 얻는) 수익, 벌이, 이득. ② 《*Ecuad.*》 수상쩍은 장사.
granjero, ra *m.f.* ① 농장주 ; 농장지기. ② 《*Ecuad.*》 속임수를 쓰는 장수.
grano *m.* [*lat.* granum] ① [집합] (밀 등의) 낟알 한 톨, 곡식의 낟알 ; 알갱이 ; 알 모양의 종자·열매·콩 : ~ de cacao 코코아 콩. ② 알갱이 모양으로 된 것 : ~ de arena 모래알 ; 대단치 않은 원조. ~ de mostaza 겨자 가루. ~ de uva 포도알. ~ del Paraíso 기네아산의 후추(amomo). ③ 여드름. ④ 무두질한 가죽의 표면·겉. ⑤ 그레인 《약량의 단위 ; 48mg》 ; 보석의 단위 《1／4 캐럿》.
—*pl.* 곡식, 콩류 : comercio de ~*s* 곡물상.
~ *a* ~ 한 알씩.
ir al ~ 즉각 본론·요점으로 들어가다.
sacar ~ *de* …에서 이익을 얻다.
granoso, sa *adj.* [*lat.* granosus] 좁쌀알 같은 것이 돋아난 : La naranja tiene piel ~*sa.*
granoto *m.* 【은어】 보리(cebada).
granuja *f.* [*lat.* granula] (송이에서 떨어진) 포도알 ; (석류 따위의) 알 ; 건달패. —*m.* 망나니, 불량 소년.
granujada *f.* 불량, 무뢰함, 못된 짓.
granujado, da *adj.* 알알의, 낟알처럼 된(agranujado, graneado).
granujería *f.* 부랑자, 무뢰한의 무리(pillería, tunantería).
granujiento, ta *adj.* 여드름투성이의.
granujilla *m.* [*dim.* granuja] ① 개구쟁이, 망나니. ② 여드름(grano).
granujo *m.* 여드름, 습진.
granujoso, sa *adj.* 여드름투성이의 ; 좁쌀알처럼 송송 돋아난 : piel ~*sa* 좁쌀알처럼 많이 난 피부. Sinón. granujiento.
granulación *f.* ① 낟알로 만드는 일. ②【의학】 여드름 ; 발진. ③ 과립(顆粒)(형성) ; 육아(肉芽).
granulado, da *adj.* 입상(粒狀)의 : azúcar ~.
granular[1] *adj.* 입상(粒狀)의, 미립(微粒)의 : erupción ~ 좁쌀알 같은 발진.
granular[2] *r.* 알갱이로 만들다, 빻다.
~se 알갱이 모양으로 되다 ; 좁쌀알 같이 발진하다.
granulia *f.* 【의학】 속립(粟粒) 결핵 : La ~ es enfermedad generalmente mortal.
granuliforme *adj.* gránulo 모양의.
gránulo *m.* [*dim.* grano] 작은 알갱이, 고운 가루 ; (작은 알의) 환약.

granulometría *f.* 돌·낟알의 크기 측정 기계.
granulométrico, ca *adj.* granulometría의.
granuloso, sa *adj.* ① 알갱이의(granilloso). ② 【병리】(과)립상의, 육아가 있는.
granza *f.* ①【식물】꼭두서니, 서양 꼭두서니(rubia). ②《*Arg.*》콘크리트(hormigón concerto). **—***pl.* (탈곡 후의) 처진 무거리, 채로 친 찌꺼기; 석고 부스러기; 광재(鑛滓).
granzón *m.* ①(쇄광·채로 친) 무거리. ②《*Venez.*》왕모래(arena gruesa).
granzoso, sa *adj.* 찌꺼기·무거리가 많은.
grañón *m.* 밀죽; 밀죽에 든 밀 알갱이.
grao *m.* 바닷가, 갯가, 배가 닫는 바닷가 : el ~ de Valencia.
Grao *m.* 발렌시아의 항.
grapa *f.* ①(꺾쇠 모양의) 고리; 꺾쇠(grampa). ② 포도 빗자루. ③《*Arg. Parag. Urug.*》저질 포도주.
GRAPO Grupos de Resistencia Antifascista Primero de Octubre.
grasa *f.* ① 유지, 지방(脂肪) : ~ de cerdo · vaca 돼지·쇠기름. ~ mineral · vegetal 광물성·식물성 지방. ② 수지(樹脂). ③ 기름때 (mugre); 그리스. ④ 두송의 나무진. ⑤ 번지는 것을 막는 약(grasilla). ⑥《*Méx.*》구두약 : dar ~ 구두약을 칠하다. **—***pl.* 광재, 잔광(殘鑛).
grasar *intr.*《*Perú.*》(병이) 유행하다; 소식이 퍼지다(cundir la noticia).
grasera *f.* 기름통; 기름받이《취사장 용구》.
grasería *f.* 지랍 공장(脂臘工場).
grasero *m.* 광재(鑛滓)를 버리는 곳.
graseza *f.* 지방성(脂肪性); 기름 많은 고기찜.
grasiento, ta *adj.* ① 지방이 많은, 지방투성이의, 비곗살이 낀 : manjar · trapo ~. ② 미끈미끈한. ③ 더러운, 불결한.
grasilla *f.* ①(잉크의) 번지는 것을 막는 약제·약종(가루) : Sirve la ~ para que la tinta no cale en el papel 그라시야는 잉크가 종이에 번지지 않도록 하는데 쓰인다. ②【식물】통발과 식물의 일종. ③《*Chile.*》(식물의) 기생충병.
graso, sa *adj.* ① 기름기가 있는 : leche ~*sa* 기름기가 있는 우유. ② 비곗살이 많은. ③ 지방분이 스며 나온. ④《*Galic.*》풍요로운, 비옥한 (rico, fértil) : campo ~ 비옥한 들판.
—*m.* 비곗살이 찜(graseza).
grasones *m.pl.* 밀죽.
grasoso, sa *adj.* =**grasiento, graso.**
graspo *m.*【식물】brezo의 일종.
grasura *f.* =**grosura.**
gratén *m.* [*fr.* gratin]《*Neol.*》=**gratín.**
grata *f.* 쇠솔.
grataguja *f.* =**grata.**
gratamente *adv.* 마음 편하게; 한가롭게, 조용하게, 고마운 마음으로.
gratar *tr.* (…에) 쇠솔질을 하다.
gratificación *f.* 보수; 보답; 수당; 상여, 위로금, 사례금, 팁 : ~ de fin de año.
gratificador, ra *adj.m.f.* 보답하는 (사람).
gratificar *tr.* ⑦ ① 보답하다, 위로하다; 보수·수당·사례금·팁을 주다. ② 즐겁게 하다, 기쁘게 하다(complacer).
gratil *m.* =**grátil.**
grátil *m.*【선박】돛의 가장자리.

gratín *m.*《*Galic.*》그라탱《화이트 소스로 무친 고기·야채 따위를 접시에 담아 오븐에 구운 요리》.
gratis *adv.* [*lat.* gratis] 공짜로, 거저, 무료로 (de balde, gratuitamente) : El folleto lo recibirá usted ~ 팸플릿은 무료 증정됨.
gratisdato, ta *adj.* 무료로·거저 주는.
gratitud *f.* ① 감사, 사의(agradecimiento) : manifestar la ~ 사의를 표하다. No sé cómo manifestar mi ~ 어떻게 사의를 표해야 할지 모르겠습니다. [Contr.] ingratitud. ② 무료 : integrar en la ~ 완전히 무료화하다.
grato, ta *adj.* [*lat.* gratus] ① 즐거운, 기쁜, 유쾌한 : ~ *al* oído · *para* el oído 듣기 좋은. ~ *de* recordar 회상만 해도 즐거운. *gratas* noticias 기쁜 소식. ②(통신문에서) 당신의 고마운 : su *grata* orden 귀하의 주문서. su *grata* (편지 carta를 생략하여) 귀하의 서신. ③ 호의적인. ④ 공짜의, 무료의(gratuito). ⑤《*Bol. Chile.*》고마워하고 있는(agradecido) : Le estoy ~ 귀하께 고마워하고 있습니다.
[Contr.] desagradable, ingrato.
Me · nos es ~ decir (통신문의 형식에서) 나는·우리는 …라 말씀드립니다.
gratonada *f.* 닭고기 요리의 일종.
gratuidad *f.* 무료; 근거 없음.
gratuitamente *adv.* ① 거저, 공짜로, 무료·무보수로(de balde, gratis). ② 근거없이 : afirmar ~.
gratuito, ta *adj.* [*lat.* gratuitus] ① 무료의 : lección ~*ta* 무료 강좌. La entrada es ~*ta* 입장은 무료이다. ② 근거·이유·까닭없는 (arbitrario) : suposición ~*ta* 근거 없는 생각.
gratulación *f.* 축하, 축사(felicitación).
gratular *tr.* 축하하다, 경하하다, (…에게) 축사를 하다.
~se 기뻐하다, 즐거워하다(complacerse alegrarse).
gratulatorio, ria *adj.* 축하의 : un discurso ~ 축하 연설. enviar una carta ~*ria* 축하 서한을 발송하다.
grava *f.* ① 자갈, 돌멩이(guijo). ②【광물】사력층(砂礫層).
gravación *f.* (세금의) 부과 : ~ con un impuesto 과세.
gravamen *m.* [*lat.* gravamen] ① 부담; 책임 (cargo, obligación) : ~ fiscal 조세 부담. un pesado ~ 무거운 부담·책임. ② 관세, 세금 : ~ aduanero 관세. ③ 저당, 담보. **—***pl.* 부과금, 과징금.
gravante *adj.* 부담을 주는; 세금을 부과하는.
gravar *tr.* ①(…에) 부담을 주다. ②(…에) 관세를·세금을 부과하다(cargar) : ~ una finca *con* pesadas obligaciones 어떤 대지에 무거운 세금을 매기다. ③ 저당·상담하다.
~se《*Amér.*》중태에 빠지다, 심각해지다, 중대해지다(gravarse).
gravativo, va *adj.* 부담이 가는, 짐스러운; 불법적인.
grave *adj.* [*lat.* gravis] ① 무거운, 중량이 있는 : la caída de los cuerpos ~*s* 무거운 물체의 낙하. [Contr.] ligero. ② 위험을 안은, 심상치 않은, 예사롭지 않은, 심각한, 중대한 (importante) :

un ~ resultado 중대한 결과. una enfermedad ~ 중병. El estado de mi amigo es muy ~ 내 친구(의 상태)는 매우 중태이다. ③ 정중한, 거드름피우는 ; 고지식한 (circunspecto) ; 장중한 : un estilo ~ . Contr. in formal. ④【음악】저음의 : Tomás tiene la voz ~ 또마스의 목소리는 저음이다. ⑤【문법】끝에서 두 번째의 음절에 악센트가 있는 (말)(llano). Contr. agudo.

gravear *intr.* 부담스럽다, 부담이 가다 ; 무게가 나가다(gravitar).

gravedad *f.* [*lat.* gravitas] ① 중량, 무게. ② 중대성 ; 위독. ③ 장중함 ; 엄숙, 침착, 진지함 : con ~ 엄숙하게. ④ 거드름피움. ⑤【물리】지구 인력 ; 중력, (통속적으로) 인력 : centro de ~ 중심(重心).

gravedoso, sa *adj.* 엄숙한 체하는.

gravedumbre *f.* 장애, 고장.

gravemente *adv.* 중대하게 ; 근엄하게, 진지하게 ; 엄숙하게 ; 장중하게 ; 위독하게.

gravera *f.* =**cantera de grava.**

gravidez *f.* [드묾] 임신(preñez, embarazo).

grávido, da *adj.* ①【시어】(…을) 잉태한. ② 넘친(cargado, lleno). ③ [드묾] 임신한 (여자) (mujer preñada).

gravilla *f.* =**guijo.**

gravimetría *f.* 중량 · 밀도 측정(법).

gravitación *f.*【물리】(지구의) 인력, 중력 ; 그 작용 : ~ universal 만유 인력. Newton fue quien formuló el principio de la ~ univerasl 뉴톤은 만류 인력의 원리를 만든 사람이었다..

gravitacional *adj.* 인력 (작용)의, 중력의.

gravitante *adj.* gravitar 하는.

gravitar *intr.* ① 인력에 끌리다 : Los planetas *gravitan* alrededor del Sol. ② 덮치다, 짓누르다. ③ 부담을 주다 : Todo *gravita* sobre mí 모든 것이 내 부담이다.

gravitatorio, ria *adj.* 인력의, 중력의 (gravitacional) : atracción *~ria.*

gravoso, sa *adj.* ① 성가신, 귀찮은, 골치 아픈, 부담이 가는(molesto, pesado) : una carga *~sa* 부담이 가는 세금. ② 값이 엄청난 : una casa muy *~sa* 엄청나게 비싼 집. Sinón. costoso, onero. Contr. ligero, leve.

graznador, ra *adj.* (까마귀 따위가) 까욱까욱 우는.

graznar *intr.* (까마귀 등이) 까욱까욱 울다.

graznido *m.* (까마귀 · 거위의) 울음 소리.

gr.[do] grado.

greba *f.* (투구 등의) 무릎받이. Sinón. canillera, espinillera.

greca *f.* ① 뇌문형(雷文形)의 연속된 무늬 (~ meandro) : ~ espinel 파두 연쇄 무늬. ②《*Ant. Col. Venez.*》커피 끓이는 기구의 일종.

Grecia *f.*【지명】그리스.

greciano, na *adj.* =**grecisco.**

grecisco, ca *adj.* 그리스의(greguisco).

grecismo *m.* 그리스 말씨, 그리스어계의 말 · 어휘(helenismo).

grecizante *adj.* 그리스어풍으로 하는 ; 함부로 그리스어를 지껄여대는.

grecizar *tr.* ⑨ 그리스어풍으로 하다. **—***intr.* 함부로 그리스어를 지껄여대다.

greco, ca *adj.* [*lat.* graecus] 그리스의. **—***m.f.* 그리스 사람(griego).

grecolatino, na *adj.* 그리스 · 라틴계의 : las lenguas *~nas* 그리스 라틴계 언어들.

grecorromano, na *adj.* 그리스 · 로마계의 : arquitectura *~na.*

grecoturco, ca *adj.* 그리스 · 터키계의.

greda *f.* (때를 빼는데 쓰이는) 점토, 도토, 백악, 백분.

gredal *adj.* 점토의, 도토의, 백토의. **—***m.* 점토지, 도토 채취장.

gredoso, sa *adj.* 점토의, 도토의, 백악의 ; 점토 · 도토 · 백토 같은 : terreno ~.

gregal[1] *adj.* [*lat.* grex] 떼지어 사는, 무리를 지어 사는 : ganado ~ 무리지어 사는 가축.

gregal[2] *m.* 북동풍(北東風)(viento entre levante y tramontana).

gregariamente *adv.* 부화 뇌동하여.

gregario, ria *adj.* ① 군생(群生)의, 잡거의, 떼지어 사는, 어중이떠중이가 모여 사는 : soldado ~ 졸병. ② 부화 뇌동하는, 집단성의.

gregarismo *m.* 군생, 집단성, 부화 뇌동성.

Greg.[o] Gregorio.

gregoriano, na *adj.* ① 로마 교황 그레고리 (Gregorio) 1세의 : canto ~ 그레고리 성가. ② 그레고리 13세의 : calendario ~ 그레고리 13세가 1582년에 율리시스력을 개정한 현행 태양력.

gregorillo *m.* (목, 가슴 등을 덮었던) 옛날 여자 옷.

gregorito *m.*《*Cuba. Méx.*》=**burla.**

greguería *f.* ① 아우성, 대소란, 수라장, 힘차게 소리치기(algarabía). ② 고메스 · 데 · 라 · 세르나 (Gómez de la Serna, 1891－?)가 지은 기지에 넘치는 단문의 일종.

greguescos *m.pl.* =**gregüescos.**

gregüescos *m.pl.* (16~17세기 경의) 통이 넓은 바지 : Los *~s* se usaron en el siglo XVⅡ.

greguisco, ca *adj.* 그리스의, 그리스적인.

greguizar *intr.* ⑨ =**grecizar.**

grelo *m.* [*port.* grelo]《*Gal. León.*》부드러운 무 (nabiza tierna) : comer una ensalada de *~s* 무 샐러드를 먹다.

gremial *adj.* ① 신도단의 ; 동업 조합(gremio)의 : representación ~. **—***m.f.* 신도 단원 ; (동업) 조합원, 단원. **—***m.* (승려복의) 앞에 드리운 자락.

gremialismo *m.* 동업 · 직능 조합주의.

gremialista *adj.m.f.* 동업 · 직능 조합주의의 (사람). **—***m.f.*《*Amér.*》동업 · 직능 조합의 조합원.

gremio *m.* [*lat.* gremium] 신도단 ; 동업자 단체, 동업 조합, 길드 ; 결사 ; 교수단 : ~ del oficio 직업별 조합. ~ industrial 산업별 조합. ~ obrero · profesional 노동 조합.

grenate *m.*《*Ecuad.*》(일반적인) 석류나무.

grenchudo, da *adj.* 갈기가 있는 ; 장발의.

greno *m.* ①【은어】흑인(negro). ②【은어】노예(esclavo).

greña *f.* [주로 *pl.*] [*lat.* crinis] ① 헝클어진 머리 (cabellera revuelta o mal peinada) : llevar las *~s* al aire. ② 얽힌 것, 얽힘(cosa enredada, maraña). ③《*And. Méx.*》탈곡된 익은 곡물. ④《*And.*》첫 잎을 내는 덩굴.

andar a la ~ 맞붙들고 싸우다, 다투다 (reñir,

pelear).
en ～ 《*Méx.*》 미가공의, 날것의(natural, no trabajado) : sebo *en* ～ 생 지방. algodón *en* ～ 생면(生綿).
greñudo, da *adj.* ① 머리카락을 산발한. ② 퍽 조심스러운, 조심성이 많은 (말).
greñuela *f.* 《*And.*》 일년의 포도밭.
gres *m.* [*pl.* greses] 도토(陶土)의 일종 ; 사암(砂岩).
gresca *f.* 소란(bulla) ; 싸움(riña).
greta *f.* 《*Méx.*》 =**litargirio.** —*pl.* =**escorias.**
grey *f.* 목군(牧群) ; (기독교의) 신도단 ; 결사, 단체.
Grial *m.* 최후의 만찬의 성배(聖杯).
griego, ga *adj.* 그리스의. —*m.f.* ① 그리스사람. ② 도박꾼, 노름꾼. —*m.* ① 그리스어. ② 뜻을 알 수 없는 말, 헛소리 : hablar en ～.
grieta *f.* ① 갈라진 금, 틈, 균열 : Hay una ～ en la pared 벽에 갈라진 틈이 있다. Durante los terremotos se abren ～*s* en el suelo 지진동안 지면에 균열이 생겼다. ② 손발이 틈 : Tengo ～*s* en la mano 나는 손이 텄다.
grietado, da *adj.* 금이 간, 균열·틈이 생긴 (agrietado).
grietarse *r.* 금이 가다, 갈라지다, 터지다 (agrietarse), 균열이 생기다 : La pared *se ha grietado* 벽이 갈라졌다. [Sinón.] agrietarse.
grietearse *r.* =**grietarse.**
grietoso, sa *adj.* 사방이 금이 간·갈라진.
grifa *f.* 인도삼, 마리화나.
grifado, da *adj.* 이태릭체·초사체의 (문자).
grifalto *m.* 옛날 대포의 일종.
grifarse *r.* 우뚝 솟다 ; (말이) 뒷발로 서다.
grifería *f.* ① [집합] 꼭지, 수도 꼭지. ② 《*Ant.*》 흑인들.
grifo *m.* [*lat.* gryphus] ① 【희랍 신화】 사자의 몸에 독수리 머리와 날개를 가지고 황금을 지키는 것으로 보인 괴수. ② (수도 등의) 꼭지 : El ～ del baño está estropeado 욕실의 수도 꼭지가 망가졌다. ③ 《*Perú.*》 석유·가솔린 판매대, 급유기.
grifo, fa *adj.* ① 우굴쭈굴한, 오므라든 ; 얽힌 (머리카락). ② (일종의) 이탤릭체·초서체의 (aldino). ③ 《*Ant.*》 흑인의 ; 혼혈의. ④ 《*Méx.*》 술취한 ; 화낸, 성난. ⑤ 《*Col.*》 우쭐해진.
grifón *m.* [*aum.* grifo] (수도 등의) 꼭지 ; 수전(水栓).
grigallo *m.* 【조류】 (북유럽산의) 자고새의 일종.
grill *m.* (호텔 등의) 그릴.
grilla *f.* ① 귀뚜라미 암컷. ② 남의 말을 믿지 않는 사람 ; 믿기 어려운 일 : Esa es ～. ③ 《*Col.*》 싸움. ④ 《*Col. Ecuad. Perú.*》 골치 아픈 일. ⑤ 《*Cuba.*》 찌꺼기 담배.
—*m.* 《*Panamá.*》 지불 상태가 나쁜 사람.
grillaje *m.* 《*Galic. Amér.*》 (창문 같은 데에 치는) 쇠그물, 쇠창살(enrejado).
grillarse *r.* ① (보리·파 등의) 줄기가 뻗다. ② 《*Arg. Col.*》 =**guillarse, huir**.
grillera *f.* ① 귀뚜라미의 구멍. ② 벌레를 담은 통. ③ 손댈 수 없이 어지러운 곳.
grillero *m.* (죄수의 발에 족쇄를 끼우는) 간수, 옥리.
grilleta *f.* =**rejilla de la celada.**
grillete *m.* (고대 로마에서 죄수에게 가하던) 족쇄, 발에 끼우는 칼, 그 쇠고리 ; 사슬의 이음장.
grillo *m.* ① 【곤충】 귀뚜라미 : ～ cebollero·real 땅강아지. ② 【식물】 싹. ③ 《*Ecuad.*》 5센따보 백동전. ④ 《*Venez.*》 집념 ; 근심 걱정. —*pl.* ① 족쇄 : Le pusieron ～*s* en los pies 그의 발에 족쇄가 채워졌다. ② 방해물.
cantar el ～ 동전이 쩔렁쩔렁 소리내다.
grillotalpa *m.* 【곤충】 땅강아지(cortón).
grima *f.* ① 불쾌감 : dar ～ 소름이 끼치게 만들다. Me da ～ oir a ese cantante 저 가수의 노래 소리를 듣는 것은 소름이 끼친다. ② 《*Chile.*》 하찮음, 아주 적음(pizca).
solo en ～ 《*Col.*》 오직 혼자서.
grimillón *m.* 《*Chile.*》 =**multitud.**
grimorio *m.* [*fr.* grimoire] 《*Gal.*》 마법서(libro mágico).
grimoso, sa *adj.* 소름이 끼칠 듯한.
grímpola *f.* 삼각의 작은 깃발, 창의 깃발 ; 옛날 무사들의 기장.
grinalde *m.* (옛날의) 투척탄.
gringada *f.* 미국 사람을 닮음.
gringo, ga *adj.* 《*Amér.*》 (중남미와 이베리아 반도 사람이 아닌 사람들을 가리켜 경멸적으로) 외간의. —*m.f.* 외간 사람 ; 외국인 《특히 영·미인》. —*m.* 잘 알아 들을 수 없는 말 ; 외국어.
hablar en ～ 이해할 수 없는 말투로 말하다.
griñolera *f.* 【식물】 복숭아나무의 일종.
griñón[1] *m.* 여승의 모자.
griñón[2] *m.* [*fr.* grignon] 【식물】 작은 복숭아의 일종(briñón).
gripal *adj.* 유행성 감기(gripe)의 : síntoma ～.
gripe *f.* [*fr.* grippe] 독감, 유행성 감기, 인플루엔자(trancazo, influenza).
gripo *m.* (옛날의) 화물선.
griposo, sa *adj.m.f.* 독감에 걸린 (사람).
grippe *f.* =**gripe.**
gris *adj.* ① 회색의, 쥐색의 (de color entre blanco y negro o azul) : traje ～ 회색 양복. ② 슬픈, 서글픈, 을씨년스러운 : una tarde ～ . —*m.* ① 회색, 쥐색. ② (시베리아산의) 다람쥐 (ardilla)의 일종 : La piel del ～ se usa en manguitería 다람쥐 가죽은 모피상에서 쓴다. ③ 찬바람, 한풍(寒風), 매운 바람(viento frío) : hacer ～ 찬바람이 불다.
grisa *f.* 【고어】 찬바람(gris).
grisáceo, a *adj.* 회뿌연, 회끄무레한 : una tela ～*a*.
grisalla *f.* 《*Galic.*》 =**claroscuro.**
grisear *intr.* 회색으로 되어 가다.
gríseo, a *adj.* 회색의(grisáceo).
griseta *f.* ① 잔 무늬가 든 비단천. ② (물이 스며 생기는) 나무의 병. ③ 《*Galic.*》 불란서의 말괄량이 여공·여점원.
grisgrís *m.* (아라비아 사람의) 부적.
grisma *f.* 《*AmérC. Chile.*》 =**pizca.**
grisón, na *adj.* 그리손 《Grisón, 스위스의 한 주》의, 그리손에 관한. —*m.f.* 그리손 사람.
grisú *m.* [*pl.* grisúes] 메탄가스, 탄화 수소 가스 (mofeta).
grisúmetro *m.* 폭발 가스의 검출기.
grita *f.* 아우성, 난리 법석(gritería) ; 희롱 : dar

~ 야유하면서 놀리다.
gritadera *f.* 《*AmérM.*》 =**grita.**
gritador, ra *adj.* 큰 소리를 내는. —*m.f.* 외치는 사람.
gritar *intr.* ① 외치다, 소리치다, 큰 소리로 말하다 : El niño *gritó* con toda su alma. ② 부르짖다, 절규하다, 아우성치다. —*tr.* 【고어】 찌그렁이를 부리다.
gritería *f.* [집합] 큰소리, 절규, 외침, 아우성 (vocerío).
griterío *m.* =**gritería.**
grito *m.* 외침, 큰 소리, 절규 : el último ~ 최근 뉴스.
a ~ herido 비명을 질러.
a ~ pelado 목청껏(dando gritos).
a ~s 저마다 소리쳐서 ; 큰 소리로.
a voz en ~ 목청껏.
al ~ =al punto.
dar un ~ 소리 지르다, 외치다.
estar en (un) ~ 아파서 계속 불평하다, 괴로움 때문에 울부짖다.
poner el ~ en el cielo 사정하며 하소연하다, 하늘에 호소하다 ; 큰 소리로 불평하다.
gritón, na *adj.* 큰 소리만 치는, 소리치기 잘 하는, 악다구니 쓰는.
gritonear *intr.* 《*Perú.*》 자꾸만 소리치다.
grizzli *m.* (북아메라카의) 흑곰(oso negro).
gro *m.* 비단천의 일종.
gro(s). género(s) 상품.
groar *intr.* (개구리가) 울다(croar).
groelandés, sa *adj.m.f.* =**groenlandés.**
groenlandés, sa *adj.* 그린랜드의. —*m.f.* 그린랜드 사람.
Groenlandia *f.* 【지명】 그린랜드.
groera *f.* 【선박】 밧줄을 넣는 구멍 : la ~ del timón 키의 밧줄 넣는 구멍.
grofa *f.* 【은어】 매춘부, 갈보.
groggy *adj. ing.* (권투에서 얻어맞아) 비틀거리는, 그로기 상태의.
gromo *m.* (나무의) 새싹(yema).
groom *m. ing.* 젊은 하녀(criado joven). [*N.* 발음 : grum].
gropos *m.pl.* (잉크스탠드에 넣는) 해면(algodones).
gros *m.* 고대 독일의 동전.
grosamente *adv.* 대범하게 ; 대충, 대강대강(en grueso).
grosca *f.* 【동물】 독사의 일종.
grosella *f.* 구즈베리의 열매 : La ~ es medicinal 구즈베리의 열매는 약용이다.
grosellero *m.* 【식물】 구즈베리의 일종 : ~blanco 알 구즈베리. ~ espinoso 구즈베리. ~ silvestre 야생 구즈베리.
groseramente *adv.* 버릇없이, 거칠게, 난잡하게, 무례하게 ; 우악스럽게 ; 상스럽게, 저속하게 : responder ~ 무례하게 대답하다.
Contr. cortésmente.
grosería *f.* 무례, 버릇없음(descortesía) ; 촌스러움 ; 조잡, 난잡 ; 우악스러움 : decir ~*s* a uno (누구에게) 상스럽게 말하다.
grosero, ra *adj.* ① 투박한, 거친, 조잡한 : paño ~ 올이 툭툭한 천. ② 상스러운, 저속한 ; 촌스러운 ; 예의없는, 무례한, 버릇없는 (descortés) : Es un hombre muy ~ 그는 매우 버릇없는 사람이다. Contr. fino, cortés, delicado.
groserón, na *adj.* 매우 투박한·거친, 난잡한, 무례한, 버릇없는; 상스러운, 저속한.
grosezuelo, la *adj.* [*dim.* grueso] 툭툭한, 두꺼운, 두툼한 : labios ~*s*.
grosísimo, ma *adj.* [*sup.* grueso] 아주 두꺼운, 굵은.
groso *adj. tabaco* ~ 낟알 담배.
grosor *m.* 두께, 굵기(grueso).
grosso modo *adv. lat.* 자세히 들어가지 않고.
grosularia *f.* 【광물】 녹석류석(綠柘榴石).
grosulariáceo, a *adj.* 【식물】 바위취속의.
grosularieas *f.pl.* 【식물】 쌍자엽류과.
grosura *f.* ① 지방, 기름(grasura) : la ~ del tocino 돼지 비곗살. ② 고기 식사(comida de carne) : comer ~ un viernes 금요일에 고기를 먹다.
grotescamente *adv.* 우악스럽게 ; 별스럽게, 유별나게.
grotesco, ca *adj.* [*lat.* grottesco] ① 조잡한. ② 이상스런, 악취미의. ③ 괴기한, 유다른. ④ 어리석은. ⑤ =**grutesco.**
grúa *f.* [*lat.* grua] ① 기중기 : carro de ~ 기중기차. derechos de ~ 기중기 사용료. ② 대포의 축받이(muñonera de los cañones).
~ corredera, ~ de techo 천장식 기중기. *~ de caballete* 갠트리 기중기. *~ de pared·de pescante, ~ aguilón* 지브 크레인. *~ de tijera* 지게식 크레인. *~ fija* 고정식 기중기. *~ flotante* 기중기선. *~ giratoria* 선회식 기중기. *~ titán* 이동식 큰 기중기.
gruero, ra *adj.* 학을 잡는 (맹조) : halcón ~.
gruesa *f.* ① 그로스 《12다스》. ② 선박 저당 계약. ③ 《*CRica.*》 임신부.
a la ~ 그로스로.
por ~s 도매값으로.
préstamo a la ~ 모험 임차·대부.
gruesamente *adv.* 한데 묶어, 대충, 대강 ; 도매금으로.
grueso, sa *adj.* [*lat.* grossus] ① 두꺼운, 굵은 : un hombre ~ de cuello 목이 굵은 사람. ② 부피가 있는, 커다란(grande) : cabeza ~*sa* 커다란 머리. ③ 어리석은, 멍청한, 둔한, 무딘 : entendimiento ~ 둔한 머리. ④ 파도가 사나운·높은 : mar ~*sa* 사나운 바다. ⑤ 전체의 : avería ~*sa* 공동 해손. peso ~ 그로스 중량.
—*m.* 두께(espesor) : el ~ de la pared 벽의 두께. un libro de poco ~.별로 두껍지 않은 책. ② (길이·너비에 대해) 깊이. ③ 문자의 두꺼운 선. ④ 【군사】 주력 부대 : el ~ del ejército 군의 주력 부대.
en ~ ① 한데 묶어, 대충, 대강대강. ② 【상업】 도매금으로(al por mayor).
gruir *intr.* ⑰ (학 등이) 울다.
gruja *f.* (자갈·모래·시멘트의) 콘크리트.
grujidor *m.* 유리 닦기 《기구》.
grujir *tr.* (유리의 절단면을) 닦다.
grulla *f.* 【조류】 학 : ~ coronada 관학. ~ del Japón 두루미, 단정학. ② 《*Méx.*》 약삭 빠른 사람, 빈틈없는 사람. —*pl.* 각반 ; 남극의 성좌.
Grulla *f.* 【천문】 학좌.
grullada *f.* ① 불량자들의 패거리, 무뢰한의 무리. ② 경관대(gurullada). ③ 빤한 일, 두 말 할 필요도 없는 일(perogrullada).
grullero *adj.* =**gruero.**
grullo, lla *adj.* ① 《*AmérC. Méx.*》 쥐빛의 (말). ② 《*AmérC. Méx.*》 협박꾼의, 공갈자의(gorrón). ③ 《*Riopl.*》 종마. —*m.* ① 《*Ant. Arg. Méx. Venez.*》 [드뭄] 뻬소화(貨). ② 《*Bol.*》 돈(dinero). ③ 《*Arg.*》 튼튼하고 살찐 말·망아지.
grumete *m.* 견습 선원, 하급 선원.
grumo *m.* ① 엉긴 덩어리, 덩어리 : ~ de sangre 생혈(生血). ~ de leche 우유 덩어리. ② 송이 : ~ de uva 포도 송이. ③ 새싹(cogollo). ④ (새의) 날개 끝.
grumoso, sa *adj.* 엉긴 덩어리투성이의.
gruñente *m.* 【은어】 돼지(cerdo, puerco, chancho).
gruñido *m.* 신음 소리, (돼지의) 꿀꿀거리는 소리 : el ~ del cerdo 돼지의 꿀꿀거리는 소리.
gruñidor, ra *adj.* =**gruñón.**
gruñilón, na *adj.* =**gruñón.**
gruñillón, na *adj.* =**gruñón.**
gruñimiento *m.* 툴툴거림, 불평(gruñido).
gruñir *intr.* 52 ① 신음하다 : El perro *gruñó*, cuando nos acercamos a la puerta 개는 우리가 문에 가까이 갔을 때 신음했다. ② (돼지가) 꿀꿀거리다. ③ 입속으로 투덜거리며 화내다. ④ 삐걱거리다(chirriar) : La puerta está *gruñendo*.
gruñón, na *adj.* 마냥 투덜거리며 화내는, 잔소리가 많은, 불만·불평투성이의.
grupa *f.* (말의) 궁둥이(anca) : a la ~ 궁둥이에 타고. La llevó *a la* ~ hasta el pueblo 그는 그녀를 말궁둥이에 태우고 마을까지 데리고 갔다.
grupada *f.* ① 비가 섞여 부는 돌풍, 강풍우, 몰아치는 집중 호우(turbión. aguacero). ② 《*Méx.*》 =**cabriola.**
grupear *intr.* 《*Arg.*》 거짓말을 하다(mentir).
grupera *f.* =**baticola.**
grupeto *m.* 【음악】 회향음 ; 단연부(短連符).
grupo *m.* [*lat.* gruppo] ① 그룹, 일단(一團), 군(群), 조(組), 집단, 단체 : ~ político 정치 단체. En lo alto había un ~ de árboles 정상에 일단의 나무들이 있었다. Había un ~ de hombres en la calle 거리에 일단의 남자들이 있었다. ¿A qué ~ pertenece usted? 당신은 어느 그룹에 속하십니까? ② 【회화·조각】 군상. ③ 《*Arg.*》[드뭄] 헛소문(bola).
G- Andino 안데스 그룹. ***G- de Ayuda para el Desarrollo*** 개발 원조 그룹. ~ ***de edades (determinadas)*** 연령층, 연령 집단. ~ ***de países con patrón oro*** 금본위제 국가. ~ ***de personas de ingresos reducidos*** 저소득층. ~ ***de presión*** 압력단체. ~ ***impositivo*** 과세 계층.
gruppetto *m. ital.* 【음악】 3·4단조나 장조로 구성된 선회 동작.
gruta *f.* 암굴, 동굴, 동혈(洞穴).
grutesco, ca *adj.* ① 동굴의. ② 그로테스크 무늬·식의 《고대 로마의 묘에 있던 당초식 무늬》. ③ 기괴한(grotesco).
gruyere *m.* 그리아 치즈 《스위스산 치즈》.
gsa. gruesa.
G.T. giro telegráfico.
gte. gerente 지배인.
gtos. gastos.
gtos. com. gastos de comercio.
gtos. dom. gastos domésticos.
gtos. grales. gastos generales.
gua *m.* ① 유리 구슬 《장난감》. ② 【조류】 보관조 《중남미산의 새》. ③ 《*Amér.*》 guaca 에서 나오는 단지. —*interj.* 《*Amér.*》 어머나!, 아이구!, 《놀람을 나타냄》 (¡oh!).
guaba *f.* 《*AmérC. Ecuad.*》 구아모(guamo)의 열매 : La ~ es comestible 구아바는 먹을 수 있다. ② 《*Ecuad.*》 (사람의) 발.
guabá *m.* 【곤충】 (서인도 제도산의) 털개미《독개미》.
guabairo *m.* 【조류】 (꾸바산) 밤새의 일종《깃이 붉은 색과 검정빛임》.
guabán *m.* 《*Cuba.*》 구아반 《연모의 손잡이로 쓰이는 단단한 나무》.
guabazo *m.* 《*CRica.*》 손바닥으로 때림.
guabico *m.* (Cuba의) 번여지과 식물(anonácea).
guabina *f.* ① 《*Ant. Col. Venez.*》【어류】 민물고기의 일종. ② 《*Col.*》 민요의 일종.
coger ~s 《*Cuba.*》 바보가 되다.
guabino, na *adj.* 《*Col. Venez.*》 멍청한, 바보같은, 어리석은 ; 조잡한 ; 사나운.
guabirá *m.* 《*Arg. Parag. Urug.*》 【식물】 구아비라나무.
guabiyú *m.* 《*Riopl.*》 구와비유 나무 《천인과에 속하는 약용 식물》.
guabo *m.* 《*Col. CRica. Ecuad.*》 =**guamo.**
guabucho *m.* 《*CRica.*》 혹(chichón).
guabul *m.* 《*Hond.*》 바나나 음료.
guaca *f.* ① 《*AmérM.*》 (특히 뻬루와 볼리비아 지방 인디오의) 고분(古墳). ② 《*Amér.*》 묻혀 있는 보물 ; 저금통(alcancía) : hacer ~ 돈을 모으다. ③ 《*Ant.*》 (과일을 익히는) 온실.
guacabina *f.* 《*Cuba.*》 여행용 도시락.
guacal *f.* ① 《*Amér.*》 등에 매는 광주리, 소쿠리, 망태기. ② 《*AmérC.*》 구아깔나무 ; 그 나무 열매로 만든 밥그릇.
guacalada *f.* 《*Amér.*》 소쿠리의 내용물.
guacalón, na *adj.* 《*Méx.*》 =**gritón.**
guacalona *f.* 《*CRica. Hond.*》 =**guacaluda.**
guacalote *m.* 《*Cuba.*》 강낭콩(frijol)의 일종.
guacaluda *f.* 《*Guat.*》 칼의 일종.
guacamaya *f.* 《*AmérC. Col. Méx.*》 =**guacamayo.**
guacamayo *m.* 【조류】 금강앵무새.
guacamol *m.* 《*AmérC. Cuba. Méx.*》 로렐배(aguacate)가 든 샐러드.
guacamole *m.* =**guacamol.**
guacamolear *tr.* 《*Méx.*》 (여자를) 희롱하다.
guacamote *m.* 《*Mex.*》 【식물】 (고구마 비슷한 열대산의) 유까(yuca).
guacamotera *f.* 《*Méx.*》 만디오까 판매 여인.
guacán *m.* 《*Parag.*》 밀랍나무(árbol de la cera).
guacanco *m.* 《*Arg.*》 곤봉, 몽둥이(garrote).
guacanga *f.* 《*Arg.*》 =**garrote.**
guácano *m.* 《*Col.*》 몽둥이, 작대기, 막대기 : asentar ~ 몽둥이질을 하다.
guacanqui *m.* 《*Bol.*》 산을 오르내림 ; 부적 대신 간직하고 다니는 화폐.
guácara *f.* 《*Col.*》[드뭄] 프록코트, 외투.
guacarí *m.* (Perú의) 원숭이.
guacarico *m.* (Orinoco의) 물고기의 이름.

guacarnaco, ca *adj.* 《*AmérM. Cuba.*》 어리석은, 멍청한, 바보 같은, 우둔한(tonto).
guacatay *m.* 《*Perú.*》 카네이션의 일종.
guacer *intr.* =**guarecer.**
guachacaí *m.* 《*Chile.*》 구아차까이술 《소주, 화주, 알코올 등》.
guachachear *tr.* 《*Bol.*》 밀어붙이다, 힘껏 밀다 (dar empujones).
guachada *f.* 《*Col.*》 속됨, 저속함, 교양없는 짓; 속인(vulgaridad).
guachafita *f.* ① 《*Amér.*》 혼란, 혼잡, 난잡. ② 《*PRico.*》 야유. ③ 《*Venez.*》 노름판, 도박장.
guachaje *m.* ① 《*AmérM.*》 [집합] 기아(棄兒) (guachos). ② 《*Chile.*》 송아지 우리.
guachalomo *m.* 《*Chile.*》 등심살.
guachamaca *f.* 《*Venez.*》 독이 있는 관목.
guachapa *f.* 《*Venez.*》 시끄러움, 혼란, 혼잡, 어수선함.
guachapeado, da *adj.* 《*Hond.*》 늙은; 허약한, 병약한.
guachapear *tr.* ① 발로 철벙거리다. ② 재빨리 대강대강 해두다. ③ 《*Chile.*》 바가지를 씌우다. —*intr.* 덜컹덜컹 움직이다: ~ una herradura 굽쇠가 덜컹거리다.
guachapelí *m.* 구아차 뻴리 《Ecuador의 아카시아의 일종》.
guachapita *f.* 《*Amér.*》 =**guachafita.**
guachar *tr.* 《*Ecuad.*》 이랑·물결 무늬를 세우다.
guáchara *f.* ① 《*Cuba.*》 거짓말(mentira). ② 《*CRica.*》 【악기】 (토착민의) 악기.
guacharaca *f.* ① 《*Col. Panamá.*》 악기의 일종. ② 《*Col. Venez.*》 【조류】 =**chachalaca.**
guacharaco, ca *adj.* 《*Venez.*》 밤색털의 (말).
guacharada *f.* 《*Col. Venez.*》 =**chachalaca.**
guacharaje *m.* 《*Chile.*》 =**guachaje.**
guácharo, ra *adj.* ① 약골의. ② 《*Ecuad.*》 고아의. ③ 《*Ecuad.*》 질이 좋은 (담배)(tabaco ~). —*m.* 새끼 새, 병아리(pollo); (중미산의) 소쩍새. —*m.f.* 《*Ecuad.*》 =**huérfano.**
guacharro *m.* 새끼 새; 병아리(pollo).
guache *m.* ① 《*Col. Venez.*》 하급 사람. ② 《*Col.*》 갈대로 만든 악기.
guacherna *f.* 《*Col.*》 군중; 소란; 춤의 일종.
guachi *m.* 《*Chile.*》 새잡이 덫.
guachichil *m.* ① 【식물】 구아치칠 《아름다운 붉은 꽃이 피는 멕시코의 나무》. ② 【동물】 (멕시코의) 벌(abeja)의 일종.
guachimán *m.* 《*AmérC. Méx.*》 =**guardián, sereno.**
guachinango, ga *adj.* 《*Ant. Col. Méx.*》 교활한, 앙큼스러운. —*m.f.* 《*Cuba.*》 멕시코 사람. —*m.* 《*Ant. Méx.*》 pagro 비슷한 물고기.
guachipilín *m.* ① 《*Hond.*》 알의 노른자위 (yema de huevo). ② 《*AmérC.*》 =**guachapelí.**
guachito, ta *m.f.* 《*Chile.*》 집에서 기르는 양·닭을 부르는 소리.
guacho, cha *adj.* ① 흠뻑 젖은. ② 《*Amér.*》 부모없는; 버려진; 사생아의; 자생(自生)의. —*m.f.* 《*AmérM.*》 고아; 기아(棄兒); 사생아. —*m.* ① 새끼 새; 병아리(pollo). ② 《*Chile.*》 자생 목초. ③ 《*Perú.*》 복권의 표 쪽지. ④ 《*Ecuad.*》 밭이랑. ⑤ 《*Méx.*》 고원 지대의 사람.
guachucho *m.* 《*Chile.*》 구아추쵸 《보통의 소주 비슷한 술》.
guacia *f.* 【식물】 아카시아(acacia); 아카시아의 수지(樹脂).
guácima *f.* 구아시마나무 《중남미산의 느릅나무의 일종》.
guácimo *m.* =**guácima.**
guaco *m.* ① (고분 guaca에 있는) 토기. ② 구아꼬풀 《남미에서 나며 냄새가 고약하고 흰 꽃이 피는 국화과 식물》. ③ 구아꼬닭 《남미산 도가머리가 있는 칠면조 무리》.
guaco, ca *adj.* ① 《*Col.*》 이가 빠진. ② 《*Arg. Bol. Ecuad.*》 언청이의. ③ 《*Méx.*》 =**mellizo.**
guadafiones *m.pl.* (말의 앞발을 묶는) 밧줄.
guadal *m.* 《*Arg. Col.*》 물이 고이는 황무지.
Guadalajara 【지명】 구아달라하라 《서반아 중부에 있는 주·도시; 멕시코의 Jalisco주의 도시》.
guadalajareño, ña *adj.* 구아달라하라의. —*m.f.* 구아달라하라 사람.
guadaloso, sa *adj.* 《*Riopl.*》 모래 언덕(duna)으로 가득 찬.
guadamací *m.* 모로코 가죽.
guadamacil *m.* =**guadamací.**
guadamacilería *f.* 모로코 가죽 다루는 기술.
guadamacilero *m.* 모로코 가죽 제조 업자.
guadamecí *m.* 모로코 가죽.
guadamecil *m.* =**guadamací.**
guadameco *m* (옛날의) 여자의 장식품.
guadaña *f.* (자루가 긴) 낫.
guadañador, ra *adj.* 풀을 베는. —*m.f.* 풀 베는 사람·기계.
guadañadora *f.* 풀 베는 기계(segadora).
guadañar *tr.* (낫으로) 베다.
guadañero *m.* 풀 베는 사람, 낫질하는 사람.
guadañil *m.* =**guadañero.**
guadaño *m.* 《*Ant. Cuba. Méx.*》 작은 보트, 전마선, 거룻배.
guadapero *m.* ① 【식물】 야생배. ② (보리 베기에) 도시락을 운반하는 하인.
guadarnés *m.* 마구 관리소; (왕궁의) 무구계(武具係); 무구 박물관.
guadí *m.* (사막의) 간헐적인 개울.
guadianés, sa *adj.* 구아디아나강(el Guadiana)의.
guadijeño, ña *adj.* 구아딕스의. —*m.f.* 구아딕스 사람. —*m.* (폭이 넓고 한 쪽 날만 있는) 단도.
Guadix 【지명】 구아딕스 《서반아의 남부에 있는 도시》.
guadra *f.* 【은어】 칼.
guadramaña *f.* 거짓말(mentira); 유언 비어, 낭설(embuste).
guadua *f.* 【식물】 (남미산) 큰 대나무.
guadúa *f.* 【식물】 =**guadua.**
guadual *m.* 《*AmérM.*》 guadua 대숲.
guáduba *f.* 《*Col. Venez.*》 =**guadua.**
guafe *m.* [*ing.* wharf] 《*Cuba.*》 =**muelle pequeño.**
guagua *f.* ① 싸구려. ② 《*AmérM.*》 갓난아이 (niño, bebé). ③ 《*Cuba.*》 【곤충】 (귤 같은 것에 생기는) 깍지벌레. ④ 《*Can. Cuba. PRico.*》 (시내) 버스.

de ~ ① 공짜로, 거저, 무료로(gratis, de balde). ② 무익하게도.

guagualón, na *adj.* 《*Chile.*》 다 큰 응석받이의, 어린애 취급을 받는. —*m.f.* 응석받이.

guaguanche *m.* 【어류】 《*Cuba.*》 구아구안체 《Antillas의 물고기》.

guaguarear *intr.* 《*AmérC. Méx.*》 【속어】 잡담을 늘어놓다, 수다를 떨다(charlar).

guaguasí *m.*《*Cuba.*》【식물】 구아구아시 《나무는 목재로, 진은 약용으로 쓰이는 꾸바산의 야생수》.

guaguatear *intr.* 《*AmérC. Chile.*》(아이를) 키우다 ; 아이를 안고 다니다.

guagüero, ra *adj.* 【방언】 《*Ant.*》 빌어먹는, 기식하는. —*m.* 버스 운전수.

guaguón *m.* 《*Perú.*》 =**muñecón.**

guaica *f.* ① 《*Arg.*》 유리 구슬. ② 《*Bol.*》 염주알. ③ 《*Col.*》 목걸이.

guaicán *m.* 《*Ant.*》 【어류】 바둑 상어(rémora).

guaico *m.* ① 《*AmérM.*》 구멍(hoyo). ② 《*Bol.*》 쓰레기 버리는 곳, 쓰레기 처리장 ; 숨는 곳 ; 배수구 ; 안데스산의 암석.

guaicurú *m.* 《*Arg.*》 여러 가지 식물의 이름.

guaijacón *m.* 《*Cuba.*》 민물의 작은 물고기.

guaina *f.* 《*Arg. Parag.*》 젊은 여자(mujer joven). —*m.* 《*Bol. Chile.*》 소년(muchacho, jovencito).

guaino *m.* 《*Arg. Parag.*》 (몸집이 작은) 젊은 남자.

guaiño *m.* 《*Bol.*》 (가벼운 리듬의) 팝송.

guaipe *m.* [*ing.* wipe]《*Chile.*》 솔솔.

guaiquear *tr.* 《*Bol.*》 습격하다 ; 마구 때리다 ; 우르르 몰려가다 : *Guaiquearon* el almacén 사람들이 백화점으로 우르르 몰려들었다.

guaira *f.* ①(뻬루 원주민의 은을 정련하는) 도가니. ② 삼각돛. ③ 《*AmérC.*》 피리의 일종.

guairabo *m.* 《*Chile.*》 【조류】 섭금류.

guairavo, va *adj.* 《*Arg.*》 =**batarás.**

guaireño, ña *adj. m.f.* 구아이라 《Guairá, 빠라구아이에 있는 주》의 (사람).

guairo *m.* 《*Cuba. Venez.*》 두 개의 돛대에 삼각돛을 단 거룻배.

guairuro *m.* 《*Perú.*》 [드뭄] 순경, 경관.

guaita *f.* (옛날의) 야간 보초병.

guaja *m.f.* 망나니, 불량배.

guajá *f.* 《*Amér.*》 =**garza.**

guajaca *f.* ① 《*Méx.*》 아카시아. ② 《*Cuba.*》 = **enredadera parásita.**

guajaco, ca *adj.m.f.* 《*Méx.*》 오아하까(Oajaca)의 (사람).

guajacón *m.* 《*Cuba.*》 【어류】 물고기 이름.

guajada *f.* 《*Méx.*》 어리석은 일·짓(tontería).

guajal *m.* 《*Méx.*》 guaje 숲.

guajalón *m.* (Cuba의) 등나무(bejuco)의 일종.

guajalote *m.* 《*Méx.*》 =**guajolote.**

guajana *f.* 《*PRico.*》 사탕수수(caña de azúcar)의 꽃이 핀 가지.

guájar *m.*(*f.*) =**guájaras.**

guájaras *f. pl.* 험한 길, 가파른 길 ; 산의 가장 험준한 곳, 위험한 곳.

guaje *m.* 《*AmérC. Méx.*》 (그릇으로 만든) 호리병 ; 바보 ; 쓸모없는 사람, 무용지물. —*pl.* ① 석기. ②【식물】 아카시아의 일종. —*adj.* 《*AmérC. Méx.*》 어리석은, 우둔한, 바보같은, 멍청한.

guajear *intr.* 《*Méx.*》 시치미를 떼다, 능청을 떨다.

guajería *f.* 《*Méx.*》 어리석은 짓, 멍청한 짓, 바보짓(bobería).

guájete *m.* ~ *por* ~ 피장파장으로 ; 분풀이로.

guajilote *m.* (멕시코의) 능소화나무.

guajira *f.* 《*Cuba.*》 ① 자락이 짧은 셔츠. ② 구아히라 《꾸바를 근원지로 한 민요의 일종》.

guajiro, ra *adj.* 《*Cuba.*》 촌스러운, 거친, 시골뜨기의(rústico). —*m.f.* ① 《*Cuba.*》 백인 농부. ② 《*SDgo.*》 농부.

guájiro, ra *m.f.* 《*Guat.*》 구아떼말라 사람 이외의 중미 사람.

guajojó *m.* 《*Bol.*》 【조류】 =**uruntaú.**

guajolote *m.* 《*Méx.*》 ① 칠면조(pavo). ② 천치, 바보, 멍청이(tonto, necio, bobalicón).

guajurú *m.* ① 《*Perú.*》 구아후라 《인디오의 춤》. ② 《*Amér.*》 【식물】 =**icaco.**

guala *f.* ① 《*Chile.*》 【조류】 쇠물닭의 일종. ② 《*Venez.*》 수리부엉이.

Guala *hip.* Guadalupe.

¡gualá! *interj.* 분명히 !, 확실히 !, 틀림없이 !

gualacate *m.* 《*Arg.*》 【동물】 갑옷쥐(quirquincho)의 일종.

gualambear *tr.* 《*Col.*》 파산시키다.

gualatina *f.* (사과와 편도 등으로) 끓인 요리.

gualato *m.* 《*Chile.*》 곡괭이의 일종.

gualda *f.* 【식물】 노란 꽃이 피는 물푸레나무.

gualdado, da *adj.* 노랗게 물들인.

gualdera *f.* 【건축】 도리에 쓰인 나무 ; 사닥다리의 가로 나무 ; (포가의) 측판(側板).

gualdo, da *adj.* 황색의, 노란색의.

gualdrapa *f.* ① 말의 궁둥이 덮개. ② 쓰레기, 넝마(calandrajo).

gualdrapazo *m.* (돛의) 펄럭임.

gualdrapear *intr.* ① 돛이 펄럭여 돛대를 때리다. ② 《*Cuba.*》 (말이) 느리게 걷다. —*tr.* 서로 어긋나게 맞추다.

gualdrapeo *m.* (돛이) 펄럭임.

gualdrapero *m.* 누더기옷을 걸친 남자.

guale *m.* 《*Col.*》 =**murria.**

gualeguay *m.* 《*Arg.*》 =**molle.**

gualetudo, da *adj.* 《*CRica.*》 발이 큰.

gualicho *m.* =**gualichú.**

gualichú *m.* ① 《*AmérM.*》 가우쵸족이 믿는 악마·악령 : tener ~ 도깨비한테 홀리다 ; 걱정하다, 염려하다. ② 《*Arg.*》 부적.

gualiqueme *m.* 《*Hond.*》 =**bucare.**

gualle *m.* 《*Chile.*》(칠레의) 떡갈나무(roble)의 일종.

guallipén *adj.* 《*Chile.*》 발이 휘어진. —*m.f.* 《*Chile.*》 발이 구부러진 사람 ; 호인. —*m.* 《*Chile.*》 가공의 동물.

gualve *m.*《*Chile.*》 습지(terreno pantanoso).

guama *f.* ①【식물】 구아모나무의 열매. ② 《*Col. Venez.*》 =**guamo.** ③ 《*Col.*》 너무 큰 발이나 손. ④ 《*Col. Venez.*》 거짓말. ⑤ 못된 장난. ⑥ 재난.

guamá *m.* 《*Cuba.*》 구아마나무 《목재로 쓰이며, 껍질은 밧줄로 쓰이는 식물》.

guamanga *f.* 《*Perú.*》 반투명한 하얀 돌(piedra blanca translúcida).

guamango *m.* 《*Arg.*》 =**halcón.**

guamazo *m.* 《*Ant. Méx. Venez.*》 손바닥으로 때리기(guantada), 따귀 때리기(bofetada, manotazo).
guambía *f.* 《*Col. Venez.*》 줄로 만들어진 배낭.
guamica *f.* 《*Cuba.*》 비둘기(paloma)의 일종.
guamil *m.* 《*Méx.*》 =**rastrojera.**
guamo *m.* 구아모나무 《남미산 콩과 식물》.
guampa *f.* =**guámparo.**
guámparo *m.* 《*Chile. Riopl.*》 뿔(cuerno)로 만든 술잔; 뿔(cuerno).
guámpo *m.* 《*Chile.*》 통나무배.
guampudo, da *adj.* 《*AmérM.*》 뿔이 달린(cornudo).
guamúchil *m.* 《*Méx.*》 【식물】 아카시아의 일종.
guana *f.* 《*Cuba.*》 【식물】 구아나 《꽃이 노란 나무》.
guanabá *m.* 【조류】 (Cuba의) 섭금류의 새.
guanábana *f.* ① 《*Ant. Col. Méx. Venez.*》 guanábano의 열매. ② 속기 쉬운 사람.
guanabanada *f.* 《*Cuba. Méx.*》 guanábana로 만든 청량 음료(champola).
guanábano *m.* 【식물】 구아나바노나무 《아메리카산으로 단맛이 나는 열매가 여는 과수 나무》.
guanacaste *m.* 구아나까스떼 《중미산의 콩과에 속하는 큰 나무》.
guanacasteco, ca *adj.m.f.* 구아나까스떼《Guanacaste, 꼬스따리까에 있는 주》의 (사람).
guanaco, ca *m.f.* ① 【동물】 (남부 안데스 산맥 지방의) 야생 야마. ② 《*Amér.*》 시골뜨기, 바보. ③ 《*Guat.*》 중미 사람, 특히 엘살바도르 사람. —*adj.* 《*Amér.*》 바보의, 어리석은(tonto).
guanajada *f.* 《*Ant.*》 어리석은 짓(necedad).
guanajería *f.* =**guanajada.**
guanajo *m.* ① 《*AmérC.*》 칠면조. ② 【방언】 게으름뱅이.
guanajuatense *adj. m.f.* 구아나후아또《Guanajuato, 멕시코에 있는 주·도시》의 (사람).
guanal *m.* 《*Cuba.*》 종려나무 숲.
guanana *f.* 《*Cuba.*》 거위(ganso)의 일종.
guanaquear *intr.* 《*Chile.*》 guanaco 사냥을 하다.
guanareño, ña *adj. m.f.* 구아나레 《Guanare, 베네수엘라에 있는 도시》의 (사람).
guanaro *m.* (Cuba의) 들비둘기(paloma silvestre).
guanay *m.* 《*Perú.*》 【조류】 펭귄새 형태의 바닷새.
guanca *f.* 《*Venez.*》 bocina의 일종.
guanchaco *m.* ① 《*Perú.*》 극장 같은 데 공짜로 들어가는 사람. ② 《*Perú.*》 【조류】 구안차꼬새 《남미산의 새》.
guanche *adj.* 구안체족 《카나리아 군도의 원주민》의. —*m.f.* 구안체족 사람.
guándara *f.* 《*Méx.*》 =**guángara.**
guandajo, ja *adj.* 《*Méx.*》 누더기 옷을 걸친.
guando *m.* 《*AmérM.*》 들것, 단가.
guandoca *f.* 《*Col.*》 감옥, 유치장, 구치소.
guandú *m.* 【식물】 구안두콩 《중미산의 콩과 식물》.
guanear *intr.* 《*AmérM.*》 (동물이) 똥을 누다. —*tr.* 《*Perú.*》 (밭에) 구아노(guano) 거름을 주다. ② 《*Cuba.*》 벌하다(castigar).
guanera *f.* 구아노 채취장.
guanero, ra *adj.* 구아노의. —*m.* 구아노를 싣는 배.
guangada *f.* 《*Col.*》 사람이나 동물의 무리.
guángara *f.* 《*Cuba.*》 시끄러움, 소음; 어수선함, 소동, 소란: meter ~ 소란을 벌이다.
guango *m.* ① 【방언】 헛간, 광. ② 《*Col.*》 바나나 송이. ③ 《*Ecuad.*》 (토인 머리의) 세 가닥으로 땋은 머리채; 다발, 묶음(haz).
guangoche *m.* 《*Ant. Méx.*》 마대, 포대, 자루; 그것을 매는 끈.
guangocho *m.* 《*AmérC.*》 =**guangoche.** —*adj.* 《*Méx.*》 =**guangochudo.**
guangochudo, da *adj.* 《*Méx.*》 (주로 옷에 대하여) 헐렁한, 넉넉한, 헐거운; 뚱뚱한.
guanguacho, cha *adj.* =**abotagado.**
guangudo, da *adj.* 《*Ecuad.*》 머리를 세가닥으로 딴: india ~*da.*
guanguero, ra *adj.m.f.* 《*Col.*》 =**bullanguero.**
guaní *m.* =**colibrí.**
guanime *m.* 《*PRico.*》 바나나 잎으로 싼 옥수수 가루 빵.
guanín *adj. m.* 《*Amér.*》 =**guañín.**
guanina *f.* ① 《*Cuba.*》 구아니나 커피 《콩과에 속하는 초본; 커피의 대용품을 만듦》. ② 【화학】 구아닌.
guaniquí *m.* (Cuba의) 덩굴풀(bejuco)의 일종.
guaniquiqui *m.* 《*Cuba.*》 =**quaniquí.**
guanjuro, ra *m.f.* 《*AmérC.*》 막내.
guano *m.* ① 구아노 《남미 서해안 지대에 퇴적된 해조(海鳥)의 똥》; 인조 구아노 비료. ② 《*Cuba.*》 (일반적으로) 야자나무. ③ 《*Ant. AmérC.*》 금전, 돈(dinero).
meter ~ 《*Cuba.*》 ① 일에 정력을 쏟다(afanarse en el trabajo). ② 벌하다, 꾸중하다, 나무라다(castigar).
guanque *m.* 《*Chile.*》 =**ñame.**
guanquero *m.* 《*Arg.*》 =**abejorro.**
guanta *f.* 《*Ecuad.*》 paca 비슷한 쥐무리 동물.
guantada *f.* 손바닥으로 때리기, 따귀 때리기, 손으로 때리기(manotazo, bofetada).
guantazo *m.* =**guantada.**
guante *m.* ① 장갑; (복싱의) 글러브: ponerse los ~*s* 장갑을 끼다. quitarse los ~*s* 장갑을 벗다. ~ de cuero 가죽 장갑. ② 《*Chile.*》 채찍, 회초리(disciplinas). —*pl.* 팁(propina).
como un ~ 기운없이.
arrojar el ~ 도전하다.
echarle ~ 손을 뻗쳐 잡다, 붙잡다; 자기 것으로 하다 (apoderarse de).
echar un ~ (자선 사업을 위하여) 모금하다.
hacer ~ 《*Ecuad.*》 기부하다.
recoger el ~ 도전을 받아들이다.
guantear *tr.* 《*Chile. Méx.*》 장갑으로 때리다.
guantelete *m.* (투구의) 토시. Sinón. manopla.
guantería *f.* 장갑 공장·가게.
guantero, ra *m.f.* 장갑 제조인·상인. —*m.* (자동차 운전석의 작은 물건 넣는 곳).
guanto *m.* 《*Ecuad.*》 산사나무 열매.
guantón *m.* 《*AmérM.*》 손바닥으로 때리기, 장갑으로 때리기(guantada).
guaña *f.* 《*Ecuad.*》 =**achira.**
guañanga *f.* 《*Chile.*》 슬픔, 비애, 비탄, 우려,

우수(nostalgia).
guañín *adj.m.* 《*Amér.*》 질이 좋지 않은 (금).
gruñir *intr.* 《*Extr.*》 새끼 돼지가 울다.
guañusco, ca *adj.* 《*Arg.*》 시들은(marchito).
guao *m.*《*Amér.*》【식물】 구아오나무 《열매는 사료, 나무는 땔감으로 쓰임》.
guapa *f.* 《*Venez.*》【식물】 =**yaro.**
guapaco *m.* 《*Col.*》【조류】 =**guácharo.**
guapal *m.* 《*Méx.*》 =**espetero.**
guapamente *adv.* 용감하게, 늠름하게 ; 훌륭하게.
guapango *m.* 《*Méx.*》 =**fandango.**
guape *adj.* 《*CRica.*》 =**mellizo.**
guapear *intr.* 공연히 우쭐거리다, 뻐기다 ; 그럴듯해 하다 ; 멋을 부리다 ; 허세를 부리다.
guapería *f.* 우쭐거리기, 잰 체하기, 뻐기기.
guapetón, na *adj.* [*aum.* guapo] 훌륭한 ; 멋진 ; 으스대는. —*m.* 성마른 남자.
guapeza *f.* 용감, 용기, 호기 ; 우쭐거리기, 허세부리기, 잰 체하기, 으시대기.
guápil *adj.* 《*Col. CRica.*》 =**mellizo.**
guapinol *m.* 《*Amér.*》 =**curbaril.**
guapo, pa *adj.* ① 볼품이 있는, 귀여운 : un chico muy ~ 아주 귀여운 소년. ② 남자·여자다운. ③ 잘생긴, 고운, 예쁜, 아름다운. ④ 용감한. —*m.* 성마른 남자 ; 미남, 호남(galán).
guapoí *m.* 《*Arg.*》 =**higuerón.**
guaporú *m.* 《*Arg.*》 =**guapurú.**
guapote, ta *adj.* ① 선량한, 착한, 어진, 인품이 있는(bonachón). ② (얼굴 생김새가) 고운.
guapucha *f.* (보고타의) 평원의 물고기.
guapura *f.* ① 용모가 곱게 생김, 미모(美貌). ② 《*AmérC. Ant.*》 잰 체하기, 허세부리기.
guapurú *m.* (Perú의) 도금양과 나무.
guaque *m.* 《*Guat. Sal.*》 큰 후추나무.
guaquear *tr.* 《*AmérC. Col.*》 발굴·도굴하다.
guaquero *m.* ① 《*Amér.*》 고분을 찾는 사람. ② 《*Perú.*》 안디오의 작은 물 항아리.
guaquí *m.* 《*Arg.*》 =**zarigüeya.**
guara *f.* ① 《*AmérC.*》【조류】 앵무, 앵무새. ② 《*AmérC.*》 구아라술 《소주의 일종》. ③【식물】 꾸바산의 밤. —*pl.* ① 《*Chile.*》 의복의 장식. ② 《*Chile.*》 부자연스런 몸가짐 : echar·hacer ~*s* 여자에게 사랑을 하소연하다. ③ 《*AmérC.*》 헛소리.
guará *m.* 《*Arg. Parag. Urug.*》 =**aguará.**
guaraca *f.* ① 《*Col. Chile. Ecuad. Perú.*》 돌팔매에 쓰는 가죽(honda). ② 《*Col. Chile. Ecuad. Perú.*》 팽이채(látigo).
guaracazo *m.* 《*AmérM.*》 돌연한 봉변, 불의의 습격 : recibir un ~.
guaracú *m.* 《*Col.*》 현무암(basalto)의 일종.
guaracha *f.* 구아라차 《고대 서반아나 중남미에서의 각종 춤의 이름》.
guarache *m.* 《*Méx.*》 가죽 샌들, 덧신 : (수레바퀴의) 덮개.
guaracho *m.* 《*Méx.*》 =**guarache.**
guaragua *f.* ① 《*Amér.*》 웅석 피우기 ; 아첨, 구슬리기 ; 잰 체하며 걷기. ② 《*AmérC.*》 거짓말. —*pl.* 의복의 장식 ; 둘러싸기 ; 보기좋은 춤솜씨.
guaraguao *m.* ① 《*Ant.*》【조류】 새매(gavilán)의 일종. ② 《*PRico.*》 이기주의자, 에고이스트.
guaragüero, ra *adj.* 《*Perú.*》 =**sandunguero.**
guaral *m.* 《*Col. Venez.*》 =**cuerda.**
guáramo *m.* 《*Venez.*》 =**valentía y fuerza de voluntad.**
guarán *m.* =**garañón.**
guaraná *f.* 구아라나나무(paulinia) 《남미산의 식물 ; 그 마른 열매로 해열·홍분제를 만듦》.
guarandeño, ña *adj.m.f.* 구아란다 《Guaranda, 에꾸아도르에 있는 도시》의 (사람).
guarandinga *f.* 《*Venez.*》 가치가 없는 것, 쓸모없는 것, 무용지물.
guaranga *f.* guarango의 열매.
guarangada *f.* 《*Arg.*》 버릇없는 짓, 무례한 행동, 교양없는 짓.
guarango, ga *adj.* 《*Arg. Chile. Urug.*》 교양이 없는, 버릇이 없는 ; 촌스러운 ; 야비한 ; 추잡스러운. —*m.* 《*Ecuad. Perú.*》 아카시아나무.
guaraní *m.* ① 구아라니 《빠라구아이의 화폐 단위》. ② 구아라니말. —*pl.* 구아라니족 《빠라구아이에 살고 있는 한 종족》. —*adj.* 구아라니족의.
guaranismo *m.* 서반아어로 사용되는 구아라니어 표현.
guaraña *f.* 《*Venez.*》 구아라냐 《베네수엘라의 민속춤》.
guarapalo *m.* 《*Chile.*》 =**varapalo.**
guarapera *f.* 《*Venez.*》 =**tenducho.**
guarapeta *f.* 《*Ant. Méx.*》 술에 취함.
guarapitá *m.* 《*Arg.*》【조류】 =**churrinche.**
guarapo *m.* ① 《*Amér.*》 사탕수수즙. ② 《*Amér.*》 사탕수수즙으로 만든 음료.
guarapón *m.* 《*AmérM.*》 (밭일 할 때 머리에 쓰는 챙이 넓은) 모자, 삿갓.
guaraquear *tr.* 《*AmérM.*》 때리다, 혼줄을 내다, 혼내주다.
guarataro *m.* 《*Venez.*》 돌맹이 ; 부싯돌.
guaraturo *m.* 《*Venez.*》 =**pedernal.**
guarda *f.* ① 초계, 감시, 망보기. ② 후견(tutela). ③ 수호 : el ángel de la ~ 수호 천사, 수호신. ④ 지키는 것, 방어하는 것. ⑤ (칼의) 날 밑(guarnición). ⑥ (카드 놀이에서) 끝까지 아껴두는 패. ⑦ [주로 *pl.*] (부채의) 으뜸살 ; (머리빗의 양쪽) 어미살 ; (책의) 속표지 ; (자물쇠통의) 열쇠 꼭지. —*m.f.* ① 당번, 보초, 감시인 : ~ del parque 공원지기. ~ de coto 사냥터지기. ~ de la aduana 세관 감시인. ~ de vista 붙어서·미행으로 감시하는 사람. ~ jurado 삼림이나 공공물의 공인 감시인. ② (철도의) 신호수. ③ 《*Arg.*》 (전차 등의) 차장(cobrador).
guardaaguas *m.*【단·복수 동형】 방수판(防水板).
guardaagujas *m.*【단·복수 동형】 (철도의) 전철수.
guardaalmacén *m.* 창고지기, 창고 관리인.
guadaamigo *m.* 버팀 기둥(pie de amigo).
guardabanderas *m.*【단·복수 동형】 (배의) 나침판함계(係) ; 기(旗)의 보관함.
guardabarrera *m.f.* (철도의) 건널목지기. Sinón. guardavía.
guardabarros *m.*【단·복수 동형】 (자동차·자전거·다른 탈 것의) 흙받이.
guardable *adj.* 보관할 수 있는 ; 보호·보존·감시할 수 있는.
guardabosque *m.* 삼림 감시인·관리인.

guardabrazo *m.* (갑옷의) 팔뚝받이.
guardabrisa *m.* ①(촛불에 씌우는) 등피. ②(자동차의 바람막이) 앞 유리창, 방풍 유리. ③《*Méx.*》 간막이, 바람막이(mámpara).
guardacaballo *m.*《*Perú.*》 뻐꾸기(aní)의 일종.
guardacable *m.*【방언】야경, 야간 순찰(sereno).
guardacabras *m.f.*【단·복수 동형】산양을 치는 사람.
guardacadena *m.* (자전거 등의) 체인 상자.
guardacamisa *f.*《*Venez.*》=**camiseta.**
guardacantón *m.* (한길가·공원·건물 모퉁이에 세운) 돌말뚝.
guardacantos *m.* =**guardavivos.**
guardacartuchos *m.*【단·복수 동형】탄약 상자.
guardacostas *m.*【단·복수 동형】밀수 감시선; 해안 경비정(海岸警備艇).
guardacuños *m.*【단·복수 동형】(주화 주조소의) 각인 담당자.
guardado, da *adj.* [guardar의 *p.p.*] =**reservado, cauteloso, comedido.**
guardador, ra *adj.* ① 지키는; 명령 따위를 잘 지키는 (사람). ② 무엇이나 보존하는, 인색한(tacaño). —*m.f.* ① 보초, 지기, 파수꾼. ②[드뭄] 보호자, 후견인.
guardaespaldas *m.*【단·복수 동형】경호원, 보디가드, 호위자.
guardafango *m.*《*Ecuad. Guat. Perú.*》흙받이, 펜더(guardabarros).
guardafrenos *m.*【단·복수 동형】(열차의) 제동수(制動手).
guardafuego *m.*【선박】방화판, 방화벽.
guardaguas *m.*【단·복수 동형】방수판.
guardagujas *m.*【단·복수 동형】전철수(轉轍手).
guardahumo *m.*【선박】방연(防煙) 돛.
guardainfante *m.* (옛날 부인옷의) 허리통 펴개.
guardaizas *m.*【은어】=**guardacoimas.**
guardaja *f.* [드뭄] =**guedeja.**
guardajoyas *m.*【단·복수 동형】(왕실의) 보석 관리관; 보석실; 보석함.
guardalado *m.* 난간, 손잡이(pretil).
guardalmacén *m.f.* 창고지기.
guardalobo *m.*【식물】백단양과의 풀.
guardalodos *m.*【단·복수 동형】(자전거의) 흙받이.
guardamalleta *f.* (창·방문의 위턱에 드리우는) 휘장.
guardamano *m.* (칼의) 날밑(guarnición).
guardamateriales *m.*【단·복수 동형】조폐국의 자재 구입 담당자; 자재 관리인.
guardamecí *m.*【속어】=**guadamecí.**
guardameta *m.* (축구의) 골키퍼, 문지기(portero de un equipo de fútbol).
guardamigo *m.* 버팀 기둥, 버팀 나무.
guardamonte *m.* ①(총의) 방아쇠 울. ② 뒤집어쓰는 모포(capote de monte). ③《*Arg.*》(안장의) 땀받이. ④《*Méx.*》(안장의) 발덮개.
guardamuebles *m.*【단·복수 동형】가구를 넣어 두는 방; (왕궁의) 가구.
guardamujer *f.* 시녀, 상궁.
guardapapo *m.* (목과 턱을 보호하기 위한) 옛날의 갑옷.
guardapelo *m.* 작은 상자; 로켓(medallón).
guardapesca *m.* 어로 감시선.
guardapiedras *m.*【단·복수 동형】(기계에 장치된) 여과기.
guardapiés *m.*【단·복수 동형】짧은 치마.
guardapolvo *m.* 먼지가 끼지 않게 덮는 덮개; 외투; (창문 등의) 챙; (회중 시계의) 안 덮개; (차의) 흙받이.
guardapuerta *f.* (출입구의) 커튼; 앞문(antepuerta).
guardapuntas *m.*【단·복수 동형】연필심 보호 덮개.
guardar *tr.* ① 지키다, 감시하다, 망보다(custodiar): ~ un campo·ovejas. ②(위험·해로부터) 지키다, 보호하다, 막다, 방위하다; (충실하게) 지키다: ~ la ley·un secreto 법·비밀을 지키다. ~ silencio 침묵을 지키다. ~ la palabra 약속을 지키다. El portero *guarda* la residencia contra los ladrones 수위는 도둑으로부터 주거지를 지킨다. **Sinón.** cuidar, defender. ③ 경의를 표하다: ~ miramientos 사양하다. ④ 유지하다, 보존하다; 챙기다, 간수해 넣다(conservar): ~ una cosa bajo llave 어떤 물건을 자물쇠로 잠구어 보관하다. *Guardo* un buen recuerdo 즐거운 추억을 간직하고 있다. Lo *guardó* en el fondo de su cajón 그는 그것을 서랍의 바닥에 간수했다. ⑤ 기다리다, 대기하다. ⑥ 막다, 방해하다.
—*intr.* ① 물건을 보존·소중히 하다: Quien *guarda,* halla 물건을 소중히 하는 사람은 궁색함을 모른다. ② 인색하게 굴다.
~se ① 자신을 지키다, 방어하다(preservarse): *~se del* frío·*del* peligro 추위·위험을 막다. *Guárdese* (en lugar) fresco 찬곳에 놓으십시요, 냉장을 요함. ② **피하다, 삼가다,** 비키다(evitar): *Guárdese* seco; *Guardarse* contra humedad 습기 엄금. ③ 사양하다; 조심해서 …하지 않다: *Me guardo de* ir a tal parte 그런 곳에는 차마 갈 수 없다. ④(자신을 위해) 챙겨 넣다: *Guárdese* usted su dinero 당신의 돈은 어서 챙겨 넣으셔요. *Guárdese* usted la vuelta para usted 거스름돈은 필요없습니다.
¡Guarda! (공포·위험을 보고) 잠깐!, 비켜!, 조심해!
~ *(la) cama* 병상에 눕다, 아파 들어눕다.
guardársela a uno (누구에게) 원한을 품고 보복의 기회를 노리다.
guardarraya *f.*《*Ant. AmérC. Méx.*》(소유지의) 경계선. —*m.*《*Guat.*》경계표.
guardarrayar *intr.*《*Col. PRico.*》인접하다.
guardarrío *m.*【조류】(깃털 빛깔이 다채로운) 물총새, 물새(martín pescador).
guardarropa *m.* (【고어】*f.*) ①【연극】(배우들의) 의상실, 의상 보관실; 옷장; 휴대품을 맡기는 곳. ②【식물】개사철쑥(abrótano).
—*m.f.*【연극】의상 담당자; 휴대품 보관 담당자.
guardarropía *f.*【연극】[집합] 의상; 의상실. *de* ~ 겉치레만의.
guardarruedas *m.*【단·복수 동형】돌 말뚝(guardacantón); 수레바퀴 덮개판.

guardasellos *m.* 국새 상서.
guardasilla *f.* (의자의 등으로 벽에 흠이 가지 않게 하기 위한) 허리판.
guardasol *m.* [드뭄] 양산(quitasol).
guardatimón *m.* 함미포(艦尾砲).
guardatinaja *m.* 《*Nicar.*》 =**tepezcuintle.**
guardavajilla *f.* (왕궁 등의) 식기 창고.
guardavalla *m.* 《*Amér.*》 (운동 경기 등의) 문지기, 골키퍼(portero).
guardavía *m.* =**guardabarrera.**
guardavista *m.* 직사 광선 방지용 챙.
guardavivos *m.* 【건축】 목재 사개.
guardería *f.* ① 탁아소, 보육원(~ infantil). ② 수위의 일, 감시인의 일. ③ (농장의) 감시 비용.
guardesa *f.* [guarda의 여성형] 여자 수위, 여자 감시원; 지기·감시인의 아내.
guardia *f.* ① 경비, 경계 행동, 초계 : estar de ~ 경비에 임하다. salir de ~ 경비에 나서다. ② 감시; 당직 : media ~ 【해사】 2시간 교대 당직. montar la ~ 당직 근무를 하다. mudar la ~ 당직을 교대하다. Le tocó hacer la ~ 그가 당직을 할 차례였다. ③ 보호, 관리 (custodia, protección) : confiar la ~ de una casa 집의 관리를 위임하다. ④ (권투 따위에서) 방위 태세 : ponerse en ~ 방위 태세를 갖추다; 조심하다. ⑤ 경비대, 분대 : ~ de asalto 돌격대, 특히 1936년 혁명의 돌격대. ⑥ 호위대, 경호대 : ~ Presidencial 대통령 경호대. ~ de corps 근위대. ⑦ 수위단 : la ~ del Parlamento. ⑧ 경찰, 경찰대 : ~ civil 경관, 형사. ~ nacional 국립 경찰대. ~ municipal 지방 경찰, 시경.
—*m.* ① (앞서 든 여러 단체의) 대원 : ~ marina 해군 사관 후보생(guardiamarina). ② 위병, 보초병, 경비원, 감시원 : ~ de babor·de estribor 좌현·우현 감시원. ~ del tope 망대 감시인. ③ 수위, 경관 : ~ civil 사법 경찰. ~ municipal 시경 경관.
guardiamarina *m.* 해군 사관 후보생 (guardia marina).
guardián, na *m.f.* 수호자, 파수꾼, 감시자, 수위. —*m.* ① (샌프란시스코파의) 수도원의 상위(上位) 주교. ② (배의) 굵은 밧줄.
guardianía *f.* guardián의 직·관구.
guardiero *m.* 《*Cuba.*》 농장지기.
guardilla *f.* ① 지붕 밑방(buhardilla). ② 홀친데 감치기. ③ (빗의) 어미살.
guardillón *m.* (거실로 쓸 수 없는) 지붕 밑방.
guardín *m.* 【선박】 조임줄.
guardón, na *adj.m.f.* 저축해 두는 (사람).
guardoso, sa *adj.* (무엇이건 다 챙겨 넣고 싶어 하는) 인색한, 검약하는, 절약하는, 알뜰한. Contr. derrochador, gastoso.
guare *m.* 《*Ecuad.*》 (뱃사람들이 사용하는) 삿대, 상앗대. —*m.pl.* 《*PRico.*》 동류·동형의 물건; 쌍둥이.
guarear *tr.* 《*Venez.*》 망보다, 살피다, 감시하다. —*intr.* 《*Méx.*》 이슬비·보슬비·가랑비가 내리다.
~se 《*AmérC.*》 술을 마시다, 취하다.
guarecer *tr.* 31 감싸다, 숨기다; 비호·보호하다; 구조하다, 구원하다, 돕다; 약을 쓰다, 치료하다.
~se [+de : …를] 피하다, 피난하다·대피하다 : ~*se de* la lluvia *bajo* el pórtico 현관 앞에서 비를 피하다. Sinón. albergarse, cobijarse.
guarecimiento *m.* 【고어】 고지식; 꼼꼼함; 감시, 보호; 치료; 대피.
guarén *m.* 《*Chile.*》 【동물】 물갈퀴가 있는 큰 쥐.
guarentigio, gia *adj.* 강제적인, 강제력이 있는 (계약 따위), 강제 집행의.
guares *adj.pl.* 《*PRico.*》 =**semejantes, iguales; gemelos.**
guareto, ta *adj.* 《*PRico.*》 =**semejante, igual.**
guargüero *m.* 《*Amér.*》 【속어】 목, 목덜미(garguero).
guaribá *m.* (아메리카산의) 잘 짖는 원숭이.
guaricha *f.* ① 《*Venez.*》 (경멸적으로) 여자, 암컷; 계집. ② 《*Venez.*》 토인 아가씨. ③ 《*Col. Ecuad. Panamá. Venez.*》 갈보, 매춘부(prostituta).
guarida *f.* ① (동물의) 굴; 보금자리; 도피처; 은닉처(amparo, refugio) : una ~ segura. ② 소굴, 잘 다니는 곳 : Andrés tiene muchas ~*s.*
guarimán *m.* 【식물】 구아리만나무 《남미산 태산목 무리; 과실에서 향료를 채취함》.
guarimiento *m.* 【고어】 치료, 치유; 비호, 도피.
guarín *m.* (갓난) 새끼 돼지.
guariqueño, ña *adj.m.f.* 구아리끄 《Guárico, 베네수엘라에 있는 주》의 (사람).
guarir *tr.* 【고어】 고치다, 치료하다(curar); 수호하다, 구호하다(amparar). —*intr.* 어떤 상태를 지속하다; 치유하다(sanar).
guarisapo *m.* 【동물】 《*Chile.*》 과두(蝌蚪), 올챙이(renacuajo).
guarismo, ma *adj.* 【고어】 =**mumérico.**
—*m.* ① 아라비아 숫자 : escribir una cantidad en ~. ② 숫자, 수량 : un ~ de 5 cifras 5자리 숫자.
no tener ~ 무수하다, 수없이 많다.
guarne *m.* 밧줄의 한 묶음.
guarnecedor, ra *adj.m.f.* 장식하는 (사람).
guarnecer *tr.* 31 ① [+de·con : …을, …에] 대다, 장식하다, 꾸미다 : ~ la sala *de*·*con* pinturas 방을 그림으로 장식하다. ② 갓을 두르다 : ~ una cortina 커튼에 단을 대다. ③ 단에 장식을 대다 : ~ un vestido *de* encajes 옷에 레이스를 달다. ③ 장비하다, 갖추다, 공급하다 (proveer, equiparar) : ~ la fábrica *de* utensilios 공장에 공구를 설비하다. ④ (보석을) 끼우다 (engastar). ⑤ (…에) 마구를 얹다; (칼에) 날밑을 대다; (벽에) 덧칠을 하다; (…에) 병력·수비대를 배치하다 : ~ la plaza *de*·*con* soldados 광장에 병력을 배치하다.
guarnecido, da *adj.* guarnecer의 *p.p.* —*m.* 벽에 칠하기; 그 회반죽.
guarnés *m.* =**guadarnés.**
guarnición *f.* ① 꾸밈, 장식; 술장식, 꾸민 것. ② (보석의) 받침; (칼의) 날밑(guadamano). ③ (고기 요리의) 곁들인 것, 곁들임. ④ (자동차 브레이크의) 라이닝. ⑤ (피스톤의) 패킹. ⑥ 수비대; 위수. —*pl.* ① 마구(馬具)(arreos). ② (가스·전기의) 비품; 부속품; 피혁 제품.
guarnicionar *tr.* (…에) 수비대를 주둔시키다.

guarnicionería *f.* 마구 공장 ; 마구점.
guarnicionero *m.* 마구 제조인 ; 마구 상인.
guarniel *m.* (말구종이 허리에 차는) 가죽 주머니.
guarnigón *m.* 【조류】 자고새의 새끼(pollo de la codorniz).
guarnimiento *m.* ① (배의) 활차의 밧줄류. ② 【고어】 의상, 옷, 장식 ; 장식품 ; 부속품.
guarnir *tr.* [*N.* 불구 동사] ① 도르래에 줄을 매다. ② 【고어】 =**guarnecer.**
guaro *m.* ① 【조류】 구아로 《앵무새의 일종》. ② 《*AmérC.*》 사탕수수술.
guaroso, sa *adj.* 《*Chile.*》 깨끗한, 아름다운(gracioso).
guarrada *f.* 야비, 비열.
guarrazo *m.* 【속어】 추락, 쓰러짐.
guarrear *intr.* ① 멧돼지가 끙끙거리다, 늑대가 울부짖다. ② (어린애가) 심하게 울다.
guarrería *f.* 야비한 짓, 더러운 · 비굴한 행위(porquería).
guarrero, ra *m.f.* 돼지 치는 사람.
guarrido *m.* ① (멧돼지 · 늑대가) 울부짖음. ② (어린애의) 심한 울음.
guarrilla *f.* 《*Ál.*》 가장 작은 독수리의 일종.
guarro, rra *m.f.* 【동물】 돼지(cerdo). —*adj.* 돼지 같은 ; 더러운, 추잡한.
guarrús *m.* 《*Col.*》 옥수수 · 쌀 · 설탕을 넣은 음료.
guarrusca *f.* 《*Col.*》 =**espada, machete.**
¡guarte! *interj.* 조심해 ! , 잠깐 ! (¡ Guárdate!).
guaruba *f.* ① 【동물】 아메리카산 흰원숭이. ② 【조류】 아메리카산의 목이 붉은 앵무새.
guarumo *m.* 구아루모나무 《중미산, 잎에서 심장 치료약을 채취함》.
guarura *f.* 《*Venez.*》 소라.
guasa *f.* ① 어수룩함 : tener mucha ～. ② 농담 ; 야유, 빈정거림(chanza) : decir algo *de* ～ 무슨 말을 농담으로 하다. A los andaluces les gusta la ～ 안달루시아 사람들은 빈정거리기를 좋아한다. ③ 【어류】 중남미산의 농어 무리. ④ 《*Venez.*》 구아사 《춤의 일종》.
guasábara *f.* 《*Ant. Col.*》 소동, 반란.
guasada *f.* 《*Riopl.*》 =**grosería.**
guasamaco, ca *adj.* 《*Chile.*》 예의없는, 버릇없는 ; 촌스러운.
guasanga *f.* 《*AmérC. Col. Cuba. Méx.*》 소란, 소동(barullo).
guasanguero, ra *adj.m.f.* 《*Amér.*》 떠들썩한 (사람)(bullanguero).
guasarapo *m.* 《*Amér.*》 =**gusarapo.**
guasasa *f.* 《*Cuba.*》 【곤충】 위험한 파리의 일종.
guasca *f.* 《*AmérM.*》 가죽끈, 가죽 채찍.
dar ～ 가죽 채찍으로 때리다 ; 못되게 굴다.
pisarse la ～ ① 함정에 빠지다 ; 자꾸 잘못하다. ② 《*Chile.*》 교묘히 빠져나가다.
volverse ～ 《*Col.*》 갈망하다.
guascama *f.* 《*Col.*》 뱀(serpiente)의 일종.
guascazo *m.* 《*AmérM.*》 guasca로 때리기.
guascoso, sa *adj.* 《*Ecuad.*》 날렵한(flexible).
guascudo, da *adj.* 《*Col.*》 섬유질의 (목재).
guasearse *r.* 야유하다(burlarse).
guasería *f.* 《*AmérM.*》 촌스러운 · 치사한 일.
guásima *f.* 《*Amér.*》 【식물】 =**guacima.**
guaso, sa *adj.* 《*AmérM.*》 투박한, 촌스러운. —*m.f.* 《*Chile.*》 시골뜨기(campesino).
guasón, na *adj.* 촌스러운 ; 농담을 좋아하는. —*m.f.* 농담 잘하는 사람, 장난꾸러기 ; 촌스러운 사람 (burlón, chancero).
guasquear *tr.* 《*AmérM.*》 가죽끈 · 가죽 채찍으로 때리다.
～se 《*Arg.*》 옆으로 뛰다.
guasquillo *m.* 《*Amér.*》 담배를 묶는 줄.
guastar *tr.* 《*Arg.*》 내던지다.
guasú *m.* 《*Arg.*》 =**guazú.**
guata *f.* ① 무명, 무명 모포. ② 《*AmérM.*》 배, 복부(panza). ③ (벽의) 기울어짐 ; 불룩해짐. ④ 거짓말, 허위.
echar ～ 사정이 호전되다 ; 내동댕이치다.
guataca *f.* ① 《*Cuba.*》 =**azada corta.** ② 《*Ant.*》 =**oreja.** —*m.f.* 아첨하는 사람, 아부자.
guataco, ca *adj.* ① 《*Hond.*》 땅딸막한(rechoncho). ② 《*Cuba.*》 투박스런, 거친 (사람).
guatacudo, da *adj.* 《*Cuba.*》 =**orejón.**
guatal *m.* guate밭.
guatapaná *m.* 《*Cuba.*》 =**dividivi.**
guate *m.* 《*AmérC.*》 (건조하여 솜 대신 쓰는) 옥수수의 수염 ; 그 밭 ; 과장 ; 자랑.
Guatemala *f.* 【지명】 구아떼말라 《중미에 있는 나라 및 그 수도》.
guatemalense *adj.m.f.* =**guatemalteco.**
guatemalteco, ca *adj.* 구아떼말라의. —*m.f.* 구아떼말라 사람.
guatemaltequismo *m.* 구아떼말라 사투리.
guatepín *m.* 《*Méx.*》 머리에 주먹질.
guateque *m.* ① 성찬, 잔치, 파티, 연회. ② 《*Amér.*》 댄스 파티 ; 떠들썩한 모임.
guatiní *m.* 《*Cuba.*》 【조류】 =**tocororo.**
guatitas *f.pl.* 《*Chile.*》 =**redaño.**
guato *m.* 《*Bol.*》 =**soga, cuerda.**
guatoco *m.* 《*Bol.*》 땅딸보.
guatón, na *adj.* 《*Chile. Perú.*》 배가 불룩한.
guatusa *f.* 【동물】 《*Amér.*》 =**agutí.**
guatuso *adj.* 《*Salv.*》 =**pelirrubio.**
¡guau! *interj.* 멍멍 《개 짖는 소리》.
guaucho, cha *adj.* 《*Amér.*》 버려진(abandonado).
guavaloca *f.* 《*Arg.*》 (추위 · 비로부터 몸을 보호하는) 가죽 모포.
guavina *f.* 《*Col.*》 구아비나 《민요의 일종》.
guaxmole *m.* 《*Méx.*》 아카시아 씨를 넣은 돼지요리.
¡guay! *interj.* 【시어】 (슬픔 · 괴로움의 감탄사) 아아 ! (¡ay!) : tener muchos ～*es* 고생하다, 갖은 고초를 겪다.
guaya *f.* 슬픔 ; 탄식(lamento) : hacer la ～ 엄살로 죽는 소리를 늘어놓다.
guayaba *f.* ① 난석류(guayabo)의 열매 ; 그 열매를 설탕에 절여 삶은 것. ② 《*Ant. Col. Salv.*》 거짓말(mentira).
guayabal *m.* 난석류를 심은 밭 · 숲.
guayabate *m.* 《*Méx. Salv.*》 guayaba 과자.
guayabear *intr.* 《*Amér.*》 거짓말을 하다.
guayabera *f.* 《*Amer.*》 (*Cuba*의) 얇은 윗도리의 일종.
guayabero, ra *adj.m.f.* 《*Ant. Ecuad.*》 ① 거짓말쟁이의 (사람)(mentiroso). ② 사기치는, 사기

를 일삼는 (사람)(embustero).
guayabito *m.* 《*Cuba.*》 =**ratoncillo.**
guayabo *m.* ①【식물】난석류《열대 아메리카산 천인과의 관목》. ②《*Col.*》기분이 언짢음; 숙취.
guayaca *f.* 《*Bol. Chile.*》(담배·돈을 넣는) 전대; 부적. **—***adj.* 아둔한, 촌스러운, 어수룩한.
guayacán *m.* 【식물】유창목《열대 아메리카산; 조선 용재가 되며 발한제를 채취함》.
guayaco *m.* 【식물】 =**guayacán.**
guayacol *m.* 구아야꼴《약용 수지(樹指)》.
guayanense *adj.m.f.* =**guayanés.**
guayanés, sa *adj.m.f.* 구아야나《Guayana, 베네수엘라에 있는 주》의 (사람).
guayapel *m.* 《*AmérM.*》뻔쵸, 목에 두르는 모포.
guayaquil *adj.* (남미 에꾸아도르의) 구아야낄의. **—***m.* 구아야낄산의 코코아.
Guayaquil 【지명】구아야낄《에꾸아도르의 Guayas의 수도》.
guayaquileño, ña *adj.* 구아야낄의.
—*m.f.* 구아야낄 사람.
guayar *tr.* ①《*Ant.*》강판(guayo)으로 갈다. ②《*Ant.*》표면을 깍다.
~se ①《*Ant.*》=**esforzarse, trabajar mucho.** ②《*PRico.*》=**emborracharse.**
guayasense *adj.m.f.* 구아야스《Guayas, 에꾸아도르에 있는 주》의 (사람).
guaycurú *adj. m.f.* 구아꾸루족《빠라구아이의 Chaco와 빠라구아이 강변의 원주민》의 (사람).
guayo *m.* ①《*Ant.*》강판(rallador). ②《*Ant.*》【악기】=**güiro.** ③ 떠돌이 악단(banda de músicos ambulantes). ④《*Ant.*》=**borrachera.**
guayubo *m.* 《*Col. Venez.*》살바.
guayuco *m.* ①《*Col. Venez.*》반바지(calzón corto). ②《*PRico.*》(노동자가 사용하는) 낡은 옷(traje viejo).
guayule *m.* 【식물】구아율레나무《멕시코산 탱알무리; 고무액을 채취함》.
guayusa *f.* 《*Ecuad.*》마떼(mate)의 일종.
guazábara *f.* 《*Amér.*》【고어】인디오들의 전투.
guazapa *f.* 《*AmérC.*》=**perinola.**
guazú *m.* 《*Arg. Bol.*》사슴(ciervo)의 일종.
guazubirá *m.* (남미에 사는) ciervo의 일종.
guazupitá *m.* (아메리카의) ciervo의 일종.
guazutí *m.* (브라질 남부·빠라구아이·아르헨띠나·우루구아이에서 살고 있는) 뿔이 작고 불그스레한 ciervo.
gubán *m.* 필리핀의 대형 통나무배.
gubernamental *adj.* ① 정부(政府)의 (del gobierno) : un esfuerzo ~ 정부의 노력. medida ~ 정부 조치. [Sinón.] gubernativo. ② 정치의, 내정의. ③ 정부파의, 여당의 : partido ~ 여당.
—*m.f.* 여당 사람.
gubernativamente *adv.* 행정적으로; 정치적으로.
gubernativo, va *adj.* 내정의; 행정의, 행정적인 : disposición *~va* 행정 조치. [Sinón.] gubernamental.
gubernista *adj.m.f.* 《*Amér.*》정부 정책에 찬성하는 (사람).
gubia *f.* 【목공】둥근 끌; 포문 검사기.
gubileta *f.* 구리 술잔을 넣었던 상자.
gubilete *m.* =**cubilete.**

Gudrun *f.* 고대 독일의 국민적 서사시 "구드룬의 노래"의 주인공.
guebro *adj.* 배화교의. **—***m.f.* 배화교도.
güecho *m.* 《*AmérC.*》【의학】갑상선종.
no ser ~ 바보가 아니다.
guedeja *f.* ① 길게 자란 머리카락, 장발. [Sinón.] melexa. ② (말·사자 등의) 목 뒤에 난 털, 갈기 (melena del león).
guedejado, da *adj.* 갈기 모양의.
guedejón, na *adj.* 장발의. **—***m. aum.* guedeja.
guedejoso, sa *adj.* 장발의.
guedejudo, da *adj.* =**guedejoso.**
güegüecho, cha *adj.* ①《*AmérC. Méx.*》갑상선종(bocio)의. ②《*AmérC. Col.*》바보의, 멍청한, 얼간이의(tonto, bobo).
—*m.* 《*AmérC. Méx.*》갑상선종.
güeldis (de) *adv.* 《*Cuba.*》무료로, 거저, 공짜로(de balde, gratis).
güeldo *m.* (새우 같은 것으로 하는) 미끼, 먹이.
güelfo, fa *adj.* [*alem.* Welf] (중세의) 교황당《Gibelino의 반대당》의. **—***m.f.* 교황당원.
güello *m.* 【고어】눈(ojo).
guelte *m.* [드뭄] =**dinero.**
gueltre *m.* [드뭄] =**dinero.**
guembé *m.* 【식물】마닐라삼(abacá).
güemul *m.* 【동물】(안데스 산지의 야생 동물로) 뿔 없는 사슴(huemul).
güeña *f.* 소시지(salchichón)의 일종.
guepardo *m.* (아시아·아프리카의) 표범의 일종.
güerdis (de) *adv.* 《*Cuba.*》거저, 무료로, 공짜로(de balde, de guagua).
güerequeque *m.* 《*Perú.*》댕기물떼새(avefría)의 일종.
güero, ra *adj.* 《*Guat. Méx.*》금발의(rubio); 귀여운.
guerra *f.* ① 싸움, 전쟁 : declarar la ~ 선전 포고하다. hacer la ~ 전쟁을 하다. Ella está en ~ con su tía 그녀는 숙모와 대립 상태에 있다. [Sinón.] contienda. ② …전(戰); 언쟁, 다툼, 싸움, 논쟁; 승부. ③ 육군성(ministerio de la ~). ④ 골치 아픈 일, 귀찮은 일 : dar ~ 싸움을 걸다; 애먹이다. Este niño da mucha ~ 이 아이는 무척 애를 먹인다.
~ *abierta* (선전 포고한) 공개된 전쟁. ~ *a muerte·sin cuartel* 사투, 격투, 격전. ~ *aduanera·de tarifas* 관세 전쟁. ~ *civil* 내란. ~ *de nervios* 신경전. ~ *de precios* 가격 전쟁. ~ *económica* 경제 전쟁. ~ *fría* 냉전. ~ *santa* 성전(聖戰). ~ *mundial* 세계 대전. ~ *relámpago* 전격전. ~ *revolucionario* 혁명전. *buque de* ~ 군함. *declaración de la* ~ 선전 포고. *estado de* ~ 전시 상태, 계엄령. *Ministro de G-* 육군장관. *Segunda G- Mundial* 제이차 세계 대전.
en ~ 전시 장비의 : buque mercantil *en* ~ 전시 장비를 갖춘 상선. armar *en* ~ 전시 장비를 갖추다.
guerreador, ra *adj.* 싸우는; 호전적인. **—***m.f.* 전투원.
guerreante *adj.* =**guerreador.**
guerrear *intr.* ① 싸우다, 전쟁하다(hacer guerra). ② 논쟁하다.
guerrera *f.* ① 군복의 상의. ② 여자 전사, 여자

전투원.

guerreramente *adv.* 전쟁으로.

guerrerense *adj.m.f.* 게레로 《Gurrero, 멕시코에 있는 주》의 (사람).

guerrero, ra *adj.* ① 전쟁의 ; 호전적인(belicoso) : actitud *~ra.* 호전적 행동. ② 무용(武勇)의, 상무의. ③ 공연한. **—***m.f.* 전투원, 군인, 무사, 전사 : un ~ griego 그리스의 전사.

guerrilla *f.* 특수대 ; 유격대 ; 유격전, 게릴라전, 소부대의 신출 귀몰전 ; 비정규군, 게릴라병.

guerrillear *intr.* 유격전을 벌이다, 게릴라 전술을 쓰다 ; 소강전을 벌이다.

guerrillero, ra *m.f.* 게릴라 대원, 별동 대원, 유격 대원 ; 무장 테러리스트 ; 비정규군 병사, 민병(民兵).

gueto *m.* (이탈리아 · 다른 나라에서 살았거나 살도록 강요당한) 유태인 구역 ; 유태인가(街).

guía[1] *f.* ① 안내, 유도, 길잡이 ; 표적 : La estrella polar es la ~ del navegante 북극성은 항해자의 길잡이다. ② 지표, 길안내판 ; 편람, 안내서 : ~ de agricultores 농가 편람. la ~ de Madrid 마드리드 안내(서). ③ 세관 허가서 ; 휴대 · 반입 증명서. ④ (무엇을) 끄는 물건 ; 도화선. ⑤ 【기계】 정동기, 도자 ; (자전거의) 핸들. ⑥ (부채의) 어미살(guarda). ⑦ 남긴 가지, 남긴 싹. ⑧ 안내말. ⑨ 【광물】 광맥. ⑩ 【음악】 (둔주곡의) 주창(主唱).

—*pl.* 고삐줄 : a *~s* (4두 마차 따위에서) 고삐줄을 잡아.

—*m.f.* 안내자, 안내원 ; 선도자, 지도자 : ~ de museo 박물관 안내원. Los *~s* suizos son muy hábiles 스위스인 안내원은 아주 숙련되어 있다. ~ ***comercial*** 상사 주소록. ~ ***de almacén · depósito*** 창고 증권. ~ ***de embarque*** (***de aduana***) 세관용 식품 적재 신고서. ~ ***de forasteros*** 외국인 안내서. ~ ***oficial de España*** 서반아 국세 연감. ~ ***de ferrocarriles*** 철도 안내 · 시간표. ~ ***del viajero*** 여행 안내. ~ ***telefónica · de teléfonos*** 전화 번호부. ~ ***de turismo*** 관광 안내서. ~ ***vocacional*** 직업 보도(補導).

guía[2] guiar의 직 · 현 · 3 · 단수.

guiabara *f.* 【식물】 =**uvero.**

guiadera *f.* (기계의) 긴 도관.

guiado, da *adj.* 안내된, 이끌린 ; 허가증이 있는.

guiador, ra *adj.* 이끄는, 안내하는. **—***m.f.* 안내자 ; 지도자 ; 조종자, 운전자.

guiaje *m.* 안내하는 일 ; 안내료 ; 통행증.

guiar *tr.* ⑫ ① 인도하다 : Antígone *guiaba* a su padre ciego 안띠고네는 그의 눈먼 아버지의 손을 끌고 갔다. ② 안내 · 유도하다 : ~ por …을 안내하다. ~ por el centro de la ciudad 시내 중심지를 안내하다. Iba delante para ~nos 그는 우리를 안내하기 위해 앞에 갔다. ③ 지도 · 지배 · 좌우하다 ; 조종 · 운전하다 : Aprendí a ~ automóvil 나는 자동차 운전을 배웠다.

—*intr.* (식물이) 자라다(tallecer).

~se [+de · por : …를] 손을 잡고 데리고 가다, 따르다 : *Me guiaré por · de* tu consejo 자네의 충고에 따라 가겠네.

[직설법 현재 : guío, guías, guía, guiamos, guiáis, guían. 접속법 현재 : guíe, guíes, guíe, guiemos, guiéis, guíen].

güica *f.* 《*Cuba.*》 =**miedo.**

güícharo *m.* 《*PRico.*》【악기】 =**guayo.**

güíchichi *m.* 《*Méx.*》 =**el colibrí.**

güicoy *m.* 《*Guat. Hond.*》 호박(calabaza)의 일종.

guido, da *adj.* 【은어】 =**bueno.**

guienés, sa *adj.m.f.* 기에네 《Guiena, 불란서의 옛 주》의 (사람).

guigue *m.* 《*Arg. Chile.*》 =**bote flotador.**

guiguí *m.* 【동물】 (필리핀산의) 날다람쥐.

guija *f.* ① (하천 등에 있는 둥근) 돌멩이, 조약돌. ② 【식물】 백앵두(almorta). ③ 《*Amér.*》 【광물】 영석(英石).

guijarral *m.* 자갈땅, 자갈밭. **Sinón.** pedregal.

guijarrazo *m.* 돌팔매.

guijarreño, ña *adj.* ① 돌이 많은 : terreno ~ 돌이 많은 땅. ② 씩씩한, 용감한, 강한(fuerte) : hombre ~ 용감한 사람.

guijarro *m.* 돌멩이, 자갈.

guijarroso, sa *adj.* 돌멩이투성이의, 자갈땅의.

guijeño, ña *adj.* 조약돌 같은; 늠름한; 단단한.

guijo *m.* ① [집합] (포장 따위의) 발라스. ② (회전축의) 머리(gorrón). ③ 《*Col. Méx.*》 물레방아의 굴대.

guijón *m.* 충치(neguijón).

guijoso, sa *adj.* 자갈땅의; 단단한, 굳건한(guijeño).

güila *f.* ① 《*Chile.*》 =**andrajo.** ② 《*CRica.*》 작은 팽이.

guilalo *m.* 필리핀의 연안 항행용의 배.

guileña *f.* 【식물】 미나리아재비과에 속하는 다년생풀(aguileña).

güiliche *m.* 《*CRica.*》 =**chiquitín, el hijo menor.**

guilla *f.* 풍작 : de ~ 많이, 숱하게; 듬뿍.

guilladura *f.* 사랑에 홀딱 빠짐(chifladura).

guillame *m.* 【목공】 홈 파는 끌. **Sinón.** acanalador.

guillarse *r.* ① (어떤 일에) 몰두하다, 홀딱 빠지다; 멍해지다. ② 【고어】 도망치다.

guillatí *m.* =**chiflado.**

guillatún *m.* (칠레의 아라우까족의) 기우제.

güillegüille *m.* 《*Ecuad.*》 =**renacuajo.**

güillín *m.* =**huillín.**

guillo *m.* 《*Cuba.*》 속임수, 거짓말.

Guill.º Guillermo.

guilloque *m.* [*fr.* guilloche] 꽃무늬, 물결 무늬의 금속 장식 《건축의 장식》.

guilloquear *tr.* (…에) 꽃무늬 · 물결 무늬를 넣다.

guilloquis *m.* =**guilloque.**

guillote *m.* 연금 · 이자로 먹고 사는 사람; 게으름뱅이. **—***adj.* 빈둥거리는, 나태한, 태만한, 게으른(holgazán).

guillotina *f.* 단두대; 단두기, 기요틴; 종이 재단기.

de ~ 단두대식의 : ventana *de* ~ 위아래로 여닫게 된 창.

guillotinar *tr.* 단두대에 앉히다; 목을 자르다 · 참수하다 ; (종이를) 종이 재단기로 자르다.

güilo, la *adj.* 힘이 없는 (사람). **—***f.* 갈보, 창녀(prostituta).

güilón, na *adj.* 《*Amér.*》 도망을 잘 치는.

güilona *f.* 《*Méx.*》 매춘부, 갈보.

güilota *f.* 【조류】 (멕시코의) 비둘기(paloma)의 일종.
guimba *f.* 《*Cuba.*》 【식물】 =**cirio.**
guimbalete *m.* (펌프를 누르는) 손잡이, 지레.
guimbarda *f.* 【목공】 홈 파는 끌.
guimellense *adj.m.f.* 라구니야 《Lagunilla, Salamanca주의 마을》의 (사람).
güín *m.* 《*Cuba.*》 【식물】 (기장 등의 끝의) 줄기.
güinca *adj.m.f.* ① 《*Chile.*》 (인디오들이) 백인들을 부르는 (말). ② 《*Chile.*》 =**amigo.**
güincha *f.* 《*Chile.*》 노끈, 테이프, 리본.
guinchado, da *adj.* [guinchar *p.p.*] 【은어】 = **perseguido, acosado.**
guinchar *tr.* 찌르다, 쑤시다.
güinche *m.* [*ing.* winch] 《*Perú. Chile.*》 감아올리는 도르래(grúa).
guincho *m.* 찌르는 작대기.
guinchón *m.* ① guincho로 때리기. ② =**desgarrón.**
guinda *f.* ① 【식물】 앵두 열매. ② 【선박】 돛대의 높이·꼭대기. ③ 《*Col. Cuba.*》 지붕의 경사면. ④ 《*Chile.*》 경솔한 짓. ⑤ 《*PRico.*》 가파른 비탈.
guindada *f.* 《*Chile.*》 앵두 주스.
guindado, da *adj.* 《*Chile.*》 앵두로 만든·가 들어 있는. —*m.* 《*Urug.*》 앵두 주스.
guindajo *m.* 《*AmérC. Col.*》 밑으로 늘어진 것, 누더기.
guindal *m.* =**guindo.**
guindalera *f.* 앵두밭.
guindaleta *f.* (굵기가 손가락 만한) 삼줄, 밧줄; 지렛대 받침.
guindaleza *f.* 【선박】 굵은 밧줄; 닻줄.
guindamaina *f.* (선박의) 기에 대한 경례.
guindar *tr.* ① 매달아 올리다, 감아 올리다. ② 교살하다, 교수하다(ahorcar). ③ 경쟁에서 승리하다 : José les *guindó* un empleo 호세는 그들과 경쟁해서 그 자리를 얻었다. ④ 학대하다, 박해하다. ⑤ 《*Col.*》 묶다.
~se ① 높이 오르다(izar). ② 목매어 죽다. ③ 따라서 내리다 : *~se de* la ventana *por* la pared 창문에서 벽을 따라 내리다.
guindársele a uno 《*AmérM.*》 (사람을) 죽이다.
guindaste *m.* (통나무 셋을 어긋나게) 매달아 올린 틀.
guindilla *f.* 고추(guindillo de Indias)의 열매. —*m. desp.* 순경, 경찰.
guindillo *m.* 【식물】 ~ *de Indias* 고추의 일종.
guindo *m.* 【식물】 앵두나무.
guindola *f.* 【해사】 디딤판; (구명용) 튜브·보트; (배의) 측정기.
~ *de salvamento* =salvavidas.
guinea *f.* ① 기니 《21실링에 해당하는 영국의 옛날 금화》. ② 【방언】 소란, 난동.
Guinea 【지명】 기니 《아프리카 서부 해안에 있는 나라; 옛날 불란서의 식민지》.
Guinea Ecuatorial 【지명】 적도 기니 《아프리카의 공화국; 옛날 서반아의 식민지; 수도 Malabo》.
guineano, na *adj.m.f.* 적도 기니의 (사람).
guineo, a *adj.* 기네아(Guinea)의. —*m.f.* 기네아의 사람. —*m.* ① 기네오 《흑인 춤의 일종》. ② 《*AmérC.*》 바나나(plátano).
gallina ~ 【조류】 색시 닭.
guinga *f.* 얇은 무명베의 일종.
guingán *m.* =**guinga.**
guinja *m.* 대추 열매(azufaifa).
guinjo *m.* 【식물】 대추나무(azufaifo).
guinjol *m.* =**guinja.**
guinjolero *m.* =**guinjo.**
guiña *f.* 《*Galic.*》 불운, 불행.
guiñada *f.* ① 눈짓, 윙크(guiño). ② (배 등이) 기우뚱거림.
guiñador, ra *adj.* 눈깜박사이의; 눈짓을 잘 하는. —*m.f.* 눈깜박이.
guiñadura *f.* =**guiñada.**
guiñapiento, ta *adj.* =**guiñaposo.**
guiñapo *m.* ① 넝마, 누더기 뭉치(harapo). ② 누더기를 걸친 사람. ③ 《*Bol. Perú.*》 (께츄아말로 chicha 술을 만들기 위해 탄) 옥수수 기름.
guiñaposo, sa adj. 누덕누덕한 : traje ~.
guiñar *tr. intr.* ① 한눈으로 윙크해 보이다, 윙크하다, 눈짓하다. ② (배가) 몹시 흔들리다. ③ 《*Guat.*》 내던지다, 메어붙이다.
~se ① 서로 눈짓하다. ② 【은어】 물러나다.
guiño *m.* 한 쪽 눈으로 눈짓·윙크하기, 윙크, 눈짓 : hacer ~*s* 눈짓·윙크하다. **Sinón.** guiñada.
guiñol *m.* 인형극.
guiñolesco, ca *adj.* guiñol의.
guío[1] *m.* 《*Col.*》 물뱀(serpiente acuática).
guío[2] guiar의 직·현·1·단수.
guión *m.* ① (행렬에 들고 가는) 선두의 깃발·왕의 깃발·십자가. ② 선도자; 선각자; 지도자 : el ~ de una bandada de golondrinas. ③ 【문법】 이음표; 하이픈(-); (문장 가운데의) 줄표 (—). ④ 【음악】 반복 기호. ⑤ 【선박】 노의 손잡이. ⑥ 【라디오·영화】 대본, 시나리오. ⑦ 강연 요지, 메모. [*N.* gui-ón].
~ de codornices 【조류】 흰눈썹 뜸부기.
guionaje *m.* 안내업, 안내역.
guionar *tr.intr.* 시나리오를 쓰다.
guionista *m.f.* (영화의) 시나리오 작가.
guipar *tr.* 【속어】 =**ver, notar.**
güipil *m.* 《*Méx.*》(인디오 여인들의) 소매없는 셔츠.
guipur *m.* [*fr.* guipure] 투명 레이스.
Guipúzcoa 【지명】 기쁘스꼬아 《서반아 북쪽 연안의 주》.
guipuzcoano, na *adj.* 기뿌스꼬아의. —*m.f.* 기뿌스꼬아 사람. —*m.* 기뿌스꼬아 방언 《바스꼬말의 한 방언》.
güiquilite *m.* 【식물】 =**añil.**
güira *f.* ① 【식물】 호리병박나무; 그 열매(cala, bacera). ② 《*Ant.*》 머리(cabeza).
güirazo *m.* 《*Cuba.*》 =**cabezazo.**
guirguesco, ca *adj.* =**greguisco.**
guiri *m.* ① (19세기 Carlista 내란 당시의) 끄리스띠나 여왕 María Cristina 파의 사람; 자유파의 사람. ② 【방언】 순경, 경비병.
guirigay *m.* 헛소리, 영문 모를 소리; 시끄러움, 떠들썩함.
guirindola *f.* (셔츠의) 앞가슴 장식.
guirizapa *f.* 《*Venez.*》 =**algazara.**
guirlache *m.* 편도 과자.
guirlanda *f.* =**guirnalda.**

guirnalda *f.* ① 화관(花冠). ②【식물】 천일홍(perpetua).
guirnaldeta *f. dim.* guirnalda.
güiro *m.* ①【식물】 호리병박나무(güira). ②《*AmérM.*》 옥수수의 연한 수염. ③《*Ant. Venez.*》【악기】 구이로《원주민의 피리의 일종》. ④ 머리(cabeza). ⑤ 천박한 여자.
hacer (el) ~ 《*Amér.*》 찾아다니다.
guiropa *f.* 감자 넣은 고기 요리.
guisa *f.* 양식, 방식, …풍 (modo, manera) : a · de · en ~ de …처럼, …로서. a tal ~ 그렇게. Los coreanos usan palillos *a* ~ *de* tenedor 한국인은 젓가락을 포크처럼 사용한다.
guisado, da *adj.* guisar의 *p.p.* —*m.* 삶은 것, 스튜 요리 ; 요리.
guisador, ra *adj.m.f.* =**guisandero.**
guisandero, ra *m.f.* 조리사, 요리사 : Esta mujer es muy buena ~*ra* 이 여인은 요리를 잘 한다.
guisantal *m.* 완두밭.
guisante *m.* 완두(콩) : ~ de olor 스위트 피《콩과의 일년생 또는 이년생 만초》.
guisar *tr.* ① 삶다, 요리하다, 조리하다(cocinar). ② 정리하다, 처리하다(arreglar).
guisarma *f.* =**bisarma.**
guisaso *m.* =**guizazo.**
güisclacuachi *m.* 《*Méx.*》 =**el puerco espín.**
güiscolote 《*Méx.*》 =**vinagrillo.**
guiscoyol *m.* 《*Hond.*》 야생 야자(coyol).
guiso *m.* 삶은 것, 요리(comida guisada) : un ~ de patatas.
guisopillo *m.*【식물】 =**hisopillo.**
guisote *m.* [*desp.* guiso] 맛없는 음식 · 요리.
güisque *m.* 《*Méx.*》 구이스께술.
güisquelite *m.* 《*Méx.*》 야생 엉겅퀴(alcachofa)의 일종.
güisqui *m.* 귀리(avena)와 보리(cebada)의 낟알(grano)로 빚은 술, 위스키.
guita *f.* ① 가느다란 삼줄, 삼실. ②【속어】 돈(moneda corriente).
guitar *tr.* guita (삼줄)로 꿰매다 · 철하다.
guitarra *f.* ① [*lat.* cithara] 【악기】 기타 : ~ hawaiana 우꾸레레. ~ eléctrica 전기 기타. tocar la ~ 기타를 치다. ② (석고를 부수거나 빻는데 쓰는) 공이. ③《*Perú.*》【속어】 돈(guita).
guitarrazo *m.* 기타로 때리기.
guitarrear *intr.* 기타를 치다.
guitarreo *m. desp.* 기타의 튀김 골무.
guitarrería *f.* 현악기 공장; 현악기점.
guitarrero, ra *m.f.* 기타 제조자 · 상인 ; 기타리스트, 기타 연주가(guitarrista).
guitarresco, ca *adj.* 기타의, 기타용의 : música ~*ca* 기타 음악.
guitarrillo *m.*[*dim.* guitarra] 소형 기타, 고음용 기타(requinto).
guitarrista *m.f.* 기타 연주가, 기타리스트.
guitarro *m.* =**guitarrillo.**
guitarrón *m.* [*aum.* guitarra] ① 대형 기타. ② 악당. ③ 빈틈없는 사람. ④《*Chile.*》 25현 기타.
guitero, ra *m.f.* guita 제조자 · 판매자.
guito *m.* ① 모자. ② (어린이가 장난감으로 가지고 노는 앵두 등의) 씨. ③《*Cuba.*》 (피부 특히 얼굴에 생기는) 노란 반점.
guitón, na *adj.* 불한당의, 깡패의. —*m.f.* 부랑아, 건달(pícaro).
guitonear *intr.* 건달 생활을 하다, 빈둥거리다.
guitonería *f.* 건달 생활.
güizache *m.* 《*Guat.*》 =**curial, tinterillo.**
guizarazo *m.* 《*CRica.*》 =**capirotazo.**
guizazo *m.* 《*Cuba.*》 =**pata de gallo.**
guizcar *tr.* =**guizgar.**
guizgar *tr.* ⑧ 사주하다, 격려하다(enguizgar).
guizque *m.* ① 갈고리가 부착된 장대. ②【방언】 (벌의) 침 ; 뱀의 혀.
gula *f.* 대식(大食), 폭식(暴食).
gulden *m.* =**florín** 《네델란드의 화폐》.
gules *m.pl.* (문장에서 바탕 빛깔이) 빨간색.
gullería *f.* ① 훌륭한 맛 ; 좋은 반찬. ② 갈망 ; 애태움. ③ 공연한 일(gollería).
gulloría *f.* ①【조류】 종달새(calandria). ② = **gullería.**
gulosidad *f.* =**glotonería.**
guloso, sa *adj.* 대식의. —*m.f.* 대식가.
gulumbiar *intr.* ⑪ 《*Col.*》 =**columpiar.**
gulungo *m.* 《*Col.*》【조류】 굴룽고새《나뭇가지에 둥지를 걸쳐 놓은 새》. **Sinón.** mochilero, tojo, yapú.
gulunguear *intr.* 《*Ecuad.*》 (비틀비틀) 흔들리다 ; 그네 타다(columpiar).
gulusmear *intr.* ① (삶는 것을) 자꾸 냄새를 맡아 보다. ② =**golosinear.**
gulusmero, ra *adj.* 냄새를 맡아 보는.
gumbo *m.* 오크라《서인도 지방의 아욱과에 속하는 식물》.
gúmena *f.*【선박】 닻줄 ; 굵은 밧줄.
gumeneta *f. dim.* gúmena.
gumía *f.* (아라비아 사람의 휜) 단도, 비수(arma blanca).
gumífero, ra *adj.*【식물】 고무(성)의.
gura *f.* ①【조류】 필리핀산의 비둘기. ②【은어】 사직, 경찰.
gurapas *f. pl.*【은어】 도형선(徒刑船)(galera).
gurbia *f.* ①【고어】《*Amér.*》 둥그런 끌 (gubia). ②《*Col.*》 공복(hambre). ③《*CRica.*》 돈(dinero). ④《*Méx.*》 악당. —*adj.* ①《*Col.*》 의뭉스러운, 엉큼한. ②《*Méx.*》 빈틈이 없는.
gurbio, bia *adj.* 둥그스름한.
gurbión *m.* 거친 바다 ; 등대풀속(euforbio)의 즙액《하제로 쓰임》.
gurbionado, da *adj.* gurbión으로 만들어진.
gurbiote *m.* 《*Nav.*》 큰 딸기와 같은 과실.
gurdo, da *adj.* 바보의, 멍청이의, 등신의, 얼간이의(necio).
gurguciar *intr.* 《*Guat.*》 =**averiguar, indagar.**
gurguncha *f.* 《*Hond.*》 =**hucha.**
gurí *m.f.* 《*Arg. Urug.*》 =**niño, muchacho.**
guripa *f.* ① =**golfo, pillete.** ② =**soldado.**
gurisa *f.* 《*Riopl.*》 젊은 아가씨 《애칭》.
guro *m.*【은어】 경관, 순경.
gurón *m.*【은어】 형무소의 간수장.
gurriato *m.* =**gurripato.**
gurriato, ta *adj.* =**escurialense.**
gurripato *m.* ① 참새 새끼(pollo del gorrión). ②【방언】 돼지 새끼 ; 애숭이.
gurrubucear *tr.* 《*Hond.*》 =**gurguciar.**
gurrufero *m.* 여윈 말.

gurrufío *m.* 《*Venez.*》 =**bufadera.**

gurrumina *f.* ① 엄처 봉양, 아내에게 헌신적인 봉사. ② 《*AmérC. Cuba. Méx.*》 하찮은 일, 시시한 일(pequeñez). ③ 《*Col. Ecuad. Guat. Méx.*》 귀찮은 일. ④ 《*Col.*》 괴로움, 슬픔. ⑤ 《*Hond.*》 재빠른 사람, 약삭빠른 사람.

gurrumino, na *adj.* ① 비열한 ; 시시한. ② 《*Bol. Perú.*》 겁이 많은. ③ 《*Perú.*》 비겁한. ④ 《*Col.*》 빈틈없는. **—***m.f.* 《*Amér.*》 어린아이, 어린애. **—***m.* 아내에게 지성스러운 남자.

gurrunera *f.* 《*Venez.*》 =**huronera, madriguera.**

gurullada *f.* ① 악당의 무리. ② 【은어】 경찰대.

gurullo *m.* 덩어리, 혹.

gurullón *m.* 《*Col.*》 학(grulla)의 일종.

gurumelo *m.* 《*And.*》 식용 버섯.

gurupa *f.* 《*Amér.*》 궁둥이(grupa). ② 껑거리끈《마구》.

gurupera *f.* =**grupera.**

gurupetín *m.* 작은 밀치끈(grupera pequeña).

gurupié *m.* ① 《*Amér.*》 도박장의 심부름꾼. ② 《*Cuba.*》 막일꾼.

gusanear *intr.* 근질근질하다 ; 꾸역꾸역 모이다, 북적거리다(hormiguear).

gusanera *f.* 구더기(gusano)가 끼는 곳 ; 근질근질한 감각 ; 군중(muchedumbre) ; 정열.

gusanería *f.* 많은 구더기.

gusaniento, ta *adj.* 구더기가 낀 ; 구더기투성이의.

gusanillo[1] *m.* (수예에서 쓰는) 꼰 금실 ; 금실·은실 자수.
matar el ~ 해장술을 들이키다.

gusanillo[2] *m. dim.* gusano.

gusano *m.* [*lat.* cossus] 구더기, 송충이, 모충(oruga), 모충류의 유충(larva) ; 지렁이(lombriz) ; 변변치 못한 인간(persona despreciable e insignificante).
~ ***de la conciencia*** 양심의 가책. ~ ***de luz*** 개똥벌레. ~ ***de San Antón*** 쥐며느리. ~ ***de sangre roja*** 노래기(anélido). ~ ***de seda*** 누에. ~ ***de tierra*** 지렁이. ~ ***revoltón*** (포도의) 잎말이 벌레.

gusanoso, sa *adj.* 구더기가 낀(que tiene gusanos).

gusarapa *f.* =**gusarapo.**

gusarapiento, ta *adj.* 구더기가 낀 ; 썩은, 썩어 문드러진(muy inmundo y corrompido).

gusarapo *m.* (물에서 자란) 구더기.

gusgo, ga *adj.* 《*Méx.*》 대식의(goloso).

gusli *f.* 【악기】 하프(arpa)의 일종.

gustable *adj.* ① 미각의 ; 맛을 볼 수 있는. ② 【방언】 《*Chile.*》 맛좋은(gustoso).

gustación *f.* 맛보기, 시식, 시음 : la ~ de un licor.

gustador, ra *adj.* 《*Col.*》 서글서글한, 붙임성이 있는.

gustadura *f.* =**gustación.**

gustar *tr.* [*lat.* gustare] ① 맛보다(sentir el sabor), 맛보기 위해 먹어보다(probar para conocer su sabor) : ~ las manzanas 사과를 맛보다. **Sinón.** paladear, saborear. ② (기쁨을) 맛보다, (고생을) 맛보다(experimentar). ③ 【속어】 좋아하다(tener gusto en) : No es que Román no *gustase* a las mozas del pueblo 로만이 마을 아가씨들을 좋아하지 않는다는 것은 아니다.
—*intr.* ① [여격 보어 me te le nos os les와 함께 그것이 한글의 주어, 주어가 한글의 목적어가 되어] 좋아하다(agradar) : *Me* ***gusta*** el dulce 나는 과자를 좋아한다. *Me gusta* la música clásica 나는 고전 음악을 좋아한다. ¿*Le gusta* el cine? — Sí, *me gusta* 영화 좋아하십니까? — 예, 좋아합니다. A los viejos *les gusta* recordar 노인네들은 회상을 좋아한다. *Me gusta* viajar 나는 여행을 좋아한다. No *me gusta* que te pongas nada de color violeta 나는 네가 보라색을 입는 것은 무엇이나 마음에 들지 않는다. ② 반하다 : Ya no *le gustas* a Román, ahora *le gusta* Ena 이젠 로만은 당신을 좋아하지 않아요, 그는 지금 에나를 좋아하나 봐. ③ 마음에 들다, 좋아지다 : *Me han gustado* estos sitios 나는 이곳이 마음에 들었다. ④ [+ de : …을] 좋아하다. Ella *gusta de* viajar en tren 그녀는 열차 여행을 좋아한다. *Gusto de* leer 나는 독서를 좋아한다. Ella *gusta de* bromas 그녀는 농담을 좋아한다. ⑤ 맛보다 : No puedo ~ debidamente *de* sus libros · obras 나는 당신의 저술·작품을 충분히 음미하지를 못합니다.

gustativo, va *adj.* 미각의(del sentido del gusto) : nervio ~ 미각 신경. órgano ~ 미각 기관.

gustazo *m.* 기분 전환 ; 못된 짓을 하고서의 쾌감 : Me he de dar ese ~.
Por un ~, ***un trancazo*** 【속담】 열심히 바라면 어려운 일이 없다.

gustillo *m.* 뒷맛 (dejo, saborcillo) : Esta uva tiene un ~ de ciruela. **Sinón.** regusto.

gusto *m.* [*lat.* gustus] ① 미각 ; 맛(sabor) : Los órganos del ~ son la lengua y el paladar 미각 기관은 혀와 입천정으로 되어 있다. ② 취미 ; 좋아함, 기호 : el ~ del día 시대의 기호, 현대적인 취미. cosa de ~ 취미품. José tiene buen ~ 호세는 좋은 취미를 가지고 있다. ③ 기쁨, 즐거움(placer) : El ~ es mío 저야말로 기쁩니다《처음 뵙겠습니다에 대한 대답》. ④ 욕심(antojo).
a ~ 좋으실대로, 마음 편하게(con gusto) : ***a mi*** ~ 내 마음에 맞게.
con mucho · sumo ~ (부탁에 대해) 기꺼이 하겠습니다 : Iré *con mucho* ~ 기꺼이 가겠습니다.
de ~ 일부러, 고의로(de intento).
Mucho ~ 처음 뵙겠습니다.
Tanto ~ 처음 뵙겠습니다.
dar ~ a uno 기쁘게 해주다(complacer) : Me *da* ~ hablar con ella 나는 그녀와 이야기하는 것이 기쁘다.
estar a ~ 마음이 편하다, 기분이 좋다.
tener ~ ***en*** …을 기쁨으로 알다 : *Tengo* tanto ~ *en* conocerle 당신을 알게 되어 아주 기쁩니다, 처음 뵙겠습니다.
tener el ~ ***de*** + ***inf.*** [경어 : …] 하시다 : *Tengo el* ~ *de* anunciarle 당신에게 알려드립니다.
tomar el ~ ***a*** …이 좋아지다(aficionarse a ello).

gustosamente *adv.* 기꺼이, 즐겁게, 진심으로(con gusto).

gustoso, sa *adj.* ① 맛있는(delicioso, sabroso) : ~ *al* paladar 구미에 맞는. ② 유쾌한, 즐거운(agradable). ③ 진심에서, 기꺼이 : *G-* le escribo 나는 기꺼이 편지를 올립니다. Lo saludaré

~ 진심으로 인사드립니다. Sinón. complacido.

gutagamba *f.* ①【식물】(인도에서 흔한) 고추나물과 나무 ; 그 수지《황색 그림 물감》. ② 치자 빛깔.

gutapercha *f.* [*ing.* gutta percha] 수액을 말린 고무질 물질 ; 그 고무칠한 천.

gutiámbar *f.* =**gutagamba.**

gutífero, ra *adj.* ①【식물】고추나물과의. ②【광물】누적상(淚滴狀)의. —*f.pl.* 고추나물과 식물.

gutural *adj.* [*lat.* gutturalis] ① 목구멍의 : arteria ~. ② 목구멍에서 나오는 : gritos ~*es* 목구멍에서 나오는 소리. ③ 후음(喉音)의 : letra ~ 후음 문자《g, k, j 등》. —*m.* 후음.

guturalmente *adv.* ① 후음으로, 목구멍 소리로, 목소리로(con sonido gutural). ② 목을 쥐어 뜯듯이.

guzarrapa *f.*《*Perú.*》=**gusarapo.**

guzguear *tr.*《*Méx.*》(먹을 것을) 뒤지다.

guzguera *f.*《*Méx.*》대식 ; 심한 공복.

guzla *f.* 현금(弦琴)《옛날의 violín 비슷한 악기》.

guzmán *m.* [*godo.* gods+manna] 옛날의 병적(兵籍)에 들어 있던 귀족.

Guzmán *m.*【인명】구즈만.

~ ***de Alfarache***《다른 이름은 el Pícaro ; Mateo Alemán(1547－1609?)이 쓴 악당 소설의 주인공인 악당》.

~ ***el Bueno*** 충신 구즈만《Alonso Pérez de ~ (1258－1309) ; 인질로 붙잡힌 자기 자식을 죽이라고 적에게 칼을 주어 충절을 다한 장군》.

guzmanada *f.* =**travesura, chasco, burla, vaya, engaño.**

guzpatara *f.* 서인도 제도의 나병의 일종.

guzpatárero *m.* 벽을 뚫고 들어가는 도둑.

guzpataro *m.*【은어】구멍(agujero).

guzpatarra *f.* 옛날 어린이 놀이의 일종.

g/v., g.v. gran velocidad 지급편, 급행편.

gymkhana *f. india.* 야외 운동회《운동 종목 : 자동차(automóvil), 오토바이(motocicletas) 및 승마(caballos) 등》.

H

h *f.* 아체 《서반아어 자모(字母)의 아홉째 문자(novena letra del abecedario castellano)》.

h. habitantes.

ha[1] hectárea.

ha[2] haber의 직설법 현·3·단수.

¡ha! *interj.* =¡ **ah!**

Hab. Habacuc.

haba *f.* [*lat.* faba]【식물】잠두, 누에콩, 콩 (커피, 카카오 등의) 열매; (투표용의) 공; (돌의) 응어리; 혹.

~ ***de Egipto*** 토란(colocasia). ~ ***de las Indias*** 스위트 피(guisante de olor). ~ ***del Calabar*** 칼라바르콩 《아프리카산의 독이 많은 콩》. ~ ***tonca*** 똥까콩(sarapia)의 씨앗.

en todas partes cuecen ~s 도처에서 같은 일이 일어나고 있다.

Son ~s contadas 뚜렷하다, 빤히 알고 있다; 수효가 정해져 있다.

Habacuc *m.* 기원전 7세기 경의 헤브루의 예언자; (구약 성서 가운데의) 하박국서(書).

habado, da *adj.* 《*Cuba. Méx. Venez.*》 붉고 하얀 색깔의 (닭), 얼룩이 있는, 반점이 있는.

Habana, la *f.* 【지명】아바나 《꾸바의 수도》.

habanera *f.* ① 아바네라 《아바나 무용·민요·곡(曲)》. ② 《*Cuba.*》 사교 댄스. ③ 면직물(tejido de algodón) 《호주머니 안감용》.

habanero, ra *adj.* ① 아바나의 《La Habana, Cuba의 주·시》의. ② 아메리카의 벼락 부자의(indiano). ③ 아바나 여송연의. **—*m.f.*** 아바나 사람; 아메리카의 벼락 부자. **—*m.*** 《*Méx.*》 (아바나산의) 독주.

habano, na *adj.* ① 아바나의(habanero). ② 꾸바의(cubano). ③ 담배 색깔의. **—*m.*** 아바나 여송연.

habar *m.* haba밭.

habascón *m.* 《*Amér.*》 아메리카 당근(pastinaca)의 일종.

hábeas corpus *m. lat.* ①「그대는 신체를 유지하라」의 뜻. ②【법률】인신 보호 영장; 인신 보호령 《구금의 적부 심사를 위한 즉시 출두 명령》, 신병 인도 영장.

haber[1] *m.* ① 재산, 자산(hacienda, fortuna, caudal); 자금; 자본: ~ bancario 은행·당좌 예금. ~ diferido 불로 소득; 미수입 채권. ~ monedado【고어】현금. Es todo mi ~ 내 전 재산이다. ② 급료. ③【부기】대변(貸邊): debe y ~ 차변과 대변. saldo al ~ 대변 잔고. Asiente usted esa cantidad en el ~ 대변에 기입하여 주십시오. Sírvase llevar el producto al ~ de nuestra cuenta 그 이익금을 당점 대변 계정으로 기입을 바랍니다. **—*pl.*** 수익고.

haber[2] *tr.* 64 [*lat.* habere] ①【고어】가지다, 소유하다(tener, poseer). ② 잡다; 체포하다(detener): Los ladrones no fueron ***habidos*** 도둑을 붙잡지 못하였다. ***Hubieron*** al ladrón 도둑을 잡았다; 도둑이 잡혔다. ③ 잡다, 손에 넣다(coger, alcanzar): Julio lee cuantos libros puede ~ 훌리오는 책을 닥치는 대로 모두 다 읽는다. ④ [무인칭 동사로서 제3인칭 단수형으로 쓰여, 사실상의 주어는 대격의 형으로 나타남; 이 경우의 직설법 현재는 **hay**] ㄱ) (…이) 있다: Si *hay* buenos, *hay* malos 착한 사람이 있는가 하면 악한 사람도 있다. ¿*Habrá* algún inconveniente? —No, no lo *habrá* 무슨 거북한 점이 있습니까? —아니오, 그런 것은 없을 것이오. ㄴ) 행해지다, 개최되다: Ayer *hubo* junta 어제 회의가 있었다. Manaña *habrá* toros 내일 투우가 있다. ⑤ [제2인칭 단수 명령형 **he**는 장소의 부사와 함께, 지시적 느낌으로]…이 있다: *He* aquí la verdad 여기에 사실이 있다. ⑥ [접속법 현재 3 인칭 단수형 **haya**는 갈망하는 뜻에서]…이 있을지어다: Mal *haya* 재앙이 있을지어다 《저주의 말》. Que santa gloria *haya* 많은 영광이 있을지어다 《죽은 사람에 대한 애도의 말》. ⑦【아어】[시간 + ha; ha + 시간] …앞에, 전에: Cinco años *ha* (*que*) murió mi padre 5년 전에 아버지가 돌아가셨다. ⑧ [+ de + *inf.* :…할 예정이다, …하기로 되어 있다, 해야 한다: *Hemos de* ir el martes a su casa 우리는 화요일에 댁에 갈 예정입니다. *Has de* escucharme 내 말을 잘 들어 두어야 해. ⑨ [+ que + *inf.* :…해야 한다, …하지 않으면 안된다, 할 필요가 있다: *Hay que* cambiar de tren en Sevilla 세비야에서 열차를 바꿔타야 한다. *Hay que* trabajar 사람은 일을 해야 한다. *Habrá que* tener paciencia 참아 나가야만 할 것이다. ⑩ [no hay que + *inf.*] …해서는 안된다, 할 필요가 없다: *No hay que* salir tan pronto 그렇게 빨리 떠날 필요가 없다. *No hay que* fiarse de él 그를 믿어서는 안된다. ⑪ [no hay más que + *inf.*] …하기만 하면 된다: *No hay más que* mirarles la cara 그들의 얼굴을 보기만 하면 된다. *No hay más que* enviarlo por correo 그것을 우편으로 보내기만 하면 된다. ⑫ [조동사로서, 과거 분사 앞에서 각종 완료형을 만든다]「haber의 현재 + 과거 분사」: 완료과거(pretérito perfecto).「haber의 불완료 과거 + 과거 분사」: 대과거(pretérito pluscuamperfecto).「haber의 부정과거 + 과거 분사」: 직전과거(pretérito anterior).「haber의 미래 + 과거 분사」: 완료 미래(futuro perfecto).「haber의 가

능법 + 과거 분사」: 가능법 완료형(potencial perfecto · compuesto). 「haber의 부정형 + 과거 분사」: 완료 부정형(infinitivo perfecto). 「haber의 현재 분사 + 과거 분사」: 완료 현재 분사 (gerundio perfecto).
~se (선 · 악 다같이) 처신하다, 행동하다 (portarse) : *Te has habido* sin decoro 네가 하는 방법은 깨끗하지 못했다.
habérselas con …과 다투다, 실랑이를 벌이다 : *Me las hube con* todos 나는 그들 전부와 싸웠다. Allá *te las hayas* 잘 해보아라(que te arregles).
[직설법 현재 : he, has, ha, hemos, habéis, han. 접속법 현재 : haya, hayas, haya, hayamos, hayáis, hayan. 직설법 부정과거 : hube, hubiste, hubo, hubimos, hubisteis, hubieron. 직설법 미래 : habré, habrás, habrá, habremos, habréis, habrán. 가능법 : habría, habrías, habría, habríamos, habríais, habrían. 접속법 불완료 과거 : hubiera…, hubiese …].

háber *m.* 유태인 박사.

haberío *m.* [드뭄] 사역 가축 ; [집합] 가축.

habichuela *f.* 강낭콩(frijol, judía). ② 【식물】 =**haba.**

habido, da *adj.* 얻은, 획득한(obtenido) ; 발견한(encontrado) : bienes mal *~s.*

habiente *adj.* (…을) 소유하는(que tiene) : ~ derecho 권리가 있는 . sin pariente ni ~ 친척도 재산도 없이.

hábil *adj.* [*lat.* habilis] ① [+ en : …에] 수완이 있는, 재주있는, 솜씨있는, 잘하는, 유능한, 숙련된 : persona ~ *en* negocios 장사 솜씨가 있는 사람. Los guías coreanos son muy *~es* 한국인 안내원들은 매우 숙련되어 있다. Ese hombre es muy ~ como secretario 그 남자는 비서로는 매우 수완이 있다. ② 유효한 : en tiempo ~ 유효기간 중에. en las horas *~es* 집무 시간 중에. ¿Cuántos días *~es* hay este mes? 이 달은 가동일수가 며칠입니까? ③ 능력 · 권리 · 자격이 있는(apto, capaz) : ~ *para* contratar. Contr. torpe.

habilidad *f.* ① 숙련, 훌륭한 솜씨, 재주, 재간 (destreza) : sacar sus *~es* 능력을 보이다, 솜씨를 충분히 발휘하다. Tiene usted buena ~ 솜씨 좋으시군요. Contr. torpeza. ② 능력, 자격 ; 교묘한 수완, 교묘한 장치(tramoya). ③ (스키의) 회전.

habilidoso, sa *adj.* 수완이 좋은, 솜씨있는, 잘하는, 꾀가 많은(mañoso). Contr. torpe, desmañado.

habilitación *f.* ① 자격의 부여 ; 권한. ② 회계과, 경리부. ③ 【문법】 품사 전환의. ②《*Guat. Méx.*》 전도금(adelanto).
~ ***de bandera*** 외국 선박에 대한 연안 용선 허가.

habilitado, da *adj.* 자격이 있는 ; 권한이 있는 ; 유능한. —*m.f.* ① 유자격자, 적격자. ② 회계를 치루는 사람, 회계관 : ~ de regimiento. ③《*Amér.*》 융자를 받은 사람. ④ 대리자, 대변인.

habilitador, ra *adj.m.f.* 능력있는, 적격인 ; 융자하는, 제공하는 (사람).

habilitar *tr.* [*lat.* habilitare] ① [+ de : …에] 능력 · 자격을 주다 ; 적격자로 하다 ; 유효하게 하다 : ~ a un menor. ② [+ de · con : …을] 융자하다, 공급하다, 제공하다 : ~ a un comerciante *con* fondos어떤 상인에게 자본을 제공하다. ③ 융통하다, 변통하다, 마련하다(facilitar) : ~ *de* ropa 옷감을 주다. ④《*Cuba.*》 애먹이다, 귀찮게 굴다(fastidiar).

hábilmente *adv.* 솜씨있게, 교묘하게(con habilidad).

habiloso, sa *adj.* 《*Chile.*》 =**habilidoso o astuto.**

habilla *f.* 《*AmérC.*》 =**jabillo.**

habillado, da *adj.* 【고어】 =**vestido, ataviado, adornado.**

habitabilidad *f.* 거주할 수 있는 일, 거주성.

habitable *adj.* 거주할 수 있는 : Los polos del globo no son *~s.* Contr. inhabitable.

habitación *f.* ① 거실, 방(cuarto, pieza) : ¿En qué piso está su ~ ? 당신의 방은 몇 층에 있습니까? ② 주거, 가옥, 주택 ; 거주권. ③ (동물 · 식물의) 산지, 서식지, 서식처(habitat).

habitáculo *m.* ① 주거, 집(habitación). ② 인공위성(satélite artificial)과 우주선(astronave)의 조정실. ③ (동물 · 식물의) 서식처.

habitador, ra *adj.* 서식하는, 사는. —*m.f.* 주민, 거주자 ; 서식하는 것.

habitante *m.* 주민, 거주자 : ¿Cuántos *~s* tiene España? 서반아의 인구는 얼마나 됩니까? Los *~s* Calataud se llaman "bilbilitanos" 깔라따운 주민은 빌빌리따노라 한다.

habitar *tr.* [*lat.* habitare] 주거지로 삼고 있다, (…에) 살다 : *Habita* un departamento en el centro de la ciudad 그는 도심지에 있는 구역에서 살고 있다. *Habita* una casa espaciosa 그는 아주 넓은 집에서 살고 있다. ¿Qué clase de razas *habitan* ese continente? 어떤 인종이 그 대륙에 살고 있습니까? —*intr.* 서식하다, 살다 : ~ *bajo* el mismo techo 같은 지붕 밑에서 살다. ~ *en* Madrid 마드리드에서 살고 있다.

habitat *m.* (동물 · 식물의) 서식지, 산지, 자생지, 서식 환경.

hábito *m.* [*lat.* habitus] ① 의복, 복장 (traje, vestido). ② 승려복(traje de los religiosos). ③ 습관(costumbre). ④ 숙련.
—*pl.* ① 습관, 버릇(costumbre) : tener malos *~s* 나쁜 버릇이 있다. ② 승려 · 학생의 긴 도포.
tener por ~ + ***inf.*** …하는 버릇이 있다 : *Tenía por* ~ levantarse a las cuatro 그는 4시에 일어나는 버릇이 있었다.
ahorcar · colgar los ***~s*** 전직하다 ; 승려직에서 물러나다.
tomar el ~ 승려가 되다.
El ~ no hace al monje 【속담】 사람을 외모로 평가해서는 안된다 ; 외모에 현혹되어서는 안된다.

habituación *f.* 습관, 익혀짐, 버릇됨.

habituado, da *adj.* 습관이 된, 버릇처럼 된. —*m.f.* 《*Galic.*》 단골 손님, 늘 드나드는 사람들 (parroquiano).

habitual *adj.* ① 늘 하는대로의, 습관적인 : el paseo ~. ② 상습적인 : vagos *~s* 상습 부랑자. Sinón. acostumbrado, ordinario, usual. Contr. excepcional.

habitualmente *adv.* 습관적으로, 언제나.

habituar *tr.* 15 [*lat.* habituare] 길들이다(acostumbrar).

~se [+a·en : …에] 길들다, 습관이 되다, 익숙해지다 : *~se al* frío 추위에 길들다·익숙해지다. *~se en* la paciencia 참을성을 익혀 가다.

habitud *f.* [드뭄] ① 관계. ② 《*Galic.*》 버릇, 습관(costumbre).

habiz *m.* (회교도의) 부동산 기증.

habla *f.* [*lat.* fabula] ① 언어 (능력)(facultad de hablar) : Con la emoción perdió el ~ 그는 감동하여 말을 잃었다. ② 말, 언어(idioma, lengua) : el ~ española 서반아어. Su ~ es clara y precisa 그의 말은 명확하다. ③ 말하기, 대화, 담화, 상담. ④ 말하는 법(manera de hablar) : el ~ de los niños.

al ~ 말이 들리는 거리에 ; (전화 등에서) 말씀해 주십시오.

estar·quedar al ~ *con* …과 이야기를 나누고 있다 ; 의논·절충 중이다.

poner al ~ 상담·절충하다.

negar·quitar el ~ *a* (싸움 같은 것을 하여) …과 말을 하지 않다, 사이가 틀어지다.

hablachento, ta *adj.m.f.* 《*Venez.*》 =**hablador.**

hablada *f.* 《*Chile. Guat. Méx.*》 =**murmuración, chisme** : echar *~s* 《*Méx.*》 함부로 입을 놀리다·큰소리치다.

habladera *f.* 《*AmérC. Ant. Guat. Méx.*》 = **murmuración, chisme.**

habladero *m.* 《*Chile. SDgo.*》 =**habladuría.**

hablado, da *adj.* ① [bien·mal +] 말버릇이 좋은·나쁜 : un niño *mal* ~ 말을 함부로 하는 어린이. ② 화제에 잘 오르는.

hablador, ra *adj.* ① 수다스러운, 말이 많은; 말하기 좋아하는 : niña *~ra* 말하기 좋아하는 여아. ② 《*Méx.*》 허풍선이의(valentón). **—***m.f.* 말하는 사람 ; 말 많은 사람, 수다쟁이, 허풍선이, 거짓말쟁이.

habladorzuelo, la *adj.m.f. dim.* hablador.

habladuría *f.* 잔소리 ; 수다스러움 ; 소문 ; 험담 (chisme).

hablanchín, na *adj.m.f.* 수다스러운 (사람), 수다쟁이.

hablante *adj.* 말하는. **—***m.f.* 말하는 사람 : la mente de los *~s* 말하는 사람의 심정.

hablantín, na *adj.m.f.* =**hablanchín.**

hablantina *f.* 《*Col. Venez.*》 소란한 이야기 (charla ruidosa).

hablar *intr.* [*lat.* fabulari] ① 말하다, 이야기하다, 입을 떼다 : ~ en voz baja·alta 작은·큰 소리로 말하다. El *habla,* pero no sabe lo que dice 그는 말하지만 말하고 있는 것을 모른다. ② 사람처럼 발음을 똑똑히 하다(articular palabras como el hombre) : Los loros *hablan* fácilmente. ③ (어떤 방법으로) 표현하다 : ~ por señas.

—*tr.* ① (어떤 말을) 쓰다, 말할 수 있다 : ¿*Habla* usted francés? — Sí, lo *hablo* un poco 불란서어를 할 수 있습니까? —예, 조금 합니다. Ellos *hablan* tres idiomas 그들은 3개 국어를 말한다. ② [바로 다음에 언어의 명사가 올 때는 무관사로 됨] : *Hablan* francés 그들은 불란서말을 하고 있다. ③ 말하다 (decir) : ~ disparates 터무니없는 말을 하다.

~se 상의하다, 서로 이야기하다, 말하다 ; 접촉이 있다.

~ *alto·bajo* 큰 소리·작은 소리로 말하다.

~ *claro* 분명하게 말하다.

~ *fuerte·recio* 큰 소리로 말하다.

~ *gordo* 큰소리치다.

~ *a* uno ① (누구에게) 말을 걸다 ; (누구를) 사모하고 있다.

~ *con* …와 말하다 : ¿*Con* quién *hablo*? 누구십니까? 《전화에서》. ② …와 사랑을 하고 있다.

~ *consigo* 혼잣말을 하다 ; 곰곰히 생각하다.

~ *de* …에 대해 말하다 : Este libro *habla del* átomo 이 책은 원자에 대해 쓰여 있다.

~ *en* [어떤 언어 앞에서 그 말로] 말하다 : ~ *en* coreano·español·inglés 한글·서반아어·영어로 말하다.

~ *entre dientes* 입안에서 우물거리다.

~ *por* …을 대신해서 말하다 : *Hablaré por* ti al jefe 네 대신 내가 과장에게 말해 주겠다.

~ *por señas* 신호를 하다.

~ *sobre* …에 관해 말하다.

Quien mucho habla, mucho yerra 【속담】 말이 많은 사람은 실수가 많은 법이다; 지나치게 말하는 일은 피해야 한다.

Quien habla mucho, sabe poco 【속담】 빈 수레가 더 요란하다.

hablilla *f.* =**habladuría.**

hablista *m.f.* 순수한 말을 쓰는 사람 : echarla de ~ 말솜씨가 있는 것을 자랑하다.

hablistán *adj.m.f.* =**hablanchín.**

habón m. [*aum.* haba] (마소의) 사마귀의 일종 ; 대형의 강낭콩.

habr- → **haber** 64.

habrá haber의 직·미래·3·단수.

habrán haber의 직·미래·3·복수.

habrás haber의 직·미래·2·단수.

habré haber의 직·미래·1·단수.

habréis haber의 직·미래·2·복수.

habremos haber의 직·미래·1·복수.

habría haber의 가능법·1·3·단수.

habríais haber의 가능법·2·복수.

habríamos haber의 가능법·1·복수.

habrían haber의 가능법·3·복수.

habrías haber의 가능법·2·단수.

habús *m.* (모로코에서) =**habiz.**

haca *f.* 조랑말(jaca).

hacamari *m.* 《*Perú.*》 (안데스 산맥의) 곰(oso)의 일종.

hacán *m.* (유태인의) 학자, 박사.

hacanea *f.* (옛날 부인이 타던) 조랑말.

hacecillo *m.* [*dim.* haz] ① 작은 묶음. ② 【식물】 밀산화서(密散花序).

hacedero, ra *adj.* 할 수 있는, 하기 쉬운(factible, realizable) : una empresa *~ra* 하기 쉬운 사업.

hacedor, ra *adj.* 만드는. **—***m.f.* ① 제작자, 작자 : el Supremo ~ (del mundo) 신, 조물주. ② 《*Amér.*》 농장 관리인. ③ 《*Perú.*》 chicha를 만들어 파는 사람.

hacendado, da *adj.* hacendar의 *p.p.* **—***m.f.* ① 지주, 농장 주인. ② 《*Arg. Chile.*》 목장 주인. ③ 《*Cuba.*》 설탕 공장 주인. **—***m.* 《*Amér.*》 = **estanciero.**

hacendar *tr.* 19 (…에게) 부동산·재산을 물려주다 : *Hacendó* a su hijo *con* tierras adquiridas

H

매입한 토지를 아들에게 물려주었다.
~se 땅을 사서 정착하다 : *Se hacendó en* Talavera 그는 딸라베라에서 땅을 사서 정착했다.

hacendeja *f. dim.* hacienda.

hacendera *f.* (주민이 총출동하는) 부역, 노역 봉사.

hacendero, ra *adj.* 일하기 좋아하는, (특히 집안일에) 부지런히 일하는(trabajador).
—*m.f.* 지주(地主), 농장주 ; 품팔이꾼.
—*m.* (Almadén 수은 광산에서 국가가 고용한) 갱부.

hacendilla *f.* [*dim.* hacienda] 작은 땅·농장.

hacendista *m.* 재정가(財政家).

hacendístico, ca *adj.* 공동 농장의·에 관한.

hacendoso, sa *adj.* (가사에) 근면한, 일하기 좋아하는(trabajador, diligente) : una mujer *~sa* 가사에 근면한 여자. **Contr.** perezoso, holgazán.

hacenduela *f. dim.* hacienda.

hacer *tr.* 69 ① [*lat.* facere] 하다, 짓다(efectuar).
② 만들다, 만들어내다(crear, formar) : ~ un mueble *de* nogal 호두 나무로 가구를 만들다. ~ un traje *de* paño 천으로 옷을 만들다. ③ 마련·준비·채비하다(preparar) : ~ la cama 잠자리를 준비하다. ~ el equipaje 짐을 꾸리다. ~ la maleta 가방을 꾸리다.
④ 제작하다, 만들다, 제조하다, 형태를 이루다 ; 형성하다(fabricar, formar, disponer).
⑤ 내다 (causar) : ~ sombra 음영을 넣다. ~ humo 연기를 피우다.
⑥ 그릇에 넣다, 용량이 되다(caber) : Esta tinaja *hace* cien litros de aceite 이 항아리는 기름이 100 리터는 들어간다.
⑦ 모으다, 소집하다 : ~ gente 사람을 모으다.
⑧ 익숙케 하다(habituar) : ~ el cuerpo a la fatiga 몸을 육체 노동에 길들이다.
⑨ (손톱을) 자르다, (수염을) 깎다 : ~ la barba a uno 누구의 수염을 깎다. ~ las uñas a las aves 새의 발톱을 깎다.
⑩ [+ 명사 : …을] 하다 : ~ (la) pregunta 질문을 하다(preguntar). ~ burla 놀리다, 조롱을 하다 (burlarse). ~ el viaje 여행을 하다(viajar). ~ un esfuerzo 노력을 하다 (esforzarse). ~ un estudio 연구·공부를 하다(estudiar).
⑪ [명사·형용사 등을 보어로, 그것으로] 하다 : ~ pedazos·trozos 산산조각을 내다, 갈갈이 찢다. *Hizo* a su hijo *médico* 그는 아들을 의사로 만들었다. ~ bueno 허가하다, 시인·승인하다. ~ presente 명백히 하다 ; 경고하다. La gran nevada *ha hecho intransitable* el camino 많이 내린 눈이 도로의 통행을 불가능하게 했다.
⑫ (누구를 …으로) 생각하다, 믿다, 추정하다 (creer, suponer) : Yo te *hacía de* París·*en* París 너를 파리에서 온 사람·파리에 있는 것으로 생각하고 있었다. Yo te *hacía con* Juan·estudiando 네가 후안하고 함께 있는 것·공부하고 있는 것으로만 생각했다. No le *hago* tan necio 그를 그렇게 융통성이 없는 사람으로 생각하지는 않는다.
⑬ [+ con·de : 누구에게 …을] 제공·융통해 주다, 주다 (proveer) : Le *hizo con* dinero·*de* libros 그에게 돈을·책을 제공했다.
⑭ (…의) 역할을 하다(representar, actuar) : ¿Quién *hace* el bobo·el gracioso? 바보역·어릿광대 노릇을 누가 하느냐?
⑮ (수량이) …이 되다 : Nueve y cuatro *hacen* trece 9와 4는 13이다.
⑯ (…인) 척하다(aparentar) : ~ el muerto 죽은 척하다.
⑰ [사역 동사로서, 동사 원형 혹은 접속법 동사의 명사절을 직접 보어로 하여] …시키다, 하게 하다(obligar) : ~ saber 알리다. *Hága*le pasar 들어오시라고 하세요. Le *hicieron* verlo 그에게 그것을 보게 했다. Le *hice* acercarse al fuego 그를 불 가까이 다가서게 했다. Siento mucho *haber*le *hecho* esperar 기다리게 해서 정말 죄송합니다. Nos *hizo* que fuésemos 우리를 가게 했다.
⑱ [대동사로, 앞에 나오는 동사의 뜻을] 그렇게 하다 : La defendí contra todos como yo *hago* siempre 내가 늘 그렇게 해 왔듯이 그 여자를 다른 사람으로부터 보호해 주었다.
⑲ [무인칭 동사로, 날씨·때를 나타낼 때는 주어없이 3인칭 단수에만 활용함] : ¿Qué tiempo *hace* hoy? 오늘 날씨가 어떤가? *Hace* buen·mal tiempo 날씨가 좋다·나쁘다. *Hace* frío 날씨가 춥다. *Hace* fresco 시원하다. *Hace* lluvia 비가 내린다. *Hace* mucha nieve 눈이 많이 내린다. *Hace* sol 볕이 난다. *Hace* luna 달이 떴다. *Hacía* calor·viento 더웠다·바람이 불었다. *Hace* bueno 좋은 날씨다. Mañana *hará* malo 내일은 날씨가 나쁠 것이다. *Hará* mucho frío 무척 추울 것이다.
⑳ [명사 등을 직접 보어로, que와 함께 : …하고서] (어떤 때가) 경과하다, …이 되다, …전부터 …하다 : ¿Cuánto tiempo *hace que* lleva usted en Madrid? 마드리드에 오신지 얼마나 됐습니까? *Hace* tres años *que* habitamos esta casa 이 집에서 산 지 3년이 된다. Desde *hace poco,* está lloviendo 조금 전부터 비가 내리고 있다. Ayer *hizo* un mes *que* llegamos 우리가 온지 어제로 1개월이 되었다. Mañana *hará* diez años 내일로 10년이 된다. *Hace* mucho tiempo *que* no le veo 오랫만입니다.
—*intr.* ① 맞다, 합치·적합하다 : una llave que *hace a* ambas cerraduras 양쪽 자물쇠에 맞는 열쇠.
② 형편이 좋다, 필요하다 : Eso no *hace al* caso.
③ ㄱ) [+de] …인 척하다(fingir) : ~ *de* tonto 바보인 척하다. *Hace* como que no quiere 원하지 않는 척하다. ㄴ) …의 역을 하다 : ~ el rey·~ *de* rey 국왕 역을 하다.
④ …으로서 일하다 : ~*de* escribano 공증인으로 일하다. ~ *de* modista 재단사로 일하다.
⑤ 오줌·똥을 누다 : ~ *de*l cuerpo, ~ *de* vientre.
⑥ [+ por·para] …하려 하다, …하기 위해 노력하다 : ~ *por* llegar, ~ *para* salvarse.
~se ① 하다, 되다 : No sabía qué *~me* 나는 무엇을 해야 할지 몰랐었습니다.
② …이 되다, 변하여 …이 되다(volverse) : *~se* vinagre el vino 술이 식초가 되다. ¿Qué *se hizo de* aquella mujer? 그 여자는 어떻게 되었느냐?
③ (모양이) …되다 : Su arma *se hizo* pedazos 그의 무기는 산산조각이 나버렸다.
④ 크다, 자라다, 성장하다 (crecer) : *~se* los

H

árboles 나무가 자라다. Volvió, *hecha una mujer* 어엿한 여자가 되어 돌아왔다.
⑤ 길들다, 버릇이 되다(habituarse) : No *me hago* a vivir sola 나는 혼자 지내는 데는 익숙하지 못하다.
⑥ …인 척하다(aparentarse) [보어가 정관사를 거느리는 수도 있음] : ~*se* (*el*) tonto 바보인 척하다. *Se hizo la* desentendida 그녀는 못들은 척했다.
⑦ (누구에게) …으로 보이다 · 생각되다 (parecer, figurarse): las manadas que a don Quijote *se* le *hicieron* ejércitos 동끼호떼의 눈에 군대의 대군으로 보였던 양떼.
⑧ [+장소의 부사 : 그 쪽으로] 물러나다, 가다, 물러가다 (apartarse, retirarse) : ~*se* atrás 뒤로 물러나다. *Hazte* allá 저리 가.
⑨ (자기의 수염 · 손톱 등을) 깎다, 자르다, 뽑다 : *Me hago* la barba 나는 수염을 깎는다.
⑩ [+con : …을] 자기 것으로 만들다(apropiarse) : *Me haré con* este libro 나는 이 책으로 하겠다.
⑪ [+con · de : 이용 · 준비를 위해 …을] 마련 · 준비하다, 가지고 있다(proveerse) : ~*se de* dinero.
~ ***de las suyas*** 멋대로 · 자기 식대로 해치우다.
~***la*** 해서는 안 될 일을 하다.
~***se a la mar*** =embarcarse.
hacérsele a uno algo (누가) 원했었던 일이 일어나다.
No le hace 상관없다.
Más hace el que quiere que no el que puede 【속담】 뜻이 있으면 만난을 극복할 수 있다.
[직설법 현재 1인칭 단수 : hago. 접속법 현재 : haga, hagas, haga, hagamos, hagáis, hagan. 직설법 부정과거 : hice, hiciste, hizo, hicimos, hicisteis, hicieron. 직설법 미래 : haré, harás, hará, haremos, haréis, harán. 가능법 : haría, harías, haría, haríamos, haríais, harían. 접속법 불완료과거 : hiciera,… ; hiciese,…. 과거 분사 : hecho].

hacera *f.* 보도, 인도(acera).

haces ① *m.pl.* haz의 복수형. ② hacer의 직 · 현 · 2 · 단수.

hacezuelo *m.* [*dim.* haz] 작은 다발.

hacha *f.* ① 도끼 : *el* ~ de alpinista 등산용 얼음 깨는 도끼. ② 장작 패기. ③ 커다란 촛불 ; 횃불 (antorcha). ④ 짚단. ⑤ 옛 서반아의 춤. ⑥ 황소의 뿔(cuerno del toro). [*N.* 단수 앞에서 정관사는 el].
~ ***americana*** 날이 두 개인 도끼.
~ ***de armas*** (옛날의) 도끼 모양의 무기.
ser un ~ 뛰어나다, 빼어나다, 두드러지다.

hachador *m.* ① 《*Cuba. Guat.*》 산림 벌채 인부. ② 《*Amér.*》 =**hachero.**

hachar *tr.* 《*Amér.*》 =**hachear.**

hachazo *m.* 도끼로 치기.

hache *f.* 문자 h의 명칭.
Llámale · Llámele usted ~ (있으나 없으나) 마찬가지야.

hachear *tr.intr.* 도끼로 깎다 · 자르다.

hachero *m.* 장작 패기 ; (나무) 도끼질하는 사람, 나무꾼(leñador) ; (도랑 · 도로를 만드는) 공병 ; 촛대.

hacheta *f.* [*dim.* hacha] 손도끼, 자귀.

hachich *m.* =**haxix.**

hachís *m.* =**haxix.**

hacho *m.* ① 횃불, 봉화(hacha). ② (해안의) 봉화대 ; 전망대. ③ 【은어】 도둑, 도적.

hachón *m.* 큰 횃불 ; 큰 촛불.

hachote *m.* [*aum.* hacha] ① (선박에서 사용하는) 큰 초. ② 큰 도끼.

hachuela *f.* [*dim.* hacha] 손도끼, 자귀 ; (도끼 모양의) 곡괭이.

hacia *prep.* [*lat.* facies] ① [공간 · 관념적] …의 쪽으로 ; …의 쪽에 : Voy ~ casa 나는 집쪽으로 간다. Voy ~ mi tierra 나는 내 고향으로 간다. Esperaban mirando ~ el sur 그들은 남쪽을 바라보면서 기다리고 있었다. *Hacia* Busan llueve 부산 방면은 비가 내린다. Vivía ~ el Norte de la ciudad 그는 도시 북쪽에 살고 있었다. Mi casa está ~ el sur 내 집은 남향이다. ② [시간적] …경(頃) · 무렵(a eso de, cerca de, alrededor de) : Volverá ~ las cuatro 그는 4시 경에 돌아올 것이다. Ellos florecieron ~ el año 1450 그들은 1450년 경에 융성했다.

hacienda *f.* ① 농장, 농원(農園) (finca agrícola) : una ~ aislada 떨어진 농장. ② 재산, 자산 : ~ pública 국가 재정, 자산. real ~ 국고. malgastar *su* ~ 자신의 재산을 헤프게 사용하다. Perdió toda su ~ 그는 자기 재산을 모두 잃었다. ③ 재무부 (Ministerio de *Hacienda*). ④ 부동산. ⑤ 《*Amér.*》 가축, 가축 떼(ganado) : ~ vacuna. ⑥ 《*Cuba.*》 가축의 우리(corral para ganado) : ~ pública 공동 가축 우리.
—*pl.* 가사, 허드렛일(quehaceres).
~ ***de beneficio*** 《*Méx.*》 【광업】 제련소(製練所).

hacina *f.* ① [집합] 다발 쌓기, 노적 : ~ de leña. ② 산적(山積)(montón) ; 쌓아올린 목초 더미.

hacinación *f.* =**hacinamiento.**

hacinador, ra *adj.m.f.* 다발로 쌓는 (사람).

hacinamiento *m.* 차곡차곡 쌓음 · 쌓기.

hacinar *tr.* 차곡차곡 쌓다 ; 산더미처럼 쌓아 올리다(amontonar) : ~ las pruebas contra el culpable.
~se ① 산적(山積)하다 : *Se hacinan* las mercancías 상품이 쌓인다. ② (사람이) 구름처럼 모이다 : Los espectadores *se hacinaban* en la entrada del estadio.

hada *f.* 선녀, 요정 : cuento de ~*s* 요정 이야기.

hadado, da *adj.* 운명의, 운명 · 숙명을 지닌 ; 이상한, 불가사의한.

hadar *tr.* 운명지우다 ; 예언하다(pronosticar) ; 매혹시키다(encantar).

Hades *m.* ① 【신화】 지하계(地下界), 저승, 황천. ② 【성서】 죽은 사람의 나라 ; 지옥 ; 악마.

hado *m.* [*lat.* fatum] 숙명, 운명, 인과(因果) (destino, suerte). Sinón. fortuna, sino.

haedo *m.* 《*Ast. Sant.*》 =**hayal.**

hafiz *m.* 수위, 파수꾼, 감독.

hafnio *m.* 【화학】 하프늄 《희금속 원소 ; 기호 Hf》.

haga hacer의 접 · 현 · 1 · 3 · 단수.

hagáis hacer의 접 · 현 · 2 · 복수.

hagamos hacer의 접 · 현 · 1 · 복수.

hagan hacer의 접 · 현 · 3 · 복수.

H

hagas hacer의 접·현·2·단수.
hagiografía *f.* 성도 열전, 성도 언행록, 성도 문학; 성도 연구.
hagiográfico, ca *adj.* 성도 열전의.
hagiógrafo, fa *m.f.* 성도 열전 작가.
hagiólogo, ga *m.f.* =**hagiógrafo.**
hago hacer의 직·현·1·단수.
haico *m.* 《*Perú.*》 (안데스 산맥에서 홍수 후에 떨어지는) 바위 덩어리.
haiga *f.* 고급 자동차.
haikai *m.* 일본의 단시(breve poesía japonesa).
hainero, ra *adj. m.f.* 아이나 《Haina, 도미니까 공화국의 도시》의 (사람).
Haití *m.* 【지명】 아이띠 《서인도 제도에 있는 나라》.
haitiano, na *adj.* 아이띠의. —*m.f.* 아이띠 사람. —*m.* 아이띠말 《불란서어의 방언》.
haje *m.* 【동물】 (이집트의) 코브라(naja).
¡hala! *interj.* ① 야!, 어이!, 여보!(iea!) 《부를 때 하는 말》: *¡Hala*, levántate! 야, 일어나라! ② 이겨라!, 잘해라!, 빨리 해!
halacabuyas *m.* 애숭이 선원.
halagador, ra *adj.* 희망을 가지게 하는, 즐거운; 말주변이 좋은. —*m.f.* 아첨꾼, 알랑쇠.
halagar *tr.* ⑧ ① 즐겁게 하다, 기쁨을 주다, 신나게 만들다(agradar, deleitar): Mucho me *halaga* tu propuesta 너의 제안에 나는 아주 기쁘다. ② 아부·아첨하다(adular): Quien *halaga* engaña 아첨하는 사람은 속이는 법이다.
halago *m.* ① 희망을 갖는 일, 마음에 즐거운 일. ② 애무, 애정의 표현. ③ 아부, 아첨: Hay que desconfiar de los ~*s* 아부를 믿어서는 안 된다.
halagüeñamente *adv.* ① 상냥하게, 다정하게. ② 아부·아첨으로.
halagüeño, ña *adj.* ① 흐뭇한, 기분이 좋은; 상냥스러운, 다정한(dulce, suave): canto ~. ② 아첨하는, 아부하는, 아첨하는 듯한: palabras ~*ñas* 아첨하는 (듯한) 말.
halar *tr.* 끌다, 예항(曳航)하다(tirar): ~ un barco 배를 끌다.
halcón *m.* [*lat.* falco] 【조류】 매: ~ gentil 큰 매 (neblí). ~ lanero 황조롱이. ~ niego 매의 새끼 ~ palumbario 큰 매. los ~*es* y las palomas 매파와 비둘기파.
halconado, da *adj.* 매 같은, 매 모양의.
halconear *intr.* 남자를 꼬이고 다니다.
halconera *f.* 남자를 낚고 다니는 여자, 서방질을 하는 여자, 화냥년; (매를 넣는) 광주리·우리.
halconería *f.* 매사냥: La ~ era deporte muy apreciado en la edad media 매사냥은 중세에는 매우 인기있는 스포츠였다.
halconero *m.* 매사냥꾼.
halda *f.* 스커트(falda); (포장용으로) 툭툭하게 짠 피륙.
haldada *f.* halda의 한 꾸러미.
haldear *intr.* 스커트 자락을 펄럭거리며 걷다.
haldeta *f.* (옷의) 허리통 (부분).
haldudo, da *adj.* 스커트가 풍성한.
¡hale! *interj.* 잘해라! 《격려의 뜻, 사주하는 뜻》; 빨리 해라!, 빨리 빨리!
haleche *m.* 【어류】 멸치의 일종(boquerón).
halieto *m.* 【조류】 물수리.
haliéutico, ca *adj.* 낚시질에 관한.
halita *f.* 【광물】 암염.
hálito *m.* ① 숨, 호흡; 뜨거운 김, 수증기. ② (일반적으로 발산하는) 기운. ③ 【시어】 미풍.
hall *m. ing.* 회관, 공회당, 홀. [*N.* 발음: jol].
hallaca *f.* =**hayaca.**
hallada *f.* =**hallazgo.**
hallado, da *adj.* [+tan bien·mal] 흔히 볼 수 있는·드문.
hallador, ra *adj.* 발견하는. —*m.f.* (특히 표류물의) 발견자, 습득자.
hallante *adj.* 발견하는, 찾아내는; 조사하는.
hallar *tr.* ① 찾아내다, 발견하다(encontrar, descubrir): *Hallé* un libro muy raro en Namwon 나는 남원에서 매우 진귀한 책을 발견했다. ② 발명하다(inventar). ③ 조사하다, 살피다(investigar).
~se ① (어떤 상태가 되어 어떤 장소에) 있다 (estar, encontrarse, quedarse, verse): ~*se* enfermo 병들어 있다. ~*se* en París 파리에 있다. ② [no+: 어떤 장소에] 적합하지 않다, 거북스럽다.
hallazgo *m.* ① 발견(물); 습득, 습득물: Entre los ~*s* hubo paraguas, zapatos y pañuelos 습득물 중에는, 우산, 구두, 손수건이 있었다. ② (습득물에 대한) 사례금: Ofrecieron diez mil pesetas de ~ 습득해 주는 사례로 1만 빼세따를 걸었다.
hallulla *f.* 《*Chile.*》 길쭉한 모양의 질이 좋은 빵 (pan de masa fina y forma alargada).
hallullo *m.* =**hallulla.**
halo *m.* ① (태양·달의) 무리(corona). ② (성상 등의) 후광, 원광: ~ de misterio 신비의 베일. ③ 【사진】 흐림.
halófilo, la *adj.* 염분 지대의: planta ~*la* 염생식물(鹽生植物).
halógeno, na *adj.* 【화학】 할로겐의. —*m.* 할로겐, 조염(造鹽) 원소.
halografía *f.* 염화학.
haloideo, a *adj.* 할로겐의: sal ~*a* 할로겐염. —*m.* 할로겐염, 바다 소금.
halón *m.* [드묾] =**halo.**
haloque *m.* 옛날의 소형 배.
haloquímica *f.* =**halografía.**
halotecnia *f.* 제염(製鹽)(술).
haloza *f.* 나막신(calzado de madera).
haltera *f.* 아령.
halterio *m.* =**haltera.**
halterofilia *f.* 【운동】 역기 들기.
halterófilo, la *m.f.* 【운동】 역도 선수. —*adj.* 역기 들기의.
hamaca *f.* ① 해먹, 그물 그네. ② 《*Amér.*》 공중에 맨 잠자리. ③ (사람이 어깨에 메는) 가마. ④ 《*Amér.*》 그네 (columpio). ⑤ 요람(搖籃). ⑥ 《*Arg. Urug. Parag.*》 흔들의자(mecedora).
hamacar *tr.* ⑦ 《*Riopl.*》 =**hamaquear.**
hamada *f.* =**meseta desértica.**
hamadría *f.* (나무와 생사를 같이 한다는) 나무의 요정(dríade). —*m.* 【동물】 망토 비비.
hamadríada *f.* =**hamadría.**
hamadríade *m.* =**hamadría.**
hámago *m.* 꿀벌이 만드는 씁쓸한 것; 구역질;

언짢음, 불쾌감.
hamaquear *tr.* ①《*Amér.*》 흔들다, 휘젓다(mecer). ②(어떤 일을 질질 끌어) 애간장을 태우다(entretener).
~se 해먹에 누워 흔들다.
hamaqueo *m.* 흔들기.
hamaquero *m.* 해먹 제조자·판매인 ; 가마를 메는 사람 ; 해먹을 매는 고리.
hambre *f.* [*lat.* fames] ① 공복, 배고픔, 허기 : ¿Tienes ~? —No, no la tengo 배가 고픈가? —아니, 고프지 않다. morir(se) de ~ 굶어 죽다. Me muero de ~ 나는 배고파 죽겠다. ② 굶주림 ; 열망, …욕(欲) : ~ de gloria 명예욕. el ~ canina 심한 공복 ; 심한 욕망. ③ 인색 ; 궁박, 결핍(escaez) : el ~ calagurritama.
[*N.* 단수형일 때 정관사 el을 붙임].
A buen ~ no hay pan duro ; A buena ~ no hay gordas duras 《*Méx.*》 【속담】 시장이 반찬이라.
hambreado, da *adj.* 《*Amér.*》 =**hambriento.**
hambrear *tr.* 굶주리게 하다. —*intr.* 굶주리다 ; 굶주려 있다.
hambriento, ta *adj.* ① 배고픈. ② [+de : …에] 굶주린(deseoso) : un hombre ~ *de* riquezas 재물에 굶주린 사람.
hambrina *f.* 【방언】 심한 공복.
hambrío, a *adj.* 《*Ant.*》 =**hambriento.**
hambrón, na *adj.* 몹시 허기진. —*m.f.* 배고픈 사람, 허기진 사람.
hambrucia *f.* 《*And. Arg.*》 =**hambre.**
hambruna *f.* 《*AmérM.*》 【속어】 [h를 발음함] =**hambre.**
hambrusia *f.* 《*Arg. Col. PRico.*》 =**hambruna.**
Hamburgo 【지명】 함부르크 《독일의 도시》.
hamburgués, sa *adj.* 함부르크의. —*m.f.* 함부르크 사람.
hamburguesa *f.* 《*Amer.*》 ① 햄버그 스테이크. ② 고기 단자(albóndiga)로 만든 샌드위치(emparedado).
hamo *m.* ① 낚싯바늘(anzuelo). ②《*Cuba.*》 낚시 그물.
hampa *f.* (패거리를 짜고 하는) 불량배 (생활).
hampesco, ca *adj.* 불한당의, 무뢰한의, 불량배 (생활)의, 건달의.
hampo, pa *adj.* =**hampón.** —*m.* =**hampa.**
hampón *adj.m.* 툭하면 싸우려고 드는 (사람) ; 무법자(의).
hampshire *adj. ing.* 햄프셔종의 (돼지).
hámster *m. alem.* 【동물】 명주쥐 무리.
hamular *adj.* 갈고리(gancho) 형의.
han haber의 직·현·3·복수.
hancara *f.* 《*Bol.*》 장방형의 호박.
handball *m. ing.* =**balonmano.**
handicap *m. ing.* [h를 발음함] 핸디캡.
hanega *f.* 【고어】 =**fanega.**
hanegada *f.* =**fanegada.**
hangar *m.* 《*Galic.*》 격납고.
hannoveriano, na *adj.* 하노바 《Hannóver, 독일·프러시아의 주와 그 수도》의. —*m.f.* 하노바 사람.
Hanoi 【지명】 하노이 《베트남의 수도》.
hansa *f.* (중세 북구의) 상인 조합, (독일 몇몇 도시의) 옛 한자 동맹(Ansa).
hanseático, ca *adj.* 한자 동맹의(anséatico).
hanum *f. turco.* =**señora.**
haplología *f.* 【문법】 중간 문자 탈락 《예 : auto ómnibus → autobús》.
hará hacer의 직·미래·3·단수.
haragán, na *adj.* 나태한, 게으른. —*m.f.* 게으름뱅이. Sinón. holgazán, perezoso, vago.
haraganamente *adv.* 게을리, 게으르게, 빈둥빈둥.
haraganear *intr.* 빈둥빈둥 놀며 지내다. Sinón. holgazanear.
haraganería *f.* 게으름, 나태, 빈둥거리는 생활(ociosidad). Sinón. holgazanería.
haragania *f.* 【고어】 =**haraganería.**
haraganoso, sa *adj.* [드뭄] =**haragán.**
harambel *m.* 넝마, 누더기(arambel).
harán hacer의 직·미래·3·복수.
harapiento, ta *adj.* ① 누더기의, 누더기를 걸친. Sinón. andrajoso. ② 후덥지근한, 답답한(haraposo) : tipos ~*s* 추접스러운 사람들. ③ 극히 빈곤한.
harapo *m.* ① 누더기, 넝마(andrajo) : Iba vestido de ~*s* 그는 누더기를 걸치고 갔다. ②(마지막에 나오는) 아주 도수가 낮은 소주.
haraposo, sa *adj.* 누더기를 걸친, 누덕누덕한(andrajoso).
haras *m.* 《*Galic.*》 =**acaballadero.**
harás hacer의 직·미래·2·단수.
harbullar *intr.* =**farbullar.**
harca *f.* [h를 발음함] 모로코 원주민 군인 ; 혁명 부대.
haré hacer의 직·미래·1·단수.
haréis hacer의 직·미래·2·복수.
harem *m.* =**harén.**
haremos hacer의 직·미래·1·복수.
harén *m.* (회교도의) 규방; 후궁.
harense *adj.* 아로 《Haro, 서반아 북부의 도시》의, 아로에 관한. —*m.f.* 아로 사람.
harfago *m.* 【조류】 올빼미의 일종.
haría hacer의 가능법·1·3·단수.
haríais hacer의 가능법·2·복수.
haríamos hacer의 가능법·1·복수.
harían hacer의 가능법·3·복수.
harías hacer의 가능법·2·단수.
harija *f.* 뽀얗게 일어나는 먼지 ; 가루.
harina *f.* [*lat.* farina] ①(일반적으로) 가루 : ~ de maíz 옥수수 가루. ~ de pescado 어분(魚粉) ~ de mandioca 만디오까 가루. ~ de trigo 밀가루. ②(특히) 밀가루(~ de trigo) : ~ lacteada 영양 분유. ③《*Ant.*》 【속어】 돈(dinero).
estar metido en ~ 빵의 발효가 충분치 못하다 ; 토실토실하게 살이 쪘다 ; 일에 열중해 있다.
ser ~ de otro costal 전혀 종류가 다르다, 문제가 전혀 다르다.
Donde no hay ~, todo es mohina 【속담】 가난은 불쾌감의 원인이 된다.
harinado *m.* 밀가루 반죽 ; 반죽하는 물.
harinear *intr.* 《*Venez.*》 =**lloviznar.**
harineo *m.* 《*Venez.*》 =**llovizna.**
harinero, ra *adj.* 가루의 ; 제분의 : molino ~ 제분소. —*m.f.* 제분 업자, 밀가루 장수.
—*m.* 가루 상자, 밀가루 독, 밀가루 저장소.
harinilla *f.* 《*Chile.*》 밀기울, 무거리.
harinoso, sa *adj.* 가루가 많은, 가루가 많이 나

는; 분말상(粉末狀)의(farináceo): molino ~ 제분소.

hariscarse *r.* =**ariscarse.**

harka *f.* =**harca.**

harma *f.* 【식물】 =**alharma.**

harmonía *f.* =**armonía.**

harmónicamente *adv.* =**armónicamente.**

harmónico, ca *adj.* =**armónico.**

harmonio *m.* =**armonio.**

harmoniosamente *adv.* =**armoniosamente.**

harmonioso, sa *adj.* 조화된; 소리가 좋은 (armonioso).

harmonizable *adj.* =**armonizable.**

harmonización *f.* =**armonización.**

harmonizar *tr.* ⑨ =**armonizar.**

harnear *tr.* 《*Col. Chile.*》 키로 까불다, 키로 치다(ahechar).

harnerero *m.* 키 만드는 사람.

harnero *m.* 키(criba).

harneruelo *m. dim.* harnero.

harón, na *adj.* 태만한, 나태한, 게으른, 일하기를 싫어하는 : caballo ~ 일하기 싫어하는 말.

haronear *intr.* 게으름피우다, 어물어물 지내다.

haronía *f.* 게으름, 태만, 나태함(pereza).

harpa *f.* [*lat.* harpa] =**arpa.**

harpado, da *adj.* =**arpado.**

harpía *f.* ①【신화】여자 얼굴에 새의 몸을 한 괴물. ② 요녀, 마녀, 추녀(arpía). ③ 욕심꾸러기. ④【조류】남미산의 매.

harpillera *f.* =**arpillera.**

harqueño, ña *adj.m.f.* 모로코 원주민의 군대(harca)의 (대원). [*N.* h를 발음함].

harrado *m.* 【건축】(아치의) 모서리(enjuta).

¡harre! *interj.* =**¡arre!**《마귀 등을 쫓는 소리》. —*m.* 여윈 말.

harrear *tr.* =**arrear.**

harrenquín *m.* =**arrenquín.**

harria *f.* =**arria.**

harriería *f.* =**arrería.**

harriero *m.* ① 마부(arriero). ② 《*Cuba.*》【조류】딱다구리(ave trepadora).

harruquero *m.* 《*And.*》 =**arriero.**

hartada *f.* 《*And. Amér.*》 포식, 배가 가득참 (hartazgo, hartura) : Más vale una ~ que dos hambres 두 끼니 굶는 것보다 한 끼 잘 먹는 것이 낫다.

hartar *tr.* ① [+ con · de : …을] 포식하다 · 포식시키다, 실컷 먹이다(saciar el apetito) : ~ al niño *de* dulces 아기한테 과자를 실컷 먹이다. ② 만족시키다(satisfacer); 물리게 만들다, 신물나게 만들다(fastidiar, cansar) : Ese discurso nos *hartó* 우리는 그 연설이 신물이 났다. ③ 충분히 먹이다 : ~ *de* palos 몽둥이로 실컷 때리다. ④《*Venez.*》 언짢게 대들다(insultar).

~se ① 포식하다; 싫증을 내다 : *Se hartó con* fruta 그는 과일을 실컷 먹었다. ② 싫증을 내다, 지긋지긋하다(fastidiarse) : Tomó helado hasta *~se* 싫증이 날 때까지 아이스크림을 먹었다. ③ 물리다, 싫어지다, 싫증나다 : No *se hartó de* contarlo 그 이야기를 하는데 싫증도 내지 않았다.

hartazgo *m.* 포식, 물림.

darse un ~ de ① …을 포식하다 : *Me he dado un ~ de* uvas 포도를 물리도록 먹었다. ② 물리도록 …하다 : *darse un ~ de* leer 책을 싫증이 나도록 읽다.

hartazón *m.* 《*Ar. Amér.*》 =**hartazgo.**

hartera *f.* 《*Cuba.*》 =**hartazgo.**

harto, ta *adj.* ① 배부른 : Estoy ~ *de* comer 나는 배가 부르다. ② [+ de : …에] 물린, 싫증이 난 : Estoy ~ *de* sus cuentos 나는 그의 이야기가 싫증이 났다. ③ 넉넉한, 충분한.

—*m.f.* (먹어서) 물린 사람.

—*adv.* 상당히, 꽤, 충분히, 넉넉하게(bastante).

Harto da quien da lo que tiene; El que da lo suyo, ~ hace 【속담】 가진 것을 주는 사람은 배부르게 된다.

hartón, na *adj.* ①《*Méx.*》 성가신, 귀찮은. ②《*AmérC.*》 포식하는; 양이 큰. —*m.* ① 대식가. ②【은어】=**pan, abundancia.**

hartura *f.* ① 포식(hartazgo). ② 풍부(copia, abundancia). ③ 만족.

has haber의 직 · 현 · 2 · 단수.

hasaní *adj.* =**marroquí.**

haschich *m.* =**haxix.**

hasiclipac *m.* 《*Méx.*》 불에 볶은 호박씨.

hasta *prep.* ① …까지 : desde aquí ~ allá 여기서 거기까지. No llegaré ~ las diez 나는 10시까지 도착하지 못한다. Gastó ~ 50 pesetas 50 뻬세따까지 돈을 썼다. ② [부사적] …까지(도) (aun), 심지어는 : Pelearon ~ las mujeres 여자까지 싸웠다. *Hasta* pueden ahorrarse 돈을 남기기까지도 할 수 있다. *Hasta* los niños lo saben 아이들까지도 그것을 알고 있다.

~ después, ~ luego 다음에 또 만납시다《작별인사》.

~ que ① …하기까지(는) : No me acostaré ~ *que* vuelvas 네가 돌아올 때까지는 자지 않겠다. ② …하여 드디어 …하다 : Le esperaban, ~ *que* volvió 그를 기다리고 있었더니 드디어 돌아왔다.

hastial *m.* ①【건축】박공으로 만든 벽. ②【광물】갱의 측면. ③ 천박한 남자. [*N.* 이 뜻으로 쓰일 때 h는 발음되는 수가 있음].

hastiar *tr.* ⑫ 싫증나게 만들다(cansar, fastidiar, hartar).

hastío *m.* 식욕 부진; 구역질; 불쾌, 혐오; 싫증, 권태(disgusto) : causar ~.

hastiosamente *adv.* 싫증이 나서, 권태로워; 식욕 부진으로.

hastioso, sa *adj.* =**fastidioso.**

hataca *f.* 국자; 반죽 방망이, 공이.

hatada *f.* 【방언】 =**hatería.**

hatajador *m.* 《*Méx.*》 짐승 떼를 쫓는 남자.

hatajar *tr.* (목축 떼를) 분산시키다 · 분리시키다 : *Se han hatajado* las ovejas.

hatajo *m.* ① 목축의 적은 무리(hato pequeño de ganado) : un ~ de carneros. ② 풍부(copia) : un ~ de disparates.

hatear *intr.* 여행을 위한 짐을 꾸리다; 여행 준비를 하다; 양식이나 의류를 꾸리다.

hatería *f.* (인부 · 목동 등이 가지고 가는) 2 · 3 일분의 도시락 · 의류; 그렇게 하는 인부들.

hatero, ra *adj.* 짐수레를 끄는 (말). —*m.* 목동에게 도시락을 가져다 주는 사람. —*m.f.* 《*Cuba.*》 농장주, 목장 주인.

hatijo *m.* 벌통의 입구를 막는 짚 덮개.
hatillo *m.* 작은 꾸러미.
echar el ~ al mar 흥분하다, 버럭 화를 내다.
coger·tomar el ~ 떠나다, 돌아가다, 가버리다 (marcharse, irse).
hato *m.* ① 허드레 물건을 넣은 꾸러미. ② 도시락. ③ 목축 떼 ; 무리, 모임 : un ~ de pícaros. ④ 많음(hatajo). ⑤ 목동들의 임시 숙박소. ⑥ 《*Col. Cuba. Venez.*》 목장.
andar con el ~ a cuestas 자꾸만 집을 옮기다 ; 방랑하다.
liar el ~ 여행 준비를 하다, 떠날 준비를 하다 (prepararse para marchar).
menear el ~ a uno (누구를) 마구 때리다.
revolver el ~ 불화를 일으키다.
hawaiano, na *adj.* 하와이의. —*m.f.* 하와이 섬 사람 ; 하와이섬 출신.
Hawaii 【지명】 하와이(Islas ~).
haxix *m.* 하시슈 《인도 삼에서 채취한 마약》.
hay [haber의 무인칭 현재형] (…이) 있다 : ~ unos libros en la mesa 탁자 위에 책이 몇 권 있다.
haya[1] *f.* [*lat.* fagus] 【식물】 너도밤나무 : El ~ crece hasta cuarenta metros de altura 너도밤나무는 높이 40미터까지 자란다.
haya[2] haber의 접·현·1·3·단수.
Haya, la 【지명】 헤이그 《네델란드의 도시》.
haya- → **haber** 64.
hayaca *f.* 《*Venez.*》 (옥수수, 고기, 과일 등을 버무려 바나나잎에 싸서 찐) 성탄절에 먹는 떡의 일종.
hayáis haber의 접·현·2·복수.
hayal *m.* 너도밤나무(haya)의 숲.
hayamos haber의 접·현·1·복수.
hayan haber의 접·현·3·복수.
hayas haber의 접·현·2·단수.
hayedo *m.* =**hayal.**
hayense *adj.m.f.* 쁘레시덴떼 아예스 《Presidente Hayes, 빠라구아이에 있는 주》의 (사람).
hayo *m.* 【식물】 코카나무(coca) ; (꼴롬비아 토인이 코카 잎에 석회·소금을 섞은) 씹어 먹는 과자.
hayucal *m.* 《*León.*》 =**hayal.**
hayuco *m.* 너도밤나무의 열매.
haz[1] hacer의 2인칭 단수 명령 : *Haz*lo 그 일을 해라.
haz[2] *f.* [*pl.* haces] ① 얼굴(cara, rostro). ② (잎이나 천의) 겉. Contr. envés. ③ 표면(superficie) : el ~ de la tierra 지표.
—*m.* [*pl.* haces, fasces] ① (밀이나 땔감 등의) 다발(gavilla ; fajo) : ~ luminoso 광속(光束). ② 군단(軍團).
a dos haces 두마음을 가지고.
a sobre ~ 얼핏 보아, 겉보기에, 표면적으로.
ser de dos haces 속과 겉이 다르다, 속마음과 하는 말이 다르다.
haza *f.* 밭, 논 : arar una ~.
hazaleja *f.* =**toalla.**
hazana *f.* =**faena casera.**
hazaña *f.* 공(훈), 공로, 무훈, 공적, 위업(偉業) (proeza) : El soldado fue condecorado por sus ~*s* 그 병사는 공적을 세워서 훈장을 받았다.
hazañería *f.* 짐짓 놀란 척함 ; 놀란 표정, 놀란 얼굴 : hacer ~*s* 놀란 표정을 하다.
hazañero, ra *adj.* 놀란 표정·얼굴의, 표정이 호들갑스러운.
hazañosamente *adv.* 화려하게 ; 남자답게, 용감하게(heroicamente).
hazañoso, sa *adj.* 공로가 있는 ; 남자다운, 용감한, 용맹스러운.
hazmerreir *m.* 어릿광대, 익살꾼 : Es el ~ de la fábrica 그는 공장의 익살꾼이다. Esa mujer es el ~ del pueblo 그 여인은 마을의 익살꾼이다.
hazte hacerse의 2인칭 단수 명령형.
hazuela *f.* [*dim.* haza] 작은 밭, 작은 야채밭.
H.[da] hacienda.
he *adv.* [*ár.* he → **haber** 3] (지시 부사라고도 하며, aquí, ahí, allí와 같이, 이곳에, 그곳에, 저곳에) …이 있다 : *He aquí* la verdad 여기 진실이 있다. *Heme aquí* 내가 여기에 있다. *He ahí a* tus hijos 그곳에 당신의 자식들이 있다.
¡ he! *interj.* =**¡ce!**
hebdómada *f.* 【아어】 주(週)(semana) ; 7년간 (espacio de siete años).
hebdomadariamente *adv.* 주마다, 매주(每週), 주일마다(semanalmente).
hebdomadario, ria *adj.* 주(週)의, 매주의, 주간(週刊)의(semanal) : revista ~*ria* 주간 잡지. —*m.* =**semanario.**
—*m.f.* 【종교】 주번(週番), 주무자(週務者).
Hebe *f.* 【희랍 신화】 청춘의 여신 《Zeus와 Hera의 여러 신에게 술을 따라 주며 Hércules의 아내가 됨》.
hebén *adj.* ① 에벤종의 (포도) 《알이 굵은 포도의 일종》 : uva ~. ② 맛없는, 실속이 없는.
hebetado, da *adj.* 《*Amér.*》 멍한, 바보의, 둔한 : tener un rostro ~ 멍한 얼굴을 하고 있다.
hebetar *tr.* [드뭄] =**embotar, enervar, debilitar.**
hebetud *f.* 《*Galic.*》 (정신·지각의) 마비, 혼수상태(estupor).
hebijón *m.* 걸쇠 고리.
hebilla *f.* 걸쇠, 버클.
hebillaje *m.* [집합] 걸쇠·버클 한 벌.
hebillar *intr.* 버클을 걸다.
hebillero, ra *m.f.* 걸쇠 제조인.
hebilleta *f.* [*dim.* hebilla] 작은 걸쇠.
hebillón *m.* [*aum.* hebilla] 큰 걸쇠.
hebilluela *f.* [*dim.* hebilla] 작은 걸쇠.
hebra *f.* [*lat.* fibra] ① 섬유(filamento); 실(hilo) ; 근육, 힘줄, 심줄(fibra) : carne de mucha ~ 힘줄투성이의 고기. ② 이야기 줄거리 : pegar la ~ 이야기를 계속하다. ③ 나뭇결 : ~*s* de madera. ④ 【광산】 광맥(filón). ⑤ 【시어】 머리칼, 머리카락 : ~ de plata 은발.
de una ~ 《*Chile.*》 단숨에.
cortar la ~ de la vida 목숨을 빼앗다.
estar de buena ~ 기골이 장대하다.
hebraico, ca *adj.* =**hebreo.**
hebraísmo *m.* 유태교, 히브리 사상, 히브리교 (judaísmo), 히브리 어풍(語風).
hebraísta *m.f.* 히브리어 학자.
hebraizante *m.f.* 히브리어 학자 ; 유태 연구자.
hebraizar *intr.* 16 9 서툰 히브리어를 지껄여

대다 ; 유태교를 믿다.

hebreo, a *adj.* 히브리의, 히브리교·유태교의. **—*m.f.*** ① 히브리 사람 ; 히브리교도, 유태교도 (israelita, judío). ② 상인 ; 고리 대금 업자. **—*m.*** 히브리어 : estudiar el ~ 히브리어를 공부하다·연구하다.

hebrero *m.* =**herbero.**

hebroso, sa *adj.* 힘줄·섬유가 많은(fibroso) : carne muy ~*sa* 힘줄투성이의 고기.

hebrudo, da *adj.* 【방언】《*CRica.*》 =**hebroso.**

hecatombe *f.* (고대인이 신에게 바쳤던 소와 그 밖의) 100 마리의 희생 ; 대학살(matanza).

hecha *f.* ①【고어】일, 행위, 사실(hecho). ② = **fecha** : de esta ~ 지금부터, 금후.

hechiceresco, ca *adj.* 주문(呪文)의, 주문 같은.

hechicería *f.* 주술, 주문, 마법, 요술 : La ~ se consideraba como un crimen en la edad media 마법은 중세에서는 죄로 간주되었다. [Sinón.] brujería.

hechicero, ra *adj.* 주술의, 주문의, 요술의 ; 매혹적인 : ojos ~*s* 매력적인 눈. [Sinón.] cautivante. **—*m.f.*** 주문을 외는 사람, 기도사 ; 마법사, 요술쟁이.

hechizar *tr.* ⑨ ① 저주하다. ② 마술·요술을 걸다. ③ (…을) 원망하다. ④ 홀딱 반하게 만들다, 매혹시키다, (…의) 혼을·마음을 빼앗다 (encantar, embelesar) : una música que *hechiza* 혼을 빼앗는 음악. una belleza que *hechiza* 넋을 잃을 듯한 아름다움·미인. [Sinón.] embrujar, encantar.

hechizo, za *adj.* ① 속임수의(artificioso). ② 떼었다 붙일 수 있는(postizo). ③ 만든, 만들어 낸 (fabricado). ④《*Amér.*》 규격 제품의, 표준 규격의 : muebles ~*s* 표준 규격의 가구. ⑤ 국내 제품의. ⑥《*Méx. Perú.*》 잘못 만들어진 ; 위조의, 모조의. **—*m.*** 주술, 주문, 마법, 요술 ; 매혹 ; 기쁨·즐거움의 대상.

hecho, cha *adj.* [hacer의 *p.p.*] ① 성숙한, 완성한, 다 된 : hombre ~ 성인. ropa *hecha* 기성복. ~ en Corea 메이드 인 코리어. ② [+ 명사 : 명사의 성·수에 일치함] …와 같이 된·되어 : Estoy *hecha* una estantigua 나는 도깨비 같은 노파가 되어 버렸다. ③ ㄱ) [+ bien · mal] 균형이 잘 잡힌·잡히지 못한 : cuerpo *bien* ~ 균형이 잡힌 몸매. ㄴ) 잘 만들어진·잘못 만들어진 : Está *bien* ~ 잘 만들어졌다. ④ [bien과 숫자를 함께 하여] 꼬박…, 완전한 : *doce* años *bien* ~*s* 꼬박 12년. ⑤ [+ y derecho] 완전한, 완벽의 : un hombre ~ *y derecho* 완전 무결한 사람. La obra está *hecha y derecha* 작품은 완전히 되어 있다.

—*m.* ① 일, (기정) 사실 : El periódico publica los ~*s* más importantes 신문은 가장 중요한 사실을 보도한다. ② 행실, 행위, 행동, 업적 : ~ de armas 무훈, 무공. *Hechos* de los Apóstoles 신약 성서의 사도 행전. ~*s* verdaderos 실적. Fue recordado por sus nobles ~*s* 그는 그의 숭고한 행위 때문에 기억되었다. ③ 사건, 일어난 일(acontecimiento). ④ 일, 당면 문제 : Volvamos al ~ 본론으로 돌아가자.

a ~ ① 곧장, 연이어, 연달아 : trabajar *a* ~. ② 한데 섞어서.

de ~ 사실상, 실제로, 실질적인, 사실상의 : *De* ~ tuve una gran dificultad 실제로 나는 곤란한 처지였다.

de ~ ***y de derecho*** 사실상 또 당연히.

en ~ ***de verdad*** 진실로.

por ~ 사실상.

A lo ~, ***pecho*** 【속담】 일단 행해진 일에 대한 결과는 받아들여야 한다.

hechor, ra *m.f.* 【방언】《*Chile.*》 악인(惡人) (malhechor) ; 장본인(張本人). **—*m.*** 《*Arg. Venez.*》 씨나귀, 수낙타, 종마(種馬) (garañón).

hechura *f.* ① 만들기, 제작, 제조 : ~ coreana 한국 제. ② 만들어진 것 ; 덕을 입은 것(criatura) : Somos ~ de Dios 신이 우리를 만들었다. ③ 만들어짐, 만듦(confección) : de ~ 만들어진, 기성품의. ④ 공임, 만든 품삯 : Cuesta 200 pesetas *de* ~*s* 만든 품삯이 200 뻬세따 든다. ⑤ 조직 ; 체격 ; 형태, 외형(外形). ⑥ 상(像), 입상(立像). ⑦《*Chile.*》 (연회에의) 초대 ; (의복의) 재봉일.

hechusgo *m.* 《*AmérC.*》 외형, 겉모양.

hect. hectárea(s) 헥타르.

hect- *pref.* 「100」을 뜻하는 접두어.

hectara *f.* 《*Méx.*》 =**hectárea.**

hectárea *f.* 헥타르 《100 áreas》.

héctico, ca *adj.* 소모열의 ; 폐병의. **—*m.f.*** 폐병 환자.

hectiquez *f.* 【의학】 만성 질병 상태.

hecto- *pref.* 「100」을 뜻하는 접두어 : *hectó*metro, *hecto*litro.

hectografía *f.* 젤라틴판 복사법.

hectográfico, ca *adj.* hectografía의 : tinta ~*ca.*

hectógrafo *m.* 젤라틴판 복사기.

hectogramo *m.* 헥토그램 《100 gramos》.

hectolitro *m.* 헥토리터 《100 litros》.

hectómetro *m.* 헥토미터 《100 metros》 : ~ cuadrado 평방 헥토미터 《1만 평방 미터》. ~ cúbico 입방 헥토미터 《백만 입방 미터》.

Héctor *m.* 엑토르 《Homero의 시 la Ilíada에 나오는 Troya 전쟁의 용사》.

hectóreo, a *adj.* 【시어】 엑토르의, 엑토르 같은 ; 용감한.

hectovatio *m.* 100 와트 《전력의 단위》.

Hecuba *f.* 에쿠바 《Troya의 왕 Príama의 부인으로 Héctor의 어머니》.

hedentina *f.* 취기(臭氣), 악취 ; 냄새 나는 것.

heder *intr.* ⑳ ① 고약한 냄새·코를 들 수 없는 냄새가 나다. ② 지치다, 불쾌해지다, 귀찮아지다(fastidiar, cansar) : Ese niño me *hiede.*

hederáceo, a *adj.* 【식물】 덩굴손 같은.

hediento, ta *adj.* =**hediondo.**

hediondamente *adv.* 구역질나게.

hediondez *f.* 고약한 냄새, 악취(hedor).

hediondo, da *adj.* ① 역겨운, 고약한 냄새가 나는(pestilente) : substancia ~*da* 냄새가 고약한 물질. ② 더러운, 구역질이 나는(sucio, repugnante) : espectáculo ~ 구역질이 나는 장면. ③ 코를 들 수 없는, 참을 수 없는(insufrible). **—*m.*** ①【식물】 악취가 나는 콩과의 관목. ②《*Arg.*》 =**el zorrillo.**

hedónico, ca *adj.* hedonismo의.

hedonismo *m.* 【철학】 향락주의, 쾌락주의, 쾌락설.
hedonista *adj.* 쾌락주의의, 향락적인. —*m.f.* 쾌락주의자.
hedor *m.* 악취, 썩는 냄새 : despedir un ~ intolerable 참을 수 없는 악취를 풍기다. Sinón. fetidez, hediondez, pestilencia.
Hefestos *m.* Vulcano의 그리스 이름.
hegelianismo *m.* 헤겔 《Hegel, 독일의 철학자, 1770–1831》 학파. [*N.* h를 발음함].
hegeliano, na *adj.m.f.* 헤겔의, 헤겔 학파의 (사람). [*N.* h는 발음됨].
hegemonía *f.* =**heguemonía.**
hegemónico, ca *adj.* 패권·지도권을 가진; 지배적인.
hegemonista *adj.* 지배하는, 패권을 잡은 : fortalezar las pretensiones ~*s.*
hégira *f.* =**héjira.**
heguemonía *f.* 지도권, 패권, 헤게모니.
héjira *f.* 헤지라, 회교 기원 《서기 662년 7월 15일의 일몰에서부터 세기 시작; Mahoma가 la Meca에서 Medina로 피한 날》; 그 도피.
helable *adj.* 동결(凍結)할 수 있는.
helada *f.* 동결, 얼어 붙음; 서리 : ~ blanca 서리. Sinón. escarcha.
heladera *f.* ① 아이스크림 제조기. ② 《*Arg.*》 냉장고(nevera, refrigerador).
heladería *f.* 《*Amér.*》 아이스크림 상점.
heladero, ra *m.f.* 《*Chile.*》 빙과·아이스캔디 판매인.
heladizo, za *adj.* 얼기 쉬운, 잘 어는.
helado, da *adj.* [*lat.* gelatus] ① 언 : agua ~*da* 빙수. ② 찬 : El agua está ~*da* 물이 차다. ③ 얼어 붙은 듯한(glacial). ④ =**esquivo.** ⑤ 냉혹한. ⑥ 멍한(atónito) : Me quedé ~ al oir la noticia; La noticia me dejó ~ 그 뉴스를 듣고 나는 멍했다. —*m.* 빙과, 얼음 과자; 아이스크림(sorbete) : Me gusta el ~ de chocolate 나는 초콜릿 아이스크림을 좋아한다.
helador, ra *adj.* 얼게 하는 : máquina ~*ra* 냉동기, 빙과 제조기. —*f.* 빙과 제조기.
heladura *f.* 추위로 인한 감각 마비, 손발이 곱음, 얼어 붙음.
helaje *m.* 《*Col.*》 혹한, 극한, 몹시 심한 추위 (frío intenso).
helamiento *m.* 동결(凍結).
helar *tr.* ⑲ [*lat.* gelare] ① 동결시키다, 얼리다. ② 멍하게 만들다 : La noticia le *heló* de espanto 그 소식은 그를 놀라 멍하게 만들었다. ③ 기가 죽게 만들다, 실망하게 만들다(desalentar). —*intr.*, **~se** ① 얼다, 얼음이 얼다 : *Se hiela* el aceite cuando hace mucho frío 날씨가 무척 추울 때는 기름이 언다. *Ha helado* esta mañana 오늘 아침에 얼음이 얼었다. ② 얼어 붙다, 굳다, 응결하다. ③ (두려움 앞에) 몸을 떨다, 몸서리나다, 몸서리치다. ④ (식물이) 냉해(冷害)를 입다.
[직설법 현재 : hielo, hielas, hiela, helamos, heláis, hielan. 접속법 현재 : hiele, hieles, hiele, helemos, heléis, heielen].
helear *tr.* =**ahelear.**
helechal *m.* 【식물】 양치(羊齒) 밭.
helecho *m.* 【식물】 양치류, 미나리, 고사리 : ~ arborescente 양치류. —*m.pl.* 양치류.
Helena *f.* 엘레나 《Esparta의 왕 Melenao의 아내; Pariseo에게 유괴당함으로 Troya 전쟁이 일어났음》.
helénico, ca *adj.* 그리스의(griego).
helenio *m.* [*gr.* helenion] 【식물】 금불초(金佛草).
helenismo *m.* ① 그리스 문화·정신 : El ~ modificó profundamente la cultura romana 그리스 문화는 로마 문화를 굉장히 수정했다. ② 그리스화(化). ③ 그리스 말투.
helenista *m.f.* 그리스어·문학 연구가; 그리스어를 사용하는 유태인; 유태교도로 있는 그리스인.
helenístico, ca *adj.* 그리스풍의; 고대 그리스 문화의.
helenización *f.* 그리스화 : La conquista de Grecia por Roma fue seguida de la ~ los vencedores.
helenizante *adj.* 그리스풍의.
helenizar *tr.* ⑨ 그리스풍으로 하다, 그리스화하다 : La conquista de Alejandro *helenizó* parte de Oriente 알렉산더의 정복은 동양의 일부를 그리스화했다. —*intr.* 그리스어를 연구하다.
~se 그리스화하다.
heleno, na *adj.m.f.* =**griego.**
helera *f.* =**granillo.**
helero *m.* (높은 산의) 빙괴, 빙하(氷河); 만년설(glaciar).
helgado, da *adj.* 이의 사이가 벌어진 : dientes ~*s* 사이가 벌어진 이.
helgadura *f.* 이와 이 사이; 사이가 벌어진 이.
heli- *pref.* helio-의 변형.
heliaco, ca *adj.* 태양과 거의 같은 시간에 나타나는 (별).
helíaco, ca *adj.* =**heliaco.**
heliantemo *m.* 【식물】 약초의 일종.
heliantina *f.* 타르제(製) 황색 염료.
hélice *f.* [*gr.* helix] ① 나사(螺絲), 나사 모양, 나선(螺旋)(espiral). ② 추진기, 스크루, 프로펠러. ③ 【해부】 귓바퀴. —*m.* 【천문】 대웅성, 큰곰자리별(Osa Mayor).
helicoidal *adj.* 나사 모양의 : estría ~.
helicoide *m.* 나선면; 나선체.
helicómetro *m.* 추진기의 추진력 측정기.
helicón *m.* ① 【신화】 [el H-](Apolo와 Musas의 신들이 살았다는) 헬리콘산. ② 시상(詩想)의 원천. ③ 【악기】 헬리콘, 나선형의 큰 나팔.
helicona *adj.m.f.* 시·음악의 여신(Musas)(의).
helicónides *f.pl.* =**Musas.**
heliconio, nia *adj.* 헬리콘산 (el Helicón)의; 시신(詩神)의.
helicóptero *m.* 헬리콥터.
helio *m.* 【화학】 헬륨 《희가스 원소》.
helio- *pref.* 「태양」을 뜻하는 접두어.
heliocalco *m.* 청사진, 설계도.
heliocéntrico, ca *adj.* 태양(sol) 중심의 : teoría ~*ca* 태양 중심설.
heliocromía *f.* 천연색 사진(술).
heliofanógrafo *m.* 태양빛 측정 기상 기구.
heliófilo, la *adj.* 빛을 좋아하는, 빛을 찾는.
heliofísica *f.* 태양 물리학.
heliofísico, ca *adj.* heliofísica의.

H

heliofotómetro *m.* 태양열 방사 측정 기구.
heliogábalo *m.* 대식한(大食漢).
Heliogábalo *m.* 로마 황제(204−222).
heliograbado *m.* 사진 오목판, 그 사진판 ; 그라비아판, 사진 조판술.
heliograbador *m.* 사진판공(工).
heliografía *f.* 태양론, 태양 연구 ; 태양의 사진 ; 청사진 ; 일광 반사 신호법.
heliográfico, ca *adj.* heliografía의.
heliógrafo *m.* 일광 반사 신호기 ; 태양 사진기, 일조계(日照計).
heliograma *m.* 태양 반사 통신.
heliología *f.* 태양론, 태양 연구.
heliómetro *m.* 태양의(太陽儀) 《두 별 사이의 각도 거리 측정기(角度距離測定器)》.
heliomotor *m.* 태양 에너지를 기계 에너지로 바꿀 수 있는 기구.
helión *m.* 헬륨(helio)의 원자핵. [Sinón.] partícula alfa.
helioplastia *f.* 헬리오타이프 사진, 사진 제판술.
heliopsis *f.* 【식물】 (각종의) 데이지.
Helios *m.* 【희랍 신화】 태양의 신 《네 필이 끄는 마차를 타고 하늘을 날던 신》.
helioscopio *m.* 태양 관측 망원경.
heliosis *f.* =**insolación.**
helióstato *m.* 일광 반사경.
heliotelegrafía *f.* 일광 반사 신호기에 의한 전신.
helioterapia *f.* 【의학】 일광 요법(日光療法).
helioterápico, ca *adj.* 일광 요법의, 일광에 의한 : cura ∼*ca* 일광 요법.
heliotipia *f.* =**fotocolografía.**
heliotipo *m.* =**helioplastia.**
heliotropina *f.* 헬리오트로핀 《향료》.
heliotropio *m.* =**heliotropo.**
heliotropismo *m.* 【식물】 향일성(向日性).
heliotropo *m.* ①【식물】 헬리오트로프. ②【광물】 혈석(血石). ③【천문】 일광 반사기.
helipuerto *m.* 헬리콥터 발착장, 헬리포트.
helitransportar *tr.* 헬리콥터로 수송하다 · 나르다.
hélix *m.* 【해부】 귓바퀴.
héller *m.* 중구 · 독일계 제국의 화폐의 이름.
helmintiasis *f.* 【단 · 복수 동형】【의학】 기생충병.
helmíntico, ca *adj.m.* 회충 구제의 ; 구충제.
helminto *m.* 기생충, 회충.
helmintoideo, a *adj.* 회충 · 기생충 · 지렁이 같은.
helmintología *f.* 【의학】 회충학.
helmintológico, ca *adj.* 회충학의.
helor *m.* 【방언】 혹독한 추위, 혹한.
Helsinki 【지명】 헬싱키 《핀란드의 수도》.
helvecio, cia *adj.* 엘베시아 《la Helvecia, 현재의 스위스 지방의 옛 이름》의. —*m.f.* 엘베시아 사람, 스위스 사람.
helvético, ca *adj.* 스위스의(helvecio) : autoridades ∼*cas* 스위스 당국.
¡ hem! *interj.* 으흠 《의심이나 주의를 환기시킬 때 사용하는 말》.
hema- *pref.* 「피」를 뜻하는 접두어.
hemacrimo, ma *adj.* =**poiquilotermo.**
hematemesis *f.* 토혈(吐血)(vómito de sangre).
hematermo, ma *adj.* 온피의 (동물).
hematia *f.* 적혈구(hematíe).
hemático, ca *adj.* 피(sangre)의 · 에 관한.
hematidrosis *f.* 【병리】 혈한(血汗).
hematíe *m.* 적혈구(赤血球).
hematina *f.* 혈색소(pigmento rojo de la sangre).
hematinuria *f.* 황열병.
hematita *f.* =**hematites.**
hematites *f.* 【광물】 적철광.
hematocele *m.* 【의학】 혈류(血瘤).
hematófago *adj.* 【동물】 흡혈(吸血)의 : un animal ∼ 흡혈 동물.
hematógeno, na *adj.* 조혈(造血)의.
hematología *f.* 혈액학.
hematológico, ca *adj.* 혈액학의.
hematólogo, ga *m.f.* 혈액학 전문가.
hematoma *m.* 【의학】 혈류 ; (머리의) 혹.
hematómetro *m.* 혈액계(血液計).
hematopoyesis *f.* =**hematosis.**
hematoscopia *f.* 현미경 혈액 검사,
hematoscopio *m.* 혈액 검사 ; 현미경.
hematosis *f.* 정맥혈을 동맥혈로 하는 일, 혈액 형성 · 산화(酸化), 혈독 효성(血毒酵成).
hematozoario, ria *adj.* 혈액에 기생하는. —*m.* 혈액에 기생하는 기생충.
hematuria *f.* 【의학】 혈뇨증(血尿症), 혈뇨, 피오줌.
hematúrico, ca *adj.* 혈뇨증의.
hembra *f.* [*lat.* femina] ① 암컷 ; 여자(mujer) : La yegua es la ∼ del caballo yegua는 caballo의 암컷이다. [Contr.] varón. ② 장붓구멍, 나사구멍, 너트, (훅 따위의) 암고리 ; (주형의) 암틀(molde). ③ 말의 성긴 꼬리털.
—*adj.* ① 암컷의 : el milano ∼ 암솔개. ② 연한, 가느다란 : el pelo ∼ 연한 · 가느다란 머리카락.
hembraje *m.* 《*AmérM.*》 [집합] (가축 따위의 번식을 목적으로 한) 암컷.
hembrear *intr.* 암컷을 그리워하다 ; 암컷 · 계집애만 낳다.
hembrería *f.* 《*Ant.*》 =**mujerío.**
hembrerío *m.* 《*Ant.*》 =**mujerío.**
hembrilla *f.* [*dim.* hembra] ① 작은 장붓구멍, 열쇠 구멍 (등) ; 고리 ; 쇠바퀴(armella). ② 《*Ecuad.*》 싹.
hemencia *f.* 【고어】 =**vehemencia.**
hemenciar *tr.* ⑪ 【고어】 열망하다.
hemencioso, sa *adj.* 【고어】 열성의, 열렬한.
hemerálope *adj.* 야맹증의. —*m.f.* 야맹증 환자.
hemeralopía *f.* 【병리】 야맹증(夜盲症).
hemeroteca *f.* ① 신문 · 잡지 수집. ② 신문 · 잡지 보관소. ③ 신문 회관.
hemi- *pref.* 「반…」을 뜻하는 접두어.
hemiciclo *m.* ① 반원(半圓)(semicírculo). ② 반원의 좌석. ③ (의회의) 연단 앞. ④ 반원형의 물건 : ∼ de montañas.
bóveda de ∼ 반원형의 둥근 지붕.
hemicránea *f.* 【의학】 편두통(jaqueca).
hemiedría *f.* (결정의) 반면상(半面像).

hemiedro, dra *m.adj.* (결정의) 반면체(半面體)의.

hemina *f.* 혈흔 검출제 ; 옛날의 액량 단위 《0. 271 리터》.

hemioctaedro *m.* =**tetraedro.**

hemión *m.* 【동물】 (히말라야 산맥 고원의) 야생 나귀.

hemíono *m.* 【동물】 =**hemión.**

hemipelágico, ca *adj.* 깊이 800~200미터 사이의 (바다).

hemiplejia *f.* 【의학】 =**hemiplejía.**

hemiplejía *f.* 【의학】 반신 불수.

hemipléjico, ca *adj.* 반신 불수의. —*m.f.* 반신 불수.

hemíptero, ra *adj.* 【동물】 반시류(半翅類)의. —*m.pl.* 반시류 《매미 등》.

hemisférico, ca *adj.* 반구(半球)의, 반구형의.

hemisferio *m.* 반구체(半球體) ; (지구・천체의) 반구(半球) : ~ austral 남반구. ~ boreal 북반구. ~ occidental 서반구. ~ oriental 동반구.

hemisferoidal *adj.* 반구형(半球形)의.

hemisferoideo, a *adj.* =**hemisférico.**

hemistiquio *m.* (운문의) 반행, 불완구(不完句)의 한 행(行).

hemo- *pref.* 「피」의 뜻을 나타내는 접두어.

hemocianina *f.* 【화학】 혈청소.

hemofilia *f.* 【병리】 혈우병(血友病).

hemofílico, ca *adj.* 혈우병의. —*m.f.* 혈우병 환자.

hemoglobina *f.* 혈색소, 헤모글로빈.

hemopatía *f.* (일반적으로) 혈액병.

hemoptísico, ca *adj.m.f.* 객혈의 (환자).

hemoptisis *f.* 객혈(喀血).

hemorragia *f.* 출혈 : ~ nasal 비혈, 코피.

hemorrágico, ca *adj.* ① 출혈(出血)의 : derrame ~ 일혈. ② 출혈성의 : diátesis ~*ca* 출혈성 체질.

hemorraquis *f.* 출혈.

hemorrea *f.* 【병리】 (우연성) 출혈.

hemorroida *f.* 【의학】 치질.

hemorroidal *adj.* 치질의.

hemorroide *f.* 【의학】 치질.

hemorroisa *f.* 출혈이 많은 여자.

hemorroo *m.* 【동물】 (아프리카산의) 뿔뱀 (ceraste).

hemos haber의 직・현・1・복수.

hemoscopia *f.* 혈액의 현미경 실험.

hemostasis *f.* 혈행 정지(血行停止) ; 지혈(止血) ; 지혈법.

hemostático, ca *adj.* 지혈의, 지혈용의 : pinazas ~*cas.* —*m.* 지혈제.

henaje *m.* 《*Arg.*》 목초 건조.

henal *m.* 건조 창고(henil).

henar *m.* 목초용 초지(草地) ; 건초를 두는 곳.

henasco *m.* 《*Sal.*》 건초.

henazo *m.* 《*Sal.*》 =**almiar.**

henchidor, ra *adj.m.f.* 채워 넣는 (사람).

henchidura *f.* 충만(充滿) ; 채워 넣기, 포화 상태.

henchimiento *m.* 충만 ; 채워 넣기 ; 채워 넣는 물건.

henchir *tr.* [43] ① 채우다. ② [+de : …에] 채워 넣다(llenar) : ~ *de* lana un colchón 이불에 양털을 채워 넣다.
~se 가득차다, 가득해지다, 충만하다 ; 우쭐해지다 ; 듬뿍 채워 넣다(hartarse).

hendedor, ra *adj.* 트인.

hendedura *f.* =**hendidura.**

hender *tr.* [20] ① 트이게 만들다 : ~ una tabla. Sinón. abrir, partir, rajar. ② (공기・물 따위를) 가르며 가다・날다 : La flecha *hiende* el aire 화살이 공기를 가르며 나른다. ③ (군중을) 헤치고 나아가다.

hendible *adj.* 갈라지는 ; 틈이 나기 쉬운.

hendido, da *adj.* 갈라진.

hendidura *f.* 갈라진 금, 균열(grieta).

hendiente *m.* (칼 같은 것으로) 두 조각으로 쪼개는 일, 둘로 가르는 일.

hendija *f.* 《*Amér.*》 균열(rehendija).

hendimiento *m.* 갈라지는 일 ; 갈라진 금, 균열.

hendir *tr.* [31] =**hender.**

henear *tr.* [드뭄] 널어 말리다.

henequén *m.* 《*Amér.*》 용설란(pita) 비슷한 식물 ; 섬유.

hénide *f.* 【시어】 목장의 정녀(精女), 요정.

henificadora *f.* 건초 긁는 농기계.

henificar *tr.* [7] 건초를 만들다.

henil *m.* 건초 저장소, 꼴을 두는 곳.

henné *m.* 【식물】 《*Galic.*》 수랍목(alheña).

heno *m.* (사료로서의) 건초, 꼴.

henojil *m.* 양말 대님(cenojil).

henojo *m.* 《*Méx.*》 【식물】 회양풀.

henrio *m.* =**henry.**

henry *m. ing.* 【전기】 헨리 《전도(傳導) 계수의 실용 단위》.

heñidora *f.* =**amasadora.**

heñir *tr.* [49] (빵을) 반죽하다.

hepatalgia *f.* 【의학】 간장병.

hepática *f.* 【식물】 우산이끼. —*f.pl.* 우산이끼 속.

hepático, ca *adj.* ① 【의학】 간장(hígado)의 : conducto ~. ② 이끼류의. —*m.f.* 간장병자. —*f.* 【식물】 우산이끼 속.

hepatisis *f.* 【의학】 간염.

hepatismo *m.* 간장 질환.

hepatita *f.* =**baritina.**

hepatitis *f.* 【의학】 간장염, 간장병.

hepatización *f.* 간장질(肝臟質)이 되는 일, 폐의 간화(肝化).

hepatizarse *r.* 폐가 간화되다.

hepatocele *f.* 【의학】 간장 헤르니아.

hepatología *f.* 간장(병)의 연구, 의학.

hept- *pref.* =**hepta-.**

hepta- *pref.* 「7」을 나타내는 접두어.

heptacordio *m.* =**heptacordo.**

heptacordo *m.* 【음악】 7음 음계.

heptaedro *m.* 칠면체.

heptagonal *adj.* 7각형의.

heptágono, na *adj.* 7각형의, 7변형의. —*m.* 7각형, 7변형.

haptámetro *adj.m.* 7운각의 (시).

heptángulo, la *adj.* 7각형의.

heptapétalo, la *adj.* 꽃잎이 일곱 개인.

heptarca *f.* heptarquía의 일원.
heptarquía *f.* 7인으로 구성된 정부 ; 7인 통치 나라 ; 일곱 왕국으로 나뉘어진 나라.
heptasílabo, ba *adj.* 7음절의 : verso ～.
heptatueco *m.* 구약 성서의 권두 7편.
her *tr.* 【고어】《*Sal.*》＝**hacer.**
Hera *f.* 【희랍 신화】 헤라《Zeus의 누이이자 아내 ; 여성·결혼의 보호신 ; 로마 신화의 Juno》.
Heracles *m.* Hércules의 그리스 이름.
heráclida *adj.* 헤라클레스(Hércules)의 피를 이어 받은 ; 헤라클레스의.
heráldica *f.* 문장학(紋章學)(blasón).
heráldico, ca *adj.* 문장(학)의. —*m.f.* 문장학자.
heraldista *m.f.* 문장학자.
heraldo *m.* 왕의 사자(使者), 군사(軍使), 군대의 전령 ; 문장사(紋章司) ; 선구자.
herbáceo, a *adj.*【식물】 풀의, 풀류의, 초본(草本)의, 초목(草木)의 : planta ～*a* 초본 식물.
herbada *f.* 【식물】 비누풀(jabonera).
herbajar *tr.* 사육하다, 풀을 먹이다, 방목하다. —*intr.* 풀을 먹다(pacer).
herbaje *m.* (목장에 돋아난) 목초 ; 방목 사료 ; 방수 나사《모직물의 하나》.
herbajear *tr.intr.* ＝**herbajar.**
herbajero *m.* 목초지 경영자·지주(地主).
herbar *tr.* ⑲ (풀로 가죽을) 무두질하다.
herbario, ria *adj.* 초본경(草本經)의, 초본의, 풀의, 식물의. —*m.f.* 식물학자(botánico). —*m.* ① [집합] 압엽(押葉), 식물 표본집 ; 식물 표본실·표본관. ② (되새김질·반추 동물의) 첫째 위(胃)(panza).
herbaza *f.* [*aum.* hierba] 풀, 잡초.
herbazal *m.* 풀밭, 초지(草地), 초원.

herbecer *intr.* ㉛ 풀이 돋아나다 ; 풀이 돋아나기 시작하다(empezar a nacer la hierba).
herbecica *f. dim.* hierba.
herbecita *f. dim.* hierba.
herbero *m.* (소 따위의) 식도(食道), 밥줄(esófago).
herbicida *f.* 제초제(除草劑).
herbiforme *adj.* 풀(hierba) 모양의.
herbívoro, ra *adj.* 초식(草食)의. —*m.* 초식 동물.
herbolar *tr.* (…에) 독을 타다(enherbolar).
herbolario, ria *adj.* 경망스러운 ; 반광란의. —*m.f.* ① 경망스런 사람, 방정맞은 사람. ② 약초 채집자, 약종상.
herborista *m.f.* 《*Galic.*》 약초 채집자.
herboristería *f.* 약초(hierbas medicinales) 판매소.
herborización *f.* 식물·약초 채집.
herborizador, ra *m.f.* 식물 채집가.
herborizar *intr.* ⑨ 식물·약초를 채집하다.
herboso, sa *adj.* 풀이 난.
herciano, na *adj.* 헤르츠의(hertziano) : onda ～*na* 헤르츠파(波), 전자파(電磁波).
herciniano, na *adj.* 하르츠《Harz, 독일의 지명》의.
hercio *m.* ＝**hertz.**
hercúleo, a *adj.* ① 헤라클레스 (Hércules)의·같은. ② 굉장한 힘의 : fuerza ～*a* 괴력(怪力).
hércules *m.* 굉장한 힘을 가진 남자.
Hércules *m.* ①【신화】 헤라클레스《Júpiter와 Alcmena의 아들로, 힘이 장사였음》. ②【천문】 헤라클레스 좌.
heredable *adj.* 상속할 수 있는.
heredad *f.* 소유지, 경작지 : Mi padre me dejó una ～ 부친께서는 나에게 토지를 남겨 주었다. Sinón. finca, hacienda, posesión, propiedad.
heredado, da *adj.* 상속받은 ; 재산이 있는 ; 유산(有產)의. —*m.f.* 유산자(有產者). Contr. desheredado.
heredamiento *m.* 전답, 소유지 (hacienda, finca) ; 상속.
heredar *tr. intr.* ① 상속하다 : A la muerte de mi padre *heredé* alguna fortuna 부친 사망시 나는 약간의 재산을 상속했다. ② 계승하다 : *Heredan* los hijos a los padres 아들들이 부모의 뒤를 잇는다. ③ 전승(傳承)하다. ④ 상속 재산·유산으로 주다.
heredero, ra *adj.* 상속의. —*m.f.* ① 상속인 : instituir por ～ a uno, nombrar ～ a uno 누구를 상속인으로 하다. ② 계승자 ; 지주(地主).
～ ***forzoso*** 법정 추정 상속인.
～ ***presunto*** 추정 상속인.
herediano, na *adj.* 에레디아《Heredia, Costa Rica에 있는 주·도시》의 (사람).
hereditario, ria *adj.* ① 상속의, 세습의 ; 선조 전래의 ; cargo ～. ② 유전적인 : vicio ～ 유전적인 악습.
hereford *adj. ing.* 헤리퍼드종의 (소).
hereje *m.f.* 이단자 ; 이교도. —*adj.* 이교의, 사교의 : una secta ～.
herejía *f.* 사교(邪教) ; 사설(邪說) ; 악담.
herejote, ta *m.f.* [*aum.* hereje] 이단자.
herén *f.* 【식물】 까마귀 완두(yeros).
herencia *f.* ① 상속, 상속권 : adir la ～ 상속받다. ～ indivisa 공동 상속. ② 상속물, 상속 재산 : ～ yacente 상속 재산. ③【생물】 유전 : La ～ patológica de alcohólico es espantosa 알코올 중독자의 병리적 유전은 무섭다.
heresiarca *m.f.* 사교(邪教)의 교주.
heretical *adj.* ＝**herético.**
hereticidad *f.* 사교, 이교.
herético, ca *adj.* 사교의, 이교적인.
heretizar *intr.* 완고하게 사교를 보호하다.
heria *f.* 【은어】＝**hampa.**
herida *f.* ① 상처, 부상 : ～ contusa 타박상. La ～ se curó 상처가 아물었다. ② 마음의 상처, 괴로움 : Las ～*s* del alma son difíciles de curar 마음의 고통은 치료하기 어렵다. ③ 원한 : Sus palabras le causaron una profunda ～. Sinón. pena.
herido, da *adj.* [herir의 *p.p.*] ① 부상 당한 : mal ～ 심한 부상을 당한. soldado ～ 부상병. ② 상처입은. —*m.f.* 부상자.
—*m.* 《*Chile.*》 도랑(zanja).
heridor, ra *adj.m.f.* 상처 입은 (사람).
heril *adj.* 주인(amo)의·에 관한.
herimiento *m.* ＝**herida.**
herir *tr.* ㊿ [*lat.* ferire] ① 상처를 입히다 : ～ de muerte 치명상을 입히다. *Fue herido* en la guerra 그는 전쟁에서 부상당했다. ② 쑤시다, 찌르다. ③ (햇빛이) 쪼이다 : El sol *hirió* los cristales. ④ 치다, 때리다(golpear). ⑤ (현악기를)

치다 · 켜다. ⑥ 울리다 : *Hirió* el timbre 벨을 울렸다. Sinón. pulsar, tañer. ⑦ 아프게 · 아플 정도로 느끼게 하다 : un sonido que *hiere* los oídos. ⑧ (감정을) 상하게 하다 ; 심하게 자극하다 (ofender, agraviar) : ~ *en* la estimación 명예를 손상시키다. Su carta me *hirió* mucho 그의 편지가 나의 감정을 상하게 했다. ⑨ 맞추다 (tocar) : La flecha *hirió* el blanco 화살은 과녁을 맞추었다.
[직설법 현재 : hiero, hieres, hiere, herimos, herís, hieren. 접속법 현재 : hiera, hieras, hiera, hiramos, hiráis, hieran. 직설법 부정과거 : herí, heriste, hirió, herimos, heristeis, hirieron ; 현재분사 : hiriendo].

herma *m.* 【건축】 (주두〈柱頭〉 등의 Hermes의) 두상(頭像).

hermafrodismo *m.* =**hermafroditismo.**

hermafrodita *adj.* 【생물】 남녀 · 암수 양성의, 양성을 가진 (동물 · 식물)(bisexual).

hermafroditismo *m.* 양성 구비, 암수 동체.

hermafrodito *m.* [드뭄] =**hermatrodita.**

hermana *f.* ① 누이, 자매 : ~ de leche 젖자매. ~ mayor 누나, 언니. ~ menor 누이 동생. ~ política 시누이, 올케 ; 처제, 처형 ; 형수, 제수, 계수(cuñada). media ~ 이복 자매. ② (카톨릭교의) 수(도)녀, 동정(童貞) : ~ de la Caridad 자선 사업 등을 목적으로 하는 종교단의 수(도)녀. ③【은어】 셔츠. —*f.pl.* 【은어】 귀(oreja) ; 가위. [*N.* hermano 참조].

hermanable *adj.* 형제의 ; 조화시킬 수 있는.

hermanablemente *adv.* 형제처럼; 친밀하게; 협조하여, 의좋게.

hermanado, da *adj.* 아주 비슷한, 몹시 닮은 ; 짝을 이룬 ; 친밀한.

hermanal *adj.* 형제의 ; 동포의(fraternal).

hermanamiento *m.* 짝을 이루게 하는 일.

hermanar *tr.* ① 짝을 이루다. ② 사이가 좋아지다. ③ 조정 · 조절하다 : Esta alianza *hermana* los destinos de ambos países. Sinón. unir. ④ 동조 · 협조시키다 : ~ los pareceres 의견을 조정하다.
~se 짝을 이루다 ; 사이가 좋아지다 ; 협조하다 ; 의형제를 맺다.

hermanastro, tra *m.f.* 이복 형제 · 자매, 부모가 다른 형제 · 자매.

hermanazgo *m.* =**hermandad.**

hermandad *f.* 형제 자매 관계 ; 친화, 친밀, 우애 ; 일치, 유사 ; 종교 단체 ; 결사, 조합 ; 연맹. ***Santa H-*** (15—16세기의 서반아에서 반교회인을 감시하던) 종교 경찰.

hermanear *intr.* 형제 · 자매로 사귀다.

hermanecer *intr.* 31 아우 · 누이 동생이 태어나다(nacer a uno un hermano) : niño que presto endentece, presto *hermanece*.

hermano, na *m.f.* [*lat.* germanus] ① 형제, 자매 : En esta familia son seis ~*s* 이 가족에는 형제가 여섯 명이다. ② 겨레, 동포. ③ 동종(同宗)의 사람 ; 승려 · 여승의 경칭 ; 승적에 들지 않고 사원에서 일 보는 사람. ④ 동지(同志). ⑤ 동형 · 같은 계통의 것.
—*adj.* ① 한 벌의 ; 아주 닮은 : dos esmeraldas ~*nas*. ② 동형(同型) · 같은 계통의 : lenguas ~*nas* 자매어. naciones ~*nas* 형제 국가.
~ ***bastardo*** 사생아 형제. ~ ***carnal · germano*** (같은 부모에서 난) 피를 나눈 형제. ~ ***coadjutor*** 야소회에서의 임시 사교 보조. ~ ***consanguíneo*** 이복 형제(~ de padre). ~ ***de armas*** 전우(戰友). ~ ***de las Escuelas Cristianas*** 빈민 교육을 주로하는 회(會)의 수도사. ~ ***de leche*** 젖형제. ~ ***de madre*** 이부 동모의 형제. ~ ***de padre*** 이복 형제. ~ ***gemelo*** 쌍둥이 형제 중의 한 사람. ~ ***mayor*** 형 ; 종교 단체 · 결사의 두목 · 장(長). ~ ***menor*** 남동생. ~ ***político*** 매부, 매형, 처남, 시숙, 시동생. ~ ***uterino*** 이부 형제. ***medio*** ~ 부모 가운데 어느 한 쪽이 다른 형제 (hermanastro).

hermanuco *m.* 사원에서 허드렛일을 하는 남자.

hermeneuta *m.f.* 성서 해석 학자.

hermenéutica *f.* (특히 성서의) 해석학, 역경학.

hermenéutico, ca *adj.* 해석학의.

hermes *m.* =**herma.**

Hermes *m.* 【희랍 신화】 Zeus의 아들 ; 신들의 사자(使者) ; 상업 · 도둑 · 발명 · 웅변을 관장함 ; 【로마 신화】 Mercurio.

herméticamente *adv.* ① 단단하게 : una puerta ~ cerrada 굳게 닫힌 문. ② 신비적으로.

hermeticidad *f.* 밀봉, 굳게 감추는 일.

hermético, ca *adj.* 연금술의 : un escritor ~. ② 밀봉한, 밀폐한, 굳게 감춘 ; 신비적인.

hermetismo *m.* 신비스러움.

hermodáctil *m.* 【식물】 =**quitameriendas.**

Hermógenes (don) *m.* 돈 · 에르모헤메스 《Moratín의 작 Comedia nueva의 주인공 ; 모르면서 아는 척하는 무지한 남자》.

hermosamente *adv.* 예쁘게, 아름답게 ; 훌륭하게(con hermosura).

hermoseador, ra *adj.m.f.* 미화하는 · 아름답게 장식하는 (사람).

hermoseamiento *m.* 미화.

hermosear *tr.* 아름답게 장식하다 · 꾸미다, 훌륭하게 보이다, 미화하다, 예쁘게 가꾸다 (poner hermoso) : El campo *ha hermoseado* este niño. Sinón. embellecer. Contr. afear.

hermoseo *m.* 【드뭄】 =**hermoseamiento.**

hermosillense *adj.m.f.* 에르모씨요 《Hermosillo, México에 있는 도시》의 (사람).

hermoso, sa *adj.* [*lat.* farmosus] ① 아름다운, 예쁜, 고운 : una flor ~*sa* 아름다운 꽃. una mujer ~*sa* 고운 여인. una niña ~*sa* 예쁜 소녀. un ~ poema 아름다운 시. Sinón. bello. Contr. feo. ② 훌륭한, 뛰어난 : Esa invitación fue un ~ gesto 그 초대는 훌륭한 제스추어였다. ③ (날씨가) 산뜻한, 맑은, 개인, 좋은(despejado, sereno) : El día es ~ 날씨가 맑다. Sinón. espléndido, magnífico.

hermosote, ta *adj.* 매우 아름다운 · 예쁜(muy hermoso).

hermosura *f.* ① 아름다움, 미(美) : la ~ del paisaje 경치의 아름다움. Sinón. belleza. Contr. fealdad. ② 미인(美人).

hernandariense *adj.m.f.* 에르난다리아스 《Hernandarias, Paraguay에 있는 도시》의 (사람).

hernia *f.* [*lat.* hernia]【의학】 헤르니아 ; 탈장(脫腸) : ~ intestinal 탈장.

H

herniado, da *adj.* 【의학】 헤르니아에 걸린. —*m.f.* 헤르니아 환자.
herniario, ria *adj.* 헤르니아(성)의 : tumor ~.
herniarse *r.* 헤르니아를 앓다.
hernioso, sa *adj.m.f.* =**herniado.**
hernista *m.f.* 헤르니아 전문 의사.
Hero *f.* 【희랍 전설】 밤마다 호수를 헤엄쳐 만나러 오던 연인 Leandro가 물에 빠져 죽자 같이 죽은 여승.
Herodes *m.* 헤롯《성서의 인물, 어린 그리스도를 죽이기 위해 베들레헴 어린이를 모두 죽이기로 했던 잔인한 유태의 왕》.
andar · ir ~ a Pilatos 어떤 일이 차츰 나빠지다.
herodiano, na *adj.* 헤롯왕(Horodes) 같은.
héroe *m.* [*f.* heroína] [*gr.* hêrôs] ① 영웅, 용사. ② (시 · 극 · 소설 따위의) 주인공 (personaje principal). Sinón. protagonista. ③ (고대 그리스의) 신인(神人), 반신적(半神的)인 용사. Sinón. semidiós.
heroicamente *adv.* 용감하게, 용맹스럽게, 장렬히.
heroicidad *f.* 용감스러움, 용맹스러움 ; 장렬함 ; 영웅적인 행위 · 행동, 과감한 행동.
heroico, ca *adj.* 영웅의 ; 영웅적인, 용감한, 용맹스러운, 씩씩한, 장렬한 : acción ~*ca* 영웅적인 행위. ② 잘 듣는, 효력이 강한 : un remedio ~ 효력있는 처방.
heroicómico, ca *adj.* 용감하고 해학적인 면이 있는, 영웅 희극적인.
heroida *f.* 영웅담.
heroificar *tr.* 7 영웅화하다, 추켜세우다.
heroína *f.* ① 여걸, 열부(烈婦), 열녀(烈女). ② (극의) 여주인공, 스타. ③ 헤로인, 마약《모르히네로 만든 진정제》.

heroísmo *m.* 협기(俠氣), 기협(氣俠), 의협심, 용맹스러움, 무용(武勇), 영웅적 행위, 장거(壯擧). Sinón. valentía, valor.
herpes *m.(f.) pl.* 【의학】 수포진(水疱疹).
herpético, ca *adj.* 수포진의. —*m.f.* 수포진 환자.
herpetografía *f.* =**herpetología.**
herpetología *f.* 파충류학.
herpil *m.* (짚 · 참외 따위를 나르는) 망태기.
herrada *f.* (쇠테를 끼운) 통, 물통.
herradero *m.* (가축의) 낙인(烙印), 소인(燒印), 화인(火印) ; 그 시기 ; 소인장.
herrado, da *adj.* herrar의 *p.p.* —*m.* 편자 · 굽쇠 받이.
herrador *m.* 편자공, 말편자공, 제철공(蹄鐵工).
herradora *f.* herrador의 아내.
herradura *f.* ① 편자, 말편자, 제철(蹄鐵) : camino de ~ 말이 지나갈 수 있는 길. ② 【동물】 박쥐의 일종.
~ *de la muerte* 사상(死相), 죽을상(相).
arco de ~ =el morisco.
mostrar las ~s 줄행랑치다, 줄행랑을 놓다, 피하여 도망치다.
herraj *m.* 올리브의 씨핵으로 만든 탄(erraj).
herraje *m.* ① [집합] 쇠붙이로 만든 연장 : ~ de una puerta · del cofre. ② 편자, 말편자; 그 못 등. ③ =**herraj.**
herramental *adj.m.* 도구를 넣는 (자루 · 상자) : caja ~ 도구 상자.
herramienta *f.* [*lat.* ferramenta] ① 도구, 연장, 공구(工具). ② [집합] 도구류 : ~ de un carpintero 목수의 연장. ③ 날이 있는 연장 : porta ~*s* (기계에서) 날이 있는 연장을 두는 시렁. ④ 뿔(cornamenta). ⑤ 잇바디, 치열(齒列)(dentadura). ⑥ 【은어】 단도.
herransa *f.* 《*Col.*》 =**herradero.**
herrar *tr.* 19 (…에) 편자를 박다 ; 낙인을 찍다 ; 금속 연모를 대다 ; 쇠테를 끼우다.
herrén *m.* 꼴, 꼴밭.
herrenal *m.* 꼴로 쓰는 풀.
herrenar *tr.* 《*Sal.*》 가축에게 먹이로 꼴을 주다.
herreñal *m.* =**herrenal.**
herrera *f.* 대장장이의 아내.
herrerano, na *adj.m.f.* 에레라 《Herrera, Panamá에 있는 주》의 (사람).
herrería *f.* ① 대장간 ; 철공소, 제철 공장. ② 소란, 시끄러움.
herrerillo *m.* 【조류】 에레리요 《식충류의 새》 : El ~ hace su nido de barro, en forma de puchero, en los huecos de los árboles 에레리요는 나무의 틈새에 냄비 모양으로 진흙 둥지를 만든다. Sinón. ollero.
herrero *m.* ① 대장장이 : ~ de grueso 부엌 연장 등의 대장일. ② 【은어】 어깨걸이 가빠(ferreruelo). ③ 《*Arg. Chile. Col. PRico.*》 =**herrador.**
herrerón *m.* [*desp.* herrero] 서툰 대장장이.
herreruelo[1] *m.* ① 【조류】 할미새. ② 어깨걸이 가빠. ③ 옛날 독일의 기병.
herreruelo[2] *m.* =**ferreruelo.**
herrete *m.* ① (노끈 등의) 끝쇠. ② 《*Amér.*》 낙인, 소인(燒印), 화인(火印).
herretear *tr.* (노끈 같은 것이 풀리지 않게 · 단장의 끝이 닳지 않게) 끝쇠를 대다 · 달다(poner herretes) : ~ cintas. Sinón. clavetear.
herrezuelo *m.* [*dim.* hierro] 쇠붙이 연모.
herrial *adj.* 굵고 붉은 포도의 : uva ~ 굵고 붉은 포도.
herrín *m.* 쇠에 슨 녹(herrumbre).
herrón *m.* 철판 던지기 ; (그것에 쓰는 구멍이 있는) 철판 ; (차의 굴대에 대는) 쇠고리(arandela) ; 팽이의 꼭지 ; 쇠말뚝.
herronada *f.* herrón을 던지기 ; 어떤 새의 부리로 쪼기.
herrumbrar *tr.* 녹슬게 만들다.
~se 녹슬다.
herrumbre *f.* ① 녹 ; 철분. ② 【식물】 (밀 따위의) 깜부기 병균, 흑수병균(黑穗病菌).
herrumbroso, sa *adj.* 녹슨 ; 철분이 들어 있는.
hertz *m.* 【물리】 헤르츠 《진동수의 단위 ; 매초 1 사이클》.
hertziano, na *adj.* 헤르쯔 《독일의 전기학자 Enrique Hertz, 1857-94》의 : ondas ~*nas* 헤르쯔파, 전자파. oscilador ~ 헤르쯔 발진기.
hertzio *m.* =**hertz.**
hervencia *f.* 가마솥에 넣고 삶는 형벌.
herventar *tr.* 19 삶다, 데치다 : ~ coles 양배추를 데치다.
herver *intr.* 【방언】 《*Amér.*》 =**hervir.**
hervezón *f.* 《*Col.*》 =**hervidero.**

hervidero *m.* ① 비등(沸騰), 끓음 ; 끓는 소리 ; (물이 콸콸 솟는) 샘 ; 숨찬 소리. ② 사람의 무리, 떼지어 있음 : un ~ de gente. ③ 우글거리는 곳, 사람이 모이는 곳.

hervido, da *adj.* hervir의 *p.p.* —*m.* 《*Chile. Venez.*》 =**olla.**

hervidor *m.* (액체를 끓이는) 주방 기구.

hervir *intr.* 56 [*lat.* fervire] ① 끓다, 펄펄 끓어오르다, 비등하다 : El agua *hierve* a 100℃ 물은 100도에서 끓는다. ② (가슴이) 끓어오르다 : Le *hirvió* el corazón *de* ira 그의 가슴은 화로 부글부글 끓어올랐다. ③ (바다가) 사납게 일렁이다. ④ [+de · en : …] 투성이이다(abundar) : ~ *en* pulgas 벼룩투성이이다. ~ *de* gente 사람으로 들끓다.
[직설법 현재 : hiervo, hierves, hierve, hervimos, hervís, hierven. 접속법 현재 : hierva, hiervas, hierva, hirvamos, hirváis, hiervan. 직 · 부정과거 : herví, herviste, hirvió, hervimos, hervisteis, hirvieron. 현재 분사 : hirviendo].

hervor *m.* ① 비등(沸騰) : alzar el ~ 비등하다. ② 열렬, 열정(fogosidad) : ~ juvenil.
~ ***de la sangre*** 발진(發疹).
dar el ~ 금방 끓다.
levantar el ~ 끓기 시작하다.

hervoroso, sa *adj.* 열렬한, (성미가) 격렬한 : espíritu ~.

herziano, na *adj.* =**hertziano.**

herzio *m.* =**hertzio.**

hesitación *f.* [*lat.* hasitatio] [드뭄] 주저, 망설임. Sinón. duda, vacilación.

hesitar *intr.* ① 주저하다, 망설이다 : A pesar de las amenazas, no *hesitó en* decir la verdad 위협에도 불구하고 그는 진실을 말하는데 주저하지 않았다. Sinón. vacilar. ② 의심하다, 미심쩍어하다, 수상하게 생각하다, 못마땅하다, 못미더워하다. Sinón. dudar.

hespérico, ca *adj.* =**occidental.**

hespérides *adj.* 스바르별의. —*f.pl.* ①【희랍 신화】황금의 사과의 낙원을 지켰던 네 자매. ②【천문】스바르별(Pléyades).

hesperidio *m.*【식물】밀감류의 과실.

hespérido, da *adj.*【시어】샛별의 ; 서쪽 나라의, 서쪽의.

hesperio, ria *adj.* 에스페리아 《Hesperia, 서반아나 이탈리아를 가리킴》의, 에스페리아에 관계되는. —*m.f.* 에스페리아 사람.

héspero, ra *adj.* =**hesperio.**

Héspero *m.* 샛별, 금성(金星).

hespirse *r.* 《*Sant.*》 =**engreirse, envanecerse.**

hespital *m.* 《*Méx.*》【속어】=**hospital.**

hestérico, ca *adj.* 《*Méx.*》【속어】=**histérico.**

Hestia *f.* ①【희랍 신화】난로 · 부뚜막의 여신(女神). ②【로마 신화】=**Vesta.**

hetaira *f.* =**hetera.**

hetar *tr.* [집시어] =**llamar.**

heteo, a *adj.m.f.*【성서】헤테족의 ; 헤테 사람 《소아시아에 살았던 함족의 하나》.

hetera *f.* (본래는 그리스의) 창녀, 갈보, 매춘부(prostituta).

heter(o)- *pref.* 「이(異)」「타(他)」를 뜻하는 접두어.

heterocíclico, ca *adj.*【화학】복소 환식(複素環式)의, 이종(異種) 환식의.

heterociclo *m.*【화학】복소 환식.

heterocigota *f.* =**heterozigota.**

heterocigoto *m.* =**heterozigota.**

heteróclito, ta *adj.*【문법】불규칙 변화의, 변격의; 유다른, 별난.

heterodáctilo, la *adj.* 서로 다른 손을 가진.

heterodino, na *adj.*【전기】(라디오에서) 헤테르다인의 ; 수파(受波) 장치 《진공관의 장치》의.

heterodojía *f.* 《*Amér.*》 =**heterodoxia.**

heterodonte *adj.m.* =**anisodonte.**

heterodonto *m.* =**heterodonte.**

heterodoxia *f.* 이교(異敎), 이단(異端), 사설(邪說), 사교(邪敎), 이설(異說). Contr. ortodoxia.

heterodoxo, xa *adj.* 이단의, 이설의, 사설(邪說)의. —*m.f.* 이단자. Contr. ortodoxo.

heterófilo, la *adj.* 다른 형태의 잎을 가진 (식물).

heterogamia *f.*【생물】이형 배우(異型配偶).

heterogeneidad *f.* 이종(異種), 이질(異質), 이류(異類), 혼교(混交) ; 다른 성분.

heterogéneo, a *adj.* 이질의 ; 서로 다른, 여러 가지의, 갖가지의 : profesiones ~*as* 여러 가지 잡다한 직업. Contr. homogéneo.

heterógono, na *adj.* 각이 다른.

heteromancia *f.* 새가 날으는 모양으로 치는 새점.

heteromancía *f.* =**heteromancia.**

heterómero, ra *adj.* ①【식물】이수(異數)의 : flor ~*ra* 이수화(異數花). ②【동물】부등 관절(不等關節)의 (곤충).

heteromorfia *f.* ①【식물】이형. ②【화학】이질. ③ 변형.

heteromorfismo *m.* =**heteromorfia.**

heteromorfo, fa *adj.* ①【식물】이형(異形)의. ②【화학】이질(異質)의. ③【동물】변형의 ; 완전 변태의 (곤충).

heterónomo, ma *adj.* ① 타율(성)의. ②【생물】이규(異規)의, 부등(不等)의. Contr. autónomo.

heteropatía *f.*【의학】역증 요법(逆症療法).

heteropétalo, la *adj.* 꽃잎이 다른.

heteroplatia *f.*【의학】타가 이피(他家移皮)(술).

heterópodo, da *adj.* 다른 모양의 발을 가진 (동물).

heteropolar *adj.* 이극(異極)의 : dínamo ~ 이극 발전기.

heterópsido, da *adj.* 무광택의 (광물).

heteroscios *m.pl.* 반영자(反影者) 《남북 양 온대에 사는 사람을 가리킴》.

heterosexual *adj.* 성이 다른. —*m.f.* 이성 연애자. Contr. homosexual.

heterozigota *f.*【생물】이형 접합체, 헤테로 접합체.

heterozigoto *m.* =**heterozigota.**

hético, ca *adj.* 폐병의 ; 말라빠진, 깡마른, 말라깽이의. —*m.f.* 폐병 환자(tísico).

hetiquencia *f.* 《*PRico.*》 폐병.

hetiquez *f.* =**hectiquez.**

heurística *f.* 발견적 교육법 · 지도법.

heurístico, ca *adj.* 학생 스스로 발견하게 하

는, 발견적인.

hevé *m.* =**hevea.**

hevea *f.* 【식물】 파라고무나무 《대극과(大戟科)의 고무나무의 일종; 브라질 원산으로 높이 30m 가량; 잎은 세 개로 된 복엽이고 여름에 흰 단성화가 핌; 줄기에 진집을 내면 젖같은 액체가 흐르는데, 이것으로 탄성 고무를 만듦》.

hex- *pref.* =**hexa-.**

hexa- *pref.* 「6」을 뜻하는 접두어.

hexacordio *m.* =**hexacordo.**

hexacordo *m.* 【음악】 6음 음계.

hexadecasílabo, ba *adj.* 16음절의 : verso ~.

hexaédrico, ca *adj.* 육면체의.

hexaedro *m.* 육면체 : ~ regular 정육면체.

hexagonal *adj.* 육각의 : tuerca ~ 국화 모양의 너트.

hexágono, na *adj.* 육각형의, 6변형의. —*m.* 육각형.

hexámetro *adj.m.* 【시어】 6운각(六韻脚)의 (시).

hexandro, dra *adj.* 【식물】 수술(estambre)이 여섯 개인.

hexángulo, la *adj.* =**hexágono.**

hexapétalo, la *adj.* 6화판의.

hexápodo, da *adj.* 6각(脚)의. —*m.* 6각(脚)의 곤충.

hexarreactor *adj.* 여섯 개의 원자 터빈으로 추진되는 (비행기).

hexasépalo, la *adj.* 꽃받침(sépalo)이 여섯 개인.

hexasílabo, ba *adj.* 6음절의 : verso ~.

hez *f.* [*pl.* heces] 침전물, (침전된) 앙금(poso); 찌꺼기, 무거리; 쓸모없는 인간들 : la ~ de la sociedad. —*pl.* 똥(excrementos).

Hg(s). hectogramo(s) 헥터그램.

H

hi *m.f.* =**hijo, hija** .[*N. hi*dalgo나 경멸적 표현의 *hi* de puta (갈보의 자식, 후레자식), *hi* de perro (개자식) 따위를 나타냄].

hí *adv.* 【고어】 =**allí.**

Híadas *f.pl.* =**Híades.**

Híades *f.pl.* 【천문】 히아데스 성단(星團), 범종(梵鍾) 별자리 《암소좌 가운데 5개의 별들》.

hialino, na *adj.* 유리 모양의, 투명한, 유리 같은.

hialita *f.* 【광물】 옥적석(玉滴石) 《무색 투명한 담백석》.

hialografía *f.* 유리 조각(술), 유리판(版)(술).

hialógrafo *m.* (그림을 베끼기 위한) 투명기, 유리판.

hialoide *adj.* =**hialoideo.**

hialoideo, a *adj.* 유리 모양의 : membrana ~*a* 눈의 유리막.

hialotecnia *f.* 유리 공업·공예.

hialurgia *f.* =**hialotecnia.**

hialúrgico, ca *adj.* 유리 공업의.

hiante *adj.* hiato (모음 연속)가 있는 (시구).

hiato *m.* 【문법】 ① (앞에 있는 말의 어미와 연속되는 말의 어두의) 모음 연속 《예 : Se pus*o en* cam*a A*nita》. ② 약모음의 강모음화 《예 : día, baúl, país》.

hibernación *f.* ① (겨울의) 동면(冬眠). ② 【의학】 (인공) 동면.

hibernal *adj.* 겨울의(invernal) : sueño ~ 동면, 겨울잠.

hibernar *intr.* ① 피한(避寒)하다, 겨울을 보내다(invernar). ② 동면하다.

hibernés, sa *adj.* 이베르니아 《Hibernia, 현재의 Irlanda》의. —*m.f.* 이베르니아 사람.

hibérnico, ca *adj.m.f.* =**hibernés.**

hibierno *m.* [드뭄] =**invierno.**

hibisco *m.* 【식물】 히비스커스 《무궁화·닥풀 따위》.

hibridación *f.* 【생물】 이종(異種) 교배물.

hibridez *f.* =**hibridismo.**

hibridismo *m.* 【생물】 잡교(雜交), 잡종 (형성).

híbrido, da *adj.* ①【생물】 잡종의, 혼혈종(混血種)의, 트기의. ②【언어】 혼성의. —*m.f.* 잡종의 동물·식물; 혼성어.

hibuero *m.* 【식물】 박나무(higüero, güiro).

hicaco *m.* 《*Ant.*》【식물】 이까꼬 《장미과 식물의 이름》.

hice hacer의 직·부정과거·1·단수.

hiciera hacer의 접·과거·1·3·단수.

hicierais hacer의 접·과거·2·복수.

hiciéramos hacer의 접·과거·1·복수.

hicieran hacer의 접·과거·3·복수.

hicieras hacer의 접·과거·2·단수.

hicieron hacer의 직·부정과거·3·복수.

hiciese hacer의 접·과거·1·3·단수.

hicieseis hacer의 접·과거·2·복수.

hiciésemos hacer의 접·과거·1·복수.

hiciesen hacer의 접·과거·3·복수.

hicieses hacer의 접·과거·2·단수.

hicimos hacer의 직·부정과거·1·복수.

hiciste hacer의 직·부정과거·2·단수.

hicisteis hacer의 직·부정과거·2·복수.

hico *m.* 《*Amér.*》 해먹의 줄.

hicotea *f.* ① 《*Amér.*》 민물에서 자라는 식용 거북. ② 《*SDgo.*》【속어】 공직(公職).

hidalgamente *adv.* 품위있게, 고상하게, 은근하게.

hidalgo, ga *m.f.* [*pl.* hijosdalgo] [hijo de algo의 생략어(語)] ① 이달고 《중세·현대 초기에 귀족 칭호는 없었지만 일하지 않고, 있는 재산으로 살았기 때문에 평민과 구별하기 위해 붙인 사회 계급의 사람》; 하급 귀족, 시골 귀족. ② 《*Méx.*》 5 duros 화폐. —*adj.* 귀족 출신의, 기품이 있는, 품위있는, 겸손하고 정중한, 은근한 (noble, generoso) : costumbres ~*gas.*

hidalgote, ta *m.f.* [*aum.* hidalgo] 가난뱅이 귀족.

hidalguejo, ja *m.f.* *dim.* hidalgo.

hidalgüelo, la *m.f.* *dim.* hidalgo.

hidalguense *adj.m.f.* 이달고 《Hidalgo, México에 있는 주》의 (사람).

hidalguete, ta *m.f.* [*dim.* hidalgo] 가난뱅이 귀족.

hidalguez *f.* =**hidalguía.**

hidalguía *f.* 귀족 출신; 귀족스러움, 고결, 은근함(generosidad).

hidartrosis *f.* 【의학】 관절 수종(水腫).

hidático, ca *adj.* 낭종으로 이루어진.

hidátide *f.* ①【의학】 낭종(囊腫). ②【동물】 요충의 포충(胞虫).

hidatídico, ca *adj.* 낭종(성)의.

hidatidosis *f.* =**equinococosis.**
hidatógeno, na *adj.* 【광물】 수성(水成)의.
hidatoideo, a *adj.* =**hialoideo.**
hidiondo, da *adj.* 【고어】 =**hediondo.**
hidno *m.* [*gr.* hudnon] 식용 버섯의 일종.
hidra *f.* 【동물】 히드라 《히드라과의 강장 동물》.
Hidra *f.* 【신화】 Lerna호에 살며, 한 마리를 자르면 두 마리가 생긴다는 Hércules에게 살해된 머리가 7개인 뱀.
hidrácido *m.* 【화학】 수소산.
hidrargírico, ca *adj.* =**mercurial.**
hidrargirio *m.* 【고어】 =**mercurio.**
hidrargirismo *m.* 수은 중독.
hidrargiro *m.* 수은(mercurio).
hidratable *adj.* 수화(hidratación)될 수 있는.
hidratación *f.* 【화학】 수화(水和) 작용, 수화(水化).
hidratado, da *adj.* 수화한, 물과 혼합한.
hidratar *tr.* 【화학】 수화(水化)·수화(水和)하다 : ~ la cal.
hidrato *m.* 함수물(含水物), 수화물 : ~ de carbono 탄수화물, 함수 탄소. ~ cloral 포수(抱水) 클로랄.
hidráulica *f.* 수력학(水力學), 수리학(水利學); 수리(水利), 물의 이용 : ~ agrícola 농업 수리.
hidráulico, ca *adj.* ① 동수(動水)의; 수력의, 수압의 : prensa ~*ca* 수압기. ② 물로 굳힌, 수경(水硬)의 : cemento ~ 수경성 콘크리트. ③ 용수(用水)의, 수리(水利)의. —*m.* 수력(水力) 학자; 수리(水利) 기사.
hidremia *f.* 【속어】 =**hidrohemia.**
hidria *f.* (옛날의) 물항아리 모양의 그릇.
hídrico *adj.* ① 물의; 물을 함유한. ② 【화학】 수소를 함유한.
hidro- *pref.* 「물」의 뜻을 나타내는 접두어. —*m.* 수상기(水上機).
hidroácido *m.* =**hidrácido.**
hidroaeroplano *m.* =**hidroavión.**
hidroala *m.* 수중익선(水中翼船) (hidrofoil, hidroplano) : El ~ es un vehículo mixto de buque y avión 수중익선은 배와 비행기를 혼합한 것이다.
hidroavión *m.* 수상 비행기.
hidrocarbonado, da *adj.* 탄수화물의.
hidrocarbonato *m.* =**carbonato hidratado.**
hidrocarburo *m.* 【화학】 탄화 수소.
hidrocefalia *f.* 【의학】 뇌수종.
hidrocéfalo, la *adj.* 뇌수종의. —*m.f.* 뇌수종 환자.
hidrocele *f.* 【의학】 음낭 수종.
hidrociánico, ca *adj.* 【화학】 =**cianhídrico.**
hidroclorato *m.* 【화학】 염화 수소염.
hidroclórico, ca *adj.* 【화학】 염화 수소의 : ácido ~ 염산.
hidrodinámica *f.* 동수력학(動水力學), 수력학; 유체 동력학(流體動力學).
hidrodinámico, ca *adj.* 수력의; 액체의; 수압의; 유체 동력학의; 동수력학적인.
hidroelectricidad *f.* 수력 전기.
hidroeléctrico, ca *adj.* 수력 전기의 : central ~*ca* 수력 발전소.
hidroesquí *m.* (특수 비행기가 물에 내려 앉기 위해 만들어진) 스키 장치.
hidrófana *f.* 【광물】 투담백석 《물을 흡수해서 투명해진 돌》.
hidrofilacio *m.* 【지질】 수동(水洞) 《지하수가 고여 있는 동굴》.
hidrófilo, la *adj.* 물을 좋아하는; 흡수(吸水)성의 : algodón ~ 흡수성 면. —*m.* 【동물】 물땅땅이.
hidrófita *f.* 【식물】 수초(水草).
hidrofluato *m.* 【화학】 =**fluorhidrato.**
hidrofluórico, ca *adj.* 【화학】 =**fluorhídrico.**
hidrofobia *f.* ① 공수병(恐水病), 광견병(狂犬病)(rabia). ② 물공포증.
hidrófobo, ba *adj.m.f.* 광견경·공수병의 (환자)(rabioso).
hidrofoil *m.* =**hidroala, hidroplano.**
hidroftalmía *f.* 【의학】 수안(水眼).
hidrófugo, ga *adj.* 방수의; 내수(耐水)의 : tejido ~.
hidrogenación *f.* 수소 첨가.
hidrogenado, da *adj.* 수소의; 수소를 함유한.
hidrogenar *tr.* 수소와 화합시키다, 수소 처리를 하다.
hidrogenión *m.* 수소 원자.
hidrógeno *m.* 수소 : ~ pesado 중수소. bomba de ~ 수소 폭탄.
hidrogeología *f.* 수중학.
hidrognosia *f.* 물의 역사와 지식.
hidrogogía *f.* 운하 개굴(술).
hidrografía *f.* 수로학; 하천 측량(법).
hidrográfico, ca *adj.* 수로(학)의 : mapa ~ 수로 지도.
hidrógrafo *m.* 수로 기사.
hidrohemia *f.* 【의학】 수혈증(水血症).
hidroide *adj.* 물 모양의.
hidrólisis *f.* 【화학】 가수 분해(加水分解).
hidrolizar(se) *tr.(r.)* 가수 분해하다.
hidrología *f.* 수문학(水文學).
hidrológico, ca *adj.* 수문학의.
hidrólogo, ga *m.f.* 수문학자.
hidroma *m.* 【의학】 혈청종(腫).
hidromancia *f.* 물로 치는 점.
hidromancía *f.* =**hidromancia.**
hidromántico, ca *adj.* 물로 점치는. —*m.f.* 물로 점치는 점쟁이.
hidromecánico, ca *adj.* 수력 기관을 이용하는.
hidromel *m.* 꿀물(aguamiel); 용설란수(水).
hidrometeoro *m.* 습윤(濕潤) 기상.
hidrómetra *m.f.* 수량 측정 기사.
hidrometría *f.* 액체 비중의 측정; 물의 속도 측정; 수량(水量) 측정.
hidrométrico, ca *adj.* hidrometría의.
hidrómetro *m.* 액체 비중계, 유속계(流速計).
hidromiel *m.* =**hidromel.**
hidromórfico, ca *adj.* 장기간 물로 차 있는 (땅).
hidroneumático, ca *qadj.* 수기병동식(水氣並動式)의, 수공(水空)의.
hidronimia *f.* (강·하천·호수 따위의) 지명학, 지명 연구.
hidrónimo *m.* (강·하천·호수 따위의) 지명(地名).

H

hidrópata *m.f.* 물로 치료하는 의사.
hidropatía *f.* 냉수 요법, 물치료법.
hidropático, ca *adj.* 물치료법의.
hidropesía *f.* 【의학】 수종.
hidrópico, ca *adj.* 수종의, 물집이 잡힌 ; 굶주린 ; 열망하는(insaciable).
hidropismo *m.* 수종을 앓는 상태.
hidroplano *m.* 활주정, 수중익(水中翼) ; 수중익선(水中翼船), 수상 비행기 (hidroala, hidroavión).
hidropónico, ca *adj.* 물재배·수경법의.
hidroquinona *f.* 하이드로키논 《현상약의 일종》.
hidroscopia *f.* 지하수 검색법.
hidrosfera *f.* 대기중의 수분 ; 수계(水界), 수권(水圈) 《지구 표면의 물의 부분》.
hidrostática *f.* 액체 정력학(靜力學).
hidrostáticamente *adv.* 액체 정력학적으로.
hidrostático, ca *adj.* 액체 정력학의.
hidrosulfato *m.* 수유화물(水硫化物).
hidrosulfúrico, ca *adj.* =**sulfhídrico.**
hidrotaquímetro *m.* 유속계(流速計).
hidrotecnia *f.* 수력 기계학(水力機械學).
hidroterapia *f.* 물치료법, 냉수(冷水) 요법 (hidropatía).
hidroterápico, ca *adj.* 냉수 요법의, 물치료법의 : tratamiento ~ 물치료.
hidrotermal *adj.* 【지질】 열수(熱水) (작용)의.
hidrotiónico, ca *adj.* 【화학】 =**sulfhídrico.**
hidrotórax *m.* 【의학】 늑막염, 흉막 수종(胸膜水腫).
hidróxido *m.* 【화학】 수산화물.
hidróxilo *m.* 【화학】 수산기(水酸基).
hidrozoario *adj.* 【동물】 히드로 벌레 무리의 (hidrozoo). —*m.pl.* 히드로 벌레 무리.
hidrozoos *m.pl.* =**hidromedusas.**
hiedra *f.* 【식물】 덩굴손 : ~ terrestre 【식물】 적설초.
hiel *f.* ① 쓸개즙(bilis). ② 신산(辛酸). ③ 고뇌, 노고 : las ~*es* de la vida.
~ *de la tierra* 【식물】 서양 현호색과의 식물.
echar la ~ 고된 일을 하다, 턱을 내밀다.
no tener ~ 부드러운 사람이다, 온화한 인물이다.
hiela-, hiele- → **helar** ⑲.
hielera *f.* 《*Ecuad.*》 =**nevera.**
hielo[1] *m.* [*lat.* gelu] ① 얼음. ② 빙결(氷結). ③ 냉혹 ; 실신.
~ *carbónico·seco* 드라이 아이스. ~ *de fondo* (바닥에 생기는) 바닥 얼음. ~ *flotante* 유빙(流氷). *banco de* ~ 빙원, 유빙(流氷). *capa de* ~ 겉얼음. *punto de* ~ 빙점.
hielo[2] helar의 직·현·1·단수.
hiemación *f.* (식물의) 겨우살이, 월동.
hiemal *adj.* 겨울의 : solsticio ~ 동지(冬至).
hiena *f.* [*gr.* huaina] 【동물】 하이에나.
hiend- → **hender** ⑳.
hienda *f.* 똥(estiércol).
hiera-, hiere- → **herir** 54.
hieráticamente *adv.* 신성하게; 거만하게.
hierático, ca *adj.* ① 성직·승려의, 성직자의 ; 신성한, 신(神)의 : escritura ~ 고대 이집트의 초서체 문자, 승려용 문자. ② 거만을 떠는.
hieratismo *m.* 성직 ; 신성.
hierba *f.* [*lat.* herba] ① 풀(yerba) ; [집합] 풀, 잡초 ; mala ~ 잡초 ; 불량배들. *H-* mala nunca muere 악초는 결코 죽지 않는다 ; 악은 결코 뿌리 뽑히지 않는다. Hay que arrancar malas ~*s* 잡초는 뽑아야 한다. ② (벽옥의) 반점. ③ 《*Amér.*》 마떼차(茶)(~mate). ④ [주로 *pl.*] 독(毒) : Diole a beber unas ~*s* 그에게 독을 마시게 했다.
—*pl.* (사원 등에서) 야채 요리 ; 목초 ; (목축의) 나이(año) : un potro de tres ~*s* 세 살짜리 조랑말.
~ *ballestera* 헤레보르스. ~ *belida* 미나리아재비. ~ *buena* 박하. ~ *cana* 개쑥갓. ~ *carmín* 열대 아메리카 원산의 다년초 《상록과 식물》. ~ *de ballestero* 헤레보르스 (~ ballestera). ~ *del ala* 금불초. ~ *de las coyunturas* 쇠뜨기. ~ *de las golondrinas* 애기똥풀. ~ *de las siete sangrías* 질경이. ~ *de los lazarosos,* ~ *de los pordioseros* 사위질빵. ~ *del Paraguay* 마떼차. ~ *del soldado* 마티코 《남미산의 후추과 식물 ; 지혈제》. ~ *de San Juan* 고추나물. ~ *de Santa María* 쑥국화, 《*AmérM.*》 수송나물. ~ *de Túnez* 방풍나물. ~ *doncella* 일일초. ~ *estrella* 차전초. ~ *giganta* 아칸츠스(풀). ~ *hormiguera* 수송나물. ~ *jabonera* 비누풀. ~ *luisa* 향수나무. ~ *mate* 마떼차. ~ *medicinal* 약초(藥草). ~ *melera* 우설(초)(牛舌)(草)(풀). ~ *meona* 톱니풀. ~ *mora* 까마중. ~ *pastel* 대청. ~ *pejiguera* 여뀌. ~ *pulguera* 차전초의 일종. ~ *puntera* 돌나물과의 다년초. ~ *romana,* ~ *sarracena* 쑥국화. ~ *sagrada* 쑥의 일종. ~ *santa* 박하.
en ~ 아직 이삭이 피지 않은 (밀 따위).
y otras ~*s* [드뭄] 이 밖의 등등 : José es muy caballero, muy galán, muy donoso *y otras* ~*s* 호세는 퍽 신사인데다 아주 다정스럽고 마음도 후하고, 이 밖의 등등.
hierbabuena *f.* 【식물】 박하(menta).
hierbajo *m.* [*desp.* hierba] 잡초.
hierbal *m.* 《*Chile.*》 풀밭, 초지(草地), 초원(草原)(herbazal).
hierbatero, ra *m.f.* 《*Chile. Méx.*》 풀을 사용하는 돌팔이 의사.
hierbazal *m.* 풀이 자라는 곳.
hierbezuela *f. dim.* hierba.
hiero *m.* =**yero.**
hieródula *f.* (옛 그리스에서) 신의 봉사로 바쳐지는 여자 노예.
hieródulo *m.* 【고어】 신의 봉사로 바쳐지는 남자 노예.
hierofanta *m.* =**hierofante.**
hierofante *m.* 고대 그리스의 신비 의식의 도사 ; 비의(秘儀) 해설사.
hieroglífico, ca *adj.m.* 상형(象形)의 (문자) (jeroglífico).
hierografía *f.* 종교사(史).
hieros *m.pl.* 【식물】 에로스 《목초》(yeros).
hieroscopia *f.* 내장으로 치는 점(aruspicina).
hierosolimitano, na *adj.* 예루살렘의, 성지(聖地)의(jerosolimitano).
hierra *f.* 《*Amér.*》 =**herradero.**
hierre *m.* 【방어】 가축에게 낙인·소인(燒印)을 찍는 일.

hierrezuelo *m. dim.* hierro.

hierro *m.* [*lat.* ferrum] ① 철(鐵), 무쇠. ② 칼, 칼날, 칼끝 ; 날이 있는 연모 ; 무기(arma) : el ~ homida 흉기. ③ 소인(燒印), 낙인. —*pl.* 수갑, 족쇄, 쇠사슬 ; 감옥, 철창 : gemir en *los* ~*s* 철창에서 신음하다.
~ ***albo·candente*** 시뻘겋게 달은 쇠. ~ ***bruto*** 선철(銑鐵). ~ ***cellar*** 폭 5㎝ 두께 1㎝의 각재(角材). ~ ***cilíndrico*** 둥근 강철. ~ ***colado·fundido*** 무쇠, 주철. ~ ***cuadrado*** 각강(角鋼). ~ ***dulce*** 연철. ~ ***espático*** 마름모꼴의 철강(siderosa). ~ ***forjado de fragua*** 단철. ~ ***laminado*** 철판. ~ ***líquido*** (제철에서) 탕(蕩). ~ ***plano*** 평강(平鋼). ~ ***de ángulo*** 꺽쇠 모양의 철강. ~ ***de T*** 丁자 강. ~ ***de doble T*** 공자형(工字形) 강철. ~ ***de U*** U자 모양의 강철. ~ ***varrilla*** 봉철. ~ ***viejo*** 고철. ***arco de*** ~ 철대(鐵帶). ***caja de*** ~ 금고. ***chapa de*** ~ ***galvanizado*** 토탄판.
Al ~ ***caliente batir de repente*** 【속담】 쇠는 뜨거울 때 두들겨라 ; 물실 호기(勿失好機).

hierv- →**hervir** 56.

higa *f.* ① (욕하기 위해 검지와 장지 사이에 엄지 손가락을 디민) 주먹. ② (주먹 쥔 모양의) 부적. ③ 놀려주기 : dar una ~ · ~*s* 야유하다.
no importar una ~ 아무 상관 없다(no importar nada).

higadilla *f.* =**higadillo.**

higadillo *m.* (주로 닭의) 간, 내장.

higadita *f.* 《*Amér.*》 =**higadillo.**

hígado *m.* 【해부】 간장 : aceite de ~ · bacalao 간유(肝油). —*pl.* ① 의기, 배짱, 담력, 용기(ánimo) : tener muchos ~*s* 용기가 많다. ② 근성 : malos ~*s.* —*adj.* 《*AmérC. Méx.*》 귀찮은; 뻔뻔스러운.

higadoso, sa *adj.* 《*AmérC. Cuba.*》 귀찮은 ; 뻔뻔스러운, 철면피한.

Higia *f.* 【희랍 신화】 건강의 여신.

higiene *f.* [*lat.* hugiês] ① 위생(衛生) : ~ mental 정신 위생. ~ pública 공중 위생. ② 위생학 ; 청결법 ; 대청소(limpieza).

higiénicamente *adv.* 위생적으로.

higiénico, ca *adj.* 위생의, 위생적인 : norma ~.

higienista *m.f.* 위생 학자 · 기사.

higienizar *tr.* 9 위생적으로 하다, 깨끗이 하다.
~se 위생 설비가 완비되다.

higo *m.* [*lat.* ficus] 무화과 (열매).
~ ***chumbo·de pala·de tuna*** 선인장 · 사보텐(nopal)의 열매.
de ~***s a brevas*** 이따금, 때때로, 가끔, 드문드문, 어쩌다가, 종종, 무시로(de tarde en tarde).
no dársele a uno ***un*** ~ (누구에게) 아무런 관계도 없다(no hacer caso de).

higro- *pref.* 「습기」를 뜻하는 접두어.

higrófilo, la *adj.* 습도가 많은.

higrología *f.* 습도학(濕度學).

higrometría *f.* 습도 측정(법).

higrométrico, ca *adj.* 습도 측정의 ; 습도에 민감한 : el estado ~ de la atmósfera 대기의 습도 상태.

higrómetro *m.* 습도계.

higroscopia *f.* =**higrometría.**

higroscopicidad *f.* 눅눅해짐, 촉촉해지기 쉬움 ; 감습성(感濕性).

higroscópico, ca *adj.* 축축해지기 · 눅눅해지기 쉬운.

higroscopio *m.* 습도계, 검습기(檢濕器).

higuana *f.* 【동물】 갈기도마뱀(iguana).

higuera *f.* 【식물】 무화과(나무).
~ ***breval*** 【식물】 무화과 나무. ~ ***chumba·de Indias·de pala·de tuna*** 분홍 가루 무화과(nopal). ~ ***del infierno·infernal*** 【식물】 아주까리(ricino). ~ ***moral*** 【식물】 (이집트산) 무화과나무(sicomoro). ~ ***religiosa*** 보리수.
estar en la ~ 멍청해지다, 넋을 잃고 있다.

higüera *f.* 열매 껍질로 만든 그릇.

higueral *m.* 무화과나무 숲.

higuereta *f.* 【식물】 아주까리.

higuerilla *f.* =**higuereta.**

higüero *m.* 【식물】 호리병박나무(güira).

higuerón *m.* 이게론나무 《아메리카산 뽕과 교목 ; 선박 건조의 제목으로 쓰임》.

higuerote *m.* =**higuerón.**

higueruela *f. dim.* higuera.

¡hi, hi, hi! *interj.* 히히히 ! 《웃음 소리의 의음》.

hijadalgo *f.* [*pl.* hijasdalgo] 귀족 출신의 여자(hidalga).

hijastro, tra *m.f.* 의붓아들, 의붓딸; 의붓자식.

hijato *m.* =**retoño.**

hijear *intr.* 《*AmérC. Col. Cuba.*》 싹이 나오다(retoñar, ahijar).

hijito, ta *m.f. dim.* hijo, hija.

hijo, ja *m.f.* [*lat.* filius] ① 아들, 자식 ; (동물의) 새끼, 딸. ② 태어난 고장 · 나라 사람 : Es un ~ de Buenos Aires 그는 Buenos Aires에서 태어난 사람이다. ③ 작물(obra). ④ (식물의) 싹.
—*pl.* 자손(descendientes); 자녀들.
~ ***adoptivo*** 양자. ~ ***bastardo*** 서자. ~ ***de algo*** 시골 귀족(hidalgo). ~ ***de bendición*** (사생아가 아닌) 자녀. ~ ***de confesión*** (고해 성사를 듣는 승려쪽에서 본) 고해하는 사람. ~ ***de dominio*** 《*AmérC.*》 미성년자. ~ ***de familia*** 부모 슬하의 자녀. ~ ***de ganancia*** 사생아. ~ ***de la cuna*** 기아 수용소의 어린이. ~ ***de la piedra*** 기아, 부모를 모르는 어린이. ~ ***de la tierra*** 천애 고아. ~ ***del diablo*** 개구쟁이, 망나니 아들. ~ ***de leche*** 양자, (유모에 대한) 젖먹이 어린이. ~ ***de perro*** 개자식 《경멸하는 말》. ~ ***de puta*** 후레자식 ! ~ ***de su padre·madre*** 아버지 · 어머니를 닮은 아이. ~ ***de vecino*** 어떤 사람. ~ ***espiritual*** 고해하는 자(~ de confesión). ~ ***espurio*** 서자(庶子). ~ ***ilegítimo*** 서출자(庶出子). ~ ***legítimo*** 적출자(嫡出子). ~ ***natural*** 사생아. ~ ***político*** ① 의붓자식(hijastro). ② 사위(yerno). ③ 양자.
Hijo no tenemos y nombre le pondremos 【속담】 김치국부터 마시다.

hijodalgo *m.* [*pl.* hijosdalgo] 【고어】 = **hidalgo.**

hijuco, ca *m.f. dim. desp.* hijo. hija.

hijuela *f.* ① 부속물, 첨가물, 부가물. ② 덧대는 천, 덧대는 베. ③ (침대에서) 덧넣는 방석. ④ 성배(聖杯) 걸이(천). ⑤ (도랑의) 사이 홈. ⑥ 사잇길. ⑦ 유산 배당 목록 ; 유산. ⑧ 《*Chile.*》

종려 열매·씨(semilla de palmas). ⑨《*Chile. Perú.*》 분할된 땅.

hijuelación *f.* 《*Chile.*》 경지의 분할.

hijuelar *tr.* 《*Chile.*》 (소유지를) 분할하다.

hijuelero *m.* =**peatón, valijero.**

hijuelo *m.* ① 새싹. ②《*Col.*》 도랑의 사이 홈.

hila *f.* ① 열, 줄(hilera, fila) : una ~ de árboles. ② 소장(小腸) (tripa delgada). ③ 실을 잣는 일 : Ya va a empezar la ~. ④《*Sant.*》 겨울 밤에 마을 사람들의 축제. —*pl.* 푼 실(hebra que se saca del lienzo) : Las ~*s* se usaban mucho para la curación de las llagas antes del empleo del algodón hidrófilo.

~ ***de agua*** 관개 수로에서 끄는 일정량의 물.

a la ~ 차례로, 줄줄이.

hilacha *f.* 풀린 실, 실토막. —*pl.* 《*Méx.*》 넝마, 누더기(guiñapos, andrajos).

hilachento, ta *adj.* 《*Amér.*》 ① 실이 얽힌 (andrajoso). ② 너덜너덜한.

hilacho *m.* =**hilacha.**

hilachoso, sa *adj.* 실이 풀린 : tela ~*sa.*

hilada *f.* ① 열, 줄(hilera) : una ~ de ladrillos. ② 줄을 맞춘 것 : una ~ de cerilla.

hiladilla *f.* 《*Col. Venez.*》 =**hiladillo.**

hiladillo *m.* (풀어 낸) 실 ; 명주실 ; 끈.

hiladizo, za *adj.* 쉽게 실을 잣을 수 있는, 실이 되는 : filamento ~.

hilado *m.* ① 실을 잣는 일 : El ~ del cáñamo se puede hacer a mano. ② 방적 : fábrica de ~*s* 방적·제사 공장. ③ 실, 원사(原糸), 방적사 : ~ de algodón 면방사.

hilador, ra *m.f.* 방적공.

hiladora *f.* 방적 기계 : ~ mecánica.

hilandería *f.* 방적 ; 제사(製糸) ; 방적 공장(fábrica de hilados).

hilandero, ra *m.f.* 방적공(persona que se dedica a hilar). —*m.* 방적 공장.

hilanderuelo, la *m.f. dim.* hilandero.

hilanza *f.* =**hilado.**

hilar *tr.* ① 잣다, 실로 잣다, 실로 잣아 만들다 : La vieja *hilaba* sentada junto al fuego 노파가 난로 옆에 앉아서 실을 잣고 있었다. ② 사리에 맞추어 생각하다 : ~ delgado 신중하게 처리·생각하다. ③ (벌레 등이) 줄을 내다 : El gusano *hila* su capullo.

~ ***largo*** 오래 끌다, 오래 걸리다.

hilaracha *f.* =**hilacha.**

hilarante *adj.* 웃겨 주는, 우스운 : escena ~ 웃기는 장면. gas ~ 최소(催笑) 가스.

hilaridad *f.* 희색(喜色) ; 크게 웃음 : excitar una viva ~.

hilatura *f.* 방적(hilandería).

hilaza *f.* 실 ; 원사(原糸) ; 조사(粗糸), 찌꺼기 실.

descubrir la ~ 결점을 드러내다 (descubrir una cosa oculta).

hilazón *f.* 【방언】 =**hilado.**

hilera *f.* ① 열, 줄 : una ~ de soldados·árboles 군인·나무의 줄. en ~ 한 줄로, 일렬로. ② 실. ③ 철사 모양. ④ (방추의) 실눈. ⑤ 일렬 종대. —*pl.* 【동물】 (거미 등의) 방적 돌기.

hilero *m.* (강·바다의) 물줄기.

hilete *m.* [*dim.* hilo] 가느다란 실.

hilo *m.* [*lat.* filum] ① 실 : ~ de coser 재봉실. ~ de algodón·lino 면사·아마사. ~ de rayón 인견사. Cuidado con romper el ~ 실이 끊어지지 않게 조심하세요. Me hace falta ~ para coser este botón 이 단추를 달 실이 필요하다. ② (거미·누에 등이 뽑아 내는) 실 (hebra) : El ~ de algunas arañas de Madagascar puede hilarse como la seda. ③ 힘줄, 섬유(fibra) : ~ de pita 용설란의 섬유. ④ 삼베 ; 삼베 옷 : El ~ es mas frío y menos sano que el algodón. ⑤ 선, 철사 (alambre) : ~ telefónico 전화선. ~ de cobre 동선. ~ eléctrico 전선(電線). ~ de entrada 라디오의 인입선. telégrafo sin ~*s* 무선전신. ⑥ 실 모양으로 된 것 ; 실개천 ; 가느다란 흐름 : ~ de sangre 가느다란 핏줄. ⑦ 연관, 연결된 것, 일련 : ~ de uvas 포도 송이. ⑧ (이야기의) 계속, 줄거리, 연결 : ~ de la narración 이야기의 줄거리. perder el ~ 이야기의 줄거리를 잊다, 깜박 잊다. Le cortó el ~ de su cuento 그의 이야기의 줄거리를 끊었다. ⑨ 날(filo) : ~ de una navaja 면도날. ⑩ 절박한 고비 : ~ de la medianoche 밤 12시. ~ de la muerte 생의 종말. colgar·prender de un ~ 위험한 짓을 하다. ~ ***bramante*** 굵은 실. ~ ***de cajas*** 질이 좋은 실. ~ ***de cartas*** 가느다란 삼실. ~ ***de conejo*** 사냥할 때 속임수 실. ~ ***de emplomar*** 굵은 실(~ bramante). ~ ***de monjas*** 질이 좋은 실. ~ ***de María,*** ~ ***de la Virgen*** 술(장식). ~ ***de perlas*** 일련의 진주. ~ ***de tierra*** 라디오의 어스(선). ~ ***de velas*** 돛을 꿰매는 실. ~ ***encerado*** 초를 먹인 실. ~ ***primo*** 질이 좋은 실. ~ ***torcido*** 꼰 실.

a ~ 면면히, 끊임없이, 잇달아 (sin interrupción).

al ~ 실의 올·나뭇결을 따라 : cortar una tela·madera *al* ~ 천을·널빤지를 결을 따라 자르다.

al ~ del viento 바람 부는 방향으로.

de ~ 곧장, 연달아, 계속해서.

estar colgado de un ~ 큰 위험에 처하다.

perder el ~ 잊다(olvidar).

ser más tonto que un ~ ***de uvas*** 매우 바보스럽다(ser muy simple).

Por el ~ ***se saca el ovillo*** 【속담】 하나를 보면 열을 안다, 겉을 보면 속을 안다.

hilomorfismo *m.* 【철학】 형상질료주의·론.

hilón *m.* =**hernia del iris.**

hilozoísmo *m.* 물활론(物活論) 《생명과 물질이 불가분이라는 설》.

hilván *m.* ① 가봉, 시침질. ②《*Chile.*》 시침질. ③《*Venez.*》 =**dobladillo.**

hilvanar *tr.* ① 가봉하다 : ~ un dobladillo. ② 급히 하다. ③ 계획을 대충 세워 보다. ④《*Venez.*》 =**dobladillar.**

himalayo, ya *adj.* 히말라야산(el Himalaya)의.

himen *m.* 【해부】 처녀막.

Himen *f.* 【신화】 혼인의 여신.

himeneo *m.* 【시어】 결혼, 혼인(casamiento) ; 축혼가(祝婚歌).

himenóptero, ra *adj.* 【동물】 막시류(膜翅類)의 (곤충) : La avispa es un insecto ~ 말벌은 막시류 곤충이다. —*m.pl.* 막시류 《말벌 등》.

himnario *m.* 찬송가집(colección de himnos).

hímnico, ca *adj.* 찬가에 관한.

himno *m.* [*gr.* humnos] 찬가, 성가(聖歌), 노래, 국가 : ~ nacional 국가.
himnógrafo *m.* 성가 작가.
himplar *intr.* (표범 따위가) 울다, 포효하다.
hin *interj.* 히힝《말의 울음 소리》. —*m.* 말이 크게 울음.
hincada *f.* ①《*Cuba.*》=**hincadura.** ②《*Chile.*》=**genuflexión.**
hincadura *f.* 박아 넣음 ; 물어 뜯음 ; 고착, 정착 ; 무릎을 꿇음.
hincapié *m.* ① 버팀. ② 우김, 고집 : hacer ~ en …을 버티다, 견디어 나가다 ; 고집하다 ; 발판으로 만들다. Hizo ~ *en* las declaraciones 그는 그 주장을 고집했다.
hincar *tr.* 7 ① 박아 넣다 : ~ un clavo 못을 박다. ② (이를) 세우다 : ~ el diente en el brazo. ③ (…을) 버티다 : ~ un pie *en* una rama 한 쪽 발을 가지에 걸치다. ④ 고정시키다, 고착시키다 ; 단단히 꽂아 넣다. ⑤《*Amér.*》심다.
~se 꿇어 앉다, 꿇다 : *~se de* rodillas 무릎을 꿇다(doblar la rodilla).
hincha *f.* 적대감, 증오, 적의(odio, inquina, aversión). —*m.f.* (운동 팀의) 팬.
hinchadamente *adv.* 우쭐해서.
hinchado, da *adj.* ① 부푼(lleno) : un globo ~ de gas. ② 부은 : Tienes la mejilla izquierda muy *~da* 네 왼쪽 빰이 많이 부었다. ③ 우쭐해진, 으스대는 (presumido) : Ella está *~da* con los cumplimientos 그는 겉치레 인사로 우쭐해 있다.
—*f.* [집합] 응원단.
hinchamiento *m.* =**hinchazón.**
hinchar *tr.* ① 부풀리다 : El niño *hinchó* la pelota *de* viento 아이는 공에 공기를 넣어 부풀게 했다. ② 부어오르게 하다. ③ (강물·흐름의) 물을 붇게 하다 : La lluvia *hinchó* los torrentes 비 때문에 급류의 물이 불어났다. ④ 과장하다(exagerar).
~se ① 부풀다, 부풀어 오르다. ② 살이 붓다 : Se le *hinchó* la pierna 그의 다리가 부어 올랐다. ③ 뽐내다, 젠 체하다, 우쭐하다(envanecerse) : *Se ha hinchado* con los cumplimientos 그는 겉치레 인사로 우쭐했다.
~se las narices 성내다, 노하다, 화내다.
hinchazón *f.* ① 부어 오름 ; 혹. ② 증수(增水). ③ 우쭐댐. ④ (문장의) 과장 ; 허영. ⑤【상업】저당(권·물), 담보 (계약·물) : ~ colectiva 총괄 저당. ~ mobiliaria 동산 저당.
hinche- → **henchir** 48.
hinchi- → **henchir** 48.
hinco *m.* 말뚝, 기둥, 막대기.
hincón *m.* 배를 대는 말뚝.
hindi *m.* 인도말(un idioma de la India).
hindú, dúa *adj.* 힌두교도의 ; 인도의. —*m.f.* 힌두교도, 인도 사람.
hinduísmo *m.* =**indoísmo.**
hiniesta *f.*【식물】=**retama.**
hinnible *adj.* [드뭄] 울부짖을 수 있는.
hino *m.*《*Méx.*》【속어】=**himno.**
hinojal *m.* hinojo 밭·들.
hinojo[1] *m.* [*lat.* feniculum]【식물】회향(anís) : ~ marino【식물】개미나리(empetro).
hinojo[2] *m.* [*lat.* geniculum]【해부】무릎(rodilla) : ponerse de *~s* en el suelo 땅바닥에 무릎을 꿇다.
¡hinojo! *interj.* 불쾌·놀람의 표시.
hinque *m.* 땅에 작대기를 세우는 어린이의 놀이의 일종.
hintero *m.* (빵의) 반죽판.
hioideo, a *adj.* 설골(舌骨)의.
hioides *m.*【해부】설골(hueso ~).
hiosciamina *f.* 히오시아민《진정제》.
hipálage *f.*【문법·수사】(두 말의 위치의) 대환(代換)(법), 대치(법).
hipar *intr.* ① 딸꾹질을 하다(tener hipo). ② 훌쩍거리며 울다(gimotear). [*N.* 이 뜻일 때는 h는 기음으로 발음됨]. ③ 개가 짐승을 좇아 코를 킁킁거리다. ④ 피곤하다(fatigarse mucho). ⑤ [+por : …을] 열망하다, 갈망하다(ansiar mucho).
hipear *intr.* =**hipar.**
hiper- *pref.*「초월」,「과도」,「상(上)」을 뜻하는 접두어 : *hiper*dulía, *hiper*cloruración.
hiperacidez *f.* 위산 과다, 과산증(過酸症).
hiperbático, ca *adj.* 전치법의·에 의한.
hipérbaton *m.*【문법】전치법, 배치법. Sinón. inversión.
hipérbola *f.*【수학】쌍곡선.
hipérbole *f.*【수사】과장, 과대(exageración).
hiperbólicamente *adv.* 과장하여, 호들갑스럽게(de una manera hiperbólica) : hablar ~.
hiperbólico, ca *adj.* ① 쌍곡선(雙曲線)의 : curva *~ca.* ② 호들갑스러운, 과장한.
hiperbolizar *intr.* 9 호들갑스럽게 말하다, 과장하다.
hiperboloide *m.* 쌍곡면 ; 쌍곡면체.
hiperboreal *adj.* =**hiperbóreo.**
hiperbóreo, a *adj.* 북극의 ; 북극에 사는 : Los antiguos atribuían a los pueblos *~s* una felicidad sobrenatural.
hiperclorhidria *f.*【의학】(위의) 염산 과다증.
hiperclorhídrico, ca *adj.* 위산 과다의.
hipercloruración *f.*【의학】위산 과다(exceso de sal en el cuepo) : La ~ provoca la albuminuria 위산 과다는 단백뇨를 유발한다.
hipercrisis *f.* 위독.
hipercrítica *f.* 혹평.
hipercrítico *adj.* 혹평적인. —*m.f.* 혹평가.
hiperdulía *f.* *culto de* ~ 성모 예배.
hiperemia *f.* 충혈, 충혈증.
hiperestesia *f.* 감각·지각 과민(증).
hiperestesiar *tr.* 감각 과민을 일으키다.
hiperfunción *f.*【병리】기능 고진.
hipericáceas *f.pl.* =**hipericíneas.**
hipericíneo, a *adj.*【식물】고추나물과의.
—*f.pl.* 고추나물과 식물.
hipérico *m.*【식물】고추나물(corazoncillo).
hipermetamorfosis *f.*【동물】이형 변태(異形變態).
hipermetría *f.*【시어】음절 과잉.
hipermétrope *adj.* 원시안의, 원시(遠視)의 ; 먼 곳의. —*m.f.* 원시인 사람.
hipermetropía *f.* 원시안, 노안(presbicia).
hipermnesia *f.* 이상 기억.
hiperopia *f.* =**presbicia.**

hiperrealismo *m.* 초사실주의.
hipersecreción *f.* 과잉 분비 (secreción excesiva); 분비 과다(증).
hipersensibilidad *f.* ① 초민감, 과민, 감도 과도. ②【의학】민감증.
hipersensible *adj.* 초과민 상태의.
hipersónico, ca *adj.* 초음속의.
hipersteno *m.*【광물】자소 휘석(紫蘇輝石).
hipertensión *f.* 고혈압(증); 긴장 과도, 이상 긴장(tensión excesiva).
hipertenso, sa *adj.* 고혈압의; 지나치게 긴장한.
hipertermal *adj.* 고온의.
hipertono *m.*【음악】배음(倍音)(armónico).
hipertrofia *f.* ① 팽창, 비대(증): ~ del corazón. ② (육체의) 이상 발달; 영양 과도. Contr. atrofia.
hipertrofiarse *r.* 11 비대해지다, 살이 찌다.
hipertrófico, ca *adj.* 비대증 · 비대성의.
hipiatra *f.* =**veterinario.**
hipiátrica *f.* 말을 다루는 마의학, 수의학.
hipiatro *m.* 말을 다루는 의사(醫師), 수의사 (veterinaria).
hípico, ca *adj.* 말의, 말에 관한; 마술(馬術)의: carreras ~*cas* 경마. deporte ~ 마술.
hipido *m.* 딸꾹질; 훌적거리며 울기. [*N.* h는 유음].
hipil *m.* 《*Méx.*》 =**huipil.**
hipismo *m.* 마술(馬術).
hipito, ta *adj.* 《*Venez.*》 초조해 하는, 안절부절 못하는(impaciente).
hípnico, ca *adj.* 최면의.
hipnología *f.* 최면학.
hipnólogo, ga *m.f.* 최면술사.
hipnosis *f.* 최면 (상태).
hipnótico, ca *adj.* ① 최면의: sueño ~. ② 최면술의. —*m.* 최면제.
hipnotismo *m.* ① 최면(술): El ~ favorece la sugestión. ② 최면 상태.
hipnotizable *adj.* 최면술을 걸 수 있는, 최면술에 걸리기 쉬운.
hipnotización *f.* 최면; 매료(魅了).
hipnotizador, ra *adj.* 최면술의; 사람을 매료하는. —*m.f.* 최면술사.
hipnotizar *tr.* 9 ① 최면술을 걸다, 최면으로 재우다(adormecer por medio del hipnotismo). ② 매혹시키다(magnetizar).
hipo *m.* ① 딸꾹질: Le dio ~ 그는 딸꾹질을 했다. El ~ suele cesar con cualquier distracción · sorpresa 딸꾹질은 방심 상태이거나 놀랄 때 곧잘 멈춘다. ② 열망(ansia): tener ~ por ···을 바라다, 열망하다. ③ 증오(odio); 적대(enemistad): tener ~ *con* · *contra* ···를 증오하다.
hipo- *pref* 「아래」, 「이하」; 【화학】「차아(次亞)···」의 뜻을 지닌 접두어: *hipo*démico, *hipo*causto.
hipoalgesia *f.*【의학】=**hipalgesia.**
hipobosco *m.*【곤충】말파리.
hipocampo *m.*【동물】바다코끼리, 해마(海馬) (caballo marino).
hipocausto *m.* (고대 로마의) 마루밑 난방 장치, 온돌.
hipocentauro *m.*【희랍 신화】상반신은 사람 하반신은 말인 괴물(centauro).
hipocentro *m.*【지질】진원(震源).
hipocicloide *f.*【수학】차폐선(次擺線).
hipocisto *m.*【식물】=**granadilla.**
hipoclorito *m.*【화학】차아염소산염.
hipocloroso, sa *adj.* 차아염소산의.
hipocondría *f.* 우울증.
hipocondriaco, ca *adj.* 우울증의. —*m.f.* 우울증 환자.
hipocondríaco, ca *adj.* =**hipocondriaco.**
hipocóndrico, ca *adj.* 우울증의, 울적한.
hipocondrio *m.*【해부】계늑부(季肋部).
hipocorístico, ca *adj.m.* ① 애칭의(말), 친밀을 나타내는 응석부리는 (말) 《예: Dolores 에 대한 Lola; mi amada에 대한 mi negra 같은 것》. ②【문법】애칭사.
hipocotíleo *m.*【식물】배축(胚軸).
hipocrás *m.* 방향(芳香) 포도주.
hipocrático, ca *adj.* 히포크라테스 (460?~377? B.C.) 《Hipócrates, 그리스의 의사; 의사의 시조로 불리는 사람》의.
hipocratismo *m.* 히포크라테스주의.
hipocrene *f.*【희랍 신화】뮤즈의 영천(靈泉); 시적 영감.
hipocrénides *f.pl.* =**las musas.**
hipocresía *f.* [*gr.* hupokrisis] 위선; 위선 행위.
hipócrita *adj.* 위선의, 위신(僞信)의: modales ~*s.* —*m.f.* 위선가, 위선 군자.
hipócritamente *adv.* 위선적으로, 탈을 쓰고 (con hipocresía).
hipodérmico, ca *adj.* 피하(皮下)의(subcutáneo): inyección ~*ca* 피하 주사.
hipódromo *m.* 경마장, (경마 · 전차의) 경기장; 승마술; 연기장.
hipofagía *f.* 말고기 먹는 습관.
hipofágico, ca *adj.* =**hipófago.**
hipófago, ga *adj.* 말고기를 먹는.
hipófisis *f.*【해부】하수체(下垂體).
hipofosfato *m.*【화학】차아린산염.
hipofosfito *m.*【화학】치아린산염.
hipofosfórico, ca *adj.* 차아린산염의.
hipogástrico, ca *adj.* 하복부의, 단전(丹田)의.
hipogastrio *m.*【해부】하복부, 단전(丹田) Contr. epigastrio.
hipogénico, ca *adj.* 지하의, 지하에 생긴.
hipogeo *m.* (옛날의 시체 안치의) 무덤; 지하실 지하 무덤.
hipógino, na *adj.*【식물】씨방 · 수술 밑에 있는.
hipogloso, sa *adj.m.* 혀 밑의 (신경).
hipogrifo *m.*【희랍 신화】말의 몸통에 독수리 머리와 날개를 가진 괴수.
Hipólito *m.*【희랍 신화】Teseo의 아들 《계모 Fedra의 사연(邪戀)을 물리침으로써, 무고 당하여 해신(海神)에 의해 살해된 인물》.
hipología *f.* 마필학(馬匹學).
hipológico, ca *adj.* 말에 관한 연구의.
hipólogo *m.* 말 전문 의사.
hipómetro *m.* 마척(馬尺).
hipomoclio *m.*【물리】(지렛대의) 지점(支点) (fulcro).
hipomoclión *m.* =**hipomoclio.**

hipomóvil *adj.* 마력(馬力)에 의한.

hipopótamo *m.* ①【동물】하마. ② 거대한 사람(persona enorme).

hiposo, sa *adj.* 딸국질을 하는.

hipóstasis *f.* [*gr.* hupostasis] ①【철학】원질(原質), 본질, 실체. ②【신학】그리스도의 인성 ; 삼위 일체《성부·성자·성신》의 하나 : las ～*s* de la Santísima Trinidad.

hipostáticamente *adv.* 본질적으로.

hipostático, ca *adj.* 원질의, 본질의 ; 삼위 일체의.

hipóstilo, la *adj.*【건축】기둥을 많이 세운.

hiposulfato *m.*【화학】차유산염.

hiposulfito *m.* 차아유산염.

hiposulfúrico, ca *adj.*【화학】치유산염의.

hiposulfuroso, sa *adj.*【화학】치아유산염의.

hipotaxis *f.*【문법】문장의 종속(從屬)(subordinación).

hipoteca *f.* [*gr.* hupothêkê] ① 저당, 담보 ; 저당권 : 저당 물건. sobre ～ 담보로. prestar dinero sobre ～ 저당을 잡고 돈을 빌려 주다. gravado con ～ 저당이 설정된. cancelar·levantar una ～ 저당을 취소·해제하다. purgar de ～*s* 저당물을 되찾다. ②【해사】담보 계약. *¡Buena ～ !* 거의 믿을 수 없는 상대구나!

hipotecable *adj.* 저당 잡힐 수 있는.

hipotecar *tr.* 7 ① 담보·저당에 넣다 : ～ una casa. ②(…에) 저당을 잡다 ; 저당권을 설정하다.

hipotecariamente *adv.* 《*Chile.*》 저당으로.

hipotecario, ria *adj.* 담보한, 저당한, 저당에 의한, 저당 잡힌 : acreedor ～ 저당권자. deudor ～ 저당권 설정자, 담보 차입주. banco ～ 권업은행. crédito ～ 담보부 신용장, 부동산 저당 금융. préstamo ～ 저당 대출.

hipotensión *f.*【의학】저혈압 (tensión insuficiente).

hipotenusa *f.* (직각 삼각형의) 빗변, 현(弦).

hipótesi *f.* =**hipótesis.**

hipótesis *f.* [*gr.* hupothesis] ① 가정, 가설 : ～ atómica 원자설. ②(의논·조건의) 전제.

hipotéticamente *adv.* 가정적으로 ; 상상으로.

hipotético, ca *adj.* 가정의, 가상의 ; 가설의 ; 가상적인 ; 가상설(假想說)의.

hipotiposis *f.* 살아 있는 듯한 묘사.

hipsometría *f.* 측고법(側高法)(altimetría).

hipsométrico, ca *adj.* 측고(법)의.

hipsómetro *m.* 비점(沸點) 측고계.

hipurato *m.*【화학】마뇨산염.

hipúrico, ca *adj.* 마뇨산(馬尿酸)의.

hiráis herir의 접·현·2·복수.

hiramos herir의 접·현·1·복수.

hircino, na *adj.* [*lat.* hircus](씨)산양의.

hirco *m.* 산양(cabra montés).

hircocervo *m.* 산양과 사슴의 합체인 가공의 괴수(quimera).

hirie- → **herir** 54.

hiriente *adj.* 《*Neol.*》 쑤시는, 찌르는.

hiriera herir의 접·불완료과거·1·3·단수.

hirierais herir의 접·불완료과거·2·복수.

hiriéramos herir의 접·불완료과거·1·복수.

hirieran herir의 접·불완료과거·3·복수.

hirieron herir의 직·부정과거·3·복수.

hirió herir의 직·부정과거·3·단수.

hirma *f.* (피륙의) 모서리(orillo).

hirmar *tr.* =**afirmar, asegurar, dar firmeza.**

hirsuto, ta *adj.* 곤두선 ; 빳빳한 털의(erizado) : ～ cabellera.

hirundinaria *f.*【식물】미나리아재비의 일종(celidonia).

hirva- →**hervir** 56.

hirvición *f.* 《*Ecuad.*》 많음, 우글우글함.

hirvie- →**hervir** 56.

hirviendo *adj.* 끓고 있는(hirviente) : olla ～. [*N.* 어미가 변하지 않음].

hirviente *adj.* 부글부글 끓고 있는.

hisca *f.* 새잡이 끈끈이(liga).

hiscal *m.* esparto의 세 가닥으로 꼰 밧줄.

hisopada *f.* hisopo로 성수를 뿌리는 일.

hisopadura *f.* =**hisopada.**

hisopar *tr.* =**hisopear.**

hisopazo *m.* ① hisopo로 때리기. ② =**hisposada.**

hisopear *tr.* hisopo로 성수를 뿌리다.

hisopillo *m.*【식물】목질 박하 ; 중환자의 입을 축여 주는 가제.

hisopo *m.* ①【식물】이소뽀《순형과의 향초》. ② 관수간(灌水桿), 성수솔. ③《*AmérM.*》 솔.

hispalense *adj.*【고어】세비야의 ; 세비야 지방의(sevillano). —*m.f.* 세비야 사람.

hispalio, lia *adj.* [드뭄] =**hispalense.**

Hispania *f.*【지명】이스빠니아《이베리아 반도의 옛 이름》.

hispánico, ca *adj.* 서반아의, 이스빠니아의 ; 서반아계의.

hispanidad *f.* 서반아계 문화·민족 ; 순수 서반아성 : fiesta de la *H-* 서반아계 민족의 날 (축제)《신대륙 발견 기념일 ; 10월 12일》.

hispanismo *m.* 순수 서반아식 말투 ; 서반아어식 발음 ; 서반아인에 관한 연구.

hispanista *m.f.* 서반아어 학자·문학자.

hispanización *f.* 서반아화, 서반아풍.

hispanizar *tr.* 9 서반아풍·서반아식으로 하다(españolizar).

hispano, na *adj.* 서반아의(español).

hispanoamericanismo *m.* 서반아계 아메리카의 친밀감 ; 중남미의 방언 ; 서반아계 아메리카 정신.

hispanoamericanista *adj.m.f.* hispanoamericanismo의. —*m.f.* 서반아계 아메리카 민족 주의자 ; 중남미 언어와 문화 전문가.

hispanoamericano, na *adj.* 서반아계 아메리카의 : las repúblicas ～*nas* 서반아계 아메리카의 공화국들. —*m.f.* 서반아계 아메리카인.

hispanoárabe *adj.* 서반아에서 아랍 지배 시기의.

hispanofilia *f.* 서반아에 대한 애정.

hispanófilo, la *adj.* 서반아을 좋아하는, 그 문화를 좋아하는. —*m.f.* 친 서반아파.

hispanófobo, ba *adj.m.f.* 서반아를 싫어하는 (사람).

hispanohablante *adj.* 모국어로써 서반아어를 쓰는. —*m.f.* 서반아어를 모국어로 쓰는 사람·나라.

hispanología *f.* 서반아학·연구.

hispanoparlante *adj.m.f.* =**hispanohablante.**

hispanorromano, na *adj.m.f.* 로마에 의한 서반아 점령 시대의 (사람).
híspido, da *adj.* 빳빳한 털의 ; 곤두선 (hirsuto).
hispir *intr.* 《*Ast.*》 말랑말랑하게 부풀다(esponjarse, ahuecarse).
histamina *f.* 【화학】 히스타민 《자궁 수축·혈압 저하약》.
híster *m.* 【곤충】 풍뎅이(escarabajo).
histéresis *f.* (자기·전기·탄성 등의) 이력 현상.
histeria *f.* =**histerismo.**
histérico, ca *adj.* 히스테리의, 히스테리에 걸린, 히스테리성의 ; 병적으로 흥분한, 광란의 신경질이 심한. —*m.f.* 히스테리 환자 ; 히스테리성의 사람 ; 흥분하기 쉬운 사람. —*m.* 히스테리 (histerismo).
histeriforme *adj.* 히스테리 증상의.
histerismo *m.* 히스테리 ; 병적 흥분 : El ~ se abserva más generalmente en la mujer que en el hombre 히스테리는 남자보다 여자한테서 더 보편적으로 나타난다.
histerología *f.* 【수사】 전도법(轉倒法).
histerómana *adj.m.f.* =**ninfómana.**
histeromanía *f.* =**ninfomanía.**
histerotomía *f.* 【의학】 자궁 절개(술) ; 제왕절개(술).
histograma *m.* 도수(度數) 분포도.
histología *f.* 【생물】 조직학 ; 조직 구조.
histológico, ca *adj.* 【생물】 조직학의.
histólogo *m.* 【생물】 조직학 학자.
histoquímica *f.* 【생물】 조직 화학.
historia *f.* [*gr.* historia] ① 역사 : ~ universal 세계사. ~ económica 경제사. *H-* de Corea·Coreana 한국사. El conoce a fondo la ~ de América 그는 아메리카 역사를 완전히 알고 있다. ② 역사학 ; 사학 ; 사서(史書) ; 사실(史實) ; (그림 등의) 역사물 : Heródoto ha sido llamado el padre de la ~ 헤로도토스는 역사의 아버지라 불려진다. ③ 경력, 연혁, 내력, 유래, 유서 ; 과거 : ~ personal 경력, 이력서. ser de ~ 내력이 있다. una mujer de ~ 과거를 가진 여자. ④ 이야기, 실화 : El me contó su ~ de amor 그는 나에게 그의 사랑 이야기를 들려주었다. ⑤ 진상 ; 여담 ; 신상 이야기 ; 꾸민 이야기 ; 농담 : dejarse de ~*s* 여담을 그만두다. No me vengas con ~*s* 싱거운 농담은 그만두게. ⑥ (자연계의) 조직적 기술(記述) : ~ natural 박물학. ⑦ 사극. ⑧ 과거의 일 : pasar a la ~ 과거의 일로 되다. ⑨ 파란 만장한 생애 ; 기록에 남길 만한 중대사(건). ⑩ 우화(fábula) : ~ fabulosa.
picar en ~ 생각하는 것보다 중요하다 (ser más importante de lo que al pronto parece).
historiadamente *adv.* 조잡하게 구며져, 더덕더덕 장식하여.
historiado, da *adj.* (조잡하게) 꾸민, 더덕더덕 장식한 : letra ~*da.*
historiador, ra *m.f.* 역사가, 사학 전공자 (historiógrafo) : Melo fue el ~ de las guerras de Cataluña.
historial *adj.* 역사의, 사실의. —*m.* 연혁 ; 이력, 경력.
historialmente *adv.* 역사적으로, 사실로.
historiar *tr.* ⑪ 이야기하다 ; 역사를 기록하다 ; 역사(물)을 쓰다.
históricamente *adv.* 역사적으로, 역사상.
historicidad *f.* 유서(由緖) ; 전거(典據), 정사(正史) ; 역사적 진실, 사실성 : demostrar la ~ de un hecho.
histor(ic)ismo *m.* 역사 (존중) 주의.
histórico, ca *adj.* [*lat.* historicus] ① 역사의, 사학의 ; 역사상에 실재하는, 역사상의 : hecho ~ 사실(史實). ② 역사적인 ; 유서 깊은, 내력이 있는 ; 이야기상의 ; 사실에 따른, 분명한(averiguado). Contr. fabuloso, imaginario.
historieta *f.* [*dim.* historia] 단편, 이야기, 야화, 일화, 사화(史話) : ~ gráfica 그림책.
historiografía *f.* 역사 편찬 ; 사료 편집 ; 수사 ; [집합] 사료 : ~ musulmana 회교 사료.
historiográfico, ca *adj.* 역사 편찬(가)의.
historiógrafo, fa *m.f.* 역사가(historiador) ; 사료 편집원, 수사관(修史官).
histotomía *f.* 조직 해부(학).
histrión *m.* [*lat.* histrio] ① 어릿광대 (actor bufón). ② 마술사, 요술사(volatín).
histriónico, ca *adj.* 어릿광대 같은.
histrionisa *f.* [histrión의 여성] 여류 예술인 (actriz cómica).
histrionismo *m.* histrión의 일 ; histrión의 일단.
hita *f.* (대가리 머리가 없는) 못 ; 경계석, 말뚝 (hito).
hitación *f.* 경계표 세우기.
hitamente *adv.* =**atentamente, fijamente.**
hitar *tr.* =**amojonar.**
hitita *adj.* 힛타이트 족 《los hititos, 소아시아의 고대 민족》의. —*m.f.* 힛타이트족. —*m.* 힛타이트말.
Hítler *m.* 히틀러 《독일의 총통으로 제이차 세계대전을 일으키고 베를린 함락 때 사망(1889-1945)》.
hitlerismo *m.* 히틀러주의 《독일 국가 사회주의》.
hito, ta *adj.* [*lat.* figere] ① 꼼짝 않고 있는, 고정·고착된(fijo, firme). ② 들러붙은 ; 인접한 : calle *hita* 이어진 거리. ③ 털이 검은 (말). —*m.* ① 도표(道標), 이정표(mojón) : ~ kilométrico 이정표. ② 경계표, 경계돌 (coto). ③ 과녁.
a ~ 꼼짝 않고.
dar en el ~ 급소를 찾아내다, 어렵게 맞추다.
mirar de ~. *mirar de* ~ *en* ~ 뚫어지게쳐다보다.
mudar de ~ 수단·방법을 바꾸어 보다.
hitón *m.* (머리가 없는) 각이 진 못.
hizo hacer의 부정과거·3·단수.
Hl(s). Hectolitro(s) 헥타리터.
Hm(s). Hectómetro(s) 헥타미터.
Hno(s). Hermano(s) 형제 (상회).
hoacín *m.* 【조류】 =**hoazín.**
hoazín *m.* 【조류】 (멕시코산의) 도가머리꿩.
hobachón, na *adj.* 풋살이 찐 ; 아둔한.
hobachonería *f.* 게으름, 나태(pereza).
hoblón *m.* 《*Galic. Chile.*》 =**lupulo.**
hobo *m.* 호보나무(jobo).
hoces *f.pl.* hoz의 복수형.
hocete *m.* 《*Murc.*》 =**hocino.**
hocicada *f.* 콧등을 부딪치는 일(golpe dado con

el hocico).
hocicar *tr.* 7 코로 땅을 파다(hozar).
—*intr.* ① (콧등을) 부딪치다 (tropezar) : ~ *con* · *contra* · *en* una cosa 무엇에 부딪치다. ② 마구 입맞추다(besucar). ③ 뱃머리가 가라앉다.
hocico *m.* ① (동물의) 주둥아리 ; 콧등 : el ~ del cerdo 돼지의 콧등. ② 뾰족한 입. ③ 얼굴, 면상(cara) : José tiene buen ~. ④ 뾰로통한 얼굴 : estar *de* · *con* ~ 뾰로통해 있다.
caer* · *dar de ~s 얼굴을 부딪치다, 서로 충돌하다.
hocicón, na *adj.* =**hocicudo.**
hocicudo, da *adj.* ① 얼굴을 내민 ; 주둥아리를 내민(jetudo). ② 《*Amér.*》 시큰둥한 표정의, 찌푸린 얼굴의. Sinón. jetudo.
hocino *m.* ① (땔감 등을 베는) 낫(hoz). ② 협곡, 좁고 험한 골짜기(angostura de un río entre dos montañas).
hociquear *tr. intr.* =**hocicar, hozar.**
hociquera *f.* 《*Cuba. Perú.*》 부리망(bozal).
hockey *m.* 하키 : ~ sobre hielo 아이스하키.
hoco *m.* ① 《*Bol.*》 호박(calabaza)의 일종. ② 《*AmérC.*》【조류】 =**pauji.**
hodierno, na *adj.* 금일의, 현시의, 현재의.
hodómetro *m.* 보도계(步度計), 노정계(路程計)(odómetro).
hogañazo *adv.* =**hogaño.**
hogaño *adv.* 지금, 현재 ; 당년, 금년. Contr. antaño.
hogar[1] *m.* ① 아궁이 ; 부엌(cocina) : ~ de una cocina · de un horno. ② 모닥불, 화톳불 (hoguera). ③ 집, 가정(casa, familia) : ¿Cuántas personas hay en su ~ ? 귀댁의 가정에는 몇 사람 있습니까?
hogar[2] *tr.* 8 《*Chile.*》 질식시키다(ahogar).
hogareño, ña *adj.* 가정적인.
hogaril *m.* 《*Murc.*》 =**hogar, fogón.**
hogaza *f.* (대형) 빵 ; 질이 나쁜 빵.
hoguera *f.* 화톳불, 모닥불 : Encendieron una ~ 그들은 모닥불을 지폈다.
hoja *f.* [*lat.* folia] ① 잎, 잎사귀, 나뭇잎, 풀잎 : árbol de ~*s* persistentes 상록수. ② (통속적으로) 꽃잎(pétalo) : ~ de rosa 장미의 꽃잎. ③ 얇은 조각, 얇은 것 ; (금속의) 박(箔) : ~ de estaño 석박(錫泊). batir ~ 박으로 만들다. ④ 종이 조각. ⑤ (종이, 판자, 철판의) 장, 잎 : una ~ de papel 종이 한 장. ~ de metal 금속 한장. ⑥ (책의) 한 장, 2페이지 : volver la ~ 페이지를 넘기다. ⑦ 날 : ~ de navaja 면도날. ⑧ 칼 (espada). ⑨ (문 · 창문의) 문짝. ⑩ (구획이 그어진) 논 · 밭. ⑪ (의복의) 길 ; (동정의) 홈 : Esta peseta tiene ~ 이 페세따는 홈이 있다.
~ acicular 침엽(針葉). ***~ aovada*** 난형엽(卵形葉). ***~ compuesta*** 겹잎. ***~ de compensaciones*** 어음 교환 청산표. ***~ de Flandes* · *de lata* · *de Milán*** 양철. ***~ dentada*** 치아상 잎. ***~ de marcha*** 운송장. ***~ de pedido*** 주문표, 주문서, 주문서식. ***~ de presencia*** 타임 카드. ***~ de resumen*** 집계표. ***~ de ruta*** 하물 송장, (철도) 하물 인환증. ***~ de servicios*** (관리 등의) 경력서. ***~ de tocino*** 세로로 자른 돼지의 한 쪽. ***~ entera*** 전변엽(全邊葉). ***~ envainadora*** 포경엽(包莖葉). ***~ informativa*** 팸플릿, 소책자. ***~ volante*** 전단, 선전 전단. ***~s cambiables*** 루즈 리프 《종이를 마음대로 빼었다 끼웠다 할 수 있는 노트나 장부》.
hacer ~ 《*Ecuad.*》 수업에 빠지다, 학교에 가지 않다.
volver la ~ 의견을 바꾸다 ; 화제를 바꾸다 ; 약속을 어기다.
hoja-bloque *m.* 우표 시트.
hojalata *f.* 양철(hoja de lata).
hojalatería *f.* 양철 공장 · 가게 ; 양철일 하는 집.
hojalatero *m.* 양철일 하는 사람.
hojalde *m.* =**hojaldre.**
hojaldra *f.* 《*Murc. Sal. Amér.*》 =**hojaldre.**
hojaldrado, da *adj.* 한 장 한 장 벗겨지는 ; hojaldre 같은.
hojaldrar *tr.* hojaldre 형을 만들다.
hojaldre *m.(f.)* 살짝 굽기 ; 겹 비스킷.
hojaldrero, ra *m.f.* =**hojaldrista.**
hojaldrista *m.f.* 비스킷 제조자.
hojaranzo *m.* 【식물】 자작나무과에 속하는 낙엽 교목(ojaranzo) ; 협죽도(adelfa).
hojarasca *f.* ① [집합] 낙엽, 썩은 나뭇잎 ; 무성한 가지 잎. ② 헛된 일(cosa inútil) : Tus promesas son ~ 너의 약속은 휴지와 같다. Todo lo que escribe es pura ~ 쓴 것은 모두 완전 쓸모없는 것이다.
hojear *tr.* (책의) 페이지를 넘기다. —*intr.* ① 금속이 얇게 벗겨지다. ② 《*Col. Guat.*》 잎이 나다.
hojilla *f.* 《*Riopl.*》 담배 마는 종이.
hojoso, sa *adj.* 잎이 많은 : árbol ~ 잎이 많은 나무.
hojudo, da *adj.* =**hojoso.**
hojuela *f.* [*dim.* hoja] 【식물】 작은 잎. ② (금은 따위의) 소박(小箔) : ~ de plata. ③ 작은 조가리(로 된 것). ④ 감란 열매의 껍질.
hol. holandesa 배혁 장정(背革裝幀).
¡hola! *interj.* ① 어이!, 여어!, 이봐!, 야! ; 어머! ② 《*Amer.*》 여보세요! 《전화에서》.
holán *m.* ① 옥양목의 일종. ② 《*Mex.*》 너덜너덜한 천.
holancina *f.* 《*Cuba.*》 바지를 만드는 가벼운 면포.
holanda *f.* ① 질이 좋은 옥양목 : camisa de ~ 질 좋은 옥양목 셔츠. ② 삼베. —*pl.* 불순 알코올.
Holanda *f.* 【지명】 네덜란드 : ~ Meridional 남 네덜란드. ~ Septentrional 북 네덜란드.
holandés, sa *adj.* 네덜란드의. —*m.f.* 네덜란드 사람. —*m.* 네덜란드말.
a la holandesa 네덜란드 풍으로, 네덜란드 클로스의 ; 배혁(背革)의 (장정).
holandeta *f.* 안감(forros)용 리넨.
holandilla *f.* =**holandeta.**
holco *m.* =**heno blanco.**
¡hole! *interj.* =**¡ole!**
holear *intr.* ¡hola! 를 반복해서 사용하다.
holgachón, na *adj.* [드뭄] =**holgazán.**
holgadamente *adv.* 소란스럽게 ; 안락하게.
holgadero *m.* 휴식처.
holgado, da *adj.* ① 한가로운 (desocupado). ② 넓은, 여유 있는(ancho) : vestido ~ 여유 있는

옷. Lleva una vida muy ~*da* 그는 매우 여유있는 생활을 하고 있다. ③ 부드러운 : Mi vestido está ~ 내 옷은 매우 부드럽다. Contr. ceñido. apretado. estrecho.

holganza *f.* 한가로움 ; 게으름, 태만, 나태(ociosidad) ; 즐거움 ; 기분 전환 ; 휴양.

holgar *intr.* 24 8 ① 쉬다, 휴식하다. ② 게으름 부리다, 일을 쉬다, 일이 없다, 한가하다 (no trabajar. estar ocioso) : ~ un domingo 일요일은 한가하다·일이 없다. ③ 헛되다 : *Huelga* tu visita 네가 가도 아무 소용이 없다. *Huelga* decir que …이라고 말할 필요도 없다. ④ 듣지 않다 ; 꼭 맞지 않다. ⑤ 방치하다.
—*intr.*, ~**se** ① 기뻐하다, 좋아하다 : ~*(se) con de* la noticia 소식을 듣고 좋아하다. ② 기분 전환을 하다, 즐기다(divertirse).

holgazán, na *adj.* 게으른, 나태한, 태만한(perezoso). —*m.f.* 게으름뱅이(perezoso).

holgazanear *intr.* 게으름피우다·부리다.

holgazanería *f.* 나태함, 태만함, 게으름(ociosidad. pereza) : La ~ es la madre de los vicios 나태는 악습의 어머니다. Contr. actividad.

holgazanote, ta *adj.* 매우 게으른(muy holgazán).

holgón, na *adj.* [드묾] ① 게으름뱅이의(holgazán. perezoso). ② 놀기 좋아하는. —*m.f.* 게으름뱅이, 놀기 좋아하는 사람.

holgorio *m.* 잔칫날, 축제, 잔치 ; 떠들썩한 놀이, 잔치 기분을 내고 떠드는 일. [*N.* h를 발음함].

holgueta *f.* 【속어】 =**holgura.**

holgura *f.* 잔칫날 같은 소란(holgorio) ; 부드러움(anchura) ; 안락, 부유 ; 여유 ; 오락. Contr. estrechez.

holladero, ra *adj.* 밟고 지나가는, 짓밟은.

holladura *f.* 유린 ; 발자국(huella) ; 목축의 통행요금.

hollar *tr.* 24 ① 밟다, 짓밟다(pisar) : ~ el tapiz 벽포를 밟다. No se deja ~ de nadie 그는 누구한테도 짓밟히지는 않는다. ② 굴복시키다. ③ 학대하다, 함부로 다루다, 엉망으로 만들다 ; 욕지거리를 퍼붓다(ajar. humillar) : ~ a un infeliz 불행한 사람을 함부로 다루다.

hollega *f.* 【조류】 =**herrerillo.**

hollejo *m.* (과일의) 껍질 : El ~ de la uva da al vino su color.

hollejudo, da *adj.* 《*Chile.*》 껍질이 있는 ; 껍질이 단단한.

hollejuelo *m. dim.* hollejo.

hollín *m.* ① 그을음, 매연 : El ~ es carbono casi puro 그을음은 거의 순전한 석탄이다. ② 소란, 소요, 요란(jollín).

hollinar *tr.* 《*Chile.*》 hollín투성이로 만들다.

holliniento, ta *adj.* 그을음투성이의.

holocausto *m.* (이스라엘 사람의) 화형제(火刑祭), 헌신, 희생(sacrificio).

holofrástico, ca *adj.* =**polisintético.**

hológrafo, fa *adj.* 자필의, 친필의(ológrafo). —*m.* 친필 증서·유언장.

holómetro *m.* 고도 측량기, 측거기(測距器), 측거의(測距儀), 측원기(測遠器).

holostérico *adj.* 견고한, 완전한 : barómetro ~ 무액 청우계(無液晴雨計).

holoturia *f.* 【동물】 해삼(cohombro de mar).

holotúrido *adj.* 【동】 해삼의, 해삼류의. —*m.pl.* 해삼류.

homarrache *m.* =**mojarrache.**

hombracho *m.* [*aum.* hombre] 몸집이 큰 남자, 거한 ; 보기 싫은 남자.

hombrada *f.* 사나이다움 : hacer una ~.

hombradía *f.* 남자다움, 사나이다움 ; 용기.

hombre *m.* [*lat.* homo] ① 사람, 인간 : El ~ es mortal 인간은 죽기 마련이다. ② 남자 (varón) : ~ y mujer 남녀. ③ 어른 : cuando el niño llegue a ~ 아이가 어른이 되면. Volvió hecho un ~ 그는 어른이 되어 돌아왔다. ④ 남편(marido) : mi ~ 내 남편. ⑤ 군인, 병사(soldado) : ejército de cien mil ~*s* 10만 병사의 군.
—*interj.* 어머나! 《놀라움의 표시》 ; 여보!, 여어!, 이 사람아!
~ *bueno* 조정자(調整者). ~ *de armas* 무인, 군인. ~ *de barba·de bigotes* 근엄하고 틀림없는 사람. ~ *de bien* 근엄한 사람, 정직한 사람, 착한 사람. ~ *de bigote al ojo* 카이젤 수염의 거만한 사람. ~ *de cabeza* 유능한 두뇌를 가진 사람. ~ *de copete* 권위있는 사람. ~ *de corazón* 대범한 담력있는 사람. ~ *de dos caras* 표리 부동한 사람. ~ *de estado* 정치가(estadista), 수완가. ~ *de hecho* 약속을 지키는 사람. ~ *de guerra* 무인, 군인(militar. guerrero). ~ *de letras* 문학자, 문인, 문사. ~ *de mala digestión* 우거지상을 짓는 사람. ~ *de manga* 승려. ~ *de mundo* 사교가, 사교적인 사람 ; 세파에 닳은 사람. ~ *de nada* 어디서 굴러먹다 온 사람인지 모르는 가난뱅이. ~ *de negocios* 사업가, 비즈니스맨, 실업가, 실무가. ~ *de palabra* 약속을 지키는 사람. ~ *de tomar armas* 과감한 사람. ~ *de pecho* 변덕스럽지 않고 마음이 굳은 사람. ~ *de pelo en pecho* 용감한 남자. ~ *de pro·de provecho* 근직(謹直)한 사람, 정직한 사람, 남의 도움이 되는 착한 사람. ~ *de punto* 스타, 장본인. ~ *de puños* 강직하고 실천력있는 사람. ~ *de su palabra* 약속을 지키는 사람. ~ *de verdad* 거짓없는 사람. *el Hijo del H-* 예수 (Jesucristo). ~ *grande* 【식물】 소태나무. ~ *liso* 진지한 사람, 고지식한 사람. ~ *lleno* 박식한 사람. ~ *público* 정치가. ~ *rana* 불평가 ; 수중 공작원. ~ *serpiente* 몸을 자유 자재로 굽힐 수 있는 곡예사. ~ *"sandwichi"* 샌드위치맨. *buen* ~ 호인. *pobre* ~ 불행한 사람.
¡~ al agua! 사람이 물에 빠졌다.
de ~ *a* ~ 전력을 쏟아, 온갖 힘을 다해서(de poder a poder). *hacer* a uno ~ (누구를) 원조하다.
ser ~ *para* …할 수 있는 인물이다.
El ~ *propone y Dios dispone* 【속담】 모사(謀事)는 재인(在人)이요, 성사는 재천(在天)이다.
H- prevenido vale por dos 【속담】 미리 준비하는자는 두 사람 몫을 취한다.
H- pobre, todo es trazas 【속담】 가난한 자는 못할 일이 없다.

hombre-anuncio *m.* 샌드위치맨.

hombrear *intr.* ① 어른스러워지다. ② 남성적으로 굴다. ③ 서로 겨루다. ④ 거들다. ⑤ 어깨로 밀치다. ⑥ 《*Méx.*》 남자 못지 않게 하다, 남자 틈에 끼어들다. —*tr.* 《*Col. Méx.*》 보호·원조하다(proteger).
~se 서로 다투다 : *~se con* los mayores 큰 사람과도 지지 않고 겨루다.
hombrecillo *m.* [*dim.* hombre] ① 작은 남자. ② 하찮은 남자. ③【식물】 호프(lúpulo).
hombre-hora *m.* 1인 1시간 일의 양.
hombrera *f.* (갑옷의) 어깨받이 ; 견장(肩章).
hombre-sandwich *m.* 샌드위치맨.
hombretón *m.* [*aum.* hombre] 큰 남자, 거한.
hombrezuelo *m. dim.* hombre.
hombría *f.* 남자다움, 용감함(hombradía) : ~ de bien 정직, 건실함(honradez). En la lucha demostró su ~ 그는 시합에서 남자다움을 보여주었다.
hombrillo *m.* ① 셔츠의 어깨에 대는 천조각. ② (어떤 옷의) 어깨 위에 대는 장식물.
hombrituerto, ta *adj.* 어깨 바람을 낸 · 내는.
hombro *m.* 어깨 : Cargué mi equipaje al ~ 나는 짐을 어깨에 메었다.
a ~s 어깨에 메고.
arrimar el ~ 열을 내다, 정성을 들이다 ; 거들다, 원조하다.
encoger ~s 참다.
encogerse de ~s (공포로 · 싫어서) 어깨를 움칫하다, 냉담한 태도를 하다.
mirar a uno *por encima del ~ · sobre el ~* 업신여기다, 무시하다, 경시하다.
hombrón *m. aum.* hombre
hombruco *m. desp.* hombre.
hombruno, na *adj.* ① 남자다운 : andar ~ 남자답게 걷다. ② 남자 같은(que parece de hombre) : mujer ~ 남자 같은 여자. voz *~na* 남자 같은 목소리.
home[1] *m.* 《*Méx.*》 hombre의 사투리.
home[2] *m. ing.* =**hogar.** [*N.* 발음 : jom].
homecidio *m.* 《*Méx.*》 homicidio의 사투리.
homenaje *m.* [*lat.* hominaticum] ① 충성의 맹세 (juramento de fidelidad) : rendir ~ al señor. ② 복종(sumisión). ③ 존경, 경의(respeto) : Hemos venido a rendir ~ al autor 우리는 그 작가에게 경의를 표하기 위해 왔다. ④ 경의를 표하는 행사 ; (경의를 표하는 뜻에서) 바치는 물건 : Me hizo ~ *con* su libro 그는 자신의 저서를 나에게 증정했다.
hacer ~ de …을 선물하다(hacer obsequio de).
homenajear *intr.* 충성을 맹세하다 ; 경의를 표하다.
homeópata *m.* 동종(同種) 요법 의사.
homeopatía *f.* 동종 요법. Contr. alopatía.
homeopáticamente *adv.* 동종 요법으로 ; 아주 조금씩, 미량으로.
homeopático, ca *adj.* ① 동종 요법의 : medicamento ~ 동종 요법의 약. ② 매우 작은, 미량의, 미소한(muy pequeño) : dosis *~ca* 미량의 복용량.
homérico, ca *adj.* [*lat.* homericus] 시성(詩聖) 호머의, 호머 풍의 : leyenda *~ca* 호머에 관한 전설.
homérida *m.* 호머의 공적을 노래하는 시인.
homerismo *m.* 호머주의.
homero *m.*【식물】 오리나무(aliso).
Homero *m.* 호머 《기원전 10세기 경의 그리스의 맹인 시인》.
homicida *adj.* 살인의 : El arma ~ no fue hallada 흉기는 발견되지 않았다. —*m.f.* 살해자, 살인자, 살인범(matador, asesino) : El ~ se refugió en la montaña 살인범은 산으로 도망쳤다.
homicidio *m.* 살인 ; 살인 행위 · 범죄 : cometer un ~ involuntario 본의가 아닌 살인을 범하다.
homilía *f.* 법화(法話), 종교 강화(講話) ; 설교 ; 잔소리, 긴소리.
homiliario *m.* 종교 강화집(講話集).
hominal *adj.*【박물】 인간의, 인간에 관한.
hominicaco *m.* 추악한 비겁자.
homo- *pref.* 「같은」「동일」「동족」의 뜻을 나타내는 접두어.
homocéntrico, ca *adj.* 같은 중심을 가진, 동심의(concéntrico).
homocentro *m.* 동심(同心).
homocerco *adj.* =**heterocerco.**
homocromía *f.* =**mimetismo.**
homócrono, na *adj.* =**isócrono.**
homofonía *f.* ①【문법】 동음 이의(同音異義). ②【음악】 제창(齊唱).
homófono, na *adj.* ① 동음 이의(同音異義)의, 동음의 《예 : vino(술)와 venir의 과거형의 vino》. ②【음악】 제창(齊唱) · 제주(齊奏)의.
homogéneamente *adj.* 동종 · 동성으로; 등질로.
homogeneidad *f.* 동질(同質), 동종(同種), 동성(同性) ; 등질(等質), 균일.
homogeneizar *tr.* 동질이 되게 하다.
homogéneo, a *adj.* 동종의, 동성의 ; 등질의. 동질(同質)의, 균질의 : pasta *~a.* Contr. heterogéneo.
homografía *f.* 동형 이의어(同形異義語).
homógrafo, fa *adj.*【문법】 동형 이의의. —*m.* 동질 이의어 《예 : haya(너도 밤나무)와 haber의 접속법 현재형 haya》.
homologación *f.* ①【법률】 인가, 인허(認許) : la ~ de un concordato 종교 협약의 인허. ② 기록의 공인.
homologar *tr.* ⑧ ①【법률】 인가하다, 승인하다 ; 확인하다. ② (스포츠의 기록을) 공인하다.
homología *f.* ① 상동 (관계), 상사성(相似性). ②【화학】 동족 관계. ③【기하】 상동.
homólogo, ga *adj.* ① 일치하는, 대응의 ; 상동(相同)의, 상사의 : triángulos *~s* 닮은 삼각형. ② 성능이 같은 ; 동족의.
homonimia *f.* 동음 이의어(同音異義語) ; 동명이인(同名異人).
homónimo, ma *adj.* 동명 이인의 ; 동음 이의(어)의 (말). —*m.f.* 동명 이인. —*m.* 동음 이의어.
homopétalo, la *adj.*【식물】 같은 모양의 꽃잎의, 동일 화판의.
homóptero *adj.*【동물】 매미류의. —*m.pl.* 매미류.
homosexual *adj.* 동성애의. —*m.f.* 동성애자(sodomita).
homosexualidad *f.* 동성애.
homotecia *f.* =**homotetismo.**
homotermo, ma *adj.*【동물】 균일 체온의 ;【물리】 등온(等溫)의.
homotético, ca *adj.*【수학】 ① 서로 닮은 :

figuras ~*cas.* ② 상응하는.

homotetismo *m.*【수학】서로 닮은 점조직 상태.

homúnculo *m.* (중세기의) 난쟁이.

honcejo *m.* 낫(hocino).

honda *f.* [*lat.* funda] 돌을 묶어 던지는 줄 ; 고무 새총, (물건을) 매다는 밧줄(braga).

hondable *adj.* 정박할 수 있는(fondable).

hondada *f.* =**hondazo.**

hondamente *adv.* =**profundamente.**

hondanada *f.* 《*Chile.*》 =**hondonada.**

hondar *tr.* 《*Col.*》 깊게 하다 ; 파 내려가다(ahondar).

~se 깊이 들어가다.

hondazo *m.* (줄끝에 돌을 매달아서 하는) 돌팔매.

hondeador *m.* 낌새를 살피는 도둑.

hondear *tr.* ① (바다 깊이를) 재다, 탐색하다. ② (선박의) 화물을 싣다・부리다. ③ 낌새를 살피다.

hondero *m.* honda를 무기로 사용하는 사람, 투석병(投石兵).

hondijo *m.* =**hondo.**

hondilón *m.* =**tabernucha.**

hondillos *m.pl.* (바지 등의) 가랑이. **Sinón.** fundillo.

hondo, da *adj.* [*lat.* fundus] ① 깊은, 심오한(profundo) : El pozo en cuestión es sumamente ~ 문제의 샘은 매우 깊다. ② 땅의 제일 아래 부분의 : lo más ~ de un valle 계곡의 가장 아래 부분. ③ 심각한(intenso). ③ 《*Cuba.*》 물이 불어난 : El río viene ~ 강물이 불어난다.

—*m.* 밑바닥(fondo).

hondón *m.* ① 밑바닥(fondo). ② 패인 땅 ; 깊은 곳. ③ 바늘귀(ojo de la aguja). ④ (등자의) 밑 부분.

hondonada *f.* 패인 땅, 깊은 땅, 구덩이(terreno hondo).

hondura *f.* ① 깊이(profundidad) : cueva de mucha ~. ② 깊이 패인 곳 : Tiene dos metros de ~ 깊이가 2m이다.

meterse en ~s 깊은 곳에 빠지다 ; 알지도 못하면서 손을 대다.

Honduras *f.*【지명】온두라스《중미의 공화국》.

hondureñismo *m.* 온두라스의 사투리.

hondureño, ña *adj.* 온두라스의. **—*m.f.*** 온두라스 사람.

honestamente *adv.* 정직하게, 성실하게, 공정하게, 청렴하게 ; 지조있게, 정숙하게 ; 상냥스럽게 ; 예의 바르게.

honestar *tr.* ① 그럴싸하게 보이다, 둘러대다(cohonestar) : ~ una mala acción 나쁜 행위를 둘러대다. ② 명예롭게 하다(honrar).

honestidad *f.* 청렴, 겸양 ; 근신 ; 정결 ; 정절(貞節) ; 정직, 성실 ; 예의를 지키고 양보함 : El se enamoró de ella por su ~ 그는 그녀의 성실함에 반했다.

honesto, ta *adj.* ① 정직한(honrado). ② 성실한, 고지식한, 청렴한, 겸양한(decente). ③ 신중한, 정결한. ④ 명예로운 : estado ~ 여자의 미혼 시절. ⑤ 올바른(razonable) : precio ~. ⑥ 정당한.

hongarina *f.* =**anguarina.**

hongo *m.* [*lat.* fungus] ①【식물】버섯, 균. ② 균상종(菌狀腫). ③ (실크 해트 등, 운두가 높은) 모자. **—*pl.*** 균류(菌類).

~ ***marino***【동물】말미잘.

~ ***yesquero***【식물】부싯깃 버섯.

hongoso, sa *adj.* 《*Sal.*》 =**fungoso.**

honor *m.* [*lat.* honor] ① 명예, 영예, 영광 : tener el ~ de + *inf.* …하는 것을 영광으로 생각하다, 삼가 …하다. Tengo el ~ de presentarle a usted a mi amigo 친구를 소개하겠습니다. ③ 명예를 숭상하는 마음 ; 면목, 체면 : palabra de ~ 약속, 맹세. punto de ~ 면목, 자부심. ④ 신의, 덕의, 신용 : hombre de ~ 덕망가. ⑤ 도의심, 염치, 자존심 ; 절개, 정절 ; 부덕(婦德) ; 절조, 정조 : el ~ de una mujer 여자의 정조. ⑥ [주로 *pl.*] 고위, 명예로운 지위, 현직(顯職) : Pretende los más altos ~*es.* ⑦ 예우, 대우, 은전 : tener ~*es* de capitán general 장군 대우를 받고 있다. ⑧ 예의, 대접, 접대 : Hacía ~*es* la dueña de casa 주부가 접대를 했다.

en ~ de …을 위해 ; …에 경의를 표하여.

honorabilidad *f.* =**dignidad, honradez.**

honorable *adj.* ① 존경할 수 있는 : hombre ~. ② 명예가 있는, 영광스러운, 명예로운.

honorablemente *adv.* 장하게, 훌륭하게.

honorar *tr.* [드뭄] 존경하다, 숭배하다.

honorario, ria *adj.* 영광스러운, 명예로운, 명예의 ; 명예를 나타내는, 명예 … : presidente ~ 명예 총재. **—*m.pl.*** 사례금 ; 위로금 ; 봉급, 보수 : ~ por cobro 집금 수수료.

honoríficamente *adv.* 예의를 다하여 ; 명예스럽게.

honorífico, ca *adj.* 존경의, 경칭의 ; 명예롭게 하는 ; 명목상의(honorario).

honoris causa *adv. lat.* 공적을 위하여, 명예를 위해 : doctor ~ 명예 박사.

honra *f.* ① 면목, 체면. ② 정조, 정절(honor). ③ 평판, 명망, 덕망(buena fama, reputación). ④ 명예 ; 자랑 : tener a ~ 자랑・명예로 알다. Para mí, la ~, señor Navarro 나바로씨, 제가 오히려 영광입니다. Nada debemos estimar más que la ~ 우리는 명예만을 중시해서는 안된다. **—*pl.*** 법회 ; 장례.

honradamente *adv.* 정직하게 : ganar la vida ~.

honradero, ra *adj.* [드뭄] =**honrador.**

honradez *f.* 정직 ; 성실(probidad) : La ~ es la primera condición para los negocios 정직은 사업에 첫째 조건이다.

honrado, da *adj.* 정직한, 성실한, 착한, 어진 : Es un hombre ~ 그는 정직한 사람이다. conducta ~*da* 착한 행동, 성실한 행위. Muy ~ en conocerlo, señor García 가르시아씨, 만나뵙게 되어 영광입니다.

honrador, ra *adj.m.f.* 예우・존경하는, 존중하는 (사람) ; (어음을) 인수하는 (사람).

honradote, ta *adj. aum.* honrado.

honramiento *m.* honrar 하는 일.

honrar *tr.* ① [+ con・de : …에게] 명예・영광・영예를 주다, 예우하다, 대접하다 : si me *honran con* su confianza 영광스럽게도 신뢰하여 주신다면. Nos veremos *honrados con* sus órdenes 주문을 배수할 수 있을 것입니다. ② 존

경하다, 존중하다 : Debemos ~ a nuestros padres 우리는 부모님을 존경해야 한다. ③【상업】(어음을) 인수하다 ; 기일 내에 지불하다 : ~ una letra.

~se [+con : …을] 명예·영광·자랑으로 알다, 기꺼이 받다 : *Me honraba con* su amistad 나는 그의 우정을 영광스럽게 생각하고 있었다.

honrilla *f.* [*dim.* honra] 체면 : por la negra ~ 체면상.

honrosamente *adv.* 자랑스럽게 ; 정직하게 (honradamente) : vivir ~ 정직하게·자랑스럽게 살다.

honroso, sa *adj.* 명예스러운, 수치스럽지 않은, 어엿한, 명예를 지킬 수 있는(decente) : una posición ~*sa* 훌륭한 지위. ser ~ 명예롭다. Contr. deshonroso.

hontanal *adj.* 샘의 (축제). **—*m.*** 샘.

hontanar *m.* 샘, 샘이 있는 곳(manantial).

hontanarejo *m. dim.* hontanar.

hopa *f.* ① 두루마기. ② 사형 집행인. ③《*Méx.*》 꼬리(hopo). **—*interj.*** 《*AmérM.*》 =**¡hola!**

hopalanda *f.* 옷자락이 넓은 치마.

hopear *intr.* ① 꼬리를 흔들다(menear la cola). ② 쏘다니다(corretear). ③《*Venez.*》 큰 소리로 부르다.

hopeo *m.* 꼬리를 흔드는 일.

hoplita *m.* [*gr.* hoplitês] (갑옷을 입은) 그리스의 군인.

hoplomaquia *f.* 전투.

hoploteca *f.* 무기 진열관(oploteca).

hopo *m.* (털이 많은 여우 따위의) 꼬리 ; (반외투 등의) 깃. **—*interj.*** 나가 버려.

sudar el ~ 힘이 들다, 애먹다.

hoque *m.* =**alboroque.**

hoquis (de) *adv.* 《*Méx.*》 무료로, 공짜로, 거저 (gratis, de balde).

hora *f.* [*lat.* hora] ① 1시간 : un cuarto de ~ 15분. media ~ 30분. ~ y media 1시간 반. ② 때, 시각 : Ya es ~ de terminar 이제 끝날 때이다. Va a la ~ 제시간으로 가고 있다. Quisiera ~ para hoy 오늘 시간 좀 내 주셨으면 합니다. ③ 시 : ¿Qué ~ es?, 《*Amer.*》 ¿Qué ~*s* son? 몇 시지? ¿A qué~ …? 몇 시에. a estas ~*s* 이런 시간에, 지금 쯤은. a primeras ~*s* de la mañana 아침 일찍. a últimas ~*s* de la tarde 오후 늦게. Empezó la fiesta a la ~ en punto 파티는 정시에 시작했다. ③ 임종(~ suprema) : llegar la (última) ~ 임종이 되다.

—*pl.* (사원의) 기도서 ; 시도(時禱).

—*adv.* 【고어】 지금, 이제(ahora).

~ ***cero*** 공격 개시 시간. ~ ***corriente*** 하역 계속 시간. ~ ***de apertura*** 업무 개시 시간. ~ ***de cese del trabajo*** 작업 중지 시간. ~ ***de cierre*** 업무 종료 시간. ~ ***de comercio*** 영업 시간. ~ ***de comienzo del trabajo*** 작업 개시 시간. ~ ***de negocios*** 영업 시간. ~ ***de oficina*** 집무 시간. ~ ***de trabajo*** 근무 시간. ~ ***de trabajo productiva*** 생산적 노동 시간. ~ ***extraordinaria*** 초과 근무 시간. ~ ***menguada*** 운명이 결정될 때 ; 역경일 때. ~ ***hábil*** 근무 시간, 노동 시간. ~ ***inhábil*** 집무외 시간. ~ ***laborable*** 노동·취업 시간. ~ ***mano de obra*** 1인 1시간의 일의 양. ~ ***normal de trabajo*** 통상 노동 시간. ~***s muertas*** 헛되이 보낸 시간, 모르는 사이에 지나쳐 버린 시간.

altas ~s de la noche 심야, 깊은 밤.

a buena ~ 때마침 ; (역설적으로) 늦어서.

a la ~ 정각에.

a la ~ ***horada*** 아슬아슬한 때에.

en ~ ***buena*** 다행히도.

dar ~ 약속 시간을 지정하다.

dar la ~ (시계 따위가) 시간을 알리다 ; 완전히 하다, 완성·완료하다.

pedir ~ 시각의 지시를 받다.

poner en ~ 시계를 맞추다.

horaciano, na *adj.* 호라티우스《Horacio, 로마의 시인, 기원전 65−8》 풍의.

horada *adj.* =**puntual.**

horadable *adj.* 구멍을 뚫을 수 있는.

horadación *f.* 천공, 구멍뚫기 : verificar un robo con ~ 구멍을 뚫어 도둑질하다.

horadado, da *adj.* 구멍이 뚫린. **—*m.*** 번데기가 빠져나간 누에 껍질.

horadador, ra *adj.m.f.* 구멍을 뚫는 (사람).

horadante *adj.* =**horadador.**

horadar *tr.* (…에) 구멍을 뚫다 (agujerear) : ~ una pared 벽에 구멍을 뚫다.

horado *m.* ① 구멍(agujero). ② 굴, 동굴(caverna, cueva).

horario, ria *adj.* 시각의. **—*m.*** ① 시침 (mano del reloj). ② 시계(reloj). ③ 시간표 : ~ de ferrocarriles 철도 시간표. ~ escolar 강의 시간표. ④ 집무 시간, 영업 시간.

a ~ 시각대로.

horca *f.* ① 교수대. ② 칼《형구》. ③ (개나 돼지의) 목에 매는 나무. ④ 목걸이. ⑤ (농부의) 쇠스랑 (bieldo) ; 갈래나무《Y자 모양의 작대기》. ⑥ 짠 술(ristra) : ~ de ajos 마늘로 빚은 술. ⑦《*PRico. Venez.*》 선물(regalo).

horcado, da *adj.* 갈라진, Y자형의.

horcadura *f.* (가지 등의) 갈래.

horcaja *f.* 《*Chile.*》 =**horcadura.**

horcajadas (a) *adv.* 걸터앉아 : montar a caballo *a* ~ 걸터앉아 말을 타다.

horcajadillas (a) *adv.* =**a horcajadas.**

horcajadura *f.* 사타구니.

horcajo *m.* ① (노새의) 목걸이. ② (강·산맥의) 분기점.

horcar *tr.* 7 ①《*Chile. Méx.*》 교살(絞殺)하다, 목을 졸라 죽이다(ahorcar). ②《*Méx.*》 =**hacer caso.**

horcate *m.* (짐을 끄는 말의) 목걸이 : Al ~ se sujetan las correas de tiro.

horchata *f.* chufa나 almendra를 재료로 한 청량음료수.

tener sangre de ~ 게으르다 ; 너무 조용하다.

horchatería *f.* horchata와 다른 음료를 파는 가게.

horchatero, ra *m.f.* horchata제조인·상인.

horco *m.* (양파·마늘의) 다발(ristra).

horcón *m.* ① (나뭇가지를 받치는) 갈래나무. ②《*Amér.*》 (도리를 받치는) 기둥.

horconada *f.* horcón으로 때리기 ; horca로 한번 뜨기《짚·꼴 따위》.

horconadura *f.* [집합] =**horcón.**

horda *f.* [*turco.* ordu] ① [집합] 유목민(tribu nómada) : La *Horda* de oro reinó largo tiempo sobre Rusial. ② 무리, 떼. ③ 부정규의 군단(軍團).

hordáceo, a *adj.* 보리(cebada) 닮은.

hordeólo *m.* =**orzuelo.**

hordiate *m.* 쌀보리; 맥당의 음료수.

hordio *m.* 【고어】《*Ar.*》 보리(cebada).

horero *m.* 《*Amér.*》 시침(horario de reloj).

horizontal *adj.* 지평선상의, 수평선상의; 수평면의; 수평의, 가로의 : línea ~ 지평선. —*f.* ① 수평선(水平線), 지(평)선. ②《*Galic.*》 창녀, 갈보, 매음녀, 매음부, 매춘부.

horizontalidad *f.* 수평, 수평성(水平性).

horizontalmente *adv.* 수평으로, 횡으로, 가로로; 평탄하게.

horizonte *m.* [*gr.* horizón] ① 수평선, 지평선 : un ~ dilatado 광활한 지평선. ② 시계(視界), 한계, 활동·안계(眼界) 범위 : Nuestro ~ se amplía con la instrucción 우리의 활동 범위는 교육에 의해 넓혀진다.

horma *f.* ① (구두·모자의) 골 : ~ de zapatero. ② 돌담. ③《*Cuba. Perú.*》 각설탕의 틀. ***hallar la ~ de su zapato*** 자신에게 어울리는 것을 찾아내다(encontrar lo que le conviene).

hormadoras *f.pl.*《*Col.*》 페티코트, 속 스커트(enaguas).

hormar *tr.* 《*Amér.*》 틀에 맞추다(ahormar).

hormaza *f.* 벽, 돌담(horma).

hormazo *m.* ① 돌쌓기; 구두 골로 때리기. ②《*Gran. Córd.*》 별장(carmen, quinta).

hormero *m.* (구두 골을) 만드는 사람.

hormiga *f.* [*lat.* formica] ①【곤충】 개미 : ~ blanca【곤충】 날개 개미, 흰 **개미**(comejón). ~ león 개미 지옥. ② 옴. —*pl.*【은어】 주사위.

hormigante *adj.* 근질근질한(que causa comezón).

hormigo *m.* 수은 정련용의 재. —*pl.* 편도 과자; 채로 친 무거리.

hormigón *m.* ① 콘크리트 : ~ armado 철근 콘크리트. ~ hidráulico 수경(水硬) 콘크리트. pared de ~ 콘크리트 벽. **Sinón.** concerto. ②【곤충】 왕개미. ③ 가축병, 식물 기생충병.

hormigonera *f.* 콘크리트 혼합기·믹서.

hormigoso, sa *adj.* 개미의; 개미의 피해를 입은.

hormigueamiento *m.* =**hormigueo.**

hormiguear *intr.* ① 근질근질하다. ② 꾸역꾸역 모여들다. ③ 꼬여 들다(bullir) : *Hormiguea* la gente en la plaza. ④ 풍부하다, 많이 있다(abundar) : *Hormiguean* faltas en su libro 그의 책에는 틀린 데가 많다. ⑤【은어】 좀도둑질을 하다.

hormigüela *f. dim.* hormiga.

hormigueo *m.* ① 근질근질함. ② 우글거리는 군중, 우글거리는 떼 : ~ de gente 우글거리는 사람들.

hormiguera *f.* 《*Arg. Urug.*》 =**hormiguillo del ganado.**

hormiguero, ra *adj.* 옴의, 개선(疥癬)의. —*m.* ① 개미집 : Los ~*s* del comején alcanzan varios metros de altura. ② 잡답(雜沓); 사람이 들끓는 곳. ③【조류】 **딱따구리.** ④【은어】 좀도둑. ⑤ 태워버리기 위해 쌓아 둔 건초 더미.

hormiguesco, ca *adj.* 개미의; 개미 같은.

hormiguilla *f.* [*dim.* hormiga] ① 작은 개미. ② 근지러움, 간지러움. ③ 후회.

hormiguillar *tr.* 《*AmérM.*》 혼효(混淆)하다《은광 분말을 소금과 혼합하는 일》.

hormiguillo *m.* ① 물건을 손에서 손으로 운반하는 줄. ② 편도 과자. ③ 말 발굽의 병. ④ 근지러움. ⑤《*AmérM.*》【광물】 은광의 혼효(混淆).

hormiguita *f.* [*dim.* hormiga] 부지런한 사람.

hormilla *f.* ① 단추 모양. ② 단추를 씌우는 심. ③《*Bol.*》 반바지의 단추.

hormón *m.* 【생리】 호르몬, 내분비물.

hormona *f.* =**hormón.**

hormonal *adj.* 호르몬의, 내분비물의.

hormonoterapia *f.* 호르몬 치료법.

hornabeque *m.* 【축성】 각보(角堡).

hornablenda *f.* 【광물】 각섬석(anfíbol).

hornacina *f.* 벽감《성상 등을 안치하는 곳》.

hornacho *m.* (채사장·채석장 등의) 패인 구멍.

hornachuela *f.* =**covacha.**

hornada *f.* 한 가마솥의 빵; 동기인 동료.

hornaguear *tr.* ① 채탄(採炭)하다, 석탄을 캐다, 채굴하다. ② 가마솥에 빵을 재워 넣다. **~se** 《*Chile.*》 몸을 이리저리 흔들다.

hornagueo *m.* 채탄, 석탄 채굴.

hornaguera *f.* 석탄; 석탄 채굴장.

hornaguero, ra *adj.* ① 석탄이 있는, 탄전의. ② 태평스러운, 한가로운(flojo). ③ 넓은.

hornalla *f.* ①《*Perú.*》 큰 가마솥. ② 커다란 부뚜막 아궁이. ③《*Venez.*》 풍로.

hornaza *f.* (은 세공사의) 도가니; (유리 그릇에 바르는) 담황색의 유약.

hornazo *m.* 계란을 씌운 빵; 부활절 때 승려에게 주는 선물.

horneando, da *adj.* 《*AmérC.*》 화낸, 성난, 노한.

hornear *intr.* ① 빵을 굽다. ②《*Perú.*》 솥에 넣다. ③《*CRica.*》 =**rabiar.**

hornecino, na *adj.* 허드렛가지의.

hornera *f.* (빵 굽는) 화덕.

hornería *f.* 빵 굽는 직업.

hornero, ra *m.f.* 빵 굽는 사람. —*m.* 《*Arg. Bol.*》【조류】 가마새《가마 모양의 흙집을 만드는 새》.

hornía *f.* 《*Sant.*》 =**cenicero.**

hornija *f.* 자디잔 장작.

hornijero *m.* 땔감 줍기; 땔감 줍는 사람.

hornilla *f.* 가마의 속; 비둘기 집이 있는 벽의 들어간 곳.

hornillero *m.* 《*Perú.*》【조류】 =**hornero.**

hornillo *m.* ① 풍로 : ~ eléctrico 전기 풍로. ② 풍로 받침. ③ 화약갱. ④ (물부리 파이프의) 대통.

hornito *m.* 《*Méx.*》 작은 분화산.

horno *m.* ① 화로, 화덕, 노(爐), 요(窯) : ~ de panadero. ②【은어】 감옥.

~ ***atómico*** 원자로. ~ ***de cal*** 석회 굽는 가마솥. ~ ***de mufla*** 머플로(爐). ~ ***de carbón*** 숯 굽는 가마(carbonera). ~ ***de cuba*** (일반적으로) 용광로. ~ ***de reverbero*** 반사로(反射爐). ~ ***eléctrico*** 전기로(電氣爐). ***alto*** ~ 용광로.

no estar el ~ para bollos·tortas 좋은 기회·호기(好機)가 아니다.

horología *f.* 시계학 ; 시계 제작법.
horometría *f.* 시간 측정법.
horón *m.* 큰 광주리(serón grande).
horondo, da *adj.* =**orondo.**
horópter *m.* 【광학】 동시권(同視圈).
horoptérico, ca *adj.* 【광학】 동시권(horópter)의.
horóptero *m.* 【광학】 =**horópter.**
horóscopo *m.* 점성(占星) ; 징조, 전조(前兆), 예언 : ~ favorable 길조(吉兆).
horqueta *f.* ① (가지의) 갈래 ; 갈래나무(horcón). ② 건초용의 가래. ③ 《*Amér.*》 두 갈래 길. ④ 《*Arg.*》 강의 구비 ; 강의 합류점의 빈터.
horquetear *intr.* 《*Col.*》 가지를 내다.
~se 《*Col. Urug.*》 걸치다 ; 걸터앉다.
horquetero *m.* 《*Murc.*》 horqueta 제조자 · 판매자.
horquilla *f.* ① 갈래 · 갈라진 것 : ~ del disparador 기계의 벨트 걸치는 곳. sujetar una rama con una ~ 가지를 갈래로 붙잡아 두다. ② 건초용 가래 : amontonar la paja con la ~ 가래로 밀짚을 모으다. ③ 머리핀. ④ 털이 빠지는 병. ⑤ (자전거의) 훅. ⑥ (자동차의) 클러치 레버, 연축기 지레 · 지렛대. ⑦ (전화기의) 송수화기대. ⑧ (죽마의) 발판.
horquillada *f.* =**horconada.**
horquillado, da *adj.* horquillar 의 *p.p.* —*m.* 교살.
horquillador, ra *m.f.* 《*And.*》 교살자.
horquillar *tr.* 《*Méx.*》 =**horcar.**
horrar *tr.* 《*Amér.*》 저축하다, 절약하다, 아끼다, 검약(儉約)하다(ahorrar).
~se 《*Amér.*》 ① 단축되다. ② (가축 따위가) 새끼를 낳지 않게 되다.
horrendamente *adv.* 굉장히, 무섭게, 심하게.
horrendo, da *adj.* 두려운, 무서운, 처참한, 소름이 끼쳐지는 : cometer un crimen ~.
hórreo *m.* 고가식 곡창(granero).
horrero *m.* 곡창지기.
horribilidad *f.* 무서움, 굉장함.
horribilísimo, ma *adj. sup.* horrible.
horrible *adj.* =**horrendo.**
horriblemente *adv.* 무섭게, 두렵게, 굉장히, 심하게.
horridez *f.* 무서움, 굉장함.
hórrido, da *adj.* =**horrendo.**
horrífico, ca *adj.* 무서운, 굉장한(horrible).
horripilación *f.* 전율 ; 한속, 오한, 소름.
horripilante *adj.* 무서운, 소름이 끼쳐지는, 한속기가 드는, 오싹해지는.
horripilar *tr.* (추위 · 공포로) 오한이 들다, 오싹하게 만들다, 몸을 떨게 만들다, 소름끼치게 하다, 무섭게 만들다 : Ese cuento *horripila* 그 이야기는 소름이 끼치게 한다.
~se 소름이 끼치다, 오싹하다, 몸이 떨리다.
horripilativo, va *adj.* 오한이 드는, 몸을 떨게 하는.
horrisonante *adj.* =**horrísono.**
horrísono, na *adj.* 굉장한 ; 울려 퍼지는 : ~ trueno 울려 퍼지는 천둥 소리.
horro, rra *adj.* ① 해방된 (노예) ; 자유로운, 방해되는 것이 없는 (libre, exento). ② 낳은 (말 · 양 따위) ; 집에서 키운. ③ 도중에 꺼지기 쉬운 (담배). —*m.* 《*Amér.*》 저축(ahorro).
horrizonado, da *adj.* 소름끼치는, 벌벌 떠는.
horror *m.* [*lat.* horror] ① 공포 : dar ~ 오싹하게 만들다. Ella palideció de ~ 그녀는 공포로 얼굴이 창백해졌다. ② 혐오, 증오 : tener ~ al mal 악을 증오하다. tener en ~ 《*Galic.*》 …을 증오하다. El tiene ~ a la guerra 그는 전쟁을 증오한다. ③ 잔인한 일(atrocidad).
horrorizar *tr.* ⑨ 무섭게 만들다, 벌벌 떨게 만들다(causar horror).
~se 소름이 끼치다, 벌벌 떨다 : El *se horrorizó* al ver un cadáver 그는 시체를 보고 소름이 끼쳤다.
horrorosamente *adv.* 무섭게, 굉장하게.
horroroso, sa *adj.* 무서운, 두려운 ; 굉장한 ; 추악한, 보기흉한 : pintura ~*sa* 보기 흉한 그림.
horrura *f.* ① 먼지 ; 찌꺼기(basura). ② 【광물】 광재(鑛滓).
hors-d'œuvre *m.pl. fr.* =**platillos, entremeses** [*N.* 발음 : ordevr].
hortal *m.* 《*Ar.*》 =**huerto.**
hortaliza *f.* 야채, 채소(legumbre).
hortatorio, ria *adj.* =**exhortatorio.**
hortecillo *m.* [*dim.* huerto] 조그마한 과수원, 야채밭, 채전(菜田), 남새밭.
hortelano, na *adj.* 밭의. —*m.f.* 원예가 ; 원예가 부인. —*m.* 【조류】 (서반아산의) 촉새 · 멧새무리.
hortense *adj.* 밭의 ; 원예의 : cultivo ~ 원예 경작.
hortensia *f.* 【식물】 수국(水菊), 자양화(紫陽花).
hortera *f.* 종바리. —*m.* (마드리드에서) 점원.
hortícola *adj.* 【남 · 여 동형】 원예의 ; 야채 재배의 : ciencia ~ 원예학.
horticultor, ra *m.f.* 원예가.
horticultura *f.* ① 원예 : La ~ está muy desarrollada en Holanda 원예는 화란에서 매우 발전되어 있다. ② 야채 재배.
hortolano *m.* =**hortelano.**
horuelo *m.* 《*Ast.*》 (서반아 북부에서 축제일의) 젊은 남녀의 집회소.
Hos. Hermanos 형제 상회.
hosanna *m.* 기쁨의 노래 ; 사순절 마지막 일요일에 부르는 찬미가.
hosco, ca *adj.* ① 인정스런 데가 없는, 무뚝뚝한. ② 언짢은(ceñudo, intratable) : semblante ~ . ③ 가무잡잡한(de color moreno obscuro).
hoscoso, sa *adj.* 까끌까끌한 ; 털이 붉은.
¡hospa! *interj.* 《*Sant.*》 =**¡oxte!**
hospedado, da *adj.* hospedar의 *p.p.*
hospedador, ra *adj.m.f.* 투숙 · 숙박하는 (사람).
hospedaje *m.* ① 숙박(료) : pagar poco ~ 숙박료를 거의 지불하지 않다. Tomó ~ en una posada 그는 어떤 여인숙에서 숙박했다. ¿Cuánto es el ~? 숙박료는 얼마입니까? ② 환대.
hospedamiento *m.* =**hospedaje, alojamiento.**
hospedante *adj.* 숙박 · 투숙하는.
hospedar *tr.* [*lat.* hospitari] 투숙시키다, 숙박시키다 : *Hospedamos* a un amigo 우리들은 친구

를 숙박시켰다.

~se 숙박하다, 묵다, 유(留)하다, 기숙하다 (alojarse) : ¿Dónde *se hospeda* usted? 어디서 숙박하십니까? Voy a *~me* en una pensión 여인숙에서 숙박할렵니다.

hospedería *f.* ① (수도원의) 객실 ; 접대하는 방 ; 여관. ② 숙박(hospedaje).

hospedero, ra *m.f.* 하숙집 주인 ; 여관 주인 ; 접대역.

hospiciano, na *m.f.* (양로원 등의) 피수용자.

hospiciante *m.f.* 《*Col. Méx.*》 =**hospiciano.**

hospicio *m.* [*lat.* hospitium] 무료 숙박소 ; 고아원 ; 양로원, 양육원, 숙박소.

hospital *m.* [*lat.* hospitalis] ① 병원 : ~ de niños 어린이 병원. ② 의료원 ; 자선 시설, 양육원, 구호소. ③ 가난한 친척(parientes pobres).
~ de campaña 야전 병원. *~ de (primera) sangre* 야전 병원(ambulancia de campaña) ; 구급 병원. *~ robado* 가구도 장식도 없는 텅 빈집. *buque ~* 병원선.

hospitalariamente *adv.* 자선으로; 친절하게, 극진히.

hospitalario, ria *adj.* ① 자선의. ② 친절한, 돈독한, 극진하게 대접하는.

hospitalero, ra *m.f.* 병원에 전속한 사람 ; 친절한 사람.

hospitalicio, cia *adj.* 자선의.

hospitalidad *f.* ① 친절한 접대, 환대, 후대, 예우(禮遇) : La ~ escocesa es proverbial 스코틀랜드 사람들의 환대는 속담격이다. ② (병원에의) 입원.

hospitalización *f.* 입원 (가료).

hospitalizar *tr.* ⑨ 입원시키다, 병원에 수용하다.
~se 입원하다.

hospitalmente *adv.* 후하게, 관대하게.

hospodar *m.* (콘스탄티노플의 군주의) 신하 왕자의 칭호.

hosquedad *f.* 어두움, 음울, 우울함 ; 퉁명스러움 ; 마음의 언짢음.

hostal *m.* 《*Ant.*》 여인숙(hostería).

hostelería *f.* 여관업, 호텔업 : escuela de ~ 호텔 학교.

hostelero, ra *m.f.* 여인숙 주인(dueño de hostería).

hostería *f.* 여인숙, 여관 ; (국영의 지방색을 살린) 숙박소 ; 요정.

hostia *f.* [*lat.* hostia] ① 희생(으로써 바치는 것). ② 성체(聖體), 성병(聖餠) 《성찬의 빵》. ③ 과자의 일종.

hostiario *m.* hostia 그릇.

hostiero, ra *m.f.* hostia 과자 제조인 · 장수.
—*m.* 성체 그릇(hostiario).

hostigador, ra *adj.m.f.* 매질하는 (사람).

hostigamiento *m.* 채찍질, 매질 ; 몰아세워 괴롭히기.

hostigar *tr.* ⑧ [*lat.* fustigare] ① 회초리로 때리다(azotar) : ~ el caballo 부아를 돋우다, 몰아세워 괴롭히다(perseguir). ③ 《*Amér.*》 싫증나게 만들다(empalagar).

hostigo *m.* ① 채찍질(latigazo). ② 비바람이 때리는 일. ③ 비나 바람을 정면으로 받는 벽.

hostigoso, sa *adj.* 《*Amér.*》 위에 부담을 주는 (empalagoso).

hostil *adj.* ① 적국의 ; 적성을 나타내는, 적대하는 ; 적의, 적의가 있는(contrario) : sentimiento ~ 적의(敵意). ② (무엇에) 반대하는, 반항적인.

hostilidad *f.* ① 적의, 적성, 적개심, 적대 (행위). ② 증오 (odio). ③ 반항, 항전(lucha).
—*pl.* 전투 행위, 교전 : romper las *~es* 전쟁을 시작하다, 싸움을 벌이다(empezar la guerra).

hostilización *f.* =**hostilidad.**

hostilizar *tr.* ⑨ 공격(ataque)하다, 적을 괴롭히다(molestar a los enemigos).

hostilmente *adv.* 적대하여.

hot money *m. ing.* 【주식】 핫머니 《국제 금융시장을 부단히 이동하는 단기 자금》.

hotel *m.* ① 여관, 호텔 : alojarse en el mejor ~ de Madrid 마드리드에서 제일 좋은 호텔에서 묵다. ② 주택 ; 저택 ; 분할식 주택 · 아파트.

hotelería *f.* 호텔 주인의 직업.

hotelero, ra *adj.* 여관의, 호텔의. **—***m.f.* 여관 주인, 호텔 경영자.

hotentote, ta *adj.* 호텐토트족 《아프리카 남부의 한 종족》의. **—***m.f.* 호텐토트족.

hoto *m.* 【고어】 바람, 기대, 신뢰, 믿음(confianza, esperanza).

hove *m.* 《*Ál.*》 =**hayuco.**

hovero, ra *adj.* 계란 밤색 털의(overo) : caballo ~.

hoy *adv.* ① 금일, 오늘 : *Hoy* hay fiesta 오늘 축제가 있다. *Hoy* es el primero de enero 오늘은 1월 1일이다. ② 지금, 현재(en el tiempo presente) : *Hoy* adelantan las ciencias de un modo prodigioso 현재 과학 분야는 경이적으로 발전하고 있다.
~ (en) día 오늘날.
~ por ~ 요즈음(actualmente).
de ~ a mañana 조속히, 한시라도 빨리, 곧(pronto).
de ~ más · en adelante 금후(今後), 오늘부터 (desde hoy).
por ~ 현재로는.

hoya *f.* ① 구멍 : plantar a ~ 구멍을 파서 심다. ② 묘, 무덤 : tener un pie en la ~ 무덤에 한 발 들여놓고 있다. ③ 분지(盆地). ④ 못자리(almáciga). ⑤ 소용돌이 구멍. ⑥ 《*AmérM.*》 유역 (cuenca fluvial).

hoyada *f.* 움푹 패인 땅, 구멍, 구덩이.

hoyador *m.* 《*Cuba.*》 =**plantador de madera.**

hoyanca *f.* 공동 묘지.

hoyanco *m.* 《*Col. Cuba.*》 구덩이.

hoyar *intr.* 《*Ant. Chile.*》 (나무를 심기 위해) 구덩이를 파다 ; 구멍을 뚫다.

hoyita *f.* 《*Chile. Hond.*》 =**hoyuela.**

hoyito *m.* 《*Cuba.*》 =**hoyuelo.**

hoyo *m.* ① 작은 구멍 : abrir un ~. ② 구덩이 ; 묘 구덩이. ③ 곰보, 곰보 자국 : los *~s* de las viruelas 천연두 곰보 자국.

hoyoso, sa *adj.* 구멍이 있는, 구멍투성이의 ; 곰보의.

hoyuela *f.* [*dim.* hoya] 작은 구멍 ; 목구멍.

hoyuelo *m.* [*dim.* hoyo] 작은 구멍 ; 턱의 오목 패인 곳 ; 보조개 ; 목의 들어간 곳.

hoz¹ *f.* [*lat.* falx] ① (날이 가늘고 구부러진) 낫.

hoz² *f.* 협곡(alfoz).
de ~ y de coz 인정 사정없이.
hozada *f.* 낫으로 때리기·베기; (낫으로) 한번 벨 수 있는·벤 분량.
hozadero *m.* (멧돼지가) 구덩이를 파놓은 자리.
hozador, ra *adj.* (돼지 따위가) 콧등으로 흙을 파는.
hozadura *f.* (돼지·멧돼지가 콧등으로) 구덩이를 파는 일.
hozar *tr.* 9 (돼지·멧돼지가) 콧등으로 흙을 파다 : El jabalí es aficionado a ~ 멧돼지는 콧등으로 구멍을 파기를 좋아한다.
HP., H.P. *ing.* Horse Power 마력(馬力)(caballos de fuerza·de vapor).
hp.[al] hospital.
h.s.a. hágase según arte 법에 따라 조제할 것.
hta. hasta …까지.
huaca *f.* 《*Amér.*》 고분(古墳); 땅에 묻힌 보물; 감춘 보물 : tener su ~ 몰래 숨긴 돈을 가지고 있다.
huacal *m.* ①《*Amér.*》 =**guacal.** ②《*Cuba.*》 틀에 넣은 짐.
huacalón, na *adj.* 《*Méx.*》 살이 찐, 토실토실한; 악을 쓰고 버티는.
huacamole *m.* 《*Amér.*》 =**guacamole.**
huacatay *m.* 【식물】 아메리카산 박하의 일종.
huaco *m.* ①《*Amér.*》 (고분에 있는) 토기, 우상(guaco). ②《*Bol.*》 도랑, 홈.
huachache *m.* 《*Perú.*》 모기의 일종.
huachafería *f.* 《*Perú.*》 시골 사람들; 중류층.
huachafo, fa *m.f.* 《*Perú.*》 아니꼬운 짓을 하는 사람, 뽐내는 데가 있는 사람.
huacho *m.* 《*Perú.*》 복권의 표.
huahua *m.f.* 《*Ecuad. Peru.*》 갓난아기.
huaico *m.* ①(안데스 산지의) 낙하암(落下岩). ②《*Chile.*》 구덩이, 패인 땅. ③《*Perú.*》 해일.
huaillaca *f.* 【악기】 (멕시코의) 구멍이 넷이나 여섯 개인 피리의 일종.
huaina *m.f.* 《*Perú.*》 젊은이.
huairo *m.* 【식물】 우아이로콩 《뻬루산의 강낭콩》.
huairona *f.* 《*Perú.*》 석회 가마.
huairuro *m.* ①《*Perú.*》 우아이로콩 《열매》. ②【은어】 순경.
huambra *f.* 《*Ecuad. Perú.*》 원주민·혼혈아의 어린이, 트기의 트기.
huanca *f.* 《*Venez.*》 토인의 대나무 피리의 일종.
huancara *f.* 볼리비아 토인의 북.
huando *m.* 《*AmérM.*》 =**guando.**
huango *m.* 에꾸아도르 토인 여자의 세 가닥으로 땋은 머리칼.
huano *m.* 《*Amér.*》 =**guano.**
huapango *m.* 《*Mex.*》 춤의 일종; 소란, 소동.
huaquear *tr.* 《*Perú.*》 (고분을) 발굴하다.
huaquero *m.* =**guaquero.**
huarache *m.* 《*Méx.*》 짚신, 샌들.
huarahua *f.* 《*AmérC.*》 거짓말, 농담.
huarapón *m.* (뻬루의 챙이 넓은) 맥고 모자(guarapón).
huara-puara *f.* 【악기】 우아라 뿌아라 《옛 Perú 잉카족의 돌피리》.
huaripa *f.* 《*Méx.*》 야자 잎 모자.
huaripampear *tr.* 《*Perú.*》 (적을) 번롱(翻弄)하다, 마음대로 가지고 놀다.
~se 《*Peŕu.*》 취하다.
huaro *m.* 《*Perú.*》 (조교식 다리의) 손잡이 줄.
huasca *f.* 《*AmérM.*》 가죽 채찍, 가죽끈.
huascazo *m.* =**guascazo.**
huasicama *m.f.* 《*Ecuad.*》 고용된 토인.
huaso, sa *adj.m.f.* 《*Chile. Perú.*》 =**guaso.**
huata *f.* 《*Perú.*》 배, 복부(barriga, abdomen).
huatia *f.* 《*Perú.*》 찐 식품.
huatía *f.* = **huatia.**
hube haber의 직·부정과거·1·단수.
hubiera haber의 접·불완료과거·1·3·단수.
hubierais haber의 접·불완료과거·2·복수.
hubiéramos haber의 접·불완료과거·1·복수.
hubieran haber의 접·불완료과거·3·복수.
hubieron haber의 직·부정과거·3·복수.
hubiese haber의 접·불완료과거·1·3·단수.
hubieseis haber의 접·불완료과거·2·복수.
hubiésemos haber의 접·불완료과거·1·복수.
hubiesen haber의 접·불완료과거·3·복수.
hubieses haber의 접·불완료과거·2·단수.
hubimos haber의 직·부정과거·1·복수.
hubiste haber의 직·부정과거·2·단수.
hubisteis haber의 직·부정과거·2·복수.
hubo haber의 직·부정과거·3·단수.
hucha *f.* ①큰 상자(arca grande) : una ~ de nogal 호두나무 상자. ②저금통; 헌금 상자(alcancía) : romper la ~. ③저금한 돈 : José tiene buena ~
huchear *intr.* 소리내다; (사냥에서 개가) 짖어대다.
¡hucho! *interj.* =**¡huchocho!**
¡huchochó! *interj.* 매사냥을 할 때 부르는 소리.
huebra *f.* 두 마리의 소가 하루에 가는 땅; 하루일(yugada); 삯을 받고 빌려 주는 쌍두 노새; 휴경지, 공한지.
huebrero *m.* huebra의 임대인.
hueca *f.* ①(방추의) 바늘귀. ②《*Venez.*》 카르메라 구이.
huecadal *m.* =**oquedal.**
hueco, ca *adj.* ①빈, 비어 있는, 공허한, 소원한, 텅빈, 공동이 된 : El tronco del árbol está ~ 나무의 몸통이 텅비어 있다. ②오목한, 퀭한. ③푹신푹신한; 말랑말랑한 : tierra·lana *hueca* 말랑말랑한 땅·양모. ④굵고 탁한 목소리의 : voz *hueca* 굵고 탁한 목소리. ⑤허식을 부리는(vano) : hombre muy ~ 매우 허식을 부리는 사람. ⑥우쭐한 기분이 있는, 잔뜩 꾸미는. **—*m.*** 패인 곳, 틈새; 빈곳, 비어 있는 곳; (벽에 낸) 창문·출입구(의 공간).
huecograbado *m.* 【인쇄】 그라비아판, 그라비아 사진, 그라비아 인쇄.
huecú *m.* 《*Chile.*》(들어가면 나오지 못하는) 진수렁(lugar o sitio cenagoso).
huela oler의 접·현·1·3·단수.
huelan oler의 접·현·3·복수.
huelán *adj.* 《*Chale.*》 억지로 말린, 설마른.
huelas oler의 접·현·2·단수.
huele oler의 직·현·3·단수
huelen oler의 직·현·3·복수.

hueles oler의 직·현·2·단수.
huélfago *m.* (동물의) 폐기종(肺氣腫).
huelga *f.* ① 실업(失業). ② 휴업. ③【고어】놀이, 환락; 유람지. ④ 휴경(休耕). ⑤【기계】노는 틈. ⑥ 파업, 동맹 파업, 스트라이크 : ~ corta 단기 파업. ~ de brazos caídos 연좌 파업. ~ de hambre 단식 농성. ~ de poco rendimiento 태업, 조업 파업. ~ de protesta 항의 파업. ~ de simpatía·solidaridad 동정 파업. ~ de trabajo lento 태업, 사보타주. ~ espontánea 자발적 파업. ~ general 총파업. ~ no oficial 비공인 파업. ~ oficial 공인 파업. ~ organizada 조직적 파업. ~ patronal·de patrones 공장 폐쇄. ~ política 정치 파업. ~ simbólica 명목 파업. subsidio de ~ 파업 중의 수당금. declararse en ~ 파업을 선언하다. 파업에 돌입하다. Se pusieron en ~ 그들은 파업에 들어갔다. Se lanzaron a la ~ 그들은 파업에 돌입했다.
huelgo *m.* ① 휴식, 쉬기(aliento). ② 벌어진 틈; (기계의) 노는 틈. ③ 휴게 : tomar ~ 한숨 돌리다, 쉬다. ④《*And.*》기쁨, 즐거움(gusto, placer).
huelgue- → **holgar** 24 8.
huelguear *intr.*《*Perú.*》쉬다, 파업하다.
huelguista *m.f.* 동맹 파업자, 스트라이크 참가자.
huelguístico, ca *adj.* 스트라이크의, 파업의.
huelo oler 의 직·현·1·단수.
Huelva *f.*【지명】우엘바주·시《서반아 남부 대서양 가까운 강어귀에 있음》.
huelveño, ña *adj.* 우엘바의. —*m.f.* 우엘바 사람(onubense).
huella *f.* ① 발자국 : seguir las ~*s* de la caza. ② 흔적, 자국, 발자취 : ~ dactilar·digital 지문 자국. ~ de sonido 영화의 사운드 트랙. Se detuvo el asesino por sus ~*s* dactilares 살인범이 지문 때문에 체포되었다. En el Perú y Bolivia hay muchas ~*s* de la cultura incaica 뻬루와 볼리비아에는 잉카 문화의 발자취가 많다. ③ (계단의) 층계. ① 자동차 타이어의 접지면(接地面).
a la ~ 뒤에서, 뒤따라.
huello *m.* ① 발에 닿는 감촉. ② 발판 : camino de mal 발판이 나쁜 길. Esta senda tiene buen ~ 이 샛길은 발판이 좋다. ③ (말이 걷는) 걸음새. ④ 발굽의 뒤축. ⑤ 통행, 통로.
huemul *m.*【동물】(칠레산의) 사슴의 일종. (güemul).
hueñi *m.*《*Chile.*》① 아라우까인(araucanos)의 어린이. ② 급사, 심부름하는 아이. ③ 흑인의 급사. ④ (여자에 대해) 좋은 사람.
huerca *f.*【은어】사직, 경찰.
huerco *m.*【고어】지옥(infierno); 죽음, 사신(死神).
huérfago *m.* =**huélfago.**
huerfanato *m.* 고아 수용소(orfanatorio).
huérfano, na *adj.* ① 부모가 없는; 아무도 돌보아 줄 수 없게 된 : Quedó ~*na* la ciudad. ②【시어】자식을 잃어 버린. —*m.f.* ① 고아 : casa de ~*s* 고아원. ②《*Amér.*》버린 아이(expósito).
huero, ra *adj.* ① 실속 없는. ② 비어 있는(vacío) : cabeza ~*ra*. ③ 헛된, 공연한(vano). ④《*Amér.*》부패된, 썩은(podrido) : huevo ~ 무정란. ⑤《*AmérC. Méx.*》금발의(rugio).
salir ~ 실패로 끝나다, 실패하다(fracasar, salir mal).
huerta *f.* 과수원, 야채밭; (발렌시아·무르시아 지방의) 경작지《huerto보다 큼》: la ~ de Valencia.
huertano, na *adj.* (발렌시아나 무르시아 지방의) 경작 지대의. —*m.f.* 경작 주민.
huertero, ra *adj.*《*Chile.*》원예의(hortense). —*m.f.*《*AmérM.*》원예가, 야채 재배인(hortelano).
huertezuela *f. dim.* huerta.
huertezuelo *m. dim.* huerto.
huerto *m.* 과수를 심은 곳; 야채밭《huerta보다 작음》.
huesa *f.* 무덤, 묘(sepultra) : tener un pie en la ~.
huesarrón *m. aum.* huesa.
Huesca【지명】우에스까《서반아의 주·시》.
huesear *intr.*《*Méx.*》(인쇄 관계에서) 종사하다. —*tr.*《*AmérM.*》구걸하다(mendigar).
huesecillo *m. dim.* hueso.
huesera *f.*【방언】《*Chile.*》납골소(osario).
hueserío *m.*《*Perú.*》팔리지 않는 물건.
huesero, ra *m.f.* ①《*AmérC.*》구직자. ②《*Méx.*》식자공. —*m.*《*Perú.*》납골당.
huesezuelo *m. dim.* hueso.
huesillo *m.* [*dim.* hueso]《*AmérM.*》말린 복숭아 (durazno seco) : El ~ constituye un objeto de gran comercio.
huesista *m.*《*AmérC.*》관리, 공무원.
hueso *m.* [*lat.* es, osis] ① 뼈 : ~ innominado 무명뼈. ~ paloma 꽁무니뼈, 꼬리뼈, 미골(尾骨), 미저골(尾骶骨). ② (복숭아 등의) 핵, 씨; 석회 안에 들어 있는 타다 남은 돌맹이. ③ 골치 아픈 일, 어려운 일, 귀찮은 일 : A Juan no le tocan más que ~*s*. ④ 은밀한 후원자. ⑤ 헛된 일. ⑥《*Méx.*》직무(empleo). ⑦ (인쇄의) 원고. ⑧《*Amér.*》공직.
~ *colorado*《*Méx.*》북풍.
estar en las ~*s* 뼈와 가죽만 남았다.
la sin ~ 혀 : soltar *la sin* ~ 지껄여 대다; 욕설을 퍼붓기 시작하다.
no dejar ~ *sano, roer los* ~*s* 남의 소문을 퍼뜨리다, 험담을 하다.
tener molidos los ~*s* 피곤해서 녹초가 되다.
huesoso, sa *adj.* 뼈의, 뼈같은(óseo) : tumor ~ 뼈의 종양.
huésped, da *m.f.* ① 손님, 나그네, 하숙인, 기숙인 : casa de ~*es* 기숙사, 하숙집. cuidar a *sus* ~*es* 손님을 시중들다. ②【고어】주인, 하숙집 주인(mesonero, posadero).
no contar con la huéspeda 예기치 않은 장애에 부딪치다(tropezar con un obstáculo impensado).
huéspede *m.*【속어】=**huésped.**
hueste *f.* ① 군대, 군세(軍勢)(ejército, tropa). ② (어떤) 운동 단체.
huesudo, da *adj.* 뼈가 앙상한, 뼈가 많은(que tiene mucho hueso) : animal ~ 뼈가 앙상한 동물.
hueteño, ña *adj .m.f.* 우에떼《Huete, Cuenca 주의 도시》의 (사람).

hueva *f.* (물고기의) 알, 어란(魚卵).

huevada *f.* ①《*AmérM. Ant.*》 [집합] 알. ②《*Chile. Perú.*》 터무니없는 소리, 헛소리(disparate).

huevar *intr.* 알을 낳기 시작하다.

huevera *f.* 계란을 파는 여자 ; 계란 장수 아내 ; (새의) 수란관 ; 알을 담는 그릇.

huevería *f.* 계란 가게.

huevero, va *m.f.* 계란 장수. —*m.* 알을 담는 그릇(huevera).

huevezuelo *m. dim.* huevo.

hueviar *tr.* ⑪ 《*AmérC.*》 훔치다, 얌생이짓을 하다.

huevo *m.* [*lat.* ovum] 알, 계란 : poner ~ 알을 낳다. ¿Cómo quiere usted el ~? 계란을 어떻게 원하십니까?

~de Colón · de Juanelo 알고 보면 아주 쉬운 일. ~ ***duro*** 삶은 계란. ~ ***pasado por el agua*** 반숙란. ~ ***estrellado*** 튀긴 계란. ~ ***revuelto*** 저어서 구운 계란. ~ ***moles*** 설탕 넣은 노른자. ~ ***tibio*** 《*AmérC. Méx.*》 반숙 계란. ***yema de*** ~ 계란 노른자. ***parecer como un*** ~ ***a una castaña*** 완전히 다르다.

El que quiera ~s, que aguante los cacareos 【속담】 계란을 원하는 자는 닭이 울 때까지 기다려라 ; 매사에 서둘지 마라.

huevón, na *adj.* ①《*Chile.*》 난폭한 ; 비겁한. ②《*Perú. Venez.*》 어리석은. ③《*AmérC. Méx.*》 게으른, 태만한. —*m.f.* 난폭자 ; 비겁한 사람 ; 게으름뱅이.

¡huf! *interj.* 피로 · 권태를 나타내는 감탄사(¡uf!).

hufanda *f.* 《*Chile.*》 목도리, 머플러(bufanda).

hugonote, ta *adj.* 칼빈교 《16—17세기경 불란서의 신교, 신학자 Juan Calvino가 창시》의. —*m.f.* 칼빈 교도(calvinista).

¡huich! *interj.* 《*Chile.*》 이봐! 《놀려주거나 싸움을 붙일 때 쓰이는 감탄사》.

¡huiche! *intr.* =**¡huich!**

¡huichí! *interj.* 《*Chile.*》 썩 꺼져! (¡ox!).

¡huicho! *interj.* =**¡huichí!**

huichol *m.* 《*Mex.*》 모자.

huida *f.* 도망, 도주, 달아남(fuga) : 회피하는 일, 벗어나는 일 : ~ de capitales 자본의 도피.

huída *f.* 【고어】 =**huida.**

huidero, ra *adj.* 달아나기 쉬운. —*m.* (동물의) 도망쳐 숨는 곳.

huidizo, za *adj.* 빠르게 도망치는.

huido, da *adj.* 도망치는.

huidor, ra *adj.m.f.* 도망치는 (사람).

¡huifa! *interj.* 《*Chile.*》 멋있다! 《기쁨을 나타냄》.

huila *adj.* 《*Méx.*》 손발이 자유롭지 못한(tullido). —*f.* 《*Chile.*》 누더기, 넝마(harapo).

huilhuil *m.* 《*Chile.*》 [언제나 un을 붙임] 누더기를 걸친 사람 ; 한심한 친구.

huiliento, ta *adj.* 《*Chile.*》 누덕누덕한.

huilla *f.* 《*Venez.*》 코르크 마개.

huillín *m.* 《*Chile.*》 【동물】 수달피의 일종.

huillón, na *adj.* 《*Amér.*》 잘 달아나는(huidizo) [*N.* 더러 h를 발음함].

huilón, na *adj.* 《*Ecuad.*》 =**huidizo.**

huilte *m.* 《*Chile.*》 【식물】 식용 바닷말 · 해조(海操) · 해초(海草) 《cochayuyo의 어린 잎》.

huincha *f.* ①《*AmérM.*》 끈, 리본, 테이프, 줄자. ②《*Chile. Perú.*》 경마의 출발선. —*pl.* (던지는) 테이프.

huinche *m.* 《*Amér.*》 [*ing.* winch] 윈치 《화물을 감아 올리는 기계》.

huipil *m.* 《*AmérC. Méx.*》 여자의 속옷.

huiquilete *m.* 《*Méx.*》 【식물】 목람(木籃)(añil).

huir *intr.* ㉗ [*lat.* fugere] ① 달아나다, 도주하다, 도망치다 : Los prisoneros *huyeron* del campo de concentración 포로들은 포로 수용소에서 도망쳤다. ② 벗어나다. ③ 지나쳐 버리다, 빨리 지나가다 (alejarse con rapidez) : El invierno *ha huido* 겨울이 빨리 지나갔다. ④ 뒤도 안 돌아보고 가버리다.

—*tr.* (…에서) 벗어나다, 피하다.

~se 도망치다, 도주하다, 달아나 버리다.

~ ***el cuerpo*** 몸을 피하다(hurtar el cuerpo).

[직설법 현재 : huyo, huyes, huye, huimos, huís, huyen. 접속법 현재 : huya, huyas, huya, huyamos, huyáis, huyan. 직설법 부정과거 : hui, huiste, huyó, huimos, huisteis, huyeron. 현재 분사 : huyendo].

huír *intr.* 【고어】 =**huir.**

huira *f.* 《*Chile.*》 마끼(maqui)의 나무 껍질로 꼰 밧줄.

dar ~ 치다, 때리다.

huirica *f.* 《*Chile.*》 원한, 앙심.

huiro *m.* ①《*Chile.*》 해초(海草). ②《*Perú.*》 옥수수의 어린 풀.

huisachar *intr.* 《*AmérC.*》 언쟁하다, 말썽을 부리다.

huisachero, ra *m.f.* 《*Méx.*》 돌팔이 변호사 ; 대서인.

huito *adj.* 《*Perú.*》 꼬리가 없는.

hujier *m.* 문지기, 수위(ujier).

hulado *m.* 《*Hond.*》 고무칠을 한 천.

hulano *m.* (독일 등의) 창기병.

hule *m.* ① 생고무, 고무(caucho). ② 고무칠을 한 천. ③ (투우에서) 사상(死傷)의 사고 : Había ~. ④《*AmérC.*》 고무풀. ⑤ 자동차 타이어.

presentir el ~ 《*AmérC.*》 위험을 예감하다.

hulear *tr.* 《*AmérC.*》 (나무에서) 고무를 채집하다.

hulería *f.* 고무 재배원(plantío de hule).

hulero *m.* 《*AmérC.*》 고무 채집인.

hulla *f.* 석탄 : ~ blanca 전원(電源)으로서의 물. alquitrán de ~ 콜타르.

hullera *f.* 탄갱, 탄전.

hullero, ra *adj.* 석탄의 : mina ~*ra* 탄갱.

hulmán *m.* 【동물】 (인도의) 검은 원숭이.

huloso, sa *adj.* 《*AmérC.*》 고무 모양의.

¡hum! *interj.* [드뭄] =**¡huf!**

huma *f.* 《*Chile.*》 =**humita.**

humacera *f.* 《*Ant. Venez.*》 =**humareda.**

humacho *m.* =**humazo.**

humada *f.* 봉홧불, 신호의 연기(ahumada).

humadera *f.* 《*Amér.*》 humareda의 사투리.

humanal *adj.* 【아어】 =**humano.**

humanamente *adv.* ① 인간적으로, 친절히 : tratar ~ a un prisonero 포로를 인간적으로 대우하다. ② 인력으로는, 사람의 힘으로는 (según las fuerzas humanas) : Es ~ imposible 그것은 인력으로는 불가능한 일이다.

humanar *tr.* 인간답게 만들다 : ~ a un salvaje. **~se** 인간다워지다, 부드러워지다.

humanidad *f.* ① 인류, 인간. ② 인간성. ③ 인간애, 자애, 자비, 인도, 인정, 인자함, 친절 : tratar a un vencido con ~ 패자를 인도적으로 대우하다. ④ 비만, 비대 : Juan tiene gran ~. **—***pl.* 인문(과)학, (그리스, 라틴어) 고전 문학 (letras *humanas*) : estudiar ~.

humanismo *m* ① 인간성. ② 인본주의 ; 인류주의 ; 인문학. ③ 인문주의. ④ 인도주의.

humanista *m.f.* 인간성 연구자, 인본주의자, 인류주의자 ; 인문주의자 ; 인도주의자.

humanístico, ca *adj.* 인간성 연구의, 인본주의적인 ; 인문학의, 인문주의적인 ; 인도주의적인.

humanitarianismo *m.* 인도주의 ; 박애주의 운동 ; 박애.

humanitario, ria *adj.* 인간적인, 인도적인, 박애적인, 인도주의의, 자비심이 많은.

humanitarismo *m.* 인도주의, 박애 (정신).

humanización *f.* 인간다움, 인정, 자애.

humanizar *tr.* 77 인간답게 만들다 ; 교화하다, 인정있게 만들다.

~se ① 인간답게 되다, 사람·인간다워지다 (humanarse). ② 부드러워지다(ablandarse).

humano, na *adj.* ① 인간의, 인간적인 : ser ~ 인간. cuerpo ~ 인체. ② 인간다운, 인간에게 흔히 있기 쉬운. ③ 인정있는, 자애로운, 친절한 : Es una persona muy ~*na* 그는 인정미가 넘치는 사람이다. Contr. inhumano.

—*m.* 인간(ser humano).

humar *tr.* 《*Amér.*》 ① 담배를 피우다(fumar). ② 연기를 피우다, 그을리다(ahumar).

humarada *f.* =**humareda.**

humarasca *f.* 《*AmérC.*》 =**humareda.**

humarazo *m.* =**humazo.**

humare *m.* 《*Venez.*》 종다래끼.

humareda *f.* [집합] 무럭무럭 피어나는 연기.

humatán *m.* 《*Cuba.*》 =**borracho.**

humaza *f.* =**humazo.**

humazga *f.* 옛날의 세금.

humazo *m.* ① 짙은 연기, 검은 연기 : dar ~ 무럭무럭 연기를 피우다. ② (코·목에 느껴지는) 연기. ③ 연기를 피워 짐승을 몰아내기, 연기를 피워 죽이기·괴롭히기.

humeada *f.* 《*Amér.*》 =**fumada.**

humeante *adj.* 연기가 나는, 김이 나는 : plato ~ 김이 나는 요리.

humear *intr.* ① 연기를 내다(echar humo, desprender humo), 그을리다 : Las cenizas todavía *humeaban* 재는 아직도 연기가 나고 있었다. ② 김이 나게 하다. ③ 울컥울컥 나오다 : ~ la sangre. ④ (부아가 가라앉지 않고) 부글거리다, (부아가) 가라앉지 않고 있다. ⑤ 우쭐거리다, 잘난 체하다, 거드름피우다.

—*tr.* 《*Amér.*》 불로 그을리다(fumigar).

humectación *f.* 습함.

humectante *adj.* 습하게 하는, 적시게 하는.

humectar *tr.* [*lat.* humectare] 습하게 하다, 적시게 하다, 물에 적시다(humedecer).

humectativo, va *adj.* 젖게 하는. **—***m.* 습윤제 (濕潤製).

humedad *f.* ① 누기, 습기 : Protéjase contra ~ 습기 주의. ②【기상】습도.

sentir la ~ 《*Perú. Venez.*》 결과·인과 응보를 사무치게 알게 되다.

humedal *m.* 습지.

humedecer *tr.* 31 적시게 하다.

~se 적시다.

humedecido, da *adj.* 땀에 젖은, 적신.

húmedo, da *adj.* [*lat.* humidus] 물이 젖은, 질펀한, 습한, 습기찬 : compresa ~*da* 습포. paño ~ 젖은 천. Contr. seco.

humeón *m.* ① 연기를 피우는 숯. ② 연기를 내는 것. ③ 국과 식물의 일종.

humera *f.* ① 만취(borrachera). [*N.* h를 발음함]. ②《*PRico.*》 =**humareda.**

humeral *adj.* 상완(上腕)의 : músculo ~ 상완근육. **—***m.* (카톨릭 대주교의) 작은 두건이 달린 어깨에 걸치는 옷.

humero *m.* ① 연돌, 굴뚝. ②【식물】오리나무 (homero).

húmero *m.* [*lat.* humerus] ①【해부】상완골. ② 《*Perú.*》 =**palmera.**

húmico, ca *adj.* 부식토의.

húmido, da *adj.*【시어】=**húmedo.**

húmil *adj.*【고어】=**humilde.**

humildad *f.* [*lat.* humilitas] ① 겸손, 겸허, 스스로를 낮춤(sumisión) : practicar la ~. ② 얌전함 : ~ de garabato 겉으로 보기에 얌전함. ③ 천함, 비천(bajeza). ④ 비굴.

humilde *adj.* [*lat.* humilis] ① 겸손한, 겸허한, 얌전한 : Tiene un carácter muy ~ 그는 성격이 얌전하다. ② (높이가) 낮은. ③ 낮은, 천한, 비천한 : hombre de ~ condición 신분이 낮은 사람. Contr. orgulloso.

humildemente *adv.* ① 겸손하게, 겸허하게, 상냥스럽게 : responder ~. ② 비굴하게 ; 자신을 낮추어.

húmilmente *adv.* =**humildemente.**

humillación *f.* ① 창피를 줌, 수모, 모욕을 당함, 굴욕(afrenta) : sufrir una ~ 수모를 당하다. ② 수치, 굴욕감 ; 면목없음.

humilladero *m.* 마을 어귀·길옆에 있는 성상·십자가.

humillante *adj.* 굴욕적인, 창피스러운, 면목없는 : cometer una acción ~.

humillar *tr.* [*lat.* humilitare] ① 굴복시키다, 꼼짝못하게 하다 : ~ el orgullo de una persona. ②…에게 창피를 주다, 굴욕을·망신을 주다. ③(공경·겸허를 나타내기 위해 머리를) 수그리다, (무릎을) 꿇다, (눈을) 깔다, 굴하다 (bajar, redajar). **—***intr.* (투우가) 머리를 수그리다(bajar la cabeza el toro).

~se 몸·머리를 수그리다 ; 겸손해하다, 황송스러워하다 ; 스스로 자신을 낮추다 : (투우가) 머리를 수그리다.

humillo *m.* 자만, 거만, 오만, 오만 불순 (vanidad, orgullo).

humita *f.* 《*AmérM.*》 옥수수 만두. Sinón. tamal, hayaca, hallulla.

humitero, ra *m.f.* 《*Amér.*》 humita 제조인.

humo *m.* [*lat.* fumus] ① 연기 : dar ~ 연기를 뿜다. Por la ventana se veía salir el ~ 창문으로 연기가 나오는 것이 보였다. ② 김, 증기 (vapor). **—***pl.* ① 집, 세대, 가정(hogares) : un

pueblo de cincuenta ~*s* 50호의 마을. ② 자만, 거만, 오만(vanidad) : bajarle los ~*s* 우쭐한 콧대를 꺾어 주다. Yo le bajé a Juan los ~*s* 나는 후안의 우쭐한 콧대를 꺾어 주었다. Ella tiene muchos ~*s* 그녀는 무척 으시댄다.
a ~ de pajas 경솔하게.
al ~ 《*Riopl.*》 대충.
bajar**le a uno **los ~s (누구의) 콧대를 꺾어주다, 굴복시키다.
hacer ~ 가라는 시늉을 해 보이다.
pesar ~ 몹시 자세하게 캐다, 꼬치꼬치 캐다.
vender ~s 우쭐거리다, 뽐내다(jactarse, vanagloriarse).

humor *m.* [*lat.* humor] ① 기질, 성미(genio). ② 기분, 심정, 심기 : estar de buen · mal ~ 기분이 좋다, 나쁘다. ③ 기분이 좋음, 마음이 내키는 일 : seguir el ~ 누구의 비위를 맞추다. ④ 우스꽝스러움, 익살(jovialidad) : hombre *de* ~. ⑤ 《*Neol.*》 해학, 유머. ⑥ (혈액, 임파액 등의) 체액, 액; 분비물, 장액 : ~ ácueo 눈의 액체. ~ vítreo 눈의 유리액. ⑦ 수액(樹液) ; 국물 ; 고름, 농(膿).

humoracho *m.* [*desp.* humor] 신소리.

humorada *f.* ① 농담(broma, chiste) ; 재미있고 우스운 일. ② 책상. ③ 시인 Campoamor (1817 ~ 1901)가 쓴 2행 시.

humorado, da *adj.* [bien · mal +] 기분이 좋은 · 나쁜 : hombre mal ~.

humoral *adj.* 체액(성)의.

humorismo *m.* ① 해학, 풍자, 유머. ② 체액 병원설(體液病原設), 체액 병리학.

humorista *adj.* 해학의, 풍자적인 ; 체액 병리학파의. —*m.f.* 익살꾼, 해학가, 유머 작가 · 배우 ; 체액 병리학파에 속하는 사람.

humorísticamente *adj.* 익살맞게, 해학적으로.

humorístico, ca *adj.* 익살맞은, 유머가 풍부한, 우스운 : dibujo ~.

humorosidad *f.* 다즙(多汁), 다액(多液).

humoroso, a *adj.* 즙이 있는, 즙이 나오는.

humoso, sa *adj.* 연기가 나오는 ; 연기가 자욱한, 연기가 매운 ; 김이 나는.

humour *f. ing.* =**ironía.** [*N.* 발음 : júmur].

humus *m.* 【농사】 부식토, 퇴비(mantillo).

hunco *m.* 《*Bol.*》 장식이 없는 양모 뽄쵸(poncho de lana sin flecos).

hundible *adj.* 가라앉는, 가라앉기 쉬운.

hundido, da *adj.* 침몰한, 가라앉기 쉬운.

hundimiento *m.* 침몰, 함몰, 내려앉음 : el ~ de una casa.

hundir *tr.* ① 침몰시키다, 가라앉히다(sumergir) : *Hundiendo* en el mar grandes postes y sobre ellos construyen el templo 바다에 커다란 기둥을 가라앉혀 그 위에 사원을 건설했다. ② 깊숙하게 찌르다. ③ 납작하게 만들다, 꼼짝 못하게 만들다. ④ 붕괴시키다, 궤멸시키다.
~se ① 가라앉다 : La ciudad sigue *hundiéndose* a razón de trece a veinte centímetros por año 그 도시는 1년에 13센티에서 20센티미터 비율로 계속 가라앉고 있다. *Se hundió* en el barro hasta las rodillas 무릎까지 진흙에 빠졌다. ② 붕괴 · 궤멸하다, 침체하다 : Empezo a ~*se* su negocio por no atenderlo 그는 사업을 돌보지 않기 때문에 침체하기 시작했다. ③ 모르는 사이에 보이지 않게 되다. ④ (회의가) 혼란에 빠져 유회하다.

húngaro, ra *adj.* 헝가리의. —*m.f.* 헝가리 사람. —*m.* 헝가리말 : El ~ es un idioma uraloaltaico 헝가리말은 우랄알타이어의 하나이다.

Hungría *f.* 【지명】 헝가리.

huno, na *adj.* 훈 · 흉노 《los hunos, 중국 대륙 북방에서 일어나 서기 5세기 전에 동부 유럽을 침략한 한 민족》의. —*m.pl.* 흉노족.

¡hupa! *interj.* 《*Chile.*》 =**¡Vamos!**

hupe *f.* 불쏘시개.

hura *f* (머리에 나는) 종기.

huracán *m.* [카리브 지역의 토착어] (멕시코만의) 폭풍우, 태풍, 허리케인, 회오리바람.

huracanado, da *adj.* 폭풍우로 변한, 태풍 같은, 폭풍이 불 것 같은 ; 맹렬한.

huracanarse *r.* 폭풍우로 변하다.

huraco *m.* 【방언】 《*Amér.*》 구멍(agujero).

hurañamente *adv.* 비사교적으로.

hurañía *f.* 비사교성.

huraño, ña *adj.* 사람을 싫어하는, 비사교적인 (poco sociable) : muchacho ~ .

hure *m.* 《*Col.*》 흙 냄비.

hureque *m.* 《*Col.*》 구멍, 패인 곳(agujero).

hurera *f.* =**agujero.**

hurgador, ra *adj.* 휘젓는, 휘저어 찾는. —*m.* 부지깽이.

hurgamandera *f.* 【은어】 갈보, 매음부, 매음녀, 창녀, 매춘부.

hurgamiento *m.* 부추김, 사주; 휘저음.

hurgandilla *f.* 《*Hond.*》 부추기는 사람.

hurgar *tr.* ⑧ ① 불길이 일게 하다. ② 휘젓다 : ~ la lumbre 불을 휘젓다. ③ 사주하다, 부추기다(incitar).

hurgón *m.* 부지깽이 ; (칼로) 일격.

hurgonada *f.* ① 불을 휘저어 찾는 일. ② (칼 · 창으로) 찌르는 일(estocada).

hurgonazo *m.* hurgón으로 때리기.

hurgonear *tr.* (불을) 휘저어 찾다 ; 칼로 마구 찌르다.

hurgonero *m.* =**hurgón.**

hurgotear *tr.* 《*AmérM. Cuba.*》 =**huronear.**

hurguete *m.* 《*Chile.*》 호기심이 강한 사람.

hurguetear *tr.* 《*Chile.*》 =**rebuscar, hurgar.**

hurguillas *m.f.* 재촉이 심한 사람, 극성꾸러기.

hurgunero, ra *m.f.* 《*Chile.*》 =**hurgonreo.**

hurí *f.* (회교에서) 천국의 미희(美姬)(mujer hermosa del paraíso de Mahoma).

hurina *f.* 【동물】 (볼리비아의) 사슴(ciervo)의 일종.

hurón *m.* ① 【동물】 바위 족제비, 흰 족제비. ② 냄새 맡고 다니는 사람. ③ 비외교적인 사람, 남을 싫어하는 사람, 낯가림하는 사람(persona huraña) : vivir como un ~. ④ 《*Chile.*》 큰 광주리.

hurona *f.* 【동물】 바위 족제비의 암컷.

huronear *intr.* ① hurón으로 사냥하다. ② 무엇이나 알고 싶어하다, 냄새를 맡고 다니다 ; (남의 일을) 캐다.

huronera *f.* hurón의 굴 ; 숨은 곳 : No quiere salir de su ~.

huronero, ra *m.f.* hurón 사육자.
¡hurra! *interj.* [*alem.* hurrab] 만세!, 와!
hurraca *f.* 【조류】 까치(urraca).
hurraco *m.* (옛날 여자들이 머리에 꽂는) 장신구.
hurtadamente *adv.* 살짝, 살그머니, 몰래.
hurtadillas (a) *adv.* 살그머니(furtivamente, a escondidas) : hacer algo *a* ~ 살그머니 어떤 일을 하다.
hurtadineros *m.* 《*Ar.*》 =**alcancía, hucha.**
hurtado, da *adj.* hurtar의 *p.p.*
hurtador, ra *adj.* 훔치는, 사취하는. —*m.f.* 훔치는 사람.
hurtagua *f.* 바닥에 구멍이 나 있는 물뿌리개(regadera con agujeros en el fondo).
hurtar *tr.* ① 훔치다, 사취하다(robar) : ~ un portamonedas 지갑을 훔치다. ② 표절하다. ③ 피하다, 비키다(apartar) : ~ el cuerpo 몸을 피하다. El torero *hurtó* el cuerpo al toro 투우사는 소를 피했다.
~se 피하다, 숨다(desviarse, ocultarse) : *~se* a los ojos 눈길을 피하다.
hurto *m.* [*lat.* furtum] 도둑질, 사취, 절취 ; 표절 ; 도난품, 장물. **Sinón.** robo.
husada *f.* 물레 가락에 한번 감은 분량 : hilar una ~.
húsar *m.* (원래 헝가리의) 경기병(輕騎兵).
husentes *adj.* =**fusentes.**
husera *m.* 【식물】 참빗살나무(bonetera)
husero *m.* 어린 사슴의 뿔.
husillero *m.* 회전 굴대 직공.
husillo *m.* ①【기계】 나선축, 축, 회전굴대 : cabezal del ~ 선박의 주축 메틸. ② 배수구.
husita *adj.* 후스《Juan de Hus(1369－1415), 보헤미아의 종교 개혁자》파의. —*m.f.* 후스파 사람.
husma *f* 냄새를 맡고 다니기(husmeo).
andar a la ~ 남의 뒤를 캐고 다니다(andar averiguando cosas ajenas).
husmar *tr.* =**husmear.**
husmeador, ra *adj.* 남의 뒤를 캐는. —*m.f.* 남의 뒤를 캐는 사람.
husmear *tr.* ① 냄새를 맡다(oler olrafear). ② (남의 뒤를) 캐고 다니다(indigar, oliscar, averiguar) : andar *husmeando* 남의 뒤를 캐고 다니다. —*intr.* (썩기 시작해서) 냄새가 고약해지다(empezar a oler mal las carnes) : Esta perdiz *husmea* ya.
husmeo *m.* =**husma.**
husmo *m.* 썩은 고기 냄새, 썩은·썩는 냄새.
andarse al ~ =husmear.
estar al ~ 기회를 노리고 있다(estar acechando la ocasión de hacer algo).
huso *m.* [*lat.* fusus] ① 북, 방추(紡錐) ; 실패. ② 실패 모양으로 된 것. ③ 긴 마름모꼴. ④ (비행기의) 동체, 기체(機體).
~ *horario* 시간대(時間帶).
huta *f.* 사냥꾼이 숨는 움막.
hutía *f.* (서인도산의) 들쥐의 일종 : La carne de la comestible. [*N.* h를 발음함].
¡huy! *inter.* 고통스럽다!, 저런! 《놀라움》.
huy- → **huir** 77.
huya huir의 직·현·1·3·단수.
huye- → **huir** 77.
huyen huir의·직·현·3·복수.
huyendo huir의 현재 분사.
huyente *adj.* 도망치는, 달아나는, 사라지는, 깊숙히 숨은, 틀어박힌 : frente ~.
huyeron huir의 직·부정과거·3·복수.
huyes huir의 직·현·2·단수.
huyo huir의 직·현·1·단수.
huyó huir의 직·부정과거·3·단수.
huyón, na *adj.* 《*AmérC. Ant.*》 잘 달아나는.
huyuyo, ya *adj.* 《*Cuba.*》 =**huraño, salvaje, arisco.**
¡huyuyuy! *inter.* =**¡huy!**
Hz hertz.

I

i *f.* ① 이《서반아어 자모의 열 번째 문자(décima letra del abecedario castellano)》: La I es una de las vocales débiles I자는 약모음 중의 하나이다. ②【논리】특수 긍정 판단의 기호 : Ⅰ, Ⅸ는 로마 숫자에서 1, 9.
i griega 문자 y의 명칭.
i *conj.* 《*Chile. Perú.*》 =**y.** [*N.* 접속사 y대신 i를 씀].
i- *pref.* 「무(無)·불(不)·비(非)」를 뜻하는 접두어 : *i*legal.
-í *suf.* 아라비아계 형용사 어미 : israel*í*.
-ia *sup.* 라틴계 추상 명사 어미 : angust*ia*. falac*ia*.
-ía *suf.* ① 학문·기술·직업의 이름 : astronom*ía*. ② 공장, 가게 : librer*ía*. zapater*ía*. ③ 집합명사 : morer*ía*. ④ 형용사의 추상 명사화 : cortes*ía*, bizarr*ía*.
IADF Asociación Interamericana pro Democracia y Libertad 민주주의를 위한 자유 옹호 전미 연맹.
Iahvé *m.* =**Iahveh.**
Iahveh *m.* 여호와의 신(Jehová)의 별명.
IAN Instituto Agrario de Nicaragua 니까라구아 농업원 ; Instituto Agrario Nacional 《*Venez.*》 전국 농업 협회.
IANSA Industria Azucarera Nacional, S.A. 《*Chile.*》 국영 정당 회사.
IASI Instituto Interamericano de Estadística 전미 통계 협회.
iatrogénico, ca *adj.* 의사의 책임에 의한.
ib *m.* 《*Méx.*》 소형의 완두.
ib. ibídem.
iba ir의 직·불완료 과거·1·3·단수.
ibais ir의 직·불완료 과거·2·복수.
íbamos ir의 직·불완료 과거·1·복수.
iban ir의 직·불완료 과거·3·복수.
ibaró *m.* 【식물】 =**jaboncillo.**
ibas ir의 직·불완료 과거·2·단수.
IBEAS Instituto Boliviano de Estudio y Acción Sociales 볼리비아 사회 연구 활동 협회.
Iberia *f.* 【지명】 ① 이베리아《서반아·포르투갈 반도의 이름》. ② 현재의 Georgia에 해당하는 코카사스 남부 지방의 옛 이름.
ibérico, ca *adj.* =**íbero** : Península *ibérica*.
ibéride *f.* =**carraspique.**
iberio, ria *adj.* =**íbero.**
iberismo *m.* 이베리아적 성격 ; 이베리아 연구 ; 이베리아 반도 통일론.
ibero, ra *adj.* 이베리아의. —*m.f.* 이베리아 사람. —*m.pl.* 이베로 종족.
íbero, ra *adj. m.f.* =**ibero.**
Iberoamérica 【지명】 서반아와 포르투갈의 지배하에 있었던 아메리카 국가들의 총칭.
iberoamericano, na *adj.* 서반아계 아메리카의 ; 이베리아와 중남미간의. —*m.f.* 서반아계 아메리카인(hispanoamericano).
íbice *m.* (알프스·서반아 산악 지방의 야생의) 산양(cabra montés).
ibicenco, ca *adj.* 이비사섬 《발레아레스 군도의 섬 Ibiza》의. —*m.f.* 이비사 사람.
ibíd. ibídem.
ibídem *adv. lat.* ① 같은 장소에(en el mismo lugar). ② 같은 책·장·절에 《약어 ibíd., ib.》.
ibirá *m.* 《*Arg.*》 =**bromeliácea textil.**
ibirapitá *m.* 《*Arg.*》 목재용 콩과 식물(árbol leguminoso maderable).
ibis *f.* 【단·복수 동형】 【조류】 따오기 : ～ sagrado 검은 따오기.
ibiyáu *m* 《*Riopl.*》 【조류】 이비야우 《황갈색의 밤새》.
Ibiza *f.* 【지명】 이비사섬·시 《지중해 Baleares 군도의 섬》.
-ible *suf.* -er·-ir 동사에서 가능성의 형용사 : mover → mov*ible*, sufrir → sufr*ible*.
ibón *m.* (Pirineo 산지의) 호수, 못.
IBR Instituto de Bienestar Rural 《*Parag.*》 지방 복지 공단.
ibreño, ña *adj.m.f.* =**iberiense.**
ibseniano, na *adj.* 입센 《노르웨이의 극작가 Ibsen, 1828—1906》의 ; 입센 풍의.
ICA Ingenieros Civiles Asociados 《*Méx.*》 민간 기사 조합.
icaco *m.* (서인도산의) 매화나무의 일종(hicaco) : El ～ es originario de las Antillas.

ICAITI Instituto Centroamericano de Investigación y Tecnología Industrial 중미 산업 기술 조사원.
icáreo, a *adj.* =**icario.**
icario, rio *adj.* 이카로스(Icaro)의·같은 ; 너무 대담한, 무모한, 모험적인.
Icaro *m.* 【희랍 신화】 이카로스 《Dédalo의 아들 ; 납으로 붙인 날개로 하늘을 날았으나 너무 높이 올라, 태양열에 납이 녹아 바다에 떨어져 죽었다는 전설적 인물》.
icástico, ca *adj.* 자연 그대로의(natural) ; 꾸밈없이(sin adorno).
ICE Instituto Costarricense de Electricidad.
iceberg *m.* ① *ing.* 빙산. ② 무척 냉정한 사람.
ICETEX Instituto Colombiano de Estudios Técnicos en el Interior.
ichal *m.* icho의 풀밭.
ichintal *m.* 《*AmérC.*》 차요떼라(chayotera) 배의 뿌리.
echar el ～ 살이 찌기 시작하다.
icho *m.* 【식물】 이쵸풀 《안데스 지방의 화본과의 풀》.
ichu *m.* =**icho.**

ichuna *f.* 《*Perú.*》 =**hoz.**
-icia *suf.* 형용사·명사의 추상화 : avar*icia*, jus*ticia*.
-icio *suf.* 동사에서 명사·형용사 : serv*icio*. aliment*icio*.
-ición *suf.* -ir동사의 명사화 : abol*ición*.
-ico, ca *suf.* 「축소, 애칭」의 접미어 : Fermi*nico*.
icipó *m.* 《*Arg.*》 =**isipó.**
icneumón *m.* ①【동물】 고양이 족제비(mangosto). ②【곤충】 애벌.
icneumónidos *m.pl.* (애벌 모양의) 막시류 곤충과.
icnografía *f.* 평면도(법)(estereografía).
icnográfico, ca *adj.* 평면도의, 평면도 같은.
icón *m.* =**icono.**
I.C.O.N.A Instituto para la Conservación de la Naturaleza 자연 보존 협회.
icono *m.* [*gr.* eikôn] (그리스 교회의) 상(像), 성화(聖畵); 우상.
iconoclasia *f.* 성상·우상 파괴주의자, 미신 타파.
iconoclasta *adj.* 성상·우상 파괴주의의. —*m.f.* 성상·우상 파괴(주의자), 인습 타파주의자.
iconoclastia *f.* =**iconoclasia.**
iconógeno *m.* (사진의) 현상액.
iconografía *f.* 초상화법·연구; 성상 연구; 초상화집; 도해법.
iconográfico, ca *adj.* 초상화의.
iconólatra *adj.* 성상·성화 예배주의의. —*m.f.* 성상·성화 예배주의자 《Iconoclastas가 카톨릭 교도를 경멸한 말》.
iconolatría *f.* 성상 예배, 우상 숭배.
iconología *f.* 상징화; 화상 감정(畵像鑑定).
iconológico, ca *adj.* iconología의·에 관한.
iconómaco, ca *adj. m.f.* =**iconoclasta.**
iconomanía *f.* 미술품광(狂).
iconomaníaco, ca *adj.* 미술품광의.
iconometría *f.* 광화(光畵) 측정; 거리 측정법.
iconómetro *m.* 거리 측정 거울; (사진의) 파인더의 일종.
iconoscopio *m.* 아이코노스코프《텔레비전의 송상(送像) 장치의 한 부분으로, 상의 명암을 전류의 강약으로 바꾸는 장치》.
iconostasio *m.* (그리스교의) 성상 병풍.
icor *m.* [*gr.* ikhôr] ①【의학】 피고름 (sanie). ② 영액, 신의 피.
icoroso, sa *adj.* 농장성(濃漿性)의.
icosaedro *m.* 20면체 : ~ regular 정 20면체.
ICR Instituto de Colonización Rural 《*Salv.*》 농촌 개발 공사.
ICT Instituto de Crédito Territorial 《*Col.*》 토지 신용 협회.
ictericia *f.* 【의학】 황달; 밀 따위의 황화병.
ictericiado, da *adj.* 황달의. —*m.f.* 황달 환자.
ictérico, ca *adj.* 황달(성)의(ictericiado).
icterodes *adj.* ***tifus*** ~ 황열병(fiebre amarilla).
icteroideo, a *adj.* ictericia의.
ictíneo, a *adj.* 물고기 같은. —*m.* 잠수함.
ictiocola *f.* 민어 부레로 만든 아교(colapez).
ictiofagia *f.* 물고기를 먹음; 식어(食魚).
ictiófago, ga *adj.* 물고기를 먹는 : pueblo ~ 물고기를 즐겨 먹는 민족.
ictioideo, a *adj.* 물고기를 닮은. —*m.* 물고기 모양의 양서류.
ictiol *m.* 이시치올 《도포제(塗布劑)》.
ictiología *f.* 어류학(魚類學).
ictiológico, ca *adj.* 어류학의.
ictiólogo, ga *m.f.* 어류학자.
ictiosauro *m.* (고대 생물의) 어룡(魚龍).
ictiosis *f.* 【의학】 비늘 버짐.
ictus *m.* ①【시어】 강음, 양음, 장음. ②【의학】 발작 증상, 급발증 : ~ apoplético 졸중풍.
íd. ídem.
ida *f.* ① 가는 일, 가기 : billete de ~ y vuelta 왕복표. ~*s* y venidas 가고 옴, 왕래. A la ~, el viaje fue más agradable que a la vuelta 여행은 가는 것이 돌아올 때보다 더 즐거웠다. ②(검술에서) 찌르기, 치기(ataque). ③ 격렬함, 맹렬함, 사나움, 과격(ímpetu). ④ =**huella.**
IDAAN Instituto de Acueductos y Alcantarillados Nacionales《*Panamá.*》 수도 하수 설비 공단.
-idad *suf.* 3음절 이상의 형용사의 추상 명사화 : activ*idad*.
idala *f.* (모로코에서) 국경 수비.
idalio, lia *adj.* 이달리아 《미의 신 Venus에 바친 키프로스 섬 고대의 도시 Idalia》의; Venus신의.
idea *f.* [*lat.* idea] ① 생각, 상념 : asociación de las ~*s* 연상. Estaba contento con la ~ de poder ir 갈 수 있으리라 생각하고 기뻐했다. ② 의견, 견해(juicio) : ~ básica 기본적 견해. Tengo buena ~ de José 나는 호세에게 호감을 가지고 있다. mudar de ~ 생각을 바꾸다. ③ 이념, 사상 : ~*s* revolucionarias 혁명 사상. El era ardiente defensor de las ~*s* revolucionarias 그는 열렬한 혁명 사상의 수호자였다. ④ 관념(concepto) : ~ fija 고정·강박 관념. ~ general 개념. ~ innata 본질 관념. ⑤ 취향; 구상, 계획(plan, proyecto) : formar la ~ de un discurso 연설의 구상을 마무리하다. ⑥ 속셈, 의도(intento) : llevar ~ de casarse 결혼할 생각이다. El lleva ~ de robar el cuadro 그는 그 그림을 훔칠 생각이다. ⑦ 착상 : Es una buena ~ 그것은 명안(名案)이다. ⑧ 창의, 독창성(ingenio) : hombre de ~ 착상이 좋은 사람. ⑨ 생각하는 법, 머리 : hombre de ~*s* claras 생각이 분명한 사람. ⑩ [주로 *pl.*] 망상, 상념 : Le perseguía una ~ 그는 어떤 망상에 사로잡혀 있었다.
ideación *f.* 관념 형성·작용; 상상(력)(imaginación).
ideal *adj.* ① 이상의, 이상적인 : una belleza ~ 이상적인 미인. ② 관념적인, 상상의, 가공적인 : un personaje ~ 가공의 인물. **Contr.** real. ③ 관념론적, 유심론의, 관념에 관한. —*m.* 이상, 전형(典型) : Los artistas persiguen un ~ de belleza 예술가는 미의 이상을 추구한다.
idealidad *f.* 관념성; 이상적임, 관념적·이상적인 일. **Contr.** realidad.
idealismo *m.* ① 이상주의. **Contr.** realismo. ②【철학】 관념론, 유심론. ③ [집합] 이상.
idealista *adj.* 이상주의의; 관념·유심론의. —*m.f.* 이상주의자; 이상론자, 관념·유심론자.
idealización *f.* 이상화, 관념화.

idealizador, ra *adj.* 이상화하는. —*m.f.* 이상화하는 사람.

idealizar *tr.* 9 이상화하다, 이상적으로 생각하다 : Es preciso ~ mucho la vida para gozar la felicidad.

idealmente *adv.* 이상적으로; 관념적으로 : una obra ~ hermosa.

idear *tr.* ① 생각하다(pensar). ② 생각해 내다, 고안·연구하다(trazar, inventar) : El *ideó* un mecanismo para pelar fruta 그는 과일의 껍질을 벗기는 기계를 고안했다. ③ [+*inf.* : …하려고] 마음먹다 : ~ colgar 매달려고 생각하다.

ideario *m.* 이념, 주장, 생각(ideología) : ~ comunista.

ideático, ca *adj.* ①《*Amér.*》 미치광이 같은(loco). ②《*Hond.*》 착상이 좋은.

IDECOOP Instituto de Desarrollo y Crédito Cooperativo 《*Dom.*》 개발 협동 신용 조합.

idem *pron. adv. lat.* =**ídem.**

ídem *pron. adv. lat.* 동상(同上), 동전(同前)(lo mismo).

~ ***de*** ~ 정확히 같은(exactamente igual).

idénticamente *adv.* 똑같게, 마찬가지로; 같은 모양으로.

idéntico, ca *adj.* ① 똑같은, 동일한. **Contr.** diferente. ② 유사한, 닮은(semejante). **Contr.** desemejante. ③【수학】 항등의 : ecuación ~*ca* 항등식. —*m.* 동일인, 본인.

identidad *f.* [*lat.* identitas] ① 동일함, 일치, 동일성. ② 동일한 사람·물건; 본인인 것(의 증명) : comprobar la ~ 본인임을 증명하다. Me llamaron para atestiguar la ~ de ella 그녀가 동일인이라는 것을 증명하기 위해 나를 불렀다. ¿Tiene usted algún documento de ~? 당신은 본인이라는 것을 증명하는 서류를 가지고 있습니까? ③ 신분 증명 : placa de ~ 군대의 군번표. ④【수학】 항등식(ecuación idéntica).

identificable *adj.* 동일함을 증명할 수 있는, 동일시 할 수 있는.

identificación *f.* ① 동일한 것으로 보는 일; 동일인·물건·성(性)의 증명·확인 : carta de ~ 신분 증명서. los medios de ~ 신분 증명 방법. ② (시체의) 검증.

identificar *tr.* 7 ① 동일시하다. ② 동일성·동일인·동일물을 증명·입증·확인하다 : ~ la energía mecánica *con* la calorífica 운동 에너지가 열에너지와 동일함을 증명하다. ③ 신분을 증명하다. ④ 진짜임에 틀림없다고 확인하다 : *Identificó* a su esposa *por* el bolso 핸드백으로 자기의 아내임을 확인했다. ⑤【생물】 동속·동종으로 인정하다.

~se 같은 것이 되다; 같은 것으로 인정하다 ; 본인임을 증명하다; …와 행동을 같이 하다, …와 한패가 되다, 제휴하다 : actor que *se identifica* con su papel.

identifiqu- → **identificar** 7.

ideo, a *adj.* 이다의 산 《그리스의 여러 신들이 Troya 전쟁을 산꼭대기에서 바라보았다는 소 아시아의 산》의; 트로이의.

ideografía *f.* 표의 문자 연구; 표의 문자의 사용(법).

ideográficamente *adv.* 표의 문자로.

ideográfico, ca *adj.* 표의 (문자)의, 상형의 : escrituras ~*cas* 표의 문자.

ideograma *m.* 표의 문자, 상형 문자 : Los antiguos caracteres egipcios eran ~*s* 고대 이집트 문자는 상형 문자였다.

ideología *f.* ①【사회】 이데올로기. ②【철학】 관념론, 관념학. ③ 공리, 공론. ④ 사고 방식, 관념 형태, 이념, 사상 체계·형태(ideario) : ~ materialista 유물론적 사상 체계.

ideológico, ca *adj.* 관념학의; 관념학파의, 관념 형태의, 공론(空論)의; 사상적인.

ideólogo, ga *m.f.* 관념학자, 관념론자; 공론가, 몽상가(soñador).

ideoso, sa *adj.* 《*Guat. Riopl.*》 =**ideático.**

idílico, ca *adj.* 전원시의, 목가적인 : vida ~*ca.*

idilio *m.* ① 연애(시); 전원시, 목가, 전원 애정 소설. ② 달콤한 사랑(amor tierno).

idioeléctrico, ca *adj.* 마찰 대전성(摩擦帶電性)의.

idioma *m.* [*gr.* idiôma] ① 언어(lengua), 국어 : el ~ español 서반아어. El habla seis ~*s* 그는 6개 국어를 말한다. ② 말씨(lenguaje) : en ~ cortesano.

idiomático, ca *adj.* 어떤 언어 특유의 : dificultades ~*cas.*

idiopatía *f.*【병리】 특발증(特發症).

idiopático, ca *adj.* 특발증의.

idioplasma *m.*【생물】 유전질(遺傳質), 세포 원질.

idiosincrasia *f.* ① 특질, 특징, 개성 ; (그 사람) 특유의 표현법. ②【의학】 고유성, 특이 체질.

idiosincrásico, ca *adj.* 특유의; 특이질의 : Los carácteres ~*s* varían de un hombre a otro.

idioso, sa *adj.* 《*Bol. Guat. Méx.*》 미치광이 같은, 갈팡질팡하는.

idiota *adj.* [*lat.* idiota] 저능의, 백치의, 정신이 박약한, 우둔한 : una fisonomía ~. —*m.f.* 저능한 사람, 백치, 바보, 얼간이.

idiotez *f.* 백치; 바보 같은 일.

idiótico, ca *adj.* 관용구가 풍부한 (말).

idiotismo *m.* ② 무지(ignorancia), 무학(無學). ②【문법】 관용구 : 《a ojos vistas》 es un ~ del castellano.

idiotizar *tr.* 9 바보로 만들다.

ido, da *adj.* [ir의 *p.p.*] ① 얼이 빠진 ; 머리가 둔해진, 미련해진. ②《*Amér.*》 술취한.

-ido, da *suf.* ① -er·-ir 동사의 과거 분사 : comer → com*ido*. vivir → viv*ido*. ② 형용사 어미 : dolor*ido*. ③ 물건·동물의 울음 소리 : chirr*ido*, bram*ido*.

idólatra *adj.*【남·여 동형】 ① 우상 숭배의 : culto ~ 우상 예찬. ② 홀딱 반해 버린, (…에) 홀딱 빠져 버린 : ~ de una mujer. ③ (…에) 죽고 못 사는. —*m.f.* 우상 숭배자.

idolatrar *tr.* ① (우상을) 숭배하다·예찬하다(adorar ídolos). ② 몹시 사랑하다(amar excesivamente) : ~ a sus hijos. —*intr.* [+en : …에] 심취하다, 홀딱 빠져 버리다 : José *idolatra* a Pepita 호세는 뻬삐따를 열애하고 있다.

idolatría *f.* ① 우상 숭배 ; 사신·자연물 숭배. ② 맹목적 숭배, 심취. ③ 깊은 사랑(amor excesivo).

idolátrico, ca *adj.* 우상 숭배(적)인.

I

idolejo *m. dim.* ídolo.

ídolo *m.* [*gr.* eidôlon] ① 우상 : un ~ de porcelana. ② 귀여워하는 것 ; 숭배의 대상.

idolología *f.* 우상 연구.

idolopeya *f.* 고인의 말을 인용하는 일.

idoneidad *f.* 적응성, 적성, 능력.

idóneamente *adv.* 유효하게, 적절하게.

idóneo, a *adj.* ① 적응성 있는. ② [+para : …에] 알맞은, 어울리는, 적재 적소의, 적절한 (conveniente) : un hombre ~ *para* el empleo. ③ 유효한.

-idor, ra *suf.* 동사에서 행위자의 형용사 · 명사, 기구의 명칭 : abrir → abr*idor*.

idos 너희들 가버려라 《irse의 제2인칭 복수 명령형》. *—m.pl.* =**idus.**

idumeo, a *adj.* 에돔 《Idumea, 팔레스티나 남동쪽에 있던 고대의 작은 나라》의. *—m.f.* 에돔 사람.

-idura *suf.* =**-dura.**

idus *m.pl.* 그 달의 반이 되는 날 《옛 달력에서 3 · 5 · 7 · 10월의 15일, 다른 달의 13일》.

i.e. *adv. lat.* id est 즉, 다시 말하면.

-iego, ga *suf.* 소속 · 연관성의 형용사 : muje*riego*, sola*riego*.

IEME Instituto Español de Moneda Extranjera.

-iento, ta *suf.* 근사성의 형용사 : cenic*iento*.

IERAC Instituto Ecuatoriano de Reforma Agraria y Colonización.

IFE Instituto de Fomento Económico 경제 개발 공사.

IFI Instituto de Fomento Industrial 산업 개발 공사.

IGA Instituto Guatemalteco-Americano 구아떼말라 · 아메리카 협회.

igamole *m.* 《*Méx.*》【식물】거품풀 뿌리(amole)의 변종.

igarapé *m.* 《*Amér.*》 강의 옆 지류(rama lateral de un río).

igla., Igla. iglesia, Iglesia.

iglesia *f.* [*gr.* ekklêsia] ① (기독교의) 교회, 성당, 예배당 : ~ parroquial 신도 소속의 교회. ~ conventual 수도원 부속 교회. ② (종교〈단〉으로서) 교회 ; 교회 조직; 교파; 교권; 종교, 종파 : *Iglesia* Católica 카톨릭교. ~ Protestante 신교. ③ 그리스도교 : ~ primitiva 원시 그리스도교. ④ 카톨릭교 : los mártires de la ~ 천주교의 순교자. ⑤ (전) 그리스도 교도. ⑥ [집합] 성직자, 승려. ⑦ 승적, 성직. ⑧ 교권, 교회의 권력 · 세력.
~ ***mayor*** 주석 교회. ~ ***metropolitana*** 대주교 교회, 본당. ~ ***militante*** 전투 교단 《현세에서 악과 싸우고 있는 기독교인들》. ~ ***oficial*** 국교. ~ ***oriental*** 동방 교회, 카톨릭교. ~ ***purgante*** 죄를 씻기 위해 지옥에 떨어지는 죽은 사람들. ~ ***triunfante*** 하늘에 있는 신자.
cumplir con la ~ 부활절에 성체를 받다.
casarse por · detrás de la I- 【속어】 불륜 관계를 맺다, 정교를 맺다(amancebarse).

iglesieta *f. dim.* iglesia.

iglesuela *f. dim.* iglesia.

igloo *m.* =**iglú.**

iglú *m.* 에스키모의 집 · 오두막(choza de los esquimales).

ignaciano, na *adj.* 이그나시오 · 데 · 로욜라 《Ignacio de Loyola, 1491—1556》의; 혜수스 (Jesús)회 · 야소회의.

ignaro, ra *adj.* 무지한, 무식한, 무지 몽매한, 모르는(ignorante) : multitud *~ra* 무지한 대중.

ignavia *f.* 태만(dejadez, pereza).

ignavo, va *adj.* =**desidioso, indolente, apocado.**

ígneo, a *adj.* ② 불의; 불같은, 불 빛깔의. ③ 불로 생성된(producido por acción del fuego) : roca *~a* 화성암.

ignición *f.* ① 발화, 점화 (장치) : ~ prematura 조기 발화. ② 불꽃 : puente de ~ 불꽃 간극. ③ 연소(combustión). ④ 백열 : hierro en ~ 하얗게 단 쇠. un pedazo de carbón en ~ 하얗게 단 석탄 조각.

ignícola *adj.* 【남 · 여 동형】 배화교의. *—m.f.* 배화교 신자.

ignífero, ra *adj.* 【시어】 불을 뿜는.

ignifugar *tr.* ⑧ 내화성을 갖게 하다 : ~ un tejido.

ignífugo, ga *adj.* 내화성의 : utilizar un pintura *~ga*.

ignipotente *adj.* 【시어】 불에 강한.

ignito, ta *adj.* 불타고 있는(ígneo, ardiente).

ignívomo, ma *adj.* 【시어】 불 · 불꽃을 튀기는 ; 불을 뿜는 : cráter ~ 불을 뿜는 분화구.

Ign.º Ignacio.

ignografía *f.* =**icnografía.**

ignominia *f.* ① 면목 없음, 불명예, 수치, 모욕, 치욕 : sentir la ~ de una acción. ② 수치스러운 짓, 추행. Contr. gloria.

ignominiosamente *adv.* 수치스럽게, 모욕을 느끼고, 부끄러운 생각을 가지고, 치욕적으로 : ser despedido ~.

ignominioso, sa *adj.* 부끄러워해야 할, 창피스러운, 수치스러운, 면목 없는, 불명예스러운, 체면이 서지 않는 : La horca es un suplicio ~ 교수대는 치욕적인 체형이다.

ignorable *adj.* 모를 수 있는.

ignorancia *f.* 무지, 무식, 모름 ; 무학 : ~ supina 배우지 못함으로 인한 무지, 노력하지 않음으로 인한 무지. Contr. saber, ciencia.

ignorante *adj.* 무지한, 무식한, 배우지 못한 ; 모르는. Contr. sabio. *—m.f.* 무학자(無學者), 무식한 사람.

ignorantemente *adv.* 무식하게, 모르고, 부지중에, 무지한 탓으로.

ignorantismo *m.* 학문 무용론, 학문 유해론.

ignorantista *m.f.* 학문 무용론자.

ignorantón, na *adj. m.f.* 무지 몽매한 (사람).

ignorar *tr.* [*lat.* ignorare] 모르다, 알지 못하다 ; 모르고 있다 : *Ignora* las cosas más elementales 그는 가장 초보적인 것도 모르고 있다. *Ignoraba* lo que había sucedido 나는 무슨 일이 일어났는지 모르고 있었다. Nadie puede *ignorar*lo 그것을 모를 사람은 아무도 없다. *Ignoraba* que te habías cambiado de casa 네가 이사한 것을 모르고 있었다. Contr. saber.

ignoto, ta *adj.* [*lat.* ignotus] 미지의 : emprender un viaje a *~tas* tierras 미지의 곳에 여행을 떠하다.

igorrote *m.* ①(필리핀 루손섬의) 토착인. ② igorrote의 말. —*adj.* igorrote의.

igra *f.* 《*Col.*》 용설란으로 만든 배낭.

igual *adj.* [*lat.* aequalis] ① 같은, 똑같은, 동등한 : a partes ~*es* 등분으로. Que venga o no venga, me es ~ 그가 오건 오지 않건 나한테는 똑같다. Estaba encantado de poder jugar con los otros muchachos ~*es* a él 그는 그와 같은 다른 소년들과 놀 수 있어 즐거웠다. ② 동일한 : ~ remuneración por ~ trabajo 동일 노동 동일 임금. No he visto cosa ~ 이러한 일·것은 본 일이 없다. ③ 한결 같은, 평탄한, 반반한 (liso) : terreno ~ 반반한 땅. ④ 변함없는 (constante) : temperamento ~ 변함없는 기질. ⑤ 평등한, 대등한, 균등한, 차별하지 않는 : oportunidad ~ 기회 균등. La ley es ~ para todos 법은 만인에게 평등하다. ⑥ 평균된, 균형을 이룬.

—*m.* ① 같은 것·일 : Me daba ~ un sitio que otro 나에게는 어디나 다 마찬가지였다. ② 동배, 동족, 동료(급), 같은 또래. ③ 비교물 : sin ~ 비길 만한 것이 없는, 유례가 없는. ④【수학】 등호(=).

—*adv.* 같게, 동일하게(de la misma manera) : Baila ~ que canta 그녀는 노래 부르는 것과 마찬가지로 춤을 춘다.

al ~ 같게, 평등하게(igualmente).

al ~ ***que*** …와 같이.

de ~ ***a*** ~ 대등하게.

en ~ ***de*** …의 대신에 ; 하기는 커녕.

por (un) ~ 마찬가지로 ; …의 대신으로.

dar·ser ~ 상관없다(no importar).

iguala *f.* ① 같게 하는 일. ② 협정, 협약. ③ 계약 부담금, 협약금. ④ 수준기, 레벨.

igualación *f.* 동등화 ; 대등화 ; 고르게 하는 일 ; 일치, 협정(ajuste).

igualado, da *adj.* ① 깃털이 다 난 (새). ② 《*AmérC.*》 벼락 출세한. ③ 《*Méx.*》 촌스러운.

—*f.* =**empate.**

igualador, ra *adj. m.f.* 같은 (사람) : las teorías ~*ras* del socialismo.

igualamiento *m.* 같게 하는 일 ; 평등, 동등.

igualar *tr.* ① 같게·한결같이 하다(hacer igual) : ~ dos sumas. ② 고르게 하다, 고르다, 다지다(allanar) : ~ terrenos 땅을 고르다. ~ un camino 길을 고르다. ③ 똑같게 다루다·생각하다(juzgar igual) : ~ a dos personas 두 사람을 동등하게 다루다. Le *igualo* a su hermano 나는 그를 그의 아우와 똑같이 생각하고 있다. ④ 평등·동등하게 하다 ; 평균하다. ⑤ 협정하다, 결정하다, 약속하다 : ~ una compraventa 매매계약을 작성하다. —*intr.* [+a·con : …과] 똑같다 ; 필적하다 : *Iguala a·con* su hermano 그는 동생과 같다. Esta ciudad no *iguala con* aquélla 이 도시는 저 도시와는 필적할 수 없다.

~se ① 같다 ; 똑같이·마찬가지로 되다, 같아지다 : Los dos equipos *se igualaron* al final 두 팀은 끝에 가서는 같아졌다. ② 꼭 들어맞다, 일치하다 ; 협정하다.

igualatorio *m.* 협약에 의한 의사 협회.

igualdad *f.* ① 같음, 동등, 평등(화) : ~ de salarios (para hombres y mujeres) (남녀) 임금 균등화. ② 불변. ③ 평탄(llanura) : la ~ de un suelo. ④ 변덕이 없는 일. ⑤【수학】 등식.

igualitario, ria *adj. m.f.* 평등주의의 (사람).

igualmente *adv.* ① 같게, 마찬가지로 : Se vistió ~ que yo 그는 나와 같게 옷을 입었다. ② 평등하게, 차별없이, 균일하게. ③ 역시, 또한 (también).

iguana *f.* ① (멕시코의) 5현금(五弦琴). ②【동물】 이구아나 : La ~ es indígena de la América del Sur y su carne y huevos son comestibles.

iguánido, da *adj.m.* 이구아나 속의 (동물).

iguanodonte *m.*【고생】 금룡.

iguaria *f.* 맛있는 음식.

iguaza *f.* 《*Col.*》 물새의 일종.

igüedo *m.* 수산양(cabrón).

IHS *m.* [*lat.* Iesus hominum salvator] Jesús, salvador de los hombres 구세주 예수.

IICA Instituto Interamericano de Ciencias Agrícolas 전미 농업 과학 협회.

IIE Instituto Interamericano de Estadística 전미 통계 협회.

III Instituto Indigenista Interamericano 전미 원주민 협회 ; Instituto de Investigaciones Industriales 《*Méx.*》 산업 조사원.

ijada *f.* [*lat.* ilia] ① 옆구리. ② [드뭄] 옆구리의 아픔. **Sinón.** ijar, vacío.

ijadear *intr.* 헐떡거리다.

ijar *m.* =**ijada.**

-ijo, ja *suf.* ① 명사의 축소사 어미 : lagart*ijo*. ② 동사의 동작·결과 : amas*ijo*, revolt*ijo*.

ijujú! *interj.* 야! 《기뻐서 외치는 소리》.

-il *suf.* 소속·양태의 형용사 : femen*il*.

ilación *f.* ①【논리】 추리, 추정, 추론(推論) (inferencia). ② 연락, 관련. ③【문법】 상관 관계.

ILAFA Instituto Latinoamericano del Fierro y el Acero 라틴 아메리카 철강 협회.

ilama *f.* 《*Méx.*》 =**anona.**

ilapso *m.* 망아(忘我), 자실(自失).

ilativo, va *adj.* ① 추정적인, 추론의. ②【문법】 접속하는(continuativo) : conjunción ~*va* 접속하는 접속사 《conque, luego, pues 등》.

Ildef.º Ildefonso.

il.ᵉ Ilustre.

ilécebra *f.* 감언 이설(halago engañoso).

ilegal *adj.* 불법의, 위법의, 부정한, 비합법적인 : decreto ~.

ilegalidad *f.* 불법, 위법 ; 불법 행위.

ilegalmente *adv.* 불법으로, 위법적으로 ; 비합법적으로 : detener ~ a un acusado 용의자를 불법 체포하다.

ilegible *adj.* (문자 따위를) 읽기 어려운, 해독하기 어려운, 판독 불능의 : escritura ~ 해독 불능의 문자.

ilegislable *adj.* 입법 불가능한.

ilegítimamente *adv.* 불법으로, 부정하게.

ilegitimar *tr.* 위법으로 인정하다 ; 불합리하다고 하다 ; 사생아로 인정하다.

ilegitimidad *f.* 위법, 불법 ; 비합법 ; 서출(庶出) ; 사생(私生) ; 불합리.

ilegítimo, ma *adj.* ① 불법의, 비합법적인, 위법의 : conclusión ~*ma* 불법 체결. ② 사생의, 서출의 : hijo ~ 사생아.

I

ileíble *adj.* 《*Chile.*》 =**ilegible.**
íleo *m.* 【의학】 장폐색(volvo, vólvulo) : El ~ es una enfermedad gravísima 장폐색은 위독한 병이다.
ileocecal *adj.* 회장(回腸)과 맹장의.
íleon *m.* 【해부】 회장 ; 장골, 요골(ilión) : El ~ forma la cadera. Sinón. cuadril.
ilercavón, na *adj.m.f.* 일레르 까보니아 《Iler Cavonia, 현재의 Tarragona와 Castellón 주의 일부》의 (사람).
ilerdense *adj.* 일레르다 《Ilerda, Lérida의 옛 이름》의. —*m.f.* 레리다 사람(leridano).
ileso, sa *adj.* 다치지 않은, 무사한 : salir ~ del peligro 위험을 무사히 피하다.
iletrado, da *adj.* =**analfabeto.**
ilí *adv.* 【방언】 =**allí.**
iliaco, ca *adj.* ① 회장(回腸)(íleon)의 : hueso ~ 장골(腸骨). ② 트로이(Ilion Troy)의.
ilíaco, ca *adj.* =**iliaco.**
Ilíada *f.* 일리아드 《Homero가 지은 것으로 전해지는 Troya 전쟁을 읊은 서사시》.
iliberal *adj.* 째째하게 아끼는, 인색한 ; 옹졸한, 편협한 ; 교양없는, 저속한 : medida ~ 편협한 조치.
iliberitano, na *adj.* 일리베리스 《Iliberis, Iliberris, 현재의 Granada의 옛 이름》의. —*m.f.* 일리베리스 지방 사람.
iliberritano, na *adj.m.f.* =**iliberitano.**
ilicáceo, a *adj.* =**ilicíneo.**
ilicíneo, a *adj.f.* =**aquifoliáceo.**
ilícitamente *adv.* 불법으로 ; 불의를 저질러.
ilícito, ta *adj.* [*lat.* illicitus] 불법의, 부정한, 불의의, 불륜의 : comercio ~ 불륜의 교제.
ilicitud *f.* 불법, 부정, 불의, 불륜.
iliense *adj.* 트로이(Troya, Ilion)의. —*m.f.* 트로이 사람(troyano).
ilimitable *adj.* 무한한, 한없는, 끝이 없는, 광대한.
ilimitadamente *adv.* 무한히, 끝없이.
ilimitado, da *adj.* 무한(無限)의, 끝이 없는, 무제한의 : espacio ~ 끝없는 공간·우주. libertad ~*da* 완전한 자유. responsabilidad ~*da* 무한 책임.
ilión *m.* 【해부】 장골, 요골.
Ilion *m.* 전설의 Troya의 도시.
ilíquido, da *adj.* 미청산의, 미불(未拂)의 : deuda ~*da* 미불 부채.
ilírico, ca *adj. m.f.* =**ilirio.**
ilirio, ria *adj.* 일리리아 《Iliria, 유럽의 남동 지방》의. —*m.f.* 일리리아 사람.
iliterario, ria *adj.* =**no literario.**
iliterato, ta *adj.* 문맹의, 읽거나 쓸 줄 모르는, 무식한, 무지·무학의(iletrado). Contr. letrado, sabio.
Il.[mo, ma] ilustrísimo, ma.
-illo, lla *suf.* 축소사 어미 : pajar*illo*.
ilógico, ca *adj.* 불합리한, 비논리적인, 부조리한, 조리가 서지 않는.
ilota *m.f.* 스파르타(Esparta)의 노예 ; 시민권을 박탈당한 사람.
ilote *m.* 《*CRica.*》 =**elote de maíz.**
ilotismo *m.* 노예(인 일).
ILPES Instituto Latinoamericano de Planificación Económica y Social 라틴 아메리카 경제 사회 기획원.
iludir *tr.* =**burlar.**
iluminación *f.* ① 조명(도) : bomba de ~ 조명탄. ② 전기 장식(alumbrado). ③ 천계(天啓), 계시, 깨우침. ④ 계몽, 해명. ⑤ 템페라화(畵)의 일종.
iluminado, da *adj.* 조명된, 전기 장식된, 비추어진 ; 깨우친 ; 천계(天啓)를 받은. —*m.f.* 하늘의 계시를 받은 사람 ; 배신자(拜神者), 신통자(神通者) ; 환상가. —*m.pl.* 광명종 《하늘의 계시를 받았다고 자칭한 18세기의 종교 결사》.
iluminador, ra *adj.* 비추는, 조명하는. —*m.f.* 채색자 ; 삽화가.
iluminante *adj.* 비추어 반짝이는.
iluminar *tr.* ① 밝게 하다, 비추다, 반짝이게 하다(alumbrar) ; 비추어 대다, (…에) 조명을 하다 : *Han iluminado* muy bien el estadio 스타디움은 조명이 매우 잘 되었다. ② …에 조명 장식을 달다 : ~ un edificio. ③ (사본 따위를) 색무늬·장식 글자 따위로 꾸미다 : Los antiguos manuscritos solían estar ricamente *iluminados.* ④ (그림이나 글자에) 채색하다. ⑤ 계발·계몽하다(ilustrar) ; 깨우치게 하다 ; 계시를 주다. ⑥ (지하수 등을) 찾아내다, 퍼올리다.
iluminaria *f.* =**luminaria.**
iluminativo, va *adj.* 밝게 하는, 조명의, 네온사인의, 전기 장식의.
iluminismo *m.* 천계교(天啓敎), 광명종(光明宗).
ilusamente *adv.* 허망한 생각으로.
ilusión *f.* [*lat.* illusio] 환각, 환영 ; 착각 ; (백일몽적인) 꿈, 허망한 기대 : vivir de ~*es* 꿈에 살다. hacerse·forjarse ~*es* 환영을 그리다. No se haga usted ~*es* sobre ese negocio 그 일에 너무 큰 기대를 하지 마십시오. Ella tiene ~*es* de casarse algún día 그녀는 언젠가 결혼할 꿈을 갖고 있다.
ilusionado, da *adj.* =**engañado.**
ilusionar *tr.* 환상에 젖게 하다, 착각을 일으키게 하다.
~se 환상을 그리다, 꿈을 품다 : *Me ilusiona* la idea de verla allí 나는 그곳에서 그녀를 만난다는 생각을 가슴에 품고 있다.
ilusionismo *m.* 곡예.
ilusionista *adj.* 곡예(사)의, 요술(사)의. —*m.f.* 곡예사, 마술꾼, 요술사(prestidigitador).
ilusivo, va *adj.* ① 착각을 일으키게 하는 ; 눈을 속이는, 착각하기 쉬운. ② 아무 쓸모없는, 공연한, 허망한.
iluso, sa *adj.* 허망한 생각을 품은, 속임수에 넘어간 ; 못된 길에 빠지기 쉬운.
ilusoriamente *adv.* 환각적으로 ; 허망하게.
ilusorio, ria *adj.* 사람을 현혹하는 ; 착각에 기인한 ; 착각하기 쉬운 ; 덧없는, 허망한(nulo) : hacer una promesa ~*ria* 꿈같은 약속을 하다.
ilustración *f.* ① 계발(啓發), 해명. ② (18세기의) 계몽 정신. ③ 학식, 교육 : Es un hombre de mucha ~ 그는 학식이 많은 사람이다. ④ 출중, 고명, 저명 ; 명사. ⑤ 삽화, 도해 ; 화보 : Las ~*es* del libro son muy buenas 그 책의 그림들은 매우 좋다. Las ~*es* son en un diccionario tan útiles como las definiciones 사전에서 삽화

는 수치만큼 유용하다.

ilustrado, da *adj.* ① 학식있는 : Es un hombre muy ~ 그는 굉장히 학식이 있는 사람이다. ② 삽화·도해가 들어 있는, 그림의 : libro ~ 그림책. tarjeta ~*da* 그림 엽서. Quisiera comprar una revista ~*da* 그림이 들어 있는 잡지를 사고 싶다.

ilustrador, ra *adj.* 반짝이게 하는 ; 두드러지게 하는. —*m.f.* 삽화가.

ilustrar *tr.* ① 계발·계몽하다, 교화하다 : El descubrimiento de la vacuna *ilustró* a Jénner 종두의 발견은 젠너를 교화했다. Le gusta ~se viajando 그는 여행을 하면서 자신을 개발하는 것을 좋아한다. ② 해명·해설·예증하다. ③ (…에) 삽화를 넣다, 도해하다, 그리다 : Ese pintor *ha ilustrado* este libro 그 화가는 이 책의 삽화를 그렸다. ④ 분명하게 하다 ; 유명하게 하다 ; 천계(天啓)를 주다(iluminar).
~se ① 유명해지다(llegar a ser ~). ② [+ sobre : …에 관해서] 알다, 깨닫다, 눈치채다.

ilustrativo, va *adj.* 실례가 되는, 예증이 되는.

ilustre *adj.* ① 뛰어난, 유명한, 저명한(insigne) : familia ~ 유명한 가족. El es un pianista muy ~ 그는 굉장히 저명한 피아니스트이다. ② [경어로서] 고명하신 : al ~ señor.
—*f.pl.* 【은어】 장화, 부츠(botas).

ilustremente *adv.* 고명하게.

ilustrísimo, ma *adj.* [*sup.* ilustre] 몹시 높은, 덕망이 많은. —*m.* 전하 《주교 등의 경칭》.

im- *pref.* 「무(無), 불(不), 비(非)」를 뜻하는 접두어 : *im*posible.

imagen *f.* [*lat.* imago] [*pl.* imágenes] ① 자태, 모양, 형상, 상 : Dios creó el hombre a su ~ 신은 자신의 모습과 닮게 인간을 창조했다. ② 그림자, 형상(形象). ③【심리】 심상(心像) (~ mental) : ~ accidental【심리】 잔상(殘像). ~ visual 시각 심상. ④ 상(像) : ~ real【광학】 실상. ~ virtual 허상. ⑤ 화상, 조상(彫像), 인형 : vestir *imágenes* 인형에 옷을 입히다 ; 결혼하지 않고 있다. ⑥ (예수와 성모의) 상, 화상 ; 우상 : culto de *imágenes* 우상 숭배. ⑦ 상징(símbolo) ; 화신, 전형(tipo). ⑧【수사】 비유적 표현, 비유(metáfora).

imaginable *adj.* 상상할 수 있는, 생각할 수 있는. [Contr.] inimaginable.

imaginación *f.* ① 상상(력), 공상(력) : El es un novelista lleno de ~ 그는 공상력으로 가득 찬 소설가이다. ② 구상(력), 창작력, 창조력(~ creadora). ③ 공상, 망상.

imaginar *tr. intr.* ① 상상하다. ② 생각하다(pensar, sospechar) : *Imagine* usted algo para resolver nuestro problema 우리의 문제 해결을 위해 무언가 생각하십시오. ③ 생각해 내다, 생각이 미치다.
~se 상상하다 : *Imagínese* usted la escena 그 장면을 생각해 보십시오.

imaginaria *f.* 【군사】 예비 부대, 보충대, 보충병력 ; 불침번.

imaginariamente *adv.* 상상해서, 가상해서.

imaginario, ria *adj.* ① 상상(상)의, 가공의, 가상의 : el enemigo ~ 가상 적국. ② 사실 무근의. ③ 성상(聖像)의. ④【수학】 허(虛)의, 허수(虛數)의 : número ~ 허수. [Contr.] real. —*m.f.* 성상(聖像) 조각가·화가.

imaginativamente *adj.* 상상력으로.

imaginativo, va *adj.* 상상(상)의, 상상적인, 상상력·창조력·구상력이 풍부한, 상상을 즐기는. —*f.* 상상력 ; 창작력, 창조력 ; 상식(sentido común) : No tiene ese hombre ninguna ~ 그 사람은 상식이 전혀 없다.

imaginería *f.* ① 그림 자수 : bordar de ~. ② 성상(聖像) 제작. ③ 수사적 표현, 문학적 형상(形象) : La ~ española es una de las más hermosas del mundo 서반아어의 수사적 표현은 세계에서 가장 아름다운 것 중의 하나이다.

imaginero *m.* 성상 조각가·화가.

imago *m.* 【곤충】 성충(成虫) ; (정신 분석에서) 성상(成像), 성형(成形).

imán[1] *m.* ① 자석 ; 자철(~ artificial). ② 매력(atractivo).

imán[2] [*ár.* iman] 마호메트교의 도사(導師), 회교국의 종교적 지도자의 칭호, (정치적) 지도자.

imanación *f.* 자화(磁化).

imanar *tr.* 자화(磁化)하다, 자기를 띠게 하다(magnetizar).

imanato *m.* ① 자력. ② imán이 통치하는 영토.

imantación *f.* =**imanación.**

imantar *tr.* =**imanar, magnetizar.**

imbabureño, ña *adj.m.f.* 임바부라 《Imbabura, Ecuador의 주》의 (사람).

imbebible *adj.* [드뭄] 마실 수 없는.

imbécil *adj.* ① 우둔한, 저능한, 천치의(tonto) : No seas ~ 바보짓 하지 마라. ② 심신 허약의·에 의한, 정신 박약의·에 의한 : crimen ~. —*m.f.* 천치, 저능아.

imbecilidad *f.* 저능, 우둔, 바보(idiotez) ; 어리석음, 정신 박약 ; 어리석은 언동. [Contr.] inteligencia.

imbécilmente *adv.* 어리석게, 바보스럽게.

imbele *adj.* 【시어】 전투할 능력이 없는, 힘없는.

imberbe *adj.* ① 수염이 나지 않은(sin barba). ② 아주 젊은(muy joven).

imbibición *f.* 흡수 : la ~ de una esponja.

imbíbito, ta *adj.* 《Méx.》 포함한, 함께 한(implícito).

imbira *f.* 《Riopl.》 임비라 《번여지과 식물》.

imbornal *m.* (갑판 등의) 배수구, 물매.

imborrable *adj.* 지우기 어려운, 끄기 어려운(indeleble) ; 기억에서 사라지지 않는 : impresión ~.

imbricación *f.* 【생물】 비늘 모양의 배열 ; 비늘무늬.

imbricado, da *adj.* 비늘 모양의.

imbricante *adj.* =**imbricado.**

imbroglio *m. ital.* [드뭄] =**embrollo.**

imbuir *tr.* [77] 스며들게 하다 ; 젖어 들게 하다·물들게 하다(infundir) : ~ *de*·*en* opiniones erróneas 틀린 생각을 가지게 하다.

imbunchar *tr.* 《Chile.》 =**embrujar.**

imbunche *m.* 《Chile.》 ① 갓난아기를 유괴해 가는 악마 ; 못생긴 어린아이. ② 저주, 주문. ③ 분규(enredo, lío, barullo) : armar un ~.

imbursación *f.* 《Ar.》 (추첨 구슬을) 상자에 넣기.

imbursar *tr.* 《Ar.》 =**insacular.**

imilla *f.* 《*Bol.*》 하녀(moza, criada, sirvienta).
imitable *adj.* 모방할 수 있는, 흉내낼 수 있는 ; 모방해야 할, 본보기가 되는 : objeto muy fácilmente ~ 매우 쉽게 모방할 수 있는 물건. Contr. inimitable.
imitación *f.* ① 흉내, 모조, 모방, 위조 : a ~ de …을 흉내내어, …을 본떠서. joyas (de) ~ 모조 보석. ② 가짜, 위조품, 유사품, 모조품.
imitado, da *adj.* 모조의, 위조의, 가짜의 ; 흉내낸, 모방한.
imitador, ra *adj.* ① 흉내 잘 내는 : El mono es muy ~. ② 모조하는, 모방 잘 하는 : espíritu ~. —*m.f.* 모방하는 사람.
imitante *adj. m.f.* =**imitador.**
imitar *tr.* ① 모방하다, 흉내내다 ; 모조하다, 위조하다 : El *imita* bien el sonido del gallo 그는 닭소리를 잘 흉내낸다. ② 본보기로 삼다(tomar por modelo) : ~ a *sus* antepasados 선조를 본보기로 삼다.
imitativo, va *adj.* ① 모방의, 모방적인 : las artes ~*vas* 모방 예술《회화 · 조각 등》.
imitatorio, ria *adj.* 모방의, 모방에 의한.
imóscapo *m.* 【건축】 (주각 부분의) 굵어진 부분.
imp. imprenta 인쇄(물).
impacción *f.* (탄환 등의) 꽂힘, 박힘.
impaciencia *f.* 초조, 성급, 안달, 조바심 : hacer un movimiento de ~.
impacientar *tr.* 답답하게 하다, 초조하게 만들다.
~se 답답해 하다, 안달하다, 조바심하다, 초조해 하다 : ~*se* por un retraso.
impaciente *adj.* 참을성이 없는, 성급한, 조바심하는 : ~ *con · de · por* la tardanza 늦어서 초조해 하는. Contr. paciente.
impacientemente *adv.* 안전부절 못하여, 답답한 듯이 ; 초조히, 초조한 듯이.
impacto *m.* ① (탄환의) 충격, 꽂힘, 박힘. ② 탄흔(彈痕) ; 흔적(huella) : Quedaron ~*s* de bala en el tronco de un árbol 나무의 몸통에 탄환 흔적이 남아 있었다. ③ 영향. ④ 충돌.
impagable *adj.* 지불 불능의.
impago, ga *adj.* 《*Arg. Chile.*》 미불의, 지불을 받지 못하고 있는 (사람). —*m.* 지불 거절 : ~ de un cheque 수표 지불 거절.
impala *m.* 【동물】 (아프리카산) 영양(gacela)의 일종.
impalpable *adj.* ① 만져서 느끼지 못하는, 미세한 : gasa ~. ② 무형의.
impaludismo *m.* 【의학】 말라리아 병, 늪지병.
impanación *f.* 성찬의 빵 안에 빵의 실질과 성체가 함께 있다는 루터파의 설.
impar *adj.* ① 홀수의, 기수의 : número ~ 홀수. ② 짝이 없는, 비길 만한 것이 없는(sin par). Contr. par.
imparcial *adj.* 공평한, 치우침이 없는. Sinón. ecuánime, objetivo.
imparcialidad *f.* 공평, 공정, 불편 부당.
imparcialmente *adv.* 공평하게, 치우치지 않고.
imparidad *f.* 《*Neol.*》 짝이 없음, 비길 만한 것이 없음.
imparidigitado, da *adj.* =**perisodáctilo.**
imparidígito, ta *adj.* =**imparidigitado.**
impartible *adj.* 나뉠 수 없는, 불가분의 ; 통고 · 통보할 수 없는.
imparticipable *adj.* 《*Galic.*》 =**incomunicable.**
impartir *tr.* ① 요구 · 요청하다, 원하다, 구하다 (solicitar) : ~ auxilio. ② 주다, 나누어 주다 (repartir) : El párroco *impartió* a todos la bendición 주지는 모두에게 축복을 내렸다. El maestro *impartió* instrucciones 선생님은 교육을 시켰다. ③ 통고하다 : *Hemos impartido* las instrucciones 우리를 지시를 내렸다.
impasable *adj.* 통행할 수 없는.
impasibilidad *f.* 무감각, 불감성, 무신경, 어떤 일에 동요하지 않는 일 : la mayor ~. Contr. susceptibilidad.
impasible *adj.* ① 아픔을 느끼지 않는, 무감각한, 감각이 없는 : ~ ante el dolor. ② 감정이 없는, 태평스러운, 냉정한 : Asistió ~ al incendio. Sinón. imperturbable.
impasiblemente *adv.* 태연히.
impasse *f. fr.* 막다른 골목 ; 난국, 곤경, 막다름 : Las negociaciones están en una "~" 사업이 곤경에 처해 있다.
impávidamente *adv.* 대담하게 ; 침착하게.
impavidez *f.* ① 대담, 침착. Contr. cobardía. ② 《*Amér.*》 뻔뻔스러움(frescura, descaro).
impávido, da *adj.* ① 대담한, 침착한. Sinón. impasible, impertérrito, imperturbable. ② 《*AmérM.*》 뻔뻔스러운, 철면피한, 낯가죽이 두꺼운.
impecabilidad *f.* 과오가 없는 일, 결점이 없음, 완전 무결.
impecable *adj.* ① 과오 · 결점이 없는(perfecto) : un vestido ~. Sinón. irreprochable. ② 완전한(perfecto) : verso ~. Contr. defectuoso.
impedancia *f.* 【전기】 교류 저항.
impedido, da *adj. m.f.* 손발이 부자유스러운, 불구가 된 (사람). Sinón. imposibilitado, inútil, tullido.
impedidor, ra *adj.* 방해하는. —*m.f.* 방해자.
impediente *adj.* =**impedidor.**
impedimenta *f.* 방해물 ; 여행용의 짐 ; 【군사】 고리짝.
impedimento *m.* ① 장애, 방해물(obstáculo) : constituir en ~ 장해가 되다. Una vez que nazca el niño, no habrá ~*s* para el viaje 일단 아이가 태어나면, 여행하는 데 장해물은 없을 것이다. Iré si no hay ~ 장애가 없으면 가겠다. ② 【법률】 혼인의 장해 : La minoría de edad es un ~ para ciertas actividades.
impedir *tr.* 42 [*lat.* impedire] ① 방해하다, 막다, 저지하다, 훼방 놓다(estorbar) : *Impidió* que maltrataran al perro 그는 사람들이 개를 못살게 구는 것을 못하게 했다. ② (길 · 운동을) 막다, 어렵게 하다(dificultar) : La cortina *impide* que pase la luz 커튼은 빛이 통과하는 것을 막는다.
impeditivo, va *adj.* 장해가 되는, 훼방이 되는, 방해가 되는 ; 저지시키는.
impelente *adj.* 추진하는 ; 몰아내는 · 몰아대는 (듯한).
impeler *tr.* [*lat.* impellere] ① 밀어내다, 밀어

대다 ; 추진하다 : El viento *impele* la barca. Sinón. empujar, impulsar. ② 마구 다구치다, 재촉하다, 억지로 …하게 하다(incitar) : ~ a uno *a* trabajar 누구를 억지로 일하게 하다. *impelido de* la necesidad 다급하게 필요해져. *impelido por* el ejemplo 본보기에 분발해서.

impender *tr.* [드뭄] (돈을) 쓰다(gastar) : ~ una suma en una compra.

impenetrabilidad *f.* 관통하지 않는 성질, 들어가지 않는 성질 ; 알 수 없는 일 ; 불가침.

impenetrable *adj.* ① 들어갈 수 없는 ; 뚫을 수 없는 ; 지나갈 수 없는 : una selva ~ 지나갈 수 없는 밀림. ② 미루어 알 수 없는, 헤아릴 수 없는, 짐작할 수 없는 : ~ *a* todos 누구에게도 이해시킬 수 없는. ~ *en* el secreto 그 비밀을 알 수 없는. un misterio ~ 알 수 없는 신비. ③ 불가입성의.

impenitencia *f.* 완고, 고집이 셈 ; 후회하지 않음. Contr. arrepentimiento.

impenitente *adj.* ① 나쁜 습관·행동의, 고집이 센, 옹고집의 : un fumador ~. Sinón. empedernido. ② 뉘우침이 없는.

impensa *f.* 경비, 지출금 ; 유지비.

impensable *adj.* =**increíble, inimaginable.**

impensadamente *adv.* 뜻밖에, 의외로.

impensado, da *adj.* ① 뜻밖의, 의외의, 생각밖의, 생각지도 않은(inesperado) : Le di una respuesta ~*da*. ② (통계에서) 무작위의. Contr. advertidamente.

imperador, ra *adj.* =**imperante.**

imperante *adj.* 다스리는, 통치하는, 지배하는 : Desconozco las costumbres ~*s* en ese país.

imperar *intr.* ① 군림·통치하다, 다스리다. Sinón. dominar, gobernar. ② 지배하다(mandar) : En esa ciudad *impera* la alegría.

imperativamente *adv.* 명령조로, 강압적으로.

imperativo, va *adj.* 명령의 ; 명령적인, 강압적인 : carácter ~ 강압적인 성격. Me habló en tono ~ 그는 나에게 명령조로 말했다. —*m.* ① 명령 : ~ categórico 지상 명령. ②【문법】명령법(modo ~).

imperator *m.* (로마 시대에) 승리한 장군에게 주었던 칭호 : El título de 《imperator》 no tiene que ver con el de 《emperador》.

imperatoria *f.*【식물】바디나물의 일종《약용》.

imperatorio, ria *adj.* 황제의 ; 제국의.

imperceptibilidad *f.* 느끼지 못하는 일, 미약. Contr. perceptibilidad.

imperceptible *adj.* ① 느낄 수 없는 ; 들리지 않는, 보이지 않는 : un gesto ~. ② 희미한, 어렴풋한(insensible).

imperceptiblemente *adv.* 느낄 수 없게, 들리지·보이지 않게 ; 희미하게, 어렴풋이.

imperdible *adj.* 손해가 없는 ; 없어지지 않는, 지는 일이 없는. —*m.* 안전핀.

imperdonable *adj.* 용서할 수 없는, 보아 넘길 수 없는 : Cometió un error ~ 그는 용서할 수 없는 잘못을 범했다. Sinón. inexcusable, injustificable.

imperdonablemente *adv.* 용서할 수 없게.

imperecedero, ra *adj.* 불멸의, 불후의 : Sus creaciones artísticas son ~*ras*. Sinón. eterno.

imperecible *adj.* 《Neol.》 =**imperecedero, inmortal, duradero.**

imperfección *f.* ① 불완전(不完全)(falta de perfección). ② 결점, 결함 : Ese esmaltado tiene ~*es* 그 칠보 제품은 결함이 있다. Sinón. defecto, deficiencia, falla.

imperfeccionar *tr.* 《Chile.》【속어】불완전한 것으로 만들다, 파손시키다(deteriorar).

imperfectamente *adv.* 불완전하게.

imperfectibilidad *f.* =**imperfección.**

imperfectible *adj.* 완전하지 못한.

imperfectivo, va *adj.*【문법】불완료(不完了)의. Sinón. perfectivo.

imperfecto, ta *adj.* ① 불완전한, 완전치 못한, 불비한(incompleto). ②【문법】불완료의 : futuro ~ 불완료 미래. pretérito ~ 불완료 과거. tiempo ~ 불완료 시제.

imperforación *f.*【의학】폐색 ; 무공(無孔).

imperforado, da *adj.* 폐색의 ; 무공(無孔)의, 구멍이 뚫리지 않은.

imperial *adj.* ① 제국의. ② 황제의 : el poder ~. ③ 탁월한 ; 당당한, 의젓한. —*f.* 마차 등의 지붕 ; 마차 꼭대기의 자리.

imperialismo *m.* 제국주의.

imperialista *adj.* 제국주의의 ; 황제파의. —*m.f.* 제국주의자, 황제 지지자.

impericia *f.* 미숙, 졸렬, 무능 : La ~ del secretario fue la causa de este problema 비서의 무능으로 이 문제의 원인이 되었다. Sinón. incompetencia, inhabilidad.

imperio *m.* [*lat.* imperium] ① 제국 : *Imperio* Británico 대영 제국. ② 제위 ; 치세(治世) ; 세력 : valer un ~ 탁월하다, 힘이 있다, 씩씩하다. ③ 거만(altivez) : Gritó con ~.

imperiosamente *adv.* 당당하게, 건방지게, 거만스럽게 ; 강압적으로.

imperiosidad *f.* 거만함(altanería) : hablar con ~ 거만하게 말하다.

imperioso, sa *adj.* ① 거만한. ② 부득이한, 긴급한 : necesidad ~*sa*. Sinón. urgente.

imperitamente *adv.* 서툴게, 어설프게.

imperito, ta *adj.* 미숙한, 서툰, 어설픈.

impermeabilidad *f.* 불침투성, 방수성.

impermeabilización *f.* 방수 가공.

impermeabilizar *tr.* ⑨ 방수 처리를 하다(hacer impermeable).

impermeable *adj.* 물이 통하지 않는, 방수의. —*m.* 비옷, 레인코트, 우비.

impermutabilidad *f.* 교환 불가능.

impermutable *adj.* 상쇄·교환할 수 없는.

impersonal *adj.* ① 인격을 갖지 않은, 비인격적인 : Viste con estilo ~. ② 개인에 관계가 없는, 감정을 나타내지 않는, 일반적인 : Criticó a sus ayudantes de modo ~. ③ 비인칭의, 무인칭의 : oración ~ 무인칭 문장. Sinón. unipersonal. —*m.* 무인칭 동사(verbo ~).

impersonalidad *f.* 무인칭 ; 비인격성 ; 개성이 없음.

impersonalismo *m.* 《Venez.》 이해 타산을 떠난일 ; 공익성(desinterés).

impersonalizar *tr.* ⑨【문법】무인칭 동사로서 쓰다.

impersonalmente *adv.* 무인칭 동사로서 ; 주어·주체를 분명하게 하지 않고.【예문】*Dicen* que habrá guerra 전쟁이 있을 것이라고 한다.

impersuasible *adj.* 설득할 수 없는, 완강하게 듣지 않는, 고집 불통의.

impertérrito, ta *adj.* 무서운 것이 없는, 대담스러운, 뻔뻔스러운 : A pesar de las interrupciones, siguió hablando ~ 방해를 함에도 불구하고 그는 대담하게 계속 말했다.

impertinencia *f.* 건방짐, 거만스러움, 무례함, 뻔뻔스러움, 철면피.

impertinente *adj.* ① 적절하지 못한 ; 당치 않은, 관계없는 : Nos miraba con una curiosidad ~. ② 무례한, 예의없는, 주제넘는, 건방진, 뻔뻔스러운 : No toleraré más tu conducta ~ 나는 너의 건방진 행동을 더 이상 참을 수 없다. Sinón. descarado, insolente. ③ =**cargante, fastidioso, pesado.** —*m.pl.* 손잡이가 달린 안경 (anteojos con mango).

impertinentemente *adv.* 뻔뻔스럽게 ; 버르장머리 없이.

impertir *tr.* [드뭄] =**impartir.**

imperturbabilidad *f.* 침착, 냉정, 태연 자약.

imperturbable *adj.* 침착한, 냉정한 : A pesar de los silbidos, siguió sonriendo ~ 휘파람 소리에도 불구하고 그는 침착하게 계속 웃었다. Sinón. impasible, impertérrito.

imperturbablemente *adv.* 침착하게, 냉정하게.

impetigo *m.* =**impétigo.**

impétigo *m.*【의학】농가진(膿痂疹)(exantema crónico).

impetra *f.* (어떤 것을 하는) 권능 ; 허가(licencia, facultad, permiso).

impetración *f.* 출원, 탄원.

impetrador, ra *adj.m.f.* [드뭄] 출원·신청·탄원하는 (사람).

impetrante *adj.m.f.* =**impetrador.**

impetrar *tr.* ① 출원(出願)하다, 신청하다, 탄원하다, 간청하다 : ~ el perdón del superior. Sinón. implorar, rogar, suplicar. ② (출원한 것에 대해) 허가를 하다.

impetratorio, ria *adj.* 신청한 : epístola ~*ria* 신청서.

ímpetu *m.* 격렬함, 과격 : Nos despertó el ~ del viento 우리들은 바람이 심해서 깨어났다. Los enemigos atacaron con ~ 적들은 맹렬히 공격했다.

impetuosamente *adv.* =**con ímpetu.**

impetuosidad *f.* =**violencia, precipitación, ímpetu.**

impetuoso, sa *adj.* ① 격렬한, 맹렬한 : Iniciaron un ataque ~ 맹렬한 공격을 시작했다. Sinón. violento. ② 성급한, 충동적인. Sinón. impulsivo.

impiadoso, sa *adj.* **신앙(심)이 없는.**

impíamente *adv.* 천벌을 받게 ; 무자비하게, 인정 사정없이, 가혹하게.

impid- → **impedir** 42.

impida impedir의 접·현·1·3·단수.

impidáis impedir의 접·현·2·복수

impidamos impedir의 접·현·1·복수.

impidan impedir의 접·현··3·복수.

impidas impedir의 접·현·2·단수.

impide impedir의 직·현·3·단수.

impiden impedir의 직·현·3·복수.

impides impedir의 직·현·2·단수.

impidie- → **impedir** 42.

impidiendo impedir의 현재 분사.

impidieron impedir의 직·부정과거·3·복수.

impidió impedir의 직·부정과거·3·단수.

impido impedir의 직·현·1·단수.

impiedad *f.* 신앙심이 없음, 배신(背信), 불경 ; 냉혹.

impío, a *adj.* ① 불경한(falto de piedad). ② 믿음이 없는, 신앙심이 없는(falto de fe religioso). Sinón. descreído, incrédulo, irreligioso. ③ 냉혹한(cruel).

impla *f.* (옛날의) 두건.

implacabilidad *f.* 달랠 수 없는 일 ; 집념이 강함 ; 무자비 ; 완전무결.

implacable *adj.* ① 누그러뜨릴 수 없는, 달랠 수 없는, 화해하기 어려운 : una furia ~. Sinón. inexorable, inflexible. ② 끈질긴, 집념이 강한. ③ 용서 않는, 무자비한. ④ 완벽한, 완전 무결한.

implacablemente *adv.* 인정 사정없이, 무자비하게.

implantación *f.* 부식, 유행시키는 일.

implantador, ra *adj.* 심는, 부식하는 ; 설치하는, 수립하는.

implantar *tr.* 부식하다, 심다, 유행시키다, 들여오다, 시도하다 ; 설치하다, 수립하다.

implantón *m.*《*Sant.*》길이(largo) 2,24미터, 너비(ancho) 0,15미터, 두께(canto) 0,08미터의 판자.

implaticable *adj.* 말도 되지 않는 ; 말상대가 되지 않는.

implementación *f.* 이행, 수행.

implementar *tr.*《*Amér.*》(실현키 위해) 필요한 방법을 모으다.

implemento *m.*《*Angl.*》용구, 기재(utensilio) : ~ agrícola 농기구. modernos ~*s* guerreros 최신 전투 기재.

implicación *f.* 모순(contradicción) ; 내포.

implicancia *f.*《*AmérM.*》겸임·겸직 불가능 ; (결혼 등의) 법적 장해.

implicante *adj.* (무엇을) 속에 담은, 몰래 가진, 은밀히 가지고 있는.

implicar *tr.* 7 ① 끌어들이다. Sinón. enredar, envolver. ② 함유하다, 함축하다, (무엇의) 뜻을 가지다(significar) : La palabra *implica* imprecación 그 말속에는 여러 가지 뜻이 담겨·내포되어 있다. ③ 내포하다, 안에 가지고 있다 : Eso *implica* una guerra 그것은 전쟁의 위험을 내포하고 있다. —*intr.* 모순되다 ; 방해가 되다 (impedir, obstar) : Ese defecto no *implica* para que sea una persona excelente 그 결점이 훌륭한 사람이 되는 데 장애가 되지는 않는다. [*N.* 더러 부정어와 함께 사용됨].
~se ① 말려들다, 휩쓸려 들다, 끌려들다 : ~*se con* uno *en* un enredo 누구와 함께 분쟁에 휩쓸려 들다. ② 연루·연좌하다, 연대성을 갖다.

implicatorio, ria *adj.* 모순의.

implícitamente *adv.* 말없는 사이에서도, 이심전심으로.

implícito, ta *adj.* ① 말없는 가운데서의, 암암리의, 함축성이 있는(callado) : En tu silencio hay una acusación *~ta* 너의 침묵 속에는 암암리에 비난이 들어 있다. Sinón. sobrentendido, tácito. ② 절대적인. Contr. explícito.
implicitud *f.* 함축 ; 함축성.
implique- → **implicar** 7.
implorable *adj.* 애원 · 간원할 수 있는.
imploración *f.* 간청, 탄원, 애원.
implorador, ra *adj.* 탄원하는, 애원하는.
implorante *adj.* 탄원적인, 애원하는 듯한 : hablar con voz ~ 애원하는 듯한 목소리로 말하다.
implorar *tr.* 탄원하다, 애원하다, 눈물로 간청하다. Sinón. impetrar, rogar, suplicar.
implosión *f.* 【음성】 내파(內破), (폐쇄음의) 들어감 《apto의 p, néctar의 c이 경우》.
implosivo, va *adj.* 내파음의, 들어가 있는.
implume *adj.* 날개가 없는 ; 벌거벗은.
impluvio *m.* (고대 로마 시대에 뜰안에 만들었던) 빗물통.
impolarizable *adj.* 【광학】 편광(偏光)시킬 수 없는, 편광 불능의.
impolítica *f.* 무례, 버릇 없음(descortesía).
impolíticamente *adv.* 무례하게, 버릇없이.
impolítico, ca *adj.* 무례한, 버릇없는(falto de cortesía o de política). Sinón. imprudente, indiscreto.
impoluto, ta *adj.* 맑은, 티없는(inmaculado, limpio).
imponderabilidad *f.* 이루 다 헤아릴 수 없는 일 · 분량 · 성질 ; 평가할 수 없는 가치.
imponderable *adj.* ① 말할 수 없이 과장된, 평가할 수 없는 ; 헤아릴 수 없는. Sinón. inapreciable, inestimable. ② 무게가 없는 ; 분량을 알 수 없는. **—*m.*** 양을 잴 수 없는 것 : Se trata de un proyecto con muchos *~s.*
imponderablemente *adv.* 이를 데 없이, 헤아릴 수 없이.
imponedor, ra *adj* =**imponente.** **—*m.f.*** 평정자(評定者) : ~ de contribuciones · impuestos 세금 평정자.
imponencia *f.* 《*Arg. Col. Chile. Guat. Mex. Urug.*》 장중, 장엄, 숭고, 숭엄(grandeza) ; 으시댐, 우쭐거림.
imponente *adj.* ① 장엄한, 위압적인, 위엄이 있는, 당당한 : Contemplaba el espectáculo ~ de las cataratas del Iguazú 그는 이구아수폭포의 장엄한 광경을 바라보고 있었다. Sinón. grandioso. ② 감동적인, 인상적인 : La oscuridad era ~ 어둠은 감동적이었다. Sinón. impresionante. **—*m.f.*** 예금자.
imponer *tr.* 61 ① 억지로 시키다, 강요하다 : ~ silencio 가라앉도록 하다. ② 강제하다. ③ (존경심이나 두려워하는 마음을) 저절로 느끼게 하다 : Es un hombre que *impone* 남을 위압하는 듯한 당당한 사람이다. ④ (세금을) 과하다, (책임 · 의무 등을) 지우다. ⑤ (죄를) 전가하다. ⑥ 신용하여 맡기다, 신탁하다 : ~ una cantidad en el banco. ⑦ 가르치다, 버릇을 가르치다 : Le *impuse en* sus obligaciones 그에게 그 의무를 단단히 이행하도록 했다. ⑧ 【인쇄】 정판하다. ⑨ (훈장 등을) 수여하다.
~se ① (억지로) 짊어지다, 강제되다, …해야만 하다 : *Se impone* que vayamos pronto 우리는 빨리 가야만 한다. ② 멋대로 날뛰다, 고집대로 밀고 나가다, 위압하다 : *Se impuso a* la multitud 그의 위풍은 군중을 위압했다. ③ 단단히 뱃속에 넣다 : *Se ha impuesto del* contenido de la carta 그는 편지의 내용을 단단히 마음속에 넣었다. [직설법 현재 : impongo, impones, impone, imponemos, imponéis, imponen. 접속법 현재 : imponga, impongas, imponga, impongamos, impongáis, impongan. 직설법 부정과거 : impuse, impusiste, impuso, impusimos, impusisteis, impusieron. 접속법 과거 : impusiera, …. impusiese, …. 과거 분사 : impuesto].
imponible *adj.* 과세할 수 있는, 세금이 붙는 : Esas actividades comerciales no son *~s* 그 상행위는 세금이 붙지 않는다.
impopular *adj.* 인기없는, 평판이 나쁜, 인망이 없는, 인심을 잃은 : Fue un rey ~ 그는 평판이 나쁜 왕이었다.
impopularidad *f.* 인기가 없음, 평판이 좋지 못함.
importación *f.* 수입 ; 수입품. Contr. exportación.
~ ***de capital(es)*** 자본 수입(資本輸入).
~ ***directa · indirecta*** 직접 · 간접 수입. ~ ***libre*** 면세 수입. ~ ***secreta*** 밀수입. ~ ***sin giro*** 무어음 수입. ~ ***temporal*** 가 · 임시 수입.
importador, ra *adj.* 수입하는, 수입업의 : una compañía *~ra* 수입 회사. **—*m.f.*** 수입자, 수입상인 : importante ~ 일류 수입상. Contr. exportador.
importancia *f.* ① 중요 ; 중요성 : dar ~ a …을 중요시하다. ② 젠체하기, 으스대기, 과대 망상 : darse ~ 젠체하다. ③ 총액, 총계(suma).
de ~ 중요한, 영향력이 있는, 무시할 수 없는 : una persona *de* ~ 중요 인물, 거물, 요인.
importante *adj.* ① 소중한, 중요한 : Hizo una inversión ~ 그는 상당한 투자를 했다. Es ~ que tomes una decisión 네가 결정을 내리는 것은 중요한 일이다. Sinón. considerable, fundamental. ② 젠체하는, 우쭐거리는, 뻐기는. ③ 《*Galic.*》 총액 …이 되는 : una factura ~ dos mil pesetas 합계 2천 뻬세따 송장.
importantemente *adv.* 소중하게, 중요하게.
importantizarse *r.* 9 《*Venez.*》 거물인 양 재다.
importar *tr.* ① 수입하다 : ~ *del* extranjero *a · en* el país 외국에서 국내로 수입하다. *Importamos* maquinarias *de* los Estados Unidos de América 우리들은 미국에서 기계를 수입한다. ② 총계 …이 되다(sumar, montar) : La factura, con gastos y comisión, *importa* $50.000 송장 금액은 제반 수수료 포함 5만 뻬소가 됩니다. ③ 내포되어 있다, 안에 들어 있다 : ~ necesidad 필요성을 가지고 있다.
—*intr.* ① [+que+*subj.*] …하는 것이 중요하다 : Te *importa* que te hagas amigo del señor 그 사람과 가까이 지내는 일이 너에게는 중요하다. ② 관계가 있다, 상관이 있다 : No *importa* 관계없습니다, 상관 없습니다 ; 천만에요. [*N.* 자동사로 사용될 경우에는 3인칭 단수로만 활용되는 무인칭 동사이다].

I

importe *m.* ① 대금, 요금 : Todo pedido debe venir acompañado de su ~ 주문시에는 필히 대금을 첨부해 주십시오. ② 총액, 금액 : ~ bruto · total 총액. ~ medio 평균액. llevar el ~ al debe 그 금액을 차변에 기장하다.
~ *acumulado de los ingresos* 총소득 금액. ~ *aproximado* 개산액. ~ *asegurable* 보험가액. ~ *de la cuenta* 송장 금액. ~ *de la factura* 송장 기재액. ~ *de la prima* 보험료(금). ~ *de las comisiones pendientes* 미불 수수료. ~ *de las inversiones* 총투자액. ~ *de las ventas* 매각 가액. ~ *deducible* 공제액. ~ *exento* 비과세(액). ~ *global deducible* 총공제액. ~ *marginal de ventas* 한계 매상고. ~ *neto* 정미액. ~ *restante* 잔금, 잔고.

importunación *f.* 끈질긴 부탁.

importunadamente *adv.* =**importunamente.**

importunamente *adv.* 끈질기게, 집요하게, 귀찮게 ; 제철이 아닌 때에, 엉뚱하게.

importunar *tr.* 귀찮게 조르다, 애먹이다, 난처하게 만들다, 괴롭히다 : Vengo a ~lo con una solicitud. Sinón. incomodar, molestar.

importunidad *f.* 철이 지남 ; 귀찮음, 애먹임, 끈질김 : asediar con ~*es* 귀찮게 졸라대다.

importuno, na *adj.* ① 제때 · 철이 아닌(fuera de tiempo o de sazón). ② 할 것이 못되는. ③ 서툰(inoportuno). ④ 귀찮은, 골치 아픈 (molesto, enfadoso).

imposibilidad *f.* 불가능(성) ; 불가능한 것.

imposibilitado, da *adj.* 불가능하게 되어 버린 ; 불구가 되어 버린(tullido) ; 취업 불능의.

imposibilitar *tr.* 불가능하게 하다 ; 맥을 못쓰게 만들다 : Me *imposibilitó* el salir 나는 나갈 수가 없었다. Sinón. impedir.
~se 불구가 되다.

imposible *adj.* ① 불가능한 : ~ de toda imposibilidad 아무래도 불가능한. Es ~ subir esa montaña 그 산을 오르는 일은 불가능하다. ② 어려운. ③ 참을 수 없는, 감당할 수 없는 (inaguantable) : Tiene un carácter ~. Sinón. insoportable, insufrible. ④ 《*Amér.*》 싫은, 더러운 ; 병의, 상처받은. —*m.* 불가능한 것, 안되는 · 안될 일 : hacer los ~*s* 온갖 노력 · 수단을 다 해보다.

imposiblemente *adv.* 불가능하게, 있을 수 없는 일로(con imposibilidad).

imposición *f.* ① 강압. ② 부과 ; 과세 ; 부담 ; (1회분의) 예입금, 기입 금액 : ~ a la vista 예금 통화 ; 영업성 예금. ~ a vencimiento fijo 정기 예금. ~ de ahorro 저축(성) 예금. ~ de capitales 자본 대부. ~ de impuestos 과세, 징세, 조세. ~ degresiva 누퇴세(累退税), 역진세(逆進税). ③ 훈장 수여. ④【인쇄】 정판.

impositivo, va *adj.* 《*Amér.*》 과세의 : legislación ~*va.*

impositor, ra *adj.m.f.* 위압적인 (사람). —*m.*【인쇄】 정판공.

imposta *f.*【건축】 홍예 머리 ; 난간.

impostergable *adj.* 《*Chile.*》 늦출 수 없는.

impostor, ra *adj.* 중상하는, 모략하는. —*m.f.* 중상자, 모략자. Sinón. calumniador, difamador.

impostura *f.* ① 중상적인 전가. Sinón. calumnia, difamación. ② 사기, 야바위(engaño).

impotable *adj.* 마시지 못하는 (물).

impotencia *f.* ① 무능, 무력, 무기력. ② 불임(不妊), 음위(陰痿), 임포텐츠, 성교 불능, 성불구.

impotente *adj.* [*lat.* impotens] ① [+contra · para : …에] 무능한, 무력한, 무기력한 : ~ *contra* la desgracia 불행한 일을 만났으나 아무런 수도 쓰지 못하는. Me siento ~ *contra* tantas adversidades 그런 역경에 무력해서 미안하다. Se declaró ~ *para* curar su enfermedad 병을 치료했으나 자기로서는 소용없다고 털어놓았다. ② 음위의, 임포텐츠의, 성교 불능의 : un anciano ~.

impr. imprenta 인쇄(물).

impracticabilidad *f.* 실행 불가능(한 것).

impracticable *adj.* ① 실행 불가능한 : proyecto ~ 실행 불가능한 계획. Sinón. imposible, irrealizable. ② (도로 따위가) 통행이 불가능한, 지나다니지 못하는 : un camino ~ 다니지 못하는 길. Sinón. intransitable.

imprecación *f.* 원망, 저주(maldición).

imprecar *tr.* ⑦ 저주하다, 원망하다(maldecir).

imprecatorio, ria *adj.* 저주하는 : exclamación ~*ria* 저주하는 외침 소리.

imprecisión *f.* ① 애매, 애매 모호(vaguedad). ② 부정확.

impreciso, sa *adj.* ① 애매한, 애매 모호한 (vago). ② 부정확한.

impredecible *adj.* 예언할 수 없는.

impregnable *adj.* 스며들게 할 수 있는.

impregnación *f.* 포화(飽和).

impregnar *tr.* [*lat.* impregnare] ① 포화시키다, 가득 채우다 ; 용해시키다, 녹이다 : ~ azúcar *en* agua. ② 흠뻑 적시다 : *Impregnó* el algodón *en* alcohol 그는 알코올에 솜을 흠뻑 적셨다. Sinón. embeber, empapar.
~se 포화하다, 가득 차다 ; 충분하게 부풀다 · 머금다.

impremeditación *f.* 조심성이 없음, 준비가 없음, 사려가 깊지 못함, 경거 망동.

impremeditado, da *adj.* 일부러 한 것이 아닌, 불쑥 해 버린, 사전 계획이 없는 ; 준비 없는 ; 아무런 반성이 없는(irreflexivo).

imprenta *f.* ① 인쇄, 인쇄물 : pruebas de ~ 교정쇄. Sinón. tipografía. ② 인쇄소, 인쇄 공장. ③ 인쇄 출판물. ④ 《*Chile.*》 다리미질. —*f.pl.* 《*Col.*》 속임수, 거짓말 ; 음모, 잔꾀.
dar a la ~ (출판하기 위해) 출판소에 원문을 보내다.

imprentar *tr.* ① 《*Chile.*》 (깃이나 바지에) 다리미질을 하다. ② (바지의 가랑이 천의 안쪽에) 시침질을 하다. ③ 찍하다(proyectar).

imprentario *m.* 《*Chile.*》【속어】 인쇄 공장 주인, 인쇄 업자.

impresario *m. ital.* (음악회, 가극 등의) 흥행인, 흥행주(empresario) ; (흥행단의) 감독.

imprescindible *adj.* 아주 필요한, 불가결한. Sinón. esencial, indispensable.

imprescriptibilidad *f.* 시효에 걸리지 않음, 기한에 관계 없음 ; 절대적임.

imprescriptible *adj.* 시효에 걸리지 않은, 기

한에 관계 없는, 절대적인 : La libertad de conciencia ~ 양심의 자유란 절대적인 것이다.

impresentable *adj.* 남의 앞에 내놓을 수 없는.

impresión *f.* [*lat.* impressio] ① 인쇄 ; 인쇄물 : la ~ de un libro 책의 인쇄. ② 압판(押版). ③ 자국, 흔적(huella) : ~ de frío 추위의 흔적. ④ 【사진】 프린트. ⑤ 인상, 기분, 느낌, 효과 : hacer mucha ~ 인상을 주다.
~ *dactilar·digital* 지문.

impresionabilidad *f.* 감수성이 예민함, 감수성, 민감성. Contr. impasibilidad.

impresionable *adj.* 느끼기 쉬운, 감수성이 강한, 감수성이 예민한, 감동하기 쉬운 : una mujer muy ~ 감수성이 예민한 여인. No le regales ese libro, es un niño muy ~ 무척 감수성이 강한 아이이므로 그런 책을 선물하지 마라.

impresionador, ra *adj.* 감동시키는, 감동을 주는 ; 인상을 주는.

impresionante *adj.* 인상적인, 감동적인 : un incendio ~.

impresionar *tr.* ① 감동시키다, 감동을 주다 : Nos *ha impresionado* su humildad 그의 겸손은 우리를 감동시켰다. Sinón. conmover, emocionar. ② 인상을 주다, 느끼게 하다. ③ 작용하다. ④ 【사진】 프린트하다.
~se ① 감동하다 : Es una niña que *se impresiona* fácilmente 쉽게 감동하는 소녀이다. ② 인상을 받다.

impresionismo *m.* 인상파, 인상주의.

impresionista *adj.* 인상파의, 인상주의의 : técnicas ~*s.* —*m.f.* 인상파 예술가.

impreso, sa *adj.* [imprimir의 *p.p.*] 인쇄한, 인쇄를 필한 : *I-* en España 서반아에서 인쇄됨. —*m.* 인쇄물, 유인물, (인쇄된) 용지(obra impresa) : ~ de declaración de renta 조세·납세 신고서. ~ de proposiciones 입찰 서식. ~ de solicitud 신청서.

impresor, ra *adj.* 인쇄하는. —*m.f.* 인쇄 업자 ; 인쇄공(tipógrafo).

impresora *f.* ① 인쇄 업자·인쇄공의 아내. ② 인쇄소의 여주인.

imprestable *f.* 빌려줄 수 없는.

imprevisible *adj.* 예견·예측할 수 없는.

imprevisión *f.* 조심스럽지 못함, 부주의, 앞일을 헤아리지 못함(falta de previsión).

imprevisor, ra *adj.* 조심스럽지 못한, 생각이 막힌, 앞을 내다보지 못하는, 소견이 좁은.

imprevisto, ta *adj.* 예견할 수 없는, 의외의, 뜻밖의. Sinón. inesperado, súbito. —*m. pl.* 임시비, 예비비(gastos no previstos).

imprimación *f.* 초벽칠 ; 초벽칠하는 재료.

imprimadera *f.* (초벽칠용) 주걱.

imprimado *m.* =**imprimación.**

imprimador, ra *m.f.* 초벽칠하는 도공.

imprimar *tr.* 초벽칠하다 ; 바탕을 만들다.

imprimátur *m.* 【단·복수 동형】 (교회로부터의) 인쇄·발행 허가.

imprimible *adj.* 인쇄될 수 있는.

imprimir *tr.* ① 인쇄하다 : ~ *con·de* letra nueva 새 활자로 인쇄하다. ② (동전·메달 따위를) 주조하다, 찍어내다(acuñar). ③ 새기다, (판·지문을) 찍다 ; 자국을 남기다 : ~ los pasos en la arena 모래 위에 발자국을 남기다. ④ 느끼게 하다, 인상을 남기다. ⑤ 날염하다. ⑥《*Galic.*》 전하다, (운동을) 일으키게 하다(comunicar). [과거 분사 : impreso].

improbabilidad *f.* 있을 것 같지 않은 일, 불개연성(不蓋然性).

improbable *adj.* [*lat.* improbabilis] 있을 법하지도 않은, 사실같지 않은, 확실하지 않은, 긴가민가한 : acontecimiento ~ 있을 것 같지 않은 사건.

improbablemente *adv.* 긴가민가하여, 확실하지 않게.

improbación *f.* 불허(不許), 낙제(落弟), 부인, 각하(却下)(desaprobación).

improbar *tr.* 24 부인하다, 잘못된 것으로 보다(desaprobar, reprobar).

improbidad *f.* 불성실, 정직하지 못함, 부도덕함 ; 형편이 좋지 못함 ; 과도한 일.

ímprobo, ba *adj.* ① 정직하지 못한, 부도덕한. ② 심한, 과중한 : Los bomberos tuvieron que dedicarse a trabajos ~*s* 소방원들은 과중한 일을 해야 했다.

improcedencia *f.* 근거 없음, 적절하지 못함.

improcedente *adj.* ① 도리에 어긋난, 근거가 없는 : reclamación ~. ② 적절하지 않은(inadecuado, extemporáneo).

improductivamente *adv.* 헛되이, 비생산적으로.

improductivo, va *adj.* 아무 것도 나지 않는, 불모의 ; 비생산적인 ; 효과가 없는.

improfanable *adj.* 더럽힐 수 없는, 신성한.

impromptu *m.* 【음악】 즉석 연주, 즉흥곡.

impronta *f.* 틀 ; 틀 박기 ; 날염(捺染) : sacar la ~ de una medalla.

impronunciable *adj.* ① 발음이 불가능한 : palabra ~ 발음이 불가능한 낱말. ② 말로 표현하기 어려운, 입으로 말하기 어려운(inefable, difícil de expresar).

improperar *tr.* 욕하다, 악담하다.

improperio *m.* (욕같은) 잡소리. Sinón. injuria, insulto.

impropiamente *adv.* 부적당하게 : La oruga de la seda se llama ~《gusano》 생사의 모충이 부당하게 gusano라 불리운다.

impropiedad *f.* (말의) 부적당, 온당치 못함, 적절하지 못함.

impropio, pia *adj.* ① 부적당한, 어울리지 않는 : ~ *a·de·en·para su* edad 나이에는 어울리지 않는. Tuvo un gesto ~ de su jerarquía 그는 계급에 어울리지 않는 몸짓을 했다. Sinón. inadecuado, inconveniente. ② 모조의, 가짜의 : una membrana ~*pia* 모조막, 의막. Sinón. falso. ③ 다른(ajeno, extraño).

improporción *f.* =**desproporción.**

improporcionado, da *adj.* 부조화의, 고르지 못한.

improrrogable *adj.* 연장·연기할 수 없는 : el plazo ~ 연기·연장할 수 없는 기한.

impróspero, ra *adj.* 불경기의, 침체한.

improsulto, ta *adj.* ①《*Chile.*》 뻔뻔스러운, 낯가죽이 두꺼운, 철면피의(descarado) : una persona ~*ta.* ② 형편 무인지경의, 더없는. ③《*Hond.*》 쓸모없는(inútil).

impróvidamente *adv.* 아무 준비없이, 불쑥

(sin previsión).

impróvido, da *adj.* 준비되지 않은, 선견이 없는, 아무 준비가 없는(desprevenido).

improvisación *f.* 즉석에서 하는 일, 임기 응변 ; 즉흥시, 즉흥 연설 ; 벼락 부자・출세자.

improvisadamente *adv.* 즉석에서, 생각지도 않게.

improvisado, da *adj.* 즉석의, 즉석에서 만든.

improvisador, ra *adj.* 즉석에서 짓는. **—***m.f.* 즉석에서 하는 사람 ; 즉흥 시인.

improvisamente *adv.* ① 불의로. ② 즉흥적으로, 즉석에서(in promptu). ③ 별안간, 급히, 갑자기(de repente).

improvisar *tr.* 즉석으로・즉흥으로 하다(repentizar) : ~ un discurso 즉흥 연설을 하다.

improviso, sa *adj.* 예견할 수 없는, 미리 짐작할 수 없는, 헤아릴 수 없는.

al ~, de ~ ① 즉석에서, 급히. ② 생각지도 않게, 의외로, 예고없이(sin aviso) ; 뜻밖에(inesperadamente) : Vino *al ~* 그는 예고도 없이 왔다. Llegaron *de ~* 그들은 예고없이 도착했다.

improvisto, ta *adj.* 예견할 수 없는, 헤아릴 수 없는, 미리 정할 수 없는(improviso).

a la ~ta 뜻밖에, 의외로, 생각지도 않게, 갑자기, 불의에(improvisamente, de repente).

imprudencia *f.* 경망, 경솔, 몰지각 ; 경솔한 언행.

imprudente *adj.* 경솔한, 분별없는, 신중치 못한 : nadador ~ 경솔할 수영 선수. **—***m.f.* 경솔한 사람, 경거 망동하는 사람.

imprudentemente *adv.* 경솔하게, 분별없이, 신중하지 않게(sin prudencia).

impte. importe.

impto. impuesto.

impúber *adj. m.f.* =**impúbero.**

impúbero, ra *adj. m.f.* 사춘기(pubertad) 이전의, 세상 물정에 어두운 (어린이).

impudencia *f.* 철면피, 뻔뻔스러움, 파렴치(descaro, desvergüenza, impudor) : portarse con suma ~ 파렴치하게 행동하다

impudente *adj.* 뻔뻔스러운, 파렴치한, 눈치코치 없는, 철면피의, 낯가죽이 두꺼운.

impúdicamente *adv.* 뻔뻔스럽게, 철면피하게, 파렴치하게도, 추접스럽게.

impudicia *f.* =**impudicicia.**

impudicicia *f.* 추접스러움, 파렴치 ; 외설, 추행.

impúdico, ca *adj.* ① 부끄러움을 모르는 : un dolor ~ 체면을 헤아리지 않는 슬픔. **Sinón.** desvergonzado. ② 음탕한, 난잡한.

impudor *m.* ① 파렴치, 염치 없음. **Sinón.** desvergüenza. ② 추행.

impuesto, ta *adj.* [imponer의 *p.p.*] 부과된. **—***m.* 세(稅), 세금 ; 조세, 과세(tributo, carga). *~ a la renta* 소득세. *~ a la venta* 판매세. *~ a las sucesiones* 상속세, 증여세. *~ a las utilidades (industriales y comerciales)* (사업) 소득세. *~ a las ventas* 《*Arg.*》 수출 판매세. *~ a los automóviles* 자동차세. *~ a los beneficios obtenidos en las transferencias de inmuebles* 부동산 양도 소득세. *~ a los pasajes* 통행세. *~ adicional* 부가세. *~ al ingreso global de las personas físicas* 종합 소득세. *~ al ingreso de las personas físicas* 개인 소득세. *~ atrasado* 체납세. *~ comercial* 영업세. *~ de consumo* 소비세. *~ de la renta* 소득세. *~ de lujo* 사치세. *~ de mercados* 시장세. *~ de registro* 등록세. *~ de seguros* 보험세. *~ de sociedad anónima* 법인세. *~ de sucesión* 상속세. *~ de utilidades* 소득세. *~ del timbre* 인지세. *~ directo* 직접세. *~ estatal* 국세. *~ indirecto* 간접세. *~ individual sobre ingresos personales・sobre la renta* 개인 소득세. *~ local* 지방세. *~ municipal* 시세(市稅). *~ para obras de planificación* 《*Méx.*》 도시 계획세. *~ por elaboración* 가공세. *~ predial* 부동산세. *~ progresivo* 누진(과)세. *~ que se retiene en el momento de percibir la cantidad gravada* 원천과세. *~ sobre donaciones* 증여세. *~ sobre el consumo* 소비세. *~ sobre el valor añadido* 부가가치세. *~ sobre espectáculos* 입장세. *~ sobre herencia* 상속세. *~ sobre herencias y legados* 상속 증여세. *~ sobre ingresos (individuales)* (개인) 소득세. *~ sobre ingresos de sociedades* 법인 소득세. *~ sobre la exportación・importación* 수출・수입세. *~ sobre publicidad* 광고세. *~ sobre terrenos* 토지세. *~ sucesión* 상속세. *~ territorial* 부동산세. *~ (ya) vencido* 체납세. *recargo de ~* 부가세, 추징세.

estar ~ de …을 잘 알고 있다.

impugnable *adj.* 반론할 수 있는, 공격・비난할 수 있는.

impugnación *f.* 반론, 비난, 공격.

impugnador, ra *adj.* 반론・비난・공격하는. **—***m.f.* 반론자, 비난자, 공격자.

impugnante *adj.* 비난하는 ; 공격하는.

impugnar *tr.* 반론하다, 비난하다, 공격하다(combatir, atacar) : *Impugnaron* todos los argumentos del disertante 논평가의 모든 논평을 공격했다. **Sinón.** rebatir, refutar. **Contr.** defender.

impugnativo, va *adj.* 논란・반론적인.

impulsar *tr.* ① 밀어대다. **Sinón.** impeler. ② 몰아대다, 독촉하다 : La ira lo *impulsó* a atacarnos. ③ …의 활동을 증가시키다 : Las nuevas leyes *impulsarán* la agricultura.

impulsión *f.* =**impulso, fuerza.** **Contr.** repulsión.

impulsividad *f.* 충동 ; 추진(력).

impulsivo, va *adj.* 충동적인, 곧이곧대로의 ; 추진의 : fuerza *~va* 추진력.

impulso *m.* ① 밀치기, 밀쳐내기. ② 충동, 자극 : Las nuevas medidas darán un nuevo ~ a nuestra industria 새로운 조치는 우리의 산업에 새로운 자극을 줄 것이다. ③【역학】 순간력(力), 역적(力積)《힘과 시간과의 적(積)》, 충격량. ④ 충격, 추진력. ⑤ 순간적인 움직임.

impulsor, ra *adj.* 밀쳐내는 ; 선동하는, 자극하는. **—***m.f.* 추진하는 사람.

impune *adj.* 벌을 받지 않는 : El robo no quedó ~.

impunemente *adv.* 죄책감없이 ; 벌을 받지 않고.

impunidad *f.* 벌받지 않음, 형을 받지 않음, 해를 받지 않음, 책하지 않음 : No debe haber ~ para el crimen.

impuramente *adj.* 불순하게 ; 더럽게 ; 부정하게, 음탕하게.
impureza *f.* ① 불순 ; 불결 ; 불순물 : la ~ del agua 물의 불순물. ② 잡종(~ de sangre). ③ 결점. ④ 더러움, 외설.
impuridad *f.* =**impureza.**
impurificación *f.* 불순화 ; 혼탁 ; 오욕 ; (서반아 19세기의) 공직 추방.
impurificar *tr.* ⑦ 불순하게 하다 ; (19세기에 정부가 자유파를 공직으로부터) 추방하다.
impuro, ra *adj.* ① 불순한 : sustancia ~*ra* 불순한 물질. pensamientos ~*s* 불순한 생각. **Sinón.** deshonesto. ② 더러워진. ③ 부정(不貞)한, 음탕한, 외설의.
imputabilidad *f.* (벌 등을) 받게 할 수 있는 일.
imputable *adj.* (죄 등을) 지울 수 있는, 씌우는.
imputación *f.* ① 죄를 씌우는 일, 전가(轉嫁). ② 비난. ③【경제】산입(算入), 산입액.
imputador, ra *adj.* (죄 등을) 전가시키는 ; 기장하는.
imputar *tr.* ① 탓으로 돌리다, (죄 등을) 씌우다, 전가하다(atribuir). ② 산입하다, (어떤 금액을) 기장하다.
imputrescibilidad *f.* 부패하지 않음.
imputrescible *adj.* 부패하지 않는, 썩지 않는.
IMSS Instituto Mexicano del Seguro Social.
in- *pref.* 「…의 안에」(en) ; 「무(無), 불(不)」「결여」를 의미하는 접두어. [*N.* b, p의 앞에서는 im-, l의 앞에서 i-, r의 앞에서 ir-가 됨].
-ín, na *suf.* 축소사 어미 : corbat*ín*, mallorqu*ina*.
-ina *suf.* 약물 이름 : aspir*ina*, vitam*ina*.
INA Instituto Nacional Agrario.
inabordable *adj.* ① 가까이 할 수 없는 : costa ~. ② 친해지기 어려운. ③ 피할 수 없는.
inabrogable *adj.* 폐기할 수 없는 : Las leyes naturales son ~*s* 자연의 법칙은 폐기할 수 없다.
inacabable *adj.* 한이 없는, 영구한, 끝이 없는, 무한한. **Sinón.** interminable.
inacabado, da *adj.* 미완(료)의, 끝나지 않은.
INACAP Instituto Nacional de Capacitación Profesional.
inaccesibilidad *f.* 가까이 하기 어려운 일, 접근하기 어려운 일 ; 얻기 · 도달하기 어려운 일 ; 친숙해지기 어려운 일 ; 난해(難解).
inaccesible *adj.* ① 가까이 할 수 없는, 접근하기 어려운 : cumbres ~*s* 접근하기 어려운 정상. montaña ~ 접근하기 어려운 산. ② 친해지지 어려운 ; 손이 닿지 않는 ; 이해할 수 없는 : Ese es un tema ~ para mí 그것은 나한테는 이해할 수 없는 테마이다. **Sinón.** incomprensible.
inaccesiblemente *adv.* 가까이 하기 어렵게 ; 멀리 떨어져.
inacceso, sa *adj.* =**inaccesible.**
inacción *f.* 활동하지 않음, 활동의 정지, 무위, 게으름, 나태(inercia). **Sinón.** inactividad.
inacentuado, da *adj.* 악센트 (그 자체) · 악센트 부호가 없는. **Sinón.** átono.
inaceptable *adj.* 수락 · 승락할 수 없는.
inacostumbrado, da *adj.* 익숙치 못한, 습관이 안된.
inactínico, ca *adj.* 자외선이 아닌.
inactivamente *adv.* 하는 일 없이, 빈둥거리면서.
inactividad *f.* =**inacción.**
inactivo, va *adj.* ① 활동이 없는, 활발치 못한. ② 움직이지 않는 : La máquina está ~*va* desde la cosecha 기계가 수확기부터 움직이지 않는다. ③【물리 · 화학】불활성(不活性)의, 방사능이 없는. ④ 빈둥빈둥하는, 하릴없이 지나는.
inactual *adj.* 비현실적인.
inadaptabilidad *f.* 적응력이 없음, 비적응성, 비(非)적합성.
inadaptable *adj.* 적응하지 않는, 적합하지 않은 ; 융통성이 없는 ; 채택 불가능의.
inadaptación *f.* 비적응(성)(no adaptación).
inadaptado, da *adj.* (환경 등에) 적응되지 못하는, 적응하지 않는, 적성이 없는.
inadecuación *f* 부적당, 부적합, 불온당.
inadecuado, da *adj.* 부적당한, 부적합한, 불온당한. **Sinón.** inapropiado.
inadmisible *adj.* 받아들이지 못하는, 승인 · 채용할 수 없는, 허가할 수 없는.
inadoptable *adj.* 채용할 수 없는, 받아들이기 어려운.
inadvertencia *f.* 부주의, 방심, 태만 : por ~ 부주의로. **Sinón.** descuido, distracción.
inadvertidamente *adv.* 부주의하게, 방심하여 ; 모르는 사이에 ; 관심없이. **Sinón.** descuidadamente.
inadvertido, da *adj.* ① 부주의한, 태만한 (descuidado, distraído) : una persona ~*da.* ② 《*Galic.*》 모르고 있는 : pasar ~ 모르고 지나가다. Entre tanta gente, pasó ~*da* 많은 사람들 틈에서 그녀는 모르고 지나갔다.
inafectado, da *adj.* 꾸밈없는, 자연 그대로의.
inagotable *adj.* ① 다함이 없는, 무진장한 : una paciencia ~ 무진장한 인내심. tesoro ~ 무진장한 보물. **Sinón.** inacabable. ② 피로를 모르는.
inaguantable *adj.* 견딜 수 없는, 참을 수 없는 : un sufrimiento ~ 참을 수 없는 고통. una persona ~ 참을성이 없는 사람. **Sinón.** insoportable, insufrible, intolerable.

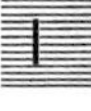

inajenable *adj.* =**inalienable.**
inalámbrico, ca *adj.* 무선의, 무선 전신 · 전화의 : telégrafo ~, comunicación ~*ca*.
in albis *adv. lat.* 백지 그대로, 본래의 상태 그대로 ; 모르는 그대로(en blanco).
inalcanzable *adj.* 도달할 수 없는, 손이 닿지 않는 ; 헤아리기 어려운 ; 얻기 어려운 ; 이해가 되지 않는. **Sinón.** inaccesible.
inalienabilidad *f.* 양도 불능.
inalienable *adj.* 양도할 수 없는 : derechos ~*s* 양도할 수 없는 권리. **Sinón.** irrenunciable.
inalienado, da *adj.* 정신이 온전한.
inalterabilidad *f.* 불변, 불변성.
inalterable *adj.* ① 불변의, 변함없는 : una amistad ~ 변함없는 우정. un color ~ 불변색. **Sinón.** estable, fijo, invariable. ② 냉담한, 냉정한, 무감각의 : un rostro ~ 냉정한 표정. **Sinón.** impasible, imperturbable.
inalterablemente *adj.* 변함없이.
inalterado, da *adj.* 변화를 받지 않는, 변하지 않는.

inamalgamable *adj.* 《*Chile.*》 합금 불능의 ; 혼합·합병할 수 없는.
inambú *m.* 《*Arg.*》【조류】분홍 자고새.
inameno, na *adj.* 기분이 좋지 않은.
inamisible *adj.* 잃어버릴 것이 없는 ; 불멸의, 영원의.
inamovible *adj.* 움직일 수 없는 ; 파면시킬 수 없는, 해임시킬 수 없는 ; 종신의 : un empleo ～ 종신 직업.
inamovilidad *f.* 움직일 수 없는 일 ; 파면 불능성.
inanalizable *adj.* 분석할 수 없는.
inane *adj.* ① 공허한, 덧없는(vano) : excusas ～*s.* [Sinón.] endeble, fútil. ② 무익한, 쓸모없는(inútil) ; 어리석은.
inanición *f.* 굶주림으로 인한 쇠약, 영양 실조.
inanidad *f.* 허망스러움, 덧없음, 공허함. [Sinón.] futilidad.
inanimado, da *adj.* ① 생명이 없는, 살아 있지 않은, 무생(물)의 : un cuerpo ～. ② 비정의. ③ 생기가 없는, 활기가 없는. [Sinón.] desmayado, exánime.
inánime *adj.* 활기가 없는, 생기가 없는(exánime ; inanimado).
inapagable *adj.* 사라지지·꺼지지 않는 ; 사라지는 일이 없는(inextinguible).
inapeable *adj.* 알 수 없는(incomprensible) ; 완고한, 고집이 센(porfiado).
inapelable *adj.* 항소가 불가능한 ; 호소할 길이 없는, 하는 수 없는(irremediable).
inapercibido, da *adj.* 《*Galic.*》 모르고 있는(inadvertido).
inapetencia *f.* 식욕 결핍(falta de apetito).
inapetente *adj.* 식욕이 없는.
inaplacable *adj.* 【속어】 =**implacable.**
inaplazable *adj.* 연기할 수 없는.
inaplicable *adj.* 적용·응용·사용할 수 없는.
inaplicación *f.* 나태, 열성이 없음.
inaplicado, da *adj.* 나태한, 열심히 하지 않는.
inapreciable *adj.* ① 평가할 수 없는 : Le brindó una ayuda ～. [Sinón.] inestimable. ② 하찮은, 시시한 : diferencia ～. ③ 굉장한 : talento ～.
inaprensible *adj.* =**inasible.**
inaprensivo, va *adj.* 집착하지 않는, 구애받지 않는 ; 성격이 활달한.
inapropiable *adj.* 적용할 수 없는 ; 자기 것으로 만들 수 없는, 뜻대로 되지 않는.
inapropiado, da *adj.* 적당하지 못한, 어울리지 않는, 해당되지 않는.
inaprovechado, da *adj.* 이용되지 못하는 ; 태만한, 나태한, 게으른.
inapto, ta *adj.* 마땅하지 않은, 부적격한 : persona enteramente *inapta* para los negocios 사업에 완전 부적격한 사람.
inarmonía *f.* 부조화.
inarmónico, ca *adj.* 조화되지 않은.
inarticulable *adj.* 발음할 수 없는.
inarticulado, da *adj.* 마디가 없는 ; 언어·발음이 명쾌하지 못한 ; 관절이 없는.
in artículo mortis *adj. lat.* 죽을 마당에, 임종에, 임종 시간에(en la hora de la muerte).
inartificioso, sa *adj.* 솔직한, 있는 그대로의, 기교가 없는, 가식이 없는.
inartístico, ca *adj.* 비예술적인.
inasequible *adj.* 손이 닿지 않는, 도달할 수 없는. [Sinón.] inaccesible, inalcanzable.
inasible *adj.* 붙잡을 수 없는.
inasimilable *adj.* 닮지 않은.
inasistencia *f.* 결석, 불참.
inasistente *adj.* 결석하는. —*m.f.* 결석자, 불참자.
inastillable *adj.* 부서질 수 없는 : cristal ～ 부서질 수 없는 유리.
inatacable *adj.* 난공 불락의, 손댈 수 없는 ; 나무랄 데 없는.
inatención *f.* 부주의(descuido).
inatendible *adj.* 주의·주목할 가치가 없는.
inatento, ta *adj* =**desatento.**
inaudible *adj.* 들을 수 없는.
inaudito, ta *adj.* ① 들어본 일도·본 일도 없는(듯한), 생전 처음 들어보는, 전대 미문의. ② 심한, 거창한, 굉장한(monstruoso). ③ =**raro, extraño.**
inauguración *f.* 시작, 개시 ; 피로연, 낙성식, 제막식, 개통식, 개업식, 개원식, 개관식, 도강식, 대관식 : ～ de un museo 박물관 개관식. ～ de negocio 개업. ～ de sucursal 지점 개설.
inagurador, ra *adj.m.f.* 시작·개시하는, 개업하는 (사람).
inaugural *adj.* 개시·개업·낙성·제막·개통·발회·취임의 : oración ～ 취임 연설. ceremonias ～*es* del congreso 의회 개원식.
inaugurar *tr.* [*lat.* inaugurare] ① 시작하다, 개시하다(iniciar) : ～ las clases 수업을 시작하다. ② 정식으로 시작하다. ③ (낙성식·제막식·개통식·발회식을) 거행하다, 개시하다 : ～ una estatua 조각상을 제막하다. ④ 개업하다 : ～ un hospital 병원을 개원하다.
inaveriguable *adj.* 조사할 수 없는, 알 수 없는, 탐색 불가능한(imposible de averiguar).
inaveriguado, da *adj.* 조사되지 않은 ; 미답의, 알려지지 않은.
INAZUR Instituto Azucarero Dominicano.
INC Instituto Nacional de Colonización.
inca *m.* ① 잉카 국왕《서반아 사람들이 건너가기 전의 고대 Perú의 국왕》. ② Perú의 금화《20 soles에 해당됨》. —*m.* 【고어】 께츄아어(lengua quichua). —*m.f.* 잉카족(los incas)의 사람.
incachable *adj.* 《*AmérC.*》 쓸모없는(inútil).
INCAE Instituto Centroamericano de Adiministración de Empresas.
INCAFE Instituto Nicaragüense de Café.
incaico, ca *adj.* 잉카족(los incas)의 : templo ～ 잉카족의 사원.
el Imperio I- 잉카 제국《13세기부터 1533년 서반아령이 될 때까지 Perú를 중심으로 남미 서해안에 번영한 제국》.
incalculable *adj.* 계산할 수 없는, 헤아릴 수 없는 : un manuscrito de valor ～ 계산할 수 없는 가치가 있는 원고. una cantidad ～ de público 헤아릴 수 없이 많은 관중.
incalificable *adj.* 형용할 수 없는, 말로 다할 수 없는 ; 굉장한(muy vituperable).
incalmable *adj.* 달랠 길 없는, 가라앉힐 수 없는.

incalumniable *adj.* 모략·중상할 수 없는.
incambiable *adj.* 바꿀 수 없는.
incanato *m.* 《*Perú.*》 잉카 제국 시대.
incandescencia *f.* ① 백열(ignición) : lámpara de ~ 백열등. ② 열광, 격앙, 흥분(efervescencia, ardor) : la ~ de las pasiones 격정의 달아오름. ③ 비등.
incandescente *adj.* 백열된, 불타는, 열렬한, 달아오른(candente).
incansable *adj.* ① 피로를 모르는(infatigable). ② 매우 활발한·활동적인(muy activo) : ~ *en* el trabajo 일에 매우 활동적인.
incansablemente *adv.* 피로한 줄도 모르고, 부지런히, 꾸준히, 계속해서 : trabajar ~ 지칠 줄 모르고 일하다.
incantable *adj.* 노래가 되지 않는, 노래하지 못하는.
incapacidad *f.* 용량 부족 ; 불능, 무능력, 무자격, 자격 결여 ; 부정당.
incapacitado, da *adj.* 무자격·무능력한.
—*m.f.* 무자격자, 무능력자.
incapacitar *tr.* 무능·불능하게 하다 ; 무자격·무능력을 선고하다, 자격을 박탈하다. Sinón. inhabilitar.
~se 자격을 상실하다.
incapaz *adj.* ① 수용력·수용량이 없는 : El local era ~ *para* tanta gente. ② 무능한, …할 수 없는 : Es ~ *de* mentir 그는 거짓말을 할 수 없다. ③ 무능력한, 무자격한. Sinón. inhábil. ④ 어리석은(necio). ⑤ 견딜 수 없는, 참을 수 없는(insoportable).
incapel *m.* 《*Ál.*》(세례후 아이들이 머리에 얹는) 두건(capillo).
incardinación *f.* (사교·주교가) 자신의 지배하에 두는 일.
incardinar *tr.* (사교·주교가) 자신의 지배하에 두다.
incasable *adj.* 결혼할 수 없는 ; 신랑이 되어줄 만한 사람도 없을 것 같은 ; 결혼 기피의.
incásico, ca *adj.* 잉카족의(incaico).
incasto, ta *adj.* 부정한, 음탕한.
incausto *m.* 밀랍화(畵)(encausto).
incautación *f.* 【법률】 압수 ; 압수품.
incautamente *adv.* 방심하여, 부주의하게, 신중성이 없이(sin prudencia).
incautarse *r.* 【법률】 [+de : …을] 압수하다 : La policía *se incautó de*l automóvil robado 경찰은 훔친 자동차를 압수했다.
incauto, ta *adj.* 방심한, 조심성이 없는, 부주의한.
INCE Instituto Nacional de Cooperación Educativa.
INCEI Instituto Nacional de Comercio Exterior e Interior.
incendaja *f.* 가연물, 방화 재료.
incendiar *f.* ⑪ ① (…에) 방화하다, (…에) 불을 지르다(poner o pegar fuego a una cosa) : ~ una casa 집에 방화하다. ② 태워 없애다, 태우다.
~se 타다, 타 없어지다.
incendiario, ria *adj.* ① 방화하는 ; 가연성의, 방화용의 : bomba ~*ria* 소이탄. ② 선동적인 : artículo ~. —*m.f.* 방화자.
incendio *m.* [*lat.* incendium] ① 화재 : seguro contra ~ 화재 보험. Sinón. siniestro. ② 불타오름, 열렬함, 격정.
—*pl.* 《*Chile.*》 악담 : hablar ~*s.*
incensación *f.* 향을 피우는 일 ; 아첨, 아부.
incensada *f.* 향로를 흔드는 일 ; 아첨, 아부.
incensar *tr.* ⑲ ① (사람에게) 향연(香煙)을 보내다, 향을 피우다·자욱하게 피우다. ② 아첨하다, 아부하다(lisonjear, adular) : ~ a los poderosos 권력자에게 아부하다.
incensario *m.* 향로 : un ~ de plata 은제 향로. ***romper**le a uno **el ~ en las narices*** (…에게) 무척 아부하다·아첨하다(adularle mucho).
incensurable *adj.* 비난할 수 없는, 전혀 나무랄 데 없는.
incentivar *tr.* 《*Arg. Ecuad. Parag. Urug.*》 = **estimular.**
incentivo *m.* 자극물, 미끼 ; 유인, 동기 : Para aumentar la producción, hay que crear ~*s* 증산을 위해서는 동기를 만들어야 한다. ~ para invertir 투자 유인. Sinón. aliciente.
incentro *m.* 【수학】 삼각형 안에 있는 원의 중심.
incertidumbre *f.* 불안, 초조 : vivir en la ~. Sinón. inseguridad.
incertinidad *f.* 《*Galic.*》 =**incertidumbre.**
incertísimo, ma *adj.* [*sup.* incierto] 아주 불확실한.
incertitud *f.* =**incertidumbre.**
incesable *adj.* 쉴 사이 없는, 끊임없는.
incesablemente *adv.*=**incesantemente.**
incesante *adj.* 끊임없는, 쉴새 없는, 연이은, 부단의, 그치지 않는, 계속적인 : ~*s* cuidados 끊임없는 조심. Me molestan esos ruidos ~*s* 끊임없는 소음이 나를 괴롭힌다. Sinón. constante, continuo, ininterrumpido.
incesantemente *adv.* 끊임없이, 계속적으로, 연달아, 잇달아, 부단히, 그치지 않고(sin cesar, contiuamente) : El avaro ahorra ~ 구두쇠는 계속 저축한다.
incesto *m.* 근친 상간(relación sexual entre parientes). —*adj.* =**incestuoso.**
incestuoso, sa *adj. m.f.* 근친 상간의 (사람).
inchúrbido, da *adj.* 《*Ant.*》 [드뭄] 멍청한, 바보스러운, 얼간이의, 등신같은.
incidencia *f.* ① 일어난 일, 사고 ; 우연 : por ~ 우연히. ② 【수학】 투사, 입사 : ángulo de ~ 투사각.
incidental *adj.* ① 우연히 일어나는, 우발적인, 부대적인 : música ~ 부수 음악, 반주 음악. ② (…에) 부수적으로 일어나는, 흔히 있는.
incidentalmente *adv.* =**incidentemente.**
incidente *adj.* ① 우연한, 불의의, 뜻밖의. ② 부수한, 부대(附帶)의. ③ 【물리】 입사(入射)의 : ángulo ~ 입사각. —*m.* 사고, 우발 사건, 삽화 ; 부대물, 부대 사건 ; 추가 소송.
incidentemente *adv.* 때마침, 우연히 ; 부대적으로.
incidir *intr.* [*lat.* incidere] ① (죄·과실에) 빠지다, 잘못하다, 실수를 저지르다 : Volvió a ~ *en* las mismas faltas 그는 똑같은 잘못을 다시 저질렀다. ② (광선이) 비치다 : El rayo luminoso *incide en* la lente. ③ (탄환이) 맞다·떨어

지다. ④ [+ en·sobre : …에] 영향이 미치다; 관계가 미치다. —*tr.* 【의학】 절개구(切開口)를 내다, 절개·절단하다(cortar).

incienso *m.* ① 향, 향연(香煙) : El mejor ~ viene de Arabia 제일 좋은 향은 아라비아에서 온다. ② 아첨, 아부, 입에 발린 소리, 감언(甘言)(lisonja).

inciertamente *adv.* 불확실하게 ; 불안하게.

incierto, ta *adj.* 불확실한, 부정확한 ; 불안한, 불안정한(inconstante) ; 자세한 것을 모르는 ; 알려지지 않은(desconocido).

incinerable *adj.* 소각하는 : billetes ~*s* 폐기 태환권.

incineración *f.* (지폐의) 소각 ; 분신 ; 화장, 다비(茶毘) : la ~ de un cadáver 시체의 화장.

incinerador, ra *adj.* 재로 만든, 소각하는. —*m.* (쓰레기의) 소각로.

incinerar *tr.* 재로 만들다 ; 태워서 버리다, 소각하다 ; 화장·다비하다 : Los romanos *incineraban* sus cadáveres 로마 사람들은 시체를 화장했다.

~se 분신하다.

incipiente *adj.* ① 시초의, 처음의, 초기의, 발단의, 막 시작한 : mi ~ pasión 첫 사랑의 정열. ② 초보의, 신진의, 신출내기의 : un poeta ~.

íncipit *m.* (편지·인쇄물의) 머리말.

incircunciso, sa *adj.* (회교도 사이에서) 할례를 받지 않은 ; 이단의, 이교도의.

incircunscripto, ta *adj.* 한계 밖의, 테두리 밖의.

incisión *f.* ① 절개구(切開口), 칼자국(corte, cortadua) : hacer una ~ con el bisturí. ② 비난(censura).

incisivo, va *adj.* ① 칼로 벨 수 있는 ; 날카로운 : diente ~ 앞니. ② 신랄한 : crítica ~*va*.

inciso, sa *adj.* 잘린, 갈린 ; 삽입하는. —*m.* (문장 속의) 삽입구 ; 구두점(,)(coma).

incisorio, ria *adj.* 절단용의, 날이 서 있는.

incisura *f.* 【의학】 절개구(切開口).

incitación *f.* 격려 ; 선동, 자극, 교사, 사주.

incitador, ra *adj.* 부추기는, 사주하는. —*m.f.* 부추기는 사람, 교사자, 선동자.

incitamento *m.* 자극(물).

incitamiento *m.* =**incitamento.**

incitante *adj.* 격려하는 ; 부추기는 듯한.

incitar *tr.* 자극·선동하다 ; 부추기다, 꼬드기다 : ~ a uno *a* la rebelión 남에게 폭동을 일으키도록 선동하다. Sinón. impulsar, inducir.

incitativo, va *adj.* 자극의 ; 격려의 ; 교사의 ; 독촉의 (명령). —*m.* 자극물.

incivil *adj.* 버릇없는 ; 촌스러운, 교양없는 : un comportamiento ~ 촌스런 행동. hombre ~ 교양없는 사람. Contr. cortés, civil.

incivilidad *f.* 버릇없음 ; 촌스러움, 무교양.

incivilizable *adj.* 문명의 길로 이끌 수 없는, 개화될 수 없는 : pueblo ~ 개화 불능의 민족.

incivilmente *adv.* 무례하게, 버릇없이.

incl(s). incluso(s) 동봉, 동봉물.

inclasificable *adj.* 분류할 수 없는, 유별할 수 없는 ; 세상에 드문.

inclaustración *f.* 수도원에 들어가는 일.

inclemencia *f.* 무자비, 엄함, 혹독함, 가혹함(rigor) : ~ del invierno 겨울의 혹독함.

a la ~ 비바람에 내맡겨져, 야외에, 노천에(al aire libre).

inclemente *adj.* 무자비한, 가혹한 ; 혹독한 : un frío ~ 혹독한 추위. tiempo ~ 혹독한 날씨.

inclín *m.* 【방언】 기질, 성향.

inclinación *f.* ① 기울기, 경사, 경도, 경각 ; 구배(勾配)(declive). ② 절, 인사. ③ 경향, 성향, 성벽(性癖)(propensión) : Tiene ~ *a* exagerar 그는 과장을 잘한다. ④ 의향(意向) ; 애정, 기호(嗜好), 취미(afición, gusto, vocación) : Tiene ~ *por* las ciencias naturales 그는 자연 과학에 취미를 가지고 있다.

~ ***a comprar*** 매상 성향.

~ ***a consumir*** 소비 성향.

inclinado, da *adj.* inclinar의 *p.p.*

inclinador, ra *adj.m.f.* 기울이는, 구부리는 ; 인사하는 (사람).

inclinante *adj.* 기울어져 있는 ; …하는 경향이 있는, …하기 쉬운.

inclinar *tr.* [*lat.* inclinare] ① 기울이다 : *Inclinó* la cabeza 그는 머리를 기울였다. ② 내리다. ③ 구부리다 : ~ el cuerpo 몸을 구부리다. ④ …하게 하다, …하는 마음이 내키게 하다. —*intr.* 기울기·경향을 가지고 있다, 곧잘 …하기 쉽다 : La situación familiar lo *inclinó a* aceptar el cargo. Sinón. predisponer.

~se ① 기울다, 경사지다 : El camino *se inclina a* la derecha 길은 오른쪽으로 기울어져 간다. ② 인사를 하다. ③ 경향이 있다 ; …하기 쉽다 : El chico *(se) inclina a* la madre 자식은 어머니를 닮기 쉽다. ④ [+a+*inf.*] 마음이 내키다, …하고 싶어지다 : *Me inclino a* creerlo 나는 그것을 믿고 싶어진다.

inclinativo, va *adj.* 기우는, 기울기 쉬운.

ínclito, ta *adj.* 저명한, 뛰어난(ilustre) : ~ escritor 저명한 작가.

incluido, da *adj.* 포함된, 내포된 : Está ~ el desayuno 아침밥이 포함되어 있다.

incluir *tr.* 77 [*lat.* includere] ① 품다. ② 포함·함유하고 있다 : Estos precios *incluyen* el laudo. Sinón. comprender. ③ 셈에 넣다·안으로 넣다. ④ 봉해 넣다, 동봉해서 보내다.

[직설법 현재 : incluyo, incluyes, incluye, incluimos, incluís, incluyen. 접속법 현재 : incluya, incluyas, incluya, incluyamos, incluyáis, incluyan. 직설법 부정과거 : incluí, incluiste, incluyó, incluimos, incluisteis, incluyeron. 현재 분사 : incluyendo].

inclusa[1] *f.* 기아 수용소.

inclusa[2] *f.* [*lat.* inclûsa] 【고어】 =**esclusa.**

inclusero, ra *m.f.* 기아(棄兒) ; 개구멍받이 ; 수용아(收容兒)(expósito).

inclusión *f.* 포함, 함유 ; 도입 ; 봉입 ; 동료, 동아리(amistad).

inclusivamente *adv.* 포함하여, 포함시켜, 셈에 넣어, 한데 묶어서.

inclusive *adv.* [*lat.* inclusive] 포함하여, 셈에 넣어, 포함시켜, 한데 묶어서(inclusivamente) : hasta el capítulo 15 ~ 제15장을 포함하여 제15장까지. Todos estuvieron de acuerdo, ~ tu hermano 네 형님을 포함하여 모두 동의했다. Sinón. aun, hasta.

inclusivo, va *adj.* 포함하는, 포함된 ; 포함시킬

수 있는. Contr. exclusivo.

incluso *adv.* ① 봉해 넣어, 동봉하여 ; 포함하여, 한데 하여, 뭉뚱그려(inclusive). ②…조차도, 까지(hasta) : Estaba aterrorizada e ~ arrepentida de mi atrevimiento 내 자신의 엉뚱스러움에 놀라 후회까지 하고 있었다.

incluso, sa *adj.* 포함된 ; 봉해 넣은 : nota de pedido *~sa* 동봉한 주문서. Esos conceptos están *~s en* el capítulo anterior 그 개념들은 앞 장에 포함되어 있다. **—***m.* 동봉·봉입물.

incluya incluir의 접·현·1·3·단수.

incluyáis incluir의 접·현·2·복수.

incluyamos incluir의 접·현·1·복수.

incluyan incluir의 접·현·3·복수.

incluyas incluir의 접·현·2·단수.

incluye incluir의 직·현·3·단수.

incluyen incluir의 직·현·3·복수.

incluyendo incluir의 현재 분사.

incluyente *adj.* 포함하고 있는.

incluyeron incluir의 직·부정과거·3·복수.

incluyes incluir의 직·현·2·단수.

incluyó incluir의 직·부정과거·3·단수.

incoación *f.* 시작, 개시, 착수 ; 기동성.

incoado, da *adj.* 이제 막 시작된 ; 미완성의.

incoagulable *adj.* 응결되지 않는.

incoar *tr.* (재단 등을) 시작하다, 개시하다. Sinón. abrir, iniciar.

incoativo, va *adj.* ① 발단의. ② [문법] 기동(起動)(상)의 : verbo ~ 기동 동사 《florecer, amanecer 등》.

incobrable *adj.* 거두어들일 수 없는, 수금할 수 없는, 회수 불능의 : deuda ~.

incoercibilidad *f.* 압축 불능 ; 참을 수 없음.

incoercible *adj.* ① 압축 불능의 : fluido ~. ② 억누를 길 없는, 참을 수 없는.

incógnita *f.* ①【수학】(보통 X로서 표시되는) 미지수 : La causa de su deserción es una ~. ② 불명의 원인·이유, 내정, 내막 : despejar la ~ 미지수를 풀다 ; 내막을 밝히다.

incógnito, ta *adj.* ① 모르는, 미지의 : regiones *~tas* 미지의 지역. Sinón. desconocido, ignorado, ignoto. ② 이름·정체를 숨기는, 미행의, 변명(變名)의, 익명의. **—***m.* 이름을 숨기는 일·숨기는 사람 ; 익명, 변명(變名) : El rey guarda el ~ 왕은 이름을 밝히지 않고 있다. ***de ~*** 이름·정체를 숨겨서, 암행하여 : La princesa viajó *de ~* en tren 공주는 정체를 숨기고 기차로 여행했다. El famoso actor visitó la ciudad *de ~* 유명한 배우가 이름을 숨기고 도시를 방문했다.

incognoscible *adj.* 사람의 지혜가 미치지 못하는.

incóg.º incógnito.

incoherencia *f.* 연락 두절 ; 뿔뿔이 흩어짐, 지리 멸렬 : la ~ de las ideas 사상의 부재. Sinón. incongruencia.

incoherente *adj.* ① 서로 연락·연결이 없는, 앞뒤가 맞지 않는, 지리 멸렬한, 뿔뿔이 흩어진 : pronuciar palabras *~s* 앞뒤가 맞지 않는 말을 하다. ② 점착성(粘着性)이 없는. Sinón. incongruente.

incoherentemente *adv.* 두서없이, 지리 멸렬하게, 엉망으로.

íncola *m.*【시어】(어떤 토지의) 주민.

incoloro, ra *adj.* ① 무색의, 색채(감)이 없는 : El alcohol puro es ~ 순수 알코올은 무색이다. ② 광체·윤기가 없는 : estilo ~.

incólume *adj.* 건전한(sano) ; 완전한, 흠이 없는(indemne, intacto) : prestigio ~ 완전 무결한 명성.

incolumidad *f.* 건전 ; 완전한 것.

incombinable *adj.* 배합할 수 없는, 맞출 수 없는.

incombustibilidad *f.* 불연소성 : la ~ del amianto 석면의 불연소성.

incombustible *adj.* ① 불연소성의 : El amianto es ~ 석면은 연소하지 않는다. ② (감정이) 타오르지 않는.

incomerciable *adj.* 매매할 수 없는 ; 금제의.

incomestible *adj.* =**incomible.**

incomible *adj.* 먹을 수 없는.

incomodador, ra *adj. m.f.* 귀찮은, 불쾌하게 하는, 화가 나는 (사람)(molesto).

incómodamente *adv.* 거북하게, 불편하게 (con incomodidad) : estar sentado ~ 불편하게 앉아 있다.

incomodar *tr.* ① 불편하게 하다. ② 애먹이다, 부아를 돋구다, 화나게 하다 : Ese niño me *está incomodando* 그 아이는 나를 애먹이고 있다. **~se** ① 불편해 하다 : No *te incomodes,* iré yo 나 갈테니 불편해 하지 마라. ② 기분이 나쁘게 되다, 기분이 언짢아지다, 성나다, 화내다 (enfadarse, enojarse) : *Se incomodó* mucho cuando se lo preguntaron 그에게 그것을 물어보았을 때 그는 무척 화를 냈다.

incomodidad *f.* ① 불편 : vivir con ~ 불편하게 살다. ② 골치 아픔, 귀찮음, 불쾌감 (disgusto). ③ 화남, 노함, 성이 남(enfado). ④ 있기·지내기·살기 거북함.

incómodo, da *adj.* ① 불편한, 잘되지 않는, 사는 데 불편스러운 : herramienta *~da* 불편한 연장. Duerme ~ *en* esa cama 그는 침대에서 불편하게 잠을 잔다. Se siente ~ *en* nuestra presencia 그는 우리의 출현에 불편해 한다. ② (신기에·입기에·타기에) 거북스러운 : Viajamos en un coche ~ 타기 거북한 자동차로 우리는 여행했다. ③ 귀찮은 ; 언짢은, 불쾌한 : una pregunta *~da* 귀찮은 질문. Sinón. molesto, violento. ④《*Amér.*》화난, 성난, 노한. **—***m.* =**incomodidad.**

incomparable *adj.* 비할 데 없는, 견줄 길 없는 : un cuadro de belleza ~ 비할 데 없이 아름다운 그림.

incomparablemente *adv.* 비할 데 없이.

incomparado, da *adj.* =**incomparable.**

incomparecencia *f.* (사람 앞에) 불출두.

incompartible *adj.* 나눌 수 없는.

incompasible *adj.* =**incompasivo.**

incompasivo, va *adj.* 무정한, 무자비한(despiadado). Contr. misericordioso.

incompatibilidad *f.* 서로 받아들일 수 없는 일, 양립되지 않는 일, 상반성(相反性), 모순(矛盾) ; 겸임·겸무·겸직 불능.

incompatible *adj.* ① 성미가 맞지 않는, 서로 용납하지 않는, 양립할 수 없는, 모순되는 : caracteres *~s* 서로 맞지 않는 성격. funciones

~*s* 모순되는 기능. ② 겸무·겸임·겸직할 수 없는.
incompensable *adj.* 보상 받을 길 없는.
incompetencia *f.* 무능력, 무자격, 부적격 ; (직무상의) 관할이 다름.
incompetente *ajj.* ① 무능한, 쓸모없는. ②【법률】 무능력의, 무자격한. ③ (업무의) 관할 밖의.
incomplejo, ja *adj.* =**incomplexo.**
incompletamente *adv.* 불완전하게, 미완성으로 : un problema ~ resuelto 불완전하게 해결된 문제.
incompleto, ta *adj.* 불완전한, 미완성의.
incomplexo, xa *adj.* 단순한 ; 뿔뿔이 흩어진, 서로 연관이 없는, 상반된. Sinón. sencillo.
incomponible *adj.* 고칠 수 없는.
incomportable *adj.* 참을 수 없는, 견딜 수 없는.
incomposibilidad *f.* 조화·타협할 수 없는 일.
incomposible *adj.* 조화·타협할 수 없는 ; 수선해서 다시 쓸 수 없는(incomponible).
incomposición *f.* =**falta de composición.**
incomprehensibilidad *f.* =**incomprensibilidad.**
incomprehensible *adj.* =**incomprensible.**
incomprendido, da *adj.* 이해되지 않는.
incomprensibilidad *f.* 불가해(不可解).
incomprensible *adj.* 불가해한, 까닭을 알 수 없는.
incomprensiblemente *adv.* 불가해하게, 까닭을 알 수 없이.
incomprensión *f.* 이해력 부족.
incompresibilidad *f.* 압축 불가능.
incompresible *adj.* 압축할 수 없는 : Los líquidos son casi ~*s* 액체는 거의 압축할 수 없다.
incomprimible *adj.* 압축이 불가능한.
incomunicabilidad *f.* 전달 불능 ; 통신·교통 불능 ; 호감이 가지 않는 일.
incomunicable *adj.* 전달할 수 없는, 연락이 끊긴, 연락이 두절된, 연락이 닿지 않는 ; 교통·통신할 수 없는 ; 호감이 가지 않는, 뜻이 통하지 않는.
incomunicación *f.* 격리, 면회 금지 ; 통신·교통 두절, 고립. Sinón. aislamiento.
incomunicado, da *adj.* 격리·감금된, 면회를 금지 당한 : poner ~ a un preso 체포한 사람을 격리·감금하다.
incomunicar *tr.* 7 ① 격리하다 : ~ a un preso 포로·죄수를 격리하다. ② 고립시키다, 교통을 두절시키다 : El terremoto *incomunicó* a toda la provincia.
~se 고립하다, 격리되다, 사람과의 교제를 끊다.
incomunicativo, va *adj.* 뚱한, 말수가 적은, 입이 무거운 ; 음신(音信) 불통의.
inconcebible *adj.* 까닭을 알 수 없는 ; 생각할 수도 없는, 엉뚱한 : desvergüenza ~. Sinón. inimaginable.
inconciliable *adj.* 화해·융화·타협할 수 없는, 양립될 수 없는 : dos composiciones ~*s.* Sinón. incompatible.
inconcino, na *adj.* 가지런하지 못한, 헝클어진.
inconcluso, sa *adj.* 미완(성)의, 끝나지 않은 : la Sinfonía ~*sa* de Schubert 슈베르트의 미완성 교향곡.
inconcluyente *adj.* 철저하지 못한.
inconcreto, ta *adj.* =**vago, impreciso.**
inconcurrente *adj.* 일치하지 않는, 앞뒤가 맞지 않는.
inconcusamente *adv.* 분명하게, 확실하게, 의심할 여지없이.
inconcuso, sa *adj.* 확실한, 분명한(cierto, firme, sin dudas) : una verdad ~*sa.* Sinón. incontestable, indudable, innegable.
incondicional *adj.* 무조건의, 조건없는, 절대적인(absoluto, sin restricción) : Los aliados exigían una rendición ~ 연합국은 무조건 항복을 요청했다. Le ofreció una ayuda ~ 그에게 조건없는 도움을 제공했다. —*m.f.* 무조건 굴복하는 사람.
incondicionalismo *m.* 《*Arg. Ecuad. Guat. PRico.*》 비굴(servilismo).
incondicionalmente *adv.* 조건없이, 무조건으로, 절대적으로(de manera incondicional) : obedecer ~ 조건없이 따르다.
inconducente *adj.* 무익한, 쓸모없는(inútil).
inconducta *f.* 《*Arg. Galic.*》 품행이 바르지 못함, 옳지 못한 행실.
inconexión *f.* 무관련, 무연락.
inconexo, xa *adj.* 관련이 없는 : un discurso ~ 관련이 없는 연설. dos asuntos ~*s* entre sí 서로 연관성이 없는 두 사건. Sinón. incoherente.
inconfesable *adj.* 창피해 말할 수 없는, 입밖에 나오지 않는, 고백할 수 없는.
inconfeso, sa *adj.* (죄를) 자백하지 않는·않은 : un reo ~.
inconfidencia *f.* 불신, 의혹(desconfianza).
inconfidente *adj.* 불신의, 신뢰할 수 없는, 신용할 수 없는(infiel).
inconforme *adj. m.f.* 불만의 ; 반체제적인 (사람).
inconformidad *f.* 불만, 불복 ; 반체제.
inconformiso *m.* 적대 행위·태도·자세 ; 반체제주의.
inconformista *adj. m.f.* 적대 행위를 가진 (사람) ; 반체제주의자.
inconfundible *adj.* 틀림없는, 분명한 : De repente, apareció su rostro ~.
incongelable *adj.* 동결할 수 없는, 얼게 할 수 없는.
incongruamente *adv.* 적절하지 못하게, 부조화하게.
incongruencia *f.* 부조화, 부적절, 부적합, 부조리 : Su vida está llena de ~*s* 그의 생활은 부조리로 가득 차 있다.
incongruente *adj.* 조화되지 않는 ; 어울리지 않는 ; 부조리한 (태도 따위) ; 턱없는 (이야기) : Su discurso es ~ *con* su conducta 그의 연설은 태도와는 어울리지 않는다.
incongruentemente *adv.* 부적절하게, 부조화하게.
incongruidad *f.* =**incongruencia.**

incongruo, grua *adj.* 꼭 들어맞지 않은, 부적절한(incongruente) ; 연금을 받지 않는 (승려).
inconmensurabilidad *f.* 헤아릴 수 없는 일 ; 엉뚱스러움(inmensidad).
inconmensurable *adj.* 헤아릴 수 없는 ; 약분할 수 없는 ; 터무니없는, 엉뚱한(inmenso).
inconmovible *adj.* ① 움직일 수 없는, 확고한 : pilares ~*s* 움직일 수 없는 기둥. convicción ~ 확고한 신념. [Sinón.] sólido. ② 냉담한, 냉정한 : A pesar de las súplicas, seguía ~ 간청에도 불구하고 그는 계속 냉담했다.
inconmutabilidad *f.* 불변(성), 바꿀 수 없음.
inconmutable *adj.* 불변의 ; 바꿀 수 없는.
inconocible *adj.* 《*Amér.*》 (변화하여) 가릴 수 · 헤아릴 수 · 인식할 수 없는, 몰라 볼 정도의.
inconquistable *adj.* ① 정복할 수 없는 : pueblo ~ 정복할 수 없는 민족. ② 의지가 굳은.
inconsciencia *f.* 무의식, 무자각.
inconsciente *adj.* 무의식의, 부지중의 : Hizo un movimiento ~.
inconscientemente *adv.* 부지중에, 무의식적으로 : moverse ~ 무의식적으로 움직이다.
inconsecuencia *f.* 모순 ; 무정견.
inconsecuente *adj.* 앞뒤가 맞지 않는 ; 한결같지 못한, 변덕스러운, 태도가 흔들리는 : ~ *con* · *para* · *para con* sus amigos 친구에 대해 분명한 생각을 갖지 못하고 있는. hombre ~ 변덕쟁이. —*m.f.* 무정견한 사람.
inconsideración *f.* 무사려, 경솔 : hablar con ~ 경솔하게 말하다.
inconsideradamente *adv.* 지각없이, 경솔하게(atolondradamente) : emprender ~ un negocio 경솔하게 사업을 시작하다.
inconsiderado, da *adj.* 경솔한, 경망스러운 ; 부주의한, 지각없는, 무모한, 무분별의 : No tomes medidas ~*das* 경솔한 조치를 취하지 마라. [Sinón.] impremeditado, precipitado, agolondrado, atolondrado.
—*m.f.* 지각없이 구는 사람(desconsiderado).
inconsiguiente *adj.* 한결같지 못한 ; 모순된 (inconsecuente).
inconsistencia *f.* 모질지 못함, 끈덕지지 못함, 변덕스러움, 마음이 모질지 못함.
inconsistente *adj.* 마음이 굳지 못한, 변하기 쉬운, 변덕스러운, 마음이 끈질기지 못한 : Me dio razones ~*s*. [Sinón.] fútil.
inconsolable *adj.* 달랠 길 없는, 위로할 길 없는 : viuda ~ 달랠길 없는 미망인. [Sinón.] desconsolado.
inconsolablemente *adv.* 말할 수 없이 가엾게, 의지할 데라고는 없이.
inconstancia *f.* 변하기 쉬운 일, 불안정 ; 무절조, 변덕 : la ~ del tiempo 날씨의 변덕.
inconstante *adj.* 변하기 쉬운, 불안정한 ; 흔들리는, 절조없는, 변덕스러운 : ~ *en* su proceder 태도가 한결같지 못한. [Sinón.] inestable, tornadizo, voluble.
inconstantemente *adv.* 불안정하게, 절조없이, 변덕스레.
inconstitucional *adj.* 헌법에 따르지 않은, 헌법 위반의.
inconstitucionalidad *f.* 헌법 위배.
inconstituible *adj.* 형성 · 구성 · 조직할 수 없는.
inconstruible *adj.* 건조할 수 없는.
inconsulto, ta *adj.* 《*Amér.*》 =**inconsiderado.**
inconsútil *adj.* 이은 데가 없는, 꿰맨 데가 없는 : velo ~ 그리스도의 의복.
incontable *adj.* 헤아릴 수 없는, 무수의 : El asunto tiene ~*s* aspectos. [Sinón.] innumerable.
incontaminado, da *adj.* 더럽혀지지 않는 ; 오염 · 전염되지 않은 ; 깨끗한.
incontenible *adj.* 억누를 수 없는, 참을 수 없는.
incontestabilidad *f.* 분명함, 확실함.
incontestable *adj.* 분명한, 확실한 : una verdad ~. [Sinón.] indiscutible, indudable, innegable.
incontinencia *f.* ① 무절제 ; 음란. ② 【의학】 오줌 싸개 : ~ de orina 오줌 싸개.
incontinente *adj.* 무절제한, 참을성이 없는 ; 음란한. —*adv.* 곧장(incontinenti).
incontinentemente *adv.* 무절제하게, 참을성 없이 ; 음란하게.
incontinenti *adv.* 곧장, 바로, 즉시, 즉석에서 (inmediatamente, enseguida).
incontinuo, nua *adj.* 끊어지지 않은, 중단없는, 연달은(continuo). [Contr.] discontinuo.
incontrarrestable *adj.* 막을 수 없는, 방지할 수 없는, 대처할 수 없는.
incontrastable *adj.* ① 비교도 되지 않는, 이길 수 없는, 상대가 되지 않는. [Sinón.] indiscutible, innegable. ② 고집이 센, 완고한.
incontrastablemente *adv.* 비교도 되지 않게, 어길 수 없이, 상대가 되지 않게.
incontratable *adj.* =**intratable.**
incontrito, ta *adj.* 뉘우치지 않는.
incontrolable *adj.* 조절 · 통제 할 수 없는.
incontrolado, da *adj.* 조절 · 통제되지 않는.
incontrovertible *adj.* 논의할 여지가 없는, 명백한, 반론의 여지가 없는 : una afirmación ~. [Sinón.] indiscutible, innegable.
inconvencible *adj.* 설복되지 않는, 완고한.
inconvenible *adj.* 형편이 좋지 못한, 적합하지 않은, 불리한(inconveniente).
inconveniencia *f.* ① 형편이 좋지 못함, 성가심 : causar mucha ~ 폐를 끼치다. ② 부적합, 부적당 ; 무례 ; 고장 ; 방해.
inconveniente *adj.* ① 형편이 나쁜, 부적당한, 달갑지 않은 : En este momento la medida sería ~ 지금 그 조치는 적당치 않을 것이다. [Sinón.] inoportuno, perjudicial. ② 《*Galic.*》 무례한 : Se enojó mucho y dijo palabras ~*s* 그는 무척 화가 나서 무례한 말을 했다. —*m.* ① 지장, 장해, 방해(obstáculo, impedimento) : poner un ~ 방해하다. no tener ~ en …해도 방해가 되지 않는다. Tuvo muchos ~*s* para viajar 그는 여행하는데 많은 장애물이 있었다. [Sinón.] dificultad. ② 고장 : el ~ de la máquina 기계의 고장.
inconversable *adj.* [드뭄] 이야기 상대가 되지 않는, 말이 통하지 않는(intratable) : persona ~ 말이 통하지 않은 사람.
inconvertible *adj.* 바꿀 수 없는, 태환할 수 없는 : papel moneda ~ en metálico 주화로 바꿀 수 없는 돈.

INCORA Instituto Colombiano de la Reforma Agraria.
incordiar *tr.* ① 기인하다, 원인이다. ② = **molestar, fastidiar.**
incordio *m.* 【의학】 가래톳(bubas).
incorporable *adj.* 합체·합병·편입·혼합시킬 수 있는.
incorporación *f.* 합병, 합체, 편입 ; 단체, 결사(結社) ; 회사 설립 ; 일어나는 일.
incorporal *adj.* ① 형상·형체가 없는, 무형의(incorpóreo). ② 만져 볼 수 없는.
incorporalmente *adv.* 형체·형상도 없이.
incorporar *tr.* ① 통합하다, 합치다, 합병하다, 편입하다(anexar) : Lo *incorporaron a*l ejército 그를 군에 편입시켰다. Fernando el Católico *incorporó* Navarra *a* España 카톨릭왕 페르난도는 나바라를 서반아에 합병했다. ② 혼합하다, 섞다 : ~ *a·con·en* …에·과 함께 하다, 편입시키다. ~ los huevos *a* la masa 빵의 반죽에 달걀을 섞다. Sinón. añadir, agregar. ③ 일어나게 하다, 일으키다(levantar).
~se ① 상체를 일으키다, 일어나다 : *Se incorporó en* su lecho 그는 침대에서 몸을 일으켰다. ② 합체하다, (회사 등이) 합병하다 ; 가담하다 : El *se había incorporado a* cierto organismo gubernamental 그는 어떤 정부 기관에 가입했다. ③ (군인이) 입대하다.
incorporeidad *f.* 무형, 무정형(無定形), 형체가 없는 것 ; 비물질성.
incorpóreo, a *adj.* 형체·실체가 없는, 무형의 ; 영적인. Sinón. inmaterial.
incorporo *m.* =**incorporación.**
incorrección *f.* 부정확(한 것), 틀림 ; 결례, 무례(grosería).
incorrectamente *adv.* 부정확하게, 잘못하여 : expresarse muy ~ 매우 부정확하게 자기의 뜻을 표명하다.
incorrecto, ta *adj.* ① 부정확한, 틀린 : una redacción 틀린 편집. Sinón. defectuoso, imperfecto. ② 온당치 못한, 바르지 못한 : un comportamiento ~ 바르지 못한 소행. Sinón. descortés, grosero.
incorregibilidad *f.* 교정(矯正) 불능 : la ~ de un borracho 교정 불능의 주정뱅이.
incorregible *adj.* 교정할 수 없는 ; 마음을 고칠 가망이 없는 ; 감당할 수 없는 : un mentiroso ~ 고칠수 없는 거짓말쟁이.
incorregiblemente *adv.* 고칠 수 없이, 교정할 수 없이.
incorrupción *f.* 부패하지 않는 것, 때묻지 않음, 오염되지 않음, 건전, 청렴, 결백.
incorruptamente *adv.* 청렴 결백하게.
incorruptibilidad *f.* 청렴 ; 매수되지 않는 일 : la ~ de un juez 재판관의 청렴.
incorruptible *adj.* 부패하지 않는 ; 청렴한, 매수하기 어려운(insobornable).
incorrupto, ta *adj.* 부패하지 않은 ; 매수되어 있지 않은 ; 신출내기의, 애숭이의 ; 더럽혀지지·때묻지 않은.
incosteabilidad *f.* 채산을 맞출 수 없음.
incosteable *adj.* 채산 맞추기 어려운 : resultar ~ 채산을 맞출 수 없게 되다.
incrasante *adj.* [incrasar의 *p.p.*] 【의학】 살찌게 하는.
incrasar *tr.* 【의학】 =**engrasar.**
increado, da *adj.* 창조·창작된 것이 아닌 : sabiduría ~*da* 신언(神言)(el verbo divino).
incredibilidad *f.* 믿을 수 없는 일.
incrédulamente *adv.* 의심스럽게, 미심쩍게 ; 별 받게.
incredulidad *f.* 의심이 많음, 회의 ; 무신앙.
incrédulo, la *adj.* ① 의심이 많은, 못 믿는, 믿음이 없는(increído) : Me miró ~*la* cuando se lo dije 내가 그에게 그것을 말했을 때 그는 나를 믿지 못하겠다는 듯이 바라보았다. ② 신앙심이 없는(falto de fe religioso). Sinón. descreído.
increencia *f.* 믿음의 부족.
increíble *adj.* ① 믿을 수 없는 : ~ *a·para* muchos. ② 거짓말 같은. ③ 굉장한(extraordinario): un éxito ~. ④ 놀라운(muy sorprendente): Es ~ que me hayas hecho esta mala jugada.
increíblemente *adv.* 믿을 수 없을 만큼, 거짓말 같이 : hombre ~ rico 믿을 수 없을 만큼 부유한 사람.
incrementar *tr.* 불리다, 늘리다, 증대·증가시키다(aumentar) : Estas medidas *incrementarán* nuestro comercio exterior.
incremento *m.* [*lat.* incrementum] ① 증대, 증가, 증진(aumento) : el ~ tomado por un negocio 사업으로 얻은 증가. ② 【문법】 음절 증가.
increpación *f.* 꾸짖음, 꾸중, 나무람, 견책.
increpador, ra *adj.* 질책의. —*m.f.* 질책하는 사람.
increpante *adj.m.f.* =**increpador.**
increpar *tr.* ① 나무라다, 견책하다(reprender). ② =**insultar.**
incriminación *f.* 죄를 뒤집어씌우는 일.
incriminar *tr.* (…에게) 죄를 뒤집어씌우다 ; 죄가 되는 일이라고 말하다 ; 몹시 비난하다.
incristalizable *adj.* 결정(結晶)되지 않는.
incriticable *adj.* 비평할 수 없는, 비난하기 어려운.
incruentamente *adv.* 피를 흘리지 않고.
incruento, ta *adj.* 피를 보지 않는.
incrustación *f.* ① 끼우는 일, 상감(象嵌), 상안(象眼) ; 끼워 넣기 ; 상감 세공 ; 자개 공예 ; 껍질·외피로 씌우는 일 ; 앙금. ② 【의학】 (부스럼) 딱지, 가피(痂皮).
incrustador, ra *adj.m.f.* 상감하는 (사람)
incrustante *adj.* 버캐가 생기는 : aguas ~*s.*
incrustar *tr.* 끼우다, 상안하다, 상감하다 ; (…에) 껍질·버캐가 끼게 하다.
~se 들러붙다 ; 끼워지다, 박히다, 새겨지다(grabarse).
incubación *f.* ① 포란, 부화 : ~ artificial 인공 부화. ② (질병의) 잠복(기) : período de ~. ③ 【세균】 항온(恒温) 배양.
incubadora *f.* ① 부화기, 포란기 : ~ artificial 인공 부화기. ② 미숙아 보육기. ③ 세균 배양기.
incubar *tr. intr.* ① 알을 품다·까다(encobar huevos). ② (미숙아 등을) 보육기에 넣다. ③ 세균을 배양하다(encobar). —*tr.* 꾸미다, 획책하다 : Piensa que *están incubando* su destitución.

íncubo *m.* 잠자는 여자를 범한다는 악마 ; 악마.
incuestionable *adj.* 의심할 바 없는, 문제도 되지 않는, 확실한, 명백한. Sinón. indiscutible, innegable.
inculcación *f.* 억지로 떠맡김 ; 타이름, 설복(說服) ; 활자의 밀착 ; 고집.
inculcador, ra *adj.m.f.* 터득시키는 ; 설복시키는 (사람).
inculcar *tr.* 7 ① (사실・사상・지식・습관을) 가르쳐 주입하다, 터득시키다 : Trato de ～les amor *a* la justicia. Sinón. infundir. ② 억지로 떠맡기다 ; 단단히 타일러 말하다, 설복시키다, 머리에 박히게 만들다 ; 지나치게 붙이다.
～se 지나치게 붙이다 ; 집념하다, 고집하다 (obstinarse).
inculpabilidad *f.* 잘못・죄・흠이 없음.
inculpable *adj.* 죄가 없는 ; 나무랄 데 없는.
inculpablemente *adv.* 죄없이 ; 탈없이.
inculpación *f.* 죄를 쓰기, 탈 잡힘 ; 연좌 : ～ de asesinato 살인의 연좌, 살인죄를 뒤집어쓰기.
inculpadamente *adv.* 죄없이.
inculpado, da *adj.* [드뭄] 무죄의, 결백한.
inculpar *tr.* (…에) 죄를 뒤집어씌우다, 잘못을 전가하다, 죄를 만들다(culpar, acusar) : ～ de robo 절도범으로 만들다.
incultamente *adv.* 교양없이, 거칠게, 엉성하게.
incultivable *adj.* 경작할 수 없는, 재배할 수 없는, 개척할 수 없는.
inculto, ta *adj.* ① 경작되지 않은, 거친(yermo) : tierra ～*ta* 황무지. Gran parte de la región quedó ～*ta* 대부분의 지방이 경작되지 않았다. ② 교양이 없는, 촌스러운 : un mozalbete ～ 교양없는 어린 사람. Sinón. ignorante, tosco. ③ 조잡한, 사나운 : estilo ～ 조잡한 문제.
incultura *f.* 미개간 ; 무교양.
incumbencia *f.* 의무, 책임 : La defensa del país es de ～ de las fuerzas armadas 나라의 방어는 군의 의무이다.
incumbir *intr.* ① 연관이 있다, 관련되다 : Eso no te *incumbe* 그것은 너와 상관없는 일이다. ② (어떤 사람의) 책임・의무에 속하다 : Ese asunto *incumbe* al notario 그 일은 공증인의 의무에 속한다. Sinón. competer, concernir, corresponder.
incumplido, da *adj.* 다하지 못한, 미수의.
incumplimiento *m.* 불이행(不履行)(no cumplimiento) : el grave ～ de una orden.
incumplir *tr.* 다하지 않다, 불이행하다 : ～ un contrato.
incunable *adj. m.* (활자 발명 이후 16세기 초까지의) 인본(印本)(의), 인쇄 초기 시대(의).
incurabilidad *f.* (질병의) 불치.
incurable *adj.* ① 불치의, 난치의 : mal ～ 불치의 간질병. ② 교정할 수 없는(insanable) : vicio ～ 교정 불능의 악습.
incuria *f.* 태만, 방심. Sinón. dejadez, descuido, desidia, negligencia.
incurioso, sa *adj.* 태만한, 별 신경을 쓰지 않는(descuidado).
incurrimiento *m.* 과실・죄를 저지르는 일.
incurrir *intr.* ① [+en : 과오・죄 등에] 빠지다, 저지르다, 범하다(cometer) : ～ *en* error 잘못을 저지르다. ～*en* una culpa grave 큰 잘못을 저지르다. Sinón. caer. ② [+en : 증오・분노・멸시 등을] 받다, 입다, 당하다 : ～ *en* el enojo del jefe 상사의 노여움을 사다. ～ *en* un castigo por *su* error 자신의 잘못으로 벌을 받는 처지가 되다.
incursión *f.* ① 침입, 진공(進攻), 급습 : ～ aérea de bombardeo 공습. hacer una ～ *por* territorio enemigo 적국의 영토로 진공하다. ② 죄・과오를 범함.
incursionar *intr.* =**penetrar en.**
incurso, sa *adj.* incurrir의 *p.p.* —*m.* [드뭄] 진공(進攻), 공격, 급습, 습격.
incusar *tr.* [드뭄] =**acusar.**
incuso, sa *adj.* 앞뒤에 똑같은 무늬로 요철의 각인(刻印)을 받은 (화폐・메달 등).
indagación *f.* 탐구, 연구, 조사 ; 수색.
indagador, ra *adj. m.f.* 탐구・조사하는 (사람).
indagar *tr.* 8 탐구하다, 조사하다, 연구하다 : El juez *está indagando* las causas del siniestro. Sinón. averiguar, investigar.
indagatoria *f.* (재판의) 조서.
indagatorio, ria *adj.* 조사의.
indamericano, na *adj.m.f.* 《*Amér.*》 아메리카 태생의 (사람).
indayé *m.* 《*Riopl.*》【조류】새매(guvilán)의 일종.
indebidamente *adv.* 부당하게, 불법으로.
indebido, da *adj.* ① 부당한, 불법인(ilícito) : una reprimenda ～*da* 부당한 질책. una contestación ～*da* 부당한 대답. ② 의무적인 것이 아닌.
indecentada *f.* 조심성이 없음 ; 비열함, 천함 ; 추행, 상스러움.
indecencia *f.* 천박스러운 짓, 음탕한 행위.
indecente *adj.* ① 조심스럽지 못한, 신중하지 못한. ② 교양이 없는, 품위가 없는. ③ 음탕한. ④ 무척 나쁜(muy malo) : comida ～ 무척 나쁜 음식・식사.
indecentemente *adv.* 신중하지 못하게 ; 조심스럽지 못하게 ; 품위없이, 교양없이.
indecible *adj.* 말로 표현할 수 없는 : Mi alegría al verlo de nuevo fue ～ 다시 그를 만났을 때 나의 기쁨은 말로 표현할 수 없었다. Sinón. indescriptible, inenarrable.
indeciblemente *adv.* 벙어리 냉가슴으로.
indecisión *f.* ① 모질지 못함, 우유부단, 결단성이 없음 ; 주저. Sinón. hesitación, irresolución, vacilación. ② 미온적 태도.
indecisivo, va *adj.* 정하지 못하는, 결정하지 못하는.
indeciso, sa *adj.* ① 아직 결정 내리지 못한, 결단성이 없는, 우물쭈물하는 : Los resultados de la votación están todavía ～*s.* ② 막연하기만 한(vago) : formas ～*sas* 막연한 모양. ③ 불확실한, 의심스러운(incierto, dudoso) : batalla ～*sa* 불확실한 전투.
indeclarable *adj.* 언명・단언할 수 없는.
indeclinable *adj.* ① 불가피한 ; 거절・철회할 수 없는. ②【문법】불변화의 (품사) : una palabra ～ 변화하지 않는 단어.

indecoro *m.* 품위 없는 모양 ; 체면이 서지 않음.
indecorosamente *adv.* 비열하게 ; 체면없이.
indecoroso, sa *adj.* ① 비열한, 수치스러운 : una vestimenta *~sa.* ② 덕성이 없는 : La trató de manera *~sa.*
indefectibilidad *f.* (특히 카톨릭교에서) 불멸성, 영원성 ; 결점·흠이 없는 일.
indefectible *adj.* 쇠퇴하는 일이 없는 ; 영원의 ; 잘못·결점이 없는 : Siempre llega tarde, es ~. Sinón. inevitable.
indefectiblemente *adv.* 영원히 ; 반드시, 틀림없이 : Vendrá ~ 그는 반드시 온다.
indefendible *adj.* 막을 수 없는 ; 변호할 수 없는.
indefensable *adj.* =**indefendible.**
indefensión *f.* 무방비, 무원(無援).
indefenso, sa *adj.* ① 무방비의, 무방위의 : La fortaleza quedó *~sa* 요새는 무방비 상태였다. Sinón. desguarnecido. ② 의지할 곳 없는 : Es un pobre niño ~ 그는 의지할 데가 없는 불쌍한 아이다. Sinón. desamparado.
indeficiente *adj.* 불가결한 ; 결점이 없는.
indefinible *adj.* 정의(定義)할 수 없는, 설명할 수 없는, 어떻게도 정할 수 없는, 걷잡을 수 없는. Sinón. impreciso, vago.
indefinidamente *adv.* 멍청히 ; 무한정으로.
indefinido, da *adj.* ① 부정(不定)의, 확정되지 않은. ② 무한한 : El plazo se prolongó por un tiempo ~. Sinón. ilimitado. ③【문법】부정의 (indeterminado) : adjetivo ~ 부정 형용사. artículo ~ 부정 관사. pretérito ~ 부정 과거. pronombre ~ 부정 대명사.
indeformable *adj.* 헝크러지지 않은, 무너뜨릴 수 없는.
indehiscencia *f.* 벌어지지 않음.
indehiscente *adj.*【식물】벌어지지 않는.
indeleble *adj.* ① 지워지지 않는 : tinta ~ 지워지지 않는 잉크. un recuerdo ~ 지울 수 없는 기억. ② 씻을 수 없는. ③ 소멸되지 않는, 불후의. Sinón. imborrable.
indeleblemente *adj.* 지워지지 않게 ; 씻을 길 없이 ; 영원히.
indelegable *adj.* 《*Chile.*》 대리·대행할 수 없는.
indeliberación *f.* 반성함이 없음 ; 준비가 없음 ; 경솔함, 숙고하지 않음.
indeliberadamente *adv.* 생각없이, 경솔하게.
indeliberado, da *adj.* 지각없는, 경망스러운, 경박한(irreflexivo).
indelicadeza *f.* 투박스러움, 엉성함, 둔함.
indelicado, da *adj.* 투박스러운, 어수룩한.
indemne *adj.* 상처 입지 않은, 손해없는, 무해의 ; 무난한, 아무 탈없는. Sinón. ileso, incólume, intacto.
indemnidad *f.* 손해 없음, 안전 ; 배상, 보상.
indemnización *f.* 배상, 손해 배상, 변상 ; 배상금, 배상물.
~ *de daños y perjuicios* 손해 배상. ~ *de separación* 《*Méx.*》 해고 보상금. ~ *global* 배상(금) 총계 금액. ~ *obtenible* 획득 가능 배상금. ~ *por cese·separación* 퇴직 보상금. ~ *por despido* 해고금, 퇴직 급여. ~ *por desplazamiento* 전임 수당.
indemnizar *tr.* ⑨ 배상하다(reparar) : ~ *a* uno *del* perjuicio 누구에게 손해의 배상을 하다.
~se 배상을 받다, 보상을 받다.
indemorable *adj.* 지연·지체할 수 없는.
indemostrable *adj.* 증명할 수 없는 ; 불분명한.
independencia *f.* ① 독립, 독립심, 자립, 자주(自主) : Bangladesh obtuvo su ~ de Paquistán tras una sangriente guerra civil en 1971 방글라데시는 1971년 피비린내나는 내란후 파키스탄으로부터 독립을 획득했다. ② 자치 ; 자립심(自立心). ③ (정당에서) 무소속.
~ *económica* 경제 자립 ; 자급 자족.
independentismo *m.* 독립주의, 독립 운동.
independentista *adj.* 독립주의의 : movimientos *~s* negros 흑인 독립주의 운동. **—***m.f.* 독립주의자.
independerse *r.* 《*Amér.*》 독립하다(emanciparse).
independiente *adj.* ① 독립의, 자치(自治)의 (autómono) : una nación ~ 독립국. ② 남에게 의지하지 않는, 독자적인 ; 독립심이 강한 : Tiene un carácter ~. ③【정치】무소속의, 독립당의 : candidato ~ 무소속 후보. ④ (…로부터) 떨어진, 분리된, 벗어난(aislado, separado) : el punto ~ *de* la cuestión 문제에서 벗어난 점. una entrada ~ 분리된 입구. ⑤ 의연한. **—***m.f.* 무소속 의원. **—***adv.* (…에서) 떨어져, …과 달리 : ~ de eso.
independientemente *adv.* 독립하여, 자주적으로, 자유로이 ; 의연하게.
independista *adj.m.f.* =**independentista.**
independizado, da *adj.* 독립된.
independizar *tr.* ⑨ 독립시키다, 해방하다 (emancipar).
~se 독립·자립하다.
indescifrable *adj.* 판독할 수 없는.
indescriptible *adj.* 형용할 수 없는. Sinón. indecible, inenarrable.
indeseable *adj.* 바람직하지 못한, 달갑지 않은 : un personaje ~ *para* el campesino.
indeseado, da *adj.* 바라지 않은, 바람직하지 못한.
indesignable *adj.* 지시할 수 없는.
indestructibilidad *f.* 파괴할 수 없음, 불멸성(不滅性).
indestructible *adj.* 파괴할 수 없는, 불멸의.
indeterminable *adj.* 정하기 어려운, 해결이 잘 되지 않는, 정해지지 않은, 미확정·미결정의.
indeterminación *f.* 미정, 부정(不定) ; 결단이 서지 않음, 주저.
imdeterminadamente *adv.* 확정·결정되지 않아 ; 결단을 내리지 못해.
indeterminado, da *adj.* ① 결정·확정되지 않은, 결단을 아직 못 내린(indeciso). ②【문법】부정(不定)의 : artículo ~ 부정 관사. adjetivo ~ 부정 형용사. pronombre ~ 부정 대명사.
indeterminismo *m.*【철학】비결정론, 의지 자유론.
indeterminista *adj.* 비결정론의. **—***m.f.* 비결정론자.
indevoción *f.* 불신앙, 불경.

indevoto, ta *adj.* 신앙심이 없는 ; 냉담한.

índex *m.* ①【고어】 =**índice.** ②(카톨릭 교회의) 금서(禁書).

poner a alguien *en el* ~ …와 아무런 교제나 우의가 없다.

indezuelo, la *m.f. dim.* indio.

indi *m.* 인도의 현대 언어.

india *f.* [주로 *pl.*] 풍부한 재산 : Tiene las ~*s* 그는 큰 재산가이다.

de mala ~ 《*Urug.*》 성악(性惡)의, 본성이 나쁜.

India【지명】 인도 (공화국) 《1947년 영국으로부터 독립함》.

indiada *f.* 《*Amér.*》 [집합] 원주민, 그 무리·군중.

indiana *f.* 프린트·캬라코.

indianés, sa *adj.* =**indio.**

indianismo *m.* 인도학(印度學).

indianista *m.f.* 인도 학자, 인도 연구가.

indiano, na *adj.* ①아메리카의(de América) ; 아메리카 원주민의. ②아메리카 벼락 부자의 ; 아메리카에서 온(habanero). ③동 인도의(índico). **—*m.f.*** 아메리카 원주민 ; (서반아 본국에서 볼 때) 아메리카에서 온 벼락 부자.

~ *de hilo negro* 인색한 욕심꾸러기.

indicación *f.* ①지시 : Se operó por ~ del médico. ② 표시 ; 징후 ; 표적 ; 시사. ③《*Chile.*》 제안, 자문(propuesta).

~ *de la calidad* 품질 표시.

~ *(del país) de origen* 원산지 표시.

indicador, ra *adj.* 지시하는, 지시의 ; 표시용의 : poste ~. **—*m.*** ①지수(指數). ②표시기(表示器) : ~ de incendios 화재 경보기. ③표지.

indicante *adj.* 표시하는 ; 징후가 되는, 조짐이 되는. **—*m.***【의학】징후, 병징(病徵).

indicar *tr.* ⑦ [*lat.* indicare] ①나타내다, 가리키다, 지시·지적·표시하다 : Ese gesto *indicaba* desprecio. Sinón. denotar, significar. ②가르치다(enseñar) : ~ a uno el camino 누구에게 길을 가르쳐 주다. Un aldeano me *indicó* el camino 한 마을 사람이 나에게 길을 가르쳐 주었다. ③(…의) 징조·표징·증거이다 : Esto *indica* mucha maldad 이것은 아주 나쁜 증거이다.

indicativo, va *adj.* ①지시의, 지시적인, 표시의. ②【문법】직설법의, 서술법의 : modo ~ 직설법. **—*m.*** 직설법.

indicción *f.* (종교 회의의) 소집 ; 훈령, 지령 ; (서력 315년 9월 24일을 기점으로 한) 15년 1기.

índice *adj.* 가리켜 보이는 : dedo ~ 검지. **—*m.*** ①지시물, 지표 ; (계기·시계 등의) 지침, 바늘(manecilla). ②(서적의) 목차, 목록, 색인 : ~ de autores 저자별 색인. ③도서 목록 : ~ expurgatorio 카톨릭교의 금지된 도서 목록. ④【수학】지수(指數) : ~ cefálico 두개 지수. ~ de octano【화학】옥탄가(價).

~ *de acciones* 주식 지수. ~ *de aumento de población* 인구 증가율. ~ *de costo de vida* 생계비 지수. ~ *de cotización de acciones* 주식 지수. ~ *de crecimiento* 성장율. ~ *de crecimiento del número de habitantes·la población* 인구 증가율. ~ *de incremento* 증가율. ~ *de la producción industrial* 공업 생산 지수. ~ *de precios* 물가 지수. ~ *de precios al consumidor* 소비자 물가 지수. ~ *de precios al por mayor* 도매 물가 지수. ~ *de precios al por menor (para familias de ingresos moderados)* (평균 소득 세대) 소매 물가 지수. ~ *precios para el consumidor,* ~ *de precios de mercancía de consumo* 소비자 물가 지수. ~ *de producción* 생산 지수. ~ *de rotación* 회전율. ~ *de salarios* 임금 지수. ~ *de valores de renta variable* 주식 지수. ~ *de valores unitarios* 단가 지수. ~ *del costo de (la) vida* 생계비 지수. ~ *del coste de la vida obrera* 노동자 생계비 지수. ~ *del volumen de generación de energía eléctrica* 발전량 지수. ~ *mercado* 시장 지수.

indiciado, da *adj.* 죄의 혐의를 받는. **—*m.f.*** 용의자.

indiciador, ra *adj.* 징조를 보이는.

indiciar *tr.* ⑪ 징조를 보이다 ; 가리켜 보이다(indicar) ; 의심하다(sospechar).

indiciario, ria *adj.* 증거의, 증거에 의한.

indicio *m.* 징후 ; 의심 ; 흔적, 증적(證跡) : ~*s* vehementes【법률】상황 증거.

indicioso, sa *adj.* 의심스러운.

índico, ca *adj.* 인도(las Indias Orientales)의.

indiestro, tra *adj.* 서툰, 솜씨없는, 졸렬한.

indiferencia *f.* 무관심, 냉담(frialdad) : Saludó con ~.

indiferente *adj.* ①(사람이) 무관심한, 냉담한, 아랑곳하지 않는 : Salir o quedarse en casa le es ~ 외출하건 집에 있건 그에게는 아랑곳없다. ②차별이 없는. ③좋지도 나쁘지도 않는, 평범한 ; 변변치 않는. ④아무래도 좋은.

indiferentemente *adv.* 냉담하게, 관심을 두지 않고 ; 무차별하게.

indiferentismo *m.* 무관심(주의), 국외주의(局外主義) ; 신교 무차별주의.

indiferentista *adj.* 무관심주의의, 국외주의의. **—*m.f.*** 무관심주의자, 국외주의자.

indígena *adj.*【남·여 동형】토착의, 그 토지의, 원산의 : animal ~. Contr. alienígena. **—*m.f.*** 토인, 원주민, 토착민, 토박이.

indigencia *f.* 빈곤, 궁핍. Sinón. miseria, pobreza.

indigenismo *m.* 그 고장 원산, 토착성.

indigenista *adj.* indigenismo의. **—*m.f.*** 토착주의자.

indigenizante *adj.* 토착성이 있는.

indígeno *adj.* 《*Chile.*》 =**indígena.**

indigente *adj.* 가난한, 궁핍한. Sinón. menesteroso, necesitado, pobre. **—*m.f.*** 빈곤한 사람, 생활이 곤궁한 사람.

indigestamente *adv.* 멍하게 ; 혼란하게, 어지러이(confusamente), 무질서하게.

indigestarse *r.* ①소화 불량이 되다. ②(음식이) 위에 부담을 주다 : *Se* la *indigestó* la comida. ③(어떤 사람에게) 호감이 가지 않다.

indigestible *adj.* 소화되지 않는.

indigestión *f.* ①소화 안 됨, 소화 불량·장애, 위약(胃弱) ; 위의 부담. ②싫증, 물림(saciedad, hartura) : tener una ~ de novelas policiacas.

indigesto, ta *adj.* ①소화되지 않는, 아직 소화되지 않은 : Comieron unos platos ~*s* 그들은 소화가 되지 않는 요리를 들었다. ②무질서한, 혼란한. ③ 다루기 어려운. ④ 무뚝뚝한(áspero).

indigete *adj.* 옛 서반아의 따라꼬넨세 지방의 (사람). **—*m.pl.*** (옛날 로마에서) 민족이나 마을의 수호신.

indignación *f.* 분노, 의분, 분개(enojo, enfado).

indignamente *adv.* 비열하게 ; 값없이.

indignante *adj.* 분개한, 성난, 노한.

indignantemente *adv.* 분연히, 성내어, 노해.

indignar *tr.* 성나게 하다, 노하게 하다, 화나게 하다(enfadar, enojar, irritar).

~se 화내다 : *~se con·contra* uno 누구에게 화를 내다. *~se de·por* la mala acción 나쁜 것에 분개하다.

indignidad *f.* ① 경멸, 모욕, 무례. ② 모욕적인 언동, 냉대.

indigno, na *adj.* ① 가치가 없는. ② 어울리지 않는 : acción *indiga de* una persona decente 기품있는 사람답지 않은 행동. ③ 천한, 야비한. Sinón. despreciable, ruin, vil.

índigo *m.* ① 쪽빛, 남색(añil). ②【화학】 인디고. ③【식물】 쪽.

indigotina *f.*【화학】 인디고틴, 남청.

indilgar *tr.* 《*Col. Guat. Méx.*》 =**endilgar.**

indiligencia *f.* 나태, 태만, 등한, 부주의.

indino, na *adj.* ① 심술궂은. ②【속어】 indigno의 사투리.

indio, dia *adj.* ① 인도(indo, hindostánico)의. ② 아메리카 원주민의, 인디오의 : traje ~ 인디오의 옷. ③ 쪽빛·남빛의. ④《*Ant.*》 검은 색의 (닭). **—*m.f.*** ① 인도 사람. ② 아메리카 원주민, 인디오. **—*m.*** 인듐《금속》.

tarea del ~ 《*Cuba.*》 과중한 노동.

caer de ~ 《*SDgo.*》 바보가 되다.

subírsele a uno ***el*** ~《*AmérC.*》(누가) 몹시 화내다 ; 우쭐대다, 재다, 뽐내다.

indiófilo, la *adj.* 인도를 좋아하는 ; 토인을 좋아하는 ·편을드는.

indio-iranio, nia *adj. m.f.* =**indo-iranio.**

indique indicar의 접·현·1·3·단수.

indiquéis indicar의 접·현·2·복수.

indiquemos indicar의 접·현·1·복수.

indiquen indicar의 접·현·3·복수.

indiques indicar의 접·현·2·단수.

indirecta *f.* 넌지시 비침, 빈정거림, 빗댐 : echar *~s* 깨닫도록 빗대어 말하다. la ~ del padre Cobos 너무나 잘 아는 빈정거림·빗댐.

indirectamente *adv.* 간접으로 ; 넌지시.

indirecto, ta *adj.* 간접의 : complemento ~【문법】 간접 보어. estilo ~【문법】 간접 화법.

indisciplina *f.* 규율이 없음, 규율 문란.

indisciplinable *adj.* 벅찬, 다루기 어려운, 순종하지 않는, 길들이기 힘든, 말을 듣지 않은.

indisciplinado, da *adj.* 규율이 없는 ; 훈련되지 않은.

indisciplinar *tr.* 규율을 어기다·문란하게 만들다.

~se 규율이 문란해지다. Sinón. insubordinarse.

indiscreción *f.* 조심스럽지 못함, 차분하지 못함, 경솔함, 방정맞음 ; 실언, 실수.

indiscretamente *adv.* 근신하지 않고, 경솔하게.

indiscreto, ta *adj.* 진득하지 못한, 염치없이 구는, 경솔한. Sinón. entrometido, inoportuno. **—*m.f.*** 버릇 없는 사람, 무례한 사람 ; 염치없이 구는 사람.

indiscriminado, da *adj.* 《*Angl.*》 이것 저것 가리지 않는 ; 무례한, 버릇 없는 ; 무차별한.

indiscriptible *adj.* 필설로 다할 수 없는.

indisculpable *adj.* 용서할 수 없는, 변명의 여지가 없는.

indiscutible *adj.* 두말할 나위 없는, 명백한.

indiscutiblemente *adv.* 명백히, 두말할 나위 없이 : ~ cierto 두말할 나위없이 확실한.

indisolubilidad *f.* 불용해성, 불분해성, 불분리성 ; 언제까지고 굳게 뭉쳐 있는 일.

indisoluble *adj.* 녹지 않는 ; 해소되지 않는 ; 분해·분리되지 않는, 풀리지 않는 ; 영속적인 : un amor ~.

indisolublemente *adv.* 해소되는 일없이, 풀리는 일없이, 굳게 ; 언제까지고.

indispensabilidad *f.* 절대 필요성 ; 묵과 불능.

indispensable *adj.* ① 없어서는 안될, 절대 필요한, 필요 불가결한 : labor ~ 필요 불가결한 일. Sinón. necesario. ② 용서할 수 없는, 묵과할 수 없는, 보아 넘길 수 없는 : asistencia ~.

indispensablemente *adv.* 절대적으로 피할 길 없이, 꼭 필요해서, 필수적으로.

indisponer *tr.* 61 [*p.p.* indispuesto] ① 거북하게 만들다 ; 나쁘게 만들다, 불가능하게 하다 : ~ el proyecto de viaje 여행 계획을 망치다. ② 몸의 컨디션·기분을 잡치게 하다 : El calor me *indispone*. ③ 미움을 사게 하다 ; 기분을 나쁘게 만들다(malquistar).

~se 건강이 나빠지다 ; 원망하다 : *~se con·contra* uno.

indispong- → **indisponer** 61.

indisponible *adj.* 거북하게 할 수 없는, 나쁘게 만들 수 없는, 기분을 잡치게 할 수 없는.

indisposición *f.* 불쾌 ; 가벼운 병 ; 가벼운 원한.

indispuesto, ta *adj.* [indisponer의 *p.p.*] 몸의 상태·기분이 나쁜 ; 불쾌한, 화내고 있는.

indispuse indisponer의 직·부정과거·1·단수.

indispusie- → **indisponer** 61.

indisputabilidad *f.* 논란의 여지가 없음, 명백함.

indisputable *adj.* 논란할 여지 없는, 명백한.

indisputablemente *adj.* 논란의 여지가 없이, 명백하게.

indistinción *f.* 무차별, 불분명.

indistinguible *adj.* 구별할 수 없는, 분간할 수 없는, 분간되지 않는, 알아보기 힘든.

indistintamente *adv.* ① 불분명하게, 분간할 수 없게 : pronunciar ~ 불분명하게 발음하다. ② 무차별하게.

indistinto, ta *adj.* ① 아무래도 좋은 : Me es ~ estudiar en la biblioteca o en mi casa. Sinón. indiferente. ② 불분명한, 구별이 없는, 무차별의, 분간이 가지 않는 : Veíamos a lo lejos los contornos *~s* de las montañas. Sinón. impreciso. ③【상업】 공동의 : cuenta corriente *~ta* 공동 당좌 예금 계정. depósito ~ 공동 예금.

individuación *f.* 개별화(individualidad).

individual *adj.* ① 개개의, 각개의, 개별적인(individuo). ② 일개인의, 개인적인(indivduo) : caractrísticas ~*es* 개인 성격. ③ 개인용의 : habitaciones ~*es* 개인용 방. ④《*Col. Chile. Venez.*》(다른 사람과) 매우 비슷한. ⑤ 독특한, 특유의, 개성을 발휘한 : un estilo ~ 독특한 문체. ⑥《*AmérM.*》같은, 동일의(idéntico).

individualidad *f.* 개성, (개인적인) 특징, 특질 ; 개체, 개인 ; 별개성.

individualismo *m.* ① 개인주의. Contr. socialismo. ② 이기주의(particularismo). ③ 멋대로 하기.

individualista *adj.* 개인주의의, 이기주의의. —*m.f.* 개인주의자, 이기주의자.

individualización *f.* 개성화, 개별화 ; 특기(特記).

individualizado, da *adj.* 구별되는 ; 개성을 준.

individualizar *tr.* 9 =**individuar.**

individualmente *adv.* ① 각개로, 별개로, 개별적으로(uno a uno). ② 개인적으로, 개인으로서(con individualidad).

individuamente *adv.* 굳게 결합해서, 한 덩어리가 되어, 단결해서, 떨어지지 않고, 불가분으로(inseparablemente).

individuar *tr.* 14 하나하나・낱낱이 구별하다 ; 개성을 주다.

individuidad *f.*【고어】=**individualidad.**

individuo, dua *adj.* 개개의, 개인의(individual) ; 나누어지지 않는(indivisible). —*m.* ① 개인, 개체 ; 일원, 회원 ; 자신, 나, 자기 : Tomás cuida bien de su ~. ② 사람, 어느 사람 : dicho ~ 앞서 말한 사람. —*m.f.* (경멸적으로) 놈, 그 놈, 그 인간(sujeto).

indivisamente *adv.* =**sin división.**

indivisibilidad *f.* ① 불가분성. ②【수학】부정제성(不整除性).

indivisible *adj.* ① 불가분의, 분할할 수 없는. ②【수학】나누어지지 않는.

indivisiblemente *adv.* 불가분으로 ; 분할할 수 없이.

indivisión *f.* 불분할, 공유 (재산).

indiviso, sa *adj.* 공유의, 분활되지 않는 : finca ~*sa* 공유 농장.

indo, da *adj. m.f.* [드뭄] =**indio.**

Indo, el *m.* 인더스강.

indo- *pref.*「인도」를 의미하는 접두어 : *indo*africano 인도와 아프리카와의.

indócil *adj.* 다루기 어려운, 고분고분하지 못한, 고집이 센 ; 막되먹은 : un niño ~ 막되먹은 아이. Sinón. díscolo.

indocilidad *f.* 고분고분하지 못함, 고집이 셈.

indoctamente *adv.* 무식하게, 무지하게.

indocto, ta *adj.* 무식한, 무지한, 지식이 없는, 학문이 없는 : el hombre ~ *en* estas cuestiones 이러한 문제에는 밝지 못한 사람. Sinón. ignorante, inculto.

indocumentado, da *adj.* 신분 증명서・필요 서류를 갖지 않은 ; 자격이 없는 ; 빈털터리의.

indochino, na *adj.* 인도지나(la Indochina)의, 인도지나 반도의. —*m.f.* 인도지나 사람.

indoeuropeo, a *adj. m.f.* ① 인도 유럽족(의). ②【언어】인도 유럽 어계(系)의. —*m.f.* 인도 유럽계 언어.

indogermánico, ca *adj. m.f.* =**indoeuropeo.**

indo-iranio, nia *adj.m.* 인도 이란어(의).

indoísmo *m.* 인도교.

índole *f.* ① 질, 기질, 성질 : ser de buena ~ 성질이 좋다. ② 본질(naturaleza) : la ~ de una enfermedad 병의 본질

indolencia *f.* 무통 ; 무감각 ; 비정 ; 게으름.

indolente *adj.* ① 통증이 없는(indoloro). ② 무감각한. ③ 비정한. ④ 나태한, 게으른. Sinón. perezoso.

indolentemente *adv.* 통증이 없이, 아픔을 모르게 ; 무감각하게 ; 비정하게 ; 게을러서.

indoloro, ra *adj.* 통증이 없는, 무통성의 : operación quirúrgica ~*ra* 무통 수술.

indomabilidad *f.* 억제하기 어려운 일 ; 감당하기 어려운 일 ; 길들일 수 없는 일.

indomable *adj.* 억제하기 어려운 ; 감당하기 어려운.

indomado, da *adj.* 길들어 있지 않은, 익숙하지 못한 ; 거친, 난폭한 : fiera ~*da* 난폭한 맹수.

indomesticable *adj.* 길들일 수 없는.

indoméstico, ca *adj.* 길들어 있지 않은, 야생 그대로의, 야생적인, 거칠은.

indomia *f.*《*Cuba.*》신식, 새것을 좋아하기(novedad).

indómito, ta *adj.* ① 길들어 있지 않은, 길들일 수 없는 : un potro ~ 길들일 수 없는 조랑말. ② 익숙하지 않은 ; 다루기 어려운, 억제하기 어려운, 참을 수 없는, 참기 어려운 ; 불굴의 : carácter ~ 불굴의 성격.

indonésico, ca *adj.* =**indonesio.**

indonesio, sia *adj. m.f.* 인도네시아(Indonesia)의 (사람). —*m.* 인도네시아말.

Indormia *f.*《*Col. Venez.*》궁리, 연구 ; 재치.

indostanés, sa *adj.* 힌두스탄《el Indostán, 인도 중부 평원》의, 인도의. —*m.f.* 힌두스탄 사람, 인도 사람. —*m.* 힌두스탄말.

indostaní *m.* 힌두스탄말, 인도 관화(官話).

indostánico, ca *adj.* 힌두스탄의, 인도의.

indostano, na *adj.* =**indostanés.**

indotación *f.* 지참금이 없음 ; 자질이 없음.

indotado, da *adj.* 지참금・기금이 없는 ; (아무것도) 지니지 않은 ; 자산・재능이 없는.

indubitable *adj.* 분명한, 의심할 여지가 없는(indudable).

indubitablemente *adv.* =**indublemente.**

indubitadamente *adv.* 의심할 여지 없이, 분명하게, 확실하게, 명확히.

indubitado, da *adj.* 의심할 여지가 없는, 확실한.

inducción *f.* [*lat.* inductio] ① 도입 ; 이끌어 들임. ②【논리】귀납(歸納), 귀납법 : por ~ 귀납적으로. La ~ desempeña gran papel en las ciencias experimentales 귀납법은 실험 과학으로 중요한 역할을 한다. ③【전기】감응, 유도(작용) : bobina・carrete de ~ 감응・유도 코일. corrientes de ~ 유도 전류.

inducia *f.* 유예, 연기(dilación).

inducido, da *adj.* inducir의 *p.p.* —*m.*【전기】(모터 등의) 전기자(電機子).

inducidor, ra *adj.* 도입하는 ; 귀납하는 ; 유도

하는.

inducimiento *m.* =**inducción.**

inducir *tr.* ㉑ ① 도입하다 ; 이끌어들이다 ; 빠뜨리다 : ~ a uno *a* pecar 누구에게 죄를 저지르도록 꾀다. ~ *en* error 실수를 저지르게 하다. ② 귀납하다, (…으로) 짐작하다 : De esto *induzco* que debe ser muy nutritivo 이 점에서 그것은 매우 영양이 있을 것임에 틀림없을 것이라고 나는 추정한다. ③ 【전기】 유도하다, 감응시키다.

inductancia *f.* 【전기】 인덕턴스, 유도자(誘導子).

inductividad *f.* ① 유도성, 유도력. ② 【전기】 유도물.

inductivo, va *adj.* ① 귀납적인 ; 귀납법의 : método ~ 귀납법. ② 【전기】 유도의, 감응의.

inductor, ra *adj.* ① 유도의, 유도성의 : corriente ~*ra* 유도 전류. ② 유도적인 (죄). —*m.* ① 【전기】 유도기, 유전자(誘電子) ; 유도 장치. ② 【화학】 감응 물질. ③ 【생물】 유도 물질.

indudable *adj.* 의심할 여지없는(que no puede dudarse), 확실한(seguro, cierto) : Este libro tendrá un éxito ~ 이 책은 의심할 여지없이 성공할 것이다. [Sinón.] indiscutible, innegable.

indudablemente *adv.* 의심할 여지없이.

indui *m.* 힌두스탄말.

induj-, induje- → **inducir** ㉑.

indulgencia *f.* ① 관대, 관용, 너그럽게 봐줌 : El gerente trataba a los demás con gran ~. ② 용서, 사면, 면죄 : ~ plenaria 특사. [Contr.] severidad.

indulgenciar *tr.* ⑪ (종교적으로 죄를) 용서하다, 사면하다 ; 허용하다, 관용을 베풀다.

indulgente *adj.* (죄 등을) 관대히 보아주는, 관용의, 너그러운 : ~ *con·para con* sus amigos 친구에 대해 너그러운. El jefe se mostró ~ 사장은 관대하게 행동했다. [Sinón.] benévolo, tolerante.

indulgentemente *adv.* 관대하게, 관용으로.

indultar *tr.* ① 사면하다 : ~ a uno *de* la pena de muerte 누구의 사형을 사면해 주다. ~ a un reo 죄수를 사면하다. ② 면제하다 : Le *indultaron de* la asistencia 그는 출석을 면제받았다. ③ 특별 허가를 하다.

~se ① 《*Bol.*》 주책스럽게 참견하다(entremeterse). ② 《*Cuba.*》 (궁지로부터) 헤어나다, 빠져 나오다.

indulto *m.* (교황이 주는) 특전(特典), 사면, 면제, 은사, 은전 : acogerse a un ~ 사면을 호소하다.

indumentaria *f.* ① [집합] 의상, 의류, 의복 : Se ha puesto una ~ lujosa 그녀는 호화 찬란한 옷을 입었다. [Sinón.] ropa, vestimenta. ② 의상학(estudio histórico de prendas).

indumentario, ria *adj.* 의상의, 의류의.

indumento *m.* [드뭄] 의복(prenda de vestir).

INDUPERU Empresa Estatal Industrial del Perú 페루 국책 산업 공사.

induración *f.* 【의학】 경결(硬結) ; 경화(硬化) (endurecimiento).

indurar *tr.* 【의학】 딴딴하게 하다, 딴딴하게 엉기다, 경화(硬化)시키다(endurecer).

industr. industria.

industria *f.* [*lat.* industria] ① 솜씨, 교묘함 (destreza) ; 융통 : caballero de ~ 사기꾼. de ~ 일부러, 고의로. ② [드뭄] 근면. ③ 공업, 산업, 생산업 ; 실업 ; 업무 : ~ agrícola 농업. ~ algodonera 면공업. ~ campestre·clave 기초 산업, 기간 산업. ~ de transformación 가공업. ~ fabril (제조) 공업. ~ manufacturera 제조 공업. ~ ligera·liviana 경공업. ~ minera 광업. ~ nacional 국내 산업. ~ pesada 중공업. ~ piscícola 수산업. ~ siderúrgica 철강업, 제철업. ~ textil 방적업, 섬유 공업. ④ 생산 공업의 전체, 실업계 : ~ española 서반아의 공업. ⑤ (대규모의) 공장 : ~ hormiguera 콘크리트 공장. ⑥ 생산, 제품 (fabricación) : ~ argentina 《*Arg.*》 아르헨띠나 제품.

~ *aeronáutica* 항공기 산업. ~ *agropecuaria* 농목업, 농산 가공업. ~ *alimenticia* 식품 가공업. ~ *automotoriz·automovilística* 자동차 산업. ~ *azucarera* 사탕 산업. ***I- Azucarera Nacional, S.A.*** 《*Chile.*》 국영 정당 회사. ~ *básica* 기초 공업, 기본 산업. ~ *cafetera* 커피 산업. ~ *cerámica* 요업(窯業). ~ *cinematográfica* 영화 산업. ~ *complementaria* 보완 산업. ~ *conexa* 연관 산업. ~ *constructora de barcos* 조선업. ~ *criolla* 국내 산업·제품. ~ *de anuncios* 광고 산업. ~ *de aparatos domésticos* 가정 용구 공업. ~ *de artículos de capital* 자본재 산업. ~ *de artículos de consumo* 소비재 산업. ~ *de artículos de lujo* 사치품 산업. ~ *de aviación* 항공 산업. ~ *de bienes de capital·equipo·inversión* 자본재 산업. ~ *de bienes de consumo·producción* 소비재·생산재 산업. ~ *de carne* 식육 산업. ~ *de colorantes* 염료 공업. ~ *de combustibles* 연료 공업. ~ *de confección* 의류 산업. ~ *de construcción* 건설 산업. ~ *de construcciones mecánicas* 기기 공업. ~ *de construcciones navales* 조선업. ~ *de detergentes* 세정제 공업. ~ *de ensamblaje* 조립 공업. ~ *de ferrocarriles* 철도 사업. ~ *de guerra* 전시 산업. ~ *de harina de pescado* 어분(魚粉) 산업. ~ *de jabones* 비누 공업. ~ *de juguetes·juguetería* 완구 산업. ~ *de la alimentación* 식품 가공업. ~ *de la celulosa* 셀룰로오스 공업. ~ *de la construcción* 건설업. ~ *de la madera* 목재 산업. ~ *de (los) plásticos* 플라스틱 공업. ~ *de maquinas-herramientas* 공작기계 공업. ~ *de materias básicas* 기초 자재 산업. ~ *de materiales de construcción* 건축 자재 산업. ~ *de mecánica de precisión* 정밀 기계 공업. ~ *de paz* 평화 산업. ~ *de productos básicos* 중요 산업. ~ *de puertos* 항만 사업. ~ *de transformación de la madera* 목재 가공 산업. ~ *de transporte* 운송업. ~ *del acero* 철강 산업. ~ *del automóvil* 자동차 산업·공업. ~ *del calzado* 신발 산업. ~ *del carbón* 석탄 산업. ~ *del caucho* 고무 산업. ~ *del cuero* 피혁 산업. ~ *del vestido* 의류 산업. ~ *del vidrio* 유리 공업. ~ *doméstica* 가내·국내 공업. ~ *eléctrica* 전기 공업. ~ *electrotécnica* 전자 기술 공업. ~ *esencial* 중요·기간 산업. ~ *extractiva* 생산업《농업·어업·광업 등》. ~ *farinácea* 제분 공업. ~ *farmacéutica* 제약 공업. ~ *generadora de electricidad* 전력 업계. ~ *interior* 국내 산업. ~ *jabonera* 비누 공업. ~ *ladrillera* 연와·벽돌 공업. ~ *lechera* 유업(乳業). ~ *local* 지방 산업.

~ *maderera·madera* 목재 산업. ~ *metalúrgica* 야금·금속 공업. ~ *nacionalizada* 국영화 산업. ~ *naviera* 조선업. ~ *óptica* 광학 공업. ~ *papelera* 제지업. ~ *pesquera* 어업. ~ *petrolera·petrolífera* 석유 산업. ~ *petroquímica* 석유 화학 공업. ~ *protegida* 보호 산업. ~ *química* 화학 공업. ~ *relojera* 시계 공업. ~ *transformadora* 가공 공업. ~ *turística* 관광 산업. ~ *vidriera* 유리 공업.

Ministro de Comercio e Industria 상공부 장관.

industrial *adj.* 공업·실업·산업의 : centro ~ 공업·생산업의 중심지. diseño ~ 공업 의장(意匠). propiedad ~ 특허권. racionalización ~ 산업 합리화. Barcelona es el primer centro ~ de España 바르셀로나는 서반아의 공업의 첫째 중심지이다.

—*m.* 공업인, 실업가 ; 제조 업자 ; 산업 경영자·노동자.

industrialismo *m.* 산업주의 ; 상공업주의(mercantilismo) : El ~ es enemigo del arte 산업주의는 예술의 적이다.

industrialista *adj.* 산업을 중히 여기는. —*m.f.* 산업·상공업주의자.

industrialización *f.* 공업화, 산업화.

industrializado, da *adj.* 공업화된 : un país ~ 공업 국가.

industrializar *tr.* 9 공업화하다.

industriar *tr.* 11 교련시키다, 훈련하다 ; (누구에게) 가르치다, 교수하다.

~se 배워 익히다 ; 변통하다 ; 제간을 부리다.

industriosamente *adv.* ① 부지런히, 근면하게 ; 교묘하게, 솜씨있게 : La araña trabaja ~ 거미는 교묘하게 집을 짓는다. ② 생각했던 대로.

industrioso, sa *adj.* ① 일 잘하는, 부지런한, 근면한 : un pueblo ~ 근면한 국민. Sinón. trabajador. ② 솜씨있는, 기교있는. Sinón. mañoso.

induvia *f.* [드뭄] (어떤 열매의) 꼬투리(cascabillo).

induzc-, induzca → **inducir** 71.

INECEL Instituto Ecuatoriano de Electrificación 에꾸아도르 전력 공사.

inedia *f.* 절식, 단식.

inédito, ta *adj.* 미발표된, 미간행된 ; 세상에 알려지지 않은 : Halló un poema ~ de Quevedo 께베도의 미발표 시를 발견했다.

ineducación *f.* 무교육(無敎育), 무학(無學).

ineducado, da *adj.* 교육을 받지 못한, 배우지 못한 ; 무례한, 버르장머리없는.

inefabilidad *f.* 이루 말로 다할 수 없는 일.

inefable *adj.* 말로 표현할 수 없는, 말로 다할 수 없는(indecible) : Sentí una alegría ~ 나는 말로 표현할 수 없는 기쁨을 느꼈다.

inefablemente *adv.* 말할 수 없을 만큼, 말로 표현할 수 없이.

ineficacia *f.* 효과·효력이 없음, 무력, 무용, 무익.

ineficaz *adj.* 효과·효력이 없는 : un remedio ~ 효력이 없는 조치. Sinón. inútil.

ineficazmente *adv.* 효과없이, 효력없이.

ineficiencia *f.* =**ineficacia.**

ineficiente *adj.* ① 무능한, 쓸모없는. ② (기계 따위가) 능률이 오르지 않는.

inejecución *f.* 《*Chile.*》 불이행.

inejecutable *adj.* 실행할 수 없는.

inelástico, ca *adj.* 탄력·탄성이 없는 ; 융통성이 없는.

inelegancia *f.* 품위가 없음, 투박스러움.

inelegante *adj.* 품위없는, 투박스러운, 볼품없는, 멋없는, 생경한, 맵시가 없는.

inelegible *adj.* 선택할 수 없는.

ineluctable *adj.* 불가피한, 저항할 수 없는(ineludible, inevitable) : un hado ~.

ineludible *adj.* 피할 수 없는, 불가피한. Sinón. inevitable, insoslayable.

ineludiblemente *adv.* 불가피하게.

inembargable *adj.* 차압의 대상이 될 수 없는 : Las herramientas de un oficio suelen ser ~*s*.

inenarrable *adj.* 말로 다 표현할 수 없는(inefable) : lucha ~. Sinón. indecible, indescriptible.

inepcia *f.* ① 어리석은 짓(necedad). ② 《*AmérC.*》 무능. Sinón. incapacidad, inutilidad.

ineptamente *adv.* 어리석게 ; 하지도 못하고.

ineptitud *f.* 무능 ; 우둔(estupidez).

inepto, ta *adj.* 무능한(incapaz) ; 실력이 없는 ; 어리석은, 바보스러운(necio) : cometer una acción *inepta* 어리석은 행동을 저지르다. —*m.f.* 무능자, 무능력자 ; 바보, 등신, 얼간이.

inequívocamente *adv.* 의심할 여지없이, 명백하게.

inequívoco, ca *adj.* 의심할 바 없는, 명백한 : Nos dio ~*cas* muestras de simpatía. Sinón. evidente, indudable.

inercia *f.* ① 활동 부족, 무기력, 나태. ②【물리】관성, 타성 : fuerza de ~ 타력. ③ 무력, 완만(緩慢) : ~ de la matriz 진통 미약(陣痛微弱).

inercial *adj.* ① 활발치 못한. ②【물리】관성·타성·타력의 : navegación ~ (미사일의) 관성 유도, 자력(自力) 유도 《자이로스코프·전자 계산기 따위로 스스로 궤도를 수정하기》.

INERHI Instituto Ecuatoriano de Recursos Hidráulicos 에꾸아도르 수자원 공단.

inerme *adj.* ① 비무장의, 무장하지 않은 : Se sintió ~ contra la calumnia. Sinón. desarmado, indefenso. ② 빈손의, 맨손의. ③【식물】가시가 없는. ④【동물】침(針)(aguijón)이 없는, 방호 기관이 없는.

inerrable *adj.* 잘못할 수 없는, 실수할 수 없는, 과오가 있을 수 없는.

inerrante *adj.*【천문】움직이지 않는(fijo).

inerte *adj.* 움직이지 않는 ; 생기·활력이 없는 ; 무기력한, 나태한, 게으른 ; 불활성(不活性)의. Contr. activo.

inervación *f.* 신경 작용·지배 ; 신경 분포.

inervador, ra *adj.* 신경을 자극하는.

inervar *tr.* (신경·기관을) 자극·지배하다.

Inés *f.* 이네스.

doña ~ de Ulloa 돈·후안에게 유혹된 수도원의 여자.

inescrupuloso, sa *adj.* 주의심이 없는 : un administrador ~.

inescrutable *adj.* 헤아릴 수 없는 ; 탐지 불능의, 조사하기 어려운 ; 불가해한 : intención ~.

Sinón. impenetrable, indescifrable, insondable.

inescudriñable *adj.* =**inescrutable.**

inesperable *adj.* 기대할 수 없는.

inesperadamente *adv.* 생각지도 않게, 뜻하지 않게, 뜻밖에, 불의에 : Ocurrió el suceso ~ 뜻하지 않게 사건이 터졌다.

inesperado, da *adj.* 생각지도 않은, 예기치 않은 : acontecimiento ~ 뜻하지 않은 사건. Sinón. impensado, inprevisto, inopinado.

inestabilidad *f.* 불안정, 불안정성.

inestable *adj.* 불안정한(instable) : un cargo ~ 불안정한 짐. tiempo ~ 불안정한 기후. Sinón. inconstante, variable.

inestancable *adj.* 독점·일수 판매할 수 없는.

inestético, ca *adj.* 비예술적인 ; 심미안이 없는.

inestimabilidad *f.* 귀중함, 평가할 수 없음.

inestimable *adj.* 용량을 알 수 없는 ; 평가할 수 없는 ; 귀중한.

inestimado, da *adj.* 알맞은 견적·평가를 받지 못한 ; 아직 평가받지 못한.

inevitable *adj.* 피할 수 없는, 불가피한, 필연적인 ; 하는 수 없는 ; 지극히 당연한 : peligro ~ 필연적인 위험.

inevitablemente *adv.* 피할 수 없이, 필연적으로 ; 부득이 하게, 하는 수 없이.

inexactamente *adv.* 부정확하게.

inexactitud *f.* 부정확, 정밀치 못함, 불확실, 엄밀하지 않음 : hacer observar las ~*es* de un relato 이야기의 불확실성을 관찰하게 하다.

inexacto, ta *adj.* 부정확한, 엄밀하지 않은 ; 차분하지 못한, 꼼꼼하지 못한, 덜렁대는 : hombre ~ 꼼꼼하지 못한 사람, 덜렁대는 사람. Sinón. informal.

inexcogitable *adj.* 찾아내기 어려운.

inexcusable *adj.* ① 핑계를 댈 수 없는, 피할 수 없는, 불가피한 : Tu presencia en la reunión es ~ 모임에 너의 참석은 피할 수 없다. Sinón. ineludible. ② 용서할 수 없는 : una ausencia ~ 용서할 수 없는 결석. Sinón. injustificable.

inexhaustible *adj.* 고갈될 수 없는 : una producción ~ 고갈될 수 없는 생산.

inexhausto, ta *adj.* 마르는 일·다하는 일이 없는, 무진장한(inagotable).

inexigibilidad *f.* 졸라댈 수 없음, 요구·요청할 수 없음.

inexigible *adj.* 조랄댈 수 없는, 요구· 요청할 수 없는 : deuda ~ 졸라댈 수 없는 채무.

inexistencia *f.* 존재하지 않는 것.

inexistente *adj.* 존재·실재하지 않는 ; 빈, 없는 것이나 같은(nulo).

inexorabilidad *f.* 정에 이끌리지 않는 일, 냉혹, 무정.

inexorable *adj.* 인정 사정없는, 냉혹한, 가차없는, 용서없는, 무정한(inflexible) : Los jueces y sus sentencias fueron ~*s* 재판관과 판결은 인정 사정이 없었다. Sinón. duro, implacable. Contr. misericordioso.

inexorablemente *adv.* 용서없이, 인정 사정없이, 완고하게, 가차없이, 냉혹하게.

inexperiencia *f.* 무경험, 미숙, 익숙하지 못함 : la ~ de la juventud 젊은이의 미숙.

inexperimentado, da *adj.* =**inexperto.**

inexperto, ta *adj.* ① 경험이 없는, 미숙한 : un mecánico ~ 미숙한 기계 기사. ② 세상 물정에 어두운. Sinón. novato, principiante. —*m.f.* 경험이 없는 사람.

inexpiable *adj.* 메울·갚을 길이 없는.

inexplicable *adj.* 설명·해명할 수 없는, 해석이 안되는 : un enigma ~.

inexplicablemente *adv* 설명·해명할수 없이 : obrar ~ .

inexplorado, da *adj.* 미탐험의, 전인 미답(前人未踏)의.

inexplosible *adj.* 불폭발성의 : líquido ~ 불폭발성 액체.

inexplotable *adj.* ① 개척·개발할 수 없는 : Hay minas que son ~*s* 개발할 수 없는 광산이 있다. ② 착취할 수 없는.

inexpresable *adj.* 표현할 수 없는.

inexpresado, da *adj.* 나타내지 않은, 표명하지 않은.

inexpresivo, va *adj.* 무표정한, 말없는 : Me recibió con una sonrisa ~*va* 그는 말없는 미소를 지어 나를 맞아 주었다.

inexpreso, sa *adj.* =**inexpresado.**

inexpugnable *adj.* ① 함락이 되지 않는, 난공불락의 : Las tropas se retiraron a una plaza ~. ② 막무가내로 듣지 않는 : una persona ~. Sinón. irreductible.

inextensible *adj.* 늘어나지 않는 ; 넓어지지 않는 ; 탄력성이 없는 ; 연장할 수 없는.

inextensibilidad *f.* 탄력성이 없음.

inextenso, sa *adj.* 넓지 않은.

in extenso *adv. lat.* 아주 상세히.

inextinguible *adj.* ① 사라지지 않는, 사라지는 일이 없는. ② 억누를 수 없는 : una sed ~ 억누를 수 없는 갈증. ③ 꺼지지 않는, 소실(消失)되지 않는, 불멸의 : un amor ~ 영원 불멸의 사랑. ④ 멈추는 일이 없는 : una risa ~.

inextripable *adj.* 뿌리째 뽑을 수 없는 ; 근절하기 어려운, 뿌리 뽑기 어려운 : un prejuicio ~ 근절하기 어려운 편견.

in extremis *adv. lat.* 임종에.

inextricable *adj.* ① 풀리지 않는, 해결할 수 없는 : un misterio ~. ② 풀 수 없는, 뒤엉킨, 착잡한. ③ 탈출 할 수 없는, 헤어날 수 없는 : una selva ~. Sinón. impenetrable.

inf.[a] infantería.

in facie ecclesiae *adv. lat.* 교회 앞에서.

infacundo, da *adj.* 말이 없는, 말솜씨가 없는.

infalibilidad *f.* 절대 확실, (로마) 교황·교회의 불가류성(不可謬性).

infalible *adj.* ① 속일 수 없는 : remedio ~속일 수 없는 계략. ② 전혀 아무 과오도 없는 : Dios es ~ 신은 과오란 없다. ③ 절대로 확실한 (seguro, cierto) : un éxito ~ 확실한 성공. ④ 피할 수 없는(inevitable).

infaliblemente *adv.* 잘못없이, 실패없이, 절대 확실하게, 과오라곤 전혀 없이.

infalsificable *adj.* 위조할 수 없는, 날조할 수 없는.

infamable *adj.* 체면이 서지 않는.

infamación *f.* 중상, 모략, 헐뜯기, 체면을 깍기.

infamadamente *adv.* 중상해서, 비방적으로.

infamador, ra *adj.* 중상하는, 욕을 보이는 : pena *~ra.* —*m.f.* 중상자, 모략자.
infamante *adj. m.f.* =**infamador.**
infamar *tr.* 헐뜯다, 중상하다, 명예를 손상시키다·떨어뜨리다 : Esa conducta le *infama* 그런 짓을 한다면 그의 명예는 손상된다. **Sinón.** difamar.
infamativo, va *adj.* 명예에 손상이 가는.
infamatorio, ria *adj.* 중상하는, 명예 훼손의.
infame *adj.* ① 평판이 나쁜, 악명높은 ; 체면이 서지 않는. ② 파렴치한 : acción ~ 파렴치한 행동. ③ 천한, 야비한, 비열한, 수치스러운(envilecedor) : traición ~ 비열한 배신. ④ 더러운, 추한(sucio) : una pocilga ~ 더러운 돼지 우리. **Sinón.** canalla, vil.
infamemente *adv.* 수치를 무릅쓰고, 비열하게.
infamia *f.* 불명예 ; 망신 ; 추행 ; 비행 ; 험담.
infancia *f.* [*lat* infantia] ① 유소(幼少), 어린 시절, 유년기 《일곱 살까지》. **Sinón.** niñez. ② 초기 ; 요람기 : Las manifestaciones artísticas se remontan a la ~ de la humanidad. ③ [집합] 어린이, 유아 : Debemos proteger a la ~ 우리들은 어린이를 보호해야 한다.
infando, da *adj.* 파렴치한 ; 추잡스러운.
infanta *f.* 【고어】 유녀(幼女) ; (장자가 아닌) 왕녀(王女), 공주 ; infante의 아내 ; 비전하(妃殿下) ; 국왕이 인척이 되는 여자에게 주는 칭호.
infantado *m.* infante의 영지.
infante *m.* [*lat.* infans] ① (7살 가량까지의) 유아, 어린아이 : ~ de coro 합창대 어린이. ② (둘째 아들 이하의) 왕자 ; 친왕 《국왕이 친척에게 준 칭호》. ③ 보병(soldado de infantería). ④ 미성년자.
infantejo *m. dim.* infante.
infantería *f.* ① 보병(대) : ~ de línea 주력 보병 부대. ② 해병대(~ de marina).
infanticida *adj.* 유아(幼兒) 살해의. —*m.f.* 유아 살해자.
infanticidio *m.* 유아 살해, 태아 살해 (범죄).
infantil *adj.* ① 유아의 : enfermedades *~es* 유아병. juegos *~es* 유아의 놀이. Hospital *I-* 유아병원. ② 유년 시절의. ③ 어린애 같은, 철부지의, 철없는, 천진 난만한 : un capricho ~ 어린애같은 변덕. **Sinón.** pueril.
infantilidad *f.* 유아 기질.
infantilismo *m.* 【병리】 발육 부진, 유치증 ; 소인증, 소아형 유치함, 어린애 같은 일.
infantillo *m.* [*dim.* infante] 《*Murc.*》 =**monaguillo.**
infantina *f. dim.* infanta.
infantino, na *adj.* =**infantil.**
infanzón, na *m.f.* (상속 재산이나 권력에 어떤 제한을 받은) 시골 귀족.
infanzonado, da *adj.* infanzón의.
infanzonazgo *m.* infanzón의 영지.
infanzonía *f* 【고어】 =**calidad de infanzón.**
infartar *tr.* (…에) 경색(梗塞)을 일으키다, 팽창시키다.
~se 경색하다, 팽창되다.
infarto *m.* 【의학】 경색 ; 단단한 종기.
infatigable *adj.* 피로를 모르는(incansable) : ~ *en·para* el estudio 공부에 피로를 모르는. un médico ~ 피로를 모르는 의사.
infatigablemente *adv.* 열심히, 피로의 기색도 없이, 끈기있게, 부지런히.
infatuación *f.* 한창 신이 남, 열중, 몰두.
infatuar *tr.* ⑮ 한창 신이 나게·열중하게 만들다(engreír).
~se 열중하다 ; 의기 양양해지다, 우쭐해지다 : *~se con* los aplausos.
infaustamente *adv.* 처참하게, 비참하게.
infausto, ta *adj.* 불행한, 처참한 : Su muerte fue un acontecimiento ~ 그의 죽음은 불행한 사고였다. **Sinón.** aciago, funesto.
infebril *adj.* 열이 없는.
infección *f.* ① 부패. ② 오염, 감염 ; 전염 : la ~ tuberculosa (폐)결핵 감염·전염. ③ 감화.
infeccionar *tr.* =**inficionar.**
infeccioso, sa *adj.* 전염성의 ; 전염병의 : germen ~ 전염병균. —*m.f.* 전염병 환자.
infectado, da *adj.* 부패된, 오염된, 전염된 (inficiado, contagiado).
infectar *tr.* =**inficionar.**
infectivo, va *adj.* 전염적인, 전염성의.
infecto, ta *adj.* 부패한, 썩은 ; 고약한 냄새가 나는 ; 감염·오염된 ; 상한(contagiado, inficionado, corrompido, pestilente) : ~ de herejía 사교(邪教)에 물든.
infectocontagioso, sa *adj.* 전염성의 : una enfermedad *~sa.*
infecundidad *f.* 불임 ; 불모, 불생산(不生産).
infecundo, da *adj.* 열매가 열리지 않는 ; 불임의 ; 불모(不毛)의. **Sinón.** estéril.
infelice *adj.* 【시어】 =**infeliz.**
infelicemente *adv.* =**infelizmente.**
infelicidad *f.* 불행(desgracia, desdicha, desventura).
infeliz *adj.* ① 불행한 : una persona ~ 불행한 사람. **Sinón.** desdichado, desgraciado, desventurado. ② 불쌍한 ; 호인의.
infelizmente *adv.* 불행하게, 처참하게 ; 안스럽게.
infelizote *m.* 소탈하고 호인인 사람(persona sencilla y bonachona).
inferencia *f.* 추리, 추론(ilación) : La deducción y la inducción son casos especiales de ~.
inferior *adj.* [*lat.* inferior] ① 아래의 : Las estanterías *~es* están llenas de mercadería 아래 선반들은 상품으로 가득차 있다. ② 하위(下位)의, 하부의 : La parte ~ era de color beige 아랫부분은 베지색이다. ③ 손아래의. ④ [+a : … 보다] 못한, 하등의, 열등한 : Es ~ *a* su hermano en fuerza 그는 힘에서 자기의 동생보다 못하다. ⑤ (시대가) 더 오래된(más antiguo) : mesozoico ~. ⑥ 하급의 ; (성능이) 떨어지는 : ~ *a* otro *en* talento 재능이 남보다 떨어지는. ⑦ 나쁜, 질이 좋지 못한 : paño de ~ calidad 품질이 좋지 못한 천. **Contr.** superior.
—*m.f.* 손아랫사람 ; 하급자 ; 아랫사람 : mis *~es* 나의 부하. Es muy cortés con sus *~es* 그는 아랫사람한테 매우 예의바르다.
inferioridad *f.* 하위 ; 하급, 하등, 열세, 열등 : complejo de ~ 열등 의식.
inferiormente *adv.* 열등하게 ; 나쁘게.
inferir *tr.* 54 ① 추론·추정·결론하다. ② (결

과로서) 가져오다 : Estos fríos *han inferido* las heladas 이 추위가 얼음을 얼게 했다. ③(해나 모욕 등을) 입히다·가하다(ocasionar) : ~ atentado 모욕하다 ; 저격하다.

infernáculo *m.* 돌차기《어린이 놀이》(rayuelo).

infernal *adj.* ① 지옥(infierno)의 ; 악마 같은, 극악 무도한 ; 흉악한 : 굉장한, 무시무시한. ② 지독한, 정말 싫은 : ruido ~ 무시무시한 소리. *piedra* ~ 【화학】 초산은(硝酸銀), 질산은.

infernar *tr.* ⑲ 지옥에 빠지게 하다 ; 화나게 만들다 ; 걱정을 끼치다, 불안하게 만들다.

infernillo *m.* 석유 난로·풍로, 알코올 곤로 (cocinilla).

inferno, na *adj.* 【시어】 =**infernal.**

inf.[es] informes.

infestación *f.* (병균·해충 등의) 침입, 유행 ; (해적 등의) 횡행 ; 황폐 ; 잡초의 무성함.

infestar *tr.* [*lat.* infestare] ① 해치다 ; 온통 난리를 피우다 : Las ratas *infestan* toda la región 쥐가 전 지방을 해치고 다닌다. Los bandidos *infestaban* la comarca 도적들이 그 지역을 해쳤다. ②(해로운 것이) 침해하다, 만연되다. ③(해로운 것을) 퍼뜨리다, 오염·전염시키다, 해독을 끼치다 : La gripe *infesta* la ciudad 유행성 감기가 시내에 몹시 퍼지고 있다. *Infesta* el pueblo *con·de* malas doctrinas 그것이 국민에게 나쁜 사상의 해독을 끼치고 있다.

~se 감염·오염되다 ; 악에 물들다.

infesto, ta *adj.* 【시어】 해로운(dañoso).

infeudación *f.* =**enfeudación.**

infeudar *tr.* =**enfeudar.**

infibulación *f.* 【수의】 가축의 고환 ; 음부(陰部) 봉쇄.

inficcionar *tr.* 【속어】 =**inficionar.**

inficionado, da *adj.* [inficionar의 *p.p.*]=**contagiado, corrompido.**

inficionar *tr.* ①(공기·물 등을) 부패·오염시키다 ; 전염시키다(contaminar, contagiar) : ~ la fuente. ②(나쁜 풍조·악습·사상에) 물들게 하다, 나쁜 일에 젖게 하다(infestar, infeccionar).

~se 오염되다 ; 부패하다 ; 나쁜 풍조에 물들다.

infidelidad *f.* ① 불충실, 불충(不忠) ; 부정(不貞) ; 불의 : la ~ de un depositario 예치인의 불의. ② 부정확 (falta de exactitud) : la ~ de un historiador 역사가의 부정확. ③ 무신앙 ; 벌 받음. ④ [집합] 사교도.

infidelísmo, ma *adj.* [*sup.* infiel] 말할 수 없이 불충실한·부정(不貞)한.

infidencia *f.* 불성실, 믿을 수 없음, 신용할 수 없음.

infidente *adj.* 믿을 수 없는, 신뢰할 수 없는, 신용할 수 없는. —*m.f.* 전혀 미덥지 못한 사람 ; 부도덕한 사람 ; 신임받지 못하는 사람.

infiel *adj.* [*lat.* infidelis]① 불충실한(falto de fidelidad) : ~ *a·con·para·para con* sus amigos 친구에 대해 불성실한. una conducta ~ 충실치 못한 행동. Fui ~ a mis deberes 나는 의무에 충실치 못했다. ② 부정한. ③ 부정확한, 미덥지 못한 : memoria ~ 정확하지 않은 기억. ④ 신앙이 없는 ; 이단의.

—*m.f.* ① 믿음이 없는 자. ②【종교】 이단자, 이교도.

infielmente *adv.* 부실하게 ; 배반하여 ; 부정확하게.

infier- →**inferir** ⑭.

infienillo *m.* ① 알코올 곤로, 석유 곤로(infernillo). ②《*Ant.*》 지뢰 꽃불 놀이의 불.

infiernito *m*《*Cuba.*》 조명탄(luz de Bengala blanca).

infierno *m.* [*lat.* infernus]① 지옥 : ~ de fuego 불의 지옥. ② 정신적인 고문 ; 잡아 족치기 ; 괴로움, 고뇌. ③ 굉장한 곳 ; 혼란, 불화. ④ 지하의 기계실 ; 극장의 지하실. ⑤(물레방아의) 물받이 항아리. —*pl.* 황천, 저승.

los quintos ~*s* 아득히 먼 곳.

infigurable *adj.* 형체로 나타낼 수 없는, 무형의, 형태없는 : un ser ~.

infiltración *f.* 스며들음, 침입, 침투 ; 잠입 ; (질병의) 침윤.

infiltrado, da *adj.* infiltrar의 *p.p.*

infiltrar *tr.* 스며들게 하다, 침투시키다 ; 잠입시키다.

~se 스며들다 ; 잠입하다 : ~*se* en las filas enemigas 적의 전선에 잠입하다.

ínfimo, ma *adj.* [*sup.* bajo] 최하급의, 최저의 : de calidad *ínfima* 최하 품질의.

infinible *adj.* 끝이 없는, 무한의.

infinidad *f.* 무한, 무한계 ; 무수, 막대 : Hay una ~ de templos en la ciudad 시내에 무수한 사원이 있다.

infinitamente *adv.* 한없이, 끝없이.

infinitar *tr.* =**hacer infinito.**

infinitesimal *adj.* 【수학】 무한소(無限小)의, 극소의 : cálculo ~ 미적분학.

infinínitésimo, ma *adj.* 극소의 : una cantidad ~*ma.* —*m.* 극소수, 극소량.

infinitivo *adj.* 【문법】 동사 원형의·부정법(不定法)의 : modo ~ 부정법. —*m.* 부정법 ; (동사의) 부정형.

infinito, ta *adj.* ① 무한의, 무량의, 무수한, 막대한, 한량없는 : una llanura ~*ta* 한량없는 평원. un espacio ~ 무한의 공간. **Sinón.** limitado, inconmensurable, inmenso. ② 셀 수 없는, 헤아릴 수 없는, 잴 수 없는 : La pradera estaba cubierta de ~*tas* flores 목장은 헤아릴 수 없이 많은 꽃으로 덮여 있었다. ③ 무한대의.

—*m.* 【수학】 무한대《기호 ∞》.

—*adv.* 대단히, 퍽, 심심하게 : Les agradecemos ~ 심심한 사의를 표하는 바입니다. Se lo agradezco ~ 정말로 고맙습니다.

infinitud *f.* 무한, 무궁(infinidad).

infira- → **inferir** ⑭.

infirie- → **inferir** ⑭.

infirmación *f* 무효.

infirmar *tr.* 무효로 돌리다(invalidar).

inflación *f.* ① 팽창 ; 부풀어 오름 ; 과장 ; 자부, 우쭐거림(engreimiento). ②【경제】 인플레, 통화 팽창 (~ monetaria) ; 통화 팽창론, 통화 팽창 정책 ; (물가 등의) 폭등.

~ ***debido a importación*** 수입 인플레. ~ ***después de una deflación*** 통화 재팽창. ~ ***provocada por aumentos de salarios*** 임금 압력 인플레. ~ ***renovada*** 인플레 재연.

inflacionario, ria *adj.* ① 인플레이션의, 통화

팽창의. ② 인플레 경향의 : factores ~ 인플레 요인.

inflacionismo *m.* 통화 팽창론·정책.

inflacionista *adj.* 통화 팽창론의. —*m.f.* 통화 팽창론자.

inflador *m.* (특히 발로 작동시키는) 공기 펌프 (bomba de aire).

inflamabilidad *f.* ① 가연성, 인화성. ② 격하기 쉬운 것. ③ 염증성(炎症性).

inflamable *adj.* ① 불붙기 쉬운, 가연성의 : La bencina es muy ~ 벤젠은 무척 불붙기가 쉽다. ② 격정적인 ; 염증의. —*m.* 가연물, 화기 엄금.

inflamación *f.* ① 연소, 발화. ② (감정의) 불붙음. ③【의학】염증.

inflamador, ra *adj.* 불태우는 ; 흥분하는 ;격분하는 ; 부풀어 오르는.

inflamar *tr.* ① 불태우다. Sinón. encender, incendiar. ② [+de] 격하게 만들다 : El actor *inflamó* al público *de* entusiasmo. ③ 염증을 일으키다(causar inflamación).

~se ① 불타다, 불타 오르다. ② 흥분하다, 격분하다, 노해지다, 격해지다 : *~se de·en* ira 분노의 불길을 일으키다. ③ 염증을 일으키다 : La parte herida *se inflamó* 다친 부분이 염증을 일으켰다. ④ 붓다, 부풀어 오르다. ⑤ 새빨개지다.

inflamatorio, ria *adj.* 염증성의, 염증을 일으키는.

inflamiento *m.* 팽창(inflación).

inflar *tr.* ① 부풀리다 : ~ los carrillos 활자를 부풀리다. ② 과장하다, 과장해서 이야기하다 (hinchar).

~se 부풀다 ; 우쭐하다, 자부하다 ; 과장하다, 침소 봉대하다.

inflativo, va *adj.* 부풀리는, 팽창의.

inflexibilidad *f.* 불굴성(不屈性), 강직성, 휘어지지 않는 일 ; 불굴, 강직(entereza).

inflexible *adj.* 굽히지 않는, 동요되지 않는, 완고한 ; 불굴의, 확고한 : ~ *a* los ruegos 간청에 귀를 기울이지 않는. ~ *en* su dictamen 자기의 판단에 대해 의견을 굽히지 않는.

inflexiblemente *adv* 확고하게 ; 완고하게 ; 굽히지 않고.

inflexión *f.* ① 구부러뜨리기 ; 굴절, 구부러짐. ② 음성의 조절, 억양. ③【문법】변화 어미.

inflexo, xa *adj.*【박물】내굴의, 안으로 휘어든.

inflicto, ta *adj.* infligir의 *p.p.*

infligir *tr.* ④ (체형을) 과하다, 처하다 ; 적용하다(imponer) ; (해를) 주다, 입히다.

inflorescencia *f.*【식물】화서(花序), 꽃차례 : ~ en umbela 산형 화서(散形花序).

influencia *f.* ① 영향, 감화(력), 작용 : La ~ de la luna produce las mareas 달의 영향력은 조수(潮水)를 일으킨다. ② 세력, 권력, 세도(poder) : gozar de gran ~ en …에 대해 커다란 영향력을 가지고 있다. Ella goza de gran ~ en la sociedad 그녀는 사회에서 커다란 영향력을 가지고 있다. ③ 영감, 감응. ④ 덕망, 덕령.

influenciar *intr.* ⑪ 《*Amér.*》 =**influir.**

influente *adj.* 세력있는, 영향을 미치는; 유력한 : político ~ 영향력 있는 정치가.

influenza *f.*【의학】유해성 감기, 인플루엔자, 돌림감기, 독감(gripe).

influir *intr.* ⑰ ① [+en·sobre : …에] 영향을 미치다 : El clima *influye en* la vegetación 기후는 식물에 영향을 미친다. *Influyó sobre* el jefe para el cambio de horario 그는 시간표 변경을 위해 상사에게 영향을 미쳤다. ② 작용하다 : El imán *influye sobre* el hierro 자석은 철에 작용한다. El calor *influye en* la vegetación 열은 식물에 작용한다. ③ 감응하다 ; 감화하다. ④ 영향·효과를 주다, 세력·작용을 미치다, 움직이다 : ~ *con* el jefe 상사의 마음을 움직이다. ⑤ 권력을 부리다. ⑥ 도움이 되다(contribuir). ⑦ (신이) 영감을 주다.

influjo *m.* 영향, 작용, 세력(influencia) ; 운이 닿음(flujo).

~ *y eflujo* 투입 산출.

influyente *adj.* 영향력이 있는, 세력있는, 유력한 : personaje ~.

infolio *m.* 2절판(의 서적).

INFONAC Instituto de Fomento Nacional de Nicaragua 니카라구아 국가 개발청.

INFOP Instituto de Fomento de la Producción 《*Guat.*》 생산 촉진원.

inf.[or] inferior.

información *f.* ① 알림 ; 통지, 통보, 보고 ; 들어봄 ; [집합] 소식, 보도(noticias), 정보, 통신 : a título de ~ 정보로서, 진실 여부를 차치(且置)하고. Este periódico tiene muy buenas fuentes de ~ 이 신문은 매우 좋은 정보원을 가지고 있다. ② 지식, 견문 ; 조회, 문의. ③ 조사 ; 조사 보고서 ; 신상 조사(身上調査) ; (재판 등의) 취조 : abrir la ~ 취조를 시작하다. ④ (검사의) 논고(論告), (변호사의) 변론.

~ ***anual*** 연보(年報), 연차 보고서. ~ ***dentro de la empresa*** 사내(社內) 정보. ~ ***económica*** 경제 정보. ~ ***desfavorable*** 불리한 정보. ~ ***extranjera*** 해외 통신. ~ ***favorable*** 유리한 정보. ~ ***financiera y previo contable*** 재정 예산 정보. ~ ***mercantil*** 상황(商況). ~ ***periodística*** 신문 정보. ~ ***sobre el crédito*** 신용 정보. ~ ***técnica*** 기술 정보.

informado, da *adj.* ① [+de : …을] 잘 아는, 사정에 밝은 : estar ~ *de* …에 정통하다. ② 소식통의 : una fuente ~*da* 소식통.

informador, ra *adj.* 보고하는. —*m.f.* 보고자, 조사자.

informal *adj.* ① 비공식의, 약식의. ② 단정하지 못한, 무성의한 : persona ~. ③ 신용할 수 없는.

informalidad *adj.* ① 비공식, 약식. ② 격식을 차리지 않는 행위, 약식 행위. ③ 무성의.

informalmente *adv.* 비공식으로, 약식으로.

informante *adj.* 알리는. —*m.* 보고자, (특히 혈통 조사 등의) 신용 조사 업자.

informar *tr.* [*lat.* informare] ① 알리다, 보고하다, 고하다 : ~ al público *de·en·sobre* los incidentes 사건의 내용을 국민에게 알리다. La radio *informó* a sus oyentes *de* lo sucedido 라디오는 청취자에게 사건을 알렸다. ② (…의) 모양을 만들다.

—*intr.* 답신(答申)하다, 의견을 말하다 ; 논고(論告)하다 : ~ *contra* uno 누구에 대해 논고·고발하다.

~se ① [+de : …을] 알다, 깨우치다 ; 알려주다 : *Se ha informado* mal 사정을 그릇되게 파악하

였다. ② 문의하다, 조회하다, 조사하다, 알아보다.

informática *f.* 컴퓨터의 정보 처리.

informático, ca *adj.* imformática의 · 에 관한 : especialista · técnico · método ~ 컴퓨터 정보 처리 전문가 · 기술자 · 방법.

informativo, va *adj.* ① 보고의, 정보의, 통신의, 보도의, 통첩의 : agencia · ~*va* 통신사. ② 지식이 되는. ③ 자문의. —*m.* 《*Arg.*》 라디오 청취(audición de radio).

informe *adj.* 모양이 갖추어지지 않은, 형태가 이루어지지 않은, 윤각이 희미한 ; 몰골 사나운. —*m.* ① 소식, 조사, 정보(información) : ~ comercial 시황(市況). ② 답신, 보고(dictamen), 보고서 : ~ anual 연보, 연차 보고(서). ~ bursátil 시장 정보. ~ de auditoría · del revisor 감사 보고서. ~ del mercado 시황 보고. ~ demográfico 인구 자료. ~ mensual 월례 보고. Me pidieron ~*s* de la investigación 나는 조사 보고를 청구받았다. Presentó un ~ a la compañía 그는 회사에 리포트를 제출했다. ③ 계산서. ④ 교서 : ~ presidencial 대통령 교서. ⑤ 신립, 변론.

informidad *f.* 형태가 갖추어져 있지 않은 일.

informulable *adj.* 서식 · 문서로 나타낼 수 없는 ; 말로 표현할 수 없는.

infortificable *adj.* 방비 · 강화할 수 없는.

infortuna *f.* (별의 영향으로 인한) 나쁜 운세, 불운.

inforunadamente *adv.* 재수없이, 운수 나쁘게(sin fortuna, con desgracia, con mala suerte).

infortunado, da *adj.* 불운한, 불행한. **Sinón.** desdichado, desgraciado, desventurado.

infortunio *adj.* 불운, 비운, 화. **Sinón.** adversidad, desgracia.

infosura *f.* 말의 병.

infra- *pref.* 「하위 · 아래」의 뜻을 나타내는 접두어.

infracción *f.* 위반, 위배, 위약, 침범 : ~ del contrato 계약 위반. con ~ de …에 반하여. castigar las ~*es* a las leyes 위법을 벌하다. **Sinón.** trasgresión.

infracto, ta *adj.* 견고한(constante).

infractor, ra *adj.* 위배되는, 위반하는, 어기는, 법을 어기는. —*m.f.* 위반자, 침해자, 범법자. **Sinón.** transgresor.

infraestructura *f.* ① 하부 구조, 하부 조직. ② 기초 · 지하 공사 : ~ de un puente. ③ (항공상의) 지상 시설, 영구 기지. ④ 사회 자본.

infraganti *adv.* =**in fraganti.**

in fraganti *adv. lat.* 현행 중, 현장에서(enflagrante).

infragar *tr.* =**infringir.**

infrahumano, na *adj.* 인간 이하의, 인간 같지 않은 : en condiciones ~*nas.*

infrangible *adj.* 범할 수 없는, 불가침의.

infranqueable *adj.* 지나가지 못할, 넘어서지 못할 ; 이겨내지 못할, 극복하기 어려운 : distancia ~.

infraoctava *f.* 팔일제(八日祭).

infraoctavo, va *adj.* 팔일제의.

infraorbitario, ria *adj.* 눈 아래의, 눈 밑의.

infrarrojo, ja *adj.* 적외선의(ultrarrojo) : fotografía ~*ja* 적외선 사진.

infrascripto, ta *adj.* =**infrascrito.**

infrascrito, ta *adj.* 아래 적은 이름의. —*m.f.* 아래 적은 이름 (당사자), 하기 서명자 : yo, el ~ 서명인인 본인은 ….

infrasonoro, ra *adj.* 초당 진동 15의 (파도).

infrecuencia *f.* 드문 일(rareza).

infrecuente *adj.* 드문, 빈도가 낮은. **Sinón.** raro.

infriar *tr.* ⑫ 《*Amér.*》 식히다(enfriar).

infringir *tr.* ③ [*lat.* infringere] 범하다, 범법하다, 위반하다, 저지르다, 깨뜨리다, 어기다 : ~ el precepto 계율을 어기다. **Sinón.** quebrantar, trasgredir.

infructífero, ra *adj.* 열매가 열지 않는 ; 실속없는 ; 이익 · 수익이 없는.

infructuosamente *adv.* 헛되이, 공연히.

infructuosidad *f.* 무효과, 무익, 헛된 일.

infructuoso, sa *adj.* 효과가 없는, 무익한, 쓸모 없는, 헛된, 공연한, 헛수고의(inútil) : Todos los esfuerzos fueron ~*sos* 모든 노력은 헛수고였다. **Sinón.** estéril, improductivo.

infrugífero, ra *adj.* =**infructífero.**

infrutescencia *f.* 【식물】 (오디 같은) 집결과(集結果).

ínfulas *f. pl.* ① (승려나 희생자의) 하얀 천으로 된 머리띠. ② 주교의 예모. ③ 자부, 자만, 뽐내기, 척하기(orgullo, presunción) : El nuevo profesor tiene muchas ~*s.* ④ 영예, 영광.

infumable *adj.* ① 피우지 못할 (담배). ② 참을 수 없는.

infundadamente *adv.* 근거없이, 기초가 없이.

infundado, da *adj.* 기초가 없는 ; 근거없는 : Su acusación es ~*da* 그의 고소는 근거가 없다. **Sinón.** inmotivado.

infundia *f.* 《*AmérM.*》 비곗살 ; 열매 ; 힘(enjundia).

infundible *adj.* 용해되지 않는.

infundibuliforme *adj.* 【식물】 깔때기(embudo) 모양의 : flor ~.

infundíbulo *m.* 【해부】 깔때기 모양의 기관.

infundio *m.* 【속어】 거짓말, 근거없는 일 : Esta información es un ~.

infundir *tr.* [*lat.* infundere] ① (어떤 감정을) 느끼게 하다 · 일으키게 하다, 감응하게 하다 : ~ miedo · cariño *a* · *en* uno 어떤 사람에게 공포를 · 애정을 품게 하다. ~ el terror 공포를 일으키다. ~ valor 기운을 북돋우어 주다. Tus palabras me *infundieron* confianza 너의 말은 나에게 신뢰감을 느끼게 했다. **Sinón.** inspirar. ② (약초 등을) 달이다.

infurción *f.* 주택의 부지세.

infurcioniego, ga *adj.* 주택 부지세의.

infurtir *tr.* [드뭄] =**enfurtir.**

infurto, ta *adj.* infurtir의 *p.p.*

infusibilidad *f.* 불용해성.

infusible *adj.* 녹지 않는, 불용해성의 : No hay ningún cuerpo realmente ~ 녹지 않는 물체는 없다.

infusión *f.* ① 어떤 감정을 일게 하는 일. ② 신탁(神託), 영감(靈感). ③ 스며 나옴. ④ 달인 약 · 액 : poner en ~ 달이다.

infuso, sa *adj.* 천부의, 선천적인 : Cree tener la ciencia ～*sa.*

infusorio *adj.* 【곤충】 섬모충류의, 적충류(滴蟲類)의(ciliado). —*m.pl.* 적충류, 섬모충류 《원생 동물》.

inga *adj.* [*quechua.* inca] 철광(mineral de hierro)이 함유된.
—*m.* ① 잉카의 왕(inca). ② 잉카의 춤 《잉카의 최후를 상징한 춤》. ③ 【식물】 잉가나무 《열매 아메리카산 콩과의 교목》.
piedra ～ 황철광(pirita).

ingá *m.* 《*Arg.*》 =**guamo.**

ingenerable *adj.* 생산될 수 없는.

ingeniar *tr.* ⑪ 고안하다, 궁리하다, 연구하다 ; 생각하다(imaginar).
～se 궁리하다, 머리를 쓰다 : ～*se a* vivir 살기 위해 궁리하다. *Se ingenió para* conseguir un empleo 그는 직업을 얻기 위해 머리를 썼다.

ingeniatura *f.* ① 머리를 씀, 궁리함 ; 처세술. ② 《*Amér.*》 공학(工學).

ingeniería *f.* ① 공학(工學). ② 공학 기술.
～ ***agrícola·rural*** 농업 공학. ～ ***aeronáutica*** 항공학. ～ ***agronómica*** 농학. ～ ***civil*** 토목 공학. ～ ***de automotores*** 자동차 공학. ～ ***eléctrica*** 전기 공학. ～ ***industrial*** 생산 공학. ～ ***mecánica*** 기계 공학. ～ ***militar*** 군사 공학. ～ ***naval*** 선박 공학. ～ ***nuclear*** 핵공학. ～ ***química*** 화학 공학.

ingeniero *m.* 공학자 ; 기술자, 기사(技士) ; 공병. —*pl.* 공병대.
～ ***agrónomo*** 농업 기사. ～ ***civil*** 토목 기사 ; (군인에 대해) 민간 기사. ～ ***de la armada*** 해군 기사. ～ ***de marina*** 선박 기사(～ naval). ～ ***de minas*** 광산 기사. ～ ***general*** 공병감. ～ ***geógrafo*** 측량 기사. ～ ***industrial*** 공업 기사. ～ ***mecánico*** 기계 기사. ～ ***naval*** 선박 기사. ～ ***químico*** 화학 기사. ***Ingenieros Civiles Asociados*** 《*Méx.*》 민간 기사 조합.

ingenio *m.* [*lat.* ingenium] ① 발명의 재능, 고안, 창의. ② 재주 있는 사람, 재사(才士), 창의력 있는 사람. ③ 교묘한 궁리, 교묘함, 재주, 재치(maña). ④ 기계, 공구, 기계 설비 : ～ de pólvora 화약 공장. ⑤ (제본의) 재단기(裁斷機). ⑥ 《*Amér.*》 제당기(製糖機) ; 제당 공장(～ de azúcar) ; 조폐창(造幣廠). ⑦ 무기(武器).
afilar·aguzar el ～ (난관을 극복하기 위해) 정신을 가다듬어 궁리하다.

ingeniosamente *adv.* 영리하게, 교묘히, 솜씨 있게, 재치있게(con ingenio).

ingeniosidad *f.* 기교, 교묘함, 영특한 재간, 재치, 약은 꾀, 민첩함 : la ～ de un mecanismo.

ingenioso, sa *adj.* ① 재능이 있는, 영리한, 재간 있는. ② 교묘한 ; 정교한 : máquina ～*sa* 정교한 기계. ③ 독창적인, 착상이 좋은.

ingénito, ta *adj.* 선천적인, 타고난(natural) : Reaccionó con su delicadeza ～*ta.* **Sinón.** congénito, innato.

ingente *adj.* 거대한 : una ～ labor 거대한 일. **Sinón.** colosal, enorme, inmenso.

ingenuamente *adv.* 솔직하게, 천진하게, 순진하게, 소박하게 : caer ～ en una trampa 순진하게도 계책에 빠지다.

ingenuidad *f.* 솔직, 담백, 소박, 천진성, 순진함, 천진스러움(candor) : hablar con ～ 순진하게 · 솔직하게 말하다.

ingenuo, nua *adj.* 솔직한, 담백한 ; 정직한 ; 순진한, 꾸밈없는, 소박한, 천진스런 : niño ～ 순진한 아이. **Sinón.** cándido, inocente. —*m.f.* (고대 로마의) 자유인.

ingerencia *f.* 접목 ; 간섭, 주착(injerencia).

ingérido, da *adj.* 《*Venez.*》 질병의(enfermo).

ingeridura *f.* 【건축】 접목한 부분(injeridura).

ingerir *tr.* ⑭ (음식물 따위를) 섭취하다.

ingestión *f.* 음식물 섭취 : la ～ de un alimento tóxico 유독 음식의 섭취.

ingier- → **ingerir** ⑭.

Inglaterra *f.* 【지명】 영국.

ingle *f.* 【해부】 샅, 서혜부(鼠蹊部).

inglés, sa *adj.* 영국(Inglaterra)의 : a la *inglesa* 영국식의 · 으로. —*m.f.* ① 영국인. ② 【속어】 채권자(acreedor). —*m.* 영어 : ～ antiguo 앵글로색슨말. ③ (외래어를 섞지 않은) 순수한 영어(anglosajón).

inglés-americano *adj.* 영미(英美)의.

inglesismo *m.* 영어식 발음(anglicismo).

inglete *m.* ① 45도의 각도, 사행선. ② 【목공】 연결 : cortar ～*s* 연결 사면으로 자르다.

ingletear *tr.* 【목공】 연결시키다.

inglosable *adj.* 해명할 수 없는.

ingobernable *adj.* 통치 · 조정 · 억제할 수 없는, 감당하지 못할.

ingratamente *adv.* 배은 망덕하게도 ; 아무 실속 없이, 헛되이.

ingratitud *f.* 배은 망덕, 은혜를 모름.

ingrato, ta *adj.* ① 은혜를 모르는 : ～ *a* los amigos 친구의 은혜를 잊어 버린. **Sinón.** desagradecido. ② 불효 자식의. ③ 일한 보람없는, 애쓴 보람이 없는. ④ 이득이 없는 : suelo ～. ⑤ 싫은, 불유쾌한, 따분한 : una visita ～*ta* 불쾌한 방문. una noticia ～*ta* 불쾌한 소식. un trabajo ～ 따분한 일. **Sinón.** desagradable.

ingravidez *f.* 가볍고 푸석푸석한 것.

ingrávido, da *adj.* ① 중량이 없는, 무게가 안 나가는, 가벼운, 가뿐한. **Sinón.** leve, ligero, liviano. ② 포근포근한.

ingre *f.* 【고어】 《*Burg.*》 =**ingle.**

ingrediente *m.* 성분, 혼합물, 혼입물, 원료 ; 구성 분자, 성분 : No sé nada de sus ～*s* 나는 그 성분에 대해 아무 것도 모른다.

ingresar *intr.* ① (…의 안으로) 들어가다(entrar) : *Ingresó* triunfalmente *a*l salón 그는 의기 양양하게 홀로 들어갔다. ② 가입 · 참가하다, 입회 · 입학 · 입원 · 입대하다 : *Ingresó en* la universidad el año pasado 그는 작년에 대학교에 입학했다. **Sinón.** entrar. ③ (돈이) 들어오다.
—*tr.* 입금시키다, 저금하다 : Ayer *ingresé* mil pesetas *en* mi cuenta corriente 나는 어제 당좌예금에 천뻬세따를 입금시켰다. **Sinón.** depositar.
～se 《*Méx.*》 입대하다.

ingreso *m.* ① 들어가는 일(entrada) ; 가입, 입회, 입학, 입대 : el ～ de una academia 학회의 입회. derechos de ～ 입회금, 입학금. permiso de ～ 입국 허가(증). **Contr.** egreso. ② [집합] 입학 시험 : Acepte mi cordial felicitación por su ～ a la universidad 당신의 대학 입학에 대해 저의 진심에서 울어나오는 축하를 받으십시오.

② [주로 *pl.*] 입금, 수입 : ~ bruto 총수입. ~ nacional 국민 소득. ~*s* y gastos 수입과 지출. sello de ~ 수입 인지 ; 증지. Sus ~*s* son sospechosos 그의 수입은 의심스럽다. ③ (성직자에 대한) 사례금.
~ *acumulable* 누적 소득. ~ *adicional* 추가 소득. ~ *anual* 연수(年收). ~ *comercial* 기업 소득. ~ *de explotación* 영업 이익. ~ *devengado* 근로·가동 소득. ~ *disponible* 가처분 소득. ~ *efecto* 실제 소득. ~ *global de la empresa* 기업의 총소득. ~ *global gravable* 과세 총소득액. ~ *gravable* 과세(의 대상이 되는) 소득. ~ *familiar* 가계 소득. ~ *fiscal* 세수, 조세 수입. ~ *industrial* 기업 소득. ~ *interior* 내국세 수입. ~ *marginal* 한계 소득. ~ *monetario* 화폐 소득, 현금 수입. ~ *neto* 가처분 이득. ~ *no operativo* 영업외 수익. ~ *no proveniente de la operación* 영업외 소득. ~ *operativo* 영업 이익. ~ *personal* 개인 소득. ~ *por carga* 운임 수입. ~ *por impuestos* 세수, 조세 수입. ~ *presupuestario* 예산 수입. ~ *proveniente de petróleo* 석유 수입. ~ *por cápita* 1인당 소득. ~ *público* 세입. ~ *suplementario* 추가 소득. ~ *vencido* 실현 이익.

íngrimo, ma *adj.* 《*AmérC. Col. Méx. Venez.*》 고독한, 외톨이의(solo) : estar ~.

ing.[s] ingenieros.

inguandia *f.* 《*Col.*》 나오는 대로 지껄이기, 거짓말.

inguandio *m.* 《*Col.*》 =**inguandia.**

ingüento *m.* ungüento의 잘못된 발음.

inguinal *adj.* =**inguinario.**

inguinario, ria *adj.* 【해부】 사타구니의 ; 사타구니에 가까운.

ingurgitación *f.* 【의학】 삼킴, 마심.

ingurgitar *tr.* 【의학】 삼키다, 마시다(engullir, tragar).

ingustable *adj.* 먹지 못할 ; 맛이 없는.

inhábil *adj.* ① 서툰, 솜씨없는, 미숙한(torpe) : obrero ~ 미숙한 직공. ② 수완이 없는. ③ 무능력한, 자격이 없는 ; 부적당한(inadecuado). ④ (관청·직장에서) 집무하지 않는, 근무외의 : día ~ 휴일. hora ~ 근무외의 시간.

inhabilidad *f.* 졸렬, 미숙 ; 무자격 ; 장해.

inhabilitación *f.* 자격의 박탈·상실·실격.

inhabilitado, da *m.f.* 무능력자.

inhabilitar *tr.* 무자격·무능력한 사람으로 만들다, 자격을 박탈하다.

inhabitable *adj.* 사람이 살 수 없는.

inhabitado, da *adj.* 사람이 살지 않는, 사람이 없는(deshabitado).

inhacedero, ra *adj.* 실행할 수 없는, 실시하기 어려운.

inhalación *f.* 【의학】 흡입(吸入).

inhalador, ra *adj.* 흡입하는. —*m.* 흡입기 : ~ de oxígeno 산소 흡입기.

inhalar *tr.* [*lat.* inhalare] 흡입하다(aspirar).

inhallable *adj.* 발견할 수 없는.

inhereditable *adj.* 상속할 수 없는.

inherencia *f.* 천성적인 것, 천부의 성질 ; 내재(內在), 고유, 선천적인 것.

inherente *adj.* ① 고유의, 천성적인 : la debilidad ~ *a* la naturaleza humana 인간의 성질에 따르기 마련인 약점. ② 타고난, 선천적인. ③ 밀착·집착하는.

inhesión *f.* =**inherencia.**

inhestar *tr.* ⑲ 세우다(enhestar).

inhibición *f.* ① 금지, 금제(禁制). ② 억제, 억압. ③ 【의학】 (정신적·기능적인) 억제 ; 신경 장애에 의한 기능 정지.

inhibir *tr.* 막다, 금지하다, 억제하다, 억압하다 ; (기능을) 억누르다, 제지하다.
~se 후퇴하다, 손을 떼다 ; 참가하다, 사양하다.

inhibitorio, ria *adj.* 금지의, 금제의, 저지의 (prohibitorio).

inhiesto, ta *adj.* =**enhiesto.**

inhonestable *adj.* [드묾] =**deshonesto.**

inhonestamente *adv.* 무절조하게 ; 정직하지 못하게(deshonestamente).

inhonestidad *f.* 나쁜 품행, 무절조 ; 부정직.

inhonesto, ta *adj.* 품행이 나쁜, 비천한, 절조 없는 ; 정직하지 못한.

inhospedable *adj.* =**inhospitable.**

inhospitable *adj.* =**inhospitalario.**

inhospital *adj.* =**inhospitalario.**

inhospitalario, ria *adj.* ① 불친절한, 무뚝뚝한. ② 배타적인. ③ 황량한, 올씨년스러운 : una región ~*ria* 황량한 지역. Sinón. inhóspito.

inhospitalidad *f.* 냉대, 푸대접 ; 황량함.

inhóspito, ta *adj.* =**inhospitalario.**

inhumación *f.* 매장(埋葬) : ~ solemne 장엄한 매장(식). Contr. **exhumación.**

inhumanamente *adv.* 비인도적으로, 비인간적으로, 무자비하게.

inhumanidad *f.* 잔인, 야만성, 몰인정.

inhumanitario, ria *adj.* 비인도적인, 비인간적인, 박정한, 야박한.

inhumano, na *adj.* ① 비인도적인, 비인간적인, 잔인한, 무자비한, 야만스러운 : un individuo ~. Sinón. cruel, despiadado, duro. ② 《*Chile.*》 더러운(sucio).

inhumar *tr.* 매장하다. Sinón. sepultar. Contr. exhumar.

INI Instituto Nacional de Industria 산업 공사.

iniaco, ca *adj.* 후두부(occipucio)의.

inial *adj.* =**iniaco.**

INIAP Instituto Nacional de Investigaciones Agro-Pecuarias 《*Ecuad.*》 농목 조사 공단.

iniciación *f.* ① 시작하는 일, 시작, 개시 : ~ de las actividades 업무의 개시. ~ de operaciones 사업의 개시. ② 비전(秘傳). ③ 입문 ; 입회, 입당.

iniciado, da *adj. m.f.* 비전(秘傳)을 받은 (사람).

iniciador, ra *adj.* 시작하는. —*m.f.* 첫 시작으로 하는 사람, 발기인 ; 선도자 ; 초심자, 신인.

inicial *adj.* 처음의, 첫번째의, 서두의, 최초의 : velocidad ~ del proyectil 탄환의 초단계 초속도. Las palabras ~*es* fueron de saludo 첫 마디는 인사였다. —*f.* 머리글자(letra ~).

inicialmente *adv.* 처음에, 첫 머리에.

iniciar *tr.* ⑪ [*lat.* initiare] ① 시작하다, 개시하다(dar principio) : Los embajadores *han iniciado* las negociaciones 대사들은 교섭을 시작했다. Sinón. comenzar, empezar, principiar. ② (옛 비밀 종교 행사·금일의 비밀 결사에) 가

입·입회시키다, 동료로 삼다. ③ (…에게) 비전(秘傳)을 전하다; (…에게) 첫걸음을 가르치다, 초보를 가르쳐 주다 : ~ a uno *en* las matemáticas 남에게 수학의 초보를 가르쳐 주다.
~se 시작되다; (비밀 결사에) 가입·입회·입당하다.

iniciativa *f.* ① 솔선, 선창(先唱), 발의(권) : Fue ~ del gobierno la creación de nuevas escuelas. ②【군사】 기선, 선제. ③ 주도성. ④ 독창력, 독창성, 발의, 창의 : Al nuevo empleado le falta ~ 신입 사원은 독창력이 없다. ⑤【정치】 의안, 제출권, 발의권, 이니시어티브. ***tomar la*** ~ 솔선해서 하다, 자발적으로 선수를 치다, 주도권을 잡다 : El *tomó la* ~ y nosotros lo seguimos 그는 주도권을 잡았고 우리들은 그를 따랐다.

iniciativo, va *adj.* 시작이 되는, 발단의.

inicio *m.* =**comienzo, principio.**

inicuamente *adv.* 불공평하게; 옳지 못하게.

inicuo, cua *adj.* 불공평한; 옳지 못한, 부당한; 사악한 : juez ~ 불공평한 재판관. sentencia *inicua* 부당한 판결.

inigualado, da *adj.* 불평등한.

inimaginable *adj.* 상상할 수 없는; 믿을 수 없을 만한 : espectáculo ~.

inimagnablemente *adj.* 상상할 수 없이.

inimicísimo, ma *adj.* [*sup.* enemigo] 아주 싫은; 적인, 원수의.

inimitable *adj.* 흉내낼 수 없는, 모방할 수 없는, 독특한; 비길 데 없는 : Escribió otra obra en su estilo ~.

ininflamable *adj.* 불연성의 : petróleo ~ 불연성 석유.

ininteligente *adj.* 총명하지 못한.

ininteligible *adj.* 난해한, 이해할 수 없는; 까닭을 알 수 없는 : un balbuceo ~. Sinón. incomprensible.

ininterrumpido, da *adj.* 끊기는 일이 없는, 일계(一系)의, 일련의(sin interrupción) : un llanto ~. Sinón. continuo, incesante.

inio *m.* 후두부(occipucio).

inion *m.* =**inio.**

iniquidad *f.* [*lat.* iniquitas] 불공정; 부정(injusticia), 사악(maldad). Contr. justicia, equidad.

iniquísimo, ma *adj.* [*sup.* inicuo] 아주 공정하지 못한, 극히 불공평한.

injerencia *f.* 간섭, 참견; 주책 부리기; 삽입.

injeridura *f.* (접목에서) 어미 나무의 가지 자르기; 잘린 접목 눈.

injerir *tr.* 54 ① 넣다, 끼우다. ② 접목하다. ③ (좁은 곳에) 끼워 넣다; 삽입하다(ingerir). ④ 마시다(tragar).
~se 간섭·참견하다(entremeterse) : ~*se* en los asuntos ajenos 남의 일에 참견하다.

injertable *adj.* 접목할 수 있는.

injertador, ra *m.f.* 접목하는 사람(persona que injerta).

injertar *tr.* ① 접목하다, 이삭을 잇다. ②【외과】 피부·접골·근육 이식하다.

injertera *f.* 접목 밭.

injerto, ta *adj.* injertar의 *p.p.* —*m.* ① 접목, 접목법; 잇는 이삭, 접목의 싹; 접목한 묘목. ②【외과】 피부 이식.

injundia *f.* 【속어】 =**injundia.**

injuria *f.* ① 모욕 : inferir ~*(s)* 모욕을 주다. Sinón. ultraje. ② 상스러운 소리, 욕지거리. ③ 손해.

injuriado, da *adj.* 《*Cuba.*》 최하급의 (담배).

injuriador, ra *adj. m.f.* 모욕·상소리 하는 (사람).

injuriante *adj.* 모욕의(insultante, ofensivo) : palabras ~*s.*

injuriar *tr.* 11 모욕하다, 욕지거리를 하다; 모략하다, 중상하다, 해치다(dañar). Contr. celebrar, halagar.

injuriosamente *adv.* 나쁘게, 꼴사납게; 중상해서.

injurioso, sa *adj.* 모욕의; 모략하는, 중상적인.

injustamente *adj.* 부당하게.

injusticia *f.* ① 불법, 부정, 불의, 불공평, 부당 : Me asombra la ~ de tu reproche. ② 부정 행위, 비행; 옳지 못한 행위.

injustificable *adj.* 조리에 맞지 않는, 핑계댈 수 없는 : conducta ~.

injustificadamente *adv.* 부당하게.

injustificado, da *adj.* 정당화되지 않는, 부당한 : una ausencia ~*da.*

injusto, ta *adj.* ① 옳지 못한, 부당한 : una decisión ~*ta* 부당한 결정. ② 공평치 못한, 편파적인 : un juez ~ 편파적인 심판. Sinón. parcial.

inllevable *adj.* 참기 어려운, 견딜 수 없는.

inmaculada *f* =**purísima.**

inmaculadamente *adv.* 티없이, 맑게, 깨끗하게.

inmaculado, da *adj.* ① 티없는, 티없이 맑은 : un blanco ~. Sinón. impoluto. ② 때묻지 않는, 오점이 없는 : un hombre de vida ~*da.* Sinón. intachable. ③ 청정한, 순결한 : una mujer ~*da.* Sinón. puro.
la Inmaculada Concepción 성모의 무원죄(無原罪)의 잉태.

inmadurez *f.* 미숙(未熟).

inmaduro, ra *adj.* 아직 익지 않은.

inmancable *adj.* 《*Ant. Col.*》 틀림이 없는, 분명한(infalible).

inmanejable *adj.* 다루기 어려운; 벅찬; 조작(操作) 불능의; 제어·조종할 수 없는.

inmanencia *f.* 내재(內在), 내재성.

inmanente *adj.* 내재적인, 고유의; 항구의.

inmarcesible *adj.* ① 시들어 버리는 일이 없는 : laureles ~*s.* ② 빛이 바래지 않는. ③ 불후의 : gloria ~.

inmarchitable *adj.* =**inmarcesible.**

inmaterial *adj.* 실체(實體)가 없는, 형체가 없는, 무형의, 비물질적인; 정신상의; 거의 형체가 없는 : un polvo ~. Sinón. impalpable, incorpóreo.

inmaterialidad *f.* 비실체성, 비물질성.

inmaterialismmo *m.* 비실체성.

inmaterializar *tr.* 비물질화하다(tornar inmaterial).

inmaturo, ra *adj.* ① 아직 익지 않은, 미숙한 (inmaduro). ② 시기 상조의.

inmediación *f.* 근접. —*pl.* 부근, 근교 : Compré una casa en las ~*es* de la ciudad 나는 도시 근교에 있는 집을 한 채 샀다. Sinón. aledaños, alrededores, cercanías, proximidades.

inmediatamente *adv.* 즉각, 곧, 바로 ; 직접으로.

inmediatez *f.* 직접성, 당면성.

inmediato, ta *adj.* ① 바로 옆에 있는, 바로 이웃의, 인접의 : Vivo en la casa ~*ta al* colegio 나는 학교에 바로 인접한 집에서 살고 있다. Sinón. contiguo. ② 직접의 ; 당면의 : asunto ~ 당면한 문제. ③ 당장의, 즉석의, 즉시의 : entrega ~*ta* 즉시 인도. Su respuesta fue ~*ta* 그는 즉석에서 대답했다.

de ~ 곧, 즉시 : Estará aquí *de* ~ 그는 즉시 이곳에 올 것이다.

inmedicable *adj.* 치료 방법이 없는.

inmejorable *adj.* 나무랄 데 없는, 더없는 : Goza de ~ salud 그는 나무랄 데 없이 건강하다. Sinón. excelente.

inmejorablemente *adv.* 나무랄 데 없이.

inmemorable *adj.* =**inmemorial.**

inmemorablemente *adj.* 먼 옛날, 호랑이 담배 먹을 적에.

inmemorial *adj.* 사람의 기억에 없는, 먼 옛날의, 오랜 예날의, 태고의, 호랑이 담배 먹을 적의 : Esto fue hecho en épocas ~*es*.

inmensamente *adv.* 무한히 ; 널찍하게 ; 심하게.

inmensidad *f.* ① 무한, 무변(無邊), 막대, 광대, 무수 ; 광대 무변한 경지, 무한한 공간 : El cohete desapareció en la ~ del espacio 로켓은 무한한 우주 공간으로 사라졌다. ② 대양, 창공.

inmenso, sa *adj.* 광대한, 무한의, 끝없는, 막대한, 헤아릴 수 없는 : una llanura ~*sa* 광대한 평원. la ~*sa* cantidad de estrellas 막대한 양의 별들. tener una fortuna ~*sa* 막대한 재산을 소유하다.

inmensurable *adj.* 무량의, 헤아릴 수 없는, 광대한 : espacio ~ 광대한 공간 · 우주.

inmerecidamente *adv.* 과분하게, 부당하게 : ser ~ castigado 부당하게 처벌되다.

inmerecido, da *adj.* 분에 넘친, 부당한.

inmergir *tr.* 4 《*Neol.*》 가라앉히다(sumergir).

inméritamente *adv.* =**sin mérito, sin razón.**

inmérito, ta *adj.* =**inmerecido, injusto.**

inmeritorio, ria *adj.* 칭찬할 만한 것이 못되는, (…을) 받을 만한 가치가 없는.

inmersión *f.* ① 침몰 : hacer morir por ~ 침몰로 죽게 하다. ② 물에 담금. ③【천문】(천체의) 잠입.

inmerso, sa *adj.* =**sumergido, abismado.**

inmigración *f.* ① 입국 이민. ② [집합] 이민.

inmigrado, da *adj. m.f.* 《*Neol.*》 (어떤 장소에) 들어가는 (사람) Contr. emigrado.

inmigrante *adj.* 이주하는. —*m.f.* 입국 이민자, 입국자.

inmigrar *intr.* 이민으로서 입국하다, 이주하다. Contr. emigrar.

inmigratorio, ria *adj.* 입국 이민의 : trámites ~*s* 입국 이민 수속.

inminencia *f.* 절박, 급박, 위급 : asustarse por la ~ de un peligro 위험이 절박해서 놀라다.

inminente *adj.* 다급해진, 위급한, 급박한, 절박한, 긴급한 : La tormenta parece ~ 폭풍우가 위급한 것 같다. Su traslado a la capital no es ~ 그가 도시로 이사하는 것은 절박하지 않다.

inmiscible *adj.*【화학】다른 물질과 혼합될 수 없는.

inmiscuir *tr.* 77 섞다(mezclar), 혼합하다.

~se 섞이다 ; 간섭하다. [*N.* inmiscúo, inmiscúes, 등과 같이 규칙 동사로도 쓰임].

inmisión *f.* 영감, 느낌.

inmobiliario, ria *adj.* 부동산의.

inmoble *adj.*【아어】움직일 수 없는, 움직이지 않는, 확고한 ; 냉정한 ; 진득한.

inmoderación *f.* 무절제, 과도.

inmoderadamente *adv.* 무절제하게.

inmoderado, da *adj.* 절제가 없는, 분수를 모르는, 중용이 모자라는 ; 과도한, 지나친 : un apetito ~.

inmodestamente *adv.* 뻔뻔스레, 철면피하게.

inmodestia *f.* 뻔뻔스러움, 철면피, 함부로 날뜀.

inmodesto, ta *adj.* 뻔뻔스러운, 철면피한, 낯가죽이 두꺼운, 버릇없는. Sinón. presumido, vanidoso.

inmódico, ca *adj.* 과도한(excesivo).

inmolación *f.* 희생시키는 일, 희생이 되는 일, 순사(殉死).

inmolador, ra *adj.* 희생시키는. —*m.f.* 희생자.

inmolar *tr.* ① 공물로 희생물을 바치다 : ~ un buey 황소를 바치다. ②희생시키다(sacrificar) : ~ *sus* intereses en favor de la patria 조국을 위해 (자신의) 이익을 희생시키다..

~se 희생되다, 자신을 희생물로 바치다.

inmoral *adj.* 부도덕한, 품행이 바르지 못한 : Es ~ que engañe así a su familia.

inmoralidad *f.* 부도덕, 품행이 단정하지 못함, 풍기 문란, 패륜(悖倫), 불의.

inmortal *adj.* ① 죽지 않는, 불사의 : el alma ~ 불사의 영혼. ② 불후의, 영원의, 불멸의 : un filósofo ~ 기억에 오래 남을 철학자. una obra de arte ~ 불멸의 예술 작품. Sinón. eterno, imperecedero, perdurable. ③ 아카데미 학회원의. —*m.* 《*Amér.*》【식물】국화과 식물.

inmortalidad *f.* 불사(不死) ; 불멸(성), 불후(不朽), 영원성, 무궁(無窮) : aspirar a la ~.

inmortalizar *tr.* 9 불후 · 불멸 · 영원하게 하다 : El Quijote *inmoralizó* a Cervantes 동끼호떼는 세르반떼스를 영원하게 했다.

inmortalmente *adv.* 영원히, 영구히.

inmortificación *f.* 안일 ; 변덕스러움, 방종스러움.

inmotivadamente *adv.* 까닭 · 이유 · 근거 · 동기없이.

inmortificado, da *adj.* 안일한 ; 변덕스러운, 멋대로 하는, 방종하는.

inmotivado, da *adj.* 까닭 · 이유 · 근거가 없는 : temores ~*s*. Sinón. infundado.

inmoto, ta *adj.* 움직이지 않는, 동요하지 않는.

inmovible *adj.* =**inmóvil.**

inmóvil *adj.* ① 움직이지 않는, 고정된 : Era un punto ~ en el horizonte 지평선에 고정된 점이었다. Los antiguos creían que la Tierra estaba ~ en el espacio 옛날 사람들은 지구가 우주에서

움직이지 않는다고 믿고 있었다. Sinón. fijo, quieto. ② 확고한 ; 냉정한.

inmovilidad *f.* 부동(不動), 고정 ; 냉정.

inmovilismo *m.* 안정성, 동요가 없음 ; 현상 긍정주의.

inmovilista *adj.m.f.* 현상 긍정주의의 (사람).

inmovilización *f.* 고정, 고착 ; 고정 자본화. —*pl.* 고정 자산.

inmovilizado *m.* 고정 자산.

inmovilizar *tr.* 9 ①움직이지 않게 하다, 움직일 수 없게 하다, 고착시키다, 고정시키다 : Le *inmovilizaron* la pierna rota. ② (자본·재산을) 고정 자본화하다.
~se 움직이지 않게 되다, 고정되다, 고착되다.

inmudable *adj.* 변하지 않는(inmutable).

inmuebles *adj.* 옮길 수 없는 : bienes ~ 부동산. —*m.* 건물(edificio).

inmundicia *f.* ① 더러운 것·일·것, 오물(suciedad). Sinón. basura, porquería, suciedad. ② 부정함, 불순함, 악(impureza, vicio).

inmundo, da *adj.* 더러운, 더럽혀진, 추잡한, 지저분한, 깨끗하지 못한.

inmune *adj.* 면제된(libre) ; 면역이 된(exento).

inmunidad *f.* ① 면제 ; 면역(免疫), 면역성. ② 불체포 특권, 면책권 : ~ parlamentaria 의원의 특권, 회기 중에는 체포될 수 없는 권리.

inmunitario, ria *adj.* 【의학】 면역(성)의 : suero ~ 면역성 혈청.

inmunización *f.* 면역성을 줌.

inmunizador, ra *adj.* 【의학】 면역시키는, 예방 접종의 : suero ~ 면역 혈청.

inmunizar *tr.* 9 면역시키다, 예방 접종·예방 주사를 놓다 : ~ *contra* la viruela.

inmunología *f.* 면역학.

inmutabilidad *f.* 불변성, 변치 않음 : la ~ de Dios 신의 불변성.

inmutable *adj.* ① 변하지 않는, 변하는 일이 없는 ; 바꿀 수 없는 : una situación ~. Sinón. invariable. ② 냉정한(inconmutable).

inmutación *f.* 안색을 변하는 일.

inmutar *tr.* 변하다(alterar) ; 대체·교환하다.
~se 안색이 변하다, 흠칫하다.

inmutativo, va *adj.* 변화·변경·변환(變換)의.

innatismo *m.* 본유 관념론(本有觀念論).

innato, ta *adj.* ① 타고난, 천부의, 천성(天性)의, 선천적인 : Tiene una bondad ~*ta*. Sinón. congénito, connatural. ② 【철학】 본유적(本有的)인.

innatural *adj.* 부자연한, 자연스럽지 못한 ; 이상한.

innavegabilidad *f.* 《*Chile.*》 항행(航行) 불능.

innavegable *adj.* 항행·항해할 수 없는 (장소·선박).

innecesariamente *adv.* 불필요하게.

innecesario, ria *adj.* 불필요한, 쓸모없는, 무익한(inútil) : Es un gasto ~. Sinón. superfluo.

innegable *adj.* 부인·부정할 수 없는 ; 거부할 수 없는 : verdad ~ 부정할 수 없는 사실. Sinón. indiscutible, indudable, evidente.

innegablemente *adv.* 부정·부인·거부할 수 없이.

innegociable *adj.* 거래할 수 없는.

innervación *f.* =**inervación.**

innoble *adj.* 천한, 야비한 : una acción ~ 야비한 행동. Sinón. indigno.

innocuidad *f.* =**inocuidad.**

innocuo, cua *adj.* =**inocuo.**

innominable *adj.* 임명할 수 없는.

innominado, da *adj.* 무명의 : hueso ~ 무명골(無名骨).

innovación *f.* 혁신, 쇄신, 신설비(新設備) : ~ tecnológica 기술 혁신.

innovador, ra *adj.* 혁신·쇄신하는 : espíritu ~ 혁신 정신. —*m.f.* 혁신자.

innovamiento *m.* =**innovación.**

innovar *tr.* 새롭게 하다 ; 새출발 시키다 ; 고치다, 혁신·쇄신하다, 개선하다 ; 도입하다 : ~ una moda extraña.

innumerabilidad *f.* 다수, 무수(無數)(muchedumbre).

innumerable *adj.* 무수의, 셀 수 없는, 헤아릴 수 없는 : estrellas ~*s* 무수한 별. Tuve que solucionar ~*s* problemas 나는 헤아릴 수 없이 많은 문제들을 해결해야 했다. [*N.* 집합 명사에는 단수형으로 붙음 : ejército ~ 병사의 수효가 수없이 많은 부대. una muchedumbre ~ 헤아릴 수 없는 군중].

innumerablemente *adv.* 무수하게, 헤아릴 수없이.

innúmero, ra *adj.* =**innumerable.**

innutritivo, va *adj.* 영양분이 되지 않는.

inobediencia *f.* 불복(종), 반항, 항거.

inobediente *adj.* 고분고분하지 못한, 순종 안하는.

inobservable *adj.* 지킬 수 없는.

inobservado, da *adj.* 관찰·조사되지 않은 : un hecho ~ aún 아직 조사되지 않은 일·사건.

inobservancia *f.* 준수 않음, 불이행, 위반, 반칙 : la ~ de la ley 법을 준수치 않음.

inobservante *adj.* 준수하지 않은, 지키지 않는, 규칙을 지키지 않는.

inocencia *f.* ① 무죄, 결백 : la ~ del acusado. ② 청정, 순결. ③ 천진스러움, 천진(candor).

inocentada *f.* ① 천진스러움, 천진 난만함 : decir ~*s* 천진 난만하게 말하다. ② 악의없는 장난 ; 실수 ; 어리석은 사람.

inocente *adj.* ① 무죄의, 죄가 없는, 결백한 : El juez lo declaró ~. ② 천진 난만한, 어린애 같은, 순진한, 사람 좋은, 솔직한, 단순한(cándido) : Es tan ~, que cree todo lo que le dicen 그는 무척 솔직하기 때문에 다른 사람이 그에게 말하는 것은 무엇이든지 믿는다. Sinón. ingenuo. ③ 해롭지 않은 : Es una comida ~ 해롭지 않는 음식이다. Sinón. inofensivo. —*m.f.* 죄가 없는 사람 ; 호인 ; 어린이.
día de los santos ~*s* Herodes가 유아를 학살한 기념일, 유아(幼兒)의 날, 12월 28일.

inocentemente *adv.* 결백하게 ; 천진 난만하게, 솔직하게.

inocentón, na *adj. m.f.* 호인 같은 (사람).

inocuidad *f.* 무해(無害)(innocuidad).

inoculable *adj.* 접종할 수 있는.

inoculación *f.* 종두(種痘) ; 접종.

inoculador, ra *adj.* 접종하는 ; 감염하는.
—*m.f.* 접종하는 사람 ; 감염자.

inocular *tr.* [*lat.* inoculare] 종두·접종하다; (나쁜 습관에) 물들게 하다; 감염시키다.
inocultable *adj.* 숨길 수 없는.
inocuo, cua *adj.* ① 해롭지 않은, 독이 없는. **Sinón.** inofensivo. ② 좋지도 나쁘지도 않는(ni bueno ni malo): Es una novela *~cua.*
inodoro, ra *adj.* ① 냄새가 없는: El agua es *~ra.* ② 냄새를 없애는. **—*m.*** (변소의) 방취 장치, 방취판; 그 변기.
inofensivo, va *adj.* ① 해롭지 않은: un producto ~ 해가 되지 않는 산물. **Sinón.** inocuo. ② 악의없는: una persona *~va* 악의없는 사람.
inoficioso, sa *adj.* ① 한 쪽으로 치우쳐 공정하지 못한 (유언). ② 《*AmérC. Col. Méx.*》 헛된, 쓸모없는. **Sinón.** inútil. ③ 《*AmérC. Col. Méx.*》 효과없는, 효력이 없는. **Sinón.** ineficaz.
inolvidable *adj.* 잊을 수 없는, 잊혀지지 않는, 잊어서는 안되는; 기억에 남을: una persona ~ 잊혀지지 않는 사람. un acontecimiento ~ 기억에 남을 사건.
inoneco, ca *adj.* 《*Chile.*》 호인의.
inope *adj.* 가난한, 곤궁한; 모자라는.
inoperable *adj.* 수술할 수 없는, 수술 불능의; tumor ~ 수술 불능의 종기.
inoperante *adj.* ① 작용하지 않는. ② 효과가 없는: El tratamiento resultó ~ 치료는 효과가 없었다.
inopia *f.* ① =**pobreza.** ② 무지: estar en la ~.
inopinable *adj.* 생각할 수 없는.
inopinadamente *adv.* 뜻밖에, 생각지도 않게.
inopinado, da *adj.* 뜻밖의, 생각지도 않은. **Sinón.** imprevisto, inesperado.
inoportunamente *adv.* 기회를 놓쳐, 시기가 나쁘게.
inoportunidad *f.* 시기의 부적당, 제철이 아님, 형편이 좋지 못함.
inoportuno, na *adj.* 시기가 나쁜, 시기를 놓친 (no oportuno): un comentario ~ 적당한 때가 아닌 코멘트. una lluvia *~na* 제철이 아닌 때의 비. visita *~na* 시기가 나쁜 때의 방문. enfermedad *~na* 시기를 놓친 병. **Sinón.** importuno.
inorancia *f.* 【고어】 =**ignorancia.**
inorar *tr.* 【방언】 《*Amér.*》 ignorar의 잘못된 발음.
inordenadamente *adv.* 어지러이, 무질서하게.
inordenado, da *adj.* 무질서한, 어지러운.
inordinado, da *adj.* =**inordenado.**
inorgánico, ca *adj.* ① 무기(성)의, 비유기적인: química *~ca* 무기 화학. ② 조직이 없는, 체계를 갖추지 못한: una obra *~ca* 체계가 없는 작품.
inoxidable *adj.* 산화되지 않는, 녹슬지 않는; 스테인리스의: cubierto de acero ~ 스테인리스 강철 나이프와 포크 한 벌.
INP Instituto Nacional de Planificaciones 《*Perú.*》 국가 계획국.
in pace *m. lat.* (죄인을 죽을 때까지 감금했던) 지하 감옥.
INPADE Instituto Panameño de Desarrollo 빠나마 개발 협회.
in pártibus (infidélium) *adj. lat.* (명예직과 같은) 이름만의, 명의만의.
in péctore *adv. lat.* (임지·지위의) 내정된 (사교 등); 가슴속에 품은 (결심).
in p. inf. in pártibus infidélium.
in perpétuum *adv. lat.* 영구히, 영원히.
in petto *adv. ital.* 가슴속에서: murmurar ~.
INPI Instituto Nacional de Promoción Industrial 《*Perú.*》 산업 개발 진흥 공단.
INPIBOL Instituto Promotor de Inversiones en Bolivia 볼리비아 투자 심의회.
in promptu *adv. lat.* 아무런 준비없이, 불쑥 생각나는 대로·마음으로.
in púribus *adj. lat.* 벌거숭이의: estar ~.
inq.ʳ inquisidor.
inquebrantable *adj.* 부서지지 않는; 찢을 수 없는; 꺽을 수 없는, 굳은: La guarda una fidelidad ~.
inquietador, ra *adj.* 시끄러운, 순탄하지 못한; 안달이 나게 하는, 조바심 나게 하는. **—*m.f.*** 소란을 떠는 사람, 소요를 일으키는 사람.
inquietamente *adv.* 불안하게, 좌불안석으로; 침착성을 잃고.
inquietante *adj.* =**inquietador.**
inquietar *tr.* ① 불안에 빠지게 하다, 마음을 산란하게 만들다, 조바심나게 하다: Me *inquietan* tus noticias 너의 소식은 내 마음을 심란하게 한다. **Sinón.** intranquilizar. ② (정신 차릴 수 없도록) 요란스럽게 굴다: ~ al pueblo 민심을 교란하다.
~se 염려하다, 걱정하다, 마음을 조이다: *~se con·de·por* las hablillas 유언 비어에 불안을 느끼다.
inquieto, ta *adj.* ① 불안한: El enfermo estuvo esta noche muy ~. **Sinón.** agitado, intranquilo. ② 마음이 차분하지 못한, 침착하지 못한: Es un niño ~. ③ 《*AmérC.*》 (…하기) 좋아하는, …하기가 일수인.
inquietud *f.* ① 불안, 우려, 걱정: Es una mujer sin *~es.* ② 차분하지 못함; 소란, 소요; 불안해 하는 마음.
inquilinaje *m.* 《*Chile.*》 =**inquilinato.**
inquilinato *m.* ① 셋집(에 드는 일); 집세. ② 《*Arg. Col.*》 (번민들이 거주하는) 공동 주택 (conventillo).
inquilino, na *m.f.* ① 셋집에 든 사람; 점원. ② 《*Chile.*》 한 집에 살면서 소작하는 사람; 소작농. ③ 《*Chile.*》 거주자.
inquina *f.* 증오, 한(恨), 원망.
inquinamento *m.* =**infección.**
inquinar *tr.* [드뭄] 오염시키다, 더럽히다; 못쓰게 만들다(contagiar, manchar).
inquirente *m.* 《*Neol.*》 =**inquiridor.**
inquiridor, ra *adj. m.f.* 조사하는 (사람).
inquirir *tr.* ㉓ [*lat.* inquirere] ① 조사하다, 문의하다, 규명하다, 캐다: ¿Por qué no *inquiere* usted los motivos de su enojo? **Sinón.** averiguar, indagar. ② 심문하다.
[직설법 현재: inquiero, inquieres, inquiere, inquirimos, inquirís, inquieren. 접속법 현재: inquiera, inquieras, inquiera, inquiramos, inquiráis, inquieran].
inquisición *f.* 취조; 조사, 규명; 이단 심문(異端審問); 종교 재판소(Santo Oficio).

hacer ~ 서류·휴지 등을 정리·소각하다.

inquisidor, ra *adj.* ① 규명하는 투의, 따지고 드는 투의 : mirada ~*ra*. ② 취조하는 ; 조사하는. **—*m.*** 종교 재판관(juez de la inquisición).

inquisitivo, va *adj.* 조사·규명하는 ; 연구상의. Sinón. inquisidor.

inquisitorial *adj.* 종교 재판의 ; 가혹한 ; 낱낱이 따지고 캐는 듯한(inquisidor).

inquisitorio, ria *adj.* =**inquisitivo.**

INRA Instituto Nacional de Reforma Agraria 《*Cuba.*》 국가 농지 개혁원.

inri, INRI *m.* ① 예수 그리스도의 십자가에 새긴 글 《Iesus Nazarenus Rex Iudaeórum「유태인의 왕 나사렛의 예수」의 생략》. ② 모욕의 낙인(烙印) : Le puso el ~.

insabible *adj.* 알아 볼 수 없는, 알 수 없는.

insaciabilidad *f.* 싫증을 모르는 일 ; 욕심.

insaciable *adj.* ① 싫증을 모르는 : hambre ~ 싫증을 모르는 공복. ② 욕심이 많은 : ambición ~ 끝없는 야망.

insaciablemente *adv.* 욕심많게, 끝없이.

insaculación *f.* (추첨 구슬을) 넣는 일.

insaculador, ra *adj.m.f.* (추첨 구슬을) 넣는 (사람).

insacular *tr.* (추첨 구슬을) 자루·병·상자에 넣다.

INSAFI Insutituto Salvadoreño de Fomento Industrial 엘살바도르 권업 공사.

insalivación *f.* 침을 섞음 ; 그 작용.

insalivar *tr.* (음식물에) 침을 섞다.

insalubre *adj.* 건강치 못한 ; 비위생적인 : ambiente ~ 비위생적인 환경. región ~ 비위생적인 지역. Sinón. malsano.

insalubridad *f.* 불건강 ; 비위생.

insalvable *adj.* 구조할 수 없는.

insanable *adj.* 불치의(incurable).

insania *f.* 광란, 광기(locura).

insanidad *f.* =**insania.**

insano, na *adj.* ① 미친 (듯한), 광란의(loco) : ardor ~. ② 건강치 못한, 몸에 나쁜(malsano) : un clima ~.

insápido, da *adj.* 【속어】 맛이 없는(insípido).

insatisfacción *f.* 불만, 불쾌.

insatisfecho, cha *adj.* 만족스럽지 못한 : Su inesperada negativa dejó ~*s* a todos sus amigos.

insaturable *adj.* 포화시킬 수 없는.

inscribible *adj.* 등기·등록할 수 없는.

inscribir *tr.* [*p.p.* inscri(p)to] ① 새기다, 새겨 넣다 ; 기입하다 ; 등기하다, 등록하다 : *Se inscribió* en una escuela privada. Sinón. anotar. ② [기하] 내접(內接)시키다.
~se 이름을 쓰다, 이름을 올리다 ; 구매·구독 신청을 하다.

inscripción *f.* [*lat.* inscriptio] ① 명각(銘刻), 명(銘), 비문 ; 기명. ② 등기, 등록 : ~ hipotecaria 저당 등기, 공채, 채권.

inscriptible *adj.* 기입·기재할 수 있는 ; 등기·등록할 수 있는.

inscripto, ta *adj.* =**inscrito.**

inscrito, ta *adj.* [inscribir의 *p.p.*] 등록·기명(記名)된 ; 새겨진 ; 내접된.

insculpir *tr.* 새기다, 조각하다(esculpir).

insecable *adj.* ① 마르지 않는, 시들어 버리지 않는 ; (물이) 마르지 않는. ② 나눌 수 없는, 분할할 수 없는.

insectario *m.* 곤충 사육소, 곤충관(館).

insecticida *adj.* 살충의. **—*m.*** 살충제.

insectil *adj.* 곤충의, 벌레의.

insectívoro, ra *adj.* 식충의 (동물·식물). **—*m.pl.*** 【동물】 식충류(食虫類).

insecto *m.* [*lat.* insectum] 【동물】 곤충, 벌레.

insectología *f.* 【속어】 실용 곤충학(entomología).

insectólogo, ga *m.f.* 곤충학자.

inseguramente *adv.* 불안정하게 ; 불확실하게.

inseguridad *f.* 불안정 ; 불확실성.

inseguro, ra *adj.* ① 불안정한, 위태로운 : un sostén ~ 불안정한 지주. Sinón. inestable. ② 확실치 못한 : una información ~*ra* 불확실한 정보. Sinón. dudoso, incierto.

inseminación *f.* ① 파종. ② 수태, 수정 : ~ artificial 인공 수정.

insenescencia *f.* 불로성(不老性).

insenescente *adj.* 불로의.

insensatez *f.* 어리석은 짓, 무분별.

insensato, ta *adj.* 분별없는, 몰상식한 (사람) : Es ~ salir a esta hora 이런 시간에 외출하는 것은 분별이 없는 일이다. Eres un ~ bebiendo así 그렇게 마시다니 너는 무분별한 사람이다.

insensibilidad *f.* 무감각 ; 둔감 ; 인사 불성 ; 냉담, 박정, 매정스러움.

insensibilizador, ra *adj.m.f.* 《*Neol.*》 무감각한 (사람).

insensibilizar *tr.* 9 무감각하게 하다, 마비시키다.

insensible *adj.* ① 무감각한 : ~ *a*l frío 추위에 무감각한. ② 무지각한, 둔감한 ; 무의식의 ; 냉담한 : Es ~ *a*l sufrimiento ajeno. ③ 지각할 수 없는, 어렴풋한. ④ 극히 미미한 : un ~ cambio de la temperatura. Sinón. imperceptible. ⑤ 인사 불성의.

insensiblemente *adv.* 무감각하게 ; 냉담하게 ; 모르는 사이에, 깜박하는 사이에.

inseparabilidad *f.* 분리될 수 없는 것, 불가분성.

inseparable *adj.* 나눌 수 없는, 불가분의, 떼어 놓을 수 없는, 헤어질·떨어질 수 없는, 분리시킬 수 없는 : amigos ~*s* 떼어질 수 없는 친구들. una pareja ~ 헤어질 수 없는 짝. **—*m.f.*** 헤어질 수 없는 사람 ; 밀착된 것.

inseparablemente *adv.* 밀접하게, 친밀하게, 불가분하게, 떨어질 수 없이.

insepulto, ta *adj.* 매장 전의, 묻어 버리지 않은, 없애 버리지 않은 : cadáveres ~ 묻지 않는 시체들.

inserción *f.* ① 삽입, 끼워 넣기 ; 기입. ② (신문·잡지의) 광고. ③【식물·동물】 착생(着生).

inserir *tr.* 56 =**insertar ; ingerir ; ingertar.**

insertar *tr.* ① 삽입하다, 끼워 넣다(meter) : ~ la hoja del cuchillo en el mango. ② 써넣다, 새겨 넣다, 게재하다 : La compañía *insertó* en el diario "Mercurio" un anuncio para pedir excusa 회사는 메르꾸리오 일간지에 사죄 광고를 게재했다.

~se 【식물·동물】 착생(着生)하다 : Las hojas *se insertan* en la rama 잎은 가지에 착생한다.
inserto, ta *adj.* [insertar의 *p.p.*] 삽입된, 끼워 넣은; 적어 넣은, 새겨 넣은.
inservible *adj.* 쓸모없는, 도움이 되지 못하는, 사용 불능한 : paraguas ~ 사용할 수 없는 우산. Sinón. inútil.
insidia *f.* [드묾] =**asechanza.**
insidiador, ra *adj.m.f.* 잠복하는 (사람).
insidiar *tr.* ⑪ 함정을 만들다; 잠복하다.
insidiosamente *adv.* 음흉하게, 음험하게.
insidioso, sa *adj.* ① 함정을 만드는 : interrogador ~ 함정을 만들어 심문하는 사람. ② 음흉한, 음험한; 방심할 수 없는. ③【의학】 잠재성·잠복성의 (질병). —*m.f.* 함정에 몰아 넣으려 하는 사람.
insigne *adj.* 유명한, 이름을 날리는, 명성이 있는; 고귀한, 아주 높은(célebre).
insignemente *adv.* 유명하게, 명성이 자자하여.
insignia *f.* 기장, 배지; 훈장; 표지의 깃발, 군기(軍旗), 단기(團旗), 함장기, 장관기; (옛날 로마의) 군기.
insignificancia *f.* ① 무의미; 하찮은 일, 사소한 일 : El se enfada por cualquier ~ 그는 사소한 일에도 화낸다. ② 비천한 신분, 하찮은 것, 대수롭지 않는 것, 별로 가치가 없는 것 : Le regalaron una ~.
insignificante *adj.* ① 의미 없는; 하찮은, 쓸모없는, 아무 것도 아닌; 신분이 낮은 : una persona ~. ② 아주 적은(muy poco) : una cantidad de dinero ~.
insinceridad *f.* 불성실.
insincero, ra *adj.* 불성실한.
insinuación *f.* 암시, 시사, 넌지시 비침, 빈정거림; 아첨, 아부; 제안.
insinuador, ra *adj.* 암시하는; 아첨·아부하는.
insinuante *adj.* 넌지시 비치는, 은근한; 비위를 맞추는 : palabra ~.
insinuar *tr.* ⑮ ① 넌지시 말하다, 시사하다, 암시(暗示)하다 : *Insinué* mi deseo de ver la nueva película 나는 새 영화를 보고 싶다는 소망을 넌지시 비쳤다. Sinón. sugerir. ② 빈정거리다 : ~ calumnia 제안하다.
~se ① [+con : …에게] 아부하다·아첨하다 : *~se con* los poderosos 실력자에게 아첨하여 빌붙다. *~se en* el ánimo de uno 누구의 마음을 사로잡다. ② (애정이나 나쁜 습관이) 모르는 사이에 생기다.
insinuativo, va *adj.* 넌지시 비치는, 은근히 빈정거리는; 그럴 듯한 말을 하는, 교묘하게 비위를 맞추는, 아첨하는, 아부하는.
insípidamente *adv.* 무미 건조하게.
insipidez *f.* 무미(無味), 멋이 없음, 맛없음, 무미 건조.
insípido, da *adj.* ① 맛이 없는, 김빠진 : fruta *~da* 맛없는 과일. Sinón. desabrido. ② 무미 건조한, 재미없는 : una conversación *~da.* Sinón. insustancial, soso.
insipiencia *f.* 무지(無知); 저능.
insipiente *adj.* 무지한; 저능의.
insistencia *f.* 끈질김, 집요, 고집; 억지, 강요.
insistente *adj.* 억지스러운; 집요한, 끈덕진.
insistentemente *adv.* 끈덕지게; 억지로, 강요로.
insistir *intr.* ① [+en : …을, …에] 고집하다·집착하다 : *Insistía en·sobre* mi esperanza vanamente 덧없는 희망을 계속 가지고 있었다. Si *insiste,* lo obligará a firmar 고집하면 그것을 억지로 서명하게 할 것이다. Sinón. persistir. ② 우기다, 주장·역설(力說)하다, 강조하다, 거듭해서 말하다 : *Insistió en* que fuéramos a cenar con él 그는 우리들이 자기와 저녁 식사하러 갈 것을 주장했다. *Insisto en* que te equivocaste 자네의 잘못이었다고 나는 생각하네. *Insistimos en* la mayor prontitud 지급으로 하여 주시기를 거듭 부탁드려 두는 바입니다. [*N.* Insistir en que 다음에는 접속법 동사가 사용됨].
ínsito, ta *adj.* 고유의, 선천적인.
in situ *adj. lat.* 동일 장소에(en el mismo sitio).
insobornable *adj.* 매수할 수 없는(incorruptible).
insociabilidad *f.* 비사교성, 무뚝뚝함.
insociable *adj.* 비사교적인, 사귀기 어려운 : Cuando llegó a la ciudad era un joven tímido e ~. Sinón. arisco, huraño.
insocial *adj.* =**insociable.**
insolación *f.* 볕에 바램; 일사병; 일조 시간(日照時間).
insolar *tr.* 볕에 널다·말리다, 볕에 쪼이다.
~se 일사병에 걸리다.
insoldable *adj.* 납땜이 되지 않는; 보상할 수 없는; 변명할 수 없는.
insolencia *f.* 건방짐, 거만스러움, 오만, 무례함 : Cometió numerosas *~s* 그는 수차 무례를 범했다.
insolentarse *r.* 건방져지다, 거만해지다; 무례하게·건방지게 굴다, 거만스레 굴다.
insolente *adj.* 거만한, 뻔뻔스러운, 낯가죽이 두꺼운, 철면피한, 무례한.
insolentemente *adv.* 거만하게; 철면피하게; 뻔뻔스럽게; 무례하게.
insolentón, na *adj. aum.* insolente.
insólito, ta *adj.* 이상한, 엉뚱스러운.
insolubilidad *f.* 불용해성(不溶解性).
insolubilizar *tr.* 용해시키지 못하다.
insonorizar *tr.* 울리지 못하게 하다.
insoluble *adj.* ① 녹지 않는, 용해하지 않는, 불용해성의. ② 풀 수 없는, 해결할 수 없는.
insoluto, ta *adj.* 지불하지 않은, 미청산의, 미결재의 : una deuda *~ta* 결재하지 않은 채무.
insolvencia *f.* 지불 불능, 재력이 없음; 파산, 도산.
insolvente *adj.* 지불할 능력이 없는. —*m.f.* 지불 능력이 없는 사람; 파산자 : declararse ~ 자신은 지불할 능력이 없음을 선언하다, 파산을 선언하다.
insomne *adj.* 불면증의(insomnio); (더위·소음 따위가) 잠을 이루지 못하게 하는.
insomnio *m.* ① 잠을 잘 수 없음. ②【의학】 불면(증)(vigilia, desvelo).
insondable *adj.* 이루 다 헤아릴 수 없는, 끝을 알 수 없는, 깊이를 알 수 없는 : abismos *~s.* Sinón. impenetrable, inescrutable.
insonorizar *tr.* 울리지 못하게 하다.

insonoro, ra *adj.* 울리지 않는, 울리는 소리가 나지막한.

insoportable *adj.* ① 참을 수 없는 : dolor ~ 참을 수 없는 고통. ② 화나는, 성나는, 노한.

insoria *f.* 《*Venez.*》 사소한 일, 무의미한 일, 하찮은 일 ; 아주 적음(pizca).

insoslayable *adj.* 피할 수 없는.

insospechable *adj.* 의심할 수 없는 : La obra tiene un final ~.

insospechado, da *adj.* 의심받는.

insostenible *adj.* ① 지지할 수 없는 : un argumento ~ 지지할 수 없는 논증. ② 지탱할 수 없는, 지탱하지 못하는.

inspección *f.* ① 검열, 조사, 검사, 감독 : ~ de aduanas 세관 검사. ~ de avería 손해 조사. ~ marítima 선박 임검. ~ por muestreo 발췌 검사. ~ severa 엄한 검열. Hicieron una ~ en la oficina 사무실에서 검열이 있었다. ② 검열소, 검사소, 감사부, 감독국 ; 사열.

I- General de Bancos y Sociedad Anónima 《*Urug.*》 은행 주식 회사 감독국.

I- General de Hacienda 《*Parag.*》 재무부 감독국.

Inspecciones Federales de Muestreo 《*Méx.*》 연방 상품 검사소.

inspeccionar *tr.* 검사 · 검열 · 시찰 · 사열하다; 감독하다 ; 조사하다 : El ingeniero *inspeccionó* las obras 기사는 일들을 조사했다.

inspector, ra *adj.* 검사하는. —*m.f.* 검열관, 검찰관, 감사역, 검사관, 감독 ; 장학사, 장학관 : ~ autorizado 공인 감독관. ~ de cuentas 회계 감사역. ~ de una compañía 감사역.

inspiración *f.* ① 영감, 인스피레이션 : ~ de Moisés 모세의 영감. ② 착상 ; 사주 ; 고무, 고취, 감격. ③ 숨을 들이마시는 일 ; 들이마신 숨.

inspiradamente *adv.* 영감을 받아서.

inspirado, da *adj.* 인스피레이션 · 영감을 받은 : unos versos ~*s*.

inspirador, ra *adj.* ① 호흡 작용의 : músculos ~. ② 영감 · 감흥을 받는 ; 고취 · 격려하는 (듯한). —*m.f.* 고취하는 사람 ; 사주하는 사람, 선동자 : ~ de un crimen.

inspirante *adj.* 숨을 들이마시는, 빨아드리는.

inspirar *tr.* ① (숨을) 들이쉬다(aspirar) : *Inspiró* profundamente 그는 깊이 숨을 들이쉬었다. ② 느끼게 하다, 감복시키다 : ~ una idea *a · en* uno 누구에게 어떤 생각을 가지게 하다. ③ (…에) 영감을 주다, 감흥을 일으키게 하다 : El amor de la patria *inspiró* al poeta 조국에 대한 사랑은 시인에게 영감을 주었다. ④ 암시하다. ⑤ 떨치고 일어나게 하다, 궐기하게 하다, 선동하다, 고무하다.

~se ① 영감을 받다, 감흥을 일으키다 : *Se inspiró* en una obra de Pío Baroja para escribir un artículo 그는 뻬오 · 바로하의 작품에서 영감을 얻어 기사를 썼다. ② 암시를 받다, 시사를 받다 : ~*se en* la frase de Cervantes 세르반떼스의 문구에서 암시를 받다. Muchos poetas *se inspiraron en* el folclore 많은 시인은 민속에서 영감을 얻었다. ③ 깨닫다, 깨우치다.

inspirativo, va *adj.* 숨을 들이마시는, 빨아들이는.

inst.ª instancia.

instabilidad *f.* 불안정(inestabilidad).

instable *adj.* 불안정한 : una paz ~ 불안정한 평화.

instalación *f.* ① 취임, 임명. ② 취임식, 임명식. ③ 정주(定住) ; 점포 개설, 개업, 개점 : ~ de un negocio. ④ 거치 ; 시설, 설비, 설치, 가설, 장치 : ~ de elaboración de datos 전산 장치. ~ de fuerza 동력 장치. ~ de gas 가스 기구 장치, 가스 설비. ~ de la refrigeración 냉각 장치. ~ de maniobras 운전 장치. ~ de sondeo de petróleo 유전 탐사 장치. ~ de succión 진공 하역 장치. ~ frigorífica 냉동 장치. ~ para carga y descarga 하역 설비. ~ para el amacenaje 창고 · 보관 설비. ~ portuaria 선거(船渠), 독, 항만 설비. Nuesera fábrica modernizó su ~ eléctrica 폐사의 공장은 전기 시설을 현대화했다. ⑤ 진열품, 내어놓은 것.

instalador, ra *adj.* 취임하는 ; 설치 · 설비하는. —*m.f.* 취임자 ; 설치자, 설비자 ; 조립공.

instalar *tr.* 취임시키다 ; 장치하다 ; 임하다 ; 정착시키다 ; 시설하다, 설비 · 장치 · 설치하다, 가설하다 : Quiero ~ un aireacondicionador en esta sala 나는 이 방에 냉방기를 한 대 설치하고 싶다.

~se 취임하다 ; 거주지를 정하다(establecerse) : Apenas llegó a México *se instaló* en un hotel 그는 멕시코에 도착하자마자 호텔에 거처를 정했다.

instancia *f.* ① 간절한 소망, 간청 ; 심판 ; 원서, 제의서 ; 소송 수속의 단계 : de primera ~ 제일 단계로. ② (재판의) 심급(審級), 심(審) : tribunal de primera · segunda · tercera ~ 제일 · 이 · 삼심.

instantánea *f.* 속성, 순간 ; 스냅 사진.

instantáneamente *adv.* 순간적으로, 즉시, 곧장, 바로, 직각적으로.

instantáneo, a *adj.* 순식간의, 갑작스러운, 즉석의 : café ~ 인스턴트 커피. muerte ~*a* 즉사. —*f.* 스냅 (사진).

en primera ~ 첫째로 (en primer lugar).

en última ~ 다른 해결책이 없다면.

instante *adj.* 간절한 ; 특별한. —*m.* 임시 ; 잠시 ; 순간(segundo).

(a) cada ~ 시종, 시시각각으로, 끊임없이(a cada paso).

al ~ 즉시, 곧, 즉각(enseguida).

por ~*s* 끊임없이, 시시각각으로.

instantemente *adv.* 간절하게, 강하게 ; 곧장.

instar *tr.* [*lat.* instare] ① 간원 · 간청하다. ② [+ a + *inf.* 혹은 que + *subj.* : …하도록] 부탁하다 : Le *insté a* que se sentara 간청하여 그를 자리에 앉게 했다. Lo *instó a* que devolviera los libros 책을 되돌려 달라고 간청했다. **Sinón.** urgir. —*intr.* ①몹시 급한 일이다, 급히 …이 필요하다(urgir) : *Insta* que vengas 아무래도 자네가 꼭 와야만 하네. ② 끈덕지게 노력하다.

in statu quo *adv. lat.* 현상 유지로.

instauración *f.* 회복, 재흥, 복구, 갱신 ; 건설 : la ~ de un gobierno revolucionario 혁명 정부의 건설.

instaurador, ra *adj.* 회복 · 복구 · 갱신하는 ; 건설 · 설치하는.

instaurar *tr.* ① 회복 · 재흥 · 복구 · 갱신하다 ;

복구하다 : *Instaurarán* un horario más flexible. [Sinón.] implantar. ② 건설하다, 설치하다 : ~ un régimen demócratico.

instaurativo, va *adj.* 회복의, 재흥의.

instigación *f.* 부추김, 선동 : obrar a ~ de otro 남의 선동에 의해 움직이다.

instigador, ra *adj.* 부추기는, 선동하는. —*m.f.* 선동자.

instigar *tr.* ⑧ 부추기다, 꼬드기다, 교사하다, 선동하여 …시키다 : Lo *instigaron a* desobedecer. [Sinón.] incitar, inducir.

instilación *f.* 적주(滴注), 점적(點滴) ; 침윤.

instilar *tr.* ①방울방울 떨어지게 만들다 : El oculista me *instiló* una gota de colirio en el ojo 안과 의사가 나의 눈에 안약을 한방울 떨어뜨렸다. ② 스며들게 만들다;잠입시키다, 몰래 스며들게 하다 : ~ afecto en el ánimo.

instintivamente *adv.* 본능적으로.

instintividad *f.* 본능적인 것 · 일.

instintivo, va *adj.* 본능한, 본능적인 : movimientos ~*s.*

por ~ 《*Urug.*》 본능적으로.

instinto *m.* [*lat.* instinctus] ① 본능 : por ~ 본능적으로, 무의식적으로. ~ de rebaño 군중 심리. El ~ de la abejas les hace ejecutar actos tan complicados que casi lindan con la inteligencia. ② 천분(天分). ③ 직각(直覺) ; 내면적 충동, 자극.

institor *m.* =**factor.**

institución *f.* ① 설립, 설정, 설치 ; 제정, 지명 : ~ de heredero 상속인의 설정. ② 제도 : ~ feudal 봉건 제도. ③ (공공의) 시설 · 기관 : ~ de crédito 은행 금융 기관. ~ pública 공공 시설 · 기관. ④ 협회, 공공 기관《학교 · 병원 · 클럽 따위》. ⑤ 교육 양성 ; 학회, 학원 ; 학교, 병원. —*pl.* 제도, 규정, 법규 ; 법칙, 원리.

institucional *adj.* 제도(상)의 ; 회(會)의, 기관 · 시설의.

institucionista *m.f.* (institución의) 협회원 ; 학원생.

instituente *adj.* =**instituyente.**

instituidor, ra *adj.m.f.* 설립 · 창립하는 (사람).

instituir *tr.* ⑰ ① 세우다, 설립 · 창설 · 설비 · 설정하다 (fundar) : *Instituyeron* un centro académico 그들은 학술 센터를 세웠다. ② 가르치다, 양성하다(enseñar). ③ 지정 · 지명 · 임명하다.

instituta *f.* [*lat.* instituta] (특히 Justiniano 황제에 의한 로마법의) 법률 원론 ; 민법 교정(教程).

instituto *m.* [*lat.* institutum] 규정, 회칙 ; 제도, 학회, 협회, 연구소, 단체, 영단(營團) ; 회관 ; 설립(물), 관례 ; (중)학교 · 학원 : ~ auxiliar 보조 기관. ~ bancaria 금융 기관. ~ de América Latina 라틴 아메리카 연구소. ~ de beneficencia 자선 단체. ~ de la seguridad social 사회 보장 제도. ~ de seguro 보험 회사. ~ fiduciaria 신탁 회사. ~ financiera 금융 기관. ~ de segunda enseñanza, ~ de enseñanza media 중학교. ~ de belleza 미용원. ~ armado 각 병과의 훈련소. ~ geográfico 지리 연구소 · 협회. benemérito ~ 옛날의 경찰대.

institutor, ra *adj.* 설립하는 · 한. —*m.f.* 설립자, 설정자(設定者) ; 교사.

instituyente *adj.m.f.* 가르치는 (사람).

instridente *adj.* =**estridente.**

institutriz *f.* (여자) 가정 교사 ; (여자) 교원.

instrucción *f.* [*lat.* instructio] ① 교육 : ~ primaria 초등 교육. ~ pública 국민 교육. Creo que tiene poca ~ 그는 별로 교육이 없다고 생각한다. ②가르침, 지도, 훈련 : ~ militar. ③ 학식, (가르침을 받은) 지식 ; 교훈, 알아둘 일. ④ 【법률】 심리, 조서 작성 ; 조서(調書). —*pl.* 지도 ; 통첩, 훈령, 지령 : dar ~*es* 지시하다, 훈령을 내리다. Todavía no he recibido ~*es* 나는 아직 지령을 받지 않았다.

instructivamente *adv.* 교훈적으로, 교육적으로.

instructivo, va *adj.* 교육 · 교훈적인, 유익한 : libro ~ 교육적인 · 교훈적인 책.

instructor, ra *adj.* 가르치는. —*m.f.* 교수, 선생, 교사, 강사 ; 교관.

instruido, da *adj.* [+ de : …을] 알고 있는, (…의) 지식 · 아는 바가 있는 : una persona muy ~*da* 매우 지식이 풍부한 사람. Ana está ~*da de* mi llegada 아나는 내가 온 것을 알고 있다.

instruir *tr.* ⑰ ① 지식을 주다, 가르치다, 교수하다, 교육하다(enseñar, doctrinar) : ~ a uno *de · en · sobre* las prácticas 누구에게 실습시키다. Le *instruye en* francés a José 그는 호세에게 불란서어를 가르치고 있다. ② 【군사】 교련 · 훈련하다. ③ 가르치다, 알게 하다, 통지 · 보고하다(informar) : *Instrúyame* usted *de* lo ocurrido 사건을 나에게 알려 주십시오. ④ (…에) 훈령 · 지령을 내리다. ⑤ 심리하다, 조서를 꾸미다.

~se ①배우다, 학문을 닦다; 영리해지다, 지식을 얻다 : *Me instruyo de* mi adversidad 자신의 불운에서 배울 바가 있다. ② 보고 · 훈령 · 지령을 받다.

[직설법 현재 : instruyo, instruyes, instruye, instruimos, instruís, instruyen. 접속법 현재 : instruya, instruyas, instruya, instruyamos, instruyáis, instruyan].

instrumentación *f.* ①기기(器機)의 사용. ② 【음악】 악기 편성(법), 관현악법.

instrumental *adj.* ① 기기 · 기구의 ; 악기의, 악기에 의한. ② 【법률】 증서의, 문서에 의한 : prueba ~. ③ 【문법】 조격의 : caso ~ 조격, 도구 · 방법 · 수단을 표시하는 격. —*m.* [집합] 악기 ; 의료 기계; 기기(機器), 기구(器具) : ~ científico 과학 기기.

instrumentalismo *m.* 【철학】 기구(器具)주의.

instrumentalización *f.* 기계화, 도구화.

instrumentalizar *tr.* 기계화하다, 도구화하다.

instrumentalmente *adv.* 수단 · 방편으로서.

instrumentar *tr.* 기악으로 편곡하다.

instrumentista *m.f.* 기악가 ; 악기 제작하는 사람 ; (특히) 의료 기구 만드는 사람.

instrumento *m.* [*lat.* instrumentum] ① (실험용 따위의) 도구, 기구, 공구, 용품, 기계(機械) (utensilio) : ~ cortante 날이 있는 연모. ~ de labranza 농기구. ~ quirúrgico 외과용 기구. ~ de precisión 정밀 기계. ② 악기(~ músico) : tocar un ~ 악기를 불다 · 연주하다. ~ de cuerda 현악기. ~ de percusión 타악기. ~ de viento 취주 악기. ~ de viento-madera 목관 악기. ~ de viento-metal 금관 악기. ③ 수단, 방편 ; 솜씨 ; 매개자, 빌미 : servir de ~ para …을 위한 수단이 되다 ; 빌미가 되다. ④ 문서, 서류 : un ~ auténtico 진정한 문서. ⑤ 증서, 증명서 ; 허가증, 감찰.

insuave *adj.* (감각적으로) 기분이 나쁜, 불쾌한 : voz ~.

insuavidad *f.* 불쾌함.

insubordinación *f.* 불복종, 불순종, 반항(rebelión) : espíritu de ~ 반항 정신.

insubordinado, da *adj.* 순종하지 않는, 복종치 않은, 반항적인 : soldados ~s 고분고분하지 않은 군인. —*m.f.* 불복종자 ; 반항자.

insubordinar *tr.* 거슬리게 하다 ; 항거 · 반항하게 하다 ; 반역하게 하다.

~se 반항하다.

insubsanable *adj.* 보상할 수 없는, 갚을 수 없는.

insubsistencia *f.* 변하기 쉬운 일, 존속하지 않는 일 ; 근거없는 일.

insubsistente *adj.* 변하기 쉬운, 덧없는 ; 아무 근거없는.

insubstancial *adj.* 실질이 없는, 공허한 ; 싱거운, 아기자기한 면이 없는, 묘미가 없는(soso).

insubstancialidad *f.* 공허함 ; 무형체.

insubstancialmente *adv.* 공허하게; 싱겁게.

insubstituible *adj.* 바꿀 수 없는, 교체할 수 없는(insustituible).

insudar *intr.* 땀을 흘리다, 애쓰다.

insuficiencia *f.* ①불충분(不充分), 결핍, 부족. Sinón. escasez, falta. ② 무능(無能), 적임자가 되지 못함.

insuficiente *adj.* ① 불충분한, 부족한 : una alimentación. ② 부적당한, 적임이 아닌, 무능한.

insuficientemente *adv.* 충분하지 못하게.

insuflación *f.* 【의학】 통기(법), 통풍(법), 취입(법), (기체 · 분말 등을 체강에) 불어넣기.

insuflador, ra *adj.* 불어넣는. —*m.* (의료 기구의) 통풍기, 취입기.

insuflar *tr.* ① (기체 · 액체 · 분말 등을) 불어넣다. ② 【의학】 통기 · 통풍시키다, 취입하다. ③ [집시어로] 침을 뱉다.

insufrible *adj.* 참을 수 없는, 견딜 수 없는 : ruido ~ 견딜 수 없는 소음. Sinón. insoportable, intolerable.

insufriblemente *adv.* 견딜 수 없을 만큼, 심하게, 참을 수 없을 만큼.

ínsula *f.* 【고어】 ① 섬(isla). ② 별 쓸모없는 · 작은 통치 지구, 행정력이 미치기 어려운 곳.

insulano, na *adj. m.f.* =**isleño.**

insular *adj. m.f.* =**isleño.**

insularidad *f.* 섬나라다운 점, 섬같은 점.

insulina *f.* 인슐린 《호르몬의 일종으로, 당뇨병 치료제》.

insulsamente *adv.* 촌스럽게; 싱겁게.

insulsez *f.* 싱거운 일(sosera) : Escuchamos un sinfín de *insulseces.*

insulso, sa *adj.* 싱거운 ; 멋없는, 촌스러운.

insultada *f.* 《*Amér.*》 =**insulto.**

insultador, ra *adj.* 모욕하는, 모욕의. —*m.f.* 모욕하는 사람.

insultante *adj. m.f.* 모욕의, 창피를 주는 (사람)(ofensivo) ; 무례한.

insultar *tr.* [*lat.* insultare] 욕지거리를 퍼붓다, 모욕하다 : *Se insultan* uno a otro 그들은 서로 욕지거리를 했다. ② 욕을 보이다, 여자를 겁탈하다.

~se [드뭄] 실신하다.

insulto *m.* ① 창피를 줌, 모욕(적 언동)(ultraje, injuria) : Me dio un ~ imperdonable 그는 나에게 용서할 수 없는 창피를 주었다. ② 무례 ; 급습, 습격 ; 발작, 실신 : Le dio un ~ durante el paseo 그는 산책중 실신했다. [*N.* 간접 목적 대명사 me, te, le, nos, os, les는 생략할 수 없음. gustar 동사와 같은 용법으로 쓰임].

insumable *adj.* 셈에 넣을 수 없는.

insume *adj.* 【아어】 비싸게 먹히는(costoso).

insumergible *adj.* 가라앉지 않는 : lancha ~ 가라앉지 않은 거룻배.

insumir *tr.* 【경제】 투자하다.

insumisón *f.* 불복종.

insumiso, sa *adj.* 고분고분하지 못한.

insumo *m.* ① 【경제】 투자 자본, 기본적 소비재 《원료(materia prima) · 에너지(energía) · 노동력(mano de obra) · 공예(tecnología) 따위》. ② 투입(량).

insuperable *adj.* 뛰어넘을 수 없는, 이겨낼 수 없는, 극복하기 어려운 ; 최고의.

insurgente *adj.* 반역의, 모반하는(insurrecto, sublevado). —*m.f.* 모반자, 폭도, 반란군.

insurgir *intr.* =**insurreccionarse, rebelarse.**

insurrección *f.* ① 반란, 폭동. Sinón. alzamiento, levantamiento, rebelión, sublevación. ② 불복종, 무례.

insurreccional *adj.* ① 반란의, 모반의, 봉기의, 폭동의 : reprimir un movimiento ~ 반란의 움직임을 진압하다. ② 《*Galic.*》 =**insurgente.**

insurreccionar *tr.* 폭동 · 모반 · 반란을 일으키다.

~se 반란 · 폭동을 일으키다, 봉기 · 궐기하다.

insurrecto, ta *adj.* 반란의, 모반의, 폭동의. —*m.f.* 반도, 폭도(rebelde) ; 반란자.

insustancial *adj.* 실속이 없는, 공허한, 실질이 없는(insubstancial).

insustancialidad *f.* =**insubstancialidad.**

insustancialmente *adv.* =**insubstancialmente.**

insutituible *adj.* 무엇과도 바꿀 수 없는, 대신할 수 없는.

int. interés 이자.

INTA Instituto Nacional de Tecnología Agropecuaria 《*Arg.*》 농목 기술 협회 ; Instituto Nacional de Transformación Agraria 《*Guat.*》 농지 개혁원.

intachable *adj.* 나무랄 데 없는, 흠잡을 데 없는 : un hombre ~ 나무랄 데 없는 사람. una conducta ~ 흠잡을 데 없는 행동. Sinón. irreprochable.

intacto, ta *adj.* 아직 손대지 않은, 본래 그대로의 ; 완전한 ; 순수한, 흠없는 : el papel ~ 흠없

는 종이.

INTAL Instituto para la Integración de América Latina 라틴 아메리카 통합 연구소.

intangibilidad *f.* 감촉으로 알 수 없는 것.

intangible *adj.* ① 만져볼 수 없는, 만져서 알 수 없는. ② 실체가 없는, 무형의. ③ 오리 무중의, 어렴풋한, 모호한.

integérrimo, ma *adj.* [*sup.* íntegro] 더없이 완전한.

integrable *adj.* 【수학】 적분되는.

integración *f.* ① 완성, 집성, 통합 : ~ de Europa 유럽 통합. ~ de mercados 시장 통합. ~ económica 경제 통합. ~ industrial 산업 통합. ②【수학】 적분법. ③【경제】 상환, 반제(返濟).

integracionista *m.f.* 통합주의자.

integrador, ra *adj.* 완전한. —*m.* ① 구적기(求積器). ② 적분기.

integral *adj.* [*lat.* integer] ① 완전한, 온전한 (completo, entero) : instrucción ~ 완전한 교육. ② (완전체를 이루는데) 절대 필요한, 필수의 : Recibió una educación ~ 그는 필수 교육을 받았다. ③【수학】 정수의 ; 적분의 : cálculo ~ 적분학. —*f.* 정수(整數);적분.

cálculo ~ 【수학】 적분학.

ecuación ~ 적분 방정식.

integralmente *adv.* 완전한 형태로, 고스란히 ; 완전하게, 빈틈없이, 완벽하게.

íntegramente *adv.* 고스란히, 완전하게(enteramente) ; 결백하게 ; 순결하게.

integrante *adj.* 완전체를 만들어내는, 요소인 ; 완전한(integral) ; 구성하는 : los jugadores ~*s* del equipo. —*m.f.* 구성원, 요원.

integrar *tr.* ① 완전한 것으로 만들다, 완전하게 하다;구성하다 : Estos factores *integran* este producto. ② 완전히 갚다, 상환하다(reintegrar). ③【수학】 적분하다. ④《*Col.*》 지불하다, 불입하다 ; (어떤 금액을) 가득 채우다 ; 통합(統合)시키다.

~se 들어가다, 모이다 : *Se integró a*l grupo de alumnos de inglés.

integridad *f.* 완전 ; 전부, 고스란히 그대로 있는 일 ; 무결 ; 고결, 결백 ; 순결(virginidad) ; 성실.

integrismo *m* (19세기에 창립된 서반아 전통의 완전 유지를 바탕으로 한) 서반아의 정당.

integrista *adj.* integrismo 의. —*m.f.* integrismo 주의자.

íntegro, gra *adj.* ① 완전한, 고스란히 그대로의, 전부의 : suma ~*gra* 통계. ② 흠이 없는(entero) ; 고결한, 공정한 : magistrado ~. ③ 순결한, 성실한, 정직한.

integumento *m.* ①【동 · 식물】 외피, 피막, 피복(被覆)(envoltura). ② 외모, 겉보기(ficción).

intelección *f.* 지적 작용, 이해력.

intelectiva *f.* 지력(知力), 지능(知能), 이해력, 오성(悟性)(entendimiento).

intelectivo, va *adj.* 지(知)의, 지능의, 지적인 : facultad ~*va* 지력.

intelecto *m.* ① 지력, 지능, 지성 ; 이해력(entendimiento). ② [집합] 머리.

intelectual *adj.* ① 지력의, 지적인 : fenómeno ~ 지적 현상. ② 마음의(espiritual) : El alma es una substancia ~ 정신은 마음의 실체이다. ③ 지식이 있는, 총명한.
—*m.f.* 식자, 지식인, 지식 계급.

intelectualidad *f.* 지력, 지능, 지성 ; 이해력, 이해성 ; 지식 계급, 식자층.

intelectualismo *m.* 【철학 · 문예】 주지론(主知論) · 주의.

intelectualista *adj. m.f.* 주지주의의 ; 지식 계급의 (사람) ; 주지파의 사람 ; 지식인.

intelectualizar *tr.* ⑨ 지(성)적으로 하다.

intelectualmente *adv* 지적으로 ; 마음으로 ;trabajar ~ 지적으로 일하다.

inteligencia *f.* [*lat.* intelligencia] ① 알기, 이지(理知), 지성 : La ~ distingue al hombre del animal 지성은 인간을 동물과 구별한다. ② 영지(英知) : ~, sentiminento y voluntad 지정의(知情意). ③ 재능, 지능, 재지(才知) ; 이해력 (comprensión), 사고력 : ~ humana 인지(人知). ④ 총명 : hombre de ~ 총명한 사람. ⑤ 묵계, 암묵의 양해 : en (la) ~ 묵계 하에서 ; 상상으로. ⑥ (육체인 cuerpo에 대하여) 지적 존재, 영(靈). ⑦ 정보 ; 의미 : en la ~ de ……라는 의미로. ⑧ 내통.

inteligenciado, da *adj.* 아는, 지식이 있는 (enterado).

inteligente *adj.* ① 영리한, 총명한, 지능 · 지식이 있는 : ~ *en* matemáticas 수학적 두뇌가 있는. El hombre es ~ 그 남자는 총명하다. ② 이성적(理性的)인. ③ 유능한(hábil) : criado ~ 유능한 하인. —*m.f.* 영리한 사람 ; 사정을 아는 사람, 이치를 아는 사람; 지식인.

inteligibilidad *f.* 이해할 수 있음, 이해하기 쉬움, 명료함.

inteligible *adj.* ① 이해할 수 있는, 알기 쉬운 ; 명백한, 분명하게 들리는(claramente) : hablar ~ 알기 쉽게 말하다. ② 지적인, 감정이 개입되지 않은, 관념상의, 개념적인.

inteligiblemente *adv.* 알기 쉽게 ; 분명하게.

intemerata *f.* 《*Amér.*》 앞뒤의 분간이 없는 일, 뻔뻔스러움(temeridad, descaro).

intemperancia *f.* 무절제 ; 폭음 폭식(暴飮暴食).

intemperante *adj.* 무절제한 ; 폭음 · 폭식하는 : hombre ~ 무절제한 사람.

intemperie *f.* 기후의 불순; 야외, 노천: la vida en la ~.

a la ~ 야외 · 노천에서, 야외 · 노천의 : la vida *a la* ~ 야외 생활. Tuve que dormir *a la* ~ 나는 노천에서 자야 했다.

intempestivamente *adv.* 제철이 아닌 때에.

intempestivo, va *adj.* ① 제때 · 철이 아닌, 시기에 맞지 않는 : una pregunta ~*va*. **Sinón.** extemporáneo. ② 어울리지 않는 ; 기후가 불순한.

intemporal *adj.* 시기가 벗어난.

intemporalidad *f.* 시기에 벗어남.

intención *f.* [*lat.* intentio] ① 의도, 의지, 의향, 시도, 취지 : No sé con qué ~ me lo dijo 어떤 의도로 그렇게 말했는 지 모르겠다. Tenía la ~ de cambiar de profesión 나는 직업을 바꿀 의도를 가졌었다. **Sinón.** propósito, proyecto. ② 고의 : con ~ 일부러. ③ 취미 ; 신중. ④ (마소의) 나쁜 버릇 : caballo de ~ 버릇이 있는

말. ⑤ 공양; 추도 미사.
curar de primera ~ 응급 치료를 하다.
de primera ~ 첫 순간에(en el primer momento).
primera ~ 고지식함.
segunda ~ 꿍심, 저의.

intencionadamente *adv.* 일부러, 고의로; 저의를 가지고(con intención) : cambiar ~ de camino 일부러 길을 바꾸다.

intencionado, da *adj.* 일부러 꾸민 : una sonrisa ~*da*.
bien ~ 선의의(bienintencional).
mal ~ 악의의(malintencionado).
mejor ~ =bien ~.
peor ~ =mal ~.

intencional *adj.* 의지의; 의지에서 나온, 고의적인 : un error ~ 고의적인 잘못. [Contr.] involuntario.

intencionalmente *adv.* 고의로, 생각 끝에. [Contr.] involuntariamente

intendencia *f.* ① 감독(국); 지배, 지휘; 관할지, 관할 구역; 관리(국); 경리(과). ② 《*Col.*》 관할구.

intendenta *f.* intendente의 아내.

intendente *m.* ① (어느 관구의) 장(長), 감독관 : ~ general de la policía 경찰 총감. ② 이사, 관리인; 경리부장. ③ 《*Amér.*》 시장(~ municipal).

intender *tr.* =**entender.**

intendible *adj.* 《*Chile.*》 =**ininteligible.**

intend.[te] intendente 시장(市長).

intensamente *adv.* 심각하게; 평범하게; 심하게, 격렬하게; 끝까지.

intensar *tr.* =**intensificar.**

intensidad *f.* ① 강렬함, 강함, 세기, 강도 : Se mide la ~ de la corriente eléctrica con el contador 전류의 강도는 계기로 잰다. ② 격렬성; 농도; 깊이 : ~ del amor.

intensificación *f.* 강화; 증가, 증대.

intensificador, ra *adj.* 강력한, 센; 증가하는.

intensificar *tr.* [7] 강하게·세게 하다, 강력·심각하게 하다; 증대·증가하다.

intensión *f.* =**intensidad.**

intensivamente *adv.* =**intensamente.**

intensivo, va *adj.* [*lat.* intensus] 센, 강한; 뜻을 강조하는, 강조적인; 집중적인, 강조하는; 철저한, 집약적인 : cultivo ~ 집약 농업. curso ~ 속성 과정.

intenso, sa *adj.* ① 센, 강한; 짙은, 깊은; 강도(强度)의, 심한 : calor ~ 심한 무더위. El frío era ~ 추위가 심했다. ② 열렬한, 심각한 : pasión ~*sa* 열렬한 애정. [Contr.] débil.

intentar *tr.* ① 꾀하다, 시도하다, 뜻하다, 꾸미다. ② [+*inf.* : …할] 작정이다 : ~ salir 나갈 작정이다. *Intentó* varias veces dejar de fumar 그는 여러 차례 담배를 끊을려고 시도했다. [Sinón.] procurar.

intento *m.* [*lat.* intentus] ① 의지 : Fracasaron sus ~*s* de atravesar la cordillera. [Sinón.] tentativa. ② 목적(propósito) : Nuestro ~ era cruzar la frontera.
de ~ 일부러, 고의로.
a(l) ~ *de* 《*Chile.*》 …의 목적을 가지고.

intentona *f.* 【속어】 무모한 계획 : Le salió mal su ~ 그의 무모성은 실패했다.

ínter *adv.* 【고어】 그 중에, 그 가운데(ínterin). —*m.* 《*Arg. Perú.*》 =**coadjutor.**
en el ~ 그 가운데.

inter- *pref.* 「서로」「상호(相互)」를 의미하는 접두어 : *inter*poner, *inter*venir.

interacción *f.* 상호 작용, 상호 영향.

interamericano, na *adj.* 아메리카 제국 간의.

interandino, na *adj.* 안데스 산맥을 사이에 낀 : comercio ~.

interarticular *adj.* 관절(articulación) 사이의.

interastral *adj.* 천체 사이의 : espacio ~ 천체 사이의 공간.

interatómico, ca *adj.* 원자 사이에 위치한.

intercadencia *f.* 맥박 불순; 변덕; 건강 불량.

intercadente *adj.* 맥박이 고르지 못한; 변덕스러운; 컨디션이 좋지 않은.

intercadentemente *adv.* 컨디션이 나빠져.

intercalación *f.* =**intercaladura.**

intercaladura *f.* 삽입; 덧붙이는 일.

intercalar[1] *tr.* [*lat.* intercalâre] 사이에 넣다, 삽입하다.

intercalar[2] *adj.* [*lat.* intercalâris] 윤년의 : día ~ 윤일 《2월 29일》. año ~ 윤년. mes ~ 윤달.

intercaliente *adj.* 【속어】 =**intercadente.**

intercambiable *adj.* 바꾸어 낄 수 있는, 교대·교체·교환할 수 있는; 상호 교환의.

intercambiar *tr.* 서로 교환하다 : ~ publicaciones.

intercambio *m.* ① 교환 : ~ cultural 문화 교류. ~ postal 우편물의 교환. ~ de las ideas 아이디어의 교환. ~ de mercancías 바터, 물물 교환. ② 통상, 무역(~ comercial).

interceder *intr.* 중개·중재하다(mediar), 조정하다 : ~ *ante* José *por* el amigo 친구를 위해 호세에게 중재하다.

intercelular *adj.* 【생물】 세포 사이의.

intercepción *f.* =**interceptación.**

interceptación *f.* ① 차단; 방해. ② 가로채기, 탈취, 횡령(橫領).

interceptar *tr.* ① 도중에서 억류하다·붙잡다·빼앗다, 가로채다 : ~ una carta. ② 방수(傍受)하다; 저지하다, 막다; 차단·방해하다 : Las nubes *interceptan* los rayos del sol 구름은 태양 광선을 차단한다.

interceptor, ra *adj.* 붙잡는. —*m.* ① 요격기. ② 《*Chile.*》 =**interruptor.**

intercesión *f.* 중재, 중개, 조정(mediación).

intercesor, ra *adj.* 중개(仲介)·중재하는, 조정하는, 화해(和解)시키는. —*m.f.* 중개·중재·조정자.

intercesoriamente *adv.* 중개·조정에 의해서.

intercolu(m)nio *m.* 【건축】 주간(柱間), 기둥과 기둥과의 사이.

intercomunicación *f.* 상호 교신·통신, (전화의) 건물내·구내 통화 장치.

intercomunicador *m.* 상호 교신·통신 장치; 건물내·구내 통화 장치.

intercomunicarse *r.* [7] 서로 교신·교통하다

; 서로 통하다.

interconectar *tr.* 이어 주다, 중계하다.

intercontinental *adj.* 대륙간의, 대륙을 잇는 : cable ~ 대륙간 해저 전선. transporte aéreo ~ 대륙간 공중 수송.

intercoreano, na *adj.* 남북한 간의 : los contactos parlamentarios ~*s* 남북한 간의 의회 접촉.

intercostal *adj.* 【해부】 늑간(肋間)의 : dolor ~ 늑간통. neuralgia ~ 늑간 신경통.

intercurrente *adj.* 도중에서 일어나는 ; 병발(併發)의 : enfermedad ~ 병발증.

intercutáneo, a *adj.* 살가죽 밑·피하(皮下)의(subcutáneo).

interdecir *tr.* 70 [*lat.* interdicere] 금하다 (vedar, prohibir).

interdental *adj.* 이 사이의 : sonido ~ 이 사잇소리 《c 나 z 의 음》.

interdependencia *f.* 상호 의존 : la ~ económica 경제의 상호 의존.

interdicción *f.* 금지 ; 정지 : ~ civil 공민권 정지 ; 금치산 (선언).

interdicto, ta *adj.* 금지 당한 ; 금치산이 된. —*m.* 금지 : ~ de recobrar 불법 점유. ② 종무(宗務) 금지(entredicho). —*m.f.* 금치산자.

interdigital *adj.* 손가락 사이의 : membrana ~ 손가락 사이의 (피)막.

interdij- → **interdecir** 70.

interdisciplinario, ria *adj.* 여러 학문 상호간의, 여러 학문 제휴의 ; (다른 분야 상호간의) 협동 (연구)의, 협동(協同) 활동의 : una investigación ~*ria*.

interés *m.* [*lat.* interest] ① 이로움, 이익 : en ~ de …을 위해. obras de ~ público 공공 사업. guiarse por *su* ~ 자신의 이익을 위해 일하다. ② 이해 관계 : tener ~ en …에 관계가 있다. ③ 이자 : capital e ~*es* 원리(元利). tasa · tipo de ~ 이율. a ~ 이자로. rendir ~*es* 이자를 올리다. sin ~ 무이자로. ~ acumulativo 누적 이자. ~ bajo 저리(低利). ~ compuesto 복리. ~ comprador (시장 등에서의) 매기(買氣). ~legal 법정 이자. ~reducido 저리(低利). ~ por el retardo 연체 이자. ~ simple 단리. ~ usurario 고리(高利). Contr. capital. ④ 관심 : sentir ~ *por su* sobrino 자기 조카에 대한 관심을 가지다. Ella empezó a sentir ~ *por* el joven 그녀는 그 청년한테 관심을 느끼기 시작했다. ⑤ 희망 : Tengo gran ~ *en* realizar este negocio 이 거래를 실현시키고자 몹시 바라고 있다. ⑥ 흥미, 취미 : de mucho ~ 몹시 흥미를 가지고 있는. tener ~ *en·por* una cosa 어떤 일에 흥미·취미를 갖고 있다. *Tengo* mucho ~ *en* la música primitiva de los orientales 나는 동양인의 원시 음악에 무척 흥미를 가지고 있다.
—*pl.* 재산(bienes) ; 이해, 이해 관계 : los ~*es* de la ciudad 시(市)의 이해에 관한 문제. ~*es* creados 자기에게만 좋도록 꾸며낸 이해. Tiene ~*es* en aquella empresa 그는 저 기업에 이해 관계가 있다.

interesable *adj.* 이해 타산에 밝은, 욕심 많은. (interesado, codicioso, egoísta) : hombre demasiado ~ 너무 이해 타산에 밝은 사람.

interesadamente *adv.* 이해 관계에 따라, 욕심만 부려 ; 흥미를 가지고, 관심있게.

interesado, da *adj.* [interesar의 *p.p.*] ① 관여된, (이해) 관계가 있는 ; [+en : …에] 흥미·관심이 있는 ; (…하고 싶은) 희망을 가진 : Estoy ~ *en* la realización de este negocio 이 거래가 실현되기를 몹시 바라고 있다. ② 욕심으로서의, 제 욕심만 차리는(codicioso). —*m.f.* 당사자, (이해) 관계자 ; 이익 본위의 사람. —*m.* 《*Cuba.*》 새서방, 정부(情夫)(concubino).

interesal *adj.* 이해(利害)의, 이해 관계를 가진, 이해에 의한(interesable).

interesante *adj.* ① 재미나는, 흥미있는 : Este libro es muy ~ 이 책은 매우 흥미있다. ② 관심을 가질 만한.
hacerse el ~ 으시대다, 우쭐거리다.

interesar *tr.* ① [+en : …에] 참가·관여시키다 : Le *interesé en* mi empresa 그를 내 사업의 동료로 삼았다. ② 관심을 끌다 : *Intereso* a ustedes que vean la manera 방안을 강구할 수 있도록 귀하의 관심을 끌고 싶습니다. ③ 흥미를 가지게 하다, (누구의) 마음을 움직이다·끌다 (cautivar), 재미있게 하다 : La cuestión me *interesa* mucho 나에게는 이 문제가 퍽 재미있다. ④ (…에) 관계를 미치다 ; 상하게 하다, 흠이 가게 하다(afectar) : Esta herida *interesa* el pulmón 이 상처는 폐에 영향을 준다.
—*intr.* 관계·이해 관계가 있다(importar) : las personas *a* quienes *interesa* el cadáver 그 시체에 관계가 있는 사람들.
~se ① 관계하다, 참가하다 : ~*se en* una empresa. ② [+en·por·con : …에] 흥미·관심을 갖다·두다(tener o adquirir interés por) : *Se interesa por* tu salud.

interesencia *f.* 참여, 참가, 출석.

interesente *adj.* (종교적인 행사에) 참례·출석하는.

interestatal *adj.* 각 주 간의, 각 주 연합의 : comercio ~ 주간 통상.

interestelar *adj.* 별과 별과의 사이의.

interfecto, ta *adj. m.f.* 살해된 (사람) : hacer la autopsia del ~ 살해자의 해부를 하다.

interferencia *f.* (전파·음·빛 등의) 간섭, 방해 ; 혼신(混信).

interferente *adj.* 간섭하는, 방해하는 ; rayos ~*s*.

interferir *tr. intr.* 54 (전파 등을) 간섭하다, 방해하다.

interferómetro *m.* 【물리】 간섭계.

interfoliar *tr.* 백지를 철하다.

interfono *m.* ① 인터폰. ② =**portero automático.**

intergaláctico, ca *adj.* 은하계 사이에 있는 : espacio ~ 은하계 사이의 공간.

ínterin *m.* [*pl.* intérines] ① 틈 : en el ~ 그 사이에. ② 대행·대리 기간(interinidad). —*adv.* 그럭저럭하는 사이에(entretanto).

interinamente *adv.* 그 사이에 ; 임시로, 대행해서 : desempeñar ~ un cargo 직무를 대행하다.

interinar *tr.* 대행하다 : ~ un cargo 직무를 대행하다.

interinario, ria *adj* . 《*Galic.*》 =**interino.**

interinato *m.* 《*Amér.*》 =**internidad.**

internidad *f.* 대리, 임시 ; 대행 기간.
interino, na *adj.* 임시의 ; 대신의, 대체의, 대리의 : funciones *~nas* 대체 홍행. **—***m.f.* 대리자.
interinsular *adj.* 섬 사이에 행해지는 : tráfico ~ 섬과 섬 사이의 교통.
interior *adj.* [*lat.* interior] ① 가운데의, 내부(內部)의 ; 속의 : ropa ~ 속옷, 내의. ② 속마음의 : en lo ~ 마음속에서. ③ 국내의 : cambio ~ 내국환. comercio ~ 국내 거래. El correo ~ se distribuye dos veces por día 국내 우편은 하루에 두 번 배달된다. ④ 오지(奧地)의. Contr. exterior. **—***m.* ① 가운데, 내부 : El ~ de la casa es muy fresco 집의 내부는 매우 시원하다. ② 한가운데 방 : Mi habitación es ~ 내 방은 한가운데 방이다. ③ 내심, 속마음. ④ 국내 ; 오지. **—***pl.* ① 속마음 ; 내장. ② 《*Amér.*》 여자의 하의.
interiorano, na *adj. m.f.* 《*Panamá.*》 오지의 (사람).
interioridad *f.* 속, 안, 내부. **—***pl.* 사사로운 일, 내부의 일, 개인 사정 : meterse en *~es* 사사로운 일에 참견하다.
interiorizado, da *adj.* 《*Neol.*》 【속어】 (무엇을) 알고 있는(enterado).
interiorizar *tr.* 《*Amér.*》 상세히 알리다.
interiormente *adv.* 마음속으로(en lo interior) : burlarse ~ de uno (누구를) 마음속으로 조롱하다. Contr. exteriormente.
interjección *f.* 【문법】 감탄사, 간투사.
interjectivo, va *adj.* 【문법】 감탄사(격)의.
interlínea *f.* ① (인쇄면의) 행간. ② 【인쇄】 인테르.
interlineación *f.* 행간에 기입하기.
interlineado, da *adj.* 행간의.
interlineal *adj.* 행간의, 한 행씩 뗀 ; 행간에 기입한·인쇄한 : agregados *~es.*
interlinear *tr.* ① 행간 (interlínea)에 기입하다 (entrerrenglonar). ② 【인쇄】 인테르를 끼우다.
interlocución *f.* 대화, 회담, 대담.
interlocutor, ra *m.f.* 이야기 상대, 대담자, 대화자.
interlocutoriamente *adv.* 중간적으로, 중간 판결로서.
interlocutorio, ria *adj. m.* 중간 판결(의).
intérlope *adj.* 《*Angl.*》 밀매의 ; 무면허의, 돌팔이의.
interludio *m.* 【음악】 간주곡.
interlunio *m.* 달이 보이지 않는 기간 《음력 선달 그믐 전후》.
intermaxilar *adj.* 【해부】 턱뼈(huesos maxilares) 사이에 있는.
intermediación *f.* 개재, 중개, 조정, 중재.
intermediano, na *m.f.* 중간상, 중개업자.
intermediar *intr.* [11] ① 사이에 넣다 ; 가운데에 존재하다(mediar). ② 《*Chile.*》 개재(介在)하다, 중재·조정하다(interceder).
intermediario, ria *adj.* ① 중간의 : tamaño ~ 중 크기. ② 중개·거래 알선의. **—***m.f.* 중개업자, 알선 업자 ; 중재자.
intermedio, dia *adj.* 사이의, 중간의 : la clase *~dia* 중급. Quisiera una talla *~dia* 중간 사이즈를 원합니다만. **—***m.* ① 사이 ; 막간(entreacto) ; 막간의 연결 ; 중개 : por ~ de …을 중개로 하여, …을 통해서, …에 의해. Lo conseguí por ~ de mi tío 나는 그것을 숙부님을 통해서 입수했다. ② 매개, 조정. ③ 【음악】 간주곡.
interminable *adj.* 끝이 없는, 한이 없는 : Tuvimos que escuchar una conferencia ~. Sinón. inacabable.
interministerial *adj.* 각 부·성간(各部省間)의, 양 성간(兩省間)의.
intermisión *f.* ① 중단, 중절, 중지 (interupción). ② (열 발작의) 간헐기, 휴지기.
intermiso, sa *adj.* =**interrumpido, suspendido.**
intermitencia *f.* 중지, 중절 (기간) ; 간단(間斷), 간헐(間歇), 결체(結滯).
intermitente *adj.* 간단(間斷)의, 간헐(間歇)의, 중간에 끊어지는, 때때로 그치는 : fuente ~ 간헐 분수. **—***f.* 【의학】 간헐열.
—*m.* (자동차의) 단속 장치, 단속기; (자동차의) 깜빡등, 깜박이.
intermitentemente *adv.* 간헐적으로.
intermitir *tr.* 중단·중지하다. **—***intr.* ① 간헐하다. ② (맥박이) 결체(結滯)하다. ③ (열이) 간헐하다. ④ (빛이) 점멸하다.
intermuscular *adj.* 근육 사이의 : ligamento ~ 【해부】 근육 사이의 인대.
internación *f.* 오지로 들어가기 ; 입국.
internacional *adj.* 국제의, 국제적인 : conferencia ~ 국제 회의. derecho ~ 국제법.
—*f.* 국제 노동자 동맹 : la Primera *I-* 제1 인터내셔널(1864 en Londres — 1874 en París). la Segunda *I-* 제2 인터내셔널(1889—1914). la Tercera *I-* 제3 인터내셔널(Comintern).
internacionalidad *f.* 국제성.
internacionalismo *m.* 국제 관계, 국제주의 (cosmopolitismo) ; 만국 노동자 단결주의.
internacionalista *adj.* 국제주의의 ; 국제 노동자 단결주의의. **—***m.f.* 국제주의자.
internacionalización *f.* 국제화, 국제 관리.
internacionalizar *tr.* [9] 국제적으로 하다, 국제화하다, 국제 관리로 하다 : ~ un puerto.
internacionalmente *adv.* 국제적으로.
internado, da *adj.* internar의 *p.p.* **—***m.* [집합] 기숙생(寄宿生) ; 기숙 학교. **—***f.* (경기에서) 상대방의 진영에 들어가기.
internamente *adv.* ① 내부적으로, 안에서 (interiormente, dentro). ② 내복(內服)으로.
internamiento *m.* 오지(로 들어감) ; 진입 ; 수용.
internar *tr.* ① 오지로 들어가게 하다. ② (수용소·병원에) 수용하다. ③ 《*Galic.*》 감금하다.
—*intr.* 들어가다(penetrar).
~se ① 깊이 들어가다 : Los árabes *(se) internaron en* España 아라비아인들은 서반어 깊숙이 들어갔다. *Se internaron en* la selva 그들은 밀림 속으로 깊이 들어갔다. ② 끼어들다, 참견하다. ③ 깊이 파다.
internista *adj.* 내과의. **—***m.f.* 내과 의사.
interno, na *adj.* 내부의(interior) ; 내복의 : dolor ~ . **—***m.f.* 기숙생 ; (병원의) 인턴 (~ de hospital).
internodio *m.* 식물의 마디(undo)와 마디 사이 (entrenudo).

ínter nos *adv. lat.* 우리 두 사람만의 이야기인데, 우리끼리 말인데.

internunciatura *f.* internuncio의 직책·사택.

internuncio *m.* ① 대변자 ; (교황의) 대리 사절·대리 공사. ② [드뭄] 이야기 상대(intrlocutor).

interoceánico, ca *adj.* 양 대양(大洋) 사이의 : el canal ~ del Panamá 빠나마의 양 대양간의 운하. estrecho ~ 양 대양간의 해협.

interóseo, a *adj.* 뼈와 뼈사이의 : arteria ~*a.*

interpaginar *tr.* =**interfoliar.**

interparlamentario, ria *adj.* (두 나라 이상의) 국회 사이의, 국제간 의원단의.

interpelación *f.* 청원 ; (의회에서의) 질의, 질문 (연설) ; 방해 연설.

interpelado, da *adj. m.f.* 청원받은 (사람).

interpelante *adj.* 청원하는 ; 질의자, 질문하는. —*m.f.* 청원자 ; 질의자, 질문자.

interpelar *tr.* [*lat.* interpellare] 청원하다 ; (의회에서, 특히 의사 방해의 목적으로) 질의·질문하다, 설명을 요구하다 : ~ a un ministro 장관에게 질문하다.

interpenetración *f.* 상호적인 침투·뚫고 들어가기.

interplanetario, ria *adj.* 유성(遊星) 사이의 : viaje ~ 우주 여행.

interpolación *f.* 삽입 ; 기입, 가필 ; 두절.

interpoladamente *adv.* 기입·가필에 의해.

interpolado, da *adj.* [interpolar의 *p.p.*] 끼우는 ; 삽입하는 ; 가필의.

interpolador, ra *adj.* 기입·가필하는. —*m.f.* 기입자, 가필자.

interpolar *tr.* [*lat.* interpolare]사이에 넣다, 끼우다 ; 적어 넣다, 가필하다 ; 두절시키다 (interrumpir).

interponer *tr.* 61 [*p.p.* interpuesto] ① 사이에 넣다·두다·끼우다 : *Interpuse* un mamparo entre las dos partes de la habitación. ② 안에 세우다. ③ 간섭하다.

~se ① 끼어들다, 간섭하다 : *Se interpuso* entre los dos contendientes 그는 두 사람의 논쟁자 사이에 끼어들었다. El siempre *se interpone* en mi camino 그는 항상 내 일에 간섭한다. La Luna *se interpone* entre el Sol y la Tierra 달은 태양과 지구 사이에 있다. ② 중개하다.

interposición *f.* 삽입 ; 개재, 중재 ; 간섭.

interprender *tr.* 급습하여 빼앗다·점령하다.

interpresa *f.* 급습 ; 강탈.

interpretable *adj.* 해석되는.

interpretación *f.* 설명, 해석, 해설 ; (꿈·수수께끼의) 판단 ; 연출, 연기, 연주 ; 번역, 통역 : *Interpretación* de Lenguas 번역과.

interpretador, ra *adj.* 해석·해설하는. —*m.f.* 해석자, 해설자.

interpretante *adj.m.f.* =**interpretador.**

interpretar *tr.* ① 설명·해석·해설하다 : Procure usted ~ bien mis palabras 내 말을 잘 해석하도록 노력하십시오. ② 판단하다. ③번역하다, 통역하다 : ~ un discurso 연설을 통역하다. ④ (음악 따위를) 연출·연주하다 : Cazals *interpretó* la Fantasía de Bach maravillosamente 카잘스는 바하의 환상곡을 훌륭하게 연주했다. González *interpretará* el papel de Otelo 곤살레스는 오셀로역을 연출할 것이다.

interpretativamente *adv.* 해석으로, 해설적으로 ; 통역으로.

interpretativo, va *adj.* 해석(상)의, 해설적인 ; 통역의.

intérprete *m.f.* ① 통역관, 통역자 ; 해설자 : no poder entenderse sin ayuda de un ~ 통역자의 도움없이는 이해할 수 없다. ②【연극】(역을) 맡아 하는 사람, 분장한 사람. ③【음악】연주자.

Los ojos son los ~s del alma 눈은 마음의 창.

interpuesto, ta *adj.* [interponer의 *p.p.*] 사이에 둔, 끼워 넣은 ; 안에 들어가는.

interpus- → **interponer** 61.

interpusie- → **interponer** 61.

interracial *adj.* (다른) 민족간의.

interregno *m.* (원수의) 공석 기간, 결위(缺位) ; (의회의) 휴회 기간(~ parlamentario).

interrogación *f.* 질의, 질문(pregunta) ; 심문 ; 의문 ; 의문 부호(signos de ~ : ¿?).

interrogador, ra *adj.* 질문하는 (듯한). —*m.f.* 질문자 ; 심문자.

interrogante *adj.* ① 의문의 : punto ~ 의문 부호. ② 질문의 ; 신문하는 투의. —*m.f.* 심문하는 사람. —*m.* 의문 ; 의문 부호 ; 심문.

interrogar *tr.* 8 묻다, 캐어 묻다 ; 심문하다 (preguntar) : La policía *interrogó* al empleado 경찰은 그 종업원을 심문했다.

interrogativamente *adv.* 심문하는 투로, 묻는 투로(con interrogación) : Me miró ~ 그는 나를 심문하는 투로 바라보았다.

interrogativo, va *adj.* 묻는, 질문하는 ; 의문의, 의문을 나타내는 : oración ~*va* directa·indirecta 직접·간접 의문문. Me habló con tono ~ 그는 나에게 묻는 투로 말했다. —*m.* 의문어.

interrogatorio *m.* 조서(調書), 심문, 심문서 : someter a un ~ 심문하다.

interrumpidamente *adv.* 띄엄띄엄, 간헐적으로.

interrumpir *tr.* [*lat.* interrumpere] ① 중단시키다, 저지하다, 중지하다 : Por favor no me *interrumpa* 내 말을 중단시키지 마시오. El tráfico *se interrumpió* por la aglomeración de automóvil 자동차가 집중되어 교통이 차단되었다. Todo el mundo *interrumpió* el trabajo para almorzar 모두가 점심을 하기 위해 일을 중지했다. A causa del tiempo tuvimos que ~ la cosecha 날씨 때문에 우리는 추수를 중단하지 않으면 안되었다. Sinón. suspender. ② 저지하다, 가로막다 : Un tronco atravesado en el camino *interrumpía* el paso 길에 가로놓인 나무 몸통이 길을 가로막고 있었다. ③ 띄엄띄엄하게 하다. ④ (남의 말을) 가로채어 중단시키다 : Varias exclamaciones *interrumpieron* al orador.

interrupción *f.* 방해 ; 차단, 중단 : ~ eléctrica 정전(停電). ~ del trabajo 작업의 중단.

interruptor, ra *adj.* 중단하는, 저지·중지하는. —*m.*【전기】개폐기(開閉器), 단류기, 스위치, 누르는 보턴 : ~ de boquilla 소켓.

intersecarse *r.* 7 (선이나 면이) 엇갈리다, 교차하다.

intersección *f.*【수학】(선의) 교차(점) ; (면이나 입방체의) 교절(交切)(선).

intersexual *adj.* 남녀성이 혼합된.
intersideral *adj.* =**interestelar.**
intersticial *adj.* ① 틈의, 갈라진 틈의 ; 틈새가 있는 ; 틈에 있는. ② 【해부】 간질(間質)의.
intersticio *m.* 틈, 틈새, 갈라진 틈, 구멍 : Por los ~*s* de la roca *penetraba* el agua 바위의 틈새로 물이 새고 있었다. [Sinón.] grieta, hendidura.
intertanto *adv.* 《*Amér.*》 entretanto의 달라진 발음.
intertrigo *m.* 【의학】 진무름, 쓸림.
intertropical *adj.* 남북 양 열대 간의 ; 열대의.
interuniversitario, ria *adj.* 대학간의, 대학 대항의 : juegos ~*s* 대학간의 경기.
interurbano, na *adj.* ① (시외에 대한) 시내의, 시내 사이의. ② 도시와 도시를 연결하는, 양 도시 사이의 : teléfono ~ 장거리 전화.
intervalo *m.* ① (시간·공간의) 간격, 사이 : a ~*s* 사이를 두고 ; 때때로 ; 곳곳에. a largos ~*s* 긴 사이를 두고. a ~*s* de 5 minutos · metros 5분·5미터 간격으로. ② 차이(diferencia). ③ 【의학】 중간(기) ; 중절기 : ~ claro · lúcido 정신 이상이 된 사람이 제정신으로 돌아간 평정기. ④ 【음악】 음정 : ~ armónico 화성적 음정. ~ melódico 선율적 음정. ~ mayor · menor 장·단 음정.
intervención *f.* ① 간섭 ; (다른 나라의) 내정 간섭 : ~ estatal · del estado 국가·정부 간섭. ② 조정, 중재 : ~ de precios (정부의) 가격 통제. Su ~ fue muy oportuna 그의 조정은 매우 적절했다. Los capitalistas y los trabajadores han pedido la ~ del Comité 노자(勞資) 쌍방은 위원회의 중재를 요청했다. ③ 참여, 참가 : aceptación por ~ 【상업】 어음의 참가 인수. ④ 감사, 감찰, 회계 감사 ; 감사실, 감독국, 검사원 : ~ de cuentas 회계 검사. ⑤ 수술 : ~ quirúrgica 외과 수술. Hubo que hacerle una rápida ~ 그에게 빠른 수술을 하지 않으면 안됐다. ⑥ 통제, 조정.
intervencionismo *m.* (다른 나라에 대한) 간섭주의(干涉主義)·정책.
intervencionista *adj.* (다른 나라에 대한) 간섭주의의 : tropas ~*s* 간섭하는 나라의 군대, 침입군. —*m.f.* 간섭주의자.
intervenidor, ra *adj.* 간섭·중재하는. —*m.f.* 중재자 ; 간섭자.
intervenir *intr.* [60] ① 간섭하다 : ~ *por* alguno 누구를 위해 간섭하다. Rusia *intervino en* el conflicto chino-japonés 러시아는 중일 분쟁에 간섭했다. Se negaron a ~ *en* los problemas internos del país vecino 이웃 나라의 내정 문제를 간섭하기를 거절했다. ② 조정·중재하다 (mediar). ③ 참가·참여하다(tomar parte en) : Le gusta ~ *en* todo 그는 모든 일에 참여하기를 좋아한다. [Sinón.] participar. ④ (일이) 발생하다, 일어나다(sobrevenir) : Una lluvia *intervino* a tiempo 안성맞춤으로 비가 내렸다.
—*tr.* ① (세관 등을) 감사하다 ; 회계 감사를 하다. ② (외국의) 내정 간섭을 하다. ③ 감독·통제·조정하다 : Le *intervinieron* el teléfono. ④ 【상업】 (수표의) 인수·지불에 참가하다. ⑤ 수술하다(operar) : Lo *intervinieron* con urgencia 그를 급히 수술했다.
interventor, ra *adj.* 간섭·중재하는 ; 검사·감사하는. —*m.* 간섭자, 조정자 ; 검사관, 감사역 ; 회계 검사관 ; 선거·투표 입회인, 심계관(審計官).
interventricular *adj.* 【해부】 심장의 심실(心室) 사이에 있는 : tabique ~.
interversión *f.* 《*Neol.*》 전도(顚倒), 전환(轉換)(inversión).
intervertebral *adj.* 두 척추골(vértebra) 사이에 있는 : disco ~.
intervertir *tr.* [55] 전도(顚倒)하다, 거꾸로 하다.
interviev *f.(m.)* 《*Angl.*》 회견, 인터뷰 ; 면회(entrevista) : hacer una ~ 회견하다. solicitar un ~ 회견을 청하다.
intervievar *tr.* 회견하다, 인터뷰하다(entrevistarse).
interview *f. ing.* =**entrevista.**
interviewar *tr.* =**intervievar.**
intervin- → **intervenir** [60].
interviniente *adj.* intervenir 하는.
intervistarse *r.* 회견하다(entrevistarse).
interviú *f.(m.)* 《*Angl.*》 =**interviev.**
intervocálico, ca *adj.* 모음 사이에 있는.
interyacente *adj.* 사이·중간에 있는.
intestado, da *adj.m.f.* 유언없이 죽은 (사람·재산) : morir ~ 유언없이 죽다.
intestina *adj.* 장(腸)의 : lombriz ~ 회충.
intestinal *adj.* 장(intestino)의·에 관한 : lombriz ~ 장내 기생충.
intestino *m.* [*lat.* intestinus] 【해부】 장(腸) : ~ ciego 맹장. ~ delgado 소장(小腸). ~ grueso 대장(大腸).
intestino, na *adj.* ① 내부(內部)의, 속의(interior) : El imperio fue debilitado por las discordias ~*nas.* ② 한통속의, 집안의, 국내의, 가정 내의 : guerra ~*na* 내전. divisiones ~*nas* 집안 싸움. discordias ~*nas* 내분.
inti *m. quechua.* ① 태양(sol). ② 인띠 《뻬루의 현재의 화폐 단위》.
INTI Instituto Nacional de Tecnología Industrial 《*Arg.*》 공업 기술 협회.
íntico, ca *adj.* 《*Méx.*》 【속어】 =**idéntico.**
íntima *f.* 통고, 통지, 고시(告示).
intimación *f.* =**íntima.**
íntimamente *adv.* 친밀하게, 밀접하게, 친숙하게 ; 집안끼리, 남은 끼우지 않고, 자기들 끼리만.
intimar *tr.* [*lat.* intimare] 통고하다, 통지하다. 시달하다, 알리다, 고시하다 : ~ una orden 명령을 시달하다.
—*intr.*, **~se** 스며들다 ; 친해지다, 오순도순 지내다 : Ella *intimó* con él 그녀는 그와 친해졌다.
intimatorio, ria *adj.* 통고의, 통지하는, 알리는 : carta ~*ria* 통지서.
intimidación *f.* 엄포, 협박 ; 공포(temor).
intimidad *f.* ① 친밀, 돈독함 : vivir en la mayor ~ con un amigo 친구와 무척 친밀하게 살다. ② [주로 *pl.*] 오순도순함 ; 은밀한 일, 감추는 일.
intimidar *tr.* 겁주다(asustar) : ~ a un candidato 후보자를 겁주다.

~se 겁을 먹다.

íntimo, ma *adj.* [*lat.* intimus] ① 친한, 친밀한 : amigo ~ 친구. amistad *~ma* 친교. país ~ 우방. ② 마음속으로부터의, 충심의, 내심의. ③ 감추는 : ropa *~ma* 속옷. ④ 본질적인.

intitular *tr.* (…에) 제명(題名)을 붙이다; 직함을 주다(titular).
~se ① 직함을 받다 · 붙이다 : *~se* doctor 박사 칭호를 받다. ② 《*AmérC.*》 =**llamarse:** *Me intitulo* José.

intocable *adj.* 만질 수 없는(intangible).

intolerabilidad *f.* 참을 수 없는 · 견딜 수 없는 일; 불용성(不容性).

intolerable *adj.* ① 참을 수 없는, 견딜 수 없는 : Su conversación se hace ~. Sinón. inaguantable, insoportable, insufrible. ② 용서할 수 없는.

intolerancia *f.* 배타적인 생각, 좁은 생각, 편협, 옹졸함, 편견.

intolerante *adj.* 배타적인, 편협한, 속이 좁은, 옹졸한 : María Túdor fue una reina ~ 마리아 뚜도르는 편협한 여왕이었다.

intomable *adj.* 《*Amér.*》 =**impotable.**

intonso, sa *adj.* ① 봉두 난발의. ② 배우지 못한, 무지한, 무식한, 몽매한(ignorante). ③ 가제본한 (책).

int.[or] interior.

intoxicación *f.* 중독(中毒)(envenenamiento) : La asfixia por el óxido de carbono constituye una ~.

intoxicar *tr.* 7 중독시키다(envenenar).
~se 중독되다.

intra- *pref.* 「속」「안」을 의미하는 접두어.

intraatómico, ca *adj.* 원자(átomo)에 포함된.

intracelular *adj.* 세포 안에 있는.

intradós *m.* 【건축】 **아치의 안둘레.**

intraducibilidad *f.* 번역할 수 없음, 번역 불능.

intraducible *adj.* 번역할 수 없는.

intrahistoria *f.* 내적(內的) 역사.

intrahistórico, ca *adj.* 내적 역사의.

intramuros *adv.* 성벽 안에서, 시내에서, 마을 안에서 : vivir ~ 성안에서 살다. Contr. extramuros.

intramuscular *adj.* 근육 속의 : inyección ~.

intranquilidad *f.* 불안, 근심, 초조.

intranquilizador, ra *adj.* 걱정시키는 (듯한).

intranquilizar *tr.* 9 걱정시키다, 불안을 주다, 초조하게 하다, 안절부절못하게 하다.

intranquilo, la *adj.* 불안한, 걱정스러운, 불온한. Sinón. agitado, desasosegado, inquieto.

intransferible *adj.* 양도할 수 없는 : derecho ~.

intransigencia *f.* 비타협, 고집, 강경.

intransigente *adj.* 비타협의, 강경한; 양보하지 않는, 완고한 : partido político ~ 비타협의 · 강경한 정당.

intransitable *adj.* 다닐 수 없는, 통행 할 수 없는.

intransitivo, va *adj.* 자동사의 : oración *~va* 자동사문. —*m.* 자동사(verbo ~).

intransmisible *adj.* 옮길 수 없는; 보낼 수 없는, 전할 수 없는; 방송할 수 없는.

intransmutabilidad *f.* 불변.

intransmutable *adj.* 바꿀 수 없는, 바꾸지 않는.

intransparente *adj.* 불투명한.

intrascendente *adj.* 보통의, 평범한; 중요하지 않는, 분명치 않은.

intrasferible *adj.* 양도 불능의.

intrasmisible *adj.* =**intransmisible.**

intratabilidad *f.* 다루기 어려운 일.

intratable *adj.* 다루기 어려운, 고약한, 고집이 센; 통행이 곤란한; 사귀기 어려운, 비사교적인.

intratar *tr.* 《*Hond.*》 모욕하다(insultar).

intrauterino, na *adj.* 자궁(útero) 안에 있는 : vida *~na.*

intravenoso, sa *adj.* 정맥 · 혈관(vena)의 안에 실시하는 : inyección *~sa.*

intrépidamente *adv.* 대담하게; 앞뒤를 가리지 않고.

intrepidez *f.* 대담, 꿋꿋함 (arrojo); 앞뒤를 가리지 않음, 당돌함(osadía). Contr. cobardía.

intrépido, da *adj.* 두려움을 모르는, 대담한, 꿋꿋한; 앞뒤를 헤아리지 않는, 당돌한(atrevido, valiente) : soldado ~ 대담한 군인.

intricar *tr.* 7 =**intrincar.**

intriga *f.* 음모, 책동, 책략; 분규, 뒤얽힘; (소설 · 극의) 각색, 줄거리(enredo).

intrigado, da *adj.* 《*Neol.*》=**admirado, maravillado.**

intrigante *m.f.* 음모자, 책략자.

intrigar *intr.* 8 음모를 꾸미다, 이 궁리 저 궁리하다. —*tr.* ① 《*Galic.*》 마음이 쓰이게 만들다 : Me *intriga* ese silencio 나에게는 그 침묵이 마음에 걸린다. ② 쩔쩔매다, 곤혹스러워하다 : Su conducta me *intriga.* ③ 흥미 · 관심을 돋구다.

intrincable *adj.* 복잡한.

intrincación *f.* 뒤얽힘, 착잡, 혼란.

intrincadamente *adv.* 얽키고 설켜, 복잡하게.

intrincado, da *adj.* ① 뒤얽힌, 얽키고 설킨, 복잡한(complicado, confuso) : un discurso ~ 복잡한 연설. ② 번잡한 : un camino ~ 번잡한 길. bosque muy ~ 매우 번잡한 숲.

intrincamiento *m.* =**intrincación.**

intrincar *tr.* 7 복잡하게 만들다, 얽히게 만들다, 어지럽게 만들다, 착잡하게 만들다. Sinón. complicar, enmarañar, enredar.

intríngulis *m.* 【단 · 복수 동형】 ①【속어】 어렴풋이 드러나 보이는 속마음. ②【속어】 곤란(dificultad). ③【속어】 복잡(화)(complicación).

intrínsecamente *adv.* 본질적으로.

intrínseco, ca *adj.* ① 본래 갖추어져 있는, 고유한, 본질적인 : valor ~ 본질적 가치. ② 내재적(內在的)인. Sinón. constitutivo, esencial. Contr. extrinseco.

intrínsico, ca *adj.* 《*Amér.*》 =**intrínseco.**

intrinsiqueza *f.* =**intimidad, esencia.**

introducción *f.* ① 안내. ② 삽입. ③ 창시, 첫 수입, 전래, 도래, 이입, 도입, 들여 놓기. ④ 소개 : carta de ~ 소개장. ⑤ 머리말, 권두언, 머리글, 서론, 서문, 서언, 서(序)(prólogo). ⑥ 입

문(서), 서설, 개론. ⑦【음악】 서곡, 전주곡. ⑧ 서막.
~ *de inversiones extranjeras* 외자 도입.
~ *de tecnologías extranjeras* 외국 기술 도입.

introducido, da *adj.* (무엇을) 알고 있는, (…에) 친한; 안내된; 도입된.

introducir *tr.* [*lat.* introducere] 71 ① 안에 넣다; 이끌다, 안내하다 : Me *introdujo en·por* la sala 방(쪽)으로 안내해 주었다. El secretario me *introdujo* en el despacho del director 비서는 나를 사장실에 안내했다. ② 꽂아 넣다, 들여 넣다 : ~ la mano *en* el agujero 구멍에 손을 넣다. *Introdujo* la llave *en* la cerradura 그는 열쇠를 자물통에 넣었다. ③ 입장시키다, 들어가게 하다; 소개하다, 피로(疲露)하다 : ~ a una persona *en* la corte 상류 사회에 어떤 사람을 소개하다. ④ 동료로 삼다. ⑤ (작품에 인물로서) 넣다(figurar). ⑥ 이입·도입·소개하다, 들여놓다, 지입(持入)하다 : ~ una industria *en* un país 어떤 산업을 한 나라에 도입하다. ~ palabras *en* un idioma 어떤 언어에 단어를 넣다. Queremos ~ este producto *en* aquel país 폐사는 그 나라에 이 제품을 소개하고 싶다. ~ el uso del sombrero 모자의 사용법을 소개하다. *Introdujeron* maquinarias modernas 현대 기계를 들여왔다. ⑦ 일으키다, 야기시키다, 가져오게 하다(ocasionar) : ~ el desorden·la discordia 혼란·불화를 일으키다. ⑧ 새 어휘를 전입시키다.
~se ① 안에 들어가다, 끼어들다 : Un ladrón *se introdujo en* casa 도둑이 집에 침입했다. ② 끼다, 한 동아리가 되다 : *~se entre* las amistades 친구의 한 사람이 되다. ③ 아첨하여 마음에 들게 되다 : *~se con* los que mandan 간부에게 아첨하여 마음에 들게 되다. ④ 이입·도입·소개하다. ⑤ 참견하다, 간섭하다, 관여하다, 끼어들다(entrometerse).
[직설법 현재 1인칭 단수 : introduzco. 접속법 현재 : introduzca, introduzcas, introduzca, introduzcamos, introduzcáis, introduzcan. 직설법 부정과거 : introduje, introdujiste, introdujo, introdujimos, introdujisteis, introdujeron].

introductivo, va *adj.* 이입·도입할 수 있는; 들어갈 수 있는, 끼일 수 있는.

introductor, ra *m.f.* ① 안내자 : ~ de embajadores 외교상의 의전관. ② 이입자, 도입자, 소개자. **—***adj.* 도입하는, 유도하는.

introductorio, ria *adj.* ① 머리말·머리글·권두언·서언(序言)의. ② 예비적인.

introduj- → **introducir** 71.

introduzc- → **introducir** 71.

introduzco introducir의 직·현·1·단수.

introito *m.* (고대극의) 서사(序辭); (카톨릭교 미사의) 입제문(入祭文).

intromisión *f.* 들어가는 일, 침입; 간섭, 참견.

introrso, sa *adj.* 【식물】 안으로 향한.

introspección *f.* 내성(內省), 내관, 자기 반성.

introspectivo, va *adj.* 내성적인, 내관적인.

introversión *f.* ① 내향, 내성(ensimismamiento). ②【의학】 내전(內轉), 내반(內反). ③【심리】 내향성. Contr. extroversión.

introverso, sa *adj.* 내향적인, 내성적인.

introvertido, da *adj. m.f.* 내성적인 (사람).

intrucho, cha *adj.* 《*Méx.*》 =**intruso.**

intrusamente *adv.* 우격다짐으로, 억지로, 우겨서 하는 듯이, 무리하게.

intrusarse *r.* (권능·직무 등을) 강제로 박탈하다.

intrusión *f.* 침입, 밀고 들어가기; (권력 등의) 박탈; 불법 점유.

intrusismo *m.* 무면허 영업, 무자격 영업.

intrusivo, va *adj.* 【지질】 관입(貫入)의 : rocas *~vas* 관입암. Contr. extrusivo.

intruso, sa *adj.* ① 침입하는, 난립하는. ② 《*Chile.*》 주책바가지의, 주제넘은. **—***m.f.* 침입자, 난입자; 지나치게 잘난 체하는 사람.

ints. intereses.

intubación *f.* (마취나 difteria 치료 등에서) 삽관(挿管), 삽관법(挿管法).

intubar *tr.* 【의학】 …에 금속관을 삽입하다.

intuición *f.* [*lat.* intuito] ① 직각(直覺), 직관(直觀) : La conciencia moral es la ~ del bien 도덕적 양심은 선에 대한 직관이다. ②【종교】 견신(見神).

intuicionismo *m.* ①【윤리】 직각설(直覺設). ②【철학】 직각·직관주의(直觀主義).

intuir *tr.* 77 직각·직관하다.

intuitivamente *adv.* 직각적으로, 직각적인 방법으로.

intuitivo, va *adj.* 직관적인.

intuito *m.* 보는 일 (vista, mirada) : por ~ de … 을 보고, …을 생각하여.

intumescencia *f.* 부기, 부어 오름, 팽창 (hinchazón).

intumescente *adj.* (점점) 부어 오르는.

intususcepción *f.* 【생물】 영양 작용, 섭취, 동화.

intutible *adj.* 《*Chile.*》 눈 뜨고 볼 수 없는; 쓸모 없는.

ínula *f.* 【식물】 ① 금불초의 일종. ② =**beleño.** ③ 이눌라 《국과 식물의 뿌리; 약용》.

inulina *f.* 이눌린 《전분질의 일종》.

inulto, ta *adj.* 【시어】 잘못이 없는, 나무랄 데 없는; 죄과에 대한 갚음이 없는(impune).

inundable *adj.* 범람할 수 있는, 넘쳐 흐를 수 있는.

inundación *f.* ① 범람, 침수. ② 물난리, 홍수. ③ 충만, 쇄도, 풍부(copia, multitud).

inundante *adj.* 넘치는 (정도의); 풍부한.

inundar *tr.* [*lat.* inundare] ① 범람시키다, 침수시키다, …에 침수하다 : El agua *inundó* las calles 물이 거리에 범람했다. Sólo en Santiago, más de 300 casas quedaron *inundadas* a una altura mayor del suelo 산띠아고에서만 300채 이상이 침수되었다. Sinón. anegar. ② 충만시키다, 밀어닥치다; (…에) 쇄도하다; 가득 차게 하다(llenar) : ~ *de·en* sangre el suelo 땅은 피로 흥건해지다. ~ un país *de* extranjeros 나라에 외국인이 쇄도하다.
~se 침수(浸水)하다, 넘쳐 흐르다, 범람하다 : *Se inundó* el piso bajo 1층이 물에 잠겼다.

inurbanamente *adv.* 버릇없이, 함부로(con descortesía, sin urbanidad).

inurbanidad *f.* 버릇 없음, 예의를 모름; 품위 없는 짓, 촌스러움; 사나움.

inurbano, na *adj.* 예의를 모르는 ; 사나운.

inusitadamente *adv.* 예삿일이 아니게.

inusitado, da *adj.* ① 예삿일이 아닌, 보통일이 아닌, 예사롭지 않은 : un estrépito ~. ② 폐지된.

inusual *adj.* 보통이 아닌, 이상한 ; 예삿일이 아닌 ; 진기한, 드물게 보는.

inútil *adj.* 쓸모 없는, 헛된, 무익한, 소용없는 : Dejémonos de ~*es* discusiones 쓸데없는 논쟁을 그만둡시다. Siempre compra objetos ~*es* 그는 항상 쓸모 없는 물건을 산다. Es ~ que grites 너는 소리쳐 보아야 소용없다. [Sinón.] inservible.

inutilidad *f.* ① 무용(無用), 무익 ; 쓸모 없는 물건, 무익한 물건 : comprar ~*es* 필요없는 물건을 사다. ② 이용 가치가 없는 일.

inutilización *f.* 무용화(無用化) ; 폐물.

inutilizado, da *adj.* 무익하게 만든, 쓸모가 없는.

inutilizar *tr.* ⑨ 무익하게 만들다, 쓸모없이 만들다 : El incendio *inutilizó* las instalaciones portuarias 화재로 항만 시설이 쓸모없이 되었다.

inútilmente *adv.* 헛되이, 쓸모없이, 무익하게 : Trabajó ~ 애썼지만 허사였다.

INVA Instituto de la Vivienda《*Hond.*》주택 공단.

invadeable *adj.* 걸어서 건널 수 없는.

invadiente *adj.* 침입·침략하는. —*m.f.* 침입자, 침략자.

invadir *tr.* [*lat.* unvadere] ① 쳐들어가다, (…에) 침입하다, 침략하다 : Los bárbaros *invadieron* el Imperio Romano 야만족이 로마 제국을 침략했다. Los hunos *invadieron* Europa 훈족이 유럽 제국을 침략했다. ② 침해하다, 황폐하게 만들다 : La langosta *ha invadido* los campos marroquíes 메뚜기들이 모로코의 밭을 황폐시켰다.

invaginación *f.* 장관(腸管)의 접합 (수술).

invaginar *tr.* 파이프를 끼워 연결시키다 ; (장〈腸〉을) 잇다, 접합 수술하다.

invalidación *f.* 무효, 실효 ; 무익(inutilidad).

inválidamente *adv.* 무효로, 쓸모없어져.

invalidar *tr.* 무효로 하다(infirmar).

invalidez *f.* ① 무효 : la ~ de un contrato 계약의 무효. [Contr.] nulidad. ② 노폐, 병약, 허약.

inválido, da *adj.* [*lat.* invalidus] ① 노쇠된, 병약한 : anciano ~ 노쇠한 노인. ② 병신인, 불구가 된 ; (지능 등이) 박약한 ; 무익한. ③ 무효가 된(nulo) : matrimonio ~ 무효가 된 결혼. —*m.f.* 노쇠자 ; 불구자 ; 부상병 ; 지능 박약자.

invaluable *adj.* 평가할 수 없는, 귀중한.

invar *m.* 인바《철에 니켈을 36~38%가량 섞은 합금》.

invariabilidad *f.* 불변, 불변성.

invariable *adj.* ① 변화가 없는, 불변의 : Es una persona ~ en sus ideas 그는 생각을 바꾸지 않는 사람이다. Los adverbios son palabras ~*s* 부사는 불변어이다. ② 일정한, 똑같은 : Su respuesta ~ es "no". [Sinón.] constante. ②【수학】일정한 상수의(constante).

invariablemente *adv.* 여전히, 변함없이 ; 한결같이 ; 틀림없이, 꼭, 반드시.

invariación *f.* 불변의 것, 변함없는 일.

invariadamente *adv.* 변함없이.

invariado, da *adj.* 변화가 없는, 불변의.

invariante *f.*【수학】불변량(不變量).

invasión *f.* ① 침입, 침략. ② (권리 따위의) 침해.

invasor, ra *adj.* 침입·침략의. —*m.f.* 침입자, 침략자.

invectiva *f.* ① 욕설, 독설 : Las ~*s* de Cicerón contra Antonio fueron causa de la muerte del gran orador 키케로의 안또니우스에 대한 독설은 대웅변가의 죽음의 원인이 되었다. ② 공격 연설·문서.

invectivar *tr.*《*Neol.*》욕설을 퍼붓다(fulminar invectivas).

invencibilidad *f.* ① 정복·극복의 불가능 ; 극복하기 어려운 일. ② 무적(無敵).

invencible *adj.* ① 패하는 일이 없는, 무적(無敵)의 : un equipo ~ 무적의 팀. Armada *Invencible* 무적 함대《1588년 영국에 출격하여 패한 함대》. ② 극복하기 어려운. [Sinón.] irrebatible.

invenciblemente *adv.* 무적으로 ; 극복하기 어렵게.

invención *f.* ① 발명(품) ; 창작, 창안 : privilegio de ~ 특허권. ② 발견(hallazgo). ③ 발명품, 신안(新案). ④ 날조, 조작, 꾸민 일, 허구, 픽션(ficción). ⑤ 발명의 재능, 발명력 : La necesidad es la madre de la ~ 필요는 발명의 어머니.

I- de la Santa Cruz 성 십자가 발견 기념일《기원 326년 5월 3일 콘스탄틴 대재의 어머니 Santa Helena가 Jerusalén에서 십자가를 발견한 것을 기념하는 날》.

invencionero, ra *adj. m.f.* ① =**inventor.** ② 거짓말쟁이(의), 허풍선이(의).

invendible *adj.* 팔지 않는, 비매(非賣)의.

inventador, ra *m.f.* =**inventor.**

inventar *tr.* [*lat.* unvenire] ① ㄱ) 발명하다 : Gutenberg *inventó* la imprenta 구텐베르크는 인쇄를 발명했다. ㄴ) 창작하다 ; 창안하다 : Benjamín Franklin *inventó* el pararrayos 벤자민 프랭크린은 피뢰침을 발명했다. ② 날조하다, 조작하다, 꾸며대다 : ~ cuentos 이야기를 꾸며대다. ~ mentiras 거짓말을 꾸며대다.

inventariar *tr.* ⑪ 재산·상품 목록에 기입하다, 재산 목록을 만들다 ; 재고를 정리하다.

inventario *m.* 물품 명세서, 재산·상품 목록 ; 재고 정리·조사 : ~ promedio 평균 재고. hacer ~ 재고를 정리하다. Debe hacerse un ~ por lo menos una vez al año 최소한 일년에 한 번 재고 조사를 해야 한다.

inventiva *f.* 발명의 재능, 독창력 : la ~ fecunda de un novelista 소설가의 풍요한 독창력.

inventivo, va *adj.* 창의적인, 독창적인, 발명적인 ; 연구심이 많은 ; 신 발명의.

invento *m.* 발명(품)(invención) : Esa máquina es ~ suyo 그 기계는 그의 발명품이다. Patentó su nuevo ~ 그는 신 발명품의 특허를 냈다.

inventor, ra *m.f.* 발명자, 창안자 : Gutenberg es el ~ de la imprenta 구텐베르크는 인쇄(술)의 발명자이다.

inverecundia *f.* 파렴치, 철면피, 뻔뻔스러움

(desvergüenza).

inverecundo, da *adj.* *m.f.* 파렴치한 (사람).

inverisímil *adj.* =**inverosímil.**

inverisimilitud *f.* =**inverosimilitud.**

inverna *f.* 《*Perú.*》 =**invernada.**

invernación *f.* 피한(避寒).

invernáculo *m.* 온실.

invernada *f.* ① 겨울철, 동계(冬季), 겨울의 시기. ② 《*AmérM.*》 목축의 월동장. ③ 《*Venez.*》 억수 같은 비, 호우.

invernadero *m.* 피한지 ; 피한 목장 ; 온실.

invernador, ra *adj.* 피한하는. —*m.* 《*Amér.*》 가축의 월동 장소.

invernaje *m.* 《*Galic.*》 =**invernada.**

invernal *adj.* 겨울의 : frío ~ 겨울의 추위. —*m.* 겨울철의 목사(牧舍).

invernante *m.f.* 피한객.

invernar *intr.* ⑲ ① 피한하다 ; 겨울을 지내다 : ~ en un puerto 항구에서 겨울을 지내다. ② 동면하다. ③ 《*AmérM.*》 (가축이) 피한장에서 살다.

invernazo *m.* 《*Ant.*》 (7—9월의) 우기(雨期).

invernizo, za *adj.* 겨울의 ; 겨울다운.

inverosímil *adj.* 거짓말 같은, 미덥지 못한, 진실성이 없어 보이는.

inverosimilitud *f.* 진실성이 없어 보이는 일.

inverosímilmente *adv.* 진실한 것 같지 않게, 거짓말처럼, 미덥지 못하게.

inversamente *adv.* 거꾸로, 역으로.

inversión *f.* ① 전도, (위치의) 전환, 전위, 치환(置換). ②【수학】 반전 ; 전위, 전도. ③【문법】 어순 전도·전환. ④【논리】 여환법(戾換法). ⑤【음악】 전회(轉回). ⑥【화학】 전화(戰化). ⑦【음성】 반전. ⑧【의학】 착도. ⑨【경제】 투자(投資) : ~ a largo plazo 장기 투자. ~ bruta 총투자. ~ con fines de racionalización 합리화를 위한 (설비) 투자. ~ corriente 경상(經常) 투자. ~ de capital 설비·자본 투자. ~ de cartera 자산 운용 투자. ~ de equipo 설비 투자. ~ del gobierno 정부 투자. ~ del sector público 공공 투자. ~ directa 직접 투자. ~ en divisas 외자 투자. ~ en el exterior·extranjero 해외 투자. ~ en especie 현물 투자. ~ en forma de equipo 유형 자산에 의한 투자. ~ expeculativa 투기의 투자. ~ estatal 정부 투자. ~ excesiva 과잉 투자. ~ extranjera 해외·대외 투자. ~ fijada 항구적 투자. ~ indirecta 간접 투자. ~ industrial 산업 투자. ~ inicial 최초의 투자. ~ interior 국내·자국 투자. ~ neta 순투자. ~ para fines de racionalización 합리화를 위한 투자. ~ permanente 영구적 투자. ~ productiva 생산적 투자. ~ segura 안전한 투자. ~ total 총투자.
—*pl.* 자본 지출, 설비 투자.

inversionista *adj.* 투자하는. —*m.f.* 투자자, 출자자 : ~ privado 민간 투자자·출자자. **Sinón.** inversor.

inversivo, va *adj.* inversión의 : construcción ~*va.*

inverso, sa *adj.* 반대의, 거꾸로의(contrario), 역(逆)의 : razón ~*sa* 반비례.
a·por la inversa 거꾸로, 반대로, 역으로.

inversor, ra *m.f.* 투자가, 출자자(出資者).
—*m.*【전기】 역류 스위치, 반전기.

invertebrado, da *adj.*【동물】 척추가 없는.
—*m.pl.* 무척추 동물.

invertido, da *adj.* ① 역으로 된, 거꾸로 된, 전도된. ② 투자된. ③ 동성애의, 성욕 도착(倒錯)의(sodomita). —*m.f.* 동성애자.

invertina *f.*【화학】 인베르틴, 전화 효소.

invertir *tr.* ⑮ [*lat.* invertere] ① 거꾸로 하다, 반대·역으로 하다, 뒤엎다, 뒤집다 : Pronto *se invirtieron* los papeles 곧 종이가 뒤집혔다. **Sinón.** cambiar. ②【음악】 전회(轉回)시키다. ③【화학】 전화(轉化)하다. ④【문법】 도치시키다 : En esta oración no se puede ~ el orden de las palabras 이 문장에서는 어순을 도치할 수 없다. ⑤ 투자하다 : ~ el dinero *en* fincas 돈을 토지에 투자하다. *He invertido* mucho dinero inútilmente en aquella empresa 나는 그 사업에 많은 돈을 투자했으나 소용없었다. ⑥ 비용을 들이다 ; 소요하다 : ~ siete u ocho días 7·8일을 소요하다. *Invirtió* dos horas en recorrer veinte kilómetros 그는 두 시간을 소요하여 20킬로를 달렸다. *Se invirtió* mucho dinero en gastos generales 일반 경비에 많은 돈이 들었다. ⑦【수학】 반전(反轉)하다.
[직설법 현재 : invierto, inviertes, invierte, invertimos, invertís, invierten. 접속법 현재 : invierta, inviertas, invierta, invirtamos, invirtáis, inviertan. 직설법 부정과거 3인칭 : invirtió, invirtieron. 현재 분사 : invirtiendo].

investidura *f.* 임무를 띠는 일 ; 서임(식) ; 자격의 부여(envestidura) ; 학위 수여(식).

investigable *adj.* 연구할 수 있는, 조사할 수 있는.

investigación *f.* ① 연구 : ~ científica 과학적 연구. ~ del tiempo necesario para varias tareas 작업 시간 연구. ② 조사 : ~ comercial 상업 센서스. ~ de la motivación 구매 동기 조사. ~ de mercado 시장·판로 조사. ~ distributiva·mercadológica 시장 조사. ~ económica 재무조사, 경제 조사·연구. ~ industrial 공업 센서스. ~ operativa 오퍼레이션 리서치. ~ publicitaria 광고 조사. ~ sobre el consumidor 소비자 조사. ~ policíaca 경찰 조사. la ~ de los ingresos y gastos de las familias 가계(家計) 조사.

investigador, ra *adj.* 연구하는, 조사의 ; 찾는 듯한 : dirigir una mirada ~*ra.* —*m.f.* 연구관, 연구자, 조사자.

investigar *tr.* ⑧ [*lat.* investigare] ① 조사하다, 심사하다 : Seguirán *investigando* las causas de la epidemia. **Sinón.** averiguar, indagar, inquirir. ② 연구하다 : Hay que ~ la causa 원인을 연구할 필요가 있다. *Investigaba* en un laboratorio 그는 실험실에서 연구를 하고 있었다.

investir *tr.* ㊸ [*lat.* investire] [+ con·de : …을] 주다, 부여하다, 내리다, 맡기다, 띠게 하다 : ~ a uno *con·del* cargo 어느 사람에게 임무를 주다. Se creyeron *investidos con* esta misión 그들은 이 사명을 띠고 있는 것으로 스스로 생각했다. El Papa lo *invistió de* cardenal 교황은 그를 추기경으로 임명했다. Lo *invistieron con* el cargo de consejero 그는 고문직에 임명되었다.

inveteradamente *adv.* 고질적으로, 만성적으

로, 상습적으로.

inveterado, da *adj.* (병·습관 따위가) 뿌리깊은, 고질적인, 인습적인, 만성의, 상습적인 (arraigado, antiguo) : hábito ~ 옛부터의 버릇.

inveterarse *r.* 오래되다, 낡아지다(envejecerse).

INVI Instituto Nicaragüense de la Vivienda 니까라구아 주택원.

invictamente *adv.* 지는 일 없이, 상승적으로.

invicto, ta *adj.* 상승(常勝)의, 패배를 모르는, 지는 것을 모르는.

invidencia *f.* ① =**ceguedad, ceguera.** ② =**envidia.**

invidente *adj.* =**ciego.**

ínvido, da *adj.* =**envidioso.**

invierno *m.* [*lat.* hibernus] ① 겨울 : Aquí el ~ dura unos seis meses 이곳에서는 겨울은 약 6개월 계속된다. ② 《*AmérC. Col. Ecuad. Venez.*》 우기(雨期). ③ 《*Venez.*》 소나기.

invigilar *tr.* =**vigilar.**

inviolabilidad *f.* 불가침권, 불가침성, 신성 : ~ parlamentaria 국회의원의 불체포 특권. la ~ de los embajadores 대사의 불체포 특권.

inviolable *adj.* 침범할 수 없는, 불가침의, 신성한, 유리할 수 없는.

inviolablemente *adv.* ① 침범당하는 일 없이. ② =**inefablemente.**

inviolado, da *adj.* ① 침범당한 일 없는 : ~ santuario 침범당한 일이 없는 성전. ② 흠이 없는, 순결한.

invisibilidad *f.* 눈에 보이지 않음, 불가시성(不可視性).

invisible *adj.* ① 눈에 보이지 않는, 숨은 : La mayor parte de las estrellas son ~*s* 별의 대부분은 보이지 않는다. ② 면회 사절의 ; 확인하기 어려운. —*m.* 《*Méx.*》 헤어 네트, 머리 그물. ***en un*** ~ 순식간에.

invisiblemente *adv.* 보이지 않게(sin verse, sin percibirse).

invist- → **investir** 43.

invista- → **investir** 43.

invistie- → **investir** 43.

invitación *f.* ① 초청, 초대, 안내 ; 초대장, 초청장 : Le doy las gracias por la ~ 초대장을 보내 주셔서 고맙습니다. ② 권고, 권유.

invitado, da *adj.* 초대받은. —*m.f.* 초대객.

invitador, ra *adj.* 초대하는. —*m.f.* 초대하는 사람.

invitante *adj.m.f.* =**invitador.**

invitar *tr.* [*lat.* invitare] ① 부르다, 초대하다, 초청하다, 안내하다 : Los García me *invitaron a* cenar en su casa 나는 가르시아 가족에 의해 저녁 식사에 초대받았다. Vamos a comer, pero esta vez lo *invito* 식사합시다, 허지만 이번에는 내가 내겠오. Te *invito* yo 내가 내겠다. ② 이끌다, 권유하다(incitar) : ~ al sueño 꿈길로 이끌다. Me *invitó a* que me sentase 그는 나에게 앉으라고 권유했다.

invitatorio *m.* (카톨릭교의) 밤의 행사에의 초사(招詞).

inv.º inventario.

invocación *f.* 기도, 기원 ; 신이나 영혼을 부르는 일 ; 신에게 의탁함 ; (시의 앞머리에 붙이는) 시신(詩神)의 영감을 기도하는 말 : Dirigimos ~*es* a los santos 우리는 성자들에게 구원을 청했다.

invocador, ra *adj.m.f.* 부르는 ; 호소하는 (사람).

invocar *tr.* 7 ① (구원을 청하기 위해 신이나 영혼을) 부르다, 기도하다, 기구하다 : ~ a los santos 성자의 이름을 부르다. *Invoqué* a Dios 나는 신에게 구원을 청했다. ② 생각해 내다(recordar). ③ (법·이성 등에) 호소하다, (법률 등을) 인용하다, 끌어내다, 원용(援用)하다 ; 발동하다(alegar).
[접속법 현재 : invoque, invoques, invoque, invoquemos, invoquéis, invoquen. 직설법 부정과거 1인칭 단수 : invoqué].

invocatorio, ria *adj.* 기도의, 기구하는, 기원의.

involución *f.* ①【생물·생리】퇴화. ②【수학】대합(對合). Contr. evolución. ③【의학】퇴축(退縮)《해산 후의 자궁의 수축 따위》. ~ ***uterina*** 자궁 수축.

involucrado, da *adj.* ① 포함한. ②【식물】총포(總包)가 있는.

involucral *adj.*【식물】총포(總包)의.

involucrar *tr.* (본론 이외의 것을) 삽입하다, 넣다 ; 포함하다, 내포하다.

involucro *m.* [*lat.*involucrum]【식물】① 총포. ②【해부】피막, 막낭.

involuntariamente *adv.* 본의가 아니게, 모르는 사이에, 뜻하지 않게, 무의식적으로, 흔연스럽게, 불쑥.

involuntariedad *f.* 무의식, 본의 아닌 것.

involuntario, ria *adj.* ① 무의식의, 뜻하지 않은, 흔연스러운, 모르는 사이의 : Hizo movimientos ~*s* con la mano 그는 무의식적으로 손을 움직였다. ② 본의가 아닌, 의지에 의하지 않는. ③ 불수의(不隨意)의 : musculos ~*s* 불수의근. Contr. voluntario.

INVU Instituto de Vivienda y Urbanización 《*CRica.*》 주택·도시 계획 공사.

invulnerabilidad *f.* 상처를 줄 수 없는 일 ; 불사신(不死身).

invulnerable *adj.* 상처를 줄 수 없는 ; 불사신의.

inyección *f.* [*lat.* intectio] 주사(액) : La enfermera me puso la ~ 간호원이 나에게 주사를 놓았다.

inyectable *adj.* 주사할 수 있는, 주사의, 주사용의. —*m.* 주사액, 주사약, 앰풀.

inyectado, da *adj.* ① 충혈된, 핏발이 선 : Tiene los ojos ~*s* 그의 눈이 충혈되어 있다. ② 붉은, 빨간 : Tiene el rostro ~ 그는 붉은 얼굴을 하고 있다.

inyectadora *f.* 《*Perú. PRico.*》 주사기.

inyectar *tr.* [*lat.* injicere] 주사를 놓다 : *Se inyecta* la creosota en la madera para tornarla imputrescible 목재가 부패하지 않도록 크레오소타가 주입된다.

inyector *m.* 주사기 ; (보일러의) 급수기.

iñiguista *adj.m.f.* =**jesuita.**

-iño, ña *suf.* 북부 지방의 축소사 어미 : corpi*ño*, morri*ña*.

Io *f.*【희랍 신화】Zeus의 사랑을 받아 Juno의 질

투로 하얀 소로 변해 방랑했던 여자.

-ío *suf.* ① 관계·소속성의 형용사 어미 : cabrío. ② 집합성 : gentío.

iodado, da *adj.* =**yodado.**

iodato *m.* =**yodato.**

iodhídrico, ca *adj.* =**yodhídrico.**

iódico, ca *adj.* =**yódico.**

iodo *m.* 【화학】【속어】 =**yodo.**

iodoformo *m.* =**yodoformo.**

ioduro *m.* =**yoduro.**

ion, ión *m.* 【물리】 이온 : resina permutadora de ~*es* 이온 교환 수지(樹脂).

iónico, ca *adj.* 이온의 : tubo ~ 이온관.

ionio *m.* 【화학】 이오니움 《방사성 원소》.

ionizable *adj.* 이온화할 수 있는.

ionización *f.* 이온화(化), 전리(電離).

ionizante *adj.* 이온화하는.

ionizar *tr.* 9 이온화하다, 전리시키다.

ionosfera *f.* 전리층(電離層).

iota *f.* 이오타 《그리스 자모의 아홉 번째 문자》.

iotacismo *m.* i자 소리의 아주 잦은 사용.

I.P. Indulgencia Plenaria.

IPC Indice de Precios al Consumidor 소비자 물가 지수.

ipé *m.* 이뻬《아름다운 꽃이 피는 브라질의 나무》.

ipecacuana *f.* 【식물】 토근(吐根) 《브라질 원산 꼭두서니과 식물》; 그 뿌리, 토근제 《토제·진해제(鎮咳劑)》.

ipil *m.* ① 이삘 나무·재목 《필리핀산 콩과 식물》. ② 《*Méx*》 원주민 여자의 속옷.

ípsilon *f.* 입실론 《그리스 자모의 20번째 문자》.

ipso facto *adv. lat.* 곧장; 바로 그 사실 때문에.

ipso jure *adv. lat.* 법률상, 명문(明文)에 따라.

iqueño, ña *adj. m.f.* 이까 《Ica, Perú에 있는 도시·주》의 (사람).

iquiqueño, ña *adj. m.f.* 이끼께 《Iquique, Chile에 있는 도시》의 (사람).

iquiteño, ña *adj. m.f.* 이끼또스 《Iquitos, Perú에 있는 도시》의 (사람).

ir *intr.* 40 [*lat.* ire] ① 가다 : el *ir* y venir de la gente 사람들의 내왕. *Iré* al campo estas vacaciones 나는 이번 방학에 시골에 가겠다.
② 향해 가다, 통하다 : Este camino *va* a la aldea 이 길은 마을로 통한다.
③ 뻗다, 뻗어 있다(extenderse) : La carretera *va* desde el pueblo hasta el lago 이 도로는 마을에서 호수까지 뻗어 있다.
④ 들어맞다, 꼭 맞다(venir, sentar) : Este vestido no le *va* bien 이 옷은 그에게 맞지 않는다.
⑤ 하다, 행하다, 거동하다(obrar, proceder).
⑥ 고려에 넣다 : *Va* por la salud de usted 당신의 건강을 생각해서 그렇습니다.
⑦ 차이가 있다, 다르다 : ¡Lo que *va de* padre al hijo! 아버지와 아들이 그렇게 다르다니!
⑧ 내기에 걸다, 내기를 하다(apostar) : *Van* diez duros *a* que no lo haces 네가 그것을 한다면 10두로 걸겠다.
⑨ 조화를 이루다(armonizar) : Ese sombrero no *va con* ese traje 그 모자는 그 옷과 조화를 이루지 않는다.
⑩ [+현재 분사] 점차로 …이 되다·하다, …하고 있다(estar) : *Iba anocheciendo* 날이 저물어 갔다. *Vamos caminando* 걸어 갑시다.
⑪ [+타동사의 과거 분사] …되어 있다, 되다(estar) : El artículo *va vendido* 그 물건은 팔렸다.
⑫ [+a+*inf.*] ㄱ) …하려 하고 있다(disponerse para hacer algo) : *Iba a* salir 나가려 하고 있었다. *Vamos a* comer 우리는 식사할려고 한다. ㄴ) …하러 가다 : *Voy a* verle 그를 만나러 간다. ㄷ) [vamos a+*inf.*] …하러 가다; …할려고 하다, …하러 갑시다; 하자, 합시다 : *Vamos a* comer 우리는 식사하러 간다; 우리는 식사할려고 한다; 식사합시다; 식사하러 갑시다.
⑬ [+a+명사 : …로·하고]가다 : *Fue a caballo* a la hacienda 그는 말을 타고 농장에 갔다. Si *vamos a pie* tardaremos mucho 우리가 걸어서 가면, 시간이 많이 걸릴 것이다.
⑭ [+con] …을 가지고 있다, …하고 있다(tener, llevar) : *ir con* tiento 신중하게 하고 있다. ~ *con* miedo 두려워하고 있다.
⑮ [+de+명사 : …하러] 가다 : *Voy de* paseo a la costa 나는 해안에 산책간다. ¿*Vamos de* compras o *de* paseo? 쇼핑갈까요, 산책갈까요?
⑯ [+en] 중요하다, 관계가 있다(importar, interesar) : *En* eso le *va* la vida o la honra 그것은 그의 생명이나 명예에 관계되는 일이다.
⑰ [+en+탈것 : …를] 타고 가다; [+por+탈것 : …로] 가다 : *Voy en* taxi 나는 택시를 타고 간다. Ella *irá por* avión 그녀는 비행기로 간다.
⑱ [+por : …을] ㄱ) 가지러 가다, …을 부르러 가다 : *Iba por* leña · *por* el médico 땔감을 가지러·의사를 부르러 갔다. Un día su madre le dijo que *fuese por* agua al bosque 어느날 그의 모친은 그에게 숲으로 물을 길르러 가라고 말했다. ㄴ) …의 직위에 앉다 : *ir por* la iglesia · *por* la milicia 승려가·군인이 되다.

~se ① 가다, 가버리다, 떠나다, 돌아가다, 출발하다 : *Me voy* 갑니다. ¿Por qué *se va* tan temprano? 왜 이렇게 일찍 떠나십니까? ¿Por dónde *se va* al Museo Nacional? 국립박물관에 갈려면 어디로 가면 됩니까? *Vete* 가거라, 돌아가거라, 꺼져라. No *te vayas* 가지 마라. ② 죽다(morirse). ③ (액체가·그 그릇이) 새다 : Ese vaso *se va* 그 그릇은 물이 샌다. *Se va* el gas por una grieta de la cañería 도관의 틈으로 가스가 샌다. ④ 미끄러지다, 쓰러지려 하다, 평형을 잃다(deslizarse) : *irse* los pies · la pared. ⑤ 없어지다, 닳다(gastarse, consumirse) : *Se* le *fue* ya todo el sueldo 그는 벌써 봉급을 모두 낭비했다. ⑥ 사라지다(borrarse) : Las manchas de fruta no *se van* 과일의 반점이 사라지지 않는다. *Se* me *fue* fecha de la memoria 내 기억에서 그 날짜가 사라졌다. ⑦ 붕괴되다, 가라앉다(hundirse, caerse). ⑧ (방귀 등을) 슬그머니 뀌다.

¿***Quién anda***?, ¿***Quién va***? ¿***Quién va allá***? 누구야?

¡***Vaya!*** 분노·시인·사주·제지 등을 나타내는 감탄사.

¡***Vaya con Dios!*** 안녕히 가십시오.

[직설법 현재 : voy, vas, va, vamos, vais, van. 접속법 현재 : vaya, vayas, vaya, vayamos, vayáis, vayan. 직설법 부정과거 : fui, fuiste, fue, fuimos, fuisteis, fueron. 직설법 불완료과거 : iba, ibas, iba, íbamos, ibais, iban. 접속법 불완료과거 : fuera …, fuese …. 현재 분사 : yendo].

ira *f.* 노여움, 성, 화, 분노(cólera, enojo) : Sus actos incurrieron la ~ de Dios 그의 행동은 신의 노여움을 샀다.

IRAC Instituto de Reforma Agraria y de Colonización 《*Perú.*》 농지 개혁 개척 공사.

iraca *f.* 《*Amér.*》 (모자를 엮는) 종려.

iracundia *f.* 분노, 화(ira, coléra) ; 성마름.

iracundo, da *adj.* ① 성을 잘 내는(colérico, irritado). ②【시어】성난 (비·바람 등).

iradé *m.* 터키 황제의 칙령.

Irak, el *m.*【지명】이락.

Irán, el【지명】이란.

iranés, sa *adj. m.f.* =**iranio.**

iraní *adj.* (현재의) 이란의. —*m.f.* 이란 사람. —*m.* 이란어.

iranio, nia *adj.* 이란의. —*m.f.* 이란 사람. —*m.pl.* 이란족.

Iraq, el【지명】이락.

iraqués, sa *adj.* 이락의. —*m.f.* 이락인.

iraquí *adj. m.f.* =**iraqués.**

irascibilidad *f.* 성을 잘냄, 성미가 급함.

irascible *adj.* 성마른, 화 잘내는, 성을 잘내는, 성미가 급한(colérico, iracundo, furioso).

irg- → **erguir** [47].

irasco *m.* 《*Ál. Ar. Nav.*》 수산양(macho cabrío).

irenarca *m.* 옛날 로마의 호민관.

IRHE Instituto de Reforma Agraria y de Colonización 《*Panamá.*》 수력 자원 전화(電化) 협회.

irguie- → **erguir** [47].

IRIA Instituto Regional de Investigación de Algodón 면화 문제 연구 지역 기구.

iribú *m.* 《*Arg.*》【조류】콘도르(aura).

iribuacabiray *m.*《*Amér.*》【조류】iribú의 일종.

iridáceo, a *adj.*【식물】붓꽃·붓꽃과의. —*m.pl.* 붓꽃과 식물.

íride *f.*【식물】붓꽃(lirio hediondo).

iridectomía *f.* 홍채(虹彩) 절제 수술.

irídeo, a *adj.* =**iridáceo.**

iridescencia *f.* =**iridiscencia.**

iridescente *adj.* =**iridiscente.**

iridiado, da *adj.* iridio가 섞인.

iridio *m.* 이리듐 《금속 원소》.

iridiscencia *f.* 무지개 빛깔.

iridiscente *adj.* 무지개 빛깔(colores del iris)의, 진주 빛깔의.

iriditis *f.* =**iritis.**

iridoscopio *m.*【의학】눈속 검사 기구.

iriense *adj.m.f.* 이리아 플라비아 《Iria Flavia, 옛 서반아의 도시 ; 현재의 Padrón》의 (사람).

irire *m.* 《*Bol.*》 호박의 일종.

iris *m.* [*gr.* iris]【단·복수 동형】① 무지개(arco ~). ②【해부】(눈의) 홍채. ③【광물】단백석(ópalo noble).
~ ***amarillo*** 창포 무리.

Iris *m.*【희랍 신화】무지개의 여신《신들의 사자》.

irisación *f.* 무지개 빛깔, 진주 광택.

irisado, da *adj.*[irisar의 *p.p.*] 무지개 빛깔의.

irisar *intr.* 무지개 빛깔로 반짝이다 ; 광채를 내다.

iritis *f.* 홍채염 《눈병》.

irlanda *f.* 면모(綿毛)의 교직 천 ; 아일랜드 삼베.

Irlanda *f.*【지명】아일랜드.

irlandés, sa *adj.* 아일랜드의. —*m.f.* 아일랜드인. —*m.* 아일랜드말.

ironía *f.*[*lat.* ironia] ① 빈정거림, 비꼼 : El siempre responde con ~ a mis preguntas 그는 항상 빈정거리는 투로 내 질문에 대답한다. ② 반어(反語), 반어법.

irónicamente *adv.* 빈정거리는 투로, 비꼬아, 반어법으로 ; 풍자적으로.

irónico, ca *adj.* 비꼬는, 빈정거리는, 풍자적인 ; 반어의, 반어적인. **Sinón.** sarcástico, burlón.

ironista *m.f.* 빈정거리기·비꼬기 잘 하는 사람, 풍자가.

ironizar *tr.* [9] [드뭄] 비꼬다(ridiculizar).

iroqués, sa *adj.* 이로께스족 《los iroqueses, 북아메리카의 한 종족》의. —*m.f.* 이로께스인.

irracional *adj.* ① 도리에 어긋난, 사리에 밝지 못한, 이성이 없는 : animales ~*es* 비이성 동물 《인간 이외의 동물》. conducta ~ 도리에 어긋난 행위. ser ~ 동물, 짐승. ② 불합리한 ; 어리석은, 바보 같은. ③【수학】무진수의.

irracionalidad *f.* ① 이성에 맞지 않은 일 ; 불합리, 부조리, 비이성. ②【수학】무진수(無盡數).

irracionalmente *adv.* 불합리하게.

irradiación *f.* (열·빛 등의) 방사, 발광, 조사(照射) : ~ televisora 텔레비전 방송.

irradiar *tr.* [11] ① 방사(放射)·조사(照射)하다 ; 비추다 : El faro *irradia* su luz sobre el mar 등대는 해상에 빛을 비춘다. ② 광선에 쪼이다 ; X 광선으로 치료하다.

irrazonable *adj.* ① 이치에 맞지 않는, 분별이 없는, 불합리한 : Es ~ enojarse por eso 그것 때문에 화를 내는 것은 말이 되지 않는다. ② 터무니없는, 지나친 편견을 가진. **Sinón.** absurdo, insensato.

irreal *adj.* ① 실재하지 않는, 가공의 : Pintaba figuras ~*es.* **Sinón.** fantástico. ② 비현실적인, 꿈같은(no realista) : Pierde tiempo en proyectos ~*es.*

irrealidad *f.* 비현실성, 현실이 아닌 일·것.

irrealizable *adj.* 실현될 수 없는 : Ese proyecto es ~.

irrebatible *adj.* 반론할 수 없는, 다룰 여지가 없는 : un argumento ~.

irreconciliable *adj.* 화해할 수 없는, 양립될 수 없는(incompatible) ; 불구대천의 : enemigo ~ 불구대천의 원수.

irrecordable *adj.* 생각해 내지 못하는.

irrecuperable *adj.* 돌이킬 수 없는, 회복할 수 없는.

irrecusable *adj.* ① 거부할 수 없는. ②【고어】피할 수 없는(inevitable).

irredentismo *m.* (본래는 이탈리아의) 민족 통합주의.

irredentista *adj.* 민족 통합주의의. —*m.f.* 민족 통합주의자.

irredento, ta *adj.* 통합되지 않고 외국의 통치하에 있는 (영토).

irredimible *adj.* 되찾을 수 없는.

irreducible *adj.* ① (다른 상태·형식으로) 돌아갈 수 없는, 바꿀 수 없는, 원상으로 돌아갈 수 없는 ; 줄일 수 없는, 삭감하기 어려운. ②【수학】 약분할 수 없는.

irreductibilidad *f.* 이러지도 저러지도 못하는 일.

irreductible *adj.* =**irreducible.**

irreductiblemente *adv.* 이러지도 저러지도 못하여, 마지못해, 억지로.

irreemplazable *adj.* 바꿀 수 없는, 교체시킬 수 없는.

irreflexión *f.* 경망함, 경솔함 ; 무반성.

irreflexivamente *adv.* 경솔하게, 경망스럽게, 자발없이.

irreflexivo, va *adj.* 반성하지 않는 ; 경솔한, 경망스런, 방정맞은, 자발스러운, 생각이 얕은.

irreformable *adj.* 개혁・회복할 수 없는.

irrefragable *adj.* 다툴 여지가 없는, 거부할 수 없는, 분명한.

irrefragablemente *adv.* 다툴 여지없이, 분명히.

irrefrenable *adj.* 억제할 길 없는, 억누를 수 없는(irresistible) : con ímpetu ~ 억제 할 수 없이 과격하게.

irrefutable *adj.* 반론할 수 없는 : razones ~*s.* Sinón. irrebatible.

irregular *adj.* ① 불규칙한, 변칙의, 비정상의. ② 불법의 ; 부정한 : conducta ~ 불법 행위. ③ 규율이 없는 ; 단정치 못한. ④ 층이 지는, 고르지 않은 ; 울퉁불퉁한, 평탄치 않은. ⑤ 정규가 아닌 : tropas ~*es* 비정규군. ⑥【문법】 불규칙 변화의 : "Hacer" y "tener" son verbos ~*es* hacer와 tener은 불규칙 동사이다.

irregularidad *f.* 불규칙(성), 변칙 ; 고르지 못하는 일 ; 울퉁불퉁함 ; 부정한 행위, 바르지 못한 품행 : cometer la ~ 부정 행위를 저지르다.

irregularmente *adv.* 불규칙하게, 들쭉날쭉하게.

irreivindicable *adj.* 회복할 수 없는, 돌이킬 수 없는.

irrelevancia *f.* 중요성・의미가 없음.

irrelevante *adj.* 중요성이 없는, 의미가 없는 ; 무관계한, 부적절한, 당치 않는, 빗나간, 번지수가 다른.

irreligión *f.* 무종교, 무신앙 ; 반종교.

irreligiosamente *adv.* 믿음없이, 불경하게.

irreligiosidad *f.* 신앙심이 없는 일, 무종교, 불경(不敬) ; 천벌.

irreligioso, sa *adj.* ① 믿음이 없는(impío) : hombre ~ 믿음이 없는 사람. ② 천벌을 받은. ③ 불경한, 종교가 없는. ④ 종교에 반대하는 (contrario a la religión) : libro ~ 종교에 역행하는 책. Contr. religioso, piadoso.

irremediable *adj.* 불치의 ; 구원할 길 없는 ; 한심스러운 ; 손댈 여지없는.

irremediablemente *adv.* 손을 쓸 수도 없게.

irremisible *adj.* 그대로 둘 수 없는, 방치할 수 없는 ; 용서할 수 없는 : falta ~ 용서할 수 없는 잘못. Contr. remisible, perdonable.

irremisiblemente *adv.* 방치할 수 없어.

irremplazable *adj.* =**irreemplazable.**

irremunerado, da *adj.* 보답이 없는, 무보수의, 보수가 없는.

irrenunciable *adj.* 단념할 수 없는, 물러설 수 없는 ; 사임・사퇴할 수 없는.

irreparable *adj.* ① 수선할 수 없는 ; 회복할 수 없는, 보상받을 수 없는 : una desgracia ~. ② 불치의.

irreparablemente *adv.* 돌이킬 수 없게.

irreprensible *adj.* 나무라지 않아도 되는, 죄가 없는, 비난할 수 없는 : conducta ~ 비난할 수 없는 행위.

irreprensiblemente *adv.* 나무랄 데 없이.

irrepresentable *adj.* 상연할 수 없는 ; 대리할 수 없는.

irreprimible *adj.* 억누를 수 없는 : Sintió un impulso ~ 그는 억누를 수 없는 충동을 느꼈다. Sinón. incontenible, irrefrencable.

irreprochabilidad *f.* 나무랄 데 없음.

irreprochable *adj.* 비난할 수 없는, 나무랄 데 없는, 결점이 없는(irreprensible) : Su actuación fue ~ 그의 행동은 나무랄 데가 없었다. Sinón. intachable.

irreprochablemente *adv.* 나무랄 데 없이.

irresarciable *adj.* 보상할 길 없는.

irrescindible *adj.* 무효될 수 없는.

irresistible *adj.* ① 저항할 수 없는 : fuerza ~ 불가항력. ② 억누를 수 없는, 금할 길 없는 ; (매력 따위가) 사람을 뇌쇄시키는 : Tiene un atractivo ~. ③ 견딜 수 없는, 넌더리나는. Sinón. invencible.

irresistiblemente *adv.* 하는 수 없는, 어찌할 바를 모르고, 부득불.

irresoluble *adj.* 해결할 수 없는, 결정 지을 수 없는.

irresolución *f.* 결단성이 없음, 우유부단.

irresoluto, ta *adj.* 결단력이 없는, 어물어물하는, 우유부단한(tibio) : carácter ~ 우유부단한 성격. Contr. resuelto.

irrespetar *tr.* 《*Col.*》 존경하지 않다.

irrespeto *m.* 《*Galic.*》 불경, 무례 ; 경멸.

irrespetuoso, sa *adj.* 불경스러운, 무례한.

irrespirable *adj.* ① 호흡할 수 없는 : gas・aire ~. ② 호흡 곤란의.

irresponsabilidad *f.* 책임을 지지 않는 일, 무책임 : la ~ de un niño.

irresponsable *adj.* 책임이 없는, 무책임한 : Los niños son generalmente ~*s* 아이들은 일반적으로 책임이 없다.

irrestañable *adj.* 그만두게 할 수 없는, 정지시킬 수 없는, 중지시킬 수 없는.

irresuelto, ta *adj.* =**irresoluto.**

irretroactividad *f.* 불소급성.

irrevelable *adj.* 나타낼 수 없는, 노출시킬 수 없는.

irrevelado, da *adj.* =**no revelado.**

irreverencia *f.* 불경, 무례.

irreverenciar *tr.* ⑪ (…에) 불경스러운・무례한 짓을 하다.

irreverente *adj.* 불경한, 버릇없는, 무례한 : conducta ~ 무례한 행동. Contr. respetuoso.

irreverentemente *adv.* 버릇없이, 무례하게, 불경스럽게도.

irreversibilidad *f.* 뒤집을 수 없는 성질 ; 불개변성(不改變性).

irreversible *adj.* ① 거꾸로 할 수 없는, 뒤집을 수 없는 ; 역전・역행할 수 없는. ② 철회할 수 없는, 취소・변경할 수 없는.

irrevocabilidad *f.* 취소·철회할 수 없는 일, 변경·개변 불능.

irrevocable *adj.* 철회할 수 없는, 취소할 수 없는, 변경하지 못하는, 결정적인 : carta de crédito ~ 취소 불능 신용장. crédito ~ confirmado 확정 불능 신용장.

irrevocablemente *adj.* 취소할 수 없게 : una fecha ~ fijada 취소할 수 없이 정해진 날짜.

IRRI Instituto Internacional para la Investigación del Arroz 국제 쌀 연구소.

irrigable *adj.* 쉽게 관개할 수 없는 ; 쉽게 관장할 수 없는.

irrigación *f.* 《*Amér.*》 ① 물댐, 관개(riego). ② 【의학】 세척(법), 관장(법).

irrigador, ra *adj.* 관장하는, 세척하는. —*m.* 【의학】 관장기, 세척기.

irrigar *tr.* ⑧ [*lat.* irrigare] ① 【의학】 관장·세척하다. ② 《*Amér.*》 (토지에) 물을 대다, 관개하다 (regar).

irrisible *adj.* 웃어 버릴 수 없는 ; 경멸할 만한.

irrisión *f.* 조소거리, 웃음거리 : servir de ~ al pueblo 마을의 웃음거리가 되다.

irrisoriamente *adv.* 비웃는 듯이, 멸시하는 듯이.

irrisorio, ria *adj.* 우스운 ; 경멸적인, 조소적인.

irritabilidad *f.* 성급함, 조급함, 성마름, 화를 잘 내는 일 ; 감수성, 흥분성.

irritable *adj.* ① 화를 잘 내는 ; 성미가 급한, 성마른 ; 애를 태우는 ; 자극에 민감한, 흥분하기 쉬운, 흥분성의, 신경 과민의 : genio ~ 성미가 급한 기질·성질. ② 【생물】 자극을 느끼는. ③ 무효로 할 수 있는, 취소할 수 있는.

irritación *f.* ① 속타게 함, 성나게 함 ; 안달, 초조, 노여움(cólera, ira, furia) : hablar con ~ 성내 말하다. ② 【의학】 자극, 흥분 : La ~ de la garganta provoca la tos 목구멍의 자극은 기침을 유발한다. ③ 자극물. ④ 무효, 취소.

irritador, ra *adj.* 성난, 화난 ; 자극하는, 부아를 돋구는.

irritamente *adv.* =**inválidamente.**

irritamiemto *m.* 격앙, 달아오름.

irritante *adj.* ① 성나게 만드는 (듯한). ② 자극하는, 자극성의. ③ 무효의, 실효의.

irritar *tr.* [*lat.* irritare] ① 화나게 만들다, 노하게·성나게 만들다;자극하다, 부추기다, 부아를 돋구다(exitar) : ~ los celos·el apetito 질투심을·식욕을 돋구다. Su conducta me *irrita* 그의 행위로 나는 화가 난다. ② 펄쩍펄쩍 뛰게 만들다. ③ 무효로 하다, 취소하다(anular).

~se 약이 오르다, 격앙하다, 흥분하다, 달아오르다 ; 취소되다.

írrito, ta *adj.* 무효의, 무력한, 시효가 지난, 효력이 없는(inválido).

irrogación *f.* (해를) 가하는 일.

irrogar *tr.* ⑧ (해 등을) 입히다, 가하다(causar).

irrompible *adj.* 부서지지·쪼개지지·잘라지지 않는, 망가뜨릴 수 없는.

irruir *tr.* ⑰ 공격하다.

irrumpir *intr.* 침입하다, 침투하다, 강습하다, 난입하다 : Dos ladrones armados *irrumpieron en* la finca 두 무장 강도가 농장에 침입했다.

irrupción *f.* 침입(invasión) ; 엄습 ; 강습(強襲), 급습, 불의의 습격.

irruptor, ra *adj.* 침입한. —*m.f.* 침입자.

irubú *m.* 《*Arg.*》 【조류】 =**aura.**

irunés, sa *adj.* 이룬 《Irún, 불란서의 국경에 가까운 도시》의. —*m.f.* 이룬 사람.

irupé *m.* 《*Arg.*》 【식물】 연꽃의 일종(victoria regia).

is *interj.* 《*CRica.*》 어머나, 싫어 ! 《혐오》.

Is. Isaías.

isa *f.* 카나리아 제도(islas de Canarias)의 민요 (aire popular).

-isa *suf.* 「직업 여성」을 뜻하는 접미어 : poet*isa*, sacerdot*isa*.

Isaac *m.* ① 이삭. ② 【성서】 헤브루의 족장.

isabelino, na *adj.* ① 이사벨 여왕의 ; (특히) 이사벨 2세 《Isabel II, 1830—1904 ; 왕위 1833—1868》 파의 ; 이사벨 2세의 상을 넣은 (화폐). ② 이사벨 2세 시대의 : La época ~*na* es el siglo de oro de la literatura española 이사벨여왕 시대는 서반아 문학의 황금 세기이다. ③ 벽돌 빛 깔의 (말).

isabelita *f.* 【어류】 서 인도양산 참다랑어의 일종.

isagoge *f.* [*gr.* eisagôgê] 서론, 머리말, 머리글, 권두언, 서문(introducción).

isagógico, ca *adj.* 서론의, 입문의, 안내서의.

Isaías *m.* 기원 전 720년 경의 헤브루의 예언자 ; 【구약 성서】 이사야서.

isangas *f. pl.* ① 《*Arg.*》 (달구지에 싣는) 짐바리. ② 《*Perú.*》 세우를 잡는 종다래끼.

ISAP Instituto Superior de la Administración Pública 공행정(公行政) 훈련 협회.

isatis *m.* 【동물】 은여우(zorro azul).

isba *f.* (러시아의) 통나무집.

Iscariote *m.* 그리스도를 배반했던 유대인 Judas (유다)의 성(姓).

iscatón *m.* 《*Méx.*》 (식물의) 솜털(pelusa).

cabeza de ~ 백발머리(cabeza cana).

iscle *m.* 《*Méx.*》 공포, 두려움(miedo).

-isco, ca *suf.* 「출처·유사성」을 뜻하는 접미어 : aren*isco*, mor*isco*.

Iseo *f.* 【전설】 아름다운 (la Bella)의 별명을 가진 Tristán의 애인.

isiaco, ca *adj.* 이집트의 여신 이시스(Isis)의, 이시스 상이 있는 : capitel ~.

isíaco, ca *adj.* =**isiaco.**

isidoriano, na *adj.* 성자 이시도로파의.

Isidoro *m.* 이시도로.

San I- 세비야의 사교(司敎)로 서반아 교회를 확립시킨 성자 (560—636).

isidro, dra *m.f.* (마드리드에서) 촌놈, 시골뜨기.

isiga *f.* 【식물】 이시가나무 《향 수지를 채취하는 열대 아메리카산 나무》.

isipó *m.* 【식물】 이시포 칡 《아르헨띠나산의 칡》.

isla *f.* [*lat.* insula] ① 섬 : descubrir una ~ desconocida 알려지지 않은 섬을 발견하다. ② 구획, 마을(manzana). ③ 《*Chile.*》 강가.

islam *m.* [*ár.* içlam] 이슬람교, 마호메트교, 회교(islamismo) ; 회교권.

islámico, ca *adj.* 회교의, 회교권의 : República *Islámica* 회교 공화국.

islamismo *m.* 회교(mahometismo).

Islamabad 【지명】 이슬라마반 《Pakistán의 수도》.
islamita *adj.* 회교의. —*m.f.* 회교도.
islamizar(se) *intr.* (*r.*) ⑨ 회교도가 되다.
islán *m.* (옛날 여인들이 머리를 덮는) 베일의 일종.
islandés, sa *adj.* 아이슬란드. —*m.f.* 아이슬란드인. —*m.* 아이슬란드말.
Islandia *f.* 【지명】 아이슬란드.
islándico, ca *adj.* 아이슬란드의.
isleño, ña *adj.* 섬의 ; 섬에 사는. —*m.f.* 섬 사람, 섬 태생 사람.
isleo *m.* (큰 섬에 부속된) 작은 섬 ; 주위와는 다른 섬 ; 같은 땅 ; 암석으로 된 땅.
isleta *f.* [*dim.* isla] ① 작은 섬. ② (자동차 도로 가운데의) 녹지대, 분리대.
islilla *f.* 겨드랑 밑(sobaco) ; 쇄골(clavícula).
islote *m.* 작은 섬 ; 바위섬.
ismaelianos *m.pl.* 《*Galic.*》 =**ismaelitas.**
ismaelita *adj.* 이스마엘 《성서에서 아브라함이 시녀인 Hagar에게 낳게 한 아들》의. —*m.f.* 이스마엘의 자손 ; 아라비아 사람.
ismailitas *m.pl.* =**ismaelitas.**
-ismo *suf.* 「주의 · 학파 · 당파 · 정책 · 종교 이름」을 뜻하는 접두어 : cub*ismo*, bud*ismo*.
iso- *pref.* 「동등한, 같은」의 뜻을 나타내는 접두어.
isobara *f.* 등압선(línea isobárica).
isobárico, ca *adj.* 등압의 : líneas ~*cas* 등압선.
isobaro, ra *adj.* ① 등압의. ② 【기상】 등압(선)의. ③ 【물리 · 화학】 동중체(同重體)의. —*f.* 등압선.
isobático, ca *adj.* 등심(等深)의.
isoca *f.* 《*Arg. Parag. Urug.*》 (농작물을 해치는) 벌레.
isoclinal *adj.* 경사가 같은 ; 등복각(等伏角)의 : línea ~ 등복각선.
isocórico, ca *adj.* 동량(同量)의.
isocoro, ra *adj.* =**isocórico.**
isocromático, ca *adj.* 동색(同色)의, 같은 색의.
isocronismo *m.* (기계의) 등시성(等時性).
isócrono, na *adj.* 등시의(de igual duración) : movimientos ~*s* 등시 운동.
isodáctilo, la 【동물】 손가락이 같은.
isodinámico, ca *adj.* 등력(等力)의.
isógona *f.* 등편각선(等偏角線).
isogonal *adj.* 등편각의.
isógono, na *adj.* 등편각의 (선).
Isolda *f.* =**Iseo.**
isomería *f.* 【화학】 동질 이성(同質異性).
isomérico, ca *adj.* =**isómero.**
isomerismo *m.* =**isomería.**
isómero, ra *adj.* 동질 이성의.
isométrico, ca *adj.* 크기가 같은, 같은 용적의, 등각(等角)의.
isomorfismo *m.* 【생물】 유질 동상(類質同像), 이종 동형(異種同形).
isomorfo, fa *adj.* 【화학 · 결정】 동형의, 이질 동상(異質同像)의, 등정형(等晶形)의.
isondí *m.* 《*Arg.*》 개똥벌레 · 반디(luciérnaga)의 일종.
isondú *m.* 《*Arg.*》 =**isondí.**
isooctano *m.* 【화학】 이소옥탄.
isoperímetro, tra *adj.* 【수학】 등주(等周)의.
isópodo, da *adj.* 【동물】 등각류(等脚類)의. —*m.pl.* 등각류.
isóptero, ra *adj.* 날개가 같은.
isoquímeno, na *adj.* 등한의 : línea ~*na* 등한선.
isósceles *adj.* 이등변의 : triángulo ~ 이등변 삼각형. trapecio ~ 이등변 사다리꼴.
isoseísmica *f.* 등진선(等震線).
isosilábico, ca *adj.* 음절의 수가 같은 : versos ~*s*.
isosísmica *f.* =**isoseísmica.**
isostasia *f.* 【지질】 지각 균형설.
isostático, ca *adj.* 지각 균형설의.
isótera *f.* 등서선(等暑線).
isoterma *f.* 등온선(等温線).
isotérmico, ca *adj.* 일정한 기온을 유지하는 : vagón ~ 일정한 온도를 유지하는 객차.
isotermo, ma *adj.* 등온의 (선) : línea ~*ma* 등온선.
isótero, ra *adj.* 등서(等暑)의.
isotopía *f.* 【화학】 동위 원소성(同位元素性).
isotópico, ca *adj.* 【화학 · 물리】 동위(同位)의.
isótopo *m.* 【화학 · 물리】 동위 원소.
isotropía *f.* 【물리】 등방성(等方性).
isotrópico, ca *adj.* =**isotropo.**
isotropismo *m.* 【물리】 등방성(等方性).
isotropo, pa *adj.* 【물리】 등방성(等方性)의.
isoyeta *f.* 등우량선(等雨量線).
ispear *tr.* 《*Arg. Guat.*》 espiar의 잘못된 것.
isquiático, ca *adj.* 허리의, 좌골(坐骨)의.
isquión *m.* 【해부】 좌골.
Israel *m.* 【지명】 이스라엘.
israelí *adj.* (현대의) 이스라엘의. —*m.f.* 이스라엘 국민 : las tropas ~*es* 이스라엘 군대.
israeliano, na *adj.* 이스라엘의.
israelita *adj.* ① (옛날의) 이스라엘의 ; 헤브루의 (hebreo). ② (현대의) 이스라엘국의. —*m.f.* 이스라엘인, 헤브루인.
israelítico, ca *adj.* 이스라엘의(israelita).
-ista *f.* 【남 · 여 동형】 ① -ismo의 형용사. ② 주의(主義)의 실행자 : abosolut*ista* ③ 전문가, 직업가 : alpin*ista*, oficin*ista*.
istacayota *f.* 멕시코산 호박의 일종.
istacuate *m.* 맥시코산의 독사.
iste *m.* 《*Méx.*》 =**ixtle.**
istia *f.* 《*Perú.*》 유까(yuca)로 빚은 술.
istmeño, ña *adj.* 지협(地挾) 태생의 (사람).
ístmico, ca *adj.* 지협의.
istmo *m.* [*gr.* isthmos] ① 지협 : El ~ de Panamá reúne ambas Américas 파나마 지협은 양 아메리카를 합하고 있다. ② 좁아진 부분. ③ 인후(咽喉).
istriar *tr.* =**estriar.**
isuate *m.* 【식물】 (멕시코산의) 이수아떼 야자.
ít. ítem.
ita *adj.* 아에따족 《필리핀 산악 지방의 한 종족》의. —*m.f.* 아에따족.
-ita *suf.* 【남 · 여 동형】 지명에서 형용사 · 토지의 사람을 뜻하는 명사 : israel*ita*.
itaba *f.* 《*Ant.*》 =**izote.**

itabo *m.* 《*Cuba.*》 =**laguna.**

itacate *m.* 《*Méx.*》 도시락 ; 양식.

Italia *f.* 【지명】 이탈리아.

italianismo *m.* 이탈리아식 발음.

italianizante *adj.* 이탈리아풍의.

italianizar *tr.* 9 이탈리아풍으로 하다.

italiano, na *adj.* 이탈리아의. —*m.f.* 이탈리아인. —*m.* 이탈리아어.

italicense *adj.* 이탈리카 《Itálica, Bética 의 옛 도시》 의.

itálico, ca *adj.* ① 고대 이탈리아의. ② 이탤릭체의, 사자체의 : letra ~*ca* 이탤릭체 글자. ③ 이탈리카의(italicense). —*f.* 이텔릭체 글자.

italiota *adj.m.f.* (로마 지배 이전의) 이탈리아의 주민(의).

ítalo, la *adj.* 【시어】 =**italiano.**

italófilo, la *adj.m.f.* 이탈리아의 것을 좋아하는 (사람).

itapueño, ña *adj.m.f.* 이따뿌아 《Itapúa, Paraguay에 있는 주》의 (사람).

itea *f.* 【식물】 범의귀(의 일종), 호이초(虎耳草).

ítem *adv. lat.* 마찬가지로, 또 《항목을 차례로 열거할 때》. —*m.* 개조(個條), 항목, 조목, 조항, 품목, 세목 ; 부가, 첨가, 추가.

iterable *adj.* 반복할 수 있는.

iteración *f.* 되풀이, 반복, 복창.

iterar *tr.* 되풀이하다, 반복하다(repetir).

iterativo, va *adj.* 반복의, 되뇌는, 곱씹는.

itinerante *adj.* 순회·이동하는 : embajador ~ 순회 대사. —*m.f.* 여행자.

itinerario, ria *adj.* 도정의, 여정(旅程)의, 여로의, 도중의. —*m.* ① 도정(道程), 행정(行程) (ruta) ; 여행 안내 ; (기차, 비행기 등의) 시간표 : Los trenes corren estrictamente conforme a su ~ 열차는 시간표에 의해 엄격하게 달린다. En esta guía se contienen todos los ~*s* de todas los líneas ferroviarias 이 안내서에는 모든 철도선의 모든 시간표가 포함되어 있다. ② 체류 일정표(日程表). ③ (군대의) 선발대.

-itis *suf.* 【단·복수 동형】 「염증」을 뜻하는 접미어 《여성 명사》 : amigdal*itis.*

-ito, ta *suf.* 「축소사·애칭」을 뜻하는 접두어 : hij*ito*, herman*ita.*

itria *f* 이트륨산.

itrio *m.* 【화학】 이트륨 《금속 원소》.

-itud *suf.* ① 「추상성」을 뜻하는 접미어 : apt*itud.* ② 「집합성」을 뜻하는 접미어 : esclv*itud.*

itza *adj. m.f.* 치첸·이뜨사 (Chichen Itza)의 (사람). —*pl.* itza 원주민.

iure (de) *adv.* 권리상, 권리에 의해 ; 법률상, 법률에 의해.

iva *f.* 【식물】 이바초 《자난초속 식물》.

I.V.A. Impuesto sobre el valor añadido o agregado.

i.v.e. interrupción voluntaria del embarazo.

ivierno *m.* =**invierno.**

-ivo, va *suf.* 「작용·활동·능력」의 형용사 어미 : act*ivo*, nutrit*ivo.*

IVP Instituto Venezolano de Petroquímica 베네수엘라 석유 화학 공단.

IVU Instituto de Vivienda Urbana 《*Pan. Sal.*》 도시 주택 공단.

ixtle *m.* 《*Méx.*》 용설란(의 별명).

iza *f.* 【은어】 =**ramera, prostituta.**

izabalense *adj. m.f.* 이사발 《Izabal, Guatemala 에 있는 주》의 (사람).

izada *f.* 높이 올림, 게양.

izado, da *adj.* izar의 *p.p.* —*m.* 【은어】 정부(情婦)를 가진 남자.

izaga *f.* 갈대밭.

izar *tr.* 9 게양하다, (높이) 올리다 : ~ la bandera 기를 게양하다.

-izo, za *suf.* ① 「경향·유사성」을 뜻하는 접미어 : enferm*izo*, cobr*izo*, moved*izo.*

izoda *m.* 진드기의 일종.

izodes *m.* =**izoda.**

izote *m.* 【식물】 실난초(yuca). **Sinón.** bayoneta.

izq.[o(a)], **izq.**[do(da)] izquierdo, izquierda.

izquierda *f.* ① 왼쪽, 좌측 : a la ~ 왼쪽으로·에·의. a las ~*s* 좌회전으로. Tome usted la segunda bocacalle a la ~ 두 번째의 입구를 왼쪽으로 도십시오. Ella iba sentada a mi ~ 그녀는 내 왼쪽에 앉으러 왔다. Tuerza a la ~ 왼쪽으로 꺽어지십시오. ② 왼손(manoizquierda). ③ 좌익, 좌파.

por la ~ 《*Ant.*》 부정한 일을 하여.

izquierdear *intr.* 나쁜 짓·못된 짓을 하다, 나쁜 길로 빠지다, 바른 길에서 벗어나다(apartarse de lo recto).

izquierdismo *m.* 좌익주의.

izquierdista *adj.* (정치 이념·사상적으로) 좌익의, 좌파의. —*m.f.* 좌익주의자.

izquierdo, da *adj.* ① 좌측의, 왼쪽의 : a mano ~*da* 왼쪽의·에·으로(a la izquierda) : Doble usted a la (mano) ~*da* 좌측으로 굽으세요. Usted encontrará la librería al lado ~ de la calle 거리의 좌측에 그 서점이 있습니다. ② 왼손잡이의(zurdo). ③ 구부러진, 굽은, 비꼬인, 뒤틀린(torcido, tuerto).

Iztaccihuatl 【지명】 (멕시코의) 이시딱시우아뜰 화산구.

J

j *f.* 호따 《서반아어의 열한 번째 문자 (undécima letra del abecedario castellano)》 : El sonido de la *jota* es una fuerte aspiración 호따의 음은 강한 기식음이다.

ja *interj.* 하, 하 《웃음 소리를 나타내는 의성어》.

jaba *f.* ① 《*Amér.*》 (유리로 된 짐의) 나무테, 얼망 상자. ② 《*Cuba.*》 구걸하는 자루 ; 갈대로 결은 광주리. ③ 《*Chile.*》 나무로 틀을 짠 호안(護岸). ④ 《*Venez.*》 박으로 만든 그릇 ; 가난, 궁핍.
salir con la ~ 《*Cuba.*》 동냥하다, 구걸하다 (pedir limosna).
soltar la ~ 《*Cuba.*》 몸이 깨끗해지다.
tomar la ~ 《*Cuba.*》 동냥하러 나서다.

jabado, da *adj.* 【방언】 ① 《*Amér.*》 얼룩 무늬의 (새). ② 《*Cuba.*》 기회주의적인 (사람).

jabalcón *m.* ① 【건축】 까치발. ② 《*Col.*》 골짜기, 벼랑.

jabalconar *tr.* (…에) 까치발을 대다 ; 버팀 나무를 대다(sostener con jabalcones).

jabalí *m.* [*pl.* jabalíes] 【동물】 멧돼지 : ~ de verrugas 점박이 맷돼지. El ~ se considera como un cerdo salvaje 하발리는 야생 돼지로 간주한다.

jabalín *m.* 《*And. Sal.*》 =**jabalí.**

jabalina *f.* ① 암멧돼지. ② (사냥·무기용의) 작살 ; (경기용의) 창 : lanzamiento de la ~ 창던지기.

jabalinero, ra *adj.* 《*Sal.*》 멧돼지 사냥의 (사냥개).

jabalío *m.* 《*PRico.*》 신음 소리, 외침 소리.

jabalón *m.* 【건축】 =**jabalcón.**

jabalonar *tr.* =**jabalconar.**

jabaluna *f.* jaspe의 일종.

jabaluno, na *adj.* 《*And.*》 젖을 때 멧돼지 색깔을 띤 (석회석).

jabardear *intr.* (꿀벌이) 자라서 집을 떠나다, 분봉하다.

jabardillo *m.* ① (새·곤충의) 많은 떼 : Los mosquitos formaban un ~ 모기가 떼를 이루고 있다. ② 군중, 인파, 혼잡.

jabardo *m.* 떼 벌 ; 군중.

jabato, ta *m.f.* 산돼지 새끼. **—***adj.* ① 용감한, 대담한 (valiente). ② 《*Cuba.*》 거친, 촌스러운, 예의 범절을 모르는, 버릇 없는, 막되먹은. **—***m.* 멧돼지 새끼(cachorro de jabalí).

jabear *tr.* 《*Guat.*》 훔치다, 사취하다(robar con maña).

jabeba *f.* =**ajabeba.**

jabeca *f.* (수은 정련용) 도가니.

jabega *f.* =**jabeba.**

jábega *f.* 저인망 ; 어선의 일종.

jabegote *m.* (저인망을) 끄는 사람, 저인망 어부.

jabeguero, ra *adj.* 저인망의. **—***m.* 저인망 어부.

jabelgar *tr.* 【고어】 《*Sal.*》 =**jalbegar.**

jabeque *m.* ① (지중해의) 돛이 셋 달린 선박. ② (얼굴의) 칼자국, 상처 : pintar ~.

jabera *f.* 하베라 《안달루시아의 민요의 일종》.

jabi *adj. m.* [*ár.* xabí] 그라나다산의 알이 작은 일종의 포도·사과(의).

jabí *m.* 【식물】 께브라쵸나무 《중남미산 콩과에 속하는 단단한 나무》(quebracho).

jabilla *f.* ① 《*Ant.*》 =**jabillo.** ② 《*Cuba.*》 (열대 아메리카산의) 덩굴식물의 일종.

jabillo *m.* 【식물】 (열대 아메리카산의) 파라고무의 일종.

jabirú *m.* 【조류】 (멕시코·중남미산의) 황새 ; 검은 대머리 기러기.

jabladera *f.* 통 만드는 사람의 연장(argallera).

jable *m.* 《*Galic.*》 (통 따위의 밑바닥에 끼워 놓는) 밑홈.

jabón *m.* ① 비누 : ~ de Castilla 까스띠야 비누 《올리브를 주원료로 한 단단하고 하얀 비누》. ~ de olor 화장 비누. ~ de Marsella 마르셀 비누. ~ en polvo 가루 비누. ~ líquido 물비누. ② 《*Arg. Méx. PRico. Urug.*》 두려움, 무서움 (miedo), 놀라움(susto). ③ 【식물】 비누나무.
~ *de Palencia* 다듬이 방망이 ; 몽둥이로 때리기. ~ *de sastre* 【광물】 동석(凍石) 《바느질에 쓰이는 **초크**》(esteatita).
dar ~ *a* ① …에 비누칠하다. ② 아부하다, 아첨하다(lisonjear).
dar un ~ *a* ① …을 호되게 꾸짖다·나무라다 (castigarle o reprenderle con aspereza). ② 때리다.
hacer ~ 《*Arg.*》 두려워하다, 무서워하다.

jabonada *f.* ① 《*AmérM.*》 비누질 (jabonado). ② 《*Arg. Chile. Méx. Urug.*》 질책, 나무람, 꾸중 (reprimenda).

jabonado, da *adj.* jabonar의 *p.p.* **—***m.* ① 비누질, 비누 빨래, 세탁. ② [집합] 세탁물, 빨랫감.

jabonador, ra *adj.m.f.* ① 비누로 빠는 (사람). ② 꾸중하는, 나무라는, 질책하는 (사람).

jabonadura *f.* 비누로 씻기·빨기, 비누질. **—***pl.* 비눗물, 비누 거품 ; 거품이 일어남.
dar una ~ 나무라다, 꾸중하다, 질책하다.

jabonar *tr.* ① 비누로 빨다(lavar con jabón) : ~ ropa blanca 비누로 팬티를 빨다. ② 비누질을 하다(enjabonar). ③ 꾸중하다, 질책하다, 나무라다(dar un jabón, reprender).
~se (몸에) 비누를 칠하다.

jaboncillo *m.* ① 어떤 모양으로 만들어 놓은 비누 거품 ; 화장·약용 비누. ② (아메리카산의)

비누 나무. ③ 재봉용 쵸크·분필. ④【광물】 동석(凍石) (esteatita). ⑤《*Chile.*》 가루 비누, 물비누.

jabonera *f.* ① 비누곽, 비누통. ②【식물】 비누풀(~ de la Mancha).

jabonería *f.* 비누 공장; 비누 가게.

jabonero, ra *adj.* 옒은 황색의 (소). —*m.f.* 비누 만드는 직공; 비누 장수.
~ *de las Antillas*【식물】 백단향.

jaboneta *f.* =**jabonete.**

jabonete *m.* 화장 비누(jabonete de olor).

jabonoso, sa *adj.* 비누 같은.

jaborandi *m.*【식물】 하보란디《브라질 원산의 헨루다속 나무》; 그 건조제《이뇨·발한제》: La infusión de ~ se usa como sudorífico 하보란디를 달인 액은 발한제로 사용된다.

jabotí *m.*【동물】 (열대 아메리카의) 거북.

jabuco *m.*《*Cuba.*》 (달걀 운반용) 얼망 상자.

jabuey *m.* =**jagüey.**

jaca *f.* ① 조랑말: ~ de dos cuerpos 보통 말과 같은 정도로 쓸 만한 조랑말. ② 암말. ③ 싸움닭, 투계. ④《*Méx. Perú.*》 작은 암말.

jacal *m.*《*Méx. Venez.*》 움막, 오두막 (choza, cabaña, cobertizo).

jacalear *intr.*《*Méx.*》 여러 집을 돌아다니다.

jacalón *m.*《*Méx.*》 가건물, 임시로 지은 홍행장 (cobertizo).

jacalosúchil *m.*《*Méx.*》【식물】 마삭나무과 식물.

jacamar *m.* =**jacamara.**

jacamara *m.*【조류】 하까마라《브라질산 딱다구리》.

jacamín *m.*【조류】 나팔새.

jacana *f.* [*guaraní.* yacaná]【조류】 =**jácana.**

jácana *f.* ① 남미산 흰눈썹뜸부기의 일종. ② 하까나《Antillas의 나무》.

jacapucayo *m.*【식물】 원숭이 냄비《열대 아메리카산 도금양과의 교목; olla de mono라는 사람 머리 만한 크기의 열매가 열림》.

jácara *f.* ① 연가(戀歌). ② 무용곡의 일종. ③ 유쾌한 사람들. ④ 귀찮은 일, 화나는 일 (molestia). ⑤ 거짓말(mentira). ⑥ 판단력. ⑦ 이야기(cuento, relato): contar ~*s.*

jacarandá *m.*【식물】 홍목(紅木)(palisandro).《열대 아메리카산의 능소화과에 속하는 여러 식물》.

jacarandaina *f.*【은어】 =**jacarandina.**

jacarandana *f.*【은어】 망나니 도둑의 무리, 불량자들의 패거리; 이들의 은어.

jacarandina *f.* ①【은어】 =**jacarandana.** ② jácara춤과 노래.

jacarandino, da *adj.*【은어】 jacarandina의.

jacarando, da *adj.* jácara의. —*m.* =**jácaro.**

jacarandoso, sa *adj.* 명랑한, 활달한; 우아한, 화려하고 아름다운(elegante).

jacaré *m.*【동물】《*Amér.*》 악어(caimán).

jacarear *intr.* 유쾌한 jácara를 노래하다; 밤에 거리를 떠들썩하게 누비고 다니다. —*tr.* 애먹이다, 놀려주다, 곯려주다, 골탕먹이다(molestar, fastidiar).

jacarero, ra *adj.m.f.* 익살을 부리는, 농담을 잘하는; jácara를 노래하는 사람; 재미있는 사람, 익살꾼.

jacarista *m.* =**jacarero.**

jácaro, ra *adj.m.f.* 잰 체하는 (사람), 우쭐거리는 (사람): a lo ~ 우쭐거려.

jácena *f.*【건축】 도리(viga maestra).

jacerina *adj.f.* *cota* ~ 마늘.

jacerino, na *adj.* 뚫기 어려운.

jachacaldo *m.*《*Perú.*》 야채 수프의 일종.

jachado, da *adj.*《*AmérC.*》 칼자국이 있는.

jachalí *m.*【식물】 (열대 아메리카산의) 만려지.

jachar *tr.* [집시어] =**encender.**

jache *m.*《*Bol.*》 (밀 등의) 기울.

jachi *m.*《*Bol.*》 =**jache.**

jachipén *m.* [집시어] 식량; 맛있는 음식.

jachudo, da *adj.*《*Ecuad.*》 강한, 건장한, 씩씩한.

jacilla *f.* 자국, 흔적(huella).

jacintino, na *adj.*【시어】 =**violado.**

jacinto *m.* ①【식물】 히아신스. ②【광물】 시르콘(circón, ~ de Ceilán).
~ *de Compostela* 홍수정.
~ *occidental* 황옥, 연수정(topacio).
~ *oriental* 루비, 홍옥(rubí).

jack *m. ing.*【전기】 잭《플러그를 꽂는 곳》.

jacna *f.*【조류】 하끄나《남미의 새》.

jaco *m.* 미늘(cota); 쓸모없는 말, 삐쩍 마른 말.

Jacob *m.* ① 남자 이름. ②【성서】 야곱《Isaac과 Rebecca의 아들, 이스라엘인의 조상》.

jacobeo, a *adj.* 사도 Santiago의: fiestas ~*as* 산띠아고의 축제.

jacobinismo *m.* 쟈코방주의《불란서 혁명 때 파리의 San Jacobo 수도원에 본부를 둔 일파의 과격 공화주의·정책》, 과격 급진주의.

jacobino, na *adj.* 쟈코방당의, 과격 혁명주의의. —*m.f.* 쟈코방 당원·주의자.

jacobita *adj.m.f.* ①【종교】 일성론파(一性論派)의 (사람) (monofisita). ② 영국의 James II (Jacobo Ⅱ)와 Stuart 왕가 (los Estuardos) 파의 (사람).

jacobitismo *m.*【종교】 일성론《6세기에 Jacobo Baradeo가 주장했던 설》.

jacobo *m.* (영국의) 옛 금화(moneda de oro).

jaconta *f.*《*Bol.*》 사육제의 고기 야채 요리.

jacote *m.*《*Amér.*》 jobo의 이름 중의 하나.

jactancia *f.* [*lat.* jactantia] 자만, 으스대기, 자부: hablar con ~ 으스대며 말하다.
Contr. modestia.

jactanciosamente *adv.* 자만해서, 으스대어.

jactancioso, sa *adj.* 잘난 체하는, 젠체하는.

jactante *adj.* 자랑·자만하는, 으스대는.

jactarse *r.* [+de: …을] 자만하다, 으스대다: ~*se de* su linaje 자기의 혈통을 자랑하다. Ella *se jactaba de* saberlo 그녀는 그것을 아는 것을 으스대고 있다. [*N.* 타동사로서 쓰이는 수도 있음: ~ valor].

Jact.º Jacinto.

jacú *m.*《*Bol.*》 (요리의) 마른 안주.

jaculatoria *f.* 절규하는 기도.

jaculatorio, ria *adj.* 돌발적인; 짧고 감격적인: oración ~*ria* 짧고 감격적인 연설.

jáculo *m.* ① =**dardo.** ②【동물】 =**jerbo.**

jada *f.*《*Ar.*》 =**azada.**

jade *m.*【광물】 경옥, 구슬, 비취옥, 비취 (piedra nefrítica)《선통(疝痛)을 고친다는 돌》.

jadeante *adj.* 헐떡이는, 숨가파하는.
jadear *intr.* 헐떡이다, 헐떡거리다, 숨가파하다 (acezar) : El caballo *jadeaba* con la carga 말은 짐으로 숨을 헐떡거렸다.
jadeo *m.* 헐떡거림, 숨참.
jadiar *tr.* 《*Ar.*》 괭이로 파다.
jaecero, ra *m.f.* 마구(馬具) 제조인.
jaén *adj. m.* 약간 자라고 껍질이 굵고 단단한 (백포도의 일종) : uva · vid ～.
Jaén 【지명】 하엔 《서반아 남부의 주 · 그 수도》.
jaenero, ra *adj.* =**jaenés.**
jaenés, sa *adj.* 하엔(Jaén)의. —*m.f.* 하엔 사람.
jaez *m.* ① 마구, 말의 장식품 : *jaeces* nuevos. ② [경멸적으로] 성질, 성미 : Lo perdió la compañía de gente de ese ～. ③ 【은어】 옷, 의상.
jaezar *tr.* ⑨ =**enjaezar.**
Jafet *m.* 【성서】 야벳 《Noe의 셋째 아들 ; 백인종의 조상》.
jafético, ca *adj.* 야벳(Jafet)의 ; 아리아족의 : raza ～*ca* 백인종.
jago *m.* (아메리카의) 야자나무의 일종.
jagua *f.* 【식물】 하구아나무 《열대 아메리카 산 꼭두서니과의 교목》; 그 열매.
jaguaní *m.* 《*Venez.*》 (부엌의 천정에 걸어두는) 음식 바구니.
jaguar[1] *m.* 【동물】 재규어 《중남미산의 표범》.
jaguar[2] *tr.* ⑩ 《*Méx.*》 =**enjaguar.**
jaguareté *m.* =**yaguareté.**
jaguarondi *m.* 【동물】 =**puma.**
jaguarundi *m.* 《*Arg.*》 【동물】 =**jaguarondi.**
jaguarzo *m.* 서반아산 목서초과의 관목.
jagüel *m.* 《*Amér.*》 =**jagüey.**
jaguey *m.* 《*Cuba.*》 모기의 일종.
jagüey *m.* ① 《*Amér.*》 도랑, 물웅덩이, 연못. ② 《*Cuba.*》 착실하지 못한 사람.
jagüilla *f.* ① 【동물】 (중미산의) 멧돼지. ② 【식물】 (꾸바산의) 꼭두서니.
jaharí *adj.m.* 안달루시아에서 자라는 무화과의 일종 (의).
jaharrar *tr.* (벽에) 덧칠을 하다.
jaharro *m.* 벽의 덧칠.
jahuel *m.* 《*Bol. Chile.*》 물웅덩이(jagüel).
jai alai *m. vasco.* 하이 알라이, 공을 던지는 놀이.
jaiba *adj.* 《*Ant. Méx.*》 교활한, 간사한, 음흉한, 빈틈없는, 약은. —*f.* 《*AmérC. Ant. Bol. Col. Chile. Ecuad. Méx. Perú. Venez.*》 【동물】 (여러 종류의) 바닷게. —*m.f.* ① 《*Ant. Méx.*》 교활한 사람, 간사한 사람. ② 《*Cuba.*》 게으름뱅이.
jaiberja *f.* 《*PRico.*》 간사함, 교활함(astucia).
jaileife *adj.* 《*Arg.*》 =**elegante.**
jaima *f.* (모로코에서 시골 사람들에게 방을 제공하는) 가게 · 오두막.
jaimismo *m.* =**carlismo.**
jaimista *adj.m.f.* =**carlista.**
Jaimito *hip.* Jaime.
jainismo *m.* =**yainismo.**
jaique *m.* 두건이 달린 모로족의 옷 《발등까지 질질 끄는 겉옷》.
jaira *f.* =**chaira.**
jaiva *f.* 《*Amér.*》 =**jaiba.**
¡ja, ja, ja! *interj.* 하, 하, 하! 《웃음 소리의 의성어》.
jajá *m.* 《*Arg.*》 【조류】 =**el chajá, aruco.**
¡jajay! *interj.* 헤헤!, 하하!, 호호! 《웃음 소리의 의성어》.
jal *m.* 《*Méx.*》 경석(輕石)의 조각.
jala *f.* 《*Col.*》 =**borrachera.**
jalamina *f.* 《*Méx.*》 calamina(이극광)의 잘못된 표현.
jalapa *f.* 【식물】 할라빠 ; 할라빠 덩이 뿌리 ; 할라빠 뿌리.
jalapaneco, ca *adj.m.f.* 할라빠 《Jalapa, Guatemala에 있는 주 · 도시》의 (사람).
jalapeño, ña *adj.m.f.* 할라빠 · 데 · 엔리께스 《Jalapa de Enríquez, México에 있는 도시》의 (사람).
jalapina *f.* jalapa에서 채취한 수지.
jalar *tr.* ① 끌다(halar) ; 끌어당기다(atraer). ② 《*Perú.*》 시험에서 낙제시키다. —*intr.* ① 《*AmérC.*》 사랑을 하다 : Ana *está jalando con* José 아나는 호세와 연애 중에 있다. ② 살그머니 도망치다, 달아나다 (largarse) : ～ camino 출발하다. José *jaló* para su casa 호세는 빵소니쳐 버렸다.
～se ① 《*Amér.*》 술에 취하다 (emborracharse). ② 《*AmérC.*》 사랑을 하다 : Ana y yo *nos jalamos* 아나와 나는 연애 중이다. ③ 창백해지다, 풀이 죽다 : la cara *jalada* 풀이 죽은 얼굴. ④ 《*Col. Venez.*》 멋있게 하다, 훌륭하게 할 수 있다 : un valse bien *jalado* 멋이 있었던 왈츠.
jalatocle *m.* 《*Méx.*》 (물난리 끝의) 모래 웅덩이 · 모래땅.
jalbegador, ra *adj.* (벽을) 하얗게 칠하는; 화장하는.
jalbegar *tr.*. ⑧ (벽을) 하얗게 칠하다 ; 얼굴에 분을 바르다, 화장하다.
jalbegue *m.* 하얗게 칠하기 ; 백색 도료 ; 분.
jalca *f.* 《*Perú.*》 북부 안데스의 고원.
jalda *f.* ① 스커트. ② 《*PRico.*》 산기슭(falda).
jaldado, da *adj.* 샛노란.
jalde *adj.* =**jaldado.**
jaldeta *f.* 【고어】 《*Sal.*》 =**faldeta.**
jaldo, da *adj.* =**jaldado.**
jaldre *m.* 황색, 노랑.
jalea *f.* [*fr.* gelée] ① 젤리, 잼 : ¿Qué desea usted? —Deseo café, tostadas y ～ 무엇을 드시겠습니까? —커피, 토스트, 잼을 들겠습니다. ～ real 로열 제리. ② 사랑 : hacerse una ～ 사랑을 하다.
jaleador, ra *adj.m.f.* 응원 · 성원하는, 갈채를 보내는 (사람).
jalear *tr.* ① 응원하다, 성원하다, 갈채를 보내다. ② (개를) 부르다. ③ 《*Chile.*》 신이 나서 떠들어 대다. ④ 《*Chile.*》 애먹이다. ⑤ 《*Chile.*》 야유하다 (burlarse).
～se 훌라춤을 추다.
jaleco *m.* (터키인이 입는) 반소매 셔츠.
jaleo *m.* ① 꼬드기기. ② 응원, 성원, 떠들썩하기, 갈채. ③ 할레오 《안달루시아의 춤 · 노래》. ④ 잔칫날 같은 소란(jarana). ⑤ 《*AmérC.*》 정사(情事).
jalera *f.* 《*Cuba.*》 취기(borrachera).
jaletina *f.* 젤라틴, 과일 젤리(gelatina).
jalifa *m.* 모로코령(領)의 대관 · 부총독.
jalifato *m.* jalifa의 직 · 지위 ; (어떤 jalifa의)

J

통치기 · 시대 · 관구.
jalifiano, na *adj.* jalifa 직의.
jalisciense *adj.* 《*Méx.*》 할리스꼬 《Jalisco, 멕시코의 주 ; 주도 Guadalajara》의. **—*m.f.*** 할리스꼬 사람.
jalisco, ca *adj.* 《*Méx.*》 정신없이 취한 (ebrio). **—*m.*** 할리스꼬 모자 《밀짚 모자의 일종》.
pelar el ~ 《*Méx.*》 조심하고 있다.
Jalisco 【지명】 할리스꼬 《멕시코의 주》.
jallar *tr.* 《*Méx.*》 hallar의 사투리.
jallares *m.pl.* 【은어】 돈(dinero).
jallo, lla *adj.* 《*Méx.*》 우쭐해진 (presumido) ; 화잘 내는.
jalma *f.* 길마(enjalma).
jalmería *f.* 길마 업소.
jalmero *m.* =**enjalmero.**
jalocote *m.* (멕시코의) 소나무(ocote)의 일종.
jalón *m.* ① (측량용의) 푯말, 표장대. ② (역사 · 생애의) 이정표 : Ese premio constituyó un ~ en su carrera. Sinón. hito. ③ 《*Amér.*》 잡아끌기(tirón). ④ 《*AmérC.*》 연애 중인 남자. ⑤ 《*Bol.*》 도정, 거리. ⑥ 《*Méx.*》 꿀꺽 삼키기 (trago).
jalona *f.* 《*AmérC.*》 말괄량이.
jalonar *tr.* ① 푯말로 표를 하다 : ~ un camino. ② 이정표를 만들다 : Esos triunfos fueron *jalonados* su vida.
jalonear *tr.* 《*Méx.*》 ① 잡아 끌다, 끌다(halar). ② =**regatear.**
jaloneo *m.* 《*Méx.*》 ① =**jalones, tirones.** ② =**regateo.**
jaloque *m.* 동남풍.
jalotear *intr.* =**jalonear.**
jaloteo *m.* =**jaloneo.**
jaluza *f.* 【방언】 굶주림, 공복.
jama *f.* 【동물】 (중미산의 작은) 갈기 도마뱀 · 이구아나(iguana).
jamaca *f.* hamaca의 사투리.
jamacuco *m.* =**patatús.**
jamaica *f.* 《*Méx.*》 자선시(慈善市). **—*m.*** 하마이카 《자마이카산 럼주》.
Jamaica *f.* 【지명】 자메이카 《1962년 영국령에서 독립, 수도 Kinston》.
jamaicano, na *adj.* 자메이카(Jamaica)의. **—*m.f.*** 자메이카 사람.
jamaiquino, na *adj.* 《*Ant.*》 =**jamaicano.**
jamán *m.* 《*Méx.*》 흰 무명베의 일종.
jamancia *f.* 【속어】 =**comida.**
jamar *tr.* 【속어】 =**comer.**
jamás *adv.* 결코 · 한번도 …하지 않다(nunca). ***nunca*** ~, ***por*** ~, ~ ***por*** ~ 두 번 다시 (…하고 않고)(jamás).
jamba *f.* ① 【건축】 **문설주.** ② 《*AmérC.*》 새우잡이에 쓰는 그물. ③ 【속어】 음란한 여자 ; 정부(情婦).
jambado, da *adj.*. 《*Méx.*》 과식의, 게걸스러운, 먹는 양이 큰 ; 대식의.
jambaje *m.* (창문 · 방문의) 마루턱.
jambarse *r.* 《*AmérC. Méx.*》 과식하다 ; 애먹이다.
jambazón *f.* 《*Méx.*》 과식(hartazgo).
jámbico, ca *adj.* =**yámbico.**
jambo *adj.* 【방언】 교활한, 뱃속이 검은, 음흉한. **—*m.*** [집시어] 집주인.
jambrar *tr.* 《*Ar.*》 =**enjambrar.**
jambruna *f.* 《*PRico.*》 【속어】 공복.
jamelgo *m.* 여윈 말. Sinón. penco.
jamerdana *f.* (도살장의) 찌꺼기 모으는 곳.
jamerdar *tr.* (도살한 소 등의) 내장을 꺼내다 ; 대충 씻다.
jamerosa *f.* =**jambosa.**
jamete *m.* (옛날의) 금실로 짠 비단.
jametería *m.* 《*Murc.*》 =**lagotería, zalamerín.**
jamila *f.* =**alpechín.**
jamo *m.* 《*Cuba.*》 자루 모양의 투망 · 그물.
jamón *m.* ① 햄(고기). ② 《*PRico.*》 성가신 · 귀찮은 일 ; 분규.
jamona *adj.f.* 나이깨나 든 (여자).
jamoncillo *m.* 《*Méx.*》 우유 과자 한 입.
jampa *f.* 《*Ecuad.*》 【속어】 문지방(umbral).
jámparo *m.* 《*Col.*》 거룻배, 전마선의 일종.
jampirunco *m.* 《*Perú.*》 돌팔이 의사.
jamúas *f.pl.* 《*León.*》 =**jamugas.**
jamuga *f.* 부인용 안장, 모로 타게 만든 안장 : ir en ~*s* 모로 타고 가다.
jamugas *f.pl.* =**jamuga.**
jamurar *tr.* (무엇의) 물을 퍼내다(achicar).
jan *m.* 《*Cuba.*》 말뚝.
janano, na *adj.* 《*AmérC.*》 언청이의.
janato *m.* =**kanato.**
jandalesco, ca *adj.* =**jándalos.**
jándalo, la *adj.m.f.* (후음을 잘 내는 데서) 안달루시아의(andaluz) ; (북부에서는) 안달루시아에서 돌아온 (사람).
jane *adj.* 《*Hond.*》 =**janano.**
janear *tr.* 《*Cuba.*》 (…에) 말뚝을 박다 ; (말에) 뛰어 올라타다.
~se 《*Cuba.*》 선채로 있다.
janerio *m.* 에꾸아도르 지방 목초용 화본과(禾本科) 식물의 일종.
janga *f.* 《*SDgo.*》【속어】=**multitud** : por ~ 많이.
jangada *f.* ① 뗏목. ② 실수, 자리에 어울리지 않는 일 ; 실패 ; 뗏목.
jangua *f.* 동양의 거룻배.
janiche *adj.* 《*AmérC.*》 =**janano.**
jansenismo *m.* 얀센파 《화란의 신학자 Cornelio Yansen (1581-2438)의 정신을 신봉하던 엄격한 카톨릭교의 일파》의 주장.
jansenista *adj.m.f.* 얀센파의 (사람).
jantalina *f.* 【화학】 =**xantalina.**
jantina *f.* 【화학】 =**xantina.**
Jantipa *f.* 【인명】한티파 《악처로 유명한 Socrates의 아내》.
jantocianopsia *f.* =**xantocianopsia.**
jantocistina *f.* =**xantocistina.**
jantopsina *f.* =**xantopsina.**
jantoxilo *m.* 【식물】 =**xantoxilo.**
Japón, el 【지명】 일본.
japón, na *adj.m.f.* =**japonés.** **—*m.*** 일본제 도자기.
japonense *adj.m.f.* =**japonés.**
japonés, sa *adj.* 일본의. **—*m.f.*** 일본인. **—*m.*** 일본어.
japónico, ca *adj.* [드묾] 일본의 : tierra ~*ca.*
japonizar *tr.* 일본화하다.
~se 일본화되다.

J

japuta *f.* 지중해산 식용어의 일종.
japutamo *m.* 《*Bol.*》 =**filaria.**
jaque *m.* ① (장기의) 궁 : Le di ~ al rey 나는 그를 궁으로 몰았다. ② 공격(ataque), 으름장, 협박, 위협 (amenaza) : dar ~ 위협·협박하다, 으름장을 놓다. poner·traer·tener en ~ 으름장을 놓다. ③ 실속 없이 우쭐거리는 사람 ; 옛날의 머리 땋는 모양. ④【방언】길마에 싣는 짐의 한 쪽. —*interj.* 비켜 !
jaqué *m.* 《*Méx.*》 모닝 코트(chaqué).
jaquear *tr.* 궁으로 몰다 ; 바싹 몰아붙이다.
jaqueca *f.* ① 편두통 : Estoy con ~ desde ayer 나는 어제부터 편두통이다. ② 성가심, 귀찮음 : dar una ~ 귀찮게 굴다, 괴롭히다, 넌더리나게 만들다(molestar).
jaquecoso, sa *adj.* 귀찮은(fastidioso).
jaquel *m.* 문장(紋章)의 구획.
jaquelado, da *adj.*【문장】구획을 짓는 ; 바둑판 무늬로 만든 ; 네모나게 면을 자른 (보석).
jaquero *m.* jaque로 만들어진 가늘고 작은 빗.
jaqués, sa *adj.m.f.* 하까 《Jaca, 서반아의 피리네오 산속에 있는 도시, 1930년에 공화파가 반란을 일으켰던 본거지》의 ; 하까 사람.
jaquet *m.* [*fr.* jaquette] 모닝 코트.
jaqueta *f.* (옛날의) 옷의 일종.
jaquetilla *f.* 짧은 jaqueta.
jaquetón *m.* ① 실속 없이 우쭐거리는 사람. ② 긴 jaqueta.
jáquima *f.* ① 껑거리끈 《마구》. ② 《*Ant.*》 취함. ③ 속임수.
comerse la ~ 《*Cuba.*》 건실하지 못하다.
jaquimazo *m.* 껑거리끈(jáquima)으로 때리기 ; 장난, 놀려 주기.
jaquimero, ra *m.f.* jaquima 제조자·판매자.
jaquimón *m.* 《*Amér.*》 =**jáquima.**
jar *intr.*【은어】=**orinar.**
jara *f.* ①【식물】(크고 흰색의 꽃이 피는) 시스츠스(cisto). ② (끝을 불에 그슬려 만든 나무의) 투창. ④ 《*Bol.*》 휴식(休息). ⑤ 《*Méx.*》 화살(flecha).
jarabe *m.* ① 당밀, 시럽 ; (당밀 원료의) 물약. ② (일반적으로) 달착지근한 음식. ③ 《*Méx.*》 멕시코 춤(의 여러 가지).
~ *de azúcar* 60~75%의 설탕이 든 용액.
~ *de pico* 말만 그럴듯한 일, 빈 약속.
jarabear *tr.* (환자에게) jarabe를 마시게 하다. **~se** jarabe를 마시다.
jaracalla *f.* =**alondra.**
jaracatal *m.* 《*AmérC.*》 풍부, 풍족(abundancia).
jaracolito *m.* 《*Perú.*》 인디오의 춤.
jaragua *m.*【식물】하라구아 《Cuba의 목재용 나무》.
jaraíz *m.* 포도를 으깨는 통(lagar).
jaral *m.* ① 시스투스밭. ② 뒤범벅.
jaramago *m.*【식물】들겨자, 겨자.
jarameño, ña *adj.* 하라마강 《el Jarama, 따호강의 지류》 가에 놓아 먹인 (소).
jaramugo *m.* 치어(稚魚), 새끼 고기.
jarana *f.* ① 잔치 소동 ; 난투. ② 함정 (trampa). ③ 사기(engaño). ④ 놀려댐, 빈정거림 (burla). ⑤ 《*AmérC.*》 빌린 돈(deuda). ⑥ 《*Col. Ecuad.*》 (가족·동료들만의) 댄스 파티. ⑦ 《*Bol. Perú.*》 춤의 이름. ⑧ 《*Méx.*》 4현 기타의 일종.
jarandina *f.*【은어】=**jaracandina.**
jaranear *intr.* ① 시끌덤벙하다, 떠들어대다, 신이나서 떠들다. ② 《*AmérM.*》 모여서 춤추다. ③ 《*Guat.*》 빚지다. —*tr.* 《*AmérC. Col.*》 사기치다, 속이다, 애먹이다.
jaranero, ra *adj.* ① 시끌덤벙하기를 좋아하는. ② 《*Méx. AmérC.*》 사기꾼의.
jaranista *adj.* ① 《*Méx.*》 사기꾼의. ② 《*Perú.*》 춤추기 좋아하는.
jaranita *f.* 《*Méx.*》 기타의 일종.
jarano *adj. m.* 펠트 《운두가 높고 차양이 넓은 멕시코 모자의 일종》(의) : sombrero ~.
jarapa *f.*【은어】막(幕)(telón).
jarapote *m.* 《*And. Ar.*》 =**jaropeo.**
jarapotear *tr.* 《*And. Ar.*》 =**jaropear.**
jarapoteo *m.* 《*And. Ar.*》 =**jaropeo.**
jaratar *tr.* 《*Ecuad.*》 에워싸다, 둘러치다, (…에) 울타리를 두르다.
jarazo *m.* jara를 던지기 ; 그로 인한 상처.
jarbaca *f.* 《*CRica.*》 빻은 옥수수.
jarca *f.*【식물】(볼리비아산의) 아카시아.
jarcha *f.* 고대 시(詩)의 일종 《아라비아 문자로 쓰여지고 서반아어의 각운을 가진 것》.
jarcia *f.* ① 잡동사니 짐. ② 잡동사니. ③ 선박 도구 ; 어구. ④ 《*Cuba. Méx.*》 밧줄.
jarciar *tr.* =**enjarciar.**
jarcio, cia *adj.* 《*Méx.*》 술취한(borracho).
jardear *tr.* 《*Col.*》 (가축을) 몰다, 쫓다 ; (사냥에서 목표물을) 포위하다.
jardín *m.* [*alem.* garten] ① 정원, 동산 ; 공원. ② (배의) 변소. ③ (에메럴드의) 구름, 상처. ④【야구】외야(外野).
~ *botánico* 식물원.
~ *de la infancia* 유치원.
~ *de recreo* 유원지, 공원.
~ *zoológico* 동물원.
jardinaje *m.* 《*Chile. Galic.*》 =**jardinería.**
jardinera *f.* ① 여자 정원지기, 정원사의 아내. ② 분재대, 화분대. ③ 4인승 마차 ; 납량 전차 ; 무개차의 일종. ④ 《*Col.*》 잠바식 웃옷. ⑤ 《*Chile.*》【속어】챙, 차일(marquesina).
jardinería *f.* [추상적으로] 조원(造園) ; 조원술.
jardinero, ra *m.f.* ① 정원사, 정원지기 ; 조원기사(造園技師). ②【야구】외야수.
járea *f.* 《*Méx.*》 공복, 시장기.
jarear *intr.* 《*Bol.*》 (도중에서) 휴식하다.
~se 《*Méx.*》 굶어 죽다 ; 도망치다, 피하다 ; 비틀거리다.
jareta *f.* ① (끈을 꿰기 위한) 자루 꿰매기 ; (적의 침입을 막기 위한) 방잠망(防潛網) ; (돛의) 조임줄. ② 《*Venez.*》 귀찮은 일.
jarete *m* 《*Venez.*》 =**canalete, remo.**
jaretera *f.* =**jarretera.**
jaretón *m.* (넓게 하는) 자루 꿰매기.
jarico *m.* 《*Cuba.*》 작은 거북의 일종.
jarife *m.* =**jerife.**
jarifiano, na *adj.* =**jerifiano.**
jarifo, fa *adj.* 휘황찬란한, 훌륭한.
jarillo *m.*【식물】=**jaro.**
jaripeo *m.* 《*Bol. Méx.*》 조랑말 길들이는 시골 모

임, 투우 놀이.

jaro, ra *adj.* 털이 붉은 (돼지·멧돼지). —*m.* ① 덤불숲. ②【식물】 타로토란. ③ 무성함.

jaroba *f.* 【식물】(Venezuela의) 약용 식물.

jarocho, cha *adj.m.f.* ① 베라끄루스《Veracruz. 멕시코에 있는 항구 도시》의 (사람). ②【방언】 건방진 녀석, 버릇없는 사람. ③《*Col.*》 위세가 당당한 사람. ④《*Méx.*》(베라끄루스의) 시골뜨기, 농부.

jaropar *tr.* (환자에게) jarope를 먹이다; (어떤 것을) 달착지근하게 만들다.

jarope *m. ár.* 당밀(jarabe); 씁쓸한 음료수.

jaropear *tr.* 【속어】 =**jaropar.**

jaropeo *m.* jarope의 상용·남용.

jaroso, sa *adj.* jara로 가득 찬.

jarra *f. ár.* (손잡이가 달린) 단지, 항아리.

de·en ~s 두 손을 허리에 받치고 : Se puso *en ~s* 두 손을 허리에 받치고 막아 섰다.

jarrar *tr.* =**jaharrar.**

jarrazo *m.* [*aum.* jarro] 큰 물항아리; 큰 물항아리로 때리기.

jarrear *intr.* ① 항아리·단지로 퍼내다 (jarrar). ②【방언】 비가 억수같이 쏟아지다.

jarrero *m.* 단지·항아리 제조인, 항아리 장수; 술항아리·물항아리 지기.

jarreta *f.* [*dim.* jarra] 작은 항아리.

jarretar *tr.* 【고어】 ① 허약·쇠약(衰弱)하게 만들다(desjerretar). ② 낙담시키다(enervar).

jarrete *m.* ① (무릎의) 오금. ② (동물의) 뒷다리의 무릎. **Sinón.** corva.

jarretera *f.* 양말 데님; 가터; (영국의) 가터 훈장.

jarro *m.* ① (손잡이가 하나인) 단지, 물주전자, 물항아리. ② 항아리·단지·물주전자에 담긴 액체량.

a ~ 《*AmérC.*》 싫증이 나서.

a ~s 듬뿍, 많이.

De tal ~ tal tepalcate 《*Méx.*》 부전자전(父傳子傳)(Tal padre, tal hijo).

jarrón *m.* [*aum.* jarro] 장식 항아리; 주발 : ~ de flores 꽃병.

jarropa *adj.* 밤색 털의 (산양).

jasa *f.* =**jasadura.**

jasador *m.* 【외과】 해부도, 메스.

jasadura *f.* 【외과】 해부하기; 잘린·끊긴 곳.

jasar *tr.* 【외과】 해부하다, 절개(切開)하다, 벤 자국을 내다(sajar).

jasón *m.* 【희랍 신화】 황금 양털을 구하러 간 argonautas의 대장.

jaspe *m.* [*lat.* jaspis]【광물】 벽옥, 반점이 있는 대리석.

jaspeado, da *adj.* [jaspear의 *p.p.*] 벽옥 무늬·장식의 : una tela *~da* 벽옥 무늬의 천. —*m.* 벽옥장식·칠.

jaspear *tr.* 벽옥색으로 칠하다 (벽·목재 등을), 벽옥 무늬를 넣다; 반점을 넣다 : *jaspeadas* columnas 반점이 박힌 석주.

~se 《*Venez.*》 화내다, 노하다, 머리끝까지 화내다.

jaspeo *m.* 벽옥 장식·칠.

jaspiar *tr.* ⑪ 《*Guat.*》 (밥을) 먹다.

jaspón *m.* 결이 거친 대리석.

jastial *m.* =**hastial.**

jata *f.* (꾸바산의) 야자의 일종.

jatata *f.* (볼리비아산의) 야자의 일종.

jate *m.* 염료를 짜는 중남미산의 식물.

jatear *tr.* 《*AmérC.*》 (땔감을) 묶다, 다발로 만들다.

~se 《*CRica.*》 집착하다.

jateo, a *adj.m.f.* 여우 사냥의 (개).

Játiba 【지명】 하띠바 《발렌시아주의 도시》.

jatibés, sa *adj.* 하띠바의. —*m.f.* 하띠바 사람.

Jatmandú 【지명】 카트만두 《Nepal의 수도》.

jato, ta *m.f.* ① (한 살 미만의) 송아지(ternero). ②【속어】 hato의 사투리.

¡jau! *interj.* 동물을 꼬드길 때 쓰는 감탄사.

jaudo, da *adj.* 《*Rioja.*》 =**jauto, soso.**

jauja *f.* ① 신비의 나라·장소. ②《*Arg.*》 =**juerga, jarana.**

jaula *f.* [*lat.* caveola] 새장, 우리; 감금실.

jaulero *m.* ① 새장 제조자. ②《*And.*》 메추리 사냥꾼.

jaudilla *f.* 그물 모양의 머리 장식물.

jaulón *m.* [*aum.* jaula] 커다란 우리.

jauría *f.* [집합] 사냥개, 엽견.

jauto, ta *adj.* 【방언】 맛없는.

java *f.* 하바 《춤의 일종》.

Java 【지명】 쟈바 《인도네시아에 있는 섬》.

javaluna *adj.* =**jabaluna.**

javanés, sa *adj.* 쟈바섬의. —*m.f.* 쟈바 사람. —*m.* 쟈바말.

javera *f.* 하베라 《안달루시아의 민요의 일종》.

javo, va *adj.m.f.* =**javanés.**

jayán, na *m.f.* (좀 모자라는) 장사(壯士).

jayao *m.* 《*Cuba.*》【어류】 하야오 《카리브해의 물고기》.

jáyaro, ra *adj.* 《*Ecuad.*》 시골뜨기의. —*m.f.* 시골뜨기.

jayo *m.* 《*Venez.*》【식물】 =**malanga.**

jayón *m.* 《*Sant.*》 기아, 버린 아이.

jayún *m.* 《*Cuba.*》 junco의 일종.

jazarán *m.* 【고어】 =**jacerina.**

jazmín *m.* 【식물】 재스민, 소형(素馨) : ~ real de España 에스빠냐 소형 《지중해안 지방에서 재배되는 것》.

~ de la India 【식물】 치자나무. *~ de Arabia* =diamela. *~ del Cabo* =gardenia. *~ del Paraguay* 빠라구아이의 국화.

jazmináceo, a *adj.* =**jazmíneo.** —*f.pl.* =**jazmíneas.**

jazmíneo, a *adj.* 【식물】 소형(素馨)속의. —*f.pl.* 소형과 식물.

jazminero *m.* =**jazmín.**

jazminorro *m.* 【식물】 =**jazmín amarillo.**

jazz *m. ing.* 재즈(yaz).

J.C. Jesucristo 예수 (그리스도).

JCT Junta de Cooperación Técnica 기술 협력 회의.

je *interj.* 웃음 소리의 의성어 《믿지 못할 때》.

jebe *m.* ①【화학】 명반(alumbre). ②《*AmérM.*》 고무 (goma elástica). ③《*Venez.*》 통나무; 고통 : llevar ~ 몹시 괴로워하다.

jebuseo, a *adj.* 여부스 《Jebús, 뒷날의 Jerusalén, 성서 중의 도시·종족》의. —*m.f.* 여부스 사람.

jedar *tr.* 《*Sant.*》 =**parir.**

jeder *intr.* 《*Méx.*》 heder의 사투리.
jedive *m.* 이집트의 총독.
jedrea *f.* 【식물】 목질 박하(ajedrea).
jefa *f.* jefe의 여성형.
jefactura *f.* 《*Méx.*》 jefatura의 사투리.
jefatura *f.* ① 수장(首長) (jefe)이 되는 것 ; jefe의 직위·권능·권한 ; 경찰서 ; 본부 : Lo llevaron a la ~ Policía 그는 경찰 본부에 연행되었다. ② 지휘. ③ 【경제】 경영 관리, 사업 경영. ***J- de Agua Potable y Alcantarillado*** 《*Méx.*》 상하수도 본부. ***J- de Irrigación y Control de Ríos*** 《*Méx.*》 관계 치수 본부. ~ ***del personal*** 인사관(人事官).
jefe *m.* [*fr.* chef] ① 수장, 우두머리, 수령, 장관, 대장 : en ~ 수석의, 총…. comandante *en* ~ 총사령관. ② 과장, 부장. ③ 《*Méx.*》 주인, 나으리 (señor) : ¡oiga, ~! 여보십시오, 나으리 !
~ ***de escuadra*** 총사령관. ~ ***de estación*** 역장. ~ ***de familia*** 가장(家長), 호주(戶主). ~ ***de día*** 일직(日直) 장교. ~ ***de la casa de la moneda*** 조폐 국장. ~ ***de la sección de compras· ventas*** 구매·판매 과장. ~ ***de oficinas*** 사무 관리 과장·부장, 서무 부장. ~ ***de personal*** 인사 과장·부장. ~ ***de publicidad*** 광고 부장. ~ ***de sección*** 부장, 과장. ~ ***de sucursal*** 지점장. ~ ***de una delegación*** 수석 대표. ~ ***de ventas*** 판매 과장·부장. ~ ***de taller*** 공장장. ***J- del Departamento de Asuntos Agrarios y Colonización*** 《*Méx.*》 농지 식민청 장관. ***J- del Departamento del Distrito Federal*** 《*Méx.*》 연방 구청 장관. ***J- del Departamento de Turismo*** 《*Méx.*》 관광청 장관. ~ ***del Estado*** 국가 원수. ~ ***interino*** 과장 대리. ~ ***político*** (옛날의) 주지사.
jegüite *m.* 《*Méx.*》 =**jehuite.**
jegüitera *f.* 《*Méx.*》 잡초지.
Jehová *m.* 여호와(Iahvé).
jehuite *m.* 《*Méx.*》 잡초.
jeito *m.* 깐따브리아 해의 정어리·멸치 그물.
jeja *f.* (어떤 지방에서) 하얀 별.
¡je, je, je! *interj.* 헤, 헤, 헤 ! 《웃음의 의음》.
jején *m.* ① (남미산의) 모기·파리매 무리. ② 《*Méx.*》 많음, 풍부 : tener un ~ de hijos.
jejo *m.* 【방언】 돌멩이, 자갈.
jelenco, ca *adj.* 《*Méx.*》 멍청한, 바보스런, 우둔한, 어리석은(tonto).
jelengue *m.* 《*Cuba.*》 소동, 싸움.
jema *f.* =**gema.**
jemal *adj.* 1jeme의 : clavo ~ 다섯 치 못.
jeme *m.* ① 엄지손가락(dedo pulgar)과 집게손가락(dedo índice)를 편 길이. ② 얼굴 생김새 : tener buen ~.
jemeque *m.* =**gimoteo.**
jemiquear *intr.* 《*Chile.*》 흐느껴 울다(gimotear).
jemiqueo *m.* 《*Chile.*》 흐느낌.
jemoso, sa *adj.* =**gemoso.**
jenabe *m.* 【식물】 겨자(mostaza).
jengibre *m.* [*lat.* zingiberi] 생강 : cerveza de ~ 생강주.
jeniquén *m.* 《*Cuba.*》 =**henequén.**
jenízaro *m.* 고대 터키의 금위병.
jenízaro, ra *adj.* 혼혈의 ; 잡종의. —*m.f.* 튀기, 혼혈아.
jenneriano, na *adj.* 제너가 발견한 천연두 와친의.
jentender *tr.* 《*Méx.*》 entender의 사투리.
jeque[1] *m.* [*ár.* xech] (회교도의) 지사.
jeque[2] *m.* 《*Ar.*》 =**jaque.**
jera *f.* =**regalo.**
jerapellina *f.* 헌옷, 누더기.
jerarca *m.* 교주, 교단장 ; 고승.
jerarquía *f.* ① (조직체의) 계급 ; 직계(職階) ; 계급 제도·조직 : ~ militar 군의 계급. ② 상류 계급 : persona de ~ 상류 사회의 사람.
jerárquicamente *adv.* 계급적으로.
jerárquico, ca *adj.* 계급 (제도)의, 계급에 의한 : obedecer al superior ~.
jerarquizar *tr.* ⑨ (…으로) 계급을 두다, 직계를 정하다, 등급(clase)을 매기다 : sociedades muy *jerarquizadas* 계급이 뚜렷한 사회.
jerbo *m.* 【동물】 날쥐.
jeremiada *f.* 눈물을 짤 일, 호들갑스럽게 슬퍼하는 일.
jeremías *m.f.* 【단·복수 동형】 징징 짜는 사람.
Jeremías *m.* 【성서】 예레미야 《헤브루의 예언자》; (구약 성서의) 예레미야서(書).
jeremiquear *intr.* 《*Amér.*》 흐느끼다, 비탄·애탄하다 ; 조르다, 칭얼거리다.
jeremiqueo *m.* 《*Arg. Chile.*》 흐느낌 ; 끈덕진 부탁.
jerez *m.* 헤레스 (Jerez de la Frontera, Cádiz 주) 산의 백포도주, 셰리주(酒) : vino de ~ 셰리주.
jerezano, na *adj.* 헤레스 《Jerez, 스페인 남부에 있는 포도주의 명산지》의. —*m.f.* 헤레스인.
jerga[1] *f.* [*ár.* xerca] ① 올이 곱지 못한 모직물. ② 짚방석. ③ 《*Arg. Méx. Parag. Urug.*》 안장 받침.
jerga[2] *f.* ① 은어, 특수 용어 : ~ estudiantil 학생의 은어. ~ de periodistas 신문 기자의 특수 용어. ② 헛소리.
jergal *adj.* jerga의.
jergón *m.* ① 짚방석 ; 헐렁한 옷 ; 뚱뚱보. ② 【광물】 시르콘 《광석》.
jergueta *f. dim.* jerga.
jerguilla *f.* ① 비단 사지의 한 가지. ② 《*Chile.*》 소의 목덜미 살.
jeria *f.* 《*Méx.*》 feria의 사투리.
jeribeques *m.pl.* 찡그린 얼굴, 우거지상 : hacer ~*s* 얼굴을 찡그리다.
jericoplear *tr.* =**fastidiar, amolar.**
jerifalte *m.* =**gerifalte.**
jerife *m.* 마호멧의 딸 Fátima의 자손 ; 모로코왕 ; 메카의 시장·지사.
jerifiano, na *adj.* jerife의 ; 모로코 왕의 : su Majestad *Jerifiana* 모로코 왕 폐하.
jerigonza *f.* ① 은어 : hablar en ~ 은어를 써서 얘기하다. Ellos se hablaban en ~ (jerga) 그들은 은어로 말하곤 했다. ② 헛소리, 되지도 않는 소리, 망령된 소리 ; 야릇한 짓.
jerimquear *intr.* 《*Amér.*》 =**jirimequear, jemiquear.**
jeringa *f.* 주사기 ; 관장기 ; 압출기.
jeringación *f.* ① 주사 놓기, 관장. ② 노함, 화냄.
jeringador, ra *adj.* ① 주사 놓는 (사람) ② 화

내는 (사람).
jeringar *tr.* ⑧ ① 주사 놓다, 관장하다. ② 곤란하게 만들다, 성나게 만들다, 애먹이다.
jeringatorio *m.* 【속어】 주사 ; 관장.
jeringazo *m.* 관장 ; 주사 ; 관장액 ; 주사액.
jeringón, na *adj.* 《*Amér.*》 귀찮은(fastidioso).
jeringuear *tr.* 《*Chile.*》 싫증나게 만들다, 넌덜머리 나게 만들다, 귀찮게 하다 (jeringar, fastidiar).
jeringuero, ra *adj.m.f.* (환자에게) 관장을 실시하는 (사람).
jeringuilla *f.* 【식물】 산매화.
jerjén *m.* (남미산의) 모기 · 파리매의 무리 (jején).
jeroglífico, ca *adj.* 상형 문자의. —*m.* 상형 문자(의 각 문자).
jeronimiano, na *adj.* San Jerónimo의.
jerónimo, ma *adj.* San Jerónimo 《성서의 라틴역 Vulgata를 만들었다는 성인》의 ; 산 · 헤로니모파의. —*m.f.* 산 · 헤로니모파의 승려.
sin ~ de duda 《*Amér.*》 의심할 여지가 없이.
jerón.º Jerónimo.
jerosolimitano, na *adj.* 예루살렘 (Jerusalén)의 ; 팔레스타인의. —*m.f.* 예루살렘 사람.
jerpa *f.* (포도의) 허드레 덩굴.
jerrón *m.* 발이 2개인 꺽쇠 비슷한 기구.
jersey *m.* (털로 툭툭하게 짠 · 툭툭한 메리야스의) 셔츠, 스웨터, 브라우스, 짧은 웃옷 : el ~ negro de los fascistas 이탈리아 파시스트의 검은 셔츠.
jertas *f.pl.* 【은어】 =**orejas.**
Jerusalén 【지명】 예루살렘.
jeruza *f.* 《*AmérC.*》 감옥, 유치장.
Jesucristo *m.* 예수 그리스도. —*interj.* 놀라움을 표시하는 감탄사.
jesuita *adj.* 야소 · 야소회 · 예수회 《Compañía de Jesús, 1534년 Ignacio de Loyola가 창립한 구교의 일파》의. —*m.* 야소회 승려 · 교도 ; 위선자.
Jesuita *f. hip.* Jesús.
jesuítico, ca *adj.* 야소회의, 야소회적인.
jesuitina *adj.* 야소회 · 예수회의 수녀회 《1871년에 Salamanca에서 시작된 교육을 목적으로 한 수녀회》의. —*m.f.* 예수회의 여승 · 수녀.
jesuitismo *m.* 야소회파, 야소회 정신.
Jesús *m.* 【인명】 예수 (그리스도).
en un (decir) ~ 눈 깜짝할 사이에.
¡Jesús! *interj.* 놀람 · 슬픔 · 탄식 등을 나타내는 감탄사.
jesusear *intr.* 툭하면 ¡Jesús! 를 입밖에 내다.
jet *m.* 제트기(avión de reacción).
jeta *f.* ① 뾰족하게 내민 입 : poner ~ 화나서 입을 뾰족하게 내밀다. ② 얼굴, 면상, 상판. ③ (돼지 따위의) 콧등 ; (수도 등의) 꼭지(grifo).
estirar la ~ ① 《*Chile.*》 죽다. ② 《*Riopl.*》 언짢은 표정을 하다.
jetar *tr.* 【방언】 (물에) 녹이다.
jetear *intr.* 《*Arg.*》 기식하다.
jetón, na *adj.* ① =**jetudo.** ② 《*Chile.*》 우둔한, 어리석은(tonto).
jetudo, da *adj.* 입을 내민, 입이 뾰족한.
jgo. juego 일조(一組).
Jhs., JHS. Jesús, salvador de los hombres 인간의 구세주이신 예수.
ji *f.* 그리스 자모(字母)의 제 22번째 문자, 서반아어로 전입된 어휘에서는 c, qu로 표시됨 《예 : Caos, Aquiles》.
ni ji ni ja 《*Ant. Col.*》 인정 사정없이.
jíbaro, ra *adj.* 《*Amér.*》 시골의 : fiesta *jíbara* 《*SDgo.*》 말괄량이 같은. —*m.f.* ① 시골뜨기. ② 《*Hond.*》 키꺽다리. ③ 《*Méx.*》 어떤 종류의 혼혈아.
jibe *m.* 《*Cuba.*》 까부는 키 (tamiz) ; 해면(海綿).
jibeonita *f.* 【동물】 중미산의 작은 동물.
jibero *m.* 《*Chile.*》 오징어 낚시 바늘.
jibia *f.* ① 【동물】 오징어 : ~ seca 말린 오징어. ② 오징어의 껍질.
jibión *m.* 오징어 껍질 ; 깐따브리아산 오징어의 일종(calamar).
jibraltareño, ña *adj.* 지브롤터 (Jibraltar, Gibraltar)의. —*m.f.* 지브롤터 사람.
jícama *f.* 《*AmérC. Méx.*》 (먹을 수 있는 여러 가지의) 고구마, 알뿌리, 구근.
jicamo *m.* 《*SDgo.*》 가는 끈.
jicaque *adj.* 《*AmérC.*》 투박한.
jícara *f.* ① 초콜릿 컵. ② 《*Méx.*》 (박으로 만든) 색칠한 종제기 ; 대머리.
jicarazo *m.* jícara로 때리기 ; 독을 타기 : dar ~ 독을 타다 ; 조속히 처리하다.
jícaro *m.* 《*AmérC.*》 ① =**güira.** ② 종제기, 나무 주발.
jicarón, na *adj.* 《*CRica.*》 머리가 큰.
jichoso, sa *adj.* 《*Méx.*》 =**aplicado.**
jicote *m.* 【곤충】 (중미산의) 호박벌의 일종.
jicotea *f.* (꾸바산의) 담수 거북(hicotea).
jicotera *f.* 《*Amér.*》 jicote가 모이는 곳.
jiddisch *m.* =**yiddisch.**
jiennense *adj.m.f.* =**jaenés.**
jierra *f.* 《*Méx.*》 hierra(낙인)의 사투리.
jifa *f.* (도살한 짐승의) 썰고 남은 찌끼 고기.
jiferada *f.* 도살용의 칼로 자르기.
jifería *f.* 도살업, 도살장.
jifero, ra *adj.* 도살의 ; 더러운(sucio). —*m.* 도살자 ; 도살용 칼.
jifia *f.* 【어류】 세치 다래(pez espada).
jifosuro *adj.m.* =**xifosuro.**
jiga *f* 옛날의 빠른 춤.
jigote *m.* 요리한 양의 다리 ; 잘게 썬 살코기 요리 (gigote).
hacer ~ 가루로 만들다.
jigra *f.* 《*Col.*》 =**jíquera.**
jigua *f.* 《*Ant.*》 히구아나무 《가구용 목재》.
jiguagua *f.* 《*Cuba.*》 【어류】 (Antillas의) 식용 물고기.
jigüe *m.* 《*Cuba.*》 악마, 요정.
jigüera *f.* 《*Cuba.*》 호리병박나무 그릇.
jiguilete *m.* =**jiquilete.**
jija *f.* 《*Perú.*》 양의 털가죽을 입고 춤추는 시골 축제.
jijallar *m.* jijallo의 밭.
jijallo *m.* 【식물】 가시 금작화.
jijas *f.pl.* 【방언】 원기, 용기, 기운.
jijear *intr.* 《*Sal.*》 jijeo라고 외치다.
jijeo *m.* 【방언】 춤에서 마지막을 알리는 외침.
¡ji, ji, ji! *interj.* 히, 히, 히 ! (웃음 소리의 의성음).

jijón *m.* 《*Cuba.*》【식물】 마호가니의 일종.
jijona *f.* ①(서반아 Jijona 시에서 생산되는) 누가 과자. ② 밀의 일종.
jila *f.* 《*Perú.*》 기도사.
de ~ 《*SDgo.*》 서둘러.
irse a la ~ 《*Venez.*》 실패하다.
jilano *m.* 바보, 멍청이.
jilazo *m.* 바보, 멍청이.
jileco *m.* =**jaleco.**
jilguera *f.* 【조류】 jilguero의 암컷.
jilguero *m.* 【조류】 검은 방울새 : El ~ es un pajarito fácil de domesticar 분홍 방울새는 길들이기 쉬운 작은 새이다.
jilí *m.* 바보, 멍청이.
jilibioso, sa *adj.* 《*Chile.*》 불평이 많은 (사람), 툴툴거리기 잘하는 (사람); 차분하지 못한 (말).
jilmastre *m.* (포병에서 대포를 실은) 말을 끄는 병사·그 책임자.
jilorio *m.* 《*Can. Cuba.*》 =**agilorio.**
jilote *m.* 《*AmérC. Méx.*》 영글지 않은 옥수수.
jilotear *inttr.* 《*AmérC. Méx.*》 (옥수수가) 영글기 시작하다.
jimagua *adj.* 【남·여 동형】《*Méx.*》 쌍둥이의.
jimelga *f.* 돛대·가로 돛대 따위에 대는 부목(副木).
jimenzar *tr.* ⑨ 《*Ar.*》 (삼을) 뽑다.
jimerito *m.* 《*Hond.*》 작은 벌(abeja)의 일종.
jimia *f.* =**simia.**
jimio *m.* 원숭이(simio). —*adj.* =**simiesco.**
jimioso, sa *adj.* =**simesco**
jinda *f.* 【은어】 ① 두려움(miedo). ② 《*Cuba.*》 취기.
jindama *f.* 【은어】 =**jinda.**
jinebro *m.* 【고어】 =**enebro.**
jinestada *f.* 우유·쌀가루·향료 등으로 만든 소스의 일종.
jineta[1] *f.* [*ár.* charneit] 【동물】 ① (북 아프리카 산의) 사향고양이.
jineta[2] *f.* ① 경마용 말을 타는 법 : a la ~ 등자를 짧게 하여. ② 단창 《보병 대위의 기장》. ③ (옛날의) 목축세(稅).
jinetada *f.* ① 기수의 일. ② 기수의 무리.
jinetazo *adj.* 《*Amér.*》 승마를 잘 타는. —*m.f.* 승마의 명수.
jinete *m.* ① 기수, 창기병, ② [드뭄]기마병; 승마용 말.
jinetear *intr.* 말을 타고 다니다, 승마하다, 말을 타다 (andar a caballo). —*tr.* ① 《*Amér.*》 (야생말을) 길들이다 (domar). ② 《*Méx.*》 남의 돈을 빌어 쓰다.
~se 《*Col.*》 거만 떠느라고 몸을 뒤로 젖히다.
jineteario *m.* 《*Méx.*》 말 타는 솜씨가 서툰 사람.
jinglar *intr.* (그네 타듯이) 앞뒤로 흔들리다.
jingoísmo *m.* 시위적 강경 외교주의, 주전론(主戰論); 감정적 애국주의.
jingoísta *m.f.* 강경 외교주의자, 주전론자.
jínjol *m.* 대추 열매(azufaifa).
jinjolero *m.* 【식물】 대추나무(azufaifo).
jinotegano, na *adj.m.f.* 히노떼가 《Jinotega, Nicaragua에 있는 주·도시》의 (사람).
jinotepino, na *adj.m.f.* 히노떼뻬 《Jinotepe, Nicaragua에 있는 도시》의 (사람).
jiña *f.* 《*Chile.*》 작은 것, 쓸데없는 일(pizca).
jiñar *intr.* 복통이 누그러지다.
jiñicuite *m.* Honduras에서 나무 울타리로 쓰는 관목.
jiosco *m.* 《*Méx.*》 quiosco의 사투리.
jiote *m.* 《*AmérC. Méx.*》 버짐 《피부병》.
jiotoso, sa *adj.m.f.* 《*Méx.*》 버짐이 많은 (사람).
jip *m.* 지프 : A los pocos momentos llegó un ~ de la policía 잠시 있다가 경찰 지프차가 왔다.
jipa *f.* 《*Col.*》 파나마 모자.
jipar *intr.* 《*Amér.*》 hipar의 사투리.
jipatearse *r.* 《*Venez.*》 얼굴이 새파래지다; 주눅들다, 야코 죽다, 기를 못 펴다, 기가 꺾이다.
jipato, ta *adj.* ① 《*Amér.*》 창백한 (muy pálido). ② 《*Cuba.*》 맛이 없어진 (과일). ③ 《*CRica.*》 쓸모없는, 병약한. ④ 《*Chile.*》 간장병을 앓은. ⑤ 《*Guat.*》 취하는.
jipe *m.* 《*Méx. Perú.*》 파나마 모자.
Jipe 【지명】 히뻬 《에쿠아도르의 도시 이름》.
jipi *m.* 《*Cuba. Méx.*》 =**jipijapa.**
jipiar *intr.* =**hipar, gemir, gimotear.**
—*tr.* 신음 소리로 노래하다.
jipido *m.* jipiar 하기.
jipijapa *adj.m.f.* 히삐하빠 《Jipijapa, Ecuador에 있는 도시》의 (사람). —*f.* 파나마 모자의 재료에 쓰는 bombonaje의 섬유. —*m.* 파나마 모자.
jipucho, cha *adj.* 《*Venez.*》 안색이 창백한.
jíquera *f.* 《*Col.*》 등에 매는 가방.
jiquero *m.* 《*Col.*》 용설란으로 만든 자루·포대.
jiquilete *m.* 《*Cuba.*》【식물】 (서인도산의) 쪽나무.
jiquilite *m.* 《*Mex.*》 =**jiquilete.**
jíquima *f.* 《*Cuba. Méx.*》 =**jícama.**
jira *f.* ① 길쭉한 천 조각. ② 소풍, 야외놀이. ③ 순회, 여행 : ~ artística 연주 여행. ④ 유세 여행.
jirafa *f.* 【동물】 기린, 지라프 : La ~ tiene las patas traseras más cortas que las delanteras 기린의 뒷다리는 앞다리보다 짧다.
Jirafa *f.* 【천문】 대웅좌와 카시오페아좌 사이에 있는 북쪽 별자리.
jirapliega *f.* 하제(下劑).
jirasal *f.* 범례지(yaca)의 열매.
jirel *m.* 말의 궁둥이 덮개.
jíride *f.* 【식물】 붓꽃속 식물(efémero).
jirimiquear *intr.* 《*Amér.*》 흐느껴 울다.
jirimiquiento, ta *adj.* 《*AmérC.*》 흐느껴 우는.
jirocho, cha *adj.* 입수한, 획득한.
jirofina *f.* 양의 내장, 구운 빵 등으로 만든 소스.
jiroflé *m.* 【식물】 정자나무(giroflé).
jirón *m.* ① 덧대는 천; 옷의 찢어진 천 : hacer *jirones* 갈갈이 찢다. ② 작은 부분, 전체의 한 부분; 문장에서 세모꼴로 된 구획.
jironado, da *adj.* 갈갈이 찢어진; 덧 천·섶을 댄.
jirpear *tr.* (포도나무의) 주위에 도랑을 파다.
jisca *f.* 【식물】 =**carrizo.**
jiste *m.* 맥주의 거품.
jistra *f.* 【식물】 =**ameos.**
jit *m. ing.* 히트(golpe).

jitar *tr.* ①【고어】=**vomitar.** ②《*Ar.*》=**expulsar.**

jitomate *m.*《*Méx.*》【식물】붉은 토마토의 일종.

jo *m.*《*Méx.*》3센따보 화폐.

¡jo! *interj.* 워, 워! (하고 말을 세울 때의 소리) (iso!).

joajana *f.*《*Venez.*》두려움(miedo).

joaquino *adj.m.*《*Chile.*》큰 배의 일종; 그 배의.

job *m.* 참을성이 많고 고통을 잘 이겨내는 사람.

Job *m.*【성서】욥《헤브라이의 족장》; 욥기(記).

jobear *intr.*《*CRica.*》(자주 다니던 곳·학교에) 얼굴을 보이지 않다.

jobeo *m.*《*Perú.*》안마 치료.

jobero, ra *adj.*《*PRico.*》흰 얼룩점이 있는 (말). —*m.f.*《*PRico.*》학교를 게을리하는 아이. —*m.*《*Col.*》발진병의 일종.

jobo *m.* ①【식물】호보나무. ②《*Col.*》(정신병자 따위를 묶었던) 기둥; 단단한 통나무. *comer ~s*《*PRico.*》학교를 빠지다.

jocalias *f.pl.*《*Ar.*》교회의 보석·보물.

jocha *f.*《*Ecuad.*》토인의 축제에 내는 기부; 시중들기 : dar ~ 시중들다.

jochar *tr.*《*Col.*》놀려주다, 곯려 주다, 괴롭히다.

jochatero *m.*《*Bol.*》(정치적인) 우두머리, 보스, 왕초.

joche *m.*《*Bol.*》agutí의 이름중의 하나.

jochear *tr.*《*Bol.*》소를 몰다; 부추기다(azuzar).

jockey *m. ing.* 경마 기수. [*N.* 발음 : yoqui].

joco, ca *adj.*《*AmérC.*》시큼한. —*m.* ①《*Bol.*》호박. ②《*Col.*》구멍(hueco).

jocó *m.* [*pl.* jocoes]【동물】성성이, 오랑우탄 (orangután).

jocoatole *m.*《*Méx.*》호꼬아똘레《옥수수 가루와 우유로 만든 음료》.

jocoque *m.*《*Méx.*》시큼하게 한 우유《요구르트 따위》.

jocosamente *adv.* 명랑하게, 익살스럽게.

jocoserio, ria *adj.* 농담 반 진담 반의, 희비극적인 : una obra *~ria.* **Sinón.** tragicómico.

jocosidad *f.* 명랑함; 익살, 농담.

jocoso, sa *adj.* 익살스러운, 명랑한, 유쾌한 듯한; 우스꽝스러운(gracioso).

jocosúchil *m.*《*Méx.*》(따바스꼬의)후추.

jocotal *m.*《*AmérC.*》【식물】호꼬떼 매화나무.

jocote *m.*《*AmérC.*》호꼬떼 매화《열매》.

jocoyote *m.*《*Méx.*》막내(benjamín).

jocú *m.*【어류】호꾸《카리브해의 물고기》.

jocuma *f.* 호꾸마나무·재목《쿠바산의 가구용 재료》.

jocundidad *f.* 활달, 명랑함; 환희, 기쁨, 즐거움(alegría).

jocundo, da *adj.* 명랑한, 즐거운, 활달하고 명랑한, 떠들썩한, 기뻐 날뛰는, 즐거운 듯한 (alegre, agradable, plácido).

joda *f.* ①《*Col.*》골치 아픈 일. ②《*Ecuad.*》재난, 비참.

joder(se) *tr.*【속어】=**molestar, fastidiar.**

Joel *m.*【성서】요엘《기원전 5세기의 헤브루의 예언자》; (구약 성서의) 요엘서(書).

jofaina *f.* 세면기, 양철 대야(palangana).

jofor *m.* (아라비아인의) 예언(pronóstico).

jojana *f.*《*Venez.*》조롱하는 듯한 말투.

¡jo, jo, jo! =**¡ja, ja, ja!**

jojoto *m.*《*Venez.*》우유를 탄 연한 옥수수(maíz tierno con leche).

jojoto, ta *adj.* ①《*Ant.*》상처가 있는, 흠이 간. ②《*Venez.*》설익은, 미숙한.

joker *m. ing.* =**comodín.**

jola *f.*《*Méx.*》【속어】=**moneda, dinero.**

joles *m.pl.*《*AmérC.*》잔돈, 돈.

jolgorio *m.* 잔치, 잔치 소란(holgorio).

jolino, na *adj.*《*Méx.*》꼬리가 없는; 짧은.

jolito *m.* 쥐 죽은 듯이 조용함(calma). *en ~* 어처구니없이, 아슬아슬하게.

jollín *m.* 싸움, 소란 (gresca, jolgorio, alboroto, bullicio).

joloano, na *adj.* 홀로 군도《Joló, 필리핀의 일부》의. —*m.f.* 홀로 사람.

jolón *m.* ①《*Col.*》=**agujero, cueva.** ②《*Méx.*》벌통.

jolote *m.*《*AmérC. Méx.*》=**guajalote.**

joma *m.*《*Méx.*》곱사등이, 곱사(joroba).

jomado, da *adj.*《*Méx.*》=**jorobado.**

jomar *tr.*《*Méx.*》새우등처럼 구부리다, 구부러뜨리다.

Jonás *m.*【성서】요나《헤브루의 예언자, 고래에 먹혀 뱃속에서 3일을 보낸 인물》; (구약 성서의) 요나서(書).

Jonatás *m.*【성서】요나단《Saúl의 아들이며 David의 친구》.

jondear *tr.*《*AmérC.*》던지다, 떠밀다(tirar). **~se** ①《*Col. PRico.*》뛰어들다; 깊은 곳에 뛰어들다. ②《*Méx.*》겁먹다, 주춤하다, 주눅들다; 비밀을 털어놓다.

jondo *adj. cante ~* 안달루시아의 민요의 일종.

jónico, ca *adj.* 이오니아《Jonia, 고대 그리스의 한 지방》의·이오니아식의 : orden ~【건축】이오니아 기둥 양식. —*m.* ① 이오니아 방언. ②【시어】이오니아 각운 : ~ mayor 장장단단조. ~ menor 단단장장조.

jonio, nia *adj.m.f.* =**jónico.**

jonja *f.*《*Chile.*》놀려주기, 야유(burla).

jonjabar *tr.* ①【속어】(누구의) 비위를 맞추다. ②【은어】괴롭히다, 애먹이다, 걱정을 끼치다.

jonjabero, ra *adj.* 알랑거리는, 아첨하는.

jonjear *tr.*《*Chile.*》놀리다, 야유하다, 놀려주다.

jonjera *Chile.*》어리석은 일.

jonjero, ra *adj.*《*Chile.*》야유조의, 놀려주는 투의.

jonjolear *tr.*《*Col.*》응석을 받아주다.

J.O.N.S. Juntas de Ofensiva Sindica Lista 신디칼리스트 행동과 국민위원회《1931년 Ledesma Ramos가 창설한 서반아의 정치 조직》.

jonsismo *m.* ① J.O.N.S. 주의. ②【집합】J.O.N.S. 집단.

jonsista *adj.* J.O.N.S. 의·에 관한. —*m.f.* J.O.N.S. 파.

jonuco *m.*《*Méx.*》어두컴컴한 방.

joparse *m.*《*Ar. Rioja.*》도망치다, 물러나다, 달아나다, 뺑소니치다.

jopo *m.* ①【방언】갈대의 어린 이삭; (여우의) 탐스럽고 부드러운 꼬리. ②《*Arg. Bol.*》머리핀.

J

¡jopo! *interj.* 저리 가! (¡hopo!, ¡Fuera de aquí!) 《쫓아 낼 때의 감탄사》.
joquey *m.* =**yoquey.**
jora *f.* 《*AmérM.*》 치차술(chicha)을 만드는 데 쓰이는 옥수수.
jorcar *tr.* 7 《*Extr.*》 키로 까불다·치다(ahechar, aventar).
jorco *m.* 《*Extr.*》 민속춤, 민속 축제.
jordán *m.* 갱신·쇄신·청결한 것: 맑고 깨끗하게 하는 것: ir al ~ 젊어지다, 기운이 나다.
jordán *m.* 요단강 《그리스도가 세례를 받은 강》.
Jordania *f.* 【지명】 요르단.
jordano, na *adj.* 요르단의. —*m.f.* 요르단 사람.
jorfe *m.* 돌담; 절벽.
jorga *f.* 《*Ecuad.*》 불량배의 떼거리.
jorgolino *m.* =**jorglín.**
jorguín, na *m.f.* 요술사,
jorja 《*Méx.*》 맥고 모자.
jornada *f.* [*ital.* giornata] ① 일정(日程). ② 여정(旅程); 도정. ③ (1일분의) 노동, 노동 시간: una ~ **de ocho horas.** ④ 체류. ⑤ 행동 작전, 출격, 시합. ⑥ 일생, 생애. ⑦ (고대극의)막(acto). ⑧ (예정 내의) 하루 : la primera ~ 첫날. ⑨ 행사. ⑩ 기회(lance).
jornal *m.* ① 일급(日給): a ~ 일급으로. Aquí un peón gana un ~ de 300 pesetas 여기에서는 인부는 300뻬세따를 받는다. ② 임금; 날품팔이. ③ (지방에 따라 다르나) 지적의 단위.
jornalar *tr.* 일당·일급으로 하다(ajornalar).
jornalero, ra *m.f.* 날품팔이, 일급(日給) 노동자.
jornalización *f.* 장부에 기입.
jornalizar *tr.* 장부에 기입하다.
jornía *f.* 《*Sant.*》 부엌의 재털이.
joroba *f.* ① 곱사등, 곱사; 새우등(corcova). ② 귀찮은 일, 골치 아픔, 번거로움(molestia). ③ 《*Arg. Perú.*》 엎질러진 물.
jorobado, da *adj.* 곱사등의; 새우등의. —*m.f.* 곱사등이, 곱사. **Sinón.** corcovado, giboso.
jorobadura *f.* 골치 아프게 하는 일, 성가심, 귀찮음, 번거로움.
jorobar *tr.* 【속어】 애먹이다(gibar).
jorobeta *f.* =**jorobado.**
joronche *adj.* 《*Méx.*》 orondo의 사투리.
jorongo *m.* 《*Méx.*》 뒤집어쓰는 모포(poncho); 욧잇, 시트 커버(colcha).
joropo *m.* 《*Col. Venez.*》 호로뽀 춤.
jorrar *tr.* 어망을 끌다(arrastrar una red).
jorro *m.* 저인망(red de ~).
a ~ 【고어】 잡아당겨, 끌어(a remolque).
jorungar *tr.* 8 《*Venez.*》 넌더리나게·싫증나게 만들다.
jorungo, ga *adj.* ① 《*Cuba.*》 귀찮은. ② 《*Venez.*》 외지의, 타관의, 타향의, 외지에서 온 사람의, 외국의(extranjero).
josa *f.* (울타리가 없는) 과일밭, 포도밭.
josé *m.* 《*Guat.*》 원주민(을 부르는 말).
José *m.* ① 호세 《남자 이름》. ② 요셉 《Jacobo의 아들로서 헤브라이의 족장》. ③ 성모 마리아의 남편으로서 나사렛의 목수. ④ José de Arimatea 《그리스의 시체를 가져다가 자기네 묘지에 장사지낸 부유한 이스라엘 사람》.
Josecito *m. hip.* José.
josefinismo *m.* 절대 전제 정치 《오스트리아의 José II가 교권을 국가 권력 아래 넣으려던 정책》.
josefino, na *adj.m.f.* ① 호세(라는 이름의 사람)의. ② (종교 단체에 흔한 이름의) San José 종교 단체의 (사람). ③ José Napoleón 파의 (사람). ④ 《*Chile.*》 San José 노동 조합의 (조합원). ⑤ 《*Chile.*》 [경멸적으로] 신부의, 중의. ⑥ 산·호세《San José, Costa Rica에 있는 주·도시》의 (사람).
josefismo *m.* 오스트리아 황제 호세 2세에 의해 사용된 승려 개혁.
Joseíto *m. hip.* Jose.
jostra *f.* ① 《*León.*》 =**mancha.** ② 《*Ál.*》 가죽 안감 대기.
Josué *m.* 【성서】 여호수아 《이스라엘 민족의 지도자로서 모세의 후계자》; (구약 성서의) 여호수아기(記).
jota *f.* ① 서반아어 알파벳 j의 명칭. ② 아라곤·발렌시아·나바라의 호따 춤·곡. ③ 비름(bledo) 즙. ④ [부정어와 함께] 겨우, 전혀 …않음(nada): no entender·saber (una) ~ 아무 것도 모르다, 전혀 모르다. sin faltar (una) ~ 빠진 것 하나 없이. ⑤ 《*AmérM.*》 샌들, 가죽 짚신(ojota).
jote *m.* ① 《*AmérM.*》 【조류】 콘도르(aura). ② 《*Chile.*》 (네모난) 종이연.
joto, ta *adj.* 《*Méx.*》 여자 같은, 계집애 같은, 연약한(afeminado). —*m.* 《*Col.*》 가방.
joule *m.* 줄 《julio, 전기 에너지의 절대 단위, 10 milones de ergs》.
jovada *f.* 《*Ar.*》 한 쌍의 마소나 노새가 하루에 갈 수 있는 땅.
jovar *tr.* 【고어】 =**remolcar.**
Jove *m.* =**Júpiter.**
joven *adj.* [*pl.* jóvenes] [*lat.* juvenis] ① 젊은, 어린, 연소한. ② 최근 형성된: un volcán ~. —*m.f.* 청년, 젊은이, 처녀(mozo, moza).
jovenado *m.* 득도하려고 스승의 지도 밑에 있는 기간; 그 승려의 거실; 수업기.
jovenete *m.* =**jovenzuelo.**
jovenzuelo, la *adj.m.f. dim.* joven.
jovial *adj.* ① 쥬피터신(Júpiter, Jove)의. ② 명랑한, 활발한, 쾌활한(alegre, festivo).
jovialidad *f.* 명랑함, 활달함, 쾌활함.
jovialmente *adj.* 유쾌하게, 활발하게, 명랑하게, 쾌활하게.
joviano, na *adj.* 쥬피터(Júpiter)의.
joya *f.* ① 장신구, 보석 (따위의 하나)(alhaja): Ella tiene una afición extraordinaria a las ~*s* 그녀는 장신구에 특별한 취미를 가지고 있다. ② 귀중품, 보물, 소중한 것. ③ 답례. ④ 【건축】 미장(美粧) 도리. —*pl.* 혼수감으로 가져 가는 가구·의상.
joyante *adj.* 광택이 있는 (비단의 일종).
joyel *m.* 소형 장신구·보석.
joyelero *m.* 보석 상자·케이스.
joyera *f.* 보석 상자.
joyería *f.* ① 장신구상·공장; 보석상. ② [집합] 보석류: ~ de imitación 모조 보석.
joyero, ra *m.f.* ① 장신구 제조인, 보석상. ②

J

《AmérM.》 장식 업자, 미장 업자. —*m.* 장신구 상자, 보석 상자.
joyo *m.* 【식물】 독보리(cizaña).
joyolina *f.* 《Guat.》 지하 감옥.
joyón *m.* [*aum.* joyo] 크고, 보기 흉하고, 값어치 없는 보석.
joyosa *f.* 【은어】 칼.
joyuela *f.* *dim.* joya.
Jph. José.
¡ju! *interj.* 《AmérC.》 =**¡him!**
juagar *tr.* ⑧ 《Amér.》 맑은 물로 씻다・헹구다, 깨끗이 하다.
~se 《Amér.》 양치질하다.
juagarzo *m.* 【식물】 =**jaguarzo.**
juagaza *f.* 《Col.》 =**meloja.**
Juan *m.* ① 후안《남자 이름》. ②【성서】 사도 요한《요한 복음서 등의 저자》. ③(예수의 출현을 예언하고 세례를 준) 세례 요한. ④【은어】 헌금함.
~ ***Bimbas*** 《Venez.》 마음 약한 사람.
~ ***de Garona*** 이.
~ ***Diaz*** 맹꽁이 자물쇠.
~ ***Dorado*** 금화.
~ ***Español*** (상징적으로) 서반아 사람.
~ ***Lanas*** 의지가 약한 사람.
~ ***Machir*** 단도, 비수.
~ ***Palomo*** 쓸모없는 인간.
~ ***Platero*** 은화.
~ ***Soldado*** 서반아 군인.
Buen ~ 호인(好人).
don ~ don Juan Tenorio《Tirso de Molina의 작중 인물 이름에서, 여자의 정복자》.
juana *f.* ①《Col.》 덜렁이 여자. ②《Guat.》 경찰.
Juana *f.* 【인명】 후아나.
Juana de Arco 잔 다르크.
juanas *f.pl.* 장갑의 손가락 늘이는 기구.
juancagado *m.* 《AmérC.》 【조류】 부엉이의 일종.
juanchi *m.* 《AmérC.》 【동물】 살쾡이의 일종.
juanear *tr.* 《Arg.》 =**chasquear.**
juanero *m.* 【은어】 교회 헌금함 도둑.
juanes *m.* 트레드의 도공(刀工)의 이름 : la de ~ 보검, 명도(名刀).
juanete *m.* ① 불쑥 튀어나온 광대뼈 ; 엄지발가락의 튀어나온 뼈. ②【선박】 제2접장 돛. —*pl.* 《Col. Hond.》 허리(caderas).
juanetero *m.* juanete 조종 담당 선원.
juanetudo, da *adj.* 광대뼈가 튀어나온.
Juanilla *hip.* juana.
juanillo *m.* 《Chile. Perú.》 팁 ; 증회, 뇌물(soborno) ; (점포를 빌릴 때의) 권리금.
Juanillo *hip.* Juan.
Juanita *hip.* Juana.
Juanito *hip.* Juan.
juapao *m.* 《Venez.》 채찍질(varazo)
juarda *f.* (피륙의) 얼룩, 기름때.
juardoso, sa *adj.* 얼룩진 (피륙).
juay *m.* 《Méx.》 나이프(cuchillo).
juba *f.* =**aljuba.**
jubea *f.* (칠레산의) 야자의 일종.
jubete *m.* (옛날 서반아 병사의) 갑옷의 비늘.
jubetería *f.* jubete 가게.
jubetero *m.* jubete의 제조인・상인.
jubilación *f.* ①(은급이 붙은) 퇴직 ; 은급(恩給), 연금 : un funcionario en ~ 연금 생활을 하는 관리. ②《Perú.》 퇴직 연금. ③ 폐기. ④ 기쁨. —*pl.* 퇴직 수당.
jubilado, da *adj.* ① 퇴직한 ; 은급・연금을 받는. ②《Col.》 숙련된(experto) ; 성실한 ; 가엾은. —*m.f.* 은급・연금 수령자.
jubilar[1] *tr.* [*lat.* jubilare] ①(정년・병 따위로) 연금을 주어 퇴직시키다 : *Jubilaron* a aquel señor del empleo 저 사람은 정년 퇴직되었다. ②(의무・맡은 일에서) 면하다 : ~ a José del empleo 호세를 지위 해제시키다. ③(물건을) 폐기하다(desechar).
—*intr.* *(r.)* 기뻐하다(alegrarse) : *(Se) jubiló* al oir la noticia 그는 그 소식을 듣고 기뻐했다.
~se ① 퇴직하다 : El *se jubila* el año que viene 그는 내년에 정년 퇴직한다. ② 은급・연금을 받다. ③《Amér.》 배워 익히다 ; 못쓰게 되다 ; 게으름 부리다; 사보타주하다, 태업하다.
jubilar[2] *adj.* jubileo의.
jubileo *m.* ① 유태의 50년제(祭), 덕정(德政)의 해《요베르 안식의 해 ; 유태 민족이 Canaan에 들어간 해로부터 헤아려 50년마다의 해 ; 이 해에는 씨앗을 뿌리지 않고 곡식을 거두지 않고, 남의 손에 넘어간 것도 본래 소유자에게 사람의 손으로 돌아가며, 노예는 처자와 함께 자유의 몸이 되었음》. ② 50년간. ③(구교의) 대사(大赦) : ganar el ~ . ④ 야단법석; 사람들의 출입. ⑤ 금혼식, 금혼의 축하.
por ~ 오래간만에 한번.
júbilo *m.* [*lat.* jubilum] 환희, 커다란 기쁨, 희열(alegría viva) : El dio muestras del mayor ~ 그는 굉장히 기쁜 모습을 했다.
jubilosamente *adv.* 크게 기뻐하여.
jubiloso, sa *adj.* 크게 기뻐하는(muy alegre).
jubillo *m.* ①(Aragón 지방의) 밤 투우 놀이. ② 밤놀이용 투우.
jubo[1] 《Ar.》 =**yugo.**
jubo[2] *m.* 《Cuba.》 【동물】 작은 뱀.
jubón *m.* (옛날의) 조끼 : ~ de azotes 태형.
jubonero, ra *m.f.* jubón 제조자・판매자.
júcaro *m.* 【식물】 후까로나무《서인도 제도산의 사군자과의 교목, 단단한 나무》.
JUCEPLAN Junta Central de Planificación 《Cuba.》 중앙 기획청.
juco, ca *adj.* 《AmérC.》 맛이 시어진(joco).
—*m.* ①《Ecuad.》 갈대・대나무 따위의 줄기. ②《Col.》 피리의 일종.
Judá *m.* 【성서】 유다《Jacobo의 넷째 아들; 유다족의 시조》.
judaica *f.* (부적으로 쓰던) 성게의 가시.
judaico, ca *adj.* 유태인의 ; 유태인다운.
judaísmo *m.* 유대교, 유태교 ; 유태인 기질 : El ~ ha resistido la dispersión de raza judía 유태교는 유태 민족의 분산을 저지했다.
judaización *f.* 유태화.
judaizante *adj.* 유태화하는. —*m.* 비밀 유태교도《그리스도 교도를 가장했던 사람》.
judaizar *intr.* ⑨ 유태교를 믿다; 유태식 절을 하다.
judas *m.* ① 배반자. ②(성주간에 만들어 불사르는) 유태의 짚으로 만든 인형.
Judas *m.* ①【성서】 유다《 ~ Iscariote, 예수를

배반한 사도(使徒)》.

judeo *m.* 15세기 말엽에 서반아에서 추방된 유태인의 후손들이 현재 사용하고 있는 서반아어.

judeoespãnol, la *adj.m.* 서반아계 유태인의 (언어).

judería *f.* ① 유태인 구역 (barrio de los judíos). ② (옛날의) 유태인 세(稅).

judía *f.* 【식물】 강낭콩(fríjol).

judiada *f.* [집합] 유태인 ; 유태인적인 일 ; 배은망덕 ; 폭리.

judiar[1] *m.* 강낭콩밭.

judiar[2] *tr.* ⑫ 《*Riopl.*》 애먹이다, 괴롭히다.

judicación *f.* 【고어】 판단, 재판.

judicatura *f.* ① 사법권, 재판권. ② 사법관의 직(職)·임기. ③ 사법단, 사법부.

judicial *adj.* ① 사법의, 재판(상)의, 재판에 의한 : poder ～ 사법권. ② 판단력의 ; 비판적인, 공평한 : arbitrio ～ 정상.

judicialmente *adv.* 재판에 의해.

judiciario, ria *adj.* 점성술의. —*m.* 점성가.

judiciosamente *adv.* 【고어】 =**juiciosamente.**

judicioso, sa *adj.* 【고어】 =**juicioso.**

judihuelo, la *m.f. dim.* judío, judía.

judío, a *adj.* ① 유다족(Judá)의, 유다 왕국의. ② 유태(Judea)의. ③ 인색한, 욕심많은(avaro, usurero). —*m.f.* 유태인(hebreo, israel). —*m.* 강낭콩의 일종(judión).

judión *m.* 강낭콩의 한 변종(變種).

judo *m.* 유도(yudo).

judoka *m.f.* 유도 선수, 유도가(yudoca).

jueces *m.pl.* juez의 복수형.

juega jugar 직·현·3·단수.

juegan jugar의 직·현·3·복수.

juegas jugar의 직·현·2·단수.

juego[1] *m.* [*lat.* jocus] ① 희롱. ② 놀이, 유희 : ～ de ajedrez 장기 놀이. ～ de pelota 공놀이. campo de ～*s* 놀이터, 경기장. ③ 승부, 게임, 경기. ④ 도박 ; 카드 놀이 ; 투기 : ～ de Bolsa·especulación (증권) 투기. ⑤ 장치, 맞추기, 그 기능·작용 : ～ de las coyunturas 관절. ～ del gozne 경첩. ⑥ 짝 : ～ de hebillas 버클 한 쌍. ⑦ 도구의 한 벌, 세트 : ～ de café 커피 세트. ～ de muebles 가구 세트. ～ de documentos de embarque 선적 서류 일식(一式). ⑧ 번들거리는 윤기·무늬(visos) : ～ de aguas 변화하는 빛. ～ de luces 반짝이는 빛깔. ～ de las llamas 너울거리는 불꽃. ⑨ 경기장 : ～ de pelotas. ⑩ 도박장. ⑪ 교묘함(habilidad).
～ *de cambios·letras* 환어음. ～ *de compadres* 속임수, 서로 짜고 함. ～ *de cubiletes* 야바위. ～ *de entive* 노름, 도박. ～ *de manos* 손바닥으로 때리기 (놀이) ; 요술. ～ *de pasa* 요술. ～ *de prendas* 벌금 놀이. ～ *limpio* 페어 플레이. ～*s olímpicos* 올림픽 경기. *los Juegos Olímpicos de Invierno* 동계 올림픽 경기. *los Juegos Olímpicos de Verano* 하계 올림픽 경기. *los Juegos Olímpicos de Barcelona* 바로셀로나 올림픽 경기.
por ～ 장난으로, 농담으로.
entrar en el ～ 활동을 시작하다, 출동하다.
hacer ～ 꼭 맞다, 어울리다 : Estos dos cuadros no *hacen* ～ 이 두 그림은 어울리지 않는다.

juego[2] jugar의 직·현·1·단수.

juegozuelo *m. dim.* juego.

juegue jugar의 접·현·1·3·단수.

jueguen jugar의 접·현·3·복수.

juegues jugar의 접·현·2·단수.

juella *f.* 《*Méx.*》 huella의 사투리.

juera *f.* 《*Extr.*》 스파르트제의 키.

juerano, na *adj.m.f.* 《*Chile. Guat. Méx.*》 = **extranjero, forastero.**

juerga *f.* ① 대주연, 떠들썩한 큰 술잔치, 흥청거림. ② 【속어】 huelga의 사투리.

juerguista *adj.* 노래나 춤을 좋아하는, 놀기 좋아하는 (aficionado a divertirse). —*m.f.* 들떠 떠드는 사람.

juerte *adj.* 《*AmérC. Méx.*》 fuerte의 사투리.

juev. jueves.

jueves *m.* [*lat.* Jovis dies] 【단·복수 동형】 목요일(quinto día de la semana) : todos los ～ 목요일 마다, 매주 목요일.
～ *de comadres* 사육제의 끝에서 두 번째 목요일. ～ *de compadres* 사육제의 끝에서 세 번째 목요일. ～ *gordo* 사육제 전의 목요일. *J- Santo* 성주간(聖週間)의 목요일 《수난의 날의 전날》. *la semana de los tres* ～ 무기한(無期限).

juey *m.* 《*PRico.*》 욕심 많은 사람 : ～ dormido 위선자.

juez *m* [*lat.* judex] 재판관, 판사, 판관 ; 심판관, 심판, 판정자 ; 중재자 : A usted tomamos por ～ 중재를 해주십시오.
～ *arbitrador* 조정관, 중재 판사. ～ *árbitro* 지방 재판소 판사. ～ *de alzadas* 공소심 판사. ～ *de avenidor* 상사 중재 판사. ～ *de comercio* 상사 재판관. ～ *de línea* (축구 등의) 부심(副審). ～ *de palo* 무능한 판사. ～ *de paz* 치안 판사, 조정관. ～ *de raya* 《*AmérM.*》 경마의 심판.
el J- Supremo 신(Dios).

jueza *f.* 여자 재판관·판사·심판.

jugada *f.* ① (놀이나 도박에서의) 한판, 일국(一局), 한판의 승부 : en una ～ 단판에. ② 찬스, 호기, 좋은 기회. ③ 못된 흉계·기만.

jugadera *f* =**lanzadera.**

jugado, da *adj.* 《*Col. Méx.*》 습관된, 익숙한, 숙련된(experto).

jugador, ra *adj.* 노는. —*m.f.* 유희자, 경기자 ; 선수, 명수 ; 도박사, 노름꾼 : ～ de manos 요술사. ～ de ventaja 사기꾼.

jugante *adj.* =**jugador.**

jugar *intr.* ㉙ ① 놀다, 장난하다. ② 교태를 부리다. ③ [+a : …의] 경기를 하다, 놀다 : ～ *al* ajedrez 장기를 두다. ～ *a* la baraja 트럼프를 하다. ～ *al* dominó 도미노를 하다. ～ *a* los dados 주사위 놀이를 하다. ～ *al* naipe 트럼프를 하다. ～ *a* la comba 줄넘기를 하다. ～ *al* columpio 그네를 타다. ～ *a* la coxcojilla 돌던지기를 하다. ～ *a* ratón y *al* gato 고양이와 쥐놀이를 하다. ～ *al* baloncesto 농구를 하다. ～ *al* béisbol 야구를 하다. ～ *a* los bolos 볼링을 하다. ～ *al* fútbol 축구를 하다. ～ *al* golf 골프를 치다. ～ *al* tenis 테니스를 치다. ～ *al* escondite 숨바꼭질을 하다. ～ limpio 페어플레이하다. ④ 도박을 하다, 노름을 하다 : El *jugó* y perdió 그는 도박을 해서 잃었다. ⑤ 내기하다 : ～ a cara o cruz 동전을 던져 나온 앞뒤를 따라 어떤 일을 정하다. ⑥ 투기하다 : ～ *a* la Bolsa 투기하다. ～ *al* alza 값이 오를 것을 예상하

J

여 사들이다. ⑦ 실행하다, 장난치다 (travesear). ⑧ [+con : …을] 가지고 놀다, 놀리다, 우롱하다 (burlarse). ~ con un yo-yo 요요를 하다. ⑨ (기구·기계 등이) 잘 듣다, 움직이다, 일하다, 작용하다 (funcionar) : La puerta no *juega* 문은 움직이지 않는다. ⑩ (무기가 효과적으로) 쓰이다, 효과가 나타나다 : En la acción *jugó* la bayoneta 그 전투에서는 총검이 효과를 냈다. ⑪ 간섭하다 (intervenir) : José no *juega en* este asunto 호세는 이 문제에는 간섭하지 않는다. ⑫ 어울리다, 맞다 (hacer juego) : Este mueble no *juega* bien *con* el decorado 그 기구는 장식과 어울리지 않는다. ⑬《*AmérM.*》(맞지 않고) 안에서 덜컹거리다.
—*tr.* ① (놀이·경기·승부를) 하다, 하며 놀다. ② 내기를 걸다 (arriesgar) : Le *juego* 10 boletos al caballo 나는 저 말의 마권 10장을 산다. ~*se* la vida 긴장하다. ~ el todo *por* el todo 모든 것을 단 한번에 걸다. ③ (노름 같은 데서) 몽땅 털다, 잃다 : José *ha jugado* cuanto tenía 호세는 가진 것을 몽땅 다 털렸다. ④ (손발·도구·기계 등을) 쓰다, 사용하다, 움직이다, 다루다, 조종하다 (usar, manejar) : ~ el arma blanca 시퍼런 칼을 휘두르다. No *juega* la puerta 문이 움직이지 않는다. *Jugaba* bien la espada 그는 칼을 잘 다루었다. *Juega* mal el brazo derecho 그는 오른 팔을 잘 쓰지 못한다. ⑤《*Galic.*》(어떤 역을) 하다, 다하다 (desempeñar) : ~ un papel 어떤 역을 맡아하다. ⑥ [+con : …을] 비웃다 : No *juegues con* la muerte 죽음을 비웃지 마라. [직설법 현재 : juego, juegas, juega, jugamos, jugáis, juegan. 접속법 현재 : juegue, juegues, juegue, juguemos, juguéis, jueguen. 직·부정과거·1·단수 : jugué].

jugarreta *f.* 장난 ; 못된 흉계 : Le hizo una ~.

juglandáceo, a *adj.* 【식물】 =**juglándeo.**

juglándeo, a *adj.* 【식물】 호도과(胡挑科)의. —*f.pl.* 호도과 식물.

juglar *adj.* 재미나는, 우스운, 웃기는(chistoso). —*m.* (중세기의) 가수, 뜨내기 광대 ; 요술쟁이.

juglara *f.* =**juglaresa.**

juglarería *f.* [드뭄] =**juglería.**

juglaresa *f.* [juglar의 여성] 요술쟁이 여자.

juglaresco, ca *adj.* juglar의·같은.

juglaría *f.* =**juglería.**

juglería *f.* (중세기의) 가수·떠돌이 광대의 일·하는 짓.

jugo *m.* ① 즙 (zumo) : ~ de carne 고기즙. ~ de frutas 과일즙. ~ de limón 레몬즙. ~ de piña 파인애플즙. ~ de zanahoria 당근즙. sacar ~ 단물을 빨다. ② 액 : ~ gástrico 위액. ~ pancreático 취액. ③ 쥬스 : ~ de limón 레몬쥬스. ~ de naranja 오렌지 쥬스. ④ 수액(樹液). ⑤ 정(精), 정수(精髓).

jugosidad *f.* 다즙(多汁), 다즙질(質), 다액(多液) ; 자양의 풍부함(substancia).

jugoso, sa *adj.* ① 즙이 많은, 다즙질의, 물기가 많은. ② 유리한, 푸짐한, 수익성이 많은 (substancioso) : negocio ~ 수익성이 많은 사업. ③ 자양이 풍부한.

juguadora *f.*《*Amér.*》믹서.

juguete *m.* ① 완구, 장난감 : ~ de celuloide 셀룰로이드 완구. de ~ 장난감의, 장난감 같은. Las muñecas son los ~*s* preferidos de las niñas 인형은 소녀들이 좋아하는 장난감이다. ② 소희극(小喜劇).

juguetear *intr.* 장난질 하다, 희롱하다 : El niño *juguetea* con un perrillo 어린애가 강아지와 장난질을 한다.

jugueteo *m.* 장난, 까부는 일.

juguetería *f.* 완구점, 장난감 상점.

juguetero *m.* 장난감 놓은 선반 달린 작은 가구.

juguetón, na *adj.* 장난을 좋아하는, 까부는, 희롱하는 : llamas *juguetonas* 널름거리면서 타는 불꽃. El perro era muy ~ 그 개는 장난을 좋아했다. —*m.f.* 장난꾸러기.

juicio *m.* ① ㄱ) 판단 : ~ de valor 가치 판단. ㄴ) 판단력, 이성 : perder el ~ 이성을 잃다. no tener ~ 난폭해지다. formar ~ de …으로 생각하다. privarse de ~ 정신에 이상이 생기다 (volverse loco). ② 분별, 현명 (seso, cordura) : con ~ 현명하게. ③ 식별. ④ 제정신 : Ella no está en su cabal ~ 그녀는 건전한 정신 상태가 아니다 (건전한 판단을 할 수 없다). ⑤ 생각, 의견 (opinión) : a mi ~ 내 판단·의견으로는. A mi ~ no se puede confiarle 내 판단으로는 그를 신뢰할 수 없다. ⑥ 심리(審理) ; 심판, 판결, 시련 : ~ de Dios 신의 심판. ~ final·universal 【종교】 최후의 심판. el día de ~ 세상 종말의·최후의 심판의 날. ⑦ 재판, 소송 : pedir en ~ 소송하다, 고소하다. ~ arbitral 조정(調停) 재판.

juiciosamente *adv.* 현명하게, 생각이 깊게.

juicioso, sa *adj.* 분별있는, 현명한, 생각이 깊은.

juico, ca *adj.*《*AmérC.*》귀머거리의(sordo).

juigalpino, na *adj.m.f.* 후이갈빠《Juigalpa, Nicaragua에 있는 도시》의 (사람).

juil *m.* 【어류】 멕시코산 송어의 일종.

juila *f.*《*Méx.*》[*ing.* wheel] 차 ; 차바퀴.

jujeño, ña *adj.m.f.* ① 산·살바도르·데·후후이《San Salvador de Jujuy, Argentina에 있는 도시》의 (사람). ② 후후이《Jujuy, Argentina에 있는 주》의 (사람).

jujeo *m.*《*Sal.*》=**jijeo.**

¡jujujuy! *interj.* =**¡huy!**

jujure *m.*《*Venez.*》(상품 이름으로서) 면(綿) (algodón).

jul., Jul. julio.

julepe *m.* ① 물약. ② 꾸중, 질책, 벌 (castigo). ③《*AmérM.*》놀람 (susto) : Me dio un ~ 나는 놀랐다. ④ 무서움, 두려움(miedo). ⑤《*PRico.*》=**lío, desorden.** ⑥《*Méx.*》애씀, 고생 (trabajo) : dar un ~ 애먹이다.

julepear *tr.* ①《*Col.*》개척하다. ②《*Méx.*》괴롭히다, 애먹이다 (atormentar). ③《*Riopl.*》놀라게 하다.

Julián *m.* ① 훌리안《남자 이름》. ② 1세기 말의 Ceuta의 태수. ③ 아라비아인의 이베리아 반도 침입군을 도왔던 배반자의 표본.

juliana *f.* ① 잘게 썬 야채를 넣은 고기 수프. ② 【식물】 겨자과에 속하는 무.

juliano, na *adj.* 율리우스 (Julio César)의 : calendario ~ 율리우스력《J. César가 정한 구태양력(舊太陽曆)》.

julio[1] *m.* [*lat.* julius] ① 7월《약자 jul., Jul. ; Julio César이 탄생한 달로 그 이름에서 땄음》:

el 20 de ~ 7월 20《콜롬비아 독립 기념일 (Día de la Independencia)》.
julio² *m.*【전기】줄《전기 에너지의 실용 단위》.
Juln. Julián.
julo *m.* (가축떼의) 선두의 소·말 (따위).
Jul.º Julio.
julón *m.*《*Salv.*》주둥이가 좁은 그릇 (vasija de boca estrecha).
¡jum! *interj.*《*Amér.*》흥!《미심쩍거나 동의, 거부, 냉담, 욕심 따위를 나타내는 감탄사》.
juma *f.*《*And. Sant.*》=**jumera.**
jumaca *f.*《*Méx.*》국자.
jumar *tr.*《*Arg.*》=**fumar.**
jumarse *r.*《*Amér.*》【속어】=**emborracharse.**
jumasera *f.*《*Ant.*》=**jumasero.**
jumasero *m.*《*Ant.*》무럭무럭 나오는 연기.
jumatán *m.*《*Cuba.*》취하기.
jumazo *m.*《*PRico.*》【속어】여송연.
jumbo *m.* 거대한 수송기.
jumeado, da *adj.*《*Perú.*》술취한.
jumenta *f.*【동물】암당나귀.
jumental *adj.* 나귀의.
jumentil *adj.* =**jumental.**
jumentizarse *r.*《*Col.*》촌스러워지다, 거칠고 난폭해지다.
jumento, ta *m.f.* 나귀(asno, borrico). **—*m.***《*PRico.*》연기(humo).
jumera *f.*【속어】술에 취함(humera).
jumetrear *tr.*《*Bol.*》난처하게 만들다, 애를 먹이다, 괴롭히다.
jumo, ma *adj.*《*Amér.*》술취한 (borracho). **—*m.***《*Ant.*》취함.
¡jun! *interj.* 흥!《불신과 불쾌할 때의 감탄사》.
jun., Jun. junio, Junio.
junar *tr.*【은어】=**descubrir.**
juncáceo, a *adj.*【식물】=**júnceo.** **—*f.pl.***【식물】=**júnceas.**
juncada *f.* ① =**juncal.** ② 길쭉한 튀김.
juncal *adj.* ① 골풀의, 골풀 같은. ②《*And.*》나긋나긋한; 잘 생긴, 멋진 (guapo, bien parecido) : moza ~. **—*m.*** 골풀밭.
juncar *m.* =**juncal.**
júnceo, a *adj.*【식물】등심초·골풀과의 (식물). **—*f.pl.*** 골풀과 식물.
juncia *f.* ①【식물】사초. ②《*Guat.*》식사.
vender ~ 허세를 부리다.
juncial *m.* 사초밭.
junciana *f.*【속어】허세.
junciera *f.* 향초 그릇《풀이나 뿌리를 넣어 향을 내게 하는 단지》.
junciforme *adj.* junco 모양의.
juncino, na *adj.* 골풀로 만든, 골풀의.
junción *f.* =**juntura.**
junco¹ *m.* [*lat.* juncus] ①【식물】골풀, 등심초. ② 지팡이, 가느다란 지팡이 (bastón). ③《*Amér.*》【식물】수선.
~ ***de Indias*** 등 (rota).
~ ***oloroso*** 향기나는 등심초(esquenanto).
junco² *m.* [*chino.* chun] (중국·일본·동양의 다른 지역의) 정크《돛대가 세 개이고 밑이 평평한 범선》.
juncoso, sa *adj.* 골풀(junco) 같은, 골풀이 돋은.
jungla *f.* (열대 지방의) 밀림, 정글(selva).
junglada *f.* =**lebrada.**
juninese *adj.m.f.* 후닌《Junín, Perú에 있는 주》의 (사람).
junino, na *adj.m.f* 후닌《Junín, Argentina의 도시》의 (사람).
junio *m.* 6월(sexto mes del año).
júnior *adj. ing.* 손아래의, 연소한. **—*m.*** [*pl.* juniores] (승려에 딸려 있는) 사미승, 젊은 승려, 애숭이 승려.
juniorado *m.* (승려의) 수업기(修業期); 사미승들, 애숭이 신부들; 그 숙식소.
junípero *m.*【식물】노가주나무(enebro).
junker *m. alem.* [*pl.* junkers] ① 융커《독일의 귀공자》. ② 융커 당원《19세기 중엽의 프러시아의 보수적인 귀족 당원》. ③ 융커 전투기.
Juno *f.*【로마 신화】주노, 유노《Júpiter의 아내, 질투심이 많은 여자로 희랍 신화의 Hera》.
Jun.º Junio.
junquera *f.*【식물】골풀(junco).
junqueral *m.* =**juncar.**
junquillo *m.* ①【식물】황수선; 장다리 (rota). ②【건축】가느다란 사개. ③《*Cuba. PRico.*》부인용 금목걸이.
~ ***de noche***【식물】글라디올러스.
junta *f.* ① 회(會), 회의 : citar·convocar a ~ 의회를 소집하다. ~ de accionistas 주주 총회. ~ de acreedores 채권자 회의. ② 위원회 : ~ de educación 교육 위원회. ~ de Sanidad 위생국, 위생부. ~ directiva 중역회. *J-* Militar 군사 위원회. *J-* Nacional Electoral 선거 위원회. ③ 모임; 총체. ④ 연합, 결합. ⑤ 이음, 이음짬, 접합(juntura). ⑥《*Amér.*》냇물의 합류(점).
juntamente *adv.* ① 함께, 한데 어울려, 함께 하여 : Lo hice ~ *con* él 나는 그것을 그와 함께 했다. ② 동시에, 일시에 : Los dos bandos atacaron ~.
juntar *tr.* ① 함께 하다. ② 맞추다, 잇다, 연결시키다, 접합시키다 : El *juntó* los dos cordones eléctricos 그는 두 개의 전기 코드를 연결시켰다. ③ 기대어 놓다 : ~ la silla a la pared. Sinón. arrimar. ④ 소집하다, 회합시키다 : *Juntó* a los niños en el salón de actos. Sinón. congresar. ⑤ 모으다, 긁어 모으다 : El *juntó* todo el dinero 그는 돈을 전부 긁어 모았다. *Juntó* más de mil volúmenes 그는 천 권 이상을 모았다. Sinón. reunir. ⑥ (문을 꼭) 닫다.
~se ① 함께 되다; 모이다 : *Nos juntamos* delante de la biblioteca nacional 우리는 국립 도서관 앞에서 모였다. ② 한 덩어리가 되다; 회합·회동하다; 참가하다. ③ 교미하다, 교접하다.
juntera *f.* (널판지의 가장자리를 깎는 데 쓰는) 대패.
junterilla *f.* [*dim.* juntera] 작은 대패.
junto, ta *adj.* [juntar의 *p.p.*] ① 함께한; 밀접·접합한; 동봉한 : enviar *junta* una letra 어음을 동봉하여 보내다. ② 이어 맞춘, 이웃한 (unido, cercano). **—*adv.*** 함께; 곁에 (cerca); 밀접하게 붙어서; 동시에 (a la vez, al mismo tiempo) : Tocaban, cantaban y bailaban, todo ~ 그들은 악기를 연주하고, 노래하고 춤추는 것을 동시에 했었다.

~ *a* …옆에 : La escoba está ~ *a* la pared 빗자루는 벽 옆에 있다.
~ *con* …과 함께 (juntamente con).
en ~ 전체로, 합계하여, 전부해서 (en total) : Tenía *en* ~ dos pesetas 그는 전부해서 2뻬세따 가지고 있었다.
de por ~, *por* ~ 도매로, 대량으로 : Tengo *por* ~ el aceite y los garbanzos 나는 기름과 가르반소콩을 대량으로 가지고 있다.

juntorio *m.* (옛날의) 세금의 일종.
juntura *f.* ① 이음매, 접합점. ②【해부】접합부 ; 뼈의 연결·결합.
junza *f.* 《*Murc.*》 =**juncia.**
juñir *tr.* 《*Ar.*》 =**uncir.**
jupa *f.* 《*AmérC.*》 ① 호박으로 만든 그릇. ② 머리(cabeza).
jupiar *tr.* 《*AmérC.*》 ⑫ (개를) 발로 차 던지다 ; 꼬드기다 ; 왁자지껄 떠들어대다 ; 응원하다.
~se 《*AmérC.*》 취하다.
júpiter *m.* ①【광물】광석(estaño).
Júpiter *m.* ①【로마 신화】쥬피터신《신들의 우두머리로 하늘의 지배자, 희랍 신화의 Zeus》. ②【천문】목성.
jupiterano, na *adj.* 쥬피터(Júpiter)의.
jupón, na *adj.* 《*AmérC.*》 머리가 큰.
juque *m.* 《*AmérC.*》 원주민의 피리.
jura *f.* [jurar의 *p.p.*] ① 맹세(juramento). ② 선서식. ③《*Guat.*》 순경.
hacer ~ 《*Col.*》 분배하다.
jurado, da *adj.* 맹세·선서를 한 : intérprete ~. —*m.* ①【법률】배심회, 배심원 : ~ suplente 보결 배심원. ② (기술·콩쿠르 등의) 심사회, 심사원 ; 심의회 : ~ mixto (분쟁 해결을 위한) 노자(勞資) 혼합 협의회.
jurador, ra *adj.m.f.* 맹세 버릇이 있는 (사람) ; 선서자.
juraduría *f.* jurado의 직무.
juramentar *tr.* 맹세하다, 선서를 시키다·받다.
~se 선서·맹세하다, 마음에 다짐하다 : *Se juramentaron* para luchar contra el enemigo 그들은 적과 싸우기 위해 마음에 다짐했다. *Nos juramentamos* que tendremos las providencias necesarias 필요한 조치를 취하기로 맹세합니다.
juramento *m.* [*lat.* jurare] ① 맹세 : ~ falso 거짓 맹세. ② 선서 : declarar bajo ~ que …로 선서하다. hacer prestar ~ 맹세하게 하다. prestar ~ 선서하다. tomar ~ 선서를 받다. ③ 욕·저주(reniego) : proferir·soltar ~*s* 욕을 퍼붓다.
jurar *tr.* ① 맹세하다, 확언하다 : ~ decir la verdad 진실을 말할 것을 맹세하다. ~ en vano 헛된 맹세를 하다. ~ *sobre* los Evangelios 복음서에 걸어 맹세하다. *Juran* haberlo visto 그들은 그것을 보았노라고 확언하고 있다. Ella *juro por* Dios 그는 신에 걸고 맹세했다. ② 선서하다 : ~ en falso 거짓 선서하다.
—*intr.* ① 선서하다 : ¿Puedes ~me que no lo hiciste? 자네는 그것을 하지 않았다는 것을 나에게 선서할 수 있느냐? ② 악을 쓰다, 소리소리 치다.
jurársela(s) 복수·보복해 주겠노라고 맹세하다.
jurásico, ca *adj.*【지질】쥬라계(系)·기(紀)의 : período ~ 쥬라기(紀). —*m.* 쥬라기(紀).
juratoria *f.* (복음서의 말을 새겨 넣어, 이에 손을 얹어 선서했던) 선서판.
jurdano, na *adj.m.f.* 후르데스《Jurdes, Cáceres 주의 지방》의 (사람).
jurdía *f.* 어망의 일종.
jure (de) *adv. lat.* 법리상(法理上)(de derecho).
jurel *m.* ①【어류】전갱이. ②《*Cuba.*》 공포, 불안, 근심, 걱정(miedo). ③ 술취함.
jurero, ra *m.f.* 《*Chile. Ecuad. Perú.*》 (돈 때문에 하는) 거짓 선서자.
jurgina *f.* =**jurguina.**
jurguina *f.* =**jorguina.**
jurídicamente *adv.* 사법상, 법률상, 법률에 따라.
juridicidad *f.* 법률 존중.
jurídico, ca *adj.* 법률(상)의 : persona ~*ca* 법인(法人).
jurisconsulto *m.* 법률 학자, 법률가. **Sinón.** abogado.
jurisdicción *f.* ① 재판권, 사법권. ② 관할 (구역) : ~ de hasta tres millas 3마일까지의 관할 구역. ③ 권한 ; 지배.
jurisdiccional *adj.* 재판·사법권의 ; 관할의 : aguas ~*es* 영해(領海). mar ~ 영해.
jurispericia *f.* =**jurisprudencia.**
jurisperito *m.* 법률에 밝은 사람, 법학자.
jurisprudencia *f.* 법(률)학 ; 판례(判例).
jurisprudencial *adj.* jurisprudencia 의.
jurisprudente *m.* =**jurisperito.**
jurista *m.f.* 법학생, 법학자 ; 법률가《법관·변호사 따위》. **Sinón.** abogado, letrado.
juro *m.* ① 세습 소유권. ② (옛날의) 연금.
a ~ 《*Col. Venez.*》 필연적으로, 틀림없이 (de juro).
de ~ 틀림없이, 필연적으로.
de·por ~ *de heredad* 대대로 내려오며, 세습적으로.
jurón *m.* 《*Ecuad.*》 광주리.
¡jurrio! *interj.* 《*And.*》 =**¡Vaya!**
jurunera *f.* ① =**huronera, chiribitil.** ②《*Salv.*》 =**chifurnia.**
jurungo *m.* 《*Col.*》 =**extranjero, gitano.**
jurunguear *tr.* 《*Venez.*》 =**molestar.**
jurutungo *m.* 《*PRico.*》 먼 곳.
jury *m.fr.* =**jurado.**
jusbarba *f.*【식물】도금양《상록 관목》(brusco).
jusello *m.* 고기(carne), 미나리(perejil), 치즈(queso) 및 달걀(huevo)를 넣은 육즙.
jusi *m.* (필리핀의) 천의 일종.
jusmeso, sa *adj.* jusmeterse의 *p.p.*
jusmeterse *r.* 《*Ar.*》 =**someterse.**
justa *f.* (창으로 하는) 1대 1의 싸움 ; 기마전 ; 시합 ; 경기, 경연(競演), 경작(競作)(certamen) : ~ literaria【은어】사직, 경찰(justicia).
justador *m.* 1대 1의 투사, 시합자, 경기자.
justamente *adv.* ① 틀림없이, 정확히 (con exactitud) : Tiene ~ tu misma edad. ② 공정하게(con justicia). ③ 꼭 들어 맞게, 어김없이, 꼭 그대로 : ¿Quiere usted ver un programa de la televesión que ~ ahora se está trasmitiendo? 지금 막 방송되고 있는 텔레비전 프로를 보시겠

습니까? El vestido viene ~ al cuerpo 옷이 몸에 꼭 들어맞는다. ④ [긍정문에서 강조] *Justamente,* acabo de leerlo.

justar *intr.* 1대 1로 싸우다, 싸우다.

justear *intr.* =**justar.**

justedad *f.* =**justeza.**

justeza *f.* ① 정확함 : Emplea los adjetivos con ~ 그는 형용사를 정확히 사용한다. ② 적절, 타당성.

justicazo *m.* justicia의 직.

justicia *f.* [*lat.* justitia] ① 정의, 공정. ② 권리 (derecho). ③ 정당(한 이유) : pedir ~ 정당한 이유의 표명을 요구하다. ④ 정당한 판단, 재판 : hacer ~ 판단하다. Tribunal · Corte Internacional de *J*- 국제 사법 재판소. ⑤ 당연한 응보, 형벌 ; 사형(집행) : asistir a la ~. ⑥ [추상적] 법관 ; 사직, 경찰 ; 법무 장관 : Ministro de *J*- 법무 장관. ⑦ 법정.

en · según ~ 정당하게 : Procedieron *en* ~.

justiciable *adj.* 재판에 돌려야 할, 처벌해야 할.

justiciar *tr.* ⑪ 【고어】《*Amér.*》 사형시키다 (ajusticiar) ; 판결을 내리다(condenar).

justiciero, ra *adj.* 옳은, 정의감이 강한 ; 엄격한, 엄벌주의의.

justificable *adj.* 정당화할 수 있는, 그럴 법한, 지당한.

justificación *f.* [*lat.* justificatio] ① 정당화 ; 증명, 해명, 이유를 대기, 증거를 내세우기 ; 증거 (prueba) : ~ de la demora 지연에 대한 변명. ②【인쇄】(식자에서 행의) 정돈, 정판.

justificadamente *adv.* 올바르게, 정당하게.

justificado, da *adj.* ① 올바른, 정당한 : ~*das* razones 정당한 이유. ② 정직한.

justifcador, ra *adj.* =**justifcante.** —*m.* = **santificador.**

justificante *adj.* 정당한, 정당함을 인정하는, 입증하는. —*m.* 증거 서류 : ~ de caja 지불금 영수증.

justificar *tr.* ⑦ [*lat.* justificare] ① 옳다고 보다 ; 정당화하다, 정당하다고 인정하다 : Sus negocios *justifican* un emprésito de cincuenta mil wones 그의 영업 능력으로 보아 5만원의 신용 대부는 괜찮다. ② 이유를 붙이다, 이유를 들다 : ~ los gastos hechos 쓴 비용의 올바른 이유를 설명하다, 받은 영수증을 제출하다. ③ 증명 · 변명하다 : El abogado defensor *justificó* al reo 변호인은 피고를 변명했다. ④ 무죄로 하다, 무죄를 주장하다. ⑤【인쇄】(행간을) 조정하다. ⑥ (셈 · 계산을) 맞추다 : *Justificaron* cuentas.

~se 자기의 행위를 변명하다, 무고함을 증명하다 : ~*se con · para · para con* el superior *de* algún cargo 어떤 책임에 대해 상사에게 자신의 행위를 변명하다. *Se justificó* probando la coartada 그는 알리바이를 입증하면서 무고함을 증명했다.

justificativo, va *adj.* 증거가 되는, 변명이 되는 : documento ~ 증거 서류. piezas ~*vas* 증거 물건. Adujó un argumento ~ 그는 변명을 늘어놓았다.

justillo *m.* 조끼.

justinianeo, a *adj.* 유스티니아누스《Justiniano I, 동로마 황제(527-565), 법전 편집자》의 ; 유스티니아누스 법전의.

justipreciación *f.* 평가, 견적(valoración).

justipreciar *tr.* ⑪ (옳게) 평가하다 ; 견적하다, 어림셈하다(apreciar, valuar, tasar).

justiprecio *m.* 평가 ; 견적 (valoración).

justo, ta *adj.* [*lat.* justus] ① 옳은, 바른, 정당한, 공정한 : Creo que la decisión es *justa* 그 결정은 옳다고 생각한다. ② 정확한 (exacto) ; 틀림없이 맞는 : La corrida empezó a la hora *justa* 투우는 정시에 시작했다. Esta cuenta está *justa* 이 계산은 틀림없다. —*adv.* ① 올바르게, 공정하게, 당연하게. ② 정확히(exactamente) : ~ lo que te dije. ③ 꼭 맞게. ④ 빈궁하게, 궁핍하게 : vivir ~.

juta *f.* 《*Ecuad. Perú.*》【조류】집오리의 일종.

jute *m.* ①《*Guat. Hond.*》 연체류. ②《*Hond.*》【의학】복사뼈 궤양.

jutía *f.* 《*Ant.*》【동물】들쥐의 일종.

jutiapaneco, ca *adj.* 후띠아빠 《Jutiapa, Guatemala에 있는 주 · 도시》의 (사람).

juticalpense *adj.m.f.* 후띠깔빠《Juticalpa, Honduras의 도시 · 강》의 (사람).

juvada *f* 《*Ar.*》 =**jovada.**

juvenil *adj.* [*lat.* juvenlis] 청춘의, 젊은 ; 연소한 : Mi padre conserva un porte ~.

juventud *f.* ① 청춘, 청년 시절 : en mi ~ 내 젊은 시절에(cuando yo era joven). ② [집합] 청년, 젊은이 : la ~ de hoy. ③ (일의) 초기, 처음. ④ 힘, 활력.

juvia *f.*【식물】후비아나무, 아메리카산 밤《베네수엘라 원산으로 열매에서 기름을 채취함》.

juyaca *f.* 《*Bol.*》 (마찰에 의해) 불을 일으키는 도구 ; 부싯돌.

juyuyo, ya *adj.* 《*Cuba.*》 인간미가 없는, 매정한(huraño, arisco).

juzgado, da *adj.* juzgar의 *p.p.* —*m.* ① 재판관의 신분 · 합의. ② 재판소, 법정. ③ 재판소 관구.

J- de Hacienda 《*Salv.*》 회계 검사원.

juzgador, ra *adj.* 판정을 내리는. —*m.f.*【고어】=**juez.**

juzgamundos *m.f.* 【단 · 복수 동형】 욕쟁이 ; 남의 소문 퍼뜨리기 좋아하는 사람.

juzgante *adj.* 심판하는, 재판하는; 재정 · 판정하는; 판단 · 생각하는.

juzgar *tr.* ⑧ [*lat.* judicare] ① 심판하다, 재판하다 : No me gusta ~ los actos ajenos 타인의 행동을 심판하기가 싫다. ② 재정 · 판정하다 ; 판정 · 판결을 내리다 : *Juzgarán* a los reos inmediatamente 즉시 죄인의 재판이 있을 것이다. ③ (…라) 판단하다, 생각하다 : No me *juzgues* mal 나를 오해하지 말아라. El *juzga* que me equivoco 그는 내가 틀렸다고 판단하고 있다. *Juzgo* útil tu intervención 군의 중재가 유익하다고 생각한다. *Juzgo* que actuaron correctamente 그들이 올바르게 행동했다고 생각한다. **Sinón.** opinar. ④《*AmérC.*》 엿보다, 살피다, 정찰하다, 스파이 노릇을 하다(espiar, acechar). [직설법 부정과거 1인칭 단수 : juzgué. 접속법 현재 : juzgue, juzgues, juzgue, juzguemos, juzguéis, juzguen].

juzgón, na *adj.* 《*AmérC. Méx.*》 남을 헐뜯기 좋아하는, 남의 흉을 잘 잡아내는(criticón).

J

K

k *f.* 까《서반아어 자모의 열 두번째 문자 (duodécima letra del alfabeto castellano)》.

k. kilo 킬로그램.

ka *f.* k자의 명칭.

kabak *m.* (러시아의) 술집.

kabila *f.* =**caila**

Kabín *m.* 마호멧트 교도의 결혼.

Kabul 【지명】 카불《아프가니스탄의 수도》.

kachampa *f.* 까참빠《잉카제국에서 유래한 뻬루의 춤》.

kacharpari *m.* 《*Bol. Perú.*》 =**cacharpari.**

kafir *adj.m.f.* 카피르《중앙아시아의 인도아리안족》의 (사람). **—***m.* 카피르말.

kafkiano, na *adj.* 카프카《독일의 실존주의 작가 Franz Kafka, 1883−1924》적인·풍의.

kaguang *m.* =**caguna.**

kaid *m.* =**caíd.**

kaigis *m.* 《*Arg.*》 【어류】 상어의 일종.

kainita *f.* 카이니트석(石)《칼리샤리 염광, 비료의 원료》.

káiser *m.* 카이저《독일의 황제》.

kaiserina *f.* (독일의)황체 칭호.

kaiss *m.* 《*Arg.*》 =**kaigis.**

kakatoes *m.* =**cacatúa.**

kaki *m.* =**caqui.**

kaleidoscopio *m.* =**calidoscopio.**

kalmuco, ca *adj.m.f.* =**calmuco.**

kan *m.* 칸, 한(汗)《달탄, 몽고 또는 중앙아시아의 여러 나라의 통치자·군주; 징기스칸의 칸》(can).

kanato *m.* 칸 (kan)의 명칭·직위·영토.

kanguro *m.* 【동물】 캥거루(canguro).

kantele *m.* 【악기】 깐뗄레《핀란드에서 사용되는 하프 비슷한 악기》.

kantiano, na *adj.* 칸트의, 칸트파 철학의. **—** *m.f.* 칸트 철학자.

kantismo *m.* 칸트《독일의 철학자인 Manuel Kant, 1724−1804》철학.

kantista *m.f.* 칸트파의 철학자, 칸트학파의 사람.

kaolín *m.* 고령토, 도토, 자토(磁土) (caolín).

kapok *m.* 판야《열대산의 교목인 판야나무의 씨앗에 붙어 있는 솜; 주로 베개·이불속·구명대에 넣음》.

kappa *f.* =**cappa.**

karabao *m.* 【동물】 물소(carabao).

karagán *m.* 【동물】 달탄여우《중앙 아시아산의 작은 여우》.

karakul *m.* 무두질한 양의 뱃가죽.

karata(s) *m.* 【식물】 중미산 아나나스과에 속하는 식물; 그 열매를 limón de tierra라 함.

karate *m.* 당수(술).

karma *m.* 【불교】 업(業), 인연; 숙명, 인과 응보.

karst *m. alem.* =**carso.**

kárstico, ca *adj.* =**cársico.**

kaspichaqui *m.* 갈대 피리.

katiuska *f.* 고무 장화.

kava *f.* 【식물】 ① 까바《폴리네시아 산의후추 과에 속하는 관목》. ② 까바 뿌리로 빚은 술.

kayac *m.* =**kayak.**

kayak *m.* 카약《에스키모인들이 쓰는 가죽을 입힌 작은 배》.

Kc. Kilociclo.

kea *m.* 【조류】 께아《뉴질랜드산의 앵무새의 일종》.

kedive *m.* 이집트 부왕(副王)의 경칭.

kéfir *m.* (코카사스 지방의) 마유주(馬乳酒).

Kenia 【지명】 케냐.

kenio, nia *adj.m.f.* 케냐의 (사람).

kennediano, na *adj.* 케네디의.

kepis *m.* (불란서 장교의) 정모 (quepis).

keramohalita *f.* =**alumbrógeno**

keratina *f.* 각소(角素), 각질(角質)《모발 따위의 주성분》(queratina).

keratitis *f.* 【의학】 각막염.

keratosis *f.* (식물의) 표피의 각화(角化); 피부 각화증《굳는 살, 못 등》.

kermes *m.* (떡갈나무 같은 데에 꼬이는) 연지벌레; 그것으로 만든 염료 (quermes).

kermés *f.* =**quermés.**

kermese *f.* 화란 지방의 정기적인 시장·축제; 바자회 (quermese).

kero *m.* =**quero.**

kerosén *m.* =**querosén.**

kerosena *f.* 석유(querosín).

kerosene *m.* 《*Amér.*》 =**querosene.**

keroseno *m.* =**queroseno.**

kerosín *m.* 《*AmérC. Ecuad.*》 =**querosín.**

kg., Kg. kilogramo(s).

khedive *m* =**jedive.**

kibutz *m.* 키부츠《이스라엘의 집단농장》.

kili- *pref.* 「1000」을 의미하는 접두어.

kiliárea *f.* 1000 아르《약 10 정보》.

kilo *m.* kilogramo의 약어.

kilo- *pref.* 「1000」을 의미하는 접두어.

kilocaloría *f.* 킬로칼로리《1,000 칼로리》.

kilociclo *m.* 킬로사이클《주파수의 단위》.

kilográmetro *m.* 킬로그램미터《작업량의 단위, 1킬로그램의 무게를 1미터의 높이로 올리는 작업량》.

kilogramo *m.* 킬로그램.

kilohercio *m.* =**kilohertz**

kilohertz. *m.* 킬로 헤르츠《1,000 헤르츠》.

kilojoule *m.* 킬로주울《1,000 joule》.

kilojulio *m.* =**kilojoule.**

kilolitro *m.* 킬로리터.
kilometraje *m.* 킬로수(數), 주행 거리.
kilométrico, ca *adj.* 킬로미터의, 킬로미터로 계산하는 ; 수 킬로미터에 이르는 ; 길다란 : una novela ~*ca* 길게 끄는 소설.
kilómetro *m.* 킬로미터 : ~ cuadrado 평방킬로미터.
kilovatio *m.* 킬로 와트 《전력의 단위》 : ~ hora 킬로 와트시.
kilovolt *m.* 【전기】 킬로볼트.
kilovoltio *m.* 【전기】 =**kilovolt.**
kilowatt *m.* 【전기】 킬로와트.
kimono *m.* 기모노(quimono).
kina *f.* 키나 《Papua Nueva Guinea의 화폐단위》.
kincajú *m.* 【동물】 킨카쥬 (cusumbe).
kindergarten *m. alem.* 유치원 (jardín de la infancia).
kinescopio *m.* 키네스코프 《텔레비전 수상기의 일종》.
kinesiología *f.* =**quinesiología.**
kinesiológico, ca *adj.* =**quinesiológico.**
kinesiólogo, ga *m.f.* =**quinesiólogo.**
kinesiterapia *f.* =**quinesiterapia.**
kinesiterápico, ca *adj.* =**quinesiterápico.**
kinestesia *f.* =**quinestesia.**
kiosco *m.* ① 매점 ; 작은 가게, 구멍가게, 신문판매대 (quiosco). ② 작은 건물, 정자(亭子) : ~ de necesidad 공중 변소.
kip *m.* 낍 《라오스의 화폐단위》.
kirghis *adj.m.f.* =**quirguiz**
kirguiz *adj.m.f.* =**quirguiz**
kirial *m.* 연도집(連禱集).
kirie *m.* ① (미사 시작때 하는) 기도, 연도 《「주여, 가엾이 여기소서」의 기도문》. ② 장송의 노래 : llorar los ~*s.* 몹시 울다.
kirieleisón *m.* ① =**kirie**. ② 장송가 : cantar el ~ 동정을 애원하다.
kirsch *m. alem.* 앵두술 《버찌를 짜서 만듦》.
kismet *m.* 운명 (destino), 알라신의 뜻 (voluntad de Alá).
kiste *m.* 【의학】 낭종.
kitchenette *m. ing.* 간이 부엌.
kiwi *m.* 【조류】 끼위 《Nueva Zelanda에서 살며 날개가 없는 달리기 잘하는 새로 소형의 타조류임》.
kl., Kl. kilolitro.
klaxon *m. ing.* (자동차의) 전기 경적, 클랙슨 (claxon).
klistrón *m.* =**clistrón.**
km., Km. kilómetro.
knock - down *m. ing.* 【권투】 때려 눕힘, 녹다운.
knock - out *m. ing.* 【권투】 녹아우트 : ~ técnico 티케오.
knout *m.* =**knut**
knut *m.* (러시아의) 태형 도구 ; 태형(笞刑).
K.O. 케이오.
koala *m.* 【동물】 꼬알라 《새끼를 업고 다니는 곰》 (coala).
kobo *m.* 【동물】(남아프리가의 늪지에 사는)영양 (antílope)의 일종.
kodac *m.* 소형 카메라.
kodak *m.* =**kodac.**
koiné *m.* =**coiné.**
kola *f.* 【식물】 콜라나무 《서부 아프리카산 오동과의 교목》; 그 열매.
koljoz *m. ruso.* (소련의) 집단 농장, 콜호즈 (forma colectiva de explotación agraria).
kolma *m.* 【광물】 우라늄광.
kominform *f.* =**komintern.**
Komintern *m.* =**Comintern.**
komsomol *m.* 소련의 공산 청년 조직; 이 조직의 청년.
kopek *m.* 코펙 《러시아의 동전, 100분의 1루블》 (copec).
kopto, ta *adj.m.f.* =**copto.**
korán *m.* =**corán.**
k.p.h. kolómetros por hora : a 740 *k.p.h.* 시속 740 킬로로.
krausismo *m.* 크라우제 《독일의 철학자 Karl Krause, 1781−1832》 의 철학.
krausista *adj.* 크라우제 철학의. −*m.f.* 크라우제 철학 연구자.
kremlín *m.* 러시아의 도시의 위성(衛星), 내곽. *el K-* 크레믈린 궁전 ; 소련 정부.
Krisna *f.* 크리스나신 《인도 신화에서 목우(牧牛)의 신 ; 풍작·행복의 상징》.
ksar *m.* 아라비아인의 성곽.
kubba *m.* 아라비아인의 영묘(靈廟).
kubbeh *m.* =**kubba.**
kudú *m* 【동물】(귀가 넓고, 나선형 긴 뿔을 가진 아프리카의)영양(antílope)의 일종.
kulak *m.* (러시아의) 부농, 돈많은 농부.
kümmel *m. alem.* 퀴멜주(酒)(cúmel).
kuomintang *m.* 국민당 《1911년 손문이 결성한 중화민국의 정당》.
kurdo, da *adj.* 쿠르드 족 《서아시아 Kurdistan에 사는 호전적인 유목민》의. −*m.f.* 쿠르드 사람 (curdo).
kurus *m* 터키의 화폐 단위.
Kuwait 【지명】 쿠웨이트.
kuwaiteño, ña *adj.m.f.* 쿠웨이트의 (사람).
kv., k.w. kilovatio.
kwacha *f.* 끄와챠 《Malawi와 Zambia의 화폐단위》.
kwashiorkor *f.* 아프리카의 풍토병.
kyat *m.* 캬트 《Birmania의 화폐 단위》.

K

L

l *f.* ① 엘레 《서반아어 자모의 열세 번째 글자(decimotercera letra del abecedario castellano)》. ② [L] 로마 숫자로 50.

l. letra ; ley ; libro ; lira ; litro.

L/ letra ; licenciado.

£ libra(s) esterlina(s) 영국 파운드화.

la[1] *art.* [*lat.* illa] [정관사의 여성 단수형] : *La* risa es *la* sal de *la* vida 웃음이란 인생의 조미료이다. *La* experiencia es *la* madre de *la* sabiduría 경험은 지식의 어머니다.
—*pron.* [직접 목적 대명사 3인칭 여성 단수형 ; *pl.* las] 당신을, 그녀를, 그것을 : *La* miré 나는 그녀를 쳐다보았다. Juan *la* ama mucho 후안이 당신을 무척 사랑하고 있다. Córtal*as* 그것들을 잘라라.

la[2] *m.* [*pl.* las] 라 《음계의 제6음》.

La lantano.

l.ª letra 어음.

lábaro *m.* [*lat.* labarum] (로마의 콘스탄틴 대제 Constantino의 제왕기(旗) ; (카톨릭교의) 교기(教旗).

labe *f.* 얼룩, 반점(mancha).

label *m. ing.* =**etiqueta.**

labelo *m.* 【식물】 (난초과 식물의) 순형 화관, 입술꽃잎.

labeo *m.* [드뭄] =**labe.**

laberintero, ra *adj.* 《*Perú.*》 (사물을) 뒤얽히게 하는.

laberíntico, ca *adj.* ① 미궁의, 미궁 같은, 미로 같이 복잡한 : calles ~*cas.* ② 어지러워진, 착잡한(enmarañado, embrollado).

laberinto *m.* [*gr.* laburinthos] ① 미궁, 미로. ② 얽힘, 분규 (lío, embrollo). ③ 【해부】 (귀의) 와우각(渦牛殼), 달팽이관(管). ④ 《*Perú.*》 소동.

laberintodonte *m.* 화석화된 양서 동물 (anfibio fósil).

laberintoso, sa *adj.* 《*Méx. Perú.*》 말참견을 하는.

labia *f.* 【속어】 유창한 대화 ; 수다, 다변 : tener mucha ~ 수다스럽다.

labiado, da *adj.* 【식물】 순형과의. —*f.pl.* 순형과 식물.

labial *adj.* ① 입술(los labios)의, 입술 모양의 : lápiz ~ 입술 연지. músculos ~*es* 입술 근육. ② 【음성】 순음의, 입술음의 : letra ~ 입술로 발음하는 문자 《b, p》. sonido ~ 입술 소리.

labializar *tr.* 순음화하다 (dar carácter labial a un sonido).

labiérnago *m.* 【식물】 수랍목·쥐똥나무의 일종.

labihendido, da *adj.* 윗입술이 찢어져 있는, 언청이의(de labio partido).

lábil *adj.* ① 미끄러지기 쉬운 (resbaladizo). ② 약한 (débil), 깨지기 쉬운 (frágil). ③ 헤픈. ④ 【물리·화학】 변화를 일으키기 쉬운, 불안정한.

labilidad *f.* 불안정성.

labio *m.* [*lat.* labium] ① 입술 : ~ superior 윗입술. ~ inferior 아랫입술. ② 입술 모양으로 생긴 것. ③ 가장자리, 모서리(borde) : los ~*s* de la herida·de un vaso. ④ (말하는 기관으로서의) 입 : un ~ elocuente 능변. Su ~ enmudeció 그는 입을 다물었다. cerrar los ~*s* 입을 다물다(callar). leer en los ~s 독순술(讀脣術)로 이해하다, 시화(視話)하다.
~ *leporino* 언청이.
estar pendiente de los~s ***de*** uno (누구의) 말에 귀를 기울이다.
no despegar·descoser los ~s 말하지 않다.
no morderse los ~s 생각하고 있는 것을 분명히 말하다.

labiodental *adj.* 순치음의 : sonido ~ 순치음.

labiolectura *f.* 독순술, 시화(視話).

labionasal *adj.* 입술 문자 앞의 비음의.

labiosear *tr.* 《*AmérC.*》 알랑거리다.

labiosidad *f.* 《*AmérC. Ecuad.*》 알랑거림, 아부, 아첨.

labioso, sa *adj.* 《*AmérC. Ant. Ecuad. Méx.*》 말을 잘 둘러 붙이는, 알랑거리는.

lab.º laboratorio.

labor *f.* [*lat.* labor] ① 노동, 근로, 수고, 노력, 일, 업무 : ~ comerical 상업·무역 업무. No pone entusiasmo en su ~ 그는 자기 일에 열의를 보이지 않는다. Sinón. trabajo, obra. ② 농경, 경작, 밭갈이. ③ 【광산】 채굴, 채광. ④ 공작. ⑤ 세공, 수예 (~ de manos), 자수, 재봉(~ blanca). ⑥ 수예품 ; 수예 학교 : ir a la ~. ⑦ 벽돌이나 기왓장의 1000매 단위. ⑧ 누에알. ⑨ 《*AmérC.*》 밭.

laborable *adj.* 노동·일·경작·작업·세공할 수 있는 : tierra ~ 경작할 수 있는 토지. día ~ 근무일.

laboral *adj.* 《*Neol.*》 노동의 : derechos ~*es* 노동법. régimen ~ 노동 제도. universidad ~ 노동대학.

laborante *adj.* 공작을 꾸미는 ; 세공하는, 가공하는. —*m.* 이면 공작을 하는 사람, 획책가 ; 흑막.

laborar *tr.* ① 세공하다, 가공하다(labrar). ② 경작하다. —*intr.* ① 세공하다. ② (내면적인) 공작을 하다.

laboratorio *m.* 실험실, 시험소, 연구소, 연구실 : ~ de física.

laborear *tr.* ① (…에) 세공하다(laborar, labrar, trabajar). ② 채굴하다. —*intr.* 굴대의 줄이 미끄러지다.

laboreo *m.* ① 경작 (cultivo de la tierra). Sinón. labranza. ②【광물】채굴, 채광(labor, trabajo) : ~ de minas 광산의 채굴・채광.
laborera *adj.* 솜씨 있는, 수를 잘 놓는, 손재주가 있는 (여자).
laborero *m.* ①《*Bol. Chile. Perú.*》 광부 감독 (capataz de mineros). ② 제혁공.
laborío *m.* 일, 노동(labor, trabajo).
laboriosamente *adv.* 부지런히, 근면하게 (de modo laborioso).
laboriosidad *f.* 근면(성).
laborioso, sa *adj.* ① 근면한, 부지런한, 일하는(trabajador) : muchacho ~ 부지런한 소년. Sinón. diligente, trabajador. ② 힘드는, 어려운, 수고스러운 : ocupación *~sa* 힘드는 직업. Sinón. dificultoso, penoso, trabajoso.
laborismo *m.* (특히 영국의) 노동당 ; 노동당의 주의・정책.
laborista *adj.* 노동당의 : partido ~ 노동당, 노동당 정부. *—m.f.* 노동당원.
laborterapia *f.*【의학】(정신 병자의) 작업 요법.
labra *f.* 돌 세공 (acción de labrar la piedra) : ~ a escuadra 끌자국을 남기는 끝마무리.
labrada *f.* 휴경지.
labradero, ra *adj.* 경작에 적합한(labrantío), 경작할 수 있는(que se puede labrar) : tierra *~ra* 가경지.
labradío, a *adj.* =**labradero.**
labrado, da *adj.* ① 세공한 : seda *~da.* ② 경작한.
—m. ① 세공(細工)(labra). ② [주로 *pl.*] 경작지 (tierra cultivada), 밭.
labrador, ra *adj.* 경작하는 ; 농군의. *—m.f.* ① 경작자, 농부, 농군. ② (특히) 자작농. *—m.* ①《*Ant. Méx. Parag.*》 =**leñador.** ② =**labradorita.** ③【은어】손(mano).
labradoresco, ca *adj.* 농부의, 농부 같은.
labradoriego, ga *adj.* =**labradoresco.**
labradoril *adj.* =**labradoresco.**
labradorita *f.*【광물】조회장석(曹灰長石).
labrandera *f.* 수예가.
labrante *adj.* 경작하는. *—m.* 돌 세공하는 사람.
labrantín *m.* 가난뱅이 농부 (빈정거리는 뜻에서) ; 가난한 소작인.
labrantío, a *adj.* 밭의 ; 경작에 적합한 : campo ~ 경작에 적합한 밭. *—m.* 경작지, 밭.
labranza *f.* ① 경작 (cultivo del campo) ; 농사, 농업 (agricultura) : instrumentos de ~ 농기구. ② 밭, 논 ; 농경지, 농장(hacienda de campo) : ~ considerable. ③ [드묾] 일, 노동(labor, trabajo) ; 세공.
labrar *tr.* [*lat.* laborare] ① (…을) 손보다, 가공하다, 세공하다, 일하다 (trabajar) : ~ la madera 목재에 세공하다. ② 경작하다, 밭을 갈다 (arar) : útiles de ~ 농구(農具). Se dedicó a ~ su hacienda 그는 그의 농장을 경작하는데 전념했다. ③ (…에) 수를 놓다, 재봉하다. ④ 세우다, 건축하다 (edificar) ; 조각하다 : *Labraba* la piedra a cincel 그는 끌로 돌을 조각하고 있었다. ⑤ 만들다 ; 야기시키다(causar) : *Labraba* la felicidad de su amigo 그는 친구가 행복하도록 했었다.
—intr. 심하게 작용하다, 인상에 남다.
labrero, ra *adj.* 고기잡이용의 (어망).
labriego, ga *m.f.* 농군, 농부. Sinón. labrador.
labro *m.* [*lat.* labrum] ① (곤충의) 위턱(labio superior). ②【어류】가시지느러미가 있는 물고기.
labrusca *f.*【식물】(아메리카 원산의) 야생 포도나무의 일종.
laburno *m.*【식물】금작화(cítiso)의 이름 중의 하나.
laburo *m.*《*Arg.*》 =**trabajo.**
laca *f.* [*persa.* lak] ① 래커칠 : ~ con dibujos de oro 금을 입힌 그림. ~ en hojuelos 세라카. ② 칠기. ③ 연지 빛깔. Sinón. maque.
lacaya *f.*《*Bol.*》 천장이 없는 가옥.
lacayesco, ca *adj.* =**lacayuno.**
lacayil *adj. desp.* lacayuno.
lacayo *m.* ① 술병. ② 마부. ③ 하인, 제복을 입은 하인. ④ 부인복의 소매 끝에 늘어뜨리는 술.
lacayuelo *m. dim.* lacayo.
lacayuno, na *adj.* 하인・마부・졸병(lacayo)의, 마부・졸병 같은 : conducta *~na* 졸장부 같은 행동.
laceador *m.*《*Amér.*》 오랏줄을 던지는 사람.
lacear *tr.* ① (…에) 고리끈을 장식하다. ② 오랏줄로 묶다 (atar con lazos). ③《*Arg. Urug.*》 밧줄로 때리다 (golpear con el lazo). ④《*Chile.*》 오랏줄로 붙잡다. ⑤《*Guat. Méx.*》 (동물에) 짐을 묶다.
lacedemón *adj.m.f.* =**lacedemonio.**
lacedemonio, nia *adj.m.f.* 라세데모니아《Lacedemonia, 고대 그리스의 한 지방》의 (사람) ; 스파르타의 (사람).
lacena *f.*【방언・속어】=**alacena.**
laceración *f.* 상처를 입힘.
lacerado, da *adj.*【고어】① 불행한, 불운한 (infeliz, desgraciado). ② 천형병의. *—m.f.* 나병환자, 문둥이.
lacerante *adj* 손상시키는, 해치는 ; 애먹는, 고통 스러운.
lacerar *tr.* [*lat.* lacerare] ① 몸에 상처를 입히다. Sinón. herir, lesionar. ② 손상시키다, 해치다 : ~ la honra・la reputación 명예를 손상하다. ③《*Galic.*》 깨다, 썻다. *—intr.* 고통스러워하다, 애먹다.
laceria *f.* [*lat.* laceria] ① 빈곤, 빈궁, 가난, 비참 (pobreza, miseria). ② =**pena, molestia.** ③【고어】=**lepra.**
lacería *f.* ① [집합] 밧줄. ② 고리끈 장식.
lacerío *m.*《*Arg.*》 [집합] 밧줄 (lazos) ; 밧줄 장식(adorno de lazos).
lacerioso, sa *adj.* 가엾은 ; 불행한(infeliz).
lacero *m.* 밧줄을 던지는 사람 ; 밧줄로 사냥하는 사람.
lacértidos *m.pl.*【동물】도마뱀 무리.
lacertoso, sa *adj.* 건장한, 늠름한(musculoso).
lacetano, na *adj.* 라세따니아《la Lacetania, 서반아 Tarragona 지방의 옛 이름》의. *—m.f.* 라세따니아 사람. *—m.* 라세따니아말.
lacha *f.* ①【어류】멸치의 일종(haleche). ②《*And. Ar.*》 수치, 치욕 ; 면목(vergüenza, pundonor).

lachear *tr.* 《*Chile.*》 설득하다, 구슬리다(galantear).

lachiguana *f.* =**lechiguana.**

lacho, cha *adj.m.f.* 【속어】《*Chile. Perú.*》 사랑하는 (사람); 색마, 색광, 색정광.
a lo ~ 《*Chile.*》 (모자를) 삐딱하게 쓰고.

lacinia *f.* 【식물】 (잎·꽃잎의) 길게 갈라진 부분.

laciniado, da *adj.* 【식물】 길게 갈라진 (잎 따위).

lacio, cia *adj.* ① 시들은(marchito) : legumbre *lacia* 시들은 채소. ② 느슨해진, 풀린. ③ 힘이 없는, 쇠약해진(flojo). ④ 부드럽게 누은, 축 늘어진 (머리칼).

lacón *m.* 돼지의 무릎 윗부분.

lacón, na *adj.m.f.* =**laconio.**

lacónicamente *adv.* 간단 명료하게(de manera lacónica)

lacónico, ca *adj.* ① 간결한, 간단 명료한 (breve, conciso), 말수가 적은 : lenguaje ~ 간단 명료한 말. estilo ~ 간단 명료한 문체. Su respuesta fue ~*ca* 그의 대답은 간결했다. Contr. prolijo, locuaz. ② 라코니아의(laconio).

laconio, nia *adj.* 라코니아 《Laconia, 고대 그리스의 한 지방》의. —*m.f.* 라코니아 사람.

laconismo *m.* 간결, 간결한 표현·말씨 : el ~ telegráfico. Contr. prolijidad.

lacra *f.* ① 흔적, 흠, 흉; 상처(defecto) ② 《*Arg. PRico.*》 부스럼. ③ 《*Venez.*》 농양(llaga).

lacrar *tr.* ① 병에 걸리게 하다. ② 흠이 가게 하다. ③ 해치다, 손해를 끼치다. ④ 밀랍으로 봉하다.
~se 병들다 : ~*se con* el trabajo excesivo 지나치게 일하여 병에 걸리다.

lacre *m.* ① 밀랍으로 봉하기. ② 분홍 빛깔. —*adj.* 《*Amér.*》 분홍 빛깔의(rojo).

lácrima *f.* 【고어】 =**lágrima.**

lácrima cristi *m.* (이탈리아의) 포도주의 일종.

lacrimal *adj.* 눈물의(lagrimal) : secreción ~ 눈물의 분비.

lacrimar *intr.* 【고어】 울다, 탄식하다(llorar).

lacrimatorio, ria *adj.* ① 눈물의 : urna ~*ria* 눈물 단지. ② 최루의. —*m.* 라끄리마또리오 : Los ~*s* eran en realidad vasos para perfumes 라끄리마또리오는 실은 향수병이었다.

lacrimógeno, na *adj.* 최루의 : gas ~ 최루 가스.

lacrimosamente *adv.* 눈물을 흘리며, 눈물을 머금고.

lacrimosidad *f.* 눈물을 흘림.

lacrimoso, sa *adj.* 눈물을 흘리는; 눈물이 흔한; 가엾은 : con voz ~*sa* 목메인 소리로.

lactación *f.* ① 수유(기), 포유 : ~ mixta. ② 유즙 분비(乳汁分秘).

lactancia *f.* ① 《*Neol.*》 =**lactación** : ~ artificial 인공 수유. ② 수유기(período de lactancia).

lactante *adj.* 수유기(período de lactancia)의. —*m.f.* 젖먹이, 유아, 영아.

lactar *tr.* 젖먹이다, 젖을 먹여 키우다 (amamantar, criar con leche). —*intr.* 젖을 먹이다 : el niño que está *lactando* 젖먹이.

lactario, ria *adj.* =**lácteo.** —*m.* 버섯 (hongo) : Los ~*s* que tienen zumo picante son en general venenoso 매운 즙이 나오는 버섯은 일반적으로 독이 있다.

lactato *m.* 【화학】 유산염(乳酸鹽).

lacteado, da *adj.* =**lácteo.**

lácteo, a *adj.* [*lat.* lacteus] 젖의; 젖같은 : líquido ~ 젖같이 묽은 액체. pruducto ~ 유제품(乳製品).
Vía Láctea 은하, 은하수.

lactescencia *f.* 유즙질(乳汁質).

lactescente *adj.* 유즙질의, 유즙 같은 : líquido ~ 유즙질 액체.

lacticíneo, a *adj.* [드뭄] =**lácteo.**

lacticinio *m.* 우유를 넣은 음식.

lacticinoso, sa *adj.* =**lácteo.**

láctico, ca *adj.* 【화학】 유산의 : ácido ~ 유산.

lactífero, ra *adj.* 젖이 도는 : conducto ~ 유관.

lactina *f.* 【화학】 락토오스, 젖당, 유당.

lactocario *m.* 【화학】 락토카륨 《진정제, 최면제》.

lactodensímetro *m.* 검유기(galactómetro).

lactolina *f.* 【화학】 농축 우유(leche concentrada).

lactómetro *m.* 검유기(galactómetro).

lactosa *f.* 【화학】 락토오스, 젖당, 유당(lactina).

lactoscopio *m* 우유 농도계.

lactucario *m.* 락투카륨, 상추즙.

lactumen *m.* 【의학】 유아 발진.

lacunario *m.* 【건축】 (고대 로마의) 격천장; 격천장의 체경판(lagunar).

lacustre *adj.* ① 호수의, 호반의 : cuenca ~ 호반의 분지. región ~ 호수 지역. ② 호수에 생기는·사는 : planta ~ 호수에서 자라는 식물. ③ 호수에서 가까운 : aldea ~ 호수에서 가까운 마을.

lada *f.* 【식물】 =**jara.**

ládano *m.* lada의 수액(una resina que se extrae de la jara).

ladeada *f.* ① 《*Arg.*》 추잡스러운 여자; 뻔뻔스러운 여자. ② 《*Col. Chile.*》 기울어짐.

ladeado, da *adj.* 한 쪽으로만 기운·향한 : El cuadro está ~.

ladeamiento *m.* =**ladeo.**

ladear *tr.* 기울리다, 기울게 하다, 경사지게 하다 (inclinar hacia un lado) : *Ladeó* el cuerpo hacia la derecha 나는 몸을 오른쪽으로 기울였다. —*intr.* ① 기울다. ② 한 쪽으로 가다 : *Ladeo por* un bosque 나는 숲의 한 쪽을 따라 간다. ③ 벗어나다, 한 쪽으로 치우치다.
~se ① [+a : …에] 관심이 한 쪽으로 쏠리다, 기울다 : *Se ladeó* al partido contrario 반대당 쪽으로 기울었다. ② [+con : …과] 동등하다, 어깨를 나란히 하다 : *Se ladea con* un compañero 그는 동료와 어깨를 나란히 했다. ③ 《*Col. Chile.*》 반하다, 사랑하다.

ladeo *m.* 기울림, 경사; 한 쪽으로 치우침.

ladera *f.* 산비탈, 산기슭.

ladería *f.* 작은 고원·평원 (meseta o llanura pequeña).

ladero, ra *adj.* ① 옆쪽의(lateral). ② 《*Amér.*》 (마차를) 오른쪽에서 끄는 (말).

ladi *f. ing.* 부인, …부인·여사.

ladierno *m.* 【식물】 털가매나무(aladierno).

ladilla *f.* ①【동물】 찰거머리 : pegarse como ~ 찰거머리처럼 떨어지지 않다. ②【식물】 대맥, 보리(cebada ~).

ladillo *m.* ①(인쇄물의 가로로 내용을 표시하기 위한) 표제, 방서 ; (차량 문짝의) 안쪽 거울판(panel interior).

ladinamente *adv.* 교활하게, 앙큼하게.

ladino, na *adj.m.f.* ① 라틴어・서반아어를 해득하는 (아라비아 사람) ; 외국어 회화를 할 수 있는. ② 교활한, 간사한, 앙큼한 (astuto, sagaz). ③《*Amér.*》 서반아어를 이해하는 (원주민). ④《*AmérC.*》 서반아 사람과 원주민과의 (혼혈아). ⑤《*Cuba.*》 교양 있는 (아프리카 원주민). ⑥《*Méx.*》 혼혈의 (원주민). ⑦《*Méx.*》 꽥꽥 거리는 (목소리) : voz *~na*. ⑧《*Col. SDgo.*》 수다스러운. **—*m.*** ① 라틴어 《스위스 동남부의 라틴계 방언》. ② 서반아계 유태말.

lado *m.* [*lat.* latus] ① ㄱ) 옆, 곁, 옆구리 : a ambos *~s* 양쪽에, a mi ~ derecho 내 우측에. por el ~ del mar 해안 쪽에서. El se sentó a mi ~ 그는 내 옆에 앉았다. La estación está al ~ derecho de la calle 정거장은 거리 오른쪽에 있다. Los hijos se colocaron a ambos *~s* de la cama del enfermo padre 자식들은 병든 아버지의 침대 양측에 있었다. ㄴ) 한 쪽 : a un ~ 한 쪽으로. ② 옆구리 (costado) : Tengo un dolor en el ~ derecho 나는 오른쪽 옆구리가 아프다. ③ ㄱ) (각의) 변 : los tres *~s* de un triángulo 삼각형의 3변. ㄴ) 측면 : Se quemó todo un ~ de la iglesia 교회의 측면이 모두 타버렸다. ㄷ) 면(aspecto) : un ~ nuevo del asunto. ④ ㄱ) 곳, 장소 : por todos *~s* 모든 곳에, 사방 팔방에서. ㄴ) 자리 (sitio, lugar) : Haz ~ 비키세요. **—*pl.*** 측근(자), 옹호자 ; 아군, 편 : El ministro tiene buenos *~s* 장관은 좋은 상담 측근을 가지고 있다.

~ a ~ 나란히, 병행하여 : Trabajaron *~ a ~* 그들은 나란히 일했다.

~flaco 약점(punto débil).

al ~ 옆에 : la ventanilla de *al ~* 옆 창구.

al ~ de ① …의 쪽에 ; …의 옆에 : Su casa está *al ~ de* la iglesia 그의 집은 교회 옆에 있다. ② …에 비하면.

al otro ~ (de) (…의) 맞은 편에, 건너 편에.

de ~ 부수적으로 ; 한편으로, 옆에서 : Ella me miró *de ~* 그녀는 나를 옆에서 보았다.

de un ~ a otro 여기저기에.

por otro ~ 더우기, 게다가(además).

dar de ~ a (누구를) 경원하다.

dejar a un ~ 비켜 두다 ; 말을 빠뜨리다.

echarse・hacerse a un ~ =apartar.

echarse la de ~ 《*Méx.*》 우쭐해지다.

hacerse a un ~ 몸을 피하다.

mirar de ~ 경멸해서 바라보다.

ladón *m.* 【식물】 =**jara.**

ladra *f.* 개가 짖음(acción de ladrar).

ladrador, ra *adj.* (잘) 짖는 (개).

Perro ~, poco mordedor 【속담】 말수가 없는 자를 경계하라.

ladral *m* 《*Ast. Sant.*》 =**adral.**

ladrante *adj.* =**ladrador.**

ladrar *intr.* ① (개가) 짖다 (dar ladridos) : un perro que *ladra* mucho 많이 짖는 개. ~ a la luna 달을 보고 짖다. Aquel perro *ladraba* toda la noche 저 개는 밤새도록 짖고 있었다. ② 공격 없이 위협하다, 겁을 주다, 으름장을 놓다. ③ 모욕하다(insultar). ④ 비난하다(criticar).

Hoy está que ladra 오늘은 기분이 무척 나쁘다.

ladrería *f.* 《*Galic.*》 =**lepra.**

ladrido *m.* ① (개의) 짖는 소리(voz del perro) : dar *~s* furiosos. ② 비평(crítica) ; 중상, 모략(calumnia) ; 비난(censura).

ladrillado, da *adj.* [ladrillar의 *p.p.*] 벽돌을 깐. **—*m.*** 벽돌 포장.

ladrillador *m.* =**enladrillador.**

ladrillar[1] *m.* 기와・벽돌 공장.

ladrillar[2] *tr.* (…에) 벽돌을 쌓다・깔다(enladrillar los suelos).

ladrillazo *m.* 벽돌로 때리기・부딪치기.

ladrillejo *m. dim.* ladrillo.

ladrillera *f.* 벽돌 굽는 틀 (molde para hacer los ladrillos).

ladrillero, ra *m.f.* 벽돌 제조인・상인.

ladrillo *m.* [*lat.* laterculus] ① 벽돌, 화장 벽돌 : ~ azulejo 화장 벽돌, 타일. ~ de fuego, ~ refractorio 내화 벽돌. ② 장방형의 물건, 벽돌 모양으로 생긴 것 : ~ de chocolate. ③【은어】 도둑(ladrón). ④《*And.*》 세숫대야.

ladrilloso, sa *adj.* 벽돌의 ; 벽돌 같은.

ladrón, na *adj.* [*lat.* latro, latronis] 도둑의, 훔치는. **—*m.f.*** 도둑, 도적 : ~ cuatrero 가축 도적. Hasta ahora no han sido capturados los *ladrones* 도둑들은 아직 잡히지 않았다. **—*m.*** 용수로의 작은 수문 ; 훔치는 곳, 도둑의 통로 ; (인쇄의) 먼지.

~ de corazones 무정한 사람, 멋진 호남자.

el buen y el mal ~ =los malhechores.

ladronamente *adv.* 살그머니, 은밀하게.

ladroncillo *m* [*dim.* ladrón] 좀도둑.

ladronear *intr.* 도적질해서 살다, 도둑질하면서 다니다(andar robando).

ladronera *f.* ① 도적의 소굴 ; 도둑의 통로 ; 용수로의 작은 수문 ; 훔치는 곳. ② 도둑질, 도벽. ③ 저금통. ④ =**matacán.**

ladronería *f.* 도둑질, 도벽(robo).

ladronerío *m.* 《*Arg. Guat.*》 도둑떼 ; 도벽.

ladronesca *f.* [집합] 도둑.

ladronesco, ca *adj.* 도둑의(de los ladrones).

ladronía *f.* 【고어】 =**latrocinio.**

ladronicio *m.* ① 도둑질, 도벽(latrocinio). ②《*Ecuad.*》 도둑들이 숨는 곳.

ladronzuelo, la *m.f.* [*dim.* ladrón] 좀도둑 ; 소매치기(ratero).

lady *f. ing.* [*pl.* ladies] (영국의) 부인, 귀부인. [*N.* 발음 : lede].

laeetano, na *adj.m.f.* =**leetano.**

LAFTA Asociación Latino Amerciana de Libre Comercio 라틴 아메리카 자유 무역 연합.

lagaña *f.* 눈곱(legaña).

lagañoso, sa *adj.* 눈곱이 나온・낀(legañoso).

lagar *m.* ① (포도주를 만들기 위해) 포도를 으깨는 통 ; (포도를 짜기 위한) 압착기. ② 압착소, 압착 공장. ③《*Mal.*》 =**cortijo.**

lagarada *f.* lagar에 채우기.

lagarearse *r.* 《*Sal.*》 포도가 상하다.

lagarejo *m.* 작은 lagar.
hacerse ~ 포도를 짜다.
lagarero *m.* ①(포도나 올리브 등을) 짜는 사람. ② 물레방아 찧는 사람.
lagareta *f.* [*dim.* lagar] 물웅덩이(charco).
lagarta *f.* ①【동물】암도마뱀(hembra del lagarto). ② 교활한 여자(mujer astuta) : ser muy ~ 매우 교활한 여자다. ③ 떡갈나무의 벌레.
lagartado, da *adj.* =**alagartado.**
lagartear *tr.* 《*Chile.*》(상대방의) 두 팔을 움켜잡다.
lagartera *f.* 도마뱀의 굴·소굴.
lagarterano, na *adj.* 라가르떼라(Lagartera)의. —*m.f.* 라가르떼라 사람.
lagartero, ra *adj.* 도마뱀을 잡아 먹는 (동물). —*m.* 《*Guat.*》 매춘부, 창녀, 갈보.
lagartija *f.* 【동물】작은 도마뱀.
lagartijero, ra *adj.* 도마뱀을 잡아 먹는 (동물) : cernícalo ~ 도마뱀을 잡아 먹는 황조롱이.
lagartijo *m.* [*dim.* lagarto] ① 작은 도마뱀. ② 《*Méx.*》 =**lechuguino.**
lagarto *m.* [*lat.* lacertus] ①【동물】도마뱀 : ~ de Indias 아메리카 악어(caimán). ②【해부】두근. ③ 지갑. ④ 뱃속이 검은 인간. ⑤【은어】변장하는 도둑. ⑥《*Ecuad.*》 폭리를 일삼는 상인. ⑦《*Urug.*》 돈을 넣어 두는 전대. ⑧【천문】도마뱀좌.
lagartón, na *adj.* =**codicioso, astuto.**
lagartona *f.* 교활한 여자(mujer astuta).
lago *m.* [*lat.* lacus] ① 호수, 못, 늪 : El ~ Titicaca es el más alto del mundo 띠띠까까호수는 세계에서 제일 높다.
~ *de leones* 사자굴(cueva de leones).
lagópedo *m.* 【조류】흰 자고새(perdiz blanca).
lagopo *m.* 【식물】=**pie de liebre.**
lagópodo *m.* 【조류】=**lagópedo.**
lagostín *m.* =**langostín.**
lagoteador, ra *adj.* 아첨·아부하는. —*m.* 아첨자, 아첨배, 아부자.
lagotear *tr. intr.* 아부하다, 아첨하다, 알랑거리다(hacer lagoterías).
lagotería *f.* 아부, 아첨(zalamería, adulación).
lagotero, ra *adj.* 아첨·아부하는. —*m.f.* 아첨꾼, 아첨쟁이.
lágrima *f.* [*lat.* lacryma] ① 눈물 : ~*s* de compasión 동정의 눈물. Ella no derramó ni una ~ 그녀는 눈물 한 방울도 흘리지 않았다. ②(나무진 따위의) 즙, 방울 : las ~*s* de la vid 포도나무의 즙. ③ 아주 조금, 소량 : una ~ de vino 포도주 약간. —*pl.* 고뇌.
~ *batávica·de Batavia·de Holanda* 유리알, 비취. ~ *de cocodrilo* 거짓 눈물. ~*s de David·de Job* 【식물】율무. ~ *de Moisés·de San Pedro* 돌팔매. ~*s de San Pedro* 《*Arg. Chile.*》 유월 장마. *a* ~ *viva* 슬픔에 겨워, 소리없이 계속 (울다). *con la voz empapada en* ~*s* 슬픈 목소리로. *deshacerse en* ~*s·llorar a* ~ *viva* 실컷 울다. 체면 돌보지 않고 통곡하다(llorar abundantemente).
llorar con ~*s de sangre* 몹시 후회하여 울다.
llorar ~*s de sangre* 슬퍼 피눈물을 흘리다 ; 후회하다(arrepentirse).
Lo que no va en ~*s va en suspiros* 【속담】인생이란 불평하면서 지나가는 것이다.
lagrimable *adj.* 눈물을 자아내게 하는, 슬픈, 가엾은, 불쌍한.
lagrimacer *intr.* =**lagrimar.**
lagrimal *adj.* 눈물의 (lacrimal) : la carúncula ~ 누선(淚腺). conducto ~ 누관(淚管). glándula ~ 누선(淚腺). saco ~ 눈물 주머니. —*m.* 눈두덩(borde del ojo).
lagrimar *intr.* [드뭄] =**llorar.**
lagrimear *intr.* 눈물을 흘리다·머금다 : Ella tenía los ojos que *lagrimeaban* 그녀는 눈에 눈물을 머금었다.
lagrimeo *m.* 눈물을 흘림 ; 눈물이 많음 : El ~ es síntoma de varias enfermedades de los ojos 눈물을 흘리는 것은 눈의 여러 가지 병의 징후이다.
lagrimiento, ta *adj.* =**lagrimoso.**
lagrimilla *f.* 《*Chile.*》 =**mosto.**
lagrimón, na *adj.* [*aum.* lágrima] 눈물이 많은, 잘 우는(lagrimoso, lloroso). —*m.* 커다란 눈물(lágrima muy gruesa).
lagrimoso, sa *adj.* 눈물을 글썽거리는, 눈물을 머금은 ; 가엾은 : voz ~*sa* 눈물 섞인 목소리.
lagua *f.* 《*Bol. Perú.*》 감자 가루로 쑨 죽.
laguán *m.* 《*Chile.*》【식물】삼나무 (ciprés)의 일종.
lagüe *m.* 《*Chile.*》【식물】뿌리를 먹을 수 있는 식물.
laguna *f.* [*lat.* lacuna] ① 늪, 작은 연못. ②(인쇄의) 공백, 빈틈, (책의) 스페이스 : llenar una ~ 여백을 메꾸다. Insertaron una ilustración para llenar la ~ 공백을 메우기 위해 삽화가 끼워졌다. ③ 중단, 끊김.
lagunajo *m.* 물웅덩이(charco).
lagunar[1] *m.* 【건축】격천장에 붙은 거울판, 격판(格板)(lacunario).
lagunar[2] *adj.* ① laguna의. ② laguna가 있는. —*m.* 【고어】=**lagunajo.**
lagunato *m.* 《*AmérC. Cuba.*》 =**laguna, lagunajo, charco.**
lagunazo *m.* =**lagunajo.**
lagunería *f.* 늪(laguna)이 많은 지역.
lagunero, ra *adj.* ① 늪의, 늪과 같은. ② 라구나 《la Laguna, 카나리아섬의 도시》의. —*m.f.* 라구나 사람. —*m.* 《*Chile.*》 연못지기.
lagunoso, sa *adj.* 늪에 흙이 많은 : costa ~*sa* 흙이 많은 해안.
lahue *m.* 【식물】라우에 백합 《칠레산 백합과 초본》.
LAIA Asociación Latino Americana de Integración 라틴 아메리카 통합 연합.
laicado *m.* ① 성직자가 아닌 신자의 신분. ② [집합]신자들(fieles).
laical *adj.* 대중의, 속인의 ; 집에서 지내는, 재가(在家)의.
laicalización *f.* 《*Chile.*》 대중화(大衆化), 세속화(secularización).
laicalizar *tr.* ⑨ 《*Chile.*》 종문(宗門)에서 떼어 놓다, 대중에게 개방하다, 환속시키다.
laicidad *f.* 《*Neol.*》 =**laicismo.**
laicismo *m.* 《*Neol.*》 종문의 손에서 떠나는 일, 세속화 ; 인본주의.
laicista *m.f.* 종교로부터 독립하는 사람.

laicización *f.* 《*Neol.*》 (종교로부터의) 교육의 독립.
laicizar *tr.* ⑨ 《*Neol.*》 (교육 시설 등을) 종교인의 손에서 일반에게 이관시키다 : ~ una escuela.
laico, ca *adj.* 세속의, 대중의, 속인의, 재가(在家)의(lego) ; 종교에서 독립한 : enseñanza ~*ca.* Sinón. seglar.
laietano, na *adj.m.f.* =**leetano.**
lairén *m.* 《*Venez.*》 먹을 수 있는 뿌리 (una raíz comestible).
laísmo *m.* le·les 대신 la·las의 형을 쓰는 일 《예 : *La* regalaron un diccionario 그녀에게 사전을 선물했다》.
laísta *m.f.* laísmo를 쓰는 사람.
laja *f.* ① 반반한 돌 (lancha). ② 바위가 깔린 얕은 여울. ③ 《*Ant.*》 써레 (traílla). ④ 《*Col.*》 가느다란 노끈. ⑤ 《*Chile.*》 사암(砂岩)의 일종. ⑥ 《*Ecuad.*》 급경사면.
lakista *adj.* 자연주의의. —*m.f.* 자연주의자.
laletano, na *adj.m.f* =**leetano.**
lama[1] *f.* [*lat.* lama] ① 진흙, 진창(cieno, lodo). ②【광산】광니(鑛泥). ③【해초】김, 청태(ova). ④【방언】(석회에 섞는) 작은 모래. ⑤ 《*Amér.*》 물이끼. ⑥ 《*Bol.*》 녹. ⑦ 《*Ant.*》 번쩍거리는 금·은으로 수놓은 천의 일종.
lama[2] *m.* 티벳의 라마승(sacerdote budista del Tibet) : Dalai *Lama* 달라이 라마, 라마 교주.
lamaíco, ca *adj.* lamaísmo의.
lamaísmo *m.* 라마교.
lamaísta *adj.* 라마교의. —*m.f.* 라마교 신자.
lamantino *m.* 《*Galic.*》 해우(海牛)(manatí).
lamasería *f.* 라마교 사원.
lambarear *intr.* 《*Cuba.*》 하릴없이 쏘다니다 (vagar ociosamente).
lambarero, ra *adj.* 《*Cuba.*》 빈둥빈둥 노는 ; 하릴없이 쏘다니는 ; 알랑쇠의. —*m.f.* 빈둥빈둥 노는 사람 ; 알랑쇠.
lambayecano, na *adj.m.f.* 람바예께 《Lambayeque, Perú에 있는 주》의 (사람).
lambda *f.* 서반아어의 ele에 해당하는 그리스 자모의 열한 번째 문자(undécima letra del alfabeto griego que corresponde a nuestra ele).
lambdacismo *m.* 《*Neol.*》 r음을 l음으로 발음하는 나쁜 버릇.
lambeojismos *m.pl.* 《*Ant.*》【속어】아부, 아첨.
lambeojos *m.f.* 《*Ant.*》 아첨꾼, 아첨쟁이.
lambeplatos *m.f.* 《*Cuba. Chile.*》 =**lameplatos.**
lamber *tr.*【고어】《*León. Sal.*》 (혀 따위로) 핥다 (lamer).
~***se de gusto*** ① 《*Arg. PRico.*》 몹시 기뻐하다, 기쁨에 날뛰다. ②【속어】《*Amér.*》 아부하다, 아첨하다(adular).
lamberear *intr.* 《*Cuba.*》 =**lambarear.**
lambeta *adj.* 《*Arg.*》 아첨하는. —*m.f.* 아첨꾼, 아첨쟁이.
lambetazo *m.* 《*Amér.*》 혀로 핥는 일.
lambetear *tr.* 《*AmérC. Ant.*》 =**lamer.**
lambiachi *adj.m.f.* 《*Méx.*》【속어】=**lameplatos.**
lambiche *adj.* =**lambiachi.**
lambida *f.* 《*Chile.*》 =**lamedura.**
lambido, da *adj.* ① 《*Amér.*》 혀로 핥는 듯한. ② 거친, 투박한, 촌스러운. ③ 《*Can. Venez.*》 뻔뻔스러운, 부끄러운 줄 모르는, 철면피한, 낯가죽이 두꺼운(descarado).
lambidura *f.* 《*Arg. Chile. Guat.*》 =**lambida.**
lambío, a *adj.m.f.* ① 《*Ant. Venez.*》 =**lameplatos.** ② 뻔뻔스러운. ③ 《*Méx.*》 아첨꾼(의), 아첨쟁이(의).
lambiscón, na *adj.* ① 《*Méx. Perú.*》 =**goloso.** ② 《*Méx.*》 =**adulador, servil.**
lambisquear *tr.* ① (어린아이 등이) 부스러기 같은 것을 주워 먹다. ② 《*Méx.*》 아첨하다, 아부하다. ③ 《*SDgo.*》 핥다.
lambistón *m.* 《*Sant.*》 =**goloso, laminero.**
lambitivo, va *adj.m.f.* 《*Sant.*》 =**golosón, lamerón.**
lambón, na *adj.* 《*Col.*》 =**adulador.**
lambraña *adj.* 인색한. —*m.f.* 인색한 사람.
lambriche *adj.* 《*Méx.*》 알랑거리는, 아첨하는. —*m.f.* 아첨꾼, 아첨쟁이.
lambrija *f.* ①【동물】지렁이. ② 말라깽이.
lambrijo, ja *adj.* 《*Méx.*》 마른, 여윈(flaco).
lambrión, na *adj.*【방언】게걸스럽게 먹는.
lambrucia *f.* 《*And.*》 공복(hambre).
lambrucio, cia *adj.* =**goloso, glotón.**
lambrusca *f.* 《*Galic.*》【식물】야생 포도.
lambrusco, ca *adj.* 《*Chile. Méx.*》 =**hambriento.**
lambrusquear *intr.* 《*Méx.*》 =**golosinear.**
lambucear *intr.*【방언】《*Venez.*》 =**lamiscar.**
lambucia *f.* 《*Chile.*》 =**hambre.**
lambuzo, za *adj.* ① 《*CRica.*》 입이 뾰족한. ② 《*AmérM.*》 양이 큰, 많이 먹는.
lameculos *m.f.*【단·복수 동형】아첨꾼, 아부자.
lamedal *m.* =**cenagal, lodazal.**
lamedor, ra *adj.* 핥는 (듯한) ; 철썩거리는 (파도·흐름 따위). —*m.f.* 핥는 사람. —*m.* ① 당밀(糖蜜)(jarabe). ② 아첨, 아부.
dar ~ 속이다(engañar).
lamedura *f.* 핥기, 혀로 핥음.
lamelibranquio, quia *adj.m.*【동물】엽새류(葉鰓類)의 (동물). —*m.pl.* 엽새류.
lamelicornio, nia *adj.*【동물】편각충류의. —*m.pl.* 편각류.
lameliforme *adj.* 엷은 조각(lámina) 모양의.
lamelirrostro, tra *adj.*【동물】편취류(扁嘴類)의 (새).
lamentable *adj.* [*lat.* lamentabilis] 한탄스러운 ; 처참한, 가련한, 슬픈 듯한 : voz ~ 슬픈 듯한 목소리. Ella estaba en un estado ~ 그녀는 (실로) 처참한 상태였다.
lamentablemente *adv.* 서글프게, 불쌍하게 ; 처참하게, 가련하게.
lamentación *f.* 슬픔, 탄식, 비탄, 애도 : las *Lamentaciones* de Jeremías【성서】예레미야의 애가.
lamentador, ra *adj.* 한탄하는. —*m.f.* 한탄하는 사람.
lamentar *tr.* ① 울다(llorar). ② 탄식하다, 한탄하다, 슬퍼하다(deplorar). ③ 언짢게·유감으로 생각하다(sentir) : *Lamento* tu desgracia 너의 불

행을 유감으로 생각한다. Es cosa de ~ 한탄스러운 일이다.

—*intr.*, **~se** [+de·por : …을] 슬퍼하다, 한탄하다, 언짢다, 유감이다 : *Se lamentaba de·por* la desgracia 불행을 한탄하고 있었다. *Lamento* que él no pueda acompañarnos 그가 우리들과 함께 갈 수 없는 것은 유감이다.

lamento *m.* [*lat.* lamentum] =**lamentación.**

lamentoso, sa *adj.* ① 불평 불만이 가득한. ② 슬픈, 가엾은, 측은한(lamentable) : situación ~*sa.*

lameplatos *m.f.* 【단·복수 동형】 남의 먹다 남은 밥을 얻어 먹는 사람.

lamer *tr.* [*lat.* lambere] ① 핥다 : ~ un plato 접시를 핥다. No te *lamas* los dedos 너는 손가락을 빨지 말아라. El arroyo *lame* las arenas 시냇물이 모래를 핥으며 흐른다. ② 가볍게 만지다(tocar suavemente) : Las olas *lamen* la costa 파도가 해안을 가볍게 철썩인다.

~se (자기의 무엇을) 핥다 : El niño *se lame* los dedos 아이가 손가락을 핥는다.

lamerón, na *adj.* =**laminero, goloso.**

lametada *f.* =**lengüetada.**

lametazo *m.* 《*Arg.*》 =**lametón.**

lametón *m.* 널름거리며 핥는 일.

lamia *f.* [*lat.* lamia]① 【희랍 신화】 사녀(蛇女) 《사람을 잡아먹고 어린아이의 피를 빨았다는 얼굴은 여자 몸은 용처럼 생긴 괴물》. ② 【어류】 상어(tiburón)의 일종.

lamido, da *adj.* [lamir의 *p.p.*] 마르고 멀겋게 생긴 ; 칙칙한 ; 평면적인 느낌의 (그림).

lamiente *adj.* =**lamedor.**

lamilla *f.* 《*Chile.*》 비료용 해초.

lamín *m.* 《*Ar.*》 =**golosina.**

lámina *f.* [*lat.* lamina] ① (금속의) 엷은 판 : Hoy hay muchos objetos hechos con ~ de metal 오늘날은 금속판 제품이 많다. ② 냉간 압연판(冷間壓延板) ; 엷은 조각, 박(箔) ; (인쇄의) 동판 ; 동판화(銅版畵) : Este libro tiene ~*s* de colores 이 책은 원색 동판화가 들어 있다. ③ 삽화, 사진판 : ~ de propaganda 포스터. ④ 【생물·식물】 엷은 막, 엷은 층.

laminación *f.* 엷은 널조각으로 만듦.

laminado, da *adj.* ① 엷은 조각으로 만든 : hierro ~. ② 철판·동판을 씌운. —*m.* 압연 ; 엷은 판 : el ~ del hierro.

laminador, ra *m.f.* 압연공. —*m.* 압연기.

laminar *tr.* (금속을) 압연하다, 판으로 만들다 ; 박(箔)으로 박다 ; (…에) 철판·동판을 입히다 : ~ el cobre 동을 입히다.

—*adj.* ① 압연하는 : el tren de ~ 압연기 설비. ② 엷은 쪼가리 모양의 ; 쪼가리·엷은 널빤지를 이루는 ; 얇다란.

laminaria *f.* 곤포류(昆布類)의 해초(海草) : La ~ seca se hincha considerablemente con la humedad 건곤포는 습기에 상당히 부풀린다.

laminero, ra *adj.* ① 단것을 좋아하는(goloso). ② 금속판을 만드는.

—*m.f.* ① 식성이 좋은 사람. ② 금속판공(金屬板工), 박세공사(箔細工師).

laminilla *f.* 엷은 쪼가리 : ~*s* de madera 대팻밥.

laminoso, sa *adj.* 엷은 조각의, 엷은 널판지의, 엷은 층으로 된 : El tejido óseo es ~ 뼈의 조직은 엷은 층으로 되어 있다.

lamiscar *tr.* ⑦ 열심히 핥다(lamer con ansia).

lamoso, sa *adj.* 진흙·뻘이 많은(cenagoso).

lampa *f.* ① 《*Chile. Ecuad. Perú.*》 【농기】 괭이. ② 《*Arg.*》 =**cachiyuyo.**

lampacear *tr.* (갑판 등을) 걸레로 훔치다.

lampadario *m.* 《*Galic.*》 =**farola.**

lampadéforo *m.* =**lampadóforo.**

lampadóforo *m.* (고대 그리스의 행렬 등에서) 횃불을 드는 사람.

lampalagua *f.* (*m*). ① 《*Chile.*》 대식가, 대음가. ② 냇물을 모두 마신다는 가공의 커다란 뱀, 물뱀의 일종. —*adj.* 대식의(hambrón), 대음의.

lampalallo, lla *adj.* 《*Chile.*》 =**hambriento.**

lampante *adj.* [*fr.* lampant] 《*Neol.*》 램프용 : petróleo ~ 램프용 석유.

lampar *intr.* ① =**alampar.** ② 《*PRico.*》 태만해지다, 나태해지다, 게으름피우다.

lámpara *f.* [*lat.* lampas] ① 등불, 남포, 램프, 칸델라, 등, 전등, 전구. ② (라디오의) 진공관 ; 전기 스탠드. ③ 기름의 얼룩(mancha de aceite) : tener el vestido lleno de ~*s* 기름 얼룩이 잔뜩 묻은 옷을 가지고 있다. ④ 사랑의 표적으로 젊은이가 문간에 매다는 나뭇가지.

—*m.f.* ① 《*Venez.*》 교활한 사람. ② 《*Venez.*》 도둑(ladrón).

~ *de aceite* 석유 램프. ~ *de acetileno* 아세틸렌등. ~ *de alcohol* 알코올등. ~ *de alto·parada* (신호기의) 붉은 등. ~ *de arco* 아크등(燈). ~ *de bolsillo* 회중 전등. ~ *de comprobación* 표시등, 파일럿 램프 (~ piloto). ~ *de cruce* 조광기(調光器). ~ *de cuarzo* 석영등. ~ *de incandescencia* 백열 전등. ~ *de emergencia* 비상등. ~ *de mesa·sobremesa* 전기 스탠드. ~ *de los mineros·de seguridad* 【광산】 안전등. ~ *de neón* 네온등. ~ *de pie* 마루 위에 놓은 램프. ~ *de socorro* 구조 램프. ~ *de soldar* (용접용) 소형 발염(發炎) 장치. ~ *de techo* 천장에 매다는 램프. ~ *de suspensión* 매다는 램프, 샹들리에. ~ *de tres electrodos* 삼극 진공관. ~ *eléctrica* 전등 ; 전기 스탠드. ~ *inundante* 조명 투사기, 일광(溢光) 조명등. ~ *piloto* 표시등, 파일럿 램프. ~ *testigo* 표시등.

lamparazo *m.* 《*Col.*》 꿀꺽 마심(trago) : tomar un ~ 꿀꺽 마시다.

lamparería *f.* lámpara의 공장·상점.

lamparero, ra *m.f.* 램프 업자·상인.

lampariento, ta *adj.* 《*Perú.*》 얼룩투성이의.

lamparilla *f.* [*dim.* lámpara] ① 소형 램프 ; 소형 전구, 전자 제품의 특수 램프 ; (소형의) 석유풍로 ; (기름에 띄워 불을 켜는) 띄우는 화톳불. ② 아구아르디엔떼의 잔(copa de aguardiente). ③ 【식물】 고리버들(álamo temblón). ④ 【속어】 브랜디용의 잔.

lamparín *m.* ① (바람막이의) 램프대. ② 《*Chile.*》 손에 드는 촛불(candil). ③ 《*Perú.*》 석유 램프.

lamparista *m.f.* =**lamparero.**

lámparo, ra *adj.* 《*Col.*》 빈털터리의, 가난한(pobre).

lamparón *m.* [*aum.* lámpara] ① 큰 램프. ② (의류 따위에 묻은) 기름 얼룩(mancha de grasa). ③《Chile.》[주로 *pl.*] 화농성종(化膿性腫).

lampatán *m.* ①【식물】우엉 ; 그 뿌리(china). ②(옛날의) 천의 이름.

lampayo *m.*《Chile.》【식물】약용 마편초과 풀.

lampazo *m.* ①【식물】우엉. ②【선박】(갑판을 닦는) 비걸레 ; (군함의) 선원. ③《Chile.》(가죽을 댄) 갑판(甲板). ④《Col.》구타.

lampear *tr.*《Chile. Perú.》괭이(lampa)로 밭을 파다.

lampeón *m.* =**lampión.**

lampero *m.*《Chile. Perú.》농군, 농부.

lampino, na *adj.*《Chile.》=**lampiño.**

lampiño, ña *adj.* 수염·털·솜털이 나지 않은 ; 빤질빤질한 : hombre ~ 수염이 나지 않은 남자. rostro ~ 빤질빤질한 얼굴. tallo ~ 털이 없는 줄기.

lampión *m.* =**farol.**

lampíride *f.* [*gr.* lampuris] 반디벌레(luciérnaga)의 학명.

lampírido *m.* =**luciérnaga.**

lampiro *m.* =**lampíride.**

lampista *m.f.*《Galic.》=**lamparero.**

lampistería *f.*《Galic.》=**lamparería.**

lampo *m.*【시어】섬광(relámpago).

lampón *adj.*《Col.》굶주려 게걸스러운 ; 식욕이 왕성한. **—*m.***《Ecuad.》괭이(lampa).

lampote *m.* ①《Méx.》약용 식물의 일종. ②《Filip.》명주천의 일종.

lamprea *f.* [*lat.* lampreda] ①【어류】칠성상어. ②《Venez.》농양.

lampreada *f.*《Guat.》회초리로 때리기.

lampreado, da *adj.* [lamprear의 *p.p.*] ① 맛구이하는. ② 때리는, 구타하는. **—*m.*** 육포(charquí)와 다른 혼합물의 요리.

lamprear *tr.* ① 맛구이하다《기름에 튀기거나 굽거나 한 다음 다시 양념을 발라 조리하는 일》. ②《Guat.》채찍질하다, 구타하다, 때리다(azotar).

lampreazo *m.* =**latigazo, azote, correazo.**

lamprehuela *f.* [*dim.* lamprea] =**lampreílla.**

lampreílla *f.*【어류】lamprea 비슷한 물고기.

lámpsana *f.*【식물】광대나물《꿀풀과의 일년초》.

lampuga *f.*【어류】물고기 이름.

lampuso, sa *adj.*《Amér.》=**descarado.**

lana *f.* [*lat.* lana] ① 양털, 양모 : La ~ conserva bien el calor del cuerpo 양모는 몸을 잘 보온(保温)한다. ②(동물의 좀 긴) 털 : un perro con unas ~*s* amarillas 털이 누런 개, 황구. ③ 모직물 (artículos de ~) ; 그 의복 : vestir ~. ④《AmérC.》하층민. ⑤《AmérC.》불량배. ⑥《CRica.》나무의 이끼(musgo).

—*pl.*《Méx.》① 돈(dinero). ② 거짓말.

~ ***artificial*** 인조 양모. ~ ***burda·churda*** 거친 털. ~ ***de acero*** 강철 찌꺼기. ~ ***de algodón*** 생면. ~ ***de escorias*** 광물면(綿)《건물용 충전재·절연체 등에 쓰임》. ~ ***de madera*** 목면. ~ ***de vidrio*** 유리 모사. ~ ***en barro*** 품질이 좋은 모사. ~ ***regenerada*** 재생 모사. ~ ***vegetal*** 스테이플 파이버, 인조 섬유. ~ ***mineral*** 광물면(鑛物綿).

cardar**le a uno **la ~ (누구를) 심하게 나무라다·꾸짖다(reñirle severamente).

Cuál más, cuál menos, toda la ~ es pelo【속담】그 사람이 그 사람이다.

Ir por ~ y volver trasquilado【속담】혹 떼러 갔다 혹을 붙이고 오다.

lanada *f.* (포구 청소용) 가는 막대기.

lanado, da *adj.* 보푸라기가 생긴, 잔털이 난 (lanuginoso).

lanar *adj.* ① 양모의 : industria ~ 양모 공업. ② 털이 있는 : ganado ~ 면양.

lanaria *f.*【식물】=**jabonera.**

lancán *m.* 랑칸《필리핀의 큰 배의 일종》.

lancasteriano, na *adj.* 랭커스터가(家)《1399 −1471년 사이에 영국에 군림했던 왕가》의 ; (이 일가를 후원했던) 랭커스터당의, 붉은 장미당의.

lance *m.* ① 던지기 ; (투망) 치기 : el ~ de la red 그물 던지기. ② 한 그물에 잡힌 물고기. ③ 위기 (trance) : ~ apretado 난국. ④(연주·소설의) 클라이맥스, 최고조, 절정. ⑤ 일어난 일, 진기한 일 (acontecimiento) : un ~ imprevisto 예기치 못한 일. un ~ de fortuna 우연한 일. ⑥ 기회, 때, 호기(好機). ⑦ 승부, 시합 ; 결투, 싸움 : ~ de honor 결투 (desafío). ⑧《Chile.》살짝 몸을 비키기 : sacar ~ 몸을 살짝 비키다.

de ~ 싼 물건의 ; 헐값에 ; 헌것으로 (사다).

lanceado, da *adj.* ① 바늘 모양의 (lanceolado) : hoja ~*da* 바늘 모양의 잎. **—*f.***《Arg.》=**lanzada, lancetazo.**

lancear *tr.* ① 창으로 찌르다(alancear). ② 창으로 상처를 내다(herir con lanza).

lancéola *f.*【식물】질경이(llantén menor).

lanceolado, da *adj.*【식물】창끝 모양의, 바늘 모양의 : hoja ~*da* 바늘·창끝 모양의 잎.

lancera *f.* 창걸이(armero para colocar las lanzas).

lancería *f.* 창 ; 창기 부대.

lancero *m.* 창기병 ; (카우보이·투우사처럼) 창을 든 사람. **—*pl.*** 란세로 춤·곡.

lanceta *f.* [*ital.* lancetta] ①【외과】(종기 절개용) 기구. ②《Amér.》=**aguijón.**

Más curó la dieta que la ~【속담】어떤 병이나 식이 요법보다 더 좋은 것은 없다.

lancetada *f.* ① 기구로 절개·수술. ② 절개구(切開口). ③ 찌르기 ; 창상(槍傷). ④《Chile.》(벌레의 침에) 찔린 상처.

lancetazo *m.* =**lancetada.**

lancetero *m.*【외과】lanceta용 상자.

lancilla *f. dim.* lanza.

lancinante *adj.*《Neol.》찌르는 듯한 (아픔).

lancinar *tr.*《Neol.》찌르다 ; 찌르는 듯이 아프게 하다(punzar un dolor).

lancurdia *f.* 작은 송어(trucha pequeña.)

lancha[1] *f.* [*ing.* launch] ① 거룻배 : ~ cañonera 포함. ~ de auxilio 구명정, 구조선 (해안 상주의). ~ de carreras 고속 모터보트. ~ de desembarco 상륙 주정. ~ de salvavidas 구명정, 구조선 (배 안의). ② 작은 배, 보트 (bote, embarcación pequeña).

lancha[2] *f.* 반반한 돌(piedra plana).

lancha[3] *f.*《Ecuad.》안개(niebla) ; 서리(escarcha).

lanchada *f.* (거룻배의) 한 배(의 하물).

lanchaje *m.*《Chile.》거룻배삯(flete).

L

lanchar¹ *m.* 반반한 돌의 채석장 ; 거룻배의 정박소.
lanchar² *intr.* ① 《*Ecuad.*》 안개가 끼다(nublarse el cielo). ② 《*Ecuad.*》 얼다, 동결하다 (helar). ③ 《*Ecuad.*》 서리가 내리다(escarchar). ④ 《*Venez.*》 =**lincear.** ⑤ 《*Venez.*》 찾아내다, 밝혀 내다.
lanchazo *m.* 반반한 돌(lancha)로 치기.
lanchero *m.* 거룻배의 뱃사공, 똑딱선의 사공.
lancho *m.* [드묾] =**lancha, laja.**
lanchón *m.* [*aum.* lancha] 큰 거룻배 : ~ de fango 뻘배.
lanchonero *m.* 거룻배의 사공.
lanchuela *f.* [*dim.* lancha] 작고 반반한 돌.
landa *f.* [*fr.* lande] 《*Neol.*》 황야, 초원.
landaulet *m.fr.* 작은 4인석 포장마차 (landó pequeño) : ~ automóvil. [*N.* 발음 : landolé].
lande *f* 【고어】《*Ál. Ast.*》 =**glande.**
landés, sa *adj.m.f.* 란다스 《Landas, 불란서의 한 지방》의 (사람) : asistir a una corrida de toros ~*sa* 란다스 투우 경기에 가다.
landgrave *m.* (옛 독일의) 백작.
landgraviato *m.* landgrave의 작위 · 영지.
landó *m.* [*fr.* landau] 4인승 포장 마차.
landre *f.* ①【의학】가래톳. ② (돈을 넣는) 비밀 호주머니.
landrecilla *f.* 동물의 몸의 여러 부분에 있는 둥근 고기 덩어리.
landrero, ra *adj.m.f.* 호주머니 속에 돈을 숨기고 다시 동냥하는 (거지) ; 소매치기.
landrilla *f.* (동물의 혀밑 · 콧구멍에 기생하는) 기생충 (parásito que se cría debajo de la lengua y en las fosas nasales del ganado).
lanería *f.* ① 《*Neol.*》 직물 (tejido) ; 양모를 짠 옷 (ropa de lana). ② 양털 · 모직 장사 ; 양모 가게.
lanero, ra *adj.* [*lat.* lanarius] 털의 ; 양털의, 양모의. —*m.f.* 양털 · 모직물 상인. —*m.* ① 양털 창고. ②【조류】황조롱이(halcón ~).
langa *f.* =**truchela.**
langanazo *m.* 《*Venez.*》 종 · 포의 귀청이 찢어질듯 시끄러운 소리 ; 종을 침.
lángara *adj.* 《*Méx.*》 =**astuto.**
lángaro, ra *adj.* ① 《*AmérC.*》 게으름뱅이의 (vagabundo). ② 《*CRica.*》 홀쭉한. ③ 《*Méx.*》 게걸스러운, 굶주린(hambriento).
langarote, ta *adj.* ① 《*AmérC.*》 빈둥거리는. ② 《*Arg. Ecuad.*》 홀쭉한. ③ 《*Méx.*》 굶주린.
langarucho, cha *adj.* 《*AmérC. Méx.*》 홀쭉한.
langarutano, na *adj.* 《*Ecuad.*》 =**langaruto.**
langaruto, ta *adj.* 홀쭉한(larguirucho).
langor *m.* 《*Galic.*》 =**languidez.**
langoroso, sa *adj.* 《*Galic.*》 =**lánguido.**
langosta *f.* [*lat.* locusta] ①【곤충】메뚜기. ②【동물】가재. ③ 어떤 것을 파괴하는 것.
langostero, ra *adj.* langosta 잡이의. —*m.f.* langosta 어부.
langostín *m.* 【동물】 가재.
langostino *m.* 【동물】 =**langostín.**
langostón *m.* 【곤충】 왕메뚜기.
languceta *adj.* 《*Chile.*》 여윈, 마른(flaco).
langucia *f.* 《*Chile.*》 굶주림, 공복(lambrucia) ; 궁핍, 빈곤 ; 게걸스럽게 먹음(voracidad).
languciar *tr.* ⑪ 《*Chile.*》 게걸스럽게 먹다.
languciento, ta *adj.* 《*Chile.*》 공복의, 배고픈, 굶주린, 게걸스러운 ; 비척 마른.
langucio, cia *adj.* 《*Chile.*》 =**languciento.**
languedociano, na *adj.m.f.* 랑게독 《Languedoc, 옛날 불란서의 주》의 (사람).
lánguidamente *adv.* 무기력하게, 나른해서, 노곤한 듯이, 맥빠진 듯이, 기운이 없이, 풀이 죽어(con languidez).
languidecer *intr.* ㉛ 생기 · 기운이 없어지다, 긴장이 풀리다, 쇠약해지다 ; 맥이 풀리다, 약해지다 : *Languideció* en la cárcel 그는 감옥에서 체력이 약해졌다.
languidez *f.* (몸이) 노곤함, 나른함 ; 권태 ; 이완, 쇠약(debilidad).
languideza *f.* =**languidez.**
lánguido, da *adj.* (몸이) 노곤한, 나른해 보이는, 기력이 없는, 마른, 여윈(flaco, débil) : enfermo ~ 기력이 쇠한 환자.
languor *m.* 《*Ant.*》 =**languidez.**
languso, sa *adj.* 《*Méx.*》 교활한, 간사한, 음흉스러운(astuto) ; 말라깽이의.
lanicio, cia *adj.* 양털 · 양모(lana)의 : borra ~*cia* 양털 찌꺼기.
lanífero, ra *adj.* 【시어】 양모로 덮인, 털이 있는, 잔털이 난.
lanificación *f.* =**lanificio.**
lanificio *m.* 양모 공업 ; 양모 제품.
lanígero, ra *adj.* =**lanífero.**
lanilla *f.* ① 보푸라기, 잔털. ② 프란넬의 일종. ③ 좋은 양모로 짠 직물 : traje de ~.
lanío, a *adj.* =**lanoso.**
lanosidad *f.* 잔털 · 보푸라기가 있음(vello).
lanoso, sa *adj.* 양모(lana)로 덮인, 잔털이 난 (lanudo).
lansquenete *m.* (16 · 7세기 경 독일의) 용병 : Los ~*s* eran mandados por oficiales de su idioma.
lantaca *f.* (남양 제도 원주민의) 일종의 사포(蛇砲) · 장포(長砲).
lantana *f.* 《*Bol.*》【식물】약용 식물의 일종.
lantano *m.* 희귀 원소의 일종.
lanteja *f.* =**lenteja.**
lantén *m.* 《*Méx.*》 =**llantén.**
lanterno *m.* 《*Ar.*》 =**aladierna.**
lanudo, da *adj.* ① 털이 많은 : animal ~ 털이 많은 동물. ② 《*Ecuad. Venez.*》 거칠고 난폭한 (사람)(rústico, tosco, mal criado).
lanuginoso, sa *adj.* 보푸라기 · 잔털이 난 : hoja ~*sa* 잔털이 난 잎.
lanza *f.* [*lat.* lancea] ① 창. ② 창병 (부대). ③ 병역 대신의 세금. ③ (펌프의) 끝 ; (수레의) 채, 손잡이. ⑤ 《*Cuba.*》【식물】=**yaya.**
ser una ~ 《*Amér.*》 날쌔다, 민첩하다(ser ágil).
lanzabombas *m.* 포탄 발사 장치 ; 박격포.
lanzacabos *adj.* 밧줄 던지는 것을 허용하는 : cañón ~ 밧줄을 쏘는 포. —*m.* (인명 구조 등을 위한) 밧줄을 쏘는 포 ; (포경선의) 작살 발사기.
lanzacohetes *m.* 로켓 발사기 · 장치.
lanzada *f.* 창으로 찌르기 ; 창상.
lanzadera *f.* (베틀의) 북 ; 우주선의 진수기.
lanzado *m.* 낚싯대 던지는 법.
lanzador, ra *adj.* 던지는. —*m.f.* ① 투수, 던지는 사람 : el ~ del disco 원반 던지는 사람. ②

우주선의 진수자. —*m.* 우주선 발사 로켓.
lanzafuego *m.* 화승대(botafuego).
lanzagranadas *m.* 수류탄 투척기.
lanzallamas *m.* 화염 방사기(tubos ～).
lanzamiento *m.* ① 던지기 : ～ del martillo 해머 던지기. ② 투하 ; 뛰쳐 나가기, 돌진 ; 발사. ③ 진수 : ～ de un barco 선박의 진수. ④ 공표, 신발매. ⑤ 토하기. ⑥ 박탈, 몰수.
lanzaminas *m.* 폭탄 투하 장치, 어뢰 발사기.
lanzamisiles *m.* 【단·복수 동형】 미사일 발사기.
lanzar *tr.* ⑨ ① 던지다(arrojar) : ～ dardos contra (o a) el adversario 적에게 창을 던지다. Los griegos se ejercitaban en ～ el disco 그리스인들은 원반 던지기를 연습했었다. ② 놓아주다 ; 발사하다 : ～ aviones 비행기를 사출하다. ③ (배를) 진수(進水)시키다 (botar). ④ (잎·꽃을) 돋아나게 하다(echar, brotar). ⑤ 게우다, 토하다 (vomitar) : ～ llamas 불꽃을 내뿜다. ⑥ 박탈하다, 몰수하다. ⑦ 《*Galic.*》 세상에 내놓다, 신발매하다 : *Lanzaron* un medicamento nuevo 신약(新藥)이 발매되었다.
～se ① 몸을 던지다, 덮치다, 뛰어나가다, 뛰어들다 : El *se lanzó* al mar 그는 바다에 몸을 던졌다. El tigre *se lanzó* sobre la presa 호랑이는 포획물을 덮쳤다. ② 돌진하다.
lanzatorpedos *adj.* 【단·복수 동형】 어뢰 발사의 : tubo ～ 어뢰 발사관. —*m.* 《*Neol.*》 어뢰 발사관.
lanzo *m.* =**lanzada.**
lanzón *m.* [*aum.* lanza] (굵고 짧은) 투창의 일종.
lanzuela *f. dim.* lanza.
laña *f.* ① 경첩(grapa). ② 설익은 야자 열매.
lañador, ra *m.f.* 부서진 돌을 연결하는 직공.
lañar *tr.* ① 경첩으로 잇다·연결하다·잠그다 : ～ un plato roto. ② (생선을 말리기 위해) 벌리다. ③ 【외과】 잇다, 봉합하다.
laociano, na *adj.m.f.* =**laosiano.**
Laos *m.* 【지명】 라오스.
laosiano, na *adj.m.f.* 라오스의 (사람).
lapa *f.* ① 액체에 뜨는 곰팡이의 막. ② 【동물】 갑각류 《새우·게 따위》(lápade). ③ 【식물】 우엉 《국화과의 이년초》 (lampazo). ④ 《*Chile.*》 (군대의) 정보. ⑤ 《*Ecuad.*》 삿갓, 갓. ⑥ 《*Perú.*》 반으로 쪼개 그릇으로 만든 박.
lapachar *m.* 늪지, 소택지(pantano, charco).
lapacho *m.* 《*Riopl.*》 【식물】 라빠초 나무 《남미 산의 능소화과 교목》.
lapada *f.* 《*Perú.*》 물을 끼얹기 ; 끼얹는 물 : Me echaron una ～ de agua 나에게 물을 끼얹었다.
lápade *f.* 【동물】 갑각류(lapa).
lapalapa *f.* 《*Méx.*》 이슬비, 가랑비, 보슬비 (llovizna).
laparoscopio *m.* 개복 수술 기구, 복부 절개 기구.
laparotomía *f.* 개복 수술, 복부 절개 : ～ exploradora 시험적 개복.
lape *adj.* 《*Chile.*》 꼬인·얽힌 (실·털 따위) ; 떠들썩한, 활기찬 (행사 따위).
lapicera *f.* ① 《*Arg.*》 연필 꽂이(lapicero). ② 《*Arg. Chile.*》 펜촉 ; 필통. ③ 《*Arg. Chile.*》 펜대. ④ 《*Arg.*》 만년필(pluma estilográfica).
～ *a bolilla* 《*Arg.*》 볼펜(bolígrafo).
lapicero *m.* ① 연필통, 연필 끼우개. ② 《*Arg.*》 샤프 펜슬, 볼펜(bolígrafo). ③ 《*Arg. Perú.*》 펜촉, 펜대(porta plumas). ④ 연필(lápiz).
lápida *f.* ① [*lat.* lapis, idis] 비, 비석 ; 묘석 : ～ sepulcral 묘비석. ② 비문.
lapidación *f.* 돌로 가하는 벌.
lapidar *tr.* [*lat.* lapidare] ① 돌로 형벌을 가하여 죽이다 (matar a pedradas) : Los judíos *lapidaron* a San Esteban 유대인은 성자 에스떼반을 돌로 쳐 죽였다. ② 《*Amér.*》 (보석에) 세공을 하다.
lapidario, ria *adj.* ① 보석의. ② 비명(碑銘)의, 비명풍의 ; 간결한 : estilo ～. —*m.* 보석 세공직·상인.
lapídeo, a *adj.* 돌의(de piedra), 석재의 : concreción ～*a.*
lapidificación *f.* 【화학】 석화(石化), 화석.
lapidificar *tr.* ⑦ 【화학】 돌로 만들다, 돌처럼 경화시키다.
～se 화석이 되다.
lapidífico, ca *adj.* 돌로 만드는[변화시키는].
lapidoso, sa *adj.* =**lapídeo.**
lapilla *f.* 【식물】 큰 유리풀의 일종 《지치류》 (cinoglosa).
lapilli *m.pl.* 【지리】 거대한 화산(火山)재 (ceniza volcánica)의 일종.
lapislázuli *m.* [*lat.* lapis lazurius] 【광물】 유리(瑠璃) 《녹색의 보석》.
lápiz *m.* [*lat.* lapis] 연필(鉛筆) : ～ blanco 백묵. ～ con borrador 고무 지우개 달린 연필. ～ copiativo 복사용 연필. ～ rojo 대사석 (almagre). ～ de color 색연필. ～ de·para dibujo 제도용 연필. ～ de·para labios 입술 연지, 루즈, 립스틱 (～ labial). ～ (de) plomo 흑연(grafito). ～ hectográfico 복사용 연필. ～ para cejas 눈썹 연필. mina de ～ 연필심. [*N. pl.* lápices].
lapizar[1] *m.* 흑연 광산.
lapizar[2] *tr.* ⑨ [드묾] 연필로 쓰다·그리다(dibujar con lápiz).
lapo *m.* ① 구타, 때리기(cintarazo, bastonazo) : dar un ～ 구타하다. ② 《*Amér.*》 손바닥으로 때리기(bofetada). ③ 삼키기 ; 단번에 마시기(trago) : echar un ～ . ④ 《*Venez.*》 (남에게 속기 쉬운) 호인.
lapón, na *adj.* 라뽀니아의. —*m.f.* 라뽀니아인. —*m.* 라포니아말.
Laponia *f.* 【지명】 라뽀니아 《유럽 서북부에 위치한 지방》.
lapso *m.* [*lat.* lapsus] ① 경과, 기간 (curso). ② 실수, 과실 ; 실패.
lapsus *m. lat.* 과실, 잘못, 실수(error, equivocación) : ～ calami 잘못 쓰기. ～ linguae 실언, 잘못 말하기.
laque *m.* 《*AmérM.*》 =**boleadoras.**
laqueado, da *adj.* [laquear의 *p.p.*] 래커를 칠한.
laquear *tr.* ① laca로 칠하다. ② 《*Chile.*》 = **bolear.**
laques *m.pl.* 《*Chile.*》 =**boleadoras.**
Láquesis *f.* 【희랍 신화】 항상 물레를 돌려 인간의 운명을 좌우하던 저승의 세 여신(Parcas) 가

운데 한 신.

laqui *m.* 《*Chile.*》 =**laque.**

lar *m.* (고대 로마에서) 집을 지키는 신. —*pl.* 가정의 수호신 ; 가정(hogar) : volver a los ~*es* 가정으로 돌아가다.

larario *m.* (고대 로마에서) lar의 제단.

larca *f.* 《*Arg.*》 =**acequia.**

lardáceo, a *adj.* 돼지 기름 같은.

lardar *tr.* (…에) 돼지 기름을 바르다.

lardear *tr.* =**lardar.**

lardero *adj.* ***Jueves*** ~ 사순절 전의 목요일.

lardo *m.* [*lat.* lardum] 돼지 기름 ; 지방(脂肪).

lardón *m.* (용지 사이에 끼어 인쇄면에 공백을 남기는) 파지 ; 그 공백 ; 교정쇄 · 원고 여백의 추가 기입.

lardoso, sa *adj.* [드뭄] =**grasiento.**

lares *m.pl.* lar의 복수형.

larga *f.* ① 가장 긴 당구의 큐. ②【투우】=**pase.** —*pl.* 지체, 지연 : dar ~*s* a un asunto 어떤 문제를 질질 끌다.

a la ~ 길게 보면, 언젠가는.

largada *f.* 놓아주기, 늦추기.

largamente *adv.* ① 길게, 오래, 오랜 동안 (por mucho tiempo). ② 충분히, 여유 있게, 천천히, 한가롭게, 시간을 가지고 : José tiene con que pasarlo ~ 호세는 여유 있는 생활을 할 수 있을 만한 것을 가지고 있다. ③ 후하게, 후한 인심을 써가며, 물건을 아끼지 않고(con liberalidad).

largar *tr.* ⑧ ① 놓아주다 (soltar) ; 늦추다 : ~ el cable al ancla 닻의 줄을 늦추다. ② (깃발이나 돛을) 펴다 (desplegar) : ~ las velas 돛을 펴다. ③ 던지다(tirar, arrojar).

~se ① 가버리다 ; 줄행랑을 치다, 뺑소니를 치다 : Ella *se largó* a la francesa 그녀는 아무 말도 없이 가버렸다. ② 출범하다. ③ 《*AmérM.*》 [+a+*inf.* : …하기] 시작하다(empezar a) : *Se largó a* llorar 울음을 터뜨렸다.

larghetto *adv. ital.* 【음악】 라르고(el largo)보다 덜 느린. [*N.* 발음 : largueto].

largo, ga *adj.* [*lat.* largus] ① 긴, 기다란 : Este lápiz es más ~ que el tuyo 이 연필은 네 것보다 길다. ¡Viva usted ~*s* años! 무디 오래 사십시오. un camino muy ~ 매우 긴 길. **Contr.** corto. ② 장시간의, 원거리의 : anteojo de *larga* vista 망원경(largomira). ③ 장대한 : una obra *larga* 길고 긴 작품. ④ 많은, 풍부한, 숱한 (copioso, abundante, mucho) : la experiencia de ~*s* años 오랜 경험. Hubo una *larga* cosecha 푸짐한 수확이 있었다. ⑤ 물건을 아끼지 않는 (generoso) : un hombre ~ *en* dar 아낌없이 주는 사람. ⑥ 민첩한, 날쌘, 재빠른(ágil) ; 손재주가 있는(expedito) : un oficial ~ *en* trabajar 일 솜씨 있는 관리. ⑦ 느슨해진, 여유있는 : El cabo está ~ 밧줄은 늘어져 있다.

—*m.* ① 길이(longitud) : ¿Cuál es el ~ de aquel puente? 저 다리의 길이는 얼마쯤 됩니까? El barco tiene 100 metros de ~ 배는 길이가 100 미터이다. ②【음악】 완서곡, 완서조, 라르고 : Me encanta el ~ de la Sinfonía del Nuevo Mundo de Dvorzak 나는 드보르사크의 신세계 교향악의 라르고가 좋다.

—*adv.* 숱하게, 많이, 풍부하게, 넉넉하게.

—*interj.* 빨리 가, 나가! : ¡*Largo* de ahí · de aquí! 거기서 · 여기서 비켜 · 꺼져!

~ ***y tendido*** 풍부하게, 숱하게, 푸짐하게.

a la larga ① 세로로 : un palo atravesado *a la larga* 세로로 놓인 작대기. ② 오랜 시간이 지나면, 장기 안목으로 보면, 긴 눈으로 볼 때는, 끝내는 : *A la larga* lo sabremos 마지막에 가서는 알게 될 일이다. ③ 오랜 시간이 걸려, 질질 끌어, 천천히, 조금씩, 느릿느릿하게 : hablar *a la larga* 질질 끌며 말하다.

a lo ~ ① (…에) 따라 : *a lo* ~ *de* un río 어떤 강을 따라. ② 멀리 : *a lo* ~ *del* mar 앞 바다 저 멀리. ③ 길게, 장황하게(a la larga).

cuan ~ ***se es*** 빠듯하게.

de ~ 내쳐 : *pasar de* ~ ante las casas 집들 앞을 지나치다.

de ~ ***en*** ~ 끝에서 끝까지.

por ~ 길게, 장기적으로, 폭 넓게, 광범하게.

largometraje *m.* 영화 · 텔레비전의 장편 작품.

largomira *m.* 망원경(catalejos).

largona *f.* 《*Chile. Perú.*》 지연, 지체 (largas) ; 휴식 : darse una ~ 휴식하다.

largor *m.* 길이 (longitud) : el ~ de una calle 거리의 길이.

largoruto, ta *adj.* =**larguirucho.**

largucho, cha *adj.* 《*Amér.*》 =**larguirucho.**

largueado, da *adj.* =**listado.**

larguero, ra *adj.* ① 《*Chile.*》 아낌 없는 ; 풍부한. ② 《*Arg. Chile.*》 이야기가 긴, 지루하게 늘어 놓는. —*f.* ① 종재(縱材) : las ~*s* de una escalera 층계의 옆에 댄 널빤지. ② (늑목 등의) 기둥 ; (테 두르는) 긴 나무. ③ 긴 베개(cabezal).

largueza *f.* ① 길이(largura). ② 풍부, 풍족. ③ 대범(liberalidad).

larguirucho, cha *adj.* 길쭉한 : un hombre ~.

largura *f.* 길이(largor).

largurucho, cha *adj.* =**larguirucho.**

lárice *m.* 【식물】 낙엽송(alerce).

laricina *f* 【화학】 =**abietina.**

laricino, na *adj.* 낙엽송의.

larije *adj.* 붉은 색 포도의.

laringe *f.* 【해부】 후두 : La ~ es el órgano de la voz 후두는 목소리의 기관이다.

laríngeo, a *adj.* 후두의.

laringitis *f.* 【의학】 후두염.

laringología *f.* 후두염학.

laringólogo, ga *m.f.* 후두 전문가.

laringoscopia *f.* 후두 검사.

laringoscópico, ca *adj.* 후두 검사의, 후두경의.

laringoscopio *m.* 후두경.

laringotomía *f.* 후두 절개(술).

laringótomo *m.* 후두 절개 기구.

larra *f.* 《*Ál.*》 =**prado.**

larva *f.* [*lat.* larva] ① 구더기, 유충. ② 구제 받지 못할 영혼. ③ 요정, 정령.

larvado, da *adj.* 【의학】 잠복성의, 가면성의.

larval *adj.* 【곤충】 구더기의, 유생(幼生)의 : el estado ~ 유생 형태.

larvario, ria *adj.* =**larval.**

larvícola *adj.* 몸에 구더기 · 유충이 사는 : parásito ~ 몸에 사는 기생충.

las *art.* [정관사 la의 복수형] : *las* abejas 꿀벌. —*pron.* [대격 인칭 대명사 제3인칭·여성 복수형] 그것들·저것들·당신들·그녀들을 : *Las* amo a ellas 나는 그녀들을 사랑한다. *Las* encontró en la calle 그는 그녀들을 거리에서 만났다.

lasaña *f.* [드뭄] sartén의 과일.

lasca *f.* 부스러기 돌, 돌멩이.

lascadura *f.* 《*Méx.*》 찰과상, 쓸린 상처.

lascar *tr.* 7 [*lat.* laxare] ①(밧줄을) 늦추다, 풀어 내다(aflojar). ②《*Méx.*》 찰과상을 입히다·주다 ; 아프게 만들다.

lascivamente *adv.* 음탕하게, 호색적으로.

lascivia *f.* [*lat.* lascivia] 호색, 음탕함 ; 방탕.

lascivo, va *adj.* 음탕한, 호색적인 ; 활달한.

laser *m.* 원자 램프, 레이저 《강력 발광 장치》.

laserpicio *m.* 【식물】 라세르피시움 《산형과 식물》.

lasitud *f.* 피로, 피곤, 나른함, 권태(cansancio, fatiga).

laso, sa *adj.* [*lat.* lassus] ① 지친, 피로해진, 나른해진 (cansado, sin fuerzas). ② 꼬지 않은, 꼬여 있지 않은 (실 따위) : seda *lasa*.

lastar *tr.* ① 대체하다, 대신 지불하다, 대신 물다. ② 남의 허물을 뒤집어쓰다 : ~ la pena del compañero 동료 때문에 고통을 받다.

lástima *f.* 슬픔 ; 연민, 가엾음 ; 한탄, 유감스러움 : ¡Qué ~ ! 안됐습니다(¡Qué pena!). Es ~ que no vengas 네가 오지 못한다니 유감이다. Es ~ que no hayamos venido más temprano 더 일찍 오지 않았던 것이 유감스럽다. [*N.* Es lástima que 다음에는 접속법 동사를 사용함].
de ~ =lamentable.
dar ~ 가엾게 느끼다(causar lástima).
llorar las ~*s* 한탄하다, 탄식하다(quejarse mucho).

lastimada *f.* 《*AmérC. Méx.*》 =**lascadura.**

lastimador, ra *adj.* 상처를 입히는, 해치는.

lastimadura *f.* 상처를 입히는 일 ; 아픔, 흠.

lastimar *tr.* ① 상처를 입히다, 잘못되게 하다, 망가뜨리다(herir, dañar) : Estos zapatos me *lastiman* 나는 이 구두가 아프다. ② 모욕하다, 능욕하다 (agraviar, ofender). ③ 동정하다(compadecer).
~se ① 다치다 : *Me lastimé* una mano contra una piedra al caer 나는 넘어질 때 돌에 손을 다쳤다. ② 동정하다, 가슴아파하다, 딱해·가엾어 하다 (compadecer) ; 유감스럽게 생각하다, 억울해 하다, 탄식하다, 한탄하다 : ~*se de* la noticia 소식을 듣고 탄식하다.

lastimeramente *adv.* 슬프게, 가엾게.

lastimero, ra *adj.* 가엾은, 동정이 가게 하는 : gemidos ~*s.*

lastimón *m.* 《*Amér.*》 =**lastimadura.**

lastimosamente *adv.* 가엾게도, 안쓰럽게도, 불쌍하게도.

lastimoso, sa *adj.* 가엾은, 안쓰러운, 불쌍한 : hallarse en situación ~*sa.*

lasto *m.* 대체 지불증.

lastón *m.* 【식물】 화본과 식물의 일종.

lastra *f.* [*ital.* lastra] 반반한 돌(lancha).

lastrar *tr.* ①(배에) 짐을 싣다. ②(기구에) 모래 주머니를 대다 ; (…에) 누름돌을 얹다 ; 중량의 균형을 잡다. ③《*Chile.*》 자갈을 깔다.

lastre *m.* ① 배에 밑창을 싣는 하물 : hacer ~ 배의 밑창에 짐을 싣다. ② 누름돌. ③ 견실함(juicio) : no tener ~ 견실하지 못하다. Ella no tiene ~ en la cabeza 그녀는 분별·판단력이 없다. ④ 부스러기 돌. ⑤《*Chile.*》 자갈.

lastrón *m.* 커다란 돌멩이.

lasún *m.* =**locha.**

lat. latín ; latitud.

lata *f.* ① 양철(hoja de lata), 양철통 : La caja estaba hecha de ~ 상자는 양철로 만들어졌다. ② 깡통 : conserva en ~ 깡통 통조림. ③(지붕의) 서까래 나무 ; 작은 통나무. ④ 오래 늘어 놓는 말 : dar la ~ 긴 말을 늘어 놓아 싫증나게 만들다. ⑤《*AmérC.*》 말썽꾼. ⑥《*Méx.*》 날이 있는 연모. ⑦《*Riopl.*》 검, 칼.
¡Qué ~ ! =¡Qué molestia!
sin una ~ 돈없이(sin dinero).
dar ~ 《*Venez.*》 찰싹찰싹 때리다.
dar la ~ =fastidiar.
estar en la(s) lata(s) 《*AmérC. Col.*》 무척 가난하다.

latamente *adv.* 폭 넓게, 광범하게 ; 넓은 의미로. Contr. sucintamente.

latanero *m.* =**latania.**

latania *f.* 【식물】 부채 모양으로 자라는 야자나무.

latastro *m.* 【건축】 주석(柱石), 주춧돌(plinto).

lataz *m.* [*gr.* latax] 【동물】 (태평양의) 수달(nutria)의 일종 : El ~ tiene pelaje más fino que la ~ común 태평양의 수달은 보통 수달보다 질이 더 우수한 털을 가지고 있다.

latazo *m. aum.* 【속어】 lata.

latear *tr.* 《*AmérM.*》 긴 말을 늘어 놓아 싫증나게 만들다(dar la lata).

latebra *f.* 【시어】 은신처, 구멍(escondrijo).

latebroso, sa *adj.* 숨은, 알지 못하는.

latente *adj.* [*lat.* latens] 숨은, 눈에 띄지 않는, 잠재한, 잠재성의, 잠복성의 : calor ~ 잠열(潛熱).

lateral *adj.* ① 측면(側面)의, 가로의, 옆의 : puertas ~*es.* ② 방계의. ③ 한 쪽으로 치우친.

lateralmente *adv.* 측면으로, 측면에서 ; 여기저기에 ; 방계로.

latería *f.* 【방언】 《*Amér.*》 =**hojalatería.**

latero, ra *adj.* 귀찮은, 골치 아픈 (latoso). —*m.* 《*Amér.*》 양철공(hojalatero).

latescente *adj.* =**lactescente.**

látex *m.* 【단·복수 동형】 【식물】 유액 ; 생고무.

latexífero, ra *adj.* 【식물】 =**laticífero.**

laticífero, ra *adj.* 유액이 있는 : planta ~*ra* 유액이 있는 식물.

latido *m.* 고동, 맥박 ; 자지러질 듯이 우짖은 소리 ; 개 짖는 소리.

latiente *adj.* 맥박이 뛰는.

latifoliado, da *adj.* 【식물】 잎이 넓은 (식물).

latifundario, ria *adj.* 대농장의.

latifundio *m.* 대농장, 대단위 농지.

latifundista *m.f.* latifundio의 주인.

latigadera *f.* 《*And.*》 =**soga, correa.**

latigazo *m.* 채찍질 ; 채찍 소리 ; 질책, 호된 책망, 나무라는 일; (차의 충돌에 의한) 목뼈 골절.

látigo *m.* ① 채찍 ; (추를 묶는) 끈 ; 조임 가죽,

가죽끈. ② 모자의 깃 장식. ③ 《*Amér.*》 채찍질. ④ 《*Chile.*》 (경마의) 결승점.
salir al ~ 《*Chile.*》 결말이 나다, 종말에 이르다.

latigudo, da *adj.* 《*Chile.*》 =**correoso.**

latigueada *f.* 《*Amér.*》 =**azotaina.**

latiguear *intr.* ① (휙휙) 소리나게 하다. ② 《*Amér.*》 채찍으로 때리다(azotar).

latigueo *m.* 채찍을 휘두르기 ; 채찍이 울리는 소리.

latiguera *f.* ① 가죽끈 (látigo). ② 《*Perú.*》 채찍질, 매질.

latiguero *m.* 채찍 장수.

latiguillo *m.* [*dim.* látigo] ① 가지에 튼 움. ② (배우·연설하는 사람의) 과장된 연출·연기. **Sinón.** estolón.

latín *m.* 라틴어 : El ~ es la lengua madre del español 라틴어는 서반아어의 모어(母語)이다. —*pl.* 서반아에서 사용하는 라틴 어구 : abusar de ~*es* 라틴어를 남용하다.
~ *clásico* 고전 라틴어 《황금 시대의 175년 이전의 그것》. *bajo* ~ 저(低) 라틴어 《중세기 이후의 그것》. ~ *moderno* 근세 라틴어 《1500년 이후의 것》. ~ *rústico·vulgar* 속 라틴어 《라틴계 모든 언어의 모체가 된 고전 시대 이후의 민간 용어》.

latinajo *m.* ① 불완전한 말로서의 라틴어. ② [*pl.* 경멸적으로] 라틴어 : decir ~*s* a cada paso.

latinamente *adv.* 라틴어로.

latinar *intr.* =**latinear.**

latinear *intr.* 라틴어를 서반아어로 자주 사용하다.

latinidad *f.* [*lat.* latinitas] ① [추상] 라틴어. ② [집합] 라틴 민족(성).

latiniparla *f.* 라틴어의 남용.

latinismo *m.* 라틴어식 발음 ; 라틴어 사투리.

latinista *m.f.* 라틴어 학자·문학자.

latinización *f.* 라틴어화.

latinizador, ra *adj.* 라틴풍의, 라틴화한.

latinizante *adj.* =**latinizador.**

latinizar *tr.* ⑨ 라틴풍으로 하다 ; 라틴어화하다. —*intr.* ① 아무데서나 라틴어를 말하다·사용하다(latinear). ② 유식한 척 떠들다.

latino, na *adj.* [*lat.* latinus] ① el Lacio 《고대 이탈리아의 한 지방》의. ② 라틴계의, 라틴 민족의 : España, Francia, Italia, Portugal, y Rumania son naciones ~*nas* 서반아, 불란서, 이탈리아, 포르투갈 및 루마니아는 라틴계 국가이다. ③ 로마 카톨릭의 : Iglesia *Latina* 로마 카톨릭 교회. ④ 【선박】 삼각돛의 : vela ~*na* 삼각돛. —*m.f.* 라틴인, 고대 로마인 ; 라틴계 사람.

Latinoamérica *f.* 【지명】 라틴 아메리카, 중남미(La América Latina).

latinoamericano, na *adj.* 라틴 아메리카의. —*m.f.* 라틴 아메리카 사람.

latir *intr.* ① (심장이) 고동치다, 뛰다(palpitar) : El corazón me *latía* fuertemente 내 심장이 강하게 뛰었다. ② 아프다, 쑤시다(punzar). ③ (개가) 짖다(ladrar). ④ 《*Méx.*》 마음이 들다, 느낌이 들다 : Me *late* que va a llover 비가 올 듯하다. —*tr.* 《*Venez.*》 괴롭히다, 애먹이다.

latirrostro, tra *adj.* 주둥이가 납작한.

latísimamente *adv.* 폭 넓게, 광범하게.

latitud *f.* [*lat.* latitudo] ① 가로, 폭(ancho) ; 넓이. ② 범위. ③ 기온, 풍토 : El hombre puede vivir bajo todas las ~*es* 인간은 어떤 기온에서도 살 수 있다. ④ 【지리·천문】 위도 : La ~ de Barcelona es de 41°23′ norte 바르셀로나의 위도는 북위 41도 23분이다. España se halla entre los 43° 47′ 25″ y 35° 59′ 50″ de ~ Norte y los 3° 19′ 13″ de longitud Este y 9° 18′ 18″ de longitud Oeste 서반아는 북위 43도 47분 25초에서 35도 59분 50초 사이와 동경 3도 19분 13초와 서경 9도 18분 18초 사이에 있다. ⑤ 《*Galic.*》 자유, 여지 : dejar ~.

latitudinal *adj.* 가로의, 횡단면의 : plano ~ 횡단도.

latitudinario, ria *adj.* ① 자유주의의. ② 【종교】 교리·형식에 구애되지 않는, 광교파(廣敎派)의. —*m.f.* ① 자유주의자. ② 광교파 사람.

latitudinarismo *m.* 자유주의, 관용주의 ; 광교파.

lato, ta *adj.* [*lat.* latus] 넓은, 광범한 ; 광의(廣意)의, 넓은 뜻의. **Contr.** estricto.

latón *m.* ① 놋쇠 : El ~ o cobre amarillo es muy dúctil y maleable. ② 《*Bol. Col.*》 사브르(sable). ③ 《*Perú.*》 바께쓰, 양동이.

Latona *f.* 【희랍 신화】 Zeus의 애인으로 Apolo와 Artemis의 어머니.

latonería *f.* 놋쇠 공장 ; 놋쇠 그릇 가게.

latonero *m.* ① 놋쇠 만드는 사람, 놋쇠 상인. ② 《*Col.*》 =**hojalatero.** ③ 《*Murc.*》 =**hijuela de acequia.**

latoso, sa *adj.* 귀찮은, 번거로운, 골치 아픈. —*m.f.* 귀찮은 사람, 골치 아픈 사람.

latréutico, ca *adj.* 일신 숭배(一神崇拜)의.

latría *f.* 일신 숭배 : culto de ~ 유일신에 대한 숭배·예배.

latrocinante *adj.* 도벽이 심한.

latrocinar *intr.* [드뭄] 도둑질을 업으로 삼다.

latrocinio *m.* [*lat.* latrocinium] 도둑, 도벽(hurto, robo).

latvio, via *adj.* 라트비아 《Latvia, 발트해 연안의 소련방 구성 공화국의 하나 ; 수도 Riga》의. —*m.f.* 라트비아 사람. —*m.* 라트비아말.

lauca *f.* 《*Chile.*》 대머리(peladura).

laucadura *f.* 《*Chile.*》 =**lauca.**

laucar *tr.* ⑦ 《*Chile.*》 (…의) 털을 자르다·깎다.

lauco, ca *adj.* 《*Chile.*》 벗겨진(pelado).

laucha *f.* ① 《*Arg. Chile.*》 날렵한·민첩한 사람 : Ana es una ~ 아나는 민첩한 여자이다. ② 말라깽이(persona flaca). ③ 《*Arg.*》 색을 밝히는 노인. ④ 《*Col.*》 실제적인 일에 밝은 사람.
aguantar la ~ 《*Chile.*》 참을성 있게 때를 기다리다.

lauchita *f. dim.* laucha.

laúd *m.* [*ár.* alud] ① 라우드 《만돌린 비슷한 악기》. ② 돛대 하나인 지중해의 범선. ③ (대서양 산의) 바다 거북의 일종. ④ 묘비.

lauda *f.* 묘비 ; 비문(laude).

laudable *adj.* 칭찬할 만한.

láudano *m.* 아편제(阿片劑) : Es peligroso el empleo del ~ para los niños.

laudar *tr.* 판정하다, 재정하다.

laudativo, va *adj.* =**laudatorio.**

laudatoria *f.* 찬사 ; 찬양 연설.

laudatorio, ria *adj.* 칭찬의, 찬사의, 찬양하는 (elogioso).
laude[1] *f.* [*lat.* lapis] 묘비(명)(lápida sepulcral).
laude[2] *f.* [*lat.* laus, laudem]【고어】=**alabanza.** —*pl.* 찬과(贊課)《제식의 하나》.
laudemio *m.* 영대 차지(永代借地) 양도세.
laudo *m.* (중재 재판의) 판정, 재정(裁定).
launa *f.* ① 금속판(lámina de metal). ② (기와 대신 쓰이는) 편암토(片岩土) : La ~ se emplea para cubrir azoteas.
lauráceo, a *adj.*【식물】녹나무·녹나무과의. —*f.pl.* 녹나무과 식물.
láurea *f.* =**corona de laurel.**
laureado, da *adj.* 월계관을 얻은 ; (어떤) 영예를 수여받은, 수상한 ; San Fernando 의 십자 훈장을 받은 (군인) : poeta ~. —*f.* San Fernando 십자 훈장.
laureando *m.* =**graduando.**
laurear *tr.* (…에게) 월계관을 씌우다, 계관시키다 ; 명예를 부여하다, 찬양하다.
lauredal *m.* 월계수의 숲.
laurel *m.* ①【식물】월계수 : Las hojas del ~ son usadas para condimento. ② 월계관 : ~ rosa 협죽도 (adelífa). ③ 영국의 옛날 금화. ④ 명예 ; 승리 ; 상(賞).
láureo, a *adj.* 월계수의 ; 월계수 잎의.
laureola *f.* =**lauréola.**
lauréola *f.* ① 월계관, 계관(桂冠) (corona de ~). ② 광관(光冠) (auréola). ③【식물】사향나무.
lauretano, na *adj.* 로레또(Loreto)의.
laurífero, ra *adj.*【시어】월계관·영예를 차지한.
lauríneo, a *adj.f.pl.* =**lauráceo.**
laurino, na *adj.* =**lauráceo.**
lauro *f.* ① 명예(fama), 영광(gloria), 승리(triunfo). ② 월계수(laurel).
lauroceraso *m.*【식물】월계수의 일종《가시나무과의 식물》.
Laus Deo *adj. lat.* 신에게 찬미 있으라 ; 신에게 감사하여 ; (작품의 말미에 붙여) 끝.
lause *m.*《*Chile.*》【은어】이(piojo).
lautamente *adv.* =**espléndidamente.**
lauto, ta *adj.* =**espléndido.**
lava *f.* [*lat.* lava] ①【지질】용암 : ~ porosa 경석(輕石). ②【광물】광석 세척.
lavable *adj.* 씻을 수 있는, 세탁할 수 있는 : seda ~.
lavabo *m.* ① 세면대, 세면장. ② 화장대 ; 변소. ③ 목욕 타월. ④【종교】세수식(洗手式).
lavacara *f.*《*Col. Ecuad.*》세면기.
lavacaras *m.f.*【단·복수 동형】=**adulador.**
lavación *f.* 씻는 일, 빨래하기(lavadura) ; 세정, 세척.
lavacoches *m.*【단·복수 동형】세차장 고용인, 차고의 고용인.
lavada *f.* =**lavado.**
lavadero *m.* ① 빨래터, 세탁소 ; 세탁장. ②《*AmérM.*》사금(砂金)의 여과장.
lavadiente *m.* =**lavadientes.**
lavadientes *m.* [드묾] =**enjuague.**
lavado, da *adj.* [lavar의 *p.p.*]《*Cuba.*》엷은 색의, 백다색(白茶色)의. —*m.* ① 씻는 일, 세탁 : ~ a·en seco 건조 세탁, 드라이 클리닝. ② 세정(洗淨) (lavamiento). ③【미술】담채화(淡彩畵).
lavador, ra *adj.* 닦는, 씻는. —*m.f.* 씻는 사람. —*m.* ① 포문 세정기. ②《*AmérC.*》=**lavabo.**
lavadora *f.* 세탁기 : ~ eléctirca 전기 세탁기.
lavadura *f.* 씻는 일, 세탁, 세정 ; 씻는 물 ; 걸레 빤 물(lavazas) ; 가죽 무두질용 약제.
lavafrutas *m.*【단·복수 동형】과일 씻는 그릇《식탁에 물을 담아 내놓는 그릇》.
lavagallo(s) *m.*《*Col. Venez.*》질이 낮은 소주.
lavaje *m.* ① 양털 세정. ②【외과】세정, 세척.
lavajo *m.* 잘 마르지 않는 charca.
lavamanos *m.*【단·복수 동형】세숫대야, 세면기, 손 씻는 그릇 ; 화장실.
lavamiento *m.* 세정, 세탁 ; 세정제(洗淨劑) (ayuda).
lavanco *m.*【조류】들오리(alavanco).
lavanda *f.*【식물】=**espliego.**
lavandería *f.*【고어】《*Amér.*》빨래터, 세탁장 ; 세탁소(lavadero).
lavandero, ra *m.f.* 세탁하는 사람. —*f.* 세탁장, 세탁소.
lavándula *f.*【식물】=**espliego.**
lavaojos *m.*【단·복수 동형】세안(洗眼) 그릇《눈 씻는 물을 받는 그릇》.
lavaplatos *m.*《*Chile.*》【단·복수 동형】① 접시 씻는 곳 ; 접시 씻는 기계 ; 개수통(fregadero). ②《*Hond.*》【식물】접시 씻기《이파리로 기름기를 씻는 풀》.
lavar *tr.* [*lat.* lavare] ① 씻다, 닦다 : Quisiera que me *lavasen* mis ropas 내 옷을 세탁해 주셨으면 합니다만. ② 씻어 주다, 닦아 주다 : La madre *lava* la cara al niño 어머니가 아이의 얼굴을 씻어 준다. ③ 씻어 내다, 훔쳐 내다 : ~ la ofensa *con·en* sangre 모욕을 피로서 씻다. Ellos van a ~ la ofensa con sangre 그는 모욕 당한 것을 피로 씻으려 한다. ④ 세탁하다 : ~ en seco 드라이 클리닝하다. tabla de ~ 빨래판. ropa por ~ 빨랫감. ⑤ 수세하다. ⑥ 세광(洗鑛)하다 ; (벽을) 씻어 내리다. ⑦【의학】세정(洗淨)하다. ⑧【회화】엷게 색칠하다.
~se (자기 몸을) 씻다 : Quiero *lavarme* las manos 손을 씻고 싶다 ; 나에게는 (그 사건에) 책임은 없다. ¿*Te has lavado* las manos? 너는 손을 씻었느냐?
~ ***la ropa sucia en familia*** 친척이나 친구간에 불미스런 일을 해결하다.
lavaroteo *m.* =**lavoteo, lavadura.**
lavarropas *m.*【단·복수 동형】세탁기.
lavativa *f.* ① 세정제(洗淨劑)(ayuda). ② (항문의) 세장기. ③ 불쾌, 귀찮음.
lavatorio *m.* [*lat.* lavatorium] ① 씻는 일. ② 세정(액). ③ 세숫대야 받침. ④ 세면소, 세면장 (lavamanos). ⑤【종교】세족식(洗足式), 세지식(洗指式). ⑥《*Amér.*》목욕탕. ⑦《*Amér.*》= **lavamanos.**
lavaza *f.*《*Amér.*》(비눗물을 녹인) 빨랫물. —*pl.* 빨랫물, 버리는 물.
lave *m.*【광물】세광(lavo).
lávico, ca *adj.* 화산 용암질의.
lavotear *tr.* 대강 씻다(lavar de prisa y mal).
lavoteo *m.* 대강 씻는 일 : dar un ~ 대강 씻다

(lavotear).
laxación *m.* [*lat.* laxatio] ① 이완, 느슨해짐 (aflojamiento). ② 설사.
laxamiento *m.* =**laxación, laxitud.**
laxante *adj.* 부드럽게·느슨하게 하는. —*m.* 하제(下劑), 완하제.
laxar *tr.* [*lat.* laxare] ① 느슨하게 하다, 늦추다 (aflojar) : ~ un arco. ② 연하게·부드럽게 하다 (ablandar, suavizar) : ~ el vientre 설사를 일으키다.
laxativo, va *adj.* 늦추는 ; 위를 씻어 내는 ; 변이 나오게 하는(laxante). —*m.* 완하제(laxante) : dar un ~.
laxidad *f.* =**laxitud, delibidad.**
laxismo *m.* 관용주의.
laxista *adj.* 관용주의의. —*m.f.* 관용주의자.
laxitud *f.* 느슨해짐, 이완.
laxo, xa *adj.* [*lat.* laxus] ① 느슨해진, 풀린 (flojo) : una cuerda *laxa.* ② 방종한(libre). ③ 미지근한.
lay *m.* [*pl.* layes] (플로방스계의) 사랑의 연가.
laya[1] *f.* [*vasco.* laya] 쟁기(pala).
laya[2] *f.* ① 기질, 성질 ; 종류(calidad, especie) : una persona de mala ~. ② 수치, 부끄러움, 면목(vergüenza, pundonor).
layador *m.* 쟁기질하는 사람.
layar *tr.* 흙을 퍼올리다 ; 쟁기질하다.
layetano, na *adj.* 라예따니아 《la Layetania, 서반아 동해안 일부의 옛 이름》의. —*m.f.* 라예따니아 사람.
Layo *m.* 【신화】 아들 Edipo의 과실로 살해된 Tebas의 왕.
layout *m. ing.* (신문·잡지·서적 따위의) 지면 배정, 레이아웃.
lazada *f.* 한번에 풀게 된 매듭 ; 오랏줄 매기 ; 매듭 장식.
lazador *m.* 《*Cuba.*》 소를 줄로 묶는 사람.
lazar *tr.* ⑨ ① 오랏줄 (lazo)로 붙잡다 : ~ caballos. ② 《*Méx.*》 매다, 묶다, 동여매다.
lazareto *m.* 검역소 ; 격리소 ; 나병 환자 병원 (hospital de leprosos).
lazarillo *m.* 맹인을 안내하는 아이 (muchacho que guía al ciego). [*N.* 소설 Lazarillo de Tormes의 등장 인물].
lazarino, na *adj.* 문둥병·나병의. —*m.f.* 나병 환자(leproso).
lazarista *m.* 산 나사로회의 수도사 (religioso de la orden hospitalia de San Lázaro).
Lázaro *m.* ① 나사로 《예수의 친구로서 그 기적으로 죽었다 살아난 남자 ; 몸에 난 종기로 고생하다 천당에 오른 걸인》. ② 가엾은 사람 : estar hecho un ~ 온몸이 부스럼투성이가 되어 있다.
lazaroso, sa *adj.m.f.* =**lazarino.**
lazo *m.* ① 맺음, 결합 (unión) : estar unidos por los ~*s* a uno. ② 매듭 : corbata de ~ 나비 넥타이. ③ 오랏줄 묶기. ④ 매듭 장식. ⑤ 덫 (trampa) : armar un ~ a uno. ⑥ 오랏줄, 밧줄 : ¿Puede usted hacer un ~ ? 밧줄을 묶을 수 있습니까 ? ⑦ 계략, 책략, 속임수 (ardid) : caer en el ~ 속임수에 넘어가다.
lazulita *f.* 【광물】 유리(瑠離)(lapislázuli).
lazzarone *m. ital.* 나폴리의 방랑자.
lazzi *m.pl. ital.* 희극 판토마임.

lb(s). libra(s) 파운드 《중량의 단위》.
l/c., l. c. la casa 상사 ; loco citato 상기 인용문중(上記引用文中).
Lda., Ltda. Limitada 유한 책임의, 주식의.
L.[do] Licenciado 졸업자 ; 학사(學士) ; 허가필.
le *pron.* [여격 인칭 대명사 3인칭 단수형] ① 그·그녀·당신·그것에게 : *Le* escribí *(a usted)* 나는 당신에게 편지를 썼다. Escríba*le* 그에게 편지를 쓰십시오. ② 그·그녀·당신에게서 : A él *le* ha muerto la mujer 그는 아내와 사별했다. ③ [서반아에서 3인칭 단수로서 남성일 때, lo 대신에 쓴다] 그를, 당신을 : *Le* visitaré *a usted* 나는 당신을 방문하겠습니다. Visíta*le* 그를 방문해라.
LE. libra esterlina 영국 파운드화.
lea[1] *f.* 【속어】 =**ramera.**
lea[2] leer의 접·현·1·3·단수.
lea- →**leer** 78.
leader *m. ing.* =**líder.**
leal *adj.* [*lat.* legalis] ① 충성스런, 충실한 : criado ~. ② 성실한(fiel) : lucha ~ 페어 플레이. ③ 진실한, 정직한, 마음씨 곧은 : un corazón ~.
lealmente *adv.* 충심으로, 진정으로, 충실하게, 성실하게.
lealtad *f.* ① 충실, 성실 : Debe ser la ~ la primera calidad de un comerciante. ② 충절(忠節), 충의(忠義). Contr. hipocresía, falsedad.
leandra *f.* 【속어】 1뻬세따 화폐.
leba *f.* 《*Venez.*》 =**guadua.**
lebaniego, ga *adj.m.f* 리에바나 《Liébana, Santander 주의 지방》의 (사람).
lebeche *m.* 남서풍(viento sudoeste).
lebeni *m.* (모로인의) 신 우유로 만든 음식.
leberquisa *f.* 【광물】 자철광, 산화철.
lebisa *f.* 《*Cuba.*》 바다 물고기의 일종.
lebrada *f.* 토끼(liebre) 요리.
lebrastón *m* =**lebrato.**
lebrato *m.* 새끼 토끼, 어린 토끼 : comer un ~ asado 구운 토끼 고기를 먹다.
lebratón *m.* =**lebrato.**
lebrejear *intr.* 《*SDgo.*》 빈둥빈둥 게으름부리다.
lebrel, la *adj.* 토끼 사냥의. —*m.f.* 토끼 사냥개 ; 그레이하운드 개(galgo) : perro ~.
lebrero, ra *adj.* 토끼 사냥용의 : perro ~.
lebrijano, na *adj.m.f* 레브리하 《Lebrija, Sevilla 주의 도시》의 (사람).
lebrillo *m.* 주발 씻는 그릇.
lebrón *m.* [*aum.* liebre] ① 큰 산토끼. ② 겁쟁이 (hombre tímido y cobarde). —*adj.* 《*Méx.*》 커다란 ; 용감한.
lebroncillo *m.* =**lebrato.**
lebruno, na *adj.* 토끼의 ; 토끼 같은.
lecanomancia *f.* =**lacanomancía.**
lecanomancía *f.* 음향점, 소리로 치는 점.
lección *f.* [*lat.* lectio] ① 독서, 읽기 (lectura). ② 과업, 교수, 연습 : dar la ~ 교습을 시키다, 수업을 시키다, 연습을 시키다. Ana *toma* ~*es* de piano *con* José 아나는 호세에게서 피아노 교습을 받고 있다. ③ 수업, 강의 : Ana *tiene* ~*es* 아나는 수업 중이다. tomar la ~ 수업을 받다. ④ (교과서 등의) 과 : la ~ primera, la primera ~ 제1과. ⑤ (그리스도 교회의) 일과. ⑥ 교훈

：las ～*es* del padre 아버지의 교훈. las ～*es* de la experiencia 경험의 교훈. tomar la ～ 교훈을 받다. ⑦(읽어서 얻은) 해석, 견해. ⑧본때를 보여주는 일, 꾸짖기, 충고：Le hace falta *una* ～ 그에게 본때를 보여줄 필요가 있다.

leccionario *m.* 【종교】 일과서.

leccionista *m.f.* 교사(maestro).

lecha *f.* 물고기의 정액·정낭.

lechada *f.* 회반죽；(넝마를 녹인) 제지 원료, 펄프；죽처럼 묽게 녹인 것.
～ *de cal* 석회유(石灰乳).

lechal *adj.* 포유 중의；젖 모양의；젖 같은 수액이 나오는. —*m.f.* 포유기 동물. —*m.* 유상 수액(乳狀樹液).

lechar[1] *adj.* 포유 중인；젖이 나는.

lechar[2] *tr.* ①《AmérM.》 젖을 짜다 (ordeñar). ② 젖을 내다. ③《Méx.》 하얗게 칠하다.

lechaza *f.* =**lecha.**

leche *f.* [*lat.* lactis] ①젖, 우유, 밀크：La ～ es un alimento muy nutritivo 우유는 영양분이 많은 식품이다. ②유상물(乳狀物), 유상액(乳狀液). ③《Bol.》 고무(caucho). ④=**semen.** ⑤=**golpe.** ⑥=**puñetazo.** ⑦=**malhumor.** ⑧=**suerte.** ⑨=**índole.** ⑩=**fastidio, molestia.** —*intr.* 노함·기분 나쁨·놀람을 나타내는 감탄사.
～ *concentrada·condensada* 연유. ～ *descremada·desnatada* 탈지유. ～ *de gallina* 【식물】 백합과 다년생 화초. ～ *de tierra* 【화학】 마그네시아；고토(苦土). ～ *en polvo* 분유. ～ *esterilizada·pasterizada* 살균유. ～ *maternizada* 모유화 한 우유. ～ *seca* 분유, 건유(乾乳).
de ～ ①아직 젖을 떼지 못한, 아직 젖을 먹이는：ternera *de* ～ 아직 어미젖을 떼지 못한 송아지. ②착유용(搾乳用)의：ama *de* ～ 유모. hermano de ～ 젖 형제. hijo *de* ～ 양자. vaca *de* ～ 젖소.
estar con la ～ *en los labios* 젖비린내 나는 어린애다.
estar de mala ～ 기분이·컨디션이 매우 나쁘다.
estar en ～ (과일 같은 것이) 아직 모양을 갖추지 못하다；(바다가) 잔잔하다.
mamar en ～·*con la* ～ 어려서부터 익히다·배우다(aprender de pequeñito).
pedir ～ *a las cabrillas* 불가능한 요구를 하다.
ser la ～ 드물다, 귀찮다, 진저리가 나다.
ser una mala ～ 꿍심을 갖다, 나쁜 의도를 갖다.
tener·traer la ～ *en los labios* 젖비린내 나는 어린애다(ser muy joven, estar con la ～ en los labios).
¡una ～*!* 거절·부인의 감탄사.

lechecillas *f.pl.* ①(동물의) 장물(臟物). ②=**asadura.**

lechera *f.* ①젖·우유 그릇, 우유 컵. ②우유 파는 여인. ③《Amér.》 젖소(vaca lechera).
～ *amarga* 【식물】 애기풀, 영신초.

lecherear *intr.* 《Venez.》 에누리하다, 인색하게 굴다.

lechería *f.* 우유 가게；유업(乳業)；낙농장；낙농업.

lechero, ra *adj.* ①젖·우유의：industria ～*ra* 유업(乳業). ②채유용(採乳用)의, 젖을 짜는：vaca ～*ra* 젖소. ③인색한. ④《Amér.》 행운의, 운이 좋은(afortunado). —*m.f.* ①우유 장수, 우유팔이. ②《Chile.》 젖 짜는 사람(ordeñador).

lecherón *m.* ①《Ar.》 젖 짜는 통. ②《Ar.》 갓난 아기의 포대기.

lechetrezna *f.* 【식물】 등대풀(ésula).

lechigada *f.* ①한배 새끼. ②[집합] 악당의 패거리.

lechiguana *f.* 《Arg. Bol.》 【곤충】 벌의 일종.

lechín *m.* ①올리브의 일종. ②=**lechino.**

lechino *m.* 말에 생기는 일종의 종기；상처 구멍에 넣는 가제.

lecho *m.* [*lat.* lectum] ①침대(cama). ②하상(河床)(madre del río). ③돌의 윗면·상면(上面). ④지층(地層), 층：～ de roca 최하층의 상암(床岩).

lechón, na *adj.* 더러운. —*m.f.* 새끼 돼지；돼지；추접스러운 인간.

lechosa *f.* 【식물】 papaya 열매.

lechoso, sa *adj.* ①젖같은, 유상(乳狀)의：color ～ 젖 색깔. ②유상액을 내는：tallo ～. ③《Venez.》 행운의, 요행의. —*m.* 【식물】 빠빠야 나무(papayo). —*f.* 빠빠야 열매.

lechucear *intr.* 《Perú.》 (운전수가) 야근을 하다.

lechucero, ra *adj.m.f.* 《Ecuad. Perú.》 부엉이 같은；밤에 쏘다니는 (사람)；야근하는 (사람).

lechudo, da *adj.* 《Arg.》 우유 같은, 젖 모양의；행운의, 운좋은.

lechuga *f.* [*lat.* lactuca] ①【식물】 상추：Las hojas de ～ se comen en ensalada 상추의 잎은 샐러드로 먹는다. ②(옷의) 주름깃. ③《Ant.》 지폐.
como una ～ 발랄한.
ser más fresco que una ～ 뻔뻔스럽다.

lechugado, da *adj.* 주름이 잡힌, 주름진, 상추잎 모양의：cuello ～ 주름진 목.

lechuguero, ra *m.f.* 상추 장수.

lechuguilla *f.* ①들시금치. ②주름깃；주름 장식의 일종.

lechuguina *f.* *dim.* =**petimetra.**

lechuguino, na *adj.* 맵시를 내는, 유행에 민감한. —*m.f.* 맵시꾼. —*m.* ①어른 티를 내는 소년. ②상치의 모·못자리.

lechuza *f.* ①【조류】 부엉이：La ～ hace guerra activa a los insectos y roedores pequeños. ②【동물】 (암) 새끼 노새. ③부엉이 같은 여자. ④《Cuba. Méx.》 매춘부, 창녀, 음탕한 여자. —*adj.* 《Chile.》 하얀.

lechuzo *m.* ①수금원. ②부엉이 같은 놈. ③(숫) 새끼 노새.

lechuzo, za *adj.m.f.* 한 살이 안된 (노새).

lecitina *f.* 【화학】 레시틴《인지질(燐脂質)의 일종, 세포막 구성의 중요한 성분으로 난황(卵黃)·콩기름·간장·뇌 등에 많이 들어 있음》.

lect. lectoral.

lectivo, va *adj.* 수업이 있는：período ～ 수업기간. tiempo ～, día ～ 수업일.

lector, ra *adj.* 읽는. —*m.f.* ①독자, 애독자. ②강사. ③독경승《사제가 되는 계급의 일종》.

lectorado *m.* 독경사.

lectoral *adj.m.* 독경사(의).

lectoralía *f.* 독경사의 수당.

lectoría *f.* (교회의) lector의 직.
lectura *f.* ① 읽기, 독서. ② 읽을 거리, 강독(講讀) : ¿Qué clase de ~ le gusta a Vd? 어떤 책을 읽기를 좋아합니까? ③ 독본. ④ 과업, 강의. ⑤ 교양 : persona de mucha ~ 박식한 교양인. Es hombre de mucha ~ 그는 굉장히 교양 있는 사람이다. ⑥ 기기(機器)의 수치(數値) 읽기. ⑦【인쇄】 파이카 활자.
~ *de mente* 독심술(讀心術).
ledamente *adv.*【시어】 즐거운 듯이.
ledino *adj.* 《*Ecuad.*》 =**ladino.**
ledo, da *adj.*【시어】 즐거운(alegre).
ledro, dra *adj.* 천한, 비천한(ruin).
leedor, ra *adj.m.f.* =**lector.**
leer *tr.* 78 [*lat.* legere] ① 읽다, 독서하다 : ¿Has leído usted el periódico (de) hoy? 오늘 신문 읽었나? ② (누구의) 작품을 읽다 : ~ a Cervantes. ③ 큰 소리로 읽다, 소리내어 읽다. ④ [+en : …을] 훑어 보다, (그 가운데서 무엇을) 읽다, 읽어 내다 : Estaba *leyendo en* periódico 그는 신문을 읽고 있었다. ⑤ 읽고 들려주다. ⑥ 파악하다, 알아채다 : ~ en el porvenir. ⑦ 해석하다.
[직·부정과거 : leí, leíste, leyó, leímos, leísteis, leyeron. 접·불완료과거 : leyera, … ; leyese, …. 과거 분사 : leído ; 현재 분사 : leyendo].
leetano, na *adj.m.f.* 레에따니아 《Leetania, 옛날 España의 Tarraconense 지방》의 (사람).
lefio, fia *adj.* 《*Méx.*》 어리석은(tonto).
leg. legal 합법의 ; legislatura 입법, 법제(法制).
lega *f.* (수도원에서) 일하는 여승.
legacía *f.* 사절(legado)의 직·역할 ; 사명.
legación *f.* ① 사절의 직·역할. ② 사명(legacía). ③ 공사의 지위. ④ 공사관. ⑤ [집합] 공사관원.
legado *m.* ① 사절 : los ~*s* del soberano pontífice. ② (로마 제국의) 주지사, 군단장. ③ 유물.
~ *a latere* 로마 교황 특별 사절.
legador *m.* 네발 짐승의 발을 묶는 하인.
legadura *f.* 끈, 줄, 밧줄.
legajar *tr.* 《*Amér.*》 다발로 만들다.
legajo *m.* 다발, 묶음 ; 종이 묶음.
legal *adj.* ① 법정(法定)의. ② 법률(상)의, 법률에 관한, 법적인 : persona ~ 법인. Empleé los medios ~*es* para conseguir este terreno 나는 이 토지의 입수를 위해 법률상의 수속을 취했다. ③ 적법의, 합법적인 : actitud ~. ④ 충실한 ; 진정한. ⑤ 《*Perú.*》 뛰어난, 우수한. Contr. arbitrario, ilegal.
legalidad *f.* 적법(성), 합법(성).
legalización *f.* ① 인증, 공증, 증명, 사증(査證) : ~ de la factura consular 영사 송장의 사증. ② 적법화, 합법화 ; 법률화.
legalizar *tr.* 9 법적으로 정당하다고 인정하다, 증명·사증하다 ; 공인하다, 인증하다 : ~ el conocimiento 선하 증권에 사증을 하다.
legalmente *adv.* 법적으로, 합법적으로 ; 정식으로.
legamente *adv.* 무학 무지하게.
légamo *m.* 진흙(cieno, lodo) ; 늪, 못.
legamoso, sa *adj.* 진흙투성이의.
leganal *m.* 수렁. Sinón. cenagal.
légano *m.* =**légamo.**
leganoso, sa *adj.* =**legamoso.**
legaña *f.* 눈곱(pitaña).
legañil *adj.* =**legañoso.**
legañoso, sa *adj.* 눈곱투성이의 ; 눈이 진무른. —*m.f.* 눈곱쟁이.
legar *tr.* 8 [*lat.* legare] ① 유증(遺贈)하다. ② (후세에) 남기다 : ~ una obra a la posterioridad 작품을 후세에 남기다. ③ 사절로 보내다, 파견하다.
legatario, ria *m.f.* 유산 수취인 : ~ universal·particular 포괄·특정 유산 수취인. La nombró ~*ria* 그는 그녀를 유산 상속인으로 했다.
legenda *f.* 성도전(聖徒傳).
legendario, ria *adj.* 이야기의, 전설(상)의 : el héroe ~ 전설상의 영웅. —*m.* 성도 열전.
leghorn *f.* 레그혼《산란종》.
legible *adj.* 읽을 수 있는, 판독할 수 있는, 읽기 쉬운(leíble).
legiferar *intr.* [드뭄] 법을 만들다.
legión *f.* [*lat.* legio] ① 군대, 군단 : La ~ comprendía infantería y caballería y se dividía en diez cohortes (로마의) 군단은 보병과 기병을 합해 10군단으로 나누어져 있었다. ② 부대, 군, 대 : ~ de voluntarios 의용군. ③ 다수(의 사람), 많은 사람.
legionario, ria *adj.* 군단의, 부대의. —*m.* 군사 ; [집합] 병사(兵士).
legionense *adj.m.f.* =**leonés.**
Legisl. Legislación.
legislable *adj.* 법제화할 수 있는 ; 법제화해야 할.
legislación *f.* ① 입법, 법률 제정 : ~ antihuelguística, ~ de prevención de huelgas 파업 방지법. ~ bancaria 은행법. ~ de trabajo 노동법. ~ financiera 재정 (입)법. ~ laboral 노동 입법. ~ sobre la quiebra 파산법. ~ social 사회 입법. ② [집합] 법령, 법률, 법학(jurisprudencia).
legislador, ra *adj.* 법률을 제정하는, 입법상의, 입법하는, 입법의. —*m.f.* 입법자, 벌률 제정자.
legislar *intr.* 법률을 제정하다.
legislativo, va *adj.* ① 입법의, 입법권이 있는 : asamblea ~*va* 입법 의회. poder ~ 입법권. ② 법정(法定)의 ; 공인(公認)의.
legislatura *f.* ① 입법 의회. ② 의회 개회중, 회기(會期). ③ 《*Amér.*》 입법부, 입법 기관, 법제부.
legisperito *m.* [드뭄] =**jurisperito.**
legista *m.f.* 법학자, 법률 학도.
legítima *f.* (피상속자에 대한) 법정 규모의 상속 재산.
legitimación *f.* 적법화, 합법화, 공인 ; 적출로 인정함.
legitimador, ra *adj.* 합법화하는.
legítimamente *adv.* 합법적으로, 정당하게.
lagitimar *tr.* 합법적으로 인정하다, 합법화하다, 정당화하다, 합법적으로 만들다, 정당한 것으로 인정하다 ; 입적시키다 ; 인지하다 ; 권능·자격을 부여하다(habilitar).
legitimario, ria *adj.* 법정 상속 재산의. —*m.f.* 법정 상속인.

legitimidad *f.* 정당성, 합법성 ; 적출 ; 정통, 정계(正系).
legitimismo *m.* 정통주의, 정통파.
legitimista *adj.* 정통주의자의, 왕조 정통파의. *—m.f.* 정통주의자, 정통 왕조파.
legítimo, ma *adj.* [*lat.* legítimus] ① 합법의, 적법의, 정당한, 법이 허락한 ; 올바른 : dirigir una ~*ma* reivindicación. ② 적출의. ③ 진짜의 (genuino) : vino de Jerez ~ 진짜 헤레스 포도주. ④ 정통의.
lego, ga *adj.* [*lat.* laicus] ① 평신도의 ; 속(인)의. ② 교육이 없는, 무교육의. *—m.f.* 평민, 속인 ; 평수도사, 평승려, 일하는 중·여승.
legón *m.* [*lat.* ligo, onis] 납작한 괭이의 일종.
legra *f.* 【외과】 =**raedera.**
legración *f.* 뼈를 가는 일.
legradura *f.* =**legración.**
legrar *tr.* (뼈를) 갈다.
legrón *m. aum.* legra.
legua *f.* [*lat.* leuca] ① 레구아 《거리의 단위, 5.572 metros》 : La ~ marítima vale tres millas 해상의 1레구아는 3마일에 해당한다. ② 풍각쟁이.
~ ***de posta*** =4㎞. ~ ***de veinte al grado***, ~ ***marina · marítima*** =5.555m =3 millas.
a (la) ~, ***desde media*** ~ 멀리, 멀리서.
leguaje *m.* 《*Perú.*》 여비, 거마비 ; 여정(旅程).
leguario, ria *adj.* 레구아의, 이정의 : poste ~ 이정표. *—m.* 《*Bol. Chile.*》 마일 표.
leguleyo *m.* [*lat.* leguleius] 돌팔이 변호사, 악덕 변호사.
legumbre *f.* [*lat.* legumen] ① 콩류. ② 야채, 채소, 청과물(hortaliza) : ~ verde 푸성귀. ③ 《*Chile.*》 야채 요리.
legumina *f.* 【화학】 레구민 《콩류의 단백질》.
leguminoso, sa *adj.* 【식물】 콩과의. *—f.pl.* 콩과 식물.
lei *m.* =**leu.**
leíble *adj.* =**legible.**
leída *f.* 독서 (lectura) : a la primera ~ 한번 읽어 보고. Leí el libro en dos ~*s* 이 책을 두 번에 다 읽었다.
leído, da *adj.* [leer의 *p.p.*] 박학한, 박식한, 해박한 : ~ y escribido 해박한 척하는.
leila *f.* 모로인들의 밤 축제.
leima *m.* 【음악】 그리스 음악의 반음정.
leísmo *m.* lo 대신에 le를 쓰는 일 《예 : Este libro no te *le* doy 이 책은 너에게 줄 수 없다》.
leísta *adj.* leísmo를 사용하는. *—m.f.* leísmo를 사용하는 사람.
leit motif, -tiv *m. alem.* (악극의) 시도 동기(示導動機), 주목적, 중심 사상.
leito *m.* 《*Gal.*》 더블 베드, 2인용 침대 (cama de matrimonio).
leja *f.* 《*And. Murc.*》 =**vasar.**
lejanía *f.* 먼 거리, 먼 곳 : en la ~ 멀리에. mirar la ~ 먼 곳을 바라보다.
lejano, na *adj.* 먼, 먼 곳의 ; 요원한, 아득한 : siglos ~ 호랑이 담배 먹을 적, 아득히 먼 옛날. *L-* Oriente 극동. [Contr.] cercano.
lejas *adj.* ***de*** ~ ***tierras*** 먼 곳의, 먼 나라에서. [*N.* 이 경우에만 쓰임].
lejía *f.* [*lat.* lixivia] ① 잿물 ; 표백분. ② 질책 : dar una buena ~ 심하게 나무라다·꾸짖다.
lejío *m.* (염색 때 쓰는) 잿물.
lejísimos *adv.* [*sup.* lejos] 아득히 멀리에 (muy lejos) : Tu padre vive ~.
lejitos *adv.* [*dim.* lejos] 약간 멀리(에) (algo lejos).
lejos *adv.* ① [+de : …에서] 멀리, 아득히, 멀리 떨어져 : Vivo ~ *de* mi trabajo 나는 근무처에서 멀리 살고 있다. ¿Es muy ~ *de* aquí? 여기서 매우 멉니까? ¿Está muy ~ *de* aquí? 여기서 매우 멀리 있습니까? Está ~ *de* mi casa 내 집에서 멀다. Está muy ~ *de* mi ánimo 내 마음에서 멀리 떨어져 있다. [Contr.] cerca. ② …하기는 커녕, …한다는 것은 생각지도 못하게 : *L- de* mejorarse está cada día peor 좋아지기는 커녕 매일 더 악화되고 있다. Estoy ~ *de* pensar en ello 그런 일은 생각지도 못한 일이다. ③ 《*AmérM.*》 …의 대신 (en vez de, en lugar de). *—m.* ① 멀리 봄 : el cuadro que tiene buen ~ 멀리서 보면 좋게 보이는 그림. ② 원경 : esfumar los ~.
a lo ~ 멀리에 : Se ve un árbol *a lo* ~ 멀리에 나무 한 그루가 보인다.
de (muy) ~, ***desde*** ~ 멀리에서 : *Desde* ~ la reconocimos 멀리에서 우리는 그녀를 알아보았다.
de más ~ ***que nunca*** 《*Venez.*》 아주 멀리서.
sin ir más ~ [때의 표현 뒤에 붙여] 다름 아닌, 바로 : ayer, *sin ir más* ~ 바로 어제의 일.
L- de calderas y motores 기관실 주의.
lejuelos *adv.* [*dim.* lejos] 약간 멀리(algo lejos).
lejuras *f.pl.* 【방언】 《*Arg.*》 먼 곳(lugares lejanos).
Lela *hip.* Manuela.
lele *adj.* 《*AmérC. Chile.*》 =**lelo.**
lelilí *m.* (아라비아 사람의) 함성 《「신 이외에 신은 없다」의 뜻》.
Lelo *m.* [*hip.* Manuel] 렐로.
lelo, la *adj.* 미련한, 바보스런, 멍청한. *—m.f.* 미련둥이.
lema *m.* [*lat.* lemma] ① 주제, 논제(tema) ; 표어, 모토, 제언(題言), 제구(題句). ② (본명을 감추기 위한) 가명. ③ 【수학】 보조 정리(定理), 부명제(副命題).
lemanita *f.* 【광물】 경옥(硬玉)(jade).
lembario *m.* 뱃전에서 싸웠던 병사.
leme *m.* 타기(舵機), 배의 키.
lémming *m.* 【동물】 (시골의) 쥐 비슷한 동물.
lemna *f.* 【식물】 개구리밥, 부평초.
lemnáceo, a *adj.* 【식물】 개구리밥·부초과의. *—f.pl.* 부초과 식물.
lemnícola *adj.m.f.* =**lemnio.**
lemnio, nia *adj.m.f.* 렘노스 《Lemnos, 에게해의 섬》의 (사람).
lemniscata *f.* 【수학】 쌍뉴선(雙紐線), 두 줄 금.
lemnisco *m.* (옛 로마에서 투구에 달았던) 승리의 리본.
lemosín, na *adj.* 레모신 《Lemosín, 불란서의 오래 전의 주》의. *—m.f.* 레모신 사람. *—m.* 레모신 방언(lengua de oc).
lempira *m.* 렘삐라 《Honduras의 화폐 단위》(unidad monetaria de Honduras).

L

lempo, pa *adj.* ①《*Col.*》 커다란. ②《*CRica.*》 가무잡잡한. —*m.* 《*Col.*》 =**trozo.**
lemur *m.* =**lémur.**
lémur *m.* ①【동물】 여우원숭이. —*m.pl.* 원숭이 무리.
lémures *m.pl.* [*lat.* lemures] 악령, 망령, 혼령.
lemúrido, da *adj.* 【동물】 원숭이 무리의. —*m.pl.* 원숭이 무리.
len *adj.* [*lat.* lenis] 섬세한, 연한 ; 꼬지 않은 (실).
lena *f.* 원기, 힘(aliento).
lencería *f.* ① 린넬류. ② 린넬 가게 ; 의료품 상점가 ; (병원 등에서) 하의를 두는 곳. ③ [집합] 린넬 제품 《셔츠・칼라・시트・테이블보 따위》.
lencero, ra *m.f.* 린넬 취급자.
lenco, ca *adj.* 《*AmérC.*》 말을 더듬는, 말더듬이의(tartamudo).
lendel *m.* (물레방아를 돌릴 때 마소의) 도는 길.
lendrera *f.* 얼레빗(peine de púas).
lendroso, sa *adj.* 서캐투성이의.
lene *adj.* [*lat.* lenis] [드뭄] 연한, 보드라운 (suave, dulce).
lengón, na *adj.* 《*Méx.*》 =**lenguaraz.**
lengua *f.* [*lat.* língua] ①【해부】 혀. ② 혀 모양의 물건 : ~ de la campana 종의 추 ; 재단기의 날. ③ (언어 기관으로서의) 혀, 입 ; 말, 언어 (idioma) : En Centro y Sur América se habla la ~ castellana 중남미에서는 서반아어가 사용되고 있다. ④ 국어 (idioma de una nación) : ~ española. ⑤ 어법 (lenguaje) : Muchos españoles desconocen su ~ 많은 서반아 사람들은 어법을 모르고 있다. ⑥ 표현법, 완곡법 : ~ de los poetas. ⑦ 재단기의 날 (lengüeta). ⑧ 종의 추(badajo de la campana). ⑨ 알림, 소식. —*m.f.* 통역(관)(intérprete).
~ ***aglutinante*** 교착어 《한국어, 일본어 등》. ~ ***canina・de perro***【식물】 큰 유리풀의 일종 《자치류》(cinoglosa). ~ ***cerval・cervina・de ciervo*** 양치류의 일종. ~ ***de buey*** 버섯의 일종. ~ ***de escorpión*** 험구가, 험담가. ~ ***de estropajo*** 말더듬이. ~ ***de fuego*** 널름거리는 불꽃. ~ ***de hacha*** 독설가. ~ ***del agua*** 물가, 바닷가. ~ ***de loro*** 《*Chile.*》 말이 분명치 못한 사람. ~ ***de oc*** 로만스어(provenzal, lemosín). ~ ***de oil*** 중세 불란서의 북부 방언 ; 오늘날의 불란서어. ~ ***de sierpe*** 독설가. ~ ***de tierra*** 갑(岬) ; 사주(砂洲). ~ ***de trapo*** 험구가, 험담가. ~ ***de vaca*** 접는 면도칼. ~ ***de víbora*** 독설가, 험구가. ~ ***franca*** 외국인끼리 하는 잡탕말. ~ ***madre*** 모국어 : El latín es *la* ~ *madre* del castellano. ~ ***materna*** 모국어, 자국어. ~ ***muerta*** 사어(死語) : El latín es una ~ *muerta* 라틴어는 사어이다. ~ ***sabia*** 교양어 《라틴어 그리스어 등》. ~ ***santa*** 히브리어. ~ ***serpentina・viperina*** 험구가, 독설가. ~ ***viva*** 현대어. ~***s hermanas*** 자매어. ***mala*** ~ 험담가, 험구가. ***malas*** ~***s*** 입이 더러운 사람 : Así lo dicen *malas* ~*s*. ***media*** ~ 애매하게 말하기 ; 애매한 말을 쓰는 사람.
buscar la ~ 트집을 잡다, 싸움을 걸다.
de ~ ***en*** ~ 입에서 입으로.
echar la ~ ***al aire*** 깜박 실언하다.
hablar en ~ 《*Perú.*》 께추아어(quechua)를 말하다.
hacerse ~ ***de*** …을 잔뜩 추켜 세우다.
irse la ~ 깜박 실언하다.
largo de ~ 말이 많은 사람 (hablador).
ligero de ~ 입이 가벼운 : Es *ligero de* ~ 그는 입이 가볍다.
morderse la ~ 목구멍까지 나오는 말을 참다.
poner ~***(s) en*** (…에 대해) 나쁘게 말하다.
suelto de ~ 입이 가벼운 : Es *suelto de* ~ 그는 입이 가볍다.
tener en la ~ 자칫 말해 버릴 듯이 되다 ; 생각날 듯 날 듯 하면서 생각이 나지 않다.
tener mala ~ 입이 거칠다, 입이 더럽다.
tener mucha ~ 말이 많다.
tirar de la ~ 실토하게 하다, 말하게 하다(hacerle hablar).
lenguachuta *adj.* 《*Bol.*》 말더듬이의.
lenguadeta *f.* 【어류】 작은 참서대.
lenguado *m.* 【어류】 혀가자미 : La carne del ~ es comestible muy apreciado.
lenguaje *m.* ① 말, 언어, 특수 언어, 언어 활동 : ~ articulado 분절 언어. El ~ articulado pertenece sólo al hombre 분절 언어는 인간만이 가지고 있는 것이다. ~ de las flores 꽃말. el ~ de los ojos 눈의 표정에 담긴 말. ② 어법(語法). ③ 용어(用語) : ~ comercial 상업 용어. ④ 문체 : ~ culto・grosero. ⑤ 사투리, 방언.
lenguarada *f.* =**lengüetada.**
lenguaraz *adj.* ① 입이 험한. ② 2개 국어 이상에 통달한(intérprete). —*m.f.* 독설가.
lenguarico, ca *adj.* 《*Méx.*》 =**lenguaraz.**
lenguatón, na *adj.* 서슴없이 입이 거친.
lenguaz *adj.* 수다스러운.
lenguaza *f.* 【식물】 우설초(牛舌草).
lenguazo *m.* 《*AmérC.*》 험담, 중상.
lengüeta *f.* [*dim.* lengua] ① 작은 혀 모양의 물건. ② 목젖(epiglotis). ③ (저울의) 바늘(fiel). ④ (제본 재단기의) 날. ⑤ (풍악기의) 진동판. ⑥ 큰 송곳. —*adj.* 《*AmérM.*》 =**charlatán.**
lengüetada *f.* 한번 핥기 : dar una ~ en un plato 접시를 혀로 핥다.
lengüetazo *m.* =**lengüetada.**
lengüetear *intr.* ①《*AmérC.*》 주절거리다. ②《*Arg.*》 또렷하지 못하게 지껄이다.
lengüeteo *m.* 《*Ant.*》 혀로 핥는 일.
lengüeterías *f.pl.* 《*SDgo.*》 수다, 지껄이기 ; 험담, 중상.
lengüetero, ra *adj.* 《*Ant.*》 =**lenguaraz.**
lengüetilla *f.* 미장이의 흙손.
lengüezuela *f. dim.* lengua.
lengüicorto *adj.* 말하는 것이 내성적인.
lengüilargo, ga *adj.* 말투가 고약한.
lengüista *m.f.* lingüista의 사투리.
lengüisucio, cia *adj.* 《*Ant. Méx.*》 입이 험한, 입이 더러운.
leguón, na *adj.* 《*Amér.*》 =**lenguatón.**
lenidad *f.* 온정, 관대, 관용.
lenificación *f.* 부드러움, 연함 ; 완화.
lenificar *tr.* 7 부드럽게 하다, 연하게 하다, *co-* 화시키다, 누그러뜨리다(suavizar, ablandar).
lenificativo, va *adj.* =**lenitivo.**
leninismo *m.* 레닌주의.
leninista *adj.* 레닌주의의. —*m.f.* 레닌주의자.
lenitivo, va *adj.* 진정(鎭靜)의, 완화하는.

—*m.* ① 진정제, 완화제(緩和劑). ② 위로, 위안(慰安)(consuelo, alivio).

lenizar *tr.* =**lenificar, suavizar, mitigar, endulzar.**

lenocinio *m.* 매춘 주선, 매음 주선, 뚜쟁이 짓(alcahuetería).

lentamente *adv.* 늦게, 천천히, 느릿느릿.

lente *m.(f).* [*lat.* lens, lentem] ① 렌즈 : ~ de contacto 콘택트 렌즈. ~ de aumento 확대경. ~ de enfocar 초점 유리. ~ aplanática 무수차 렌즈. ② 외알박이 안경. ③《*Méx.*》【식물】 질경이. —*pl.* 안경, 코안경

lentecer *intr.* 31 부드러워지다, 연하게 되다.

lenteja *f.* [*lat.* lenticula]【식물】 렌즈콩, 편두(扁豆)콩.

~ ***acuática·de agua***【식물】 초록 개구리밥.

lentejar *m.* 렌즈콩밭.

lentejilla *f.*《*Ecuad.*》=**lenteja de agua.**

lentejuela *f.* (옷에 다는) 얇은 금속 쪼가리, 장란용 유리알, 번쩍거리는 것 ; 소형 렌즈 ; 자동차 백라이트.

lentezuela *f. dim.* lente.

lentícula *f.* ① 작은 렌즈콩. ②【식물】 =**lenteja de agua.**

lenticular *adj.* ① 렌즈 모양의 : vidrio ~. ② 수정체의.

lentiforme *adj.* 렌즈콩 모양

lentiscal *m.* 유향나무 숲 —*m.*【해부】 청소골(聽小骨).

lentiscar *m.* =**lentiscal.**

lentisco *m.* [*lat.* lentiscus]【식물】 유향(乳香)《감람과의 상록 교목》.

~ ***del Perú***【식물】 테레빈(turbinto).

lentisquina *f.* 유향의 열매.

lentitud *f.* [*lat.* lentus] 한가로움 ; 더딤, 둔함, 느림, 완만함(tardanza).

lento, ta *adj.* [*lat.* lentus] ① 느린, 느릿느릿한, 더딘(tardo) : ~ *en* resolverse 선뜻 결심하지 못하는. Es muy ~ *en* resolverse 그는 선뜻 결심을 하지 못한다. ~ *para* comprender 이해가 더딘. Es muy ~ *para* comprender 그는 이해가 무척 늦었다. ② 접착성의, 끈적끈적한 ; 약한 : con fuego ~ 약한 불로. ③ 완만한, 태평스런. Contr. rápido.

lentor *m.* (환자의 이에 붙는) 끈적끈적한 것.

leña *f.* ① 장작, 땔나무 : añadir·echar ~ al fuego 불에 장작을 넣다 ; 불에 기름을 붓다. ~ de oveja《*Arg.*》 연료로 쓰는 양의 똥. ② 징벌, 꾸중, 벌 (castigo) : Ese niño necesita ~. ③ 구타 : cargar de ~ 심하게 구타하다·때리다.

leñador, ra *m.f.* 땔나무꾼, 땔나무 장수.

leñame *m.* ① =**madera.** ② [집합] 땔나무, 장작.

leñar *tr.*《*Ar. Arg.*》 장작을 패다, 나무하다.

leñatear *tr.*《*Col.*》=**leñar.**

leñateo *m.*《*Col.*》 장작 패기, 나무하기.

leñatero *m.* ①《*Amér.*》=**leñador.** ②《*Arg.*》【조류】 =**carpintero.** ③《*Cuba.*》 칡의 일종.

leñazo *m.*《*Venez. Arg.*》=**garrotazo.**

leñera *f.* 장작 저장소.

leñero, ra *m.f.* 장작 장수. —*m.* 장작 저장소(leñera).

leño *m.* [*lat.* lignum] ① 통나무(trozo del tronco). ② 목재(madera). ③【시어】 배(barco). ④ 얼간이(persona torpe).

~ ***hediondo*** =hediondo.

leñoso, sa *adj.* [*lat.* lignosus] 나무의 ; 연소성의, 목질(木質)의 : planta ~*sa* 목질 식물.

Leo *m.*【천문】 사자자리 ; 사자좌 ; 사자궁.

león *m.* [*lat.* leo, leenis] ①【동물】 사자, 숫사자. ②【곤충】 잠자리(hormiga ~). ③ 용감한 사람. ④ 일솜씨가 있는 사람(rufián). ⑤《*AmérM.*》 표범 (puma).

diente de ~【식물】 민들레. ~ ***americano·de América***【동물】 퓨마(puma). ~ ***marino***【동물】 큰 물개의 일종.

León *m.* ①【지명】 (서반아 북부의) 레온 지방·주·시. ②【천문】 사자자리, 사자궁, 사자좌.

leona *f.* ①【동물】 (암) 사자. ② 열부(烈婦). ③ 여자 문지기. —*pl.* 반바지.

leonado, da *adj.* 사자털 빛깔의, 황갈색의 : piel ~*da.*

leoncito *m.*【동물】 비단원숭이.

leonera *f.* ① 사자의 우리. ② 도박장(casa de juego). ③ 혼잡한 방. ④《*Arg. Ecuad. PRico.*》 감방(cárcel). ⑤《*Col. Chile.*》 망나니 떼, 불량배의 무리. ⑥《*Perú.*》 떠들썩하고 어수선한 집회.

leonería *f.* =**audacia, bizarría, bravata, fieros, valentía.**

leonero, ra *adj.*《*Chile.*》 말썽스러운, 떠들썩한 ; 퓨마 사냥용의 (개). —*m.* ① 사자지기, 사자 사육사. ② 노름꾼. ③《*Méx.*》 어수선한 집.

leonés, sa *adj.* 레온《León, 서반아 북부의 주, 그곳 수도 ; 옛날 레온 왕국》의. —*m.f.* 레온 사람.

leonina *f.* 문둥병의 일종.

leonino, na *adj.* ① 사자의. ② 치우친, (계약이) 편무(片務)의 : contrato ~ 편무 계약.

leontina *f.*《*Galic.*》 시계줄(cadena de reloj).

leopardo *m.* [*lat.* leopardus]【동물】 표범 : El ~ vive en los bosques de Asia y Africa 표범은 아시아와 아프리카의 숲에서 살고 있다.

leopoldina *f.* 시계줄.

leotardo *m.* 레오따르도《타이츠 풍의 의료》.

lepar *tr.*【은어】 =**pelar.**

lepe *m.* ①《*Venez.*》 귀에 주먹질하기(capirotazo) : dar un ~. ② 벌컥벌컥 마시는 일.

ir donde las Lepe 쉬운 계산도 틀리다.

saber más que Lepe 매우 총명하다(ser muy listo).

leperada *f.*《*AmérC. Méx.*》 비천한 것.

leperaje *m.*《*Méx.*》 [집합] 천민(léperos).

lépero, ra *adj.* ①《*AmérC. Méx.*》 천민의 ; 천박한, 비천한. ②《*Cuba.*》 교활한(astuto).

—*m.f.* 천민 ; 교활한 사람.

leperuza *f.*《*Méx.*》 매춘부, 창녀, 갈보.

lepidia *f.*《*Chile.*》 소화 불량(indigestión).

lepidio *m.* [*lat.* lepidium]【식물】 레삐디오《십자화과 식물》: El ~ se emplea en medicina contra el escorbuto 레삐디오는 괴혈병 치료제로 쓰인다.

lepidodendro *m.* 인목(鱗木)《고생물의 화석》.

lepidolito *m.*【광물】 비늘 운모(雲母).

lepidóptero, ra *adj.*【동물】 인시류(鱗翅類)의, 나비 무리의. —*m.pl.* 인시류《나비 등》.

lepidorita *f.* 【광물】 분홍 운모.
lepidosirena *f.* 【어류】 비늘뱀장어.
lepiria *f.* =**lipiria.**
lepisma *f.* 【곤충】 좀, 반대좀.
lepóride *m.* 토끼 《liebre, conejo 등》.
lepórido, da *adj.* 토끼의, 토끼 무리의(leno). —*m.pl.* 토끼 무리.
leporino, na *adj.* ① 토끼의, 토끼 같은 : labio ~ 언청이. ② 겁이 많은(lebruno).
lepra *f.* [*lat.* lepra] 【의학】 나병, 문둥병 : ~ blanca 백나병(albarazo).
lepromo *m.* 【의학】 나병 결절.
leprosería *f.* 나병원, 나병 요양소(lazareto).
leproso, sa *adj.* 나병의. —*m.f.* 나병 환자.
leptorrino, na *adj.* 코가 길고 가느다란.
lequeleque *m.* 《*Bol.*》 【조류】 댕기 물떼새(avefría)의 일종.
lera *f.* =**helera.**
lercha *f.* (새나 물고기를 잡아 꿴) 꼬챙이.
lerda *f.* (말 무릎 근처의) 종양, 종기.
lerdamente *adv.* 어리석게, 멍청하게.
lerdear *intr.* 《*AmérC. Arg.*》 빈둥거리며 지내다, 허송 세월을 보내다.
lerdera *f.* 《*AmérC.*》 태만, 나태, 게으름.
lerdeza *f.* =**lerdera.**
lerdo, da *adj.* 어리석은, 멍청한, 바보 같은, 얼빠진(torpe, pesado) : ser muy ~ 매우 멍청하다.
lerdón *m.* =**lerda.**
lerén *m* 《*Dom.*》 =**llerén.**
lerense *adj.m.f.* 레레스강(el Río Lérez)의 (사람).
Lérida 【지명】 레리다 《서반아 동북부의 도시》.
leridano, na *adj.* 레리다의. —*m.f.* 레리다 사람.
les *pron.* ① [여격 인칭 대명사 3인칭 복수형] 그들·그녀들·당신들·그것들에게·에게서 : *Les* doy gracias 당신들에게 감사합니다. Da*les* 그들에게 주어라. ② [문법상 옳지는 않으나 더러 대격으로 쓰이는 수도 있음] 그들을, 당신네들을.
lesbiano, na *adj.m.f.* =**lesbio.**
lésbico, ca *adj.* 동성(애)의.
lesbio, bia *adj.m.f.* 레스보스 《Lesbos, 지중해의 섬, Safo의 출생지》의. —*m.f.* 레스보스 사람.
lesear *intr.* 《*Chile.*》 멍청이짓을 하다, 어리석은 짓을 하다(necear).
lesera *f.* 《*AmérM.*》 바보짓, 어리석은 짓, 멍청이 짓(tontería).
lesión *f.* ① 손상, 상처 : ~ grave 중상. ~ leve 경상. ② 손해 : ~ enorme. ③ (기능의) 장해.
lesionar *tr.* 《*Neol.*》 상처를 입히다, 망가뜨리다; (…에) 손해·손상을 입히다.
lesivo, va *adj.* [+a·para : …의] 해가 되는; 상처 입히는(perjudicial) : ~ *a·para* su dignidad.
lesna *f.* =**lezna.**
lesnordeste *m.* 동쪽과 북동쪽 사이의 지평선; 동북동의 바람.
leso, sa *adj.* [*lat.* laesus] ① 상처 입은. ② 해를 입은. ③ 기능·정신 장애가 있는. ④ 《*Chile. Arg.*》 어리석은(tonto).
delito de lesa majestad 불경죄.
lesquín *m.* 《*Hond.*》 =**liquidámbar.**
lessueste *m.* 동쪽과 남동쪽 사이의 지평선; 동남동의 바람.
leste *m.* 【해사】 동쪽(este).
lestrigón *m.* 【신화】 시실리아섬 부근에 살았다는 식인종.
lesura *f.* 《*Chile.*》 =**tontería.**
letal *adj.* 【시어】 치사(致死)의, 치명적인(mortífero, mortal).
letame *m.* 퇴비, 똥(estiércol).
letanía *f.* [*gr.* litaneia] ① 【종교】 연속 기도, 탄원의 기도(~ de todos los santos). ② (잇대어 쓴) 표, 리스트.
letárgico, ca *adj.* ① 혼수병의. ② 혼수 상태에 빠진, 곤히 잠든 상태의 : sueño ~.
letargo *m.* 곤한 잠; 혼수 (상태); (동물의) 동면; 어리둥절함; 무기력; 나른함.
letargoso, sa *adj.* 혼수시키는 (듯한), 최면의.
leteo, a *adj.* 레떼 강 《el Lete, Leteo, 저승에 있는 망각의 강》의; 과거를 잊어버리게 하는, 망각의.
leticia *f.* 【고어】 =**alegría, gozo, deleite.**
letífero, ra *adj.* 치명적인, 결정적인(mortal).
letificante *adj.* 즐거운, 명랑한, 환대하는.
letificar *tr.* ⑦ 즐겁게 하다, 명랑하게 하다, 떠들썩하게 만들다; 환대하다(regocijar).
letífico, ca *adj.* 즐거운, 명랑한, 유쾌한.
letón, na *adj.m.f.* 레또니아(Letonia)의 (사람).
letra *f.* [*lat.* littera] ① 글자, 문자; 활자 (carácter) : levantar ~ 【인쇄】 조판하다. ② (내용에 대하여) 문장 : atarse a las ~*s* 문면에 얽매이다. ③ 가사 : la ~ de una ópera 오페라 가사. ¿Sabe usted la ~ de esa canción? 당신은 그 노래의 가사를 알고 계십니까? ④ 재치, 나쁜 꾀, 둘러 붙이는 재간 : Ana tiene mucha ~ 아나는 재치가 있다. ⑤ 【상업】 환어음 (~ de cambio) : aceptar·descontar·rehusar una ~ 어음을 인수하다·할인하다·거절하다.
—*pl.* ① 학문 : seguir las ~*s* 학문을 하다. ② 문학 : primeras ~*s* (초보) 문학; 초보, 입문. facultad de ~*s* 문과 대학.
~ *a cargo propio* (유통) 약속 어음. ~ *a cobrar* 수취 어음. ~ *a corto plazo* 단기 어음. ~ *a fecha fija* 일정 기일의 지불 어음. ~ *a la orden* 지도식 어음. ~ *a la vista* 일람불 어음. ~ *a largo plazo* 장기 어음. ~ *a pagar* 지불 어음. ~ *a plazo* 기한부 어음. ~ *a plazo fijo* 정기불 어음. ~ *a término fijo* 정기불 어음. ~ *a presentación* 요구불 어음. ~ *a recibir* 수취 어음. ~ *a tres meses fecha* 일부후 3개월불 어음. ~ *a treinta días vista* 일람후 30일불 어음. ~ *al propio cargo con dos a más firmas* 연대 약속 어음. ~ *abierta* 오픈 크레디트, 어음 인수 은행을 제한하지 않은 신용장. ~ *aceptada* 인수 어음. ~ *atrasada* 지불 기한 경과 어음. ~ *bancaria* 은행 어음; 예금 통화. ~ *bona fide* 선의의 어음. ~ *caída* 지불 기한 초과 어음. ~ *calificada* 무담보 할인 어음. ~ *comercial* 상업·무역 어음. ~ *comprada como inversión* 투자 어음. ~ *comunicación* 증명서. ~ *con crédito documental·documentario* 신용장부 환어음. ~ *con garantía subsidiaria·adicional* 담보부 어음. ~ *con interés* 이자부 환어음. ~ *con vencimiento corto·largo* 단기·장기 어음. ~ *de banco* 은행 어음.

~ *de banco denegada* 부도 어음. ~ *de buena fe* 선의의 어음. ~ *de cambio* 환어음. ~ *de cambio comercial* 상업 어음. ~ *de cambio extranjero·interior* 외국·내국 환어음. ~ *de cantidad grande·pequeña* 대·소액 어음. ~ *de comercio* 상업 어음. ~ *de crédito* 채권. ~ *denegada por falta de aceptación·pago* 인수·지불 거절 부도 어음. ~ *desacreditada·desatendida* 부도 어음. ~ *descontada* 할인 어음. ~ *en blanco* 무기명식 어음. ~ *especial* 기명식 어음. ~ *exterior* 외국 환어음. ~ *general* 보통 어음. ~ *impagada* 부도 어음. ~ *negociada* 할인 어음. ~ *no aceptada* 부도 어음. ~ *no pagada a su vencimiento* 부도 어음. ~ *pagadera a la llegada de la mercancía* 착하후 일람불 어음. ~ *pagadera a la presentación* 요구불 어음. ~ *pagadera a la vista* 일람불 어음. ~ *pagadera a plazo fijo después de la vista* 일람후 정기불 어음. ~ *pagadera a 30 días fecha* 일부후 30일불 어음. ~ *pagadera al llegar el cargamento* 착하후 일람불 어음. ~ *pagadera al portador* 지참인불 어음. ~ *para transferencia de fondos generales* 금융 어음. ~ *perjudicada* 기한 경과 어음(期限經過ー).
~ *personal* 개인 어음. ~ *por cobrar·recibir* 수취 어음. ~ *por pagar* 지불 어음. ~ *rancia* 지불 기한 초과 어음. ~ *rechazada* 부도 어음. ~ *rechazada·rehusada por falta de aceptación* 인수 거절 부도 어음. ~ *rechazada·rehusada por falta de pago* 지불 거절 부도 어음. ~ *sin documentos* 무화물 어음. ~ *sin reservas* 보통환(어음). ~ *sobre el extranjero·interior* 외국·내국 환어음. ~ *vencida* 지불 기한 초과 어음.
~ *bastarda* 비스듬히 쓰는 문자. ~ *bastardilla* 이탤릭체 (활자). ~ *canina* 문자 *rr*를 가리킴. ~ *capital* 대문자. ~ *consonante* 자음자. ~ *corrida* 갈겨 쓴 글자. ~ *de caja alta·baja* 【인쇄】 대·소문자. ~ *de dos puntos* (인쇄에서 장의 머리에 넣는) 3포인트 활자. ~ *de imprenta* 활자. ~ *de mano* 손으로 쓴 글자. ~ *de molde* 활자. ~ *doble* 복문자(複文字), 이중 문자《ch, ll, rr 등》. ~ *egipcia* =~ negrilla. ~ *florida* 꽃문자; 장식 문자. ~ *gótica* 고딕 문자. ~ *historiada* 장식 문자. ~ *inglesa* 이탤릭 문자. ~ *inicial* 머리글자. ~ *itálica* 이탤릭체. ~ *magistral* 본보기로 쓴 문자. ~ *mayúscula* 대문자. ~ *metida* 가득 채운 인쇄. ~ *minúscula* 소문자. ~ *muda* 무음 문자《h를 가리킴》. ~ *muerta* 사문(死文). ~ *negrilla* 【인쇄】 고딕체 활자. ~ *numeral* 로마 숫자. ~ *pelada* (꾸밈새도·장식도 없는) 밋밋한 문자. ~ *tirada* 갈겨 쓴 글자. ~ *versal* 대문자. ~ *vocal* 모음자. ~*s comunicatorias* 증명서. ~*s de llamada* 콜사인. ~*s divinas* 성서. ~*s gordas* 학문 재능이 모자란 일 : tener ~*s gordas* 학문이 없다. ~*s humanas* (특히 그리스·라틴의) 문자. ~*s sagradas* 성서. *bellas·buenas* ~*s* 문학.
a la ~, *al pie de la* ~ ① 글자·문자 그대로 (literalmente). ② 충실하게 : copiar *a la* ~ 충실하게 베끼다. ③ 엄밀하게(puntualmente).
a ~ *vista* 【상업】 일람불로(a la vista).
La ~ *con sangre entra* 【속담】 일하지 않고는 익히지 못한다.

letrada *f.* letrado의 아내.

letrado, da *adj.* ① 학식있는, 박식한, 유식한 (sabio). ② 아는 척하는(pedante). —*m.f.* 변호사 (abogado) : a lo ~ 변호사처럼.

letrero *m.* 상표, 간판, 광고; 플래카드, 포스터 : ¿Qué dice aquel ~? 저 간판에 뭐라고 쓰였습니까? Léame el ~ de la botella 병의 상표를 읽어 주세요.

letrilla *f.* 【시어】 단시의 일종.

letrina *f.* ① 변소(retrete). ② 더러운 것.

letrista *m.f.* 가사 작사자.

letrón *m. aum.* letra.

letrudo, da *adj.m.f.* 【고어】《*Chile.*》=**letrado.**

letuario *m.* 잼의 일종.

leu *m.* [*pl.* lei] 레우《루마니아의 화폐 단위》.

leucemia *f.* 【병리】 백혈병.

leucisco *m.* 【어류】 황어(黃魚) 무리.

leucita *f.* 【광물】 백류석(白榴石).

leucocitemia *f.* 백혈구 과다증·증가증, 백혈병(leucemia).

leucocito *m.* 흰피톨, 백혈구(glóbulo blanco de la sangre).

leucocitosis *f.* 【병리】 백혈구 증가(증).

leucofeo, a *adj.* 회색의, 재색의.

leucoflegmasía *f.* 일반적인 세포 조직의 염증.

leucoma *m.* 【의학】 각막 백반(mancha blanca sobre la córnea).

leucomaína *f.* =**alcaloide.**

leucopenia *f.* 【병리】 백혈구 감소(증).

leucoplaquia *f.* =**leucoplasia.**

leucoplasia *f.* 점막에 생기는 하얀 판의 모양.

leucorrea *f.* 【의학】 대하, 백대하.

leudar *tr.* (…에) 빵 효모·이스트(levadura)를 넣다.
~se 빵 효모가 들다.

leudo, da *adj.* 빵 효모가 들어 있는 : el pan poco ~. **Sinón.** lleudo, yeldo.

lev *m.* [*pl.* leva] 레브《불가리아의 화폐 단위》.

leva *f.* ① 출항, 출범 (salida de un barco del puerto). ② 징병, 소집 (recluta). ③ 모집. ④ 지레, 지렛대. ⑤ (기계의) 전동자 (espeque). ⑥ (물레방아의) 물받이, 물상자 (álabe). ⑦《*Amér.*》 프록 코트. ⑧《*AmérC.*》 속임수, 트릭 (treta).
irse a ~ *y a monte* 도망치다.

levada *f.* ① 한 무더기의 누에. ② (경례를 표하는 의미로) 칼을 한번 휘두르기.

levadero, ra *adj.* 징수·요구할 수 있는.

levadizo, za *adj.* 올렸다 내렸다 할 수 있는, (다리의) 개폐(開閉)가 자유로운 : puente ~ 개폐교.

levador *m.* ① 들어내는 사람; (종이를) 들어내는 직공. ② 【기계】 전동자 (leva). ③ 민첩한·재빠른 사람.

levadura *f.* 이스트 (균), 효모(균) : ~ de cerveza 맥주의 발효모. ~ en polvo 부풀린 가루, 빵가루.

levantada *f.* 일어남, 기상.

levantadamente *adv.* 높게, 높은 가락으로.

levantado, da *adj.* [levantar의 *p.p.*] ① 높은 (alto). ② 고양(高揚)의 : estilo ~. ③ 일으켜 세운. **Contr.** bajo, vil.

levantador, ra *adj.* ① 일으키는, 세운; 건설하는; 선동·궐기하는. —*m.f.* 선동자, 궐기자.

levantamiento *m.* ① 기상(起床), 올리기, 일어서기, 게양. ② 건립. ③ 제거. ④ 철회, 철수. ⑤ 사면. ⑥ 폐회. ⑦ 폭동, 궐기, 봉기 : ~ estudiantil 학생 봉기. ~ popular 민중 봉기. ⑧ 고양; 숭고. ⑨ 조사; 측량.
~ *de estado de sitio* 비상 사태.

levantar *tr.* ① 올리다 (alzar, subir) : ~ el brazo 팔을 올리다. Si hay alguien que sepa esto, *levante* la mano 이것을 아는 분이 있으면 손을 드십시오. El grúa *levanta* un peso de doscientas toneladas 기중기는 200톤의 중량을 올린다. Contr. bajar.
② 높이다, 높게 하다 : ~ la voz.
③ 일으키다, 세우다, 서게 하다 : *Levantó* la cabeza y dijo 그는 머리를 들고 말했다.
④ 윗쪽으로 향하다 : ~ los ojos 눈을 치켜뜨다. *Levantó* los ojos y me miró 그는 눈을 치켜뜨고 나를 바라보았다.
⑤ 건립·건설하다, 짓다(construir, edificar, fabricar) : ~ una casa de dos pisos 이층집을 짓다.
⑥ 궐기시키다, 선동하다(rebelar, sublevar) : ~ al pueblo 국민을 선동하다.
⑦ 떨치고 일어나게 하다, 고양시키다 (ensalzar) : ~ el pensamiento·el corazón.
⑧ (물가를) 오르게 하다.
⑨ 치우다, 없애다, 제거하다(quitar) : ~ los manteles·los muros.
⑩ (장소를) 철회·철수하다; 철거하다 (abandonar) : ~ el real.
⑪ 면하다, 용서하다, 사면하다(perdonar) : ~ el destierro.
⑫ (짐승을) 몰아대다, 몰아세우다.
⑬ 군에 입대시키다, 징병하다; 소집하다 (reclutar) : ~ tropas 군을 편성하다, 군에 소집하다.
⑭ (혹 따위를) 나게 하다 : ~ un chichón·una ampolla.
⑮ (짐·책임을) 지우다, 탓으로 돌리다(imputar) : ~ una falsa acusación.
⑯ 《*Chile.*》 강탈하다, 약탈하다, 훔치다(hurtar).
⑰ 밭을 갈다·매다.
~se ① 일어나다, 서다 (salir de la cama).
② 오르다, 일어서다 : El *se levantó* de la silla 그는 의자에서 일어섰다. Contr. sentarse.
③ 일어나다, 기상하다 : ~*se* temprano 일찍 일어나다. ~*se* tarde 늦게 일어나다. Mañana he de ~*me* muy temprano 내일 나는 매우 일찍 일어나야 한다. ¿A qué hora *se levanta* usted? — *Me levanto* a las seis y media 몇 시에 일어나십니까? —여섯시 반에 일어납니다. *Levántese* temprano mañana por la mañana 내일 아침에는 일찍 일어나십시오. Contr. acostarse.
④ (환자가) 일어나다.
⑤ 폐회하다 : *Se levantaba* la sesión 회의는 폐회했다.
⑥ 우뚝 솟다, 우뚝 솟아 있다 (sobresalir) : El monte que *se levanta* a la mano derecha se llama el Moncalbo 오른쪽에 우뚝 솟은 산은 몽깔보산이다.
⑦ 봉기하다, 궐기하다 (sublevarse) : El pueblo *se levantó* contra el gobierno 민중은 정부에 대항하여 봉기했다. El pueblo *se levantó* en armas 민중은 무기를 들고 봉기했다.
⑧ (혹과 같은 것이) 생기다.
⑨ (짐승이) 날아 오르다, 뛰쳐 나오다.
⑩ (바람이) 일다.
~ ***un sitio*** 포위를 풀다 : Las tropas romanas *levantaron el sitio* 로마군은 포위를 풀었다.
al ~se la sesión =al terminarse.
~se la tapa de los sesos =suicidarse.
levantársele a uno ***el estómago*** 토하다, 구토하다, 게우다(tener náuseas).

levante *m.* ① 동(쪽) (oriente). ② 동풍. ③ (서반아 동쪽에 있는 지중해 지역으로) 동부 지방, 동부의 여러 나라. ④ 《*Chile.*》 벌목료. ⑤ 《*AmérC. PRico.*》 중상, 모략 (calumnia) : hacer un ~ 중상을 하다, 헐뜯다, 모략을 하다. ⑥ 《*PRico.*》 =**levantamiento.**
de ~ 이사·여행 준비가 된.

levantino, na *adj.* 동방의; 지중해 동해안 지방의. —*m.f.* 동방 사람.

levantisco, ca *adj.* ① 어수선한, 불안한, 불온한(turbulento) : genio ~. ② =**levantino.**

levar *tr.* ① (닻을) 올리다 (~ anclas). ② 모병하다, 징병하다.
~se ① 출범하다, 출항하다. ② 도망치다.

leve *adj.* [*lat.* levis] ① 가벼운(ligero). ② 경미한, 사소한.

levedad *f.* =**ligereza.**

levemente *adv.* =**ligeramente, blandamente, suavemente; venialmente.**

levente *m.* 터키의 해병. —*m.f.* 《*Cuba.*》 외부 사람; 무용지물, 빈둥빈둥 노는 사람(vago).

leviatán *m.* (성서 욥기에 나타나는) 거대한 바다 짐승; 악마.

levigación *f.* levigar하는 일.

levigar *tr.* ⑧ [*lat.* laevigare] 분말을 물에 풀어 위에 뜨는 것을 떠내다 : ~ carbonato de cal.

levirato *m.* 형제가 자식없이 죽었을 때 그 미망인과 결혼해야 하는 회교의 교율.

levirrostro, tra *adj.* 부리가 짧은 (새).

levisa *f.* 《*Cuba.*》 【어류】 줄 물고기 《껍질을 줄로 쓸 수 있는 커다란 물고기》.

levísimo, ma *adj. sup.* leve.

levita *f.* 프록 코트 : ~ cruzada 더블 보턴이 달린 프록 코트. —*m.* ① 레비 사람 《이스라엘인의 신관》. ② 사제 보조(diácono).

levitación *f.* 물건을 올림.

Levítico *m.* 【성서】 레위기 《레위 족의 율법을 기록한 구약 성서 제3권》.

levítico, ca *adj.* ① 레위 사람의. ② 종교적인; 승려 티가 몹시 나는.

levitín *m.* =**levita corta.**

levitón *m. aum.* levita.

levógiro, ra *adj.* 【화학·광학】 좌선성(左旋性)의 : azúcar ~ 좌선당, 과당(果糖).

levosa *f.* 【속어】 =**levita.**

levulosa *f.* 【화학】 좌선당, 과당(azúcar levógiro).

lew *m.* [*pl.* leva] =**lev.**

léxico, ca *adj.* [*gr.* lexikos] 어휘의; 사서적인. —*m.* 그리스어 사전; 사전; 용어 사전, 어휘집, 단어집.

lexicografía *f.* 사전학, 사전 편집법(ciencia del lexicógrafo).

lexicográfico, ca *adj.* 사전 편집(상)의 : ensayos ~*s.*

lexicógrafo, fa *m.f.* 사전 편집자, 사전 저자; lexicografía 전문가.

lexicología *f.* 어휘학, 어휘론; 사전학, 어원 연구.

lexicológico, ca *adj.* 사전학의, 어원 연구의: ejercicio ~.

lexicólogo, ga *m.f.* 사전학 연구가, 어원 연구가.

léxicon *m.* =**léxico, diccionario.**

ley *f.* [*lat.* lex] ① (일반적으로) 법, 법률, 법칙: proyecto de ~ 법안. las ~*es* de la gravedad 인력(引力)의 법칙. ② (낱낱의) 법, 법령, 법규; 법률: someterse a la ~ 법에 따르다. Se promulgó la ~ el 15 de agosto 법률은 8월 15일에 공포됐다. ③ 계율; 규약, 규율; 규칙, 규격. ④ 가르침, 교리(教理)(religión): la ~ de los mahometanos 회교도의 교리. ⑤ 충성, 충실(lealtad, fidelidad): tomar·tener ~ 충실하다. Los vecinos le tienen mala ~ 이웃 사람들은 그에게 악의를 품고 있다. ⑥ 법정 품질·분량·중량: de ~ 법정의; 기준에 따른. peso de ~ 법정 중량. ⑦ 금위(金位). ⑧ 품질; 출신 성분: de buena·mala ~ 품질·혈통이 좋은·나쁜. ⑨ 권력, 권위(poder, autoridad): la ~ del más fuerte.

~ ***antigua·vieja*** 모세의 율법 (~ de Moisés). ~ ***de bases*** 일반법, 총칙, 원칙. ~ ***de Dios*** 신의 법. ~ ***de gracia*** 그리스도의 가르침. ~ ***de la trampa*** 속임수 (embuste, engaño). ~ ***del embudo*** 바르지 못한 자. ~ ***del talión*** (눈에는 눈, 이에는 이의) 탈리오의 법칙, 반좌법(反坐法). ~ ***escrita*** **성문법.** ~ ***marcial*** 계엄령: proclamar la ~ *marcial* 계엄령을 선포하다. ~ ***nueva*** 그리스도의 가르침. ~ ***sálica*** 살리크법《여자의 토지 상속·왕위 계승을 부인한 것》. ~ ***seca*** 금주법. ~ ***suntuaria*** 사치 금지령.

a la ~ 적정하게.

a toda ~ 엄격하게, 공정하게.

bajo de ~ 금위(金位)·금질(金質)이 나쁜, 품질이 나쁜.

dar la ~모범·시범이 되다, 본보기로 보이다; 억지로 하게 하다.

echar (toda) la ~ 엄벌에 처하다.

leye- →**leer** ⑱.

leyenda *f.*.[*lat.* legenda] ① 읽을 거리. ② 전설, 이야기. ③ 연가(戀歌). ④ 성도전. ⑤ (화폐·메달 등의) 문자, 명각(銘刻) (inscripción). ⑥ 제구(題句). ⑦ (삽화 따위의) 설명(서).

leyendario, ria *adj.* =**legendario.**

leyendo leer의 현재 분사.

leyente *adj.m.f.* 읽는 (사람).

leyera leer의 접·불완료과거·1·3·단수.

leyerais leer의 접·불완료과거·2·복수.

leyéramos leer의 접·불완료과거·1·복수.

leyeran leer의 접·불완료과거·3·복수.

leyeras leer의 접·불완료과거·2·단수.

leyeron leer의 직·부정과거·3·복수.

leyese leer의 접·불완료과거·1·3·단수.

leyeseis leer의 접·불완료과거·2·복수.

leyésemos leer의 접·불완료과거·1·복수.

leyesen leer의 접·불완료과거·3·복수.

leyeses leer의 접·불완료과거·2·단수.

leyó leer의 직·부정과거·3·단수.

lezda *f.* 옛날의 세금

lezdero *m.* lezda 징수인.

lezna *f.* 송곳; 굵은 바늘, 돗바늘: ~ de aguatear 구멍 뚫는 송곳.

lezne *adj.* =**deleznable.**

li *m. chino.*《중국의 거리의 단위; 약 576미터》

lía *f.* ① (알파풀로 만든) 끈, 줄, 거친 새끼줄. ② [주로 *pl.*] 찌꺼기, 무거리(heces); 포도의 무거리.

estar hecho una ~ 곤드레가 되도록 취해 있다.

liana *f.* ①《*Amér. Galic.*》【식물】 칡(bejuco). ②【고어】 =**alianza.**

lianza *f.*《*Chile.*》당좌 계정(cuenta corriente).

liar *tr.* ⑫ ① 매다, 묶다(atar, ligar). ② 안으로 묶다, 싸다, 말다(envolver): ~ ropa blanca·un cigarrillo. ③ 속이다; 말려 들게 하다: *Líes* en este ausnto.

~se 어떤 사건에 말려 들다; 서로 얽혀 싸우다; 정교를 맺다 (amancebarse).

~las, ~selas ① 도망가다, 사라지다, 줄행랑치다(huir, escaparse). ② 죽다, 서거하다(morir).

~se a ***palos*** 몽둥이로 서로 치고 받다.

liara *f.* 뿔 술잔.

lías *m.* =**liásico.**

liásico, ca *adj.m.*【지질】 리아스통(統)(의), 흑유라통(의).

liatón *m.* (스파르트 등의) 줄, 새끼줄.

liaza *f.* [집합] =**lía.**

lib(s). libras 파운드《중량 단위》.

lib.[a] librería.

libación *f.* [*lat.* libatio] ① 살주식(撒酒式)《고대인들이 신을 기리기 위해 술을 마신 다음 땅에 뿌린다는 제식》. ② 실컷 마심: hacer ~*es* excesivas 과음하다. ③ 시음(試飮).

libamen *m.* 희생의 제물(ofrenda en el sacrificio).

libamiento *m.* 마시는 것.

libán *m.* 알파풀로 만든 끈·줄.

libanense *adj.m.f.* =**libanés.**

libanés, sa *adj.* 레바논의. —*m.f.* 레바논 사람.

libaniense *adj.m.f.* =**libanés.**

libanio, nia *adj.m.f.* =**libanés.**

Líbano, el *m.*【지명】 레바논《수도 Beirut》.

libar *tr.* [*lat.* libare] ① 빨다(chupar): ~ el zumo de las flores. ② 시음하다, 맛보다. ③ 술을 따르다.

libatorio *m.* (libación을 위한) 성배(聖盃).

libela *f.* (고대 로마의) 작은 은화.

libelar *tr.* ① 호소하다. ②【고어】 (글이나 편지 등을) 쓰다(escribir).

libelático, ca *adj.m.f.* (초기 교회의 libelo를 가진) 사이비 신자(의).

libelista *m.f.* 풍자·괴문서·중상적 문서의 필자.

libelo *m.* ① 풍자 문서, 괴문서, 중상 문서: ~ infamatorio. ② 기원서. ③ (초기 그리스도 교의) 신자 증명서.

~ ***de repudio*** (옛날의) 절연장, 이혼장: dar ~ *de repudio* 포기하다, 단념하다.

libélula *f.*【곤충】 잠자리(caballito del diablo).

líber *m.*【식물】 내피(內皮).

liberación *f.* [*lat.* leberatio] ① 해방, 석방. ② 차압의 해제. ③(빌려준 돈의) 영수증(quitanza). ④《*Chile.*》 관세 면제. ⑤《*Galic.*》 분만(parto).

liberado, da *adj.* 【상업】 불입이 끝난.

liberador, ra *adj.m.f.* =**libertador.**

liberal *adj.* ① 관대한, 대범스러운 (generoso). ② 물건을 아끼지 않는, 아낌 없는(aficionado a dar). ③ 멋대로 하는. ④ 날쌘, 민첩한, 날렵한, 신속한. ⑤ 자유의 ; 자유주의자의, 자유당의 : partido ~ 자유당. ideas ~*es* 자유 사상. —*m.f.* 자유주의자, 자유당원 ; 자유당 정부.

liberalesco, ca *adj.desp.* 자유주의적인, 방종한.

liberalidad *f.* 관대, 대범함 ; 공평 무사 ; 적선 (generosidad). Contr. tacañería.

liberalismo *m.* 자유주의 ; 자유당.

liberalización *f.* 자유화.

liberalizar *tr.* ⑨ 자유로 개방하다, 자유주의로 하다.

liberalmente *adv.* 자유롭게 ; 관대하게 ; 개방적으로, 편견없이, 공평하게.

liberar *tr.* 《*Chile.*》 ① 해제하다, 면제하다(libertar). ②(세금, 관세 등을) 면제하다(librar).

liberatorio, ria *adj.* 면제의, 해제의 ; 면제·해제해야 할.

Liberia *f.* 【지명】 리베리아 《서 아프리카의 공화국 ; 수도 Monrovia》.

liberiano, na *adj.* 리베리아의. —*m.f.* 리베리아 사람.

libérrimo, ma *adj.* [*sup.* libre] =**muy libre.**

libertad *f.* [*lat.* libertas] ① 자유 ; 해방, 석방, 방면 : ~ condicional 가출옥. ~ de comericio 자유 무역. ~ de conciencia 양심의 자유. ~ de cultos 신앙의 자유. ~ de imprenta 출판의 자유. ~ de palabra·prensa 언론의 자유. poner en ~ 자유로이 하다, 석방·해방하다. ~ política 시민의 권리 향유. Dejaron en ~ a los cautivos 그들은 포로들을 석방해 주었다. No hay ~ sin ~ de prensa 언론의 자유없는 자유는 없다. ② 버릇 없음, 시건방짐 : Me tomo la ~ de escribir esta carta 실례된 줄 알면서도 이 편지를 드립니다. ③ 분방, 방종 (libertinaje). ④ 특권, 면제. ⑤ 허가 ; 독립(independencia) : sacrificar su ~.
en ~ 자유롭게.

libertadamente *adv.* 자유롭게 ; 뻔뻔스럽게 ; 대담하게.

libertado, da *adj.* 자유스러운 ; 해방된, 석방된 ; 대담한 ; 버릇없는.

libertador, ra *adj.* 해방하는. —*m.f.* 해방자 ; 구제자 : Bolívar y San Martín, ~*es* de América.

libertar *tr.* ① 자유를 주다, 해방하다(poner en libertad) : ~ esclavos 노예를 해방하다. Bolívar *libertó* a Venezuela y Colombia definitivamente en el año 1824 볼리바르는 1824년에 베네수엘라와 꼴롬비아를 결정적으로 해방했다. ② 석방하다 ; 면제하다 ; 면하게 하다, 구제하다 (librar) : ~ de una muerte segura.
~se 자유의 몸이 되다 ; 면하다(salvarse) : ~*se del* peligro 위험을 면하다.

libertario, ria *adj.* 《*Neol.*》 절대 자유주의의, 무정부주의적인(anarquista). —*m.f.* 무정부주의자.

libertense *adj.m.f.* 라 리베르따《La Libertad, 엘살바도르의 도시》의 (사람).

liberteño, ña *adj.m.f.* 라 리베르따《La Libertad, 뻬루의 주》의 (사람).

liberticida *adj.* 자유를 해치는, 자유를 파괴하는, 자유를 말살하는. —*m.f.* 자유 파괴자.

libertinaje *m.* ① 방종, 방탕 : entregarse al ~. ② 불신심(不信心)(incredulidad) ; 몹쓸 짓.

libertino, na *adj.* 난잡한, 방종한, 방탕한. —*m.f.* ① 방탕자. ②(고대 로마의) 해방 노예의 아이.

liberto, ta *m.f.* (고대 로마의) 해방 노예.

Libia (la) *f.* 【지명】 리비아 《북 아프리카의 독립국가 ; 수도 Trípoli》.

líbico, ca *adj.* =**libio.**

libídine *f.* 음탕, 음란, 방종(lujuria).

libidinosamente *adv.* 음란하게.

libidinosidad *f.* =**lujuria.**

libidinoso, sa *adj.* 음란한, 음탕한, 음탕스러운(lujurioso).

libido *f.* 생명력 ; 성충동(性衝動).

libio, bia *adj.* 리비아의. —*m.f.* 리비아 사람.

libón *m.* ①《*Ar.*》 =**manantial.** ②《*Ar.*》 =**laguna.**

liborio *m.* 《*Cuba.*》 질이 좋은 담배의 일종.

Liborio *m.* (상징적으로) 꾸바 사람(cubano).

libra *f.* [*lat.* libra] ① 파운드. ②(영국 화폐) 파운드(~ esterlina). ③《*Cuba.*》 질이 좋은 잎담배. ④《*Perú.*》 5 peso의 금화.

Libra *f.* 【천문】 저울자리, 천칭자리, 천칭좌 ; 천칭궁(天秤宮).

libración *f.* 진동 ; 【천문】 (혹성·위성의) 칭동(秤動) ; 균형, 평형.

libraco *m. desp.* libro.

libracho *m. desp.* libro.

librado, da *adj.* [+bien·mal] 교묘하게·서툴게 헤쳐 나간. —*m.f.* 환어음 지불인, 환어음 수취인.

librador, ra *adj.* 구하는 ; (어음을) 발행하는. —*m.f.* 구조자 ; 어음 발행인(dador) : ~ de cheques 수표 발행인. ~ de una promissory note 약속어음 발행인. —*m.* 말구종 ; 서양 주걱.

libramiento *m.* ① 구출, 구조. ② 지불 명령(서), 환 발행 : ~ de una letra 어음 발행.

librancista *m.f.* 환어음 소지자.

librante *m.f.* 어음 발행인.

libranza *f.* ① 환어음, 지불 명령(서) : ~ postal 우편환. La ~ será cubierta 그 어음은 지불될 것이다. ② 어음 발행.

librar *tr.* ①(위험에서) 벗어나게 하다, 구조해내다 : ~ de riesgo 위험에서 구하다. Así lograron ~ al tribu de la miseria 그리하여 그들은 그 부족을 비참한 상태에서 구출할 수 있었다. Dios me *libre* 참 놀랐다 ; 그만둬 줘. ② [+de : …에서] 구출하다 ; 면제 ; 해제하다 : ~ *de*l impuesto …의 과세를 면제하다. ~ una finca *de* gravámenes 세금을 면제하다. ③ 신용하다. ④ 맡기다, 의지하다 : *Libro* las esperanzas *en* Dios 나는 신에게 의지하고 있다. ⑤ 내다, 발행하다 ; 제출하다 (dar, expedir) : ~ sentencia 판결을 내리다. ~ carta de pago 지불

서를 제출하다. ⑥ 보내다, 발송하다 : los *librados* libros 보내드린 책. ⑦ (어음 · 수표를) 발행하다 (girar) : ~ un cheque · un giro (una letra) *a cargo de · contra · sobre* uno 누구 앞으로 당좌수표 · 어음을 발행하다. ⑧ 《*Galic.*》 (싸움을) 전개하다, 걸다 : Bolívar *libró* quince combates y derrotó a los españoles arrojándolos de Venezuela 볼리바르는 열 다섯 차례의 전투를 해서 서반아사람들을 패주시켜 그들을 베네수엘라에서 몰아냈다.

—*intr.* ① (수녀가) 면회하러 나오다. ② 분만 · 출산하다 ; 태(胎)가 나오다. ③ [+bien · mal] 일이 잘 되다 · 실패하다. ④ [+en : …에게] 의지하다.

~se ① [+de : …에서 · 로부터] 도망치다, 빠져 나가다 ; (…을) 치우다, 버리다 ; 의지하다. ② 《*Arg.*》 =**entregarse.**

a bien · buen ~ (생각했던 것보다는) 그런대로, 아쉬운대로는.

libratorio *m.* (수도원 · 감옥의) 면회소.

librazo *m.* 책으로 때리기.

libre *adj.* [*lat.* liber] ① 자유의, 자유로운 : traducción ~ 의역(意譯). verso ~ 자유시, 무운시(無韻詩). ~ cambio 자유 무역. ~ pensador 자유 사상가. ~ pensamiento 자유 사상. estilo ~ (수영의) 자유형. Abrí la jaula para dejar ~ al pájaro 나는 새를 자유롭게 하기 위해 새장을 열었다. He estudiado por ~ 나는 (입학 수속없이) 자유 청강을 했다. El hombre ha nacido ~ 인간은 자유인으로 태어났다. ② 여유있게 자유로운, 한가한, 시간에 있는. al aire ~ 야외에서. ¿Está ~ mañana? —Sí, estoy ~ 내일 시간 있습니까? —예, 있습니다. **Contr.** ocupado. ③ 독신의 (soltero). ④ 구애됨이 없는, 사양없는 : Es muy ~ *en* hablar. ⑤ 분방(奔放)한. ⑥ 방종한, 함부로 구는 : Es una mujer de vida ~ 그녀는 방종한 생활을 하는 여자다. ⑦ (…이) 없는, (…에서) 벗어난, 면제된, 해방된 : Ya está ~ *de* cuidados 이제 걱정거리가 없다. ⑧ 자립한. ⑨ 무료 · 무과세의 : ~ de derechos 면세, 무과세. entrada ~ 입장 무료. La entrada es ~ 입장은 무료다. Esta mercadería está ~ de impuestos 이 상품은 무과세다. ⑩ (장소에) 사람이 없는, 비어 있는 : taxi ~ 빈 택시. habitación ~ 빈 방. La habitación está ~ 방에 사람이 들어 있지 않다. ¿Hay una habitación ~? 빈 방이 있습니까? **Contr.** ocupado. **Contr.** cautivo, esclavo, prisionero. —*m.* 《*Méx.*》 (택시의) 빈차, 공차.

librea *f.* ① (급사 · 하인의) 제복, 유니폼 : llevar ~ 주인이 준 옷을 입고 있다 ; 머슴 · 하인으로 일하고 있다. ② 《*Galic.*》 표징(表徵) : la ~ de la miseria.

librear *tr.* ① 파운드(libra)로 팔다. ② 【고어】 [드뭄] 장식하다, 멋지게 꾸미다(adornar, embellecer).

librecambio *m.* 자유 무역(libre cambio).

librecambismo *m.* 자유 무역주의, 자유 무역론.

librecambista *adj.* 자유 무역의, 자유 통상의. —*m.f.* 자유 무역론자 · 무역 지지자 · 주의자. **Contr.** proteccionista.

librejo *m.* [*dim.* libro] 쓰레기 같은 서적.

libremente *adv.* 자유로이 ; 사양 않고 ; 마음의 여유를 가지고 ; 자유 분방하게(con libertad).

librepensador, ra *adj.* 자유 사상의. —*m.f.* 자유 사상가.

librepensamiento *m.* 자유 사상.

librería *f.* ① 서점, 책방(tienda de libros) : ~ de viejo 헌책방, 고서점. ② 책장사 : ~ de viejo. ③ 도서실, 서고 (biblioteca). ④ 책장 (estante) : ~ de dos cuerpos.

libreril *adj.* 서적상의, 도서 판매의.

librero, ra *m.f.* 책방 주인, 서적상, 책팔이 ; 제본가(製本家). —*m.* 《*Méx.*》 책장(estante). —*adj.* 책의 ; 서점의 ; 출판의.

libresco, ca *adj.* 《*Neol.*》 주로 책에서 발췌한 : ciencia puramente ~*ca.*

libresco, ca *adj.* 책의 · 에 관한.

libreta *f.* ① 수첩, 잡기장 (cartilla) : ~ de cheques 수표장. ~ de depósitos 예금 통장, 은행통장 ; 당좌 예금 출납장. ② 사력(寺曆) (añalejo). ③ 1파운드의 빵, (한 덩이의) 빵.

librete *m.* [*dim.* libro] ① 작은 책, 수첩, 메모장. ② 발 녹이기(maridillo).

libretín *m. dim.* librete.

libretista *m.f.* 《*Neol.*》 가극 작가(autor de un libreto).

libreto *m.* [*ital.* libretto] 가극 (작품) : Fue el autor del ~ de la ópera.

librillo *m.* ① 담배말이 종이 (cuaderno de papel de fumar). ② (반추 동물의) 중판위(libro). ~ *de cera* 밀랍 성냥.

libro *m.* [*lat.* liber] ① 책, 서적, 책자, 도서. ② 저술, 저작(obra). ③ 권, 편 : el ~ primero 제1권. ④ 장부 ; 묶음철, 회수권 ; 기입장 ; 명부 : cerrar ~*s* 장부를 마감하다. balancear ~*s* 장부들을 맞추다. llevar ~*s* 부기하다. ⑤ 기부금, 세금 : Andan cobrando ~*s* 기부금의 모금에 나서다. ⑥【동물】 (반추 동물의) 중판위. ⑦【음악】 가극의 각본(libreto).

~ ***becerro*** 토지 대장. ~ ***borrador*** 거래 기입장. ~ ***copiador*** 서신 메모장. ~ ***de actas*** 회의록. ~ ***de apuntes*** 수첩, 메모장. ~ ***de asiento*** 메모장. ~ ***de caballerías*** 기사도 이야기. ~ ***de caja*** (현금) 출납부. ~ ***de direcciones*** 주소록. ~ ***de facturas*** 사입 장부. ~ ***de consulta*** 참고서. ~ ***de cuentas*** 회계 장부. ~ ***de fondo*** 서점의 자가 출판본. ~ ***de inventarios*** 재고 조사 원장. ~ ***de las cuarenta hojas***【속어】 카드. ~ ***de mano*** 필사본. ~ ***de memoria*** 메모장. ~ ***de surtido*** 서점의 위탁 판매본. ~ ***de texto*** 교과서. ~ ***diario*** (상점의) 일기장. ~ ***escolar*** 교과서. ~ ***humorístico*** 음서(淫書). ~ ***en blanco*** 백지 장부, 미기입 장부. ~ ***mayor*** 원장(元帳), 대장. ~ ***sagrado*** 성서. ~ ***sapiencial*** 구약성서. ~ ***talonario*** (수표장처럼 반쪽이 남는) 할부장(割符帳), 절취장. ~ ***verde*** 신상서.

a ~ abierto 아무 준비 없이.

ahorcar los ~s 학업을 그만두다.

hablar como un ~ 권위자처럼 말하다, 정확한 말을 쓰다.

hacer ~ nuevo 개심하여 새 생활을 시작하다 ; 새 것을 받아들이다.

llevar los ~s =llevar la contabilidad.

meterse en ~s de caballerías 공연한 참견을

하다.
No hay necesidad de abrir ni cerrar ningún ~ 그것은 명백한 일이다.
librote *m.* [*aum.* libro] 형편 없는 책.
liburne *f.* (로마의) 쾌속정(barco romano muy veloz).
lic., Lic. licenciado.
licantropía *f.* 늑대광(狂) 《자신이 늑대가 되었다고 생각하는 정신병》.
licántropo, pa *m.f.* licantropía 환자.
licdo. licenciado.
liceísta *m.f.* 문학회(liceo)원 ; 클럽 회원, 동호회원.
licencia *f.* [*lat.* licentia] ① 인가(서), 허가(서) : dar ~ 허가하다. Se necesita obtener ~ para vender licores 주류를 팔려면 허가를 얻어야 한다. ② 면허(증), 감찰 : ~ para manejar 운전면허증 (permiso de conducir). ~ de embarque 선적 면장, 선적 허가서. ~ de exportación 수출 승인 · 허가 · 허가서 · 라이센스. ~ de importación 수입 승인 · 허가 · 허가서 · 라이센스. ~ de marinero 선원 수첩. ~ de reimportación por un plazo dado 재수입 면세증. ③ 특허권 사용 허가 : ~ exclusiva 특허권 독점 사용 허가. ④ 휴가 : ~ por enfermedad 병가, 질병 휴가. ~ por estudios 연구 휴가. pedir ~ 휴가를 얻다. ⑤ 외출 허가 ; 면제 : ~ absoluta 병역 면제 ; 제대. Le dieron ~ absoluta del ejército 그는 병역을 면제받았다. ⑥ 방종, 자유 분방 : tomarse la ~ 멋대로 굴다. ⑦ 학사(licenciado) 학위. ⑧【문법】 파격(破格) : ~ poética 운문에만 허용되는 문법상의 파격.
licenciado, da *adj.* ① 허락 받은, 허가필의 ; 자유의 몸이 된 : ~ de presidio. ② 자기 면허의. —*m.f.* ① 학사 : ~ Vidriera 비드로 학사, 세르반떼스의 작품에 나오는 인물, 자신이 유리가 된 것으로 망상하는 사람 ; 소심한 사람. ② 학사호. ③ 제대병. ④【고어】《*Amér.*》 변호사(abogado).
licenciamiento *m.* (licenciado가 되는) 졸업, 졸업식 ; (군인의) 제대.
licenciando, da *m.f.* (대학의) 졸업 예정자.
licenciar *tr.* ⑪ ① 허용하다, 허가 · 면허하다(dar licencia). ② (…에게) 학사 학위를 수여하다, 졸업시키다. ③ 제대시키다 ; 해산하다 : ~ tropas. ③ 해고하다.
~se 방종하게 되다 ; 학사가 되다, 학사 학위를 받다, 졸업하다.
licenciatura *f.* 학사 학위 ; 학사 졸업식 ; 학사 과정 ; (이를 위한) 연구 과제.
licenciosamente *adv.* 난잡하게, 방탕스럽게, 방종하게, 자유 분방하게(con desenfreno).
licenciosidad *f.* 방탕, 자유 분방, 무분별한 행동, 방종(libertinaje).
licencioso, sa *adj.* 난잡한, 방탕스러운, 방종한, 멋대로 놀아나는, 자유 분방한(libre, disoluto) : conducta *~sa* 방종한 행동.
liceo *m.* ① 아리스토텔레스가 철학을 가르친 아테네의 동산 ; 아리스토텔레스 학파. ② 문학회 ; 동호회. ③《*Chile.*》 중등 학교, 고등 학교. ④《*Méx.*》 국민 학교.
lición *f.* 《*Col. Méx.*》 lección의 사투리.
licitación *f.* 입찰, 경매, 공매 : *~es* para la construcción del puente 교량 건설을 위한 입찰.
licitador, ra *adj.* 입찰하는. —*m.f.* 입찰자 ; 경매자.
lícitamente *adv.* 합법적으로, 정당하게.
licitante *adj.m.f.* =**licitador.**
licitar *tr.* [*lat.* licitari] ① 입찰하다. ②《*Amér.*》 공매 · 경매하다(vender en pública subasta).
licitatorio, tia *adj.* 입찰하는, 공매하는.
lícito, ta *adj.f.* [*lat.* licitus] 정당한, 합법적인(legítimo, justo) : medio ~ 합법 수단. **Contr.** ilícito.
licitud *f.* 정당, 적법, 합법성.
licnobio, bia *adj.m.f.* 밤을 낮으로 알고 일하는(사람).
licnomancia *f.* 불꽃으로 치는 점.
licnomancía *f.* =**licnomancia.**
lico *m.* 《*Bol.*》【식물】 퉁퉁마디(barrilla).
licoperdo *m.* 【식물】 말불버섯(bejín).
licopodio *m.* 【식물】 습지에서 나는 은화(隱花) 식물.
licor *m.* [*lat.* liquor] 알코올 음료, 술, 액체 ; 주류(酒類) : No debe abusarse de los *~es* 주류를 남용해서는 안된다.
licorera *f.* 술잔.
licorería *f.* 술집(taberna, bar).
licorero, ra *m.f.* 《*Chile.*》 =**licorista.**
licorista *m.f.* 주류 영업자 · 제조업자 · 판매자 · 전문가.
licoroso, sa *adj.* 알코올 성분이 많은, 독한 : vino ~ 독한 포도주.
licosa *f.* 거미의 일종.
lictor *m.* 선구경사(先驅警使) 《옛 로마에서 죄인의 처벌을 직업으로 했던 관리》.
licuable *adj.* 용해할 수 있는(liquidable) : El plomo es un metal muy ~ 연(鉛)은 매우 용해가 잘 되는 금속이다.
licuación *f.* 용해, 융해, 액(체)화 : La ~ del plomo argentífero deja como residuo la plata.
licuadora *f.* 믹서 : ~ versátil 만능 믹서.
licuante *adj.* ① 액체화되는, 용해하는. ②【문법】 유음(流音)의(líquido).
licuar *tr.* ⑮ [*lat.* liquare] 녹이다, 액화하다 ; 주스를 만들다(liquidar) : ~ frutas.
licuefacción *m.* 액화, 용해 : la ~ de los gases 가스의 액화.
licuefacer *tr.* ⑱ =**licuar, liquidar.**
licuefactible *adj.* 액체화할 수 있는, 용해할 수 있는.
licuefactivo, va *adj.* 용해의, 액체화의.
licuor *m.* =**licor.**
licurgo, ga *adj.* 빈틈없는, 총명한(sagaz, astuto). —*m.f.* 입법자.
lichaven *m.* =**trilito.**
lichera *f.*【방언】 침대용 모포(manta de cama).
líchigo *m.* 《*Col.*》 식량, 도시락.
lid *f.* ① 싸움, 전투, 격투(combate, pelea). ② 논쟁, 입씨름(riña).
en buena ~ 정정당당히.
líder *m.f.* [*ing.* leader] 지도자, 수령, 주장, 리더(dirigente).
liderado, da *adj.* 지도적인 : militar ~ 지도적인 군인.

liderato *m.* =**liderazgo.**
liderazgo *m.* 통솔력, 지도력, 리더쉽.
lidia *f.* 전쟁, 투기 : toro de ~ 투우용 황소.
lidiadera *f.* 《*AmérC. Col.*》 논쟁, 말다툼, 입씨름 : andar en ~*s* 입씨름만 하고 다니다.
lidiadero, ra *adj.* 투기용의, 투쟁하는 : toro ~ 투우용 황소.
lidiador, ra *m.f.* 투사 ; 논쟁하는 사람.
lidiante *adj.* 싸우는.
lidiar *intr.* ⑪ ① [+con · contra : …과] 싸우다, 논쟁하다 : ~ *con · contra* infieles. ② 겨루다, 다투다. ③ 반항하다. **—***tr.* (투우를) 다루다, 놀리다.
lidio, dia *adj.* 리디아 《Lidia, 소아시아에 있던 옛 왕국》의. **—***m.f.* 리디아 사람.
lidioso, sa *adj.* 《*Venez.*》 귀찮은, 골치 아픈.
lidita *f.* 【광물】 흑벽옥(jaspe negro) ; 시금석(piedra de toque).
liebrastón *m.* 새끼 토끼(lebrato).
liebratico *m.* =**liebrastón.**
liebratón *m.* =**liebrastón.**
liebre *f.* [*lat.* lepus, leporis] ①【동물】 산토끼. ② 겁쟁이(hombre tímido). ③【천문】 토끼좌.
~ *corrida* 《*Méx.*》 창녀, 매춘부, 갈보.
coger una ~ 엉덩방아를 찧다(caerse al suelo).
comer ~ 겁을 내다.
Donde menos se piensa salta la ~ 【속담】 아닌 밤중에 홍두깨 격, 예기치 않는 일은 언제나 일어나는 법이다.
Al mejor cazador se le escapa la ~ 【속담】 원숭이도 나무에서 떨어진다.
liebrecilla *f.* 【식물】 수레국화(aciano, menor).
liebrecillo *m.* 【식물】 수레국화(의 무리).
liebrezuela *f. dim.* liebre.
Liechtenstein (Principado de) 【지명】 리히스타인 공국.
liechtenstiense *adj.* 리히스타인 공국의 (사람).
lied *m. alem.* [*pl.* lieder] 소가곡 : Schubert escribió encantadores *lieder.*
liego, ga *adj.m.f.* =**lleco.**
liencillo *m.* 《*AmérM.*》 면포의 일종(tocuyo).
liendra *f.* 《*Méx.*》 =**liendre.**
liendre *f.* 서캐(huevecillo del piojo).
cascar · machacar las ~*s* 심하게 때리다 ; 호되게 나무라다.
liendrera *f.* 《*Amér.*》 =**cabeza piojosa.**
liendrudo, da *adj.* 《*amér.*》 =**lendroso.**
lientera *f.* 【의학】 설사(diarrea).
lientería *f.* =**lientera.**
lientérico, ca *adj.* 설사의. **—***m.f.* 설사 환자.
liento, ta *adj.* [드뭄] =**húmedo.**
lienza *f.* ① 천 테이프, 베 테이프 ; 리본. ② 《*Chile.*》 견고한 실 ; 낚싯줄.
lienzo *m.* [*lat.* linteum] ① 삼베, 리넨 : ~ casero 손으로 짠 삼베. ② (삼의) 손수건. ③ 화폭, 캔버스 ; 그림 : ~ de Velásquez. ④ 벽의 한 구획. ⑤ 《*Amér.*》 선반, 선반의 한 칸.
lifara *f.* 《*Ar.*》 연회(宴會)(alifara).
liga *f.* ① 양말대님, 가터 : ~ de corsé 가터가 달린 코르셋. Las ~*s* son perjudiciales para la circulación de sangre 양말대님은 피의 순환에 해롭다. ② 붕대(venda). ③ 끈끈이 : untar con ~ 끈끈이를 칠하다. La ~ sirve para coger pajarillos 끈끈이는 작은 새를 잡는데 쓰인다. ④ 혼성, 혼합 : plata con ~ de cobre 동이 혼합된 은. ⑤ 합금(aleación). ⑥ (공수) 동맹, 연합, 연맹 : *Liga* Arabe 아랍 연맹. ⑦ 한 패거리 (amistad). ⑧【식물】 더부살이 나무 (muérdago). ⑨ 《*Amér.*》 꽁꽁 묶기, 결합 (ligación). ⑩ 《*Arg.*》 (어느 내기에서의) 행운. ⑪ 《*Col.*》 도둑질. ⑫ 《*Ecuad.*》 절친한 친구(amigo íntimo). ⑬ 【운동】 리그전.
ligación *f.* 이어 맞추기, 연계 ; 결합, 혼합.
ligada *f.* 속박 ; 결합, 한데 묶기.
ligado, da *adj.* ligar의 *p.p.* **—***m.* ① 문자와 문자와의 연결(부). ②【음악】 연결선 (⌒).
ligadura *f.* ① (줄의) 묶기, 한 묶음 : ~ apretada. ② 조임쇠 : ~ esquís 스키의 조임쇠. ③ 속박. ④ 거북함. ⑤【외과】 봉합용의 실 ; 붕대. ⑥ 【음악】 연결선 ; 절조(節調).
ligallero *m.* 《*Ar.*》 ligallo 회원.
ligallo *m.* 《*Ar.*》 (옛날의) 목축업자 회의.
ligamaza *f.* 점막(粘膜).
ligamen *m.* 피임을 위한 주문(呪文).
ligamento *m.* [*lat.* ligamentum] ① 연결시키는 일 ; 결합, 결속(ligación). ②【해부】 인대(靭帶).
ligamentoso, sa *adj.* 인대(靭帶)가 있는, 줄기가 많은.
ligamiento *m.* 연결, 이어 맞추기, 꽁꽁 묶어 잇기 ; 결속, 결합(unión, conformidad).
ligar *tr.* ⑧ ① 맺다, 연결시키다, 이어 맞추다, 잇다, 묶다 (atar) : Hay que ~ este paquete 이 소포를 묶어야 한다. ② 결합 · 동맹 · 제휴시키다 : *Ligaron* los dos alambres 그들은 두 개의 전선을 결합시켰다. ③ 결박하다, 속박하다 (obligar) : Este contrato le *liga* para siempre 이 계약은 그를 영원히 속박하고 있다. Los bandidos le *ligaron* las manos a la espalda 도적들은 그의 손을 뒤로 묶었다. ④ 합금하다. Esto se hace *ligando* plata *con* cobre 이것은 은을 동과 합금하여 만들어졌다. ⑤ 《*Arg. Chile.*》 (몫이) 돌아오다 (tocar). ⑥ 《*Col.*》 훔치다, 도둑질하다. ⑦ 《*Cuba.*》 (수확하기 전에) 입도 선매하다, 미리 팔다.
—*intr.* ① 《*Arg.*》 죽이 맞다. ② (내기에서) 들어맞다. ③ 《*Ant. Perú.*》 소원이 이루어지다. ④ 《*Ant. Méx.*》 냄새를 맡고 다니다(curiosear).
~se 연합 · 연맹 · 동맹 · 결합 · 결속하다(confederarse) : Los dos *se ligaron* en amistad 두 사람은 우정으로 결합했다. *Se ligaron* contra el peligro común 그들은 공동의 위험에 대처하여 연합했다.
ligarza *f.* 《*Ar.*》 =**legajo.**
ligazón *f.* ① 맺음, 연결 ; 결합 ; 맞추기 (unión, enlace). ②【선박】 늑재(肋材).
ligeramente *adv.* ① 가볍게 ; 사뿐히, 날렵하게, 날쌔게(con ligereza). ② 선뜻. ③ 희미하게, 아련하게. ④ 경솔하게(de ligero).
ligerear *intr.* 《*Chile.*》 서둘다, 지체없이 치우다(aligerar).
ligereza *f* ① 가벼움 ; 경쾌, 신속 : con ~ 가볍게. ② 경솔, 경박한 일, 성급.
ligero, ra *adj.* ① 가벼운 : caballería ~*ra* 경기

병(輕騎兵). herida *~ra* 경상(輕傷). industria *~ra* 경공업. Es muy ~ de peso 무게가 무척 가볍다. ② 경쾌한, 민첩한, 날쌘, 재빠른(ágil, veloz). ③ 얕은 : sueño ~ 얕은 잠, 선잠. ③ 산뜻한, 시원스러운, 가벼운 : comida *~ra* 가벼운(소화가 잘 된) 음식. ⑤ 경솔한, 경박한, 경거망동하는. —*adv.* 《*Amér.*》 재빨리.
a la ligera 가볍게, 날렵하게 ; 성큼성큼.
de ~ 심사 숙고없이, 가볍게(sin reflexión) : Creen *de* ~.

ligeruelo, la *adj.* [*dim.* ligero] 조생종의 (포도).
ligio *adj.* 신하로서 따르기를 맹세한 : feudo ~.
lignario, ria *adj.* 나무의, 목질의.
lignícola *adj.* 【남·여 동형】 나무를 먹고 사는 : insecto ~ 목식충(木食虫).
lignificación *f.* 목질로 변하는 일, 목화(木化).
lignificarse *r.* ⑦ 목질로 되다, 목질화하다, 나무 모양이 되다.
lignina *f.* 【화학】 목질, 목질소.
lignito *m.* 갈탄, 아탄(madera fósil).
lignoso, sa *adj.* 목질의(leñoso).
lígnum crucis *m. lat.* 그리스도가 못박혔던 십자가의 유물.
ligón *m.* 손잡이가 길고 구부러지고 오목한 괭이의 일종.
ligona *f.* 《*Ar.*》 =**ligón**.
lígrimo, ma *adj.* 《*Sal.*》 =**puro, castizo, legítimo.**
ligua *f.* (필리핀의) 망치 모양의 도끼.
liguano, na *adj.* 《*Chile.*》 리구아노종 《면양의 일종》의.
liguero, ra *adj.* 리그전의.
liguilla *f.* 폭이 좁은 붕대.
lígula *f.* ①【식물】 소설편(小舌片). ②【해부】 후두개, 목젖.
ligulado, da *adj.* lígula 형태의.
ligulífloro, ra *adj* 【식물】 lígula 형태의 꽃을 가진.
liguliforme *adj.* 혀 모양의.
ligur *adj.* 리구리아 《Liguria, 고대 이탈리아에 있었던 나라》의, 리구리아에 관한. —*m.f.* 리구리아 사람.
ligurino, na *adj.* =**ligur.**
ligústico, ca *adj.* =**ligurino.**
ligustre *m.* 쥐똥나무(ligustro)의 꽃.
ligustrino, na *adj.* 쥐똥나무의.
ligustro *m.* 【식물】 쥐똥나무(alheña).
lija *f.* ①【어류】 뿔상어. ② 뿔상어 가죽 : frotar con ~. ③ 사지(砂紙), 샌드 페이퍼 (papel de ~). —*adj.* 《*Ant. Méx. PRico.*》 빈틈없는, 날카로운 (sagaz).
lijadora lijar용 기계.
lijadura *f.* 《*Sant.*》 몸의 상처.
lijar *tr.* ① 상어 껍질·샌드 페이퍼로 문지르다 : ~ una tabla. ② 《*Sant.*》 =**lisiar, lastimar.**
lijosamente *adv.* 더럽게, 추접스럽게.
lijoso, sa *adj.* 《*Cuba.*》 우쭐한.
lila *f.* [*ár.* lílac] ①【식물】 라일락 : La ~ es originria de Persia 라이락은 페르시아가 원산지다. ② 엷은 자줏빛, 연보라. —*adj.m.f.* 어리석은 (사람).
lilac *f.* 【식물】 =**lila.**
lilaila *f.* (옛날의) 천의 일종. —*pl.* 간계, 간책, 흉계(astucia, treta) : dar con *~s* 흉계를 꾸미다.
lilallas *f.pl.* 《*Méx.*》 =**lilailas.**
lilao *m.* 허영, 잰 체하기(ostentación).
lile *adj.m.f.* 《*Chile.*》 =**temblón, tembloso.**
lilequear *intr.* 《*Chile.*》 (공포·병 때문에) 부들부들 떨다.
liliáceo, a *adj.* 백합(과) 식물의. —*f.pl.* 백합과 식물.
lilial *adj.* 《*Neol.*》 =**cándido, blanquísimo.**
lililá *f.* 【고어】 (안달루시아 전설상의) 신비로운 꽃.
Liliput 【지명】 릴리푸트 《Swift의 갈리버의 여행기(Viajes de Gulliver)의 상상의 나라》.
liliputiense *adj.* 난쟁이 나라 《Liliput, 스위프트가 쓴 갈리버 여행기에서 상상의 나라》의 ; 꼬마의, 아주 작은(muy pequeño).
liliquear *intr.* 《*Chile.*》 =**tiritar.**
liliquiento, ta *adj.* 《*Chile.*》 =**lile.**
lilolá *f.* 《*Col.*》 =**liliá.**
lima *f.* ① (쇠붙이 써는) 줄 : ~ de cuadradillo 모가 난 줄. ~ de triángulo 삼각줄. ~ plana 납작줄. ~ sordal 차츰 줄어들게 하는 것. ② 정정, 수정. ③ 닦아 윤이 나게 하기. ④【식물】 사탕구연 열매 ; 사탕구연 나무 (limonero). ⑤【건축】 지붕의 두 사면의 골 (~ hoya) ; 구석 도리 (~ tesa). ⑥【은어】 셔츠(camisa). ⑦【은어】 부인들의 돈 넣은 자루.
Lima *f.* 【지명】 리마 《뻬루의 수도》.
limaco *m.* ① 《*Ál. Ar.*》 =**babosa.** ②【방언】 =**gargajo.**
limado *m.* =**limadura.**
limador, ra *m.f.* 줄질하는 일꾼. —*f.* 기계줄.
limadura *f.* 줄질. —*pl.* 줄밥.
limalla *f.* 줄밥.
limar *tr.* [*lat.* limare] ① 줄로 갈다, 줄질을 하다 (desbastar con la lima) : ~ una llave 열쇠를 줄로 갈다. ② 금속을 닦다, 윤이 나게 만들다, 연마하다, 다듬다(pulir). ③ 닳게 하다(cercenar).
limatón *m.* ① 둥글고 두꺼운 줄(lima grande redonda y gruesa). ② 《*Amér.*》 모서리 받침 나무.
limaza *f.* ①【동물】 활유, 괄태충(括胎蟲) 《연체동물 복족류의 동물 ; 달팽이 같이 생겼으나 껍데기가 없음 ; 몸길이 6㎝ 가량됨》(babosa). ② 《*Venez.*》 큰 줄(lima grande)의 일종.
limazo *m.* 점액 ; 묽은 죽 같이 생긴 것.
limbario, ra *adj.* limbo의.
limbo *m.* [*lat.* limbus] ① (의복 등의) 가장자리 (borde). ② (천의) 가장자리. ③ (해·달의) 가장자리, 광권(光圈). ④ 외권(外圈). ⑤ (분도기 등의) 눈금 가장자리, 분도권(分度圈). ⑥ (식물의) (꽃)잎, 그 갓. ⑦ 지옥의 변토(邊土), 명부(冥府).
estar en el ~ 멍해 있다.
limen *m.* [*lat.* limen]【시어】 문지방(umbral).
limeñito, ta *adj.m.f. dim.* limeño.
limeño, ña *adj.* 리마 《Lima, 뻬루의 수도》의, 리마에 관계되는. —*m.f.* 리마 사람.
limera *f.* (선박의) 키 구멍.
limero, ra *m.f.* 사탕 구연 팔이. —*m.* 【식물】 사

탕 구연.

limeta *f.* 병(botella).

liminar *adj.* 권두의 : epístola ~.

limiste *m.* (고대의) 천(paño).

limitable *adj.* 한정할 수 있는, 국한·제한할 수 있는.

limitación *f.* ① 한계, 제한 : ~ cuantitativa 수량 제한. ~ de la libre disposición 자유 재량의 제한. ② 구획.

limitadamente *adv.* 한정되어 ; 근소하게.

limitado, da *adj.* [limitar의 *p.p.*] ① 한정된. ② 좁은, 낮은, 지혜가 모자라는 : ~ de talento 저능의. ③ 근소한, 사소한. ④【상업】유한(有限)의 : sociedad ~*da* 《*Chile.*》 합자 회사(sociedad comanditaria).

limitáneo, a *adj.* 경계의, 한계의, 경계선에 있는 ; 국경의.

limitar *tr.* [*lat.* limitare] ① 한정하다, 제한하다, 국한하다 : Es necesario ~ el número de candidatos 후보자의 수를 제한할 필요가 있다. *Limito* el gasto *a* 5.000 pesetas 나는 비용을 5천 뻬세따로 제한한다. ② (…에) 한계를 정하다. —*intr.* 인접하다, 접경하다(lindar) : ~ con …과 경계를 접하다. México *limita* al norte *con* los Estados Unidos 멕시코는 북쪽은 미합중국과 국경을 접하고 있다.

~se ① [+a : …] 만으로 하다·한정하다 : *Me limito a* tomar la sopa 나는 수프만 마시기로 한다. ② 한정되다, 제한되다 : La clase *se limita a* 30 alumnos 학급의 학생수는 30명으로 제한되어 있다. *Me limito en* el gasto mensual *a* 15,000 pesetas 나는 비용을 매달 1만 5천 뻬세따로 제한하고 있다.

limitativo, va *adj.* 제한적인, 한정적인.

límite *m.* [*lat.* limes, itis] ① 경계(선) ; 한정, 한계, 끝 : el ~ del mar 바다 끝. ~ de confianza 신뢰 한계. ~ de contrato 계약 기한·연한. ~ de tolerancia 허용 한계. ~ inferior 하한(下限). ~ superior 상한(上限). ② 극한, 제한, 한도, 범위 : ~ de costos 비용 한도. ~ de crédito 신용 한도액. ~ de edad 연령 제한. ~ de indemnización 배상 한도. ~ de precios 가격선. ~ superior de salario 최고 임금. poner·fijar un ~ 한도·범위를 결정하다. pasar·traspasar·exceder el ~ 제한·한도를 초과하다. dentro de los ~*s* 범위내로·내에서. Toda potencia tiene sus ~*s* 모든 힘은 한계가 있다.

limítrofe *adj.* 인접한, 경계를 접하는, 서로 이웃한 (vecino, confinante) : dos naciones ~*s* 두 개의 인접 국가.

limnología *f.* 호수학·연구.

limo *m.* [*lat.* limus] ① 진흙(barro, lodo). ② 《*Col. Chile.*》【식물】사탕 구연(limero).

limoctonía *f.* =**inanición.**

limón *m.* ①【식물】레몬 《운향과의 상록 소교목》. ② (수레의) 채(limonera). ③ 《*Arg.*》 (계단의) 곁두리 나무. ④ 《*Cuba.*》 춤 솜씨가 서툰 사람. —*adj.* 레몬 색깔의(de color de ~) : amarillo ~.

limonada *f.* ① 레몬수(agua de limón) : ~ de vino 레몬을 넣은 적포도주(sangría). ② 《*Guat.*》 =**barrio de chabolas.**

no ser ni chicha ni ~ 아무런 가치도 없다(no valer para nada).

limonado, da *adj.* 레몬·오렌지 빛깔 (color de limón)의.

limonar *m.* ① 레몬밭. ② 《*Guat.*》【식물】레몬.

limonaria *f.* 《*Hond.*》【식물】방향(芳香)의 꽃나무.

limoncillo *m.* 질이 좋고 단단한 노란 목재.

limonense *adj.m.f.* 리몬《Limón, 꼬스따리까와 에꾸아도르의 도시》의 (사람).

limonera *f.* [*fr.* limoniére] (수레의) 채.

limonero, ra *adj.* 채에 매는 (마소 등). —*m.f.* 레몬 장수·판매원. —*m.*【식물】레몬.

limonita *f.*【광물】갈철광.

limosidad *f.* ① 진흙투성이인 것. ② 치석(齒石), 이똥(sarro de la dentadura).

limosín *adj.*【고어】=**lemosín.**

limosna *f.* [*lat.* eleemosyna] ① 동냥 : pedir ~ 구걸하다. El viejo vive de ~ 그 노인은 동냥으로 살고 있다. ② 연보, 헌금 ; 시주 ; 희사.

limosnear *intr.* 구걸하다, 얻어먹다, 동냥하다 (pordiosear).

limosneo *m.* =**mendicidad.**

limosnera *f.* 시주·헌금 주머니.

limosnero, ra *adj.* 자비심이 많은, 시주를 자주 하는(caritativo). —*m.* (궁전 등의) 시주계 : ~ del rey. —*m.f.* 《*Amér.*》 거지, 걸인(mendigo).

limoso, sa *adj.* 수렁이 많은, 진흙투성이의 (lleno de limo o cieno).

limpeño, na *adj.m.f.* 림뻬오《Limpio, 빠라구아이의 수도 아순시온의 한 지역》의 (사람).

limpia *f.* ① 청소, 소제, (우물·하수도를) 치기 (limpieza) : la ~ de una alcantarilla 하수도 소제. la ~ de los pozos 우물 청소. ② (술의) 한 번 마시기(trago). ③ 《*Col. Méx.*》 채찍으로 때리기.

limpiabarros *m.*【단·복수 동형】구두를 닦기 위해 현관에 놓은 도구.

limpiabotas *m.*【단·복수 동형】구두닦이.

limpiachimeneas *m.*【단·복수 동형】굴뚝 청소부(deshollinador).

limpiada *f.* 《*Chile.*》 청소, 소제, 솔질, 먼지 털기(limpia, limpión).

limpiadera *f.* 대패 ; (쟁기 등의) 보습.

limpiadientes *m.*【단·복수 동형】이쑤시개 (mondadientes, palillo).

limpiador, ra *adj.* 청소하는. —*m.f.* 청소부. —*m.* 청소 도구, 청소기 : ~ por vacío 진공식 청소기.

limpiadura *f.* 청소, 소제, 솔질, 먼지 털기 (limpieza). —*pl.* (청소에서 나온) 먼지, 쓰레기.

limpiamanos *m.*【단·복수 동형】《*AmérC.*》 손수건, 수건, 타월(toalla) ; 냅킨(servilleta).

limpiamente *adv.* 깨끗하게, 청결하게 (con limpieza). ② 쉽사리, 감쪽같이. ③ 정직하게, 고지식하게.

limpiamiento *m.* 청소, 소제(limpieza).

limpiaoídos *m.*【단·복수 동형】귀이개.

limpiaparabrisas *m.*【단·복수 동형】와이퍼 《자동차의 유리에 들이치는 빗방울 따위를 자동적으로 좌우로 움직여서 닦아 내는 장치》.

limpiapeines *m.*【단·복수 동형】빗살 소제 도

구.

limpiapipas *m* 【단·복수 동형】 파이프 소제 기구.

limpiaplumas *m.* 【단·복수 동형】 만년필 소제 기구.

limpiar *tr.* 🔲 ①(더러운 것을) 치우다, 청소하다, 소제하다, 깨끗하게 하다, 훔치다, 닦다, 씻다 : ~ un vestido 옷을 깨끗하게 하다. ② [+de : 장애물을 …에서] 제거하다, 없애다, 치워버리다, 치워 말끔하게 하다(desembarazar) : ~ la casa *de* pulgas 집에서 벼룩을 없애다. ~ *de* broza el terreno 대지의 잡초를 베어 없애다. ~ *de* gente la calle 거리에서 사람들을 쫓아버리다. ③ 빨다, 세탁하다 : ~ un vestido 옷을 빨다. ~ en seco 드라이 클리닝을 하다. ④ 결백하게 하다, 청정·청결하게 하다(purificar) : ~ a uno de una acusación. ⑤(죄를) 용서하다 : ~ *de* culpas el alma 영혼의 죄를 용서하다. ⑥ 숙청하다(purgar), (…에서) 쫓아내다 : ~ *de* indeseables el partido 달갑지 않은 사람들을 당에서 숙청하다. ⑦ 카드 놀이에서 이기다. ⑧ 훔치다, 빼앗다, 도둑질하다(robar) : La *limpiaron* el reloj·la cámara 그는 시계·카메라를 도둑맞았다. ⑨《*Chile.*》 잡초를 뽑다, 제초하다(escardar). ⑩《*Méx.*》 벌하다, 꾸중하다, 나무라다(castigar), 때리다. ⑪《*Riopl.*》 죽이다, 살해하다, 없애다(matar).

~se (스스로 자기의 무엇을) 제거하다, 없애버리다, 닦다, 털어 내다 : *~se* las narices 코를 풀다. *Me limpié* el sudor de la frente 나는 이마의 땀을 닦았다. *Me limpié de* sudor la frente *con* una toalla 나는 타월로 이마의 땀을 닦았다.

limpiatubos *m.* 【단·복수 동형】 관·통·파이프 소제 기구.

limpiaúñas *m.* 【단·복수 동형】 손톱 소제 기구.

limpiavías *m.* 【단·복수 동형】 레일 청소부 ; 궤도 청소기.

limpiavidrios *m.* 【단·복수 동형】 유리 소제기.

limpidez *f.* 【시어】 청징(淸澄).

límpido, da *adj.* [*lat.* limpidus]【시어】 맑은 : cielo ~ 맑은 하늘.

limpieza *f.* ① 맑음. ② 청결 ; 청소, 소제. ③ 청순, 순수(pureza) : ~ de sangre 순혈(純血). ④ 결백, 정직(honradez) : obrar con ~ en un negocio 정직하게 사업을 하다. ~ de corazón 결백, 정직(rectitud natural). ~ de manos 몸의 결백. ⑤ 아무 것도 없는 일 : ~ de bolsa 무일푼.

limpio, pia *adj.* ① 티없이 맑은, 더럽지 않은, 깨끗한, 끝없이 맑은 : el cielo ~ 맑은 하늘. ropa *limpia* 깨끗한 옷. ② 순수한, 다른 것과 섞이지 않은. ③ 청조한 ; 청결한 : ~ en el traje 옷을 단정하게 입은. ④ 정직한, 고지식한, 착한 : juego ~ 정정당당한 승부, 페어 플레이(lucha leal). ⑤ 결백한, 순결한 : corazón ~ 순결한 마음. ⑥【상업】 정미(正味)의 : cobrar veinte mil pesetas *limpias* 정미 2만 뻬세따를 받다. ⑦ 고장이 없는, 무사고의 : conocimiento de embarque ~ 무사고 선하 증권. ⑧ 조건이 없는. ⑨ [+de : …이] 없는(extenso) : manos *limpias de* sortijas 반지 하나 끼지 않은 손. ~ *de* toda sospecha 전혀 의심이 없는.

—*adv.* 청결하게, 깨끗이, 말끔하게, 정직하게(limpiamente) : jugar ~ 정정당당히 경기하다, 페어 플레이를 하다.

en ~ ① 깨끗하게, 분명하게 : poner *en* ~ 정서하다. *Ponga* usted esta carta *en* ~ 이 편지를 정서하여 주십시오. sacar *en* ~ 분명하게 하다 ; 청산하다. No pude *sacar* nada *en* ~ de aquel discurso 나는 그 연설에서 아무 것도 이해할 수 없었다. ② 정미(正味)의(líquido) : valor *en* ~ 정미 가격.

limpión *m.* ① 대충 하는 청소, 먼지 털기, 가벼운 청소(limpiadura ligera) : dar un ~ a la ropa 대충 옷의 먼지를 털다. ② 청소부. ③《*AmérM.*》 행주 (paño de limpiar). ④《*Col.*》 꾸중, 나무람, 질책.

darse un ~ 기대에 어긋나다(no lograr lo que desea).

limusina *f.* 리무진《운전석과 객석 사이에 유리 칸막이가 있는 대형 자동차》.

lín. línea.

lina *f.*《*Chile.*》 거칠고 긴 짐승의 털.

lináceo, a *adj.* 【식물】 아마과의. *—f.pl.* 아마과 식물.

linaje *m.* ① 가계, 가보(家譜), 혈통 ; 신분, 가문 : noble ~ 귀족 가문·혈통. ② 종족(raza), 종속(種屬) : ~ humano 인류. ③ 기질, 성질, 소성(素性). *—pl.* 명문의 사람들.

linajista *m.f.* 족보 연구가, 족보학자, 계보학자(genealogista).

linajudo, da *adj.* 명문의, 가문을 자랑하는. *—m.f.* 명문가의 사람.

lináloe *m.* 【식물】 노회(áloe).

linao *m*《*Chile.*》 (Chiloé주의) 공놀이의 일종.

linar *m.* 아마밭, 삼밭(campo de lino).

linaria *f.* 【식물】 아마 비슷한 식물 : La ~ se ha usado como depurativa y purgante.

linaza *f.* 아마의 종자 : La harina de ~ se usa para cataplamas emolientes y de ella se extrae un aceite secante utilizado en pintura.

lince *m.* [*lat.* lynx, lyncis] ①【동물】 살쾡이. ② 날쌘 사람, 민첩한 남자. ③【천문】 살쾡이좌. *—adj.* 날카로운, 날카롭게 빛나는(perspicaz) : vista ~ 예리한 시선. ojos *~s* 날카롭게 빛나는 눈.

lincear *tr.* 낌새를 알아채다, 감지하다, 통찰하다.

linceo, a *adj.* ① 살쾡이의, 살쾡이 같은. ② 날카로운(perspicaz) : ojos *~s.*

linchamiento *m.*《*Neol.*》 사형(私刑), 린치.

linchar *tr.* (…에) 사형·린치를 가하다 : Los norteamericanos solían ~ a los autores de crímenes 미국인들은 범죄를 범하는 자들에게 자주 린치를 가했다.

lindamente *adv.* =**primorosamente.**

lindante *adj.* 경계를 접하고 있는, 인접한, 경계하는 : dos casas *~s.*

lindar *intr.* [+con : …과] 경계를 접하고 있다 : España *linda con* Francia al norte 서반아는 북으로 불란서와 국경을 접하고 있다.

lindazo *m.* 경계(선)(linde, límite, confín).

linde *m.(f.)* 경계, 경계선(límite) : los *~s* de una heredad.

lindel *m.* =**lintel.**

lindera *f.* [집합] 경계(linde).

lindería *f.* =**linde.**

lindero, ra *adj.* 이웃해 있는, 인접한, 경계의. —*m.* ① 경계(linde, orilla) : caminar por el ~ de un huerto. ② 《*Hond.*》 경계표.

lindeza *f.* 아름다움, 미(美), 사랑스러움, 귀여움 ; 교묘함. —*pl.* 잡소리, 험담, 모욕(insultos) : Le dijo mil ~*s*.

lindo, da *adj.* ① 예쁜, 아름다운, 깨끗한, 고운(hermoso, bonito, bello) : Ella es una muchacha muy *linda* 그녀는 매우 아름다운 소녀이다. ¡Qué casa tan *linda*! 아주 깨끗한 집이군요. ② 사랑스러운. ③ 훌륭한, 뛰어난, 빼어난(exquisito). ④ 교묘한. —*m.* 멋쟁이 : el ~ don Diego 멋쟁이. —*adv.* 《*Arg.*》 =**lindamente.**
de lo ~ ① 교묘하게, 훌륭하게. ② 몹시, 무척, 매우, 대단히 (mucho) : Gozamos *de lo* ~ en la fiesta 파티에서 우리는 무척 즐겼다. Me fastidié *de lo* ~ 나는 무척 꺼렸다.

lindón *m.* (밭)두렁, 이랑 ; 산마루.

lindura *f.* =**lindeza.**

línea *f.* [*lat.* linea] ① 선, 줄, 열 : en una ~ 일렬로. Tracé una ~ 나는 선을 그었다. ② 묘선(raya). ③ 【인쇄】 행(行)(renglón) : Le escribí cuatro ~*s* 그에게 간단하게 써 보냈다. ④ (교통기관의) …선, 노선, 항로, 공로 : ~ aérea 항공로, 항공선. ~ de navegación 항로. ~ libre 자유 항로. ~ marítima 항로. ~ peligrosa 위험 항로. ~ segura 안전 항로. autobús de ~ 노선 버스. ⑤ 전신선, 전화선. ⑥ 경계(선), 한계(término, límite). ⑦ 계열, 계통 : ~ materna 모계(母系). ⑧ 등급, 부류(clase) : el poeta *de primera* ~ del país 나라의 일류 시인. ⑨ 대열 ; 전열(戰列) ; 참호선. ⑩ 적도 (ecuador) : Está debajo de la ~ 적도 아래 있다. ⑪ 리네아 《길이의 단위, 1/12 인치, 약 2㎜》. ⑫ 《*Chile. PRico.*》 일류, 훌륭한 것. ⑬ 윤곽.
~ ***abscisa*** 횡선, 횡축, 횡좌표. ~ ***aérea*** 항공로. ~***s aerodinámicas*** 유선형 : motonave de ~*s aerodinámicas* 유선형 디젤선. ~ ***colateral*** 방계(의 친족). ~ ***corriente*** 유선(형). ~ ***curva*** 곡선. ~ ***de agua·flotación*** 흘수선. ~ ***de colimación·fe*** 시준선(視準線). ~ ***de la tierra*** 기선(基線). ~ ***de meta*** 골라인. ~ ***de mira*** 조준선. ~ ***de puntos*** 점선. ~ ***de vida*** 생명선. ~ ***equinoccial*** 적도 (ecuador). ~ ***férrea*** 철도(ferrocarril). ~ ***maestra*** 기준선. ~ ***ondulada*** 파선(波線). ~ ***ordenada*** 종좌표. ~***s paralelas*** 평행선. ~ ***quebrada*** 절선(折線). ~ ***recta*** 직선 ; 직계. ~ ***telefónica·telegráfica*** 전화선, 전신선. ~ ***transversal*** (평행선에 교차되는) 횡단선, 재단선 ; 방계(傍系). ***avión de*** ~ 정기 항공기.
a ~ ***tirada*** 지면 가득 조판한 방법으로.
en toda la ~ 전면적으로, 완전하게 : triunfar· ganar· vencer *toda la* ~ 완승하다.
en ~***s generales*** 요점에 있어서.
derrotar toda la ~ 완패하다.
echar ~***s*** 수단을 강구하다.

lineal *adj.* [*lat.* linealis] ① 선의 : dibujo ~ 선화(線畵). ② 가늘고 긴 (largo y delgado). 선 모양의 : hoja ~ 가늘고 긴 잎.

lineamento *m.* 윤곽 ; 얼굴 생김새 : ~*s* de rostro.

lineamiento *m.* =**lineamento.**

linear *adj.* 선 모양의(lineal) : hojas ~*es*. —*intr.* (…에) 줄을 긋다 ; 줄로 그리다, 스케치하다(bosquejar).

líneo, a *adj.f.* 【식물】 =**lináceo.**

lineotipia *f.* =**linotipia.**

linero, ra *m.f.* 아마 상인.

linfa *f.* [*lat.* lympha]① 【생리】 임파액. ② 수액(樹液). ③ 우두. ④ 【시어】 맑은 물. ⑤ 청주(淸酒).

linfangitis *f.* 【의학】 임파선염.

linfático, ca *adj.* 임파의 ; 임파질의, 임파선병질의 : 우둔한 : ~ temperamento 점액질 ; 우둔한 성질. vasos ~*s* 【해부】 임파관. —*m.f.* 임파선병질의 사람.

linfatismo *m.* 임파질, 점액질.

linfocito *m.* 【해부】 임파구(球)·세포.

lingera *m.* 《*Arg.*》 하릴없이 어정거리는 사람 ; 집 없는 사람(atorrante). —*f.* 옷자루 ; 가난한 사람의 보따리.

lingote *m.* ① 지금(地金), 연봉(延棒) ; (금속의) 괴(塊) : ~ de oro 금의 연봉. ~ de acero 강철 연봉. ~ de fundición· de hierro 선철. ② 【인쇄】 굵은 인테르. ③ 해병대.

lingotera *f.* (lingote 주조용) 주형(molde).

lingual *adj.* ① 혀의 : músculo ~ 혀의 근육. ② 언어의. ③ 설음 《d, t 등》의 ; 혀끝에서 나오는 : letra ~ 설음 문자.

lingue *m.* 린게나무 《칠레산의 녹나무과의 교목》 ; 린게나무 껍질 《가죽 무두질에 쓰는 재료》.

linguete *m.* 【기계】 톱니바퀴 제동 장치. **Sinón.** tringuete.

lingüiforme *adj.* 혀 모양의.

lingüista *m.f.* 언어학자.

lingüística *f.* 언어학, 비교 언어학 : la ~ español 서반아어 비교 언어학.

lingüístico, ca *adj.* 언어의 ; 언어상의, 언어학의, 언어학상의 : estudios ~*s* 언어학 연구.

linimento *m.* 바르는 약, 도제(塗劑).

linimiento *m.* =**linimento.**

linio *m.* =**liño.**

lino *m.* [*lat.* linum] ① 【식물】 아마(亞麻). ② 아마포(亞麻布), 리넨 : vestir de ~. ③ 【시어】 흰 돛 ; 돛 배. ④ 《*Arg. PRico.*》 아마의 종자(種子) (linaza).
~ ***mineral·fósil*** 석면(石綿).

linó *m.* 《*And. Arg. Cuba.*》 =**linón.**

linógrafo, fa *m.f.* 《*Chile.*》 =**linotipista.**

linóleo *m.* 리놀륨 《마룻바닥의 깔개》.

linóleum *m.* 【속어】 =**linóleo.**

linón *m.* 한랭사 : También se hace ~ de algodón.

linotipia *f.* 라이노타이프, 자동 주조 식자기 《자동으로 문자의 모형(母型)보다 1행 분의 활자의 괴(塊)가 주조될 수 있는 기계》. [*N.* linotipa와 linotipo도 사용됨].

linotípico, ca *adj.* linotipia의.

linotipista *m.f.* 라이노타이프 타자수.

lintel *m.* 【건축】 (입구·창 따위의 위에 가로 댄) 상인방(dintel).

linterna *f.* ① 초롱, 각등(角燈), 랜턴, 칸델라, 등불, 회중 전등 : ~ mágica 환등(幻燈). ~

sorda 채광식 초롱. ～ delantera · de adelante 헤드라이트. ～ trasera · de atrás 백라이트. ～ de papel 초롱불. ②【고어】등대(faro). ③【건축】(건물의) 꼭대기 탑.

linternazo *m.* 등(linterna)으로 때리기 ; 때리기, 구타(golpe).

linternero, ra *m.f.* 초롱 제조인 ; 초롱 판매인.

linternón *m.* [*aum.* linterna] ① 커다란 초롱(linterna grande). ② 선미등(船尾燈).

linudo, da *adj.* 《*Chile.*》 긴 털의, 거친 털의 ; 긴 털 · 거친 털로 짠.

linuelo *m.* 【속어】 =**linaza.**

linuezo *m.* =**linaza.**

linyera *m.* 《*Arg.*》 =**atorrante.**

liña *f* 《*Can.*》 =**cordel.**

liño *m.* 가로수 ; 나무 울타리.

liñudo, da *adj.* 《*Chile.*》 =**lanoso, lanudo.**

liñuelo *m.* (밧줄의) 타래(ramal de una cuerda).

lío *m.* ① 꾸러미, 다발 ; 옷 꾸러미. ② 얽힘, 분규, 분쟁(embrollo) : armar un ～ 분쟁을 일으키다. hacer un ～ 분규를 일으키게 하다. hacerse un ～ 일이 꼬이다(embrollarse).

liona *f.* 《*Chile.*》 =**liorna.**

lionés, sa *adj.* 리옹 《Lyón, 불란서의 도시》의, 리옹 지방의. **—***m.f.* 리옹 사람.

liorna *f.* 소란함, 어수선함(algazara).

lioso, sa *adj.* 일을 어지럽게 만드는, 분규를 일으키는(enrodoso) ; 거짓말을 하는(mentiroso). **—***m.f.* 분규를 일으키는 사람 ; 거짓말쟁이.

lipa *f.* 《*Venez.*》 배, 복부(barriga).

liparocele *m.* ① =**lipoma.** ② =**hernia.**

lipegüe *m.* 《*AmérC.*》 덤.

lipemanía *f.* 【의학】 우울증(melancolía).

lipemaniaco, ca *adj.* 우울증의. **—***m.f.* 우울증 환자.

lipemaníaco, ca *adj.m.f.* =**lipemaniaco.**

lipemia *f.* 【의학】 혈액의 지방 과다, 지방 혈증.

lipendi *m.* 대단치 않은 것 ; 정신나간 사람.

lipes *f.* =**lipis.**

lipidia *f.* ① 《*AmérC.*》 완고, 고집. ② 《*CRica.*》 비참(miseria). ③ 《*Cuba. Méx.*》 번거로움 ; 무례한 짓. ④ 《*Ecuad. Perú.*》 소화 불량으로 인한 설사. ⑤ 《*Chile.*》 소화 불량(indigestión). **—***m.f.* 《*Cuba. Méx.*》 귀찮은 · 골치 아픈 사람.

lipidiar *tr.* ⑪ 《*Méx.*》 애먹이다, 귀찮게 하다.

lipidioso, sa *adj.* 《*Ant. Méx.*》 귀찮은, 무례한 ; 완고한.

lipiria *f.* ① 【의학】 오한열. ② 《*Chile.*》 소화 불량으로 인한 설사.

lipis *f.* 【화학】 유산동.

lipoideo, a *adj.* 지방상(脂肪狀)의(adiposo).

lipoma *m.* [*gr.* lipos] 【의학】 지방종(脂肪腫)(tumor adiposo).

lipón, na *adj.* 《*Venez.*》 배가 큰, 배가 나온, 배불뚝이의(barrigón, barrigudo).

lipotimia *f.* [드묾] 실신(失神).

liq.[n], **liq.**[ón] liquidación.

liq.[o] líquido.

liqu. liquidación.

liquefacción *f.* 《*Neol.*》 액화(liquidación).

liquefacer *tr.* ⑲ 액화하다(liquidar).

liquelique *m.* 《*Venez.*》 호주머니가 달린 블라우스(blusa con bolsillos).

liquen *m.* [*lat.* lichen] ① 【식물】 이끼. ② 【의학】 태선(苔蘚), 버짐.

liquenícola *adj.* 【남 · 여 동형】 이끼에 사는, 이끼에 자라는.

liquenoideo, a *adj.* 이끼 비슷한.

liquenoso, sa *adj.* 이끼 같은 · 많은.

liquichiri *m.* 욕심쟁이, 욕심꾸러기, 욕심이 많은 사람 ; 병약자.

liquidable *adj.* ① 액체화할 수 있는, 용해하는. ② 청산해야 할. ③ 결제할 수 있는.

liquidación *f.* ① 액화, 용해. ② 청산, 결산, 결제 : ～ administrativa 행정 청산. ～ de averías 해손 사정(海損査定). ～ de balance 어음 교환. ～ de comisiones 수수료 청산 · 계산서. ～ de la compañía · sociedad 회사의 청산 · 정리. ～ de (los) gastos 경비 계산서. ～ internacional 국제 결제. ③ (회사의) 정리, 폐점, 폐업. ④ 《*Chile.*》 해산, 파산. ⑤ 종결, 점포 정리 : En aquel almacén hay una ～ 저 백화점에서 폐점 대매출이 있다. ⑥ 투매(投賣), 덤핑.

liquidador, ra *adj.* 액화하는 ; 용해하는 ; 청산 · 결산하는 ; 파산 정리하는. **—***m.* (파산) 청산인 : ～ de avería 해상 손해 청산인. ～ judicial 법정 청산인.

liquidámbar *m.* 소합향.

líquidamente *adv.* 흐르는 듯이.

liquidar *intr.* ① 액화하다 : El gas *se liquida* fácilmente 가스는 간단히 액화된다. ② 용해하다. ③ 청산하다, 결산하다 : ～ una deuda 빚을 청산하다. ～ cuentas 결산하다. ③ 파산 정리하다 ; (회사를) 해산하다 : ～ los negocios 폐점하다. ④ 팔아 버리다 : ～ las existencias 재고품을 팔아 버리다.

liquidez *f.* 유동성, 액체 ; 유창함.

líquido, da *adj.* ① 액체의, 액체 상태의, 유동체의. ② 【문법】 유음의 : letra ～*da* 유음 문자 《l과 r를 가리킴》. ③ 【상업】 유동성의, 유동의 ; 쉽게 현금화할 수 있는 ; 청산된, 결산된 ; 차액 잔고의. ④ 《*Amér.*》 정미(正味)의 (neto) : tres metros ～*s* 정확히 3미터. ⑤ 유일한 : una ～*da* vez 꼭 한번.

—*m.* ① 액체, 유동물 ; 액 : ～ borrador de tinta 잉크 지우는 액. ～ insecticida 살충용제. ～ revelador 현상액. ② 【상업】 청산 잔고, 순이익 : ～ imponible 과세 대상 소득, 과세 표준 가액. beneficio ～ 순이익. saldo ～ 정미 잔고. utilidad ～*da* 순이익.

liquilique *m.* 《*Venez.*》 =**liquelique.**

liquiriche *adj.* 《*Bol.*》 =**enclenque, raquítico.**

lira[1] *f.* [*lat.* lyra] ① 수금(竪琴), 칠현금(七弦琴). ② 서정시(의 일종) ; 시재(詩才) ; 시정 ; 시집(詩集). ③ 【조류】 (오스트렐리아산의) 금조(琴鳥).

lira[2] *f.* [*ital.* lira ; *lat.* libra] 리라 《이탈리아 · 터키의 화폐 단위》.

Lira *f.* 【천문】 천금좌.

lirado, da *adj.* 【식물】 칠현금(lira) 모양의 (잎).

liria *f.* 끈끈이(liga).

lírica *f.* 서정시(poesía lírica) : la ～ española.

lírico, ca *adj.* ① 칠현금의. ② 서정의, 서정적인 : poesía ～*ca* 서정시. ③ 《*Arg. Venez.*》 꿈같은, 실현 불능의 ; 환상적인. **—***m.f.* 서정 시인

(poeta lírico).

lirio *m.* [*lat.* lilium] 【식물】 붓꽃, 창포. ~ *blanco* 백합(azucena). ~ *de agua* 물풀의 일종(cala). ~ *de los valles* 은방울꽃 (muguete). ~ *hediondo* 붓꽃의 일종.

lirismo *m.* ① 서정성, 서정미. ② 열정(entusiasmo) : el ~ de un orador 연설자의 열정. ③ 《*Amér.*》 공상, 환상(fantasía, ilusión).

liróforo *m.* ① lira 연주자. ② 시인(poeta).

lirón *m.* ①【동물】 동면쥐. ② 잠보, 잠꾸러기 (persona dormilona) : dormir como un ~ 곤하게 자다, 잘 자다.

lirondo, da *adj. mondo y* ~ 깨끗한 (limpio) ; 아무 것도 첨가되지 않는(sin añadidura de nada).

lironero *m.* 《*Murc.*》 =**almez.**

lis *f.* [*lat.* lirium] ①【식물】 붓꽃(lirio) : flor de ~ 《*Galic.*》 *m.* 백합. ②《*Chile.*》 앙금, 침전물 (poso).

lisa *f.* 【어류】 미꾸라지 ; 숭어(mújol).

lisamente *adv.* ① 거침없이, 매끄럽게, 유창하게 : hablar ~. ② 성실하게.
lisa y llanamente ① 알기 쉽고 분명하게(sin rodeos). ②【법률】 법조문에 따라.

Lisboa *f.* 리스본 《포르투갈의 수도》.

lisboeta *adj.* 리스본의. —*m.f.* 리스본 사람.

lisbonense *adj.m.f.* =**lisbonés.**

lisbonés, sa *adj.* 리스본 《Lisboa, 포르투갈의 수도》의. —*m.f.* 리스본 사람.

lisera *f.* ①《*Murc.*》【축성】 보루의 벼랑길. ②《*Murc.*》 투창(bohordo).

lisiado, da *adj.* [lisiar의 *p.p.*] 불구의 ; 홀딱 반한 ; 열망하는. —*m.f.* 불구자.

lisiadura *f.* (영구적) 불구, 폐질.

lisiar *tr.* ⑪ 상처 입히다, 불구로 만들다(herir, lastimar una parte del cuerpo) : ~ a uno un brazo 누구의 팔을 불구로 만들다.
~se 다치다, 병신이 되다, 불구가 되다.

lisible *adj.* =**legible.**

lisimaquia *f.* 【식물】 부처꽃.

lisio *m.* 《*SDgo.*》 흠, 결점(defecto).

lisis *f.* 【의학】 열이 점진적으로 내림.

liso, sa *adj.* [*lat.* lissos] ① 매끄러운 : piel muy *lisa* 매끄러운 피부 · 가죽. ② 시원스럽게 트인. ③ 무늬 · 세공되지 않은 ; 무지(無地)의 : tela *lisa* 무지의 피륙. ④【은어】《*Amér.*》 대담한, 뻔뻔스러운(atrevido). —*m.* ① 바위의 평면(cara plana de una roca). ② 호박 직(織)(raso). ③ 《*And.*》 도마뱀(lagarto)의 일종.
~ *y llano* 아주 쉬운.
irse ~ 《*Venez.*》 인사도 없이 가버리다(despedirse a la francesa).

lisol *m.* 리졸 《살균제》.

lisonja[1] *f.* [*ital.* lusinga] 아첨, 아부(alabanza).

lisonja[2] *f.* =**losange.**

lisonjeador, ra *adj.m.f.* =**lisonjero, adulador.**

lisonjeante *adj.* ① 아부 · 아첨하는 (듯한). ② 마음에 · 눈에 · 귀에 즐거운(lisonjero).
—*m.f.* 아첨꾼.

lisonjear *tr.* ① 아첨하다, 아부하다(adular). ② 즐겁게 하다(deleitar, dar gusto) : La música *lisonjea* el oído.
~se [+con · de : …을] 즐기다.

lisonjeramente *adv.* 아첨하는 듯이 ; 흐뭇하게, 즐겁게 ; 듣기 좋게.

lisonjero, ra *adj.* ① 아부하는, 아첨하는, 아첨하는 듯한. ② 마음을 즐겁게 하는, 보기 좋은, 귀를 즐겁게 해주는, 듣기 좋은 : música ~*ra* 듣기 좋은 음악. voz ~ *ra* 듣기 좋은 목소리.
—*m.f.* 아첨꾼, 아첨쟁이, 알랑쇠.

lista *f.* ① 명부, 장부, 표, 리스트 : hacer una ~ 리스트를 작성하다. pasar la ~ …의 점호를 하다. pasar ~ a la clase 출석을 부르다. ② 목록, 카탈로그(catálogo) ; 메뉴 ; 스케줄. ③ 테이프, 띠. ④ (무늬의) 줄. ⑤ (창문의) 살.
~ *de comidas · platos* 식단, 식단표, 차림표, 메뉴. ~ *de correos* 우편 취급소. ~ *de precios* 가격표. ~ *de pagos* 급료 지급, 종업원 명부. ~ *grande* (복권 등의) 당첨 번호표. ~ *negra* 블랙리스트.

listadillo *m.* 《*AmérM. PRico.*》 줄무늬 무명.

listado, da *adj.* [listar의 *p.p.*] 줄무늬의 : tela ~*da* 줄무늬 천. —*m.* 《*Amér.*》 줄무늬 무명천 (tela rayada).

listar *tr.* =**alistar.**

listeado, da *adj.* =**listado.**

listear *tr.* =**rayar con listas.**

listel *m.* 【건축】 평면, 갓도리(filete, moldura).

listero, ra *m.f.* (직원 · 인부 등의) 명부 담당자.

listeza *f.* 【속어】 숙련, 기민(maña, habilidad).

listín *m.* [*dim.* lista] ① 명부 초록(抄錄). ② 《*SDgo.*》 (일반적으로) 신문(periódico).

listo, ta *adj.* ① 민첩한, 재빠른, 기민한(hábil). ② 빈틈 없는 (sagaz). ③ 영리한 (inteligente) : Es una muchacha muy *lista* 그녀는 매우 영리한 아가씨이다. ④ 준비된 (dispuesto, preparado) : Ya estoy ~ para despedirme 나는 출발 · 헤어질 준비가 되었다. Todo está ~ 만반의 준비가 갖추어져 있다 Todos están ~*s* 모든 사람이 준비되었다. Todas están *litsas* 모든 여자가 준비되었다. Todos estamos ~*s* 우리 모두가 준비되었다. —*interj.* 《*Amér.*》 좋아, 끝났다.

listón *m.* ① 비단 끈 · 리본. ② 평연(平緣) (listel). ③ 가느다란 널빤지(tabla angosta y larga). —*adj.* 등줄기가 하얀 (소).

listonado, da *adj.* listonar의 *p.p.* —*m.* 【건축】 [집합] (가느다란 널로 만든) 목제품.

listonar *tr.* (…에) listón을 대다(enlistonar).

listonería *f.* [집합] =**listón.**

listonero, ra *m.f.* 비단 리본 제작자.

listura *f.* 《*And.*》 =**travesura.**

lisura *f.* ① 매끄러움 : la ~ de un espejo. ② 아무런 장식이 없음. ③ 천진스러움. ④ 고지식함. ⑤《*Amér.*》 뻔뻔스러움. ⑥《*Perú.*》 저의(底意).

lisurero, ra *adj.* 《*Perú.*》 뻔뻔스러운, 철면피한, 낯가죽이 두꺼운.

lit. literalmente ; literatura.

lita *f.* 개의 혀에 생기는 기생충.

litación *f.* (신에게 바치는) 희생물, 공물, 재물.

litagogo *adj.m.* ① 방광 결석을 없애는 (약). ② 제석제(除石劑).

litar *tr.* (신에게) 희생물 · 공물을 바치다.

litarge *m.* =**litargirio.**

litargirio *m.* 일산화연 : El ～ sirve para preparar el barniz de la loza común.
lite *f.* 【법률】 소송(pleito).
litera *f.* ① 침대 《기선·기차·여객기 따위의》. ②(옛날의) 들것, 가마 ; 들것 모양의 것. ③ 《*Méx.*》 차(車), 수레, 마차(carro, coche, carruaje).
literal *adj.* ① 문자(상)의, 글자의 뜻·자구(字句)에 구애된, 자의상(字義上)의 : sentido ～ del texto. ② 축어적(逐語的)인 : traducción ～ 직역(直譯). ③(사람·머리가) 융통성이 없는, 평범한. ④(문자 그대로) 정확한, 과장 없는.
literalidad *f.* 문자 그대로의 해석 ; 충실성.
literalmente *adv.* ① 글뜻·문자 그대로(a la letra) ; 축어적(逐語的)으로 : traducir ～ 직역하다. ②(과장하여) 문자 그대로, 참말로, 정말로(exactamente) ; 아주, 거의.
literariamente *adv.* 문학적(文學的)으로 (de modo literario).
literario, ria *adj.* 문학의 ; 문학적인, 문학상의, 문학에 관한, 문예의 : revista ～*ria* 문예 잡지.
literatear *intr.* 문필 생활을 하다, 문학을 하다.
literato, ta *adj.* [*lat.* literatus] 문장의, 문학의, 문필의. —*m.f.* 문학자, 문인, 문필가.
literatura *f.* 문학 (letras), 문예 (bellas letras) ; 문헌 : ～ económica 경제 문헌. La ～ española es una de las más ricas del mundo 서반아 문학은 세계에서 가장 풍요로운 문학 중의 하나이다.
literero *m.* litera의 상인 ; 가마를 메는 사람.
litería *f.* (왕가의) litera 담당 직책.
litiasis *f.* 【의학】 결석병(結石病)(mal de piedra) : ～ biliar 담석.
lítico, ca *adj.* 돌(piedra)의·에 관한.
litigación *f.* 소송, 제소.
litigador, ra *adj.m.f.* =**litigante.**
litigante *adj.* 싸우는 ; 제소하는. —*m.f.* 소송 제기자, 소송 당사자 : ～ temerario 옳지 못한 사건·사기적인 제소자.
litigar *tr.intr.* ⑧ ① 다투다 : estar siempre *litigando* 항상 싸우다. ② 소송하다.
litigiar *intr.* =**pleitear.**
litigio *m.* [*lat.* litigium] ① 소송(pleito). ② 계쟁(係爭), 쟁론, 싸움, 논쟁 : en ～ 소송 계류 중인.
litigioso, sa *adj.* ① 소송 중인, 소송의 ; 소송·계쟁의 원인이 되는, 문제의 : cuestión ～*sa* 소송 중인 문제. ② 소송·논쟁하기 좋아하는(aficionado a mover pleitos).
litina *f.* 산화 리튬.
litinado, da *adj.* litina를 함유한.
litínico, ca *adj.* 산화 리튬·리튬의.
litio *m.* 【광물】 리튬.
litis *f.* 【단·복수 동형】【법률】 =**lite, pleito.**
litisconsorte *m.f.* 공동 소송인.
litiscontestación *f.* 【법률】 항변, 이의 신청.
litisexpensas *f.pl.* 소송 비용.
litispendencia *f.* 미결 중의 소송, 계류 상태.
lito- *pref.* 「돌」의 뜻을 가진 접두어.
litocálamo *m.* 갈대의 화석(caña fósil).
litoclasa *f.* 【지질】 암석의 균열 (grieta en una roca).
litocola *f.* (보석 접합용) 시멘트.
litocromatografía *f.* =**litocromía.**
litocromía *f.* 착색 석판(litografía en colores).
litocrómico, ca *adj.* 착색 석판의.
litódomo *m.* =**dátil marino.**
litófago, ga *adj.* 돌을 먹는, 천석류(穿石類)의 (조개·굴류) : molusco ～.
litofanía *f.* 투명 조각 《유리·도자기 따위》.
litófito *m.* (바닷속의) 암생(岩生) 식물 ; 석회질 생물.
litofotografía *f.* 사진 석판(fotolitografía).
litofotografiar *tr.* ⑫ 사진 석판으로 하다, 오프셋으로 인쇄하다(fotolitografiar).
litofotográficamente *adj.* 사진 석판으로 (fotolitográficamente).
litofotográfico, ca *adj.* 사진 석판(石版)의 (fotoligráfico)
litogenesia *f.* ① 암석 성생학(岩石成生學). ② 【의학】 결석 형성.
litoglifia *f.* 보석 조각·연마(술)·세공술.
litoglífico, ca *adj.* 보석 조각·세공·연마(술).
litografía *f.* 석판 인쇄술 ; 석판화 ; 석판 인쇄 ; 석판 인쇄 공장, 오프셋 인쇄 공장.
litografiar *tr.*⑫ 돌에 새기다 ; 석판 인쇄하다.
litográfico, ca *adj.* 석판의, 석판 인쇄의 : piedra ～*ca.*
litógrafo, fa *m.f.* 석판 인쇄공.
litoideo, a *adj.* 석상(石狀)의.
litología *f.* ① 암석학. ②【의학】 결석학(結石學).
litológico, ca *adj.* ① 암석의 ; 암석학의. ② 결석학의.
litólogo, ga *m.f.* 암석 학자.
litoral *adj.* [*lat.* littoralis] 해변의, 연해(沿海)의 : montaña ～ 해변 산맥. —*m.* 해안 지방, 해변(costa de un mar).
litorina *f.* 【동물】 (작은) 소라.
litosfera *f.* 【지질】 암석권(岩石圈), 지각(地殼).
lítote *f.* 【수사】 곡언법(atenuación).
litotomía *f.* 방광 결석의 제석 수술.
litotómico, ca *adj.* litotomía의·에 관한.
litótomo *m.* litotomía의 기구.
litotricia *f.* 방광 결석의 쇄석술(碎石術).
litráceo, a *adj.* 【식물】 부처꽃과의. —*f.pl.* 부처꽃과 식물.
litrarieo, a *adj.* =**litráceo.**
litre *m.* 【식물】 (칠레산의) 리뜨레나무.
litro[1] *m.* [*gr.* litra] ① 리터 《용량의 단위》. ② 리터 되·컵·그릇.
litro[2] *m.* 《*Chile.*》 모직물.
Lituania *f.* 【지명】 리투아니아 《발트 해 연안의 나라》.
lituano, na *adj.* 리투아니아의. —*m.f.* 리투아니아 사람. —*m.* 리투아니아말.
lituo *m.* (고대 로마의) 진군 나팔 ; (고대 로마의) 점술사의 권위의 지팡이.
liturgia *f.* [*gr.* leitourgia] 예배 의식, 기도 ; 미사 절차.
litúrgico, ca *adj.* 예배(식)의, 의례의.
liudar *tr.* 【고어】《*Amér.*》 발효시키다(leudar).
liudez *f.* 《*Chile.*》 헐거움, 이완(laxitud).
liudo, da *adj.* ①《*Col. Chile.*》 빵 효모를 넣은

(leudo). ②《*Chile.*》 느슨해진, 헐거워진(flojo).

livia *f.* 【곤충】 파리매.

liviana *f.* 리비아나 《안달루시아 민요의 일종》.

livianamente *adv.* 가볍게, 경망스럽게, 경박하게 ; 표면적으로(superficialmente).

liviandad *f.* ① 가벼움 ; 경박 : obrar con ~. ② 사소한 일.

liviano, na *adj.* ① 가벼운, 무게가 적은(ligero) : industria *~na* 경공업. Contr. pesado. ② 경박한, 경망스러운 : espíritu ~. ③ 하찮은, 사소한(leve). ④ 난잡한, 음탕한(lascivo).
—*m.* ① 선도하는 나귀. ②《*SDgo.*》 내장 요리.
—*m.pl.* 폐(pulmón).

lividecer *tr.* =**tornar lívido, ponerse lívido.**

lividez *f.* 창백함, 납빛, 흙빛(palidez) : la ~ del cadáver.

lívido, da *adj.* [*lat.* lividius] (얼굴이) 창백한, 핏기가 없는 (pálido) ; 흙빛의, 납빛의, 거무죽죽한 (amoratado) : Tiene la cara *~da* de frío 그는 추워서 얼굴이 흙빛이다.

livonio, nia *adj.* 리보니아 《Livonia, 발트해에 면한 구 러시아의 한 지방》의, 리보니아에 관한.
—*m.f.* 리보니아 사람.

livor *m.* [드묾] ① 심홍색. ② 악의, 악기(惡氣), 원한(malignidad).

lixiviación *f.* 【화학】 분해 처리.

lixiviador *m.* (물에서 알칼리성 물질을) 분해하는 기구.

lixiviadora *f.* 《*Neol.*》 분해 처리 기계.

lixiviar *tr.* ⑪ 【화학】 (물에서 알칼리성 물질을) 분해시키다.

liza *f.* ① 【어류】 숭어(mújol). ② 시합장, 투기(장). ③ [드묾] 싸움(combate).

lizo *m.* [*lat.* licium] ① 굵은 날실. ② (베틀의) 무늬 맞추기.

ll *f.* 엘례 《서반아어 자모의 엘네 번째 문자(decimocuarta letra del abecedario castellano)》 : una *LL* mayúscula.

llábana *f.* 《*Ast.*》 매끄러운 평석(平石)(laja).

llaca *f.* 야까 《칠레·아르헨띠나의 눈에 검은 반점이 있고 털이 검은 포유 동물》.

lladral *m.* 《*Ast. Sant.*》 =**ladral, adral.** [*N.* 복수형으로 사용됨].

llaga *f.* ① 종양, 궤양 (úlcera). ② (정신적으로) 타격. ③ 비경(悲境). ④ 벽돌과 벽돌 사이의 이음새.
poner el dedo en la ~ 나쁜 점을 발견하다.

llagar *tr.* ⑧ (…에) 궤양을 일으키다, (…에) 상처를 입히다(ulcerar, hecer llagas).

llagostera *f.* 면직천(una tela de algodón).

llaguero *m.* 철편, 쇠붙이.

llalla *f.* 《*Chile.*》 =**yaya.**

llallí *m.* 《*Chile.*》 볶은 옥수수.

llama[1] *f.* [*lat.* flamma] ① 화염, 불꽃. ② 정염, 격정.

llama[2] *f.* 【동물】 야마 : La ~ es muy apreciada por su lana y como bestia de carga. [*N.* 에꾸아도르에서는 양(oveja)의 이름].

llama[3] *f.* [*lat.* lama] 늪지(terreno pantanoso). [*N. Bol. Chile. Perú.*에서는 남성 명사임].

llama[4] llamar의 직·현·3·단수.

llamada *f.* ① 부르기, 호출. 부르는 소리 ; 전화의 호출, 벨 : ¿Ha habido algunas *~s* para mí? 나한테 전화 있었습니까? Qusiera hacer una ~ a Sevilla 세비야에 전화를 걸었으면 합니다만. Señorita, hay una ~ para usted 아가씨, 전화왔습니다. ② 이민의 소환장. ③ (인쇄면의) 주의 기호. ④ 견제 행위. ⑤ 소집 ; 소집 나팔 : batir ~ 신호의 소리를 내다. ⑥《*Méx.*》 겁(cobardía).
indicativo de ~ (라디오의) 콜사인.
ida y ~ 《*Amér.*》 왕복(ida y vuelta).

llamadera *f.* 목동의 지팡이(aguijada).

llamado, da *adj.* ① …이라는 (이름의), …라 불리우는 : una joven *~da* Lola 롤라라는 아가씨. ② 소위, 이른바. —*m.* 《*Amér.*》 =**llamamiento, llamada.**

llamador, ra *m.f.* 부르는 사람 ; 사자(使者).
—*m.* ① (현관의) 노커, 초인종 (aldaba) : ~ de puerta. ② (전화의) 벨(timbre).

llamadora *f.* 《*Chile.*》 (상점 등의) 간판 아가씨.

llamamiento *m.* ① 부르기, 호출, 소집, 소환 (llamada) : obedecer a un ~ imperativo. ② 영감 ; 주의를 끄는 일 ; 끌어 당김.

llamante *adj.* 부르는 ; 소집하는.

llamar *tr.* ① 부르다 : ¿Quiere Vd. ~me un taxi? 택시 한 대 불러 주시겠습니까? ~ por teléfono 전화 걸다, 전화로 부르다(telefonerar). Ayer le *llamó por teléfono* dos veces 어제 당신에게 두 차례 전화를 걸었다. ② 초대하다. ③ 이름을 붙이다(nombrar). ④ 소집하다(convocar) : ~ a cortes 의회를 소집하다. ⑤ 소환하다 : El gobierno le *ha llamado* a defender la patria 정부는 그를 조국의 수호를 위해 소환했다. ⑥ 지명하다. ⑦ 끌다(atraer) : ~ la atención 주의를 끌다.
—*intr.* ① 부르다. ② (노커·초인종을) 울리다, 만지다, 닿다(tocar, pulsar) : ~ con el timbre 초인종을 누르다. ③ 두들기다(golpear) : ~ a la puerta 문을 두드리다. ¿*Llaman* a la puerta? ; ¿Alguien *llama* a la puerta? 누군가가 문을 두들깁니까? *Llamó a* la puerta con los puños 그는 주먹으로 문을 두들겼다. *Llame* Vd. antes de entrar 들어오기 전에 노크하여 주십시오. ④ 목이 타게 하다. ⑤ 【해사】 바람 부는 방향이 바뀌다 : El viento *llama* hacia el Norte.
~se ① …이라고 불리우다, …이라는 이름이다, 이름이 …이다 : ¿Cómo *se llama* Vd? 성함이 어떻게 되십니까? *Me llamo* Guim 김이라고 합니다. ②《*Méx.*》 바람 맞히다, 약속을 어기다. ③ 겁을 먹다, 두려워하다, 무서워하다.

llamarada *f.* ① 불꽃, 화염. ② (화끈하게) 얼굴이 달아오름 : Le subió una ~ a las mejillas 그녀는 얼굴을 붉혔다. ③ 불길처럼 일어나는 정열.

llamaretada *f.* =**llamarada.**

llamargo *m.* =**llamazar.**

llamarón *m.* 《*Amér. Col. Chile. Ecuad.*》 =**llamarada.**

llamativo, va *adj.m.* ① 몹시 매워지는 (음식). ② 목이 타는 : manjar ~. ③ 칙칙한(vistoso) : colores *~s* 칙칙한 색. ④ 남의 눈을 끄는 : un vestido ~.

llamazar *m.* [*lat.* lama] 진흙탕, 늪지, 수렁(lodazal, pantano).

llambria *f.* (급경사로 오를 수 없는) 바위.
llame *m.* 《*Chile.*》 (새를 잡는) 덫.
llameante *adj.* 불길이 타오르는, 불꽃이 솟아오르는(ardiente).
llamear *intr.* 불길이 일다, 불이 타다 (echar llamas).
llamingo *m.* 《*Ecuad.*》 【동물】 야마(llama).
llamón, na *adj.* 《*Méx.*》 겁이 많은(cobarde).
llampo *m.* 《*Arg. Bol. Chile.*》 찌꺼기 광물.
llampuga *f.* 【어류】 얌뿌가 《식용 물고기》.
llana *f.* [*lat.* plana] ① (미장이의) 흙손(paleta). ② 종이의 면(plana de papel). ③ [드묾], 평원(llanura, planicie).
llanada *f.* 평원(llanura).
llanamente *adv.* 반반하게, 납작하게 ; 솔직히, 털어놓고, 꾸밈없이.
llanca *f.* 《*Chile.*》 동광석.
llande *f.* =**bellota.**
llanero, ra *m.f.* 평원의 주민(habitante de los llanos). —*adj.* 평원(llanura)의.
llaneza *f.* ① 소탈함 : Le trataron con suma ~ 그들은 그를 아주 소탈하게 취급했다. ② 알기 쉽고 분명함. ③ (문장의) 단조로운 내용 : La ~ del estilo es un defecto 스타일이 단조로운 것이 결점이다.
llanisco, ca *adj.m.f.* 야네스 《Llanes, Ovedo주의 마을》의 (사람).
llanito, ta *adj.m.f.* =**gibraltareño.**
llano, na *adj.* [*lat.* planus] ① 반반한 : Mi casa está en la parte más *llana* del terreno. ② 꾸밈없는, 소탈한, 평범한, 보통의 (corriente) : Es un tipo ~ 그는 소탈한 타입이다. ③ 명쾌한, 알기 쉬운 ; 간단한, 쉬운(sencillo). ④ 단조로운 (말) (grave). —*m.* 평원 (llanura) : ~*s* de Orinoco 오리노꼬 평원.
estado ~ =clase común.
a la llana 털어놓고 ; 꾸밈없이 ; 쉽고도 분명하게.
de ~, *de* ~ *en* ~ 명백하게(claramente).
llanote, ta *adj. aum.* llano.
llanque *m.* ① 《*Perú.*》 샌들 (sandalia)의 일종. ② 《*Chile.*》 선물의 분배몫. ③ 《*Chile.*》 도살자가 자기의 조수에게 주는 고기.
llanquihuano, na *adj.m.f.* 양끼우에 《Llanquihue, 칠레의 주》의 (사람).
llanta *f.* ① 타이어(neumático) : ~ llena de goma·caucho 딱딱한 고무 타이어. ~ de repuesto 예비 타이어. ② (수레의) 바퀴. ③ (자전거 등의) 림. ④ 【식물】 캐비지의 일종. ⑤ 《*Bol. Perú.*》 노점의 천막·파라솔. ⑥ 《*Perú. PRico.*》 큰 반지.
llantén *m.* 【식물】 차전초, 질경이.
llantencillo *m.* 《*Chile.*》 =**llantén menor.**
llantera *f.* =**llanto.**
llantería *f.* 《*Chile.*》 =**llorera, lloriqueo.**
llanterío 《*Amér.*》 =**llanto.**
llantina *f.* =**llorera, llanto.**
llanto *m.* [*lat.* planctus] ① 낙루 : anegarse en ~ 몸부림치며 울다. ② 《*Arg.*》 느린 춤. ③ 《*Cuba.*》 우울한 민속 가요.
El ~, sobre el cadáver 【속담】 무슨 일이나 운이 닿을 때 하라.
llanura *f.* ① 평탄. ② 평원, 평야 : La ~ se extiende a la izquierda del río 그 평야는 강의 왼쪽에 펼쳐져 있다.
llapa *f.* ① (야금 원료로서의) 수은 (yapa). ② 《*Amér.*》 (물건을 사고 팔 때의) 덤.
llapango, ga *adj.m.f.* 《*Ecuad.*》 맨발의 (사람) : indio ~ 맨발의 인디오.
llapar *tr.* ① 수은을 넣다 (yapar). ② 《*Arg.*》 덤을 주다.
llapingacho *m.* 《*Ecuad.*》 =**rapingacho.**
llar *m.* 《*Ast. Sant.*》 =**fogón.** —*f.pl.* **쇠갈고리.**
llareta *f.* 《*Chile.*》 (연료로 쓰는) llama의 똥 (yareta).
llatar *m.* 《*León.*》 나무 울타리.
llaucana *f.* 《*Chile.*》 (광맥 등의) 탐색봉.
llaullau *m.* 《*Chile.*》 식용 버섯의 일종.
llavazo *m.* 열쇠로 때리기 (golpe dado con una llave).
llave *f.* [*lat.* clavis] ① 열쇠, 키 : ~ falsa 맞쇠. ~ maestra 마스터 키. ~ de seguridad 안전 자물쇠. ama de ~*s* 가정부. debajo de ~ 자물쇠를 잠그어 ; 안전하게. cerrar la puerta con ~ 방에 자물쇠를 잠그다. echar la ~ 열쇠를 지르다 ; 끝까지 해내다. torcer la ~ 열고 닫기 위해 열쇠를 돌리다. ② 열쇠 모양의 것. ③ 관건, 요점 (clave) : ~ del reino 국방의 요충. ④ (비밀·수수께끼를 푸는) 열쇠, 실마리, 힌트, 요점. ⑤ (건물의) 요석. ⑥ 쐐기(cuña). ⑦ (가스·수도관의) 나사, 꼭지 ; (전기의) 스위치 ; (총기의) 방아쇠 : ~ de chispa 도화선의 불. ⑧ (시계의) 나사. ⑨ 드라이버, 나사 돌리개. ⑩ 영국 렌치 (~ inglesa). ⑪ 스패너(~ para tuercas), 몽키. ⑫ (이빨 뽑는 데 쓰는) 족집게. ⑬ (피아노·오르간·취주 악기의) 키·건 (clave). ⑭ 건반 조율건(調律鍵). ⑮ 【인쇄】 연쇄 기호(—). —*pl.* 《*Méx.*》 쇠뿔.
~ *de mano* 엄지손가락 끝에서 새끼손가락까지의 길이.
~ *de(l) negocio* 《*Arg.*》 영업권.
~ *del pie* 사타구니에서 발뒤꿈치 끝까지의 길이.
cerrar con siete ~s 주의깊게 보관하다(guardar con gran cuidado).
llavear *tr.* 《*Parag.*》 =**cerrar con llave.**
llavero, ra *m.f.* 열쇠 보관인·당번 ; 열쇠 제조자. —*m.* 열쇠 꾸러미·다발.
llavetazo *m.* 열쇠로 때리기.
llavín *m.* [*dim.* llave] 작은 열쇠.
lleco, ca *adj.* 아직 개간되지 않은.
llega *f.* recoger하기.
llegada *f.* ① 도착, 도래, 당도 : ~ con retraso 연착. ~ prevista del buque 배의 도착 예정 (시각). ② (운동 경기의) 결승(점) : la ~ de los corredores ciclistas.
llegar *intr.* ⑧ ① 도착하다, 도래하다, 당도하다, 오다(venir de un sitio a otro) : No *ha llegado* el paquete 소포는 아직 오지 않았다. *Llegué* a mi casa por la noche 나는 밤에 집에 도착했다. ② …까지 걸리다(durar hasta) : ~ hasta la vejez 늙을 때까지 걷다. ③ 일어나다. 터지다, 발생하다(suceder) : No *llegó* lo que esperaba 기대하고 있던 일이 생기지 않았다. ④ 이르다, 미치다, 닿다, 도달하다(alcanzar) : La capa le *llega* hasta los pies 망토가 그의 발까지

닿았다. ⑤ 총계 …이 되다(importar), 오르다(ascender) : El precio no *llega* a cien pesos 값은 100 뻬소에 미치지 못한다. ⑥ [+a+*inf.* : …하기에] 이르다, …하게 되다, 드디어 …하다 : *Llegó a* creerlo 드디어 그것을 믿었다. *Se llegó a* dominar el castellano 그는 서반아어를 마스터하기에 이르렀다.

—*tr.* ① 【고어】 가까이 오게 하다(allegar, juntar). ② 기대어 놓다 : *Llegó* la escalera a la pared 사다리를 벽에 기대 놓았다.

~se 가까이 가다 ; 들러 붙다 ; 다다르다 : *Me llegué* a la tienda 나는 그 가게에 갔다. *Se llegó* a mí a causa del frío 그는 추워서 나한테 들러 붙었다.

por ~ 미착(未着)의.

~ *a las manos* 드디어 참지 못하고 손찌검을 하다.

~ *a ser* …이 되다(convertirse en).

~ *al alma* 가슴에 맺히다.

[접속법 현재 : llegue, llegues, llegue, lleguemos, lleguéis, lleguen. 직설법 부정과거 1인칭 단수 : llegué].

llegue llegar의 접·현재·1·3인칭 단수.

llegué llegar의 직·부정과거 1인칭 단수.

lleguéis llegar의 접·현재 2인칭 복수.

lleguemos llegar의 접·현재 1인칭 복수.

lleguen llegar의 접·현재 3인칭 복수.

llegues llegar의 접·현재 2인칭 단수.

llena *f.* 홍수, 범람.

llenado *m.* ① llenar하는 일. ② =**embotellado.**

llenador, ra *adj.* ① 《*Arg. Chile. Urug.*》 포식하는. ② 참을 수 없는.

llenamente *adv.* 가득히, 듬뿍, 충분히.

llenar *tr.* ① [+de : …로] 가득 채우다(poner lleno) : *Llenó* el vaso *de* agua 그는 컵에 물을 가득 담았다. ② …투성이로 만들다 : ~ *de* polvo 먼지투성이로 만들다. ③ 충족시키다 : ~ las condiciones 조건을 충족시키다. ④ 메꾸다 : *Llenaron* el hoyo con tierra 그들은 흙으로 굴을 메꾸었다. *Llene* usted este formulario 이 서식의 공란을 채우시오. ⑤ 만족을 주다, 만족시키다, 흡족하게 하다 (satisfacer) : No me *llena* su explicación 그의 설명은 나를 만족시키지 못한다. ⑥ …로 혼내 주다 : ~ *de* favores · *de* injurias. ⑦ 채워 넣다. ⑧ (수컷이 암컷에) 교미하려 들다. —*intr.* (달이) 차다.

~se ① [+de · con : …로] 가득해지다 ; … 투성이가 되다 ; 메워지다 : ~*se* los dedos *de* tinta 손가락이 잉크투성이가 되다. La calle *se llena de* gente 거리는 사람으로 가득하다. ② 배가 불러지다(hartarse). ③ 화를 버럭 내다.

llenazo *m.* 관중의 운집(gran concurrencia en un espectáculo).

llenero, ra *adj.* 완전한, 가득한(cumplido).

lleno, na *adj.* [*lat.* plenus] ① [+de : …로] 가득찬, 넘치는, 충만한 : la calle *llena de* gente 사람으로 가득찬 거리. El hotel está ~ 호텔이 만원이다. **Contr.** vacío. ② 만월의. ③ 둥그스름한(redondo) : mejillas *llenas* 둥그스름한 뺨. cara *llena* 둥그스름한 얼굴.

—*m.* 만원(滿員) ; 대만원 ; 충만 : El el teatro hubo un ~ 극장은 만원이었다. el ~ de la luna 보름달, 만월. Ayer la zarzuela tuvo un ~ 어제 사르수엘라 희가극은 만원이다.

dar de ~ 완전히 주다(dar completamente).

¡ahí es ~!, no es ~ 아무 것도 아니다.

llenura *f.* [드묾] =**abundancia, copia.**

llepu *m.* 《*Chile.*》 =**cesto.**

llera *f.* 자갈땅, 자갈밭.

lleta *f.* 새싹, 어린 줄기.

lleudar *tr.* =**leudar.**

lleulle *adj.* 《*Chile.*》 쓸모없는, 소용없는, 무용지물의(inútil).

lleuque *m.* 【식물】 (칠레·아르헨띠나의) 장식용 나무.

lleva *f.* =**llevada.**

llevable *adj.* =**llevadero.**

llevada *f.* 운반, 수송 ; 휴대 ; 탁월.

llevadero, ra *adj.* ① 참을 수 있는 (tolerable). **Contr.** insufrible. ② 운반할 수 있는.

llevador, ra *adj.* 운반하는 ; 참는. —*m.f.* 운반자 ; 데리고·가지고 가는 사람 ; 참고 견디는 사람.

llevanza *f.* 임대로 농장을 빌림.

llevar *tr.* [*lat.* levare] ① 가지고 가다, 운반하다(transportar) : Yo *llevo* mi maleta en tren 나는 여행 가방을 기차로 가지고 간다. ~ a cuestas 등에 지고 가다. ② 데리고 가다(acompañar) : *Llevaron* al enfermo al hospital 그들은 환자를 병원에 데리고 갔다. ③ 가지고 있다, 휴대하고 있다, 지니고 있다 : No *lleva* el paraguas 그는 우산을 휴대하고 있지 않다. *Lleva* el dinero en el bolsillo 호주머니에 돈이 있다. ④ 입고 있다 : *Lleva* chaqueta 윗도리를 입고 있다. ⑤ 안내하다, 이끌다(guiar) : El camino *lleva* a la ciudad 이 길은 마을로 통해 있다. Esta autopista *lleva* al aeropuerto 이 고속 도로는 공항까지 간다. ⑥ 동료로 삼다. ⑦ (의견 등에) 따르게 하다(persuadir). ⑧ (말을) 다루다(manejar). ⑨ 《*Galic.*》 늘이다 ; 닿게 하다(prolongar) : El ciprés *lleva* su punta hacia las nubes. ⑩ 가져가다, 빼앗다, 탈취하다 : Una bala le *llevó* un brazo 그는 한 쪽 팔을 총탄에 빼앗겼다. ⑪ 획득하다(conseguir) : *Llevé* el premio mayor 나는 대상을 받았다. ⑫ (돈·대금을) 받다(cobrar) : Me *llevaban* 600 pesetas al mes 나는 600 뻬세따를 다달이 뜯기고 있었다. No nos *llevó* cara la ropa el sastre 양복점에서는 우리들한테서 옷값을 별로 비싸게 받지 않았다. ⑬ 참다, 견디다(tolerar, sufrir) : Esto yo no *llevo* 이것이야말로 참을 수 없다. ⑭ 관리하다, 담당하다(cuidar, correr con) : ~ una finca 농장을 관리하다. ~ libros de una casa comercial 어느 상점의 부기를 담당하다. ⑮ 일이 생기게 하다(traer), 일어나다. ⑯ 열매를 열게 하다, 열매가 생기다, 생기다(producir, dar) : el árbol que no *lleva* fruto 열매가 열지 않은 나무. ⑰ (날짜를) 보내다, 생활하다, 살아가다 : *Llevo* ocho días en cama 병상에 누운지도 벌써 1주일이 된다. ⑱ [+por : …로서] 하다 : ~ *por* tema 문제로 삼다. ~ *por* cortesía 예의로서 하다. ⑲ [+*p.p.*] 벌써 …하고 있다 : *Llevo andadas* diez millas 벌써 10마일이나 걷고 있다. *Lleva estudiadas* varias lecciones 벌써 여러 과를 공부하고 있다. ⑳ 우위에 있다, 진척돼 있다, 무겁다 : Ese tren *lleva* diez millas *a* éste 그 열차는 이것보다 10

마일 앞서 달리고 있다. ㉑ 나이가 많다, 연장이다 : Mi hijo *lleva* al tuyo dos años 내 아들이 네 아들보다 2년 연상이다. ㉒ (계산에서 수를) 한자리 더 올리다 ; (장부에서 다음 페이지로) 넘어가다. ㉓ 기장하다 : ~ el importe al debe · al haber 금액을 차변 · 대변에 기장하다.

~se ① 자기 것으로 만들다(tomar consigo) : *Se llevó* todos mis libros. ② 받다, 획득하다(ganar) : *Me llevé* un premio. ③ 벌다(obtener, lograr, ganar) : En ese negocio *se llevó* un millón de pesetas. ④ 유행하다(estilarse) : Esos sombreros ya no *se llevan*. ⑤ 받다, 맞다(recibir) : *Se llevó* un bofetón. ⑥ 가지다(tener) : ~*se* un susto. ⑦ 이해하다(entenderse) : Estas dos chicas *se llevan* muy bien.

~ ***adelante*** 계속해서 하다.

~***(se) a cabo*** 끝까지 해내다, 완성하다, 수행하다, 완수하다 : *Se llevó a cabo* su misión con éxito.

~***(se) consigo*** 손수 가지고 가다 · 데려 가다.

~ ***la delantera*** 선두를 끊다.

~ ***las de perder*** 손해 볼 입장에 있다.

~ ***de vencida*** 전부 손아귀에 넣어 두다.

~***la hecha*** 미리 실속을 차려 놓다.

~***se bien*** 일이 잘 되다 ; 사이가 좋다 : La vieja *se lleva* muy *bien* con las esposas de sus hijos 그 노파는 며느리들과 사이가 무척 좋다.

~***se detrás*** (…을) 잡다, 빼앗아 가다 : *Se llevaba detrás* mi fantasía 그것은 나의 공상을 완전히 빼앗아 갔다.

~***se mal*** 일이 잘 되지 않다 ; 사이가 나쁘다.

~***se por delante*** 《*Amér.*》 모욕하다 ; 짓밟다.

Llévese con cuidado 취급 주의.

llicila *f.* 《*Ecuad. Chile.*》 (인디오 여인들이 사용하는) 양모 어깨걸이.

lligues *m.pl.* 《*Chile.*》 아이들의 놀이의 일종.

lloica *f.* 【조류】 (칠레산의) 분홍 참새, 홍작. Sinón. pardillo.

lloíca *f.* =**lloica.**

lloque *m.* 《*Perú.*》 매듭이 많은 목재.

llora *f.* 《*Venez.*》 밤샘, 철야(velatorio).

lloradera *f.* (하찮은 일에) 울며 슬퍼하는 일.

lloraderos *m.pl.* 《*Arg.*》 산의 경사로 물이 잠시 떨어짐.

llorado *m.* 《*Col. Venez.*》 민요의 일종.

llorador, ra *adj.m.f* 우는 (사람).

lloraduelos *m.f.* 【단 · 복수 동형】 우는 소리 하는 사람(persona quejumbrosa).

lloramico *m.* [*dim.* lloro] =**llanto.**

llorar *intr.* ① 울다, 눈물을 흘리다 (derramar lágrimas) : Ella *lloraba* toda la noche 그녀는 밤새도록 울었다. Al oir la noticia *lloró de* gozo 그는 그 소식을 듣고 기뻐서 울었다. Todos *lloraron de* alegría 모두들 기뻐서 울었다. ② 물방울이 나오게 하다. ③ 《*Chile.*》 어울리다 (sentar) : Tiene un lunar que le *llora*. ④ 《*Perú. Riopl. PRico.*》 어울리지 않다. —*tr.* ① 울다, 탄식하다, 슬퍼하다 : ~ la muerte del amigo. Sinón. lamentar. ② (눈물을) 흘리다 : ~ lágrimas de piedad. ③ (물방울을) 떨어뜨리다.

El que no llora no mama 【속담】 우물을 파도 한 우물을 파라 ; 얻고자 하는 자는 쉬지 않고 노력해야 한다(Hay que solicitar sin cansarse lo que se quiere obtener).

Ya ni ~ es bueno ; Nada logras con ~ delante del bien perdido 【속담】 엎지른 물은 다시 주워 담지 못한다.

lloredo *m.* =**lauredal.**

llorera *f.* 마냥 울기 : ~ y llantina 마냥 울기.

lloretas *m.f.* =**llorón.**

llorica *m.f.* 울보 (llorón).

lloricón, na *adj.m.f.* 훌쩍훌쩍 우는 (사람).

llorido *m.* 《*AmérC. Méx.*》 =**lloriqueo.**

lloriquear *intr.* 훌쩍훌쩍 울다(gimotear).

lloriqueo *m.* =**gimoteo.**

llorisquear *intr.* 《*Arg. PRico. Urug.*》 =**lloriquear.**

lloritar *intr.* 《*Arg.*》 조용히 · 소리 없이 울다.

lloro *m.* ① 탄식(llanto). ② 눈물.

llorón, na *adj.* ① 많이 우는. ② 축 처진 : sauce ~ 수양 버들. —*m.f.* 울보. —*m.* ① 늘어뜨려진 모자의 깃털 장식, 도가머리, 관모(冠毛), 갓 털. ② 【식물】 수양버들, 실버들. —*f.* (직업적으로 상가에서) 우는 여자 (plañidera). —*pl.* 《*AmérM.*》 (가우쵸가 쓰는) 대형 박차.

llorosamente *adv.* 구슬프게, 가엾게, 슬프게.

lloroso, sa *adj.* ① 울어서 퉁퉁 부은 : ojos ~*s* 울어서 퉁퉁 부은 눈. ② 가엾은, 슬픈(triste, afligido).

llosa *f.* [*lat.* clausa] 【방언】 주택가에 있는 작은 채소밭.

llovedero *m.* 《*Arg.*》 장마, 오래 내리는 비 (lluvia larga).

llovedizo, za *adj.* ① 비가 새는 : techo ~ 비가 새는 천정. tejado ~ 비가 새는 지붕. ② 비의 : agua ~*za* 빗물(agua de lluvia).

llover *intr.* ㉕ ① 비가 내리다(caer agua del cielo) : : *Llueve* poco en Marruecos 모로코에서는 비가 별로 내리지 않는다. ② 비처럼 쏟아지다 : *Llovían* las balas sobre nosotros 우리의 머리 위에 탄환이 비처럼 쏟아졌다. ③ 비에 젖다(mojar de lluvia). [*N.* 자연 현상에 관계되는 동사는 항상 3인칭 단수형만 활용됨].

—*tr.* 쏟아져 내리게 하다.

~se 비가 새다(calarse con las lluvias).

~ ***a cántaros*** 비가 억수처럼 쏟어지다 : *Está lloviendo a cántaros* 비가 억수처럼 내리고 있다.

~ ***sobre mojado*** 우는 아이에 침주기이다 : *Llovieron* desgracias *sobre mojado* 엎친 데 덮치다.

~ ***seguido*** 잠시도 쉬지 않고 내리다, 비가 계속해서 내리다.

como llovido 뜻밖에, 돌연, 느닷없이, 갑자기 (inesperadamente).

como llovido del cielo 하늘에서 떨어져 내려온 듯이 ; 안성맞춤으로.

a secas sin ~ 전혀 아무런 낌새도 없이.

[직설법 현재 3인칭 단수 : llueve. 접속법 현재 3인칭 단수 : llueva].

llovido *m.* (배안에서 발견된) 밀항자.

llovioso, sa *adj.* =**lluvioso.**

llovizna *f.* ① 가랑비, 보슬비 (lluvia menuda). ② 《*Col.*》 (이마 위의) 둥그렇게 말린 머리칼.

lloviznar *intr.* 가랑비 · 보슬비 · 이슬비가 내리다(caer la llovizna).

lloviznoso, sa *adj.* 《*Ant. Perú. Venez.*》 폭우의, 비가 많은 ; 우기(雨期)의.

llubina *f.* 《*Sant.*》 =**lubina, róbalo.**

llueca *adj.* 둥지에 틀어박혀 있는. —*f.* 알을 품는 시기의 닭(gallina clueca) : echar ~*s*.

lluga *f.* 《*Chile.*》 (Chiloé주의) 네 발 짐승의 방광.

llullo *m.* 《*Chile.*》 *estar como* ~ 게으름피우다.

lluquí *adj.* 《*Ecuad.*》 왼손잡이의(zurdo).

lluro, ra *adj.* 《*Ecuad.*》 곰보투성이의(cacarañado).

llutero, ra *adj.* 《*Arg.*》 거리낌없이 남의 재산을 처분하는.

lluvia *f.* [*lat.* pluvia] ① 비, 빗물 : Las ~*s* son indispensables para la agricultura 비는 농업에 없어서는 안된다. ② 풍족, 풍부함(abundancia). ③ 《*Arg. Chile. Parag. Urug.*》 샤워(ducha). ④ 비처럼 쏟아지는 것 (lo que cae en gran cantidad) : ~ de balas 탄환이 비처럼 쏟아짐. ~ *radiactiva* 낙진, 방사진(放射塵), 방사능진, 죽음의 재.

~ *de* 많은, 가득 찬 : ~ *de* estrellas 하늘에 가득한 별. ~ *de* oro 거만(巨萬)의 부(富), 매우 많은 재산.

lluviar *intr.* 《*Perú.*》 =**llover.**

lluvio, via *adj.* =**pluvial.**

lluvioso, sa *adj.* [*lat.* pluviosus] 우기(雨期)의, 비가 많이 내리는(abundante en lluvias) : clima ~ 우기. Este año ha sido ~ 금년에는 비가 많이 내렸다(Este año ha llovido mucho).

lo *art.* ① [정관사 중성형 ; 형용사나 형용구 앞에 붙여 추상 명사화함] …한 것·일 : lo hermoso 아름다운 것, 미. *lo* blanco 흰 것, 하얀 것. *lo* negro 검은 것, 검정. *lo* grande 큰 것 ; 위대한 것 ; 위대함. *lo* alto de la torre 탑의 꼭대기. *lo* de ayer 어제의 일. ② [보통 명사에 붙어 추상 명사화함] …인 일·것 : Es muy difícil *lo madre* 어머니 노릇하기란 대단히 어려운 일이다. ③ [lo que…] …하는 일 (qué) : ¿Sabes *lo que* sucede? 일어난 일을·무슨 일이 일어났는 지를 너는 알고 있나? ④ [lo+형용사·부사+que] ㄱ) …인 일 : Ana se parece a la madre en los ojos, y en *lo* alta y delgada *que* es 아나는 눈 가장자리나 키가 크고 호리호리한 점으로 어머니를 닮았다. ㄴ) 얼마나 …인가 : Sabían *lo* peligrosa *que* era la empresa 하려 하는 그 일이 얼마나 위험한 지를 알고 있었다. Ignoraba *lo* cerca *que* vives 자네가 그렇게 가까이에 살고 있는 줄을 몰랐네. ⑤ [lo+más·menos+형용사·부사+posible] 되도록·가능한한·될 수 있는 대로 …하게·한 : Venga usted *lo* más pronto *posible* 되도록 빨리 오십시오.

—*pron.* ① 그것을, 당신을, 그를 : *Lo* vi ayer 나는 어제 당신을·그를 보았다. ② [중성으로 문장을 받을 경우] 그 일을, 저것을 : *No* lo sabía 나는 그것을 모르고 있었다. No quiere saber*lo* 그는 그것을 알려 하지 않는다. ③ [보어를 받는다] Aunque es *rica*, Ana no *lo* parece 아나는 부자지만 그렇게 보이지는 않는다. Eres *todo un hombre*, y si *lo* eres, me lo debes a mí 이제 너는 어엿한 한 어른이 되었다, 그렇다면 그것은 내 덕분이다. Tu hermana es muy *hermosa*, y mi hermana también *lo* es 네 누이는 무척 예쁘다, 그런데 내 누이도 그렇다.

loa *f.* ① 칭찬, 찬사(alabanza). ② (옛 극의) 서사(序辭). ③ 짧은 극시(poema dramático corto).

loable *adj.* 칭찬할 만한 (laudable) : ~ acción.

loablemente *adv.* 칭찬으로.

loador, ra *adj.* 칭찬하는. —*m.f.* 칭찬하는 사람.

loán *m.* 로안 《필리핀의 농지 단위, 2.79 áreas》. —*adj.* 《*Chile.*》 누르스름한, 연한 잿빛의.

loanda *f.* 괴혈병(escorbuto)의 일종의 이름.

loar *tr.* 찬양하다, 칭찬하다(alabar, elogiar). Contr. vituperar.

A aquél ~ debemos cuyo pan comemos 【속담】 은혜를 원수로 갚지 마라.

loba¹ *f.* [*lat.* lŭpa] 【동물】 암늑대(hembra del lobo).

loba² *f.* [*gr.* lôpê] 법의(法衣)(sotana).

loba³ *f.* [*lat.* lumbus] (논의) 이랑.

lobada *f.* 《*Murc.*》 (논의) 이랑.

lobado *m.* [*lat.* lupus] 【수의】 탄저종(炭疽腫).

lobado, da *adj.* 【식물·동물】 =**lobulado.**

lobagante *m.* 【동물】 가재(bogavante).

lobanillo *m.* 【병리】 (피부나 나무 껍질의) 혹.

lobarro *m.* 《*Murc.*》 =**lobina, róbalo.**

lobato *m.* 새끼 늑대.

lobatón *m.* (산양·양을 훔치는) 도둑.

lobear *intr.* 여기저기 기웃거리며 다니다 ; 남의 일에 관심이 크다.

lobelia *f.* 【식물】 로벨리아 무리 《관상용 식물》 : La ~ se cultiva como planta de adorno 로벨리아는 관상용 식물로 재배된다.

lobera *f.* 늑대가 사는 산.

lobería *f.* 《*Perú.*》 바다 표범 (lobo marino)이 모이는 곳.

lobero, ra *adj.* 늑대·이리의 : piel ~*ra* 이리의 가죽. —*m.* 이리 사냥꾼.

lobezno *m.* =**lobato.**

lobina *f.* 【어류】 농어(róbalo).

lobinsón *m.* 《*Riopl.*》 =**lobizón.**

lobizón *m.* 《*Riopl.*》 여러 가지 형태로 둔갑한다는 가공의 동물.

lobo¹ *m.* [*lat.* lupus] 【동물】 ① 이리, 늑대(zorro) ② 【기계】 조면기. ③ 도적, 도둑. ④ 술취함, 만취(borrachera) : coger un ~ 취하다. desoliar·dormir el ~ 곤드레로 취해서 자다. ⑤ *AmérC. Méx.*》 【동물】 꼬요떼 늑대(coyote). ⑥ 《*Ecuad.*》 【동물】 여우(zorra). ⑦ 【어류】 미꾸라지.

~*s de una camada* 한 토굴 속의 오소리. ~ *cerval·cervario* 【동물】 큰 살쾡이(lince). ~ *marino* 【동물】 바다 표범, 물개(foca). ~ *de mar* 바다에 익숙한 사람 ; 해적.

coger el ~ por las orejas 위기 일발의 상태에 있다.

estar como boca de ~ 매우 어둡다.

estar en la boca del ~ 큰 위험에 처해 있다.

Del ~ un pelo 【속담】 하찮은 것이라도 만족해야 한다.

De lo contado come el ~ y anda gordo 【속담】 아무리 지키려해도 불상사는 있기 마련이다.

El ~ está en la conseja 【속담】 들어서는 안될 사람이 도착할 때 대화를 바꾸기 위한 말.

Muda el ~ los dientes, más no las mientes 【속담】 세 살 버릇 여든까지 간다.

lobo² *m.* 【식물·동물】 =**lóbulo.**

lobo, ba *adj.* ①《*Chile.*》 사람을 싫어하는 ; 산에서 사는(montaraz). ②《*Méx.*》(흑인과 토인과의) 혼혈아의(zambo). ③ 간교한, 간사한, 교활한 ; 빈틈 없는(astuto).

loboso, sa *adj.* 이리·늑대(lobo)가 많은 (땅).

lóbrego, ga *adj.* ① 어두운, 침침한, 음산한(obscuro, sombrío) : calabozo ～. ② 암담한, 슬픈(triste) : existencia ～*ga*.

lobreguecer *tr.* 31 어둡게 하다, 음산하게 하다. —*intr.* 어두워지다, 밤이 되다, 해가 지다(anochecer, venir la noche).

lobreguez *f.* =**obscuridad.**

lobregura *f.* =**obscuridad.**

lobulado, da *adj.* ①【식물】 작은 잎으로 갈라진 : hoja ～*da*. ② 갈라진 잎 모양의.

lobular *adj.* =**lobulado.**

lóbulo *m.* ① 귓불. ②【해부】 소엽(小葉) : los ～*s* del pulmón·del cerebro. ③【식물】 갈라진 조각. ④ (물건의) 둥글게 튀어나온 부분 : los ～*s* de un arco 아치의 둥글게 튀어나온 부분.

lobuloso, sa *adj.* ① lóbulo가 풍부한. ② = **lobulado.**

lobuno, na *adj.* 늑대(lobo)의.

loca *f.*《*Riopl.*》 =**mal humor.**

locación *f.* 임대차(alquiler, arrendamiento).

locadio, dia *adj.*《*Méx.*》 =**loco.**

locador, ra *m.f.*《*Amér.*》【법률】 임대인, 임대자(arrendador).

local *adj.* [*lat.* locus] ① 지방의 ; 장소의, 토지의 ; 지방적인 : color ～ 지방색, 향토색. periódico ～ 지방 신문. tren ～ 로컬 열차. ② 국부(局部)의, 국지(局地)의. —*m.* ① 장소(sitio, paraje) : ～ de almacenaje 저장실. ② 부지. ③ 저택. ④ 지역, 소재지, 주소. ⑤ 사무실(oficina). ⑥ 점포(tienda).

localidad *f.* ① 지방, 마을, 시골. ② 산지. ③ 토지. ④ 소재지, 현지, 현장, 장소(local). ⑤ 위치. ⑥ (극장 등의) 좌석(권) ; 입장권 : tomar ～*es* 장소·좌석을 예약하다. Quiero comprar dos ～*es* para la comedia 코미디의 좌석권을 두 장 사고 싶다.

localismo *m.* 향토애, 지방주의 ; 지방 사투리.

localista *adj.* 지방적인, 국지적(局地的)인 ; 편협한.

localizable *adj.* 국한할 수 있는.

localización *f.* 지방화 ; 국지화 ; 국한, 지방 분권 ; 국지 해결 ; 위치 측정.

localizar *tr.* 9 ① 지방화하다, 국한하다, 한 곳으로 제한하다 : ～ la epidemia 전염병을 국한시키다. ～ los conflictos 분쟁을 국지에서 해결하다. Los bomberos *localizaron* el fuego 소방대원들은 불을 한곳으로 제한했다. ② (적의 소재를) 파악하다.

localmente *adv.* 지방적으로, 국부적으로.

locamente *adv.* ① 실성해서, 미쳐서(con locura) ② 미칠 정도로 ; 정신없이 ; 훌륭하게(excesivamente, sin moderación) : un hombre ～ enamorado 홀딱 반한 남자.

locario, ria *adj.*《*Col. Guat.*》 =**locuelo.**

locatario, ria *m.f.* =**arrendatario.**

locatis *m.f.* =**chiflado.**

locativo, va *adj.* ①【문법】 위치를 표시하는 (어격). ②【법률】 임대차 (계약)의.

locato, ta *adj.*《*And.*》 =**loco.**

locería *f.*《*Amér.*》 사기 그릇 가게·공장(alfarería) ; 도자기 가게.

locero, ra *m.f.* 도자기·사기 그릇 제조인·상인(ollero).

loción *f.* [*lat.* lotio] ① 세척, 세정(lavadura) : dar una ～. ② 세척액, 세척제, 세정액 ; 로션.

loco *m.* (태평양의) 해산물류.

loco, ca *adj.* ① 미친, 실성한 : volverse ～ 정신이상이 되다. ¿Estás ～ ? 너 정신이 나갔나? ; 너 미쳤나? ② 분별없는 ; 미치광이 같은. ③ 굉장한, 훌륭한 : cosecha·suerte *loca*. —*m.f.* 미친 사람, 광인(狂人) : la *loca* de la casa 공상, 망상. Contr. cuerdo, prudente, sensato.

a lo ～ =sin reflexionar.

estar ～ *de·por·con* …에 반하다.

hacerse el ～ =disimular.

Cada ～ *con su tema*【속담】 사람은 누구나 자기 주장이 있다.

El ～ *por la pena es cuerdo*【속담】 매질은 좋은 약이 된다.

loco citado *lat.* 앞에서 인용한[말한] 곳에.

locomoción *f.* 이동, 운동 ; 운수, 우송 ; 여행 : medios·órganos de ～ 교통 기관.

locomotiva *f.* =**locomotora.**

locomotividad *f.* 몸이나 사지를 하나의 힘으로 움직일 수 있는 능력.

locomotivo, va *adj.* =**locomotor.**

locomotor, triz *adj.* 이동의, 운동의.

locomotora *f.* 기관차 : ～ atómica 원자력 기관차. ～ de vapor 증기 기관차. ～ eléctrica 전기 기관차.

locomotriz *adj.f.* =**locomotora.**

locomovible *adj.* =**locomóvil.**

locomóvil *adj.* 이동할 수 있는. —*f.* 운반 가능한 발동기 ; 자동 추진차.

locoto *m.*《*Bol.*》 후추(pimiento)의 한 종류.

locrense *adj.m.f.* 로끄리다《Lócrida, 고대 그리스의 한 지방》의 (사람).

locrio, cria *adj.m.f.* =**locrense.**

locro *m.* 살코기·감자·고추·옥수수를 넣고 양념을 한 요리.

locuacidad *f.* 수다, 말이 많음.

locuaz *adj.* [*lat.* loquax] 말이 많은, 수다스러운.

locución *f.* [*lat.* locutio] ① 말씨(expresión) : ～ viciosa 부도덕한 말씨. ② 구(modo) : ～ adverbial 부사구.

locuela *f.* (각자의) 말씨, 말투, 어투, 말버릇.

locuelo, la *adj.* [*dim.* loco] 미치광이 같은, 미친, 약간 정신이 돈 ; 진득하지 못한. —*m.f.* 진득하지 못한 어린이, 망나니.

loculado, da *adj.*【식물】 =**locular.**

locular *adj.*【식물】 세포로 나누어진.

lóculo *m.* =**celdilla.**

locumba *f.* 로꿈바《Perú의 Tacna 주 Locumba 산 포도로 만든 독한 포도주》.

locupletar *tr.*《*Neol.*》 완전히 채우다(llenar por completo).

locura *f.* 광기, 실성, 정신 착란 ; 미치광이 같은 짓, 정신 나간 짓 : hacer ～*s* 정신 나간 짓을 하다. El alcoholismo es una de las causas más frecuentes de la ～ 음주는 가장 잦은 미친 짓의

원인 중의 하나이다. Contr. cordura, sensatez.

locústidos *m.pl.* 【동물】 =**fasgonúridos.**

locutor, ra *m.f.* ① (텔레비전·라디오의) 아나운서 : En aquel momento se oyó la voz de un ~ 그때 아나운서의 목소리가 들렸다. ② 해설자.

locutorio *m.* [*lat.* locutus] (형무소·수도원의) 면회실; 공중 전화실; 방송실.

locha *f.* ①【동물】 미꾸라지. ②《*Venez.*》 니켈화.

loche *m.* ①【동물】 미꾸라지(locha). ②《*Col.*》 사슴(cirevo)의 일종.

locho, cha *adj.* 《*Col.*》 =**taheño, bermejo.**

lodacero *m.* 《*Ecuad.*》 =**lodazal.**

lodachar *m.* =**lodazal.**

lodazal *m.* 흙탕길, 수렁길, 진수렁 : atollarse en un ~ 진수렁에 빠지다.

lodazar *m.* =**lodazal.**

lodo *m.* [*lat.* lutum] 진흙탕(limo) : poner de ~ 흙탕 칠을 하다; 창피를 주다. llenarse el cazlado *de* ~ 신발이 진흙탕으로 가득하다. Sinón. barro.

lodoñero *m.* 【식물】 =**guayaco.**

lodoño *m.* 《*Nav.*》 =**almez.**

lodoso, sa *adj.* 흙탕투성이의, 수렁길의.

lofio *m.* 【어류】 아귀.

lofobranquio, quia *adj.* 【동물】 실고기 무리의. —*m.pl.* 실고기 무리 《해마 무리》.

loga *f.* [loa가 변한 것]. ①《*AmérC.*》 칭찬. ② 나무람, 꾸중, 질책 : echar la ~ 호되게 나무라다. ③《*Chile.*》 (서사적인) 단시(短詩).

loganiáceo, a *adj.* 【식물】 쌍엽류(雙葉類)에 속하는. —*m.pl.* 쌍엽류 식물.

logar *tr.* =**alquilar.**

logarismo *m.* =**logaritmo.**

logarítmico, ca *adj.* 【수학】 대수(對數)의 : cálculo ~.

logaritmo *m.* 【수학】 대수 : ~ vulgar 10을 기수로 하는 상용 대수. Los ~*s* permiten simplificar el cálculo 대수는 계산을 간단하게 한다.

logia *f.* [*fr.* loge] ① (비밀 결사의) 밀회 장소. ② 밀회. ③《*Arg.*》 정자. ④ 구멍가게, 매점, 작은 가게(kiosco).

lógica *f.* ① 논리(학) : Aristóteles formuló los principios de la ~ 아리스토텔레스가 논리학의 원리를 세웠다. ② 논리학 교습서 : la ~ de Aristóteles. ③ 조리, 옳은 길 : carecer de ~ 논리가 서 있지 않다.

logical *adj.* =**lógico.**

lógicamente *adv.* 논리상; 논리적으로.

lógico, ca *adj.* 조리가 닿는; 논리상의; 논리적인. —*m.f.* 논리 학자.

logística *f.* 【군사】 병참, 병참학.

logístico, ca *adj.* 병참의, 작전의 : centro ~ 작전 기지.

logizar *tr.* =**razonar, discurrir, pensar, especular.**

logografo *m.* (고대 그리스의) 역사가(歷史家), 산문 작가(散文作家).

logogrífico, ca *adj.* 문자 수수께끼의·같은; 알기 어려운.

logogrifo *m.* 문자 수수께끼; 알아 들을 수 없는 말.

logomaquia *f.* (공연한) 말다툼.

logorrea *f.* =**flujo de palabras.**

logotipo *m.* ①【인쇄】 연합 활자. ② 상표(商標).

logrado, da *adj.* 입수할 수 있는; 성공한.

lograr *tr.* [*lat.* lucrari] ① 얻다, 입수하다, 손에 넣다; 이르다, 성취하다, 달성하다(conseguir) : ~ éxito·fin 성공하다. Por fin *logró* éxito 결국 그는 성공했다. ② [+*inf.*, que+*subj.* : …하기에] 이르르다 : No *logró* convencerle 그를 설득할 수 없었다.

~se 완성하다, 완전한 정도에 이르다 : una canción muy *lograda* 썩 잘된 노래.

logrear *intr.* 고리 대금업을 하다, 폭리를 취하다.

logrería *f.* 고리 대금(의 일); 고리 대금 근성.

logrerismo *m.* 《*Chile.*》 =**logrería.**

logrero, ra *m.f.* ① 고리 대금업자; 매점 매석업자, 폭리 업자; 일수 놀이를 하는 사람. ②《*AmérM.*》 식객; 돈을 뜯는 사람(gorrista).

logro *m.* ① 획득, 달성. ② 이익, 이문, 벌이(lucra, ganancia). ③ 고리(高利), 높은 이자(usura) : prestar a ~ 높은 이자로 빌려 주다. *dar a* ~ 고리채로 빌려 주다(prestar con usura).

logrón, na *adj.* 《*Arg.*》 =**logrero, usurero.**

logroñés, sa *adj.* 로그로뇨 《Logroño, 서반아의 주·시》의. —*m.f.* 로그로뇨 사람. —*m.* 로그로뇨말.

Logroño 【지명】 로그로뇨 주·시 《서반아의 북부에 있음; 옛 Castilla la Vieja 왕국을 구성했던 여섯 중의 하나; 수도 Logroño; 면적 5,033.88㎢》.

loguero *m.* ①【고어】 =**loguer.** ②《*Ar.*》 =**alquiler.**

loica *f.* 【조류】《*Chile.*》 =**lloica.**

loina *f.* 《*Ál. Nav.*》【어류】 민물 고기의 일종.

loísmo *m.* le 대신 lo를 사용함.

loísta *m.f.* (3인칭 남성 단수 대명사의 대격으로) le 대신 lo 만을 쓰는 사람.

loja *f.* 《*Cuba.*》 =**agualoja.**

lojano, na *adj.* 로하 《Loja, 에꾸아도르의 주·시》의. —*m.f.* Loja 사람.

lojeño, ña *adj.m.f.* 로하 《Loja, 서반아에 있음》의 (사람).

Lola *hip.* Dolores.

loliáceas *f.pl.* 화본과 식물.

lolio *m.* 【고어】 =**joyo.**

Lolita *hip.* Dolores.

loma *f.* 언덕, 구릉.

lomada *f.* 【고어】《*Arg. Bol. Parag. Urug. Perú.*》 =**loma.**

lomaje *m.* 《*Chile.*》 구릉지.

lomar *tr.* 【은어】 =**dar.**

lomba *f.* 《*León. Sant.*》 =**loma.**

lombarda *f.* ① 투석포(砲). ②【식물】 분홍 양배추.

lombardada *f.* lombarda의 발사·공격.

lombardear *tr.* lombarda로 공격하다.

lombardería *f.* [집합] 투석포.

lombardero *m.* 투석포(lombarda)를 쏘는 병사.

lombardico, ca *adj.* =**lombardo.**

lombardo, da *adj.* ① 롬바르디아 《Lombardía, 이탈리아의 북부 지방》의. ② 엷은 밤 빛깔의

(소). —*m.f.* 롬바르디아 사람. —*m.* 은행가, 고리 대금 업자.

lombo *m.* ①《*Sal.*》=**lomo.** ② 경사, 비탈(pendiente).

lombricida *adj.* 회충 구제의. —*f.* 구충제, 회충약.

lombriciento, ta *adj.*《*Amér.*》지렁이가 많은 ; 회충이 있는.

lombriguera *f* ① 지렁이 구멍. ②【식물】쑥국화(hierba ~) ; 쑥.

lombriz *f.* [*lat.* lumbricus]【동물】① 지렁이(~ de tierra). ② 회충 ; 장내 기생충(~ intestinal) : ~ solitaria 요충(tenia).

lomear *intr.* ①(말이) 등을 흔들다. ②《*Bol.*》모른 척하다.

lomera *f.* ①(책의) 표지 가죽. ②(지붕의) 도리. ③(안장의) 등 가죽.

lomerío *m.*《*AmérC. Méx.*》[집합] 언덕.

lometa *f.* [*dim.* loma] 작은 언덕.

lometón *m.*《*Cuba.*》동산, 작은 산, 언덕.

lomienhiesto, ta *adj.* =**lominhiesto.**

lomillería *f.*《*AmérM.*》마구 공장, 마구점 ; [집합] 마구류.

lomillo *m.* ① 십자로 홀치기. ②《*Amér.*》안장의 방석. —*pl.* 길마 ; 안장 부품.

lominhiesto, ta *adj.* ① 등이 불거진·튀어나온 : mula ~*ta.* ② 교만한, 콧대가 센(engreído). ③ 게으른(holgazán) : andar ~ 게으름피우다.

lomo *m.* [*lat.* lombus] ① 등의 안쪽 ; (사람·동물·칼·서적의) 등 : a ~ 말 등에 ; 등에 지고. llevar·cargar a ~ 등에 지고 운반하다. ②(소·돼지의) 등심살(las costillas). ③(논밭의) 이랑.

de tomo y ~ 중대한, 중요한.

pasar la mano por el ~ 아부하다, 아첨하다 (adular).

lomudo, da *adj.* 등이 넓은.

lona[1] *f.* 돛베, 텐트의 천, 천막.

lona[2] *f.*《*Hond.*》【식물】로나《뿌리가 식용임》.

lonco *m.* ①《*Chile.*》뒷덜미, 목덜미(cuello). ②《*Chile.*》분노 : estar con ~ 화내고 있다. ③(반추 동물의) 두 번째 위(胃)(bonete).

loncotear *intr.*《*Arg.*》머리카락을 쥐어뜯다 (tirar del pelo).

loncha *f.* ① 반반한 돌(lancha). ② 길쭉한 것 (lonja).

lonche *m.* [*ing.* lunch]《*Cuba. Méx. Venez.*》(정오에 먹는) 가벼운 식사 (comida liviana que se toma al mediodía).

loncho *m.*《*Col.*》=**pedazo, tajada.**

lóndiga *f.* 공설 시장 ; 공영 곡창(alhóndiga).

londinense *adj.* 런던(Londres)의. —*m.f.* 런던 사람.

londonense *adj.m.f.*《*Chile.*》【속어】=**londinense.**

Londres *m.*【지명】런던《영국의 수도》.

londrina *f.* 런던에서 만든 모직물.

loneta *f.* ①《*Amér.*》면직의 일종. ②《*Arg. Chile.*》얇은 돛배.

long. longitud.

longanimidad *f.* 아량(이 넓음), 통이 큼.

longánimo, ma *adj.* [*lat.* longanimis] 도량이 넓은, 통이 큰, 아량있는, 관대한 : un monarca ~.

longaniza *f.* 작은 순대.

longar *adj.* ①[드묾] =**largo.** ② 벌떼를 따라 일하는.

longares *m.*【은어】=**cobarde.**

longazo, za *adj. aum.* luengo.

longevidad *f.* [*lat.* longaevitas] 장수, 만수 무강(vida larga) : la ~ de las patriarcas de la Biblia.

longevo, va *adj.* [*lat.* longaevus] 고령의, 나이가 많은 ; 명이 긴.

longicaudo, da *adj.*【동물】꼬리가 긴.

longicaulo, la *adj.*【식물】줄기가 긴.

longicornio, nia *adj.* 긴 촉각을 가진(동물) : coleóptero ~ 긴 촉각을 가진 갑충 동물.

longincuo, cua *adj.* 먼, 아득한(lejano).

longipenne *adj.*【동물】깃이 긴.

longirrostro, ra *adj.* 부리가 긴. —*f.pl.*【조류】섭금류.

longísimo, ma *adj. sup.* luengo.

longitud *f.* [*lat.* longitudo] ① 길이(largo) : El cocodrilo tiene unos siete metros de ~ 악어는 길이가 약 7미터이다. ~ de onda【물리】파장. ② 세로, 씨줄. ③【지리】경도, 경선 : España está comprendida entre los 3°19′ 13″ de ~ este (Cabo Creus) y 9° 18′ 18″ de ~ oeste (Cabo Toriñana), respecto del meridiano de Greenwich 서반아는 그리니치 표준 자오선에 의하면 동경 3도 19분 13초(끄레우스곶)에서 서경 9도 18분 18초(또리냐나곶)의 사이에 포함되어 있다. ④【천문】황경(黃經).

longitudinal *adj.* ① 경도(經度)의, 경선의. ② 세로의, 길이의.

longitudinalmente *adv.* 세로(lo largo)로.

longo, ga *m.f.*《*Ecuad.*》젊은 인디오 (indio joven).

longobardo, da *adj.* ① 론고바르도족《6세기경 북부 이탈리아로 침입한 게르만 민족》의. ② 롬바르디아의(lombardo). —*m.f.* 롬바르디아 사람.

longorón *m.*《*Cuba.*》연체류의 일종(fólade).

longueirón *m.*《*Gal.*》=**muergo.**

longuera *f.* 길쭉한 땅덩이.

longuería *f.* 따분함 ; 쓸데없이 길게 늘어놓는 것.

longuetas *f.pl.* (골절용) 아마포 조각(tiras de lienzo).

longuiso *m.*【은어】=**longares.**

longuísimo, ma *adj. sup.* luengo.

lonja[1] *f.* ① 얇고 길쭉한 조가리 : ~ de tocino. ② 가죽끈.

lonja[2] *f.* [*ital.* loggia] ①(상품) 거래소, 시장 (bolsa de comercio) : ~ de cereales 곡물 거래소. ~ de ventas para entrega inmediata 현물 시장. ② 양털 창고. ③ 교역(交易). ④(약간 높아진) 현관. ⑤《*Riopl.*》원료 피혁 ; 가죽 채찍.

lonjear *tr.*《*Riopl.*》①(벗긴 가죽의) 털을 뽑다. ② 가죽 채찍으로 때리다(azotar). ③【고어】=**almacenar.**

~se 길쭉하게 잘리다.

lonjeta *f.* [*dim.* lonja] 길쭉한 것 ; 나무 그늘 등의 휴게소, 정자.

lonjista *m.f.* 상품 거래인 ; 도매 상인.

lontananza *f.* 원경(遠景), 배경(背景) : en ~ 멀리(a lo lejos).

loor *m.* 칭찬 (alabanza) : verso en ~ del príncipe de Asturias 황태자를 칭찬하는 시(詩).

López *m.* 로뻬스.
Esos son otros ~ 그것은 다른 일이다.

lopigia *f.* =**alopecia.**

lopista *adj.* 로뻬·데·베가《Lope de Vega y Carpio(1562—1635), el Fénix de los ingenios (재사의 불사조)라 불리우는 서반아의 불멸의 시인·극작가》; 2천여편의 드라마를 씀》의.
—*m.f.* 로뻬·데·베가 연구자·숭배자.

loquear *intr.* ① 미치광이처럼 행동하다(portarse como loco). ② 신이 나서 떠들어대다(travesear).

loqueo *m.* 《*Urug.*》 소란, 떠들썩함.

loquera *f.* ① (정신 병자의) 간호원. ② 정신 병자 수용소. ③《*Amér.*》 광기(狂氣)(locura).

loquería *f.* 《*Amér.*.》 정신 병원(manicomio).

loquero, ra *m.f.* 정신 병자·광인의 간호원.
—*m.* 《*Riopl.*》 소동.

loquesco, ca *adj.* ① 미치광이 같은 (alocado) : a la ~*ca* 미치광이 같이. ② 농담 잘하는(bromista).

loquina *f.* 《*Col.*》 미친 짓, 엉뚱한 짓, 터무니 없는 짓.

loquincho, cha *adj.* 《*Arg.*》 반쯤 미친 (medio loco).

loquios *m.pl.* 【생리】 후산《산모가 아이를 낳은 뒤에 태반이나 난막 따위가 나오는 일》.

lora *f.* ① 앵무새의 암컷 (hembra del loro). ②《*Col. CRica. Hond. Perú.*》【조류】 앵무새 (loro, papagayo). ③《*Venez.*》 종기, 부스럼(úlcera o llaga). ④ 엉터리 : dar ~ 엉터리 짓을 하다.

lorán *m.* 로란, 자위치(自位置) 측정 장치.

lorantáceo, a *adj.* 【식물】 떡갈나무 기생류의.
—*f.pl.* 떡갈나무 기생과 식물.

lorcha *f.* ① (지나해의) 고속 연해선, 거룻배. ②《*Gal.*》 =**haleche.**

lord *m. ing.* [*pl.* lores] ① 경《영국의 귀족·상원 의원에게 붙이는 경칭》. ② 귀족 : ~ mayor 런던 시의 시장.

lordosis *f.* 【의학】 척수 전굴(脊髓前屈).

lorenés, sa *adj.* 로렌《Lorena, 불란서의 한 주》의, 로렌에 관계되는. —*m.f.* 로렌 사람.

lorenzana *f.* 로렌사나《갈리시아에서 제조된 굵은 아마포》.

lores *m.pl.* lord의 복수형.
Cámara de los Lores 영국의 상원, 귀족원.

loretano, na *adj.* 로레또《Loreto, 뻬루의 주》의. —*m.f.* Loreto 사람.

loriar *tr.* 11《*Chile.*》 캐다, 조사하다.

lorica *f.* [*lat.* lorica] 엷은 쇠철판 흉갑.

loriga *f.* (얇은 강철로 만든) 갑옷; 마갑(馬甲); (수레의) 쇠고리.

lorigado, da *adj.* ① loriga로 몸을 감싼, 방비한. ②《*PRico.*》 잿빛이 도는 (새).

lorigón *m.* [*aum.* loriga] 큰 갑옷.

loriguero, ra *adj.* 갑옷의·에 관한.

loriguillo *m.* 【식물】 서향과(瑞香科)의 상록 관목(lauréola).

loris *m.* 【동물】 (인도·세일론의) 원숭이의 일종.

loro *m.* ① 앵무새, 잉꼬(papagayo). ②【식물】 = lauroceraso. ③《*Venez.*》 =**navaja curva.** ④《*Chile.*》 밀정, 스파이. ⑤ (환자용의 유리) 변기. ⑥ 고문(拷問). ⑦ 못생긴 여자(mujer fea). ⑧ 노파(mujer vieja).

loro, ra *adj.* [*lat.* luridus] 가무잡잡한 (de color moreno muy oscuro).

lorquino, na *adj.m.f.* 로르까《Lorca, 무르시아 주의 도시》의; 로르까 사람.

lorza *f.* [드뭄] =**alhorza.**

Lor.[zo] Lorenzo.

los *art.* ① [남성 복수 정관사] : *Los* dos fueron en su coche 두 사람은 자동차로 갔다. ② [남성 정관사 복수로써 「모든, 매(每)」의 뜻을 포함할 때가 있음] : Yo voy *los* lunes 나는 월요일마다 간다.
—*pron.* [대격 인칭 대명사 3인칭 남성 복수형] 그것들을, 당신들을, 그들을 : *Los* compré en el centro 나는 그것을 중심가에서 샀다.
~ ***sin trabajo*** 실업자.

losa *f.* ① 반석, 너럭바위, 반반한 돌(piedra plana) : ~ sepulcural. ② 포석, 블록. ③ (반반한) 묘석. ④ 묘, 묘지, 무덤 (sepulcro). ⑤ 함정, 덫 (trampa).

losado, da *adj.* 포석·돌을 깐. —*m.* ① 포석한 곳, 돌을 깐 곳. ② 포석(enlosado).

losange *m.* [*fr.* losange] ① 마름모꼴. ②【야구】 코트.

losanje *m.* =**losange.**

losar *tr.* 포석을 깔다, (…에) 돌을 깔다(enlosar).

loseta *f.* [*dim.* losa] ① 작은 포석(losa pequeña). ② 함정, 덫(trampa).

losilla *f.* =**loseta.**

Lot *m.* 【성경】《아브라함의 조카, 그의 아내는 Sodoma에서 도망칠 때 뒤돌아 보았기 때문에 소금 기둥으로 변했음》.
andar como ~ 뒤도 돌아보지 않고 걷다.

lota *f.* 【어류】 로따《물고기의 일종》.

lote *m.* ① 몫; 한몫, 한 짝, 한 조, 일 회분 : en un ~ (선적 등에서) 1회 적하로. ② 복권 당첨 (premio). ③【상업】 생산 단위 수량. ④《*Amér.*》 한 구획의 부지(敷地). ⑤《*Amér.*》 미녀(美女).
—*adj.* 《*Arg.*》 무능한(imbécil).

lotear *tr.* 《*Chile.*》 (팔기 위해 땅을 lote로) 분할하다.

loteo *m.* 분할.

lotería *f.* [*ital.* lotteria] ① 복권 : ~ instantánea 즉석 복권. ~ nacional 정부 발행 복권. caer·tocar la ~ 복권이 당첨되다. ¡Ojalá me toque la ~! 제발, 복권이 당첨됐으면. ② 복권 판매소. ③ 재난 : La vida es una ~.

lotero, ra *m.f.* 복권 판매인.

lotificar *tr.* 9《*AmérC.*》 (토지를) 분할하다, 구획하다, 나누다.

lotiforme *adj.* 【건축】 연꽃 모양의.

lotizar *tr.* 9《*Chile.*》 (토지를) 분할하다, 나누다, 분양하다.

loto *m.* [*lat.* lotos] ①【식물】 연(蓮). ② 연꽃. ③ 연의 열매.

lotófago, ga *adj.m.f.* 연식족(蓮食族)《연꽃의 열매를 먹고 살았다는 북아프리카의 한 종족》(의).

lovaniense *adj.m.f.* 로바이나(Lovaina)의 (사

람).
lovelace *m.* 《*Neol.*》 =**seductor.**
lover *intr.* 《*Sal.*》 =**llover.**
loxia *f.* 【조류】 잣세, 솔잣새.
loxodromia *f.* 【항해】 항정선(航程線) 《항공이나 항행에서 항로가 각 자오선과 동일한 각도로 교차하는 선》.
loxodrómico, ca *adj.* 【항해】 항정선(航程線)의.
loyo *m.* 《*Chile.*》 버섯의 일종.
loza *f.* [*lat.* luteo] ① 자토(磁土). ② 자기(磁器). ③ [집합] 도기, 도자기 : ~ no esmelada 질그릇. ④ 도자기 식기류 : ~*s* sanitarias 위생 도기.
lozanamente *adv.* 싱싱하게, 생생하게 ; 늠름하게, 발랄하고 활기차게.
lozanear(se) *intr.(r.)* ① (초목이) 싱싱해지다. ② 거만하게 거동하다(enlozanarse).
lozanía *f.* ① 싱싱함, 생생함. ② 무성함, 울창함(frondosidad de las plantas). ③ 발랄함, 씩씩함, 늠름함 (vigor). ④ 거만, 교만, 오만, 자만(orgullo, altivez).
lozano, na *adj.* ① 싱싱한, 생기가 돋는. ② 울창한 : árbol ~ 울창한 나무. ③ 발랄한, 늠름한 : una muchacha ~*na* 발랄한 소녀. ④ 강한, 강인한, 힘이 센(robusto, vigoroso). ⑤ 자랑스러운 (orgulloso).
L.P. Long Play.
L.S. Locus sigilli, lugar de(l) sello 우표 붙이는 곳.
Ltda., Ltdo. Limitada, Limitado 유한의, 유한책임의.
Lu lutecio.
lúa *f.* (말을 문질러 줄 때 쓰는) 볏짚 걸레 ; 사프란을 넣는 가죽 부대.
luán *adj.* 《*Chile.*》 엷은 쥐색의.
lubigante *m.* 【동물】 =**bogavante.**
lubina *f.* 【어류】 농어(róbalo).
lubricación *f.* 미끄럽게 함, 윤활, 주유(注油), 급유 ; 마찰 감소.
lubricador, ra *adj.* 미끄럽게 하는, 윤활의. —*m.* 윤활 장치, 주유기, 급유기 ; 【사진】 광택제.
lúbricamente *adv.* 미끄럽게 ; 음란하게.
lubricán *m.* [*lat.* lubricus] 새벽, 여명(alba, crepúsculo).
lubricante *adj.* 미끄럽게 하는 ; 윤활성의, 윤활용의 : aceite ~ 기계유, 윤활유. —*m.* 윤활유.
lubricar *tr.* 7 [*lat.* lubricare] ① 미끄럽게 하다 ; (…에) 윤활유를 치다, 기름을 치다 : Hay que ~ con aceite los engranajes de la máquina 기계의 톱니바퀴 장치에 기름을 발라야 한다. ② 【사진】 …에 광택제를 바르다.
lubricativo, va *adj.* 윤활성의, 미끄럽게 하는.
lubricidad *f.* 음란, 음탕, 외설.
lúbrico, ca *adj.* [*lat.* lubricus] ① 미끄러운. ② 잘 미끄러지는(resbaladizo). ③ 음탕한, 외설의, 추잡한. Sinón. impúdico, obsceno.
lubrificación *f.* =**lubricación.**
lubrificador, ra *adj.* =**lubricador.**
lubrificante *adj.* 《*Galic.*》 =**lubricante.**
lubrificar *tr.* 7 《*Galic.*》 =**lubricar.**
Luc. Lucas.
lucano *m.* 【곤충】 사슴벌레.
lucas *m.pl.* 【은어】 카드의 패(baraja).
Lucas *m.* 【성서】 *San* ~ 누가 ; 누가 복음서. *tirar a* ~ 《*Méx.*》 (진실한 말도) 농으로 돌려 버리다 ; 얼버무리다 ; (농 비슷하게 해서) 속이다.
Lucecita *hip.* Luz.
lucense *adj.* 루고 《Lugo, 서반아의 주·시》의. —*m.f.* Lugo 사람.
lucentísimo, ma *adj.* [*sup.* luciente] 찬란하게 빛나는.
lucentor *m.* (옛날 부인용) 얼굴 분.
lucera *f.* =**lumbrera.**
lucerna *f.* =**lumbrera.**
lucernario *m.* 채광창.
lucerno *m.* 【은어】 =**candelero.**
lucérnula *f.* 【식물】 =**negrilla.**
lucero *m.* ① 샛별, 금성 : ~ del alba·de la tarde 샛별(estrella Venus). ② 크게 빛나는 별. ③ 빛남, 광휘 (esplendor). ④ 채광창. ⑤ (동물의 이마에 있는) 하얀 반점. —*pl.* 【시어】 눈 (ojo).
lucha *f.* ① 싸움, 투쟁 (pugna) : ~ de clases 계급 투쟁. ~ doctrinaria 이론 투쟁. ② 몰살하기 위한 노력 : ~ contra los insectos nocivos. ③ 고투, 격투 ; 씨름 ; 레슬링 (~ libre) : La ~ fue uno de los ejercicios favoritos de los griegos 레슬링은 그리스 사람들이 좋아하는 운동 중의 하나였다. ④ 싸움, 다툼 : ~ a brazo partido 맞붙잡고 하는 싸움. ~ a muerte 사투(死鬪). la ~ por la existencia 생존 경쟁. ⑤ 분쟁 (disputa) ; 전쟁 : ~ de precios 가격 전쟁. ~ subterráneo 갱도전(坑道戰). ~ grecorromana 그레코로만형 레슬링 《상반신으로 싸우는》. ~ libre 자유형 레슬링.
hacer la ~ 《*Méx.*》 무엇인가 얻을려고 일하다.
luchadero *m.* 【기계】 저널 《축의 윗부분》, 축함.
luchador, ra *adj.* 싸우는. —*m.f.* 투사, 역사 (力士) ; 레슬링 선수.
luchana *f.* =**barbilla.**
luchar *intr.* ① [+con·contra : …과] 싸우다, 겨루다, 투쟁하다 : Los dos hombres *lucharon* largo rato 두 사나이는 오랫동안 싸웠다. Tuve que ~ con el derrotismo 나는 패배주의에 대항하여 투쟁해야 한다. ② [+por+*inf.*] …할려고 노력하다·애쓰다 : *Luchaba por* salir de aquel sitio 그들은 그곳에서 탈출할려고 노력하고 있었다. Sinón. pelear.
lucharniego, ga *adj. perro* ~ 밤사냥개.
luche *m.* 《*Chile.*》 ① 돌멩이 차기 《어린이 놀이》. ② 식용 해초의 일종.
luchón, na *adj.m.f.* 《*Méx.*》 =**luchador.**
lucidamente *adv.* 빛나게, 빛을 내어 ; 명쾌하게, 밝게(con lucimiento).
lúcidamente *adv.* 화려하게, 찬란하게 ; 명쾌하게(con lucidez).
lucidez *f.* ① 광휘, 빛남. ② 명쾌함. ③ (미친 사람의) 각성, 제정신 : Los locos suelen tener momentos de ~ 광인도 각성할 때가 있는 법이다. ④ 《*AmérC. Chile.*》 영광, 광영, 대성공 (lucimiento).
lucido, da *adj.* ① 윤을 낸. ② 명쾌한, 빛나는 (brillante).
lúcido, da *adj.* ① 빛나는, 찬란한, 밝은(lucien-

te). ② 명쾌한(claro) : con ~ simplicidad 간결 명쾌하게. ③ 제정신이 든 : intervalo ~ 정신이 드는 때.

lucidor, ra *adj.* 빛나는.

lucidura *f.* 벽에 덧칠하는 일.

luciente *adj.* =**brillante.**

luciérnaga *f.* 【곤충】 개똥벌레, 반디.

Lucifer *m.* ① 샛별, 금성(Venus). ② 마왕, 악마(Satanás). ③ 거만한 사람.

luciferino, na *adj.* 악마의 ; 지옥의.

luciferismo *m.* 악마주의.

lucífero, ra *adj.* 【시어】 빛나는, 번쩍이는(resplandeciente). **—*m.*** ① 샛별, 금성(Venus). ② 《*Col.*》 성냥(fósforo, cerilla).

lucífugo, ga *adj.* 【시어】 빛을 싫어하는 · 두려워 하는 : ave ~*ga.*

lucilo *m.* =**lucillo.**

lucillo *m.* ① (귀인의 시체를 넣는) 돌로 만든 관. ② 【어류】 《*Cuba.*》 =**guajacón.**

lucímetro *m.* =**forómetro.**

lucimiento *m.* 빛남, 광휘, 광채 : quedar con ~ 화려해지다.

lucio *m.* [*lat.* lucius] 【어류】 창꼬치.

lucio, cia *adj.* 광택이 있는, 빛나는. **—*m.*** 바닷물이 빠진 후의 물웅덩이.

lucíola *f.* =**luciérnaga.**

lución *m.* 【동물】 뱀의 일종 : El ~ es tan frágil que se rompe con facilidad cuando se le coge.

lucir *intr.* 33 [*lat.* lucere] ① 빛나다, 반짝이다(brillar, resplandecer, despedir luz, reflejar luz) : Las joyas *lucían* en sus dedos 보석이 그녀의 손가락에서 빛났다. ② 두드러져 보이다, 뛰어나다(sobresalir) : Ella *luce* hoy muy bien 그녀는 오늘 매우 두드러져 보인다. ③ 광채를 내다 : ~ en los estudios. ④ 알맞은 득이 되다 : Poco te *luce* lo que trabajas 자네의 고생도 거의 실속이 없네.

—*tr.* ① 비추다(iluminar). ② 자랑해 보이다, 드러내 보이다. ③ (흰 벽을) 덧칠하다(enlucir).

~se ① 화려하게 꾸미다(vestir bien). ② (기업에서) 훌륭하게 성공을 거두다. ③ 창피를 당하다 : Me quedé *lucido* 나는 창피만 당했다. [직 · 현재 1인칭 luzco ; 접속법 현재 luzca, …].

Lucita *hip.* Luz.

lucrar *tr.* 손에 넣다, 얻다, 달성하다(lograr, conseguir).

~se 이익을 올리다, 돈을 벌다(utilizarse, sacar provecho o utilidad).

lucrativo, va *adj.* 유리한 ; 수지맞는, 이윤이 많은.

lucrecia *f.* 정숙한 여자.

Lucrecia *f.* 루끄레시아 《로마 전설 중의 열녀의 이름 ; 절개의 귀감》.

lucro *m.* 벌이, 이익(ganancia) : ~*s* y daños 손익 (ganancia y pérdida).

lucroniense *adj.m.f.* =**logroñés.**

lucroso, sa *adj.* =**lucrativo.**

luctuosamente *adv.* 가엾게, 안스럽게, 비참하게.

luctuoso, sa *adj.* 가엾은, 안스러운, 처참한(triste, lastimoso) : declarar unos versos ~*s.* Sinón. penoso.

lucubración *f.* 노심 초사 ; 공들인 저작, 노작, 역작, 고심작 : ~*es* extragantes.

lucubrar *tr.* [*lat* lucubrare] 공들여 만들다 · 저술하다.

lúcuma *f.* 루꾸모(lúcumo)의 열매.

lúcumo *m.* 《*Amér.*》 【식물】 루꾸모 《적철과의 과일 나무》.

luda *f.* 【은어】 =**mujer.**

ludada *f.* 옛날 여자의 장식, 이마의 띠.

ludia *f.* 《*Extr.*》 =**levadura.**

ludiar *tr.* 《*Extr.*》 =**leudar.**

ludibrio *m.* 조소. Sinón. befa, escarnio, mofa.

lúdico, ca *adj.* =**lúdicro.**

lúdicro, cra *adj.* =**lúdricro.**

ludimiento *m.* 마찰.

ludio, dia *adj.* ① 【은어】 교활한, 간사스러운(bellaco). ② 야비한, 비열한. ③ 《*Extr.*》 = **leudo.** **—*m.*** 동화(銅貨).

ludión *m.* 잠수 기구.

ludir *tr.* [*lat.* ludere] 문지르다, 비비다, 마찰하다(frotar, rozar).

ludria *f.* 《*Ar.*》 =**nutria.**

lúdrico, ca *adj.* 【고어】 도박의 ; 유희의.

lúe *f.* 전염, 감염(infección, pronto).

luego *adv.* ① 곧, 빨리 (prontamente) : Quiero que lo hagas muy ~ 네가 그 일을 빨리 하기를 바란다. ② 후에, 뒤에 (después) : Lo haré ~ que venga. ③ 《*Amér.*》 때때로, 이따금 : Pasa ~ por aquí 이따금 이곳을 지나간다. ④ 《*Amér.*》 가까이에.

—*conj.* 그러므로, 그러기에 ; 그렇다면 : Pienso, ~ existo 나는 생각한다, 고로 나는 존재한다.

~ de …한 후(después de).

~ que …하자마자 ; …한 후에(después de que).

~ como, tan ~ como …하자마자(así que, tan pronto como, en cuanto).

con tres ~s 황급히.

de ~ a ~, ~ a ~ 급히 서둘러.

desde ~ 곧장, 바로, 즉시, 즉각 ; 바꿔 말하면, 즉 ; 물론 ; 의심없이(indudablemente).

hasta ~ (작별 인사에서) 그럼 또.

lueguito *adv.* [*dim.* luego] 《*Amér.*》 ① 금방 : Hasta ~ 금방 오겠습니다. ② 가까이에 : aquí ~ 이곳 가까이에. **—*interj.*** 《*Chile.*》 결코 …아니다(de ningún modo).

luello *m.* 《*Ar.*》 =**joyo.**

luengo, ga *adj.* ① 긴(largo) : hace ~*s* años. ② 주된, 주요한, 주역의(principal).

en ~ 세로로.

lueñe *adj.* 머나먼, 아득한. **—*adv.*** 아득히.

lúes *f.* 전염 ; 페스트 ; 전염병 ; 매독 : ~ canina 디스 템퍼.

luético, ca *adj.* 매독(성)의(sifilítico).

lufa *f.* (가공한) 피마자.

lugano *m.* 【조류】 분홍 참새 (jilguero) 비슷한 새.

lugar *m.* [*lat.* locus] ① 곳, 장소 (sitio) : ~ de cumplimiento 이행지. ~ de destino 목적지. ~ de entrega 인도 장소. ~ de origen 원산지. ~ de pago 지불 장소. ~ indicado 지정 장소. No hay ~ donde sentarnos 우리가 앉을 장소가 없다. ② 촌, 마을, 시골 : ¿De qué ~ es usted? 어느 마을 출신입니까? Nació en un ~ de la Mancha 그는 만챠 지방의 어느 마을에서 태어

났다. ③ 여지, 여유 : No hay ~ para hacer tantas cosas 그렇게 많은 것을 할 여유가 없다. ④ 구실, 동기(motivo, causa) : Dio ~ a que le prendiesen 붙잡힐 구실을 주었다. ⑤ 직, 지위 (puesto, empleo). ⑥《*Chile.*》변소 (excusado, retrete) : ~ común 변소. ⑦ [주로 *pl.*] 흔하게 쓰이는 평범한 말, 상투어.

~ ***religioso*** 매장지.

en ~ de …의 대신 (en vez de) : *En ~ de* hacer compras quiero pasear por aquí 나는 쇼핑하는 대신에 이곳을 산책하고 싶다.

en primer ~ 우선, 첫째로 : *En primer ~* tengo que redactar la tesis 우선 나는 논문을 쓰지 않으면 안된다.

en su ~, descanso (군대 용어로) 그 자리에 쉬엇!

no ha ~ (요구 등이) 부결된 ; (논의·채택의) 여지가 없는.

hacer ~ 자리를 내다.

tener ~ ① 일어나다(ocurrir). ② 행하여지다, 개최되다 : La ceremonia *tendrá ~* en el salón de actos 식은 강당에서 거행될 것이다.

lugarejo *m.* [*dim.* lugar] 한촌(寒村), 외진 마을, 두메 산골.

lugareño, ña *adj.* 촌의, 마을의, 시골의 : costumbres *~nas* 시골 풍습. El lleva vestido un traje ~ 그는 시골 사람의 옷을 입고 있다. —*m.f.* 촌사람, 시골 사람, 마을 사람.

lugarete *m. dim.* lugar.

lugarote *m. aum.* lugar.

lugartenencia *f.* lugarteniente의 직.

lugarteniente *m.* 부관 ; 심복 ; 상관 대리, 대리자.

lugdunense *adj.m.f.* 리옹(Lyón)의 (사람)(lionés).

luge *f.* 루즈, 입술 연지.

lugo *adj.*《*Perú.*》뿔이 없는 (양).

Lugo 【지명】 루고《서반아의 주·시》.

lugre *m.* [*ing.* lugger] 돛대 세 개의 작은 범선.

lúgubre *adj.* [*lat.* lububris] 호젓한 ; 음산한, 암담한, 침울한 (fúnebre) : canto ~ 침울한 가락·노래.

lúgubremente *adv.* 호젓하게, 음산하게, 암담하게, 침울하게.

lugués, sa *adj.m.f.* =**lucense.**

luición *f.*《*Ar.*》=**redención.**

luir *tr.* 77 ① 면제하다(redimir). ② 【해사】《*Méx.*》문지르다, 비비다, 마찰하다 (ludir). ③《*Chile.*》마구 구기다 (ajar). ④《*Chile.*》(접시 등을) 닦다, 씻다.

~se《*Chile.*》마모되다, 닳다.

luis *m.* 루이《프랑스의 20 프랑 금화》.

luisa *m.* 【식물】 향나무, 방취목 (hierba ~) : Las flores de la ~ tienen olor de limón.

luismo *m.* =**laudemio.**

luisón *m.*《*Arg.*》(사람의 형태를 하고 있으나 밤이면 동물로 둔갑한다는) 도깨비.

lujación *f.* =**luxación.**

lujar *tr.* 【방언】 =**bruñir, alisar.**

lujo *m.* [*lat.* luxus] ① 사치, 화려, 호화 : artículos de ~ 고급품, 사치품. ~ asiático 대단한 사치, 몹시 호화로움. de ~ 딜럭스의, 고급의, 초호화의. edición de ~ (책의) 호화판. ②《*Neol.*》많음, 다량, 풍부(profusión) : ~ de precauciones. —*pl.* 사치품.

lujosamente *adv.* 사치스럽게, 호화롭게, 찬란하게.

lujoso, sa *adj.* 사치스러운, 호화로운 : Ella lleva un vestido muy ~ 그녀는 매우 호화스런 옷을 입고 있다.

lujuria *f.* [*lat.* luxuria] 음란, 음탕, 육욕(肉欲) ; 방종, 과도.

lujuriante *adj.* [*lat* lujurians] ① 무성한 : la vegetación ~ de los bosques. ② 음란한, 음탕한.

lujuriar *intr.* 11 호색에 빠지다 ; 교미하다.

lujuriosamente *adv.* 육욕적으로, 음란하게, 음탕하게.

lujurioso, sa *adj.* 음란한, 음탕한, 호색의 : mirada *~sa.* —*m.f.* 호색가.

lula *f.*《*Gal.*》오징어(calamar).

lule *adj.m.f.* (아르헨띠나의 산띠아고·델·에스떼로 주에 살았던) 유목민(의).

lulero *m.*《*Chile.*》=**uslero, fruslero.**

luliano, na *adj.* 라이문도 룰리오 (Raimundo Lulio)의·에 관한·주의의.

lulismo *m.* 룰리오 스콜라 철학《서반아의 철학자 Raimundo Lulio 의 설 (1235—1305)》.

lulista *adj.* lulismo의. —*m.f.* lulismo 주의자.

lulo, la *adj.*《*Chile.*》어리숙한 ; 홀쭉한 ; 길쭉한, 갸름한 (delgado y largo). —*m.* ①《*Col.*》【식물】 토마토 (tomate) 비슷한 식물. ②《*Gal.*》낚싯배 (barco de pesca). ③《*Chile.*》둘둘 말은 꾸러미 ; 둥그렇게 말린 머리카락 ; 광석을 넣는 자루.

lulú *m.* 【동물】 개(perro)의 일종.

Lulu *hip.* Luisa.

luma *f.*《*Chile.*》【식물】 루마나무《도금양과의 단단한 나무》.

lumadero *m.* 【은어】 =**diente.**

lumaquela *f.* 조개 껍질이 들어 있는 일종의 대리석 : mármol ~.

lumbago *m.* [*lat.* lumbago] 【의학】 요통(腰痛), 요통증, 허리앓이.

lumbar *adj.* [*lat.* lumbi] 등이나 허리의 : la región ~ 허리 부분, 요부(腰部).

lumbrada *f.* 활활 타오르는 불.

lumbral *m.* =**umbral.**

lumbrarada *f.* =**lumbrada.**

lumbre *f.* [*lat.* lumen] ① 불(fuego) : Se me apagó el cigarro. ¿Quiere darme ~? 담뱃불이 꺼졌다. 불을 좀 주시겠오? ② 등불(luz). ③ 빛. ④ 빛남 (brillo). ⑤ (물의) 표면 : ~ del agua. ⑥ 부시로 쓰이는 쇠붙이의 날. ⑦ 문지방, 문턱 (umbral de puerta). ⑧ 굽쇠의 끝.

—*pl.* 부싯도구.

a ~ de pajas 즉시, 즉각.

dar ~ 부시가 불꽃을 튀기다 ; 담뱃불을 빌려주다.

ni por ~ 결코 …않다(de ningún modo).

ser la ~ de los ojos 사랑의 대상이 되다.

lumbrera *f.* ① 빛나는 것, 빛, 발광체 ; 광명 ; 채광창. ② 대패의 구멍. ③ (증기 기관의) 기문(汽門). ④ 샛별, 금성. ⑤ 권위자. ⑥ 간판 광대. ⑦ 【선박】 창구(艙口), 해치(portilla). ⑧《*Méx.*》(투우장의) 일반 좌석(palco). —*pl.* 눈

(ojos).

lumbrerada *f.* =**lumbrarada.**

lumbrical *adj.* 충양(虫様)의 : músculo ~ 손가락·발가락을 움직이는 충양근.

lumbroso, sa *adj.* 반짝이는, 찬란하게 빛나는.

lumen *m.* 【물리】 루멘 《광속의 단위, 기호 : lm》.

lumia *f.* 갈보, 매춘부(pelandusca).

lumiaco *m.* 【방언】 =**babosa.**

luminancia *f.* =**brillo.**

luminar *m.* =**lumbrera.**

luminaria *f.* ① (제단에 놓는) 밤새 켜 놓는 불, 꺼지지 않는 불. ② 【은어】 창(窓). —*pl.* (행사 때 밝혀 놓는) 조명, 전등 장식.

luminescencia *f.* =**luminiscencia.**

lumínico *m.* 【물리】 발광소(發光素), 발광체.

luminiscencia *f.* 희미한 빛 ; 찬 느낌의 빛, 냉광(冷光).

luminiscente *adj.* 빛이 희미한.

luminosamente *adv.* 밝게, 찬란하게.

luminosidad *f.* 광휘, 광명 ; 광도 ; 발광물.

luminoso, sa *adj.* ① 빛나는, 빛을 발하는, 발광의 ; 네온의 : anuncios ~*s* 광고물. cuerpo ~ 발광체. ② 훌륭한(excelente) : idea ~.

luminotecnia *f.* 《*Neol.*》 조명법, 조명학.

luminotécnico, ca *adj.* 조명법의, 조명학의.

lun. lunes.

luna *f.* [*lat.* luna] ① 달 : ~ creciente · menguante 상현달·하현달. ~ llena · en lleno 보름달. ~ nueva **초승달.** ② 위성 : ~ artificial 인공 위성. ③ 달빛, 월광(月光) : Hace buena ~ esta noche 오늘 밤은 달이 밝다. ④ 음력달 (lunación). ⑤ 두 장이 함께 끼워진 유리 : La pelota rompió una ~ del escaparate 공이 진열장의 유리를 한 장 깼다. ⑥ 거울, 체경 : armario de ~ 거울 달린 양복장. ⑦ 안경알 (luneta). ⑧ 【어류】 개복치(pez luna). ⑨ 【은어】 방패.
~ de miel 밀월. *~ de hiel* 【속어】 결혼 권태기.
media ~ **반달; 반달 모양의 창** (desjarretadera) ; 회교, 마호메트교 ; 터키 제국.
estar de buena ~ 《*Amér.*》 기분이 좋다.
estar de mala ~ 《*Amér.*》 기분이 나쁘다.
estar en la ~ 건성으로 하다 ; 현실과 사이가 멀어지다.
ladrar a la ~ 허망하게 하소연하다.
pedir la ~ 불가능한 것을 요구하다.
quedarse a la ~ (de Valencia · de Paita) 기대에 어긋나게 하다·되다.
tener ~s 터무니 없는 생각을 품다, 딴마음을 먹다.

lunación *f.* 음력달 《태음력의 한 달》.

lunado, da *adj.* 반달 모양의.

lunanco, ca *adj.* 엉덩이(anca)가 높은 : caballo ~ 엉덩이가 높은 말.

lunar *adj.* [*lat.* lunâris] 달의 : el año ~ **태음력.** eclipse ~ 월식. superficie ~ 달 표면.

lunar[2] *m.* ① 사마귀, 혹 : Ella tiene un ~ junto a la boca 그녀는 입 옆에 사마귀가 있다. ② 얼룩, 반점 : Ella lleva un vestido de ~*es* 그녀는 반점 모양의 옷을 입고 있다. ③ 상처, 흠 (defecto).

lunarejo, ja *adj.* 《*Arg. Chile. Méx.*》 얼룩·반점이 많은, 사마귀가 많은.

lunario, ria *adj.* 태음월(太陰月)의. —*m.* 달력.

lunaroso, sa *adj.* 반점·얼룩·사마귀가 있는.

lunático, ca *adj.* [*lat.* lunaticus] 미친 ; 정신 이상의 ; 미치광이 같은, 엉뚱한. —*m.f.* ① 【법률】 정신 이상자. ② 미치광이 ; 괴짜, 별난 사람, 연인. Sinón. maniático.

lunatismo *m.* 발작.

lunch *m. ing.* 런치, 가벼운 식사(merienda, refrigerio, refacción).

lunecilla *f.* 초생달 모양의 보석.

lunel *m.* 【문장】 화판이 네 개인 매화 무늬.

lunero, ra[1] *adj.* =**lunático.**

lunero, ra[2] *adj.m.f.* 《*AmérC. Arg.*》 (일요일에 놀고 또) 월요일에도 노는 (사람).

lunes *m.* 【단·복수 동형】 월요일(segundo día de la semana) : todos los ~ 월요일마다, 매주 월요일.
cada ~ y cada martes 끊임없이.
hacer ~ (노동자들이) 월요일에 일하지 않다.
hacer San Lunes 《*Méx.*》 월요일에 쉬다(holgar el lunes).

luneta *f.* ① 안경알 (cristal de los ojos). ② (무대 앞의) 초생달 모양의 좌석. ③ 초생달 모양의 채광창 (luneto). ④ (머리칼이나 어린이 구두의) 초생달 모양의 장식. ⑤ 【축성】 망원경보. ⑥ 《*Méx.*》 특별 관람석, 특등석(butaca).

luneto *m.* 채광창.

lunfardismo *m.* [집합] 은어.

lunfardo *m.* ① 《*Arg.*》 도둑, 들치기, 소매치기 (ratero). ② 《*Arg.*》 은어(caló).

luni- *pref.* 「달」의 뜻을 나타내는 접두어 : *luni*solar 태양과 달과의 ; 해와 달의 인력에 의한.

lunilla *f.* =**lunecilla.**

lunisolar *adj.* 태양과 달과의 ; 해와 달의 인력에 의한.

lúnula *f.* [*lat.* lunula] ① **속손톱**(media luna). ② 활 모양의 것. ③ 【수학】 궁형(弓形). ④ 【해부】 속손톱, 손톱눈.

lupa *f.* 《*Galic.*》 =**lente.**

lupanar *m.* 사창굴 (prostibulo) : barrio de ~*es* 매춘 지역.

lupanario, ria *adj.* 매춘굴의.

Lupe *hip.* Guadalupe.

lupercales *f.pl.* [*lat.* lupercalia] (로마에서) 빤(Pan)의 신 축제.

lupia *f.* ① 사마귀, 혹 (lobanillo). ② 《*Col.*》 푼돈. —*m.f.* 《*Hond.*》 안수사, 기도사, 돌팔이 의사.

lupiano, na *adj.* =**lupense.**

lupicia *f.* (질병에 의한) 탈모(脫毛), 대머리(alopecia).

lupino, na *adj.* 늑대(lobo)의, 늑대에 관한. —*m.* 【식물】 새털부채콩.
uva ~na =acónito.

lupulina *f.* 【식물】 =**trébol.**

lupulino *m.* 호프(lúpulo)의 알칼로이드.

lúpulo *m.* 【식물】 호프.

lupus *m.* 【의학】 낭창 《피부병》 : El ~ suele atacar el rostro.

luqués, sa *adj.m.f.* 루까 《Luca, 이탈리아의 한 주》의 (사람).

luquete *m.* ① (레몬·오렌지 따위를) 둥글게 자르기. ② 《*Chile.*》 둥그런 대머리. ③ 《*Chile.*》

(논의) 쟁기질 하지 않은 부분. ④ (의복의) 얼룩; 해진 데.

lurio, ria *adj.* ①【의학】《*Méx.*》 정신 이상의. ②《*Méx.*》 사랑에 정신이 나간. ③《*Méx.*》 박식한 척하는(pedante).

lurtes *m.* 《*Ar.*》 =**alud.**

lusitánico, ca *adj.* 루시따니아·포루투칼 사람의.

lusitanismo *m.* 포르투갈어(lengua portuguesa) 식 발음; (서반아어에 동화된) 포르투갈어.

lusitano, na *adj.* 루시따니아《la Lusitania, 포르투갈의 옛 이름, 이베리아 반도 서부 지방의 옛 이름》의; 포르투갈의. —*m.f.* 루시따니아 사람; 포르투갈 사람(portugués).

luso, sa *adj.* =**lusitano.**

lustrabotas *m.* 《*Arg. Bol. Chile. Urug.*》【단·복수 동형】 구두닦이(limpiabotas).

lustración *f.* ① 정화, 깨끗하게 하기. ② (고대 로마의) 악마를 쫓는 행사.

lustrada *f.* 《*Perú.*》 구두를 닦기.

lustrador *m.* 《*Ecuad. Perú.*》 구두닦이.

lustral *adj.* 깨끗하게 하는: agua ~ 옛날 종교 의식용으로 사용했던 물.

lustramiento *m. desp.* 윤내기, 닦기.

lustrar *tr.* [*lat.* lustrare] ① 닦다, 윤을 내다: La criada *lustró* mis botas **하녀가 나의 구두를** 닦았다. Tengo que ~ me los zapatos 나는 신발을 닦아야 한다. ② 정화하다. ③ 순례하다. ④ 떠돌아다니다, 유랑하다, 방랑하다.

lustre *m.* ① 윤, 윤기, 광택: dar ~ a un mueble 가구에 광택을 내다. ② 영광. ③ 광휘. ④《*And.*》 =**baño de clara de huevo y azúcar.**

lustrear *tr.* 《*Chile.*》 닦다, 윤을 내다.

lústrico, ca *adj.* ① 부정을 없애는. ②【시어】 5년의.

lustrín *m.* ①《*Perú.*》 구두약 (lustrina, betún). ②《*Chile. Ecuad.*》 구두 닦는 곳.

lustrina *f.* ① 알빠까 (alpaca) 비슷한 천 (tela). ②《*Chile.*》 구두약(betún).

lustro[1] *m.* [*lat.* lustrum] 5년간 (epacio de cinco años).

lustro[2] *m.* [*fr.* lustre] 《*Galic.*》 천장에 매달려 있는 촛대·샹들리아(araña).

lustrosamente *adj.* 빛나게, 윤·광택이 나게, 번쩍번쩍하게, 찬란하게.

lustroso, sa *adj.* 빛이 나는; 윤·광택이 나는, 번쩍번쩍하는, 찬란한.

lutea *f.* =**oropéndola.**

luteína *f.* 노란 색소(pigmento amarillo).

lúteo, a *adj.* [*lat.* luteus] 진흙의(de lodo).

luteranismo *m.* 루터의 신조; 루터 교도단·신도단.

luterano, na *adj.* 루터(Lutero)파의. —*m.f.* 루터교도, 루터 신봉자.

Lutero *m.* 루터《Martín Lutero (1483—1546), 독일의 종교 개혁가》.

luto *m.* [*lat.* luctus] ① 상(喪), 상장(喪章), 상복(喪服), 기중(忌中): medio ~ 약식 상복. ~ de viuda 과부의 상복. estar de ~ 상중이다. vestirse · ponerse de ~ 상복을 입다. ② 비탄, 비통. —*pl.* 상중의 장식.

lutocar *m.* 《*Chile.*》 쓰레기 차.

lutona *f.* 《*Ecuad.*》 (여자처럼 차린) 도깨비.

lutoso, sa *adj.* =**luctuoso.**

lutria *f.*【동물】 수달(nutria).

luvia *f.* 《*Méx.*》 lluvia의 사투리.

lux *m. lat.* 룩스, 럭스《조명도의 단위, 기호: lx》.

luxación *f.* [*lat.* luxatio] 삠, 탈구(脫臼)(dislocación de un hueso): reducir una ~.

Luxemburgo *m.*【지명】 룩셈부르크.

luxemburgués, sa *adj.* 룩셈부르크의. —*m.f.* 룩셈부르크 사람.

luz *f.* [*pl.* luces] [*lat.* lux, lucis] ① 빛: la ~ del sol 햇빛, 일광. A las diez de la noche todavía hay ~ 밤 열 시에도 아직 (햇)빛이 있다. La habitación tiene mucha ~ 방에 빛이 많이 들어온다. Esta bombilla da muy poca ~ 이 전구는 별로 밝지 못하다. La habitación estaba a media ~ 방은 어슴푸레했다. Esta planta necesita mucha ~ 이 식물은 빛이 많이 필요하다. Me estás tapando [quitando] la ~ 네가 나를 비추고 있는 빛을 가리고 있다. ② 불빛: No leas con tan poca ~ 그렇게 밝지 않는 불빛에서는 글을 읽지 마라. ③ (자동차의) 등(farol): ~ de carreter 메인 헤드라이트. ④ ㄱ) 전기(electricidad): Les cortaron la ~ 그들의 전기가 끊겼다. Se fue la ~ [가정에서] 전기가 나갔다. ㄴ) 전등, 등불(candelero, lámpara): apagar la ~ 불을 끄다. encender [*AmL* prender] la ~ 불을 켜다. Tráeme una ~ 등불을 나에게 가져오너라. Se ha fundido la ~ del cuarto de baño 욕실의 전등이 퓨즈가 나갔다. Da la ~ / Dale a la ~ 불을 켜라. Dejó la ~ de la mesita encendida 그는 테이블 램프를 켜 놓았다. ¿Qué haces todavía con la ~ encendida [*AmL* prendida]? 아직도 등불을 켜 놓고 무엇을 하느냐? El cruzó con la ~ roja 그는 붉은 불일 때 길을 건넜다. ⑤ 광선, 일광. ⑥ 밝음, 광명(光明), 번쩍거림: traje de luces 투우사 복장. El siempre había soñado con vestirse de *luces.* 그는 늘 투우사가 될 꿈을 꾸었었다. ⑦ 문화(文化)(cultura): época de pocas *luces* 문화가 별로 발달되지 못한 시대. ⑧ 낮, 주간(día). ⑨ 창, 채광(採光): edificio de muchas *luces* 채광이 잘된 건물. ⑩【속어】 돈(dinero).

~ ***cenital*** 천정으로 들어오는 불빛. ~ ***de Bengala*** 꽃불. ~ ***de luz*** 반사광; 간접적인 빛·밝음. ~ ***eléctrica*** 전등. ~ ***zodiacal*** 황도광(黃道光). ~***s de tráfico*** 교통 신호·표시등. ***media*** ~ 희미한 불빛. ***primera*** ~ 직사광. ~ ***segundaria · refleja*** 반사광(luz de luz).

a primera ~ 날이 샐 무렵에.

a toda ~, ***a todas luces*** 명확히, 확실히(con evidencia); 모든 곳에; 모든 방법으로.

dar ~ 밝게 하다, 비추다.

dar a ~ ① 출판하다 (publicar): El *dio a* ~ su primera obra en 1976 그는 최초의 작품을 1976년에 세상에 내놓았다 (출판했다). ② 출산하다, 낳다 (alumbrar, parir la mujer).

entre dos luces ① 새벽녘에, 날샐 무렵에, 동틀 무렵에(al amanecer). ② 해거름에, 해질 무렵에 (al anochecer).

hacer la ~ 숨겨진 것을 찾아내다.

sacar a ~ 세상에 내놓다; 나타내다.

salir a (la) ~ 세상에 나오다; 나타나다; 태어나다, 탄생하다; (책이) 인쇄되다 (imprimirse)

: Su primera obra *salió a luz* en 1976 그의 처녀작은 1976년에 세상에 나왔다.
ver la ~ 탄생하다, 낳다(nacer).

Luzbel *m.* 마왕, 악마(Lucifer).

luzca lucir의 접·현재·1·3인칭 단수.

luzca- → **lucir** 33.

luzcáis lucir의 접·현재·2인칭 복수.

luzcamos lucir의 접·현재·1인칭 복수.

luzcan lucir의 접·현재·3인칭 복수.

luzcas lucir의 접·현재·2인칭 단수.

luzco lucir의 접·현재·1인칭 복수.

lx lux.

lycra *f.* 《등록 상표》 (일반적으로 의류 제조용의) 탄성 합성 섬유.

lynchar *tr.* =linchar.

M

m *f.* ① 에메 《서반아어 자모의 열다섯 번째 글자(decimoquinta letra del abecedario castellano)》. ② M는 로마 숫자로 1000을 나타냄.

m. mañana 내일 ; masculino 남성 ; meridiano 정오 ; metro 미터 ; milla 마일 ; minuto 분 ; muerto 사자(死者).

m/ mes ; mi ; moneda.

M. Madre 성모 ; Majestad 존엄, 폐하 ; Merced 은혜 ; Maestro 선생 ; Mediano 중급(中級).

m/a mi aceptación.

M.ª María.

m.^{2} metro cuadrado 평방 미터.

m.^{3} metro cúbico 입방 미터.

ma *f.* 《*Cuba.*》 =**madre, mujer del pueblo anciana.**

m/arg. moneda argentina.

maat *m.* 이집트의 신.

m. atto. muy atento.

mabí *m.* (안띠야스 제도의) 술의 일종.

mabinga *f.* ①《*Cuba. Méx.*》 (동물의) 똥(estiércol). ② 질이 나쁜 담배(tabaco malo).

mabita *m.f.* ①《*Venez.*》 계속적인 불행. ②《*Venez.*》 마냥 재수 없는 사람. ③《*Venez.*》 저주하는 눈, 저주의 눈빛(mal de ojo, aojo).

mable *m.* 《*AmérC.*》 =**canica.**

maboa *f.* 《*Cuba.*》 (아메리카의) 마삭과 나무.

mabolo *f.* 【식물】《*Amér.*》 마볼로 《(필리핀의) 감나무과 나무》.

mabú *m.* 《*Venez.*》 =**guadua.**

mabuja *f.* ①《*Col.*》 =**reptil saurio.** ②《*Col.*》 악마(diablo).

maca *f.* ① (과일·직물 등의) 흠, 상처. ② 교활, 사기(disimulación) : tener muchas ~*s* 사기성이 농후하다. ③ 해먹, 달아매는 침대 《hamaca의 뒷 글자의 약어》.

macá *m.* 《*Arg. Urug.*》 【조류】 마까 《발이 짧고 발가락 사이에 점막이 있음》.

Macabeo *m.* ① 마까베 《그리스왕의 학정으로부터 유태를 구한 기원전 2세기 경의 유태 애국자》. ②【성서】 마까베서(書)《구약 성서 외경 속의 두 편》.

macabeo, a *adj. m.f.* 마까스 《Macas, 에꾸아도르의 시》의 (사람).

macabí *m.* ① 《*Cuba.*》 마까비 《안띠야스의 물고기》. ② 《*Col.*》 형편없는 놈, 막되먹은 인간.

macabisa *f.* 《*Bol.*》 창녀, 갈보, 매춘부, 매음부.

macabro, bra *adj.* 《*Galic.*》 =**fúnebre** : danza ~*bra* 죽음의 춤.

macaca *f.* ①【동물】 늘보원숭이 암컷(hembra del macaco). ②《*Chile.*》【곤충】 커다란 갑충류. ③《*Chile.*》 만취, 곤드레로 취하기(mona, borrachera).

macacinas *f.pl.* 《*AmérC. Méx.*》 (굽이 없는 인디오의) 가죽 짚신, 가죽 샌들.

macacinear *tr.* 《*AmérC.*》 훔치다.

macacino, na *adj. m.f.* 《*AmérC.*》 도둑(의).

macaco, ca *adj.* 《*Cuba. Chile. Méx.*》 보기 흉한, 흉칙스런(feo, deforme).
—*m.* ①【동물】 늘보원숭이. ②《*Amér.*》 얼빠진 사람. ③《*Hond.*》 (옛날의) 1뻬소의 귀가 빠진 돈. ④《*Méx.*》 (어린아이들의) 도깨비.

macacoa *f.* 《*Venez. Col.*》 =**melancolía, tristeza.**

macachí *m.* 《*Arg.*》 마까치 《직장초과 식물》.

macadam *m.* 도로 포장용의 돌·자갈 ; 돌맹이 포장.

macadamizar *tr.* ⑨ 돌을 깔다, (도로에) 쇄석을 깔다.
[접속법 현재 : macadamice…. 직설법 부정과거 1인칭 단수 : macadamicé].

macadán *m.* =**macadam.**

macagua *f.* ①【동물】 마까구와 《남미산 독사의 일종》 : ~ terciopelo. ②【식물】 마까구아 《꾸바산 야생 나무》.

macaguá *f.* 【조류】 마까구아 《남미산 사나운 새의 일종》.

macagüil *m.* 나무칼.

macagüita *f.* 【식물】 (베네수엘라산의) 마까구아 야자, 가시야자.

macal *m.* ①《*Chile.*》 =**plantío de maqui.** ②《*Méx.*》 =**colocasia.**

macana *f.* ① 곤봉(porra). ② 팔 수 없게 된 상품. ③《*Amér.*》 엉터리, 실수, 얼빠진 일(disparate, tontería). ④《*Amér.*》 잘못 만들어진 것. ⑤《*Ecuad.*》 짧은 망토 (manteleta). ⑥《*Méx.*》 1두로 금화. ⑦《*Arg. Chile. Parag.*》 거짓말(mentira). ⑧《*Méx.*》 나무칼. ⑨《*Col.*》 종려나무의 재목. ⑩《*Bol.*》 면직물. ⑪《*CRica.*》 커다란 이빨(diente grande).
~ *de fraga* 해머.
de ~ 《*Cuba.*》 확실히, 의심할 바 없이.

macanada *f.* 《*Arg.*》 =**disparate.**

macanazo *m.* ① macana로 때리기. ② 매맞은 자국. ③《*Amér.*》 허풍, 침소 봉대.

macanche *adj.* 《*Sal.*》 =**delicado de salud, valetudinario, enfermizo.**

macandad *f.* 【방언】 =**trampa, enredo, astucia.**

macaneador, ra *adj.* 《*Riopl.*》 =**macanero.**

macanear *intr.* ①《*AmérM.*》 엉터리짓을 하다, 터무니 없는 짓을 하다, 큰 실수를 하다. ②《*Col. Hond.*》 기운을 내어 열심히 하다. ③《*Amér.*》 macana 를 쓰다. —*tr.* 《*Col. Venez.*》 관리하다, 처리하다(manejar) : *Macaneo* ese asunto.

macaneo *m.* 《*Arg.*》 macanear 하기.

macanero, ra *adj.* 《*Méx.*》 거짓말을 잘하는, 거짓말을 밥먹듯이 하는, 거짓말이 많은, 허풍을 떠는. —*m.f.* 허풍선이, 거짓말쟁이.

macano *m.* ①【식물】마까노 《파나마의 나무》. ②《*Chile.*》 쥐색 염료.

teñir azul con ~ 불가능한 것을 시험하다.

macanudo, da *adj.* ①《*Chile.*》 힘센, 강한 (fuerte, robusto). ②《*Arg.*》 굉장한, 희한한. ③《*Col. Ecuad.*》 힘든. ④《*Chile.*》 터무니없이 큰. ⑤《*Arg. Chile.*》 =**disparatado.**

macao *m.* 《*Cuba.*》【동물】소라게의 일종.

Macao【지명】마카오 《포르투칼령 ; 15. 5㎢》.

macaón *m.* 아름다운 나비의 일종.

macaquear *intr.* 《*Riopl.*》 얼빠진 짓을 하다. —*tr.* 《*AmérC.*》 훔치다.

macar *tr.* ⑦【고어】=**magullar.**

~se (과일이) 상하다, 부패하다.

macarela *f.* 《*Venez.*》【어류】=**caballa.**

macarelo *m.* 툭하면 싸우려 드는 남자.

macareno, na *adj. m.f.* ① 마까레나 《la Macarena, 세비야시의 한 구역》의 (사람). ② 멋진, 세련된, 잘 생긴 (사람)(guapo) ; (세비야의) 멋쟁이.

macareo *m.* (강어귀로 흘러드는) 역조(逆潮), 역파(逆波).

macarra *f.* 뚜쟁이(chulo de prostitutas).

macarro *m.* ① 무게가 1파운드인 길고 작은 빵. ② 길고 가는 기름으로 튀긴 식빵.

macarro, rra *adj.* 《*And.*》 부패한, 상한, 썩어 들어간(podrido) : fruta ~*rra.*

macarrón *m.* [*ital.* maccherone] 마까론 과자. —*pl.* 마카로니, 이탈리아식 국수.

macarronada *f.* 《*Col.*》 마카로니 요리.

macarronea *f.* [*ital.* maccheronea] (라틴어에 근대어를 합친) 혼합체 광시(混合體狂詩).

macarrónicamente *adv.* 엉터리 문법으로.

macarrónico, ca *adj.* 엉망으로 된, 문법적으로 엉망인 : en un inglés ~.

macarronismo *m.* =**estilo macarrónico.**

macarrono, na *adj.* 《*And.*》 =**podrido.**

macarse *r.* 과일이 썩다(echarse a perder las frutas).

macasar *m.* 머리 기름.

macasino, na *m.f.* 《*Salv.*》 =**ladrón.**

macatrullo, lla *adj.* 《*Méx.*》 어리석은, 얼간이 같은, 멍청한, 바보의.

macauba *f.*【식물】(브라질의) 야자과 식물 《열매는 식용 ; 씨는 비누의 원료》.

macaurel *f.* (베네수엘라산의) 독사.

macaz *m.* 《*Perú.*》 =**paca.**

macazuchil *m.*【식물】후추과 식물.

maceador, ra *m.f.* 망치질하는 사람.

macear *tr.* 큰 망치(mazo)로 때리다. —*intr.* 귀찮게 조르다(fastidiar).

macedón, na *adj. m.f.* =**macedonio.**

macedónico, ca *adj. m.f.* =**macedonio.**

macedonio, nia *adj.* 마케도니아 (Macedonia)의. —*m.f.* 마케도니아 사람. —*f.* 과일 샐러드.

macegual *m.* 《*Méx.*》 비천한·속된 인디오 (indio plebeyo).

macelo *m.* 도살장(matadero).

maceo *m.* ① 꽝꽝 때리기. ② 지치게 하기.

maceración *f.* ① 물에 담금·잠김 : la ~ del cáñamo. ② 고행(mortificación).

macerador *m.* 물에 잠긴 곳, 물에 담그는 곳.

maceramiento *m.* =**maceración.**

macerar *tr.* [*lat.* macerare] ①(액체에) 담그다, 적시다. ② 괴롭히다(mortificar).

~se 고행을 하다.

macerina *f.* =**mancerina.**

macero *m.* (행렬에서) 창을 드는 사람.

maceta[1] *f.* [*ital.* mazetto] ① 화분. ②【식물】산방화(散房花)(corimbo). ③《*Chile.*》 꽃다발 (ramillete). ④《*Méx.*》 머리(cabeza). ⑤ 머리카락(cabello). —*adj.* ①《*AmérM.*》 쓸모없는 ; 속도가 느린. ②《*PRico.*》 가엾은.

ponerse ~ 《*Arg. Bol.*》 나이가 들어가다.

ser duro de ~ 《*Méx.*》 형편없이 어리석은 사람이다.

maceta[2] *f.* ①(도구의) 자루·손잡이(mango). ② 망치(martillo).

macetear *tr.* 《*Arg. Col. PRico.*》 maceta로 때리다, 때려서 다지다.

macetero *m.* 화분대, 화분 선반.

macetilla *f.* =**clavellina.**

macetón *m.* =**maceta grande.**

macetudo, da *adj.* 《*Arg.*》 다리가 짧고 뭉툭한.

macfarlán *m.* (소매없는) 이중 망토.

macferlán *m.* =**macfarlán.**

macferlante *m. ing.* 《*Neol.*》 =**macfarlán.**

mach *m.*【물리】마하.

macha *f.* ①《*Chile.*》 바다 조개(molusco de mar). ② 만취, 취기(borracho). ③《*Arg.*》 조롱 (burla). ④《*Bol.*》 남자보다 억센 여자.

machaca *f.* 방망이, 빻는 기구. —*m.f.* (말이 많고) 귀찮은 사람.

machacadera *f.* =**machaca.**

machacado, da *adj.* [machacar의 *p.p.*]【광물】천연 금속의.

machacador, ra *adj.* 빻는, 찧는. —*m.f.* 빻는 사람. —*f.* 쇄석기(碎石機).

machacante *m.* ①(하사관에 전속된) 졸병. ②《*Cuba.*》 운전수의 조수. ③(서반아의) 5뻬세따 동전.

machacar *tr.* ⑦ 빻다, 찧다(quebrantar) : La machacadora sirve para ~ piedra y se utiliza para la preparación del hormigón 쇄석기(碎石機)는 돌을 빻는데 쓰이고 콘크리트를 만드는데 이용된다. —*intr.* 귀찮게 굴다(macear). [접속법 현재 : machaque…. 직설법 부정과거 · 1인칭 단수 : machaqué].

machacón, na *adj.* 귀찮은, 성가신, 골치 아픈 (importuno).

machaconería *f.* =**majadería.**

machada *f.* ① 도끼. ② 양떼. ③ 어리석음, 둔함(necedad).

machado, da *adj.* 빻은, 찧은.

—*m.* ① 나무꾼의 도끼(hacha de leñador). ②《*Arg. Bol. Ecuad.*》 주정뱅이(borracho).

machaje *m.* 《*Chile. Riopl.*》 (목축 따위의) 수컷의 떼.

machaleño, ña *adj. m.f.* 마찰라 《Machala, 에꾸아도르에 있는 도시》의 (사람).

machamartillo (a) *adv.* 단단히, 견고하게

M

(sólidamente, firmemente, insistentemente).

machanga *f.* ①《*Cuba.*》 억센 여자, 센 여자. ②《*Chile.*》 =**machaquería.**

machango, ga *adj.* ①《*Cuba.*》 둔한, 얼빠진 (torpe). ②《*Chile.*》 귀찮은, 애먹이는.
—*m.f.* ①《*Cuba.*》【동물】 원숭이의 일종. ②《*Hond.*》 여윈 말.

machaquear *tr.* 《*Amér.*》 =**machacar.**

machaqueo *m.* 빻기, 찧기.

machaquería *f.* =**pesadez.**

machaquero, ra *adj.* 《*PRico.*》 =**machacón.**

machar *tr.* 찧다, 빻다 (machacar, majar, moler).
~se 《*Arg. Bol. Ecuad.*》 만취하다, 술취하다 (emborracharse).

machascarse *r.* 《*Perú.*》 취하다, 만취하다(emborracharse).

machazo, za *adj.* 《*Col. Urug.*》 =**enorme.**

machear *intr.* 수컷·수놈 만을 낳다.

machera *f.* 《*Extr.*》 코르크 참나무의 묘목.

machero *m.* 《*Extr.*》 ① 코르크 참나무의 묘목. ②《*Méx.*》 노새의 외양간.

macheta *f.* 《*León.*》 작은 도끼.

machetazo *m.* 낫(machete)으로 치기.

machete *m.* ①(풀베는 칼 모양의) 낫, 큰 칼 : Se corta la caña de azúcar con ~. ②《*Col.*》 의복의 장식 주름. ③《*Méx.*》 스커트의 커다란 주름. ④《*Urug.*》 인색한 사람(persona tacaña).

machetear *tr.* ① machete로 때리다·치다 (amachetear). ② machete로 자르다. ③ 말뚝을 박다.
—*intr.* ①《*Col.*》 조르다(porfiar). ②《*Col.*》 대할인 판매하다. ③《*Méx.*》 일하다.

machetero *m.* ① 낫으로 숲을 헤쳐 나아가는 사람. ② 사탕수수를 machete로 토막내는 사람. ③《*Méx.*》 식자공(cajista). ④《*Méx.*》 머리가 나쁜 노력가. ⑤ *desp.* 《*Venez.*》 군인.

machetero, ra *adj.* 부지런한(trabajador).

machetón *m. desp.* 《*AmérC.*》 군인.

machetona *f.* 《*Col.*》 커다란 면도칼(navaja grande).

machi *m.f.* 《*Arg. Chile.*》 엉터리 의사, 돌팔이 의사(curandero).

machí *m.f.* 《*Arg.*》 =**machi.**

machía *f.* 《*Venez.*》 남자다움.

máchica *f.* 《*Perú.*》 볶은 옥수수 가루《설탕과 육계를 넣은 indio의 음식》.

machicha *f.* 마치챠《브라질에서 유래된 흑인들의 춤》.

machiega *adj.* 여왕벌의 : abeja ~ 여왕벌.

machigay *m.* ①《*Col.*》 [집합] 어린이들. ②《*Col.*》 소량의 가축.

machigua *f.* ①《*AmérC. Hond.*》 [주로 *pl.*] 옥수수 씻는 물(lavazas del maíz). ②《*Méx.*》(가루 반죽할 때의) 반죽용 물.

machihembrado *m.*【목공】 접합.

machihembrar *tr.* ①【목공】 끼워 맞추다, 서로 연결시키다. ②《*PRico.*》【속어】 정을 통하다.

machín *m.* ① 사랑의 신(Cupido). ②【동물】 (열대 아메리카산의) 꼬리긴원숭이(mico). ③【동물】 이마가 하얀 원숭이 (mono de frente blanca). ④《*Col.*》 정교(情交), 성교(性交).

M

machina *f.* [*fr.* machine] ①(대형의) 기중기 (cabria, grúa). ② 말뚝 박는 기계(martinete). ③《*And.*》 =**lagar.** ④《*PRico.*》 회전 목마.

machinarse *r.* 《*AmérC.*》 정을 통하다.

machincuepa *f.*《*Méx.*》 ① 제비넘기(voltereta). ② 정치적 견해의 변화 (cambio de opinión política) : dar la ~ 정당을 바꾸다(cambiar de partido en política).

machinete *m.* 《*Murc.*》 =**machete.**

machío, a *adj.* 《*Sal.*》 =**infecundo.**

machiote *m.* 《*Amér.*》 =**achiote, bija.**

machismo *m.* 여자보다 우수하다고 믿는 남자의 행위.

machista *adj.* machismo의.
—*m.* 남자의 우월성을 믿는 남자.

macho[1] *m.* [*lat.* masculus] ①(동식물의) 수컷, 수꽃. ②(훅 등의) 수고리 ; 수나사(~ de tuerca). ③ 노새(mulo). ④(짐승 꼬리의) 밑둥. ⑤ 멍청이, 바보, 덜 떨어진 사람(hombre poco inteligente). ⑥ 1두로 동전. ⑦《*Cuba.*》 쌀알. ⑧《*CRica.*》 금발의 외국인.
—*adj.* ① 수컷의 : la liebre ~ 수토끼. el águila ~ 수독수리. ② 남자의 ; 남자 같은. ③ 강한, 독한(vigoroso, fuerte) : vino ~ 독한 술. ④ 단단한, 뻣뻣한 : pelo ~. ⑤ 어리석은(necio). ⑥《*AmérC.*》 붉은 털의. **Contr.** hembra. **Sinón.** masculino, viril, hombruno.
~ ***de cabrío*** 수산양 (cabrón). ~ ***de aterrajar*** 암나사 자르는 틀. ~ ***romo*** 노새(burdégano).
a ~ 《*Ecuad.*》 망치로 두들겨.
a ~ ***martillo*** 《*Arg. PRico.*》 단단히.
montar el ~ 《*Chile.*》 성내다, 노하다.
parar el ~ 《*Amér.*》 나무라다, 꾸짖다.
pasar el ~ 《*Chile. PRico.*》 직성을 풀다 ; 기분을 전환시키다, 즐기다.

macho[2] *m.*【건축】(공장의) 버팀 기둥(pilar).

macho[3] *m.* ① 큰 쇠망치(mazo grande). ②(네모꼴의) 모루(yunque cuadrado).

machón, na *adj.* ①《*AmérM.*》 모양 없는 (사람). ②《*PRico. Urug.*》(모양이) 커다란. —*m.*【건축】 부벽(macho) ; 받침 기둥.

machona *adj. m.f.* =**marimacho.**

machonga *f.* 《*Col.*》 황동광(pirita de cobre).

machorra *f.* ① 불임 여성, 아이를 배지 못하는 여성 ; 새끼를 배지 못하는 암컷(hembra estéril). ②《*Méx.*》 남자보다 드센·억센 여자, 남자 같은 여자(marimacho).

machorrear(se) *intr.(r.)* 《*Venez.*》 실패하다.

machorro, rra *adj.* 아기를 배지 못하는.

machota *f.* ① 망치(mazo). ②《*And. Méx.*》 남자보다 드센 여자, 남자같은 여자.
a la ~ ①《*AmérC.*》 별안간, 갑자기, 느닷없이. ②《*Col. Cuba.*》 방심하여.

machote[1] *m.* [*méj.* machiotl] ①《*Méx.*》 갱내에서의 일을 할당하는 데 쓰는 푯말. ②《*Méx.*》(문서 등의) 초안 ; 틀, 원형.
a ~ ①《*Chile.*》 대강, 대충. ②《*Ecuad.*》 망치로 두들겨.

machote[2] *m.* 망치(mazo).

machote[3] *m. aum.* macho. —*adj* =**fuerte, vigoroso, robusto, varonil.**

machucador, ra *adj.* 짓이기는.

machucadura *f.* machucar 하기.

machucamiento *m.* =**machucadura.**
machucante *m.* 《*Col.*》 놈, 녀석, 사내, 인간 (sujeto, individuo).
machucar *tr.* 7 ① 짓이기다 (machacar) : ~ un melocotón. ② 상처를 내다.
[접속법 현재 : machuque, …. 직설법 부정과거·1인칭 단수 : machuqué].
machuco *m.* 《*Col.*》 살구, 토마토, 우유 및 설탕을 넣어 만든 요리.
machucón *m.* 《*AmérC.*》 =**machucadura.**
machucho, cha *adj.* ① 성숙한, 철이 든 (maduro). ② 생각이·사려가 깊은(juicioso). ③ 세월이 지난, 낡은(viejo).
machuelo *m.* [*dim.* macho] ①【동물】 노새 (mulo). ② 종자, 씨(germen). ③ (마늘의) 한 쪽.
machuno, na *adj.* =**de macho.**
machusca *f.* 《*Bol.*》 =**mujer jamona.**
macia *f.* =**macis.**
Macías *m.* 마시아스 《14세기의 갈리시아의 연애 시인》.
estar más enamorado que ~ 홀딱 반해 버리다.
macicez *f.* 튼튼함, 단단함, 견고함.
maciega *f.* 《*Arg. Bol.*》 야생풀(hierba silvestre)의 일종.
maciegal *m.* 《*Arg.*》 =**maciega.**
macilento, ta *adj.* 여윈, 창백한 (pálido) : rostro ~.
macillo *m.* [*dim.* mazo] 작은 망치 ; 피아노의 타현추.
macío *m.* 《*Cuba.*》【식물】 큰 부들(espadaña).
macis *f.* [*lat.* macis] (호두 열매로 만든) 귀고리 (arillo).
macizamente *adv.* 단단하게.
macizar *tr.* 9 ① (구멍을) 메우다 : ~ un pozo. ② 굳히다.
macizo, za *adj.* ① 단단한, 견고한, 강한 (sólido, fuerte) : mueble ~. ② 빈곳이 없는 : cilindro ~. ③ 빈틈이 없는 : argumentos ~*s*. —*m.* ① 덩어리 ; 무리, 떼. ② 우뚝우뚝한 봉우리들. ③ 두꺼운 벽. ④ 화단, 꽃밭 : En medio del jardín hay un ~ de flores 정원의 한가운데 화단이 있다. ⑤ 《*SDgo.*》 꽃바구니.
macla *f.* ① 삼을 두들기는 막대. ② 평면인 두 유리가 만드는 집합.
maco, ca *adj.* =**bellaco.** —*m.* 《*PRico.*》 ① 둥근 조개. ② 눈(ojo).
macoca *f.* ① (무르시아의) 큰 무화과. ② 《*Ar. Sal.*》 손가락 마디로 머리를 때리기.
macocoa *f.* 《*Col.*》 =**murria.**
macolla *f.* ① 그루, 그루터기 : una ~ de trigo. ② (꽃 등의) 한 송이.
macollar(se) *intr.*(*r.*) 옹기종기 돋다. —*tr.* 《*Chile.*》 거두어 넣다, 챙겨 넣다.
macollo *m.* 《*AmérC.*》 =**macolla, retoño.**
macón *m.* 꿀이 없는 벌집. Sinón. destiño, reseco. —*adj.* 《*Col.*》 엄청나게 큰, 크나큰, 크디 큰, 아주 커다란(grandote).
macona *f.* 큰 광주리.
maconear *tr.* (풀이나 싹을) 자르다.
macono *m.* 《*Bol.*》【조류】 =**ave canora.**
macota *f.* 《*Urug.*》 (시골 사람이 본) 도회지 사람.
macote *adj.* 《*Arg. Bol.*》 =**macón.**
macrauquénidos *m. pl.* 【고생】 포유류·발굽·화석 기제류(奇蹄類)과.
macró *m.* 《*Perú.*》 뚜쟁이.
macro- *pref.* 「긴」「큰」을 뜻하는 접두어 : *macro*scópico 육안으로 보이는.
macrobio, bia *adj.* 《*Riopl.*》 노령의 ; 장수하는, 명이 긴(longevo).
macrobiótica *f.* 장수법.
macrocefalia *f.* ① 머리가 큰 것. ②【의학】 대두(뇌)증.
macrocéfalo, la *adj.* 머리가 큰. —*m.f.* 머리가 큰 사람.
macrocito *m.* 【병리】 적혈구(glóbulo rojo).
macrocosmo *m.* 대우주, 대천지.
macrodáctilo, la *adj.* ①【동물】 발·발톱이 기다란·커다란 ; 익수류의. ②【의학】 대지(증)(大指(症))의. —*m.f.* 익수류 동물.
macrodiagonal *adj.* 마름모꼴의 긴 대각선의.
macrodonte *adj.* 【식물】 긴 이 모양이나 필라멘트의.
macroeconomía *f.* 거시(巨視) 경제학.
macroeconómico, ca *adj.* 거시 경제학의.
macrófilo, la *adj.* 【식물】 잎이 큰 (식물).
macroftalmo, ma *adj.* 【동물】 눈이 큰.
macrogameto *m.* =**óvulo.**
macrogloso, sa *adj.* 【동물】 혀가 긴 (동물).
macrografía *f.* 육안도(肉眼圖).
macromolécula *f.* 거대한 미분자.
macromolecular *adj.* 거대한 미분자의·에 관한.
macronúcleo *m.* 영양 기능 세포핵.
macropia *f.* 시력 결함.
macropódidos *m.pl.* 【동물】 유대류(有袋類) 포유 동물과.
macrópodo, da *adj.* 발이 큰 ; 기다란 지느러미를 가진 (물고기).
macroscélidos *m.pl.* 【동물】 식충류.
macroscio, cia *adj.* 높은 위도에서 사는 (주민).
macroscópico, ca *adj.* ① 육안으로 보이는. ②【물리·수학】 거시적인.
macroterio *m.* 【고생】 발굽 포유류 동물.
macrúridos *m. pl.* 【동물】 경골속 어류.
macruro, ra *adj.* 【동물】 꼬리가 긴 무리의. —*m.pl.* 꼬리가 긴 갑각류 《새우 따위》.
macsura *f.* [*ár.* macçura] (회교 사원의 imán을 위한) 성실(聖室).
macuache *m.* ① 《*Méx.*》 멕시코의 우둔한 원주민. ② 《*Méx.*》 동물(animal), 짐승(bruto).
macuachí *m.* =**macuache.**
macuagüil *m.* (멕시코 사람들의) 공격 무기 (arma ofensiva).
macuare *m.* 《*Venez.*》 (토인들이 쓰는) 가죽 채찍.
macuba *f.* ① 마꾸바 담배 《서인도 지역 la Martinica산의 질이 좋은 담배》. ② =**mosca de olor.**
macubá *f.* =**macuba.**
macuca *f.* 배의 일종.
macuche *adj.* 《*Méx.*》 마꾸체 담배.
macuco, ca *adj.* ① 《*Perú.*》 큰, 거대한 (grande). ② 《*AmérM.*》 두드러진, 현저한, 눈

M

에 띄는 (notable). ③ 《*Chile.*》 교활한, 약아빠진(astuto). ④ 《*Ecuad.*》 낡은, 쓸모없는(viejo, inútil).
—*m.f.* 《*AmérM.*》 몸집이 큰 어린이.

macucón, na *adj.* =**macuco.**

macuenco, ca *adj.* ① 《*Cuba.*》 쇠약한, 병약한(enclenque). ② 《*Col.*》 큰, 거대한.

macuico, ca *adj.* 《*Cuba.*》 나약한.

macuito, ta *adj. m.f.* 《*Perú.*》 =**negro.**

mácula *f.* [*lat.* macula] ① =**mancha.** ② 《의학》(피부의) 반점 ; 모반.

macular *tr.* =**manchar.**

maculatura *f.* [*fr.* maculature] 【인쇄】 잘못 인쇄된 종이.

maculoso, sa *adj.* ① 【고어】 반점투성이의. ② 【병리】 반점형의.

macún *m.* 《*Chile.*》 뽄쵸(poncho).

macundales *m.pl.* 《*Col. Venez.*》 허섭쓰레기 같은 도구 ; 장사, 일(negocios).

macundos *m.pl.* 《*Venez.*》 =**trastos, cachivaches.**

macupa *f.* 【식물】 도금양과 식물.

macuquero, ra *adj.* 《*PRico.*》 교활한, 간사스런, 약삭빠른. —*m.* 광산의 도둑, 무면허 채광자.

macuquino, na *adj.* ① 19세기 중반 경에 유통되었다가 결손된 (금·은화) 《꼬스따리까의 은화의 하나》 : moneda ~. ② 《*Bol.*》 몸집이 커다란.

macurca *f.* 《*Chile.*》 피로 다음에 오는 아픔(agujetas).

macuteno *m.* 《*Méx.*》 도둑.

macuto *m.* ① 배낭 (mochila). ② 《*Ant. Venez.*》 거지 망태기.

madama *f.* [*fr.* madame] ① 부인, 마담 ; 불란서 여자. ② 《*Bol.*》 산파, 조산원(partera, comadre). ③ 《*Cuba.*》 【식물】 봉선화(balsamina).

madamisela *f.* [*fr.* mademoiselle] 아가씨, 처녀(damisela).

madapolán *m.* 질이 좋은 옥양목, 무명천(tela de algodón).

MADECO Manufacturera de Cobre 《*Chile.*》 동(銅) 제련소.

madefacción *f.* 【약학】 (약 조제를 위해) 축축하게 하기.

madeja *f.* [*lat.* mataxa] ① (실크·양모의) 실패, 실꾸러미 : desenredar una ~. ② 머리 숱, 산발한 머리칼(mata de pelo). ③ 생기·원기가 없는 사람(hombre sin vigor).
~ ***sin cuenta*** ① 얽혀서 뒤범벅이 된 것(lío). ② 품행이 좋지 못한 사람.
enredarse la ~ 일이 꼬이다.
hacer ~ 주류(酒類)가 괴어 엉기다.

madejeta *f. dim.* madeja.

madejuela *f.* =**madejeta.**

madera *f.* [*lat.* materia] ① 재목, 목재 : caja de ~ 나무 상자. ***de*** ~ 목재의, 목재로 된. ② 소질(素質). —*m.* (마데라섬에서 나는) 포도주 : Me gustaría tomar un vaso de ~ 포도주를 마시고 싶다.
~ ***alburente*** 백목질(白木質). ~ ***a contrafibra*** 베니어판. ~ ***anegadiza*** 물에 가라앉는 나무. ~ ***chapeada*** 합판, 베니어판. ~ ***de construcción*** 건축용 목재. ~ ***de corazón*** (재목의) 붉은 부분. ~ ***de hilo*** 각재(角材). ~ ***del aire*** (동물의) 뿔. ~ ***de raja*** 삼목 등을 엷게 자른 널빤지. ~ ***de sierra·serradiza*** 잘라 놓은 목재. ~ ***de trepa*** 나뭇결 목재. ~ ***enchapetada*** 베니어판. ~ ***en rollo*** 통나무. ~ ***enteriza*** 통나무 하나에서 켜 놓은 각재. ~ ***fósil*** 아탄(亞炭)(lignito). ~ ***pasmada*** 갈라진 금이 있는 재목.
aguar la ~ (수송을 위해) 물에 나무를 띄우다.
sangrar la ~ 수지를 따다.
saber a la ~ 아버지를 닮다.
ser de mala ~, ***tener mala*** ~ 게으르다(ser perezoso).

maderable *adj.* 목재용의 : árbol·bosque ~.

maderada *f.* 강물에 띄운 1회 분의 목재.

maderaje *m.* (건축용) 용재(用材), 목재 ; 목조, 목조 부분.

maderamen *m.* =**maderaje.**

maderar *tr.* 건축 자재로 쓰다, 제재하다.

maderería *f.* [드뭄] 목재 창고.

maderero, ra *adj.* 제재(製材)의, 제재(製材)하는, 목재업의 : industria ~*ra* 목재 공업·산업. —*m.f.* 목재 상인; 목수(carpintero).

maderista *m.* 《*Ar.*》 =**maderero.**

madero *m.* ① 각재 : ~ barcal 통나무 재목. ~ cachizo 굵은 목재. ② 선박, 나룻배. ③ 바보, 얼간이, 멍청이.

maderuelo *m. dim.* madero.

madi *m.* 《*Chile.*》 =**madia.**

madia *f.* 마디 《남미산 해바라기 비슷한 식물 ; 열매로 기름을 짬》; 마디 기름.

madianita *adj.* 미디안족 《성서에 나오는 아라비아 서부의 유목 인종》의. —*m.f.* 미디안 사람.

madona *f.* [*lat.* madonna] 성모 마리아 ; 마리아상(像).

mador *m.* [*lat.* mador] 【의학】 땀에 젖음.

madoroso, sa *adj.* [드뭄] 땀에 젖은(humedecido).

madrás *m.* 《*Cuba.*》 (인도의 Madrás산) 옥양목.

Madrás 【지명】 마드라스 《인도 남동부에 있는 주·수도》.

madrasta *f.* 《*Amér.*》 madrastra의 사투리.

madrastra *f.* ① 의붓어머니, 계모. ② 해롭거나 방해가 되는 것. ③ 감옥 ; 쇠사슬.

madraza *f.* 자식을 버릇없이 키우는 어머니(madre que mima a los hijos).

madre *f.* [*lat.* mater] ① 어머니. ② 모체. ③ 수녀. ④ 아주머니. ⑤ 자궁(matriz). ⑥ 바탕, 근원, 원천(origen) : La ociosidad es ~ de todos los vicios 태만은 모든 악의 근원이다. ⑦ 하상(河床) ; 본류, 원류 : salir de ~ 범람하다. ⑧ 하수도. ⑨ 앙금, 침전. ⑩ 《*Cuba.*》 숯으로 굽기 위해 쌓아 놓은 원목.
~ ***de clavo*** =madreclavo.
~ ***de leche*** 유모(nodriza).
~ ***patria*** 모국 : España es la ~ *patria* de las naciones sudamericanas 서반아는 남미 제국민의 모국이다.
~ ***política*** 시어머니, 장모, 빙모(suegra) ; 계모(madrastra) : Le presento a mi ~ *política* 제 장모님을 소개합니다.
~ ***soltera*** 미혼모.

lengua ~ 모어(母語).
el ciento y la ~ =muchos.
la ~ *del cordero* 진짜 이유.
nuestra primera ~ 이브(Eva)의 뜻.
sacar de ~ 안달을 하게 하다, 조바심나게 하다, 참을 수 없게 만들다(exaspear, irritar).
madrearse *r.* 발효하기 시작하다.
madrecilla *f.* 새의 난소(huevera).
madreclavo *m.* 2년생 정향나무 (madre de clavo).
madrediosino, na *adj. m.f.* 마드레・데・디오스《Madre de Dios, 뻬루에 있는 주》의 (사람).
madrejón *m.* 《*Arg.*》 바닥이 마른 하상(河床).
madreña *f.* 나무 신발, 나막신(almadreña).
madreperla *f.* 진주조개, 나전, 자개.
madrépora *f.* [*ital.* madrepora] 【동물】 녹석(綠石), 석산호(石珊瑚).
madrepórico, ca *adj.* 녹석의.
madreporita *f.* =**madrépora fósil.**
madrero, ra *adj. m.f.* 어머니 자식(의), 어머니에 애착을 느끼는, 어머니에게 딸린 아이 : niño demasiado ~.
madreselva *f.* 【식물】 인동 덩굴.
madrice *f.* 《*Sal.*》 (과수원의) 분할 경계선.
madriceño, ña *adj. m.f.* 마드리스 《Madriz, 니까라구아에 있는 주》의 (사람).
Madrid 【지명】 마드리드 《서반아의 수도》.
madrigado, da *adj.* ① 재혼한 (여자). ② 경험이 있는, 경험이 풍부한・많은, 노련한 (práctico, experimentado) : hombre ~ 노련한 사람. ③ 교미하는.
madrigal *m.* [*ital.* madrigale] 목가(牧歌) ; 서정 단시(短詩), 짧은 연가 ; 사랑의 소야곡.
madrigalesco, ca *adj.* 목가적인 ; 달콤한.
madrigalista *m.f.* madrigal 작곡가・가수.
madrigalizar *intr.* =**componer madrigales.**
madriguera *f.* ① (동물의) 소굴(cueva). ② 소굴 : una ~ de bandidos.
madrileñismo *m.* ① 마드리드 기질. ② 마드리드 말씨. ③ 마드리드에 대한 애정.
madrileñista *adj. m.f.* 마드리드 기질의 (사람).
madrileñizar *tr.* 마드리드 기질을 부여하다.
madrileño, ña *adj.* 마드리드(Madrid)의. —*m.f.* 마드리드 사람.
madrilla *f.* 《*Ar.*》 【어류】 =**boga.**
madrillera *f.* 《*Ar.*》 낚시 도구.
madrina *f.* ① 교모(教母), 대모(代母), (세례・혼례에서) 따라가는 여자 : ~ de boda. ② 보호자. ③ 기둥, 버팀나무. ④ 수레의 마소를 매는 밧줄. ⑤ (떼의 앞에서) 안내하는 소. ⑥ 《*Venez.*》 길든 목축 떼. ⑦ 《*Amér.*》 안내하는 노새. ⑧ 쟁기.
madrinazgo *m.* madrina가 되는 일, madrina의 신분.
madrinero, ra *adj.* 《*Venez.*》 앞에서 길잡이 하는 (가축).
madrino *m.* 《*Arg. Col.*》 길잡이 목축.
madrona *f.* ① 자식에게 별로 엄격하지 못한 어머니(madraza). ② 하수도.
madroncillo *m.* [드뭄] 딸기(fresa).
madroñal *m.* 산복숭아숲.
madroñera *f.* =**madroñal.**
madroñero *m.* 《*Murc.*》 =**madroño.**
madroño *m.* ① 【식물】 산복숭아 ; 산복숭아 열매. ② 《*Méx.*》 =**lirio.**
madroñuelo *m. dim.* madroño.
madrota *f.* 《*Méx.*》 뚜쟁이 여자.
madrugada *f.* ① 새벽, 동트기, 여명(alba) : las cuatro de la ~ 새벽 네 시. ② 새벽같이 일어나는 일.
de ~ ① 새벽에, 여명에(al amanecer). ② 일찍 (temprano).
madrugador, ra *adj. m.f.* 일찍 일어나는 (사람).
madrugar *intr.* 8 새벽에 일어나다, 일찍 일어나다(levantarse temprano) ; 선수를 치다, 기선을 제압하다.
A quien (Al que) madruga, Dios le ayuda 【속담】 신은 부지런한 사람을 돕는다.
No por mucho ~ *amanece más temprano* 【속담】 무슨 일에나 인내심을 가져야 한다.
madrugón, na *adj. m.f.* 아주 일찍 일어나는 (사람). —*m.* 일찍 일어나기.
madruguero, ra *adj.* =**madrugador.**
maduración *f.* ① 성숙, 무르익음 : la ~ de los frutos necesita sol. ② 화농증.
maduradero *m.* (과일을 익게 하는) 적당한 장소.
madurador, ra *adj.* =**madurante.**
maduramente *adv.* 성숙하여 ; 심사 숙고하여 (con madurez).
maduramiento *m.* =**maduración.**
madurante *adj.* 성숙하게 하는 ; 무르익히는.
madurar *tr.* ① 익게 하다(volver maduro) : El sol *madura* los frutos 태양은 과실을 익게 한다. ② 성숙하게 하다 : La desgracia *madura* a los hombres 불행은 사람을 성숙시킨다. ③ 곪게 하다, 화농(化膿)시키다. ④ 숙고하다 : *Madura* su idea antes de realizarla 그는 자신의 생각을 실행하기 전에 숙고한다. —*intr.* ① 익다 : La uva *ha madurado* muy bien 포도가 매우 잘 익었다. ② 원숙하다. ③ 곪다.
madurativo, va *adj.* ① 익은, ② 곪은 : emplasto ~. —*m.* (고름을) 빨아내는 약.
madurero *m.* 과일을 익히는 장소.
madurez *f.* ① 성숙(sazón). ② 원숙. ③ 심려, 분별(juicio). ④ 성숙기, 원숙기.
maduro, ra *adj.* ① 익은 : trigo ~ 익은 밀. ② 성숙한, 원숙한. ③ 사려 깊은 (prudente). ④ 성년의, 장년(壯年)의 : edad ~ 성년, 장년. ⑤ 《*AmérC.*》 몹시 혼이 난(maltratado). —*m.* 《*Col. Venez.*》 익은 바나나(plátano maduro).
maesa *adj. abeja* ~ 여왕벌.
maese, sa *m.f.* 【고어】 선생(maestro).
~ *coral* 요술, 곡예.
maesil *m.* =**maestril.**
maesilla *f.* 도르래의 줄.
maestoso *adv. ital.* 【음악】 장엄하게.
maestra *f.* ① 여선생, 여교사 : ~ de dibujo 그림 선생. ② 교사의 아내. ③ [추상] 교사 : ~ de párvulos 유치원 교사. ④ 여학교(escuela de niñas) : ir a la ~ 여학교에 다니다. ⑤ (미장이가 쓰는) 막자.
abeja ~ 여왕벌.
La desgracia es la mejor ~ *del hombre* 【속담】

M

불행은 사람의 가장 좋은 교사다.

maestral *adj.* ① 교사의. ② [드뭄] =**magistral.** ③ 북서의 (바람). —*m.* =**maestril.**

maestralizar *intr.* 북서풍이 부는 쪽으로 나침반이 기울다.

maestramente *adv.* 익숙하게, 교묘하게, 솜씨 있게.

maestrante *m.* 승마 구락부의 기사 (caballero de una maestranza).

maestranza *f.* ① 승마 구락부. ② 병기창; 해군 병기창; (기차 등의) 차량 공장. ③ [집합] 공작창 종합원.

maestrazgo *m.* maestre의 직무·직책·관구.

maestre *m.* ① 우두머리, 총수, 두목, 장: el gran ~ de Santiago. ② (옛날의 배의) 사무장. ~ *de campo* (옛날의) 군단장.

maestrear *tr.* ① 지휘하다, 조종하다. ② (포도 넝쿨을) 자르다. —*intr.* 교사티를 내다.

maestreescuela *m.* =**maestrescuela.**

maestresala *m.* 취사 반장.

maestrescolía *f.* maestrecuela의 직.

maestrescuela *m.* ① (사원의) 신학 교사직. ② (대학의) 총장.

maestría *f.* ① 숙련, 교묘, 솜씨가 좋음 (habilidad): pintar un retrato con ~. ② 교사의 직. ③ 석사 학위.

maestril *m.* 여왕벌의 유충이 변하는 벌집 구멍. Sinón. castillo.

maestrillo *m. dim.* maestro.

maestro, tra *adj.* [*lat.* magister] ① 완전한, 뛰어난, 대표적인: obra ~*tra* 걸작, 대표작. ② 주요한: pared ~*tra* 주벽. ③ 익숙한, 훈련된: perro ~. ④ 솜씨가 좋은, 숙련된, 솜씨 있는. —*m.f.* ① 교사, 선생. ② 명인, 명수, 대가(gran ~). ③ 보스. ④ (직인의) 스승: ~ de cocina 요리장. ⑤ 작곡가 (compositor de música): el ~ Rossini. ⑥ 석사: grado de ~ 석사 학위. —*m.* 주(主) 돛대, 메인 마스트.
~ *de armas* 검술 교사. ~ *de atar escobas* 하찮은 일에 스승인 척하는 사람. ~ *de capilla* (사원의) 합창대 지휘자. ~ *de ceremonias* 의전관. ~ *de escuela* 초등학교의 교사. ~ *del sacro palacio* (교황청의) 서적 검열관. ~ *de obras* 건축가. ~ *sastre* 재봉 교사.
El ~ ciruela, que no sabía leer y puso escuela 【속담】 알지도 못하면서 아는 체 해서는 안된다.
La práctica hace al ~ ; *El ejercicio hace ~* 【속담】 연습은 명인을 만든다.

mafala *f.* 《*Col.*》 【식물】 마팔라 《뿌리가 식용인 식물》.

maffia *f.* =**mafia.**

mafia *f.* ① 《*Arg.*》 마피아, 비밀 결사; 폭력단. ② 《*PRico.*》 음모(ardid).

mafioso *m.* 《*Arg. Chile. Guat. Parag. Urug.*》 ① 마피아 단원. ② 조심성이 없는 상인.
—*adj.* 《*Riopl.*》 ① 폭력단의: grupo ~ 폭력단. ② 마피아의.

mafrito, ta *adj.* 《*Méx.*》 겁많은.

mag., Mag. magnitud.

Magallanes 【지명】 마젤란 해협 (Estrecho de ~).

magallánico, ca *adj.* ① 마젤란 해협 《el estrecho de Magallanes 남미의 남쪽 끝에 있는 해협》의: tierras ~*cas*. ② 마가야네스 《Magallanes, 칠레에 있는 주》의. —*m.f.* 마가야네스 사람.

magancear *intr.* 《*Col. Chile.*》 빈둥거리고 있다, 놀고 있다, 하는 일없이 지내다, 게으름피우다(haraganear, holgazanear).

magancería *f.* 속임수, 사기(engaño).

magancés *adj.* 배반자의, 배신의(traidor).

magancia *f.* 《*Chile.*》 =**magancería, trapacería.**

maganciero, ra *adj.* 《*Chile.*》 =**magancés.**

maganel *m.* =**almajaneque.**

magano *m.* 《*Sant.*》 【동물】 오징어(calamar).

magante *adj.* 《*Chile.*》 =**maganto.**

magantería *f.* 《*Murc.*》 =**abandono, flojedad.**

maganto, ta *adj.* [드뭄] =**macilento, pálido.**

maganza *f.* 《*Col. Ecuad.*》 태만, 나태, 게으름, 무위, 빈둥거림(holgazanería, pereza): hacer ~ 빈둥거리다, 게으름피우다.

maganzón, na *adj.* 《*AmérC. Col.*》 나태한, 게으른, 빈둥거리는(haragán).

maganzonear *intr.* 《*Col.*》 빈둥거리다, 게으름피우다, 태만해지다.

magaña *f.* ① 책략, 계략, 간계(ardid). ② 포공(砲孔)의 주물 자국.

magarza *f.* 【식물】 소백국(小白菊)(matricaria).

magarzuela *f.* 【식물】 =**manzanilla hedionda.**

magaya *f.* 《*AmérC.*》 담배 꽁초(colilla).

magazine *m. ing.* 잡지(revista). [*N.* 발음: magasín].

magdalena *f.* ① 죄를 뉘우치는 여자. ② 실패 모양의·북 모양의 불란서 빵.
estar hecha una ~ 울음으로 지새다, 눈물로 지새다.

Magdalena *f.* 막달레나.
Santa María ~ 막달라의 마리아 《죄를 뉘우쳐 그리스도에게 구원받은 여자》.

magdalenense *adj. m.f.* 막달레나 《Magdalena, 꼴롬비아에 있는 성》의 (사람).

magdaleniense *adj. m.* 구석기 시대의 (알타미라 동굴의 벽화).

magdaleón *m.* [*gr.* magdalia] 둥글게 만 고약.

magdalino *m.* 【동물】 바구미의 일종.

magia *f.* [*lat.* mageia] ① 마법, 요술, 마술: La ~ era considerada como una ciencia muy importante por los antiguos egipcios 마법은 고대 이집트 사람들에 의해 매우 중요한 과학으로 간주되었다. ~ blanca·natural 요술. ~ negra 악마의 도움을 받아 한다는 마술. ② 마력, 매혹(encanto, hechizo): la ~ del estilo.

magiar *adj.* 마쟈르족 《헝가리의 민족》의. —*m.f.* 마쟈르족의 사람. —*m.* 마쟈르말.

mágica *f.* 마법, 마술(magia).

mágico, ca *adj.* [*lat.* magicus] ① 마술의, 마법의, 요술의: obra ~*ca*. ② 불가사의한 (maravilloso): ~*ca* aparición.
—*m. f.* 마법사, 마술쟁이, 마술사(encantador), 요술쟁이, 요술사(hechicero).

magín *m.* 상상, 공상(imaginación).

magíster *m.* 선생, 대학자, 현학자: hablar con tono de ~.

magisterial *adj.* 교사의, 교사다운 ; 교학(教學)의, 교무의.
magisterio *m.* ① 교직, 학교 행정, 학무. ② [집합] 교직원 : el ~ español.
magistrado *m.* [*lat.* magistratus] 사법관 ; 판사, 대법관.
magistral *adj.* 선생의, 스승의 ; 선생 같은, 스승다운 ; 권위가 있는 : con tono ~. **—*m.*** ① 설교하는 승려. ② 특별 처방약, 묘방약. ③ 분말 황철광.
magistralía *f.* =**canojia magistral.**
magistralmente *adv.* 선생답게 ; 교사티를 내어 ; 권위를 가지고, 권위로서 : lección dada ~.
magistratura *f.* ① 사법관 직 ; 사법권 ; 사법부. ② [집합] 사법관.
magma *m.* ① (광물·유기 물질의) 연괴(軟塊). ② 【지질】 암장, 마그마.
magmático, ca *adj.* magma의 ; magma같은.
magnánimamente *adv.* 대범스럽게, 관대하게, 통이 크게 : tratar ~ a los vencidos.
magnanimidad *f.* 아량, 호쾌, 관대함, 도량이 넓음, 대범함.
magnánimo, ma *adj.* [*lat.* magnanimus] 도량이 넓은, 대범스러운, 아량이 있는, 통이 큰.
magnate *m.* [*lat.* magnatus] 귀인, 고관, 거물, 유력자, 부호, 대사업가, 대실업가 : ~ de la industria 실업계의 거물. ~ petrolero 석유왕.
magnavoz *m.* 《*Amér.*》 확성기.
magnesia *f.* [*gr.* magnesia] 【화학】 마그네시아, 고토(苦土) : ~ mica 흑운모.
magnesiano, na *adj.* 【화학】 마그네슘을 함유한 : roca ~*na.*
magnésico, ca *adj.* 마그네슘의 : purgar con sal ~*ca.*
magnesífero, ra *adj.* magnesia를 함유한.
magnesio *m.* 【화학】 마그네슘 : luz de ~ 야간 촬영용 강한 플래시.
magnesiotermia *f.* 마그네슘을 얻는 기술.
magnesita *f.* 해포석(海泡石)(espuma de mar).
magnético, ca *adj.* ① 자석의, 자기(磁氣)의, 자성의 : campo ~ 자장, 자계. hierro ~ 자철. aguja ~*ca* 자침. ② 최면술의, 최면력이 있는. ③ 매력이 있는.
magnetismo *m.* [*gr.* magnés] ① 자기, 자성, 자기 작용, 자력 : ~ terrestre 지자기(地磁氣). ② 자기학. ③ 인력(引力). ④ 최면(술) : ~ animal 동물 자기 최면술. ⑤ (지적·도덕적) 매력.
magnetita *f.* 【광물】 자철광(piedra imán).
magnetizable *adj.* ① 자화할 수 있는. ② 최면술에 걸리기 쉬운 : individuo ~.
magnetización *f.* 자화(磁化)(imanación).
magnetizador, ra *m.f.* 끄는 힘·매력이 있는 사람.
magnetizar *tr.* ⑨ ① (…에) 자력을 띄게 하다, 자화(磁化)하다(imanar) : ~ una barra de acero. ② (…에) 최면술을 걸다(hipnotizar). ③ (사람의 마음을) 끌다, 매혹하다(cautivar).
[접속법 현재 : magnetice…. 직설법 부정과거 1인칭 단수 : magneticé].
magneto *m.* (특히 내연 기관의) 자석 발전기, 마그네토.
magnetoelectricidad *f.* **전자기(電磁氣).**
magnetoeléctrico, ca *adj.* 전자기의 : máquina ~*ca.*
magnetofón *m.* 녹음기.
magnetofónico, ca *adj.* 자성(磁性) 녹음(기)의 : cinta ~*ca* 녹음 테이프.
magnetófono *m.* 녹음기.
magnetógrafo *m.* 자력(磁力) 기록기.
magnetología *f.* ① 자성론, 자성학. ② 【의학】 동물 자기 최면술학(ciencia del magnetismo animal).
magnetómetro *m.* 자기계(磁氣計), 자력계.
magnetomotriz *f.* 자기 원동력.
magnetón *m.* (원자 입자의) 자기 단위.
magnetoscopio *m.* 텔레비전·비디오의 상과 소리를 테이프에 녹음하는 제도.
magnetosfera *f.* 우주 공간, 지구 밖 지역.
magnetrón *m.* 【물리】 마그네트론, 자전관(磁電管)《단파용 진공관》.
magni- *pref.* 「대(大)」를 뜻하는 접두어 : *magnífico.*
magnicida *adj.m.f.* 명사(magnate)를 살해하는 (사람).
magnicidio *m.* (명사에게 행한) 난폭한 살해.
magnificación *f.* 화려함, 성대함 ; 확대.
magnificador, ra *adj.* 확대하는. **—*m.*** 확대기, 확대경.
magníficamente *adv.* 뛰어나게, 훌륭하게 : recibir ~ a un monarca extranjero.
magnificar *tr.* ⑦ ① 성대하게 하다, 화려하게 하다. ② 찬미하다. ③ 크게 하다, 확대하다. **~se** 자찬하다.
[접속법 현재 : magnifique …. 직설법 부정과거 1인칭 단수 : magnifiqué].
magnifícat *m.* 성모송 《성모 마리아의 송가》.
magnificencia *f.* 장대, 장엄, 웅대, 호화, 웅장, 화려, 훌륭함.
magnificente *adj.* 《*Neol.*》 =**magnífico, hermoso.**
magnificentísimo, ma *adj. sup.* magnífico.
magnificiente *adj.* 【속어】 =**magnífico.**
magnífico, ca *adj.* [*lat.* magnificus] ① 장엄한, 장대한. ② 훌륭한, 화려한, 호화스러운 : palacio ~. ③ 뛰어난. ④ 너그러운. ⑤ 아름다운(hermoso) : tiempo ~.
magnitud *f.* [*lat.* magnitudo] ① (신체의) 크기, 사이즈(tamaño de un cuerpo). ② 중요(성)(importancia) : la ~ de una empresa. ③ 광대함. ④ (별의) 광도, 등성(等星) : estrella de primera ~ 일등성. ⑤ (지진의) 진도, 강도.
magno, na *adj.* [*lat.* magnus] 위대한 《위인의 다른 명칭으로 사용된다》 : Alejandro *Magno.*
magnolia *f.* 【식물】 목련·태산목의 무리 ; 그 꽃.
magnoliáceo a *adj.* 【식물】 목련·목련과의. **—*f.pl.*** 목련과 식물.
magnoliero *m.* 《*Galic.*》 =**magnolia.**
magnolio *m.* 《*Chile.*》 【속어】 =**magnolia.**
mago *m.* 【동물】 마고 《(필리핀에서) 눈이 크고 꼬리는 가늘고 긴 원숭이의 일종》.
mago, ga *adj.* [*lat.* magus] ① 마술·마법을 쓰는. ② 마니교의(zoroásrico). **—*m.*** ① 고대 페르시아의 마니승. ② 마술사. ③ (그리스도 탄생 때 왔다는) 동방 세 현인·박사 : Reyes *Magos* 동방 박사.

M

—*m.f.* 마법사 : Usted es un ~ 족집게이시군요.

magosta *f.* 《*Sant.*》 =**magosto.**

magostar *intr.* (노천에서) 밤을 굽다(asar castañas al aire libre).

magosto *m.* ① (노천에서) 밤굽기 : convidar a un ~. ② (노천에서) 구운 밤.

magote *m.* [*fr. ing.* magot]【동물】 마고떼《원숭이의 일종》.

magra *f.* 소금에 절인 돼지 고기의 토막(lonja de jamón) : huevos fritos con ~*s.*

¡magras! *interj.* 천만에요(No, de ningún modo).

magreb *m.* ① (모로코에서) 일몰 시간(hora de la puesta del Sol). ② 일몰 시간에 행하는 기도.

magrez *f.* 비쩍 여윔, 지방분이 없음.

magreza *f.* 【고어】 =**magrez.**

magro, gra *adj.* 여윈, 마른; 지방분이 없는 : carne ~*gra.* —*m.* 지방이 없는 돼지의 등심살.

magrura *f.* =**magrez, delgadez.** Contr. gordura.

magua *f.* 《*Cuba.*》 기대에 어긋남(chasco).

maguarse *r.* ⑩ 《*Ant. Venez.*》 기대에 어긋난 짓을 하다; (어떤 행사가) 깨어지다.

maguer *conj.* 【고어】 =**aunque.** [*N.* magüer는 사투리].

magüer *conj.* 【고어】 =**maguer.**

maguera *conj.* =**maguer.**

magüeto, ta *m.f.* =**novillo.**

maguey *m.* ① 【식물】 용설란(pita). ② 《*Ecuad.*》 용설란의 가는 줄기. ③ 《*Méx.*》 취기.

magüey *m.* 【속어】 =**maguey.**

maguillo *m.* 【식물】 야생 사과의 일종.

magüira *f.* 《*Cuba.*》 호리병박(güira).

magujo *m.* (배의) 고인물 푸는 그릇 (descalcador de los calafates).

magulladura *f.* =**magullamiento.**

magullamiento *m.* ① 타박상, 피멍. ② 구타 (golpe).

magullar *tr.* ① 상처를 입히다, 피멍이 들게 만들다. ② 때리다, 구타하다.
~se 타박상을 입다.

magullón *m.* 《*Amér.*》 =**magulladura.**

maguntino, na *adj.m.f.* 마군시아(Maguncia)의 (사람).

mahabarata *m.* 산스크리트말로 쓰인 대서사시.

maharajá *m.* 인도의 대왕·왕자.

maharaní *f.* 인도의 왕비·공주.

maharrana *f.* 갓 만든 베이컨.

mahatma *m.* (인도의) 대성(大聖) : el ~ Gandhi.

mahleriano, na *adj.* 구스타프 말러(Gustav Mahler, 오스트리아의 음악가)의; 그의 작품의·에 관한.

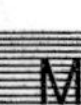

Mahoma *m.* 마호메트 《회교의 시조, 570?—632》.

mahometano, na *adj.* 마호메트의, 회교의 : pueblos ~*s.* —*m.f.* 회교승; 회교도, 마호메트교도, 이슬람교도. Sinón. islamita, moro.

mahomético, ca *adj.* 회교의; 마호메트의.

mahometismo *m.* 마호메트교, 회교, 이슬람교.

mahometista *adj. m.f.* =**mahometano.**

mahometizar *intr.* 회교를 믿다; 회교화하다.

mahón *m.* 담담하고 약간 검은 기가 나는 무명의 일종, 목으로 짠 천.

mahona *f.* (터키의) 화물선의 일종.

mahonés, sa *adj.* 마온《Mahón, 발레아레스 군도에 있는 항구 도시》의.
—*m.f.* 마온 사람.

mahonesa *f.* ① 【식물】 십자화과 식물. ② 마요네스 소스로 양념한 요리. ③ 마요네스 소스.

mahonia *f.* 【식물】 마오니아《꽃은 노랗고, 열매는 푸르고 거므스레하고, 맛은 시큼함》.

mahrata *adj.* =**márata.** —*m.* 마라따말(lengua de los máratas).

mahteb *m.* =**almostacén.**

maiceado, da *adj.* 《*Hond.*》 가볍게 술에 취한. ② 《*Venez.*》 살찐.

maicena *f.* 옥수수 가루.

maicerada *f.* 《*Col.*》 과장(exageración).

maicería *f.* 《*Amér.*》 옥수수 가게(tienda de maíz).

maicero *m.* 《*Col.*》 【조류】 빼꾸기(aní)의 일종.

maicero, ra *m.f.* 옥수수 가게 주인·점원.

maicillo *m.* ① 《*Hond.*》 기장(mijo)의 일종. ② 《*Chile.*》 자갈. ③ 《*Chile.*》【식물】 붓과 식물《염색제를 추출하는 원료》.

maído *m.* =**maullido.**

maílla *f.* 야생 사과.

maíllo *m.* =**maguillo.**

maimón m. 【동물】 꼬리 긴 원숭이(mico).
—*pl.* (안달루시아의) 기름 넣은 수프(sopa con aceite).
bollo ~ 비스킷(bollo de bizcocho).

maimona *f.* 제분기(tahona)의 굴대.

maimonismo *m.* 마이모니데스 《Maimónides, 중세의 유태계 서반아 사람》주의.

mainel *m.* =**parteluz.**

maisiar *tr.* 《*AmérC. Cuba.*》 (새 등에게) 옥수수(maíz)를 주다, 옥수수로 키우다.

maistate *m.* 《*AmérC.*》 기저귀; 샅바.

maitinada *f.* 새벽, 꼭두 새벽(alborada); (새벽녘에 남에게) 흥을 돋우기 위해 소리치기.

maitinante *m.* 아침의 근행승(勤行僧).

maitines *m.pl.* 【종교】 새벽의 근행(勤行).

maíz *m.* 【식물】 옥수수 : La harina de ~ es muy nutritiva 옥수수 가루는 영양가가 높다.
~ *de Guinea,* ~ *morocho* 수수(zahína).
~ *del agua* 《*Arg.*》 =irupé.
~ *machacado* 맷돌에 탄 옥수수.
coger asando ~ 《*Cuba.*》 덜미를 잡히다.
comer ~ 《*Ant.*》 매수되다.
dar su ~ *tostado* 《*Col.*》 처벌하다.
*echar*le ~ *a la pava* 《*AmérC.*》 의기 양양해지다.

maizal *m.* ① 옥수수밭 (campo de maíz). ② 《*Perú.*》 =**almaizal.**

maizudo, da *adj.* 《*AmérC. Guat.*》 =**adinerado.**

maja *f.* ① 【방언】 방앗공이, 절굿공이. ② 젊고 스마트한 여인(mujer joven y apuesta).
la Maja desnuda 옷 벗은 마하 부인,
la Maja vestida 옷 입은 마하 부인,

majá *m.* 《*Cuba.*》 【동물】 마하 《독이 없는 큰 뱀》. —*adj.* 《*Cuba.*》 【방언】 게으른, 태만한.

majada *f.* ① 목사(牧舍). ② 짐승의 똥 (estiér-

col de las bestias). ③《Chile. Riopl.》 양떼.
majadal *m.* (양떼가 사육되는) 목초지 ; 목사(牧舍)(majada).
majadear *intr.* ① (양떼들이) 자기 위해 목사에 들어가다. ② 땅에 거름을 주다(abonar).
majaderano, na *adj.* =**cargante.**
majaderear *tr. intr.* 《*Ant. Col. Perú. Venez.*》 =**fastidiar, importunar.**
majadería *f.* ① 어리석은 짓, 바보짓(necedad) : decir ～*s.* ② 엉뚱한 짓.
majaderico *m.* ① (옛날 옷의) 장식술. ② =**majaderillo.**
majaderillo *m.* (레이스 편물의) 보빈.
majaderito *m.* =**majaderillo.**
majadero, ra *adj.* ① 어리석은, 멍청한, 바보스러운(tonto, necio). ② 엉뚱한, 당치도 않은. —*m.* 절굿공이, 방망이, 망치 ; (레이스 편물의) 보빈.
majaderote, ta *adj. aum.* majadero.
majado *m.* ①《*Bol.*》 고기를 넣고 찐 쌀밥. ②《*Chile.*》 죽처럼 만든 옥수수 음식.
majador, ra *adj.m.f.* 찧는, 빻는 (사람).
majadura *f.* 찧기, 빻기(moledura).
majagranzas *m.* 【단·복수 동형】 골치 아픈 사람, 귀찮은 인간(hombre pesado y torpe).
majagua *f.* ①【식물】 마하구아 《안티야스산의 견고한 고급 목재》. ②《*Cuba.*》 윗도리, 윗도리옷, 웃옷(chaqueta, americana).
majagual *m.* majagua 숲.
majagüero, ra *m.f.* 《*Cuba.*》 majagua로 밧줄을 만드는 사람.
majagüilla *f.* 마하구이야 《꾸바의 야생 나무》.
majal *m.* 고기떼(banco).
majamama *f.* 《*Chile.*》(물건의 흥정에서) 속임수 ; 부정한 장사.
majamiento *m.* =**majadura.**
majano *m.* 돌 쌓기(montón de piedras).
majar *tr.* ① 찧다, 빻다, 가루로 만들다(moler, machacar) : ～ ajos 마늘을 찧다. ② 괴롭히다, 애먹이다(fastidiar) : Acabe Vd. de ～. ③《*Gal.*》 탈곡하다(trillar).
majarete *m.* ①《*Ant. Venez.*》 연한 옥수수 디저트. ②《*Cuba.*》 알랑거리는 남자. ③《*PRico.*》 =**desorden, confusión.** ④《*Dom.*》 =**intriga hábil.**
majaretear *tr.* 《*SDgo.*》 획책하다, 공작하다.
majasear *intr.* 《*Cuba.*》게으름피우다.
majasera *f.* 《*Cuba.*》 게으름, 나태 ; 편한 일, 편한 직무.
majcén *m.* (모로코에서) 정부(gobierno).
maje *m.* 《*Méx.*》 바보, 얼간이, 천치.
majear *tr.* 《*Méx.*》 =**conquistar a alguien con halagos.**
majencia *f.* =**majeza.**
majeño *m.* 《*Bol.*》 (약간 보랏빛을 띄는) 바나나(plátano).
majería *f.* [집합] =**majos.**
majestad *f.* [*lat.* majestas] ① 위엄, 장엄, 존엄 : la ～ imperial. ② 폐하 : Su *M* 폐하. Su Divina *M-* 신, 천주. Su *M-* Católica el rey de España 서반아의 카톨릭왕 폐하. Su *M - el Rey* 국왕 폐하.
majestoso, sa *adj.* =**majestuoso.**
majestuosamente *adv.* 장엄하게, 당당히, 의젓하게 : levantarse ～.
majestuosidad *f.* 장엄, 위엄.
majestuoso, sa *adj.* 장엄한, 당당한, 위엄있는, 의젓한 : un paisaje ～.
majeza *f.* 촌스러움 ; 허식 ; 찬란함, 멋을 부림 : ir vestido con ～.
majo, ja *adj.* 멋들어진, 세련된 ; 멋을 부린, 차려 입은 ; 아름다운, 예쁜, 화려한 (lindo) ; 사치스런 (lujoso). —*m.f.* 멋쟁이, 세련된 사람. —*m.* 《*Bol.*》 종려의 일종.
majolar *m.* 당산사나무의 숲.
majoleta *f.* majoleto의 열매.
majoleto *m.* =**marjoleto.**
majoma *m.* 교활한 사람.
majorana *f.* =**mejorana.**
majorca *f.* =**mazorca.**
majuela *f.* ① 당산사나무 열매. ② 구두끈.
majuelo *m.* ①【식물】 당산사나무. ② (열매가 열리기 시작하는) 어린 나무의 포도원(viña).
majura *f.* 《*Sant.*》 =**majeza, guapeza, elegancia.**
majzen *m.* 모로코 제국의 중앙 정부.
maki *m.* 【동물】 여우원숭이(lémur).
mal *adj.* [*lat.* malum] 나쁜, 악한 : ～ tiempo 나쁜 날씨 ; 불경기. Hace ～ día 날씨가 나쁘다. [*N.* malo가 남성 단수 명사 앞에서 어미가 탈락된 형].
—*m.* ① 악 ; 부정, 사악 : La conciencia discierne el bien del ～ 양심은 선악을 구별한다. Contr. bien. ② 참화, 화(calamidad) : los ～*es* de la guerra 전화. ③ 불행, 불운(desgracia) : compadecer los ～*es* ajenos. ④ 병, 질병 (enfermedad). ⑤《*AmérC. Ant. Perú.*》 간질병, 히스테리 : tener el ～ 간질병이 있다 ; 신경질적이다. ～ caduco·de corazón 간질병 (esilepsia).
—*adv.* ① 나쁘게 : decir ～ 악담하다, 험담하다. ② 질병에 (걸리다) : Lola está muy ～. ③ 서툴게, 졸렬하게, 솜씨없이 : cantar ～ 노래 솜씨가 좋지 않다. Está ～ hecho 솜씨가 서툴다, 실패작이다. ④ 사악하게 ; 음탕하게 : portarse ～. ⑤ 실패하여 : La estratagema le salió ～ 그의 작전은 실패했다. ⑥ 잘못하여, 실수하여 : traducir ～ 오역하다. ⑦ 불충분하게 : Te has enterado ～ 너는 충분히 알지 못한다. ⑧ …하기 어렵다, 거의 …하지 않다 : *Mal* puedo yo saberlo 나로서는 거의 알 수 없다. *Mal* se conoce que eres su amigo 네가 그의 친구라고는 거의 믿어지지 않는다. Contr. bien.
～ ***de la rosa*** 이탈리아 나병(pelagra). ～ ***de la tierra*** 노스탤지어, 향수병, 회향병(nostalgia). ～ ***de Loanda*** 괴혈병의 일종. ～ ***de madre*** 히스테리. ～ ***de ojo*** 흉한 눈, 저주의 눈. ～ ***de ojos*** 눈에 거슬리는 것. ～ ***de piedra*** 결석병, (특히) 신장 결석. ～ ***de San Lázaro*** 【의학】 상피병(象皮病)(elefancia). ～ ***francés*** 화류병(venéreo). ～ ***de siete*** 《*Col.*》 유아의 경기.
～ ***a , de*** ～ ***a*** ～ 억지로, 굳이 ; 불법으로.
de ～ ***en peor*** 차츰 더 나쁘게 되어(cada vez peor).
menos ～ 참 다행이다 : *Menos* ～ que no me han visto llorar 사람들이 내가 우는 것을 못본게 다

행이다.

~ que bien 아무튼, 좋거나 궂거나(bien o mal).

~ que ~ 《*AmérM.*》 나쁘기는 하지만.

¡~ haya! 벼락이나 맞아라!

echar a ~ 업신여기다, 경시하다, 무시하다(despreciar).

hacer ~ 나쁜 짓을 하다 ; 해치다, 흠이 가게 하다, 손상을 입히다.

juzgar ~ 오해·곡해하다 : No me *juzgues* ~ 나를 오해하지 말아 주게.

llevar a ~ 원망하다, 불평하다(quejarse de).

parar en ~ 불행한 결과가 되다.

ponerse ~ ① 병들다. ② 《*AmérM. Ant.*》 서로 증오하다(enemistarse).

salir ~ 실패하다 : *Salió ~ de* las oposiciones 그는 경쟁 시험에서 실패했다.

tratar ~ 학대하다(maltratar).

No hay ~ que dure cien años 【속담】 쥐구멍에도 볕들 날이 있다.

No hay ~ que por bien no venga 【속담】 흉이 복이 되는 수도 있다.

mal- *pref.* 「악」「불량」「심히」를 뜻하는 접두어 : *mal*trato ; *mal*ajustado ; *mal*gastar ; *mal*intencionado.

mala[1] *f.* [*fr.* malle] ① 우편 행낭(valija del correo). ② 우편물.

mala[2] *f.* =**malilla.**

mala[3] *f.* [*lat.* mâla] =**mejilla, pómulo.**

malabar *adj.* 말라바르《Malabar, 인도의 한 지방》의. —*m.f.* 말라바르 사람. —*m.* ① 말라바르 말. ② 《*Amér.*》 =**escamoteo** : juegos ~*es* 요술, 곡예.

malabárico, ca *adj.* 말라바르(Malabar)의.

malabarismo *m.* 곡예(juegos malabares). Sinón. equilibrios.

malabarista *m.f.* 《*Neol.*》 ① 곡예사, 요술사. ② 《*Chile.*》 소매치기.

malaca *f.* ① 《*Méx.*》 머리 땋기 《머리를 여러 가닥으로 땋아 이마 쪽으로 모은 것》. ② 《*Amér.*》 지팡이용 줄기(caña para bastones).

malacachón *m.* 말라까촌 《어린이 놀이》.

malacara *adj.* 《*Arg. Parag. Urug.*》 이마에 하얀 털이 있는 (말).

malacariento, ta *adj.* 《*Méx.*》 =**hosco.**

malacate *m.* ① 감기 식으로 된 보빈. ② 《*AmérC. Bol. Méx.*》 실을 잣는 북, 방추 ; 물을 퍼 올리는 장치 : El ~ sirve para sacar agua.

malacia *f.* [*lat.* malacia] 【병리】 이물 기호(異物嗜好).

malacitano, na *adj.m.f.* =**malagueño.**

malacodermos *m.pl.* 【동물】 연피 동물.

malacología *f.* 연체 동물학.

malacológico, ca *adj.* 연체 동물학의.

malacón *m.* 【광물】 백수정(circón)의 수화된 변종.

malacondicionado, da *adj.* 성질이 못된, 되먹지 못한 ; 상태·조건이 나쁜.

malaconsejado, da *adj.* 간사한 말에 혹한 ; 분별이 없는 ; 천박스러운.

malacopterigio, gia *adj.* 【어류】 연한 지느러미 무리의. —*m.* 연한 지느러미를 가진 무리. Contr. acantopterigio.

malacostumbrado, da *adj.* ① 나쁜 습관에 젖은(que tiene malas costumbres). ② 버릇 없는(mal criado), 엉석받이로 자란(muy mimado).

malacrianza *f.* 《*Amér.*》 버릇없는·무례한 짓(descortesía).

malacuenda *f.* ① 포장용 마대(harpillera). ② 부스러기 실(hilaza de estopa).

malaestanza *f.* 불쾌 ; 질병.

malafa *f.* =**almalfa.**

málaga *m.* 말라가(Málaga)산의 포도주.

Málaga 【지명】 말라가 《서반아의 남부 지방에 있는 항구 도시이며 주》.

malagana *f.* 【속어】 실신(desmayo).

malagaña *f.* (꿀벌 분봉용) 나뭇가지 짜기.

malage *m.* 《*And.*》 =**mal ángel.**

malagradecido, da *adj.* 《*Amér.*》 배은 망덕한 : mostrarse ~.

malagueña *f.* 말라게냐 《말라가의 민요》 : cantar ~*s* 말라게냐를 부르다.

malagueño, ña *adj.* 말라가 《Málaga, 서반아 남해안의 주·도시 ; 포도주의 명산지》의. —*m.f.* 말라가 사람.

malagueta *f.* ① (아프리카의) 후추(pimienta)의 일종. ② (꾸바·구아떼말라의) 야생의 나무.

malaltoso, sa *adj.* 《*Venez.*》 끈덕진, 귀찮은.

malamañoso, sa *adj.* 《*Col.*》 교활한, 간사한.

malambo *m.* ① 《*Arg. Col. Cuba.*》 【식물】 말람보 《껍질에서 해열제를 얻음》. ② 《*Riopl.*》 말람보 《민속춤》.

malamente *adv.* =**mal.**

malamistado, da *adj.* 《*Chile.*》 원한을 품은(enemistado) ; 헤어질 수 없는 ; 정을 통한.

malandante *adj.* 불운한, 불행한(infeliz, desgaraciado).

malandanza *f.* 불행, 비운, 액운(desventura, desgracia).

malandar *m.* 떡갈나무 숲·산에 가지 않은 돼지.

malandrín, na *adj.* 악독한, 사악한(maligno). —*m.f.* 악당.

malanga *f.* ① 【식물】 말랑가 감자 《꾸바산의 알무속의 식물》. ② 주먹 손. —*adj.* 《*Cuba.*》 어설픈, 솜씨없는(inhábil) ; 겁많은(cobarde). —*m.f.* 《*Ant.*》 어리석은 사람(persona torpe).

malangón, na *adj.* 《*Cuba.*》 나태한, 게으른(holgazán).

malanocharse *r.* 《*Ecuad.*》 밤샘하다, 철야하다(trasnochar).

malapteruro *m.* 【어류】 (아프리카 열대 지방에 사는) 경골속 어류의 일종.

Malaquías *m.* ① 말라기《기원전 450년 경의 유태의 예언자》. ② 말라기서《구약 성서의 마지막 권》.

malaquita *f.* [*gr.* malakhitês] 【광물】 공작석(~ verde) : Las ~*s* más hermosas vienen de Siberia.

malar *adj.* [*lat.* mala] 광대의. —*m.* 광대뼈(hueso del pómulo).

malaria *f.* 말라리아, 하루거리, 학질, 말라리아열(paludismo).

malario, ria *adj.* 《*Arg.*》 말라리아의, 학질의. —*m.f.* 학질 환자.

malarrabia *f.* ①《*Cuba. Venez.*》 바나나(plátano), 고구마(batata) 및 단꿀(almíbar)로 만든 과자. ②《*Ecuad.*》 치즈(queso)와 바나나빵.
malatería *f.* 나병원.
malatía *f.* [*ital.* malattia]【고어】 나병(lepra).
malato, ta *adj.m.f.* 나병의 (환자). —*m.* 【화학】 사과산.
malavenido, da *adj.* 꼭 맞지 않은.
malaventura *f.* 불행, 불운(desgracia, desventura).
malaxador, ra *adj. m.f.* 반죽하는 (사람).
malaxar *tr.* ①《*Galic.*》 =**amasar.** ② =**sobar.**
malaventurado, da *adj.* 불운한, 불행한.
malaventuranza *f.* 불운(infortunio).
malaya *f.* ①《*Perú.*》 불고기(asado de falda de vaca). ②《*Chile.*》 소의 갈빗살(matambre). ③《*Col.*》 소의 목덜미 인대.
Malaya 【지명】 말레이 연방.
malayo, ya *adj.* 말레이의, 말레이 인종의 ; 말레이 연방(Federación de Malaya)의. —*m.f.* 말레이 사람. —*m.* 말레이어.
malbaratador, ra *adj.m.f.* 대매출의, 헐값에 파는 (사람) ; 낭비하는 (사람).
malbaratar *tr.* ① 싸게 팔다, 대매출하다. ② 낭비하다(malgastar).
malbaratillo *m.* 싸구려 판매(baratillo).
malbarato *m.* ① 할인 판매. ② 낭비.
malcarado, da *adj.* 추한, 얼굴이 못생긴(de mala cara).
malcasado, da *adj.* 부정(不貞)한 : un marido ~ 부정한 남편, 바람피우는 남편.
malcasar *tr.* 부정한 결혼을 시키다. —*intr.*, ~**se** 부정한 결혼을 하다.
malcaso *m.* 부정(不貞) ; 배반.
malcocinado *m.* 내장 ; 내장 가게.
malcocinar *tr.* =**cocinar mal.**
malcolmia *f.* 【식물】 =**mahonesa.**
malcomer *tr. intr.* 입에 풀칠하다 : trabajar todo el día para ~ 입에 풀칠하기 위해 온종일 일하다.
malcomido, da *adj.* 영양이 별로 없는.
malconsiderado, da *adj.* 천박한 ; 철없는(desconsiderado).
malcontado *m.*《*Chile.*》 계산 착오로 메꾸어 놓는 돈.
malcontentadizo, za *adj.* 불만투성이의, 불만을 가진, 불평이 많은, 자꾸 투덜거리는(descontentadizo).
malcontento, ta *adj.* 불만스러운, 불평하는, 불온한(descontento). —*m.f.* 불평가, 반항자 : dar satisfacción a los ~*s.* —*m.* 카드 놀이의 일종.
malcoraje *m.* =**mercurial.**
malcorazón *adj.*《*AmérC.*》 참혹한, 무자비한, 몰인정한, 잔인한(cruel).
malcorte *m.* 도벌, 난벌(亂伐).
malcriadez *f.*《*Amér.*》 =**grosería, malcriadeza.**
malcriadeza *f.*《*AmérC. Col. Ecuad.*》 무례한 짓, 예의없는 짓.
malcriado, da *adj.* 버릇없는, 가정 교육이 나쁜(descortés, mal educado).
malcriar *tr.* ⑫ 버릇없이 키우다.
maldad *f.* [*lat.* malitas] 부정, 사악 ; 악의 : cometer ~*es.* Contr. bondad.
maldadoso, sa *adj.*《*Chile. Méx.*》 질이 나쁜.
maldecido, da *adj.* 저주받은 ; 못되먹은, 사악한, 악독한.
maldecidor, ra *adj.m.f.* 저주·험구하는 (사람).
maldecir *tr. intr.* ⑰ ① 저주하다(echar maldición) : ~ su mala suerte 자신의 불운을 저주하다. ~ *de* todo 모든 것을 저주하다. Noé *maldijo* a Caín 노아는 캄을 저주했다. ② …을 헐뜯다(hablar mal de). [*N.* 미래형·가능법·과거 분사에서는 규칙 활용을 하고 그 밖에는 decir와 같이 불규칙 활용].
maldiciente *adj.* 저주하는, 악담하는, 욕하는(detractor). —*m.f.* 저주하는 사람, 악담하는 사람, 험구가.
maldicientemente *adv.* 저주하여, 악담으로.
maldiciento, ta *adj.* 【속어】 =**maldiciente.**
maldición *f.* 저주, 악담, 험담(imprecación) : llenar a uno de ~*es.*
maldij- → **maldecir** ⑰.
maldispuesto, ta *adj.* 몸이 불편한 ; 마음이 내키지 않는.
maldita *f.* ① 혀(lengua). ②《*Cuba.*》 부스럼, 종기(divieso). ③《*Venez.*》 (다리와 발에 나는) 작은 종기(llaguita).
soltar la ~ 함부로 지껄여대다(hablar con demasiada libertad).
malditamente *adv.* 매우 나쁘게(muy mal).
maldito, ta *adj.* [maldecir의 *p.p.*] ① 저주받은. ② 아주 나쁜 : ~ tiempo 아주 나쁜 날씨. ~ trabajo 나쁜 일. ③ 돼먹지 못한(perverso). ④ 전혀 …않다(ninguno) : No sabe ~*ta* la cosa de esta cuestión 이 문제에 대해서는 전혀 아무 것도 모른다. —*m.* ① 돼먹지 못한 인간, 불량배, 망나니 : Vete, ~ de Dios 꺼져라, 바보 녀석아. ② 악마(diablo).
~ *de cocer* 완고한, 고집센(obstinado).
¡Maldita sea¡ 빌어먹을 !
Maldita la falta que haces 너는 한심스러운 잘못을 저질렀군.
maldivo, va *adj.m.f.* 말다이브 제도《Islas Maldivas, 인도양의 산호섬》의 (사람). —*m.* 말다이브말.
maldoso, sa *adj.*《*Chile. Méx.*》 =**maldadoso.**
male- *pref.* mal-의 변형 : *male*dicencia 험구, 욕설.
maleabilidad *f.* 가단성(可鍛性), 전성(展性), 가연성(可延性) ; 유순성 : La ~ es una propiedad de los metales.
maleable *adj.* ① 단련할 수 있는, 두들겨 펼 수 있는 : El oro es el más ~ de los metales. ② 유순한, 온순한, 가르치기 쉬운.
maleador, ra *adj.m.f.* =**maleante.**
maleamiento *m.*《*Neol.*》 =**perversión.**
maleante *adj.* 성미가 고약한, 외고집의, 사악한(perverso) : gente ~ 악인들. —*m.f.* 악인, 악한, 불량배(burlón).
malear *tr.* ① 악하게 만들다. ② 해치다, 상하게 만들다(dañar). ③ 썩게 하다, 부패시키다(echar a perder). ④ 타락시키다(pervertir).

~**se** 부패하다 ; 타락하다(echarse a perder).

maleato *m.* 사과산염.

malecón *m.* 방파제, 제방(muelle) : el ~ de un puerto 항구의 방파제·제방.

maledicencia *f.* 저주, 악담.

malediciente *adj.m.f.* =**maldiciente.**

maleficencia *f.* 나쁜짓 ; 유해, 해독(maldad, perversidad).

maleficente *adj.* 《*Neol.*》 =**maléfico, perverso.** Contr. beneficiente.

maleficiar *tr.* 11 ① 해치다, 해독을 끼치다(causar daño). ② 마술을 걸다(hechizar). ③ 저주하다, 우롱하다, 놀리다, 조롱하다.

maleficio *m.* [*lat.* maleficiaum] 저주, 마력.

maléfico, ca *adj.* [*lat.* maleficium] ① 저주스러운, 불길한. ② 해로운, 재앙을 받는. —*m.* 마술사, 요술사(hechicero).

maleico, ca *adj.* 사과산의 여과로 얻은 산의.

malejo, ja *adj.* [*dim.* malo] 약간 나쁜.

malembo, ba *adj.* 《*Cuba.*》 심술궂은.

malemplear *tr.* 나쁘게 사용하다.
~**se** 나쁘게 사용되다.

malenconía *f.* 【고어】《*Sal. Sant.*》 =**melancolía.**

malencólico, ca *adj.* 【고어】《*Sant.*》 =**melancólico.**

malentender *tr.* 오해하다(entender o interpretar equivocadamente).

malentendido *m.* 오해 : Es un ~.

malentradra *f.* (옛날 감옥에 들어간 사람이 지불하는) 세금.

maleolar *adj.* 복사뼈의 ; 착각한.

maléolo *m.* [*lat.* malleolus]【해부】 복사뼈, 거골(距骨), 과골(踝骨)(tobillo) : ~ externo 바깥 복사뼈. ~ interno 안쪽 복사뼈.

malero *m.* 《*Perú.*》 주술사, 요술사.

malespín *m.* 《*AmérC.*》 =**jerigonza.**

malestar *m.* 불유쾌 ; 번거로움, 폐(molestia), 불안(inquietud moral), 비정상 : Yo sentía un ~ 나는 기분이 나쁘다.

maleta *f.* ① 여행 가방, 트렁크. ② 《*Chile.*》 안장주머니(alforja). ③ 《*Ecuad.*》 옷 꾸러미(lío de ropa). —*m.* ① 실수한 투우사(mal torero). ② 【은어】(화물 등의 사이에 숨어 있는) 두더지 도둑.
—*adj.* 《*AmérC. Méx. Perú.*》 나쁜, 못된, 사악한.
—*m.f.* 《*AmérC. Méx. Perú. PRico.*》 =**persona traviesa, sinvergüenza.**
hacer la ~ 여행 준비를 하다, 가방을 꾸리다.
deshacer la ~ 가방을 풀다.
largar·soltar la ~ 《*Chile.*》 죽다.

maletear *tr.* 《*Chile.*》 사취하다, 훔치다.

maletera *f.* ① 《*Col. Venez.*》 =**maleta**. ② 자동차 뒷트렁크.

maletero *m.* ① 가방 제조자·판매인. ② (역 등의) 소화물·수화물 담당자. ③ (비행장·역 등의) 짐꾼(mozo). ④ 《*Chile.*》 소매치기. ⑤ 《*Hond. Guat.*》 짐꾼. ⑥ 자동차 뒷트렁크(portaequipajes de un coche). ⑦ 《*Ecuad.*》 말에 얹혀 다니는 기병의 자루(maletín de grupa del soldado de caballería).

maletilla *f.* =**maletín.**

maletín *m.* [*dim.* maleta] ① 작은 가방(maleta pequeña) : ~ de grupa 말에 얹혀 다니는 기병의 자루.

maletón *m.* [*aum.* maleta] ① 트렁크, 대형 가방. ② 《*Ecuad.*》 짐 부대. —*adj.* 《*Col.*》 곱사등의, 새우등의. —*m.f.* ① 곱사등이(jorobado). ② 《*Venez.*》 젖 떨어진 송아지.

maletudo, da *adj.m.f.* 《*AmérM. Cuba. Méx.*》 곱사등의, 새우등의(사람).

malevaje *m.* 《*Riopl.*》 도둑(질).

malevo, va *adj.* 《*Arg.*》 =**malévolo, malvado.**

malevolencia *f.* 악의, 적의(mala voluntad).

malevolente *adj.* 【방언】 적의·악의를 품는.

malévolo, la *adj.* [*lat.* malevolus] 나쁜, 악의가 있는, 악한(perverso) : persona ~*la.* Contr. benévolo. —*m.f.* 악한, 도적.

maleza *f.* ① 잡초가 무성함. ② 덤불(maraña). ③ 《*Arg. Chile.*》 고름(pus).

malezal *f.* 《*Amér.*》 잡초가 우거진 땅.

malfechor, ra *adj.m.f.* 【고어】 =**malhecher.**

malformación *f.* 【의학】 불구, 기형(deformación congénita).

malgache *adj.* 마다가스카르섬(isla de Madagascar)의. —*m.f.* 마다가스카르섬 사람.

Malgache (República) 【지명】 말가체공화국 《Mozambique 해안의 앞 인도양에 위치한 Madagascar의 섬으로 구성된 아프리카의 한 공화국 ; 면적 590,000㎢ ; 수도 Tananarive》.

malgacho, cha *adj.m.f.* =**malgache.**

malgama *f.* (수은과 다른 금속과의) 합금, 아말감(amalgama).

malgastador, ra *adj.* 낭비하는. —*m.f.* 낭비자.

malgastar *tr.* 헤프게 쓰다, 낭비하다, 함부로 쓰다, 남용하다(gastar mal, desperdiciar) : ~ una hacienda 재산을 헤프게 쓰다·낭비하다. El *malgastaba* su salud 그는 자신의 건강을 남용했다.

malgeniado, da *adj.* 《*Col. Perú.*》 화 잘 내는 ; 인상이 나쁜.

malgenio *adj.m.f.* 《*AmérC. Col. Ecuad.*》 화 잘 내는 (사람) ; 인상이 나쁜 (사람).

malgenioso, sa *adj.* 《*Col. Chile. Méx.*》 화 잘 내는.

malhablado, da *adj.* 뻔뻔스러운, 염치없는, 건방진, 입이 더러운.

malhadado, da *adj.* 불행한, 불운한(infeliz), 재수없는. Sinón. desafortunado, desdichado.

malhaya *adj.* 【속어】 저주받는(maldito) : *M-* sea tu estampa. —*interj.* 《*Riopl.*》 =**ojalá.**

malhecho, cha *adj.* 기형의, 불구의 ; 잘못된. —*m.* 나쁜 일 ; 비열, 천박스러움.

malhechor, ra *adj.* 나쁜 짓을 하는, 못된 짓을 하는. —*m.f.* 악당, 불량배 ; 도둑, 범죄인 : ser atacado por un ~ 악당들에게 공격받다.

malherido, da *adj.* 상처를 입은, 중상을 당한 : corazón ~ por cinco espadas.

malherir *tr.* 54 (…에) 중상을 입히다, 심한 상처를 주다.

malhojo *m.* 병들어 빛깔이 바랜 잎 ; 고엽(枯葉), 낙엽, 시든 잎.

malhumor *m.* 기분이 나쁜 것(mal humor).

malhumorado, da *adj.* 기분이 나쁜, 기분이

언짢은 : responder con un tono ~.

malhumorar *tr.* 기분 나쁘게 하다.

Mali 【지명】 말리 공화국 《아프리카 서부의 나라 ; 수도 Bamako》.

malicia *f.* [*lat.* malitia] ① 나쁜 일(maldad). ② 적의, 적대, 악의, 악기, 원한 ; 【법학】 범의(犯意)(perversidad) : pecar de ~ 악의를 품고 하다. ③ 간사함, 교활함(astucia) : pedir algo con mucha ~. ④ 의혹, 의심쩍음, 미심쩍음(sospecha) : Tengo mis ~*s* de que eso no es así 나쁘지만 그것은 그렇지 않으리라고 나는 생각한다. ⑤ 재간, 재능, 재주, 영특함 ; 예리함(agudeza, ingenio) : niño que tiene mucha ~ 무척 영특한 어린이. ⑥ (질병의) 악성 : Esta calentura tiene mucha ~ 이 열은 아주 지독하다.

maliciable *adj.* 나쁘게 생각할 수 있는.

maliciar *tr.* ⑪ 악의로 판단하다 ; 더럽히다, 타락시키다 ; (감정 · 명예 따위를) 해치다, 손상시키다(malear)

~se 부패하다 ; 타락하다(malear) : Ese niño *se malicia.*

maliciosamente *adv.* 심술궂게 : sonreír ~.

malicioso, sa *adj.* ① 악의가 있는, 적의가 있는, 심술궂은 : niño ~ 심술궂은 아이. ② 기민한, 빈틈없는, 영리한, 영특한(astuto, ingenioso).

málico, ca *adj.* [*lat.* malum] 【화학】 사과산의 : ácido ~ 사과산.

malignamente *adv.* 악의를 가지고.

malignante *adj.* 악의있는, 적의있는 ; 해로운 ; (병이) 악성인, 불치의.

malignar *tr.* 나쁘게 만들다, 해치다, 해롭게 하다(viciar).

~se 부패하다, 썩다, 상하다, 나빠지다(corromperse, echarse a perder).

malignidad *f.* 악의, 원한 ; (병의) 악성, 불치.

maligno, na *adj.* [*lat.* malignus] ① 해로운, 악의가 있는, 악의에 찬, 악랄한 : intención ~*na.* **Contr.** benigno. ② 약아 빠진, 간사한, 사악한. ③ 《*Galic.*》 심술궂은, 훼방의(malicioso). ④ (질병의) 악성(惡性)의 : fiebre ~*na.*

malilla *f.* ① 트럼프의 일종. ② (트럼프에서) 두 번째로 센 패.

malingrar *tr.* [드뭄] =**malignar.**

malino, na *adj.* =**maligno.**

malintencionado, da *adj.* 악의에 찬, 저의가 있는, 꿍꿍이속을 가진, 악의의. —*m.f.* 음모를 꾸미는 사람. **Contr.** bienintencionado.

malla *f.* [*lat.* macula] ① (그물 등의) 코 ; 코의 뜨개 : portamonedas de ~ 그물처럼 떠서 만든 지갑. ② 《*Arg. Urug.*》 해수욕복(traje de baño).

mallar *intr.* 그물코가 되다 ; (물고기가) 그물에 걸리다.

mallequino, na *adj.m.f.* 마예끼 《Malleco, 칠레의 주》의 (사람).

mallero *m.* 그물을 뜨는 사람.

malleta *f.* (낚시 그물 투척용) 독특한 줄.

mallete *m.* 나무 망치 ; (돛대 등의 주위에 박는) 쐐기.

malleto *m.* 나무 망치.

mallín *m.* ① 《*Arg. Chile.*》 저습 지대(terreno bajo y húmedo). ② 저습 지대의 풀 · 목초.

mallo *m.* [*lat.* malleus] ① 망치(mazo). ② 망치로 나무공을 치는 놀이. ③ 나무공 놀이터. ④ 《*Chile.*》 (삶은) 감자.

Mallorca *f.* 【지명】 마요르까섬 《서반아의 las islas Baleares에 있음》.

mallorqués, sa *adj.m.f.* =**mallorquín.**

mallorquín, na *adj.* 마요르까(Mallorca)의. —*m.f.* 마요르까 사람. —*m.* 발레아레스(Baleares) 방언.

mallugar *tr.* ⑧ 《*AmérC.*》 magullar의 잘못된 발음.

mallugón *m.* 《*Méx.*》 【속어】 =**magullón.**

malmandado, da *adj.* 순종하지 않는, 불효한 ; 말을 듣지 않는, 고분고분하지 못한.

malmaridada *adj.f.* 부정한 (아내).

malmeter *tr.* 낭비하다, 허비하다, 돈을 마구 쓰다(malbaratar) ; 못된 길로 빠지게 하다 ; 원망하게 하다(malquistar).

malmirado, da *adj.* 원망받고 있는 ; 진득하지 못한, 버릇없는.

malmodado, da *adj.* 《*Cuba.*》 버릇없는, 못되게 구는.

malmodiar *tr.* ⑪ 《*Méx.*》 학대하다.

malo, la *adj.* [*lat.* malus] ① 나쁜, 좋지 않는(que no es bueno) : *mala* calidad 품질 불량. *mala* cosecha 흉작. pan ~ 좋지 않은 빵. de *mala* calidad 질이 나쁜. ② 재질이 없는(sin talento) : escritor bastante ~ 아주 재질이 없는 작가. ③ 심술궂은, 돼먹지 못한, 악랄한(perverso). ④ 사이가 좋지 못한, 사이가 틀어진 : Ana es *mala con · para* su vecina 아나는 이웃 사람과 사이가 좋지 못하다. ⑤ 해로운(nocivo) : *malas* lecturas. ⑥ 아픈, 병을 앓고 있는(enfermo) : Ana está *mala.* ⑦ 싫은, 불쾌한 : He pasado un *mal* rato 나는 불쾌한 생각을 했다. ⑧ (…하기) 어려운 : Este verso es ~ *de* entender 이 문구는 이해하기 어렵다. ⑨ 부정한. **Contr.** bueno.

—*m.* [때로는 *pl.*] 악마(diablo) ; 악한, 악인.

—*interj.* 더러워서 !, 빌어먹을 !, 젠장 ! 《불쾌하거나 기분이 나쁠 때 사용함》.

lo ~ 나쁜 일 · 것 · 짓.

Lo ~ ***es que*** … 유감스럽게도 : *Lo* ~ *es que* se me ha olvidado traerlo 유감스럽게도 나는 그것을 가져오는 것을 잊었다.

a la mala 《*Ant. Perú.*》 ① 억지로, 강제로(por la mala). ② 반항하는 뜻을 가지고.

a malas 서로 미워하여, 서로 사이가 좋지 못하여 : andar *a malas* 서로 미워하고 있다.

de a malas 《*Arg.*》 억지로, 강제로, 불법으로(por la mala).

de malas ① 지고, 열세로 : estar *de malas* en el juego. ② 《*Chile. PRico.*》 서로 미워하여 ; 언짢게.

por la mala, por malas 억지로, 강제로, 불법적으로.

por malas o por buenas 좋건 나쁘건, 아무튼, 타의건 자의건 : Hágalo *por las malas o por las buenas* 좋건 나쁘건 그 일을 하십시오.

Más vale ~ ***conocido que bueno por conocer*** 【속담】 모르는 일을 해서는 안된다.

maloca *f.* ① 《*AmérM.*》 습격, 급습(malón). ②

M

《*Col.*》 산골에 있는 인디오의 마을.
malofágidos *m.pl.* 【동물】 =**malófagos.**
malófagos *m.pl.* 【동물】 날개 없는 곤충류.
malogrado, da *adj.m.f.* 요절한, 젊어서 죽은 (작가·예술가); (구어에서) 돌아가신 분, 고인.
malogramiento *m.* 실패; 좌절(malogro).
malograr *tr.* 놓치다, 잃어 버리다 : ~ ocasión. **~se** ① 실패하다 : *Se malogaron* sus pretensiones 그의 소원은 실패로 끝났다. ② 중도에서 좌절되다 : La empresa *se malogró* 사업은 좌절되었다. ③ 요절하다.
malogro *m.* ① 실패(fracaso) : el ~ de un negocio. ② 좌절. ③ 요절.
maloja *f.* 《*Ant. Bol. Col. Cuba. Méx.*》 = **malojo.**
malojal *m.* 《*Venez.*》 덜 익은 옥수수밭.
malojero, ra *m.f.* 《*Cuba.*》 malojo 재배자·판매자. —*adj.* 쌍자엽류의. —*m.pl.* 쌍자엽류에 속하는 식물.
malojo *m.* 《*PRico. Venez.*》 덜 익은 옥수수.
maloliente *adj.* 냄새가 고약한.
malón *m.* ① 《*Chile. Arg.*》 (인디오의) 침입, 습격. ② 《*Amér.*》 급습(ataque por sorpresa).
malonato *m.* 염산염.
malónico, ca *adj.* 염산화의.
maloquear *intr.* 《*AmérM.*》 약탈하다, 침입하다, 급습하다, 습격하다; 암거래를 하다.
malora *adj.* 《*Méx.*》 =**travieso, malvado.**
malorear *intr.* 《*Méx.*》 =**hacer travesuras o maldades.**
malote *adj.* 《*Méx.*》 용감한, 대담한(valiente). —*m.* 《*Méx.*》 열(fiebre).
malpaís *m.* 경작이 어려운 영토.
malparado, da *adj.* ① 타격을 받은, 손해를 입은 : salir ~ de su empresa 자기의 사업에서 실패하다. ② 무안 당한, 아주 혼이 난.
malparanza *f.* 【고어】 피해(menoscabo).
malparar *tr.* ① 상하게 하다, 파손시키다, 나쁘게 하다(dañar). ② 못살게 굴다, 학대하다(maltratar).
~se 실패하다.
malparida *f.* 유산(流産)한 여자(mujer que ha malparido).
malparir *intr.* 유산하다(abortar).
malparto *m.* 유산(aborto).
malpensado, da *adj.m.f.* =**malintencionado.**
malpica *f.* 【식물】 다닥나무.
malpocado, da *adj.* =**infeliz.**
malqueda *m.f.* 약속을 어기는 사람.
malquerencia *f.* 원한, 반감, 악감정, 비위에 맞지 않음(antipatía).
malquerer *tr.* 68 증오하다, 원망하다, 저주하다; (…에) 악의·반감을 품다; 학대하다.
M
malquerido, da *adj.* 원망받은; 저주받은.
malqueriente *adj.* 증오하는, 원망하는; 악의·반감을 품은.
malquistar *tr.* [+con : …에 대해] 악감정·반감을 품게 하다 : Le *malquistaron con* el ministro. Contr. bienquistar.
malquisto, ta *adj.* 증오하는, 원망하는, 미움받는, 악감정을 가진. Contr. bienquisto, amigo.
malrotador, ra *adj.* 낭비하는. —*m.f.* 낭비자.
malrotar *tr.* 헤푸게 쓰다, 낭비하다(malgastar) : ~ su fortuna 재산을 낭비하다.
malsano, na *adj.* 건강에 나쁜, 몸에 해로운; 병약한(enfermizo).
malsín *m.* 험담가.
malsonancia *f.* 마음이 악함.
malsonante *adj.* ① 마음이 나쁜, 차마 입에 담을 수 없는 : palabras ~*s.* ② 도덕에 반하는.
malsufrido, da *adj.* 참을성이 없는, 인내심이 없는, 답답한(impaciente).
malta *f.* [*alem.* malz] ① (맥주 양조용) 맥아(麥芽), 엿기름. ② 커피 대신 쓰는 볶은 보리. ③ 《*Arg.*》 흑맥주(cerveza negra). ④ 《*Chile.*》 고급 맥주의 일종. ⑤ 《*Venez.*》 (물·우유를 넣은) 항아리.
Malta 【지명】 몰타 《지중해에 있는 영연방 내의 독립국; 1964년 독립》.
maltasa *f.* 【화학】 **말토오스**, 맥아당 분해 효소.
malte *m.* =**malta** ①.
malteado, da *adj.* 맥아를 섞은 : harina ~*da.*
maltés, sa *adj.* 몰타(Malta)의. —*m.f.* 몰타 사람. —*m.* 몰타말.
maltón, na *adj.* 《*AmérM.*》 =**jovencito.**
maltosa *f.* 【화학】 맥아당, **말토오스.**
maltrabaja *m.f.* 게으름뱅이(holgazán).
maltraer *tr.* 72 【고어】 =**maltratar.**
maltraído, da *adj.* 《*Chile. Perú.*》 칠칠맞은, 단정치 못한, 옷에 무관심한(desaliñado, descuidado en traje) : ir muy ~.
maltrapillo *m.* 이상한 옷을 입은 불량배.
maltratamiento *m.* 학대; 냉대.
maltratar *tr.* 학대하다(tratar mal); 거칠게 다루다, 상처를 입히다(hacer daño) : No se debe ~ a los animales 동물을 학대해서는 안된다.
maltrato *m.* =**maltratamiento.**
maltrecho, cha *adj.* 혼이 난(malparado, maltratado).
maltuerzo *m.* 《*Chile.*》 mastuerzo의 사투리.
maltusianismo *m.* 맬더스 《Tomás Roberto Malthus, 1766-1834, 영국의 경제 학자》 학설·인구론·경제학.
maltusiano, na *adj.* 맬더스(주의)의. —*m.f.* 맬더스주의자.
maluco, ca *adj.m.f.* ① 말루카스 제도(las islas Malucas)의 (사람). ② 《*Amér.*》 몸의 컨디션이 좋지 못한, 몸에 병을 가진, 몸이 불편한(malucho). ③ 《*Col.*》 맛이 없는(insípido).
malucho, cha *adj.* 약간 몸이 불편한.
maluquera *f.* ① 《*Col. Cuba.*》 불쾌, 불쾌감(malestar). ② 《*Col.*》 추악함, 더러움(fealdad).
maluquesa *f.* ① 《*Col.*》 불쾌. ② 《*Venez.*》 천박함.
malura *f.* 《*Chile.*》 불쾌(감)(malestar).
malva *f.* [*lat.* malva] 【식물】 당아욱, 접시꽃 : ~ arbórea·loca·real·rosa·rósea 【식물】 당아욱. —*adj.* 엷은 자줏빛의, 담자색의. —*m.* 엷은 자줏빛, 담자색.
haber nacido en las ~s 천한 태생이다(tener humilde nacimiento).
ser como una ~ 부드럽고 상냥하다(ser dócil y bondadoso).
malváceo, a *adj.* 【식물】 당아욱(과)의. —*f.pl.*

당아욱과 식물.
malvadamente *adv.* 극히 나쁘게, 극악하게(con maldad) ; 부당하게(con injusticia) ; 심술궂게(perversamente).
malvado, da *adj.* 극히 나쁜, 극악한, 사악한(perverso).
malvaloca *f.* 【식물】 당아욱(malva loca).
malvar[1] *tr.* 흠이 가게 하다, 훼손하다 ; 나쁘게 하다.
malvar[2] *m.* 아욱밭.
malvarrosa *f.* 【식물】 당아욱(malva rosa).
malvasía *f.* 달콤한 포도의 일종 ; 그 포도주.
malvavisco *m.* 【식물】 당아욱과 식물 : La raíz del ~ se usa en medicina como emoliente.
malvender *tr.* 싸게 팔다, 헐값에 팔다, 헐값에 팔아 치우다 (malbaratar, vender a mal precio).
malversación *f.* 독직, 배임(背任), 횡령 : El ministro en cuestión fue acusado de ~ 문제의 장관은 배임죄로 고발되었다.
malversador, ra *adj.* 횡령하는. —*m.f.* 배임자, 횡령자.
malversar *tr.* (공금을) 횡령하다(cometer malversaciones).
malvezar *tr.* ⑨ 나쁜 습관에 물들게 하다.
malvinense *adj.m.f.* =**malvinero.**
malvinero, ra *adj.m.f.* 말비나스 제도 《las islas Malvinas, 아르헨띠나의 남쪽에 있는 섬; 영국이 1774년 Gran Malvina 섬을 점령 ; 면적 12,532㎢》의 (사람).
malvís *m.* 【조류】 개똥지빠귀 무리.
malviviente *adj.m.f.* 《*Amér.*》 =**maleante.**
malvivir *intr.* 비참한 생활을 하다(vivir mal).
malviz *m.* =**malvís.**
malvón *m.* 《*Méx. Riopl.*》【식물】 =**geranio.**
mama *f.* [*lat.* mamma] ①【동물】 젖꼭지(teta) ; 젖통(pecho). ② (어린이 말에서) 엄마.
mamá *f.* [*pl.* mamás] 엄마(madre).
~ ***abuela*** 할머니(abuela).
~ ***señora*** 《*AmérM.*》 할머니.
mamacallos *m.* 【단·복수 동형】 바보, 멍청이, 어리석은 인간(tonto, mentecato).
mamacita *f.* *dim.* mamá.
mamacona *f.* ① 잉카족의 태양신을 모시는 사제. ②《*Bol.*》 (말에게 씌우는) 가죽끈.
mamacha *f.* 《*Perú.*》 (종교적인) 성녀, 성모 ; 마님, 아주머니.
mamada *f.* ① 젖을 빠는 일 ; 그 1회의 분량. ② 수유기. ③ 옹골진 수확(물). ④《*Amér.*》 =**ganga.** ⑤《*Arg.*》 =**borrachera.**
mamadera *f.* ① 젖 빨기, 젖을 빨아내는 기구. ②《*Amér.*》 젖병(biberón). ③《*Amér.*》 젖병의 고무 젖꼭지(pezón de goma del biberón).
mamado, da *adj.* ①【속어】 술취한(borracho, ebrio) : estar ~ 술에 취해 있다, 취하다(estar borracho). ②《*Ant. AmérC.*》 멍청한, 어리석은, 우둔한, 바보스러운(tonto, mentecato, manarracho).
mamador, ra *adj.* 젖을 빠는. —*m.f.* ① 젖을 빠는 사람. ②《*Col. Cuba.*》 젖병을 빠는 사람.
mamaíta *f.* *dim.* mamá.
mamajuana *f.* 《*AmérM.*》 =**damajuana.**
mamalogía *f.* 포유 동물학.
mamalón, na *adj.* 《*Sant. Cuba.*》 =**holgazán.**
mamamama *f.* 《*Perú.*》 할머니(abuela).
mamana *f.* 《*Hond.*》 할머니(abuela).
mamancona *f.* 《*Chile.*》 뚱보 할머니(abuela vieja y gorda).
mamandurria *f.* 《*AmérM.*》 알찬 벌이 ; 횡재.
mamante *adj.* 포유기의, 젖을 빠는.
mamantear *tr.* 《*AmérC. Ant.*》 젖을 빨리다 ; 엉석받이로 키우다.
mamantón, na *adj.* 젖을 떼기 전의, 아직 젖을 떼지 않은 : cordero ~.
mamar *tr.* ① 젖을 빨다(chupar la leche de los pechos). ② 들이마시다(tragar). ③ 어려서부터 익히다·얻다(adquirir alguna calidad en la infancia) : ~ la honradez con la leche 어려서부터 정직성을 익히다. *Mamó* la piedad 그는 어려서부터 동정심이 있었다. ④ 힘들이지 않고 얻다 : José (*se*) *ha mamado* un empleo 호세는 힘들이지 않고 직장을 얻었다. ⑤ 술을 마시다(beber vino).
—*intr.* 《*Amér.*》 =**emborracharse.**
~se ① 누구를 혼내주다. ② 속이다(engañar). ③《*AmérM.*》 죽이다, 없애다(matar). ④《*AmérM.*》 게으름피우다, 나태해지다, 게을러지다.
~ ***y gruñir*** 아무리 좋게 해줘도 불평하다.
~***se el dedo*** =dejarse engañar.
dar de ~ 젖을 먹이다.
mamario, ria *adj.* 【동물】 젖통(mama)의 : glándulas ~*rias.*
mamarrachada *f.* ① [집합] 이상한 사람들(mamarrachos). ② 이상한 일·것 : escribir una ~ 이상한 것을 쓰다.
mamarrachista *m.f.* 기인(奇人), 이상한 짓을 하는 사람 : Ese escritor es un ~ 그 작가는 기인이다.
mamarracho *m.* ① 이상한 그림·장식. ② 괴짜 같은 사람 : Estoy hecho un ~ tan grande 나는 이렇게 못난 남자가 되었어. ③ 이상한 물건.
mambí *m.* ① (남아메리카 인디오들이 코카와 혼합하여 만든) 백분의 일종. ② =**mambís.**
mambís *m.* [*pl.* mambises] 《*Ant.*》 서반아로부터 독립하기 위해 투쟁한 꾸바 해방 대원.
mambisería *f.* 《*Cuba.*》 19세기 말의 독립 운동 ; [집합] 그 독립당.
mambla *f.* ① (유방 모양의) 둥글고 작은 산(montecillo redondo). ②《*Amér.*》 부스럼, 종기(túmulo).
mambo *m.* 맘보 《Cuba계의 리듬을 가진 춤》.
mamboretá *f.* 【곤충】《*Arg.*》 사마귀.
mambrú *m.* 배의 굴뚝.
mambullita *f.* 《*Chile.*》 술래잡기(gallina ciega).
mamella *f.* [*lat.* mamilla] (양의 양쪽 목에 있는 육질 돌기).
mamellado, da *adj.* 육질 돌기가 난.
mamelón *m.* ① 엄마의 젖꼭지(pezón de la mama). ② 젖꼭지 모양의 산.
mameluca *f.* 《*Chile.*》 매음부, 갈보, 매춘부.
mameluco *m.* ① 이집트의 친위대 병사. ② 바보, 멍청이, 어리석은 사람. ③《*Amér.*》 (어린이용) 콤비 《아래옷》. —*pl.* 헐거운 바지.
a la mameluca 폭이 넓은 (바지).
mamengue *adj.* 《*Arg.*》 =**apocado, tonto.**

M

mamerro, rra *adj.* 《*PRico.*》 굉장한, 큰 ; 가득 찬(colmado) ; 겁쟁이의.
mamerto, ta *adj.* 《*Ecuad.*》 =**apocado, tonto.**
mamey *m.* ①【식물】마메이《열대 아메리카산 ; 물푸레나무과 나무》; 그 열매. ②《*Ant.*》 실속 있는 일. ③《*Ecuad.*》 바보, 멍청이.
¡mameyes! *interj.* 《*Cuba.*》 안돼 ! 《강한 거부》.
mamía *adj.* 유방이 하나 뿐인 (양).
mamífero, ra *adj.* 【동물】포유 동물의, 포유류의. —*m.* 포유 동물. —*pl.* 포유류.
mamila *f.* [*lat.* mamilla] ① 암컷의 젖통·유방. ② 암컷의 젖꼭지. ③ (남자의) 젖(tetilla). ④《*Méx.*》 젖병(biberón).
mamilar *adj.* 젖·유방·젖꼭지(mamila)의.
mamilaria *f.* 【식물】마밀라리아《선인장의 일종》.
mamiliforme *adj.* 젖꼭지(pezón)·유방(mamila) 모양의.
mamita *f. dim.* mamá.
mamitis *f.* 【단·복수 동형】【의학】유선염(乳腺炎) : La ~ tuberculosa es bastante frecuente en las vacas.
mamola *f.* (남의) 턱을 문지르는 일 : hacer a uno la ~ (누구의) 턱을 만지작거리다, 애무하다 ; 조롱하다. —*interj.* 천만에 !
mamón, na *adj.* 젖을 빠는 ; 젖 떼는 것이 더딘 : niño ~. —*m.* ① 허드레 가지. ②【식물】마몬 나무《열대 아메리카산 무환자나무 무리의 식물》. ③《*Cuba.*》 두 번째 나오는 잎으로 만든 담배 ; 피우는 일. ④《*Méx.*》 카스텔라 모양의 과자의 일종. ⑤《*Hond.*》 곤봉. ⑥《*Amér.*》 =**borracho.**
diente ~ =diente de leche.
mamona *f.* ① =**mamola, burla.** ②《*Ecuad.*》 취기.
mamoncillo *m.* 《*Amér.*》【식물】마몬실료《무환자과 관목 ; 열매가 시큼하고 떫음》. ② 마몬실료 열매.
mamoncito, ta *m.f.* 《*PRico.*》 새끼 돼지.
mamonear *tr.* ①《*AmérC.* 》 몽둥이로 때리다, 구타하다. ② 어물거리다.
mamoso, sa *adj.* 젖을 잘 먹는.
mamotreto *m.* ① 메모장, 수첩(libro de apuntes). ② 다 해진 책. ③ 종이 다발. ④《*Ant.*》 모양 없는 것.
mampara *f.* ① 간막이. ②《*Méx.*》 문, 문짝(puerta). ③ 병풍(biombo).
mamparar *tr.* 【고어】=**amparar.**
mamparo *m.* (배 안의) 격벽(隔壁), 간막이벽.
mamparra *f.* 등화 집어 어법(灯火集魚漁法) ; 그 선박.
mampato, ta *adj.* 《*Chile.*》 몸통은 굵고 다리가 짧은 (동물).
mamperlán *m.* ①《*And.*》(공장의 층계에 있는 디딤판의 갓을 두르는) 나무 조각. ②《*And.* 》 =**escalón.**
mampernal *m.* 【고어】 =**mampirlán.**
mampirlán *m.* 【고어·방언】나무 조각.
mamplora *f.* =**hermafrodita.**
mamporro *m.* =**pescozón, puñetazo.**
mamposta *m.f.* 《*Ant.*》 바보, 얼간이.
mampostear *tr.* 돌을 깎다 ; 벽돌을 만들다.
mampostería *f.* 벽돌 만들기, 석조(石造) : una pared de ~.
mampostero *m.* ① 돌을 끼우는 미장이. ② 세무 공무원.
mampresar *tr.* 말을 길들이기 시작하다(empezar a domar el caballo).
mampuche *m.* 《*Ecuad.*》 =**mampucho.**
mampucho, cha *adj.* ①《*Col.*》 여자 같은. ②《*Ecuad.*》 둥그런, 원형의.
mampuesta *f.* =**hilada.**
mampuesto, ta *adj.* 미장이가 쓰는 재료의. —*m.* ① 작은 석재(石材). ② 흉벽(胸壁), 난간(parapeto). ③《*Amér.*》 (사격 때 총을) 받치는 물건.
de ~ 미리 준비하여 ; 몸을 숨겨.
mamúa *f.* 《*Riopl.*》 =**borrachera.**
mamujar *tr.* 억지로 젖을 빨다.
mamullar *tr.* ① 오물오물 먹다. ② 중얼거리다(mascullar).
mamure *m.* 《*Venez.*》 ①【어류】물고기의 일종. ② 챙이 넓은 모자의 일종.
mamut *m.* [*pl.* mamuts] 매머드, 거상(巨象) : El ~ estaba vestido de pelo largo 맘모스는 긴 털로 덮여 있었다.
man *f.* 【고어】mano(손)의 어미 탈락형.
a ~ salva 안전하게. ~ *a mono* 즉각, 즉시, 곧.
mana *f.* ①【고어】《*Amér.*》 =**el maná.** ②《*AmérC. Col.*》 =**manantial.**
maná *m.* ①【고어】만나《【성서】이스라엘 민족이 아라비아의 광야에서 하나님으로부터 받은 음식》, 하나님이 준 음식. ② 감로. ③ 영혼의 음식. ④《*Bol.*》 땅콩 과자의 일종. ⑤【식물】만나 나무
manabita *adj.m.f.* 마나비《Manabí, Ecuador에 있는 지명》의 (사람).
manaca *f.* 【식물】《*Cuba. Hond.*》 야자(palma)의 일종.
manacá *m.* 【식물】마나까《브라질 원산 ; 가지과 식물 ; 뿌리는 류머티즈와 매독 치료제이고 인디오들이 화살에 독을 발라 사용하는 독즙이 함유되어 있음》.
manaco *m.* =**manaca.**
manada *f.* ① (새·짐승의) 떼, 무리(hato, rebaño, bandada) : una ~ de cerdos 돼지의 떼. ② 한 웅큼.
a ~s 떼지어, 떼를 이루어.
manadero, ra *adj.* 콸콸 솟아나오는. —*m.* ① 샘, 우물(manantial). ② 한 떼의 목동(pastor de una manada).
Managua *f.* 【지명】마나구아《니까라구아의 수도》.
manager *m. ing.* 메니저. [*N.* 발음 : manéyer].
managuaco, ca *adj.* ①《*Cuba.*》 시골의 (사람). ② 다리나 코 부분이 하얀.
managüises *m.pl.* 《*Cuba.*》 =**angarillas.**
manajú *m.* 《*Cuba.*》【식물】 (Antillas 제도의) 고추과 나무.
manante *adj.* 콸콸 솟아나오는 : agua ~.
manantial *adj.* 샘의. —*m.* ① 샘(fuente). ② 근원, 원천, 근본(origen, principio).
manantío, a *adj.* 솟는 (물, 샘).
manar *intr.* [*lat.* manare] ① 솟아나오다, 뿜어나오다 : De la roca *manaba* una fuente 바위에

서 샘이 솟아났다. Le *manaba* la sangre de la herida 그의 상처에서 피가 뿜어 나왔다. ② 풍부하다, 많게 되다(abundar) : El campo *mana en* agua 논은 물바다가 되고 있다. —*tr.* 뿜어내다 : La herida *mana* sangre.

manare *m.* ①《*Venez.*》 따삐오까용의 피. ②《*Venez.*》 등나무로 짠 바구니(cesto de bejuco).

manatí *m.* ①【동물】 해우(海牛)(lamantino). ② 해우 가죽. ③《*Amér.*》 매, 채찍, 회초리(látigo).

manato *m.* =**manatí.**

manaza *f.* [*aum.* mano] 커다란 모양이 없는 손(mano grande y fea).

manazo *m.* 《*Amér.*》 =**manotazo.**

manca *f.* 《*Arg.*》 =**olla grande.**

mancacaballos *m.* (말의 발굽을 쏘는 칠레산의) 딱정벌레의 일종.

mancamiento *m.* 불구; 결점.

mancaperro *m.* ①【식물】 엉겅퀴. ②《*Cuba.*》 지네(ciempiés)의 일종.

mancar *tr.* ⑦ (…의 손·발이) 듣지 않게 되다; 불구로 만들다. —*intr.* ①【고어】 게을리하다. ②《*PRico*》 =**faltar.**

～se ① 손·발이 듣지 않다; 불구자가 되다. ②《*Méx.*》 감행하다, 굳이 …하다. ③ …하는 힘이 있다.

mancarrón, na *adj.m.f.* ① 여윈 (말)(matalón). ②《*AmérM.*》 폐인. —*m.*《*Amér.*》 둑.

manceba *f.* 첩, 정부(情婦)(concubina).

mancebete *m. dim.* mancebo.

mancebía *f.* ① 매음굴, 매춘굴. ② 외도.

mancebo *m.* ① 젊은이(mozo joven). ② 독신자(hombre soltero). ③ (약국의) 점원, 고용원(dependiente) : ～ de botica 약국 점원.

máncer *m,* 불륜 관계에서 태어난 아기.

mancera *f.* 쟁기의 손잡이(esteva de arado).

mancerina *f.* 컵 받침.

mancha *f.* [*lat.* macula]① 얼룩 : una ～ de grasa. ② 반점, 멍. ③ 오손(汚損); 불명예(deshonra) : El no ha sufrido ～*s* en la honra. ④ (태양의) 흑점. ⑤ 소묘(boceto). ⑥ 탄저병.

cundir como la ～ de aceite 나쁜 소문은 빨리 퍼진다.

Mancha, la *f.* 【지명】 만차 지방 《서반아의 중남부에 있음》.

manchadizo, za *adj.* 더러움을 잘 타는 : color ～ 더러움을 잘 타는 색깔.

manchado, da *adj.* 더러워진; 얼룩이 진, 반점이 있는; 흠이 있는.

manchador *m.* 《*Ar.*》 =**entonador, palanquero.**

manchancha *f.* 《*Arg.*》 (결혼식 등에서 아이들에게) 나누어 주는 돈.

manchar *tr.* [+con·de·en : …로] 더럽히다 : ～ la ropa *con·en·de* lodo 옷을 진흙으로 더럽히다. ② (명예를) 더럽히다(deslustrar).

～se ① 더러워지다 : *Se ha manchado* mi pantalón *con* lodo 나의 바지는 진흙으로 더럽혀졌다. ② 명예를 더럽히다.

máncharras *f.pl.* =**cháncharras mancharras.**

manchego, ga *adj.* 만차 지방의. —*m.f.* 만차 지방의 사람.

manchón *m.* [*aum.* mancha] ① 커다란 흠·얼룩·반점(mancha grande). ② 깊게 씨를 뿌린 곳. ③《*Galic.*》 토시(manguito)《양손을 따뜻하게 하는 모피로 만든 여자용》.

manchoso, sa *adj.* 《*Ál. Ar.*》 쉽게 더러워진.

manchú, úa *adj.* [*pl.* manchúes, manchús; *f.* manchúa 라고도 함] 만주(la Manchuria)의. —*m.f.* 만주 사람. —*m.* 만주어.

manchuela *f. dim* mancha.

Manchuria *f.* 【지명】 만주.

manchuriano, na *adj.* =**manchú.**

mancil *m.* 【은어】 =**mandilandín.**

mancilla *f.* 오점, 얼룩, 흠(mancha, desdoro).

mancillado, da *adj.* [mancillar의 *p.p.*] 사생·의붓의 (아이).

mancillar *tr.* =**manchar.**

mancipación *f.* ① (고대 로마법에 의한) 소유권 양도. ② [드묾] 매매.

mancipar *tr.* [*lat.* mancipare] 노예로 삼다(hacer esclavo a uno). **Sinón.** emancipar.

manclenco, ca *adj.* 《*Col. Ecuad.*》 나약한, 약해 빠진.

manco, ca *adj.m.f.* ① 한 쪽 팔이 없는, 손·발이 없는 (사람·동물) : el ～ de Lepanto 레빤또만 해전의 외팔이, 세르반떼스. ② 불구자(의). ③ 불완전한(incompleto) : obra ～*ca* 불완전한 작품. verso ～ 불완전한 시. —*m.*《*Chile.*》 여윈 말, (일반적) 말.

no ser ～ 매우 능숙하다(ser muy hábil); 손발이 온전하다·완전하다; 남의 것을 자기 것으로 만들다; 예사로 손을 내밀다, 체면을 돌보지 않다.

mancomún (de) *adv.* 함께, 공동으로, 연대로.

mancomunadamente *adv.* 공동·동의·연대로(de mancomún).

mancomunado, da *adj.* 공동의, 연대의, 일치의 : cuenta ～*da* 공동 계산. obligación ～*da* 공동 책임.

mancomunal *adj.* 《*Chile.*》 =**mancomunado.**

mancomunar *tr.* ① 합치다, 합하다(unir, reunir) : ～ sus esfuerzos. ② 협동하다·연합시키다. ③ 공동 계산으로 하다 : Los *mancomunaron* para el pago de la multa 벌금의 지불을 위해서 그들은 그것을 공동 계산으로 했다.

～se 협동·연합하다(asociarse) : *Se mancomunaron* para un negocio 그들은 사업을 위해 연합했다.

mancomunidad *f.* 협력, 협동, 공영; 조합; 연합, 연합(체)(unión, asociación).

la M- Australiana 호주 연방.

mancorna *f.* 《*Amér.*》 두 개가 한 짝인 단추·브로치, 커프스 버튼.

mancornar *tr.* ㉔ ① (송아지를) 뿔을 잡아 쓰러뜨리다. ② 뿔과 뿔을 서로 비끌어 매다 : ～ dos vacas. ③ 합하다, 한 짝으로 만들다.

～se 짝이 되다, 연대·연합·연계하다.

mancornas *f.pl.* 《*Amér.*》 =**mancuernas.**

mancornear *tr.* =**mancornar.**

mancuerda *f.* (고문으로) 꽁꽁 묶기.

mancuerna *f.* ① 뿔과 뿔을 서로 비끌어 맨 두 마리의 소·물건 : ～ de panochas. ② 밧줄. ③ 짝. —*pl.*《*Méx.*》 (와이셔츠의) 양 소매.

manda *f.* ① 신청(申請). ② 선물, 선사, 기증

M

(donación). ③ 유증(遺贈) : dejar una ～. ④《Chile.》(신에의) 맹세.

mandadero, ra *m.f.* ① 심부름꾼. ② 주문 받으러 다니는 사람(demandadero).

mandado, da *adj.* ① 보내진, 파견된. ② [bien·mal+] 말을 잘 듣는·듣지 않는, 예의 바른·없는, 규율을 잘 지키는·잘 지키지 않는.
—*m.* ① 명령 ; 규칙. ② 위임, 일, 역할 ; 사명. ③ 심부름, 심부름 가기 : mozo de ～ 심부름하는 젊은이, 급사. hacer un ～ 심부름하다. ④ =**puñetazo.**
a su ～《*Arg.*》잘 부탁드립니다(a sus órdenes).
comer el ～《*Méx.*》지위를 이용하다.

mandador *m.*《*Venez.*》채찍(látigo).

mandalas *m.pl.* 만달라스족《동부 Sudán의 흑인종》.

mandamás *adj.m.f. desp.* [*pl.* mandamases](명령만 하는) 상사, 보스(의).

mandamiento *m.* ① 명령, 지령, 지휘. ② 계율 : los diez ～*s* 십계(十戒). ③【법률】영장.
los cinco ～*s* 다섯 손가락(los dedos de la mano) ; 손 : comer con *los cinco* ～*s* 손으로 움켜잡고 먹다.

mandanga *f.* =**pachorra.**

mandante *adj.* 보내는 ; 주문하는 ; 명령하는.
—*m.f.* 위임자, 위탁자, 의뢰인, 위촉인.

mandar *tr.* [*lat.* mandare] ① 보내다(enviar) : ～ telegrama 전보를 치다. ② 심부름 보내다 : Le *mandé* de emisario 그를 심부름 보냈다. ③ 가지러 보내다, 주문하다 : ～ *por* dulces 과자를 가지러 보내다. ④ [+*inf.* : …하도록] 명령하다(ordenar) : *Mandé* venir a su médico 의사를 오도록 했다. ⑤ [+que+*subj.*] …하라고 명령하다 : Le *mandó* que *se acercara* 그에게 가까이 오라고 명령했다. ⑥ 지배하다(regir). ⑦ 심부름을 하다 : *Mánde*me usted 무슨 일이십니까? ⑧ 위탁·위임·위촉하다. 부탁하다(encargar). ⑨ 신청(申請)하다, 약속하다(ofrecer). ⑩【법률】유증(遺贈)하다(legar). ⑪ 굽어보다, 내려다보다(dominar) : ～ la campiña 평야를 굽어보다. ⑫ (말을) 제압하다(dominar). ⑬《*Amér.*》[+ con : …을] 먹이다, 부딪치다(tirar, dar) : Le *mandaron* un palo 그를 몽둥이로 때렸다. Me *mandó con* una piedra 내게 돌을 던졌다. ⑭《*Chile.*》(경마 등에서) 출발 신호를 하다.
—*intr.* 지배권을 장악하다, 지휘하다 ; 자유로이 행동하다 : En mi casa *mando* yo 내 집에서는 내가 어른이다. En mi hambre *mando* yo 비록 배가 고프더라도 내 일은 내가 한다.
～se ① 혼자서 움직일 수 있다, 자유로이 하다 : El enfermo empieza ya a ～*se.* ② (방 등이) 통해 있다 : Las dos habitaciones *se mandan.* ③ 통로를 사용하다(servirse) : *Se mandan* por una puerta secreta 비밀문으로 출입한다. ④ [때로는 *tr.*] Me *mandó* por la escalera 계단으로 나를 내보내 주었다. ⑤《*Amér.*》멋대로 굴다, 무례한 짓을 하다 : No *te mandes con* José 호세에게 버릇없이 굴지 말아라. ⑥ 도망치다, 뺑소니치다(largarse). ⑦ [+*inf.* : …] 해 주시다 : *Mándese* entrar 들어와 주십시오.
～ *cambiar*《*AmérM.*》몰아내다, 쫓아내다.
～ *pagar* 지불 명령을 내리다.
～*se cambiar*·*mudar*《*AmérM.*》물러가다 : Dile que *se mande cambiar* en el acto 곧 물러가도록 그에게 말해라.

mandarín *m.* [*sanscr.* mandalin] 중국의 관리·대관·요인 ; (존경받지 못하는) 높은 사람 ; 유력자.
pato ～【조류】원앙새.

mandarina *adj.* ① 중국 관화의 : lengua ～ 중국의 관화(官話)《중국의 표준말》. ② 밀감의 : naranja ～ 밀감. —*f.* ① 중국 관화. ② 만다리나《밀감의 일종》: ～ en conserva 통조림 밀감.

mandarinato *m.* mandarín의 관직.

mandarria *f.* (조선공의) 큰 망치.

mandarino *m.*【식물】만다리노《밀감(naranjo)의 일종》.

mandatario, ria *m.*【법학】수임자, 수임국 ; 대리인, 대리국, 위탁자 ; 위임 통치국. Contr. mandante. —*m.f.*《*AmérM.*》지배자, 통치자 ; 대통령(의 별칭).
primer ～ 국가 원수(jefe del Estado).

mandato *m.* [*lat.* mandatum] ① 명령, 칙령, 법령, 훈령. ②【종교】세족식(洗足式)《그리스도의 발을 씻기던 일에 빗대어 열두 사람이 발을 깨끗이 하는 일》. ③【법률】위임(장), 영장 ; 기탁, 공탁 계약 : ～ imperativo 선거인으로부터 의원에 대한 통고·요구. ～ internacional 국제 연맹의 위임 통치(령).

manderecha *f.* 오른손(mano derecha) : buena ～ 행운.

mandi *m.*【동물】=**hulman.**

mandí *m.*《*Riopl.*》【어류】아르헨띠나의 메기(bagre)의 일종.

mandíbula *f.* [*lat.* mandibula] ① 턱, 악골(顎骨)(quijada). ② (새의) 아래 부리. ③ (곤충류의) 부리.
a ～ *batiente* 깔깔거리고 (a carcajadas) : reir *a* ～ *batiente* 폭소를 터뜨리다, 깔깔거리고 웃다(reir a carcajadas).

mandibular *adj.* 턱의 ; 부리의.

mandil *m.* [*ár.* mandil] ① (목에 거는) 큰 앞치마(delental) : ～ de zapatero. ②《*Arg. Col. Chile.*》안장 받침. ③《*Méx.*》턱받기. ④ 코가 작은 그물.

mandilada *f.* mandilandín의 모임.

mandilandín *m.* 공창(公娼)의 심부름꾼.

mandilandinga *f.* =**picaresca, hampa.**

mandilar *tr.* (말을) 천으로 문질러 주다.

mandilejo *m. dim.* mandil.

mandilete *m.* 포문(砲門)(portezuela).

mandilón *m.* 무기력한 사람.

mandinga *adj.m.f.* 아프리카 수단의 (흑인).
—*f.*《*Arg.*》마술 : Parece cosa de ～.
—*m.*《*AmérC. Riopl.*》악마(diablo). ②《*CRica.*》여자 같은 남자(hombre afeminado). ③《*Arg. Venez.*》빈틈없는. ④《*Perú.*》흑인(negro).

mandioca *f.*《*Amér.*》【식물】만디오까 ; 만디오까 뿌리 ; 만디오까 뿌리의 가루, 따삐오까.

mando *m.* ① 권력(자) ; 지배·지휘(권) : al ～ de …의 지휘하에. asumir el ～ 지휘하다, 지휘를 떠맡다. La legión estuvo al ～ de Emiliano 군단은 에밀리아노의 지휘하에 있었다. Emiliano tomó el ～ de la división 에밀리아노는 사

단의 지휘를 했다. El tenía el ~ del regimiento 그는 연대를 지휘하고 있었다. El ~ decidió atacar de madrugada 사령부는 새벽에 공격하기로 결정했다. tener el ~ y el palo 절대적인 지배권을 가지다. ② 명령 (군대의) : Nepoleón dio el ~ de retirarse 나폴레옹은 퇴각 명령을 했다. ③ 추방. ④【기계】조작, 조종 : ~ a distancia 원거리 조종. Los ~*s* del avión no funcionaban bien 비행기의 조종 장치가 작동이 잘 되었다. —*pl.* 경영자, 간부 사원 : ~ inferiores 하부 관리(管理), 하부 관리층, 하부 경영자층. ~ intermedios 중급 경영자층. ~ superiores 최고 경영자층.

mandoble *m.* ① (두 손으로 드는) 칼. ② 칼로 내려치기 ; 칼 상처. ③ 엄중 문책(represión muy severa).

mandolín *m.* 《*Cuba.*》 =**bandolín.**

mandolina *f.* ①【음악】만돌린(bandolina). ② 《*Amér.*》 =**bandolín.**

mandolino *f.* 《*Chile.*》 =**mandolina.**

mandón, na *adj. m.f.* 거만스러운, 으시대는 (사람). —*m.* ① 《*Arg.*》 갱부 우두머리, 십장. ② 《*Chile.*》 경마의 출발 신호 담당자.

mandrache *m.* =**mandracho.**

mandrachero *m.* 도박장 주인(gariiero).

mandracho *m.* 도박장(garito).

mandrágora *f.* [*lat.* mandragora]【식물】연꽃.

mandragula *f.*【속어】=**mandrágora.**

mandria *adj.m.f.* 겁쟁이(의), 병신 같은 (사람).

mandril *m.* ①【동물】만드릴, (서아프리카산의) 비비 : El ~ tiene el hocico pintado de rojo y azul. ②【기계】(선반의) 굴대, 심축(心軸), 심봉(心棒) ; 지퍼 : ~ de tres mordazas 삼면으로 조이게 된 지퍼.

mandrilo *m.*【동물】=**mandril.**

mandrón *m.* (무기로서의) 투석기(投石器) ; 그 돌.

mandubí *m.* 《*Arg. Bol.*》 땅콩, 낙화생, 호콩 (maní, cacahuete).

manduca *f.* 먹거리, 식사, 음식(comida).

manducable *adj.* =**comible.**

manducación *f.* 먹는 일.

manducar *tr. intr.* 7【속어】먹다(comer).

manducatoria *f.*【속어】먹거리(comida).

mandurria *f.* 《*Ál. Ar.*》 =**bandurria.**

manea *f.* 《*Amér.*》 (말의) 족쇄, 발을 묶는 끈.

maneador *m.* 《*AmérM.*》 (동물의 앞다리를 묶는) 가죽끈, 가죽줄(soga de cuero).

manear *tr.* 발을 묶다, 발에 줄을 묶다·매다 (manejar).

~se 《*Chile.*》 꼼짝 할 수 없게 되다.

manecilla *f.* [*dim.* mano] ① 작은 손. ② 고리쇠(broche). ③ (시계의) 바늘. ④ (덩굴 식물의) 덩굴손. ⑤ (인쇄물에서의) **손가락표(☞).**

maneco, ca *adj.* 《*PRico.*》 =**maneto.**

maneche *m.* 《*Bol.*》 =**mono aullador.**

manejabilidad *f.* 다루기 쉬움.

manejable *adj.* 취급하기 쉬운, 다루기 쉬운, 조작하기가 간단한 : instrumento ~ 다루기 쉬운 기계.

manejado, da *adj.* [bien · mal+] (그림에서) 붓놀림이 여유있는·그렇지 못한 : retrato bien ~ 붓놀림이 여유있는 초상화.

manejadora *f.* 《*Cuba.*》 아기 보는 여자.

manejar *tr.* ① 취급하다, 다루다 ; 사용하다 ; 조작·조종하다 : ~ la espada 칼을 쓰다. ~ dinero 돈을 취급하다. Yo ya sé cómo ~ la máquina 그 기계의 취급 방법을 이미 알고 있다. ② 제어하다 ; 움직이다 ; 운전하다 : ¿Sabe usted ~ el coche? 자동차를 운전할 줄 아십니까? ③ 경영하다 ; 관리·처리하다(gobernar, dirigir) ④ 지배하다.

~se ① 취급하다. ② 처신·처세하다. ③ (손발·몸이) 자유로이 움직이기 시작하다 : *Se manejaba* ya sin las muletas.

Manéjese con cuidado 취급 주의.

manejo *m.* ① 취급 : El ~ de esta máquina es muy complicado 이 기계의 취급은 무척 복잡하다. ② 조교(調教). ③ 조종, 조작, 운전. ④ 경영, 관리, 처리. ⑤ 공작 ; 음모, 책략 : Con sus ~*s* consiguió lo que quería 그는 책략을 써서 바라는 것을 얻었다.

maneota *f.* =**maniota.**

manequí *m.* 《*Chile. Ecuad.*》 =**maniquí.**

manera *f.* ① 방법, 방식(modo) : a mi ~ de ver 나의 견해로는. ~ de pago 지불 방법. ② 양식, 수법 ; 버릇, 습벽 ; 스타일, (작품의) 성격 : La ~ de Rafael se distingue de la de Leonardo de Vinci. ③ 몰골, 인상. ④ [주로 *pl.*] 예의범절, 예법 : persona de ~*s* groseras.

—*pl.* 스커트의 옆 트기.

a (la) ~ de (…하는) 방식으로, …식으로, …와 같이.

a ~ de telonio 엉망으로, 멋대로.

de esta · esa ~ 이·그와 같이 (하여).

de mala ~ 호되게, 심하게 ; 버릇없이.

de una ~ + 형용사 = 부사 (형용사+mente) : *de una manera* grosera =groseramente.

de ninguna ~ ① 결코 …않다. ② 천만에 《미안하다의 대답》.

de ~ que ① [+*ind.*] 그리하여, 그 때문에(de modo que) : Me levanté temprano, *de ~ que* llegué a tiempo 나는 일찍 일어났기 때문에 시간에 댈 수 있었다. ② [+*subj.*] …하도록, …할 수 있게(de modo que) : Me levanté *de ~ que* llegara a tiempo 시간에 댈 수 있도록 일찍 일어났다.

en gran ~ 몹시, 심히, 대단히(muy, mucho).

por ~ que =de ~ que, de suerte que.

sobre ~ 지나치게, 과도하게, 극단적으로, 극도로, 최대한으로(excesivamente, en extremo).

manerismo *m.* 매너리즘.

manerista *m.f.* 매너리즘에 빠진 사람.

manero, ra *adj.* 손에 얹을 수 있도록 길들인 (매 따위).

manes *m.pl.* (고대 로마인들 사이에서) 죽은 사람의 영혼(almas de los muertos).

maneta *f.* 《*Galic.*》 =**manecilla, llave.**

maneto, ta *adj.* ① 《*AmérC. Col.*》 한 손이 없는 (manco). ② 《*Guat.*》 =**patizambo.** ③ 발이 휘어진, 불구의.

manezuela *f.* [*dim.* mano] ① =**manecilla.** ② 브로치, 버클, 훅. ③ (도구 따위의) 손잡이.

mánfanos *m.pl.* 《*León.*》 빵 조각.

manferidor *m.* =**fiel contraste.**

manfla *f.* ① 정부(情婦), 첩. ② 갈보, 매음부, 매춘부.

manflor *m.* 《*Méx.*》 여자 같은 남자.

manflora *f.* 《*Méx.*》 여장부. —*m.* 《*Amér.*》 여자 같은 남자.

manflórico *m.* 《*Col. Venez.*》 =**manflor.**

manflorita *m.* 《*Amér.*》 여자 같은 남자(hombre afeminado).

manflota *f.* 사창가, 매음굴.

manflotesco, ca *adj.* 못된 곳에 드나드는.

manga[1] *f.* [*lat.* manica] ① 옷소매 : ~ corta 반소매. ② 호스, 파이프 : ~ de lienzo 천으로 만든 호스. ~ de riego 살수용 호스. ③ 옷소매·통 모양의 물건. ④ 여행용 가방의 일종(portamantas). ⑤ 송풍통. ⑥ (비행장 등의) 풍향 측정기. ⑦ (원추형의) 자루 모양의 그물, 투망; 여과용의 자루. ⑧ (차굴대의) 양끝 부분. ⑨ 선폭(ancho del buque) : barco de poca ~. ⑩ 대, 무리, 군, 떼(multitud) : una ~ de gente. ⑪ 무장대. ⑫ 사냥의 몰이꾼. ⑬ 회오리바람. ⑭ 《*Amér.*》 산양 등의 목축을 몰아넣는 길. ⑮ 《*Amér.*》 (사람·가축의) 한 떼, 한 무리. ⑯ 《*AmérC. Méx.*》 머리에서부터 뒤집어쓴 아랍 사람들의 모포. ⑰ 《*Col.*》 (가축의) 몰아넣는 곳 ; 작은 목장. —*pl.* 덤.

~ ***boba*** 넓게 벌어진 소매. ~ ***de agua*** 소나기(turbión). ~ ***de viento*** 선풍, 큰 회오리바람(torbellino). ~ ***perdida*** 벌어진 소매.

en ~s de camisa 소매를 걷어 붙이고, 셔츠만 걸치고. ***como la ~ de un chaleco*** 《*Col. PRico.*》 돈 한 푼 없이 빈털터리로. ***por ~s o por faldas*** 《*Arg.*》 어떻게 해서라도.

andar ~ por hombro 집안 살림에 등한하다.

estar de ~ 마음이 서로 통하고 있다.

estar ~ por hombro 버려지다.

hacer ~ 《*Col.*》 시간을 헛보내다(mangonear).

hacer ~s y capirotes 경솔히·생각없이 하다(obrar sin reflexión).

ser de ancha ~ · ~ ancha ; tener ~ ancha 엄하지 않다, 너그럽다, 관대하다(ser demasiado indulgente).

manga[2] *f.* [*malayo.* manga] ① 【식물】 (인도의) 망고(mango)의 일종. ② manga의 열매.

mangachapuy *m.* 【식물】 망가차뿌이 : La madera del ~ se emplea en las construcciones navales 망가차뿌이의 목재는 선박 건조로 사용되고 있다..

mangada *f.* 《*Sal.*》 목장의 일부.

mangajarro *m.* 보기 흉한 소매(manga sucia).

mangajo *m.* 《*Ecuad. Perú.*》 무기력한 사람.

mangajón *adj.* 《*Sal.*》 =**destrozón, andrajoso.**

mangana *f.* ① (마소의 발을 향해 던지는) 밧줄 : echar ~*s*. ② 《*Méx.*》 빌린 돈, 채무, 빚, 차금(借金)(préstamo).

manganato *m.* 【화학】 망간산염.

mangancé *m.* 《*Col.*》 【조류】 지바퀴(tordo) 닮은 새.

manganear *tr.* ① 밧줄(mangana)을 던져 붙잡다, mangana를 던지다. ② 《*AmérC. Méx.*》 훔치다, 빼앗다. ③ 《*Perú.*》 애먹이다, 골탕먹이다(fastidiar).

manganeo *m.* mangana로 사냥하기.

manganesa *f.* 【화학】 망간과산화물.

manganesia *f.* =**manganesa.**

manganésico, ca *adj.* 【화학】 망간을 함유한.

manganesífero, ra *adj.* 망간을 함유한 : hierro colado ~.

manganeso *m.* 【광물】 망간.

manganeta *f.* ① 새잡이 그물. ② 《*Arg. Bol.*》 속임수. ③ 구실, 변명.

mangangá *m.* ① 《*Arg. Bol.*》 귀찮은 사람. ② 도둑. ③ 돈(dinero). ④ 《*Arg.*》 (꿀벌의) 수펄(abejón).

mangánico, ca *adj.* 【화학】 망간(manganeso)의.

manganilla *f.* ① 모계(謀計), 계략, 책략, 권모술수(trampa, treta, ardid). ② 대석궁(大石弓).

manganoso, sa *adj.* 망간 산화물의.

mangante *m.* 날치기 거지(mendigo).

manganzón, na *adj.* 《*Amér.*》 게으른, 태만한, 꾀만 부리는(maganzón).

manganzonería *f.* 《*Col. Perú.*》 게으름, 나태.

mangla *f.* [*lat.* macula] =**ládano.**

manglar *m.* mangle 숲.

mangle *m.* 【식물】 사탕무의 일종 ; 홍수(紅樹).

mango *m.* ① 손잡이 : ~ de cuchillo 칼의 손잡이. ~ de paraguas 우산 손잡이. ~ de plumas 펜대. ② 【식물】 망고 (열매). ③ 《*Arg. Chile.*》 빼소, 돈. ④ 《*SDgo.*》 다루기 쉬운 사람.

~ ***de cuchillo*** 【조개】 긴 맛살.

mangón, na *adj.* ① 《*Murc.*》 커다란. ② 나태한, 게으른. —*m.* [드뭄] ① 중간 상인 ; 소매 상인(revendedor). ② 《*Arg. Bol. Col.*》 (목축 떼를 넣는) 우리. ③ 목초지(potrero).

mangonada *f.* 구타, 때리기.

mangoneador, ra *adj.* ① 간섭하는. ② 주책부리는. ③ 이면 공작을 하는.

mangonear *intr.* ① [+en : …에] 간섭하다 : El *mangoneaba en* ese asunto 그는 그 일에 간섭을 하곤 했다. ② 주책부리다(entremeterse). ③ [드뭄] 어칠대다(vagabundear). ④ 《*Chile.*》 이면 공작을 하다. —*tr.* ① 《*Amér.*》 훔치다. ② 《*Cuba.*》 쓸데없이 참견하다. ③ 어치렁거리다.

mangoneo *m.* ① 간섭, 참견, 주책스러운 일. ② 《*Méx. Perú. PRico.*》 이면 공작(chanchullo).

mangonero, ra *adj. m.f.* ① 주책스러운, 참견하기 좋아하는 (사람). ② 《*Amér.*》 이면 공작하는 (사람).

mangorrero, ra *adj.* 쓸모없는. —*m.* 《*Urug.*》 나이프.

mangorrillo *m.* =**mancera.**

mangosta *f.* 【동물】 망구스(icneumón).

mangostán *m.* 【식물】 망고스딴나무 ; 그 열매.

mangote *m.* ① 넓은 소매(manga ancha). ② 법의(法衣) 등의 소매. ③ (집무 중에 팔에 끼는) 소매 덮개, 토시.

mangrino, na *adj.* 《*Col.*》 시든, 영양 실조의.

mangrullar *tr.* 《*Arg.*》 망을 보다.

mangrullo *m.* ① 《*Arg.*》 나무 위의 망대 ; 화재 망대. ② 《*Arg.*》 【어류】 메기의 일종.

mangual *m.* 망구알 《사슬의 한 쪽 끝에 가시가 달린 무쇠 덩이를 붙인 손잡이 형태의 옛날의 무기》.

manguala *f.* 《*Col.*》 ① 사기, 협잡, 협잡질, 속임수(fraude). ② 흉계.

manguardia *f.* 【건축】 익벽(翼壁) 《교대(橋臺)의 양쪽 둑의 흙이 무너지지 않게 하기 위하여 교대에 붙여 양날개처럼 만든 벽체(壁體)》 (murallón).

mangudo, da *adj.* 긴 손잡이가 달린.

mangue *pron.* 【속어】 저, 나(yo).

manguear *tr.* 《*Amér*》 ① (manga로 목축을) 몰아넣다. ② (사냥에서 짐승을) 몰아내다. ③ 유인하다, 끌어들이다. ④ 《*PRico.*》 쏘다니다 (vagar, manganear). —*intr.* 《*Amér.*》 일하는 척하다; 멀리서 손으로 인사하다.

manguera *f.* ① 호스, 수관(水管) : ~ de lienzo 천으로 만든 호스. ② (선박의) 통풍통 (chimenea de ventilación). ③ 《*AmérM.*》 (가축의) 우리, 축사(corral).

manguero *m.* ① (소화에서) 호스를 든 소방관. ② 《*Méx.*》 망고나무(mango).

mangueta *f.* ① 세장기(洗腸器), 세정기(洗淨器), 세척기. ② (문짝이나 창문의) 이음도리. ③ 부지깽이. ④ (변소의) 방취판(防臭板), 방취관.

manguilla *f.* 《*Chile.*》 덧소매, 소매 덮개, 토시; 반소매.

manguillero *m.* 펜대.

manguillo *m.* 《*Sal. CRica.*》 =**portaplumas.**

manguindó *m.* 《*Cuba.*》 =**holgazán, parásito.**

manguita *f.* ① 칼집(funda). ② 반소매, 삼부소매.

manguitería *f.* 모피상(peletería).

manguitero *m.* 모피 상인.

manguito *m.* ① 팔뚝 덮개; 팔뚝 토시. ② 카스텔라의 일종. ③ 통 모양의 물건 : ~ de incandescencia 가스 맨틀. ④ (기계의) 통, 통 모양으로 이은 곳.

manguruyú *m.* 《*Riopl.*》 물고기 이름 《가시가 많고 흉칙하지만 맛이 좋음》.

manguzada *f.* =**manotazo.**

maní *m.* [*pl.* maníes, manises] ① 땅콩, 낙화생 (cacahuete). ② 《*Cuba.*》 옛날의 흑인의 춤 이름. ③ 돈(dinero).

manía *f.* [*lat.* mania] ① 【의학】 편집광(偏執狂) : ~ persecutoria 피해 망상광. ② 열중, 열광, …열(熱), …광(狂) : Tiene ~ *por* las modas 그녀는 유행에 미친 사람이다. ③ 기벽(奇癖) (extravagancia). ④ 원망, 원한(ojeriza). ⑤ 집념.

maniabierto, ta *adj.* 《*Ant.*》 물건을 아끼지 않는, 손이 큰, 마음이 헤픈.

maniaco, ca *adj.* 광적인 : delirio ~ 광적 섬망 상태. —*m.f.* …광(狂), 미치광이, 광인 : un pobre ~ 가련한 미치광이.

maníaco, ca *adj. m.f.* =**maniaco.**

manialbo, ba *adj.* 앞다리(manos)가 흰 (말 따위).

maniatar *tr.* 앞다리를 · 손을 묶다(atar las manos).

maniate *m.* 《*Ecuad.*》 =**maniota, traba.**

maniático, ca *adj.* (열)광적인, 미친, 광란의; 괴상한, 괴벽이 있는, 괴짜의. —*m.f.* 괴벽한 사람, 괴짜.

maniblanco, ca *adj.* =**manialbo.**

manicato, ta *adj.* 《*Cuba.*》 =**animoso.**

manicoba *f.* 《*Bol.*》 고무(goma)를 채취하는 나무.

manicomio *m.* 정신 병원.

manicordio *m.* =**monacordio.**

manicorto, ta *adj.* 인색한(tacaño). **Contr.** manilargo.

manicura *f.* 매니큐어 : hacerse la ~.

manicurista *m.f.* 《*AmérC.*》 미조사(美爪師).

manicuro, ra *m.f.* 손톱 화장술사, 미조사(美爪師).

manida *f.* 사는 집, 집.

manido, da *adj.* ① 낡은; 썩기 시작한. ② 《*PRico.*》 …투성이의, …로 가득한(lleno).

maniego, ga *adj.* =**ambidextro.**

manierismo *m.* 《*Galic.*》 =**manerismo.**

manierista *m.f.* 《*Galic.*》 =**manerista.**

manifacero, ra *adj.* 주책스러운. —*m.f.* 주책바가지.

manifactura *f.* ① 완성된 것, 형(形); 형태를 만들기. ② [드묾] =**manufactura.**

manifecero, ra *adj.* 《*Ar.*》 =**manifacero.**

manifestación *f.* ① 표명, 표시 : ~ financiera 재무 제표(財務諸表). ② 성명. ③ 시위 운동, 데모 : ~ política 정치적 시위. ~ callejera 가두 데모. ~ masiva 집단 데모. ④ 정견 발표.

manifestador, ra *adj. m.f.* 표명하는 (사람), 표시하는. —*m.* 성체 현시대(聖體顯示臺).

manifestante *m.f.* 시위 운동 · 데모 참가자, 데모 대원 : La policía detuvo a un ~ 경찰은 데모 대원 한 사람을 구류했다.

manifestar *tr.* ⑲ ① 나타내다(dar a conocer) : ~ sorpresa 놀람을 나타내다. ② 밝혀 내다, 표시 · 표명 · 언명하다 : En la carta *manifestaba* estar conforme 편지에서 그는 찬성을 표명했다. ③ 성명하다. ④ (성체를) 개장(開張)하다.

~se ① 나타나다, 밝혀지다(darse a conocer) : Dios *se manifiesta por* sus obras. ② 데모를 하다 : Los empleados quisieron *~se.*

manifestativo, va *adj.* 표명의, 표현의.

manifiestamente *adv.* 분명하게.

manifiesto, ta *adj.* ① 명백한, 확실한, 분명한 (evidente, claro) : El error quedó ~ 착오는 분명해졌다. ② 개장한.

—*m.* ① 성명서, 선언서, 격문 : *M-* Comunista 공산당 선언. ② 선하 목록(~ de carga), 운임 명세서 : ~ de la carga 선하 운임 명세서. ~ de sobordo 선하 목록. ~ del buque 본선 적하 목록. ~ del embarcador 하주 적하 목록. ③ 개장(開帳) : Hay ~ esta tarde.

de ~ 명백히, 명백한.

poner de ~ 밝히다; 공개하다, 개진(開陳)하다.

maniganza *f.* 《*Galic.*》 음모, 혼란, 분규(lío, enredo).

manigero *m.* 인부 감독, 십장.

manigordo *m.* 《*CRica.*》 =**ocelote.**

manigua *f.* 《*Cuba. Méx.*》 잡초지; 숲; 혼란, 혼잡.

manigual *m.* 《*Cuba.*》 =**manigua.**

manigueta *f.* =**manija.**

manija *f.* [*lat.* manicula] ① 손잡이, 자루(mango de herramienta). ② 손을 묶는 줄(maniata). ③ 쇠로 만든 테.

manijar *tr.* 《*Chile.*》 manejar의 잘못된 발음.
manijero *m.* (노동자의) 십장.
Manila *f.* 【지명】 마닐라 《필리핀의 수도》.
manilargo, ga *adj.* ① 손이 긴. ② 바로 손을 내미는, 손이 빠른. ③ 물건을 아낄 줄 모르는 (liberal). ④ 《*Ant.*》 손버릇이 나쁜.
manilense *adj.m.f.* =**manileño.**
manileño, na *adj.* 마닐라 《Manila, 필리핀의 수도》의. —*m.f.* 마닐라 사람.
maniligero, ra *adj.* 《*Ant.*》 손이 빠른 ; 툭하면 싸우는, 손버릇이 나쁜.
maniluvio *m.* [주로 *pl.*] 손을 씻는 일, 손의 소독.
manilla *f.* ① 팔찌(pulsera o brazalete). ② 《*PRico.*》 여송연의 한 묶음 《15~20매》. ③ 《*PRico. Venez.*》 종이의 한 묶음 《5매》. ④ 《*Col.*》 절굿공이. ⑤ 《*Méx.*》 수갑.
manillar *m.* =**guía de bicicleta.**
maniobra *f.* ① 수세공(手細工) ; 장치 ; 조작 : ~ de una bomba 폭탄 장치·조작. ~*s* de bolsa 시장 조작. ② 운전, 조종 : instalación de ~*s* 운전 장치. ③ 돛 조종 (기구), 밧줄. ④ 연습, 기동 연습 ; (정류장에서) 시운전. ⑤ 【의학】 수기(手技). ⑥ 책략.
maniobrar *intr.* 조작·조종·조업하다 ; 연습하다 ; 운전하다.
maniobrero, ra *adj.* 기동 훈련하는, 연습 중인 : tropas ~*ras* 기동 훈련 중인 군대.
maniobrista *adj. m.* 작전에 숙달된 (사람).
manioc *m.* 《*Galic.*》 =**mandioca.**
maniota *f.* (동물의) 묶는 끈·줄.
manipulación *f.* 조작 ; 조종 ; 권모 술수, 술책.
manipulador *m.* ① 전신 전송기, 전건(電鍵) : ~ automático 자동 발신기. ② (원자로의) 조작자.
manipulante *adj. m.f.* (증권) 시장을 조작하는 (사람).
manipular *tr.* ① 다루다, 조작하다 : Es muy difícil ~ los instrumentos astronómicos 천문학 기계는 조작이 매우 어렵다. ② 조종하다. ③ (상품을) 취급하다(manejar). ④ 부정으로 조작하다.
manipulear *tr.* 《*Amér.*》 =**manipular.**
manipuleo *m.* 조작, 획책 ; 취급.
manípulo *m.* 승복의 완장 ; (로마군의) 소대 ; 한 줌(puñado).
maniqueísmo *m.* 마니교.
maniqueo, a *adj.* 마니교의. —*m.f.* 마니교도.
maniquete *m.* (손가락이 반쯤 나오는) 장갑.
maniquí *m.f.* [*pl.* maniquíes] ① 마네킹, 인형, 의상 인형. ② 패션 모델(modelo). ③ 개성이나 의지가 없는 사람.
manir *tr.* (고기 등을) 익히다, 삶다, 연하게 하다, 부드럽게하다 : El faisán no tiene perfume si no está bien *manido.*
~se (고기나 생선이) 냄새가 나다.
manirroto, ta *adj.* 낭비가 심한, 낭비벽이 있는, 헤픈(demasiado davidoso).
manís *m.* 《*Méx.*》 형제(hermano).
manisero, ra *m.f.* 《*Amér.*》 땅콩 장수.
manita[1] *f.* 【화학】 만나당, 감로당.
manita[2] *f.* 《*Amér.*》 [*dim.* mano] =**manecita.**
manito *m.* ① 《*Cuba.*》 마나(maná) 《어린이용의 하제》. ② 《*Méx.*》 【속어】 (남자와 남자 사이에서) 여보, 당신, 임자 : Ven acá, ~ 이리 오게, 여보.
manivacío, a *adj.* 맨손의, 빈손의(con las manos vacías) : No quiero ir ~ 나는 빈손으로 가고 싶지 않다.
manivela *f.* 《*Galic.*》 (자전거의) 크랭크, 핸들 (manubrio).
manizuela *f.* 《*Chile.*》 (통이나 자루의) 입, 주둥이.
manjar *m.* 식량, 식품(comestible, alimento).
~ ***blanco*** 닭의 가슴살, 설탕, 우유 및 쌀가루로 만든 요리(plato de pechuga de gallina, azúcar, leche y harina de arroz).
~ ***exquisito*** 맛있는 음식, 진미의 성찬, 진수 성찬.
~ ***lento*** 우유와 계란을 주원료로 한 과자.
manjarejo *m. dim.* manjar.
manjarete *m.* 《*Cuba.*》 =**majarete.**
manjarria *f.* 《*Cuba.*》 큰 지레.
manjelín *m.* 동인도에서 쓰인 다이아몬드의 중량 단위 《254mg》 ; 캐럿 《보석 무게의 단위, 200mg》.
manjolar *tr.* 《*Cetr.*》 새를 새장이나 손에 붙잡아 두다.
manjolino *m.* 《*Sal.*》 자두의 열매.
manjorrada *f. desp.* 조촐하지만 푸짐한 음식.
manjúa *f.* ① 《*Sant.*》 =**cardume.** ② 《*Cuba.*》 정어리(sardina)의 일종.
Man.[1] Manuel.
manlevar *intr. tr.* 【고어】 돈을 빌리다.
manlieva *f.* 【고어】 경비, 비용(gasto) ; (옛날의 현물로 징수되던) 호구세.
mano[1] *f.* [*lat.* manus] ① 손 : ~ derecha 오른손. ~ izquierda 왼손. ~ postiza 의수. ② (네발 짐승의) 앞다리(pata delantera) : ~ de cerdo 돼지의 앞다리. ③ (절단 후의 네발 짐승)의 다리. ④ 코끼리의 코(trompa del elefante). ⑤ (좌우의) 쪽, 손 : a ~ izquierda 왼쪽으로·에(a la izquierda). a ~ derecha 오른쪽으로·에(a la derecha). calle de una sola ~ 《*Arg.*》 일방 통행로. La casa del correo está a ~ derecha de la iglesia 우체국은 교회의 오른쪽에 있다. ⑥ 시계의 바늘(manecilla). ⑦ (곡식을 빻는) 공이. ⑧ (페인트·그림 물감의) 한번 칠하기(capa) : una ~ de pintura. ⑨ (실의) 한번 꼬기, 꼰 것. ⑩ (카드·장기 등의) 한판 승부, 상대가 되어 다툼(partida) : Vamos a echar una ~ de dominó. ⑪ (손으로 하는 일의) 1회분, 한 손. ⑫ (노동력·기술로서의) 사람 ; 인원수 : ~ de obra 노동력. Faltan ~*s* en la agricultura 농사짓는데 일손이 부족하다. ⑬ (술책으로서의) 손(medio). ⑭ (결혼 대상으로서의) 여자 : pedir la ~ de María 마리아를 아내로 청혼하다. ⑮ 솜씨, 숙련(destreza). ⑯ 권력, 능력, 힘(poder, facultades) : dar·tener la ~. ⑰ 원조·보호의 손(ayuda, auxilio) : echar una ~. ⑱ 꾸중, 질책, 혼내주기(reprensión) : dar a uno una ~ (누구를) 나무라다·꾸중하다·혼내주다·질책하다. Por descuido en el servicio, el dueño dio una ~ al dependiente 서비스의 방심 때문에 주인은 점원을 꾸중했다. ⑲ 종이 1첩 《25매》.

⑳ 음계(escala). ㉑《*Amér.*》 실패. ㉒《*Col.*》 기회, 좋은 기회(oportunidad). ㉓《*Chile. Méx.*》 4개의 1조. ㉔《*Ecuad.*》 6개의 1조. ㉕《*Hond.*》 5개의 1조.

— ***m.f.*** 【트럼프】 선(先) (el primero de los que juegan) : Tú eres el ~ 자네가 선이다.

—*f.pl.* 손으로 하는 일 ; 기능, 숙련.

~ ***de cazo*** 왼손잡이.

~ ***de obra*** 인적 자원, 동원 가능 인력, 노동력, 인건비, 품삯, 노임 : La ~ *de obra* es barata en España 서반아에서는 인건비가 싸다.

~ ***de obra contratada a largo plazo*** 장기 계약 노동.

~ ***de obra directa*** 직접 노동, 생산적 노동 ; 직접 노무비.

~ ***de obra indirecta*** 간접 노동 ; 간접 노무비.

~ ***de obra no calificada*** 미숙련 노동자.

~ ***de gato*** 피부 손질, 화장 ; 화장붓 ; 가필, 증보 : En estos versos se ve *la* ~ *de gato*.

~ ***de jabón*** 빨랫감을 비눗물에 넣는 일.

~ ***de santo*** 매우 효과가 있는 것(cosa muy eficaz), 영약(靈藥) : Aquella medicina fue ~ *de santo* 저 약은 영약이다.

~ ***diestra*** 오른손 ; 오른쪽.

~ ***manca*** 노랭이, 인색 : tener *la* ~ *manca* 노랭이다.

~ ***oculta*** 숨은 사람 ; 막후, 흑막.

~ ***siniestra · zoca · zurda*** 왼손 ; 왼쪽.

~***s largas*** 툭하면 싸우는 일 ; 툭하면 싸우는 사람 : tener *las* ~*s largas*.

~***s libres*** 임시 수입, 별도 수입.

~***s limpias*** 결백 ; 별도 수입.

~***s muertas*** (양도 불능 재산의) 영세 소유자.

~***s puercas*** 부정 수입, 부수입.

a ~ ① 사람에 의해, 인공적으로 ; 손에 의한, 손으로 : coser *a* ~ 손바느질하다. escribir *a* ~ 손으로 쓰다. ② 수동식의. ③ 옆에, 가까이에.

a ~ ***abierta*** 아낌없이.

a ~ ***airada*** 심하게, 격렬하게, 맹렬하게 (violentamente) : matar *a* ~ *airada*.

a ~ ***armada*** 무기・흉기를 손에 들고 ; 아주 대담하게, 뻔뻔스럽게, 단호히(con gran empeño) : pedir algo *a* ~ *armada*.

a ~ ***salva*** 안전하게, 무사히.

a ~***s de*** 오직 …의 손으로.

a ~***s llenas*** 아낌없이, 실컷, 듬뿍.

a dos ~***s*** 두 손으로 ; 기꺼이, 진심으로.

a la ~ 가까이에 ; 쉽사리.

a salva ~ =a ~ salva.

a una ~ 한 쪽으로 치우친, 일방적으로 치우쳐 ; 일치하여 ; 갖추어져(de conformidad).

bajo ~ 몰래, 살그머니(ocultamente) : favorecer a uno *bajo* ~.

buena(s) ~***(s)*** ① 교묘함(destreza, habilidad). ② 솜씨있는 사람 : tener *buena* ~ en una empresa.

con franca · larga ~ 아낌없이, 듬뿍, 푸짐하게.

con ~ ***sobre*** ~ =con las ~*s* cruzadas.

con la ~ ***en la masa*** 실행 중에・현장을 (덮치는 일 등).

con las ~***s cruzadas*** ① 팔짱을 끼고, 한가롭게. ② [salir과 함께 쓰여] 기다시피하여.

con las ~***s vacías*** 빈손으로, 가진 것 없이 ; 아무 이득없이.

de ~ 인공의, 인조의, 인위적인(artificial) : flores *de* ~ 조화.

de ~ ***a*** ~ ① 갑자기. ② 차례로 ; 손으로 보내어. ③ 직접적으로, 다른 사람을 끼어 들이지 않고.

de ~ ***en*** ~ 손에서 손으로 ; 사람에서 사람으로.

de ~***s a boca*** 뜻밖에, 갑자기, 생각지도 않게 (de repente).

de primera ~ ① 신품으로, 신품의(nuevo) : coche *de primera* ~ 새차. ② (스승이나 원전에서) 직접으로 ; 직접 전하여진 ; 직접 연구의 : saber *de primera* ~.

de segunda ~ 중고품의 ; 남의 연구를 고스란히 인용하는.

en ~***s de*** …의 수중에, …의 소유로.

entre las ~ 뜻밖에.

a ~ 협조・제휴하여 ; (내기 같은 것에서) 결점없이, 핸디캡없이, 똑같은 조건하에서.

~ ***sobre*** ~ 한가롭게, 팔짱을 끼고 : *estar* ~ *sobre* ~ 아무것도 하지 않다(no hacer nada).

corto de ~***s*** 익숙치 못한, 숙련되지 못한 (공원 등).

largo de ~***s*** 툭하면 싸우는.

limpio de ~***s*** 청렴결백한.

listo · suelto de ~***s*** 툭하면 싸우는.

mala ~ 졸렬함 ; 불행, 실패.

por debajo de ~ 살그머니, 살짝, 남몰래.

por segunda ~ (누구를) 사이에 넣어, 통하여.

por su ~ 스스로, 자기 자신이.

por tercera ~ 제삼자를 개입시켜.

abrir la ~ =mostrarse más tolerante.

alzar la ~ 푸짐하게 선물하다 ; 손을・엄했던 것을 늦추다.

alzar la ~ ***a*** …에게 으름장을 놓다, …를 위협하다(amenazar).

apretar la ~ 악수하다 ; 조이다, 엄하게 하다 ; 몰아세우다, 재촉하다.

asentar la ~ 때리다 ; 혼내주다.

atar las ~***s*** 부자유롭게 하다, 몸을 움직이지 못하게 하다.

atarse las ~***s*** 자승 자박하다.

bajar la ~ 가격을 인하하다 : Tuvo que *bajar la* ~.

besar la ~ 손에 입을 맞추다 ; 경의를 표하다.

caer en ~***s de*** …의 수중・지배에 들어가다, …의 손에 떨어지다(caer bajo la dominación).

calentárse**le a uno **las ~***s*** 때리고 싶다, 한 대 먹이고 싶다.

cantar en la ~ 뱃속이 검다, 교활하다(ser muy astuto y taimado).

cargar la ~ 끈질기게 조르다・버티다 ; 매정하게 굴다 ; 바가지를 씌우다.

cargar la ~ ***en*** 지나치게 많이 쓰다.

coger a uno ***con las*** ~***s en la masa*** 현장에서 잡다.

correr por ~ ***de*** (누구의) 담당・책임이다.

cruzar las ~***s, cruzarse de*** ~***s*** 팔짱을 끼고 구경하다, 태평스럽게 있다, 수수방관하다.

dar de ~ (일이나 사람을) 내팽개치다, 버리다 (abandonar).

dar de ~***s*** 배를 깔고 엎어지다 ; 실수하다.

dar la ~ ***a*** …에 손을 뻗치다 ; 악수를 청하다 ; 구원・보호의 손길을 뻗치다.

dar la última ~ 끝마무리하다, 종결짓다, 완성하다(acabar).
darse la ~ 손에 손을 맞잡다; 서로 돕다; 붙어·서로 이웃해 있다; 관계가 있다; 《SDgo.》 싸움을 하다.
darse las ~s 제휴하다; 화해하다; 조화하다.
dejar de la ~ 포기하다, 버리다, 저버리다, 단념해 버리다(abandonar).
dejar en ~s ***de uno*** (누구에게) 맡기다, 위촉하다.
descargar la ~ ***sobre*** …을 때리다.
echar (***la***) ~·***las*** ~s 붙잡다, 체포하다.
echar ~ ***a la bolsa*** 지갑·호주머니에 손을 대다.
echar ~ ***de*** …에 손을 대다, …을 잡다.
echar una ~ ***a*** …에 손을 빌려주다. 돕다(ayudar).
ensuciar(***se***) ***las*** ~s 도둑질을 하다; 뇌물을 받다, 매수되다.
estar dejado de la ~ ***de Dios*** 커다란 과오·죄를 저지르다; 늘 잘못된 일만 하고 다니다.
estar en ~ ***de*** (누구의) 수중에 있다, 전적으로 …한테 달려 있다(depender enteramente de): *Está en tu* ~ conseguirlo.
estrechar la ~ =dar la ~.
ganar por la ~ ***a*** 앞지르다(anticiparse a).
hacer a dos ~s·***a todas*** ~s 교묘히 굴어 단물을 빨다·실속을 차리다.
imponer las ~s 안수(按手)의 예를 하다.
ir(***se***) ***a la*** ~ 억압하다, 억제하다(moderarse).
irse de la ~ 누구에게서 벗어나다, 빠지다; 떨어지다.
irse de entre las ~s 즉시 사라져 없어지다·보이지 않게 되다·도망쳐 버리다.
irse la ~ 자기도 모르는 사이에 손이 나오다·손이 미끄러지다; (무엇을) 지나치게 하다: Al cocinero *se* le *fue la* ~ en la sal 요리사가 소금을 너무 쳤다.
lavarse las ~s (자기의) 손을 씻다; 몸의 결백을 증명하다.
leventar (***la***) ~ ***de*** …에서 손을 떼다, 저버리다(abandonar).
llegar a las ~s 다투다, 싸움판이 벌어지다.
llevar blanda la ~ 상냥하게 대하다.
llevar la ~ ***ligera·blanda*** 친절하게 대하다.
llevarse las ~s ***a la cabeza*** =horrorizarse.
meter la ~ 손을 대다, 쓰기 시작하다.
meter la ~ ***en*** …을 가로채다, 훔치다.
meter la ~ ***en el pecho·en el seno*** 마음속으로 곰곰이 생각하다.
morderse las ~s 후회 막급하다.
mudar de ~s 남의 손으로 넘어가다.
no darse ~s ***a*** …을 다하지 못하다.
no dejar de ~ 단념하지 않고 계속해서 하다.
no saber cuál es·dónde tiene su ~ ***derecha*** 맹탕이다, 전혀 능력이 없다, 전혀 아무 것도 모르고 캄캄하다.
pasar la ~ ***por*** ① …을 쓰다듬다: Me *pasó la mano por* la barbilla 그는 내 턱을 쓰다듬었다. ② 때리다.
poner la(***s***) ~(***s***) ***en*** …을 스스로 조사하다·착수하다; …을 놀려주다, 혼내주다.
ponerse en ~s ***de*** …에게 맡기다·일임하다.
salir con las ~s ***en la cabeza*** 사업에 이득이 없다.
sentar la ~ ***a*** …을 때리다; 호되게 나무라다.
si a ~ ***viene*** 아마(도)(acaso, quizás, tal vez).
sin levantar ~ 하는 손을 쉬지 않고.
soplarse las ~s 생각지도 않은 결과에 멍해지다.
tener a ~ 제압하다(contener, refrenar).
tener ~ ***con*** (누구에게) 얼굴이 통하다, 영향력을 가지고 있다.
tener ~ ***en*** …에 간섭하다, …에 끼어들다(intervenir).
tener ~s ***de trapo*** 무척 둔하다(ser muy torpe).
tener entre ~s 손대고 있다.
tener mucha ~ 능력이 많다.
tener muchas ~s 용기·힘이 있다.
traer entre ~s 마음대로 주무르다, 다루다, 일을 하다(manejar, dedicarse a).
untar la(***s***) ~(***s***) 매수하다(sobornar).
venir a la(***s***) ~(***s***) 힘들이지 않고 손에 넣다.
venir a las ~s 싸움이 되다, 싸우다, 싸움판이 벌어지다(reñir dos personas).
venir(***se***) ***con sus*** ~s ***lavadas*** 같이 일하지 않았으면서도 배당을 얻으려 하다.
venir de·por sus ~s (다른 사람의) 일하는 것으로 생활하다.
Manos a la labor·obra 자, 힘을 내서 합시다.

mano[2] *m.* 《*Amér. Méx.*》 동무, 친구(amigo), 동료(compañero).
manobra *f.* 《*Murc.*》 (물건을 만드는) 재료(material).
manobrar *tr.* 《*Chile.*》 =**maniobrar.**
manobre *m.* 《*Murc.*》 허드렛일 하는 사람(peón de mano).
manobrero *m.* 하수구 청소부.
manojear *tr.* (다발로) 묶다(hacer manojos).
manojera *f* ① [집합] 마른 포도 덩굴의 다발. ② =**hatajo.**
manojo *m.* ① 한 줌, 한 묶음, 한 다발(gavilla): un ~ de espárragos. ② 《*Ant.*》 여송연의 한 묶음 《약 2파운드》.
a ~s 많이, 듬뿍.
manojuelo *m.* [*dim.* manojo] 작은 다발(manojo pequeño).
Manola *hip.* Manuela.
manolada *f.* ① manolo의 개인 행위. ② manolo 무리.
manolarga *adj. m.f.* 《*Perú.*》 싸움을 좋아하는 (사람).
manolería *f.* manolo 부류.
manolesco, ca *adj.* 하층 젊은이의.
manolo, la *m.f.* ① (마드리드 상점가의) 멋쟁이, 하층 젊은이.
Manolo *hip.* Manuel.
manométrico, ca *adj.* 압력계의.
manómetro *m.* 압력계: ~ metálico.
manopla *f.* ① (갑옷의) 토시. ② 벙어리 장갑. ③ (마부가 쓰는 짧은) 채찍. ④ 《*Chile.*》 (철제의) 수갑.
manoseador, ra *adj.* 자주 만지는, 멋대로 주무르는, 쥐어박는.
manosear *tr.* 자주 만지다, 멋대로 주무르다, 쥐어박다.
manoseo *m.* 자주 만지는 일, 멋대로 주무르기,

쥐어박는 일.

manota *f.* [*aum.* mano] 커다란 손.

manotada *f.* 손으로 때리기.

manotazo *m.* =**manotada.**

manoteado, da *adj.* manotear의 *p.p.* —*m.* = **manoteo.**

manoteador, ra *adj.* 손으로 때리는.

manotear *tr.* ① 손으로 때리다(dar golpes con las manos). ②《*Arg.*》훔치다(robar). —*intr.* 손을 흔들다.

manoteo *m.* 손짓 신호.

manotón *m.* =**manotada, manotazo.**

manque *conj.* 【방언】=**aunque.**

manquear *intr.* 절름발이 흉내를 내다(mostrar manquedad o torpeza).

manquedad *f.* ① 손·팔이 없는 일, 손·팔을 못쓰는 일. ② 부족, 결여(falta). ③ 결점, 흠(defecto).

manquera *f.* =**manquedad.**

manresano, na *adj. m.f.* 만레사(Manresa)의 (사람).

manriqueño, ña *adj.* 호르헤 만리께《Jorge Manrique(1440—147), 서반아의 시인》풍의 (시 : 음절이 8·8·4·8·8·4의 시).

manró *m.* 【은어】=**pan.**

mansalino, na *adj.* 거대한, 큰.

mansalva (a) *adv.* 아무런 위험도 없이, 안전하게, 무사히(sin peligro) : Se vengó *a* ~ de su enemigo.

mansamente *adv.* ① 온순하게, 유순하게, 얌전하게, 부드럽게(con mansedumbre) : obrar ~. ② 완만하게(lentamente) : El río corre ~. ③ 조용히(sin hacer ruido).

mansar *m.* 《*Méx.*》=**mansarda.**

mansarda *f.* 《*Galic.*》다락방(desván).

mansedad *f.* 【고어】=**mansedumbre.**

mansedumbre *f.* ① 온순, 얌전함. ② 인자, 다정함 ; 온화(apacibilidad, benignidad) : la ~ de un clima.

mansejón, na *adj.* 아주 얌전한, 길이 잘든.

manseque *m* (칠레의) 어린이 춤.

mansión *f.* [*lat.* mansio] ① 체재, 체류, 재류(permanencia, estancia) : hacer ~ 체재·체류하다. ② 호화 저택. ③ 집, 숙소(morada) : El cielo es ~ de los bienaventurados 하늘은 축복받은 자들의 숙소이다.

mansito, ta *adj. dim.* manso. —*adv.* =**mansamente.**

manso *m.* [*lat.* mansum] =**masada.**

manso, sa *adj.* ① 부드러운, 온화한, 유순한(suave, apacible) : hombre muy ~ 매우 온화한 사람. ②《*Chile.*》굉장한, 커다란. —*m.* 길잡이 동물.

mansuetud *f.* 《*Galic.*》=**mansedumbre.**

mansurrón, na *adj.* [*aum.* manso] 매우 온화한·온순한.

manta *f.* ① 모포 : ~ de cama 침대용 모포. ~ de viaje 여행용 모포. ②《*Amér.*》뒤집어쓰는 모포(mantón). ③《*AmérM.*》(광석을 운반하는) 거친 포대. ④《*Cuba.*》큰 손수건 ; 숄, 어깨걸이, 여성용 목도리. ⑤《*Cuba.*》=**raya gigantesca.** ⑥《*Arg.*》=**poncho.** ⑦《*Ecuad.*》=**tabla.** ⑧《*Bol.*》은광층. ⑨《*Col.*》일종의 춤. ⑩【어류】서인도해 산의 커다란 가오리 무리. ⑪《*Méx.*》옥양목, 면포. ⑫ 구타(zurra) : dar una buena ~. ⑬ =**borrachera.** —*m.* = **vago, gandul.**

***a* ~ (*de Dios*)** ① 많이, 듬뿍(con abundancia) : Llueve *a* ~ *de Dios* 비가 많이 내린다. ② 일면으로, 땅을 뒤덮다시피.

liarse la* ~ *a la cabeza 꼼짝 못하고 당하다.

***tirar de la* ~** 감추려 했던 일을 드러내다(descubrir algo oculto).

mantaca *f.* 《*Chile.*》(들일 할 때 입는) 거친 천의 망토.

mantada *f.* 《*Chile.*》manta 한 자루의 분량.

mantadril *m.* 《*AmérC.*》무명베.

mantaterilla *f.* 거친 천의 일종.

manteada *f.* 《*Arg.*》=**manteamiento.**

manteado *m.* 《*Amér.*》천막, 텐트, 차일.

manteador, ra *adj. m.f.* mantear하는 (사람).

manteadura *f.* mantear하는 일.

manteamiento *m.* =**manteadura.**

mantear *tr.* ① 담요 위에 눕혀 헹가래 치다 : Los arrieros *mantearon* a Sancho. ②《*Arg.*》여럿이 못살게 굴다(maltratar a uno entre varios). —*intr.* 【방언】(여자가) 자꾸만 밖으로 쏘다니다.

~se 《*Chile.*》(광맥이) 넓게 수평으로 퍼지다.

manteca *f.* ① 지방(분), 기름기(grasa de los animales). ② 버터(mantequilla) : ~ de cacao 카카오 버터. ~ de puerco 라드. ~ natural 천연 버터. ③ 포마드(pomada). —*pl.* =**gordura, adiposidad.**

***el que asó la* ~** 어리석은 짓을 한 사람.

mantecada *f.* 버터를 바른 토스트 빵 ; 과자의 일종.

mantecado *m.* 버터빵 ; 아이스크림.

mantecón *m.* 호강하고 자란 사람(hombre muy regalón).

mantecoso, sa *adj.* ① 지방분이 많은, 기름기가 많은 : leche ~*sa* 지방분이 많은 우유. ② 버터 같은, 잘 엉겨 붙는.

mantehuelo *m. dim.* manto.

manteísta *m.f.* 통학생.

mantel *m.* [*lat.* mantele] 책상보, 테이블보(paño que se pone encima de la mesa para comer) : a ~*es* 테이블보를 씌운 테이블에서. ② 성단 덮개. ③《*Chile.*》산 위로 피어 오르는 검은 구름.

mantelar *tr.* 《*And.*》mantel을 씌우다.

mantelería *f.* 테이블보와 냅킨류.

manteleta *f.* (여자의) 짧은 외투의 일종.

mantelete *m.* ① (승려의) 어깨걸이 옷. ② (전쟁 때 쓰는) 방탄용 방패·오버.

mantelillo *m.* 《*Neol.*》(수놓은) 작은 mantel.

mantelo *m.* 【방언】앞치마의 일종.

mantellina *f.* 【속어】=**mantilla.**

mantención *f.* 【방언】《*Amér.*》=**manutención, mantenencia.**

mantenedor, ra *m.f.* (옛날의 경기 대회 등의) 개최자, 주최자 ; (문예 콩쿠르 등의) 심사 위원 ; 심사 위원장.

mantenencia *f.* ① 지속, 계속, 유지, 보존. ② 음식물.

mantener *tr.* 59 ① 지속하다, 계속하다. ② (손

으로) 받치다. ③ 양육하다, 부양하다(sustentar) : ~ a la familia. ④ (어떤 상태로) 해두다 : ~ en equilibrio 균형을 이루게 하다. ⑤ 유지하다, 지탱하다, 보존하다(sostener) : Este clavo *mantiene* la madera 이 못은 나무를 지탱해 주고 있다. ⑥ 지지하다. ⑦ 계속해 하다 : ~ la conversación 회화를 하고 있다. ~ correspondencia *con* uno 누구와 서로 교신하고 있다. ⑧ (의견 등을) 계속해 가지다(defender). ⑨ (시합·경기를) 하다. ⑩ 지지·후원·옹호하다(sostener, amparar) : ~ las leyes 법률을 옹호하다.

~se ① 요양하다(alimentarse) : *~se con* pan y agua, *~se de* hierbas. ② (어떤 상태로 움직이지 않고) 있다 : *~se* en paz 평화를 유지하고 있다. *Se mantuvo* firme 잘 꼼짝하지 않았다. *Se mantenía en* sus ideas 그는 자기 의견을 고집하고 있었다. ③ (증권 시세 등이) 보합 상태를 유지하다.

~ ***su palabra*** 약속을 지키다.
Manténgase alejado del fuego 화기 엄금.
Manténgase derecho vertical 똑바로 놓으시오.
Manténgase en lugar fresco 찬 곳에 두십시오.
Manténgase lejos del calor 열에서 멀리 두시오.

mantenga[1] *f.* 《*PRico.*》 =**mantención.**
mantenga[2] mantener의 접·현·1·3·단수.
mantengáis mantener의 접·현·2·복수.
mantengamos mantener의 접·현·1·복수.
mantengan mantener의 접·현·3·복수.
mantengas mantener의 접·현·2·단수.
mantengo[1] *m.* 《*PRico.*》 =**mantención.**
mantengo[2] mantener의 직·현·1·단수.
mantenido, da *adj.m.f.* ① mantener의 *p.p.* ② 《*Méx.*》 (아내의) 벌이로 살아가는 (사람).
manteniente (**a**) *adv.* 두 손으로; 손으로 힘껏.
mantenimiento *m.* ① 양육, 부양 : necesitar poco para su ~. ② 음식물(manjar). ③ 지지 : el ~ de una opinión. ④ 유지, 계속 : ~ del nivel de precios 물가 수준의 유지. —*pl.* 양식(víveres).
manteo[1] *m.* =**manteamiento.**
manteo[2] *m.* [*lat.* mantelum] 긴 망토(capa larga). ② 스커트(falda)의 일종, (승려의) 긴 망토.
mantequear *intr.* 《*Venez.*》 (지위를 이용하여) 재미를 보다.
mantequera *f.* (버터 제조의) 교유기; (식탁에 내놓는) 버터 접시.
mantequería *f.* 버터 공장·가게.
mantequero, ra *adj.* 버터 제조의, 낙농업의. —*m.f.* 버터 제조인·판매인. —*m.* ① 버터 접시. ② 【식물】 꼬로호야자(corojo).
mantequilla *f.* (식탁용) 버터.
mantequillera *f.* 《*Amér.*》 =**mantequera.**
mantequillero *m.* 《*Amér.*》 =**mantequero.**
mantero, ra *m.f.* 모포 제조인·상인.
mantés, sa *adj.* [드뭄] =**pícaro, tunante.**
mantesón, na *adj.* 《*And.*》 =**indecente.**
mantidos *m.pl.* 【동물】 직시류 곤충.
mantilla *f.* ① 만띠야 《부인의 머리에 쓰는 비단》 : ~ de encaje. ② 안장 깔개. ③ [주로 *pl.*] 포대기 : estar un niño en *~s.* —*m.* 《*AmérC.*》 겁쟁이.

estar en ~s 아주 유치하다, 초보적이다 : En cuanto a la policía él *está* todavía *en ~s* 그는 정치에 관해서는 아직도 어린애이다.
haber salido de ~s 철이 들었다.

mantilleja *f. dim.* mantilla.
mantillo *m.* ① 부식토. Sinón. humus. ② 퇴비(abono).
mantillón, na *adj.m.f.* 《*Murc.*》 더러운, 불결한, 구질구질한, 추잡스러운 (사람)(sucio). —*m.f.* ① 《*Méx.*》 낯가죽이 두꺼운 사람, 파렴치한, 철면피(sinvergüenza). ② 기식자(寄食者).
mantiniente *adj.* 【고어】 《*Sal.*》 =**manteniente.**
mantis *f.* 【곤충】 사마귀.
mantisa *f.* [*lat.* mantissa] 【수학】 가수 《대수의 소수 부분》.
mantíspidos *m.pl.* 【동물】 멕시류 곤충.
manto *m.* [*lat.* mantum] ① 가리개. ② (부인용의) 망토. ③ (의식의) 가운, 제복 : ~ capitular. ④ 몸을 가리는 커다란 비단천. ⑤ (난로의) 선반. ⑥ (조개류의) 연한 막. ⑦ 【광물】 광층. ⑧ 《*Méx.*》 =**campánula.**
mantón *m.* [*aum.* manto] 어깨걸이, 숄 : ~ de Manila.
mantón, na *adj.* 날개를 드리운(mantudo).
mantornar *tr.* 《*Ar.*》 =**binar.**
mantuano, na *adj.m.f.* ① 만뚜아 《Mantua, 이탈리아의 도시》의 (사람). ② 《*Venez.*》 가문이 좋은 (사람).
mantudo, da *adj.* 날개를 늘어뜨린 (새). —*m.f.* 《*AmérC. Ant.*》 가면을 쓴 사람.
mantuv- → **mantener** 59.
mantuve mantener의 직·부정과거·1·단수.
mantuvie- → **mantener** 59.
mantuvieron mantener의 직·부정과거·3·복수.
mantuvimos mantener의 직·부정과거·1·복수.
mantuviste mantener의 직·부정과거·2·단수.
mantuvisteis mantener의 직·부정과거·2·복수.
mantuvo mantener의 직·부정과거·3·단수.
manuable *adj.* 다루기 쉬운, 취급하기 쉬운·간편한 : un libro ~ 간편한 책.
manual *adj.* ① 손의, 손으로 하는 : trabajo ~ 손일. ② 손으로 움직이는, 손으로 만든(casero). ③ 다루기 쉬운(manejable, manuable). ④ 간편한; 호주머니 모양의; 알기 쉬운. —*m.* 소책자, 수첩; 입문서, 편람, 안내서 : ~ de medicina 의학 입문서.
—*m.pl.* 승려가 받는 사례금의 일종.
manualmente *adv.* 손(끝)으로(con las manos); 수공으로, 수공업적으로(de una manera manual) : no querer trabajar ~ 손으로 일하기 싫어하다.
manubrio *m.* [*lat.* manubrium] 【기계】 크랭크, 핸들(cigüeña).
manucodiata *f.* 【조류】 극락조, 풍조(風鳥)(ave del Paraíso).
manudo, da *adj.* 《*AmérC. Arg.*》 손이 커다란.
manuela *f.* (마드리드에서) 포장마차의 일종.

manuelino, na *adj.* (마누엘 1세 통치 기간 (1469-1521) 동안 사용된 포르투갈의) 건축 양식의.
manuella *f.* (돛을 감아 올리는 기구의) 장대, 지렛대.
manufactura *f.* ① 제품 : ~ de fibra 섬유 제품. ~ de metal 금속 제품. ② 공장(fábrica) : una ~ de armas 무기 공장. ③ 제조, 제작 : *M-* de Cobre《*Chile.*》동(銅) 제작소.
manufacturar *tr.* 만들다, 제조하다, 제작하다 (fabricar).
manufacturero, ra *adj.* ① 제조(업)의, 생산의, 공업의 : clase *~ra* . ② 제조업에 종사하는 : un pueblo ~ 제조업에 종사하는 마을.
—m.f. 제조(업)자.
manumisión *f.* 노예 해방.
manumiso, sa *adj.* 해방시킨 (노예).
manumisor *m.* 【고어】 노예 해방자.
manumitir *tr.* [*lat.* manumittere] 【고어】 (노예를) 해방하다.
manumitor, ra *adj.m.f.* 노예 해방자(의).
manuscribir *tr.* 손으로 쓰다(escribir a mano).
manuscrito, ta *adj.* 손으로 쓴, 육필의 (escrito a mano). *—m.* 원고, 육필서 ; 수기 ; 필사본 : un ~ raro 희귀 필사본·원고.
manusear *tr.*《*And.*》=**manosear.**
manutención *f.* 부양 ; 지지 ; 유지 ; 보호, 보존 ; 관리 : gastos de ~ 보수비.
manutener *tr.* 59 =**mantener, sustener.**
manutigio *m.* 손으로 하는 가벼운 마찰.
manutisa *f.* =**minutisa.**
manvacío, a *adj.* 맨손의, 빈손의(manivacío).
manyar *tr.*《*Amér.*》[드뭄] 먹다.
manzana *f.* ① 사과(fruto de manzano) : El zumo de las *~s* fermentado, se llama sidra. ② (침대·난간의 기둥 등에 하는) 사과 모양의 장식. ③ (칼의 손잡이의) 끝. ④ 옹기종기 모인 집들, 한 구획의 주택·대지 ; (거리의) 한 구획 : ¿En qué ~ está su casa? 댁은 어느 거리에 있습니까? ⑤《*Amér.*》토지 면적의 단위《약 6, 987m²》. ⑥ 결후(結候)(nuez de Adán).
~ *de discordia* 사이가 나빠지는 원인.
~ *rosa*《*Hond.*》=pomarrosa.
sano como una ~ 건장한, 팔팔한.
manzanal *m.* ① 사과밭. ② 사과나무.
manzanar *m.* =**manzanal.**
manzanear *tr.* ①《*Méx.*》(토지를) 구분하다. ②《*Venez.*》(…에게) 뇌물을 주다.
manzanera *f.* 야생 사과(maguillo).
manzanero, ra *adj.* 사과의 : erizo ~. *—m.* 《*Ecuad.*》사과나무(manzano).
manzaneta *f*《*Ál.*》=**gayuba.**
manzanil *adj.* [드뭄] 사과 같은·모양의 (parecido a la manzana).
manzanilla *f.* ①【식물】카밀레 (열매), 카밀레를 달인 즙. ② 올리브의 일종. ③ (안달루시아의) 백포도주. ④ 사과 모양의 장식 : las *~s* de un balcón ⑤ 아래턱 (barbilla). ⑥ 장식 단추.
~ *hedionda*【식물】카밀레.
~ *loca* 국화과에 속하는 카밀레 무리(abiar).
manzanillero, ra *m.f.*《*And.*》카밀레 (manzanilla)를 따는 사람.
manzanillo *m.* ① 올리브의 일종. ②【식물】만사니요 : El zumo lechoso del ~ es venenoso, pero es una leyenda que sea mortal su sombra.
manzanillón *m.*【식물】=**matricaria.**
manzanita *f.* [*dim.* manzana] 작은 사과.
manzano *m.* ①【식물】사과나무. ②《*Ant. Méx.*》바나나의 일종.
maña *f.* ① 솜씨, 기묘함, 교묘함, 수완 : darse ~ para hacer algo. ② 술책, 책략(destreza, astucia) : Más vale maña que fuerza. ③ 악습 (hábito vicioso) : Quien malas *~s* ha, tarde o nunca las perderá. ④ 한줌(manojo) : ~ de esparto. ⑤《*Sant.*》=**dengue.**
mañana *f.* 아침, 오전 : por la ~ 오전에. Son las ocho de la ~ 오전 여덟시다. Todas las *~s* salgo de casa a las siete y media 나는 매일 아침 7시 30분에 집을 나간다. *—m.* ① 미래, 장래 (porvenir) : ¿Qué será el ~? ② (오전에 마시는) 술(aguardiente).
—adv. ① 내일 : ~ por la ~ 내일 아침. Hasta ~ 내일 만납시다. ② 장차, 장래(en tiempo futuro) : Quien sabe lo que ha de suceder ~.
de ~ 매우 일찍(muy temprano).
de la ~ a la noche《*Arg.*》밤부터 아침까지(de la noche a la ~).
muy de ~ 아침 일찍 : Salimos *muy de* ~.
hasta ~ 다음에 또《작별 인사》.
pasado ~ 모레.
hacer la ~《*Arg. Chile. Méx.*》해장술을 마시다.
tomar la ~ 일찍 일어나다 ; 해장술을 마시다.
mañanear *intr.* (습관적으로) 일찍 일어나다.
mañanero, ra *adj.* =**madrugador.**
mañanica *f.* [*dim.* mañana] ① 이른 아침. ② 부인용 잠옷의 일종.
mañanita *f.* =**mañanica.**
mañé *m.* ①《*Col.*》무명베의 일종. ②《*SDgo.*》(경멸적으로) 아이띠 사람.
de ~ 겉보기만 좋은, 겉만 번드레한.
mañear *tr. intr.* 꾀·재간·솜씨있게 하다.
mañerear *intr.*《*Chile. Riopl.*》=**mañear.**
mañería *f.* ① 아이를 낳지 못함. ② 불모. ③【고어】교활(astucia).
mañero, ra *adj.* ① 교묘한, 교활한(astuto). ② 능숙한, 숙련된(hábil). ③ 다루기 쉬운.
mañeruelo, la *adj.* [*dim.* mañero]=**astuto, sagaz.**
mañigal *m.*《*Chile.*》mañiú의 숲.
mañiú *m.*【식물】마니우《칠레산의 단풍 비슷한 교목》.
maño, ña *m.f.* ①【속어】아라곤인(aragonés). ②《*Chile.*》형제, 자매(hermano). ③ 귀여운 사람, 좋아하는 사람 : *Maño,* ven acá.
mañoca *f.*《*PRico.*》mañoco의 가루.
mañoco *m.* ①《*AmérM. PRico.*》따삐오까 (tapioca). ②《*Venez.*》(인디오가 먹었던) 옥수수 반죽 덩이, 옥수수 가루.
mañosamente *adv.* 솜씨있게, 교묘하게, 익숙한 솜씨로 ; 교활하게, 엉큼하게.
mañosear *intr.*《*Col. Venez.*》=**resabiar.**
mañosería *f.*《*Venez.*》(나쁜) 버릇.
mañoso, sa *adj.* ① 솜씨있는. ② 교묘한, 교활

한, 못된. ③《*Máx.*》 =**ladrón.**
mañuela *f.* 간사, 교활, 잔꾀.
—*m.f.pl.* 빈틈없는 사람.
maoísmo *m.* 모택동주의.
maoísta *adj.* 모택동(Mao Tsetung)주의의.
—*m.f.* 모택동주의자.
maorí *adj. m.f.* 마오리족《뉴질랜드의 토착민》의 (사람).
mapa *m.* [*lat.* mappa] 지도 : ~ itinerario 교통 지도. ~ mudo 백지도. el ~ de América 아메리카의 지도. —*f.* ① 우수한 것, 뛰어난 것. ② 명산지. ③《*SDgo.*》 모든 사람에 대해 밝은 사람. ④ 곡절에 대한 모든 줄거리 : hacer la ~.
llevarse la ~ 뛰어나다 : En punto de vinos, Jérez *se lleva la* ~ 술에 있어서는 헤레스가 특히 유명하다.
no estar en el ~ 금시 초문이다.
mapaceli *m.* =**mapa celeste.**
mapache *m.* 【동물】《*AmérC. Méx.*》 곰의 일종《먹이를 먹기 전에 씻는 습관이 있는 동물》. Sinón. tejón, zorro negro, pizote solo, racuna.
mapachín *m.* 《*AmérC.*》【동물】 =**mapache.**
mapamundi *m.* 세계 지도. Sinón. planisferio. ②《*Chile.*》 궁둥이.
mapanare *f.* 《*Venez.*》 검고 노란색을 한 독사 (culebra venenosa de color negro y amarillo) : La ~ ataca a los hombres.
mapeango, ga *adj.m.f.* 《*Cuba. Méx.*》 ① 아무 쓸모없는 (사람). ② 게으른, 나태한, 태만한.
mapiango *m.* 《*Méx.*》 무용지물, 쓸모없는 사람 (persona inútil).
mapire *m.*《*Col.*》(종려 · 야자 잎으로 짠) 광주리.
mapo *m.* 《*Cuba.*》 마뽀《강의 물고기》.
mapola *f.* ①《*Col. Venez.*》 타격, 부딪치기. ②《*Chile.*》 amapola(양귀비)의 탈두어. ③ (필리핀산) 관상 식물.
mapolear *tr.* 《*Col.*》 때리다, 구타하다.
MAPRINTER Empresa Cubana Importadora de Materias Primas y Productos Intermedios.
mapuche *adj.m.f.* 《*Neol.*》 =**araucano.**
mapuey *m.* 【식물】 마뿌에이《식용 식물》.
mapurita *f.* 《*Salv.*》 =**mapurite.**
mapurite *m.* 《*AmérC.*》【동물】 족제비 무리.
mapurito *m.* 《*Venez.*》 =**mapurite.**
maque *m.* 래커(칠)(laca) ; 니스, 옻(칠).
maqueado, da *adj.* ① 래커 · 옻 · 니스를 칠한. ② 화첩의 : mueble ~.
maquear *tr.* (…에) 래커 · 옻 · 니스를 칠하다.
maqueño *m.* (볼리비아산) 큰 바나나의 일종.
maquero *m.* 《*Perú.*》 요람(cuna).
maqueta *f.* ①《*Galic.*》 모형 ; 스케치 : en ~*s.* ②《*Urug.*》 대체로, 개략적으로.
maqui[1] *m.* 《*Chile.*》【식물】 마끼 : Las bayas de ~ son comestibles 마끼의 장과는 식용이다.
maqui[2] *m* 【동물】 마끼《여우 원숭이의 무리》.
maquiavélico, ca *adj.* 마키아벨리주의의 ; 교활한, 책략적인, 권모 술수적인, 권모 술수에 능한 : política ~*ca* 권모 술수에 능한 정치.
maquiavelismo *m.* 마키아벨리주의 ; 권모 술수 : obrar con ~.
maquiavelista *adj.* 마키아벨리주의의. —*m.f.* 마키아벨리주의자, 권모 술수가.
maquila *f.* ① 제분료 · 착유료(로서 가공자가 받는 가루나 기름). ② (바스끄 지방의) 속에 칼을 장치한 지팡이 · 작은 창.
maquilar *tr.* maquila를 받다.
maquilero *m.* maquila의 징수인.
maquillador, ra *m.f.* 【영화】 메이크업 담당자, 분장 담당자, 의상 담당자.
maquillaje *m.* 《*Galic.*》【연극】 화장, 분장, 메이크업 ; 의상(衣裳).
maquillar(se) *intr.* (*r.*) 《*Galic.*》 화장하다, 메이크업하다.
MAQUIMPORT Empresa Cubana Importadora de Maquinarias y Equipos.
máquina *f.* [*lat.* machina] ① 기계, 기관 : ~ agrícola · para agricultura 농업용 기계. ~ defectuosa 결함이 있는 기계. ~ embaladora automática 자동 포장기. ~ herramienta 공작 기계, 공구. ~ para la construcción 건축용 기계. ② 엔진, 장치, 조직, 기구(órgano) : ~ animal 몸의 여러 기관. ③ 음모, 수작 ; 기도, 계획, 의도(traza) : ¿Qué ~ estás tramando? ④ (무대의) 도구, 장치. ⑤ 놀려대기, 놀려주기 (trama). ⑥ 공상, 상상. ⑦ 놀라운 발견, 초자연의 힘 · 인물. ⑧ 큰 건축물 : la gran ~ de El Escorial. ⑨ 다수, 풍부(multitud) : Tengo una ~ de libros. ⑩ 기관차(locomotora). ⑪《*Cuba.*》 자동차. ⑫《*Chile.*》 습격 ; 사취.
~ *a vapor* 증기 기관. ~ *calculadora · de calcular · de sumar* 계산기. ~ *compuesta* 복기관(複機關). ~ *de afeitar* 안전 면도기. ~ *de combustión internal* 내연 기관. ~ *de coser a mano · de pedal* 손틀 · 발틀 (재봉틀). ~ *de escribir* 타자기. ~ *de escribir electrónica automática* 자동 전자 타자기. ~ *de foliar* 번호기, 넘버링. ~ *de lavar* 세탁기. ~ *de rectificar* 연마반(研磨盤). ~ *de vapor* 증기 기관. ~ *eléctrica* 전기 기관 · 기계 (발전 장치 · 전동 기계). ~ *fotográfica* 카메라(cámara). ~ *hidráulica* 수력 기계 ; 수차(水車). ~ *infernal* 폭탄. ~ *neumática* 진공 펌프 ; 【천문】 펌프좌(座) ; 공기 펌프. ~ *para trillar* 탈곡기. ~ *parlante* 확성기. ~ *satélite* 컴퓨터의 주변기. ~ *terminal* 컴퓨터의 단말기. ~ *térmica* 열기관.
por ~ 기계로, 기계적으로(maquinalmente).
escribir a ~ 타자를 치다 : ¿Sabe usted *escribir a* ~? 당신은 타이프라이터를 칠 줄 아십니까?
maquinación *f.* 음모, 책모, 책략(intriga, complot).
maquinador, ra *adj.* 음모를 꾸미는. —*m.f.* 모사, 책사, 음모가, 모사꾼 : ser un ~ de intrigas 모사꾼이다.
maquinal *adj.* 기계적인 ; 기계에 의한. Contr. deliberado.
maquinalmente *adv.* 기계로 ; 기계적으로 : sacudir ~ la cabeza 머리를 기계적으로 흔들다.
maquinamiento *m.* =**maquinación.**
maquinante *adj.* 흉계 · 음모를 꾸미는, 획책하는.
maquinar *tr.* ① (흉계 · 음모를) 꾸미다, 꾀하다, 획책하다(tramar) : El *maquinaba* una conspiración 그는 음모를 꾸미고 있었다. ② 기계로 만들다.
maquinaria *f.* [집합] ① 기계 (학 · 술 · 류 · 설비 · 장치) : ~ agrícola 농기, 농업용 기계. ~

y equipo 시설, 설비. ② 기구(機構)(mecánica).

maquinilla *f.* ① 소형 기계 : Yo me afeito con ~ 나는 안전 면도기로 수염을 깎는다. ~ de afeitar 안전 면도기. ~ de cortar pelo 전기 이발기. ② 타이프라이터, 타자기.

maquinismo *m.* (근대 공업의) 기계화.

maquinista *m.f.* 기계 기술자 ; 기계공 ; 기관사, 운전수 : el ~ del tren 열차 기관사.

maquinización *f.* 기계화.

maquinizar *tr.* ⑨ 기계화하다.

maquis *m.* ① 불란서에서 독일 점령 때(1940—1944년) 독립 운동원. ② 비밀 운동원.

mar *m.(f.)* [*lat.* mare] ① 바다 : El grumete se precipitó al ~ 견습 선원은 바다로 뛰어들었다. la ~ negra·tersa·muda 다리미로 다려 놓은 듯이 검고 잔잔한 바다. ② 호수(lago) : el *Mar* Muerto 사해(死海). ③ 바다 같은 것 : el ~ de sangre 피바다. ④ 파도, 물결(oleaje). ⑤ 풍부, 다량, 대량(abundancia, mucho) : Tengo la ~ de trabajo 일이 많다. Me gusta la ~ 무척 마음에 든다.

—*interj.* 시작! : De frente, ¡~! 앞으로 갓!

~ ***alta*** 거친 바다. ~ ***ancha*** 앞바다. ~ ***baja*** 썰물, 간조. ~ ***bonanza*** 잔잔한 바다. ~ ***de fondo·de leva*** 파도의 일렁거림. ~ ***en leche*** 잔잔한 바다. ~ ***interior*** 내해(內海). ~ ***jurisdiccional·territorial*** 영해(領海). ~ ***gruesa*** 사나운 바다. ~ ***larga*** 대해. ~ ***llena·plena*** 만조. ~ ***tendida*** 크게 넘실거리는 파도·바다. ***alta*** ~ 난바다. ***azul de*** ~ 감색. ***avería de*** ~ 해손(海損). ***hombre de*** ~ 선원, 뱃사람 ; 수병. ***por*** ~ 해로로. ***riesgos de*** ~ 해상 위험. ***transporte por*** ~ 해상 수송. ***viaje por*** ~ 해상 수송, 항해.

a ~es 다량으로 ; 심하게.

de ~ a ~ 가득하게 넘쳐 : Venía el río *de ~ a ~* 강물이 넘쳤다. Estaba la plaza llena de fruta *de ~ a ~* 시장은 과일의 바다였다. José iba *de ~ a ~* 호세는 옷맵시를 내고 있었다.

arar en el ~ 노력이 허사다, 헛된 노력을 하다 (esforzarse vanamente).

hablar de la ~ 말도 안 되는 소리를 하다(hablar de cosas imposibles) ; 할 말이 태산 같다·파도처럼 많다.

hacerse a la ~ 출항하다, 배가 해안에서 멀어지다.

picarse el·la ~ 변하기·바뀌기 시작하다.

quebrar·romperse el ~ 파도가 부서지다.

mar. marzo 3월.

Mar del Plata 【지명】 마르·델·쁠라따《Buenos Aires주의 대서양변 항구 도시》.

mará *m.* 【동물】 (아르헨띠나의 빠따고니아산의) 산토끼(liebre)의 일종.

marabú *m.* ① 【조류】 마라부 《학(cigüeña)과 비슷함》 : En Africa se considera el ~ como animal sagrado por los reptiles y carroñas que devora. ② marabú의 깃털 장식.

marabunta *f.* ① =**plaga de hormigas.** ② =**muchedumbre.**

marabut *m.* =**marabuto.**

marabuto *m.* 회교의 성자, 은자(隱者) (morabito).

maraca *f.* ① 《*Col. PRico. Venez.*》 마라까 《박의 속을 빼내고 안에 돌멩이를 넣은 악기》. ② 《*Chile.*》 갈보, 매음부, 매춘부. ③ 《*Chile. Perú.*》 주사위 놀이. —*m.f.* 무능력자, 바보.

maracá *m.* 《*Arg.*》 =**maraca.**

maracaibero, ra *adj.* Maracaibo의.

Maracaibo 【지명】 마라까이보시(市)·호(湖) 《Venezuela의 Zulia주에 있음》.

maracaná *m.* 【조류】 《*Arg.*》 잉꼬 (guacamayo).

maracayá *m.* 《*Amér.*》 큰 산고양이(ocelote)의 일종.

maracioideas *f.pl.* =**maratíneas.**

maraco *m.* 《*Bol.*》 =**maraca.**

maraco, ca *m.f.* 《*Venez.*》 막내(benjamín).

maracucho, cha *adj.* 마라까이보 《Maracaibo, 베네수엘라의 도시》의. —*m.f.* 마라까이보 사람.

maracure *m.* 베네수엘라산 칡의 일종 : Del ~ se extrae el curare 마라꾸레에서 독을 꺼낸다.

maragatería *f.* [집합] 마라가떼리아 사람.

maragato, ta *adj.* ① 마라가떼리아 《Maragatería, 레온 주의 한 지방》의. ② 《*Riopl.*》 (우루구아이의) 산·호세주의.

—*m.f.* 마라가떼리아 사람 ; 산·호세 사람.

maramaral *m.* 《*Venez.*》 작은 산.

marango *m.* =**maringa.**

maranta *f.* 【식물】 마란따 《열대 식물로 뿌리에서 arrurruz de las Antillas 라는 전분을 뽑아 냄》.

marantáceo, a *adj.* ① maranta 비슷한. ② 【식물】 피자과 식물의. —*f.pl.* 【식물】피자과 식물.

maraña *f.* ① 무성함(maleza). ② (실이나 머리칼의) 얽힘 (enredo) : hacer una ~ en un ovillo 분규에 분규를 거듭하다. ③ 실 ; 머리카락. ④ 거짓말 (embuste). ⑤ 【식물】 연지떡갈나무(coscoja). ⑥ 【은어】 매춘부, 갈보, 창녀, 매음부, 매소부(ramera, prostituta). ⑦ 《*Col.*》 간단한 선물 ; 팁.

marañal *m.* 연지 떡갈나무(maraña) 숲 (coscojar).

marañar *tr.* 일이 꼬이게 하다·복잡하게 만들다 ; 어지럽히다(enmarañar).

marañero *adj.m.f.* 얼렁뚱땅하는 (사람) ; 일을 얽히게 하는 (사람)(enredador).

marañón *m.* 【식물】 마라뇬(merey) : El fruto del ~, de forma de pera, tiene almendra comestible. **Sinón.** anacardio, pajuil.

marañoso, sa *adj.m.f.* =**marañero.**

marañuela *f.* 【식물】 =**capuchina.**

marapa *f.* 《*Méx.*》 jobo의 열매.

maraquear *tr.* 《*SDgo. Venez.*》 뒤흔들다.

maraquero, ra *m.f.* ① 《*Chile.*》 (maraca가 있는) 노름판의 주인. ② 《*PRico. Venez.*》 maraca를 치는·만드는 사람.

maraquito, ta *m.f.* 《*Venez.*》 막내 아들. —*f.* (아이들을 즐겁게하는) 장난감.

mararay *m.* 《*Col.*》 palmera 열매.

marasmo *m.* [*lat.* marasmus] 【병리】 쇠약, 소모 ; 무기력 (apatía) ; 침체, 정체 : ~ de tráfico 교통 정체.

márata *adj.m.f.* 마라따족 《인도 서부에서 옛날에 살았던 큰 부족의 하나》의 (사람). —*m.* 마라따족의 말.

maratiáceas *f.pl.* 【식물】 양치류에 속하는 식물.

maratíneas *f.pl.* 【식물】 양치 식물과.

maratón *m.* 마라톤 경주 ; 내구(耐久) 경기.
maravedí *m.* [*pl.* maravedís, maravedises, maravedíes] [*ár.* marabiti] ① 서반아의 옛 화폐. ② 아라곤에서 7년마다 납부했던 세금의 일종.
maravedinada *f.* (옛날의) 곡물 되는 되.
maravilla *f.* [*lat.* mirabilia] ① 놀라운 일, 놀라운 사람·것, 불가사의, 경이, 경탄, 감탄 : la ~ de belleza 아름다움의 경이 ; 놀랄만한 미인. las siete ~*s* del mundo 세계의 7대 불가사의. la octava ~ 신기한 일. ② 【식물】 금잔화 ; 분꽃 (dondiego). ③ 《*AmérC.*》 풍부함, 많음(multitud).
a ~ 놀라울 만큼.
a las mil ~***s*** 턱없이, 희한하게, 놀랄 만큼, 매우 잘, 완벽하게 : cantar ***a las mil*** ~***s***.
por ~ 극히 드물게, 우연히.
maravillar *tr.* 놀라게 하다, 경탄케 하다 (admirar) : La suntuosidad del interior *maravilló* a todo el mundo 내부의 호화로움은 세인을 놀라게 했다.
~se [+con·de : …에] 놀라다, 감심하다 : El padre no *se maravilló de* la conducta de su hija 아버지는 딸의 행동에 놀라지 않았다.
maravillosamente *adv.* 놀라울 만큼 ; 굉장하게 : Ella canta ~ bien.
maravilloso, sa *adj.* 놀라운, 불가사의한, 믿기 어려운, 기묘한, 굉장한 : canto ~.
maray *m.* 《*Chile.*》 (맷돌 등의) 두 개가 한 짝인 것 중의 한 개 ; 맷돌.
marbella *f.* 《*Cuba.*》 【조류】 개똥지바퀴의 무리.
marbete *m.* ① 라벨, 레텔, 붙이는 종이. ② (철도 등에서) 꼬리표. ③ 가장자리(orilla, perfil).
Marc. San Marcos.
marca *f.* ① 표적, 표시 : ~ de calidad 품질 표시. ~ de fábrica 제조 마크. ~ principal 메인 마크. ② (채점의) 점수. ③ (해안의) 표지. ④ 《*Galic.*》 상처. ⑤ 낙인. ⑥ 상표 (~ de fábrica) : ~ comercial 상표(권·명). ~ de comercio 상표. ~ depositada·registrada 등록 상표. ~ de garantía 보증인(保證印). ⑦ 상품·증권의 이름. ⑧ 상품의 질 : de buenas ~*s* 상품이 좋은. ⑨ 꼬리표의 표 : ~ a fuego 낙인을 찍은 점표. ~ de cajón 짐표. ~ de carga 짐표. ~ de embarque 짐표. ⑩ 표준, 기준 ; 표준의 크기 : de ~ 표준·기준적인 ; 우수한. de ~ mayor 뛰어난 ; 극상의. caballo de ~ 표준 규격의 말. ⑪ (사람·동물의) 몸 길이(talla). ⑫ (경기의) 기록 (récord) : batir la ~ 기록을 깨뜨리다. establecer una nueva ~ 신기록을 수립하다. ⑬ 표하는 일 ; 그 기구. ⑭ (국경의) 주(州). ⑮ 【은어】 매음부, 매춘부, 갈보, 창녀(ramera, prostituta).
marcación *f.* ① 【해사】 배 위치의 측정. ② 방위, 방위각. ③ 《*Arg.*》 목축에 낙인을 찍기 위한 쇠(hierro).
marcada *f.* 《*Arg.*》 =**marcación.**
marcadamente *adv.* 두드러지게, 현저하게.
marcado, da *adj.* 《*Galic.*》 =**señalado, insistente, notable.**
marcador, ra *adj.* 표를 하는. —*m.f.* ① 표를 하는 사람. ② (상품의) 검사원. ③ 인쇄기에 종이를 넣는 직공. —*m.* ① 표를 하는 것. ② 표적. ③ 표준 품질 견본. ④ 쇠망치(martillo).
marcaje *m.* 【경기】 득점 ; 마크하는 일.
marcar *tr.* 7 ① (…에) 표를 하다, 자국을 남기다 ; 스탬프를 찍다 ; 이름·번호를 적다 ; (흔적·오점·흉터 따위를) 남기다 : ~ con hierro 낙인을 찍다. ~ por suyo 자기의 것으로 기호를 붙이다. ② (답안 따위를) 채점하다. ③ 【경기】 기록하다, 득점하다. ④ 나타내다, 표시하다 (señalar) : El termómetro *marcó* 3 grados 한란계는 3도 를 가리켰다. ⑤ 지시·지정하다 ; 범위를 정하다 : *Marcó* la labor a los obreros 노동자들에게 일의 범위를 지정했다. ⑥ 표에 맞추다 : ~ el disco 다이얼을 돌리다. ⑦ 박자를 맞추다 : ~ el compás 박자를 맞추다. ~ el paso 보조를 맞추다. ⑧ (인쇄기에) 종이를 물리다. ⑨ (선박의) 위치를 측정하다. ⑩ (전화의) 다이얼을 돌리다 : Usted *ha marcado* un número equivocado 전화를 잘못 거셨습니다.
~se ① 배의 위치를 …라 측정하다. ② 기록되다.
aguja de ~ 자석의 바늘·지침.
marcasita *f.* 【광물】 백철광(pirita).
marceador, ra *adj.* 털을 자르는.
marcear *tr.* 털을 자르다(esquilar). —*intr.* 3월 (marzo) 같은 기후가 되다.
marcela *f.* 《*Arg.*》 【식물】 마르셀라 《약초》.
marcelianismo *m.* 마르셀로 《Marcelo, 4세기 Ancira의 주교》 주의.
marcelianista *adj.* 마르셀로 주의의.
—*m.f.* 마르셀로 주의자.
marceño, ña *adj.* 3월의.
marceo *m.* (봄철의) 벌통 소제.
marcero, ra *adj.* =**marceador.**
marcescente *adj.* 【식물】 (잎이 떨어지지 않고) 시들어 버리는.
marcescible *adj.* 시들 수 있는.
marcha *f.* ① 진행, 운행, 운수 : poner *en* ~ 움직이다 ; 운전 중이다. ponerse *en* ~ 움직이기 시작하다, 운전하기 시작하다 ; 출발하다, 떠나다. ② 진전, 진보 : ~ de un asunto. ③ 속도 (velocidad) ; 걸음의 속도 ; 진도. ④ 행진 ; 전진, 행군 : una ~ militar 군대 행진곡. a ~*s* forzadas 강행군으로. ⑤ 행진곡 : ~ fúnebre·nupcial 장송·결혼 행진곡. batir (la) ~ 진군 나팔을 울리다·불다. ⑥ 《*Cuba. PRico.*》 (말이) 천천히 걷기.
~ ***de los negocios*** 【상업】 경기 동향.
a largas ~***s*** 서둘러, 황급히.
a toda ~ 전속력으로.
en ~ 운전 중의, 운전 중에, 진행 중에 : poner ***en*** ~ 운전 중이다.
sobre la ~ 곧, 즉시(inmediatamente).
marchado *m.* 《*Arg.*》 말의 걸음걸이.
marchador, ra *adj.* 《*Cuba. Chile.*》 곧잘 걷는, 건각의(andarín).
marchamar *tr.* (세관원이) 표·마크를 찍다, 통관 필증을 붙이다.
marchamero *m.* 세관 검사인을 찍는 관리.
marchamo *m.* [*ár.* marxam] ① 세관 검사필 도장, 통관 필증(표) : poner ~ (세관원이) 통관 마크를 찍다. ② 《*Arg. Bol.*》 도살세.
marchanta (a la) *adv.* 《*AmérM.*》 서로 겨루어, 서로 다투어(a la rebatiña).

marchantaje *m.* 《*PRico. Urug.*》 =**clientela.**

marchante, ta *m.f.* 《*Amér.*》【희언】 애인.
—*m.* ① 상인(traficante). ② 《*Amér.*》 고객, 단골손님(cliente). ③ 《*Ant.*》 하찮은·보잘 것 없는 물건(maula). ④ 《*PRico.*》 부인용의 장식 빗.

marchantería *f.* 《*Cuba. PRico.*》 =**clientela.**

marchantía *f.* 《*AmérC. Ant. Venez.*》 =**clientela.**

marchapié *m.* (돛배의) 가로줄.

marchar *intr.* [*fr.* marcher] ① 가다, 나아가다; 행진하다(caminar, andar). ② 진척되다. ③ (어떤 일이) 진행되다, 진전되다, 발전되다 : La cosa *marcha* bien. ④ 행군하다, 진군하다, 전진하다. ⑤ (기계가) 움직이다 : El reloj no *marcha* bien.
—*tr.* 《*Arg. Bol.*》 서둘러 하다.
~se 가버리다, 떠나 버리다, 돌아가다(irse) : Ahora tengo que *~me* 이만 가보겠습니다. ¿A qué hora *se marcha* usted? 몇 시에 돌아가시겠습니까?

marcharipé *m.* 《*And.*》(여자의) 얼굴 화장.

marchitable *adj.* 시들은, 시들기 쉬운.

marchitamiento *m.* 시드는 일; 여윔, 쇠약.

marchitar *tr.* [*lat.* marcidare] ① 시들게 하다 : El calor *marchitó* las flores 더위로 꽃이 시들었다. ② 낙엽지게 하다. ③ 여위게 하다, 마르게 하다.
~se ① 시들다, 낙엽이 지다. ② 여위다, 노쇠하다 : Su belleza empieza a *~se* 그녀의 아름다움이 시들기 시작한다.

marchitez *f.* 시들해짐; 여윔, 쇠약.

marchito, ta *adj.* 시든; 여윈; 쇠약한.

marchoso *m.* =**majo andaluz.**

marcial *adj.* [*lat.* martialis] ① 군신(軍神)(Marte)의 : flamen~. ② 전쟁의, 전쟁에 적합한. ③ 군의, 군사의, 병사의 (militar) : ley ~ 계엄령. arte ~ 격투기, 호신술. ④ 무사(武士)다운; 용감한, 호전적인. ⑤ 솔직한(franco). ⑥ 철분을 함유한 : píldora ~. —*m.* 철분.

marcialidad *f.* 무사다움, 무용(武勇), 상무(尙武).

marciano, na *adj.* 화성(Marte)의, 화성에 관한. —*m.f.* 화성인.

marcino, na *adj.* 3월의.

marcionismo *m.* 선악설.

marco[1] *m.* [*lat.* margo] ① 가장자리; 경내, 범위내 : poner en ~ 테두리 안에 넣다. ② 테두리 : ~ de sierra 톱의 테두리. ③ (창문·문간 따위의) 가로대. ④ 액자, 사진틀.

marco[2] *m.* [*alem.* mark] ① 마르크 《금은의 중량 단위, 230gr》. ② 도량형의 원기(原基). ③ 화폐의 본위(本位) : ~ de oro 금본위(제). ~ de plata 은본위(제). ④ 목재의 자. ⑤ (제화공의) 자(cartabón). ⑥ 마르크 《독일의 화폐 단위》.

márcola *f.* 쇠막대기, 철봉; 갈고리의 쇠끝에 매다는 장대.

marcolador, ra *m.f.* márcola로 전정하는 사람.

marcomano, na *adj.* 마르꼬마니아 《Marcomania, Bohemia의 옛 이름》의; 마르꼬마니아 민족의. —*m.f.* 마르꼬마니아 사람.

marconigrafía *f.* 무선 전신(술).

marconigrama *m.* 무선 전신.

Marcos (San) *m.*【성서】 마가 《마가 복음의 저자》; (신약 성서의) 마가 복음서.

mardal *m.* 《*Murc.*》 =**morueco.**

mardano *m.* 《*Ar.*》 =**morueco.**

mardoño *m.*【식물】《*Chile.*》 =**madroño.**

mare *m.* 《*Venez.*》 토인의 피리의 일종.

marea *f.* ① 조수(潮水) : Sube la ~ 조수가 든다. ~ ascendiente·alta·creciente 밀물. ~ baja·descendiente·menguante 썰물. ~ muerta 조금 《조수가 가장 낮은 때인 음력 매달 초여드레와 스무사흘》. ~ viva 한사리 《초승달 때와 보름달 때에 일어남》. ② 바닷바람 (viento del mar). ③ (한길에서 씻어 내는) 먼지. ④ 밤이슬. ⑤ 보슬비.

mareador *m.*【은어】 나쁜 물건과 좋은 물건을 바꿔치기 하는 사기꾼.

mareaje *m.* 항해술; (배의) 방향·진로(rumbo).

mareamiento *m.* =**mareo.**

mareante *adj.* ① 항해하는, 항해의, 배를 다루는. ② 할인 판매하는. ③ 귀찮은. —*m.* 항해사 (navegante).

marear *tr.* ① (배를) 움직이다, 조종하다 : El piloto *mareaba* la nave con acierto 항해사는 배를 정확하게 조종했었다. ② 귀찮게 굴다, 괴롭히다 (molestar). ③ 헐값에 팔다. ④ 《*Méx. PRico.*》 속이다, 눈속임하다.
~se ① 멀미하다 : Al empezar a marchar el barco *me mareé* 배가 출발하기 시작하자 나는 멀미를 했다. ② (선하물이) 파손되다(averiarse géneros en el mar). ③ 《*Ant. Arg.*》 (천의) 색깔·빛이 바래다(pasarse el color de una tela).

mareca *f.*【조류】 유금류.

marejada *f.* ① 큰 파도 (소리). ② 민심의 동요 : ~ revolucionaria 혁명 소동.

marejadilla *f. dim.* marejada.

maremagno *m.* =**mare mágnum.**

mare mágnum *m. lat.* 풍부, 풍족 (abundancia); 혼란.

maremare *m.* 《*Venez.*》 =**mare mágnum.**

maremoto *m.*【지질】 해저 지진.

marengo *m.* 《*And.*》=**jabegote.**

mare nostrum *m.* 우리의 바다 《지중해》.

mareo *m.* 멀미; 불쾌; 현기증.

mareógrafo *m.* 자기 검조기(自己儉潮器).

mareomotor, triz *adj.* 조수에 의해 움직이는.

mareoso, sa *adj.* 멀미하는; 귀찮은.

marero *adj.* 바다에서의 (바람).

mareta *f.* ① 파도 소리 : ~ sorda 먼데서 나는 파도 소리, 바다의 울림. ② 여파. ③ 격앙. ④ 가시지 않은 분노.

maretazo *m.* =**golpe de mar, marejada.**

marey *m.* 《*AmérC.*》 =**anacardo.**

márfaga *f.* ① 올이 굵은 천 (marga). ② 《*Riopl.*》 =**cobertor.**

márfega *f.* ① 《*Ar.*》 =**máfaga.** ② 《*Ar.*》 márfaga로 만들어진 헐렁한 옷.

marfil *m. ár.* ① 상아(象牙). ② 상아 세공. ③ (이의) 상아질(dentina). ④ 눈처럼 하얀 빛깔 (blancura, grande) : el ~ de un rostro.
~ ***vegetal***【식물】(페루의) 상아야자(tagua).

marfilado, da *adj.*【시어】 상아의; 상아같은.
Sinón. ebúrneo.

marfileño, ña *adj.*【시어】 상아의; 상아 같은;

하얀.
marfilina *f.* 인조 상아.
marfuz, za *adj.* [*ár.* marfud] ① 싫증난. ② 가짜의, 속임수의(engañoso).
marga[1] *f.* [*lat.* marga] 【광물】 이회석(泥灰石).
marga[2] *f.* =**márfaga.**
margajita *f.* =**marcasita.**
margal *m.* 이회질(marga)이 많은 땅.
margallón *m.* 【식물】 종려의 일종(palmito).
margar *tr.* ⑧ (논에 비료를 주기 위해) marga를 넣다.
margarato *m.* 【화학】 유기산염.
margárico, ca *adj.* ① 유기체의, 유기물의. ② 【화학】 유기(有機)의 : ácido ~ 유기산(酸).
margarina *f.* 마가린, 인조 버터.
margarita *f.* [*lat.* margarita] ① 【식물】 들국화 ; 불란서 국화. ② 진주(perla). ③ (멕시코에서) 떼낄라(tequila), 풋레몬즙(zumo de limón verde) 및 주류(licor)의 합성 칵테일.
deshojar la ~ 의심하면서 어떤 결정을 내리기 위해 때를 기다리다.
echar ~s a los puercos 개 발에 주석 편자.
No se deben echar ~s a los cerdos 【속담】 돼지에게 진주를 주는 격.
margariteño, ña *adj.m.f.* 산따·마르가리따 《Santa Margarita, 지중해의 섬》의 (사람).
margay *m.* 【동물】 (남미산의) 범고양이.
margen *m.(f.)* [*lat.* margo, inis] ① 가장자리, 변두리, 끝 (borde) : ~ del campo. ② 기슭, 강언덕(orilla) : el·la ~ del río. ③ 여백, 난외 (blanco) : dejar mucha ~ a una plana escrita. ④ 방주(傍註)(apostilla). ⑤ 틈, 여유. ⑥ 구실, 기회(oportunidad) : dar ~ para una cosa. ⑦ 【상업】 판매 수익, 이윤, 이익, 차익, 마진 (~ de utilidad), 매매 차액 : ~ comercial 마진. comercial sostenido·total 총이익, 매상 (총)이익. ~ de ganancia 마진, 매매 차익 ; 채산. ~ de beneficio 마진. [*N. pl.* márgenes].
~ *fotofónica* 사운드 트랙.
al ~ 밖에(fuera) : vivir *al* ~ de la sociedad.
andarse por las márgenes 사소한 일에 얽매이다.
margenar *tr.* =**marginar.**
margesí *m.* 《*Perú.*》 재산 목록 ; 상품 목록.
marginación *f.* =**aislamiento.**
marginado, da *adj.* 소외당한, 도외시된 ; 가장자리 윤곽이 있는 (잎).
marginal *adj.* ① 변두리의, 끝의, 가장자리의, 기슭의 ; 여백의, 난외의 ; 난외에 적은 : nota ~ 방주(傍註). ② 이차적인.
marginalidad *f.* =**marginación.**
marginar *tr.* ① …의 난외에 써 넣다, …에 난외의 주를 달다(apostillar). ② (가장자리에) 여백을 남기다. ③ 도외시하다, 소외시키다.
~se 소외되다, 무시당하다.
margoso, sa *adj.* 이회질(marga)의·이 함유된.
margrave *m.* [*alem.* markgraf] (독일의) 변경백(邊境伯).
margraviato *m.* 변경백 령(領)·작위.
margravina *f.* margrave의 아내·미망인.
Marg.[ta] Margarita.
marguay *m.* 《*Amér.*》 산고양이 (gato montés)의 일종.
marguera *f* 이회석 (marga) 채굴장·저장소.
marguero *m.* marga 수집 노동자.
margullar *tr.* 《*Can. Cuba. Venez.*》 =**acodar.**
margullo *m.* 《*Can. Cuba. Venez.*》 =**acodo.**
marhojo *m.* =**malhojo.**
mari- *pref.* 경멸적으로 「여자 관계」의 접두어.
maría *f.* ① 옛날의 은화. ② 삼각 촛대의 가장 품질이 좋은 초. ③ 《*Arg.*》 =**boleadoras.**
baño de ~ 온수욕.
María *f.* 마리아 《여자의 이름》.
Santa María ① (성모 마리아). ② 콜롬부스가 아메리카 발견 때 탔던 배.
las tres Marías 【천문】 오리온좌의 세 별.
mariache *m.* 《*Méx.*》 =**fandango.**
mariachi *m.* 《*Méx.*》 마리아치, 거리의 악사.
marial *m.* 성모 찬가집.
mariano, na *adj.* 성모 마리아의 ; 마리아 예배의.
Islas Marianas 마리아나 군도.
marica *f.* 【조류】 까치(urraca). **—***m.* 여자 같은 남자(hombre afeminado).
Maricastaña *m.* 마리까스따냐 《옛날을 상징하는 인물》.
en tiempo(s) de ~ 호랑이 담배 먹을 적에, 옛날에, 옛날 옛적에.
maricela *f.* 마리셀라 《베네수엘라의 민요·춤》.
marico *m.* 《*Bol. Col. Venez.*》 =**maricón.**
maricón *m.* ① 여자 같은 남자(marica). ② 남색에 빠진 남자(sodomita).
maricultura *f.* 양식(養殖).
maridable *adj.* 부부의 : vida ~ 부부 생활.
maridablemente *adv.* 부부로서, 부부처럼(como esposos).
maridaje *m.* ① 부부 생활(vida de los casados). ② 조화.
maridanza *f.* 《*Extr.*》 아내 다루기 : hacer buena ~ 아내를 잘 다루다.
maridar *intr.* [*lat.* maritare] 결혼하다 ; 결혼 생활을 하다, 부부 생활을 하다. **—***tr.* ① 맞추다 (unir) : ~ dos objetos. ② 접목하다, 꺾꽂이하다.
maridazo *m.* 아내에게 관대한 남편.
maridillo *m.* =**rejuela, estufilla, braserillo.**
marido *m.* [*lat.* maritus] 남편(esposo) : El ~ debe proteger a su mujer 남편은 자기 아내를 보호해야 한다. ~ y mujer 부부.
mariega *f.* 《*Amér.*》 =**maciega.**
mariguana *f.* 《*Méx.*》 【식물】 마리화나, 대마초 《삼(cáñamo)의 일종》.
mariguano, na *adj.m.f.* 《*Méx.*》 mariguana를 피우는 (사람).
mariguanza *f.* 《*Cuba.*》 무당들의 요란한 의식.
mariguí *m.* 《*Bol.*》 【곤충】 마리기 《남미산의 사나운 모기》.
marihuana *f.* =**marijuana.**
marijuana *f.* 《*Col.*》 대마초(mariguana) ; 꼭두각시 인형.
marimacho *m.* 남자 같은 여자 (mujer de aspecto o acciones masculinos).
marimandona *f.* 시건방진 여자.
marimanta *f.* =**fantasma.**
marimarica *m.* =**marica.**
marimba *f.* ① 【악기】 마림바 《아프리카 흑인들의 북》. ② 《*Amér.*》 목금(木琴) (tímpano). ③

《*Col. Salv.*》(목재 건이 달린) 인디오의 악기. ④《*Arg.*》 구타(paliza). ⑤《*Venez.*》 =**gallo cobarde.**

—*adj.* 《*AmérC. Venez.*》 겁이 많은, 겁쟁이의.

marimbero, ra *adj.* 《*AmérC.*》 서툰, 솜씨가 없는.

marimbo *m.* 《*PRico.*》 =**güiro.**

marimonda *f.* ①《*Col. Perú. Venez.*》【동물】 거미원숭이. ②《*Col.*》 취기. ③《*Col. Venez.*》 취하기. ④ 추접스러운 여자.

marimono *m.* 《*Bol.*》【동물】 거미원숭이(ateles).

marimoña *f.* 【식물】 =**francesilla.**

marimoños *f.* 치장하기를 좋아하는 여자.

marimorena *f.* 말다툼, 언쟁, 싸움(riña. pelea).

marina *f.* [*lat.* marina] ① 해사(海事) : Tribunal de *M*- 해사 심판소. ② 해운(업) : entrar en la ~. ③ 선박 : ~ mercante 상선(商船), 해운(업). ④ 항해술. ⑤ 해군 : ~ inglesa 영국 해군. aspirante de ~ 해군 사관 후보생. ⑥ 해군성 (ministerio de la Marina). ⑦ 해양화(畫). ⑧《*Chile.*》 해군 군관 학교.

ir por la ~ 선원을 지원하다.

marinaje *m.* ① 선원 생활. ② [집합] 선원(marinería).

marinante *adj.* 바다에 익숙한.

marinar *tr.* ① (…에) 선원을 태우다 (tripular un buque). ② (고기를) 소금에 절이다.

marinear *intr.* 선원 생활을 하다 (trabajar como marinero).

marinera *f.* ① 해군 복장. ②《*AmérM.*》 손수건을 사용하는 민속춤의 일종.

marinerado, da *adj.* [드뭄] =**tripulado.**

marinerazo *m.* 노련한 선원.

marineresco, ca *adj.* 선원의.

marinería *f.* ① 선원 생활. ② 선원의 멀미. ③ [집합·추상] 뱃사람, 승무원.

marinero, ra *adj.* ① 조종하기 쉬운 : barco muy ~. ② 뱃사람의 : a la ~*ra* 선원·해군식으로. —*m.* ① 해군, 선원, 하급 선원. ②【동물】 집낙지(argonauta).

marinesco, ca *adj.* 선원 같은 : hábitos ~*s.*

marinismo *m.* 마리니《이탈리아 시인 Marini. 1569−1625》풍(의 문체), 허식체(虛飾體).

marinista *adj.* 해양화의. —*m.f.* 해양화가.

marino, na *adj.* 바다의 : azul ~ 감색(紺色), brisa ~*na* 바닷바람. guardia ~*na* 해군 사관 후보생. malla ~*na* 해리(海里). —*m.* 뱃사람 : 해군, 해병 : 해군모(자).

mariol *m.* [드뭄] =**maricón.**

mariología *f.* 성녀 마리아에 관한 학문.

marión *m.* 【어류】 철갑상어(esturión).

mariona *f.* ① 마리오나《옛 춤의 일종》. ② 마리오나의 음색.

marioneta *f.* 《*Galic. Chile.*》 꼭두각시 인형 (títere).

mariparda *f.* 간사한 여자(mujer astuta).

maripérez *f.* 삼발이의 테 (부분)(moza).

mariposa *f.* ①【곤충】 나비. ② 야등(夜燈), 기름 등잔의 심지. ③【조류】(꾸바산의) 나비 참새(verdón).

estilo ~ 버터플라이식 수영.

mariposado, da *adj.* =**papelonado.**

mariposeador, ra *adj.* 변덕스런, 경솔한.

mariposear *intr.* 자주 변덕을 부리다, 변덕스럽다, 경솔하다 : 날아 다니다, 뛰어 다니다.

mariposeo *m.* 변덕, 경솔 : 날아 다니기.

mariposero *m.* =**vaso para mariposas.**

mariposón *m.* ①《*Cuba.*》 아첨자, 아부자 (hombre muy galanteador). ②《*Perú.*》 동성애의 변태자.

Mariquilla *hip.* María.

mariquita *f.* ①【곤충】 무당벌레. ②【조류】 앵무새의 일종(perico). ③《*Arg.*》 민요의 일종. —*m.* ① 여자 같은 남자. ②《*Cuba.*》 치즈(queso)를 넣은 꿀.

Mariquita *hip.* María.

mariquito *m.* 《*Cuba.*》 여성적인 남자.

marisabida *f.* =**marisabidilla.**

marisabidilla *f.* 아는 체하는 여자. **Sinón.** bacillera.

marisca *f.* 《*AmérC.*》 여자의 성적 매력.

mariscador, ra *adj. m.f.* 조개를 잡는 (어부).

mariscal *m.* ① 육군 원수 : ~ de campo 육군 중장·소장. ② (군의) 합참 의장. ③ 수의(獸醫).

mariscala *f.* mariscal의 아내.

mariscalato *m.* =**mariscalía.**

mariscalía *f.* 육군 원수의 직위.

mariscante *adj.* [mariscar의 *p.p.*]【은어】 훔치는.

mariscar *intr. tr.* ⑦ ① 조개를 줍다 (coger mariscos). ② 훔치다 (hurtar). ③《*Ecuad.*》 밤낚시를 하다.

marisco *m.* ① 조개, 연체 동물, 패류(貝類) : comer ~*s.* ② 훔친 물건, 장물. —*pl.* 해산물.

marisma *f.* (해변·강변에 가까운) 늪지, 소택지(沼澤池).

marismeño, ña *adj.* marisma의·에 관한.

marismo *m.* 【식물】 시금치(orgaza).

marisquero, ra *m.f.* 조개 팔이, 해산물 상인.

marista *adj.* ① 성모 마리아회《Sociedad de María. 1823년 불란서에서 창립된 종교 단체》의. ② 마리스타 수도회《Instituto de Hermanos Maristas. 1817년에 창립된 교육적 종교 단체》의. —*m.f.* 성모 마리아 회원 : 마리스타 수도 회원.

marital *adj.* ① 남편의(del marido) : autoridad ~. ② 결혼(matrimonio)의 : hacer vida ~ 결혼 생활을 하다.

maritalmente *adv* 남편으로 : 부부 생활로.

maritata *f.* 《*Bol. Chile.*》(사금 채집에서) 모래채.

maritatas *f.pl.* 《*Perú.*》 =**maritates.**

maritates *m.pl.* 《*AmérC.*》 =**trebejos.**

marítimo, ma *adj.* ① 바다의(mar) : navegación ~*ma.* ② 해변의 : ciudad ~*ma.* ③ 해상의, 해사(海事)의, 선박의 : agencia ~*ma* 선박 회사 대리점. agente ~ 선박 중개인. asegurador ~ 해상 보험 업자. asuntos ~*s* 해사(海事). ~ tráfico 해상 수송, 해상 무역. seguros ~*s* 해상 보험. socorro ~ 해난 구조. tráfico ~ 해상 교통. trasportación ~*ma* 해운. por vía ~*ma* 선편으로, 배로.

maritornes *f.* (el Quijote의 작중 인물에서) 하

녀.

marizapalos *f.* 우스갯소리.

marizarse *r.* 《*Sal.*》 교미하다(amarizarse).

marjal *m.* ① 소택지, 늪지. ②【식물】 퉁퉁마디밭(almarjal).

marjoleta *f.* marjoleto의 열매.

marjoleto *m.*【식물】 단상사나무의 일종.

marlo *m.* 《*Col. Arg. Venez.* 》(알을 빼고 남은) 옥수수 껍질.

marlota *f.*【고어】(아라비아 사람의) 겉옷.

marmaja *f.* 《*Amér.*》 =**marcasita.**

marmajera *f.* 《*Méx.*》 =**salvadera.**

marmárico, ca *adj.* 마르마리까 《Marmárica, 지중해와 사막 사이에 있는 이집트 서쪽 옛 아프리카 지방》의.

marmatita *f.*【광물】 철섬 아연광.

marmelada *f.* 《*Neol.*》 마멀레이드 《오렌지·레몬 따위의 잼》(mermelada).

marmella *f.* =**mamella.**

marmellado, da *adj.* =**mamellado.**

marmelos *m.*【식물】 헨루다과 나무 ; 그 열매.

marmita *f.* (금속제의 두 개의 손잡이가 달린) 단지, 남비, 솥, 가마솥.

marmitón *m.* (선박의) 식당 조수.

mármol *m.* [*lat.* marmor] ① 대리석 ; 대리석상 (estatua de ~) : ~ artificial 인조 대리석. ~ brecha 각력석(角礫石). ~ estatuario 소상용(塑像用)의 백대리석. ~ trabajado 가공 대리석. ② 철판.

de ~ (대리석처럼) 차가운, 냉혹한 : Tenía un temperamento *de* ~.

marmolejo *m.* 소형 대리석.

marmoleño, ña *adj.* [드뭄] =**marmóreo.**

marmolería *f.* ① [집합] 대리석 (세공). ② 대리석 공장.

marmolillo *m.* ① (기둥의) 모서리 받침. ② 얼간이, 바보, 멍청이, 둥신.

marmolina *f.* 《*Chile.*》 스타코(estuco) 《인조 대리석》.

marmolista *m.* 대리석 가공자·상인.

marmolita *f.*【광물】 사문석(serpentina)의 변종.

marmoración *f.* 스타코(estuco).

marmóreo, a *adj.* ① 대리석의 : piedra ~*a.* ② 대리석 같은 : frialdad ~*a.*

marmoroso, sa *adj.* =**marmóreo.**

marmosa *f.*【동물】 zarigüeya의 일종.

marmosete *m.* 《*Neol.*》 =**viñeta.**

marmota *f.* [*fr.* marmotte] ①【동물】 마멋 ; 마르모트. ② (여자·어린이용) 두건. ③ 잠꾸러기, 잠보.

como ~ 푹, 깊이 (자다).

marmotear *intr.* =**barbotar.**

marmoto, ta *adj.* 《*Sal.*》 =**tonto, torpe.**

maro *m.*【식물】 개곽향속 식물 ; 개불알꽃.

marocha *f.* 《*AmérC.*》 미치광이 같은 계집아이.

marojal *m.* marojo나 melojo 숲.

marojo *m.*【식물】 ① 기생목(寄生木)의 일종. ② 허드레 가지(melojo). ③ 백견의 일종.

marola *f.* =**marejada del mar.**

maroma *f.* ① 굵은 밧줄(cuerda gruesa) : ~ de esparto. ② 《*Amér.*》 [주로 *pl.*] 줄타기, 곡예 : hacer ~*s.*

andar en la ~ 한패가 되다, 편을 들다.

maromear *intr.* 《*Amér.*》 ① 곡예를 하다 (hacer volatines). ② 당에 무조건 승복하다. ③ 매달아 놓은 침대에서 흔들다. ④ =**dudar, vacilar.**

maromero, ra *adj.* 《*Amér.*》 팔방 미인의 ; 교활한. —*m.f.* ① 《*Amér.*》 곡예사(acróbata). ② 《*Cuba. Perú.*》 만능 정치가.

marón *m.* ①【어류】 철갑 상어(esturión). ②【동물】 숫양(morueco).

maronita *adj. m.f.* 레바논(Líbano) 지방의 Marón파의 (카톨릭 교도).

marota *f.* ① 《*Méx.*》 남자 같은 여자(marimacho). ② 《*Venez.*》 (소의 뿔을 묶는) 줄.

marote *m.* 《*Arg.*》 마로떼 《민속춤·민요의 일종》.

marplatense *adj. m.f.* 마르·델·쁠라따 《Mar del Plata》의 (사람).

marque marcar의 접·현·1·3·단수.

marqué marcar의 직·부정 과거·1·단수.

marque- → **marcar** ⑦.

marquéis marcar의 접·현·2·복수.

marquemos marcar의 접·현·1·복수.

marquen marcar의 접·현·3·복수.

marques marcar의 접·현·2·단수.

marqués *m.* ① 후작(侯爵). ② 삼각형의 부인 모자(sombrero de señora de forma de tricornio).

marquesa *f.* ① 후작 부인 ; 여자 후작. ② 현관의 차양 (marquesina) : ~ de vidrio. ③ sillón (안락 의자)의 일종.

marquesado *m.* 후작의 작위 ; 후작령.

marquesina *f.* ① (현관 등의) 차양, 차양 지붕 : una ~ de cristales. ② 안락 의자의 일종.

marquesita *f.* =**marcasita.**

marquesota *f.* ①【고어】(높고 주름이 있는) 깃. ② 《*Col.*》 (강의) 양어댐.

marquesote *m.* [*aum.* marqués] ① 《*AmérC. Méx.*》 마름모꼴의 빵. ② 《*Méx.*》 적설탕(azúcar rosado).

marqueta *f.* ① 생밀랍 (덩이). ② 《*Chile.*》 여송연의 꾸러미. ③ 설탕 덩이. ④ 《*Ecuad.*》 초콜릿의 덩이. ⑤ 《*Méx.*》【속어】 시장(市場).

marquetería *f.* [*fr.* marqueterie] 나무짝 세공, 상감 세공(ebanistería).

marquiartife *m.*【은어】 =**artife.**

marquida *f.*【은어】 매춘부, 창녀, 갈보.

marquilla *f.* [*dim.* marca] 종이 규격 《43.5×63㎜》.

marquisa *f.* =**marquida.**

marquista *m.* (Jerez de la Frontera에서 하나나 그 이상의 포도주 상표를 소유하는) 포도주 상인.

marra[1] *f.* 있어야 될 것이 빠진 것.

marra[2] *f.* [*lat.* marra] =**almádena.**

márraga *f.* 거칠게 짠 모직물의 일종.

marragón *m.* 《*Rioja.*》 =**jertón.**

marraguero *m.* 《*Ál.*》 =**colchonero.**

marrajo, ja *adj.* ① 교활한 (taimado) : toro ~. ② 조심스러운, 신중한(cauto). ③ 《*Méx.*》 인색한, 구두쇠의 : chiquillo ~. —*m.*【어류】 상어(tiburón).

marramao *m.* 암내 낸 고양이의 울음 소리.

marramáu *m.* =**marramao.**

marramizar *intr.* ⑨ 암내 낸 고양이가 울다.

marramuncia *f.* 《*Venez.*》 =**marrullería.**

marrana *f.* ① 암돼지. ② 추접스런 여자.
~ *de luz* 《*And.*》 개똥벌레 무리의 유충(luciérnaga).

marranada *f.* =**cochinada.**

marranalla *f.* 천한 인간들(canalla).

marrancho *m.* 돼지(marrano).

marranchón, na *m.f.* 돼지.

marranear *tr.* 《*Col.*》 속이다(engañar).

marranería *f.* =**marranada.**

marranillo *m.* =**cochinillo.**

marrano *m.* [*lat.* marrenum] 골조·뼈대에 사용되는 재목.

marrano, na *adj.* 돼지 같은, 추접한 ; 천박한, 천덕스러운. **—***m.f.* ① 돼지(puerco). ② 추접한 사람. ③ 비열한 인간. ④ (경멸적으로) 유태인.

marraqueta *f.* 《*Chile.*》 =**acemita.**

marrar *intr.* 실수하다, 빗나가다(errar, equivocar) : ~ el tiro. Contr. acertar.

marras *adv.* 다른 때, 또 한번 (otro tiempo, otra vez) : el asunto *de* ~.
de ~ 그 때의, 예의 (consabido) : Volvió el hombre *de* ~.
hacer ~ *de* 《*Bol. Ecuad.*》 =hacer mucho tiempo de.

marrasquino *m.* [*ital.* maraschino] 앵두로 빚은 술.

marrazo *m.* ① 양쪽 날이 있는 도끼. ② 《*Méx.*》 단검 ; 총검(bayoneta).

marrear *tr.* 큰 쇠망치(marra)로 때리다.

márrega *f.* ① 《*Ar.*》 =**márfega.** ② 《*Rioja.*》 =**marregón, jergón.**

marrillo *m.* 굵은 막대기.

marro *m.* ① 돌멩이 놀이. ② (두 패로 나누어서 노는) 사람 붙잡기 놀이. ③ 몸을 피하기(regate, ladeo). ④ 모자라게 되는 일. ⑤ 잘못, 실수 : hacer un ~ 실수하다. ⑥ tala 놀이. ⑦ 《*Méx.*》 망치.

marroca *f.* 《*Arg.*》 =**cadena.**

marroco *m.* 《*Arg.*》 =**pan.**

marrón[1] *m.* marro에 쓰는 돌멩이.

marrón[2] *m.* ① 《*Galic.*》 밤(castaño). ② 《*Col.*》 머리채를 싼 종이. ③ 《*PRico.*》 종의 추. ④ 《*PRico.*》 큰 쇠망치. **—***adj.* 《*Galic.*》 밤색의 : pimiento ~.

marronazo *m.* 투우에서 창을 잘못 찌르는 실수.

marroquí *adj.* 모로코(Marruecos)의. **—***m.f.* 모로코 사람. **—***m.* 모로코 가죽(tafilete).

marroquín, na *adj. m.f.* =**marroquí.**

marroquinería *f.* 《*Chile.*》 =**tapicería, tafiletería.**

marroquinero, ra *m.f.* 피혁 제품 업자·제작자·점원.

marrosidad *f.* 《*Col.*》 떫은 맛.

marroso, sa *adj.* 《*Bol.*》 떫은.

marrubial *m.* marrubio로 덮인 땅.

marrubio *m.* 【식물】 잎이 둥그런 박하의 일종.

marrueco, ca *adj.* ① 《*PRico.*》 겁많은. ② =**marroquí.** **—***m.f.* =**marroquí.** **—***m.* 《*Chile.*》 덧대는 천.

Marruecos *m.* 【지명】 모로코. ~ Español 서반아령 모로코.

marrulla *f.* 《*Col. Arg.*》 =**marrullería.**

marrullería *f.* 감언 이설, 그럴싸한 말.

marrullero, ra *adj.* 말솜씨 좋은, 교활한. **—***m.f.* 감언 이설가.

marsa *m* (모로코에서) 항구(puerto) ; 만(bahía) ; 하구(河口), 강어귀(ensenada).

marsé *m.* 《*SDgo. Galic.*》 시장(mercado).

marsella *f.* 《*Cuba.*》 =**piqué.**

Marsella 【지명】 마르세이유 《불란서 지중해의 항구 도시》.

marsellés, sa *adj.* 마르세이유의. **—***m.f.* 마르세이유 사람. **—***m.* 재킷.

Marsellesa *f.* 불란서 국가(國歌).

mársico, ca *adj.* 마르소인 《los marsos, 고대 이탈리아의 한 나라》의. **—***m.* 마르소 사람.

marsopa *f.* 【동물】 물개(delfín)의 일종 : Las ~*s* suelen destrozar las redes de pescadores.

marsopla *f* =**marsopa.**

marsupial *adj.* 【동물】 유대류의 (동물) (didelfo). **—***m.pl.* 유대류(有袋類) : Los ~*es* abundan principalmente en Oceanía.

mart. martes.

marta[1] *f.* ① 【동물】 담비 : ~ cebellina 검은 담비. ② 담비의 모피.

marta[2] *f.* 《*Chile.*》 사원에서 심부름하는 여자.
Marta la Piadosa 「띠르소·데·몰리나」의 작중 인물로 위선적인 여자.

martagón *m.* [*ital.* martagone] 【식물】 백합의 일종 : La raíz del ~ se emplea como emoliente.

martagón, na *adj.* 교활한, 간사한, 음험한, 엉큼한(astuto). **—***m.f.* 교활한 사람.

martajar *tr.* 《*Amér.*》 부수다(quebrar), 옥수수를 빻다(picar maíz).

marte *m.* 【고어】 철, 쇠 : óxido de ~.

Marte *m.* ① 【천문】 화성(火星). ② 【로마 신화】 군신(軍神).

marteja *f.* 《*Col.*》 monito의 일종.

martelilla *f.* 《*And.*》 =**caliza con numulitas.**

martellina *f.* 석수·석수장이가 사용하는 망치(martillo).

martelo *m.* [*ital.* martello] [드묾] =**enamoramiento.**

martes *m.* [*lat.* Martis dies]【단·복수 동형】 화요일.
dar con la del ~ 죽이다.
En ~, *ni te cases, ni te embarques* 【속담】 화요일에는 아무 것도 하지 마라 《서반아에서는 화요일은 불행한 날이라고 미신적인 생각을 한다》.

martí *m.* 《*Cuba.*》 (호세 마리아 마르티 José María Martí, 1853—95, 꾸바를 독립시킨 선열의 이름에 의해서 만든) 5 duros의 금화.

martiano, na *adj.* 호세 마르띠 《José Martí (1853—1895), 꾸바의 애국자》의.

martiguar *tr.* ⑩ 《*Ant.*》 =**amortiguar.**

martillada *f.* [드묾] 망치로 때리기(martillazo).

martillado, da *adj.* 망치로 친·때리는. **—***m.* 【은어】 길(camino).

martillador, ra *adj.m.f.* 망치질하는 (사람).

martillar *tr.* ① 망치로 때리다 : ~ hierro en el yunque. ② 못살게 굴다.

martillazo *m.* 망치질.

martilleador, ra *adj.m.f.* 망치질하는 (사람).
martillear *tr.* =**martillar.**
martillejo *m.* 소형 망치.
de ~ *《And.》* =de golpe.
martilleo *m.* 망치질 ; 망치질 소리.
martillero *m.* *《Arg.》* 경매인.
martillo *m.* [*lat.* martulus] ① 망치, 해머, 정, 끌 : ~ corte 끌. ~ de ajustador 끝마무리 해머. ~ de fragua 큰 추(martinete). ~ de orejas 못뽑이가 달린 망치. ~ macho 뿔망치. ~ neumático 공기 해머. ② (피아노의) 조율추. ③【어류】상어의 일종《양 옆에 머리가 튀어 나왔음》. ④【해부】중이(中耳)의 추골. ⑤【건축】건물의 날개(ala). ⑥ 경매점.
a ~ 박아서 만든 ; 때려 쳐서.
a macha ~ 단단하게, 튼튼하게.
de ~ (주물이 아닌) 버려서 만든.
martillo-pilón *m.* [*fr.* marteau-pilon] 말뚝박는 기계.
Martín *m.* ① 마르띤. ② San *Martín*, 396년 경에 죽은 성도《축일은 11월 11일》; San *Martín*의 제일(祭日)경《돼지의 도살 시기》. ③ José de San *Martín* 아르헨띠나 군인 정치가 ; 칠레 · 뻬루 · 아르헨띠나를 서반아의 지배에서 해방시킨 해방자(1778—1850).
llegar · venir su San ~ 전성기에도 슬픈 때가 온다.
martín del río *m.*【조류】=**martinete.**
martín peña *m.*【조류】=**martinete.**
martina *f.*【어류】=**pez fisóstomo.**
martinenco, ca *adj.* *《Murc.》* higos의 변종의.
martineta *f.*【조류】*《Riopl.》* (남미 대초원의) 자고새의 무리.
martinete *m.* ① (피아노의) 해머. ② 큰 추. ③ 말뚝박는 기계(martillo pilón). ④ 단조(鍛造) 공장. ⑤【조류】잿빛 까치 ; 까치의 도가머리.
martingala *f.* 계책, 간책 ; 기회.
martinico *m.*【속어】=**duende.**
martiniega *f.* 산 · 마르띤의 찬사.
martínpescador *m.*【조류】물총새.
mártir *m.f.* [*gr* martur] ① 순교자 : En el reinado de Diocleciano empezó la era de los ~*es.* ② 순난자(殉難者), (주의 · 운동 따위의) 희생자 : un ~ de la ciencia. ③ 수난자.
martirial *adj.* 순교자의.
martirio *m.* [*lat.* martyrium] ① 순교, 순난 : San Esteban sufrió el ~. ② 순사(殉死). ③ 수난, 고통, 고난, 고뇌(sufrimiento grande).
martirizador, ra *adj.* 박해하는. —*m.f.* 박해자.
martirizante *adj.* 박해하는 (듯한).
martirizar *tr.* 9 ① 박해하다, 괴롭히다.
martirologio *m.* 순교자 열전, 순교사(史).
Maruca *hip.* María.
marucha *f.* sarna의 일종.
Marucha *hip.* María.
marucho *m.* *《Arg.》* =**chiquillo.**
maruga *f.* *《Cuba.》* 피리의 일종. —*adj.* 쓸모없는 ; 지불이 나쁜 (사람).
Maruja *hip.* María.
marullo *m.* =**mareta.**
marusa *f.* *《Venez.》* 자루(morral).
marusiño, ña *adj.m.f.* =**gallego.**
maruso, sa *adj.* =**marusiño.**
Marx【인명】마르크스.
Carlos ~ 독일의 경제 학자 · 사회주의자 (1818—83).
marxismo *m.* 마르크스주의《Marx의 역사 · 경제 · 사회 학설》.
marxista *adj.* 마르크스주의의. —*m.f.* 마르크스 주의자.
marzadga *f.* 삼월에 내는 세금.
marzal *adj.* 3월의.
marzante *m.* marzas를 노래하며 다니는 젊은이.
marzas *f.pl.* *《Sant.》* 이웃 사람들이 희사하도록 젊은이들이 밤에 집집마다 부르며 다니는 노래.
marzo *m.* [*lat.* martius] 3월 (tercer mes del año) : *M-* tiene treinta y un días 삼월은 31일이다.
marzoleta *f.* marzoleto의 열매.
marzoleto *m.*【식물】=**marjoleto.**
mas[1] *m.*【방언】① 농장 음악 (masada). ② 필리핀의 귀금속 중량 단위《3. 622 g》.
mas[2] *adv.* 그러나 (pero) : No le vi, ~ le escribí 나는 그를 만나지 못했으나 그에게 편지했다.
~ *que* …일지라도 (aunque) : ~ *que* no quieras 네가 사랑하지 않을지라도.
más *adv.* [*lat.* magis] [mucho의 비교급]. ① 더 많이, 보다 더 : Sé ~ prudente 보다 더 신중하게 하시오. Yo soy ~ alto que tú 나는 너보다 키가 더 크다. Iré ~ tar de 더 늦게 가겠다. Esta flor es ~ hermosa *que* aquélla 이 꽃이 저것보다 더 아름답다. ② 더욱더 : Pregúntaselo una vez ~ 그에게 그것을 한번 더 물어보아라. ③ [정관사와 최상급] 가장 : José es *el* ~ alto *de* mis amigos 호세는 내 친구 중에서 가장 키가 크다. Esto es *lo* ~ cierto 이것이 가장 확실하다. **Contr.** menos.
—*adj.* [mucho의 비교급] 더 많은, 더 다수의, 더 대량의, 더 큰 : El tiene ~ libros que yo 그는 나보다 더 많은 책을 가지고 있다. La salud es ~ preciosa *que* todo 건강은 무엇보다도 귀중하다. El amor tiene ~ fuerza *que* la muerte 사랑은 죽음보다 더 강한 힘이 있다. **Contr.** menos.
—*m.* ① 보다 많음 : el ~ y el menos 다소. ② 장점 : Todo el mundo tiene sus ~ y sus menos 누구나 자기의 장점과 단점을 가지고 있다. ③【수학】프러스 ; 덧셈 기호 : Cinco ~ tres son ocho 5+3=8.
—*pron.* [정관사+] 대다수(mayoría) : *los* ~ de los días · *las* ~ de las noches 대다수의 낮 · 밤.
el ~ *y el menos* 다소.
~ *allá* ① 보다 더 저쪽으로. ②《*Galic.*》저승, 저세상.
~ *bien* 오히려(antes bien).
~ *de* ① …보다 많이 : Te he envidiado ~ *de* una vez 나는 너를 수없이 부러워했다. ② …이상 : En esta batalla murieron ~ *de* dos mil hombres 이 전투에서 2천명 이상이 죽었다. Llegaron ~ *de* veinte personas 20명 이상이 도착했다. Tiene ~ *de* sesenta años 그는 60세 이상이다.
~ … *de lo que* … [최상급 다음에서] …하는 · 했던 것보다 : El es ~ rico *de lo que* cree Vd.

그는 당신이 생각하고 있는 것보다 부자다. Los dos parecían ~ jóvenes *de lo que* suponía 두 사람은 내가 상상했던 것보다 젊어 보였다.

~ ***de cuatro*** 많은것(muchos) : Lo vieron ~ *de cuatro* 많은 사람들이 그것을 보았다.

~ ***o menos*** 대략, 약 ; 많건 적건 간에.

~ ***que*** ① …보다 더, …보다 많이 : Corre ~ *que* tú 그는 너보다 빨리 달린다. Habla ~ *que* hace 실행하는 것보다 말하는 것이 더 많다. Nadie lo sabe ~ *que* él 어느 누구도 그 사람만큼 그것을 많이 아는 사람이 없다. ② 설령…하더라도(aunque) : ~ *que* nunca vuelva a verle 설령 그를 다시 만나지 못하더라도.

~ ***que nunca*** 어느 때보다도.

~ ***tarde o ~ temprano*** 늦건 빠르건 간에, 언젠가는.

a ~ 그 위에, 덧붙여서(además).

a ~ correr 전속력으로.

a ~ tardar 늦어도.

a ~ y mejor 차츰 더 강하게 · 세게 : Llovía *a ~ y mejor* 차츰 더 비가 내렸다. El niño come *a ~ y mejor* 그 아이는 차츰 더 먹는다.

a cual (cuál) ~ 어느 한 쪽도 지지 않고 : Los dos estuvieron *a cual ~* exagerados 두 사람은 어느 한 쪽도 지지 않고 과장하고 있었다.

a lo ~ 많아야, 고작해야 (a lo sumo). : En esta villa habrá *a lo ~* dos mil habitantes 이 마을에는 고작 주민이 2천명일 것이다.

cuanto ~, (tanto) ~ (menos) …하면 할수록, 더욱더 : *Cuanto ~* dinero gana, *tanto ~* gasta 그는 돈을 벌면 벌수록 더욱더 낭비한다. *Cuanto ~* meditaba sobre él, *(tanto) ~* verosímil me parecía 그에 대해 생각하면 할수록 더욱더 진실로만 생각되었다.

de ~ 여분으로, 더 : Te han dado cien pesetas *de ~* 너는 100뻬세따 더 받았다.

de ~ en ~ 《*Galic.*》 차츰(cada vez más) : *de ~ en ~* hábil 차츰 솜씨있게.

en ~ 몹시, 보다 더 : Aprecio mi virtud *en ~* que mi vida.

hasta no ~ 더없이 : una mujer tímida *hasta no ~* 더없이 내성적인 여자.

lo ~ 비할 데없이 : una mujer *lo ~* tímida 비할 데없이 내성적인 여자.

lo ~ antes 가능한한 빨리, 되도록 빨리.

lo ~ que poder …할 수 있는 최상 · 최대 ; …할 수 있는 데까지 : Gritó *lo ~ que podía* 소리가 나오는 데까지 외쳤다.

lo ~ + 「형용사」 가장 …인 것 · 일 · 곳 : Póngalo en *lo ~* alto 가장 높은 곳에 그것을 놓으십시오.

lo ~ + 「형용사 · 부사」+***posible*** 되도록, 가능한한 : *lo ~* pronto *posible* 되도록 빨리.

ni ~ ni menos 같은 정도로 ; 알맞게(justa y cabalmente).

no … ~ que …밖에 없다, …할 수 밖에 다른 도리가 없다 : *No* tenía *~ que* dos hijas 그에게는 딸 둘 밖에는 없었다. *Nadie* sabe *~ que* José 호세 이외에는 아무도 아는 사람이 없다.

por ~ que + subj. 아무리 …해도, 아무리 …할지라도(aunque) : *Por ~ que* te *hable* no me entenderás 아무리 말해도 너는 내 말을 알아들을 수 없을 것이다. *Por ~ que llores,* no te consuelas de una desgracia 네가 아무리 울어 봐도 스스로 달래지는 못할 것이다.

sin ~ 이것만으로, 더 부언할 것없이, 이상으로 : *Sin ~* por el momento 이상 용건만.

sin ~ ni ~ 생각없이, 지각없이, 당황하여, 덮어놓고, 무조건으로 (sin reparo, precipitadamente).

masa[1] *f.* [*lat.* massa] ① 덩이, 집단 : la ~ de un cuerpo. ② 빵의 반죽덩이. ③ 《*Galic.*》 대량 ; 군중, 대중(vulgo, pueblo) : ~*s* populares 일반 민중. la rebelión de las ~*s* 민중의 반란 · 봉기. ④ 전체, 총체(totalidad) : la ~ de su fortuna. ⑤ 【물리】 질량. ⑥ 성질, 성격(carácter). ⑦ 순종(carácter dócil) : tener buena ~. ⑧ 【군대】 = **masita.**

~ ***encefálica*** 머릿골, 뇌수, 뇌, 두뇌(encéfalo).

en ~ ① 한 덩어리가 되어, 집단으로 (en conjunto). ② 《*Chile. Perú.*》 전체로 : el peso *en ~* 총중량.

hacer a uno ***la ~ aguada*** 나쁜 짓을 하다.

masa[2] *f.* 《*Ar.*》 = **masada.**

masaco *m.* 《*Bol.*》 바나나에 살코기를 넣은 식품.

masacote *m.* 《*Arg.*》 설탕을 넣고 반죽한 것.

masacrar *tr.* 《*Galic.*》 대학살하다.

masacre *m.* 《*Galic.*》 몰살, 대학살(matanza).

masacuate *f.* 《*Salv.*》 큰 구렁이, 왕뱀(boa)의 일종.

masaculo *m.* 《*Chile.*》 구타, 때리기.

masada *f.* 농가, 농장 내의 주택 ; 별장.

masadero *m.* masada 주민.

masagrán *m.* 《*Arg. Perú.*》 냉커피.

masaje *m.* [*fr.* massage] 《*Neol.*》 마사지 (amasamiento).

masajista *m.f.* 마사지사, 안마사.

masamorra *f.* 《*Amér.*》 = **mazamorra.**

masar *tr.* ① 반죽하다(amasar). ② 《*Neol.*》 문지르다, 마사지하다(efectuar el masaje).

masato *m.* 《*Amér.*》 ① 바나나로 빚은 술. ② 옥수수로 빚은 술. ③ 바나나를 주로 한 식품. ④ 《*Méx.*》 (여행용) 옥수수 가루. ⑤ 《*Arg. Col.*》 코코아(coco) · 옥수수(maíz) · 설탕(azúcar)을 넣은 과자.

mascabado *adj.* ***azúcar ~*** 흑설탕.

mascada *f.* ① 《*Amér.*》 한 입《담배 따위를 입에 넣고 씹을 수 있는 1회 분량》. ② 《*AmérC.*》 돈(dinero). ③ 《*Méx.*》 (남자의) 비단 손수건. ④ 《*Méx.*》 호주머니에 장식으로 꽂는 손수건. ⑤ 《*Riopl.*》 이익, 이문, 이득(utilidad, provecho). ⑥ 《*Sant.*》 = **puñada.**

aflojar la ~ = soltar la ~.

dar una ~ 《*AmérC.*》 나무라다, 꾸짖다.

soltar la ~ 《*Arg.*》 토하다, 게우다(vomitar). ② 《*Col.*》 털어놓다, 자백하다 ; 남에게 넘겨주다. ③ 《*Venez.*》 악담하다.

mascadijo *m.* 구강 향료.

mascadón *m.* 《*Méx.*》 대형 mascada.

mascador, ra *adj.m.f.* 씹는 · 물어뜯는 (사람 · 물건).

mascadura *f.* ① 깨물기. ② 《*Hond.*》 커피나 초콜릿과 함께 먹는 빵. ③ 《*PRico.*》 입으로 씹는 1회분 담배.

mascar *tr.* ⑦ ① 씹다, 깨물다. ② 중얼거리다,

투덜거리다 (mascullar). ③《*AmérC. Ant.*》(씹는 담배를) 씹다.

máscara *f.* ① 탈, 가면 : ~ antigás 방독 마스크. ~ de carnaval 카니발의 가면. ~ de oxígeno 산소 마스크. quitarse la ~ 가면을 벗다. ② 가장 의상. ③ 구실, 핑계(pretexto). ④ =**disfraz.** —*m.* 가면을 쓴 사람.
—*f.pl.* 가장 행렬, 가장 무도회 (mojiganga) : Nos veremos en *las* ~*s* 가장 행렬에서 만납시다. baile de ~*s* 가장 무도회.

mascarar *tr.* 《*Ar.*》 =**tiznar.**

mascarada *f.* 가장 행렬, 가장 무도회.

mascarero, ra *m.f.* 가장 의상 상인.

mascareta *f.* [*dim.* máscara] 소형 가면, 반가면.

mascarilla *f.* 반가면 ; 데드마스크.

mascarón *m.* [*aum.* máscara] ① 큰 가면. ② (건축 장식의) 괴인면(怪人面). ③ 뱃머리 장식 : ~ de proa de un barco.

mascatrapos *m.pl.* 《*Venez.*》 떠돌이, 무주택자.

mascón, na *adj.m.f.* ①《*Méx.*》 싸구려 물건만 찾아 다니는 (사람). ②《*Venez.*》 허세부리는 (사람).

mascota *f.* [*fr.* mascotte] ① 수호신, 마스코트. ②《*Méx.*》 격자 무늬의 천.

mascovita *f.* 【광물】 백운모.

mascujada *f.* 음식을 꼭꼭 씹기 ; 중얼거리기.

mascujador, ra *adj.* [드묾] 음식을 꼭꼭 씹는 ; 중얼거리는.

mascujar *tr.* ① (음식을) 잘 씹지 못하다 (mascar mal). ② 중얼거리다 (mascullar, hablar entre dientes).

masculillo *m.* ① 구타 (porrazo). ② 궁둥이로 밀기 (놀이).

masculinidad *f.* 【문법】 남성, 남성다움, 남성적임.

masculinizar *tr.* 9 남성으로 하다, 남성화하다.

masculino, na *adj.* [*lat.* maseulinus] ① 남자의, 수컷의 : sexo ~. ② 남자다운(varonil). ③ 【문법】 남성의. —*m.* 【문법】 남성(género). Contr. femenino.

mascullar *tr.* 중얼거리다(hablar entre dientes).

masecoral *m.* 요술.

masejicomar *m.* =**masecoral.**

maseincas *m.pl.* 【은어】 카드 놀이(los naipes).

maselucas *m.pl.* 【은어】 =**naipes.**

masera *f.* (빵의) 반죽통 ; 반죽한 빵에 씌우는 천.

masería *f.* =**masada.**

masetero *m.* 【해부】 교근 (músculo que sirve para levantar la mandíbula inferior).

masi *m.* 《*Bol.*》【동물】 (남미산의) 다람쥐의 일종.

masía *f.* 《*Ar. Cat.*》 =**masada.**

masiada *f.* *hacer la* ~ 《*Perú.*》 일을 교활하게 끌고 가다.

masicoral *m.* =**masecoral.**

másico *m.* 마시꼬 《옛 로마의 유명한 포도주 ; Másico산 원산》.

masicote *m.* [*fr.* massicot]【화학】 산화연.

masificación *f.* 대량화 ; 대중화 : época de ~ 대중 시대.

masificar *tr.* 7 대량화하다 ; 대중화하다.

masílico, ca *adj.* =**masilio.**

masiliense *adj.m.f.* =**marsellés.**

masilio, lia *adj.* 마실로 《los masilos, 고대 아프리카 민족》의 ; 모로코의(mauritano). —*m.f.* 마실로 사람 ; 모로코 사람.

masilla *f.* (유리가 떨어지지 않게 받치는) 파테.

masío *m.* 《*Cuba.*》 =**junco.**

masita *f.* ① 병사들의 일용품 값으로 공제되는 돈. ②《*Bol. Riopl.*》 과자의 일종.

masito *adv.* 《*Col.*》 거의 (casi) : *Masito* me ahogo 거의 숨이 막힐 지경이다.

masivo, va *adj.* ① 부피가 큰, 큰, 육중한, 무거운. ② 단단한, 힘찬 ; 용모·체격·정신이 올찬, 굳센 ; 당당한, 훌륭한(imponente). ③【심리】 용적감이 있는. ④ 대중의, 집단의 ; 대량의 ; (약 따위가) 정량 이상의 : producción ~*va* 대량 생산. ⑤【지질】 괴상(塊狀)의. ⑥【의학】 (병이) 조직에 광범하게 미치는. ⑦ 실질적인.

maslo *m.* (꼬리의) 밑둥 ; (나무의) 밑둥.

masón *m.* [*aum.* masa] (새의) 반죽한 모이.

masón, na *m.f.* [*fr.* maçon, *lat.* machio] 공제 비밀 결사 회원, 프리메이슨(francmasón).

masonería *f.* 공제 비밀 결사, 프리메이슨 조직체(francmasonería).

masónico, ca *adj.* 공제 비밀 결사의 : signos ~*s.*

masoquismo *m.* 피학대 음란증(被虐待淫亂症), 메조키즘 《이성에게 학대를 받고 쾌감을 느끼는 변태 성욕》.

masoquista *adj.* 피학대 음란증의. —*m.f.* 피학대 음란증 환자, 메조키스트.

masora *f.* 헤브루 원전에 의한 성서 평역.

masoreta *m.* masora의 저자.

masorético, ca *adj.* masora의.

masovero *m.* 《*Ar. Castell.*》 =**masadero.**

mastaba *f.* 【고고학】 (고대 이집트의) 석실분 (石室墳).

mastate *m.* 《*Méx.*》 (인디오의) 띠 ; 식물에서 뽑은 섬유.

mastear *tr.* 【선박】 배에 주 돛대를 놓다.

mástel *m.* 지주, 버팀대.

mastelerillo *m.* 【선박】 윗돛대.

mastelero *m.* 【선박】 중간 돛대.

mástic *m.* 《*Galic.*》 유향(乳香) (mástique) ; 파테 (masilla).

masticación *f.* 깨물기, 씹기.

masticador *m.* (말의) 재갈 (freno)의 일종 (mastigada).

masticar *tr.* [*lat.* masticare] ① 깨물다(mascar). ② 곰곰이 생각하다(rumiar).

masticatorio *m.* ① (약·용제로) 씹는 물질. ② 입으로 깨무는 것 《추잉검 따위》.

masticino, na *adj.* 유향(mástique)의.

mástico *m.* =**mástique.**

mastigador *m.* 재갈(freno)의 일종.

mástil *m.* [*lat.* mast] ①【선박】 돛대, 마스트. ② 돛대 모양의 기둥 《무선탑 따위》, 지주(支柱), (침대 따위의) 다리 ; (초목의) 줄기. ③ (깃털의) 축(astil de la pluma). ④ (기타 다른 악기의) 목 부분. ⑤ (기타 등의) 목, (토인의) 각반.

mastín, na *adj.m.f.* ① 마스틴 종의 (개). ②【은어】경관, 순경 ; 경찰의 하급 직원, 사환.
mastingal *m.* [*fr.* martingale] 《*Méx. Galic.*》 말의 가슴걸이(gamarra).
mástique *m.* 유향 수지(乳香樹指)(액)(almáciga) ; 유향수.
masto *m.* ①《*Ar.*》(접목의) 어미 나무. ②《*Ar.*》(동물의) 수컷(animal macho).
mastodonte *m.* ①【고생대】마스토돈 《고생대 제 3기의 코끼리 비슷한 동물》. ② 몸집이 큰 사람.
mastoideo, a *adj.*【해부】젖꼭지 모양의.
mastoides *adj.*【해부】(척추골의) 돌기의 : apófisis ～.
mastoiditis *f.*【의학】척수 골수염.
mastranto *m.* =**mastranzo.**
mastranzo *m.* ①【식물】야생 박하.
mastuerzo *m.* [*lat.* nasturtium] ①【식물】후추. ②《*Ecuad. Perú.*》 =**la capuchina.** ③ 바보(tonto).
masturbación *f.* 수음(手淫), 자위.
masturbarse *r.* 수음하다, 자위하다(procurarse solitariamente goce sensual).
masvale *m.* =**malvasía.**
Mat. Matemáticas ; Mateo.
mata[1] *f.* ①(다년생 목질의) 풀. ② 어린 나무, 관목 : ～ parda 떡갈나무의 관목. ～ rubia 연지떡갈나무(coscoja). ③(밀·화초의) 그루. ④(풀의) 줄기. ⑤ 덤불, 풀섶 : seguirle hasta la ～ 풀섶까지 추적하다. ⑥ 털 : una ～ de pelo. ⑦ 숲, 과수림 : una ～ de olivos. ⑧【식물】유향나무(lentisco). ⑨【야금】광피(鑛皮). ⑩《*Méx.*》 작은 산. ⑪《*Venez.*》(평원의) 입목(立木).
～ ***de agua*** 《*Ecuad.*》 소나기.
mata[2] *f.* [*alem.* matte] 유황질.
mata[3] *f.* ① 트럼프 놀이의 일종(matarrata). ②《*Ecuad.*》 안장에 쏠린 상처(matadura).
matabuey *m.* ①【식물】소태나무의 일종(amarguera). ②《*Arg.*》(짐수레의) 조임줄.
mataburro *m.* 《*AmérC. Col. Ecuad.*》 독한 술(aguardiente fuerte).
matacaballos *m.* 《*Col.*》【곤충】잠자리(libélula).
matacabras *m.*【단·복수 동형】북풍.
matacán *m.* ① 개 잡는 독 (veneno para matar perros). ②(중세에) 성채의 고랑에 있는 투석구멍. ③ 개에 쫓긴 경험이 있는 토끼. ④(미장이 일에서 빈 곳을 메우기 위한) 큰 돌. ⑤【식물】마전목(nuez vómica). ⑥《*Hond.*》 커다란 송아지(ternero grueso). ⑦《*Ecuad. Venez.*》 새끼 사슴(cervato).
matacandelas *m.*【단·복수 동형】촛불 끄는 기구(apagavelas).
matacandil *m.* ①【식물】(습지에서 자란) 괴혈병에 잘 듣는다는 십자과 식물. ②《*Murc.*》 새우(langosta).
matacandiles *m.*【식물】백합과 식물 《향기롭고 예쁜 검붉은 색을 가진 꽃을 핌》.
matacía *f.* 도살.
matación *f.* [드뭄] =**matanza.**
mataco *m.* ①《*Riopl.*》【동물】다람쥐(armadillo)의 일종. ②《*Arg.*》 고집쟁이. ③《*Perú.*》 궁둥이 (posaderas).
matacuás *m.* 《*Méx.*》 서툰 운전수.
matachín *m.* [*ital.* matassino] ① 도살 인부(jifero). ② 싸움을 자주하는 남자.
dejar hecho un ～ 창피를 주다.
matada *f.* 《*AmérC.*》 전락, 전도, 쓰러짐.
matadero *m.* ① 도살장. ② 목숨을 빼앗는 일 : El ir tan lejos todos los días es un ～. ③ 무척 힘드는 일. ④《*Amér.*》 =**picadero.**
matado, da *adj.m.*【방언】=**muerto.**
matador, ra *adj.* 죽이는. **—***m.f.* ① 살인자. ② 주역 투우사(el espada).
matadura *f.* ① 안장에 쏠린 말의 상처. ②《*Ecuad. PRico.*》 빚. ③《*Ecuad.*》 골칫거리 학생.
dar a uno ***en las*** ～***s*** (욕을 할 때 누구의) 의표를 찌르다, 아픈 곳을 찌르다, 급소를 찌르다.
matafalúa *f.* 《*Ar.*》 =**matalahuva.**
matafuego *m.* ① 소화기(消火器). ② [드뭄] 소방수(bombero).
matagallegos *m.*【식물】=**arzolla.**
matagallina *f.*【식물】서향나무(torvisco).
matagallos *m.*【식물】사르비아(aguavientos).
matagusano *m.* 《*AmérC.*》 귤 껍질을 꿀이나 설탕에 절인 통조림.
matahambre *m.* ①《*AmérM.*》(소의) 갈비살. ②《*Cuba.*》 따삐오까(tapioca)와 달걀(huevo)로 만든 과자. ③《*Ecuad.*》 알이 작은 강낭콩.
matahombres *m.* 《*Murc.*》 =**carraleja.**
matahumos *m.*【고어】=**despabiladeras.**
matajo *m.* 《*And.*》 =**mata chica.**
matajudío *m.*【어류】숭어(mújol).
matalahuga *f.* =**matalahuva.**
matalahuva *f.*【식물】회향(茴香)(anís).
matalangostas *m.* 쓸모없는 사람.
mátalas callando *m.* 약삭빠른 사람.
matalobos *m.*【식물】=**acónito.**
matalón, na *adj.m.f.* (겨우 도살을 모면한 듯한) 빼쩍 마른 말(의) ; 폐마(의).
matalotaje *m.* ①《*Galic.*》(배에 싣는) 양식. ②《*Amér.*》(육상의) 여행용 등짐. ③ 허섭스레기.
matalote[1] *m.* [*fr.* matelot] (선단의) 선두나 최후의 배.
matalote[2] *adj.m.* 여윈 (말)(matalón).
matamata *f.* 《*Venez.*》 사나운 물거북.
matamba *f.* 《*Col.*》 긴 작대기.
matambre *m.* 《*AmérM.*》 =**matahambre.**
matamoros *m.*【단·복수 동형】건달, 건달패(valentón).
matamoscas *m.*【단·복수 동형】파리채, 파리잡이 끈끈이.
matamosquera *f.*【식물】=**atarraga.**
matamosquitos *m.*【단·복수 동형】모기 잡는 선향(線香).
matancero, ra *adj.m.f.* 마딴사스 《Matanzas, 꾸바에 있는 지명》의 (사람). **—***m.* ①《*AmérM. And.*》 도살자(matarife) ②《*Amér.*》 푸줏간 사람.
matanga *f.* 《*Méx.*》 아이들의 놀이 《손에 가진 것을 때려서 빼앗는 놀이》.
matanza *f.* ① 죽이기 ; 대학살 : La batalla fue una verdadera ～ 그 전투는 대학살전이었다. ② 도살. ③ 도살용 돼지 ; (자기 집에서 소비하기

위해 잡은) 돼지 고기 : guardar ~ para todo el año. ④ 도살 시기. ⑤ 생명과 바꿀 수 있는 큰 소원(porfía) : Toda mi ~ es que él se corrija 나의 소원이라면 그가 행실을 바르게 해주는 것 뿐이다. ⑥ 《*AmérC.*》 푸줏간, 고깃간. ⑦ 《*Venez.*》 도살장.

mataojo *m.* 《*Riopl.*》 적철과 식물.

matapalo *m.* ① 《*Ecuad.*》 기생 식물.

matapalos *m.* ① 《*Ecuad.*》 =**matapalo.** ② 《*Ecuad.*》 (나무의) 기생 곤충.

mataparna *f.* =**encina.**

mataperico *m.* 《*Col. Venez.*》 구타, 때림, 주먹질(papirote).

mataperrada *f.* 장난(travesura).

mataperrear *intr.* 《*AmérM.*》 장난질하다(travesear).

mataperros *m.* 【단·복수 동형】 개구쟁이, 부랑아(muchacho callejero).

matapiojos *m.* 《*Col. Chile.*》 잠자리(libélula).

matapolvo *m.* 먼지나지 않을 정도의 비.

matapollo *m.* 《*Murc.*》 =**torvisco.**

matapulgas *f.* 【단·복수 동형】 【식물】 야생 박하.

matar *tr.* ① 죽이다, 살해하다(quitar la vida) : Lo *mataron* a palos 그는 몽둥이로 살해되었다. Lo *mataron* a pedradas 그는 돌에 맞아 죽었다. ② 끄다, 없애다(apagar) : *Mataron* el fuego en unos minutos 불은 수 분 만에 진화되었다. ③ 괴롭히다 : Me *mata* a preguntas 그는 질문으로 나를 괴롭힌다. ④ (색·광택을) 지우다. ⑤ 소인을 찍다. ⑥ 죽음의 원인이 되다(causar la muerte) : Le *ha matado* el aguardiente 그는 소주를 마시고 죽었다. ⑦ 파산시키다(arruinar) : ~ una empresa 기업을 파산시키다. ⑧ 화나게 하다, 부아를 돋우다(incomodar) : Me *matas* con tu impertinencia 네가 건방진 행동을 해서 나는 화가 난다.

~se ① 자살하다. ② 비탄에 젖다. ③ 노심 초사하다, 힘을 내다. ④ (말에) 안장에 쓸린 상처가 생기다.

~se a + inf. …하는데 열중하다 : *Se mata a* leer 그는 읽는데 열중하고 있다. *~se por* comer bien 많이 먹는데 신경을 쓰다.

estar a ~ con …에게 몹시 화내고 있다.

mátalas callando 약삭빠른 사람, 엉큼한 사람.

¡Que me maten! 사실이고 말고!

matarife *m.* 도살자, 백정(matachín, jifero).

matarile *m.* 어린이 노래의 시작.

mataronés, sa *adj.* 마따로 《Mataró, Barcelona 주의 한 도시》의. **—***m.* 마따로 사람.

matarrata *f.* 카드 놀이의 일종.

matarratas *m.* ① 독한 술(aguardiente fuerte). ② (쥐잡이용) 독(veneno).

matarrotos *m.pl.* 《*Chile.*》 전당포.

matarrubia *f.* 【식물】 연지떡갈나무(matarubia).

matasano *m.* 《*AmérC.*》 열매를 먹으면 술에 취하는 것처럼 되는 식물.

matasanos *m.* 【단·복수 동형】 돌팔이 의사, 무면허 의사(curandero).

matasapo *m.* 《*Chile.*》 어린이 놀이.

matasarna *m.* 《*Ecuad. Perú.*》 【식물】(아메리카의) 콩과에 속하는 나무.

matasellar *tr.* (우표에) 소인을 찍다.

matasellos *m.* 【단·복수 동형】 소인, 스탬프.

matasiete *m.* 【단·복수 동형】 =**espadachín.**

matasuelo *m.* 《*Chile.*》 모로 쓰러지기.

matataes *m.pl.* 《*Col.*》 잡동사니.

matate *m.* 《*AmérC. CRica.*》 chorcha 새의 매달린 둥지 ; 망태기.

matatena *f.* 《*Méx.*》 (모가 없고) 둥근 돌멩이. **—***pl.* (과일의 씨를 높게 던지면서 하는) 어린이 놀이.

matatías *m.* 【단·복수 동형】 =**usurero.**

matato *m.* 《*Bol.*》 마떼차 찻잔.

matatudo, da *adj.* ① 《*AmérC.*》 재빠른. ② 《*Bol.*》 코끝이 뾰족한(hocicudo).

matatús *m.* 《*AmérC.*》 =**matanga.**

matatuza *f.* 《*AmérC.*》 =**matanga.**

matazón *f.* 《*Amér.*》 =**matanza.**

matazonero *m.* 《*Cuba.*》 고기 장수, 푸줏간 주인, 푸줏간 사람.

matazuza *f.* 《*Salv.*》 =**matatús.**

match *m. ing.* 시합(encuentro deportivo).

mate[1] *adj.* ① 광택이 나지 않는, 윤이 나지 않게 한 (금·은 따위) : una medalla de oro ~. **Contr.** brillante. ② 둔탁한, 소리를 없앤 : sonido ~.

mate[2] *m.* (장기의) 궁 ; (카드에서 마지막의) 다른 패를 누르는 으뜸패.

mate[3] *m.* ① 《*AmérM.*》 마떼차 (hierba del Paraguay). ② mate 찻잔, mate차 그릇. ③ 마른 mate잎. ④ 볶은 마떼잎으로 달린 액 : El ~ es una bebida sumamente estomacal, exitante y nutritiva 마떼는 건위제, 흥분제 및 영양제 음료이다. ⑤ 《*Arg. Ecuad. Perú.*》 대머리. ⑥ 《*Chile. Riopl.*》 머리.

~ amargo·cimarrón 설탕을 넣지 않은 마떼차.

~ cocido 우려 낸 마떼차.

~ lavado 첫 순으로 만든 마떼차.

andar a ~s a hogados 《*Arg.*》 진퇴유곡에 빠져 있다.

dar ~ a …를 비웃다.

pegar ~ 《*AmérC.*》 실성하다.

tener mucho ~ 《*AmérC.*》 재치가 있다, 수단이 좋다.

matear *tr.* 조금씩 뿌리다, 간격을 두고 심다. **—***intr.* ① (밀 따위의) 포기를 가르다. ② (사냥개가) 덤불을 뒤지다. ③ 《*AmérM.*》 마떼차를 마시다(tomar mate). ④ 《*Chile.*》 (액체를) 혼합하다. ⑤ 《*Chile.*》 (장기에서) 궁을 두다.

~se 그루가 뻗다.

matemática *f.* [주로 *pl.*] 수학 : *~s* aplicadas·mixtas 응용 수학. *~s* de seguros 보험 수학.

matemáticamente *adv.* 수학상, 수학적으로, 수리적으로, 정확하게(exactamente).

matemático, ca *adj.* ① 수학의, 수학적인 ; 수리적인 : instrumento ~. ② 정확한, 정밀한 (exacto). **—***m.f.* 수학자.

materia *f.* [*lat.* materia] ① 물건 ; 물질, 원료, 재료 : ~ básica 기초적 자재. ~ en bruto 원료. ~ prima, primera ~ 원료품. ~ colorante 염료. ~ médica 약물, 약물학. ~ tóxica 유독 물질. ② 제재, 제목 ; 본체, 본론 : entrar en la ~. ③ 일, 문제 (negocio, asunto) : Eso es otra ~ 그것은 별문제다. ④ 사항, 항목 : *~s* de

Estado 국사, 정무. ⑤ 이유, 사정(causa, ocasión). ⑥ 습자본. ⑦【의학】고름, 농(pus) : la llaga que cría ~.
en ~ de …에 대하여, …한 점에서 : *en ~ de* idealistas 그들이 이상주의자라는 점에서.
entrar en ~ 사건을 다루기 시작하다.

material *adj.* ① 물자·물질의, 물질상의, 물질적인 : substancia ~. **Contr.** moral, espiritual. ② 유형의, 구체적인. ③ 육체상의 ; 관능적인, 감각적인 : placer ~ 육체적 쾌락. ④ 실질적인 : su éxito ~. ⑤ 야비한, 촌스러운(grosero). ⑥ 중요한. ⑦ 자잘한.
—*m.* ① 성분(ingrediente). ② 원료, (원)재료, 자료 : ~ combustible 가연 재료. ~ de embalaje 포장용 재료·기구. ~ de recuperación 환원 재료. ~ directo 직접 재료비. ~ estratégico 긴급·전략 물자. ~ informativo 정보 자료. ~ publicitario·de publicidad 선전 자료, 광고·선전 재료. los *~es* de que se ha servido el autor 저작자가 이용한 여러 가지 재료. ③ 자재 : *~es* de construcción 건축 자재. ④ 기재, 용품 ; 용구 ; 설비, 기계류(equipo) : ~ agrícola 농기구. ~ de oficina 사무용 설비. ~ eléctrico 전기 기구. ~ móvil·rodante 차량류. ⑤【인쇄】원고(manuscrito).
de ~ 《*Amér.*》 벽돌·콘크리트로 지은.
en lo ~ 실질상.
Es ~ 마찬가지 일이다(lo mismo da).
ser una cosa ~ 별로 중요성이 없다.

materialidad *f.* ① 실질, 실체, 실상. ② 외형, 외관(aspecto). ③ 말의 표현 : No atiende sino a la ~ de lo que oye.

materialismo *m.*【철학】유물론, 유물주의, 물질주의 ; 실질·실리·육체주의 : ~ dialéctico 변증법적 유물론. ~ histórico 사적(史的) 유물론. **Contr.** espiritualismo.

materialista *m.f.* 유물론자 ; 물질주의자 ; 실리주의자 ; 건축 재료 업자·상인.

materialización *f.* 구체화, 체현(體現), 물질화, 구현.

materializar *tr.* ⑨ 실리적·실질적으로 하다, 물질화하다, 실체화하다, 실현시키다 : El tuvo éxito en ~ su idea 그는 그의 아이디어를 구체화하는데 성공했다.
~se 물질적으로 하다 ; 육체적으로 하다 ; 실현되다.

materialmente *adv.* 물질적으로, 유형적으로 ; 구체적으로 ; 본질적으로 ; 실질적으로 ; 실리적으로 ; 육체적으로.

maternal *adj.* ① 어머니의, 어머니다운(materno) : cariño ~ 모성애. ② 어머니쪽의, 어머니로부터 물려받은.

maternalmente *adv.* 어머니로서, 모성애로서, 어머니답게.

maternidad *f.* ① 어머니임, 어머니가 됨, 어머니다움, 모성(애) : las inquietudes de la ~ 모성애의 불안. ② 출산 수당(subsidio de ~) : casa de ~ 조산원.

maternizar *tr.* 우유를 풍부하게 하다.

materno, na *adj.* ① 어머니의, 모성의 (maternal) : amor ~ 모성애. ② 어머니다운 ; 모계의 : línea *~na* 모계. lengua *~na* 모국어.

matero, ra *adj.m.f.* 《*AmérM.*》 마테차를 좋아하는 (사람).

matés receipt *m.*【상업】본선 수취증.

matete *m.* 《*Arg. Urug.*》 ① 논쟁, 싸움, 실랑이 (disputa, reyerta). ② 반죽하여 섞는 것 : ser·parecer un ~ 삶는 것이 눌어 붙다 ; 길 따위가 수렁이 되다.

matico *m.* ①【식물】마띠꼬 : Las hojas del ~ se usan como astringente. ② 《*Bol.*》【조류】(오렌지색의) 지바퀴.

mático *m.*【식물】=**matico.**

matidez *f.* 《*Neol.*》 무광택 ; 둔탁한 소리.

matihuelo *m.* 오뚜기(dominguillo).

matinal *adj.* 아침의(matutinal, matutino).
—*f.* 오전의 공연.

matinée *f.* ① 《*Galic.*》 (극장의) 낮 흥행. ② 《*Amér. Sal.*》 (부인용의) 평상복, 화장복 (chambra).

matitez *f.* 《*Neol.*》 =**matidez.**

matiz *m.* [*pl.* matices] 색조, 색의 배합. **—*pl.*** ① (문학 작품의) 색조(rasgos) ; 양상 : los *matices* de la opinión pública 여론의 여러 가지 양상. ② 언어의 멋진 표현.

matizar *tr.* ⑨ ① 배색하다, 색을 배합하다 : ~ una pared *de·con* rojo y amarillo 벽을 적색과 황색을 배합하여 칠하다. ② (…에) 색조를 가미하다.

matlazagua *f.* 《*Méx.*》 =**tabardillo.**

mato *m.* ① =**matorral.** ② 《*Venez.*》 도마뱀 (lagarto)의 일종.

matoco *m.* 《*Chile.*》 =**diablo, demonio.**

matoide *adj.m.f.* 《*Neol.*》 마음이 혼란한 (desequilibrado mental).

matojal *m.* 《*Ant.*》 =**matorral.**

matojo *m.* ① 잡초, 잡목. ②【식물】수송나물. ③ 《*Ant. Col. Méx.*》 =**matorral.** ④ 《*PRico.*》 (자른 나무의) 새순(renuevo).

matón *m.* 툭하면 싸우는 사람(espadachín).

matonear *tr.* 《*AmérC.*》 도살하다 ; 살해하다, 죽이다(asesinar).

matonismo *m.* 건달패 같은 짓.

matorral *m.* 잡초지 ; 덤불 : La rana se escondió en un ~ 개구리는 덤불속에 숨었다.

matorralejo *m. dim.* matorral.

matorro *m.* ① 《*Sant.*》 =**matojo.** ② 《*Arg.*》 = **cachiyuyo.**

matoso, sa *adj.* 잡초가 무성한·덮인.

matra *f.* 《*Arg. Urug.*》 밑에 까는 양모천.

matraca *f.* [*ár.* mitraca] ① 소리내는 장난감. ② 야유 (burla, chasco) : dar ~ 야유하다, 놀려대다.

matracalada *f.* 군중(群衆), 사람들의 모임·운집(muchedumbre).

matraco, ca *adj.* 《*Ar.*》 =**terco, tosco, ignaro.**

matraquear *intr.* ① 덜컹덜컹 소리내다. ② 놀리다, 놀려대다, 야유하다.
~se 《*PRico.*》 술을 들이키다.

matraqueo *m.* 놀림, 조롱, 야유.

matraquista *m.f.* 야유하는 사람.

matraz *m.* (실험실에서 사용하는) 목이 긴 플라스크.

matreraje *m.* 《*Arg. Urug.*》 도적 ; 도적질.

matreramente *adv.* 약삭빠르게, 약아 빠지게, 의뭉스레, 간사스럽게, 교활하게 ; 솜씨 좋게,

빈틈없이.

matrerear *intr.* 《*Arg.*》 =**vagabundear.**

matrería *f.* ① 교활함(astucia). ② 《*Arg.*》 방랑.

matrero, ra *adj.* ① 약삭빠른, 교활한 (astuto). ② 의심많은(suspicaz). ③ 《*Arg. Ecuad.*》 =**marrajo.** ④ 《*Amér.*》 =**vagabundo.** —*m.* 《*Amér.*》 산적; 도주한 범인.

matriarcado *m.* 모계 제도, 여자 가장제, 여자 족장제.

matricaria *f.* 【식물】 카미틀레.

matricida *m.f.* 모친 살해자(matador de su madre) : la ~ Nerón.

matricidio *m.* 모친 살해 (범죄)(crimen del matricida).

matrícula *f.* [*lat.* matricula] ① 등록, 원부; 적, 학적 : ~ universitaria 대학교의 학적. ~ de mar 선원 등록 대장. ~ de un hospital 병원 카드 원장. ② 선박(부) : ~ de buques · ~ de tripulantes 승선·선원 명부. ~ de viajeros 선객 명부. ③ 대장, 등록부, 등기 원부. ④ 선적(부). ⑤ (자동차 따위의) 번호 대장; 그 증명서. ⑥ 입학.

matriculación *f.* 《*Neol.*》 등기, 등록.

matriculado, da *adj.* [matricular 의 *p.p.*] 등기된, 등록을 필한.

matriculador, ra *m.f.* 등록자, 등기자.

matricular *tr.* 등록하다, 등기하다, 대장에 기입하다.

~se 등록하다; 선적에 들다; 대학의 학적에 들어가다, …에 적을 두다 : El *se matriculó* en una universidad 그는 어떤 대학에 적을 두었다.

matrimonesco, ca *adj.* =**matrimonial.**

matrimonial *adj.* ① 결혼의, 혼인의 : promesa ~ 약혼. ② 부부의 : vida ~ 결혼 생활, 부부 생활.

matrimonialmente *adv.* 결혼에 의해서, 부부로서, 기혼자의 습관에 의해서.

matrimoniar *intr.* ⑪ 결혼하다, 혼인하다 (casar, contraer matrimonio).

~se 《*Chile.*》 결혼하다, 혼인하다.

matrimonio *m.* [*lat.* matrimonium] ① 결혼, 혼인, 혼례 : consumar el ~ 부부의 관계를 맺다. contraer ~ 결혼하다. El contrajo ~ hace tres años 그는 3년 전에 결혼했다. El ~ civil se deshace por medio del divorcio 민법상의 혼인은 이혼에 의해 취소된다. ② 혼례식, 결혼식. ③ 부부 : ~ sin hijos 자녀가 없는 부부. En esa casa vive un ~ 저 집에서는 한 쌍의 부부가 살고 있다. Es un ~ bien avenido 저 부부는 아주 잘 어울린다. ④ 《*Venez.*》 침대 시트의 넓은 천.

~ ***a yuras*** 자유 결혼. ~ ***civil*** 민사 결혼. ~ ***clandestino*** (입회인 없는) 자유 결혼. ~ ***morganático·de la mano izquierda*** 왕족과 평민간의 어울리지 않는 결혼. ~ ***in extremis*** 임종의 혼례. ~ ***de compañerismo*** 내연의 결혼.

matrimoño *m.* 【고어】 《*Ecuad.*》 =**matrimonio.**

matritense *adj.m.f.* =**madrileño.**

matriz *f.* [*lat.* matrix] ① 【해부】 자궁. Sinón. útero. ② 【기계】 암나사(tuerca). ③ 【조류】 흰눈썹 뜸부기. ④ (은행 수표장 등의) 주(株). ⑤ 원형, 원부, 원본(original); (등사판 따위의) 원지. ⑥ 주형(鑄型). ⑦ 【수학】 항렬.

—*adj.* ① 주요한, 근원이 되는(principal). ② 원본·원적이 되는. ③ 모(母)… : lengua ~ 모국어. ④ 근본의, 근원의, 원천의, 으뜸의 : casa ~ 본사; 본점. ~ iglesia (교회의) 본당·본산.

matrona *f.* [*lat.* matrona] ① 현모(賢母), 주부. ② 조산부, 산파 (comadre, partera). ③ 나이든 부인. ④ 여자 세관원.

matronal *adj.* 현모 양처의; 조산부의.

matronaza *f.* 알맞은 체격의 선량한 주부.

matropa *f.* 《*Hond.*》 히스테리(histerismo).

matroz *adj.* 《*Col.*》 가혹한, 잔인한(atroz). —*m.* 싸움을 좋아하는 여자.

matuasto 《*Arg.*》 【동물】 큰 도마뱀 (lagarto grande).

matucho, cha *adj.* 《*Chile.*》 빈틈이 없는, 날쌘. —*m.* ① 《*Chile.*》 통학생. ② 《*Chile.*》 악마 (diablo). ③ 《*Bol. Riopl.*》 신병, 신참자(bisono). ④ 《*Riopl.*》 여윈 말(matalón).

matufia *f.* 《*Arg. Urug.*》 속임수, 사기(engaño).

matujo *m.* 《*And.*》 =**matojo.**

matul *m.* ① 《*Cuba.*》 여송연의 한 단. ② 꾸러미 (bulto grande). ③ 《*Cuba.*》 땅딸보.

matula *f.* [드뭄] =**torciba, mecha.**

matulanga *f.* 《*Cuba.*》 =**matul.**

matulo *m.* 《*Cuba.*》 꾸러미(matul).

matungo, ga *adj.* ① 《*Arg. Urug. Cuba.*》 비쩍 마른 (말). ② 《*Cuba.*》 =**desmedrado.** Sinón. matalón.

maturinés, sa *adj.m.f.* 마뚜린 《Maturín, 베네수엘라에 있는 도시》의 (사람).

maturranga *f.* ① 《*Extr. Amér.*》 책략, 간책 (treta, enredo, marrullería.). ② 매춘부, 창녀. ③ 《*Hond. Venez.*》 =**delito, picardía.**

maturrango, ga *adj.* 《*Amér.*》 말타는 솜씨가 서툰; 익숙하지 못한. —*m.f.* 《*AmérM.*》 ① 서반아 사람(español). ② 유럽 사람(europeo). ③ 《*Perú.*》 비루먹은 말(caballo flaco y malo).

maturranguear *intr.* 《*Riopl.*》 =**cabalgar.**

maturranguero, ra *adj.m.f.* 《*Cuba* 》 교활한 (사람).

matusalén *m.* 노인(hombre muy viejo).

matusaleno, na *adj.* 매우 늙은(muy viejo).

matute *m.* [*ár.* maltut] ① 밀수입, 밀수(품). ② 도박판(garito).

matutear *intr.* 밀수하다(meter matute o contrabando).

matutero, ra *m.f.* 밀수자.

matutinal *adj.* [*lat.* matutinalis] ① 아침의 (matutino). ② 아침에 일어나는 (사건).

matutines *m.pl.* 《*Chile.*》 주술, 주문, 마귀를 쫓아내기.

matutino, na *adj.* 아침의 : un paseo ~ 아침 산책. Sinón. matinal.

maucho, cha *adj.* 마울레 《Maule, 칠레에 있는 주》의. —*m.f.* 마울레 사람.

maula *f.* ① 쓸모없는 것(cosa inútil). ② 사기, 속임수(engaño). ③ 작은 조가리. ④ 장치.

—*m.f.* ① 허풍선이. ② 게으름뱅이 : ser buena ~ 음흉한 인간이다. ③ 《*Arg. Urug.*》 겁쟁이.

maular *intr.* ⑰ =**maullar.** [*N.* **paular 동사와 함께 사용됨** : Ni paula ni *maula*].

maulear *intr.* ① 《*Col.*》 게으르다. ② 《*Chile.*

Urug.》 속이다, 사기하다, 협잡하다 (trampear).
maulería *f.* 쪼가리 물건을 파는 가게 ; 속임수.
maulero, ra *m.f.* ① 쪼가리 물건을 파는 장수. ② 사기꾼, 협잡꾼. ③《*Ecuad.*》 =**prestidigitador.**
maulino, na *adj.m.f.* 마울레《Maule, 칠레에 있는 주》의 (사람).
maulón *m.* [*aum.* maula] 눈속임하는 사람.
mauloso, sa *adj.*《*Arg.*》 =**maulero.**
maullador, ra *adj.* 잘 우는 (고양이).
maullar *intr.* 17 (고양이가) 야옹야옹 울다(dar maullidos) : El gato *maulla.* Sinón. mayar.
maullido *m.* 고양이 울음 소리(voz del gato).
maúllo *m.* =**maullido.**
maure *m.*《*Amér.*》 인디오 여인(indias)의 띠 (chumbe).
mauriciano, na *adj.* 모리시어스의. —*m.f.* 모리시어스 사람.
mauricio *m.*《*Col.*》 잘 익은 바나나.
Mauricio´【지명】 모리시어스.
mauritano, na *adj.* 모리타니아《Mauritania, 아프리카 북서부의 독립국》의. —*m.f.* 모리타니아 사람.
mauro, ra *adj.* [드뭄] =**moro.**
mauseolo *m.* =**mausoleo.**
máuser *m.* 연발 권총.
mausoleo *m.* 영묘, 능.
maute *adj.*《*Venez.*》 버려진 (동물).
mavacure *m.*《*Venez.*》 독이 있는 등나무·덩굴숲.
mavorcio, cia *adj.*【시어】 싸움의.
mavorte *m.*【시어】 군신(軍神); 싸움, 전투 (Marte).
maxifalda *f.* 맥시 스커트.
maxila *f.*【고어】 =**mandíbula, qujiada.**
maxilar *adj.* [*lat.* maxillaris] 턱의(de la mandíbula) : hueso ~ 턱뼈. venas ~*es* 턱의 정맥. —*m.* 턱뼈.
máxima *f. lat.* 격언, 금언 ; 주의 ; 방침 ; 준칙 : una ~ moral 도덕적인 격언.
maximalista *adj.m.f.* =**bolchevique.**
máximamente *adv.* ① 첫째, 첫째로, 주로 (en primer lugar). ② 최대로.
máxime *adv.* [*lat.* maxime] 주로, 특히(principalmente, sobre todo).
maximizar *tr.*【수학】 함수의 최고점을 찾다.
máximo, ma *adj.* [*sup.* grande] 최상의, 최대의, 최고의(mayor) : Ese tren corre a una velocidad ~*ma* de 80 kilómetros por hora 그 열차는 최고 시속 80킬로로 달린다.
—*m.* 최대(한), 최고(점), 최고액, 극한 : ~ común divisor 최대 공약수. ~ de la jornada 1일의 최고치.
máximum *m.* =**máximo.** Contr. mínimum.
máx.º máximo.
maxvelio *m.* [*ing.* maxwell] 전류의 단위《10^{-8} 웨버》.
maxwell *m.* =**maxvelio.**
may. letra mayúscula ; mayo.
May. Mayo.
maya[1] *adj.* 마야족의. —*m.f.* 마야족《옛 멕시코와 중미에 살았던 민족, 317–1697》. —*f.* ①【식물】 데이지. ② 5월의 여왕《마을에서의 봄 축제 때 곱게 꾸며 입히는 처녀》. —*m.* (중앙 아메리카에서 사용하는) 마야족의 말(lengua de los mayas).
hecha una ~ 곱게 차려 입고.
De cualquier ~ *salta un ratón*【속담】 예기치 않은 일은 언제나 일어나는 법이다.
maya[2] *f.* [*lat.* magida]《*Ál.*》 어린이의 놀이의 일종.
Maya *f.* 마야 부인《석가모니의 생모》.
mayador, ra *adj.* =**maullador.**
mayagua *f.*《*Hond.*》 담배 꽁초 (colilla del cigarrillo).
mayal *m.* 도리깨《보리 타작 때 쓰는 농구》; (착유기를 돌리기 위해 마소가 끄는) 끌대.
mayar *intr.* ① (고양이가) 야옹야옹 울다(maullar). ②《*PRico.*》 시들다, 풀이 죽다.
mayate *m.* (멕시코의) 먼지벌레의 갑충류.
mayear *intr.* 5월에 알맞는 날씨가 되다.
mayén *m.*《*Venez.*》 =**mal de ojo.**
mayestático, ca *adj.* 위엄있는, 권위의 : plural ~ 위엄을 나타내기 위해 쓰는 복수형《예 : *Nos,* el Pontífice··· 교황인 짐은···》.
mayeto *m.*《*Cádiz.*》 =**viñador.**
mayéutica *f.* (소크라테스가 사용한) 귀납법 (método de inducción).
mayido *m.* =**maullido.**
may.mo mayordomo.
mayo *m.* [*lat.* maius] ① 5월 (quinto mes del año). ② (장식한 다음 그 주위를 춤을 추며 걸어가는) 5월의 기둥. ③ (사랑하는 여자의 집 문앞에다 놓는) 5월의 가지. ④《*Cuba.*》【조류】 마요《노란색의 예쁜 새》.
—*pl.* (4월 그믐밤에 젊은이들이 처녀들을 위해 춤을 추며 다니는) 5월을 기다리는 노래.
para ~《*Chile.*》 무기한으로, 기한없이.
mayo, ya *adj.*《*Arg.*》 5월의 : fiestas ~*yas* 독립 기념 축제.
mayocol *m.*《*Méx.*》 십장, 인부 감독·우두머리, 가졸들의 우두머리(mayordomo).
mayólica *f.* 마욜리까《옛날에 Baleares 군도에서 생산된 일종의 도기》.
mayolista *m.* mayólica 전문 도공(ceramista).
mayonesa *f.* [*fr.* mayonnaise] ① 마요네즈 (mahonesa) : La ~ se suele servir principalmente con las carnes frías 마요네즈는 주로 냉고기와 나온다. ② 마요네즈를 치는 요리.
mayor *adj.* [*lat.* major] [grande의 비교급] ① 더 큰 (más grande). ② [정관사+~] 가장 큰 : la ~ parte 대부분. ③ 으뜸이 되는, 바탕이 되는 : libro ~ 원장, 원부. calle ~ 중심 거리. palo ~ 메인 마스트. ~ postor 최고 입찰자. ~ valía 물가 등귀 ; (토지의) 자연 증가. ④ 연장(年長)의 : hermano ~ 맏형. José es dos años ~ que Tomás 호세는 토마스보다 두 살 위다. ⑤ 성년의 : ~ de edad 성년. José es ~ de edad 호세는 성년이다. Contr. menor.
—*m.* ① 어른, 성년자. ② 장(長), 우두머리 (jefe, superior) : ~ general 육군 소장 ; 총사령관. ~ de los hermanos 맏형. ③【상업】 원장, 대장, 원부. ④ 주임 ; 시장(市長).
—*pl.* 선조 (antepasados).
—*f.*【논리】 대전제(大前堤).
*mayor*que【수학】 부등 기호(不等記號)(>).

escala ~【음악】장음계(長音階).
por ~ ① 대충, 대강. ② 대량으로 (en gran cantidad). ③ 도매로 : vender al *por* ~ 도매로 팔다.
alzarse · levantarse · subirse a ~es 거드름피우다, 뻐기다, 뽐내다, 젠 체하다, 잘난 체하다, 우쭐거리다(ensoberbecerse).

mayora *f.* mayor의 아내.

mayoral *m.* ① 우두머리 목동. ② 마부. ③ 인부 감독(capataz). ④ 감독. ⑤ 세리(稅吏)(mampostero). ⑥《*Arg.*》전차 운전수(cobrador de tranvía).

mayorala *f.* mayoral의 아내.

mayoralía *f.* ① mayoral에 의해 사육되는 가축 떼. ② mayoral의 일급·봉급.

mayorana *f.*【식물】마요라나(mejorana).

mayorazga *f.* ① 장자 상속권을 가진 장녀. ② mayorazgo의 아내.

mayorazgo *m.* ① 장자 상속제 : Los ~s han sido abolidas en España 장자 상속제는 서반아에서 폐지되었다. ② 장자 상속권. ③ 장자 상속 재산. ④ 장남(primogénito). ⑤ 육군 소령의 직위.

mayorazgüelo, la *m.f. dim.* mayorazgo.

mayorazguete, ta *m.f. dim. desp.* mayorazgo.

mayorazguista *m.f.* mayorazgo에 관해 쓰는 작가.

mayordoma *f.* mayordomo의 아내 ; 여집사.

mayordomear *tr.* (집·농장을) 관리하다.

mayordomía *f.* mayordomo의 아내 ; 여집사.

mayordomo *m.* ① (큰 집의) 하인의 우두머리. ② 집사 : ~ mayor 궁내 대신. ③《*Chile.*》감독자, 관리자. ④《*Perú.*》사환. ⑤《*Salv.*》파티 주최자.

mayoreo *m.*《*Arg. Chile. Méx.*》도매(업)(venta al por mayor).

mayoría *f.* ① 성년(mayor edad). ② 대부분(la mayor parte) : Así piensan la ~ de los hombres 대부분의 사람들이 그렇게 생각하고 있다. ③ 다수, 대다수 : ~ absoluta · relativa 절대·비교 다수. José tuvo siete votos de ~ 호세가 7표 이겼다. ④ 대다수의 사람들 : seguir la opinión de la ~. ⑤ 다수파, 다수당. ⑥ 총사령관실.
de ~《*PRico.*》콧대가 높아진, 으시대는, 뽐내는, 우쭐해진.

mayoridad *f.* 성년(mayoría).

mayorista *adj.*【상업】도매의. —*m.f.* 도매상, 도매업자(comerciante al por mayor). **Contr.** detallista.

mayoritario, ria *adj.*《*Neol.*》다수파의, 다수 민족의, 다수당의. —*m.f.* 다수당 ; 다수 민족. **Contr.** minoritario.

mayormente *adv.* 주로, 일반적으로, 대체로 (principalmente).

mayu *m.*【식물】마유《칠레산의 콩과 식물》.

mayuatoc *m.*《*Arg.*》=**coatí.**

mayueta *f.*《*Sant.*》야생 딸기(fresa silvestre).

mayúscula *f.* 대문자(letra ~).

mayúsculo, la *adj.* [*lat.* majusculus] ① 커다란 : disparate ~. ② 대문자의 : letra ~*la* 대문자.

maza *f.* [*gr.* maza] ① 망치창《옛날의 무기》. ② (망치창 모양으로 생긴) 권표(權標). ③ 삼의 줄기를 치는 도구. ④ 다듬이 방망이, 망치. ⑤ (말뚝을 박을 때의) 망치 : ~ de Fraga 말뚝 박는 기구, 스팀 해머(martinete). ⑥ 권위있는 사람. ⑦ 감명깊은 말. ⑧《*Amér.*》(수레바퀴의) 바퀴통. ⑨《*Amér.*》압착기의 실린더.
~ *sorda*【식물】향포.

mazacote *m.* ① 녹미채의 재《칼리 비료》. ② 콘크리트(hormigón). ③ 죽처럼 묽은 음식. ④ 성가시게 구는 사람, 귀찮은 사람. ⑤《*Méx.*》【동물】뿔뱀. ⑥《*Riopl.*》=**panela.**

mazacotudo, da *adj.*《*AmérM. Méx.*》=**amazacotado.**

mazacuate *m.* ①《*Hond.*》【동물】뿔뱀(boa)의 일종. ②《*Méx.*》(뱀처럼) 기다란 물건.

mazada *f.* 망치로 때리는 일.
dar ~ 큰 손해를 입히다.

Mazagatos *m. andar · haber de* ~ 대소동이 벌어지다.

mazagrán *m.* 물과 설탕을 넣은 커피 (café con agua y azúcar).

mazamorra *f.* ① (우유와 설탕이나 소금을 넣은) 뻬루의 옥수수로 만든 비스킷. ② 비스킷 부스러기. ③ 부스러진 물건. ④《*AmérM.*》불에 볶은 옥수수 가루《식품》. ⑤《*Ant. Col.*》(발가락의) 무좀. ⑥《*Bol.*》진흙 사태. ⑦《*Col.*》계략, 음모, 획책 : menear la ~ 획책하다.

mazamorrear *tr.*《*Ecuad.*》(벽을) 빼놓은 데 없이 바르다. —*intr.*《*Col.*》이 핑계 저 핑계를 대어 발뺌하다 ; 잔광(殘鑛)을 더듬다.

mazamorreo *m.*《*Col.*》사금 따위의 잔광 더듬기.

mazamorrería *f.*《*Perú.*》mazamorra 가게.

mazamorrero, ra *adj.*《*Perú.*》리마 사람 같은, 리마 사람 기질의. —*m.f.* ①《*AmérM.*》mazamorra 파는 사람. ②《*Col.*》음모자.

mazaneta *f.* (옛날 보석에 새긴) 사과 모양의 조각.

mazapán *m.* ① 편도빵, 과자빵. ② (왕후의 세례에 사용하는) 성유(聖油)빵.

mazar *tr.* [9] (버터를 만들기 위해 우유를 가죽 부대에 넣어) 두들기다.

mazarí *adj.m.* 포장용 벽돌(ladrillo)(의).

mazarota *f.* 주형(molde)에서 붙어 나온 쇠 부스러기.

mazateco, ca *adj.m.f.* ① 마사떼낭고《Mazatenango, 구아떼말라에 있는 도시》의 (사람). ② 마사뜰란《Mazatlán, 멕시코에 있는 도시》의 (사람).

mazatetes *f.*《*Méx.*》【식물】쥐오줌풀.

mazato *m.* ① 옥수수 가루. ②《*Venez.*》옥수수 가루로 만든 죽.

mazazo *m.* =**mazada.**

mazdeísmo *m.* (고대 페르시아의) 배화교 (zoroastrismo).

mazdeísta *adj.* 배화교의. —*m.f.* 배화 교도.

maziniano, na *adj.m.f.* =**mazziniano.**

mazmodina *f* 옛날의 금화 이름.

mazmorra *f.* 지하 감옥(prisión subterránea).

maznar *tr.* 주물러 부드럽게 하다, 주무르다 ; (무쇠를) 두들겨 단련하다.

mazo *m.* ① 큰 망치(martillo grande). ② 한번 조이기, 한번 묶기 : un ~ de plumas. ③ 귀찮은

남자. ④《*And.*》 용설란의 줄기(tronco de la pita).
mazonear *tr.* [드뭄] =**macerar, apisonar.**
mazonería *f.* ① 미장이의 일. ② 부조(浮彫) 세공.
mazonero *m.* 《*Ar.*》 =**albañil.**
mazorca *f.* ① 옥수수의 이삭(espiga del maíz). ② 카카오 열매. ③《*Chile.*》 정치 폭력단·테러단. ④ 북실(husada) : ~ de lino.
mazorcar *intr.* ⑦ 《*Cuba.*》 옥수수의 이삭이 나오다.
mazorquero *m.* 《*AmérM. Arg.*》 mazorca 단원.
mazorral *adj.* 조잡한(grosero, rudo, basto) : obra ~.
mazorralmente *adv.* 조잡하게(groseramente, toscamente, rudamente)
mazote *m.* 《*Col.*》 (손가락으로) 튕기기.
de a ~ 《*Venez.*》 거저, 무료로, 공짜로.
mazuelo *m.* [*dim.* mazo] 작은 망치 ; 소형 절굿공이.
mazurca *f.* 마주르카 《폴란드의 경쾌한 춤》; 그 곡.
mazut *m. rusa.* =**fuel.**
mazziniano, na *adj.m.f.* 마치니 《José Mazzini, 이탈리아의 정치가(1805−1872)》의 (주의자).
mb milibar.
mbaracayá *m.* 【동물】(아르헨띠나의) 살쾡이 (gato montés).
mburucuyá *m.* =**murucuya.**
Mc. San Marcos.
MC. Misión Comercial 통상 사절단.
m/c mi cuenta 폐사의 계정 ; mi cargo 폐사의 책임 ; moneda corriente 당좌 계정.
MCC Mercado Común del Caribe 카리브 공동 시장.
m/cc mi cuenta corriente.
MCCA Mercado Común Centroamericano 중앙 아메리카 공동 시장.
MCE Mercado Común Europeo 유럽 공동 시장.
mcos. marcos.
MCP Misión Conjunta de Programación para Centroamérica 중미 계획 합동 위원회.
m/cta. mi cuenta.
m/d. meses data.
me *pron.* [제1인칭 단수의 대격·여격·재귀 대명사] ① 나를 : ¿*Me* esperaba? 나를 기다리고 계셨습니까? Espére*me* 나를 기다려 주십시오. No *me* espere 나를 기다리지 마세요. Esméra*me* un momento en la oficina 사무실에서 잠깐 나를 기다려 다오. ② 나에게 : *Me* lo dio 그는 나에게 그것을 주었다. *Déme*lo 나에게 그것을 주십시오. Háble*me* más despacio 더 천천히 나에게 말씀해 주십시오. ③ 나에게서 : *Me* robaron el reloj 나에게서 시계를 훔쳐갔다. ④ [재귀 대명사] *Me* voy 갑니다 《강조 용법》. *Me* lavo la cara 나는 얼굴을 씻는다 《간접 재귀》. *Me* levanto a las siete 나는 7시에 일어난다 《타동사의 자동사화》.
Me Madre (religiosa).
m/e mi entrega.
mea *f.* (어린아이들의) 쉬, 오줌 : pedir la ~ 쉬가 마렵다고 말하다.
mea culpa *lat.* =**por culpa mía.**
meada *f.* 【속어】 (한번의) 소변 ; 오줌 자국 : Aquí hay una ~ de gato.
meadero *m.* 【속어】 오줌 누는 곳.
meados *m.pl.* 소변(orines).
meaja *f.* ① 부스러기, 파편(migaja). ② (까스띠야의) 옛날 동전의 이름. ③ 옛날의 재판 요금·비용. ④ 수정란의 눈(galladura).
~ *de huevo* 수정란의 눈, 배반(胚盤).
meajuela *f. dim.* meaja.
meandrina *f.* (열대 바다의) 석산호(madréporas)의 일종.
meandro *m.* ① (강·길의) 굽이, 감돌아 드는 길. ②【건축】卍자 무늬, 뇌문(雷紋) : una red de ~*s* de espuma.
meano *adj.* 배가 하얀 (황소).
mear *tr.* 오줌을 누이다.
—*intr.*, **~se** 오줌을 누다(orinar).
meato *m.* [*lat.* meatus] ①【식물】 세포 틈·사이. ②【해부】 도관, 관(canal) : ~ auditivo 청도(聽道). ~ urinario 요도.
meauca *f.* 【조류】 갈매기(gaviota)의 일종.
meca *f.* ①【속어】 타이피스트 [mecanógrafa의 어미 탈락형]. ②《*Chile.*》 똥. ③《*Ecuad. Perú.*》 매춘부, 매음부.
Meca, la 【지명】 메카 《la Arabia Saudita의 서부의 도시, 마호메트의 탄생지 ; 회교의 성지》.
mecacoate *m.* (멕시코의) 작은 뱀 (culebra pequeña).
¡mecachis! *interj.* 제기랄!, 빌어먹을!, 저런 저런!, 맙소사!(caramba).
mecada *f.* 《*Méx.*》 =**tontería.**
mecánica *f.* [*lat.* mêkhanê] ① 역학, 기계학. ② [추상] 기계, 장치, 기구 : ~ de precisión 정밀 기계. ③ 내부 기구. ④ 하찮은 물건·일(cosa despreciable). ⑤【군대】 영내 사무.
mecánicamente *adv.* ① 기계로, 기계적으로.
mecanicismo *m.* 【철학】 우주 기계관, 기계론.
mecanicista *m.* 우주 기계론 전공자.
mecánico, ca *adj.* ① 기계학의 ; 역학적인. ② 기계(상)의 ; 기계로 만든 : arte ~*ca* 공예. ③ 기계적인(maquinal). ④ 천한(vil). —*m.f.* 공원(工員), 기계 기사, 기계공, 기관사, 운전수 : El trabajaba de ~ en aquella fábrica 그는 저 공장에서 기계공으로 일했었다. El ~ arregló la avería sin demora 기사는 지체없이 고장을 고쳤다.
mecanismo *m.* ① 기구, 기재 : ~ producción 생산 기구. ② 장치, 구조 ; (예술의) 기교, 기법, 수법 ; 방법, 수단.
mecanización *f.* 기계화 : ~ agrícola 농업 기계화.
mecanizado *m.* 기계 제작 방법.
mecanizar *tr.* ⑨ 기계화하다(volver mecánico).
mecano, na *adj.* 메카(la Meca)의. —*m.f.* 메카 사람.
mecanografía *f.* 타자, 타자술, 타이프 라이팅. [Sinón.] dactilografía.
mecanografiar *tr. intr.* ⑫ 타자를 치다 : texto *mecanografiado.*
mecanográfico, ca *adj.* 타자의.

mecanografista *m.f.* =**mecanógrafo.**

mecanógrafo, fa *m.f.* 타자수, 타이피스트. Sinón. dactilógrafo.

mecanotaquígrafo, fa *m.f.* 《*Neol.*》 속기 겸 타자수.

mecanoterapia *f.* 근육 운동 치료법.

mecapacle *m.* 《*Méx.*》 =**zarzaparrilla.**

mecapal *m.* [*mej.* mecapalli] ① 《*AmérC. Méx.*》 등짐 끈 《한 쪽 끝이 둘로 갈라진 가죽이나 천으로 된 끈》. ② 《*Méx.*》 =**tendón.**

mecapalero *m.* 《*Méx.*》 mecapal로 운반하는 사람, 짐꾼 (mozo de cordel).

mecasúchil *m.* 《*Méx.*》 바닐라(vainilla)의 일종 : El ~ servía para perfumar el chocolate 메가수칠은 초콜릿의 향료로 쓰였다.

mecatazo *m.* ① 《*AmérC. Méx.*》 끈으로 때리기. ② 《*Méx.*》 마시기(trago) : darse un ~. ③ 《*Venez.*》 아첨, 아부.

mecate *m.* [*mej.* mecatl] ① 《*AmérC. Méx.*》 용설란 끈 (cuerda de pita). ② (일반적으로) 끈. ③ 비천한 남자.

caerse del ~ 《*Méx.*》 실직하다.

jalar·tirar del ~ 《*Venez.*》 아첨하다, 알랑거리다.

mecateada *f.* 《*AmérC.*》 밧줄로 때리기.

mecatear *tr.* ① 《*Méx.*》 끈으로 묶다. ② 《*Venez.*》 (…에게) 아첨하다, 아부하다, 알랑거리다.

mecateárselas 《*Méx.*》 도망치다.

mecatero *m.* 《*Méx.*》 mecate 제조자.

mecatiza *f.* 《*Méx.*》 =**mecateada.**

mecatona *f.* 《*Mex.*》 (하층 사람들의) 식사 : servir por la ~.

mecedero *m.* ① 그네(mecedor). ② 젓는 막대.

mecedor, ra *adj.* 흔들거리는 ; 휘젓는. —*m.* ① 그네(columpio). ② 휘젓는 막대(mecedero). ③ 《*Col. Venez.*》 흔들의자.

mecedora *f.* 흔들의자. Sinón. balancín.

mecedura *f.* 흔들기, 흔드는 일 ; 뒤섞기.

mecenas *m.* 【단·복수 동형】 《Augusto 대제의 총신 Mecenas의 이름에서》 문예·예술 보호자 ; 예술상의 파트론.

mecenazgo *m.* 《*Neol.*》 문예·예술의 보호·육성(protección de un mecenas).

mecer *tr.* ① ① 흔들다 : La madre *mecía* al niño en la cuna 모친은 요람의 아이를 흔들었다. ② 휘젓다. ③ 《*Ast.*》 젖을 짜다(ordeñar).

~se 흔들리다 : Las amapolas *se mecían* en el viento 양귀비가 바람에 흔들렸다.

mecha *f.* ① 심(心) : ~ de berbiquí 송곳의 심. ② 초의 심지, 등심(燈心). ③ 신관(信管), 도화선 : ~ de seguridad 안전 신관. ④ 담배 성냥. ⑤ 상처에 넣는 가제 조각. ⑥ =**mechón.** ⑦ 돛대의 중앙 부분. ⑧ 《*AmérM.*》 송곳의 밑둥. ⑨ 《*Amér.*》 농담, 야유(burla). ⑩ 《*Hond.*》 골치 아픈 일. ⑪ 《*Méx.*》 공포, 무서움(miedo). ⑫ 순대. ⑬ 《*Venez.*》 한몫 보기.

aguantar la ~ 참다, 견디다.

alargar la ~ 일부러 지연시키다 ; 지불을 증가시키다.

hablar de ~ 농담으로 말하다 (hablar de broma).

tener ~ 《*Col.*》 재미가 있다, …할 만한 가치가 있다.

volver a uno ~ 농담하다(embromarse).

mechar *tr.* 고기를 순대에 넣다 : ~ un ave.

mechazo *m.* 【광산】 도화선만 타버리는 일 : dar ~.

mechera *f.* 도둑(ladrona).

mechero *m.* ① (램프·가스 기구의) 화구(火口). ② 버너. ③ 라이터(encendedor) : piedras para ~*s* 라이터 돌. ④ 점화기. ⑤ 촛대. ⑥ 《*AmérC. Méx.*》 벗겨진 머리. ⑦ 《*Venez.*》 신소리꾼, 농담꾼(bromista).

mechificar *intr.* ⑦ 《*Ecuad. Perú. Venez.*》(…를) 놀리다·조롱하다 (burlarse de uno, escarnecer a uno).

mechinal *m.* ① (벽에 남긴) 발디딤 구멍. ② 작은 방(habitación muy pequeña).

mechinascle *m.* 《*Méx.*》 용설란의 새싹.

mecho *m.* 《*AmérM.*》 임시로 세워둔 촛대.

apagar el ~ 《*Col.*》 죽이다 ; 혼내다.

mechoacán *m.* (멕시코의) 메꽃과 식물의 뿌리. ~ *negro* =la jalapa.

mechón *m.* [*aum.* mecha] 머릿단 ; 실타래.

mechonearse *r.* ① 《*Amér.*》 머리칼을 헝클어뜨리다. ② 《*Cuba.*》 맵시를 내다.

mechoso, sa *adj.* ① 털이 복실복실한. ② 《*Col.*》 누더기 같은(haraposo).

mechudo, da *adj.* 《*AmérM.*》 =**mechoso.**

mechusa *f.* 【은어】 머리(cabeza).

mecida *f.* =**balanceo.**

mecimiento *m.* =**mecida.**

meción *f.* 《*AmérC. PRico.*》 흔들기.

meclapil *m.* 《*Méx.*》 =**rollo de piedra del metate.**

meco, ca *adj.* ① 《*AmérC. Méx.*》 검붉은 반점이 있는 : toro ~. ② 촌스러운. —*m.f.* 《*Méx.*》 ① 야만 인디오(indio salvaje). ② 교육을 받지 못한 사람(persona sin educación). ③ 야만인.

¡mecón! *interj.* 《*Méx.*》 빌어먹을 !

mecónico, ca *adj.* 【화학】 모르핀과 조합된 아편이 든 (산).

meconio *m.* [*lat.* meconium] 아편즙 ; 배내똥 (alhorre).

mecual *m.* 《*Méx.*》 용설란의 뿌리 (raíz del maguey) : El ~ puede servir para lavar la ropa en lugar de jabón.

mecuate *m.* 《*Méx.*》 용설란의 새싹.

Med. Medicina.

meda *f.* [*lat.* meta] 《*Gal.*》 밀다발 등을 쌓아 놓는 곳. Sinón. hórreo.

medalla *f.* [*ital.* medaglia] ① (옛날의 그리스와 로마의) 동전. ② 메달 : ~ de oro 금메달. ~ de plata 은메달. ~ de bronce 동메달. ③ 훈장, 기장(記章), 상패 (~ de premio), 기념패. ④ 로켓. ⑤ 원형 부조(浮彫).

medallero *m.* 메달 두는 가구.

medallista *m.f.* medalla 조각가·제작자.

medallón *m.* [*aum.* medalla] ① 큰 메달, 큰 패. ② 원형 부조. ③ 로켓.

medanal *m.* 《*Chile. Urug.*》 진흙 수렁, 늪지, 습지(濕地).

medano *m.* =**médano.**

médano *m.* 사구(砂丘), 모래 언덕(duna) ; 사주(砂州), 여울.

medanoso, sa *adj.* 모래 언덕이 있는.
medaño *m.* =**médano.**
medar *tr.* 《*Gal.*》 (밀단을) 쌓다.
Medea *f.* 【희랍 신화】 메디아 《Jasón을 도와 금으로 된 양털을 뺏게 도와준 여자 요술쟁이; 후에 그의 아내가 됨》.
medecina *f.* 【고어】《*Chile. Méx.*》 =**medicina.**
Medellín 【지명】 메데인 《꼴롬비아 Antioquia 주·시; 서반아의 Badajoz 주의 마을》.
medellinense *adj.m.f.* 메데인의 (사람).
medersa *f.* 이슬람 학교(escuela musulmán).
media *f.* ① 긴 양말, 스타킹 : ~ de cristal 나일론 스타킹. aguja de ~*s* 편물 바늘. punto de ~ 편물, 메리야스. sin ~*s* 스타킹을 신지 않고. ② 【수학】 평균 : ~ aritmética 산술 평균(término medio). ~ aritmética ponderada 가중 산술 평균. ~ móvil 이동 평균. ③ 중항(中項) : ~ antiarmónica 부조화 중항. ~ armónica 조화 중항. ~ cuadrática 이차 중항. ~ geométrica 등비·비례 중항. ~ progresiva 누진 중항. ~ proporcional 비례 중항. ~ supuesta 가정 중항.
a ~s 반으로, 어중간하게.
media media, media corta 《*Arg. Ecuad. Venez.*》 양말(calcetín).
mediacaña *f.* ① 【목공】 凹면 사개. ② 凹면 줄. ③ 【인쇄】 쌍괘. ④ 머리 아이언.
mediación *f.* [*lat.* mediatio] 중재, 조정(調停), 화해, 중개(仲介) : por ~ de …의 중개로, 의 중재로; …을 통하여. ~ de la productividad 생산성의 측정. Sinón. intervención.
mediado, da *adj.* [mediar의 *p.p.*] 절반이 채워진, 절반 가량이 된(medio lleno) : Está jarro ~.
a ~s de …의 중간 쯤에, 중순 경에(hacia la mitad) : *a ~s de* agosto 8월 중순에. *a ~s* de otoño 가을 중간쯤에.
mediador, ra *adj.* [*lat.* mediator] 사이에 드는. —*m.f.* 중간상, 중재인; 조정자; 중매인, 중매쟁이.
mediagua *f.* 《*Amér.*》 한 쪽 지붕; 한 쪽 지붕만 있는 건물.
medial *adj.* =**medio.**
medialínea *f.* 《*Col.*》 =**versalita.**
mediana *f.* ① (삼각형의) 위선. ② 낚싯대의 끝(rabiza de la caña de pescar). ③ 당구의 커다란 큐. ④ (고속도로의) 중앙 분리대. ⑤ (소의 멍에에 쇠고리를 묶는) 강한 줄.
medialuna *f.* 반달 모양의 한 장 씩 벗겨지는 덩어리 빵.
medianamente *adj.* 중간쯤으로; 어중간하게, 어정쩡하게; 보통으로, 중류로 : comer ~.
medianejo, ja *adj.* [*dim.* mediano] 중간보다 조금 못한.
medianería *f.* ① 사이벽, 칸을 막은 벽, 격벽(pared medianera). ② 《*Amér.*》 공동, 협력(aparcería).
medianero, ra *adj.* ① 중간에 위치한, 사이에 있는 : la pared ~*ra* 중간벽. ② 사이에 든(intercesor) : servir de ~ en una disputa.
—*m.f.* ① 중개자, 조정자(interesor) : ~ marítimo 선박 중개인. ② (벽 하나를 사이한) 이웃 사람. ③ 《*Arg.*》 (아파트의) 이웃 사람.
medianía *f.* ① 중간, 복판. ② 중류 (계급·생활) : vivir en la ~. ③ 별로 대수롭지 않는 사람. ④ 《*Col.*》 사이벽(medianería).
medianidad *f.* =**medianía.**
medianil *m.* ① 사이벽(medianería). ② 중간, 절반.
mediano, na *adj.* ① 중간쯤의 : estatura ~*na* 중키. calidad ~*na* 중급의 품질. ② 평범한, 범용한, 좋지도 나쁘지도 않는 (ni bueno ni malo) : chocolate ~ 그저 그런 초콜릿. un trabajo muy ~ 평범한 일.
medianoche *f.* ① 자정, 밤 12시 : a ~ 자정에. ② 햄 샌드위치(emparedado de jamón).
mediante *adj.* [*lat.* medians] ① 사이에 끼어 : Dios ~ 신의 힘으로. ② [전치사적] …에 의해, …을 통하여(por medio de) : Lo consiguió ~ su intercesión 그의 중재로 그것을 달성했다.
—*f.* 【음악】 중음(中音) 《장·단음계의 제 3음》.
mediar *intr.* [*lat.* medians] ① 사이에 위치하다, 개재하다(estar en medio). ② 절반이 되다 (llegar a la mitad) : *Mediaba* el mes 그 달도 절반이 지나갔다. ③ (때가) 지나다 (transcurrir) : *Mediaron* quince días 2주일이 지났다. ④ 사이에 생기다(ocurrir) : *Medió* entonces su llegada 그때 그가 도착했다. ⑤ 조정하다, 중재하다, 화해시키다. ⑥ (말이) 서로 교환되다 : *Entre* los dos *mediaron* las palabras siguientes 두 사람간에 다음과 같은 말이 오갔다. ⑦ 《*And.*》 포도주 반 잔을 마시다(beber la mitad de un vaso de vino).
mediastino *m.* 【해부】 정중 동맥.
mediatamente *adv.* 간접으로; 중간에 서서.
mediatinta *f.* 《*Neol.*》 빛 (luz)과 그림자 (sombra) 사이의 중간 음색.
mediatización *f.* 실력 간섭, 독점.
mediatizar *tr.* 9 실력으로 간섭하다, 자유로이 움직이다 : El ejército *mediatiza* la autoridad del gobierno 군이 정부 당국을 자유로이 조정한다.
mediato, ta *adj.* 중재의, 간접의 : causa ~*ta.* Contr. inmediato.
mediator *m.* 카드 놀이의 일종.
mediatriz *f.* 【기하】 선분상의 수직선 : ~ de un triángulo 【기하】 삼각형의 선분상의 수직선.
médica *f.* ① 여의사. ② 의사의 아내 (mujer del médico). ③ 【속어】 =**curandera.**
medicable *adj.* 치료할 수 있는, 고칠 수 있는.
medicación *f.* [*lat.* medicatio] 약물 치료·처리, 처방, 투약; 치료, 요법; 물약 : ~ eficaz.
medical *adj.* 《*Galic.*》 ① 의학의 (médico). ② 약용의(medicinal). ③ 의사의.
medicamentación *f.* 《*Galic. Chile.*》 투약, 처방, 치료, 약, 약제, 의약.
medicamentar *tr.* 【속어】 =**medicinar.**
medicamento *m.* 약, 약제 : ~ estíptico 지혈제. ~ heroico 마지막의 강력한 약.
medicamentoso, sa *adj.* 약물 치료의, 약으로 하는 : La leche es un líquido ~ 우유는 물약이다.
medicar *tr.* 환자에게 투약하다 (administrar medicinas a un enfermo).
medicastro *m.* [*desp.* médico] 돌팔이 의사, 무자격 의사(curandero).

medicina *f.* [*lat.* medicina] ① 의학 : ~ aeronática 항공 의학. ~ espacial 우주 의학. ~ interna 내과 의학. ~ laboral· del trabajo 노동 의학. facultad de ~ 의과 대학, 의학부. ~ sicosomática 정신 생활과 육체 기능 간의 관계 의학. ~ legal 법의학. doctor en ~ 의학 박사. ② 의료, 의술. ③ 내복약 ; 약(medicamento) : ~ contra la diarrea 설사약. ~ de uso interior 내복약. ~ en polvo 가루약. ④ 의약품.

medicinable *adj.* =**medicable.**

medicinal *adj.* 약의, 의약의 ; 약효가 있는, 치료력이 있는(curativo) : planta ~ 약초. suero ~ 인공 혈청.

medicinalmente *adv.* 약으로, 의약으로, 의학적으로.

medicinamiento *m.* 투약, 복약.

medicinante *m.f.* 돌팔이 의사 ; 의사 ; 의학도 ; 인턴.

medicinar *tr.* (…에) 투약하다(medicar). **~se** 약을 마시다 : Hay personas muy aficionadas a *~se* 약을 먹기 좋아하는 사람들이 있다.

medicinero *m.* 《*Galic.*》【식물】 =**piñón.**

medición *f.* 계량, 측정.

médico, ca[1] *adj.* [*lat.* medicus] 의학의, 의료의 ; 의사의 : asistencia *~ca* 진료. ciencia *~ca* 의학. **—***m.f.* 의사 : ~ de apelación 입회 의사. ~ de cabecera 주치의. ~ espiritual =director de conciencia. ~ forense 경찰 의사. ~ boliviano 《*Perú.*》 돌팔이 의사, 무자격 의사. ~ titular 공의(公醫).

médico, ca[2] *adj.* [*gr.* mêdicós] =**medo.**

medicolegal *adj.* 법의학의(de la medicina legal).

medicucho *m.* [*desp.* médico] =**medicastro.**

medida *f.* ① 계량, 측정, 측량 : la ~ del tiempo 시간 측정. ② 도, 양, 분량 : ~ legal 법정 분량. ③ 치수, 크기, 척도, 길이, 사이즈 : la ~ del cuello 목의 치수. ④ 계기, 자, 되, 저울 : pesos y *~s* 도량형. ⑤ 비율, 비례 (proporción) : Se paga el jornal *a ~ de* trabajo 일의 분량에 따라 노임을 지불한다. ⑥ 정도 ; 절도 , 한도 : llenarse· colmarse la ~ 최대 한도가 되다. ⑦ 신중함(cordura) : hablar sin ~ 신중하지 못하게 마구 지껄여대다. ⑧ [주로 *pl.*] 처치, 조치, 방법, 대책 (disposición) : tomar *~s* para …의 조치를 취하다 · 대책을 세우다. ⑨【시어】 음격, 운율 ; 리듬.

~ ***tipo*** 표준 치수. ***~s antidumping*** 덤핑 방지책. ***~s contra inflación*** 인플레 대책. ***~s especiales tributarias*** 세(稅)의 특별 조치. ***~s judiciales*** 법적 조치. ***~s legales*** 법적 수단. ***~s preventivas*** 예방책. ***~s probibicionistas*** 금지 조치.

a ~ 치수에 맞추어 ; (기성품이 아니라) 맞춤으로.

a ~ de …의 비율에 따라 : *a ~ del* deseo 소망대로.

a ~ que …하는데 따라, …함에 따라, …에 좇아, …함과 동시에(al mismo tiempo que) : *a ~ que* sube el sol 해가 떠오름에 따라.

a la ~ 재어서, 달아 : vender *a la ~* 저울로 달아 팔다.

en gran ~ 많이, 다량으로(mucho).

en tal ~ 그런 정도로.

sin ~ 끝없이, 한없이(sin límites).

pasar de la ~ 한계 · 한도를 넘다, 초과하다 (rebasar los límites).

medidamente *adv.* 신중하게, 조심스럽게.

medidor, ra *adj.* 재는, 다는. **—***m.f.* 재는 사람, 계량하는 사람. **—***m.* 《*Amér.*》 (수도 · 가스 · 전기의) 계량기, 미터기(contador). **—***f.* 《*Amér.*》 =**geómetra, oruga.**

mediero, ra *m.f.* ① 긴 양말을 짜는 직공. ② 스타킹 장수. ③ (특히 농목에 있어서는) 공동 경영자, 동료.

medieval *adj.* ① 중세(Edad Media)의 : literatura ~ 중세 문학. ② 중세풍의(medioeval).

medievalidad *f.* 중세기풍(carácter medieval).

medievalismo *m.* 중세 취미 ; 중세 시대 정신 · 사조, 중세적 관습.

medievalista *m.f.* 중세 연구가, 중세 사학자 ; (예술 · 종교 따위의) 중세 찬미자.

medievo, va *adj.* =**medieval.** **—***m.* 중세(기) (Edad Media).

medina *f.* 아랍의 도시.

Medina *f.*【지명】 메디나 《사우디 아라비아의 북서부에 있는 도시 ; 마호메트의 묘가 있으며 메카에 다음 가는 회교의 성지》.

medinense *adj.m.f.* 메디나셀리《Medinaceli, Soria주의 한 도시》의 (사람).

medinés, sa *adj.* 메디나 《Medina, 곳곳에 있는 지명》의. **—***m.f.* 메디나 사람.

medio, dia *adj.* [*lat.* medius] ① 반의 : *media* hora 반시간, 30분. *media* luna 반달. ~ muerto 반사 반생의. ~ precio 반값. cinco libras y *media* 5파운드 반. diez kilos y ~ 10킬로 반. ② 중질의, 중간 정도의 : clase *media* 중류 계급. Edad *Media* 중세. término ~ 평균. ③ 평균의 : precio ~ 평균치, 평균 가격. peso ~ 평균 중량. estilo ~ 중용. ④ 평균적인 : el español ~ 평균적인 서반아 사람.

—*m.* ① 반, 절반(la mitad). ②【수학】 2분의 1. ③ 중앙, 복판 (centro) : el ~ de la plaza 광장의 복판. ④ 중용(moderación). ⑤ 중개, 매체, 중개물 : ~ circulante 통화 ; 유통 어음 · 화폐 ; 화폐 공급. ⑥ 영매(靈媒)(médium) : por ~ de …을 통하여. ⑦ 배양기(培養基). ⑧ 수단, 방법 ; 조치(medida, diligencia) : *~s* técnicos 기술적 수단. tomar el ~· los *~s* necesarios 필요한 조치를 취하다. ⑨ 기관 : *~s* de comunicación 교통 통신 기관. *~s* de locomoción 교통 기관. *~s* de transporte 운수 기관. *~s* de transportes públicos 공공 운수 기관. ⑩ 활동 세계, 환경, 분위기, 계(界), 방면 : el ~ ambiente 생활 환경. *~s* financieros 재계(財界). El ~ de los pájaros es el aire 새의 세계는 하늘이다. el ~ en que José se formó 호세가 사람다워진 환경. ⑪ *pl.* 수단, 처치. ⑫ *pl.* 재원(財源) (recursos), 재산, 자금 (fortuna) : atrasado de *~s* 자금이 바닥이 나버린, 가난뱅이가 되버린. corto de *~s* 자금이 부족한. ⑬ *pl.* 투우장의 중앙. ⑭ *pl.* 방면(方面) : *~s* rurales 시골 방면. ⑮ 화폐의 이름 : ~ real, ~ peso.

—*adv.* ① 반은, 절반은 : un edificio ~ arruinado 반쯤 부서진 건물. ~ muerto 반사 반생하여. a ~ vestir 옷을 절반쯤 걸치고. ② [반복 사용되어] 절반은 …, 또 절반은 … : ~

por tristeza, ~ por comodidad 절반은 슬픔에서 절반은 제멋에서.
~ de embalaje 포장 용구. *~ de pago legal* 법화, 본위 화폐. *~ publicitario · de propaganda · de publicidad* 광고 매체. *~s de cambio* 교환 수단. *~s de pago* 지불 수단 · 방법. *~s de producción* 자본재, 생산 수단 · 설비. *~s económicos* 실업계, 경제계. *estilo ~* 중용.
a medias ① 불완전하게 (incompletamente) : trabajo hecho *a ~s*. ② 절반으로, 절반은, 공동의, 공동으로 : cuentas *a ~s* 공동 계산 ; 공동 계산 계정. ③ 절반 ; 어중간한 · 하게 : Se levantó *a ~s* del asiento 그는 자리에서 엉거주춤하게 일어섰다. un literato *a ~s* 어설픈 문인.
de ~ a ~ ① 절반씩, 절반으로(mitad por mitad). ② 한복판에(en el centro, en la mitad) : La pedrada le acertó *de ~ a ~* 돌은 그의 한 가운데 맞았다. ③ 완전하게, 온전하게(completamente, de todo punto) : Se engaña *de ~ a ~* 완전히 사기다.
de por ~ ① 절반만 (a medias) : pagar la deuda *de por ~*. ② 사이에 : poner tierra *de por ~* 사이에 흙을 넣다.
en ~ ① 안에, 중간쯤에, 사이에. ② …에도 불구하고(no obstante) : *en ~ de* eso 그럼에도 불구하고. ③ 그러는 사이에(entretanto).
estar de por ~ 개입해 있다 ; 조정하다.
meterse de por · en ~ 중개 역할을 사서 나서다.
poner tierra de por ~ 멀리하다, 떠나다, 물러나다.
quitar de en ~ 몰아내다, 쫓아내다, 제거하다.
quitar del ~ 《*Amér.*》 몰아내다, 쫓아내다 (quitar de en ~).
quitarse de en ~ 손을 떼다, 발을 끊다.

mediocre *adj.* [*lat.* mediocris] 중간 정도의 ; 보통의, 평범한(mediano).

mediocremente *adv.* =**medianamente.**

mediocridad *f.* [*lat.* mediocritas] ① 중간 정도, 평범, 범용, 보통, 중류 (생활) : vivir en la ~ 평범하게 살고 있다. ② 《*Galic.*》 평범한 사람, 범인.

mediodía *m.* ① 정오 (mitad del día) : Llegamos a(l) ~ 우리는 정오에 도착했다. ② 남(sur) : Se fue al ~ de Francia 그는 불란서의 남부 지방에 갔다. ③ (여행중의) 점심 식사 : hacer ~ 점심을 먹다.

medioeval *adj.* =**medieval.**

medioevo *m.* 중세, 중세기(medievo).

mediofondista *adj. m.f.* mediofondo 주자(의).

mediofondo *m.* ① 중거리 도보 경주. ② (수영에서) 300m와 1500m 사이 경주.

mediomundo *m.* 낚시 도구 ; 낚시 기술(velo).

mediopaño *m.* 얇게 짠 모직물.

mediquillo *m.* [*dim. desp.* médico] ① =**medicucho.** ② (필리핀의) 치료에 능한 인디오.

medir *tr.* 42 [*lat.* metiri] ① 재다, 계량하다 : Para ~ lo largo, lo ancho y lo alto de los cuerpos, empleamos las llamadas medidas lineales 물체의 길이, 폭, 높이를 재기 위해서는 선측정을 이용한다. ② 감안하다, 조절하다 : ~ las fuerzas 힘을 조절하다. ~ los gastos 비용을 절약하다. ③ 판단하다. ④ 비교하다.
—*intr.* 길이 · 높이 · 폭이 …이다 : ¿Cuánto *mides*? 신장이 몇이지?
~se 절도를 지키다 : *~se con*sigo mismo 자신의 페이스를 지키다. *~se en* palabras 말을 삼가다. Ese hombre no sabe *~se* 그 사람은 절도를 지킬 줄 모른다.
~ el suelo 나가 자빠지다.
[직설법 현재 : mido, mides, mide, medimos, medís, miden. 접속법 현재 : mida, midas, mida, midamos, midáis, midan. 직설법 부정과거 3인칭 단 · 복수 : midió, midieron. 현재 분사 : midiendo].

meditabundo, da *adj.* 생각에 잠긴, 명상적인. Sinón. pensativo.

meditación *f.* [*lat.* meditatio] 심사 숙고 ; 자성, 내성(內省) ; 묵상. —*pl.* 명상록.

meditador, ra *adj.m.f.* 묵상 · 명상 · 숙고하는 (사람).

meditar *tr. intr.* ① 묵상하다, 명상하다, 숙고하다 : ~ durante una hora 한 시간 동안 심사 숙고하다. ~ la propuesta 제안을 곰곰이 생각하다. ~ largamente antes de responder 대답하기 전에 오랫동안 이 궁리 저 궁리를 하다. ② 꾀하다, 계획하다. Sinón. considerar, reflexionar.

meditativo, va *adj.* 명상적 ; 명상에 잠기는 ; 깊이 생각하는.

mediterráneo, a *adj.* ① (특히 해안이 없이) 육지로 둘러싸인 : ciudad *~a*. ② 지중해 (Mar *Mediterráneo*)의, 지중해에 인접한 지역의 : costa *~a*. —*m.* 내해, 지중해.

médium *m.* 【단 · 복수 동형】 영매(靈媒) ; 매개물, 매체, 매질(媒質)(medio).

mediúmnico, ca *adj.* mediúm의.

medo, da *adj.m.f.* 메디아 《Media, 아시아의 한 지방의 옛 이름》의 (사람). —*m.* (메디아 지역의) 인도 이란 그룹의 말.

medra *f.* ① 성장(成長), 진보, 증대(progreso, aumento). ② 개량, 개선(mejora).

medrana *f.* 【속어】 무서움, 두려움, 공포, 무서워 하기(miedo, cobardía).

medrar *intr.* ① 자라다, 커지다, 성장하다 (crecer) : animal que *medra* poco 별로 자라지 않는 동물. ② (재산이) 불어나다, 증대하다 (aumentar). ③ (명성이) 오르다, 번창하다, 번영하다 : Cuanto más trabaja Pedro, menos *medra* 뻬드로는 일하면 할수록 사업이 안돼 간다. ④ 개량하다, 개선하다(mejorar).
¡Medrados estamos! 큰일 났다!

medregal *m.* 《*Venez.*》 【어류】 메드레갈 《물고기 이름》.

medriñaque *m.* ① (안감으로 쓰는) 마닐라 삼베. ② 페티코트, 속 스커트 《여자가 스커트 밑에 입는》(zagalejo corto).

medro *m.* [드뭄] =**medra.**

medrosamente *adv.* 무서워하여, 무섭게, 겁을 먹고, 소심하게.

medroso, sa *adj.* ① 무서운, 벌벌 떠는, 소심한, 겁 많은(miedoso, pusilánime). ② 가공할, 소름끼치는(terrible). —*m.f.* 겁보, 겁쟁이. Contr. valiente, animoso.

medula *f.* [*lat.* medulla] ① 【식물】 고갱이. ② 【해부】 골, 골수 ; 척추(tuétano) : ~ espinal 척추. ~ oblonga · oblongada 【해부】 숨골, 연수.

③ 정수(精髓) : sacar ~ de un autor.
médula *f.* =**medula.**
medular *adj.* 골수의 : canal ~.
meduloso, sa *adj.* 심이 많은, 심이 있는 : El tallo del saúco es ~.
medusa *f.* 【동물】 해파리.
Medusa *f.* 【희랍 신화】 메두사 《머리칼이 뱀으로 되어 있는 마녀 ; 이 마녀가 노려 본 사람은 돌로 변해 버림》.
medusar *tr.* 《*Galic.*》 =**espantar, asustar.**
meduseo, a *adj.* ① 메두사(Medusa) 같은 : cabello ~. ② 굉장한, 마력의 : mirada ~*a.*
meeting *m. ing.* =**mitin.** [*N.* 발음 : mitin].
Mefistófeles 【인명】 메피스토펠레스 《독일 전설에서 Faust가 혼을 팔았던 악마》.
mefistofélico, ca *adj.* ① 메피스토펠레스(Mefistófeles)의 · 같은. ② 악마적인, 음험한 ; 냉소적인 : sonrisa ~*ca* 몸이 오싹해지는 웃음.
mefítico, ca *adj.* =**fético, irrespirable.**
mega- *pref.* ①「큰」「대(大)」를 뜻하는 접두어. ②【물리】「100만(배)」을 뜻하는 접두어.
megabar *m.* 메가바 《압력의 단위 ; 1메가바는 1㎠에 대하여 100만 다인(dina)의 힘이 가해질 때의 압력임》.
megácero, ra *adj.* 뿔이 큰.
megaciclo *m.* 【통신】 메가사이클 《1초에 100만 사이클》.
megadina *f.* 메가다인 《압력의 단위 ; 100만 다인》.
megafonía *f.* 메가폰, 확성기.
megáfono *m.* 메가폰, 전성기, 전성통 ; 보청기.
megahercio *m.* 【물리】 메가헤르츠 《진동수의 단위 ; 100만 헤르츠》.
megahertz *m.* =**megahercio.**
megahertzio *m.* =**megahercio.**
megalítico, ca *adj.* 거석(megalito)의 : monumento ~ 거석 기념비.
megalito *m.* 거석(megalitoi).
megalo- *pref.* =**mega-.**
megalocéfalo, la *adj.* 머리가 매우 큰.
megalomanía *f.* 【의학】 과대 망상(증).
megalomaníaco, ca *adj.m.f.* =**megalómano.**
megalómano, na *adj.* 과대 망상증의. —*m.f.* 과대 망상증 환자.
megalópodo, da *adj.* 발이 큰.
megalópolis *f* (여러 도시로 구성된) 도시 조직, 거대 도시 ; (대도시 주변의) 인구 과밀 지대.
megalosaurio *m.* 반룡(班龍) 《고대의 거대한 육식 공룡》.
megalosauro *m.* 【고생】 =**megalosaurio.**
mégano *m.* =**médano.**
megaparsec *m.* 【천문】 메가파섹 《천체간 거리의 단위 ; 백만 파섹 ; 1파섹은 3.26광년》.
megapódidas *f.pl.* 【조류】 순계류과.
megapodio *m.* (오세아니아에 사는 암탉만큼 한) 닭을 닮은 새.
megáptero *m.* 【동물】 고래과 동물.
megarense *adj.m.f.* 메가라 《Mégara, 고대 그리스의 도시》의 (사람).
megástomo, ma *adj.* 입이 큰.
megaterio *m.* 고생물의 일종 : En las pampas de Buenos Aires se han encontrado los principales esqueletos de ~ que se conocen.
megatón *m.* 100만톤, 메가톤 《핵무기의 폭발력을 재는 단위 ; 1메가톤은 TNT 백만 톤의 폭발력에 상당》.
megatonelada *f.* 100만톤, 메가톤.
megavatio *m.* =**megawatio.**
megawatio *m.* 【전기】 메가와트, 백만 와트 《생략 Mw》.
mégaz *m.* (모로코의) vado.
mege *m.* 【고어】 =**médico.**
mego, ga *adj.* 부드러운, 얌전한, 온순한, 조용한(manso, apacible).
megohmio *m.* 【전기】 메가옴 《저항의 단위, 100만 옴》.
meguez *f.* [드뭄] =**caricia, halago.**
¡meh! *interj.* 《*Ant. Chile.*》 저런!, 제기랄!
mehala *f.* 모로코 정규군.
meharí *m.* 【동물】 단봉 낙타(dromedario).
mehedí *m.* (세상의 종말에 나타난다는 회교의) 구세주.
mehedismo *m.* mehedí의 신앙.
mehedista *adj.m.f.* 구세주의 (신봉자).
meigo, ga *m.f.* 《*Gal.*》 =**brujo, bruja.**
meiosis *f.* =**meyosis.**
meiótico, ca *adj.* =**meyótico.**
mej. mejicano.
Méj. Méjico.
mejana *f.* 하중도(河中島)(isleta).
mejedor *m.* 《*Zam.*》 =**mecedor.**
mejenga *f.* 《*CRica.*》 =**borrachera.**
mejengue *m.* 《*Ant.*》 ① 곤란, 어려움. ② 돈(dinero). ③ 재능, 재주 ; 능력, 힘. ④ 《*CRica.*》 =**borrachera.**
mejer *tr.* 《*Zam.*》 뒤섞다, 흔들다(mecer).
mejicanismo *m.* 멕시코 방언(aztequismo).
mejicano, na *adj.* 멕시코 (Méjico)의. —*m.f.* 멕시코 사람. —*m.* 아스떼까말(azteca). [*N.* 서반아에서는 j로 사용하지만, 멕시코에서는 옛 정서법에 의해 x로 사용해 오고 있지만 x의 발음은 j의 발음을 낸다].
Méjico 【지명】 멕시코(México). —*f.* 멕시코시 《수도》(la ciudad de México).
mejido, da *adj.* [mejer 의 *p.p.*] 뒤섞은. —*m.* 계란탕 《계란에 우유와 설탕을 넣고 뜨거운 물을 부은 것》.
mejilla *f.* [*lat.* maxilla] 볼, 뺨. **Sinón.** carrillo.
mejillón *m.* 【조개】 홍합.
mejor *adj.* [*lat.* melior] [bueno의 비교급] ① 더 좋은(más bueno) : Esta es ~ que aquélla 이것이 저것보다 더 좋다. ② [정관사+~] 가장 좋은 : Es *la* ~ casa de este pueblo 그 집은 이 마을에서 가장 좋다. Este es *el* ~ de todos los hermanos 이 아이는 모든 형제 중에 제일 좋다. ③ 오히려 · 차라리 좋은(preferible) : Sería ~ irse 떠나는 것이 오히려 좋겠다. **Contr.** peor. —*adv.* [bien의 비교급] ① 더 좋게, 더 낫게, 더 훌륭하게 (más bien) : Carlos habla inglés ~ *que* yo 까를로스는 나보다 영어를 더 잘한다. ② 오히려(antes) : *Mejor* quiero la pobreza *que* la vergüenza 수모를 겪느니 차라리 가난한 것을 바란다. *Mejor* quiero ser pobre con honra que rico sin ella 나는 정직하지 않는 부자보다는 정

직하게 가난한 것을 더 바란다.
~ **dicho** 말하자면, 더 자세히 말하자면 : Iré a las tres, ~ *dicho*, a las tres y cuarto.
~ **postor** 최고 입찰자.
~ **que** ~ 아주 좋게.
lo ~ 가장 좋은 것 ; 가장 좋은 일 ; (어떤 일의) 한창때.
a lo ~ 아마, 혹은(quizá, tal vez).
tanto (que) ~ 그렇다면 더욱 좋지.
estar ~ 건강이 더 좋아졌다(haber mejorado de salud).

Mejor alcalde, el Rey (el) 로뻬 데 베가의 드라마 《1623년 경에 쓰임》.

mejora *f.* ① 개량, 개선 : ~ del suelo · terreno 토양 개량. ~ en general 전면적 개선. ② 진보, 호전 (medra) : No hay ~ en su situación. ③ (경매에서) 낙찰 가격 올리기(puja). ④ 법정 외의 유산. ⑤ 완성, 완료.

mejorable *adj.* 개량 · 개선할 수 있는 ; 쾌유할 수 있는.

mejoramiento *m.* 개량, 개선, 진보 ; (병의) 회복. Sinón. mejora.

mejorana *f.* ①【식물】메호라나 《순형과의 향초》. Sinón. sarilla. ② 메호라나 《파나마 원무의 이름》.

mejorar *tr.* ① 좋게 하다 ; 개량 · 개선하다(volver mejor) : ~ una obra 작품 · 일을 개선하다. *Mejoraron* la casa recientemente 그들은 최근 집을 개량했다. ② 값을 올리다(pujar). ③ 법정외 유산으로 남기다.
—intr., ~se ① (병세 · 날씨 · 지위 따위가) 좋아지다 : *Se mejoraba* rápidamente 그는 급속히 회복되고 있었다. ② 개량되다 : ~ *de* condición 조건이 좋아지다, 신분이 높아지다. Contr. empeorar.

mejoría *f.* ① 개량, 개선, 진보(mejora) : ~ de la calidad 품질 향상. ② 호전, 병의 회복(disminución de la enfermedad) : El enfermo sintió alguna ~ esta semana 환자는 금주에 호전의 기미를 느꼈다. ③ 유리, 우위(ventaja).

mejunje *m.* ① 연고 ; 혼합약. ② 분규.

melada *f.* ① 꿀을 바른 토스트. ② 말린 마멀레이드.

melado, da *adj.* 꿀색의 (del color de la miel) : caballo ~. **—m.** 당밀 ; 꿀빵.

meladora *f.*【고어】《*Méx.*》즙을 내는 냄비.

meladucha *adj.f.* 들척지근하여 맛이 없는 (사과의 일종).

meladura *f.* (굳기 전의) 꿀.

meláfido *m.*【광물】흑분암(黑玢岩).

melah *m.* (모로코에서) 유태인 가(judería).

melamina *f.*【화학】멜라민 《석회 질소로 만드는 화합물 ; 도료 따위로 씀》; 멜라민 수지.

melamínico, ca *adj.* 멜라민의 ; 멜라민 수지의.

melámpiro *m.*【식물】수염며느리밥풀.

melampo *m.* (연극용의 빛이 세지 않게 한) 갓달린 촛대(candelero con pantalla).

melan- *pref.* 「흑(黑)」을 뜻하는 접두어.

melancolía *f.* 우울, 울적함 ; 슬픔(tristeza, depresión perofunda) ; 우울증.

melancólicamente *adv.* 우울하게, 울적하게, 쓸쓸하게.

melancólico, ca *adj.* 우울한, 울적한, 슬픈 : reflexiones ~*cas* 울적한 심사. Contr. alegre.

melancolizar *tr.* ⑨ 울적하게 · 우울하게 · 서글프게 하다 ; 쓸쓸하게 만들다. Contr. alegrar.
~se 울적해지다, 우울해지다, 쓸쓸해지다.

melandro *m.*【방언】=**tejón.**

melanemia *f.*【의학】흑혈증(黑血症).

melanesio, sia *adj.* 멜라네시아 《la Melanesia, 태평양 중앙의 섬들의 총칭》의. **—m.f.** 멜라네시아 사람. **—m.** 멜라네시아말.

melanina *f.*【동물】흑색소, 멜라닌 색소.

melanismo *m.* =**melanodermia.**

melanita *f.*【광물】흑석류석.

melano- *pref.* =**melan-.**

melanocrático, ca *adj.* 철분과 마그네슘이 풍부한.

melanodermia *f.* 표피의 검은 채색.

melanóforo, ra *adj.* melanina을 함유한.

melanosis *f.*【의학】흑변병(黑變病).

melanospermeo, a *adj.*【식물】씨가 검은.

melanospermo, ma *adj.*【식물】=**melamospermeo.**

melanuria *f.*【의학】흑뇨증(黑尿症).

melapia *f.*【식물】사과의 일종.

melar[1] *adj.* [*lat.* mellaridas] 꿀의 ; 꿀맛이 나는, 달콤한 : caña ~ 사탕수수.

melar[2] *intr.* ⑲ [*lat.* meuare] ① 벌이 꿀을 만들다. ② (당밀을) 끓여 넣다. ③ 《*Ecuad.*》손쉽게 벌다.

melarchía *f.* 《*AmérC.*》=**melancolía.**

melárchico, ca *adj.* 《*Méx.*》얼굴이 창백한.

melastomáceas *f.pl*【식물】(열대 아시아의) 쌍자엽류 식물의 일종.

melaza *f.* 당밀.

melca *f.*【식물】수수(zahina).

melcocha *f.* 당밀 과자, 엿으로 만든 과자.

melcochar *tr.* 《*Amér.*》꿀로 속을 넣다.

melcochero *m.* melcocha의 제조인 · 판매자.

melcocho, cha *adj.* 《*AmérC. Col.*》검붉은.

melcochoso, sa *adj.* 《*AmérC. PRico.*》=**melcochudo.**

melcochudo, da *adj.* 《*Col. Cuba.*》엿같은, 끈적끈적한.

melchior *m.*【속어】=**maillechort.**

Melchor *m.*【인명】세 동방 박사(tres Reyes Magos) 중의 한 사람.

meldar *intr.*【고어】=**leer.**

meldengue *adj.* 《*Méx.*》어리석은, 미련한, 둔한, 멍청한(bobo).

meleagrina *f.* =**madreperla.**

melear *intr.* 꿀을 모으다.

melecina *f.*【고어】《*León. Sal. Méx.*》=**medicina.**

meleguín *adj.* 《*Col.*》아첨하는(adulón).

melena[1] *f.* ① 늘어뜨린 머리 : estar en ~ 머리카락을 늘어뜨리고 있다. ② 갈기.
andar a la ~ 싸우다, 격투하다.

melena[2] *f.* [*gr.* melaina]【의학】흑토증(黑吐症) (hemorragia intestinal formada por sangre negra).

melenera *f.* (소의) 목줄기, 목줄기 받침.

melénico, ca *adj.* 흑토증(melena)의 · 에 걸린. **—m.f.** 흑토증 환자.

meleno *m.* ① 이마에 털을 늘어뜨린 소. ② 시골뜨기(palurdo).
melense *adj. m.f.* 멜로 《Melo, 우루구아이에 있는 도시》의 (사람).
melenudo, da *adj.* 장발의 ; 머리의 숱이 많은.
melera *f.* ① 꿀장수. ② (멜론의) 흑반증. ③【식물】 =**buglosa, lengua de buey.**
melero, ra *m.f.* 꿀장수. —*m.* 꿀 저장소. —*adj.* 꿀을 좋아하는 : oso ~ 꿀을 좋아하는 곰.
melga *f.* ①【식물】 수수. ②《*Col. Chile.*》 이랑 (amelga). ③《*Hond.*》 남은 일.
melgacho *m.* 【어류】 뿔상어(lija).
melgar[1] *m.* (건초용) 꼴 밭.
melgar[2] *tr.* ⑧ 《*Chile.*》 이랑을 만들다.
melgarejo *m.* ① 멜가레호 《볼리비아 화폐의 이름 ; 3 reales 화》. ② 낚싯줄.
melgo, ga *adj.* =**mielgo.**
melia *f.* 【식물】 전단(栴檀).
meliáceo, a *adj.* 전단·전단과의. —*f.pl.* 전단과 식물.
mélico, ca *adj.* 노래의 ; (그리스의) 서정시의.
melífago, ga *adj.* (습관적으로) 꿀을 먹는.
melífero, ra *adj.* 【시어】 달콤한 ; 꿀이 들어 있는 : La abeja es un insecto ~.
melificación *f.* 꿀의 생산 (fabricación de la miel).
melificado, da *adj.* [melificar의 *p.p.*] = **melifluo.**
melificador *m.* 《*Chile.*》 꿀통.
melificar *tr. intr.* ⑦ (벌이) 꿀을 만들다(hacer la miel).
melífico, ca *adj.* 꿀을 생산하는.
melifluamente *adv.* 달콤하게(dulcemente).
melifluencia *f.* =**melifluidad.**
melifluidad *f.* 꿀같이 달콤한 일 ; 달콤함.
melifluo, flua *adj.* 꿀이 있는 ; 꿀같은, 달콤한 (dulce) ; 부드러운(suave, tierno). **Sinón.** almibarado.
meliloto *m.* [*lat.* melilotos] 【식물】 =**trébol.**
meliloto, ta *adj.* 어리석은, 우둔한, 둔한, 멍청한(tonto, bobo). —*m.f.* 바보, 멍청이, 천치.
melillense *adj.m.f.* 멜리야 《Melilla, 아프리카 북부의 한 도시》의 (사람).
melindre *m.* ① 꿀을 발라 구운 과일. ② 설탕 친 편두빵. ③ 애교, 아첨. ④ 추종.
melindrear *intr.* 애교부리다, 애교떨다, 알랑거리다.
melindrería *f.* 애교, 아양 떨기.
melindrero, ra *adj.* =**melindroso.**
melindrillo *m.* 《*Murc.*》 =**melindre.**
melindrizar *intr.* [드묾] =**melindrear.**
melindro *m.* =**melindre.**
melindrosamente *adv.* 새치름하게 ; 아양을 떨면서, 애교를 부려.
melindroso, sa *adj.* 새치름한 ; 야양 떠는, 애교를 부리는 : mujer ~*sa.*
melinita *f.* [*gr.* mêlinos] 멜리니트 《일종의 폭약》.
melino, na *adj.* 밀로 《옛 이름 Milo, 현재의 Melo, 에게해의 섬》의. —*m.f.* 밀로 사람.
melión *m.* 【조류】 =**pigargo.**
meliorativo, va *adj.* (일을) 개선하는, 개선적인.
melis *m.* 《*Neol.*》 pitchpin이라 불리우는 소나무의 일종의 목재.
melisa *f.* 【식물】 멜리사(toronjil).
melisma *f.* 간단한 노래·멜로디.
melitar *m.* 《*Amér.*》 militar의 사투리.
melitemia *f.* =**glucemia.**
melito *m.* 꿀로 만든 약 (medicina hecha con miel).
melituria *f.* =**diabetes.**
mella *f.* ① (칼날의) 이가 빠짐 : Ese plato tiene una ~. ② 이가 빠진 자국 : tener dos ~*s* en la dentadura. ③ 흠, 손상.
hacer ~ ① 듣다, 효과가 있다 : Le hizo ~ la reprensión 그를 나무란 것은 효과가 있었다. ② 손해를 주다, 누를 끼치다, 해를 끼치다 : *Hizo* ~ en su reputación 그의 명성에 누를 끼쳤다.
mellado, da *adj.* [mellar의 *p.p.*] 이가 빠진 (칼날) ; 치아가 빠진 : una vieja ~*da* 이가 빠진 노파.
melladura *f.* 《*Chile.*》 =**mella.**
mellar *tr.* ① (칼날의) 이가 빠지다 : ~ la espada 칼의 이가 빠지다. ② 상처를 주다, 손상시키다 (mermar) : ~ el crédito 신용을 손상시키다.
~se 날이 빠지다 ; 턱이 빠지다.
mellico *m.* 《*Chile.*》 =**mallico.**
melliza *f.* 꿀을 넣은 소시지의 일종.
mellizo, za *adj.* ① 쌍둥이의 (gemelo). ②【식물】 대생(對生)의 (hermanado). —*m.f.* 쌍둥이, 쌍생아.
mello, lla *adj.m.f.* 《*Col. Panamá.*》 =**mellizo.**
melloco *m.* =**ulluco.**
mellón *m.* 불을 지피는 짚단.
melo- *pref.* 「음악」을 뜻하는 접두어.
melocotón *m.* ① 복숭아 : ~ en conservas 복숭아의 통조림. ②【식물】 복숭아나무, 복사나무 (melocotonero).
melocotonar *m.* 복숭아밭.
melocotonero *m.* 【식물】 복숭아나무 : El ~ es originario de Persia.
melodía *f.* [*gr.* melodia] 멜로디, 선율 ; 절(節) ; 가곡, 가락, 곡조 : la ~ de unos versos.
melódico, ca *adj.* 주(主) 선율의 ; 곡조가 아름다운 : frase ~*ca.*
melodio *m.* 《*Ecuad. Perú.*》 페달식 오르간.
melodiosamente *adv.* 선율적으로, 음악적으로.
melodioso, sa *adj.* 선율적인, 곡조가 아름다운, 음악적인 : el canto ~ del ruiseñor.
melodrama *m.* 악극, 창극(ópera) ; (권선 징악적인) 통속극, 멜로드라마, 감동극.
melodramáticamente *adv.* 멜로드라마적으로, 연극조로.
melodramático, ca *adj.* 멜로드라마식의 ; 연극조의, 감상적인.
melodreña *adj.* 숫돌(la piedra de afilar)의.
meloe *m.* carraleja의 학명.
melófago *m.* 양에 기생하는 곤충의 일종.
melografía *f.* 작곡법.
melográfico, ca *adj.* 작곡법의·에 관한.
meloja *f.* 꿀벌 효모.
melojar *m.* 떡갈나무숲.
melojo *m.* 【식물】 떡갈나무의 일종.

melolonta *m.* =**coleóptero.**
melomanía *f.* 음악광.
melomaníaco, ca *adj.* 음악광의. —*m.f.* 음악광(melómano).
melómano, na *adj.* 음악광의. —*m.f.* 음악광.
melón[1] *m.* [*lat.* melo, melonis] 【식물】 멜론, 참외 : ~ de agua 수박(sandía).
catar el ~ 넌지시 알아보다.
El ~ y el casamiento ha de ser acertamento 【속담】 우연의 일치다.
melón[2] [*lat.* meles] 【동물】 망구스 (meloncillo).
melón, na *m.f.* 바보, 무능력자.
melonada *f.* 《*Cuba.*》 서툰 짓, 바보 짓, 얼빠진 짓(torpeza, tontería) : hacer una ~ 바보 짓을 하다.
melonar *m.* 참외밭.
meloncete *m. dim.* melón.
meloncillo *m.* ①【동물】 망구스 《고양이 족제비》의 일종. ② 작은 참외(melón pequeño).
melonero, ra *m.f.* 참외 재배자 · 상인.
melonzapote *m.* 《*Méx.*》 파파야.
melopea *f.* ① =**melopeya.** ② =**borrachera.**
melopeya *f.* 작곡법 ; 낭송, 낭독.
melosa *f.* 《*Chile.*》 【식물】 마디 (madi) 《식용 기름을 짜는 식물》.
melosamente *adv.* 달콤하게, 감미롭게 ; 부드럽게, 유순하게.
melosidad *f.* ① 감미(甘味). ② 단맛이 나는 음식. ③ 부드러움, 상냥스러움(dulzura) : la ~ de una voz.
melosilla *f.* 떡갈나무의 병.
meloso, sa *adj.* ① 달콤한(dulce). ② 꿀맛이 나는. ③ 유순한, 부드러운(suave, blando) : carácter ~ 부드러운 성격. voz ~*sa* 부드러운 목소리.
melote *m.* ① 당밀. **Sinón.** melaza. ② 《*Murc.*》 꿀을 넣은 과자.
melquita *m.* (그리스) 정교회 교도.
melsa *f.* ① 《*Ar.*》 =**bazo.** ② 《*Ar.*》 =**flema.**
meltón *m.* 멜톤 《천》.
melurso *m.* 【동물】 (동인도에 사는) 곰의 일종 《몸이 땅딸막하고 발이 짧으며 털은 길고 검은 색을 띠고 있음》.
meluza *f.* (손이나 옷에 끈끈하게 묻은) 설탕물.
melva *f.* 【어류】 대구의 일종(corvina).
memada *f.* 【속어】 =**necedad.**
membrado, da *adj.* ① 새 다리의 (문장). ② 【고어】 유명한(célebre).
membrana *f.* [*lat.* membrana] ① 얇은 껍질 ; (얇은) 막, 피막(皮膜) : ~ abdominal 복막(peritoneo). ~ mucosa 점막. ~ vibrante 【물리】 진동판. falsa ~ 위막(僞膜). ② 《*Chile.*》 디프테리아.
membranáceo, a *adj.* =**membranoso.**
membranoso, sa *adj.* 막(膜)의, 막질의, 막 모양의 : aspecto ~.
membrar *tr.* 【고어】 =**acordar.**
membratura *f.* 《*Neol.*》 [드뭄] [집합] (신체의) 팔다리.
membrete *m.* ① 메모, 각서(nota, apunte). ② 초대장. ③ (편지지 같은 데에 인쇄한) 머리말, 회사 · 기관 등의 이름과 주소.
~ *de la factura* 송장 용지.
membrilla *f.* 마르멜로의 일종.
membrillada *f.* 마르멜로의 통조림.
membrillar *m.* 마르멜로밭.
membrillate *m.* =**carne de membrillo.**
membrillero *m.* 마르멜로나무(membrillo).
membrillete *m.* 《*Perú.*》 【식물】 멤브리에떼 《노란꽃의 야생 식물》.
membrillo *m.* 【식물】 마르멜로 ; 마르멜로나무 : carne de ~ 마르멜로 과자.
membrudamente *adv.* 늠름하게.
membrudo, da *adj.* 씩씩한, 기운찬 ; (기골이) 장대한, 늠름한, 건장한 (robusto, fuerte, vigoroso) : un mocetón ~.
memeches (a) *adv.* 《*AmérC.*》 걸터앉아 (a horcajadas).
memela *f.* ① 《*Hond.*》 바나나 잎으로 싸서 구운 옥수수 빵. ② 《*Méx.*》 길쭉한 옥수수 빵.
memento *m.* [*lat.* memeto] ① 특정인 · 고인을 위한 기도 · 추념. ② 비망록. ③ 유물 ; 기념물.
~ *mori lat.* 죽음의 상징.
hacer sus ~s 자기 자신에 관한 일만 지껄여 대다.
memez *f.* =**simpleza, tontería.**
memiso *m.* 《*Cuba.*》 느릅나무(guásima) 비슷한 나무.
memnónida *f.* 멤논 《Memnon, 트로이에서 그리스군에 의해 살해된 이디오피아 왕》의 새.
memo, ma *adj.* 우둔한, 어리석은 (tonto, simple). —*m.f.* 바보, 멍청이, 천치, 우둔한 사람, 어리석은 사람.
memorable *adj.* 기억할 만한 ; 중대한.
memorando *m.* =**memorándum.**
memorando, da *adj.* 기억할 만한(memorable).
memorándum *m.* [*lat.* memorandum] 【단 · 복수 동형】 ① 메모, 비망록. ② (외교상의) 각서. ③ 주문의 메모장. ④ 《*Chile.*》 예금 통장. ⑤ 《*Chile.*》 (개인이 만든) 서한 용지.
memorar *tr.* 【시어】 =**recordar.**
memoratísimo, ma *adj.* 영구히 기억해야 하는.
memorativo, va *adj.* 기념의, 추념의.
memoria *f.* [*lat.* memoria] ① 기억, 회상, 추억 (recuerdo) : No guardo ~ de semejante cosa. ② 기념 : en ~ de …의 기념으로. ③ 사후의 명성. ④ 기념물. ⑤ 기억력 : flaco de ~ 기억력이 나쁜. tener feliz ~ 기억력이 좋다. Su ~ era magnífica 그의 기억력은 대단했다. ⑥ 상사(商事) 일지 ; 경비 각서, 지출 경비 메모장 ; 조사 · 영업 · 업무 보고서 ; 연구 논문 : leer una ~ en una Academia. ⑦ *pl.* 안부(recuerdos, saludo) : *Dé mis ~s* a su señora madre 어머님께 안부 말씀 전해 주십시오. Muchas ~*s* a su familia 당신의 가족에게 안부 전해 주십시오. ⑧ *pl.* 메모지, 비망록. ⑨ (사건 등의) 조사의 보고, 사료(史料). ⑩ 회상 거리. ⑪ 《*Méx.*》 소시지, 순대.
~ *anual* 연보(年報), 연차 보고(서).
~ *de negocios · operaciones* 영업 보고서.
~ *de gallo · de grillo* 기억력이 나쁜 사람.
de ~ 암기로, 기억으로.
flaco de ~ 기억력이 나쁜(olvidazo).
aprender de ~ 암기하다.
borrar(se) de la ~ 기억에서 사라지다.
caerse de la ~ 잊혀지다.

conservar la ~ de …을 기억하고 있다.
grabar de ~ 명기(銘記)하다.
hablar de ~ 입에서 나오는 대로 지껄이다 : El siempre *habla de ~*.
hacer ~ 생각해 내려 하다.
raer de la ~ 깜빡 잊어 버리다.
renovar la ~ 기억을 새롭게 하다.
traer a la ~ 기억하다, 생각해 내다(recordar) : Esto me *trae a la ~* otro a contecimiento.

memorial *m.* ① 각서, 비망록. ② 청원서, 진정서. ③ 기억(memoria). ④ 소송 사건 요령서.
haber perdido los ~es (어떤 일을) 잊고 있다.

memorialesco, ca *adj.* 메모처럼 된 : estilo ~.

memorialista *m.f.* 대서업자.

memorión *m.* [*aum.* memoria] 굉장한 기억력(memoria muy grande). —*adj.m.f.* 기억력이 좋은 (사람)(memorioso).

memorioso, sa *adj.* 기억력이 좋은. —*m.f.* 기억력이 좋은 사람.

memorismo *m.* 암기주의.

memorista *adj.* ① 암기주의의 : enseñanza ~. ②《*Amér.*》기억력이 좋은. —*m.f.* 암기주의의 교사.

memorístico, ca *adj.* 암기주의의.

memorización *f.*《*AmérC.*》통째로 외우는 일.

memorizar *tr.* 9《*Neol.*》통째로 외우다.

mena *f.* ①【광물】원광, 금광석. ②【어류】지중해산 정어리의 일종. ③【해사】밧줄의 굵기. ④《*Filip.*》여송연의 굵기.

ménade *f.* ① 주신(Baco)의 무희(bacante). ② 미치광이 같이 날뛰는 여자.

menador, ra *m.f.*《*Murc.*》명주실을 뽑기 위해 물레를 돌리는 사람.

menaje *m.*《*Galic.*》집기, 세간, 가재 (도구), (학교의) 교과 용구.

menar *tr.*《*Mucr.*》비단실을 뽑아내다.

menarca *f.* 첫 월경이 나타날 때 특이한 여자의 생활 시기.

menchevique *adj.m.f.* 멘세비키《러시아 온건파 사회주의자, 소수 온건파》의 (일원).

menchuca *f.*《*Chile.*》꾸민 말, 거짓말.

mención *f.* [*lat.* mentio] ① 언급, 진술, 기술, 기재 : ~ honorífica 장려상. hacer ~ de (…에 대한 것을) 언급하다·거론하다, 이야기하다 (referirse a) : El *hace ~ de* ese asunto en su carta. ② 인용 ; 지시.
en ~ 본건의, 문제의.

mencionar *tr.* 말로 나타내다, 인용하다, 거론하다, 서술하다, 언급하다, 언명하다, 기재하다 (hacer mención) : arriba *mencionado* 위에 언급한, 상술한, 상기의.

menda *f.*【은어】나(yo).

mendacidad *f.* 거짓말하는 버릇.

mendaz *adj.* 거짓말하는 ; 거짓말 잘하는, 거짓말이 버릇이 된(mentiroso). —*m.f.* 거짓말쟁이.

mendelevio *m.*【화학】멘델레븀《방사성 원소》.

mendeliano, na *adj.* 멘델의 ; 멘델의 법칙의.

mendelismo *m.* 멘델《Mendel, 1822—84, 오스트리아 생물 학자》의 유전 학설·법칙, 멘델리즘.

mendicación *f.* 구걸, 동냥, 구걸 행각 (mendiguez).

mendicante *adj.* 비럭질하는, 거지의 ; 탁발하는. —*m.f.* ① 거지, 걸인, 동냥아치. ② 탁발 수도사.

mendicidad *f.* ① 구걸. ② 구걸 행각, 거지 근성. ③ [집합] 거지.

mendiganta *f.* 여자 거지(mendiga).

mendigante *adj.m.f.* =**mendicante.**

mendigar *tr.* 8 ① 구걸하다, 동냥하다 (pedir limosna) : ~ el pan 빵을 구걸하다. ② 조르다 (solicitar).

mendigo, ga *m.f.* [*lat.* mendicus] 거지, 걸인, 동냥아치.

méndigo, ga *m.f.*《*Chile. Perú.*》【속어】= **mendigo.**

mendiguez *f.* 구걸 ; 구걸 행각 ; 거지 근성(mendicidad).

mendingar *tr.* 8《*Amér.*》【속어】=**mendigar.**

mendocino, na *adj.* 멘도사의(Mendoza). —*m.f.* 멘도사 사람.

mendosamente *adv.* 잘못하여, 허위로.

mendoso, sa *adj.* 잘못된 ; 거짓이 있는.

Mendoza【지명】멘도사《아르헨띠나의 서부 안데스 산록에 있는 주·도시》.

Mendoza (Alonso de) *m.* 멘도사《서반아의 군인 ; 1548년 볼리비아의 La Paz시의 창설자》.

mendrugo *m.* ① (딱딱해진) 빵껍질, 빵부스러기. ② 바보, 얼간이.

mene *m.*《*Cuba. Venez.*》=**neme, betún.**

meneado, da *adj.*《*Venez.*》만취가 된, 술에 취한(borracho).

meneador, ra *adj.* 흔들리는, 진동하는. —*m.*《*Méx.*》=**badil.**

meneallo *m.* → **menear.**

menear *tr.* ① 흔들다, 흔들게 하다, 진동하다 ; 움직이다 (agitar, mover) : El perro *meneaba* su cola 개는 꼬리를 흔들었다. No *menees* la mesa 탁자를 움직이지 말아라. ② 일을 적당히 처리하다 (manejar) : ~ bien un negocio.
~se ① 흔들리다. ② 몸을 움직이다, 활동하다. ③ 부지런히 일하다. ④ 궁둥이를 흔들다. ⑤ 서둘다.
~ *las manos* 싸우다.
Peor es meneallo·menearlo 잠자코 있는 것이 현명하다, 긁어 부스럼이 될 우려가 있다.

menega *f.*《*Arg.*》【은어】돈(dinero).

menegilda *f. desp.* 하녀(criada).

meneguina *f.*《*Arg.*》【은어】돈(dinero).

Menelao *m.*【희랍 신화】메넬라우스《스파르타왕 ; Agamenón의 아우 ; Helena의 남편》.

meneo *m.* ① 흔들기, 흔들림. ② 일의 처리, 경영, 조작. ③ 궁둥이 흔들기. ④ 채찍질.

menequear *tr.*《*Arg.*》빨리 움직이다 : ~ un mueble.

menés, sa *adj.m.f.* 바예 데 메나《Valle de Mena, Burgos 주의 한 도시》의 (사람).

menester *m.* [*lat.* ministerium] ① 필요,. 필요성 (necesidad, falta). ② [주로 *pl.*] 일, 근무 : ir a sus *~es*. ③ *pl.* 사무 용품. ④ 대소변. ⑤ 일 도구.
haber ~ 필요로 하다 : No *hay ~ a* otro don Quijote 제이의 동끼호떼는 필요 없다.
ser ~ que +subj. …할 필요가 있다 : *Es ~ que*

venga 당신은 와야 할 필요가 있다.
menesteroso, sa *adj.* ① 궁색한, 가난한, 빈곤한. ②《*Sal.*》필요한(necesario), 유익한(útil). —*m.f.* 생활이 곤궁한 사람(necesitado).
menestra *f.* 고기와 야채를 넣은 수프·요리. —*pl.* 말린 야채.
menestral, la *m.f.* =**artesano, obrero.**
menestralería *f.* [집합] 직공 생활; 직공 계급.
menestralía *f.* [집합] =**menestrales.**
menestrete *m.* 못뽑이(sacaclavos).
menfita *adj.m.f.* 멘피스《Menfis, 고대 이집트의 도시》의 (사람). —*f.*【광물】마노의 일종.
menfítico, ca *adj.* 멘피스시(市)(ciudad de Menfis)의.
meng. menguante.
mengajo *m.*《*Murc.*》=**jirón.**
mengala *f.*《*AmérC.*》인디오 소녀 (muchacha india).
mengano, na *m.f.* [fulano의 뒤 zutano의 앞에서 고유 명사 대신 쓰는 말] 모, 아무개.
ni ~ ni zutano 아무도 …않다.
menge *m.*【고어】=**médico.**
mengua *f.* ① 감소, 감가(減價), 부족, 쇠퇴. ② 빈궁, 가난(pobreza). ③ 수치, 불명예, 치욕(descrédito) : Lo hizo en ~ de su honra.
menguadamente *adv.* 면목없이.
menguado, da *adj.* [menguar의 *p.p.*] ① 겁이 많은(cobarde). ② 바보스런, 멍청한, 어리석은(tonto). ③ 인색한(miserable). ④ 창피를 당한. —*m.* 편물에서 줄이는 코.
menguamiento *m.* =**mengua.**
menguante *adj.* ① 줄어가는. ② 하현의 : luna ~ 하현달. marea ~ 썰물. ③ 약해지는, 쇠퇴하는. —*f.* 감수(減水); 썰물; 쇠퇴. [Contr.] aumento, creciente.
menguar *intr.* ⑩ ① 줄어들다(disminuir). ② 쇠퇴해지다. ③ (달이) 이지러지다(decrecer). ④ (편물에서) 코를 줄이다. —*tr.* 줄이다, 축소하다.
mengue *m.* 귀신, 마귀, 악마(diablo); 망령.
menhir *m.* 유사 전의 기념 거석 : Los *~es* abundan en Bretaña 거석은 영국에 많다.
menina *f.* (옛날에 여왕·공주를 모시던) 시녀.
meninge *f.* [*gr.* mênigx]【해부】뇌막(腦膜), 수막(髓膜).
meníngeo, a *adj.* 뇌막의.
meningitis *f.*【단·복수 동형】【의학】수막염, 뇌막염(inflación de las meninges) : ~ cerebroespinal 뇌척수막염.
meningococo *m.*【의학】뇌막의 원인이 된 세균.
menino *m.* [*lat.* meninus] ① (아기 때부터 왕궁에서 일하던) 시신(侍臣), 시동. ②《*Murc.*》우쭐대는 남자.
menique *adj.* 작은, 소형의, 사소한. —*m.* 새끼손가락(meñique).
menisco *m.* 초생달 모양의 물건; 요철경(凹凸鏡), 초생달 모양의 렌즈; 표면 장력에 의해 凸하거나 凹해진 액체의 면; 관절 사이의 연골(軟骨).
menispermáceo, a *adj.*【식물】방이과(防已科) 식물의.
menispérmeo, a *adj.* =**menispermáceo.**
menjuí *m.* 안식향(安息香)(benjuí).
menjunje *m.* =**menjurje.**
menjurje *m.* 화장품, 혼합약(mejunje).
mennonismo *m.* =**menosimo.**
mennonita *m.* =**menonita.**
menologio *m.* (그리스 교회의) 달력, 성도력.
menonía *f.* =**memnónida.**
menonismo *m.* 메노파주의.
menonita *m.* 메노《Menno Simonis, 1506년경 창립됨》파 교도.
menopausia *f.*【생리】월경 폐지(기); (여자의) 갱년기.
menor *adj.* [*lat.* minor] [pequeño의 비교급] ① 더 작은(más pequeño) : El mes de febrero es ~ *que* los demás 2월은 다른 달보다 더 작다. gastos *~es* 잡비. ② 더 어린, 연하의(más joven) : José es mucho ~ *que* Ana 호세는 아나보다 훨씬 더 손아래이다. hermano ~ 막내 동생. hermana ~ 막내 여동생. socio ~ 평사원. ③ 미성년의 (menor de edad) : José es ~ de edad 호세는 미성년자이다. edad ~ 미성년. ④ [정관사+] ㄱ) 아주 적은, 사소한 : al ~ descuido 사소한 방심으로. la ~ queja 사소한 불평. ㄴ) 가장 작은; 가장 연하의 : Matilde es la ~ des las tres 마띨데는 세 사람 중에서 가장 어리다. ¿Cómo se llama su hermano ~? 너의 막내 동생은 이름이 뭐냐? [Contr.] mayor.
—*m.f.* 미성년자 : Aquella película no es apta para *~es* 그 영화는 미성년자에게는 적당하지 않다. [Contr.] mayor.
—*m.* 프란체스코파 승려(religioso francisco).
—*m.pl.* (학교의) 하급반(clase de los pequeños).
—*f.*【논리】소전제, 소명사(小名辭).
escala ~【음악】단음계.
órdenes ~es 부조제(副助祭) 이하의 승직.
~ que【수학】부등 기호 (<).
al por ~ ① 소매로 : vender *al por ~* 소매를 하다. almacén *al por ~* 소매점. ② 상세히.
por ~ 소매로; 오밀조밀하게, 상세하게 : Refirió *por ~* las circunstancias.
el·la que ~《*Chile.*》[앞에 있는 명사에 다른 관사를 붙임] 아주 적은 : No hizo movimiento *el que ~* 그 여자는 조금도 움직이지 않았다.
Menorca *f.*【지명】메노르까섬《서반아의 동부 지방의 섬》.
menorete *m.* *al·por el ~* 적어도.
menorgar *tr.* =**minorar.**
menoría *f.* 미성년 (시대); 하위, 하급. [Contr.] mayoría.
menorista *adj.*《*Amér.*》소매의 : comercio ~. —*m.f.*《*Arg. Chile.*》소매 상인.
menorqués, sa *adj.m.f.* =**menorquín.**
menorquín, na *adj.* 메노르까섬《Menorca, 지중해 las Baleares 제도의 섬》의. —*m.f.* 메노르까 섬사람.
menorragia *f.*【의학】월경 과다.
menorrea *f.*【의학】=**menstruación.**
menos *adj.* [*lat.* minus] [poco의 비교급] ① 더 적은, 보다 못한 : Tengo ~ dinero *que* tú 나는 너보다 돈을 적게 가지고 있다. ② [정관사·소유 형용사와 함께] 가장 적은, 가장 못한.

—*adv.* ① 더 적게, 보다 못하게 : La agencia producía cada vez ~ 대리점의 수입은 점점 줄어 들었다. Gasta ~ *que* antes 전에 보다 돈 쓰임새가 적다. Está ~ lejos 보다 멀지는 않다. José es ~ hábil *que* Ana 호세는 아나보다 재주가 덜하다. Ella es ~ guapa *que* su hermana 그녀는 동생보다 덜 예쁘다 (동생이 더 예쁘다). Mi hermano tiene seis años ~ *que* yo 내 동생은 나보다 여섯 살 연하이다. ② [정관사·소유형용사와 같이 최상급] 가장 적게, 가장 못하게 : Ana es *la* ~ hábil *de* todas 아나가 그들 가운데서 가장 재주가 없다. ③ [접속사적 용법] ㄱ) …보다 적은 : Diez ~ tres son siete 10−3=7. ㄴ) (시간에서) …전 : Son las tres ~ cuarto 3시 15분 전이다. ㄷ) …이외, 그밖에, …의 외에는 (excepto) : todo ~ ese libro 그 책 외에는 모두. Fueron todos, ~ yo 나를 제외하고 모두가 갔다. ㄹ) 오히려 …아니라, …보다 없다 : *Menos* quiero perder la honra *que* perder el caudal 재산도 잃고 싶지 않지만 명예는 더욱 그렇다. **Contr.** más.

—*m.* 마이너스 (−).

***al* ~, *a lo* ~, *por lo*, ~ *lo* ~, *cuando* ~** ① 적어도 ; 최소한 : *Por lo* ~ puedo asegurar que no tiene nada que ver con ese asunto 적어도 그가 그 문제와 아무런 관계도 없는 것은 단언할 수 있다. ② 하다못해 : Permitidme *por lo* ~ decir mi opinión 하다못해 내 의견이라도 말할 기회를 주십시오. ③ [+que] …하는 한에 있어서는 : Nadie ha venido *al* ~ *que* sepa yo 내가 아는 한 아직 아무도 오지 않았다.

~ *de* [수량] …이하 : ~ *de* cien metros 100m 이하. Tengo ~ *de* veinte años 나는 20세 이하이다.

~ *de lo que* (…보다) 적게 : Estaba ~ viejo *de lo que* suponía 상상했던 것보다 그는 나이가 적었다.

~ *que* …보다 적게.

a* ~ *que …이 아니라면 (a no ser que).

***de* ~** 부족하게 : Te han dado mil pesetas *de* ~ 자네에게 준 돈은 천뻬세따가 모자랐네.

***en* ~** 보다 적게 : Aprecio mi vida *en* ~ que mi virtud 나는 정조보다 생명을 오히려 경시한다.

***lo* ~** ① 최소의 일 : Esto es *lo* ~ que puedes hacer 이것이 네가 할 수 있는 최소의 일이다. ② 적어도, 대략, 아쉬운 대로 : *Lo* ~ había cien hombres 대략 100명이 있었다.

lo* ~ + *adj.*·*adv.* + *posible 되도록 적게, 가능한 적게 : *lo*~ veces *posible* 되도록 횟수를 줄여.

no* ~ *que …과 같은 정도 : Lo sé *no* ~ *que* él.

poco* ~ *que …과 같은, …과 맞먹는 : Les era *poco* ~ *que* indiferente 그들에게는 냉담하다고 할 만했다.

***poco más o* ~** 대강, 대충, 대략, 대개 (aproximadamente).

***echar de* ~** (무엇이·누구가) 없는 것을 아쉬워하다, 서운하게 생각하다 : *Echaron de* ~ a su hermano allí 그곳에 아우가 없는 것을 서운하게 생각했다. *Echo* mucho ~ *de* mi madre 내 어머님이 안계셔서 무척 서운하다.

no poder* ~ *de* + *inf. …하지 않을 수 없다 : *No pude* ~ *de* reir 나는 웃지 않을 수 없었다.

***no ser para* ~** 아주 중요하다(ser bastante importante).

***ser lo de* ~** =no importar.

***tener a*·*en* ~** 경시하다, 업신여기다, 무시하다 (despreciar, desdeñar).

***venir a* ~** 쇠약해지다, 약해지다, 나빠지다, 못되다, 몰락하다 : La familia *ha venido* mucho *a* ~ 그 가족은 아주 몰락했다.

menoscabador, ra *adj.m.f.* 줄이는 (사람), 명성을 떨어뜨리는 (사람).

menoscabar *tr.* ① 줄이다(disminuir). ② 더럽히다. ③ (명성 등을) 떨어뜨리다 (desacreditar) : Aquel rumor *menoscabó* su reputación. ④ 흠이 가게 하다.

menoscabo *m.* 감소, 손해, 손실 ; 품질 저하 ; 흠, 훼손 ; 불명예. **Sinón.** detrimento.

menoscuenta *f.* (빚의) 일부 반제.

menoso, sa *adj.m.f.* =**elegante.**

menospreciable *adj.* 경멸할 만한, 업신여길 만한(despreciable).

menospreciablemente *adv.* 업신여겨, 무시해서.

menospreciador, ra *adj.m.f.* 업신여기는, 무시하는 (사람), 경멸하는 (사람) : dirigir una mirada ~*ra.*

menospreciar *tr.* ⑪ 무시하다, 깔보다, 경멸하다, 업신여기다(despreciar).

menospreciativo, va *adj.* 깔보는, 경멸하는, 업신여기는, 무시하는.

menosprecio *m.* 경시, 무시, 경멸 : hacer ~ de un libro. **Contr.** aprecio.

***a* ~** 값싸게, 저렴하게.

menostasia *f.* 【생리】 월경 폐지·정지.

mensaje *m.* [*lat.* missus] 메시지, 전갈, 용건 ; 통첩 ; (대통령) 교서(~ presidencial) : ~ del presupuesto (미국 대통령의) 예산 교서.

mensajería *f.* 역마차. —*pl.* 운송 회사, 운수 회사 ; 정기선(편) ; 수송, 운수, 운송 : ~*s* marítimas 해운.

mensajero, ra *adj.* 전언·통신(문)을 전하는 : paloma ~*ra* 전서구(傳書鳩). —*m.f.* ① 사절, 사신, 사자 ; 심부름꾼. ② 역마차의 마부.

mensal *adj.* 《*Amér.*》 mensual의 사투리.

menso, sa *adj.* 《*Méx.*》 어리석은(tonto).

menstruación *f.* 【생리】 월경 (regla) ; 경혈(經血) : ~ vicaria 대상 월경(代償月經).

menstrual *adj.* 월경의.

menstrualmente *adv.* ① 매월, 다달이 (mensualmente). ② 월경과 함께.

menstruante *adj.f.* 월경 중인 (여자).

menstruar *intr.* ⑭ ① 월경이 나오다 (evacuar la menstruación). ② 월경을 가지다(tener el menstruo).

menstruo, trua *adj.* 월경의 : sangre ~*trua.* —*m.* ① 월경 ; 경혈. ② 【화학】 용매.

menstruoso, sa *adj.* 월경의 ; 월경 중인. —*f.* 월경 중인 여자.

mensual *adj.* [*lat.* mensualis] ① 월 1회의, 달마다의, 매월의 : arreglo ~ 월례 조정. cuotas·pagos ~*es* 월부, 월부금. sueldo·salario ~ 월급. ② 월간의 : boletín ~ 월보. revista ~ 월간잡지. informe ~ 월보. ③ 1개월의. —*m.* 《*Arg.*》 월급제 노동자.

mensualidad *f.* 월부, 월 납부액, 월부금 ; 월

급.

mensualmente *adv.* 월 1회, 매달, 매월, 다달이 : pagar ~ 매월 지불하다.

ménsula *f.* [*lat.* mensula] ① 【건축】 까치발 : la ~ de un balcón. ② (전화기의) 수화기 받이.

mensura *f.* 《*Amér.*》 재는 일, 계량(medida).

mensurabilidad *f.* 가측성(可測性).

mensurable *adj.* 잴 수 있는, 측정할 수 있는, 측량할 수 있는 ; 일정한 비율이 있는.

mensuración *f.* 계량, 측량, 측량법 ; 측정(법)(mensura).

mensurador, ra *adj.* (길이 따위를) 재는.

mensural *adj.* ① 도량에 관한, 계량의. ② 【음악】 정률(定律)의(mensurable).

mensurar *tr.* [*lat.* mensurare] =**medir.**

menta *f.* [*lat.* mentha] ① 【식물】 박하, 박하초(hierbabuena). ② 《*Arg. Bol.*》 평판, 명성.
—*pl.* 《*Urug.*》 소문.

mentado, da *adj.* [mentar의 *p.p.*] 유명한(célebre). Sinón. conocido, famoso, notable.
—*f.* 《*Méx.*》 =**insulto.**

mental *adj.* ① 마음의, 정신적인, 심적인. Contr. físico. ② 지적인, 지력의 : prueba ~ 지능 검사. ③ 암산의, 암기로 하는.
cálculo ~ 암산. ***cansancio*** ~ 정신적 피로. ***edad*** ~ 정신 연령. ***enajenamiento*** ~ 광기 (locura). ***restricción*** ~ 흉중 유보(胸中留保). ***trabajo*** ~ 정신 노동.

mentalidad *f.* 정신 상태, 심성(心性), 심력(心力), 정신력, 지력 ; 지능 ; 사고 방식 : ~ contemporánea.

mentalmente *adv.* 심적으로, 내심으로, 마음속으로 : calcular ~.

mentanol *m.* 【화학】 =**mentol.**

mentar *tr.* 19 (…에 대한 일을) 말하다, 말로 나타내다 ; 서술하다 (nombrar, mencionar) : No hay que ~ la soga en casa del ahorcado.

mentastro *m.* =**mastranzo.**

mente *f.* [*lat.* mens, mentis] ① 마음, 정신. Contr. cuerpo. ② 두뇌, 지력. ③ 의지, 사고, 생각, 이해(력)(pensamiento) : tener en ~ 생각하고 있다.

mentecada *f.* =**mentecatez, necedad, tontería.**

mentecatería *f.* 어리석은 짓, 어리석은 말 ; 우둔.

mentecatez *f.* =**mentecatería.**

mentecatía *f.* =**mentecatez.**

mentecato, ta *adj.* 우둔한, 어리석은, 지혜가 모자라는. —*m.f.* 우둔한 사람 : hablar como un ~. Sinón. insensato, necio. Contr. listo, inteligente.

mentidero *m.* 잡담하는 곳.

mentido, da *adj.* [mentir의 *p.p.*] 거짓의, 믿을 수 없는(engañoso) : una ~*da* esperanza. Contr. verdadero, cierto.

mentir *intr.* 53 [*lat.* mentiri] ① 거짓말을 하다, 속이다 : No se cree nunca al que *mintió* una vez 한번 거짓말을 했던 사람을 사람들은 결코 믿지 않는다. Las esperanzas *mienten* 희망은 깨지는 법이다. ② 어울리지 않다 : Este color *miente con* el otro 이 색깔은 다른 색과 어울리지 않는다. —*tr.* (약속을) 어기다 : *Ha mentido* su promesa 그는 약속을 어겼다.
[직설법 현재 : miento, mientes, miente, mentimos, mentís, mienten. 접속법 현재 : mienta, mientas, mienta, mintamos, mintáis, mientan. 직설법 부정과거 3인칭 : mintió, mintieron. 접속법 과거 : mintiera, …, mintiese, …. 현재 분사 : mintiendo].

mentira *f.* ① 거짓말, 거짓, 허위 : ~ oficiosa 기쁘게 해주기 위한 거짓말. Parece ~ 거짓말 같은 이야기이다. Hay que reprimir severamente la ~ en los niños 아이들이 거짓말을 하면 엄하게 나무래야 한다. ② 꾸며낸 이야기, 허구. ③ 잘못, 잘못 적은 것. ④ 손톱에 생기는 흰 반점. ⑤ 《*AmérC. Arg. Chile.*》 손가락을 튀기는 소리 : sacar ~*s* 손가락을 탁탁 튀기다. Contr. veracidad, franqueza.
coger en ~ 허위를 폭로하다.

mentirijillas (de) *adv.* 조소적으로, 비웃는 듯이(de burlas).

mentirillas (de) *adv.* =**de mentirijillas.**

mentirón *m.* 굉장한 거짓말.

mentirosamente *adv.* 거짓말로, 허위로 ; 공연히, 겉으로만(fingidamente) : prometer ~.

mentiroso, sa *adj.* ① 거짓말을 잘하는, 거짓말쟁이의 ; 거짓이 많은(embustero). ② 잘못·오식투성이의 : un libro ~. ③ 믿을 수 없는 (engañoso) : bienes ~*s* 믿을 수 없는 재물.

mentís *m.* 【단·복수 동형】 ①「거짓말 하지마!」하고 꾸짖을 때의 말 : dar un ~ 거짓말하지 말라고 꾸짖다. ② 거짓의 폭로.

mentol *m.* 【화학】 박하뇌.

mentolado, da *adj.* mentol의, mentol을 함유한.

mentón *m.* 《*Neol.*》 아래턱, 턱. Sinón. barbilla.

mentor *m.* ① 【희랍 신화】 ① 멘토르. ② (Ulises의 충실한 벗 Mentor에서) 스승으로 모시는 사람. ③ 좋은 지도자, 좋은 조언자 ; (지도) 교사.

menú *m.* 《*Galic.*》 식단, 식단표, 차림표, 메뉴(lista de platos).

menuceles *m.pl.* 《*Ar.*》 =**menucias.**

menuco *m.* 《*Chile.*》 수렁길.

menudamente *adv.* ① 조그맣게, 자잘하게. ② 세밀하게, 자세하게, 상세하게 : contar ~ una anécdota.

menudear *tr.* 자주하다 : *Menudeaba* la visita.
—*intr.* ① 자주 일어나다(suceder a menudo) : *Menudean* los castigos sobre los malos discípulos. ② 마냥 떨어지다. ③ 자잘한 일을 말하다·적다. ④ 《*Arg.*》 (수가) 불어나다. ⑤ 《*Col.*》 소매하다 (vender por menor) : ~ azúcar 설탕을 소매하다.

menudencia *f.* ① 단편(斷片) ; 사소한 일, 토막진 한 부분. Sinón. insignificancia, minucia, nimiedad. ② 세심, 용의 주도. ③ 상세. —*pl.* 자잘한 물건 ; 토막 물건, 잘게 썬 것 ; 순대 ; (새의) 내장.

menudeo *m.* ① 빈발. ② 소매 : al ~ 소매로 (al por menor).

menudero, ra *m.f.* 고기·내장을 잘게 썰어서 파는 상인.

menudillo *m.* 말의 발목. —*pl.* 닭의 내장.

menudo, da *adj.* [*lat.* minutus] ① 작은, 사소

한 (pequeño). ② 가는(delgado). ③ 대수롭지 않는, 소(小)… : gente *~da* 작은 사람들, 어린이들 ; 소인네들. moneda *~da* 잔돈, 소액 화폐. ④ 야비한, 저속한, 천한(vulgar). ⑤ 정밀한 (minucioso) ; 정확한(exacto). ⑥ [반어적] 거대한(enorme) ; 어려운(difícil) ; 중대한, 심각한 (grave) ; 믿을 수 없는(increíble) : ~ viaje 잦은 여행. *~da* catástrofe 대 재난. —*m.pl.* ① (닭의) 내장. ② 잔돈 : No tengo *~s.* ③《Méx.》소의 다리와 창자, 토마토, 고추 등으로 만든 요리.

a ~ 줄곧, 자주 (con frecuencia, muchas veces) : Viene *a ~*.

a la ~da ; por ~ ① 상세하게 (con menudencia) : referir *por ~*. ② 소매로.

~da se va la mar 일이 까다로워지다.

menuro *m.* 【조류】 금조(琴鳥) (ave lira, menuro lira).

menuza *f.* 【고어】 =**menuzo.**

menuzar *tr.* ⑨ 《*Arg.*》 잘게 썰다(desgarrar, desmenuzar).

menuzo *m.* 단편, 쪼가리, 토막 : hacer *~s* un pedazo de papel. Sinón. triza.

meñique *adj.* ① 새끼손가락의. ② 아주 작은 (muy pequeño). —*m.* 새끼손가락(dedo ~).

meocuil *m.* 《*Méx.*》 용설란 벌레 : Los indios consideran los *~es* como un manjar delicioso.

meollada *f.* 《*And.*》 (네발 짐승의) 골.

meollar *m.* 끈 밧줄.

meollo *m.* [*lat.* medulla] ① 골(medula) : el ~ de un hueso. ② 뇌수(seso). ③ 머리, 두뇌, 지혜, 이해력(entendimiento). ④ [드뭄] 정수, 실질 : Este libro tiene ~.

meolludo, da *adj.* 골(meollo)이 많은.

meón, na *adj.m.f.* 오줌길이 잦은 (사람).

meona *f.* 여아, (특히) 갓난아기.

meope *adj. m.f.* 《*Amér.*》 miope의 사투리.

meple *m.* 【식물】 단풍(maple).

meque *m.* 《*Cuba.*》 주먹질, 손으로 때림(golpe dado con la mano).

mequetrefe *m.* [*ár.* mogatref] 버릇없는 사람, 주책바가지.

mequiote *m.* 《*Méx.*》 =**bohordo.**

meramente *adv.* 순수하게(puramente) ; 간단하게, 단순히.

merar *tr.* ① (술을) 혼합하다 ; 술에 물을 타다. ② 죽이다(matar). —*intr.* 죽다(morir).

merc(s). mercadería(s) 상품.

merca *f.* 【속어】 쇼핑, 매입(compra).

mercachifle *m.* ① 행상인(buhonero). ② 장사꾼. Sinón. negociante.

mercadante *m.* 【고어】 =**mercader.**

mercadantesco, ca *adj.* 이탈리아 음악가 Mercadante의.

mercadear *intr.* =**comerciar.**

mercadeo *m.* =**comercialización.**

mercader, ra *m.f.* 상인(商人), 무역 업자 (comerciante, vendedor) : ~ de grueso 도매 업자 · 상인. —*f.* ① 상인의 아내. ② 《*Cuba.*》 【식물】 메르까데라 《꽃이 노란 식물》.

Mercader de Venecia (El) 베니스의 상인 《세익스피어의 희극(1596)》.

mercadería *f.* ① 상품, 화물(mercancía) : ~ aduanada 관세 지불 상품. ~ de tránsito 통과 화물. ~ en almacén 재고품. ~ en bruto 원료. ~ en consignación 위탁 판매품. *~s* en general 일반 잡화. ~ entregada franco a bordo 갑판도 상품. ~ entregada franco en estación 역 인도 상품. ~ (entregada franco) sobre muelle 부두도 상품. ~ recibida en consignación (판매) 위탁 판매품. ② 장물, 훔친 물건(hurto).

mercadero *m.* 상인 : ~ de grueso 도매상, 도매업자.

mercadil *adj.* mercader의.

mercado *m.* [*lat.* mercatus] ① 저자, 장(場) : Habrá el ~ el mes que viene. ② 시장, 마켓 : ~ de frutas 과일 시장. ~ de pescado 생선 시장. ③ 거래선, 판로, 시장 수요 : lanzar al ~ 시장에 내다. precio · cotización del ~ 시장 시세. ④ 시황(市況) : El ~ está animado · firme · flojo 시황은 활발하다 · 하락될 염려가 없다 · 불황이다.

~ a la vista 현물 시장. ***~ a término*** 선물(先物) 시장. ***~ abierto*** 공개 · 일반 시장. ***~ activo · animado*** 활발한 시장. ***~ agrícola*** 농산물 시장. ***~ al contado*** 현물 시장. ***~ al por mayor*** 도매 시장. ***~ bursátil*** 주식 · 증권 시장. ***~ común*** 공동 시장. ***M- Común Andino*** 안데스 공동 시장. ***M- Común Centroamericano*** 중미 공동 시장. ***M- Común del Caribe*** 카리브 공동 시장. ***M- Común Europeo*** 유럽 공동 시장. ***~ crediticio*** 신용 시장. ***~ de abastecimiento*** 공급 시장. ***~ de acciones*** 주식 시장. ***~ de capitales*** 자본 시장, 장기 금융 시장. ***~ de cereales*** 곡물 시장. ***~ de computadores · computadoras*** 컴퓨터 시장. ***~ de crédito*** 신용 시장. ***~ de dinero*** 화폐 · 금융 시장. ***~ de divisas*** 외국환 어음 시장. ***~ de ganado*** 목축 · 가축 시장. ***~ de la lana*** 양모 시장. ***~ de mano de obra*** 노동 시장. ***~ de masa*** 대량 소비 시장. ***~ de obligaciones*** 공사채 시장. ***~ de poco consumo*** 한산한 시황. ***~ de productos disponibles*** 현금 · 현물 시장. ***~ de productos para entrega inmediata*** 현물 시장. ***~ de renta fija*** 공사채 시장. ***~ de renta variable*** 주식 시장. ***~ de títulos*** 증권 · 주식 시장. ***~ de trabajo*** 노동 시장. ***~ de transportación marítima*** 해운 시장. ***~ de ultramar*** 해외 시장. ***~ de valores*** 증권 시장. ***~ de valores de renta fija*** 채권 · 공사채 시장. ***~ de valores de renta variable*** 주식 시장. ***~ de venta*** 판로(販路). ***~ español*** 서반아 시장. ***~ exterior · extranjero*** 외국 시장. ***~ fácil de dinero*** 금융 완화. ***~ financiero*** 자본 · 장기 금융 시장. ***~ ganadero*** 목축 · 가축 시장. ***~ inactivo*** 침체한 시황. ***~ interior*** 국내 시장. ***~ lanar*** 양모 시장. ***~ latinoamericano*** 라틴 아메리카 시장. ***~ libre*** 자유 시장. ***~ local*** 국내 시장. ***~ monetario*** 금융 시장. ***~ mundial*** 세계 · 국제 시장. ***~ nacional*** 국내 시장. ***~ negro*** 암시장 ; 암거래(estraperlo). ***~ público*** 공개 · 공설 시장. ***~ redistribuidor*** 재분배 시장. ***~ regional*** 지역 시장. ***~ subregional*** 소지역 시장.

mercadología *f.* 배급론(配給論).

mercadotecnia *f.* 마케팅.

mercaduría *f.* 상품(mercadería).

mercal *m.* ① =**metical.** ② 《*Amér.*》 떼낄라(tequila).

mercancía *f.* ① 상품, 화물, 저장품 : tren de ~*s* 화물 열차. vagón de ~*s* 화차. ② 장사, 거래.
~ ***admitida bajo fianza*** 보세품. ~ ***arribada*** 도착 화물. ~ ***averiada*** 해손(海損) 화물. ~ ***compuesta*** 합성재(合成財), 복합 상품. ~ ***de calidad*** 우량품. ~ ***de calidad inferior·media·mejor*** 하급·중급·최고급품. ~ ***de contrabando*** 밀수품. ~ ***de depósito*** 보세 화물. ~ ***de desecho*** 불합격품. ~ ***de pacotilla*** 조잡한 상품. ~ ***de primera calidad*** 우량품. ~ ***de tránsito*** 통과 화물·상품. ~ ***defectuosa*** 불량품. ~ ***duradera*** 내구재(耐久財). ~ ***embalada individualmente*** 개별 포장품. ~ ***en depósito*** 보세 화물. ~ ***en existencia*** 재고품. ~ ***exenta de derechos*** 면세품. ~ ***libre·de impuestos*** 무세품. ~ ***no declarada*** 미신고 화물. ~ ***no despachada*** 미통관 화물. ~ ***patrón*** (화폐의) 상품 본위제. ~ ***pedida pero aún no recibida*** 미수령 발주품. ~ ***peligrosa*** 위험 화물. ~ ***que aún no ha pagado los derechos*** 미통관 화물.

mercante *adj.* 【해사】 상업상의(mercantil) : marina ~ 상선대. barco·buque ~ 상선. **—*m.*** 상인, 실업가.

mercantil *adj.* ① 상업의(comercial); 상업적인 : operaciones ~*es.* ② 장사치 같은; 돈벌이 주의의; 상인 기질의, 상인 근성의 : espíritu ~ 상인 정신.

mercantilismo *m.* ① 영리주의, 상혼. ②【경제】 중상주의.

mercantilista *adj.* 영리주의의, 중상주의의; 상법에 통달한. **—*m.f.*** 중상주의자.

mercantilizar *tr.* ⑨ 상업주의로 하다.

mercantilmente *adv.* 상업적으로, 상거래에 의해, 영리적으로(comercialmente).

mercantivo, va *adj.* =**mercantil.**

mercar *tr.* ⑦ [*lat.* mercari] 사다(comprar).

merced *f.* [*lat.* merces] ① 은혜(gracia). ② 덕분(gracias) : ~ a …의 덕분으로. ③ 하사, 선물 : ~ de tierra 하사한 땅. ~ de agua 용수로의 물. ④ 보수, 임금. ⑤ 의지(arbitrio, voluntad). **—*interj.*** 고맙습니다(¡gracias!).
a ~ de …의 하자는 대로 : Está *a* ~ *de* su amigo 그는 친구가 하자는 대로 한다.
a ~(es) 무보수로.
vuestra ~ 귀하, 당신.
orden de nuestra señora de la M- 메르세드 교단 《Aragón 왕의 명에 따라 포로를 탈환할 목적에서 San Pedro Nolasco가 1318년 Barcelona에서 조직하였던 승병단; 현재는 전도·교육을 목적으로 하고 있음》.

mercedar *tr.* 《*Cuba.*》 하사하다, 시주를 주다.

mercedario, ria[1] *adj.m.f.* 메르세드 교단의 (승려).

mercedario, ria[2] *adj. m.f.* 메르세데스 《Mercedes, 우루구아이에 있는 도시》의 (사람).

mercedino, na *adj.m.f.* =**mercedario**[2]**.**

mercenario, ria *adj.* ① 고용된 : soldado ~ 용병. ② 임금에 의한, 청부한 : trabajo ~. ③ 욕심이 많은(codicioso). ④ =**mercedario. —*m.*** ① 용병. ② 날품팔이 농부. ③ 백성, 국민.

merceología *f.* 상업 기술 연구학.

mercería *f.* ① 잡화상, 일용품상. ② [집합] 잡화, 일용품. ③《*Chile.*》 철물점. ④《*Méx. Perú. PRico.*》 피륙 상점(tienda de paños y tejidos).

mercerización *f.* 머서법 《무명에 광이 나게 하는 가성 알칼리 처리법》.

mercerizar *tr.* ⑨ 머서법(法)으로 처리하다.

mercero, ra *m.f.* 잡화 상인.

mercurial *adj.* ① 수성(水星)의. ② 수은의, 수은이 함유된. **—*m.*** 수은 제재(水銀製劑).
—*f.* 【식물】 산쪽풀(malcoraje).

mercúrico, ca *adj.* 수은의 : óxido ~.

mercurio *m.* [*lat.* mercurius]【화학】 수은(水銀)(azogue) : ~ dulce.

Mercurio *m.* [*lat.* mercurius]①【로마 신화】 머큐리 《신의 사자; 제조·상인·도적·웅변·집의 신; 희랍 신화의 Hermes》. ②【천문】 수성(水星).

mercurioso, sa *adj.* ① 수은의, 수은이 든. ②【화학】 제1수은의.

mercuroso, sa *adj.* 산화 수은의.

merchante *adj.* =**mercante. —*m.*** 외판원, 행상인, 노점상.

merdellón, na *m.f.* 추접한 하인.

merdoso, sa *adj.* 더러운, 추접스런, 누추한, 남루한(sucio).

mere *adv.* =**meramente.**

merecedor, ra *adj.* [+de : …의] 가치가 있는 : Es ~ *de* respeto.

merecer *tr.* ㉛ [*lat.* mereri] ① (상이나 벌로서) 받을 만하다(hacerse alguien digno de un premio o un castigo) : Este alumno *merece* mucho 이 학생은 상을 받을 만하다. ② 받다, 얻다(lograr) : la confianza que le *hemos merecido* 우리가 당신에게서 받았던 신뢰. ~ quejas de su parte 귀측으로부터 크레임을 받아 마땅하다. ③ (…의) 가치가 있다 : Eso no *merece* cien pesos 그것은 100뻬소의 가치가 없다. ④ 요하다 : Esta carta no *merece* contestación 이 편지는 회답을 할 가치가 없다. ⑤ [+*inf.*] …하기에 족하다. **—*intr.*** 칭찬할 만하다; 공적이 있다.
~ bien de …에 감사해야 하다.
~ la pena de + inf. ~할 가치가 있다(valer la pena de +*inf.*) : *Merece la pena de* visitar esa exposición 그 전람회는 가볼 만한 가치가 있다.
por ~ 결혼할 나이가 된 (여자).

merecida *f.* 《*PRico.*》 =**merecido.**

merecidamente *adv.* 형편에 맞게, 알맞게; 충분하게 : Fue castigado ~ 그는 그것에 상응하는 벌을 받았다.

merecido *m.* 벌 (castigo) : Llevó su ~ 그는 벌을 받아 마땅했다.

merecido, da *adj.* merecer의 *p.p.*

mereciente *adj.* 받을 만한.

merecimiento *m.* 공, 공적, 공덕 (mérito); 상응.

merejo, ja *adj.* 《*Ecuad.*》 어리석은, 멍청한, 우둔한(tonto).

meremere *m.* 《*Venez.*》 채찍으로 때리기.

merendar *intr.* ⑲ 간식을 들다·먹다(comer o tomar la merienda) : *Merenderemos* a las cinco. **—*tr.*** 간식으로 먹다(comer en la merienda) : *Merendaron* leche y bizcochos.
~se (무엇을) 자기 것으로 만들다.
[직설법 현재 : meriendo, meriendas, merienda,

merendamos, merendáis, meriendan. 접속법 현재 : meriende, meriendes, meriende, merendemos, merendéis, merienden].

merendero *m.* 간식을 드는 곳 ; 식당.

merendilla *f.* [*dim.* merienda] 보잘것없는 간식.

merendillar *intr.* 《*Extr.*》 =**merendar.**

merendita *f.* =**merendilla.**

merendola *f.* 《*Ar. Murc.*》 =**merendona.**

merendona *f.* 푸짐한 간식 (merienda abundante y rica).

merenger *tr.* ③ (카스텔라 과자가 될 때까지) 우유를 흔들다.

merengue *m.* [*fr.* meringue] ① 카스텔라 과자. ② 메렝게 《서인도 제도의 춤》. ③ 《*Chile. Perú.*》 병약한 사람.

meretricio, cia *adj.* 매춘부의. **—***m.* 매춘 알선자, 창녀 거래인.

meretriz *f.* 창부, 창녀, 매춘부, 매음부, 갈보 (prostituta) ; 음녀.

merey *m.* =**marañón.**

merezc- → **merecer** ㉛.

merezca merecer의 접·현·1·3·단수.

merezco merecer의 직·현·1·단수.

mergánsar *m.* 【조류】 가마우지 (cuervo marino)의 일종.

mergo *m.* =**mergánsar.**

mergollina *f.* 《*Panamá.*》 돈(dinero).

mérgulo *m.* 【조류】 메르굴로 《물갈퀴류의 새 ; 부리가 짧고 두텁고 배는 희고 몸은 검음》.

mericarpio *m.* 【식물】 분렬과(分裂果).

mericismo *m.* 음식물의 구토(reguritación de alimentos).

meridano, na *adj.m.f.* 메리다《Mérida, 멕시코의 도시》의 (사람).

meridense *adj.m.f.* 메리다《Mérida, 베네수엘라의 도시》의 (사람).

merideño, ña *adj.* 메리다 《Mérida, 베네수엘라에 있는 주·도시 ; 멕시코의 도시 ; 서반아의 도시》의. **—***m.f.* 메리다 사람(emeritense).

meridiana *f.* ① 낮잠 (siesta) : a la ~ 정오경에. ② 소파(sofá)의 일종, 한숨 자는데 쓰는 침대(camilla).

meridiano, na *adj.* ① 정오의, 거의 한낮쯤된 : horas ~*nas* 정오쯤의 시각. ② 명약 관화한, 자명한 : una verdad ~*na* 명약 관화한 진실. **—***m.* ① 자오선, 경선(經線) : el primer ~ 본초자오선. ② 최고점, 절정, 극점, 전성기 : en el ~ 최고점에.

meridiem *f. lat.* ***ante*** ~ 오전. ***post*** ~ 오후 : a las 9 *post* ~ 오후 9시에.

meridional *adj.* 남쪽의 : la América ~ 남아메리카.

merienda[1] *f.* [*lat.* merenda] ① 도시락 ; 간식, 가벼운 식사 《점심과 저녁밥 사이에 먹음》 : ~ de negros 분규, 혼란. ② 곱사등이(corcova).

juntar ~s 재산을 모으다.

merienda[2] merendar의 직·현·3·단수.

merindad *f.* 대관(merino)의 관할 구역.

merino, na *adj.* 메리노종 《면양의 일종》의. **—***m.f.* 메리노 면양. **—***m.* ① 메린스 《천》. ② (옛날의 국왕에게서 임명받은) 대관(代官). ③ 목축 관리자.

meriñaque *m.* =**miriñaque.**

meristema *m.* 세포질(célula)의 식물 섬유(tejido vegetal).

meritado, da *adj.* 《*Perú. PRico.*》 평판이 좋은.

méritamente *adv.* 상응하여(merecidamente).

meritar *intr.* [드묾] =**hacer méritos.**

meritísimo, ma *adj.* [*sup.* mérito] (…에) 아주 어울리는.

merito *adv.* 《*Méx.*》 =**en un tris, a punto de.**

mérito *m.* [*lat.* meritum] ① 칭찬 : una acción digna de ~ 칭찬할 만한 행동. ② 공, 공로, 공훈, 공적. ③ 효용, 가치. ④ 취할 점, 아름다운 점. ⑤ 진가, 실력 : hombre de ~ 실력·공적이 있는 사람. ⑥ 공죄(功罪).

hacer ~ 자랑스럽게 퍼뜨리다(hacer mención).

hacer ~s 수업하다, 공덕을 쌓다.

meritoriamente *adv.* =**merecidamente.**

meritorio, ria *adj.* 상을 받을 만한, 칭찬할 만한, 탄복할 만한 : acción ~*ria* 칭찬할 만한 행동. **—***m.* (견습) 조수, 도제(徒弟).

merla *f.* 【조류】 구관조(mirlo).

merláchico, ca *adj.* 《*Chile.*》 병으로 창백한.

merlán *m.* 【어류】 =**merlago.**

merlango *m.* 【어류】 고등어속물 고기.

merleta *f.* 발이 없는 새의 모양.

merlín *m.* 역청을 칠한 가느다란 밧줄.

Merlín *m.* 머린 《기사 이야기에 나온 마법사로서 점쟁이》.

saber más que M- 박식하다, 매사에 밝다.

merlino, na *adj.* 《*Ecuad.*》 웃음이 헤픈.

merlo *m.* [*lat.* merŭlus] 【조류】 바다 개똥지바퀴 (zorzal marino). **—***adj.* 《*Arg.*》 어리석은(tonto).

merlón *m.* [*fr.* merlon] 【축성】 총안이 있는 부분에서 볼록한 곳.

merluza *f.* [*ár.* merluche] ① 【어류】 고등어 ; 대구 무리. ② 술에 곤드레 취함(borrachera).

merma *f.* [*ar.* merma] 감소 ; 손상, 마멸 : ~ de la moneda 【상업】 경화의 마멸 《사용 중의 마손에 의한 감량》.

mermador, ra *adj.* 줄이는.

mermar *tr.* 줄이다 : ~ la paga·la ración 급료·배급 식량을 줄이다. **Sinón.** disminuir, menguar.

—*intr.* 내려가다(bajar), 줄다, 감소하다 (disminuir) : *He mermado* el vino en la pipa 파이프에 포도주가 줄었다.

~se 줄다, 감소되다, 적어지다.

mermelada *f.* [*fr.* marmelade] (마르멜로를) 갈아 설탕에 버무려 삶은 것, 잼.

mero *m.* [*lat.* merulus] ① 【어류】 (주로 지중해에 살고 있는) 가리비목에 속하는 물고기. ② (칠레의) 작은 새.

mero, ra *adj.* [*lat.* merus] ① 순수한 (puro). ② 단순한 (simple) : la *mera* casualidad 단순한 우연. ③ 《*Méx.*》 【강조】 바로 그 (mismo) : la *mera* capital 바로 그 수도. a la *mera* hora 마침 그 시간에. **—***adv.* 《*Méx. AmérC.*》 [부사·형용사를 강조] 진실로, 바로 : Aquí ~ llega 이제 곧 온다. José es el ~ malo 호세는 참으로 나쁜 사람이다.

merodeador, ra *adj. m.f.* 도둑질하는 (사람).

merodear *intr.* 도둑질하다, 약탈하러 가다 ; 돌아다니면서 도둑질하다.

merodeo *m.* 약탈, 도둑질 행각.
merodista *m.f.* 약탈자 ; 좀도둑.
merolica *adj.* 《*AmérC.*》 버릇없는 (사람) ; 주책바가지의(mequetrefe).
de ~ 어리석게도.
merostomáceos *m.pl.* =**meróstomas.**
meróstomas *m.* 【동물】 딱정게.
merostómidos *m.pl.* =**meróstomas.**
merovingio, gia *adj.* 메로빙 왕조 《Meroveo를 시조로 하는 불란서 최초의 왕조》의. —*m.f.* 메로빙의 후계.
merquén *m.* 《*Chile.*》 후추 소금 《조미료》.
mers. mercaderías, mercancías.
meruéndano *m.* 《*Ast. León.*》 【식물】 =**arándano.**
merza *f.* 《*Arg.*》 동호인 그룹.
mes *m.* [*lat.* mensis] ① 달 : el ~ corriente · en curso · presente 금월, 이 달. el ~ entrante · próximo · que viene · que entra 내월, 다음 달, 내달. el ~ pasado · último 지난달. ② 1개월 : dos ~*es* de término 2개월의 기한. ③ 월급(mensualidad) : cobrar el ~ 월급을 받다. ④ 월경 (menstruo de la mujer).
~ *mayor* 예정 산월. ~*es mayores* 예정 산월경 ; (농사의) 수확기 전의 무렵.
mesa *f.* [*lat.* mensa] ① 탁자, 테이블 : ~ de juego 노름용 탁자. teléfono de ~ 탁상 전화. ② 식탁 : ropa de ~ 식탁용 카바. poner la ~ 상을 차리다. quitar la ~ 상을 치우다. ③ 식사, 요리, 맛있는 음식 (comida) : una ~ abundante 푸짐한 음식. ~ suculenta 맛있는 요리. ④ 대(臺) : ~ de trabajo 작업대. ⑤ (회의의) 위원회 : ~ electoral 선거 위원회. ⑥ 고원(meseta). ⑦ (계단의) 층계참 (meseta). ⑧ (보석의 깎은) 면. ⑨ (고대 유물)의 탁석(卓石)(megalito). ⑩ (칼의) 한 면. ⑪ 【지질】 (우뚝 솟은) 대지(臺地), (주위가 절벽을 이루는) 봉우리가 평평한 산. ⑫ (당구 등의) 한판 승부, 한판.
~ *de altar* 성단(聖壇)(altar). ~ *de batalla* (우체국의) 우편물 분류대. ~ *de milanos* 가난하여 없는 것이 많은 밥상. ~ *de noche* (침대 옆에 두는) 머리맡 문갑. ~ *de tenis* 《*Méx.*》 테니스 코트. ~ *electoral* (투표의 정상화를 위한) 선거인단. ~ *franca* 푸짐한 음식. ~ *redonda* 원탁 ; (여관 등의) 정식. *aceite de* ~ 샐러드유. *media · segunda* ~ 2급 요리.
a ~ *puesta* 남이 주는 음식으로, 남의 덕으로.
alzar · levantar la ~ 상을 치우다, 식탁을 치우다.
cubrir la ~ 요리를 자꾸 내어 오다.
dar (la) ~ *a* …를 식탁으로 부르다 ; 겸상으로 식사를 들게 하다.
estar a ~ *y mantel* 항상 초대를 받다.
hacer ~ *gallega* (도박에서) 상대의 돈을 털다.
poner la ~ 상을 차리다, 식사 준비를 하다.
ponerse · sentarse a la ~ 식탁에 앉다.
quitar la ~ 상을 치우다.
tener a ~ *y mantel* (누구를) 매일 거저 먹여주다.
tener la ~ *redonda* 원하는 사람은 누구나 식사에 초대한다.
mesada *m.* 월급 ; 월부금, 매월 납부액(mensualidad).
mesadura *f.* 머리채나 털을 쥐어뜯는 일.
mesalina *f.* 《*Neol.*》 타락한 여자 ; 매춘부.
mesalinesco, ca *adj.* 여자가 타락한.
mesana *f.* [*ital.* mezzana] 【선박】 뒷 돛대의 세로돛.
mesarse *r.* (머리칼 · 수염을) 쥐어뜯다.
mescal *m.* ① 《*Méx.*》 용설란. ② 《*Méx.*》 메스깔주(酒) 《용설란의 즙으로 빚음》.
mescalería *f.* 《*Méx.*》 mescal 취급소.
mescalero *m.* 《*Méx.*》 mescal 장수.
mescolanza *f.* =**mezcolanza.**
meseguería *f.* 밭(mies)을 지키는 일 ; 이에 드는 비용, 이에 주는 삯.
meseguero, ra *adj.* 밭의. —*m.f.* 밭지기.
mesenio, nia *adj.* 메세니아(Mesenia)의 : Los espartanos conquistaron el suelo ~.
mesentérico, ca *adj.* [*gr.* mesenterion] 【해부】 장간막(腸間膜)의.
mesenterio *m.* 【해부】 장간막(redaño).
mesenteritis *f.* 【의학】 장간막염.
mesera *f.* 《*Méx.*》 (식당 등의) 여급, 여종업원 (camarera).
meseraico, ca *adj.* =**mesentérico.**
mesero, ra *adj.m.f.* ① 《*AmérC.*》 한 살 미만의 (마소). ② 《*Col. Méx.*》 카페의 종업원 (camarero de café).
meseta *f.* ① 【지질】 고원. ② 층계참(descanso de una escalera).
meseteño, ña *adj.* 고원에 사는 ; 고원의. —*m.f.* 고원 사람.
mesiado *m.* =**mesiazgo.**
mesiánico, ca *adj.* 구세주(Mesías)의, 구세주적인 : Las tradiciones ~*cas* permanecieron siempre muy vivas entre los judíos 구세주의 전설은 늘 유태인에게는 아주 생생하게 남아 있다.
mesianismo *m.* 《*Neol.*》 구세주의, 구세주교, 구세주 출현의 신앙.
mesías *m.* [*hebr.* maschiaj] 구세주, 메시아 ; 그리스도 ; 구제자 : Los judíos aguardan aún la venida del *Mesías* 유태인들은 아직도 구세주의 도래를 기다리고 있다.
mesiazgo *m.* 구세주 · 메시아인 일, (특히) 그리스도의 구세주로서의 사명.
mesidor *m.* 불란서 공화력 제 10월 《6월 19일~7월 8일》.
mesilla *f.* [*dim.* mesa] ① 소형 탁자, 소형 테이블. ② (계단의) 층계참. ③ (탁자 모양의) 반반한 돌. ④ (침대 머리맡의) 야간 탁자(mesa de noche). ⑤ 주의, 경고. ⑥ 꾸중, 나무람, 혼내주기(represión áspera).
mesillo *m.* 출산후 첫 월경 (primera menstruación que aparece en las mujeres después del parto).
mesinés, sa *adj.* 메시나 《Mesina, 시칠리아의 도시》의. —*m.f.* 메시나 사람.
mesingo, ga *adj.* 《*Sal.*》 나약한.
mesmedad *f. por misma* ~ ① 당연히, 저절로 (naturalmente) .② 다른 사람의 도움없이(sin ayuda ajena).
mesmeriano, na *adj.*《*Neol.*》 최면술의, 최면상태의.
mesmerismo *m.* 최면술, 최면 (상태).
mesmo, ma *adj.* 【고어】 =**mismo.**

mesnada *f.* (왕후의) 근위대 ; 무리, 떼(compañía, junta).
mesnadería *f.* 근위 대원의 급료.
mesnadero, ra *adj.* 근위 대의 : caballero ～. —*m.* 근위 대원.
meso- *pref.* 「중간」, 「중앙」을 뜻하는 접두어.
mesoblasto *m.* 【식물】 중배엽(中胚葉).
mesocarpio *m.* 【식물】 중과피(中果皮).
mesocarpo *m.* =**mesocarpio.**
mesocefalia *f.* 중두형.
mesocéfalo *m.* 【해부】 중뇌(中腦). —*adj.* [(장두(長頭)·단두(短頭) 형에 대해] 중두형의 (인종).
mesocote *m.* 【식물】 (멕시코의) 아나나스과 식물.
mesocracia *f.* 중류 계급 우대 정치 ; 중류 계급 (burguesía).
mesocrático, ca *adj.* 중류 계급 (정치)의.
mesodémico, ca *adj.* mesodermo의.
mesodermis *m.* 【해부】 =**dermis.**
mesodermo *m.* 【식물】 중배엽(中胚葉).
mesófilo, la *adj.* (온도와 습기가 중간 환경에서 자라는) 식물의.
mesogástrico, ca *adj.* mesogastrio에 있는.
mesogastrio *m.* 【해부】 명치(epigastrio)와 단전(hipogastrio) 사이에 있는 중복부.
mesolítico, ca *adj.m.* 【고고학】 중석기(中石器) 시대(의).
mesología *f.* 【의학】 환경 위생학 ; 사회 생태학.
mesolote *m.* 《*Méx.*》 =**maguey doble.**
mesón *m.* ① 객줏집, 여관(hostería). ② 【물리】 중간자(中間子). ③ 《*Chile.*》 (가게의) 카운터 (mostrador).
mesonaje *m.* 여관가(旅館街), 여인숙가.
mesonero, ra *adj.* 여관의. —*m.f.* 여관 주인, 여인숙 주인(posadero).
mesonil *adj.* 여인숙의, 여인숙 같은.
mesonista *adj.* =**mesonero.**
mesopotamia *f.* 두 강 사이에 있는 나라나 강.
Mesopotamia *f.* 【지명】 메소포타미아.
mesopotámico, ca *adj.m.f.* 메소포타미아의 (사람).
mesosfera *f.* 높이 30 ～ 80 킬로미터 사이의 대기권.
mesotorácico, ca *adj.* mesotórax의.
mesotórax *m.* 【단·복수 동형】 【해부·곤충】 가운데 가슴.
mesotrio *m.* 라듐소(素), 메소토리움.
mesotrón *m.* 【물리】 중간자(中間子)(mesón).
mesozoico, ca *adj.* 【지질】 중생대의, 중생대 암석의. [Sinón.] secundario.
mesozoo *adj.m.* =**mesozoario.**
mesquite *m.* =**mezquite.**
mesta *f.* (옛날의) 목장주 조합. —*pl.* 강의 합류점(confluente de dos o más ríos).
mestal *m.* 떡갈나무숲, 잡목숲.
mesteño, ña *adj.* ① 목장주 조합(mesta)의. ② 소유자 불명의. ③ 무주택자의, 무숙자의(mostrenco).
mester *m.* ① 【고어】 기술(arte). ② 【고어】 《*Sal.*》 =**menester.**
～ *de clerecía* (중세의 승려·유식 계급, 특히 Gonzalo de Berceo 일파의) 유식 계급의 문학.
～ *de juglaría* (유식 계급의 문학에 대해) 서민 문학, 평민 문학.
mesticia *f.* 쓸쓸함, 슬픔(tristeza).
mestiza *f.* 《*Col.*》 밀기울빵(acemita).
mestización *f.* 혼혈 ; 교배.
mestizaje *m.* ① 혼혈(하는 일). ② [집합] 혼혈인(mestizos).
mestizar *tr.* [9] 혼혈시키다 ; 교배시키다.
mestizo, za *adj.* 혼혈의 ; 교배의. —*m.f.* (서반아 사람과 인디오와의) 혼혈아 (mulato de blanco e indio). —*m.* ① 《*Chile.*》 밀기울 빵(acemita). ② 《*Méx.*》 【동물】 =**bermejo.**
mesto *m.* [*lat.* mixtus] ① 【식물】 코르크 떡갈나무와 졸참나무와의 잡종. ② 쇄기풀 (aladierno). ③ =**rebollo.** [Sinón.] medida, moderación, prudencia.
mestro *m.* 《*Amér.*》 maestro의 사투리.
mestura *f.* ① 【고어】 =**mezcla.** ② 《*Ar.*》 호밀이 혼합된 밀.
mesura *f.* [*lat.* mensura] 신중(seriedad) ; 정중함(cortesía) : hablar con ～.
mesuradamente *adv.* ① 조금씩 (poco a poco). ② 신중하게(con mesura) : portarse ～ 신중하게 행동하다.
mesurado, da *adj.* ① 신중한, 조심성이 많은 (moderado). ② 검소한. ③ 온화한.
mesurar *tr.* ① 신중하게 생각하다. ② 《*Ecuad.*》 재다(medir).
～se 삼가하다(moderarse).
meta *f.* [*lat.* meta] 결승점(gol) ; 목적 ; 목표 : ～ de desarrollo 개발 목표. El llegó a la ～ de sus deseos 그는 원하는 목표에 달성했다.
meta- *pref.* [*gr.* meta] 「후」「사이에」「딴 곳에」「변화」를 뜻하는 접두어.
metabólico, ca *adj.* 신진 대사 (작용)의.
metabolismo *m.* 신진 대사, 물질 교대, 대사 기능.
metábolo, la *adj.* 【동물·곤충】 변형의.
metacárpeo, a *adj.* =**metacarpiano.**
metacarpiano *adj.* 장골 (metacarpo)을 이루고 있는 다섯 개 뼈의 각각의. —*m.* 장골.
metacarpo *m.* ① 【해부】 장골. ② 손바닥.
metacéntrico, ca *adj.* 【물리】 외심점(外心點)의.
metacentro *m.* 【물리】 경심(傾心), 경사의 중심.
metacromatismo *m.* (피부·모발의) 변색.
metacronismo *m.* 사실(史實)보다 날짜를 뒤로 기재하는 역사 편찬상의 착오.
metafase *f.* (세포핵의) 유사 분열에 의한 세포 분리의 제2상(相).
metafísica *f.* [*gr.* meta ta phusika] 형이상학, 순수 철학, 추상론 : La obra contiene demasiada ～.
metafísicamente *adv.* 형이상학적으로 ; 추상적으로, 공론적으로, 가상적으로.
metafísico, ca *adj.* 형이상학의, 순수 철학적인 ; 비물질적인 ; 추상적인(abstracto), 알기 어려운 (difícil de comprender) : razonamiento demasiado ～. —*m.* 형이상학자, 순수 철학자.
metafisiquear *intr.* 탁상 공론을 하다.
metáfora *f.* 【수사】 은유(법), 암유 《예 : las perlas de rocío ; la primavera de la vida》.

metafóricamente *adv.* 은유로, 은유법에 의해서, 비유적으로.
metafórico, ca *adj.* 은유의, 은유적인, 비유적인 : experesión ~*ca* 은유적 표현.
metaforizar *intr.* ⑨ 비유하다, 은유법으로 말하다, 표현하다.
metafragma *m.* (곤충에서) 복강의 흉곽강을 나누는 피막.
metáfrasis *f.* 축어역(逐語譯), 직역.
metafrástico, ca *adj.* metáfrasis의·에 관한.
metagalaxia *f.* (은하계를 포함한) 전 우주, 성운계.
metagoge *f.* [*lat.* metagôgê] ①【수사】은유·의인법의 일종. ② 무생물의 생물적 비유《예 : Se ríe el campo》.
metagrama *m.*【문법】=**metaplasmo.**
metal *m.* [*gr.* metallon ; *lat.* metallum] ① 금속, 금속 원소 : El hierro es el más útil de los ~*es* 철은 금속 중에서 가장 유용하다. ② 금속음 : No quiero oir el ~ de su voz. ③ 놋쇠(latón). ④【문장】금은. ⑤【비유】바탕, 기질, 본질, 성질 : Eso es de otro ~ 그것은 물건이 다르다. ⑥ 금전.
~ ***antifricción*** 바비트 합금《주석·안티몬·동의 합금》. ~ ***blanco*** 양은. ~ ***bruto*** 지금. ~ ***común*** 비금속《구리·철·납 따위》. ~ ***ligero*** 경금속. ~ ***Munz*** 황동. ~ ***precioso*** 귀금속《금·은 따위》. ~ ***de imprenta*** 활자의 지금(地金). ***el vil*** ~ 돈(dinero).
metal. metalurgia.
metalada *f.*《*Chile.*》(광맥으로부터 채광이 가능한) 광량(鑛量).
metalado, da *adj.* 이물질이 섞인.
metalario *m.* [드뭄] 금속공.
metalenguaje *m.* 후단(後段) 언어학.
metalepsis *f.*【수사】전유법(轉喩法)《예 : Ha muerto 대신에 Ya no sufre》.
metalero, ra *adj.*《*AmérM.*》금속의(metalífero).
metálica *f.* 야금학(metalurgia).
metálico, ca *adj.* ① 금속의 ; 금속제의 ; 금속질의 ; 금속성의 : voz ~*ca* 금속성 소리. no ~ 비금속성의. ② 금속성 소리. ③ 정화(正貨)의 : encaje ~ 정화 준비(금). —*m.* ① 금속 세공사. ② 경화, 주화, 정화. ③ 현금 : pagar en ~ 현금으로 지불하다. ~ en caja·existencia 소지 현금, 현금 잔고. valor en ~ 현금 거래 가격.
metalífero, ra *adj.* 금속을 함유하는 ; 금속을 산출하는.
metalingüística *f.* =**metalenguaje.**
metalingüístico, ca *adj.*【언어】후단(後段) 언어학의.
metalista *m.* =**metalario.**
metalistería *f.* 금속 기술.
metalización *f.* 금속화.
metalizar *tr.* ⑨ ① 금속화하다. ② (고무를) 경화시키다. ③ 금속 광택을 내다(dar brillo metálico).
~se ① 금속으로 되다. ② 냉혹해지다. ③ 금전의 노예가 되다.
metalocerámica *f.* 금속과 도예 기술.
metalófago, ga *adj.* 쇠를 침식하는.
metalografía *f.* 금속 조직학.
metaloide *m.*【화학】비금속(非金屬) ; 유금속(類金屬)《비소·텔루륨 따위》, 양성 금속.
metalóidico, ca *adj.* 금속과 같은 ;【화학】비금속의 ; 유금속성의 ; 양성(兩性) 금속의.
metaloterapia *f.* 금속 접촉 요법.
metalurgia *f.* 야금(학), 야금술.
metalúrgico, ca *adj.* 야금학의 ; 야금술의 : La industria ~*ca* está muy desarrollada en vizcaya. —*m.* 야금가 ; 야금학자 ; 금속공.
metalurgista *m.* =**metalúrgico.**
metalla *f.* 보전(補塡)용 금박편(金箔片).
metamatemática *f.* 초수학(超數學).
metámero *m.*【동물】체절(體節).
metamórfico, ca *adj.* 변화의, 변성(變性)의 ; 변태의 ;【지질】변성(變成)의 : roca ~*ca* 변성암.
metamorfismo *m.* 변태 (metamorfosis), 변형, 변질 ;【지질】변성 (작용).
metamorfosear *tr.* 변형시키다 (transformar) ; 변태·변화시키다 ;【지질】변성시키다.
~se 변화하다 ; 일변하다.
metamorfosi(s) *f.* [*pl.* metamorfosis] 형태의 변화, 변형, 변신(變身) ;【생물】변태, 변성(變性), 변질, 변모(transformación).
metamórfosis *f.* =**metamorfosis.**
metanal *m.* =**formaldehído.**
metánico, ca *adj.*【화학】=**fórmico.**
metano *m.* 메탄, 메탄 가스.
metanol *m.*【화학】메틸 알코올(alcohol metílico).
metapiles *m.pl.*《*AmérC.*》동의 연봉(延棒).
metaplasmo *m.* ①【언어】어형 변이(語形變異). ②【생리】후형질(後形質).
metapsíquica *f.* 심령학, 초심리학.
metapsíquico, ca *adj.* 심령학의, 초심리학적인, 정신계를 초월한. —*m.* 심령학자.
metástasis *f.*【단·복수 동형】①【의학】환부 전이(轉移). ②【생물】신진 대사.
metastático, ca *adj.* mestástasis의.
metatárseo, a *adj.*【해부】척골의.
metatarsiano, na *adj.* 척골의. —*m.* 척골.
metatarso *m.*【해부】척골.
metate *m.* *mej.* 맷돌.
metátesis *f.*【문법】① 글자·소리 자리의 전환. 《예 : Dejadle를 Dejalde, prelado를 perlado》. ②【화학】치환. ③【의학】환부 전위.
metatorácico, ca *adj.* metatórax의.
metatórax *m.* (곤충의 가슴의) 제삼 몸마디.
metazoario, ria *adj.* 세포 조직이 다른.
metazoo *adj.* =**metazoario.**
meteco *m.* [*gr.* metoikos] (고대 아테네의) 외국인(extranjero).
metedor, ra *adj.* 넣는. —*m.f.* 밀수입자. —*m.* 기저귀(pañal).
metedura *f.* 물건을 넣기.
metedurría *f.* 밀수입.
metejón *m.*《*Arg.*》① (도박에서) 잃기. ②《*Col.*》뒤얽힘.
metelón, na *m.f.*《*Méx.*》주책바가지.
metempsicosis *f.* 윤회, 영혼의 재생.
metempsícosis *f.* =**metempsicosis.**
metemuertos *m.*【단·복수 동형】① (연극 등의) 대도구 담당자. ② 주책, 주책바가지.

meteno *m.* 【화학】 =**metileno.**

metense *adj.m.f.* 메따《Meta, 꼴롬비아에 있는 주》의 (사람).

meteólogo, ga *m.f.* 기상 통보관.

meteórico, ca *adj.* ① 유성의, 별똥별의, 운석의 : piedra ~*ca* 운석. ② 유성과 같은, 잠깐 반짝하는. ③ 대기의, 기상(상)의.

meteorismo *m.* 【의학】 고창(鼓脹), 단복 고창(單腹鼓脹)《한방에서, 배가 몹시 붓는 병》.

meteorito *m.* 운석 (aerolito), 별똥돌 : Los ~*s* son fragmentos de planetas y de otros cuerpos celestes.

meteorización *f.* 《*Arg.*》 ① 대지에의 기상의 영향. ② 반추 동물의 고창병.

meteorizar *tr.* ⑨ (…에) 고창(meteorismo) 장애를 일으키다 ; 가스가 차다.
~se 토지가 기상의 영향을 받다, 대지의 생물이 기상의 영향을 받다 ; 기상 변화가 생기다.

meteoro *m.* 기상 ; 공중 현상 ; 유성.

metéoro *m.* =**meteoro.**

meteorología *f.* 기상학 ; 기상 상태 (한 지방의).

meteorológico *adj.* 기상의 ; 기상학의 : boletín ~ 라디오의 기상 통보, 신문의 기상란. observación ~*ca* 기상 관측.

meteorologista *m.f.* =**meteorólogo.**

meteorólogo, ga *m.f.* 기상 학자.

meteoroscopio *m.* 기상 관측기.

meter *tr.* [*lat.* mittere] ① (안에) 넣다, 들여넣다 (introducir) : ~ la mano en el bolsillo 호주머니에 손을 넣다. ② 삽입하다, 끼워 넣다, 접어 넣다 ; 끼우다, 사이에 넣다 : ~ letras 문자를 삽입하다. ~ una hoja *entre* otras 다른 것 사이에 종이 쪽지를 끼워 넣다. ~ dinero *a* la carta 돈을 편지 안에 끼워 넣다. ~ a un muchacho de aprendiz *en* un taller 어린이를 공장에 견습생으로 넣다. ③ 끌어 넣다, 끌어들이다 : Le *metió en* un negocio 그를 어떤 일에 끌어들였다. ④ 밀수입하다 : ~ tabaco 담배를 밀수입하다. ⑤ 야기시키다, 불러 일으키다 (ocasionar) : ~ enredos 분규를 일으키다. ~ miedo 공포를 주다. ⑥ 일으키다(levantar) : ~ chismes · murmuración 소문을 내다. ~ ruido 소리를 내다. ⑦ 【인쇄】 채워 넣다, 삽입시키다 : ~ la letra · renglones 문자 · 행을 채워 넣다. ⑧ 【재단】 짧게 하다, 꿰매 줄이다 ; 빠듯하게 하다 : ~ la ropa. ⑨ 【해사】 (돛을) 조이다, 줄이다. ⑩ (돈을) 걸다(poner). ⑪ (원서 · 각서 등을) 제출하다(presentar).
~se ① 들어가다 : El *se metió* el sombrero hasta las orejas 그는 모자를 푹 눌러썼다. ② 개입하다, 간섭하다, 끼어들다(introducirse) : ~*se entre* los convidados 초대 손님 틈에 몰래 숨어들다. ③ 헤쳐 들어가다. ④ (무기를 들고) 돌입하다. ⑤ [+a] 주제넘게 나서다 : ~*se a* juzgar · *a* juez 주제넘게 남의 일에 심판으로 나서다. ~*se a* enseñar · *a* maestro 가르쳐 주겠다고 나서다. ⑥ 휩쓸려 들어가다, 끌려 들어가다 : ~*se en* aventuras. ⑦ [+(a) : …이] 되다 : *Se metió* soldado 그는 군인이 되었다. Decidió ~*se a* soldado 그는 군인이 되기로 결정했다. ⑧ 열중하다 : estar muy *metido en* …에 열중하고 있다. ⑨ 《*Cuba.*》 서로 사랑하다.
***a todo* ~** 정신없이, 전력을 다하여, 기를 쓰고.
~ *mano a* …에 착수하다.
~*las* 《*Col.*》 도망치다.
~*se con* ① (…에게) 싸움을 걸다. ② 《*Cuba.*》 (…에게) 반하다, (…을) 범하다 : José *se metió con* María. ③ 부정한 사이가 되다. ④ 《*Ecuad.*》 …과 교제하다, 사이 좋게 지내다.
~*se de* 《*AmérC. Ant.*》 …의 직책을 얻다 (meterse a).
~*se en sí mismo* 골똘히 생각에 잠기다, 혼자서 생각에 잠기다, 깊은 사색에 잠기다(ensimismarse).
~*se en la cama* 잠자리에 들다.
¡Métele (no más)! 《*Amér.*》 자 시작!, 빨리 해라!

meterete, ta *adj. m.f.* 주책바가지(의)(persona entrometida).

metesillas *m.* ~ *y sacamuertos* 도구 담당자 (metemuertos).

metete *m.f.* 《*AmérC. Chile. Perú.*》 돌팔이 의사 ; 주책바가지. —*interj.* 《*Chile.*》 해치워라!
—*adj.* 《*Chile. Guat.*》 =**entremetido.**

metical *m.* 18세기 경에 서반아에서 통용되던 동전 ; 모로코의 화폐.

metiche *adj. m.f.* 《*Méx.*》 주책스런, 주책바가지(의)(metelón).

meticón, na *adj.m.f.* 절개있는 (사람).

meticulosamente *adj.* 소심하게, 주눅이 들어.

meticulosidad *f.* 소심증 ; 주춤하기.

meticuloso, sa *adj.* [*lat.* meticulosus] 소심한, 겁많은, 주눅들린(miedoso).

metida *f.* meter 하는 일.

metidilio *m.* (갓난아기의) 속 기저귀(pañal).

metido, da *adj.* [meter의 *p.p.*] ① 많이 들어간, 가득 채워 넣은 : pan ~ *en* harina 밀가루를 많이 넣은 빵. ② (…에) 열중하고 있는. ③ 《*Amér.*》 주책스러운(entremetido). ④ 《*Amér.*》 얼근히 취한.
—*m.* ① 몸통에 대한 주먹질 : Le dio un ~. ② 공격 (ataque). ③ (재봉에 있어서의) 심. ④ 속기저귀. —*m.f.* 주책바가지.

metilación *f.* 【화학】 메틸화(化).

metilamida *f.* 【화학】 =**metilamina.**

metilamina *f.* 가연성 가스.

metilbenceno *m.* =**tolueno.**

metilbenzol *m.* 【화학】 =**metilbenceno.**

metileno *m.* 【화학】 메틸 알코올.

metiletileno *m.* 【화학】 =**propeno.**

metilguayacol *m.* 【화학】 =**creosol.**

metílico, ca *adj.* 메틸의, 메틸을 함유한 : alcohol ~ 메틸 알코올.

metilo *m.* [*gr.* methê] 【화학】 메틸, 메틸기(基).

metilpropilo *m.* 【화학】 =**butano.**

metimiento *m.* ① 끼워 넣는 일, 끌어 넣는 일. ② 세력. ③ 얼굴이 통함(privanza).

metinge *m.* =**mitin.**

metingo *m.* =**mitin.**

metionina *f.* 유화 아미노산.

metlapil *m.* 《*Méx.*》 옥수수 빻는데 쓰이는 실린더.

metódicamente *adv.* 질서 정연하게, 순서있

게, 조직적으로.

metódico, ca. *adj.* 질서있는, 조직적인 ; 규율 바른, 정연한 : clasificación *~ca.* Contr. desordenado.

metodismo *m.* 감리교 메더디스트파 《18세기에 일어난 기독교 신교의 일파》 : El ~ recluta sus principales adherentes en Escocia y en los Estados Unidos.

metodista *adj.* 메더디스트파의 ; 메더디스트 교도, 감리교 신자.

metodizar *tr.* 9 방식화(方式化)하다, 순서있게 하다, 조직있게 하다.

método *m.* [*gr.* methodos] 방법, 방식, 순서, 차례 ; 안내서, 교본, 교수법 : ~ de piano 피아노 교본. Lo aprendí por un ~ autodidáctico 나는 그것을 독학 (방식)으로 배웠다.

~ *de costos promedios* 평균 원가법. ~ *de financiación* 융자 방법. ~ *de las medias móviles* 이동 평균법. ~ *de los cuadrados mínimos* 최소 이승법(二乘法). ~ *de porcentaje de terminación* 공사 진행 기준. ~ *de precios del mercado* 시가법. ~ *de saldo decreciente* 체감 가감법. ~ *de tarjetas·fichas perforadas* 펀치 카드 방식. *Cada una tiene su* ~ 【속담】 십인 십색(十人十色).

metodología *f.* ① 방법론. ② [추상] 방법, 순서, 형식 ; 교수법.

metodológico, ca *adj.* 방법론의, 방법론적인.

metol *m.* 【화학】 메톨 《사진 현상제》.

metomentodo *adj.* 주책스러운. —*m.f.* 주책바가지, (남의 일에) 공연히 참견하는 사람 (persona entrometida).

metonimia *f.* 【수사】 환유(換喩), 전유(轉喩) 《la vejez를 las canas, la gloria를 el laurel 식으로 표현하는 것》.

metonímico, ca *adj.* 환유의, 비유의.

metonomasia *f.* (인명의) 라틴어 번역.

metopa *f.* 【건축】 작은 칸막이.

métopa *f.* =**metopa.**

metópico, ca *adj.* 이마의.

metoposcopia *f.* 관상술, 골상학.

metra *f.* 《*Venez.*》 (아이들이 가지고 노는) 진흙이나 유리공.

metraje *m.* ① 미터 측량·계량 ; 길이. ② 【영화】 필름의 길이 : producción de corto·largo ~ 단편·장편 작품. película·obra de gran ~ 장편물. ③ 장편물.

metralgia *f.* 【의학】 자궁통(dolor del útero).

metralla *f.* [*fr.* mitraille] 산탄(散彈), 연발탄, 쇳조각 ; 기관총탄.

metralladora *f.* 산탄포(散彈砲).

metrallazo *m.* 산탄·연발탄의 발사.

metralleta *f.* *dim.* metralla.

metreta *f.* ①(그리스·로마에서 사용된) 액체 측정. ② 술·기름 보관용 그릇.

métrica *f.* 시학(詩學), 운율학 ; 운율 ; 작시법 (作詩法). Sinón. versificación.

métricamente *adv.* 측량으로, 계량적으로 ; 운율적으로.

métrico, ca *adj.* ① 미터의, 미터법의 : sistema *~co* 미터법. ② 측량의. ③ 【시어】 운율의, 운문의, 시작(詩作)의 : arte *~ca* 작시법. tonelada *~ca* 1,000 킬로그램의 무게.

metrificación *f.* 작시(作詩)(versificación).

metrificador, ra *m.f.* 시인.

metrificar *tr. intr.* 7 시를 짓다, 운문을 쓰다 (versificar).

metrificatura *f.* 시의 운율.

metrista *m.f.* =**versificador.**

metritis *f.* 【단·복수 동형】 【의학】 자궁염 (inflamación del útero).

metro[1] [*gr.* metron] ① 미터 : ~ cuadrado 평방미터. ~ cúbico 입방 미터. ~ patrón 미터 원기(原器). ② 미터자, 자 : ~ de cinta 줄자. ~ plegable·plegadizo 곱자, 곡척(曲尺), ㄱ자자. ③ (시의) 운율(韻律) ; (음악의) 박자.

metro[2] *m.* 지하철(subte, tren subterráneo). [*N.* metropolitano의 생략].

metrología *f.* 도량형학, 도량형.

metrológico, ca *adj.* 도량형(학)의.

metromanía *f.* ① 작시광(狂). ② =**ninfomanía.**

metromaníaca *adj.f.* =**ninfomanía.**

metrómetro *m.* =**metrónomo.**

metrón *m.* 《*Chile.*》 【식물】 (아메리카의) 달맞이꽃과 식물.

metrónomo *m.* 【음악】 박절기(拍節器), 박자기, 메트로놈.

metrópoli *f.* [*gr.* mêtêr+polis]. ① (나라·지방 따위의) 수도, 서울(capital) ; ② (활동의) 중심지 : ~ religiosa 종교의 중심지. ③ [일반적] 대도시. ④ 【그리스사】 (식민지의) 본국, 모도(母都). ⑤ 【종교】 대주교·대감독 교구. ⑥ 【생물】 (특수한 생물의) 종속(種屬) 중심지.

metrópolis *f.* =**metrópoli.**

metropolitano, na[1] *adj.* ① 수도의 ; 대도시의. ② 대주교·대감독 교구의(arzobispal) : iglesia ~ *na* 대주교 교구 교회. ③ 본산의 ; 본국(산)의. —*m.* ① 대주교가 있는 본당 (arzobispal). ② 지하철(tren subterráneo) : el ~ de Seúl 서울의 지하철. ③ 고가 철도(tren aéreo).

metropolitano, na[2] *adj.m.f.* 레온 《León, 니까라구아에 있는 주·도시》의 (사람).

metrorragia *f.* 자궁 출혈(hemorragia de la matriz).

metrorrea *f.* 자궁 점액 분비.

metroscopia *f.* 자궁 진찰.

metroscopio *m.* 자궁 진찰용 기구.

metrotomía *f.* 자궁목 절단 수술.

metrótomo *m.* 자궁목 절단 기구.

meucar *intr.* 7 《*Chile.*》 낮잠을 자다, 꾸벅꾸벅 졸다(dormitar).

meucón *m.* 《*Chile.*》 꾸벅꾸벅 졸기.

meuqueón *m.* =**meucón.**

Méx. México (Méjico).

Méx.$ 뻬소 《멕시코의 통화 단위》.

mexcal *m.* 《*Méx.*》 =**mezcal.**

mexicanismo *m.* (서반아어의) 멕시코 말버릇·말투·어투(mejicanismo).

mexicano, na *adj.m.f.* 《*Méx.*》 ① México의 (사람)(mejicano). ② México의 금화. —*m.* 아스떼까말(azteca).

México 【지명】 멕시코 (공화국) (Méjico) : ~ D.F.멕시코시. [*N* 멕시코의 서반아어의 완전한 표기는 Estados Unidos Mexicanos라 함].

Ciudad de ~ 멕시코시.
mextra *f.* (모로코에서) 여울(vado).
meya *f.* 【동물】 거미게(noca).
meyolote *m.* 《*Méx.*》 옥수수의 새싹 (cogollo fresco del maíz).
meyosis *f.* 성세포·정자의 분리(meiosis).
meyótico, ca *adj.* meyosis의, meyosis에 관한.
meza → **mecer** ①.
meza- → **mecer** ①.
mezala *f.* (모로코에서) 기도소, 불단.
mezale *m.* 《*Méx.*》 갉아낸 용설란의 부스러기.
mezcal *m.* 《*Méx.*》 ① 용설란의 일종. ② 용설란 소주.
mezcla *f.* ① 혼합, 배합; 혼합물, 배합물, 배합제, 혼합제 : ~ explosiva 폭약. ~ refrigerante 한제(寒劑). sin ~ 혼합물 없는, 순수한. ② 혼합 담배, 혼합 커피. ③ 당밀. ④ 회반죽(argamasa). ⑤ 교직(交織). ⑥ (음의) 조정 : sala de ~ 조정실.
mezclable *adj.* 혼합할 수 있는(miscible).
mezcladamente *adv.* 혼합·범벅으로 만들어.
mezclado, da *adj.* mezclar의 *p.p.* —*m.* 【고어】 혼합 섬유.
mezclador, ra *m.f.* 섞는 사람; 혼합한 물건. —*m.* 믹서.
mezcladora *f.* 혼합기, 믹서 : ~ de hormigón 콘크리트 믹서.
mezcladura *f.* 혼합(mezcla).
mezclamiento *m.* =**mezcladura.**
mezclar *tr.* 섞다, 혼합하다, 한데 섞다(unir, juntar, incorporar dos o más cosas) : ~ dos licores 두 가지 술을 섞다. ~ vinagre *con* aceite 기름과 식초를 섞다. ~ agua *en* el vino 술에 물을 타다. ~ pimienta *a* la harina 가루에 후추를 섞다. Contr. separar, apartar.
~se ① 섞이다, 뒤섞이다 : *Se mezclan* dos licores 두 종류의 술이 섞여 있다. El ladrón *se mezcló* entre los espectadores 도둑은 관객의 사이에 뒤섞였다. ② 개입하다, 끼어들다, 참가하다 : No *se mezcle* usted en eso 그 일에 끼어들지 마십시오. ③ (혈통이) 혼혈하다.
mezclilla *f.* ① 교직천. ② (베네수엘라산의) 원숭이(monito).
mezcolanza *f.* 뒤범벅; 혼전(mezcla confusa).
mezonte *m.* 《*Méx.*》 용설란의 심아(心牙) 《식용으로 쓰임》.
mezontete *m.* 《*Méx.*》 =**mezonte.**
mezote *m.* 《*Méx.*》 말린 용설란(maguey seco).
mezquicopal *m.* 《*Méx.*》 ① 고무액을 채집하는 나무. ② mesquite 고무.
mezquinamente *adv.* 야비하게, 비굴하게도; 인색하게, 눈곱 만큼씩, 조금씩.
mezquinar *intr.* 《*AmérM.*》 더럽게 굴다, 야비하게 굴다, 인색한 짓을 하다. —*tr.* ① 《*Col.*》 두둔하다(defender). ② 《*Arg.*》 피하다, 비키다 : ~ el cuerpo 몸을 비키다.
mezquindad *f.* ① 인색, 노랭이짓 (avaricia). ② 작은 물건; 하찮은 일(cosa mezquina).
mezquino, na *adj.* ① 가난한 (pobre, necesitado) : una vida muy ~*na* 매우 가난한 생활. ② 불행한, 불운한(desdichado). ③ 인색한, 야비한, 비굴한(avaro, miserable) : ser muy ~. ④ 빈약한 (pobre). ⑤ 작은(diminuto, pequeño) : un edificio ~. —*m.* 《*AmérC. Col. Méx.*》 사마귀(verruga).
mezquita *f.* ① 회교 사원 (edificio religioso mahometano) : la ~ de Córdoba 꼬르도바의 회교 서원. ② 【은어】 목로 주점.
mezquital *m.* mezquite 숲.
mezquite *m.* (중남미산 약용의) 아카시아의 일종 : El zumo del ~ se emplea en las oftalmias 메스끼떼의 즙은 안질에 쓰인다.
meztli *m.* 【신화】 달을 상징한 아스떼까의 신.
mezzo soprano *f.* 【음악】 ① 메조 소프라노, 차고음(次高音) 《soprano와 contralto의 중간》. ② 메조 소프라노 가수.
m/f. mi favor; meses fecha.
m/f.[a] mi factura.
m/f(av.) mi favor.
m/fha. meses fecha.
m/fra. mi factura.
mg. miligramo(s).
Mg. magnesio.
m/g. mi giro.
mho *m.* 【전기】 모 《전기 전도율의 단위》.
mi[1] *m.* 【음악】 미 《음계의 세 번째 음》.
mi[2] *pron.* [yo의 소유격] 내, 나의 : *Mi* casa es ésta 나의 집은 이것이다. uno de *mis* amigos 나의 친구의 한 사람.
mí *pron.* [*lat.* mihi] 나 [yo의 전치사격; 그러나 con과 함께 쓰일 때는 conmigo : a *mí*, de *mí*, para *mí*]; A *mí* me parece 나는 생각한다. Para *mí* me han traído una carta 나에게 편지를 가져왔다. A *mí* me gusta la música clásica 나는 고전 음악을 좋아한다.
mía *f.* [*ár* mía] (모로코에서 서반아) 현지인 정규군.
miador, ra *adj.* 【고어】 우는 (고양이) (maullador) : Gato ~, poco murador 잘 우는 고양이는 쥐를 거의 잡지 못한다.
miagar *intr.* 《*Sant.*》 =**miar.**
miaja *f.* 부스러기(migaja). ② =**meaja.**
miajón *m.* 《*And. Extr.*》 =**migajón.**
mialgia *f.* 【의학】 근육통(dolor muscular). Sinón. miodinia.
mialmas *f.pl.* ***como unas*** ~ ① 만족스럽게 (con gran satisfacción). ② 기쁘게, 기꺼이(con mucho gusto).
miañar *intr.* =**miar, maullar.**
miar *intr.* ⑫ 고양이가 야옹하고 울다(maullar).
miasis *f.* (파리·모기 따위의) 유충에 의한 전염.
miasma *m.* [*gr.* miasma] ① (부패한 유기물이나 개천에서 나오는) 독기, 메탄 가스. ② (특히 말라리아의) 병독. —*f.pl.* 《*PRico.*》 아주 작은 물건, 부스러기.
miasmático, ca *adj.* ① 독기의, 독기를 발산하는, 독기를 품은 : laguna·atmósfera ~*ca.* ② 독기에 쪼인 : fiebre ~*ca* 말라리아열.
miastenia *f.* 근육 약화 증세.
miau *interj.* 야옹《고양이 우는 소리의 의성어》. —*m.* [*pl.* miaues] 고양이 우는 소리(maullido).
mica[1] *f.* 【동물】 꼬리 긴 암원숭이(hembra del mico). Sinón. mona. ② 만취, 대취, 술주정(borrachera, embriaguez).

—*adj.* 《*AmérC.*》 요염한(coqueta).
mica² *f.* [*lat.* mica] 【광물】 돌비늘, 운모(雲母).
micáceo, a *adj.* 운모의 ; 운모 모양의 ; 운모를 함유한 ; 운모질의 : esquisto ～.
micacita *f.* 【광물】 운모 편암(雲母片岩).
micada *f.* 《*AmérC.*》 알랑거림, 교태(monada).
micado *m.* 일본의 천황(el emperador del Japón).
micanita *f.* 마이카나이트 《열·전기의 절연물》.
micapacle *m.* 《*Méx.*》 【식물】 메꽃과 식물.
micasquisto *m.* 【광물】 운모 편암 (micacita)의 일종.
micción *f.* [*lat.* mictio] 배뇨, 방뇨.
micela *f.* 【물리·화학】 미세한 분자.
micelio *m.* 버섯의 엽상체.
micénico, ca *adj.* 미케네 《기원전 1400～1100, 지중해 연안》 문명의.
micer *m.* [*ital.* messer] 옛날 아라곤 시대에 현재의 발레아레스 제도에서 쓰이던 경칭의 일종.
micetología *f.* ＝**micología.**
Mich. Miqueas (Micheas).
micha *f.* ＝**gata.**
michay *m.* 《*Chile.*》 【식물】 ＝**calafate.**
miche *m.* ① 《*León.*》 ＝**bolo pequeño.** ② 《*Chile.*》 canicas 놀이.
michi *m.f.* 【속어】 《*Chile.*》 고양이.
michino, na *m.f.* 【속어】 고양이.
micho, cha *m.f.* 【속어】 고양이.
michoacano, na *adj. m. f.* 미쵸아깐 《Michoacán, 멕시코에 있는 주》의 (사람).
mico, ca *m.f.* ① 【동물】 꼬리 긴 원숭이(mono de cola larga). ② 음란한 사람(hombre lujuroso). ③ 【은어】 ＝**ladronzuelo.**
～ ***capuchino*** 《*Col.*》 꼬리말이원숭이.
～ ***mai cero*** 《*Col.*》 원숭이(carablanca).
dar·hacer ～ 약속을 어기다, 약속한 곳에 나가지 않다(faltar a una cita o compromiso).
dejar hecho un ～ 창피를 주다.
quedarse hecho un ～ 창피·망신을 당하다.
micoate *m.* 《*Méx.*》 【동물】 나무 타는 독사의 일종.
micoderma *f.* 효모, 효소 ; 발효.
micoleón *m.* 《*Guat.*》 ＝**cusumbé.**
micología *f.* 균류·버섯 식물학.
micologista *m.f.* ＝**micólogo.**
micólogo, ga *m.f.* micología 학자.
micomicetos *m.pl.* 【식물】 ＝**mixomicetos.**
micorriza *f.* 식물의 뿌리 밀착.
micosis *f.* [*gr.* mukés] 기생 버섯에 의한 병.
micra *f.* 미크론 《100만분의 1미터》(micrón).
micro *f.* ① 마이크로폰. ② 《*Amér.*》 버스.
micro- *pref.* [*gr.* mikros] ①「미(微)…」「소(小)…」. ② 【전기】「100만분의 1」을 뜻하는 접두어 : *micró*metro, *micro*bio. **Contr.** macro-.
microanálisis *m.* 【화학】 미량 분석.
microbarógrafo *m.* 자기 미압계(自記微壓計).
microbiano, na *adj.* 세균(microbio)의 : enfermedades ～*nas* 세균병.
microbicida *adj.m.f.* 세균을 죽이는 (사람).
micróbico, ca *adj.* ＝**microbiano.**
microbio *m.* 세균 ; 미생물 ; 병원균. **Sinón.** microorganismo.
microbiología *f.* 세균학, 미생물학 : Pasteur fue uno de los fundadores de la ～ 파스퇴르는 세균학의 창시자 중의 한 사람이다.
microbiológico, ca *adj.* 세균학의 : laboratorio ～ 세균학 실험실.
microbiólogo, ga *m.f.* 세균 학자, 미생물 학자.
microbús *m.* 마이크로버스.
microcefalia *f.* 이상 소두(異常小頭) ; 소뇌증 《뇌가 작음으로 인해 일어나는 백치 현상》.
microcefalía *f.* ＝**microcefalia.**
microcéfalo, la *adj.m.f.* 이상 소두의 (사람).
microcima *m.* ＝**microzima.**
microcinematografía *f.* 마이크로 영화 (촬영).
microcinematografiar *tr.* 마이크로 영화를 촬영하다.
microcinematográfico, ca *adj.* 마이크로 영화 (촬영)의 : proyección ～*ca.*
microcinematógrafo *m.* 마이크로 영화 촬영기.
microcito *m.* 【생물】 미세포.
microclima *m.* 미기후(微氣候) 《국부적 지역의 기후》.
microclino *m.* 【광물】 칼륨 장석(長石) (feldespato potásico).
micrococo *m.* 구균(球菌), 구상(球狀) 세균.
microcopia *f.* (micropelícula에 의한) 축소, 복사 (사진).
microcosmia *f.* 소우주론.
microcósmico, ca *adj.* 소우주의, 소세계의.
microcosmo *m.* 소우주 ; 소사회, 작은 세계, (우주의 축도인) 인간 ; 축도.
microcosmos *m.* ＝**microcosmo.**
microcristal *m.* (현미경으로만 볼 수 있는) 작은 결정체.
microcristalino, na *adj.* 작은 결정체의.
microdonte *adj.* 이상하게 작은 이를 가진.
microeconomía *f.* 미시 경제학.
microelectrómetro *m.* 미량 전위계(微量電位計).
microelectrónica *f.* 미량 전자 공학.
microfarad *m.* 【전기】 마이크로페럿 《전기 용량의 실용 단위 ; 백만분의 1 farad》.
microfaradio *m.* 【전기】 ＝**microfarad.**
microfilm *m.* 마이크로 필름, 축소 사진 필름 : ～ de seguridad 영구 보존의 안전 마이크로 필름.
microfilmación *f.* 마이크로 필림 촬영.
microfilmador, ra *adj.* 마이크로 필름에 찍은. —*f.* 마이크로 필름을 찍기 위한 기계.
microfilmar *tr.* 마이크로 필름에 찍다.
microfilme *m.* ＝**microfilm.**
microfílmico, ca *adj.* 마이크로 필름의.
micrófilo, la *adj.* 【식물】 잎이 작은.
microfísica *f.* 원자 물리학(física del atomo).
microfítico, ca *adj.* 【식물·생물】 micrófito 의.
micrófito *m.* 미생물, 박테리아(microbio).
microfónico, ca *adj.* 마이크로폰의.
micrófono *m.* 송화기, 마이크로폰, 확성기, 마이크.

microfoto(grafía) *f.* (문서 따위의) 축사 사진 : La ~ cinematográfica fue descubierta en 1909 영화의 축사 사진은 1909년에 발명되었다.
microfotográfico, ca *adj.* 축사 사진의.
microgameto *m.* =**espermatozoide.**
micrografía *f.* 현미경 사진·제도.
micrográfico, ca *adj.* 현미경 사진·제도의.
micrógrafo, fa *m.f.* 현미경 학자.
microgramo *m.* 미크로 그램 《100만분의 1그램》.
microhmio *m.* 100만분의 1옴.
microlentilla *f.* 콘택트 렌즈(lente de contacto).
microlítico, ca *adj.* 작은 알맹이 모양의.
microlito *m.* 【광물】 작은 알맹이.
micrología *f.* 미물(微物) 연구 ; 사소한 일에 얽매임.
micrometalografía *f.* (금속의) 미세학.
micrometría *f.* 마이크로 미터 측정(술).
micrométrico, ca *adj.* 측미기(測微器)에 의한 ; 미소한, 매우 작은 : tornillo ~.
micrómetro *m.* 마이크로 미터, (현미경·망원경용) 측미기, 측미계, 측미척(尺).
micromil *m.* micromilímetro의 어미 탈락형.
micromilímetro *m.* =**micra.**
micromolécula *f.* 미분자.
micrón *m.* 미크론 《백만분의 1미터》.
micronésico, ca *adj.m.f.* =**micronesio.**
micronesio, sia *adj.* 미크로네시아 제도 (las islas de Micronesia)의. **—*m.f.*** 미크로네시아 사람. **—*m.*** 미크로네시아말.
micronómetro *m.* 초시계.
micronúcleo *m.* 미세 원자핵.
microomnibús *m.* 《*Neol.*》 =**microbús, colectivo.**
microonda *f.* 【전기】 마이크로 웨이브, 극초단파, 마이크로파(波) 《파장 1m~1㎝의 것》.
microorganismo *m.* 미생물 (microbio) 《박테리아 따위》.
micropaleontología *f.* 미시 화석학.
micropelícula *f.* 마이크로 필름, 축사(縮寫) 필름.
micrópila *f.* =**micrópilo.**
micropilar *adj.* micrópilo의·에 관한.
micrópilo *m.* 【생물】 난문(卵門), 정자문(精子門).
microquímica *f.* 미량 화학.
microrganismo *m.*=**microorganismo.**
microscopia *f.* 현미경 조작·검사.
microscópicamente *adv.* 현미경으로.
microscópico, ca *adj.* ① 현미경의, 현미경적인 : estudios ~*s* 현미경에 의한 연구. ② 극히 미세한 ; 미시적인, 현미경으로 볼 수 없는 : animalillo ~ 미시적인 동물. ③ 매우 작은(muy pequeño) : libro ~.
microscopio *m.* 현미경 : ~ binocular 쌍안 현미경. ~ electrónico 전자 현미경. ~ protónico 양자 현미경.
microsismo *m.* 【지질】 미진(微震).
microsismógrafo *m.* 미진계(微震計).
microspora *f.* 【식물】 소포자(小胞子).
microsurco, ca *adj.* 다선상(多線狀)의 : disco ~ 장시간(LP) 레코드판. **—*m.*** 음반의 가느다란 홈 ; 장시간 레코드판 (L.P.)
microtaxi *m.* 보통 택시보다 작은 택시.
microteléfono *m.* (탁상 전화의) 송수화기.
micrótomo *m.* 마이크로 《현미경으로 검사할 엷은 조각을 자르는 절단기》.
microvatio *m.* 100만분의 1와트.
microvoltio *m.* 100만분의 1볼트.
microzoario, ria *adj.* 현미경적 동물의. **—*m.*** 현미경적 동물.
micuré *m.* 《*Arg. Parag.*》 【동물】 자루쥐 (zarigüeya).
mida[1] *f.* [*gr.* midas] 【곤충】 구더기(brugo).
mida[2] medir의 접·현·1·3·단수.
mida[3] *f.* 【고어】 《*Ar.*》 =**medida.**
midáis medir의 접·현·2·복수.
midamos medir의 접·현·1·복수.
midan medir의 접·현·3·복수.
midas medir의 접·현·2·단수.
Midas *m.* 【희랍 신화】 미다스 《손에 닿은 것은 모두 황금으로 변하게 하는 힘을 얻었던 Frigia의 왕》.
mide medir의 직·현·3·단수.
miden medir의 직·현·3·복수.
mides medir의 직·현·2·단수.
midie- → **medir** 42.
midiendo medir의 현재 분사.
midieron medir의 부정과거·3·복수.
midió medir의 부정과거·3·단수.
mido medir의 직·현·1·단수.
midriasis *f.* 【의학】 동공 산대(瞳孔散大).
midriático, ca *adj.* 동공 산대의.
mi/é. milésimo 1000분의 1.
miedica *adj.* =**miedoso.**
mieditis *f.* 【속어】 =**miedo.**
miedo *m.* [*lat.* metus] 무서움, 두려움, 공포 ; 걱정, 염려, 불안 : ~ cerval 심한 공포(심).
de un feo que da ~ 매우 못생긴(muy feo).
dar ~ 무서워하다 : Me *da* ~ el perro 나는 개를 무서워한다.
meter·poner ~ 무서움을 주다.
tener ~ *a* …을 무서워하다 : *Tengo* ~ *a* los perros 나는 개를 무서워한다.
tener ~ *de* +*inf.* …이 아닐까 걱정이다 : *Tengo* ~ *de* caer enfermo 나는 병에 걸릴까 걱정이다. *Tengo* ~ *de* perder el tren 열차를 놓칠까 걱정이다.
temblar de ~ 무서워 떨다.
Me entra ~ 나는 무서워졌다, 나는 두려워졌다.
miedoso *m.* 《*Venez.*》 =**marimonda.**
miedoso, sa *adj.* 무서워 벌벌 떠는, 두려워하는, 무서워하는, 겁이 많은(medroso). **—*m.f.*** 겁쟁이.
miel *f.* [*lat.* mel] ① 꿀 : ~ de abejas 벌꿀. ② 사탕수수의 즙 ; 벌꿀 화밀(花密), 당밀. ③ (꿀같이) 달콤한 것 : palabras de ~ 달콤한 말.
~ *de caña·prima* 당밀, 시럽. ~ *de purga* 《*Ant. Col.*》 당밀. ~ *rosada* 장미꿀 《약용》. ~ *sobre hojuelas* 신나는 일. ~ *sobre buñuelos* 《*Ecuad.*》 신나는 일. ~ *virgen* 저절로 벌집에서 흘러나온 벌꿀. *luna de* ~ 밀월 (여행).
suave como la ~ 매우 부드러운(muy suave).
dejar con la ~ *en los labios* 맛만 보이고 도중에서 그만 두게 하다.
hacerse de ~ 지나치게 다정하다.

No hay ~ sin hiel 좋은 일도 있고 궂은 일도 있는 법이다; 고생 없는 낙은 없다.
quedarse a media ~ 생각과는 다르다; 재미있는 일을 끝까지 보지 못하다.
La ~ de mi casa es la más dulce 【속담】 오두막이라도 내 집이 제일이다.
miel- *pref.* 「척수·등골·골수」의 뜻을 나타내는 접두어.
mielga[1] *f.* [*lat.* medica herba] 【식물】 자주개자리.
mielga[2] *f.* [*lat.* mĕrga] 건초용 써래(bielgo).
mielga[3] *f.* 【어류】 별상어.
mielga[4] *f.* [*lat.* gemêlla] 밭이랑(amelga).
mielgo, ga *adj.* 쌍둥이의, 쌍생아의(mellizo).
miélico, ca *adj.* =**medular.**
mielina *f.* 【해부】 수초(髓鞘) 《척추 동물의 신경 섬유 주위를 칼집 모양으로 둘러싸고 있는 피막》.
mielítico, ca *adj.* 척수염(mielitis)의.
mielitis *f.* 【단·복수 동형】 【의학】 척수염 (inflamación de la médula espinal).
mieloma *f.* 【의학】 뼈 골수 종기.
mielopatía *f.* 【의학】 척추 질환(enfermedades de la medula).
mielsa *f.* 《*Ar.*》 =**melsa.**
miembro *m.* [*lat.* membrum] ① 지체, 팔다리, 수족, 손발 : los cuatro ~*s* 사지. Se le paralizaron los ~*s* 그의 수족이 마비되었다. ② (단체의) 일원, 멤버 ; 회원, 위원, 단원, 조합원 : ~ fundador 설립 회원. ~ honorífico·de honor 명예 회원. ~ podrido (단체의) 탈락자. ~*s* de la administración 스탭. país ~ 회원국. ③ (조직체의) 부(部), 부분. ④ 【해부】 음경(pene). ⑤ 【수학】 항, 변. ⑥ 【문법】 음절, 매듭.
~ *viril* 【해부】 음경(pene).
mient- → **mentir** 53.
mienta[1] *f.* 《*Ast. Sant.*》 박하(menta).
mienta[2] mentir의 접·현·1·3·단수.
mientan mentir의 접·현·3·복수.
mientas mentir의 접·현·2·단수.
miente[1] *f.* [*lat.* mens, mentis] ① 【고어】 사고, 생각(pensamiento). ② [주로 *pl.*] 생각, 마음, 머리.
caer en (las) ~ 상상하다(imaginarse).
parar·poner ~ en …에 대한 일을 생각하다.
traer a las ~ …을 생각해내다(recordar).
venírsele a uno una cosa *a las ~* 생각이 떠오르다, 생각이 미치다(ocurrírsele).
miente[2] mentir의 직·현·3·단수.
mienten mentir의 직·현·3·복수.
mientes mentir의 직·현·2·단수.
miento mentir의 직·현·1·단수.
mientra *conj.* =**mientras.**
mientras *adv. conj.* ① …하는 동안, …하는 사이(durante el tiempo que); 다른 한편으로는 [*N.* que와 같이 쓰이는 수도 있음 ; 강한 뜻으로는 tanto가 따름] : El juega ~ yo estudio 내가 공부하고 있는 동안 그는 놀고 있다. *M- (tanto) que* unos velaban, otros dormían 밤잠을 자지 않는 사람이 있는가 하면 자는 사람도 있었다. [*N.* 「동안」의 뜻으로 por+숫자, durante 는 처음부터 끝까지의 뜻으로 쓰이고, mientras (tanto) que는 절 앞에서 쓰인다]. ② …인데도, 하지만 : Te amo, ~ tú me aborreces 너는 나를 싫어하지만, 나는 너를 사랑한다.
~ *más* …하면 할수록 (cuanto más) : *M- más* tiene, *más* desea 가지면 가질수록 더욱 갖고 싶어진다.
~ *tanto* 그럭저럭하는 사이에, …하는 동안에 (entretanto) : *M- tanto* unos velaban, otros dormían. 밤잠을 자지 않는 사람이 있는가 하면 자는 사람도 있었다.
miera *f.* 두송(杜松)으로 짠 기름, 송진, 소나무 뿌리 기름.
miérc. miércoles.
miércoles *m.* [*lat.* Mercurii dies]【단·복수 동형】 수요일(cuarto día de la semana) : todos los ~ 수요일마다.
~ *corvillo·de ceniza* 재의 수요일 《사순절의 첫째 날, 회오(悔悟)의 상징으로서 승려가 신도의 이마에 재를 뿌리는 의식을 말함》.
mierda *f.* ① 똥(excremento humano). ② (옷 등에 묻은) 때(suciedad, porquería).
Vaya a la ~ 똥이나 처먹어라.
mierra *f.* 썰매(narria).
mies *f.* [*lat.* messis] ① 익은 곡물(cereal maduro) : segar las ~*es*. ② 수확기(tiempo de la siega).
—*pl.* 밭(los sembrados).
miga[1] [*lat.* mica] ① 부스러기, 쪼가리(migaja). ② 빵속의 물렁물렁한 것. ③ 속, 실질, 알맹이 : discurso de ~ 알맹이 있는 연설. hombre de ~ 실속이 있는 사람. —*pl.* 기름에 튀긴 빵.
hacer buenas ~s 죽이 맞다 ; 사이가 좋다(avenirse bien) : Los dos *hacían buenas ~s* 두 사람은 사이가 좋았다.
hacer malas ~s 죽이 맞지 않다 ; 사이가 나쁘다.
hacerse ~s =destrozarse.
no estar·ser para dar ~s a un gato 아무 쓸모 없다.
tener ~ 쉽지 않다.
miga[2] *f.* 유치원(escuela de parvúlos).
migaja *f.* (쪼갤 때 흘리는) 빵 부스러기 ; 부스러기, 쪼가리 ; 아주 작은 것 : saber las ~*s* de la ciencia. —*pl.* 처진 무거리 ; 먹다 남은 빵 ; 부스러기, 찌꺼기.
migajada *f.* 부스러기, 작은 쪼가리.
migajón *m.* [*aum.* miga] ① (빵의) 가운데 부분. ② 커다란 부스러기. ③ 실질, 속(miga). ④ 《*Chile.*》 (수정란의) 눈.
migajuela *f. dim.* =**migaja.**
migala *f.* [*lat.* mygale] 【동물】 왕거미.
migar *tr.* 8 빵을 쪼개다 ; (…에) 쪼갠 빵을 넣어주다 : ~ leche.
Mig.[1] Miguel.
migración *f.* [*lat.* migratio] ① 이주. ② (나가는) 이민. ③ (철새의) 이동 (emigración) : ~ (internacional) de mano de obra 노동력의 (국제적인) 이동. ~ permanente 영구 이민. ~ temporal 일시적 이민.
migrador, ra *adj.* 장소를 옮기는.
migraña *f.* 【의학】 편두통(jaqueca).
migrar *intr.* 이주하다, 이동하다, 이민하다 (hacer una migración).
migratorio, ria *adj.* 이주의, 이동하는, 이민하는, 옮겨 사는 : ave ~*ria* 철새.

miguel *m.* 《*Parag.*》 =**lución.**

miguelear *tr.* 《*AmérC.*》 =**enamorar, cortejar.**

migueleño, ña[1] *adj.* 《*AmérC.*》 무례한, 버릇없는.

migueleño, ña[2] *adj.m.f.* 산·미겔《San Miguel, 엘살바도르에 있는 주·도시》의 (사람).

miguelero *m.* 《*AmérC.*》 여자는 무조건 좋아하는 남자.

miguelete *m.* (까딸루냐 지방의) 산의 총수; 소총병.

miguero, ra *adj.* migas(기름에 튀긴 빵)의. *lucero* ~ 샛별.

mihrab *m.* [*ár.* mihrab] (회교도가 기도할 때 눈을 주는) 마호메트를 모신 감실.

mijaguita *f.* 《*Ant.*》 부스러기.

mijar *m.* 수수밭(campo de mijo).

mijarra *f.* 《*Ant.*》 ① (맷돌을 돌리는 말이 끄는) 채. ② 껑거리끈 《마구》. ③ 불행, 처참.

mije *m.* 《*Méx.*》 ① 질이 나쁜 궐련. ② (꾸바의) 나무 이름.

mijo *m.* [*lat.* milium] ①【식물】 수수(borona). ②【식물】 조. ③【방언】 옥수수(maíz).

mikado *m.* =**micado.**

mil *adj.* [*lat.* mille] ① 1,000의, 천의(diez veces ciento) : ~ quinientos pesos 1,500뻬소. [*N. un* mil이라고는 말하지 않음]. *Mil* gracias 정말 고맙습니다. ② [명사 뒤에서] 천 번째의(milésimo) : el número ~ 천 번(gran número). el año ~ 1,000년째. ③ 수많은, 숱한 : tener ~ disgustos.

—*m.*【단·복수 동형】 천 : dos ~ 2,000. diez ~ 10,000. cien ~ 십만.

—*pron.* [부정 수대명사로서는 *pl.* miles] 수 천의 수효, 다수 (millar) : ~*es* de 수 천의. Perdió ~*es* de dólares 그는 수 천 달러를 잃었다.

las ~ y quinientas 몹시 늦은 때(demasiado tarde, a deshora) : Vino *a las ~ y quinientas* 그는 아주 늦게 왔다.

mil y una noches (las) *f.pl.* 천일 야화.

mil. milicia.

mi/l. mi letra.

miladi *f.* [*ing.* my lady] 영국 귀부인에 대한 경칭.

milagrear *intr.* 기적을 행하다.

milagrería *f.* 기적과 같은 이야기.

milagrero, ra *adj.* ① 기적을 좋아하는, 무슨 일이나 기적으로 돌리기 좋아하는. ② 요술의 기적을 행하는. ③ 고마운. ④ 신비한(milagroso) : santo ~.

milagro *m.* [*lat.* miraculum] ① 기적 : La conversación del agua en vino fue el primer ~ de Jesucristo. ② 불가사의한 것, 경이 : los ~*s* de la naturaleza 자연의 경이·신비. ③ 중세의 종교극.

de·por ~ 예기치 않게, 생각치도 않게.

vivir de ~ 기적적으로 살다.

milagrón *m.* 호들갑스러운 몸짓 : hacer ~*es.*

milagrosamente *adv.* 기적적으로; 놀라울만큼.

milagroso, sa *adj.* ① 기적적인, 불가사의한, 신기한; 영험이 있는 : la imagen ~*sa.* ② 놀라울만한(maravilloso) : cosecha ~*sa* 놀랄만한 수확.

milamores *f.*【식물】 점박이 흰나리의 일종.

milán *m.* (밀라노산의) 삼베.

milanés, sa *adj.* 밀라노《Milán, 이탈리아의 도시》의. —*m.f.* 밀라노 사람.

milanesa *f.* 《*Arg. Urug.*》 (빵과 달걀에 버무린) 등심살.

milano[1] *m.* [*lat.* milvus]【조류】 솔개; 새매(azor) : El ~ es la más cruel de las aves de presa.

milano[2] *m.* ①【식물】 (민들레씨 따위의) 솜털(vilano). ② 엉겅퀴꽃.

milañero, ra *adj.* 《*SDgo.*》 인색한(tacaño).

milapancle *m.* 《*Méx.*》 관개용 수로.

mildeu *m.* [*pl.* mildeues] =**mildiu.**

mildew *m. ing.* =**mildiu.** [*N.* 발음 : mildiú].

mildiu *m.* [*ing.* mildew]【식물】 흰가루병 병균, 노균 병균(露菌病菌).

mildo, da *adj.* 무기력한, 빌빌거리는.

milenario, ria *adj.* ① 천 가량의. ② 1,000년래(來)의. ③ 아주 오래된(muy antiguo). ④ 지복(至福) 천년설을 믿는 (사람). —*m.* ① 천년(milenio). ② 천년 기념의 해(milésimo aniversario). ③ 유태교의 한 종파.

milenarismo *m.* 지복 천년설 《최후의 심판보다 1,000년 앞서 그리스도가 재림한다는 신앙》; 1,000년 기설 《이 세상의 종말은 그리스도 기원 1,000년이라고 하는 설》.

milenio *m.* 천년간(período de mil años).

milenrama *f.*【식물】 톱풀.

milenta *adj.*【속어】 =**mil.**

mileón *m.*【조류】 (쥐를 잡는) 독수리.

milés.[s] milésimos.

milésima *f.* 화폐 단위의 천분의 일.

milésimo, ma *adj.* [*lat.* millesimus] 1,000번째의; 1,000분의 1의. —*m.* 1,000번째; 1,000분의 1.

milete *m.* 《*Col.*》 =**cachada.**

milflores *m.* =**bejuco.**

milgrana *f.*【고어】 =**granado.**

migranar *m.* 석류 밭.

milhojas *f.*【식물】 톱풀(milenrama).

milhombres *m.* 《*Amér.*》 쓸모없는 남자.

mili *f.* milicia의 어미 탈락형.

mili- *pref.* [*lat.* mille]「1,000분의 1」을 뜻하는 접두어 : *mili*metro, *mili*amperio.

miliampère *m.*【전기】 밀리 암페어 《1,000분의 1 암페어》.

miliamperímetro *m.* 밀리 암페어 측정기.

miliamperio *m.*【전기】 밀리 암페어 《1암페어의 1000분의 1; 기호 : mA》.

miliar *adj.* ① 좁쌀 모양의, 좁쌀만한 크기의. ②【의학】 속립 발진(束粒發疹)의, 천걸음의 돌 《천걸음마다 세운 표석》의. —*f.*【의학】 속립 진열(束粒疹熱).

miliárea *f.* 밀리아르 《천분의 일 아르》.

miliario, ria *adj.* ① 마일(milla)의; 이정(里程)의. ② =**miliar.**

milibar *m.*【기상】 밀리바 《기압 표시의 단위, 천분의 1바; 1바는 수은주 750㎜ 높이의 압력》.

milibaro *m.* =**milibar.**

milicia *f.* [*lat.* militia] 군, 군사; 병제(兵制);

병역, 병적, 군적; 군대, 민병, 의용군 (~ nacional) : La influencia de las ~*s* acrecentó la necesidad de una lengua uniforme 군대의 영향이 통일 언어의 필요성을 증대시켰다.

miliciano, na *adj.* 군의, 병사의. —*m.f.* 민병, 의용군 : una bella ~*na*.

milico *m. desp.* 《*Amér.*》 병사, 군인.

miligrado *m.* 1,000분의 1도 《각도의 단위》.

miligramo *m.* 밀리그램 《기호 : mg》.

mililitro *m.* 밀리리터 《기호 : mℓ》.

milimetrado, da *adj.* 밀리미터로 나누어진, 밀리미터로 눈금을 그은 : regla ~*da* 밀리미터자.

milimétrico, ca *adj.* 밀리미터의 : escala ~*ca*.

milímetro *m.* 밀리미터 《기호 : mm》 : ~ cuadrado 평방 밀리미터. ~ cúbico 입방 밀리미터.

milimicra *f.* =**milimicrón.**

milimicrón *m.* 밀리미크론 《천분의 1미크론》.

militante *adj.* ① 교전 상태의, 호전적인. ② 실제 운동에 임하는. ③ 현역의, 현직의. —*m.f.* 군인.

Iglesia ~ 전투 교회, 현세의 신도.

militar[1] *adj.* [*lat.* militaris] ① 군의, 군대의 ; 군사(상)의, 군인의, 군용의(civil) : banda ~ 군악대. gobierno ~ 군정. marcha ~ 군대 행진곡. servicio ~ 병역. ② 호전적인, 전투적인. ③ 육군의 : hospital ~ 육군 병원. —*m.* 군인, 군대, 군부.

a lo ~ 군대식으로, 군인식으로.

militar[2] *intr.* [*lat.* militare] ① 군인이 되다 ; 출정하다(servir como soldado). ② (어떤 단체에) 참가하다. ③ (자료·증거 등이) 도움이 되다 : La carta *milita* a favor de tu tesis 그 편지는 너의 논문에 도움이 된다.

militara *f.* 【속어】 군인의 아내·딸·미망인.

militarada *f.* 군인다움.

militarismo *m.* 군국주의 ; 무단 정치.

militarista *adj.* 군국주의(자)의. —*m.f.* 군국주의자 ; 군사 전문가, 군사 연구가.

militarización *f.* 군국화 ; 군대화 ; 군국주의 고취.

militarizar *tr.* 9 군국주의화하다, …에게 군사 교육을 시키다, 군대화하다(dar carácter militar) : ~ un país 나라를 군대화하다.

militarmente *adv.* 군대식으로, 군법에 따라서.

militarote *m.* [*aum. desp.* militar] 매우 거친 군인.

mílite *m.* 【고어】 군인, 병사(soldado).

militronche *m.* 【속어】 =**militar.**

milivolt *m.* 밀리 볼트 《천분의 1볼트》.

milivoltio *m.* =**milivolt.**

milla *f.* [*lat.* milla] 마일 《1,852m》 : ~ marina 노트, 해리.

millaca *f.* 【식물】 사탕수수의 일종(cañota).

millar *m.* ① 1,000개. ② 카카오를 다는 단위 《3 파운드 반》. —*pl.* 수 천, 수많음 (gran cantidad) : a ~*es* 다수의, 무수한, 많이, ~*es de* hombres 수 천명의 사람.

millarada *f.* 천 가량, 다수 : a ~*s* 많이, 무수하게.

millo *m.* ① 【식물】 수수 (mijo). ② 《*Can. Sal.*》 옥수수(maíz).

millón *m.* ① 백만 : dos ~*es* y medio de habitantes 인구 250만. Seúl tiene más de diez ~*es* de habitantes 서울의 인구는 천만 이상이다. ② 무수, 많음.

millonada *f.* 백만 가량.

millonario, ria *adj.* 백만 장자의, 대부호의 (muy rico). —*m.f.* 백만 장자, 대부호, 큰 갑부.

millonésimo, ma *adj.* 100만 분의 ; 100만 번째의. —*m.* 100만분의 1.

milmillonésimo, ma *adj.* 10억분의 1의 ; 아주 작은.

milo *m.* 《*Ast.*》 지렁이(lombriz).

miloca *f.* 【조류】 바위부엉이.

milocha *f.* 【방언】 연(cometa).

miloguate *m.* 《*Méx.*》 (옥수수의) 줄기, 대.

milonga *f.* 《*Bol. Riopl.*》 ① 밀롱가 《춤, 노래》. ② 가정적인 무도회. ③ 소문, 험담.

milonguear *intr.* 《*Riopl.*》 밀롱가 (milonga)를 추다.

milonguero, ra *m.f.* ① 《*Arg. Urug.*》 milonga를 부르는·추는 사람. ② 《*Arg. Urug.*》 milonga를 좋아하는 사람.

milord *m.* [*ing.* my lord] [*pl.* milores] 영국 귀족에 대한 경칭.

milores *m.* milord의 복수형.

milpa *f.* 《*AmérC.Méx.*》 밭 ; 옥수수밭 (maizal).

té de ~ 밀빠차(茶)(acahualillo).

milpear *intr.* 《*Ant. Méx.*》 ① 땅을 갈다, 밭을 갈다, 밭일을 하다(labrar la tierra). ② 옥수수의 싹이 트다.

milpero, ra *m.f.* 《*AmérC. Méx.*》 milpa의 경작자.

milpiés *m.* 【동물】 쥐며느리(cochinilla).

milréis *m.* 【단·복수 동형】 밀레이스 《옛날의 포르투갈과 브라질의 화폐 단위》.

miltomate *m.* 《*AmérC. Méx.*》 =**tomatera.**

mimado, da *adj.* 너무 귀여워하는.

mimador, da *adj.* 응석을 받아주는, 귀여워하는. —*m.f.* 응석을 받아주는 사람.

mimar *tr.* ① 응석을 받아주다, 귀여워하다 : ~ a un niño. ② 응석을 부리다 : Mimí *mima* a mamá.

mimbral *m.* =**mimbreral.**

mimbrar *tr.* 억누르다, 억압하다, 탄압하다, 굴복시키다, 굴종시키다(abrumar).

mimbre *m.(f.)* ① 【식물】 비단 버들, 버들. ② 버들가지(varitas de la mimbrera) : cesta de ~*s* 버들가지로 만든 바구니.

mimbrear(se) *intr.(r.)* (야들야들하게) 휘다.

mimbreño, ña *adj.* 버들가지 같은, 유연한.

mimbrera *f.* ① 【식물】 비단 버들. ② 버드나무 가로수(mibreral).

mimbreral *m.* 버드나무 가로수·숲.

mimbrón *m.* 【식물】 =**mimbre.**

mimbroso, sa *adj.* 버드나무의, 버드나무가 많은 ; 비단 버드나무로 만든, 버들가지로 엮은.

mimeografía *f.* 등사, 복사.

mimeografiar *tr.* 등사판으로 인쇄하다.

mimeógrafo *m.* 등사판, 등사기, 복사기.

mimería *f.* 《*SDgo.*》 어린애 같은 짓, 장난.

mimesis *f. gr.* (남을 우롱할 때의) 흉내(imitación).

mimético, ca *adj.* 【생리】 의태(擬態)의.

mimetismo *m.* (동·식물의) 의태(성).
mimetista *adj.* 의태성이 부여된.
mímica *f.* 몸짓, 손짓, 무언극 : una ~ expresiva 감정을 나타내는 무언극.
mímico, ca *adj.* ① 흉내내는(imitativo). ② 몸짓의 ; lenguaje ~ 몸짓 말. ③ mimo 극의 : poeta ~.
mimo *m.* [*lat.* mimus ; *gr.* mimos] ① (고대 그리이스·로마의) 흉내극, 풍자 희극. ② 알랑거림 (halago) : hacer ~*s.* ③ 귀여워하기, 응석을 받아주기 : El ~ es muy perjudicial a los niños. ④ 《*And.*》 【식물】 수령초(fucsia).
mimodrama *f.* 판토마임 형태의 몸짓·동작·손짓(pantomima dramática).
mimografía *f.* 표정학, 표정 연구.
mimógrafo *m.* 풍자 희극 작가.
mimología *f.* 의음(疑音), 의성 ; 의음법.
mimoplástica *f.* 활인화(活人畵).
mimosa *f.* 【식물】 미모사 (나무) ; 함수초 (~ púdica · vergonzosa).
mimosáceo, a *adj.* 【식물】 미모사속의. **—***f.pl.* 미모사속 식물.
mimosamente *adv.* 어리광을 부려.
mimosear *tr.* 《*Riopl.*》 귀여워하다, 어리광을 받아주다(mimar).
mimóseo, a *adj.* 【식물】 =**mimosáceo.**
mimoso, sa *adj.* 어리광 부리는, 응석받이의 : un niño bastante ~.
mina[1] *f.* [*gr.* hêmina] ① (고대 그리스의) 동전. ② (고대 그리스의) 무게의 단위.
mina[2] *f.* [*lat.* mina] ① 광산 : ~ de oro 금광. ~ de plata 은광. ② 갱, 갱도 : bajar a una ~ 갱도로 내려가다. ③ 광맥(criadero). ④ 【축성】 지하도 : ~ de carbón 탄광, 탄갱. ⑤ 보고 : Este negocio es una ~ 이 장사는 노다지 감이다. ⑥ 엄청난 벌이, 생활의 풍부한 밑천 : encontrar una ~. ⑦ 연필의 심. ⑧ 《*AmérM.*》 정부, 첩 (concubina). ⑨ 금속 : ~ ludia 동. ~ mayor 금. ~ menor 은. ⑩ 지뢰 ; 수뢰, 기뢰(~ submarina) : colocar ~*s* 지뢰를 설치하다. ~ acústica 음향 기뢰. ~ de paracaídas 지뢰. ~ magnética 자기 기뢰. ~ submarina 수뢰. campo de ~*s* 지뢰원, 기뢰원.
volar la ~ 기뢰가 폭발하다 ; 비밀이 탄로나다.
minada *f* 《*Ál.*》 [집합] 소떼.
minador, ra *adj.* 갱도를 파는 ; 지뢰·수뢰·기뢰를 부설하는. **—***m.* 광부, 갱부 ; 광산 기사 ; 광산 업자 ; 【군사】 지뢰 공병 ; 기뢰 설치함.
minal *adj.* 갱도용의.
minar *tr.* ① (…에) 구멍을 파다, 갱도를 만들다·파다 (cavar una mina) : ~ una roca. ② 점진적으로 침해하다 : ~ la salud 건강을 해쳐가다. El agua *mina* las rocas 물은 바위를 점진적으로 파먹어 들어간다. ③ 지뢰·수뢰·기뢰를 부설하다 : campo *minado* 지뢰원. ④ 노력하다, 애쓰다. ⑤ 폭파하다. ⑥ 광산을 조사하다 : ~ un canal.
minarete *m.* 《*Galic.*》 (회교 사원의) 탑, 첨탑 (alminar).
MINAX Ministerio de la Industria Azucarera.
MINCEX Ministerio de Comercio Exterior.
mincha *f.* 【방언】 =**cama.**
minchar *tr.* 《*Ál.*》 =**matar.**
mindango, ga *adj.* 《*Murc.*》 =**socarrón, camandulero, despreocupado.**
mindanguear *intr.* 《*Murc.*》 =**gandulear, pindonguear.**
mindoniense *adj.m.f.* 몬도에도 (Mondoñedo)의 (사람).
minear *intr.* 《*Col.*》 금·사금을 긁어 모으다.
minenwerfer *m. alem.* 박격포.
minera *f.* 《*And.*》 (처참하고 슬픈 리듬의) 광부의 노래.
mineraje *m.* 광산 작업, 채광.
mineral *adj.* ① 광물(성)의 : reino ~ 광물계. ② 광물을 함유한 : aguas ~*es* 광천, 광수. aceite ~ 광유, 석유. alquitrán ~ 콜타르. ~ virgen 원광, 광석. **—***m.* ① 광물 ; 광석 : ~ bruto 원광. ~ de cobre 동광. ② 광천. ③ 《*Méx.*》 광산.
mineralización *f.* 광화; 광물을 함유시킴.
mineralizar *tr.* ⑨ 광(물)화하다, …에 광물을 함유시키다.
~se 광화하다 ; 광물을 함유하다.
mineralogía *f.* 광물학.
mineralógico, ca *adj.* 광물학(상)의, 광물학적인, 광물의 : museo ~ 광물 박물관.
mineralogista *m.f.* 광물학자.
minería *f.* ① 광업(계) : ~ del carbón 석탄 광업. escuela de ~ 광업 학교. ② 채광(採鑛).
minero, ra *adj.* 광산·광업의 : compañía ~*ra* 광산 회사. industria ~*ra* coreana 한국의 광업. **—***m.* ① 광산업자 ; 광부, 갱부. ② [드뭄] 광맥, 광갱. ③ 바탕, 시초, 원천 (origen). ④ 《*Riopl.*》 생쥐(ratón).
mineromedicinal *adj.* 약으로 사용하는 광수 (agua mineral)의.
minerva *f.* ① 지혜(inteligencia), 두뇌(mente) : de propia ~ 자신의 연구로, 자신의 지혜로. ② (마드리드 등에서) 미네르바의 행렬. ③ 소형 인쇄기(máquina de imprimir pequeña).
Minerva *f.* ① 【로마 신화】 지혜·예술과 용맹의 여신. ② 【희랍 신화】 =**Atenea.**
minervista *m.f.* 미네르바 인쇄공.
minestrón *m.* 《*Arg.*》 진한 야채 수프.
MINFAR Ministerio de la Fuerzas Armadas Revolucionarias.
minga *f.* 《*AmérM.*》 =**mingaco.**
mingaco *m.* 《*Chile. Perú.*》 (농장 등에서 연회때 목동들이 자원해서 하는) 일 거들기(faena voluntaria y corta que hacen los peones en las fincas los días de fiesta).
mingar *intr.tr.* ⑧ ① 《*AmérM.*》 (일을 위해) 사람들을 모으다 ; 무료로 일을 해주려는 사람들이 모여들다. ② 《*Col.*》 뭇매를 때리다.
mingitorio *m.* 소변소(小便所), 소변기. **—***adj.* 소변의.
mingo *m.* ① (당구에서) 맞히는 공 ; 표적. ② 《*Col. Cuba.*》 공·mate 차기 놀이.
más galán que M- 신소리로 꼼짝 못하게 만들어.
coger de ~ =tomar por primo.
poner el ~ 두드러지다, 뛰어나다(sobresalir).
tomar de ~ 놀림감으로 삼다.
mingón, na *adj.* 《*Venez.*》 어리광부리는 (mimado). **—***m.f.* 어리광부리는 아이.

mingonear *intr.* 《*Venez.*》 어리광부리다.

minguí *m.* 《*Hond.*》 발효 음료.

miniar *tr.* ⑪ [*lat.* miniare] [드묾] 세밀화로 그리다(pintar miniaturas).

miniatura *f.* 세밀화, 소화상(小畵像) ; 세밀화법 ; 축소형 ; 축소물・모형 ; (사본의) 채식(彩飾)(그림・문자).

en ~ ① 세밀화로 : retrato *en* ~ 세밀화로 그린 초상화. ② 소규모로.

miniaturista *m.f.* 세밀화 화가.

minifalda *f.* 미니 스커트.

minifundio *m.* 영세 농지・경지. Contr. latifundio.

mínima *f.* ① 미량, 극소량. ② 【음악】 반음 부호.

minimalista *adj. m.f.* 최소한 요구하는 (사람), 최소한 요구자. Contr. maximalista.

minimista *m.* 성 프란시스코파 학생.

mínimo, ma *adj.* [*lat.* minimus] [pequeño의 절대 최상급] ① 극소의 ; 최소의, 최저의 : suma ~*ma*. ② 미세한(minucioso). ③ 《*CRica.*》 마음 약한 (cobarde).

—*m.* ① 최소한, 최저(mínimum). ② 성 프란체스코파의 승려. —*f.* ① 미량(微量). ② 【음악】 이분 음부.

mínimum *m.* [*lat.* minimum] ① 최소 한도, 최저 한도, 최소량, 최저액, 최소한, 최저(mínimo) : el ~ de libertad 최소한의 자유. ② 【수학】 극소.

minino, na *m.f.* 【동물】 고양이(gato).

minio[1] *m.* [*lat.* minium] 【광물】 적연(赤鉛), 연단(鉛丹).

minio[2] *interj.* 고양이 부르는 소리.

ministerial *adj.* ① 내각의, 장관의, 대신의 : cargo ~ 장관직. ② 행정상의 ; 정부측의, 여당의 : diputado ~ 여당 대표. —*m.f.* 여당 사람.

ministerialismo *m.* 정부파의 주의・주장.

ministerialmente *adv.* 행정적으로 ; 각의(閣議)로.

ministerio *m.* [*lat* ministerium] ① 장관들, 정부, 내각(gabinete) : El ~ dimitió en pleno 내각은 총사직했다. ② 장관의 직책・재임. ③ 부(部), 성(省). ④ 부가 있는 건물 : ir al ~. ⑤ 직무, 일(empleo, oficio). ⑥ 용도(uso).

—*pl.* 수단.

derribar el ~ 내각을 붕괴시키다 : La nueva elección *derribó el* ~ 새로운 선거로 내각이 붕괴했다.

formar ~ 내각을 조직하다 : El Sr. Guim *formó* su ~ 김씨가 내각을 조직했다.

M- de Aeronáutica 《*Perú.*》 공군성. ***M- de Agricultura*** 《*Chile.Col.Ecuad.Guat.Nicar.Perú.*》 농무성. ***M- de Agricultura, Comercio e Industria*** 《*Panamá.*》 농상공성. ***M- de Agricultura, Ganadería y Colonización*** 《*Bol.*》 농목 식민성. ***M- de Agricultura y Cría*** 《*Perú.*》 농목성. ***M- de Agricultura y Ganadería*** 《*CRica. Salv. Parag. Urg.*》 농목성. ***M- de Asuntos Campesinos*** 《*Bol.*》 농민 문제성. ***M- de Asuntoss Exteriores*** 외무부. ***M- de Bienestar Social*** 《*Arg.*》 사회 복지성. ***M- de Comercio Exterior*** 《*Cuba.*》 외국 무역성. ***M- de Comercio Interior*** 《*Cuba.*》 내국 상업성. ***M- de Comunicaciones*** 《*Col.Cuba. Venez.*》 통신성, 체신성. ***M- de Comunicaciones y Obras Públicas*** 《*Guat.*》 통신 공공 사업성. ***M- de Cultura*** 《*Urug.*》 문화성. ***M- de Defensa*** 《*Col. Salv. Venez.*》 국방부, 국방성. ***M- de Defensa Nacional*** 《*Arg. Bol. Chile. Ecuad. Guat. Parag. Urug.*》 국방성, 국방부. ***M- de Distrito Nacional*** 《*Nicar.*》 국유지성. ***M- de Economía*** 《*CRica. Cuba. Salv. Guat. Nicar.*》 경제성. ***M- de Economía, Fomento y Reconstrucción*** 《*Chile.*》 경제 권업 부흥성. ***M- de Economía Nacional*** 《*Bol.*》 경제성. ***M- de Economía y Trabajo*** 《*Arg.*》 경제 노동성. ***M- de Educación*** 《*Chile. Col. Guat. Nicar. Cuba. Panamá. Salv. Venez.*》 문교부, 문부성. ***M- de Educación Pública*** 《*Ecuad. Perú*》 문교부, 문부성. ***M- de Educación y Bellas Artes*** 《*Bol.Col.Venez.*》 교육 예술성. ***M- de Estado*** 국무성. ***M- de Finanzas*** 《*Ecuad.*》 대장성. ***M- de Fomento*** 《*Col.Venez.*》 권업성. ***M- de Fomento y Obras Públicas*** 《*Nicar.Perú.*》 권업 공공 토목성. ***M- de Gobernación*** 《*CRica.Guat.*》 내무부, 내무성. ***M- de Gobernación y Anexos*** 《*Nicar.*》 내무부, 내무성. ***M- de Gobierno*** 《*Col.Ecuad.*》 내무부, 내무성. ***M- de Gobierno, Justicia e Inmigración*** 《*Bol.*》 내무 사법 이민성. ***M- de Gobierno y Justicia*** 《*Panamá.*》 내무 사법성. ***M- de Gobierno y Policía*** 《*Perú.*》 내무 경찰성. ***M- de Guerra*** 《*Perú.*》 육군성. ***M- de Guerra, Marina y Aviación*** 《*Nicar.*》 육해공군성. ***M- de Hacienda*** 《*CRica. Chile. Cuba. Nicar. Parag. Salv. Urug. Venez.*》 재무성. ***M- de Hacienda y Comercio*** 《*Perú.*》 재무 상무성. ***M- de Hacienda y Crédito Público*** 《*Chile.Guat.*》 재무성. ***M- de Hacienda e Estadística*** 《*Bol.*》 재무 통계성. ***M- de Hacienda y Tesoro*** 《*Panamá.*》 재무성. ***M- de Higiene y Salubridad*** 《*Bol.*》 후생성. ***M- de Industria*** 《*Cuba.*》 공업성. ***M- de Industria y Comercio*** 《*Ecuad.Parag.Urug.*》 상공부, 상공성. ***M- de Justicia*** 《*Chile.Col.Cuba.Salv.Venez.*》 법무성, 사법성, 법무부. ***M- de Justicia y Culto*** 《*Perú.*》 사법 종교성. ***M- de Justicia y Trabajo*** 《*Parag.*》 사법 노동성. ***M- de la Industria Azucarera*** 《*Cuba.*》 설탕 산업성. ***M- de la Vivienda y Urbanismo*** 《*Chile.*》 주택 도시 계획성. ***M- de las Fuerzas Armadas-Revolucionarias*** 《*Cuba.*》 혁명 군사성. ***M- de Marina*** 《*Perú.*》 해군성. ***M- de Minas e Hidrocarburos*** 《*Perú.*》 광산성. ***M- de Minas y Petróleo*** 《*Bol.Col.*》 광산 석유성. ***M- de Minería*** 《*Chile.*》 광업성. ***M- de Obras Públicas y Comunicación*** 《*Bol.*》 공공 사업 통신성. ***M- de Obras Públicas y Comunicaciones*** 《*Parag.*》 공공 사업 통신성. ***M- de planificación y Coordinación*** 《*Bol.*》 기획 조정성. ***M- de Previsión Social y Trabajo*** 《*Ecuad.*》 노동 후생성. ***M- de Relaciones Exteriores*** 《*Chile. Col. CRica. Guat.Nicar.Panamá.Parag.Perú.Salv.Urug.Venez.*》 외무부, 외무성. ***M- de Relaciones Exteriores y Culto*** 《*Arg.Bol.*》 외무 종교성. ***M- de Relaciones Interiores*** 《*Col.*》 내무부, 내무성. ***M- de Salubridad Pública*** 《*CRica.Nicar.*》 보건성, 공중 위생성. ***M- de Salud*** 《*Col.*》 후생성. ***M- de Salud Pública*** 《*Chile.Cuba.Urug.*》 후생성, 보건성. ***M- de Salud Pública y Asistencia Social***

《*Salv.Guat.Perú.*》 후생 사회 복지성, 보건 사회 복지성. ***M- de Salud pública y Bienestar Social*** 《*Parag.*》 후생 사회 복지성. ***M- de Sanidad y Asistencia Social*** 《*Venez.*》 후생 사회 보장성. ***M- de Tierra y Colonización*** 《*Chile.*》 토지 식민성. ***M- de Trabajo*** 《*Col.Cuba.Nicar.Venez.*》 노동부, 노동성. ***M- de Trabajo, Previsión Social y Salud Pública*** 《*Panamá.*》 노동 후생 보건성. ***M- de Trabajo y Asuntos Indígenas*** 《*Perú.*》 노동 원주민성. ***M- de Trabajo y Bienestar Social*** 《*CRica.*》 노동 사회 복지성. ***M- de Trabajo y Previsión Social*** 《*Chile.Guat.Salv.*》 노동 후생성, 노동 사회 보장성. ***M- de Trabajo y Seguridad Social*** 《*Bol.Urug.*》 노동 사회 보장성. ***M- de Transporte, Comunicación y Turismo*** 《*Urug.*》 운수 통신 관광성. ***M- de Transportes*** 《*CRica.Cuba.*》 교통부, 운수성. ***M- de(l) Interior*** 《*Arg.Chile.Cuba.Parag.Salv.Urug.*》 내무성. ***M- de Ultramar*** 식민성. ***M- Público*** 검찰청.

ministra *f.* ① 여자 장관 [*N.* 이 때는 la ministro로 됨]. ② 장관의 아내. ③ 관리자, 대행자.

ministrable *adj.* 장관으로 임명하기 위해 충분한 자료를 수집한.

ministrador, ra *adj.m.f.* 실행·대행·처리하는 (사람).

ministrante *m.* 인턴, 실습생.

ministrar *tr.* [*lat.* ministrare] ① 관장하다 (administar) : ~ la justicia 사직을 맡아보다. ② 주다 (dar), 급여하다(suministrar) : ~ dinero 돈을 주다. —*intr.* 근무하다, 사무를 보다.

ministrer *m.* =**ministril.**

ministril *m.* 【고어】 취주 악기 연주자.

ministro *m.* [*lat.* minister] ① 장관, 대신. ② 공사 : ~ plenipotenciario 전권 공사. ~ residente 변리 공사. ③ 집행자, 대행자 ; 위원 ; 사자, 특사(enviado). ④ 사제(sacerdote) : ~ de Dios · del Señor 성직자(sacerdote cristiano). ⑤ 목사 ; 선교사 ; 승려. ⑥ 하급 판사 ; 경찰.
M- de Aeronáutica 《*Perú.*》 공군장관. ***M- de Agricultura*** 《*Col.Chile.Ecuad.Guat.Nicar.Perú.*》 농업장관. ***M- de Agricultura, Comercio e Industria*** 《*Panamá.*》 농상공부장관. ***M- de Agricultura, Ganadería y Colonización*** 《*Bol.*》 농목식민장관. ***M- de Agricultura y Cría*** 《*Venez.*》 농목장관. ***M- de Agricultura y Ganadería*** 《*CRica.Salv.Parag.Urug.*》 농목장관. ***M- de Asuntos Campesinos*** 《*Bol.*》 농민문제장관. ***M- de Asuntos Exteriores*** 외무장관. ***M- de Bienestar Social*** 《*Arg.*》 사회복지장관. ***M- de Comercio Exterior*** 《*Cuba.*》 외국무역장관. ***M- de Comercio Interior*** 《*Cuba.*》 국내 상업장관. ***M- de Comuniciones*** 《*Col. Cuba. Venez.*》 체신부 장관, 통신장관. ***M- de Comunicaciones y Obras Públicas*** 《*Guat.*》 통신공공사업장관. ***M- de Cultura*** 《*Urug.*》 문화부 장관. ***M- de Defensa*** 《*Col.Salv.Venez.*》 국방장관. ***M- de Defensa Nacional*** 《*Arg. Bol. Chile. Ecuad. Guat. Parag. Urug.*》 국방장관. ***M- de Distrito Nacional*** 《*Nicar.*》 국유지장관. 《*CRica. Cuba. Guat. Nicar. Salv.*》 경제장관. ***M- de Economía, Fomento y Reconstrucción*** 《*Chile.*》 경제장려부흥장관. ***M- de Economía Nacional*** 《*Bol.*》 경제장관. ***M- de Economía y Hacienda*** 경제 재무장관. ***M- de Economía y Trabajo*** 《*Arg.*》 경제노동장관. ***M- de Educación*** 《*Chile.Col.Cuba.Guat.Nicar.Pan.Salv.Venez.*》 문교장관. ***M- de Educación Pública*** 《*Ecuad.Perú.*》 문교장관. ***M- de Educación y Bellas Artes*** 《*Bol.*》 교육예술장관. ***M- de Finanzas*** 《*Ecuad.*》 대장성 장관 ; (미국의) 재무장관. ***M- de Gobernación*** 《*CRica.Guat.*》 내무장관. ***M- de Gobernación y Anexos*** 《*Nicar.*》 내무장관. ***M- de Gobierno*** 《*Col.Ecuad.*》 내무장관. ***M- de Gobierno, Justicia e Inmigración*** 《*Bol.*》 내무 사법 이민 장관. ***M- de Gobierno y Justicia*** 《*Pan.*》 내무사법장관. ***M- de Gobierno y Policía*** 《*Perú.*》 내무경찰장관. ***M- de Guerra*** 《*Perú.*》 육군장관. ***M- de Guerra, Marina y Aviación*** 《*Nicar.*》 육해공군장 《*CRica.Chile.Cuba.Nicar.Parag.Salv.Urug.Venez.*》 재무장관. ***M- de Hacienda y Comercio*** 《*Perú.*》 재무상무장관. ***M- de Hacienda y Crédito Público*** 《*Chile.Guat.*》 재무장관. ***M- de Hacienda y Estadística*** 《*Bol.*》 재무통계장관. ***M- de Hacienda y Tesoro*** 《*Pan.*》 재무장관. ***M- de Higiene y Salubridad*** 《*Bol.*》 후생장관. ***M- de Industria*** 《*Cuba.*》 공업장관. ***M- de Industria y Comercio*** 《*Ecuad.Parag.Urug.*》 상공장관. ***M- de Justicia y Culto*** 《*Perú.*》 사법종교장관. ***M- de Justicia Trabajo*** 《*Parag.*》 사법노동장관. ***M- de la Presidencia y Seguridad Pública*** 《*CRica.*》 대통령부 공안장관. ***M- de las Fuerzas Armadas–Revolucionarias*** 《*Cuba.*》 혁명군사장관. ***M- de Marina*** 《*Perú.*》 해군장관. ***M- de Minas e Hidrocarburos*** 《*Venez.*》 광산장관. ***M- de Minas y Petróleo*** 《*Bol.Col.*》 광산석유장관. ***M- de Minería*** 《*Chile.*》 광업장관. ***M- de Obras Públicas*** 공공사업장관. ***M- de Obras Públicas y Comunicación*** 《*Bol.*》 공공사업통신장관. ***M- de Obras Públicas y Comunicaciones*** 《*Parag.*》 공공사업통신장관. ***M- de Planificación y Coordinación*** 《*Bol.*》 기획조정장관. ***M- de Presidencia*** 《*Pan.*》 대통령부 장관. ***M- de Previsión Social y Trabajo*** 《*Ecuad.*》 노동후생장관. ***M- de Relaciones Exteriores*** 외무장관. ***M- de Relaciones Exteriores y Culto*** 외무종교장관. ***M- de Relaciones Interiores*** 《*Venez.*》 내무장관. ***M- de Salubridad Pública*** 《*CRica.Nicar.*》 보건장관, 공중위생장관. ***M- de Salud*** 《*Col.*》 후생장관. ***M- de Salud Pública*** 《*Chile.Cuba.Urug.*》 후생장관, 보건장관. ***M- de Salud Pública y Asistencia Social*** 《*Guat.Perú.Salv.*》 후생보건사회복지장관. ***M- de Salud Pública y Bienestar Social*** 《*Parag.*》 후생사회복지장관. ***M- de Secretario General*** 《*Bol.*》 내각총무장관. ***M- de Tierra y Colonización*** 《*Chile.*》 토지식민장관. ***M- de Trabajo*** 《*Col.Cuba.Nicar.Venez.*》 노동장관. ***M- de Trabajo Previsión Social y Salud Pública*** 《*Pan.*》 노동후생보건장관. ***M- de Trabajo y Asuntos Indígenas*** 《*Perú.*》 노동원주민장관. ***M- de Trabajo y Bienestar Social*** 《*CRica.*》 노동사회복지장관. ***M- de Trabajo y Previsión Social*** 《*Chile.Guat.Salv.*》 노동후생장관, 노동사회보장장관. ***M- de Trabajo y Seguridad Social*** 《*Bol.Urug.*》 노동사회보장장관. ***M- de Transporte, Comunicación y Turismo*** 《*Urug.*》 운수통

신관광장관. *M- de Transportes* 《*CRica.Cuba.*》 운수장관. *M- de(l) Interior* 내무장관. *primer* ~ 국무총리, 수상. ~ *sin cartera* 무임소장관.
mino *interj.* 고양이를 부르는 소리.
mino, na *m.f.* 《*Arg.*》【은어】 애인.
min.º ministro 공사, 장관.
minoración *f.* 감소, 감축(aminoración).
minorar *tr.* 줄이다, 축소하다, 감소하다 (disminuir, reducir, rebajar) : ~ una cantidad. Contr. aumentar, agrandar.
minorativo, va *adj.* 감소의 ; 완하의. —*m.* 완하제 《변비약》.
minoría *f.* ① 소수 : La proposición tuvo trece votos de ~ 그 제안은 13표라는 소수였다. ② 소수파·당 : Habló en nombre de la ~ 그는 소수파를 대표하여 발언했다. ③ 소수 민족 : diputados de la ~ 소수 민족 대표. ④ 미성년(menoría, menor edad).
minoridad *f.* 미성년(minoría).
minorista *m.* 하급 성직자. —*adj.* 소매의. —*m.f.* 소매 상인·업자.
minorita *m.* 성 프란체스코회의 승려.
minoritario, ria *adj.* 소수파의, 소수당의 ; 소수 민족파의. Contr. mayoritario.
Minos *m.* 【신화】 Zeus와 Europa와의 아들, Creta 왕으로 법을 제정한 사람.
Minotauro *m.* 【희랍 신화】 미노따우로 《사람의 몸에 소의 머리를 한 괴물》.
minstral *adj.m.* =**mistral.**
mint- → **mentir** 53.
minta- → **mentir** 53.
mintie- →**mentir** 53.
mintiendo mentir의 현재 분사.
mintiera mentir의 접·불완료과거·1·3·단수.
mintieran mentir의 접·불완료과거·3·복수.
mintieron mentir의 직·부정과거·3·복수.
mintió mentir의 직·부정과거·3·단수.
minucia *f.* [*lat.* minutia] 작은 일, 사소한 일 (menudencia, pequeñez). —*pl.* (성탄에 바친) 햇이삭.
minuciosamente *adv.* 상세히, 자상하게.
minuciosidad *f.* 면밀, 상세 : con ~ .
minucioso, sa *adj.* 자상한, 상세한, 면밀한.
minué *m.* [*fr.* menuet] 【음악】 미뉴에, 미뉴에트 : El ~ estuvo de moda en el siglo dieciocho.
minuendo *m.* [*lat.* minuendus] 【수학】 피감수 (被減數).
minueta *f.* 《*Gal.*》 낚싯배.
minuete *m.* =**minué.**
minúscula *f.* [*lat.* minuscula]【문법】 소문자(小文字)(letra ~). Contr. mayúscula.
minúsculo, la *adj.* 《*Neol.*》 작은, 조그마한, 소형의(pequeño).
minuta *f.* [*lat* minuta] ① 초고, 초안. ② 각서, 메모 : libro de ~ 메모장, 비망록, 회의록, 의사록. ③ 메뉴(menú). ④ 명부, 표(lista). ⑤ 재산목록. ⑥ (변호사 등의) 계산서, 청구서. ⑦ 《*Chile.*》 구멍가게.
minutar *tr.* 초안·초고를 작성하다 (hacer la minuta o borrador).
minutario *m.* 공증인의 메모장·기록부.
minutero *m.* (시계의) 분침.
minutisa *f.* 【식물】 패랭이꽃의 일종.
minuto, ta *adj.* [*lat.* minutus] 작은, 세밀한 (menudo). —*m.* (시간·각도의) 분(分).
miñangos *m.pl.* 《*Bol. Riopl.*》 작은 조각(pedazo pequeño).
miñaque *m.* 《*Chile.*》 레이스 장식.
miñardí *m.* 《*Chile.*》 =**randa.**
miñarse *r.* 【은어】 =**irse, marcharse, largarse.**
miñato *m.* 《*Gal.*》 【조류】 =**milano.**
miñón[1] *m.* 《*Vizc.*》 광재(鑛滓).
miñón[2] *m.* [*fr.* mignon] 가볍게 입은 보병.
miñona *f.* 7포인트 활자.
miñoquear *intr.* 《*Col.*》 눈으로 신호하다, 눈짓하다.
miñosa *f.* 【동물】 지렁이(lombriz).
mio *interj.* =**mino.**
mío, a *pron.* [yo의 소유격 ; 명사의 뒤에 붙으며 또 독립할 수 있음 ; 관사를 붙이면 소유 대명사] ① 나의 : Esta casa es *mía* 이 집은 나의 것이다. una casa *mía* 나의 집. un amigo ~ 나의 한 친구. las casas *mías* 내 집들. los amigos *míos* 내 친구들. ② 나의 것 : Ganaré vuestro sustento y *el* ~ con mi trabajo 내 벌이로 너희들의 밥값과 내것을 벌어 내겠다. ③ [lo + ~ =중성] *lo* ~ 나의 것. Estoy contento con *lo* ~ 나는 내것으로 만족하고 있다.
a mía sobre tuya 서둘러.
Esta es la mía 지금이 좋은 기회다.
miocardio *m.* 【해부】 심근 (parte musculosa del corazón).
miocarditis *f.* 【의학】 심근염(心筋炎) (inflamación del miocardio).
mioceno, na *adj.* 【지질】 제삼기 중신세(中新世)의. —*m.* 제3기 중신세.
miodinia *f.* 【의학】 근(육)통 (dolor en los músculos). ② 류머티즈(reumatismo).
miografía *f.* 근육지(誌), 근육론(論).
miógrafo *m.* 근육 위축 조사기.
miolema *m.* ①【해부】 근낭(筋囊). ② =**sarcolema.**
miología *f.* 근육학.
mioma *m.* 【의학】 근종(筋腫) (tumor de la tejido muscular).
miomío *m.* 《*Riopl.*》 【식물】 미오미오 《가지과에 속하는 유독 식물》.
mioncillo *m.* 《*Chile.*》 (동물의) 사타구니 살.
miope *adj.* 근시안의. —*m.f.* 근시의 사람.
miopía *f.* 【병리】 근시, 근시안, 바투보기눈 : La ~ se corrige con cristales bicóncavos 근시안은 양쪽이 오목한 유리로 교정된다.
miosis *f.* 【병리】 동공 축소, 축동증(縮瞳症).
miosota *f* =**raspilla.**
miosotis *m.* =**miosota.**
Miq. Miqueas.
miquear *intr.* ① 《*Col.*》 장난치다. ② 《*Guat.*》 히히덕거리다.
Miqueas *m.* ① 【성서】 미가 《기원전 8세기의 유대의 예언자》. ② 【성서】 미가서.
miquelete *m.* 총잡이.
miquichón *m.* 《*Arg.*》 =**soldado raso.**
miquilo *m.* 《*Arg. Bol.*》 【동물】 수달(nutria).
miquillo, lla *m.f.* *desp.* 《*PRico.*》 =**chiquillo.**
miquis (con) *adv.* 【속어】 =**conmigo.**

mira *f.* ① 보는 일, 주시. ② 목표 (fin) : de altas ~*s* 포부가 큰. ③ 의도, 의사, 의향, 소망, 저의 (intención) : con ~*s* interesadas 관심을 가지고. ④ 전망 : una guerra que lleva ~*s* de prolongarse 장기화할 전망이 보이는 전쟁. ⑤ 조준. ⑥ (옛날의) 망루.
con ~s a …의 생각으로(con la idea de).
a la ~ y a la maravilla 놀랍도록 뛰어나.
andar·estar·quedar a la ~ de …을 주시·감시하고 있다 (observar) : Ya *estoy a la ~ de* que él no se extravíe.
poner la ~ en …을 택하다.
tener ~s sobre …에 희망을 걸다.

mirabel *m.* [*fr.* mirabelle] ①【식물】명아주의 일종. ② 바보, 멍청이(tonto, bobo).

mirabolano(s) *m.*【식물】카리로크 나무·열매 (mirobálano(s)).

miracanto *m.*【식물】=**cardo corredor.**

mirada *f.* ① 보는 일. ② 시선 : levantar la ~ 시선을 들다. ③ 눈초리, 보는 방향.

miradero *m.* ① 주시의 대상 : La guerra es hoy el ~ de todo el país. ② 조망대, 전망대, 감시소.

mirado, da *adj.* [mirar의 *p.p.*]① [muy·tan·más·menos +] 조심성스러운, 신중한(circunspecto) : ser muy ~. ② [bien·mal·mejor·peor + : 선의로·악의로] 해석된, 생각된 ; 존경받은·미움받은 : No ha sido *mal ~da* su conducta.
bien ~ 곰곰이 생각해 보면.

mirador, ra *adj.* 보는, 전망하는. —*m.* 망루, 전망대 ; 전망실.

miradura *f.* =**mirada.**

miraglo *m.*【고어】=**milagro.**

miraguano *m.*【식물】=**palmera.**

miraje *m.*《*Galic.*》신기루 ; 환영(espejismo).

miramamolín *m.* 회교도 사이에서 왕에 대한 경칭 ; 회교왕.

miramelindos *m.*【단·복수 동형】【식물】봉선화(balsamina).

miramiento *m.* ① 생각, 보는 방식. ② 고려, 신중(recelo). ③ 정중, 경의(respeto).

miranda *f.* 전망대(sitio elevado).

mirandés, sa *adj.* 미란다《Miranda de Arga, Navarra 주의 마을 ; Miranda de Ebro, Burgos 주의 마을》의 (사람).

mirante *adj.* 보는, 바라보는(que mira).

mirar *tr. intr.* [*lat.* mirari] ① 보다, 바라보다, 시선을 향하다 : *Mira* la lejanía·*a* lo lejos 먼곳을 바라본다. ② 지켜보다, 주시하다, 주의를 기울이다 (observar). ③ 생각하다(pensar, considerar) : *Mira* lo que haces 자신이 하는 일을 생각해 보라. Sólo *mira a* su provecho 그는 자신의 이익만을 생각한다. ④ (존경하는 마음으로) 보다 : Le *miran* como un sabio 학자로서 그를 존경한다. ⑤ [bien·mal ; con buenos·malos ojos + : …에게] 호의·증오를 품다. ⑥ [+por : …에] 마음을 쓰다, 돌보다 (cuidar) : *Mira por* los pobres 가난한 사람들을 돌봐 주어라.
—*intr.* 향해 있다 : Mi balcón *miraba a*l mar 나의 발코니는 바다를 향해 있었다. ⑧ 관계가 있다 (atañer) : lo que *mira a* nuestros intereses 우리의 이해에 관계되는 것.
—*interj.* 보세요《알리거나 위협할 때의 감탄사》.
~se ① 서로를 바라보다, 서로 얼굴을 마주보다 : Los dos *se miraban* uno a otro 두 사람은 얼굴을 마주보고 있었다. ② 스스로 돌아보다, 자신의 분수를·신분을 반성하다 : Cervantes vuelve los ojos hacia atrás y *se mira* a sí mismo 세르반떼스는 눈을 뒤로 돌려서 스스로를 반성해 보았다. ③ [~ + en : …을] 보다 : *Me miraba en* el espejo 나는 거울을 보고 있었다. *Mírate en* tu hermano 형을 본받아라. ④ 이것저것 재다, 주저하다.
~ de hito en hito 찬찬히 뜯어·들여다보다.
~(se) en ello 반성하다.
~ en menos《*Arg. Chile.*》얕보다.
~ por encima 대충 훑어보다.
~ por encima del hombro 업신여기다, 깔보다, 얕잡아 보다.

mirasol *m.* ①【식물】해바라기(girasol). ②《*Bol.*》=**garza.**

miria- *pref.* [*gr.* murias]「1만」을 뜻하는 접두어(接頭語) : *miriá*metro.

miríada *f.* 무수, 많음 (número grande e indeterminado) : ~*s de* estrellas.

miriagramo *m.* 1만 그램.

mirialitro *m.* 1만 리터.

miriámetro *m.* 1만 미터.

miriápodo *adj.m.* =**miriópodo.**

mirica *f.*【식물】향기로운 외떡잎류 식물의 일종.

miricáceas *f.pl.*【식물】외떡잎류과 식물.

mirificar *tr.* [드뭄] 놀라게 하다.

mirífico, ca *adj.*【시어】놀라운, 불가사의한, 믿기 어려운, 기묘한 ; 굉장한(maravilloso).

mirilla *f.* ① 눈금 읽는 구멍 ; 밖을 보기 위한 창문. ② (카메라의) 파인더. ③ (측량기의) 겨냥판.

mirín *m.*《*Arg.*》작은 벌 (abeja)의 일종.

miriñaque *m.* ① 스커트의 일종. ② 싸구려 장신구. ③《*Arg.*》(기차·자동차 앞의) 장해물 제거 장치. ④《*Cuba.*》올이 벤 무명베. ⑤《*Venez.*》속임수.

miriópodo *adj.m.*【동물】다족류(多足類)(의) : El ciempiés es un ~ 지네는 다족류이다.

miriquiná *m.*《*Arg. Parag.*》작은 원숭이의 일종.

mirística *f.*【식물】육두구나무.

mirla *f.* ① =**mirlo.** ②【은어】귀.

mirlamiento *m.* 거드름피우기.

mirlarse *r.* 거드름피우다, 점잔 빼다.

mirlitón *m.* 판지로 만든 관, 어린애의 피리의 일종.

mirlo *m.* ①【조류】구관조 : El ~ se domestica con facilidad. ② 중대성. ③ 점잔 빼기.
achantar el ~ 조용히 하다(callar).
soltar el ~ 노닥거리기 시작하다.

mirmidón *m.* 난쟁이(hombre muy pequeño).
Sinón. enano, liliputiense.

mirobálano(s) *m.*【식물】카리로크 나무·열매.

mirobrigense *adj.m.f.* 미로브리가《Miróbriga ; 옛 도시 ; 현재의 Ciudad Rodrigo》의 (사람).

mirón, na *adj.* 자꾸 보고 싶어하는 ; 구경만 하

는. —*m.f.* 보고 싶은 사람 ; 구경꾼 ; 야유하는 사람.
mirotón *m.* 《*Chile.*》 흘긋 보기(mirada rápida).
mirra *f.* [*lat.* myrrha] ①【식물】 미르라, 몰약(沒藥). ②《*Venez.*》 쪼가리(pizca).
mirrado, da *adj.* 몰약이 함유된.
mirranga *f.* 《*Col.*》 쪼가리(pedazo pequeño).
mirria *f.* 《*Méx.*》 쪼가리(migajón).
mirringa *f.* 《*Cuba.*》 =**mirranga.**
mirringo, ga *m.f.* 《*Col.*》 어린이, 꼬마(chico).
mirrino, na *adj.* 몰약(mirra)의 ; 몰약 같은.
mirriñaca *f.* 《*Col.*》 =**mirria, pizca.**
mirruña *f.* 《*AmérC. Méx.*》 쪼가리(pedacillo).
mirrusca *f.* 《*AmérC.*》 쪼가리(pedacillo).
mirtáceo, a *adj.* 【식물】 도금양·도금양과의. —*f.pl.* 도금양과 식물.
mirtídano *m.* ① 도금양(mirto)의 싹·어린 나무. ② 도금양의 장과로 만든 포도주.
mirtiforme *adj.* 도금양 잎 모양의.
mirtilo *m.* 【식물】 복숭아의 일종.
mirtillo *m.* 【식물】 =**mirtilo.**
mirtino, na *adj.* 도금양(mirto)의.
mirto *m.* 【식물】 도금양(arrayán).
miruella *f.* 《*Ast. Sant.*》【조류】 =**mirla.**
miruello *m.* 《*Ast. Sant.*》【조류】 =**mirlo.**
mirza *m.* (페르시아에서) 경칭어(señor).
mis- *pref.* =**miso-.**
misa *f.* [*lat.* missa] ① 카톨릭 예배식, 미사 : La ~ es la principal ceremonia del culto católico. ② 성찬식 ; 미사 찬가. ③ 뻬세따(peseta).
~ *cantada* 노래가 있는 미사. ~ *de cuerpo presente* 관전제(棺前祭). ~ *de difuntos* 진혼제. ~ *del gallo* 성탄절 자정 미사. ~ *de los cazadores* 새벽 미사. ~ *de réquiem* 진혼제. ~ *mayor* 대미사. ~ *nueva* (사제의) 첫 미사. ~ *privada·rezada* 노래가 없는 기도 미사. ~ *solemne* 장엄 미사.
como en ~ 물을 끼얹은 듯이 조용히.
cantar ~ (신임 사제가) 첫 미사를 봉행하다.
de ~ *y olla* 부엌일을 맡아보는 승려.
decir ~ 미사를 집전하다.
no saber de la ~ *la media* 아무 것도 모르고 있다 ; 알릴 수가 없다.
ofrecer la ~ 미사를 드리다.
oir ~ 미사를 보다.
Allá se (te) lo dirán de ~*s* 언젠가는 앙갚음을 해 주겠다.
misacantano *m.* ① 미사를 보는 사제 ; 첫 미사의 사제. ② 수탉(gallo).
misal *adj.m.* 미사용의 (기도 문집).
misantropía *f.* 사람을 싫어함, 염세. Contr. filantropía.
misantrópico, ca *adj.* 사람을 싫어하는, 염세적인 : tener un carácter ~ 염세적인 성격을 가지다. —*m.f.* 사람을 싫어하는 사람.
misántropo *m.* 사람을 싫어하는 사람, 염세가. Contr. filántropo.
misar *intr.* ① 미사를 거행하다(decir misa). ② 미사에 참석하다(oir misa).
misario *m.* (미사 때 신부를 돕는) 부사제.
miscelánea *f.* ① 잡기, 수필 : ~ literaria. ② 잡다, 잡화.
misceláneo, a *adj.* 잡다한, 잡화의, 여러 가지의.
miscibilidad *f.* 혼화성(混和性).
miscible *adj.* 혼화되기 쉬운, 혼화할 수 있는 (mezclable).
miseá *f.* =**misia.**
miserabilísimo, ma *adj. sup.* miserable.
miserable *adj.* [*lat.* miserabilis] ① 불쌍한, 가련한, 불행한, 가엾은, 비참한 ; 매정한 : salario ~. ② 추접스러운, 비열한(vil) : conducta ~. ③ 인색한(mezquino, avariento) : mostrarse muy ~.
miserablemente *adv.* 가엾게, 처참하게, 비참하게 ; 인색하게.
miseración *f.* 연민, 동정(misericordia).
miseraico, ca *adj.* =**meseraico.**
míseramente *adv.* 가엾게, 비참하게.
miserando, da *adj.* 가엾은, 동정할 만한.
miserear *intr.* 비열하게 행동하다, 구차하게 굴다 ; 검소한 생활을 하다 ; 가난하게 살다.
miserere *m.* ①【성서】 나를 가엾이 여기소서. ②【의학】 토분병(吐糞病)(cólico ~).
miseria *f.* [*lat.* miseria] ① (정신적인) 고통, 비탄 ; 비참함, 궁상, 곤궁, 빈궁 : comerse de ~ 가난에 시달리다. ② 아주 적은 것(cosa pequeña) : Me dio una ~ . ③ 인색함(avaricia). ④ 이(piojo) : limpiar a la niña de ~ 어린아이의 이를 잡아주다. Contr. riqueza, felicidad, generosidad.
misericordia *f.* 자비심, 동정심, 자애심, 측은한 마음.
misericordiosamente *adv.* 인정 많게.
misericordioso, sa *adj.* 인정이 많은. Contr. despiadado.
miseriuca *f. dim. desp.* miseria.
misero, ra *adj.m.f.* 미사에 가는 것을 좋아하는 (사람) ; 연보만을 목적으로 하는 (사제).
mísero, ra *adj.* =**infeliz, miserable.**
misérrimo, ma *adj.* [*sup.* mísero] 매우 가엾은, 극도로 빈곤한, 한심하기 짝이 없는.
misho *adj.* 《*Arg.*》 =**pobre.**
¡misi! *interj.* 《*And. Amér.*》 =**miz.**
misia *f.* 《*Amér.*》 마님, 아주머니.
misiá *m.* =**misia.**
misil *m.* 미사일(proyectil) : ~*es* tierra-aire 지대공 미사일. ~*es* aire-aire 공대공 미사일.
mísil *m.* =**misil.**
misile *m.* =**misil.**
misinguino, na *adj.* 《*Sal.*》 =**mesingo.**
misión *f.* [*lat.* missio, onis] ① 파견(단), 대표(단), 사절(단) : ~ comercial 통상 사절단. ~ diplomática 외교 사절단. ~ económica 경제 사절단. ② 임무, 사명. ③ 포교, 전도. ④ 전도단. ⑤ 설교 : asistir a la ~. ⑥ 포교 구역, 전도 구역 : ir a ~*es.* ⑦ (보리 베는 사람에게 주는) 도시락.
M- Conjunta de Programación para Centroamérica 중미 계획 합동 위원회.
misional *adj.* misión·misionero의.
misionar *intr.* 전도·포교·설교를 하다.
misionario *m.* ① 포교사, 전도사(misionero). ② 사절, 사절 단원.
misionero, ra *m.f.* 포교사, 설교사, 전도승. —*adj.* 미시오네스 《Misiones, 브라질과 빠라구

아이의 국경에 있는 Argentina의 한 주 ; 수도 Posadas》의. —*m.f.* 미시오네스 사람.
misiva *f.* 서간, 편지(carta).
misivo, va *adj.* 편지의, 전갈의 : carta ~*va.*
mismamente *adv.* [구어(口語)적] 아주 똑같이, 그야말로(cabalmente).
mismas *m.f.* 《*Galic.*》 친한 친구.
mismísimo, ma *adj. sup.* mismo.
mismito, ta *adj. dim.* mismo.
mismo, ma *adj.* ① 같은, 동일한, 마찬가지의 : Tenemos la *misma* edad 우리 동갑이군. José tiene la *misma* edad *que* Ana 호세는 아나와 동갑이다. Soy de la *misma* opinión *que* usted 당신과 의견이 같다. ② [부정 관사와 함께] 같은 정도의 : Eran mozos de *una misma* edad 그들은 같은 또래의 젊은이들이었다. ③ [강조] 바로, 그, 그 같은 : la *misma* reina 그 여왕 조차도. el ~ libro 바로 그 책. ④ [명사 뒤에서] 자신, 몸소 : El presidente ~ lo esperaba 대통령께서 몸소 출영하셨다. ⑤ [대명사 뒤에서 강조] 자기 자신, 스스로 : Ha venido *él* ~ 그 사람 스스로 왔다. Me avergüenzo de mí *misma* 내 자신이 부끄럽다. ⑥ [부사 뒤에서 강조] 바로, 곧, 당장 : Aquí ~ te espero 바로 이곳에서 너를 기다린다. ahora ~ 지금 곧. hoy ~ 오늘 당장. mañana ~ 내일 당장. ⑦ 《*Col.*》 [명사 뒤에서] 완전 무결한 (cabal), 순수한 (puro).
—*pron.* [관사와 함께] 동일한 것·일 ; 동일인, 동일한 인물 : Este hombre es el ~ 이 남자는 동일 인물이다.
lo ~ 같은 일 : *Lo* ~ da 결과는 마찬가지야, 상관없다.
lo ~ *que* …과 같은·동일한 것 : Esta respuesta es *lo* ~ *que* negarlo 그 대답은 거절하는 것이나 마찬가지다.
lo ~ …*que* 혹은… 또 혹은… (así … como).
así ~ 마찬가지로.
a un ~ *tiempo* 단번에, 한번에, 한꺼번에.
al ~ *tiempo* 동시에(a la vez.)
por lo ~ 그래서, 그러기에.
estar en las mismas 어떤 변화도 일어나지 않았다.
volver a las mismas 전과 같은 실수를 하다.
miso[1] *adj.* 《*Arg. Bol.*》 ① 비참한(miserable). ② 빈곤한, 가난한(pobre). ③ 가엾은, 불쌍한. ④ 《*Ecuad.*》 mismo의 사투리.
miso[2] *m.* =**micho.**
miso- *pref.* 「증오」「혐오」를 나타내는 접두어.
misógamo, ma *adj.* 결혼을 싫어하는.
misoginia *f.* 여자를 싫어함.
misógino *adj.m.* 여자를 싫어하는 (남자).
misoneísmo *m.* 유행 배격주의, 새것을 싫어함, 보수주의.
misoneísta *adj.m.f.* 새것을 싫어하는, 보수적인 (사람).
mispacle *m.* 【식물】(멕시코의) 현삼과 식물.
míspero *m.* 《*Ál. Burg. Logr.*》 =**níspero.**
mispíckel *m.* =**mispíquel.**
mispíquel *m.* 【광물】 함비, 황철광.
miss *f. ing.* =**señorita.**
missile *m.* =**misil.**
mistagógico, ca *adj.* 비법을 전수하는.
mistagogo *m.* 비법 전수승.
mistamente *adv.* =**mixtamente.**
mistao *m.* 《*PRico.*》 혼합주.
mistar *intr.* 중얼거리다(musitar).
sin chistar ni ~ 싫다 좋다 한마디 없이.
mistela *f.* ① 달콤한 술(vino muy dulce). ② 《*Méx.*》 향긋한 소주의 일종.
míster *m.* [*ing.* mister] =**caballero.**
misterio *m.* [*lat.* mysterium] ① 신비, 비밀 (secreto) : obrar con ~ . ② 비결 ; 비법 ; 비전. ③【카톨릭】 성적, 비적(秘跡) ; 종교극, 비적극. —*pl.* ① (고대 비기독교의) 비법. ② 《*Méx.*》 (무도회 등에서의) 한번 춤추기.
misteriosamente *adv.* 신비스럽게, 이상야릇하게 ; 까닭이 있는 듯이.
misterioso, sa *adj.* 신비로운, 신비적인, 불가사의한 ; 수상쩍은 ; 까닭이 있는 듯한.
mística *f.* 신비설, 신비교.
místicamente *adv.* 신비스럽게 ; 비법으로.
misticismo *m.* [*lat.* mysticus] ① 신비교. ② 【종교·철학】 신비설 (mística) ; 신비주의. ③ 신비, 현묘.
místico *m.* [*ár.* moçátah] (지중해의) 범선.
místico, ca *adj.* [*lat.* mysticus] ① 비법의, 비전의. ② 신비적인, 영감적·의. ③ 정신적인. ④ 종교 문학의. ⑤ 믿음이 깊은. ⑥ 《*Arg. Col. Ecuad.*》 =**remilgado.** —*m.f.* 신비가, 신비론자, 종교 문학자.
misticón, na *adj.m.f.* 신앙심이 깊은 척하는 (사람).
mistificación *f.* 《*Galic.*》 속임수, 눈속임 (mixtificación) ; 위조.
mistificador, ra *adj.m.f.* 속이는 (사람) ; 위조하는 (사람).
mistificar *tr.* ⑦ 《*Galic.*》 속이다(mixtificar) ; 위조하다.
mistifori, misti fori *m.* =**mixtifori.**
mistilíneo, a *adj.* =**mixtilíneo.**
mistión *f.* =**mixtión.**
mistiquería *f.* 《*PRico.*》 =**melindre, gazmoñería.**
misto, ta *adj.* =**mixto.**
mistó (de) *adj.* =**excelente.**
mistol *m.* 《*Arg.*》【식물】 대추나무(azufaito).
mistongo, ga *adj.* 《*Arg. Chile.*》 =**pobre.**
mistonguería *f.* 《*Arg.*》 무가치한 일.
mistral *m.* (지중해의) 북서풍.
mistress *f. ing.* =**señora.**
mistura *f.* ① =**mixtura.** ② 《*Bol.*》 꽃다발.
misturar *tr.* 혼합하다(mixturar).
misturera *f.* 《*Perú.*》 꽃 파는 여자(mixturera).
misturero, ra *adj.m.f.* =**mixturero.**
mita *f.* 《*Chile. Perú.*》 강제 노역(trabajo forzado). ② 《*Arg. Chile.*》 (순번의) 차례(vez, turno). ③ 《*Arg.*》 열차로 수송된 목축의 떼. ④ 《*Bol.*》 코카잎의 수확 (cosecha de la hoja de coca). ⑤ 《*Perú.*》 원주민에게 물리는 조세.
mitaca *f.* 《*Bol. Col.*》 수확(cosecha).
mitad *f.* ① 반, 절반, 2분의 1 : partir un pan por la ~ 빵을 반으로 자르다. ~ y ~ 절반씩. ② 중간(medio) : llegar a la ~ del camino. ③ 배우자(consorte) : mi cara ~ 나의 동반자 ; 남편, 아내. ④ 대부분(la mayor parte) : La ~ del tiempo no está en su casa 그는 대부분의 시

간에 집에 없다. —*adv.* 부분적으로, 일부로(en parte) : ~ hombre, ~ animal.
cuenta y ~, *cuenta a* ~ 【상업】 공동 계산, 조합 계정 ; 공동 계정 구좌.
partir por la ~ ①반으로 자르다. ② 괴롭히다 (molestar).
poner a uno *en la* ~ *del arroyo* 괴롭히는 사람을 따돌리다.

mitán *m.* 안감 천의 일종.

mitayo *m.* 《*AmérM.*》 ① 강제 노동(mita)에서 일했던 인디오. ② 《*Perú.*》 수렵.

mitero *m.* 《*Arg.*》 =**mitayo.**

mítico, ca *adj.* 신화의 ; 신화적인 : el período ~ de Grecia.

mitigación *f.* 완화, 진정 ; (형벌 따위의) 경감.

mitigadamente *adv.* 가라앉혀, 진정시켜, 달래.

mitigador, ra *adj.m.f.* 완화시키는 (사람).

mitigante *adj.m.f.* =**mitigador.**

mitigar *tr.* [*lat.* mitigare] ⑧ 완화하다, 누그러뜨리다, 달래다, 진정시키다, 경감하다, 가라앉히다 (suavizar, calmar, moderar) : ~ un dolor 통증을 가라앉히다.

mitigativo, va *adj.* 완화시키는, 진정하는.

mitigatorio, ria *adj.* =**mitigativo.**

mitimaes *m.pl.* 《*Perú.*》 ① 인디오의 식민지. ② (서반아에 협조한) 인디오.

mitin *m.* [*ing.* meeting] [*pl.* mítines] 모임, 회합, 집합, 회 ; 군중 집회, 성토 대회 ; 토론회 : dar *mítines* 토론회를 개최하다.

mitinear *intr.* 회의·집회를 열다 ; 토의하다.

mitinguear *f.* 《*PRico.*》 =**mitinear.**

mitiquería *f.* 《*Chile.*》 =**mistiquería.**

mitiquero, ra *adj.* 《*Arg.*》 =**melindroso.**

mito[1] *m.* [*gr.* muthos] ① 신화. ② 전설, 꾸민 이야기. ③ 어리석은 신앙.

mito[2] *m.* 《*Arg.*》 메뚜기콩 (algarrobos)의 수지 (resina).

mitografía *f.* 신화학.

mitógrafo, fa *m.f.* 신화 학자, 신화 작가.

mitología *f.* ① 신화학, 신화. ② [집합] 신화. ③ 신화집.

mitológico, ca *adj.* 신화의, 신화학의, 신화적인 ; 꾸민 이야기의, 가공의(fabuloso) : relatos ~*s* 가공의 이야기. —*m.f.* 신화 학자.

mitologista *m.f.* 신화 학자, 신화 작가.

mitólogo, ga *m.f.* [*gr.* muthologos] =**mitologista.**

mitomanía *f.* 거짓말광(manía de la mentira).

mitómano, na *adj.* 거짓말 잘하는.

mitón *m.* 벙어리 장갑 (guante de punto sin dedos).

mitosis *f.* 【생물】 (세포핵의) 유사 분열.

mitote *m.* [*mej.* migotl] ① 인디오 춤의 일종. ② 《*Amér.*》 집안 파티. ③ 소란. ④ 애교, 아양, 교태.

mitotear *intr.* 《*Méx.*》 장난치다.

mitotero, ra *adj.m.f.* 《*Amér.*》 ① =**melindroso.** ② 떠들썩하기를 좋아하는. ③ 《*Méx.*》 장난꾸러기(의).

mitra *f.* ① (페르시아의) 고깔 모자의 일종. ② 주교 등의 관. ③ 사교의 지위.

mitrado, da *adj.m.f.* [mitrar의 *p.p.*] mitra의 직위에 있는 (사람).

mitral *adj.* mitra 모양의.
válvula ~ 승모판(僧帽瓣) 《염통의 좌심방과 좌심실 사이에 있는 판막(瓣膜)》.

mitrar *intr.* 주교가 되다.

mitridatismo *m.* 면독성(免毒性), 면독 요법.

mitridatizar *tr.* 독을 없애다.

mitridato *m.* 해독약.

mitriforme *adj.* mitra 모양의.

mitú *m.* 《*Arg.*》 =**paují.**

mítulo *m.* 새조개(mejillón).

miura *m.* ①【동물】 미우라 소 《투우용》. ② 심술쟁이(persona de mala intención) : ser un ~.

mixomatosis *f.* 토끼로부터 감염된 병 (enfermedad infecciosa del conejo).

mixtamente *adv.* 사람의 심리와 신의 섭리에 관하여.

mixtela *f.* =**mistela.**

mixtificación *f.* =**engaño, broma.**

mixtificar *tr.* ⑦ =**mistificar, engañar.**

mixtifori *adv.* ① 종교법(宗敎法)과 민법의 혼합으로 (죄). ② 판단과 구별할 수 없이. —*m.* 뒤섞음, 혼합(embrollo, mezcolanza).

mixti fori *adv.* =**mixtifori.**

mixtilíneo, a *adj.* 잡선각(雜線角)의.

mixtión *f.* [*lat.* mixtio] ① 혼합(mezcla). ② =**púrpura.**

mixto, ta *adj.* [*lat.* mixtura] ① 혼합의, 혼성의. ② 남녀 혼합의 ; 남녀 공학의 : escuela *mixta* 남녀 공학 학교. ③ 교배된, 잡종의. ④ 혼혈의(mestizo). **Contr.** puro. ⑤【음악】 혼성의. —*m.* 혼합, 혼성 ; 혼합물 ; 잡종 ; 납성냥 ; 혼합화약 ; 혼성 열차(tren ~).

mixtura *f.* ① 혼합, 혼성. ② 혼합물, 합성품. ③ 혼합약 : ~ farmacéutica. ④ 《*Bol. Perú.*》 증정하는 꽃.

mixturar *tr.* 섞다, 혼합하다(mezclar).

mixturera *f.* 《*Perú.*》 꽃 파는 여자(ramilletera).

mixturero, ra *adj.* 섞는. —*m.f.* 혼합하는 사람.

¡miz! *interj.* 고양이를 부르는 소리.

miza *f.* 【속어】 =**micha.**

mizcal *m.* (모로코에서) 동전(metical).

mízcalo *m.* 【식물】 젖꼬리버섯.

mizo, za *adj.* 【은어】 한 손이 없는 ; 외팔이의. —*m.f.* 고양이(gato).

mizque *m.* 《*Arg. Perú.*》 귀리로 만든 알코올 (alcohol de avena).

miztacuaz *m.* 《*Salv.*》 =**coendú.**

miztli *m.* 《*Salv.*》 =**puma.**

ml. mililitro(s).

m/l, m/L. mi letra.

mm. milímetro(s).

m/m. mi muestra ; más o menos.

Mm. miriámetro(s).

Mn. manganeso.

m/n. mi nota ; moneda nacional 통화.

mnémico, ca *adj.* 기억의.

mnemónica *f.* =**nemotecnia.**

mnemónico, ca *adj.* =**mnemotécnico.**

Mnemosinaica *f.* 【희랍 신화】 기억의 신.

mnemotecnia *f.* 기억술(nemotecnia).

mnemotécnica *f.* 기억술(nemotécnica).

mnemotécnico, ca *adj.* 기억술의 ; 기억을 돕는(nemotécnico).
MNR Movimiento Nacional Revolucionario 민족 혁명 운동(당).
Mo. molibdeno.
m/o mi orden ; más o menos.
moa *f.* 【은어】 =**moneda.**
moabita *adj.* 모아브 《Moab, 사해의 동방 시리아의 옛 왕국》의. —*m.f.* 모아브 사람.
moaré *m.* =**muaré.**
mobiliario, ria *adj.* ① 이동성의. ② 동산의(mueble) : bienes ~*s* 동산. ③ 이양할 수 있는. —*m.* ① 유가 증권. ② 《*Neol.*》 집기, 가구(moblaje) : un ~ de nogal 호두나무로 만든 기구.
~ *de negocio* 업무용 비품. ~ *e instalaciones* 비품, 집기, 가구. ~ *y equipo* 가구 집기.
moblaje *m.* [집합] 가구류.
moblar *tr.* 24 (…에) 가구를 비치하다 · 마련해 넣다(amueblar).
moble *adj.* [드뭄] 움직이는(móvil).
moca *f.* ① 《*Ecuad.*》 늪. ② 《*Méx.*》 술잔. —*m.* 모까 커피(moka).
mocador *m.* 손수건, 콧수건(moquero).
mocano, na *adj.m.f.* 모까 《Moca, 도미니까 공화국의 도시》의 (사람).
mocante *m.* 【은어】 =**mocador.**
mocarse *r.* 7 코를 풀다(sonar las narices).
mocárabe *m.* =**almocárabe.**
mocarra *m.f.* 코흘리개.
mocarrera *f.* 많은 콧물(moco abundante).
mocarro *m.* 콧물(moco).
mocasín *m.* (북미 인디언이 사용한) 신발.
mocasina *f.* =**mocasín.**
mocato *adj.* 《*SDgo.*》 썩은, 낡은.
mocear *intr.* 젊은 혈기에만 의지하다 ; 주색에 빠지다, 여색에 빠지다, 난봉부리다, 허랑방탕한 짓을 하다.
mocedad *f.* 젊은이, 청년 ; 젊은이들 ; 젊은이다운 행동 ; 음탕.
mocejón *m.* 《*Sant.*》 【조개】 새조개(mejillón).
moceril *adj.* =**juvenil.**
mocerío *m.* 젊은이들.
mocero *adj.* 음탕한. —*m.* 엽색가.
mocete *m.* 《*Ar. Riopl.*》 =**mozalbete.**
mocetón, na *m.f.* 《*Urug.*》 건장한 젊은이.
mocezuelo *m.* 《*AmérC. Méx. Venez.*》 갓난아기의 경기.
mocha *f.* ① [드뭄] (머리를 숙여서 하는) 절. ② 《*Col.*》 머리(cabeza). ③ 《*Cuba.*》 =**machete barrigón.**
hacerse gata ~ 《*Méx.*》 앙큼을 떨다.
llegar hecha la ~ 풀이 죽어 돌아오다.
mochada *f.* ① 박치기(cabezazo). ② 뿔로 받는 일.
mochales *adj.* 홀딱 반한, 푹 빠진 (locamente enamorado).
mochar *tr.* ① 박치기를 시키다. ② [드뭄] 목을 자르다. ③ 《*Arg.*》 훔쳐 가지다. ④ 《*Col.*》 (손 · 발을) 절단하다(amputar) : Le *mocharon* un brazo. ⑤ 《*Perú.*》 난도질하다.
mochazo *m.* 개머리판으로 때리기.
moche *m.* =**troche.**
mochehó *adj.* 《*Bol. Col.*》 푸르죽죽한 ; 사색(死色)의.
mocheta *f.* ① (도끼 · 괭이 등의) 머리. ② 【수학】 내각(內角). ③ (창틀의) 사개.
mochete *m.* 【조류】 황조롱이(cernícalo).
mochil *m.* 농장의 심부름하는 소년.
mochila *f.* [*lat.* mutila] ① 배낭, 짊어지는 가방. ② 《*Méx.*》 가방(maleta).
mochilera *f* =**zarigüeya.**
mochilero *m.* ① 배낭족 ; (옛날의) 배낭병(兵). ② 《*Col.*》 =**gulumgo.**
mochilón, na *adj.* =**pesadote.**
mochillero *m.* =**mochilero.**
mochín *m.* 사형 집행인(verdugo).
mocho, cha *adj.* [*lat.* mutilus] ① 뿔이 없는(sin cuernos). ② 머리가 없는 : torre *mocha.* ③ 벗겨진(pelado). ④ 《*Amér.*》 불구가 된. ⑤ 여윈 말의(rocín). ⑥ 《*Chile.*》 *desp.* 하급의 (승려). ⑦ 《*Méx.*》 보수파의 ; 카톨릭 승려의.
—*m.* ① 개머리판. ② 밀의 일종. ③ 선조.
mochongada *f.* 《*Méx.*》 익살, 해학.
mochongo *m.* 《*Méx.*》 익살꾼, 익살꾸러기, 익살쟁이 ; 광대.
mochuelo *m.* ① 【조류】 수리부엉이. ② 【인쇄】 (조판에서 단어 · 귀절을) 빠뜨리기. ③ 【고어】 기물. ④ 골치 아픈 일 (trabajo difícil y fastidioso) : cargar con el ~ 골치 아픈 일을 떠맡다. echar · tocar a uno el ~ 누구에게 골치 아픈 일을 시키다.
Cada ~ *a su olivo* 각자 제자리로 돌아가 주십시오.
mocil *adj.* 젊은이다운.
moción *f.* ① 움직임, 활동(movimiento). ② 기울기, 경향. ③ 영감(inspiración interior). ④ 동의, 발의 : presentar una ~ 동의안을 내다.
mocionar *tr.* 《*AmérC. Arg.*》 동의안을 내다.
mocito, ta *adj.m.f.* [*dim.* mozo] ① 아주 젊은 (이). ② 《*And.*》 =**soltero.**
moco *m.* [*lat.* mucus] ① 콧물 : limpiarse el ~ 코를 풀다. ② 점액. ③ 광재(鑛滓). ④ 쇠똥. ⑤ 촛물. ⑥ 《*Chile.*》 (밤나무 등의 늘어진) 꽃.
~ *de pavo* ① 칠면조의 늘어진 볏. ② 《*Méx.*》 【식물】 맨드라미.
a ~ *de candil* 불빛에 의지하여 ; 자세하고 빈틈없이, 정밀하고 상세하게.
*caérse*le a uno *el* ~ ① (누가) 콧물을 흘리고 있다. ② 얼간이다. ③ 《*SDgo.*》 풀이 죽다.
doblar el ~ 《*Perú.*》 잠들다.
llorar a ~ *tendido* 쉬지 않고 울다(llorar sin parar).
quitar los ~*s* 때리다.
No es ~ *de pavo* 일이 중요하다.
mocoano, na *adj.m.f.* 모꼬아 《꼴롬비아 Mocoa시》의 (사람).
mococoa *f.* 《*Bol. Col.*》 =**murria.**
mocora *f.* 《*Ecuad.*》 모꼬라 《잎으로 파나마 모자를 만드는 종려의 일종》.
mocoso, sa *adj.* ① 코를 흘리는. ② 하찮은, 쓸모없는(insignificante).
—*m.f.* 코흘리개, 애송이, 풋내기.
mocosuelo, la *adj.* [*dim.* mocoso] 코흘리는 (mocoso). —*m.f.* 코흘리개, 애송이, 풋내기(mocoso, joven sin experiencia) : castigar a un ~.
mocosuena *adv.* 음의 유추로 : traducir ~ 음역

하다.

moda *f.* ① 유행 : seguir la ~ 유행에 따르다. Esta tela no es de ~ 이 복지는 유행 중이 아니다. ② 옷맵시(manera de vestirse) : la ~ parisiense 파리 사람의 옷맵시. ③ =**pasión colectiva.**

a la (última) ~ (최신) 유행의, 유행에 따라서.

de ~ 유행의, 유행하는.

en ~ 유행의, 유행에 따라. [*N.* a la ~, en ~ 보다는 de ~가 더 좋다].

pasado de ~ 유행에 뒤진, 유행이 지난.

estar de ~ 유행되고 있다, 유행 중이다.

pasar de ~ 유행에 뒤지다, 유행이 지나다.

ponerse de ~ 유행되다.

salir una ~ 유행되기 시작하다.

ser (de) ~ 유행 중이다.

modado, da *adj.* 《*Col.*》 [bien · mal +] 버릇 · 가정 교육이 좋은 · 나쁜.

modal *adj.* ① 양식의, 형식상 · 형태상의, 방법의. ②【문법】법의 : adverbio ~. —*m.pl.* (개인의) 방식 ; 태도, 몸가짐.

modalidad *f.* 형식, 양식, 방식, 양상, 방법 : ~ de venta 판매 방법.

modelado, da *adj.* modelar의 *p.p.* —*m.* 본을 뜨는 일.

modelador, ra *adj.* 본을 뜨는. —*m.* 브래지어, 코르셋. —*m.f.* 조각가 ; 모형 제작자.

modelar *tr.* ① (…의) 형을 뜨다, 본을 뜨다 : ~ un busto. ② 모양을 갖추다.

~se 틀에 박히다 ; (…에) 처들어가 빼앗다.

modelista *m.f.* 《*Neol.*》 모형 제작자.

modelo *m.* [*ital.* modello] ① 모형, 본, 원형 : ~ de escritura · bordado. ② 모범, 본, 거울. ③ 모델 : ~ vivo 모델이 되는 사람. ~ de la coyuntura 경기 변동 모델. ~ de modista 마네킹. poner por ~ 모델로 삼다. sevir de ~ 모범이 되다 ; 모델 역할을 하다. ④ [형용사적] 모범적인 : chico ~. —*m.f.* 모델.

modenés, sa *adj.* 모데나 《Modena, 이탈리아의 도시》의. —*m.f.* 모데나 사람.

moderación *f.* 적당, 알맞음, 중용 ; 온건 ; 온화 ; 절제 ; 조절 ; 완화 ; 경감.

moderadamente *adv.* 알맞게, 적당하게 ; 온건하게.

moderado, da *adj.* [moderar의 *p.p.*] ① 알맞은, 적당한. ② 어울리는 : precio ~ 알맞은 값, 싼값. ③ 절도있는, 절제있는, 온건한. ④ (기후가) 온화한. **Contr.** inmoderado.

moderador, ra *adj.m.f.* 조절 · 완화하는 (일 · 사람). —*m.* ① 조절기. ② (신교 교회의 회의의) 의장 ; (토론회 · 집회 · 회의 등의) 사회자 · 의장. ③【물리】모더레이터, 감속재(減速材).

poder ~ (입헌 군주제의) 군주.

moderante *adj.* 조절의, 완화의.

moderantismo *m.* 《*Neol.*》 온건 · 온화주의.

moderar *tr.* 절제 · 조절 · 억제 · 완화하다 ; 가감하다 ; 적당히 하다 : ~ la temperatura 온도를 조절하다. ~ la velocidad de una máquina 기계의 속도를 조절하다.

~se 완화되다 ; 조절되다 ; 자제하다 : *~se en* las pasiones 감정을 억제하다.

moderativo, va *adj.* 조절하는, 완화의, 억제의.

moderatorio, ria *adj.* 조절의, 조절된.

modernamente *adv.* 현대적 (방법)으로(de modo moderno).

modernidad *f.* 현대성, 근대성, 근대 정신. **Sinón.** modernismo.

modernismo *m.* ① 현대주의, 현대 사상, 근대주의, 근대풍 : ~ literario 문학의 근대풍 · 근대주의 · 현대 사상. ② (서반아의 13세기 말부터 20세기 초까지 발전했던) 문학 운동.

modernista *adj.* 근대적인, 근대풍의, 신세대를 좋아하는 : un hombre ~. —*m.f.* 현대적인 사람, 근대주의자.

modernización *f.* 근대화, 현대화.

modernizar *tr.* 7 근대화하다, 현대화하다.

moderno, na *adj.* [*lat.* modernus] ① 근세의, 근대의, 근대적인, 현대의 : Edad *Moderna.* ② 현대식의 ; 최신의. **Contr.** antiguo. ③ 《*Hond.*》 느린, 굼뜬(tardío). —*m.pl.* 현대인 ; (교파에 따라) 신입자.

a la ~na, a lo ~ 현대식으로, 근대풍으로 : vestir *a la ~na.*

modestamente *adv.* 얌전하게, 정숙하게, 조심스럽게 ; 겸허하게 ; 검소하게.

modestia *f.* [*lat.* modestia] 겸손 ; 수줍음 ; 겸양 ; 정숙 ; 수수함 ; 정숙함.

modesto, ta *adj.* ① 겸손한, 조심성 있는, 내성적인 ; 정숙한, 얌전한, 품위있는. ② 적당한, 온당한, 삼가는 ; 수수한. —*m.f.* 겸손한 사람, 내성적인 사람, 품위있는 사람.

módicamente *adv.* 겸손하게, 검소하게.

modicidad *f.* [*lat.* modicitas] 근소(한 돈) ; 검소 ; 적정 (가격) : la ~ de una renta.

módico, ca *adj.* [*lat.* modicus] 근소한, 소액(小額)의, 값싼, 저렴한(moderado) : pagar una suma *~ca* 소액을 지불하다. precio ~ 저렴한 가격.

modificable *adj.* 변경 · 개변 · 수정 · 수식할 수 있는 : El hombre es más ~ de todos los seres.

modificación *f.* ① 변경 : ~ del contrato 계약 변경. ~ de la razón social 회사명 변경. ② 수정. ③ 수식(修飾).

modificador, ra *adj.m.f.* 변경 · 개변 · 수정 · 수식하는 (사람 · 일).

modificante *adj.m.f.* =**modificador.** —*m.* 수식 어구.

modificar *tr.* 7 [*lat.* modificare] ① 일부 변경하다, 수정하다. ②【문법】수식하다, 한정하다 : El adverbio *modifica* al verbo. ③ 가감하다.

modificativo, va *adj.* 변경 · 수정 · 수식의.

modificatorio, ria *adj.* =**modificativo.**

modillón *m.* [*ital.* modiglione]【건축】추녀의 까치발(can).

modio *m.* 로마의 곡량 단위 《약 9리터》.

modismo *m.* 숙어, 관용구(idiotismo).

modista *m.f.* 부인복 전문 메이커 ; 부인복 디자이너 : ~ de sombreros.

modistería *f.* 《*méx.*》 유행품 상점 (tienda de modas), 양장점.

modistil *adj.* 《*Neol.*》 양장점의.

modistilla *f.* 솜씨없는 재봉사 ; 부인복 · 여성복 견습 재봉사 ; 재봉사.

modisto *m.* =**el modista.**

modo *m.* [*lat.* modus] ① 방법 (manera) : ~ de

financiación 융자 방법. ~ de pago 지불 방법. ② 양식, 형식, 방식, …법 : ~ de ser 어떤 일의 바람직한 법. ~ de ver 보는 법. ~ de vivir 사는 법. ③ [가끔 *pl.*] 태도, 행실 : Le recibió con malos ~*s* 형편 없는 태도로 맞아들였다. ④ 【문법】 법(法) : ~ indicativo 직설법. ~ deprecativo 원망의 명령법. ~ subjuntivo 접속법. ⑤ 구, 숙어, 성구(成句)(locución) : ~ adverbial 부사구. ~ prepositional 전치구. ⑥ 양태(樣態) : adverbio de ~ 양태의 부사. ⑦ 【음악】 선법(旋法) : ~ auténtico · maestro 정규 선법. ~ plagal · discípulo 변격 선법. ⑧ 조(調) : ~ mayor 장조. ~ menor 단조.

a(l) ~ de …과 같이, …풍으로 : *a ~ de* una jarra 항아리 모양으로. *al ~* romano 로마풍으로.

a mi · tu ~ 나 · 너의 방식에 따라, 나 · 너의 식으로 : *a mi ~ de* ver 나의 견해에 의하면.

de ~ que ① [+*ind.*] 그러면, 그러므로, 따라서 (de manera que) : *De ~ que* ya lo sabe usted 그러면 아시겠지요. ② [+*subj.*] …하도록 : Lo digo *de ~ que* lo sepas 네가 알도록 그것을 말하는 것이다.

de cualquier ~ 무슨 수를 써서라도, 어떻게 하든지 ; 어렵게.

de este ~ 이렇게 하여.

de ningún ~ 결코 (…않다) ; 천만에.

de otro ~ 그렇지 않으면.

de todos ~s 아무튼, 여하간에, 좌우지간에(de todas maneras).

en cierto ~ 어느 정도.

por ~ de juego 농담으로.

sobre ~ 심하게, 극도로, 지나치게 (sobre manera).

modorra *f.* ① 심한 졸음, 수마(睡魔) (sueño pesado) : sentir ~ 졸리다. ② (양 등의) 병 (enfermedad). ③ 《*Gal.*》 =**mambla.**

modorrar *tr.* =**amodorrecer.**

~se (과일이) 물렁물렁해지다, 썩어 들다.

modorrilla *f.* 자정후 야근 · 야경.

modorrillo *m.* (옛날의) 그릇, 용기.

modorro, rra *adj.* ① modorra에 걸린 : carnero ~. ②수은 중독의. ③ 썩어 들어가는. ④ 모르는 (ignorante). —*m.f.* 얼간이, 멍청이, 바보.

modosidad *f.* 얌전함, 단정함.

modoso, sa *adj.* 얌전한, 행실이 좋은, 몸가짐이 단정한 : niña muy ~*sa* 아주 얌전한 아이.

modrego *m.* 어리석고 촌스러운 남자.

modulación *f.* ① 【음악】 전조(轉調). ② 조정, 조음. ③ (음성 · 리듬의) 억양(법). ④ 【전자 공학】 (무전에서) 조정, 변조(變調).

modulador, ra *adj.m.f.* 가락을 맞추는 (사람) ; 조절하는 (사람).

modulante *adj.m.f.* =**modulador.**

modular *tr.* [*lat.* modulari] ① 조절하다, 조정하다, 가락을 맞추다 : ~ un canto. ② (목소리 · 음조 따위를) 바꾸다. ③ 【무전】 변조하다, …의 주파수를 바꾸다.

modulario, ria *adj.* 계수의, 기준 치수의.

módulo *m.* [*lat.* modulus]① (화폐 등의) 직경. ② (흐르는 물의) 측정 단위, 유수(流水) 조절기, 양수기(量水器), 수량계. ③ 【물리 · 수학】 계수, 율. ④ 【건축】 기준 치수, 기둥의 반경, 도(度). ⑤ 【음악】 =**modulación.**

moduloso, sa *adj.* [드뭄] =**cadencioso, armonioso.**

modurria *f.* 【고어】 =**bobería.**

modus vivendi *m. lat.* 타협안 ; 가조약.

moer *m.* =**muaré.**

mofa *f.* 조롱, 우롱, 야유(burla) : hacer ~ de … 을 놀리다, …을 조롱 · 우롱 · 야유하다.

mofador, ra *adj.m.f.* =**burlón, fisgón.**

mofadura *f.* =**mofa.**

mofante *adj.m.f.* =**mofador.**

mofar(se) *intr.(r.)* 놀려주다, 놀리다, 조롱하다, 야유하다.

mofeta *f.* [*ital.* mofeta ; *lat.* mephitis] ① (갱내의) 악취 가스, 질식 가스. ② 《*Amér.*》 (남미산의) 스컹크 《족제비과의 짐승》.

mofisto, ta *adj.m.f.* 《*Chile.*》 =**mofador.**

moflete *m.* 토실토실한 볼(carillo grueso).

mofletudo, da *adj.* 볼이 토실토실한, 얼굴이 복스러운 : niño ~ 얼굴이 복스러운 아이.

mogataz *adj.m.* 아프리카에서 서반아 수비대에 근무하던 모로인 : moro ~.

mogate *m.* (도자기의) 유약.

mogato, ta *adj.m.f.* =**mojigato.**

mogo *m.* 【고어】 《*Col. Chile.*》 =**moho.**

mogol, la *adj.* 몽고(la Mogolia)의 ; 몽고족의. —*m.f.* 몽고인(mongol). —*m.* 몽고어.

Gran M- 인도의 모갈 회교 왕조의 군주.

Imperio del Gran M- 몽고 제국《1206년 징기스칸(Gengiskan)이 세운 제국》.

mogólico, ca *adj.* =**mongólico.**

mogolla *f.* ① 《*Arg. Chile.*》 =**ganga.** ② 《*Col.*》 =**moyuelo.**

de ~ 거저, 무료로, 공짜로(de balde, gratis, de balde, gratuitamente).

mogollar *tr.* 《*Bol.*》 훔치다(trampear).

mogollo *m.* ① 《*Col.*》 =**moyuelo.** ② =**chiripa.** —*adj.* 《*Col.*》 용이한 ; 빤한.

mogollón *m.* 몰려가기 : comer de ~ 초대받지도 않았는데 다른 사람 집에서 먹다.

de ~ 《*Ant. Arg.*》 ① 남의 돈으로, 남의 비용으로(de gorra). ② 공짜로, 무료로, 거저(gratis).

mogomogo *m.* 《*Cuba. Hond.*》 풋 바나나로 만든 식품.

mogón, na *adj.* ① 뿔이 없는 : vaca ~*na* 뿔이 없는 암소. ② 끝이 잘린 (뿔).

mogosear *tr.* =**mogosiar.**

mogosiar *tr.* ⑫ 《*Col. Perú. Venez.*》 곰팡이가 끼게 하다 ; 녹슬게 하다(enmohecer).

mogoso, sa *adj.* 《*Col. Chile.*》 곰팡이가 낀 ; 녹슨.

mogote *m.* ① 둥그런 산, 언덕(teta). ② 노적, 무더기로 쌓음(montón) : ~ de leña. ③ 사슴의 새로 나온 뿔. ④ 《*Col.*》 잔디(céped).

mogrollo *m.* ① 기식(寄食)(gorrista). ② 촌스러운 사람.

moguillo *m* 《*Bol.*》 싸움닭 · 투계의 며느리발톱 (espolón del gallo de pelea).

mohada *f.* =**mojada** ④.

mohán *m.* 《*Col.*》 =**moja.**

moharra *f.* ① (창의) 날. ② 《*Perú.*》 (투우에서 사용했던) 창(rejón).

moharrache *m.* =**moharracho.**

moharracho *m.* ① 익살꾼, 익살꾸러기, 익살쟁이(zaharrón). ② 멋없는 사람. ③ 꼴불견(mamarracho).
mohatra *f.* 속임수 계약, 사기, 속임수.
mohatrante *adj.* 사기하는, 속임수를 쓰는 ; 속여 파는.
mohatrar *intr.* 사기를 하다, 속여 팔다.
mohatrero, ra *m.f.* 사기꾼.
mohatrón, na *m.f.* 사기꾼.
mohecer *tr.* 31 곰팡이(moho)가 끼게 하다. **~se** 곰팡이가 끼다.
moheda *f.* 울창하고 높은 산.
mohedal *m.* =**moheda.**
moheña *f.* 【식물】 개암나무(ortiga ~).
mohicanos *m.pl.* 모이카노스족 《북아메리카의 원주민》.
mohiento, ta *adj.* =**mohoso.**
mohín *m.* ① 표정. ② 찡그린 얼굴, 우거지상(mueca) : hacer *~es* 우거지상을 하다, 얼굴을 찡그리다, 찡그린 표정을 짓다.
mohina *f.* ① 원한, 원망, 성냄, 노여움(enojo). ② 불쾌(disgusto). ③ 우수, 우울(melancolía).
mohindad *f.* =**mohín.**
mohino, na *adj.* ① 슬픈, 서글픈(triste). ② 불쾌한(disgustado). ③ 콧등이 검은. ④ 말과 나귀(burra)의 혼혈의. **—***m.f.* 【조류】 꼬리 긴 새(rabilargo).
moho *m.* [*lat.* mucor] ① 곰팡이 : no criar ~ 곰팡이가 끼지 않다 ; 줄곧 쓰고 있다. ② 녹 : el ~ del hierro. ③ 등한, 방관.
mohomoho *m.* 《*Perú.*》 =**mático.**
mohosearse *r.* 《*Col. Perú.*》 =**enmohecerse.**
mohoso, sa *adj.* ① 곰팡이가 낀(cubierto de moho) : pan ~. ② 녹이 슨.
moiré *m. fr.* 물결·구름 무늬.
moisés *m.* (갓난애의 요람용) 버들가지로 엮은 광주리.
Moisés *m.* [*ing.* Moses] 【성서】 모세 《유태의 건국자·입법자·예언자, 1571—1451 a. de J.C.》.
moisíaco, ca *adj.* 《*Galic.*》 모세 (Moisés)의 : libros *~s.*
mojá *m.* =**moján.**
mojábana *f.* =**almojábana.**
mojabobos *m.* 《*Amér.*》 【단·복수 동형】 이슬비.
mojada *f.* ① 적시기, 젖기. ② 칼에 찔린 상처. ③ 《*Murc.*》 licor이 들어 있는 sopa. ④ 까딸루냐 지방의 농지의 면적 단위 《약 49아르》.
mojado, da *adj.* [mojar의 *p.p.*] 젖은 : ~ hasta los huesos 물에 흠뻑 젖은·젖어. papel ~ 물에 젖은 종이 ; 소용없게 된 종이·서류·증거. *ser papel* ~ 가치가 없다, 소용이 없다.
mojador, ra *adj.* 적시는. **—***m.* 손가락을 적시는 종지 ; (우표를 물에 축이는) 스펀지 종이.
mojadura *f.* =**mojada.**
mojama *f.* 소금에 절여 말린 다랑어.
moján *m.* 《*Col. Venez.*》 마법사 ; 숨겨진 샘.
mojanazo *m.* 《*Venez.*》 저주, 악담, 욕지거리 ; 저주하는 눈초리.
mojar *tr.* ① 적시다, 축이다(humedecer con un líquido). : ~ la ropa 옷을 물에 적시다. ② 난도질하다, 마구 찌르다(apuñalar). ③ 매수하다, 뇌물을 주다((sobornar). ④ 팁을 주다. ⑤ 즐거운 일을 술로 축하하다. : ~ una victoria 승리를 술로 축하하다.
—*intr.* ① 빵을 수프에 담그다. ② 관계(關係)하다 : ¿También *mojas* tú *en* eso? 너도 그것에 관계하느냐? ③ 《*PRico.*》 =**sobornar.**
~se ① 젖다 : *~se* la ropa con la lluvia 비에 옷을 젖다. ② 《*Ant. Perú.*》 (남의 일로) 재미를 보다.
mojardón *m.* 【식물】 버섯(hongo)의 일종.
mojarra *f.* ① 【어류】 모하라 흑도미《작고 먹을 수 있는 물고기》. ② 《*AmérM.*》 (넓고 짧은) 식칼(cuchillo ancho y corto).
mojarrilla *m.f.* 명랑한 사람.
moje *m.* 즙, 수프, 국물(caldo).
mojel *m.* 【해사】 닻줄.
mojera *f.* =**mostellar.**
mojete *m.* 《*Ar. Murc.*》 =**salsa.**
mojí *m.* [*pl.* mojíes] ① 얼굴에 대한 주먹질. ② 비스킷의 일종.
mojicón *m.* ① 얼굴에 대한 주먹질(porrazo). ② (초콜릿을 먹을 때) 곁들여 놓는 과자. ③ 비스킷(bizcocho)의 일종.
mojiganga *f.* ① 가장 무도회, 광대 촌극. ② 우롱, 조롱, 놀려대기. ③ 《*Ant.*》 놀라게 하기.
mojiganguero, ra *adj.m.f.* 《*SDgo.*》 우쭐거리는 (사람).
mojigatería *f.* 위선 ; 거짓 신앙 ; 얌전한 척하기.
mojigatez *f.* =**mojigatería.**
mojigato, ta *adj.* 허식의, 위선자의. **—***m.f.* 위선자 ; 가짜 신자.
mojil *adj.* =**mojí.**
mojinete *m.* ① (벽과 담의) 갓돌(albardilla). ② 【건축】 도리에 결은 나무. ③ 《*Arg.*》 바람막이. ④ 《*Cuba.*》 큰 엉덩이(cadera gruesa).
mojo *m.* ① =**moje.** ② 【고어】《*Sal.*》 =**remojo.** ③ 《*Can.*》 간한 생선에 치는 소스.
mojón *m.* ① 경계석 ; 도표(道標), 이정표(hito). ② 더미, 쌓아 올린 것, 퇴적(montón). ③ 주류 감정인(catavinos). ④ =**tángano.**
mojona *f.* ① 경계를 획정하는 일. ② (옛날의) 시세(市稅).
mojonación *f.* =**amojonamiento.**
mojonar *tr.* (…에) 경계표를 세우다(amojonar).
mojonera *f.* 경계선.
mojonero *m.* =**aforador.**
mojosearse *r.* 《*Amér.*》 =**mohosearse.**
mojosera *f.* 《*Col.*》 【속어】 심한 공복.
mojoso *m.* 《*Arg.*》 =**facón del gaucho.**
moka *m.* (아라비아의 모까에서 가져온) 좋은 커피 : una taza de ~ 모까 커피 한 잔 .
mol *adj.* *huevos ~es* 과자의 일종.
mola[1] *f.* [*lat.* moles] ① 【의학】 귀태(鬼胎) 《임신 초기에 태아를 덮는 막이 이상 발육하여 포도송이 모양이 되는 병》(~ matriz).
mola[2] *f.* [*lat.* mola](제물로 바치는) 보리빵.
mola[3] *f.* 《*Bal.*》 =**promontorio.**
molada *f.* ① 그림 물감·안료·올리브의 1회 분쇄량. ② 맷돌에 한번 가는 분량.
molar *adj.* [*lat.* molaris] 맷돌의 ; 어금니의 : ~ diente ~ 어금니. **—***m.* 어금니(muela).
molcajete *m.* [*mej.* mulcaxitl]《*Ecuad. Méx.*》 (돌이나 찰흙으로 만든) 맷돌, 절구(mortero).

molcajetear *tr.* molcajete로 빻다·찧다.
moldar *tr.* 틀에 넣다, 금형을 만들다, 주형을 뜨다(amoldar, moldurar, hacer molduras).
Moldavia (República de) *f.* 몰다비아 공화국《러시아의 한 공화국; 면적 34,000㎢; 수도 Chisinau (Kiohinef)》.
moldavo, va *adj. m.f.* 몰다비아의 (사람).
molde *m.* [*lat.* modulus] ① 형(型); 주형, 거푸집 : ~ de yeso. ②【인쇄】지형. ③ 판. ④ 본보기, 모범이 되는 사람.
como de ~ 판에 박은 듯이, 좋게; 꼭 들어맞게 (a propósito); 운수좋게.
de ~ 인쇄된 활자체의.
formar en los ~s de …의 틀에 넣고 만들다.
sacar ~ a ① 본(molde)을 뜨다, 틀을 짜다. ②《*Arg. Chile.*》비꼬다.
moldeado, da moldear의 *p.p.* —*m.* moldear 하는 일.
moldeador, ra *adj.* 틀을 짜는. —*m.f.* ① 틀을 짜는 사람. ②【주조】조형공(造型工).
moldeamiento *m.* =**moldeado.**
moldear *tr.* ① (…에) 사개를 내다(moldurar). ② (…의) 틀을 뽑다, 틀에 넣어 만들다, 주조하다, 본을 뜨다. ③【인쇄】조판하다. ④ 주형에 넣다 : arena de ~ 주물사(鑄物砂).
moldura *f.*【건축】사개, 조형(繰形).
moldurar *tr.* (…에) 사개를 내다.
moldurera *f.*《*Chile.*》대패.
mole[1] *adj.* [*lat.* mollis] [드묾] 말랑말랑한, 보드라운.
mole[2] *f.* [*lat.* moles] 푹신한 덩어리, 뭉치, 덩어리(masa, bulto).
mole[3] *m.* [*mej.* mulli]《*Méx.*》고기 요리의 일종《고추·참깨 따위가 들어 있음》: ~ de guajolote.
en su ~《*Méx.*》자기 멋대로.
hacer el ~《*Méx.*》배반하다, 배신하다.
molécula *f.*【물리·화학】분자; 미분자.
molecular *adj.* 분자의, 분자로 이루어지는, 분자에 의한 : atracción ~ 분자 인력. fórmula ~ 분자식. modelo ~【물리·화학】분자 구조 모형. peso ~ 분자량.
moledera *f.* 번거로움, 귀찮은 일(cansera).
moledero, ra *adj.* 가루로 만들 수 있는, 빻는, 가루가 되는.
moledor, ra *adj.* ① 빻는, 부수는. ② 귀찮은, 골치 아픈(molesto). ③ 끈덕진. —*m.f.* 빻는 사람; 골치 아픈 사람; 끈덕진 사람. —*m.* 맷돌; 그라인더, 연마반(硏磨盤).
moledura *f.* 맷돌로 빻기; 귀찮은 일, 번거로운 일.
moleja *f.*【고어】=**molleja.**
molejón *m.* ① 숫돌(mollejón). ②《*Cuba.*》암초(farallón).
molendero, ra *m.f.* ① 맷돌로 빻는 사람. ② 초콜릿을 빻는 사람. ③《*AmérC.*》(부엌에서) 물건을 빻는 기구.
moleña *f.* 부싯돌(pedernal).
moleño, ña *adj.* 절구통용의 : piedra ~*ña.*
moler *tr.* 25 [*lat.* molĕre] ① 가루로 만들다, (맷돌로) 빻다, (절구로) 찧어 빻다. ② 괴롭히다, 못살게 굴다, 진저리치게 만들다(molestar) : Me *muelen* con impertinencias. ③ [+ de : …로] 지치다, 녹초가 되다 : Estoy *molido de* trabajar 나는 일에 지쳤다. Me *muelen de* andar 나는 걸어서 녹초가 되었다. ④ 상하게 하다 : Este cepillo *muele* la ropa 이 솔은 옷을 상하게 한다. ⑤ 혼내주다 (maltratar) : ~ a palos 몽둥이 찜질을 하다, 호되게 두들겨 패다. ⑥《*Cuba.*》사탕수수를 빻다.
[직설법 현재 : muelo, mueles, muele, molemos, moléis, muelen. 접속법 현재 : muela, muelas, muela, molamos, moláis, muelan].
molero *m.* 절구통 제조자·판매인.
molestador, ra *adj.* 귀찮은, 방해가 되는.
molestamente *adv.* 귀찮게, 번거롭게.
molestar *tr.* [*lat.* molestare] 귀찮게 하다, 애먹이다, 못살게 굴다, 괴롭히다, 넌더리나게 만들다(fastidiar) : Me *molesta* su canto 나는 그의 노래가 넌더리가 난다. Siento ~le 폐를 끼치게 되어 미안합니다, 실례했습니다.
~se [+por : …을 위해] 힘쓰다 : No *se moleste* usted *por* mí.
molestia *f.* 번거로움, 귀찮음; 보살핌; 불쾌함; 피곤함(cansancio) : tomarse las ~*s* de 고생을 돌보지 않고 …하다.
molesto, ta *adj.* 귀찮은, 번거로운, 골치 아픈; 폐가 되는.
molestoso, sa *adj.*【방언】《*Amér.*》=**molesto.**
moleta *f.* [*dim.* muela] 작은 절구, 맷돌; (유리를 닦는) 연마기.
moletón *m.* 면포, 부드러운 플란넬.
molibdeno *m.* [*gr.* molubdos] 몰리브덴《금속 원소의 일종》.
molicie *f.* [*lat.* mollities] ① 부드러움, 연함 (blandura). ② 연약.
molida *f.* =**molienda.**
molido, da *adj.* [moler의 *p.p.*] 맷돌에 간, 가루로 만든 : oro ~ 금가루.
molienda *f.* ① 맷돌에 가는 일. ② 타는 기구 (molino). ③ 맷돌에 한번 타는 분량 : una ~ de chocolate. ④ (올리브나 사탕수수를) 짜는 시기. ⑤ 골치 아픈 일, 귀찮은 일(molestia) : Esto es una ~.
moliente *adj.* 맷돌에 가는.
~ y corriente 일반적인.
molificable *adj.* 부드럽게 할 수 있는.
molificación *f.* 연화(軟化).
molificante *adj.* 부드럽게 하는.
molificar *tr.* 7 연하게 하다, 부드럽게 하다 (ablandar). **Contr.** endurecer.
molificativo, va *adj.* 연화(軟化)의.
molimiento *m.* ① =**moledura.** ② 피곤, 피로 (fatiga).
molinada *f.* =**molienda.**
molinaje *m.*《*Murc.*》빻는 삯.
molinar *m.* 제분소 지대.
molinejo *m. dim.* molino.
molinera *f.* ① molinero의 부인. ②【조류】(칠레산의) 몰리네라.
molinería *f.* ① 제분업. ② [집합] 제분소.
molinero, ra *adj.* 제분의 : industria ~*ra* 제분업. —*m.f.* 제분 업자; 제분 공장 주인.
molinés, sa *adj.m.f.* 몰리나 데 아라곤《Molina de Aragón, Guadalajara 주의 한 도시》의 (사람).

molinejo *m. dim.* molino.
molinete *m.* [*dim.* molino] (실내 환기용; 장난감으로; 춤의 형; 검술의 수로) 풍차.
molinillo *m.* ① 소형 제분기 : ~ de café. ② 초콜릿 빻는 기구. ③ 고기를 써는 기구.
tener picado el ~ 먹고 싶어하다.
molinismo *m.* 몰리나 《Luis Molina, 1535–1600, 서반아 야소회 파의 승려》주의 《신의 은총과 자유 의지의 합일론》.
molinista *adj.* 몰리나주의(molinismo)의. **—***m.f.* 몰리나주의자.
molino *m.* [*lat.* molinum] ① 맷돌, 절구, 제분기구(~ quebrantador de granos). ② 제분기. ③ (올리브나 사탕수수의) 압착기 : ~ de azúcar. ④ 올리브·사탕수수 공장; 제분소. ⑤ 물레방아, 풍차. ⑥ 주책; 귀찮은 사람. ⑦ 고문.
~ *arrocero* 정미기; 정미소. ~ *del papel* 제지기계, 제지 공장. ~ *de la moneda* 주화 공장. ~ *de sangre* 마소가 타게 하는 제분용의 수레. ~ *de viento* 풍차; 가상의 적.
Agua pasada no mueve ~【속담】 엎질러진 물은 다시 주워 담지 못한다.
molinosismo *m.* 몰리노스 《Miguel de Molinos, 1628–96》주의 : El ~ era una especie de quietismo.
molinosista *adj.* 몰리노스주의의. **—***m.f.* 몰리노스주의자.
molitivo, va *adj.* 연화(軟化)의.
molla *f.* (살에서) 비계가 적은 부분.
mollar *adj.* ① 물렁물렁한, 연한. ② 이익이 많은. **—***f.pl.* 안달루시아의 춤.
mollate *m.* 적포도주(vino tinto).
molle *m.* ①【식물】 모예나무 《남미산의 진정제를 채취하는 나무》. ② =**turbinto.**
mollear *intr.* ① 흐느적거리게 되다, 부드러워지다. ② 부러지다, 꺾어지다. ③ 지다, 양보하다(ceder).
molledo *m.* ① (팔·다리의) 근육, 알통 : el ~ del brazo. ② 빵의 연한 가운데 부분.
molleja *f.* ① (닭의) 모래주머니. ② (소의) 흉선. ③ 선(腺).
mollejón *m.* ① 숫돌(piedra de afilar). ② 뚱뚱보.
mollejuela *f.* [*dim.* molleja] (새의) 모래주머니.
mollera *f.* ① (머리의) 꼭대기(parte superior de la cabeza). ②【해부】 숨구멍. ③ 두뇌, 재주.
cerrado de ~ 머리가 둔한(poco inteligente).
duro de ~ 미련한, 기억력이 나쁜.
*echar*le a uno *sal en la* ~ 싫어하다, 넌더리나다.
mollero *m.* 《*And. Amér.*》 팔의 근육 (molledo del brazo).
mollerón *m.* 【은어】 철모, 헬멧(casco de acero).
molleta *f.* 밀빵; 흑빵.
molletas *f.pl.* [*fr.* mouchettes] =**despabiladeras.**
mollete *m.* ① 부풀린 빵. ② (곳에 따라서) 팔의 알통·근육 부분. ③ 복실복실한·토실토실한 뺨.
molletero, ra *m.f.* mollete 제조인.
molletudo, da *adj.* 볼이 토실토실한 (mofletudo).
mollicio, cia *adj.* =**blando.**
mollificar *tr.* ⑦ =**molificar.**
mollina *adj.f.* 안개비(lluvia ~)(의).
mollizna *f.* =**llovizna.**
molliznar *intr.* =**lloviznar.**
molliznear *intr.* =**lloviznar.**
molo *m.* 《*Chile.*》 방파제(malecón).
moloc *m.* 【동물】 (호주산의) 갈기 도마뱀.
móloc *m.* 《*Ecuad.*》 =**puré.**
Moloch *m.* 셈족의 신 《어린이를 희생물로 바쳤음》.
mololoa *f.* 《*AmérC.*》 큰소리로 하는 회화.
molón *m.* 다듬지 않은 큰 돌.
molón, na *adj.* 《*AmérC. Méx.*》 귀찮은, 진저리나는(fastidioso).
molondra *f.* 《*Ál. Murc.*》 장구머리, 짱구.
molondro *m.* 얼간이, 게으름뱅이.
molondrón *m.* ① 얼간이, 바보; 게으름뱅이. ② 《*Venez.*》 상당한 재산. ③ 《*Cuba.*》【식물】 = **quimbombó.**
molongo *m.* 《*Chile.*》 둥그런 물건.
molonquear *tr.* 《*AmérC. Méx.*》 때려 눕히다 (moler a golpes).
molonqui *m.* 【식물】 (멕시코의) 포도과 식물.
moloso, sa *adj.m.f.* [*lat.* molossus] 몰로시아 《고대 Molosia, 그리스의 도시》의 (사람). **—***m.* 몰로시아 개 《목축 감시·보호용의 개》.
molote *m.* ① 《*AmérC. Cuba.*》 소동(alboroto). ② 《*Col. Méx.*》 앙큼스러움; 속임수. ③ 《*Méx.*》 기름에 튀긴 옥수수빵. ④ 《*Méx.*》 실뭉치(ovillo). ⑤ 《*Méx.*》 (여자의) 올린 머리(moño). ⑥ 《*Méx.*》 =**enredo.**
molotera *f.* 《*AmérC.*》 소란(bulla).
molquite *m.* 《*Méx.*》 =**mazorca de maíz.**
molso, sa *adj.* 흉칙한; 후덥지근한, 숨이 막힐 듯한.
moltura *f.* ① =**molienda.** ② 《*Ar.*》 =**maquila.**
molturación *f.* 《*Ar.*》 빻기.
molturador, ra *m.f.* 빻는 사람.
molturar *tr.* =**moler.**
molusco *adj.m.* [*lat.* molluscus]【동물】 연체 동물(의). **—***m.pl.* 연체 동물류.
m/ o m/ más o menos.
moma *f.* 《*Méx.*》 장님 술래.
mómara *f.* 《*Gal.*》 =**persona floja.**
mombín *m.* 《*Cuba.*》【식물】 =**jobo.**
momeador, ra *adj.* ① 익살스러운 표정을 짓는. ② =**ceremonioso, figurista, farsista.**
momear *intr.* 익살스러운 얼굴(momo)을 짓다.
momentáneamente *adv.* ① 순간적으로, 삽시(간)에, 잠깐 사이에, 잠깐 동안에(durante algunos momentos o poco tiempo). ② 곧, 즉시, 바로(inmediatamente, en seguida).
momentáneo, a *adj.* 순간적인, 삽시간의, 잠깐 사이의, 덧없는 : descanso ~ 잠깐의 휴식.
momento *m.* [*lat.* momentum] ① 순간, 삽시간, 찰나(instante, punto). ② [부사적] 잠깐 사이 : Espéreme ~ 잠깐 기다려 주십시오. ③ 때, 시기 (ocasión) : escoger el ~ favorable 좋은 기회를 택하다. en el ~ de …할 때에. ④ 좋은 기회. ⑤ 현재, 지금 : la moda del ~ 현재의 유행. ⑥ 현상(現狀)(actualidad) : el ~ político

현재의 정정(政情). ⑦ 중요성(importancia) : una cosa de poco ~. ⑧【물리】능률, 역률(力率) : ~ de estabilidad 안정률. ~ de inercia 관성 능률. ~ magnético 자기 능률.
a ~s 가끔, 이따금, 때때로(a veces).
al ~ 즉각, 즉시, 곧(en seguida).
(a) cada ~ 부단히, 계속해서(continuamente).
de ~ 현재의 ; 별안간, 갑자기(súbitamente).
de un ~ a otro 이내 곧(muy pronto).
en cualquier ~ 언제라도.
hace ~s 아까, 조금 전에.
por el ~ 지금으로서는.
por ~s 가끔, 때때로(a veces).

momería *f.* 익살 ; 어릿광대짓 : hacer *~s.*

momero, ra *adj.m.f.* 익살꾼(의) ; 어릿광대(의).

momia *f.* [*lat.* mumia] ① 미라 : las ~*s* egipcias 이집트의 미라. ② 깡마른 사람 (persona seca y delgada).

momificación *f.* 미라화(化) : El aire seco produce la ~.

momificar *tr.* ⑦ 미라로 만들다 : Los egipcios *momificaban* los cadáveres.
~se 미라가 되다.

momio, mia *adj.* 기름기 · 비계가 없는(sin grasa) : carne *momia.*
—*m.* ① 비계가 없는 살. ② 거저 번 것(ganga) : dar algo de ~.
de ~ 거저, 공짜로, 무료로 (de balde, gratuitamente, gratis).

momita *f.* 《*Méx.*》 =**moma.**

momo *m.* 익살스러운 표정, 우스운 표정 · 모양(mueca) : hacer ~.

momórdiga *f.*【식물】봉선화(balsamina).

momoroco, ca *adj.* 《*AmérC.*》 어줍잖은, 조잡한.

momoscle *m.* 《*Méx.*》 멕시코 원주민의 무덤 ; 흙덩이.

momoto *m.* 《*Amér.*》 =**pájaro dentirrostro.**

mon- *pref.* =**mono-.**

mona *f.* ① 원숭이 암컷(hembra del mono). ② 남의 흉내내는 사람. ③ 곤드레로 취하기(borrachera) : dormir la ~ 술에 취하다 ; 잠에 빠지다. ④ 주정뱅이(persona borracha). ⑤ 카드 놀이의 일종. ⑥ (투우의) 말을 타고 창을 든 사람의 정강이받이(hornazo). ⑦ 《*Chile.*》 의상 마네킹 (maniquí). ⑧ 《*Sant.*》 (옥수수에 기생하는) 버섯. ⑨ 《*AmérC.*》 찌꺼기, 형편 없는 것 · 사람.
—*adj.* 《*Méx.*》 겁 많은, 아주 못난.
corrido como una ~ ; *hecho una ~* 감쪽같이 속아 ; 창피를 당하여.
mandar a freír ~s 저주하다.
pintar la ~ =figurar.
Aunque la ~ se vista de seda, ~ se queda【속담】개 꼬리 삼 년 두어도 황모 못된다, 개 발에 주석 편자.

monacal *adj.* 승려(monje)의, 승려 같은.

monacato *m.* 출가 ; 승려 생활.

monacillo *m.* (미사를 거드는) 소년(acólito).

monacordio *m.* 익금 《현악기의 일종》.

monada *f.* ① 원숭이 같은 짓. ② 익살스러운 표정 (monería). ③ 바보짓(tontería). ④ 아부, 아첨 (halago). ⑤ 귀여운 짓.

mónada *f.* [*gr.* monas, ados] ① 단일, 단일체. ②【철학】단자(單子). ③【생물】단세포 생물. ④【화학】일가 원소(一價元素).

monadelfos *adj.pl.*【식물】단체(單體)의 (수술).

monadismo *m.*【철학】단자론, 단원론.

monadología *f.*【철학】단자론.

monago *m.* (미사를 거드는) 소년.

monaguillo *m.* =**monacillo.**

monaquismo *m.* 출가 ; 승려 생활(monacato).

monarca *m.* 군주, 주권자, 제왕 : ~ absoluto 전제 군주.

monarquía *f.* ① 군주국 ; 군주 정체 · 정치, 군주제 : ~ constitucional 입헌 군주제. ② 군주(제) 시대.

monárquicamente *adv.* 군주제로.

monárquico, ca *adj.* 군주의, 군주국의, 군주제의, 군주 정체의, 군주파의. **—*m.f.*** 군주제 지지자, 군주주의자.

monarquismo *m.* 군주주의.

monasterial *adj.* 수도원의, 수도원 같은.

monasterio *m.* 수도원, 승원 (convento) : Carlos V quiso acabar sus días en un ~ 까를로스 5세는 수도원에서 일생을 마치고 싶어했다.

monásticamente *adv.* 수도원의 규칙에 의해.

monástico, ca *adj.* ① 수도자의, 수도자 같은. ② 수도원의 : vida ~*ca* 수도원 생활. **—*m.*** 수도자.

monast.º monasterio.

monatómico, ca *adj.* =**monoatómico.**

monazitoa *f.* 세륨의 천연 인산염.

moncho, cha *adj.* 《*Méx.*》 mucho의 사투리.

monda[1] *f.* ① mondar 하는 일 (mondadura) : la ~ de los árboles. ② 벗긴 껍질 부스러기. ③ 전정(剪定). ④ 묘소 · 유골 정리.

monda[2] *f.* [*lat.* mundus] 부활절 제3일에 Toledo 주 Talavera de la Reina 부근의 여러 마을에서 모아 행렬을 이루어 바치는 이 고장의 성모대에 대한 초의 봉납. **—*pl.*** ① 초의 봉납 행렬. ② 《*Amér.*》 구타(zurra).

mondaderas *f.pl.* =**despabiladeras.**

mondadientes *m.*【단 · 복수 동형】이쑤시개.

mondador, ra *adj.m.f.* mondar 하는 (사람).

mondadura *f.* ① 손질, 소제, 청소. ② 껍질 벗기기. ③ 수렁 · 개천치기. **—*pl.*** ① 쓰레기, 먼지. ② 곁가지. ③ 벗긴 껍질 부스러기(monda) : ~*s* de patatas. ④ 바닥을 친 개흙.

mondaoídos *m.*【단 · 복수 동형】귀이개(mondaorejas).

mondaorejas *m.* =**mondaoídos.**

mondapozos *m* =**pocero.**

mondar *tr.* ① 청소하다, 손질을 하다. ② 가지를 치다, 전정하다(podar) : ~ un árbol. ③ 껍질을 벗기다(pelar). ④ 털을 깎다, 중대가리로 만들다. ⑤ (강 · 우물을) 치다, 준설하다. ⑥ 발가벗기다. ⑦ 가진 것을 빼앗다. ⑧ 《*Cuba.*》 고스란히 이득을 보다. ⑨ 《*And. Col. Cuba.*》 호되게 때리다(azotar mucho).

mondarajas *f.pl.* (감자 · 과일 등의) 벗긴 껍질 (mondaduras).

mondaria *f.* 갈보, 창녀, 매음부, 매춘부(mujer mundana).

mondejo, ja *adj.* 《*Méx.*》 우둔한, 멍청한, 바보

스런, 어리석은(tonto). —*m.* 소시지의 일종.

mondo, da *adj.* 속이 후련한, 시원시원한 ; …이 없는, …을 없앤(limpio).

~ y lirondo 순수한, 있는 그대로의 : decir la verdad *~ y lironda* 있는 그대로를 말하다.

mondón *m.* 껍질을 벗긴 통나무.

mondonga *f. desp.* 촌스런 하녀.

mondongo *m.* ① 창자, (내)장 : hacer el ~ 소시지를 만들다. ②《*Amér.*》내장 요리, 곰탕. ③《*AmérC.*》괴상한 복장. ④《*Bol.*》말에게 주는 단자.

no decir ni ~ 《*Col. PRico.*》벙어리처럼 입을 다물다.

mondonguera *f.* ①《*Cuba.*》=**mondongo.** ②《*PRico.*》뚱뚱보.

mondonguería *f.* 곰탕·순대집 ; 내장 시장.

mondonguero, ra *m.f.* 내장 장수 ; 내장 요리사.

mondonguil *adj.* 내장의.

mondrego *m.* 《*Sant.*》=**canalla.**

monear *intr.* ① 상·얼굴을 찡그리다(hacer monadas). ②《*Arg. Chile. Méx.*》우쭐거리다, 잘난 척하다(presumirse). ③《*Venez.*》기어오르다.

~se 《*AmérC.*》열을 내다, 기운을 내다 ; 서로 주먹질을 하다.

moneda *f.* ① 현금, 통화. ② 돈, 화폐 : acuñar ~ 화폐를 주조하다. ③ 조폐국. ④ 재산, 자산. *~ amonenada* 경화(硬貨), 현금. *~ blanda* 연화(軟貨). *~ bloqueada·controlada* 봉쇄 통화. *~ contante y sonante* 경화, 현금. *~ convertible* 태환 지폐, 태환권. *~ corriente* ① 통화, 유통 화폐. ② 당연한 일 : ser *~ corriente* 당연한 일이다. *~ de curso* 불환 지폐. *~ de curso fiduciario·forzoso* 불환 지폐 ; 신용 지폐. *~ de curso legal* 법화, 본위 화폐. *~ de movimiento internacional controlado* 봉쇄 통화. *~ de níquel* 니켈화. *~ de oro* 금화. *~ de papel* 지폐. *~ de plata* 은화. *~ de valor inestable* 경화. *~ de vellón* (옛날의) 은·구리의 합금화(貨). *~ débil* 연화(軟貨). *~ del crédito* 신용장 통화. *~ del país* 국내 통화. *~ de valuada* 가치가 저락한 통화. *~ divisionaria·divisional* 보조 화폐. *~ dura* 경화, 교환 가능 통화. *~ en metálico* 경화. *~ en que se extiende el crédito* 신용장 통화. *~ estable* 안정 통화·화폐, 경화, 교환 가능 통화. *~ extranjera* 외화. *~ falsa* 위조 화폐. *~ fiduciaria* 명목 화폐, 법정 불환 지폐 ; 신용 지폐, 무준비 발행 지폐. *~ fraccionaria* 대용 화폐. *~ fuerte* 경화, 대용 가능 통화. *~ imaginaria·de cuenta* 계정 화폐《추상적 화폐 단위》. *~ legal* 법화(法貨), 본위 화폐, 법정 통화·화폐. *~ manejada* 관리 통화. *~ manipulada* 관리 통화, 통제 화폐. *~ menuda* 소액 화폐. *~ metálica·sonante* 경화. *~ nacional* 통화, 지폐. *~ oro* 금화. *~ papel* 지폐. *~ sencilla* 소액 화폐. *~ suelta* 잔돈. *~s de oro y plata* 실물 화폐. *buena ~* 금은화. *papel ~* 지폐.

batir·labrar ~ 화폐를 주조하다.

pagar en buena ~ 흡족하게 해주다 ; 흡족하게 지불하다.

pagar en la misma ~ 같은 수단으로 보복하다.

monedaje *m.* (옛날의) 화폐 발행세.

moned(e)ar *tr.* (화폐를) 주조하다 (amonedar, acuñar la moneda).

monedería *f.* 조폐공의 직.

monedero *adj.* 현금 우편용의 : sobre ~ 현금 봉투. —*m.* ① 조폐공 : ~ falso 위조 지폐범. ② 돈지갑(bolso para la moneda).

monegasco, ca *adj.m.f.* 모나코(Mónaco)의 (사람).

monegrino, na *adj.m.f.* 로스 모네그로스《Los Monegros, Aragón의 한 지방》의 (사람).

monería *f.* ① 원숭이 같은 짓(monada). ② 찡그린 얼굴. ③ 귀여운 얼굴 표정.

monesco, ca *adj.* 원숭이 같은.

monetalista *m.* (화폐의) 금속주의자 ; 정통파.

monetario, ria *adj.* ① 화폐의, 통화의, 금전의 : sistema ~ 화폐·통화 제도. ② 금융의, 재정의 : crisis *~ria* 재정 위기. mercado ~ 금융시장. —*m.* 화폐·메달의 수집 ; 화폐·메달 진열장·박물관.

monetarismo *m.* 통화주의,

monetarista *adj.* 통화주의의. —*m.f.* 통화주의자.

monetización *f.* 화폐 발행.

monetizar *tr.* 9 통화로 정하다·발행하다 ; 화폐로 주조하다(amonedar).

monfí *m.* [*ár.* monfi] 국토 회복전 (la Reconquista) 후에 안달루시아 지방의 모로인 도적.

monfortino, na *adj.* 몬포르떼《Monforte de Lemos, Lugo주의 한 도시 ; Monforte del Cid, Alicante의 한 마을》의 (사람).

monga *f.* 《*PRico.*》감기, 감기에 걸림.

mongo[1] *m.* 【식물】강낭콩(judía)의 일종.

mongo[2] *m.* 《*Panamá.*》=**mojicón, puñetazo, golpe.**

mongó *m.* 《*Dom.*》=**tambor.**

mongol *adj.m.f.* 《*Galic.*》=**mogol.**

Mongolia (la) *f.* 【지명】몽고 : ~ Interior 내몽고. ~ Exterior 외몽고.

mongólico, ca *adj.* 《*Chile.*》몽고(la Mongolia)의(mongol).

mongolismo *m.* 【병리】몽고증《머리가 작고, 손가락이 짧으며, 눈이 치켜 올라가 인상이 몽고인 비슷한 선천적인 백치》.

mongoloide *adj.*《*Galic.*》몽고인 같은, 몽고 인종적인 ; 황색 인종의.

moni *m.* [*ing.* money] 《*Amér.*》=**moneda, dinero.**

moniato *m.* 고구마(boniato).

monicaco *m. desp.* =**hominicaco.**

monición *f.* 훈계 ; 경고(admonición).

monicongo, ga *m.f.* 《*Col.*》인형(monigote).

monifato *m.* ①《*Ant.*》괴상한 것. ②《*Venez.*》으시대는 젊은이.

monigote *m.* ① 모습을 익살스럽게 만든 인형 ; 나무로 만든 인형. ② 우물. ③《*AmérM.*》*desp.* 신학교 학생. ④ 노동 승려.

monillo *m.* (부인용의 소매없는) 몸에 꽉 끼는 재킷 모양의 옷.

monín, na *adj.* =**mono, gracioso.**

monipodio *m.* 패거리.

Monipodio *m.* 모니뽀디오《세르반떼스의 동끼호떼에 나오는 작중 인물로 세비야의 도둑 우두머리》.

monís *f.* ① 작고 깜찍한 물건. ②《*Arg.*》 과자의 일종.

monises *m.pl.* =**dinero.**

monísimo, ma *adj. dim.* mono.

monismo *m.* 【철학】 일원론.

monista *adj.m.f.* 【철학】 일원론자(一元論者)(의).

mónita *f.* ① 속임수, 감언(artificio). ② 위선(hipocresía).

monitor, ra *m.f.* [*lat.* monitor] ① 권고자, 충고자, 훈계자; 상담역. ② 장갑 전함 (buque de guerra fuertemente acorazado) : Los ~*es* fueron creados en los Estados Unidos. ③【라디오】 모니터; 외국 방송 청취 담당자.

monitora *f.*《*Perú.*》 물 끓이는 남비.

monitorio, ria *adj.* 권고·훈계·충고의, 타이르는 : carta ~*ria.* —*m.f.* (교황·사교가 보내는) 훈고(訓告)(advertencia severa).

monja *f.* [*lat.* monacha] 여승, 수도녀. —*pl.* ① 종이의 타다 남은 재. ②《*Méx.*》 둥근 빵의 일종.

monje *m.* [*lat.* monachus] ① 승려, 수도사. ②【조류】 박새.

monjía *f.* [드묾] 수도 생활(estado monacal).

monjil *adj.* 수녀의; 수녀 같은; 수도 생활의. —*m.* [*lat.* monachus] ① 승려, 수도사(fraile). ②【조류】 박새. —*m.* ① 수녀복(traje monjil). ② 여자의 상복.

monjío *m.* ① 수도 생활(monjía). ② 수녀가 되는 일. ③ 여자의 출가. ④ 수도원.

monjita *f.*《*Arg.*》【조류】 흰집비둘기의 일종《몸은 하얗고 머리는 검은 새》.

mono, na *adj.* ① 예쁜(bonito, lindo) : un sombrero ~. ② 귀여운, 깨끗한(gracioso). ③ 고운(pulido). ④《*Col.*》 밝은, 붉은 빛깔의 (de color bermejo). ⑤《*SDgo.*》 자만에 빠진. —*m.* ①【동물】 원숭이 : Los ~*s* tienen instinto de imitación 원숭이들은 흉내의 본능을 가지고 있다. ~ araña 거미 원숭이. ~ aullador 짖는 원숭이. ~ capuchino 원숭이의 일종. ~ sabio 재주를 배운 원숭이. ② 익살꾼. ③ 거친 그림 : pintar ~*s* en la pared. ④ 경망스러운 사람. ⑤ 인형, 장난감 동물. ⑥ 작업복. ⑦《*AmérC.*》 꼬리가 없는 닭. ⑧《*Chile.*》 (가게 앞에 쌓아 둔 과일 등의) 무더기. ⑨《*Ecuad. Perú.*》 변기(bacín). ⑩《*Méx.*》 수북이 쌓아 놓은 옥수수. ⑪《*Perú.*》 되놈, 중국 사람.

decir**le* ~ ***claro《*Venez.*》 서슴없이 말해 주다.

estar de ~*s* 서로 화내고 있다(estar reñidos).

meter**le **los ~*s*《*Ant. Col.*》 겁주다, 주눅들게 만들다.

quedar hecho un ~ 몹시 창피를 당하다.

ser el último ~ 중요성이 없는 인물이다.

Al mejor ~ ***se le cae el zapote***《*Amér.*》【속담】 원숭이도 나무에서 떨어진다.

mono- *pref.*「일(一), 단(單)」「단일…」「일원자를 함유하는」의 뜻을 갖는 접두어 : *mono*ciclo.

monoatómico, ca *adj.* 단원자의.

monoáxico, ca *adj.* 단축(單軸)의.

monobásico, ca *adj.* 【화학】 일염기(一鹽基)의.

monobloque (en) *adv.* 하나로 단합해서.

monocarril *m.* 단선 철로.

monocelular *adj.* =**unicelular.**

monocero(n)te *m.* 뿔이 하나인 짐승《가공의 괴수》.

monociclo, cla *adj.* 일륜의, 외바퀴의, 바퀴가 하나 뿐인. —*m.* 일륜차, 외바퀴차.

monocilíndrico, ca *adj.* 【기계】 단통식(單筒式)의.

monoclínico, ca *adj.* 【지질】 (지층이) 단일 경사의.

monocorde *adj.* 【음악】 일현금의.

monocordio *m.* 【악기】 (중세의) 일현금(一弦琴); 【음악】 일현 음정 측정기.

monocotiledón *adj.* =**monocotiledóneo.**

monocotiledóneo, a *adj.* 【식물】 단자엽의, 외떡잎의. —*f.pl.* 단자엽류, 외떡잎류.

monocromático, ca *adj.* =**monocromo.**

monocromo, ma *adj.* 단색(單色)의(de un solo color), 단채(單彩)의 : grabado ~.

monocular *adj.* 단안의, 외눈의 : visión ~.

monóculo, la *adj.* 단안의, 외눈의; 단안용(單眼用)의. —*m.f.* 외눈박이. —*m.* 외알 안경, 단안경.

monocultivo *m.* 단일 재배.

monocultura *f.* (농업의) 단작(單作).

monodelfo, fa *adj.* 【동물】 단자궁 무리의. —*m.pl.* 단자궁류 동물.

monodía *f.* 【음악】 독창곡.

monódico, ca *adj.* 독창곡의.

monodonte *m.* =**narval.**

monofásico, ca *adj.* 【전기】 단상 교류의.

monofilo, la *adj.* 【식물】 단엽의, 잎이 하나인.

monofisismo *m.* 그리스도 일성론.

monofisista *adj.m.f.* 그리스도 일성론의 (사람).

monogamia *f.* 일부 일처제, 일부 일처주의. [Contr.] poligamia.

monogámico, ca *adj.* 일부 일처의 : hogar ~.

monógamo, ma *adj.* 일부 일처의; 【동물】 일자 일웅(一雌一雄). [Contr.] polígamo.

monogenismo *m.* 인류 일원설, 동조론(同祖論). [Contr.] poligenismo.

monogenista *adj.m.f.* 인류 일원론자(의).

monografía *f.* (특정한 테마에 관한) 전공 논문, 연구 논문 : escribir una ~ bibliográfica.

monográfico, ca *adj.* 전공 논문의; 논문풍의.

monografista *m.f.* 전공 논문 집필자.

monograma *m.* 짜맞춘 글자《이름의 첫글자 따위를 도안화한 것》.

monohidratado, da *adj.* 【화학】 일수화물(一水化物)의 : ácido nítrico ~.

monoico, ca *adj.* 【식물】 자웅화 동생(雌雄化同生)의.

monolítico, ca *adj.* 하나의 돌로 된 : columna ~*ca.*

monolito *m.* 하나의 돌로 된 비석; 외기둥.

monolocular *adj.* 【식물】 =**unilocular.**

monologar *intr.* ⑧《*Neol.*》 혼자 말하다, 독백하다(hablar consigo mismo).

monólogo *m.* 혼잣말, 혼잣소리, 독백(獨白)(soliloquio) : un ~ demasiado largo 너무 긴 독백.

monomanía *f.* ① 한가지 일에만 열중하기, 외곬로 빠짐. ②【의학】 편집광 : ~ de persecución 피해 망상증.

monomaniaco, ca *adj. m.f.* 편집광(偏執狂)의 ; 한가지에만 정신을 쏟는 (사람) : un ~ de la música.

monomaníaco, ca *adj.m.f.* =**monomaniaco.**

monomaquia *f.* 일대 일의 싸움, 결투(duelo).

monometalismo *m.* 《*Neol.*》 통화 단본위제.

monometalista *adj.m.f.* 단본위제론자(의).

monomio *m.* (대수의) 일항식(一項式).

monomotor *adj.m.* 단일 모터(의).

mononéumono, na *adj.* 폐(pulmón)가 하나인.

monono, na *adj.* 귀여운, 예쁜, 아름다운(lindo, bonito).

monopastos *m.* 【단·복수 동형】 도르래, 활차(滑車)(garrucha).

monopatín *m.* 스쿠터.

monopétalo, la *adj.* 【식물】 외꽃잎의.

monoplano *m.* 【항공】 단엽 (비행)기.

monopolio *m.* 전매(권), 독점(권), 독점 판매 : ~ de tabacos 담배의 독점권.

monopolista *adj.m.f.* 전매 사업인·사업체 ; 독점 판매자 ; 독점자(의).

monopolización *f.* 전매, 독점, 독점 판매 ; 독점(monopolio).

monopolizador, ra *adj.m.f.* =**monopolista.**

monopolizar *tr.* 9 (…의) 독점권·전매권을 얻다 ; 독점하다.

monopsonio *m.* 구매자 독점 ; 수요 독점.

monóptero *adj.m.* 【건축】 단열 원주식의 (회당).

monorrefringente *adj.* 【물리】 단굴절의.

monorriel *m.* 단궤(單軌) 철도 , 모노 레일.

monorrimo, ma *adj.* 【시어】 단운(單韻)의, 각행 동운의 ; 단운 시의.

monorrítmico, ca *adj.* 단 리듬의.

monosabio *m.* (투우장의) 심부름꾼·사환.

monosépalo, la *adj.* 【식물】 단악편의 : cáliz ~.

monosilábico, ca *adj.* 【문법】 단음절의 : voz ~*ca.*

monosilabismo *m.* 단음절어 사용 (경향).

monosílabo, ba *adj.* 【문법】 단음절(어)의 : verbo ~ 단음절 동사 《dar, ver, ser, ir의 네 동사》. —*m.* 단음절어.

monospastos *m.* =**monopastos.**

monospermo, ma *adj.* 【식물】 단종자의.

monóstrofe *f.* 일련시(一連詩).

monostrófico, ca *adj.* monóstrofe의.

monote *m.* ① 다른 일은 보지도 이해하지도 듣지도 않으려고 지그시 곁눈을 팔고 있는 사람. ② 《*Ál.*》 말다툼(riña, alboroto).

monoteísmo *m.* 일신교, 유일신교 ; 일신론 : el ~ judío 유태의 일신교. **Contr.** politeísmo.

monoteísta *adj.m.f.* 일신교의 ; 일신론의. —*m.f.* 일신교 신자.

monotelismo *m.* 그리스도 이성 일의론(二性一意論).

monotelita *adj.m.f.* monotelismo의 (주장자).

monotipia *f.* 【인쇄】 단식 인쇄 ; 모노타이프 인쇄기, 자동 주식기.

monotípico, ca *adj.* monotipia·monotipo의.

monotipista *adj.m.f.* 모노타이프 타자수(의).

monotipo *m.* 모노타이프 인쇄기.

monótonamente *adv.* 단조롭게, 변화없이.

monotonía *f.* 단음, 단조 ; (일반적) 단조로움, 천편 일률.

monótono, na *adj.* 단조로운, 천편 일률적인 : canto ~.

monotremas *m.pl.* 【동물】 일혈류(一穴類)·단공류(單孔類) 동물 《오리너구리·바늘두더지 따위》.

monovalente *adj.* 【화학】 일가(一價)의.

monovero, ra *adj.* 모노바르《Monóvar, Alicante주의 한 도시》의 (사람).

monóxilo *m.* 통나무 하나로 만든 배.

monroísmo *m.* 몬로주의 《1823년 미국 대통령 Monroe가 교서로 발표한 외교 방침 ; 미국은 유럽 여러 나라가 남북미의 정치에 간섭하는 것을 반대하며, 또 미국은 유럽에 간섭하지 않는다는 고립주의·불간섭주의(América para los americanos)》.

monronro, ra *m.f.* 《*Chile.*》 귀여운 사람, 사랑스러운 사람.

Mons. Monseñor.

monseñor *m.* [*ital.* monsignore] ① 각하 《이탈리아에서 높은 사제에 대한 경어》. ② 좌하, 전하 《불란서에서 왕자, 귀족에 붙이는 경어》.

monserga *f.* 헛소리.

monstruo *m.* [*lat.* monstrum] ① 괴물. ② 기형 : Las flores dobles son ~*s.* ③ 거대한·위대한 사람. ④ 악당, 몹쓸 사람, 망나니 : Esta mujer es *un monstruo* 이 여자는 망나니다.

monstruosamente *adv.* 엄청나게, 굉장하게, 말도 못하게 : Es ~ grande 엄청나게 크다.

monstruosidad *f.* 격에서 벗어남 ; 괴이·괴기한 것 ; 괴물, 지독함, 굉장함 ; 극악 무도함.

monstruoso, sa *adj.* ① 괴물적인, 기괴한. ② 기형의 : animal ~ 기형 동물. ③ 거대한, 굉장히 큰 : tamaño ~ 거대한 사이즈. ④ 심한, 굉장한, 터무니없는. ⑤ 극악 무도한, 무시무시한 (horrible) : crimen ~ 극악 무도한 범죄.

monta *f.* ① 타기, 올라타기. ② 승마. ③ 승마 (신호의) 나팔. ④ (말 따위의) 교미 ; 교미 장소 (acaballadero). ⑤ 합계, 총액(total, suma). ⑥ 가치, 진가 ; 중요성 (importancia) : de poca ~ 별로 중요하지 않은. ⑦ 가격, 요금. —*m.* 《*Urug.*》 경마의 기수.

montacargas *m.* 【단·복수 동형】 【기계】 기중기 ; 화물용 엘리베이터.

montada *f.* 《*AmérC. Méx.*》 기병 순찰대.

montadero *m.* (승마용) 발판(montador, poyo).

montado, da *adj.* [montar의 *p.p.*] ① (…에) 탄·승마의 : policía ~ 기마 경찰. ② 탈 수 있도록 준비된 (말). ③ 수북히 쌓은 (요리). —*m.* 기마병.

montador, ra *m.f.* ① 승마가, 말타는 사람. ② (승마용) 발판. ③ (기계 등의) 조립공. ④ 《*AmérC.*》 부인 승마복.

montadura *f.* ① 타기, 승마. ② 승마 도구 (montura). ③ (보석의) 대금(臺金)(engaste).

montaje *m.* ① 배합 ; (기계의) 설치, 조립 : sala de ~ 조립 공장. ③ 금액. —*pl.* ① 포가(砲架)(cureña). ② 【영화】 편집. ③ 몽타주.

montanear *intr.* (돼지에게) 도토리를 사육하다.

montanera *f.* (돼지 사료로서의) 도토리 따위; 도토리를 먹이는 시기.
estar en ~ (어떤 기간 동안) 푸짐한 식사를 하다.

montanero *m.* 산지기.

montanismo *m.* 몬따노교《기원 2세기 필리시아의 사교 Montano가 창립한 파》.

montanista *adj.m.f.* 몬따노교의 (교도).

montano, na *adj.* 산의.

montantada *f.* ① 허풍, 허세 (jactancia). ② 군중, 운집(muchedumbre).

montante *f.* ① 큰 칼. ② (기계나 받침의) 다리. ③【건축】(창문의) 가운뎃살; (창문이나 문간의) 윗창. ④《*Galic. Amér.*》금액, 합계, 총액, 총계(suma). ⑤《*AmérC.*》반란. ⑥《*SDgo.*》꽃불. —*f.* 민물. —*adj.* 중요한, 중대한.
meter el ~ 싸움에 끼어들다.

montantear *intr.* ① 넓은 칼을 사용하다 · 휘두르다. ② 혼자 큰소리치다.

montantero *m.* 넓은 칼을 쓰는 사람.

montaña *f.* ① 산, 산악(monte): Se paran altas ~*s* a España de Francia 높은 산이 서반아를 불란서와 나누고 있다. ②【고어】《*Amér.*》산지. ③《*AmérM.*》숲, 삼림. ④ 산맥(山脈).

montañero, ra *adj.* 《*Col.*》산의, 산악의.
—*m.f.* 등산가(alpinista).

montañés, sa *adj.m.f.* ① 산지의, 산악 지방의 (사람). ② 라 몬따냐《la Montaña, Santander의 한 지방 이름》의 (사람). —*m.* 《*And.*》주류 소매상인(vendedor de vinos).

montañesismo *m.* 라 몬따냐 지방성(地方性).

montañeta *f.* [*dim.* montaña] 작은 산, 동산.

montañismo *m.* 등산(alpinismo).

montañista *m.f.* 산악가, 등산가(alpinista).

montañoso, sa *adj.* ① 산의 : superficie ~*sa* 산의 표면. ② 산이 많은 : terreno ~ 산이 많은 지역. un país muy ~ 산악 국가.

montañuela *f. dim.* montaña.

montaplatos *m.*【단 · 복수 동형】요리 운반용 리프트.

montar *intr.* ① 타다, 걸터앉다; 오르다, 올라가다, 타고 오르다. ② 말에 오르다 · 타다(subir a caballo); 타고 가다(cabalgar) : ~ a la mujeriega · a horcajadas 모로 앉아 타다, 걸터앉아 타다. ~ en pelo 안장없이 말을 타다. Juan *monta* bien 후안은 말을 잘 탄다. José *monta* a caballo 호세는 말을 탄다. ③ 가치 · 능력을 가지다 : Tanto *monta* José como Ana 호세는 아나만큼 능력이 있다. ¡Tanto *monta*! 실력이 같다. ④ 중요하다 (importar) : Ese negocio *monta* poco 그 사업은 별로 중요하지 않다.
—*tr.* ① (…에) 타다; (말을) 이리저리 타고 다니다 : José *montaba* un alazán 호세는 밤색 말을 타고 있었다. ② 교미하다(cubrir). ③ 총계가 …이다, 총계가 …에 달하다 : Esta cuenta *monta* cien mil pesetas 이 계산은 총계 10만 뻬세따이다. ④ ㄱ) (기계 · 부품을) 조립하다 : ~ una máquina 기계를 조립하다. ~ las piezas 부품을 조립하다. ㄴ) 설비하다. ⑥【영화】편집하다; 몽타주하다. ⑦ (보석을) 끼우다, 박다(engastar). ⑧ (총 따위의) 방아쇠를 걸다(amartillar). ⑨ (선박 등이) 포문을 장치하고 있다. ⑨ (선박을) 조종하다, (선박이 곶 등을) 돌다(doblar). ⑩ (산에 침입한 목축에) 벌금을 물리다. ⑪《*Méx.*》혼내주다, 격퇴하다(humillar). ⑭ (시계의) 태엽을 감다.
~se 타다; 사방으로 타고 다니다 : ~*se* al asno 나귀를 타다 · 타고 다니다.
~ *en cólera* 성내다, 화내다, 노하다.

montaraz *adj.* ① 산에서 자란 : animal ~ 산에서 자라는 동물. ② 야생의, 야만스러운, 거친, 난폭한(salvaje, grosero) : genio ~ 거칠고 난폭한 성질.
—*m.* 산지기(guardabosques).

montaraza *f.* 《*Sal.*》여자 산지기. ②《*Sal.*》. 산지기의 아내.

montarral *m.* 《*AmérC. Venez.*》덤불.

montarrón *m.* 《*Col.*》밀림 (selva); 대삼림(大森林)(bosques grandes).

¡montas! *interj.* 어서!, 자!, 빨리! (¡anda!, ¡vaya!, ¡digo!)《재촉의 말》.

montazgar *tr.* 8 montazgo를 징수하다.

montazgo *m.* 목축떼의 산 통행료.

monte *m.* [*lat.* mons, montis] ① 산. ② 야산, 숲, 삼림(bosque) : un ~ de encinas 떡갈나무숲. ③ 속임수 카드. ④ 카드 놀이의 일종. ⑤ 방해물. ⑥ 헝클어진 머리칼. ⑦ 매춘굴. ⑧《*Ant. Urug. Venez.*》시골, 교외(campo). ⑨《*Méx.*》풀, 목초.
~ *alto* 교목 숲. ~ *bajo* 관목 숲. ~ *blanco* 식림 용지(用地). ~ *cerrado* 무성한 산. ~ *de piedad* 공설 전당포《서민용》. ~ *de Venus* 음핵, 공알, 클리토리스; 손가락의 볼록한 부분. ~ *hueco* 커다란 나무만 우거진 산. ~ *pardo* 떡갈나무 숲. ~ *pío* 헌금, 헌금함.
andar a ~ 산중으로 피하다; 당분간 얼굴을 내밀지 않고 있다; 나쁜 길로 잘못 들다.
batir · correr el ~ 산속에 숨은 범인을 찾기 위해 산속을 뒤지다; 산사냥을 하다.
echar al ~ 《*Col.*》처부수다, 무찌르다(vencer).
estar de ~ *en* ~ 《*Ecuad.*》서로 원한을 품다.
poner ~ 《*Col.*》훼방놓다, 방해하다.

montea *f.* ① 몰아 세우기. ②【건축】석재 절단 기술; 공작도; 가옥의 도면 제작.

monteador *m.* 도면 · 공작도 제작자.

montear *tr.* ① 몰아세우다. ② (…의) 공작도 · 도면을 만들다. ③ 반원 모양으로 하다. ④《*Urug.*》나무를 자르다. —*intr.* 《*Venez.*》노닥거리다, 잡담하다(charlar).

montecillo *m. dim.* monte.

montenegrino, na *adj.* 몬떼네그로《Montenegro, 발칸 반도의 옛 왕국》의. —*m.f.* 몬떼네그로 사람.

montenegro *m.* 《*Col.*》정원의 식물.

montepío *m.* ① 전당포. ②《*Perú.*》부조료(viudedad).

montera *f.* ① 두건 : una ~ de paño. ② 투우사 모자(gorro de toreros). ③ (안마당 등의) 유리천장. ④ (증류 가마의) 덮개. ⑤ 사냥꾼의 아내. ⑥《*AmérC.*》술취함(borrachera).

monterería *f.* 두건 공장 · 가게.

monterero, ra *m.f.* 두건 제조인 · 상인.

montería *f.* ① (멧돼지 따위의) 사냥. ② 사냥술. ③《*Bol. Ecuad.*》(강을 따라 흐르는) 나룻배; 사냥 그림.

monterilla *f.* 삼각돛의 일종.

montero, ra *adj.* 【고어】 =**montés.**
—*m.f.* 사냥꾼, 몰이꾼 ; 사냥개 : ~ de cámara, ~ de Espinosa 까스띠야 왕궁의 숙직. ~ mayor 왕실의 수렵관 ; 사냥꾼.

monterón *m. aum.* montera.

monterrey *m.* 고기를 넣은 파이의 일종.

monteruca *f. desp.* =**montera.**

montés *adj.* 산의, 산에 있는, 산에서 자란 : gato ~ 살쾡이.

montesa *adj.f.* 【시어】 =**montés.**

montesino, na *adj.* =**montés.**

montevideano, na *adj.* 몬떼비데오 《Montevideo, 우루구아이의 수도》의. —*m.f.* Montevideo 사람.

montgolfier *m.* =**montgolfiera.**

montgolfiera *f.* =**mongolfiera.**

montícola *adj.* 【남·여 동형】 산에서 자라난. —*m* 【조류】 몬띠꼴라 《산의 바위에서 자라는 부리가 강하고 꼬리가 짧고 날개가 긴 새》.

montículo *m.* 작은 산, 동산(montecillo).

montilla *m.* 몬띠야 《Montilla, 꼬르도바 주의 한 도시》 산 포도주.

montillano, na *adj.m.f.* 몬띠야 《Montilla, Córdoba 주의 한 도시》의 (사람).

monto *m.* 총액, 합계, 집계(monta) : ~ de la enajenación 양도 가액. ~ de patrimonio líquido 《*Chile.*》 순자산 가액. ~ del activo 자산 가액. ~ total 총액.

montón *m.* ① 더미, 무더기, 쌓아 올림. ② 많음, 태산 같음 : Tengo que decirte un ~ de cosas 너에게 할 말이 태산 같다. ③ 쓸모없는 인간 (persona inútil) : ~ de tierra 망령들린 노인.
a ~ 몽땅 털어서(a bulto).
a ~es 듬뿍, 많이, 풍족하게(con abundancia).
a ~, de ~, en ~ 함께 끼워 ; 손에 잡히는 대로 ; 무차별하게.
ser del ~ 평범한 것이다.

montonera *f.* ① 《*Amér.*》 반란 기마 부대. ② 《*Col.*》 짚더미(almiar).

montonero *m.* ① 《*Amér.*》 기마 반란군. ② 《*Méx.*》 유격 대원(guerrillero). ③ 《*Col.*》 산적, 노적, 쌓아 올림. ④ 《*Méx.*》 =**camorrista.**

montoreño, ña *adj.* 몬또로 《Montoro, 구아달끼빌 강변의 꼬르도바 주의 도시》의. —*m.f.* Montoro 사람.

montoso, sa *adj.* =**montuoso.**

montubio, bia *adj.* 《*Ecuad. Perú.*》 해안 지방의 ; 촌스러운. —*m.f.* ① 《*Ecuad. Perú.*》 해안 지방 사람 ; 촌사람. ② 산지기(montaraz).

montuca *f.* 《*Hond.*》 옥수수 반죽 푸딩.

montunería *f.* 《*Col.*》 소심, 겁.

montuno, na *adj.* ① 산(montaña)의. ② 《*Col. Chile. Venez.*》 산간 벽지의. ③ 《*Amér.*》 촌스러운(montaraz).

montuosidad *f.* 산지, 산악 지대.

montuoso, sa *adj.* ① 산의 ; 산악 지대의. ② 산이 많은 : región · comarca *~sa* 산이 많은 지방.

montura *f.* ① 승용 동물. ② 승마용 안장 (montadura). ③ (기계류의) 조립, 설치(montaje). ④ (보석 반지의) 보석 받침. ⑤ 상감. ⑥ (관측기 등의) 받침대.

monuelo, la *adj. dim.* mono.

monumental *adj.* ① 기념비의. ② 기념의, 기념이 되는, 기념적인. ③ 불후의, 불멸의, 역사적인. ④ 뛰어난, 몹시 훌륭한, 빼어난. (excelente, extraordinario) : una obra ~ 뛰어난 작품. ⑤ 거대한(gigantesco) : estatua ~ 거대한 상.

monumentalidad *f.* 기념비적인 것 · 일.

monumentalmente *adv.* 기념비적으로 ; 기념으로 ; 불후하게 ; 뛰어나게, 빼어나게, 훌륭하게.

monumento *m.* [*lat.* monumentum] ① 기념비 : un ~ a Bolívar 볼리바르를 기리는 기념비. ② 기념 건조물 : El parteón es el ~ más hermoso de Atenas. ③ (역사적) 기념물, 유적 : el Quijote, ~ de la literatura universal 세계 문학의 기념비적인 작품인 동끼호떼. Las obras de Homero son el más bello ~ de la antigüedad. 호머의 작품들은 고대 유물 중에서 가장 아름답다. ④ 무덤(sepulcro). ⑤ 무덤을 덮는 건조물 : ~ funerario. ⑥ 훌륭한 물건 · 사람 : Esta chica es un ~.

monzón *m.(f.)* [*ár.* maucim] 【기상】 계절풍, 몬순.

moña *f.* ① 매듭 장식, 리본 ; (투우사의) 매듭 리본. ② 인형(muñeca) ; 마네킹 인형. ③ 술취함 (borrachera). ④ 《*Col.*》 으시대기, 거만, 자만 (orgullo). ⑤ 모자(gorro). ⑥ 슬픔(tristeza).
—*m.* =**homosexual.**

moñajo *m. desp.* moño.

moñato *m.* 《*Urug.*》 =**moniato.**

moñiga *f.* =**boñiga.**

moñista *adj.* =**jactancioso.**

moño *m.* ① 상투, 올린 머리. ② 리본 매기(lazo de cintas). ③ 도가머리, 관모(冠毛)(penacho). ④ 《*Col.*》 변덕스러움. ⑤ 《*Chile.*》 (말의) 이마의 털 ; (사람의) 머리칼(cabello). ⑥ (어떤 물건의) 꼭대기. —*pl.* 치덕치덕 꾸미기.
agachar el ~ 머리를 수그리다 ; 콧대를 꺾어주다.
agarrarse del ~ =pegarse.
estar hasta el ~ =estar harto.
hacerse el ~ 머리를 틀어 올리다(peinarse).
ponérse**le a uno **el ~ 생각이 미치다.
ponerse ~s 우쭐해지다, 으시대다(presumirse).
quitar ~s 녹초가 되다.

moñón, na *adj.* =**moñudo, caprichoso.**

moñudo, da *adj.* ① 도가머리(moño)가 있는 : ave *~da* 도가머리 새. ② 《*Col.*》 변덕스러운 (caprichoso).

moñuelo *m.* 《*Méx.*》 =**bcñuelo.**

MOP Ministerio de Obras Públicas 공공 사업성.

moque *m.* 《*Col.*》 송진, 수지(樹指)(resina).

moquear *intr.* 콧물(moco)를 흘리다.

moqueo *m.* 콧물(moco) 흘리기.

moquero *m.* 콧수건.

moqueta *f.* [*fr.* moquette] 양탄자, 카펫.

moquete *m.* 콧등 · 얼굴을 때리는 일(puñada) : pegar a uno un ~ 누구의 콧등을 때리다.

moquetear *intr.* 코를 자주 흘리다. —*tr.* (…의) 콧등을 때리다, 얼굴을 때리다.

moquillento, ta *adj.* 《*Col. Perú.*》 코감기에 걸린.

moquillo *m.* ①《*Col. Perú.*》 코감기. ② =**pepita.** ③《*Ecuad.*》(말을 길들이기 위해 입술을 묶는) 노끈.
moquita *f.* 콧물.
moquitear *intr.* 《*Sant.*》 =**lloriquear.**
moquiteo *m.* 《*Sant.*》 =**lloriqueo.**
mor *m.* [amor의 머리글자를 생략한 말]. *por ~ de* …때문에, …에 의해(por causa de).
m.[or] mayor.
mora[1] *f.* [*lat.* morum ; *gr.* môron] ① 오디 ; 가시나무 열매 ; 딸기(zarzamora). ②《*Bol.*》 총탄의 일종(pepino). ③《*Méx.*》【식물】 뽕나무.
mora[2] *f.* [*lat.* mora] 지체, 지연(demora, tardanza).
morabetino *m.* [*ár.* morábit] (옛날의) 은화의 일종.
morabito *m.* =**morabuto.**
morabuto *m.* ① 회교의 수업승. ② morabito의 암자.
moráceo, a *adj.* 【식물】 뽕나무속의. *—f.pl.* 뽕나무속 식물.
moracho, cha *adj.* 검붉은 빛깔의, 불그스레한.
morada *f.* ① 집(casa). ② 방(habitación). ③ 주거(vivienda) : pobre ~. ④ 체재, 체류(estancia).
moradilla *f.* 【식물】 =**almizdeña.**
morado, da *adj.* ① 검붉은 빛깔의. ②《*Arg.*》 겁이 많은(cobarde).
morador, ra *adj.* 거주하는, 사는. *—m.f.* 거주자.
moradura *f.* 【방언】 (피하 출혈의) 피멍.
moradux *m.* 【식물】 마요라나(almoradux).
moraga *f.* ① (이삭을 모은) 다발. ② 물고기나 콩 따위를 굽는·볶는 일. ③《*Amér.*》 돼지의 도살.
morago *m.* =**moraga.**
moraíta *adj.m.f.* Morea의 (사람).
moral[1] *adj.* [*lat.* moralis] ① 도덕(상)의, 도의의, 윤리적인 : carácter ~ 덕성, 품성. cultura ~ 덕육. obligación ~ 도의상의 의무. Contr. inmoral. ② 마음의, 정신적인 : facultades *~es* 정신 기능·능력. victoria ~ 정신적 승리. Contr. material. ③ 도덕적인, 도의를 지킬 줄 아는, 품행이 단정한. ④ 교훈적인 : libro ~ 교훈적인 책. *—f.* ① 도덕, 도의, 윤리학(ética). ② 정신, 기력, 사기 : la ~ relajada 해이해진 사기.
moral[2] *m.* ①【식물】 뽕나무. ②【식물】 모랄《열대 적도 지방의 나무로 가옥 건축의 용재》. *—adj.* 무화과의.
moraleja *f.* [*dim.* moral] 우화, 우의, 가르침, 교훈, 교훈이 될 만한 것.
moralidad *f.* ① 도덕, 도의, 도의심, 도덕관 : hombre sin ~. ② (개인의) 덕행, 덕의, 풍기. ③ (이야기 따위의) 교훈, 교훈극(moraleja). Contr. inmoralidad.
moralista *m.f.* 도학자 ; 도덕가.
moralización *f.* 도덕화, 도의심 향상 ; 교화.
moralizador, ra *adj.* 도덕심을 앙양시키는 ; 교화적인 : influencia *~ra.*
moralizar *tr.* 9 도덕심을 앙양시키다 ; 교화시키다, 설법하다. *—intr.* 도를 가르치다, 설교하다, 설법하다 ; 교화하다 ; 도덕적으로 생각하다.
moralmente *adv.* 도덕적으로 ; 정신적으로.
moranza *f.* 주거 ; 집(morada).
morapio *m.* 적포도주(vino tinto)의 일종.
morar *intr.* [*lat* morari] 살다, 정주하다, 거주하다(habitar).
moratiniano, na *adj.* 모라띤《불란서극의 모방적 작가 Nicolás Fernández de Moratín (1737−80)과 그 아들로써 서반아극을 다시 일으켜 놓은 Leandro F. de M.(1760−1828)》풍의.
morato *adj.m.* *trigo ~* 검정 밀.
moratoria *f.* 지불 정지·유예 (기간) : ley de ~ 지불 유예 명령.
moratorio, ria *adj.* 지불 유예·정지의 : intereses *~s.*
moratxa *f.* 모랏사《까딸루냐의 춤》.
moravo, va *adj.* 모라비아《Moravia, 꼬스따리까의 산 호세 주의 소도시 ; 고대 오스트리아의 한 주》의. *—m.f.* 모라비아 사람.
morbidez *f.* =**delicadez.**
morbididad *f.* 이환율(罹患率), 병에 걸리는 비율 ; 질병 상태·조건·성질, 불건전.
mórbido, da[1] *adj.* [*lat.* morbidus] ① 병의, 병적인 : síntoma ~. ② (병적으로) 음울한.
mórbido, da[2] *adj.* [*ital.* morbido] ①【미술】 생기 있는(delicado). ② 부드러운(suave) : carnes *~das.*
morbífico, ca *adj.* 병의 ; 병을 일으키는 ; 병원(病原)이 되는 : gérmenes *~s* 병원균.
morbilidad *f.* =**morbididad.**
morbo *m.* 병, 질환(enfermedad) : ~ comicial 간질병. ~ gálico 매독 ; 가래톳. ~ regio 황달(ictericia).
morbosidad *f.* 병적 성질·상태 ; 이환율(罹患率) ; 환자 수효.
morboso, sa *adj.* ① 질병의(enfermo) : estado ~. ② 병에 걸린(mórbido).
morcacho *m.* 《*Ar.*》 밀과 보리의 잡종.
morcajete *m.* 《*Méx.*》 =**molcajete.**
morcajo *m.* =**morcacho.**
morcar *tr.* =**amurcar.**
morcas *f.pl.* 《*Ar.*》 =**heces del aceite.**
morceguila *f.* 박쥐(murciélago)의 똥.
morcella *f.* (불에서 튀기는) 불꽃 ; 섬광.
morceña *f.* 【고어】《*Sal.*》 =**morcella.**
morciguillo *m.* 【동물】 박쥐(murciélago).
morcilla *f.* ① 선지를 넣은 순대 : ~ de piñones. ② 개그, 각본에는 써 있지 않으나 관객의 박수를 받는 대사 : meter *~s* 개그를 넣다. ③《*Cuba.*》 거짓말, 허위, 날조.
~ malagueña 개를 죽이기 위한 독 (veneno para matar perros).
morcillero, ra *m.f.* ① 순대 제조자·판매인. ② 임기 응변의 대사를 곧잘 넣는 배우. *—adj.* 《*Cuba.*》 거짓말쟁이의, 날조자의.
morcillo *m.* 팔의 근육 부분(parte musculosa del brazo).
morcillo, lla *adj.* [*lat.* mauricellus] 검붉은 털의 (말).
morcillón *m.* [*aum.* morcilla] ① 돼지나 기타 동물의 염통. ② 굵직한 순대(morcilla grande). ③【조개】 새조개의 일종(mejillón).

morcón *m.* ① 굵직한 순대(morcilla grande). ② 땅딸보(persona gruesa y rechoncha). ③ 구질구질한 사람.
morcuero *m.* =**majano.**
mordacidad *f.* 신랄함, 통렬.
mordaga *f.* =**borrachera.**
mordante *m.* (인쇄공의) 원고를 눌러 두는 기구.
mordaz *adj.* [*lat.* mordax, acis] ① 물어뜯는. ② 부패성의. ③ 혀를 찌르는 듯이 매운(picante). ④ 신랄한 : escritor ~.
mordaza *f.* ① 재갈. ② 누름쇠, 조임쇠 : ~ asiladora 절연 전선의 누름쇠. ③ (모루의) 턱. ④ (돛줄의) 누름대. ⑤ (레일의) 접속판.
mordazmente *adv.* 통렬하게, 신랄하게.
mordedor, ra *adj.* ① 물어뜯는 : perro ~. ② 비꼬는, 풍자적인(satírico).
Perro ladrador, poco ~ 【속담】 무는 개는 짖지 않는다, 말이 적은 사람을 경계하라.
mordedura *f.* 물어뜯기 ; 물린 상처.
mordelón, na *adj.* ① 《*Col. Venez.*》 무는 버릇이 있는 (동물). ② 《*Méx.*》 뇌물을 뜯어내는 관리.
mordente *m.* [*ital.* mordente] ① 색조 정착제, 매염제(媒染劑). ② 잔물결 소리 《음악에서 둘 이상으로 된 장식음》.
morder *tr.* ㉕ [*lat.* mordere] ① 씹다 : ~ un pedazo de pan. ② 깨물다, 물다, 물어뜯다 : Si me hace daño, le *morderé* 나를 아프게 하면, 당신을 물어뜯겠습니다. ③ 닳게 만들다 (gastar, consumir) : La lima *muerde* el acero. ④ 부식(腐蝕)하다(corroer). ⑤ 비난하다(criticar). ⑥ 《*Amér.*》 속이다(estafar). ⑦ 《*Méx.*》 뇌물을 뜯다.
~se los labios (감정을 숨기려) 입술을 깨물다.
[직설법 현재 : muerdo, muerdes, muerde, mordemos, mordéis, muerden. 접속법 현재 : muerda, muerdas, muerda, mordamos, mordáis, muerdan].
mordicación *f.* 욱신거리는 아픔.
mordicante *adj.* ① 신(acre) : zumo ~. ② 시꺼먼. ③ 부식성의. ④ 통렬한, 비꼬는, 신랄한 (cáustico, satírico) : espíritu ~.
mordicar *tr.* ⑦ (혀를) 찌르다, 쏘다 ; 물어뜯다 ; 자극하다.
mordicativo, va *adj.* 신 ; 찌르는 듯한 ; 쏘는 듯한 ; 부식성의.
mordida *f.* ① 깨물기 ; 물린 상처. ② 《*Méx.*》 뇌물. —*pl.* 말은 직책에서 생긴 여러 가지 부수입.
mordido, da *adj.* [morder의 *p.p.*] 인색해진 (menoscabado).
mordiente *adj.* 물어뜯는. —*m.* 색조 착색제, 매염제 ; (인쇄소의) 금속 부식제. —*pl.* 집게.
mordihuí *m.* 【곤충】 바구미(gorgojo).
mordimiento *m.* =**mordedura.**
mordiscar *tr.* ⑦ 질겅질겅 씹다 ; 가만가만 씹다, 깨물다 : ~ un pedazo de pan.
mordisco *m.* 질겅질겅 씹기 ; 한번 물어뜯기.
mordiscón *m.* 《*Amér.*》 =**mordisco.**
mordisquear *tr.* =**mordiscar.**
mordoré *adj.* 《*Galic.*》 검은 자줏빛의.
morduyo *m.* 《*Méx.*》 =**mordihuí.**
móreas *f.pl.* 【식물】 뽕나무과 식물.
moreda *f.* ① 【식물】 뽕나무(moral). ② 뽕나무밭.
morejón, na *m.f.* 《*SDgo.*》 더러운 흑인. —*m.* 말린 바나나.
morel de sal *m.* (프레스코화 용의) 자줏빛과 분홍 빛깔이 섞인 안료.
morellano, na *adj.m.f.* 모레야 《Morella, Castellón주의 한 도시》의 (사람).
morena *f.* ① 【어류】 바다장어. ② (보릿단 따위의) 노적, 노적가리. ③ (빙하의) 돌더미. ④ 흑빵(pan moreno).
morenillo *m.* 【수의】 식초에 버무린 목탄 가루.
moreno, na *adj.* 가무잡잡한 ; 갈색의, 갈색 인종의. —*m.f.* ① 흑인(negro). ② 갈색 인종.
morenote, ta *adj.* [*aum.* moreno] =**muy moreno.**
móreo, a *adj.* 【식물】 뽕나무속의.
morera *f.* 【식물】 뽕나무.
moreral *m.* 뽕나무밭.
morería *f.* ① 도시의 모로인의 구역. ② 모로인의 나라.
morete *m.* 《*AmérC. Méx.*》 혈반(血斑), 피멍 (moretón).
moreteado, da *adj.* ① 혈반(morete)이 생긴. ② 《*Amér.*》 푸르죽죽해진.
moretear *intr.* 《*Amér.*》 혈반 · 피멍이 맺히다. **~se** 《*Amér.*》 피멍이 들다.
moretón *m.* 피멍, 혈반 ; 타박상.
morfa *f.* 귤류에 기생하는 버섯.
morfar *intr.* 《*Arg.*》 【은어】 =**comer.**
morfea *f.* =**albarazo.**
Morfeo *m.* 【신화】 꿈의 신, 꿈의 마귀.
en brazos de ~ 잠들어.
mórfico, ca *adj.* 모르핀 염류의.
morfina *f.* 【화학】 모르핀 : La ~ es un veneno violento.
morfínico, ca *adj.* 모르핀의.
morfinismo *m.* 【의학】 (만성의) 모르핀 중독.
morfinomanía *f.* 【의학】 모르핀 중독 · 상용 ; 모르핀광(狂).
morfinomaniaco, ca *adj.m.f.* =**morfinómano.**
morfinomaníaco, ca *adj.m.f.* =**morfinomaniaco.**
morfinómano, na *adj.* 모르핀을 상용하는 · 중독의. —*m.f.* 【의학】 모르핀 중독 환자.
morfología *f.* ① 조직, 형태. ② 【생물 · 언어】 형태학. ③ 【문법】 어형론, 형태론.
morfológico, ca *adj.* 형태(학)적인, 형태학(상)의, 형태론(상)의.
morfosis *f.* 기관의 형성 과정.
morga *f.* 올리브의 떫은 맛(alpechín).
morgalla *f.* 《*Venez.*》 찌꺼기 살, 찌꺼기.
morganáticamente *adv.* 신분을 달리.
morganático, ca *adj.* 신분이 다른 (결혼 · 부부)(de la mano izquierda) : matrimonio ~ 귀천상혼, 신분이 다른 결혼.
morgaño *m.* 《*Ar.*》 =**musgaño.**
morgón *m.* 《*Ar.*》 =**mugrón.**
moriángano *m.* 《*Can.*》 =**fresa.**
moribundo, da *adj.* ① 다 죽어가는, 빈사 상태의, 임종(臨終)의. ② 꺼질 듯한, 소멸하려고 하는. —*m.f.* 임종에 임한 사람.

morichal *m.* ① moriche의 숲·밭. ②《*Venez.*》샘(manantial). ③ 별장.
moriche *m.* ①【식물】(남미산의) 설탕 야자. ②【조류】모리체《남미산의 우는 새》.
moridera *f.*《*Venez.*》죽고 싶을 만한 슬픔 ; 실신.
moridero *m.*《*Col. Ecuad.*》(사람을 죽게 만들 정도의) 건강에 좋지 못한 장애.
moriego, ga *adj.* 모로인의 : tierra ～*ga.*
morigeración *f.* 온건, 신중.
morigerado, da *adj.* [morigerar의 *p.p.*] 조심스러운, 온건한 : hombre ～.
morigerar *tr.* [*lat.* morigerari] 누그러뜨리다, 완화하다, 신중히 하다(templar).
morilla *f.*【식물】들버섯(cagarria).
morillero *m.* =**mochil.**
morillo *m.* (부뚜막 안에 넣는) 땔나무 틀.
moringa *f.*《*Cuba.*》도깨비, 유령(coco).
morio *m.*《*Sant.*》=**muro.**
moriondo, da *adj.* 발정기의 (양).
morir *intr.* 58 [*lat.* mori] ① 죽다, 서거하다(dejar de vivir, cesar de vivir, perder la vida) : César *murió* asesinado 시이저는 살해되어 죽었다. ～ *de* hambre 굶어 죽다, 아사하다. ～ de frío 동사하다. ② 다하다, 없어지다, 꺼지다. ③ 죽게 되다 ; 죽을 상이다, 몹시 고통스러워하다 : ～*(se) de* frío·dolor.
—*tr.* 죽이다 : *He muerto* una liebre 토끼 한 마리를 잡았다.
～se ① 죽어 버리다 : *Se* le *murió* la mujer 그는 아내와 사별하였다. María *se murió de* hambre 마리아는 아사했다. ② (손발 따위가) 말을 듣지 않게 되다. ③ [+por] …이 좋아 죽겠다 ; 죽을 맛이다(querer mucho) : ～*se por* lograr.
～ ***civilmente*** 사회적으로 죽다·말살되다.
～ ***con las botas puestas vestido*** (자연사가 아닌) 폭사·횡사하다.
～ ***de joven*** 요절하다, 젊어 죽다.
～ ***de viejo*** 늙어 죽다.
～***se de miedo*** 무척 두렵다(tener mucho miedo).
～***se de risa*** 박장 대소하다, 포복 졸도하다 (desternillar de risa).
[직설법 현재 : muero, mueres, muere, morimos, morís, mueren. 접속법 현재 : muera, mueras, muera, muramos, muráis, mueran. 직설법 부정 과거 3인칭 단·복수 : murió, murieron. 과거 분사 : muerto. 현재 분사 : muriendo].
morisco, ca *adj.m.f.* ① 모로인(의)(moruno). ② (특히) 국토 수복전 후에 서반아에 그대로 남아 개종했던 모로인. ③《*Chile.*》먹어도 살찌지 않는 (말). ④《*Méx.*》유럽인과 혼혈아와의 사이에서 태어난 (사람).
morisma *f.* ① 회교, 이슬람교(mahometismo). ② [집합] 모로인.
a la ～ 모로인 식·풍으로.
morisqueta *f.* ① 책략, 계략, 속임수 (ardid o treta) : hacerle a uno una ～. ②《*Filip.*》쌀밥 (arroz cocido con agua sin sal). ③《*And.*》찡그린 상(mueca) ; 익살스러운 얼굴(visaje).
morito *m.* =**falcinero.**
moriviví *m.*《*Cuba.*》【식물】함수초(sensitiva).
morlaco, ca *adj.m.f.* 둔한 (사람), 어리석은 (사람). **—***m.*《*Amér.*》뻬소(peso).
morlés *m.* (본래 불란서 Morlés산의) 삼베 직(織).
morlón, na *adj.m.f.* =**morlaco.**
mormajo *m.*《*And.*》=**disparato.**
mormón, na *m.f.* 모르몬교도.
mormónico, ca *adj.* 모르몬교의 : En los Estados Unidos de América existen varias agrupaciones ～*cas.*
mormonismo *m.* 모르몬교.
mormullar *intr.* =**murmurar.**
mormullo *intr.*《*Méx.*》=**murmurar.**
mormurar *intr.*【고어】《*Méx.*》=**murmurar.**
moro, ra *adj.m.f.* [*lat.* maurus] ① 모로인·무어인(의) ; 고대 Mauritania의 (사람)《오늘날의 모로코 (Marruecos)》: un guerrero ～. ② 회교도(의) ; 아라비아인(의). ③ 세례 받지 못한. ④ 순수한 ; 물을 타지 않은 (술). ⑤ 발끝·이마에 흰 털이 있는 (말).
～ ***de paz*** 서반아 왕에게 신하로서의 예를 지켰던 모로인 ; 위험이 없는 사람.
～ ***de rey*** 모로코 정규군의 기마병.
el Moro Muza (이름을 밝히지 않고) 어떤 사람 ; 아무개 : ¿Quién lo hizo? — El *Moro Muza* 그건 누가 그랬지? —좋은 사람.
～***s y cristianos*** 회교도 정벌의 행사 ; 대판 싸움, 대소동.
como ～s sin señor 대 혼란의(회의장·사람의 모임).
haber ～s en la costa 무엇보다 주의가 필요하다.
A más ～s, más ganancias【속담】어려움이 크면 클수록 승리의 영광은 크다 ; 호랑이 굴에 들어가야 호랑이 새끼를 잡는다.
A ～ muerto, gran lanzada【속담】위험이 없어졌을 때 자기 자랑을 한다.
Moros van, ～s vienen 차츰 취기가 돌고 있다, 반쯤 취해 있다.
morocada *f.* 양의 뿔로 찌르기.
moroco *m.*《*Bol.*》절굿공이 ; 곡식을 타는데 쓰이는 실린더.
morocota *f.* =**morrocata.**
morocoto *m.*《*Venez.*》【어류】모로꼬또《다이아몬드 색깔을 한 원형의 물고기의 속어》.
morocho, cha *adj.* ①《*AmérC.*》언청이·결순(缺脣)의(leporino). ②《*AmérM.*》몸이 건장한 (사람). ③ 가무잡잡한(moreno), 볕에 그을은. ④《*Chile.*》뚱뚱보의. ⑤ 까까중 머리의. ⑥《*Ecuad.*》바싹 마른. ⑦《*Venez.*》쌍둥이의 (gemelo) ; 쌍으로 열린. ⑧ 심한, 어려운 : hambre ～*cha* 심한 공복. parto ～ 난산. ⑨《*Amér.*》단단한, 튼튼한.
maíz ～ 알이 작고 단단한 옥수수의 일종.
morojo *m.* =**madroño.**
morolica (de) *adv.*《*AmérC.*》공짜로, 무료로, 거저(de balde) ; 어리석게도.
morolo, la *adj.*《*AmérC.*》어리석은, 멍청한, 바보의, 저능의.
morón *m.* 동산, 작은 산, 둥근 산.
morona *f.*《*Col.*》=**migaja.**
moronar *tr.*《*Méx.*》=**desmoronar.**
moroncho, cha *adj.* =**morondo.**
morondanga *f.* 잡동사니, 잡화 ; 혼란.
de ～《*Riopl.*》횡사하여.

morondo, da *adj.* =**pelado.**
moronga *f.* 《*AmérC. Méx.*》 순대(salchicha).
moronía *f.* =**alboronía.**
moroporán *m.* 《*Hond.*》 약초 식물.
morosamente *adv.* 느긋하게, 한가로이.
morosidad *f.* ① 느긋함, 한가로움 : con ~ 어물어물. ② 지연, 지체. Contr. actividad.
moroso, sa *adj.* [*lat.* morosus] ① 한가로운(lento). ② 지연의, 지체의. ③ 지불이 나쁜 : deudor ~. —*m.f.* 체납자.
moroxita *f.* =**apatita.**
morquera *f.* 【식물】 사향초속 식물(hisopillo).
morra[1] *f.* 머리 꼭대기.
morra[2] *f.* [*ital.* morra] ① 주먹 놀이 : La ~ se juega mucho en Italia. ② 권 주먹.
morra[3] *interj.* 암코양이를 부르는 소리.
morrada *f.* ① 머리 부딪치기. ② 주먹으로 때리기 : darse de ~*s.*
morral *m.* ① 자루, 주머니 ; 배낭(mochila) : llevar un ~ de caminante. ② 놈, 녀석.
morralla *f.* ① 잡어(雜魚). ② 잡동사니, 오합지졸, 어중이떠중이. ③ 《*Méx.*》 푼돈, 잔돈, 분전(分錢)(monedas menudas).
morratxa *f.* =**moratxa.**
morreo *m.* 아이들의 놀이의 일종.
morreras *f.pl.* 《*Ar.*》 =**pupa.**
morrilla *f.* 【방언】 야생의 대한민국산 엉겅퀴(alcaucil).
morrillo *m.* ① (소 따위의) 목덜미 고기. ② 굵은 목. ③ 돌멩이(piedra). ④ 《*Méx.*》 곤봉.
morriña *f.* ① 슬픔(tristeza). ② 우울(melancolía). ③ 가축의 전염병(comalia), 수종증(水腫症).
~ ***de la tierra*** 향수병.
morriñoso, sa *adj.* 《*Cuba.*》 ① 나약한, 병약한(raquítico, enfermo). ② 우울한(melancólico).
morrión *m.* 챙이 달린 투구 ; (옛날의) 군인 모자.
morrisqueta *f.* 《*Col. Venez.*》 【목공】 장붓구멍.
morro[1] *m.* [*port.* morri ; *fr.* mourre] ① 둥그런 것. ② (물건의) 머리. ③ 작은 산, 동산. ④ (목표가 되는 해안의) 바위 덩이 ; 돌멩이. ⑤ 뾰족한 입 : poner ~ 입을 뾰로통하게 하다. ⑥ 《*Méx.*》 놀려주기.
andar al ~ 여기저기 때리며 다니다.
estar de ~***(s)*** (여자 일로) 으르렁거리다.
jugar al ~ ***con*** (약속을 어겨) 허탕치게 하다.
morro[2] *interj.* 수코양이 부르는 소리.
morrocota *f.* 《*Col. Venez.*》 금화(金貨).
morrocotudo, da *adj.* ① 중요한, 큰 ; 어려운, 대담한 ; 곤란한 : un asunto ~. ② 《*Col.*》 부유한, 부자의(acaudalado). ③ 《*Chile.*》 무미 건조한. ④ 굉장한, 웅대한(formidable).
morrocoy *m.* =**morrocoyo.**
morrocoyo *m.* 【동물】 모로꼬요 거북 : La concha del ~ es de color obscuro con cuadros amarillos.
morrón *adj.* ***bandera*** ~ 구원 신호기. ***pimiento*** ~ 알이 굵은 후추의 일종.
—*m.* 자동차의 충돌 ; 비행기의 추락(golpe).
morroncho, cha *adj.* 《*Murc.*》 매우 부드러운(muy suave).
morrongo, ga *m.f.* ① 고양이(gato). ② 《*Méx.*》 하인, 급사(sirviente). —*m.* 《*Méx.*》 손으로 말은 여송연.
morronguear *intr.* ① 《*Bol.*》 빨다(chupar) ; 마시다(beber). ② 《*Chile. Riopl.*》 꾸벅꾸벅 졸다, 잠깐 졸다(dormitar).
morronguería *f.* 《*Cuba.*》 비열한 행위.
morronguero, ra *adj.* 《*Cuba.*》 비열한, 비겁한 ; 인색한.
morroño, ña *m.f.* ① 고양이(gato). ② 《*Méx.*》 하인, 급사(sirviente).
morroñoso, sa *adj.* ① 《*AmérC.*》 매끄러운. ② 《*Perú.*》 발육 부전의, 허약한.
morrudo, da *adj.* ① 입이 뾰족한, 콧등이 뾰족한, 입술이 튀어나온. ② 《*Arg.*》 늠름한, 튼튼한(musculoso).
morsa *f.* 【동물】 해마(海馬) : El marfil de los colmillos de la ~ es muy estimado.
mortadela *f.* =**salchichón.**
mortaja[1] *f.* [*lat* mortalia] 수의(壽衣)(sábana en que se envuelve el cádaver). ② 《*Méx.*》 담배 마는 종이.
~ ***de esparto*** 돗자리(petate).
mortaja[2] *f.* [*fr.* mortaise] 장붓구멍(muesca).
mortajadora *f.* 【기계】 선반(旋盤).
mortal *adj.* [*lat.* mortalis] ① 죽음의, 죽음에 관한, 죽어야 할 운명의, 필멸의 : Todos los hombres son ~*es* 사람은 누구나 죽는다. ② 치사의, 치명적인 : herida ~ 치명상. ③ 혹독한, 가혹한, 죽을 정도의 ; 불구대천의 : odio ~. ④ 죽고 싶도록 괴로운 : cuatro leguas ~*es* 죽고 싶을 정도의 4레구와의 도정(道程). ⑤ 결정적인 : Las señas son ~*es.* ⑥ 임종의 : José está ~. ⑦ 구원할 수 없는 : pecado ~ 구원할 수 없는 큰죄. Contr. inmortal. —*m.* 사람(hombre) : un ~ feliz 행복한 사람. —*m.pl.* 인간, 인류.
mortalidad *f.* [*lat.* mortalitas] ① 죽어야 할 운명 : La ~ es inherente a la naturaleza humana. ② 사망률, 사망수 : tabla de ~ 사망표. Contr. natalidad.
mortalmente *adv.* ① 치명적으로 : herir ~. ② 무척(mucho) : odiar ~.
mortandad *f.* 숱한 사망자 ; 대학살.
mortecino, na *adj.* 죽은 ; (자연사로) 죽은 짐승의 ; 쇠약해진 ; 죽어 가는, 거의 꺼져 가는 : lumbre ~*na.*
hacer la ~***na*** 죽은 척하다(fingirse muerto).
mortera *f.* 나무로 만든 사발·그릇의 일종.
morterada *f.* mortero의 1회분 ; 박격포로 1회 발사하는 포탄.
morterete *m.* 소형포 ; 예포용포 ; 부등(浮灯).
mortero *m.* [*lat.* mortarium] ① 맷돌, 절구통 : un ~ de piedra. ② 유발 : ~ de droguista 약 조제기. ③ 박격포. ④ 모르타르 회반죽.
morteruelo *m.* [*dim.* mortero] ① 소형 맷돌·절구통. ② 돼지간 요리. ③ 과자의 일종.
mortífero, ra *adj.* 죽음의 ; 살인적인, 치명의.
mortificación *f.* ① 【종교】 고행, 금욕. ② 굴욕, 억울함. ③ 수모를 주기. ④ 【의학】 탈저, 회저.
mortificador, ra *adj.* 괴로워하는 ; 억제하는.
mortificante *adj.* 고행의 ; 굴욕적인.
mortificar *tr.* ⑦ ① (정욕·감정 따위를) 억제

하다. ② 괴롭히다, 못살게 굴다(afligir). ③ 안달하게 하다. ④ 억울해 하게 만들다. ⑤【의학】탈저에 걸리게 하다. Contr. vivificar.
~se ① 몸을 괴롭히다 ; 괴로워하다 ; 고행하다. ② 금욕하다. ③ 탈저에 걸리다. ④《*Méx.*》수모를 겪다.

mortiño *m.*《*Ecuad.*》=**mirtilo.**

mortual *f.*《*AmérC. CRica.*》계승 재산, 유산.

mortuorio, ria *adj.* 죽은 사람의 ; 장례의 : casa *~ria* 상가(喪家). *—m.* 장례(funerales).

morucho, cha *adj.* =**moreno.** *—m.* 아마추어가 하는 투우의 소.

morueco *m.* 씨양, 종양(種羊)(el carnero padre).

morulla *f.*《*Méx.*》순대(morcilla).

moruno, na *adj.* 모로인의 : pintura *~na.*

moruro *m.*【식물】(꾸바산의) 아카시아의 일종.

morusa *f.* ① 돈(dinero). ②《*Venez.*》헝클어진 머리칼(pelo enredado).

mosaico, ca[1] *adj.* 모세《Moisés》의 : Ley *~ca* 모세 율법.

mosaico, ca[2] *adj.* [*gr.* mouseion ; *ital.* mosaico] ① 모자이크의. ② 여기저기서 주워 모은. *—m.* ① 모자이크, 상감 세공, 모자이크 세공(~ de madera). ② 잡동사니, 주워 모은 것.

mosaísmo *m.* 모세의 율법 ; 회교 문화, 모자이크 문화(civilización mosaica).

mosaísta *m.* 모자이크 세공사.

mosca *f.* [*lat.* musca] ①【곤충】파리 ; 파리와 같은 벌레 : ~ de burro·de mula 말파리, 쉬파리. ~ de España 가뢰(cantárida). ~ de carne 살파리(moscarda). ② 귀찮은 사람 ; 수상쩍은 사람 : ~ muerta 능청을 떠는 요주의 인물. ③ 불쾌감, 언짢음 : estar con ~ 초조해 있다. la ~ sobre la oreja 심한 의심에 빠짐. ④ 입술 밑의 잔 수염(barba que nace al hombre debajo del labio inferior). ⑤ (낚시에 쓰이는) 모기 모양의 낚싯바늘 (~ artificial). ⑥ 돈 (dinero) : aflojar·soltar la ~ 마지못하여 돈을 내다. ⑦ 경관(policía). ⑧ *pl.* 톡톡 튀기는 불똥 (chispas). ⑨ 알찐거리는 물건 : *~s* blancas 조금씩 날아 떨어지는 눈. *~s* volantes 허끼비처럼 보이는 물방울. ⑩《*Chile.*》거울의 흐려진 모양. ⑪《*Méx.*》(자동차 등의) 공짜 손님.
~ en leche 흰옷을 입은 살빛이 검은 여자.
por si las ~s 만일에 대비하여.
aflojar la ~ 지불하다(pagar).
cazar ~s 무익한 일에 관여하다.
estar con·tener la ~ detrás de la oreja, estar ~ 의심하다.
papar ~s 입을 헤 벌리고 멍하니 있다.
picar**le a uno **la ~ (누가) 언짢은 마음을 가지게 하다.
sacudir(se) las ~s 방해물을 치우다.
soltar la ~ 지불하다(pagar).
Más ~s se cazan con miel que con vinagre【속담】같은 값이면 다홍치마.

moscabado, da *adj.* =**mascabado.**

moscada *f.* 육두구의 열매(nuez moscada).

moscadero *m.*《*Galic.*》【식물】=**mirística.**

moscado *m.*《*CRica.*》【식물】=**mirística.**

moscarda *f.*【곤충】실파리 ; 꿀벌의 알.

moscardear *intr.* (벌이) 알을 낳다.

moscardino *m.* =**muscardino.**

moscardón *m.* ①【곤충】말파리, 왕호박벌(avispón). ② 귀찮은 인간.

moscareta *f.*【조류】파리잡이새.

moscarrón *m.* =**moscardón.**

moscatel *adj.* [*lat.* muscum] 사향 포도(주)의. *—m.*【식물】① 사향 포도. ② 귀찮은 사람(moscardón).

moscella *f.* 탁탁 튀기는 불똥(morcella).

mosco, ca *adj.*《*Chile.*》군데군데 흰 털이 섞인 검은 (말). *—m.* ① 모기(mosquito). ②《*Ecuad. Col.*》파리(mosca).

moscón *m.* ①【곤충】왕파리. ②【식물】단풍(arce). ③ 마음 놓을 수 없는 앙큼한 사람 ; 귀찮은 인간.

moscona *f.* 귀찮고 끈덕진 여자.

mosconear *tr.* 애먹이다, 괴롭히다, 귀찮게 굴다(molestar). *—intr.* 귀찮게 조르다, 귀찮게 늘어붙다.

mosconeo *m.* 귀찮게 하는 일.

moscorra *f.*【방언】=**borrachera.**

moscorrofio *m.*《*AmérC. Col.*》=**espantajo.**

moscovia *f.*《*Cuba.*》한 장으로 된 모피.

moscovita *adj.* ① 모스꼬비아《Moscovia, 러시아의 한 지방》의. ② 모스크바《Moscú, 러시아·소련의 수도》의. *—m.f.* ① 모스크바 사람 ; 모스꼬비아 사람. ② 러시아 사람.

moscovítico, ca *adj.* 모스크바 사람·풍의.

mosén *m.* 경, 법사(法師).

mosolina *f.*《*Sant.*》소주의 일종(aguardiente).

mosqueado, da *adj.* 반점이 있는, 물방울 무늬의.

mosqueador *m.* ① 파리 쫓는 도구. ② 말의 꼬리(cola del caballo).

mosquear *tr.* ① 파리를 쫓다 (ahuyentar las moscas). ② 때리다(azotar). ③ 뿌리쳐 버리다. ④ 퉁명스럽게 대답하다. ⑤《*Amér.*》(파리가 어떤 음식·물건을) 더럽히다. *—intr.* ①《*Arg. Col.*》(파리처럼) 날아다니다 ; 움직이다. ②《*Cuba.*》파리투성이가 되다. ③ 일이 꼬이다. ④《*Méx.*》무임 승차를 하다.
~se ① (자기 몸의 파리를) 쫓다. ② (방해가 되는 것을) 쫓아 버리다. ③ 화를 내다, 불쾌해하다 : *~se* muy fácilmente 쉬 화를 내다.

musqueo *m.* mosquear(se) 하기.

mosquerío *m.*《*Arg. Col. Méx.*》많은 파리 ; 파리가 꼬이는 곳 ; 더러운 곳.

mosquero *m.* ① 파리 잡는 끈끈이, 파리채. ②《*Amér.*》파리가 모이는 곳.

mosquerola *f.* ①【식물】배·배나무의 일종. ②【조류】(중미산의) 고깔 비둘기.

mosqueruela *f.* =**mosquerola.**

mosqueta *f.* [*lat.* muscum]【식물】(흰꽃이 피는 장미과의) 사향 가시나무 : ~ silvestre 야생 가시나무.

mosquetazo *m.* mosquete의 발사 ; mosquete의 상처·부상 : herir a uno de un ~.

mosquete *m.* [*ital.* moschetto] ① (옛날의) 화승총(火繩銃). ②《*Méx.*》(극장 무대 뒤의) 낮은 관람석.

mosquetear *intr.*《*Bol. Arg.*》냄새를 맡고 다니다(curiosear).

mosquetería *f.* ① 화승총 부대. ② (극장에서의) 입석 관객. ③《*Arg. Bol.*》(구경하러 가는) 어중이떠중이.

mosqueteril *adj.* 입석 관객의.

mosquetero *m.* ① mosquete 병사, 총사(銃士) : tres ~ 삼총사. ② (옛 극장에서) 입석. —*adj.* 《*Arg. Bol.*》 빈둥빈둥 놀며 지내는 ; 어중이떠중이의 ; 춤을 안 추는. —*m.f.* 빈둥빈둥 노는 사람 ; 어중이떠중이.

mosquetón *m.* ① 단신총. ② (여닫을 수 있는) 버클.

mosquil *adj.* 파리의.

mosquino, na *adj.* =**mosquil.**

mosquita *f.* 【조류】 굴뚝새의 일종 : ~ muerta 요주의 인물(mosca muerta).

mosquitera *f.* 모기장(mosquitero).

mosquitero *m.* =**mosquitera.**

mosquito *m.* ①【곤충】 모기(cénzalo). ② (메뚜기의) 유충, 구더기. ③ 모기 같은 여러 벌레 : ~ sin trompetilla 【곤충】 누에 놀이. ④ 선술집에 다니는 주정뱅이.

mostacera *f.* 겨자 단지·항아리.

mostacero *m.* =**mostacera.**

mostacho *m.* [*fr.* moutache] ① 콧수염 (bigote) : retorcerse el ~ 콧수염이 꼬이다. ②【선박】 가로 돛줄. ③ [드뭄] (얼굴에 나는) 점(mancha).

mostachón *m.* 아멘드빵.

mostachoso, sa *adj.* 콧수염을 기른.

mostacilla *m.* ① (사냥용) 산탄. ② 유리 구슬. ③《*Venez.*》 필요한 돈.

mostagán *m.* 포도주(vino).

mostajo *m.* 【식물】 =**mostellar.**

mostaza *f.* ①【식물】 갓. ② (조미료로서의) 겨자 : ~ blanca 흰 겨자. ~ negra 겨자(mostaza). ③ 사냥용 산탄.

subírsele** a uno **la ~ a las narices (누가) 화를 몹시 내다(irritarse mucho).

mostazal *m.* mostaza 밭.

mostazo *m.* =**mosto ; mostaza.**

¡moste! *interj.* =**¡moxte!**

mostear *intr.* 포도에서 즙이 나오다 ; 포도액을 통에 넣다 ; 포도액에 묵은 술을 섞다.

mostela *f.* 단, 묶음, 다발(haz, gavilla).

mostelera *f.* mostela 보관 장소.

mostellar *m.* 장미과의 식물 : El ~ se emplea en ebanistería.

mostén *adj.* mostense의 어미 탈락형.

mostense *adj.m.f.* =**premonstratense.**

mostillo *m.* 포도즙에 anís와 canela 등을 넣어 삶아서 굳힌 것 ; 포도즙 소스.

mosto *m.* [*lat.* mustum] ① 포도즙. ② 포도주, 술(vino). ③《*Ant.Col.*》 벌꿀의 무거리 ; 당밀의 무거리 꿀.

*~ **de cerveza*** 맥아즙(麥芽汁)《맥주의 원료》.

mostrable *adj.* 보일 수 있는, 가리킬 수 있는 ; 남의 앞에 내놓을 수 있는.

mostrado, da *adj.* [mostrar의 *p.p.*] 익힌, 익숙한, 손에 익은(acostumbrado a una cosa).

mostrador, ra *adj.* 보이는 ; 지시하는. —*m.f.* 지시자. —*m.* ① 계산대, 판매대, 스탠드, 카운터 : ~ de madera. ② (시계의) 문자반(esfera).

mostrar *tr.* ㉔ [*lat.* monstrare] ① 보이다(enseñar) : El dependiente me *mostró* una tela 점원이 나에게 옷감을 보여주었다. ② (안색·태도에) 나타내다 : ~ alegría 기쁨을 나타내다. ~ valor 용기를 보이다. ~ liberalidad 대범스러운 면을 드러내다. El *mostró* una gran alegría 그는 나에게 굉장한 기쁨을 나타냈다. El *mostraba* una gran tristeza 그는 굉장한 슬픔을 나타냈다. ③ 지시하다(indicar). ④ 증명하다.

~se ① [+형용사·명사 : …인 듯이] 굴다, 행동하다, 태도를 취하다 : Ana *se muestra* muy *cariñosa* 아나의 태도는 몹시 상냥스럽다. *~se* liberal 대범스럽게 하다. *~se* amigo 친구가 친구답게 우정을 보이다. ② 보이다, 나타내다(exponerse a la vista) : *~se* en público.

[직설법 현재 : muestro, muestras, muestra, mostramos, mostráis, muestran. 접속법 현재 : muestre, muestres, muestre, mostremos, mostréis, muestren].

mostrenco, ca *adj.* ① 소유주(propietario) 불명의 : bienes *~s.* ② 집도 가정도 없는(que no tiene casa ni hogar). ③ 우둔한(torpe). ④ 뚱뚱하고 아둔한.

—*m.f.* 집없는 사람 ; 멍청이, 바보.

mota *f.* ① (직물의) 마디(nudillo). ② 조그마한 흠·결점(defecto ligero) : poner *~s* a uno. ③ (옷에 묻은) 풀린 실·먼지·흙 : ~ de barro. ④ 작은 언덕, 높지막한 곳. ⑤ (물을 막는) 흙두둑. ⑥《*Amér.*》(원주민처럼) 꼬불꼬불한 머리털 ; 뻣뻣해진 털. ⑦《*Perú. Venez.*》(목화씨의) 솜털. ⑧【식물】 마리화나, 대마초(mariguana).

motacén *m.* 《*Ar.*》 =**almotacén.**

motacila *f.* 【조류】 할미새(aguzanieves). Sinón. nevatilla.

motar *tr.* 【은어】 훔치다, 약탈하다(hurtar).

motate[1] *m.* 《*AmérM.*》 모따떼 용설란.

mote[1] *m.* [*fr.* mot] ① 표어, 슬로건. ② (기사의) 표장. ③ 별명(apodo, sobrenombre, apellido) : Le pusieron un ~ 그에게 별명을 붙였다. ④《*Chile.*》 실수, 잘못, 미스, 에러(error, equivocación). ⑤ 특유한 발음의 말. ⑥《*Ecuad.*》 표제(標題), 제명(題名).

como ~ 《*Chile.*》 많이, 숱하게.

pelar ~ 《*Chile.*》 이웃 사람을 욕하다·험담하다(desollar al prójimo).

mote[2] *m.* [*quecha.* mutti]《*AmérM.*》 간하여 삶은 옥수수.

moteado *m.* 직물의 마디(motas de un tejido).

motear *tr.* (피륙에) 마디 점을 넣다 : una tela *moteada* de negro. —*intr.* ①《*Perú.*》 mote를 먹다 ; 발음을 이상하게 하다. ②《*SDgo.*》 값싼 물건을 팔다.

motejador, ra *adj.m.f.* motejar하는 (사람).

motejar *tr.* ① (…에) 별명을 붙이다(poner motes o apodos). ② 나쁘게 말하다 : ~ *de* ignorante 아무 것도 모르는 사람으로 취급해 버리다.

motejo *m.* 별명 붙이기.

motel *m.* 모텔(parador).

motera *f.* 《*Cuba.*》 가루분 통·병(polvera).

motero, ra *adj.m.f.* ①《*AmérM.*》 mote의 ; mote 장수 ; mote를 좋아하는 (사람). ②《*Perú.*》 서반아어를 모르는 (토인).

moteta *f.* 《*Ecuad.*》 머리(cabeza).

motete *m.* ① 성가(聖歌) : Cantó un ~ de Palestrina. ② 별명. ③《*AmérC. Ant.*》 다발, 묶음, 꾸러미(atado, envoltorio, lío).

motil *m.* =**mochil.**

motilar *tr.* 머리를 깎다, 까까중으로 만들다.

motilidad *f.* =**movilidad.**

motilón, na *adj.m.f.* 털이 없는, 머리카락이 짧은, 까까중의 (사람)(pelón) : un muchacho ~. 까까중 머리를 한 소년. **—***m.* ① 노역승(勞役僧). ② 꼴롬비아와 베네수엘라의 인디오.

motilona *f.* 【속어】 =**lega.**

motín *m.* [*lat.* motus] 반란, 폭동(rebelión contra la autoridad) : el ~ de Aranjuez 아랑후에스의 폭동·반란.

motivación *f.* ① 이유·원인의 설명. ②《*AmérC. Méx.*》 동기(motivo).

motivador, ra *adj.* 야기시키는.

motivar *tr.* ① (…의) 동기를 만들다, 움직이다, 야기시키다(causar) : ~ una intervención. ② (…의) 원인·이유를 설명하다 : ~ una sentencia.

motivo, va *adj.* 움직이는, 동기(動機)가 되는 : causa ~*va* 동인(動因). **—***m.* ① 동기, 동인(動因), 유인(誘因), 이유 : con ~ de …때문에. Hay que investigar los ~*s* de esa acción 그 행동의 동기를 조사해야 한다. ② 주제, 제재(題材)(tema). ③ 자유 의지 : de mi ~ propio 나의 자유 의지로서, 자진해서. ④ 잦은 장식 스케치 : ~ decorativo. **—***pl.* 《*Chile.*》 (여자의) 아양 떨기, 살살 구슬리는 소리(dengues, melindres).
~ ***con fines de lucro*** 이윤 동기. ~ ***de salud*** 건강상의 이유. ~ ***especulativo*** 투기적 동기. ~ ***familiar*** 가정 사정. ~ ***gasto de consumo*** 소득 동기. ~ ***lucro*** 이윤 동기. ~ ***negocios*** 영업 동기. ~ ***personal*** 일신상의 이유. ~ ***precaución*** 예비적 동기. ~ ***transacción*** 거래 동기.
sin ~ 이유없이(sin razón).
dar ~ ***a*** =provocar.

moto[1] *m.f.* 오토바이 《motociclo·motocicleta의 약자》.

moto[2] *m.* 표석(標石), 경계석(mojón).

moto, ta *adj.m.f.* 《*Amér.*》 ① 고아(의)(huérfano). ② 꼬리가 없는(rabón).

motobomba *f.* 전기 모터에 의해 작동하는 흡입 펌프.

motocarro *m.* 삼륜차.

motocicleta *f.* 오토바이 : ~ con sidecar.

motociclismo *m.* 오토바이 취미, 오토바이 경주.

motociclista *m.f.* 오토바이 타는 사람, 오토바이 선수. **—***adj.* 오토바이의·에 관한.

motociclo *m.* 모터사이클.

motocine *m.* 자동차를 탄 채 보는 노천 영화관.

motocross *m.* 울퉁불퉁한 땅에서 하는 오토바이 경주.

motocultivador *m.* 경운기.

motocultivo *m.* 기계화 경작.

motocultor *m.* =**motocultivador.**

motocultura *f.* 기계화 경작.

motódromo *m.* 자동차·오토바이 경주장·연습소.

motogrúa *f.* 기중기차.

motolita *f.* 【조류】 =**aguzanieves, nevatilla.**

motolito, ta *adj.* 어리석은, 멍청한, 바보 같은. **—***m.f.* 어리석은 사람(necio, tonto).
vivir de ~ 기식하다, 얻어먹고 살다, 남에게 빌어먹다(mantenerse a expensas de otro).

motolo, la *adj.* ①《*Col. Ecuad. Venez.*》 능청을 떠는. ②《*Ecuad.*》 날이 없는, 끝이 뭉개진.

motón *m.* 【선박】 도르래, 활차(garrucha, polea).

motonáutico, ca *adj.* 모터 보트 경주의. **—***f.* 모터 보트 경주.

motonave *f.* 모터 보트, 디젤 엔진 선박(nave de motor).
~ ***atómica*** 원자력선.

motonería *f.* ①【선박】 도르래 장치·맞추기. ② [집합] 도르래, 활차.

motoneta *f.* 스쿠터.

motopesquero *m.* 모터 부착 소형 어선.

motopropulsión *f.* 모터 추진(propulsión por motor).

motopropulsor, ra *adj.* 모터로 추진하는.

motor, ra *adj.* 움직이는, 운동의, 운동을 일으키는, 발동·원동·기동의 : músculo·nervio ~ 운동 근육·신경. **—***m.* ① 원동력 ; 발동기, 모터 ; 기관, 엔진. ② 주동자, 선동자(instigador) : ser el ~ de una rebelión.
el Primer ~ 신(神). ~ ***acorazado*** 장갑차(裝甲車). ~ ***atómico*** 원자력 발동기. ~ ***a chorro*** 제트 엔진. ~ ***a gasolina·a vapor*** 《*Galic.*》 증기 기관. ~ ***de aceite pesado*** 중유 발동기. ~ ***de combustión interna*** 내연 기관. ~ ***de gas·de gasolina·de petróleo*** 가스·가솔린·석유 발동기. ~ ***de vapor*** 증기 기관. ~ ***Diesel*** 디젤 엔진. ~ ***eléctrico*** 전동기. ~ ***generador*** 발전기. ~ ***marino·para navíos*** 선박용 기관. ~ ***término*** 열기관(熱機關).

motora *f.* 모터 보트.

motorismo *m.* (운동으로서의) 자동차 운전·여행 ; 자동차열(熱).

motorista *m.f.* ① 기관사. ② (전차·자동차) 운전수. ③ 자동차 여행가 ; 오토바이 운전자.

motorización *f.* 동력화 ; 기동화(機動化) ; 자동차화.

motorizar *tr.* 동력화·기동화하다(mecanizar) ; [+de : …에] 모터를 장치하다 ; 자동차로 개조하다 : ~ transportes 화물을 자동차로 수송하다. ~ una lancha 보트에 모터 장치를 하다
~se 자동차를 가지다.

motorreactor *m.* 추진식 모터, 제트 모터(motor de reacción).

motoso, sa *adj.* ①《*Bol.* 》 날이 찌부러진, 끝이 뭉툭해진. ②《*Col.* 》 곱슬곱슬한 털의 ; 배꼽이 나온 (어린아이). ③《*Perú.*》 두메 산골에서 온, 산골의. ④《*Arg.*》 검은(negro).

motovelero *m.* 보조 모터 부착 돛단배.

motozintleca *adj.m.f.* 모또신끌레까족 《멕시코 마야계 한 부족》(의).

motricidad *f.* 중추 신경의 원동성.

motril *m.* (가게의) 급사인 소년(mochil).

motrilo, la *adj.* 기름진, 살찐, 뚱뚱한(gordo).

motriz *adj.* [motor의 여성형] 원동의, 발동의 (motora) : fuerza·potencia ~ 원동력.

motudo, da *adj.* 《*Arg.*》 =**motoso.**

motu propio *adv. lat.* 자기의 의지로, 자발적

으로. —*m.* (국왕·교황의 자발적) 칙서.

movedizo, za *adj.* ① 움직이기 쉬운, 이동성·기동성의 : arenas ~*zas.* ② 마음이 잘 변하는·달라지기 쉬운(inconstante). ③ 불안정한(inseguro).

movedor, ra *adj.m.f.* 움직이는 (사람) ; 선동자.

movedura *f.* [드뭄] 움직임, 활동, 운동(movimiento) ; 유산(流產)(aborto).

mover *tr.* ㉓ [*lat.* movere] ① 움직이게 하다, 움직이다 : El viento *mueve* las hojas de una parte a otra 바람은 나뭇잎을 이리저리 움직인다. No *muevas* la cabeza 머리를 움직이지 마라. ¿Quiere ~ esta mesa hacia el rincón? 이 테이블을 구석 쪽으로 움직여 주시겠습니까? *Movió* sus influencias para conseguir un puesto 그는 자리를 얻기 위해서 영향력을 움직였다. Contr. parar. ② 꾀다. ③ 야기시키다, 유발하다 : La discordia *movió* una guerra 불화는 전쟁을 유발했다. ④ [a가 나타내는 상태로] 마음을 움직이게 하다 : ~ *a* compasión·*a* lágrimas 동정심이 일게 하다·눈물을 흘리게 하다. No le *movía a*l interés 그것은 그를 이해에 젖게 하지는 않았다. Es muy fácil de *ser movido* por el interés 그는 이해에 의해 움직이기 쉽다. Te *mueve* la pasión 정열이 너를 움직인다. Su miseria me *movió a* compasión 그의 빈곤에 나의 동정심을 일으켰다. El cuento le *movió a* lágrimas 그는 그 말에 눈물을 흘렸다. ⑤ 유산시키다.

—*intr.* 움직이다 ; 유산하다 ; (봄이 되어) 움트기 시작하다 : (아치가) …로 부터 시작하다 (arrancar).

~se ① 움직이다 : No *te muevas* 움직이지 마라. ② 감동되다. ③ 동요하다, 이동하다 : El enfermo *se mueve* con dificultad 환자는 간신히 움직인다. ⑤ 행동하다 : ~*se por* el interés 이해 관계에 따라 움직이다.

de no te muevas 《*Amér.*》 단연코 움직이지 않는 : Es un argumento ~ 움직일 수 없는 논거·증거이다.

[직설법 현재 : muevo, mueves, mueve, movemos, movéis, mueven. 접속법 현재 : mueva, muevas, mueva, movamos, mováis, muevan].

movible *adj.* [*lat.* mobilis] ① 움직일 수 있는 : cuerpo ~. ② 가동식의. ③ 변하기 쉬운 (variable) : ~ *en* sus decisiones·opiniones. Contr. inmóvil, inmoble.

movición *f.* =**movimiento.**

movido, da *adj.* ① 움직여지는 : torno ~ por el motor 발동기 연동식 선반. ② 동요하는 (agitado). ③《*AmérC. Col.*》 허약한, 병약한 (enclenque). ④《*Col. Chile.*》 껍질이 말랑말랑한 (알). ⑤《*Méx.*》 활동적인.

moviente *adj.* 움직이는.

móvil *adj.* [*lat.* mobilis] ① 움직일 수 있는 : plataforma ~ 이동 플랫폼. ② 불안정한. ③ 변하기 쉬운(movible). Contr. inmóvil. —*m.* 원동력, 동기, 원인 ; 동체, 움직이는 것; 휴대 전화.

moviliario *m.* 가구(家具).

movilidad *f.* ① 가동·이동·변동성 : ~ del trabajo 노동력의 이동성. ② 가변성. ③ 불안정.

movilización *f.* 동원 : ~ general 총동원.

movilizar *tr.* ⑨ ① 동원하다, 병력(兵力)을 이동시키다 : Francia *movilizó* un cuerpo de ejército 불란서는 1군단을 동원했다. ②《*Arg.*》(부동산을) 자금화하다.

movimiento *m.* ① 움직임 ; 동작 ; 이동 : Galileo aseguró el ~ de la Tierra 갈릴레오는 지구가 움직이고 있다는 것을 확신했다. El tren se puso en ~ 열차가 움직이기 시작했다. ② 활동(성), 활기. ③ 변동. ④ 왕래, 교통 : ~ en la calle 거리의 교통·왕래. ~ de puerto 항구의 배의 왕래. ⑤ 동정(動靜) ; 운동 : El pertenece a un ~ progresista 그는 진보주의 운동에 소속하고 있다. ⑥ 운행, 운전, 동요 ; 행동, 사조(思潮). ⑦【음악】 템포, 악장(樂章).

~ ***acelerado*** 가속 운동. ~ ***alcista*** 상승 경향. ~ ***alcista de los precios*** 가격의 상향 이동. ~ ***ascensional de la coyuntura*** 경기 상승 활동. ~ ***bajista*** 하강 경향. ~ ***comercial*** 매상 성적. ~ ***continuo*** (기계의) 영구 운동. ~ ***cooperativo*** 협동 조합 운동. ~ ***de capital*** 자본의 이동, 자본 회전율. ~ ***de capital a corto·largo plazo*** 단기·장기 자본의 이동. ~ ***de materiales*** 원자재 운반. ~ ***de obreros*** 노동 이동. ~ ***de unificación*** 통합 운동. ~ ***en alza*** 상향 이동. ~ ***especulativo*** 투기적 동요. ~ ***europeísta·europeo*** 범유럽 운동. ~ ***huelguístico*** 스트라이크 활동. ~ ***laboral·laborista·obrero*** 노동 운동. ***M- Nacional Revolucionario*** 《*Bol.*》 국민 혁명 운동(당). ~ ***propio*** 천체의 자전. ~ ***proteccionista*** 보호 무역주의적 운동. ~ ***retardado*** 감속 운동. ~ ***sindical*** 노동 조합 운동. ~ ***uniforme*** 등속 운동. ***primer*** ~ 처음 느꼈던 생각, 충동.

en ~ 운동·운전중 : poner en ~ 움직이다.

moxa *f. chino.* ① 약쑥. ② 구점(灸點), 뜸자리 : El uso de las ~*s* es hoy muy poco frecuente.

moxiterapia *f.* 뜸, 구술(灸術).

¡moxte! *interj.* =**oxte** 《배격하거나 싫어할 때의 감탄사》.

moya *f.* ①《*Col.*》 소금 단지 ; 물의 소용돌이. ②《*Cuba.*》 앵초(margarita). ③《*Chile. Ecuad.*》(이름을 확실하게 밝히지 않고) 아무개씨, 모씨 (fulano).

moyana[1] *f.* [*lat.* medianus ; *fr.* moyenne] ① 거짓말, 속임수(mentira, ficción). ② 옛날의 포(砲).

moyana[2] *f.* (개에게 주는) 밀기울 빵.

moyo *m.* [*lat.* modius] 갈리시아의 술·곡물의 단위 《258 ℓ》.

moyobambino, na *adj. m.f.* 모요밤바 《Moyobamba, 뻬루의 북부 지방의 도시》의 (사람).

moyocul *m.* 《*Méx.*》 파리의 유충(larva de una mosca).

moyote *m.* 《*Méx.*》 풍뎅이(escarabajo)의 일종.

moyuelo *m.* 밀기울.

moza *f.* ① 아가씨(muchacha joven). ② 여자 급사, 하녀(criada, sirvienta). ③ 정부(情婦), 첩 (concubina). ④ 매춘부. ⑤ 절굿공이 ; 빨래방망이. ⑥ 삼발이를 만드는 쇠. ⑦ (카드 놀이에서) 마지막 한 수. ⑧《*Chile.*》 마지막 노래·춤.

~ ***de cámara*** 하녀. ~ ***de cántaro*** 물 긷는 하녀, 허드렛일 하는 사람. ~ ***de fortuna·de partido*** 창녀, 갈보, 매춘부, 매소부, 매음부(ramera, prostituta). ***buena*** ~ 다부지고 좋은 여자, 키가

훤출하고 외모가 수려한 여인(mujer alta y de buena mujer).
ser una real ~ 미녀다, 무척 아름답다(ser muy hermosa).

mozada *f.* 《*Sant.*》 땅의 적은 분량.

mozalbete *m.* [*dim.* mozo] 십대(十代), 어린 사람(mozuelo).

mozalbillo *m.* [*dim.* mozo] =**mozalbete.**

mozallón, na *m.f.* (노동자 사이에서) 다부진 사람(mocetón robusto).

Mozambique *f.* 【지명】 모잠비크.

mozambiqueño, ña *adj. m.f.* 모잠비크(Mozambique)의 (사람).

mozancón, na *m.f.* 다부진 젊은이·아가씨.

mozandero *adj.* 《*Perú.*》 잘 반하는, 이성을 좋아하는 ; 반할 만한(enamoradizo).

mozárabe *adj.m.f.* 모사라베 《아라비아왕에게 복종하는 것을 조건으로 신앙을 허락받은 그리스도 교도》(의).

mozarabía *f.* 모사라베의 도시 ; 모사라베 지구.

mozarrón, na *m.f.* [*aum.* mozo] 훌륭한 젊은이·처녀.

mozcorra *f.* 【속어】 바람둥이 여자 ; 매춘부, 창녀, 갈보(ramera).

moznado *adj.* [*fr.* morné] 이, 혀, 발톱이 없는 문장의 (사자).
león ~ 이, 혀, 발톱이 없는 사자.

mozo, za *adj.* ① 젊은(joven). ② 독신·미혼의 (soltero ; mocero). —*m.f.* ① 젊은이 : buen ~ 바탕 좋은 젊은이. un ~ de quince años 15세의 젊은이. ② 하인, 하녀. ③ 종업원, 웨이터 (camarero) : ~ de comedor·de café 식당·카페의 웨이터. *Mozo*, tráigame un vaso de agua 종업원, 물 한 잔 가져오세요. ④ 농장 노동자. ⑤ 모자걸이, 옷걸이(cuelgacapas). ⑥ 고양이 (gato). ⑦ 빗장 ; 고리, 갈고리(garabato). ⑧ 《*Arg.*》 카드의 한 짝. ⑨ (역의) 짐꾼(maletero).
~ *de cordel·de cuerda·de esquina* (역이나 길모퉁이에서의) 짐꾼, 포터.
~ *de espuela(s)* 마부(馬夫).
~ *de estoques* 【투우】 주 투우사의 칼을 돌보는 소년.
~ *de mulas* 마차의 노새를 돌보는 소년.
buen ~ 키가 크고 외모가 잘 생긴 남자.

mozón, na *adj.* 《*Perú.*》 농담하기·비꼬기 잘하는(bromista, burlón, chusco).

mozonada *f.* ① 《*Ecuad.*》 철부지 같은 짓. ② 《*Perú.*》 장난, 농담(broma, guasa, burla).

mozonear *intr.* 《*Perú.*》 장난치다, 농담하다 (bromear).

mozote *m.* 《*Hond.*》 황달을 치료하는 식물.

mozuco, ca *adj.* 《*Salv.*》 곱슬곱슬한, 고수머리의(de pelo rizado).

mozuelo, la *m.f.* [*dim.* mozo] 젊은이, 젊은 아가씨.

m/p. meses plazo ; mi pagaré.

M.P.S. Muy Poderoso Señor.

mr. mártir.

m/r. mi remesa 폐사의 송금.

mrd. merced 은혜.

Mrn. Martín.

Mrnz. Martínez.

Mro. Maestro.

mrs. maravedises ; mártires.

Ms., M.S. manuscrito.

m.^{s}/a.^{s} muchos años.

m/s. mis 당사의.

M.SS. manuscritos.

mstr(s). muestra(s) 견본.

ms/vrs. mis valores 당사의 가격.

mt. metro.

Mt. Mateo.

m/t. mi talón 당사의 수표장.

mtar. militar.

m.^{td} mitad 절반.

M.T.S. metro, tonelada, segundo.

mu *interj.* 음메 《소 우는 소리의 의음》. —*m.* 소의 우는 소리(mugido). —*f.* [어린이] 낸내 《아기가 잠자는 일》(sueño, cama) : Vamos a la ~.
ni ~ 절대 아무 것도(… 아니다)(absolutamente nada).

muaré *m.* [*fr.* moiré] 파도 무늬 직 《비단 천》 : una falda de ~ de seda.

muay *m.* 【곤충】(아르헨띠나산의) 모기.

muble *m.* 【어류】 무블레 《깐따브리끄 해안에 많이 있는 물고기》.

muca *f.* 《*Perú.*》 캉가루과에 속하는 동물 이름 중의 하나.

mucamo, ma *m.f.* 《*Chile. Riopl.*》 급사, 웨이터 ; 하인, 하녀(sirviente).

mucamuca *f.* ① 【곤충】 (중미산의) 주머니쥐. ② 《*Perú.*》 중국인과 흑인의 혼혈아 사이에서 낳은 아이.

mucamusa *f.* ① 《*Perú.*》 【식물】 월계수(laurel)의 일종. ② 《*Col.*》 【동물】 캉가루과에 속하는 동물 이름 중의 하나.

múcara *f.* ① 지면(地面)에 노출된 돌. ② 얕은 여울 ; 여울 지역.

múcaro *m.* 《*PRico.*》 buho의 일종.

mucedináceas *f.pl.* 【식물】 =**mucedináceos.**

mucedináceos *m.pl.* 【식물】 =**mucedíneas.**

mucedíneas *f.pl.* =**mucoríneas.**

mucedíneos *m.pl.* =**mucoríneas.**

mucepo *m.* 《*AmérC.*》 낙담.

muceta *f.* [*alem.* mütze] (학자·승려의) 가운.

muchacha *f.* 어린이, 소녀 ; 젊은 아가씨.

muchachada *f.* ① 어린애다운 장난. ② 어린애들(muchachos).

muchachear *intr.* 소년다운 짓·장난을 치다 (obrar como un muchacho).

muchachería *f.* 어린애 같은 장난(muchachada) ; 장난이 심한 어린이 떼.

muchachesco, ca *adj.* 어린이의·다운.

muchachez *f.* 어린 시절, 유년, 소년다움.

muchachil *adj.* 어린이의, 어린이다운(muchachesco).

muchacho, cha *m.f.* ① (젖먹이의) 어린이 : juego de ~*s.* ② (사춘기 이전의) 소년, 소녀. ③ 급사, 심부름꾼, 웨이터. ④ 젊은이. ⑤ 손아랫사람.

muchachuelo, la *m.f.* [*dim.* muchacho] 작은 어린이, 꼬마.

muchedumbre *f.* 군집, 군중 ; 다수, 많음(gran cantidad) : ~ de personas.

muchedumbroso, sa *adj.* 많은.

mucheta *f.* 《*Arg.*》 (입구・창문의) 마루턱, 곁기둥(mocheta).
muchi *interj.* 《*Chile.*》 고양이를 부르는 소리.
muchigay *m.* 《*Col.*》 무리 《사람・가축 떼》.
muchiguar *tr.* 《*Ant.*》 =**amuchiguar.**
muchila *f.* 《*Amér.*》 mochila의 사투리.
muchitanga *f.* 《*Perú.*》 대중, 서민층, 비천한 사람들(populacho).
mucho, cha *adj.* [*lat.* multus] [비교급 : más] 많은, 숱한, 흔한, 다량의(abundante, numeroso) : ~ vino 많은 술. *mucha* gente 많은 사람들. ~*s* libros 많은 책. *muchas* casas 많은 집. *muchas* cosas 여러 가지 일・물건. Tengo ~ dinero 나는 많은 돈을 가지고 있다. Son ~*s* los que vendrán 오는 사람은 많을 것이다. [*N.* mucho와 mucha는 영어의 much에 해당되고, muchos와 muchas는 many에 해당됨].
—*pron.* [관사 없이] 대부분 : *Muchos* de los presentes no lo saben 출석자의 대부분은 그것을 모른다.
—*adv.* ① 숱하게 ; 많이, 퍽, 극히 ; 몹시, 대단히, 크게 ; 곧잘 : Trabajan ~ 그들은 곧잘 일한다. ② (시간적으로) 길게, 오랫동안(largo tiempo) : Te esperaba ~ 너를 오래 기다리고 있었다. Hace ~ que no le he visto 오랫만입니다, 당신을 뵙지 못한지 오래됐습니다. ③ [어떤 부사나 비교급 앞에서] 훨씬 : ~ antes 훨씬 이전에. ~ más joven 훨씬 더 젊은. [*N.* 품질형용사나 대부분의 부사 앞에서는 *muy* bueno, *muy* grande ; *muy* lejos, *muy* mal]. ④ [muy를 앞에 두어] Importa *muy* ~ que se decida pronto 즉각적인 결심이 필요하다. ⑤【구어】 ㄱ) 아무렴, 그렇고 말고(cierto, sí) : ¿Volverá usted? —*Mucho* 또 오시겠습니까? —아무렴 오고 말고요. ㄴ) [sí를 강조] ~ sí, ~ que sí 아무렴, 그렇고 말고. ⑥ [~ ser que, ¿qué ~ que …? 의 형은 기이감을 나타냄] ¡*Mucho será que* no llueva esta tarde! 오늘 오후에 비가 내리지 않는다니! ¿*Qué* ~ *que* haya preferido quedarse? 남는 것이 좋다니, 천만에.
con **~** 훨씬, 단연.
con **~** ***gusto*** 기꺼이 (그렇게 하겠다).
Mucho gusto 처음 뵙겠습니다.
ni **~** ***menos*** 그렇기는 커녕.
ni con **~** 그런 일은 있을 수가 없다, 큰 잘못이다.
por **~** ***que*** **+** ***subj.*** 아무리 …하더라도(por más que) : *Por* ~ *que* te hable, no me entenderás.
ser **~** 가치가 많다, 지나치다 : *Es mucha* mujer para mí 나한테는 지나친 여자다.
tener en **~** 존중하다, 소중히 하다, 높이 평가하다(estimar).
tener **~** ***de*** …에 닮다.
mucilaginoso, sa *adj.* 끈적끈적한, 점착성이 있는(que contiene mucilago) : La goma es un líquido ~.
mucilago *m.* (식물의) 점액 ; 고무풀, 아라비아고무풀 : el ~ del almendro.
mucílago *m.* =**mucilago.**
mucle *m.* 《*Hond.*》 갓난아이의 병(enfermedad del recién nacido).
muco *m. quechua.* 《*Bol. Chile.*》 ① =**chicha.** ② chicha를 발효시키는 옥수수.
mucor *m.* 버섯(hongo)의 일종. [Sinón.] moho.
mucoráceos *m.pl.* 【식물】 =**mucoríneas.**
mucoríneas *f.pl.* 【식물】 털곰팡이과의 균류(菌類).
mucoríneos *m.pl.* =**mucoríneas.**
mucosa *f.* 【해부】 점막(membrana ~).
mucosidad *f.* 점성(粘性), 점액, 끈적끈적한 것.
mucoso, sa *adj.* [*lat.* mucosus] 끈적끈적한, 점액(성)의 ; 점액 분비의 : membrana ~*sa* 점막. fiebra ~*sa* 가벼운 장티프스.
mucre *adj.* 《*Chile.*》 떫은, 쓴, 신(acre y astringente).
mucronato, ta *adj.* ① 끝이 뾰족한, 돌기(突起)가 있는 : apéndice ~. ②【해부】 검상(劍狀)의(xifoides). —*m.* 검상 돌기.
mucura *f.* 《*Col. Venez.*》 =**múcura.**
múcura *m.* ① 《*Bol. Col. Venez.*》 질그릇, 유약을 바르지 않고 구은 물항아리・독. ② 《*Col.*》 바보(tonto, bobo).
mucurita *f.* 《*Col.*》 소주병, 아구아르디엔떼병(botella para aguardiente).
mucus *m.* ① 점성, 점액(mucosidad). ② 콧물(moco).
mucuy *m.* 《*Méx.*》 =**tórtola.**
muda *f.* ① 변경, 바꿔치기 ; 교환 ; 바꿔 입기(remuda). ② 변성(變聲)(할 또래) : estar *de* ~ 변성기이다. ③ (새의) 털바꿈, (뱀 따위의) 허물 벗기. ④ 새의 둥지. ⑤ 분의 일종.
a la **~** 소리나지 않게.
estar en **~** 잠자코 있다.
mudable *adj.* 부정(不定)의, 변하기 쉬운 (마음), 불안정한(variable) : espíritu ~.
mudada *f.* ① 《*Amér.*》 바꾸어 입기. ② 《*Ant.*》 이사(mudanza de casa).
mudadizo, za *adj.* 자주 변하는, 불안정한.
mudamente *adv.* 입을 꼭 다물고, 잠자코, 아무 말없이.
mudamiento *m.* =**mudanza.**
mudancia *f.* 【고어】 《*Sal.*》 =**mudanza.**
mudanza *f.* ① 변화, 변경, 변동(cambio). ② 변심, 바람기, 변덕 : hacer ~*(s).* ③ 이사, 이전(cambio de domicilio) : ~ de casa 이사. agencia de ~*s* 이삿짐 센타. carro de ~ 이삿짐 운반차. estar de ~ 이사 중이다.
mudar[1] *m.* (인도의) 후추과 식물.
mudar[2] *tr.* [*lat.* mutāre] ① 바꾸다, 변경하다(cambiar) : ~ los colores · el oficio · la cara 색깔・직업・안색을 바꾸다. ② [+de : 의견 등을] 바꾸다(variar) : ~ *de* idea · parecer 생각・의견을 바꾸다. ③ [+(de) : …을] 바꾸다, 교환하다 : ~ *(de)* casa · traje 집・옷을 바꾸다. ④ (다른 곳으로) 옮기다, 전임시키다, 이전하다 : ~ la máquina *a* otro lugar 기계를 다른 곳으로 이동하다. ⑤ (어린이가) 변성하다. ⑥ (새나 짐승이) 털갈이하다 ; (뱀이) 허물을 벗다.
~se ① 변하다, 변화하다. ② [+de : …을] 바꾸다 : ~*se de* casa · ropa. ③ 이사・이전하다 : ~*se a* otra casa. ④ 태도・생각을 변경하다・고치다. ⑤ 전향(轉向)・전신하다. ⑥ 똥을 누다, 대변보다, 뒤보다.
muday *m.* 《*Chile.*》 옥수수・보리로 만든 소주.
mudéjar *adj.* [*ár.* mudechán] 무데하르 《서반아

치하에서 개종하지 않은 회교도》의, 무데하르식의. —*m.f.* 무데하르. —*m.* 무데하르식 건축.

mudenco, ca *adj.* 《*AmérC.*》 ① 말을 더듬는 (tartamudo). ② 멍청한, 어리석은.

mudengo, ga *adj.* 《*Perú.*》 굼뜬, 얼뜬, 바보의.

mudez *f.* 말을 할 수 없음, 벙어리인 일 ; 무언, 침묵.

mudirat *m.* =**mudirié.**

mudirié *m.* (이집트에서) mudir의 통치 영토·주.

mudirieh *m.* =**mudirié.**

mudo, da *adj.* [*lat.* mutus] ① 말못하는, 벙어리의 : hombre ~ 남자 벙어리. ② 무언의, 입을 다문 : ~ de espanto. ③ 대사가 없는 ; 백지의 : mapa ~ 백지도. ④ [문법] 무음의 : el cine ~ 무성 영화. La H es letra *muda* en castellano H는 서반아어에서는 무음 문자이다. ⑤ 《*AmérC. Ecuad.*》 얼간이의, 멍청한, 바보의(tonto, mentecato). —*m.f.* ① 벙어리. ② 《*Ecuad.*》 바보, 얼간이, 멍청이.
a la muda 소리 내지 않고.
estar en muda 입을 꼭 다물고 있다.

mué *m.* =**muaré.**

mueblaje *m.* [집합] 가구(moblaje).

mueblar *tr.* (…에) 가구를 들여놓다·설비하다 (amueblar).

mueble *adj.* 움직이는, 동산의 : bienes ~*s* 동산(動產). —*m.* 가구, 집세간 《책상·걸상·옷장 따위》 : ~*s* de cocina 주방 용품. ~*s* raíces 부동산. ~ y enseres 가구 집기, 집기, 가구 ; 비품. ~*s* y útiles 가구 비품, 가구 집기. ~*s* y utensilios 가구 비품.

mueblería *f.* 가구점·공장.

mueblista *m.f.* 가구 상인, 가구 제조인·판매인 ; 가구 디자이너. —*adj.* 가구 제조의.

mueca *f.* 우거지상, 찡그린 얼굴, 익살스러운 얼굴 : El hizo ~*s* 그는 미간을 찡그렸다.

muecín *m.* =**almuecín.**

mueco *m.* 《*Col.*》 뒤통수·머리에 주는 군밤 (pezcozón).

muégano *m.* 《*Méx.*》 ① 꿀을 넣고 만든 옥수수빵. ② 물에 밀려 쌓인 흙·개흙·산. ③ 망나니.

muela *f.* [*lat.* mola] ① 맷돌(rueda·piedra de molino) ; 둥그런 숫돌 (piedra redonda de afilar). ② 어금니(molar) : dolor de ~ 이앓이, 치통. Tengo dolor de ~*s* ; Me duelen las ~*s* 나는 이가 아프다. ③ 맷돌 (모양의) 산 ; (인공의) 동산(cerro artificial). ④【식물】 흰 완두콩 (almorta). —*pl.*《*Méx.*》 모인(某人), 아무개 (~ de coyote, fulano).
~ *cordial·del juicio* 사랑니, 지치(智齒).
echar las ~*s* 잔뜩 화내다.
haber salido la ~ *del juicio* 신중을 기하다.
hacer ~ 《*Cuba.*》 눈속임하다, 가장하다(fingir).
ser tantas ~*s* 《*Venez.*》 용감하다.
tener ~*s* 《*Perú.*》 중대하다 ; 어려움이 있다.

muelar *m.* 흰 완두콩밭.

muelero *m.* 《*AmérC. Perú.*》 무면허 치과 의사.

muellaje *m.* 입항세, 항만·부도·계선(繫船)료, 정박료.

muelle[1] *adj.* [*lat.* mollis] ① 부드러운, 보드라운, 연한, 말랑말랑한(blando, suave). ② 음탕한·에 빠진(voluptuoso) : una vida ~.
Contr. duro, rígido.
—*m.* 용수철, 태엽, 스프링 : ~ real 시계의 중심 태엽. colchón de ~ 스프링 매트리스. flojo de ~*s* 용수철이 늘어난 ; 대소변을 그냥 갈기는. ~ de dijes 열쇠 등을 매달기도 하는 부인용 목걸이.

muelle[2] *m.* [*lat.* moles] ① 부두, 선창, 잔교, 독형 부두, 계선(繫船) 부두 : ~ de carga 적하 정박 위치. ~ flotante 부설 잔교. puestos en el ~ 도착항 부두 인도 가격. ② (철도의) 화물용 플랫폼.

muellemente *adv.* 부드럽게, 말랑말랑하게, 연하게 ; 상냥스럽게(con blandura) : vivir ~.

muenda *f.* 《*Col.*》 두들겨 패기, 매질, 구타 (zurra, azotaina, paliza, tunda).

muenga *f.* 《*Chile.*》 ① 거짓말(mentira). ② 번거로움, 귀찮음(molestia).

muengo, ga *adj.* 《*Ant.*》 ① 한 쪽 귀가 없는 (falto de una oreja). ② 귀가 늘어진.

muequear *intr.* 《*Venez.*》 얼굴을 찡그리다, 장난기 있는 표정을 짓다(hacer muecas).

muer *m.* =**muaré.**

muera morir의 접·현·1·3·단수.

mueran morir의 접·현·3·복수.

mueras morir의 접·현·2·단수.

muérdago *m.* 【식물】 기생목(寄生木), 겨우살이.

muerdo *m.* (이·입으로) 깨물기 ; 한번 깨물기·물기, (이로 물어뜯은) 한입 ; 물린 상처 ; 잇자국(bacado).

muere morir의 직·현·3·단수.

mueren morir의 직·현·3·복수.

mueres morir의 직·현·2·단수.

muerganizarse *r.* ⑨ 《*Col.*》 폐물이 되다.

muérgano *m.* ① *desp.* =**muergo.** ②【고어】 오르간(órgano). ③ 《*Col. Venez.*》 필요없는 것 (objeto inútil) ; 팔리지 않는 것, 허섭쓰레기 ; 낡은 연장.

muergo *m.* 【조개】 긴맛(mango de cuchillo).

muermo *m.* [*lat.* morbus] ①【수의】 탄저병. ② 《*Chile.*》 여러 장미과 식물의 이름.

muermoso, sa *adj.* 탄저병에 걸린.

muero morir의 직·현·1·단수.

muerte *f.* [*lat.* mors, mortis] ① 죽음, 사망 (cesación de la vida). ② 사신(死神). ③ 살해, 살인 (homicidio, asesinato) : dar ~ 죽이다, 살해하다. ④ 파멸, 멸망 : la ~ del imperio.
~ *a mano airada* 변사, 폭사(muerte violenta). ~ *civil* 사회적 공권의 상실. ~ *chiquita* 경련, 경기. ~ *natural* 자연사(自然死), 명대로 죽음. ~ *senil* 노쇠사. ~ *violenta* 변사, 폭사. *artículo de la* ~ 말기(末期). *pena de* ~ 사형.
a ~ ① 사형으로 : condenado *a* ~. ② 필사적인, 사생 결단으로 : combate *a* ~ 사투. ③ 몹시 격렬한 : guerra *a* ~.
de ~ 용서없이 ; 죽도록, 격렬하게(implacablemente) : odiar *de* ~.
de mala ~ 하찮은 : un empleíllo *de mala* ~ 하찮은 직책.
hasta la ~ 목숨을 걸고, 죽더라도, 죽을 때까지, 생명을 바쳐.

muertejo, ja *adj.m.f.* 《*Ecuad.*》 꾀병을 부리는; 게으름부리는 (사람).

muertera *f.* ① 《*Chile.*》 장의사. ② 《*Ecuad.*》 꾀병.

muerto, ta *adj.* [morir의 *p.p.*] [때로는 타동사의 뜻(matar)이 됨 : He ~ una liebre]. ① 죽은; 살해된 : cuerpo ~ 시체, 송장, 주검. medio ~ 반 죽은. nacer ~ 사산하다. ② 생기·활기·광택이 없는 : color ~. ③ 활발하지 못한, 침체된 : aguas ~*tas* 한군데 괸 물. ④ (색깔·소리·성격이) 둔한. ⑤ 효력·활력이 없는 : cal ~*ta* 소석회. centro ~ 【기계】 사점(死點). ⑥ 폐멸된 : lengua ~*ta* 사어(死語). ⑦ [강조] 죽을 정도의 : ~ de risa 죽도록 웃어. ~ de celos 질투심으로 미쳐 죽을 정도의. ~ de frío 죽도록 몸이 얼어. naturaleza ~*ta* 정물(靜物). peso ~ 사중(死重). —*m.f.* 죽은 사람, 사망자. —*m.* 시체, 송장, 주검(cadáver, cuerpo muerto).

~ ***de hambre*** 가난한, 비참한.

contar a uno ***con · entre los ~s*** ① 죽은 사람으로 간주하다 : Le *contaban entre los ~s.* ② 말살·무시하다.

desenterrar los ~s 고인의 험담을 하다; 묵은 상처를 건드리다.

echarle a uno ***el ~*** (누구의) 탓으로 돌리다.

echarse a ~ 《*Chile.*》 실망하다; 물러나다.

estar ~ por ① …을 죽도록 사랑하다. ② …을 몹시 탐내다 : Ella *estaba ~ta* por el diamante.

más ~ que vivo [estar · quedarse 등과 함께 쓰여, 너무나 놀라] 살아 있는 사람 같지 않게 (되다)(muy asustado).

no tener donde caerse ~ 매우 가난하다.

El ~, al hoyo, y el vivo al bollo 【속담】 죽은 자를 빨리 잊어버리는 사람을 비난하는 말.

muesca *f.* ① 【목공】 장부촉, 장붓구멍. ② 표적으로 소의 귀에 내는 칼자국.

muescar *tr.* 《*Sal.*》 표적으로 소의 귀에 칼자국을 만들다(hacer muescas al ganado vacuno).

mueso *m.* [*lat.* morsus] ① 《*Ar.*》 =**bocado.** ② 【생리】 후진통(後陣痛).

mueso, sa *adj.* 작은 귀를 가지고 태어나는 (새끼 양).

muestra *f.* ① 간판. ② 가게의 진열품. ③ 견본; 표본 : ~ aleatoria · al azar 무작위 표본. ~ autoponderada 자동 가중 표본. ~ comercial 상품 견본. ~ contrabalanceada 균형잡힌 표본. ~ de apreciación · comparación 유의(有意) 표본. ~ de la firma 서명 견본. ~ elegida a propósito 유의(有意) 표본. ~ gratuita 무료 견본. ~ por el sistema de cuotas 할당식 견본. ~ sin valor 무료 견본. ~ sistemática 계통적 견본. ~ tipo 마스터 샘플, 표준 샘플, 견본. feria de ~*s* 견본 시장. Quisiera que me mandase una ~ de la tela 그 천의 견본을 나에게 보내주셨으면 합니다만. ④ (그림·디자인·글자 등의) **글씨본.** ⑤ (시계의) 문자반(esfera). ⑥ 풍채 (porte, apostura); 태도, 모양, 거동; 징후, 표적(señal, indicio) : Daba ~*s* de alegría 기뻐하는 표정이었다. ⑦ (과일 나무의) 햇과일. ⑧ 【고어】 열병(閱兵)(revista.)

hacer ~ 분명하게 하다, 밝히다.

pasar ~ 정밀 검사·사열하다.

muestrario *m.* [집합] (상품의) 견본, 한 벌의 견본 세트, 견본책, 견본집.

muestreo *m.* 추출, 표본 (추출), 샘플링 : ~ al azar 임의·무작위 추출법. ~ compuesto (광석 등의) 혼합 견본 추출. ~ de zona, basándose en subdivisiones de la misma 지역 추출법. ~ en dos · varias fases 이단·다단(多段) 추출. ~ estratificado 층화(層化) 추출. ~ (no) exhaustivo (불) 중복 추출. ~ por zonas 지역 추출법. ~ simple 단순 추출. ~ unitario 단일 추출.

mueva mover의 접·현·1·3·단수.

muevan mover의 접·현·3·복수.

muevas mover의 접·현·2·단수.

mueve mover의 직·현·3·단수.

mueven mover의 직·현·3·복수.

mueves mover의 직·현·2·단수.

muévedo *m.* 사산아(死產兒)(feto abortado).

muevo mover의 직·현·1·단수.

muezín *m.* =**muecín.**

mufla *f.* [*alem.* muffel] 【야금】 도가니, 머플로(爐) (간접 가열); (그) 가열실.

muflir *tr.* 【은어】 =**moflir.**

muflón *m.* 《*Galic.*》 =**musmón.**

muftí *m.* [*ár.* mufti] 회교도의 법관.

muga *f.* ① (토지의) 경계, 구획; 경곗돌, 푯말(mojón, término, límite). ② 산란(desove). ③ (물고기 등의) 알덩이.

mugar *intr.* 8 알을 낳다(desocar, saltar las huevas).

mugido *m.* 소의 울음 소리(voz del buey o de la vaca) : dar ~*s* 소가 울다.

mugidor, ra *adj.* 소가 우는.

mugiente *adj.* =**mugidor.**

múgil *m.* 【어류】 숭어(mújol).

mugir *intr.* 4 소가 울다(dar mugidos); 짖다, 으르렁거리다.

mugre *f.* [*lat.* mucor] 때, 기름 때 : ponerse el vestido lleno de ~.

mugriento, ta *adj.* 때묻은, 때로 범벅이 된 (lleno de mugre).

mugrón *m.* (포도의) 삽목, 꺾꽂이; 새싹 (vástago). **Sinón.** acodo.

mugroso, sa *adj.* =**mugriento.**

muguete *m.* 【식물】 은방울꽃.

muharra *f.* =**moharra.**

muir *tr.* 77 《*Ar.*》 젖을 짜다(ordeñar).

muiscas *m.pl.* 무이스까스족 《안데스 산맥과 막달레나강 사이에서 살았던 중앙 아메리카의 원주 민족》.

mujada *f.* =**mojada.**

mujalata *f.* (모로코에서 기독교인이나 유대인과 함께 이슬람교인이 구성한) 농업 조합.

mujar *tr.* 【속어】 《*Chile.*》 =**amusgar.**

mujer *f.* [*lat.* mulier] ① 여자. **Contr.** hombre. ② 아내 : Le presento a mi ~ 제 집사람을 소개합니다. **Contr.** marido. ③ 사춘기의 여인 : Es ya ~ 그녀는 이제 사춘기에 접어 들었다.

~ ***de gobierno*** 가정부. ~ ***mundana · pública · perdida · del arte · del partido · de la vida airada · de mala vida · de mal vivir · de punto*** 매춘부, 창녀, 갈보(ramera, prostituta). ~ ***de su casa*** 모든 일을 맡아서 하는 주부.

ser ~ 월경이 나오는 연령에 이르다.

tomar ~ 여자와 결혼을 하다(contraer matrimonio).

mujercilla *f.* [*dim. desp.* mujer] 작은 여자 ; 주제 넘은 여자.

mujerear *intr.* 《*Col. PRico.*》 여자와 히히덕거리다, 여자를 농락하다.

mujerengo *adj.* 《*AmérC. Riopl.*》 여자 같은 (남자)(del hombre afeminado).

mujerero *adj.* 《*Amér.*》 =**mujeriego.**

mujeriego, ga *adj.* 여자의, 여자다운·같은 (mujeril) ; 여자를 좋아하는. —*m.* 여자들.

a la ~ga, a ~gas 여자가 타는 식으로 (말을 타다 ; 걸터앉지 않고 두 발을 한 쪽으로 몰아 타는 방법).

mujeril *adj.* ① 여자의 : trabajos *~es* 여자의 일. ② 여자다운(adamado, afeminado).

mujerilmente *adv.* 여자로서, 여자답게.

mujerío *m.* [집합] 여자들, 여성.

mujerona *f.* [*aum.* mujer] ① 몸집이 큰 여자. ② 억센 여자. ③ 아주머니, 아줌마(matrona).

mujeruca *f.* =**mujerona.**

mujerzuela *f.* [*dim. desp.* mujer] =**mujercilla.**

mujic *m.* 러시아의 농부(campesino ruso).

mujido *m.* 《*Amér.*》 =**mugido.**

mujik *m.* =**mujic.**

mújol *m.* [*lat.* mugil] 【어류】 숭어.

mula *f.* ①【동물】(암) 노새 : ~ de paso 사람이 타는 노새. ② (고대 로마인의) 뾰족 구두 ; (교황이 신는 일종의) 구두(múleo). ③《*AmérC.*》 부끄럼, 수치 ; 성냄. ④《*Arg.*》 부정(不貞)(infidelidad) ; 터무니없는 말, 엉터리, 속임수. ⑤《*CRica.*》 취함 : ponerse una ~ 술에 취하다. ⑥《*Méx.*》 음탕한 사람 ; 어깨받이 (작은 요) ; (상품의) 파치. ⑦《*Venez.*》 휴대용 술통.
—*adv.* 《*Méx.*》 고요하고 평온한(calmoso).

en la ~ de San Francisco 도보로, 걸어서(a pie).

devolver la ~ 《*AmérC.*》 보복하다.

echar la ~ 나무라다, 꾸짖다 ; 앙탈부리다.

*írse*le a uno *la ~* (누가) 무심코 실언하다.

meter la ~ 《*Riopl.*》 속이다, 눈속임하다.

mulada *f.* [드묾] 노새의 무리 (hato·recua de mulas).

muladar *m.* 쓰레기터 ; 더러움 ; 더럽히는 일.

muladí *adj.* 회교로 개종한. —*m.f.* 회교로 개종한 서반아 사람.

mulante *m.* =**mozo de mulas.**

mular *adj.* 노새의 : ganado ~ 가축으로서의 노새.

mulata *f.* 【식물】 백일홍.

mulatear *intr.* ①《*Cuba.*》 mulatas와 놀다. ②《*Chile.*》 까맣게 익기 시작하다.

mulatero *m.* ① 노새를 빌려 주는 사람. ② 노새몰이(arriero).

mulatizar *intr.* 가무잡잡한 색깔을 하다.

mulato, ta *adj.* ① 백인과 흑인 사이에 난. ② (일반적으로) 가무잡잡한(moreno). —*m.f.* 백인과 흑인과의 혼혈아. —*m.* 《*AmérM.*》 은광석의 일종.

mulcar *tr.* ⑦ 《*Chile.*》 (질그릇을) 굽다 ; (옷을) 다리미로 누르다.

mulé *m. dar ~* 【은어】 죽이다, 살해하다, 없애다(matar, asesinar).

múleo *m.* [*lat.* mulleus](고대 로마인의) 뾰족 구두.

muléolo *m.*=**múleo.**

muleque *m.* 《*Amér.*》 검둥이의 자식.

dar ~ 《*Cuba.*》 죽이다, 살해하다, 목숨을 끊다.

mulero, ra *adj.* ① 노새의. ②《*Arg.*》 거짓말쟁이의. —*m.* 노새몰이.

muleta *f.* ① 목발. ② 버팀(이 되는 것). ③ 물레따 《투우에서 투우사(matador)가 사용하는 막대에 감은 소형의 붉은 천》 : pasar de ~ al toro 소를 물레따로 다루다. ④ (식사 전의) 간단한 마른 음식.

tener ~s (오래되어) 잘 알려져 있다.

muletada *f.* 노새의 무리(mulada).

muletazo *m.* ① muleta로 때리기. ②【투우】 =**pase de muleta.**

muletero *m.* [드묾] =**mulatero.**

muletilla *f.* ① (투우용) 붉은 천. ② 횃대, 옷걸이. ③ 지팡이의 일종. ④ 말의 사이사이에 입버릇처럼 끼워 넣는 말(estribillo). ⑤【기계】 스패너의 일종.

muletillero, ra *m.f.* muletilla를 사용하는 사람.

muleto, ta *m.f.* 새끼 노새.

muletón *m.* [*fr.* molleton] 물레똔《직포》: chaquetilla de ~.

muley *m.* (모로코에서) 술탄의 칭호.

mulilla[1] *f.*=**múleo.**

mulilla[2] *f. dim.* mula.

mulita *f.*《*AmérM.*》【동물】 아르마디요. —*adj.* 《*Arg.*》 마음이 약한(gallina, flojo).

mulito *m.* 《*Méx.*》 칠면조(guajolote).

mulla *f.* 땅을 일구기.

mullicar *tr.* 《*Sal.*》 =**mullir.**

mullida *f.* 《*Sant.*》 (마굿간 등의) 잠자리에 깔아 놓은 짚(jergón, colchón).

mullido, da *adj.* mullir의 *p.p.* —*m.* ① (이불이나 의자의) 속에 넣는 보드라운 것. ② 보드랍게 하는 것.

mullidor, ra *adj.m.f.* 부풀게하는 ; 이면 공작을 하는 (사람) ; 경작하는 (사람).
—*m.* =**muñidor.**

mullir[1] *tr.* 60 [*lat.* mollire] ① (보드랍게) 부풀게 하다, 푹신푹신하게 만들다 : ~ la lana de un colchón. ② 살그머니·이면 공작하다. ③ 땅을 일구어 부드럽게 하다, 쟁기질하다.

mullírselas a uno 누구를 몹시 해롭게 하다.

mullir[2] *tr.* 【고어】 =**muñir.**

mullo *m.* [*lat.* mullus] ①【어류】 노랑촉수. ②《*Ecuad.*》 유리 구슬.

mulo *m.* [*lat.* mulus] 【동물】 노새 : El ~ es muy robusto y presta muchos servicios en los países montañosos.

mulón, na *adj.* 《*Chile. Perú.*》 말을 늦게 배우는 (아이) ; 말솜씨가 없는.

mulquía *f.* 모로코에서의 토지 소유증.

mulsión *f.* [*lat.* mulsio] [드묾] =**ordeñamiento.**

mulso, sa *adj.* [*lat.* mulsus] 꿀·설탕을 넣은 : vino ~.

multa *f.* [*lat.* multa] 벌금, 과료, 벌과금 : imponer una ~ 벌금을 과하다・물리다. —*pl.* 위약금.

multar *tr.* [*lat.* multare] (…에) 벌금을 과하다, 과료 처분하다(imponer una multa).

multi- *pref.* 「많은」「다양성」을 뜻하는 접두어 : *multi*color, *multi*millonario.

multicaule *adj.* 【식물】 줄기가 많은.

multicelular *adj.* 여러 가지 세포(célula)로 형성된.

multicolor *adj.* 다채로운, 여러 색깔의 : dibujo ~. Sinón. policromo.

multicopiadora *f.* 복사기.

multicopiar *tr.* 11 복사하다.

multicopista *m.* 복사기, 공판 인쇄기.

multiflor *f.* 《*Chile.*》 =**mutiflor.**

multifloro, ra *adj.* 【식물】 꽃이 많은.

multiforme *adj.* 여러 가지 모양・무늬의.

multifuncional *adj.* 기능이 다른.

multilateral *adj.* 다변적인 ; 다국간(多國間)의 ; 다수 당사자의 : conversación ~ 다국간의 회담. tratado ~ 다국간・다변 조약.

multilátero, ra *adj.* 다변(多邊)의, 다면(多面)의 ; 다변적인, 다국간의 : polígono ~.

multilobulado, da *adj.* 잎이 여러 개인(de varios lóbulos).

multilocular *adj.* 《*Neol.*》 celdilla가 여러 개인.

multimillonario, ria *adj.* 억만 장자의. —*m.f.* 억만 장자.

multinacional *adj.* 다국(간)의.

multípara *adj.* ① 한꺼번에 많은 새끼를 낳는 : La hembra del conejo es generalmente ~ 암토끼는 보통 한꺼번에 많은 새끼를 낳는다. ② 몇 차례 아이를 낳은 (여자).

multiparidad *f.* 다산(多産) : La ~ es bastante común entre los roedores.

multipartidaria *f.* 《*Arg.*》 다수 정당의 연합・제휴.

multipartidismo *m.* 정당의 다양화.

multipartidista *adj.* (정당이) 다양화한.

múltiple *adj.* [*lat.* múltiplex] 여러 겹으로 된 것의, 복합의 ; 다양한 : opiniones ~*es* 다양한 의견. cuestión ~ 다양한 질문. Contr. sencillo.

múltiplex *adj.* 복잡한 다중(多重) 송신의 (전신기).

multiplicable *adj.* 증가할 수 있는; 번식시킬 수 있는 ; 탈 수 있는 ; 곱이 되는 (que puede multiplicarse).

multiplicación *f.* ① 증가 ; 번식 ; 배가. ② 【수학】 곱셈 : tabla de ~. Contr. división.

multiplicador, ra *adj.* 증가・증식시키는 ; 곱셈의. —*m.* 【수학】 곱수, 승수(乘數) : ~ de inversión 투자 승수. ~ de ocupación 고용 승수. ~ finito 유한 승수.

multiplicando *m.* 【수학】 피승수(被乘數).

multiplicar *tr.* 7 [*lat.* multiplicare] ① 늘리다, 몇 곱으로 만들다. ②【수학】 곱하다 : tabla de ~ 구구표.

—*intr.*, **~se** 증가하다, 배가하다, 불어나다, 번식하다.

multiplicativo, va *adj.* ① 증가하는, 번식성의. ②【수학】 곱셈의. ③【문법】 배수사(倍數詞)의.

multíplice *adj.* [드뭄] =**múltiple.**

multiplicidad *f.* 다양(성), 여러 가지 ; 다수(성) : ~ de las leyes.

multiplico *m.* (가축의 번식에 의한) 배증, 증가.

múltiplo, pla *adj.* ① 몇 배의, 배수의 : adjetivo numeral ~ 배수 형용사. mínimo común ~ 최소 공배수. ② 다수의. —*m.* 배수.

multipolar *adj.* 다극(多極)의 : dínamo ~ 다극 직류 발전기.

multirreincidencia *f.* 수차 재범.

multisecular *adj.* 매우 오래된, 수 세기의.

multitubular *adj.* 다관식의 (보일러).

multitud *f.* [*lat.* multitudo] ① 다수(多數), 많음(muchedumbre). ② 군중, 대중(vulgo).

multitudinario, ria *adj.* 대중의.

multivalvo, va *adj.* valva가 많은.

mulud *m.* (모로코에서) 마호메트 탄생 기념 종교 행사.

mumuga *f.* 《*AmérC.*》 담배의 찌꺼기.

muna *f.* *hacer* ~ 《*Arg.*》 욕심나게 하다, 탐나게 하다.

muncho, cha *adj. adv.* 《*Ant.*》 =**mucho.**

mundanal *adj.* =**mundano.**

mundanalidad *f.* 세속의 속된 기풍, 속취(俗臭).

mundanamente *adv.* 세속적으로.

mundanear *intr.* 세속적인 일에 관여하다.

mundanería *f.* =**mundanalidad.**

mundano, na *adj.* ① 세속의, 속세의 ; 세속적인 : placeres ~*s* 세속적인 기쁨. mujer ~*na* 매춘부, 창녀, 갈보(ramera, prostituta). ② 영화를 좋아하는.

mundear *intr.* 《*Col.*》 여기저기 쏘다니다.

mundial *adj.* [*lat.* mundialis] ① 세계의, 세계적인(universal) : Banco *M-* 세계 은행. campeón ~ 세계 챔피언. reputación ~ 세계적 명성. Esa marca goza de una fama ~ 그 상표는 세계적인 명성을 떨치고 있다. El nadador batió el récord ~ de 100 metros estilo libre 그 수영 선수는 100미터 자유형 세계 기록을 깨뜨렸다. ②《*Cuba.*》 더없는, 극상의.

mundicia *f.* 청결, 세정(洗淨), 청소(limpieza).

mundificación *f.* 세정, 청소.

mundificante *adj.* 청소하는 ; 세정하는, 깨끗이 씻는.

mundificar *tr.* 7 청소하다, 세정하다, 깨끗하게 씻다(limpiar, purificar) : ~ una llaga.

mundificativo, va *adj.* 세정의. —*m.* 세정제(洗淨劑).

mundillo *m.* [*dim.* mundo] ① 작은 세계, …계(界) : ~ periodístico 신문계. ~ político 정계(政界). ②【식물】 인동 덩굴과에 속하는 낙엽 교목. Sinón. sauquillo. ③ 옷 말리는 (도구) ; 작은 화로 ; 레이스・수틀.

mundinovi *m.* [*ital.* mondi nuovi] =**mundonuevo.**

mundo *m.* [*lat.* mundus] ① 세계 : Dio una vuelta al ~ 그는 세계를 일주했다. ② 지구(tierra) ; 대륙 : el Nuevo *M-* 신대륙, 남북 아메리카. ③ 세상(의 사람들), 속세, 이승, 세속 : El rey abandonó el ~ para entrar en el claustro 왕은 수도원에 들어가기 위해 속세를 버

렸다. ④ 세계, 사회, …계(界) : ~ de las letras 문학 세계. ~ de masas 집단 사회. ~ de negocios 상업계. ~ libre 자유 세계. gran ~ 《*Galic.*》 상류 사회(aristocracia). ⑤ 대형 트렁크 (baúl ~). ⑥【식물】 인동 덩굴과에 속하는 낙엽 교목.
~ mayor·menor 대·소우주.
el ~ antiguo 구대륙 ; 고대.
el otro ~ 저승, 천국.
este ~ y el otro 막대한 것·돈·자산 등 : Tomás le prometió *este ~ y el otro.*
medio ~ 많은 사람 : Había allí *medio ~*.
todo el ~ ① 모두, 누구나 : Ya lo sabe *todo el ~*. ② 전세계 : El ha viajado por *todo el ~*.
tercer ~ 제삼 세계.
un ~ 대다수(muchedumbre) : *un ~ de* muchachos.
desde que el ~ es ~ 호랑이 담배 먹을 적부터, 옛날 옛적부터.
correr ~ 여행을 많이 하다(viajar mucho).
echar al ~ 세상에 내놓다.
echarse al ~ 신세를 망치다 ; 몸을 팔다, 매춘 행위를 하다.
irse al otro ~ 죽다(morir).
salir de este ~ 사망하다, 죽다(morir).
tener (mucho) ~ (널리) 세상을 알고 있다, 경험을 (많이) 가지다.
valer un ~ 값어치가 많다(valer mucho).
venir al ~ 태어나다, 탄생하다(nacer).
ver ~ 세계를 보다, 여기저기 여행을 하다.

mundología *f.* 세상 물정을 알기 ; 속세학.

mundonuevo *m.* 휴대용 요지경(瑤池鏡) (cosmorama portátil).

munición *f.* [*lat.* munitio] ① 탄약 : cajón de ~ 탄약 상자. ~ menuda 참새 사냥용 산탄. ~ de balines 큰 짐승 사냥용 탄환. ② [주로 *pl.*] 군수품·물자 (~*es* de guerra) : ~ de boca 양식과 땔감. ③ 《*Amér.*》 군복 《바지와 상의》. ④ 《*Méx.*》 산탄.
de ~ ① 관급(官給)의 : prenda de ~, pan de ~. ② 벼락치기로 만든, 변변치 못한.

municionamiento *m.* 탄약·식량 보급.

municionar *tr.* (…에) 탄약·식량을 보급하다 : ~ un castillo.

municionera *f.* 《*AmérM.*》 산탄(perdigonera).

municionero, ra *m.f.* 공급자(proveedor).

municipal *adj.* 시·읍의, 시제(市制)의 ; 자치체제의 : biblioteca ~ 시립 도서관. ley ~ 자치제법. guardia ~ 지방 자치 경찰 ; 그 순경.
—*m.* (시·읍의) 순경(guardia municipal).
—*m.f.* 《*Chile.*》 시의회 의원(concejal).

municipalidad *f.* 시, 시청, 시당국(municipio, ayuntamiento).

municipalización *f.* 시유화, 공유화.

municipalizar *tr.* ⑨ 시유(市有)·공영으로 하다.

munícipe *m.* [드묾] 시민.

municipio *m.* [*lat.* municipium] ① 시, 읍, 군 ; 자치구. ② 시의회, 군의회, 시청, 군청, 시당국, 군당국(municipalidad, ayuntamiento). ③ [집합] 시민, 군민. ④ (고대 로마의) 자치시.

munido, da *adj.* 《*Arg. Chile.*》 방비·무장한.

munificencia *f.* 대범(스러움), 관대(함) (generosidad) : portarse con ~ 대범하게 행동하다. Cnotr. tacañería.

munificente *adj.* =**munífico.**

munificentísimo, ma *adj. sup.* munífico.

munífico, ca *adj.* [*lat* munificus] 아낌없는 ; 대범스러운, 너그러운, 관대한(liberal, generoso). Contr. tacaño, miserable.

munir *tr.* 《*Riopl.*》 =**proveer.**

munitoria *f.* 축성학, 축성법.

muntiac *m.* 【조류】 (동인도 지방의) 사슴.

munumento *m.* 《*Col. Méx.*》 monumento의 잘못 쓰인 것.

mununeque *m.* 《*Méx.*》 애정·사랑의 몸짓, 애무(halagos).

munúsculo *m.* 변변치 못한 선물.

muñeca *f.* ① 손목 : llevar ajorcas en las ~*s* 손목에 팔찌를 차다. ② (여자의) 인형 ; 의상 인형, 마네킹. ③ 예쁜·귀여운 아기. ④ (기름·물·약 따위를 거르는) 천조각 ; 누더기 묶음(~ de trapo). ⑤ 익힌 것을 넣는 자루. ⑥ 차(茶) 주머니. ⑦ 경계 표시로 박은 말뚝(hito, mojón). ⑧ 천박한 여자.
manear las ~s 부지런히·시원시원하게 일하다.

muñeco *m.* ① (남자의) 인형 : un ~ de porcelana 도자기 인형. ② 유순한 남자.
tener ~s en la cabeza 능력 이상의 희망·야심을 품고 있다 ; 터무니없는 꿈을 꾸다.

muñeira *f.* 무녜이라 《갈리시아 지방의 춤 ; 그 곡조》.

muñequear *intr.* ① 손목을 움직이다. ② 《*Arg. Chile.*》 (옥수수 등의) 이삭이 패기 시작하다 ; 운동·획책하다. ③ 《*Urug.*》 (남의) 손목을 붙잡다.

muñequera *f.* 손목시계의 가죽줄·사슬.

muñequería *f.* 여자 같은 화장·복장 ; 능글맞은 짓.

muñequilla *f.* [*dim.* muñeca] ① 어린 옥수수 이삭. ②【기계】 선반의 체크 아암.

muñidor *m.* ① (종교 단체나 사원의) 심부름꾼 ; (축제나 집회를) 알리고 다니는 사람. ② 추진자, 획책가, 책사 ; 참모 : ~ electora【속어】 선거 운동원. ③ 청부인.

muñiga *f.* 《*AmérC. Col. Perú.*》 =**boñiga.**

muñir *tr.* 52 ① 소집하다(convocar). ② (뒤에서) 조종하다, 추진하다, 획책하다, 운동하다.

muño *m.* 《*Chile.*》 볶은 밀·옥수수 가루 《휴대용 식량》 ; 그 도시락.

muñón *m.* (팔 다리의) 잘린 곳(tocón) ; (기계의) 굴대머리, 축받이.

muñonera *f.* (기계의) 축받이, 베어링.

muquear *intr.* 《*Arg. Bol.*》 옥수수를 깨물다.

muqueva *f.*【식물】 무께바 《잎이 아름답고 붉은 색을 띤 염료용 식물》.

muquición *f.*【은어】 =**comida.**

muquir *tr.*【은어】 =**comer.**

mura *f.* amura의 어두 탈락형.

muradal *m.* =**muladar.**

murador, ra *m.f.* 쥐 사냥꾼.
Gato miador, poco ~【속담】 잘 우는 고양이는 쥐를 별로 잡지 못한다.

muráis morir의 접·현·2·복수.

mural *adj.* ① 벽의 : adorno ~ 벽의 장식(물). ② 벽걸이의 : mapa ~ 벽걸이용 지도. ③ 벽화

의. **—***m.* 벽화(壁畵).
muralismo *m.* [추상] (근대의) 벽화 : ~ mexicano 멕시코 벽화.
muralista *m.f.* 벽화가.
muralla *f.* ① 성벽, 시벽(市壁) : las ~*s* de Ávila 아빌라의 성벽. ②《*AmérC. Chile. Ecuad.*》 벽(pared). ③《*Méx.*》 시가지에의 출입구가 한 쪽으로만 난 집.
~s aduaneras 관세 장벽.
Muralla (La Gran) *f.* 만리 장성.
murallón *m.* [*aum.* muralla] 단단한 성벽·시벽(muro robusto) ; 큰 성벽(muralla grande).
muramos morir의 접·현·1·복수.
murar[1] *tr.* [*lat.* murare] (…에) 성벽·시벽을 둘러치다 : ~ una ciudad·un castillo.
murar[2] *tr.* ① 고양이가 쥐를 잡다. ②《*Ast. Pal.*》 고양이가 매복처에서 쥐를 정탐하다.
murceguillo *m.* =**murciélago.**
murceo *m.* 【은어】 =**tocino.**
Murcia 【지명】 무르시아 《서반아의 주·시》.
murciano, na *adj.* 무르시아의. **—***m.f.* 무르시아 사람.
murciar *tr.* ⑪ 【은어】 얌생이짓을 하다 ; 훔치다 (hurtar).
murciégalo *m.* 【동물】 =**murciélago.**
murciélago *m.* ① 【동물】 박쥐. ② 【어류】 성대무리.
murcielaguina *f.* 박쥐의 똥.
murcigallero *m.* 【은어】 초저녁에 드는 도둑.
murciglero *m.* 【은어】 야밤중의 도둑.
murcio *m.* 【은어】 도둑(ladrón).
murecillo *m.* (동물의) 근육(músculo).
murena *m.* [*lat.* muraena] 【어류】 바다 장어 (morena).
mureño *m.* 《*Ar.*》 =**majano.**
murete *m.* [*dim.* muro] 얕은 성벽, 토벽 ; 작은 성벽(muro pequeño).
múrex *m.* =**múrice.**
murga[1] *f.* [*lat.* amurca] 올리브(oliva)의 짠 즙 (alpechín).
murga[2] *f.* (동냥하는) 유랑 악대.
dar ~ 애먹이다, 귀찮게 굴다, 괴롭히다.
murgón *m.* =**esguín.**
murguista *m.f.* 유랑 악단원(murga).
muriacita *f.* =**anhidrita.**
murias *m.pl.* ①《*León.*》 돌 무더기. ② 돌 쌓기의 일종.
muriático, ca *adj.* 【화학】 염화의 : ácido ~ 염산.
muriato *m.* 【화학】 염화물(clorhidrato).
múrice *m.* [*lat.* murex, muricis] ① 【동물】 악귀조개 ; 자패(紫貝)의 일종(peñasco). ② 【시어】 자줏빛.
murido, da *adj.* 쥐 비슷한.
múridos *m.pl.* 포유류과 동물.
murie- →**morir** ㊺.
murieron morir의 직·부정과거·3·복수.
murió morir의 직·부정과거·3·단수.
murmujear *intr.* =**murmurar.**
murmullar *intr.* =**murmurar.**
murmullo *m.* ① 속삭임. ② (냇물의) 졸졸거리는 소리 : el manso ~ de un arroyo 시냇물의 졸졸거리는 소리. ③ 불평, 바가지(queja, lamento, murmurio).
murmuración *f.* 속삭임, 수군거림 ; 불평 ; 험담.
murmurador, ra *adj.* 속삭이는 (듯한) ; 너울거리는, 살랑거리는 ; 불평하는. **—***m.f.* 험담가 ; 불평가, 불평객, 불평꾼.
murmurante *adj.* =**murmurador.**
murmurar *intr.* [*lat.* murmurari] ① (물이) 졸졸거리다, 너울거리다, 살랑거리다 : Las aguas *murmuran* 물이 너울거린다·졸졸거린다. ② 수군거리다, 두런거리다. ③ 속삭이다, 중얼거리다 : La mujer le *murmuró* al oído unas palabras 그녀는 그의 귀에 대고 몇 마디 속삭였다. ④ [때로는] 언짢아 투덜거리다 : *Murmura* todo lo que le rodea 주위의 모든 것에 대해 불평하고 있다. ⑤ 남의 소문을 퍼뜨리다, 험담하다 : ~ *de* un amigo.
murmureo *m.* 너울거림, 산들거림 ; 졸졸거림.
murmurio *m.* 너울거림, 산들거림 ; 졸졸거림 ; 속삭임, 중얼거리기, 수군거림 ; 불평 ; 험담.
murmurón, na *adj.m.f.* =**murmurador.**
muro *m.* [*lat.* murus] ① 벽, 흙담. ② 댐, 둑. ③ 성벽(muralla).
murque *m.* 《*Chile.*》 미숫가루의 일종.
murria *f.* ① 근심, 걱정. ② 슬픔, 쓸쓸함 (tristeza, melancolía). ③ 화농 방지용 고약 《특히 마늘·식초·소금을 개어 만든 옛날 약》.
murrina *f.* 《*Amér.*》 가축병.
múrrino, na *adj.* 형석(螢石)(제)의 (옛날의 그릇).
murriña *f.* 《*Arg.*》 불결, 더러움(suciedad).
murrio, rria *adj.* ① 얼굴이 그늘진, 울적해 보이는, 쓸쓸한 듯한, 울적한, 우울한(triste, melancólico). ② 풀이 죽은.
murro *m.* 《*Chile.*》 불쾌한 얼굴.
murrundanga *f.* 《*AmérC.*》 뒤범벅, 뒤얽힘.
murruñoso, sa *adj.* 《*Cuba.*》 조그마한, 근소한.
murta *f.* ① 【식물】 도금양(arrayán) ; 도금양의 열매. ② 【은어】 올리브 열매, 올리브(aceituna).
murtal *m.* 도금양의 숲.
murtela *f.* =**murtal.**
murtera *f.* =**murtal.**
murtilla *f.* 칠레산 도금양과의 관목 ; 그 열매로 빚은 술.
murtina *f.* =**murtilla.**
murtón *m.* 도금양의 열매.
murucuyá *f.* 《*Arg. Venez.*》 【식물】 시계풀 (granadilla).
murueco *m.* =**morueco.**
murumaca *f.* 《*Cuba.*》 놀려대는 얼굴 표정.
murusa *f.* 《*Venez.*》 얽힌 머리칼.
hacer ~s 《*Méx.*》 속이다, 사기하다.
murviedrés, sa *adj.m.f.* 무르비에드로 《Murviedro, Valencia 주의 한 도시》의 (사람).
mus *m.* 카드 놀이의 일종.
No hay ~ 안됐습니다 !
sin decir tus ni ~ 말 한마디없이, 일언 반구의 말도 없이.
musa *f.* [*lat.* musa] ① 뮤즈신 《학예·시·음악을 다스리는 아홉 여신의 모두》. ② 영감, 감홍 ; 시재(詩才), 시상(詩想). ③ 시, 시단 : la ~ española. ④ 문예, 미술.

entender la ~ de (누구의) 속셈을 알아채다.

musáceo, a *adj.* 【식물】 파초과의.
—*f.pl.* 파초과 식물.

musanga *m.* 【동물】 무상가 《육식류 동물》.

musar *intr.* =**esperar, aguardar.**

musaraña *f.* ① 【동물】 땅쥐(musgaño) ; 작은 동물, 벌레. ② (풍자적으로 만드는) 얼굴이 닮은 인형. ③ (환각적으로 보이는) 물방울. ④ 딴전, 딴일 : mirar a las *~s* 딴전을 부리다. pensar en las *~s* 다른 일을 생각하다.
—*pl.* 《*Ant. Col.*》 놀려주는 얼굴(murumaca).

muscardino *m.* 【동물】 동면 쥐.

muscaria *f.* =**moscareta.**

muscícapa *f.* =**moscareta.**

muscívoro, ra *adj.* 파리를 먹는 (동물).

musco *m.* =**musgo.**

musco, ca *adj.* [*lat.* muscus] 거무티티한.

musculación *f.* 《*Amér.*》 =**musculatura.**

muscular *adj.* 근육의 : contracción ~ 근육의 수축·경련.

musculatura *f.* ① 근육 조직, 근육질 : la ~ de una estatua 동상의 근육 조직. ② 【구어】 =**carnadura.**

musculina *f.* 【화학】 =**sintonina.**

músculo *m.* [*lat.* musculus] 【해부】 근육 : El biceps es el ~ más fuerte del antebrazo 이두근은 앞팔에서 가장 강한 근육이다.

musculoso, sa *adj.* ① 줄기가 많은. ② 기골이 장대한 ; 근육이 많은 : un hombre ~ 근육이 많은 사람.

muselina *f.* 모슬린 ; 메린스(~ de lana), 가벼운 천(tela muy ligera) : ~ de seda 비단 모슬린.

museo *m.* [*gr.* mouseion] 박물관, 미술관, 진열관 : ~ de pintura 그림 박물관, 미술관. ~ de historia natural 박물학 박물관. ~ nacional 국립 박물관.
M- del Oro 황금박물관 《뻬루의 수도 리마와 꼴롬비아의 수도 보고따에 있는 유명한 박물관 이름》.
M- del Prado 쁘라도 미술관 《마드리드에 있는 세계 5대 미술관 중의 하나》.

muserola *f.* 콧줄 《마구》.

musgaño *m.* 【동물】 뾰족뒤쥐.

musgo *m.* [*lat.* muscus] 【식물】 이끼. —*m.pl.* 이끼 무리, 선태류(鮮苔類).
~ *marino* 바다 노송나무.
~ *terrestre* 【식물】 석송(石松).

musgo, ga *adj.* =**musco.**

musgoso, sa *adj.* 이끼의 ; 이끼가 돋은.

música *f.* [*lat.* musica] ① 음악 : ~ clásica 클래식 음악. ~ ligera 경음악. ② 주악 ; 악곡, 작곡(한 것). ③ 악보 ; 악곡집. ④ 연주(concierto) : ser aficionado a la ~ 연주를 좋아하다. ⑤ 음악 소리 ; 신비한 소리. ⑥ 악대, 악단 : ~ del regimiento 군악대. ⑦ 【희언】 어지러운 소리.
~ *armónica* 주악. ~ *brava* 《*Ant. Col.*》 서툰 음악. ~ *celestial* 천당(天堂)의 음악 ; 어벌쩡한 말, 거짓말. ~ *de baile* 무용 음악. ~ *de cámara* 실내악(室內樂). ~ *descriptiva* 표제 음악. ~ *instrumental* 기악. ~ *negra* 재즈 음악. ~ *papayera* 《*Col.*》 서툰 음악. ~ *ratonera* 서툰 음악·연주. ~ *rítmica* 현악기 음악. ~ *vocal* 성악. ~ *y acompañamiento* 와르르 몰려오는 패거리.
caja de ~ 오르골, 음악 상자, 자명금(自鳴琴).
con la ~ *a la otra parte* (귀찮으니) 저리 가.
dar ~ *a un sordo* 헛수고하다.
no entender la ~ 멋대로 굴다.
poner en ~ 작곡하다.

musicado, da *adj.* 음악이 딸린 : comedia *~da* 희가극.

musical *adj.* 음악의, 음악적인 : arte ~.

musicalidad *f.* 음악성.

musicalmente *adv.* 음악적으로.

musicanga *f.* 《*Cuba.*》 서툰 음악.

musicante *adj.m.f.* 악기를 연주하는 (음악가).

musicastro *m.* [*desp.* músico] 서툰 음악가 (mal músico).

music-hall *m. ing.* 뮤직홀. [*N.* 발음 : miúsic jol].

músico, ca *adj.* ① 음악의 : instrumentos *~s* 악기. ② 음악적인 : un nombre ~ 음악적인 이름. ③ 음향이 좋은. —*m.f.* ① 음악가 ; 악사, 악단원. ② 《*Amér.*》 서툰 승마 선수. ③ 《*Col.*》 주정뱅이. ④ 《*Méx.*》 딴전 부리는 사람, 능청떠는 사람. —*m.* 【조류】 무시꼬 《아름답게 지저귀는 새의 이름》.

musicógrafo, fa *m.f.* 음악 비평가·이론가.

musicología *f.* 음악 연구 ; 음악사 ; 음악 이론.

musicólogo, ga *m.f.* =**musicógrafo.**

musicomanía *f.* 음악광(melomanía).

musicomaniaco, ca *adj.* =**musicómano.**

musicómano, na *adj.m.f.* 음악광(의)(melómano).

musiquero *m.* 악보 상자.

musiquilla *f.* [*dim.* música] 경음악, 쉬운 음악.

musirse *r.* 《*Ál.*》 =**enmohecerse, ajarse, criar moho.**

musitación *f.* 속삭임, 중얼거림(susurro).

musitar *intr.* 중얼거리다, 속삭이다(susurrar o hablar entre dientes).

muslime *adj.* [*ár.* muçlim] 이슬람교·회교의.
—*m.f.* 회교도(musulmán).

muslímico, ca *adj.* 회교(도)의 ; 회교적인.

muslo *m.* ① 【해부】 넓적다리, 대퇴(大腿), 상퇴(上腿). ② (요리된) 새의 다리.

musmé *f.* 《*Neol.*》 ① 일본 소녀·여인. ② 무희 (danzarina).

musmón *m.* 양과 양의 잡종 ; 야생의 양.

musolina *f.* 《*Méx.*》 =**muselina.**

musquerola *adj.f.* =**mosquerola.**

mustaco *m.* 밀가루 빵(bollo).

mustang *m.* 북미 평원의 야생말.

mustango *m.* =**mustang.**

muste *interj.* 나가(¡oxte!).

mustela *f.* [*lat.* mustela] ① 【동물】 족제비 (comedreja). ② 【어류】 상어의 일종.

mustélido, da *adj.* 【동물】 족제비속의. —*m.pl.* 족제비속 동물.

mustelino, na *adj.* 족제비 닮은.

mustiamente *adv.* 풀이 죽어, 묵묵히.

mustiarse *r.* ⑪ 기가 죽다, 풀이 죽다 ; 시들다.

mustio, tia *adj.* ① 구슬픈, 서러운, 서글픈, 슬프고도 허전한(melancólico). ② 풀이 죽은 ; 말

이 없는. ③ 시든(marchito). ④《*Méx.*》 능청떠는, 엄살부리는.

musuco, ca *adj.* 《*Hond.*》 고수머리의.

musulmán, na *adj.* 회교(回敎)의, 마호메트교의, 이슬람교의 : religión ~*na* 회교, 마호메트교, 이슬람교. —*m.f.* 회교도, 이슬람교도, 마호메트교도(mahometano).

musulmanismo *m.* 회교, 이슬람교, 마호메트교.

muta *f.* 한 떼의 사냥개(jauría).

mutabilidad *f.* 가변성(可變性), 변하기 쉬움, 무상함 : la ~ de las cosas humanas.

mutable *adj.* 《*Neol.*》 변하기 쉬운(mudable, cambiable).

mutación *f.* [*lat.* mutatio] ① 변화, 변천, 변질(mudanza). ②【연극】장면의 전환. ③ 기후・계절의 변화. ④ 돌연 변이(突然變異).

mutante *m.* 【생물】 돌연 변이체, 변종(變種).

mutar *tr.* 변화・변형・변질시키다; 전임시키다.

mutatis mutandis *adv. lat.* 필요한 변경을 가하여.

mute *m.* 《*Col.*》 간하여 삶은 옥수수.

mutiflor *f.* 《*Perú.*》 예쁜 덩굴 식물.

mutil *m.* 【속어】 =**chiquillo.**

mutilación *f.* ① 불구(로 만드는 일), 일부를 잘라 버리는 일. ② 결손, 훼손 : la ~ de una estatua 동상의 훼손.

mutilado, da *adj.* [mutilar의 *p.p.*] 손・발이 없는, 불구의. —*m.f.* 불구자.

Cuerpo de ~s de Guerra 상이 군인회.

mutilador, ra *adj.m.f.* (수족을) 자르는 (사람).

mutilamiento *m.* =**mutilación.**

mutilar *tr.* [*lat.* mutilare] ① (수족을) 자르다, 불구로 만들다. ② (삭제해서) 불완전하게 하다.

mútilo, la *adj.* 병신의, 불구의; 불완전한; 일부가 부서진・잘리운・끊어진.

mutis *m.* 【연극】 무언 퇴장; 그 신호.

hacer ~ 잠자코 퇴장하다; 잠자코 있다(callar).

mutismo *m.* [*lat.* mutus] ① 침묵, 무언, 말이 없음(silencio). ② 벙어리.

mutre *adj.* 《*Chile.*》 말이 명쾌하지 못한, 말을 더듬는; 바보의; 신맛이 나는(mucre).

mutro, tra *adj.* 뿔이 나지 않은, 뿔이 없는 (동물).

mutual *adj.* 상호의(mutuo).

mutualidad *f.* ① 상호・상관(성). ② 상호 보험・부조(扶助)・관계. ③ 상호 부조제, 공제 조합 : ~ obrera.

mutualismo *m.* ① 상호 부조제・공제제(共濟制); 상호 부조주의. ②【생물】 공서(共棲).

mutualista *adj.* 상호 (부조) 주의의. —*m.f.* 상호 부조 주의자, 공제 조합원, 상호 부조 회원.

mutuamente *adv.* 서로, 함께, 상호간에 (recíprocamente).

mutuante *f.* 돈을 빌려 주는 사람.

mutuario, ria *m.f.* =**mutuatario.**

mutuatario, ria *m.f.* 돈을 꾼 사람.

mútulo *m.* (도리아 건축의) 배내기.

mutún *m.* 《*Bol.*》 =**guaco, yacú.**

mutuo, tua *adj.* [*lat.* mutuus] 서로의, 상호의 (recíproco) : seguro ~ 상호 보험. amor ~ 서로간의 사랑. ayuda *mutua* 성호 협조・원조. —*m.* (금전・소모품의) 소비 대차(貸借) (계약). —*m.* =**mutualidad.**

muy *adv.* ① 매우, 무척, 대단히, 퍽 [부사 mucho가 형용사・부사 앞에 올 때의 형] : ~ grande 매우 큰. ~ mal 매우 나쁘게. Te pareces *mucho* a tu padre; Eres ~ parecido a tu padre 너는 아버지를 퍽 많이 닮았다. ② [형용사적으로 명사의 앞에도 붙음] ~ hombre 아주 훌륭한 남자. *M-* señor mío 근계(謹啓).

muyic *m.* 러시아의 농부(mujic).

muyos *m.pl.* 《*Arg.*》 요리용 창자.

muz *m.* 뱃머리의 끝.

muzárabe *adj.m.f.* =**mozárabe.**

muzo, za *adj.f.* *lima muza* 끝손질에 쓰는 고운 줄.

mV. milivoltio.

m/v meses vista.

mW milivatio.

Mw. megawatio 메가와트.

my *f.* [*gr.* my] 그리스 자모(子母)의 제 열두 번째 글자 《서반아어의 m에 해당됨》.

mzo., Mzo. marzo 삼월.

N

n *f.* 에네 《서반아어 자모의 열여섯 번째 문자(decimosexta letra del abecedario castellano)》
N[1] ① 지명·인명의 고유 명사의 대어(代語)로서 : en el pueblo *N* en Seúl 서울 어느 마을에서. el Sr. *N* 아무개 씨. ②【수학】부정 정수(不定整數)(량)의 기호.
N[2] nitrógeno ; newton.
n. nacido ; noche ; nota ; nuestro ; número.
n/ nuestro.
N. Norte ; Número.
Na sodio.
n/a nuestra aceptación.
N.A. Norte América, la América del Norte.
naba *f.* ①【식물】무. ② 무뿌리(raíz de la naba).
nabab *m.* [*ár.* nauab] ①(인도의) 태수, 총독. ② 부호, 큰 부자(hombre muy rico) : vivir *a lo* ~ 부유한 생활을 하다.
nababo *m.* =**nabab.**
nabal *adj.* 무의(nabar). —*m.* 무밭.
NAB-ALALC Nomenclatura Arancelaria Bruselense de ALALC.
nabar *adj.m.* =**nabal.**
nabateo, a *adj.* 아라비아 유목 민족의.
nabato *m.*【은어】등뼈(espinazo).
nabería *f.* ①【집합】무. ② 무즙으로 만든 요리.
nabí *m. ár.* (회교도의) 예언자(profeta).
nabicol *m.* 사탕무의 일종.
nabiforme *adj.* 무 모양의.
nabina *f.* (기름을 짜는) 무의 씨.
nabiza *f.* ① 무(nabo)의 부드러운 잎. ② 무의 종자 : ensalada de ~*s.*
nabla *f.* [*lat.* nablia]【악기】옛날 사람들이 쓰던 하프의 일종.
nabo *m.* [*lat.* napus] ①【식물】무 : ~ gallego 무 (naba). ② 무뿌리. ③ 괴근. ④ 말꼬리의 아귀(maslo). ⑤(나무틀 등의) 굴대 : ~ de la escalera. ⑥ 돛대(palo).
naborí *m.f.* 《*Amér.*》(해방된 원주민의) 하인·몸종.
naboría *f.* naborí의 할당.
Nabucodonosor *m.*【성서】느부갓네살왕 《예루살렘의 도시를 점령한 바빌로니아의 왕, 605−562 a. de J.C.》.
Nac. Nacional.
nacaomense *adj.m.f.* 나까오메《Nacaome, 온두라스의 도시》의 (사람).
nácar *m.* 진주모(眞珠母) ; 자개.
nácara *f.* [*persa.* nácara] 반구형의 북(timbal)의 일종.
nacarado, da *adj.* ① 진주모(nácar) 모양의 : concha ~*da* 진주모 모양의 조개. ② 진주 빛깔의. ③ 자개를 박은, 자개로 장식한(adornado de nácar).
nacáreo, a *adj.* =**nacarino.**
nacarigüe *m.* 《*Hond.*》 고기와 옥수수 가루 수프.
nacarino, na *adj.* 진주 모패·자개 같은.
nacarón *m.* 부스러기 자개.
nacascolo *m.f.* 《*AmérC.*》 =**dividivi.**
nacascolote *m.* 《*Amér.*》 =**dividivi.**
nacatamal *m.* 《*Hond. Méx.*》 돼지고기를 넣은 만두의 일종.
nacatete *m.* 《*Méx.*》 햇병아리.
nacatón *m.* =**nacatete.**
nacatón, na *m.f.* 《*AmérC.*》 햇병아리.
nacazcol *m.* 《*CRica.*》 =**nacascolo.**
nacedera *adj.f. cerca* ~ 《*AmérC.*》 넝쿨 생나무 울타리.
nacela *f.*【건축】기둥의 사개.
nacencia *f.* ① 부스럼, 종기, 응어리. ②【방언】=**nacimiento.** ③《*Cuba.*》[집합] 한 살 이하의 소나 말 ; 나이 어린 가축.
nacer *intr.* 30 [*lat.* nascere] ① 낳다, 태어나다, 탄생하다(venir al mundo) : ¿Dónde *nació* usted? −*Nací* en Andalucía 당신은 어디서 태어났습니까? −안달루시아에서 태어났습니다. Cervantes *nació* en Alcalá 세르반떼스는 알깔라에서 태어났다. ②(동물의 몸에 털·깃 혹은 식물에 잎·꽃·열매·싹이) 나오다, 생기다, 돋아나다 : El vicio *nace* en la ociosidad 악덕은 태만에서 생긴다. Ya *nacieron* las cebollas 이미 양파가 돋아났다. Las flores *nacen* por primavera 꽃은 봄에 나온다. ③ 나타나다 : El sol *nace* más temprano en el verano 태양은 여름에는 더 빨리 뜬다. ④ 발생되다, 시작되다, 일어나다, 비롯되다 : Esa idea *nació* durante la guerra 그 생각은 전시 중에 생겼다. El río *nace* en las montañas galaicas 그 강은 갈리시아산에서 시작된다. La ciencia *nace* de la curiosidad humana 과학은 호기심에서 비롯된다. El tango *nació* en Buenos Aires 탱고는 부에노스 아이레스에서 발생했다.
~se ① 싹이 트다, 줄기가 자라다 : Las patatas *se nacen* en un sitio húmedo 감자는 습한 곳에서 싹이 튼다. ②(실밥이) 터지다.
nacer para·a …의 경향·소질이 있다 : Lope de Vega *nació para* escritor.
haber nacido de pie 운이 좋다(tener mucha suerte).
haber nacido en …날에 죽을 위험에서 벗어났다.
haber nacido tarde 세상 물정에 어둡다.
[직설법 현재·1·단수 : nazco. 접속법 현재 : nazca, nazcas, nazca, nazcamos, nazcáis, nazcan].
nachas *f.pl.* 콧구멍.

nacho, cha *adj.m.f.* 《*Ast.*》 납작코의 (사람) (chato). —*f.pl.* 【은어】 =**nares.**

nachole *m.* 《*Méx.*》 소주의 일종.

nacianceno, na *adj.m.f.* 나시안소 《Nacianzo, 고대 소아시아의 한 도시》의 (사람).

nacida *f.* =**nacencia, landre.**

nacido, da *adj.* [nacer의 *p.p.*] ① 타고난, 천성적인(connatural). ② 적당한, 알맞은(apto). ③ [bien · mal+] 가문이 좋은 · 나쁜; 신분이 높은 · 비천한. —*m.* 종기, 부스럼. —*pl.* 인간, 인류.

naciente *adj.* ① 낳은, 태어나는, 탄생하는, 출생하는; 오르는 : el sol ~ 아침해. ② 나타나기 시작하는 : reputación ~ 점차 오르기 시작하는 인기. —*m.* 동(oriente). —*f.pl.* 수원(水源).

nacimiento *m.* ① 출생, 탄생. ② 부화; 싹틈, 움틈 : El ~ de los pollos ocurre a los veintiún días de incubación 병아리의 부화는 부화 21일 만에 된다. ③ 태생, 신분, 혈통, 가문(linaje) : El de ~ humilde. ④ 근원 : el ~ de un río 수원(水源). ⑤ 기원, 기점(principio) : Su ~ está en las montañas galaicas. ⑥ 우물, 샘(manantial). ⑦ 그리스도의 탄생(el nacimiento de Jesucristo). ⑧ 그리스도의 탄생을 상징하는 장식 《그리스도의 탄생을 본뜬 인형 장식》.

de ~ ① 타고난, 선천적인(congénito). ② 태어날 때부터(desde el nacimiento) : un ciego *de* ~ 태어날 때부터 장님. ③ 탄생 이전에.

nación *f.* [*lat.* natio] ① 국가, 나라(país) : ~ amiga 우방, 우호국. ~ enemiga 적국. ~ más favorecida 최혜국. ② 국민(pueblo), 겨레, 민족 : ~ poderosa. ③ 탄생(nacimiento) : ciego de ~. ④ 《*Bol.*》 외국인.

de ~ 타고난; 순수한.

Naciones Unidas 연합국; 국제 연합. *Asamblea de las Naciones Unidas* 국제 연합 총회. *Nación Miembro permanente* 국제 연합 상임 이사국. *Organización de las Naciones Unidas* 국제 연합.

nacional *adj.* ① 나라의, 국가의 : bandera ~ 국기. himno ~ 국가(國歌). ② 국유 · 국립 · 국영의 : *N-* Financiera, S.A. 《*Méx.*》 나시오날 피난씨에라, 국립 투자 은행. ③ 국민의 : Fiesta ~ 국경일. ingreso · renta ~ 국민 소득. ④ 자국의, 국내의 : industria ~ 국내 산업. producción ~ 국산(품).

—*m.* ① 본국인, 자국민 : Los cónsules defienden los intereses de sus ~*es* 영사는 자국민의 이익을 방어한다. ② 국민 방위군 병사.

—*pl.* 전국민.

nacionalidad *f.* ① 국민(성) : establecer una ~. ② 국적, 선적(船籍) : ¿De qué ~ es ella? 그녀는 국적이 어디입니까? Es de ~ española 그는 국적이 서반아이다. ③ 겨레, 민족.

nacionalismo *m.* 국가주의, 민족주의; 애국심.

nacionalista *adj.* 국가주의의, 민족주의의.

—*m.f.* 국가주의자, 민족주의자; 국민당원.

nacionalización *f.* 국민화; 국유(화), 국영(화), 귀화(歸化) : ~ de las minas de cobre 광산의 국유화. ~ de los ferrocarriles 철도의 국유화.

nacionalizar *tr.* ⑨ ① 국가적 · 전국적으로 하다; 자기 나라 식으로 하다. ② 국유 · 국영화하다 : ~ una industria 산업을 국유화하다. Egipto *nacionalizó* el canal de Suez 이집트는 수에즈 운하를 국유화했다. ③ 국적을 부여하다, 귀화시키다.

nacionalmente *adv.* 국가적으로; 국민적으로.

nacionalsindicalismo *m.* 국민 노동 조합주의 《Falange당의 주장》.

nacionalsindicalista *adj.m.f.* 국민 노동 조합주의의 (사람); 국민 노동 조합 가입자.

nacionalsocialismo *m.* 나치즘, 국가 사회 주의(nazismo).

nacionalsocialista *adj.m.f.* 국가 사회주의의 (사람)(nazi).

Naciones Unidas *f.pl.* 유엔, 국제 연합 : Declaración de las ~ 국제 연합 헌장.

nacismo *m.* =**nazismo.**

naco *m.* ① 《*AmérM.*》 연초의 속잎 (andulo); 씹는 담배. ② 《*Arg.*》 놀람, 공포(susto). ③ 《*Col.*》 간하여 찐 옥수수. —*adj.* ① 《*AmérC.*》 소심한, 겁이 많은, 비겁한(cobarde, pusilánime). ② 《*Méx.*》 어리석은 : Eres muy ~.

nacrita *f.* 【광물】 네크라이트 《활석의 일종》.

nacuma *f.* 《*Amér.*》 히뻬하빠 야자(palmajipijapa).

nada *pron.* [부정문에서 사용되어, 동사 앞에 오면 다른 부정어없이 부정을 만듦]. Contr. algo. ① 아무 것 · 아무 일(도 없다) : ¿Quieres *algo*? —*Nada*; *Nada* quiero; No quiero ~ 무엇을 원하느냐? —아무 것도; 아무 것도 원하지는 않는다. No hay ~ que ver 볼만한 것이 아무 것도 없다. No tiene ~ de particular 거기에는 이렇다 할 특별한 것이 없다. ② 아주 적은 일 · 물건 (muy poco) : *Nada* ha que vino 바로 조금 전에 그가 왔다. ③ 《*Galic.*》 [관사+] *Un* ~ la aflige 그는 사소한 일에도 슬퍼한다. —*adv.* ① 전혀 · 아무 것도 (…않다) : No prospera ~ 전혀 발전하지 않다. ¿*Algo* bueno? —*Nada* bueno 조금은 좋은가? —전혀 좋은 데가 없다. ② 아무 것도 아니다. ③ 《*Amér.*》 결코 아니다 (de ninguna manera).

—*f.* 없음, 무(無), 허무 : reducir a ~ 무로 돌아가다. crear de la ~ 무에서 창조하다.

~ ***más*** 다만 그것뿐.

~ ***menos*** ① 꼭 그 정도 : ~ *menos* de eso 정확히 그렇소. ② [강조적으로] …정도나 : Vinieron ~ *menos que* veinte cartas 편지가 20통이나 왔다.

a cada ~ 《*Amér.*》 끊임없이(a cada paso).

¡ahí es ~***!, no es*** ~ 아무 것도 아니다.

contra ~ 공연히(en vano).

de ~ ① (수인사에 대한 대답의 말로) 천만에요 (No hay de qué). ② 《*Galic.*》 아무 것도 아니다, 하찮은 것이다 : un hombre *de* ~.

en ~ 아무 것도 아니게, 사소하게 : *En* ~ estuvo que nos riñésemos 하마터면 싸움을 할 뻔했다.

más ~ 《*Amér.*》 다만 그것뿐(nada más).

por ~ ① 아무 것도 아닌 일로 : Anda, que *por* ~ lloras 자, 사소한 일에 눈물을 흘리지 마라. ② 결코 (…않다) : *Por* ~ del mundo haría yo eso 세상의 그 어떤 것을 준다고 해도 나같으면 그러지 않는다. ③ 《*Arg. PRico.*》 천만에요(de nada).

N

nadadera *f.* (수영 연습하는) 고무 튜브.
nadadero *m.* 수영장.
nadador, ra *adj.* 수영을 잘하는. **—***m.f.* 헤엄치는 사람, 수영가 : Es un buen ~ 그는 수영을 잘한다. El ~ Gómez batió el record nacional de 1.000 metros estilo libre 수영의 고메스 선수가 1000미터 자유형의 국내 기록을 깼다. **—***m.* 《*Chile.*》 (어망의) 찌(flotador).
nadal *m.* 【고어】 =**navidad.**
nadante *adj.* 【시어】 헤엄을 잘 치는.
nadar *intr.* [*lat.* natare] ① 헤엄치다, 헤엄쳐 가다, 수영하다 : ¿Sabe usted ~? 수영할 줄 아십니까? ② 뜨다(sobrenadar) ; 떠돌다(flotar) : La madera *nada* sobre el agua 나무는 물위에 뜬다. ③ [+en : …의 속에] 살아가다 ; (무엇이) 풍부하게 있다 (abundar) : Desde infancia *nadaba* en la abundancia 그는 어린 시절부터 풍족하게 살았다. ④ (꼭 맞지 않고 안에서) 덜컹거리다.
~ ***en la opulencia*** 호화롭게 살아가다.
~ ***entre dos aguas*** 적당주의를 택하다.
~ ***en sangre*** 매우 잔인하다(ser muy sanguinario).
~ ***en seco*** 빈틈없이 굴다.
~ ***en suspiros*** 한숨만 내쉬다.
~ ***y guardar la ropa*** 사업을 신중하게 착수하다(proceder con cautela en un negocio).
nadería *f.* 대수롭지 않은 일, 하찮은 것.
nadie *pron.* [동사의 뒤에 사용될 때는 동사의 앞에 부정어를 놓는다. no, ni, nunca, jamás, ninguno, nada, nadie 등] 아무도 …않다 : más que ~ 어느 누구보다도. No lo sabía ~ ; *Nadie* lo sabía 아무도 그것을 알지 못하였다. No me ha visto ~ ; *nadie* me ha visto 아무도 나를 보지 않았다. Nunca vi a ~ tan triste 그렇게 슬퍼하는 사람을 본 적이 없다. Aquí ~ conoce a ~ 여기서는 어느 누구도 서로를 모른다. El lo sabe mejor que ~ 그는 누구보다도 잘 알고 있다.
—*m.* [동사의 뒤에 사용되어, 동사의 앞에 부정어를 선행하지 않는 경우] 누구인가, 대단치 못한 사람(persona insignificante) : ¿Cuándo vio ~ estas costumbres? 언제 누가 이런 풍습을 보았는가? Lo dijo un ~ 누군가 그렇게 말했다. Dos ~*s* lo proclamaron 누군가 두 사람이 그것을 선언했다.
no ser ~ 중요성이 없다(no tener importancia).
un don ~ 중요하지 않은 사람(persona sin importancia). [*N. Nadie* de nosotros lo sabe는 *Ninguno* de nosotros …의 잘못임].
nadilla *pron. dim.* nada. **—***m.* 무용지물.
nadir *m.* [*ár.* nadir]【천문】 천저점(天底點) ; 대차점 《태양의 정반대점》. **Contr.** zenit.
nadita *f.* 《*Ecuad.*》 약간, 조금 (un poco) : Aguante una ~ 조금만 기다려 주십시오.
nado *m.* 《*Venez.*》 수영, 헤엄치는 일.
a ~ 헤엄쳐서 : Los soldados pasaron el río *a* ~ 군인들은 그 강을 헤엄쳐서 건넜다.
nafa *f.* 《*Murc.*》 ***agua de*** ~ 밀감꽃 향수.
NAFIN Nacional Financiera, S.A. 국립 투자 은행.
nafra *f.* 《*Ar.*》 =**matadura.**
nafrar *tr.* 《*Ar.*》 =**matar.**
nafta *f.* [*gr.* naphtha] ① 나프타, 석뇌유(石腦油). ②【속어】 석유 : lámpara de ~. ③ 《*Arg.*》 가솔린.
naftalena *m.* =**naftalina.**
naftalina *f.* 나프탈렌 : ~ bruta·purificada 조제·정제 나프탈렌.
naftol *m.* 나프톨 《염료》.
nagua *f.* [주로 *pl.*] =**naguas.** **—***adj.* 《*CRica.*》 =**cobarde, flojo, pusilánime.**
nagual *m.* ① 《*Méx.*》 요술사, 마술사, 기도사(brujo). ② 《*AmérC.*》 누구에게나 딸려 있다고 하는 동물. **—***f.* 거짓말, 꾸민 이야기.
nagualear *intr.* 《*Méx.*》 거짓말하다 ; 밤에 떠들다.
naguapate *m.* 《*Hond.*》 국과 식물의 일종.
naguas *f.pl.* 속치마(enaguas). **—***adj.* 《*CRica.*》 겁많은, 소심한,
naguatato, ta *m.f.* 《*Méx.*》 =**nahuatlato.**
naguatlato, ta *m.f.* 《*Méx.*》 나구아뜰레말(naguatle)의 통역자·해석자·번역자.
naguatle *m.* 나구아뜰레말 《멕시코의 토착어의 일종》.
nagüetas *f.pl.* 《*Amér. And.*》 (어린이용) 포대기.
nagüillas *f.pl.* 《*And. Amér.*》 =**nagüetas.**
nahua *m.* =**naguatle.**
nahuatl *m.* =**naguatle.**
náhuatl *m.* =**naguatle.**
nahuatlato, ta *m.f.* naguatle의 통역.
nahuatle *m.* =**naguatle.**
nahuatlismo *m.* 서반아어로 도입된 나구아뜰레말의 소리.
nahuatlista *m.f.* 나구아뜰레말 학자.
naide *pron.* nadie의 사투리.
naife *m.* 가공하지 않은 다이아몬드(diamante en bruto).
naipe *m.* 카드(의 1장·1벌) (baraja) : jugar a los ~*s* 카드 놀이를 하다.
dar bien·mal el ~ 재수가 좋아지다·나빠지다 : Me *da bien·mal el* ~ 나는 재수가 좋다·나쁘다.
dar el ~ ***para·por*** …하는 재능이 있다 : Le *da el* ~ *para·por* esto 그는 이것을 하는 재능이 있다.
tener buen·mal ~ 재수가·운이 좋다·나쁘다 : El tiene *buen·mal* ~.
naipera *f.* 《*Ál.*》 카드 만드는 여인.
naipesco, ca *adj.* 카드의.
naire *m.* 코끼리 사육사.
naitica *f.* 《*Venez.*》 하찮은 일, 사소한 것.
naja *f. sanscr.* 【동물】 (인도산 독사인) 안경뱀, 코브라.
salir de ~ 뺑소니치다, 도망치다.
najarse *r.* 【은어】 뺑소니치다, 물러가다(largarse, irse, marcharse).
¡najencia! *interj.* 【은어】 저리가! (¡largo!).
najerano, na *adj.* 나헤라 《Nájera. Logroño주의 한 도시 ; Navarra 왕국의 옛 수도》의. **—***m.f.* 나헤라 사람.
najerino, na *adj.m.f.* =**najerano.**
nal *m.* [주로 *pl.*] 《*Arg.*》 【속어】 돈 ; 뼈소.
nalca *f.* 《*Chile.*》 빵게 《습지 식물》의 식용 잎자루.

nalga *f.* [주로 *pl.*] 궁둥이, 엉덩이, 둔부.
nalgada *f.* ① 돼지의 궁둥이 살. ② 엉둥방아. ③ 볼기짝 때리기 : dar una ~ al niño 아이의 볼기짝을 때리다.
nalgar *adj.* 궁둥이·엉덩이의.
nalgatorio *m.* 궁둥이, 볼기짝(las nalgas).
nalgón, na *adj.* 《*AmérC. Col. Méx.*》 궁둥이가 큰(nalgudo).
nalgudo, da *adj.* 궁둥이가 큰.
nalguear *intr.* (걸을 때) 궁둥이를 흔들다.
nalguiento, ta *adj.* 《*Perú.*》 =**nalgudo.**
nambí *adj.* 《*Riopl.*》 귀가 처진 (말).
nambimba *f.* 《*Méx.*》 옥수수(maíz), 꿀(miel), 카카오(cacao) 및 고추(chile)의 반죽 요리의 일종.
nambira *f.* 《*AmérC.*》 (말린 박으로 만든) 그릇.
namorar *tr.* =**enamorar.**
nana *f.* [*ital.* nanna] ①【속어】할머니, 조모(abuela). ②【방언】자장가. ③《*AmérC. Méx.*》 아기 보는 여자; 유모. ④《*Hond.*》 엄마, 어머니. ⑤《*Arg. Chile.*》 어린아이의 종기(pupa).
nanacate *m.* 《*Méx.*》 버섯.
nanachas *adj.pl.* 쌍의, 짝의.
nanaya *f.* ①《*Guat.*》 할머니. ②《*Hond.*》 자장가.
nance *m.* 《*Hond.*》 =**nanche.**
náncer *m.* 《*Cuba.*》 =**nanche.**
nancear *intr.* 《*Hond.*》 =**coger.**
nancite *m.* 《*Amér.*》【식물】쌍자엽류의 일종.
nanche *m.* 《*Méx.*》 (아메리카의) 쌍자엽류 식물.
nandinia *f.*【동물】난디니아 《검은 반점이 있는 사자털이고 어깨에 누르스름한 털을 가진 야생 고양이의 일종》.
nandú *m.* =**ñandú.**
nanear *intr.* 아장아장·뒤뚱뒤뚱 걷다.
nango, ga *adj.m.f.* 《*Méx.*》 외부에서 온 사람(의), 다른 지방 사람(의)(forastero). ② 아무 것도 모르는; 어리석은 (사람)(tonto).
nanismo *m.* 난쟁이의 비정상적 발육(enanismo).
nanita *f.* [*dim.* nana] 할머니(abuela).
el año de la ~ 옛날; 옛날 옛적에 있던 일.
nanquín *m.* 옛날의 면직천.
nano, na *adj.*【고어】《*León. Sal.*》 =**enano.**
nansa *f.* 양어장; 어롱, 종다래끼(nasa).
nansú, nanzú *m.* 《*Amér.*》 여자들의 속옷을 만드는 무명베의 일종.
nao *f.*【시어】배, 선박(nave).
naonato, ta *adj.m.f.* 배 안에서 태어난 (사람).
napa *f.* ① 무두질한 양가죽. ②【은어】=**nalga.**
napalm *m.* 네이팜 《소이탄 따위에 쓰이는 화학물질》 : bomba de ~ 네이팜탄.
napango *m.* 《*Amér.*》 =**mestizo.**
napea *f.*【신화】숲의 요정, 들의 선녀.
napelo *m.*【식물】바곳(acólito).
napeo, a *adj.* 숲의 선녀(napea)의; 산림의.
napias *f.pl.* =**narices.**
napiforme *adj.* 무(nabo) 모양의.
napoleón *m.* 불란서의 5프랑 은화.
napoleónico, ca *adj.* 나폴레옹 《Napoleón Bonaparte(1769-1821)》의; 나폴레옹적인; 나폴레옹 시대의; 나폴레옹에 관계되는.
Nápoles *f.*【지명】나폴리 《이탈리아의 도시》.
napolitano, na *adj.* 나폴리 《Nápoles, 이탈리아의 항구 도시; 옛 왕국》의 —*m.f.* 나폴리 사람.
naque *m.* 옛날의 두 사람이 한 짝이 된 광대.
naquerar *tr.*【은어】=**interrogar.**
narango *m.* 《*AmérC.*》【식물】=**moringa.**
naranja *f.* [*ár.* naranch] ① 귤속(屬)의 과일 《귤, 밀감, 오렌지 등》 : ~ agria 신맛의 오렌지. jugo de ~ 오렌지 주스. ② 오랜지색. ③ 귤 크기의 옛날의 대포알. ④《*Méx.*》 =**toronja.**
~ *china* 온주 밀감.
~ *mandarina·tangerina* 만다린 밀감, 왕귤나무.
media ~ 반신; 아내; 취미나 성격이 잘 맞는 사람; 원형 지붕(cúpula).
¡Naranjas (de la China)! 아닙니다, 아무 것도 아니다, 천만에요 《경이·기이한 느낌·부정(否定)을 나타내는 감탄사》.
naranjada *f.* ① 오렌지 주스(jugo de naranja). ② 야비한 일(grocería).
naranjado, da *adj.* 오렌지색의, 밀감 빛깔의 (anaranjado).
naranjal *m.* ① 밀감밭. ②《*Guat.*》 밀감나무 (naranjo).
naranjazo *m.* 밀감 팔매질, 밀감으로 때리기.
naranjera *f.* 나팔총(trabuco *naranjero*).
naranjero, ra *adj.* 밀감의; 밀감 같은; 밀감색의. —*m.f.* 밀감 재배인·장수.
naranjilla *f.* 통조림용 푸른 밀감.
naranjillada *f.* 《*Ecuad.*》 naranjilla 즙으로 만든 음료수.
naranjillo *m.* 《*Ecuad.*》 =**naranjito.**
naranjito *m.* 《*Col.*》 나랑히또 《식용 가지과 식물》.
naranjo *m.* ①【식물】귤나무, 밀감나무 : La flor del ~se llama 《azahar》 밀감나무의 꽃은 azahar라 한다. ② 우악스러운 사람.
naranjuela *f.* 《*Col.*》 가시 덩굴식물.
narbonense *adj.* 나르본 《Narbona, 불란서의 도시》의. —*m.f.* 나르본 사람.
narbonés, sa *adj.m.f.* =**narbonense.**
narceína *f.* 나르세인 《아편에서 따는 마취제》.
narcisismo *m.* 자기 도취(증).
narcisista *adj.m.f.* 자기 도취의 (사람).
narciso *m.* [*lat.* narcissus] ①【식물】수선(水仙) [Sinón.] trompillo. ② 멋쟁이 남자; 미남자. ③《*Hond.*》 협죽도(adelfa).
Narciso *m.*【신화】물에 비친 자신의 모습에 반해 물에 빠져 죽어 수선화로 변한 아름다운 청년.
narcolepsia *f.* 수마, 심한 졸음.
narcosis *f.* 마취(에 의한 혼수); 인사 불성.
narcótico, ca *adj.* 마취(성)의. —*m.* 마약 마취제, 마취약.
narcotina *f.* 나르코틴 《아편의 알칼로이드》.
narcotismo *m.* 마취, 마취 상태; 마약 중독.
narcotización *f.* 마취·혼수(시키는 일).
narcotizador, ra *adj.* 마취시키는, 혼수시키는. —*m.f.* 마취자, 혼수자.
narcotizante *adj.m.f.* 마취·혼수시키는 (사람).
narcotizar *tr.* [9] 마취시키다, 혼수시키다.
narcotraficante *m.f.* 《*Amér.*》 마약 거래자.
nardino, na *adj.* 감송향(甘松香)이 들어 있는.

nardo *m.* 【식물】 수선(水仙), 감송(甘松) ; 감송향 ; 월하향.
nares *f.pl.* 【은어】 코(nariz).
narguile *m.* (중국의) 물부리.
nariceado *m.* 《*Venez.*》 소의 코뚜레.
naricear *tr.* 《*Perú.*》 여기저기 냄새를 맡고 다니다(olfatear).
narices *f.pl.* nariz의 복수형.
—*interj.* =**¡ Nada!, ¡ No!**

N

narigada *f.* 《*AmérM.*》 냄새 담배의 1회분.
narigón, na *adj.* 코가 큰. —*m.* [*aum.* nariz] ① 큰 코. ② 《*Cuba.*》 코뚜레, 고삐.
narigudo, da *adj.* 코가 큰 ; 코 모양의. —*m.f.* 코가 큰 사람, 코주부.
nariguera *f.* (토인이 사용하는) 코뚜레.
narigueta *f. dim.* naríz. —*adj.* 《*Arg. Chile.*》 = **narigudo.**
nariguilla *f. dim.* nariz.
nariz *f.* [*pl.* narices] [*lat.* nasus] ① 코. ② 콧구멍 ; 후각 (olfato) : tener buena ~ 후각이 좋다. ③ (술의) 향기(aroma) : Este vino tiene buena ~. ④ 코 모양으로 된 것 ; (창문·문의 코 모양으로 된) 손잡이. ⑤ 불쑥 튀어나온 것 : la ~ de un puente 다리의 튀어나온 곳. ⑥ (플라스크에 붙은) 휘어진 목. ⑦ 기수(機首).
~ *agüileña* 매부리코. ~ *chata* 납작코. ~ *perfilada* 매끈하게 뻗은 코. ~ *respingona* 들창코. *narices remachadas* 납작코. ~ *helénica* 그리스형의 코.
*dar*le a uno *en la* ~ (누구에게서 무슨) 냄새가 나다·풍기다 ; 냄새를 맡다·캐다(sospechar).
darse de narices =tropezar, caerse.
de narices 거대한, 커다란 ; 많은.
dejar a tantas narices (누구를) 들통나게 만들다, 무안을 주다(dejar burlado).
*dejar*le *con un palmo de narices* 무안을 주다.
hablar por las narices 콧소리로 말하다(ganguear).
*hacer*le a uno *las narices* (누구를) 괴롭히다, 학대하다.
hacerse las narices 콧등을 부딪치다 ; 두들겨 맞다 ; 일이 거꾸로 되다.
*hinchárse*le a uno *las narices* ① (누가) 몹시 화내다·노하다·성내다(enojarse o enfadarse mucho) : *Se* le *hinchó* a Tomás *las narices.* ② (물이) 불어나다, 증수하다.
*llenarse*le a uno *las narices de mostaza* (누가) 몹시 화내다.
meter las narices en 주책부리다 ; (…에) 개입하다 : No *se meta* usted *las narices en* asuntos ajenos 남의 일에 개입하지 마십시오.
no ver más allá de sus narices 소견이 좁은 사람이다.
romper las narices =romper la cara.
romperse las narices =caerse.
sonar(se) las narices 코를 풀다.
tener a uno *montado en las narices* (누구를) 늘 애먹이고 있다.
tener agarrado por las narices 고분고분하게 말을 따르게 하고 있다.
tener largas narices, tener narices de perro perdiguero 냄새를 잘 맡다.
torcer las narices 외면하다.

narizón, na *adj.* 【속어】 =**narigudo, narigón.** —*m.* 《*Hond.*》 =**narizota.**
narizota *f. aum.* nariz.
narizudo, da *adj.* 《*AmérC.Méx.*》 코가 큰 (narigudo).
narra[1] *m.* 나라나무 《필리핀산 콩과의 교목 ; 잎·나무 껍질에서 염료나 약제를 얻고, 재목은 가구 용재로 쓰임》.
narra[2] *f.* 《*Ál.*》 =**galga del carro.**
narrable *adj.* (남의 앞에서) 말할 수 있는.
narración *f.* 이야기, 말 (relato) ; 서술 ; 진술 ; 서사문.
narrador, ra *adj.m.f.* 이야기 하는 ; 이야기하는 사람 ; 말솜씨가 좋은 사람.
narrar *tr.* 이야기하다, 말하다, 늘어놓다 (contar, relatar) : El nos *narró* su aventura 그는 우리에게 그의 모험담을 이야기했다.
narrativa *f.* 서술(narración) ; 화술(話術), 서술력 : Tiene una pintoresca ~.
narrativo, va *adj.* 서술의, 설화(체)의, 이야기식의 : Carece de facultades ~*vas.*
narratorio, ria *adj.* =**narrativo.**
narria *f.* [*vasc.* narria] ① (무거운 짐을) 끌어내는 틀, 운반 수레, 하물 이동차(rastra). **Sinón.** mierra. ② 뚱뚱한 여자.
narval *m.* 【동물】 외뿔 물고기 《고래의 일종》.
narvaso *m.* 《*Sant.*》 (목축의 사료용) 옥수수의 잎·대.
nasa *f.* [*lat.* nassa] 종다래끼 ; 고기 광주리, 광주리(panera).
N.ª S.ª Nuestra Señora.
nasal *adj.* ① 코의 : fosas ~*es* 비강, 콧구멍. hemorragia ~ 코피. sonido ~ 콧소리. ② 【문법】 코에 걸린 : pronunciación ~ 코에 걸린 발음. —*f.* 콧소리.
nasalidad *f.* 비음성(鼻音性).
nasalización *f.* (음의) 비음화.
nasalizar *tr.* 9 콧소리로 하다, 콧소리로 발음하다.
nasardo *m.* 오르간의 정조기(registro del órgano)의 하나.
nasica *m.* 【동물】 코쟁이 원숭이 《코가 큰 원숭이》.
naso *m.* ① 【속어】 커다란 코(nariz grande). ② 《*PRico.*》 어망, 그물.
nasofaríngeo, a *adj.* 【해부】 비인두(鼻咽頭)의.
nasón *m. aum.* nasa.
nasudo, da *adj.* =**narigudo.**
nastuerzo *m.* =**mastuerzo.**
nasturcio *m.* =**nastuerzo, mastuerzo.**
nata *f.* ① 유지, 크림(crema) ; (액체에 뜨는) 상피(上皮). ② 정(精), 정수, 최상의 것 : la flor y ~ de las señoras de la ciudad 시내에서 일류에 속하는 부인들. ③ 《*AmérM.*》 쇠똥.
—*pl.* ① (달콤한) 크림. ② =**natillas.**
natación *f.* [*lat.* natatio] 수영, 헤엄.
natal *adj.* [*lat.* natalis] 출생, 탄생의 : pueblo·suelo·tierra ~ 태어난 고향. —*m.* ① 탄생 (nacimiento). ② 탄생일(día del nacimiento).
natalicio, cia *adj.* 탄생일의. —*m.* 탄생일 : Ellos celebraron el ~ de su madre 그들은 어머니의 탄생일을 축하했다.

natalidad *f.* 출생률 ; 출생 건수.
natátil *adj.* ① 헤엄칠 수 있는 ; 부유(浮遊)하는. ②【식물】 물에 떠도는.
natatorio, ria *adj.* ① 찌의 : vejiga *~ria* 물고기의 부레. ② 수영의. **—*m.*** 수영장, 풀(장).
naterón *m.* 우유 두부(牛乳豆腐)(requesón).
natillas *f.pl.* 커스터드《과자의 일종》.
natío, a *adj.* 자연의, 천연의 (natural) : oro ~. **—*m.*** [드묾] =**nacimiento** : de su ~ 자연적으로, 천성으로.
natividad *f.* (그리스도・성모・요한의) 탄생 ; 크리스마스 전 무렵.
nativismo *m.*《*Neol. Amér.*》=**indigenismo.**
nativitate (a) *adv. lat.* =**de nacimiento.**
nativo, va *adj.* ① 출생의, 태생의, 태어난 : suelo ~ 출생지, 고향. ② 선천적인, 본래의 (connato) : virtud *~va.* ③ 자연의, 천연의 (natío) : El oro ~ se presenta en forma de pepitas.
nato, ta *adj.* [nacer의 *p.p.*] 천성의, 선천적인 (nacido) : criminal ~.
natrón *m.* [*ár.* natrón] 천연 탄산 소다 ; 소다회.
natura *f.* ①【고어・시어】 자연(自然), 본성(本性)(naturaleza). ②【해부】 생식기(los órganos genitales). ③【음악】 장음계.
 a・de ~ =naturalmente.
natural *adj.* [*lat.* naturâlis] ① 자연의, 천연의 ; 자연 그대로의, 사람 손이 닿지 않은, 가공되지 않은 : colores *~es* 자연 그대로의 색(色). fenómeno ~ 자연 현상. persona ~ 법인에 대한 자연인. puerto ~ 천연의 항구. ② 당연한 ; 보통의 : Es ~ que así suceda 그렇게 되는 것은 당연하다. ③ …태생의 (nativo) : Fue ~ de la isla 그는 그 섬에서 태어났다. ④ 선천적인, 본래의 : la bondad ~. ⑤ 생긴 그대로의, 잔꾀 부리지 않은, 순수한. ⑥ 빼어박은 듯이 닮은 ; 꼭 진짜 같은. ⑦ 서출의 : hijo ~ 사생아. ⑧ (필리핀에서 혼혈아에 대해) 양친 모두 토착민인 (어린이). ⑨《*Perú.*》=**cholo.** ⑩【음악】 본위음(本位音)・기호의.
 —*m.f.* 그 고장 사람, 토착민.
 —*m.* ① 성질, 소질, 기질 (genio, índole) : Tiene un ~ alegre 그는 명랑한 성격이다. ② (새・짐승의) 본능. ③ 실물, 원물(原物) : copiar del ~ 실물을 그리다・사생하다. ④《*Galic.*》 자연 그대로, 있는 그대로(sin artificio).
 al ~ 자연 그대로.
naturaleza *f.* [*lat.* natura] ① 자연, 천연 ; 대자연, 삼라 만상 : los tres reinos de la ~ 삼자연계. los fenómenos de la ~ 자연 현상. Ella ama la ~ 그녀는 자연을 사랑한다. ② 풍경, 산수 ; 풍경화. ③ 본성 : ~ divina 신성(神性). ~ humana 인간성. ④ 성질 : Es muy alegre por ~ 그는 성질이 명랑하다. ⑤ 종류 (género, especie) ; 성, 여성. ⑥ 본적 : carta de ~ 주민증.
 ~ ***humana*** 인류. ~ ***muerta*** 정물화.
naturalidad *f.* ① 자연성, 무기교(無技巧). ② 당연함. ③ 꾸밈이 없는 것, 솔직성 (ingenuidad) : hablar con ~. ④ 국적 ; 시민권.
naturalismo *m.* 자연주의.
naturalista *adj.* 자연주의의. **—*m.f.*** 자연주의자 ; 박물학자.
naturalización *f.* ① 귀화 : la ~ de un extranjero 외국인의 귀화. ② 순화. ③ 이식, 이입. ④ (외국어의) 자국어화.
naturalizar *tr.* ⑨ ① 제 나라 것으로 하다 ; 귀화시키다. ② (식물 등을) 순화・이식하다 (aclimatar) : Tuvieron éxito en ~ esa planta en este país 그들은 이 나라에서 그 식물을 이식하는데 성공했다. ③ (풍속이나 언어를) 들여오다.
 ~se ① 귀화하다 : El se ha hecho ~ argentino 그는 아리헨띠나(인)으로 귀화했다. ¿Usted no *se ha naturalizado* todavía? 당신은 아직 귀화하지 않았습니까? ② 순화하다. ③ 자국화하다 : Esa voz inglesa *se ha naturalizado* en español 그 영어는 서반아어로 되었다.
naturalmente *adv.* ① 자연스럽게, 기교없이, 간단히(fácilmente, sencillamente) : Eso se explica ~ 그것은 간단히 설명되었다. ② 의당, 당연히. ③ 타고난 그대로, 본래(de un modo natural) : El león es ~ valiente 사자는 본래 용감하다.
 ¡Naturalmente! [감탄사적] 물론, 당연하다, 분명하다, 의심스럽다.
naturismo *m.*《*Neol.*》 자연 숭배 ; 본연주의 ; 자연 요법.
naturista *adj.m.f.* 자연 숭배의 (자) ; 자연 요법의 (사람).
NAUCA Nomenclatura Arancelaria Uniforme Centroamericano 중미 통일 관세표.
nauclero *m.* ①【고어】 선박의 주인・조정자. ②【조류】 매과의 새《Y자 형의 긴 꼬리의 새》.
naucóride *f.*【동물】 무좀의 일종.
naufragante *adj.* 난파한.
naufragar *intr.* ⑧ ① 난파・조난하다(hacer naufragio, zozobrar la embarción) : El velero *naufragó* 80 kilómetros al sur del promontorio 범선은 곶의 남방 80킬로 지점에서 난파되었다. ② 실패하다(salir mal) : *Naufragó* su empresa 그의 사업은 실패했다. Las negociaciones *naufragaron* 교섭은 결렬되었다.
naufragio *m.* [*lat.* naufragium] 난파, 조난 ; 실패, 파산, 도산(倒産).
náufrago, ga *adj.* 난파된. **—*m.f.*** ① 조난자 : Cuatro *~s* fueron salvados a la altura del Cabo Verde. ② 파산자. **—*m.***【어류】 상어(tiburón).
naumaquia *f.* (옛날 로마의 구경거리이던) 배싸움 : la ~ de Mérida 메리다의 배싸움.
nauplio *m.* 갑각류의 유충 형태.
náusea *f.* [주로 *pl.*] ① 구토, 구역질(basca) : sentir *~s* 구역질을 느끼다. ② 가슴의 답답증.
nauseabundo, da *adj.* 토할 듯한, 구역질을 느끼게 하는, 메시꺼운, 속이 답답한, 언짢은 : olor ~ 메시꺼운 냄새. **Sinón.** repugnante.
nauseado, da *adj.* =**hastiado.**
nauseante *adj.* =**nauseabundo.**
nausear *intr.* 메스꺼워지다, 토할 듯하다, 속이 울렁거리다, 구토증을 느끼다(sentir náuseas).
nauseativo, va *adj.* =**nauseabundo.**
nauseoso, sa *adj.* =**hastiado.**
Nausicaa *f.*【희랍 신화】 난파된 Ulises를 구하려고 그를 자신의 아버지 Alcinoo의 궁정으로 안내했던 공주.
nausiento, ta *adj.*《*Perú.*》 속이 울렁거리는, 메스꺼워지는 (듯한).

nauta *m.* 【시어】 선원, 뱃사람.
náutica *f.* 항해술, 항해학.
náutico, ca *adj.* 항해(용)의 ; 해양의, 바다의 (marino) : arte ~*ca* 항해술. deporte ~ 해양 스포츠.
rosa ~ca 방위반(方位盤).
nautilo *m.* 【동물】 배낙지(argonauta).
Nav. Navegación ; Navidad.
nava *f.* [*vasco.* nava] 산간(山間)의 저지대 · 평원(llanura cultivable entre montañas) : las *Navas* de Tolosa.
navacero, ra *m.f.* navazo의 농민.
navaja *f.* ① (접어 넣을 수 있는) 주머니칼 ; 작은 칼 ; 면도칼(~ de afeitar). ② 이리의 이빨 ; (멧돼지의) 어금니. ③ (벌레의) 침. ④ 험구, 독설.
~ de afeitar 면도칼.
navajada *f.* 작은 칼로 찌르기 ; 그 칼로 찔린 상처.
navajazo *m.* =**navajada.**
navajero *m.* ① 면도칼 집. ② (면도칼의) 날갈이천. ③《*Perú.*》 면도칼을 무기로 사용하는 사람.
navajo[1] *m. desp.* nava.
navajo[2] *m.* 물웅덩이.
navajón *m. aum.* navaja.
navajonazo *m.* 면도칼로 찌르기.
navajudo, da *adj.* 《*Méx.*》 뱃속이 검은, 간사한, 교활한.
navajuela *f. dim.* navaja.
naval *adj.* ① 배의 ; 바다의 ; 해군의 : base ~ 해군 기지. combate ~ 해전. poder ~ 해군력. puerto ~ 군항. ② 조선(造船)의 : constructor ~ 조선 업자.
navarca *m.* (옛날 그리스의) 수군 제독 ; (옛날 로마의) 병선장(兵船長).
Navarra 【지명】 나바라 《서반아의 지방 · 주》.
navarro, rra *adj.* 나바라 《Navarra, 서반아 피리네오 산록의 한 주 ; 같은 이름의 옛 왕국》의. —*m.f.* 나바라 사람.
navazo *m.* 물웅덩이 ; (안달루시아 해안 지대의) 경지.
nave *f.* [*lat.* navis] ① 배(barco) : ~ de guerra 전함. ~ mercante 상선. ~ satélite 위성선. A pesar del tifón la ~ llegó a Manila 태풍에도 불구하고 배는 마닐라에 도착했다. La ~ capitana era la Santa María 기함(旗艦)은 산따마리아호였다. ② (사원의 기둥 사이의) 통로 : ~ de San Pedro 가톨릭 사원. ③ (공장의) 작업실, 작업장. ④ 진열장.
quemar las ~s 배수진을 치다.
navecilla *f.* [*dim.* nave] 소형 선박(naveta).
navegabilidad *f.* (강이나 수로가) 항행할 수 있는 일 ; (항공기나 배의) 내항성(耐航性).
navegable *adj.* 항행 · 비행할 수 있는, 날 수 있는, 항진할 수 있는 : río ~ 항해할 수 있는 강.
navegación *f.* ① 항행 ; 항공 (~ aérea) ; 항해 : Después de tres meses de ~ Cristóbal Colón descubrió el nuevo mundo 3개월의 항해 후에 콜롬부스는 아메리카를 발견했다. ② 항해술 (náutica).
~ a la vuelta 귀환 항해. *~ aérea* 항공 ; 항공 운수 기관. *~ con carga completa* 만선 · 만재 항해. *~ costera · de cabotaje* 연안 항해. *~ de altura* 원양 항해. *~ directa* 직항(直航). *~ fluvial* 하천 항행. *~ por aguas interiores* 내국 항행. *~ submarina* 잠수함의 해저 항해.
navegador, ra *adj.m.f.* =**navegante.**
navegante *adj.* 항행 · 비행하는. —*m.f.* 항해자, 비행자.
navegar *intr.* ⑧ [*lat.* navigare] ① 항행하다 ; 항해하다 : Ellos *navegaron* para Indias 그들은 서인도 제도로 향하여 항해했다. Ellos *navegaban* en una pequeña carabela 그들은 작은 까라벨라선을 타고 항해하고 있었다. El buque *navegaba* contra la corriente 배는 조류에 맞서 나아갔다. ② 여기저기 돌아다니다 : El siempre *está navegando* entre sus libros 그는 항상 책을 끼고 돌아다니고 있다. ③《*Méx.*》 고민하다, 괴로워하다. —*tr.* (배 · 항공기를) 조종하다.
naveta *f.* [*dim.* nave] ① 거룻배. ② (교회의) 배 모양의 향료 그릇. ③ 향료. ④ 서랍(gaveta). ⑤ 발레아레스 제도(las ilsas Baleares)의 유사 이전의 유적.
navícula *f.* [*dim.* nave] ① 거룻배. ② 【식물】 규조(硅藻).
navicular *adj.* 【식물 · 동물】 배 모양의 : hoja ~ 배 모양의 잎.
naviculario *m.* 옛 로마 상선의 선주 · 선장.
navichuela *f.* [*dim.* nave] 거룻배, 소형배, 똑딱선(nave pequeña).
navichuelo *m.* =**navichuela.**
Navidad *f.* ① 그리스도의 탄생 ; 성탄절, 크리스마스(Pascua de ~) ; 성탄절 즈음 [*pl.*로도 사용] : Se pagará por (las) ~*es* 성탄절 즈음에 지불됩니다. ② 나이, 연령, 세 : tener muchas ~*es* 나이가 많다. ③ 해, 12개월의 기간 : No pasará muchas ~*es.*
¡ Feliz ~ ! 즐거운 성탄절이 되기를 !
navideño, ña *adj.* 크리스마스 · 성탄절(용)의 : un melón ~ 성탄절까지 저장하는 멜론. tarjeta · aleluya ~*ña* 크리스마스 카드.
naviero, ra *adj.* 배 · 선박의, 해운의 : compañía ~*ra* 선박 회사. acciones ~*ras* 해운주(海運株). —*m.f.* 선주(船主).
navío *m.* [*lat.* navigium] 군선 ; 선박 : La tempestad dispersó los ~*s* de la Invencible Armada 폭풍우가 무적 함대의 함선을 분산시켰다.
~ de carga 화물선. *~ de guerra* 군함. *~ de línea* 전열함. *~ de transporte* 수송선. *~ mercante · mercantil* 상선. *~ particular* 상선(商船) ; 민간인(民間人) 소유의 선박. *alférez de ~* 해군 중위. *capitán de ~* 해군 대령. *capitán de ~ de primera* 해군 소장. *teniente de ~* 해군 대위. *teniente de ~ de primera* 해군 소령.
naya *f.* 【동물】 =**naja.**
náyade *f.* 【신화】 (강 · 호수의) 물의 요정.
nayuribe *f.* 붉은 염료 채취용 비름과 식물.
nazarena *f.* [주로 *pl.*] 가우쵸(gaucho)의 대형 박차.
nazareno, na *adj.* ① 나사렛(Nazaret ; 갈릴레아의 옛 도시) 의. ② 그리스도를 모시는. —*m.f.* 나사렛 사람 ; 그리스도 교도 . —*m.* 성 주간의 행렬에 나오는 가장한 사람 ; 남미산 염료용 식물의 일종.
el (Divino) N- 그리스도(Jesucristo).

cuando vengan los ~s 도저히 있을 수 없는 일(을 나타냄).
estar hecho un ~ 비탄에 젖어 있다.
nazareo, a *adj.m.f.* =**nazareno.**
Nazaret *m.* 【지명】 나사렛 《팔레스타인의 도시》.
nazarí *adj.m.f.* 유숩 벤 나사르 《Yusuf ben Nazar ; 13－15세기에 Granada를 통치한 이슬람 왕조의 시조》의 후손(의) ; 나사르 왕조의.
nazarita *adj.* =**nazarí.**
nazca nacer의 접·현·1·3·단수.
nazcáis nacer의 접·현·2·복수.
nazcamos nacer의 접·현·1·복수.
nazcan nacer의 접·현·3·복수.
nazcas nacer의 접·2·단수.
nazco nacer의 직·현·1·단수.
nazi *adj.* (독일의) 국가 사회주의의, 나치스당의 (nacionalsocialista) : la Alemania ~.
—*m.f.* (독일의) 국가 사회주의자, 나치스 당원 : los ~*s* rojos 적색 나치스 당원.
nazismo *m.* (독일의) 국가 사회주의, 나치즘 (nacionalsocialismo).
nazista *adj.* 나치주의의. —*m.f.* 나치주의자.
nazora *f.* 【고어】 =**nata.**
názula *f.* 【방언】 =**requesón.**
N.B. Nota bene, Nótese bien 주의(注意), 요주의.
n/b.º nuestro beneficio.
n/c. nuestra carga ; nuestra cuenta.
n/cc. nuestra cuenta corriente.
n/cgo. nuestro cargo.
n/cta. nuestra cuenta.
n/e. nuestra entrega.
NE. Nordeste.
nea *f.* anea의 어두 탈락어.
nearca *m.* =**navarca.**
nébeda *f.* 【조류】 개박하.
nebel *m.* =**nabla.**
nebí *m.* 【조류】 매의 일종.
nebladura *f.* (농작물의 태양빛 부족으로 인한) 안개의 해 ; (양 등의) 혼수병.
neblí *m.* =**nebí.**
neblina *f.* 【기상】 안개.
neblinazo *m.* 짙은 안개.
neblinear *intr.* 《*Chile.*》 안개비가 오다.
neblinoso, sa *adj.* 안개가 잔뜩 낀 : día · tiempo ~.
neblumo *m.* 연무(煙霧), 스모그.
nabral *f.* =**enebral.**
nebreda *f.* =**enebral.**
nebrina *f.* 두송(nebro)의 열매.
nebrisense *adj.m.f.* =**lebrijano.**
nebro *m.* 【식물】 두송(enebro).
nebú *m.* 《*Chile.*》 【식물】 =**avellano.**
nebular *adj.* 성운(星雲)의 : hipótesis ~ 성운설.
nebulón *m.* 속이 검은 남자.
nebulosa *f.* 【천문】 성운(星雲) : ~ espiral 회오리 성운. ~ gas 가스 성운. La Vía Láctea es una ~ 은하수는 성운의 하나이다.
nebulosamente *adv.* 잔뜩 흐려 ; 안개가 낀 것처럼, 음산하게 ; 애매 모호하게.
nebulosidad *f.* ① (날씨가) 흐림. ② 그늘(sombra). ③ 엷은 구름(nube ligera). ④ 음침함. ⑤ 애매함, 불분명 : la ~ de una idea 사상의 애매 모호성.
nebuloso, sa *adj.* ① 흐린, 안개 낀 : cielo ~ 흐린 하늘. ② 음침한, 서글픈(sombrío). ③ 애매한. ④ 난해한 : La filosofía de los alemanes es a veces algo ~*sa* 독일 사람의 철학은 가끔 약간 난해하다.
necear *intr.* ① 어리석은 짓을 하다·말하다(hacer o decir necedades). ② 고집을 부리다.
necedad *f.* ① 우둔(inepcia) ; 바보짓, 멍청이짓, 미련함, 어리석기 짝이 없는 짓 : decir ~*es*. ② 옹고집.
necesaria *f.* 변소(retrete), 화장실.
necesariamente *adj.* 필요에 의해서 ; 필연적으로 : no ~ 반드시 …은 아니다. Hay que hacer esta visita ~ 방문은 필연적으로 해야 한다.
necesario, ria *adj.* ① 필요한, 절대 필요한 (preciso) : El aire es ~ para la vida 공기는 살기 위해 필요하다. ② 필연적인, 피할 길 없는 : consecuencia ~*ria* 필연적인 결과. ③ 매우 유익한(muy útil) : un libro ~ 아주 유익한 책. **Contr.** superfluo, inútil.
el Ser ~ 신(Dios).
neceser *m.* 《*Galic.*》 화장 상자, 핸드백, 일용품 상자 ; 바느질 상자(~ de costura).
necesidad *f.* [*lat.* necessitas] ① 필요, 필수 : en caso de ~ 필요한 경우에는. tener ~ de trabajar para vivir 살기 위해 일할 필요가 있다. verse en la ~ 필요성에 쫓기고 있다. ② 필연, 필연성 : por ~ 필연적으로, 필요해서, 부득이. de ~ 필연적으로 (necesariamente). herida mortal de ~ 손을 쓸 수 없는 치명상. ③ 필요한 물건, 필수품 : artículos de primera ~ 생활 필수품. El agua es de primera ~ 물은 (생활 제일의) 필수품이다. ④ 궁핍, 곤궁(pobreza, carencia) : estar en la ~ 궁핍하다. ⑥ [더러 *pl.*] 대소변 : ~ mayor 대변. ~ menor 소변(小便). hacer sus ~*es* 변소에 가다. ⑦ 위험 (riesgo) : ~ extrema 생명에 관계되는 위험.
~ de crédito 신용 공여 한도.
~es de energía 에너지 수요.
~es de mano de obra 노동력의 핍박.
~es financieras 융자 수요.
hacer de la ~ virtud 마지못해 하는 일을 자진해서 하는 듯한 얼굴을 하다.
obedecer a la ~ 임기 응변의 조치를 취하다, 궁지를 모면하다.
necesitado, da *adj.* ① [+de : …을] 필요로 하는, (…이) 없는, 갖지 못한. ② 가난한, 곤궁한, 빈한한(pobre). —*m.f.* 생활 곤궁자, 빈곤자 (pobre). **Sinón.** menesteroso.
necesitar *tr.* ① 필요로 하다 : *Necesitamos* un muchacho que hable español 우리는 서반아어를 하는 소년이 한 사람 필요하다. ② [+*inf.* : …할] 필요가 있다 : *Necesito* hablarte mañana 나는 내일 너에게 말해야 한다. *Necesitamos* trabajar mucho 우리는 일을 많이 할 필요가 있다. *Necesito* comprar ropa 나는 옷을 살 필요가 있다.
—*intr.* ① [+de : …을] 필요로 하다, 부족하다, …이 없다 : José *necesitaba de* incesantes cuidados 호세에게는 줄곧 뒤를 보아주어야 할 필요가

있었다. El enfermo *necesita de* nutrición 환자는 영양이 부족하다. *Necesitamos de* usted 우리는 당신이 필요하다. ② 빠져 있다.

~se 필요하다 : *Se necesita* (hace falta) una sirvienta 여자 하인이 한 사람 필요하다. *Se necesita* (es preciso) ser ciego 맹목적이 되어야 할 필요가 있다.

necezuelo, la *adj. dim.* necio.

neciamente *adv.* 어리석게도, 무지하게, 멍청하게, 바보스럽게, 미욱하게(con necedad, tontamente).

necias (a) *adv.* =**neciamente.**

necio, cia *adj.* [*lat.* nescius] ① 무지한, 어리석은, 미욱한, 얼빠진(ignorante, tonto). ② 옹고집의, 고집이 센(terco) : una decisión *necia* 옹고집의 결정. ③《*Arg. PRico.*》성미가 까다로운; 남을 원망하기 잘하는(delicado).

—*m.f.* 바보, 미욱한 사람, 미련둥이, 무지한 사람, 무분별한 사람.

a necia ~s 어리석게, 멍청하게, 바보스럽게, 미욱하게(neciamente).

nécora *f.* 바닷게(cangrejo de mar).

necro- *pref.* 「시체」「죽음」의 뜻을 나타내는 접두어.

necrófago, ga *adj.m.f.* 시체를 먹는 (사람·벌레·동물) : insecto ~ 시체를 먹는 곤충.

necróforo, ra *adj.* 시체에 꼬이는; 썩은 살을 먹는. **—***m.* 【곤충】 매장충(埋葬虫).

necrolatría *f.* 죽은 영혼 숭배.

necrología *f.* 부고, 사망 기사; 사망자 명부 : ~ del año · del día 1년·1일의 사망자 명부.

necrológico, ca *adj.* 사망 기사의, 사망 광고의; 사망자 명부의 : leer un artículo ~ 사망 기사를 읽다.

necromancia *f.* 강신술(nigromancía).

necromancía *f.* =**necromancia.**

necrópolis *f.* 【단·복수 동형】 (고대 도시·역사 이전 유적의) 매장지, 묘지, 유적지.

necropsia *f.* 시체 해부, 검시(檢屍)(autopsia).

necroscopia *f.* =**necropsia.**

necroscópico, ca *adj.* 시체 해부의.

necrosis *f.* [*gr.* nekrôsis] (동식물의 국부적인) 괴사(壞死).

néctar *m.* [*gr.* nektar] ① (신화에서 신들이 마신) 신주(神酒). ② 감로, 미주(美酒) : Este vino es un verdadero ~. ③ (꽃의) 달콤한 즙.

nectáreo, a *adj.* néctar의·같은; 꿀을 분비하는; 꿀같은, 달콤한.

nectarífero, ra *adj.* =**nectáreo.**

nectarino, na *adj.* =**nectáreo.**

nectario *m.* ① 【식물】 (꽃의) 꿀집, 꿀샘. ② 밀선(密腺)《꽃이나 잎 따위에서 단물을 내는 조직이나 기관》.

necton *m.* 【생물】 유영(遊泳) 생물.

nectónico, ca *adj.* necton의.

necuamel *m.*《*Méx.*》용설란(maguey)의 일종.

neerlandés, sa *adj.* 니얼란드·화란《Nederland, 네덜란드 지방의 옛 이름》의; 네덜란드의 (holandés).

—*m.f.* 네덜란드 사람. **—***m.* 네덜란드말.

nefalismo *m.* 금주주의(禁酒主義).

nefandamente *adv.* 언짢게; 욕되게; 부정하게.

nefandario, ria *adj.m.f.* 흉악한 (범인).

nefando, da *adj.* ① 마음이 언짢은; 부정스러운(torpe) : pecado ~ 남색(男色). ② 흉악한, 극악 무도한 : crimen ~ 흉악한 범죄.

nefariamente *adj.* 극악 무도하게, 흉악하게.

nefario, ria *adj.* 극악 무도한, 흉악한(muy malo, malvado, impío).

nefasto, ta *adj.* 아주 싫은; 불길한 : día ~ 기일(忌日), 흉일.

nefato, ta *adj.*《*Venez.*》머리가 둔해진 (entontecido).

nefelina *f.* 【광물】 하석(霞石).

nefelio *m.* [*gr.* nephêlion] (투명한 눈의 각막에 생기는) 별·반점.

nefelión *m.* 눈에 생기는 별.

nefelismo *m.* 【기상】 구름의 상태·현상.

nefrectomía *f.* 신장(riñón) 외과 수술.

nefrítico, ca *adj.* 【해부】 신장(腎臟)의 : absceso ~. **—***m.* 【광물】 경옥(piedra ~*ca*).

nefritis *f.* 【의학】 신장염 : ~ aguda · crónica 급성·만성 신장염.

nefrocele *f.* 【의학】 신장 헤르니아.

nefrolito *m.* 【의학】 신장 결석(cálculo renal).

nefrología *f.* 신장(병)학.

nefrólogo, ga *m.f.* 신장병 전문 의사.

neg. negocio.

negable *adj.* 거부할 수 있는, 부정할 수 있는.

negación *f.* ① 거부, 거절; 부정, 부인 : adverbio de ~ 부정의 부사. ② (존재·실재에 대해) 무(無), 전무(全無). ③ 【문법】 부정(어) : En latín dos ~*es* equivalen a una afirmación.

negado, da *adj.* 거부당한, 부정된, 부인된; 무능한, 못쓰게 된 (incapaz) : ~ de entendimiento 이해력이 없는.

negador, ra *adj.m.f.* 거부·거절·사절·부인·부정하는 (사람).

negamiento *m.* =**negación.**

negante *adj.* =**negador.**

negar *tr.* ⑲ ⑧ [*lat.* negare] ① 사절하다, 거부·거절하다 : ~ la autorización pedida 신청한 허가를 거절하다. Le *negaron* el permiso solicitado 그가 출원한 허가가 기각되었다. Le *negaron* el aumento de sueldo 그는 증봉(增俸)을 거절당했다. ② 부정·부인하다, …이 아니라고 말하다 : ~ la verdad 진실이 아니라고 말하다, 진실을 부인하다. ③ [~ que+*subj.*] …을 부인하다 : El *negó* que la conociera 그는 그녀를 알고 있다는 것을 부인했다. ④ 금하다(prohibir) : ~ la lectura de ciertos libros 어느 서적의 구독을 금지하다. ⑤ (사랑하는 마음에서) 버리다, 잊다 (desdeñar) : *Negó* a su hijo 자식을 자기 자식이 아닌 것으로 생각한다고 말했다. ⑥ 감추다, 숨기다, 은닉하다, 위장하다(ocultar, disimuar) : *Ha negado* su presencia en casa 집에 있으면서 없다고 했다. ⑦ (죄상을) 숨기다.

~se ① [+a : …하는 것을] 막다, 거절·거부하다 : *Se negó a*l trato 그는 교제를 거부했다. Los músculos *se negaban a* obedecer 근육·손발이 말을 들으려 하지 않았다. El *se negó a* prestarme su ayuda 그는 나에게 원조하는 것을 거절했다. ② 등을 돌리다, 모른 체하다, 눈을 감다 : ~*se a* la razón · *a* la evidencia 도리에서 등을 돌리다, 자명한 이치에도 눈을 감다. ~*se a* sí mismo 자신의 욕망을 버리고 신에게 귀의하다. ③ 찾아온 사람을 따돌리다, 만나기를 회피하다.

negativa *f.* ① 부정, 부인 ; 사절, 거절, 거부(권) (negación, ~ absoluta). Contr. confirmación. ② 음화, 원판(原版)(placa·prueba ~).

negativamente *adv.* 부정적으로 ; 소극적으로.

negatividad *f.* 《*Galic.*》 음성적 반응 ; 부정 ; 소극.

negativismo *m.* 부정·소극주의

negativo, va *adj.* ① 거절의, 부인의 : una respuesta *~va* 거절의 대답. ② 부정의, 부정적인 : partícula *~va* 부정어(否定語) 《no, ni, nunca, ninguno, nadie, jamás 등》. oración *~va* 부정문. Contr. afirmativo. ③ 반대의. ④ 소극(消極)의, 소극적인. Contr. positivo. ⑤ 음(陰)의, 음극의 : electrón ~ 음전자. ⑥【수학】부(수)의 : cantidad *~va* 부수(負數). ⑦【사진】음화의 : placa·prueba *~va* 음화. ⑧ 묵비의, 묵비적인.
—*m.*【사진】원판, 음화, 네가 : ¿Quiere prestarme el ~ de esta foto? 이 사진의 네가를 빌려주시겠습니까?

negatón *m.*【전기】음전자(陰電子).

negatrón *m.* =**negatón.**

negligé *m.* 《*Galic.*》 ① 일부러 단정치 못하게 굶음. ② (부인용) 실내복(traje de casa, bata de mujer).

negligencia *f.* 태만, 부주의, 나태, 등한 ; 단정치 못함 : ~ culpable【법학】나태함, 권태. Contr. cuidado, aplicación.

negligente *adj.* 게으른, 나태한, 태만한, 부주의한 ; 될 대로 되라는 듯한, 무관심한 : ~ en·para *sus* negocios 일에 태만한·무관심한. Contr. diligente.

negligentemente *adv.* 등한하여 ; 게을러 ; 단정하지 못하게.

nego *m.*【속어】=**negus.**

neg.º negocio.

negociabilidad *f.* 시장성(市場性), 거래할 수 있는것, 유통되는 것, 양도할 수 있는 것.

negociable *adj.* ① 거래할 수 있는 ; 유통의, 유통성이 있는 : cheque no ~ 양도·유통 금지 수표. documentos *~s* 양도·할인·인수 가능한 서류·선적 서류. ② 상담할 수 있는, 매매의 대상이 되는, 교섭의 여지가 있는.

negociación *f.* ① 거래, 매매(negocio). ② 절충, 상담(商談), 담판, 교섭 ; 협상 : *~es* colectivas 단체 교섭. *~es* sobre derechos arancelarios 관세 교섭. ③ (어음의) 유통, 양도 ; 할인. ④ 사업체.

negociado, da *adj.* negociar의 *p.p.* —*m.* ① (관청·사무소 등의) 국, 과. ② 거래(negocio). ③ 《*AmérM.*》 부정 거래. ④ 《*Chile.*》 가게, 상점, 점포.

negociador, ra *adj.* 교섭·담판하는. —*m.* 외교원, 섭외원, 교섭원 : los *~es* de un tratado.

negociante *m.* ① 상인 (comerciante) : ~ a comisión 대리상, 커미션 에이전트, 위탁 매매인. ~ en vinos 주류 상인. ~ por mayor 도매상인·업자. ② 실업가.

negociar *intr.* 11 ① 거래하다, 장사하다(traficar, comerciar) : ~ *en·con* granos·papel 곡물·지물을 다루고 있다. ~ en América 아메리카에서 장사하고 있다. El quiere ~ con casas mejicanas 그는 멕시코 상사와 거래하고 싶어한다. ② 교섭·절충하다 : Nos reunimos para ~ las condiciones 조건을 절충하기 위해 우리는 모였다. —*tr.* (증권 등을) 양도하다, 유통시키다 ; 돈으로 바꾸다 ; 교섭에 의해서 정하다, 협정하다 : ~ un tratado de comercio 통상 협정을 교섭·절충하다.

negocio *m.* [*lat.* negotium] ① 업무, 일(ocupación, empleo, trabajo) : viajar por *~s* 상용 여행을 하다. ② 거래, 장사 ; 사업 : ~ redondo 척척 맞아 들어가는 장사·사업. en tablar *~s* 상거래를 개시하다. El tiene allí *~s* de petróleo 그는 그곳에서 석유 사업을 하고 있다. ③ 담판, 교섭, 상담(negociación). ④ 이익, 이문(utilidad). ⑤ 《*Chile. Riopl.*》 상점(tienda). ⑥ 《*Perú. PRico. Venez.*》 사실 (caso) : El ~ es que no quiere venir 사실은 그 친구가 오고 싶지 않은 거야.
~ ***al contado*** 현금 거래. ~ ***de banca*** 은행 업무. ~ ***de comisión*** 위탁 거래·판매. ~ ***de importación y exportación*** 수출입 거래. ~ ***de transporte,*** ~ ***de transportar mercancías*** 운송업. ~ ***de transporte marítimo*** 해상 수송업. ~ ***en curso*** 현안중·교섭중의 거래. ~ ***exterior*** 외국무역. ~ ***marítimo*** 해운업. ~ ***paralelo*** 《*Arg.*》 평행 거래. ~ ***pendiente*** 현안중·교섭중의 상담(商談). ~ ***por correspondencia*** 통신 판매업. ***agente de ~s*** 대리업자, 대변인.

negocioso, sa *adj.* 부지런한, 근면한(diligente, cuidadoso, acucioso).

negondo *m.*【식물】네곤도나무 《북미산 단풍나무》.

negozuelo *m.* [*dim.* negocio] 작은 사업·거래·장사.

negra *f.* ① 불행 : venir la ~ 불행한 일이 생기다. ② 시합·연습용 칼·검(espada ~). ③【은어】가마솥, 보일러(caldera). ④【음악】4분 음표(semínima).

negrada *f.* 《*Amér.*》 흑인 노예들.

negral *adj.* 가무잡잡한 : madera ~ 가무잡잡한 목재.

negralla *f.* 《*Perú.*》 =**negrada.**

negrear *intr.* ① 검어지다 ; 검게 보이다 : ~ los caminos 길이 어두워지다. ② 검은 기운이 돌다.

negrecer *tr.* 31 =**ennegrecer.**

negreguear *intr.* =**negrear.**

negregura *f.* =**negrura.**

negrería *f.* [집합] 흑인들, 흑인 노예.

negrero, ra *adj.* ① 흑인 노예의 ; 흑인 노예 매매의 : barco ~ 흑인 노예 수입선. ② 냉혹한, 잔인한(cruel). —*m.f.* 흑인 매매 업자.

negrestino, na *adj.*【드묾】=**negral.**

negreta *f.*【조류】검정물오리.

negrete *adj.* 《*Arg.*》 (검은 다리와 얼굴을 한) 양의(ovejuno).

negrilla *f.* ①【어류】먹붕장어. ②【식물】밀감류에 끼는 곰팡이의 일종. ③【인쇄】고딕 활자 : Los sinónimos de este diccionario están en ~ 이 사전의 동의어는 고딕체로 인쇄되어 있다.

negrillera *f.* 느릅나무숲.

negrillo *m.* ①【식물】느릅나무(olmo). ② 《*AmérM.*》 유안 은광. ③ 《*Arg. Bol.*》【조류】검

정방울새의 일종.

negrillo, lla *adj. dim.* negro.

negrita *f.* 【인쇄】=**negrilla.**

negrito, ta *adj.m.f.* [*dim.* negro] 폴리네시아의 작은 흑인. —*m.* 꾸바산 카나리아의 일종.

negrizal *m.* (비옥한) 흑토지(黑土地).

negrizco, ca *adj.* =**negruzco.**

negro, gra *adj.* [*lat.* niger] ① 검은 : cabellos ~*s* 검은 머리카락. el color ~ 흑색. Esta tinta es ~*gra* 이 잉크는 검다. ② 흑인종의. ③ 어두운(obscuro) : noche ~*gra* 어두운 밤. El cielo está ~ 하늘이 어둡다. ④ [주로 명사 앞에 쓰여] 어두운, 불운한, 슬픈, 불행한 : una suerte muy ~*gra* 희망도 광명도 없는 운명. El porvenir le parecía muy ~ 그는 장래가 매우 어둡다고 생각했었다. ⑤ 애먹이는, 귀찮은 ; 가난에 쫓긴(apurado). ⑥ 구릿빛의, 갈색의 (bronceado, moreno) : Se puso ~*gra* en la playa. —*m.f.* ① 흑인 : Le trataron de ~*gra* 그녀는 흑인으로 취급받았다. Me gusta escuchar cantos religiosos de los ~*s* 나는 흑인 영가를 듣기를 좋아한다. ② 흑인 노예. ③【방언】《*Amér.*》(애칭어로서) 사랑스러운 사람 : mi *negra.* ④ 뱃속이 검은 인간.

—*m.* ① 검은빛 : el ~. ② 검은 것《석탄, 숯검정 따위》: ~ animal 골탄. ~ de humo 그을음. ~ de la uña 손톱 때 ; 아주 작은 것. ③ 구릿빛(bronceado) : el ~ de la playa.

como negra en baño 우쭐거려.

***estorbar**le a uno **lo** ~* (누가) 읽을 줄을 모르다.

ésa es más negra, ésa sí que es negra 그게 바로 곤란한 점이다.

la negra 불운(la mala suerte) : caerle a uno *la negra.*

No somos ~s 우리가 그렇게 심하게 당해야 하는 까닭을 모르겠다.

pasarlas negras 잡치다, 잘못 보내다.

negrófilo, la *adj.m.f.* 흑인종 편을 드는 (사람) : tipo ~.

negroide *adj.* 《*Amér.*》 흑인종(적)인.

negror *m.* 검정, 검음 ; 암흑.

negrota *f.* 【은어】 가마솥, 보일러(caldera).

negruno, na *adj.* 검은 색을 띤.

negrura *f.* =**negror.**

negruzco, ca *adj.* 가무잡잡한, 거무스레한 : un traje de paño ~ 가무잡잡한 천으로 만든 옷.

negué negar의 직·부정과거·1·단수.

neguijón *m.* 충치, 한 쪽이 떨어져 나간 시커먼 이(caries dentaria).

neguilla *f.* ①【세균】 흰가루병 병균. ②【식물】 야생 니겔라(arañuela).

neguillón *m.* 【세균】 흰가루병 병균.

neguitoso, sa *adj.* 《*Ar.*》 =**niquitoso.**

negus *m.* 【단·복수 동형】 이디오피아 황제.

Neh. Nehemías.

Nehemías *m.* ① 느헤미야 《성서의 인물, 기원전 5세기의 유태의 지도자》. ② 느헤미야 《구약성서 중의 하나》.

neis *m.* 【광물】 편마암(gneis).

neja[1] *f.* 《*Chile.*》 =**nesga.**

neja[2] *f.* [*mej.* nexetic] 《*Méx.*》 (삶은) 옥수수 빵.

nejayote *m.* 《*Méx.*》 옥수수 삶은 물.

neldo *m.* eneldo(두송)의 탈두어.

nelumbio *m.* 【식물】 연.

nema *f.* (편지의) 봉함. —*m.* 《*Ecuad.*》 = **lema, sobrescrito.**

nematelmintos *m.pl.* 【곤충】 원충류(圓虫類).

nematócero *adj.m.* 【곤충】 모기류의 (곤충).

nemátodo *m.* 【곤충】 선충(線虫).

neme *m.* 《*Col.*》 아스팔트(betún, asfalto).

nemeo, a *adj.* 네메아 《Nemea, 옛날 그리스의 도시》의. —*m.f.* 네메아 사람.

Némesis *f.* 【희랍 신화】 징벌과 보복의 여신.

némine discrepante *adv. lat.* 이론·이의 없이 ; 전원 일치로.

nemónica *f.* =**mnemónica.**

nemoral *adj.* 【시어】 숲에 사는.

nemoroso, sa *adj.* 【시어】 밀림·삼림의, 숲에 뒤덮인.

nemosina *f.* =**mnemosina.**

nemotecnia *f.* =**mnemotecnia.**

nemotécnica *f.* =**mnemotécnica.**

nemotécnico, ca *adj.* =**mnemotécnico.**

nene, na *m.f.* 갓난아이. —*m.* 난폭한 사람.

neneque *m.* 《*Hond.*》 아주 약한 사람.

nenguno, na *adj.* 【고어】 =**ninguno.**

nenia *f.* 애도의 노래.

nenúfar *m.* 【식물】 수련.

neo *m.* [*gr.* neos] ① 네온 : lámpara de ~ 네온램프. ② neocatólico의 생략.

neo- *pref.* 「새로운」, 「신(新)」을 의미하는 접두어.

neocaledonio, nia *adj.* 뉴칼레도니아 (Nueva Caledonia)의. —*m.f.* 뉴칼레도니아 사람.

neocapitalismo *m.* 신자본주의.

neocapitalista *adj.m.f.* 신자본주의의 (사람).

neocatolicismo *m.* 신카톨릭교.

neocatólico, ca *adj.m.f.* 신카톨릭교의 (신도).

neocelandés, sa *adj.* 뉴질랜드 (Nueva Zelanda)의. —*m.f.* 뉴질랜드 사람.

neoclasicismo *m.* 신고전주의 《18세기 후반에 나타난 문예 사조》.

neoclásico, ca *adj.* 신고전주의의. —*m.f.* 신고전 주의자.

neocolonialismo *m.* 신식민주의.

neocolonialista *adj.m.f.* 신식민주의의 (사람).

neodarvinismo *m.* 신다윈설.

neodarvinista *adj.m.f.* 신다윈설의 (주장자).

neodimio *m.* 【화학】 네오디뮴 《희금속 원소》.

neofascismo *m.* 신파시즘.

neofascista *adj.* 신파시즘의. —*m.f.* 신파시스트.

neófito, ta *m.f.* 개종자 ; 신세례자 ; 신입자, 신참자, 신출내기, 신입 회원, 새로운 얼굴.

neofobia *f.* 새것을 싫어하기.

neófobo, ba *adj.m.f.* 새것을 싫어하는 (사람).

neoformación *f.* 【병리】 신생물(新生物).

neogaullista *adj.* 신드골주의의. —*m.f.* 신드골주의자.

neogongorismo *m.* 신과식주의.

neogongorista *adj.m.f.* 신과식주의 (사람).

neogótico, ca *adj.* 신고딕 양식의 : estilo ~.

neogranadino, na *adj.* Neuva Granada 《현재의 Colombia의 옛 이름》의. —*m.f.* Nueva Gra-

nada 사람.
neoguineo, a *adj.m.f.* 뉴기니아의 (사람).
neohegelianismo *m.* 신헤겔 철학 주창자.
neoimpresionismo *m.* 신인상주의.
neoimpresionista *adj.m.f.* 신인상주의의 (사람).
neokantiano, na *adj.m.f.* 신칸트 학파의 (학도).
neokantismo *m.* 신칸트 학파.
neolatín *m.* 근대 라틴어 《서기 1500년 이후》.
neolatino, na *adj.* 라틴어계(系)의 : idioma ～.
neoliberal *adj.m.f.* 신자유주의의 (사람).
neoliberalismo *m.* 신자유주의.
neolítico, ca *adj.* 【고어】 신석기 시대의. —*m.* 신석기 시대.
neología *f.* 【드뭄】 =**neologismo.**
neológico, ca *adj.* 신어의 ; 신어적인 : expresión ～*ca* 신어적인 표현.
neologismo *m* 신어, 신조어 ; 새로운 뜻 ; 새로운 말.
neologista *adj.m.f.* neologismo를 사용하는 (사람).
neólogo, ga *m.f.* 신어를 쓰는 사람.
neomejicano, na *adj.m.f.* (미국의) 뉴멕시코(Nuevo Méjico)주의 (사람).
neomenia *f.* 【천문】 초생달(luna nueva).
neomicina *f.* 【화학】 네오마이신.
neón *m.* 【화학】 네온 《일종의 가스》(neo).
neonato, ta *adj.* 갓 태어난.
neoplasia *f.* 종양(tumor).
neoplasma *m.* =**neoplasia.**
neoplatonicismo *m.* 신 플라톤 학파.
neoplatónico, ca *adj.m.f.* 신 플라톤 학파의 (사람).
neorama *m.* 네오라마 《파노라마의 일종》.
neorromanticismo *m.* 신 낭만주의.
neoyorquino, na *adj.* 뉴욕 《Nueva York, 북미의 도시》의. —*m.f.* 뉴욕 사람.
neozelandés, sa *adj.m.f.* =**neocelandés.**
neozoico, ca *adj* 【지질】 제삼기층의.
neozoide *adj.* 【지질】 신세대의.
nepa *f.* 【곤충】 장구애비속의 곤충.
Nepal *m.* 【지명】 네팔 《인도 북쪽 히말라야 산중에 있는 나라 ; 수도 : Katmandú, Jatmandú》.
nepalés, sa *adj.* 네팔(el Nepal)의. —*m.f.* 네팔 사람. —*m.* 네팔말.
nepenta *f.* ① 근심을 잊게 하는 영약. ②【식물】 열대 지방에서 저절로 나는 다년생 식충(食蟲) 식물 《잎끝에 단지 모양의 주머니가 있는데 액체가 들어 있어, 떨어진 벌레를 소화함》.
nepente *m.* =**nepenta.**
nepote *m.* 로마 교황의 친척 · 조카 · 측근자.
nepotismo *m.* 일가 친척을 두둔하는 일, 친척 중용.
neptúneo, a *adj.* 【시어】 바다의 신의 ; 바다의.
neptuniano, na *adj.* =**neptúnico.**
neptúnico, ca *adj.* 수성의, 수성암의.
neptunio *m.* 【화학】 넵투늄 《방사성 원소》.
neptunismo *m.* 암석 수성론.
neptunista *adj.m.f.* 암석 수성론의 (사람).
Neptuno *m.* ①【로마 신화】 해신(海神) 《그리스 신화의 Poseidón》. ②【시어】 바다. ③【천문】 해왕성.
nequáquam *adv.lat.* 결코 (…않는)(de ningún modo).
nequicia *f.* 극악스러움, 사악함, 극악 무도(maldad, perversidad).
ne quid nimis *adv. lat.* 어떤 일이나 적당하게, 과다하지 않게(nada con exceso o demasía).
nereida *f.* 바다의 정녀(精女) 《Neptuno를 모시던 여자 ; 상체는 아름다운 여자이나 하체가 물고기로 그려짐》.

nereido *m.* 【동물】 환충의 일종.
nereis *m.* 【동물】 =**nereido.**
Nereo *m.* 【희랍 신화】 바다의 신 《50명의 nereidas의 아버지》.
nerita *f.* 복족류 조개의 일종.
nerítidos *m.pl.* 복족류 조개과.
neroli *m.* ① 네놀리 기름 《향수의 원료》. ②【물리】 네놀 《네놀리 기름과 같은 향을 가짐》.
nerolí *m.* =**neroli.**
nerón *m.* 폭군, 잔인한 사람(hombre muy cruel) 《로마의 폭군 Nerón (네로, 37—68)의 이름에서》.
neroniano, na *adj.* ① 폭군 네로 (Nerón) 같은 ; ② 잔인한, 잔혹한(cruel, sanguinario).
nervadura *f.* ①【식물】 잎맥. ②【곤충】 시맥(翅脈). ③【건축】 홍예문 틀(moldura saliente de una bóveda) : las ～ *s* de una bóveda.
nérveo, a *adj.* 신경의 ; 신경 같은.
nervezuelo *m. dim.* nervio.
nerviación *f.* 잎맥, 시맥(nervadura).
nerviecillo *m. dim.* nervio.
nervifoliado, da *adj.* 【식물】 잎맥으로 덮힌 (잎).
nervino, na *adj.m.* 신경에 잘 듣는 (약) : remedio ～.
nervio *m.* [*lat.* nervus] ①【해부】 신경 : ～ ciático 신체의 가장 굵은 신경. ～ facial 안면 신경. ～ neumogástrico · vago 미주 신경. ～ óptico 시신경. ② 근육, 힘줄(tendón) : ～ de buey 소의 음경으로 만든 채찍(vergajo). ③ 《*Arg.*》 대담한 신경. ④ 근원, 원동력 : ～ de la guerra 금(金)을 가리킴. ⑤ 활력, 건장함, 씩씩함 ; 확실성 (firmeza, vigor) : poesía sin ～. ⑥ 맥 모양으로 된 것 ; 잎맥, 시맥 : ～ central 잎의 중잎맥 · 주맥. ⑦ (현악기의) 현 ; (책의) 철하는 실 ; (돛)줄. ⑧【건축】 홍예문 틀(nervadura).
～ ***maestro*** (동물의) 굴근(屈筋).
nerviosamente *adv.* 신경질적으로, 안절부절 못하여.
nerviosidad *f.* 신경질 ; 초조함(nervosidad).
nerviosismo *m.* 《*Amér.*》 =**nerviosidad.**
nervioso, sa *adj.* ① 신경의 : enfermedad ～*sa* 신경통. sistema ～ autónomo · central 자율 · 중추 신경 계통. tejido ～ 신경 조직. ② 신경 · 근육이 있는 : carne ～*sa* 근육이 있는 고기. ③ 신경질적인 : mujer ～*sa* 신경질적인 여자. ponerse ～ 안절부절못하다. ④ 씩씩한, 늠름한, 힘센, 강한(fuerte, vigoroso) : el estilo ～ de Tácito.
nervosamente *adv.* 신경질적으로 ; 씩씩하게, 늠름하게.
nervosidad *f.* 신경 작용 ; 신경질 ; 강인함.
nervosiosidad *f.* =**nervosidad.**

nervoso, sa *adj.* =**nervioso.**
nervudo, da *adj.* 신경이 대담스러운 ; 강인한.
nervura *f.* [집합] (서적 등을) 철하는 실.
nesciencia *f.* 무지(ignorancia).
nesciente *adj.* 무지한, 무식한(ignorante).
nescientemente *adv.* 무지하게, 무식하게(ignorantemente, con ignorancia) ; 알지 못하고 (sin saber).
nesga *f.* 【재봉】 덧천(sesga).
nesgado, da *adj.* [nesgar의 *p.p.*] 덧천을 댄 ; 엇비슷하게 잘린.
nesgar *tr.* ⑧ (실밥에 대하여) 엇비슷하게 자르다 ; 덧천을 대다.
nesgua *f.* 《*Méx.*》 네스구아 《아메리카의 뱀(culebra)의 일종》.
Neso *m.* 【희랍 신화】 여자의 일로 Hércules와 같이 싸우다 죽은 반인 반마(半人半馬).
néspera *f.* =**níspera.**
nestor *m.* 현명한 노인 《트로이 전쟁 때의 그리스군의 지혜로운 장군 Nestor에서 따온 말》.
nestóreo, a *adj.* 네스또르(Néstor)의 · 같은.
nestorianismo *m.* 【종교】 경교(景教).
nestoriano, na *adj.* 경교의. —*m.f.* 경교도.
netamente *adv.* 순수하게, 완전히 : dos cuestiones ~ separadas 완전히 다른 두 문제.
netezuelo *m.f. dim.* nieto.
neto, ta[1] *adj.* [*lat.* nitidus] ① 순수한, 알짜의, 순종의(puro, limpio, castizo, sin mezcla) : castellano ~ 순수 까스띠야어. ② 정량(正量)의 : ~ al contado 정미 현금불. beneficio ~ 순익(純益). peso ~ 정미 중량. **Contr.** peso bruto. precio ~ 정가(正價). producto ~ 순익(純益). —*m.* 【건축】 (기둥의) 도리(dado).
en ~ 정미(正味) · 정량으로(en limpio).
neto, ta[2] 《*Chile.*》 풋 (과일).
neuma *m.* 옛날의 음악 부호.
neumática *f.* 기체학(氣體學).
neumático, ca *adj.* ① 공기의, 공기에 의한, 공기가 들어 있는, 공기 이용의, 압착 공기의 : almohada ~*ca* 공기 베개. tubo ~ 튜브. ② 배기의 : máquina ~*ca* 배기종, 진공 유리 그릇. —*m.* (자동차의) 타이어 : ~ de repuesto 예비 타이어.
neumobranquio, quia *adj.m.* =**dipnoo.**
neumococo *m.* 【의학】 폐렴균(microbio de la pulmonía).
neumoconiosis *f.* 【의학】 규폐병(珪肺病), 폐진증(肺塵症).
neumogástrico, ca *adj.* 신장의 ; 위장의.
neumología *f.* 【의학】 호흡기병학.
neumonía *f.* 【의학】 폐렴(pulmonía).
neumónico, ca *adj.* 폐의 ; 폐렴의. —*m.f.* 폐렴 환자.
neumotórax *m.* 【병리】 기흉(氣胸).
neuquino, na *adj.m.f.* 네우껜《Neuquen, 아르헨띠나의 서부 지방의 주 · 주도》의 (사람).
neuralgia *f.* 신경통 : ~ facical 안면 신경통.
neurálgico, ca *adj.* 신경통의.
neurastenia *f.* 【병리】 신경 쇠약.
neurasténico, ca *adj.* 신경 쇠약의. —*m.f.* 신경 쇠약 환자.
neuraxón *m.* 신경 돌기.
neurilema *m.* 【해부】 뇌신경막.
neurilemitis *f.* 【의학】 뇌신경막염.
neurisma *f.* 동맥혹(aneurisma).
neurita *f.* ① 【광물】 =**jade.** ② 신경 섬유질.
neurítico, ca *adj.* 신경염성(神經炎性)의.
neuritis *f.* 【병리】 신경염.
neuroacupuntura *f.* 신경 침술.
neuroblasto *m.* 신경 · 섬유 생성 세포.
neurocirugía *f.* 신경 외과.
neurocirujano, na *m.f.* 신경 외과 의사.
neuroeje *m.* 신경 추축(神經樞軸).
neuroesqueleto *m.* 신경 보호 골격.
neurografía *f.* 신경 도형.
neurología *f.* 신경학.
neurólogo, ga *m.f.* 신경학자, 신경 전문의, 신경과 의사.
neuroma *m.* 신경혹.
neurona *f.* 【해부】 신경 세포, 신경 단위.
neurópata *adj.* 신경증의. —*m.f.* ① 신경증 환자 ② 신경과 의사(neurólogo).
neuropatía *f.* =**neurosis.**
neuropatología *f.* 【의학】 신경 임상(학).
neuróptero, ra *adj.* 【동물】 맥시류의. —*m.pl.* 맥시류에 속하는 동물 《잠자리 등》.
neurosis *f.* 【의학】 신경증, 노이로제.
neurótico, ca *adj.* 신경증의. —*m.f.* 노이로제 환자.
neurotomía *f.* 신경 해부 · 절단.
neurótomo *m.* 신경 해부도 · 해부기.
neutonianismo *m.* 뉴톤 학설.
neutoniano, na *adj.* 뉴톤의 ; 뉴톤학파의. —*m.f.* 뉴톤의 학파의 주창자.
neutonio *m.* 【물리】 뉴톤 《힘의 단위》.
neutral *adj.* ① 중립의 : permanecer ~ 중립을 지키다. espectador ~ 방관자. estado ~ 중립국. territorio ~ 중립 지대. Suiza y Luxemburgo son países ~*es* 스위스와 룩셈부르크는 중립국이다. ② 중립국의.
neutralidad *f.* 중립, 국외(局外) 중립 : ~ armada 무장 중립.
neutralismo *m.* 중립주의 · 정책.
neutralista *adj.* 중립주의의. —*m.f.* 중립주의자.
neutralización *f.* 중립화, 중립 상태 ; 중화, 중성화 ; 상쇄.
neutralizante *adj.* 중립화하는 ; 중화시키는.
neutralizar *tr.* ⑨ ① 중립으로 하다, 중립화시키다(hacer neutral) : ~ a un estado. ② 【화학】 중화시키다 : ~ una disolución 용액을 중화시키다. ③ 상쇄시키다.
~se 중립으로 되다 ; 중화하다 ; 상쇄하다, 무효로 되다.
neutralmente *adj.* 중립으로, 중립적으로.
neutro, tra *adj.* [*lat.* neuter] ① 중립의 : estado ~ permanente 영세 중립국. ② 【문법】 중성의 : artículo ~ 중성 관사. género ~ 중성. verbo ~ 자동사. ③ 【화학】 중화(中和)의, 중화된. ④ 【동물】 무성(無性)의.
neutrón *m.* 【물리】 중성자 《원자핵의 구성 요소》.
neutrónico, ca *adj.* 【물리】 중성자의.
nevada *f.* ① 강설(降雪) : gran ~. ② 적설(積雪) : ~ abundante 충분한 적설(량).
nevadilla *f.* 【식물】 턱잎, 탁엽(托葉).

nevado, da *adj.* ① 눈이 쌓인 : Sierra *Nevada*. ② 눈처럼 하얀(blanco como la nieve) : cabeza ~*da* 눈처럼 하얀 머리. ③《*Riopl.*》흰 얼룩이 박힌.

nevar *intr.* ⑲ 눈이 내리다(caer la nieve) : *Nevó* mucho anoche 어젯밤에 눈이 많이 내렸다. En Panamá no *nieva* nunca 파나마에서는 결코 눈이 내리지 않는다. —*tr.* 눈처럼 희게 하다(poner blanco como la nieve) : Los años *han nevado* su cabeza 해가 그의 머리를 눈처럼 희게 했다. [직설법 현재 3인칭 단수 : nieva. 접속법 현재 3인칭 단수 : nieve].

nevareta *f.* =**aguzanieves.**

nevasca *f.* 강설(nevada) ; 눈보라(ventisca).

nevatilla *f.* 【조류】 자고새(aguzanieves).

nevazo *m.* 강설 ; 눈보라(nevada).

nevazón *f.*《*AmérM.*》=**nevada, nevazo.**

nevera *f.* ① 얼음 파는 여자. ② 눈 저장소, 얼음광, 빙실. ③ 냉동기 ; 냉장고(refrigerador) : ~ de hielo 얼음을 쓰는 냉장고. ~ eléctrica 전기 냉장고. ④ 썰렁한 방(habitación muy fría).

nevereta *f.* =**nevatilla.**

nevería *f.* 빙수집.

nevero, ra *m.f.* 빙수 판매자, 빙수팔이. —*m.* 눈에 덮인 골짜기 ; 만년설(ventisquero).

nevisca *f.* 적은 양의 눈.

neviscar *intr.* ⑦ 적은 양의 눈이 내리다.

nevo *m.* 【의학】 (피부에 불그스레한 반점을 만드는) 피부의 상처.

nevoso, sa *adj.* 눈이 많은 ; 눈이 많이 오는 ; 눈에 덮인 ; 눈 모양의 : tiempo ~ 눈이 많이 내리는 시기.

newtonianismo *m.* 뉴톤(Newton) 학설(neutonianismo).

newtoniano, na *adj.m.f.* 뉴톤학파의 (사람) (neutoniano).

nexo *m.* ① 연결, 관계, 유대, 연쇄, 연계 (lazo, vínculo). ② [드뭄] 마디(nudo).

n/f. nuestra factura ; nuestro favor.

n/fav. nuestro favor.

n/fr. nuestro favor.

n/g. nuestro giro.

ni *conj.* ① [y에 대한 부정어 ; 부정문 가운데 겹쳐 쓰이거나 혹은 단독으로] …도 …도 없이 : No descansa ~ de día ~ de noche 그는 낮에도 밤에도 쉬지 않는다. No quiero que vayáis, ~ tú ~ él, a ninguna parte 너나 그 사람이나 아무 데도 가지 말아 주기 바란다. No tengo ~ padre ~ madre ; No tengo padre ~ madre 나는 아버지도 어머니도 없다. ② [동사 앞에 놓이면 no가 생략됨] *Ni* de día ~ de noche descansa 그는 낮에도 밤에도 쉬지 않는다. *Ni* padre ~ madre tengo yo 나는 아버지도 어머니도 없다. ③ [동사가 no를 수반하는 경우 앞의 ni는 생략할 수 있음]. No tomaré (*ni*) café ~ té 나는 커피도 홍차도 마시지 않겠다. ④ [el más · menos 등의 최상급과 함께] …조차 않다 : *Ni* a sus más íntimos amigos quiso recibir 가장 친한 친구 조차도 만나보려 하지 않았다. ⑤ 그리고 …않다 (y no) : No tengo padre ~ madre, ~ tengo hermano 나에게는 아버지도 어머니도 없다, 그리고 형제도 없다. ⑥ [반어 · 부정이 잠재하는 표현으로] ¿Te hablé yo ~ te vi? 내가 너한테 말했다고? 너를 본 일조차 없는데. No quiero ~ oírlo 나는 그것을 듣고 싶지도 않다. ⑦ [강조] 조차도 : Tú no puedes ~ concebir semejante escena 그런 장면은 너로서는 상상도 할 수 없다. Usted no puede ~ imaginarlo 당신은 그것을 상상조차 할 수 없다.

~ ***bien*** ~ ***bien*** …도…도 아니다 : ~ *bien* de corte ~ *bien* de aldea 도회지 사람도 시골 사람도 아니다.

~ ***que*** [감탄적으로] 마치 …처럼(como si) : ¡*Ni que* fuese tonto! 내가 마치 바보이기라도 한 듯 하구나!, 나는 바보가 아니다.

~ ***siquiera*** …조차 않다 : No dijo ~ *siquiera* una palabra 그는 한마디도 말을 하지 않았다. *Ni siquiera* me daba cuenta de ello 나는 그것을 의식조차 하지 못했다. Ya no viene nadie, ~ *siquiera* el señor N 이제는 N씨 조차도 오지 않는다.

niango, ga *adj.*《*Méx.*》자상한 ; 투박한.

niara *f.* (풀이나 짚을 이은) 낟가리.

nibelungos *m.pl.* 【독일 전설】 안개의 후손이라는 난쟁이족《Sigfredo가 그들이 가진 반지와 보석을 손에 넣었음》; 니베룬겐의 노래《이 전설을 노래한 작자 불명의 대 서사시》.

nica *adj.*《*AmérC.*》【희언】 니까라구아의. —*m.f.* 니까라구아 사람.

nícalo *m.* 【식물】 젖고리버섯(níscalo).

nicaragua *f.* [주로 *pl.*] 봉선화(balsamina).

Nicaragua *f.* 【지명】 니까라구아《중앙 아메리카의 공화국 ; 수도 Managua ; 면적 148.000㎢》.

nicaragüenismo *m.* =**nicaragüismo.**

nicaragüense *adj.m.f.* =**nicaragüeño.**

nicaragüeño, ña *adj.* 니까라구아(Nicaragua)의. —*m.f.* 니까라구아 사람.

nicaragüismo *m.* 니까라구아 방언 · 말투 ; 니까라구아에 대한 애정 ; 니까라구아 성질.

niceno, na *adj.* 니케아《Nicea, 오래된 소아시아의 도시》의. —*m.f.* 니케아 사람.

nicense *adj.* 니스《Niza, 프랑스 지중해안의 항구 도시, 피한지》의. —*m.f.* 니스 사람.

nicho *m.* [*ital.* nicchio] ① (화병, 조각품 등을 놓기 위한) 벽감. ② 맨홀, 묘구덩이.

~ ***de túnel*** 맨홀.

nicle *m.*《*Ecuad.*》níquel의 사투리.

nicociana *f.* 【식물】 담배의 별칭.

nicomediense *adj.* 니코메디아《Nicomedia, 오래된 소아시아의 도시》의. —*m.f.* 니코메디아 사람.

nicótico, ca *adj.* 니코틴 중독의.

nicotina *f.* 【화학】 니코틴 : La ~ es un veneno de los más violentos 니코틴은 가장 지독한 독이다.

nicotinismo *m.* =**nicotismo.**

nicotismo *m.* 니코틴 중독.

nicromo *m.* 니크롬.

nictagináceo, a *adj.* 【식물】 분꽃과의. —*f.pl.* 분꽃과 식물.

nictagíneo, a *adj.* =**nictagináceo.**

nictalo *m.* [드뭄] 박쥐의 일종.

nictálope *adj.* 주맹증(晝盲症)의. —*m.f.* 주맹증 환자.

nictalopía *f.* 주맹증《낮보다 밤눈이 밝은 것》.

nictémero *m.* 【조류】 은빛 꿩.

N

nictitante *adj. membrana* ~ 【해부】 눈의 순막.
nidada *f.* (둥지 안에 있는) 한배의 알 ; 한배 새끼.
nidal *m.* [*lat.* nidus] ① 둥지(nido). ② 밑알《둥우리에 놓아 새가 다시 오게 유도하는 알》. ③ 다시 다니는 곳 ; 바탕. ④ 온상(nido).
nidificar *intr.* 7 둥지를 틀다(anidar).
nidio, dia *adj.* ①《*Ast.*》=**resbaladizo, escurridizo, campacto.** ②《*Sal.*》=**limpio, blanco, resplandeciente.**

N

nido *m.* ① 둥지 : ~ de golondrinas·de ratones·de insectos. ② 사는 집 ; 다정하게 자주 다니는 집. ③ 소굴, 발생지 : ~ de discordias 불화의 온상. ~ de ladrones 도둑의 소굴. ④ 거점 : ~ de ametralladoras 기관총좌. ⑤ (진지의) 토치카(~ de urraca).
patearle a uno *el* ~《*Riopl.*》(누구의) 계획을 박살내다, 계획을 무산시키다.
nidoroso, sa *adj.* 썩은 달걀 냄새가 나는.
nidrio, dria *adj.* 《*Ál.*》 =**lívido.**
niebla *f.* [*lat.* nebula] ① 안개 : ~ meona 축축하게 젖는 안개. ② (눈에 끼는) 안개(nube). ③ 알쏭달쏭하게 애매한 일(confusión). ④ 노균 병균(añublo). ⑤ (엽총의) 산탄. ⑥【식물】 독버섯의 일종. ⑦【은어】 새벽(madrugada).
~ *artificial* 연막.
niega negar의 직·현·3·단수.
niegan negar의 직·현·3·복수.
niegas negar의 직·현·2·단수.
niego[1] *adj. balcón* ~ 둥지에서 잡은 어린 매.
niego[2] negar의 직·현·1·단수.
niegue negar의 접·현·1·3·단수.
nieguen negar의 접·현·3·복수.
niegues negar의 접·현·2·단수.
niel *m.* 흑금 상감(黑金象嵌)《금은에 조각하여 이에 검은 합금을 끼워 넣은 것》.
nielado, da *adj.* nielar의 *p.p.* —*m.* =**niel.**
nielar *tr.* (…에) 흑금 상감을 하다.
niéspera *f.* 《*Ar.*》 =**níspola.**
niéspola *f.* =**niéspera.**
nietastro, tra *m.f.* 의붓손자·손녀《의붓아들의 자녀》.
nietecito, ta *m.f. dim.* nieto.
nietezuelo, la *m.f. dim.* nieto.
nieto, ta *m.f.* [*lat.* nepos, nepotis] 손자, 손녀 ; 자손 : segundo·tercer ~ 손자의 자녀, 또 그들의 자녀들.
nietro *m.* 《*Ar.*》 포도주의 용량《16 항아리》.
nietzchiano, na *adj.* 니체(Nietzche)의.
nietzçcheano, na *adj.* 니체의.
nieve[1] nevar의 접·현·3·단수.
nieve[2] *f.* [*lat.* nix, nivis] ① 눈 : ¿Cuál es el espesor de la ~? 눈의 두께는 얼마나 됩니까? La ~ alcanzó en algunas partes dos metros de espesor 어떤 곳에서는 눈이 2미터 두께에 달했다. Ahora hay más de tres metros de ~ acumulada 지금 눈은 3미터 이상 쌓여 있다. Hace mucha ~ 눈이 많이 온다. ② 강설 : en tiempo de ~*s* 강설기에. ③ 눈처럼 흰 것 : la ~ de los cabellos. ④《*Amér.*》(먹는) 빙수 (helado).
nigeliano, na *adj.m.f.* 나이제리아 (Nigeria)의 (사람).
Níger 【지명】 니제르《서아프리카의 독립국 ; 수도 Niamey》.
nigerino, na *adj.m.f.* 니제르(Níger)의 (사람).
nigola *f.* 【해사】 줄사다리의 층계, 이에 쓰인 줄.
nigromancia *f.* 강신술, 죽은 영혼을 부르는 심령술 ; 마법, 마술(magia negra).
nigromancía *f.* =**nigromancia.**
nigromante *m.* 점쟁이, 마법사, 강신술사.
nigromántico, ca *adj.* 강신술의. —*m.f.* 강신술사.
nigua *f.* 【곤충】 모래 벼룩. —*adj.* 《*AmérC.*》 울보의, 소심한.
comer como ~ 《*Ant.*》 많이 먹다.
pegarse como ~ 《*Ant. Chile. Perú.*》 단단히 들러붙다, 귀찮게 조르다.
saber más que las ~*s* 《*Perú. PRico.*》 박식하다.
niguatero, ra *adj.* 《*Amér.*》 =**nigüento.**
niguatoso, sa *adj.* 《*Amér.*》 =**nigüento.**
nigüento, ta *adj.* 《*Amér.*》 모래 벼룩 (niguas) 투성이의 ; 정결치 못한, 불결한.
nigüero *m.* 《*Amér.*》 모래 벼룩(nigua)이 있는 곳.
nihilidad *f.* 허무(虛無).
nihilismo *m.* 허무주의 ; 무정부주의.
nihilista *adj.* 허무주의의 ; 무정부주의의. —*m.f.* 무정부주의자, 허무주의자.
Nika *f.* 【희랍 신화】 승리의 여신.
níkel *m.* =**níquel.**
nilad *m.* 《*Filip.*》(필리핀의) 꼭두서니속 관목.
Nilo *m.* 【지명】 나일강.
nilón *m.* 나일론 ; 나일론 제품(nylón).
nimbado, da *adj.* 후광(mimbo)으로 둘러쌓인.
nimbar *tr.* (…에) 후광·배광을 붙이다 : la cabeza *nimbada* de un santo.
nimbo *m.* [*lat.* nimbus] ① 후광, 광배(光背), 광륜(光輪)(aureola). ②【기상】 난운(亂雲), 비구름 : Los ~*s* son nubes de lluvia 난운은 비구름이다.
nimiamente *adv.* 자상하게 ; 과도하게 ; 인색하게.
nimiedad *f.* ① 자상함, 번거로움(prolijidad). ② 인색함 ; 극소량(poquedad).
nimio, mia *adj.* ① 자상한. ② 과도한 : sensibilidad ~*mia* 지나치게 민감한 감수성. ~ en sus escrúpulos 너무나 사소한 일에 신경을 쓰는. ③ 인색한(tacaño). ④《*Amér.*》 아주 작은. ⑤ 무의미한.
nincha *f.* 【속어】 =**niña, chica.**
ninchi *f.* =**nincha.**
ninfa *f.* ①【신화】(강이나 산·숲 등의) 요정, 선녀 ; 아름다운 여자《더러는 나쁜 뜻》. ②【곤충】 번데기(crisálida). —*pl.*【해부】 소음순(小陰脣).
ninfea *f.* 【식물】 수련(nenúfar).
ninfeáceo, a *adj.* 【식물】 수련과의. —*f.pl.* 수련과 식물.
ninfo *m.* 미소년, 미남자(narciso).
ninfómana *adj.* =**ninfomaníaca.**
ninfomanía *f.* (여자의) 음란증.
ninfomaníaco, ca *adj.* 음란증의. —*m.f.* 음란증 환자 ; 음란한 사람.
ningún *adj.* [ninguno가 남성 단수 명사 앞에 올 때의 형] 어떤·아무런 …도 아니다 ; 어느 것·

어느 누구도 …않다 : ~ hombre 어떤 사람도 … 않다. de ~ modo 결코 …않다; 천만에 《미안하다는 말에 대한 대답》.

ninguno, na *adj.* [남성 단수 명사의 앞에서는 ningún으로 된다] 어떤·아무런 …도 않다, 무엇 하나·누구 한 사람 …않다 : No tengo *ningún* libro ; No tengo libro ~ · alguno 나는 책을 한 권도 가지고 있지 않습니다. No se le veía en ~*na* parte 아무데서도 그를 찾아볼 수 없었다. —*pron.* 어느 것 하나, 무엇 하나, 누구 한 사람 …않다 : *N*- de los presentes lo sabía 참석자 가운데 누구 한 사람 그것을 알지 못했다. No ha venido ~ ; *N*- ha venido (의식하고 있던 사람들 가운데) 누구도 아직 오지 않았다. [*N.* No ha venido *nadie* 아무도·어느 누구도 아직 오지 않았다]. Contr. alguno.

niña *f.* ① 소녀. ② 눈동자(pupila).
~***s de los ojos*** 눈에 넣어도 아프지 않은 것·사람.

niñada *f.* (어른이 하는) 어린애 같은 짓.

niñato *m.* 소의 태아.

niñear *intr.* (어른이) 어린애 같은 짓을 하다.

niñera *f.* 유모, 어린이를 돌보는 하녀.

niñería *f.* 어린애 같은 짓 ; 어린애 같은 놀이 ; 쓸데없는 짓, 유치한 짓 : ¡Déjate de ~*s*! 쓸데없는·유치한 짓을 그만둬라.

niñero, ra *adj.* 어린애를 좋아하는 ; 어린애 같은.

niñeta *f.* 눈동자(pupila).

niñez *f.* [*pl.* niñeces] ① 어린 시절, 유년기, 유년 시절. ② 시초, 초기(principio). ③ 어린애 같은 장난.

niñito, ta *m.f. dim.* niño.

niño, ña *adj.* 어린, 유치한 : Es aún muy ~ 그는 아직 어리다. No seas *niña* 그런 어린애 같은 짓을 하지 마라. Cuando era yo muy ~, íbamos al parque de San Francisco 어렸을 적에 나는 산프란시스꼬 공원에 가곤 했다.
—*m.f.* 어린이 : *N*- Pedro murió a los cincuenta años 빼드로씨는 50세로 죽었다 [don Pedro 대신에 남미에서 사용됨]. Pregúntele usted a la *niña* María 마리아양에게 물어 보십시오 [señorita 대신에 남미에서 사용됨].
~ ***bonito*** 귀여운 사람. ~ ***de brazos*** 《*Méz.*》 아직 걷지 못한 아이. ~ ***de coro*** 합창대 어린이. ~ ***de la bola*** (지구를 상징하는 공을 손에 든, 또는 공에 올라 앉은) 아기 예수상 ; 행복한 어린이. ~ ***de la piedra*** 기아. ~ ***de la rollona*** 아주 어린애 같은 소년. ~ ***de la doctriña*** 양육원 어린이. ~ ***de (la) teta*** 젖먹이. ***Niño Jesús*** 아기 예수(상). ~ ***rollón*** ① 기저귀를 찬 아이. ② 운이 좋은 사람. ~ ***zangolotino*** 어린애 같은 소년.
desde ~ 어려서부터, 유년 시절부터.
estar como ~ ***con zapatos nuevos*** 매우 만족하다 (estar muy contento).

Niobe *f.* 【희랍 신화】 니오베 《사랑하던 14명의 아이들을 모두 살해당하고 비탄하던 나머지, 제우스신에 의해 돌이 된 여자》.

nióbico, ca *adj.* 【화학】 수소와 산소와 니오붐의 혼합에 의해 생기는 (산).

niobio *m.* 니오붐, 니오브 《금속 원소》.

niopo *m.* 《*Venez.*》 니오뽀 담배 《원주민이 사용하는 가루 담배의 일종》.

nioto *m.* 【어류】 뿔상어(cazón).

nipa *f.* ① 【식물】 (필리핀의) 니빠야자. ② 니빠야자의 잎.

nipe *m.* =**nipis.**

nipis *m.* (필리핀·마다스카르에서) nipa 섬유로 만든 직물.

nipomanchú *adj.* 일본과 만주의.

nipón, na *adj.* 일본의(japonés) : banco ~ 일본은행. —*m.f.* 일본인. —*m.* 일본어.

nipos *m.pl.* 【은어】 돈(dinero).

níquel *m.* 니켈 ; 니켈화(貨).

niquelado, da *adj.* 니켈 도금한. —*m.* 니켈 도금.

niquelador *m.* 니켈 도금공.

niqueladura *f.* =**niquelado.**

niquelar *tr.* 니켈 도금을 하다.

niquelífero, ra *adj.* 니켈이 함유한.

niquelina *f.* 【광물】 홍비 니켈광.

niquiscocio *m.* 하찮은 일, 사소한 일.

niquitoso, sa *adj.* 《*Ar.*》 =**dengoso, melindroso, delicado.**

nirvana *m.* 【불교】 열반, 적멸(寂滅).

níscalo *m.* 【식물】 =**mízcalo.**

niscome *m.* 《*Méx.*》 옥수수 삶은 냄비.

niscómil *m.* =**niscome.**

níspero *m.* 【식물】 비파.
~ ***del Japón*** 비파.
~ ***espinoso*** 【식물】 당산사나무.
no mondar ~***s*** 관계가 없지 않다.

níspola *f.* 비파나무 열매.

nispolero *m.* 《*Murc.*》 =**níspero.**

nistagma *m.* 【의학】 안구 진탕증.

nistamal *m.* 《*Méx.*》 =**nixtamal.**

nítidamente *adv.* 선명하게 ; 깨끗하게 ; 청초하게.

nitidez *f.* 청초함, 시원스럽고 산뜻한 일, 청초, 깨끗함, 맑음.

nítido, da *adj.* 깨끗한, 청초한, 티 하나 없이 맑은, 선명한(limpio, claro).

nito *m.* 니또 양치류 《모자 같은 것을 만드는 필리핀산의 양치류》. —*pl.* (손에 들거나 먹거나 하고 있는 것을 누가 물었을 때 대답하기 싫어서 아무렇게나 대꾸하는) 좋아, 좋아.

nitor *m.* =**nitidez.**

nitrado, da *adj.* =**nitrogenado.**

nitral *m.* 【광물】 초석층(硝石層)(salitral).

nitrar *tr.* 질산과 조합하다 : algodón *nitrado* 질산과 조합한 면.

nitrato *m.* 【화학】 질산염 : ~ de plata 초산은.

nitrera *f.* 《*Chile.*》 =**nitral.**

nitrería *f.* 초석갱, 초석산(硝石山) ; 초석 채굴.

nítrico, ca *adj.* 질소의, 질소를 함유한 : ácido ~ 초산.

nitrificación *f.* 초화(硝化)(작용).

nitrificador, ra *adj.* 초화하는 : La electricidad es un agente ~.

nitrificar *tr.* 7 초화하다.

nitrito *m.* 【화학】 아초산염.

nitro *m.* 초석 ; 초산 : ~ cúbico 초산 소다.

nitrobencina *f.* 【화학】 니트로벤신.

nitrocelulosa *f.* 면화약.

nitrogenado, da *adj.* 【화학】 질소를 함유한 (azoado).

nitrogenar *intr.* 【화학】 질소(nitrógeno)를 함유하다(azoar).
nitrógeno *m.* 【화학】 질소 : bomba de ~ 질소 폭탄.
nitroglicerina *f.* 【화학】 니트로글리세린 《다이너마이트용 기름 모양의 액체》.
nitrosidad *f.* 초산성, 초석성.
nitroso, sa *adj.* 초석의, 초산의 : suelo ~.
nivel *m.* [*lat.* libella] ① 수준, 레벨 ; 수평(면) : ~ a ~ 같은 수준으로, 수평으로 ; 어깨를 나란히 하여. sobre el ~ del mar 해발. ② 수위(水位) : Ha subido el ~ de las aguas 수위가 올랐다. ③ 같은 높이 · 정도 ; 동일함 : Estos objetos están al ~ 이것들은 같은 정도이다. ④ 수준기(水準器) : ~ de agua 눈금. ~ de aire 물거품식 수준.
~ ***de calidad tolerable · aceptable*** 합격 품질 수준. ~ ***de empleo*** 고용 수준. ~ ***de ingresos*** 소득 수준. ~ ***de precios*** 가격 · 물가 수준. ~ ***de salarios*** 임금 수준. ~ ***de significación*** 유의(有意) 수준. ~ ***de subsistencia*** 생계 유지 수준. ~ ***de sueldos*** 임금 수준. ~ ***de vida*** 생활 수준. ~ ***general de cotizaciones*** 상황(商況), 시황(市況). ~ ***internacional*** 국제 수준. ~ ***mental*** 지적 수준. ~ ***mínimo*** 최저 수준. ~ ***normal de calidad*** 품질 표준 기준. ~ ***social*** 사회 수준. ~ ***vital*** 생활 수준. ***línea de*** ~ 수준선. ***nuevo*** ~ ***de alza · bajo*** 비싼 · 싼 새 가격 수준. ***paso a*** ~ (철도의) 건널목.
nivelación *f.* 수평, 균등 ; 땅 다지기 ; 차액, 균형 ; 수준 측량(水準測量).
nivelador, ra *adj.m.f.* 땅을 고르는 (사람).
nivelar *tr.* ① 같은 높이로 하다 · 고르다 ; 땅을 고르다 : Necesitamos ~ el terreno en muy poco tiempo 우리는 그 토지를 매우 단시간 내에 고르는 것이 필요하다. ② 같은 수준으로 하다, 균등하게 하다, 똑같이 하다 : ~ el sueldo de dos personas 두 사람의 급료를 같은 수준으로 하다. *Nivelaron* las condiciones de los empleados 종업원의 조건이 조정되었다. Se *ha nivelado* el presupuesto 예산이 조정되었다. ③ 수준기로 측정하다, 수준기를 대다.
~se 같은 높이 · 수준으로 되다 : *~se a* lo justo 정당한 수준으로 되다. *~se con* los humildes 하급자와 같은 정도가 되다, 서민층과 같은 생활을 하다.
níveo, a *adj.* 눈의, 눈같은 : blancura *~a.*
nivoso, sa *adj.* 【시어】 눈이 많은. **—***m.* 불란서 혁명력(革命歴)의 제 4월, 눈의 달 《12월 21일 ~ 1월 19일》.
nixquesa *f.* 《*Hond.*》 =**cernada.**
nixtamal *m.* 삶은 옥수수.
nixtayol *m.* 《*CRica.*》 재를 넣고 삶은 옥수수.
nizardo, da *adj.* 니스 《Niza, 불란서 지중해안의 도시》의. **—***m.f.* 니스 사람.
n/l., n/L. nuestra letra 당사 환어음.
n/m. nuestra muestra.
n/n. nuestra nota.
N.D. Nombre Desconocido.
NNE Nornordeste.
NNO Nornoreste.
NN.UU. Naciones Unidas 유엔, 국제 연합.
no *adv.* [*lat.* non] ① [상대의 물음에 대한 대답이 부정문일 때] ㄱ) 아니오 : ¿Quiere usted ir?—*No,* no quiero 가고 싶습니까? —아니오, 가고 싶지 않습니다. ㄴ) 예 : ¿Es que no tienes casa?—*No,* señor 집이 없다고? —예, 없습니다.
② [반복해 쓰인 것] *No,* no lo haré ; No lo haré, *no* 아니오, 그런 짓을 않습니다 ; 않고 말고요.
③ [술어로 부정하는 경우는 그 동사의 앞에, 목적 대명사나 재귀 대명사 se, me, te, le, lo, la, nos, os, los, las 등이 있으면 그 앞에 붙여] …않다 : *No* teníamos hijos ; *No los* teníamos.
④ [모두 부정하는 어구 앞에서] Por eso *no perdió* la esperanza 그것 때문에 희망을 잃지 않았다. Todos *no* vendrán 모두 오지 않을 것이다. *No* todos vendrán 오는 사람도 있을 것이다.
⑤ [의문문의 경우, 긍정의 대답을 기대하는 수도 있음] ¿*No* me obedeces? 내 말을 듣지 않겠느냐?
⑥ [다른 부정어와 함께 쓰여도 부정 그대로의 뜻이다] Eso *no* vale *nada, No* tiene valor *ninguno* 아무런 가치도 없다. A *nadie no* se *le* veía 아무도 찾아 볼 수 없었다. *No* dirá que *no* 싫다고는 하지 않을 것이다. *No* menosprecies a *nadie* 어느 누구도 업신여겨서는 안된다 ; 사람을 업신여기지 마라.
⑦ [sin과 함께 쓰이면 완곡한 긍정] Sirvió, *no sin* gloria, en la última guerra 그는 이번 전쟁에 참가하여 상당한 공로를 세웠다.
⑧ [뜻이 없을 경우] Cuidado (que) *no* nos escapen 조심하십시오, 우리를 놓칠테니까.
⑨ [비교의 강조로 의미가 없는 경우] José lo podrá decir mejor que *no* yo 그 일 같으면 나같은 사람보다 호세쪽이 더 말이 잘 통할 것이다. Es mejor que venga que *no* se quede 남는 것보다 오는 것이 더 좋다.
⑩ [형용사 · 명사의 앞에서] *no* beligerante 비교전국의, 비전투원의. el país *no* beligerante 비교전국. la *no* intervención 불간섭.
—*m.* 부정, 거절 : Nunca hubo entre nosotros un sí ni un *no* 서로 간에 싫다 좋다 하는 것이 없었다.
—*interj.* [회의적 감탄사] Ya sabrías las noticias, ¿*no*? 벌써 소식을 알고 있겠지, 안 그래?
No acercar al fuego 화기 엄금. ***no caducidad*** 몰수 불허가. ***no convertible*** 태환성이 없는, (지폐가) 태환할 수 없는. ***No dejar caer*** 낙하 주의. ***no discriminación*** 무차별 대우. ***No doblar · dar vuelta · poner al revés · tumbar*** 뒤집지 마시오. ~ ***ejecución*** 불이행. ***No exponer a humedad*** 습기 엄금 · 주의. ***No hacer caer*** 낙하 주의. ***No se coloque bajo otro peso · peso encima, No se ponga carga · peso encima*** 하적(下積) 엄금. ***No se ponga horizontal*** 평적(平積) 엄금. ~ ***sindicalizado*** 비조합원. ***No usar ganchos, No use · se usen ganchos*** 갈고리 사용 금지.
no bien …하자마자(tan pronto como) : *No bien* hube cenado me acosté 나는 저녁을 들자마자 잠자리에 들었다. *No bien* amanezca, saldremos 날이 새자마자 떠나자.
no más ① 단지(solamente) : Me dio mil pesetas *no más* 다만 천뻬세따를 주었다. ② 충분하다

(basta de) : *No más* rogar inútilmente 공연한 부탁은 그만둬라. ③《*Amér.*》 그러면 ; 즉각 ; 실지로, 정말로 …는 : Hágalo *no más* 그럼 그 일을 하십시오. Ayer *no más* lo vi 실제로는 어제 그를 만났다. Aquí *no más* tiene usted su casa 언제라도 사양 말고 와 주십시오. Vuelva cuando quiera *no más* 좋으실 때 다시 와 주십시오. ④《*Cuba.*》 안돼.
no menos 적잖게.
no, que no 아니라는 법은 없다.
no tal 결코 그런 일은 없다.
no ya =no solamente.
a no 《*Col.*》 …하자마자 (luego que, así que, tan pronto como).
¿a que no? 물론, 두말할 것 없다.
así no más 《*Amér.*》 우선 그대로(así, así).
¿cómo no? 《*Amér.*》 물론 ; 좋고 말고 ; 그래. [*N.* ¡Cómo no!, Cómo no 처럼 느낌표와 마침표를 찍어도 좋다].
en la de no 《*Chile.*》 그렇지 않으면(sino).
en cuanto no más 《*Amér.*》 …하자마자.
hasta no más 꽉 차게.

no., No. número 번호, 번지.

NO. Noroeste.

N.º número.

n/o. nuestra orden 당사 지시・주문.

nobiliario, ria *adj.* 귀족의 : casta *~ria* 귀족 혈통. **—*m.*** 귀족 명부・계보.

nobilísimamente *adv.* 매우 고상하게・고귀하게.

nobilísimo, ma *adj.* [*sup.* noble] 매우 고상한・고귀한.

noble *adj.* [*lat.* nobilis] ① 고귀한, 귀중한, 귀한 ; 숭고한 ; 고결한, 고상한, 기품이 있는. ② 귀족의 : Es ~ de nacimiento 그는 귀족 태생이다. Tiene sangre ~ 그는 귀족의 피를 가졌다. **—*m.f.*** 귀족 : ~ de cuna 태어날 때부터 귀족. **—*m.*** ① 노블레 《서반아의 옛 금화》. ② 아라곤의 왕에게 주어진 영예의 칭호 《1390년부터 고관대작에 대신하여 사용된 공작과 후작의 명칭》.

noblejón, na *adj.* =**noblote.**

noblemente *adv.* 숭고하게 ; 고결하게, 고귀하게, 당당히, 훌륭하게, 기품 있게.

nobleza *f.* ① 고상, 숭고함, 고귀, 고결성, 기품. ② [집합] [추상] 귀족 (계급) : La ~ ha desaparecido en las repúblicas modernas 귀족 계급은 현대 공화국에서 사라졌다.

noblote, ta *adj.* [*aum.* noble] 고결한, 당당한 ; 시골 귀족의.

nobre. noviembre 11월.

noca *f.* 【동물】 거미게(meya).

noceda *f.* 호두나무숲(nogueral).

nocedal *m.* =**noceda.**

nocente *adj.m.f.* [드뭄] 해독을 끼치는 ; 죄가 있는 ; 죄인(culpado).

nocharniego, ga *adj.* 야간에 돌아다니는.

noche *f.* [*lat.* nox, noctis] ① 밤 : ~ y día 밤낮, 언제나. por la ~ 밤에. las diez de la ~ 밤 열시. pasar la ~ 밤을 지새다・보내다. En invierno las *~s* son largas 겨울에는 밤이 길다. ② 야음, 어둠속. ③ 암흑 : la ~ de la ignorancia 빛이 없는 어둠.
buena・mala ~ 즐거웠던 밤중・괴로와 했던 밤. ***media ~*** 한밤중. ***primera ~*** 초저녁. ***~ buena*** 성탄절의 밤 《12월 24일의 밤》. ***~ intempesta*** 【시어】 심야. ***~ toledana*** 잠자지 않고 지내는 밤. ***~ vieja*** 섣달 그믐날 밤(Nochevieja).
la ~ de los tiempos 옛날 옛적에, 호랑이 담배 먹을 적에.
a la ~ 해질녘에.
¡buenas ~s! 안녕하십니까?, 어서 오십시오 ; 안녕히 가십시오, 안녕히 주무세요.
buenas ~s, cuarta 만사는 끝났다.
a buenas ~s 깜깜한 어둠속에서.
a prima・primera ~ 초저녁에.
ayer ~ 어젯밤.
de ~ adv. 밤에, 야간에.
de la ~ a la mañana 밤 사이에, 모르는 사이에 : Se hizo rico *de la ~ a la mañana* 그는 밤 사이에 부자가 되었다.
cerrar la ~ 해가 지다(ponerse el sol).
hacer ~ (무엇을) 숨기다, 훔치다.
hacer ~ en …에서 밤을 지내다, 숙박하다.
hacerse ~ 꺼져 없어지다.
hacerse de ~ 밤이 되다, 어두워지다 : Tengo que irme porque *se hace de ~* 어두워지니 가봐야겠습니다.
pasar la ~ en claro 자지 않고 밤을 보내다, 뜬눈으로 지새우다.
ser la ~ y el día 매사가 분명하다.

nochebuena *f.* 크리스마스 이브 : Podré pasar la ~ con mi familia (금년에는) 크리스마스 이브를 가족과 함께 보낼 수 있겠다.

nochebueno *m.* 크리스마스의 장식용 과자 ; 그날 밤의 큰 화톳불.

nochecita *f.* 《*Amér.*》 초저녁.

nocherniego, ga *adj.m.f.* 밤마다 헤메고 다니는 ; 밤에 돌아다니는 (사람).

nochero, ra *adj.* 《*AmérC.*》 밤에 쏘다니는. **—*m.f.*** 《*Col.*》 (병원 등의) 야근하는 사람. **—*m.*** 《*AmérC.*》 ① 밤일하는 사람. ② 침대 머리맡의 야간용 탁자(mesa de noche).

nochizo *m.* 야생 개암나무.

nochote *m.* 《*Méx.*》 노초떼 《선인장 즙이나 사보텐을 조합해 만든 음료수》.

nocible *adj.* =**nocivo.**

noción *f.* [*lat.* notio] ① 생각, 개념, 관념(idea) : La conciencia da la ~ del bien y del mal 양심은 선악의 관념을 준다. ② 개념적인 지식(noticia), 초보, 요강(要綱) : primeras *~es* de cálculo 계수의 초보 지식.

nocional *adj.* 개념적인.

nocividad *f.* 유해성, 유독성.

nocivo, va *adj.* [*lat.* nocivus] 해로운, 유해(有害)한, 유독한, 독이 있는 (dañoso) : El tabaco es muy ~ para la salud 담배는 건강에 무척 해롭다.

nocla *f.* =**noca.**

noct- *pref.* 「밤」을 뜻하는 접두어.

noctambular *intr.* 밤에 나타나다, 밤에 돌아다니다.

noctambulismo *m.* 꿈속의 여행 ; 몽유병.

noctámbulo, la *adj.* ① 밤에 쏘다니는・방황하는 ; 밤놀이하는 : paseo ~ 밤에 나다니기. ② 몽유병의. **—*m.f.*** 몽유병 환자.

nocti- *pref.* 「밤」을 뜻하는 접두어.

noctífloro, ra *adj.* 【식물】 밤에만 꽃이 피는.
noctiluca *f.* (여러 가지의) 야광충 ; 반디, 개똥벌레(luciérnaga).
noctiluco, ca *adj.* 야광성의.
noctívago, ga *adj.m.f.* 밤마다 방황하는 · 헤매며 다니는 (사람)(noctámbulo).
noctuela *f.* 야간 나비의 일종.
nocturnal *adj.* 밤의(nocturno).
nocturnidad *f.* (범죄가) 밤에 있는 일.
nocturnino, na *adj.* [드뭄] =**nocturno.**
nocturno, na *adj.* [*lat.* nocturnus] ① 밤의, 야간의 : clase *~na* 야간 수업, 야학(夜學). vuelo ~ 야간 비행. trabajo ~ 야간 작업, 밤일. ② 밤에 나타나는 · 활동하는 : ave *~na* 밤에 활동하는 새. ③ 밤에 피는. —*m.* ①【종교】 밤기도. ②【음악】 야곡(夜曲), 야상곡(夜想曲), 몽환곡(夢幻曲) : los *~s* de Chopin 쇼팽의 야상곡.
nodación *f.* 결절종에 의한 몸의 경직.
nodal *adj.* 마디의, 마디가 된 ; 결절(結節)의, 교점(交點)의 : línea ~.
nodo *m.* [*lat.* nodus] ① 마디, 절(節). ②【의학】 결절(結節). ③【물리】 (소리나 빛의) 마디. ④【천문】 교점(交點) : ~ descendente · ascendente 강(降) · 승(昇) 교점.
no. do. noticiario documentario 기록 뉴스 영화.
nodriza *f.* [*lat.* nutriz, nutricis] ① 유모(ama de cría). ② 수뢰 모함. ③ (자동차의) 급유기.
nódulo *m.* 작은 결절, 작은 혹.
noduloso, sa *adj.* 작은 결절 · 마디 혹이 있는.
Noé *m.* 【성경】 노아 : arca de ~ 노아의 방주.
nogada *f.* 호두 소스.
nogal *m.* [*lat.* nux]【식물】 호두나무 ; 그 목재.
nogalar *m.* 《*Chile.*》 =**noguera1.**
nogalina *f.* 호두 ; 호두 빛깔.
noguera *f.* =**nogal.**
noguerado, da *adj.* 호두나무 색깔의.
nogueral *m.* 호두나무숲.
noguerón *m.* 호두나무의 거목.
no-inmigrante *m.f.* 비이주자.
noli *m.* 《*Col.*》【식물】 부싯깃 이끼.
nolición *f.* 【철학】 무의미. Contr. vilición.
noli me tángere *m. lat.* ① 나를 만지지 말라 《예수가 부활하여 막달라 마리아에게 현신하였을 때의 말》 ; 그 때의 그림. ② 캐지 않아도 될 만한 일 · 것. ③【의학】 부식성 궤양, 낭창.
noluntad *f.* 【법학】 =**nolición.**
nom. nominal 명목의, 액면의.
nómada *adj.* 【남 · 여 동형】 ① 유목의 : pueblo ~ 유목 민족. las tribus *~s* de los árabes 아라비아 유목 부족. ② 유랑의. —*m.f.* 유목민, 유랑민.
nómade *adj.* =**nómada.**
nomadismo *m.* 유목 ; 유랑 (생활).
nomadizar *tr.* 유목민 생활을 하다(vivir como nómada).
nomarca *m.* 고대 이집트의 nomo를 다스리는 지사 · 총독.
nomarquía *f.* nomarca의 직위.
nombradamente *adv.* 명백하게 ; 이름을 말하고.
nombradía *f.* 명성, 평판(fama).
nombrado, da *adj.* [nombrar의 *p.p.*] =**famoso, célebre.**
nombramiento *m.* 명명(命名), 지명, 임명, 추선(推選) ; 사령(장) : ~ de comisario (재판소에서의) 관재인(管財人) 임명서.
nombrar *tr.* [*lat.* nominare] ① (…의) 이름을 말하다, 들어 말하다. ② 명명 · 지명 · 임명 · 추선하다 : *Hemos nombrado* de gerente al Sr. N 우리들은 N씨를 지배인으로 임명했다. El Sr. N *ha sido nombrado* de gerente ; Se le *ha nombrado* de gerente al Sr. N N씨가 지배인으로 임명되었다. Le *nombraron* presidente 그는 의장으로 지명되었다.
nombre *m.* [*lat.* nomen] ① 이름 : ~ y apellido 성명. ② 명칭. ③【상업】 상호(商號). ④【문법】 명사. ⑤ 평판, 명성 (fama, reputación) : Se ha hecho un ~ 그는 명성을 얻었다. Se hizo un ~ en las letras 그는 문학 방면에서 권위자가 됐다. Su libro le dio mucho ~ 그의 책은 그를 유명하게 했다. La tienda tiene muy buen ~ 그 상점은 평판이 무척 좋다. ⑥ 대리(代理) : en ~ de …을 대리하여, …을 대표해서. en ~ del pueblo 국민의 이름으로. en ~ del presidente 대통령의 대리로서. ⑦ 별명(apodo, mote).
~ ***abstracto*** 추상 명사. ~ ***apelativo*** 별명, 딴이름(sobre nombre). ~ ***común · genérico*** 보통 명사. ~ ***adjetivo*** 형용사. ~ ***colectivo*** 집합 명사. ~ ***comercial*** 상호(商號). ~ ***concreto*** 구체 명사. ~ ***de pila*** 세례명. ~ ***de religión*** 종명(宗名). ~ ***individual*** 개인명. ~ ***numeral*** 수사(數詞). ~ ***postizo*** 별명, 또 다른 이름(apodo, mote). ~ ***propio*** 고유 명사. ~ ***social*** 상호(商號). ~ ***substantivo*** 구상 명사 ; 명사 (substantivo). ***mal*** ~ 별명(apodo, mote).
de ~ 이름으로서 ; 이름만으로 : conocer a uno ***de*** ~ 누구를 이름만 알고 있다.
por ~ 이름으로서 ; 이름을 빌려 : tener por ~ N 이름을 N이라 하다.
no tener ~ 이름도 없는 하찮은 것이다.
poner ~ 이름을 짓다 ; 가격을 매기다.
Esto no tiene ~ 이것은 이루 말할 수 없다.
nomenclador *m.* 지명표, 인명부 ; 용어집.
nomenclator *m.* [드뭄] =**nomenclador.**
nomenclátor *m.* =**nomenclador.**
nomenclatura *f.* ① 술어집, 술어 사전 : ~ química 화학 술어 사전. ② (조직적인) 명명법(命名法), 명칭. ③ 리스트, 이름표, 명부.
~ ***arancelaria*** 국제 관세 품목표. ***N- Arancelaria Bruselense de ALALC*** 라틴 아메리카 자유무역 연합 브르셀 관세 품목표. ***N- Arancelaria Uniforme Centroamericana*** 중미 통일 관세표 · 관세 품목(표) · 관세 분류. ***N- Uniforme de Exportación Centroamericana*** 중미 통일 수출품목표.
nomeolvides *f.* 【단 · 복수 동형】【식물】 물망초.
nómina *f.* 목록, (직원) 명부 ; 임금 · 봉급 지불원부 · 장 · 명부.
~ ***de directores*** (회사의) 임원 명부. ~ ***de pagos*** 임금 지불 (대)장, 급료 지불 명부. ~ ***de tripulantes*** 선원 · 승선 명부. ~ ***de viajeros*** 선객명부.
nominación *f.* 임명, 추선, 지명 (nombramiento) ; 이름.

nominador, ra *adj.m.f.* 지명·임명하는 (사람) : junta *~ra* 인사 위원회.

nominal *adj.* ① 이름의 : lista ~ 명부. ②【문법】명사적 : predicado ~ 명사적 술어. ③ 명의·명목상의 ; 공칭의, 액면의 : precio·soberano·valor ~ 액면 가격. sueldo ~ 명목상의 임금(賃金). *—m.f.* 명목론자(nominalista).

nominalismo *m.*【철학】유명론, 명목론(名目論).

nominalista *adj.* 유명론의. *—m.f.* 명목론자.

nominalmente *adv.* 이름만으로, 명의상, 명목상.

nominar *tr.* =**nombrar.**

nominativo, va *adj.* ①【상업】기명의 : título ~ 기명 증권. ②【문법】주격의, 명격(名格)의 : caso ~. *—m.*【문법】주격, 명격. *—pl.* 초보, 기초.

nominilla *f.* 봉급 지불표.

nómino *m.* (명예직 등의) 수임자, 피추천 의원.

nomo *m.* ① (주나 민간 정부에 해당하는) 고대 이집트의 영토의 분할. ② 여러 주로 세분하는 현대 그리스의 영토의 분할.

nomografía *f.*【수학】계산 도표술.

nomograma *m.*【수학】계산 도표.

nomparell *m.*【인쇄】6포인트 활자.

nomvos. nominativos 기명(記名)의.

non *adj.* [*lat.* non] ① 우수리의, 단수의 : de ~ 우수리로 남아. ②【수학】기수의 (impar). *—m.*【수학】기수, 홀수. *—pl.* 부정(否定), 거절, 거부 : dar·decir·echar *~es* 퇴짜놓다, 부정하다 (negar).

andar de ~ 할 일없이 빈둥거리다 ; 외톨이로 남다(estar ocioso).

estar de ~ 상대가 없이 혼자가 되다, 짝이 없다 (carecer de pareja).

quedar de ~ 동료가 없어지다.

nona *f.* (가톨릭교의) 아홉 시의 기도.

nonada *f.* 넌센스, 쓸모없는·터무니없는 일 : decir *~s.*

nonagenario, ria *adj.m.f.* 90대의 (노인).

nonagésimo, ma *adj.* 90번째의 ; 90등분한, 90분의 1의. *—m.* 90번째 ; 90분의 1.

nonágogo, ga *adj.* 9각(角)의. *—m.* 9각형 (eneágono).

nonagonal *adj.* 9각형의.

nonágono, na *adj.* 9각형의. *—m.* 9각형.

nonato, ta *adj.* 아직 나타나지 않은 ; 아직 태어나지 않은 ; 절개하여 꺼낸 (태아).

noncuranza *f. ital.* 《*Amér.*》 =**descuido, indiferencia.**

noneco, ca *adj.* 《*AmérC.*》 어리석은(simplón).

noningentésimo, ma *adj.* 900번째의 ; 900등분한. *—m.* 900분의 1.

nonio *m.*【기준】유표(遊標), 유척(遊尺), 부척(副尺).

nonius *m.* =**nono.**

nonnato, ta *adj.* =**nonato.**

nono, na *adj.* 아홉 번째의 ; 9등분의(noveno).

non plus ultra *adj. lat.* 더 할 나위 없는.

non sancta *adj. lat.* 진절머리나는 생활을 하는 (사람들).

nonúplo, pla *adj.* 9배의.

nopal *m.* [*mejicano.* nopalli]【식물】사보텐 : ~ de la cochinilla.

nopaleda *f.* 선인장 들판.

nopáleo, a *adj.* 사보텐(nopal)의·같은.

nopalera *f.* =**nopaleda.**

nopalito *m.* 《*Méx.*》 (식용) 선인장의 연한 싹.

noque *m.* ① 피혁의 무두질용으로 쓰이는 단지. ② 《*Bol. Riopl.*》 곡식을 넣어 두는 가죽 부대. ③ 나무 줄기를 파서 만든 그릇.

noquear *tr.* 넉아웃시키다.

noquero *m.* 가죽을 무두질하는 직공(curtidor).

norabuena *f.* 축사, 축하(enhorabuena). *—adv.* 다행히도 ; 경사스럽게도.

noramala *adv.* 운 나쁘게, 재수없게 (enhoramala).

nora (en) tal *adv.* =**noramala.**

nortal *adv.* =**noramala.**

noray *m.* (언덕에 있는) 배를 붙잡아 매는 돌.

norcoreano, na *adj.* 북한의, 북한에 관한. *—m.f.* 북한 사람.

nordestal *adj.* 북풍의.

nordeste *m.* 북동 ; 북동풍.

nordestear *intr.* 북동쪽으로 기울다.

nórdico, ca *adj.* 북구(北歐)의. *—m.f.* 북구(北區) 사람. *—m.* 북구어(北區語).

no-residente *m.f.* 비거주자.

noreste *m.* =**nordeste.**

noria *f.* ① 말이 끌어 퍼올리는 양수 ; 양수기 ; 그 우물. ② 한곳에서만 맴돌아 진전되지 않는 노력·일 : estar atado a la ~.

norial *adj.* noria의.

norma *f.* [*lat.* norma] ① 표준, 기준 : La honradez es la ~ de su vida 정직은 그의 생활의 기준이다. ② 규범, 규정, 규격. ③ 규제(規制). ④ 조항. ⑤ 자(regla).

~s contables·de contabilidad 회계 기준. *~s de auditoría* 감사 기준. *~s de calidad* 품질 표준·기준. *~s de establecimiento* 설립 조항. *~s fiscales* 조세(租稅) 규정. *~s generales* 총칙. *~s mínimas para la confección de estados contables* 《*Arg.*》 재무 보고 기준. *~s publicitarias* 광고 기준. *~s sanitarias* 위생 규정. *~s técnicas industriales* 공업 기술 규정. ***Normas y Prácticas Uniformes para los Créditos Documentarios*** 선하 신용장에 관한 통일 규칙 및 관례.

normal *adj.* ① 정상적인, 올바른. ② 표준의, 규정·규격의. ③ 수직의(perpendicular). *—f.* ① 사범 학교(escuela ~). ②【기하】수직선.

normalidad *f.* 정상 상태 : entrar·volver a la ~.

normalista *adj.* 사범 학교의. *—m.f.* 사범 학교 학생.

normalización *f.* 표준화, 정상화.

normalizar *tr.* ⑨ 정상으로 하다, 정상을 되찾다, 표준화하다.

normalmente *adv.* 정상으로, 순조롭게, 보통으로.

Normandía *f.*【지명】노르망디 《북부 불란서의 반도》.

normando, da *adj.* ① 북구의 ; 노르만 민족의. ② 노르망디의. *—m.f.* 북구 사람 ; 노르망디 사람.

normano, na *adj.m.f.* =**normando.**

normar *tr.* 표준을 정하다(amoldar, regir).

normativo, va *adj.* 표준적인 : gramática ~*va* 표준 문법.
nornordeste *m.* 북북동 ; 북북동풍.
nornoroeste *m.* 북북서 ; 북북서풍.
nornorueste *m.* =**nornoroeste.**
noroeste *m.* 북서 ; 북서풍.
noroestear *intr.* (바람 등이) 북서쪽으로 불다.
nortada *f.* 북풍, 삭풍.
nortazo *m.* 북쪽에서 불어오는 강풍.
norte *m.* ① 북 (septentrión) : la América del *N-* 북아메리카. La cordillera de los Andes se extiende de ~ a sur 안데스 산맥은 북에서 남으로 펼쳐져 있다. ② 북풍 : Sopla un ~ muy fuerte 강한 북풍이 불고 있다. ③ 북극(성). ④ 방각(方角). ⑤ 길잡이 : Esto te servirá de ~.
norteafricano, na *adj.m.f.* 북아프리카의 (사람).
Norteamérica *f.* 【지명】 북아메리카(América del Norte).
norteamericano, na *adj.* 북미 합중국의 ; 북미의 : continente ~ 북아메리카 대륙. —*m.f.* 북미 사람.
nortear *intr.* ① 북쪽으로 치우치다. ② 《*AmérC. Ant.*》 북쪽의 비바람이 불다. ③ 《*Perú. Méx.*》 방향을 잃다 : andar *norteado.* —*tr.* 북으로 향하다.
norteño, ña *adj.* (특히 서반아 국내에서) 북부 지방의. —*m.f.* 북부 지방 사람.
norteuropeo, a *adj.* 북유럽·북구(北歐)의 : novela ~*a* 북구의 소설.
nórtico, ca *adj.* 북의 ; 북쪽 나라의.
nortino, na *m.f.* 《*Chile. Perú.*》 북부 지방의 사람.
Noruega *f.* 【지명】 노르웨이.
noruego, ga *adj.* 노르웨이의. —*m.f.* 노르웨이 사람. —*m.* 노르웨이말.
noruestar *intr.* =**noroestear.**
norueste *m.* =**noroeste.**
noruestear *intr.* =**noroestear.**
nos *pron.* [*lat.* nos] ① [대격·여격 인칭 대명사 제1인칭 복수형 ; 또는 재귀 대명사] 우리들을 ; 우리들에게 ; 우리 자신을 : *Nos* miró 그는 우리를 보았다. *Nos* miró la cara 그는 우리의 얼굴을 보았다. *Nos* han invitado a la fiesta 우리들은 파티에 초대받았다. Míra*nos* 우리를·우리의 얼굴을 보라. Sentémo*nos* aquí 여기에 앉자. No *nos* sentemos aquí 여기 앉지 맙시다. Vámo*nos* 갑시다. No *nos* vayamos 가지 맙시다. ② 【고어】 [주격·탈격이 되기도 하며 의례적인 말로서 단수를 받음] Ruega por *nos* 나를 위해 기구하라. *Nos,* el Obispo 주교인 이 사람은 ….
noso- *pref.* 「질병」의 뜻을 나타내는 접두어.
nosocomio *m.* 병원(hospital).
nosofobia *f.* 병에 대한 과도한 공포.
nosogenia *f.* 병상 경과, 병상학.
nosografía *f.* 병리지(病理誌) ; 질병론.
nosología *f.* 질병 분류(학).
nosológico, ca *adj.* 질병 분류의, 병리적인.
nosologista *m.f.* 병리학자 ; 질병 분류 학자.
nosomántica *f.* 안수, 기도 요법.
nosotros, tras *pron.* [주격·전치사격 인칭 대명사 제1인칭 복수형] ① 우리들, 저희들 : *Nosotros* lo llevamos 우리가 그것을 가지고 간다. Entre ~ lo llevamos 우리들이 그것을 가지고 간다. ② [말하는 사람·필자가 자기 혼자를 가리켜 말하는 말 ; 이때 동사도 *pl.*] 오인(吾人) : *Nosotros* quedamos perplejos 나는 당혹했다. ③ [호텔·식당·백화점·가게·회사 등이] 폐사, 폐점, 당점 : *Nosotros* tenemos vino especial de la casa 당점에는 당점에서 빚은 특수 포도주가 있습니다. [*N.* 음절 분해할 때는 nos·otros].
nostalgia *f.* 향수, 회향병, 노스탤지어.
nostálgico, ca *adj.* 향수의, 향수적인 ; 옛날이 그리운. —*m.f.* 향수병자.
nostramo, ma *m.f.* (머슴이 말하는) 나으리, 마님(nuestramo, nuestrama).
nostras *adj.* (외부에서 들어온 것이 아니라) 자기 나라에서 발생된 (질병) : cólera ~ 유럽·경증(輕症) 콜레라.
nota *f.* [*lat.* nota] ① 표, 기호(señal). ② 메모, 기장 ; 비고, 주의서 ; 주(注), 주석(~ aclaratoria) : ~ marginal 난외 주기(欄外註記). ③ 각서, 필기(apuntamiento) : tomar ~*s* 적다, 필기하다, 기억하다. tomar buena ~ de …을 충분히 양해하다, 메모하다. Tomen ~ de que las condiciones de pago son giro a la vista 지불 조건은 일람불 수표로 한다는 것을 양지하시기 바랍니다. ④ 간단한 편지, 단신 ; (외교상의) 서간, 메모, 통첩 : ~ verbal 무서명 각서. ⑤【상업】 노트, 전표. ⑥ (학생 등의) 평점, 성적 : ganar buenas ~*s* 좋은 성적으로 졸업하다. ¿Cuál es la ~ para ser aprobado? —Más de sesenta puntos 합격점은 몇 점입니까? —60점 이상입니다. ¿Qué ~ sacó usted en el examen de la historia? 당신은 역사 시험에서 몇 점 받았습니까? ⑦【음악】 음표, 악보 : conocer las ~*s* 악보를 읽다. ⑧ 가락, 음률 : ~ grave·profunda 저음역(低音域), 흉음성(胸音聲). ⑨ 명성, 저명 : escritor de ~ 명성이 있는 작가.
—*pl.* (특히 공정 증서의) 기록.
~ ***aclaratoria*** 주석. ~ ***al pie del balance*** 대차대조표의 각주(脚注). ~ ***de caja*** 매상 전표. ~ ***de cargo*** 차변 전표. ~ ***de compra*** 구입 주문서. ~ ***de consignación*** 위탁 판매품 송장. ~ ***de crédito*** 대변 전표, 크레디트 노트. ~ ***de débito*** 차변 전표, 데비트 노트. ~ ***de embarque*** 선적 통지서·송장. ~ ***de entrega*** 송달표, 인도표. ~ ***de hipoteca*** 선하 어음부 증서. ~ ***de orden*** 주문서, 주문표. ~ ***de pago*** 약속 어음. ~ ***de pedido*** 주문서·표·서식. ~ ***de pedido inclusa*** 동봉 주문서. ~ ***de pesos*** 중량표, 중량 증명서. ~ ***de porte*** 화물 인환증. ~ ***de precios*** 가격표. ~ ***de venta*** 매상표·전표. ~ ***explicativa*** 주석.
nota bene *lat.* 주(註).
notabilidad *f.* 저명 ; 현저 ; 명사.
notabilísimo, ma *adj.* [*sup.* notable] 극히 저명한 ; 빼어난, 아주 현저한.
notable *adj.* 주의할 만한 ; 현저한, 두드러진 ; 저명한, 유명한. —*m.pl.* 명사들, 저명 인사들 : reunión de ~*s.*
notablemente *adv.* 현저하게, 두드러져, 빼어나.
notación *f.* ① 기록 (anotación) ; 메모 ; 기호로 표기하는 일 ; 기호 : ~ atómica 원자 기호. ~ química 화학 기호법. ② 악보(樂譜), 기보법

(記譜法)(～ musical). ③ 기수법(記數法) : ～ decimal 십진 기수법.

notar *tr.* [*lat.* notare] ① (…에) 생각이 미치다, 깨닫다 : ～ faltas 잘못에 생각이 미치다. ② 지적하다 (señalar). ③ 주의·충고하다 : Le *noté* su conducta 그의 행동에 주의를 주었다. ④ 기록하다 (anotar). ⑤ (…에) 기호·주를 달다, 주석을 붙이다 (poner notas). ⑥ 말로 하다. ⑦ 비난하다.

notaría *f.* 공증인의 직(oficio de notario) ; 공증인 사무소(oficina de notario).

notariado, da *adj.* 공증된, 공증 문서의. —*m.* 공증인의 직.

notarial *adj.* 공증(인)의 : acta ～ 공정 증서·기록. levantar el acta ～ 공정 증서로 하다.

notariato *m.* 공증인의 타이틀.

notariesco, ca *adj.* =**notarial.**

notario *m.* [*lat.* notarius] 공증인 ; 서기.
～ ***público*** 공증인.

noticia *f.* ① 알림, 소식 ; 기사 ; 뉴스, 정보 : ～ de llegada 착선(着船) 안내서. agencia de ～ 통신사. fuente de las ～*s* 취재원(取材源). Me sorprendió la ～ de su muerte 나는 그의 사망 소식을 듣고 놀랐다. ② 지식 (noción) : tener ～ de una cosa 어떤 일을 알고 있다.

noticiar *tr.* 알리다, 통지·통보하다.

noticiario, ria *adj.* 뉴스의. —*m.* [집합] 뉴스 ; 뉴스 영화·방송·란(欄), 소식란 : ～ documental 기록 영화. ～ cinematográfico 영화란. ～ deportivo 운동 기사란. ～ gráfico 그라비아 페이지, 화보.

noticiero, ra *adj.* 통신의, 정보의 : periódico ～ 특수 부문의 정보 신문. agencia ～*ra* 통신사. —*m.f.* (신문 등의) 통신원. —*m.* (신문의) 기사, 통신(noticiario).

notición *m.* [*aum.* noticia] 빅 뉴스, 의심스러운 뉴스, 놀랄 만한 소식.

noticioso, sa *adj.* 소식통의 ; 박식한. —*m.* 뉴스.

notificación *f.* 통고, 통지, 시달, 최고(催告) ; 통고서, 최고장 : ～ de llegada 착하(着荷) 통지. ～ del accidente 사고 통지서. ～ del siniestro 손해 통지서.

notificado, da *adj.m.f.* 통지·최고를 받은 (사람).

notificante *adj.* 통지·통고하는.

notificar *tr.* 7 통지·통고하다, 최고하다.

notificativo, va *adj.* 통고의, 통지의.

noto *m.* [*lat.* notus ; *gr.* notos] 남풍(austro).

noto, ta *adj.* [*lat.* nothus] ① 세상에 알려진 (sabido). ② 사생의 (아기)(ilegítimo) : hijo ～ 사생아.

notoriamente *adv.* 세상에 알려져.

notoriedad *f.* 주지(周知), 유명 ; 명성, 평판 ; 악평.

notorio, ria *adj.* 세상에 알려진, 주지의, 평판이 있는 ; 유명한, 분명한.

notro *m.* 《*Chile.*》【식물】 매화나무의 일종.

nóumeno *m.* 【철학】 영지적(英知的) 실체·실재.

nov. noviembre 11월.

novación *f.* (증서류의) 개서(改書).

novador, ra *adj.* 혁신적인. —*m.f.* 혁신자.

noval *adj.* 처음으로 밭을 가는, 새로 개발되는 (땅) ; 처음 열린 햇곡식·과일의.

novar *tr.* (증서류의) 개서(改書)를 하다.

novatada *f.* 신참자·초심 학자를 들볶기 ; 미경험자의 실패.

novato, ta *adj.* 신참의, 초심의, 갓 시작한. —*m.f.* 신참자, 초심자, 신출내기, 입문자.

novator, ra *m.f.* =**novador.**

novbre., Nove. noviembre.

novecientos, tas *adj.* ① 900의. ② 900번째의 (noningentésimo) : año ～ . —*m.* 900.

novedad *f.* ① 새로움. ② 신기한 일, 뉴스 (noticia). ③ 변화, 이상(異狀) : No hay ～ 이상 없음. ④ 진기한 일. ⑤ 새로운 사실, 새로운 것 : hacer ～ 진기한 것으로 만들다 ; 새롭게 만들다. —*pl.* 신·유행 제품, 신형, 신간(新刊) : las últimas ～*es* en los sombreros 최신 유행의 모자.
almacén de ～***es*** 선물 가게.
sin ～ 언제나처럼, 변함없이, 이상없이, 무사히 : El viaje estuvo *sin* ～ 여행은 무사했다. Seguimos *sin* ～ 우리는 변함이 없다. No *sin* ～ 그저 그렇습니다 《¿Qué hay de nuevo? (어떻습니까?)에 대한 대답》.

novedoso, sa *adj.* ① 《*Amér.*》 새로운, 새로 대하는. ② 《*Arg. Chile. Méx.*》 소설같은, 소설적인 (novelero).

novel *adj.* 신출내기의, 초심자의, 초심의(nuevo, principiante) : poeta ～ 신출내기 시인.
—*m.f.* 초심자.

novela *f.* [*lat.* novella] ① 소설 : ～*s* científicas 공상 과학 소설. ～ policíaca 탐정 소설. ～*s* ejemplares 세르반떼스의 단편집. ② 허구, 거짓, 픽션(ficción) : No te forjes ～*s* 공상·상상을 묘사하지 말라.

novelador, ra *m.f. desp.* ① 엉터리 소설가, 자칭 작가. ②【고어】 =**novelista.**

novelar *intr.* 소설을 쓰다. —*tr.* 소설로 만들다.

novelear *intr.* 새로운 것을 찾다.

novelería *f.* 소설을 좋아하기 ; 새로운 것을 좋아하기 ; 경박스러움, 경망함. **Contr.** arcaísmo.

novelero, ra *adj.* 소설을 좋아하는 ; 새로운 것을 좋아하는 ; 소문을 좋아하는 ; 경박한. —*m.f.* 경박한 사람.

novelesco, ca *adj.* ① 소설의 ; 소설적인 : caso ～. ② 소설을 좋아하는(aficionado a novelas) : espíritu ～ .

novelista *m.f.* 소설가.

novelística *f.* 소설사, 소설 연구 ; 소설 문학.

novelístico, ca *adj.* 소설적인.

novelizar *intr.* =**novelar.**

novelo *m.* 《*Gal. Can.*》 =**ovillo.**

novelón *m.* [*desp.* novela] 통속 소설 : ser aficionado a leer *novelones* 통속 소설 읽기를 좋아하다.

novena *f.* 9일간의 근행(勤行) ; (죽은 사람에 대한) 첫 9일제.

novenario *m.* 첫 9일상 ; 첫 9일제.

novendial *adj.* (죽은 사람의) 첫 9일의.

noveno, na *adj.* 아홉 번째의 ; 9등분의 ; 9분의 1의. —*m.* 아홉 번째 ; 9분의 1.

noventa *adj.* ① 90의 : ～ soldados 90명의 군인. ② 90번째의 : página ～ 90 페이지. —*m.*

90.

noventavo, va *adj.m.* 90등분의 ; 90분의 1.

noventón, na *adj.m.f.* =**nonagenario.**

novia *f.* 여인 ; 약혼녀 ; 신부.

noviaje *m.* 《*And.*》 =**noviazgo.**

noviazgo *m.* 약혼 ; 약혼 시절, 약혼기.

novibre. noviembre 11월.

noviciado *m.* (승려의) 수련 기간 ; 수련원 ; 신출내기들 ; 견습, 수업 ; [집합] 견습 승려.

novicio, cia *m.f.* ① 견습승. ② 신출내기, 입문자, 초심자, 주눅들린 사람. —*adj.* 입문의.

noviembre *m.* [*lat.* november] 11월 : El mes de ~ tiene treinta días 11월은 30일이 있다.

novieria *f.* =**noviazgo.**

noviero, ra *adj.* 《*AmérC. Méx.*》 반할 만한.

novilunio *m.* 초생달(luna nueva).

novilla *f.* 어린 암소.

novillada *f.* [집합] 송아지 ; 송아지의 투우.

novilleja *f. dim.* novilla.

novillejo *m. dim.* novillo.

novillero *m.* 송아지 사육자 ; 송아지의 투우사 ; 송아지 외양간 ; 일에 자꾸 빠지는 사람.

novillo, lla *m.f.* 2·3살의 송아지, 어린 소. —*m.* 아내에게 배반당한 남자. —*m.pl.* ① 송아지의 투우. ② 수업의 사보타주 : hacer ~*s* 사보타주하다.

novio, via *m.f.* ① 약혼자 : pedir la ~ 정식으로 결혼을 신청하다. ② 신랑, 신부 : viaje de ~*s* 신혼 여행. ③ 연인. ④ 신참자, 신입자.

novísimo, ma *adj.* [*sup.* nuevo] 아주 새로운, 아주 새것의. —*m.pl.* 【종교】 인간의 죽음 후의 4단계 《죽음·심판·지옥·영광》.

novocaína *f.* 코카인의 부산물.

novre. noviembre.

Nov. Recop. Novísima Recopilación.

noyo *m.* 【주물】 사형(砂型).

noyó *m.* 《*Galic.*》 노요술 《소주에 설탕 등을 섞은 술》.

n/p(ag)., n/p.[e] nuestro pagaré 당사 약속 어음.

n/r. nuestra remesa 폐사 발송, 당사 송금.

nra(s). nuestra(s).

N. Recop. Nueva Recopilación.

nro(s). nuestro(s).

N.S. (J.C.) Nuestro Señor (Jesucristo).

n/t. nuestro talón 당사 수표장.

nto. neto.

ntro(s) nuestro(s).

nuba *f.* (아랍의) 악단(banda de música).

nubada *f.* 소나기 ; 많음, 다수.

nubado, da *adj.* =**nubarrado.**

nubarrada *f.* =**nubada.**

nubarrado, da *adj.* 구름 무늬의 (천).

nubarrón *m.* 검은 뭉게구름.

nube *f.* [*lat.* nubes] ① 구름 : No hay ni una sola ~ en el cielo 하늘에는 구름 한 점 없다. ② 구름 같은 것 : Estuvo rodeado de una ~ de gente 그는 구름 같이 몰려든 사람으로 둘러 쌓였다. Allí vimos una ~ de pájaros 우리들은 거기서 구름처럼 모여드는 새들을 보았다. ③ (눈에 생기는) 별 ; (보석 등의) 흐림 ; 그늘지게 하는 것. ④ 《*Chile.*》 축제일 같은 때 과자를 담아 거리에 놓는 광주리.

andar·estar por las ~s 물가가 올라 품귀 현상이 되다 : Los precios *están por las ~s* 물가가 천정부지이다.

como caído de las ~s 하늘에서 쏟아져 내려온 듯이, 돌연, 갑자기, 뜻밖에.

descargar la ~ 억수처럼 쏟아지다 ; 울화통을 터뜨리다.

levantar·subir a·hasta las ~s ; poner en·sobre las ~s 잔뜩 추켜올리다, 입에 침이 마르게 칭찬하다 : Le *levantaron hasta las ~s* ; Le *pusieron en·sobre las ~ s* ; Le *subieron hasta las ~s* 그들은 그를 잔뜩 추켜올렸다.

levantarse a las ~s 잔뜩 흥분하다.

remontarse a las ~ 고양하다, 양양하다

subir a las ~s 물가가 올라 품귀 현상이 되다 : Los precios *han subido a las ~s* 물가가 천정 높은 줄 모르고 오르다.

nubiense *adj.* 누비아 《Nubia, 이집트, 수단 북부, 홍해에 접해 있는 지방》의. —*m.f.* 누비아 사람.

nubífero, ra *adj.* 구름이 낀.

núbil *adj.* 혼기에 이른, 나이가 찬 : muchacha ~ 혼기에 이른 소녀.

nubilidad *f.* 혼기(에 이르는 일).

nubiloso, sa *adj.* 【시어】 =**nubloso.**

nubio, bia *adj.m.f.* =**nubiense.**

nublado, da *adj.* 흐린, 구름이나 안개가 낀 : El cielo está ~ 하늘은 흐려 있다. —*m.* ① 비구름, 흐림. ② 마음 놓을 수 없는 일. ③ 다수 (multitud). ④ 【은어】 숨결이 가쁨.

descargar el ~ 비·우박 등이 사납게 퍼붓다 ; 화풀이하다.

nublar *tr.* 흐리게 하다(anublar).

~se 흐려지다.

nublazón *m.* 《*Amér.*》 =**nublado.**

nublo, bla *adj.* 흐려진 (nubloso). —*m.* ① 비구름. ② 【세균】 밀의 흑수병균(tizón).

nubloso, sa *adj.* ① 흐려진, 그늘진 ; cielo ~. ② 음침한, 암담한 ; 침울한, 침통한.

nubosidad *f.* 흐린 하늘 ; 어두움, 암담함.

nuboso, sa *adj.* 흐린, 구름이 많이 낀 ; 어두운, 불행한.

nuca *f.* [*ár.* nuka] ① 목덜미, 목줄기(cogote). ② 목에 거는 보석.

nuche *m.* 【곤충】 아르헨띠나산 등에의 일종.

nuciente *adj.* 다친, 상한.

nucleado, da *adj.* 【식물】 씨·핵이 있는.

nuclear *adj.* 핵의(nucleario) ; 원자핵의 : arma ~ 핵무기. cabeza·carga ~ 핵탄두. cohete ~ 핵로켓. energía ~ 원자핵의 에너지. fisión ~ 핵분열. reacción ~ 원자핵 반응. reacción de fusión ~ 핵융합 반응. El ministro soviético de Asuntos Exteriores anunció a los periodistas que rehúsa celebrar conversaciones con Occidente sobre reducción de cohetes ~*es* en tanto la OTAN no abandone su proyecto de modernizar su arsenal atómico en suelo europeo 소련 외상은 나토가 유럽 땅에서 원자병기고 현대화 계획을 포기하지 않는 한 핵로켓 감축에 관해서 서방측과 회담 개최를 거부하겠다고 기자들한테 알렸다.

nucleario, ria *adj.* 핵의 ; 핵심의(nuclear).

nucleído *m.* 【물리】 원자핵.

núcleo *m.* [*lat.* nucleus] ① (과일의) 씨 ; 핵, 중핵(中核), 핵심 : ~ atómico · átomo 원자핵. ② 【천문】 혜성핵. ③ 【생물】 세포핵. ④ 【물리】 원자핵의 핵종(核種).
nucléolo *m.* 【생물】 (세포핵 속의) 소핵.
nucleón *m.* 【물리】 핵입자 《양자와 중성자》.
nucleónica *f.* 원자핵 물리학.
nuco *m.* 《*Chile.*》 【조류】 부엉이의 일종
núcula *f* 【식물】 작은 결과(nuececilla).
nucular *adj.* 【식물】 견과를 두른 ; 호두 비슷한.
nudamente *adv.* 벌거벗고(desnudamente).
nudez *f.* 벌거숭이, 나형(裸形).
nudillo *m.* [*dim.* nudo] ① (손가락 뜨개에서의) 마디, 소절(小節) : soplar en los ~*s* 손가락 피리를 불다. ② 【건축】 수돌쩌귀.
nudípedo, da *adj.* 발이 헐벗은.
nudismo *m.* 나체주의 ; 나체 클럽.
nudista *adj.* 나체의. —*m.f.* 나체주의자 ; 나체의 댄서.
nudo *m.* [*lat.* nodus] ① (실 · 밧줄의) 매듭, 묶는 법 : ~ ciego 옥 매듭. ② 마디 혹. ③ (식물의) 마디 : ~ de la caña. ④ 혹 ; (뼈의) 관절. ⑤ 연결, 연계, 관계, 관련점 ; 가장자리(enlace) : el ~ del matrimonio. ⑥ (산맥 등의) 만나는 점. ⑦ (소설 등의) 마디, 줄거리의 얽힘. ⑧ 난점, 난국 : ~ gordiano 어려운 일, 어려운 문제. He aquí el ~ de la cuestión 여기에 주요 문제점이 있다, 문제의 난점이 여기에 있다. ⑨ 목의 막힘 : atravesarse un ~ en la garganta 목이 막히다 ; 슬픔 · 창피로 말을 할 수 없게 되다. ⑩ 해리, 노트 : a 20 ~*s* por hora 시속 20노트의 속력으로. La velocidad del barco pasa de 18 ~*s* por hora 그 배의 속도는 시속 18노트를 넘었다.
~ ***de tripas*** 토분병(吐糞病).
~ ***ferroviario*** 연락역(驛).
nudo, da *adj.* 나체의(desnudo).
nudosidad *f.* 【의학】 결절.
nudoso, sa *adj.* 마디 · 혹투성이의 ; 결절의, 결절(이 생긴).
nuececilla *f.* *dim.* nuez.
nuecero, ra *m.f.* 호두(nuez) 팔이.
nuégano *m.* ① 호두 과자, 누가. ② 콘크리트(hormigón).
nuera *f.* 며느리(hija política). [*N.* nuera의 남성은 yerno].
nuerza *f.* 《*Gran.*》 =**nueza.**
nuestramo, ma *m.f.* (하인이 쓰는) 나으리, 마님(nuestro amo). —*m.* 【은어】 공증인.
nuestro, tra *adj.* [*lat.* noster] [nosotros의 소유격 ; 명사에서 떨어질 수 있고 또 명사의 앞이나 뒤에도 쓴다] ① 우리들의 : *N-* profesor de español es madrileño 우리의 서반아어 선생은 마드리드 사람이다. Aquella casa es ~*tra* 저 집은 우리의 것이다. *Nuestra* casa es aquélla 우리의 집은 저것이다. Esa casa ~*tra* (다른 것도 있으나) 우리의 그 집. ② [작자나 국왕이 자신을 가리켜] 나의, 짐의 : ~*tras* opiniones 나의 견해. ~ consejo 짐의 충언.
—*pron.* [관사와 함께 쓰이나 ser 동사 다음에서는 보통 관사가 생략되나 강조할 때는 관사가 쓰인다] 우리의 것 : Estos libros son (los) ~*s* 이 책들은 우리의 것이다.
—*m.pl.* 같은 편, 동족, 일파 : los ~*s*.

nueva *f.* 뉴스, 정보, 소식 : Acogió con incredulidad esa buena ~ 그 좋은 소식을 반신 반의로 받아들였다.
coger**le a uno **de nuevas una cosa (누가 어떤 일을) 생각지도 않게 · 새롭게 알다.
hacerse de ~*s* 처음 듣는 표정으로 듣다.
Nueva Delhi 【지명】 뉴델리 《인도의 수도》.
Nueva España 【지명】 멕시코 《서반아 정복 때 서반아 사람들이 멕시코를 부르는 이름》.
Nueva Granada (República de) *f.* 누에바 그라나다 공화국 《Confederación Granadina(그라나다 연방)으로 꼴롬비아가 1831년부터 1858년까지 누렸던 연방 공화국》.
Nueva Guinea *f.* 【지명】 뉴기니아.
Nueva York *f.* 【지명】 뉴욕.
Nueva Zelandia *f.* 【지명】 뉴질랜드.
nuevamente *adv.* ① 새로이, 신규로, 최근(recientemente) : ~ impreso 최근 인쇄된. ② 다시, 또 : Volverá ~ a vernos. ③ 얼마전(hace poco tiempo).
nueve *adj.* [*lat.* novem] ① 9의. ② 아홉 번째의(noveno) : capítulo ~ 제 9장. —*m.* ① 9 : el ~ de septiembre 9월 9일. ② 카드의 9자 패 : el ~ de copas.
—*f.pl.* 9시 : las ~ de la mañana 오전 9시.
nuevemesada *f.* (여자의) 임신 기간(período del embarazo).
nuevo, va *adj.* ① 새로운, 신규의, 신(新)… : ~*va* demanda 신규 수요. ~*va* inflación 새로운 인플레이션. ~*va* inversión 신투자. ~ producto 신제품, 신품목. ~ nivel de alza · baja 새로운 비싼 값 · 싼 값. ~ pedido 신규 주문. ~ por viejo 신구 교환료. *N-* Testamento 신약 성서. *N-* Tratado del Canal de Panamá 신(新) 파나마 운하 조약. la casa ~*va* 새로 지은 집. Año *N-* 새해. día de año ~ 설날, 1월 1일, 원단(元旦). luna ~*va* 초생달. **Contr.** viejo, antiguo. ② 다른, 이번의 : la ~*va* casa 이번 집, 새로 이사한 집. el Mundo *N-* 신대륙(*N-* Mundo). ③ 다른, 변한 : ¿Qué hay *de* ~ ? 어떤 다른 일이 있나 ? ④ 새로온, 신출내기의, 초심자의, 며칠 되지 않은 : ~ empleado 신입 사원. ~ estudiante 신입생. José es ~ *en* Madrid 호세는 마드리드에 온 지 며칠 되지 않았다.
—*m.f.* 신입생 ; 초심자.
de ~ 다시, 또, 새로이(otra vez).
poner a uno ***peor que nuevo*** (누구를) 벌하다, (누구를) 몽둥이로 후려치다.
Nuevo León 【지명】 누에보 레온 《멕시코의 주 ; 수도 Monterrey》.
Nuevo Méjico 【지명】 뉴멕시코 《미국의 주 ; 수도 Santa Fe ; 1848년까지 멕시코에 속함》.
nuez *f.* [*lat.* nux, nucis] ① 호두 ; (야자 등의) 견과(堅果), 열매 : Las *nueces* secas producen un aceite comestible 건호두는 식용유를 생산한다. ② 결후 (~ de Adán) : apretar la ~ 교살하다. ③ (바이올린 등의 활의) 조임쇠.
~ ***americana · de América · del Brasil · de Paraguay*** 아메리카 밤의 일종. ~ ***de cola · de kola*** 【식물】 콜라나무(cola). ~ ***de garganta · Adán*** 결후. ~ ***moscada · de especia*** 육구두의 열매. ~ ***vómica*** 마전(馬錢).
cascar**le a uno **las nueces (누구를) 두들겨 패다 ;

해치우다.

volver las nueces al cántaro (앞에서 했던 일을) 다시 하다 ; 원상으로 복귀시키다.

nueza *f.* 【식물】 여주, 여지(藜枝) 《박과의 일년생 만초, 열대 아시아 원산의 관상 식물》.

nugación *f.* =**impertinencia, tontería.**

nugatorio, ria *adj.* 속임수의 ; 환멸적인.

nulamente *adv.* 아무 효력없이, 헛되이.

nulidad *f.* ① 무효, 실효(失效) : ~ absoluta 절대 무효. ~ de los contratos 계약 무효. ~ de un documento 서류 무효. ② 결함. ③ 무능(자), 쓸모 없는 사람 : José es una ~. ④ 무자격.

nulificar *tr.* 《*Neol.*》 =**anular.**

nulo, la *adj.* 무효·실효(失效)의 ; 쓸모없는, 무익한 ; 영(0)의.

núm., Núm. número.

numantino, na *adj.* 누만시아 《Numancia, 서반아의 옛 도시》의. **—*m.f.*** 누만시아 사람.

numen *m.* ① (시의) 영감, 감흥(inspiración), 시상(詩想). ② 신(神), 신격(神格).

numerable *adj.* 헤아릴 수 있는.

numeración *f.* ① 헤아림, 열거 ; 계정, 계산 : ~ escrita 필산. ② 계산법 ; 숫자 : ~ arábiga·romana 아라비아·로마 숫자로 쓰는 법. ~ decimal 십진법.

numerador, ra *adj.* 세는, 계산하는 ; 번호·페이지를 매기는. **—*m.*** ① (분수의) 분자. ② 넘버링, 기수기(記數器).

numeradora *f.* 넘버링.

numeral *adj.* 수(數)의 ; 수를 표시하는 : adjetivo ~ 수형용사. letra ~ 숫자.

numerar *tr.* ① 셈하다, 헤아리다, 계산하다. ② 숫자로 표시하다. ③ (…에) 번호·페이지를 매기다 : ~ un cuaderno 공책에 페이지를 매기다. Hay que ~ las páginas 각 페이지에 번호를 매겨야 한다.

numerario, ria *adj.* 수의, 번호의. **—*m.*** 현금 : pagar en ~ 현금으로 지불하다.

numerativo, va *adj.* 계산의, 헤아리기 위한.

numéricamente *adv.* ① 숫자상으로 : fuerzas ~ superiores 수적으로 우수한 군대. ② 하나하나에.

numérico, ca *adj.* ① 수의, 수에 의한, 수로 표시한 : cálculo ~ 계수. ② 숫자상의 : superioridad ~*ca* 숫자상의 우세.

número *m.* [*lat.* numerus] ① 수 : ~ de desocupados 실업자수. ~ del vuelo 비행 편수. ② 다수, 약간 : gran ~ de 많은. un corto ~ de 소수의. sin ~ 무수한, 다수로. un sin ~ de automóviles 셀 수 없이 많은 자동차. ③ 숫자(cifra, guarismo). ④ 수사(數詞). ⑤ ㄱ) 번호, 번호표 : ~ atrasado 백넘버. ~ de la factura 송장 번호. ~ de la póliza 보험 증권 번호. ~ de partida de aduana 관세의 상품별 항목 번호. ~ de pedido 주문 번호. ~ de registro 등록 번호. ~ de referencia 참조 번호. ~ de serie 일련·연속 번호. ~ de teléfono 전화 번호. ~ de telex 텔렉스 번호. ~ postal 우편 번호. ~ progresivo 번호순. ¿Cuál es el ~ de su teléfono? 당신의 전화 번호는 몇 번입니까? ㄴ) 제…호·번 : el ~ uno 제 1호, 제 1등의 것. ⑥ 지번(地番), 번지 ; 번호. ⑦ (잡지 등의) 호, 책 : ~ atrasado 달 지난 잡지, 묵은 잡지. ~ suelto 분책으로 된 한 권. ⑧ 정수, 인원수 : de ~ 정수 내의, 정회원의. un académico de ~ 아카데미 정회원. hacer ~ 쓸모없으나 숫자만은 불리다. poner en el ~ de …의 수효 안에 넣다. ⑨ (일반) 병, 열병 ; 동료, 패거리. ⑩ 종류, 등급(condición, categoría) ; (구두 등의) 치수 : de ~ 《*Arg.*》 제1급의. caballo *de* ~ 일류 가는 말. ⑪ 【문법】 수(數). ⑫ 【음악】 음률, 운율. ⑬ 시구(verso).

~ *abstracto* 불명수(不名數). ~ *arábigo* 아라비아 숫자. ~ *cardinal* 기수(基數). ~ *concreto* 구체수 《3사람의 3과 같이 형용사가 된 수》. ~ *entero* 정수(整數). ~ *fraccionario·quebrado* 분수. ~ *impar* 기수(奇數) ; ~ *índice* 지수. ~ *mixto* 대분수. ~ *ordinal* 서수. ~ *par* 우수(偶數). ~ *primero·primo* 소수(素數). ~ *redondo* 계수(概數), 어림수 : ~ *romano* 로마 숫자. ~ *simple* 소수(素數). ~ *singular* 【문법】 단수. ~ *sordo* 부진근수(不盡根數). *en ~ redondos* 어림수로.

numerosamente *adv.* ① 많이. ② 【시어】 운율적으로.

numerosidad *f.* 다수(多數)(multitud).

numeroso, sa *adj.* ① 다수의, 숱한, 수많은 : Son muy ~*s* los que así hablan 그렇게 말하는 사람들이 많다. ② 운율이 있는, 듣기 좋은 : versos ~*s*.

númida *adj.* 누미디아 《Numidia, 아프리카의 한 지방의 옛 이름》의. **—*m.f.*** 누미디아 사람.

numídico, ca *adj.* =**númida.**

numisma *f.* (고전학에서) 화폐(moneda).

numismática *f.* 고전학(古錢學).

numismático, ca *adj.m.f.* 고전학(古錢學)의 (연구가). **—*m.*** 고전학자, 고전 수집가.

numo *m.* [드묾] =**moneda, dinero.**

numular *adj.* 【의학】 동전처럼 둥근(redondo como una moneda) (가래침).

numulario *m.* 화폐 중개인.

numulita *f.* 화폐석(貨幣石).

nunación *f.* 낱말의 콧소리.

nunca *adv.* [*lat.* numquam] [동사 뒤에 쓰일 경우에는 동사 앞에 no가 놓여 강조함]. ① 결코 (…않다) : No lo haré ~ ; *N*- lo haré 이제는 절대로 그런 일을 하지 않겠다. ② 한번도 (…없다) : No lo he visto ~ ; *N*- lo he visto 그를·그것을 한번도 본 일이 없다.

~ *jamás* 절대로 없다 《nunca의 강조》.

como ~ ① 새삼스럽게 : Se admiró *como* ~ 새삼스레 놀랐다. ② 일찌기 없이 : Venía hermosa *como* ~ 일찌기 본 일이 없이 예쁘게 차려 입고 왔다.

más que ~ 여느때 보다도 더, 전에 보다 : Venía hermosa *más que* ~ 전에 보다 예쁘게 꾸며 입고 왔다.

nunciatura *f.* 교황 사절의 역할 ; 교황 사절청 ; [집합] 로마 교황 사절.

nuncio *m.* ① 사자(使者), 사절(mensajero); 로마 교황 사절, 교황청 대사(~ apostólico). ② 조짐, 징조, 전조 : El viento del sur es ~ de la lluvia.

cuéntaselo al ~ 그런 말을 내게 해 보아야 무슨 소용이 있나, 말해도 소용이 없다.

nuncupativo *adj.* 구두의 (유언) : testamento ~.
nuncupatorio, ria *adj.* 유증(遺贈)의 (서한).
nuño *m.* 《*Chile.*》 연미 붓꽃과의 식물.
nupcial *adj.* 결혼의 ; 혼례의 : ceremonia ~ 결혼식.
nupcialidad *f.* 결혼율, 결혼 건수.
nupcias *f.pl.* 결혼, 혼례(boda).
nurse *f. ing.* =**niñera, enfermera.**
nutación *f.* ① 장동(章動)《달의 인력에 의한 지축의 가벼운 흔들림》: ~ solar 태양 장동. ② (식물 줄기의) 회전성.
nutra *f.* 【동물】 =**nutria.**
nutria *f.* 【동물】 수달.
~ ***de mar*** 【동물】 바다 수달《태평양 북쪽 해안에서 살고 있음》.
nutricio, cia *adj.* ① 자양·영양이 되는 : jugo ~. ② 키워 준 : padre ~ 키워 준 부모.
nutrición *f.* 영양 ; 영양 섭취 ; 영양제.
nutrido, da *adj.* 영양·자양을 취한 ; (…이) 풍부한, 넘쳐 흐르는 : estudio ~ de datos 자료를 충분히 사용한 연구.
nutrimental *adj.* 자양이 되는, 영양의.
nutrimento *m.* 영양 ; 영양 섭취 ; 양분.
nutrimiento *m.* =**nutrimento.**
nutrir *tr.* [*lat.* nutrire] ① 부양하다 ; …에 자양·영양·힘을 주다, 강화하다 : La sangre *nutre* el músculo. ② 가득하게 하다(llenar).
~se 영양을 섭취하다 : ~***se con*** manjares 식량으로 영양을 섭취하다. ~***se de·en*** sabiduría 지식을 기르다.
nutritivo, va *adj.* 자양이 되는, 영양의, 힘이 되는 : valor ~ 영양가.
nutriz *f.* 유모(nodriza).
ny *f.* [*gr.* ny] 서반아어 n에 해당하는 그리스 자모(字母)의 열세 번째 글자.
N.Y. Nueva York.
nylon *m.* =**nylón.**
nylón *m.* 나일론 ; 나일론 제품.

Ñ

ñ *f.* 에네《서반아어 자모(字母)의 제 열일곱 번째 문자 (decimoséptima letra del abecedario castellano)》.
ña *f.* 《*Amér.*》 아줌마, 아주머니, 마님 : ~ Leopolda 레오뽈다 아주머니.
ñacanina *f.* 《*Arg.*》 큰 독사의 일종.
ñachi m. (소금·후추를 넣은) 양의 선지.
ñaco *m.* 《*Chile.*》 빵죽(gachas) ; 설탕 넣고 볶은 밀가루나 옥수수 떡·비스킷.
ñacundá *m.* 《*Arg.*》 밤새의 일종.
ñacurutú *m.* 《*AmérM.*》【조류】 부엉이 (búho, lechuzón).
ñadi *m.* 《*Chile.*》 수렁.
ñafrar *tr.* 【은어】 =**hilar.**
ñagaciento, ta *adj.* 《*Perú.*》 미끼가 되는.
ñagaza *f.* =**añagaza.**
ñamal *m.* ñame밭.
ñame *m.* ①【식물】 참마《감자 비슷하고 뿌리가 큼》: El ~ es comestible apreciado en los países intertropicales. ②《*Cuba.*》 바보, 얼간이. —*adj.* 《*Cuba.*》 커다란(muy grande) : pie ~ 커다란 발.
ñamera *f.* 【식물】 =**ñame.**
ñancu *m.* 【조류】 매과의 새.
ñandipá *m.* 《*Arg. Parag.*》【식물】 =**jagua.**
ñandu *m.* 【조류】 =**ñandú.**
ñandú *m.* 【조류】 아메리카 타조.
ñandubay *m.* 【식물】《*AmérM.*》 미모사의 일종.
ñanduti *m.* 《*Riopl.*》 거미줄 뜨기《정교한 레이스》; 속옷으로 쓰이는 하얀 천의 일종.
ñandutí *m.* =**ñanduti.**
ñanga *f.* ①《*AmérC.*》 강변의 습지. ②《*Ecuad.*》 아주 적은 것 (pizca). —*adj.* 헛된. —*adv.* 《*Col.*》 헛되이 : *Ñ*- lo niega 거절해도 소용없다.
ñangada *f.* 《*AmérC.*》 물어 뜯기 ; 상처 입히기.
ñangado, da *adj.* 《*Cuba.*》 몸이 비틀어지고 약한(de miembros torcidos y débiles).
ñangar *tr.* ⑧ 《*Cuba.*》 모양을 이지러뜨리다 : persona *ñangada* 다리가 꼬인 사람.
ñango, ga *adj.* ①《*Arg.*》 체면·면목을 잃은 (desairado). ②《*Amér.*》 =**bajo, patojo.** ③《*Méx.*》 =**canijo, flaco.**
ñangotado, da *adj.* 《*Riopl.*》 =**servil.**
ñangotarse *r.* 《*Col. PRico.*》 웅크리다 ; 주눅 들다.
ñangué *m.* 《*Cuba.*》【식물】 =**túnica de Cristo.**
ñaña *f.* ①《*AmérC.*》 인분, 똥. ②《*Arg. Chile.*》 누이, 언니. ③《*Chile. PRico.*》 아이 보는 여자 ; 유모.
ñañacas *f.pl.* 《*Bol.*》 허섭쓰레기.
ñáñigo, ga *m.f.* 《*Cuba.*》 흑인 빈민 결사원.
ñaño, ña *m.f.* ①《*AmérM.*》 친한 친구(íntimo amigo). ②《*Arg. Ecuad.*》 형제, 자매. ③《*Col.*》 응석꾸러기. ④《*Perú.*》 바보 ; 어린애, 갓난애, 갓난아기.
ñapa *f.* 《*Amér.*》 덤, 경품 (adehala, propina). ***de* ~** 덤으로. ***ni de* ~** 결코(…않다).
ñapango, ga *adj.m.f.* 《*Col.*》 혼혈의(mestizo, mulato).
ñapear *tr.* 《*Col. Méx.*》 훔치다, 눈속임하다.
ñapindá *m.* 【식물】 아르헨띠나산 미모사(mimosa)의 일종.
ñapo *m.* 《*Chile.*》 =**junquillo.**
ñaque *m.* 허섭스레기 ; 옛날에 두 사람이 짝지어 하던 남사당 패(naque).
ñarra *adj.* 《*Ecuad.*》 조그마한. —*f.pl.* 옹골진 벌이·일.
ñaruso, sa *adj.m.f.* =**picado de viruelas.**
ñata *f.* 《*Perú.*》 죽음(muerte).
—*pl.* 《*Amér.*》 코, 콧구멍(las narices).
ñato, ta *adj.* ①《*Amér. Can.*》 코가 납작한, 사자코의(chato). ②《*Arg.*》 되어먹지 못한, 악한, 사악한.
ñau *m.* 《*Chile.*》 야옹(miau).
ñausa *adj.* 《*Perú.*》 =**ciego.**
ñeca *f.* 《*Cuba.*》 주먹 : Le metió ~ 그를 쥐어박았다.
ñeembucuense *adj.m.f.* 네엠부꾸《Neembucú, 빠라구아이의 남서부의 주 ; 아르헨띠나의 국경 지역에 있음》.
ñeembuqueño, ña *adj.m.f.* =**ñeembucuense.**
ñeque *adj.* 《*Amér.*》 힘이 센, 늠름한 ; 용감한. —*m.* ①《*Amér.*》 힘이 센 것, 용감(fuerza, vigor) : hombre de ~ 용감한·능력 있는 사람. ②《*AmérC. Méx.*》 손바닥으로 때리기. ③《*Ecuad.*》 주먹 : dar ~*s.*
***estar* ~** 《*Amér.*》 용감하다(ser bravo).
ñero, ra *m.f.* 《*Col. Guat.*》【속어】 compañero의 두락형(頭落形).
ñica *f.* 《*Perú.*》 작은 것.
ñifle *interj.* 《*Chile.*》 =**no, nada.**
ñinga *f.* 《*Ant.*》 똥 ; 아무 쓸모없는 것.
ñiño, ña *m.f.* 《*Ecuad.*》 주인 나리 ; 마님.
ñique *m.* 《*AmérC. Chile.*》 (팽이의) 부딪치기 ; 주먹.
ñiquiñaque *m.* 쓸모없는 인간, 쓸모없는 것.
ñirivillo *m.* 《*Chile.*》 괴물, 마물.
ñisca *f.* 《*Amér.*》 똥 ; 작은 것(pizca).
ñisñil *m.* 【식물】 (칠레산의) 향포.
ñizca *f.* ①《*Chile. Perú.*》 조각, 부스러기(pedacito). ②《*Col.*》 =**excremento.**
ño *m.* 《*Amér.*》【속어】 나으리, 아저씨. [*N.* Señor의 줄임말].
ñoca *f.* 《*Col.*》 =**rejadura.**
ñocha *f.* 칠레산의 섬유를 빼는 풀.

ñoclo *m.* 마카로니 과자의 일종.
ñola *f.* 《*Col.*》 =**ñoña.**
ñongo, ga *adj.* 《*Venez.*》 나쁜 상태의.
ñonguera *f.* 《*Chile.*》 =**pereza, flojedad.**
ñoña *f.* 우마의 똥 ; 퇴비.
ñoñería *f.* ① 넌센스, 어리석은 일, 천치짓, 바보짓(necedad, sandez). ② 부끄러움.
ñoñez *f.* =**ñoñería.**
ñoño, ña *adj.m.f.* ① 어리석은 (사람) ; 내성적인 (사람). ② 《*Amér.*》 늙은 ; 맛이 없는, 멋이 없는.
ñopo, pa *adj.m.f.* ① 손가락이 구부러진. ② 코납작이(의).
ñoque *m.* [*ital.* gnocchi] 마카로니 반죽 가루.
ñoqui *m.* [*ital.* gnocchi] =**ñoque.**
ñora *f.* 《*Murc.*》 ① 양수차(noria). ② 후추의 일종.
ñorba *m.* 《*Amér.*》 시계풀의 꽃.
ñorbo *m.* 《*Ecuad. Perú.*》 뇨르보 《창문 장식용 작고 향기로운 꽃·나무》.
ñoro *m.* 《*Murc.*》 =**ñora.**
ñu *m.* 【동물】 (남아프리카산의) 누(gnu).
ñublense *adj.m.f.* 뉴블레《Ñuble, 칠레의 주·강 이름》의 (사람).
ñublino, na *adj.m.f.* =**ñublense.**
ñublo *m.* 【고어】 =**nublo.**
ñubloso, sa *adj.* =**nubloso.**
ñuco, ca *adj.m.f.* 손가락이 없는 (사람).
ñudillo *m.* 【고어】 =**nudillo.**
ñudo *m.* 【고어】 마디, 매듭, 혹(nudo).
al ~ 《*AmérM.*》 헛되이.
Un ~ a la bolsa y dos a la boca 돈주머니도 입도 꼭 닫으라.
ñudoso, sa *adj.* 【고어】 =**nudoso.**
ñufla *f.* 《*Chile.*》 가치없는 일·것.
ñuño *f.* 《*Ecuad. Perú.*》 유방 ; 아기 보는 여자.

ñuridito, ta *adj.* 《*Col.*》 약골의, 병약한, 나약한, 허약한, 무기력한.
ñuscar *tr.* 7 《*Col.*》 곱슬곱슬하게 만들다(arrugar).
ñusta *f.* 《*Perú.*》 (고대 잉카의) 공주.
ñutir *intr.* 《*Col.*》 (성나서) 툴툴거리다, 으르렁거리다(refunfuñar, rezongar, gruñir).
ñuto, ta *adj.* 《*Ecuad. Perú.*》 ① 가루로 만든, 분말의(molido, convertido en polvo). ② 뼈가 없는. —*m.* 《*Perú.*》 잔돈(cambio).

O

o *f.* 오《서반아어 자모(字母)의 제 열여덟 번째 문자 (decimoctava letra del abecedario castellano)》.

o[1] *conj.* [*lat.* aut] [o-, ho-로 시작하는 말의 앞에서는 u로 변하며, 또 아라비아 숫자 사이에서는 ó가 되나, 비록 o-, ho-로 시작하는 말의 앞이라도 문장 앞에서는 o 그대로 사용됨] ① [다른 말을 연결시켜] 아니면, 혹은, 또는 : el tiempo *o* la muerte 시간이냐 아니면 죽음이냐. plata *u* oro 은이나 금. siete *u* ocho años 7, 8년. flores *u* hojas 꽃이나 잎. ② [같은 것을 다른 말로 설명할 때] 그러니까, 말하자면, 바꾸어 말하면 : el protagonista, *o* el personaje principal de la fábula 주인공 즉 이야기의 주요 인물. ③ [반복해서 쓰면] 혹은 … 혹은 : *O* lo hace usted, *o* lo mato 당신이 그것을 하던지 내가 당신을 죽이던지 둘 중의 하나이다! Lo harás, *o* de grado, *o* por fuerza 마음에서 우러나오건 억지로건 그것을 해라! *O* no lo sabe, *o* no lo quiere decir 그것을 모르거나 그것을 말하고 싶지 않거나의 둘 중에 하나이다. Contr. ni …ni.
o sea 즉, 바꾸어 말하면, 다시 말하자면 : La fiesta será el lunes próximo, ~ *sea* el 15 de agosto 파티는 오는 월요일 즉, 8월 15일입니다.

o[2] *adv.* 【고어】 그곳, 그 장소에(do, donde).

o[3] oxígeno.

¡o! *interj.* [드뭄] =**¡oh!**

O. Oeste 서쪽.

o/ orden, órdenes 주문 · 지시(서).

OAA Organización de las Naciones Unidas para la Alimentación y la Agricultura.

OACI ; O.A.C.I. Organización de Aviación Civil Internacional 국제 민간 항공 기구.

OAMCAF Organización Africanomalgache del Café.

oaristis *f.* 【고어】 부드러운 대화.

oasis *m. gr.* 【단 · 복수 동형】 ① 오아시스 : Existen en el Sahara numerosos ~ 사하라에는 많은 오아시스가 있다. ② (인생 행로의) 휴식처, 휴식하는 때.

oaxaqueño, ña *adj.m.f.* 오악사까《Oaxaca, 멕시코의 주》의 (사람).

ob- *pref.* 「방향」, 「적의, 저항」, 「억압, 은폐」를 뜻하는 접두어.

ob. obispo 승정.

obcecación *f.* ① 판단력이 흐려짐, 머리의 혼탁함, 형편없는 사물(objetos)에 대한 이해심(ofuscamiento). ② 맹추 같은 짓, 어리석은짓, 어리석은 정도, 바보짓 : ~ humana 인간의 어리석은 정도.

obcecadamente *adv.* 답답하도록, 고집스럽게, 맹추 같이, 바보 같이, 어리석게.

obcecado, da *adj.* 답답한, 고집스런 ; 어리석은 ; 눈을 속인.

obcecamiento *m.* =**obcecación.**

obcecar *tr.* 7 [*lat.* obcaecare] (…의) 눈을 속이다(ofuscar, cegar).
~se 눈이 어지러워지다 : El *se obcecaba* la evidencia 그는 분명한 사실에 눈이 어지러워졌다.

obduración *f.* =**porfía, obcecación.**

obedecedor, ra *adj.m.f.* 복종하는, 고분고분하는 (사람).

obedecer *tr. intr.* 31 ① 따르다, 복종하다, 고분고분하다, 순순히 받들다 : *Obedecería* sus órdenes 그의 명령에 따를 것이다. ~ *a* los jefes 상사에게 따르다. Por fin yo *obedecí* a la fuerza 마침내 나는 힘에 굴복했다. ② (법칙 · 이성 등에) 따르다 : Los cuerpos *obedecen a* la gravedad 물체는 중력에 따른다. ③ 따라 움직이다, …이 하자는 대로 하다. —*intr.* (…로 부터) 나오다, 발생하다(provenir).
[직설법 현재 1인칭 단수 : obedezco. 접속법 현재 : obedezca, obedezcas, obedezca, obedezcamos, obedezcáis, obedezcan].

obedecible *adj.* (…에) 고분고분한, 말을 잘 듣는 ; 따라야만 하는.

obedecimiento *m.* 복종, 순종(obediencia).

obedezca obedecer의 접 · 현 · 1 · 3 · 단수.

obedezcáis obedecer의 접 · 현 · 2 · 복수.

obedezcamos obedecer의 접 · 현 · 1 · 복수.

obedezcan obedecer의 접 · 현 · 3 · 복수.

obedezcas obedecer의 접 · 현 · 2 · 단수.

obedezco obedecer의 직 · 현 · 1 · 단수.

obediencia *f.* ① 복종 ; 준수 ; 순종 : ~ ciega 맹종. ② (종교상의) 훈령, 포령.

obediencial *adj.* 복종하는, 의무적인 ; (종교상의) 훈령의.

obediente *adj.* 고분고분한, 순종하는, 말을 잘 듣는, 복종하는, 착한 : niño ~ 고분고분한 아이. hijo ~ y de gran responsabilidad 말을 잘 듣고 책임감이 투철한 아들. Contr. desobediente.

obedientemente *adv.* 고분고분하게, 순종해서.

obelisco *m.* [*gr.* obeliskos] ① 오벨리스크, 방첨비(方尖碑), 방첨탑, 첨주(尖柱). ② 【인쇄】 단검표, 칼표(+).

obelo *m.* 【고어】 =**obelisco.**

óbelo *m.* 【고어】 =**obelisco.**

obencadura *f.* 【해사】 [집합] 돛줄.

obenque *m.* [*hol.* hodent] 【해사】 돛줄.

obenquiar *tr.* 《*SDgo.*》 엿보다, 노리다.

obertura *f.* 《*Neol.*》 【음악】 전주(곡), 서곡(introducción).

obesidad *f.* [*lat.* obesitas] 비만, 지나치게 비대

함.

obeso, sa *adj.* 비만한, 비대한, 비곗살이 낀, 지나치게 살찐(muy grueso) : una mujer *obesa* 비만한 여인.

óbice *m.* 방해물, 장해(obstáculo) : Aquello no fue ~ para que siguiese mi camino 저것은 내가 가는 길에 장해가 되지 않는다.

obispada *f.* (신입 사원이 동료를 초대하는) 초대연.

obispado *m.* ① 주교의 지위 ; 주교 교구. ② 주교관 : Vivía en la Plaza del *O-*.

obispal *adj.* 주교의(episcopal).

obispalía *f.* ① 주교관(palacio espiscopal). ② 주교의 지위 ; 주교 교구(obispado).

obispar *intr.* [드묾] 주교가 되다, 주교로 뽑히다.

obispillo *m.* 돼지의 순대 ; (새의) 꼬리.

obispo *m.* [*gr.* episkopos] ① 사교, 주교, 승정 : Los ~*s* fueron elegidos en un principio por los fieles 주교는 원칙적으로 신자들이 선출했다. ② 돼지의 순대(obispillo). ③【어류】돌묵상어(pez selacio). ④【은어】수탉(gallo).

por la muerte de un ~《*Amér.*》썩 드물게, 까끔, 이따금.

trabajar para el ~ 헛되이 일하다 ; 무보수로 일하다.

óbito *m.* [*lat.* obitus] 죽음, 사망(fallecimiento).

obituario *m.* 사망자의 명일표(命日表), 과거장 ; 부고란, 사망 광고.

obiubi *m.*《*Venez.*》【동물】오비우비《아메리카 원숭이의 일종》.

objeción *f.* 반대, 이의, 이론 ; 항의, 트집 : hacer ~*es* 반대하다. El hace ~ a todo 그는 무엇이던지 반대한다.

objetable *adj.* 반대할 수 있는, 반론할 수 있는.

objetante *adj.* 반대하는. —*m.f.* 반대자.

objetar *tr.* [*lat.* objetare] ① 반대하다, 반론하다(oponer) : No tiene nada que ~nos 그는 우리를 반대할 일이 전혀 없다. ② (이론이나 난점을) 들다, (반대나 방해로서) 들추어내다.

~se 반대하다 : Nada pudo ~*se* a ello.

objetivación *f.* 객관화, 대상화.

objetivamente *adv.* 객관적으로.

objetivar *tr.* 객관적으로 보다, 대상화하다.

objetividad *f.* 객관성, 보편성, 공정.

objetivismo *m.* 객관주의, 객관의 존중.

objetivo, va *adj.* 목적의 ; 대상의 ; 객관적인. —*m.* 목표, 목적(objeto) ; 대물 렌즈.

objeto *m.* [*lat.* objectum] ① 물건, 물품, 세공품 : ~ asegurado 부보물, 피보험물(건). ~ de antigüedades 골동품. ~ de arte 미술품. ~ de lujo 사치품. ~ depositado 위탁품. ~ hallado 유실물. ② 물체, 객체, 대상(對象) : La medicina es ~ de sus estudios 그의 연구 대상은 의학이다. ③ 목적, 목표 : ~ de la compañía·sociedad 회사의 목적. ~ de la compra-venta 매매 계약 목적물. ~ de los gastos 지출 목적. con·al ~ de …하는 목적으로. tener por ~ 무엇을 목적으로 하고 있다. Tenemos por ~ entablar intercambio de estudiantes de ambos países 우리가 목적으로 하는 것은 양국 학생의 교류를 시작하는 것이다. Nuestra visita tiene por ~ estrechar las relaciones amistosas entre estudiantes de ambos países 우리가 방문 목적으로 하는 것은 양국 학생의 친선 관계를 친밀하게 하는 것이다. El ~ de la paleontología es el estudio de los animales prehistóricos 고생물학의 목적은 유사 이전의 동물 연구이다. El ~ de la visita era estrictamente de cortesía 방문의 목적은 엄격히 말해서 예의적인 것이었다. ④【문법】목적어. Contr. sujeto.

objetor, ra *adj. m.f.* 반대·기피하는 (사람) : ~ de conciencia 병역 기피자《종교적·정치적 이유 때문에》.

oblación *f.* [*lat.* oblatio] 봉헌 ; 바치는 물건, 봉납물 : la ~ de una víctima 희생물의 봉헌.

oblada *f.* (공양을 위한) 공물《대개 빵》: La ~ suele ser un pan o una rosca 공물은 언제나 빵이다.

O

oblar *tr.*《*Riopl.*》=**pagar lo debido.**

oblata *f.* 교회에 내는 헌금 ; 시주 ; (하나님에게 바치기 전의) 성체《빵과 포도주》.

oblativo, va *adj.* 봉납하는, 기증하는.

oblato, ta *adj.* 몸을 신에게 바친.

oblea *f.* ① 종이풀, 봉함풀 : Las ~*s* sirven para pegar los sobres. ② 오블라토, 찹쌀 종이 ; 얇은 종이 : hecho una ~ 얇은 종잇장처럼 바싹 말라.

obleera *f.* 봉함 풀 (그릇).

oblicuamente *adv.* 비스듬히, 경사지게 ; 부정한 방법으로(con oblicuidad).

oblicuángulo *adj.*【기하】사각(斜角)의.

oblicuar *tr.* 14 비스듬하게 하다, 경사지게 하다, 기울리다(dar dirección oblicua) : ~ una línea 선을 비스듬하게 하다. —*intr.* 사행(斜行)하다(caminar en dirección oblicua)

oblicuidad *f.* 비스듬함, 경사 ; 기울기, 사각(斜角) ; 경도(傾度) ; 부정(不正).

oblicuo, cua *adj.* [*lat.* obliquus] ① 기운, 경사진, 비스듬한(inclinado) : línea *oblicua* 경사선. ② 사악한, 부정한.

obligación *f.* ① 의무, 책무 : ~*es* de un funcionario·de un sacerdote 공무원·성직자의 의무. cumplir con sus ~*es* 의무를 다하다. Falta a su ~ 그는 그의 의무를 게을리하고 있다. ② 책임 : ~ civil 민사 책임. ③ 은혜. ④ 채무 ; 차용 증서 ; [주로 *pl.*] 부채, 채무 ; 차용 증서 ; 채권, 사채권, 공채 증서. ⑤ (공공의 물자의) 취급소. —*pl.* 부양 가족 : estar cargado de ~*es* 많은 가족을 부양하고 있다.

~ ***amortizable*** 수시 상환 공채, 임시 상환 사채(社債). ~ ***beneficiaria*** 우선 사채. ~ ***con garantía*** 담보부 사채·채권. ~ ***convertible*** 전환 사채. ~ ***de anunciar la llegada del vapor*** 착선(着船) 통지의 의무. ~ ***de ferrocarril*** 철도 채권. ~ ***de hipoteca*** 저당부 사채. ~ ***de estar a bordo*** 재선(在船) 의무. ~ ***de pagar cuotas*** 분담금 지불 의무. ~ ***de sacar a concurso*** 입찰 모집 의무. ~ ***de tesoro*** 국채. ~ ***de testimonio*** 입증 책임. ~ ***de una sociedad*** 사채, 법인 채권. ~ ***del estado*** 국채. ~ ***diferida*** 거치불 채권. ~ ***garantizada por la pignoración de valores*** 담보부 사채·채권. ~ ***hipotecaria*** 담보부 사채·채권. ~ ***industrial*** 산업채, 기업채. ~ ***mancomunada*** 연대·공동 책임. ~ ***municipal*** 시채(권). ~

natural 자연 채무. ~ *no amortizable* 무상환 공채·사채. ~ *no hipotecaria* 사채권. ~ *nominativa* 등록(사)채, 기명 공채·사채. ~ *perpetua* 영구 공채, 무상환 공채·사채. ~ *por brar* 수취 어음. ~ *que participa en los beneficios* 이익 배당·분배 사채. ~ *seriada* 연속 (상환) 공채. ~ *sin garantía* 무담보 공채·사채. ~ *solidaria* 연대 책임. ~*es a cobrar* 수취 어음류. ~*es a pagar* 지불 어음류 ; 《*Arg.*》 어음 차입금. ~*es con el exterior* 대외 부채. ~*es de capital* 자본 부채. ~*es pendientes* 미불 부채. ~*es por cobrar* 수취 어음류. ~*es* 회사 채무.
constituirse en ~ *de* …의 임무를 지다.
correr ~ *a* …의 책임이다.

obligacionista *m.f.* (사)채권자, 사채·공채 소유자, 채권 소지자.

obligado, da *adj.* [obligar의 *p.p.*] ① 의무·채무를 지우는, 책임이 있는. ② 부득이한 : estar·verse ~ a 부득이하게 …하도록 되어 있다, 감사하고 있다. El se vio ~ a rendirse 그는 부득이해서 굴복했다. Le estoy muy ~ 당신에게 무척 감사하고 있습니다. ③ 《*Neol.*》 필연적인.
—*m.* ① (석탄·식육 등의 필수 물자) 취급인. ② 부채자, 채무자. ③ 【음악】 무반주의 주악곡, 부반주(副伴奏), 조주(助奏).

obligante *adj.* 강제하는 ; 의무를 지우는 ; 담보하는.

obligar *tr.* ⑧ [*lat.* obligare] ① [+a+*inf.*] 부득이·어쩔 수 없이·하는 수 없이 …하게 하다, 강제하다, 억지로 떠맡기다 : El contrato le *obliga a* vender su casa 계약에 의해서 그는 부득이 집을 팔아야만 한다. Mi deber me *obliga a* enviárselo 당신에게 그것을 보내는 것은 나의 의무이다. Le *obligaron a* firmarlo 그는 그것을 서명하도록 강요받았다. Me va a ~ *a* que me marche 억지로 나를 떠나게 하려 한다. Usted le *obligó a* que lo *deje* 당신은 그에게 그것을 그만두도록 강요했다. ② (…에게) 의무를 지게 하다 ; 은혜를 입히다. ③ 담보로 하다. ④ (…에) 힘을 기울이다 ; 우격다짐으로 넣다·밀어 넣다. ⑤ 《*Bol. Chile.*》 술을 같은 술잔으로 마시다, 술잔을 돌려 가며 마시다.
~**se** [+a : …하는] 의무를 지다, 인수받다, 떠맡다(comprometerse) : El señor Moreno *se obligó a* pagarlo 모레노씨는 그것을 지불하는 것을 떠맡았다.

obligativo, va *adj.* =**obligatorio.**

obligatoriedad *f.* 강제, 강요, 의무성.

obligatorio, ria *adj.* ① 의무의, 의무적인 : reserva ~*ria* 강제 적립금. servicio ~ 의무 노력. servicio militar ~ 병역 의무. ② 필수의, 필수적인, 필연적인 : asignatura ~*ria* 필수 과목.

obliteración *f.* 【의학】 폐색(閉塞) ; 차단.

obliterador, ra *adj.* 폐색(obliteración)하는, 막는 ; 마멸하는.

obliterar *tr.* [*lat.* obliterare] 폐색하다, 막히게 하다 ; 마멸하다.

oblongado, da *adj.* 연수의 : médula ~*da* 연수(延髓).

oblongo, ga *adj.* [*lat.* oblongus] 장방형의, 직사각형의 : caja ~*ga* 직사각형 상자. **Sinón.** apaisado.

obnubilación *f.* =**obcecación.**

obnubilar *tr.* 《*Neol.*》 =**obcecar.**

oboe *m.* ① 【악기】 오보에. ② 【음악】 오보에 연주자.

oboísta *m.* 오보에 연주자(tocador de oboe).

óbolo *m.* 근소(한 액수·것) ; 고대 그리스의 은화 ; 12그램 《약제를 다는 단위》.

obpo. obispo 주교, 승정.

obra *f.* [*lat.* oprea] ① 실행, 실시 : de ~ 실행에 의해서, 손대어 : maltratar *de* ~ 손대어 학대하다. meter *en* ~ 실행에 옮기다. poper *por* ~ 착수·실행하다. poner *en* ~ 《*Chile.*》 착수하다. alzar *de* ~ 중지하다. ② 짓, 행위, 수단(medio) : por ~ de la Divina Providencia 신의 섭리에 의해서. ③ 수고(trabajo) : La joya tiene mucha ~ 보석은 많은 수고가 든다. ④ 만들어진 것, 작품, 예술품, 문학 작품 : ~ de arte 미술품, 예술품. ~ maestra 걸작, 대표작. publicar sus ~*s* 자신의 작품을 출판한다. ⑤ [집합] 전작품 : la ~ de un escritor·de un pintor 어느 작가의·화가의 작품. ⑥ 노작, 역작, 일, 공적, 업적. ⑦ 공사 ; 사업. ⑧ 건조물, 건물. ⑨ 보수, 수리, 개수(reparo) : En mi casa hay ~*s* 우리 집은 여기저기 수리 중이다. ⑩ 공사세.
~ *a horno* 【축성】 각보(角堡). *buena* ~·~ *de caridad* 자선 사업. ~ *de ensanche* 확장 공사. ~ *de El Escorial* 장기에 걸친 대사업. ~ *de fábrica* 교량·수도 토목 공사. ~ *de manos* 손으로 하는 일, 세공. ~ *de romanos* 수고와 시간이 많이 드는 대사업. ~ *muerta* ① 【선박】 건현(乾舷). ② 《*Chile.*》 집의 조각. ~ *para reducir el desempleo* 구제 사업, 실업 구제 공사. ~ *prima* (수선이 아니라) 제화(製靴). ~ *pía* 자선 사업 ; 사원·사당 (등). ~ *pública* 공공물 《도로·항구·등대 등》 ; 토목 공사. ~ *social* 사회 사업. ~ *viva* 자선 사업 ; 【선박】 물을 받는 곳. ~*s en ejecución* 《*Arg.*》 건설 가계정. ~*s portuarias* 항만 시설. *mano de* ~ 노임 ; 일손, 인력.
~ *de* … 대략·약… : *En* ~ *de* ocho días se acaba la tarea 약 1주일이면 일은 끝난다.
por ~ *de, por* ~ *y gracia de* …의 덕분·덕택에(gracias a).
¡Es ~ *!, ¡Ya es* ~ *!* 무척 귀찮은 일이야!
O- empezada, medio acabada 【속담】 시작이 반이다.

obrada *f.* 하루 노동(량) ; 농토의 단위.

obrador, ra *adj.* 만드는, 작위(作爲)의. —*m.f.* 행위자, 작위자, 작자. —*m.* 공장, 공사장, 작업장, 일터.

obradura *f.* 【방언】 (착유기에서 빼낸) 올리브(aceituna).

obraje *m.* ① (직물의) 공장(taller). ② 제조, 제작, 제품(manufactura) : el ~ de los paños 천의 제조.

obrajería *f.* 《*Bol.*》 (반출용) 목재 창고.

obrajero *m.* ① 십장, 직공·직공·인부 감독(capataz). ② 《*Bol.*》 제조 업자.

obrante *adj.* 만드는, 제작·제조하는 ; 제공하는.

obrar *tr.* ① 하다, 행하다, 실행하다. ② 만들다, (…에) 세공을 하다 : ~ madera. ③ (…에) 작용하다, 일하다, 듣다 : La medicina no le *obró* 그 약은 그에게 효과가 없었다. ④ 건조하다 :

Están obrando un palacio encima de la colina 언덕 위에 궁전이 건조되고 있다. —*intr.* ① 하다, 일하다, 작용하다 : ~ sobre …에 작용하다. ② 행동하다, 공작하다(proceder) : ~ mal 하는 방법이 서툴다. ~ a ley 법규에 따라서 행하다. ③ (어떤 장소·수중에) 있다, 하고 있다 : *Obra en* nuestro poder su atta. 서신은 저희에게 와 있습니다. ④ 똥을 누다, 대변을 보다 : El enfermo aún no *ha obrado* 환자는 아직 대변을 못본다.

obregón *m.* 오브레곤 회원 《Bernardino de Obregón이 1565년에 마드리드에서 창립한 자선 단체》.

obrepción *f.* [*lat* obreptio] (사기적) 은폐, 속이기 위해 일부러 말을 빼먹기.

obrepticiamente *adv.* 사실을 감추고.

obrepticio, cia *adj.* 은폐에 의한.

obrerada *f.* 《*Neol.*》 [집합] 노동자(obreros).

obrería *f.* (직공의) 직, 일 ; 교회·사원 영선비(寺院營繕費) ; 사원 영선과.

obrerismo *m.* 노동 주의·운동 ; 노동당 ; 노동자·근로자 계급.

obrerista *adj.* 노동당의. —*m.f.* 노동당원.

obrero, ra *adj.* 일하는, 노동의, 노동자의 : abeja ~*ra* 일벌. clase ~*ra* 노동 계급. —*m.f.* ① 노동자, 직공, 공원 : ~ a domicilio 가정의 노동자. ~ a destajo·eventual 임시공, 자유 노동자. ~ calificado 숙련공, 숙련 노동자. ~ de la construcción 건축 노동자. ~ industrial 공장·산업 노동자. ~ portuario 부두 노동자. ~ semicalificado 반숙련공 ; 반숙련 노동자. ~*s* disponibles 노동 시장. ② 직업인 : ~ de villa 미장이. ③ (사원·교회 등의) 영선 담당자.

obrizo *adj.* [*lat.* obryzum] 순(純)… : oro ~ 순금.

obscenamente *adv.* 난잡하게, 음란하게.

obscenidad *f.* 외설 ; 난잡한 일, 추행 ; 춘화.

obsceno, na *adj.* [*lat.* obscenus] 난잡한, 외설적인, 추잡한(indecente) : pintura ~*na* 외설화.

obscuración *f.* =**obscuridad.**

obscuramente *adv.* ① 어둡게(con obscuridad), ② 애매 모호하게, 애매하게. ③ 이름없이, 세상에 묻혀(sin lucimiento) : vivir ~ 속세에 묻혀 살다. [Contr.] claramente.

obscurantismo *m.* 우매주의, 민중의 우매화.

obscurantista *adj. m.f.* 우매주의의, 비교화적인 (사람).

obscuras (a) *adv.* ① 어둠속에서 : La ciudad estaba completamente *a* ~ 시내는 칠흑처럼 어두웠다. ② 분명하게 모르는 그대로 ; 손으로 더듬어 : Lo encontré *a* ~ 나는 손으로 더듬어 그것을 찾았다.

obscurecer *tr.* [31] ① 어둡게 하다 ; 그늘지게 하다, 흐리게 하다 ; (…에) 트집을 잡다 ; 얼렁뚱땅 넘어가다, 애매하게 하다. ② 【회화】 (…에) 음영을 그리다. —*intr.* 어두워지다 : En invierno *obscurece* pronto 겨울에는 일찍 어두워진다. **~se** ① 흐려지다(nublarse) : El cielo *se ha obscurecido* 하늘은 어두워졌다. ② 숨다, 보이지 않게 되다 : Su gloria *se obscureció* 그의 영광은 빛을 잃었다.

obscurecimiento *m.* 어둡게 하는 일·되는 일 ; 그늘지게 하는 일, 그늘지는 일 ; 애매함.

obscuridad *f.* ① 어둠 : la ~ de la noche 밤의 어둠. ② 세상에 알려지지 않은 일, 미천 : vivir en la ~ 미천하게·세상에 알려지지 않고 살다. ③ 우매, 무지 ; 애매, 불분명, 모호, 막연 : la ~ del lenguaje 말의 애매 모호함.

obscuro, ra *adj.* [*lat.* obscurus] ① 어두운 : cueva ~*ra* 어두운 동굴. A las cinco ya está ~ 다섯 시에는 이제 어두워진다. ② 어두운 색의 : color ~ 어두운 색. ③ 거무스레한, 검은 ; 암담한. ④ 신분이 낮은, 미천한. ⑤ 세상에 알려지지 않은 ; 불분명한, 애매 모호한. —*m.* 【회화】 음영 ; 어두운 색.

hacer ~ 어둡게 하다 ; 애매하게 만들다.

obsecración *f.* 간청, 간원, 청원, 청구 ; 탄원(ruego, súplica).

obsecrar *tr.* 바라다, 부탁하다, 간청하다(suplicar, rogar, invocar).

obsecuencia *f* =**sumisión, amabilidad, obediencia.**

obsecuente *adj.* 고분고분한, 말을 잘 듣는, 복종적인(obediente).

obseder *tr.* =**obsesionar.**

obsequiador, ra *adj. m.f.* 친절하게 대해 주는 ; 아부하는, 아첨하는 (사람).

obsequiante *adj.m.f.* =**obsequiador.**

obsequiar *tr.* [11] ① 극진히 대접하다, 환대하다(agasajar) : Ellos me *obsequiaron* todo tiempo que estuve en su casa 그들은 내가 그들의 집에 있을 때는 항상 나를 환대해 주었다. ② [+con : …을] 주다, 증정하다 : José me *obsequió con* un libro 호세는 나에게 책을 주었다. [*N.* 라틴 아메리카의 용법]. ③ (여자에게) 사랑을 호소하다, 구슬리다(galantear). ④ 《*Amér.*》 【속어】 기증하다, 선물하다, 주다(regalar) : José me *obsequió* un libro.

obsequio *m.* ① 접대, 환대, 후대 : recibir con mucho ~ 굉장한 환대를 하다. ② 선물, 경품(regalo). ③ 경의.

en ~ de …을 위해 : *en ~ de* sus deseos 귀하의 희망에 따라·요청을 받아들여.

obsequiosamente *adv.* 기뻐서 활기를 띠고, 극진하게.

obsequiosidad *f.* 《*Galic.*》 기뻐서 활기를 띠고 하는 대접·친절함 ; 아부, 아첨.

obsequioso, sa *adj.* ① 친절한, 극진한, 정중한, 기뻐서 활기를 띠고 하는 대접의 (극진한 환영 등) : ~ *con·para·para con* los huéspedes 손님에 대한 대접이 극진한. El se mostraba ~ *con* los poderosos 그는 유력 인사에게는 정중했다. ② 아첨·아부하는 듯한. ③ 《*Méx.*》 선물하기를 좋아하는, 인심이 좋은.

observable *adj.* 관찰할 수 있는 ; 지킬 수 있는 ; 현저한(notable).

observación *f.* ① 관찰, 견해. ② 정찰 ; 관측 ; 감시 : ~ financiera 재계 관측. año de ~ geofísica internacional 국제 지구 관측년. ③ 준수 ; 주의 ; 주해(nota). ④ 의견, 반론 ; 충고(objeción, advertencia) : No admito ~*es* de nadie. —*pl.* 참고 사항.

observador, ra *adj.* ① 관찰하는 ; 감시하는 ; 관측하는, 관찰적인 : espíritu ~. ② 주의깊은, 준수하는. —*m.f.* 관찰자 ; 감시자 ; 관측자 ; 방관자 ; 옵서버 : Corea envió un ~ al congreso 한

국은 회의에 옵서버를 파견했다.

observancia *f.* ① 준수 : poner en ~ 엄격히 준수하게 하다. ② 존경, (상사에 대한) 예의. ③ (종교의) 계율 ; 의식, 관례 : las ~*s* regulares 규칙적인 의식.

observante *adj.* 규칙을 잘 지키는, 고지식한 ; (성 프란시스코회 등의) 엄숙파의 (승려).

observar *tr.* [*lat.* observare] ① 관찰하다, 관측하다 : *Observe* usted el curso de los astros 천체의 운행을 관찰하십시오. El médico *está observando* los síntomas de la enfermedad 의사는 환자의 징후를 관찰하고 있다. ② 지켜보다 ; 노리다(atisbar). ③ 지키다, 준수하다 : ~ una regla · la ley 규칙 · 법률을 지키다. ~ las prescripciones del médico 의사의 처방을 지키다. Hay que ~ los mandamientos de Dios 신의 계율을 지켜야 한다. ④ 주의하다. ⑤ (…을) 눈치채다, 알아채다 ; (…으로) 인정하다(notar) : *Observo* que cojea la mesa 식탁이 덜컹거리는 것을 알게 되었다.

observatorio *m.* ① 관측소 ; 기상대 ; 측후소 ; 천문대 : ~ astronómico 천문대. ② 관점, 시점 (punto de vista) : desde este ~ 이런 관점에서.

obsesión *f.* [*lat.* obsessio] 강박 · 고착 관념, (관념 등에) 얽매이는 일(idea fija) ; 집념 ; 고민, 고통, 괴로움.

obsesionar *intr.* 강박 관념 · 못된 고집에 사로잡히다, 고민하다. **—***tr.* 괴로움을 주다, 고통을 주다 : Su mirada le *obsesionó.*

obsesivo, va *adj.* 강박 · 고착 관념의.

obseso, sa *adj.* 강박 관념에 사로잡힌 ; 마(魔)가 낀.

obsidiana *f.* [*lat.* obsidiana] 【광물】 흑요석(黑曜石)(espejo de las Incas) : Los indios americanos sabían fabricar con la ~ hachas, flechas y espejos 아메리카 인디오들은 흑요석으로 도끼, 화살, 거울을 제작할 줄 알았다.

obsidional *adj.* 공격으로 포위한.
corona ~ (고대 로마에서 적군의 포위 공격을 견디어 내고 또 그 도성을 사수한 용사에게 주었던) 영광의 관.
moneda ~ 포위된 성(城) 안의 임시 통화.

obsolescencia *f.* 구식화, 진부화, 노후화.

obsoleto, ta *adj.* 못쓰게 된, 낡은, 케케묵은 (anticuado).

obstaculizar *tr.* 9 【속어】 방해하다, 훼방놓다 (obstar, estorbar).

obstáculo *m.* [*lat.* obsaculum] 장애, 장해, 고장, 방해물 : carrera de ~*s* 장애물 경주. vencer un ~ 장애(물)을 극복하다.

obstancia *f.* [*lat.* obstantia]《*Neol.*》 =**estorbo, obstáculo.**

obstante *adj.* 방해스러운.
no ~ 그럼에도 불구하고, 그렇다고는 하나, 그렇지만(sin embargo, a pesar de).

obstar *intr.* ① 반대하다 ; 방해가 되다, 충돌하다 : ~ una cosa *a · para* otra 어느 것이 다른 것의 방해가 되다. ② 모순되다 ; 상충하다.

obstetricia *f.* 산부인과 (의학)(tocología).

obstinación *f.* 고집, 끈덕짐, 집요함, 완고(함) (porfía, terquedad, empeño, testarudez) : obrar con ~ 집요하게 굴다.

obstinadamente *adv.* 고집스럽게, 끈덕지게, 집요하게, 딱딱하게.

obstinado, da *adj.* 고집스러운, 끈덕진, 집요한, 완고한(pertinaz, porfiado, testarudo) : castigar a un niño ~ 고집센 아이를 벌하다.

obstinarse *r.* (…에) 집념 · 고집 · 집착하다 (empeñarse) : ~*se contra* alguno 어떤 사람에게 끈덕지게 물고 늘어지다. ~*se en* una resolución 어떤 결심을 고집하다.

obstrucción *f.* ① 방해 ; 의사 방해 ; 차단. ② 【의학】 폐색(증) ; 변비.

obstruccionar *tr.* 방해하다 ; 막다(obstruir).

obstruccionismo *m.* 의사 방해.

obstruccionista *adj.* 의사 방해의. **—***m.f.* 방해자.

obstructivo, va *adj.* =**obstructor.**

obstructor, ra *adj. m.f.* 방해가 되는, 방해하는 (사람), 폐색케 하는 (사람).

obstruir *tr.* 77 [*lat.* obstruere] 막다, 방해하다, 저지하다, 훼방놓다 : Le *han obstruido* los planes 그의 계획이 방해됐다. Esta pared *obstruye* el viento 이 벽은 바람을 막아 준다. Aquella bicicleta *está obstruyendo* el tráfico 저 자전거는 교통을 방해하고 있다.
~se 막히다, 차단되다 : La cañería *se obstruye* con frecuencia 수도가 자주 막힌다.

obtemperar *tr.* (…에) 따르다, 복종하다, 순종하다, 동의하다(obedecer) : ~ una orden.

obtención *f.* 획득, 달성 ; 확보 ; 보지(保持).

obtener *tr.* 59 [*lat.* obtinere] ① 얻다, 입수하다, 손에 넣다, 획득하다, 달성하다(alcanzar, conseguir) : ~ crédito 신용을 얻다. ~ un premio 상을 받다. El joven *obtuvo* una colocación en un café 그 청년은 다방에서 직을 얻었다. ¿Dónde *obtuvo* usted esos informes? 그 보고를 어디서 입수했습니까? ② (화학적으로) 만들어 내다 ; 가지고 있다, 보유하다(conservar). ③ 꺼내다. 추출하다(sacar, extraer) : ~ alcohol de las remolachas 사탕무에서 알코올을 추출한다.

obtenga obtener의 접 · 현 · 1 · 3 · 단수.

obtengáis obtener의 접 · 현 · 2 · 복수.

obtengamos obtener의 접 · 현 · 1 · 복수.

obtengan obtener의 접 · 현 · 3 · 복수.

obtengas obtener의 접 · 현 · 2 · 단수.

obtengo obtener의 직 · 현 · 1 · 단수.

obtenible *adj.* 입수할 수 있는 ; 획득할 수 있는, 달성할 수 있는.

obtentor *m.* 봉록을 받는 성직자.

obtestación *f.* 신명에 대한 맹세 ; 하나님의 굽어 살피심을 바라는 일.

obtiene obtener의 직 · 현 · 3 · 단수.

obtienen obtener의 직 · 현 · 3 · 복수.

obtienes obtener의 직 · 현 · 2 · 단수.

obturación *f.* 폐색, 충전 : la ~ de una muela 어금니의 충전.

obturador, triz *adj.* 폐색의, 충전의. **—***m.* ① 틈을 메꾸는 것. ② 【기계】 끼우는 곳 ; 폐색 장치 ; (카메라의) 셔터 : ~ de postigo 작은 문의 폐색 장치.

obturar *tr.* [*lat.* obturare] 틈을 막다 ; 충전하다 : ~ una muela dañada con oro 상한 이를 금으로 충전하다.

obtusángulo *adj.* 둔각의 : triángulo ~.

obtusidad *f.* 끝이 둥근 것 ; 둔함, 우둔함.

obtusión *f.* =**torpeza.**
obtuso, sa *adj.* [*lat.* obtusus] ① 끝이 둥그런(romo); 둔한, 둔감한, 우둔한(torpe). ②【기하】 둔각의 : ángulo ~ 둔각. —*m.* 【수학】 둔각.
obtuve obtener의 직·부정과거·1·단수.
obtuvieron obtener의 직·부정과거·3·복수.
obtuvimos obtener의 직·부정과거·1·복수.
obtuviste obtener의 직·부정과거·2·단수.
obtuvisteis obtener의 직·부정과거·2·복수.
obtuvo obtener의 직·부정과거·3·단수.
obué *m.* =**oboe.**
obús *m.* 곡사포; 곡사 포탄; 포탄.
obusera *adj.* 곡사포를 싣는 (함정).
obvención *f.* 수당금, 상여(금), 보너스, 수당, 별도 급료·소득.
obvencional *adj.* 별도 급여·소득의.
obviar *tr.* ⑪ 피하다, 회피하다(evitar); 방해하다. —*intr.* [드뭄] 방해가 되다(obstar).
obvio, via *adj.* 눈앞의; 빤한, 훤한, 훤히 아는, 자명(自明)한.
obyecto, ta *adj.* [드뭄] 개재하는, 간섭하는, 방해스러운. —*m.* 반론, 항변.
oc *m.* ***lengua de*** ~ 오크말《플로방스의 오래된 방언》.
oca *f.* ①【조류】 거위, 회색 기러기(ánsar). ②【식물】(남미산의) 작장초; 그 줄기. ③ 주사위의 일종.
ocal[1] *adj.* ① 감종(甘種)《배·사과의 일종》의. ② 둘이 붙은 (누에고치).
ocal[2] *m.* =**ocalo.**
ocalear *intr.* 집이 두 개인 누에고치를 만들다.
ocalo *m.*《*Ecuad.*》유카리나무(eucalipto).
OCAM Organización Común Africana y Malgache.
ocarín *m.*【악기】=**ocarina.**
ocarina *f.* 오까리나《쇠·철·진흙으로 만든 간단한 악기의 일종》.
ocasión *f.* [*lat.* occasio] ① 기회, 호기 : aprovechar la ~ 기회를 이용하다. Vamos a darle ~ para que tenga éxito 그가 성공하도록 기회를 줍시다. ② 원인, 이유(causa); 동기(motivo) : dar ~ para que otro haga algo. ③ 사정, 환경, 상황, 정황, 정세; 경우, 때 : distinguirse en varias ~*es*. ④ 위험(peligro).
de ~ 염가 판매로; 헌 물건의·으로; 중고의.
en cierta ~ 한번(una vez).
en ocasiones 이따금.
asir·coger·tomar la ~ por el copete·la melena·los cabellos 기회를 잘 포착하다.
A la ~ la pintan calva【속담】기회는 왔을 때 이용할 줄 알아야 한다.
La ~ hace el ladrón【속담】환경 때문에 뜻하지 않는 일을 하게 한다.
ocasionadamente *adv.* 우연히; 귀찮게.
ocasionado, da *adj.* 골치 아픈, 귀찮은, 번거로운; 위험이 많은 : vida ~*da*.
ocasionador, ra *adj.m.f.* 야기 시키는 (사람).
ocasional *adj.* 우연한; 원인이 되는; 임시의.
ocasionalismo *m.* 기회 원인론, 우인론(偶因論).
ocasionalista *adj.* 기회 원인론의. —*m.f.* 기회 원인론자.
ocasionalmente *adv.* 우연히.
ocasionar *tr.* ① 야기하다, (…의) 원인이 되다(causar); 결과를 가져오게 하다; 하게 하다(mover; excitar) : El descuido puede ~ un grave accidente 부주의는 중대한 사고의 원인이 될 수 있다. ② 위태롭게 하다(poner en peligro).
ocaso *m.* [*lat.* occasus] ① 낙조, 일몰(puesta) : el ~ del sol 일몰. ② 서쪽(occidente). ③ 말기, 쇠퇴(기)(decadencia, declinación) : el ~ de una monarquía 군주 시대의 쇠퇴. **Contr.** orto.
occidental *adj.* 서쪽의; 서쪽 나라의; 서양의 : una comarca ~ 서쪽 지방. la cultura ~ 서구 문화. —*m.f.* 서양 사람. **Contr.** oriental.
occidentalismo *m.* 서구성, 서구화.
occidentalización *f.* 서양화.
occidentalizar *tr.* 서양화하다.
occidente *m.* 서(oeste); 서쪽 나라; 서양, 서구(여러 나라). **Contr.** oriente.
occiduo, dua *adj.* 해가 지는, 서쪽의.
occipital *adj.* 후두부의 : hueso ~ 후두부의 뼈.
occipucio *m.*【해부】후두부.
occisión *f.*【고어】살해, 변사.
occiso, sa *adj.* 변사한, 살해된.
occitanico, ca *adj.* =**occitano.**
occitano, na *adj.m.f.* 옥시따니아《Occitania, 중세 불란서 남부 지방》의 (사람). —*m.* 오크(oc)말.
OCDE Organización de Cooperación y Desarrollo Económico.
Oceania, la *f.*【지명】대양주, 오세아니아.
oceánico, ca *adj.* 대양의; 대양주의.
oceanicultura *f.* 해양 동식물의 양식·재배.
oceanidas *f.* 바다조개.
Oceánidas *f.pl.*【희랍 신화】바다의 여신들《Océano와 Tetis의 딸들》.
Oceánide *f.* 바다의 요정(Oceánida).
oceano *m.* =**océano.**
océano *m.* [*lat.* oceanus] ① 대양, 대해(大海), 해양; …양(洋) : *O-* Atlántico·Pacífico·Indico 대서·태평·인도양. *O-* Glacial Antártico·Artico 남·북빙양. ② 널찍한 곳 : ~ de verdura.
Océano *m.*【희랍 신화】바다의 신.
oceanografía *f.* 해양학.
oceanográfico, ca *adj.* 해양의, 해양학적인. ***el Instituto*** ~ 해양 학회.
oceanógrafo, fa *m.f.* 해양 학자.
ocelado, da *adj.* ① 홑눈을 가진. ② [곤충의] 얼룩 무늬있는.
ocelo *m.* ①【식물】clavel의 옛 이름. ②【곤충】홑눈, 단안(單眼); 얼룩 무늬.
ocelote *m.*【동물】(아메리카 대륙산의) 큰 산고양이.
ocena *f.* 입에서 나는 냄새.
ochar *tr.*《*Chile.*》① 노리다(asechar). ② 부추기다(azuzar). —*intr.*《*Arg.*》짖다(ladrar).
ochava *f.* ① 팔일절(八日節); 그 최종일. ② 8분의 1 (octava). ③《*Amér.*》구석(rincón), 귀퉁이, 모퉁이, 각(esquina).

ochavado, da *adj.* [ochar의 *p.p.*] 팔각의, 팔변(邊)의 : polígono ~ 팔각형. ladrillo ~ 팔각형 벽돌.

ochavar *tr.* ① 팔각형으로 하다. ②《*AmérM.*》(건물 등의) 각이나 모를 없애다.

ochavario *m.* 【고어】 =**octavario.**

ochavero *adj.* 《*Sor.*》 길이가 5.04미터이고 두께가 0.72미터로 자른 (각재).

ochavo, va *adj.* 【고어】 =**octavo.** —*m.* ① 팔각당 ; 팔각 지면. ② 서반아의 옛날 동화(銅貨)의 이름.

ochavón, na *adj. m.f.* 《*Cuba.*》 백인과 혼혈아와의 사이에 태어난 (사람).

ochenta *adj.* [*lat.* octoginta] ① 80의. ② 80번째의(octogésimo) : año ~. —*m.* 80.

ochentavo, va *adj.* 80등분의. —*m.* 80분의 1 (octogésimo).

ochenteno, na *adj.* 80번째의.

ochentón, na *adj. m.f.* 팔순(八旬)의 (노인) (octogenario).

ocho *adj.* [*lat.* octo] ① 8의 : ~ libros 책 여덟 권. ② 여덟의 ; 여덟 번째의(octavo) : año ~. —*m.* 8 ; (카드 등의) 8의 패 ; 8의 글자 모양 ; 8일 : el ~ de octubre 8월 8일.

dar·echar con los ~s y los nueves (누구에게) 실컷 불평·원망을 늘어놓다.

ochocientos, tas *adj.* ① 800의 : ~ libros 책 팔백 권. ② 800번째의(octingentésimo) : el año ~. —*m.* 800.

ochosén *m.* 오쵸센 《옛 Aragón 왕국의 동전》.

OCI Oficina Central de Información.

ociar(se) *intr.(r.)* 게으름을 피우다.

ocio *m.* [*lat.* otium] ① 나태, 태만, 게으름 ; 섬 : rato de ~ 여가. ② 심심함. ③ 위안거리, 심심풀이, 시간 보내기. —*pl.* 여가로 하는 일.

ociosamente *adv.* ① 일하지 않고, 빈둥빈둥, 게을리하여, 할 일없이 : vivir ~ 빈둥빈둥 살다. El lo pasa todos los días ~ 그는 매일 하는 일없이 빈둥빈둥 보내고 있다. Contr. laboriosamente. ② 무익하게, 효과없이.

ociosear *intr.* 《*AmérM.*》 빈둥빈둥 놀다.

ociosidad *f.* [*lat.* otiositas] 한가함, 여가 ; 나태함, 태만, 안일함 : La ~ es la madre de todos los vicios 안일은 모든 악의 근원이다.

ocioso, sa *adj.* [*lat.* otiosus] ① 아무 일도 하지 않는, 틈이 많은, 한가로운 : horas ~*sas* 아무 것도 하지 않고 있는 시간. vida ~*sa* 한가한 생활. ② 게으른, 나태한 : Es un hombre muy ~. ③ 효과 없는, 이롭지 못한 : trabajo ~. ④ 놀고 있는, 작동하고 있지 않은 (기계 부분).

ociosón, na *adj.* 《*Ecuad.*》 좀 게으른 (사람).

ocla *f* 《*Ast.*》 =**ocle.**

ocle *f* 《*Ast.*》 =**alga, sargazo.**

oclocracia *f.* 서민 정치, 대중 정치.

oclocrático, ca *adj.* 시민·대중 정치의. ~**se** 막히다.

ocluir *tr.* 77 【의학】 폐색하다.

oclusión *f.* 폐색(閉塞) : ~ intestinal 장폐색.

oclusivo, va *adj.* 폐색의 : sonido ~ 폐색음.

ocosial *m.* 《*Perú.*》 습지, 낮은 땅.

ocotal *m.* 《*Méx.*》 멕시코 소나무(ocote)의 숲.

ocotalano, na *adj.m.f.* 오꼬딸 《Ocotal, 니까라구아의 도시》의 (사람).

ocotaleño, ña *adj.m.f.* =**ocotalano.**

ocote *m.* ① 《*Méx.*》 멕시코 소나무. ② 【속어】 소의 굵은 창자.

echar ~ 《*Méx.*》 나쁜 말을 하여 훼방놓다.

ocotepecano, na *adj.m.f.* 오꼬떼뻬께 《Ocotepeque, Honduras의 주》의 (사람).

ocotera *f.* 《*Méx.*》 =**ocotal.**

ocotero, ra *adj.* 《*Méx.*》 욕하는.

ocotillo *m* 《*Méx.*》 소나무의 일종.

ocotito *m.* 《*Méx.*》 욕으로 훼방놓는 사람.

ocotlán *adj.m.f.* 사뽀떼까족(tribu zapoteca)의 (사람)《멕시코의 옛 종족 중의 하나》.

ocotoste *m.* =**ocozoal.**

ocozoal *m.* 《*Méx.*》 【동물】 (멕시코산의) 방울뱀.

ocozol *m.* 【식물】 소합향(蘇合香) 《소아시아에서 나는 소합향 나무의 껍질에서 얻은 수지(樹脂)로 만든 향료》.

ocre *m.* ① 황토 : ~ rojo 대적석(almagre). ② 황토색.

ócrea *m.* [*lat.* ochrea] 【고어】 =**greda.**

ocroso, sa *adj.* 황토가 있는 : arcilla ~*sa* 황토가 섞인 점토.

octa- *pref.* 8을 뜻하는 접두어 : *octá*gono.

octacordio *m.* 【악기】 옥타코르디오 《고대 그리스의 8현 악기》.

octaédrico, ca *adj.* 팔면체의.

octaedrita *f.* =**anatasa.**

octaedro *m.* 팔면체 : ~ regular 정팔면체.

octagonal *adj.* 팔각의.

octágono, na *adj.* 팔각의. —*m.* 팔각형 : ~ regular 정팔각형.

octanaje *m.* 옥탄가(價).

octano *m.* 탄화 수소.

octante *m.* 팔분의(八分儀).

octava *f.* ① 팔일절(八日節) ; 그 최종일. ② 11음절 8행시 《제 1·3·5 행이 같은 운(韻)이고 제 2·4·6·8 행이 같은 운의 것》 (octava real) ; (일반적으로) 8행시. ③ 【음악】 옥타브, 8도 음정 ; 여덟 번째 음.

octavar *intr.* 8로 나누다 ; 8분의 1로 되다.

octavario *m.* ① 8일간(período de ocho días). ② 8일간의 축제.

octaviano, na *adj.* 옥타비오 세사르 《Octavio César Augusto, 로마의 황제》의 ; 무사 태평인 : paz ~*na*.

octavilla *f.* ① 8음절 8행시. ② 【인쇄】 8절지. ③ (정치적) 선전 전단.

octavín *m.* 고음 피리, 피콜로(flautín).

octavina *f.* 【악기】 옥타비나 《옛날의 피아노 비슷한 악기》.

octavo, va *adj.* 여덟 번째의 ; 8등분의. —*m.* ① 8분의 1. ② 【인쇄】 8절판 : en ~ 8절판으로. —*pl.* 준준결승전.

oc(t)bre. octubre 시월.

oct.^e octubre 시월.

octi- *pref.* =**octa-.**

octingentésimo, ma *adj.* 800번째의 ; 800등분의. —*m.* 800분의 1.

octo- *pref.* =**octa-.**

octodonte *m.* 【동물】 =**degu.**

octogenario, ria *adj.* 팔순(旬)의(ochentón).

octogésimo, ma *adj.* 80번째의 ; 80등분의.

—*m.* 80번째 ; 80분의 1.

octogonal *adj.* =**octagonal.**

octógono, na *adj. m.* =**octágono.**

octópodo, da *adj.* 【동물】 발 · 촉각이 여덟 개인.

octosilábico, ca *adj.* 8음절의.

octosílabo, ba *adj.* 8음절의. —*m.* 8음절의 시구.

octóstilo, la *adj.* 【건축】 팔주(식)의.

octubre *m.* [*lat.* october] 시월 : *O-* consta de treinta y un días 시월은 31일이다.

óctuple *adj.* 여덟 배의.

octuplicar *tr.* 여덟 배하다.

óctuplo, la *adj.* =**óctuple.**

ocuje *m.* 《*Cuba.*》 =**calambuco.**

ocular *adj.* ① 눈의, 시각의 : nervio ～ 시신경. ② 목격의 : testigo ～ 목격자. —*m.* 접안 렌즈, 접안경(接眼鏡).

ocularmente *adv.* 육안으로, 눈으로.

oculista *m.f.* 안과 의사(oftalmólogo).

ocultación *f.* 은폐, 은폐 행위, 은닉.

ocultador, ra *adj.* 숨기는, 감추는.

ocultamente *adv.* 살그머니, 은밀히, 비밀리에, 알지 못하게, 숨어서, 보지도 듣지도 못하게.

ocultar *tr.* [*lat.* occlutare] 감추다, 숨기다, 은닉하다, 감추어 두다(esconder) : ～ el dinero 돈을 숨기다. ～ un delito 죄를 숨기다. ～ la verdad 진실을 은폐하다. ～ un objeto *a·de* alguien 어떤 사람에게 무엇을 감추다. Trató de ～ su intento 그는 그의 의도를 숨길려 애썼다.

～se 숨다 : *Se ocultó* en la sombra para acechar 그는 정탐하기 위해 그늘에 숨었다.

ocultis (de) *adv.* =**ocultamente, a escondidas.**

ocultismo *m.* 신비학, 심령학.

ocultista *adj.* 신비학의, 심령학의. —*m.f.* 신비 · 심령학자.

oculto, ta *adj.* ① 숨은, 보이지 않는(escondito). ② 신비의 : El estudio de las ciencias *～tas* se desarrolló mucho a fines del siglo diecinueve 신비적인 과학의 연구는 19세기 말에 대단히 발달했다. ③ =**ocultamente.**

de ～ 아무도 모르게 ; 이름을 감추어.

en ～ 살그머니, 살짝, 남모르게, 숨어서, 비밀리에(en secreto).

ocumo *m.* 《*Venez.*》 【식물】 오꾸모 감자(yautía).

ocupación *f.* ① 점령, 점거 : ～ militar 군사 점령. La ～ francesa duró varios años 불란서의 점령은 수년간 계속됐다. ② 용무, 일, 업무, 취업(trabajo) : Se entregaba todos los días a sus *～es* 그는 매일 업무에 몰두했었다. El no tiene ～ 그는 일이 없다. ③ 직, 지위, 직업(empleo, oficio, cargo) : dedicarse a *sus ～es* (자신의) 직업에 전념하다. ～ lucrativa 영리적 직업. ～ propia 본업.

ocupacional *adj.* 직업적인.

ocupada *adj.* 임신 중인(preñada): mujer ～ 임부, 잉부.

ocupado, da *adj.* ① (장소 등이) 점유된, 사람이 들어 있는, 막혀 버린 : Esta habitación está *～da* 이 방은 사람이 들어 있다. ¿Está ～? —Sí, está ～ 사람 있습니까? —예, 사람 있습니다. ② 바쁜 : estar ～ *en* una cosa 어떤 일에 얽매여 바쁘게 지내다. ¿Está ～ esta tarde? —Sí, estoy muy ～ 오늘 오후에 바쁘십니까? —예, 매우 바쁩니다. Contr. libre. ③ 임신한(preñada).

ocupador, ra *adj.* 점유 · 점령하는 : ejército ～ 점령군. —*m.f.* 점유자, 점거자, 점령자.

ocupante *adj.m.f.* =**ocupador.**

ocupar *tr.* [*lat.* occupare] ① (장소 등을) 차지하다 · 소유하다(tomar posesión), 자기의 것으로 만들다(apoderarse de) : Vamos a ～ aquella mesa 그 탁자를 차지합시다. ② (…에) 살다 : La familia *ocupa* este piso 그 가족은 이 층에 살고 있다. ③ 점거 · 점령하다 : Una tropa enemiga *ha ocupado* ese punto estratégico 적의 군대가 전략 거점을 점령했다. ④ 일시키다, 고용하다, 사용하다 : *Ocupa* muchos obreros 그는 많은 노무자를 쓰고 있다. ⑤ 방해하다, 걱정시키다 : No le *ocupes con* tus chismes 공연한 말을 하여 그의 마음을 산란하게 만들어서는 안된다. ⑥ (누구의) 주의를 끌다.

～se ① [+de · en · con : …에] 종사하다 : *Se ocupó en* el estudio de la lengua castellana 그는 서반아어 연구에 종사했다. Durante el día *me ocupo de* los quehaceres domésticos 온종일 나는 가사에 종사한다. ② 관여하다, 관심을 가지다. ③ (…에) 신경을 쓰다 : El tenía que *～se de* su familia 그는 그의 가족에 신경을 쓰지 않으면 안되었다. ④ 《*Galic.*》 [+de : …의] 이야기를 하다(tratar de).

ocurrencia *f.* ① 일, 사정 ; 사건, 사태 : ～ desgraciada. ② 부딛힘, 만남, 맞닥뜨림(encuentro). ③ 동시 발생. ④ 착상, 얼핏 떠오르는 좋은 생각(salida) : ¡*Ocurrencia* es! 그것은 좋은 생각이다! ⑤ 재치있는 농담 : Las *～s* de él hacen reir a todos 그의 재치있는 농담은 모든 사람을 웃긴다.

ocurrente *adj.* 기지가 있는, 위트가 있는, 재치있는 ; 애교 있는 ; 농담을 잘하는.

ocurrido, da *adj.* ① 《*Ecuad. Perú.*》 농담을 좋아하는. ② 일어난, 발생한.

ocurrir *intr.* ① (일이) 발생하다, 일어나다, 벌어지다(suceder, acontecer, acaecer) : ¿Qué *ocurre?* 무슨 일입니까? El suceso *ocurrió* durante las vacaciones de verano 사건은 여름 방학 중에 일어났다. ② (머리나 마음에 생각이) 떠오르다 : Le *ocurren* ideas graciosas 그의 머리에는 재미있는 생각이 떠오른다. ③ [무인칭 동사로, +que : …하는] 수가 있다, 더러 …이다 : *Ocurre* a veces, *que* estás distraído 너는 멍해 있는 수가 더러 있다. ④ 향해 가다, 향하다, 좇아가다(acudir) : *Ocurrió* a la cita 약속했던 곳으로 갔다. ⑤ (축제일과 축제일이) 겹치다. ⑥ 출두하다 : El padre *ocurrió* a la justicia 아버지는 재판소에 출두했다.

～se ① 문득 머리에 떠오르다 : *Se* me *ocurrió* al leer el libro que me dejaste ayer 어제 네가 두고 간 책을 읽을 때 문득 머리에 떠올랐다. *Se* me *ocurrió* una buena idea 좋은 생각이 머리에 떠올랐다. No *se* me *ocurre* nada para resolver este grave problema 이 심각한 문제를 해결키 위해 아무 생각도 떠오르지 않는다. ② …하고 싶어지다 : *Se* le *ocurrió* escribirle a ella 그는 그

녀에게 편지를 쓰고 싶어졌다. [*N.* 주어가 3인칭 일 때만 사용되어 gustar 동사의 용법과 같다. 항상 간접 목적 대명사와 함께 사용되고 목적 대명사 앞에 재귀 대명사 se가 놓이기 때문에 주의를 요함].

ocurso *m.* 《*Méx.*》【속어】 =**memorial.**

oda *f.* 찬가, 송가 《사람이나 사물을 찬미한 서정시》.

odalisca *f.* (터키 후궁의) 여자 노예 ; 처첩(妻妾), 후궁.

ODECA ; O.D.E.C.A. Organización de los Estados Centroamericanos 중미주 기구.

odeón *m.* (고대 그리스의) 시악당(詩樂堂), 연예관 ; 극장.

odiar *tr.* ⑪ 미워하다, 싫어하다, 증오하다(tener odio) : Debemos ~ el vicio y no al hombre 악을 미워하지 사람을 미워해서는 안된다. El *odia* su trabajo 그는 그의 일을 싫어한다.

Odín *m.*【신화】 북유럽 최고의 신 《지·문·무·사(死) 등을 다스림》.

Odino *m.* =**Odín.**

odio *m.* [*lat.* odium] 미워함, 증오, 혐오. **Contr.** cariño, amor.

odiosamente *adv.* 미운 듯이, 증오심을 가지고.

odiosear *tr.* 《*Chile. Perú.*》 진저리나게 만들다.

odiosidad *f.* ① 미움, 증오 ; 혐오감, 증오감. ② 《*AmérM.*》 귀찮음, 번거로움.

odioso, sa *adj.* ① 미운, 증오하는, 싫은 : ~ a la gente 사람을 싫어하는. ② 《*AmérM.*》 귀찮은 (fastidioso).

odisea *f.* (호메로스 작의 대서사시 Odisea에서의) 장기간의 모험 여행.

odisear *tr.* 《*Perú.*》 애먹이다, 진저리나게·넌더리나게 만들다(fastidiar), 질리게 하다.

odómetro *m.* 보도계(podómetro) ; (자동차의) 주정계(走程計), 요금 표시기(taxímetro).

odontalgia *f.* 치통(dolor de dientes).

odontálgico, ca *adj.* 치통의 ; 치통을 멎게 하는.

odontoideo, a *adj.* 이 모양의.

odontológico, ca *adj.* 치과 의학의·에 관한.

odontología *f.* 치과 의학.

odontólogo, ga *m.f.* 치과 의사(dentista).

odontorrea *f.*【의학】 잇몸 출혈(hemorragia de las encías).

odorante *adj.* 향기로운(oloroso. fragante).

odorífero, ra *adj.* 향기로운, 냄새가 좋은(que huele bien) : prado ~ 향기로운 초원.

odorífico, ca *adj.* =**odorífero.**

odre *m.* ① (주로 술을 넣는) 양피 술자루. ② 폭주가, 취한.

odrería *f.* 가죽 자루의 제품업·제품술 ; 가죽 자루 공장·가게.

odrero *m.* 가죽 자루 제조인·판매인.

odrezuelo *m. dim.* odre.

odrina *f.* 쇠가죽 자루(odre hecho de cuero de buey).

estar hecho una ~ 병·부스럼투성이가 되어 있다.

OEA ; O.E.A. Organización de (los) Estados Americanos 미주 기구.

OECE Organización Europea de Cooperación Económica.

oenoteráceo, a *adj.*【식물】 달맞이꽃·달맞이꽃과의. —*f.pl.* 달맞이꽃과 식물.

OERS Organización de los Estados Ribereños del Senegal.

oersted(io) *m.*【물리】 에르스텟 《자장(磁場)의 강도를 나타내는 CGS 단위 ; 기호 Oe》.

oesnoroeste *m.* =**oesnorueste.**

oesnorueste *m.* 서북서 ; 서북서풍.

oessudoeste *m.* =**oessudueste.**

oessudueste *m.* 서남서 ; 서남서풍.

oeste *m.* [*alem.* west] 서쪽(occidente) ; 서풍.

ofendedor, ra *adj.m.f.* =**ofensor.**

ofender *tr.* ① 노하게 하다, 성나게 하다(enojar, enfadar) : Le *ofendió* públicamente 그는 어떤 사람을 공연히 노하게 했다. ② 모욕하다, 무안을 주다 ; (…의) 감정을 상하게 하다(causar mala impresión) : Esta decoración *ofende* la vista. ③ 흠이 가게 하다. ④ 손해를 끼치다. ⑤ (위를) 거북하게 만들다.

~se ① [+con · de · por : …에] 화내다, 성내다, 불쾌해 하다, 무안해 하다 : Se lo dije y no *se ofendió* 내가 그에게 그것을 말했지만 그는 화내지 않았다. ② 싸우다(reñir) : *~se* con un amigo.

ofendido, da *adj.* [ofender의 *p.p.*] ① 모욕을 당한 : Se mostró ~. ② 성낸, 화낸. —*m.f.* 모욕 당한 사람 : El ~ no admitió excusas 모욕 당한 사람은 변명을 허용하지 않는다.

ofensa *f.* [*lat.* offensa] ① 치욕, 모욕(insulto) : El pidió al rey reparación de la ~ 그는 왕에게 그런 치욕을 당한데 대한 보복을 요청했다. ② 공격. ③ 죄과. ④ 화(禍).

ofensión *f.* (받은) 모욕.

ofensiva *f.* 공세(攻勢) : ~ de paz 평화 공세. ~ exportadora · importadora 수출·수입 공세. tomar la ~ 공세를 취하다, 선제 공격을 하다, 선공(先攻)하다(atacar el primero).

ofensivamente *adv.* 공격적으로.

ofensivo, va *adj.* ① 창피를 주는, 모욕의 ; 불유쾌한 ; 무례한 : palabras *~vas* 모욕적인 말. ② 공세의 ; 공격의 ; 공격적인, 침략의, 침략적인 : arma *~va* 공격용 무기. guerra *~va* 침략 전쟁. **Contr.** defensivo.

ofensor, ra *adj.* ① 창피를 주는. ② 공격의, 침략의. —*m.f.* 무례한 사람 ; 모욕하는 사람 ; 공격자, 침략자.

oferente *adj.* 제공하는, 증여하는. —*m.f.* 제공자, 증여자.

oferta *f.* ① 신청, 제출, 제안, 제공. ② 판매, 주문, 오퍼. ③ 매겨진 가격 ; 공급 ; 입찰 ; 제공 품목. ④ 선물(don, dádiva).

~ a pliego cerrado 봉서 입찰. *~ con limitaciones* 제한부 오퍼. *~ de acuerdo con la solicitud* 조회에 의한 오퍼. *~ de exportación* 수출 신청. *~ de mano de obra* 노동력·인적 자원의 공급. *~ de precios* 견적 가격. *~ detallada* 상세한 견적. *~ (en) firme* 확정 오파·제공. *~ especial* 특별 오퍼, 특가 제공품. *~ excesiva de mano de obra* 노동력의 공급 과다. *~ no solicitada* 자발적 오퍼. *~ por escrito* 서면에 의한 오퍼. *~ sellada* 봉서 입찰. *~ sin compromiso, ~ sujeta a confirmación* 불확정 오퍼. *~ solicitada*

견적 가격. ~ ***ventajosa*** 유리한 오퍼. ~ ***verbal*** 구두에 의한 오퍼. ~ ***y la demanda*** 수요와 공급.

ofertar *tr.* 【속어】 제공하다 ; 증정하다(ofrecer).

ofertorio *m.* 성찬 봉헌 ; 봉헌의 기도 《미사의 일부》.

offset *m.* 【인쇄】 오프셋.

offside *m. ing.* 오프사이드.

oficial *adj.* ① [*lat.* officialis] 공적인, 공식의, 정식의 : cotización ~ 공정 시세. documento ~ 공문서. noticia ~ 공보. Fue en misión ~ 그는 공식 사명을 띠고 갔다. ② 관의 ; 관에서 시설한. ③ 직무 · 사무상의. —*m.* ① 직업인 (obrero). ② 직원, 사무원 ; 관리 : ~ de derrota 갑판 고급 선원. ~ de la sala 법정 기록 담당자. ~ de los gremios 노동 조합 지도자. ~ Mayor del Ministerio 성(省) · 부(部)의 서기장. ③ 사관, 장교 : ~ del día 일직 장교. ~ general 장성. Es ~ del ejército 그는 육군 장교이다. ④ 판사 ; 사형 집행인(verdugo). ⑤ 고급 선원. ⑥ (상선의) 항해사.

ser buen ~ (어떤 일에) 수완이 있다.

oficiala *f.* 여사무원 ; 여자 직업인, 여공 ; 견습 여공 : ~ de un taller.

oficialada *f.* 《*Arg. Chile.*》 =**oficialidad.**

oficialía *f.* ① 직원 · 사무원(직). ② 어디에 내놓아도 될 직업.

oficialidad *f.* [집합적] 장교 : la ~ de una guarnición 수비대 장교. ① 공적인 성질, 정식의 일, 공식, 정식 : No me consta la ~ de esa orden 그 명령이 공식성을 띤 것인지 아닌지 나로서는 알 수 없다.

oficialismo *m.* 《*Arg.*》 선거 승리를 목적으로 영향력을 행사하는 그룹.

oficialista *adj.* oficialismo의.

oficializar *tr.* 공식화하다, 공적으로 하다, 공인하다.

oficialmente *adv.* 정식으로, 공식으로, 사무상 : El acontecimiento se ha anunciado ~ 그 사건은 공식적으로 발표되었다.

oficiante *m.* 《*Amér.*》 제단에서 미사를 집전하는 사람.

oficiar *tr.* ⑪ ① (임무를) 맡다, (미사를) 집전하다, (의식을) 집행하다. ② (문서로) 정식으로 통고하다. —*intr.* [+de : …로서] 역을 맡아 하다 : ~ *de* conciliador 조정자로서 수고하다. **~se** (식이) 행해지다, 거행되다, 진행되다.

oficina *f.* [*lat.* officina] ① 사무실(despacho) ; 관청 ; 작업장 : ~*s* del gobierno 관청. horas de ~ 집무 시간. ② 조제실, 약국. ③ 국(局). ④ 온상 : ~ de la mentira 거짓말이 처음 나온 곳. —*pl.* (집의) 허드렛방, 광.

~ ***administrativa*** 관리 사무소. ~ ***central*** 본사, 본점. *O-* ***Central de Coordinación y Planificación de la Presidencia de la República*** 《*Venez.*》 대통령부 직속 중앙 조달 기획청. *O-* ***Central de Información*** 《*Perú. Venez.*》 중앙 정보국. ~ ***comercial*** 영업소. *O-* ***de Barómetros Económicos*** 《*Méx.*》 경제 지표실. *O-* ***de Cambio*** 《*Col.*》 환관리국. ~ ***de colocación*** 직업 소개소. ~ ***de concentración*** 분류실. *O-* ***de Control Internacional y Estabilización del Sistema Monetario*** 《*Hond.*》 환관리 통화 안정국. *O-* ***de Control de Precios*** 《*Pan.*》 물가 통제 위원회. ~ ***de corrección de pruebas*** 통계 교정실. ~ ***de correos*** 우체국. ~ ***de crédito*** 흥신소. ~ ***de cuadristas especializados*** 도표실. ~ ***de divulgación*** 공보실. ~ ***de estadística*** 통계국. *O-* ***de Estadísticas del Trabajo*** 《*Méx.*》 노동 통계실. *O-* ***de Estadísticas Fiscales*** 《*Méx.*》 재정 통계실. ~ ***de información*** 안내소. ~ ***de informes*** 흥신소. ~ ***de la feria*** 견본시 사무국, 전시회 본부. *O-* ***de los Censos*** 《*Nicar.*》 인구 조사국. ~ ***de nuevas estadísticas*** 신규 통계실. ~ ***de patentes*** 특허국, 특허 사무소. ~ ***de perforación*** 천공실(穿孔室). *O-* ***de Planeación, Programa, Estadística y Divulgación*** 《*Méx.*》 기획 통계 공보실. *O-* ***de Planificación Nacional*** 《*CRica.*》 국가 계획청 ; 《*Chile.*》 국립 기획원. *O-* ***de Regulación de Precios*** 《*Pan.*》 물가 조정국. ~ ***de representaciones gráficas*** 도표 작성실. ~ ***de traducción*** 번역실. ~ ***de ventas*** 판매 사무소. ~ ***del aeropuerto*** 공항 영업소. ~ ***del gobierno*** 관청. ~ ***del registro*** 등기 사무소. *O-* ***del Registro Civil*** 《*Hond.*》 인구 등록국. ~ ***ejecutiva*** 실시 본부. *O-* ***Federal de Ensayo*** 《*Méx.*》 연방 분석 시험소. *O-* ***Federal de Hacienda*** 《*Méx.*》 연방 재무 사무소. *O-* ***Internacional del Trabajo*** 국제 노동 연구소. ~ ***matriz*** 본사, 본점. *O-* ***Nacional de Planeamiento y Urbanismo*** 《*Perú.*》 국가 도시 계획 사무국. *O-* ***Nacional de Planificación*** 《*Dom.*》 기획국. *O-* ***Nacional del Café*** 《*Hond.*》 국립 커피원(院). ~ ***principal*** 본사, 본점. *O-* ***Regional para Centroamérica y Panamá*** 중미 파나마 지방 사무국. *O-* ***Sanitara Panamericana*** 범미 위생국.

oficinal *adj.* ① 약용의 (식물) : salvia ~ 약용 사르비아. ② 조제되어 있는.

oficinesco, ca *adj.* 관청 같은 ; 사무적인.

oficinista *m.f.* 사무원, 직원, 내근자(內勤者).

oficio *m.* [*lat.* officium] ① 직, 직업, 직무, 직능, 역할, 일 : ~ de república 공직. tener por ~ hacer una cosa 어떤 것의 제작을 직업으로 하고 있다. El desempeña su ~ con asiduidad 그는 열심히 직무를 수행했다. ② 진력, 돌보기, 주선 : por mediación de sus buenos ~*s* 힘을 써 주셔서. ③ 문서, 공문서, 서간 ; 공식(으로 하는 일). ④ 【고어】 (왕실의) 국, 과. ⑤ 사무소, 취급처(oficina) : ~ de escribano 공증 관청. ⑥ 【종교】 나날의 기도 ; 근행, 제식(祭式) : ~*s* de difuntos 공양.

Santo O- 종교 재판소.

de ~ 공식으로, 정식의 ; 직무의, 직업적인 ; 사무적으로 : abogado *de* ~ 관선 변호사.

correr bien el ~ 직책상 재미를 보다.

estar sin ~ ni beneficio, no tener ~ ni beneficio 아무 일도 않고 빈둥빈둥 놀다.

tener mucho ~ 경험이 풍부하다.

tomar por ~ (…을) 맡아보다.

oficionario *m.* 기도서.

oficiosamente *adv.* 부지런히, 근면하게, 열심히, 착실하게 ; 비공식적으로.

oficiosidad *f.* 근면, 부지런함 ; 남의 일 보기 좋아함 ; 친절, 호의 ; 비공식 ; 주책 ; 귀찮음.

~ ***estúpida*** 말단 관리 근성.

oficioso, sa *adj.* ① 근면한, 부지런한(diligente). ② 친절한 ; 남의 일 거들기 좋아하는. ③ 주

책스러운. ④ 다짐해 두기 위한. ⑤ 비공식적인 : una comunicación ~*sa* 비공식적인 통고, 투서. Hizo una comunicación ~*sa* a la prensa 그는 신문에 투서를 했다. ⑥ 어용의, 반관적(半官的)인 : periódico ~ 어용 신문.

oficleido *m.* 【악기】 =**figle.**

ofidio, dia *adj.* 【동물】 뱀의, 뱀 무리의 ; 뱀 같은. —*m.* 뱀. —*pl.* 뱀 무리.

ofiolatría *f.* 뱀 신앙.

ofiómaco, ca *adj.* 뱀 무리를 없애는. —*m.* 가재(langosta)의 일종.

OFIPLAN Oficina de Planificación Nacional.

ofita *f.* 【광물】 사문석(蛇紋石).

ofiuco *m.* 【천문】 뱀좌(serpentario).

OFRA Oficina Francesa para los Refugiados y Apátridas.

ofrecedor, ra *adj.* 제공하는. —*m.f.* 제공자.

ofrecer *tr.* 31 ① 바치다, 올리다 ; 내놓다(presentar). ② 제공하다 : Me *ofrecieron* un nuevo empleo 나는 새로운 직을 제공받았다. Le *ofrecí* un cigarrillo 나는 그에게 담배를 주었다. ③ (팔려고) 내놓다, (…에·로) 가격을 매기다 : *Ofrezco* cinco mil pesetas *por* esa cartera 그 가방 값으로 오천 뻬세따 낼 수 있습니다. ④ 보이다(mostrar) : La ciudad *ofrece* un aspecto muy triste 시가는 쓸쓸한 정경을 보여 주고 있다. ⑤ (술집으로) 마시러 들어가다. ⑥ 약속하다(prometer) : ~ ayuda 도움을 약속하다. El *ofreció* su concurso 그는 협력을 약속했다.

~se ① 몸을 바치다, 도움이 되겠노라고 나서다 ; 스스로 …의 역할을 하다 : ~*se de* acompañante 자신이 따라가겠노라고 자청하다. ② 순간적으로 머리에 떠오르다(ocurrirse) : ¿Qué *se* le *ofrece* a usted? 무슨 일입니까? 무엇을 도와 드릴까요?

ofreciente *adj.* =**oferente.**

ofrecimiento *m.* ① 제출, 제안, 제공, 바침. ② 신청. ③ 팔기 ; 매긴 값(oferta).

ofrenda *f.* 봉납, 공물, 희사, 헌금 ; 선물, 답례.

ofrendar *tr.* ① 봉납·헌납하다(hacer una ofrenda) : ~ a Dios. ② 희생시키다, 제공하다(sacrificar) : *Ofrendó* su vida por su patria 그는 조국을 위해 생명을 바쳤다. ③ 선물하다, 증정하다.

ofrezca ofrecer의 접·현·1·3·단수.

ofrezcáis ofrecer의 접·현·2·복수.

ofrezcamos ofrecer의 접·현·1·복수.

ofrezcan ofrecer의 접·현·3·복수.

ofrezcas ofrecer의 접·현·2·단수.

ofrezco ofrecer의 직·현·1·단수.

ófrico, ca *adj.* 《*Bol.*》 =**obscuro, lóbrego.**

oftalmía *f.* 【의학】 안염(眼炎), 안질(inflamación de los ojos).

oftálmico, ca *adj.* ① 눈의 ; 안과의. ② 안염의, 안질의.

oftalmología *f.* 안과 의학.

oftalmológico, ca *adj.* 안과 (의사)의.

oftalmólogo, ga *m.f.* =**oculista.**

oftalmómetro *m.* 측안계(測眼計).

oftalmopatía *f.* 눈병, 안질.

oftalmoplastia *f.* 미안술(美眼術).

oftalmoscopia *f.* 【의학】 검안.

oftalmoscopio *m.* 【의학】 검안경.

ofuscación *f.* =**ofuscamiento.**

ofuscadamente *adv.* 눈이 아찔하여, 판단이 흐려 ; 착각으로.

ofuscador, ra *adj.m.f.* 눈을 아찔하게 하는 (것).

ofuscamiento *m.* 눈이 아찔함 ; 판단력이 흐려짐, 머리의 혼탁함 ; 착각.

ofuscar *tr.* 7 [*lat.* offuscare] ① 눈을 아찔하게 만들다(deslumbrar) : El sol me *ofusca* 태양으로 내 눈이 아찔하다. ② 우롱하다(alucinar). ③ 흐리게 만들다, 어둡게 만들다 ; 멍하게 만들다(conturbar).

ofusque *m.* 《*Col.*》 =**ofuscamiento.**

ogaño *adv.* 금년, 올해 ; 현재(hogaño).

ogro *m.* (북유럽 전설의) 식인귀(食人鬼).

¡oh! *interj.* ① 저런!, 아아! 《놀라움, 슬픔, 기쁨》.

ohm *m.* [*pl.* ohms] =**ohmio.**

óhmico, ca *adj.* 옴 단위의.

ohmímetro *m.* 【전기】 옴계(計).

ohmio *m.* 【전기】 옴 《전기 저항의 단위》.

ohmiómetro *m.* 【전기】 =**ohmímetro.**

oí oir의 직·부정과거·1·단수.

oíble *adj.* 알아 들을 수 있는, 들리는(audible).

OIC ; O.I.C. Organización Internacional del Café 국제 커피 기구 ; Organización Internacional del Comercio 국제 무역 기구.

oída *f.* 듣는 일.

de·por ~s 듣고서(por haber oído hablar de una cosa) : saber·conocer *de ~s* 들어서 알다.

oídio *m.* 오이듐 《포도에 붙는 해로운 세균》.

oídium *m.* =**oídio.**

oído *m.* [*lat.* auditus] ① 청각 (기관)(sentido del oir) : Los perros tienen el ~ muy fino 개는 예민한 청각을 가지고 있다. ② (듣는 기관·기능으로서의) 귀 : ~ externo 외이(oreja). ~ medio 중이(caja del tímpano). ~ interior 내이(laberinto). El ~ externo se llama comúnmente "oreja" 귀의 바깥 부분은 "oreja"라 불리운다. Me duelen los ~*s* 나는 귀가 아프다. ③ 음감, 음악적 감각 : tener buen ~. ④ 구멍 ; (포의) 화문 ; 도화선 공. ⑤ 《*Col.*》 바늘귀(ojo). —*interj.* 근청(近聽)!

al ~ 귀에 대고, 비밀히 ; 귀로 듣고 : Totó hablaba *al ~* a Pufi 또또는 뿌피의 귀에 대고 말했다.

de ~ ① 들어서 외운·아는 : tocar *de ~*. ② 음감이 둔한, 음치의.

abrir los ~s 경청하다(escuchar con atención).

abrir tanto (el) ~ 귀를 모아 듣다.

aguzar los ~s 귀를 기울이다.

aplicar el ~ 잠자코 듣다.

cerrar los ~s 귀를 막다 ; (누구에게) 들리지 않게 하다.

dar ~s a ① …에 귀를 기울이다 : No hay que *dar ~s a* todas las calumnias 모든 중상에 귀를 기우릴 필요가 없다. ② 신용하다. ③ 기꺼이 듣다.

entrar por un ~ y salir por el otro 마이 동풍 격이다.

hacer ~s de mercader u ~s sordos 들리지 않는 척하다.

llegar a ~s de 귀에 들어가다.

negar los ~s, no dar ~s 들으려 하지 않다.
regalar a uno *el* ~ 아첨하다, 아부하다.
taparse los ~s 귀를 막다.
tener ~s·buen ~s 음악에 조예가 깊다.
tener ~s de mercader 들리지 않는 척하다.
ser todo ~s 경청하다, 신경을 귀에 집중시키고 듣다.
Las paredes tienen ~s 【속담】 낮말은 새가 듣고 밤말은 쥐가 듣는다.

oído, da *adj.* [oir의 *p.p.*] 들린.

oidor, ra *adj.m.f.* 듣는 (사람)(oyente). —*m.* (옛날의) 판관(判官).

oidoría *f.* oidor의 직무.

OIEA Organización Internacional de Energía Atómica.

oiga oir의 접·현·1·3·단수.

¡oiga! *interj.* 여보세요! 《사람을 부를 때나 전화를 거는 사람이 사용》.

oigáis oir의 접·현·2·복수.

oigamos oir의 접·현·1·복수.

oigan oir의 접·현·3·복수.

oigas oir의 접·현·2·단수.

oigo oir의 직·현·1·단수.

oil *m.* (불란서어의 긍정어인) oui의 고어.
lengua de ~ 오일어 《중세. 불란서의 르와르강 이북의 방언 → oc》.

oíl *m.* =**oil.**

oir *tr.* 76 ① 듣다, 들리다(percibir el sonido): ¿Me *oye* usted? 내 말이 들립니까?; 좋습니까? Le *oía* cantar 그가 노래하는 것을 나는 듣고 있었다. ② 고분고분하게 듣다; 들어주다; 청강하다: *He oído* filosofía 나는 철학 강의를 들었다. Ya *oigo* lo que me quieres decir 네가 나에게 말하고자 하는 것을 벌써 들었어. ③ 미사에 참가하다(asistir a misa).
~ *bien* 호의를 가지고 듣다.
~, *ver y callar* 잘 듣고 보고 잠자코 있을 것.
como quien oye llover (빗소리를 듣듯이) 냉담하게.
¡Oiga(n)!, ¡Oye! 여보세요!, 이봐요! 《부르는 말》; 어쩌면, 빌어먹을! 《노할 때나 꾸중할 때》 *¿Oyes?, ¿Oye usted?* 괜찮습니까? 《다짐하기 위해, 주의시키기 위한 말》.
Ahora lo oigo 이제 알았어(Ya caigo).
[직설법 현재: oigo, oyes, oye, oímos, oís, oyen. 접속법 현재: oiga, oigas, oiga, oigamos, oigáis, oigan. 직설법 부정과거: oí, oíste, oyó, oímos, oísteis, oyeron. 접속법 불완료과거: oyera, …; oyese, …; 현재 분사: oyendo. 과거 분사: oído].

oír *tr.* 【고어】 =**oir.**

OIRSA Organismo Internacional Regional de Sanidad Agropecuaria.

OIRT Organización Internacional de Radiodifusión y Televisión.

oíslo *m.f.* 【속어】 좋은 사람, 사랑하는 아내.

oíste oir의 직·부정과거·2·단수.

oísteis oir의 직·부정과거·2·복수.

OIT; O.I.T. Organización Internacional del Trabajo 국제 노동 기구.

ojada *f.* 《*Col.*》 봉창, 채광창(mechinal).

ojal *m.* 구멍; 단추 구멍.

¡ojalá! *interj.* [아라비아어로서 y quiera Dios의 뜻; 대부분 접속법 동사와 같이 쓰임] ① [현재·미래의 단순한 원망문: ¡*O*-(que)+접속법 현재] 부디…하기를, 아무쪼록 …하기를, 제발 …하도록! 《강한 소망》: ¡*O*- tengas buen éxito! 제발 자네가 성공하기를! ¡*O*- (que) me toque la lotería! 제발 복권이 당첨되기를! ¡*O*-(que) llueva! 제발 비가 내리기를! ¡*O*- que Ud. tenga buen éxito! 부디 성공하시기를! [*N.* ojalá나 que가 생략되기도 함]. ② [실현성이 의심스럽거나·없는 현재나 미래의 원망문: ¡*O*-(que) + 접속법 과거] 제발·부디·아무쪼록 … 하기를 · 하면 좋겠는데: ¡*O*- que no lleviera mañana! 제발 내일 비가 내리지 않았으면 좋겠는데! ¡*O*- que pudiéramos viajar con ustad! 우리가 당신과 여행할 수 있으면 좋을텐데. ¡*O*-que mi madre estuviera aquí ahora! 내 어머님이 지금 이곳에 계셨으면 좋을 텐테. ③ [실현되지 않은 과거의 원망문: ¡*O*- que + 접속법 과거 완료](과거에)‥했더라면 좋았을 텐데: ¡*O*-que hubieras venido ayer! 네가 어제 왔더라면 좋았을 텐데.
—*conj.* 《*Bol. Col.*》 설사 …하여도(aunque): No haré tal cosa, ~ me maten 설사 나를 죽일지언정 그런 일은 하지 않겠다.

ojaladera *f.* 단추 구멍을 만드는 여직공.

ojalado, da *adj.* 눈 가장자리에 테가 있는 (소).

ojalador, ra *adj.m.f.* 단추 구멍을 내는 (사람): máquina ~*ra* 단추 구멍을 꿰매는 재봉틀.

ojaladura *f.* [집합] 단추 구멍.

ojalar *tr.* (…에) 단추 구멍을 만들다(hacer ojales): ~ un vestido 드레스에 단추 구멍을 만들다.

ojalatero *adj.* 당리 당략의. —*m.f.* 당리 당략 주의자.

¡ojalay! *interj.* 《*And. Col.*》 =**¡ojalá!**

ojanco *m.* ① 외눈박이(cíclope). ② 《*Ant.*》 【어류】 눈이 큰 물고기 이름.

ojaranzo *m.* 【식물】 ① 협죽도(adelfa). ② 《*And.*》 석남화(石楠花)(rododendro).

ojeada *f.* 대강보기; 훔쳐보기(mirada rápida): echar una ~ a un libro 책을 대강 보다·읽다.

ojeador *m.* (사냥에서의) 몰이꾼.

ojear *tr.* ① 흘깃흘깃 보다; 대강 훑어보다. ② (사냥에서 짐승을) 몰아내다(ahuyentar). ③ 《*Amér.*》 원망스러운 눈으로 보다, 저주하는 눈으로 보다.

ojén *m.* 회향풀술(aguardiente anisado).

ojeo *m.* (사냥에서) 몰이: echar un ~ 몰이하다. irse a ~ …을 찾아 헤메다.

ojera *f.* ① (아래 눈까풀의 거무스름한) 기미. ② 눈 씻는 그릇. ③ 《*PRico.*》 (모자의) 챙(visera).

ojeriza *f.* 악의, 원한(renco): tener ~ a uno 누구에게 원한을 품다.

ojeroso, sa *adj.* 아래 눈까풀이 가무잡잡한; 아래 눈까풀에 기미가 낀: cara ~*sa*.

ojerudo, da *adj.* 눈이 움푹한 (사람).

ojete *m.* [*dim.* ojo] ① 실·끈을 꿰는 구멍. ② 【속어】 똥구멍, 항문(ano).

ojeteado, da *adj.* ojetear의 *p.p.*

ojetear *tr.* (…에) 실·끈을 꿰기 위한 동그란 구멍을 만들다.

ojetera *f.* 단추 구멍을 만드는 구멍 ; 단추 구멍을 만드는 틀.
ojialegre *adj.* 눈이 반짝이는 (사람).
ojienjuto, ta *adj.* 눈물을 보이지 않는.
ojigallo *m.* 《*Perú.*》 소주 곁들인 포도주(vino con aguardiente).
ojigarzo, za *adj.* 눈이 파란, 벽안의.
ojimel *m.* =**ojimiel.**
ojimiel *m.* 벌꿀 2 식초 1의 비율로 넣어 삶은 약.
ojimoreno, na *adj.* 눈이 갈색빛인.
ojinegro, gra *adj.* 눈이 검은.
ojiprieto, ta *adj.* =**ojinegro.**
ojito *m.* [*dim.* ojo] *de* ～ 《*Arg.*》 아무 뜻 없이, 헛되이(de balde) : No es justo enojarse *de* ～ 아무 뜻없이 화를 내는 것은 옳지 못하다.
novio de ～ 아직 고백하지 않은 연인.
ojituerto, ta *adj.* 사시의, 사팔뜨기의(bisojo).
ojiva *f.* 【건축】(고딕 건축의) 끝이 뾰족한 홍예문, 뾰족 모양의 아치 ; 뾰족창.
ojival *adj.* 뾰족 아치의 ; 홍예문의, 고딕식의 : ventana ～ 고딕식 창문. estilo ～ 고딕 스타일. arquitectura ～ 고딕 건축.
ojizaíno, na *adj.* 곁눈질하는, 곁눈질로 보는, 흘기는 눈의.
ojizarco, ca *adj.* 눈이 파란.
ojo *m.* [*lat.* oculus] ① 눈(órgano de la vista) : ～ mágico 매력적인 눈. abrir el ～ 눈을 뜨다. cerrar el ～ 눈을 감다. cerrar *un* ～ 한쪽 눈만을 감다. Los párpados defienden los ～*s* 눈까풀은 눈을 보호한다. ② 안구(眼球), 눈알. ③ 시각, 시력(vista) ; 안식(眼識). ④ 주목, 주시, 주의(력) (atención) : poner ～ *en* una cosa …에 눈길을 쏟다. Tenga mucho ～ para no ofenderle 그의 감정을 상하지 않도록 주의해 주십시오. ⑤ 주의, 경계(심) (cuidado) ; 주의·경계하라는 표적. ⑥ 구멍, 작은 구멍, 틈 사이 ; (물건을 꿰는) 구멍, 노끈 구멍, 열쇠 구멍(～ de la cerradura) ; 바늘귀(ojo de la aguja) ; (호미나 망치와 같은 것의 손잡이를 끼우는) 구멍 ; (계기의 눈금을 보는) 구멍 ; (가위의 손가락을 넣는) 귀. ⑦ (교각 간의) 사이 : ～ de puente 교각 간의 사이(의 아치형). ⑧ e·o등의 문자의 구멍. ⑨ 그물코(malla). ⑩ (빵·치즈에 생긴) 거품. ⑪ 수면에 뜬 기름 방울. ⑫ (공작 꼬리의) 꼬리 무늬. ⑬ (꽃이나 소용돌이의) 가운데, 중심 : ～ de la tempestad 태풍의 눈. ⑭ (들의 한복판의) 물이 솟아오르는 곳, 샘 : *los Ojos* del Guadiana. ⑮ 인쇄면의 굵은 글자 ; 활자의 인쇄면. ⑯ (약국의) 귀중 약품 보관함 : ～ de boticario. ⑰ 비누칠을 하는 일 : dar un ～ a la ropa 옷에 비누칠을 하다.
—*pl.* 귀여운 사람 : ¡*Ojos* míos!, sus *ojos*.
—*interj.* 주의!, 조심하시오! : ～ con …에 조심. ¡Mucho ～! 조심하시오. ¡*Ojo* a la margen! 조심해 주십시오 ; 눈을 떼지 마십시오. ¡*Ojo* avizor! 주의 하세요.
～ ***de besugo*** 톡 튀어나온 눈. ～ ***de boticario*** 약국의 귀중 약품 보관함. ～ ***de buey*** ① 【식물】 불란서 국화(菊花). ② 옛날 금화〈金貨〉의 일종(doblón). ～ ***de gallo*** 어목창(魚目瘡) 《한방에서, 온몸에 물고기의 눈과 같은 부스럼이 나는 피부병》. ～ ***de gato*** 호안석(虎眼石) 《푸른 석면이 풍화 변질하여 된 돌 ; 장식용》. ～ ***de patio*** 안마당의 공간. ～ ***de pollo*** =ojo de gallo. ～ ***derecho*** 심복, 애인. ～ ***mágico*** 매직 아이 《진공관의 하나로 라디오 따위의 다이얼을 돌릴 때 목적하는 주파수가 맞았을 때 녹색을 나타냄 ; 동조지시관(同調指示管)》. ～ ***médico*** 진단 능력. ～ ***overo*** 흰자위가 많은 눈. ～***s blandos*** 눈물 머금은 눈. ～***s de bitoque*** 사팔뜨기. ～***s de gato*** 회색의 눈. ～***s de sapo*** 튀어나온 눈. ～***s rasgados*** 눈초리가 길게 째진 눈. ～***s reventones,*** ～***s saltones*** 퉁방울눈, 왕눈, 부리부리한 눈. ～***s tiernos*** 눈물을 머금은 눈. ～***s vivos*** 반짝 반짝한·싱싱한 눈. ***cuatro*** ～***s*** ① 안경 쓴 사람 (persona que trae anteojos). ② 많은 사람·의견 : Más ven *cuatro* ～*s* que dos 혼자 생각보다 많은 사람과 의논하는 것이 좋다.
～ ***alerta*** 경계해서 ; 조심하라.
～ ***avizor*** 조심·경계해서 : estar ～ *avisor* 경계하고 있다.
a cierra ～***s*** 눈을 감고 ; 맹목적으로 ; 정신없이, 비몽 사몽간에(a medio dormir, a duermevela).
a ～ 눈짐작으로 ; 자유 재량으로 : *a* ～ *de* buen varón.
a ～ ***de buen cubero*** 눈짐작으로, 몰아 때려.
a ～***s cegarritas*** 눈살을 찌푸리고 (보다).
a ～***s cerrados*** 눈을 감고 ; 맹목적으로 ; 정신없이, 비몽 사몽간에(a cierra ojos).
a ～***s vistas*** 명백하게, 확실히, 눈에 띄여.
a los ～***s de*** …의 눈앞에서.
al ～ 눈앞에.
como los ～***s de la cara*** 아주 소중히 하여 ; 눈속에 넣어도 아프지 않을 만큼.
con cien ～***s*** 조심·경계하여 : andar·estar *con cien* ～*s.*
con el ～ ***tan largo*** 소중하게 ; 주의깊게.
de medio ～ 거의 숨어서, 살짝, 살그머니, 비공개적으로 ; 확실치 않은.
dichosos los ～***s que ven a usted*** 당신을 만나 뵈어 아주 기쁩니다 ; 오랜만입니다 : 잘 오셨습니다 ; 어서 오십시오.
encima de los ～***s*** =sobre los ojos.
en los ～***s de*** …의 눈앞에서.
en un abrir (y cerrar) de ～***s, en un volver de*** ～***s*** 눈 깜짝할 사이에, 순식간에, 삽시간에.
hasta los ～***s*** 심하게 : empeñado·enamorado *hasta los* ～*s.*
¡Mucho ～***!*** 조심하십시오! : ¡*Mucho* ～, que la vista engaña!
¡ ～ ***a la margen!*** 조심해 주십시오!
por sus ～***s bellidos*** 거저, 수월하게.
sobre los ～***s*** (poner 등과 함께 쓰여) 소중히 다루다.
tierno de ～***s*** 눈물을 머금고·머금었던 (사람).
un ～ ***a*** … ***y otro a*** … 여기저기 살펴보다 : *un* ～ *a* la sartén *y otro* a la gata.
abrir el ～ 조심·경계하다 : *Abre el* ～ que asan carne 위험하니 조심하라 ; 주의해서 기회를 놓치지 말아라.
abrir los ～***s*** 일의 실상을 깨우치다 ; (누구의) 몽매함을 깨우쳐 주다 ; 진상을 알다.
abrir tanto ～ (기쁜 소식을 듣고) 눈을 번뜩이다.
andar con cien ～***s*** 조심하다, 주의하다.

arrasarse los ~s de·en agua (lágrimas) 눈에 눈물을 머금다.
avivar los ~s 주의·조심·경계하다.
bajar los ~s (부끄러워하며 혹은 고분고분하게) 눈길을 내리깔다.
cerrar el ~ 죽다, 서거하다.
cerrar los ~s 눈을 감다; 죽다; 잠들다; 눈을 감고 따르다·뛰어나가 감행하다; (누가 죽을 때까지) 간병(看病)·병구완 해주다.
clavar los ~s en (…에게) 특히 관심을 두다, 돌보아주다; 주의해서 보다.
comerse con los ~s a …에 격렬한 애정·증오·선망·욕망을 나타내다.
costar los ~s·un ~ (de la cara) 눈알이 튀어나올 정도로 비싸다·비용이 들다 : Ese me *costó los ~s de la cara* 그것은 나한테는 눈알이 튀어나올 정도로 비쌌다.
dar de ~s ① 벌렁 엎어지다. ② 몸을 정면으로 부딪치다; (누구를) 우연히 만나다 : El *dio de ~s* con ella 그는 그녀를 우연히 만났다. ③ 과오를 범하다, 실수하다.
dar en los ~s 아주 분명하다; (무엇으로) 고의로·일부러 애먹이다·화나게 만들다.
dar en ~s (누구의) 눈앞에 들이대다.
darse de(l) ~ 눈짓하다, 서로 내통하다(hacerse del ojo).
desencapotar los ~s 노여움을 풀다; 웃는 얼굴을 보이다.
despabilar(se) los ~s 주의·조심·경계하다.
dormir con los ~s abiertos 항상 경계를 게을리하지 않다.
dormir los ~s 다정 다감한 애정을 보이다.
echar el ~·tanto ~ (무엇을) 탐내는 듯이 보다.
enclavar los ~s =clavar los *~s*.
estar tan en los ~s 마냥 눈앞에 어른거리다·밟히다.
hacer ~ 저울이 고장이 나다.
hacer(se) del ~ 눈짓하다; 서로 내통하다.
hacer los ~s telarañas 눈이 흐리다·침침하다·가물거리다.
hacerse ~s (무엇을 얻고자·목적을 달성하고자) 부지런히 일하다.
henchir el ~ 매우 만족시키다(llenar el ~).
írse**le a uno **los ~s por·tras (어떤 사람이 …을) 몹시 가지고 싶어하다.
llenar el ~ (누구를) 매우 만족시키다.
llevar(se) los ~s 주의·관심을 끌다.
llevar los ~s clavados en el suelo 시선을 내리깔고 있다, 얌전하게 있다.
llorar con ambos ~s 심하게 울다·한탄·탄식하다.
llorar con un ~ 거짓 눈물을 흘리다.
mentir el ~ 외모에 속다.
meter por los ~s (받게 하려고) 억지로 떼밀다; 억지로 사게 하다.
meterse por el ~ de una aguja 끼어들다 : El siempre *me mete por el ~ de una aguja* 그는 항상 참견한다.
mirar con buenos·malos ~s 호의·악의에 찬 눈으로 바라보다.
mirar con otros ~s (전과는·남과는) 다른 관점으로 보다.
mirar de mal ~ 언짢은 눈으로 보다.
No hay más que abrir ~s y mirar 단 한번 보는 것으로 충분하다 (훌륭하다는 것을 알 수 있다).
no pegar (el) ~ 잠을 잘 수 없다.
no saber dónde tiene los ~s 까맣게 모르다, 낫놓고 기억자도 모른다.
ofender los ~s 어처구니없게·질리게·기가 막히게 만들다.
pasar los ~s por 대충 훑어보다, 대충 읽다 ~ *pasó los ~s por* un escrito 그는 문서를 대충 훑어 보았다.
pasar por ~ (배를 뱃머리부터) 침몰시키다; 해치우다(destruir).
pegar (el) ~·los ~s (no와 함께) 옴쭉달싹·꼼짝달싹 않다; 뜬눈으로 보내다.
poner los ~s en …에 눈길을 모으다; …을 택하다; …으로 해두다.
poner los ~s en blanco 눈을 부릅뜨다.
poner sobre·encima de los ~s 높이 평가하다.
quebrar el ~ al diablo 최선을 다하다.
quebrar los ~s (누구에게) 언짢게 굴다; (빛이) 눈부시게 하다.
quebrarse los ~s (독서 등으로) 눈이 피로하다; 눈이 생기를 잃다, 임종 때가 가까워지다.
quitar los ~s de (no와 함께) …으로부터 눈을 떼지 않다.
rasarse los ~s de·en agua 눈에 눈물을 머금다 (arrasarse los ojos de agua).
sacar los ~s a (…에) 귀찮게 조르다; 돈을 쓰게 만들다.
sacarse los ~s 몹시 노하다·성내다·화내다.
salir**le a uno **a los ~s una cosa (어떤 일에 대한) 서운한 기분이 (누구의) 얼굴에 나타나다.
saltar a los ~s 아주 분명하다; 두드러지다, 눈에 띄다.
saltar un ~ 눈을 못뜨게 만들다; 눈이 아찔아찔하게 만들다.
saltarse los ~s (누구에게) 몹시 성내다·노하다·화내다.
ser todo ~ 무척 주의깊게 바라보다.
taparse de medio ~ (옛날의 부인이 mantilla 등으로) 얼굴을 반쯤 가리다.
tener adónde volver los ~s (no와 함께) 아무 쓸모도 없는 (사람이다).
tener buen ~ 명석하다, 총명하다, 예리하다 (ser perspicaz).
tener el ~ tan largo 뚫어지게 관찰·감시하다.
tener entre ~s, tener sobre ~ ① 미워하다, 증오하다(odiar). ② 그리워하다,
tener los ~s en (무엇을) 뚫어지게 바라보다.
tener ~ a (…을) 감시·관찰하다.
tomar entre ~s《*Arg.*》(누구를) 미워하다, 증오하다, 원망하다.
torcer los ~s 눈길을 돌리다, 외면하다.
traer al ~ 잊지 않고 관심을 두다·돌보아주다.
traer entre ~s (의심을 품고) 감시하다.
traer sobre ~ 감시하다; (누구에게) 화내다·성내다·노하다.
valer un ~ de la cara 대단히 소중하다, 가치가 대단하다.
vendarse los ~s 옹고집을 피우고 승복하지 않다.
venirse a los ~s 두드러지게 눈에 띄다, 분명

하다.

vidriarse los ~s 눈에 생기가 없다, 눈이 생기를 잃다, 임종 때가 가까워 지다.

volver los ~s 시선을 딴데로 돌리다 ; 관심을 기울이다.

Con el ~ y con la fe jamás me burlaré 【속담】 백문이 불여일견.

El ~ del amo engorda el caballo 【속담】 각자 할 일이 있다.

Ojos que no ven, corazón que no llora 【속담】 안 보면 정도 멀어진다.

Las paredes tienen ~s 【속담】 낮말은 새가 듣고 밤말은 쥐가 듣는다.

¡ojó! *interj.* 《*Ecuad.*》 상관없다(No importa).

ojón, na *adj.* 《*Ant. Col. Ecuad.*》 눈이 큰.

ojoso, sa *adj.* 거품·기포가 많은, 구멍투성이의 : pan ~ 구멍투성이의 빵. queso ~ 구멍투성이 치즈.

ojota *f.* 《*AmérM.*》 ① (남미 토인의) 짚신의 일종, 가죽 샌들의 일종. ② 야마(llama)의 무두질한 가죽.

ojotes *m.pl.* 《*AmérC. Col.*》 튀어나온 눈알.

ojoto, ta *adj.* 《*Cuba.*》 (우박에 맞은 듯이) 패이고 썩은 (과일·감자).

ojudo, da *adj.* ① 《*AmérC.*》 눈알이 큰. ② 《*Chile.*》 기포·구멍투성이의.

ojuelos *m.pl.* [*dim.* ojo] ① 서글서글한·생글생글한·사랑스러운 눈. ② 【방언】 노안경.

okapí *m.* 【동물】 오까삐 《1900년 아프리카에서 발견된 영양의 일종》 : El ~ se encuentra en el Congo 오까삐는 콩코에서 발견된다.

ola *f.* 파도, 커다란 물결 ; (물결치는·크게 움직이는) 군중(oleado).

~ de calor·de frío 【기상】 열파·한파.

~ de demanda 수요 파동.

~ de marea 【해사】 조파(潮波) ; 지진 등에 의한 진파(津波).

OLAFA Organización Latinoamericana de Fabricantes de Bebidas Alcohólicas.

olaje *m.* (이랑 짓는) 파도(oleaje).

olambre *f.* =**olambrilla.**

olambrilla *f.* ① 화장 벽돌. ② (포장용) 타일의 일종.

olán *m.* 사라사, 갱사(更紗).

OLAS Organización Latinoamericana de Solidaridad.

ole *m.* 올레 《안달루시아 무용의 하나》 ; 올레곡. —*interj.* =**¡olé!**

¡olé! *interj.* 기운을 내라! 《격려·칭찬의 감탄사》 —*m.pl.* 격려, 칭찬 : Hubo *olés* y palmadas.

oleáceo, a *adj.* 【식물】 목서과(木犀科)의. —*f.pl.* 목서과 식물.

oleada *f.* ① 큰 파도(ola grande) : ~ de compras 매기(買氣). ~ de ventas 매기(賣氣), 호경기. ② 넘실거리는 파도. ③ 인파(人波), 군중(muchedumbre). ④ 푸짐하게 거둔 올리브 기름.

oleado, da *adj.* [olear의 *p.p.*] 임종의 성유를 받은.

oleaginosidad *f.* 유성(油性), 기름기.

oleaginoso, sa *adj.* 유성(油性)의, 유질(油質)의, 기름진, 기름 같은(aceitoso).

oleaje *m.* 파도, 물결 ; 인파(olaje).

olear *tr.* (임종의) 성유를 베풀다.

oleario, ria *adj.* =**oleoso.**

oleastro *m.* 【식물】 야생 올리브(acebuche).

oleato *m.* 【화학】 유산염 《올레산의 에스테르염》.

oleaza *f.* 【방언】 통의 바닥에 남은 찌꺼기 기름.

olecráneo *m.* 【해부】 팔꿈치뼈의 돌기부.

olécranon *m.* 【해부】 =**olecráneo.**

oledero, ra *adj.* 고약한, 냄새를 풍기는, 냄새나는.

oledor, ra *adj.* 냄새나는, 향기의.

oleico, ca *adj.* 유산(oleína)의.

oleícola *adj.* 올리브 기름 산업의, 올리브 정제의 : técnica ~ 올리브 정제 기술.

oleicultor, ra *adj.m.f.* 올리브 재배·기름 산업의 (종사자).

oleicultura *f.* 올리브유 산업, 올리브 정제.

oleífero, ra *adj.* 유분(油分)을 함유한, 채유용(採油用)의 (식물).

oleiforme *adj.* 올리브 기름의 견고성을 가진.

oleína *f.* 【화학】 올레산, 유산(油酸).

óleo *m.* ① 올리브유(aceite de oliva). ② 종유식(終油式)(el Santo ~). ③ [주로 *pl.*] 종유(終油)(los santos ~*s*). ④ 유화 그림물감 ; 유화. *al* ~ 기름으로 ; 유화(油畵)의 : pintura *al* ~ 유화, 유채.

andar·estar al ~ 나무랄 데 없이 잘 꾸며지다.

oleoducto *m.* (원유의) 송유관.

oleografía *f.* 유화풍의 석판화.

oleomargarina *f.* 인조 버터, 마가린 ; 그 유지 성분.

oleómetro *m.* 검유기, 유비중계(油比重計).

oleonafta *f.* (석유 증류에서 얻은) 나프타(nafta).

oleorresina *f.* 유지(油脂), 함유 수지(含油樹指).

oleosidad *f.* 유성(油性), 유질(油質).

oleoso, sa *adj.* 기름 같은(aceitoso).

oler *tr.* ㉖ ① 냄새를 맡다(percibir un olor) : *Huelo* una rosa 나는 장미의 향기를 맡는다. ② 남의 뒤를 캐다 ; 냄새를 맡고 다니다(inquirir). —*intr.* ① 냄새가 나다, 냄새를 풍기다 : Esto *huele* muy mal 이것은 아주 고약한 냄새가 난다. ¡Qué bien *huele*! 냄새가 참 좋군요. Esta comida *huele* bien 이 음식은 냄새가 좋다. ② [a와 무관사 명사 앞에서, …의] 냄새가 나다 ; …냄새인 것 같다 : Este me *huele a* espía 이 사람은 스파이 냄새가 난다. Ese hombre me *huela a* polizonte 그 남자는 아무래도 순경인 듯 싶다.

no ~ bien 수상쩍다, 의심이 가다.

andar·estar oliendo donde guisan 짭짤한 재미를 볼 수 없을까 하고 냄새 맡고 다니다·기회를 노리다.

[직설법 현재 : huelo, hueles, huele, olemos, oléis, huelen. 접속법 현재 : huela, huelas, huela, olamos, oláis, huelan].

oletear *tr.* 《*Perú.*》 (남의 사생활을) 캐고 다니다.

olfacción *f.* 냄새 맡는 일 ; 냄새 나는 것.

olfatear *tr.* (킁킁하고) 냄새를 맡다 ; 찾아다니다 ; 냄새 맡고 다니다(indagar) : *Olfateó* un buen negocio.

olfateo *m.* 냄새 맡고 다니기 ; 수색, 탐색.

olfativo, va *adj.* 후각의, 후감의 : nervio ~ 후각 신경.
olfato *m.* 후각, 후관 ; (탐지하는) 감각 ; 코.
olfatorio, ria *adj.* 후각의.
olíbano *m.* [드묾] 향기(incienso).
oliente *adj.* 냄새가 나는 : bien · mal ~ 냄새가 좋은 · 나쁜.
oliera *f.* 【종교】 성유반(crismera).
olifán *m.* 【악기】 올리판 《옛날의 사냥과 전쟁 때의 나팔》.
oligarca *m.* (소수 정치의) 집정자.
oligarquía *f.* (전횡적인) 소수당 정치 · 정부.
oligárquico, ca *adj.* 소수 정치의.
oligisto *m.* 【광물】 적철광의 한 가지 : ~ rojo 적철광.
oligoceno *adj. m.* 【지질】 점신세 · 점신통(의).
oligoelemento *m.* 【생물】 흔적 요소.
oligofrenia *f.* 【의학】 정신 발육 정지, 정신 박약.
oligopsonio *m.* 【경제】 소수 구매 독점, 수요 과점.
oligopolio *m.* 과점(寡占), 소수 독점.
olimpeño, ña *m.f.* 올림뽀《Olimpo, 빠라구아이의 도시》의 (사람).
olimpiada *f.* =**olimpíada.**
olimpíada *f.* ① 올림피아 경기《고대 그리스에서 4년마다 Olimpia의 도시에서 Júpiter 신을 찬미하여 행하던 경기》. ② 4년간. ③ (현재의) 올림픽 경기 · 대회 : Comisión de la ~ Internacional 국제 올림픽 위원회.
olímpico, ca *adj.* ① 올림포 《신들이 살았다는 그리스의 고산(高山) el Olimpo》의 ; 올림포산의 신들의. ② 올림피아 《고대 그리스의 도시 Olimpia》의. ③ 올림픽 경기의 : juegos ~s 올림픽 경기 대회. ④ 으시대는, 거들먹거리는, 거만한, 오만한(altanero, soberbio). ⑤ 지고한, 지상의, 최고의(soberano, supremo, sumo) : ~ desdén.
olimpismo *m.* 올림픽 정신 · 성격.
olimpo *m.* 【시어】 (그리스의 신산〈神山〉 el Olimpo에서) 신들 ; 신의 거궁(居宮) ; 천궁.
olingo *m.* 《*AmérC.*》 【동물】 짖는 원숭이.
olio *m.* =**óleo.**
oliscar *tr.* 7 ① 냄새를 맡아보다(olfatear, oler con cuidado). ② 냄새를 맡고 다니다(averiguar, inquirir). —*intr.* (고기 등이) 썩는 냄새를 풍기다, 악취가 나다 : Esa carne empieza a ~ 그 고기는 악취가 나기 시작한다.
olisco, ca *adj.* 《*Arg. Chile.*》 썩어 들어가는.
oliscón, na *adj.* 《*Perú.*》 냄새가 고약한.
oliscoso, sa *adj.* 《*Cuba. Ecuad.*》 냄새가 고약한 (oliscón).
olisquear *tr.* =**oliscar.**
olisqueo *m.* 냄새맡기 ; 뒷조사.
oliva *f.* [*lat.* oliva] ① 【식물】 올리브 열매 (aceituna) ; 감람나무(olivo) : aceite de ~ 올리브유. ② 【조류】 부엉이(lechuza). ③ 평화, 안녕, 평온(paz). ④ 【건축】 올리브 열매 모양의 건축 장식.
oliváceo, a *adj.* 올리브빛의(aceitunado).
olivar[1] *m.* 올리브 밭 · 숲.
olivar[2] *tr.* (나무의) 아랫가지를 치다.
~se (빵이) 부풀다.
olivarda *f.* ① 【식물】 목향. ② 【조류】 참매.
olivarera *f.* 《*Cuba.*》 =**aceitunera.**
olivarero, ra *adj.* 올리브유의 ; 올리브유 산업의 ; 올리브밭이 많은 : industria ~*ra* 올리브 산업. región ~*ra* 올리브밭이 많은 지역.
olivarse *r.* (요리할 때) 빵이 부풀다.
olivastro *m.* 【식물】 야생 올리브 : ~ de Rodas =áloe.
olivera *f.* =**olivo.**
olivero *m.* 올리브를 쌓아둔 곳.
olivícola *adj.* 【남 · 여】 올리브 생산의 : producto ~ 올리브 생산물.
olivicultor, ra *m.f.* 올리브 재배자, 올리브원 경영자.
olivicultura *f.* 올리브 재배 · 생산업.
olivífero, ra *adj.* 【시어】 감람나무가 무성한, 올리브가 많은, 올리브나무가 우거진.
olivillo *m.* [*dim.* olivo]【식물】 쥐똥나무의 일종.
olivino *m.* 【광물】 감람석(peridoto).
olivina *f.* ① 【광물】 =**olvino.** ② 올리브 잎의 쓴 원료.
olivo *m.* [*lat.* olivum] ① 【식물】 올리브, 감람나무 : ~ silvestre 개감람. ② 올리브 목재.
tomar el ~ ① (투우사가) 울타리 안으로 숨다. ② 도망치다, 줄행랑을 치다, 뺑소니를 치다 (largarse, huir).
olivoso, sa *adj.* 【시어】 =**olivífero.**
olla *f.* [*lat.* olla] ① 냄비, 솥. ② (고기와 야채의) 끓인 요리. ③ (강물 등의) 소용돌이. ④ 【속어】 머리.
~ *carnicera* (여러 인부를 한꺼번에 치를 때의) 큰 냄비.
~ *ciega* 저금통.
~ *de campaña* 야전용 냄비.
~ *de cohetes* 대단한 위험.
~ *de fuego* 옛날의 투척탄.
~ *de grillos* 대혼란 (그러한 곳).
~ *podrida* 고기를 많이 넣고 끓인 요리.
las ~s de Egipto (recordar, desear 등과 함께 쓰여) 옛날의 좋았던 생활.
estar a la ~ *de* (누구에게) 얹혀 지내다.
hacer la ~ *gorda* (누구에게) 잘하도록 구슬리다.
ollado *m.* (돛의 노끈 같은 것을 꿰는) 구멍.
ollao *m.* =**ollado.**
ollar *m.* 말의 콧구멍. —*adj.* *piedra* ~ 사문석(蛇紋石)의 일종.
ollaza *f.* [*aum.* olla] 커다란 냄비.
ollera *f.* 【조류】 작은 새 ; 동고비(herrerillo).
ollería *f.* 도기 공장 · 가게 ; 도기류.
ollero, ra *m.f.* 도기 제조자 · 판매인.
olleta *f.* [*aum.* olla] ① 《*Col. Perú.*》 초콜릿 끓이는 기구. ② 《*Col.*》 난로, 풍로. ③ 강의 깊은 곳. —*adj.* 《*Col.*》 어리석은, 멍청한(bobo).
ollita *f.* [*dim.* olla] 작은 냄비 · 솥.
olluco *m.* 우유꼬 《뻬루산 감자의 일종》.
olluela *f.* [*dim.* olla] 작은 냄비.
olma *f.* 커다란 느릅나무.
olmeda *f.* 느릅나무 숲 ; 느릅나무의 가로수.
olmedano, na *adj.* 올메다 《곳곳에 있는 지명》의. —*m.f.* 올메다 사람.
olmedo *m.* =**olmeda.**

O

olmo *m.* 【식물】 느릅나무.
ológrafo, fa *adj.m.* 자필의·스스로 쓴 (유언장).
olomina *f.* 【어류】 송사리의 일종.
olopopo *m.* 【조류】 《*CRica.*》 작은 부엉이.
olor *m.* ① 냄새, 악취 : El ~ de las flores es muy agradable 꽃 냄새는 매우 향기롭다. ② 기척 ; (갖게 하는) 희망. ③ 명성, 평판 : morir en ~ de santidad 성자의 명성으로 죽다. ④ [주로 *pl.*] 《*Chile. Méx.*》 양념, 조미료.
olorizar *tr.* ⑨ 향기·냄새를 풍기다(perfumar).
oloroso, sa *adj.* 냄새가 좋은, 향기로운, 향기 좋은 : flor ~*sa* 향기 좋은 꽃.
olote *m.* 《*AmérC.*》 ① (알갱이를 빼낸 다음의) 옥수수 껍질. ② (한 집안, 한 나라 안에서의) 소외된 사람. ③ 웃음거리.
O.L.P Organización de·para la Liberación de Palestina 팔레스틴 해방 기구.
olvidadizo, za *adj.* 잊어버리기 잘하는 ; 배은망덕한.
olvidado, da *adj.* [olvidar의 *p.p.*] 망각된 ; 잊어 버리기 잘하는(olvidadizo) ; 배은 망덕한 (ingrato).
olvidar *tr.* ① 잊다, 잊어 버리다 : *Olvidé* la fecha 나는 그 날짜를 잊었다. *Olvidé* decírselo a usted 당신에게 말하는 것을 잊었다. Ella *olvida* fácilmente los favores recibidos 그녀는 받은 호의를 쉬 잊는다. No me *olvides* para siempre 나를 영원히 잊지 말아다오. ② 저버리다. ③ 등한시하다, 소홀히하다(descuidar) ; 잊혀지다.
~se ① 잊다, 잊어 버리다, 망각하다 : ~*se* de lo pasado 과거를 잊다·망각하다. *Se* me *olvidó* traer el diccionario 나는 사전 가져오는 것을 잊었다. *Olvídese* de lo ocurrido 일어난 일을 잊으십시오. ② [+de+ *inf.* : …하는 것을] 잊다.
olvido *m.* [*lat.* oblivium] 잊는 일, 망각, 잊어버림 ; 등한시하기, 태만.
dar·echar al·en ~ 잊다, 망각하다(olvidar).
enterrar en el ~ 잊어 버리다.
entregar al ~ 잊다.
no tener en ~ 잊지 않고 있다.
poner en ~ 잊다 ; 잊게 하다.
o/m. orden mía.
omagua *m.* 오마구아족 《Perú의 인디오의 종족의 하나》.
omaso *m.* 【해부】 반추 동물의 세 번째 위 (libro).
ombligada *f.* 배꼽 부분의 피부.
ombligo *m.* [*lat.* umbilicus] ①【해부】 배꼽, 탯줄. ② 중앙, 중심 : el ~ de la tierra.
~ *de Venus* 【식물】 연꽃의 일종 ; 바닷조개의 일종.
*encogérse*le a uno *el* ~ (누가) 주눅들다, 풀이 죽다(amedrentarse, desalentarse).
ombliguero *m.* (신생아의) 배꼽 붕대.
ombría *f.* 응달(umbría).
ombú *m.* 【식물】 옴부 《남미산의 거목》.
omega *f.* 그리스 자모의 맨 끝 24번째 문자, 긴 *o* 《Ω, ω》 ; 최후, 끝.
omental *adj.* 그물의.
omento *m.* (위나 창자의) 그물(redaño).
omero *m.* 【식물】 =**aliso.**
omicron *f.* =**ómicron.**
ómicron *f.* 서반아어 자모의 열다섯 번째 문자 (文字), 짧은 o.
ominar *tr.* 점치다, 예언하다(agorar).
ominoso, sa *adj.* 아주 싫은 ; 불길한, 흉한 (abominable).
omisión *f.* ① 생략 ; 탈락, 누락, 삭제 : error u ~ 오기(誤記) 누락. La ~ del acento puede modificar el sentido de una palabra 악센트의 탈락은 단어의 의미를 변경할 수 있다. ② 실수, 태만.
omiso, sa *adj.* ① 생략한 : hacer caso ~ 생략해 두다, 불문에 붙이다. ② 탈락한. ③ 부주의한, 태만한.
omitir *tr.* [*lat.* omittere] 빼다, 생략하다, 말을 빠뜨리다 ; 누락시키다, 빠뜨리다 : Aquí no puedes ~ el acento 여기에서는 악센트를 빼서는 안된다.
omni- *pref.* 「전(全)…」「통(統) …」을 뜻하는 접두어.
ómnibus *m.* 【단·복수 동형】 합승 마차·버스. *tren* ~ 정거장마다 서는 기차.
omnímodamente *adv.* 무슨 수를 써서라도 ; 좌우지간, 여하간(de todos modos).
omnímodo, da *adj.* 모든 것을 포함하는, 뒤덮어 버리는 (듯한).
omnionda *f.* 올웨이브 : receptor ~ 올웨이브 수신기.
omnipotencia *f.* 전능, 대권력(大權力) : la ~ de los reyes.
omnipotente *adj.* 전능한(todopoderoso) ; 큰 권력이 있는, 전제적인.
omnipotentemente *adv.* 전지 전능하게.
omnipresencia *f.* 편재, 보편(ubicuidad).
omnipresente *adj.* =**ubicuo.**
omnisapiente *adj.* 전지 전능한, 전지(全知)의 ; 박식한(omniscio).
omnisciencia *f.* (신의 속성으로 되어 있는) 전지 ; 박식.
omnisciente *adj.* =**omniscio.**
omniscio, cia *adj.* 전지의 ; 박식한.
ómnium *m.* 만물 박사 ; 무엇이나 다 거래하는 회사.
omnívoro, ra *adj.m.f.* 무엇이든지 다 먹는 ; 잡식의 (동물).
omoplato *m.* =**omóplato.**
omóplato *m.* 【해부】 견갑골(肩甲骨).
OMS ; O.M.S. Organización Mundial para· de la Salud 세계 보건 기구.
o/n. orden nuestra.
-ón, na *suf.* ① 증대 접미어 : hombr*ón*, mujer*ona*. ② 부분적 크기 : cabez*ón*. ③ 없음 : pel*ón*. rab*ón*. ④ 나이의 사람 : sesent*ón*. ⑤ 경멸성 : bonach*ón*, trist*ón*. ⑥ 귀찮은 행위 : pregunt*ón*. ⑦ 급격한 움직임 : apret*ón*, baj*ón*.
onagra *f.* 【식물】 달맞이꽃.
onagrarieo, a *adj.* 【식물】 달맞이꽃과의 (oenoteráceo). **—***f.pl.* 달맞이꽃과 식물.
onagre *m.* =**onagro.**
onagro *m.* ① 【동물】 야생 나귀. ② (옛 로마의) 석궁.
onanismo *m.* 수음(masturbación).
ONAPLAN Oficina Nacional de Planificación.

once *adj.* [*lat.* undecim] ① 11의(diez y uno). ② 11번째의(undécimo) : año ~. —*m.* ① 11. ② 11일 : el ~ de marzo 3월 11일. ② 풋볼의 팀. —*f.* ① 11시(時) : a las ~ 11시에. ② 오전의 가벼운 식사 : hacer·tomar las ~ 간식을 들다.
estar a las ~ (무엇이) 약간 기울어져 있다.
oncear *tr.* 온스(onza)로 달다·팔다.
oncejera *f.* 작은 새를 잡는 덫.
oncejo *m.* 【조류】 제비의 일종(vencejo).
oncemil *m.* 【은어】 미늘(cota de malla).
onceno, na *adj.* 11번째의 ; 11등분의. —*m.* 11분의 1.
oncijera *f.* =**oncejera.**
oncología *f.* 【의학】 종양학(腫瘍學).
oncológico, ca *adj.* 종양학의.
oncólogo, ga *m.f.* 종양학 전문의.
onda *f.* [*lat.* unda] ① 물결, 파동(ondulación). ② 파형(波形) ; (머리칼의) 웨이브 ; 불꽃의 너울거림. ③【물리】 파(波), 전파(電波).
~ *larga* 장파.
~ *luminosa* 광파.
~ *media* 중파.
~ *sonora* 음파.
~*s supersónicas* 초음파.
~*s ultra cortas* 초단파.
de toda ~ 올웨이브의.
longitud de ~ 파장.
receptor de toda ~ 올웨이브 수신기.
ondeado, da *adj.* [ondear의 *p.p.*] 물결 모양의, 물결 무늬의 : tela ~*da* 물결 무늬 천. —*m.* 물결 모양(으로 된 것).
ondeamiento *m.* =**ondeo.**
ondeante *adj.* 물결이 이는 ; 펄럭이는 ; 파동(波動)하는 : bandera ~ 펄럭이는 깃발.
ondear *intr.* 물결치다, 물결이 일다, 파도치다 ; 물결 모양이 되다 ; 펄럭이다 ; 사행(蛇行)하다. —*tr.* 물결치게 하다, 파도가 일게 하다.
~se 흔들리다, 일렁이다(columpiarse).
ondeo *m.* 파도치는 일, 물결침 ; 펄럭임 : el ~ de la ropa 옷이 펄럭임.
ondímetro *m.* 【무전】 파장계.
ondina *f.* (북 유럽 신화의) 물의 요정(ninfa).
ondisonante *adj.* 【시어】 파도치는(undísono).
ondoso, sa *adj.* 파도가 이는, 흔들거리는 (ondeado).
ondulación *f.* 파도침 ; (물리학상으로도) 파동 ; 기복 ; 굴절, 사행(蛇行)(sinuosidad) ; 머리칼의 웨이브 : ~ en frío 콜드 퍼머. ~ permanente 퍼머넌트. ~ marcel 마아샬 웨이브.
ondulado, da *adj.* [ondular의 *p.p.*] 파도 모양의, 파도치는, 기복 있는 : cartón ~ 단(段) 보루.
ondular *intr.* 파도치다, 기복이 생기다 ; 펄럭이다 ; 꼬불꼬불하다. —*tr.* (머리칼에) 웨이브를 넣다.
ondulatorio, ria *adj.* ① 물결 모양의 : movimiento ~. ② 펄럭이는 ; 기복이 있는.
onecer *tr.* 《*Sal.*》 =**aprovechar.**
onerosamente *adv.* 번거롭게, 골치 아프게.
oneroso, sa *adj.* [*lat.* onerusus] ① 번거로운, 귀찮은, 골치 아픈. ② 부담이 무거운 : interés ~ 고리(高利). ③ 유상(有償)의.
onfacino *adj.* 설익은 올리브를 짠 (기름 ; 약용).
onfacomeli *m.* 포도즙과 꿀을 섞은 옛날의 약용 음료.
onfaloideo, a *adj.* 【해부】 배꼽(ombligo) 모양의.
ónice *f.* 【광물】 줄무늬 마노.
onicofagia *f.* 손톱을 깨무는 버릇.
onicomancia *f.* =**onicomancía.**
onicomancía *f.* 손톱으로 치는 점.
ónique *f.* =**ónice.**
oniquino, na *adj.* ① 줄무늬의 마노의. ② 손톱(uña) 색깔의.
piedra ~ =ónice.
onírico, ca *adj.* 꿈의.
onirismo *m.* 꿈의 수단.
oniromancia *f.* 해몽.
oniromancía *f.* =**oniromancia.**
ónix *m.* 【단·복수 동형】 =**ónice.**
ONO oestenoroeste.
onocrótalo *m.* 【조류】 [드뭄] 사다새, 펠리컨(pelícano).
onomancia *f.* 성명으로 판단하는 점.
onomancía *f.* =**onomancia.**
onomástica *f.* ① 성명학. ② [집합] 이름, 성명.
onomástico, ca *adj.* 이름의, 고유 명사의 : día·fiesta ~ 영세명의 축일, 탄생일. Tengo que hacer un índice ~ 나는 인명 색인을 만들어야 한다.
onamatología *f.* 수많은 명칭에 대한 학문, 명칭학.
onomatopeya *f.* 의음 《예 : 시계 소리의 tic-tac》, 의성 ; 의성어 ; 의음법.
onomatopéyico, ca *adj.* 의음의, 의성의.
onoquiles *f.* 【단·복수 동형】【식물】 아루칸나.
onosma *f.* 【식물】 =**orcaneta.**
onoto *m.* 《*Amér.*》 잇꽃나무(bija) 이름 중의 하나.
ONPU Oficina Nacional de Planeamiento y Urbanismo.
ontina *f.* 【식물】 방향 식물의 일종.
ontogénesis *f.* =**ontogenia.**
ontogenia *f.* 【생물】 개체 발생.
ontogénico, ca *adj.* 개체 발생의 : desarrollo ~ 개체 발생.
ontología *f.* 【철학】 본체론, 실체론.
ontológico, ca *adj.* 본체론의, 실체론의.
ontologismo *m.* 실체론·주의.
ontólogo, ga *m.f.* 실체론 철학자.
ontrón *m.* 《*León.*》 =**charco.**
ONU ; O.N.U. Organización de las Naciones Unidas 국제 연합 기구 : fuerzas de la *O.N.U.* en Corea 주한 국제 연합군.
onubense *adj.* 오누바 《Onuba, 현재의 Huelva의 옛 이름》의. —*m.f.* 오누바 사람(huelveño).
ONUDI Organización de las Naciones Unidas para el Desarrollo Industrial.
onusto, ta *adj.* =**cargado, pesado.**
onz. onza.
onza¹ *f.* [*lat.* uncia] ① 온스 《중량의 단위, 287 decigramos, 약 7돈중》. ② 1온스의 금화.
onza² ① 【동물】(남 아시아의) 큰 고양이의 일종. ② 《*Bol.*》 【동물】 표범의 일종.

por ~s 조금씩, 소량으로.

onzavo, va *adj.* 11등분의. —*m.* 11분의 1.

oolita *f.* =**oolito.**

oolítico, ca *adj.* 어란상(魚卵狀) 석회암의.

oolito *m.* 어란상 석회암.

oosfera *f.* 무정란.

oosporo *m.* 【식물】 밑씨, 난자.

op. operación.

opa *adj.* 《*AmérM.*》 =**tonto.** —*interj.* 《*Amér.*》 이봐, 어이, 여보세요(¡hola!).

opacamente *adv.* 불투명하게 ; 흐젓하게.

opacar *tr.* 7 불투명하게하다, 흐리게 하다, 어둡게 하다.

~se 《*AmérC. Col. Méx.*》 불투명하다, 흐려지다, 컴컴해지다(nublarse).

opacidad *f.* 불투명.

opacificar *tr.* 불투명하게 하다.

opacle *m.* 《*Méx.*》 용설란으로 빚은 술에 넣는 풀.

opaco, ca *adj.* ① 불투명한 : Los metales son cuerpos *~s* 금속은 불투명체이다. ② 신통하지 못한 ; 흐린, 을씨년스러운.

opado, da *adj.* ① 부푼, 부은. ② 《*Bol. Venez.*》 창백한, 안색이 좋지 못한(pálido).

opalescencia *f.* 젖빛, 담백광.

opalescente *adj.* 젖빛을 내는 : un líquido ~.

opalino, na *adj.* 담백석 같은, 젖 빛깔의.

opalizar *tr.* 9 담백석으로 하다.

ópalo *m.* [*lat.* opalus] 【광물】 오팔, 단백석.

~ *de fuego* 화단백석(火蛋白石). ~ *girasol* 무지개색 단백석. ~ *noble* 귀단백석.

opción *f.* [*lat.* optio] ① 선택권, 선거권 ; 투표(권) : tener una ~. ② 선택의 자유, 취사, 수의(隨意) ; (주식의) 선택 매매(권) ; 옵션 ; 특허부 매매.

opcional *adj.* 선택의, 임의의.

OPEC =**OPEP.**

OPEP Organización de Países Exportadores de Petróleo 석유 수출국 기구.

ópera *f.* [*ital.* opera] ① 오페라, 가극. ② 오페라 극장.

~ *cómica* 희가극.

operable *adj.* ① 조작·운영할 수 있는. ② 수술할 수 있는 : enfermo ~ 수술 가능한 환자.

operación *f.* ① 수술 : ~ cesárea 제왕(帝王) 절개 수술. ~ quirúrgica 외과 수술. Los médicos decidieron hacer la ~ 의사들은 그 수술을 하기로 결정했다. ② 작용 ; (약의) 효과, 효험. ③ 운전, 운용 ; 조작, 공작, 실시, 시행 ; 작전 : Las *~es* se desarrollan conforme al plan previsto 작전은 예정된 계획에 따라 전개된다. El general dirigía las *~es* 장군은 작전을 지휘하고 있었다. ④ 【수학】 연산, 운산(運算). ⑤ 업무, 사무 ; 운영, 거래, 투매, 투기 (거래) ; (시장의) 조작. ⑥ 【군사】 작전 행동 : ~ de limpieza 소탕 작전.

~ *a plazo·término* 신용 거래, 선물(先物) 거래. ~ *al contado* 현금 거래·매매. ~ *bancaria* 은행 업무. ~ *bursátil* 시장 조작. ~ *comercial* 상거래. ~ *de banco* 은행 거래·업무. ~ *de bolsa* 주식 거래. ~ *de crédito* 신용의 공여. ~ *de descuento* 업무 할인. ~ *de dobles primas·doble opción* 특권부 매매. ~ *de dinero* 현금 거래. ~ *de exportación·importación* 수출·수입 거래. ~ *de mercado abierto* 공개 시장 조작. ~ *de perfeccionamiento* 위탁 가공 무역. ~ *de seguro* 보험 업무. ~ *de trabajo* 하역. ~ *de valores* 증권 업무, 유가 증권 거래. ~ *en el mercado abierto* 공개 시장 조작. ~ *especulativa* 투기 매매. ~ *fiducaria* 신탁 업무. ~ *financiera* 금융 조작. ~ *invisible* 무역외 거래. ~ *marítima* 해운 업무. ~ *realizada antes de la apertura o después del cierre de la bolsa* 장외(場外)·점두(店頭) 시장. ~ *social* 회사 거래.

operacional *adj.* ① 조작·작전상의. ② 운산·연산의.

operador, ra *adj.* 실시·운영·거래하는.

—*m.f.* ① 수술하는 사람 ; 집도하는 사람. ② (기계나 장치, 조작 인형의) 조작자, 운전하는 사람. ③ [영화] 촬영 기사 : ~ jefe 촬영 감독. ④ 영사 담당자. —*m.* 연산자(演算子).

operante *adj.* ① 작용하는, 효력이 있는 : medicamento ~. ② 운전의, 운영의 : capital ~ *en* un negocio 어떤 사업의 운영 자금.

operar *tr.* [*lat.* operare] 수술하다 : Me *han operado* de apendicitis 나는 맹장염의 수술을 받았다. Le *han operado* una hernia 그의 헤르니아를 수술했다. El cirujano *operó* al niño 외과 의사는 그 아이를 수술했다.

—*intr.* ① 움직이다, 듣다, 효험을 나타내다, 작용하다(obrar) : Empieza a ~ la medicina 약이 효험을 나타내기 시작한다. ② 조작·공작하다(maniobrar) ; 작전을 꾸미다. ③ 경영하다. ④ 【상법】 투기 거래를 하다 : lo *operado* 거래고. ⑤ 훔치다, 사취하다. ⑥ 【수학】 연산·운산하다.

operario, ria *m.f.* 직공, 공원(工員).

operatorio, ria *adj.* 수술할 수 있는 ; 수술의 ; 외과의 : medicina *~ria.*

operculado, da *adj.* opérculo를 갖춘.

opercular *adj.* opérculo로 사용되는.

opérculo *m.* (조가비) 뚜껑 ; (물고기의) 아감딱지.

opereta *f.* 경가극, 희가극, 오페레타.

opería *f.* ① 《*Arg.*》 헛소리. ② 《*Bol.*》 바보, 천치, 멍청이.

operista *m.f.* ① 가극 배우, 오페라 가수. ② 《*Amér.*》 오페라 작가·작곡가.

operístico, ca *adj.* 오페라의, 가극적인.

operoso, sa *adj.* 힘드는(trabajoso) ; 꾸준히 일하는, 부단히 노력하는.

opiáceo, a *adj.* ① 아편을 함유한 ; 진통제 ; 최면의.

opiado, da *adj.* 아편을 함유한 : No se deben administrar a los niños medicamentos *~s* 어린이에게 아편이 든 약을 투약해서는 안된다.

opiata *f.* 아편제.

opiato, ta *adj.* 아편을 함유한. —*m.* 아편제.

opilación *f.* 【의학】 폐색(obstruceión) ; 월경 폐지(amenorrea) ; 수종(水腫)(hidropesía) ; 변비.

opilarse *r.* ① 월경이 끝나다. ② 《*Arg.*》 물바다가 되다.

opilativo, va *adj.* 폐색·월경 폐지(閉止)·변비용의 : medicina *~va.*

opimo, ma *adj.* [*lat.* opimus] 풍부한, 넉넉한, 충분한(rico, abundante) : frutos *~s* 풍부한 열

매. tributo ~ 많은 세금.

opinable *adj.* 문제가 되는; 변호할 수 있는.

opinante *adj.* 생각을 하는; 의견을 가진·발표하는·말하는.

opinar *intr.* [*lat.* opinare] ① 생각하다: ¿Qué *opina* usted de·sobre su conducta? 그의 행위를 어떻게 생각하십니까? ② 의견을 가지다: *Opino* que ella es mentirosa 그녀가 거짓말을 잘한다고 생각한다. ③ 의견을 발표하다, 의견을 말하다: ~ *en·sobre* una cosa 어떤 것에 대해서 의견을 말하다.

opinión *f.* [*lat.* opinio] ① 생각, 의견, 견해: en mi ~ 내 생각으로는. cambiar de ~ 생각을 바꾸다. Todas las ~*es* deben ser libres 모든 의견은 자유로워야 한다. Soy de la misma ~ 나도 같은 의견이다. ② 평판, 세론, 여론(~ pública).

andar en ~es 신용을 의심받고 있다; 문제가 되고 있다.

casarse con su ~ 자기의 주장을 고집하다.

opio *m.* [*gr.* opion] 아편: Los chinos fuman mucho ~ 중국 사람은 아편을 많이 사용한다.

dar el ~ 의식을 빼앗다.

opiomanía *f.* 아편의 남용(abuso del opio).

opiomano, na *m.f.* 아편 상용자.

opíparamente *adv.* 훌륭하게; 풍부하게.

opíparo, ra *adj.* [*lat.* opiparus] ① 훌륭한(excelente, espléndido): banquete ~ 훌륭한 연회·잔치. ② 푸짐한(abundante): una comida ~*ra* 푸짐한 음식.

opistobranquio, quia *adj.* 【어류】 등 뒤에 아가미가 있는.

opitulación *f.* [드뭄] =**auxilio, ayuda, favor, socorro.**

oploteca *f.* 무기 박물관(museo de armas).

opobálsamo *m.* 방향성 수지(芳香性樹指).

opóleo *m.* 증류에 의한 식물의 액·즙.

oponente *adj. m.f.* 반대하는 (사람).

oponer *tr.* 61 [*lat.* opponere] ① (방해물·반대로) 놓다·내놓다: ~ el dique *a* las aguas 물을 막다. ~ la barrera *al* ímpetu del viento 강한 바람을 막는 울타리를 세우다. Ya no *opuso* resistencia 더 이상 저항하지 않았다. ② (무엇을 가지고) 방해하다·저지하다, 반대하다. ③ 거스르게 하다; 대항시키다. ④ 반대·반론하다, (반대 의견으로서) 내다. ⑤ 반대로·대조적으로 향하게 하다, 대립시키다: ~ dos opiniones. **~se** ① [+a: …을] 막다, 저지하다, 방해가 되다: La barrera *se oponía al* viento 울타리가 바람을 막고 있었다. ② 반대하다: ~*se a* la sinrazón 불합리한 의견에 반대하다. ③ 대항하다, 상반하다: Las dos fuerzas *se oponen* 두 힘은 상반되어 있다. ④ 서로 마주 대하고 있다; 마주 보고 있다: Las dos casas *se oponen.* ⑤ 경쟁 시험·등용 시험을 보다: ~*se a* cátedra 교사직의 시험을 보다.

[직설법 현재 1인칭 단수: opongo. 접속법 현재: oponga, opongas, oponga, opongamos, opongáis, opongan. 직설법 부정과거: opuse, opusiste, opuso, opusimos, opusisteis, opusieron. 과거 분사: opuesto].

oponga oponer의 접·현·1·3·단수.

opongáis oponer의 접·현·2·복수.

opongamos oponer의 접·현·1·복수.

opongan oponer의 접·현·3·복수.

opongas oponer의 접·현·2·단수.

opongo oponer의 직·현·1·단수.

oponible *adj.* 반대·대항·대적할 수 있는(que puede opnerse); 마주보게 되는.

opopánax *m.* =**opopónaca.**

opopónaca *f.* =**pánace.**

opopónace *f.* =**opopónaca.**

opopónaco *m.* 향료용 고무 수지.

opopónax *m.* =**opopónaco.**

oporto *m.* (포르투갈의 Oporto 산 유명한) 적포도주(vino tinto).

oportunamente *adv.* ① 안성맞춤으로, 운좋게, 때를 맞추어: llegar ~ 때를 맞추어 도착하다. ② 재수있게.

oportunidad *f.* 재수 좋음, 적절; 호기(好機), 기회, 안성맞춤: aprovechar la ~ 기회를 이용하다. *Aproveché* la ~ para hablarle 나는 좋은 기회를 이용하여 그와 이야기했다.

oportunismo *m.* 임기 응변, 기회주의, 편의주의.

oportunista *adj.* ① 임기 응변의, 안성맞춤의: adoptar la política ~. ② 기회주의의. **—***m.f.* 기회주의자, 기회주의 정치가.

oportuno, na *adj.* 운이 좋은; 적당한, 적절한, 호기의, 시기적으로 맞는, 기회가 좋은: en tiempo ~ 적당한 시기에. considerar·juzgar·creer ~ 적당하다고·적절한 시기라고 생각하다. Su intervención fue ~*na* 그의 개입은 마침 좋은 때였다. Contr. inoportuno.

oposición *f.* [*lat.* oppositio] ① 반대. ② 마주봄, 대립, 대항. ③ 방해. ④ [주로 *pl.*] 채용·경쟁 시험: por ~ 시험을 치러. ⑤ 반대파, 야당(el partido de la ~).

oposicionista *m.f.* 반대 당원, 야당원.

opositar *tr.* 경쟁·채용 시험을 보다; 반대하다.

opósito, ta *adj.* oponer의 *p.p.*

opositor, ra *adj.* 반대하는, 반대파의. **—***m.f.* 반대자; 경쟁자, 경쟁 대상; 수험자, 수험생, 지원자.

opossum *m.* =**opósum.**

opósum *m.* 【동물】 자루쥐; 캥거루과 동물의 일종《zarigüeya의 학명》.

opoterapia *f.* 장기 요법(臟器療法).

opoterápico, ca *adj.* 장기 요법의.

opresión *f.* [*lat.* oppressio] 압박(감), 압제, 억압: ~ de pecho 호흡 곤란(dificultad de respirar). ~ precordial 전흉부 압박.

opresivamente *adv.* 억압적으로, 압제적으로.

opresivo, va *adj.* 압박의; 억압적인, 압제적인: ley ~*va.*

opreso, sa *adj.* [oprimir의 *p.p.*] =**oprimido.**

opresor, ra *adj.* 압박·압제·억압하는 **—***m.f.* 압박자, 억제자, 억압자.

oprimido, da *adj.* 억압받는: pueblo ~ por el tirano dictador 포악한 독재자에 의해 억압받는 국민. **—***m.f.* 억압 받는 자.

oprimir *tr.* [*lat.* opprimere] 억누르다; 억압하다, 압박·압제하다: El emperador *oprimió* al pueblo bajo el peso de impuestos 황제는 세금의 중압으로 국민을 억압했다. El siempre *oprimía* a los débiles 그는 항상 약자를 억압

했다. Este cinturón me *oprime* demasiado 이 혁대는 나한테 너무 조인다.

oprobiar *tr.* ⑪ (누구의) 명예 등을 더럽히다.

oprobio *m.* 수치, 치욕, 오명, 불명예(ignominia) : Es ~ de su familia 그는 가족의 수치이다. Contr. honra.

oprobiosamente *adv.* 수치스럽게, 무례하게.

oprobioso, sa *adj.* 창피한, 수치스러운, 명예롭지 못한 ; 무례한.

OPS Organización Panamericana de Salud.

opsonin *f.* 【세균】 옵소닌.

optación *f.* ① 채택 ; 취임. ② 【수사】 원망법(願望法).

optante *adj.* 고르는, 뽑는, 선택하는.

optar *tr.* ① [*lat.* optare] (여러 가지 중에서) 고르다, 골라 가지다, 뽑다, 가리다, 선택하다, 채택하다(escoger) : ~ *entre* dos candidatos 두 후보 가운데서 택하다. Usted puede ~ entre estos dos empleos 당신은 이 두 가지 일 중에서 선택할 수 있습니다. ② [+por : …을] 택하다. ③ (직에) 취임하다 : ~ la canonjía. —*intr.* [+a : …의 직·지위를] 희망하다 : El *optó a* aquel encargo 그는 그 임무를 희망했다.

optativo, va *adj.* 희망하는, 바라는, 희구하는, 소원하는, 소원을 나타내는 ; 선택의, 택일의.

óptica *f.* ① 광학. ② [집합] 광학 기계 ; 그 제작 ; 안경점.

óptico, ca *adj.* [*gr.* optikos] 광학의 ; 빛의 ; 눈의, 시력의 : nervio ~ 시신경. —*m.f.* 안경·광학 기계 상인. —*m.* 광학 기계 ; 확대경.

optimación *f.* 효율화, 적확하게 하는 일.

óptimamente *adv.* 희한하게, 훌륭하게, 더없이.

optimar *tr.* 최대한으로 효율을 높이다.

optimate *m.* [드묾] =**prócer.**

optimismo *m.* 낙천·낙관(주의). Contr. pesimismo.

optimista *adj.* 낙천적인 ; 낙천주의의, 낙관주의의 : un acento ~ 낙관적인 어조. No parece Vd. muy ~ 별로 즐거운 것 같지 않다. No tengo motivos para estar ~ 즐거워할 이유가 없다. —*m.f.* 낙천주의자, 낙천가. Contr. pesimista.

optimización *f.* =**optimación.**

optimizar *tr.* =**optimar.**

óptimo, ma *adj.* [*sup.* bueno] 더없이 좋은, 최고로 좋은. Contr. pésimo.

optometría *f.* 시력 검정(법), 검안(檢眼).

optómetro *m.* 시력 검정기.

opuestamente *adv.* 반대로 ; 서로 마주보아, 상대하여.

opuesto, ta *adj.* [oponer의 *p.p.*] ① 반대의, 역의(contrario) : orillas ~*tas* del río 반대편의 강가. El edificio estaba situado en el lado ~ 건물은 반대편에 위치해 있었다. ② 거스르는, 적대하는(enemigo). ③ 마주보는 : ángulos ~*s* 대정각. ④ 【식물】 대생(對生)의.

opugnación *f.* ① 강습, 습격. ② 항변, 반론.

opugnador, ra *m.f.* 습격자.

opugnante *m.* 《*Perú.*》 =**opugnador.**

opugnar *tr.* ① 공격·강습·습격하다 ; 싸우다 : ~ una plaza. ② 퍼부어대다, 반론하다 : ~ un argumento.

opulencia *f.* ① 부유 : vivir en la ~ 부유하게 살다. ② 풍족, 풍부. Contr. miseria.

opulentamente *adv.* 부유하게, 풍부하게, 풍족하게, 넉넉하게 ; 사치스럽게, 호사스럽게.

opulento, ta *adj.* 부유한, 풍부한, 풍족한, 넉넉한.

opuncia *f.* [*lat.* opuntia] =**higuera chumba.**

opúsculo *m.* 소(작)품, 졸저, 소저(小著).

opuse oponer의 직·부정과거·1·단수.

opusiera oponer의 접·불완료과거·1·3·단수.

opusierais oponer의 접·불완료과거·2·복수.

opusiéramos oponer의 접·불완료과거·1·복수.

opusieran oponer의 접·불완료과거·3·복수.

opusieras oponer의 접·불완료과거·2·단수.

opusieron oponer의 직·부정과거·3·복수.

opusiese oponer의 접·불완료과거·1·3·단수.

opusieseis oponer의 접·불완료과거·2·복수.

opusiésemos oponer의 접·불완료과거·1·복수.

opusiesen oponer의 접·불완료과거·3·복수.

opusieses oponer의 접·불완료과거·2·단수.

opusimos oponer의 직·부정과거·1·복수.

opusiste oponer의 직·부정과거·2·단수.

opusisteis oponer의 직·부정과거·2·복수.

opuso oponer의 직·부정과거·3·단수.

oque (de) *adj.* 공짜로, 무료로, 거저(gratis, de balde).

oquedad *f.* ① 동굴, 공동(空洞)(hueco) : la ~ de una roca 바위의 동굴. ② 텅빔, 공허(insubstancialidad).

oquedal *m.* 거목만 솟은 산.

oqueruela *f.* 실의 꼬임·얽힘.

oquis (de) *adv.* 《*Méx.*》 =**de oque.**

ora *conj.* [ahora 에서 어두가 탈락된 말 ; 반복하여 배분의 접속사] 때로는… 또 때로는, 혹은… 또 혹은 : tomando ~ la espada, ~ la pluma 때로는 칼, 때로는 펜을 들고. *Ora* rías, ~ llores 네가 울거나 웃거나. luchando ~ con la espada, ~ con la pluma 칼로 싸우기도 하고 글로 싸우기도 하면서.

oración *f.* [*lat.* oratio] ① 연설(discurso) : ~ fúnebre 추도 연설. ② 기도(rezo) : ~ mental 묵념. ~ dominical 일요 기도. ~ vocal 입으로 외는 기도. ③ 【문법】 ㄱ) 문(文) : ~ principal 주문(主文). Construya usted una ~ empleando esta frase 이 구를 사용하여 문장을 만드세요. El escribe ~*es* muy cortas 그는 무척 짧은 문장을 쓴다. ㄴ) 문절 : ~ adverbial 부사절. El verbo es una parte de la ~ 동사는 품사의 하나이다. —*pl.* 기도의 종, 저녁 예배의 종 ; 그 시각 ; 새벽.

oracional *adj.* 문(장)의. —*m.* 기도서(libro de oraciones).

oráculo *m.* [*lat.* oraculum] ① 신명(神命), 신탁(神託). ② 신탁전(神託殿). ③ 하나님의 사자.

④ 지상의 결정 ; 권위의 소리 : los ~*s* de la Academia 학회의 결정. ⑤ 권위자 : ser el ~ de un partido 당의 권위자이다. hablar como un ~ 권위자로서 말하다.

orador, ra *m.f.* ① 연설자, 변사 : ~ callejero 가두 연설가. Cicerón fue el primer ~ de Roma 키케로는 로마에서 제일의 웅변가였다. ② 소원하는 사람. ③ 설교사, 포교사(predicador).

oraje *m.* 나쁜 · 사나운 날씨, 악천후.

oral[1] *adj.* [*lat.* orare] ① 구두의 : examen ~ 구두 시험. ② 구술의, 구전의 : tradición ~ 구비(口碑). **Contr.** escrito.

oral[2] *m.* [*lat.* aura] ①《*Ast.*》 서늘한 바람. ②《*Col.*》 사금지(砂金地), 사금이 나는 곳 ; 많은 금.

oralmente *adv.* 입으로, 구두로(verbalmente, de palabra).

orangután *m.* [*malayo.* orang utan] ①【동물】 성성(猩猩)이, 오랑우탄. ② 못생기고 털이 많이 난 사람(hombre feo y peludo).

orante *adj.* 기도하는 모습의 : erigir una estatua ~ 기도하는 모습의 상을 세우다.

orar *intr.* [*lat.* orare] ① 연설하다 ; 변론하다 : ~ en favor de su amigo 친구를 위해 변론하다. ② [+por : …을 위해] 기도하다 : ~ *por* los difuntos 죽은 사람을 위해 기도하다. **Sinón.** rezar. **—*tr.*** [드뭄] =**rogar.**

orate *m.* [*gr.* orates] 광인, 미친 사람 : casa de ~*s* 정신 병원.

orático, ca *adj.*《*AmérC.*》 미친 사람의 ; 미친 것 같은.

oratoria *f.* ① 웅변(술)(elocuencia), 연설. ②【종교】 오라토리오, 성담곡(聖譚曲).

oratoriamente *adv.* 연설조로, 웅변조로.

oratoriano, na *adj.* oratorio의. **—*m.*** =**presbítero.**

oratorio *m.* [*lat.* oratorium] ① 기도소, 신단, 불단(佛壇). ② 종교 연극, 음악. ③ 카톨릭교의 일파.

oratorio, ria *adj.* [*lat.* oratorius] 웅변(술)의, 연설의 ; 웅변가의 : Quintiliano escribió una obra excelente sobre el arte ~*ria* 낀띨리아노는 웅변술에 관한 훌륭한 작품을 썼다.

orbe *m.* ① 공, 구(球)(redondez). ② 원(círculo). ③ 지구(esfera). ④ 천체《달 · 해》. ⑤ 세계(mundo). ⑥【어류】 서 인도산 북어의 일종.

orbícola *adj.* 지구상의 어디에도 있는 : planta ~ 어느 곳에나 있는 흔한 식물.

orbicular *adj.* 구상(球狀)의(redondo) ; 원형의, 환상(環狀)의, 구슬 모양의(circular). **—*m.***【해부】 괄약근 : el ~ de los párpados.

orbicularmente *adv.* 둥그렇게, 원을 그리고.

órbita *f.* ① [*lat.* orbita] (천체의) 궤도 : ~ solar 태양의 궤도. ② 권 : la ~ soviética 소비에트권. ③【해부】 안와(眼窩), 눈구멍. ④ 범위(esfera, ámbito).

orbital *adj.* 궤도의 : movimiento ~ de un planeta.

orbitario, ria *adj.* órbita의.

orca[1] *m.* [*lat.* orcus] 지옥(infierno).

orca[2]【동물】 돌고래의 일종.

orca[3] *m.*《*León.*》 양파를 염주알처럼 꿴 것.

orcaneta *f.*【식물】 오르까네따 : La raíz de ~ se usa en tintorería.

orcilla *f.* *dim.* orza.

orcina *f.* 오르신《지의류(地衣類)에서 추출한 염료》.

orchilla *f.* 염료의 일종.

ord(s). orden (órdenes) 주문(서).

órdago (de) *adj.* 희한한, 멋진, 우수한, 훌륭한(excelente) : Pronunció un discurso de ~.

ordalías *f.pl.* 형죄(刑罪), 끓는 물에 손을 담그게 하는 형벌.

orden *m.* [*pl.* órdenes] [*lat.* ordo] ① 차례, 순서 ; 정돈, 정렬 : poner *en* ~ 정돈하다, 정렬시키다. ② 질서 : ~ económico 경제 질서. ~ público económico 경제 공공 질서. ~ social 사회 질서. establecer el ~ 질서를 세우다. ③ 안녕 : turbar el ~ público 공안(公安) · 공공의 안녕 질서를 문란시키다. ④ 규정(regla) ; 상규, 도리, 도 : salir del ~. ⑤ 대형(formación) : ~ abierto · cerrado 산개 · 밀집 대형. ⑥ 서열 : ~ de batalla 전투 순위. ⑦ 계급, 계층, 계(界) ; 서열, 석차 ; 지위 ; 등급, 품등(categoría) : de primer ~ 제 일류의, 최고급의. ⑧ 종류, 무리(clase) : en el mismo ~ de ideas 똑같은 생각으로. ⑨【박물】 류(類), 과(科) : ~ de mamíferos 포유류. ⑩【수학】 차(次), 도(度). ⑪【건물】 주식(柱式), 양식 : ~ corinto · iónico · dórico 코린트 · 이오니아 · 도리스식. ⑫ 부문, 부면, 방면 : ~ laboral.

—*f.* ① 명령 ; 지령, 훈령(mandato) : ~ ministerial 부령. dar *órdenes* 명령을 내리다. consignar *órdenes* 명령을 내리다, 병사에게 준칙을 주다. ② 명령서, 명령장 : ~ de prisión 체포영장. ③ 지배, 지시, 지휘. ④ ㄱ)【상업】 주문(서)(nota de ~) : ~ bancaria confirmada 은행 보증부 주문. ~ de compra 매입 주문, 구입 주문서. ~ de compra al mejor cambio posible 시가(市價) 거래 주문. ~ de construcción 건축 주문. ~ vigente 상례 주문. anular · revocar la ~ 주문을 취소하다. ㄴ) 지시, 의뢰 ; 지시문 : ~ de entrega 인도 지시. ~ de pago 지불 명령서. por ~ y cuenta de …의 의뢰와 부담에 의해서. ⑤ 훈위(勳位), 훈장 : Gran Cruz de la *O-* de Isabel la Católica 카톨릭 여왕 이사벨 십자대훈장. ⑥【종교】 종파, 교파 ; 교단, 수도회 ; 기사 · 승병단(militar) : la *O-* de Santiago · de Calatrava. ⑦ ㄱ) (성직자의) 성품(聖品), 품급(品級) : ~ de acólito. ㄴ) (카톨릭교의) 품급의 비적(秘跡) ; (9계급의) 천사의 지위(coro). **—*pl.*** 성직 : *órdenes* mayores · menores 상급 · 하급직. dar · hacer *órdences* 서품하다.

~ del día ① 의사 일정. ②【군사】 일정표 ; 일일 명령.

a la ~, a las órdenes (de usted) ① (인사말로서) 잘 부탁 드리겠습니다. ②《*Col.*》 천만에요 ; 어서 오십시오.

a la ~【상업】 주문에 의해서 ; 기명식의 : un cheque *a nuestra* ~ 당방 기명식 수표.

a las órdenes de …의 지휘 · 명령하에 : soldados *a sus órdenes* 그의 부하 사병.

en ~ 순서있게, 정연하게.

en ~ a …에 관해서(는).

por su ~ 차례차례로, 순차로.

por ese ~ 그런 식으로.
llamar al ~ (의장이) 발언자에게 주의시키다; 꾸짖다, 나무라다, 책망하다.

ordenación *f.* [*lat.* ordinatio] ① 질서: ~ social 사회 질서. ② 정돈, 배치; 순서(orden, disposición). ③ 규정, 규약; 명령, 의뢰(mandato). ④ 회계국. ⑤【종교】성직 취임, 서품(식), 안수식: El obispo preside las ~*es* 사교가 서품식을 주재한다.

ordenada *f.*【기하】종선, 종좌표(縱座標).

ordenadamente *adv.* 순서있게, 질서 정연하게.

ordenado, da *adj.* 순서가 바른, 정연한; 가정교육이 잘 된; 질서가 잘 서 있는: un muchacho poco ~. [Contr.] desordenado.

ordenador, ra *adj.* 순서를 정하는; 명령하는: comisario ~. —*m.f.* 정리자; 명령자, 주문자; 회계 과장·국장. —*m.* 전자 계산기, 컴퓨터.

ordenamiento *m.* ① 정리. ② 명령, 훈령, 지령, 포고. ③ [집합] 규정, 준칙.

ordenancismo *m.* 질서의 존중.

ordenancista *adj.m.f.* 명령에 잘 따르는 (사람); 엄격한, 까다로운 (상사).

ordenando *m.* 수품자《성직에 앉으려는 사람》.

ordenante *m.* =**ordenando.**

ordenanza *f.* ① 정돈; 차례; 방식. ② [주로 *pl.*] 법령; 규칙, 조령; 군율; 명령, 지시. —*m.*【군사】【집합적】전령; (사무소 등의) 사환.

ordenar *tr.* [*lat.* ordinare] ① 가지런히하다, 정리·정돈하다: Tengo que ~ estos papeles 나는 이 서류를 정리해야 한다. Ella no sabe ~ su casa 그녀는 자기의 집을 정돈할 줄 모른다. ② 차례로 늘어놓다: ~ en filas 줄로 세우다. ③ 집중시키다; 지향하다: ~ los esfuerzos *para·a* tal fin. ④ 명하다(mandar): Le *ordené* que volviera 그에게 돌아가라고 명령했다. ⑤ 주문하다, 의뢰하다: ~ la apertura 개설을 의뢰하다. ⑥ (성직에) 서품하다: ~ a uno *de* sacerdote 누구를 사제로 서품하다. Se *ordenó* en Zaragoza en 1919 그는 1919년에 사라고사에서 서품되었다.
~se 정돈되다; 명령이 전달되다; 서품을 받다; 질서가 회복되다.

ordenata *f.*《*Chile.*》【법률】중재에 의한 재산 분배.

ordeñadero *m.* ① 젖받이《통·깡통·바께쓰》. ②《*Amér.*》착유소.

ordeñador, ra *adj* 젖을 짜는, 낙농의. —*m.f.* 낙농 업자; 젖짜는 사람. —*f.* 착유기.

ordeñar *tr.* (…의) 젖을 짜다(extraer la leche): ~ vacas 소의 젖을 짜다. leche recién ~*da* 갓 짠 젖. La muchacha *ordeñaba* vacas todas las mañanas 소녀는 매일 아침 소의 젖을 짰다. ② 훑어 내리다.

ordeño *m.* 착유, 젖짜기.
a ~ 손으로 훑어.
de ~《*Perú. PRico.*》젖을 짤 수 있는 (소 따위).

ordiga *f.* *¡Anda la* ~*!* 질려 버리겠어!

ordinación *f.*《*Ar.*》=**ordenanza.**

ordinal *adj.* 순서의, 서수(序數)의: adjetivo numeral ~ 서수의 형용사. —*m.* 서수.

ordinarez *f.*《*Arg. Ecuad.*》=**ordinariez.**

ordinariamente *adv.* ① 보통으로, 예사로 (por lo común): *O*- no tomo agua en la comida 나는 보통 식사 중에는 물을 마시지 않는다. ② 무례하게, 버릇없이(groseramente).

ordinariez *f.* 버릇 없음; 교양이 없음; 투박스러움, 거칠고 촌스러움(grosería).

ordinario, ria *adj.* [*lat.* ordinarius] ① 늘 그러는, 예사로운(común). ② 보통의: tren ~ 보통 열차. ③ 나날의, 끊임없는; 평생의, 일생의. ④ 변변치 못한, 어줍잖은(basto, vulgar). ⑤ 교양 없는; 투박스러운: una mujer muy ~*ria.* ⑥ 평범한, 흔해 빠진: hombre ~ 평범한 남자. ⑦ (귀족에 대해서) 평민의(plebeyo). [Contr.] noble. ⑧ 정기의: dividendo ~ 정기 배당. —*m.* ① 늘 먹는 식사. ② 매일 매일의 잡비. ③ (관구의) 사교, 승정. ④ 정기 우편; 정기적인 마차; 그 마부.
de ~ 언제나, 보통으로, 일상(comúnmente): como *de* ~ 여느 때처럼, 평상시와 다름없이. *De* ~ como más tarde 나는 언제나 늦게 식사한다.

ordinariote *adj.* =**muy ordinario.**

ordinativo, va *adj.* 정리의 정돈의.

orea *f.* 숲의 요정.

oréada *f.* =**orea.**

oréade *f.* =**orea.**

oreante *adj.* 바람을 쏘이는, 바람에 말리는.

orear *tr.* 바람을 쏘이다(refrescar al aire).
~se 바깥 바람을 쐬다; 바람으로 말리다: Los campos *se han oreado.*

orégano *m.* [*lat.* origanus]【식물】꽃박하.
~ *sea* 위태로운 일; 아이 무서워.
no es ~ *todo el monte* 쉬운 일은 없다, 누워 떡 먹기 식으로 되는 것은 없다.

oreja *f.* [*lat.* auricula] ① 귀, 외이(外耳): El se metió el sombrero hasta las ~*s* 그는 모자를 깊숙히 썼다. [*N. oído*(속귀)와는 구별해야 함]. ② 청감(聽感), 청력(oído): cerrar las ~*s* 귀를 틀어막다. ③ 귀; 귀 모양처럼 양쪽으로 삐죽하게 나온 것. ④ (그릇의) 손잡이. ⑤ 아첨꾼.
~ *de abad·de monje*【식물】수련의 일종. ~ *de fraile* 당아욱(ásaro). ~ *de oso* 앵초. ~ *de ratón* 맨드라미의 일종. ~ *marina*【동물】전복.
con las ~*s caídas·gachas* (실패로) 의기 소침하여, 기가 꺾여.
con las ~*s tan largas* (호기심으로) 귀를 모아.
de cuatro ~*s* 귀와 뿔이 있는 (동물; 소).
aguzar las ~*s* 귀를 쫑긋 세우다, 듣기 위해 귀를 모우다, 주의를 기울이다.
apearse por las ~*s* ① 낙마(落馬)하다, 말에서 떨어지다: El *se apeó por las* ~*s* 그는 낙마했다. ② 터무니없는 말을 하다. ③ 대답하다.
bajar las ~*s* 패배를 인정하다, (져서) 손을 들다: Por fin *bajo las* ~*s.*
calentar las ~*s* (누구를) 엄하게 꾸짖다: La *calenté las* ~*es* 나는 그녀를 엄하게 꾸짖었다.
enseñar·descubrir las ~*s* ① 본색·마각을 드러내다, 실토하다, 자백하다: Por fin *descubrió la* ~ 그는 마침내 본색을 드러냈다. ② 손을 들다.
haberle visto las ~*s al lobo* 큰 위험에서 빠져 나왔다.
hacer ~*s de mercader* 들리지 않는 척하다.
mojar la ~ 싸움을 걸다; 무찌르다: Pude *mojarle la* ~ 나는 그를 해치울 수 있었다.

no valer sus ~s llenas de agua 타기(唾棄)할 일이다.
poner las ~s coloradas (누구를) 호되게 나무라다, 호된 말을 하다.
taparse las ~s 귀를 틀어막다.
tener de la ~s (누구를) 상담역으로 하다, 의논상대로 하다.
tirar la ~ · las ~s (a Jorge) 카드 놀이·도박을 하다 : Vamos a *tirar de la ~ a Jorge* 카드 놀이를 합시다.
ver las ~s al lobo 위험에 빠지다, 위험한 상태에 있다 : *Vio las ~s al lobo* 그는 위험에 빠져 있었다.

orejano, na *adj.* ①《*Amér.*》사나운, 길들지 못한. ②《*Arg.*》(귀나 그 밖의 것에) 표시가 없는 (가축). ③《*Venez.*》경계하고 있는.

orejar *tr.* ①《*Arg.*》=**venir con chismes.** ②《*Cuba.*》=**desconfiar.** ③《*Amér.*》시치미를 떼고 듣다.

orejeado, da *adj.* 오기를 기다린, 태세를 갖춘, 경계를 하고 있는 : estar ~ 태세를 갖추고 있다, 경계하고 있다.

orejear *intr.* ① (동물이) 귀를 움직이다, 억지스러운 짓을 하다, 마지못해 하다. ②《*Amér.*》살그머니 엿듣다 ; (누구의) 귀를 잡아당기다, 혼내주다.

orejera *f.* 귀덮개 ; (소의 부리망의) 얼망한 널 ; (토인용) 귀고리.

orejero, ra *adj.* ①《*Amér.*》미심쩍어 하는. ②《*Arg.*》남의 말하기 좋아하는. ③《*Col.*》심술궂은.

orejeta *f.* [dim. oreja] (물건의) 귀, 손잡이.

orejisano, na *adj.* 표시가 없는 (가축).

orejón *m.* ① 귀를 잡아 끄는 일, 귀를 잡아당기기(tirón de orejas) : dar a uno un ~ (누구의) 귀를 잡아당기다. ② [주로 *pl.*] (썰어서 말린) 복숭아·과일 : compota de *orejones.* ③ (고대 뻬루의) 원주민 귀족. ④ (각지의) 토인 종족. ⑤【축성】보루 측면의 돌출부.

orejón, na *adj.*《*Amér.*》귀가 큰(orejudo) ; 멍청한, 어리석은 ; 투박한, 사납고 촌스러운.

orejonas *f.pl.*《*Col.*》큰 박차.

orejudo, da *adj.* 귀가 큰 : su cabecita *~da* 귀만 유난히 큰 그의 작은 머리.

orejuela *f.* [*dim.* oreja] ① (그릇·쟁반 등의) 손잡이, 자루(asa). ②《*CRica.*》냄비의 과일.

orenga *f.* =**varenga.**

orensano, na *adj.* 오렌세《Orense, 갈리시아의 도시》의 —*m.f.* 오렌세 사람.

Orense [지명] 오렌세《서반아의 주·도시》.

orenza *f.*《*Ar.*》=**tolva.**

oreo *m.* ① 산들바람, 미풍. **Sinón.** brisa. ② 통풍, 환기.

oreoselino *m.*【식물】산미나리.

Orestes *f.*【신화】Agamenón과 Clitemnestra와의 아들로 아버지를 죽인 어머니에게 원수를 갚은 인물.

oretano, na *adj.* 오레따니아《la Oretania, 현재의 Ciudad Real 지방의 옛 이름, 중심 도시는 Oreto》의.

orfanato *m.* 고아원, 고아 수용소, 양육원.

orfanatorio *m.* 고아원, 양육원.

orfandad *f.* 고아(로 되는 일), 고아 상태 ; 고독 ; 고아 부조료·연금.

orfanotrofio *m.* 고아원.

orfebre *m.* [*lat.* auri faber] [드묾] 장식사, 금·은 세공사(platero).

orfebrería *f.* 금·은 세공·자수 ; 장식.

orfelinato *m.*《*Galic.*》=**orfanato.**

Orfeo *m.* 하프 소리로 초목·동물·바위를 매혹시켰다는 트리키아의 시인.

orfeón *m.*《*Neol.*》합창단, 노래 모임.

orfeonista *m.*《*Neol.*》합창 단원, 노래 회원.

órfico, ca *adj.* 오르페오(Orfeo)의·같은 : poesías *~cas.*

orfismo *m.* 신비주의.

orfo *m.*【어류】방울눈 도미《눈알이 큰 도미 비슷한 물고기》.

org. original.

organdí *m.* 오간데《얇은 면직물의 일종》.

organero *m.* 오르간 제조자·판매인.

orgánicamente *adv.* 유기적으로, 조직적으로.

organicidad *f.* 유기성(有機性).

organicismo *m.* 유기체설.

organicista *adj.m.f.* organicismo 의 (사람).

orgánico, ca *adj.* ① 유기체의, 유기물의 ; 유기의 ; 유기적인. ② 조화있는 ; 조직적인, 구성적인. ③ 기관(器官)의 ; 기관(機關)의.

organigrama *m.* 기구·조직의 약도.

organillero, ra *m.f.* 손풍금(organillo)을 켜는 사람.

organillo *m.* 손풍금 : ~ de boca 하모니카.

organismo *m.* ① [집합] 유기체, 유기물. ② 기구, 조직(체) : *O-* Internacional Regional de Sanidad Agropecuaria 국제 농목(農牧) 위생 지역 기구. ③ 기관, (노동 조합, 학생회 등의) 단체 : ~ de vigilancia · de control 감독 기관. ~ internacional 국제 기관. ~ oficial 공적 기관. ~ público 공공 단체.

organista *m.f.* 파이프 오르간·오르간의 연주자 ; 연주자 : ~ del piano.

organito *m.*《*Arg.*》=**tordo.**

organizable *adj.* 유기체화 할 수 있는 ; 조직화할 수 있는.

organización *f.* ① 조직, 구성, 편제 : ~ artesanal 기술자 조직. ~ de ventas 판매·상품 유통 조직. la ~ del cuerpo humano 인체 조직. ~ funcional 직능 조직. ~ general 조직 구조. ~ sindical suprema (central) 노동 조합의 상부 조직. ② 편성 ; 기구, 기관, 체제 ; 유기체 ; 연합체, 단체, 조합, 협회 : ~ del mercado 배급 기관. ~ financiera internacional 국제 융자 기구. **Contr.** desorganización.
~ de Estados Centroamericanos 중미 기구. *~ de exportación* 수출 기구. *~ de la Unidad Africana* 아프리카 통일 기구. *~ de las Naciones Unidas* (약자 : O.N.U.) 국제 연합. *~ de las Naciones Unidas para Educación, Ciencia y Cultura* 유네스코, 유엔 교육 과학 문화 기구. *~ de las Naciones Unidas para el Desarrolla Industrial* 유엔 공업 개발 기관. *~ de los Estados Americanos* 미주 기구, *OAS.* *~ de los Estados Centroamericanos* 중미 기구. *~ de Solidaridad de los Pueblos de Africa, Asia y América Latina* 3대륙 인민 연대 기구. *~ Europea de*

Cooperación Económica 유럽 경제 협력 기구. ~ *Internacional de Aviación Civil* 국제 민간 항공 기구. ~ *Internacional de Patronos* 국제 경영자 단체 연맹. ~ *Internacional de Radiodifusión y Televisión* 국제 방송 기구. ~ *Internacional Regional de Sanidad Agropecuaria* 국제 농목 위생 지역 기구. ~ *Panamericana de Salud* 범미 위생 기구. ~ *para la Cooperación Económica Europea* 유럽 경제 협력 기구. ~ *para la Cooperación Económica y Desarrollo* 경제 협력 개발 기구. ~ *Regional Interamericana de Trabajadores* 미주 노동자 지역 기구. ~ *Sindical Libre* 자유 노동 조합 연합회. ~ *Internacional del Comercio* (약자 : O.I.C.) 국제 무역 기구. ~ *Internacional del Trabajo* (약자 : O.I.T.) 국제 노동 기구, I.L.O. ~ *de Aviación Civil Internacional* (약자 : O.A.C.I) 국제 민간 항공 기구. ~ *Mundial de Sanidad·de la Salud* (약자 : O.M.S.) 세계 보건 기구. W.H.O. ~ *de las Naciones Unidas para la Agricultura y la Alimentación* (약자 : F.A.O.) 국제 연합 식량 농업 기구. ~ *del Tratado del Sudeste de Asia* (약자 : O.T.S.E.A.) 동남 아시아 조약 기구, S.E.A.T.O. ~ *de Cooperación y Desarrollo Económico* 경제 협력 개발 기구, O.E.C.D. ~ *de Países Exportadores de Petróleo* 석유 수출국 기구. ~ *Internacional de Energía Atómica* 국제 원자력 기관.

organizado, da *adj.* 조직된 ; 유기적 ; 유기체의, 유기물의(orgánico) : Los animales y los vegetales son cuerpos ~*s* 동물과 식물은 유기체이다.

organizador, ra *adj.* 조직·편성·창설하는 ; 조직적인. —*m.f.* 조직자, 발기인, 편성자, 창설자 ; (신설 회사 등의) 창립 위원 ; (전시회 등의) 주최자.

organizar *tr.* ⑨ 유기적으로 하다 ; 조직하다 ; 편성하다 ; 창설하다 ; (기획·행사 따위를) 계획·준비하다 ; 개최·주최하다 ; 개조하다 : El Sr. Montalbo *organizó* su gabinete 몬딸보씨는 내각을 조직했다. Van a ~ un nuevo círculo 새로운 서클이 조직될 것이다. Ella *organizó* la fiesta 그녀가 파티를 조직했다. Contr. desorganizar.
~se ① 조직·편성되다. ② 《*Venez.*》 벼락 부자가 되다.

organizativo, va *adj.* =**organizador.**

órgano *m.* [*lat.* organum] ① 기관(器官) : ~ de la digestión 소화 기관. ② 기관(機關) : ~ central 중앙 기관. ~ de locomoción 교통 기관. ~ deliberativo 심의 기관. ~ internacional 국제 기관. ~ representativo (외국 기업의) 대표 기관. ~ supremo 최고 기관. ③ 어떤 기관의 일원, 구성원. ④ 기관지, 기관 간행물 : El periódico es el ~ de aquel partido político 그 신문은 저 정당의 기관지이다. ⑤【음악】 파이프 오르간. ⑥ 방법(medio). ⑦ 《*Méx.*》 선인장과의 여러 가지 식물의 이름(nombre de varias plantas cactáceas).
~ *de lengüeta* 리도 오르간. ~ *de manubrio* 손풍금(organillo). ~ *director* 《*Perú.*》 이사회. ~ *expresivo* 오르간(armonio).

organogenia *f.* 기관 생성학(器官生成學)·연구.

organografía *f.* (동식물의) 기관학.

organográfico, ca *adj.* 기관학의.

organología *f.* (동식물의) 기관 연구 ; 장기학(臟器學).

órganon *m.* 아리스토텔레스의 논리학.

organoterapia *f.* 장기 요법(臟器療法).

orgasmo *m.* ① 격렬한 흥분, 격정, 흥분 ; 기능·색욕의 앙진, 색정의 과잉 흥분(eretismo). ②【의학】 오르가슴 ; (성교할 때) 성적 흥분·쾌감의 절정.

orgia *f.* =**orgía.**

orgía *f.* [*lat.* orgĭa ; *gr.* orgia] 주신제 ; 난장판을 꾸미는 술잔치 ; 절제없이 음탕한 짓.

orgíaco, ca *adj.* =**orgiástico.**

orgiástico, ca *adj.* 주신제 같은 ; 난장판을 피우는.

orgivense *adj.m.f.* 오르히바 《Orgiva, Granada 주의 한 도시》의 (사람).

orgl. original.

orgullecer *intr.*【고어】 =**enorgullecerse.**

orgulleza *f.*【고어】 =**orgullo.**

orgullo *m.* 긍지, 자존심 ; 자만, 거만, 교만, 오만, 존대. Contr. modestia, humildad.

orgullosamente *adv.* 긍지를 가지고, 자랑스럽게 ; 으시대며, 거만스럽게 : Lo dijo ~.

orgulloso, sa *adj.* ① 긍지가 대단한, 자랑스러운 듯한 ; 거만 떠는, 자랑하는, 자랑스러운 : Está ~ *de* su hijo 그는 아들을 자랑으로 여기고 있다. ② [+con] (자신의 소유물을) 자랑하는 : La niña está ~*sa con* su muñeca 소녀는 자기 인형을 자랑한다. Contr. modesto, humilde.

ori *m.* 숨박꼭질 : jugar a ~ 숨박꼭질하다.

¡ori! *interj.*【은어】 =**¡hola!**

oriámbar *m.* 노란 호박(ámbar amarillo)《보석》.

oribe *m.*【고어】 =**platero, orífice.**

oricalco *m.*【고어】 =**auricalco.**

orientación *f.* ① ㄱ) 방위, 방향. ㄴ) 향방, 방향의 측정. ② 방향·방침·태도의 결정 ; 동향. ③ 귀소 본능(歸巢本能). ④ ㄱ) 지침, 지도, 보도(補導) : ~ profesional 직업 보도. ㄴ) (교육의) 방향 설정. Contr. desorientación.

orientador, ra *adj.m.f.* 지도하는 (사람), 지도자.

oriental *adj.* ① 동(東)의, 동방의. ② 동양·근동의 : Vamos a comer a la ~ 동양식으로 식사합시다. Contr. occidental. ③ 《*Amér.*》 우루구아이의 : la República ~ del Uruguay 우루구아이 공화국. ④ 동쪽으로 나오는 : estrella ~ 샛별. —*m.* ① 동양인. ② 근동 사람. ③ 우루구아이 사람(uruguayo).

orientalismo *m.* 동양풍, 동양 취미 ; 동양학.

orientalista *m.f.* 동양 학자, 동양어 학자.

orientar *tr.* ① (…의) 방향·향배를 정하다 : ~ un edificio hacia sur 건물을 남향으로 하다. ② (어느 방향으로) 향하다 ; 향하게 하다. ③ 지도·유도하다(dirigir) ; (돛을) 바람부는 쪽으로 돌리다. Contr. desorientar.
~se 방향을 정하다 ; (어떤 방향으로) 향하다 ; 향방·동향을 알다 ; 정세에 밝다 : Así puede ~*se* mejor 그렇게 하면 길을 더 잘 아실 수 있다. Es muy difícil ~*se* en medio de una revolu-

ción 혁명의 와중에서 정세에 밝기란 매우 어려운 일이다.

oriente *m.* [*lat.* oriens] ① 동쪽 ; 동풍. ② 동양, 근동 : el Extremo *O*-, el Lejano *O*- 극동. Cercano · Próximo *O*- 근동. Medio *O*-, *O*-Medio 중동. **Contr.** occidente. ③ 진주의 광택. ④ 청춘기, 청년기. ⑤ 비밀 결사의 지부 : el Gran *O*- 한 나라 안의 프리메이슨 비밀 결사의 총지부.

orificable *adj.* (충치에) 금을 씌울 수 있는.

orificación *f.* 충치에 금을 씌우는 일.

orificador, ra *adj.* (충치에) 금을 씌우는. —*m.* 충치에 금을 씌우는 기구.

orificar *tr.* ⑦ (충치에) 금을 씌우다.

orífice *m.* 금세공사, 장식 제조인.

orificio *m.* ① 동굴 ; 구멍(agujero). ②【해부】똥구멍, 항문(ano).

oriflama *f.* 기, 색기(色旗), 표식의 기.

orifrés *m.* 금 · 은의 몰.

origen *m.* ① 발단, 원인, 근원, 시작 ; 원천, 출처, 기원 : el ~ de un mal 불행의 동기. El español tiene su ~ en el latín 서반아어는 라틴어에 기원을 두고 있다. ② 원점 ; 기점. ③ 출생지, 산지, 원산지, 발생지 : certificado de ~ 원산지 증명서. de ~ 원산의. ④ 출신 성분, 가문, 태생, 혈통 : ser de humilde ~ 보잘것 없는 가문에서 태어나다. Es de ~ francés 그는 불란서 태생이다, 그것은 블란서의 원산이다. ⑤ 소성(素姓) : dar ~ a … 에 원인이 되다.

origenismo *m.* 사교(herejía)《3세기 이집트 Orígenes가 창시한 종교》.

origenista *adj.m.f.* Orígenes 교의 (신도).

original *adj.* [*lat.* originalis] ① 으뜸의 ; 시작의 : pecado ~ 원죄《아담과 이브가 저지른 죄》. ② 독창적인 ; 신기한 : idea ~. ③ 진기한, 이상한, 기발한, 유다른. ④ 특이한 ; 독특한. —*m* ① 원물(原物) ; 정본(正本), 원본, 원문 : ~ de cambio · de letra 원 어음, 어음의 원본. Haga usted el ~ y tres copias 원본 1통과 사본 3통을 작성하십시오. ② 본인(本人) : Este retrato aventaja al ~ 이 초상화는 본인보다 더 잘 그려졌다. ③ 원어, 원서, 원전, 원작 : leer a Cervantes en el ~ 세르반떼스를 원전으로 읽다. ④ 원고 : El ~ de imprenta debe escribirse sólo en una cara del papel 인쇄 원고는 종이의 한 면에만 쓰여야 한다. ⑤ 원도(原圖) ; 원형. ⑥ 독창적인 사람 ; 괴짜, 기인 : Es un tipo muy ~ 그는 매우 괴짜이다.

originalidad *f.* 근원인 일 ; 진정 ; 독창성, 독창력, 특이성, 창조력 ; 신기함 ; 유다름, 진기함, 기발함.

originalizar *tr.* 창조력을 주다.

originalmente *adv.* 애초에는, 시초에는, 원래 ; 원형 · 원작에 의해 ; 독창적으로 ; 창조적으로 ; 신기하게, 진기하게, 기발하게.

originar *tr.* 일으키다, 야기시키다 ; (…의) 바탕 · 원인이 되다(causar) : El desmonte suele ~ las inundaciones 산림의 벌채는 늘 홍수의 원인이 된다.

~se 비롯되다, 일어나다, 시작하다, 발생하다.

originariamente *adv.* 원래, 처음부터.

originario, ria *adj.* ① [+de : …의] 원산의, 출신의, 출생의, 태생의(oriundo) : una familia ~*ria* de Asturias 아스뚜리아스 출신의 일가. ② 근본의, 근원이 되는 : un manantial ~ de un río.

orilla[1] *f.* [*lat. dim.* ora] ① 끝, 가장자리(borde, límite). ② 연변 : la ~ del río · del mar. ③ 보도(步道).

orilla[2] *f.* [*lat. dim.* aura] ① 미풍, 서늘한 바람(auro). ②【방언】《*Ecuad.*》날씨 : Mala está la ~ 날씨가 나쁘다.

a la ~ 가까이에, 근접해서.

de ~ 《*Ant.*》겉보기만의, 겉보기만으로.

orillar *tr.* 치우다, 챙기다, 정리하다 : He *orillado* todas mis cosas. —*intr.* 언덕에 닿다 ; 가장자리를 남기다, 면을 두르다.

orilleo *m.* 《*Chile.*》(숲이나 연못의) 주변의 땅.

orillero, ra *adj.m.f.* 《*Amér.*》교외의 (사람).

orillo *m.* 피륙의 솔기, 갓(orilla o borde del paño) : una tira de ~.

orín[1] *m.* [*pl.* orines] [*lat.* oerûgo] 쇠의 녹 : tomarse de ~ 녹이 슬다.

orín[2] *m.pl.* [주로] 오줌(orina).

orina *f.* [*pl.* orines] 오줌. **Sinón** pis.

orinal *m.* 요강, 변기.

~ ***del cielo*** 비가 많은 고장.

orinar(se) *intr.* (*r.*) 오줌누다. —*tr.* (요도에서) 빼내다 : ~ sangre 요도에서 피를 빼내다.

orines *m.pl.* =**orina.**

oriniento, ta *adj.* [드묾] 녹슨.

Orinoco【지명】오리노꼬강 · 평야《베네수엘라와 꼴롬비아 사이를 흐름》.

orinque *m.*【해부】부표색(浮標索).

oriñal *m.* (카나다의) 사슴(alce)의 이름.

oriol *m.*【조류】개똥지바퀴(oropéndola).

oriolano, na *adj.m.f.* 오리우엘라《Orihuela, Alicante 주의 한 도시》의 (사람).

Orión *m.*【천문】오리온좌, 오리온자리.

oripié *m.* 《*Murc.*》산록(pie de un monte).

ORIT Organización Regional Interamericanca de Trabajadores 미주 노동자 지역 기구.

oriundez *f.*【방언】원산지(origen).

oriundo, da *adj.* 원산의 ; … 태생의 ; …출신의 (originario) : planta ~*da de* España.

orla *f.* [*lat.* orula] 가장자리 ; 면두르기 ; (사진의) 대지(臺紙).

orlador, ra *adj.m.f.* 면을 두르는 (사람).

orladura *f.* [집합] 가장자리, 갓장식.

orlar *tr.* 면을 두르다, 가장자리에 장식을 대다.

orleanés, sa *adj.m.f.* 오를레앙《Orleáns, 불란서의 한 도시》의 (사람).

orleanismo *m.* 오를레앙가(家)의 정치 제도.

orleanista *adj.m.f.* 오를레앙가(家)의 (사람).

orlo *m.* ① 알프스 지방의 뿔피리의 일종. ②【음악】(오르간의) 음전(音栓). ③【건축】각주(脚柱), 초석(plinto).

orlón *m.* 합성 직물.

ormesí *m.* 《*Ant.*》능견(綾絹).

ormino *m.*【식물】맨드라미(gallocresta).

orn. orden 주문(서).

ornadamente *adv.* 잔뜩 꾸며.

ornamentación *f.* 꾸밈, 장식(하기).

ornamentador, ra *adj.* 장식하는, 꾸미는. —*m.f.* 장식가.

ornamental *adj.* 장식의 : friso ~.

ornamentar *tr.* 꾸미다, 장식하다(adornar).

ornamento *m.* [*lat.* ornamentum] ① 꾸미기; 장식물, 장식품(adorno): ～*s* de arquitectura 건축의 장식(품). ② 가장자리 장식; 갓장식 조각. ③ 재능; 미점(美點). —*pl.* (승려의) 예복·제복(祭服); 제단 꾸미기.

ornar *tr.* 꾸미다, 장식하다(adornar).
～se 몸을 꾸미다·장식하다.

ornatísimo, ma *ajd. sup.* 치장을 많이 한.

ornato *m.* ① 장식, 꾸미기: Todo el ～ interno del templo es dorado 내부 장식은 모두 금색이다. ② 장식품.

ornear *intr.* 《*Gal. León.*》 =**rebuznar.**

ornito- *pref.* 「새(鳥)」의 뜻을 나타내는 접두어.

ornitodelfo, fa *adj.* 【동물】 일혈류(一穴類)의.

ornitología *f.* 조류학.

ornitológico, ca *adj.* 조류학의.

ornitólogo, ga *m.f.* 조류학자.

ornitomancia *f.* (새가 날으는 모양으로 치는) 새 점(占).

ornitomancía *f.* =**ornitomancia.**

ornitóptero *m.* 헬리콥터의 일종.

ornitorrinco *m.* 【동물】 오리너구리.

oro *m.* [*lat.* aurum] ① (황)금: ～ de 18 quilates 18금. ② 금화(～ acuñado·sellado, moneda de ～): pagar en ～. ③ 금색(金色). ④ 재물 (caudal). ⑤ 장신구. ⑥ 카드 패의 하나.
～ *acuñado* 금화(金貨). ～ *batido* 금박(金箔). ～ *bruto* 금괴, 선철(銑鐵). ～ *coronario* 금위가 높은 금. ～ *de aluvión* 이금(泥金). ～ *de ley* 본위금. ～ *en barra* 연금(延金). ～ *de barras* 금괴. ～ *en pasta* 금괴, 선철(oro bruto). ～ *en polvo* 금가루; 사금. ～ *en libritos* 금박. ～ *en lingotes* 금괴. ～ *mosiaco·musivo* 유화 제 2 주석. ～ *verde* 19 금. *corazón de* ～ 너그러운 사람. *edad de* ～ 황금 시대. *patrón de* ～ 금본위(金本位).
como mil ～*s·un* ～ (아름다운 것의 수식으로) 금처럼 아름다운 : María en *como un* ～ 마리아는 정말 아름답다.
como ～ *en paño·polvo* 소중하게 : Se lo guardará *como* ～ *en paño.*
de ～ 희한한, 훌륭한; 번영의.
de ～ *azul* 차려 입은.
apalear ～ 매우 부유하다.
hacerse de ～ 부자가 되다.
pagar a peso de ～ 무척 비싸게 지불하다(pagar muy caro).
pedir el ～ *y el moro* 지나친 것을 요구하다.
poner de ～ *y azul* 욕하다: Le *pusieron de* ～ *y azul.*
pesar a·en ～ 충분히 보상하다.
valer su peso en ～ 값어치가 많다.
No es ～ *todo lo que reluce* 【속담】 반짝인다고 모두 금은 아니다, 겉만 보고 믿어서는 안된다.

orobanca *f.* 【식물】 (기생 식물인) 초종용(草種蓉).

orobancáceo, a *adj.* 【식물】 초종용과의.
—*f.pl.* 초종용과에 속하는 식물.

orobias *m.* 【단·복수 동형】 말향(抹香)의 일종.

orofrés *m.* 【고어】 금·은 몰.

orogenia *f.* 산악학.

orogénico, ca *adj.* 【지질】 조산 운동의.

orografía *f.* 산악지(誌), 지형학.

orográfico, ca *adj.* 산악지의; 지형적인.

orógrafo, fa *m.f.* 지형학 전문가·학자.

orón *m.* ① 큰 광주리. ② 《*Murc.*》 밀 보관소.

orondo, da *adj.* ① 배가 불룩한 (그릇); 볼록한. ② 폭신폭신한, 말랑말랑한(esponjoso). ③ 자신만만한, 우쭐해진(engreído). ④ 《*Arg.*》 잔잔한, 고요한(sereno).

oropel *m.* ① 진주박(眞鍮箔), 동박(銅箔). ② 겉만 번드르르하게 보이는 물건: gastar mucho ～ 화려하게 보이다.

oropelero *m.* oropel의 박(箔)을 넣는 사람.

oropéndola *f.* 【조류】 개똥지바퀴: La ～ cuelga su nido de las ramas de los árboles.

oropimente *m.* 【광물】 계관석, 웅황(雄黃), 석웅황(石雄黃).

oroya *f.* (골짜기나 강물에서) 사람을 건네다 주는 가마.

orozuz *m.* 【식물】 감초. **Sinón.** regaliz.

ORP Oficina de Regulación de Precios. 《*Panamá.*》 물가 조정국.

orquesta *f.* [*lat.* orchestra] ① 오케스트라, 관현악(단). ② 고대 그리스 극장에서 무대 앞에 있던 반원형의 좌석·합창단의 연주석. ③ (무대 앞의) 주악석, 연주석.

orquestación *f.* 관현악 편곡(법).

orquestador, ra *m.f.* 관현악 편곡자.

orquestal *adj.* 관현악의.

orquestar *tr.* 관현악으로 편곡하다.

orquestina *f.* 악대, 악단.

orquestra *f.* [드뭄] =**orquesta.**

orquestrión *m.* 【악기】 큰 아코데온의 일종.

orquidáceo, a *adj.* 【식물】 난초과의. —*f.pl.* 난초과 식물.

orquide *f.* 【식물】 난초.

órquide *f.* orquídea의 일종.

orquídea *f.* 【식물】 (여러 종류의) 난초.

orquitis *f.* 【의학】 고환염.

orre (en) *adv.* 무더기로, 수북히 쌓아; 낱개로 (쌓아).

ortega *f.* 【조류】 뇌조·송학(의 무리).

ortiga *f.* 【식물】 쐐기풀 광대수염.
～ *de mar* 【동물】 해파리, 물오징어(acalefo).
ser como unas ～*s* (사람 됨됨이가·말솜씨가) 붙임성이 없다.

ortigal *m.* 쐐기풀밭.

ortivo, va *adj.* ① 해가 뜨는, 동쪽의: la amplitud ～*va* 【천문학】 동거각(東距角). ② 천체가 오르는.

orto *m.* 일출 《이 밖의 천체가 동쪽 하늘에 나타나는 일》.

orto- *pref.* 「직(直)…」「정(正)…」의 뜻을 나타내는 접두어.

ortoclasa *f.* 【광물】 정장석(正長石)(ortosa).

ortocromático, ca *adj.* 【사진】 정색성(整色性)의.

ortodoncia *f.* 이 교정 치과 의학.

ortodontista *adj. m.f.* 이 교정의 (전문의).

ortodoxia *f.* ① 정설, 정교(正教), 정통. ② 정교 신봉; 정통(正統)으로 있는 것, 정통파.

ortodoxo, xa *adj.* ① 정교의; 그리스 정교의: Iglesia *Ortodoxa* 정교회, 그리스 정교. ② 정통

의, 정통파의. —*m.f.* 정교자, 정통파. Contr. heterodoxo.

ortodromia *f.* 【항공】 대기권 항법, 직항법, 최단거리 항로.

ortodrómico, ca *adj.* 대기권 항법·항로의.

ortoepía *f.* 정음학(正音學); 정음법, (바른) 발음법.

ortofonía *f.* 발음 교정(법).

ortogonal *adj.* 【기계】 직교(直交)하는, 직각의, 직사각형의.

ortogonio *adj.* ***triángulo*** ~ 직각 삼각형.

ortografía *f.* ① 정서법, 정자법 : La ~ española es una de las más fáciles de aprender 서반아어 정서법은 배우기에 가장 쉬운 것 중의 하나이다. ② 정사영(正射影)(법), 정면도. ③ 말의 철자.

ortografiar *tr.* 12 《*Neol.*》 올바르게 쓰다.

ortográfico, ca *adj.* 정서법·정자법의 : acento ~ 쓰인 악센트의 부호 《´의 표시》.

signos ~***s*** ´나 ¨의 표.

ortógrafo, fa *m.f.* 정서법·정자법 학자; 옳은 철자법을 쓰는 사람.

ortología *f.* 정음법, 올바른 발음법; 발음학.

ortológico, ca *adj.* 정음법의, 발음이 올바른.

ortólogo, ga *m.f.* 정음법·발음 학자.

ortopedia *f.* 정형 외과; 정형술.

ortopédico, ca *adj.* 정형 외과의 : aparato ~ 정형 외과 기구. —*m.f.* 정형 외과 의사 (ortopedista).

ortopedista *m.f.* 정형 외과 의사.

ortóptero *adj.m.* 【곤충】 직시류의 (곤충). —*m.pl.* 직시류.

ortosa *f.* 【광물】 정장석(正長石).

oruga *f.* [*lat.* oruca] ① 【식물】 나도 냉이. ② 【곤충】 모충(毛虫), 물쐐기 《나비·나방 따위의 유충》; 배추 벌레 : Las ~*s* son perjudiciales para la agricultura 모충은 농사에 해롭다. ③ 【기계】 무한 궤도(차).

orujo *m.* (포도·감람 따위의) 껍질.

orvallar *intr.* 【방언】 =**lloviznar rocío.**

orvalle *m.* =**gallocresta.**

orvallo *m.* 【방언】 =**llovizna.**

orza *f.* ① 항아리, 단지. ② 【선박】 풍상현(風上舷).

a ~바람 부는 쪽을 향하여(con la proa haciael viento).

orzaga *f.* 【식물】 =**marismo.**

orzar *intr.* 9 [*ital.* orzare] 뱃머리를 바람 부는 쪽으로 향하다.

orzaya *f.* 아기 보는 여자(niñera).

orzoyo *m.* (우단을 짜는) 견모(絹毛).

orzuela *f.* 《*Méx.*》 머리핀.

orzuelo *m.* ① 【의학】 다래끼. ② 덫.

os *pron.* [대격·여격 인칭 대명사 제 2 인칭 복수형, 또 재귀 대명사] ① 자네들을, 너희를, 당신들을 : *Os* vi ayer 나는 너희들을 어제 만났다. ② 너희들에게·에게서, 자네들에게·에게서, 당신들에게·에게서 : *Os* doy las gracias 너희에게 감사한다. ③ 【고어】 [vos의 대격·여격으로서 단·복수의 구별없이 상대방에게 말함] Ya *os* lo dije, *amigo mío.* ④ [재귀 대명사] Acercaos 가까이들 오너라. Idos 너희들 가거라. Levantaos 너희들 일어나거라. No *os* levantéis 일어나지 마라. Lavaos 너희들 씻어라. No *os* lavéis 너희들 씻지 마라. Sentaos 너희들 앉아라. No *os* sentéis 너희들 앉지 마라.

Os osmio.

¡os! *interj.* =**¡ox!**

o.s. oro sellado 금화.

Os. Oseas.

osa *f.* 【동물】 암콤(hembra del oso).

Osa Mayor 【천문】 대웅좌.

Osa Menor 【천문】 소웅좌.

osadamente *adv.* 대담하게, 무례하게(atrevida o audazmente).

osadas (a) *adv.* ① 대담·무모하게. ② 【고어】 분명하게.

osadía *f.* 대담함; 무모(한 일)(atrevimiento, audacia, valor).

osado, da *adj.* 대담한, 무모한(atrevido, audaz) : acción ~*da.*

osambre *m.* =**osamenta.**

osamenta *f.* 골격; 골조(esqueleto).

osar[1] *intr.* [+*inf* : …하는 것을] 감행하다, 강행하다(atreverse a).

osar[2] *m.* 납골당(osario).

osario *m.* [*lat.* ossarium] 납골당 : Las catacumbas de París son un vasto ~ 파리의 지하 묘지는 넓은 납골당이다.

oscense *adj.* 오스까 《Osca, 현재의 Huesca의 옛 이름》의. —*m.f.* 오스까 사람.

oscilación *f.* ① 파동, 진동, 진폭 : Las ~*es* pequeñas del pendulo son isócronas 흔들이의 작은 동요는 등시적(等時的)이다. ② (주식 시세 등의) 변동 : ~ coyuntural 주기적 변동. ~ de los cambios 외환 변동. ~ de precios 물가 변동. ~ del mercado 시장의 변동. ③ 주저, 동요.

oscilador *m.* ① (라디오의) 발진기(發振器). ② 【물리】 진동자(振動子).

oscilante *adj.* ① 흔들리는, 파동·진동·요동하는 : péndulo ~ 진동 흔들이. precio ~ 변동 가격. ② 망설이는 기미가 있는.

oscilar *intr.* ① [*lat.* oscillare] 흔들리다, 진동하다 : péndulo que *oscila* 흔들리는 진자·시계추. ② (물가·온도 등이) 오르락내리락하다, 상하 변동하다 : ~ el precio de las mercancías · la presión atmosférica 물가가·기압이 오르락내리락하다. ③ (마음·의견 등이) 동요하다, 망설이다, 흔들리다(vacilar) : El *oscilaba* entre dos partidos 그는 두 개의 당 중에서 망설이고 있었다.

oscilatorio, ria *adj.* 진동의 : movimiento ~.

oscilógrafo *m.* 【전기】 오실로 그래프, 전동 기록기.

oscilómetro *m.* (선박이 흔들릴 때) 밑각 측정기.

oscitancia *f.* [드뭄] 방심, 부주의.

osco, ca *adj.* 오스코족 《los oscos, 고대의 중부 이탈리아의 한 민족》의. —*m.f.* 오스코 사람. —*m.* 오스코말.

osculación *f.* =**beso.**

ósculo *m.* [*lat.* osculum] ① 입맞춤, 키스(beso) : ~ de paz 화해의 키스. ② 【동물】 (해면 등의) 배수공(排水孔). ③ (요충 따위의) 흡착공(吸着孔).

oscuramente *adv.* =**obscuramente.**
oscurana *f.* 《*AmérC.*》 (햇볕을 가리는) 화산재 (cerrazón) ; 어둠(obscuridad).
oscurantismo *m.* =**obscurantismo.**
oscurantista *adj.m.f.* =**obscurantista.**
oscuras (a) *adv.* =**a obscuras.**
oscurecer *tr.* ㉛ =**obscurecer.**
oscurecimiento *m.* =**obscurecimiento.**
oscuridad *f.* =**obscuridad.**
oscuro, ra *adj.m.* =**obscuro.**
osear *tr.* =**oxear.**
Oseas *m.* 【성경】 호세아 《구약 성서의 소 예언자》 ; 호세아서(書).
osecico *m. dim.* hueso.
osecillo *m. dim.* hueso.
osecito *m. dim.* hueso.
oseína *f.* 【생리】 골소(骨素).
óseo, a *adj.* 뼈(hueso)의 ; 뼈 같은(huesoso) : materia ~*a.*
osera *f.* 곰의 굴.
osero *m.* =**osario.**
osezno *m.* 새끼 곰(cachorro del oso).
osezuelo *m. dim.* hueso.
osiánico, ca *adj.* 오시안 《Osián, 3세기의 스코틀랜드의 전설적 시인》의 ; 오시안 풍의 : poema ~.
osicular *adj.* =**osiforme.**
osificación *f.* 성골(成骨), 골화(骨化).
osificarse *r.* ⑦ 뼈로 되다(convertirse en hueso) ; 뼈와 같이 되다.
osiforme *adj.* 뼈 모양의.
osífraga *f.* =**osífrago.**
osífrago *m.* 【조류】 물수리(quebrantahuesos).
Osiris *m.* 고대 이집트의 주신(主神)의 하나.
oslador *m.* 《*Arg.*》 =**uslero.**
Oslo *m.* 【지명】 오슬로 《노르웨이의 수도》.
osmanlí *adj.* 터키의, 터키 제국의(otomano). —*m.f.* 터키 사람.
osmazomo *m.* 자양소(滋養素), (고기 수프의 미원(味元).
osmio *m.* 【화학】 오스뮴 《금속 원소》.
osmología *f.* 향기학(香氣學).
osmómetro *m.* 삼투압계.
osmosis *f.* 【물리】 침투, 침투성.
ósmosis *f.* =**osmosis.**
osmótico, ca *adj.* 침투의 : presión ~*ra* 침투압(浸透壓).
oso *m.* [*lat.* ursus] 【동물】 곰.
~ ***blanco・marítimo*** 흰곰. ~ ***colmenero*** 게으른 곰. ~ ***de las cavernas*** 굴곰. ~ ***hormiguero*** 개미핥기. ~ ***lavadro*** 씻어먹는 곰. ~ ***marino*** 물개(otaria). ~ ***pardo*** 불곰(~ común). ~ ***polar*** 북극곰.
hacer el ~ 남의 웃음거리가 되다 ; 여자의 마음을 끌기 위해 그 집 부근을 배회하다.
OSO. oessudoeste.
osornio, nia *adj. m.f.* 오소르노 《Osorno, Chile의 도시》의 (사람).
ososo, sa *adj.* 뼈의, 뼈같은 ; 뼈가 있는 ; 뼈가 불거진.
osota *f.* 《*AmérM.*》 가죽 샌들.
OSP Oficina Sanitaria Panamericana 범미 위생국.
OSPAAAL Organización de Solidaridad de los Pueblos de Africa, Asia y América Latina 3대륙 인민 연대 기구.
osqueítis *f* 【의학】 음낭염.
ostaga *f.* 돛대를 조정하는 줄.
¡oste! *interj.* =**¡oxte!**
ostealgia *f.* 【의학】 뼈의 아픔, 골통(dolor en un hueso).
osteálgico, ca *adj.* 뼈가 아픈, 골통의.
osteína *f.* =**oseína.**
osteítis *f.* 【단・복수 동형】【의학】 골염(骨炎).
ostén *m.* 《*SDgo.*》 허영, 우쭐거리기.
ostensible *adj.* 내세워 자랑할 수 있는 ; 겉보기의, 표면적인 ; 분명한, 맹백한(manifiesto).
ostensiblemente *adv.* 분명하게, 명백히 : El manifestó ~ sus deseos 그는 명백히 자기의 희망을 표명했다.
ostensión *f.* 보이는 일(manifestación).
ostensivo, va *adj.* 겉으로 드러내는, 표면만의.
ostensorio *m.* 성체 현시대.
ostentación *f.* ① 우쭐거림, 허세 부리기, 과시, 허식, 뻐기기, 우쭐대기(jactancia) : El hacía ~ de sus riquezas 그는 자기의 부를 과시했다. ② 겉보기에 어수선함.
ostentador, ra *adj.m.f.* 짐짓 꾸미는, 허영부리는, 과시하는, 남에게 드러내 자랑하는 (사람).
ostentar *tr.* ① 보이다(mostrar). ② 자랑하다, 과시하다 : ~ sus riquezas 부를 과시하다. ③ (요직에) 취임시키다.
~se 보이다, 나타나다 ; 자신을 …으로 보이다.
ostentativo, va *adj.* 남에게 자랑하는, 과시하는.
ostento *m.* 경이적인 것・일.
ostentosamente *adv.* 과시하는 듯이 ; 지나치도록 화려하게.
ostentoso, sa *adj.* 자랑스러운, 과시하는 듯한, 지나치게 화려한(magnífico, espléndido).
osteócopo, pa *adj.* 뼈가 아픈.
osteodinia *f.* 골통(骨痛).
osteogenia *f.* 골질 발육학.
osteografía *f.* 뼈의 묘사.
osteolito *m.* 뼈의 화석.
osteología *f.* 골학(骨學).
osteológico, ca *adj.* 골학의.
osteólogo, ga *m.f.* 골수염 전문의.
osteoma *m.* 【의학】 골종(骨腫).
osteomalacia *f.* 【의학】 골질 연화증(骨質軟化症).
osteometría *f.* 뼈의 측정.
osteomielitis *f.* 【의학】 골수염.
osteópata *m.f.* 접골사.
osteopatía *f.* 정골 요법 ; 안마 요법.
osteoperiostitis *f.* 【의학】 골막염.
osteoplastia *f.* 조골술(造骨術).
osteosis *f.* =**osteogenia.**
osteotomía *f.* 뼈의 외과 절단.
ostia *f.* =**ostra.**
ostial *m.* ① (항구나 운하의) 강어귀, 강구(江口), 하구(河口). ② (양식하는) 진주, 모패 ; 전주잡이 하는 곳.
ostiario *m.* 【종교】 수문(守門) 《성직자의 최하급의 지위》.
ostiñar *tr.* 【은어】 =**robar, hurtar.**

ostión *m.* ①【방언·동물】굴조개의 일종. ②《*Amér.*》(일반적인) 굴(ostra).
ostoplitik *f. alem.* 사회주의 국가와 관계 정상 정책.
ostra *f.* [*lat.* ostrea]【동물】굴 : ~*s* encurtidas 식초를 쳐서 만든 굴. Las ~*s* son una comida muy estimada 굴은 아주 맛있는 먹거리다.
~ *perlera* 진주 조개.
ostracismo *m.* 조개 껍질 추방《고대 그리스에서 공안을 해칠 우려가 있는 사람은 조개 껍질·도기 조각 같은 것으로 투표하여 5년 또는 10년 동안 국외로 추방했던 일》; 추방; 숙청; 절교; 탈퇴.
ostracología *f.* 조개학.
ostral *m.* 굴 양식장.
ostrera *f.* 굴 양식장.
ostrería *f.* 굴요리점.
ostrero, ra *adj.* 굴(ostra)의 : industria ~*ra*. —*m.*【조류】(뿌에르또리꼬의) 검은머리 물떼새. —*m.f.* 굴장수. —*m.* (*f.*) 굴 양식장.
ostrícola *adj.*【남·여 동형】굴양식(ostricultura)의.
ostricultor, ra *m.f.* 굴 양식자.
ostricultura *f.* 굴양식(el arte de criar las ostras).
ostrífero, ra *adj.* 굴이 나는.
ostro[1] *m.* [*lat.* ostrêum] ① 굴조개의 일종 (ostrón).
ostro[2] *m.* [*lat.* ostrum](염료를 얻는) 보라 조개; 보랏빛 염료(púrpura).
ostro[3] *m.* ① 남쪽(sur). ② 남풍(austro).
ostrogodo, da *adj.* 동고트족(los ostrogodos)의. —*m.f.* 동고트 사람《고대 게르만족》.
ostrón *m.*【동물】굴조개의 일종.
ostugo *m.* ① 모서리, 귀퉁이, 모퉁이(rincón). ② 쪼가리, 부스러기(pizca).
¡osu! *interj.* =**¡Jesus!**
osudo, da *adj.* 뼈가 튀어나온(huesudo).
osuno, na *adj.* 곰의; 곰같은 : carácter ~.
otaca *f.* 《*Ar.*》【식물】=**tojo.**
otacústico, ca *adj.* 보청(補聽)의 (기).
otalgia *f.*【의학】귀앓이(dolor de oídos).
OTAN ; O.T.A.N. Organización para el Tratado del Atlántico Norte; Organización del Tratado del Atlántico (del) Norte 북대서양 조약 기구.
otáñez *m.* (부인을 모시는) 늙은 종.
otaria *f.*【동물】바다사자(león marino).
otario, ria *adj.* 《*Arg. Urug.*》 고지식한. —*m.f.* 고지식한 사람; 호인 : ~ a la gurda 말할 수 없이 어리석은, 바보스런(tonto); 고지식한 사람. ***tomar**le a uno **de** ~* (어떤 사람을 심심풀이로) 놀려 주다.
O.T.A.S.E Organización del Tratado del Sudeste de Asia 동남아시아조약기구. SEATO.
otate *m.* 《*Méx.*》【식물】멕시코 대나무; 그것의 지팡이.
Otavalo【지명】오따발로《Ecuador의 Imbabura 주에 있는 한 지방 도시; Otavalo 시는 인디오 시장으로 유명하여 세계 각국에서 관광객이 북적 거림》.
oteador, ra *adj.m.f.* 조사·관찰하는 (사람).
otear *tr.* 관찰하다; 망보다, 파수를 서다(atalayar); 위아래로 훑어보다, 조사하다, 살피다 (escudriñar).
otero *m.* (평원의) 언덕.
oteruelo *m.* [*dim.* otero] 작은 언덕.
O.T.I. Organización de la Televisión Iberoamericana.
otilar *tr.* 《*Ar.*》 늑대가 울부짖다.
otitis *f.*【의학】이염(耳炎) : ~ externa·interna·media 외·내·중이염. El padecía ~ aguda 그는 급성 이염을 앓고 있다.
oto *m.*【조류】수리부엉이(autillo).
otoba *f.*【식물】오또바나무《열대 아메리카산 육두구의 일종》.
otografía *f.* 청각 기관 묘사.
otología *f.* 이과 의학(耳科醫學).
otológico, ca *adj.* 귀 의학의.
otólogo, ga *m.f.* 이과(耳科) 의사.
otomán *m.* (주로 여자용) 새끼 줄무늬 직물의 천.
otomana *f.* 소파(sofá)의 일종.
otomano, na *adj.* 오토만《터키 제국의 창립자 Otomán 1세, 1259—1326》왕조의; 터키 제국의; 터키의. —*m.f.* 터키 사람(turco).
otomía *f.* 《*Col. Arg.*》 =**atrocidad, barbaridad.**
otoñada *f.* ① 가을(철). ② 풍요의 가을 목초 : tener buena ~. ③ 가을다운 흙의 축축함.
otoñal *adj.* ① 가을의; 가을다운. **Sinón.** autumnal. ② 초로(初老)의 (사람) : caballero ~ 초로의 신사.
otoñar *intr.* ① 가을철을 보내다(pasar el otoño). ② 가을에 생기다, 가을에 새 가지가 뻗다.
~se (흙이) 가을철다운 비에 촉촉히 젖다.
otoñizo, za *adj.* =**otoñal.**
otoño *m.* [*lat.* autumnus] ① 가을 : El ~ corresponde en el hemisferio austral a la primavera europea 남반구에서는 가을은 유럽의 봄에 해당한다. ② 가을에 두 번째 돋아남·돋아난 풀. ③ 초로(기)(初老)(期) : ~ un premio 상을 수여하다.
otorgadero, ra *adj.* 허가될 수 있는, 양도할 수 있는, 수여해야 하는.
otorgador, ra *adj.* 허용·양도하는. —*m.f.* 허가자; 양도자.
otorgamiento *m.* ① 허가, 허락; 인가. ② 부여, 수여 : ~ de poder 대리권 부여. ③ 양도. ④ (증서류의) 기명 조인. ⑤ 대리권 위임.
otorgante *adj.* 허가·양도하는. —*m.f.* 허가자; 양도자; 증서 발행인·작성자, 대리권 위임자.
otorgar *tr.* 8 ① 허용하다; 주다, 수여하다, 부여하다, 양도하다(conceder) : ~ poder 권한을 부여하다. El rey le *otorgó* su sanción 왕은 그에게 재가를 주었다. Le *otorgaron* el perdón 그는 사면을 받았다. ② 조인하다, 약정하다.
otorgo *m.* 약혼서.
otorrea *f.*【의학】귀고름, 귀의 헐음.
otorrino *m.* =**otorrinolaringólogo.**
otorrinolaringología *f.* 이비인후과 의학 : clínica de ~ 이비인후과 의원.
otorrinolaringólogo, ga *m.f.* 이비인후과 의사.
otoscopia *f.*【의학】검이(檢耳)(하는 일).
otoscopio *m.* 검이경(檢耳鏡); 이청관(耳聽

管).

otramente *adv.* 따로, 달리.

otre *adj.* 【고어】《*Nav. Sor. Logr.*》=**otro.**

otro, tra *adj.* [*lat.* altero] ① 딴, 다른, 별개의 : ~*s* gastos 영업외 비용. ~*s* productos 영업외 수익. ~ día (미래의) 어느 날, 앞으로 언젠가, 후일. *el* ~ día 요전날, 일전에, 어느 날. ¿No quiere usted *otra* taza? 한 잔 더 드시겠습니까? ¡*Otra* taza, por favor! 한 잔 더 주십시오. ② 제이의 : Es ~ don Quijote 그는 제이의 동끼호떼이다. ③ 아주 다른 : Hoy te encuentro ~ 오늘은 자네가 딴 사람으로 보이네. Los tiempos son ~*s* 시대가 온통 변하고 있다. ④ 타방(他方)의.
—*pron.* [관사없이 또는 관사를 동반하여 대명사] 타인 ; 또 하나, 또 한 사람, 다른 것 : Este ~ me gusta más 나는 이쪽 것이 더 좋다. Se insultaron unos a ~*s* 그는 서로 욕지거리를 했다. El uno no sabía, el ~ no quería 한 사람은 알지 못했고 또 한 사람은 원하지 않았다. Corría de un lado para ~ 여기저기 뛰어다녔다. Hablaban dos mujeres: *una* era vieja, *la otra* joven 두 여인이 이야기하고 있었는데 한 사람은 노파였고, 또 한 사람은 젊은 아가씨였다.
~ ***tanto*** …같은 양의, 같은 수의 : En los *tres* lugares, mandó levantar ~*s tantos* palacios 세 곳에 세 궁전을 세우게 했다.
¡otra (vez)! 다시 한번!, 한번 더 부탁합니다!
otra (otro) que tal 서로 비슷한 일.
esa es otra 그것 참 곤란하게 됐군.
por otra parte 또 한편.
¡otra! 《*Venez.*》 안돼! 《거부》.
uno a ~, el uno al ~ 서로 《두 사람 간에》.
unos a ~s, los unos a los ~s 서로 《세 사람 이상일 때》.

otrora *adv.* [*port.* outr'ora] 전에, 이전에, 옛날에(en orto tiempo).

otrosí *adv.* 그 위에(además). —*m.* 추가 청원.

OUA Organización para la Unidad Africana 아프리카 통일 기구.

ova *f.* [주로 *pl.*] ① 해초. ② (물고기의) 알. ③【건축】알 모양의 사개.

ovación *f.* [*lat.* ovatio] ① (옛 로마의) 조촐한 승전 축하. ② 대갈채, 환호, 환성(aclamación) : El orador consiguió una verdadera ~ 강연자는 대갈채를 받았다. ③ 대인기.

ovacionar *intr.* 《*Galic.*》 환성을 보내다, 갈채·환호하다(aclamar).

ovado, da *adj.* 계란 모양의 ; 타원형의 ; 수정란의.

oval *adj.* 타원형의.

ovalado, da *adj.* =**oval.**

ovalar *tr.* 타원형으로 하다, 계란 모양으로 하다.

óvalo *m.* ① 타원형. ②【건축】계란 모양의 사개.

ovante *adj.* 승리에 도취된(victorioso).

ovar *intr.* 알을 낳다(aovar).

ovárico, ca *adj.* 난소의 ; 씨방의.

ovario *m.* [*lat.* ovarius] ①【동물】난소. ②【식물】씨방. ③【건축】계란 모양의 사개(ovas).

ovariotomía *f.* 난소 절개(수)술.

ovaritis *f.*【단·복수 동형】【의학】난소염.

ovas *f.pl.*【방언】=**hueva.**

ovecico *m. dim.* huevo.

oveja *f.* [*lat.* ovis] ①【동물】양, 면양 ; 암컷 양 : ~ redil 거세된 양. ②《*AmérM.*》【동물】야마(llama). ③《*Arg.*》 거리의 여자, 창녀.
~ ***descarriada*** 탈선한 사람.
~ ***negra*** 의붓자식 (취급을 받는 사람).

ovejería *f.* 양떼 사육장.

ovejero, ra *adj.* 양을 치는. —*m.f.* 양치기.

ovejo *m.*【속어】=**carnero.**

ovejuela *f. dim.* oveja.

ovejuno, na *adj.* 양의 ; 양같은 : leche ~*na* 양의 젖.

overa *f.* 새의 난소.

overear *lat* ovum]새의 난소 (여우 빛깔로) 눌리다.

overo *m.* [*lat.* ovum] 새의 난소.

overo, ra *adj.* ① 밤송이 빛깔의 털을 가진. ② 흰자위가 많은 (눈).
poner ~ 《*Arg.*》 욕하다.

overtura *f.* =**obertura.**

ovetense *adj.* 오비에도《Oviedo, 서반아 북부의 도시》의. —*m.f.* 오비에도 사람.

ovezuelo [*dim.* huevo] 작은 알.

ovi- *pref.* 「알」의 뜻을 나타내는 접두어.

ovidiano, na *adj.* 오비디오《Ovidio, 옛 로마의 시인》의 ; 오비디오 풍의.

óvido *adj.m.* 양 무리의 동물《양·산양 등》.

oviducto *m.*【해부】수란관(輸卵管).

Oviedo【지명】오비에도《서반아 북부의 주·시》.

oviforme *adj.* 알 모양의.

ovil *m.* ① (가축의) 우리(redil). ②【은어】침대(cama, lecho).

ovillar *tr. intr.* 실꾸리를 만들다.
~se 조그맣고 둥그렇게 되다.

ovillejo *m.* [*dim.* ovillo] 8음절 3행시.

ovillo *m.* ① 실꾸리 ; 얽힘 : hacerse un ~ 오므라들다 ; 얽히다. ② 쌓아올림. ③【은어】옷꾸러미.

ovinia *f.* 두창 비슷한 양의 병.

ovino, na *adj.* ① 양떼의. ② 털 채집용의《양 등》. —*m.pl.* 양떼.

ovio, via *adj.* =**obvio.**

ovíparo, ra *adj.m.*【동물】난생(卵生)의 (동물).

oviposicón *f.* 산란(產卵).

oviscapto *m.* (곤충의) 산란관.

ovívoro, ra *adj.* 주로 알을 먹는.

ovo *m.*【건축】달걀형 장식(물).

ovo- *pref.* =**ovi-.**

ovoide *adj.* 알 모양의. —*m.* 알 모양의 것.

ovoideo, a *adj.* 알 모양의(aovado).

óvolo *m.*【건축】둥그스름하게 후벼 파낸 모양.

ovología *f.* 알 연구.

ovoscopio *m.* 계란 투시기.

ovoso, sa *adj.* 어란(ovas)을 가진.

ovovivíparo, ra *adj.m.*【동물】난태생(卵胎生)의 (동물).

ovra *f.* 이탈리아 파시스트의 비밀 경찰.

ovulación *f.* 산란(產卵), 배란(排卵).

ovular *adj.* óvulo의.

óvulo *m.* ①【식물】밑씨, 배주(胚珠). ②【생물】

소란(小卵), 난자(卵子), 난세포.
¡ox! *interj.* 워이 !《새를 쫓는 소리》.
oxácido *m.* 【화학】 수산(蓚酸).
oxalato *m.* 【화학】 수산염.
oxálico, ca *adj.* 【화학】 수산의.
oxalidáceo, a *adj.* 【식물】 직장초과의. —*f.pl.* 직장초과 식물.
oxálide *f.* 【식물】 직장초.
oxalídeo, a *adj.* =**oxalidáceo.**
oxalme *m.* 식초를 넣은 간국.
¡oxe! *interj.* =**¡ox!**
oxear *tr.* (닭 등을) 쫓다, 쫓아 버리다.
oxhídrico, ca *adj.* 산수소(酸水素)의.
oxhidrilo *m.* 【화학】 =**hidroxilo.**
oxiacanta *f.* 【식물】 당산사나무(espino).
oxiacetilénico, ca *adj.* 산소 아세틸렌의.
oxibenzol *m.* 【화학】 =**fenol.**
oxicorte *m.* 산소 아틸렌 취관에 의한 금속 절단 기술.
oxidable *adj.* 산화할 수 있는 ; 녹슬기 쉬운 : metal ~ 녹슬기 쉬운 금속.
oxidación *f.* 【화학】 산화.
oxidante *adj.* 산화시키는. —*m.* 산화제.
oxidar *tr.* 산화시키다, 녹슬게 하다(convertir en óxido).
~se 산화하다, 녹슬다.
óxido *m.* 【화학】 산화물.
oxidrilo *m.* 【화학】 =**hidroxilo.**
oxigenación *f.* 산소 포화, 산소 처리, 산화.
oxigenado, da *adj.* ① 산소를 함유한 : agua ~ 산소를 함유한 물. ② 산소에 의해 탈색된 : cabellos ~*s*.
oxigenar *tr.* 산소를 포화시키다, 산소 처리를 하다, 산화하다.
~se 산소와 화합하다 ; 바깥 공기를 한껏 들이마시다.
oxígeno *m.* 【화학】 산소 : botella de ~ 산소 봄베.
oxigonio *adj.* 예각 삼각형의 : triángulo ~.
oxihemoglobina *f.* 산화 혈색소·헤모글로빈.
oximel *m.* =**ojimel, ojimiel.**
oximetría *f.* 산소계 측정(법).
oximiel *m.* =**oximel.**
oxipétalo *m.* 브라질산의 관상용 덩굴 식물의 일종.
oxisulfuro *m.* 【화학】 산유화물.
oxítono, na *adj.* 【문법】 (그리스 문법에서) 끝 음절에 악센트가 있는 (말)(agudo).
oxiuro *m.* 【동물】 요충.
oxizacre *m.* 석류술《석류와 설탕으로 만든 달고 새콤한 음료》.
oxoniense *adj.* 옥스포드《Oxford, 영국의 도시》의 ; 옥스포드 대학의 : edición ~ 옥스포드 대학(출)판.
¡oxte! *interj.* 귀찮아 !, 비켜 !
sin decir ~ ni moxte 가타부타 말없이, 말 한마디없이(sin decir una palabra).
oyamel *m.* 《*Mex.*》【식물】 =**abeto.**
¡oye! *interj.* 여보세요.
oyendo oir의 현재 분사.
oyente *adj.* 듣는. —*m.f.* 듣는 사람, 청중, 청취자 ; 청강생. —*pl.* =**auditores.** **Sinón.** auditor.
oyentón, na *adj.* 《*Perú.*》 어리석은, 멍청한, 바보의, 천치의, 얼간이의.
oyera oir의 접·불완료과거·1·3·단수.
oyerais oir의 접·불완료과거·2·복수.
oyéramos oir의 접·불완료과거·1·복수.
oyeran oir의 접·불완료과거·3·복수.
oyeras oir의 접·불완료과거·2·단수.
oyeron oir의 직·부정과거·3·복수.
oyese oir의 접·불완료과거·1·3·단수.
oyeseis oir의 접·불완료과거·2·복수.
oyésemos oir의 접·불완료과거·1·복수.
oyesen oir의 접·불완료과거·3·복수.
oyeses oir의 접·불완료과거·2·단수.
oyó oir의 직·부정과거·3·단수.
ozocerita *f.* 【광물】 지랍(地蠟).
ozokerita *f.* 【광물】 =**ozocerita.**
ozona *f.* 【화학】 =**ozono.**
ozonador *m.* 오존(ozono) 준비용 기구.
ozonar *tr.* =**ozonizar.**
ozonificación *f.* =**ozonización.**
ozonificar *tr.* =**ozonar.**
ozonización *f.* 오존 처리, 오존화.
ozonizador, ra *adj.* 오존 처리한, 오존화한. —*m.* 오존 발생기, 오존관(管).
ozonizar *tr.* 9 오존을 포화시키다, 오존 처리하다 ; (산소를) 오존화하다.
ozono *m.* [*gr.* ozein] 【화학】 오존.
ozonometría *f.* 오존 측정(법).
ozonómetro *m.* 오존계.
ozoquerita *f.* =**ozocerita.**
¡ozú! *interj.* =**¡Jesus!**

P

p *f.* 뻬《서반아어 자모의 열아홉 번째 문자(decimonona letra del abecedario castellano)》.
de p. p. y w. 희한한, 굉장히 좋은, 우수한(excelente).
P fósforo.
p. pagaré ; página ; pasivo ; papel ; papa ; por ; pregunta.
P. Padre 신부 ; Papa 교황 ; peso 무게.
p/, P/ pagaré 약속 어음.
pa. para.
p/a por autorización 허가에 의해, 권한에 의해.
P.A. por ausencia ; por autorización ; Prensa Asociada 연합 통신사 ; peso atómico 원자량.
pabellón *m.* ①(원추형의) 텐트, 천막 ; (성단·옥좌·침대 등의) 천개(天蓋), 덮개. ② 국기 : Se izaba el ～ nacional 국기가 게양되어 있었다. ③ 선적국. ④(나팔의) 깔때기처럼 벌어진 부분. ⑤ 총끼리 서로 어긋나게 맞대어 세운 모양 : poner en ～ 총끼리 서로 어긋나게 맞대어 세워놓다. ⑥ 별동(別棟), 별채, 딴채, 가옥(假屋) ; (박람회 등의 하나 하나의) 회관 ; 전시관, …회장·관. ⑦ 대장 숙소, (병영 내의) 사관실. ⑧【해부】귀, 귓불. ⑨ 보호물, 도피처. ⑩(건물의) 날개. ⑪(병원의) 병동(病棟).
pabilo *m.* [*lat.* papyrus] ① 초의 심지, 등심 : ～ de vela. ② 초의 타다 남은 것 : cortar el ～ a una vela.
pábilo *m.* 《*Neol.*》 ＝**pabilo.**
pabilón *m. aum.* pabilo.
pablar *intr.* 말하다(hablar, parlar) : sin hablar ni ～ 달다 쓰다는 말없이.
pablo *m.* 《*Méx.*》 돈의 지불인.
Pablo *m.*【인명】빠블로.
¡Guardo, ～! 조심해!, 위험해!
pábulo *m.* [*lat.* pabulum] ① 식량, 양식(alimento). ② 자양, 영양물. ③ 활기, 활력, 힘 : dar ～ 불에 장작을 더 넣다 ; 활기를 돋우다, 성하게 하다, 기운을 돋우다, 부추기다.
paca[1] *f.* [*ing.* pack](솜·털 등의) 꾸러미.
paca[2] *f.* [*quechua.* paco]【동물】(중남미산의) 털이 사슴털 같은 쥐의 일종.
pacaá *m.* 《*Arg.*》 ＝**pava de monte.**
pacae *m.* ＝**pacay.**
pacana *f.*【식물】페칸 나무《북미산 호두의 일종》; 그 열매.
pacanero *m.* ＝**pacana.**
pacano *m.* 《*Amér.*》 ＝**pacana.**
pacara *m.* 《*Arg.*》【식물】＝**timbó.**
pacato, ta *adj.* 아주 조용한·평화스러운(muy pacífico).
pacay *m.* [*pl.* pacayes, pacaes]《*Salv. Arg. Perú.*》＝**guabo.**
pacaya *f.* 《*AmérC.*》 ①【식물】빠까야 양치류《중남미산의 커다란 양치류 ; 줄기는 식용 ; 잎은 장례 때 거리의 장식용》. ② 감추고 있던 노여움.
pacayar *m.* 《*Perú.*》 pacay의 가로수숲.
pacedero, ra *adj.* 목초로 쓰이는 : terreno ～ 목초로 쓰이는 땅.
pacedura *f.* 목축에게 사료(풀)을 주는 일·이것을 먹는 일 ; 목초.
pacense *adj. m.f.* ① 베하《Beja, 포르투갈의 도시》의 (사람). ② 바다호스《Badajoz, 서반아 남부 도시》의 (사람).
paceño, ña *adj. m.f.* 라빠스《La Paz, 볼리비아 수도》의 (사람).
pacer *intr.* ㊴ [*lat.* pascere] 풀을 먹다(comer hierba). —*tr.* (풀을) 먹이다, (…에게) 목초를 주다(apacentar).
pacha *f.* 《*Col.*》 ＝**efecto.**
pachá *m.* 《*Galic.*》 ＝**bajá.**
pachaco, ca *adj.* 《*AmérC.*》 무용지물의, 쓸모없는 ; 약골의.
pachacho, cha *adj.* 《*Chile.*》 다리가 짧은 (사람·동물), 키가 작은.
pachamama *f.* 《*Bol. Perú.*》 대지, 땅.
pachamanca *f.* 《*AmérM.*》 달군 돌로 구운 고기 ; 야외 파티.
pachamanquear *tr.* 《*Perú.*》 짜내다, 착취하다, 남용하다(abusar).
pachana *f.* 《*Venez.*》 100 peseta에 상당하는 금.
pachango, ga *adj.* 《*Chile.*》 ＝**pachacho.**
pacheco *m.* 《*Venez.*》 추위(el frío).
pachiquil *m.* 《*Arg.*》 똬리《짐을 일 때 머리에 받치는 고리 모양의 물건》.
pacho, cha *adj.* ① 《*AmérC. Chile.*》 땅딸막한 ; 납작한. ② 《*Cuba.*》 태평스러운.
pachocha *f.* 《*Amér.*》 ＝**pachorra.**
pachol *m.* 《*Méx.*》 ＝**greña.**
pacholí *m.* 《*Méx.*》 튀긴 옥수수 부침.
pachón, na *adj.* 《*Amér.*》 털이 많은, 보풀이 일어선(peludo) : una alfombra ～*na.* —*m.* ① 하는 짓이 우둔한 남자. ② 포인터 개의 일종 : perro ～.
pachorra *f.* 굼뜸, 느림, 더딤(flema, tardanza, indolencia).
pachorrada *f.* 《*Cuba.*》 ＝**patochada.**
pachorrear *intr.* 《*AmérC.*》 굼뜨게 굴다, 더디게 행동하다, 유유히 행동하다.
pachorrudo, da *adj.* 굼뜬, 느린, 더딘 : una mujer ～*da* 더딘 여자.
pachotada *f.* 《*Ant. Amér.*》 ＝**patochada.**
pachucho, cha *adj.* 잘 익은 ; 지나치게 익은 ; 활기없는.
pachulí *m.*【식물】파슬리《미나리과의 이년초》.

pachurrar *tr.* 《*Col.*》 =**despachurrar.**
paciencia *f.* [*lat.* patientia] ① 인내, 참을성 : acabar · consumir · gastar la ~ 더 이상 참을 수 없게 하다. No pierda ~ 참으세요. La ~ es más útil que el valor 인내는 용기보다도 유익하다. Es un trabajo que requiere ~ 그것은 인내를 요하는 일이다. Todo se alcanza con ~ 참으면 어떤 일이라도 달성한다. ② 둥근 빵의 일종.
tener ~ 참다.
pacienciosо, sa *adj.* 《*Chile. Ecuad.*》 참을성이 강한.
paciente *adj.* ① 인내심이 있는, 끈기가 있는, 참을성이 있는 : El burro es un animal muy ~ 당나귀는 참을성이 많은 동물이다. ② 병환 중인, 아픈. Contr. impaciente, vivo. ③【문법】(작용을) 받는 ; 수동의 : sujeto ~ 수동형 주어. —*m.f.* 병자, 환자(enfermo) : No se puede visitar a los ~*s* después de las seis 6시 이후에는 환자를 방문할 수 없음.
pacientemente *adv.* 참을성있게, 끈기있게 : El soportaba ~ la injuria 그는 끈기있게 모욕을 참아냈다.
pacienzudo, da *adj.* 참을성이 강한, 긍지 있는.
pacificación *f.* 강화 (조약)(paz) ; 평정, 진정.
pacificador, ra *adj.m.f.* 평화로운 ; 달래는, 화해시키는 (사람).
pacíficamente *adv.* 온화하게, 조용하게, 평온하게, 평화적으로(de un modo pacífico).
pacificante *adj.* 평화로운 ; 화해시키는.
pacificar *tr.* ⑦ [*lat.* pacificare] ① 평화롭게 하다, 가라앉히다 : El rey logró ~ su reino 왕은 그의 왕국을 평화롭게 했다. ② 달래다, 화해시키다, 평정 · 진정하다.
~se 가라앉다 : *Se han pacificado* los vientos 바람이 진정되었다.
pacificismo *m.* =**pacifismo.**
pacificista *adj.m.f.* =**pacifista.**
pacífico, ca *adj.* 온화한, 조용한, 평온한 ; 평화를 좋아하는 ; 평화적인 : Océano *P-* 태평양. hombre ~ 평화를 사랑하는 사람.
pacifismo *m.* 평화주의, 화평론.
pacifista *adj.* 평화주의의 ; 화평론의 ; 평화의. —*m.f.* 평화주의자, 화평론자.
pación *f.*【방언】(목초가) 두 번째 돋아남.
-pacle *suf.* 「약(medicina)」「풀(hierba)」의 뜻을 가진 접미어.
paco *m.* [*quechua.* paco] ① (서반아의 아프리카 식민지에서) 반란을 일으킨 원주민. ② 저격병. ③ 야경꾼. ④《*AmérM.*》【동물】알파카 (alpaca, ~ llama). ⑤【광물】은광석. ⑥《*Col. Chile. Ecuad.*》순경, 헌병. ⑦《*Perú.*》아구창.
Paco [*hip.* Francisco] 빠꼬 : Ya vendrá el tío ~ con la rebaja 현실의 꿈에서 깨어나게 하는 비유.
paco, ca *adj.* ①《*Arg. Chile.*》붉은 털의. ②《*Venez.*》귀가 밑으로 처진.
pacón *m.* 《*Hond.*》【식물】비누나무 ; 그 열매.
pacora *f.* 《*Col.*》생선용 식칼.
pacorra *f.* 《*Venez.*》세련된 아가씨.
pacota *f.* 《*Arg.*》동행한 사람들.
de ~ 《*Méx.*》같은 형 · 타입으로 만든.
pacotilla *f.* ① (선원 · 선장의) 무과세 휴대품, 열등품. ②《*Chile. Ecuad.*》건달패.
de ~ (품질이) 조악한, 조제(粗製)의.
hacer la ~ 끝장을 내다.
hacer su ~ (무기 등을 위해) 자금을 긁어 모으다.
pacotillero, ra *m.f.* ① 선원의 무과세 물품을 다루는 상인 ; 행상인. ②《*Chile. Venez.*》잡화상인.
pacoyuyo *m.* 《*Perú.*》【식물】약용 나무.
pactar *tr.* ① [+con : …과] 협정하다, 조약을 체결하다 ; 계약하다, 맺다 : El rey *pactó* la concesión de la isla con su hermano 왕은 그 섬의 양도를 형과 협정했다. ② (상사와) 의기 투합하다.
pacto *m.* [*lat.* pactum] ① 계약, 협정 ; 조약 ; 약관(約款) : Ellos hicieron un ~ entre sí 그들은 상호간에 협정을 했다. ② 악마와의 밀약.
~ *colectivo* (노사간의) 단체 협약.
~ *de caballeros* 신사 협정.
~ *de indemnización* (손해의) 보상 계약.
~ *socio* 조합 계약.
pacú *m.* 《*Arg.*》【어류】(아르헨띠나산의) 큰 담수어.
pácul *m.*【식물】(필리핀산의) 파초의 일종.
pacuno, na *adj.* 《*Chile.*》어줍잖은, 변변찮은.
padecer *tr.* ① (해를) 입다, 받다 ; 받고 있다 : ~ una ofensa 모욕을 받다. ② (병 등에) 걸리다, 걸려 있다 : ~ una enfermedad. ③ (잘못을) 저지르고 있다 : ~ error 실수를 저지르다, 틀리다. ~ engaño 속고 있다. ④ 참다 ; 그리워하다 ; 괴로워하다(sufrir). —*intr.* ① [+con · de : …으로] 고민하다, 괴로워하다 : ~ *con* sus impertinencias 그의 뻔뻔스러움으로 고통을 겪다. ② […을] 앓다 : ~ *de* los nervios 신경을 앓고 있다. El *padecía* dolor de muelas 그는 치통을 앓고 있다. ③ 상처 입고 있다, 손상되어 있다 : ~ en la honra 명예가 손상되어 있다. La cuerda *padece* 줄은 상해 있다. ④ 참다 : Hemos de ~ por Dios. ⑤ [+de : …을] 받다.
padecimiento *m.* ① 괴로움, 고통, 아픔. ② 이병(罹病), 이환(罹患), 병에 걸림(sufrimiento). ③ 피해.
padilla *f.* [*lat.* patella] 프라이팬 ; 빵 굽는 가마솥.
padrastro *m.* ① 의붓아버지, 계부 ; 방탕한 아비. ② 방해(obstáculo, estorbo). ③ (손가락의) 거스러미. ④ 높이, 고지(dominación). ⑤【은어】검사(檢事).
padrazo *m.* 좋은 · 너그러운 아버지(padrón).
padre *m.* [*lat.* pater] ① 아버지, 부친. ② 수컷아비, 아비, 종마 · 소 · 양 (등) : caballo ~ 종마(種馬). ③ (카톨릭교의 사제에 대한 경칭) 신부, 목사. ④ 창시자, 원조, 시조 : Homero es el ~ de la poesía 호메로는 시의 시조이다. El ocio es ~ de todos los vicios 게으름은 모든 악의 근원이다. ⑤ *pl.* 부모, 양친 : mis ~*s* 나의 부모. ⑥ 선조 : nuestros primeros ~*s* 아담과 이브를 말함. ⑦ [형용사적으로]《*Amér.*》【속어】굉장한, 심한 : Me da un susto ~ 나는 혼이 났다.
~ *espiritual* 고해 신부. *P- Eterno* 신(Dios). ~ *de familia(s)* 아버지, 호주, 가장. ~ *de la*

P

criatura 【희언】(음모 등의) 주모자. ~ *de la patria* 국부(國父); (비꼬는 뜻에서) 선량, 국회의원. ~ *de pila* 영세 부모, 대부. ~ *nuestro* 주기도문. ~ *político* 의붓아버지, 계부, 양아버지; 의부; 장인, 빙장(suegro). ~ *santo* 교황, 법왕.

de ~ y muy señor mío 대단한, 굉장한, 엄청난.

padrear *intr.* ① 아버지를 닮다, 아버지를 닮아 있다. ② (종마 따위가) 교미하다.

padrejón *m.* 《*Arg.*》 =**padrillo.**

padrenuestro *m.* 주기도문(padre nuestro).

padrillo *m.* 《*Perú. Riopl.*》 종마(種馬).

padrina *f.* =**madrina.**

padrinazgo *m.* ① 교부(敎父), 대부의 역할. ② (세례·결혼식의) 들러리. ③ 보호(protección, favor).

padrino *m.* 대부; (세례·결혼식의) 보호자, 들러리, 호상; 보호자, 파트롱, 지원자, 스폰서: Ella tiene buenos ~*s* 그녀한테는 좋은 지원자가 있다. —*pl.* 대부(代父) 부처.

P

padrón *m.* ① 호적부, 주민 등록부, 호적 원장·원부: ~ de industrias manufactureras 제조 공업 명부. ~ industrial 광공업 원부. ② 본, 본보기틀 (patrón). ③ 기념주(柱). ④ 악평. ⑤ 자식에게 너그러운 아버지(padrazo). ⑥ 《*Amér.*》 종축(種畜), (특히) 종마(種馬).

padronés, sa *adj.m.f.* 빠드론 《Padrón, La Coruña 주의 마을》의 (사람).

padrote *m.* 【속어】 ① =**padrazo.** ② 《*Amér.*》 종(種) …: caballo ~ 종마. ③ 《*Méx.*》 포주.

padrotear *intr.* ① 《*Méx.*》 【속어】 교미하다 (padrear). ② 여자를 꾀다, 매춘부를 낚다. ③ 《*Venez.*》 친밀하게 사귀다.

paduano, na *adj.m.f.* 빠두아 《Padua, 이탈리아의 주·도시》의 (사람).

paella *f.* 빠에야 《쌀·야채·고기·해산물 등을 넣은 쌀 요리; Valencia 지방이 가장 유명함》.

¡paf! *interj.* 부딪치는 소리의 의성어.

pafio, fia *adj.m.f.* 파포스 《Pafos, Chipre 섬의 옛 두 도시》의 (사람).

paflagonio, nia *adj.m.f.* 파플라고니아 《Paflagonia, 옛 소아시아의 지방》의 (사람).

paflón *m.* 【건축】 (아치 따위의) 아래쪽, 하면 (sofito).

pafolio *m.* 《*Col.*》 =**folio.**

pág(s). página(s) 페이지, 쪽.

paga *f.* ① 지불: ~ indebida·de lo indebido·viciosa 불법 지불. ② 지불금, 지불액, 지불 금액. ③ (근무자·사병의) 봉급, 급료, 임금: ~ extraordinaria de Navidad 크리스마스 보너스. ④ 보은, 보상; 벌.

buena·mala ~ 지불이 좋은·나쁜 사람·것.

en tres ~s 지불이 나쁜 《tarde 늦게, mal 에누리해서, nunca 절대 지불하지 않는 세 가지》.

Paga adelantada paga viciosa 【속담】 선불을 받으면 일을 제대로 않는 경향이 있다.

pagable *adj.* 《*Neol.*》 지불해야 할(pagadero).

pagada *f.* 《*Ast.*》 길이 8미터의 등나무 조각.

pagadero, ra *adj.* (기한 내에) 지불해야 할, 지불의: un cheque ~ a la orden 기명식 수표. ~ al portador 지참인 지불의. ~ al vencimiento 만기불의. ~ a la vista 일람불의. ~ a la llegada 착하불의. ~ a plazos 분할불의. ~ a tres meses 일람후 3개월 지불의. ~ en efectivo 현금불의. dinero ~ sobre demanda 콜머니. —*m.* 지불 기한, 지불기.

pagado, da *adj.* ① 지불을 끝낸: ~ adelantado 전도금을 불입한. ② 보상을 받은: quedar ~ 원망이 없어지다. ③ 돈으로 매수된. ④ 자부의(~ de sí mismo).

~ a la entrega 도착불.

~ por adelantado 선불.

pagador, ra *adj.* 지불하는. —*m.f.* 지불인, 경리 부장, 회계 과장.

Al buen ~ no le duelen prendas 【속담】 금전 관계가 좋은 사람은 누구나 환영한다.

pagaduría *f.* 지불 장소, 경리부, 회계과.

pagamento *m.* 지불, 불입.

a ~ 실컷, 충분히(a satisfacción).

pagamiento *m.* =**pagamento.**

paganini *m.* 남의 뒷치닥거리를 하는 사람.

paganismo *m.* [*lat.* paganus] ① 이교, 사교, 다신교, 우상 숭배(gentilidad). ② [집합] 이교도.

paganizar *tr. intr.* ⑨ 사교를 믿다, 우상을 숭배하다.

pagano, na *adj.* [*lat.* paganus] ① 이교의; 신앙심이 없는. ② 《*Arg.*》 무지한(ignorante). —*m.f.* ① 이교도. ② 남의 죄를 뒤집어쓴 사람. ③ 남의 돈을 대신 내게 된 사람.

pagar *tr.* ⑧ [*lat.* pacare] ① 지불하다, 불입하다: ~ la cuenta·el sueldo·la contribución 계산·급료·기부금을 내다. *Pagamos* 900 pesetas *por* los libros 책값으로 900 뻬세따를 지불했다. ② (…의) 댓가를 지불하다: Yo *pagué* estos libros 내가 이 책값을 지불했다. ③ (…의) 요금·노임을 내다: ~ a los obreros 노동자들에게 노임을 지불하다. ④ 보상하다, 보상을 내다, 보상해 주다; (…의) 보상·벌을 받다; 갚음을 하다, 희생을 치르다: *Ha pagado* sus culpas *con* su vida 목숨을 버리고 자신이 저지른 죄를 보상했다. Es el niño el que lo *paga* 그 보상을 받는 것은 어린아이인 것이다. *Pagaron* cara la victoria 많은 희생을 치른 끝에 승리했다. ⑤ (…에) 보상하다, 답례·보답하다: Quiero *pagar*le a la Virgen *con* flores todo lo que debo 내가 받은 모든 은혜에 꽃을 바쳐 성모께 답례해 드리고 싶다.

—*intr.* ① 돈을 지불하다, 대가·노임을 지불하다: ¿Te *pagan* bien? 너에게 지불은 잘 하느냐?, 너의 대우는 좋으냐? ② 배상·보상하다: *Ha pagado por* otro 그는 남을 위해서 죄를 뒤집어썼다. ③ 관세 등이 부과되다: El aceite *paga* consumos 기름은 소비세가 부가된다. Este artículo no *paga* 이 물건은 과세 되지 않는다. ④ 보상·응보 등을 받다.

~se ① [+de: …에] 홀딱 반하다(prendarse): *Me pagué de* su gallarda presencia 그의 시원스런 자태에 나는 홀딱 반했다. ② […을] 자만하다, 자부하다, 뽐내다, 우쭐거리다 (ufanarse, pagarse de sí mismo): *Se pagaba de* su hermosura 자신이 예쁘다는 것을 자부하고 있었다.

~ a cuenta 내입금(內入金)으로 지불하다.

~ a plazos·por cuotas·por entregas parciales 할부로 지불하다: *Pagaba* el tocadiscos *a ~s* 그는 월부로 축음기값을 지불하고 있었다.

~ ***a nueve*** 《*Chile.*》 =pagarla doble.
~ ***con el pellejo*** 죽다.
~ ***(por) adelantado*** 선불하다.
~***la(s)*** 보복을 받다 : Me *la pagarás* ; *Me las* has de ~ (협박적으로) 너는 나의 보복을 받을 것이다.
~***la doble*** 두 배의 보복을 받다 · 당하다
a ~ 후불하는 : efectos *a* ~ 지불해야 할 어음, 미불 어음.
a luego ~ 현금으로.
¡***Que Dios se lo pague***! 신의 보답이 있기를 ! [직설법 부정과거 1인칭 단수 : pagué. 접속법 현재 : pague, pagues, pague, paguemos, paguéis, paguen].

pagaré *m.* [*pl.* pagarés] 약속 어음 : ~ a la orden 약속 어음. ~ a la vista 요구불 약속 어음. ~ de favor 공수표. ~ no pagado 부도 약속 어음. ~ pagadero a término fijo después de la vista 일람후 정기불 어음.

pagaya *f.* (필리핀의) 국자처럼 생긴 배를 젓는 노(remo)

pagd.º, pagd.ª pagadero, pagadera.

pagel *m.* 【어류】 도미의 일종(pajel).

página *f.* [*lat.* pagina] ① 쪽, 페이지, 면(面), 항(項) : la primera ~ 제1 페이지. abrir la ~ 3 제3 페이지를 펴다. ② (인생에 있어서의) 사건, 기록 : ~ gloriosa.

paginación *f.* 페이지 매기기, 페이지의 수 : ~ equivocada.

paginar *tr.* (책 등에) 페이지를 매기다(numerar las páginas escritas).

pago[1] *m.* ① 지불(금) : ~ a cuenta 선불. ~ a la entrega 즉시불. ~ a plazos 분할불. ~ a reclamo 요구불(要求拂). ~ a reembolso 대금 인환불. ~ a término (fijo) 정기불. ~ adelantado 예납(豫納), 선불. ~ adelantado del flete 운임 선불 · 예납. ~ al contado (inmediato · violento) 즉시불. ~ al contado contra documentos 증권 인환 현금불. ~ al embarqe 선적시 현금불. ~ al entregar (상품 · 대금) 인환불. ~ al hacer el pedido 주분불, 현금 주문. ~ antes del vencimiento 만기일전 지불. ~ anticipado 선불. ~ anticipado de impuestos 세금 예납 · 선불. ~ anual 연부(年賦), 연불. ~ aplazado · atrasado 연불(延拂), 후불, 지불 연체, 미불금. ~ bilatera 두 나라간 결재. ~ bonificable 연불(延拂), 분할불, 부불(賦拂), 할부불. ~ completo · total · por saldo 전불(全拂). ~ contra aceptación de una letra 어음 인수불. ~ contra crédito irrevocable confirmado 취소 불능 확인 신용장에 대한 지불. ~ contra documentos 지불도(渡), 서류 인환불. ~ contra documentos de embarque 선적 서류 인환불. ~ contra entrega · reembolso 대금 인환불. ~ de impuestos 납세. ~ de pensiones 연금 지불. ~ de restitución 배상 지불. ~ de salarios 급료 지불. ~ de saldo 청산불. ~ de transferencia 이전 지출. ~ diferido 후불. ~ en (dinero) efectivo 현금불. ~ en efectos comerciales 증권 · 어음불. ~ en especie 현물 지불. ~ en metálico 현금불. ~ en papel comercial 증권 · 어음불. ~ en plazos 분할불, 할부불. ~ en plazos mensuales 월부불. ~ en suspenso 가불, 미해결 중의 지불. ~ inicial (할부의) 선금. ~ inmediato 즉시불. ~ internacional 국제 결제. ~ mediante cheque 수표불. ~ mensual 월부금. ~ multilateral 다국간 결제. ~ negado 지불 거절. ~ parcial 분할불. ~ por adelantado · anticipado 선불, 예납. ~ por anticipado de impuestos 세금의 예납. ~ por anualidades 연부불. ~ por cheque 수표불. ~ por giro 어음불. ~ por letra 어음불. ~ por mensualidades 월부불. ~ por plazos 분할불. ~ pronto 즉시불. ~ prorrogado 연불(延拂). ~ provisional 가불. ~ puntual 즉시불. ~ rehusado 지불 거절. ~ retrasado 연불(延拂). ~ suspendido 지불 정지. ~ total 전액 지불. ~ urgente 지급불. acuerdo · convenio de ~*s* 지불 협정. falta de ~ 부불(不拂). día de ~ 지불일, 급료일. hacer · efectuar un ~ 지불하다. de ~ 유세(有稅)의. artículos de ~ 과세품.
② 보상, 보복, 답례 ; 벌 : en ~ de …의 보상 · 보복으로.

pago[2] *m.* [*lat.* pagus] ① (특히 포도나 올리브의) 농장 · 밭, 땅. ② 마을(aldea).

pago, ga *adj.* [【고어】 pagar의 *p.p.*] ① 지불을 받는 : Ya está usted ~ 당신은 벌써 지불을 받았다. ② 돈을 받고서의 : viaje ~.

pagoda *f.* (불교 사원의) 탑 ; 불상, 대불(大佛) : Las ~*s* coreanas son muy ricas.

pagote *m.* 남의 죄를 대신 뒤집어쓰는 사람 ; 남의 뒤치닥거리를 하는 사람.

pagro *m.* 【어류】 (지중해의) 도미.

pagua *f.* ① 《*Chile.*》 【의학】 헤르니아 (hernia) ; 커다란 혹 · 종기. ② 《*Méx.*》 =**aguacate.**

paguate *m.* 《*Chile.*》 ① 박을 말려서 만든 그릇. ② 크고 둥근 과일. ③ 저금통. ④ 담배 쌈지. ⑤ 둥글고 커다란 머리. ⑥ 곱사등, 혹(joroba).

pague pagar의 접 · 현 · 1 · 3 · 단수.

pagué pagar의 직 · 부정과거 · 1 · 단수.

paguéis pagar의 접 · 현 · 2 · 복수.

paguemos pagar의 접 · 현 · 1 · 복수.

paguen pagar의 접 · 현 · 3 · 복수.

pagüento, ta *adj.m.f.* 《*Chile.*》 헤르니아 환자(의).

pagues pagar의 접 · 현 · 2 · 단수.

paguro *m.* 【동물】 소라게(ermitaño).

pahlevi *m.* 팔레비 《페르시아의 금화》.

pahua *f.* 《*Chile.*》 헤르니아(hernia).

pahuacha *f.* ① 《*Chile.*》 헤르니아, 탈장. ② 곱사, 곱사등(joroba). ③ 【식물】 호리병박나무 ; 그 열매(güira).

paica *f.* 《*Riopl.*》 【은어】 매춘부, 창녀, 갈보.

paico *m.* 《*AmérM.*》 =**pazote.**

paidología *f.* 육아학.

paidológico, ca *adj.* paidología의.

paila *f.* ① 철제통, 남비. ② 《*Cuba.*》 (강물 등의) 웅덩이.

pailebot(e) *m.* [*ing.* pilot's boat] 안내선.

pailero *m.* 《*Col.*》 남비 수리공.

pailón *m.* [*aum.* paila] 《*AmérM.*》 ① 둥그렇게 패인 땅. ② 남비, 주발, 사발. ③ 《*Venez.*》 물의 소용돌이.

painel *m.* =**panel.**

paipai *m.* 야자잎으로 만든 부채.

paipái *m.* =**paipai.**

P

pairar *intr.* 【해사】(배가 돛을 내리거나 기관을 정지시켜) 표류하다.

pairía *f.* 《*Galic.*》 =**paresía.**

pairo (al) *adv.* 표류하여 : ponerse *al* ~ 표류하다.

paírona *f.* 《*Perú.*》 플라멩꼬(flamenco)의 일종.

país *m.* [*lat.* pagus] ① 나라, 국가(territorio) : del ~ 국산의. productos del ~ 국내 생산물. Nunca he salido de mi ~ 나는 한번도 국외에 나가본 적이 없다. Quisiera estudiar en alguno de los ~*es* de habla española 나는 서반아어 사용국 중의 어느 나라에 유학하고 싶다. ¿Le gusta a usted el vino del ~ ? 당신은 국산 포도주를 좋아하십니까? ② 지방(comarca, región). ③ (부채의) 바탕 종이. ④ 풍경화.
~ *acreedor* 채권국. ~ *adelantado* 선진국. ~ *agrícola* 농업국. ~ *asociado* 동맹국. ~ *de bajos precios* 저물가 국가. ~ *de la zona de la libra (esterlina)* 파운드 지역 국가. ~ *de menor desarrollo relativo* 비교적 저개발국. ~ *de origen* 원산지 국가. ~ *deudor* 부채 국가. ~ *en vías (proceso) de desarrollo* 발전 (개발) 도상국. ~ *excedentario* 출초·흑자 국가. ~ *exportador* 수출국. ~ *exportador de capital* 자본 수출국. ~ *exportador de petróleo* 석유 수출국. ~ *importador* 수입국. ~ *importador de capital* 자본 수입국. ~ *industrial·industrializado* 공업 국가. ~ *miembro* 가맹국. ~ *naciente* 신흥 국가. ~ *prestador* 채권국. ~ *prestatario* 부채국. ~ *productor de café* 커피 생산국. ~ *productor de materias primas* 1차 생산·산품국. ~ *satélite* 위성국. ~ *signatario* 조인국. ~ *subdesarrollado* 저개발국.

paisa *m.* 《*Amér.*》 =**paisano.**

paisaje *m.* ① 풍경 : El viaje fue muy interesante por los ~*s* que se contemplan desde el tren 열차에서 보는 경색(景色) 때문에 여행은 무척 재미있었다. ② 풍경화(país).

paisajismo *m.* 풍경화.

paisajista *adj.* 풍경화의. —*m.f.* 풍경 화가.

paisajístico, ca *adj.* paisaje의.

paisana *f.* ① 빠이사나《시골풍의 춤》. ② 빠이사나의 음색.

paisanada *f.* 《*Arg.*》 시골 사람.

paisanaje *m.* [집합] 본토박이 사람들, 지방민; 같은 나라·동향인(同鄉人)인 일.

paisano, na *adj.* 같은 고장의; 동향의. —*m.f.* ① 토박이. ② 농민, 시골 사람(campesino). ③ 겨레, 동포, 동향인 : Es ~ mío 그는 나와 동향 사람이다. ④ (군인에 대한) 민간인. ⑤ 《*Méx.*》 서반아 사람. ⑥ 《*Ecuad. Perú.*》 산골 사람.
de ~ 사복으로·의 : Iba vestido *de* ~ 그는 민간인 복장을 하고 갔다.

Países Bajos *m.pl.* 【지명】 네델란드, 화란.

paisista *adj.m.f.* =**paisajista.**

paitar *tr.* 《*Perú.*》 (상품을) 위탁하다.

paja *f.* [*lat.* palea] ① 짚, 보릿짚, 밀짚 : ~ de arroz 볏짚. sombrero de ~ 밀짚 모자. ② 쓸모없는 것, 무용지물. ③ 《*AmérC. Col.*》 수도꼭지 (~ de agua). ④ [복수형의 감탄사로] 지지는 않을 것이다.
~ *brava* 짚풀 《남미산 화본과 식물로 목초·연료·지붕을 이기도 함》. ~ *cebadaza* 보릿짚. ~ *centenaza* 귀리의 짚. ~ *de camello·de esquinanto·de Meca* 【식물】 동심초의 일종(esquenanto). ~ *larga* 보릿짚, 걱다리. ~ *pleada* 보릿짚. ~ *picada* 《*Chile.*》 무용지물. ~ *trigaza* 밀짚.
alzar las ~s con la cabeza 위를 보고 벌렁 나가자빠지다.
buscar la ~ en el oído 트집 잡을 꼬투리를 찾다.
echar ~s ① 짚으로 제비를 뽑다 : Vamos a *echar ~s.* ② 거짓말 하다(mentir).
no dormirse en las ~s 호기(好機)가 오기를 잔뜩 기다리다.
no importar·no montar una ~ 아무 가치도 없다.
por un quítame allá esas ~s 하찮은 일로.
tener la ~ 《*AmérC.*》 어떤 감춘 일로 안절부절 못하며 경계하다.
Ver la ~ en el ojo del vecino y no la viga en el nuestro 【속담】 똥 묻은 개가 겨 묻은 개를 나무란다.

pajada *f.* 말먹이, 목초.

pajado, da *adj.* [드뭄] 밀짚 빛깔의(pajizo).

pajal *m.* 《*Arg.*》 =**pajonal.**

pajar *m.* 밀짚을 넣어두는 헛간.

pájara *f.* ① 【동물】 새. ② 연(cometa). ③ 종이로 접은 새. ④ 빈틈없는 여자, 빤질빤질한 여자.
dar a uno ~ 《*Col. PRico.*》(누구를) 속이다.

pajarear *tr.* ① 《*Amér.*》 (새를) 잡다; 몰아내다. ② 《*Col.*》 노리고 미행하다; 암살하다. —*intr.* ① 새를 잡다; 빈둥빈둥 놀며 세월을 보내다. ② 《*Amér.*》 말이 겁에 질리다. ③ 《*Chile.*》 멍하니 지내다, 허송 세월하다. ⑤ 《*Méx.*》 조심하다.

pajarel *m.* 【조류】 참새의 일종(pardillo).

pajareque *m.* 《*Venez.*》 =**bajareque, quincha.**

pajarera *f.* 새장, 새집.

pajarería *f.* ① 애완동물 가게. ② [집합] 새.

pajarero, ra *adj.* ① 익살맞은. ② 배색이 나쁜. ③ 《*Amér*》 놀라기 잘하는 (말). ④ 《*Venez.*》 주책스러운. —*m.* ① 새장수. ② 《*Col. Guat.*》 새몰이 꼬마.

pajarete *m.* 품질이 좋은 셰리주 《산지명》.

pajarica *f.* 연(pájara, cometa).

pajarico *m. dim.* pájaro.

pajarilla *f.* ① 【식물】 매발톱꽃 (aguileña). ② 돼지의 비장(bazo).
abrasarse·asarse·caerse las ~s 혹독한 더위이다.
alegrarse la(s) ~(s) 굉장한 행복·기쁨·즐거움이다.
hacer temblar la ~ (누구에게) 공포심을 가지게 하다.
traer las ~s volando 기쁘게 하다, 즐겁게 하다, 비위를 맞추다.

pajarillo *m. dim.* pájaro.

pajarita *f.* 종이로 접은 새·학·연(cometa).
~ *de las nieves* 【조류】 자고새.

pajarito *m.* [*dim.* pájaro] 작은 새.
quedarse como un ~ 조용히 숨을 거두다.

pájaro *m.* [*lat.* passer] ① 새(ave). ② (정계의) 탁월한 인물 : ~ gordo 중요 인물. ③ 빈틈없는 인간 : ~ de cuenta 조심해야 할 인물. —*pl.* ① 조류. ② 《*Arg.*》 망상.
~ *arañero* 딱따구리의 일종. ~ *bobo* 펭귄.

～ ***burro*** 큰 군함새(rabihorcado). ～ ***carpintero*** 딱따구리. ～ ***del sol*** 극락조(ave del Paraíso). ～ ***diablo***【조류】바다제비(petrel). ～ ***loco*** 선인조. ～ ***mosca*** 벌참새. ～ ***niño*** 바다 까마귀. ～ ***polilla*** 물총새(martín pascador). ～ ***resucitado*** ＝pájaro mosca. ～ ***solitario*** ＝pájaro loco. ～ ***tonto*** 신천옹(信天翁).
El ～ ***(ya) voló*** 기회를 놓쳤다 ; 잡으려는 짐승을 놓쳤다.
tener ～***s en la cabeza*** 아무 분별이 없다.
Matar dos ～***s de una pedrada · de un tiro***【속담】일석 이조.
Más vale ～ ***en mano que buitre volando ; Más vale*** ～ ***en mano que ciento volando***【속담】나르는 백 마리의 새보다 수중에 있는 한 마리가 더 가치가 있다.

pajarolear *intr.*《*Arg.*》＝**pajarear.**

pajarón, na *adj.m.f.*《*Arg.*》＝**tonto.**

pajarota *f.* 낭설, 낭보, 허보, 유언비어.

pajarotada *f.* ＝**pajarota.**

pajarote *m.* [*aum.* pájaro] 큰 새.

pajarraco *m.* [*desp.* pájaro] ① 괴조(怪鳥). ② 정체 불명의 것.

pajaruco *m.* ＝**pajarraco.**

pajaza *f.* 말이 먹다 남은 짚.

pajazo *m.* 말의 눈 각막에 생긴 흉터.

paje *m.* [*fr.* page] ① 시동(侍童), 근시(近侍) : ～ de armas 기사의 창·방패를 들고 따르는 수종 소년. ② 급사, 사환 : ～ escoba 견습 선원. ③ 화장용 경대.

pajea *f.*【식물】찰쑥(ajea).

pajear *intr.* 건초를 충분히 먹다 ; (각자가 자기의) 태도를 취하다 : Cada uno tiene su modo de ～.

pajecillo *m.* ① 세면기 받침. ②【방언】촛대.

pajel *m.*【어류】지중해산 도미의 일종(pagel).

pajera *f.* 건초 저장소.

pajería *f.* 짚장사.

pajeril *m.* ＝**pajil.**

pajero, ra *adj.* 말먹이 풀의. —*m.* 말먹이 풀장수.

paji *m.*《*Chile.*》＝**puma.**

pajil *adj.* 시종·몸종의·같은.

pajilla *f.* (음료수를 빠는) 빨대.

pajita *f. dim.* paja.
quebrar · romper ～***s***《*Perú.*》사이가 틀어지다.

pajizo, za *adj.* 짚의, 짚으로 만든 ; 초가 지붕의 ; (밀)짚 빛깔의.

pajo *m.* 필리핀산의 망고의 일종.

pajolero, ra *adj.* ① 약간 귀찮게 구는. ② ＝**travieso.** ③ ＝**puntilloso.**

pajón, na *adj.*《*Mér.*》우글 쭈글해진 (crespo). —*m.* ① 모르고 베지 않고 남겨진 짚. ②《*Amér.*》paja brava의 밭. ③《*Ant. Col.*》(쓸모없는) 잡초.

pajonal *m.* ＝**pajón.**

pajoso, sa *adj.* ① 짚만 있는, 짚의, 짚같은 : estera ～*sa* 짚방석, 짚돗자리. ② 열매가 열지 않는.

pajote *m.* 짚방석, 짚멍석, 짚돗자리.

pajuate *adj.*《*Arg.*》＝**pajuato.**

pajuato, ta *adj.m.f.*【고어】《*Amér.*》(조그마한 일에도 놀라는) 바보(의), 소심한 (사람) ; 호인(의).

pajucero *m.*《*Ar.*》퇴비장.

pajuela *f.* ① (유황을 칠한) 불쏘시개. ②《*Amér.*》이쑤시개 ; 성냥.

pajuerano, na *adj. desp.*《*Bol. Riopl.*》외지에서온 (사람).

pajuil *m.*《*Méx.*》＝**anacardio.**

pajuncio *m. desp.* paje.

pajuno, na *adj.* ＝**pajil.**

pajurria *f.*《*Cuba.*》질이 낮은 담배 ; 쓸모없는 것.

pajuye *m.*《*Bol.*》바나나의 통조림.

pajuz *m.*《*Ar.*》＝**pajuzo.**

pajuzo *m.*《*Ar.*》퇴비로 사용하는 반쯤 썩은 짚.

Pakistán *m.*【지명】파키스탄.

pakistaní *adj.m.f.* ＝**pakistano.**

pakistano, na *adj.* 파키스탄의. —*m.f.* 파키스탄 사람.

pal *m.* ＝**palo.**

pala *f.* [*lat.* pala] ① 삽, 쇼벨 : ～ automática · automóvil · mecánica 자동삽. ② 부지깽이 (～ de fogón). ③ 쟁기. ④ 주걱 ; 라켓(raqueta). ⑤ (도끼·괭이의) 날, 날끝. ⑥ (이의) 넓은 부분. ⑦ (구두의) 등, 앞코. ⑧ (노·상앗대의) 끝 ; 키끝 ; (경첩의) 날개. ⑨ (선인장의) 잎줄기. ⑩ 익숙함(destreza). ⑪ 교활함, 간사함(astucia).
corta ～ 얼간이, 바보, 멍청이.
a punta (de) ～ 풍족하게.
hacer la ～《*Cuba.*》일하는 척하다.
meter la ～ 감쪽같이 속이다.
meter su media ～ 끼어들다, 거들다.

palabra *f.* [*lat.* palabola] ① 단어, 언어(dicción, vocablo, voz). ② 말, (말할 때의) 입, 언어 능력 : perder la ～ 말을 할 수 없게 되다. ③ [주로 conceder · pedir · etirar · tener 등의 보어로] 발언, 발언권 : 언론 : libertad de ～ 언론의 자유. ④ 약속, 구두 약속 ; 맹세 : dar su ～ de hacer algo 무엇을 하기로 약속하다. ⑤ (누가 한) 말, 말이 되는 것, 대화 : buena ～ 농담. ⑥ 암호. ⑦【음악】가사. ⑧ [관사없이 부정어와 사용] 한 마디도 (…않다) : No entiendo ～, Ni ～ entiendo 나는 한 마디도 모른다.
—*pl.* 주문(呪文).
—*interj.* (말을 걸려고) 여보세요, 잠깐만! (¡una ～!)
～ ***de Dios · divino*** 복음(서) (el evangelio). ～ ***de honor*** 맹세, 확약. ～ ***de matrimonio*** 약혼. ～ ***de rey*** 어기는 일이 없는 약속. ～ ***ociosa*** 공연한 말. ～ ***picante*** 신랄한 말. ～ ***preñada*** 함축성 있는 말. ***santa*** ～ 즐거운 약속《식사에 초대받는 등》. ～***s de aire*** 허망한 말. ～***s de la ley · del duelo*** 모욕적인 언사. ～***s de oráculo*** 신탁(神託). ～***s de presente*** 부부의 서약. ～***s libres*** 음담패설. ～***s mayores*** 모욕적인 언사. ***medias*** ～***s*** (말을 더듬어) 명쾌하지 못한 말 ; 암시적·넌지시 비치는 듯한 말.
a la primera ～ 한마디로 말해서 ; 처음 부른 값으로는.
a media ～ 끝까지 들어 보지도 않고.
bajo su ～ 구두약속만으로 ; 위험하게.
de ～ 말로서, 구두로, 구두의.
de ～ ***en*** ～ (입씨름 등이) 말끝마다, 한 마디마다 (격렬해지는 등).

P

de la última ~ 최신식의.
en dos ~*s* 즉각, 곧장(en seguida) ; 한 두 마디로, 요약하여.
sobre (su) ~ =bajo su ~.
alzar la ~ =soltar ~.
atravesar una ~ *con* …와 말을 하다.
beber las ~*s* 경청하다 ; 말대로 따르다, 하자는 대로 하다.
coger la ~ 언질을 이용하다.
coger las ~*s* 주의해서 듣다.
comerse las ~*s* 주의해서 듣다.
comerse las ~*s* 말을 빠뜨리다, 말을 글에서 누락시키다.
correr la ~ (보초병 등이) 경계(¡alerta!)의 말을 다음 사람에게 옮기다.
correrse las ~*s* 마구 지껄여대다 ; 말을 빠뜨리다.
dar la ~ 발언권을 주다, 발언을 허락하다.
dar (su) ~ 약속하다.
dar ~ *y mano* 약혼을 하다 ; 굳은 맹세를 하다.
dejar con la ~ *en la boca* (상대방에게) 끝까지 말하도록 두지 않고 등을 돌리다.
empeñar la ~ =dar su ~.
estar colgado·pendiente de las ~*s* 귀를 기울여 듣고 있다.
faltar a su ~ 약속을 어기다.
llevar la ~ 대표로 말하다 ; 말을 전하다.
mantener su ~ 약속을 지키다.
no tener ~ 약속을 지키지 않다.
pasar la ~ =correr la ~.
pedir la ~ 발언을 요구하다, 약속 이행을 요구하다.
*quitar*le a uno *la(s)* ~*(s)* (누가) 말하기 전에 먼저 말하다 ; 말을 가로채다.
remojar la ~ 꿀꺽 삼키다.
soltar la ~ 약속을 면제해 주다 ; 약속해 버리다 : Ya *he soltado la* ~ ; es preciso cumplirla 이미 약속한 일이니, 그 약속을 지켜야 한다.
tener la ~ 말을 주고 받다 (입씨름 등).
tener unas ~*s con* (누구와) 싸우다(pelearse con).
tomar la ~ 언질을 이용하다(coger la ~) ; 발언을 하다, 말하다.
trabarse de ~ · *las* ~*s* 입씨름을 하다.
traer en ~*s* 말주변 있게 다루다.
tratar mal de ~ a uno =injuriarle.
usar de la ~ 발언하다.
vender ~*s* 말로 속이다.
venir contra su ~ 약속을 어기다(faltar a su ~).

palabrada *f.* 욕, 욕설, 험담.
palabrear *tr.* ①《*Bol. Chile. Ecuad.*》약혼하다. ②《*Chile.*》욕설·독설을 퍼붓다(insultar). —*intr.* [드뭄] 잡담하다(charlar).
palabreja *f. dim. desp.* (연설에서) 중요성이 별로 없는 말.
palabreo *m.* 잡담, 쓸데없는 말.
palabrería *f.* 말이 많음 ; 쓸데없는 말.
palabrerío *m.* =**palabrería.**
palabrero, ra *adj.m.f.* 쓸데없는 말을 많이 하는, 말이 많은 ; 말만 늘어 놓는 (사람).
palabrimujer *adj.m.* 말씨가 여자 같은 (남자).
palabrista *adj.m.f.* [드뭄] =**palabrero.**
palabrita *f.* 아리송한 말, 뒤가 있는 말 : Le dije cuatro ~*s* 그에게 아리송한 말을 했다.
~*s mansas m.f.* 능청스러운 말을 하는 사람.
palabrón, na *adj.m.f.* =**palabrero.**
palabrota *f. desp.* 욕, 욕설, 잡담.
palabrudo, da *adj.*《*Chile.*》입이 험한.
palacete *m.* [*dim.* palacio] 아담하게 꾸민 저택·별장.
palacial *adj.* 왕궁의.
palaciano, na *adj.* ① =**palaciego.** ②《*Nav.*》궁의 주인(dueño de un palacio).
palaciego, ga *adj.* 왕궁의 ; 왕을 모시는 ; 어전·궁전 같은. —*m.f.* 궁중의 신하, 궁인(cortesano).
palacio *m.* [*lat.* palatium] 왕궁(~ real). 어전, 궁전 ; 대전당, 대저택, 회관, (일반적으로 극장·관청 등) 대건축물 : ~ de exposición 전시 회장. ~ del congreso 국회 의사당. ~ de Comunicaciones 대형 우체국, 우정 회관. ~ municipal 시청사. ~ para niños 어린이 회관. ~ para ciudadanos 시민 회관. ~ real 왕궁.
dar ~ 금·은을 실에 칠하다.
echar a ~ 거들떠 보지 않다(no hacer caso).
estar embargado para ~ 짐짓 일이 있는 척하다.
hacer ~ (비밀 등을) 폭로하다, 공표하다.
hacer·mantener·tener ~ 신나서·유쾌하게 지껄이다.
palacra *f.* 연금(延金)(pepita).
palacrana *f.* =**palacra.**
palada *f.* (삽 같은 것으로) 한번 뜨기 ; 그 분량 ; (노로 물을) 한번 젓기 ; 스크류의 1회전.
paladar *m.* ①【해부】입천장 : ~ duro 경구개(硬口蓋). ② 혀끝의 감촉, 맛(sabor) : vino de buen ~ 맛이 좋은 포도주. ③ 감각, 취미, 기호.
hablar al ~ 상대방을 의식하면서 말하다.
paladear *tr.* ① 맛보다(saborear) : ~ un dulce. ② (…에) 입맛이 당기게 하다 ; 입맛이 당기다, 좋아하게 만들다. —*intr.* (갓난아기가) 젖을 찾다.
~**se** [+con : …을] 맛보다, 맛을 보기 위해 먹다 : ~*se con* un dulce.
paladeo *m.* 맛보기 ; 맛을 알게 됨.
paladial *adj.* 구개(口蓋)의 ; 구개음의(palatal) : consonante ~ 구개 자음. letra ~ 구개 문자. La E y la I son vocales ~*es* E자와 I자는 구개 모음이다.
paladín *m.* [*lat.* palatinus] 용사, 열사 ; 옹호자.
paladinamente *adv.* 공공연하게, 공개적으로.
paladino, na *adj.* 공공연한, 공개적인, 대중의 면전의. —*m.* 용사(paladín).
paladio *m.*【화학】팔라듐《희금속 원소》.
paladión *m.* (본래는 Troya 시의) 수호상 ; 수호신 ; 수호물, 보장(保障) : Las leyes son el ~ de la sociedad 법은 사회의 보장이다.
palafito *m.* [*ital.* palafitta] 호상(湖上)·수상(水上) 가옥.
palafrén *m.* 시종의 말 ; 귀부인 승용마.
palafrenero *m.* 마부.
palahierro *m.* (맷돌의) 축심(軸心).
palamallo *m.* mallo 비슷한 놀이.
palamenta *f.* ①【선박】[집합] 노, 노의 열(列). ②《*Col.*》=**palizada.**
estar debajo de la ~ 속박되어 있다.

palanca *f.* ①【물리·기계】 지레 : ～ de mando 조종간. ②(물건을 어깨에 메는) 멜대. ③【축성】 밀책(密柵). ④【선박】 돛줄. ⑤효과적인 수단, 후원, 지원. ⑥《*Col.*》 도살장의 조수.
palancacoate *m.* 《*Méx.*》【동물】 독사(serpiente venenosa).
palancada *f.* 지렛대·작대기로 때리기.
palancana *f.* =**palangana.**
palancapacle *m.* 《*Méx.*》 합성약.
palancón *m.* 《*Ecuad.*》 날이 좁은 곡괭이.
palancón, na *adj.* 【고어】《*AmérC. Arg. Bol.*》 다리가 긴, 다리가 볼품없이 긴.
palangana *f.* ① 세면기, 세면대, 대야(jofaina). ②《*Amér.*》 말 많은 사람 ; 파렴치한 사람. ③《*AmérC. Bol.*》 큰 접시(fuente).
estar de ～ 《*Bol.*》 빈둥거리다, 빈둥거리며 놀다, 허송 세월하다.
palanganada *f.* 《*AmérM.*》 으시대기, 허세.
palanganear *intr. AmérM.*》 으시대다, 허세를 부리다.
palanganero *m.* 세면대.
palangre *m.* 유망(流網)의 어미 그물.
palangrero *m.* 유망으로 고기잡는 배 ; 그 어부.
palanquear *tr.* ①《*Amér.*》 지렛대로 움직이다(apalancar). ②《*Ecuad.*》 남의 힘을 빌리다 ; 애먹이다.
palanquera *f.* 나무 울타리.
palanquero *m.* ① 지렛대를 쓰는 사람. ②【고어】(대장간의) 풀무장이. ③《*Bol. Chile.*》(열차의) 제동수. ④《*Chile.*》 강도.
palanqueta *f.* [*dim.* palanca] ① 소형 지렛대 ; 철봉 ; 깡통따개. ②《*Cuba.*》 중국 사람(chino).
palanquilla *f. dim.* palanca.
palanquín[1] *m.* [*sanscr.* palyanka] 가마의 일종.
palanquín[2] *m.* ①(짐을 옮기는) 인부. ②【은어】 도적. ③【선박】 돛줄.
palar *tr.* 《*Col.*》 삽(pala)을 쓰다.
palas *f.* 【신화】 Minerva의 별명.
palasan *m.* 【식물】 등나무(rota).
palastro *m.* (특히 자물쇠통의) 판금(板金).
palatal *adj.* 《*Neol.*》 입천장의 ; 경구개음의(paladial) : una vocal ～. *—f.* 경구개음의 문자.
palatalizar *tr.* ⑨【음성】(음을) 구개화하다.
palate *m.* 《*Ecuad.*》 =**brujo.**
palatina *f.* (옛날의) 부인용 털목도리.
palatinado *m.* 독일의 palatino의 지위·영지.
palatino, na *adj.* ① 구개의(palatal). ② 상악골의. ③궁전의, 궁전 같은(palaciego). *—m.* ①【해부】 구개골, 상악골. ②(독일의) 백작. ③(항가리의) 부왕(副王) ; (폴란드의) 지사(知事).
palatizar *tr.* ⑨ 구개음화하다(palatalizar).
palay *m.* 《*Filip.*》(쌀의) 왕겨·껍질.
palazo *m.* 지레·작대기(palo)로 때리기.
palazón *f.* 재목류《건물, 선박의 palos의 전체》.
palazuelo *m. dim.* palacio.
palca *f.* 《*Bol.*》(강·길의) 분기점 ; (가지의) 갈래.
palco[1] *m.* [*ital.* palco](오페라 극장의) 관람석, 칸막이석 : ～ de platea 무대 정면의 관람석. ～ escénico 무대(escena).
palco[2] *m.* 《*Arg.*》 입가에 난 부스럼.
paleador *m.* 삽질하는 사람.
palear *tr.* (곡식을) 까불다(apalear) ; 삽질하다.
palemón *m.* camarón의 학명.
Palencia 【지명】 빨렌시아《서반아의 주·도시》.
palendra *f.* 《*Col.*》 삽, 쟁기.
palenque *m.* ① 나무 울타리 ; 통나무집, 허드렛집. ②《*Amér.*》 사람들로 어수선한 곳 ; (젖소를) 매는 말뚝. ③《*Ant.*》 원주민들의 취락 ; 울타리.
palenquear *tr.* 《*Riopl.*》(마소를) 말뚝에 매다.
palense *adj.* 빨로스《Palos de Moguer, 서반아 대서양 연안의 도시, 콜롬부스가 아메리카를 발견할 때 출발 항구》의. *—m.f.* 빨로스 사람.
palentino, na *adj.* 빨렌시아《Palencia, 서반아 중북부의 도시》의. *—m.f.* 빨렌시아 사람.
paleo- *pref.* 「고(古)」「구(舊)」를 뜻하는 접두어.
paleofitología *f.* 화석 식물 연구.
paleografía *f.* [집합] 고문서(古文書) ; 고문서학 ; 고대 문자 연구.
paleográfico, ca *adj.* 고문서학의.
paleógrafo, fa *m.f.* 고대 문자 학자.
paleolítico, ca *adj.* 구석기 시대의. *—m.* 구석기 시대.
paleología *f.* 고대 언어 연구.
paleólogo, ga *m.f.* 고대어 학자.
paleontografía *f.* 기술(記述) 화석학 ; 고생물지(誌).
paleontográfico, ca *adj.* 화석학의.
paleontología *f.* 고생물학, 화석학.
paleontológico, ca *adj.* 고생물학의.
paleontólogo, ga *m.f.* 고생물 학자.
paleoterio *m.* 【고생】 팔레오테리움.
paleozoico, ca *adj. m.* 【지질】 고생대(의).
palera *f.* 【방언】 =**nopa.**
palería *f.* [*lat.* palus] 습지 배수(법).
palermitano, na *adj.* 빨레르모《Palermo, 시칠리아섬의 도시》의. *—m.f.* 빨레르모 사람.
palero *m.* 삽 제조인·상인 ; (배의) 견습 선원.
Palestina *f.* 【지명】 팔레스티나.
palestino, na *adj.* 팔레스티나 (Palestina)의. *—m.f.* 팔레스티나 사람, 토론회장.
palestra *f.* [*gr.* palaistra](고대 그리스의) 체육(장) ; 투기장, 씨름터 ; 각축장 ; 토론회장, 경연회장.
paléstrico, ca *adj.* (고대 그리스의) 체육·씨름(터)의.
paleta *f.* [*dim.* pala](화가의) 화구판 ; 부삽 ; (미장이의) 흙손 ; 견갑골 (omoplato) ; 손잡이가 달린 아이스케이크 ; (물레방아의) 물받이 ; (물레방아·선풍기·기차 등의) 날개.
de ～ 안성맞춤으로.
en dos ～*s* 그 자리에서, 즉각.
paletada *f.* ① 흙손 하나(의 분량). ② 흙손으로 때리기 ; 흙손으로 한번 문지르기.
en dos ～*s* 그 자리에서, 즉각(en dos paletas).
paletazo *m.* 소가 뿔로 찌르는 일(varetazo).
paletear *tr.* 노를 헛 젓다 ; 추진기를 공전시키다. *—intr.* 《*Chile.*》 실패하다(fracasar).
paleteo *tr.* 노의 헛 젓기 ; 추진기의 공전.
paletero *m.* 【동물】 두 살 짜리 황록(gamo de dos años).
paletilla *f.* ①【해부】 견갑골 ; 검상 연골(劍狀軟骨). ②《*Arg.*》 가축의 귀에 하는 표적.

levantar la ~ 가슴 아프게 만들다.
poner la ~ *en su lugar* 몹시 꾸짖다.

paleto *m.* ①【동물】유럽산 사슴의 일종(gamo). ② 멋없이 구는 남자.

paletó *m.* [*fr.* paletot] 긴 외투(gabán largo).

paletón *m.* 열쇠의 머리.

paletoque *m.* [*fr.* paletot] 머리에 쓰는 외투; 가빠.

paletuvio *m.*【식물】《*Galic.*》홍수(紅樹)(mangle).

pali *m.* 팔리말《남동 인도의 고어, 석가모니가 설법한 말》.

palia *f.* [*lat.* pallium] 제단걸이(천); (제단 앞에 두른) 막; 성배(聖杯) 덮개.

paliabierto, ta *adj.* 《*Col.*》두 뺨 사이가 벌어진.

paliacate *m.* 《*Méx.*》(색깔이 있고 큰) 손수건.

paliación *f.* 은폐; 둘러붙이기; 질병 등을 일시적으로 가라앉히기, 완화.

paliadamente *adv.* [*lat.* palliare] 남모르게, 살짝, 슬그머니.

paliar *tr.* ⑪ [*lat.* palliare] ① 숨기다, 은폐하다, 둘러붙이다(encubrir): ~ el delito. ②(병세를 일시적으로) 가라앉히다, 완화시키다(mitigar).

paliativo, va *adj.* 둘러대는, 임기 응변의, 일시 모면의, 숨기는; 완화의: remedio ~ 임기 응변의 처방. —*m.* 완화제; 그 자리를 모면키 위한 수단·말투: No usó de ~*s* 그는 그 자리를 모면하기 위해 둘러대지 않았다.

paliatorio, ria *adj.* 일시 모면의, 둘러대는.

palidecer *intr.* ㉛ ① 핏기를 잃다, 창백해지다(ponerse pálido). ② 생기·빛을 잃다, 새파랗게 질리다: Ella *palideció* de horror 그녀는 공포로 새파랗게 질렸다.

palidez *f.* ① 창백, 핼쑥함(amarillez, descaecimiento del color natural). ② 어스름한 빛.

pálido, da *adj.* 창백한, 새파란; 생기 없는 (amarillento, descolorido): Ella se puso *pálida* de horror 그녀는 공포로 얼굴이 창백해졌다.

paliducho, cha *adj.* 얼굴이 약간 창백한(algo pálido).

palikar *m.* [*gr.* palikaris] (그리스의) 병사.

palillero, ra *m.f.* 이쑤시개 제조인·판매인. —*m.* ① 이쑤시개 꽂이·그릇. ②《*Can. CRica. Chile. Venez.*》펜대(mango de pluma).

palillo *m.* [*dim.* palo] ① 가느다란 막대기, 축. ② 뜨개 바늘의 축; 보빈(bolillo). ③ 이쑤시개 (mondadientes). ④ 북채. ⑤ 잡담, 헛소리 (palique). ⑥ 연초잎의 굵은 줄기. ⑦ *pl.* 조상(彫像)용 주걱; 젓가락. ⑧《*And.*》【악기】캐스터네츠 (castañuelas). ⑨ *pl.* 초보(적인 기법); 쓸모없는 일·것. ⑩ =**banderillas.**
como ~ *de barquillero·de suplicaciones* 한시도 앉아 있을 사이없이.
tocar todos los ~*s* 무슨 수를 다 써 보다, 있는 수단을 다 쓰다.

palimpsesto *m.* 한번 쓴 것을 지우고 다시 그 위에 쓴 공문서·양피지.

palíndromo *adj.m.* 회문(回文)의《좌우 어디서나 읽어도 뜻이 같아지는 어구》.

palingenesia *f.* ① 재생, 윤회; 신생. ②【생물】원형 발생.

palingenésico, ca *adj.* 재생의, 신생의.

palingenético, ca *adj* =**palingenésico.**

palinodia *f.* [*lat.* palinodia] 취소, 철회; 취소의 시: cantar la ~ 앞서 한 말을 취소하다.

palio *m.* [*lat.* pallium](고대 그리스의) 큰 외투·망토; (카톨릭 승려들의 예장에서) 어깨에 걸치는 천.
recibir con·bajo ~ 성대한 환영을 하다.

palique *m.* 잡담: estar de ~ 잡담을 늘어놓고 있다.

paliquear *intr.* 잡담을 하다(charlar).

palisandro *m.*【식물】브라질의 자단(紫檀).

palito *m.* [*dim.* palo] 작은 막대기: ~*s* chinos 젓가락. ~*s* matamosquitos 모기향. ~*s* para lavanderas 빨래 집게.
estar·verse a ~*s* 《*AmérC.*》곤란한 처지이다, 몹시 곤궁하다.
estar en los ~*s* 《*Venez.*》세밀한 면까지 알고 있다.
pisar el ~ 《*Arg. Chile.*》함정에 빠지다; 잘못을 저지르다.
tener el ~ *para* 《*Col.*》…하는 재능이 있다.

palitoque *m.* ① 작은 통나무·몽둥이; (초보자의) 막대기 글자. ②【투우】=**banderilla.**

palitroque *m.* ① 작은 통나무·몽둥이(palitoque). ②《*AmérM.*》=**bolos.** ③《*Venez.*》물물교환.

paliza *f.* 몽둥이 찜질, 몽둥이로 때리기; 한 쪽이 진 싸움·입씨름.

palizada *f.* ① 담장, 울타리; 울타리로 두른 곳. ②(강변의) 호안 시설, 벼랑. ③《*Col. Ecuad.*》떠내려 가는 목재. ④《*Perú.*》떠드는 사람들.

palla *f.* ① 선광(選鑛). ②《*Perú.*》즉흥의 응답가 (paya).

pallaco *m.* 《*Chile.*》선별한 광석.

pallador *m.* 《*AmérM.*》방랑 가수.

palladura *f.* 《*Amér.*》=**payadura.**

pallapar *intr.* 《*Perú.*》=**pallaquear.**

pallaquear *tr.* 《*Amér.*》선광(選鑛)하다; 쇠똥·남은 것을 줍다.

pallar *tr.* 선광하다. —*intr.* 《*Perú.*》즉흥 노래를 부르다. —*m.* ①(페루산의) 강낭콩. ②《*Perú.*》귓불.

pallas *f.* 빠야스《페루 원주민의 춤의 일종》.

pallasa *f.* 《*Chile. Perú.*》짚방석.

pallaso *m.* 《*Ant. Arg. Venez.*》=**pallasa.**

pallón *m.* (키로 까분) 금·은 싸라기.

palluca *f.* 《*Chile.*》거짓말, 터무니없는 말.

palma *f.* ①【식물】종려(palmito); 야자(palmera). ② 종려·야자나무잎. ③ 손바닥: liso·llano·raso como la ~ 아주 반반한. Conozco este lugar como la ~ de la mano 나는 이곳을 손바닥처럼 알고 있다. ④ 손(mano). ⑤ 승리, 영예 (triunfo, gloria): ganar·llevarse la ~ 우승하다. —*pl.* ①【식물】야자 무리. ②《*Galic.*》박수: batir ~*s* 박수치다.
~ *brava* (필리핀산의) 부채 야자. ~ *catecú*【식물】빈랑. ~ *común*【식물】=palmera. ~ *cristi*【식물】=palmacristi. ~ *datilífera·datilera*【식물】=datilera. ~ *enana*【식물】=palmito. ~ *indiana* 코코야자(cocotero). ~ *negra*【식물】= caranday. ~ *real* 빈랑.
andar en ~*s* 절찬을 받고 있다.
batir ~*s* 손바닥을 치다, 박수를 치다.

P

enterrar con ～ 처녀로 늙히다.
llevar·traer en ～*s* 극도로 환대하다.

Palma de Mallorca 【지명】 빨마·데·마요르까 주·시.

palmáceo, a *adj.* 【식물】 야자속의. —*f.pl.* 야자속 식물.

palmacristi *f.* ① 【식물】 피마자, 아주까리(ricino). ② 《*Chile.*》 걸핏하면 화내는 사람.

palmada *f.* ① 손바닥으로 때리기 : dar una ～ 손바닥으로 때리다. De pronto, Mina se dio una ～ en la frente 갑자기 미나는 손바닥으로 이마를 때렸다. ② 박수(치는 일·그 소리) : dar ～*s* de aplauso.

palmadilla *f.* 손바닥을 쳐서 상대방을 불러 들이는 유희의 춤.

palmado, da *adj.* =**palmeado.**

palmar[1] *adj.* [*lat.* palmaris] ① 손바닥의 : músculo ～. ② 빨모(palmo)의. ③ 분명한(claro) : hecho ～.
—*m.* 종려숲, 야자나무밭; 보풀을 일으키는 기계.
ser más viejo que un ～ 아주 낡아 빠졌다, 늙어 빠졌다.

palmar[2] *intr.* 【속어】 【드뭄】 서거하다, 사망하다, 죽다(morir).

palmarejo *m. dim.* palmar.

palmariamente *adv.* 분명하게(claramente).

palmario, ria *adj.* 분명한 : un error ～.

palmarote *m.* 《*Venez.*》 순수한 베네수엘라 평원 사람; 베네수엘라의 토착민; 시골뜨기.

Palmas, Las 【지명】 라스·빨마스주·시 《아프리카 카나리아 군도》.

palmatoria *f.* ① (주로 접시 모양의) 촛대. ② (교사가 학생을 때리는) 손바닥 널(palmeta).
ganar la ～ 조기 입학하다; 남보다 앞서다(ganar la palmeta).

palmeado, da *adj.* ① 손바닥 모양의 (잎) : hoja ～*da* 손바닥 모양의 잎. ② 손바닥 모양의 물갈퀴가 있는 : pata ～*da* 손바닥 모양의 물갈퀴가 있는 발.

palmear *intr.* (기뻐서) 손뼉을 치다, 박수치다(palmotear). —*tr.* ① 【은어】 때리다, 두들기다. ② 【인쇄】 (조판에서 활자를) 두들겨 고르다. ③ (배를) 손으로 밀다.
～se 배를 매다.

palmenta *f.* 【은어】 말을 전하는 편지.

palmentero *m.* 【은어】 우체부.

palmeo *m.* palmo로 재기.

palmer *m.* 두껍지 않은 물건을 재는 정확한 기구.

palmera *f.* 【식물】 야자나무.
～ *de aceite* 【식물】(기네아만의) 야자의 속어.
～ *de Canarias* 【식물】 =támara.
～ *de somebrilla* 【식물】 =burí.

palmeral *m.* 야자나무숲·밭.

palmero *m.* ① 야자나무 밭지기. ② 팔레스티나 성지 참배자 《기념으로 종려 잎으로 만든 십자가를 가지고 돌아갔던 데서 유래됨》. ③ 《*AmérM. Méx.*》 =**palmera.**

palmero, ra *adj.m.f.* ① 산따끄루스 데 라 빨마 《Santa Cruz de la Plama, Santa Cruz de Tenerife주의 한 도시》의 (사람). ② 라 빨마섬 《isla de la Palma, 까나리아에 있음》의 (사람).

palmesano, na *adj.* 빨마 데 마요르까《Palma de Mallora, 마요르까 섬의 도시》의. —*m.f.* 빨마 사람.

palmeta *f.* (선생이 학생을 때리는) 손바닥 널; 그것으로 때리기.
ganar la ～ 조기 입학하다; 남보다 앞서다.

palmetazo *m.* palmeta로 때리기; 징계, 벌.

palmicha *f.* 《*Col.*》 【식물】 =**palmiche.**

palmichal *m.* 《*Col.*》 빈랑나무숲.

palmiche *m.* ① 【식물】 빈랑나무(palma real); 그 열매; 야자나무. ② (야간 수렵용 불켜는) 빈랑 수지. ③ 《*Cuba.*》 남자용 하복지의 일종.

palmicho *m.* 《*Amér.*》 =**palmiche.**

palmífero, ra *adj.* 【식물】 야자·종려가 나는.

palmífido, da *adj.* 【식물】 손바닥 모양의 (잎).

palmilobulado, da *adj.* 끝이 둥근 손바닥 모양의 (잎).

palmilla *f.* 천(paño)의 일종.

palmípedo, da *adj.* 【동물】 물갈퀴의, 유금류(游禽類)의. —*f.pl.* 유금류(游禽類) 《물오리·갈매기·페리칸 등》.

palmista *m.f.* 《*Ant.*》 손금 보기.

palmita *f. dim.* palma.
llevar·recibir·traer en ～*s* 극도로 환대하다(llevar en palmas).

palmitato *m.* 【화학】 팔미틴염산.

palmitieso, sa *adj.* 발바닥이 튀어나온 (말).

palmitina *f.* ① 팔미틴 《야자유의 결정체》. ② 【화학】 =**margarina.**

palmito *m.* ① 【속어】 여자의 얼굴 : buen ～. ② 【식물】 일종의 종려; 그 싹, 종려순 《식용》.

palmo *m.* [*lat.* palmus] ① 빨모 《길이의 단위; 약 21㎝, 4분의 1 vara, 손가락을 펴서 엄지손가락 끝부터 새끼손가락 끝까지》 : ～ de tierra 손바닥 만한 넓이의 땅. El ～ equivale generalmente al ancho de la mano extendida 1빨모는 보통 펼쳐진 손의 폭에 상당한다. ② 어린이들의 놀이의 일종.
a ～*s* 차츰, 조금씩; 샅샅이 (잘 알다).
con un ～ *de lengua (fuera)* 지쳐서.
dejar con un ～ *de narices* 의표를 찔러 놀라게 만들다(chasquear).
tener medido a ～*s* 샅샅이 잘 알다.

palmón *m.* 종려나무의 작은 가지.

palmotear *intr.* 박수를 치다, 손바닥을 치다(palmear). —*tr.* (친근하다는 뜻으로 어깨 등을) 툭툭 치다.

palmoteo *m.* 박수; 박수 소리.

palo *m.* [*lat.* palus] ① 곤봉, 몽둥이, 통나무. ② 나무, 재목(madera) : una cruz de ～ 나무 십자가. ③ 돛대(mástil) : un barco de tres ～*s* 돛이 세 개인 배. ～ mayor 메인 마스트. ④ 몽둥이로 때리기 : ～ de ciego 엉뚱한 곳 때리기, 엉뚱한 장난·욕. dar ～*s* ciego 엉뚱한 곳을 때리다, 엉뚱한 장난을 하다. Le arrimó dos ～*s* 그를 두 차례 때렸다. ⑤ (몽둥이를 쓰는 교수형에 의한) 사형. ⑥ (b, p 등과 같은 글자의) 세로로 그은 글자. ⑦ 【문장】 (방패의 중앙의) 세로 줄. ⑧ (카드·트럼프 등에서 같은 모양의) 짝, 짝패 : La baraja de naipes se divide en cuatro ～*s* : oros, copas, bastos y espadas. ⑨ 《*Ant. Venez.*》 술의 한 모금(trago). ⑩ 《*Amér.*》 [뜻을 강조하

여] ~ de agua 폭우. ~ de discurso 대연설. ~ de mujer 멋진 여자.
—*pl.* (당구에서 쓰는) 픽.
~ ***(de) áloe*** 【식물】 심향. ~ ***a pique*** ① 《*AmérM.*》 철책. ② 《*Riopl.*》 박아 넣은 기둥·막대기. ③ 《*Arg.*》 인파 : La gente estaba *de ~ a pique* 입추의 여지도 없을 만한 인파였다. ~ ***(de) Bañón*** 【식물】 매화나무의 일종(aladierna). ~ ***(del) Brasil*** 브라질산 다목나무. ~ ***(de) Campeche*** 다목. ~ ***codal*** (고행을 위해 목에 매는) 고행봉. ~ ***de bandera*** 《*Amér.*》 깃대(asta). ~ ***de Fernambuco*** 브라질산 다목의 일종. ~ ***de hule*** 고무나무. ~ ***de jabón*** 비누나무. ~ ***de la rosa*** 가시가 있는 관목(alarguez); 자단(紫檀). ~ ***de las Indias*** 유창목(palo santo). ~ ***de Pernambuco*** 브라질산 다목의 일종(~ de Fernambuco). ~ ***de planchar*** 다리미틀. ~ ***de rosa*** 향목, 자단. ~ ***dulce*** 감초(orozuz)의 뿌리. ~ ***grueso*** 《*Chile.*》 얼굴이 통하는 사람. ~ ***santo*** =guayaco.
a ~ seco 돛을 내리고; 아무 장식도 없이.
a medio ~ 《*Amér.*》 ① 미완성으로, 하다가 그만두어. ② 《*Amér.*》 반쯤 취해서(medio borracho).
caerse los ~s del sombrajo 의지가 꺾이다.
dar ~ 기대했던 바와 반대의 결과가 되다.
Ello dirá si es ~ o pedrada (결과 등을) 곧 알게 될 것이다.
estar del mismo ~ 같은 사정·상태·성질이다.
poner en un ~ 사형에 처하다; 효수하다.
terciar el ~ (때리려고) 몽둥이를 치켜 들다.
De tal ~ tal astilla 【속담】 부전자전(Tal padre, tal hijo).

paloduz *m.* =**orozuz.**

paloma *f.* [*lat.* palumba] ① 【조류】 비둘기. ② 얌전한 사람(~ sin hiel); 사랑하는 사람. ③ 【속어】 높은 깃. ④ 【방언】 나비. ⑤ 【은어】 침대의 시트(sábana). ⑥ *pl.* 【조류】 비둘기 속; 흰 파도.
~ ***brava·silvestre*** 야생 비둘기. ~ ***buchona*** 흉고 비둘기. ~ ***calzada*** 발에 털이 난 비둘기. ~ ***duenda*** 집비둘기. ~ ***mensajera*** 전서구(傳書鳩). ~ ***moñuda·de moño*** 도가머리 비둘기. ~ ***torcaz·zurita*** 목걸이 비둘기.

Paloma *f.* 【천문】 비둘기좌.

palomadura *f.* 【해사】(돛의) 묶는 줄(empalomadura).

palomar[1] *adj.* 가늘게 꼰 : bramante ~.

palomar[2] *m.* 비둘기집.

palomariega *adj.* 집에서 기르는, 비둘기집에서 자란.

palomear *intr.* 비둘기를 잡으러 가다; 비둘기를 기르다. —*tr.* ① 《*Ecuad. Perú.*》 죽이다, 암살하다. ② 《*Cuba.*》 속이다(engañar).

palomeo *m.* 《*Perú.*》 암살.

palomera *f.* ① 비둘기집. ② 황무지(páramo). ③ 【식물】 =**ceriflor.**

palomería *f.* ① 비둘기 사냥. ② 비둘기 사육장.

palomero, ra *m.f.* 비둘기 장수, 비둘기 기르는 사람·길들이는 사람.

palometa *f.* 《*Amér.*》 【어류】 고등어(jurel)의 일종.

palomilla *f.* ① 【곤충】 나방; 누에고치. ② 【식물】 서양 현호색과의 식물(fumaria); 알칸나 풀(~ de tintes, onoquiles). ③ (말의) 엉덩이 부분 : Este caballo es alto de ~. ④ 흰말. ⑤ 까치발. ⑥ (굴대의) 굴대받이. ⑦ *pl.* 흰 물결, 넘실거리는 파도 (palomas). ⑧ 《*AmérC. Chile.*》 군중, 민중, 대중, 일반 사람(vulgo).

palomillada *f.* 《*Perú.*》 유쾌하게 떠드는 사람들; 나이에 어울리지 않는 일·말씨.

palomina *f.* ① 비둘기 똥. ② 【식물】 서양 현호색과의 식물.

palomino *m.* ① 새끼 비둘기. ② 셔츠에 묻은 똥자국.

palomita *f.* [*dim.* paloma] ① 작은 비둘기. ② 《*Amér.*》 팝콘, 튀긴 옥수수.

palomo *m.* ① 수비둘기; 산비둘기, 들비둘기. ② 선전가. ③ 【은어】 바보, 멍청이, 천치.
—*adj.* 《*Col. Méx. Perú.*》 흰 (말); 흰 상어의.
~ ***ladrón*** 비둘기 도둑. ***Juan P-*** 이기주의자.

palón *m.* ① (표지의) 삼각기. ② 《*Ecuad.*》 (야채 밭의) 흙 돋우기(aparcadura).

palonear *tr.* 《*Ecuad.*》 객토하다, 흙을 돋우다 (aparcar).

palor *m.* =**palidez.**

palotada *f.* 북채(palote)로 때리기.
no dar ~ 엉뚱한 짓을 하다·말을 하다; 하라는 것은 하지 않다.

palote *m.* [*dim.* palo] ① 북채. ② (쓸만한) 막대기. ③ (습자 초보의) 작대기 글자.
ni ~ 조금도 (아니다).

paloteado, da *adj.* palotear의 *p.p.* —*m.* 음악에 맞추어 간간히 손뼉을 치는 춤의 일종; (서로 치고 받는) 싸움.

palotear *intr.* 작대기로 때리다; 입씨름·토론하다.
~se 《*Venez.*》 (야채 등이) 질겨서 먹을 수 없게 되다.

paloteo *m.* 싸움, 입씨름(paloteado).

palpable *adj.* 감촉할 수 있는, 만질 수 있는; 명백한(evidente). Contr. impalpable.

palpablemente *adv.* 분명히, 명백하게.

palpación *f.* ① 손을 댐, 만지는 일. ② 【의학】 촉진(觸診).

palpadura *f.* =**palpamiento.**

palpamiento *m.* =**palpación.**

palpar *tr.* [*lat.* palpare] ① 손으로 만져 보다, 만지다, 손대다(tocar con las manos). ② 더듬다; 손으로 더듬으며 걸어가다 : *Palpaba* las tinieblas 어둠속을 손으로 더듬으며 걸어갔다. *Palpaba* los obstáculos 장애물을 더듬으며 헤쳐 갔다. ③ 분명하게 알다 : Usted lo *palpará* 당신은 분명하게 알게 될 것입니다.

pálpebra *f.* 【해부】 =**párpado.**

palpebral *adj.* 눈꺼풀의.

palpitación *f.* 고동, 가슴의 두근 거림; 마음의 동요 : sentir *~es* 마음의 동요를 느끼다.

palpitante *adj.* 고동치는, 가슴이 두근거리는; 가슴이 방망이질 하는 듯한; 생생한.

palpitar *intr.* [*lat.* palpitare] 맥박치다, 가슴이 두근거리다; 마음이 불안해지다; 맥박치는 듯이 분명하게 느껴지다 : Mientras *palpita* el corazón existe la vida 심장이 뛰는 동안은 생명이 있다.
~se 《*Arg.*》 예감하다 : Ya *me palpitaba* ese fra-

caso 나는 그 실패를 이미 예감하고 있었다.
pálpito *m.* 《*Chile. Perú. Riopl.*》 예감, 낌새가 보임 : por puro ~ 순 억측·직감에 의해. Tengo un ~ 나는 예감이 든다.
palpo *m.* [*lat.* palpum] 【곤충】 촉각, 촉수, 더듬이.
palpotear *tr.* 자주 만지다.
palqui *m.* 【식물】 빨끼 《남미산 관목, 약용, 비누의 재료 등》.
hijo del ~ 《*Chile.*》 사생아.
palta *f.* 《*AmérM.*》 =**aguacate.**
paltana *f.* 《*Ecuad.*》 =**adehala.**
palto *m.* 《*AmérM.*》 =**aguacate.**
paltó *m.* =**paletó.**
palucha *f.* 《*Cuba.*》 잡담.
paluchar *intr.* 《*Cuba.*》 =**charlar.**
paluchear *intr.* 《*Cuba.*》 =**charlar.**
paludamento *m.* 고대 로마의 황제·장군이 사용하던 자줏빛에 금테를 두른 군장(軍裝).
palúdico, ca *adj.* ① =**palustre.** ② 말라리아열의 : fiebre ~*ca.* —*m.f.* 말라리아열 환자.
paludina *f.* 【조개】 우렁이.
paludismo *m.* 【의학】 말라리아열(malaria).
paludo, da *adj.* ① 《*Col.*》 넋이 나간, 넋을 잃은, 멍해진. ② 《*Méx.*》 키가 큰 (사람).
paludoso, sa *adj.* 【속어】 소택지의, 습한(pantanoso).
palumbario *adj. halcón* ~ 새매류(azor).
palurdo, da *adj.* 거친, 시골의, 촌스러운 (tosco, grosero, rústico). —*m.f.* 시골 사람.
palustre[1] *adj.* 호소(湖沼)의, 소택(沼澤)의.
palustre[2] *m.* [*lat.* palustris] (미장이의) 흙손 (paleta de albañil).
pamandabuán *m.* 필리핀의 돛단배의 일종.
pamba *adj.* 《*Ecuad.*》 반반한 : plato ~*ba.* —*f.* 《*Ecuad.*》 얕은 강, 물웅덩이, 못.
pambazo *m.* 《*Arg.*》 =**pandazo.**
pambiche *m.* ① 《*Amér.*》 (하복용) 복지의 일종. ② 《*SDgo.*》 줄무늬가 든 죄수복.
pambil *m.* 《*Col. Ecuad.*》 【식물】 (열대 아메리카의) 종려나무의 일종.
pamela *f.* [*fr.* Paméla] (부인용) 맥고 모자, 여름 모자.
pamema *f.* 야단스럽지만 대수롭지 않은 일 ; 입에 발린 말, 공치사(halago) : Déjeme de ~*s* 공치사는 그만두세요.
pampa *f. quechua.* ① 빰빠, (남미의) 대평원, 대초원 : la ~ argentina. ② 《*Chile.*》 구릉 사이의 목초지.
—*adj.* ① 《*AmérM.*》 머리만 하얀 (마소) ; 마음놓을 수 없는, 방심할 수 없는 : trato ~. ② 《*Bol.*》 약한, 느슨한. —*m.f.* 《*Arg.*》 (라 빰빠의) 아라우까노족 인디오.
a la ~ 《*Amér.*》 야외에서. *a lo* ~ 《*Arg.*》 평원의 원주민·목동 풍으로. *en* ~ 《*Chile. Guat.*》 야외에서 ; 벌거벗고 ; 고스란히 실패하여.
estar a la ~ 《*Amér.*》 야외에 있다, 노천에 있다.
estar en sus ~*s* 《*Perú.*》 한가로이 지내다.
quedar en ~ 《*Chile.*》 실망하다.
Pampa (La) *f.* 라 빰빠 《아르헨띠나 중심부에 자리잡고 있는 대평원(gran llanura)》.
pampaco *m.* 《*Col.*》 땅벌집.
pámpana *f.* [드뭄] 포도잎(hoja de la vid).
tocar·zurrar la ~ 때리다(azotar, dar una paliza) ; 벌하다, 나무라다, 꾸짖다, 꾸중하다 (castigar).
pampanada *f.* 포도잎으로 짠 즙.
pampanaje *m.* 포도 덩굴이 무성함 ; 헛일 (hojarasca) ; 겉치장 하기.
pampanear *intr.* 《*Chile.*》 (우리에서 빠져 나온 다른 사람의 가축을) 자기 것으로 만들어 버리다.
pampango, ga *adj.m.f.* 빰빵가 《Pampanga, 필리핀의 주》의 (사람).
pampanilla *f.* (토인의) 팬티.
pampanillo *m.* 《*PRico.*》 【식물】 =**ninfea.**
pámpano *m.* [*lat.* pampinus] ① 포도 덩굴 ; 포도잎(pámpana). ② 【어류】 살빠(salpa).
pampanoso, sa *adj.* (지나치게) 무성한 (포도).
pampeano, na *adj.m.f.* ① 《*AmérM.*》 대초원·빰빠의 ; 빰빠에 사는 (사람). ② 라 빰바 《La Pampa, 아르헨띠나의 주》의 (사람).
pampear *intr.* ① 《*AmérM.*》 대초원을 돌아다니다·방랑하다. ② 《*Col.*》 손바닥으로 철썩철썩 때리다. ③ 《*Chile.*》 (경주에서) 앞서 달리다.
pampeño, ña *adj.* 《*Col.*》 빰빠(pampa)의.
pamperada *f.* 《*Riopl.*》 =**pampero.**
pampero, ra *adj.* 《*AmérM.*》 대초원(pampa)의. —*m.f.* 빰빠의 주민. —*m.* 빰빠의 추운 바람 : ~ sucio 비를 동반한 빰빠의 바람.
pampichuela *f.* 《*Arg. Bol.*》 *dim.* pampa.
pampino, na *adj.* 《*Chile.*》 빰빠(pampa)의. —*m.f.* 《*Chile. Perú.*》 칠레 오지에 사는 사람 《특히 초석(硝石)산에서 일하는 사람》.
pampirolada *f.* ① 빵과 마늘을 넣은 소스. ② 어리석은 일(necedad).
pampita *f.* 《*Perú.*》 =**campito.**
pamplina *f.* ① 【식물】 별꽃(~ de canarios) ; 유리 별꽃 ; 노랑꽃이 핀 양귀비. ② 쓸모없는 일, 어처구니 없는 일, 공연한 짓.
pamplinada *f.* 어처구니 없는 일.
pamplinería *f.* 《*Perú.*》 =**pamplinada.**
pamplinero, ra *adj.* =**pamplinoso.**
pamplinoso, sa *adj.* 어처구니 없는 ; 진득하지 못한 ; 멍청한, 우둔한, 바보같은.
pamplona *f.* 《*PRico.*》 뚱뚱보.
Pamplona 【지명】 빰쁠로나 《서반아의 Navarra 지방의 도시 ; 꼴롬비아의 Norte de Santander의 도시》.
pamplonada *f.* 《*AmérM.*》 =**pamplinada.**
pamplonera *f.* 《*Bol.*》 【곤충】 매우 큰 푸른 나비.
pamplonés, sa *adj.* 빰쁠로나 《Pamplona, 서반아의 한 도시》의. —*m.f.* 빰쁠로나 사람.
pamplonica *adj.m.f.* =**pamplonés.**
pampo, pa *adj.* 《*Chile.*》 납작한, 퍼진.
pampón *m.* 《*Perú.*》 =**corral.**
pamporcino *m.* 【식물】 시클라멘.
pamposado, da *adj.* 게으른(flojo).
pampringada *f.* 어리석은 일(pringada).
pan *m.* [*lat.* panis] ① 빵 ; 성체의 빵. ② 식량, 먹거리 : ganarse ~ 먹거리를 벌어 들이다. ③ 【식물】 밀(trigo) : Este año hay mucho ~ 금년은 밀이 풍작이다. ④ 덩어리, 단단한 것 : ~ de

jabón 고형 비누. ~ de sal 소금 덩어리. ⑤ (금은의) 박(箔) : ~ oro 금박. —*pl.* (싹튼 다음부터 베기까지의) 보리 종류, 오곡.

~ ***ázimo*** 효모를 넣지 않은 빵. ~ ***bazo*** 흑빵. ~ ***bendito*** (제식 후에 주는) 성체의 빵 : repartir como ~ *bendito* 아주 조금씩 나누어 주다. ~ ***casero*** 집에서 만든 빵. ~ ***cenceño*** 무효모빵 (~ ázimo). ~ ***común*** 식빵. ~ ***de azúcar*** (원추형의) 고체형 설탕 (pilón). ~ ***de flor*** 흰 빵. ~ ***de la boda*** 신혼의 즐거움·기쁨. ~ ***de morcajo*** 소맥과 라이맥의 혼합 빵. ~ ***de munición*** 병영·감옥에서 주는 맛없는 빵. ~ ***de perro*** 개를 죽이기 위해 독을 탄 빵 ; 손해 ; 징계. ~ ***de rosa*** 레몬당(糖). ~ ***de tierra*** 《*Cuba.*》 따삐오까 제의 빵 (pan de yuca). ~ ***de yuca*** 《*Ant. Perú.*》 따삐오까 제의 빵(cazabe). ~ ***de trastrigo*** (buscar가 직접 보어로서 쓰여) 때아닌 요구를 하다 ; 터무니없는 짓을 하다. ~ ***eucarístico*** 성체(聖體) (hostia). ~ ***fermentado*** (보통 이스트를 넣은) 빵. ~ ***floreado*** 흰 빵. ~ ***mal conocido*** 보답받지 못하는 호의·은혜. ~ ***perdido*** 집을 버린 무뢰한. ~ ***porcino*** 【식물】 시클라맨(pamporcino). ~ ***por mitad*** 밀과 보리를 같은 분량으로 바치는 소작료. ~ ***regañado*** 터서 갈라진 빵. ~ ***seco*** (다른 요리없이 먹는) 맨빵. ~ ***y quesillo*** 【식물】 냉이.

a ~ y agua 아주 적은 식량으로.

con su ~ se lo coma 마음대로 해, 내가 알 바 아니야. ***Contigo, ~ y cebolla*** 너와 함께라면 깡통을 차고라도 (와 같은 사상). ***de ~ llevar*** 밀을 재배할 수 있는 (땅). ***del ~ y del palo*** 칭찬도 하고 나무라기도 하면서 ; 많은 애를 썼을 때는 실속이 가게 해 주기도 하는. ***¡el ~ de cada día!*** 또 늘 하는 그 불평·요구·충고인가 (골치아파) ! ***el ~, ~ y el vino, vino*** (더러 llamar의 직접 보어가 되어) 가식없는 말(을 하다).

coger ~ grande 《*Cuba.*》 이득을 보다, 재미보다.

comer ~ con corteza 독립할 수 있게 되다, 제몫을 할 수 있게 되다 ; (환자가) 회복하다.

comerse un ~ 《*Cuba.*》 영락없이 실패하다.

echarse ~es 《*Arg. Bol.*》 엄청난 거짓말을 하다 ; 우쭐거리다.

engañar el ~ (다른 요리의 맛으로 맛있게) 빵을 먹다.

llamar al ~ ~ y al vino vino 가식없이 말하다, 분명히 말하다(decir las cosas claramente).

no cocérsele a uno ***el ~*** 본성·속마음을 알 수 없다.

no haber ~ partido 우정·신뢰감이 돈독한 듯이 말하다.

sacar ~ y pedazo 《*Chile.*》 생각했던 이상으로 이득을 보다.

ser el ~ nuestro de cada día (일이) 매일·자주 일어나다(ocurrir diariamente o con mucha frecuencia).

ser un ~ con atole 아주 호인이다.

ser un pedazo de ~ · más bueno que el ~ 매우 너그럽다.

vender como ~ caliente 《*Amér.*》 상품을 손쉽게 팔아 없애다.

venderle a uno ***~ caliente*** 《*Chile.*》 (누구를) 말로 농간하다.

A ~ duro diente agudo 【속담】 시장이 반찬. ***A falta de ~ buenas son tortas*** 【속담】 누구나 가진 걸로 만족해야 한다.

Pan *m.* 【희랍 신화】 빵의 신 《산양의 뿔과 다리를 가졌으며, 음악을 좋아한다는 목자의 신》.

pan- *pref.* 「모든」의 뜻을 나타내는 접두어.

pana *f.* [*lat.* pannus] ① 무명의 두꺼운 천, 우단. ② (거룻배의) 발판, 바닥에 깐 널. ③ 《*Chile.*》 간장(肝臟). ④ 침착, 용기.

helarse la ~ 주눅 들다.

pánace *f.* [*lat.* panax] 【식물】 오포파나크스 《약용의 산형과 식물》.

panacea *f.* 만병 통치약 : ~ universal 연금술사가 찾아 헤매던 만병 통치약.

panadear *tr.* (팔기 위해 빵을) 굽다·제조하다 : ~ la harina 가루를 빵으로 만들다. Hoy no *panadeamos* 오늘은 빵을 만들지 않는다.

panadeo *m.* 빵만들기, 빵굽기.

panaderas *f.pl.* 고대 서반아 무용의 일종.

panadería *f.* 빵집, 제빵소, 빵공장(tahona).

panadero, ra *m.f.* 빵굽는 사람, 빵장수. —*m.* 때리기. —*pl.* 빠나데로스 《발장단을 맞추며 추는 옛날 서반아 무용의 일종》.

panadizo *m.* ① 【의학】 표저, 생인손. ② 병약한 사람, 약골.

panado, da *adj.* 빵을 적신·띄운.

panal *m.* ① [집합] 벌통, 벌집. ② 계란 흰자와 당밀의 과자(azucarillo).

panamá *m.* [*pl.* panamaes] ① 파나마 모자 : un ~ de jipijapa. **Sinón.** jipijapa, suaza. ② 면포의 일종.

Panamá *f.* 【지명】 파나마 《중앙아메리카의 파나마 지협에 있는 공화국; 1903년까지 꼴롬비아의 한 주; 면적 75,517km^2 ; 수도 Panamá》.

Canal de ~ 파나마 운하.

panameño, ña *adj.* 파나마의. —*m.f.* 파나마 사람.

panamericanismo *m.* 범미주의·운동.

panamericanista *adj.m.f.* 범미주의의, 범미주의자.

panamericano, na *adj.* 범미의, 남북 아메리카의 ; 범미주의의. —*m.f.* 범미주의자.

panana *adj.* 《*Chile.*》 사람이 거친.

panarizo *m.* =**panadizo.**

panarra *m.* ① 굼벵이 (같은 남자). ② 《*Seg.*》 = **murciélago.** —*m.f.* 빵을 많이 먹는 사람.

panatela *f.* 카스텔라의 일종.

panateneas *f.pl.* (고대 그리스에서의) 미네르바 《Minerva, 문예의 여신》제(祭).

panática *f.* [드뭄] 배에 실은 식량인 빵.

panatier *m.* =**panetero.**

panca[1] *f.* 필리핀 어선의 일종.

panca[2] *f.* *quechua.* 《*AmérM.*》 옥수수 껍질·잎 (hoja) : liar cigarrillos con ~. **Sinón.** tusa, chala, farfolla, perfolla.

pancada *f.* [*port.* pancada] ① 상품 일괄 매매. ② 【방언】 발로 걷어차기.

pancarpia *f.* 화관(花冠).

pancarta *f.* ① (데모 행진 등의) 플래카드. ② 광고, 포스터(cartel). ③ (양피지의) 고문서.

pancellar *m.* (갑옷의) 복갑(服甲).

pancera *f.* =**pancellar.**

panchana *f.* 《*Col.*》 【조류】 앵무새의 일종.

pancho, cha *adj.* ① 평정한 ; 만족한. ②《*Col.*》 반반한, 납작한(chato). ③《*Chile.*》 가무잡잡한. —*m.* ①【속어】 배, 복부(panza). ② 새끼 도미(cría del besugo).

Pancho *hip.* Francisco.

panchón *m.* 《*Ast.*》 흑빵.

pancista *adj.m.f.* 기회주의적인, 영합적인 (사람).

panclastita *f.* 피크린산(酸) 폭약.

panco *m.* 필리핀 연해의 돛단배의 일종.

pancoso, sa *adj.* 《*Perú.*》 누덕누덕하게 해진(andrajoso).

pancraciasta *m.* (고대 그리스의) 권투 씨름꾼.

pancracio *m.* [*lat.* pancratium](고대 그리스의) 권투 씨름, 격투.

pancrático, ca *adj.* 췌장(膵臟)·이자의.

páncreas *m.*【단·복수 동형】【해부】 췌장, 이자.

pancreático, ca *adj.* 췌장의 : jugo ~ 췌장액.

pancreatina *f.*【생화학】 판크레아진.

pancreatitis *f.*【의학】 췌장염(inflamación del páncreas).

pancromático, ca *adj.*【사진】 전정색(全整色)의, 전색(全色)의 : película ~*ca* 판크로 필름.

pancuco *m.* 《*Amér.*》 아주 딱딱한 비스킷.

pancutra *f.* 《*Chile.*》 (물 따위에 넣어 삶아 먹는) 반죽 덩어리.

panda *f.* ① (수도원의) 회랑·낭하. ②【동물】 팬더.

pandan *m.* 《*Galic.*》 짝, 쌍 : hacer ~ 짝지우다.

pandanáceo, a *adj.*【식물】 판다누스과의, 영란과의. —*f.pl.* 판다누스과 식물.

pandáneo, a *adj.* =**pandanáceo.**

pándano *m.*【식물】 =**burí.**

pandantif *m.* [*fr.* pendentif] 목걸이.

pandar *tr.*【은어】 =**apandillar.**

pandear *intr.* (벽·도리 같은 것이 중앙에서) 휘다, 비뚤어지다 : Pared que *se pandea.* **~se** 《*Méx.*》 앞서 한 말을 번복하다.

pandectas *f.pl.* 유스티니아누스의 로마법 대전《6세기에 황제 Justiniano의 명으로 편집한 50권의 민법전》; 법전, 법전 전서 ; (상사의) 거래선 계산 원장·원부.

pandemia *f.* 전국·지방 전체에 걸친 유행병.

pandemonio *m.* =**pandemónium.**

pandemónium *m.* 지옥의 상상의 도시 ; 복마전, 수라장, 대혼란.

pandeo *m.* 복판이 볼록하게 나온 것.

pandera *f.*【악기】 탬버린(pandero).

panderada *f.* ① 탬버린대(隊). ② 어리석은 짓(necedad) : soltar ~*s* 한심한 소리를 하다.

panderazo *m.* 탬버린으로 두들겨 패는 일.

pandereta *f.* [*dim.* pandera] 소형 탬버린《방울이 달린 것》.

a la ~ 《*Col.*》 황급히, 당황하여.

panderetazo *m.* pandereta를 메어 때리는 일.

panderete *m.* [*dim.* pandero] 소형 탬버린. ② 벽돌의 간막이벽.

panderetear *intr.* 탬버린을 울리다·치다.

pandereteo *m.* 탬버린을 울리는 일 ; 탬버린을 치며 떠들썩하게 놀기.

panderetero, ra *m.f.* 탬버린 연주자·제조인·상인.

panderetólogo *m.* pandereta 연주를 능숙하게 하는 사람.

pandero *m.* ① 작은 북, 탬버린. ② 말이 많은 바보. ③ 연(cometa). ④ 사내 같은 여자.

pandiculación *f.* 기지개, 기지개를 켜는 일(desperezo).

pandilla *f.* ① 결합(liga, unión). ② (악당의) 집단, 도당 : reunirse en ~ 도당을 조직하다, 악당들이 패를 짜다. ③ 피크닉의 일단, 원족대. ④ 모략.

pandillaje *m.* 어떤 한 파·도당의 세력.

pandillero, ra *m.f.* =**pandillista.**

pandillista *m.f.* 주모자 ; 도당, 도당의 조직자 ; 소풍 단원.

pandingo, ga *adj.* 《*Bol.*》 밑이 반반하고 운두가 낮은.

pandito *m.* 인도인 학자, 범학자(梵學者).

pando, da *adj.* ① 느슨해진 ; 완만한, 느릿느릿한 : corriente ~*da.* ② 굼뜬. ③《*Bol.*》 운두가 낮은. ④《*Col.*》 곱사등의. ⑤《*Guat.*》 가득한(lleno). —*m.* 분지(盆地).

pandora *f.*【악기】(16~17세기에 사용했던 만돌린 비슷한 현악기).

Pandora *f.*【희랍 신화】 판도라《Zeus가 Prometeo를 벌하기 위해 지상에 내려보낸 인류 최초의 여성》.

caja de ~ 판도라 상자.

pandorga *f.* ① 연, 종이연(cometa). ② (동작이 둔한) 뚱뚱보. ③《*Col.*》 번거로움, 귀찮음 ; 속임수. ④《*Chile.*》 옛날의 춤. ⑤ 카드 놀이의 일종. ⑥《*Murc.*》 =**zambomba.**

pandote *m.* 다른 사람 때문에 희생된 사람.

panear *intr.* 《*Bol.*》 우쭐대다, 허세를 부리다, 교만하게 굴다.

panecillo *m.* 소형 빵, 불란서빵, 코페빵, 꽈배기빵 (등).

panecitos *m.pl.* 《*Col.*》 =**pan y quesito.**

panegírico, ca *adj.* 상찬의, 찬양하는, 칭찬하는 : discurso ~. —*m.* 칭찬 연설 ; 찬사.

panegirista *m.f.* 상찬자, 칭찬자, 찬양자.

panegirizar *tr.* ⑨ 찬미하다, 칭찬하다, 찬사를 보내다·글로 쓰다.

panel *m.* ①【건축】 판넬, (문짝·벽 등의) 경판(鏡板), 판벽의 구획선, (거룻배의 바닥에 까는) 널판자. ② 심사원단, 토론회 참가자. ③ 배전반의 구획.

panela *f.* ① 딱딱한 빵의 일종. ②《*Amér.*》 (빵에서 덩어리로 뭉친) 조당(粗糖)의 일종. ③ (문장의 무늬로 쓰이는) 백양나무의 잎.

panelear *intr.* 《*Col.*》 어리광스런 말을 사용하다.

panelero, ra *adj.m.f.* 《*Col.*》 본성을 숨기고 점잖게 말하는 (사람).

pane lucrando *adv. lat.* 오직 돈을 벌기 위해서 만으로.

panenteísmo *m.* 만유 재신론(萬有在神論)(krausismo).

panera *f.* ① 식품을 두는 방 ; 빵 광주리. ② 물고기 잡는 바구니(nasa). ③【속어】 곱사등(joroba). ④ 여자들이 쓰는 챙이 넓은 모자.

panero *m.* ① 빵 광주리. ② 둥그런 깔개, 방석

(ruedo).

paneslavismo *m.* 범슬라브주의 ; 슬라브 민족 통일 운동.

paneslavista *adj.* 범슬라브주의의, 범슬라브적인. —*m.f.* 범슬라브주의자.

panete *adj.* 《*Arg.*》 어리석은, 바보 같은, 말귀를 못 알아듣는, 먹통 같은.

panetela *f.* [*ital.* panata] ① 빵을 담근 국물. ② 《*Amér.*》 카스텔라 ; 가늘게 만 시거.

panetería *f.* (왕실의) 식량광.

panetero, ra *m.f.* (왕실의) 식탁 담당자.

paneuropeo, a *adj.* 전 유럽의.

panfilismo *m.* 지나친 자비심·호의(benignidad extremada).

pánfilo, la *adj.m.f.* ① 느린, 굼뜬, 굼벵이 같은 (사람)(flojo). ② 《*Col.*》 창백한(pálido).

panflet *m.* =**panfleto.**

panfletario, ria *adj.* 중상적인 (글). —*m.f.* = **panfletista.**

P

panfletista *m.f.* 《*Galic.*》 소책자의 저자 ; 괴문서 작성자(libelista).

panfleto *m.* [*ing.* phamplet] 《*Galic.*》 팸플릿, 소책자 ; 괴문서(libelo, folleto).

panga *f.* 《*AmérC.*》 보트, 돛단배.

pangal *m.* 《*Chile.*》 빵게(pangue) 밭.

pangaré *adj.* 《*Chile. Riopl.*》 누런 빛깔의 (말). —*m.* 《*Bol.*》 주둥이가 하얀 말.

pangasinán, na *adj.m.f.* 빵가시난 《Pangasinán, 필리핀의 루손섬에 있는 한 주》의 (사람).

pangelín *m.* 판젤린 《브라질산의 콩과에 속하는 약용 나무》.

pangenesis *f.* (다윈의) 단세포 기원설.

pangermanismo *m.* 범독일주의·운동.

pangermanista *adj.m.f.* 범독일주의의 (사람), 범게르만적인.

pangi *m.* ① 《*And.*》 【식물】 =**árbol del paraíso.** ② 《*PRico.*》 【식물】 =**marañón.**

pango *m.* ① 《*Arg.*》 야생 담배 《담배 대용품》. ② 《*Bol.*》 분규(enredo).

pangolín *m.* 【동물】 천산갑(穿山甲).

pangue *m.* 【식물】 빵게 《칠레산 습지 식물》.

panguear *tr.* 《*Col.*》 대충 씻다.

panhelenismo *m.* 범그리스주의·운동.

panhelenista *adj* 범그리스주의·운동의. —*m.f.* 범그리스주의자.

paniaguado *m.* ① 【고어】 (입주한) 심부름꾼(servidor). ② 측근자, 부하(allegado) : ~ de un ministro.

pánico, ca *adj.* ① (목신 Pan의 짓이라고 하는, 밤이나 사람이 없는 곳에서의) 으시시하게 기분 나쁜 : terror ~. ② 으시시하게 무서워지는 : la ~*ca* hermosura. ③ 공황적(恐慌的)인.
—*m.* 【상업】 공황. ④ 공포(의 대상) : El ~ se apoderó de los espectadores 관객들은 공포에 사로잡혔다. El estudiante tiene ~ del examen 학생한테는 시험이 공포의 대상이다.
de ~ =extraordinario, estupendo, muy grande.

panícula *f.* 【식물】 원추화(圓錐花)(panoja).

paniculado, da *adj.* 【식물】 원추 화서의.

panicular *adj.* 【해부】 피하층의.

panículo *m.* [*lat.* panniclus] 【해부】 피하층 : ~ adiposo 피하 지방층.

Panida *m.* 【신화】 빵의 신(Pan)의 후손.

paniego, ga *adj.* 양이 큰, 빵을 많이 먹는 ; (밀 같은 것이 잘 자라는) 기름진.

panificable *adj.* 빵으로 만들 수 있는.

panificación *f.* ① 제빵. ② 【화학】 빵화(化).

panificar *tr.* ⑦ ① 빵으로·빵을 만들다(panadear). ② 개간하다, 밭을 만들다.

paniguado, da *adj.* =**paniaguado.**

panilla *f.* ① 기름의 단위《1/4 libra》. ② 《*And.*》 =**abacería.** ③ 《*Hond. Méx.*》 =**panatela.**

panindio, dia *adj.* 전 인도의 : Congreso ~.

panino *m.* 《*Méx.*》 벌떼 ; (일반적으로) 무리.

panique *m.* =**murciélago.**

paniqueza *f.* 《*Ar.*》 =**comadreja.**

paniquete *m.* 《*Venez.*》 =**panqueque.**

panislamismo *m.* 범회교주의·운동.

panislamista *adj.m.f.* 범이슬람주의의 (사람).

panizo *m.* ① 【식물】 피 ; 옥수수 : ~ negro 수수(zahína). ② 《*Chile.*》 광맥. ③ 풍부, 풍족(abundancia). ④ 돈을 끌어대는 사람, 물주. ⑤ 짭짤한 벌이가 되는 일.
~ *de las Indias* 옥수수.

panjí *m.* 【식물】 보리수나무의 무리 (árbol del Paraíso).

panocha *f.* ① =**panoja.** ② 《*Amér.*》 옥수수빵 ; 적설탕.

panocho, cha *adj.m.f.* 《*Murc.*》 (무르시아 지방의) 경작지의 ; 그 지방 사람. —*m.* 무르시아 방언.

panoja *f.* ① 이삭 《특히 피·수수·옥수수 등의》 : ~ de maíz 옥수수의 이삭. ② (포도 등의) 송이. ③ 작은 물고기를 꼬챙이에 꿴 것.

panojar *intr.* 《*Sant.*》 =**acertar.**

panol *m.* =**pañol.**

panoli *adj.* 【속어】 어리석은. —*m.f.* 바보, 천치, 멍청이, 얼간이.

panonio, nia *adj.m.f.* 파노니아 《Panonia, 옛 유럽의 지방》의 (사람).

panoplia *f.* 무기, 무기걸이 ; 무기 수집 ; 고무기학(古武器學), 고무기 연구.

panóptico, ca *adj.* 전시적(全視的)인 《한곳에서 내부 전체가 보이도록 지은 건물》. —*m.* 전시적인 감옥·수용소.

panorama *m.* 회전 그림, 파노라마, 전경 : Ese lugar tiene un ~ maravilloso.

panorámico, ca *adj.* 파노라마의·같은, 전관적(全觀的)인 : vista ~*ca* 전경.

panormitano, na *adj.* 빨레르모 《Palermo, 시칠리아의 도시》의. —*m.f.* 빨레르모 사람.

panoso, sa *adj.* 가루의(harinoso) ; 가루로 만든는, 가루가 되는.

panqué[1] *m.* 《*Amér.*》 【식물】 빵께 《칠레산으로 가죽을 무두질 하는 데 쓰는 약제를 채취하는 식물》.

panqué[2] *m.* =**panqueque.**

panquear *intr.* 《*SDgo.*》 물을 철벙거리다.
~se 《*SDgo.*》 죽다 ; 빵소니치다.

panqueque *m.* ① 《*Cuba.*》 비스킷(biscocho)의 일종. ② 《*Amér.*》 밀가루와 설탕으로 만든 부침개.

pansa *f.* 《*Ar.*》 건포도(pasa).

pansido, da *adj.* 《*Murc.*》 =**pasado.**

panslavismo *m.* =**paneslavismo.**

panslavista *adj.* 범슬라브주의의. —*m.f.* 범슬

라브주의자.

panspermia *f.* 배종(胚種) 발달론.

panta *f.* 《*Arg.*》【식물】 =**algarrobo.**

pantagruélico, ca *adj.* =**opíparo.**

pantalán *m.* 《*Filip.*》 나무로 만든 잔교. Sinón. wharf.

pantaleta *f.* 《*Amér.*》 (부인용) 팬티.

pantalla *f.* ① (전등 따위의) 갓, 세트 : Cambiemos la ~ de esta lámpara 이 전등의 갓을 바꿉시다. ② 칸막이. ③【영화】 영사막, 스크린 ; 영화계 : Conozco a algunas estrellas de la ~ 나는 몇 명의 영화 배우를 알고 있다. ④ 방호물 : ~ de protección 용접공 등의 방호면. ⑤ 견제하는 것 : servir de ~ 엄호물이 되다. ⑥ 《*Amér.*》 부채의 일종.

~ *fluorescente* 형광면, 형광막.

pantallear *tr.* 《*Amér.*》 =**abanicar.**

pantalón *m.* [*fr.* pantalon] [주로 *pl.*] 바지 ; 여자의 속스커트, 슈미즈, 팬티 : ~*es* cortos 반바지. ~*es* mecánicos (앞단이 붙은) 작업복 바지. ~*es* de fantasía 줄무늬 바지.

llevar los ~es 상투 틀다, 장가를 가다.

ponerse los ~es 남편을 엄처 시하에 두다.

pantalonero, ra *m.f.* 바지 봉제공.

pantana *f.* (카나리아 군도의) 풋참외(calabacín)의 일종.

pantanal *m.* 늪, 소택지(lodazal, cenagal).

pantanizar *tr.* ⑨ 댐을 만들다, 댐으로 하다.

pantano *m.* ① 소택지, 늪. ② 연못, 용수지(用水地), 저수지. ③ 장애(dificultad, estorbo).

pantanoso, sa *adj.* ① 습한, 질퍽한, 늪과 못이 많은. ② 매우 어려운, 장애가 많은, 번거로운 : negocio ~.

pantasana *f.* 예인망 어로.

pantasma *m.* 【방언】 =**fantasma.**

panteísmo *m.* 범신론 ; 만유신교 ; 다신교.

panteísta *adj.* 범신론의 ; 범신론적인. —*m.f.* 범신론자.

panteístico, ca *adj.* 범신론(적)인.

pantelégrafo *m.* 복사 전신기.

panteón *m.* ① (고대 그리스·로마의) 만신전(萬神殿). ② (한 나라의) 여러 신(神), 제신. ③ 종묘. ④ 공동 묘지. ⑤ 《*Chile.*》【광물】 광석.

panteonero *m.* 《*AmérC. Perú.*》 묘의 구덩이 파는 사람.

pantera *f.* [*lat.* panthera] ①【동물】 (둥그런 반점이 있는) 표범 : ~ negra 흑표범. ②【광물】 표범 무늬의 마노.

pantógrafo *m.* 축도기(縮圖器) ; (전기 기관차의) 집전기(集電器).

pantómetra *f.* 각도 측정기.

pantomima *f.* ① 무언극(無言劇), 판토마임. ② 《*Chile.*》 떠들썩한 여자.

pantomímico, ca *adj.* 무언극의 ; 몸짓·손짓의.

pantomimista *m.f.* 무언극 작가.

pantomimo, ma *m.f.* 무언극 배우.

pantoque *m.* 선저(船底).

pantorra *f.* [주로 *pl.*]【속어】 =**pantorrilla.**

pantorrilla *f.* ① 종아리, 장딴지. ② 허세 부리기. ③ 《*Ecuad. Perú.*》 철면피, 뻔뻔스러움.

acariciar la ~ 《*Perú.*》 추켜 세우다, 과찬하다 ; 비행기 태우다.

pantorrillera *f.* 《*Chile.*》 (승마 바지의 종아리에 대는) 가죽 덧천.

pantorrilludo, da *adj.* ① 종아리·장딴지가 굵은. ② 《*Ecuad. Perú.*》 허세부리는.

pantufa *f.* 《*Ant.*》 =**pantufla.**

pantufla *f.* =**pantuflo.**

pantuflazo *m.* 덧신으로 때리기.

pantuflo *m.* 덧신, 슬리퍼.

panucho *m.* 《*Méx.*》 강낭콩을 넣은 옥수수빵.

panuco *m.* 《*Chile.*》 볶은 옥수수 가루.

panudo *m.* 《*Cuba.*》【식물】 =**aguacate.**

panul *m. araucano.* 《*Chile.*》【식물】 미나리(apio).

panza *f.* ① 배, 복부(barriga, vientre) : llenar la ~. ② (되새김 동물의) 첫 번째 위, 혹위.

~ *al trote* 친구를 뜯어먹고 사는 사람.

~ *de burra* 대학 졸업장, 학위 증서 ; 흐려진 하늘.

entrar de ~ 《*Méx.*》 (학생이) 준비없이 시험에 임하다.

panzada *f.* 배로 부딪침 ; 배가 가득 참.

panzón, na *adj.* =**panzudo.** —*m.* 올챙이배.

panzudo, da *adj.* 배가 나온, 올챙이배의.

pañal *m.* 기저귀 ; 와이셔츠의 옷자락. —*pl.* 배내옷 ; 초기 : estar *en ~es* 애숭이이다, 지식이 없다.

dejar en ~es 뒷전으로 제쳐 놓다.

haber salido de ~es 상당히 진보·성장하고 있다, 초보 단계를 벗어나다.

sacar de ~es 어려움에서 구해주다, 보다 나은 상태로 해주다.

pañalón *m.* 와이셔츠의 옷자락을 바지 밖으로 내놓고 다니는 남자.

pañería *f.* 피륙상 ; 피륙점 ; [집합] 피륙.

pañero, ra *adj.* 천·피륙의 : industria ~*ra.* —*m.f.* 피륙 상인. —*f.* 피륙 상인의 아내.

pañete *m.* [*dim.* paño] 올이 툭툭한 모직. —*pl.* 짚신 ; (그리스도상의) 허리에 두른 천.

pañi *m.* 《*Chile.*》 양지(陽地) : al ~ 양지에, 햇빛으로.

pañí *f.* 【은어】 물(agua).

pañizuelo *m.* [드뭄] =**pañuelo.**

paño *m.* [*lat.* pannus] ① 천, 포목, 모직물, 나사(tela). ② (천의) 폭 : de dos ~*s* 두 폭 짜리의. ③ 벽걸이, 커튼, 막(tapiz) : ~*s* de corte 겨울 목장의 커튼. ④ 장막 : ~ de mesa 테이블보. ⑤ 걸레 (trapo). ⑥ (얼굴의) 주근깨 ; (거울 등의) 흐림, (어떤 물건의) 흠. ⑦ 벽의 한 구획 (lienzo). ⑧ (팽팽했을 때의) 돛 : Va con poco ~ 별로 돛을 치지 않고 가다. ⑨ *pl.* 의복, 의류 : ~*s* menores 하의. ⑩ (조각·그림 등의) 의복 부분.

~ ***burdo*** 재생 모직물. ~ ***buriel*** 표백 전의 모직물. ~ ***de cáliz*** 성배 (聖杯) 덮개 천. ~ ***de hombros*** =humeral. ~ ***de lágrimas*** 남의 마음을 위안해 주고 힘이 되어 주는 사람. ~ ***de lampazo*** 식물로 된 무늬만 있는 벽. ~ ***de manos*** 손수건(pañuelo), 타월 (toalla) ~ ***de tierra*** 《*Cuba. Chile.*》 (화전하여 일군) 밭. ~***s calientes*** 헛수고.

al ~ 무대 뒤에서 (대사를 읽어 줄 때).

dar un ~ (무대 뒤에서 apuntador가 배우에게) 대사를 읽어주다.

haber ~ de que cortar 재료・이야깃거리가 푸짐하다.

poner·tender el ~ al púlpito 우쭐해서 장광설을 늘어놓다.

El buen ~ en el arca se vende 【속담】 좋은 물건은 선전이 필요 없다.

pañol *m.* 선창, (식품・탄약 등의) 저장 선실.

pañolada *f.* 손수건에 들어간 것.

pañolera *f.* pañolero의 아내.

pañolería *f.* 손수건 생산업・가게.

pañolero, ra *m.f.* ① 손수건 제조인・판매인. ②【해사】 선창지기.

pañoleta *f.* (부인용의 삼각형으로 된) 숄.

pañolito *m.* [*dim.* pañuelo] 작은 손수건.

pañolón *m.* 숄(mantón).

pañosa *f.* 천으로 만든 가빠.

pañuelo *m.* ① 손수건. ~ de bolsillo·de la mano 손수건. ~de seda 명주 손수건. ~ de hierbas 풀 모양의 손수건. ~ para el cuello 목도리, 스카프. ② 콧수건(moquero).

papa *f. quechua.* ① 낭설, 풍문(paparrucha). ②【방언】《Amér.》 감자(patata) : ~ de caña 국화감자. ③《Chile.》 광석. —*pl.* 식품 ; 빵죽(gacha) ; (일반적으로) 죽처럼 묽은 것. —*m.* ①【고어・방언】 아버지(papá). ② 두목(jefe). —*adj.* 《Arg. Chile.》【속어】 훌륭한, 희한한(excelente).

no saber ni ~ 아무 것도 모르다(no saber nada).

ser más papista que el ~ (자기와 아무 상관 없는 일에) 몹시 열중하다, 간섭하다.

ser muy ~ 《Arg.》 매우 아름답다(ser muy hermosa).

Papa *m.* [*lat.* papa ; *gr.* pappas] 교황, 로마 교황(Pontífice).

papá *m.* [*pl.* papás] 아빠, 아버지. —*pl.* 부모. *~ grande* 할아버지(abuelo).

papable *adj.* 교황 후보가 될 수 있는, 교황의 자격을 가진.

papacara *f.* 《Ecuad.》【속어】 눈(nieve).

papacito *m. dim.* papá.

papacla *f.* 《Méx.》 바나나잎.

papacote *m.* ①《AmérC.》 연(鳶)(cometa). ②《SDgo.》 안면이 많은 사람, 얼굴이 잘 통하는 사람.

papachar *tr.* 《Méx.》 문지르다, 주무르다, 애무하다(acariciar).

papacho *m.* 《Méx.》 (손으로 하는) 애무.

papada *f.* ① 겹턱 ; (턱밑의) 처진 살. ②《AmérC.》 어리석은 일(necedad, bobería) : decir *~s.*

papadilla *f.* 턱살.

papado *m.* 교황(papa)의 직위・임기 (기간).

papafigo *m.* ①【조류】 찌르래기의 일종 (oropéndola). ② 돛의 일종.

papagaya *f.* 【조류】 (암컷) 잉꼬, 앵무새.

papagayo *m.* ①【조류】 잉꼬, 앵무새. ②【어류】 농어의 일종. ③【식물】 색비름. ④【은어】 경찰의 끄나풀・급사. ⑤《Perú.》 변기. —*adj.* 수다스런. —*m.* 수다쟁이.

~ de noche (중미산의) 소쩍새(guácharo).

hablar como el·un ~ 앵무새 같다, 알지도 못하면서 아는 척 말하다 ; 잘 지껄이다.

papahigo *m.* ① 도둑의 복면. ②【조류】 찌르레기의 일종(papafigo). ③【선박】 밑부분의 돛.

papahígo *m.* =**papahigo.**

papahuevos *m.* 【단・복수 동형】 얼간이, 바보(papanatas).

papaína *f.* 【화학】 파파인.

papaíto *m. dim.* papá.

papal *adj.* 교황의. —*m.* 《Amér.》 감자밭.

papalear *intr.* 《Amér》 (닭이 울려고 할 때) 날개를 치다(aletear).

papalina *f.* ① 귀가리개가 달린 두건 ; (부인용) 두건. ② 취기(borrachera).

papalino, na *adj.* =**papal** : tropa *~na.*

papalmente *adv.* 교황으로서, 교황의 권위로서.

papalón, na *adj.m.f.* 《Méx.》 게으른 ; 철면피한, 뻔뻔스러운 (사람).

papalote *m.* ①《Ant.Méx.》 연(鳶)(cometa). ②《Méx.》 =**mariposa.**

papalotear *intr.* 《AmérC. Méx.》 기운없이 여기저기 쏘다니다, 여기저기 어정거리다.

papamoscas *m.* 【단・복수 동형】 ①【조류】 딱새. ② 바보, 천치, 멍청이, 백치, 얼뜬 사람, 어리석은 사람, 어중이떠중이(papanatas).

papanatas *m.* 【단・복수 동형】 바보, 천치, 멍청이, 백치, 얼뜬 사람, 어리석은 사람 ; 무골 호인, 어중이떠중이.

papanatería *f.* 어리석은 짓・행동, 촌스러운 짓.

papandujo, ja *adj.* 풀린, 느슨한, 느슨해진(flojo).

papar *tr.* [*lat.* papare] ① (수프 등을) 홀짝거리다, 마시다(beber) ; 먹다(comer). ② 놓치다, 경시하다 : No *papa* nada 절대로 어떤 것이라도 놓치지 않는다.

~se 무찔러 버리다 ; 꼼짝 못하게 만들다 ; 죽이다, 해치우다.

~ moscas 멍청하게 입을 벌리고 있다.

páparo, ra *adj.m.f.* 빠빠로족 《본래 파나마 지협에 살았던 한 종족》의. —*m.* (무슨 일에나 감탄하고 바라보는) 호인, 시골뜨기.

paparote, ta *m.f.* 바보, 시골뜨기.

paparrabias *m.f.* 【단・복수 동형】 성질이 불같은 사람(cascarrabias).

paparrasolla *f.* (우는 아이를 그치게 하려고 애쓰는) 아버지.

paparreta *f.* =**plasta.**

paparrucha *f.* 유언 비어, 낭설, 낭보, 거짓말, 헛소문 ; 가치없는 책.

paparruchada *f.* 《Amér.》 =**paparrucha.**

paparruta *adj.* 《Chile.》 풍채만 그럴싸한 (사람).

papasal *m.* ① 재 버무리기 《어린이의 놀이》. ② 아무 쓸모없는 일, 어린애 장난. ③《CRica.》 고수머리.

papatoste *m.* =**papanatas.**

papaturro *m.* 《AmérC.》 해안의 갯포도(uvero de playa).

papáver *m.* 【식물】 양귀비(adormidera).

papaveráceo, a *adj.* 【식물】 양귀비과의. —*f.pl.* 양귀비과 식물.

papavientos *m.* =**chotacabras.** —*m.f.* 갈망하는 사람.

papaya *f.* 파파야 열매.

papayáceo, a *adj.* 【식물】 파파야과의. —*f.pl.* 파파야과 식물.
papayal *m.* 《*Amér.*》 =**papayo.**
papayero *m.* =**papayo.**
papayo *m.* 【식물】 파파야 나무. —*adj.* 《*Ecuad.*》 어리석은.
pápaz *m.* (아프리카 해안에서 모로인이 말하는) 그리스도교의 승려.
papazgo *m.* =**papado.**
papazo *m.* 《*Ant. Perú.*》 두들겨 패기, 매질. ***en dos ~s*** 《*Perú.*》 순식간에, 잠깐 동안에.
papear *intr.* ① 말을 더듬(거리)다. ② 먹다.
papel *m.* [*lat.* papyrus] ① 종이 (쪽지) : una hoja de ~ 종이 한 장. embadurnar · emborronar ~ 종이에 여백이 없이 글을 써 넣다. ② 글씨를 쓴 것, 인쇄물, 문서 ; [주로 *pl.*] 신문 : La noticia de su llegada viene en los ~*es* 그의 도착 소식이 신문에 났다. ③ 서표, 증서 : un ~ comprometedor. ④ 약속 · 지불 어음, 증권, 채권, 지폐 : pagar *en* ~. ⑤ 【연극】 역, 맡겨진 역할 : representar el ~ de doña Irena. ⑥ (맡겨진) 일, 임무, 직무 : desempeñar mal ~ 임무를 잘못 수행하다. un ~ desairado 하찮은 역할. hacer ~ 어떤 역을 맡아 하다 ; 허세를 부리다. hacer buen · mal ~ 좋은 · 나쁜 역을 맡다.
—*pl.* ① 서류 ; 신분 증명서 : tener buenos ~*es* 나무랄 데 없는 서류 · 증거 · 이유가 있다. Esos ~*es* son importantes 그 서류는 중요 서류이다. ② 추키는 말, 아첨의 말(carantoñas) ; 남의 소문 : traer los ~*es* mojados 아무 근거 없이 엉뚱한 말을 하다.
~ ***acanillado*** 투명 무늬를 넣은 종이. ~ ***autográfico*** 전사지(轉寫紙). ~ ***bancario*** 은행권. ~ ***carbón*** 카본지. ~ ***blanco*** (글씨를 쓴 종이에 대해) 백지. ~ ***cebolla*** 백상지. ~ ***cinta*** 전신 수신 테이프지. ~ ***comercial*** 증권. ~ ***continuo*** 권취지(卷取紙). ~ ***coreano*** 한지(韓紙). ~ ***costero*** 한 다발의 종이에서 양쪽 바깥 종이. ~ ***cuché*** 아트지의 일종. ~ ***chupón*** 흡수지(secante). ~ ***de añafea*** 포장지(papel de estraza). ~ ***de barbas*** 아직 재단하지 않은 손으로 만 종이. ~ ***de copia*** 등사 용지. ~ ***de culebrilla*** 16 · 7세기 경의 투명 무늬를 넣은 종이 ; 박엽지 (papel de seda). ~ ***de cúrcuma*** 황색 시험지. ~ ***de China · Holanda · Whatman*** 고급 인쇄 용지. ~ ***de deshecho*** 파지(破紙). ~ ***de dibujo*** 도화지. ~ ***de empapelar · de entapizar*** 벽지. ~ ***del estado*** 국채 증권. ~ ***de estaño*** (포장 등의) 납지. ~ ***de estraza*** 포장지. ~ ***de fantasía*** 장식 용지. ~ ***de filtro · para filtrar*** 여과지. ~ ***de fumar*** 담배 마는 종이. ~ ***de lija*** 샌드페이퍼. ~ ***de los bancos*** 은행의 역할. ~ ***de luto*** (검은 테 등의) 상가에서 쓰는 종이. ~ ***de mano*** =papel de tino. ~ ***de marca*** 43.5cm×51.5cm의 손으로 마른 종이. ~ ***de marquilla*** 질이 좋은 판지, 도화지. ~ ***de música*** 오선지. ~ ***de oficio*** 푸르스캡 (양지). ~ ***de paja*** 마분지. ~ ***de parafina*** 밀랍지. ~ ***de pauta*** 오선지 (papel de música, papel pautado). ~ ***de seda*** 박엽지 (薄葉紙). ~ ***de tina*** 손으로 만 종이. ~ ***de tornasol*** 리트머스 시험지. ~ ***del Estado*** 국채, 국채 · 정부 증권. ~ ***en blanco*** 백지, 용지. ~ ***esmeril*** 페이퍼, 종이줄. ~ ***fiduciario*** 무준비 발행 (지폐). ~ ***higiénico*** 화장실용 두루말이 종이. ~ ***jaspeado*** 꽃무늬 종이. ~ ***Kraft*** 크라프트지. ~ ***lustrado*** 광택지, 아트지. ~ ***ministro*** 푸르스캡 (양지)(~ de oficio). ~ ***mojado*** 무용지물 ; 근거없는 일. ~ ***moneda*** 지폐 : Déme usted la vuelta en ~ *moneda* 거스름돈을 지폐로 주십시오. ~ ***moneda convertible*** 태환지폐. ~ ***moneda de curso forzoso*** 명목 화폐, 법정 불환 지폐. ~ ***moneda inconvertible*** 불환지폐. ~ ***para excusados*** 화장지. ~ ***parafinado*** 파라핀지. ~ ***pautado*** 오선지. ~ ***pintado*** 착색 · 무늬가 든 벽지 등. ~ ***quebrado*** 패지. ~ ***reactivo*** 리트머스 시험지 (papel de tornasol). ~ ***secante*** 흡수지. ~ ***sellado*** 인지 ; 검사필 서류. ~ ***sensible*** 감광지. ~ ***tela*** 투사지(透寫紙). ~ ***viejo*** 파지. ~ ***vergé · vergueteado · verjurado*** 절취식 미싱 자국을 넣은 종이. ~ ***vitela*** 모조 피지. ~ ***volante*** (광고 · 선전용의) 전단. ~***es de negocios*** 업무 서류.
papela *f.* =**documentación.**
papelada *f.* 《*Amér.*》 속임수, 겉치장만 그럴싸한 것(fingimento, simulación).
papelear *intr.* ① 서류 따위를 갖추다 · 뒤져 찾다. ② (어떤) 구실을 하다. ③ 우쭐거리다.
papeleo *m.* 서류 따위를 갖추는 · 뒤져 찾는 일. ~ ***burocrático*** 관료적 형식주의.
papelera *f.* 서류함, 서류장, 필기용 책상 ; 쓰레기통, 휴지통.
papelería *f.* ① 지물포, 문방구점. ② [집합] 종이류.
papelerío *m.* 종이 조각(투성이).
papelero, ra *adj.* ① 제지(製紙)의 : industria ~*ra* 제지업. ② 약간 연극적인 데가 있는 (papelón). —*m.f.* ① 종이 장수 ; 문방구 상인 ; 종이 만드는 사람. ② 제지 공업. ③ 《*Méx.*》 신문팔이.
papeleta *f.* [*dim.* papel] ① 종이 쪽지 ; 투표 용지 (cédula) ; 증서 ; 표, 표지(票紙) : ~ de empeño 전당표. ② 시험 답안 용지. ③ 역할 : tocar una mala · difícil ~ 곤란한 처지에 빠지다. ④ 《*Guat.*》 명함. ⑤ 《*Hond.*》 광고, 전단.
papeletear *intr.* 종이 쪽지에 쓰다.
papelillo *m.* [*dim.* papel] ① 궐련. ② 가루약의 한 봉지. ③ 《*Col.*》 연지, 루즈. ④ 《*PRico.*》 종이 리본으로 묶은 머리.
papelina *f.* ① 엷은 비단천(tela delgada de seda)의 일종. ② 술잔, 컵.
papelista *m.f.* ① 종이 생산업자, 제지공 ; 종이 장수 ; 벽지 제조인. ② 《*Ant.*》 대서소. ③ 궤변. —*adj.* 《*Arg.*》 겉으로만 그럴싸하게 하는, 허풍선이의.
papelito *m.* =**papelillo.**
papelón, na *adj.* 약간 연극적인 데가 있는. —*m.* ① (서류에 못쓰게 된) 휴지 ; 두꺼운 종이. ② 《*Amér.*》 (알을 거칠게 만든) 고형 설탕. ③ 우스운 역할 : hacer un ~ 맡은 역할을 서툴게 하다.
papelonear *intr.* 척하다, 허세부리다, 과장하다(ostentar, fachendear).
papelorio *m.* 파지, 넝마 종이.
papelote *m.* [*desp.* papel] ① 쓰다가 버리기. ② 《*Amér.*》 연(cometa).
papelucho *m.* 휴지, 글을 잘못 써서 버린 종이.
papera *f.* 【의학】 갑상선종(甲狀腺腫)(bocio) ;

이하선염(parótida). —*pl.* 나력(escrófulas).
papero *m.* 빵죽 남비 ; 빵죽(papilla).
papialbillo *m.*【동물】(북아메리카산의) 사향고양이(jineta).
papiamento *m.* ①(꾸라사오에서) 방언. ②《*PRico.*》=**jerigonza.**
papila *f.* [*lat.* papilla] ①【해부】젖꼭지, 유두. ②【식물】소유두(小乳頭) 돌기.
papilar *adj.* 젖꼭지 모양의 ; 유두 돌기가 있는.
papiliforme *adj.* 소유두(小乳頭) 돌기 모양의.
papilionáceo, a *adj.*【식물】나비 모양의, 콩과의 (화관).
papilla *f.* ①(어린아기에게 주는) 국물, 빵죽. ②속임수, 사기 ; 달콤한 말 : dar ~ a uno (누구를) 달콤한 말로 속이다(engañarle con astucia halagüeña).
echar·arrojar hasta la ~ ; echar la primera ~ 심한 구토를 하다.
P
papillote *m.* [*fr.* papillotte] 둥글게 말아 올린 머리카락.
a la ~ (고기나 생선을 종이에) 말아서 구워.
papiloma *m.*【의학】유두종(乳頭腫).
papiloso, sa *adj.* 돌기로 덮인 : La superficie de la lengua es *~sa.*
papín *m.* 집에서 만든 과자의 일종.
papión *m.*【동물】아메리카산 원숭이, 비비(zambo).
papiro *m.* [*lat.* papyrus]【식물】파피루스 ; 파피루스로 만든 종이 : descifrar un papiro egipcio 이집트의 파피루스로 만든 종이를 판독하다.
pápiro *m.* =**billete de banco.**
papirolada *f.* =**papirotazo.**
papirotada *f.* =**papirotazo.**
papirotazo *m.* ①주먹질. ②《*Venez.*》=**tontería, sandez.**
papirote *m.* ①주먹(capirote). ②멍청이, 바보, 얼간이(tonto).
papirusa *f.* ①《*Amér.*》나비(mariposa). ②《*Arg.*》인디오 소녀(muchacha india).
papisa *f.* 여법왕(女法王) : la *P-* Juana 가공의 여성.
papismo *m.* (신교도 등이 말하는) 천주교, 로마교.
papista *adj.* 천주교의. —*m.f.* 천주교도.
papito *m. dim.* papá.
papo[1] *m.* ①부풀어 오른 것. ②(소의 목 같은 데의) 처진 살. ③(닭의) 모이주머니. ④【의학】갑상선종(甲狀腺腫).
estar en ~ de buitre 수중에 들어가다.
hablar de ~ 거드름피우며 말하다.
hablar·ponerse ~ a ~ con (누구에게) 마주 대하여 분명하게 말하다.
papo[2] *m.* [*lat.* pappus] 엉겅퀴의 솜털.
papo, pa *adj.* 《*AmérC.*》=**tonto.**
papón *m.* (어린이를 놀라게 하는) 도깨비(bu).
paporreta *f.* 《*AmérM.*》=**paparrucha.**
paporeta *tr.* =**azotar, vapulear.**
papú *adj. m.f.* [*pl.* papúes] 파푸아《Papuasia, Nueva Guinea 섬의 옛 이름》의·족의 (사람).
papúa *adj.* =**papú.**
papudo, da *adj.* 모이주머니가 불룩해진 (닭).
papujado, da *adj.* 불룩해진, 부푼 ; 날개를 편 ; 속이 말랑말랑한.
papujo, ja *adj.* 《*Arg. Ecuad.*》=**papujado.**
pápula *f.*【의학】구진(丘疹)《피부병》.
papuloso, sa *adj.* 구진성(丘疹性)의.
papusa *f.* 《*Arg.*》=**papirusa.**
paq. paquete.
paquebot *m.* =**paquebote.**
paquebote *m.* [*ing.* packet boat] 우편선, 정기선.
paquete *m.* ①소포 : ~ con valor declarado 가격 표시 소포. ~ postal 소포 우편 ; 우편 소포. ~ postal certificado 등기 소포 우편. ②수하물. ③우편선, 정기선(paquebote). ④포장, 한 벌의 활자. ⑤거짓말, 속임수 : dar un ~. —*adj.* 《*Arg.*》①=**elegante.** ②=**lujoso.**
darse ~ 《*AmérC. Méx*》거드름피우다.
doblar el ~ 《*PRico.*》쉰 살을 넘기다.
ir de ~ 《*Riopl.*》멋을 부리다.
paquete, ta *adj.* 《*Arg.*》=**elegante.**
paquetear *intr.* 《*Riopl.*》멋을 부리다 (ir de paquete).
paquetería *f.* ①자질구레한 상품 ; 잡화상. ②《*Arg.*》장식(lujo) ; 잡화품(mercería).
paquetero, ra *m.f.* ①포장하는 사람. ②(신문의) 발송 계원.
paquetudo, da *adj.* 《*Méx.*》①화려하게 옷을 입은, 성장한. ②거만한, 자만하는, 우쭐대는(orgulloso).
paquidermo, ma *adj.*【동물】후피(厚皮) 동물의. —*m.* 후피 동물. —*m.pl.* 후피류.
paquío *m.* 《*Bol.*》=**el curbaril.**
Paquistán【지명】=**Pakistán.**
paquistaní *adj.* 파키스탄. —*m.f.* 파키스탄 사람.
par[1] *adj.* [*lat.* par] ①짝의, 짝이 된. ②똑같은, 동일한(igual). ③【수학】우수의, 짝수의 : número ~ 우수(偶數). —*m.* ①비길 만한 것 : una mujer de belleza *sin* ~ 비길 데 없이 아름다운 여자. ②(일반적으로) 두 개가 한 짝인 것, 짝, 쌍, 한 쌍, 2인조 : un ~ de zapatos 구두 한 켤레. un ~ de melocotones 복숭아 두 개. un ~ de perdices 한 쌍의 자고새. vender *a ~es* 짝으로 팔다. Sois un ~ de bribones 너희들은 한결같이 개망나니들이다. ③(농경에 쓰이는 마소 따위의) 두 필 (yunta) : dos *~es* de labor. ④두 개 (남짓) : un ~ de semanas 2주간 남짓. dar un ~ de golpes 두 번쯤 때리다. ⑤【건축】서까래. ⑥【전기】전지. ⑦【기계】우력(偶力) (~ de fuerzas) : ~ de torsión·motor 염력, 회전 우력. ⑧(불란서 등에서) 상원에 열석한 귀족 : doce *~es* de Francia. —*f.* ①(법정·환) 평가 : cambio a la ~ 평가에 의한 환산. ②액면 가격. —*f.pl.* 태반(胎盤)(placenta).
a ~ 바로 가까이에, 곁에 ; 똑같이(a la ~).
a la ~ 함께, 동시에 ; 동등하게 ;【상업】평가(平價)로, 액면 가격으로.
a ~es 둘 씩 해서 : contar *a ~es.*
al ~ 함께 ; 똑같이, 동등하게, 마찬가지로.
bajo la ~ 평가·액면 이하로.
de ~ en ~ ①활짝 : La puerta estaba abierta *de ~ en ~* 문이 활짝 열려 있었다. ②분명하게, 막힘없이.
sobre la ~ 평가·액면 이상으로.
ir a la ~ 동등하다 ; 똑같아지다.

ir de ～ 필적하다.
sentir a ～ *de muerte* 죽을 만큼 슬퍼하다.

par² *prep.* 【고어】(맹세의 문구로) =**por** : ¡*par* Dios! 신에 맹세코!(por Dios).

par. párrafo.

para¹ *f.* 【방언】 정지, 정거, 정차, 휴지(休止)(parada, detención).

para² *m.* ①《*Arg.*》 빠라구아이의 담배(tabaco paraguayo). ②《*Méx.*》 수수.

para³ *prep.* ① [목적] …을 위해 : ¿*Para* qué sirve esta máquina? 이 기계는 무엇에 쓰이는가? Ella rezaba ～ sí 그녀는 자신을 위해 기도했다. ¿*Para* qué has venido? 무엇하러 왔느냐?
② [+*inf.* : 목적·결과] …하기 위해 ; …하고, 그리고 : Aprovechamos esta ocasión ～ expresarle nuestro agradecimiento 저희들이 감사하는 마음을 표시하기 위해 이 기회를 이용합니다, 이 기회를 이용하여 감사의 뜻을 표합니다. Miente ～ disculparse 그는 변명하기 위해 거짓말을 한다.
③ [대상·상대] …에, …을 위해 : El abuelo compró una cama ～ su nieto 할아버지는 손자를 위해 침대를 사 주셨다.
④ [이익·효용·적부] …용의, …에 듣는 : tela ～ un vestido 복지. medicina ～ calenturas 열에 듣는 약. medicina ～ quemadura 화상용 약, 볕에 탄 데 바르는 약.
⑤ [방향·행방·보내는 곳] …을 향하여, …을 보고, …행의 : Partimos·salimos ～ Francia mañana 우리는 내일 불란서로 출발한다. Marchó ～ Londres 그는 런던을 향해 출발했다. Traigo una carta ～ tu madre 어머니 앞으로 보내는 편지를 가져왔다.
⑥ [대비] …으로서는, …에 비해서는 ; …하기에는 : Es bajo ～ su edad 나이에 비해 키가 작다. Es demasiado precioso ～ usarlo a diario 매일 쓰기에는 너무 아깝다, 너무 아까워 매일 쓸 수가 없다. Con buena calma vienes ～ la prisa que tengo 나는 이렇게 서둘러 오는 데 너는 어쩌면 그렇게 한가로이 오느냐.
⑦ [관계] …에게 있어서, …에 대하여, …으로서는 : Es agradable ～ mí 나로서는 기쁘다. Lo dijo ～ sí 그는 혼잣말을 했다.
⑧ [+con : …에] 대하여·대하는 : deberes ～ *con* Dios 신에 대한 의무. Era buena ～ *con* todos 그녀는 모든 사람에 대해 친절했다. ¿Quién es usted ～ *con*migo? 당신은 나와 어떤 관계에 있습니까?
⑨ [기한] (늦어도) …까지, …까지에는 : Iré allí ～ mayo 나는 5월까지는 그곳에 가겠다. Estará hecho ～ el día 20 이십 일까지는 만들어질 것이다. ¿*Para* cuándo lo dejas así? 언제까지 그렇게 두겠나? La fiesta estaba anunciado ～ ayer 그 행사는 어제로 예고되어 있었다. Me pagará usted ～ San Juan 산후안 무렵까지는 지불해 주십시오.
～ *eso* [경멸·손쉬움을 나타냄] 그까짓 일·그런 일 같으면 : *Para eso*, no me hubiera molestado en venir 그까짓 일 같으면 일부러 올 것까지 없었는데.
～ *que* [+*subj.* : 목적] …하도록, …하기 위해 (de manera que) : Vamos pronto ～ *que* no nos vean 남의 눈에 띄지 않게 빨리 갑시다.
～ *siempre* 영원히, 영구히(por siempre) : No me olvides ～ *siempre* 그대 나를 영원히 잊지 말아다오.
dar ～ …을 지불하다, 사기 위해 돈을 주다 : *dar* ～ vestirse·～ fruta 옷을 살 돈을·과일 값을 주다.
estar ～ [+*inf.*] …하려 하고 있다, 막 …하려하다, …할려는 찰나이다(estar a punto de) : *Estuve* ～ partir 나는 출발하는 참이었다. La casa *está* ～ caer 집은 금방이라도 쓰러질 것 같다.
ser ～ ① [지정] : Esto *es* ～ usted 이것은 당신에게 드리는 것입니다. Esta carta *es* ～ el correo 이 편지는 우편으로 내는 것입니다. ② [능력] José *es* ～ todo·～ mucho·～ nada 호세는 무슨 일이나 할 수 있다·얼마든지 할 수 있다·아무 쓸모가 없다.

para- *pref.* [*gr.* pará] 「근접」「근사(近似)」; 「보호」를 뜻하는 접두어 : *para*diástole, *pará*frasis, *pará*metro.

paraba *f.* 《*Bol.*》 =**guacamayo.**

parábasis *f.* 그리스 극작품에서 작자가 관객에게 말을 거는 부분.

parabién *m.* [*pl.* parabienes] 축하, 축사(felicitación, enhorabuena) : dar el ～ 축하의 말을 하다.

parablepsia *f.* =**visión falsa.**

parábola *f.* [*gr.* parabolê] ① 비유하는 말, 비유. ②【수학】 포물선.

parabolano *m.* 원시 그리스교의 장의(葬儀) 승려 ; 비유를 쓰는 사람 ; 거짓말쟁이(embustero).

parabolicidad *f.* 포물선 모양.

parabólico, ca *adj.* ① 예를 들어 하는 말의, 비유의. ② 포물선의 : línea ～*ca* 포물선. ③ 포물선 모양의 : movimiento ～ 포물선 모양의 운동.

parabolizar *intr.* ⑦ 상징하다(representar, figurar, cifrar).

paraboloide *m.* 포물선체.

parabrisa ***m.* (자동차 등의) 앞 유리 (guardabrisa).**

parabrisas *m.* =**parabrisa, guardabrisa.**

paraca *f.* 《*Chile.*》 (태평양의) 해연풍(海軟風).

paracaídas *m.* 【단·복수 동형】 낙하산 : lanzarse en ～ 낙하산으로 강하하다.

paracaidista *m.f.* 낙하산병, 공병 대원.

paracentesis *f.* 【단·복수 동형】【외과】 (배·복부의) 관통 수술. ② 구멍 뚫기.

paracleto *m.* 성령, 위안자.

paráclito *m.* =**paracleto.**

paracronismo *m.* 시대 착오.

parachí *m.* 《*Riopl.*》【조류】 빠라치 《머리가 검고 몸이 녹색인 작은 새》.

parachispas *m.* 【단·복수 동형】 (연통 끝에 다는) 불꽃 방호 장치.

parachoques *m.* 【단·복수 동형】 (자동차 등의) 완충기.

parada *f.* ① 멈춤, 정지, 휴지(休止)(pausa) : la ～ del tren. ② 종결(fin, término). ③ 정차 ; 정류장 ; 숙박지 ; 주차장(～ de coches). ④ 축사. ⑤ 객줏집. ⑥ 바꾸어 타는 말. ⑦ 둑, 댐 (azuda). ⑧ 관병(觀兵), 열병식 ; 주둔군, 집결

P

지. ⑨ (상대의 칼을) 받기, 받아 치우기(quite). ⑩ 방어. ⑪ (도박에서) 거는 돈. ⑫《Amér.》 행렬, 시위 행진. ⑬《AmérM.》 훌륭함, 찬란함 : traje de ~ 성장. tener mucha ~ 《Arg.》 성장하고 있다. ⑭《AmérM.》 으시대기, 겉보기 용으로 꾸미기(fanfarronada). ⑮《Perú.》 늘어선 노점.

aguantar la ~ 《Méx.》 참다.

hacer la ~ 《Arg. Chile. Méx.》 도전하다, 요격하다 ; 마중나가다.

hacer una mala ~ 《Méx.》 실패하다.

*ir*le a uno *en la* ~ 《Chile.》 관심을 가지다.

salir a la ~ 마중나가다.

paradera *f.* ① (물레방아의) 수문. ② (밀물을 이용한 고기잡이의) 정치망.

paradero *m.* ① 행선지 : No sé el ~ de ese hombre. ② 종말, 끝, 종국(fin, término). ③《Ant. Chile. Méx. Perú.》 하차장, 임시로 만든 역. ④《Cuba.》 철도역(estación del ferrocarril).

paradeta *f.* [*dim.* parada] 빠라데따《옛날의 서반아 춤》.

paradigma *m. gr.* =**ejemplo, modelo, tipo** : El verbo AMAR es ~ de la primera conjugación 동사 AMAR는 제일 변화의 표본이다.

paradina *f.* 축사와 착유 · 도살 등의 시설이 되어 있는 목장.

paradiseidos *m.pl.* 【조류】 =**paradísidos.**

paradisiaco, ca *adj.* 낙원(paraíso)의 ; 천국 같은.

paradisíaco, ca *adj.* =**paradisiaco.**

paradísidos *m.pl.* 【조류】 치취류과 조류.

paradislero *m.* 길목에서 지키는 사냥꾼 ; 남의 말하기 좋아하는 사람.

parado, da *adj.* [parar의 *p.p.*] ① 멎은, 움직이지 않는, 정지한 : El reloj está ~ 시계가 멎었다. ② 일자리를 잃은 : obrero ~. ③ 사업이 정지된, 폐쇄된. ④ 활발치 못한. ⑤《Ant. Amér.》 선(en pie) ; 서서(de pie) : estar ~ 서 있다. ⑥《Chile.》 =**orgulloso.** —*m.f.* 실업자(失業者).

salir mal ~ 실패로 끝나다.

paradoja *f.* 역설 ; 모순 ; 자가 당착의 말, 앞뒤가 맞지 않는 말 · 것 : El movimiento de la Tierra se consideró largo tiempo como una ~ 지구의 운동은 오랫동안 역설처럼 간주되었다.

paradojal *adj.* =**paradójico.**

paradójico, ca *adj.* 역설적인, 모순된 · 되는 듯한 : una opinión ~*ca* 역설적인 의견.

paradojo, ja *adj.* =**paradójico.**

parador, ra *adj.* 정지하는 ; 중지를 요구하는. —*m.* 숙박소(mesón) : almorzar en el ~ 숙박소에서 점심을 먹다.

paradoxa *f.* 《Neol.》 =**paradoja.**

parafango *m.* 《Venez.》 =**guardabarros.**

parafernales *adj.pl.* 아내 개인의 (재산).

parafimosis *m.* 【의학】 귀두의 협착.

parafina *f.* 파라핀.

parafinado, da *adj.* 파라핀으로 이중으로 덮여진 : papel ~.

parafinar *tr.* 파라핀으로 용해시키다.

parafraseador, ra *adj.m.f.* 부연하여 해설하는 (사람) ; 해석하는 (사람).

parafrasear *tr.* ① 부연하여 해설하다 (hacer una paráfrasis). ② 바꾸어 말하다, 의역하다, 해석하다. ③ (시를) 산문화하다.

paráfrasis *f.* 부연 해설 ; 의역(意譯).

parafraste *m.* 의역자, 주해자.

parafrásticamente *adv.* 부연해서, 바꾸어 말하여 ; 의역하여 · 으로.

parafrástico, ca *adj.* 부연적인 ; 의역적인 ; 주석적인, 바꾸어 말하는, 의역(意譯)의 : traducción ~*ca* 의역.

paragoge *f.* 어미음 첨가 《예 : feliz → felice》.

paragógico, ca *adj.* 어미 첨가의 : letra ~.

paragolpes *m.* 【단 · 복수 동형】 =**parachoques.**

paragonar *tr.* =**parangonar.**

parágrafo *m.* =**párrafo.**

paragranizo *m.* 우박 · 서리 방지용 덮개《못자리 등을 덮는 천》.

¡ paraguán! *interj.* 《Venez.》 정지 ! (¡alto!).

paraguas *m.* 【단 · 복수 동형】 우산.

~ *de tierra · de sapo* 《Col.》 버섯(hongo, seta).

paraguatán *m.* ①《Amér.》 【식물】 나무 이름. ②《Col.》 사슴을 잡는 덫 ; 난투.

paraguay *m.* 【조류】 빠라구아이 앵무새(loro del Brasil).

hacer un ~ 《Chile.》 (마소를) 살그머니 빌려 가다.

Paraguay (República del) *m.* 【지명】 빠라구아이《남 아메리카의 공화국 ; 면적 406,752㎢ ; 수도 Asunción》.

paraguaya *f.* 《Amér.》 페르시아 복숭아 비슷한 납작한 과실.

paraguayano, na *adj. m.f.* =**paraguayo.**

paraguayo, ya *adj.* 빠라구아이 《el Paraguay, 남미의 공화국》의. —*m.f.* 빠라구아이 사람. —*m.* ①《Bol.》 채찍, 회초리. ②《Cuba.》 자귀 손도끼. ③《Bol.》 대형 코페빵.

paraguazo *m.* 우산으로 때리기.

paragüera *f.* 《Col. Chile. PRico.》 우산꽂이.

paragüería *f.* 우산 공장 · 상점.

paragüero, ra *m.f.* 우산 제조인 ; 우산 장수. —*m.* 우산꽂이.

paragüitas *m.* ①《Hond.》 버섯(hongo, seta). ② 【식물】 개구리밥과 식물《우산대처럼 잎이 펼쳐지고 줄기가 곧아 장식용으로 쓰임》.

parahusar *tr.* ⑰ 송곳으로 구멍을 뚫다(taladrar con parahuso).

parahuso *m.* 송곳.

parahúso *m.* 송곳.

paraíso *m.* [*lat.* paradisus] ① 낙원, 천국 ; 극락, 에덴 동산(~ terrenal). ② 극장에서 지붕밑의 맨 뒷자리. ③《Arg.》 【식물】 낙원수《보랏빛 꽃이 피는 향나무》.

paraje *m.* ① 곳, 장소(lugar, sitio) : un ~ desconocido 모르는 곳 · 장소. ② 상태, 사태(estado) : encontrarse en mal ~ 나쁜 상태에 있다.

parajismero, ra *adj.* =**gestero.**

parajismo *m.* ① 인상, 얼굴 표정, 몸짓(gesto). ② 익살스러운 얼굴, 찡그린 표정(mueca).

paral *m.* ① 발판. ② 【건축】 까치발. ③ (선박의 진수 때의) 활주대(滑走臺).

paraláctico, ca *adj.* 【천문】 시차(視差)의, 각차(角差)의 : triángulo ~ 시각차.

paralaje *adj.* 【천문】 시차(視差); 번위(變位).
paralasis *f.* =**paralaje.**
paralaxi *f.* =**paralaje.**
paralela *f.* ① 평행. ②【군사】 평행호. —*pl.* 평행선; (체조의) 평행봉.
paralelamente *adv.* 병행하여, 평행으로, 나란히(de un modo paralelo).
paralelar *tr.* 늘어놓다; 평행으로 하다; 비기다.
paralelepípedo *m.* 평행 육면체.
paralelismo *m.* 평행, 병행; 비교, 대응; 대구(법).
paralelo, la *adj.* ① 평행하는, 병행하는; 병행적인 : tornillo ~【기계】 가로 모루. ② 대등의. —*m.* ① 비교물; 대조; 비교. ②【지도】 위도권, 위선.
paralelogramo *m.* 【기하】 평행 사변형.
paralelógramo *m* =**paralelogramo.**
paralipómenos *m.pl.* 구약 성서의 두 권의 성전 목록.
paralipsis *f.* [*gr.* paraleipsis]【수사】 역언법(逆言法)《중요 부분을 오히려 생략하여 뜻을 강조하는 생략법》.
parálisis *f.* [*gr.* paralusis]【단·복수 동형】①【의학】 마비 : ~ agitante 진전 마비. ~ cerebral 뇌성 마비. ~ infantil 소아 마비(poliomielitis anterior aguda). ② 무(기)력, 활발치 못함, 정체.
paraliticado, da *adj.* =**paralítico.**
paraliticarse *r.* ⑦ =**paralizarse.**
paralítico, ca *adj.* 중풍을 앓는. —*m.f.* 중풍 환자.
paralización *f.* 마비, 마비 상태; 무력화; 부진.
paralizador, ra *adj.* 마비시키는, 마비시킬 수 있는, 마비할 수 있는.
paralizante *adj.* =**paralizador.**
paralizar *tr.* ⑨ ① 마비시키다(causar parálisis) : ~ un miembro. ② 무디게 만들다; 무력·불수·무효·침체로 만들다 : La pereza suele ~ las mejores intenciones 나태는 가장 좋은 의도를 자주 침체시킨다.
~se 마비되다; 정체하다; 둔해지다.
paralogismo *m.* 배리, 그릇된 견해.
paralogizar *tr.* ⑨ 오류에 빠지게 하다; 모순을 내포시키다.
paramada *f.* 《*Venez.*》 이슬비, 보슬비, 가랑비.
paramagnético, ca *adj.* 상자성(常磁性)의, 정자기(正磁氣)의 : substancia ~*ca* 정자성체(正磁性體).
paramagnetismo *m.* 【물리】 상자성(常磁性), 정자기(正磁氣).
paramar *intr.* ① 《*Col. Ecuad. Venez.*》 보슬비·가랑비·이슬비가 내리다. ② 《*Venez.*》 눈발이 날리다.
paramear *intr.* 《*Ecuad.*》 =**lloviznar.**
paramecio *m.* 【곤충】 짚신벌레.
paramentar *tr.* 꾸미다, 장식하다(adornar, ataviar).
paramento *m.* [*lat.* paramentum] ① 꾸밈, 장식 (adorno, atavío). ② 마의(馬衣)(mantillas del caballo). ③ 벽면. ④ 절단한 보석의 면. —*pl.* (승려의) 예장(禮裝); 제단 장식(paramentos sacerdotales).
paramera *f.* 황야, 고원 지방·지대.
parámetro *m.* ①【수학】 매개 변수. ②【통계】 모수(母數), 모집단 특성치(母集團特性値). ③【결정】 표축(標軸).
paramiento *m.* 《*Chile.*》 거만, 허세, 자만(심)(orgullo).
paramilitar *adj.* 군대 조직의.
paramnesia *f.* 【의학】 실어증.
páramo *m.* [*lat.* paramus] ① 황무지, 황폐한 땅. ② 《*Bol. Col. Ecuad.*》 이슬비.
paramuno, na *adj.m.f.* 《*Col.*》 황야에 사는 (사람).
paranaense *adj.m.f.* 빠라나 《Paraná, Argentina의 한 도시; 브라질의 주 중의 하나; 남아메리카의 강》의 (사람).
parancero *m.* 덫으로 짐승을 잡는 사냥꾼.
parangón *m.* ① 비교, 대비(comparación) : hacer un ~ 비교하다. ② 《*Méx.*》 나무람, 질책, 타이름(regaño).
parangona *f.* 【인쇄】 파라곤형 활자.
parangonar *tr.* ① 비교하다, 대비하다(hacer comparación). ②【인쇄】 정판하다.
~se [+con : …과] 비교·비견하다, 대조하다.
paraninfo *m.* (결혼식의) 들러리; 기쁜 소식을 전하는 사람; (옛날의) 개강식(開講式)의 식사(式辭)를 하는 사람; (대학의) 강당.
paranoia *f.* 【의학】 편집증, 편집병, 편집광(monomanía).
paranoico, ca *adj.* 편집증의. —*m.f.* 편집증 환자.
paranomasia *f.* =**paronomasia.**
paranza *f.* (사냥꾼의) 길목; 낚시터.
parao *m.* [*malayo.* praho] 필리핀산 배의 일종.
paraovario *m.* =**parovario.**
parapara *f.* 《*Venez.*》 비누나무 열매.
paraparo *m.* 《*Venez.*》【식물】 비누나무(árbol del jabón). **Sinón.** jaboncillo.
parapetarse *r.* ① 흉벽(parapeto)으로 막다. ② 방어하다, 몸을 수호하다(defenderse).
parapeto *m.* [*ital.* parapetto] ① 난간, 손잡이. ②【축성】 흉벽.
paraplejía *f.* 하반신 불수.
parapléjico, ca *adj.* 하반신 불수의. —*m.f.* 하반신 불수자.
parapoco *m.f.* 저능자, 무능력자.
parapsicología *f.* 초심리학(超心理學).
parar[1] *intr.* [*lat.* parare] ① 멈추다, 서다, 정지하다(detenerse). ② (운전·행동이) 정지되다, 멎다, 정차하다 : El coche *para* a la puerta 차가 문간에 선다. ③ 종점이 되다, 정지하다, 정거하다 : Este tren *para en* Málaga 이 열차는 말라가가 종점이다. ④ 결과가 …이 되다, 일단락되다, 종말이 되다 : ¿*En* qué *para* la belleza de la juventud? 젊어서의 아름다움이 최후에는 어떻게 됩니까? ⑤ 머무르다, 유숙하다, 숙박하다(hospedarse) : *Pararé en* casa de mi tío 나는 삼촌 댁에서 머무르겠다. En ese hotel *paran* muchos extranjeros 그 호텔에는 많은 외국인이 숙박한다.
—*tr.* ① 세우다, 정지시키다 : ~ el caballo·el reloj 말·시계를 세우다. ~ el trabajo 파업을 하다. ② (돈을) 걸다. ③ 마련하다, 대비·준비하다(preparar) : ~ una emboscada 숨어 기다

리다 ; 복병을 두다. ④ (사냥에서 개가 짐승을 발견하여) 가리켜 주다. ⑤ (어떤 상태로) 만들다 : Tal me *han parado* 나는 그런 상태로 되었다. ⑥ (칼 같은 것을) 받다, 받아 뿌리치다 : *Paró* el golpe.

~se ① 서다, 정지하다, 멈추다 : El reloj *(se) para* 시계가 섰다. ② 멈추어 서다. ③ (어떤 결과·상태로) 되다 : La doncella *se paró* colorada 아가씨는 얼굴이 빨개졌다. ④ 정체하다, 얽매이다, 구애받다 : no *pararse en* menudencias · pelillos 사소한 일에 구애받지 않다. ⑤ [+a+*inf.*] 찬찬히 …하다 : *Se paró a* meditar 찬찬히 생각에 잠겼다. ⑥ (위험 등에) 굽히지 않고 맞서다. ⑦【고어】《*Amér.*》 떨치고 일어서다, 일어나다. ⑧《*Cuba. Ecuad. Guat.*》 다시 일어나다 ; 돈이 생기다 : Luis *se paró* con el alza del azúcar 루이스는 설탕값이 올라 다시 경기를 회복했다.

~ *mal* 결과가 좋지 않게 되다, 실패하다.

~ *moña* 《*Col.*》 손을 들다, 항복하다.

~ *la cola* 《*Méx.*》 산책 나가다.

~ *las patas* 《*AmérC. Ant.*》 죽다, 사망하다.

sin ~ 멈추지 않고, 즉각, 계속.

¡Para! 그만둬!, 중지!, 세우세요!

¡Para y atrás! 그만두고 후퇴!

parar² *m.* (옛날의) 편지 놀이.

pararrayo *m.* 피뢰침 ; 피뢰침의 선.

pararrayos *m.* =**pararrayo.**

parasanga *f.* 고대 페르시아의 이정(里程) 단위 《5,250 m》.

parasceve *f.* 유태교 안식일 전야 《안식일 준비일·성 금요일》.

paraselene *f.* 【기상】 가월(假月), 환월(幻月) 《달무리에 나타나는 빛의 무리》.

parasemo *m.* (고대 그리스 배의) 마귀의 얼굴을 새긴 이물 장식.

parasíntesis *f.* 【문법】 합성어에서 파생 《예 : des - alma - ado →desalmado》.

parasintético, ca *adj.* 합성어에서 파생한 (말).

parasismo *m.* =**paroxismo.**

parasitario, ria *adj.* 《*Neol.*》 =**parasítico.**

parasiticida *adj.* 기생충 구제의. **—***m.* 구충제.

parasítico, ca *adj.* 기생(parásitos)의 ; 기생적인.

parasitismo *m.* 【생물】 기생 ; 기생 상태 ; 기식.

parasito, ta *adj.m.f.* =**parásito.**

parásito, ta *adj.* ① 기생의 : planta *~ta* 기생식물. ② =**extraño.** **—***m.* 기생체 ; 기생목 ; 기생충, 기생 동물. **—***m.f.* 기식가.

parasitología *f.* 기생물학.

parasitólogo, ga *m.f.* 기생물 학자.

parasol *m.* ① 양산(quitasol). ② 【식물】 양산 모양의 꽃잎을 이룸(umbela).

parástade *m.* 【건축】 곁기둥.

parata *f.* [*lat.* paratus] 《*Arg.*》 계단식밭.

parataxis *f.* 【문법】 (접속사없이 문장이나 어구의) 병렬, 연결하기.

paratífico, ca *adj.* 파라티푸스(성)의.

paratifoidea *f.* 【의학】 파라티푸스.

paraulata *f.* 《*Venez.*》 =**tordo.**

parausar *tr.* =**parahusar.**

parauso *m.* =**parahuso.**

paravisco *m.* 《*Perú.*》 【식물】 =**jacarandá.**

parazonio *m.* (고대 그리스·로마 군인들이 쓰던) 날이 넓은 칼.

Parca *f.* ① 운명의 여신 《사람의 명줄을 갈고·감고·자르는 세 노파 : Cloto, Láquesis, Atropos로 상징됨》. ② 【시어】 죽음(la muerte).

parcamente *adv.* 검소하게, 소탈하게, 조심스럽게.

parce *m.* [*lat.* parcere] (옛날의 소학교에서 주던 것으로, 장래의 어떤 실수도 용서되는) 선행증(善行證), 포상.

parcela *f.* [*lat.* parcella] ① 면적이 작은 토지·지구·분할지. ② 《*Galic.*》 작은 조각, 작은 부분 (partícula).

parcelación *f.* 큰 농장의 분할 : ~ excesiva 분할지의 과도한 재분화.

parcelar *tr.* 토막으로 나누다, 지구로 나누다, (토지를) 분할하다.

parcelario, ria *adj.* 분할지의 : hacer un plano ~ de un cantón.

parcería *f.* 《*Gal.*》 =**aparcería.**

parcha *f.* 《*Amér.*》 【식물】 패션꽃(granadillo).

parchar *tr.* 《*Amér.*》 고약을 바르다·붙이다 ; (반창고 따위를) 붙이다(emparchar).

parchazo *m.* ① 야유, 조롱, 빈정댐, 우롱(burla, charla) : pegar un ~. ② 돛을 달기.

parche *m.* ① 고약. ② (그림의) 고친 것, 가필. ③ 북 ; 북의 가죽.

pegar un ~ 빌려 가지다 ; 흉계를 꾸며 속이다.

parchís *m.* 인도 주사위.

parchista *m.f.* 사취자(sablista, petardista).

parcia *adj. m.f.* 《*Méx.*》 한패(의), 동료(의).

parcial *adj.* ① 일부분의, 부분적인 : eclipse ~ 【기상】 부분식. ② 분할적인 : expedición *~es*, embarque ~ 【상업】 분할 출하, 분할 선적. ③ 불공평한, 편파적인, 일방적인 : juicio ~ 일방적인 판단. ④ 당파의, 당파적인. **—***m.f.* 당원, 한편.

parcialidad *f.* ① 편듦, 편애, 불공평. ② 당파(근성), 파벌, 도당. ③ 친밀, 다정, 정다움. ④ 국부성.

parcialmente *adv.* ① 부분적으로, 분할해서. Contr. totalmente. ② 불공평하게.

parcidad *f.* [드묾] =**prudencia, moderación.**

parcimonia *f.* =**parsimonia.**

parcionero, ra *adj. m.f.* 당파·같은 편(의).

parcísimo, ma *adj. sup.* parco.

parco, ca *adj.* [*lat.* parcus] 검소한, 산뜻하지 못한(sobrio) ; 절제하는, 삼가하는 듯한 (moderado) ; 흡족하지 못한, 부족된(corto) : ~ *en* el comer · el beber 양이 적은·술을 적게 마시는.

pardal *adj.* [*lat.* pardalis] (검소한 옷을 입는 데서) 촌놈 같은, 시골뜨기의. **—***m.* ① 【동물】 표범(leopardo). ② 【동물】 기린(camello ~). ③ 【조류】 참새(gorrión). ④ 【조류】 홍작새 (pardillo). ⑤ 【식물】 바꽃(acónito). ⑥ 교활한 놈.

pardear *intr.* 갈색이 되다.

pardejón, na *adj.* 《*Arg.*》 다갈색 비슷한.

pardela *f.* 【조류】 갈매기의 일종.

¡pardiez! *interj.* [*fr.* par Dieu] =**¡por Dios!**

pardilla *f.* 【조류】 =**pardillo.**

pardillo, lla *adj.m.f. desp.* 시골뜨기(의). —*m.* ① 홍작새 : El ~ canta bien y se domestica con facilidad 홍작새는 잘 울고 쉽게 길들여진다. ② 《*Venez.*》 【식물】 =**capá prieto.**

pardina *f.* 《*Ar.*》 =**paradina.**

pardisco, ca *adj.* =**pardusco.**

pardo, da *adj.* [*lat.* pardus] ① 황갈색의. ② 거무스름한, 어두운(obscuro) : cielo ~ 어두운 하늘. ③ 분명치 못한, 방향이 없는 : voz ~*da* 분명치 못한 목소리. —*m.f.* 《*Amér.*》 =**mulato.** —*m.* 【동물】 표범.

pardomonte *m.* 조악한 천(paño burdo).

pardusco, ca *adj.* 잿빛에 가까운.

pareado, da *adj.* parear의 *p.p.*

parear *tr.* 둘을 비교해 보다, 늘어놓아 보다 ; 짝으로 만들다, 둘씩으로 하다, 두 짝·켤레로 만들다.

parecencia *f.* =**parecido, semejanza.**

parecer[1] *intr.* ㉛ [*lat.* parere] ① (잃었던 것이) 발견되다 : *Ha parecido* el guante. ② [부사·형용사·명사·*inf.* 나 que로 시작되는 명사구를 보어로 하여, …으로] 보이다, 생각되다 : ¿Qué te *parece* esto? 너는 이것이 어떻게 보이나? Le *parezco* estúpido a la maestra 나는 선생에게 바보로 보인다. Tu pupila me *parece* una estrella perdida 너의 눈동자가 나에게는 방황하는 별로 보인다. *Pareces* estar enfadado conmigo 너는 나에게 화를 내고 있는 것 같다. Ena misma *parece* haber cambiado 에나 자신이 변한 것처럼 보인다. *Parece que* lloverá 비가 올 듯하다. ¿Qué le *parece* esta forma? 이 모양을 어떻게 생각하십니까? ③ 【고어】 나타나다(aparecer). **~se** [+a : …를] 닮다, 비슷하다 : ¿*A* quién *te pareces*? 너는 누구를 닮았느냐? *Me parezco a* mi mamá 나는 어머니를 닮았다. *Te pareces* mucho *a* tu tío 너는 숙부를 아주 닮았다.

~se como dos gotas de agua 빼놓은 듯이 닮았다.

[직설법 현재 1인칭 단수 : parezco. 접속법 현재 : parezca, parezcas, parezca, parezcamos, parezcáis, parezcan].

parecer[2] *m.* ① 의견, 생각 (opinión) : a mi ~ 내 생각으로는. decir su ~ 그의 의견을 말하다. Soy del mismo ~ que usted 나는 당신과 의견이 같다. ② 용모, 모습, 겉모양, 외견(facciones) : tener buen ~ 잘 생기다.

al parecer, a lo que parece, según parece 보아하니, 일견(一見).

por el bien ~ 겉보기는 여하간에, 아무튼.

arrimarse al ~ de (누구의) 의견에 따르다.

tomar ~ de (누구의) 의견을 듣다, 의견에 따르다, …에게 의논하다.

parecido, da *adj.* [parecer의 *p.p.*] ① 닮은, 비슷한 : Eres muy ~ *a* tu tío 너는 숙부를 아주 닮았다. ② [bien·mal+] 용모가 좋은·나쁜. —*m.* 비슷한 점, 닮은 점(semejanza) : Guarda José cierto ~ *con* su tío 호세는 그의 숙부와 어딘지 닮은 데가 있다. Juan tiene mucho ~ *con* su hermano 후안은 그의 형과 많이 닮았다.

~ engañoso 가짜, 모조품.

pareciente *adj.* 비슷한, 닮은 듯한.

parecimiento *m.* ① 《*Chile.*》 출두(出頭)(comparecencia). ② 《*Guat.*》 닮음, 유사(semejanza).

pared *f.* [*lat.* paries, parietis] ① 벽 : las ~*es* de una habitación 방의 벽. ~ maestra 주벽(主壁). ~ medianera 사이 벽. ② 담, 담장 ; 격벽(tabique) ; (물건의) 벽, 측면, 면 : la ~ de un vaso.

~ en·por medio 벽을 사이에 두고, 벽 하나 이웃에 : Vivimos ~ *por medio con* Ana 우리는 아나와 벽 하나 이웃에 살고 있다.

a tienta ~es 손으로 더듬어.

entre cuatro ~es 집에 틀어박혀.

hasta la ~ de enfrente 단호히.

pegado a la ~ (dejar, quedarse와 함께 쓰여) 수치로 알게·멍하게.

arrimarse a las ~es 술에 취해 있다.

coserse con la ~ 벽·담에 붙어서 걷다.

darse contra una ~ 벽·장벽에 부딪치다 ; 실망하다 ; 분격하다.

darse contra·por las ~es 몹시 찾다가 지치다.

subirse por las ~es 화내다, 성내다.

Hablan las ~es 어떤 비밀도 밝혀지는 법이다.

Las ~es oyen ; Las ~es tienen ojos ; Las ~es tienen oídos 【속담】 낮 말은 새가 듣고 밤 말은 쥐가 듣는다.

paredaño, ña *adj.* 벽 하나를 사이 둔 (que está pared por medio).

paredón *m.* [*aum.* pared] 큰 벽 ; 허물어지고 남은 벽.

pareira *f.* 《*Arg.*》 약용 관목(arbusto medicinal).

pareja *f.* ① 한 쌍, 두 짝 ; 두 사람 일행, (순시 등의) 2인조 : una ~ de la guardia civil 2인조 순경. ② 부부, 신랑 신부 ; (댄스의) 상대, 파트너. —*pl.* 쌍두의 경마.

por ~s 짝이 되어.

correr ~s con, correr a ~s (…와) 나란히 가다, 어깨를 나란히 하다 ; (직책 등에서) 대등하다(ir iguales).

Cada oveja con su ~ 【속담】 헌 짚신도 제 짝이 있다.

parejería *f.* ① 아는 척하기, 으시대기(pedantería). ② (지나치게) 다정하게 구는 일.

parejero, ra *adj.m.f.* ① 짝지어 뛰는·뛰게 하는 (말). ② 《*Amér.*》 경마용의 (말) ; 친숙하게 구는. ③ 《*Ant. Venez.*》 속임수가 있는, 으시대는, 체하는. ④ 《*Venez.*》 동료, 동배, 동년배.

parejo, ja *adj.* ① 같은, 유사한, 짝의. ② 반반한, 매끄러운 (liso). —*m.f.* 《*AmérC. Ant.*》 춤의 상대·파트너. —*adv.* 《*Venez.*》 자주, 빈번히, 무시로, 늘(frecuentemente).

por (un) ~ 동일하게 ; 공평하게.

parejura *f.* 비슷함, 유사, 아날로지 ; 같음, 동등(igualdad, parecido).

parella *f.* 《*Murc.*》 =**rodilla.**

paremia *f.* 속담, 격언(refrán, proverbio).

paremiología *f.* 속담학.

paremiológico, ca *adj.* 속담학의.

paremiólogo, ga *m.f.* 속담 학자.

parendera *adj.m.f.* 【속어】 =**paridera.**

parénesis *f.* 【단·복수 동형】 타이름, 훈계.

parenético, ca *adj.* 훈계의, 권고의, 권선 징악의.

parénquima *m.* [*gr.* paregkhuma] ① 【식물】 유연 세포 조직. ② 【해부】 봉와(蜂窩) 조직.

parenquimatoso, sa *adj.* 유연 조직의, 봉와 조직의.
parentación *f.* [드뭄] 장의, 장례.
parental *adj.* 【고어】 부모의 ; 친척의. *—f.pl.* (옛 로마의) 사자제(死者祭).
parentela *f.* [*lat.* parentela] [집합] 친척, 혈족관계(parentesco).
parentesco *m.* ① 일가, 혈연, 친족 (parentela) : contraer ～ 친척이 되다. grado de ～ 친척의 촌수. ② 연관, 관련.
paréntesis *m.* [*gr.* parenthesis]【단·복수 동형】 ① 괄호 : ～ angulares 각(角) 괄호. ② 삽입구, 주구(主句) : entre · por ～ 괄호에 넣어서, 부가적으로, 덧붙여서. abrir · cerrar el ～ 맨 앞과 끝에 괄호를 달다 ; 이야기를 빗나가게 하다.
pareo *m.* 짝 ; 짝 맞추기.
parergón *m.* 덧댄 장식.
paresa *f.* 《*Neol.*》 par의 아내 (귀족).
paresia *f.* 부전 마비(不全痲痺).
parezca parecer의 접·현·1·3·단수.
parezcáis parecer의 접·현·2·복수.
parezcamos parecer의 접·현·1·복수.
parezcan parecer의 접·현·3·복수.
parezcas parecer의 접·현·2·단수.
parezco parecer의 직·현·1·단수.
pargo *m.* 【어류】 (지중해의) 도미(pagro).
parhelia *f.* =**parhelio.**
parhelio *m.* 【기상】 가일(假日), 환일(幻日) 《햇무리에 나타나는 빛의 무리》.
parhilera *f.* 【건축】 도리. Sinón. hilera.
pari- *pref.* 「동(同)」「동등」의 뜻을 나타내는 접두어.
paria *m.f. sanscr.* ① 파리아 《남부 인도의 최하층민》 ; 상놈. ② 경시·무시당한 사람, 업신여겨진 사람 : Los leprosos eran en otro tiempo verdaderos ～*s* 문둥병 환자들은 옛날에는 정말 천대받는 사람들이었다. *—f.pl.* 태반(胎盤) (placenta) ; 공물(貢物)(tributo).
paría *f.* 《*Neol.*》 (영국의) par의 직위.
pariambo *m.* =**pirriquio.**
parías *f.pl.* ① =**tributo, obediencia, sumisión.** ② =**placenta.**
parición *f.* =**parto.**
parida *adj.* 산욕 중의, 산고 중의. *—f.* 임산부.
paridad *f.* [*lat.* paritas] ① 동등, 동격 ; 유사. ② 균등 : establecer una ～. ③ 평가 : ～ oro 금평가, 법정 평가(～ con el oro). ～ adquisitiva · del poder adquisitivo 구매력 평가. ～ cambiaria 금 평가, 법정 평가. ～ con (el) oro 금평가, 법정 평가. ～ fija 고정 평가. ④ (통화의) 평준적 가치(～ monetaria). ⑤ 평준 시세, 등가 : sistema de ～ 패리티 계산.
paridera *adj.* 다산의, 다산계(多產系)의. *—f.* (양 따위의) 낳는 곳 ; 낳는 때 ; (양 따위의) 분만.
paridígito, ta *adj.* 손가락이 우수인.
paridora *adj.* 다산의.
pariente, ta *adj.* ① 친척의. ② 가까운, 닮은 듯한. *—m.f.* ① 친척. ②【속어】 남편(marido), 아내(mujer).
no ser ～ ni doliente 《*Perú. PRico.*》 생판 남이다 · 모르는 사람이다.
parietal *adj.* ① 벽의. ②【해부】 강벽(腔壁)의 ; 두정(頭頂)의. *—m.* 【해부】 두정골.
parietaria *f.* 【식물】 개물통이의 일종.
parificación *f.* 예증(例證).
parificar *tr.* 7 [*lat.* parificare] ① 예증하다, 이서(裏書)하다. ②《*Amér.*》 비교하다.
parigual *adj.* 《*Sant.*》 동등한, 균등한, 같은 ; 유사한.
parihuelas *f.pl.* 멜빵 ; 단가, 들것.
parima *f.* 《*Amér.*》【조류】 (아르헨띠나에서) 큰 해오라기.
parimiento *m.* 【고어】 협정, 사전 약속 (convenio).
parina *f.* 《*Arg.*》【조류】 까치.
pario, ria *adj.* 파로스섬 《Paros, 다도해 가운데 있는 대리석 산지의 섬》의. *—m.f.* 파로스섬 사람.
paripé *m.* 거드름피우기 : hacer el ～ ① 거드름 피우다. ②《*Cuba.*》 얌전 빼다(fingir). ③ 속이다(engañar).
parir *tr. intr.* [*lat.* parere] ① 낳다, 출산하다 : *Parió* un hijo varón 사내 아이를 낳았다. ② 산란하다 (aovar). ③ 심중·생각을 털어놓다 : El orador *pare* sin dificultad. ④ 드러나다 : El odio de las masas *ha parido*. ⑤ 생기게 하다 (producir) : Los vientos *paren* tempestades.
～ a medias (어려움을) 돕다.
no ～ 납득이 가지 않다.
Paris *m.* 【신화】 파리스 《Príamo의 아들로 Menelao의 아내인 Helena를 빼앗아 Troya 전쟁의 원인을 만든 인물》.
París 【지명】 파리 《불란서의 수도》.
parisién *adj.* 《*Galic.*》 =**parisiense.**
parisiena *f.* 파르형 활자, 5포인트 활자.
parisiense *adj.* 파리(París)의. *—m.f.* 파리 사람.
parisilábico, ca *adj.* =**parisílabo.**
parisílabo, ba *adj.* 같은 음절수의 (시).
parisino, na *adj.* 【속어】 =**parisiense.**
paritario, ria *adj.* 【사회】 같은 숫자의 ; 동권의 : junta ～*ria* de patronos y obreros 노사 동수 대표 협의회.
paritorio *m.* 《*Ant. Col.*》 출산(parto).
parla *f.* ① 잡담, 허튼 소리(charla). ② 수다, 다변, 재잘거리기(labia).
parlador, ra *adj.m.f.* 재잘거리는·잡담하는 (사람) ; 어지간히 수다스러운, 잡담이 너무 긴 (hablador) : ojos ～*es*.
parladuría *f.* 수다, 다변(habladuría).
parlaembalde *m.f.* 수다쟁이.
parlamentar *intr.* 이야기하다 ; 담판·절충하다.
parlamentariamente *adv.* 의회에 의해, 의회를 통하여 ; 의회와 관련하여.
parlamentario, ria *adj.* 의회의 : tradiciones ～*rias* 의회의 전통. *—m.f.* 국회의원(miembro de un parlamento) ; 군사(軍使).
parlamentarismo *m.* 의회 정치·제도(doctrina · sistema parlamentario).
parlamento *m.* [*fr.* parlement] ① 의회 ; 의사당. ② (고대 불란서의) 최고 재판소. ③ 장광설, 긴 대사. ④ (전투장의) 담판 : pedir ～ 교섭을 청하다.
P- Europeo 유럽 의회.

parlanchín, na *adj. desp.* 수다스러운, 말이 많은. —*m.f.* 수다쟁이.
parlante *adj.* ① 잘 지껄이는. ②【영화】발성의 : película ～ 발성 영화. cinta ～ 녹음 테이프.
parlar *intr. tr.* [*fr.* parler] (공연한 말을·잡담을·두말할 것도 없는 일을) 지껄이다.
～se 《*PRico.*》 (일시적으로) 말문이 막히다.
parlatorio *m.* 잡담; 회담; (수도원의) 회담실(locutorio); 담화실, 응접실.
parlería *f.* 다변, 잡담; 남의 소문.
parlero, ra *adj.* ① 말이 많은, 수다스러운; 남의 말하기 좋아하는. ② 말하는 듯한, 표정적인 : ojos ～*s.* ③ 듣기 좋은 소리를 내는 : fuente ～. ④ 시끄러운(ruidoso). ⑤ 잘 지저귀는 : pájaros ～*s.*
parleruelo, la *adj.m.f. dim.* parlero.
parleta *f.* 잡담, 쓸데없는 소리, 헛소리.
parletero, ra *adj.* 《*Sant.*》 =**parlero.**
parlón, na *adj.* 수다스러운. —*m.f.* 수다쟁이.
parlotear *intr.* 수다를 늘어놓다, 쓸데없는 말을 하다, 잡담을 하다.
parloteo *m.* =**charla.**
parmesano, na *adj.* 빠르마 《Parma, 북 이탈리아의 도시》의. —*m.f.* 빠르마 사람.
parnasiano, na *adj.* ① 파르나소스산 (el Parnaso)의. ② (불란서의 시에서 보들레르를 중심으로 한) 고답파의 (시인).
parnaso *m.* ① 시단(詩壇), 문필계. ② 시집.
Parnaso (el) *m.* 파르나소스산 《그리스 중부 지방에 있는 산, Apolo나 Musas의 영지》.
parné *m.*【은어】=**dinero, moneda corriente; caudal, bienes.**
parnés *m.*【은어】=**dinero.**
paro[1] *m.* [*lat.* parus]【조류】박새.
paro[2] *m.* ① 정지하기 : el ～ del reloj. ② 종업, 휴업 : el ～ de la labor diaria. ③ (경영자 측에서의 공장 등의) 휴업, 공장 폐쇄, 조업 정지; (파업으로 인한 교통 기관 등의) 운전 정지 : ～ parcial 일부 정지. ④ 실업(失業)(～ forzoso) : ～ coyuntural 주기적 실업. ～ debido a la racionalización 합리화에 의한 실업. ～ estacional 계절적 실업. ～ estructural 구조적 실업. ～ fluctuante 유동적 실업. ～ forzoso 공장 폐쇄; 실업. ～ laboral 실업. ～ tecnológico · por mecanización de la industria 기술적 실업. ～ temporal 일시적 실업. subsidio de ～ 실업 수당. ⑤ 동맹 파업 : ～ general 총파업, 전면적 정지. ⑥ 《*Amér.*》 (도박 등의) 한판; 판돈, (내기에) 건 돈.
en ～ 《*Col.*》 단번에, 한묶에, 이것저것 따질 것 없이(de una vez).
parodia *f.* [*lat.* parodia] 희작(戱作), 변작(變作).
parodiador, ra *adj.m.f.* (원작을) 변작·희작하는 (사람).
parodiar *tr.* ⑪ (원작을) 변작·희작(戱作)하다.
paródico, ca *adj.* 희작의; 가락·가사를 바꾸어 부르고 노래의 글귀를 바꾸는.
parodista *m.f.* 희작가.
parola *f.* [*fr.* parole] 다변, 잡담, 쓸데없는 소리.
parolero, ra *adj.m.f.* =**parlanchín.**
parolina *f.*【속어】=**parola.**
paronimia *f.* 어원·어형·음의 유사; 그 말; 유형 이어.
paronímico, ca *adj.* paronimia의·에 관한.
parónimo, ma *adj.* 동원(同原)·동형 이의(異義)의; 유사어의.
paroniquia *f.* =**panadizo.**
paronomasia *f.* ① 유형 이의(類形異義) 《예 : lago, lego, Lugo》. ② 근사어 《예 : adoptar, adaptar》. ③ 신소리, 말장난.
paronomásticamente *adv.* 유형 이의로; 신소리로.
paronomástico, ca *adj.* 유형 이의의; 신소리하는.
parótida *f.*【의학】이하선(耳下腺); 이하선염(papera).
parotiditis *f.*【의학】이하선염(inflamación de la parótida).
paroxismal *adj.* 발작의, 발작성의; 격발적인, 발끈하는 성미의.
paroxismo *m.* [*gr.* paroxusmos] ① (병세의) 발작, 증진 : el ～ de la rabia 광견병의 발작. ② (감정의) 격발.
paroxístico, ca *adj.* =**paroxismal.**
paroxítono, na *adj.*【문법】끝에서 두 번째 음절에 악센트가 있는 (말)(grave, llano) : una voz ～*na.*
parpadeante *adj.* ① 눈을 깜박이는. ② 떠는 : la ～ luz de las estrellas.
parpadear *intr.* ① 눈을 깜박이다(mover mucho los párpados). ② 떨다(temblar, vibrar).
parpadeo *m.* (눈을) 깜박임, 윙크.
párpado *m.* [*lat.* palpebra] 눈까풀 : ～ superior · inferior 윗·아랫 눈까풀.
parpalla *f.* 옛날의 동전.
parpallota *f.* =**parpalla.**
parpar *intr.* (오리 등이) 울다(gritar el pato).
parpayuela *f.* 《*Ast.*》 =**codorniz.**
parque[1] *m.* [*fr.* parc] ① 공원, 유원지 : ～ nacional 국립 공원. ～ zoológico 동물원(zoo). ② (공중적인 설비를 해둔 곳·설비·기재의 전체) 서(署), 창(廠) : ～ de bomberos, ～ de incendios 소방차, 소방대, 소방서. ～ sanitario 위생청. ③ 군용지 : ～ de artillería 포병 집결지, 그곳의 전체 포대. ～ de aviación 항공대 집결지.
parque[2] *m.* [*ing.* parking] (임시) 주차장.
parqué *m.* =**entarimado.**
parqueadero *m.* 주차장.
parquear *tr.* 《*Amér.*》 (차를) 멈추다, 주차(駐車)하다.
parquedad *f.* 검소, 절약, 절제(moderación); 삼가는 태도(parsimonia).
parquet *m.* [*pl.* parquets] 《*Galic.*》 ① 나무로 모자이크처럼 세공하는 마루(taracea). ② 거래소(la Bolsa) : El ～ estuvo ayer animado 어제 거래는 아주 활발했다.
parqui *m.*【식물】=**palqui.**
parquímetro *m.* 주차 (미터)기.
parra[1] *f.* [*port.* parra] ① 포도(uva) 덩굴 : ～ de Corinto 코린토 원산, 씨가 없어 건포를 만드는 일종. ② 포도 시렁. ③ 《*AmérC.*》 물칡.
subirse la ～ 화내다, 성내다, 노하다, 골내다

(encolerizarse).

parra² *f.* (손잡이가 두 개인 꿀을 담아 두는) 질항아리 · 단지.

parrado, da *adj.* 가지를 뻗친 ; 시렁으로 만든 (식물).

parrafada *f.* 밀담 ; 연설에서 단숨에 말해 버린 부분.

parrafear *intr.* ① 마구 지껄여 대다(echar un parrafo). ② (두 사람이) 다정하게 이야기하다.

parrafeo *m.* 가벼운 대화.

párrafo *m.* 단락, 문절 ; 단락 부호 (§) : ~ aparte 단락을 바꾸어 ; 화제를 바꾸어.

echar ~s 마구 지껄여 대다.

echar un ~ con …와 잡담하다 · 입씨름을 하다.

parragón *m.* (은질 검사의) 표준 은봉(銀棒).

parral *m.* [집합] ① 포도 시렁 ; 포도 덩굴(viña) ; 그것이 있는 곳. ② 꿀 항아리. ③【속어】초심자, 신출내기.

parrancas (a) *adv.* 《*Vallad.*》 =**a horcajadas.**

parranda *f.* ① 즐거움에 들떠 법석 떨기 : andar de ~. ② 야간의 악대. ③《*Col.*》=**multitud.**

parrandear *intr.* 난장판으로 떠들어 대다, 술을 즐겁게 마시다, (유쾌하게) 떠들어 대다.

parrandeo *m.* 진탕 마시고 떠들기.

parrandero, ra *adj.m.f.* 야단법석을 떠는 (사람).

parrandista *m.f.* parranda에 참가하여 걷는 사람 ; 파티를 좋아하는 사람.

parranfito *m.* 《*Ant. Perú.*》 =**bocado escogido.**

parrar *intr.* (가지와 잎이) 잔뜩 뻗치다.

parricida *m.f.* [*lat.* parricida] 부모 살해자, 근친 살인자 : Los asesinos de los reyes han sido frecuentemente condenados como ~*s* 왕의 살해자들은 자주 근친 살인자로 처형되었다.

parricidio *m.* 부모 살해, 근친 살해 (사건).

parrilla *f.* [*dim.* parra] [주로 *pl.*] ① 석쇠, 쇠꼬치, 불고기 판 : poner las ~*s* al fuego. ② (난로 · 용광로의) 철가(鐵架). ③ 바닥이 반반하고 부리가 좁은 항아리의 일종. ④ 그릴 식당. ⑤ (자동차의) 엔진 방열 격자.

parrillada *f.* (물고기 · 조개류의) 쇠꼬치에 구운 요리.

parriza *f.*【식물】야생 포도(labrusca).

parro *m.*【조류】물오리, 오리(pato).

párroco *m.* [*lat.* parochus] ① 주지, 주임 신부(cura, sacerdote). ② [형용사적] cura ~ 본당 주임 사제.

parrocha *f.* 《*Sant.*》【어류】새끼 정어리.

parrón *m.* ① =**parriza.** ②《*Chile.*》 =**parra, parral.**

parronal *m.* 《*Chile.*》 =**parral.**

parroquia *f.* [*lat.* parrochia] ① 교구 교회 : ir a misa a la ~ 교구 교회에 미사를 가다. ② 교구 : una ~ rural 지방 교구. ③ [집합] 교구민, 교구 신도(feligresía) : Asistió toda la ~ 전 교구민이 참석했다. ④【상업】고객, 단골집, 거래선(clientela) : la ~ de un carnicero 정육점 주인의 고객.

parroquial *adj.* 교구의 : iglesia ~ 교구 교회.

parroquialidad *f.* 교적(敎籍) ; 거래선과의 관계.

parroquiano, na *adj.* 교구의. **—***m.f.* ① (어떤 교회에 소속한) 신자. ②【상업】고객, 단골, 거래선, 단골 손님(cliente).

parsi *adj.* [*pl.* paris] 조로아스터교의. **—***m.* 조로아스터교민족 ; 그 언어.

parsimonia *f.* [*lat.* parsimonia] 극도의 검약 ; 빈약함 ; 진득함.

parsimonioso, sa *adj.* 인색한, 절약이 지나친(cicatero) ; 진득한.

parsismo *m.* 조로아스터교(mazdeísmo).

Part. Partida.

part.[ar] particular.

parte *f.* [*lat.* pars, partis] ① 부분, 일부, 약간 : la buena · gran · mayor ~ 대부분(mayoría). ~ inferior 하부(下部) ; 육체. ~ superior 상부(上部) ; 정신. ② 요소 : ~ integral · integrante 구성 요소, 성분. ③ 장소, 곳(sitio, lugar) : por todas ~*s* 모든 곳에, 사방으로. ④ 쪽(lado). ⑤ 몫, 배당분 : ~ exhibida del capital social 회사 자본의 불입액. ⑥ (작품 등의) 부(部), 권, 편 : ~ especial del derecho económico 경제법 각론. ~ general del derecho económico 경제법 총론. ⑦ (기수 · 서수를 붙여) …분의 1 : dos terceras ~*s* 3분의 2. tres quintas ~*s* 5분의 3. ⑧【수학】제수, 나눗수 : ~ alicuanta 비정제수(非整除數). ~ alícuota 정제수. ⑨ 당파, 분파 ; 한편, 측, 쪽 ; 부대. ⑩ (계약 · 소송의) 당사자(litigante) : ~ actora 기소, 원고측. ~ contratante 계약 당사자. ~ interesada 이해 · 소송 당사자. hacer un convenio las dos ~*s* 쌍방이 의견의 일치를 보다. ⑪ 맡은 일, (배우 등의) 역할(papel) : ~ de por medio 단역. ⑫ 배우(actor). ⑬ [중복 사용하여 배분의 접속사] 일부는 …, 또 일부는 : ~ por tristeza, ~ por comodidad 일부는 슬픔에서 또 일부는 자의에서.

—*f.pl.* ① 자질, 재능. ② 국부, 음부, 국소, 치부 (~*s* naturales · pudendas · vergonzosas). ③ 부분품 : ~*s* defectuosas 결함 부품.

—*m.* ① 알림, 통고, 보고, 통지(서) : dar ~ 알리다, 보고 · 통지하다(dar noticia, hacer saber a uno lo que ha sucedido) : dar ~ sin novedad 이상 없다고 보고하다. ② 전보(~ telegráfico) ; 전화(~ telefónico).

~ por ~ 토막토막으로, 명확하게 ; 아무런 생략 없이(sin omitir nada).

a ~s 여기저기에.

a esta ~ 이 시각까지 : de poco tiempo *a esta* ~ 얼마 전부터 이 시각까지.

de ~ de ① …의 쪽에서 : Somos primos *de* ~ *de* madre 우리는 어머니 쪽으로 사촌간이다. ② … 편들어 (a favor de) : El jurado no está *de* ~ *de* José 심사원은 호세에게 편을 들고 있지 않다. ¿Estáis todos *de mi* ~ 너희는 모두 내 편이냐? ③ …의 의뢰 · 명령 · 대리로 : *de* ~ *del* rey 왕명으로.

de mi ~ 나로서는.

de ~ a ~ 관통하여 (de un lado a otro) : Le atravesó una bala *de* ~ *a* ~ 한 방이 그를 관통했다.

en ~ 일부는, 부분적으로(parcialmente) : *En* ~ tendrá razón 부분적으로는 당신 말이 옳을 것이다.

en · por ~s 부분부분으로 (나누어).

en · por todas ~s 모든 곳에.

en otra ~ 또 다른 한편으로는 ; 동시에 또.
por mi ~ 나로서는, 내 형편은.
cargar a·sobre ~ 향하다, 향해 가다 ; 기울다 ; (그곳에) 중점을 두다.
dar ~ ① 알리다, 보고하다, 통지하다(dar noticia, hacer saber). ② 참가·가담시키다, 한편으로 끌어들이다(dar participación en).
echar a mala ~ 나쁜 쪽으로 해석하다 ; 나쁜 의미로 쓰다.
entrar a la ~ 참가하다.
formar ~ *de* …의 일부를 형성하다.
hacer de su ~ 최선을 다하다, (어떤 일을) 가능한 하다(hacer lo posible por una cosa).
hacer las ~*s de* …대신·을 위해 힘쓰다 ; …에 가담하다.
ir a la ~ =entrar a la ~.
llamarse a la ~ (배당을 요구하여) 끼어들다.
llevar la mejor ~ 우세한 편에 놓이다.
mostrarse ~ 관계자로서 출두(出頭)하다 (apersonarse).
no ser ~ *de la oración* 제외되어 있다 ; 부적당하다.
poner de su ~ 최선을 다하다 (hacer de su parte).
ponerse de ~ *de* (누구의) 의견과 같다 ; …의 편에 서다.
saber de buena ~ 확실한 소식통을 통해 알고 있다.
ser ~ *a·en* …에 도움이 되다, 관계가 있다 : Esto no *fue* ~ *a* borrar la triste impresión.
tener ~ *en* …에 참가하다, 관계가 있다 (participar en) ; (여자와) 정교를 맺고 있다.
tomar en mala ~ 나쁜 쪽으로 해석하다 ; 나쁜 의미로 사용하다(echar a mala parte).
tomar ~ *en* …에 참여하다·참가하다, 관련을 가지다(participar en).
¿De ~ *de quién?* 누구십니까? 《전화를 받을 때 ; 대답은 (De parte) de …》.

partear *tr.* 출산 시중을 들다 (asistir a la mujer cuando pare).

parteluz *m.* 【건축】 아치형의 창 (ajimez de una ventana).

partencia *f.* 출발(marcha).

partenogénesis *f.* 【생물】 단성·단위 생식, 처녀 생식 : ~ artificial 인공 수정.

partenopeo, a *adj.* 빠르떼노뻬 《Parténope, Nápoles의 옛 이름》의. —*m.f.* 빠르떼노뻬 사람.

partenueces *m.* 【단·복수 동형】 호도까개 《도구》.

partera *f.* 산파, 조산부(matrona).

partería *f.* [드뭄] 조산부의 직 ; 조산원.

partero *m.* 조산 의사(comadrón).

parterre *m. fr.* 정원, 정원의 화단(arriate).

partesana *f.* 도끼창 《양쪽에 날을 세운 창 비슷한 무기》.

partible *adj.* 나눌 수 있는, 분할할 수 있는.

partición *f.* ① 분할, 분배(división) : ~ de herencia 상속 재산의 분배. ② 나눗셈 (división).

particionero, ra *adj.* =**partícipe.**

participación *f.* ① 참여, 참가 : ~ financiera 융자 참가. ~ oficial 공식·정식 참가. cuentas en ~ 공동 재산, 조합 계정 ; 공동 계정 계좌. ② 분배 ; (분배·이익금 등의) 할당금, (역원의) 분배금, 이익 분배금 : ~ en beneficios 이익 분배(제). ~ en el capital 자본의 분배. ~ en el mercado 시장 점유율. ~ en las ganancias y pérdidas 손익의 부담. ~ en las utilidades 이익 배당. ~ en los beneficios 이익 분배. ~ en una feria 견본시·전시회 참가. ~ en utilidades 이윤 분배(제). ③ 알림, 통지, 통보 (aviso, noticia) : dar ~ 통첩·통보하다.
—*pl.* 투자, 출자.

participante *adj.m.f.* 관여·참가하는 ; 통지하는 (사람).

participar *intr.* [*lat.* participare] 가담하다, 참여·참가·관여·관계하다 : ~ *de·en* un crimen. —*tr.* 알리다, 통지·통고·보고하다 (dar parte, noticiar, comunicar) : Le *participo* a usted mi decisión 귀하에게 제 결정을 알려드립니다.

partícipe *adj.* 관계있는, …에 가담한. —*m.f.* 참여자, 관계자 ; 구성 분자.

participial *adj.* 【문법】 분사의, 분사적인.

participio *m.* 【문법】 분사.
~ *activo·de presnete* 능동·현재 분사 《동사의 어간에 -ante, -ente, -iente가 붙은 형 ; 형용사·명사의 역할을 하는 것》.
~ *pasivo·de pretérito* 수동·과거 분사 《동사의 어간에 -ado, -ido가 붙은 형 ; 형용사·명사 구실을 하며, 조동사와 함께 완료형이나 수동태를 만드는 것 ; 그러나 자동사, 재귀 동사에서 나온 것은 뜻이 능동적임》 : call*ado* 침묵한. atrev*ido* 대담한.

pártico, ca *adj.* 파르티아 《Partia, 페르시아 제국의 요람이었던 고대 아시아 지방》의.

partícula *f.* 작은 조각, 부스러기, 작은 부분 (parte pequeña) : una ~ de viento. ② 입자(粒子) : ~ alfa 알파 입자. ~*s* beta 베타 입자. ③ 【문법】 짧은 말 《전치사·접속사 등》 ; 접사(接辭) : ~ prepositiva 접두사, 접두어.

particular *adj.* [*lat.* particularis] ① 특수한. **Contr.** general. ② 독특한(singular) ; 진귀한, 특별한 (especial) : tener talento ~ para el dibujo 그림에 특별한 재능이 있다. ③ 사적인, 개인의 (privado) : correspondencia ~ 사신. secretario ~ 개인 비서. ④ 상세한. —*m.* ① 개인 ; 사항, 문제, 점 : Hablemos de este ~ 이 점에 대해 말합시다. sin otro ~ 다른 사항에는 언급하지 않고, 용건에 대해서만.
en ~ 특(特)히, 특별히(particularmente, especialmente) : Este libro, *en* ~, me interesa mucho 이 책은 특히 나한테 무척 흥미가 있다.

particularidad *f.* 특수성, 특징 ; 개성 ; 특별 취급, 편듦 ; 상세, 사항 ; 사사로운 일.

particularismo *m.* ① 편파주의, 분립주의 ; 이기주의 ; 지방주의 : ~ de Europa. ② 개인주의.

particularista *adj.* 분립·지방주의의. —*m.f.* 분립·지방주의자.

particularizar *tr.* ⑨ ① 특수화(特殊化)하다 (especificar de un modo particular) : ~ los menores detalles. **Contr.** generalizar. ② 상세히 말하다, 열거하다 ; 특별 취급하다.
~se 특수화하다 ; 두드러지다 ; 특히 친하게·친밀하게 지내다 : ~*se con* su amigo 자기 친구와 친밀하게 지내다.

particularmente *adv.* 특히(especialmente); 하나씩 하나씩; 개인적으로(individualmente).

partida *f.* ① 출발 : fecha de ~ 출발일. línea de ~ 출발선. ② (출생 · 결혼 · 사망 등의) 제출, 등기; 그 증명서, 등본 : ~ de bautismo 영세 증명서. ③ (장부 따위의) 기입, 기장 : sentar una ~ 기장하다. ④ 기장 항목; 종목, (발송 상품의) 품목, 위탁 판매품 : ~ doble · simple 복식 · 단식 (부기). ~ de la factura 송장 기장 항목. ⑤ (상품의) 몫, 액, 단위 : por ~*s* 여러 몫으로 나누어. ⑥ 기재 사항, 관세 번호. ⑦ 목록 : ~ de sobordo 선하 목록. ~ del arancel 관세 품목. ~ del balance 대차 대조표 항목. ⑧ 일대(一隊), 무장대, 유격대; 조; 단체 : ~ de campo 소풍의 한 무리. ~ de caza · cacería 수렵대. ⑨ 승부, 상대가 됨 : echar una ~ de dominó. ⑩ 한판 겨룸; 이에 건돈. ⑪ 행실, 행위 : buena · mala ~ 좋은 · 나쁜 행실. Me jugó una mala ~ 나를 혼내 주었다. ~ serrana 배반 행위. ⑫ 사망. ⑬ 필수.
las siete Partidas 7부 법전 《Alfonso el Sabio가 13세기 후반에 편집한 법령집》.
andar las siete ~s 세상을 널리 돌아다니다.
comerse · tragarse la ~ 시치미를 떼고 남의 속마음을 알아내다.
confesar la ~ 《*Arg. Chile.*》 사실을 자백하다.

partidamente *adv.* 따로, 딴것으로, 별개로 (separadamente).

partidario, ria *adj.* …편의, 찬성자쪽의.
—*m.f.* ① 같은 편, 동류; 찬성자 : ~ de la guerra 전쟁 찬성론자. ② 유격 대원, 게릴라 대원. ③ 《*Amér.*》 (농장 등의) 공동 경영자.

partidarista *adj.* 《*Col.*》 =**partidista.**

partidismo *m.* 당파심.

partidista *adj.* 정당(partido político)의, 당파심이 강한, 당파적인 : política ~ 정당 정책.

partido, da *adj.* [partir의 *p.p.*] ① 나누어진, 분할한, 분열된, 깨진, 갈라선(dividido, cortado) : ~ en dos 둘로 갈라 놓은. ② 선심이 좋은.
—*m.* ① 조; 당파, 정당 : ~ conservador 보수정당. *P-* Comunista de Cuba 꾸바 공산당. *P-* Democrático 민주당. *P-* Republicano 공화당. *P-* Revolucionario Institucional 《*Méx.*》 제도 혁명당. *P-* Socialista 사회당. ② (행정적인) 군, 구, 지구(distrito); 관할구; (의사의 의무적인) 진찰구. ③ (내기의) 편 : hacer ~ *con* uno 누구와 편이 되다. ④ (결혼 등의) 상대, 짝 : buen ~ 좋은 상대, 좋은 짝. mal ~ 나쁜 상대, 재수 없는 짝. ⑤ (경기에서의) 팀; 시합, 승부 : ~ final 결승전. ~ robado 일방적인 승리. ⑥ 핸디캡, 득, 이익(ventaja, provecho) : sacar ~ *de* un asunto 어떤 일에서 이익을 얻다, 그것을 잘 이용하다. ⑦ 같은 편 : formar ~ 같은 편으로 만들다, 한패가 되다. ⑧ 편의, 연줄, 연고 (amparo, protección) : José tiene ~ para el logro de su pretensión 호세는 그의 목적을 달성하기 위한 연줄이 있다. ⑨ 협정(trato, convenio). ⑩ 방책, 수단 (medio); 결심 (resolución) : Hay que tomar otro ~ 달리 손을 써야 할 필요가 있다. ⑪ 《*AmérM.*》 (광산의) 소유주와 채광자와의 분배; (농장 등의) 공동 경영, 공영 농지. ⑫ 《*Arg. Col.*》 갈라진 머리카락, 가리마, 그 갈라진 부분.
al ~ 《*Bol. Cuba.*》 같은 분량으로, 공평하게.
darse a ~ 고집을 꺾다, 고쳐 생각하다.
sacar el mayor ~ de …을 최대한으로 이용하다.
tomar ~ 수단을 부리다; 결심하다; 돌아눕다, 배반하여 적의 편이 되다; 입당하다, 한패가 되다.
tomar el ~ contrario 반대편에 서다.
tomar el ~ de …의 편이 되다, …의 쪽에 서다.

partidor, ra *m.f.* 분배하는 · 나누는 사람; 쪼개는 사람 : ~ de leña. **—***m.* ① 쪼개는 도구; 나누는 것. ② 분수, 연못. ③ 【수학】 제수(除數), 나눗수; 약수.

partidura *f.* 가른 머리카락, 머릿단(crencha).

partija *f.* [*dim.* parte] 작은 부분, 작은 조각; 분할, 분배.

partimento *m.* =**partimiento.**

partimiento *m.* =**partición.**

partiquino, na *m. f.* 오페라의 단역 가수.

partir *tr.* [*lat.* partiri] ① 나누다, 분할하다, 쪼개다 (dividir) : ~ *en* dos partes 둘로 나누다. ~ una tabla *por* la mitad 판자를 한 가운데서 자르다. ② 【수학】 나누다 (dividir) : ~ un número *por* otro 어떤 수를 다른 수로 나누다. ③ 분배 · 분할하다 (repartir) : ~ *entre* hermanos 형제에게 나누어 주다. ④ 쪼개다, 빠개다, 찢다 (romper, hender) : ~ la cabeza 머리에 상처를 입히다. ⑤ 구획을 짓다; 구분하다. ⑥ 꼼짝 못하도록 혼내주다 : Le *hemos partido.*
—*intr.* ① 출발하다, 출입하다 : *Partimos a · para* Barcelona 우리는 바르셀로나를 향해 출발했다. ② (어떤 기점에서) 나가다, 출발하다 : ~ de un supuesto falso 잘못된 가정에서 출발하다. ③ 결심하다(resolverse) : ¿*Has partido* ya? 너는 이제 결심이 섰느냐?
~se ① 갈라지다, 분할되다, 나누어지다 (dividirse); 분열하다. ② 【고어】 출발하다.
a ~ de …이후로, …부터, …이래 : *a ~ de* esta fecha 이 날부터. *a ~ de*l 13 de diciembre 12월 13일부터.

partitivo, va *adj.* ① 분할의, 분할할 수 있는. ② 【문법】 부분의, 부분을 나타내는 (말 : mitad, medio, tercio, cuarto 등).

partitura *f. ital.* 【음악】 연합 악보, 총보(總譜).

pártner *m. ing.* 파트너(compañero de juego).

parto *m.* [*lat.* partus] ① 출산, 분만 : ~ derecho · revesado 정상 · 이상 분만. laborioso ~ 난산. ~ feliz 안산(安産). ~ sin dolor 무통 분만. estar de ~ 산욕에 들어 있다; 산고를 맛보다. ② 신생아. ③ 소산, 창작; 생겨난 것.
el ~ de los montes 생각했던 것과는 달리 손쉬운 일. *venir el ~ derecho* 일이 쉽게 되어 가다.

parto, ta *adj.* = **pártico.**

parturienta *adj.f.* 임산부(의) (mujer que está de parto).

parturiente *f.* =**parturienta.**

párulis *m.* [*gr.* paroulis] 【의학】 잇몸 궤양 (flemón en las encías).

parva *f.* ① 벤 곡식. ② 노적, 노적가리(montón). ③ 대다수(multitud). ④ (절식일의) 가벼운 식사; (농민 사이에서) 아침 식사.
salirse de la ~ 단념하다, 손을 떼다.

parvada *f.* ① 베어내 펼쳐 놓은 곡식 : trillar la

~. ② 한배 새끼(pollada). ③【방언】 다수(multitud), 다량 (gran cantidad). ④《*Amér.*》=**bandada.**

parvear *intr.*《*PRico.*》 가벼운 식사를 들다.

parvedad *f.* ① 근소, 소량, 적은 것(pequeñez). ② (절식일의) 가벼운·간단한 식사.

parvenú *m.*《*Galic.*》 벼락 부자, 벼락 출세자.

parvero *m.* 밭에서 베어 말리느라 늘어놓음.

parvidad *f.* =**parvedad.**

parvificar *tr.* ⑦ 적게·작게 하다(achicar).

parvífico, ca *adj.* 아주 적은 ; 인색한.

parvo, va *adj.* [*lat.* parvuus] 소량의, 적은, 작은(pequeño).

parvulez *f.* ① 근소, 작은 일, 사소한·무의미한 일(pequeñez). ② 유치한 일. ③ [드묾] =**infancia.**

párvulo, la *adj.* [*lat.* parvulus] 어린(pequeño) ; 유치한(inocente) ; 검소한. —*m.f.* 어린이(niño pequeño) : escuela de ~*s* 유치원(kindergarten).

pasa *f.* ① 건포도 (uva secada al sol) : ~ gorrona 알이 굵은 건포도. Las ~*s* de Málaga son las más célebres 말라가의 건포도는 가장 유명하다. ② (선박의) 수로 ; 통로 ; (새의) 통로, 건널목. ③ (흑인의) 곱슬머리.

estar hecho una ~ 꼬챙이처럼 말랐다, 비쩍 말라 있다.

pasabalas *m.*【단·복수 동형】탄환 직경 계기.

pasable *adj.*《*Galic.*》 견딜 만한, 상당한(mediano).

pasablemente *adv.* 꽤, 상당히.

pasacaballo *m.* 옛날의 바닥이 반반한 배.

pasacalle *m.* (보통 기타로 연주하는 일종의) 행진곡 : tocar un ~ 행진곡을 연주하다.

pasacana *f.*《*Arg.*》 cardón의 열매.

pasacólica *f.*【의학】=**cólica.**

pasada *f.* ① 통과, 통행 ; 경과. ② 살아가기 위한 식량, 먹거리가 되는 것. ③ 통로. ④ (승부에서) 수(partida) ; 남을 다루는 법 : mala ~ **비열**한 행위. ⑤ 커다랗게 꿰맨 자국, 시침질. ⑥《*AmérC. Cuba.*》 질책, 꾸중, 나무라기, 혼내주기. ⑦《*Col.*》 수치, 부끄럼.

de ~ 서둘러 ; 도중에서.

dar ~ (모르는 척하고) 그대로 해내다.

pasadera *f.* ① 징검다리. ② 육교, 조교. ③ 끈밧줄(meollar). ④《*Chile.*》 당을 바꿈.

pasaderamente *adv.* 꽤, 상당히.

pasadero, ra *adj.* ① =**pasable** : una vida ~*ra* 견딜 만한 생활. ② 다니기 쉬운. —*m.* ① 징검다리 ; 육교, 조교(pasadera). ②《*Arg. Méx.*》 변덕이 심함, 이랬다 저랬다 하는 일.

pasadía *f.* ① 살림, 생활 습관·양식(pasada). ②《*Ant.*》 야유회 가는 날.

pasadillo *m.* 천(tela)의 양면에 놓은 수의 일종.

pasadizo *m.* 뒷길, 지름길, 회랑.

pasado, da *adj.* [pasar의 *p.p.*] ① 지난, 지나간, 전의 : el mes ~ 지난 달. el año ~ 작년. la semana ~*da* 지난 주. ② 과거의 : lo ~ 과거(의 일). ③ 묵은, 상하기 시작한 (과일·식품) ; 너무 삶은·구운. ④ [부사적] 지나서 : ~ mañana 모레. —*m.* 과거 ; 옛날의 일 ; 적의 편으로 돌아선 사람, 내통자, 내통하는 사람. —*pl.* 선조, 조상(antepasados).

pasador, ra *adj.* 끼워 넣는 ; 밀수입의. —*m.* ① 꿰는 것, 끼워 넣는 것. ② 병따개. ③ 수나사. ④ 경첩의 고리, 고리쇠. Sinón. chaveta. ⑤ 넥타이핀 ; 머리핀 ; 비녀 ; (훈장 등의) 안전핀. ⑥ 키, 풀무. ⑦ 구멍 뚫린 국자, 강판(coladero). —*m. pl.* 커프스 단추(gemelos). —*m.f.* 밀수 업자(contrabandista).

pasadura *f.* 건너기, 통행 ; 어린아이의 경기로 인한 울음.

pasagonzalo *m.* [드묾] 가볍게 치기·때리기(golpecito ligero).

pasaje *m.* ① 건너기 ; 통행, 통과 ; 통로. ② 통행료, 선박료 ; [집합] 승객, 선객 ; (배·항공기 등의) 요금 : El ~, por favor 요금 좀 부탁합니다. ③ 해협, 수로. ④ 구(句), 장구(章句) ; 한 가락 뽑기. ⑤ (성악의) 전조(轉調), 가락 바꾸기. ⑥《*Col.*》 주택.

pasajero, ra *adj.* ① 건너는 : ave ~*ra* 철새. ② 사람 통행이 많은. ③ 일시적인 : dolor ~ 일시적 고통. —*m.f.* 여객, 승객, 선객 : ~ de tránsito 통과 여객.

pasajuego *m.*【운동】=**vuelta.**

pasamanar *tr.* (…에) 장식끈을 달다.

pasamanería *f.* 장식끈 ; 끈 장사·공장.

pasamanero, ra *m.f.* 장식끈 제조자·판매자 ; 장식끈 장수.

pasamano *m.* ① 장식끈. ② 층계의 손잡이, 난간 (barandal) ; 해치로 통하는 길. ③《*Chile.*》(차내의) 손잡이 끈. ④《*Chile.*》(거저 주는) 돈, 상여금(gratificación).

pasamiento *m.* 지나가기, 통과, 통행(paso, tránsito).

pasante *adj.* 통과하는, 지나가는, 건너는, 지나치는 ; 걷는 모습의 (동물의 무늬). —*m.f.* ① 조수, 실습생, 견습생 : ~ de pluma 구술 필기를 하는 변호사의 견습생. ② 담당 교수 : ~ en Leyes.

pasantía *f.* pasante의 신분·직.

pasapán *m.*【희언】인후 ; 목청(garganta).

pasapasa *m.*【단·복수 동형】솜씨, 손재주, 손놀이(juego de manos).

pasaperro *m.* 책 장정 : coser a ~ (작은 책자 등을) 구멍을 뚫어 끈으로 철하다.

pasaportar *tr.* ① (사병 등에게) 외출 허가를 하다. ② =**matar.** ③ =**despechar.** ④ =**expedir.**

pasaporte *m.* ① 여권 : El ~, por favor 여권을 보여 주십시오. ② 통행증, 외출증. ③ 허락.

dar ~ a uno =echarle, matarle.

pasaportear *tr.*《*Amér.*》 여권·통행증을 발행하다(extender pasaporte a un viajero).

pasapurés *m.* 감자를 으깸, 감자를 으깨는 기계.

pasar *tr.* ① 지나가게 하다, 통과시키다. ② 옮기다, 이전·이동하다·시키다. ③ 꿰다 ; 꽂아 넣다, 찔러 넣다(introducir) : ~ una hebra *por* un agujero 구멍에 실을 꿰다. ④ 건너다 : ~ el río 강을 건너다. ⑤ 지나다, 통과하다, 넘다(atravesar). ⑥ 초과하다 : ~ los límites. ⑦ …보다 위로·앞으로 나아가다 : En ciencias *pasa a* su hermano 그는 학문에서는 형보다 더 낫다. ⑧ 건네주다, 넘겨주다, 인계하다 ; 수교하다, 양도(讓渡)하다(entregar). ⑨ 보내다, 계출하다

(enviar) : Le *pasó* un recado. ⑩ 옮기다, 전하다, (질병을) 감염시키다. ⑪ (승인하여) 통과시키다 ; 허가하다 ; 간과 · 묵인하다 : Ya te llevo *pasadas* muchas faltas 벌써 나는 너에게 많은 실수를 묵인해 주고 있다. ⑫ (때를) 보내다, 지내다 : *Pasé* la noche leyendo 나는 독서하면서 밤을 지새었다. ⑬ 참다, 견디다 (sufrir) : ~ hambre 굶주림에 시달리다. ⑭ 여과하다, 거르다 (colar), 체로 치다, 까부르다 (cerner) : ~ harina *por* tamiz. ⑮ (칼로) 베다 : ~ *a* cuchillo 칼로 베다. ~ *por* las armas 총살하다. ⑯ (솔 · 빗 등으로) 손질하다 : ~ el cepillo · el peine 솔질 · 빗질하다. ⑰ (손으로) 쓰다듬다 : Me *pasó* la mano *por* la barba 그는 내 턱을 쓰다듬었다. ⑱ 마시다, 삼키다 (tragar). ⑲ (쓴것을) 훑어보다 : ~ la lista *a* la clase 학급의 출석을 부르다 · 점호하다. ⑳ 복습하다. ㉑ (볕이나 바람에) 쏘이다, 말리다, 널다 ; (표백분으로) 바래다 : ~ uvas *al* sol 볕에 포도를 말리다. ㉒ 밀수입하다 : ~ tabaco. ㉓ (의사 · 변호사로서의) 실습 · 견습을 하다, 조수 노릇을 하다.

—*intr.* ① 지나가다, 통과하다 : ~ *por* la calle 한길을 지나가다. *Pasa por entre* árboles 그는 나무 사이를 지나간다. Me *pasa por* la cabeza 내 머릿속을 스쳐 지나간다. ② 들어가다 : *Pasamos a* la sala de espera 우리들은 대합실로 들어간다. ③ 초과하다 : no *pasar de* ser …인데 지나지 않다. ④ 경과하다, (때가) 지나다 (transcurrir). ⑤ 가다, 사라지다, 옮기다 ; 건네다 ; 변혁 · 변전 · 변천하다. ⑥ 멈추다, 사라지다 : *Pasó* la cólera 그는 노여움이 멎었다. ⑦ 전하다, 전파하다, 알려지다 : La notica *pasó de* uno *a* otro pueblo 소식은 마을에서 마을로 전해졌다. ⑧ 유통 · 통용되다 ; 인기물이 되다. ⑨ 죽다, 서거하다 : ~ *a* mejor vida 죽다. ⑩ 살아가다 : ~ bien 무사히 살아가다. ⑪ 견디다, 쓸 수 있다 : Mi sombrero puede ~ este año. ⑫ (카드 등에서) 건너뛰다 · 넘어가다. ⑬ [무인칭 동사로서 제 3인칭만 활용 : 일이] 일어나다, 발생하다, 벌어지다 (ocurrir, acontecer) : ¿ Qué *pasa* ? 무슨 일입니까 ? ¿ Qué te *pasa* ? 너는 무슨 일이냐 ? ¿ Qué le *pasa* ? 당신은 무슨 일입니까 ? No sabía lo que *pasó* 무슨 일이 있었는지 알지 못했다.

~se ① 지나가다, 옮기다 ; 변하다, 이전 · 변전하다 ; 과거지사가 되다 : *Se pasó* la cólera 노여움은 사라졌다. ② 초과하다 ; 과도하다, 지나치다 : *~se de* bueno · *de* cortés 사람이 너무 좋다 · 너무 정중하다. *~se de* listo 너무나 빈틈없이 하다가 실패하다. ③ 내통하다 : *~se al* enemigo 적과 내통하다. ④ (자신을) 문지르다, 솔질을 하다, 빗질을 하다 : *Se pasó* la mano *por* la frente 그는 손으로 이마를 문질렀다. ⑤ 잊다 : *Se* me *pasó* lo que me dijiste 나는 네가 한 말을 잊고 있었다. ⑥ 변하다, 변질하다 ; (식품 등이) 상하기 시작하다. ⑦ 끝나다, 없어지다, 다하다, 지나다 : *~se* la lumbre · la nieve · el arroz. ⑧ 시기가 지나다. ⑨ (그릇이) 새다, (속에 든 것을) 스며나오게 하다 : Esta botija *se pasa.* ⑩ (교수가) 자격 시험을 치르다. ⑪ (자물쇠 등이) 느슨해져 못쓰게 되다.

~ ***a*** [+*inf.* : …하러] 가다 : *Pasamos a* almorzar 우리는 점심 먹으러 간다.

~ ***de largo*** 그냥 지나치다 ; 대충 눈으로 훑어보다 · 읽다.

~ ***en blanco · en claro*** 생략하다(omitir).

~ ***por*** ① …의 곳을 통과하다 · 지나다 : *Pase* usted *por* aquí. ② …에 들르다 : Mañana *pasaré por* tu casa. ③ …으로 세상에 통하다, 알려져 · 인식되고 있다 : Mi tía *pasaba por* rica. ④ …을 참다, 견디다(tolerar, sufrir).

~ ***por alto*** 생략하다, 무시 · 간과하다.

~ ***por encima*** 짓밟다, 건너뛰다 ; 남을 뛰어넘어 승진하다 ; 극복하다.

~ ***sin*** …없이 지내다 : *Pasaremos sin* azúcar.

~***la*** 《*Col.*》 얼굴을 붉히다.

~***lo*** 살아가다 : ¿ Cómo *lo pasa* usted? 안녕하십니까 ? (¿ Cómo está usted?).

~***se de*** ① 지나치게 …하다. ② 《*Galic.*》 …없이 지내다.

~***se de la raya*** =exagerar, propasarse.

Lo pasado, pasado 과거는 과거다, 과거를 따질 것은 없다.

pasarela *f.* 《*Galic.*》 육교 ; 건너기 위해 걸쳐 놓는 널판자(pasadera) : ~ de los puentes giratorios.

pasarelo *m.* 《*Salv.*》 【어류】 가시지느러미류 물고기의 일종.

pasarrato *m.* 《*AmérC. Ant.*》 =**pasatiempo.**

pasatiempo *m.* 취미, 심심풀이, 오락, 시간 보내기(distracción, entretenimiento) : mi ~ favorito 내가 좋아하는 취미.

pasativa *f.* 《*Col.*》 =**vergüenza.**

pasatoro (a) *adv.* 【투우】 지나가면서 (찌르다).

pasatús *m.* 《*Arg.*》 =**pasavolante.**

pasavante *m.* 항행 · 기항 허가증 ; 허가증 ; (선박의) 통과증.

pasavolante *m.* 임시 변통.

pasavoleo *m.* 공놀이(pelota)에서 공을 원래의 선에 가져다 놓는 일.

pascana *f.* ① 《*AmérM.*》 여인숙, 객줏집 (tambo). ② 숙박(宿泊), 휴식(epata). ③ 《*Ecuad. Col.*》 여행, 여정(jornada) : Es una larga ~ 긴 여행이다.

café de ~ 《*Bol.*》 싱거운 커피.

pascar *intr.* [7] 《*Bol.*》 야숙하다(acampar).

pascasio *m.* 【고어】 부활절을 맞이하여 놀러가는 · 귀향하는 학생 · 직장인.

pascle *m.* 《*Méx.*》 【식물】 기생 식물.

pascua *f.* [*gr.* pascha] ① 부활절 《3월 20일 이후의 만월 후의 일요일에 행하는 그리스도교의 축제 ; 3월 22일에서 4월 25일 사이에 있음》. ② 유월절 《이스라엘인의 이집트 탈출을 기념하여 3월의 만월 때 행하는 유태인의 축제》. ③ 성탄절 《12월 24일》 ; 주현절 《1월 6일》 (día de los Reyes Magos) ; 성령 강림절 《부활절 후의 첫 일요일》 (pascua del Espíritu Santo). **—*pl.*** 성탄절에서 주현절까지의 기간, 연말 연시 : dar *las ~s* 성탄절 · 연시의 인사 · 축하말을 하다.

~ ***de flores · florida*** 부활절.

~ ***del Espíritu Santo*** 성령 강림절.

cara de ~s 즐거운 듯한 · 기쁜 듯한 얼굴.

de Pascuas a Ramos 때때로, 가끔, 이따금.

estar como una ~ · como unas ~s 들떠서 · 기뻐 야단법석을 떨고 있다.

hacer ~ 《*Ecuad.*》 부활절을 즐기다.
¡Feliz ~ y Próspero Año Nuevo! 즐거운 성탄절이 되시고 새해에는 더욱 번창하시기를 빕니다.
Santas ~s 참고 비위를 맞추어야 하는 일.

pascual *adj.* 부활절의, 축제의 ; 유월절의 : el cordero ~ 부활절의 새끼양.

pascuala *f.* 《*AmérC.*》 죽음, 사망.

pascuilla *f.* 부활절 후의 첫 일요일.

pase *m.* ① 허가(증) (permiso, licencia) : *P-* Libre 무세(無稅) 허가. ② 무임 승차권, 정기 승차권. ③ 여권 ; 이입(移入) 허가증. ④ (검술에서) 덤벼들어 도전하기, 요격(finta). ⑤ (카드놀이에서) 패스. ⑥ 【투우】 지나치게 하기(~ de muleta).
hacer el ~ (경기에서) 패스하다, 건네주다, 넘겨주다.

paseadero *m.* 산책길(paseo).

paseador, ra *adj.* ① 산책을 좋아하는 (aficionado a pasear o pasearse). ② 어정거리는.

paseana *f.* ① 《*Arg.*》 =**descanso.** ② 《*Ecuad.*》 =**tambo, mesón, posada.**

paseandero, ra *adj.* 《*Arg. Chile.*》 산책을 즐겨하는(paseador).

paseante *adj.m.f.* 산책 · 산보하는 (사람).
~ *en corte* 목적없이 산책하는 사람, 빈둥빈둥 노는 사람.

pasear *tr.* ① 산보 · 산책시키다 (hacer pasear) : ~ a un niño 어린이를 산책시키다. ② 데리고 걸어가다 ; 여기저기로 보내다. ③ (시선으로) 훑어보다.
—*intr.*. ~se ① 산책 · 산보하다 《차 · 말 · 보트 따위로》 ; 여기저기 다니다 : *~se por* la calle 거리를 산책하다. ② 빈둥빈둥 놀다, 빈둥거리다. ③ 멍하니 생각하다 · 살아가다. ④ 《*AmérC.*》 [+en : …을] 욕하다 ; 꾸중하다, 나무라다, 혼내주다.
~(se) por …을 산책하다 : Esta tarde *(me) pasearé por* el parque 나는 오늘 오후에 공원을 산책할려고 한다.

paseata *f.* (장거리의) 산보, 산책, 드라이브 (paseo).

paseíllo *m.* 투우사의 입장 행진.

paseo *m.* ① 산보, 산책, 차 · 말을 몰고 다니기 : dar un ~ *por* el parque · la calle 공원 · 거리를 산책하다. ir de ~ 산책 나가다. ② 산책길, 산책가 : El ~ de Recoletos en Madrid es muy famoso 마드리드 레꼴레또스 산책가는 매우 유명하다. ③ 춤의 몸짓(frgura).
Anda · andad a ~ 나가거라, 저리 가거라.
echar · enviar · mandar a ~ 쫓아내다, 몰아내다, 추방하다.

pasera *f.* 건과장(乾果場) ; 건과 (작업).

pasero, ra *adj.* 건과의 : exportación *~ra* 건과 수출. **—*m.*** =**pasera.** **—*m.f.*** 건포도 상인 (persona que vende pasas).

pasibilidad *f.* 감동성 ; 수동성.

pasible *adj.* 감동 · 감수할 수 있는, 받아들이기 쉬운. **Contr.** impasible.

pasicorto, ta *adj.* 보폭이 좁은, 아장아장 걷는.

pasiega *f.* 유모(nodriza, ama de cría).

pasiego, ga *adj.* 빠스 《Pas, Santander 주의 계곡》의. **—*m.f.*** 빠스 지방 사람.

pasiflora *f.* 【식물】 =**pasionaria.**

pasifloráceo, a *adj.* 【식물】 패션꽃 · 시계풀과의. **—*f.pl.*** 시계풀과 식물.

pasiflóreo, a *adj.* =**pasifloráceo.**

pasil *m.* (강의) 징검다리.

pasilargo, ga *adj.* 보폭이 넓은 (que tiene el paso largo).

pasillo *m.* ① 복도, 낭하(corredor). ② 좁은 통로. ③ 크게 꿰맨 자국. ④ 촌극, 소극(paso).

pasión *f.* [*lat.* passio] ① 정(情). **Contr.** acción. ② 열정 ; 감정, 감흥 : ~ de ámino. ③ 향수병, 노스탤지어(nostalgia). ④ 열(熱), 열심 : tener ~ *por* música 음악을 아주 좋아하다. ⑤ 격정, 울화통, 격앙 ; 정욕, 연정. ⑥ 수난(sufrimiento, serie de tormentos) : la *P-* de Jesucristo 예수의 수난. ⑦ 수난지(誌).

pasional *adj.* 《*Neol.*》 열정적인(apasionado) ; 연애의 ; 정욕의(lleno de pasión).

pasionaria *f.* 【식물】 시계풀.

pasionario *m.* (성 주간의 행렬 때 부르는) 그리스도 수난가집, 영가집.

pasioncilla *f.* 가벼운 감정의 움직임, 들뜬 마음, 천한 마음의 움직임.

pasionera *f.* 《*Murc.*》 =**pasionaria.**

pasionero *m.* 예수 수난 영가 대원 ; 병원 소속의 승려.

pasionero, ra *adj.* 《*Chile.*》 =**veleidoso, voluble, inconstante.**

pasionista *m.* 성 주간의 예수 수난 영가 대원.

pasitamente *adv.* 조용히, 살며시.

pasito *m. dim.* paso. **—*adv.*** 부드럽게, 다정하게, 조용히, 낮은 소리로.

pasitrote *m.* (말의) 총총걸음.

pasivamente *adv.* 수동적으로 (de un modo pasivo) : obedecer ~ 수동적으로 복종하다. **Contr.** activamente.

pasividad *f.* 수동성.

pasivo, va *adj.* [*lat.* passivus] ① 수동(受動)의 : voz *~va* 【문법】 수동태. ② 수동적인, 수세의. ③ 소극적인. ④ (은급 · 연금 · 부조금의) 수급의 : clases *~vas* 복지 기금을 받는 계급. ⑤ 무이자의, 이자가 붙지 않는 : bono ~ 무이자 국채 증권. **—*m.*** 【상업】 부채, 채무 ; 차변 : ~ acumulado 미불 부채. ~ circulante 유동 부채. ~ consolidado 장기 공채, 고정 부채. ~ contingente 임시 부채. ~ corriente 유동 부채. ~ efectivo 확정 채무. ~ eventual 우발 채무, 임시 부채. ~ exigible 유동 부채. ~ exigible a corto plazo 단기 부채. ~ exigible a largo plazo 장기 부채. ~ fijo 고정 · 자본 부채. ~ flotante 당좌 부채. ~ garantizado 담보부 부채. ~ no exigible 고정 · 자본 부채. ~ no garantizado 무담보 부채. **Contr.** activo.

pasmado, da *adj.* [pasmar 의 *p.p.*] ① 놀란 ; 멍청한, 어리숙한(torpe). ② 금이 간 (재목). ③ 【문장】 입을 벌린 (물고기 모양).

pasmar *tr.* ① 실신시키다, 이성을 잃게 하다 (causar pérdida del sentido) : Aquel espectáculo le *pasmó*. ② 질리게 만들다. ③ 얼어붙게 만들다(enfriar). **—*intr.*** 질리다.
~se ① 실신하다. ② 경탄하다. ③ 공포에 몸을 떨다 · 강직 · 경련을 일으키다. ④ 꽁꽁 얼어붙다, 서리 맞다 : Las coles *se han pasmado de*

frío·*con* la helada. ⑤ (색깔이) 흐려지다. ⑥《*Amér.*》여위다.

pasmarota *f.* 과장된 몸짓.

pasmarotada *f.* [드뭄] =**pasmarota.**

pasmarote *m.* =**estafermo, mamaracho.**

pasmazón *f.* ①《*Méx. Guat.*》=**hinchazón.** ②《*Amér.*》=**pasmo.**

pasmo *m.* [*lat.* spasmus] ① 경기, 경련. ② 파상풍(tétanos). ③ 경탄, 질려 버리는 일 : de ～ 놀라서. ④《*Amér.*》열대 지방의 풍토병의 일종.

pasmón, na *adj.m.f.* 얼빠진 (사람).

pasmosamente *adv.* 경악할 정도로, 놀라울 정도로.

pasmoso, sa *adj.* 놀랄 만한, 경악할 만한 : un suceso ～ 놀랄 만한 사건.

paso *m.* [*lat.* passus] ① 지나가기, 통행, 통과 : Se prohibe el ～ 통행 금지(Prohibido el ～). ② 이행(移行), 변화 ; (때의) 흐름 : el ～ rápido del tiempo. ③ 향상 ; 승진. ④ 걸음 : dar un ～ atrás 한 발 물러서다. ⑤ 보폭(步幅) : estar *a dos* ～*s* del árbol 나무 바로 곁에 있다. ⑥ 보조(步調) : con ～ lento 느린 보조로. ⑦ (계단의) 층계, 디딤판 (peldaño). ⑧ 발자취 ; 걷는 소리. ⑨ 통로 : Le dejaron libre el ～ 그에게 길을 비켜 주었다. ⑩ 건널목 (～ a nivel). ⑪ 해협 : el ～ de Calais 도버 해협. ⑫ 통행권, 허가증 (exequátur). ⑬ 위기(危機), 난국(conflicto). ⑭ 사건(lance). ⑮ 사망. ⑯ [주로 *pl.*] 수속, 순서 (diligencia) : costar muchos ～*s.* ⑰ 장구(章句), 전조(轉調) (pasaje). ⑱ 듬성듬성 꿰매기, (실) 땀, 코. ⑲ (춤의) 변화. ⑳ 극의 일종 : el ～ de Lope de Rueda. ㉑ (성 주간에 내놓는) 예수 수난을 주제로 하는 상연물. ㉒《*Amér.*》건너는 곳, 얕은 여울(vado).

—*adv.* 작은 소리로, 다정스럽게 : hablar muy ～ 아주 다정스럽게 말하다.

—*interj.* 기다려, 기다려《싸움을 말릴 때》.

～ ***a nivel*** (철도의) 건널목. ～ ***de andadura*** 더딘·느린 걸음. ～ ***de carga·de ataque*** 구보, 뛰어가기 (paso ligero). ～ ***de comedia*** (극이나 시의) 일절, 한 가락 ; (사건의) 절정. ～ ***de gallina*** 헛수고, 헛일. ～ ***de garganta*** 음색의 변화. ～ ***de la hélice*** 피치《나사의 산과 산과의 거리》. ～ ***de propiedad*** 소유권 이전. ～ ***de tortuga*** 어슬렁어슬렁 걷기, 소걸음. ～ ***doble*** 평상시의 걸음(paso ordinario)에 맞추는 행진곡. ～ ***falso*** 《*Galic.*》잘못 밟음. ～ ***geométrico*** 길이의 단위《5 pies ; 1,393m》. ～ ***grave*** 무도에서 선회의 스텝. ～ ***largo*** 빠른 걸음, 총총걸음 ; 큰 걸음. ～ ***leteral*** 한 걸음 옆으로 다가서는 일. ～ ***lento*** 느린 걸음. ～ ***libre*** 자유로운·안전한 통로·갈길. ～ ***ligero*** 빠른 걸음. ～ ***ordinario·redoblado*** 보통 걸음. ～ ***regular*** 정상 걸음(paso lento). ***buen*** ～ 안락한 생활. ***mal*** ～《*Galic.*》곤궁, 곤경, 난국.

～ ***a*** ～ 한걸음 한걸음 ; 차츰차츰, 조금씩 조금씩, 천천히(poco a poco).

～ ***ante·entre*** ～ 천천히, 확실하게.

～ ***por*** ～ 한걸음 한걸음, 확실하게.

a buen ～ 총총걸음으로.

a cada ～ 시종, 줄곧, 계속해서, 잇달아, 내처(continuamente).

a dos ～***s*** 아주 가까이(muy cerca).

a ese ～ 그런 투로(según eso).

al ～ 멈추지 않고 ; 지나는 길에.

al ～ ***que*** …할 때, …하는 동안에, 한편으로, …하도록.

a ～ ***de carga*** 급히, 서둘러.

a ～ ***largo·tirado*** 몹시 서둘러, 총총히, 나는 듯이, 비호처럼.

a ～ ***llano*** 방해없이, 순탄하게.

de ～ 지나는 길에 ; 하는 김에, 내친 김에 ; 대충, 서둘러.

de ～ ***en*** ～ 한걸음 한걸음 ; 천천히.

más que ～ 허둥지둥, 허겁지겁(muy de prisa).

por sus ～***s contados*** 정상적인 순서·수속으로.

abrir ～ 통로를·혈로(血路)를 트다(abrir camino).

alargar el ～ 보폭을 넓히다, 서둘다.

andar en malos ～***s*** 난잡한 생활을 하다.

apretar el ～ =alargar el ～.

asentar el ～ 평온한 생활을 하다.

avivar el ～ =alargar el ～.

ceder el ～ (예의상) 길을 비켜 주다, 길을 지나가게 하다(dejar pasar a una persona antes que uno).

cerrar el ～ 통로를 막다.

coger al ～ 통행로를 점령하다.

contar los ～***s*** (누구의) 하는 일을 노리다.

cortar los ～***s*** 가는 길을 가로막다.

dar ～***s*** 조치를 취하다(gestionar).

hacer el ～ 웃음거리가 되다(ponerse en ridículo).

llevar el ～ 보조를 맞추다.

marcar el ～ 제자리 걸음을 하다(dar pasos a compás sin moverse del sitio).

no dar ～ 조치·수속을 하지 않다 ; 지나가지 못하게 하다.

salir al ～ 지나가는 길목을 지키다 ; 훼방놓다, 방해하다.

salir del ～ 난국을 헤쳐 나가다.

salir de su ～ 평상시의 걸음·페이스를 바꾸다.

seguir los ～***s*** 뒤를 밟다 ; 모범으로 삼다 ; 행동을 감시하다.

tomar los ～***s*** 통행로를 점령하다(coger los pasos).

volver sobre sus ～***s*** =volver pies atrás.

paso, sa *adj.* [*lat.* pansus, passus] 말린 (과일) : higo ～ 말린 무화과.

pasodoble *m.* 평상시의 걸음에 맞추는 행진곡.

paso-nivel *m.*《*Chile. PRico.*》(철로의) 건널목.

pasoso, sa *adj.*《*Amér.*》물이 스며나오는, 여과의 : papel ～ 여과지. ②《*Chile.*》땀이 밴. ③《*Ecuad.*》감염성의.

pasote *m.* 【식물】=**pazote.**

paspa *f.*《*AmérM.*》피부·살결의 건조.

paspadura *f.*《*Arg.*》(피부의) 트는 일.

pasparse *r.*《*AmérM.*》추위로 피부가 트다(cortarse el cutis de frío).

paspartú *m.* [*fr.* passe-partout] 사진틀, 액자.

paspié *m.* 춤의 일종.

pasqueo *m.*《*Perú.*》【광물】(쐐기를 박아서 하는) 채굴.

pasquín *m.* (풍자적인) 만화, 낙서 ; 광고, 전단.

pasquinada *f.* 풍자, 악담.

pasquinar *tr.* 풍자하다, 빗대다.
pássim *adv. lat.* 여기저기에(aquí y allí).
pasta *f.* [*lat.* pasta] ① 반죽, 반죽 가루 : ~ de anchoas 멸치 가루. ~ dentífrica·dental 튜브 치약. ② 풀. ③ 덩어리, 무더기. ④ (수프에 넣는) 작은 빵조각. ⑤ (제지의) 펄프 ; 두꺼운 종이 ; 피혁 장정 : media ~ 반 피혁 장정. encuadernación en ~ 피혁 제본. ⑥ 성질 : de buena ~ 성질이 유순한 (bondadoso). ~ de ángeles 성질이 천사와 같음, 천사같이 유순한 성질. ser de buena ~ 성질이 유순하다.
pastaca *f.* 《*Méx.*》 곱창 요리, 족탕.
pastadero *m.* (목축 사육의) 풀밭 ; 목장.
pastaflora *f.* 밀가루·설탕·달걀을 반죽한 덩어리.
pastaje *m.* 《*AmérC. Arg. Col.*》 방목장 ; 방목료.
pastal *m.* 《*AmérM. Guat.*》 =**pastizal.**
pastalón *m.* 《*Col.*》 =**pastal.**
pastar *intr.* 풀을 먹다·뜯다(pacer). —*tr.* ① (마소 등을) 사육하다, 목장에 풀어놓다 (pastorear). ②【방언】(빵을) 반죽하다.
paste *m.* 《*AmérC. Méx.*》【식물】해면과(海綿瓜).
pasteador *m.* 《*Perú.*》 간첩, 첩자, 스파이, 밀정 (espía).
pastear *tr.* 《*Perú.*》 엿보다, 노리다, 정찰하다 (espiar).
pasteca *f.*【선박】활차의 일종, 굴대.
pastel *m.* ① 케이크, 과자. ② 음모 ; 숨긴 일 : descubrirse el ~ 숨기고자 했던 일이 탄로나다. ③ 땅딸막한 남자. ④【식물】대청(大青) (hierba ~) 《염료용의 풀》, 그 남옥(藍玉). ⑤【미술】파스텔화(畫). ⑥【인쇄】필요없는 활자 ; 잉크가 너무 나와 글씨·그림이 번지는 일. ⑦【축성】방장(防障).
pastelear *intr.* 시류에 따르다, 세상 돌아가는 대로 살아가다(contemporizar).
pastelejo *m. dim.* pastel.
pasteleo *m.* 시류에 따르는 일(adulación).
pastelera *f.* pastelero의 아내.
pastelería *f.* 생과자점, 다과점, 다과 공장 ; 다과 제조 기술.
pastelero, ra *m.f.* ① 생과자 제조인·상인. ② 기회주의자(persona contemporizadora).
pastelillo *m.* =**mazapán.**
pastelista *m.f.* 《*Neol.*》 파스텔 화가 (pintor al pastel).
pastelón *m. aum.* pastel.
pastenco, ca *adj.* 풀을 먹기 시작한 (마소 등).
pasterización *f.* 소독, 살균 ; 저온 살균법.
pasterizar *tr.* 9 (Pasteur 법으로) 소독·살균하다.
pasteuriano, na *adj.* 《*Neol.*》 Pasteur의·에 관한 : aplicar las teorías ~*nas.*
pasteurización *f.* =**pasterización.**
pasteurizar *tr.* 《*Neol.*》 =**pasterizar.**
pastilla *f.* [*dim.* pasta] ① 작은 덩어리, 틀에 넣어서 만든 것 : ~ de jabón 비누 덩어리. ~ de chocolate 초콜릿 덩어리. ②【약학】정(錠), 정제(錠劑)(tableta) : ~ de aspirina 아스피린정.
pastinaca *f.* [*lat.* pastinaca] ①【식물】아메리카 당근(chirivía). ②【어류】노랑가오리.
pastizal *m.* (말에 좋은) 목초지.
pasto *m.* [*lat.* pastus] ① 목초. ② 목장 : En esta comarca hay buenos ~*s* 이 지방에는 훌륭한 목장들이 있다. ③ 잠식되는 것 ; (남에게 먹히는) 밥 ; (불에 붓는) 기름 : La casa fue ~ de las llamas 그 집은 순식간에 불길에 휩싸였다. ④ 식량, 먹거리 : ~ espiritual 마음의 양식.
a ~ 배가 터지게, 충분히 (en abundancia) : dar de comer *a* ~ 먹을 것을 충분히 주다.
a todo ~ 충분히, 실컷 (con abundancia) : beber cerveza *a todo* ~ 포도주를 실컷 마시다.
de ~ 상용의, 애용의, 매일 사용하는(de uso diario) : vino *de* ~ 매일 마시는 포도주.
~s fritas a la inglesa 잘게 썬 감자 튀김.
pastoforio *m.* 승방(僧房).
pastón *m.* 《*Ast.*》 목초지로 부적당한 땅.
pastor, ra *m.f.* [*lat.* pastor] 목동, 목자. —*m.* 성직자, 목사 : el ~ sumo·universal 로마 교황. ~ protestante 신교의 목사. el Buen *P-* 그리스도의 별칭.
pastoraje *m.* =**pastón.**
pastoral *adj.* 목자의 ; 시골의, 전원의 (campesino), 목가적인 ; 목사의, 교황의. —*f.* 목인극(牧人劇) ; 전원곡, 목가곡 ; 교황 교서.
pastoralmente *adv.* 목자풍으로 ; 목사로서.
pastorear *tr.* ① (목축을) 사육하다 (pastar). ② (성직자가) 이끌어 가르치다. ③ 《*AmérC. Riopl.*》 엿보다(acechar). ④ 《*AmérC.*》 응석을 받아주다(mimar). ⑤ 《*Riopl.*》 (여자의) 꽁무니를 따라다니다. ⑥ 《*Venez.*》 (위험한 일을) 당하다.
pastorela *f.* [*ital.* pastorella] 목가 ; 전원시.
pastoreo *m.* 가축의 사육 ; 가르쳐 이끄는 일.
pastoría *f.* 목자의 무리 ; 목축 ; 양치기(직), 목축의 사육(pastoreo).
pastoriano, na *adj.* =**pasteuriano.**
pastoricio, cia *adj.* =**pastoril.**
pastoril *adj.* 목자의 ; 전원의 ; 목가적인(pastoral) : una música ~.
pastorilmente *adv.* 목자풍으로.
pastosidad *f.* 유연함, 부드러움.
pastoso, sa *adj.* ① 유연한, 부드러운, 연한 (blando y suave) : masa ~*sa.* ② 연한 기운이 있는. ③ 《*Arg. Chile.*》 목초가 있는. ④ 《*Col.*》 태평스러운, 한가한.
pastueño, ña *adj.*【투우】속임수에 속지 않고 달려드는 (황소).
pastura *f.* 목초 ; (1회 분량의) 먹는 풀 ; 목장.
pasturaje *m.* 공동 목장 ; 방목료.
pastuso, sa *adj.* 빠스또 《Pasto, 꼴롬비아의 도시》의. —*m.f.* 빠스또 사람.
pasudo, da *adj.* 《*Amér.*》 건포도 모양의 (머리카락).
Pat. patente.
pata *f.* ① 발(pie) ; 다리(pierna) ; (동물·가구 따위의) 다리. ② (호주머니의) 뚜껑. ③ 암컷 오리·물오리. ④ 《*Chile.*》 아부, 아첨, 알랑거리기 : hacer la ~ 아첨하다, 아부하다, 알랑거리다.
~ ***de cabra*** (제화공의) 나무 거스러미 미는 기구 ; 못뽑이 지레.
~ ***de gallina*** 《*Amér.*》 = ~ de gallo.
~ ***de gallo*** (노인의 눈꼬리에 생기는) 주름 ; 빤한 일 : salir con ~*s de gallina.*

～ *de león* 【식물】 물갬나무.
～ *de pobre* 붓고 성한 데 없이 상처가 난 다리.
～ *galana* 절름발이.
～*s arriba* 뒤집혀서; 혼란·무질서해져.
～*s de perdiz* 빨간 양말을 신은 사람.
a ～ ① 걸어서, 도보로 (a pie) : ir *a* ～ 걸어가다. ②《*Amér.*》 맨발로.
a ～ *de ganso* 세 방향에 닻을 내려.
a cuatro ～*s* 네 발로 기어서.
a la ～ *coja* (한 쪽 발을 들고 뛰는) 깽깽이로; 그 놀이.
a (la) ～ *llana* 순순히, 쉽사리.
P- es la traviesa 서로 속이기.
andar a ～ *de perro·a pataeperro·a pataperro* 많이 걷다 (andar mucho); 피곤하다 (cansarse).
echar la ～ 우위를 차지하다.
echar las ～*s por alto* 입에서 나오는 대로 지껄이다.
enseñar·sacar la·su ～ 들통나다, 무지를 드러내다.
estirar la ～ 사망하다, 죽다 (morir).
meter la ～ 공연한 참견을 하다 (intervenir inoportunadamente).
poner de ～*s en la calle* 몰아내다.
quedar·salir·ser ～*(s)* 동등·동위·동점이 되다.
tener mala ～ 재수가 없다, 운이 나쁘다 (tener mala suerte).

patabán *m.* (꾸바산의) 용수(榕樹)의 일종.

pataca *f.* 【식물】 뚱딴지(aguaturma); (그) 감자(patata de caña).

patache *m.* ① 연해 경계선; 작은 기선. ②《*Ecuad. Perú.*》 그날 그날의 식사.

patacho *m.*《*Arg. Urug.*》 작은 기선(patache). ②《*Méx.*》 짐승떼.

pataco, ca *adj.* =**patán.**

patacón, na *adj.m.f.* =**patán.**
—*m.* (옛날의) 은화; 페니 (금화)(peso duro).
a ～ *por cuadra*《*Arg.*》 걸어서, 도보로 (a pie).
a ～*es*《*Chile.*》 드문드문해져.

patacusma *f.*《*Perú.*》(인디오가) 세공한 셔츠.

patada *f.* ① 짓밟기 : dar una ～ en el suelo 땅바닥에 짓밟다. ② 제자리 걸음, 발을 구르기 : dar ～*s* 발을 동동 구르다. ③ 발로 걷어차기 (coz, puntapié). ④ 발자취(huella). ⑤ [주로 *pl.*] 힘드는 일 : Me ha costado esto muchas ～*s.*
a ～*s* 어디에나 많이.

patagio *m.* 【동물】 비막(飛膜).

patagón, na *adj.* 빠따고니아 《Patagonia, 남미의 남부 지방》의. —*m.f.* 빠따고니아 사람.

patagónico, ca *adj.* 빠따고니아의 (patagón); 빠따고니아 사람의.

patagorrilla *f.* [드뭄] 꼬챙이에 낀 돼지 요리.

patagorrillo *m.* [드뭄] =**patagorrilla.**

patagrás *m.*《*Amér.*》 백색의 수입 치즈.

patagua *f.* ① (칠레산의) 참피나무 : La madera de la ～ es muy apreciada para la carpintería 참피나무의 목재는 목수일에 아주 좋다. ② (마테차 그릇을 얹는) 쟁반; 최하급 짜리 물건 : Este niño es el ～ de flojo.

pataje *m.* =**patache.**

patajú *m.* 【식물】 물나무 《남미산, 껍질에 많은 빗물이 고여 길가는 사람이 마실 수 있음》.

patalear *intr.* 발을 흔들다, 발을 동동 구르다.

pataleo *m.* 발을 구르기, 발을 힘껏 밟아 소리내는 일; 그 발소리.

pataleta *f.* (일부러 그러는 듯한) 경기, 경련.

pataletear *tr.*《*Arg. Méx.*》 =**patalear.**

pataletilla *f.* 빠딸레띠야 《옛날에 발을 흔들며 추던 춤》.

patán *adj.m.* 야비한, 천박한 (사람)(campesino, ruin); 무뢰한.

patanería *f.* =**grosería.**

patao *m.* 【어류】 (꾸바산의) 도미의 일종.

¡ pataplún! *interj.*《*Arg. Chile. PRico.*》 = **¡cataplún!**

patarata *f.* 괴상한 물건 (ridiculez); 으시대기; 호들갑스레 알랑거림.

pataratero, ra *adj.m.f.* 몹시 아첨하는 (사람).

patarra *f.*《*And.*》 =**guasa, burla.**

patarráez *m.* 예비망.

patarroso, sa *adj.m.f.*《*And.*》 =**guasón.**

patarruco, ca *adj.*《*Venez.*》 =**tosco.**

patas *m.* 【단·복수 동형】 ① 악마(pateta). ②《*Venez.*》 망나니, 불량배.

patasca *f.* ①《*AmérM.*》 옥수수에 돼지고기를 넣고 삶은 요리. ②《*Perú.*》 소란, 소동, 난동.

pataste *m.*《*Salv.*》【식물】 당아욱과 식물 《열매가 심장형임》.

patata *f.* 【식물】 감자(papa) 《남미 원산, 1534년경에 서반아에 도입, 종류가 다양함》: ～ de caña 뚱딴지(pataca). ～*s* fritas 튀긴 감자.
～ *dulce* 고구마(batata)

patatal *m.* 감자밭.

patatar *m.* 감자밭.

patatearse *r.* [드뭄] 학과나 시험 성적이 나쁘다.

patatero, ra *adj.* 감자를 먹는·좋아하는; (졸병에서) 신세가 핀 (하사·장교). —*m.* ① 감자 장수(vendedor de patatas). ② 지원병(soldado voluntario).

patatín-patatán (que) *adv. fr.* 이리저리 (핑계대기).

patato, ta *adj.*《*Cuba.*》 땅딸막한(rechoncho).

¡ patatrás! *interj.* =**¡ cataplún!**

patatús *m.* [*pl.* patatuses] 【속어】 정신이 아찔해지는 일, 실신.

patavino, na *adj.* 빠두아 《Padua, 이탈리아의 도시》의. —*m.f.* 빠두아 사람.

patax *m.* 【드뭄】 =**patache.**

patay *m.*《*AmérM.*》 메뚜기콩으로 만든 건빵.

patchulí *m.* =**pachulí.**

pateada *f.*《*AmérC. Ant. Ecuad.*》 치고받고 하기, 발로 걷어차기(pateadura).

pateador, ra *adj.*《*Amér.*》 뒷발질하는 버릇이 있는 (말)(coceador).

pateadura *f.* 발로 마구 걷어차기; 질책, 꾸중.

pateamiento *m.* =**pateadura.**

patear *tr.* ① 발로 차다, 마구 걷어차다(golpear con los pies). ② 욕지거리를 퍼붓다. ③《*Amér.*》(총 등이 사격 때) 반동하다; 위에 부담을 주다 : Me *pateó* la carne. ④《*Bol.*》 늘어지게 만들다, 기운이 빠지게 만들다. ⑤《*Chile.*》(마시면서 가장자리에서) 흘리다. ⑥《*Venez.*》 욱박지르며 욕하다, 마구 퍼부어대다. —*intr.* 발을 팔딱거리다; 분하여 발을 동동 구르다; 동분서

주하다 ; 까닭없이 화내다.

pateco, ca *adj.* 《*Chile.*》 다리가 짧은.

patela *f.* 갑각류(lapa)의 학명.

patena *f.* ①【종교】 성체 접시. ② 가슴걸이 《시골 여자가 멋으로 가슴에 걸었던 금·은의 널쪽》.

limpio como una ~ 아주 깨끗한·청결한.

patencia *f.* 명백.

patentable *adj.* 특허를 얻을 수 있는.

patentado, da *adj.* [patentar의 *p.p.*] 《*Neol.*》 특허가 있는, 특허를 낸.

patentar *tr.* 특허를 주다, 특허품으로 보다 ; (…의 전매) 특허를 받다(conceder, obtener patente).

patente *adj.* [*lat.* patens] ① 명백한 (evidente) ; 겉으로 드러난 : una injusticia ~. ②【식물】 벌린, 퍼진. Contr. latente.

—*f.* ① 전매 특허, 특허, 특허권, 특허장, 발명특허(~ de invención) : ~ en tramitación·trámite 특허 출원중. ~ pendiente 특허 출원중. ② 특별 허가서, 사면장 : ~ de introducción 수입 허가서. ~ de invención 발명 특허, 발명 특허 허가서. ~ de corso 약탈 면허증. ③ 증명서 : ~ de navegación 선적 증명서. ~ de sanidad 선박 건전 증명서, 승무원·선원의 건강 증명서. ~ limpia de sanidad 선원·승객의 검역 증명서. ④ 신입자에게 한턱 씌우는 식사.

de ~ 《*Chile.*》 완벽하게, 완전하게 ; 훌륭한, 희한한(excelente).

patentemente *adv.* 명백하게, 눈에 보이게.

patentizar *tr.* 9 명백하게 하다, 나타내다.

pateo *m.* 분해서 발을 구르는 일.

páter *m.* =**sacerdote, padre.**

pátera *f.* (고대 로마의) 제사술을 담는 대접.

paterna *f.* 《*Hond. Sal.*》【식물】 =**guabo.**

paternal *adj.* ① 아버지의, 부성애의 : cariño ~ 부성애. ② 아버지 같은, 자애심이 많은.

paternalismo *m.* =**carácter paternal.**

paternalmente *adv.* 아버지로서 ; 자애롭게.

paternidad *f.* ① 부권(父權) ; 부성애. ② =**creación.**

~ *literaria* 저작자, 원작자.

paterno, na *adj.* ① 아버지의 : el hogar ~ 부모의 집. ② 부계(父系)의 : abuelo ~ 친할아버지. ③ 아버지 같은.

paternóster *m.* 【단·복수 동형】 주의 기도(Padrenuestro). ② 굵은 매듭.

patero, ra *adj.m.f.* ① 《*Chile.*》 남을 추켜대는 솜씨가 비상한 (사람). ② 《*Perú.*》 허풍선이의 (사람). —*m.* 《*Arg.*》 오리집. ② 《*Bol.*》 새장.

pateta *m.* ① 악마 : Ya se lo llevó ~ 빌어먹을, 아뿔싸! ② 발이 휜 사람.

patéticamente *adv.* 감동적으로 ; 감상적으로.

patético, ca *adj.* 감동적인 ; 애절한, 감상적인 (conmovedor) : con tono ~ 애절한 말로.

patetismo *m.* 감상성, 애절.

patiabierto, ta *adj.* 앙가발이의.

patialbillo *m.*【동물】 (아프리카산의) 사향 고양이(jineta).

patialbo, ba *adj.* 다리가 하얀(patiblanco).

patiblanco, ca *adj.* 다리에 흰점이 있는 : un caballo ~ 점박이 말.

patibulario, ria *adj.* ① 교수대의 : horcas ~*s.* ② 굉장한, 무서운, 소름 끼치는 : cara·drama ~*ria* 소름 끼치는 얼굴·드라마.

patíbulo *m.* [*lat.* patibulum] 교수대.

patico *m.* 《*Venez.*》 =**pistero.**

pático *m.* 《*Arg.*》 =**muguete.**

paticojo, ja *adj.m.f.* 절름발이(의)(cojo).

paticoria *f.* 《*AmérC. Ant. Col.*》 다리, 발.

patidifuso, sa *adj.* (공포감에) 오금이 펴지지 않는, 다리를 부들부들 떠는 : dejar a *uno* ~ (누구를) 부들부들 떨게 하다.

patiecillo *m. dim.* patio.

patiestevado, da *adj.m.f.* (o자 형으로) 발이 굽은 (사람).

patifrío, a *adj.* 《*Chile.*》 =**patitieso.**

patihendido, da *adj.* 발굽이 갈라진 (짐승) : Los rumiantes son ~*s* 반추 동물은 발굽이 갈라져 있다.

patilla *f.* ① 구레나룻, 귀밑털. ② (총의) 방아쇠. ③ (버클의) 고리쇠. ④ (호주머니의) 뚜껑. ⑤【목공】 장붓구멍. ⑥ 《*AmérM.*》 수박 (melón de agua, sandía). ⑦ 《*Arg. Bol.*》 (출창의) 난간, 걸터앉은 자리(asiento). ⑧ 《*Chile.*》 휘묻이 나무(acodo). ⑨ 쓸데없는 것·일 ; 골치 아픈 부탁. —*m.pl.* 악마 : ¡Válgate ~*s*! 빌어먹을!

~ *y cruzado, y vuelta a empezar* 아무리 해보아도 헛수고야.

jalar ~ 《*Méx.*》 아부하다, 아첨하다, 알랑거리다.

levantar de ~ 분격시키다.

patillaje *m.* 《*Chile. Venez.*》 (도로에 낸) 계단.

patillano, na *adj.* 《*Cuba.*》 발굽이 넓적한 (말).

patilludo, da *adj.* 구레나룻을 길게 기른.

tener ~ 《*Arg.*》 화나게 만들다.

patimocho, cha *adj.* 《*Col.*》 절름발이의 (cojo).

patimuleño, ña *adj.* 노새 모양의 두개골을 가진.

patín *m.* [*dim.* patio] ① 작은 안마당. ② 스케이트 : ~ de ruedas 롤러 스케이트. ③ 썰매 (trineo). ④ (항공기의) 썰매. ⑤ (기계의) 금속 활구(滑具). ⑥【조류】 툼니오리.

pátina *f.* 녹청 ; 고색(古色), 고색 창연함.

patinadero *m.* 스케이트장.

patinador, ra *adj.* 스케이트를 타는. —*m.f.* 스케이터, 스케이트 선수.

patinaje *m.* 《*Arg.*》 스케이트 ; 스케이트 경기.

patinar *intr.* ① 미끄럼 타다 ; 스케이트를 타다 : pista de ~ 롤러 스케이트장. ② (차바퀴가) 헛돌다. —*tr.* (…에) 녹이 슬게 하다·그을리게 하다.

patinazo *m.* 옆으로 미끄러지기 ; 횡전(橫轉) ; 실책.

patinejo *m.* [*dim.* patio] 안마당 ; 뒤뜰 ; 울안의 작은 공지.

patinillo *m.* [*dim.* patio] =**patinejo.**

patio *m.* ① 안마당, 안뜰 : ~ de recreo 운동장, 교정. ② (극장의) 간막이 한 정면의 관람석. ③ 《*Col.*》 뒷마당, 뒤뜰(corral).

~ *de carga* 화물 취급소.

~ *de estacionamiento* 주차장.

patío *m.* 《*Méx.*》 =**taparrabo.**

patiquebrar(se) *tr.(r.)* 발을 부러뜨리다.

patiquín *m.* 《*Venez.*》 =**petimetre.**

patiseco, ca *adj.* 《*Cuba.*》 잘 자라지 못한 (과실).

patita *f. dim.* pata.
poner de ~s en la calle 몰아내다(despedir).

patitieso, sa *adj.* 발이 말을 듣지 않게 된; 기겁하는; 새침해진.

patito, ta *adj.* 《*Arg. Bol. Perú.*》 다리가 굽은; 꼬인, 구부러진(torcido); 보기 흉한.

patitos *m.pl.* 《*Arg.*》 ① 붉은 세이보(ceibo)의 꽃. ② 《*Amér.*》 =**cabrillas.**

patituerto, ta *adj.* ① 발이 굽은. ② =**torcido, mal hecho.**

patizambo, ba *adj.* X형 다리의.

patizuelo *m.* [*dim.* patio] =**patinejo.**

pato *m.* 【조류】 오리 : ~ de flojel 솜털 오리. ~ negro 참오리.
estar hecho un ~ (de agua) (땀이나 물로) 흠뻑 젖다.
pagar el ~ 남의 허물을 뒤집어쓰다.
salga ~ o gallareta 나중에야 산수 갑산을 갈지라도.

patochada *f.* 엉터리, 터무니없는 말·짓(disparate, grosería).

patogenia *f.* 병의 원인 연구.

patogénico, ca *adj.* patogenia의.

patógeno, na *adj.* 병의 원인이 되는 : gérmenes ~*s* 병원균.

patognomónico, ca *adj.* 병의 징조가 나타나는.

patojada *f.* 《*Méx.*》 어린애들(chiquillería).

patojar *intr.* 오리 걸음을 걷다.

patojear *intr.* 《*Amér.*》 오리 걸음을 걷다.

patojera *f.* 오리발 《기형·불구》.

patojo, ja *adj.* ① 오리발의. ② 《*Ecuad.*》 절름발이의. **—***m.f.* 《*AmérC.*》 어린이.

patol *m.* 《*Méx.*》 =**colorín.**

patología *f.* 병리학.

patológico, ca *adj.* 병리학의, 병리적인 : estudios de anatomía ~*ca.*

patólogo, ga *m.f.* 병리학자.

patomachera *f.* 《*Venez.*》 야단법석.

patón, na *adj.* 발이 큰.

patoso, sa *adj.* =**pesado.**

patota *f.* 《*Arg.*》 patero의 무리.

patotero *m.* 《*Riopl.*》 도시의 젊은이.

Patr. patriarca.

patraña *f.* 거짓말, 허풍, 허구, 꾸민 이야기.

patrañero, ra *adj. m.f.* 거짓말 잘하는, 허풍떠는 (사람).

patrañuela *f. dim.* patraña.

patraquear *tr.* 《*Chile.*》 습격하다 (asaltar); 약탈하다.

patraquero, ra *adj. m.f.* 《*Chile.*》 도적(의).

patria *f.* [*lat.* patria] 조국; 태어난 고향 : ~ celestial 천국(cielo, gloria). ~ madre 모국; (중남미에서 본) 서반아 본국. Moriré por la ~ 조국을 위해 죽겠다.

patriada *f.* 《*Riopl.*》 궐기대; 과감한 행동.

patriarca *m.* [*lat.* patriarcha] ① 【성서】 가장, 족장; (알렉산드리아, 예루살렘 등의 본사의) 사교, 대사교 : el ~ de las Indias. ② 창시자, 시조. ③ 장로; 원로.

patriarcado *m.* 족장의 위치; 족장 정치; 대사교의 지위·위치·관구.

patriarcal *adj.* 족장의; 족장 같은; 사교의; 원로의; 존경할 만한. **—***f.* 본당(iglesia del patriarca); 대교구.

patriarciado *m.* 귀족(patricio)의 지위.

patriciado *m* =**patriarciado.**

patricio, cia *adj.* [*lat.* patricius](고대 로마의 귀족원 의원 후계들인) 귀족의. **—***m.* 귀족, 명문 출신. [Contr.] plebeyo.

patrimonial *adj.* ① 세습의 : tierra ~ 세습의 땅. ② 【언어】 (외래어에 대해) 본래의.

patrimonialidad *f.* 생득권(生得權).

patrimonio *m.* [*lat.* patrimonium] ① 세습 재산. ② (납세자의) 고유 자산. ③ 자산 : ~ de la sociedad 회사의 자산. ~ especial 특정 자산. ~ familiar 가족 자산. ~ líquido 《*Chile.*》 순자산, 순·정미 재산. ~ real 왕실 재산. ④ 전통, 유산 : ~ artístico 예술 유산. ~ cultural 문화재.

patrio, tria *adj.* ① 조국의; 태어난 고향의 : suelo ~ 고향 땅. ② 부계의, 아버지의 : *patria* potestad 부권. ③ 《*Arg.*》 소유주 불명의 (말)(mostrenco).

patriota *m. f.* ① 애국자; 국수주의자. ② [형용사적] un soldado ~ 애국 군인.

patriotería *f.* 사이비 애국심 (patriotismo exagerado).

patriotero, ra *adj. m.f.* 사이비 애국자(의).

patrióticamente *adv.* 애국적으로.

patriótico, ca *adj.* 애국적인 : entonar un canto ~.

patriotismo *m.* 애국심(amor a la patria).

patrística *f.* 교부학(敎父學) 《초기 그리스도교의 교부의 작품·전기의 연구》.

patrístico, ca *adj.* 교부학의.

patrocinador, ra *adj.* 후원하는. **—***m.f.* 후원자, (상업 방송의) 스폰서.

patrocinar *tr.* [*lat.* patrocinare] 도와주다, 원조하다, 후원하다, 스폰서가 되다(proteger, favorecer, amparar, ayudar) : ~ una empresa.

patrocinio *m.* 후원(後援), 지원, 원조, 도와줌(amparo, protección, ayuda, auxilio).

patrología *f.* 교부학(patrística); 교부(敎父)·성인 유훈집.

patrón, na *m.f.* ① 지원자, 원호자, 후원자; 고객, 단골 손님; 은인. ② 주인 (amo, dueño) : el ~ de la casa de huéspedes 하숙집 주인. ③ 우두머리, 고용주, 공장주. ④ 본존, 수호신. **—***m.* ① 뱃사공, 선주, 선장. ② 원형, 본(modelo) : el ~ de un vestido 옷의 원형·본. ③ 표준 치수. ④ 【경제】 (화폐의) 본위제 : ~ de núcleo oro 금괴·금지금 본위제. ~ (de) plata 은본위제. ~ doble (금은의) 복본위제. ~ monetario 화폐 표준. ~ oro 금본위제. ⑤ (접목의) 접본, 대본.

patronado *m.* 《*Ar.*》 =**patronato.**

patronal *adj.* 보호적인; 고용주의, 공장주의; 수호신의, 터줏대감의 : fiesta ~.

patronato *m.* [*lat.* patronatus] 보호자·후원자가 갖는 세력·권능; 고용주·경영자 조합; 후원회; 원호, 지원, 후원.
P- de Ahorro 《*Méx.*》 저축 협회.

patronazgo *m.* [드뭄] =**patronato.**
patronear *tr.* (선장·선주로서 배를) 움직이다.
patronero *m.* =**patrono.**
patronía *f.* 선박 주인의 직.
patronímico, ca *adj.* 친가의 이름에서 나온, 아버지 쪽의 (성) 《예 : Fernando, Martín 에서 나온 Fernández, Martínez 등》.
patrono, na *m.f.* [*lat.* patronus] ① 원호자, 후원자, 은인. ② 주인, 우두머리. ③ (노동자 측에서 보는) 고용주, 공장주 : ~*s* y obreros 노자쌍방. ④ 선장, 선주. ⑤ 소유자. ⑥ 본존, 수호신.
patrulla *f.* 순찰대 ; 정찰대, 척후대 ; 망나니들의 한패 ; (선박·비행기에 의한) 순시 초계.
patrullar *intr.* 순시·순찰·초계하다.
patrullero, ra *adj.* 순시의, 초계의 : avión ~ 초계기.
patuá *m.* 《*Galic.*》 사투리, 방언(dialecto) ; 은어.
patuco, ca *adj.* 《*Hond.*》 =**pateta.**
patudo, da *adj.* 발이 큰.
patueco, ca *adj.* 《*Hond.*》 =**pateta.**
patujú *m.* 《*Arg.*》【식물】 추해당과 식물.
patulea *f.* 졸병, 천박한 무리들.
patuleco, ca *adj.* 《*Amér.*》 절름발이의, 다리를 저는.
patuleque *adj.* 《*Amér.*》 =**pateta.**
patulequear *intr.* 《*Cuba. Perú. Venez.*》 다리를 절다, 절룩거리다.
patuleto, ta *adj.* 《*Hond.*》 =**patuleco.**
patuletas *adj.m.f.* 《*Col.*》 방정맞은, 덜렁거리는, 변덕이 죽 끓듯하는 (사람).
patullar *intr.* 짓밟다 ; (헛수고 하느라고) 쩔쩔매다 ; 수다를 떨다.
paturrano, na *adj.* 《*Amér.*》 땅딸막한.
paturro, rra *adj.* 《*Col.*》 =**paturrano.**
paují *m.* *quechua.* 【조류】 (페루산의) 산닭.
paujil *m.* 【조류】 =**paují.**
paúl *adj.* [*fr.* Paul] 바울회 《los Paúles, 17세기에 San Vicente de Paúl이 창설한 전도회》의. —*m.* [*lat.* palus] ① 바울회 승려. ② 습지.
paular *intr.* 말하다, 이야기하다(hablar).
sin ~ ni maular 꿀먹은 벙어리 처럼.
ni paula ni maula 잠자코, 말 한마디 없이.
paulatinamente *adv.* 차츰, 점점, 차차, 점차, 조금씩(poco a poco).
paulatino, na *adj.* 느린, 완만한, 점차적인, 점진적인(lento, prudente) : obrar de una manera ~*na.*
paulilla *f.* 【곤충】 나방(palomilla).
paulina *f.* 파문장(破門狀) ; 엄중 문책, 질책 ; 투서.
paulinia *f.* 【식물】 =**guaraná.**
paulonia *f.* 【식물】 오동나무.
pauperismo *m.* 극빈, 빈곤 상태 ; [집합] 빈민.
pauperización *f.* =**empobrecimiento.**
pauperizar *tr.* =**empobrecer.**
paupérrimo, ma *adj.* [*sup.* pobre] 극빈의, 빈곤한, 처참한.
pausa *f.* [*lat.* pausa] ① 중지, 휴식 (시간) ; 쉬는 동안, 끊김 : a ~*s* 간헐적으로. ② 띄엄띄엄. ③ (쉬었다) 숨쉬기 ; 대사의 사이. ④ 원만(lentitud) : hablar *con* ~ 느리게 말하다. ⑤【음악】 쉼표.
pausadamente *adv.* 천천히, 더디게, 차분하게, 차근차근.
pausado, da *adj.* [pausar의 *p.p.*] 더딘, 차분한, 완만한 : movimiento ~ 더딘 운동. —*adv.* 차분히, 천천히, 차근차근(pausadamente).
pausar *tr. intr.* [*lat.* pausare] 멈추다, 쉬다, 띄엄띄엄 하다(interrumpir o detener con pausas) : ~ un ejercicio de lectura.
pauta *f.* ① 줄 쳐진 자 ; 괘지. ② 기준, 모범. ③ 《*Amér.*》 줄 쳐진 밑받침.
pautada *f.* 【음악】 오선지.
pautado, da *adj.* [pautar의 *p.p.*] 줄이 쳐진 : papel ~ 괘지.
pautador *m.* [드뭄] 종이에 줄을 치는 사람.
pautar *tr.* (…에) 줄을 치다 ; (…에) 기준이 되는 곳을 가리키다·표시하다.
pava *f.* [*lat.* pava] ① 암 칠면조(hembra del pavo). ② 색기가 있는 여자(mujer ~). ③ (대장간의) 커다란 풀무 ; (용광로의) 송풍기. ④ 《*Amér.*》 챙이 넓은 맥고 모자·밀집 모자. ⑤ 《*Amér.*》 여자가 이마에 늘어뜨린 똘똘 말린 머리카락. ⑥ 《*AmérM.*》 차 끓이는 기구 ; 마떼차 끓이는 기구. ⑦ 《*Chile.*》 요강. ⑧ 《*Chile.*》 놀리기, 놀려주기. ⑨ 《*Ecuad.*》 여송연의 꽁초.
hacer la ~ 《*AmérM.*》 조롱하다, 놀리다, 야유하다.
hacerse la ~ 《*Ecuad.*》 어린이가 학교를 빼먹다.
pelar la ~ 애인끼리 창문의 안팎에서 서로 소근거리다, 사랑을 속삭이다(conversar amorosamente).
pavada *f.* 칠면조떼 ; 어리석은 짓(sosería).
pavana *f.* ① 우아한 서반아 무용의 일종 ; 그 음악. ② (옛날 부인용) 숄의 일종.
paveador, ra *adj.m.f.* 《*Col.*》 굼벵이 같은, 느린 (사람).
pavear *intr.* ① 《*Chile. Riopl.*》 얼뜬 짓을 하다, 실수하다 ; 애인들이 사랑을 속삭이다. ② 《*Ecuad.*》 학교를 빼먹다. ③ 《*PRico.*》 일하는 척하다.
—*tr.* 《*Col.*》 암살하다, 살해하다(asesinar).
pavera *f.* (칠면조 요리용) 큰 냄비·솥(cazuela grande).
pavería *f.* 《*Arg. Chile.*》 어리석은 짓, 바보짓 ; 실수.
pavero, ra *m.f.* 칠면조 사육자·장수. —*m.* (안달루시아 지방의) 챙이 넓은 모자.
pavés *m.* 【고어】(전신을 보호할 수 있는) 둥근 방패(escudo grande).
alzar·levantar a uno *sobre el* ~ (누구를) 추장·두목으로 추대하다.
pavesa *f.* 불똥(chispa).
estar hecho una ~ 형편없이 쇠약해 있다.
ser una ~ 덧없는 것이다 ; 몹시 순하다·얌전하다.
pavesada *f.* =**empavesada.**
pavesero *m.* pavés로 무장한 병사.
pavesina *f.* [*dim.* pavés] 작고 둥그런 방패.
pavezno *m.* =**pavipollo.**
pavía *f.* 【식물】 복숭아나무의 일종 ; 그 열매.
soldado de P- 기름에 튀긴 대구의 토막.
echar por las de P- 기를 쓰고 지껄여대다·대답

하다.

paviano, na *adj.* 빠비아《Pavía, 이탈리아의 주·도시》의. **—*m.f.*** 빠비아 사람.

pávido, da *adj.* 【시어】 =**tímido.** Contr. impávido.

pavimentación *f.* 포장.

pavimentado *m.* 포장.

pavimentar *tr.* 《*Neol.*》 포장하다(solar).

pavimento *m.* [*lat.* pavimentum] 포장한 길, 포도(鋪道), 포상(鋪床).

paviola *m.* 《*Ecuad.*》 학교를 빼먹고 가지 않는 아이.

paviota *f.* 【조류】 갈매기(gaviota).

pavipollo *m.* 칠면조의 새끼 ; 얼뜬 사람.

pavísimo, ma *adj.* [*sup.* pavo] 《*Amér.*》 몹시 어리석은(tonto, soso).

pavisoso, sa *adj.* =**soso.**

pavita *f.* 《*Arg.*》 중산모.

pavitonto, ta *adj.* 얼뜬, 바보 같은, 멍청이 같은(necio).

pavo *m.* ①【조류】 칠면조 : ~ real 공작. ② 멍텅구리, 맹추, 바보, 멍청이. ③ 게으름뱅이. ④ duro화폐. ⑤ 근심, 걱정.

de ~ 《*Amér.*》 무료로, 거저, 공짜로 (gratis, de balde, gratuitamente).

comer ~ ① (무도회 같은 데서 여자가) 상대가 없어 풀이 죽다. ② 《*Amér.*》 기대에 어긋난 짓을 하다. ③ 《*Perú.*》 창피를 당하다.

hacerse el ~ 《*Arg.*》 모르는 척하다(disimular).

*írse*le a uno *los* ~*s* 《*Chile.*》 실수를 하다.

*subírse*le a uno *el* ~· 얼굴을 붉히다, 상기되다 (ruborizarse).

pavón *m.* [*lat.* pavo, pavonis] ①【조류】 공작새 (pavo real). ②【곤충】 공작 나비 : ~ de noche. ③【천문】 공작좌. ④ 녹 방지색.

pavonada *f.* ① 가벼운 산책 (paseo breve) : darse una ~ 기분 전환으로 외출하다. ② 드러내어 자랑하기(ostentación).

pavonado, da *adj.* [pavonar의 *p.p.*] ① 검푸른. ② 녹의 방지제를 바른. **—*m.*** 녹 방지제 《안료》.

pavonador, ra *adj.m.f.* 녹 방지제를 바르는 (사람).

povonar *tr.* ① 녹 방지제를 바르다. ② 《*Ecuad.*》 【방언】 =**aguzar.**

pavonazo *m.* [*ital.* pavonazzo] 검붉은 빛깔의 안료의 일종.

pavonear(se) *intr.* (*r.*) 으시대며 걷다 ; 남에게 신소리를 치다, 탐나게 하다.

pavoneo *m.* 뻐기고 걷는 걸음 ; 자랑 삼아 보이기.

pavor *m.* [*lat.* pavor] 공포(심·감), 두려움, 놀라움 (temor, terror, gran miedo) : con ~ 섬뜩해서. Me da ~ 나는 놀랬다.

pavorde *m.* 승원장 ; 신학 교수.

pavordear *intr.* (벌이) 분봉(分蜂)하다(jabardear).

pavordía *f.* pavorde의 직.

pavorido, da *adj.* 공포에 떠는, 겁에 질린, (겁에 질려) 창백해진(despavorido).

pavorosamente *adv.* 공포에 질려, 놀라, 두려워, 섬뜩하여.

pavoroso, sa *adj.* 무서운, 지독한.

pavuncio, cia *adj.* 《*Chile.*》 등신 같은, 얼뜬.

pavura *f.* 【시어】 =**pavor, terror, temor.**

paya *f.* 《*Arg. Chile.*》 가우쵸족의 즉흥적 응답가.

payacate *m.* 《*Méx. Perú.*》 커다란 타월·손수건 (pañuelo grande).

payada *f.* 《*AmérM.*》 payador의 노래 : ~ de contrapunto payador의 노래 시합.

payador *m.* 《*AmérM.*》 남미 카우쵸족의 노래를 업으로 삼는 남자 ; 응답가의 가수.

payadura *f.* =**paya.**

payagua *adj.m.f.* 《*AmérM.*》 빠야구아족 《신 대륙 발견 때 빠라구아이강 상류에 살았던 인디오》 (의).

payana *f.* =**pallana.**

payanar *tr.* 《*Méx.*》 ① 흔들어서 연하게 하다. ② 돌로 옥수수를 빻다.

payandé *m.* 《*Col.*》 야생 나무.

payar *intr.* 《*Arg. Chile.*》 즉흥 노래를 부르다.

payara *m.* 《*Venez.*》 큰 물고기.

payasada *f.* 어릿광대(짓) : hacer ~*s.*

payasear *intr.* ① 《*Amér.*》 어릿광대 같은 짓을 하다(hacer payasadas). ② 《*Cuba.*》 아니꼽게 굴다.

payaso *m.* [*ital.* pagliaccio] 어릿광대 (bufón, gracioso de circo o feria).

payé *m.* 《*Arg.*》 =**gualicho.**

payés, sa *m.f.* (까딸루냐와 발레아레스 제도의) 시골뜨기, 촌놈.

payesía *f.* [집합] 시골뜨기, 촌놈.

payo, ya *adj.* [*lat.* pagensis] ① 시골의 (aldeano, campesino, rústico). ② 어리석은, 바보스런 (tonto, bobo). ③ 《*Arg. Bol.*》 머리털이 빨간 (사람). ④ 《*Ecuad.*》 노후한, 노폐한. ⑤ 《*Méx.*》 (빛깔이) 불쾌감을 주는 ; 버릇없이 구는. **—*m.f.*** ① 시골뜨기, 촌놈. ② 바보. ③【은어】 목사(牧師).

payucano, na *adj.m.f.* 《*Arg.*》 =**campesino.**

payuelas *f.pl.* 【의학】 수두(水痘), 작은 마마 (viruelas locas).

paz *f.* [*pl.* paces] [*lat.* pax] ① 평화, 평온, 평정 (tranquilidad) ; 안심, 평안, 태평스러움, 고즈넉함 : ~ octaviana 옥타비오 아우구스트 시대의 태평 무사. La ~ favorece el desarrollo económico de las naciones 평화는 국가의 경제 발전을 조장한다. ② 화해(reconciliación) : hacer las *paces* los enemigos. ③ 평화·강화 조약 : ~ separada 단독 강화. ~ total 전면 강화. Se firmó la ~ 평화 조약이 체결되었다. ④ (미사에서) 입맞춤의 예 ; (오래 만나지 못했던 사람의) 입맞춤 인사 : dar ~. ⑤ 휴식(descanso) : dejar dormir en ~.

~ *sea en esta casa* (남의 집에 들어갈 때의 말로서) 실례합니다.

~ *y pan* 민심 안정의 두 가지 요소.

a la ~ *de Dios* (작별 인사로) 안녕히 계십시오.

en ~ 평안하게, 안녕히 : vivir *en* ~ con *sus* vecinos 이웃과 평화롭게 살다.

andar la ~ *por el coro* 불화·싸움이 일다.

dar la ~ 화해·우정의 표시로 키스·포옹하다.

dejar en ~ 조용히 내버려 두다(no inquietar ni molestar) : Por favor, *déjame en* ~ 내 일에는 상관하지 말아 주게.

descansar en ～ 영면(永眠)하다, 고이 잠들다 : Que *en* ～ *descanse* 고이 잠드시기를! 《약자. Q.E.P.D.》. Aquí *descansa en* ～ el señor don … 씨 여기 영면하다.
estar en ～ 평온하다.
firmar las pacese =hacer las paces.
hacer las paces 화해하다 : Ella *hizo las paces* con la vecina 그녀는 이웃과 화해했다.
meter·poner en ～ 조정하다, 화해시키다 : El padre *puso en* ～ a los dos hermanos 부친은 두 형제를 화해시켰다.
reposar en ～ =descansar en ～.
sacar a ～ *y a salvo* 위험에서 무사히 구출해 내다.
venir de ～ 적대 감정을 버리고 오다.
vaya·vete en ～·*con* ～ *de Dios* 안녕하시기를 빌겠습니다.

¡paz! *interj.* 조용히 하시오(¡Silencio!).
Paz, La 【지명】 라빠스 《볼리비아의 수도》.
pazcón *m.* 《*CRica.*》 =**tamiz, harnero, cedazo.**
pazguatería *f.* 사람이 좋음, 마음이 무던함.
pazguato, ta *adj.m.f.* (무슨 일에나 그저 감탄하는) 호인인·단순한 (사람).
pazo *m.* (갈리시아 지방에서) 대저택(palacio) : los ～*s* de Ulloa.
pazote *m.* 【식물】 멕시코 차나무의 일종(apasote) : Las flores y hojas del ～ se toman en infusión como el té.
pazpuerca *adj.f.* 추접스러운 (여자).
Pb plomo.
pbro. presbítero 승려.
p/c., p/cta. por cuenta.
PCA Partido Comunista Andaluz.
PCC Partido Comunista de Cuba 꾸바 공산당.
PCT Programa de Cooperación Técnica 기술 협력 계획.
¡pche!, ¡pchs! *interj.* 무관심·제지 등을 나타냄.
Pd paladio.
p.d., P.D. Posdata 추신.
p.^{do}, pdo. pasado.
pe *f.* 서반아어 알파벳 p의 명칭.
autopista de ～ 유료 고속 도로.
de ～ *a pa* 시종, 하나에서 열까지, 쓸어 잡아, 몽땅, 완전히(enteramente, de cabo a rabo, desde el principio hasta el fin) : Lo aprendió *de* ～ *a pa* 나는 그것을 완전히 배웠다.
P.^{e} Padre.
p.e., P.E. por encargo; peso espefísico; por ejemplo.
pea *f.* 고주 망태(borrachera, embriaguez profunda).
peaje *m.* (도로·다리의) 통행료, 다리를 건너는 삯.
peajero *m.* 통행료 징수인, 교량지기.
peal *m.* [*ital.* pedale] ①(양말·스타킹의) 등(parte de la media que cubre el pie). ②(편물에서의) 각반 (polaina de punto). ③얼간이, 쓸모없는 인간 (persona torpe). ④《*Amér.*》(바지·조끼 뒤의) 조임끈, 밧줄, 끈, 줄; (특히) 투승(pial).
pealar *tr.* 《*AmérM.*》 =**pialar.**
peán *m.* [*gr.* paian] 【고어】 아폴로신을 기리기 위한 노래; 전쟁이나 승리의 노래.
peana *f.* (조각 따위의) 받침, 받침돌, (성단에의) 발판 : la ～ de un reloj·de una estatua.
peaña *f.* =**peana.**
peatón *m.* ①도보자, 보행자(peón) : ～ atolondrado 규칙 위반의 보행자. paso para ～*es* 보행자의 횡단 보도. ②인부(peón). ③우체부.
pebete *m.* ①선향(線香). ②(꽃불의) 도화선. ③냄새 나는 물건. ④《*Venez.*》 질이 좋은 담배.
pebete, ta *m.f.* 《*Arg. Urug.*》 어린이, 소년, 소녀(chiquillo, chiquilla).
pebetero *m.* 향로(perfumador) : un ～ de bronce. —*m.f.* 《*Ecuad.*》 알랑쇠.
pebrada *f.* =**pebre.**
pebre *m.(f.)* ①후추·마늘·파슬리·식초를 넣은 소스. ②후추(pimienta).
peca *f.* [*ital.* pecca] 주근깨 (mancha de color pardo que suele salir en el rostro) : un rostro lleno de ～*s* 주근깨투성이의 얼굴.
pecable *adj.* 틀리기 쉬운; 죄를 저지를 수 있는.
pecadero *m.* 《*Amér.*》 죄를 저지르는 곳 《술집, 바, 도박장 등》.
pecado, da *adj.* pecar의 *p.p.*
—*m.* [*lat.* peccatum] ①(종교·도덕상의) 죄, 죄업(罪業). ②실수, 과실, 위반. ③악덕(vicio, mala costumbre). ④악마의 피를 받은 자식, 개망나니 : Eres el ～.
～ *actual* 번연히 알면서 저지른 죄.
～ *capital* 죄의 근원; 중죄.
～ *contra natura·naturaleza* 남색(男色); 용두질.
～ *de comisión* 위반의 죄.
～ *de la lenteja* 야단스럽게 말을 들은 대수롭지 않은 죄.
～ *de omisión* 태만의 죄.
～ *grave* 큰 죄, 대죄, 중죄.
～ *habitual* 상습죄.
～ *material* 모르고 저지른 죄.
～ *mortal* 대죄(大罪).
～ *nefando* 외설죄.
～ *original* ①원죄 《아담과 이브가 범했던 죄, 인류 불행의 바탕》. ②=pecado actual : ～ venial 가벼운 벌.
de mis ～*s* 나 자신의 : estas cuentas *de mis* ～*s.*
por mis ～*s, por malos·negros de mis* ～*s* 나의 잘못·탓으로.
conocer el ～ 고해·참회하다, 고백하다.
estar en ～(누구에게·무엇에) 앙심을 품고 있다.
estar hecho un ～ 따분해지다, 실패하다.
pagar su ～ 죄의 보상을 하다.
pecador, ra *adj.* (종교·도덕적으로) 죄를 범하는; 죄가 있는, 죄많은. —*m.f.* 죄인, 범죄자.
¡ ～ *de mí !* 아아, 죄많은 이 몸이여!; 슬픔·이상하게 느낀 감정을 나타냄.
pecadora *f.* 매춘부, 갈보, 음탕녀.
pecaminoso, sa *adj.* 죄의; 죄많은, 죄를 짓는 : hablar con intención ～*sa.*
pecan *m. ing.* =**pecana.**
pecana *f.* 《*Arg.*》 (옥수수를 타는) 맷돌.
pecante *adj.m.f.* 죄를 짓는, 죄가 있는 (사람); 고약한.
pecar *intr.* ⑦ [*lat.* peccare] ①[+de : …의·

로] 죄를 범하다 : ~ *de* ignorancia 모르고 죄를 저지르다. ~ *de* malicia 악의에서 죄를 저지르다. ~ por la intención 일부러 · 알면서 죄를 범하다. Según el Evangelio el justo *peca* siete veces al día 성서에 의하면 의인(義人)일지라도 하루에 일곱 번 죄를 범하고 있다. ② 실수하다 : ¿*En* qué *he pecado* ? 내가 무슨 실수를 하였는가?, 내가 무슨 잘못을 하였는가? ~ *contra* la ley 법을 어기다. ③ 도가 지나치다 : José *peca de* confiado 호세는 지나치게 다정하게 군다. En viendo dulces, no puedo menos de ~ 과자를 보면 나는 먼저 손이 나가 버린다. ④ 어떤 일에 빠지다, 악에 물들다, 신세를 망치다 : Desde niño *pecó por* espadachín 그는 어려서부터 싸움꾼으로 신세를 망쳤다.

pecarí *m.* =**pécari.**

pécari *m.* 《*AmérM.*》【동물】 멧돼지의 일종(saíno) : La carne de ~ es muy delicada.

pecblenda *f.*【광물】역청 우란광 《우라늄과 라듐의 주요 원광》(pechblenda).

peccata minutta *f. lat.* 과실, 실수, 경범죄.

pece[1] *m.* [*lat.* piscis] ①【고어】=**pez.** ② 두 이랑 사이의 두둑.

pece[2] *f.* [*lat.* pix, picem] (벽 등을 만들기 위한) 반죽흙, 회반죽.

pececillo *m. dim.* pez.

peceño, ña *adj.* 역청색의, 역청 같은 : caballo ~.

pecera *f.* 어항. **Sinón.** acuario.

peces *m.pl.* pez의 복수형.

pecezuela *m. dim.* pieza.

pecezuelo *m. dim.* pie ; pez.

pecha *f.* 《*Chile.*》 =**pechada.**

pechacar *tr.* 7 《*Chile.*》 훔치다(hurtar).

pechada *f.* ① 《*Cuba.*》 손으로 가슴 때리기. ② 《*Arg.*》 기수가 말의 가슴을 때림 : derribar un novillo de una ~. ③ 칼의 일격(sablazo).

pechador *m.* 《*Amér.*》 =**petardista.**

pechar *tr.* ① 재산세를 납부하다. ②【고어】벌금을 물다. ③ 《*Gal. León. Sal.*》 자물쇠를 잠그다(candar, cerrar con llave). ④ [때로는 con을 함께 써서, 골치 아픈 일 · 싫은 일을] 하다 : ~ (con) el compromiso de acompañarle 하는 수 없이 그를 따라가 주다. ⑤ 《*AmérM.*》 (말에 탄 사람이) 부딪치다 · 충돌하다 ; 밀치고 나아가다(empujar) ; 사취하다(petardear).

pechazo *m.* 《*AmérM.*》 사취 ; 밀치기, 밀쳐 대기(empujón).

pechblenda *f.* =**pecblenda.**

peche[1] *m.* ① =**pechina.** ② 《*AmérC.*》 고아 ; 어린아이.

peche[2] *adj.* ① 《*Salv.*》 =**flaco, encanijado, delgaducho.** ② 《*Méx.*》 =**bueno.**

pechelingue *m.* [드묾] =**pirata.**

pechera *f.* ① 가슴받이 ; 가슴 장식 ; (의류의) 가슴 : ~ almidonada. ② (특히 여자의) 앞가슴 : ~ postiza 브래지어. ③ 《*Chile.*》 (목수의) 앞가리개.

pechereque *m.* 《*Arg. Bol.*》 =**licor.**

pechería *f.* [드묾] 재산세(pecho)(의 총칭).

pechero, ra *adj.* ① 평민의. ② 납세 의무가 있는. —*m.f.* ① pecho의 납세자. ② (귀족 noble에 대한) 평민(plebeyo) : nobles y ~*s* 귀족과 평민. —*m.* ① 턱받이(babador que se pone a los niños). ② (꾸바의) 새.

pacherón, na *adj.* 《*Méx.*》 매우 좋은 ; 희한한 (excelente).

pechiblanco, ca *adj.* 가슴이 하얀 (동물).

pechicatería *f.* 《*Cuba. Méx.*》 인색함, 구두쇠 짓, 절약(cicatería).

pechicato, ta *adj.* 《*Cuba.*》 =**miserable, cicatero.**

pechicolorado *m.* =**pechirrojo, pardillo.**

pechiche *m.* 《*Ecuad.*》【식물】 마편초과 나무.

pechichón, na *adj.* 《*Col.*》 =**pechichoso.**

pechichoso, sa *adj.* 《*Col.*》 응석꾸러기의.

pechigonga *f.* 카드 놀이의 이름.

pechil *m.* 《*Sal.*》 =**cerradura.**

pechina *f.* [*lat.* pectina] ① (순례자가 달고 있는) 조개의 일종(venera). ②【건축】 모서리 박공.

pechirrojo *m.*【조류】 홍작새(pardillo).

pechisacado, da *adj.* 가슴을 편, 우쭐해진, 거만스러운(engreído, vanidoso).

pecho[1] *m.* [*lat.* pectus] ① 가슴 : angina de ~ 협심증. ② 젖꼭지, 유방 (mama de la mujer) : dar el ~ al hijo 아이에게 젖을 먹이다. ③ 비탈길, 가파른 길 (repecho) : ~ arriba 비탈길을 위에 · 올라서 (cuesta arriba). ④ 흉중, 마음속, 의중, 내심 (interior del hombre). ⑤ 용기 (valor) : hombre de ~. ⑥ 성량 (calidad o fuerza de la voz) : No tiene ~. ⑦【방언】 자물쇠.

¡ ~ al agua! 이까짓 것 ! 《과감 · 결단을 나타냄》.

~ por el suelo, ~ por tierra 설설 기는 듯이 ; (새가) 땅을 기듯이 (날다).

a ~ descubierto ① 맨손으로(sin defensa ni protección alguna). ② 정정 당당히.

a ~s 열심히, 정신을 집중하여.

a todo ~ 《*Col.*》 목청껏, 큰 소리로 (a voz en cuello, a grito pelado).

¡ Buen ~ ! 잘 해라 !, 힘을 내라 ! (¡ ánimo!).

de ~s 가슴을 짚어, 가슴을 모아 ; 엎드려 : El cayó *de ~s.*

de un ~ 한숨에, 한번에, 단숨에

en ~s de camisa 《*Col.*》 셔츠 바람으로 (en mangas de camisa).

entre ~ y espalda 뱃속에, 위(胃)의 속에 (en el estómago).

abrir · descubrir · fiar el ~ 흉금을 털어놓다, 속말을 하다 (descubrir un secreto) : Le *abrió su ~* a Tomás 그는 또마스에게 흉금을 털어놓았다.

criar a los ~s 키우다, 교육시키다. 육성하다.

dar el ~ ① 젖을먹이다(dar de mamar). ② 위험에 직면하다(afrontar un peligro).

echar el ~ al agua 단호히 어떤 일을 하다.

echarse a ~s 단연히 맡아 하다 ; (술울) 벌컥벌컥 마시다(tomar con gran interés).

no caber en el ~ 마음속 깊이 접어 넣어둘 수 없다 : Eso *no* le *cabe en el ~* 그는 그것을 가슴에 접어 넣어 둘 수가 없었다.

no podrirse en el ~ 끝내는 입밖에 내고 말다 (낼 것이다).

poner el ~ a (…에) 감연히 부딪치다 : El *puso*

el ~ *al* problema.
tener ~ 인내심·용기·성량(聲量)이 많다.
tomar a ~*(s)* 꽁하게 마음에 두다 (dar mucha importancia).
tomar el ~ 젖을 먹다(mamar el niño).
tomarse algo *a* ~ = echarse a ~s.
pecho² *m.* 공물, 세금 ; 재산세.
pechón, na *adj.* 《*Méx.*》 뻔뻔스러운, 철면피의, 낯가죽이 두꺼운(gorrón, descarado). —*m.* 《*Riopl.*》 밀치고 나아가기.
pechoño, ña *adj.m.f.* 《*AmérM.*》 사이비 신앙심의 (사람)(santurrón).
pechudo, da *adj.* =**pechugón.**
pechuelo *m. dim.* pecho.
pechuga *f.* ①(닭·칠면조 등의) 가슴 (pecho del ave) : La ~ es una de las partes más delicadas de las aves. ②【속어】(사람의) 가슴 (pecho del hombre o la mujer) : buena ~. ③ 비탈길(cuesta, pendiente). ④《*Amér.*》 냉혹, 철면피, 뻔뻔스러움(descaro) ; 화남.
pechugón, na *adj.* ① 가슴을 편. ②《*Amér.*》 아이러니컬한 ; 뻔뻔스러운, 철면피한, 낯가죽이 두꺼운(descarado, descocado). —*m.* ① 가슴 구타 ; 가슴을 쥐어박기. ② 이것저것 헤아리지 않는 노력.
pechugonada *f.* 《*Perú.*》 =**desvergüenza, grosería.**
pechuguera *f.* [드뭄] 헛기침(toz tenaz del pecho).
pechurana *f.* ① =**pecurano.** ② =**uraninita.**
peciento, ta *adj.* 역청·역청색의.
pecilgo *m.* =**pellizco.**
peciluengo, ga *adj.* 【식물】 꽃받침(pezón)이 길다란.
pecina *f.* ① 양어장, 연못 ; 수영장, 풀(piscina). ② 진흙, 수렁.
pecinal *m.* 늪, 수렁.
pecinoso, sa *adj.* 진흙투성이의, 수렁이 깊은.
pecio *m.* [*ital.* pezzo] (난파선의) 표류물(pedazo de la nave naufragada).
peciolado, da *adj.* 【식물】 잎자루가 있는.
peciolo *m.*=**pecíolo.**
pecíolo *m.* [*lat.* petiolus] 【식물】 잎자루(rabillo, rabo).
pecmatita *f.* =**pegmatita.**
pécora *f.* [*lat.* pecus, pecoris] (양을 세는) 마리, 두(頭).
buena·mala ~ 미꾸라지 같은 인간, 교활한 인간(persona astuta y taimada).
pecorea *f.* ①(탈주병 등이 하는) 약탈, 날치기 (hurto). ② 쏘다니기(vagancia).
pecorear *tr.* (가축을) 훔치다. —*intr.* (탈주병이) 약탈하다.
pecoso, sa *adj.* ① 주근깨(peca) 투성이의. ② 얼룩이 든 : carne ~*sa.*
pectina *f.* 【화학】 펙틴, 점교질(粘膠質).
pectinado, da *adj.* 빗살 모양의.
pectíneo *adj.m.* 【해부】 빗살 모양(의) : músculo ~ 빗살 모양의 근육.
pectiniforme *adj.* 빗살 모양의.
pectoral *adj.* [*lat.* pectoralis] ① 가슴의 : cavidad ~ 흉강. músculos ~*es* 가슴 근육. ② 가슴·폐병에 잘 듣는. —*m.* ① 가슴앓이에 듣는 약제. ②(특히 유태교에서 고승의) 가슴 장식 ; 가슴받이, 가슴걸이, 십자가.
pectosa *f.* [*gr.* pectos] 펙토제 《아직 덜 익은 과일 등에 있는 비용해성 물질》.
pecuario, ria *adj.* [*lat.* pecuarius] 목축·축산의 : industria ~*ria.*
peculado *m.* [*lat.* peculatus] (관리자의) 공금 횡령, 편취, 남의 돈 쓰기 : El canciller fue condenado por ~.
peculiar *adj.* [*lat.* peculiaris] 고유한, 독특한, 특수한, 특색적인 : propiedad ~ 특성, 고유한 특성.
peculiaridad *f.* 특성, 특색 ; 버릇, 벽(癖).
peculiarmente *adv.* 특히, 특별히, 각별히 ; 낱낱이(particularmente).
peculio *m.* [*lat.* peculium] ① 자금, 자산 ; 작은 돈, 용돈 : reunir un pequeño ~. ② 사유 재산, 사유물, 사물(私物).
pecunia *f.* [*lat.* penunia] 【속어】 금전, 돈(moneda, dinero).
pecuniariamente *adv.* 현금으로, 금전적으로 (en dinero efectivo, de un modo pecuniario).
pecuniario, ria *adj.* 금전의, 돈의, 금전상의, 화폐의, 통화의 : La multa es una pena ~*ria* 벌금은 금전적인 형벌이다.
ped. pedido.
pedacear *tr.* 《*Amér.*》【속어】 갈갈이 찢다, 박살내다(despedazar, hacer pedazos).
pedagogía *f.* [*gr.* paidagôgia] 교육학, 아동 교육학 ; 교육법, 교수법 ; 가르침, 교훈 : Pestalozzi renovó la ~ 페스탈로치는 교육을 쇄신시켰다. facultad de ~ 교육 대학.
pedagógicamente *adv.* 교육학적으로.
pedagógico, ca *adj.* 교육(학)의, 교육학적인 : museo ~교육 분야 박물관.
pedagogo, ga *m.f.* [*gr.* pais, paidos+agein] 교육(학)자(educador) ; 양육 담당자 ; 국민 학교 선생.
pedaje *m.* =**peaje.**
pedal *m.* [*ital.* pedale] 【기계】 페달, 발걸이, 발판, 디딤판 : el ~ de una bicicleta.
pedalear *intr.* 《*Neol.*》 페달·디딤판·발걸이를 밟다.
pedaleo *m.* 《*Neol.*》 페달 밟기.
pedalier *m. fr.* 《*Neol.*》 (악기의) 페달 장치.
pedáneo *adj.* 간이 재판의 : alcalde ~ (옛날의) 간이 재판관.
pedanía *f.* 《*Arg.*》 행정 구역, 고을, 마을, 지방 (distrito).
pedante *adj.m.f.* [*ital.* pedante] 학자 티를 낸, 그럴싸하게 꾸미는, 유식한 척하는, 아는 척하는 (사람), 학식을 뽐내는 (사람) ; 현학자(衒學者) : No hay nada más desagradable que la conversación de los ~*s.* —*m.* (옛날의) 가정 교사.
pedantear *intr.* 박식한 척하다, 배움이 많은 척하다, 어울리지 않는 문자를 쓰다 (hacer alarde de erudición).
pedantería *f.* 박식한 척하기, 아는 척하기, 현학(衒學) : hablar con ~.
pedantescamente *adv.* 학자인 척하여, 현학적으로, 유식·박식한 척하여.
pedantesco, ca *adj.* 학자인 척하는, 현학적인

: una enumeración ~*ca.*

pedantismo *m.* =**pedantería.**

pedazo *m.* ① 조각, 토막, 부스러기, 단편(斷片), 일부 : Di al perro un ~ de pan 나는 개한테 빵 한 조각을 주었다. ② [애칭적으로] 녀석, 아이, 사람 : ~ de alcornoque · de animal · de bruto 아무 쓸모없는 사람. ~ del alma · de las entrañas · del corazón 어머니에 대해 어린아이, 귀여운 자식, 깨물어 먹고 싶을 정도로 사랑스런 자식(persona muy querida).

~ ***de pan*** ① (생활을 위한) 빠듯한 것 : ganar *un* ~ *de pan.* ② 굉장히 값싼 일 : He comprado esto *por un* ~ *de pan* 나는 이것을 아주 싸게 샀다. ③ 호인(好人)(persona muy buena) : ser *un* ~ *de pan* 호인이다.

a ~***s, en*** ~***s*** 박살이 나서, 갈갈이 찢겨.

caerse a ~***s*** 곤죽이 되도록 지쳐 있다, 몹시 약하다 ; 아주 호인이다.

estar hecho ~***s*** 몹시 지쳐 있다, 몹시 피곤하다 (estar muy cansado).

ganarse un ~ ***de pan*** 살기 위해서, 빠듯한 것을 벌다(ganar lo indispensable para vivir).

hacer ~***s*** 산산조각으로 만들다, 부셔 버리다 (romper, desgarrar).

hacerse ~***s*** ① 산산조각이 나 버리다 : El plato *se hizo* ~*s* al caer al suelo 접시는 땅바닥에 떨어지자 산산조각이 나 버렸다. ② (운동같은 데서) 분투하다.

morirse por sus ~***s*** (누구에게) 열을 올리다.

saltar en ~***s*** =estallar.

pedazuelo *m. dim.* pedazo.

peder *intr.* 방귀를 뀌다(peer).

pederasta *m.* 남색자(男色者)

pederastia *f.* 남색(男色), 계간(鷄姦), 비역.

pedernal *m.* ①【광물】부싯돌, 규석. ② 단단한 것(dureza grande). ③ 냉혹.

pedernalino, na *adj.* ① 부싯돌 같은, 단단한. ② 냉혹한 : entrañas ~*nas* 냉혹한 마음.

pedestal *m.* [*ital.* piedestallo] ① 주춧돌, 받침돌, 주석(柱石), 초석(礎石), 각주(脚柱) : ~ de columna · estatua. ② 발판(base, fundamento) : valerse de sus amigos como ~ 친구를 발판으로 이용하다.

pedestre *adj.* ① 도보의 : el viaje ~ 도보 여행. ② 범속한(llano, vulgar, inculto, bajo).

pedestremente *adv.* 걸어서, 도보로(a pie).

pedestrismo *m.* 도보 경주, 경보(競步) 《육상 경주의 일종》(deporte pedestre).

pediatra *m.f.* 소아과 의사(médico de niños).

pedíatra *m.f.* =**pediatra.**

pediatría *f.* 소아과 의학.

pedicoj *m.* 한발로 뛰기 (salto que se da a pata coja).

pedicular *adj.* [*lat.* pedicularis] 이(piojo)의, 이에서 전염되는 : plaga ~.

pedículo *m.* 【식물】 =**pedúnculo.**

pediculosis *f.* 이(piojos)에 의해 생긴 피부병.

pedicura *f.* 페디큐어 《발톱 가꾸기》.

pedicuro, ra *m.f.* 발 치료 의사, 티눈 전문 의사(callista).

pedida *f.* =**petición de mano.**

pedidera *f.* 《*Amér.*》 부탁, 의뢰(petición).

pedido, da *adj.* [pedir의 *p.p.*] 주문 받은, 부탁받은. **—*m.*** ① 의뢰, 부탁, 요청, 청구, 요구(petición). ② 주문, 주문서, 주문품 : ~ de ensayo · de prueba 시험 주문. ~ de gran importancia 대량 주문. ~ de encargo 작업표, 작업 전표. ~ del extranjero 수출 주문, 외국에서의 주문. ~ en cartera 수주(受注) 잔고. ~ en firme 기한 지정 주문. ~especial 작업표, 제조 전표. ~ exterior 수출 주문 외국에서의 주문. ~ hecho por correo 우편 주문. ~ inicial 첫 주문. ~ pendiente 수주 잔고. ~ pequeño 소량 주문. ~ por escrito 서면 주문. ~ posterior 추가 주문. ~ reiterado · repetido 재주문. ~ sin ejecutar 주문 잔고, 미소화 주문. ~ su plementario 재주문. ~ urgente 긴급 주문. ~ verbal 구두 주문. ③ 수요.

hacer · colocar un ~ 발주하다.

servir · despachar · cumplir un ~ 주문에 응하다.

pedidor, ra *adj.m.f.* 부탁을 자주 하는 ; 요구가 많은 ; 조르기 잘하는 (사람).

pedidura *f.* pedir하는 일.

pediforme *adj.* 발 모양의.

pedigón, na *adj.m.f.* 잘 조르는 (사람)(pedidor, pedigüeño).

pedigree *m. ing.* ① 계도(系圖) ; (순종 가축의) 혈통표 ; (가축의) 종(種), 순종. ② 가계, 혈통 ; 가문, 문벌, 명문. ③ (언어의) 유래, 기원.

pedigüeño, ña *adj.m.f.* ① 조르기 잘하는 (사람) : un niño muy ~. ② 동냥하는, 구걸하는 (사람).

pedilón, na *adj.* 《*Perú. SDgo. Venez.*》 =**pedidor, pedigüeño.**

pediluvios *m.pl.* (치료를 목적으로) 따끈한 물에 발을 담그기 : tomar ~*s.*

pedimento *m.* 부탁, 소원, 신청, 청구, 신청서 : *a* ~ 청구에 의해(a petición, a solicitud, a instancia).

pedir *tr.* 42 [*lat.* petere] ① 달라고 말하다, 부탁하다, 요구하다, 요청하다, 간청하다, 원하다 (rogar) : Le *pido* mil perdones 당신에게 용서를 빌겠습니다. Me *pidió* permiso 그는 나에게 허가를 청해 왔다. Quiero ~le a usted un favor 부탁할 일이 있는데요. Le *pido* a usted que venga a cenar a mi casa 제 집에 저녁 식사하러 오시길 부탁드립니다. Sólo *pido* que me digáis la verdad 나에게 진실을 말하길 바랄 뿐이다. *Pidamos* un taxi 택시를 부릅시다. ② 요구하다, 청구하다 (exigir) : El ladrón le *pidió* la bolsa o la vida 도둑은 그에게 지갑이냐 생명이냐를 말하라고 요구했다. Yo *pido* esto de derecho 나는 권리로써 이것을 요구하는 것이다. ③ 의뢰하다 : Lo *pediré* en justicia 나는 그것을 재판에 의뢰하겠다. ④【상업】 주문하다 : ¿Qué *pide* usted? —*Pediré* un helado 무엇을 주문하시겠습니까? —아이스크림을 주문하겠습니다. ⑤ 값을 매기다, 가지다 : *Pido* mil pesetas *por* esta cinta 이 리본은 천뻬세따를 받겠습니다. [*N.* pedir que 다음에는 접속법 동사를 사용함].

a ~ ***de boca*** ① 소원했던 대로(a medida del deseo) : Eso viene *a* ~ *de boca.* ② 정확히. 적절하게, 적합하게(exactamente, adecuadamente, con toda propiedad).

~ ***cuenta*** (누구의) 책임을 묻다.

~ ***la Luna*** · ~ ***peras al olmo*** 얻기가 불가능한 것

을 부탁하다.
~ *la mano* 청혼하다.
~ *prestado* 빌려 달라고 하다, 빌리다(tomar prestado).
[직설법 현재 : pido, pides, pide, pedimos, pedís, piden. 접속법 현재 : pida, pidas, pida, pidamos, pidáis, pidan. 직설법 부정과거 : pedí, pediste, pidió, pedimos, pedisteis, pidieron. 접속법 과거 : pidiera, pidiese ; pidieras, pidieses ; piediera, pidiese ; pidiéramos, pidiésemos ; pidierais, pidieseis ; pidieran, pidiesen. 현재 분사 : pidiendo].

pedo *m.* [*lat.* peditum] ① 방귀 (gas que sale por el ano). ②《*Arg.*》 만취, 고주망태(pea, borrachera) : estar en ~.
~ *de lobo* 【식물】 먼지버섯(bejín).
al ~ 《*Arg. Bol.*》 헛되이, 쓸모없이, 무익하게 (inútilmente, de balde).
en ~ 《*Arg. Riopl.*》 취하여.

pedología *f.* 교육학(ciencia de la educación).

pedorrera *f.* ① 자꾸만 뀌는 방귀. ②《*Cuba.*》 (집에서 기를 수 있는) 아름다운 색깔의 새.
—*pl.* 바지의 일종.

pedorrero, ra *adj.m.f.* 방귀쟁이(의).

pedorreta *f.* 입으로 흉내내는 방귀.

pedorro, rra *adj.m.f.* =**pedorrero.**

pedrada *f.* ① 투석(投石), 돌팔매 ; 돌에 맞음 : El recibió una ~ en la frente 그는 이마에 돌을 맞았다. ② 빗댐. ③ (옛날에) 모자에 달았던 리본끈.
a ~*s* 돌을 던져서.
como ~ *en ojo de boticario* 안성맞춤으로(con gran oportunidad) : caer *como* ~ *en ojo de boticario.*
de la ~ 《*Méx.*》 아주 서툴게.

pedral *m.* (그물이나 밧줄에 무게를 주기 위해 다는) 무거운 돌.

pedrea *f.* ① 투석(投石), 돌로 가하는 형벌 ; 돌팔매 싸움, 돌팔매질. ② 우박(granizo) : Cayó una gran ~ 돌맹이만한 우박이 떨어졌다.

pedregada *f.* 《*Ar.*》 =**pedrisco.**

pedregal *m.* 자갈밭, 돌밭, 자갈땅.

pedregón *m.* 《*Col. Chile.*》 =**pedrejón, pedrusca.**

pedregoso, sa *adj.* ① 돌맹이투성이의(lleno de piedras) : terreno ~. ② 결석병(結石病)의.
—*m.f.* 결석병 환자.

pedreguyo *m.* 《*Riopl. Venez.*》 돌 부스러기 (ripio).

pedrejón *m.* 커다란 돌멩이.

pedreñal *m.* 부싯돌 총(銃).

pedrera *f.* 채석장, 돌을 자르는 곳(cantera).

pedreral *m.* [드뭄] (등에 돌이나 무거운 것을 짊어지는 데 사용하는) 안장.

pedrería *f.* [집합] 보석, 보석류 : Una diadema de oro adornada con ~*s.*

pedrero *m.* ① 석공(石工)(cantero). ② 투석병(投石兵) ; 투석포. ③《*AmérC. Col. Chile.*》 자갈밭(pedregal).

pedrés *adj.* 소금의.

pedreta *f.* [*dim.* piedra] 돌멩이 ; 돌멩이 장난.

pedrezuela *f.* [*dim.* piedra] 돌멩이.

pedrisca *f.* =**pedrisco.**

pedriscal *m.* =**pedregal.**

pedrisco *m.* ① 싸라기눈, 우박(granizo) : En el campo anoche sufrieron un gran ~ 지난 밤에 시골에서는 큰 우박의 피해를 받았다. ② 돌팔매, 비오듯 날아오는 돌멩이 ; 많은 자갈.

pedrisquero *m.* 싸라기눈, 우박.

pedriza *f.* [드뭄] 자갈밭.

pedrizo, za *adj.* =**pedregoso.**

Pedro *m.* ①【인명】 뻬드로. ② [p-] 【은어】 도둑의 옷 ; 독일 가빠(tudesquillo) ; 자물쇠.
Bien (se) está San ~ *en Roma* 좋도록 전신(轉身)하는 것이 좋다.
como ~ *por su casa* 전혀 사양함이 없이 (출입하다).
Viejo es · Ya es duro ~ *para cabrero* 예순 살에 글을 배우기 시작할 수는 없다, 너무 나이가 많다.

pedroche *m.* =**pedregal.**

pedrojiménez *m.* 헤레스 지방의 포도의 일종 ; 그 포도주.

pedrojuancaballerense *adj. m.f.* 뻬드로 후안 까바예로《Pedro Juan Caballero, 빠라구아이의 도시》의 (사람).

pedromón *m.* 《*Chile.*》 곤봉, 몽둥이.

pedroso *adj.* 【고어】 =**pedregoso.**

pedrusco *m.* 돌덩이(piedra tosca o sin labrar).

pedunculado, da *adj.* ①【식물】 꽃꼭지가 있는 : flor ~*da* 꽃꼭지가 있는 꽃. ②【동물】 육경이 있는 : animal ~ 육경이 있는 동물.

pedúnculo *m.* ①【식물】 꽃꼭지 (rabillo). ②【동물】 육경(肉莖). ③【해부】 다리.

p. ej. por ejemplo.

peer(se) *intr.(r.)* 78 [*lat.* pedere] 방귀를 뀌다 (ventosear).

pega[1] *f.* ① 붙이는 일, 첨부, 교착 ; (칠 · 수지 · 덫약의) 바르기, 덧칠. ② (도화선의) 점화. ③ 주먹질, 발로 차기 (zurra) : Le dio una ~ de patadas 그를 발로 마구 걷어찼다. Le dieron ~ a ella 그녀는 발로 걷어차였다, 그들은 그녀를 발길로 찼다. ④ (사육제에서) 골탕 먹이는 일, 놀려주기 (chasco). ⑤ (학생 사이에서 시험의) 어려운 문제. ⑥ 가짜, 비슷하게 만든 것, 겉보기. ⑦【어류】 줄무늬의 상어(rémora). ⑧《*Chile.*》 한창 때, 좋은 시절 ; (병의) 감염기 : estar en la ~ 한창 젊을 때이다, 한창 좋은 시절이다 (estar en su punto). ⑨ 직(職) : encontrar · perder la ~ 일자리를 얻다 · 잃다. ⑩ 즐거움, 기분풀이. ⑪ =**dificultad.**
de ~ 가짜의, 사이비의 (falso, fingido) : sabio *de* ~ 사이비 학자.
saber a la ~ (옛날의 · 나쁜 친구의) 나쁜 버릇이 남아 있다(tener resabios de la mala educación).
ser de la ~ (망나니들의) 한패이다.

pega[2] *f.* [*lat.* pica] 【조류】 까치(urraca).
~ *reborda* 【조류】 때 까치(alcaudón).

pegada *f.* 《*Arg.*》 =**mentira.**

pegadero *m.* 《*AmérC.*》 수렁 (cenagal, barrizal, lodazal).

pegadilla *f.* 《*Col.*》 벌집(colmena).

pegadillo *m.* [*dim.* pegado] ① 반창고. ② 귀찮은 사람 : ~ de mal de madre 좀 귀찮은 남자. ③《*Ecuad.*》 레이스, 레이스 뜨개(encaje, puntilla, pasamano).

pegadizo, za *adj.m.f.* ① 잘 붙는 (pegajoso) : mal ~. ② 감염되기 쉬운 (pegajoso). ③ 사기꾼의. ④ 식객(食客)(의) (gorrón, parásito) : hacerse el ~ 식객이 되다. ⑤ 붙인, 가짜의 (postizo).

pegado, da *adj.* pegar의 *p.p.* **—***m.* ① 고약(parche). ②《*Col. Perú. PRico.*》 밥이 눌음.

pegador, ra *adj.m.f.* ① pegar하는 (사람·물건) : ~ de carteles 전단 붙이는 사람. ② (광산 등에서 화약에) 불을 붙이는 사람, 점화자. ③ 표구사(表具師).
—*m.* ①《*And. Cuba.*》【방언·어류】 줄무늬 상어(rémora).

pegadura *f.* ① pegar하는 일, 붙이기, 붙는 일, 교착, 첨부 ; 유착. ②《*Col. Ecuad.*》 놀리기, 놀려주기(pegata, burla).

pegajosidad *f.*【속어】 끈끈함, 접착성, 들러붙기(glutinosidad).

pegajoso, sa *adj.* ① 끈끈한, 끈적끈적한, 들러붙는, 잘 붙는 (que se pega con facilidad). ② 전염·감염되기 쉬운(contagioso) : enfermedad ~*sa.* ③ 응석꾸러기의, 끈질긴 (sobón) : hombre más ~. ④ 유혹이 많은, 유혹적인. ⑤ 유순한, 부드러운, 순한(meloso, suave).

pegamiento *m.* 붙이기, 붙는 일, 접착, 첨부 (pegadura).

pegamoide *m.* 모조 가죽의 일종.

pegante *adj.* 들러붙는, 붙이는.

pegapega *f.*《*Amér.*》 ① 옷에 자꾸만 붙는 풀의 열매 따위. ② (새를 잡는) 끈끈이(liga). ③《*Chile.*》 아첨쟁이, 알랑쇠, 아첨꾼, 아부꾼 (adulador).

pegar *tr.* ⑧ [*lat.* picare] ① 붙이다, 바르다, 대다, 첨부하다(unir, juntar) : ~ una tela *a*·*con* la cubierta 표지에 천을 바르다. ~ un anuncio *contra*·*en* la pared 벽에 광고를 붙이다. ~ un cartel *a* la pared 벽에 포스터를 붙이다. ② 꿰매어 붙이다 (coser, atar, reunir) : Mamá me *pegó* un botón *a* la chaqueta 어머님이 내 웃옷에 단추를 달아 주었다. no ~ los ojos 옴쭉달싹 하지 않다. ③ (나쁜 버릇·병을) 옮기다, 감염시키다 ; (사상 등에) 물들게 하다 : El me *pegó* el gripe 그는 나에게 독감을 옮겼다. El me *pegó* esta costumbre 그는 나에게 이런 습관을 물들게 했다. ④ (불을) 붙이다, 점화·방화하다 : ~ fuego *al* papel 종이에 불을 붙이다. ⑤ 벌하다(castigar) : ~ a un niño. ⑥ (타격을) 가하다, 주다, 먹이다(dar) : ~ un bofetón·un puntapié·una paliza·un tiro. ⑦ (소리 등을) 지르다, 발하다 : ~ voces·un grito 비명을 지르다. ~ saltos 깡충깡충 뛰다.
—*intr.* ① (바싹) 들러붙다 ; 뿌리를 뻗다, 들러붙어 있다 : *Ha pegado* la planta 식물이 뿌리를 뻗었다. *Pega con* la pared 벽에 달라붙어 있다. ② 인상을 주다, (아첨하여) 붙어 떨어지지 않다 : Mis palabras le *pegaron* bien 내 말은 그에게 좋은 인상을 주었다. ③ 꼭 들어맞다, 어울리다, 알맞다 (sentar) : Estas razones no *pegan* 이런 문구는 꼭 들어맞지 않는다. No *pega* lo azul *con* lo verde 푸른 빛깔은 녹색과 어울리지 않는다. ④ (불이) 붙다 : *Ha pegado* el fuego 불이 붙었다. ⑤ (구체적으로·안성맞춤으로) 부딪치다 : ~ *con*·*contra* la pared 벽에 부딪치다. ⑥ 때리다, 두들기다 : ~ a la puerta 문을 두들기다. ⑦《*Arg. Chile.*》 일을 열심히 하다 : Vamos *pegando* 잘해 봅시다. ⑧《*Chile.*》 더 뛰어나다 ; 서로 맞서다, 경쟁하다 (aventajar) : *Con* ése no hay quien *pegue* 그 사람을 이겨낼 사람은 없다.
~se ① 밀착하다, 들러붙다. ② 감염하다, 못된 버릇같은 것에 물들다 : ~*se* las viruelas. ③ 억지로 끼어들다 ; 몰려 가다. ④ (삶는 것이) 눌어붙다. ⑤ 인상에 남다 ; 열중하다, (누구에게) 홀딱 빠지다. ⑥ 서로 주먹질하며 싸우다, 험한 말로 서로 욕지거리를 퍼붓다 : Una vez *me pegué con* la criada esa 나는 그 하녀와 한번 몹시 싸웠다. ⑨ 자신의 몸에 먹이다 : *Se pegó* un tiro en la cabeza 그는 자기의 머리에 한 방 쐈다.
~ *con* ① …를 혼내주다 : *Me pegué con* aquel joven. ②《*Ant.*》 (누구에게) 죄를 뒤집어씌우다.
~ *(la) con* (…을) 혼내주다, 덮치다.
pegársela a (…을) 놀려주다, 장난으로 속이다 (engañar, chasquear) : Vamos a *pegársela a* él 그를 놀려 주자. Que *no se la pegas a* nadie 남을 골탕 먹여서는 안된다 ; 너는 아무하고도 서로 떨어져서 가면 안돼, 꼭 붙어가야 돼.

pegarropa *f.* 옷에 붙는 식물의 열매《도꼬마리 따위》.

pegaseo, a *adj.* 뻬가소(Pegaso)의 ; 시신(詩神) (musas)의.

pegásides *f.pl.* ① 시신(詩神) (las musas). ② 시흥.

Pegaso *m.* ①【신화】 천마(天馬)《musa가 타고 다니는 말 ; 날개가 돋친 말》. ②【천문】 천마좌. ③【어류】 물고기의 일종.

pegata *f.* 놀려대기, 놀려주기, 장난으로 속이기 (engaño).

pegativo, va *adj.*《*AmérC. Chile.*》 =**pegajoso.**

pegatoste *m.* =**pegote.**

pegmatita *f.*【광물】 귀강암, 페그마타이트.

pego *m.* 카드 두 장을 붙여 하는 속임수 : dar·tirar el ~ 속이다(pegársela a uno).

pegojo *m.*【식물】 (꾸바의) 야생 나무.

pegollo *m.* [*lat.* pediculus]《*Ast.*》 hórreo 건축의 기둥.

pegón, na *adj.*《*Col. PRico.*》 귀찮은, 뻔뻔스러운. **—***m.*《*AmérC.*》 놀려주기(burla, chasco).

pegoste *m.*《*Amér.*》 고약(pegote).

pegostear *intr.*《*Méx.*》 (끈끈하게) 붙다.

pegostre *m.*《*Amér.*》 =**pegoste.**

pegote *m.* ① 고약. ② 죽처럼 묽은 요리 : Ese guisado es un ~. ③ 반갑지 않게 찾아온 식객 ; 방해되는 일, 군더더기 : Ese adorno es un verdadero ~.

pegotear *intr.* 식전에 반갑지 않게 몰려가다, 반갑지 않게 찾아가서 한턱 얻어먹다(meterse y convidarse una persona de gorra en las casas a las horas de comer).

pegotería *f.* 갑자기 들이닥쳐 한턱 얻어 먹는 일 (vicio de pegotear).

pegotón, na *adj. aum.* pegote.

pegual *m.*《*AmérM.*》 고리줄 ; (마구의) 배내끈, 배에 매는 띠.
al ~ 허리에 매어.

peguera *f.* 송진을 따기 위해 태우는 소나무 ; 그 때 만드는 구멍 ; 송진을 끓이는 곳.

peguero *m.* 송진 채취인・상인.

pegujal *m.* 소자산(小資産)(peculio), 작은 전답 ; 소작인에게 무료로 빌려 주는 작은 밭.

pegujalejo *m. dim.* pegujal.

pegujalero *m.* 소농(小農) ; 작은 목장 주인.

pegujar *m.* =**pegujal.**

pegujarero *m.* =**pegujalero.**

pegujón *m.* 털덩어리, 털실 덩어리.

pegullo *m.* 《*Ar.*》 =**rebaño.**

pegullón *m.* =**pegujón.**

pegunta *f.* (양에게 수지로 하는) 표적.

peguntar *tr.* (가축에) 수지로 표적을 하다.

pegunte *m.* 접착 물질.

peguntoso, sa *adj.* =**pegajoso.**

pehlvi *m.* =**pelvi.**

pehuén *m.* 【식물】 《*Chile.*》 남양삼(南洋杉)(araucaria)이나 소나무(pino)의 일종.

pehuenche *adj.m.f. desp.* 《*Chile.*》 안데스 산지의 (사람).

peina *f* 빗(peineta) : una ~ de concha.

peinada *f.* 머리 빗기, 이발하기(peinadura) : darse una ~.

peinado, da *adj.* [prinar의 *p.p.*]머리 손질을 한, 곱게 빗은.
—*m.* ① 빗질, 머리 땋기, 이발하기. ② 머리 모양, 머리 땋은 모양 : ~ sencillo. ③ 《*Chile.*》 산길에서 가파르게 된 곳.

peinador, ra *adj.* 머리를 땋는. —*m.f.* 이발사, 머리 땋는 사람 : Hoy no ha venido la ~*ra.*
—*m.* ① 화장복, 평상복, 일상복 ; 옷깃에 걸치는 수건. ② 《*AmérM. Cuba.*》 경대(tocador). ③ 《*Ecuad.*》 화장실, 경대(tocador).

peinadora *f.* ① 《*Col.*》 경대, 화장대(tocador). ② 《*Perú.*》 블라우스.

peinadura *f.* ① 이발. ② (머리빗에 걸린) 빠진 머리카락 (cabellos que se arrancan al peinarse) : recoger las ~*s.*

peinar *tr.* ① 빗질하다, 빗으로 빗다. ② 이발해 주다, 머리를 빗겨 주다(arreglar el cabello) : ~ a la niña. ② (양털・삼 등을) 빗질하다 ; 보푸라기를 세우다. ③ 돌・재목의 일부를 깎아 내다, 빗질로 훑어내다. ④ 표면을 문지르다 : ~ las olas 해면 위를 아슬아슬하게 날다.
~se ① (자기의) 머리를 빗다 : Mi hemana *se peina* muchas veces 내 누이는 자주 머리를 빗는다. ② 이발하다, 미용하다.
~*se para* uno 누구의 마음에 들려고 안간힘을 쓰다.

peinazo *m.* 【건축】 (창문 등의) 가로 창살문 (listón entre los largueros de puertas y ventanas, que forma los cuarterones).

peine *m.* [*lat.* pecten] ① 빗 : ~de bolsillo 접는 빗. ~ fina 머리빗는 빗. ② 보푸라기를 세우는 기구 (carda). ③ (베틀의) 바디(~ de telar). ④ (총기의) 탄약 장전기. ⑤ 나사못의 꼭지를 자르는 기구. ⑥ (무대 위의) 막을 매다는 격자. ⑦ 발등(empeine). ⑧ 간사한・교활한 인간 (persona astuta) : José es un buen ~. ⑨ 《*Venez.*》 새잡는 덫.
a sobre ~ ① 건성으로, 대충대충, 대강대강 (por encima). ② 가볍게(muy ligeramente) : pelar *a sobre* ~.
¡ Ya pareció al ~! 문제가 풀렸다.

peinecillo *m. dim.* peine.

peinería *f.* 빗 공장・가게.

peinero, ra *m.f.* 빗 만드는 사람, 빗 장수. —*f.* 빗 넣은 상자・자루.

peineta *f.* ① (여자들이 자주 사용하는) 장식용 (높은) 빗. ② 《*Arg. Chile.*》 =**peinilla.**

peinetero *m.* =**peinero.**

peinilla *f.* ① 양쪽에 침이 달린 빗. Sinón. lendrera. ② 《*Col.*》 =**machete.**

peje *m.* ① 물고기(pez) : ~ araña 쑤기미의 일종. ~ diablo 【어류】 쥐가오리 ; 아귀 ; 낙지. ② [경멸적으로] 사람, 인간, 놈, 작자 : ¿ Quién es ese ~ ? 그 놈은 누구지? ③ 간사한・교활한 인간(hombre muy astuto y taimado) : ¡ Vaya un ~ ! ④ 《*Méx.*》 [형용사적으로] 등신 같은, 바보 같은, 멍청이 같은.

pejebuey *m.* 《*Amér.*》 =**manatí.**

pejejudío *m.* 《*Amér.*》 =**manatí.**

pejemuller *m.* 【동물】 해우(海牛) (manatí, pez mujer).

pejepalo *m.* 말린 대구(estocafís).

pejerrey *m.* 【어류】 고등어, 고등어 무리.

pejesapo *m.* 【어류】 아귀.

pejiguera *f.* 아무 쓸모없고 거추장스럽기만 한 물건.

pejín, na *m.f.* 《*Sant.*》 (산딴데르의) 천민.

pejino, na *adj.m.f.* (산딴데르 지방에서) 상가(商街)의 ; 비천한, 천박한 (사람).

pejivalle *m.* (중앙 아메리카의) 종려의 일종. Sinón. moriche.

Pekín *m.* 【지명】 북경 《중국의 수도》.

pekinés, sa *adj. m.f.* 북경의 (사람).

pela *f.* ① 껍질을 벗기는 일(peladura). ② 《*Amér.*》 구타(zurra, azotaina).

pelada *f.* ① 털을 벗긴 산양・양 껍질(piel de carnero sin lana). ② 사보텐의 열매. ③ 《*Amér.*》 잘못, 실수(equivocación) : ~ de frente 《*Arg.*》 심한 착각. ④ 《*Chile.*》 시골에서 비공식으로 하는 소규모의 경마. ⑤ 《*Ecuad.*》 사망(muerte).

peladar *m.* 《*Arg.*》 황무지.

peladera *f.* ① 【의학】 탈모증(alopecia) : La ~ es una enfermedad orgánica, no contagiosa. ② 《*AmérC. Chile.*》 소문, 풍문(murmuración).

peladero *m.* ① (돼지나 닭 등의) 껍질 벗기는 곳. ② 노름판. ③ 《*Amér.*》 황야(campo árido, erial).

peladez *f.* 《*Col.*》 가난, 빈궁, 째지게 가난함 (miseria, pobreza).

peladilla *f.* ① 편도 과자. ② 돌멩이(guijarro).

peladillo *m.* 【식물】 과육이 씨에서 잘 떨어지지 않는 복숭아의 일종(violeto). —*pl.* 벗긴 가죽에서 뽑아낸 털.

pelado, da *adj.* [*lat.* pilatus] [pelar의 *p.p.*] ① 벗겨진, 껍질이 벗겨진, 생채로의, 맨살을 드러낸, 알몸의 : cabeza ~*da* 벗겨진 머리. monte・peñasco・campo ~ 초목이 자라지 않은 벌거숭이 산・바위・들. hueso ~ 살을 완전히 발라낸 뼈. canto ~ 이끼가 끼지 않은 돌멩이. discurso ~ 단도 직입적인 연설. ② 우수리로 끝수가 붙지 않은 (수) : el viente ~ 정확히 20. sueldo

~ 수당같은 것이 붙지 않은 본봉. ③ 빈털터리의, 무자산의(pelón) : bailar el ~ 돈 한푼없다. ④《*AmérC. Arg. PRico.*》 뻔뻔스러운, 철면피한, 파렴치한, 낯가죽이 두꺼운(desvergonzado). ⑤《*Méx.*》 미완성의, 조잡한, 촌스러운·야비한 (사람). ⑥《*Col.*》 꼬마(의). —*m.* ① pelar하는 일. ②《*Chile.*》 만취, 취함(borrachera).

pelador, ra *adj.m.f.* pelar하는 (사람).

peladura *f.* 껍질을 벗기는 일 ; 벗겨놓은 껍질 (mondadura).

pelafustán, na *m.f.* 망나니, 불량배(holgazán, perdido, vago).

pelagallos *m.* 【단·복수 동형】 무용지물, 망나니, 불량배 ; 무직자.

pelagartar *m.* 《*Murc.*》 돌 때문에 경작이 부적당한 땅.

pelagatos *m.f. desp.* 【단·복수 동형】 가난뱅이 ; 천박한 사람.

pelagianismo *m.* 펠라기우스교 《5세기의 영국의 승려 Pelagio가 세운 한 교파 ; Adán의 원죄설을 부정하는 파》.

pelagiano, na *adj.m.f.* 펠라기우스 교회(의) ; 그 교도.

pelágico, ca *adj.* 먼바다·심해(深海)의 ; 심해에 사는 ; 바다에서 부상하는 (식물·어류).

pelagoscopia *f.* 해저 조사.

pelagoscopio *m.* 해저경(海底鏡).

pelagra *f.* 【의학】 이탈리아 나병.

pelagroso, sa *adj.* 이탈리아 나병의. —*m.f.* 이탈리아 나병 환자.

pelaire *m.* 직물 끝마무리 직공.

pelairía *f.* 직물 끝마무리 일.

pelaje *m.* ① 동물의 털 : un ~ espeso. ② 털빛, 털의 질 : un ~ espeso. ③ 질(質). ④ 자태, 풍채 : un hombre de pobre·mal ~.

pelambrar *tr.* (석회에 담아) 무두질하다, 탈모하다(apelambrar).

pelambre *m.* ① (무두질·탈모용의) 석회액 : meter los cueros en ~. ② 석회액에 담그는 모피. ③ (전체적·어떤 부분의) 털. ④ 털이 없는 일, 불모(不毛). ⑤《*Chile.*》 (온천의) 나오는 구멍 ; 소문, 험담. ⑥《*Chile. Ecuad.*》 나무라기, 꾸중, 질책.

pelambrera *f.* ① (피혁의) 탈모장. ② 촘촘하게 난 털 ; 겨드랑이털, 가슴털. ③ 【의학】 탈모증(alopecia). ④《*PRico.*》 가난, 빈한, 빈궁, 궁핍(pobreza, apuro).

pelambrero, ra *adj.m.f.* 《*Chile.*》 남의 뒷소리를 하는 (사람). —*m.* 피혁의 탈모.

pelambrón, na *adj.* 《*AmérM.*》 빈털터리의, 무일푼의(descamisado).

pelamen *m.* =**pelambre.**

pelamesa *f.* ① 서로 맞붙잡고 싸우기. ② 한 웅큼의 털.

pelámide *f.* 【어류】 ① 다랑어의 일종. ② (인도양의) 바닷뱀.

pelandruca *f.* 《*Cuba.*》 =**pelandusca.**

pelandrún, na *adj.m.f.* 《*Arg. Urug.*》 겁없는 ; 어리석은.

pelandusca *f.* 매춘부, 매음부, 매소부, 창녀, 갈보(ramera, prostituta).

pelantrín *m.* ① 소농(小農)(labrantín, pegujalero). ②《*Méx.*》 빈털터리.

pelar *tr.* ① (…의) 털·껍질을 뽑다·벗기다·자르다(desplumar) : ~ un ganso. ② (…의) 껍질을 벗기다 (descortezar, mondar) : Esta fruta no se puede comer sin ~ 이 과일은 껍질을 벗기지 않고는 먹을 수 없다. ③ (…에게서) 돈·재산을 몽땅 털다, 빈털터리로 만들다.

~se ① 털이 빠지다, 탈모하다. ②《*Amér.*》 예상에서 벗어나게 만들다(confundir) ; 예상에서 벗어난 짓을 하다. ③《*Col.*》 도망치다. ④《*Méx.*》 방심하다. ⑤《*Venez.*》 취하다.

duro de ~ (…하기) 어려운(difícil de conseguir).

~ ***gallo*** 《*Méx.*》 도망치다, 뺑소니치다, 물러가다 ; 죽다.

~ ***el ojo·los ojos*** 《*Amér.*》 눈을 흘기다, 눈을 부릅뜨다, 눈을 크게 부릅떠 보다(abrir los ojos para mirar algo).

~ ***la cola*** 《*Arg.*》 때리다, 두들기다.

~ ***la pava*** 애인끼리 창문의 위아래나 철격자 사이에서 사랑을 속삭이다.

~ ***la mazorca*** 《*AmérC. Méx.*》 냉소하다, 비웃다.

~ ***rata*** 《*AmérC.*》 사망하다, 죽다(morir).

pelárselas por …에 정신이 없다, 열중해 있다.

~se la frente 《*AmérC. Arg. Bol.*》 예상 밖의 일을 당하다.

~se de fino 뱃속이 너무 검다.

~la 《*Ecuad.*》 죽다.

pelarela *f.* 탈모증(alopecia).

pelargonio *m.* 【식물】 천축 아욱.

pelarrocas *m.* 【조류】 =**pájaro arañero**.

pelarruecas *f.* 실 잣는 일 ; 가난해서 실을 자아 살아가는 여자.

pelásgico, ca *adj.* 펠라스기족의 : construcciones ~*cas.*

pelasgo, ga *adj.m.f.* 펠라스기족 《유사 이전에 그리스·소아시아에 살았던 한 종족》의 ; 고대 그리스의 (사람).

pelaza *adj.* ***paja*** ~ 대를 부숴 놓은 짚. —*f.* 맞붙어 싸우기.

pelazga *f.* 맞붙어 싸우기.

pelazón *f.* 《*AmérC.*》 【희언】 빈털터리, 무일푼.

pelcha *f.* 《*Chile.*》 상앗대(percha).

peldaño *m.* (계단의) 층계, 디딤판.

pelde *f.* =**apelde.**

peldefebre *m.* 낙타 모직물.

pelea *f.* ① 대전(對戰) : 쟁투, 싸움(combate, riña, contienda). ② 동물의 싸움(riña de animales) : ~ de gallos 투계, 닭싸움, ③ 말다툼, 언쟁.

peleador, ra *adj.m.f.* 싸우는 (사람), 투지 있는, 싸움을 좋아하는 (사람), 싸움꾼.

peleante *adj.m.f.* =**peleador.**

pelear *intr.* ① 싸우다, 투쟁하다(betallar, combatir, lunchar) : Ellos *pelearon* en defensa de la patria 그들은 조국을 방어하기 위해 싸웠다. ② 다투다, 언쟁하다, 말다툼하다(reñir, contender, cuestionar o disputar simplemente). ③ 열중하게 되다.

~se 서로 싸우다, 사이가 틀어지다 : ~*se* a puntapiés 발로 차며 싸우다. Son amigos pero *se pelean* mucho 그들은 친구지만 서로 무척 싸운다.

pelecha *f.* 《*Arg.*》(살모사 등의) 껍질.

pelechar *intr.* ① 털이나 깃털이 나기 시작하다. ② (환자 등이) 병세가 좋아지기 시작하다 (empezar a recobrar la salud) : Ya va el enfermo *pelechando.* ③ (생활 등이) 나아지기 시작하다. ④ 《*SDgo.*》 (건강·재산이) 나빠지지도 좋아지지도 않고 그대로 있다.

pelecho *m.* =**pelecha.**

pelegos *m.pl.* 《*Urug.*》 양피 망토.

pelegrino *m.* 【고어】 《*Burg. Soria.*》 =**peregrino.**

pelel *m.* [*ing.* pale ale] 엷은 빛깔의 맥주(cerveza clara).

pelele *m.* ① (사육제 때 출창 같은 데 내어 놓은) 짚인형; 꼭두각시, 괴뢰, 허수아비 같은 사람. ② 갓난아기의 속옷. ③ 얼빠진 사람, 쓸모없는 사람(persona simple, persona inútil).

pelendengue *m.* =**perendengue.**

peleón, na *adj.* 싸우기 좋아하는(amigo de pelear).

vino ~ 싼 술.

peleona *f.* 【속어】 싸움, 말다툼, 입씨름, 언쟁 (pendencia, riña, contienda, disputa).

pelerina *f.* 《*Galic.*》 (부인용·사관 등의) 어깨에 걸치는 망토, 작은 외투(esclavina).

pelero *m.* ① 《*Arg.*》 땀닦는 수건. ② 《*AmérC. Chile.*》 안장 받침. ③ 《*Venez.*》 (돋아난) 털 (pelambre)

dejar el ~ 도망치다.

peletas *adj.* 《*Col.*》 닭이 털이 없는.

pelete *m.* (banca 도박에서) 판돈을 건 사람; 빈털터리 남자 : ser un ~.

en ~ 알몸으로, 발가벗고, 실오라기 하나 걸치지 않고(en cueros).

peletería *f.* ① 모피직; 모피상; 모피점. ② [집합] 모피. ③ 《*Cuba.*》 양화점.

peletero *m.* 모피 제조자·상인.

pelgar *m.* 【속어】 =**pelagallos.**

peliagudo, da *adj.* ① 털이 짧은·미세한 (토끼 등). ② 미묘한, 오밀조밀한, 매우 꼬인(enmarañado) : un asunto ~. ③ 능숙한, 교묘한 (mañoso).

peliblanco, ca *adj.* 흰 털의.

peliblando, da *adj.* 부드러운 털의.

pelicano *m.* =**pelícano.**

pelícano *m.* [*lat.* pelicanus]. ① 【새】 펠리컨, 사다새. ② 이 뽑는 기구. —*pl.* 【식물】 매발톱꽃 (aguileña).

pelicano, na *adj.* 백발의(que tiene el pelo cano). —*m.* =**pelícano.**

pelicorto, ta *adj.* 털이 짧은.

película *f.* [*lat.* pelicanus] ① 엷은 막, 가는·엷은 껍질(piel muy delgada); (포도의) 껍질 (hollejo). ② (사진·영화의) 필름 : ~ en colores 컬러 필름. ~ en rollo 두루마리 필름. ~ virgen 생필름. ③ 영화 : ~ de colores naturales 천연색 영화·필름. ~ del Oeste 서부 영화. ~ publicitaria 선전용 영화. Dan una ~ española en el Teatro Colón 꼴론극장에서 서반아 영화를 상연하고 있다. ④ 《*Ant.*》 말할 것도 없는 일.

pelicular *adj.* 엷은 막의, 엷은 껍질의.

peliculero, ra *adj.* 영화의 : arte ~*ra* 영화 예술. —*m.f.* 영화인, 배우.

peliche *m.* 《*Perú.*》 =**sablazo.**

pelichero *m.* 《*Perú.*》 =**petardista, sablacista.**

peliforra *f.* 매춘부, 매음녀, 매소부, 창녀, 갈보(ramera, mujer pública).

peligrar *intr.* 위험하게 되다, 위험 상태에 있다, 위험하다(estar en peligro, correr riesgo).

peligro *m.* [*lat.* periculum] ①위험(riesgo) : El barco estaba en ~ de zozobrar 배가 침몰할 위험에 있었다. Hubo ~ de que se incendiara la casa 그 집은 불이 날 위험이 있었다. Hay ~ de que se pierdan los niños entre tanta gente 너무 사람이 많기 때문에 자칫하면 아이들이 미아(迷兒)가 되어 버릴 지도 모른다. ② 【은어】 고문 (拷問)(tormento de justicia).

con ~ *de* …의 위험을 무릅쓰고.

correr ~ 위험을 무릅쓰다, 위험하게 되다, 위험에 빠지다 : El barco *corría* ~ *de* zozobrar 배는 침몰할 위험이 있었다.

peligrosamente *adv.* 위험하게, 위태롭게(arriesgadamente, con peligro).

peligrosidad *f.* 위험성.

peligroso, sa *adj.* 위태로운, 위험한 (arriesgado) : camino ~ 위험한 길. artículos ~*s* 위험화물. Es una persona muy ~*sa* 그는 위험한 인물이다.

pelilargo, ga *adj.* 긴 털의, 긴 머리카락의.

pelillo *m.* [주로 *pl.*] 마음을 언짢게 하는 일, 쓸모없는 일(causa leve de disgusto).

~*s al mar* (어린아이들이 약속을 위해 머리털을 뽑아 날려 버리며 이렇게 말함; 새끼손가락을 맺는 일과 같음); 화해.

echar ~*s al mar·a la mar* 화해하다, 풀다 (reconciliarse con uno).

no tener ~*s en la lengua* 솔직하게 털어놓다.

pararse·reparar en ~*s* 사소한 일에 신경을 쓰다; 사소한 일에도 원망하다 (resentirse por cosas muy leves).

pelilloso, sa *adj.* 사소한 일에 신경을 쓰는, 속이 좁은; 남을 곧잘 원망하는.

pelinegro, gra *adj.* 검은 털의.

Pelión (el) *m.* 【신화】 그리스의 Tesalia에 있는 산; 거인이 하늘에 오르고자 가까운 Osa산을 이 산에다 포개 놓았음.

levantar el ~ *sobre el Osa* 헛고생을 하다, 공연한 노력을 들이다.

pelirrojo, ja *adj.* 붉은 털의.

pelirrubio, bia *adj.* 금발의, 블론드의.

pelitieso, sa *adj.* 뻣뻣한 털의.

pelitre *m.* [*lat* pyrethrum] 【식물】 제충국(除虫菊); 그 뿌리 《약용》.

pelitrique *m.* 쓸모없는 것, 별로 가치 없는 것 (cosa de muy poco valor).

pella[1] [*lat.* pila] *f.* ① (둥그렇게 뭉친) 작은 공, 공. ② (배추의) 결구(結球); 돼지의 비계; 덩어리. ③ (주로 부채가 된) 금액(suma de dinero). ④ 【야금】 생광(生鑛).

hacer ~ 사보타주하다, 태업하다, 노동 쟁의를 하다(hacer novillos).

pella[2] *f.* [*lat.* pellos] 【조류】 왜가리(garza real).

pellada *f.* (미장이가 반죽해서 뭉친 흙덩어리를 흙손에 뜬) 한 웅큼; 덩이, 알, 더미(pella, masa).

no dar ~ (어떤 일이) 중도에서 막히다.

pellar *m.* 【조류】 물떼새의 이름 중의 하나.

pelleja *f.* ① 생 털가죽, 생가죽, 벗긴 가죽 ; 모피 (zalea) ; 껍질(pellejo). ② 매춘부, 매음부, 창녀, 갈보(ramera, prostituta). ③【은어】 스커트(saya, falda).

dar · dejar · perder · soltar la ~ 목숨을 버리다, 죽다(morir).

salvar la ~ 목숨을 건지다, 생명을 보존하다.

pellejería *f.* ① [집합] 피혁(piel). ② 제혁업(製革業) ; 피혁상 ; 피혁 가게. ③《*Amér.*》 [주로 *pl.*] 재난, 곤란, 난국 : Nunca me vi en tales ~*s.*

pellejero, ra *m.f.* 피혁 제조자 · 상인.

pellejina *f.* 작은 모피.

pellejo *m.* ① 껍질, 가죽(piel). ② 가죽 자루 (odre) : un ~ de vino. ③ 취객(persona ebria). ④ 목숨 ; 자신의 처지《특히 곤경에 빠진 처지》. ⑤【은어】 스커트(sayo). ⑥ 매춘부, 매음부, 창녀, 갈보(ramera).

dar · dejar · soltar el ~ 죽다(morir).

estar · hallarse en el ~ *de* (특히 조건문으로서) …의 입장에 서다 : Si *me hallara en tu* ~ 내가 만약 너의 입장이라면.

mudar el ~ 행실을 고치다.

no caber en el ~ 몹시 기름지다 ; 우쭐해 있다.

no tener más que el ~ 뼈와 가죽만 남다.

pegar con el ~ 생명을 걸다.

perder el ~ 죽다, 서거하다(morir, perder la vida)

quitar a uno *el* ~ ① (누구의) 목숨을 빼앗다 (quitarle la vida). ② 욕하다. ③ (누구에게서) 가진 물건을 빼앗다, 알몸으로 만들다.

salvar el ~ 목숨을 건지다, 곤경에서 구해내다, 위험을 없애다.

pellejudo, da *adj.* 피부가 늘어진 · 처진.

pellejuela *f. dim.* pelleja.

pellejuelo *m. dim.* pellejo.

pelleta *f.* =**pelleja.**

pelletería *f.* =**pellejería.**

pelletero, ra *m.f.* =**pellejero.**

pellica *f.* 모피로 만든 커피(pellico) ; 모피의 작은 조각.

pellico *m.* 모피 조끼 · 외투(zamarra).

pellijero, ra *m.f.* =**pellejero, pellejera.**

pellín *m.* 《*Chile.*》 ①【식물】 떡갈나무의 일종. ② 단단한 사람 · 물건.

pellingajo *m.* 《*Arg. Col. Chile.*》 부스러기 삼 ; 실 부스러기(estropajo).

pelliquero *m.* pellica의 제조자 · 상인.

pelliza *f.* 모피 외투 ; 모피로 만든 웃옷.

pellizcador, ra *adj.m.f.* 꼬집는 (사람), 비트는 (사람).

pellizcar *tr.* ⑦ ① 꼬집다(pizcar) ; 비틀다 : La madre *pellizcó* el brazo al niño. ② 훑다, 쥐어뜯다, 잡아 뽑다, 잡아떼다 : ~ el pan.

~se 【속어】 죽다(morir).

pellizco *m.* 꼬집는 일 ; 손끝으로 한번 집은 분량, 아주 적은 것.

pello *m.* 가죽 웃도리의 일종.

pellón *m.* [*lat.* pellis] ① 옛날의 모피로 만든 긴 옷. ②《*Amér.*》 가죽 마의(馬衣)의 일종. ③《*Arg.*》 =**cojinillo.**

pellote *m.* 옛날의 가죽옷.

pellugón *m.* 《*And.*》 빵의 반죽 덩이.

pelluzgón *m.* 한줌의 털 ; 복슬복슬한 털 : la barba *a* ~*es* 많은 턱수염.

pelma *m.* 굳어서 단단한 것(pelmazo). —*m.f.* 굼뜬 사람, 굼벵이.

pelmacería *f.* 굼뜬 일 · 짓(tardanza, pesadez, majadería).

pelmazo *m.* ① 굳어서 단단한 것. ② 위에 부담을 주는 것. ③ 굼벵이(persona pesada) : Ese hombre es un ~.

pelo *m.* [*lat.* pilus] ① [집합] 털, 수염, (특히 남자의) 머리카락 (cabello) : El tiene el ~ negro y los ojos castaños 그는 검은 머리로 갈색의 눈을 하고 있다. ② 솜털(fibra, vello) ; 보푸라기 : caérsele el ~ al vestido 양복의 털이 닳아 떨어지다. ③ (새에 있어서는) =**plumón.** ④ 털의 빛깔 : ¿De qué ~ es tu caballo? ⑤ (글을 쓸 때 펜촉 끝에 묻은) 먼지 ; (유리 · 돌 등의 갈라진) 금 ; 흠. ⑥ (상품으로서) 생사(生絲) ; (당구에서 공과 공의) 접촉, 맞부딪침. ⑦ 하찮은 일, 사소한 일 : No se le veía el ~ 그의 그림자도 모습도 보이지 않았다. No hace ni corre *un* ~ *de aire* 바람이 전혀 없다.

~ *a* ~ 있는 그대로 · 덧붙이는 것 없이, 우수리 없이.

~ *arriba* 털을 거슬러 ; 생각지도 않게(contra pelo) : peinarse ~ *arriba* 머리카락은 위로 거슬러 빗다.

~ *de aire* 거의 느낄 수 없는 바람(viento casi imperceptible)

~ *de camello* 낙타의 모직물 ; 그와 비슷한 직물.

~ *de cofre · de Judas* 붉은 털(을 가진 사람).

~ *de gato* 《*AmérC.*》 가랑비.

~ *de la dehesa* (시골에서 온 사람의) 시골티.

~ *malo* 새의 보드라운 털 (plumón).

~ *por* ~ =pelo a pelo.

~*s y señales* 낱낱이, 털끝만큼도 빠뜨리지 않고 : contar un suceso con todos *sus* ~*s y señales.*

a ~ 모자를 쓰지 않고 ; 안성맞춤으로, 때마침 (al pelo).

al ~ 털의 결을 따라 (쓰다듬어 주다 등) ; 안성맞춤으로, 제때에 ; 마음먹었던 대로 : Llegas *al* ~.

a medios ~*s* 얼근히 취해 (medio borracho).

contra ~ ① 털을 거슬러(a contrapelo) : acariciar un gato *contra* ~ 고양이를 털을 거슬러 쓰다듬다. ② 참 나쁘게, 생각지도 않게.

de medio ~ 보기만의, 쓸모없는 : señora *de medio* ~.

de ~ *en pecho* 호걸스러운, 늠름한, 씩씩한.

de segundo ~ 《*Arg.*》 2류의.

en ~ ① 안장없는 말에, 맨 말에 : montar un caballo *en* ~. ② 적나라하게(desnudamente).

largo como ~ *de huevo · de rota* 인색한 (miserable, tacaño).

argarrarse · asirse de un ~ 사소한 꼬투리 · 구실 · 기회를 붙잡다.

alzar ~ 《*CRica.*》 뺑소니치다.

alzar a uno ~ 《*AmérC.*》 …를 무서워하다.

andar al ~ 때리고 다니다.

buscar el ~ *al huevo* 공연히 따지고 들다, 쓸데

없는 구실을 찾다.
cambiar de ~ 《*Chile.*》 사정이 호전하다.
cortar un ~ *en el aire* 무척 영특하다 (ser muy astuto).
echar buen ~ 재산·운이 좋아지다(pelechar).
echar ~*s al mar* 화해하다.
estar hasta los ~*s* (사람·어떤 일에) 넌더리를 내고 있다.
hacer(se) el ~ 머리를 빗다, 이발하다.
hacer ~*s* 《*Méx.*》 부추기다, 꼬드기다.
*lucir*le a uno *el* ~ 뚱뚱하고 건강하다.
montar·poner al ~ (총기에) 촉발(觸發)하도록 방아쇠를 걸어 놓다.
no cubrir ~ 운이 닿지 않다.
no tener ~ *de tonto* 빈틈이 없다(ser listo).
no tener ~*s en la lengua* 말하는 것을 무서워하지 않다(no tener miedo a hablar).
no tocar al ~ *(de la ropa)* 전혀 손대지 않다.
ponerse los ~*s de punta* 소름이 끼치다, 솜털이 곤두서다.
rascarse ~ *arriba* 호주머니·지갑에서 돈을 꺼내다.
relucir el ~ (재수가 좋아·사료가 좋아) 토실토실하고 윤기가 흐르다.
salir de ~ 성질에서 비롯되다·유래하다.
ser de buen ~ [역설적으로] 성질이 나쁜 사람이다.
ser ~*s de la cola* 《*Chile.*》 쓸모없다.
tener ~*s* (어떤 일이) 귀찮다.
tener ~*s en el corazón* 원기가 왕성하다; 냉담·매정하다.
tentar el ~ =pegar.
tomar el ~ 놀려주다, 놀려대다, 야유하다 (burlarse de) : No me *tomes el* ~ 나를 놀리지 마시오. Nadie me va a *tomar el* ~ 나는 누구한테도 놀림을 당하지는 않는다.
venir a(l) ~ (어떤 일이) 안성맞춤이다 : Eso no *viene* muy *a* ~ 그것은 절절치 못하다.

pelón, na *adj.* 털이 없는, 털이 가느다란; 짧은 머리카락의; 가난한, 빈털터리의; 굼뜬.
—*m.* ① 《*Arg.*》 복숭아의 일종. ② 《*Bol.*》 말린 복숭아. ③ 《*Col. Chile.*》 껍질이 벗겨짐(desolladura). ④ 《*Venez.*》 잘못, 실수(equivocación) ⑤ 《*Guat.*》=**niño, muchacho.**

pelona *f.* ① 탈모증(alopecia). ② 대머리 (calvicie). ③ 사망(la muerte).

pelonchile *m.* 《*Méx.*》 capuchina의 꽃.

pelonería *f.* 가난; 빈털터리, 빈궁, 곤궁 (pobreza, miseria).

pelonía *f.* =**pelona.**

pelopio *m.* 【화학】 페로퓸 《희귀 원소》. **Sinón.** niobio, tántalo.

peloponense *adj.* 펠로포네소 《Peloponeso, 그리스의 남부에 있는 반도·지방》의 (사람).

peloponesíaco, ca *adj.* =**peloponense.**

pelosa *f.* 【은어】 스커트; 모포, 가빠.

pelosilla *f.* =**vellosilla.**

pelosina *f.* 【화학】 =**cisampelina.**

peloso, sa *adj.* 털이 많은; 보푸라기가 일어선 : una tela muy ~*sa* 보푸라기가 일어선 천.

pelota *f.* ① 공, 구슬, 알, 볼 : ~ de viento 바람을 넣어 부풀리는 공·볼. ② 공던지기 놀이, 하이알라이 : ~ base 야구. ③ 매춘부, 매음부, 창녀, 갈보. ④ 《*Arg. Bol. Urug.*》 가죽 배. ⑤ 《*Cuba. Méx.*》 열망, 동경.
en ~ 알몸으로 (en cueros, desnudo) : dejar *en* ~ 발가벗기다; 돈·가진 것을 몽땅 털어내다.
estar la ~ *en el tejado* (일이) 어떻게 돌아갈 지 미심쩍다.
hacerse una ~ 오므라들다, 웅크러들다.
rechazar·volver la ~ 주리를 틀다, 손목을 비틀다.
sacar ~*s de una alcuza* 아주 빈틈없다.

pelotari *m.f.* 하이알라이 선수 : Carmenchu es una buena ~ 까르멘추는 훌륭한 하이알라이 선수이다..

pelotazo *m.* 공던지기, 공으로 때리기(golpe dado con una pelota).

pelote *m.* 산양의 털(pelo de cabra).

pelotear *tr.* (계산을) 서로 맞추어 보다, 체크하다.
—*intr.* ① 공을 던지다; 여기저기 던지다 : ~ *con* la almohada 베개를 서로 던지다. ② 싸우다, 입씨름하다(reñir, disputar). ③ 《*Arg. Bol.*》 가죽배 (pelota)로 강을 건너다. ④ 《*Chile.*》 얼핏 말을 엿듣다.

pelotera *f.* (주로 여자들의) 싸움, 말다툼, 입씨름 : armar una ~.

pelotería *f.* pelotas 혹은 pelotes의 많은 것·전체; 그것을 만드는 공장·파는 가게.

pelotero *m.* ① 공 등을 만드는 사람; (공놀이에서) 공을 맡는 사람. ② 【속어】 (여자들의) 입씨름, 말다툼, 싸움(pelotera).
—*adj.* 《*AmérC.*》 인상이 좋은.
traer al ~ 안절부절 못하게 만들다.

pelotilla *f.* [*dim.* poleta] 고행자가 썼던 채찍.
darse con la ~ 스스로 채찍질하다; 폭음하다.
hacer la ~ 비위를 맞추다(adular).

pelotilleo *m.* =**adulación.**

pelotillero, ra *adj.m.f.* 비위를 맞추는 (사람) (adulador). —*m.* 【식물】 고무가 나오는 대극과 식물.

peloto *adj.* 밀(trigo)의.

pelotón *m.* [*aum.* pelota] ① 털의 다발; 무리, 떼, 군중. ② 【군사】 [집합] 분대(分隊), 소대(小隊) : ~ de ejecución 총살형 집행의 사살대.

pelotudo, da *adj.* 《*Arg.*》 둥한한(negligente).

pelta *f.* [*lat.* pelta; *gr.* peltê] 달 모양의 방패.

peltraba *f.* 【은어】 =**morral zurrón.**

peltre *m.* 백랍, 땜납 《납과 주석의 합금》: cucharas de ~.

peltrero, ra *m.f.* 백랍 세공사.

pelú *m.* 뻴루나무 《칠레산 콩과의 교목》.

peluca *f.* [*lat.* perruca] ① 가발 : Ella llevaba una ~. ② 《*Perú.*》 늘어뜨린 머리(melena). ③ 가발 쓴 사람. ④ 《*Ecuad.*》 긴 머리, 장발(pelo largo). ⑤ 질책(reprensión severa) : echar una ~.

peluche *m.* 《*Galic.*》 우단(felpa).

pelucón *m. aum.* peluca.

pelucón, na *adj.m.f.* ① 《*Col. Perú.*》 긴 머리카락의(melenudo). ② 《*Chile.*》 【고어】 보수당의 (사람). ③ 《*Ecuad.*》 상류 사회의 (사람) (persona de alta posición).

pelucona *f.* 부르봉 왕가의 Carlos Ⅳ와 그 이전의 왕의 반신상이 들어 있는 금화.

peludear *intr.* 《*Arg. Urug.*》 (자동차 등이) 부드러운 땅에서 옴쭉달싹 못하다 ; 억지로 몸살을 내다시피 일하다 ; 선뜻 말문을 열지 못하다.
peludo, da *adj.* 털이 많이 난. —*m.* ① 구두 닦는 천. ② 《*Riopl.*》 취기(borrachera). ③ 【동물】 다람쥐(armadillo).
peluquera *f.* ① 이발사의 아내(mujer del peluquero). ② 미용사. ③ 미장원 주인(dueña de una peluquería).
peluquería *f.* 이발소, 미용원 ; 가발상(商).
peluquero, ra *m.f.* 이발사, 미용사 ; 가발 제조자·장수 ; 이발소·미장원의 주인.
peluquín *m.* 어여머리, 가발의 일종 ; 반가면(bisoñé).
pelusa *f.* ① (과일 등의) 솜털. ② (닳아진 천의) 보풀. ③ 선망, 부러워하기, 탐내기.
pelusiento, ta *adj.* 《*Perú. PRico.*》 =**pelado.**
pelusilla *f.* =**vellosilla.**
pelvi *adj.m.* 고대 페르시아말(의).
pelviano, na *adj.* 【해부】 골반(骨盤)(pelvis)의 : cavidad ~*na* 골반강(腔).
pélvico, ca *adj.* =**pelviano.**
pelvímetro *m.* 골반계(骨盤計).
pelvis *f.* [*lat.* pelvis] 【해부】 골반(骨盤)(cintura ósea).
PEMEX Petróleos Mexicanos.
pemmicán *m. ing.* 말린 쇠고기 통조림.
Pen Club 국제 펜클럽.
pena *f.* [*lat.* poena ; *gr.* poiné] ① 벌, 형벌(castigo) : Sufrieron una severa ~ por lo que hicieron 그들은 그들이 했던 일 때문에 심한 벌을 받았다. ② 고통(dolor) ; 슬픔, 괴로움, 걱정 : Le dio mucha ~ la muerte de su primo 그의 사촌의 죽음은 그에게 굉장한 슬픔을 주었다. Tuvo la ~ de perder a su padre 그는 부친을 잃는 불행을 당했다. ③ 고생, 노고(trabajo) : Con mucha ~ he terminado este trabajo 몹시 고생하여 이 일을 끝마쳤다. ④ (옛날 부인용) 머리 장식 리본 ; (날개의) 칼깃 ; (돛의) 평행 돛대의 끝. ⑤ 《*Amér.*》 수줍어하기(timidez). ⑥ *pl.* 【은어】 조형(漕刑)(galeras). ⑦ 《*Perú.*》 망령, 원한을 품은 망령 : Hay ~*s* en esa casa 그 집에는 망령이 있다.
~ accesoria 부가형(附加刑).
~ capital·de la vida 사형.
~ de muerte 사형.
~ del talión 동태 보복형(同態報復刑) (ley del talión).
~ ordinaria 【고어】 사형.
~ pecuniaria (벌금·과태료 등) 재산형(multa).
a duras·graves·malas ~s 겨우, 간신히, 가까스로(con mucha dificultad) : Llegaron a casa *a duras ~s* 그들은 간신히 집에 도착했다.
a ~s 거의 …않다(apenas).
ni·sin ~ ni gloria 냉정한 태도로.
merecer la ~ de + inf. …할 가치가 있다 (valer la pena).
pasar la ~ negra (정신적·육체적으로) 몹시 괴로워하다.
pasar las ~s del purgatorio (연옥 같은) 끊임없는 고통을 맛보다.
valer la ~ (de) + inf. …할 가치가 있다 : *Vale la ~ de* verlo 그것은 볼 만한 가치가 있다.
penable *adj.* 벌을 받아야 하는.
penachera *f.* =**penacho.**
penacho *m.* [*lat.* penna] ① 【조류】 도가머리, 관모(冠毛). ② (군모의) 깃털 장식, 앞에 세우는 장식. ③ 거만함, 우쭐거림(vanidad) : con ~ 거만하게, 자랑스럽게.
penachudo, da *adj.* 도가머리·관모가 있는 ; 깃털 장식을 꽂은.
penachuelo *m. dim.* penacho.
penadamente *adv.* 괴로워하여 ; 애써서, 힘들여.
penadilla *f.* (옛날 서반아의 구멍이 좁은) 물그릇.
penado, da *adj.* [penar의 *p.p.*] 괴로운 ; 힘드는 ; 괴로움을 주는. —*m.f.* 죄수(delincuente). —*m.* (옛날 서반아의 구멍이 좁은) 물그릇.
penal *adj.* [*lat.* poenalis] 형벌의, 형(刑)의 ; 형법의 : código ~ 형법. —*m.* 형무소, 감옥(cárcel).
penalidad *f.* ① 비탄 ; 고통 ; 노고 : pasar muchas ~*es*. ② 형벌, 벌칙 ; 벌금, 과태료(multa).
penalista *adj.* 형법 전문의. —*m.f.* 형법 학자.
penalizar *tr.* 벌을 주다, 체형을 가하다.
péname *m.* 《*Ar.*》 =**pésame.**
penante *adj.* 고통을 당하고 있는 ; 힘드는.
penar *tr.* 벌하다, (…에) 벌을 과하다. —*intr.* ① [+de·por : …로] 괴로워하다, 고통스러워하다 : ~ *por* su hijo 아이 때문에 고통스러워하다. ~ *de* amores 사랑에 고민하다. ② (연옥 같은) 고통을 당하다 ; 임종의 고통을 당하다. ③ [+por : …을] 열망하다. ④ 《*Col.*》 한턱 내게 하다.
~se 괴로워하다.
penates *m.pl.* [*lat.* penates] 집안의 수호신 ; 집, 주거.
penca *f.* ① 육질(肉質)의 잎, 두꺼운 잎 ; 잎살. ② (형벌용) 채찍. ③ 《*Riopl.*》 취기.
a la pura ~ 《*Arg.*》 벌거숭이로, 알몸으로, 실오라기 하나 걸치지 않고(desnudo) ; 우격다짐으로.
hacerse de ~s 쉽사리 굽히지 않다.
pencar *tr.* 7 【은어】 채찍·회초리로 때리다.
pencazo *m.* 채찍질.
pence *m.pl. ing.* =**penny.**
penco *m.* ① 여윈 말(jamelgo). ② 《*Amér.*》 【식물】 용설란(agave). ③ 《*AmérC. Ant.*》 부스러기, 조각.
pencudo, da *adj.* ① 육질의 잎(pencas)을 가진. ② 《*Col.*》 터무니없는(descomunal).
pencuria *f.* 【은어】 매춘부, 갈보.
penchicarda *f.* 【은어】 무전 취식.
pendanga *f.* =**pencuria.**
pendejada *f.* 《*Amér.*》 하찮은 짓, 어리석은 짓(necedad).
pendejear *intr.* 어리석은 짓을 하다.
pendejismo *m.* =**pendejada.**
pendejo *m.* ① 음모(陰毛). ② 비열한 사람. ③ 《*Amér.*》 멍청이, 얼간이.
pendencia *f.* ① 싸움, 말다툼, 언쟁(riña). ② 계쟁(係爭) : en ~ 계쟁 중인. ③ 【은어】 =**rufián.**
pendenciar *intr.* 11 싸우다, 말다툼하다, 언쟁

하다(reñir, contender, disputar).

pendenciero, ra *adj.* 툭하면 싸우려 드는, 싸움질 좋아하는(amigo de pendencias).

pendenzuela *f. dim.* pendencia.

pender *intr.* [*lat.* pendere] ① 매달려 있다, 걸려 있다(colgar) : Los frutos *penden de* las ramas 열매가 가지에 매달려 있다. ② 의지하다(depender). ③ 미결 상태이다, 계쟁 중이다(estar pendiente un pleito o negocio).

pendiente *adj.* ① 매달려 있는(que cuelga). ② …을 기대한, 기다리다 못한 : ~ *de* sus nuevas órdenes 새로운 주문을 기다리면서. ③ 미결정·미결재의, 현안 중인(que aun no está resuelto) : cuenta ~ 미결재 계정. deuda ~ 갚지 않은 빚. negocio ~ 미해결 사업. ④【법률】계류 중인 : pleito ~ 계류 중인 소송. —*m.* ① 귀고리, 이어링 (zarcillo, arete). ②【건축】지붕의 경사. ③【광물】광맥의 표면(cara superior de un criadero). —*f.* ① 비탈길(cuesta). ② 구배, 경사각도 : ~ grande·pequeña 급경사·완만한 경사. ③(그래프의) 경사.

al ~ de …에 의존해서 : *al ~ de* sus noticias 소식을 기다려.

pendil *m.* ① 부인용 망토. ②《*And.*》=**candil.**

tomar el ~ =tomar el pendingue.

pendingue *m.* =**pendil.**

tomar el ~ 떠나다, 돌아가다(marcharse, ausentarse).

pendol *m.* [주로 *pl.*] 배의 밑창을 청소하기 위해 배를 한 쪽으로 기울게 하는 일.

péndola[1] [*lat.* pennula] 펜(pluma) : escribir con gallarda ~.

péndola[2] *f.* (시계의) 추(péndulo). ② 추시계. ③ 깃털. ④(적교 등의) 매다는 철. ⑤【건축】기둥.

pendolaje *m.* (해상에서의) 압수권(押收權).

pendolario, ria *m.f.* 달필가(calígrafo).

pendolista *m.f.* =**pendolario.**

pendolón *m.* [*aum.* péndola]【건축】(도리에서 수평 각재까지 수평 상태의) 뼈대 목재.

pendón *m.* [*lat.* penno] ① 기, 깃대, 삼각기, 깃발 (bandera). ② 군기, 단기 (estandarte). ③(줄기에서 나온) 움, 가지 눈(vástago). ④ 구질구질하게 생긴 꺽다리 여자 : Esa mujer es un ~. ⑤ 비위에 맞지 않는 자. —*pl.* 노새의 고삐 줄.

~ de Castilla·morado 까스띠야 왕기(王旗).

~ caballeril·puñal 기사의 깃발《10~50명 가량의 부하를 거느린 기사의 깃발》.

a ~ herido 전력을 다해.

alzar·levantar ~(es) 용병을 모집하다.

seguir el ~ de …의 지휘하에 들다.

pendonear *intr.* 어슬렁어슬렁 다니다(pindonguear, callejar).

pendoneta *f. dim.* pendón.

pendonista *adj.* (행렬 등의) 기수의. —*m.f.* 기를 호위하는 사람.

péndula *f.*【속어】=**péndola.**

pendular *adj.* 추의 : movimiento ~ 추운동.

péndulo *m.* [*lat.* pendulus] ①【물리】진자(振子) : ~ de compensación 보정 진자. ~ sidéreo 천문대의 표준 시계. ②《*Amér.*》시계추.

péndulo, la *adj.* 매달린, 늘어진(colgante); 해결이 나지 않는(pendiente).

pendura (a la) *adv.* 매달고, 늘어뜨리고 : estar el ancla *a la ~*.

pene *m.*【생리】음경(陰莖), 자지(miembro viril).

peneca *f.*《*Chile.*》초급 학급. —*m.f.* 초급 학교의 어린이.

Penélope *f.*【희랍 신화】Ulises의 정숙한 아내 ; 남편이 집을 비운 동안 자기를 탐내는 젊은이들에게 베가 다 짜질 때까지만 기다리라고 속여, 낮에는 베를 짜고 밤에는 이것을 다시 풀었던 여자.

tela de ~ 아무리해도 끝이 안나는 일.

peneplanicie *f.* 산악 지방의 침식 작용에 의한 고원.

peneque *adj.* 취한(borracho). [*N.* 주로 estar·ir·ponerse 등의 보어가 됨].

penetrabilidad *f.* 가입성(可入性), 관통성, 관통할 수 있는 일 ; 피투입성 ; (뢴트겐선 등의) 투과성 ; 투과율.

penetrable *adj.* ① 관통할 수 있는, 들어가는, 가입성의 : El diamante no es fácilmente ~. ② 통찰·간과할 수 있는 : un misterio ~. **Contr.** impenetrable.

penetración *f.* ① 들어가기, 침입, 침투 : ~ económica 경제적 진출. ~ pacífica 경제·정치력에 의해 다른 나라에 대한 평화적 침입. ②(탄환의) 침철(력), 관통, 통착력, 안식(眼識) (perspicacia).

penetrado, da *adj.*《*Neol.*》=**convencido, impregnado.**

penetrador, ra *adj.* 예민한, 통찰력이 있는 ; 투철한 (agudo, perspicaz, penetrante) : inteligencia ~.

penetral *m.* 깊숙한 방.

penetrante *adj.* ① 관통하는 ; 뚫고 들어가는 힘이 강한 : proyectil ~. ② 깊은, 예민한, 통찰력이 있는 : inteligencia ~. ③ 찌르는 듯한 : olor ~ 찌르는 듯한 냄새. ④(소리가 멀리까지·구석까지) 잘 들리는, 드높은.

penetrar *tr.* [*lat.* penetrare] ①(…에) 들어박히다 ; 깊이 들다 ; 뚫다, 꿰뚫고 들어가다, (…에) 뚫고 들어가다, 침투하다 ; 스며들다 : El aceite *penetra* las telas 기름이 천에 스며든다. ②(추위·아픔·목소리 등이) 찌르다·찌르는 듯하다, 스며들다, 가슴에 스며들다 : Sus gritos me *penetran* el corazón 그녀의 절규가 나의 마음을 찔렀다. ③ 알아채다, 통찰·간파하다 : ~ un secreto 비밀을 알아채다. Es difícil ~ sus pensamientos 그의 생각을 간파하기가 어렵다. ④ …의 뱃속·내심을 꿰뚫어 보다. —*intr.* ① 끼어들다, 아주 깊이 들어가다 ; 헤치고 들어가다 : ~ *en* la selva virgen. ② 뚫고 들어가다 : La espada *penetró en* las carnes.

~se ① 뚫어 버리다. ② 서로 속을 떠보다 ; 어김없이 통찰하다·흡수하다 : *~se de* la realidad 현실을 통찰하다.

penetrativo, va *adj.* 뚫는, 뚫고 들어가는 ; 찌르는 듯한, 날카로운, 예민한.

pénfigo *m.*【의학】천연두, 천포창(天疱瘡).

penga *f.*《*Arg. Bol.*》바나나 송이.

peni *m.*《*Bol.*》【동물】갈기 도마뱀(iguana).

penibético, ca *adj.* 뻬니베띠꼬 산맥의 : Cordillera *Penibética* 뻬니베띠꼬 산맥《서반아 남부에 있음, 주봉은 Mulhacén 3478m》.

penicilina *f.* 【약학】 페니실린 : recetar ~.

penígero, ra *adj.* 【시어】 깃이 있는(alado).

penillanura *f.* 기복이 별로 없는 널찍한 땅.

penino *m.* 【방언】《*Amér.*》 아장아장 걷기.

península *f.* [*lat.* paeninsula] 반도(半島) : la *P-* Ibérica 이베리아 반도. la *P-* Coreana 한반도. España, Italia, Escandinavia y Grecia son las principales ~*s* de Europa 서반아, 이탈리아, 스칸디나비아 및 그리스는 유럽의 주요 반도이다.

peninsular *adj.* 반도의 ; (특히) 이베리아 반도의 : país ~ 반도 국가. tierra ~ 반도 육지. —*m.f.* 반도 사람 ; (서반아의 아프리카 식민지에 대해) 이베리아 반도 사람.

penique *m.* [*ing.* penny] 페니, 펜스《영국의 청동화, 12분의 1실링》.

penisla *f.* [드뭄] =**península.**

penitencia *f.* [*lat.* paenitentia] ①(종교적으로) 죄의 뉘우침, 개전(改悛), 죄에 대한 속죄 : cumplir la ~ 고행을 하다. ② 고해의 비적 ; 후회 ; 속죄를 위한 고행 : hacer ~ 속죄하다 ; 사양하여 먹지 않다. ③ 벌 : imponer ~. ④ 고통, 괴로움.

penitenciado, da *adj.m.f.* ①(종교 재판소에서) 처형된 (사람). ②《*Amér.*》 죄수.

penitencial *adj.* [*lat.* paenitentialis] 죄값으로서의 ; 죄의 뉘우침·참회의 : salmos ~*es* 성서의 회죄 시편(悔罪詩篇).

penitenciar *tr.* ⑪ (…에게) 속죄하는 벌을 주다 ; 괴롭히다.

penitenciaria *f.* 《*Amér.*》 =**penitenciaría.**

penitenciaría *f.*. (로마 교황청의) 내사원(內赦院) ; 징치감(懲治監) ; 감옥(cárcel).

penitenciario, ria *adj.* 참회를 듣는, 참회의 ; 죄를 다스리는, 속죄하는. —*m.* 청죄 사제(聽罪司祭) ; 내사원장 ; 징치감.

penitenta *f.* 고해자, 참회자 ; 고행자.

penitente *adj.* ① 뉘우치고 있는. ②《*Ecuad.*》 바보·얼간이 같은. —*m.f.* 참회자 ; 속죄자, 고해자 ; 고행자(苦行者).

penmican *m.* [*ing.* pemmican] 말린 고기의 일종.

pennado, da *adj.* =**pinado.**

penny *m. ing.* =**penique.** [*N.* 발음 : pene].

peno, na *adj.m.f.* 카르타고의 (사람)(cartaginés).

penol *m.* (돛의) 가로대의 끝 : a toca ~*es* 뱃전끼리 서로 닿아 문지르며.

penosamente *adv.* 괴로운 듯이, 애써.

penoso, sa *adj.* ① 괴로운, 가슴 아픈 : una labor ~*sa.* ② 처참한, 슬픈(afligido). ③ 뽐내는, 우쭐거리는. ④《*Col. Venez.*》 내성적인.

penquisto, ta *adj.* 꼰셉시온《la Concepción, 칠레의 주·도시》의. —*m.f.* 꼰셉시온 사람.

pensado, da *adj.* [pensar의 *p.p.*] [mal·peor +] 남을 의심하기 잘하는, 곡해하기 쉬운.

de ~ 고의로, 일부러, 계획적으로(de intento).

tener ~ 생각하고 있다, 마음속으로 계획하다.

pensador, ra *adj.* 생각하는 ; 사색적인, 사려깊은, 생각이 깊은 ; 생각에 잠긴(meditabundo). —*m.f.* ① 사상가. ②【고어】 철학자.

pensamiento *m.* ① 사상, 생각, 사고(력), 착상 : un ~ ingenioso. ② 의도, 복안, 심중, 속마음, 구상 ; 감상 ; 명구(名句). ③【식물】 삼색 오랑캐꽃(trinitaria). ④【은어】 목로 술집, 목로주점(bodegón).

como un ~ 손쉽게, 재빨리.

en un ~ 순식간에, 즉시.

ni por ~ 생각해 보지도 않고.

beber**le a uno **los** ~**s …의 희망·의도를 헤아리다·알아채다.

no pasar**le a uno **por el ~ una cosa =no ocurrírsele, no pensar en.

pensante *adj.* 생각하는 : un ser ~.

pensar[1] *tr.* ⑲ [*lat.* pensare] ① 생각하다, 느끼다 ; 의도하다(intentar) : *Pienso* salir mañana 나는 내일 떠날 생각이다. *Pensaba* que saldría mañana 내일 떠날 생각이었다. No *habían pensado* que la amiga del niño pudiera ser una cebra 그 어린이의 여자 친구가 얼룩말이라고는 아무도 생각하지 못했었다. ¿A dónde *piensa* usted ir? 당신은 어디에 가실렵니까? *Pienso,* luego existo 나는 생각한다, 고로 존재한다. ②《*Col.*》 [+a : …을] 생각해 내다.

—*intr.* ① [+en·sobre : …에 대한 일을] 생각하다, 잘 생각하다 : No *pensaba en* nada 아무 생각도 하지 않고 있었다. ② [+en+*inf.*] …할 생각이다.

~ ***mal*** 그릇·잘못 생각하다, 곡해하다(ser mal pensado).

sin ~ 생각지도 않게, 의외로, 생각없이(inadvertidamente, de improviso) : No debes hablar *sin* ~ 생각없이 말해서는 안된다.

[직설법 현재 : pienso, piensas, piensa, pensamos, pensáis, piensan. 접속법 현재 : piense, pienses, piense, pensemos, penséis, piensen].

pensar[2] *tr.* [*lat.* pendere] 동물에게 건초·사료를 주다(dar el pienso a los animales).

pensativo, va *adj.* 생각에 골몰한·잠긴 : quedarse ~ 생각에 잠겨 있다.

pensel *m.* (일반으로 해바라기 같은) 해바라기꽃.

penseque *m.* 잘못된 생각 ; 실수, 잘못 (error, equivocación).

pensil *adj.* 공중에 뜬(pendiente, colgado). —*m.* 환상의 정원(jardín encantador) : los ~*es* granadinos 그라나다의 환상적인 공원·정원.

pénsil *adj.m.* 【고어】 =**pensil.**

pensilvano, na *adj.* 펜실베니아《Pensilvania, 북미의 주》의. —*m.f.* 펜실베니아 사람.

pensión *f.* [*lat.* pensio] ① 연금, 은급(恩給) : ~ a la vejez 양로 연금. ~ de vejez 양로 연금. ~ de invalidez 질병 연금. ~ de orfandad 고아연금. ~ de retiro 퇴직 연금, 퇴직금. ~ de viudedad·viudez 미망인 연금. ~ para vivir (el sustento) 종신 연금. ~ vitalicia 종신 연금. El gobierno concede ~ a los inválidos 정부는 불구자에게 연금을 지급한다. ② 조성금(助成金)《연·월·주 등 정기적으로 지불하는 일정 금액》. ③ 하숙집, 여인숙, 기숙사. ④ 하숙비, 기숙비(pupilaje) : pagar ~ en una casa de huéspedes. ⑤ 조세 ; 세(稅) ; 부담. ⑥《*Arg. Perú.*》 외래객에게 대접하는 식사. ⑦《*Chile.*》

초조한 마음, 조바심; 슬픔.

pensionado, da *adj.* [pensionar의 *p.p.*] 은급·급비를 받고 있는. —*m.f.* 연금·은급을 받는 사람; 급비생(給費生). —*m.* 기숙 학교, 숙(塾).

pensionar *tr.* ①(…에) 은급·연금·조성금 등을 급여하다 (conceder una pensión) : ~ un artista. ②(…에) 세금·조세·부담금을 부과하다. ③《AmérM.》 애먹이다, 귀찮게 하다, 괴롭히다(molestar).
~se =molestarse.

pensionario *m.*. 조성금 등의 출자자.

pensionista *m.f.* 연금·조성금을 받는 사람, 은급 생활자; 기숙생; 하숙인.

pent- *pref.* 「5」를 의미하는 접두어 : *penta*grama.

penta- *pref.* =**pent-**.

pentacordio *m.* (옛날에 사용 했던) 5현금(五弦琴).

pentáculo *m.* 별표, 별 모양.

pentadáctilo, la *adj.* 다섯 손가락의.

pentadecágono, na *adj.* =**pentedecágono.**

pentaedro *m.* 오면체 : La pirámide de base cuadrangular es un ~.

pentágero *m.* =**pentáculo.**

pentagonal *adj.* =**pentágono.**

pentágono, na *adj.* 5각의. —*m.* 오각형 : ~ regular 정오각형.

pentagrama *m.* =**pentágrama.**

pentágrama *m.* (악보의) 오선(五線), 보표(譜表).

pentalfa *m.* =**pentáculo.**

pentámero, ra *adj.* ①【식물】 꽃잎이 다섯 개인 (꽃) : flor ~*ra*. ②【동물】 5관절의.

pentámetro *adj.m.* 【시어】 5보격(步格)의 (시구).

pentano *m.* 【화학】 파라핀 탄화 수소.

pentapétalo, la *adj.* 【식물】 꽃잎이 다섯 개인.

pentápolis *f.* 5시(市) 동맹.

pentapolitano, na *adj.* 5시 동맹의.

pentarquía *f.* 5두(頭) 정치.

pentasílabo, ba *adj.m.* 5음절의 (시구) : verso ~ 5음절 시구.

pentateuco *m.* 모세의 오서(五書) 《구약 성서의 첫 5권》.

péntatlo *m.* =**pentatlón.**

pentatlón *m.* 오종 경기《lucha, carrera, salto, disco y jabalina》 : ~ moderno 근대 오종 경기 《equitación(승마), esgrima(펜싱), campo a través(장애물 경기), natación(수영) 및 tiro(사격)》.

pentecostés *m.* ①성령 강림절 《그리스도교에서 부활절 후 50일째; 5월 10일에서 6월 13일 사이》. ②오순절 《유대교에서 신이 모세에게 십계를 준 기념일》.

pentedecágono, na *adj.m.* 15각형(의).

pentélico, ca *adj.* 뺀뗄리꼬산(monte Pentélico)의 : mármol ~ 뺀뗄리꼬산에서 나온 대리석.

pentodo *m.* (라디오의) 5극 진공관.

pentotal *m.* (환자에세 말한 것을 생각나지 않도록 방해하는 마취제).

penúltimo, ma *adj.* 끝에서 두 번째의.

penumbra *f.* 어스름, 희미한 불빛; 반영(半影).

penumbroso, sa *adj.* 어스름한(sombrío).

penuria *f.* 결핍, 궁핍, 재정 핍박(escasez) : padecer ~ de víveres.

peña[1] *f.* [*lat.* pinna] ①바위 : ~ viva 땅속 깊이 묻힌 바위. ②바윗산 : Ese hombre es una ~ 그 사람은 냉혹하다.
durar por ~s 물건을 오래 쓸 수 있다 : Este lienzo *dura por ~s*.
ser (una) ~ 의연하다, 사소한 일에 움직이지 않다, 냉담하다(ser insensible).
¡peñas!, ¡~s y longares!, ¡~s y buen tiempo! 【은어】 지금 피해라!

peña[2] *f.* [*lat.* penna] 【고어】 안감에 사용되는 가죽.

peña[3] *f.* ①모임, 회, 클럽(의 명칭으로 사용되는 말) : La ~ se reunía en el café 클럽 회원들은 그 카페에서 모이곤 했다. ②《AmérC. Ecuad.》 귀가 꽉 막힌 사람.

peñaranda *f.* 【속어】 전당포(casa de empeños) : estar en ~ 전당·담보에 들어 있다.

peñarse *r.* 【은어】 빵소니치다, 도망치다(escaparse, irse huyendo).

peñascal *m.* 바위 땅, 암벽.

peñascaró *m.* 【은어】 =**aguardiente.**

peñascazo *m.* 《And. Chile.》 =**pedrada.**

peñasco *m.* ①큰 바위. ②질긴 비단의 일종. ③【해부】 암상(岩狀) 돌기. ④【조개】 자패(紫貝)의 일종, 번데기 우렁(múrice).

peñasco, ca *adj.* 《Gal.》 =**retraído, huraño.**

peñascoso, sa *adj.* 바위만 깔려 있는, 바위투성이의 : monte ~.

peñasquear *tr.* 《Chile.》 돌(piedra)을 던지다(apedrear).

peñera *f.* 《Ast.》 비단으로 받친 고운 체(cedazo fino).

peñerar *tr.* 《Ast.》 =**cerner.**

peñíscola (en) *adv.* 전당에, 담보에(en peñaranda).

peño *m.* 【방언】 기아(棄兒), 개구멍받이.

peñol *m.* 큰 바위; 암산(岩山)(peñón).

péñola *f.* [드뭄] 깃털 펜.

peñolada *f.* 갈겨쓰기(plumada).

peñón *m.* [*aum.* peña] 큰 바위; 바위; 암산(岩山)(monte peñascoso) : el ~ de Gibraltar.

peñuela *f. dim.* peña.

peñusco *m.* 《Arg. PRico.》 한 떼, 한 무리, 일단, 덩어리(burujón).

peo *m.* ①=**pedo.** ②=**borrachera.**

peón[1] *m.* ①보행자, 걸어가는 사람. ②보병. ③(장기의) 졸. ④고용 인부; 심부름꾼 : ~ caminero 도로 인부. ~ de mano 미장이의 조수. ⑤팽이, 회전축. ⑥(꿀벌의) 벌통, 벌집(colmena).
a ~ 걸어서(a pie).

peón[2] *m.* [*gr.* paiôn; *lat.* poen] 사음절각(四音節脚).

peonada *f.* ①(peón의) 1일 노동, 하루 노동량. ②《Amér.》 인부들(peones).

peonaje *m.* [드뭄] 인부들(peonada).

peonar *intr.* 《Arg.》 품팔이로 일을 하다(trabajar como peón).

peonería *f.* 남자 한 사람이 하루에 갈 수 있는 땅의 면적.

peonía¹ *f.* [*lat.* paeonia] ①【식물】 작약(saltaojos); 작약꽃. ②《*AmérM. Cuba.*》 등나무의 일종.

peonía² *f.* ①《*Amér.*》 (정복 후 병사에게 하사하는) 분배지; (하루에 경작할 수 있는) 밭. ②《*Ar.*》 =**peonada.**

peonio, nia *adj.m.f.* 페오니아《Peonia, 옛 마세도니아의 북부 지방》의 (사람).

peonza *f.* (끈으로 쳐서 돌리는) 팽이 : Cuando niño yo jugaba a la ~ 나는 어릴 때 팽이를 치곤 했다. ② 몸집이 작은 남자.
a ~ 걸어서(a pie).

peor *adj.* [*lat.* pejor] [malo의 비교급] 보다 나쁜 (más malo) : lo ~ 가장 나쁜 것·일. El enfermo está ~ 환자는 더욱 악화됐다. Sus casas son ~*es* 그들의 집이 더 나쁘다. Son los ~*es* del colegio 그들은 학교의 열등생이다. Es el ~ de todos 그는 모두 중에서 가장 나쁘다. Esta fruta es ~ que ésa 이 과일은 그것보다 더 나쁘다. Es mucho ~ que aquel hombre 그는 저 남자보다 훨씬 더 나쁘다. Contr. mejor.
—*adv.* ① [mal의 비교급] 보다 나쁘게(más mal) : Has trabajado ~ que yo 너는 나보다도 더 나쁘게 일했다. Cada día escribe ~ 그는 나날이 더 서툴게 쓴다. ② 가장 나쁘게; 가장 서툴게 : María canta ~ de la clase 마리아는 학급에서 제일 서툴게 노래 부른다. [*N.* 부사의 최상급은 없고 비교급이 대신하기 때문에 문맥으로 구별해야 한다].
~ *que* ~ 더욱더 나쁘게·심하게.
de ~ *en* ~《*Col. PRico.*》 차츰 더 나쁘게.
para ~《*Chile.*》 나쁜 일에.
tanto ~ 한결 더 나쁘게.

peoría *f.* 보다 나빠지는 일; (병세의) 악화, 저하(empeoramiento). Contr. mejoría.

pepa *f.* ①《*Amér.*》 =**pepita.** ②《*Arg.*》 장난감 흙구슬. ③《*Col.*》 거짓말(mentira, bola).
dar ~ *y palmo*《*Venez.*》 일석이조를 얻다, 일거양득이다.

Pepa *f.* [*hip.* Josefa] 뻬빠.
¡Viva la ~ *!* [반어적] 어머나, 좋아라!

pepazo *m.* ①《*AmérM.*》 한 탕 (먹이는 일), 돌던지기. ②《*Col.*》 속임수, 거짓말(pepa).

pepe *m.* ① 오이, 참외. ②《*AmérC.*》 젖병. ③《*Bol. Venez.*》 멋쟁이 신사. ④《*Guat.*》 고아.
al ~《*Urug.*》 헛되이; 파산하여.
estar en ~《*Arg.*》 술에 취하다.

Pepe *hip.* José.

pepeiste *m.*《*Sal.*》 (짐꾼이 어깨에 짐을 매기 위해 사용하는) 방석의 일종.

pepena *f.*《*AmérC. Méx.*》 =**rubusca.**

pepenado *m.*《*Méx.*》 =**huérfano adoptado.**

pepenar *tr.* ①《*AmérC. Col. Méx.*》 =**recoger.** ②《*Méx.*》 선광(選鑛)하다; 붙잡다(asir).

pepenche *m.*《*Méx.*》 여자에게 붙어 살아가는 남자; 기대는 것, 기생충 생활.

peperri *m.*【속어】 보잘 것 없는 변호사.

pepescle *m.*《*Méx.*》 잎사귀에 만 것을 찌는 솥바닥에 까는 잎.

pepián *m.* =**pipián.**

pepiciego, ga *adj.*《*Col.*》 =**cegato.**

pepillismo *m.*《*Cuba.*》 =**exhibicionismo.**

Pepillo *hip.* José.

pepinar *m.* 오이밭.

pepinillo *m.*【식물】 [*dim.* pepino] 작은 오이.

pepino *m.*【식물】 오이 : ~ del diablo 작은 오이.
*no dárse*le a uno *un* ~ *de* (누구에게 무엇이) 전혀 아프지도 쓰리지도 않다·무관심하다.

pepión *m.* (13세기 경의) 까스띠야의 소 화폐(貨幣).

pepita¹ *f.* [*lat.* pepo] ① (수박, 배, 사과 등의) 씨(semilla). ② 금덩이; 은덩이.
no tener ~ *en la lengua* 냇물이 흐르 듯이 줄기차게 지껄여 대다, 말을 많이 하다(hablar mucho).

pepita² *f.* [*lat* pipuita] 닭의 혀에 생기는 종기.

pepito *m.*《*Amér.*》 =**lechuguino, pisaverde.**

Pepito *hip.* José.

pepitoria *f.* ① 계란 노른자의 소스를 칠한 살코기, 내장을 넣은 닭요리(pollo en ~) : gallina en ~. ② 아무렇게나 섞인 물건, 잡탕. ③《*AmérC.*》 호박씨(semilla de calabaza).

pepitoso, sa *adj.* 씨가 많은.

pepla *f.*《*And.*》 plepa의 사투리.

peplo *m.* [*lat.* peplum; *gr.* peplon] 옛날 그리스의 부인이 머리에서부터 뒤집어썼던 소매없는 옷의 일종.

pepón *m.* 수박(sandía).

pepón, na *adj.*《*Perú.*》 =**barrigón.**

pepona *f.* 두꺼운 종이로 만든 인형《장난감》.

pepónide *f.* (총괄적으로) 오이.

pepsina *f.* [*gr.* pepsis]【생화학】 펩신, 단백질 분해 효소, 펩신제, 소화 효소, 위액소.

péptico, ca *adj.* 소화(digestión)의; 소화를 돕는.

peptona *f.* [*lat.* peptos]【생화학】 펩톤.

peptonificar *tr.* =**transformar en peptona.**

peque *m.f.* 어린아이.

pequén *m.* ①【조류】 뻬껜《칠레산의 비둘기 만한 맹조》. ②《*Chile.*》 파이(empanada)의 일종.
ser como ~ 어리석은 인간이다, 빌빌거리다(ser apocado).

pequeñamente *adv.* [드뭄] 조그맣게, 작게; 유치하게(con pequeñez).

pequeñarra *m.f.* 작고 별볼일 없는 사람.

pequeñez *f.* ① 작은 것, 작은 일; 사소한 일, 사소함, 근소함 (cosa pequeña) : No se pare en *pequeñeces* 사소한 일에 얽매이지 마십시오. ② 어린 시절, 유년 시절 (infancia, corta edad). ③ 비열함, 천박(bajeza).

pequeñín, na *adj.* [*dim.* pequeño] 매우 작은 (muy pequeño).

pequeño, ña *adj.* ① 작은, 사소한 : Yo estudiaba en una ~*ña* escuela de la aldea 나는 마을의 작은 학교에서 공부했었다. ② 근소한 : un sueldo ~. ③ 어린(muy joven) : Cuando era yo ~, muchas veces pensaba así 어릴 때 나는 늘 그렇게 생각했었다. ④ 하찮은, 비천한 (humilde, bajo) : gente ~*ña*. —*m.f.* 작은 어린이, 꼬마 : Los ~*s* están en la escuela 아이들은 학교에 갔다. Contr. grande, considerable.
en ~ 간단히, 손쉽게, 짤막하게, 요약하면 (en resumen, abreviadamente).

pequeñuelo, la *adj.* [*dim.* pequeño] 작달막한. —*m.f.* 어린이, 어린아이; 병아리.

pequín *m.* 여러 가지 색깔의 비단천 ; 중국 비단 《북경 Pequín의 이름에서》.

pequinés, sa *adj.* 페킹 · 북경의. —*m.f.* 북경 사람(pekinés).

per *prep. lat.* ① [수단 · 행위자] …에 의하여, …으로. ② [배분] …에 대해, …마다.
~ ***accidens*** 우연히(por accidente).
~ ***annum*** 1년에 대해, 1년마다.
~ ***capita*** 머릿수로 나눠서, 각 사람에 대하여, 1인당.
~ ***centum*** 백(百)에 대해.
~ ***contra*** ① 이에 반하여, 도리어. ②【부기】반대측에서 · 의, (거래소 따위의) 상대편에서 · 의.
~ ***diem*** 하루에 대해, 날로 나누어.
~ ***mensem*** 매월 · 달로 나누어, 월별로, 한 달에.
~ ***mille*** 천(千)마다, 천에 대하여.
~ ***procurationem*** 대리로서.

per- *pref.* ①「완전히」「끝까지 (…하다)」를 나타내는 접두어. ②「매우」「몹시」의 뜻. ③【화학】「과(過)」의 뜻.

pera *f.* [*lat.* perium] ① 배 : ~ almizcleña mosquerola 사향배. ~ de cocodrilo 로렐배 (aguacate). Yo partía ~*s* con él 나는 그와 배를 나누었다. ② 서양배 모양으로 생긴 것 : ~ de goma 관장기의 고무 서포터. ③ 배 모양으로 생긴 초인종 · 노커. ④ 카이제르 수염 ; 뱃사람 수염(perilla). ⑤ 옹골진 일, 한직(閑職) ; 군식구. —*adj.* 시건방진, 자만하는, 자부하는, 우쭐대는 (presumido) : Iba siempre con chicos muy ~.
como ~(s) en tabaque 소중한 듯이.
dar para ~s 위협 · 겁주는 말을 하다.
escoger como entre ~s 자신이 가장 좋은 것을 골라 가지다.
partir ~s con …와 친밀하게 사귀다 · 대하다 (tratarle con familiaridad).
pedir ~s al olmo 기대해서는 안되는 일에 기대를 걸다, 나무에 올라 물고기를 구하려 하다, 연목 구어(緣木求魚)(pedir a uno lo que no puede dar).
poner las ~s a cuarto · a ocho 강요하다, 강압하다.
ser la ~ =ser el colmo.

perada *f.* 배 통조림 ; 배로 만든 술.

peradillo *m.*【식물】(카나리아의 박달나무 모양의) 쌍자엽류과 식물.

peral *m.* ①【식물】배나무 : La madera del ~ se usa en ebanistería. ② 배나무 목재.

peraleda *f.* 배나무밭.

peralejo *m.*【식물】개배나무《열대 아메리카산으로 껍질을 가죽의 무두질에 쓰는 나무》.

peraltar *tr.*【건축】아치의 곡선(curva)을 높게 하다 ; 높이다.

peralte *m.* (아치의) 홍예 밑을 높이기 ; (궤도에서 구부러진 부분의) 초고(超高).

peralto *m.* 높이《위 아래의 거리》(altura).

perantón *m.* ①【식물】=**mirabel.** ② 큰 부채 (pericón). ③ 꺽다리(persona muy alta).

perborato *m.*【화학】과붕산염(過硼酸鹽).

perca *f.* [*lat.* perca]【어류】뻬르까《참억새의 일종》: La ~ es muy voraz y alcanza hasta 35㎝. de largo 뻬르까는 무척 빠르고 길이가 35센티미터까지 이르른다.

percador *m.*【은어】금고털이 도둑.

percal *m.* ① 옥양목. ② 돈(dinero).

percala *f.* 《*Amér.*》 =**percal, percalina.**

percalina *f.* 안감으로 쓰이는 옥양목.

percan *m.* 《*Chile.*》 =**moho.**

percán *m.* =**percan.**

percance *m.* [*lat.* pollicipes] [주로 *pl.*] ① 임시 수당 ; 위로금, 임시 수익 : ~*s* del oficio. ① 직책에 따르는 부수입. ② (불시의) 재난(災難), 불상사, 사고 ; 고장(故障) ; 손(損).

percanta *f.* 《*Arg.*》【은어】정부(情婦).

percantina *f.* 《*Arg.*》 =**percanta.**

percatador, ra *adj.* percatar하는.

percatar(se) *intr.(r.)* ① [+de : …을] 납득하다, (…에) 마음이 가다. ② [+de : …을] 면하다 (librarse) : ~*se* de un peligro 위험을 면하다.

percebe *m.* [주로 *pl.*] ①【조개】삿갓조개 (barnacla). ② 바보, 멍텅구리, 멍청이(tonto, necio, majadero).

percebimiento *m.* =**apercibimiento.**

percentaje *m.* 비율에 의한 세금 수령.

percepción *f.* [*lat.* perceptio] ① 지각(知覺)하는 일 ; 지각, 관념 ; 생각, 이해. ② 받아들이는 일, 수령, 수취, 수수(收受), 거두어 들임.

perceptibilidad *f.* 지각 · 느낄 수 있는 일.

perceptible *adj.* ① 느낄 수 있는, 인지할 수 있는, 지각할 수 있는 : olor muy poco ~. ② 거두어 들일 수 있는, 받아 들일 수 있는. **Contr.** imperceptible.

perceptiblemente *adv.* 느낄 · 눈치챌 수 있을 정도로, 상당히.

perceptividad *f.* 지각, 지각성.

perceptivo, va *adj.* 지각있는, 지각력을 가진, 깨닫는 : facultad ~*va* 지각 작용.

perceptor, ra *adj.* ① 깨닫는, 지각하는 : un órgano ~ 지각 기관. ② 징수 · 수령하는.

percha[1] *f.* [*lat* pertica] ① (포도 시렁 등의) 버팀대 ; 모자걸이, 옷걸이 ; (장의) 횃대 ; (새를 잡는) 덫 : Ponga su sombrero en la ~ 모자는 모자걸이에 걸어 놓으십시오. ② 《*Chile.*》 퇴적, 쌓아 놓은 것, 포개어 놓는 것, 무더기(rimero). ③ 《*Méx.*》 떼, 일단(一團) : una ~ de muchachas. ④ 《*Ecuad.*》 찬란함, 사치, 화려(lujo). ⑤ 《*SDgo.*》 옷 : de ~ 성장(盛裝)한.
estar en ~ 사로잡혀 있다.
tener ~ 《*Arg.*》 멋지다, 화려하고 아름답다.
tirar ~ 《*Col.*》 성장하고 있다.

percha[2] *f.*【어류】=**perca.**

perchado, da *adj.* [perchar의 *p.p.*]【문장】횃대에 앉아 있는 (새).

perchar *tr.* (직물을) 다듬기 위해 기구에 걸다.

perchel *m.* 정치망《어구》; 정치 후릿그물 ; 예인망장(曳引網場).

perchero *m.* ① [집합] 모자 걸이망 어장. ② 《*Cuba.*》 =**percha**[1].

percherón, na *adj.m.f.* 페르슈계의 (말)《불란서의 el Perche 지방의 행렬에 화려하게 꾸며 끌고 가는 우량마》.

perchón, na *adj.m.f.* 《*Méx.*》 에누리 잘하는 (사람). —*m.* 전정하고 남은 포도 가지.

perchonar *intr.* ① (포도의) 가지의 싹을 남

기다. ② 덫·함정에 빠지게 하다.

perchudo, da *adj.* 《*Col.*》 화려하고 아름다운(elegante).

percibir *tr.* [*lat.* percipere] ① 지각하다, 느끼다 : Yo *percibía* un ruido vago 나는 애매한 소리를 느꼈다. ② 받아들이다, 영수하다, 수취·수령하다(recoger) : ~ el dinero · la renta.

percibo *m.* 수령, 수납(收納).

Percival *m.* 아더왕(rey Artús) 이야기에 나오는 기사, 온갖 모험 끝에 목적했던 성배(Santo Grial)를 찾아낸 인물.

perclorato *m.* 【화학】 과염소산염(過鹽素酸鹽).

perclórico, ca *adj* ① 감촉하는, 체감하는. ② 과염소의 : ácido ~ 과염소산.

percloruro *m.* 【화학】 과염화물(過鹽化物).

percocería *f.* 은세공(銀細工).

percocero *m.* 은세공하는 사람.

percocha *f.* 《*PRico.*》 오물, 더러운 것, 더럽고 고약한 냄새가 나는 것(cochambre).

percolador *m.* (여과식) 커피 끓이는 기구 ; 고압 추출기(高壓抽出器).

percollar *tr.* 【은어】 ① 훔치다, 사취하다(robar, hurtar). ② 《*Bol. Perú.*》 혼자 차지하다.

percontear *tr.* 【방언】 받침을 대다. —*intr.* 【방언】 의지가 되다.

perconteo *m.* 《*Ast.*》 =**cuento.**

percuciente *adj.* 때리는, 두들기는, 충격식의.

percudir *tr.* [*lat.* percudere] ① 못쓰게 만들다. ② (특히 물건의 표면을) 더럽히다(manchar). ③ 파손·훼손하다.

~se 군데군데 얼룩이 생기다(apulgararse).

percusio, sia *adj.* 《*Venez.*》 더러워진, 더러운.

percusión *f.* [*lat.* percussio] ① 때리는 일, 타격, 충격 : instrumento de ~ 타악기. ② 격발 : fusil de ~ 격발총. ③ 청진.

percusor *m.* ① (총기의) 격침. ② 【의학】 타진추(打診槌).

percutiente *adj.* 추진하는 : proyectiles *~s* 추진 발사체.

percutir *tr.* [*lat.* percutere] ① 때리다, 구타하다, 치다(golpear). ② 【의학】 타진하다(auscultar). ③ 다치다, 상하다(herir).

percutor *m.* =**percusor.**

perdedero *m.* ① 분실의 원인 ; 분실·실패의 순간. ② 쫓긴 토끼가 도망치는 곳.

perdedor, ra *adj.* 잃는. —*m.f.* 분실자.

perder *tr.* 20 ① 잃다, 없애다 : ~ la calma · la razón 냉정을·제정신을 잃다. ~ a su hijo 아들을 잃다. ~ la cabeza 이성을 잃다. ~ de vista 보이지 않게 되다. Yo *he perdido* tres kilos en dos semanas 나는 2주만에 3킬로가 빠졌다. ② 잃다, 잊다 : ~ el respeto · la cortesía 존경심을·예의를 잊다. ~ el miedo 공포를 잊다. ③ 분실하다, 잃다 : ~ el reloj · un libro 시계를·책을 잃다. *Perdí* las llaves del coche otra vez 나는 또 자동차 열쇠를 분실했다. ④ 낭비하다(desperdiciar) : ~ el tiempo · el dinero 시간·돈을 낭비하다. ⑤ 잘못하다, 해치다, 손실·손상이 가게 하다, 망쳐 버리다 : ~ la salud 건강을 해치다. La lluvia *ha perdido* la cosecha 비가 가을 수확을 망쳐 버렸다. ⑥ 마멸시키다, 썩히다. ⑦ (탈것을) 놓치다, 잃어버리다 : ~ el tren 기차를 놓쳐 버리다. ~ la ocasión 기회를 잃다. ⑧ (승부 등에서) 지다 : ~ la batalla 전투에서 패배하다. Contr. ganar.

—*intr.* ① 손해보다 : No *pierde* nada 조금도 손해보지 않다. ② (내기에서) 지다 : ~ *al* juego · *en* el juego 내기에서 지다. Jugué y *perdí* 나는 내기를 해서 졌다. Los nuestros *han perdido* 우리편은 졌다. ¿Quién *ha perdido*, González o López? 누가 졌습니까? 곤살레스입니까? 아니면 로뻬스입니까? ③ 빛이 바래다. Contr. ganar.

~se ① 잃다, 없어지다, 사라지다, 보이지 않게 되다, 소멸하다 : El monte *se perdió* de vista 산이 시야에서 사라졌다. ② 방향·목표를 잃다, 길을 잃어 방황하다, 길을 잘못 들다 : *Me perdí* en el bosque 나는 숲에서 길을 잃었다. *Me he perdido* 나는 길을 잃어버렸다. ③ 신세를 망치다, 타락하다 ; 정조를 버리다 ; 패가 망신하다, 파멸되다 ; 홀딱 빠지다. ④ 썩다 : Esta carne *se* va a ~ si no se come hoy 이 고기는 오늘 먹지 않으면 썩을 거다. ⑤ 난파·조난하다(naufragar).

al ~ 《*And.*》 많이.

No se perderá 빈틈이 없을 것이다.

[직설법 현재 : pierdo pierdes, pierde, perdemos, perdéis, pierden. 접속법 현재 : pierda, pierdas, pierda, perdamos, perdáis, pierdan].

perdible *adj.* 쉽게 잃을 수 있는.

perdición *f.* [*lat.* perditio] ① 잃는 일, 분실, 유실. ② 상실. ③ 파멸, 궤멸, 도산 : Esa conducta es una ~ 그 행위는 파멸 행위이다. ④ 난파 ; 부패 ; 타락. ⑤ 광적인 사랑 ; 자포 자기.

pérdida *f.* ① 잃은 것, 상실 : la ~ de la vista. ② 분실물, 잃는 일 ; 손해, 손실 : ~ bruta 순손실(純損失). ~ completa 전손(全損). ~ consiguiente (보험의) 간접 손해. ~ de capital 자본 손실, 고정 자산 처분 손실. ~ de operación 영업 손실, ~ del ejercicio 당기 (순)손실. ~ del empleo 실직. ~ imprevista 의외의 손실. ~ líquida · neta 순손금, 순손실. ~ parcial 분손, 단독 해손. ~ pura 순손금, 순손실. ~ total 전손(全損). *~s* y ganancias 손익. ~ pequeña 적은 손실. vender con ~ 손해보고 팔다. Contr. ganancia. ③ 파멸.

a pura ~ 《*Chile.*》 아무런 희망도 없이.

no tener ~ 찾아내기 쉽다(ser fácil de hallar).

perdidamente *adv.* ① 열중 하여, 홀딱 빠져 : enamorarse ~ de …한테 홀딱 반하다 (estar ~ enamorado de). ② 헛되이, 무익하게.

perdidas (a las) *adv.* 《*Chile.*》 때로는.

perdidizo, za *adj.* ① 잃어버린 척하는 (que finge perderse). ② 살그머니 빼소니친.

hacer ~ 숨기다, 감추다.

hacerse ~ 일부러 져주다, 진 척하다.

hacerse el ~ 숨다, 살그머니 빼소니치다.

perdido, da *adj.* [perder 의 *p.p.*] ① 잃은, 잃어버린, 분실한 : bala *~da.* ② (길을) 잃어버린 ; 덧없는, 의지할 만한 것이 못되는 ; 없어질 듯한. ③ 못쓰는, 쓸모없는 ; 파멸된 ; 타락된, 감당하기 어려운 (사람). ④ [+por : …에] 반해버린, 홀딱 빠져 버린, 정신없이 하는 : Manuel está ~ *por* ella 마누엘은 그녀한테 홀딱 빠져 있다.

—*m.* 【인쇄】 예비 인쇄.

a las ~s 《*Chile.*》 때때로(de tarde en tarde).

perdidoso, sa *adj.* 좋지 않게 하는, 손해만 잘 보는 ; 없어지기 쉬운.
perdigana *f.* 《*Ar. Rioja.*》 =**perdigón.**
perdigar *tr.* ⑧ ① 살짝 불에 굽다, (…에) 불을 살짝 대다. ② 준비하다(disponer).
perdigón[1] *m.* [*lat.* perdix] 【조류】 ① 자고새의 새끼 ; (후림새로 쓰는) 수자고새. ② 산탄(散彈) : ~ zorrero 큰 산탄.
perdigón[2] *m.* 도박에서 크게 잃은 사람 ; 망나니, 방탕아 ; 낙제생.
perdigonada *f.* 산탄을 쏘아대는 일 ; 그 상처.
perdigonera *f.* 탄대(bolsa para los perdigones).
perdiguera *f.* (산탄을 넣는) 탄대.
perdiguero, ra *adj.m.f.* 자고새 사냥용의, 포인터종의 : perro ~. —*m.* 사냥꾼에게서 잡은 물건을 사모으는 사람.
perdilón, na *adj.* 《*Perú.*》 손해만 보는, 늘 지기만 하는 (사람).
perdimiento *m.* =**perdición, pérdida.**
perdis *m.* 【단·복수 동형】 망나니, 방탕아, 난봉꾼(perdido, calavera) : estar hecho un ~.
perdiz *f.* [*lat.* perdix] 【조류】 자고새 (~ real), 메추리.
perdices en campo raso 붙잡기 어려운 일·것.
emborrachar la ~ 《*Chile.*》 속이다, 매혹시키다.
hacerse ~ 《*Arg.*》 꺼져 없어지다(hacerse el perdido).
perdón *m.* ① 용서, 사면 : pedir ~ 용서를 빌다. con ~ 실례하여 ; 버릇없이. ¡*P*-! 실례합니다 ! Le pido mil ~*es* por no haberle contestado 답장을 못해서 죄송합니다. ② 촉루(燭淚) ; 새어 나오는 기름. —*pl.* 순례·참배에서 돌아오는 길에 가져오는 선물.
perdonable *adj.* 용서할 수 있는.
perdonador, ra *adj.m.f.* 용서하는 (사람).
perdonante *adj.m.f.* =**perdonador.**
perdonar *tr.* ① 용서하다, 사면(赦免)하다 : *Perdóneme* usted 죄송합니다. *Perdóname* 죄송하다, 미안하다 《친칭에서 사용함》. ② 놓아주다, 제외하다. ③ 포기하다, 모른 척하다, 눈감아주다(omitir) : No *perdona* un baile 무도회가 있으면 빠지지 않고 반드시 가다. no ~ ni un pormenor del suceso 사건을 남김없이 털어놓다.
~ ***hecho y por hacer*** 지나치게 관대하다.
perdonavidas *m.* 【단·복수 동형】 허세부리는 사람(baladrón, fanfarrón).
pérds. y gans. pérdidas y ganancias.
perdulario, ria *adj.m.f.* 태평스러운, 부주의한 ; 헤픈 (사람) ; 망나니(의).
perdurabilidad *f.* 영속성, 영원성.
perdurable *adj.* 영속성있는, 오래 가는 ; 불후의(eterno). —*f.* 견직물의 일종(rompecoches).
perdurablemente *adv.* 영속적으로, 오래.
perduración *f.* 지속, 계속.
perdurar *intr.* 오래 지속되다, 오래 가다(durar mucho tiempo).
pereba *f.* 《*Arg.*》 =**cicatriz.**
perecear *tr.* (어물어물) 늦추다, 지연시키다 (retardar, retrasar).
perecedero, ra *adj.* 오래가지 못하는 ; 결국은 죽어야 할, 죽어 없어질 : vida ~*ra.* —*m.* [드묾] 궁박함(estrechez, apuro o miseria en las cosas).
perecer *tr.* ③① [*lat.* perire] ① 죽다 : En la mina *perecieron* cuarenta mineros 광산에서 40명의 광부가 죽었다. ② 시들다, 없어지다, 사라지다, 꺼지다. ③ 파멸하다 ; 파국·빈궁에 빠지다.
~se ① 탐내다, 욕심내다 ; 애태우다(desear con vehemencia) : ~*se por* una mujer. ② 애간장을 녹이다 : ~*se de* risa 데굴데굴 구르며 웃다.
pereciente *adj.* 시들은, 없어지는, 사라지는.
perecimiento *m.* 사멸, 멸종 ; 말라 죽음, 꺼지는 일, 소멸.
perecuación *f.* 《*Neol.*》 균등 분배 (reparto por igual).
pereda *f.* ① 배나무. ② 배나무밭(peraleda).
peregrina *f.* 【식물】 《*Cuba.*》 등대풀 (alhelí punzó).
peregrinación *f.* ① 편력 ; 각지 여행 ; 순례, 참배 여행 : ~ a Roma. ② 인생 행로, 세상살이.
peregrinaje *m.* [드묾] =**peregrinación.**
peregrinamente *adv.* 진기하게, 멋있게, 독특하게(primorosamente) : escribir ~ 글을 독특하게 쓰다.
peregrinante *adj.* 편력하는, 순례하는. —*m.* 편력자 ; 순례자.
peregrinar *intr.* [*lat.* peregrinari] ① 편력·유람하다 : ~ por el mundo 세계를 유람하다. ② (성지를) 순례하다. ③ 이 세상을 살아가다.
peregrinear *intr.* =**peregrinar.**
peregrinidad *f.* 진기(함).
peregrino, na *adj.* [*lat.* peregrinus] ① (외국) 편력의, 순례·유람의, 방랑의, 만유의 ; 철새의 (pasajero) : aves ~*nas* 철새. ② 진기한, 신비한. ③ 근사한 : belleza ~*na* 근사한 미인.
—*m.f.* 순례자, 성지 참배자 : Numerosos ~*s* van cada año a Santiago de Compostela 많은 순례자가 매년 산띠아고·데·꼼뽀스뗄라에 간다. **Sinón.** romero.
perejil *m.* ① 【식물】 미나리 : ~ de perro 독미나리. ~ marino·de mar 갯미나리 (hinojo marino). ~ de monte 산미나리(oreoselino). ② [주로 *pl.*] 칙칙한 장식, 얼굴에 더덕더덕 바른 화장·분칠, 여자의 장식(afeite) : ponerse muchos ~*es.* ③ 실권이 없는 명예뿐인 지위, 과시용 직함.
perejila *f.* 카드 놀이의 일종.
perenal *adj.* =**perenne, perennal.**
perencejo *m.* 【방언】 =**perengano.**
perención *f.* 【고어】【법률】 시효(時效)(caducidad de la instancia).
perendeca *f.* 매춘부, 창녀, 갈보.
perendengue *m.* ① 싸구려 장신구 (adorno de poco valor). ② 귀고리. ③ 옛날의 동화(銅貨)의 하나.
perene *adj.* =**perenne.**
perengano, na *m.f.* 모씨, 아무개 《이름 대신 쓰는 말》.
perennal *adj.* =**perenne.**
perennalmente *adv.* =**perennemente.**
perenne *adj.* [*lat.* perennis] ① 지속적인 ; 불멸의, 영구한(continuo, incesante) : belleza ~ 영구 불멸의 미. ② 【식물】 다년생의 (vivaz) : planta ~ 다년생 식물.

perennemente *adv.* 오래오래, 영구히, 언제까지나, 지속적으로(incesantemente, continuamente, sin intermisión).

perennidad *f.* =**perpetuidad.**

perennizar *tr.* ⑨ 영구한 것으로 하다, 불후하게 하다.

perentoriamente *adv.* 단호하게, 결정적으로, 긴급하게.

perentoriedad *f.* ① 긴급, 절박, 급함, 화급(urgencia). ② 만기 : la ~ de un plazo 기한의 만기.

perentorio, ria *adj.* [*lat.* peremptorius] ① 만기의. ② 결정적인, 단호한(decisivo, terminante) : una proposición *~ria.* ③ 긴급한, 절박한, 화급한, 매우 위급한(urgente, apremiante) : una obligación *~ria.*

pereque *m.* ① 《*Col.*》 뻔뻔스러움, 철면피, 낯가죽이 두꺼움 : poner ~ 애먹이다. ② 소란, 야단법석. ③ 귀찮은 사람.

perequero, ra *adj.* 《*Col.*》 귀찮은, 벅찬.

perera *f.* 《*Sal.*》 =**peral.**

perero *m.* (옛날에 쓰던 과일의) 껍질 벗기는 기구.

perestroika *f.* 페레스트로이카.

pereta *f.* 《*Murc.*》 배의 일종, 돌배.

perete *m.* 《*Venez.*》 =**chisme.**

peretero *m.* 《*Murc.*》 【식물】 돌배(pereta)나무.

pereza *f.* [*lat.* pigritia] ① 게으름, 나태, 태만 : La ~ es uno de los siete pecados capitales. 나태는 7대 대죄 중의 하나이다. ② 한가로움, 더딤(lentitud) : caminar con ~. ③ 노곤함, 피로함. Contr. actividad, laboriosidad.

perezosa *f.* 다리를 펼칠 수 있는 안락 의자.

perezosamente *adv.* 게을리, 노곤한 듯이, 느릿느릿하게 : trabajar ~.

perezoso, sa *adj.* ① 게으른, 나태한, 굼뜬. ② 기능이 나쁜(que funciona mal) : un estómago ~ 기능이 나쁜 위. **—***m.f.* 게으름뱅이. **—***m.* ① 【동물】 나무늘보. ② 《*Cuba.*》 안전핀(alfiler imperdible).

perfección *f.* [*lat.* perfectio] ① 완전(성) : a la ~ 완전하게. Nadie tiene la ~ en este mundo 이 세상에는 완전한 사람은 아무도 없다. ② 완성 : Debes continuarlo hasta su completa ~ 너는 그것을 완성할 때까지 계속해야 한다. ③ 극치. ④ 완성된 것, 완전한 것. ⑤ 【종교】 완덕(完德) : el camino de ~ 완덕의 길. Contr. imperfección, defecto.

perfeccionador, ra *adj.m.f.* 완성하는 (사람).

perfeccionamiento *m.* 완성, 완료(完了) : (perfección) : ~ de adultos 성인 교육. Stebhenson introdujo *~s* decisivos en la locomotora 스티븐슨은 증기 기관차에 결정적인 완성을 가져 왔다.

perfeccionar *tr.* ① 완전하게 하다, 완성하다, 마무리해 내다 : ~ una máquina · un plan. ② 개선하다.

perfectamente *adv.* ① 완전하게, 잘(cabalmente, completamente, sin falta) : Usted habla español ~ 당신은 서반아어를 잘한다. Nos vamos en taxi. *—P-* 택시로 갑시다 —알았습니다 (좋습니다). ② 그야말로, 과연.

perfectibilidad *f.* 완전 가능성, 완전성.

perfectible *adj.* 완전하게 할 수 있는, 완성되는.

perfectivo, va *adj.* ① 완성시키는. ② 【문법】 완료형의 : verbo ~ 완료형 동사.

perfecto, ta *adj.* ① 완전한, 나무랄데 없는 : No existe la felicidad *~ta* 완전한 행복이란 없다. ② 우수한, 질이 좋은(excelente, muy bueno) : un vino ~ 우수한 포도주. ③ 【문법】 완료의 : tiempo ~ 완료 시제.

perficiente *adj.* 완전하게 하는.

pérfidamente *adv.* 부실하게, 불충하게, 부정하게, 배반하여, 예상을 뒤엎고.

perfidia *f.* [*lat.* perfidia] 부실, 불충, 부정(不貞) ; 배반, 배신 ; 불신 행위 : El obró una ~ contra su amo 그는 주인에 대해 불신 행위를 했다.

pérfido, da *adj.* [*lat.* perfidus] ① 부실한, 불충한(desleal, infiel, traidor) : amigo ~. ② 부정(不貞)한 : una mujer *~da* 부정한 여인.

perfil *m.* [*ital.* proffilo] ① 옆얼굴, 옆모습, 측면 ; 반면상(半面像). ② 【건축】 종단면도(從斷面圖), 측면도, 단면도 : el ~ de un edificio. ③ 윤곽, 소묘(素描), 인물 단평(短評), 프로필 : tomar · sacar bien los *~es* 윤곽을 잘 잡다. ④ (쓴 글자 등의) 선. **—***pl* 완성 단계에서의 가필 ; 고려.

de ~ 측면의 · 에 · 에서, 측면에서 보아, 옆모습으로는.

perfilado, da *adj.* [perfilar의 *p.p.*] 갸름한 (얼굴) ; 윤곽이 뚜렷한, 날씬한 (코).

nariz ~da 윤곽이 뚜렷하고 잘 생긴 코.

perfilador, ra *adj.m.f.* 종단면도 · 측면도를 그리는 (사람) ; 인물평을 하는 (사람).

perfiladura *f.* perfilar하는 일.

perfilar *tr.* …의 종단면도 · 측면도를 그리다, …의 윤곽을 잡다 ; 옆으로 돌리다 ; 인물평을 하다.

~se ① 옆으로 향하다. ② 더덕더덕 화장하다. ③ 《*Col.*》 안색이 변하다(palidecer).

perfoliada *f.* 【식물】 포경 식물.

perfoliado, da *adj.* *hoja ~da* 포경 식물의 잎.

perfoliata *f.* 【식물】 =**perfoliada.**

perfolla *f.* 《*Murc.*》 옥수수의 껍질.

perforación *f.* 구멍을 뚫는 일 ; 천공(穿孔), 구멍.

perforado, da *adj.* perforar의 *p.p.*

perforador, ra *adj.* 구멍을 뚫는, 천공의 : máquina *~ra* 착암기. **—***m.* 구멍 뚫는 기구, 구멍 뚫는 펀치, 천공기 : ~ de cheques 수표의 펀치.

perforadora *f.* 송곳, 천공기(穿孔器), 펀치 ; 【광산】 착암기(搾岩器).

perforar *tr.* ① …에 구멍을 뚫다 (horadar, agujerear) : ~ un papel. ② (입장권에) 펀치질하다 ; 절취선의 바늘 자국을 내다 : cinta *perforada* 천공 테이프. Quiero ~ este papel 이 종이에 구멍을 뚫고 싶다. ③ 우물을 파다.

perfumadero *m.* 향로(perfumador) ; 향수 뿌리개.

perfumado, da *adj.* [perfumar의 *p.p.*] 향수로 가득찬.

perfumador, ra *m.f.* 향료 제조인. **—***m.* ① 향

료 : un ~ coreano. ② 향수 뿌리개.

perfumar *tr.* ① 향긋하게 만들다, (…에) 향을 피워 넣다 : ~ con incienso. ② 향수를 치다·뿌리다 : ~ un pañuelo. —*intr.* 향기가 나다.

perfume *m.* ① 향, 향수, 향료 : ~ sintético 합성 향수. ② 그윽한 향기, 향내, 냄새 : el ~ de las flores 꽃 향기. despedir ~ 향수 냄새를 풍기다.

perfumear *tr.* [드묾] =**perfumar.**

perfumería *f.* 향수 제조(소) ; 향수 파는 가게 ; 향수 따위.

perfumero, ra *m.f.* =**perfumista.**

perfumista *m.f.* 향수 제조인 ; 향수 상인.

perfunctoriamente *adv.* 임시 변통으로, 아무렇게나, 소홀하게, 되는 대로.

perfunctorio, ria *adj.* 대강대강하는, 소홀한, 임시적인.

perfusión *f.* 바르는 일(untura).

perg. pergamino.

pergal *m.* 가죽 자르기.

pergaminero *m.* 양피지 제조인·상인.

pergamino *m.* ① 양피지 : en ~ 양피로 장정한. ② (양피지를 사용한) 면장(免狀), 학위증, 졸업 증서. —*pl* 귀족의 선조.

pergenio *m.* ① 겉보기(pergeño). ②《*Col. Chile. Arg.*》 젊은이.

pergeñar *tr.* 만들어·이루어 내다(disponer).

pergeño *m.* 외견, 겉보기, 겉모양(aspecto).

pérgola *f.* 덩굴 식물을 얹은 지붕, 덩굴나무 시렁.

peri *f.* [*persa.* perí] (페르시아 신화의) 요정, 선녀.

peri- *pref* [*gr.* peri] 「주위(周圍)」를 뜻하는 접두어: *peri*cráneo, *peri*neumonía.

periambo *m.* =**pariambo, pirriquio.**

periantio *m.* 【식물】 꽃덮개.

perica *f.* 《*Col. Ecuad.*》 ① 취기(borrachera). ② 단도(navaja grande).

pericana *f.* 《*Arg.*》 악마.

pericardio *m.* 【해부】 염통주머니, 심낭(心囊).

pericarditis *f.* 【의학】 신낭염, 심막염.

pericarpio *m.* 【식물】 (과일의) 과피, 포(苞).

pericia *f.* [*lat.* peritia] 숙련, 노련, 교묘 ; 풍부한 경험, 노련함. Contr. impericia, incapacidad.

pericial *adj.* ① 감정인(鑑定人)의 : tasación ~ 감정인의 견적. ② 감정상의. ③ 노련한.

pericialmente *adv.* 노련하게, 교묘하게(con pericia).

periclitar *intr.* 【방언】 =**peligrar.**

perico, ca *adj.* 《*Amér.*》 ① 수다스러운, 말많은(hablador, charlatán). ② 취한(borracho). —*m.* ① (옛날의) 앞머리의 가발. ② 커다란 부채. ③ 변기, 요강(bacín). ④ 【식물】 대형의 아스파라가스. ⑤ 【조류】 (남미산의) 잉꼬 : El ~ se domestica fácilmente. ⑥ 【동물】 나무늘보(~ ligero). ⑦ 【해사】 (뒤쪽의 두 번째의) 돛대. ⑧ 《*AmérC.*》 구슬리기, 사랑의 속삭임, 입발린 말, 달콤한 말(requiebro).

~ *entre ellas* 여자들 속에 있기 원하는 남자.

huevos ~*s* 저어서 구운 계란.

echar ~ 《*Méx.*》 잡담을 늘어놓고 있다.

echar ~*s* 《*AmérC. Chile.*》 욕지거리를 퍼붓다.

Cada ~*ca su estaca* 《*Méx.*》 각자는 제자리로 돌아갈 것.

Perico *m.* [*hip.* Pedro] 뻬리꼬.

~ *de los palotes* 어떤 사람, 누구, 아무개.

~ *entre ellas* 여자 틈에 있기 원하는 사람.

¿ *de cuándo acá* ~ *con guantes* ? 언제부터 이곳에 ?

pericón, na *adj.* 융통성이 있는, 모든 일에 쓸모있는. —*m.* ① 큰 부채. ②《*Riopl.*》 아르헨띠나의 무용.

pericondrio *m.* 【해부】 연골을 둘러싸고 있는 피막.

pericote *m.* [*aum. desp.* perico] 《*Amér.*》 【동물】 (남미산의) 작은 쥐(ratoncillo) ; (어떤 지역에서는) 큰 쥐.

pericotera *f.* 《*Perú*》 쥐덫.

pericráneo *m.* 【해부】 두개골막(頭蓋骨膜).

peridoto *m.* 【광물】 감람석(olivino).

periecos *m.pl.* 지구의 같은 위도에서 직선 반대쪽에 사는 사람.

periferia *f.* ① 주위, 주변, 외곽, 바깥 테두리(circunferencia). ② 교외(alrededores).

periférico, ca *adj.* 둘레의, 주위의, 주변의.

perifollo *m.* 【식물】 파슬리 무리, 전호(前胡). —*pl.* 어수선한 장신구.

perifonear *tr.* 방송하다(radiar, difundir).

perifonía *f.* 방송(radiodifusión).

periforme *adj.* 배(pera) 모양의.

perífono *m.* 무선 방송기·설비.

perifrasear *intr.* 알아듣기 어렵게 돌려서 말하다.

perífrasi *f.* [*pl.* perífrasis] 우설법(迂說法).

perífrasis *f.* 【단·복수 동형】 =**perífrasi.**

perifrástico, ca *adj.* 알아듣기 힘들게 빙빙 돌려 말하는 : estilo ~.

perigallo *m.* ① (턱의) 주름살. ② 리본. ③ 돌을 매달아 던지는 밧줄. ④ 크린치, 기중기. ⑤ 꺽다리(persona larga y flaca).

perigeo *m.* 【천문】 근지점(近地點), 근월점(近月點) 《달 등이 지구에 가장 가까워지는 점》. Contr. apogeo.

perigonio *m.* 【식물】 =**periantio.**

perihelio *m.* 【천문】 근일점 《천체가 태양에 가장 가까워지는 점》. Contr. afelio.

perilustre *adj.* 아주 유명한·찬란한(ilustrísimo, muy ilustre).

perilla *f.* ① 카이제르 수염, 선원 수염. ② 배 모양의 장식. ③ (궐련의) 입에 물고 빠는 곳.

~ *de la oreja* 귓불(lóbulo de la oreja).

de ~*(s)* 운좋게, 우연히(a propósito, oportunamente, a tiempo).

perillán, na *m.f.* ① 악당, 교활한 인간(pícaro, astuto, bribón). ②《*Cuba.*》 옛날의 춤(baile antiguo).

perillo *m.* ① 쿠키류 (과자). ②《*Col.*》 【식물】 약용 대극과 식물.

perimétrico, ca *adj.* 주위의, 주변의.

perímetro *m.* 주위, 주변 (contorno) : ~ de una ciudad.

perínclito, ta *adj.* 걸출한, 뛰어난, 위대한 (grande, insigne, heroico) : un ~ capitán 뛰어난 선장.

perindola *f.* =**perinola.**

perineal *adj.* 회음(perineo)의.
perineo *m.* 【해부】 회음(會陰).
perineumonía *f.* 【의학】 폐렴(pulmonía).
perineumónico, ca *adj.* 폐렴의. —*m.f.* 폐렴 환자.
peringundín *m.* 《*Arg.*》 민속춤의 일종.
perinola *f.* ① 팽이의 일종. ② 배 모양으로 장식하기(perilla). ③ 팔팔한 소녀.
de ~ 《*Venez.*》 하는 수 없이, 절대로.
perinquina *f.* 원한, 적의(inquina).
perinquinoso, sa *adj.* 원한·적의를 가진.
perioca *f.* 요약, 개요, 줄거리(sumario).
periódicamente *adv.* 정기적으로 ; 주기적으로 ; 순환적으로 : ¿Se publica esta revista ~? 이 잡지는 정기적으로 발행됩니까?
periodicidad *f.* ① 주기성, 정기성. ②【전기】 주파(frecuencia).
periódico, ca *adj.* ① 정기의 ; 1주기적인 : fiebre ~*ca.* ② 정기 간행의 : publicación ~*ca.* ③【수학】 순환의 : quebrado ~ 순환 소수.
—*m.* 신문(지), 정기 간행물 : ~ ilustrado 화보. ~ de un ramo comercial·industrial 업계지(業界紙). ¿Ha leído usted los ~*s* de hoy? 오늘의 신문을 읽으셨습니까? Lo he leído en el ~ de hoy 오늘의 신문에서 그것을 읽었다. ¿Qué dice el ~ (de) hoy? 오늘의 신문에 뭐라고 쓰였습니까?
periodicucho *m.* *desp.* periódico.
periodismo *m.* 저널리즘, 신문계, 신문업, 잡지업.
periodista *m.f.* 신문인 ; 신문 기자.
periodístico, ca *adj.* 신문의 ; 신문투의 : emplear el lenguaje ~.
periodo *m.* =**período.**
período *m.* [*gr.* periodos] ① 때, 시기, 기간, 시대. ②【지질】 기(紀). ③【천문·물리】 주기(周期). ④【생리】 월경, 달거리, 멘스, 경도, 월사, 월후(menstruación). ⑤【수학】 (순환 소수의) 순환절. ⑥【문법】 복합문. ⑦【음악】 악절(樂節), 악단(樂段).
~ ***base*** 기준시. ~ ***contable*** 회계 기간·연도, 영업 연도. ~ ***dado*** 일정 기간. ~ ***de auge*** 폭등, 벼락 경기. ~ ***de cuenta*** 회계 기간. ~ ***empleo*** 고용 기간. ~ ***de gracia*** 거치·지불 유예 기간. ~ ***de liquidación*** 회계 기간·연도, 영업 연도. ~ ***de permanencia en el depósito aduanero*** 보세 창고 보관 기간. ~ ***de prueda*** 시험 기관. ~ ***de reembolso*** 상환 기간. ~ ***de referencia*** 일정 기간. ~ ***de transición*** 과도기. ~ ***de validez*** 유효 기간 ~ ***económico·fiscal*** 회계 기간·연도, 영업 연도. ~ ***inicial*** 창설기. ~ ***transitorio*** 과도기.
periostio *m.* 【해부】 골막(骨膜).
periostitis *f.* 【단·복수 동형】【의학】 골막염(inflamación del periostio).
periostosis *f.* 【의학】 골막의 부어오름.
peripatético, ca *adj.* ① 소요학파의, 아리스토텔레스 학파의 : doctrina ~*ca.* ② 우스운, 익살맞은(ridículo), 어처구니없는(extravagante).
—*m.f.* 아리스토텔레스 학파의 사람.
peripato *m.* [*gr.* peripatos] 소요 학파(逍遙學派), 아리스토텔레스의 철학(aristotelismo).
peripecia *f.* [*gr.* peripeteia] (국면의) 급전(急轉) ; 사건, (인생의) 부침(浮沈), 유위 전변(有爲轉變).
periplo *m.* 연안 주항(沿岸周航) ; 주항기(周航記).
periponerse *r.* 몸치장을 하다, 옷을 차려 입다, 멋을 부리다(adornarse, emperejilarse).
períptero, ra *adj.* (주위에 기둥을 빙 둘러 세운) 주주식(周柱式)의 : un templo ~.
peripuesto, ta *adj.* 멋을 부린, 옷을 잘 입은 : muchacha ~*ta.*
periquear *intr.* ① (여자가) 남자를 꼬이고 다니다 : andar *periqueando.* ②《*AmérC.*》 구슬리다(requebrar). ③《*Ant.*》 몹시 지껄여대다.
periquera *f.* ①《*Méx.*》 높은 곳, 고지(高地). ② 남자를 호리는 여자. ③《*Venez.*》 떠들썩함, 소란.
periquería *f.* 《*Ecuad.*》 잡담, 수다(palique).
periquero *m.* 《*AmérC.*》 넌지시 여자를 호리는 남자, 감언 이설의 호색가.
periquete *m.* 순식간(breve espacio de tiempo) : vestirse en un ~ 순식간에 옷을 입다.
periquillo *m.* [*dim.* perico] 사탕 과자의 일종.
periquín *m.* 《*Sant.*》 민속춤(baile popular)의 일종.
periquito *m.* 【조류】 잉꼬(perico).
perís *m.* 《*León.*》 (볼링 경기에서) 공(diez de bolos).
periscios *m.pl.* (북극 등의) 극권(極圈)에 사는 사람.
periscópico, ca *adj.* 사방이 확 트인 ; 울퉁불퉁한, 요철(凹凸)의 : objevito ~ 요철 렌즈.
periscopio *m.* 잠망경 ; 전망경.
perisodáctilo, la *adj. m.* 【동물】 기제류(奇蹄類)의 (동물).
perisología *f.* 【수사】 =**pleonasmo.**
perispermo *m.* 【식물】 =**albumen.**
perista *m.* 【은어】 장물아비(comprador de cosas robadas).
peristáltico, ca *adj.* 【생리】 (장의) 연동(蠕動)의 : movimiento ~ 연동 운동.
per ístam *adv. lat.* 먹지 않고.
perístasis *f.* 【단·복수 동형】 논제(論題), 중심 문제(tema).
peristilo *m.* 【건축】 주주식(周柱式) ; 기둥을 잇대어 늘어놓은 안마당 ; 열주랑(列柱郎).
perístole *f.* 【생리】(장의) 연동 운동(movimiento peristáltico).
peritación *f.* 감정업(鑑定業) ; 특수 기능; 기사(技師)의 일.
~ ***contable*** 회계 검사.
peritaje *m.* ① =**peritación.** ② 감정료.
peritamente *adv.* 노련하게(con pericia).
peritazgo *m.* =**peritaje.**
periteca *f.* 【식물】 (균류의) 피자기(被子器).
perito, ta *adj.* 숙련된, 노련한, 경험이 풍부한(experto) : ~ en materia de vinos. —*m.f.* 기사(技師) ; 숙련자, 전문가 ; 감정인 : ~ agrónomo 농업 기사. ~ mercantil 회계관, 계리사. Es ~ en materia de vino 그는 포도주의 전문가이다.
peritoneal *adj.* 복막(peritoneo)의.
peritoneo *m.* [*gr.* peritonaion] 【해부】 복막(腹膜).
peritonitis *f.* 【단·복수 동형】【의학】 복막염 : La ~ suele ser una enfermedad mortal.

perjudicado, da *adj.* [perjudicar 의 *p.p.*] 훼손된, 무효로 된 (수표 등).

perjudicador, ra *adj.m.f.* 해로운 ; 손해 끼치는 (사람).

perjudicante *adj.* =**perjudicador.**

perjudicar *tr.* 7 ① (…에) 폐를 끼치다, 누를 끼치다, 손해를 끼치다, (…의) 해가 되다 (dañar) : ~ al·en crédito 신용을 해치다. El alcohol *perjudica* mucho a la salud 알코올은 건강에 무척 해를 준다. ② 상처를 주다.

perjudicial *adj.* 해로운, 유해한 (dañoso) : ~ *a·para* la vista 눈에 해로운. El tabaco es ~ para la salud 담배는 몸에 해롭다. **Contr.** benéfico.

perjudicialmente *adv.* 해를 입혀, 폐를 끼쳐, 손해를 주어.

perjuicio *m.* [*lat.* proejudicium] 손상, 해(害), 손해(daño, menoscabo) : causar ~ a las plantas 식물에 해를 끼치다.
daños y ~s 【상업】 손해.
sin ~ de …의 해없이 : *sin ~ de* tercera persona 제삼자에게 폐를 끼치는 일없이.

perjurador, ra *adj.m.f.* 거짓 선서하는 (사람).

perjurar *intr.* ① 거짓 선서하다 (jurar en falso). ② 거듭 선서하다.
~se 선서를 어기다(faltar a la fe que se había jurado).

perjurio *m.* ① 거짓 선서 (juramento en falso) ; 위증(죄) ; 선서를 어김.

perjuro, ra *adj.* 거짓 선서를 하는 ; 위증하는, 선서를 어기는. **—*m.f.*** 거짓 선서하는 사람 ; 위증자, 선서를 어기는 사람. **—*m.*** 거짓 선서.

perla *f.* [*lat.* pirula] ① 진주 : ~ cultivada 양식 진주. ~ de imitación 모조 진주. ② 진주 모양의 것. ③【약학】 캡슐. ④ 구슬, 보석, 보옥. ⑤【인쇄】 4포인트 인쇄 활자. ⑥ 보석 같은 사람·것 : Esta niña es uno ~ 그 여아는 보석 같다.
de ~s ① 완전하게, 완벽하게, 꼭 들어맞게 (perfectamente, de molde, de perillas) : Me parecía *de ~s* 완벽하다고 생각했다. ② 아주 잘 (muy bien) : venir *de ~s.*

perlada *adj.* 진주빛의 : cababa ~ 쌀보리. **—*f.*** 쌀보리.

perlado, da *adj.* 진주 형태의; 진주 빛의(perlino).

perlático, ca *adj.* 쇠퇴한, 노쇠한 ; 손발이 꼬인·마비된. **—*m.f.*** 노쇠한 사람 ; 손발의 마비 ; 마비 환자(痲痺患者).

perlería *f.* 진주류(類).

perlero, ra *adj.* 진주의 : industria *~ra* 진주 산업. ostra *~ra* 진주 모패(母貝).

perlesía *f.* 노쇠 ; 마비(parálisis).

perlezuela *f. dim.* perla.

perlino, na *adj.* 진주빛의 : un brillo ~.

perlita *f.* 【지질】 진주암(fonolita).

perlongar *intr.* 8 ① 바다 연안으로 항행하다, 연안을 따라 항해하다 (navegar a lo largo de una costa) : ~ una isla. ② (배의) 밧줄을 잡아 당기다.

permaná *m.* 《*Bol.*》 옥수수술의 일종.

permanecer *intr.* 31 [*lat.* permanere] ① 정체·체류하다, 머물다 : ¿Cuánto tiempo va a ~ usted aquí? 이곳에서 얼마나 머무실 겁니까? ② 움직이지 않고·변함없이 있다. ③ [불완전 동사로서 형용사·부사와 함께, 그 상태로] 꼼짝 않고 있다 : *Permanecía* inmóvil 꼼짝 않고 있었다.

permaneciente *adj.* ① 정체하는, 체류하는. ② [드뭄] =**permanente.**

permanencia *f.* ① 체재, 체류 : Estoy muy agradecido por sus atenciones prestadas para conmigo durante mi ~ en esa ciudad 귀지에서 내가 체재하는 동안 베풀어 주신 후의에 감사합니다. ② 영속(성), 영구(永久)·항구성 : la ~ de la miseria. ③ 불변. ④ 상설, 상치(常置). **Contr.** intermitencia.

permanente *adj.* ① 영속적인, 영구한, 항구성의, 내구(耐久)의 ; 상설의, 상치의 : estado neutro ~ 영세 중립국. ②【문법】 =**imperfectivo.** **—*f.*** 퍼머, 퍼머넌트 : hacerse una ~. **Contr.** intermitente, inestable.

permanentemente *adv.* 오래, 영속적으로, 항구적으로 ; 상설적으로.

permaganato *m.* 【화학】 과망간산염 : ~ de potasio 과망간산 칼리.

permansión *f.* =**permanencia.**

permeabilidad *f.* ① 투수성(透水性). ② 투과성, 투과도(透過度). ③【전기】 투자성(透磁性), 도자율(導磁率)(~ magnética).

permeable *adj.* [*lat.* permeabilis] 스며들 수 있는, 침투성의 : El vidrio es ~ a la luz 유리는 빛을 침투한다.

permisible *adj.* 허가할 수 있는.

permisión *f.* [드뭄] 허가(서), 인가(서)(autorización, permiso).

permisionario, ria *adj.* 허가증을 소지한. **—*m.f.*** 허가증 소지자.

permisivamente *adv.* 묵인하는 듯이.

permisividad *f.* ① 묵인, 암묵. ②【전기】 유전율(誘電率).

permisivo, va *adj.* 허용하는, 묵인적인, 묵인하는 듯한.

permiso *m.* ① 허가, 인가(autorización) : ~ de cambio 외환 허가. ~ de cargar 선적 허가. ~ de construcción 건축 허가. ~ de divisas 외화의 인가. ~ de embarcación·embarque 선적 면장·허가서. ~ de entrada 통관 면허. ~ de exportación 수출 허가(서)·승인. ~ de importación 수입 허가(서), 수입 승인. ~ de navegación 중립국선 증명서. ~ especial 특별 허가. ~ para compra o venta de divisas 외국환 허가. con el ~ de usted 실례입니다만. Con su ~ 실례합니다, 죄송합니다 《남의 앞을 지나가거나 방 등에 들어갈 때》. pedir ~ 허가를 부탁하다. ② 허가증, 면장(免狀), 감찰(鑑札). ③ (화폐의) 공차(公差).

permisor, ra *adj.* 허용하는. **—*m.f.*** 허가자.

permistión *f.* (액체의) 혼합물.

permitente *adj.* 허용하는, 허가적인.

permitidero, ra *adj.* 허용할 만한.

permitidor, ra *adj.m.f.* 허가하는 (사람).

permitir *tr.* [*lat.* permittere] ① 허락하다, 허가하다 : Te *permito* que salgas ; Te *permito* salir 나는 너의 외출을 허락한다. ¿Me *permite* usted salir un momento? 잠깐 외출해도 괜찮겠습니까? ¿Me *permite* que le haga una pregunta? 질

문을 해도 괜찮겠습니까? *Permíta*me que le presente al Sr. Larrea 라레아씨를 소개하겠습니다. *Permíta*me presentarme 제 자신을 소개하겠습니다. Contr. prohibir. ② 허용하다, (물건의) 사용·착용을 허락하다 : El médico de cabecera le *permitió* el vino 주치의가 그에게 포도주를 허락했다. ③ 묵인하다, 참다, 견디다 (tolerar). ④【종교】사면하다 : Dios *permite* el pecado. ⑤ 가능하게 하다 ; [+*inf.*] …할 수 있다 : La fortuna le *premite* tantos viajes 재산이 있으니 그는 자주 여행할 수 있다. [*N.* permitir que 다음에 오는 동사는 접속법을 사용한다].

~se ① 허용·허가되다. ② [+*inf.*] 사양하며 …하다 : *Me permito* dudarlo 실례지만 나는 그것을 의심합니다. No *se permite* pasar 통과할 수 없음.

permuta *f.* 교환 ; 물물 교환 ; 현물 교환 거래 ; 경질.

permutabilidad *f.* 교환·교체할 수 있는 일, 바꾸어 놓을 수 있는 일, 교환·대체 가능성.

permutable *adj.* 교환할 수 있는, 바꾸어 놓을 수 있는, 대체할 수 있는.

permutación *f.* ① 대체, 교환, 바꿈 ; 경질. ②【수학】순열.

permutar *tr.* ① [+con·por : …과] 대체하다, 교환하다 (cambiar) : ~ una finca *con·por* otra 어떤 땅을 다른 곳의 것과 바꾸다. ② 바꾸어 놓다 ; 경질하다, 돌려 놓다 (trocar una cosa por otra) : ~ un destino *por* otro 운명을 다른 것과 바꾸어 놓다.

perna *f.* 열대 지방산 조개의 일종.

pernada *f.* ① 걷어차기. ② 다리를 흔드는 일. ③ (물건을 지탱해 놓은) 다리(pierna).

pernal *m.*【방언】바짓가랑이, 가랑이(pierna de pantalón).

pernambuco *m.* 브라질산 차나무의 일종 (palo de ~).

pernancón, na *adj.* 《*Perú.*》 다리가 긴.

pernaza *f. aum.* pierna.

perneador, ra *adj.* 다리 힘이 센 ; 건각의.

pernear *intr.* ① 발을 흔들다(sacudir las piernas) ; 발을 뻿뻿이 세워 여기저기 돌아다니다. ② 애간장을 녹이다, 불안해 하다, 초조해하다, 애태우다(impacientarse).

—*tr.*【방언】(돼지 등을) 시장으로 내가다.

perneo *m.* 《*And.*》 돼지의 시장(el mercado de los cerdos).

pernera *f.* 바지의 가랑이 부분(pernil de pantalón).

pernería *f.* [집합] 볼트류.

perneta *f.* [*dim.* pierna] ① 작은 다리. ② 《*PRico.*》 장난.

en ~s 정강이를 그대로 드러내고 (con las piernas desnudas) : un chiquillo *en ~s*.

hacer ~ 《*Col.*》 (식품이) 혀 등을 자극하다 (escocer).

pernete *m.* [*dim.* perno] 소형 볼트.

pernezuela *f. dim.* pierna,

perniabierto, ta *adj.* 두 다리를 벌린 (de piernas abiertas).

perniciosamente *adv.* 해롭게, 유해하게 ; 위험하게.

pernicioso, sa *adj.* 해로운, 유해한 ; 위험한 (peligroso, perjudicial) : consecuencia *~sa* 위험한 결과.

pernicote *m.* 《*Sal.*》 돼지의 넓적다리뼈(hueso del pernil de puerco).

pernicho *m.*【은어】=**postigo.**

pernigón *m.* [*ital.* pernicone] 살구(ciruela)의 일종.

pernil *m.* [*lat* perna] 넓적다리, 넓적다리의 살 ; 돼지의 넓적다리 살 ; (바지의) 가랑이 부분.

pernio *m.* 경첩(gozne).

perniquebrar *tr.* ⑪ 다리를 부러뜨리다(romper la pierna).

~se 다리를 삐다 : *~se* al caer.

pernituerto, ta *adj.* 다리가 휜(de piernas torcidas).

perno *m.* 나사 대못 ; 볼트 ; 그 축 부분.

pernoctar *intr.* 밤을 새우다, 철야하다(hacer noche, pasar la noche).

pernotar *tr.* 생각이 미치다(notar, reparar).

pero[1] *conj.* ① 그러나, …이지만 : una casa pequeña ~ cómoda 작지만 아늑한 집. El dinero hace ricos a los hombres, ~ no dichosos 돈은 사람을 부자가 되게는 하지만, 행복하게는 못한다. ② [강조를 위해서나 글의 앞에서] 그런데 : unas manos muy frías, ~ muy frías 아주 차다, 아뭏든 아주 찬 손. *Pero,* ¿dónde vas a meter tantos libros? 그런데 어디에 그렇게 많은 책을 넣지? ③ …이 아니라(sino).

pero[2] *m.* ① 흠, 헐뜯기 ; 꼬투리 잡아 따지기 : Este cuadro no tiene ~ 이 그림은 흠잡을 데가 없다. poner ~ 꼬투리를 잡아 따지다. ② 배사과 《배 모양과 비슷하게 생긴 사과》. ③ 《*And. Arg.*》 =**peral.**

Pero *m.* ~ ***Grullo*** =perogrullo. ~ ***Jimén*** =perojimén. ~ ***de Botell·Botero*** 지옥. ~ ***Jiménez*** = perojiménez.

perogrullada *f.* (말하지 않아도) 뻔한 일, 자명한 진리, 명백한 사실.

perogrullesco, ca *adj.* 물어 볼 것 조차도 없는, 두말할 것도 없는, 당연 이상의.

perogrullo *m.* ***verdad de ~*** =perogrullada. ***vicio oratorio de ~*** 당연한 일을 되씹는 버릇.

perojimén *m.* =**perojiménez.**

perojiménez *m.* 헤레스산의 질이 좋은 포도의 일종 ; 포도주.

perojo *m.*【식물】서반아 북부산 올배의 일종.

perol *m.* ① 냄비. ② 《*Col.*》 =**estoperol, clavo.**

perola *f.* (perol보다 작은) 작은 냄비.

perolero *m.* 《*Venez.*》 =**hojalatero.**

peromia *f.* 《*And.*》 =**achaque.**

perón *m.* 《*Méx.*》 사과의 일종.

peroné *m.* [*gr.* peronê]【해부】비골(腓骨).

peroneo, a *adj.* 비골의 : nervio ~ 비골 신경.

peronía *f.* 《*PRico.*》【식물】bucare의 일종.

peronil *m.* (파나마의) 목재로 쓸 수 있는 나무.

peronismo *m.* 뻬론주의.

peronista *adj.* 뻬론 《Juan Domingo Perón, 1895–1974 ; 아르헨띠나의 대통령, 1946–55, 1973–74 두 차례 재임》 당의. **—*m.f.*** 뻬론파의 사람, 뻬론주의자.

Partido P- 뻬론당.

peroración *f.* [*lat.* peroratio] 연설, 장광설 ; 결론, 결말 : La ~ resume rápidamente los principales puntos del discurso. Contr. exordio.

perorar *intr.* [*lat.* perorare] 연설(演說)을 하다(pronunciar un discurso), 장광설을 늘어놓다, 열변을 토하다(hablar larga y enfáticamente). ② 간절히 바라다.

perorata *f.* 장광설.

perote *m. desp.* ①《*Ecuad.*》(일반으로) 검은 색. ②《*Perú.*》=**títere.**

perotó *m.* 《*Bol.*》(묶는 데 쓰는) 식물 섬유.

peróxido *m.* 【화학】 과산화물(過酸化物) : ~ de hidrógeno 과산화 수소. ~ de soda 과산화 소다.

perpejana *f.* =**parpalla.**

perpenar *tr.* 《*Col.*》 찾아 다니다(rebuscar).

perpendicular *adj.* 수직의, 수직으로 교차되는 : ~ *a*l plano 평면에 수직한. —*f.* 수직선 : Tire usted una ~ desde este punto 이 점에서 수직선을 그으십시오.

perpendicularidad *f.* 수직, 수직으로 교차하는 일.

perpendicularmente *adv.* 수직으로.

perpendículo *m.* ① 추, 연추(鉛錐), 봉돌, 낚싯봉, 몽깃돌(plomada). ②【기하】(삼각형의) 높이. ③【물리】 진자(振子)(péndulo).

perpetración *f.* ① 범행, 흉악한 짓 : la ~ de un crimen. ② 범죄.

perpetrador, ra *adj.* 죄를 저지른. —*m.f.* 범인.

perpetrar *tr.* [*lat.* perpetrare] (흉악한 범죄를) 범하다 ; 저지르다 : ~ un crimen.

perpetua *f.*【식물】① 천일홍(~ encarnada). ② 국화의 일종(~ amarilla).

perpetuación *f.* 영속(성), 계속 ; 영구화 : negar la ~ de las especies.

perpetual *adj.*【고어】=**perpetuo.**

perpetualidad *f.*【고어】=**perpetuidad.**

perpetuamente *adv.* ① 영구히, 영원히, 부단히, 언제고, 언제나, 항상, 계속(siempre, continuamente) : Los mismos errores se reproducen ~ 같은 실수는 언제고 생기는 법이다. ② 자주, 빈번히(frecuentemente) : Está ~ borracho 그는 자주 취해 있다.

perpetuán *m.* 양모로 짠 천의 일종.

perpetuar *tr.* ⑭ 영속시키다, 오래 계속되게 하다, 영구적으로 하다 : Los pirámides *perpetúan* el recuerdo de los faraones 피라미드는 이 집트왕에의 회상을 영원케 하고 있다. Su fama *perpetúa* en la posteridad 그의 명성은 후세에 언제까지라도 전해질 것이다.

~se 오래 계속되다, 무궁해지다, 영존하다, 영속하다.

perpetuidad *f.* 영속(성), 영세, 항구성 ; 무궁, 불멸.

perpetuo, tua *adj.* [*lat.* perpetuus] 끊이지 않는, 영구한 ; 한이 없는, 무한한 ; 언제나 있는 ; 종신의 : destierro ~. Sinón. eterno. Contr. momentáneo, efímero.

perpiaño *m.*【건축】 관석(貫石). —*adj. arco* ~ =resaltado.

perplejamente *adv.* 어찌할 바를 몰라.

perplejidad *f.* 당혹, 당황 ; 곤란한 일 ; 우유 부단.

perplejo, ja *adj.* [*lat.* perplexus] ① 당혹한, 어찌할 바를 모르는·모르고 : Quedamos todo ~*s* 우리는 참으로 당혹해 버리고 말았다. ② 당황하게 하는, 애먹이는 : situación ~*ja.*

per pro. per procurationem 대리로.

perpunte *m.* 솜을 넣은 조끼의 일종(jubón fuerte, colchado y pespuntado).

perqué *m.* [*ital.* perche] 문답시(問答詩), 문답체의 탄핵 문서.

perquirir *tr.* ㉓ 조사하다, 조사하여 찾다, 탐구하다 ; 수색하다(buscar, indagar, investigar).

perquisición *f.*【방언】=**pesquisa.**

perra *f.* ① 암캐(hembra del perro). ② 취기(borrachera). ③ 나태함. ④ 어린아기의 칭얼거림. ⑤ 화폐의 속칭 : ~ chica 5센띠모화(貨). ~ grande 10센띠모화.

hacer la ~ 《*Méx.*》(일하는 도중에) 꾀를·농땡이 부리다.

soltar la ~ (하지도 못하면서) 공연히 으시대다.

¡la gran ~! 《*Arg.*》, *¡por la ~!* 《*Chile.*》 빌어먹을! 《놀람이나 노할 때》.

perrada *f.* ① 개의 떼(perrería). ② 배반(traición, deslealtad) : hacer una ~.

perraje *m.* ①《*AmérC.*》 면모포. ②《*Col.*》 개의 떼 (perrada). ③《*Venez.*》 야비하게 춤추는 무리.

perramente *adv.* 심하게(muy mal).

perrengue *m.* ① 화 잘내는 아이 (el niño que se emperra con facilidad). ②【속어】 흑인.

perrenque *m.* 《*Col.*》 가죽 채찍.

perrera *f.* ① 개집, 개우리 (lugar donde se guardan los perros). ②《*Arg.*》 개 운반용 차량. ③ 크게 재미를 보지 못하는 일. ④ 지불이 나쁜 사람 (mal pagador). ⑤ (어린아기의) 보챔. ⑥《*Col.*》 벼룩의 집(pulguera).

perrería *f.* ① 개떼, 개들(conjunto de perros). ② 못된 무리(conjunto de mala gente). ③ 화난 얼굴, 노려보기(expresión de enojo o ira). ④ 배반, 호된 처사, 나쁜 행동(mala acción) : hacer a uno una ~ 남에게 호된 처사를 하다.

perrero *m.* ① (사원 등에서) 개를 쫓는 사람. ② 사냥개를 맡는 사람 (el que cuida perros de caza). ③ 애견가. ④《*Col.*》 가죽매·채찍(látigo).

perreta *f.* 《*Cuba.*》 어린아기의 보챔.

perrezno *m.* 강아지(perrillo, cachorro).

perrilla *f.* [*dim.* perra] ① =**perra chica.** ②《*Méx.*》 다래끼(orzuelo).

salir la ~ 《*Col.*》 일이 생각과는 반대로 되다.

perrillo *m.* [*dim.* perro] ① 강아지 : ~ de falda 삽살개. ② (총의) 격철(gatillo). ③《*PRico.*》 낫처럼 생긴 칼.

~ *de todas bodas* 잔치에는 빠지지 않고 가는 사람 (persona que es aficionada a hallarse en todas las fiestas).

perrito *m.* [*dim.* perro] 《*Méx.*》(약용 식물의) 디기탈리스(digital).

perro *m.* ① 개 ; 수캐. ② 어떤 화폐의 속칭 : ~ chico 5센띠모화. ~ grande 10 센띠모화. ③ 악한 사람(persona malvada). ④ 돈(moneda).

~ *alano* 아라노견(犬) 《불독의 변종》.

~ *alforjero* (사냥에서의) 집 지키는 개.

~ *braco* 포인터종의 개.

~ *caliente* 핫도그(bocadillo de salchichas

calientes).
~ *cobrador* 줍는 역할을 맡은 사냥개.
~ *de aguas* 삽살개 ; 땅개 ; 바다삵(coipú).
~ *de ajeo* 세터종의 개.
~ *de ayuda* 구조견.
~ *de casta* (잡종이 아닌) 순수견.
~ *de lanas* 삽살개.
~ *de muestra* 포인터견.
~ *de presa,* ~ *dogo* 불독.
~ *faldero* 땅개.
~ *galgo* 사냥개의 일종.
~ *marino* 【어류】 상어(cazón).
~ *mastín* 목장견의 일종.
~ *mudo* 《*Cuba.*》 【동물】 북극곰의 일종.
~ *pastor* 양을 돌보는 개.
~ *perdiguero* 세터견.
~ *policía* 경찰견.
~ *quitador* 줍는 역할을 맡는 개.
~ *tomador* 노획물을 잘 줍는 개.
~ *viejo* 경험이 많은 조심스러운 사람.
a cara de ~ 엄중히 (작정하다 등).
a espeta ~*s* 별안간, 갑자기.
a otro ~ *con ese hueso* 귀찮거나 불쾌한 제안을 거절할 때 쓰임.
como ~*s y gatos* 개와 고양이 사이처럼 미워하는, 견원지간의 : andar *como* ~*s y gatos* 미워하다.
de ~*s* 매우 나쁜(muy malo) : tiempo *de* ~*s* 무척 나쁜 날씨.
dar ~ (누구를) 기다리게 만들다(hacerle esperar).
darse a ~*s* 안절부절하다, 애태우다, 무척 노하다(irritarse mucho).
echar a ~*s* 함부로 쓰다, 천대하다, 망가뜨리다(malbaratar).
estar como los ~*s una comida* 짭짤하다(estar muy salada).
marcharse como ~ *con cocerro* 부끄러워 도망치다(huir avergonzado).
morir como un ~ 후회없이 죽다(morir sin arrepentirse) ; 비참하게 죽다.
no atar los ~*s con longaniza* 돈이 별로 없다(no tener mucho dinero).
tratar a uno *como a un* ~ (누구를) 나쁘게 대우하다, 학대하다 ; 경멸하다, 멸시하다.
Allí no atan los ~*s con longanizas* 【속담】 인생살이란 생각보다 쉽지 않다.
P- ladrador nunca buen mordedor ; P- ladrador, poco mordedor 【속담】 짖는 개는 물지 않는다 ; 말이 없는 사람을 경계하라.
El ~ *del hortelano, que ni come la berza ni la deja comer* 【속담】 자기는 물건을 이용하지 않으면서 다른 사람이 이용하려 할 때 이용하지 못하게 하는 사람을 비난할 때.
Muerto el ~ *se acabó la rabia* 【속담】 죽은 개는 물지 않는다, 죽은 자는 말이 없다.

perro, rra *adj.* 고약한, 극악한 (muy malo, atroz) : una vida muy ~*rra.* —*m.f.* ① 고약한 놈 : el muy ~. ② 【고어】 *desp.* 유태인, 모로인.

perrogato *m.* 【동물】 =**guepardo.**

perrona *f.* 《*Ast.*》 10센띠로 동전(perra gorda, moneda de diez céntimos).

perroquete *m.* (돛배의) 중간돛.

perrote *m.* 《*Ecuad.*》 =**perote.**

perruna *f.* (개에게 주는) 빵 (pan moreno que se da a los perros).

perruno, na *adj.* 개의 ; 개 같은.

persa *adj.* 【남·여 동형】 페르시아 (la Persia)의. —*m.f.* 페르시아 사람. —*m.* 페르시아말.

persal *f.* 과산화물이 함유된 산성 소금.

per se *adv. lat.*=**por sí, por sí mismo.**

persecución *f.* 추적 ; 추구(追求) ; 박해, 학대 : la ~ *contra* los cristianos 그리스도 교도에 대한 박해. **Contr.** protección, amparo.

persecutorio, ria *adj.* 추구·추적하는 ; 박해·학대하는.

perséfone *f.* 【희랍 신화】 지옥의 여왕, Plutón의 아내 《로마 신화의 Proserpina》.

perseguidor, ra *adj.* 추적·추구·박해하는. —*m.f.* 추적자 ; 박해자.

perseguidora *f.* 《*Perú.*》 숙취.

perseguimiento *m.* =**persecución.**

perseguir *tr.* 46 [*lat.* persequi] ① 추적하다, 추격하다 : *Persiguieron* a los fugitivos 도망자들은 추적당했다. La tropa española *persiguió* al enemigo hasta el río 서반아 군대는 강까지 적을 추격했다. ② 추구하다 : El *persiguió* esa colocación 그는 그 위치를 추구했다. ③ 박해하다, 학대하다 ; 귀찮게 자꾸 조르다.

perseidas *m.f.pl.* Perseo의 자손.

Perseidas *m.f.* 【천문】 페르세우스좌의 유성군.

perseides *f.pl.* =**perseidas.**

Perseo *m.* ① 【희랍 신화】 Zeus의 아들로 Medusa를 퇴치한 영웅. ② 【천문】 페르세우스좌.

persepolitano, na *adj.m.f.* 페르세폴리스 《Persépolis, 옛 페르시아의 수도》의 (사람).

persevante *m.* (기사 이야기에 나오는) 시종.

perseverancia *f.* ① 끈덕짐, 불굴 ; 참을성이 많음 ; 완강함, 완고(persistencia) ; 근성(根性) : La ~ lo consigue todo 근성은 모든 것을 달성한다. ② 【종교】 견인(堅忍), 은혜(~ final). **Contr.** inconstancia.

perseverante *adj.* 《*Venez.*》 ① 끈기있는, 참을성이 많은 : El tiene actividad ~ 그는 끈기있는 활동성을 가지고 있다. ② 완고한. **Contr.** inconstante, versátil.

perseverantemente *adv.* 끈기있게 ; 완고하게.

perseverar *intr.* [+en : …에] 참을성 있게 버티다, 끈기있게 …하다, 끈덕지게·완고하게·언제까지고 계속되다 : ~ *en* el mal 불운 중에서도 잘 참다.

persiana *f.* ① 널빤지 조각 격자창 : ~ de madera · de hierro 나무·쇠 격자창. ② 꽃무늬로 된 비단 직포. ③ 관자놀이의 털.

persiano, na *adj. m.f.* =**persa.**

persicaria *f.* 【식물】 =**duraznillo.**

pérsico, ca *adj.* [*lat.* persicus] 페르시아의 : Golfo *P-* 페르시아만. —*m.* ① 페르시아 복숭아. ② 장미과 과일 나무 : El melocotón es una variedad del ~.

persig- →**perseguir** 46.

persiga perseguir의 접·현·1·3·단수.

persigáis perseguir의 접·현·2·복수.

persigamos perseguir의 접·현·1·복수.

persigan perseguir의 접·현·3·복수.

persigas perseguir의 접 · 현 · 2 · 단수.

persignar *tr.* =**signar, firmar.**
~se ① 십자를 긋다(santiguarse). ② 경탄하다. ③ 서명하다. ④ (가게에서) 개점하다, 물건을 팔기 시작하다 (empezar la venta del día un comerciante).

persigo perseguir의 직 · 현 · 1 · 단수.

pérsigo *m.* 【식물】 페르시아 복숭아(pérsico).

persigue perseguir의 직 · 현 · 1 · 3 · 단수.

persiguen perseguir의 직 · 현 · 3 · 복수.

persigues perseguir의 직 · 현 · 2 · 단수.

persiguie- →**perseguir** 46.

persiguiendo perseguir의 현재 분사.

persiguieron perseguir의 직 · 부정과거 · 3 · 복수.

persiguió perseguir의 직 · 부정과거 · 3 · 단수.

persistencia *f.* 끈질김, 완고함 ; 고집, 영속(永續).

persistente *adj.* ① 끈질긴, 완고한. ② 계속되는 : fiebre ~. ③ 영속성이 있는 ; 상록(常綠)의 (perenne) : hojas ~*s* 늘 푸른 잎.

persistir *intr.* ① [+en : …을] 고집하다, 주장하다 : ~ *en* su resolución. ② 오래 끌다, 계속하다 (durar) : ~ la mejoría. **Contr.** renunciar, cejar.

persoga *f.* 《*AmérC. Méx.*》 밧줄, 줄.

persogar *tr.* 8 《*AmérC. Méx.*》 (동물을) 줄에 매다.

persogo *m.* ① 《*AmérC.*》 줄, 밧줄. ② 《*Venez.*》 맨 것, 일련의 것, 줄줄이 이어진 것.

persona *f.* [*lat.* persona] ① 사람, (헤아릴 때의 몇) 사람, 인(人) : Aquí caben cuatro ~*s* 이곳은 네 사람이 들어간다. por ~ 1인당. ② (누구의) 자신(自身) : en ~ · por su ~ 자신이 스스로 (por sí mismo). ③ 몸, 신체 ; 풍채. ④ (인격자의 뜻으로, 또는 극 · 소설의) 인물 (personaje) ; 인품. ⑤ 【신학】 위(位), 페르소나 《삼위(三位) : el Padre 성부, el Hijo 성자, el Espíritu Santo 성령의 각각》. ⑥ 【문법】 인칭 : primera ~ 제일인칭. segunda ~ 제이인칭. tercera ~ 제삼인칭. ~ agente 【문법】 (동사의 동작의) 행위자.
~ ***asegurada*** 피보험자.
~ ***encargada de lo relacionado con los créditos*** 신용 조사자.
~ ***física*** 자연인, 법인 ; (소득세 과세상의) 개인.
~ ***grata*** (외교 용어로서) 바람직한 사람 ; 호감이 가는 사람.
~ ***jurídica*** 법인.
~ ***legal*** 법인.
~ ***mayor*** 성인, 어른(adulto).
~ ***moral*** (소득세 과세상의) 법인.
~ ***moral de nacionalidad extranjera establecida en el país*** 《*Méx.*》 외국 법인.
~ ***moral de nacionalidad mexicana*** (국내에서 설립된) 멕시코 법인.
~ ***natural*** 자연인, 법인 ; (소득세 과세상의) 개인.
~ ***non grata*** 기피 인물.
~ ***paciente*** 【문법】 (동사가 뜻하는 동작을) 받는 사람 《타동사의 직접 보어나 수동문의 주어》.
~ ***social*** 법인.
tercera ~ ① 【문법】 제삼인칭. ② 중개자 : Llegó a mi noticia por ***tercera*** ~. ③ 제삼자, 타인 (tercero) : sin perjuicio de ***tercera*** ~.
de ~ ***a*** ~ 마주 대하여, 제삼자를 끼우지 않고.
aceptar ~***s*** 편을 들다.
hacer de ~ · ***hacerse*** ~ 제법 대단한 사람처럼 굴다, 으시대다, 뽐내다, 우쭐대다.
hacer de su ~ 대변을 보다, 똥을 누다.

personada *adj.* [*lat.* personata] 【식물】 가면 모양의.

personado *m.* (교단 내의 권력이 없는) 실속없는 자리.

personaje *m.* ① 명사(personalidad) : La fortuna convierte a cualquier tonto en ~. ② (극 · 소설의) 인물(persona), 등장 인물 : El ~ principal es un viejo 주역은 노인이다.

personal *adj.* ① 사람의, 인간적인. ② 자신의, 개인적인 : los intereses ~*es* 개인적인 이익. Esos son asuntos ~*es* 그것들은 개인적인 문제이다. ③ 【문법】 인칭의 《제 1 · 2 · 3의 세 가지 인칭이 갖추어져 있음》 : pronombre ~ 인칭 대명사.
—*m.* ① 인원 : dotar de ~ 인원을 배치하다. ② 총원(總員), 직원(職員) · 그 전체 ; 간부, 스탭. ③ 인사(人事) : cambiar de ~ 인사 이동을 하다. Vaya usted a la oficina de ~ 인사과에 가십시오. ④ 인건비목. ⑤ 균등세, 인두세(人頭稅).
~ ***administrativo*** 사무 직원.
~ ***asalariado*** 봉급 생활자, 샐러리맨.
~ ***auxiliar*** 보조 직원.
~ ***de fábrica*** 공장 근무 직원.
~ ***de oficina*** 사무 직원.
~ ***de ventas*** 판매 부원.
~ ***fijo · de plantilla*** 상근 직원.
~ ***libre*** 비조합원.
~ ***obrero*** 인적 자원, 동원 가능 인력, 노동력.
~ ***técnico*** 기술 직원.

personalidad *f.* ① 인격 : ~ doble 이중 인격. ~ jurídica 법인격(法人格), 법률상의 인격. ~ múltiple 다중 인격(多重人格). Es preciso respetar la ~ humana 인격을 존중하는 것이 필요하다. ② 개성, 자아. ③ 개인, 인간 ; 인품. ④ 명사 : Concurrieron muchas ~*es* a la fiesta 파티에 많은 명사들이 모였다. ⑤ 【법률】 법인 ; 대리권. ⑥ [주로 *pl.*] 《*Neol.*》 인신 공격.

personalismo *m.* 《*Neol.*》 ① 인신 공격. ② 자기 본위주의(egoísmo).

personalista *m.f.* 《*Neol.*》 이기주의자, 에고이스트.

personalizar *tr.* 9 ① 인신 공격하다. ② 인격화 하다(dar carácter personal) : ~ la virtud. ③ 인칭 동사로 쓰다.

personalmente *adv.* 스스로, 직접, 친히, 몸소(en persona) : responder ~ a una carta 편지에 친히 답하다. He visto el teatro Arirang, no sólo ~ sino por televisión 나는 아리랑을 직접 보지 않고 텔레비전을 통해서 보았다.

personarse *r.* ① 담합(談合)하다(avistarse). ② 자신이 직접 가다 (presentarse personalmente) : *Se personó* en mi casa 그는 자신이 직접 집에 와 주었다. ③ 출두하다, 입회하다(apersonarse)

personería *f.* ① 대리인업, 변리인업 (cargo del

personero o procurador). ②《*Amér.*》 법인, 법인체(personalidad jurídica).

personero *m.* [드뭄] 대리인, 변리인.

personificación *f.* ① 인격화. ②【수사】의인법. ③ 의인화; 화신(化身), 권화(權化).

personificar *tr.* ⑦ ① 인격화시키다, 인성(人性)을 부여하다, 사람에 빗대다. ② 구현하다, 상징하다, …의 화신이다 : Edison *personifica* el ingenio. ③ 구체화하다.

~se ① 인격화하다. ② 구현되다, 화신이 되다. ③ (누구에게) 빗대어 말하다 : En el texto *se personifica* al ministro 본문에서는 그 장관을 모델로 하고 있다.

personilla *f.* [*dim.* persona] 이상스러운 소인물.

personudo, da *adj.* 체격·풍채가 당당한.

perspectiva *f.* [*lat.* perspectiva] ① 투시(화법), 원근법; 투시도; 원근, 배경 : ~ aérea 명암과 색의 혼합에 의한 원근도. ~ caballera 전망 배경, 전망도. ~ lineal 직선에 의한 원근도. ② 원경, 조망, 전망 : De esta colina se disfruta hermosa ~. ③ 장래, 전도, 앞으로의 전망; 가망, 희망 : tener la ~ de …의 가망성이 있다. ④ 외모, 외견(外見) (apariencia).

~ ***de crecimiento*** 성장 전망. ~ ***de inversión*** (설비) 투자의 전망. ~ ***de la cosecha*** 수확의 전망. ~ ***económica · de la coyuntura · de la economía · para la economía*** 경제 전망. ~ ***futura*** 장래성. ~ ***mercantil*** 상업계의 전망. ~ ***para el intercambio*** 무역 전망. ~ ***prometedora*** 유망한 전망.

en ~ 원근 화법에 의해서·의한; 멀리; 장래에; 앞을 내다보는.

perspectivo, va *adj.* 투시 화법의, 원근법에 의한 : un dibujo ~ 원근도. **—*m.*** 투시 화가.

perspicacia *f.* 예민, 명민, 총명(성); 통찰력, 혜안(慧眼)(agudeza de vista).

perspicacidad *f.* =**perspicacia.**

perspicaz *adj.* ① (통찰력이) 날카로운 : una crítica ~ 날카로운 비평. ② 예민한, (두뇌가) 트인, 총명한, 명철한, 명석한. **Contr.** torpe, obtuso.

perspicuidad *f.* 명쾌(도), 투철.

perspicuo, cua *adj.* [*lat.* perspicuus] 맑게 갠(claro y terso); 명해(明解)한, 분명하고 알기 쉽게 해석한(claro) : estilo · orador ~.

persuadido, da *adj.* 납득되는, 설득당한.

persuadidor, ra *adj.* 설득하는(que persuade). **—*m.f.*** 설득자.

persuadir *tr.* [*lat.* persuadere] 설득하다, 납득(納得)시키다, 설복하다 : ~ ***a*** estudiar el español 서반아어를 공부하라고 설득하다. Le *he persuadido a* que se quedase 나는 그에게 머무르라고 설득했다. **Contr.** disuadir.

~se [+de : …을] 납득하다, …라고 믿다 : Fácilmente *se* nos *persuade a* lo que nos gusta.

persuasible *adj.* 납득시킬 수 있는, 믿게 하는 (creíble, plausible).

persuasión *f.* ① 설득, 설복(력) : Yo he cedido a la ~ de Andrés 나는 안드레스의 설득에 따랐다. ② 납득, 확신, 신념, 신앙.

persuasiva *f.* 설득력(facultad · fuerza de persuadir).

persuasivo, va *adj.* 설득적인; 설득시키는 솜씨가 있는, 설득력이 있는 (convincente) : el talento ~ de un orador.

persuasor, ra *adj.* 설득하는, 설득적인. **—*m.f.*** 설득자, 설복자.

pertenecer *intr.* ㉛ [*lat.* pertinere] ① [+a : …에] 속하다, 소속하다 : El pino *pertenece a* la familia de las coníferas 소나무는 송백류과에 속한다. Este terreno también *pertenece a* nuestra compañía 이 토지도 우리의 회사에 속한다. El presidente *pertenece a*l partido republicano 대통령은 공화당에 속해 있다. Esta hacienda *pertenece a* mi padre 이 농장은 내 부친의 것이다. ② 관계가 있다; (…이라는) 말이다, (…이라고) 한다(referirse).

pertenecido, da *adj.* pertenecer의 *p.p.* **—*m.*** 소유·소속(물)(pertenencia, propiedad).

perteneciente *adj.* [+a : …에] 속한·관한 (referente); 예속된, 소속된.

pertenencia *f.* ① 소유(posesión), 소속. ② 소유권 (derecho de propiedad), 소속물, 부속물 : una finca con todas sus ~*s.*

~ ***minera*** 《*Chile.*》 광업권.

pértica *f.* 길이의 단위 《2m 571》.

pértiga *f.* [*lat.* pertica] ① 장대, 기둥(vara larga). ② 석장(錫杖). ③【경기】(장대높이뛰기용의) 장대.

pertigal *m.* =**pértiga.**

pértigo *m.* (차의) 채(lanza).

pertigueño *adj.* 《*And.*》 길이 7미터, 지름 25 – 30센티미터 이상인 원통형의 (목재).

pertiguería *f.* pertiguero의 역.

pertiguero *m.* 행렬·근행(勤行)에서 pértiga를 받들고 가는 사람.

pertinacia *f.* ① 끈질김, 완고함, 완강함, 고집 (obstinación, terquedad, testarudez). ② 영속 (persistencia).

pertinaz *adj.* [*lat.* pertinax] ① 끈질긴, 완고한, 완강한, 고집 센 : ~ de carácter 성격이 고집 불통의. ~ en su yerro 좀처럼 잘못을 고치지 않는. ② 오래 끄는 (duradero) : lluvia ~ 장마비. enfermedad ~ 지병(持病).

pertinazmente *adv.* 끈질기게, 고집 세게, 완고하게(con pertinacia).

pertinencia *f.* 적절함, 타당함.

pertinente *adj.* ① 적절한, 타당한(oportuno). ② [+a : …에] 소속하는, …에 관련하는; 속하는. **Contr.** impertinente.

pertinentemente *adv.* 안성맞춤으로, 타당하게, 적절하게.

pertrechar *tr.* ① (무기·탄약·군함 등으로) 정비·장비하다 : algunas naciones bien *pertrechadas* 군비를 잘 갖춘 몇 나라. ② 준비하다, 갖추어 두다.

~se [+de · con : …을] 장비하다·준비하다 : ~*se con · de* lo necesario 필요한 것을 준비하다.

pertrechos *m.pl.* ① 무기, 군비품, 장비품 《무기·탄약, 병사용 양식 등》. ② 용구, 도구 : ~ de la siega.

perturbable *adj.* 어지럽게 할 수 있는; 교란시킬 수 있는, 곧잘 어지럽히는 : un sueño ~.

perturbación *f.* ① 어지러짐, 교란 : ~ atomosférica 대기 교란; 교란 전자파. ② (전파 등

의) 방해. ③ (인심의) 동요, 소요 ; 심란해짐, 마음의 어지러움 ; 정신 착란. ④【천문】섭동(攝動).

perturbadamente *adv.* 정신 착란을 일으켜 ; 당황하여.

perturbado, da *adj.* 정신 착란의. —*m.f.* 정신 착란자.

perturbador, ra *adj.* 인심을 어지럽히는, 소란을 피우는, 동요시키는 (듯한), 소요를 일으키는. —*m.f.* 착란자, 방해자 : los ~*es* del orden público 공공 질서의 방해자.

perturbar *tr.* [*lat.* perturbare] ① (인심을) 어지럽히다, 동요시키다 : El clamoreo *perturbaba* al orador 소란은 강연자를 어지럽혔다 (방해했다). ② (전파를) 방해하다.
~se ① 엉클어지다. ② 당황하다, 동요하다 : Al oir la noticia *se perturbó* 그 소식을 듣고 그는 당황했다. ③ 착란하다.

pertuza *f.* 《*PRico.*》 =**gentuza.**

perú *m.* 《*Méx.*》 멕시코에 적합한 뻬루의 나무.

Perú, el *m.*【지명】뻬루《남미에 있는 나라 이름 ; 면적 1,249,019㎢ ; 수도 Lima》.
valer un ~ 멋진 일이다, 무척 가치가 있다.

peruanismo *m.* 뻬루식 발음, 뻬루말 ; 뻬루에 대한 애정.

peruanista *adj. m.f.* peruanismo의 (사람).

peruanizar *tr.* 뻬루의 성격을 띄다 (dar carácter peruano).

peruano, na *adj.* 뻬루(el Perú)의. —*m.f.* 뻬루 사람. —*m.* 뻬루식 서반아어 표현.

peruétano, na *adj.* 《*Col. Cuba. Méx.*》 바보의, 멍청이의, 얼간이의 ; 귀찮게 구는. —*m.* ①【식물】야생 배나무 ; 그 열매. ② 사물의 볼록하게 튀어나온 곳 (punta saliente de una cosa). ③ 《*Méx.*》 참견 잘하는 소년.

perulero *m.* 바닥이 넓고 주둥이가 좁은 진흙 단지 · 항아리.

perulero, ra *m.f.* 뻬루의 벼락 부자《뻬루에서 서반아로 돌아온 사람》. —*adj.m.f.*【고어】[드묾] =**peruano.**

perusino, na *adj.m.f.* 뻬루사《Perusa, 이탈리아의 주 · 도시》의 (사람).

peruviano, na *adj.m.f.* =**peruano.**

perversamente *adv.* 심술궂게, 배반하여.

perversidad *f.* 사악, 비뚤어진 마음씨, 편협, 배덕, 비행.

perversión *f.* ① 혼란, 착란. ② 악화, 퇴폐, 타락(corrupción, depravación) : la ~ de las costumbres 풍습의 퇴폐. ③ 도착(倒錯) : ~ sexual 성도착, 변태 성욕, 색정 도착증.

perverso, sa *adj.* 마음이 그릇된, 퇴폐한, 사악한, 심술궂은, 마음이 비뚤어진 : ¡Huid los consejos ~*s*! 너희들은 그릇된 충고를 피해라.

pervertible *adj.* 문란하기 쉬운, 타락하기 쉬운, 헝클어지기 쉬운.

pervertidor, ra *adj.* 퇴폐 · 타락적인, 미풍 양속을 해치는, 해로운 : novela ~*ra.*

pervertimiento *m.* =**perversión.**

pervertir *tr.* 55 [*lat.* pervertere] ① (질서 · 상태를) 헝클어뜨리다, 문란시키다(perturbar). ② 못쓰게 만들다, 잘못되게 하다, 타락시키다 (viciar) : Las malas lecturas *pervierten* la juventud 나쁜 독서는 청년을 타락시킨다. ③ (증서 · 서류의 문자를) 고쳐 쓰다, 멋대로 고치다.
~se 문란해지다, 헝클어지다 ; 타락하다, 퇴폐하다(corromperse).

perviert- →**pervertir** 55.

pervigilio *m.* 불면(不眠).

pervinca *f.*【식물】함수초(hierba doncella).

pervirt- →**pervertir** 55.

pervulgar *tr.* 8 일반에게 알리다, (비밀을) 누설하다, 폭로하다(divulgar) ; 공포하다, 널리 알리다(promulgar).

pesa *f.* ① (저울 · 시계 · 기계 · 경기용의) 추, 분동(分銅) : ~*s* y medidas 도량형. ② 낚시 도구. ③ 《*Col. CRico. Venez.*》 정육점, 푸주, 고깃간 (carnicería).
como · conforme las ~s, según caigan · cayeren las ~s 상황에 따라서.

pesaalcohol *m.* =**alcohometro.**

pesabebés *m.* (어린이 무게를 달아보기 위해 요람 형태로 만들어진) 거울.

pesacartas *m.*【단 · 복수 동형】봉함 편지 · 봉함물 저울 (기구)(aparato para pesar cartas).

pesada *f.* ① 무게, 근수 ; 다는 · 재는 것의 1회 분량. ② 《*Arg. Urug.*》 절인 원피(原皮)의 중량 단위《75 파운드》, 가죽의 중량 단위《35~40 파운드》.

pesadamente *adv.* 무거운 듯이 ; 무겁게 ; 마지못해 ; 어슬렁어슬렁, 느릿느릿.

pesadez *f.* ① 무거운 것 ; 무게, 중력. ② 답답함 : sentir la ~ de la cabeza. ③ 비만(obesidad). ④ 괴로움, 귀찮음, 골치 아픔 : la ~ del trabajo. Contr. ligereza.

pesadilla *f.* 악마 ; 악몽 ; 두려운 일, 공포 · 불안감 : Esa noche tuvo ~*s* 그날밤 그는 나쁜 꿈을 꾸었다.

pesado, da *adj.* [pesar의 *p.p.*] ① 무거운 : ser ~ de peso 무게가 무겁다. Este libro es muy ~ 이 책은 매우 무겁다. Contr. ligero, liviano. ② 몹시 괴로운 · 답답한 : Tengo la cabeza ~*da* 나는 머리가 무겁다. ③ 깊은 (잠) : Tenía un sueño muy ~ 그는 깊은 잠에 빠져 있었다. ④ 귀찮은. ⑤ 후덥지근한 : ¡Qué tiempo tan ~! 굉장히 후덥지근한 날씨다. En esta habitación hay un ambiente muy ~ 이 방의 공기가 매우 후덥지근하다 (통풍이 나쁘다). ⑥ 몹시 느린. ⑦ 번거로운, 애먹는, 힘드는 ; 혹독한.

pesador, ra *adj.m.f.* (눈금을) 재는 (사람), 다는 (사람). —*m.* ① 저울 : ~ de cartas 봉함 편지 저울. ② 《*Col. Venez.*》 고기 장수.

pesadumbre *f.* 슬픔, 괴로움, 우려 ; 싸움.

pesaje *m.* 계량(計量).

pesalicores *m.*【단 · 복수 동형】액체 비중 저울 · 계.

pésame *m.* 애도, 조의, 조사 : carta de ~ 조문 편지. Le doy el ~ por un fallecimiento de su padre 부친의 불행에 심심한 애도를 표합니다. Contr. pláceme.

pésamedello *m.* 뻬사멜데요《16 — 17세기의 서반아의 춤 · 노래》.

pesamentero, ra *adj.m.f.* 《*Amér.*》 문상을 핑계로 불려가는 (사람).

pesante *adj.* 무거운 : cuerpo ~.

pesantez *f.* 무게, 중력(gravedad).

pesar[1] *tr.* [*lat.* pensare] ① 무게를 달다, 저울에 달다 : ~ el pan 빵을 저울에 달다. ② 생각하다, 감안하다 (ponderar) : ~ sus palabras 잘 생각해 말하다. ③ 검토하다 : Usted tiene que ~ sus palabras 당신은 자신의 말을 검토해야 한다. ④《*Col. Venez.*》 살코기를 저울에 달아 팔다 ; 쇠고기를 팔다 : ~ ganado.
—*intr.* ① 무겁다, 무게가 있다, 무게가 …이다 : ¿Cuánto *pesa* mi maleta? 내 가방은 무게가 얼마나 됩니까? *Pesa* 20 kilos 20킬로입니다. El platino *pesa* más que el oro 백금은 금보다 무겁다. Me dijo que la carta *pesaba* demasiado 편지가 너무 무겁다고 그는 나에게 말했다. ② 가치가 많다. ③ [여격 보어 me, te, se, le, 등과 같이, 이것은 사실상의 주어로서 제3인칭에만 활용 ; 불구 동사] 슬퍼하다, 원통해 하다, 괴로워하다, 후회하다 : No *le pesaría* 당신은 괴로워하지 않은 건데. *Me pesa* habértelo dicho 나는 네게 그런 말을 했던 것을 후회하고 있다. [*N.* pesa *de* 라고도 함].
mal que me·te pese 나에게는·너에게는 안됐지만 ; 억울한 일이지만.
pese a =a pesar de.
pese a quien pese 모든 어려움을 무릅쓰고, 만난을 무릅쓰고.
*no pesar*le a uno *de haber nacido* (누가) 자만에 빠져 있다, 자기 분수를 모르다.

pesar[2] *m.* 슬픔, 괴로움, 억울해 함, 후회, 걱정 : Su muerte causó gran ~ 그가 죽었다는 소식에 슬펐다. Yo tengo gran ~ por haber hecho tal cosa 나는 그런 일을 한데 대해서 무척 후회했다. Siento ~ por habértelo dicho 너에게 그런 말을 한 것을 후회한다.
a ~ 뜻·희망에 어긋나는 일 : *A ~* tuyo lo haré 네게는 안됐지만 나는 그렇게 해야겠다. a mi ~ 나의 본뜻은 아니지만.
a ~ de …에도 불구하고 : *a ~ de* ser aún muy niño 아직 아주 어린데도. *a ~ de* su sonrisa 그는 웃는 얼굴을 하고 있지만. No sentía frío *a ~ de* estar helado 나는 몸이 얼어 있었지만 추위를 느끼지 못했다.

pesario *m.* 【의학】 자궁 압정기(壓廷器)(aparato para corregir el descenso de la matriz) ; 페서리《피임용 ; 질내 삽입약.

pesaroso, sa *adj.* 후회하고 있는 ; 슬퍼하는 듯한, 괴로워하는, 우려하는, 근심스러워하는.

pesca *f.* ① 물고기 : Fue una gran ~ 대어(大魚)였다. ② 낚시 ; 어로(漁撈), 어업 : ~ de ballenas 고래잡이. convención de ~ 어업 조약. La ~ es un deporte 낚시는 스포츠이다. Iré de ~ al río 나는 강에 낚시질 간다. ③ 어획(물) ; 어류 : sitio abundante en ~.
brava·buena·linda ~ 빈틈없는 사람 ; 무능력자.
y toda la ~ = y lo demás, y el resto.

pescada *f.* ①【어류】 대구 새끼 ; 대구 (merluza) : ~ en rollo·fresca. ② 건어, 생선 말린 것 (pescado seco). ③【은어】 갈고리.

pescadera *f.* 《*Guat.*》【방언】 =**pecera.**

pescadería *f.* 생선 가게, 어물전, 생선 시장.

pescadero, ra *m.f.* 생선 장수.

pescadilla *f.* 【어류】 대구 새끼 ; 대구 비슷한 작은 물고기 ; 작은 대구, 민물의 작은 물고기.

pescado *m.* [*lat.* piscatus] ① (식품으로서의) 생선 : ~ fresco 싱싱한 생선. Me gusta la carne de ~ 나는 생선의 살을 좋아한다. Los coreanos comen mucho ~ 한국 사람은 생선을 많이 먹는다. ② 소금에 절인 대구(abadejo salado).

pescado, da *adj.* [pescar의 *p.p.*] 【은어】 자물쇠로 훔치는.

pescador, ra *adj.* [*lat.* piscator] 고기잡이를 하는, 고기잡이·낚시를 하고 있는. —*m.f.* 낚시꾼, 어부. —*m.* ①【어류】 아귀(pejesapo). ②《*Perú.*》【조류】 =**picotijera.**

pescadora *f.* 여름옷, 하복.

pescante *m.* ① (마차의) 마부석, (자동차 등의) 운전석 : Subió al ~ 그는 운전석에 올랐다. ② (무대의) 사출 장치. ③ (닻·보트를 올리고 내리는) 기중 기구.

pescar *tr.* [7] [*lat.* piscari] ① (고기를) 잡다, 낚시질하다 : caña de ~ 낚싯대. Le gusta mucho ~ 그는 낚시질하기를 좋아한다. ② 섭렵하다. ③ (제대로) 붙잡다·잡다 : *Pescó* un buen destino 좋은 자리를 얻었다. Ella *ha pescado* un buen marido 그녀는 좋은 남편을 얻었다. ④ (별안간 덮치듯이 하여) 붙잡다 (sorprender) : Le *he pescado* 그를 붙잡았다. Le *he pescado* una mala acción 끝내 그의 비행의 덜미를 잡았다.

pescocear *tr.* ①《*Amér.*》 덜미를 때리다 (dar pescozones). ②《*Chile.*》 덜미를 붙잡다 (asir por el cuello).

pescozada *f.* 덜미를 때리기(pescozón).

pescozón *m.* =**pescozada.**

pescozudo, da *adj.* 목덜미가 굵은.

pescuda *f.* [드뭄] =**pregunta.**

pescudar *tr.* [드뭄] =**preguntar**, **interrogar.**

pescueceo *m.* 《*Venez.*》 감쪽같이 입수(하는 일).

pescuecete (de) *adv.* 《*Chile.*》 줄을 목에 매어 : ir *de ~* 두 사람이 줄을 목에 매고 가다.

pescuecilargo, ga *adj.* 《*And.*》 목덜미가 긴.

pescuezo *m.* ① 목줄기, 목덜미 : tirar de ~ 목덜미를 잡아 끌다. ② 거만 (soberbia, vanidad) : tener ~ 거만스럽다. sacar el ~ 빼기다.
andar al ~ 치고 다니다.
apretar·estirar el ~ 교살하다, 목졸라 죽이다.
torcer el ~ ① (새를) 목을 비틀어 죽이다 : *torcer el ~* a un gallo 닭을 목을 비틀어 죽이다. ② (누구를) 교살하다. ③ 죽다, 사망하다 (morir).

pescuezón, na *adj.* 《*Amér.*》 =**pescozudo.**

pescuño *m.* 굵고 긴 쐐기(cuña gruesa y larga).

pese a *adv. fr.* …에도 불구하고(a pesar de).

pesebre *m.* [*lat.* proespe] ① 구유통 ; 먹고 마실 수 있는 곳. ②《*Col.*》 =**belén, nacimiento.**
No hay que darle patadas al ~ 【속담】 은혜를 원수로 갚지 마라.

pesebrejo *m.* [*dim.* pesebre] (말의) 잇몸.

pesebrera *f.* ① [집합] 구유통. ②《*And.*》 = **pesebrón.**

pesebrón *m.* (마차 등의) 발판 ; 연장 그릇 ; 층계의 수직널.

pesero *m.* 《*Venez.*》 백정, 도살자(jifero).

peseta *f.* ① 뻬세따 《서반아의 화폐 단위》 : La ~ fue declarada moneda nacional en 1868 뻬세

따는 1868년에 나랏돈으로 포고되었다. ② 《Méx.》 25센따보. —*pl.* 【속어】 돈 ; 부(富). —*adj.* 《Cuba.》 먹통 같은 (사람).
cambiar la ~ 멀미나 술에 취해 토하다 · 게우다 (vomitar por haberse mareado o emborrachado).

pesetada *f.* 《AmérM.》 =**chasco.**

pésete *m.* 저주(詛呪).

pesetear *intr.* 《Ant. Perú.》 돈을 강요하다.

peseteja *f.* [*dim.* peseta] : Préstame unas ~*s* 몇 푼 빌려주라.

pesetera *f.* 《AmérC. Méx.》 싸구려 매춘부.

pesetero, ra *adj.* ① 1 뻬세따 짜리의, 1 뻬세따로 균일한 : novela ~*ra*. ② 《Amér.》 여기저기 돈을 꾸러 다니는 (사람). ③ 《Cuba.》 인색한 (tacaño).

pesgua *f.* 《Venez.》 【식물】 잎이 향기로운 식물.

¡ pesia! *interj.* 빌어먹을 !, 속상해 !
¡~ tal! =¡pesia!

pesiar *intr.* ⑪ 독설을 퍼붓다.

pesiatal *m.* 저주, 험담 : soltar ~*es* 험담을 퍼붓다.

pésicos *m.pl.* 뻬시꼬족 《아스뚜리아 지방에 있던 옛 민족》.

pesillo *m.* 소액 화폐.

pésimamente *adv.* 최하급으로, 졸렬하게.

pesimismo *m.* 비관론, 비관(주의), 염세관, 염세주의, 페시미즘 : el ~ de Schopenhauer. Contr. optimismo.

pesimista *adj.* 비관적인, 비관주의의, 염세적인 : El manifestó ideas ~*s* 그는 비관론을 폈다. No seas ~ 비관하지 마라. —*m.f.* 염세주의자, 염세가 ; 비관주의자. Contr. optimista.

pésimo, ma *adj.* [*sup.* malo] [*lat.* pessimus] 가장 나쁜, 최악의, 극악한 : estar en ~*ma* condición 최악의 상태에 있다. Contr. óptimo.

peso *m.* [*lat.* pensus] ① 무게, 중량, 근수 : pan falto de ~ 근수가 모자라는 빵. dar buen ~ 근수를 충분히 주다. La grúa levanta un ~ de doscientas toneladas 그 기중기는 200톤의 중량을 들어올릴 수 있다. El ~ de un cuerpo se mide por el esfuerzo necesario para sostenerlo 물체의 중량은 그것을 지탱하는 데 필요한 힘 때문에 재어진다. ② 중압, 힘. ③ 부담, 중하(重荷) ; 중요성 ; 마음의 답답함. ④ 저울(balanza). ⑤ (경기에서 던지는) 중량, 포환. ⑥ 뻬소 《옛날 서반아와 오늘날의 *Chile. Col. Cuba. Dom. Filip. Méx. Urug.* 등 여러 나라의 화폐 단위》 : El ~ se escribe abreviadamente $ 뻬소는 $로 약기(略記)된다. ⑦ (권투의) 급, 중량 : ~ mosca 플라이급. ~ medio 미들급. ~ pesado 헤비급. ⑧ 【은어】 차압.
~ *acondicionado* 정량 (중량).
~ *aproximado* 개산 중량.
~ *atómico* 원자량.
~ *boliviano* 뻬소 볼리비아노 《볼리비아의 화폐 단위》.
~ *bruto* (포장 무게를 포함한) 총(중)량.
~ *corrido* 초과 중량.
~ *de carga* 선적 중량.
~ *de cruz* 저울, 천칭(天秤).
~ *de descarga* 양륙 중량.
~ *de embarque* 선적 수량.
~ *de ley* 법정 중량.
~ *duro · fuerte* 두로 《5 pesetas의 화폐》.
~ *en masa* 총중량.
~ *específico* 비중.
~ *grueso* 총중량.
~ *legal* 법정 중량.
~ *medio* 평균 중량 ; (권투의) 미들급.
~ *modelo* 표준 중량.
~ *molecular* 분자량.
~ *muerto* 데드 웨이트, 무부하(無負荷) 중량.
~ *neto* 순량(純量).
~ *normal* 표준 중량.
~ *promedio* 평균 중량.
~ *tasable* 과금(課金) 중량.
~*s y medidas* 도량형.
a ~ de dinero · oro · plata 비싼 값으로, 매우 오른 값으로(a precio muy subido).
de ~ ① 정량의, 규정 무게가 나가는 ; 무게가 있는 : Esta carta excede *de* ~ 이 편지는 무게가 초과되었다. ② 유력한 (사람).
de su ~ 자연히 : caerse *de su* ~ 극히 당연한 결과이다.
en ~ ① 공중에서 : coger *en* ~ 공중에서 받다. ② 끌어안아 : transportar *en* ~ 품어 안아 나르다. ③ 몽땅, 완전하게 : la noche *en* ~ 완전히 해가 진 밤. ④ 공중에 매달려. ⑤ 망설이는 듯이.
llevar en ~ (무엇을) 완전히 맡아 하다.
no valer a ~ de oveja 한푼의 가치도 없다.
tomar a ~ ① (무엇을 손바닥 위에 놓아) 무게를 재보다 : El *tomó a* ~ el libro 그는 책의 무게를 손으로 재보았다. ② 곰곰 생각하다, 감안하다.
vender al ~ 근 · 무게로 팔다.

pésol *m.* [드뭄] 완두(guisante).

pesor *m.* 《AmérC. Ant.》 =**pesantez.**

pespita *f.* 《Guat.》 =**coqueta, zalamera, pizpireta.**

pespuntador, ra *adj.m.f.* 바느질하는 (사람), 박음질로 꿰매는 (사람).

pespuntar *tr.* 박음질로 꿰매다 : ~ un dobladillo.

pespunte *m.* 박음질로 꿰매기.
mirar ~ 연인들이 곁눈질로 보다 (mirar de reojo los enamorados).

pespuntear *tr.* =**pespuntar, zapatear.**

pesquera *f.* ① 어장(漁場), 어기(漁基). ② 【방언】 댐(presa).

pesquería *f.* ① 물고기(를 잡는 일) ; 낚시질, 채집 : ~ de perlas. ② 어업 ; 어장(pesquera) : ~ de perlas.

pesquero, ra *adj.* 물고기의 ; 어로의, 어업의, 낚시질의 : barco ~ 어선. industria ~*ra* 어업.

pesquis *m.* [*pl.* 없음] 예민, 총명성, 날카로움 (agudeza) : no tener ~.

pesquisa *f.* (관헌 등의) 조사, 수사, 수색 : Hicieron una ~ judicial 사법 수색이 행해졌다. —*m.f.* 《Arg. Ecuad.》 형사(polizonte).
~ *relativa a un envío que no ha llegdo a su destino* 분실 화물 조회.

pesquisante *adj.* 조사 · 수사 · 수색하는.

pesquisar *tr.* 조사 · 수사 · 수색하다(indagar).

pesquisidor, ra *adj.m.f.* 조사하는 (사람) ; 조

사 담당관, 수색자, 심문자.

pestalociano, na *adj.* 페스탈로찌《Pestalozzi (1746−1827) 스위스의 교육가》의.

pestano, na *adj. m.f.* 뻬스또《Pesto, 이탈리아의 옛 도시》의 (사람).

pestaña *f.* ① 속눈썹 : Las ~*s* sirven para defensa de los ojos 속눈썹은 눈을 보호하는 역할을 한다. ② 가장자리, 귀퉁이, 모서리, 귀 ; (수레바퀴의) 바퀴갓. ③ 섬모, (식물의) 털.

no mover ~ 눈 하나 깜짝하지 않다.

no pegar ~ 자지 않고 있다.

quemarse las ~*s* (특히 밤에) 공부를 많이 하다.

pestañar *intr.* 《*Amér. PRico.*》 =**pestañear.**

pestañear *intr.* 눈을 깜짝거리다, 깜박이다 (parpadear).

no ~ 눈썹 하나 까딱하지 않다 : El no *pestañeó* ante aquel peligro 그는 그 위험을 당하여 눈썹 하나 까딱하지 않았다.

pestañeo *m.* (눈을) 깜박거리기, 깜박이기.

pestañoso, sa *adj.* 속눈썹이 긴, 속눈썹이 많은 ; (식물에서) 털이 난.

pestazo *m.* 나쁜 냄새(mal olor).

peste *f.* [*lat.* pestis] ① 흑사병, 페스트 (~ bubónica · levantina). ② 역병(疫病), 심한 유행병 ; 역신(疫神). ③ 악취, 나쁜 기운. ④ 해독 ; 폐풍, 퇴폐 ; 해만 끼치는 인간. ⑤【은어】주사위. −*pl.* 욕지거리, 악담, 험담 : echar ~*s* contra su marido 자기 남편에게 악담을 퍼붓다.

pestíferamente *adv.* [드뭄] 고약하게, 역겨울 만큼, 눈으로 볼 수 없도록 ; 해롭게.

pestífero, ra *adj.* ① 페스트균을 가진, 페스트를 보균하고 있는. ② 해로운. ③ 역겨운, 고약한 냄새가 나는. ④ 지독한.

pestilencia *f.*. 역병(疫病), 악성 전염병, 유행병 ; 페스트(peste).

pestilencial *adj.* =**pestífero.**

pestilencialmente *adv.* =**pestíferamente.**

pestilencioso, sa *adj.* 페스트의 ; 역병의, 전염병 같은, 유행병의 ; 해독을 끼치는, 해로운.

pestilente *adj.* =**pestífero.**

pestillo *m.* 빗장, 걸쇠 ; (자물쇠의) 혀.

pestiño *m.* 기름에 튀긴 과자의 일종.

pestorejazo *m.* =**pestorejón.**

pestorejo *m.* 목줄기, 목덜미(cerviguillo).

pestorejón *m.* 목덜미 구타(cogotazo).

pestoso, sa *adj.* peste의 · 에 관한.

pestuga *f.* 《*And.*》 채찍(fusta, látigo).

pesuña *f.* ① (짐승의) 발톱 ; 발톱이 있는 발 (pezuña). ② 《*Amér.*》 발에 묻은 오물.

pesuño *m.* (소 · 사슴의) 발톱.

peta *f.* 《*Bol.*》【동물】거북(tortuga).

petaca *f.* 《*Méx.*》 ① 담배 쌈지 《가죽으로 만든 주머니》 ; (가죽을 입힌) 안장 케이스. ② 《*Amér.*》 담배 케이스, 담배갑 ; 슈트 케이스. ③ 《*AmérC.*》 곱사등. −*pl.* 《*Méx.*》 엉덩이, 궁둥이 (asentaderas). −*adj.* 게으른. −*m.f.* 게으름뱅이.

echarse con ~*s* 《*Amér.*》 아찔해지다 ; 게으름부리다, 케으름피우다.

írsele a uno las ~*s* 《*Venez.*》 분통을 터뜨리다.

pegar las ~*s* 《*Venez.*》 도망치다, 도피하다.

ser · estar hecho un · una ~ 《*Ant.*》 무용지물이 되버리다.

petacazo *m.* 《*Col. SDgo.*》 술을 들이킴(trago).

petacón, na *adj.* ① 《*AmérC.*》 곱사등의. ② 《*Col.*》 게으른, 굼뜬 ; 배불뚝이의. ③ 《*Méx.*》 엉덩이가 큰 (여자). ④ 《*Perú.*》 땅딸막한.

−*f.* 《*Méx.*》 매우 뚱뚱하고 엉덩이가 큰 여자.

petacudo, da *adj.* ① 《*AmérC.*》 곱사등의 (petacón). ② 《*Bol.*》 묵직한 (것 · 사람). ③ 《*Col.*》 게으른, 굼뜬 ; 올챙이배의 ; 엉덩이가 큰.

−*f.* 《*Méx.*》 매우 뚱뚱하고 엉덩이가 큰 여자.

petalismo *m.* 나뭇잎 추방 《옛날 시칠리아 섬 Siracusa에서 위험한 인물로 간주된 사람을 올리브 잎에 써서 투표하여 추방했던 일》.

pétalo *m.* [*gr.* petalón]【식물】꽃잎, **화판.**

petalla *f.* 《*Sal.*》 곡괭이 모양의 도끼의 일종.

petanque *m.* 천연 은광(mineral de plata nativa).

petaquear *intr.* 《*Col.*》 정신을 잃다(desmayar).

−*tr.* 어물어물하여 때를 늦추다.

~**se** 《*SDgo.*》 술을 들이키다.

petaquilla *f.* 《*Col.*》 잡화, 잡동사니.

petaquita *f.* 《*Amér.*》 덩굴풀의 일종.

petar *tr. intr.* [*lat.* appetere] ① 기쁘게 하다, 즐겁게 하다, 마음에 들다 (agradar, placer) : Esto no me *peta* 나는 이것이 마음에 들지 않는다. ②【방언】(부르기 위해) 문 · 땅을 두들기다.

petardear *tr.* ① 폭파하다 ; 쾅쾅 폭음을 내다. ② 사취하다, 사기를 치다(estafar).

petardeo *m.* 폭발, 폭파 ; (연속적인) 폭음 : sonar el ~ de las motocicletas.

petardero *m.* 폭파병 ; 사기꾼, 협잡배.

petardista *m.f.* 사기꾼, 야바위꾼.

petardo *m.* ① 폭발통 ; 폭죽. ② 사기 : pegar un ~ 사기치다. **Sinón.** sablazo.

petaso *m.* 옛날 로마인의 여행용 모자.

pétaso *m.* =**petaso.**

petate *m. mej.* 《*Amér.*》 ① 돗자리, 멍석. ② 침구. ③ 일용품 꾸러미 ; (선객 등의) 수하물. ④ 사기꾼, 야바위꾼. ⑤ 망나니, 쓸모없는 인간.

dejar en el ~ 《*AmérC. Méx.*》 마멸시키다, 파산시키다.

liar el ~ ① 딴 곳으로 가다, 이사하다 (mudarse de casa). ② 죽다(morir, perecer).

petatería *f.* 《*Amér.*》 =**esterería.**

petatero, ra *m.f.* 《*PRico.*》 돗자리 장수 ; 무용지물, 쓸모없는 인간 ; 사기꾼.

el mero ~ 《*Méx.*》 우두머리, 지배자, 두목.

peteca *adj.* 《*Arg.*》 =**posma, torpe, pesado.**

peteco *m.* 《*Arg.*》 작고 굼뜨고 묵직한 사람.

petenera *f.* 안달루시아 지방의 민요.

salir por ~*s* 터무니없는 말을 꺼내다.

petequia *f.*【의학】자반(紫斑), 피하 출혈, 피멍, 뇌출혈.

petequial *adj.* 자반의 ; 피하 출혈의, 피멍이 맺힌.

petera *f.*【속어】① 싸움(pelotera). ② (어린아이의) 보챔, 고집 부림. ③ 《*Cuba.*》 취기(醉氣).

peteretes *m.pl.* 과자, 달콤한 것(golosinas).

petete *m.* 부인용 팬티 ; 갓난아기의 신.

peticano *m.* [*fr.* petit canon]【인쇄】26 포인트 활자.

peticanon *m.* =**peticano.**

petición *f.* [*lat.* peticio] ① 바람, 소망, 염원,

청원, 탄원, 신청. ② 청원서, 탄원서, 의뢰장, 소장(訴狀), 신청서 : ~ de informes sobre el crédito 신용 조회. ③ 요구 : ~ de salario 임금 요구.

peticionante *adj.m.f.* =**peticionario.**

peticionario, ria *adj.* 청원하는. —*m.f.* 청원·탄원·신청자.

petifoque *m.* 【해사】 보조 삼각돛.

petigrís *m.* 다람쥐의 가죽.

petillo *m.* (부인용의 삼각형으로 된 장식용) 가슴받이천; 가슴 장식 (보석).

petimetre, tra *m.f.* [*fr.* petit-maitre] 멋쟁이, 촌스럽게 꾸미는 사람.

petiminí *m.* =**pitiminí.**

petipieza *f.* 《*Gal.*》 =**piececilla.**

petirrojo *m.* 【조류】 로빈새.

petiso, sa *adj.* 《*AmérM.*》 작은, 키가 작은, 땅달막한(pequeño, bajo, rechoncho). [*N.* petizo 로도 씀]. —*m.* 《*Arg.*》 조랑말.

petisú *m.* [*fr.* petit chou] 크림이 채워진 오목한 과자.

petitoria *f.* 청원(서), 탄원(서), 신청, 신청서 (petición, demanda).

petitorio, ria *adj.* [*lat.* petitorius] 청원하는, 탄원하는, 끈덕진 부탁의. —*m.* 약품 리스트.

peto[1] *m.* [*lat.* pectus] ① 가슴 받이 ; (검술에서의) 가죽으로 만든 가슴 받이 ; 가슴 장식 ; (거북의) 뱃가죽. ② 《*Bol.*》 =**lechiguana.**

peto[2] *m.* ① 《*Perú. Ant.*》 =**tabaco.** ② 《*Cuba.*》 【어류】 뻬또 《등이 푸르고 배가 새파란 식용 어류》.

petra *f.* 【식물】 칠레산 천인화과의 약용 관목.

petral *m.* [*lat.* pectorale] 가슴걸이(correa que ciñe y rodea el pecho del caballo de silla).

petraria *f.* 옛날의 대석궁(大石弓)(balista).

petrarquesco, ca *adj.* 뻬뜨라르까 《Petrarca, 1304—1374, 이탈리아의 시인》의 ; 뻬뜨라르까풍·식의 (시·시작).

petrarquista *adj.m.f.* 뻬뜨라르까파의 (시인) ; 그 예찬가.

petrarquizar *intr.* Petrarca 풍으로 쓰다.

petrea *f.* 《*Cuba.*》 【식물】 메꽃.

petrel *m.* 【조류】 바다 제비 : El ~ suele verse a enormes distancias de la tierra.

petrencarse *r.* 7 《*Chile.*》 (물건 위에) 날아 오르다.

petreo, a *adj.* =**pétreo.**

pétreo, a *adj.* [*lat.* petreus] ① 돌의 ; 돌같은 : dureza ~*a.* ② 돌멩이투성이의(pedregoso).

petrificación *f.* ① 석화(石化) (작용) ; 화석. ② 넋을 잃음 ; (공포 앞에) 몸이 굳어짐 ; 완고함.

petrificante *adj.* 돌로 화한 : una fuente ~.

petrificar *tr.* 7 석화(石化)하다, 돌처럼 만들다 ; 질기게 만들다 : El tiempo *ha petrificado* estas maderas 세월이 이 나무를 돌처럼 만들었다.

~se 돌이 되다 ; 돌처럼 되다 ; 멍해 버리다, (무서워서) 몸이 굳어 버리다 : *Se petrificó* ante su aparición 그의 출현에 석상(石像)처럼 되어 버렸다.

petrífico, ca *adj.* 돌이 되는, 석화 작용의.

petrodólar *m.* 오일 달러.

petroglifo *m.* (옛날의) 조각된 돌(piedra grabada).

petrografía *f.* 암석 기재학 ; 암석 분류 ; 암석학(岩石學)(litología).

petrográfico, ca *adj.* 암석의 ; 암석학의.

petrolear *tr.* 석유에 적시다.

—*intr.* (배가) 석유를 싣다.

petróleo *m.* [*lat.* petra+oleum] 석유 : El ~ abunda en Kuwait 석유는 쿠웨이트가 풍부하다. El ~ *bruto* ha de ser fraccionado en productos más o menos volátiles y refinado por destilación, da gasolina, gas-oil, parapina, etc. 원유는 대충 휘발성 제품으로 분류되어 여과로 정제되어 가솔린, 가스 오일, 파라핀 등을 만들어 낸다.

~ *crudo* 중유, 원유. ~ *no refinado* 원유. ~ *sintético* 합성·인조 섬유. *Petróleos Mexicanos* 멕시코 석유 공사. *aceite de* ~ 광유(鑛油), 석유. *pozo de* ~ 유전.

petroleoquímico, ca *adj.* 석유 화학의.

petrolera *f.* 《*Col.*》 유전(油田) ; 제유(製油).

petrolero, ra *adj.* ① 석유의, 제유(製油)의 : buque ~ 석유 수송선. compañía ~*ra* 석유 회사. países ~*s* 산유국. industria ~*ra* 석유 산업. ingeniero ~ 석유 기술자. ② 석유 사용 모터가 달린 : lancha ~*ra.* —*m.f.* 석유 상인, 제유업자 ; 석유로 불을 지르는 사람. —*m.* 석유 수송선, 유조선, 탱커.

petrolífero, ra *adj.* 석유를 산출하는, 석유를 함유하는 : distrito ~ 유전 지대.

petrología *f.* 암석학, 암석 형성학(litología).

petroquímica *f.* 석유 화학.

petroselino *m.* 【식물】 미나리(perejil)의 일종.

petrosílex *m.* =**petrosílice.**

petrosílice *m.* 천연 규산염.

petroso, sa *adj.* 돌멩이 투성이의(lleno de piedras).

petrus in cunctis *adv. lat.* = **Pedro en todo.**

petulancia *f.* [*lat.* petulantia] 아는 체하기, 우쭐거리기, 뻐기기, 으시대기 ; 철면피, 뻔뻔스러움 : hablar con ~.

petulante *adj.* 우쭐한, 허풍이 심한 ; 넉살 좋은 ; 뻔뻔스런, 철면피한, 성급한 : niño ~.

petulantemente *adv.* 으시대며, 우쭐하여 ; 뻔뻔스럽게.

petunia *f.* 【식물】 페튜니아 《덩굴풀의 일종》.

peucédano *m.* [*gr.* peukedanos] 【식물】 방풍수, 모란 방풍(servato).

peuco *m.* 《*Chile.*》 ① 【조류】 황조롱이(cernícalo)의 일종. ② 어린아이들의 놀이(juego de niños).

peumo *m.* 《*Chile.*》 【식물】 월계수. —*adj.* 《*Méx.*》 ① (맛이) 약간 쓴 (algo amargo). ② 먹는 열매의(de fruto comestible).

peyorativo, va *adj.* 나쁜 쪽의, 경멸의, 경멸적인(despectivo) : sentido ~ de una palabra 경멸적인 뜻.

peyote *m.* 【식물】 (멕시코의) 선인장과 식물.

pez[1] *m.* [*lat.* piscis] [*pl.* peces] ① (살아 있는) 물고기. ② 사냥에서 잡은 짐승 : caer el ~ 사냥에서 겨우 짐승을 잡다. ③ 밀의 노적. —*pl.* 어류.

~ *abisal·abismal* 심해어(深海魚).

~ *con* ~ 텅비어.
~ *de colores·de la China* 금붕어.
~ *de cuidado* 믿을 수 없는 사람.
~ *de San Pedro* 참돔(gallo).
~ *espada* 새치다래.
~ *gordo* 중요 인물(persona importante)
~ *luna·martillo* 귀상어(tiburón).
~ *mujer* 해우(海牛)(manatí).
~ *reverso* 줄상어(rémora).
~ *sierra* 톱상어.
~ *volante·volador* 날치(volador).
~ *palo* 말린 대구(pezpalo).
dar la ~극한·최후·막판에 이르다.
estar ~ 아무 것도 모르다(no saber nada).
estar como el ~ *en el agua* 그 처지에 맞다, 쾌적한 생활을 하고 있다, 매우 건강하다(estar muy bien).
picar el ~ 속다, 속임수·함정에 빠지다; 노름에서 따다.
salga ~ *o salga rana* 결과야 어찌되든 (감행하다).

pez² *f.* [*lat.* fix, piscis] 송진, 역청.
~ *blanca·de Borgoña* 가리포트, 송백류의 정제한 수지. ~ *elástica* 아스팔트의 일종. ~ *griega·rubia* 코로포늄, 다갈색의 퍼슬한 수지.

Pez *m.* 【천문】 물고기자리, 쌍어궁(雙魚宮)(Piscis).

pezolada *f.* (직물의) 짜다 남은 끝천.

pezón *m.* ①(꽃·잎·열매 등의) 자루, 꼭지. ② 젖꼭지(teta)의 끝. ③(차축 등의) 머리; 끝; 내민 것. ⑥ 곶.

pezonera *f.* ①(차축의) 쐐기. ② 젖꼭지 누르는 기구.

pezote *m.* 《*Amér.*》【동물】 =**coatí.**

pezpalo *m.* 말린 대구(pejepalo).

pezpita *f.* 【조류】 할미새(aguzanieves).

pezpítalo *m.* =**pezpita.**

pezuelo *m.* (천의) 짜기 시작하기, 첫 올.

pezuña *f.* (짐승의) 발톱; 발톱있는 발; 편자, 제철(蹄鐵).

¡pf! *interj.* 흥!, 지랄! 《멸시·경멸·조롱의 뜻의 감탄사》.

p.f. por ferrocarril; pesos fuertes.

Pfs. peso(s) fuerte(s) 금화 뻬소.

pfennig *m.* 페니히 《독일의 동화(銅貨), 10분의 1마르크》.

phi *f.* 그리스 자모(字母)의 21번째 문자 《f에 해당》.

Phnom Penh *m.* 【지명】 프놈펜 《캄보디아의 수도》.

pi *f.* ① 그리스 자모(字母)의 16번째의 문자 《p에 해당》. ②【수학】 파이 《원주율 π》.

piache¹ *adv. tarde* ~ (시간에) 늦어서, 뒤늦게, 시간에 대지 못하여.

piache² *m.* 《*Venez.*》 돌팔이 의사; 주술사(呪術師).

piada *f.* ① 삐약삐약 우는 일; 그 울음 소리. ②(남에게서·스승으로부터 옮겨진) 말버릇, 말씨: José tiene muchas ~*s* de su maestro.

píada *f.* =**piada.**

piador, ra *adj.* 삐약삐약 우는. —*m.* 【은어】 = **bebedor.**

piadosamente *adv.* 인정이 많은; 정숙하게, 경건하게.

piadoso, sa *adj.* ① 인정스러운, 자비심이 많은. ② 효행의, 효도를 다하는. ③ 신앙심이 돈독한, 경건한: Ella es muy ~*sa*. **Contr.** impío.

piafar *intr.* (말이) 발버둥치다.

pial *m.* 《*Amér.*》 (가죽) 끈, 줄.

piala *f.* 《*Arg. Chile.*》 (마소의 다리에) 줄던지기.

pialar *tr.* 《*AmérM.*》 (말 등의 앞다리에) 줄을 던져 붙잡다(manganear).

piamadre *f.* 【해부】 연막(軟膜).

piamáter *f.* =**piamadre.**

píamente *adv.* 경건하게, 조심스럽게.

piamontés, sa *adj.* 삐아몬떼(Piamonte)의. —*m.f.* 삐아몬떼 사람.

pian, pian *adv.* [*ital.* piano] 조금씩, 서서히(poco a poco, muy despacito, a paso lento).

pian, piano *adv.* =**pian, pian.**

piana *f.* 《*Chile.*》 낡은 피아노.

pianino *m.* 【악】 소형 피아노.

pianísimo *adj. ital.* 【음악】 매우 여리게 《생략 *p.p.*》 (muy suavemente).

pianista *m.f.* ① 피아니스트, 피아노 연주가: Listz fue un ~ eminente. ② 피아노 제조자·상인.

pianístico, ca *adj.* 피아노의, 피아노 음악의.

piano¹ *m. ital.* 피아노, 양금(洋琴): tocar el ~ 피아노를 치다.
~ *automática* 자동 피아노 (pianola). ~ *de cola* 그랜드 피아노. ~ *de manubrio* 손풍금 (organillo). ~ *vertical* 수직형 피아노.
tocar el ~ *(al revés)* 《*Amér.*》 얌생이짓을 하다, 사취하다.

piano² *adv. ital.* ① 여리게 《생략 *p.*》 (suavemente): Cante ~ 약하게 노래하십시오. ② 천천히(despacio): ir ~ ~. ③ 조금씩(poco a poco).

pianoforte *m.* [*ital.* piano + forte] 옛날의 보통 피아노.

pianola *f.* 자동 피아노, 피아놀라.

piante *adj.* 삐약삐약 우는.
no dejar·quedar ~ *ni mamante* 산 것을·것이 한 마리도 남지 않게 하다·되다.

piapoco *m.* 《*Venez.*》 =**tucán.**

PIAPUR Programa Interamericano de Planeamiento Urbano y Regional.

piar *intr.* ⑫ [*lat.* pipare] ① 삐약삐약 울다 (pipiar). ② 불러 모으다. ③【은어】 (술을) 마시다.

piara *f.* (짐승의) 떼(manada).

piarcón, na *m.f.* 【은어】 주정뱅이.

piariego, ga *adj.m.f.* 짐승떼(piara)의 (임자).

piassaba *f.* 【식물】 삐앗사바 《브라질의 섬유로 빗자루용 식물》.

piastra *f.* ① 삐아스뜨라 《나라에 따라 가치가 다른 은화; 일반적으로 1/4 peseta》. ② 《*Galic.*》 =**peso duro.**

PIB Producto Interno Bruto.

pibe, ba *m.f.* 《*AmérM.*》 어린아이(chiquillo).

piberío *m.* 《*Arg.*》 어린이들.

pica¹ *f.* [*fr.* pique; *ital.* picca; *alem.* pike] ① 창, 긴창: calar la ~ 창을 겨누다. ② =**garrocha.** ③(석공의) 돌 깎는 망치. ④ 깊이를 재는 단위 《14피트, 389㎝》. ⑤ 《*Amér.*》 오솔길.

⑥《*Col.*》 원한(pique, resentimiento). ⑦《*Chile.*》 =**picada**. ⑧ 조바심. ⑨ 이물 기호; 연화증.

a ~ seca 헛수고로.

a la ~ 《*Col.*》 뒤돌아보지도 않고.

pasar por las ~s 힘써 노력하다, 고생하다, 애쓰다.

poner una ~ en Flandes 아주 어려운 일을 달성하다, 힘써 노력해서 목적을 이루다.

*sacar*le ~ a uno 《*Chile. Perú.*》 (누구를) 부추기다, 선동하다, 꼬드기다.

pica² *f.* [*lat.* pica] ①【조류】 까치(urraca). ②【의학】 =**malacia.**

picabueyes *m.* 【조류】 =**ardeola.**

picacena *f.* 《*Chile. Ecuad. Perú.*》 원한; 섭섭함, 유감(resentimiento o desazón).

picacero, ra *adj.* 새(picaza) 사냥에 쓰는 (매 따위). —*m.* 《*Murc.*》 =**comezón, picazón.**

picaculo *m.* 《*Cuba.*》【곤충】 =**forfícula.**

picacuresa *f.* 【방언】 =**picazuroba.**

picacho *m.* ① 산정(山頂), 산꼭대기, 봉우리. ②《*Sant.*》 =**tarugo, piquete.**

picada *f.* ① 찌르는 일; 찔린 상처; 새가 부리로 쪼는 일(picotazo): ~ de mosca. ②《*Amér.*》 오솔길, 지름길(trocha); 여울. ③《*Ant.*》 돈을 빼앗기(sablazo). ④《*Bol.*》 초인종을 울리는 일·소리, 노크. ⑤《*Chile. Perú.*》 (동물의) 탄저병(炭疽病).

picadero *m.* ① 마장(馬場). ② (독의) 버팀나무. ③《*Col.*》 도살장(matadero).

picadillo *m.* 잘게 썬 고기 요리, 잘게 다진 고기.

estar·venir de ~ 원망하고·화내고 있다.

picado, da *adj.* [picar의 *p.p.*] ① 찔린, 자극받은: ~ *por* una curiosidad 호기심에 끌린·끌려서. ② 새긴, 다진: carne·tabaco ~ 잘게 다진 고기·담배. ③ (무늬 놓은 도구에서 실용적으로, 혹은 장식을 위해) 숭숭 구멍을 뚫어 놓은: patrón ~; zapato ~. ④ 구멍투성이의; 벌레 먹은: ~ de viruelas 곰보 자국투성이의. ⑤ 파도가 이는 (바다 등). ⑥《*Amér.*》 취한.

~ de pecho 《*Cuba.*》 폐병을 앓는.

—*m.* ① 잘게 다진 고기 요리(picadillo). ② (맷돌·줄의) 새긴 금. ③ 점묘화(點描畵), 점점 무늬. ④【항공】 급강하(急降下): bombardeo en ~ 급강하 폭격. atacar en ~ 급강하해서 공격을 가하다. dar un ~ 급강하하다. ⑤【음악】 스타카토, 단주(斷奏). ⑥《*Cuba. PRico.*》 오솔길, 지름길.

pasarse de ~ 《*Cuba.*》 도를 넘다, 범위 밖으로 벗어나다(propasarse).

picador, ra *adj.* 찌르는. —*m.* ① 조마사(調馬師). ② (투우의) 창기수(槍騎手), 창을 맡은 사람, 삐까도르 《투우사의 일종》. ③ 도마. ④ 곡괭이를 쓰는 채광부. ⑤【은어】 열쇠를 쓰는 도둑.

picadora *f.* (담배 등을) 써는 기계.

picadura *f.* ① 찌르기, 깨물기; 찔린·물린 상처(pinchazo): una ~ de pulga. ② 숭숭 뚫린 구멍, 장식 구멍. ③ (물건에) 새기는 일, 새긴 것: una ~ muy menuda. ④ 살담배: ~ hebra 섬유 모양의 살담배. ~ al cuadrado 입상(粒狀)으로 된 담배. ⑤ 충치(의 초기).

picafigo *m.* 【조류】 삐까피고《작은 철새의 일종(papafigo)》.

picaflor *m.* ①【조류】 악어새 (pájaro mosca). ②《*Amér.*》 바람둥이.

picagallina *f.* 【식물】 별꽃(álsine).

picagrega *f.* 【조류】 때까치(alcaudón).

picajón, na *adj.m.f.* 잘 화내는 (사람); 부아를 돋구는 (사람).

picajoso, sa *adj.m.f.* =**picajón.**

pical *m.* 【방언】 (시골의) 교차로, 네거리, 십자로.

picamaderos *m.* 【단·복수 동형】【조류】 딱다구리(pájaro carpintero).

picamulo *m.* 【은어】 노새 몰이꾼(arriero).

picana *f.* ①《*AmérM.*》 (소를 모는) 가시 있는 작대기, 찌르는 막대기. ②《*Arg. Chile.*》 소의 궁둥이살 (carne del anca de las vacas). ③《*Arg. Bol.*》 ñandú의 가슴살. ④《*Bol. Perú.*》 구운 송아지 고기.

picanazo *m.* 《*AmérM.*》 =**garrochazo.**

picanear *tr.* 《*AmérM.*》 (소를) 쿡쿡 찌르다, 때리다(aguijar).

picante *adj.* ① 톡톡 쏘는, 아릿아릿하는; 매운, 찌르는 듯한, 자극적인: Me gusta lo ~ 나는 매운 것을 좋아한다. La comida mejicana es muy ~ 멕시코 요리는 매우 맵다. ② 절박한, 통렬한, 신랄한 (mordaz): Sus palabras son ~*s* 그의 말은 신랄하다.

—*m.* ① 신랄함; (말속에 품은) 가시. ②【은어】 고추(ají). ③《*AmérM.*》 후추를 넣은 요리(guiso que tiene mucho pimiento).

picantemente *adv.* 찌르는 듯이; 자극적으로; 신랄하게, 통렬하게; 비위를 거슬려 가며.

picanteo *m.* 《*Perú.*》 *puesto de ~* 겨자 음식점(picantería).

picantería *f.* 《*Bol. Perú.*》 겨자 음식점.

picaño, ña *adj.* 망나니의; 음흉한, 교활한(pícaro, bribón). —*m.* ① 구두 수선(remiendo echado al zapato). ② 덧대는 가죽.

picapedrero *m.*석공(石工),석수장이(cantero).

picapica *f.* 《*Ecuad. Cuba.*》 삐까삐까 《열대 아메리카산의 여러 가지 식물에서 만들어지는 자극제》.

ser peor que la ~ 《*PRico.*》 아주 나쁘다.

picapinos *m.*【단·복수 동형】【조류】 딱다구리(picamaderos).

picapleitos *m.* ① 소송을 좋아하는 사람(pleitista). ② 변호 의뢰를 하는 사람이 없는 변호사.

picaporte *m.* (스프링식) 걸쇠; 그 자물쇠; (현관 밖에 달린) 노커(aldaba, llamador de puerta).

picaposte *m.* 【조류】 딱다구리 (picamaderos, pájaro carpintero).

picapuerco *m.* (벌레를 쪼아먹는) 딱다구리: El ~ se alimenta principalmente de insectos.

picar *tr.* 7 ① (바늘·창처럼 끝이 뾰족한 것으로) 찌르다, 쏘다, 톡 쏘다, 쿡쿡 찌르다: Ella me *picó* el brazo con un alfiler 그녀는 핀으로 나의 팔을 찔렀다. ② (벌레·뱀 따위가) 물다: ~ la pulga·el mosquito 벼룩·모기가 물다. ③ ㄱ) 새기다: ~ carne. ㄴ) 금을 새기다, (맷돌에) 금을 새기다; (돌을) 콕콕 쪼다; 숭숭 구멍을 뚫다 ; (도끼 같은 것으로) 패다 : ~ el cable con un hacha. ④ 자극하다 ; 사주하다 : ~ la curiosidad. ⑤ 성나게 하다, 노하게 하다, 발끈 화나게 만들다 (enfadar) : Empieza a ~*me* con sus bromas. ⑥ 아리게 만들다, 톡톡 쏘게 만들다, 쑤시다, 따끔 따끔하게 만들다 : La pimienta *pica* la lengua 후추는 혀를 따끔하게 한다. ⑦ (…에) 박차를 가하다(espolear) : El jinete *picó* su caballo 기사는 자기 말에 박차를 가했다. ⑧ (물고기가 먹이에) 붙다, 덤벼들어 먹다. ⑨ 추격하다. ⑩ (그림에서) 점점이 새기다, 점점이 채색하다. ⑪ (펌프를) 누르다 : ~ la bomba. ⑫【항공】급강하시키다 ; 급강하 공격을 하다. ⑬ (사람이 사기 같은 것에) 걸리다.
—*intr.* ① 따끔따끔하게 아프다, 따끔따끔하다, 아릿아릿하다 ; 근질근질하다 : Me *pica* la espalda 나는 등이 간지럽다. ② 자극하다, 혀를 쏘다. ③ 집어먹다 : *Pica* de este racimo. ④ (별이) 따갑도록 내리 쪼이다. ⑤ (비행기가) 급강하하다 : El planeador *picó* hacia abajo. ⑥ (물고기가) 먹이를 물다, 잡아 끌다 : Un pez *picó* el cebo. ⑦ (조사·시험 등을 위해) 책을 아무데나 닥치는 대로 펼쳐 보다. ⑧ 나타나기 시작하다, 징조가 보이다 : ~ la peste. ⑨ (천박한 지식의 뜻으로) 깔쭉거리다 : *Pica* ligeramente *de·en* todo 그는 무슨 일이나 조금씩 깔쭉거려 본다. ⑩ [+en : …에] 가깝다, 듯하다 : ~ *en* poeta 시인티가 난다. ⑪《*Amér.*》 술에 취하다 (embriagarse) : estar *picado* 술에 취해 있다. ⑫《*Ecuad.*》 (애인끼리) 이야기를 나누다. ⑬《*PRico.*》 루렛을 하다 ; 차례에서 첫 번째가 되다 ; 손을 내밀다 : No *pico* 나는 사양한다.
~se ① (의류가) 온통 좀먹다 ; 충치가 생기다 ; 상처가 나다, 썩기 시작하다, (술 따위가) 시어지다. ② 파도가 일다. ③ 발끈하다, 화내다, 성내다(irritarse) ; 흥분하다. ④ 한창 좋아지다. ⑤ [+de : …인] 척하다·듯이 굴다 : ~*se de* caballero. ⑥ 허세를 부리다.
~ ***más alto·muy alto*** 지나친 야심을 갖다 (tener demasiada ambición).
~***se del pecho*** 《*Ant.*》 가슴을 앓다.
no ~ una cosa 《*Arg.*》 (어떤 일이) 믿어지지 않다.
no ~ ***con*** 《*PRico.*》 (누구와) 죽이 맞지 않다.
picárselas 《*AmérC.*》 허세를 부리다.

pícaramente *adv.* 간교하게, 간사하게, 교활하게 ; 능청스럽게(con picardía).

picaraza *f.*【조류】까치(urraca).

picarazado, da *adj.* 《*Ant. Venez.*》 송송 구멍이 많이 뚫린, 마마·곰보 자국투성이의(picado de viruelas).

picardear *tr.* (누구에게) 장난을 가르치다.
—*intr.* 장난치다, 장난으로 말하다, 망나니짓을 하다(decir o hacer picardías).
~se 타락되다, 망나니가 되다 (echarse a perder, adquirir algún vicio) : Ese muchacho *se ha picardeado.*

picardesco, ca *adj.m.f.* =**picardo.**

picardía *f.* 교활함, 야비한 행동 ; 장난질, 망나니짓 ; 악당들. —*pl.* 욕지거리.

picardihuela *f.* [*dim.* picardía] 장난 ; 교활함.

picardo, da *adj.m.f.* Picardía의 (사람).

picaresca *f.* ① 악당·망나니들의 무리(reunión de pícaros). ② 비열한·악당 같은 짓·생활 (vida de pícaro).

picarescamente *adv.* 심술궂게, 교활하게.

picaresco, ca *adj.* 장난꾸러기의 ; 악당(pícaro) 같은 ; 교활한, 심술궂은 ; (문학에서) 악당의 : novela ~*ca* 악당 소설.

picaril *adj.* 악당(pícaro)의.

picarillo *m. dim.* pícaro.

picarismo *m.* 교활한·악당 같은 짓.

picarizar *tr.* ⑨ (…에게) 못된 짓·장난을 가르치다, 타락시키다(picardear).

pícaro, ra *adj.* 장난(꾸러기)의 ; 질이 나쁜, 심술궂은, 교활한, 망나니 같은, 돼먹지 못한, 파렴치한, 무뢰한의 (무리) ; 몹시 나쁜 : Hace un aire ~. —*m.f.* ① (16·7세기 문학에 나타난 하나의 성격으로, 약간 귀염성 있는 성격을 띠면서 빈틈없이 살아나간) 악동, 악한, 망나니. ② (진짜) 망나니, 무뢰한, 불량배 : No quiero tratar con ~*s.* ③ 귀찮은 것, 골치거리. ④ (귀여워하는 마음에서) 장난꾸러기, 귀여운 사람 : Este chico es *un* ~.
~ ***de cocina*** 부엌데기 남자, 주방에서 일보는 남자(pinche).

picarón, na *adj.m.f.* [*aum.* pícaro] (주로 좋은 뜻으로) 장난꾸러기의, 교활한, 심술궂은 (사람)(pícaro). —*m.* 《*Chile. Perú.*》 =**buñuelo.**

picaronazo, za *adj.m.f. aum.* picarón.

picarote *adj. aum.* pícaro.

picarrelincho *m.*【조류】딱다구리.

picarro *m.* 새의 부리 모양으로 끝이 뾰족한 것·부분.

picarúa *f.* 《*Murc.*》 =**gallineta.**

Picasso (Pablo Ruiz) *m.*【인명】피카소《세계적으로 유명한 서반아의 화가·조각가, 큐비즘의 창시자 ; 1881년 Málaga에서 탄생》.

picata *f.* 《*Bol.*》 ① 회담, 잡담(conferencia). ② 수업, 복습.

picatoste *m.* 버터로 구운 빵.

pica y huye *f.* 《*Venez.*》 쏘고 달아나는 개미의 일종.

picaza *f.* ①【조류】까치(urraca)의 일종 : ~ chillona·manchada 때까치. ~ marina 홍학(紅鶴)(flamenco). ②《*Murc.*》 작은 괭이(azada pequeña). ③《*Arg.*》 =**zarigüeya.**

picazo *m.* ① (창 등으로) 찌르기 ; 자상(刺傷), 창상(槍傷)(picotazo). ② 새끼 까치. ③ 얼룩 점이 있는 말.
ensillar·montar el ~ 《*Bol. Riopl.*》 화내다, 노하다.

picazo, za *adj.*【고어】《*Arg.*》 몸은 어둡고 머리와 발은 하얀 (말).

picazón *f.* ① 근질근질함(comezón). ② 성남, 화남(enojo). ③ 불쾌(disgusto).

picazuroba *f.*【조류】(아메리카의) 순계류 (gallinácea).

picea *f.* [*lat* picea]【식물】가문비나무《전나무과에 속하며 제지 원료·건축 자재》.

píceo, a *adj.* 송진의 ; 송진질의, 진득진득한 ; 역청(pez) 같은.

picha *f.* 《*Méx.*》 모포.

pichagua *f.* pichagüero의 열매.

pichagüero *m.* 《*Venez.*》【식물】호박의 일종.

pichana *f.* 《*Arg. Chile. Perú.*》 (나뭇가지로 만

든) 빗자루(escoba).

pichanga *f.* ①《*Col.*》=**pichana.** ②《*Bol.*》포도즙(mosto)과 알코올로 만들어진 음료.

pichaque *m.*《*Venez.*》진흙탕.

picharse *r.*《*SDgo.*》가슴을 앓다; 죽다.

piche *adj.* ① *trigo* ~ 품종이 우수한 밀의 일종. ②《*AmérC.*》인색한. ③《*Venez.*》=**descompuesto, corrompido.** —*m.* ①《*Arg.*》【동물】천산갑(穿山甲)(armadillo). ②《*Arg. Cuba.*》두려움, 공포. ③《*Col.*》밀쳐내기(empujón).

ganar el ~《*PRico.*》그날 먹을 빵을 벌다.

hacer ~《*AmérC. Arg.*》(학처럼) 한 쪽 발로 서다.

pichel *m.* ①(대개 뚜껑과 손잡이가 달린 주석으로 만든) 그릇, 주전자: ~ de cerveza. ② 물주전자.

pichelería *f.* pichelero의 직.

pichelero, ra *m.f.* pichel의 제조자·상인.

picheligue *m.* =**pecheligue.**

pichella *f.*《*Ar.*》술되《반 리터 들이》.

pichete *m.*《*AmérC.*》【동물】도마뱀(lagartija).

pichi *m.*《*Chile.*》①【식물】삐치《가지과에 속하며 꽃이 아름다운 약용 식물》. ② =**armadillo.**

pichica *f.* ①《*Arg.*》말의 다리뼈. ②《*Bol.*》머리를 세 갈래로 땋기.

pichicate *adj.*《*Méx.*》야박한, 인색한(ruin).

pichicatería *f.*《*AmérC.*》야박스러움, 인색함.

pichicato, ta *adj.*《*AmérC.*》야박스럽게 구는; 인색한, 약삭빠른, 노랭이짓을 하는, 깍쟁이의(cicatero).

pichiciego *m.*《*Chile.*》【동물】천산갑, 아르마디요(armadillo).

pichiciego, ga *adj.*《*Arg.*》=**corto de vista.**

pichico *m.*《*Bol. Riopl.*》동물의 지골(指骨).

pichicho, cha *m.f.*《*Arg. Chile.*》귀여운 강아지(perrito).

pichilín, na *m.adj.*《*And.*》=**picholín.**

pichin *m.*《*Perú.*》술집의 막일꾼; (일반적으로) 막일.

pichincha *f.*《*Bol. Riopl.*》횡재, 알찬 벌이, 재수 좋음(ganga).

pichinchar *intr.*《*Riopl.*》공작하다, 일을 꾸미다, 음모를 꾸미다.

pichinchero, ra *adj.m.f.*《*Arg.*》횡재만 찾아다니는 (사람)(amigo de gangas).

pichiñique *adj.*《*Chile.*》야박한, 깍쟁이의, 인색한(cicatero).

pichiquao *m.*《*Venez.*》=**chontaruro.**

pichirre *adj.*《*Venez.*》=**mezquino, cicatero.**

picho *m.*《*Chile.*》=**pichicho.**

pichoa *f.* 칠레산 대극과(大戟科)로 하제로 쓰이는 식물.

pichocal *m.*《*Méx.*》=**pocilga, zajurda, zaquizam.**

pichola *f.* (약 0.5리터에 해당되는 갈리시아에서 사용된) 술되.

picholear *intr.* ①《*AmérC. Chile.*》좋아 어쩔 줄 몰라 떠들다. ②《*Arg. Bol.*》음모를 꾸미다.

picholeo *m.* ①《*Arg.*》조촐한 장사. ②《*Chile.*》떠들썩함.

picholín *adj.*《*And.*》아주 작은(muy pequeño).

pichón *m.* [*lat.* pipio] ① 새끼 비둘기: *pichones guisados* 요리한 비둘기 고기. ② 귀여운 아이. ③《*Amér.*》(닭 이외의) 새의 새끼, (특히) 새끼 비둘기. —*adj.*《*Cuba.*》=**miedoso, tímido.** —*adv.*《*Ecuad.*》조금, 약간(un poco).

pichona *f.* 귀여운 여자.

pichonear *intr.* ①《*Col.*》남의 흉계를 밝혀내다; 죽이다. ②《*Ecuad.*》남의 것으로 재미를 보다.

pichopisque *m.*《*Méx.*》=**porquero, porquerizo.**

pichoso, sa *adj.*《*Col.*》=**cegojoso, cegato.**

pichotero *m.*《*Méx.*》=**pichopisque.**

pichulear *intr.*《*AmérC. Riopl.*》재미를 보다.

pichuncha *f.*《*Cuba.*》갈보, 창녀, 매음녀, 매춘부; 정부(情婦).

pichuncho, cha *m.f.* 정다운 사람.

pichusca *f.*《*Arg.*》=**flor en cierne.**

Picio *m. más feo que* ~ 몹시 추악한(muy feo).

piciústico, ca *adj.*《*Arg.*》=**cursi.**

pickpocket *m. ing.* =**ratero.**

pick-up *m. ing.*【전기】(전축·텔레비전 따위의) 픽업《소리·빛을 전파로 바꾸는 장치》.

picle *m.* [*ing.* pickle] 김치, 식초에 담근 것, 절인 것.

picnic *m. ing.*《*Neol.*》피크닉.

picnidio *m.*【식물】(녹균류의) 분자기(粉子器).

picnómetro *m.*【화학】비중병(比重瓶).

pico *m.* ① 부리, 주둥이: ~ de aves 새의 부리. ② 부리 모양으로 생긴 것, (못뽑이 등의) 주둥이, (기물의) 주둥이, 통의 마개; (가스등·램프의) 화구(火口). ③ 뾰족한 것, 뾰족한 끝, 뾰족하게 나온 것: sombrero de tres ~*s* 삼각 모자. Me di un golpe con el ~ de la mesa 나는 탁자의 뾰족한 끝에 부딪쳤다. ④ 곡괭이; (석수장이들이 쓰는) 돌 깎는 망치. ⑤ 산정(山頂), 산봉우리: Subimos hasta el ~ más alto 우리는 최고봉까지 올라갔다. ⑥ (수사와 어울려) 조금, 소량: Me dieron mil pesetas y tres *de* ~ 1000 뻬세따와 겨우 3 뻬세따 주었다. Vino a las tres y ~ 3시 조금 지나서 왔다. ⑦ *pl.* 어줍잖은 액수: No cobro los ~*s.* ⑧ (지껄이는 뜻으로) 입(boca): abrir·cerrar el ~ 입을 열다·다물다, 묵묵히 있다. ⑨ 능변, 변설(辨舌)(facundia): ~ de oro 능변가. tener buen ~ 말솜씨가 좋다. ⑩ 필리핀의 중량의 단위《63.262㎏》. ⑪【조류】딱다구리 (~ carpintero·barreno): ~ verde 깃털이 파란 딱따구리의 일종. ~ de frasco =picofeo. ⑫《*Guat.*》키스.

~ *de cigüeña* 제라늄.

a ~ *de jarro* 직접 (입으로 마시다 등).

de ~ 말만으로; 정면으로, 정통으로 (새가 사냥꾼을 향해 날다).

andar a·de ~*s pardos* 어칠비칠 살아 가다.

callar el·su ~ 입을 다물다, 잠자코 있다: Ella *calló su* ~ 그녀는 잠자코 있었다.

hacer el ~ *a* (누구를) 먹여 살리다.

hincar el ~ 죽다, 서거하다(morir, fenecer la vida).

irse de ~*s pardos* =andar de ~*s* pardos.

irse del ~ 너무 이야기하다, 너무 말하다(hablar demasiado).

llevarse en el ~ 큰 편의를 제공하다.

perder(se) por el ～ 입이 화근이 되다.
tener mucho ～ 공연한 말을 지껄이다.

picoa *f.* 【은어】 남비(olla).

picofeo *m.* 《*Col.*》 =**tucán.**

pícol *adv.* 【은어】 조금(poco).

picola *f.* 석수장이가 사용하는 끌의 일종.

picoleta *f.* ① 《*Ál. Ar.*》 =**pistero.** ② 《*Ar.Murc.*》 =**piqueta.**

picolete *m.* [*fr.* picolet] (자물쇠의) 걸쇠.

picón, na *adj.* ① 뻐드렁니의 (말). ② 잘 화내는. ③ 《*Col. PRico.*》 냉소적인 ; 말대답하는. —*m.* ① (슬슬 놀려주는 듯한) 야유, 놀려주기, 우롱(burla). ② 분탄(粉炭), 탄 쌀, 싸라기. ③ 【은어】 벼룩.
dar ～ 질투나게 하다(causar celos).

piconero *m.* 분탄 장수.

picor *m.* ① (음식에 의한 혀끝의) 아릿한 느낌(escozor). ② 근지러움(picazón, comezón).

picoreto, ta *adj.* 《*AmérC. Ant. Venez.*》 말이 많은, 수다스러운.

picosa *f.* 【은어】 짚, 지푸라기(paja).

picoso, sa *adj.* 곰보 자국투성이의 (picado de viruelas) : tener el rostro ～. **Sinón.** cacarañado.

picota *f.* ① (죄인 등의) 효수장. ② 말뚝 쓰러뜨리기 《어린이들의 놀이》. ③ 산정(山頂), 산꼭대기. ④【건축】 뾰족한 끝, 첨탑.

picotada *f.* =**picotazo.**

picotazo *m.* ① 부리로 콕콕 쪼는 것. ② 곡괭이질. ③ 찔린 상처, (벌레에) 쏘인 상처.

picote *m.* [*fr.* picot] 산양의 모직물 ; 옛날의 강한 윤기가 나는 비단천의 일종.

picoteado, da *adj.* [picotear의 *p.p.*] ① 부리 모양으로 된, 끝이 뾰족한 ; pico가 있는. ② = **cacarañado.**

picotear *tr.* ① (말이) 머리를 흔들다. ② 어쩌구 저쩌구 지껄여대다.
～se (여자가) 악을 쓰며 싸우다.

picotería *f.* 수다를 떠는 버릇.

picotero, ra *adj.m.f.* 수다스러운, 입이 가벼운, 헛소리 많이 하는 (사람)(parlanchín).

picotijera *f.* 《*Perú.*》 【조류】 바다오리의 무리.

picotillo *m.* 저질의 picote.

picotón *m.* 【방언】《*Amér.*》 =**picotazo.**

picrato *m.* [*gr.* pikros]【화학】 피크린산염(sal del ácido pícrico).

pícrico *adj. ácido* ～ 피크린산.

pictografía *f.* 그림 문자 ; 그림.

pictográfico, ca *adj.* pictografía의 · 에 관한.

pictograma *f.* =**jeroglífico.**

pictórico, ca *adj.* ① 회화의 : arte ～*ca* 회화 예술. ② 그림이 되는, 회화적인.

pictos *m.pl.* (고대 브리타니아의) 깔레도니아 · 스코틀랜드이 주민.

picudilla *f.* 【조류】 부리가 긴 철새의 일종.

picudillo, lla *adj. dim.* picudo.

picudo, da *adj.* ① 부리가 있는, 부리가 달린 ; 입이 있는 : cazuela ～*da.* ② 끝이 뾰족한, 뾰족한 입의(hocicudo). ③ 말많은, 수다스러운 (parlanchín, hablador). —*m.* ① 쇠꼬챙이 (espetón). ② 《*Méx.*》 기생충.

picuí *m.* (멕시코의) 새.

picurearse *r.* 《*Col. Venez.*》 도망치다, 사라지다, 물러나다.

picuro *m.* 《*Amér.*》【동물】 모르모트.

picuta *f.* 《*Chile.*》 호미 《농기구》.

picuyi *m.* 《*Arg.*》 때, 더러움.

pida pedir의 접 · 현 · 1 · 3 · 단수.

pidáis pedir의 접 · 현 · 2 · 복수.

pidamos pedir의 접 · 현 · 1 · 복수.

pidan pedir의 접 · 현 · 3 · 복수.

pidas pedir의 접 · 현 · 2 · 단수.

pide pedir의 직 · 현 · 3 · 단수.

piden pedir의 직 · 현 · 3 · 복수.

pidén *m.* 《*Chile.*》【조류】 검정오리.

pidentero *m.* 거지(pordiosero).

pides pedir의 직 · 현 · 2 · 단수.

pidiendo pedir의 현재 분사.

pidiera pedir의 접 · 불완료과거 · 1 · 3 · 단수.

pidierais pedir의 접 · 불완료과거 · 2 · 복수.

pidiéramos pedir의 접 · 불완료과거 · 1 · 복수.

pidieran pedir의 접 · 불완료과거 · 3 · 복수.

pidieras pedir의 접 · 불완료과거 · 2 · 단수.

pidieron pedir의 직 · 부정과거 · 3 · 복수.

pidiese pedir의 접 · 불완료과거 · 1 · 3 · 단수.

pidieseis pedir의 접 · 불완료과거 · 2 · 복수.

pidiésemos pedir의 접 · 불완료과거 · 1 · 복수.

pidiesen pedir의 접 · 불완료과거 · 3 · 복수.

pidieses pedir의 접 · 불완료과거 · 2 · 단수.

pidió pedir의 직 · 부정과거 · 3 · 단수.

pido pedir의 직 · 현 · 1 · 단수.

pídola *f.* 말타기 《놀이》.

pidón, na *adj.m.f.* 떼를 잘 쓰는 (사람), 조르기 잘하는 (사람), 무엇이나 탐내는 · 욕심내는 (사람)(pedigüeño).

pidulles *m.pl.* 《*Chile.*》【동물】 회충(ascárides intestinales).

piduye *m. estar con* ～*s* 《*Chile.*》 안절부절 못하다, 초조해 하다.

pie *m.* ① 발, 다리 《무릎 밑부분》; (양말 · 장화의) 발부분. ② ㄱ) (기물의) 다리, 대(臺), 받침, 밑부분(base) : el ～ de la columna 기둥의 밑부분. los ～*s* de la mesa 탁자의 받침. ㄴ) (사물의) 가장 밑부분, 기부(基部) ; 발밑, 뿌리밑 ; 산기슭. ③ 걸음, 걸음걸이 : a ～ 걸어서. a firmes los ～*s* 씩씩한 걸음으로. ④ (나무의) 줄기(tronco) ; 어린 나무 ; (풀 · 관목의) 그루, …본(本) : un ～ de albahaca. ⑤ (시의) 각운. ⑥ (서류 · 편지에서 서두 cabeza에 대한) 결말, 글의 말미의 여백 (위쪽에 대한 밑) : al ～ de la carta ; cabeza y ～ del testamento. ⑦ [주로 *pl.*] ㄱ) (침대 · 묘 등에서 cabecera에 대한) 자락의 끝 : a los ～*s* de la cama. ㄴ) (건물 같으면) 등부분. ⑧ (놀이에서 선수 mano에 대하여) 뒷차례, 꼴찌 ; (경기팀의) 보결. ⑨ 앙금, 찌꺼기, 무거리, 침전물(poso, hez). ⑩ 발판 : hacer · perder ～ 발판을 만들다 · 잃다. ⑪ 동기, 계기, 기회(ocasión, motivo) : dar · tomar ～ para hacer una cosa. ⑫ 방식, 규준 (regla, uso, estilo) : sobre el ～ antiguo 옛날 식에 따라. ⑬ 피트 《길이의 단위, Castilla에서는 12 pulgadas. =28㎝, 불란서에서는 33㎝, 영국에서는 30.5㎝》. ⑭ 《*Chile.*》 입금, 계약금, 보증금.
～ *ante* ～ 한 발 한 발.
～ *con* ～ 발과 발이 서로 부딪치듯이 딱 붙어.
～ *columbino* =pie de paloma.

~ ***cuadrado*** 평방 피트.
~ ***cúbico*** 입방 피트.
~ ***de altar*** (의식・제식 등에 의한 성직자에 대한) 사례금.
~ ***de amigo*** 버팀 기둥, 버팀 나무, 버팀목.
~ ***de banco*** 두말할 것도 없는 일, 어리석은 일.
~ ***de burro*** 조개의 일종.
~ ***de cabalgar*** (말 탄 사람의) 왼쪽.
~ ***de cabra*** ① 조개의 일종. ② 못뽑이 지렛대.
~ ***de gallo*** 《*Ecuad.*》 접기식으로 된 발판.
~ ***de gato*** 화기의 방아쇠 (patilla de las armas de fuego).
~ ***de imprenta*** (서적의) 판권장 《책의 첫머리・끝에 넣는 발행소・연월일 등》. **Sinón.** colofón.
~ ***de león*** 【식물】 물갬나무.
~ ***de liebre*** 【식물】 클로버의 일종.
~ ***de montar*** 왼쪽발.
~ ***de paloma*** 【식물】 아르칸나, 소의 혀(onoquiles).
~ ***derecho*** (건물 등에서 수직으로 쓰인) 기둥.
~ ***de tierra*** 손바닥 만한 땅.
~ ***de rey*** 【기계】 노기스.
~ ***de roda*** 용고새의 앞 끝.
a ~ 도보로, 걸어서(andando) : ir a ~ 걸어가다.
a ~ ***cojuelo*** 깽깽이로, 한 쪽 발로 (뛰다).
a ~ ***enjuto*** ① 발을 물에 적시지 않고 (sin mojarse al andar) : atravesar un río *a* ~ *enjunto*. ② 위험없이 ; 고생되는 일없이.
a ~ ***firme*** ① 발을 땅에 꼭 붙이고, 움직이지 않고(sin moverse uno del lugar donde está). ② 의연하게 ; 충분히, 단단히 ; 한결같이.
a ~ ***juntillo ; a*** ~ ***juntillas ; a*** ~***s juntillas*** ① 두 발을 가지런히 하여서 : Saltó *a* ~ *juntillas*. ② 완고하게, 강한 집념으로 (firmemente) : creer・negar *a* ~ *juntillo*.
a ~ ***llano*** 손쉽게, 용이하게(fácilmente).
a cuatro ~***s*** 네 발로 기어(a gatas).
al ~ ***de*** ① …의 뿌리 가까이에, …의 곁에, 가까이에 : *al* ~ *de* un árbol. ② 거의 (casi) : Me dio *al* ~ *de* mil pesetas.
al ~ ***de la letra*** 문자 그대로 (a la letra) ; 정확히(exactamente).
al ~ ***de la obra*** 기존 건물에 맞추어・조화를 이루어.
cerrado como ~ ***de muleto*** 완고한 《사리에 맞는 말에 귀기울이지 않는다는 뜻》.
con buen ~ 행복하게(con felicidad, con dicha).
con los ~***s*** 아주 서툴게(muy mal) : hacer algo *con los* ~*s*.
con mal ~ 불행하게, 불운하게.
con ~ ***derecho*** 운좋게.
con ~***s de plomo*** 신중히, 매우 조심성 있게(con suma prudencia y lentitud).
de ~***(s)*** [드뭄] 서서 (en pie) : ponerse *de* ~ 일어서다. estar *de* ~ 서 있다.
de a ~ 걸어가는, 도보로 가는(que no va a caballo) : soldado *de a* ~ 보병.
de ~***s a cabeza*** 머리끝에서 발끝까지, 모조리 (desde la cabeza hasta los pies) : vestirse de nuevo *de* ~*s a cabeza*.
del ~ ***a la mano*** 순식간에, 눈깜짝할 사이에.
en buen ~ 정연하게 ; 행복하게.
en ~ 서서, 일어나서 ; 병이 치료되어 ; 건전하게.
en ~ ***de guerra*** (estar, poner, 등과 쓰여서) 전투태세로.
en un ~ ***de igualdad*** 대등한 입장에서.
sin ~***s ni cabeza*** 어지러이, 어수선하게.
tras (un) ~ ***a la francesa*** (ir, salir, marcharse, escapar, 등의 수식어로) 총총히, 서둘러, 급히, 이내(de prisa).
andar de ~ ***quebrado*** 몰락해 있다.
andar en un ~ ***(como grulla・como las grullas)*** 시원시원하게 일을 처리하다.
besar los ~***s*** (누구에게) 경의를 표하다.
buscar cinco・tres ~***s al gato*** 위험한 것을 억지로 하다(empeñarse en cosas peligrosas).
caer de ~***s*** 위험했던 일이 잘 되다.
cojear del mismo ~ ***que*** (…에) 따르다, 똑같은 결점・나쁜 버릇을 가지고 있다.
comer a uno ***por los*** ~***s*** 몹시 부담・비용을 지우다.
dar ~ 빌미・구실을 주다.
dar el ~ ***y tomarse la mono*** 하나를 주고 아홉을 빼앗다, 되로 주고 말로 받다.
dar por el ~ 전도시키다, 완전하게 허물어 뜨리다.
dejar a ~ 난처한 처지가 되게 하다.
echar ~ ***en・a tierra*** (타는 것에서) 내리다 (apearse del caballo o del coche).
entrar con buen ~ ・ ***con (el)*** ~ ***derecho*** 교묘히 끼어들다(empezar con acierto).
estar con el ~ ***en el estribo*** 출발 준비・여행 준비가 되어 있다(estar dispuesto a partir).
estar con un ~ ***en la sepultura*** 죽어 가고 있다 (estar cerca de morir).
estar en un ~ ***(como grulla)*** =andar en un pie.
faltarle a uno ***los*** ~***s*** 균형・평형을 잃다 (perder el equilibrio).
hacer ~ 발을 물의 바닥에 대다 ; 발을 땅에 대고 서다 ; 충분히 하다 ; 차분하게 안정하다 ; (착유소에서) 올리브 같은 것을 모아서 굳히다.
hacer con los ~***s*** 함부로 다루다.
írsele ***los*** ~***s*** a uno (누가) 미끄러지다, 발이 걸려 넘어지다(resbalar) ; (대비가 없어) 실수하다, 실책하다.
irse por (sus) ~***s*** 뺑소니치다, 도망가다, 도망치다(escapar).
levantarse con el ~ ***izquierdo*** 기분이 잡쳐 일어나다.
mirarse a los ~***s*** 자신의 발밑을 자세히 보다 ; 자신의 분수・능력을 잘 살피다.
nacer de ~***(s)*** 운이 좋다, 행운이 오다(tener buena fortuna).
no bullir ~ ***ni mano*** 죽은 듯이 움직이지 않다.
no dar ~ ***con bola*** 계속해서 실수를 하다(equivocarse continuamente).
no dar ~ ***ni patada*** 팔짱만 끼고 있다, 손 하나 까딱하지 않다.
no dejar a uno ***sentar el*** ~ ***en el suelo*** 쉴 사이 없이 일을 시키다.
no irse por ~***s*** 빠져 나갈 수 없다, 확보되어 있다.
no llevar・tener ~***s ni cabeza*** 어수선하다, 혼란

하다(ser completamente desacertada).
no poner los ~s en el suelo 나는 듯이 달리다·걷다.
no tener ~s ni cabeza·sin ~s ni cabeza, no tenerse de ~ 아무 감각이 없다.
pasar del ~ a la mano (걸음폭이 넓은 말 등의) 앞발로 밟은 곳보다 뒷발이 더 앞쪽을 밟아가다.
perder ~ ① 발판을 잃다. ② 발이 물 바닥에 닿지 않다(no encontrar el fondo en un río, lago, mar, etc.) ③ 이야기 줄거리가 섞갈리다.
poner ~ con cabeza 뒤범벅이 되게 하다.
poner ~s en pared 고집이 세다 (empeñarse tenazmente en una cosa).
poner a los ~s de los caballos 거들떠 보지도 않고 혼을 내주다.
poner el ~ sobre el cuello·el pescuezo 짓밟다, 망신을 주다(humillar).
poner ~s en polvorosa 뺑소니치다(huir).
ponerse de ~ 일어서다.
ponerse de ~s en (어떤 일에) 끼어들다; (그것을) 떠맡고 나서다.
ponerse de ~s en la dificultad 곤란함을 잘 납득하고 있다.
recalcarse el ~ 발을 다치다, 발을 비틀다.
saber de qué ~ cojea uno (누가 자신의) 결점을 잘 알고 있다(conocer sus defectos).
sacar con los ~s adelante 장사 지내러 실어가다.
sacar el ~ del lodo 궁지에서 벗어나게 하다.
sacar los ~s de las alforjas·del plato (부끄러워하던 사람이) 기운을 내다.
ser ~s y manos de (누구의) 손발이 되어 일하고 있다.
tener el ~ en dos zapatos 두 다리를 걸치다.
tener un ~ en el sepulcro 죽음에 가까워지다 (estar a próximo a la muerte).
tomar ~ 뿌리를 뻗치다, 안정되다, 유력하게 되다.
tomar ~ de …하는 구실·기회를 포착하다 (valerse de ella como pretexto).
vestirse por los ~s 남성적이다(ser del sexo masculino).
volver ~ atrás 되돌아가다, 발길을 돌리다 (retroceder).

PIEB Programa Interamericano de Estadísticas Básicas.

piececilla *f.* 경가극(sainete).

piecezuela *f. dim.* pieza.

piecezuelo *m.* [*dim.* pie] 작은·귀여운 발.

piedad *f.* [*lat.* pietas] ① 경건, 믿음. ② 효심, 효도: ~ fiel. ③ 동정심, 자비심(compasión): ~ para el prójimo. ④ 예수의 시체를 껴안은 성모의 상·그림.
¡por ~! 제발!

piedra *f.* [*lat.* petra] ① 돌; 돌멩이: un edificio de ~ 석조 건물. ② 비, 비석, 비문, 석상: convidado de ~ 석상의 빈객. ③ 방광 결석 (cálculo). ④ 우박(granizo): Cayó mucha ~ el año pasado. ⑤ 맷돌(muela). ⑥ 부싯돌 (pedernal): la ~ de un mechero 라이터의 부싯돌. ⑦ 아기를 버리는 곳(lugar donde se ponen los niños expósitos). ⑧【은어】닭.
~ *amoladera* 숫돌.
~ *angular* ① (건물의) 모퉁이돌, 주춧돌(la piedra que forma la esquina de un edificio). ② 기초(base).
~ *azufre* 유황.
~ *barroqueña*【광물】화강암.
~ *bezor* 우황.
~ *ciega* 불투명한 보석.
~ *de afilar·de amolar* 숫돌.
~ *de cal* 석회석(caliza).
~ *de campana*【광물】향암, 향석(fonolita).
~ *de chispa* 부싯돌, 라이터 돌.
~ *de(l) escándalo* 추문 거리·비난 거리(origen o motivo de escándalo o pecado).
~ *de escopeta·de fusil* 부싯돌.
~ *de Huamanga* 《*Perú.*》【광물】설화 석고 (alabastro).
~ *del águila* =etites.
~ *de la luna·de las Amazonas·del Labrador·del sol* 조회장석(曹灰長石)(labradorita).
~ *de lumbre* 부싯돌.
~ *de Moca* 마노의 일종.
~ *de moler* 《*Guat. Hond.*》 망태기(matate).
~ *de rayo* (벼락이 떨어뜨리고 간 것으로 생각했던) 뇌석(雷石) (pedernal labrado que cree el vulgo proviene del rayo).
~ *de sapo* 《*Arg.*》 운모(雲母)(mica).
~ *de toque* 시금석(試金石) (la piedra que usan los ensayadores de oro y plata).
~ *falsa* 모조 보석.
~ *filosofal* 현자(賢者)의 돌 《비금속을 황금으로 변하게 할 수 있다고 하여 연금술사가 찾아다니던 것》; 불가능한 이상(理想); 치부하는 길, 달러 박스: hallar la ~.
~ *fina* 보석(gema).
~ *fundamental* (건물의) 주춧돌; 기초, 근본.
~ *imán·imanada* 자석(磁石).
~ *infernal* 치료용 초산 은봉(硝酸銀棒).
~ *jaspe* 루비, 벽옥(jaspe).
~ *lipe* 《*Amér.*》; ~ *lipis* 유산동(硫酸銅) (vitriolo azul).
~ *litográfica* 석판석(石版石).
~ *mármol* 대리석.
~ *melodreña* 숫돌.
~ *meteórica* 운석(aerolito).
~ *miliar·miliaria* 마일표.
~ *nefrítica* 연옥(軟玉) 《신장병을 고치는 것으로 생각했던 돌》.
~ *oscilante* 흔들바위.
~ *pómez* 경석(輕石) (piedra volcánica muy ligera y dura que sirve para pulir).
~ *preciosa* 보석.
~ *rodada* 강변 등의 자갈·돌멩이.
~ *seca* 회반죽을 쓰지 않고 쌓아올린 돌: pared de ~ *seca* 돌담식으로 된 것.
~ *viva* 깊이 뿌리박은 돌(peña viva).
~ *voladora* 맷돌의 회전석.
corazón de ~ =corazón insensible.
primera ~ (기공식의) 기초석.
cerrar a ~ y lodo (창·문을) 몽땅 칠하다; 완전히 닫다(tapar herméticamente una puerta o ventana).
echar a·en la ~ 아기를 버리다.

hablar las ~s 비밀은 탄로난다.
levantarse las ~s contra uno 여러 가지 불행이 일어나다 ; 나쁜 소문이 나다.
no dejar ~ por mover 모든 수단을 다 쓰다.
no dejar·quedar ~ sobre ~ 완전히 파괴해 버리다(destruir por completo).
picar la ~ 맷돌에 금을 새기다 ; 돌을 세공하다.
poner la primera ~ 기공식을 하다 ; 착수하다.
quedarse de ~ 놀라 옴쭉달싹 못하다.
señalar con ~ blanca·con ~ negra 축하하다·슬픔에 잠기다.
tener su ~ en el rollo 명사·거물이다.
tirar la ~ y esconder la mano 모르게 하다, 살짝 하다.
tirar ~s 정신 이상이 되다 ; 머리끝까지 홍분되다.
P- movediza nunca mobo la cobija 【속담】 직업을 자주 바꾸는 자는 결코 성공하지 못한다 (El que mucho cambia de oficio, nunca llega a rico).
La ~ quieta cría malva ; P- que rueda no cría mobo 【속담】 구르는 돌에 이끼가 안 낀다 ; 활동하지 않으면 폐인이 된다.

piedrecita *f. dim.* piedra.
piedrezuela *f.* [*dim.* piedra] 자갈, 돌멩이.
piedro *m.* 《*Col.*》 【식물】 재목이 썩지 않는 나무.
piel *f.* [*lat.* pellis] ① 껍질, 가죽 ; 피부 ; (원료로서의) 가죽 : ~ de rata 쥐털빛의 말가죽. ~ de Rusia 러시아 가죽. ② 모피 : una ~ de zorra.
~ del diablo 형편없는 인간.
~ roja 북미 토인·인디언.
dar·soltar la ~ 죽다, 숨을 거두다(morir).
dejarse·jugarse la ~ 생명을 잃다·내놓다 (perder o exponer la vida).
ser de la ~ del diablo 매우 소란을 피우다(ser muy revoltoso).
No vendas la ~ del oso antes de haberlo muerto 【속담】 김칫국부터 마신다.

piélago *m.* [*lat.* pelagus] ① 【시어】 앞바다 ; 바다(mar, océano). ② 무수함, 다량.
pielero *m.* 생가죽(pieles crudas) 매입자·상인.
pielga *f.* 《*Sal.*》 길이 30센티미터의 목재.
pielgo *m.* =**piezgo.**
pielitis *f.* [*gr.* puelos] 【의학】 골반 점막염.
piensa pensar의 직·현·3·단수.
piensan pensar의 직·현·3·복수.
piensas pensar의 직·현·2·단수.
piense pensar의 접·현·1·3·단수.
piensen pensar의 접·현·3·복수.
pienses pensar의 접·현·2·단수.
pienso[1] *m.* [*lat.* pensum] 건초, 꼴 : a ~ 방목이 아니라 사료로.
pienso[2] *m.* 【고어】 =**pensamiento, idea.**
ni por ~ ① 아뿔사. ② 꿈에도·생각지도 … 않다(de ningún modo).
pienso[3] pensar의 직·현·1·단수.
pierda perder의 접·현·1·3·단수.
pierdan perder의 접·현·3·복수.
pierdas perder의 접·현·2·단수.
pierde perder의 직·현·3·단수.
pierdé *m.* 결점(defecto) : camino que no tiene ~ 완전 무결한 길. mozo que no tiene ~ 결점이 없는 소년.
pierden perder의 직·현·3·복수.
pierdes perder의 직·현·2·단수.
pierdo perder의 직·현·1·단수.
piéridas *f.pl.* 【곤충】 흰나비과.
piéride *f.* 흰나방, 흰나비 : la ~ de las coles 배추나방. —*pl.* 뮤즈신 《문예·미술의 여신》 (musas).
piéridos *m.pl.* 【곤충】 =**piéridas.**
pierio, ria *adj.* 뮤즈신(las piérides)의.
pierna *f.* [*lat.* perna] ① 다리, 정강이 《발끝에서 사타구니 혹은 무릎까지》 : ~ protética 의족. ~ de palo 간단한 목재의 의족. El perdió una ~ en la guerra 그는 전쟁에서 한 쪽 다리를 잃었다. ② 다리 모양으로 생긴 것 : ~*s* del compás. ③ 바지·양말의 다리 혹은 정강이 부분. ④ M·N 문자의 세로로 그은 줄. ⑤ 《*Arg.*》 노름꾼.
a ~ suelta·tendida 마음 편히 ; 푹 (잠자다) : Allí podíamos dormir *a ~ suelta* 우리는 거기서 안심하고 잠을 잘 수 있었다.
en ~s 정강이를 그대로 드러내어.
cortarle a uno las ~s (누구를) 방해하다.
echar la ~ encima 뛰어나다, 더 낫다.
echar ~s 허세를 부리다(jactarse).
estirar la ~ 죽다(morir, fenecer la vida).
estirar·extender las ~s 편히 쉬다, 산보하다 (pasear, andar por diversión).
hacer ~s 말의 발이 가벼워지다 ; 미남으로 자처하다 ; 의지가 굳다.
meter·poner ~s 박차를 가하다.

piernas *m.* =**pelanas.**
piernitendido, da *adj.* 두 다리를 벌린, 두 다리를 뻗은(abierto de piernas).
pierrot *m. fr.* ① 완전히 하얀 옷으로 둘러쓴 가면·가장. ② 어릿광대(payaso) [*N.* 발음 : pierró].
pietismo *m.* 경건파 《그리스도 신교의 한 파》.
pietista *adj.* 경건파의. —*m.f.* 경건파 신자.
pieza *f.* ① 조각(pedazo) : hacer ~*s* 갈기갈기 찢다. hacerse ~*s* 갈기갈기 찢기다. ② 부분, 부품 : ~ aislada 부분품. ~*s* de repuesto deterioradas 손상 부품. Se ha roto una ~ de la máquina 기계의 부품이 부서졌다. ③ 한 개, 1매, 한 장, 한 필, 한 권 (등) : de una ~ 잘려 있지 않는, 한 장으로 된. ④ 화폐(moneda) : una ~ de oro 금화 한 개. ~ eclesiástica 승려에게 주는 지급액. ⑤ 연장, 도구 ; 물건 ; 사냥에서 잡은 짐승, 노획물 : Maté tres ~*s* 사냥에서 세 마리 잡았다. ⑥ 포문, (대)포(~ de artillería) : ~ de batir 옛날의 성체 공격포. ⑦ 발포 : ~ de leva 출항을 알리는 신호포. ⑧ 방(habitación, cuarto) : ~ de recibo 응접실. ~ redonda 《*Amér.*》 밖으로 통로가 있는 방 ; 가족방. piso de cuatro ~*s* 방 네 개 있는 아파트. ⑨ 한 편의 작품·악곡·각본·시문 ; 그림, 작 ; 역작품, 서류 : ~ de autos 【법률】 한 건의 서류. ~ de examen 실력을 보인 작품. ~ para orquestra 오케스트라용 작곡. ~*s* justificativas 증거 물건. ¿Quiere tocarme una ~ en el piano? 피아노를 한 곡 연주해 주시겠습니까? ⑩ (장기 등의) 말 : ~*s* de ajedrez 장기의 말. ⑪ 사람, 녀석, 놈, 여자 : linda·buena ~ 앙큼스러운 놈.
~ por ~ 상세하게.

de una ~ 더할 나위 없는(de grado sumo) : hombres *de una* ~.
un dos ~*s* 투피스.
jugar una ~ 장난치다.
quedarse en una ~ · *hecho una* ~ 멍해 버리다 ; 움직이지 않고 있다.
ser de una ~ 《*Méx.*》 언제나 기분이 좋다.
terciar una ~ 포(cañón)의 검사를 하다.

piezgo *m.* ① 가죽 자루의 다리 부분. ② 가죽 자루(odre) : un ~ de vino añejo 오래 묵은 술자루.

piezoelectricidad *f.* 【물리】 피에조 전기, 압전기(壓電氣) ; 압권 현상.

piezoeléctrico, ca *adj.* 압전기의.

piezómetro *m.* 압력계의 일종, 액주 압력계(液柱壓力計), 수압 측심기(水壓測深器), 내(耐)압력계 《물체의 내압력을 재는 계기》.

pífano *m.* [*alem.* pfeifen] ① 피리. ② 피리를 부는 사람.

pifar *tr.* 【은어】 (말을 빨리 뛰게 하기 위해) 찌르다.

pifia *f.* ① 빗나감, 맞추지 못함 ; 과오, 실수, 실책. ②《*AmérM.*》 야유 (burla) ; 야유하는 휘파람.
hacer ~ 《*PRico.*》 학교를 빼먹다.

pifiador, ra *adj.* 《*Perú.*》 =**burlón, zumbón.**

pifiar *intr.* ⑪ [*alem.* pfeifen] 피리 소리가 귀에 거슬리다. —*tr.* ① (당구에서) 맞추지 못하다. ② (사냥에서 짐승에게) 총이 빗나가다. ③ 《*AmérM.*》 휘파람을 불어 야유하다.
~**se** 《*AmérM.*》 ① 휘파람을 불다 ; 야유하다, 놀리다 : ~*se de* un actor. ② 실수하다, 잘못하다.

pifo *m.* 【은어】 가빠(capote).

pigargo *m.* 【조류】 물수리의 일종 : El ~ se alimienta de peces y aves acuáticas.

Pigmalión *m.* 자신이 만든 상아(象牙) 인형 Galatea에게 사랑을 느껴 Venus에게 애원해서 그것에 생명을 얻게 하였던 키프로스의 왕.

pigmentación *m.* ① 색소(色素) 형성. ② 멍, 모반(母班).

pigmentario, ria *adj.* 색소의.

pigmento *m.* [*lat.* pigmentum] 【생물】 색소.

pigmeo, a *adj.* 작은 사람의 ; 작은, 왜소한 ; 소형의. —*m.f.* 소인, 난쟁이.

pignoración *f.* (동산의) 근저당 계약, 담보, 저당 ; 소유권.

pignorar *tr.* [드뭄] 저당잡히다(empeñar).

pignoraticio, cia *adj.* 근저당 (계약)의, 담보의, 저당의 : contrato ~.

pigre *adj.* [*lat.* piger] [드뭄] 태만한, 게으른 (negligente).

pigricia *f.* [*lat.* pigritia] ① 태만, 나태, 게으름 (pereza, negligencia). ②《*AmérM.*》 사소함, 근소함(pizca, pequeñez, insignificancia).

pigro, gra *adj.* =**pigre.**

piguatra *f.* 《*Chile.*》 입술과 손가락으로 부는 휘파람.

pigüis *m.* 《*Méx.*》 (손님에게 주는) 덤.

pihua *f.* 【방언】 가죽 샌들(coriza).

píhua *f.* =**pihua.**

pihuela *f.* ① (매 등을 묶는) 다리 끈. ② 방해물 (estorbo). —*pl.* 족쇄.

pihuelo *m.* 《*Chile.*》 =**pihuela.**

piído *m.* 삐약삐약 우는 소리(piada) : dar ~*s* 삐약삐약 울다.

pijama *m.* 파자마, 잠옷.

pije *adj.m.* 《*Chile. Perú.*》 아니꼬운 (남자) (cursi, ridículo).

pijibay *m.* 《*AmérC.*》 =**pejivalle.**

pijije *m.* 《*Guat. Sal.*》 【조류】 삐히헤 《중미산의 잘 우는 물새의 일종》.

pijirigua *f.* 《*Ant.*》 쓸모없는 것 : de ~ 질이 좋지 못한, 하급의.

pijón *m.* 《*Méx.*》 【조류】 =**picuí.**

pijota *f.* =**pescadilla.**
hacer ~*s* 물의 표면에 돌을 뜨게 하다.

pijotada *f.* 《*Cuba.*》 =**pizca, pijotería.**

pijotazo *m.* 《*Ant.*》 =**pizca.**

pijote *m.* 옛 포(砲)의 일종(esmeril).

pijotear *intr.* 《*Col. Riopl.*》 인색하게 굴다, 지불을 미적거리다.

pijotería *f.* =**pequeñez.**

pijotero, ra *adj.* ①【방언】 귀찮게 구는, 성가신. ②《*Amér.*》 인색한(cicatero, mesquino).

pijuingue *m.* 《*Col.*》 조랑말, 여윈 말.

pijuy *m.* 《*Amér.*》 【조류】 =**aní.**

pila *f.* [*lat.* pila] 오물 그릇, 물통 ; 설거지통 : ~ de cocina. ② 성수반(聖水盤) ; 영세, 세례 : nombre de ~ 영세명, 세례명. ③ 신자들(parroquia). ④ 뭉치, 더미, 노적가리, 퇴적 (montón) : ~ de lana 양모 더미. ~ de leña 장작 더미. ⑤ 교각(橋脚). ⑥ 전조(電槽), 전지 : ~ seca 건전지. ~ hidroeléctica 습전지. ~ voltaica 볼타 전지. ⑦ 용광로 : ~ atómica 원자로. ⑧《*Cuba.*》 수도 꼭지. ⑨《*Perú.*》 우물, 샘.
en ~ 수북히 쌓여 ; 《*Col.*》 풍부하게, 풍족하게.
andar ~ 《*Arg.*》 벌거숭이 · 안장없는 말을 타다.
sacar de ~ · *tener en la* ~ (누구의) 영세 부모가 되다.

pilada *f.* ① 한번 반죽한 회반죽. ② 뭉치, 노적가리, 더미, 무더기, 퇴적(montón).

pilado, da *adj.* 《*Col.*》 확실한, 결정적인 : triunfo ~ 완승.

pilanca *f.* 《*Ecuad. Venez.*》 쌓아 올림 ; 노적가리, 퇴적, 무더기(rimero).

pilanco *m.* 【방언】 =**apuro.**

pilandería *f.* 《*Col.*》 쌓아 올리는 곳.

pilandero, ra *m.f.* 《*Col.*》 밀단을 쌓는 사람.

pilar[1] *tr.* [*lat.* pilare] 탈곡하다, 맷돌에 타다, 겨를 없애다.

pilar[2] *m.* ① 마소에게 물을 먹이는 곳. ② 도표(hito) ; 기둥, 주석(柱石).

pilarejo *m. dim.* pilar.

pilastra *f.* [*ital.* pilastro] 【건축】 ① 각주(角柱). ②《*Chile.*》 (문이나 창문의) 사개.

pilastrón *m.* [*aum.* pilastra] 대각주(大角柱).

Pilatos *m.* 【성서】 빌라도 《Cristo가 처형될 당시 Judea를 지배했던 로마의 총독》.
andar de Herodes a ~ 일을 여기저기 집적거리며 하다.
lavarse las manos como ~ 딴전 부리다, 모른 척하다 ; 모르고 있다.

pilatuna *f.* 《*AmérM.*》 장난, 천박한 일, 품위없는 행실.

pilatuno, na *adj.* 《*Col.*》 고리 대금 업자의.

pilca *f.* 《*Arg. Chile. Perú.*》 =**pirca.**

pilcar *tr.* 《*Arg.*》 흙담을 치다.

pilcate *m.* 《*Méx.*》 =**mocosuelo.**

pilco *m.* 《*Chile.*》 ① 뻔쵸의 뒤집어쓰는 구멍. ② (손발의) 틈.

pilcha *f.* ① 《*Amér.*》 (의류의) 일상복(日常服). ② 《*Chile.*》 마소의 목에 대는 표적 가죽.

pilche *m.* ① 《*Perú.*》 나무 컵. ② 《*Bol. Chile.*》 마떼차 그릇·단지, 사기 그릇.

píldora *f.* [*lat.* pilula] ① 알약, 정제 : ~ de creosota 크레오소트정. ② 알 모양으로 생긴 것 ; 싫은 것, 나쁜 소식(mala noticia).
dorar ~ 나쁜 소식을 적당히 꾸며서 말해 주다 (suavizar con artificio una mala noticia).
기(alcarraza).
듣다(creer una mentira).

pildorazo *m.* 엉터리로 꾸민 말.

pildorero *m.* 정제(錠劑) 제조기.

píleo *m.* [*lat.* pileus] 고대 로마에서 자유인·노예 해방을 위해 쓰이던 모자 ; 대주교의 법모.

pilero *m.* (벽돌 등을 만드는 곳에서) 흙반죽 하는 인부.

pileta *f.* [*dim.* pila] ① 작은 물통 ; 가정에서 쓰는 성수반 ; 갱도내의 물 고이는 곳. ② 《*Arg.*》 수영장, 풀(piscina).

pilífero, ra *adj.* 【식물】 털이 있는 : La región *pilífera* de las raíces absorbe los elementos nutritivos del suelo.

piliforme *adj.* 털 모양의.

piliguaje *m.* 《*AmérC.*》 =**piliguanejo.** —*pl.* 누더기, 넝마(andrajo).

piliguanejo *m.* 《*Méx.*》 ① 머슴. ② 비위에 맞지 않는 남자, 보기싫은 남자.

piliguarse *r.* ⑩ 《*Chile.*》 익기도 전에 시들다.

piligüe *adj.* 《*AmérC.*》 =**raquítico.**

pilgüete *m.* 《*AmérC.*》 게으름뱅이(pillete).

piligüije *m.* 《*Méx.*》 ① 무능력한 사람. ② 불행한 사람(persona infeliz).

piligüijo, ja *adj.* 《*Méx.*》 작은 ; 귀엽고 애처로운.

pililo, la *adj.* ① 《*Amér.*》 후덥지근한. ② 《*Arg. Chile.*》 불결한, 더러운(sucio). —*m.f.* 《*Chile.*》 집없는 사람.

pilinque *adj.* 《*Méx.*》 ① 구겨진, 주름 잡힌 (arrugado). ② 시든 : fruta ~ 시든 과일.
ponerse ~ 《*Méx.*》 싫증내다.

pilla *f.* 【방언】 =**pillaje.**

pillabán *m.* 《*León.*》 =**pillastre, pillete, granuja.**

pillada *f.* 장난, 난폭한 짓, 교활한 행위.

pillador, ra *adj.m.f.* 약탈하는 (사람), 강탈하는 (사람).

pillaje *m.* 약탈, 강탈(hurto, robo con violencia).
entregar al ~ 약탈하다, 강탈하다 (saquear, robar).

pillán *f.* 《*Chile.*》 악마(diablo); 악한.

pillar *tr.* [*lat.* pilare] ① 약탈·강탈하다 (hurtar, robar, apoderarse de una cosa con violencia). ② 잡다, 붙잡다(coger, agarrar) : El perro *pilló* la liebre 개는 토끼를 잡았다. ③ 【은어】 노름하다(jugar).

pillastre *m.* 나쁜 사람, 악한(pillo, bribón).

pillastrón *m.* [*aum.* pillastre] =**pillo.**

pillear *intr.* 건달 생활을 하다 (portarse como los pillos).

pillería *f.* ① pillos의 떼. ② 장난 ; 교활함.

pillete *m.* =**pilluelo.**

pillín *m.* =**pilluelo.**

pillo, lla *adj.* 장난 같은 ; 교활한. —*m.* ① 악당, 망나니 ; 교활한 인간. ② 【조류】 따오기의 일종.

pilluelo, la *adj.m.f.* [*dim.* pillo] 장난을 좋아하는 (꼬마)(chiquillo travieso).

pillullo *m.* 《*Chile. Galic.*》 속임수 : hacer un ~ 약속을 어기다.

pilma *f.* 《*Chile.*》 공놀이.

pilmama *f.* 《*Méx.*》 유모(niñera).

pilme *m.* 《*Chile.*》 말라깽이.

pilo *m.* [*lat.* pilum] ① (옛날의) 투창. ② 《*Chile.*》 토제(吐劑)로 쓰이는 관목의 일종. ③ 《*Ecuad.*》 전부, 전체(conjunto) ; 노적가리(rimero).

pilocarpina *f.* 필로카르핀 《야보란디의 알칼로이드 ; 발모소》.

pilocarpo *m.* 야보란디 《식물 이름》(jaborandi).

pilón[1] *m.* [*aum.* pila] ① 수도물터 ; (수도꼭지를 댄) 물통 : 빨래터 ; 마소에게 물 먹이는 곳. ② 맷돌, 절구통. ③ (원추형의) 고형 사탕. ④ 대저울의 분동 ; (압착기의) 눌림돌. ⑤ 《*AmérC.*》 아가씨. ⑥ 《*Arg. Chile.*》 귀가 없는 (사람·동물). ⑦ 《*Méx. Venez.*》 반(半) 센트화. ⑧ 팁.
de ~ 《*Méx.*》 공연하게, 불필요하게.
beber del ~ 남의 소문을 내다.
llevar al ~ 뜻대로 하다.

pilón[2] *m.* [*gr.* pylón] (고대 이집트의) 사문(寺門).

pilonar *tr.* 《*Chile.*》 (목축의) 한 쪽 귀를 자르다.

piloncillo *m.* 《*Méx.*》 흑설탕(azúcar prieto).

pilonera *f.* 《*Col.*》 쌓아 놓은 밀단(montón grande de trigo).

pilonero, ra *adj.* 속설(俗說)의, 소문의 ; 남의 소문내기 좋아하는.

pilongo, ga *adj.* 시든, 여윈(flaco).

pilórico, ca *adj.* 【해부】 유문(幽門)의.

piloro *m.* =**píloro, velloso.**

píloro *m.* 【해부】 (위의) 유문(幽門).

piloso, sa *adj.* =**peludo.**

pilotaje *m.* ① 수로 안내(료) (practicaje) : ~ obligatorio 강제 수로 안내. ② 조종술. ③ [집합] 말뚝.

pilotar *tr.* (선박의) 수로 안내를 하다 ; (모터 보트·비행기·자동차를) 조종하다.

pilote *m.* (기초 공사에 박아 넣는) 말뚝.

pilotear *tr.* ① =**pilotar.** ② 《*Chile.*》 비용을 부담시키다.

pilotín *m.* [*dim.* piloto] 견습 수로 안내원 (aprendiz de piloto).

piloto *m.* ① 수로 안내원 ; 운전사 ; 비행기의 조종사, 파일럿 ; 조타수(操舵手) ; 조종하는 사람. ② 지도자. ③ (차량의) 붉은 미등(尾灯).
—*adj.* 모델로 이용하는 : fábrica ~ 모델 공장.
~ *automático* 조종 로봇.
~ *aviador* 항공사, 파일럿.
~ *de altura* 원양 항로선의 선장.
~ *de puerto* 도선사(導船士).
~ *de pruebas* 테스트 파일럿.
~ *práctico* 도선사(導船士), 수로 안내인.

piltra *f.* ①【은어】=**cama.** ②《*Sal.*》=**trago de vino.** ③《*Sal.*》=**holgorio, jarana.**

piltraca *f.* =**piltrafa.**

piltrafa *f.* 가죽 뿐인 살 (carne flaca que casi no es más que pellejo). —*pl.* ①(식품 등의) 조각, 토막, 부스러기. ②《*AmérM.*》이익(ventaja).

piltrafear *tr.* 《*Chile.*》이득을 올리다.

piltrafiento, ta *adj.* ①《*Chile. Méx.*》누더기 옷을 걸친(andrajoso). ②《*Chile.*》느슨해진 (lacio).

piltrafoso, sa *adj.* 《*Perú.*》=**andrajoso.**

piltrajudo, da *adj.* 《*Perú.*》야윈.

piltre *adj.* 《*Chile.*》주름잡힌(arrugado); 느슨해진, 풀린.

piltrín *m.* 《*Chile.*》때.

piltro, tra *adj.* 《*Chile.*》=**arrugado.** —*m.* ①【은어】방(aposento, cuarto). ②【은어】매음굴의 꼬마 심부름꾼(mozo del rufián).

pilucho, cha *adj.* 《*Chile.*》【속어】맨몸·알몸의, 벌거숭이의(desnudo).

pilular *adj* píldoras의·비슷한.

¡pim! *interj.* 때리는 소리의 의성어.

pimán *m.* 《*Ecuad.*》판자로 만든 수로(acueducto).

pimentada *f.* 《*Perú.*》후추 요리(guiso de pimientos).

pimental *m.* 후추밭.

pimentero *m.* ①【식물】후추; ②후추 그릇.
～ *falso*【식물】테레빈(turbinto).

pimentilla *f.*【식물】=**duraznillo.**

pimentón *m.* ①후추; (곳에 따라) 고춧가루. ②【방언】고추 열매(pimiento).

pimentonero *m.* ①후추 상인(vendedor de pimientos). ②【조류】삐멘또네로《깃이 거무스레하고 가슴이 불그스레한 까스띠야 지방의 새》.

pimienta *f.* 후추 열매 : La ～ es aromática, ardiente y muy usada como condimento 후추는 향기롭고 맵고 또 조미료로 사용되고 있다.
～ ***loca·silvestre*** 서양 인삼목(人蔘木) (sauzgatillo). ～ ***de Chiapa·Tabasco***【식물】천인화(天人花). ～ ***falsa*** 테레빈 열매. ～ ***inglesa*** 올스파이스《향신료(香辛料)의 일종》.
comer ～ 화내다.
ser como un ～ 재치가 있고 날렵하다(ser sumamente vivo y agudo).
tener mucha ～ 눈알이 튀어나올 만큼 값이 비싸다.

pimientilla *f.* 《*Hond.*》밀랍을 공급하는 관목.

pimiento *m.* ①【식물】후추; 그 열매; 후춧가루 (pimentón). ②【식물】후추 (나무) (pimentero). ③(곡물의) 목병(roya).
～ ***colorado*** = ～ maduro.
～ ***morrón·de bonete·de bocico de buey*** 일년초 가지과 식물.
～ ***de cerecilla·de las Indias*** 가지과 식물로 여름에 흰 꽃이 핌.
～ ***loco·montano·silvestre*** =sauzgatillo.
Me importa un ～ 나는 똑같다(Me da igual).

pimío, a *adj.* 《*Chile.*》인색한.

pimpampum *m.* 일렬로 늘어선 인형을 막대기로 쓰러뜨리는 놀이.

pimpante *adj.* [*fr.* pimpant] ①화려한 : mujer ～ 화려한 여인. ②멋진, 예쁜, 아름다운 (elegante, bonito, lindo) : tocado ～ 예쁜 화장·의상.

pimpi *m.* =**tonto.**

pimpido *m.*【어류】뿔상어의 일종.

pimpín *m.* ①꼬집기 놀이(juego parecido a la pizpirigaña). ②【조류】할미새.

pimpina *f.* 《*Venez.*》물을 식히는 데 쓰이는 도기(alcarraza).

pimpinela *f.* [*lat.* bipennella]【식물】오이풀.

pimplar(se) *tr.(r.)*【속어】(술을) 많이 마시다.

pimpleas *f.pl.* =**pimpleides.**

pimpleides *f.pl.* =**las Musas.**

pimpleo, a *adj.* 뮤즈신(las Musas)의.

pimplón *m.* 《*Ast. Sant.*》폭포(salto de agua).

pimpollada *f.* 어린 나무의 숲.

pimpollar *m.* =**pimpollada.**

pimpollear *intr.* =**pimpollecer.**

pimpollecer *intr.* ㉛ 어린 싹이 트다(brotar, echar renuevos o pimpollos).

pimpollo *m.* ①어린 소나무. ②어린 나무. ③어린 싹. ④(장미의) 꽃망울. ⑤어린아이, 귀여운 아이; 젊은이(～ de oro).

pimpolludo, da *adj.* 많은 싹을 뻗친 : un árbol muy ～.

pimpón *m.* 탁구.

pina *f.* [*lat.* pinna] ①(꼭대기의) 경계석. ②(수레의) 큰 바퀴.

pinabete *m.*【식물】왜전나무(abeto).

pinacatada *f.* 《*Méx.*》[집합] =**pinacate.**

pinacate *m.* ①《*Méx.*》【곤충】(멕시코산의) 고약한 냄새를 풍기는 풍뎅이의 일종. ②쓸모없는 인간.

pinacoteca *f.* 화랑(galería), 미술관(museo de pinturas).

pináculo *m.* [*lat.* pinnaculum] ①【건축】첨탑, 뾰족탑. ②정점, 정상, 극점(極點).

pinado, da *adj.* 깃(pluma) 모양의.

pinar *m.* 소나무숲, 송림(松林). **Sinón.** pineda.

pinarejo *m. dim.* pinar.

pinariego, ga *adj.* 소나무(pino)의.

pinastro *m.* [*lat.* pinaster] 송림(松林), 소나무숲(pinar).

pinatar *m.* =**pinar.**

pinatero *m.* 《*Cuba.*》=**cao.**

pinatífido, da *adj.*【식물】깃털 모양으로 끝이 갈라진, 깊이 갈라진 : hoja ～*da*.

pinato *m.*【식물】(무르시아 지방산의) 눈잣나무.

pinatra *f.* 《*Chile.*》떡갈나무의 도토리 (열매); 먹을 수 있는 버섯.

pinaza *f.* 작은 돛배.

pincarrasca *f.* =**pincarrasco.**

pincarrascal *m.* 해변의 소나무숲.

pincarrasco *m.*【식물】지중해 연안의 소나무.

pincel *m.* [*lat.* penicillum] ①붓, 화필; 운필(運筆); 화풍(畵風) : ～ atrevido. ②그림 (그 자체). ③화가.

pincelada *f.* 붓으로 칠하기; 일필(一筆); 한번 칠하기; 붓 놀리기.
dar la última ～ 끝마무리하다.

pincelar *tr.* 붓으로 칠하다; 칠하다; 그리다 (pintar).

pincelazo *m.* =**pincelada.**
pincelero, ra *m.f.* 그림붓·화필 제조자·상인 ; 솔 제조인. —*m.* 화필 상자.
pincelote *m. aum.* pincel.
pincerna *m.f.* 술 따르는 소년·소녀(copero).
pinciano, na *adj.* 바야돌리드 《Valladolid, 이곳이 로마인의 Pintia라는 거점으로 생각되었음》의. —*m.f.* 바야돌리드 사람(vallisoletano).
pincullo *m.* 《*AmérM.*》 토인의 피리의 일종.
pincha *f.* =**pincho.**
pinchaco *m.* 《*Arg.*》 =**tapir.**
pinchadura *f.* 찌르기 ; 찔린·쏘인 상처(pinchazo).
pinchar *tr.* ① 찌르다, 쏘다 (picar, punzar) : ~*se* un dedo 자기의 손가락을 쿡 찌르다. Hizo un ruido igual que cuando *se pincha* una rueda 바퀴가 터질 때와 같은 소리를 냈다. ② 사주하다 (picar, estimular). ③ 노하게·성나게 하다(enojar). ④ 《*PRico.*》 신기한 듯이 보다, 들여다보다. ***Ni pincha ni corta*** 해롭지도 이롭지도 않고 그저 그렇다.
pincharar *tr.* =**conocer, percibir.**
pinchaúvas *m.* 【단·복수 동형】 ① (점포의) 포도 도둑. ② 비열한 인간.
pinchazo *m.* ① 찌르기 : dar un ~ 쿡 찌르다. Ella, riendo, me dio un ~ de alfiler 그녀는 웃으면서 핀으로 쿡 찔렀다. ② 쏘인 상처, 찔린 상처. ③ 독설 ; 사주.
sufrir·tener un ~ 빵꾸가 나다.
pinche, cha *m.f.* ① 부엌에서 심부름하는 사람. ② 《*Arg.*》 사무실에서 허드렛일 보는 사람. —*m.* ① 《*Arg. PRico.*》 부인 모자에 꽂는 핀. ② 《*Col.*》 야윈 말. ③ 《*Méx. PRico.*》 망나니 (bribón).
pinchecillo *m.* 《*Perú.*》 【동물】 (아메리카산의) 작은 원숭이.
pincheira *f.* 《*Sal.*》 작은 폭포(pequeño salto de agua).
pincho *m.* ① 바늘, 가시 : alambre de ~ 철조망. ② 꼬챙이 ; (하물 검사에서의) 꼬챙이.
pinchón *m.* 【조류】 검은방울새(pinzón).
pinchonazo *m.* 《*Chile.*》 =**pinchazo.**
pinchoso, sa *adj.* 가시투성이의, 가시가 많은.
pinchudo, da *adj.* =**pinchoso.**
pinchulear *tr.* 《*Bol.*》 꾸미다, 단장하다, 성장하다, 장식하다(adornar).
pindárico, ca *adj.* 삔다로 《Píndaro, 기원전 5세기경 그리스의 서정 시인》 (풍)의.
pindó *m.* 《*Arg.*》 =**coco.**
pindonga *f.* 거리를 어정거리기를 좋아하는 여자 (mujer amiga de callejear).
pindonguear *intr.* 여자가 거리를 배회하다(callejear).
pineal *adj.* 솔방울 모양의.
glándula ~ 뇌의 송과선(松果腺) : La *glándula* ~ es el vestigio de un tercer ojo.
pineda[1] *f.* [*lat.* pinetunm] 소나무숲(pinar).
pineda[2] *f.* 양말 댓님(cinta manchega)의 일종.
pinedo *m.* 《*AmérM.*》 =**pineda, pinar.**
pinga *f.* 《*Filip.*》 짐을 나를 때 쓰이는 장대.
pingada *f.* 《*León.*》 =**lamparón.**
pingajo *m.* (옷에서 늘어 뜨려진) 너덜너덜한 조각.
pingajoso, sa *adj.* 누더기의, 지저분한, 너덜너덜한, 누덕누덕한(haraposo).
pinganello *m.* (통에서 늘어진) 고드름(calamoco).
pinganilla *m.* 《*Amér.*》 =**lechuguino, pisaverde.**
en ~***s*** ① 《*Col.*》 발돋움하여. ② 《*Méx.*》 웅크리고 (en cucilillas). ③ 불안정한 상태로.
pinganillada *f.* 《*Perú.*》 화려함, 멋, 우아, 우미(優美)(elegancia).
pinganillo, lla *adj.* ① 《*Bol. Ecuad.*》 우아한, 화려한, 잘 차려 입은, 성장(盛裝)한. ② 《*Col.*》 땅딸막한(rechoncho). —*m.* =**calamaco.**
pinganitos (en) *adv.* 높은 지위로, 번창한 재산으로.
pingar *intr.* 8 ① 물방울을 떨어뜨리다 (gotear). ② 깡충깡충 뛰다(brincar).
pingarrona *f.* 천박한 여자.
pingo *m.* ① 누더기 ; 지저분한 인간. ② 《*Arg.*》 사나운 말. ③ 《*Chile.*》 야윈 말. ④ 《*Méx.*》 악마 (diablo). —*pl.* 여자의 싸구려 옷.
andar·estar·ir de ~ (여자가) 뻔질나게 돌아다니다(estar callejeando).
pingopingo *m.* 칠레산 송백과 관목.
pingorota *f.* (산의) 꼭대기, 봉우리.
pingorote *m.* 튀어나온 것(punta saliente).
pingorotudo, da *adj.* 높은, 높이 솟은 (empinado, alto).
pingotear *intr.* 《*Bol.*》 말이 뛰다 (dar saltos el caballo).
ping pong *m. ing.* 탁구 (tenis de mesa) : bola de ~ 탁구공.
pinguchita *f.* 《*Chile.*》 꼬챙이처럼 마른 여자.
pingucho, cha *m.f.* 《*Chile.*》 (보통의) 어린이, 아기. —*m.* 《*Chile.*》 가벼운 점심 식사 (almuerzo ligero).
pingue *m.* [*hol.* pink] 거룻배.
pingüe *adj.* ① 기름진 (craso) : cuerpo ~. ② 많은, 풍부한, 푸짐한 (abundante) : obtener ~*s* beneficios.
pingüedinoso, sa *adj.* 기름기가 많은 (grasiento).
pingüino *m.* 【조류】 펭귄 (pájaro bobo) : Los ~*s* son excelentes nadadores.
pinguosidad *f.* 비계, 돈지(豚脂), 지방, 기름기(grasa, manteca, untuosidad).
pingurucho, cha *m.f.* 《*Chile.*》 =**pingucho.**
pinífero, ra *adj.* 【시어】 소나무가 우거진 : monte ~.
pinillo *m.* 【식물】 근육초(筋肉草).
pinina *f.* (캘리포니아산의) 소나무에서 채취한 당분질.
pinino *m.* 《*And. Amér.*》 =**pinito** : hacer ~*s* 아장아장 걷다. [*N.* 베네수엘라에서는 penino].
pinípedo, da *adj.* =**pinnípedo.** —*m.pl.* =**pinnípedos.**
pinito *m.* [주로 *pl.*] (어린이·병을 앓고 난 사람의) 걸음마, 아장아장 걷기 : hacer ~*s* 아장 아장 걷다.
~ ***de flor*** 【식물】 =carraspique.
pinjante *adj.* 매달린. —*m.* 늘어뜨리는 장식 (adorno colgante).
pinna *f.* ① =**pulma, aleta.** ② =**pabellón de**

oreja.

pinnado, da *adj.* 【식물】 (잎의) 깃털 모양의.

pinnatífido, da *adj.* =**pinnado.**

pinnípedo, da *adj.* 【동물】 지느러미발 무리의 (동물). —*m.pl.* 지느러미발 무리 《물개 등》.

pino *m.* [*lat.* pinus] ①【식물】 소나무 : ~ alerce 낙엽송. ~ doncel piñonero 남구송(南歐松) 《가지는 우산 모양이며 열매는 식용》. ~ rodeno 지중해 연안의 나무(pincarrasco). ②【시어】 선박, 배(nave). ③《*Chile.*》 (빵 같은 데 끼워 먹는) 저민 살코기.

en el quinto ~ 매우 멀리(muy lejos).

pino, na *adj.* 급경사의, 깎아지른 듯한 (muy pendiente) : cuesta bastante ~*na* 급경사의 언덕. —*m.pl.* 걸음마, 아장아장 걷기 : hacer ~*s*. *en* ~ 서서, 똑바로.

pinocha *f.* ① 솔잎(hoja del pino). ②【방언】 옥수수의 이삭(panoja de maíz).

pinochera *f.* 《*Ar.*》 옥수수 이삭을 덮고 있는 화포(espata).

pinocho[1] *m.* 《*Cuenca.*》 어린 소나무, 작은 소나무.

pinocho[2] *m.* [*ital.* Pinocchio] 동화의 인물.

pinol *m.* ① 바닐라를 넣은 향료. ②《*Méx.*》 볶은 옥수수 가루(를 넣은 음료수).

pinolate *m.* 《*Méx.*》 =**pinol.**

pinole *m.* =**pinol.**

pínole *m. mej.* 《*Méx. AmérC.*》 =**pinol.**

pinolero, ra *m.f.* 《*AmérC.*》【희언】 니까라구아 사람(nicaragüense).

pinolillo *m.* ①《*Méx. Guat.*》 붉고 작은 벌레. ②《*Hond.*》 설탕, 카카오, 계피를 넣어 가루로 만든 옥수수 가루(pinol molido con azúcar, cacao y canela).

pinoso, sa *adj.* 소나무가 있는.

pinré *m.* 【은어】 =**pie.**

pinrel *m.* 【은어】 =**pie.**

pinsapar *m.* pinsapo의 숲 · 삼림.

pinsapo *m.* 【식물】 론다 소나무 《서반아 남부 산지의 정원용 송백류 식물》 : El ~ puebla la Serranía de Ronda.

pinta[1] *f.* ① (동물의 깃털 · 털빛 · 광물면 등의) 무늬, 반점, 얼룩, 홀치기 무늬(mancha) : tela de ~*s* negras. ② 표적, 표 (señal) ; 겉보기, 모양, 풍채 ; 키 ; …다움 : Tiene ~ de torero 투우사다운 데가 있다. descubrir · sacar una cosa por la ~ 모양으로 낌새를 알아채다. ③ 물방울(gota). ④ 발진 티푸스 (tabardillo). ⑤《*AmérM.*》 (가축의) 털 빛깔, 털의 결. ⑥ (가축의) 혈통, 계통(linaje). ⑦《*SDgo.*》 흑인종.

¡Vaya ~ ! 재수가 없군.

hacer la ~ 《*Méx.*》; *irse de* ~ 《*AmérC.*》 학교를 빼먹다 ; 사보타주하다.

no dejarse ver la ~ 《*Amér.*》 뱃속 · 속마음을 드러내 놓지 않다.

no quitar ~ 쌍둥이 같다, 아주 닮았다.

pinta[2] *f.* [*ing.* pint] 액체의 계량.

pintacilgo *m.* 【조류】 분홍방울새(jilguero).

pintacopas *m.* 《*Cuba.*》 색골, 호색가, 색한.

pintada *f.* ①【조류】 색시닭, 주계(珠鷄) : La carne de la ~ es bastante estimada. ②《*Salv.*》 그림 물감의 한번 칠하기(mano de pintura).

pintadera *f.* 장식용 과자에 무늬를 그려 넣는 기구.

pintadillo *m.* =**pintacilgo.**

pintado, da *adj.* [pintar의 *p.p.*] ① 색칠한, 채색한 : un coche ~ *de* rojo 빨간색을 칠한 자동차. ② 화장한. ③ 얼룩 무늬가 있는 (pintojo). ④ 아주 정확한, 꼭 들어맞는, 빈틈없는 (exactísimo) : estar · venir (como) ~ 꼭 들어맞다 · 잘 어울리다 (venir a punto). ⑤《*Amér.*》 닮은 (parecido, semejante) : Salió ~ *al* padre 아버지를 닮고 태어났다.

el más ~ 가장 솜씨 좋은 사람 · 경험자 : Se lo pegan *al más* ~.

pintamonas *m.f.* 【단 · 복수 동형】 엉터리 화가 (pintor poco hábil).

pintar *tr.* ① ㄱ) 그리다 : ~ un retrato 초상화를 그리다. ㄴ) (색채적으로 선명하게) 그려 내다, 묘사하다 : ~ una escena 무대를 묘사하다. ② (…에) 색을 칠하다, 칠하다(cubrir con un color) : ~ la pared *de* verde 벽을 녹색으로 칠하다. ③ 쓰다, 덧쓰다 : No se olvide de ~ una tilde en la Ñ Ñ자 위에 떨데를 쓰는 것을 잊지 마세요. ④ 과장하다 : Es muy amigo de ~ 과장해서 말하는 사람이다. Lo *pintas* demasiado 자네 이야기는 너무나 과장하고 있다. —*intr.* ① (과일 따위가) 물들다 (empezar a mostrar su color las frutas maduras). ② (드디어) 본성 · 근성이 나타나기 시작하다 (empezar a mostrarse la calidad de algunas cosas). ③ 척하다, 거짓 꾸미다. ④ (부정문 · 부정적 의문문으로) 볼일이 있다 (importar, significar) : ¿Qué *pintas* aquí? — Yo aquí *no pinto* nada 너는 여기서 무슨 볼일이 있지? —아무 볼일도 없어.

~se ① (과일이) 물들다 : Las peras *(se) pintan.* ② 얼굴에 화장을 하다 : Tú *te pintas* demasiado 너는 화장을 너무 했군.

~la 거드름피우다, 척하다, 얌전 떨다.

~se solo para + *inf.* (어떤 일에서만) 뛰어나다 : El *se pinta solo para* ganar dinero 그는 돈을 버는 데만 뛰어나다.

pintarrajar *tr.* =**pintarrajear, pintorrear.**

pintarrajear *tr.* 더덕더덕 칠하다, 아무렇게나 바르다(pintorrear).

~se 더덕더덕 화장하다, 되는 대로 분칠을 하다 : ~*se* la cara 얼굴에 더덕더덕 화장을 하다.

pintarrajo *m.* 더덕더덕 바르기 ; 서툰 그림 (pintura muy mal hecha).

pintarroja *f.* 【어류】 뿔상어(lija).

pintarrojo *m.* 《*Gal.*》【조류】 =**pardillo.**

pintear *intr.* 이슬비가 내리다(lloviznar).

pinteño, ña *adj. m.f.* 삔또《Pinto, 마드리드 주에 있는 마을》의 (사람).

pintiparado, da *adj.* ① 아주 비슷한 (muy parecido). ② 적절한, 꼭 어울리는 : ~ *para* el caso. ③《*Bol. Perú. PRico.*》 거만한. ④《*Chile. Ecuad.*》 멋을 부린, 성장한, 단장한.

pintiparar *tr.* ① 비교하다(comparar). ② 닮게 하다 · 만들다, 비슷하게 하다.

pinto *m.* 【은어】 넥타이 핀, 가슴에 꽂는 핀.

Pinto *m.* 【인명】 삔또.

estar entre ~ y Valdemoro 얼근히 취해 있다 (estar medio borracho, estar a medios pelos).

pinto, ta *adj.* ①《*Amér.*》 흑백의 얼룩이 있는, 얼룩점의. ②《*Cuba.*》 빈틈없는. ③《*Méx.*》 더

러운, 추접한 ; 인색한. ④《PRico. Venez.》 비슷한(pintado). ⑤《Venez.》 술취한(ebrio).
—*m.* 《Col. Méx.》 모반의 병(病).
ño ~ 《Chile.》 남에게 신세지는 것을 좋아하는 사람.
ser ~, *rabón y mocho* 《Cuba.》 어딘가 수상쩍은 사람.

pintojo, ja *adj.* 얼룩점(mancha)이 있는.

pintón, na *adj.* ①제 빛이 돌기 시작한 (포도). ②설구운·설구어서 울퉁불퉁한 (벽돌). ③얼룩이 있는 (동물). ④《Amér.》 제 빛이 돌기 시작한 (과일). ⑤《Chile.》 화색이 돌기 시작한 (젊은이).
—*m.* (옥수수의) 속을 갉아먹는 벌레의 일종.

pintonear *intr.* 《Amér.》 (과일에) 제 빛이 돌다.

pintonera *f.* 《Venez.》 술취함(borrachera).

pintor, ra *m.f.* 화가 ; 칠장이, 페인트공 : ~ de brocha gorda 페인트공, 도장공 ; 엉터리 화가.
—*adj.* 《Amér.》 촌스러운(pinturero).

pintora *f.* 여류 화가 ; 화가의 처.

pintoresco, ca *adj.* ①그림 같은, 색체적인 : un pueblo ~ 그림같은 마을. ¡Qué paisaje más ~! 정말 그림 같은 경치로군. ②생생한(vivo y animado) : estilo sumamente ~.

pintoresquismo *m.* 그림 같은 것 ; 생생한 것.

pintoretear *tr.* 《Cuba.》 =**pintorrear.**

pintorrear *tr.* 더덕더덕 칠하다 (pintar mal y sin arte).

pintura *f.* ①화법 ; 회화, 그림 : Ella aprende la ~ con un célebre pintor 그녀는 유명한 화가에게 그림을 배우고 있다. ②묘사 (descripción) : Háganos la ~ de las costumbres de aquel país 그 나라의 풍습을 말씀해 주십시오. ③페인트칠 : ¡Cuidado con la ~! 페인트칠 주의! ④페인트, 도료 : La ~ de esta pared no está seca 이 벽의 페인트는 마르지 않았다.
~ *a la aguada* 수채화.
~ *al fresco* 프레스코화(畵).
~ *a oleo* 유화.
~ *al alquitrán* 콜타르 도료.
~ *al temple* 묽은 그림 물감.
~ *alumínica* 알루미늄 도료.
~ *anticalórica* 내화(耐火) 페인트.
~ *de aceite* 유성 페인트.
~ *de secado rápido* 건조성 페인트.
~ *incombustible* 불연성 도료.
~ *luminosa* 야광 도료.
no poder ver a uno *ni en la* ~ (누구의) 얼굴도 보고 싶지 않다.

pinturear *intr.* 《Col.》 거창하게 굴다, 호들갑을 떨다.

pinturería *f.* 《Arg. Perú.》 화구 용품점, 화방.

pinturero, ra *adj.m.f.* 유난히 멋부리기 좋아하는 (사람) ; 새침데기 ; 거만스러운 (사람) : niña muy ~*ra.*

pinturriento, ta *adj.* 《Méx.》 천한, 비천한 ; 비겁한(pinto).

pinuca *f.* 《Chile.》 =**holoturia.**

pínula *f.* [*lat.* pinnula] (조준기의) 들여다보는 구멍, 시준기(視準器).

pinza *f.* 집는 물건.

pinzar *tr.* ⑨ (집게·손가락 등으로) 집다.

pinzas *f.pl.* [*fr.* pince] ①핀셋 (tenacillas) : ~ de cirujano 외과 의사의 핀셋. ②(게 등의) 집게손.

pinzoleta *f.* 《Murc.》 =**curruca.**

pinzón *m.* ①【조류】 방울새 : El plumaje del ~ es rojo obscuro con manchas azules, verdes y negras. ②(펌프의) 손잡이.
~ *real* 【조류】 멋쟁이새.
~ *de las montañas* 【조류】 되새.

pinzote *m.* 【해사】 조타간(操舵桿).

piña *f.* [*lat.* pinea] ①(소나무·삼나무 등의) 구과(毬果), 솔방울 (fruto del pino) ; 솔방울처럼 생긴 것, 덩어리 : hacer ~ 엉기다. ②솔방울 매듭《줄 묶는 법》. ③파인애플 (ananás, ~ de América). ④필리핀산 파인애플 나뭇잎의 섬유로 짠 피륙. ⑤단결, 도당, 동지회. ⑥용광로의 연결 연돌. ⑦(정련 과정의) 은덩이. ⑧【방언】 칠면조의 볏. ⑨《Ant.》 (차바퀴의) 바퀴통 (cuba, cubo de rueda). ⑩【방언】《Amér.》 주먹질(puñeta).
coger la ~ 《Cuba.》 상기되다(abochornarse).
estar en la ~ 《Cuba.》 곤궁한·어려운 처지에 있다.
meterse en la ~ 《Cuba.》 주눅들다, 겁을 집어먹다.

piñacha *f.* 《Chile.》 ①민물게(cangrejo)의 일종. ②오동포동하게 작은 여자.

piñal *m.* ①《Sal.》 =**pino.** ②《Amér.》 파인애플 밭.

piñata *f.* [*ital.* pignatta] ①냄비(olla). ②(가장무도회나 어린이 생일 잔치에서 눈을 가리고 작대기로 때려 부수게 만든) 과자를 넣어 매달아 놓은 허수아비. ③《Chile. Arg.》 서로 빼앗기 (arrebatiña). ④《Chile.》 풍부(abundancia).

piñatería *f.* 《Venez.》 강도.

piñén *m.* 《Chile.》 지저분한 것, 때(mugre).

piñizcar *tr.* ⑦ 《Chile.》 꼬집다(pellizcar).

piñizco *m.* 《Chile.》 꼬집기.

piño *m.* [주로 *pl.*] ①이(diente). ②《Chile.》 가축의 무리, 그 일부.

piñón *m.* ①솔방울, 소나무의 씨. ②【식물】 삐논 소나무《열대 아메리카산으로 수지·약품·염료를 얻음》. ③(나귀를 모는 사람이 타는) 맨 꽁무니의 나귀. ④(새의 날개의) 관절 ; (매의 날개의) 꽁지깃. ⑤【기계】 (큰 톱니바퀴를 따라 움직이는) 작은 톱니바퀴 : ~ de diez velocidades 10단 변속 톱니바퀴. ⑥양산 톱니바퀴(~ cónico). ⑦(자전거의) 뼈대, 바퀴통. ⑧(현미경의) 조절 나사. ⑨(총의) 격철(擊鐵), 공이치기.
comer los ~*es* 성탄절의 밤을 보내다 : El año pasado *comí los* ~*es* en la casa de mis tíos 나는 작년에 숙부모님 댁에서 크리스마스 이브를 보냈다.
estar a partir un ~ *con* …와 친교를 맺고 있다, 친밀하다(estar mucho bien con).

piñonata *f.* 편도(扁桃)의 설탕 절임 통조림.

piñonate *m.* 잣의 설탕 절임.

piñoncillo *m.* =**piñón.**

piñonear *intr.* ①(자고새가) 울다. ②성적인 매력이 생기다, 어른스러워지다 ; 암내를 내다. ③(총의 격철을 세울 때) 찰칵하는 소리가 나다.

piñoneo *m.* piñonear 하기.
piñonero *adj.* 소나무의 : pino ~ 남구(南歐) 소나무. —*m.* 【조류】 멋쟁이새(pinzón real).
piñorar *tr.* 【고어】=**pignorar, empeñar.**
piñuela *f.* ① [드뭄] 비단천. ② 실 노송나무 열매. ③ 용설란의 일종.
piñuelo *m.* ① =**erraj.** ② 《*Murc.*》 =**granillo.**
piñufla *adj.* 《*Chile.*》 얕잡아 볼 만한, 경멸할 만한(despreciable).
piñufle *adj.* 《*Arg.*》 =**mezquino.**
piñusco *m.* 《*Arg.*》 노적(가리), 쌓아올림, 무더기(peñusco).
pío *m.* ① 삐약삐약 《병아리의 울음 소리 · 어미를 부르는 소리》. ② 열망. ③ 【은어】 술.
pío, a[1] *adj.* [*lat.* pius] ① 신앙심이 돈독한, 경건한(devoto). ② 인정이 많은(misericordioso) ; 다정한. ③ 자선의 : obra *pía* 자선 사업(obra de beneficencia).
pío, a[2] *adj.* [*fr.* pie] (흰 바탕에) 얼룩이 있는 (소 · 나귀 등).
piocha *f.* ① 머리 장식, 비녀 ; 깃털 장식. ② (미장이가 쓰는) 모서리를 깎는 장치. ③ 《*Méx.*》 배 모양의 수염(perilla). —*adj.* 《*Méx.*》 훌륭한 (젊은이) ; 희한한 (물건).
piogenia *f.* 【의학】 화농.
piogénico, ca *adj.* 【의학】 화농 (작용)의.
piógeno, na *adj.* 【의학】 화농의.
piojento, ta *adj.* 이의 ; 이투성이의 (piojoso) : muchacho ~.
hierba ~ta 이풀 《살충제로 쓰임》.
piojera *adj. hierba* ~ 이풀 (estafisagria). —*f.* ① 이투성이, 그 장소. ② 《*Amér.*》 =**piojería.** ③ 《*Chile.*》 【속어】 =**barba.**
piojería *f.* ① 이투성이. ② 째지게 가난함, 극빈 상태(miseria, pobreza, extremada).
piojero *m.* 《*AmérC. Col. Venez.*》 =**piojería.**
piojillo *m.* 깃털 이 《새에 꼬이는 이》.
matar el ~ 은밀하게 일을 추진하다.
piojito *m.* 《*Arg.*》 【조류】 반금류새 (pajarito trepador).
piojo *m.* [*lat.* pediculus] ① 【곤충】 이 ; 깃털 이 (piojillo) : ~ de mar 바다 이 ; 바다 짐승에 붙는 이. ② 기생적인 인간 : ~ pegadizo 남에게 빌붙어서만 살아가는 기생충 같은 인간. ~ resucitado 교활하게 구는 사람.
como ~(s) en costura 거북하게 하여 ; 근질근질하게.
caer ~ 《*Col.*》 주눅들다, 겁내다 ; 못쓰게 되다, 썩다.
dar el ~ ① 《*Ant.*》 죽다 ; 파산하다 ; 잠들다. ② 《*Guat.*》 타락하다 ; 몸을 망치다. ③ 《*Méx.*》 재수에 옴이 붙다.
piojoso, sa *adj.* ① 이투성이의 (que tiene muchos piojos). ② 불결한, 더러운 (사람). ③ 인색한 (mezquino, miserable, avaro).
piojuelo *m.* [*dim.* piojo] =**pulgón.**
piola *f.* ① 【해사】 끈 밧줄. ② 《*AmérM.*》 끈 실, 실(bramante).
piolar *intr.* 삐약삐약 울다(pipar).
piolín *m.* 《*Chile.*》 노끈, 끈(cordelito).
pión, na *adj.* 자꾸 삐약삐약 우는.
pioncarse *r.* 7 《*Chile.*》 바지를 벗다.
pionco, ca *adj.* 《*Chile.*》 =**desnudo.**
pionero, ra *m.f.* 개척자, 선구자. —*m.* 【속어】 조종자 : ~ del avión.
pionía *f.* (베네수엘라 토착민들이 염주처럼 꿰어 목걸이로 쓰는) bucare 나무 열매.
pionono *m.* 《*Perú.*》 카스텔라(biscocho).
piopollo *m.* 《*And.*》 =**birimbao.**
pioquinto *m.* 《*Chile. Ecuad.*》 =**pionono.**
piornal *m.* 금작화 ; 금작화밭.
piorneda *f.* =**piornal.**
piorno[1] *m.* [*lat.* viburnum] 【식물】 ① 피오르노 꽃(gayomba). ② 금작화(金雀花)(codeso).
piorno[2] *adj.* 【은어】 술취한, 만취된, 주정뱅이의 (borracho, ebrio).
piorrea *f.* 【의학】 농루(膿漏)(flujo de pus).
PIP Partido Independentista Puertorriqueño.
pipa *f.* ① 파이프, 물부리 : fumar en ~ 물부리로 담배를 피우다. ② (피리의) 물부리 ; 보리피리 (pipiritaña). ③ 통(tonel) : una ~ de vino. ④ 신관(信管), 도화선(espoleta). ⑤ 씨, 종자 (pepita) : ~ de limón. ⑥ 《*Amér.*》 (올챙이) 배 (panza).
andar en ~ 《*Chile.*》, *estar hecho una* ~ 《*Perú.*》 취해 있다.
tomar ~ 사라지다 ; 뺑소니치기 시작하다.
pipar *intr.* 파이프로 담배를 피우다(fumar en pipa).
pipe *m.* 【속어】 《*Hond.*》 형제. ② 《*CRica.*》 *desp.* 니까라구아 사람.
pipe-line *m. ing.* 도관(導管), 송유관. [*N.* 발음 : paip lain]. Sinón. oleoducto.
piperáceo, a *adj.* 【식물】 후추과의. —*f.pl.* 후추과 식물.
pipería *f.* [집합] 관(管), 파이프.
piperina *f.* 【화학】 피페린 《후추의 알칼로이드》.
piperita *adj.* 후추 냄새와 맛이 나는 (박하).
pipermina *f.* 《*Cuba.*》 박하 향.
pipero, ra *m.f.* 파이프 제조자 · 판매인.
pipeta *f.* =**bombilla.**
pipi *m.* 【속어】 ① 등신, 멍청이, 바보(tonto). ② 한 병졸(soldado de línea).
pipí *m.* ① [어린이] 쉬 (오줌) : hacer ~ 쉬하다 (orinar en el lenguaje de los niños). ② 【조류】 =**pitpit.**
pipián *m.* ① 소금에 절인 고기와 편도를 넣은 남미 요리. ② 《*Salv.*》 기어오르는 식물의 일종.
de ~ 《*Guat.*》 희한한.
pipiar *intr.* 12 [*lat.* pipiare] ① (병아리가) 삐약삐약 울다. ② 포도 송이에서 포도를 따다 (picar o arrancar uvas de un racimo).
pipiciego, ga *adj.* 《*Col.*》 장님의(cegato).
pipila *f.* 《*Méx.*》 칠면조의 암컷(pava).
pipiliciego, ga *adj.* 《*Méx.*》 눈이 먼 ; 근시안의 (cegato).
pípilo *m.* 《*Méx.*》 칠면조의 새끼(pavipollo).
pipiola *f.* 《*Méx.*》 【곤충】 깜빼체벌 《Campeche, 밀랍을 따는 작은 꿀벌》.
pipiolera *f.* 《*Méx.*》 어린이들(chiquillería).
pipiolo *m.* ① 【속어】 어린아이, 어린애, 젊은이 (chiquillo). ② 초심자, 신출내기, 햇병아리 같은 사람(principiante). ③ 《*Arg. Venez.*》 바보. ④ 《*Chile.*》 【고어】 자유주의자(liberal). ⑤ 《*Ecuad.*》 키가 작은 사람. —*pl.* 《*AmérC.*》 돈,

잔돈.
pipirigallo *m.* 【식물】 가시완두(esparceta, 목초).
pipirigua *f.* 《*Chile.*》 솜씨가 빠른 여자.
pipirijaina *f.* 【속어】 유랑 극단의 일단, 유랑 극단.
pipiripao *m.* (여러 집이 차례로 손님을 초대하는) 초대연.
de ~ 《*Amér.*》 쓸모없는, 별로 중요하지 않은 (de poca importancia).
pipiritaña *f.* 보리 피리.
pipirrana *f.* 《*And.*》 오이(pepino)와 토마토 (tomate) 샐러드.
pipistrela *f.* 【동물】 박쥐(murciélago).
pipita *f.* 《*And.*》 =**nevatilla.**
pipitaña *f.* 보리 피리.
pipo *m.* ①【조류】 골락새, 크낙새. ②《*Col.*》 구타(golpe, porrazo).
pipón, na *adj.* ①《*Amér.*》 배·복부가 큰. ②《*AmérM.*》 가득한(harto, lleno). —*m.f.* 《*PRico.*》 유아, 어린이. —*m.* ①《*Arg.*》 (250−600 ℓ 들이) 술통. ②《*Ecuad.*》 (예산을 따기 위한) 유령 고용원.
piponcho, cha *adj.* 《*Col.*》 가득해진(harto).
piporro *m.* 【속어】【음악】 =**bajón.**
pipote *m.* [*dim.* pipa] 작은 파이프·통(pipa o tonel pequeño).
pipra *f.* 《*Arg.*》【조류】 관비둘기(gallo de roca).
pipudo, da *adj.* 【속어】 희한한, 더없이 좋은 (magnífico, espléndido).
pique *m.* ① 원한 (resentimiento) : tener un ~ *con* uno 누구에게 원한을 품고 있다. ② 불굴의 정신. ③ (책갈피에 낀) 서표(書標). ④ (배에서 쓰는 Y자 모양의) 갈퀴나무, 갈퀴 기둥, 노받침. ⑤【동물】 모래 벼룩 (nigua). ⑥《*Amér.*》 고추(ají). ⑦《*Arg. Guat.*》 오솔길, 지름길.
—*adj.* 《*Chile. Ecuad.*》 얼근히 취한.
a ~ 깎아지른 듯한 : una costa *a* ~ 절벽.
echar a ~ ① 격침·침몰시키다(hundir una embarcación). ② 붕괴시키다(destruir) : *Echaron a* ~ muchas naves enemigas 그들은 많은 적함선을 침몰시켰다.
estar a ~ *de* + *inf.* ① …할 지경이다 : *Estaba a* ~ *de* caer 쓰러질 듯했다. ② (배가) 닻의 머리 위로 와 있다.
irse a ~ 침몰하다 (hundirse un buque en el mar) : El barco *se fue a* ~ cerca del cabo 배는 갑(岬) 근처에서 침몰됐다.
piqué *m.* [*pl.* piqués] 면포(tela de algodón).
piquear *intr.* 지껄이다 ; 키스하다.
piquera *f.* ① (벌집의) 입구의 구멍(agujero de entrada en las colmenas). ② (통의) 구멍. ③ (용광로의) 출탕구(出湯口). ④ 화구(火口) (mechero). Sinón. colada. ⑤《*Cuba.*》 자동차가 지루하게 손님을 기다리는 시간. ⑥《*Méx.*》 싸구려 술집, 통술집, 선술집. ⑦《*Chile.*》 두레박.
piquería *f.* 창병대(槍兵隊).
piquero *m.* ① 창병. ②【조류】 구아노새 《칠레산, 이 새의 똥이 guano》, 가다랭이새. ③《*Ecuad.*》 광부. ④《*Ecuad.*》 (곡물·시골 생산물 등을 파는) 장사꾼.
piqueta *f.* ① 도끼 모양의 곡괭이(zapapico). ②《*Chile.*》 싸구려 술.
piquetazo *m.* 《*Amér.*》 =**picotazo, pinchazo.**
piquete *m.* ① 찔린 작은 상처(picadura, pinchazo). ② (의복 등에 생긴) 작은 구멍(agujero pequeño) : hacer un ~ en la ropa. ③ (측량용) 말뚝(jalón). ④ (군의) 보초, 특무반. ⑤ (노동 쟁의의) 피켓. ⑥《*Arg.*》 작은 움. ⑦《*Col.*》 야외 도시락. ⑧《*Cuba.*》 작은 음악대.
piquetero, ra *adj.* 《*Ant.*》 실속없이 우쭐거리는. —*m.* (갱내에서 곡괭이를 나르거나 쓰는) 갱부의 심부름꾼 ; 말뚝 박는 사람.
piquetilla *f.* (미장이가 벽에 구멍을 파는 데 쓰는) 곡괭이.
piquichento, ta *adj.* 《*Perú.*》 =**piquichón.**
piquichón, na *adj.* 《*Perú.*》 절름발이의(cojo).
piquichonear *intr.* 《*Perú.*》 절름거리다.
piquillín *m.* 【식물】 삐끼인나무 《아르헨띠나산 대추의 일종 ; 열매는 소주, 뿌리는 염료의 재료》.
piquín *m.* ①《*Perú.*》 연인 (novio). ②《*Chile.*》 =**pizca.**
piquinear *intr.* 《*Perú.*》 (여자에게) 사랑을 호소하다(galantear).
piquineo *m.* 《*Perú.*》 구애 ; 구슬리기.
piquinini *m.* 《*Perú.*》 =**piquinino.**
piquinino, na *m.f.* 《*Chile.*》 어린이(chiquillo).
piquiña *f.* 《*Ant. Col.*》 욕심부리기, 탐내기 ; 부러워하기 ; 원망.
piquito *m. dim.* pico.
piquituerto *m.* 【조류】 잣새.
pira *f.* ① (옛날의) 화장단, 화형장. ② 화톳불, 모닥불(hoguera). ③【은어】 사보타주, 태업(怠業)(huelga).
piragón *m.* =**pirausta.**
piragua *f.* 《*Amér.*》 ① 통나무배. ② 남미산 덩굴 식물의 일종. ③ 조각 얼음.
piragüero, ra *m.f.* 카누·통나무배의 뱃사공·타는 사람.
piragüismo *m.* 카누 경기.
piragüista *m.f.* 카누 선수·타는 사람.
piral *m.(f.)* =**pirausta.**
piramidal *adj.* ① 원뿔꼴의 ; 첨탑 모양의. ②【해부】 쐐기 모양의.
piramidalmente *adv.* 원뿔꼴로 ; 높지막하게, 도두룩하게.
pirámide *f.* [*gr.* puramis] ①【기하】 각추(角錐) : ~ regular 정각추. ② (결정으로) 추. ③ (이집트의) 피라미드 : ~ de población 인구 피라미드, 인구 분포 그래프. ④ 산적, 노적, 무더기, 더미 : una ~ de frutas. ⑤【해부】 추체(椎體).
piramidón *m.* 【화학】 피라미돈.
pirana *f.* 《*Amér.*》 강의 물고기.
pirandón *m.* =**bribón.**
pirantón *m.* =**bribón.**
pirarse *r.* 【속어】 도망치다(largarse, huir).
pirarucú *m.* 《*AmérM.*》【어류】 =**arapaima.**
pirata *m.* [*lat.* pirata] ① 해적 : Los ~*s* ingleses asolaron las costas de Centroamérica 영국의 해적이 중미의 해안을 황폐시켰다. ② 잔인한 사람. —*adj.* ① 해적의 : bandera ~ 해적 깃발. ② 비밀의(clandestino) : emisora ~.
~ *del aire* 공중 납치 범인.
piratear *intr.* 해적질을 하다.

piratería *f.* ① 해상 약탈 ; 해적 행위 ; 약탈. ② [집합] 해적 : La ~ ha desaparecido hoy casi por completo.

pirático, ca *adj.* 해적의 ; 해적 행위를 하는, 해상 약탈을 하는.

piratona *f.* 《*Arg.*》 =**maldad.**

pirausta *f.* [*lat.* pyrausta] 불속에 사는 것으로 알려졌던 나비·나방.

piraya *f.* 《*Amér.*》 =**pirana.**

pirca *f.* 《*AmérM.*》 돌담(pared de piedra seca).

pircar *tr.* ⑦ 《*Arg. Chile.*》 돌담을 치다(cerrar con una pirca).

pirco *m.* 《*Chile.*》 강낭콩·옥수수·호박을 넣고 삶은 요리.

pirenaico, ca *adj.* 피리네오 산맥(los Pirineos)의.

pireo, a *adj.* 불(fuego)의.

pirético, ca *adj.* 【의학】 열병(fiebre)의.

piretología *f.* 열병학(熱病學), 발열학.

píretro *m.* 【식물】 제충국(除虫菊)(pelitre).

pirexia *f.* [*gr.* purexia] 【병리】 발열 상태 ; 열병.

pirgua *f.* 《*AmérM.*》 곡창(troje).

pirgüín *m.* 《*Chile.*》 【동물】 거머리, 수질(水蛭)(sanguijuela).

pirhuín *m.* =**pirgüín.**

piri *m.* 도망 : darse el ~ 도망쳐 버리다.

pirí *m.* ① 《*Riopl.*》 차일, 차양(toldo). ② 《*Arg.*》 돗자리용 골풀·왕골(junco para esteras).

pírico, ca *adj.* [드뭄] 불의, 꽃불의.

piridico, ca *adj.* 【화학】 피리딘(piridina)의 : serie ~ *ca.*

piridina *f.* [드뭄] 피리딘 《천식약》.

piriforme *adj.* 배 모양의(de forma de pera).

pirigallo *m.* 《*Cuba.*》 볏, 관모(冠毛), 도가머리 ; 박차를 매다는 틀.

piriguala *f.* 《*Chile.*》 찡그린 얼굴(mueca).

pirigullán *m.* 《*Ecuad.*》 =**granadilla.**

pirihuín *m.* 《*Chile.*》 =**sanguijuela.**

pirijao *m.* 《*Venez.*》 =**chontaruro.**

pirincho *m.* 《*Arg.*》 =**urraca.**

pirindola *f.* =**perinola.**

pirineo, a *adj.* 피리네오 산맥의.

Pirineos, los 【지명】 피리네오 산맥.

piringundín *m.* 《*Arg.*》 서민의 춤.

pirita *f.* [*gr.* puritês] 【광물】 황철광 (~ de hierro·marcial).
~ *arsenical* 유비 철광, 독사(毒砂). ~ *cobriza·de cobre* 황동광. ~ *magnética* 자철광.

piritoso, sa *adj.* 황철광을 함유한.

pirlán *m.* 《*And. Col.*》 =**mampirlán.**

pirlitero *m.* 【식물】 단상사나무(majuelo).

piro *m.* *darse el* ~ 떠나다, 가버리다(irse).

piro- *pref.* 「불」을 뜻하는 접두어.

pirobolista *m.* 지뢰 화기사(火技師)·공병.

piroelectricidad *f.* 【물리】 열전기.

pirofilacio *m.* 화실(火室) 《땅속에 있는 것으로 옛 사람들이 생각했던 불의 동굴》.

pirofórico, ca *adj.* 자연성(自燃性)의.

piróforo *m.* 자연물(自燃物).

pirofósfato *m.* 【화학】 초성 인산염.

pirogálico, ca *adj.* 【화학】 초성 몰식자산(焦性沒食子酸)의.

pirogalol *m.* 페놀카본산, 초성 몰식자산 《사진 현상약》.

pirograbado *m.* 낙화(烙畵)(술).

pirograbar *tr.* pirograbado로 장식하다.

pirografía *f.* 낙화(烙畵).

piroja *m.* 《*Chile.*》 상습 음주가.

pirola *f.* 【식물】 노루발풀.

pirólatra *m.f.* 배화교도(拜火敎徒).

pirolatría *f.* 배화교.

piroleñoso, sa *adj.* 【화학】 메틸성의, 목정(木精)의.

pirolusita *f.* 【광물】 연망간광(manganesa).

piromagnético, ca *adj.* 열자기(熱磁氣)의, 열변화 자성의.

piromancia *f.* 【고어】 불로 치는 점.

piromancía *f.* 【고어】 =**piromancia.**

piromanía *f.* 방화광(放火狂), 방화범.

piromántico, ca *adj.* 불로 치는 점의. —*m.f.* 불로 점치는 사람.

pirómetro *m.* 【물리】 고온계(高溫計).

pirón *m.* 《*Arg.*》 전골 요리식으로 먹는 만디오까 반죽.

piropear *tr.* 살살 구슬리다, 칭찬하다.

piropo *m.* [*gr.* purôpos] ① 【광물】 홍류석, 홍옥. ② 【의학】 =**carbúnculo.** —*pl.* (여자에게) 달콤한 말, 비위 맞추는 말 : decir ~*s.*

piróscafo *m.* 증기선(buque de vapor).

piroscopio *m.* 【물리】 복사열계(輻射熱計), 고온경(高溫鏡), 화재 경보기.

pirosfera *f.* 【지질】 지구의 내부의 열권(熱圈), 펄펄 끓는 용해체(溶解體).

pirosis *f.* [*gr.* purôsis] 【병리】 가슴앓이.

pirotecnia *f.* 꽃불·화약 제조(술).

pirotécnico, ca *adj.* 꽃불의, 화약의. —*m.f.* 꽃불 기술자 ; 화약 제조가.

piroxena *f.* 【광물】 휘석(輝石).

piróxena *f.* =**piroxena.**

piroxilina *f.* 면화약(pólvora de algodón).

piróxilo *m.* 【화학】 초산 처리물.

pirquén *m.* pirquinero의 일.
al ~ 《*Chile.*》 (광산에서 갱부가) 자기 부담으로, 자기 계산으로 (일하는).

pirquín *m.* 《*Bol.*》 【광물】 청부인, 하청인.

pirquinear *intr.* 《*Chile.*》 자금없이 일하다(trabajar sin recursos).

pirquinero, ra *adj.* 《*Chile.*》 ① 자금이 없는. ② (남이 한 말을) 자기 의견인 양 그대로 옮기는. ③ 교활한, 인색한. —*m.f.* 방법도 충분한 자금도 없이 일하는 광산주.

pirrarse *r.* 【속어】 [+por : …에] 빠져 정신을 못 차리다, (…을) 열망하다.

pírrico, ca *adj.m.* (고대 그리스의) 칼춤(의).

pirringa *f.* 《*Méx.*》 조각, 단편 (pedazo, fragmento, trocito).

pirringo, ga *adj.m.f.* 《*Col.*》 조그마한 (아이).

pirriquio *m.* (고대 그리스·로마의) 2단음절 각운(二短音節脚韻) ; 그 시(詩).

pirroniano, na *adj.* =**pirrónico.**

pirrónico, ca *adj.* 회의주의의(escéptico) : filósofo ~. —*m.f.* 회의주의자(escéptico).

pirronismo *m.* ① 회의주의(escepticismo filosófico) ; 회의파.

pirú *m.* 【식물】 삐루 《중앙 아메리카의 아름다운 나무》.

pirua *f.* 《*Arg. Bol.*》 곡간, 곡식 저장소.
pirueta *f.* ① (댄스·스케이트의) 발끝 회전 ; 도약(cabriola). ② (말의 뒷다리를 일으켜서 하는) 급선회.
piruétano *m.* 【식물】 =**peruétano.**
piruetear *intr.* 《*Galic.*》 (발끝 등으로) 선회하다(girar, dar vuelta).
piruja *f.* 칠칠맞은 여자 ; 매춘부.
pirujo, ja *adj.* ① 몸가짐이 정숙하지 못한. ② 《*Amér.*》 음탕한. ③ 《*AmérC.*》 불신하는 ; 이교(異敎)의. ④ 《*Hond.*》 가짜의(falso).
pirula *f.* 《*And.*》 작은 소주병.
pirulera *f.* 《*Sant.*》 실크 모자(sombrero de copa).
pirulí *m.* 캐러멜.
pirulo *m.* 《*And.*》 =**botijo.**
pisa *f.* ① 짓밟는 일 ; 짓밟기 ; (올리브나 포도를 밟는) 한번 밟기 ; 그 분량. ② [드뭄] 발로 걷어차기(patada). ③ 【은어】 뚜쟁이집.
~ ***y corre*** 《*Ant.*》 소형 합승 버스.
pisada *f.* 밟기, 짓밟기 ; 제자리 걸음 ; 발소리 ; 발자취(huella).
seguir las ~s de uno (누가) 했던 것과 똑같이 하다, 흉내내다(imitar).
pisadera *f.* 《*Perú.*》 융단(alfombra).
pisador, ra *adj.* 밟는, 짓밟는 ; 발소리도 드높게 걷는 (말). **—*m.*** ① 포도를 발로 밟아 으깨는 사람. ② 《*Col.*》 껑거리끈(cabestro).
pisadora *f.* ① 포도를 발로 밟아 으깨는 여인. ② =**pisadera.**
pisadura *f.* =**pisada.**
písamo *m.* 《*Col.*》 =**bucare.**
pisano, na *adj.* 피사 《Pisa, 이탈리아의 도시》의. **—*m.f.*** 피사 사람.
pisante *m.* 【은어】 발(pie) ; 구두.
pisapapeles *m.* 【단·복수 동형】 문진(文鎭), 서진.
pisar *tr.* [*lat.* pisare] ① 밟다, 짓밟다 : No ~ el césped 잔디를 밟지 마시오. Me *has pisado* el pie 네가 발을 밟았다. El no quiso ~ el suelo de su pueblo natal sin dinero 그는 돈없이 고향땅을 밟고 싶지 않았다. ② 다져서 단단하게 하다, 밟아 단단하게 굳히다 : ~ la tierra. ③ (포도를) 발로 짓밟다. ④ 짓밟아 버리다, 밟아 뭉개다(hollar) ; 가로채다. ⑤ (손가락으로 건반을) 두들기다, 누르다. ⑥ (새가) 교미하다 ; 수컷이 암컷을 덮치다 : ~ el palomo a la paloma 수비둘기가 암비둘기와 교미하다. ⑦ (물건의 일부를) 덮다, 가리다. **—*intr.*** 위층의 마루가 아래층의 방의 천장으로 되어 있다.
~se 《*Arg.*》 실수하다, 잘못을 저지르다, 잘못하다(equivocarse).
~ ***la comida*** 《*Ant.*》 식후에 술을 마시다.
pisasfalto *m.* 아스팔트의 일종.
pisatario, ria *adj.m.f.* 《*Venez.*》 소작인(의).
pisaúvas *m.* 【단·복수 동형】 (포도주를 빚을 때의) 포도 밟기 ; 밟는 사람(pisador).
pisaverde *m.* 징글맞은 남자, 여자처럼 아양떠는 남자, 여자를 호리는 남자, 잰체하는 남자(joven muy presumido).
pisca *f.* ① 《*Col.*》 매춘부. ② 《*Méx.*》 옥수수의 수확 ; 수확하는 옥수수. ③ 《*Venez.*》 얼근한 취기.
piscacha *f.* 《*AmérC. Méx.*》 =**pizca.**
piscamocha *f.* 《*Méx.*》 매춘부, 갈보, 잡녀.
piscapocha *f.* =**piscamocha.**
piscar *tr.* 7 《*Méx.*》 (옥수수를) 거두어 들이다.
piscator *m.* 천문 기상력 (天文氣象暦), 천기 예보력.
piscatoria *f.* 어부가(漁夫歌).
piscatorio, ria *adj.* 물고기의 ; 어부의 ; 어업의.
pisci- *pref.* 「물고기」「어(漁)」를 뜻하는 접두어.
pisciceptología *f* . 양어술.
piscícola *adj.* 양어(법)의.
piscicultor, ra *m.f.* 양어가.
piscicultura *f.* 양어, 양어법 : La ~ ha permitido repoblar muchos ríos 양어는 많은 강에 재입식케 한다.
piscicultural *adj.* =**piscícola.**
piscifactoría *f.* 양어장 《건물·설비의 전체》.
pisciforme *adj.* 물고기 모양의.
piscina *f.* [*lat.* piscina] ① 도랑, 못, 웅덩이, 양어 연못. ② (고대 로마의) 욕천(浴泉) ; 수영장, 풀 : ~ al aire libre 옥외 수영장. ~ cubierta 실내 수영장. ~ climatizada 공기 조절된 풀. ③ 성수반(pila) ; 세례장.
piscinal *adj.* 못·웅덩이의 ; 수영장의.
Piscis *m.* 【천문】 **물고기자리(Peces); 쌍어궁** 《12궁의 제12》.
piscívoro, ra *adj.m.f.* 물고기를 먹고 사는 (사람)(ictiófago).
piscle *m.* 《*Méx.*》 여윈 말.
pisco *m.* ① 《*AmérM.*》 삐스꼬 《뻬루의 Pisco에서 만드는 술의 일종》 ; 이것을 넣은 항아리. ② 《*Col.*》 칠면조. ③ 놈, 인물(sujeto). ④ 《*Venez.*》 주정뱅이(borracho).
piscoira *f.* 《*Bol.*》 매춘부, 갈보, 창녀.
piscoiro, ra *adj.* 《*Chile.*》 반한, 사랑하고 있는(enamorado). **—*m.*** ① 《*Chile.*》 영특한 아이. ② 《*Arg.*》 불륜의 연인 ; 애인(amante).
piscolabis *m.* 【단·복수 동형】 ① 간단한 식사, 간식, 곁두리 : tomar un ~. ② 《*Amér.*》 식전·입가심으로 마시는 술.
piscología *f.* 《*Perú.*》 【은어】 삐스꼬 (pisco)를 좋아하는 행위.
pise *m.* pasar하기.
pisgote, ta *m.f.* ① 《*Hond.*》 너무 자란 소녀. ② 《*Guat.*》 천한 사람.
pisicorre *f.* 《*Ant.*》 소형 합승 버스(pisa y corre).
pisiforme *adj.* 완두 모양의.
pisingallo *m.* 《*Arg.*》 옥수수의 일종.
pisistrátida *adj.* 삐시스뜨라또 《Pisistrato, 히포크라스의 아들이며 Solón의 친척 (기원전 612 — 527)》의.
pisiútico, ca *adj.* 《*Chile.*》 아니꼬운.
piso *m.* ① 밟는 일, 짓밟기 ; 발소리. ② 층, 계단, 방바닥, 마룻바닥(suelo) : ~ de ladrillo 벽돌 방바닥. de tres ~*s* 3층 건물의. ~ bajo 일층. primer ~, ~ principal, ~ primero 2층. último ~ 마지막 층. El tiene su habitación en el ~ quinto 그는 6층에 방을 가지고 있다. Ellos viven en el ~ octavo 그들은 9층에 살고 있다. ③ 층계참. ④ 지면, 길바닥, 노면 : Esta calle tiene buen ~ 이 길은 노면이 좋다. El ~ está muy mojado 지면이 무척 젖어 있다. ④ 구

두나 양말 바닥·뒤(suela) : zapatos con ~ de goma 고무 창을 댄 구두. ⑤ 돌차기 놀이. ⑥ 승원 내의 속인이 지내는 방. ⑦【광산】갱상(坑床), 수평 갱도. ⑧ 다른 마을 젊은이가 어느 마을 아가씨를 구슬릴 때 그 마을 젊은이들에게 내는 한턱. ⑨《*Chile.*》발판. ⑩《*Chile. Perú.*》길쭉한 융단. ⑪ (아파트 등의 개개의) 주택(vivienda); (고급) 아파트 : un ~ de cinco habitaciones 방이 다섯 개인 아파트.

pisolito *m.* 완두 크기만한 석회석.

pisón *m.* ① 달구《땅을 다지는 기구》, 쑤셔 넣어 다지는 기구 : a ~ 달구를 써서 (눌러 다지다). ②【주조】스탬프 : ~ atacador 무엇을 재는 쇠꼬챙이. ③《*Amér.*》=**pisotón.**

pisonear *tr.* 때려 박다, 쑤셔 넣다(apisonar).

pisotear *tr.* ① 자주 밟다. ② 질근질근 밟다, 밟아 뭉개다(humillar).

pisoteo *m.* 짓밟기; 세게 밟는 발소리.

pisotón *m.* (남의 발을) 짓밟기.

pispa *f.* ①《*Can.*》【조류】카나리아의 일종. ②《*Can.*》말괄량이 소녀(muchacha vivaracha). ③《*Perú.*》갈라진 금.

pispajo *m.*《*Sant.*》누더기, 넝마(harapo).

pispar *intr.*《*Chile. Riopl.*》(알고 싶어) 냄새 맡고 다니다. —*tr.*《*Bol.*》남의 것을 슬쩍하다(hurtar).

~se《*Perú.*》금이 가다, 균열이 생기다.

pispicia *f.*《*Chile.*》=**perspicacia.**

pispiciento, ta *adj.*《*Chile.*》섬세한, 자상한, 세밀한, 자잘한(minucioso).

pispo, pa *adj.*《*Col.*》귀여운, 고운(mono); 으시대는. —*f.*《*Arg.*》영리한 여자.

pisporra *f.*《*Hond.*》아주 큰 사마귀.

pisqueña *f.*《*Chile.*》버터 그릇.

pista *f.* 족적(足跡), 발자취 : la ~ de una liebre 토끼의 발자취. seguir la ~ 추적·추구하다. ② 형적. ③ (경마장 등의) 경주로(~ de carreras), 트랙 : ~ sonora (de la película) 사운드 트랙. ④ 활주로 (~ de aterrizaje·despegue). ⑤ 링 : ~ de patinaje 스케이트링. ⑥ 고속 도로(autopista).

ponerse a la ~ 발견하려고 애쓰다.

pistache *m.* pistachero 열매로 만든 과자·아이스크림.

pistachero *m.*【식물】프스다스 (alfóncigo), 피스타치오.

pistacho *m.* 프스다스의 열매.

pistadero *m.* 절구공이.

pistar *tr.* [*lat.* pistare] ① 절구에 갈아 빻다 : ~ la carne para un enfermo. ②《*Perú.*》목을 베다.

piste *m.*《*Col.*》mazamorra를 만드는 데 사용하는 옥수수.

pistero *m.* 빨아 마시는 기구.

pistilo *m.* [*lat.*pistillum]【식물】암술, 암꽃술 : El ~ consta de ovario, estilo y estigma 암술은 씨방, 암술대 및 암술 머리로 구성된다.

pistinoso, sa *adj.*《*Arg.*》눈곱투성이의.

pistiño *m.*《*Chile.*》=**pestiño.**

pisto *m.* [*lat.* pistus] ① (환자 등에게 주는) 과즙; 잡동사니. ②《*AmérC.*》돈(dinero). ③《*Méx.*》술, 음료수.

a ~s 조금씩, 많지 않게.

de ~ en ~《*Bol.*》조금씩.

darse ~ 거드름피우다.

pistola *f.* [*ital.* pistolese] ① 권총, 피스톨 : ~ automática 자동 권총. ②《*Venez.*》=**tonto, necio, bobo.**

pistoleda *f.*《*Col. Venez.*》미욱한 행동, 멍청이 짓, 어리석은 짓, 우둔한 짓, 바보(스러운 짓)(necedad, tontería).

pistolera *f.* 권총집(estuche de pistola).

salir de ~s《*Col.*》골칫거리를 없애다.

pistolerismo *m.* ① 총잡이의 도둑(질). ② [집합] 총잡이.

pistolero *m.* ① 권총 살인범. ② 착암기 조작자.

pistoleta *f.*《*Arg. Col. Chile.*》=**pistolete.**

pistoletazo *m.* 권총 사격(tiro de pistola); 그 소리; 그 상처.

pistolete *m.* 소형 권총.

pistón *m.* ① 피스톤, 판(émbolo). ② (관악기의) 조성판(調聲瓣). ③ 뇌관(雷管). ④《*Hond. Guat.*》옥수수로 만든 빈대떡.

pistonudo, da *adj.*【속어】훌륭한(magnífico, soberbio).

pistoresa *f.* 단도의 일종, 비수(daga, puñal).

pistraje *m.* 싱거운 술, 맛이 나쁜 술.

pistraque *m.* =**pistraje.**

pistura *f.* 갈아서 잘게 부수기.

Pisuicas *m.* 악마.

pita *f.* ①【식물】용설란; 그 실; 그것으로 짠 베. [Sinón.] agave, maguey, henequén, cabuya. ② 유리 구슬. ③ 윙윙거리기(silba). ④ 구구구(하고 닭을 부르는 소리). ⑤ 닭(gallina). ⑥ 휘파람 소리. —*pl.*《*Guat.*》거짓말.

como ~, de ~《*Cuba.*》멋진.

enredar la ~《*Amér.*》일이 꼬이게 만들다; 화목을 깨다.

pedir ~《*Bol. Perú.*》동정을 바라다 (pedir misericordia).

fregar la ~《*Chile.*》괴롭히다, 성가시게 하다(molestar, fatigar).

pitaco *m.* 용설란의 꽃줄기.

pitada *f.* ① 호루라기 소리; (연설자에게 야유하는) 일제히 부는 휘파람 소리. ②《*Amér.*》담배의 한 모금.

dar una ~ 엉뚱한 소리·가락을 내다.

pitadera *f.*《*And.*》보리 피리.

pitaflo *m.*【은어】단지(jarro).

pitagórico, ca *adj.* 피타고라스《Pitágoras, 기원전 6세기 철학자·수학자》의. —*m.f.* 피타고라스 학파 사람.

pitahaya *f.*《*Amér.*》덩굴선인장.

pitajaña *f.* ①《*Chile.*》=**pitajaya.** ② 쓸모없는 물건.

pitajaya *f.* ①《*Amér.*》=**pitahaya.** ②《*Bol.*》더럽게 구는 것, 인색한 짓(mezquindad).

pitancería *f.* 배급(소), 급여(소); 급여물.

pitancero *m.* (수도원 등의) 배급자, 급여 담당자.

pitandero, ra *adj.m.f. desp.*《*Chile.*》애연가(의).

pitanga *f.*《*Arg.*》【식물】삐땅가나무《잎은 향긋한 냄새가 나며, 열매는 식용으로 도금양과 식물》; 삐땅가 열매.

pitanza *f.* ① (식료품 등의) 배급, 급여; 배급물; 매일 매일의 식량 : pobre ~ 보잘 것 없는 배급

: ¿Qué tal va la ~? 매일 식량은 어떻습니까? ② 대상(代償), 대가. ③《Arg. Chile.》 유리한 발굴물. ④《Amér.》 =**ganga.**

pitaña *f.* 눈곱(legaña).

pitañoso, sa *adj.* 눈곱이 낀(pitarroso).

pitao *m.* 칠레산의 상록 활엽수.

pitar *intr.* ① 호루라기를 불다 ; 기적·클랙슨을 울리다. ②《Ant.》 휘파람을 불다(silbar). ③《Cuba.》 도망치다(huir). ④《AmérM.》 담배를 피우다(fumar). —*tr.* ① (빈민이나 단체 같은 데에 식료품 등을) 배급·분배하다. ② (부채를) 지불하다 (pagar). ③《AmérM.》 담배를 피우다(fumar).

~ *del fuerte*《Riopl.》 혼나다.

~*se* a uno《Arg. Chile.》 (누구를) 감쪽같이 속이다·골탕먹이다.

pitarque *m.*《Murc.》 개천, 수로(水路), 하수도(acequia).

pitarra *f.* =**pitaña, legaña.**

pitarro *m.*《León.》 작은 순대.

pitarroso, sa *adj.* 눈곱투성이의 (legañoso) : ojo ~ 눈곱투성이의 눈.

pitay *m.*《Arg.》【의학】 수포진의 발진(erupción herpética).

pitayo *m.*《Méx.》 =**pitahaya.**

pitazo *m.*《Col.》 =**pitido.**

pitchpín *m. fr.* [*ing.* pitch pine]【식물】(북 아메리카의) 소나무(pino)의 일종.

pite *m.* ①《Col.》 =**pizca, pedacito, trozo.** ②《Col.》 =**hoyuelo.**

pitear *intr.*《Amér.》 호루라기를 불다(pitar).

piteárselas《AmérC.》 도망치다 ; 죽다.

pitecantropo *m.* =**pitecántropo.**

pitecántropo *m.*【인류】 원인 (猿人) (hombre de java). **Sinón.** antropopiteco.

piteo *m.* pitear 하는 일.

pitera *f.* ① 용설란(pita). ②《Cuba.》 공기를 빼는 구멍.

pitezna *f.* (덫 같은 데 장치한) 고리쇠(disparador).

pitia *f.* =**pitonisa.**

pítico, ca *adj.* =**pitio.**

pitido *m.* ① 호루라기 소리(silbido). ② 작은 새가 우는 소리.

pitihué *m.*【조류】 (칠레산의) 딱다구리의 일종.

pitillera *f.* ① 담배 만드는 여공. ② 담뱃갑.

pitillo *m.* ① 궐련(cigarrillo) : liar un ~. ② 빨대.

pítima *f.* ① (가슴에 붙이는) 고약. ②【속어】 취기(borrachera).

pitiminí *m.* (일종의) 송이가 작은 장미꽃.

de ~ ①《Cuba.》 쓸모 없는 ; 멋부리는. ②《Méx.》 성마른.

pitio, tia *adj.* (Pitón을 죽였던 데서) Apolo 신(神)의 : oráculo ~ 아폴로의 신탁.

juegos ~*s* 고대 로마의 Delfos에서 아폴로를 위해 4년마다 실시 되었던 경기.

pitío *m.* =**pitido.**

pitipié *m.*《Galic.》 축척(縮尺), 비례척.

pitiriasis *f.* [*gr.* piturion] 인병(燐病)《피부병》.

pitirre *m.* 꾸바산의 벌레를 잡아먹는 이로운 새.

al canto del ~ 날이 샐 무렵에 ; 현금으로.

pitirrear *intr.*《Ant.》 ① 새가 울다 (piar los pajarillos). ②《Cuba.》 열망하다 (pedir con ansia).

pitirrojo *m.* =**petirrojo.**

pitisco *m.*《Urug.》 여송연.

pitito *m.*《Arg.》 =**flor del aire.**

pitiyanqui *m.*《PRico.》 미국 사람을 흉내내는 사람.

pito *m.* ① 기적 소리 ; 사냥에서 쓰는 호루라기 ; 피리 ; 클랙슨. ②【조류】 딱다구리 : ~ real 딱다구리의 일종. ③ (남미산의) 진드기. ④ 궐련(pitillo). ⑤《Arg.》 파이프, 물부리(pipa). ⑥ 자지, 남근, 남경, 신, 양경, 양근, 음경.

—*pl.* ~*s flatos* 시시덕거리기, 장난.

no importar un ~ 아무 상관없다(no importar nada).

no darse un ~ 거들떠 보지도 않다, 경멸하다.

no tocar ~ *en* (어떤 일에) 참여하지 않다(no tener nada que ver en).

no valer un ~ · *tres* ~*s* 아무 가치도 없다(valer nada).

tomar por el ~ *del sereno* 별로 관심이 없다 (hacer poco caso).

pito, ta *adj.*《Ar.》 =**tieso, derecho, erguido.**

pitoche *m. desp.* pito.

no valer un ~ 아무 가치도 없다.

pitoflero, ra *m.f.* ① 엉터리 음악가. ② 까불이.

pitoitoy *m.* 삐또이또이《남미 해안에 있는 다리가 긴 물새, 날 때 삐또이또이 하며 운다고 함》.

pitón *m.* ①【신화】 Apolo가 Delfos에서 죽인 큰 뱀. ②【동물】 (일반적으로 독이 없는) 큰 뱀, 구렁이. ③ 어린 뿔, 새로 돋는 뿔, 뿔의 끝. ④ (그릇의) 주둥이, 돌기, 혹 ; (나무의) 새싹 (renuevo). ⑤《Amér.》 용설란의 꽃줄기 (pitanco). ⑥ 호스의 끝. ⑦《Chile.》 구멍 파는 데 쓰는 쟁기. ⑧《Méx.》 젖 뗀 뒤의 어린 말.

de ~《Venez.》 맛이 굉장한.

pitongo, ga *adj.*《Chile.》 술취한(ebrio).

pitonisa *f.* (본래 Apolo의 신탁을 알린) 무당, 영매하는 무당, 여자 점쟁이 ; 기도사.

pitora *f.*【동물】 삐또라《콜롬비아산의 독사》.

pitorra *f.*【조류】 산도요새(chochaperdiz).

pitorrearse *r.*【속어】 야유하다, 조롱하다, 놀려대다(burlarse).

pitorreo *m.* =**broma, burla.**

pitorro *m.* (그릇의) 주둥이.

pitpit *m.*【조류】 삐뜨삐뜨《서반아산의 벌레를 잡아 먹는 새의 일종》(pipí).

pitra *f.* ①《Chile》【의학】 피부의 발진. ②《Chile.》【식물】 삐뜨라《향나무의 일종》.

pitraca *f.*《Chile.》 팔팔한 아가씨(pitarra).

pitre *m.*《Ant. Col. Venez.》 멋쟁이(petimetre).

pitreo *m.* =**pitaco.**

pitruca *f.*《Chile.》 눈곱(legaño).

pituca *f.*《Bol.》 인디오 여자.

pituco, ca *adj.*《Chile. Urug.》 가냘프고 약골로 생긴(flacucho, endeble). —*m.*《Arg.》 능청맞은 남자.

pituita *f.* [*lat.* pituita] 점액 ; 콧물, 귓밥, 가래 (moco).

pituitario, ria *adj.* 점액의, 점액을 분비하는 : membrana ~*ria* 코의 점막. cuerpo ~ 뇌하수

체. glándula ~*ria* 뇌하수체.

pituitoso, sa *adj.* ① 점액투성이의. ② =**pituitario.**

pituquería *f.* 《*Arg.*》 능글맞은 일(pituco).

piturria *f.* 《*Chile.*》 ①【속어】소량, 아주 적음 (pizca, chispa). ② 눈곱(legaño).

pituso, sa *adj.m.f.* 귀여운 (어린이)(chico, gracioso).

piuco, ca *adj.* 《*Chile.*》 야생의, 놓아 먹인.

piuchén *m.* 《*Chile.*》 ① =**vampiro.** ② =**boliche.**

piular *intr.* =**piar.**

piulido *m.* 삐약삐약 우는 일.

piune *m.* 《*Amér.*》【식물】=**romerillo.**

piuquén *m.* 《*Chile.*》【조류】야생 기러기, 들기러기(avutarda).

piure *m.* (칠레산의) 식용 조개의 일종.

piuria *f.*【의학】소변의 고름 출현.

piusa *f.* 《*Méx.*》 애인, 정부(情婦).

pivilcudo, da *adj.* 《*Chile.*》 다리가 껑충하게 긴.

pivote *m.* ①【기하】첨축(尖軸), 선회축(旋回軸), 피벗. ② 추요부(樞要部), 중심점, 요점. ③【군사】기준병, 향도. ④【골프】(공 칠 때의) 허리 틀기.

píxide *f.* [*lat.* pyxis. pyxidis] ① (카톨릭교의) 성체 용기. ②【동물】바구미.

pixidio *m.*【식물】개열과(蓋裂果)《과피가 가로 벌어져 위쪽이 뚜껑처럼 되는 열매》.

piyama *m.* 파자마, 잠옷(pijama).

piyoica *f.* 《*Chile.*》 거짓말, 허튼 소리, 헛소리 (mentira, embuste).

pizarra *f.* ①【광물】석반, 슬레이트. ② 흑판 (encerado).

pizarral *m.* 석반이 많은 곳.

pizarreño, ña *adj.* 슬레이트의 ; 석반 같은.

pizarrería *f.* 슬레이트 절취장.

pizarrero *m.* ① 석반·슬레이트·흑판 제조·상인. ② 《*Col. PRico.*》 석필(石筆)(pizarrín).

pizarrín *m.* 석필.

pizarrón *m.* 《*Ant. Riopl.*》 대형 흑판 : ~ anotador 스코어 보드, 득점 게시판.

pizarroso, sa *adj.* 슬레이트가 많은 ; 석반 같은 : terreno ~ 석반 같은 땅.

pizate *m.*【식물】=**pazote.**

pizca *f.* ① 근소, 소량, 미량 : comerse una ~ de pan. ② 《*Méx.*》 옥수수 수확(cosecha del maíz).

pizcachita *f.* 《*Méx.*》 =**pizca, migaja, pedacito.**

pizcar *tr.* [7] ① 꼬집다, 훑어 따다(pellizcar). ② 《*Méx.*》 수확하다(cosechar).

pizco[1] *m.* 꼬집기(pellizco).

pizco[2] *m.* [*lat.* piscis] 《*Sant.*》 =**jaramugo.**

pizingaña *f.* 《*Col.*》 =**pizpirigaña.**

pizmiento, ta *adj.* 새까만.

pizote *m.*【동물】(중미산의) 너구리의 일종. —*adj.* 《*AmérC.*》 어리석은, 얼뜬.

Que lo crea ~ 《*AmérC.*》 글쎄, 수상쩍다.

pizpereta *adj.f.* =**pizpireta.**

pizpicigaña *f.* 《*Hond.*》 =**pizpirigaña.**

pizpierno *m.* 《*León.*》 =**lacón.**

pizpilina *adj.* 《*Hond.*》 =**pizpereta.**

pizpireta *adj.f.* 재치가 넘친, 팔팔한, 말괄량이 (아가씨).

pizpirigaña *f.* 손바닥을 서로 꼬집는 놀이.

pizpirigua *adj.f.* 《*Chile.*》 =**pizpereta.**

pizpita *f.*【조류】할미새.

pizpitilla *f.*【조류】=**pizpitillo.**

pizpitillo *m.* =**pizpita.**

pizque *adj.* ① 《*AmérC. Méx.*》 진분홍 빛깔의. ② 《*Chile.*》 백발의.

pizza *f.* 피자《토마토, 멸치 등을 넣은 이태리 원조 부침개》.

pizzería *f.* 피자 가게.

pizzicato *m. ital.* 손톱으로 타기 ; 그 곡.

pl. plural 복수 ; plazo 기간 ; principal 주요한 ; 원금.

placa *f.* ① (기장·문패 등의) 금속판 ; 표찰(標札), 판금(板金), 얇은 널(lámina) ; 번호패. ②【사진】건판, 감광판. ③ (본래는 기사단의) 기장 ; 배지. ④ (옛날의) 화폐의 일종. ⑤【기계】판금(板金) : ~ conjinete 축받침. ~ de nudo 덧대는 널쪽. ~ de soporte 바닥 널. ~ giratoria 축음기의 회전판 ; 전차대(轉車臺). ⑥ 《*Méx.*》 꼬리표.

placabilidad *f.* 달래기 쉬운 일, 온화.

placable *adj.* =**aplacable.**

placación *f.* =**placamiento.**

placaje *m.*【럭비】상대의 허리나 발을 껴안고 정지시키기, **태클.**

placaminero *m.* [드뭄] 《*Amér.*》 zapote의 일종.

placar *tr.* placaje 하다.

placarte *m.* =**cartel.**

placativo, va *adj.* 달래는.

placear *tr.* ① 식료품을 시장에서 소매로 팔다, (식료품을 plaza에) 팔려고 내다. ② 발표하다, 공표하다(publicar).

placel *m.* 여울.

pláceme *m.* [*pl.* plácemes] 축하, 축사, 하사 (felicitación) : dar el ~ a uno 축하하다. Le doy mis sinceros ~*s* 진심으로 축하합니다. Reciba usted mis sinceros ~*s* 제 마음에서 우러나오는 축하를 받아 주십시오.

placenta *f.* [*lat.* placenta] ①【해부】태반(胎盤). ②【식물】태좌(胎座).

placentario, ria *adj.* 태반(胎盤)의.

placenteramente *adv.* 즐겁게, 유쾌하게.

placentero, ra *adj.* 즐거운, 흐뭇한, 유쾌한, 기쁜, 느긋한(agradable) : existencia ~*ra.*

placentín *adj.f.* =**placentino.**

placentino, na *adj.* 쁠라센시아 《Placencia, 서반아나 이탈리아에 있는 지명》의, 쁠라센시아에 관한. —*m.f.* 쁠라센시아 사람.

placer[1] *intr.* [34] [*lat.* placere] 기쁘다, 즐겁다 (agradar) : Me *place* verte bueno 네가 잘 있는 것을 보니 나는 기쁘다. Puede usted hacer lo que le *plazca* 좋을데로 하셔도 됩니다. Pues os *plugo* que así fuera, hágase la voluntad 그런 것은 당신의 마음이므로 마음대로 하여 주십시오.

placer[2] *m.* ① ㄱ) 기쁨 (alegría, contento) : los ~*es* del alma 영혼의 기쁨. con ~ 기쁘게. Lo haré con mucho ~ 기쁘게 그것을 하겠습니다. He tenido un ~ en conocerle a usted 당신을 알

게 되어 기뻤습니다. ㄴ) 쾌락, 즐거움 : entregarse a los ~es. ② 의지, 뜻, 심중(voluntad) : Tal es mi ~. ③ 여울, 개울(banco). ④ 사금상(砂金床), 사금광. ⑤ (아메리카 해안에서) 진주 채집 ; 채집지. ⑥《Col.》(땅을 다져 놓은) 씨 뿌리는 곳 ; 토지 (solar). ⑦《Cuba.》 황무지.
a ~ 아주 기꺼이 ; 아무런 지장없이 ; 천천히, 차츰.

placero, ra *adj.* 광장의, 시장의. —*m.f.* 시장 상인 ; 잡담하기 좋아하는 게으른 사람.

placeta *f.* [*dim.* plaza] ① 작은 광장, 네거리. ②《Chile.》(언덕 등의) 평지.

placetuela *f. dim.* placeta.

placibilidad *f.* 기쁨, 즐거움.

placible *adj.* 기쁜, 즐거운(agradable).

plácidamente *adv.* 조용히, 호젓하게 ; 흐뭇하게.

placidez *f.* 온화함, 조용함(tranquilidad).

plácido, da *adj.* [*lat.* placidus] ① 온화한, 잔잔한, 호젓한(tranquilo, sosegado) : carácter ~. ② 즐거운(apacible, grato). Contr. violento.

placiente *adj.* 즐거운, 보기에 아름다운, 기분을 상쾌하게 하는(agradable).

plácito *m.* 생각, 의견(parecer, opinión).

placoideo, a *adj.* placa 모양의

plafón *m.* 【건축】 추녀 밑 ; 천장 ; 천장화.

plafonnier *m.* 《Neol.》 천장의 램프(lámpara de techo).

plaga *f.* [*lat.* plaga] ① 재해, 재액, 천재 지변. ② 귀찮음 ; 불행 ; 역병(疫病), 큰병, 중병 : Hay una ~ en esa comarca 그 지방에는 역병이 있다. ③ 풍부, 푸짐함(copia) : haber ~ de higos. ④ 시골, 지방, 지대(clima, zona). ⑤ 방향, 방각(rumbo). ⑥ 지평선의 점.

plagado, da *adj.* 상처받은, 손상된.

plagar *tr.* ⑧ ① (나쁜 것으로) 가득 차게 하다, …투성이로 만들다(llenar) : ~ *de* pulgas la casa 집을 벼룩투성이로 만들다. ② 【고어】 = **llagar.**
~se 가득해지다, …투성이가 되다.

plagiar *tr.* ⑪ ① 표절하다 (cometer plagio) : ~ un libro ajeno 남의 책을 표절하다. ② (고대 로마에서 자유인을) 노예로 사다, 노예로 하다. ③《Cuba. Méx. Perú.》 인질로 삼다, 유괴하다. ④ 눈속임하다.

plagiario, ria *m.f.* ① 표절자. ②《Amér.》 유괴자.

plagio *m.* [*lat.* plagium] ① 표절 : ~ disfrazado. ②《Amér.》 유괴.

plagioclasa *f.* 【광물】 사장석(斜長石).

plagióstomos *m.pl.* 【동물】 가로입 무리 (물고기).

plaguear *intr.* 《And.》 지불하지 않으려고 애쓰다.

plaguicida *adj. m.f.* =**pesticida.**

plaid *m. ing.* (본래는 스코틀랜드 지방의 줄무늬가 있는 나사로 된) 여행용 모포 [*N.* 발음 : ple].

plajear *tr.* 【은어】 담배 피우다(fumar).

plan *m.* ① 높이(altura), 수준(nivel). ② 계획, 안(案), 플랜(intento, proyecto) : ~ de estudios 교육 과정. ~ nuclear coreano 한국의 핵계획. ③ 줄거리, 각본 : hacer el ~ de un libro. ④ 도면, 설계도, 평면도 ; 지도(plano). ⑤ 광상(鑛床). ⑥《Amér.》 평지, 평원(planicie, meseta). ⑦ (칼 따위의) 옆면. ⑧《Chile.》 들판.
~ *a largo período de las industrias claves* 기간 산업 진흥 장기 계획.
~ *a largo plazo de desarrollo industrial* 장기 공업 개발 계획.
~ *cuadrienal de desarrollo* 4개년 개발 계획.
~ *de desarrollo económico·minero* 경제·광업 개발 계획.
~ *de descentralización industrial* 공업의 지방 분산화 계획.
~ *de distribución* 분배 계획.
~ *de empleo* 고용 계획.
~ *de estabilización* (서반아의) 경제 안정 계획.
~ *de estiba* 재화도(載貨圖).
~ *de expansión de la industria del acero* 철강 산업 확충 계획.
~ *de financiación* 융자·자금 조달 계획.
~ *de inversiones* 투자 계획.
~ *de largo alcance* 장기 계획.
~ *de mejoramiento agrícola* 농업 개선 계획·사업.
~ *de muestreo* 표본 설계.
~ *de publicidad* 선전 계획.
~ *de ventas* 판매 정책·계획.
P- Europeo de Recuperación 유럽 부흥 계획.
~ *financiero* 재정 계획.
P- Marshall 마셜 플랜.
~ *nacional de desarrollo* 국가 개발 계획.
P- Nacional de Desarrollo Económico y Social del Perú 페루 경제 사회 개발 계획.
~ *para fomentar la industria automotriz* 자동차 산업 진흥 계획.
~ *quinquenal (de desarrollo)* 5개년 (개발) 계획.
~ *trienal* 3개년 계획.
~ *de machete* 처벌.
a todo ~ 매우 잘(muy bien).
en ~ *de* …의 목적(目的)으로 ; …과 같은 방법으로 ; …과 같은.
darle a uno *de* ~ *y filo* 《Ecuad. PRico.》 사정없이 무찌르다, 가혹하게 벌하다.
no ser ~ =no estar bien.

plana *f.* [*lat.* plana] ① 지면(紙面), 쪽, 페이지 ; 인쇄면(~ impresa) ; 페이지 짜기. ② (어린이가 하는) 습자. ③ 대패. ④ 평원(llanura, llano) : la ~ de Urgel.
~ *mayor* 막료(幕僚).
a ~ *(y) renglón* ① 한 페이지마다 한 행마다 정확하게 손으로 베껴쓰는(copiando exactamente renglón a renglón y ~ a ~). ② (모자라거나 남거나 하는 일 없이) 꼭 들어맞게.
cerrar la ~ (멋지게 무엇을) 완성하다, 결말을 내다.
corregir·enmendar la ~ ① (다른 사람이) 하는 것이나 말하는 것을 고치다, 주의하다(corregir lo que otro hace o dice). ② (누구보다) 잘 하다.

planada *f.* =**llanada.**

planador *m.* 금·은박 기술자 ; 압연공(壓延工).

planamente *adv.* 반반하게, 평면으로 ; 아주 쉽

계.

planazo *m.* =**cintarazo.**

planco *m.* =**planga.**

plánctico, ca *adj.* 물 때문에 뜨는.

plancton *m.* =**plankton.**

planctónico, ca *adj.* 플랑크톤의.

plancha *f.* [*lat.* planca] ① 금속판, 철판, 판금(板金)(lámina) : ~ de blindaje 장갑용 철판. ~ de hierro galvanizado 양은판《아연 도금한 철판》. ~ de cobre 동판. ② 다리미 : ~ eléctrica 전기 다리미. ~ de carbón 상자형·숯 다리미. El último modelo de ~*s* está a la venta 최신형 다리미가 발매되고 있다. ③ 다리미질한 옷·빨래. ④ (체조·수영에서) 수평(자세). ⑤ 【인쇄】 지형 ; 스테로판. ⑥ 【해사】 ㄱ) (육지와 배 사이에 걸쳐 놓는) 발판(~ de atraque) : ~ de agua 사이를 띄어 널 붙이기. ㄴ) (널쪽을 댄 간단한) 잔교(~ de desembarque). ⑦ 실수, 실책(torpeza) : José ha hecho una ~. ⑧《*Chile.*》 【사진】 건판(placa).

a la ~ 철판구이로 : las cigalas *a la* ~.

hacer la ~ 등으로 뜨다(flotar de espaldas).

pasar la ~ ① 다리미질하다. ②《*PRico.*》 입발림 말로 비위를 맞추다, 아첨·아부하다.

planchada *f.* 선창.

planchado, da *adj.* [planchar의 *p.p.*] ①《*Col. AmérC.*》 다린, 다리미질한. ② 성장한, 우아한, 잔뜩 멋부린(muy elegante). ③《*Cuba. Chile. Perú.*》 빈털터리의, 일전 한푼 없는(sin un cuarto). ④《*Méx.*》 유능한, 자격있는 ; 용기있는. —*m.* ① 다리미질 : Mañana es día de ~. ② [집합] 다리미질한 것.

planchador, ra *m.f.* 다리미질을 업으로 하는 사람.

planchar *tr.* ① (…에) 다리미질 하다 : Mi madre me *planchó* esta camisa 어머님께서 나의 이 셔츠를 다리미질해 주셨다. ②《*Amér.*》 비위를 맞추다, 아부하다(adular). —*intr.*《*Chile.*》 공연한 참견을 하다.

~ *el asiento*《*Amér.*》 여자가 같이 춤출 상대가 없어 풀이 죽어 주저앉다(comer pavo).

planchear *tr.* (…에) 철판을·판금을 붙이다(cubrir con planchas o láminas de metal). [Sinón.] chapear.

plancheta *f.* 평판 측기(平板測器).

echárselas de ~ 허세를 부리다, 우쭐대다, 척하다(presumir).

plancho, cha *adj.*《*Col.*》 반반한.

planchón *m.* [*aum.* plancha] ① 대형 다리미. ②《*AmérM.*》 만년설(萬年雪).

planchón, na *adj.m.f.*《*PRico.*》 아부하는, 아첨하는 (사람).

planchuela *f. dim.* plancha.

planeación *f.* 계획, 입안(立案) : ~ a largo plazo 장기 계획. ~ económica 경제 계획.

planeador, ra *adj.* 구상·입안·계획하는 ; 활공하는. —*m.* 활공기(滑空機), 글라이더.

planeamiento *m.* 구상, 계획.

planear *tr.* 구상하다, 입안(立案)하다, 계획하다 (proyectar) : paternidad *planeada* 가족 계획.

—*intr.* 활공(滑空)하다 : vuelo *planeado* 활공.

planeo *m.* 【항공】 활공, 활주 : ángulo de ~.

planeta *m.* (【속어】 *f.*) ① 유성, **행성** : ~ mayor·menor 큰·작은 유성. ② 혹성, 위성(satélite, ~ secundario) : Los ~*s* no tienen luz propia 위성은 자신의 빛을 가지고 있지 않다. ③ 【은어】 초. —*f.* 법의의 일종.

planetario, ria *adj.* 유성의 : sistema ~ 태양계. —*m.* 유성의(遊星儀) ; 천문관, 플라네타륨《천체 운행 설명기》.

planetícola *m.f.* (가상적인) 유성에 사는 사람, 우주인.

planetista *m.f.* 천문학자.

planetoides *m.* 【천문】 소혹성(asteriode).

planga *f.* 【조류】 수리의 일종(clanga).

planicie *f.* 평원, 평야(llanura).

planificación *f.* 계획(화) ; 설계 : ~ a largo plazo. ~ de largo alcance 장기 계획. ~ de ventas 판매 계획. ~ de la familia 가족 계획. ~ económica 경제 계획. ~ empresarial 경영 계획. ~ familiar 가족 계획. ~ financiera 재정 계획. ~ urbana 도시 계획.

planificar *tr.* [7]《*Neol.*》 ① 계획에 맞추다 (organizar conforme a un plan). ② 계획·기획하다(establecer un plan) : economía *planificada* 계획 경제.

planilla *f.* ①《*Amér.*》 (인원) 명부, 봉급 지급 일람표 (lista. nómina) : ~ anexa 부속 명세서. ~ de intereses 이자 산출표. ~ de sueldos 임금 지불 대장, 급료 지불 명부. ②《*Ecuad. Perú. Arg.*》 계정, 청산. ③《*Méx.*》 (곡식을 말리기 위해) 널어 놓은 터.

planimetría *f.* 측면법(測面法), 면적 측정.

planímetro *m.* 적분(積分) 계산기, 측면기.

planisferio *m.* ① 지구·천구(天球) 평면도. ② 【천문】 평면 천체도, 성좌 조견도.

planismo *m.*《*Neol.*》 계획적인 조직.

plankton *m.* 【생물】 플랑크톤, 부유 생물 : El ~ desaparece a 200 metros de profundidad.

plano, na *adj.* [*lat.* planus] 반반한(llano) ; 평면의 ; 납작한 : El terreno es muy ~ 토지는 매우 반반하다. —*m.* ① 평면, 면 ; primer ~ 최전면, 전경. ② 도면 ; 설계도 ; (특히 시가 등의) 지도 : ~ acostado 지형도. levantar el ~ 도면을 그리다, 지도를 그리다. El arquitecto trazó un ~ muy bonito 건축가는 매우 아름다운 설계도를 그렸다. Aquí tiene usted el ~ de este almacén 여기 이 백화점의 안내도가 있습니다. ③ (영화 등의) 한 컷(의 사진) ; 청사진 : copiador de ~*s* 청사진 굽는 기계.

de ~ 정면으로, 명명 백백하게, 쉽게.

dar de ~ (칼 같은 것의) 옆구리로 치다 ; 손바닥으로 때리다.

planocóncavo, va *adj.* 한 쪽이 오목하고 다른 쪽이 반반한.

planoconvexo, xa *adj.* 한 쪽이 반반하고 다른 쪽이 볼록한.

planorbe *f.* (연못의) 뿔조개.

planta *f.* [*lat.* planta] ① 식물, 풀, 나무 (vegetal). ② 못자리 ; 묘상, 모판, 나무를 많이 심어 놓은 곳 (plantío). ③ 도면, 스케치, 평면도, 설계도 (plan, diseño) : una ~ de un edificio. ④《*Angl.*》 공장 (시설), 플랜트 (fábrica, instalación) : ~ de fundición 주조 공장. ~ de laminación 철강 압연 공장. ~ eléctrica 발전

소. ~ en operación 가동 설비. ~ parada 유휴 설비 · 공장. ~ piloto · de ensayo 실험 공장, 파일럿 플랜트. ~ siderúrgica 제철소. ⑤ 계획, 안(案) (proyecto, plan). ⑥ 인원 · 직원 배치; 그 명부, 직원록; [집합] 직원. ⑦ 발바닥 (~ del pie); (무용 등에서의) 발의 움직임 · 위치. ⑧ 마루, 층 (piso) : ~ baja 건물의 1층 · 지계(地階). ⑨ 외모, 풍채 : buena ~ 훌륭한 외모 · 풍채.

~ del café 커피 나무.

de ~ 분명히, 명백히.

de nueva ~ 신규로, 새로이, 토대 · 근본부터 : hacer *de nueva ~* un edificio 어떤 건물을 근본적으로 다시 뜯어 고치다.

echar ~s 겁주다.

fijar las ~s 확고한 생각 · 의견을 가지다; 계획을 굳히다.

tener buena ~ 외모가 좋다.

plantación *f.* 나무 심기, 식수(植樹); 숲; 경작지, 농장, 농원, 밭 : ~ de café.

plantador, ra *adj.m.f.* 심는 (사람). —*m.* ① 심는 기구, 이식 다리미. ②【은어】묘구덩이 파기.

plantagináceo, a *adj.*【식물】차전초 · 차전초과의. —*f.pl.* 차전초과 식물.

plantagíneo, a *adj.* =**plantagináceo.** —*f.pl.* =**plantagináceas.**

plantago *m.*【식물】=**llantén.**

plantaina *f.*【식물】차전초(llantén).

plantaje *m.* ① (심은 · 돋아난) 나무 · 식물(의 전체), 나무들. ②【방언】【식물】차전초. ③《*Col. Ecuad. PRico.*》모양, (얼굴) 생김새 (traza, facha).

plantamiento *m.*【고어】=**plantío.**

plantanal *m.* =**platanal.**

plantar[1] *adj.* [*lat.* plantaris] 발바닥(planta del pie)의 : músculo ~ 발바닥 근육.

plantar[2] *tr.* [*lat.* plantare] ① (나무를) 심다, 식수하다. ② 세우다(levantar); 일으켜 세우다, 수립 · 확립하다(fundar). ③ 단단히 놓다, 거치하다, 장치하다 : ~ un mueble. ④ 넋이 나가게 하다; 기다리게 · 허탕치게 만들다, 한자리에 서 있게 만들다(dejar *plantado*); 저버리다 : Su novio la *plantó*. ⑤ (타격 등을) 가하다 : Le *plantó* una bofetada 그를 손바닥으로 때렸다. ⑥ [+en : …으로] ㄱ) 몰아내다, 쫓아내 버리다 : Le *planté en* la calle 그를 거리로 쫓아버렸다. ㄴ) 때려 박아 넣다 : ~ *en* la cárcel 감옥에 때려 넣다.

~se ① 우뚝 서다, 꼿꼿이 서다; 움직이지 못하게 되다, 한자리에 서서 오도가도 못하게 되다 (pararse) : *Se plantó* en medio de la calle 그는 거리 한가운데에서 우뚝 섰다. Ella *se plantó* en los treinta 그녀는 언제나 자기의 나이를 30세라 했다. ② [+때의 부사 : …에] 순식간에 나타나다, 가 있다 : En dos horas *me plantaré* en su casa 2시간만 지나면 나는 어김없이 당신 집에 도착할 것이오. ③《*AmérC. Col. Méx. Chile.*》성장(盛裝)하다, 차려 · 꾸며 입다(engalanarse) : estar bien *plantado* 성장하고 있다.

plantario *m.* ① 묘상(苗床)(almáciga).

plante *m.* 요구 획득의 협력 일치, 스트라이크; 소요 : dar un ~ a uno 누구를 몰아낼 궁리를 세우다.

planteamiento *m.* ① 시도, 기획. ② 수립, 창시, 설정, 실시. ③ 제기(提起) : ~ de una cuestión 문제의 제기.

plantear *tr.* ① 시도하다, 설계하다, 꾀하다 (tantear). ② 시작하다, 세우다, 수립 · 창시 · 설정하다 (establecer) : ~ un negocio. ③ 들춰내다, 꺼내다, 제기(提起)하다 (presentar, proponer) : *Se planteó* un problema 어떤 문제가 제기되었다. Eso *plantea* una dificultad 그것은 하나의 문제를 제공했다.

plantel *m.* 묘상(苗床), 못자리; 양성소; 보육원 : un ~ de instrucción primaria 초등 교육원.

planteo *m.* =**planteamiento.**

plantificación *f.* 실시, 시행, 설정.

plantificar *tr.* ⑦ ① 실시 · 시행하다, 설정하다; 시작하다, 일으키다, 창설하다(establecer). ② (타격 등을) 가하다(plantar). ③ 몰아세우다. ④ 세워 놓고 오도가도 못하게 만들다(plantar).

~se ① (어디에) 벼락같이 나타나다(plantarse). ②《*AmérC. Méx.*》멋을 내다, 차려 입다, 성장(盛裝)하다.

plantígrado, da *adj.*【동물】발바닥으로 걷는 : El oso es un animal ~ 곰은 발바닥으로 걷는 동물이다. —*m.* 발바닥으로 걷는 동물《사람 · 곰 · 너구리 등》.

plantilla *f.* [*dim.* planta] ① (구두의) 안밑창; 깔창; (양말 등의) 바닥, 덧댄 천. ② 구름 무늬 · 곡선자 : ~ de curvas 곡선자. ③ 축소도, 설계 부분도; (실물 크기의) 원형 · 지형(紙型). ④ (단체 · 관청 · 사무소 · 대학 등의) 직원 배치 · 기구; (전)직원(職員)(planta). ⑤ 떵떵거리기, 큰소리치기(fanfarronería). ⑥《*Ant. Arg. Bol.*》일종의 과자; 베어낸 그루터기에서 나온 움. ⑦《*Cuba. Méx.*》능청떨기, 연극. —*m.*《*Ecuad.*》허세부리는 사람.

plantillar *tr.* ① (…에) 바닥 가죽 · 덧천(plantilla)을 대다. ②《*Ecuad.*》깔창을 대다. —*intr.* 허세를 부리다.

plantillero, ra *adj.m.f.* ① 허세부리는 (사람). ②《*Cuba.*》능청 떠는 (사람).

plantío, a *adj.* (초목을) 심어 놓은, 식수 · 조림할 수 있는. —*m.* 어린 나무 숲 · 밭 (planta); 조림; 조림지 : un ~ de melones.

plantista *m.* ①【고어】조림관(造林官). ②【속어】허세를 부리는 사람(fanfarrón, bravucón).

plantón *m.* ① 못자리; 묘목; 꺾꽂이(estaca). ② 보초 서는 사람, 파수 보는 사람; 문지기, 수위. ③ 서서 있음 : de · en ~ 그 자리에 서서. ④《*AmérC.*》얼굴 생김새, 모양.

dar un ~ 기다리다가 허탕치게 만들다.

estar de ~, *tener ~* 제자리에 서 있다.

plantonar *m.* 나무모밭, 모나무밭, 묘목밭(almáciga) : ~ de chopos.

plantosa *f.*【은어】술잔.

plantufa *f.*《*Perú.*》슬리퍼, 덧신(pantufla).

plántula *f.*【식물】=**embrión.**

planudo, da *adj.* 밑창이 반반한 (배).

plañidera *f.* (초상집에서 직업으로) 곡하는 여자.

plañidero, ra *adj.* 울상의, 가엾은 (lloroso) : voz *~ra*.

plañido, da *adj.* plañir의 *p.p.* —*m.* 울기, 우는

일; 탄식(lamento, queja, lastimera).

plañimiento *m.* plañir하기.

plañir *intr.* 52 [*lat.* plangere] ① 탄식하다 (gemir, quejarse, lamentarse). ② 흐느껴 울다, 울다. —*tr.* 울리다, 울다 : *Plañó* a su hijo 그는 자기 자식 때문에 울었다.
~se 《*Galic.*》 =**quejarse.**

plaqué *m.* [*fr* plaqué] 씩우는 금; 금·은을 씌운 것 : vender joyas de ~.

plaqueado, da *adj.* 나무로 두른·씌운.

plaquear *tr.* (금·은을) 씌우다·두르다.

plaqueta *f. dim.* placa.

plaquín *m.* 미늘.

plasenciano, na *adj.m.f.* =**placentino.**

plasma *f.* [*gr.* plasma] 【광물】 플라스마 (prasma). —*m.* 【생리】 혈장(血漿), 임파장; 원형질.

plasmador, ra *adj.m.f.* 창조·형성하는 (사람·신).

plasmante *adj.* 모양을 만드는, 반죽하여 만든.

plasmar *tr.* 모양을 만들다, (주로 흙으로) 반죽하여 만들다, 조형(造形)하다(figurar, formar, crear).

plasmático, ca *adj.* 혈장·임파장의.

plasmolisis *f.* 【생물】 원형질 분리(原形質分離).

plasta *f.* ① 반죽(한 것) : ~ de yeso 석고 반죽. ② 날조(한 것) : hacer una ~ 날조하다. Ese discurso fue una ~ 그 연설은 날조했다.

plaste *m.* 틈·사이를 막는 회반죽.

plastecer *tr.* 31 구멍·사이를 막다 : ~ una pared.

plastecido, da *adj.* plastecer의 *p.p.* —*m.* 구멍·틈새를 막는 일.

plástica *f.* [*lat.* plastica] ① 조소(彫塑)(술); 조상술(彫像術); 조각(escultura) : El estudia la ~ griega 그는 그리스 조소술을 연구하고 있다. ② 플라스틱, 화학 섬유, 합성 수지 : calzones ~ 화학 섬유로 만든 바지.

plasticidad *f.* 가소성, 성형력(成形力), 점성; 적응성, 유연성.

plástico, ca *adj.* ① 소조(塑造)의, 조형의 : artes ~*cas* 소조술; 조형 미술. ② 가소성의; 가형성의, 잡아 늘이기 쉬운, 유연한(dúctil). ③ 성형의(formativo) : fuerza ~*ca* 성형력. ④ 플라스틱의. —*m.* [주로 *pl.*] 플라스틱; 합성 수지; 플라스틱 제품.

plastificación *f.* 플라스틱 씌우기.

plastificado *m.* =**plastificación.**

plastificadora *f.* 플라스틱 씌우는 기계.

plastificante *m.* 성형력 증가 물질 첨가 제품.

plastificar *tr.* ① (…에) 플라스틱을 씌우다 : ~ una tarjeta. ② 플라스틱으로 바꾸다.

plastilina *f.* 조형·세공용 점토.

plastrón *m.* 《*Galic.*》 가슴받이·장식; (셔츠) 가슴.

plata *f.* ①【광물】 은 : ~ de ley 법정 순은(純銀). patrón de ~ 【경제】 은본위. ② 은화 : pagar en ~ 은화로 지불하다. ③ [특히 *Amér.*] 돈(dinero) : gastar mucha ~ 돈을 많이 낭비하다. ④ 부, 재산(riqueza).
~ ***agria*** 유안 은광. ~ ***alemana*** =alpaca. ~ ***córnea*** 각(角)은광. ~ ***de ley*** 법정 은화. ~ ***de piña*** 해면상 은괴. ~ ***en barras*** 은지금(銀地金). ~ ***gris*** 휘은(輝銀)광. ~ ***labrada*** 은그릇, 은제 기구. ~ ***mejicana*** 가짜 은화의 일종. ~ ***nativa·virgen*** 천연은. ~ ***niquelada*** 니켈은 《구리·니켈·주석의 합금》. ~ ***seca*** 수은이 없는 은광. ***como una*** ~ 깨끗한, 반짝반짝 빛나는. ***en*** ~ 요약해서, 간명하게, 간단히 : hablar *en* ~.

Plata, la 【지명】 라·쁠라따강 (Río de ~); 부에노스·아이레스 주·시.

platabanda *f.* 《*Galic.*》 [*fr.* plate - bande] ① 화단(arriate); 그 사이의 길. ②【건축】 중방(moldura lisa).

plataforma *f.* [*fr.* plate - forme] ① 단(壇), 대(臺), 발코니. ② (전차·버스 등의) 플랫폼, 승강대; 운전석 : ~ de carga 화물 전용 플랫폼. Nuestro tren parte de la ~ núm. 8 우리들의 열차는 8번 승강장에서 발차합니다. ③ 뚜껑이 없는 화차, 무개 화차. ④ 돌출대 (~ volada·en voladizo). ⑤【기계】 톱니바퀴 차단기. ⑥【축성】 누도(壘道). ⑦【선박】 최하부 갑판. ⑧ 구실, 외견, 겉보기. ⑨ 대륙붕(大陸棚) : ~ continental. ⑩ 《*Amér.*》 강령, 주의(主義), 정강(政綱). ⑪ 《*Neol.*》 프로그램 (programa) : ~ electoral.
~ ***de salida*** (수영의) 비월대.
~ ***giratoria*** (차량의) 운전대.
~ ***móvil*** 움직이는 보도.
~ ***rodante*** 이동식 촬영대.

platal *m.* 《*Amér.*》【방언】 막대한 금액 (dineral) : ganar un ~.

platalea *f.* =**pelícano.**

platanáceo, a *adj.* 【식물】 플라타너스과의. —*f.pl.* 플라타너스과 식물.

platanal *m.* ① 바나나 재배장 : cosechar un ~. ② 플라타너스 숲.

platanar *m.* =**platanal.**

platanazo *m.* 《*AmérC. Venez.*》 쓰러짐; 정부의 붕괴.

platáneo, a *adj.* =**platanáceo.**

platanera *f.* ① 《*Col. PRico.*》 =**platanal.** ② 바나나 파는 여자.

platanero, ra *adj.* ① 바나나의; 플라타너스의. ② 《*Cuba. PRico.*》 파초 잎을 찢는 (강풍). ③ 《*PRico.*》 뿌에르또·리꼬 나라 다운. ③ 《*Ecuad.*》 발걸음이 가벼운 《말 따위》. —*m.* 바나나나무.

platanillo ① 《*Col.*》 파초과 식물. ② 《*Cuba.*》 콩과 식물. ③ 《*Hond.*》 =**acetosilla.**

plátano *m.* 【식물】 ① 파초; 바나나 (열매); (요리용) 바나나. ② 플라타너스, 목란 (~ falso).
de ~ 《*Venez.*》 엎어져서.

platea *f.* ① (극장의) 무대 정면의 낮은 관람석; 그 뒷좌석. ② 《*Arg.*》 =**luneta.**

plateado, da *adj.* [platear의 *p.p.*] ① 은을 입힌; 은색의 : viso ~. ② 《*Méx.*》 돈이 많은 (adinerado, muy rico). —*m.* ① 은도금 (하는 일) : ~ al cromo 크롬 도금. ② 《*Cuba.*》 (독립 전쟁 당시의) 탈주병.

plateador *m.* 은을 입히는 직; 은도금공.

plateadura *f.* 은을 입힘, 은도금; (그것에 사용되는) 은.

platear *tr.* (…에) 은을 입히다, 은도금하다, 은색으로 만들다 : ~ un marco.

platel *m.* =**bandeja.**

platelminto *adj.m.* 【동물】 편형류(扁形類)의;

편형 동물.

platense *adj.* 《*Arg.*》 라·쁠라따의.

plateñismo *m.* 《*Amér.*》 라·쁠라따강 유역 여러 나라의 사투리·방언.

plateño, ña *adj.* 라 쁠라따 《La Plata, 꼴롬비아의 도시》의.

plateresco, ca *adj.* 서반아의 16세기 경의 은세공사에 의해서 시작된 건축 장식 양식의 : estilo ～.

platería *f.* 은·금 세공점, 은세공직 ; 금은방, 귀금속점.

platero *m.* 은·금세공자, 장식사 (～ de oro) ; 귀금속 상인.

plática *f.* ① 회화, 대화, 대담, 이야기 (conversación) : de ～ en ～ 점점 더 격하게 말하여. ② 설교(sermón).

a libre ～ 검역(檢疫) 후 육지와의 교통을 허락받은 (배).

platicador, ra *adj.m.f.* 대화·회화하는 (사람).

platicar *intr.* 대화하다, 회화하다, 지껄이다 (conversar). —*tr.* 회담하다: *Platiqué con* José esta cuestión 이 문제로 호세와 이야기했다.

platija *f.* [*lat.* platessa]【어류】 넙치 (무리). **Sinón.** acedia.

platilla *f.* 마포, 삼베(bocadillo).

platillo *m.* [*dim.* plato] ① 작은 접시, 작은 접시처럼 된 것 ; (홍찻잔 같은 것의) 받침 접시 ; 저울 접시(～ de la balanza) ; 원반 : ～ volante · volador 비행 접시. ② 육류와 야채를 잘게 썰어 만든 요리의 일종. ③ (사원 같은 곳에서 축제일에 특별히 내는) 받침 접시 (요리). ④ 화제, 화제거리. —*pl.*【악기】 심벌즈 ; 요발 《불교의 법회에 쓰이는 원반 모양의 구리 타악기》.

platina *f.* [*fr.* platine] ① (현미경의) 재물(載物) 유리, 슬라이드 글라스 ; (배기종〈排氣鍾〉의) 반. ②【인쇄】 인자판(印字板) ; 조판대. ③ [드뭄] =**platino.**

platinado, da *adj* platinar의 *p.p.* —*m.* 플라티나 도금.

platinar *tr.* (…에) 백금을 입히다·씌우다 (cubrir con una capa de platino).

platinífero, ra *adj.* 백금이 들어 있는 (que contiene platino).

platinista *m.* 백금 세공사.

platino *m.*【화학】 백금, 플라티나.

platinoide *m.* 플라티노이드 《구리·주석·니켈·텅스텐의 합금》.

platinotipia *f.* 백금 사진.

platirrino, na *adj.* 코가 납작한 (동물). —*m.pl.*【동물】 코가 납작한 원숭이류.

plato *m.* [*lat.* platus] ① 접시 : ～ sopero 수프용 접시. ～ trinchero 납작한 접시. un ～ de uvas 포도 한 접시. ② 요리 : ～ del día 정식(定食). ～ sabroso 맛있는 요리. ～ montado 장식 요리. ③ 접시 모양의 것 : ～ del torno 선반(旋盤)의 면판 ; 물건을 받치는 접시, (저울의) 재물(載物) 접시(platillo). ④ 화제, 이야깃거리 (platillo) : Yo no conozco ese ～ 나는 그 말을 모른다. Fue ～ de una reunión 그것은 모임의 화제였다.

～ *de segunda mesa* (받아도 기쁘지 않은) 퇴물 : ser de ～ *de segunda mesa* 소홀한 대접을 받고 있다.

lista de ～*s* 메뉴(menú).

comer en un mismo ～ 한솥밥을 먹다, 친교를 맺다 : El y yo *comíamos en un mismo* ～.

hacer el ～ a uno 먹여 주다, 부양하다.

hacer ～ 식사의 시중을 들다(servir la comida).

no haber quebrado un ～ 접시 하나 깬 일·실수한 일이 없다.

poner el ～ 빌미·구실·계기를 주다 (poner en ocasión de hacer o decir algo) : Me *puso el* ～ para que le dijese mi sentir 나의 느낌을 말할 수 있는 계기를 만들어 주었다.

ser ～ *del gusto* 바람직하다, 마음에 들다.

ser un ～ *de olla* 능력이 대단치 않다.

plató *m.* 영화관의 무대.

platón *m.* ① 《*AmérC. Méx. Venez.*》 큰 접시 (fuente). ② 《*AmérM. Guat.*》 세면기, 대야(aljofaina). ③ 《*Col.*》 빨래 대야.

platónicamente *adv.* 정신적으로 ; 비현실적으로 ; 이론적으로.

platónico, ca *adj.* ① 플라톤 철학·학파의. ② 우애적인, 정신적인 : amor ～ 정신적인 애정·연애, 플라토닉 러브. ③ 이론적인, 비현실적인 : protesta ～*ca.* —*m.f.* 플라톤 학파의 사람.

platonismo *m.* 플라톤 《Platón, 그리스 철학자, 기원전 427－347》 철학·학파.

platonizar *intr.* 정신적인 사랑을 표시하다.

platudo, da *adj.* 《*Amér.*》 =**acaudalado.**

platuja *f.* =**platija.**

platusa *f.*【어류】 =**platija.**

plausibilidad *f.* 그럴싸함, 시인성(是認性).

plausible *adj.* ① 그럴싸한, 시인할 만한 : sistema de defensa ～. ② 칭찬할 수 있는, 찬양할 만한.

plausiblemente *adv.* 칭찬해서(con aplauso).

plausivo, va *adj.* 칭찬의.

plauso *m.* =**aplauso.**

plaustro *m.*【시어】 이륜 마차(carro).

playa *f.* [*lat.* plaga]. ① 바닷가, 해변, 해안 : Voy a pasar dos semanas en la ～ 나는 해변에서 2주일을 보내련다. ② 《*Arg. Bol. Venez.*》 농사 움막이 있는 광장(cancha). ③ 《*Arg.*》 주차장 ; 목축의 밤샘하는 곳.

de ～ 《*Venez.*》 급료가 좋은 (직업).

playado, da *adj.* 모래톱이 있는 (강·바다).

playazo *m.* [*aum.* playa] [드뭄] 널찍한 개펄.

play-boy *m. ing.* 플레이보이, 바람둥이.

playear *tr.* 《*SDgo.*》 (빨래를) 펴서 말리다.

playera *f.* [주로 *pl.*] ① 안달루시아의 민요 : cantar ～*s.* ② playera춤.

playero, ra *adj.* 해변의 ; 해변용의 (신발) : traje ～ 해수욕복. —*m.f.* ① (해변에서 오는) 생선 장수. ② 《*Ant.*》 (해안 가까이에 사는) 바닷가의 어린이.

—*m.* ① 《*AmérM.*》 뿔 사이가 너무 멀어진 소. ② 《*Perú.*》 부두 노동자 조합.

playo, ya *adj.* 《*Arg. Urug.*》 편편한(llano, no hondo),

playón *m.* [*aum.* playa] 삼림 속의 평원.

playuela *f. dim.* playa.

plaza *f.* [*lat.* platea] ① 광장, 네거리, 길모퉁이 ; 투우장 (～ de toros) : En el centro de la ～ hay un gran monumento 광장의 중앙에 커다란

기념비가 세워져 있다. ② 성채, 요새, 성시(城市) (~ fuerte) : ~ de armas 연병장 ; 병사의 집결지. ③ 장, 시장 : ~ de abastos 식품 잡화 시장. ④ 상업의 중심지 : esa ~ [상업 통신문에서] 귀시장, 귀지(貴地). precios de ~ 현장도 가격. el uso · la costumbre de la ~ 상관습, 상도덕. ⑤ 상인 조합 (gremio). ⑥ 장소 (espacio) : ambas ~s 두 장소. ⑦ 여유. ⑧ 직장, 일자리, 지위 (oficio, empleo) : una ~ vacante 공석. ⑨ 적(籍) : ~ de colegial 학적. ⑩ (의용병의) 병적 : sentar · asentar ~ 의용병이 되다 (entrar a servir de soldado). ⑪ 평판, 소문 : pasar ~ 소문이 나다. ⑫ 성격. ⑬ 가마솥의 밑. ⑮《*Col.*》50 m 평방의 지적(地積). ⑯ 자리, 좌석(asiento) : coche de cuatro ~s 4인석 자동차.

~ ***montada*** 기마병.

en ~ 즉각, 그 자리에서.

atacar bien la ~ 실컷 먹다.

correr la ~ 상품의 선전 판매에 나서다.

echar en (la) ~ 시장에 물건을 내다.

hacer ~ ① 자리를 비우다, 사람을 비키게 하다 (hacer lugar). ② 발매하다. ③ 세상에 내놓다 (publicar).

pasar ~ 평판 · 소문이 나다.

romper ~ 선두를 맡다, 첫 시작을 하다.

sacar a (la) ~ 공표(公表)하다, 세상에 밝히다 (publicar).

sentar ~ ***de*** …로 간주되다(ser considerado como).

socorrer la ~ 몹시 곤궁한 처지를 벗어나게 하다.

¡plaza! *interj.* (길을) 비켜라!

plazc- →**placer** 34.

plazca → **placer** 34.

plazo *m.* ① 기한 ; 기간 : en ~ de un año 1년간에. vencimiento del ~ 지불 기한, 만기. expirar el ~ 기한이 마감되다. prorrogar el ~ 기한을 연기하다. dar ~s a un deudor 부채자에게 기한을 주다. ② 연불(延拂), 일부 지불, 연부금, 월부금, 분할 부금 : en tres ~s 3회불로. *a · en* ~*s* 분할불로 (팔다). pago a · en · por ~s 분할불.

~ ***a que se debe pagar una letra de cambio*** 어음 기한.

~ ***convenido*** 예정 기일.

~ ***de entrega*** 납기, 인도 기일.

~ ***de fabricación*** 제조 기한.

~ ***de garantía*** 보증 기간.

~ ***de la prima*** 분할 보험료.

~ ***de liquidación y cancelación de las cuentas a cobrar y a pagar*** 채권 채무의 지불 기한.

~ ***de pago (de 30 días)*** (30일) 지불 기한 · 기간.

~ ***de prescripción · de derechos*** 시효 기간.

~ ***legal de preaviso*** 법정 사전 해고 통고 기간.

~ ***de suministro*** 납기, 납품 일정.

~ ***previsto*** 약정 기간.

~ ***que se concede por la costumbre para el pago de una letra de cambio*** 어음 기한.

a ~ ① 신용 대부로, 외상으로 : comprar *a* ~ 외상으로 사다. ② 기한부로 : depósito *a* ~ 정기 예금.

a · en · por ~***s*** 분할로, 월부로 : venta *a* ~*s* 월부 판매.

a ~ ***fijo*** 정기적으로.

a corto · largo ~ 단기 · 장기의 · 로.

en breve ~ 즉시, 바로, 곧.

plazoleta *f.* [*dim.* plaza] (정원 안 등의) 작은 광장 ; 네거리, 사거리, 십자로, 길모퉁이.

plazuela *f.* [*dim.* plaza] 소광장.

ple *m.* 벽에 공을 던지는 놀이.

pleamar *f.* 만조(滿潮) ; 만조기. **Contr.** bajamar.

plebano *m.* =**plébano.**

plébano *m.* (곳곳에서) 사제 ; 주지(住持) (cura párroco).

plebe *f.* [*lat.* plaebs, plebis] [집합] 평민, 서민 (pueblo).

plebeyamente *adv.* 속되게.

plebeyez *f.* 평민의 신분.

plebeyo, ya *adj.* 평민의 ; 속된. —*m.f.* 평민.

plebezuela *f. dim.* plebe.

plebiscitar *tr.* 국민 투표에 따르다.

plebiscitario, ria *adj.* 국민 · 인민 투표의, 국민 투표에 의한 ; 서민 입법의 : doctrina ~*ria.*

plebiscito *m.* [*lat.* plebiscitum] ① 국민 · 인민 투표(referéndum) : ~ nacional. ② (고대 로마의) 평민 제정법.

pleca *f.* 【인쇄】 괘, 단선(單線).

plectognato *adj.m.* 【동물】 고악류(固顎類)의 (물고기).

plectro *m.* ① 【음악】 (현악기의) 북채, 골무. ② 【시어】 시흥, 시취.

plega →**placer** 34.

plegable *adj.* 접고 펼 수 있는(doblegable) : cama ~ 접는 침대.

plegadamente *adv.* 접어서 ; 대충 ; 대강대강.

plegadera *f.* ① =**cortapapeles.** ② (제본에서의) 종이 접는 주걱.

plegadizo, za *adj.* ① 접기 쉬운, 접기식으로 된 (fácil de plegar o doblar). ② 주름잡히기 쉬운.

plegado *m.* 접기(plegadura).

plegador, ra *adj.* 접는(que pliega). —*m.f.* 접지공(摺紙工) : una ~ de periódicos. —*m.* 접지기(摺紙機).

plegadura *f.* 접기 ; 주름(pliegue).

plegar *tr.* 19 8 ① 접다(doblar) : ~ el papel. ② (…에) 주름을 넣다 · 내다 : ~ una falda. ③ 【고어】 울다(llorar).

~se 꺾이다, 굽히다, 굴복하다, 항복하다 (doblarse, someterse).

plegaria *f.* ① 기원, 기도(oración). ② 간절한 소망 : hacer ~s 간청하다. ③ (정오의) 기도의 종.

plegue plegar의 접 · 현 · 1 · 3 · 단수.

plegué plegar의 직 · 부정과거 · 1 · 단수.

plegueria *f.* [집합] 주름, 구김살.

pleguete *m.* (덩굴 식물의) 덩굴손(tijereta).

pleistoceno, na *adj. m.* 【지질】 최신세(의).

pleita *f.* 꼰 끈 : 납작하게 꼬기.

pleiteador, ra *adj.m.f.* 소송을 건 (사람) ; 소송하기 좋아하는 (사람).

pleiteante *adj.m.f.* =**pleitista.**

pleitear *tr.* 소송을 제기하다, 소송을 걸다 : ~ *con · contra* uno.

pleiteo *m.* 소송 제기.

pleités *adj.* 【고어】 소송하기 좋아하는, 소송을 업으로 삼는. —*m.* 중재자(mediador).

pleitesía *f.* 【고어】 협정, 협약, 약정, 타협(pacto, convenio); 경의(敬意) : tributar·rendir·hacer ~ 경의를 표하다.

pleitista *adj.m.f.* 소송을 좋아하는 (사람).

pleito *m.* ① 소송 (수속) : sostener un ~ *contra* uno. ② 분쟁 : Hubo un ~ entre los estudiantes 학생들 간에 분쟁이 있었다. ③ 가정의 싸움, 불화(riña) : ~ ordinario 오래 끈 소송; 끝없는 불화. Está siempre *a* ~ *con* su suegra 언제나 시어머니와 불화가 있다.
~ *civil* 민사 소송.
~ *criminal* 형사 소송(causa criminal).
~ *de acreedores* 채권자 집회·회의.
~ *homenaje* 충성을 표시하는·신하로서의 맹세 : rendir ~ *homenaje* 충성을 맹세하다.
ganar un ~ 소송에 이기다.
perder un ~ 소송에 지다.
poner ~ a uno (누구에 대해서) 소송을 걸다.
poner a ~ (이유없이) 덮어놓고 반대하다.
salir con el ~ 소송에서 이기다.
tener mal ~ 까닭·이유·근거가 희박하다.
ver el ~ 소송의 이유를 밝혀 진술하다.
ver el ~ *mal parado* 잘 안되는 것으로 간주하다.

plena *f.* 서인도 지방의 민요·춤.

plenamar *f.* 만조(滿潮), 찬물때(pleamar).

plenamente *adv.* 하나 가득, 충분하게, 완전히(enteramente, completamente) : El está ~ convencido.

plenariamente *adv.* 완전하게, 충분하게.

plenario, ria *adj.* [*lat.* plenarius] ① 완전한, 충분한 (completo, entero, cumplido). ② 전부의, 전원의 : reunión·sesión ~*ria* 총회, 전체 회의. Se celebró la reunión ~*ria* 총회가 개최되었다. —*m.* 전원, 전체.

plenilunio *m.* 만월, 보름달(luna llena).

plenipotencia *f.* 전권(全權).

plenipotenciario, ria *adj.* 전권의, 전권을 위임 받는, 전권을 가진 : ministro ~ 전권 공사. —*m.f.* 전권 위원; 전권 대사; 전권 공사.

plenitud *f.* [*lat.* plenitudo] ① 하나 가득 참, 완전, 충만, 충실, 절정, 나무랄 데 없는 일 : Las flores están en su ~ 꽃은 활짝 피었다. ② 과다, 과분(abundancia excesiva) : ~ de humores.

pleno, na *adj.* [*lat.* plenus] ① 가득한, 나무랄 데 없는, 충분한, 충만한, 완전한(lleno, completo) : ~*na* ocupación 완전 취로(就勞). ~ empleo 완전 고용. en ~ día 한낮에. Estamos en ~ invierno 지금은 한 겨울이다. ② 충실한; 전면적인. —*m.* 총회 : *P-* del Comité Central del partido 당 중앙 위원회 총회.
en ~ 전체로, 전부에 : dimitir *en* ~ 총사직하다.

pleocroísmo *m.* (결정의) 다색성(多色性).

pleonasmo *m.* ①【수사】 중복 강조법 《예 : Yo lo vi con mis ojos》. ② 실없는 소리, 공연한 말, 장황함.

pleonásticamente *adv.* 장황하게.

pleonástico, ca *adj.* 거듭거듭 뜻을 강조하는; 장황한.

plepa *f.* 흠·결점투성이라 쓸모없는 사람·물건(persona o cosa muy defectuosa).

plesímetro *m.* 타진판 《의료 도구》.

plesiosaurio *m.* =**plesiosauro.**

plesiosauro *m.* 사경룡(蛇頸龍) : El ~, que medía hasta 9 metros de largo, tenía cabeza de lagarto y cuello inmenso.

pletina *f.* 쇠로 된 버클.

plétora *f.* [*gr.* plêtôra]【의학】 다혈(多血), 다혈증, 충만증; 과도, 과다; 풍부.

pletórico, ca *adj.* ① 다혈증의, 다혈질의. ② 과다의 : ~ de salud.

pleura *f.* [*lat.* pleura]【해부】 흉막, 늑막 : La inflamación de la ~ se llama pleuresía.

pleural *adj.* 흉막·늑막의.

pleuresía *f.*【의학】 흉막염(胸膜炎), 늑막염(inflamación de la pleuresía) : ~ falsa 측흉통, 늑간 신경통(pleurodinia).

pleurítico, ca *f.* 늑막의; 늑막염의. —*m.f.* 늑막염 환자.

pleuritis *f.* 【의학】 흉막염, 늑막염(pleuresía seca).

pleurodinia *f.*【의학】 측흉통(側胸痛), 늑간 신경통.

pleuronecto *adj.* 【어류】 넙치속의. —*m.* 【어류】 넙치(platija).

plexiglás *m.* 플렉시글라스 《더러 투명도가 높은 plásticos를 말하기도 함》.

plexo *m.* [*lat.* plexus]【해부】 (신경·혈관·섬유 등의) 총(叢), 망(網) : ~ solar 태양 신경총.

Pléyadas *f.pl.* =**Pléyades.**

pléyade *f.* ① (어떤 한 시기의) 칠대가(七大家). ② 빛나는 일단 : ~ literaria.

Pléyades *f.pl.* ①【희랍 신화】 Atlas의 일곱 딸. ②【천문】 스발성(Hespérides).

plica *f.* [*lat.* plicare] ① (개봉할 시기를 지정한) 밀봉서. ② 규발병(糾髮病).

pliego *m.* 접은 종이; 종이 한 장, 기록 문서; (책의) 한 질; 봉서(封書); 각서; 명세서, 서류, 메모 : ~ de aduana 세관 신고서. ~ de condiciones 명세서. ~*s* de cordel (가게 앞에 매어 놓은) 서첩 《이야기·전기 등의 염가판》. ~ de pedido 주문서, 주문표.

pliegue *m.* ① 주름; 구김살 : descoger ~ 주름·구김살을 펴다. hacer dos ~ *s* en un vestido 옷에 이중 주름을 놓다. ②《*Galic.*》 습관, 버릇.

plieguecillo *m.* [*dim.* pliegue] 이절지, 반절지; 꿰매기.

plinto *m.* [*gr.* plinthos] 【건축】 주석(柱石), 주초(柱礎).

plioceno, na *adj.m.* 【지질】 선신세(鮮新世) 《제3기 최신기》 (의).

plisado, da *adj.* plisar의 *p.p.* —*m.* 《*Galic.*》 = **plegado.**

plisar *tr.* 《*Galic.*》 =**plegar.**

plomada *f.* ① (직업인들이 쓰는) 연필, 깃털펜. ② (그물을 가라앉히기 위해 끝에 댄 전체의) 추; 봉돌, 측연, 측심추(sonda). ③【은어】 벽.

plomar *tr.* (봉함 편지에) 연봉(鉛封)하다 (sellar con plomo un documento).

plomazo *m.* ① 연탄(鉛彈)에 맞음 (herida de perdigón). ②《*Méx.*》 탄혼(balazo).
plombagina *f.* 【광물】 흑연, 석묵(石墨) (grafito) : La ~ sirve para fabricar lápices.
plombagináceo, a *adj.* 【식물】 =**plumbagíneo.** —*f.pl.* 【식물】 =**plumbagináceas.**
plombagíneo, a *adj.* 【식물】 =**plumbagíneo.** —*f.pl.* 【식물】 =**plumbagináceas.**
plomería *f.* ① 양철 지붕. ② 아연 공장. ③ 아연 기술.
plomero *m.* ① 아연 가공인. ② (가스 · 수도 등의) 배관공.
plomífero, ra *adj.* 납을 함유한, 납의 : mina ~*ra* 납의 광택. —*m.f.* 궁둥이가 무거운 사람 ; 묵직한 물건.
plomizo, za *adj.* 납을 함유한, 납의 ; 납빛의, 납같은 : cielo ~.
plomo *m.* [*lat.* plumbum] ①【화학】 납 : ~ dulce 정제연(精製鉛). ② 납으로 만든 것 ; 봉돌 : ~ de pescar 낚시 봉돌. ~*s* de la red 그물 봉돌. ③ 추연, 측연(測鉛)(plomada). ④ 연봉(鉛封) : poner el ~, sello de ~ a las mercancías. ⑤ 산탄(散彈), 탄환(bala) : ~ homicida. ⑥ 귀찮은 사람, 동작이 굼뜬 사람.
azúcar de ~ 연당(鉛糖).
a ~ ① 수직으로(verticalmente). ② 때마침, 안성맞춤으로, 정확히(en punto).
andarse·ir con pies de ~ 신중히 하다.
caer a ~ 와락 · 털썩 떨어지다.
plomo, ma *adj.* 《*Amér.*》【방언】 ① 납같은, 납색깔의. ② 굼뜬.
plomoso, sa *adj.* ① 납의, 납같은, 납을 함유한 (plomizo). ② 《*AmérC.*》 귀찮은(cargante).
plugo →**placer** ㉞.
pluguie- →**placer** ㉞.
pluma[1] *f.* [*lat.* pluma] ① 깃털 : colchón de ~ 깃털 이불. ~ viva 새로 간 깃털. ② 펜, 펜촉 (~ de escribir) : ~ de acero 철필. ~ estilográfica 만년필. ~-fuente · tintero 《*Amér.*》 만년필. a ~ 펜으로, 펜으로 쓴. peso ~ 페터급. ③ 붓, 달필 ; 필치 (estilo) : con ~ elocuente. ④ 문필가, 작가 : El autor es una de las mejores ~*s* de su país 그 저자는 그의 나라에서 가장 훌륭한 작가 중의 한 사람이다. ⑤ 문필 : vivir de su ~ 문필로 살다. José mancha · vende su ~ 호세는 문필 생활을 하고 있다. ⑥【속어】 방귀 (pedo). ⑦【은어】 노(remo) ; 빼세따화(貨). ⑧ 《*AmérC.*》 낭설, 유언 비어, 거짓말. ⑨ 《*Ant. Col.*》 수도 꼭지. ⑩ 《*Arg.*》 갈보, 매춘부. ⑪ 《*Chile.*》 크린치(grúa). ⑫ 《*Méx.*》 만돌린을 켜는 데 쓰는 골무. —*adj.* 《*CRica.*》 =**simpático.**
~ *de agua* 유수(流水) 계량의 단위.
~ *de mar* 【어류】 바다조름.
al correr de la ~, *a vuela* ~ 붓가는 대로 ; 급히 휘갈겨 써서 ; 재빨리 : El músico ha compuesto su obra *a vuela* ~.
dejar correr la ~ 붓가는 대로 맡기다.
hacer a ~ *y a pelo* 썩 훌륭하게 하다.
poner la ~ *bien·mal* 솜씨있게 · 서툴게 써서 나타내다 : ¡Qué *bien pone la* ~ ese pícaro!
pluma[2] *m.* (권투의) 페터급(peso ~).
plumada *f.* ① 일필, 갈겨쓰기 : dar una ~. ② 장식 글씨 쓰기.
plumado, da *adj.* 깃털이 난.
plumaje *m.* ① [집합] 깃털. ② 깃털 장식 (penacho). ③ 《*Col.*》 깃털 장난감의 일종 (rehilete, volante).
plumajeamiento *m.* plumajear 하기.
plumajear *intr.* =**gallardear.**
plumajería *f.* 깃털이 풍부함.
plumajero *m.* 깃털 세공사 ; 깃털 판매인.
plumaria *adj. el arte* ~ 깃털 세공 : *El arte* ~ es originaria de Oriente.
plumario *m.* ① 《*Amér.*》 펜촉. ②【고어】《*Col. Chile.*》 서기, 대서인(plumista).
plumazo *m.* ① 깃털 이불 · 베개 (colchón o almohada de pluma). ② 《*Amér.*》 빨리 쓰기, 갈겨쓰기(plumada) : de un ~ 난폭하게 (말소하다). ③ 《*Ant. Perú.*》 붓가는 대로 ; 즉각.
plumazón *f.* =**plumajería ; plumaje.**
plumbado, da *adj.* 납땜한, 납으로 봉한.
plumbagina *f.* 【광물】 흑연, 석묵(石墨).
plumbagináceo, a *adj.* 【식물】 좀갯질경이속의. —*f.pl.* 좀갯질경이속의 식물.
plumbagíneo, a *adj.* =**plumbagináceo.**
plúmbeo, a *adj.* ① 납의 ; 납같은. ② 무거운, 묵직한, 뻑적지근한 : aspecto ~.
plúmbico, ca *adj.* 【화학】 납의.
plumeado, da *adj.* plumear의 *p.p.* —*m.* (펜화 등의) 선영(線影).
plumear *tr.* ① 선으로 그늘을 넣다. ② 쓰다 (escribir).
~se 《*SDgo.*》 도망치다.
plumeársela(s) 《*AmérC.*》 도망치다, 사라지다.
plumeo *m.* 깃털로 내는 소리 : ~ de abánico.
plúmeo, a *adj.* 깃이 있는.
plumería *f.* [집합] 깃털 ; 푹신푹신한 깃털.
plumerilla *f.* 【식물】《*AmérM.*》 붉은 꽃의 미모사 · 함수초.
plumerillo *m.* 《*Riopl.*》 =**plumerilla.**
plumerío *m.* =**plumería.**
plumero *m.* ① 깃털 빗자루. ② 깃털 장식 (penacho). ③ 붓통. ④ 《*AmérM.*》 펜촉 (portaplumas).
plumetís *m.* [*fr.* plumetis] 자수의 일종(bordado lleno hecho a la mano).
plumífero, ra *adj.* 【시어】 날개가 있는 : ave ~*ra.* —*m. desp.* 사이비 문필가 ; 신문 기자.
plumilla *f.* [*dim.* pluma] ① 작은 깃. ②【식물】 떡잎(plúmula).
plumión *m.* =**plumón.**
plumípedo, da *adj.* 발에 털이 많은 (새).
plumista *m.f.* ① 서기, 대서인. ② 깃털 세공인 · 상인.
plumo, ma *adj.* 《*Venez.*》 고요한, 조용한 (sereno).
plumón *m.* ① 솜털, 북실북실한 털. ② 솜털 이불(colchón lleno de plumón).
plumoso, sa *adj.* 깃털이 북실북실한 (que tiene mucha pluma).
plúmula *f.* 【식물】 떡잎(yema del embrión).
pluqueque *m.* [*ing.* plum-cake] 건포도 · 말린 과일이 든 과자 《결혼용》.
plural *adj.* [*lat.* pluralis] 【문법】 복수(형)의. —*m.* 복수(형) : en ~ 복수형으로. Dígame el ~ de esta palabra 이 말의 복수형을 말씀해 주

십시오. Contr. singular.

pluralidad *f.* 다수, 복수성 ; 절대 다수 : a ~ de votos 절대 다수로. Contr. singularidad.

pluralismo *m.* (같은 사람의) 이익의 절대 다수.

pluralizar *tr.* ⑨ 【문법】 복수(형)으로 만들다.

pluriempleado, da *adj.m.f.* 겸업·겸직의 (사람).

pluriempleo *m.* 겸업, 겸직 ; 야간 아르바이트 (multiempleo).

plurífloro, ra *adj.* 꽃이 하나 이상 달린.

plurilingüe *adj.* 여러 나라 말을 하는·쓰는.

plurilocular *adj.* 세포가 많은.

plurinucleado, da *adj.* 씨가 많은.

pluripartidismo *m.* 복합 당파심.

plus *m.* [*pl.* pluses] (특별) 수당, 임시 급료 : ~ de carestía de vida 생활비 앙등 수당.

pluscafé *m.* [*fr.* pousse-café] 커피를 마신 다음 조금 마시는 주류.

pluscuamperfecto *adj.m.* 【문법】 대과거형(의)(tiempo ~).

plusmarca *f.* 【경기】 신기록, 레코드.

plusmarquista *m.f.* (신)기록 수립자·보유자.

plus minusve *adv. lat.* 대략(más o menos).

plus ultra *adv. lat.* 저쪽에(más allá).

plusvalía *f.* ① (물가의) 등귀, 앙등(mayor valía). ② (토지의) 자연 증가, 불로(不勞) 증가.

plúteo *m.* [드뭄] (책장·서가의) 선반.

Pluto *m.* 【희랍 신화】 부귀의 신.

plutocracia *f.* 금권·호화 정치 ; 황금 만능 ; 재벌(~ financiera) ; 재벌 계급.

plutócrata *m.f.* 재벌 ; 금권 정치가.

plutocrático, ca *adj.* 재벌의 ; 금권 정치의.

Plutón *m.* ① 【신화】 저승의 왕. ② 【천문】 명왕성.

plutoniano, na *adj.* =**plutónico.**

plutónico, ca *adj.* ① 【지질】 화성(火成)의, 심성(沈成)의 ; 지각 화성론(地殼火成論)의 : roca ~*ca* 심성암. ② 【신화】 지하의 ; 화계(火界)의, 지옥의.

plutonio *m.* 【화학】 플루토늄 《방사성 원소》.

plutonismo *m.* 지각 화성론(地殼火成論) (vulcanismo).

plutonista *m.f.* 화성론자(vulcanista).

pluvia *f.* 【시어】 비(lluvia).

pluvial *adj.* 비의 : agua ~ 빗물. capa ~ 승려의 예복의 일종. —*m.* 《*PRico.*》 【조류】 댕기물떼새(frailecito).

pluviátil *adj.* =**pluvial.**

pluvímetro *m.* 우량계(雨量計).

pluviógrafo *m.* 자기 우량계(自記雨量計).

pluviometría *f.* 우량 측정술.

pluviométrico, ca *adj.* 우량계의,우량 측정의.

pluviómetro *m.* =**pluvímetro.**

pluviosidad *f.* 비가 많음, 정해진 기간 동안에 내리는 비의 양.

pluvioso, sa *adj.* 비가 많은(lluvioso). —*m.* 비의 달 《프랑스 공화력의 다섯 째 달 ; 1월 20일부터 2월 18일》.

p.m. post meridiem 오후.

P.M. Padre Maestro ; pasado meridiano ; peso molecular.

p.m/c. ; p. m/cta. por mi cuenta 당사의 계정에 의해.

pmo(s), pma(s) próximo(s), próximá(s) 오는, 내(來)….

p/n. peso neto.

pneumático, ca *adj.* =**neumático.**

pneumonía *f.* =**neumonía.**

pno. pergamino.

PNP Partido Nuevo Progresista.

PNUD Programa de las Naciones Unidas para el Desarrollo 유엔 개발 계획.

PNV Partido Nacionalista Vasco.

¡ po! *interj.* 《*Ant. Col.*》 불쾌할 때의 감탄사.

p.o., P.O., p/o. por orden.

p.º pero ; precio.

P.º Pedro.

poa *f.* 돛줄을 감아 놓은 곳.

pobeda *f.* 백양(pobo)의 숲.

pobl. población.

población *f.* ① 식민(植民) : la ~ de un desierto 사막의 시민. ② 인구 : ¿Qué ~ tiene este país? 이 나라의 인구는 얼마나 됩니까? ③ (총칭적으로) 주민 : la ~ de Chile 칠레의 주민. ④ 시, 읍, 면, 마을(ciudad. villa) : Pasamos muchas ~*es* pintorescas. ⑤ 《*Arg.*》 시골의 부락 ; 농장에 있는 가옥.

~ ***activa*** 노동 인구.

~ ***estadística*** 통계 인구, 인구 통계.

~ ***finita*** 유한 모집단(母集團).

~ ***flotante*** 부동 인구.

~ ***heterogénea*** 이질적·다원적 인구.

~ ***hipotética*** 가상 인구.

~ ***infinita*** 무한 모집단.

~ ***óptica*** 최적·적정 인구.

~ ***real*** 실질 인구.

poblacional *adj.* 인구의.

poblacho *m.* [*desp.* pueblo] 한촌, 빈촌.

poblachón *m. aum.* poblacho.

poblada *f.* ① 《*Chile.*》 군중. ② 《*Amér.*》 폭동(의 무리), 반란.

poblado, da *adj.* [poblar의 *p.p.*] (사람·동물이) 살고 있는 ; (초목이) 나 있는, …이 있는. —*m.* 부락, 시, 마을, 촌락(población) : llegar a ~.

poblador, ra *adj.* 나라를 건설하는. —*m.f.* (특히 식민지의) 건설자.

poblano, na *adj.* 《*Amér.*》 시골풍의. —*m.f.* 《*Amér.*》 시골 사람(aldeano, campesino).

poblar *tr.* ㉔ ① (…에) 식민지·마을을 세우다, 식민하다, 입식(入植)시키다, 사람을 살게 하다 : ~ un monte. ② (어떤 곳에 생물·초목·물고기·벌레 등을) 넣다, 서식·생식시키다 ; 이식시키다 : ~ una sierra *de* árboles 산에 나무를 심다. ~ un estanque *de* peces 연못에 고기를 넣다. ③ 번식시키다, 무성하게 만들다. —*intr.* 식민·이주·입식(入植)하다 : ~ *en* buen paraje 좋은 곳에 식민지를 만들다.

~se ① 인구가 불어나다 : Estas razas *se pueblan* rápidamente 이러한 종족들은 인구 증가가 빠르다. ~*se de* gente 사람이 많이 들어가다. ② 나무들이·가지나 잎이 무성하다 ; 번식하다, 뻗어 퍼지다 : Los cauces del río *se ha poblado de* gente y plantas.

poblazo *m.* =**poblacho.**

poblazón *f.* 【고어】 =**población.**

poblezuelo *m. dim.* pueblo.

pobo *m.* [*lat.* populus] 【식물】 포플라, 백양 (álamo blanco).

pobrar *tr.* =**poblar.**

pobre *adj.* [*lat.* pauper] ① 가난한, 빈곤한 : las clases ~*s* 빈민 계급. un viejo ~ 가난한 노인. ② 빈약한, 넉넉하지 못한 (escaso) : una lengua ~ *de* voces 어휘의 수효가 적은 언어. un alimento ~ *en* vitaminas 비타민이 적은 식품. ③ [명사 앞에 쓰여서] 가엾은, 가련한, 불쌍한, 안스러운 (infeliz) : un ~ viejo 불쌍한 노인. ④ 지나치게 얌전한, 마음이 약한. ⑤ 고인이 된 : mi ~ padre 나의 돌아가신 아버지. —*m.f.* ① 가난한 사람. ② 불쌍한·가엾은 사람. ③ 거지 (mendigo). Contr. rico.

tan ~ como un ratón de sacristía 몹시 가난한 (más ~ que una rata).

pobremente *adv.* 가난하게 ; 불쌍하게, 가엾게 ; 빈약하게.

pobrería *f.* [집합] 빈민, 세민(細民), 가난한 사람(pobretería).

pobrerío *m.* 《*Col. Urug.*》 =**pobrería.**

pobrero *m.* (수도원 등에서 가난한 사람에게 구호품을 주는) 시주 승려.

pobreta *f.* 갈보, 매춘부, 매음부(ramera).

pobrete, ta *adj.* [*dim.* pobre] 가엾은, 불행한, 사람이 좋은.

pobretear *tr.* 궁상 떨다(echar de pobre).

pobretería *f.* 빈민의 무리·계급 ; 빈약, 빈궁, 가난(pobreza).

pobreto *adj.* =**pobrete.**

pobretón, na *adj.m.f.* [*aum.* pobre] 쩨지게 가난한 (사람).

pobreza *f.* ① 가난, 빈곤 (estrechez, necesidad) : Pobreza no es vileza 가난은 부끄러운 일이 아니다. ② 넉넉치 못함, 근소, 빈약 (escasez) : ~ de recursos. ③ 마음이 약함, 옹졸함. ④ 값어치가 별로 없는 것 : repartir su ~ con otro más infeliz que uno. Contr. riqueza, fortuna.

pobrezuelo, la *adj.* [*dim.* pobre] 가난한 ; 가엾은, 불쌍한.

pobrismo *m.* [드뭄] =**pobretería.**

pocero *m.* 우물 파는 인부 ; 하수도 인부, 시궁창 치우는 사람.

poceta *f.* 《*Col.*》 =**estanquillo, alberca.**

pocha *f.* 《*Chile.*》 거짓말, 허풍(mentira).

pochanco, ca *adj.* =**aguachado.**

pocho, cha *adj.* ① 퇴색한(descolorido). ② 너무 익은(demasiado maduro). ③ 《*Chile.*》 뚱뚱보의, 땅딸막한(rechoncho). ④ 《*Chile.*》 끝이 떨어진·잘린(truncado). ⑤ 《*Méx.*》 북미에서 돌아온 촌스러운 놈 ; 얼굴에 묻은 흙탕.

pochocho, cha *adj.* 《*Chile.*》 =**rechoncho.**

pochonga *f.* 《*Chile.*》 거짓말(mentira).

pochote *m.* 【식물】 뽀쵸떼 《중미산의 식물로서 솜의 대용품으로 쓸 수 있음》.

pocilga *f.* 돼지 우리 ; 더러운 곳 : Esa casa es una verdadera ~ 그 집은 돼지 우리나 마찬가지다.

pocillo *m.* (물을 받거나 과일을 짠 찌꺼기를 모으기 위해 묻은) 항아리.

pócima *f.* ① 달인 약 : ~ amarga. ② (일반으로) 몰약.

poción *f.* [*lat.* potare] ① 마실 것, 음료(bebida) ② 마시는 약, 물약.

poco, ca *adj.* 조금의, 약간의, 적은, 근소한, 드문 : ~*ca* gente 많지 않은 사람. ~*cas* veces 아주 드물게. en ~ rato 단시간에. Somos ~*s* 우리는 적은 인원이다. Hoy hay ~*ca* gente en el parque 오늘은 공원에 사람이 별로 없다. Queda muy ~*ca* gasolina en el tanque 탱크에는 가솔린이 별로 남아 있지 않다. He comprado manzanas pero me quedan ~*cas* 나는 사과를 샀으나 조금 밖에 남아 있지 않다.

—*pron.* ① [부정 관사 un 앞에서] 조금, 소수, 소량, 소액 : Le dio *un* ~ de felicidad 그에게 아주 적은 행복을 주었다. Tomaré *un* ~ *de* agua 약간의 물을 마시겠다. Hablo *un* ~ *de* alemán 나는 독일어를 약간 한다. ② [부사적 어구·표현 안에서는 관사를 동반하지 않음] dentro de ~ 곧 ; 이윽고. Hasta hace ~, llovía mucho 조금 전까지 비가 심했다. ③ 약간의 것, 소수의 인원 : *Pocos* de los presentes lo sabían 출석자 가운데 소수 만이 알고 있었다.

—*adv.* ① 조금 : ~ después 조금 뒤에. ~ antes 조금 전에. ② [거의 부정적인 뜻이 됨] 거의 … 않다 : Avanzaba muy ~ 거의 진척되지 않았다. Es ~ inteligente 별로 현명하지 못하다. ③ [un 과 함께 쓰이면 긍정적으로] 조금, 조금만 : Avanzaba *un* ~ 조금 앞으로 나아갔다.

~ a ~ 점점, 조금씩, 천천히 : *Poco a* ~ se alejaba el barco 배가 점점 멀어졌다. Aprenderá usted a hablar castellano ~ *a* ~ 조금씩 서반아어를 말하는 것을 배우게 될 것이다.

(sobre) ~ más o menos 거의, 대략, …가량, …쯤 : Salí de casa ~ *más o menos* a las dos de la tarde 나는 대략 오후 두 시 경 집을 나갔다.

~ menos que (…에) 거의 가까이 : Era ~ *menos que* indiferente 거의 무관심하다고 할 만했다.

a ~ 얼마 안 있어 (poco tiempo después) : Expiró *a* ~ 그는 얼마 안 있어 죽었다.

de ~ más o menos 쓸모없는, 별로 중요하지 않은(de poca importancia).

en ~ …할 뻔하여 : Estuvo *en* ~ que riñésemos 우리는 하마터면 싸울 뻔했다.

por ~ 하마터면, 자칫 잘못했다가는 (casi) : Tropezó, y *por* ~ se cayó 부딪쳐서 하마터면 넘어질 뻔했다.

ser para ~ 무기력하다, 빌빌거리다, 대가 약하다.

tener en ~ 무시·경시하다, 업신여기다.

pocote *m.* 《*Arg.*》 【식물】 가지과 식물.

póculo *m.* [드뭄] 술잔.

poda *f.* 전정(剪定) ; 전정기(剪定期).

podadera *f.* 《*Arg.*》 [주로 *pl.*] 전정용 가위.

podador, ra *adj.m.f.* 전정하는 (사람).

podadura *f.* [드뭄] 《*Chile.*》 =**poda.**

podagra *f.* [*lat.* podagra] 【의학】 다리의 풍통(風痛)(gota en el pie).

podar *tr.* [*lat.* putare] (나뭇가지를) 베어버리다, 전정하다 : Un jardinero *está podando* árboles del parque 정원사가 공원의 나무를 베고 있다.

podazón *f.* 전정기(剪定期).
podenco, ca *m.f.* 사냥개(perro de caza)의 일종.
podenquero, ra *m.f.* podenco를 돌보는 사람.
poder[1] *tr.* 67 [*lat.* potere] ① …할 수 있다, …하는 일이 가능하다 : *Podré* ir a las tres 나는 세 시에는 갈 수 있을 것이다. Juan no *puede* venir 후안은 올 수 없다. ② ㄱ) [허락] … 해도 좋다 : ¿*Se puede*? 들어가도 좋습니까? ¿*Se puede* usar este teléfono? 이 전화 좀 사용해도 괜찮습니까? ㄴ) [이 뜻으로 부정일 때] …해서는 안된다 : Aquí *no puede* usted patinar 여기서 스케이트를 타서는 안된다. ③ [가능성] …할지도 모른다 : Juan *puede* no venir 후안은 오지 않을지도 모른다. ④【속어】화나게 하다, 성나게 하다(enfadar, irritar) : Me *puede* su conducta 그의 행동은 나를 성나게 한다.
—*intr.* ① 능력이 있다 : No *puedo con* la carga 이 책임 · 짐은 견더 낼 수가 없다. ② [+que+*subj.*] …하는 수가 있을 수 있다, …일지도 모른다 : *Puede que* llueva mañana 내일은 비가 올지도 모른다. *Puede que* vaya a España el próximo año 그는 내년에 서반아에 갈지도 모른다.
no ~ con …을 자유로이 할 수 없다.
no ~ consigo mismo 따분해 하다, 넌더리내다.
no ~ menos de + inf. …하지 않을 수 없다 : *No podíamos menos de* reir 웃지 않을 수 없었다.
no ~ parar (고통 등으로) 참을 수 없다.
no ~se valer 절박한 상태이다 ; (손발이) 말을 듣지 않는다.
no ~se valer con (어떤 일이) 생각과 같지 못하다, 생각과 다르다.
no ~ tragar (누구에게) 원한을 품고 있다.
no ~ ver (누구의) 얼굴을 보는 것도 싫다(aborrecer).
no ~ ver a uno ***pintado, ni pintado*** (누구를 몹시 미워하여) 얼굴을 보는 것 조차 · 그림에 그린 것을 보는 것 조차 싫다.
por lo que pudiere tornar 임기 응변으로.
[직설법 현재 : puedo, puedes, puede, podemos, podéis, pueden. 접속법 현재 : pueda, puedas, pueda, podamos, podáis, puedan. 직설법 부정과거 : pude, pudiste, pudo, pudimos, pudisteis, pudieron. 접속법 불완료과거 : pudiera, pudiese ; pudieras, pudieses ; pudiera, pudiese ; pudiéramos, pudiésemos ; pudierais, pudieseis ; pudieran, pudiesen. 직설법 미래 : podré, podrás, podrá, podremos, podréis, podrán. 가능법 : podría, podrías, podría, podríamos, podríais, podrían. 현재 분사 : pudiendo].
poder[2] ① 힘, 능력 : si está *en mi* ~ 저로서 할 수 있는 일이라면. ② (지배적 · 허락된) 능력, 권한, 권능(facultad, dominio) : conferir · otorgar ~ (…에) 권한을 부여하다. Lo que me pides no está en mi ~ 네가 나에게 요구하는 것은 내 권한 밖이다. ③ 대리권, 위임, 위임장 ; 대리 : por ~ 대리로, 대신으로 사람을 내세워. ④ 가능성(capacidad, posibilidad) ; 힘(fuerza, vigor). ⑤ 권력, …권 : ~ arbitrario 전권(despotismo). ⑥ 세력. ⑦ 강(대)국 ; (한 나라의) 군대, 병력, 무력. ⑧ 손아귀에 들어가 있는 일, 수중 : Esa carta está *en* ~ del juez 그 편지는 재판관의 손에 넘어가 있다. Ha sido *en* nuestro ~ su atta. 편지는 받았습니다.
—*pl.* 권능(facultades, autorización) : dar plenos ~*es* a una persona 어떤 사람에게 전권을 위임하다.
~ abosoluto · arbitrario 절대적 권력, 전권, 전횡. ***~ adquisitivo · de compra*** 구매력. ***~ central*** 중앙 정부. ***~ de cobro del representante*** 대리인의 대금 수취, 위임장. ***~ de ganancia*** 수익력. ***~ ejecutivo*** 행정권, 행정부. ***~ general*** 일반 대리(권), 전권 위임장. ***~ industrial*** 공업력. ***~ judicial*** 사법권. ***~ legislativo*** 입법권. ***~ moderador*** 주권, 주권자, 원수, 군주. ***~ notarial*** 대리권. ***~ para negocial*** (노사의) 교섭력. ***~ real*** 왕권.
a ~ de …의 힘으로 (a fuerza de) : *A ~ de* dinero obtuvo su libertad 그는 돈의 힘으로 자유를 얻었다.
a (todo) su ~ 전력을 다하여 : Yo lo haré *a todo mi ~* 나는 전력을 다해 그것을 하겠다.
a más no ~ 부득이, 억지로 : comer *a más no ~*.
de ~ a ~ 전력을 다하여 (싸우다 등).
hasta más no ~ 최대한, 가능한 한(todo lo posible).
por ~ 대리로.
hacer un ~ 노력하다, 애쓰다(hacer un esfuerzo).
poderdante *m.f.* 위임자, (대리권의) 수권자.
poderhabiente *m.f.* 대리인, 수탁자.
poderío *m.* ① 힘, 세력, 권력 (poder, facultad) : ~ militar 육군력. ~ naval 해군력. El rey le ostentó su ~ 왕은 그에게 그의 권력을 과시했다. ② 부귀, 부, 재산(bienes). ③【투우】= **fuerza del toro.**
poderosamente *adv.* 힘차게, 강력하게 : verse ~ ayudado.
poderoso, sa *adj.* ① 힘이 있는 : ~ *a · para* triunfar. ② 유력한, 강력한, 강대한 : una nación ~*sa* 강대국. ③ 세력이 있는 ; 재력(財力)이 있는 ; 효력이 강한 : un remedio ~ 효력이 있는 약. —*m.f.* 권력자 : No me parece necesario ayudar a los ~*s* 유력자를 도울 필요가 있다고 생각하지 않는다.
podiatra *m.* 《*Amér.*》 발의 전문 의사.
podíatra *m.* =**podiatra.**
P.º P.do próximo pasado.
podio *m.* [*lat.* podium]【건축】열주 대석(列柱臺石); 대, 단. ② 시상대, 표창대.
podómetro *m.* 보도계(步度計).
podón *m.* 대형 전정(剪定) 가위.
podrá poder의 직 · 미 · 3 · 단수.
podrán poder의 직 · 미 · 3 · 복수.
podrás poder의 직 · 미 · 2 · 단수.
podre *f.* 고름(pus).
podré poder의 직 · 미 · 1 · 단수.
podrecer *tr.intr.* 31 =**pudrir.**
podrecimiento *m.* 부패(podredura).
podredumbre *f.* ① 부패. ② 고름, 농(膿) (podre) : limpiar la ~ de una llaga. ③ 말할 수 없는 슬픔.
podredura *f.* 부패(corrupción).
podréis poder의 직 · 미 · 2 · 복수.
podremos poder의 직 · 미 · 1 · 복수.

podría poder의 가·1·3·단수.
podríais poder의 가·2·복수.
podríamos poder의 가·1·복수.
podrían poder의 가·3·복수.
podrías poder의 가·2·단수.
podrición *f.* =**putrefacción.**
podridero *m.* =**pudridero.**
podrido, da *adj.* [pudrir의 *p.p.*] ① 썩은, 부패된 : fruta ~*da.* ② 《*Amér.*》 [+en] 썩도록 많이 있는 : ~ *en* dinero, ~ *en* terneros.
podrigorio *m.* 병자, 다병(多病)한 사람.
podrimiento *m.* 부패.
podrir *tr.* =**pudrir.** [*N.* 동사 원형과 과거 분사 podrido만이 쓰이며, 이 밖에는 pudrir를 씀].
poe *m.* 《*Chile.*》【식물】 아나나스과 식물.
poema *m.* [*gr.* poiêma] ① 시(poesía) : ~ épico 서사시. ~ lírico 서정시. ~ sinfónico 교향시. ~ en prosa 산문시. ② 시작(詩作).
poemático, ca *adj.* [드뭄] 시의, 시같은.
poesía *f.* [*gr.* poiêsis] ① (각종의) 시, 시문 : ~ lírica·dramática·religiosa. ② 시문학, 운문 ; (특히) 서정시. ③ 작시(법), 시학, 시도(詩道) (poética). ④ [추상적] 시, 시상, 시정, 시취.
poeta *m.(f.)* [*lat.* poeta] 시인 : un ~ inspirado.
poetastro *m.* 엉터리 시인.
poética *f.* ① 작시법 (poesía) : traducir la *P-* de Horacio. ② 시학(詩學), 시론.
poéticamente *adv.* 시로 ; 시적으로.
poético, ca *adj.* [*lat.* poeticus] ① 시의 : lenguaje ~. ② 시적인 : usar el estilo ~.
poetisa *f.* 여류 시인.
poetización *f.* 시작(詩作), 시화(詩化).
poetizar *intr.* 9 시를 짓다. **—***tr.* 시적으로 하다, 시로 만들다, 시화(詩化)하다 : ~ su cautivero.
pogrom *m. ruso.* =**motín, desorden.**
pogromo *m.* (특히 유태인의) 학살.
poicar *intr.* 7 《*Chile.*》 충분히 익다.
poico, ca *adj.* 《*Chile.*》 지나치게 익은 ; 시기가 지난.
poíno *m.* (술창고 등의) 술통받이.
pointer *m.*【동물】 포인터개.
poiquilotermo *adj.*【동물】 (기온에 따라 체온을 바꾸는) 변온성(變温性)의.
poisa *f.* 《*León.*》 곡물의 껍질.
pojado *m.* 《*Cuba.*》 목축의 발자국.
pojar *tr.* 《*Cuba.*》 짓밟다.
póker *m.* 포커 《북미의 카드 놀이》.
pola *f.*【고어】 =**puebla.**
polaca *f.* 《*Chile. Perú.*》 ① 웃옷, 윗도리옷(chaqueta). ② 폴란드의 춤.
polaco, ca *adj.* 폴란드(Polonia)의. **—***m.f.* 폴란드 사람. **—***m.* ① 폴란드말. ② 《*Guat.*》 순경.
polacra *f.* (지중해의) 일종의 범선.
polaina *f.* ① 각반 : ~ de cuero. ② 《*Hond.*》 매우 큰 신발. ③ 《*Arg. Bol.*》 어려운 일, 곤란한 일.
polar *adj.* ① (남·북) 극의 : aurora ~ 오로라, 극광. estrella ~ 북극성. oso ~ 북극곰. ② 극지(極地)의 ; 자극(磁極)의 : círculo ~ antártico·ártico 남·북극권. **—***f.* 북극성.
polaridad *f.* 극성(極性), 양극성, 자성(磁性) : ~ magnética 자극성(磁極性).
polarímetro *m.*【광학】 편광계(偏光計).
polariscopio *m.*【광학】 편광기.
polarización *f.* ①【물리】 편향(偏向) ; 편광. ②【전기】 성극(成極) (작용), 분극(分極).
polarizador *m.*【광학】 편광기.
polarizar *tr.* 9 ① 치우치게 하다. ②【광학】 편광하다. ③【전기】 성극(成極)하다.
~se 치우치다 ; 편극 작용을 하다 ; 정신을 집중하다.
polca *f.* ① 폴카 《폴란드의 무용·음악》. ② 《*AmérM.*》 블라우스의 일종. ③ 《*Arg.*》 말의 채찍. ④ 《*Méx.*》 변소의 향수병. ⑤ 《*Cuba.*》 초콜릿 카스텔라.
a la ~ 《*Hond.*》 궁둥이 쪽에 앉아.
polcar *intr.* 7 폴카를 추다.
pólder *m.* 네델란드 해안의 간척지.
poldra *f.* =**pasadera.**
polea *f.* [*lat.* polea] 활차(滑車) ; 도드레 ; 벨트차(polea para correas).
~ *combinada* 복활차. ~ *fija* 고정 도르래. ~ *impulsada·motriz* 원축 활차, 주동 조차(主動調車). ~ *loca* 유차(遊車) 도르래. ~ *movible* 이동식 도르래. ~ *movil* 동활차(動滑車).
poleada *f.* 《*Arg.*》 묽은 수프 (sopa muy clara). **—***pl.* 죽(gachas).
poleame *m.* [집합] (배의) 도르래 따위.
polemarca *m.* 고대 그리스 장군.
polémica *f.* 논전, 논쟁 : entablar ~*s* 논쟁을 시작하다. Se entabló una ~ literaria 문학 논쟁이 시작되었다.
polémico, ca *adj.* 논전의, 논쟁의 ; 쟁점의 : zona ~*ca* 문제의 지대.
polemista *m.f.* 논쟁자, 논객(論客).
polemizar *tr.* 논쟁하다.
polemología *f.* 《*Neo.*》 전쟁술.
polemoniáceo, a *adj.*【식물】 쥐오줌풀과의. **—***f.pl.*【식물】 쥐오줌풀과 식물.
polemonio *m.*【식물】 쥐오줌풀.
polen *m.* [*lat.* pollen]【식물】 꽃가루.
polenta *f.* [*lat.* polenta] 옥수수죽, 수수죽.
poleo *m.* [*lat.* poleium] ①【식물】 박하의 일종. ② 으시대기, 빼기기, 우쭐하기, 잰 체하기 : tener mucho ~. ③ 찬바람, 매운 바람 (viento recio y fresco) : Corre un buen ~.
poleví *m.* 굽이 높은 구두.
poli *m.* 경관. **—***f.* 경찰.
poli- *pref.* 「다수(多數)」「중합된」를 의미하는 접두어.
poliadelfo, fa *adj.*【식물】 다체(多體) 수술의.
poliamida *f.*【화학】 폴리아미드.
poliandra *adj.* 남편이 많은 (여자).
poliandria *f.* ① 일처 다부(一妻多夫). ②【식물】 다수술.
poliándrico, ca *adj.* 일처 다부의 ; 다 수술의.
poliandro, dra *adj.*【식물】 수술(estambre)이 많은 (식물).
poliantea *f.* [드뭄] 잡보(雜報), 잡록. **Sinón.** miscelánea.
poliarquía *f.* [드뭄] 다두 정치(多頭政治).
poliárquico, ca *adj.* 다두 정치의.
policárpico, ca *adj.*【식물】 열매가 많이 여는.
pólice *m.* 엄지손가락(pulgar).
policelular *adj.* céula가 많은.

policéntrico, ca *adj.* (정치의) 다중심・다원주의의.

policentrismo *m.* (정치의) 다중심・다원주의.

policía *f.* [*gr.* politeia] ① 경찰 ; 경찰 제도 : Dieron parte a la ~ 그들은 경찰에 알렸다. Fue detenido por la ~ 그는 경찰에 구금되었다. ~ judicial 사법 경찰. ~ secreta 비밀 경찰. ~ urbana 교통 취재 등의 시경찰. ② 예의 바름 ; 청결.
—*m.f.* 경관 (agente de ~) : Pregunté al ~ de la esquina 나는 모퉁이의 경찰관한테 물어보았다. agente femenino de ~ 여자 경관. ~ militar 헌병.

policiaco, ca *adj.* =**policíaco.**

policíaco, ca *adj. desp.* 경찰의, 순경의 ; 탐정의 : lenguaje ~ 경찰 용어. novela *~ca* 탐정 소설.

policial *adj.* 《*Amér.*》 경찰의, 탐정의 : cerco ~ 경찰의 포위. —*m.f.* 경관, 순경.

policiano *m.* 《*Arg.*》 순경.

policitación *f.* 일방 약속 (promesa no aceptada todavía).

policlínica *f.* 종합 진료소, 종합 병원(consultorio).

policopia *f.* 복사기, 등사기(multicopia).

policopiar *tr.* =**multicopiar.**

policroísmo *m.* 【광물】 다색(多色).

policromar *tr.* 여러 가지 색깔로 칠하다.

policromía *f.* 다색채(색), 색쇄(色刷).

policromo, ma *adj.* [*gr.* polukhrômos] 다색채의, 다색 인쇄의 : una composición *~ma* 다색채 구성.

policultivo *m.* 다각・다면 경작.

polichinela *m.* 어릿광대(pulchinela).

polideportivo, va *adj.* 여러 가지 스포츠의.
—*m.* 종합 운동장.

polidipsia *f.* 【의학】 (병적인) 갈증, 목마름.

polidor *m.* ①【고어】 =**pulidor.** ②【은어】 장물 도둑.

poliédrico, ca *adj.* 다면체(多面體)의 : cristal ~ 다면체 유리.

poliedro *m.* 다면체.

poliéster *m.* 폴리에스텔.

polifacético, ca *adj.* ① 다면・다상의. ② 다재・다예의.

polifagia *f.* ①【의학】 다식증(多食症). ②【동물】 잡식성.

polifarmacia *f.* 많은 의약 처방.

polifásico, ca *adj.* ① 다면의. ②【전기】 다상(多相)의 : corriente eléctrica *~ca* 다상 전류.

polifilo, la *adj.* 【식물】 잎이 많은.

polifito, ta *adj.* 【식물】 종류가 많은 식물을 포함한 : género ~.

polifonía *f.* 다성(多聲), 다음(多音) ; 다성 음악・곡.

polifónico, ca *adj.* =**polífono.**

polífono, na *adj.* 다음(多音)・복음의 《g, c 같은 문자》.

poliforme *adj.* =**multiforme.**

polígala *f.* 【식물】 애기풀(lechera amarga).

poligaláceo, a *adj.* 【식물】 애기풀과의 목초의. —*f.pl.* 애기풀과(科)의 식물.

poligáleo, a *adj.* =**poligaláceo.**

poligalia *f.* 유즙 분비 과다.

poligamia *f.* [*gr.* polugamia] ① 일부 다처(제). ②【식물】 잡성화(雜性花)・이성화 동주(異性花同株). **Contr.** monogamia.

polígamo, ma *adj.* ① 일부 다처의. ②【식물】 잡성화(雜性花)・이성화 동주(異性花同株)의.
—*m.f.* 일부 다처자. **Contr.** monógamo.

poligenismo *m.* ① 인류 다조설(人類多祖說). ②【생물】 다원 발생설(多元發生說). **Contr.** monogenismo.

poligenista *m.f.* 인류 다조론자(人類多祖論者).

poliginia *f.* 【식물】 많은 암술.

políglota *f.* 수 개 국어 대조 성서.

poliglotía *f.* 수 개 외국어에 능통함.

poligloto, ta *adj.m.f.* ① 여러 나라 국어로 쓴 : Biblia *Políglota.* ② 여러 나라 국어에 능통한 (사람).

polígloto, ta *adj.m.f.* =**poligloto.**

poligonáceo, a *adj.* 【식물】 여뀌과의. —*f.pl.* 여뀌과.

poligonal *adj.* 다변형(多邊形)의 : un prisma ~ 다변형 프리즘.

polígono, na *adj.* 다변형의, 다각형의. —*m.* ① 다변형, 다각형. ② (직선으로 구분된) 지구, 지대 : ~ de tiro 사격 연습장.

poligrafía *f.* [*gr.* polugraphia] 암호술.

poligráfico, ca *adj.* 암호의, 암호에 의한.

polígrafo, fa *m.f.* 암호 연구가 ; 다방면 작가 ; 복사기 ; 만능 맥파계(萬能脈波計) ; 다원 기록기・장치. **Sinón.** enciclopedista.

poligriyo *m.* 《*Arg.*》 실업자(失業者).

polilla *f.* ①【곤충】 나방 ; 좀. ② 마구 남의 험담을 하고 다니는 행동.
no tener ~ en la lengua 하나도 숨김없이 말하다.

polillo *m.* 《*Ecuad.*》【의학】 괴혈병.

polimatía *f.* 다방면의 지식, 박식.

polimático, ca *adj.* 박식한, 잡학(雜學)의.

polimería *f.* ①【화학】 중합체 ; 이량체(異量體). ②【생물】 다형(多形), 다절(多節).

polimerización *f.* polimerizar하는 일.

polimerizar *tr.* ⑨【화학】 중합(重合)하다.

polímero, ra *adj.* polimería의 화학적 현상이 나타나는.

polimorfismo *m.* ①【결정】 동질 이상(同質異像), 동질 이형(異形). ②【생물】 다형(多形), 다형 현상.

polimorfo, fa *adj.* 모양이 다양한, 동질 이상(同質異像)의.

polín *m.* 롤러, 전자(轉子).

polinche *m.* 【은어】 도둑 은닉자.

polinesiano, na *adj.m.f.* =**polinesio.**

polinésico, ca *adj. m.f.* =**polinesio.**

polinesio, a *adj.* 폴리네시아 (la Polinesia, 남태평양의 여러 섬)의. —*m.f.* 폴리네시아 사람.

polínico, ca *adj.* 【식물】 꽃가루의 : tubo ~.

polinización *f.* 꽃가루에 의한 번식 ; 꽃가루받이.

polinomio *m.* ①【수학】 다항식. ②【동물・식물】 다명식 명칭(多名式名稱).

polinuclear *adj.* =**plurinucleado.**

polio[1] *m.* =**zamarrilla.**
polio[2] *f.* =**poliomielitis.**
poliomielítico, ca *adj. m.f.* 척추성 소아 마비의.
poliomielitis *f.* 【의학】 척추성 소아 마비.
poliorcética *f.* 요새 공방법(要塞攻防法).
polipasto *m.* =**polispasto.**
polípero *m.* 【동물】 폴립 모체·군생체(群生體) 《산호의 무리》.
polipétalo, la *adj.* 【식물】 꽃잎이 여럿인 : corola ~*la*.
poliplano *m.* 다엽 비행기(多葉飛行機).
pólipo *m.* ① 【동물】 폴립 《말미잘·해파리·불가사리 등》, 산호충 ; 낙지(pulpo). ② 【의학】 이종(茸腫), 점막에 생기는 종기 : ~ nasal 콧속의 종기.
polipodiáceo, a *adj.* 【식물】 고사리과의. —*f.pl.* 고사리과 식물.
polipodio *m.* 【식물】 다시마, 일엽초(helecho).
polipolio *m.* 다점(多占), 공급 다점.
polisarcia *f.* 비만, 비대(obesidad).
poliscopio *m.* 다면경(多面鏡) ; 검공경(檢孔鏡).
polisemia *f.* 일어 다의(一語多義).
polisémico, ca *adj.* polisemia의.
polisépalo, la *adj.* 【식물】 꽃받침이 많은.
polisilábico, ca *adj.* 다음절어의.
polisilabismo *m.* 다음절 언어 체계.
polisílabo, ba *adj.* 여러 음절의, 다음절(多音節)의. —*m.* 다음절어(多音節語).
polisíndeton *m.* 접속사의 반복 사용.
polisíntesis *f.* =**polisintetismo.**
polisintético, ca *adj.* (몇 마디를 한마디로 하는) 집약적인, 집합(集合)적 (언어) : Muchas lenguas americanas son ~*cas*.
polisintetismo *m.* 【언어】 집합(集合), 종합.
polisón *m.* [*fr.* polisson] 폴리손 《스커트를 넓히는 도구》.
polispasto *m.* 복활차.
polista *f.* 유럽산 벌의 일종. —*m.* 필리핀의 원주민 노동자. —*m.f.* 폴로(polo) 경기자.
polistilo, la *adj.* 【건축】 다주식(多柱式)의, 기둥이 여러 개인 : pórtico ~.
politécnico, ca *adj.* 여러 학예의, 종합 기술의 ; 공예의 : escuela ~*ca* 기술·공예 학교. —*m.f.* 기술·공예 학교의 학생.
politeísmo *m.* 다신교(多神教) ; 다신론(多神論). Contr. monoteísmo.
politeísta *adj.* 다신교의. —*m.f.* 다신교도, 다신론자.
política *f.* [*gr.* politikê] ① 정치, 정치학 : Ha dejado todo para dedicarse a la ~ 그는 정치에 몰두하기 위하여 모든 것을 포기했다. Antes la ~ giraba en torno de la persona del rey 전에 정치는 왕의 몸을 중심으로해서 행해졌다. ② 정책, 방침 : A partir de entonces el gobierno desarrolló una ~ vacilante frente a la iglesia 그 때 이래로 정부는 교회에 대하여 불안정한 정책을 전개했다. Aquel país ha cambiado su ~ exterior 그 나라는 외교 정책을 전환했다. ③ 계략, 책모, 책략. ④ 예의(cortesía) : Ese niño no tiene ~ 그 아이는 예의가 없다.
~ *a corto·largo plazo* 단기·장기 정책. ~ *aduanera* 관세 정책. ~ *agraria (común)* (공통) 농업 정책. ~ *anticíclica* 경기 대책. ~ *anticolonial* 반식민지 정책. ~ *arancelaria* 관세 정책. ~ *colonial* 식민지 정책. ~ *comercial* 무역 정책. ~ *común de tratamiento a los capitales extranjeros* 외자 공통 정책. ~ *coyuntural* 경기 순환 정책. ~ *crediticia* 신용 정책. ~ *de asistencia·ayuda exterior* 대외 원조 정책. ~ *de austeridad* 긴축 정책. ~ *de ayuda para el desarrollo* 개발 원조 정책. ~ *de buena vecindad* 선린 정책. ~ *de café* 커피 정책. ~ *de comercio exterior* 무역 정책. ~ *de crédito* 신용 정책. ~ *de desarrollo petrolífero* 석유 개발 정책. ~ *de descuento* 할인·금리·대출 정책. ~ *de empobrecimiento del vecino* 근린 궁핍 정책. ~ *de facilidad de créditos* 신용 확장 정책. ~ *de mercado abierto* 공개 시장 정책. ~ *de "perfil bajo"* 저자세 정책. ~ *de precios* 가격 정책. ~ *de puerta abierta* 문호 개방 정책. ~ *de restricción de créditos* 금융 긴축 정책. ~ *de salarios* 임금 정책. ~ *de sostenimiento de precios* 가격 유지 정책. ~ *de transportación marítima* 해운 정책. ~ *de transportes* 운수 정책. ~ *de ventas* 판매 정책. ~ *de viviendas* 주택 정책. ~ *demográfica* 인구 정책. ~ *diplomática* 외교 정책. ~ *económica* 경제 정책. ~ *en materia de salarios* 임금 정책. ~ *estadounidense hacia América Latina* 미국의 대 라틴 아메리카 정책. ~ *financiera* 재정·금융 정책. ~ *fiscal* 조세·재정 정책. ~ *monetaria* 금융·통화 정책. ~ *nacional de austeridad* 내핍 정책. ~ *para suprimir la inflación* 인플레 억제 정책. ~ *petrolera* 석유 정책. ~ *presupuestaria* 예산 정책. ~ *pública* 공공 정책. ~ *sindical* 노동 조합 정책·대책. ~ *sobre la explotación minera* 광업 개발 정책. ~ *sobre la industria minera* 광업 정책. ~ *sobre la inversión extranjera* 외자 정책. ~ *social* 사회 정책. ~ *y técnica de comercialización de mercancías* 상품화 정책.
políticamente *adv.* 정치적으로 ; 정책적으로.
politicastro *m.* 정상배, 사이비 정치가.
político, ca *adj.* ① 정치의, 정치상의 : hombre ~ 정치가. partido ~ 정당. periódico ~ 정치 신문. ② 예의 바른 (cortés). ③ 의(리)의 : padre ~ 장인, 시아버지(suegro). madre ~*ca* 장모, 시어머니(suegra). hermano ~ 처남, 매부, 시숙, 시아주버니, 아내 또는 남편의 자매의 남편 (따위)(cuñado). hermana ~*ca* 처제, 처형, 제수, 올케, 시누이(cuñada). hijo ~ 사위(yerno). hija ~*ca* 며느리(nuera). —*m.f.* 정치가 (estadista) : Fue uno de los ~*s* más distinguidos de su época 그는 그의 시대의 가장 뛰어난 정치가 중의 한 사람이었다.
politicoeconómico, ca *adj.* 정치 경제의.
politicón, na *adj.* 잰 체하는, 사대주의의. —*m.f.* 사대주의자.
politiquear *intr.* 정담(政談)을 나누다.
politiqueo *m.* =**politiquería.**
politiquería *f.* 쓸모없는 정치 논쟁.
politiquero, ra *adj.m.f.* 고리타분한 정책을 좋아하는 (사람) ; 책사(策士).
poliuria *f.* 【의학】 요량 과다(尿量過多).
poliúrico, ca *adj.* 【의학】 요량 과다의.

polivalente *adj.* ①【화학】 여러 원자가의. ② 여러 목적에 유익한.

polivalvo, va *adj.* 등껍질이 두 개 이상인 (감각류).

poliviníIico, ca *adj.* 폴리비닐의.

polivinilo *m.* 【화학】 폴리비닐.

póliza *f.* [*ital.* polizza] ① (보험) 증권 : tenedor · portador de ~ 보험 계약자. Ayer pagué la ~ de incendio de este edificio 어제 나는 이 건물의 화재 보험 계약료를 지불했다. ② 지불권 ; 계약서, 증권. ③ (하물 등의) 증명서 ; 입장권 ; 허가증, 세관 허가서, (중미 공동 시장의) 수입자의 신고서.
~ ***a la gruesa*** 쌍무 보험 증권. ~ ***a plazo fijo*** 기한부 보험 증권, 정기 보험 (증권). ~ ***a prima fija*** 보험료 확정 보험 증권. ~ ***a término*** 기한부 보험 증권. ~ ***abierta*** 선명(船名) 미상 보험 증권, 예정 보험 증권, 포괄 보험 증권 · 증서 · 계약서. ~ ***con participación en los beneficios*** 이익 배당 보험 증권. ~ ***de abono*** 선명(船名) 미상 보험 증권. ~ ***de carga*** 선하 증권. ~ ***de fletamento*** 용선 계약(서). ~ ***de reaseguro*** 재보험 증권. ~ ***de seguro*** 보험 증권 · 증서. ~ ***de seguro marítimo (transferible)*** (양도 가능) 해상 보험 증권. ~ ***de seguro que cubre los riesgos marítimos*** 해상 위험에 부보한 보험 증권. ~ ***de tiempo*** 정기 보험 (증권). ~ ***dotal*** 양로 보험 증권 ; 기부 행위. ~ ***en blanco*** 백지 · 무액면 · 금액 미상 보험 증권. ~ ***evaluada*** 확정 보험 증권. ~ ***fletamiento*** 용선 계약(서). ~ ***flotante*** 선명(船名) 미상 보험 증권. ~ ***general*** 총괄 보험 계약. ~ ***para un viaje*** 정기 항해 보험 증권. ~ ***que no participa en los beneficios*** 무배 (無配) 보험 증권. ~ ***suplementaria*** 보충 · 추가 보험 증권. ~ ***tasada*** 확정 · 정액(定額) 보험 증권.

polizón *m.* ① 게으름뱅이. ② 방랑자(vagabundo). ③ 밀항자. ④《*Ecuad.*》 머리핀 ; 머리에 늘어뜨리는 장식용 구슬.

polizonte *m.f.* *desp.* 순경, 경관.

polka *f.* =**polca.**

polla *f.* ① (한 살 이하의) 어린 암닭(gallina joven). ② 내기 돈(puesta). ③ 계집애(mocita). ④《*Arg. Bol.*》 두 세 마리의 경마.
~ ***de agua*** 【조류】 흰눈썹뜸부기.

pollada *f.* [집합] 한 배의 병아리. Sinón. pollazón.

pollancón, na *m.f.* ① (한 살 이하의) 병아리, 영계(pollastro). ② 몸집이 큰 어린이.

pollastre *m.* =**pollastro.**

pollastro, tra *m.f.* (한 살 이하의) 병아리. —*m.* 의뭉스러운 사람.

pollazón *f.* 한 배의 알 · 병아리.

pollear *intr.* (아이가) 어른스러워지다, 점잖아지다.

pollera *f.* ① 양계장, 부화실 ; 병아리 닭장. ② 유아 보행기. ③《*Arg. Ecuad. Perú.*》 스커트(falda) : ~ colorada 붉은 스커트. ④【천문】 스발성. ⑤ pollo장수 ; 양계가, 닭치는 여자.

pollería *f.* ① 닭 가게 ; 새고기집. ②《*PRico.*》 소년 시절 ; 어린이들.

pollerío *m.* =**mocerío.**

pollero, ra *m.f.* 양계가. —*m.* 양계장, 부화실.

pollerón *m.* ①《*Arg.*》 승마용 스커트. ② 갓난아기의 옷. ③ 젊은이. —*adj.*《*Col.*》 소심한, 겁많은.

pollez *f.* 사육기의 새가 깃을 움직이지 않고 있는 기간.

pollinarmente *adv.* 당나귀 · 나귀를 타고 (asnalmente).

pollino, na *m.f.* ① 어린 나귀(asno). ② 바보 : Ella me habló como una ~*na* 그녀는 나에게 바보처럼 말했다.

pollito, ta *m.f.* ① 어린아이. ② 작은 병아리.

pollo *m.* [*lat.* pullus] ① 병아리 : arroz con ~ 치킨 라이스. ② 새끼 꿀벌. ③ 젊은이. ④ 교활한 인간. ⑤ 털갈이 하기 전의 닭. ⑥《*Col.*》 기름에 튀긴 돼지고기(torrezno). ⑦《*Col.*》 독이 있는 모충(毛虫). ⑧ 새의 새끼 : ~ do gallina, ~ de águila. ⑨ 통닭.
estar hecho un ~ de agua 땀에 흠뻑 젖어 있다.
hacerse el ~ 《*Arg.*》 능청 떨다, 시치미를 떼다 (disimular).
sacar ~s 알을 깨다.

pollona *f.* 새끼 암탉.

polluelo, la *m.f.* [*dim.* pollo] 작은 병아리 : un ~ de águila 새끼 독수리.

polo[1] *m.* [*gr.* pôlos] ① (남북 · 음양 등의) 극(極) : Los dos ~*s* están cubiertos de hielo 남북 양극은 얼음으로 덮여 있다. ② 전극 ; 자극(磁極)(~ magnético). ③ 극단, 정반대 : El error y la verdad son dos ~*s* 실수와 진실은 정반대다. (de) ~ a ~ 정반대의, 양극단의. ④ 권(圈), 지대 : ~ industrial 공업 지대.
~ ***sur · antártico · austral*** 남극. ~ ***norte · ártico · boreal*** 북극. ~ ***positivo*** 양극(陽極). ~ ***negativo*** 음극.

polo[2] *m.* ①《*Neol.*》 폴로 《말을 타고 하는 공치기》 : ~ acuático 수구(水球). ② 폴로 셔츠. ③ 아이스 캔디. ④ 안달루시아의 민요. ⑤ 옛날 필리핀 원주민에게 부과된 부역.

polola *f.* 《*Chile. Ecuad.*》 말괄량이.

pololear *tr.* ①《*Arg.*》 애먹이다, 성가시게 하다 (enfadar, fastidiar, molestar). ②《*Chile.*》 (…에) 집적거리다(galantear, coquetear).

pololo *m.* ①【곤충】 (칠레산의) 벌레. ②《*Arg. Chile.*》 호색가(galán) ; 귀찮은 사람. ③ 심심풀이로 주는 일.

polonés, sa *adj.* 폴랜드의. —*m.f.* 폴랜드 사람 (polaco).

polonesa *f.* ① 폴랜드식 부인복. ② 폴랜드 무용 · 음악.

Polonia *f.* 【지명】 폴랜드 《면적 311,730㎢ ; 수도 Varsovia》.

polonio *m.* 【화학】 폴로늄 《퀴리가 발견한 희귀 원소》.

poltrón, na *adj.* 나태한, 게으른(perezoso, holgazán).

poltrona *f.* 안락 의자.

poltronear *intr.* 《*Chile.*》 게으름부리다, 게으름 피우다(holgazanear, haraganear).

poltronería *f.* 게으름, 태만, 나태, 일하기 싫어함(haraganería, pereza).

poltronizarse *r.* ⑨ 게으름뱅이가 되다.

polución *f.* ① 불결, 오염, 공해 : ~ ambiental 공해, 환경 오염. ~ atmosférica 대기 오염. ② 모독 ; (정신적) 부패, 타락. ③ 불순 성교 ; 방정

(放精), 몽정(夢精) : ~ nocturno 몽정.

poluto, ta *adj.* 【시어】 더러워진, 더러운, 더럽혀진, 얼룩덜룩한(inmundo, manchado).

Pólux *m.* ①【천문】 쌍둥이별. ②【신화】 Júpiter와 Leda 사이에 태어난 쌍둥이.

polvacera *f.* 《*Cuba.*》 =**polvareda.**

polvadera *f.* polvareda의 사투리.

polvareda *f.* (보얗게 피어 오르는) 흙먼지(nube de polvo) : levantar una ~ 먼지를 일으키다.

polvazal *m.* 《*AmérC.*》 =**polvareda.**

polvear *tr.* =**espolvorear.**

polvera *f.* 화장 콤팩트 ; 화장품 상자 : una ~ de marfil.

polvero *m.* ①《*AmérC.*》 손수건. ②《*AmérM. Méx.*》 먼지(polvareda).

polvificar *tr.* ⑦ 분말 · 가루(polvo)로 만들다(pulverizar, moler).

polvillo *m.* [*dim.* polvo] ① 가는 먼지. ②《*Hond.*》 (구두용) 무두질한 가죽.

polvo *m.* [*lat.* pulvis] ① 먼지 : la ropa llena de ~ 먼지투성이의 옷. ② 가루, 분말 : oro en ~ 금가루. reducir a ~ 가루로 만들다. ③ 한줌 : tomar un ~ de tabaco 담배 한 웅큼을 쥐다. un ~ de sal 소금 한줌. ④ [주로 *pl.*] 분말 제품 ; 가루분(polvos de tocador) ; 머리칼에 뿌린 금가루 ; 살포제. ⑤ 유골, 시체 : Eres ~ y en ~ te convertirás. ⑥ =**cocaína.** ⑦ 성교(contacto sexual).

~ cósmico 우주진(宇宙塵). *~ dentífrico* 가루치약. *~ de cartas · de salvadera* 잉크 흡수 가루(arenilla). *~ de la madre Celestina* 비밀 수단 · 공작. *~ de blanquear* 표백분. *~ de pescado* 생선 가루, 어분(魚粉). *~s insecticidas* 분말 살충제. *~ para pulir* 광택분.

en ~ 분말 모양의, 분말로 만든 : tabaco *en ~* 가루 담배.

limpio de ~ y paja 고생하지 않은.

hacer ~ 분쇄하다 ; 녹초가 되다.

*hacer*le a uno *~* (입씨름 같은 것에서 누구를) 이겨내다.

hacer morder el ~ (다툼에서) 이기다, 쓰러뜨리다.

levantar · sacar del ~ (de la tierra) 발탁하다 ; 불행한 경우에서 끌어올리다.

matar el ~ 물을 뿌리다.

morder el ~ 실패하다.

no ver ni el ~ 《*Méx.*》 재빨리 도망치다.

sacar ~ debajo del agua 교묘하게 하다.

sacudir el ~ 먼지를 털다 ; 때리다, 해치우다.

sacudir el ~ de los pies 일을 끝내다, 손을 떼다, 발을 씻다.

tomar el ~ 《*Chile.*》 도망치다.

pólvora *f.* ① 화약, 폭약. ② 불꽃 ; 불꽃 쏘아올리기 : Hubo ~ en aquella festividad. ③ 열렬, 열의, 활기(viveza). ④ 노함, 성냄.

~ de algodón 면화약. *~ de mina* 발파(發破). *~ denotante · fulminante* 폭발 가루, 폭발약. *~ sin humo* 무연(無煙) 화약. *~ sorda* 말없이 못된 짓을 하는 사람.

correr la ~ 달리는 말 위에서 사격을 하다.

gastar la ~ en salvas 쓸모없는 짓을 하다.

mojar la ~ 노여움을 달래다.

no haber inventado la ~ 별로 영리하지 않다.

ser una ~ 몹시 발랄하다, 영특하다.

tirar con ~ ajena 남의 떡에 설 쇠다.

polvoraduque *m.* 옛날의 소스의 일종《정향 나무 · 육계 · 생강으로 만든 것》.

polvorazo *m.* 《*Chile.*》 (화약에) 점화.

polvoreamiento *m.* 가루를 뿌리는 일.

polvorear *tr.* [*lat.* pulverare] ① 먼지를 털다(espolvorear). ② (…에) 가루를 뿌리다, 가루를 버무리다 : ~ con azúcar 설탕을 뿌리다 · 버무리다.

polvorera *f.* ① 흙먼지(nube de polvo). ②《*Chile.*》 화약병 · 상자.

polvorero *m.* 《*Amér.*》 =**polvorista.**

polvoriento, ta *adj.* 먼지투성이의, 먼지가 많은 : limpiar un mueble ~.

tristeza ~ta 보얗게 피어오르는 서글픈 생각 · 비탄.

polvorilla *f.* [*dim.* pólvora] 성을 잘 내는 사람.

polvorín *m.* 가루 화약 ; 화약 상자 ; 화약고.

polvorista *m.* ① 불꽃 제조자, 화약 제조자. ②《*Col. PRico.*》 피어오르는 먼지. ③《*Chile.*》 곧잘 흥분하는 사람.

polvorizable *adj.* 가루를 낼 수 있는(pulverizable).

polvorización *f.* 분화(粉化), 가루로 만들기(pulverización).

polvorizar *tr.* ⑨ 가루로 버무리다, 가루를 뿌리다(polvorear) ; 가루로 만들다(pulverizar).

polvorón *m.* 깨지기 쉬운 사탕 과자.

polvoroso, sa *adj.* =**polvoriento.**

polvoso, sa *adj.* 《*Amér.*》 =**polvoroso, polvoriento.**

poma *f.* ①【식물】 사과. ② 향로(perfumador). ③ 향수병(bujeta) ; 향수 주머니.

pomáceo, a *adj.* 【식물】 사과속(屬)의. —*f.pl.* 사과속 식물《사과 · 배 등》.

pomada *f.* ① 포마드, 향유(香油) : ~ vegetal 식물성 포마드. ② 고약, 연고.

pomar *m.* ① 사과밭(manzanar). ② 과수원.

pomarada *f.* 사과밭.

pomarrosa *f.* 【식물】 복숭아 사과《yambo의 열매》 : La ~ tiene el aspecto de una manzanita.

pomelo *m.* 《*Val. AmérM.*》 =**toronja.**

pomerano, na *adj.* 포메라니아《Pomerania, 프러시아의 한 주》의. —*m.f.* 포메라니아 사람.

pómez *f.* [*lat.* pumex] 경석(輕石)(piedra ~).

pomicultor, ra *m.f.* 과수 재배자.

pomicultura *f.* 과수 재배 (사과의).

pomicultivador, ra *m.f.* 과수 재배자.

pomífero, ra *adj.* 【시어】 사과를 운반하는.

pomo *m.* [*lat.* pomum] ① (사과 · 배 · 귤 따위의) 둥글고 즙이 많은 과일. ② 작은 향수병, 향료 주머니(poma). ③ (칼의) 손잡이 끝. ④ (문 · 서랍 등의) 손잡이 · 노브(tirador). ⑤《*Murc.*》 꽃다발(ramo de flores).

pomodora *f. ital.* 토마토의 속명.

pomol *m.* 《*Méx.*》 옥수수로 만든 빵의 일종.

pomología *f.* 씨앗 연구 조림.

pompa *f.* [*lat.* pompa] ① 화려한 의식 ; 대행렬 ; 장려, 호화, 성대 : la ~ del triunfo. ② 우쭐거리기. ③ 물거품 ; 비누 방울 ; 바람을 받아 불룩해지는 스커트나 웃옷. ④【선박】 펌프(bomba).

hacer ~ (나무가) 허드렛가지를 잔뜩 뻗치다; 화려하게 차려 입다; 스커트 자락을 활짝 벌리다.

pompático, ca *adj.* =**pomposo.**

pompear(se) *intr.(r.)* 으시대다, 뻐기며 다니다, 많은 사람을 거느리고 으시대며 다니다, 화려함을 과시하다(pavonearse, hacer alarde).

pompeo *m.* 《*And.*》 =**pompa, majestad.**

pompeyano, na *adj.* 폼베이 《Pompeya, 이탈리아의 옛 도시》의. —*m.f.* 폼베이 사람.

pompi *m.* =**culo.**

pompis *m.* =**culo.**

pompo, pa *adj.* 《*Col.*》 끝이 뾰족하지 않은, 날이 무딘, 끝이 둥그스름한(romo, sin filo).

pompón *m.* ① (군모 등의) 앞에 꽂은 장식, 부드러운 털. ② 꾸바의 물고기.

pomponearse *r.* =**pompearse, pavonearse.**

pomposamente *adv.* 아름답게, 눈부시게.

pomposidad *f.* 아름다움, 호화 찬란함.

pomposo, sa *adj.* ① 찬란한, 휘황한, 화려한, 눈부신(ostentoso, magnífico, espléndido) : entrada ~*sa.* ② 잔뜩 꾸민(adornado).

pómulo *m.* [*lat.* pomulum] 광대뼈(hueso de la mejilla).

pon [poner의 2·단·명령] 놓아라 : Ponte el sombrero 모자를 써라.

ponceño, ña *adj.* 뽄세 《Ponce, 곳곳의 지명》의. —*m.f.* 뽄세 사람.

poncha *f.* 《*Chile.*》 모포.

ponchada *f.* ① 《*AmérM.*》 푸짐한·많은 물건. ② 《*Chile.*》 부엌에 준비되어 있는 ponche의 전체 분량(porción).

ponchar *tr.* ① =**picar.** ② 《*Cuba. Méx.*》 타이어가 빵꾸나다.

ponchazo *m.* ① 《*Amér.*》 poncho로 때리기. ② 《*Cuba. Méx.*》 =**pinchazo.**

ponche *m.* [*ing.* punch] 펀치 《물, 레몬 및 설탕을 섞은 혼합주》 : un tazón de ~ 펀치 한 잔.

ponchera *f.* ① 펀치용 컵. ② 《*Amér.*》 대야.

poncho *m.* [*arauc.* pontho] ① 뽄쵸 《인디오들이 몸에 걸치고 다니는 모포》 (capote de monte). ② 군인의 외투.

alzar el ~ ① 《*Arg.*》 가버리다(irse). ② 《*Urug.*》 =**rebelarse contra la autoridad.**

estar a ~ 불분명하다, 오리 무중이다(estar a obscuras).

perder el ~ 상사병이 나다, 사랑으로 미치다 (volverse loco de amor).

poncho, cha *adj.* ① 굼뜬, 게으른(perezoso). ② 《*Col.*》 땅딸막한 (rechoncho). ③ 《*Venez.*》 기장이 짧은, 짧은(corto) : vestido ~ 기장이 짧은 옷. ④ 《*Venez.*》 꼬리가 없는.

poncí *adj.m.* =**poncil.**

poncidre *adj.m.* =**poncil.**

poncil *adj.m.* 씁쓸한 (뽄실감) 《씁쓸한 레몬의 일종》.

poncillero *m.* 《*Murc.*》 =**poncil.**

ponderabilidad *f.* 무게를 잼, 무게가 있음.

ponderable *adj.* ① 무게를 잴 수 있는, 무게가 있는 : El aire es un flúido ~. ② 경탄할 만한; 심사 숙고해야 할. Contr. imponderable.

ponderación *f.* ① 숙려, 심사 숙고, 신중. ② 과장(exageración). ③ 강조. ④ 계량. ⑤ 균형 (equilibrio).

ponderado, da *adj.* 신중한, 생각이·사리가 깊은, 깊은 생각이 있는(moderado, prudente).

ponderador, ra *adj.m.f.* 과장하는 (사람), 균형 잡히게 하는, 보충이 되는; 계량·검사하는 (사람).

ponderal *adj.* 중량의, 중량에 관한.

ponderamente *adv.* 신중하게, 사리가 깊게.

ponderar *tr.* [*lat.* ponderare] ① 재다(pesar). ② 감안하다, 곰곰히 생각하다. ③ 균형을 이루게 하다 (equilibrar). ④ 과장하다(exagerar). ⑤ 강조하다 : El profesor *pondera* este libro 선생님은 이 책을 가지고 다니라고 강조하신다.

ponderativo, va *adj.* 사려가 깊은; 과장적인.

ponderosamente *adv.* ① 무거운 듯이. ② 제법 대단스러운 양; 그럴싸하게.

ponderosidad *f.* 신중함; 심각함, 중대함.

ponderoso, sa *adj.* ① 무거운(pesado). ② 신중한(prudente). ③ 그럴싸한. ④ 심각한, 중대한 (grave, serio).

pondo, da *adj.* 《*Ecuad.*》 땅딸막한(rechoncho). —*m.* 《*Ecuad.*》 단지, 항아리(tinaja).

pondrá poner의 직·미·3·단수.

pondrán poner의 직·미·3·복수.

pondrás poner의 직·미·2·단수.

pondré poner의 직·미·1·단수.

pondréis poner의 직·미·2·복수.

pondremos poner의 직·미·1·복수.

pondría poner의 가·1·3·단수.

pondríais poner의 가·2·복수.

pondríamos poner의 가·1·복수.

pondrían poner의 가·3·복수.

pondrías poner의 가·2·단수.

ponedero, ra *adj.* ① 놓을 수 있는. ② 알을 낳는, 산란하는, 산란기의 —*m.* ① (닭의) 알집. ② 산란소. ③ (둥지에 놓는) 밑알.

ponedor, ra *adj.* ① 놓는. ② 뒷다리로 서는 (말). ③ 알을 낳는 : gallina ~*ra* 알을 잘 낳는 닭. Esta gallina es muy buena ~*ra* 이 암탉은 알을 매우 잘 낳는다. —*m.* ① 입찰자, 경매자 (postor). ② 닭의 산란소(ponedero de gallinas).

ponencia *f.* ① ponente의 직·지위. ② 조정(調停), 재정(裁定).

ponente *adj.* 조정(調停)하는, 재정하는. —*m.f.* 조정자, 재정자, 재정관, 심사관; 위원, 위원장.

ponentino, na *adj.* =**ponentisco.**

ponentisco, ca *adj.* [드뭄] 서쪽 (나라)의 (occidental).

—*m.* [드뭄] 서쪽 나라 사람 (occidental). Contr. levantino.

poner *tr.* 61 [*lat.* ponere] ① 놓다, 배치하다; 넣다; 얹다(colocar) : ~ la mano sobre la mesa 탁자 위에 손을 얹다. Contr. quitar.

② 준비·대비하다; 설치하다(disponer, preparar) : ~ la mesa 밥상을 차리다.

③ …으로 하여 두다, 상정(想定)하다 (suponer) : *Pongamos* que no ha pasado nada 아무 일도 없었던 것으로 해두자.

④ (거리·소요 시간에 대해) …으로 하다, 세다 (contar, tardar) : De Madrid a Toledo *ponen* doce leguas 마드리드에서부터 똘레도까지는 12 레구아라고 한다. *Pondremos* dos horas en lle-

gar 도착하는데 2시간을 잡자.
⑤ 붙이다, 첨가하다, 덧붙이다(añadir) : ~ una coma 콤마를 치다.
⑥ (이름 등을) 쓰다.
⑦ (사람을 어떤 지위에) 앉히다, 종사시키다 : ~ a uno *de* carpintero 어떤 사람을 목수로 만들다.
⑧ (위험 등에) 내맡기다(exponer) : Le *pusieron* a un peligro.
⑨ 내기하다, 걸다(apostar) : *Pongo* cien reales a que José no viene mañana 나는 100레알 걸겠어, 호세는 내일 오지 않아.
⑩ (세금 등을) 부과하다.
⑪ (법률을) 공포하다.
⑫ (알을) 낳다 : Esta raza *pone* mucho 이 종자는 알을 잘 낳는다.
⑬ 느끼게 하다(causar) : ~ miedo 무서움을 느끼게 하다.
⑭ 강제하다, 억지로 시키다.
⑮ 맡기다 : Yo lo *pongo* en ti 그것을 너에게 맡기겠다.
⑯ 무대에 상영 시키다 : ¿Qué *ponen* hoy en el teatro? 오늘의 상영물은 무엇이지?
⑰ [+형용사] …로 하다, …이 되게 하다 : La *puso* colorada 그녀의 얼굴이 빨갛게 되게 했다. Le *puse* de mal humor 그를 불쾌하게 만들었다.
⑱ [+a+*inf.*] …하기 시작하다 : ~ *a* asar.
⑲ [en+동작 명사 : …을] 하다 : ~ en duda 의심하다(dudar). ~ en disputa 다투다 (disputar).
⑳ [+por : …으로] 하다, …로서 두다·넣다 : ~ *por* intercesor·medianero 중재인으로 하다.
㉑ [+de, por, cuál, como] …으로 하다, …으로 다투다, …로 간주하다 : ~ a uno *de* ladrón·*por* embustero.
—*m.* 《*And.*》 =**suposición.**
~se ① (어떤 위치에) 앉다, (어떤) 자세를 취하다 : ~*se* de rodillas 무릎을 꿇다. ~*se* de pie 일어서다 ; 몸을 세우다. *Póngase* vertical 수직으로 놓을 것.
② [+형용사] …게·로 되다 : ~*se* colorado =averigonzarse. *Me puse* triste 나는 슬퍼졌다. *Se puso* sonrosada 그녀는 얼굴을 붉혔다.
③ …과 마주 대하다, 싸우다(oponerse).
④ 옷을 입다, 차려 입다 : *Ponte* bien, que es día de fiesta 몸단장을 해요, 축제일이니.
⑤ 몸에 붙이다 ; (모자를) 쓰다, (장갑을) 끼다, (구두를) 신다, 안경을 끼다 : *Me puse* el sombrero 나는 모자를 썼다.
⑥ …투성이가 되다 : ~*se de* lodo·*de* tinta.
⑦ (태양 등이) 지다 : *Se pone* el sol *por* el oeste 태양은 서쪽으로 진다.
⑧ [+a+*inf.* : …하기] 시작하다(empezar, comenzar) : *Me pongo a* escribir 나는 쓰기 시작했다.
⑨ [+en] …에 도달하다 : *Se puso en* la orilla de un salto 단숨에 강변에까지 나왔다.
ponérsela 《*Amér.*》 취하다(emborracharse).
~ ***a parir*** 억지로 하다, 강요하다.
~ ***bien*** (누구를) 존중하다 ; (누구의) 상태를 좋게 하다.
~ ***casa*** =instalarse.
~ ***como nuevo*** 나쁘게 말하다, 욕하다, 창피를 주다.
~ ***en*** (경매 같은 데서) …으로 값을 매기다.
~ ***en claro*** 분명히 하다.
~ ***mal*** (누구의) 평판·인기를 떨어뜨리다.
~ ***por delante*** 반성시키다, 잘 생각하게 하다 ; 적대시키다.
~ ***por encima*** 우선하게 하다(preferir).
~***se al corriente*** (무엇을) 잘 알다, 통달하다.
~***se bien*** 신분이·생활이 좋아지다.
~***se con*** 《*Méx.*》 …와 비교하다.
~***se tan alto*** 원망하다 ; 우쭐하며 상대를 안해주다.
[직설법 현재 1인칭 단수 : pongo. 직설법 부정과거 : puse, pusiste, puso, pusimos, pusisteis, pusieron. 직설법 미래 : pondré, pondrás, pondrá, pondremos, pondréis, pondrán. 가능법 : pondría, pondrías, pondría, pondríamos, pondríais, pondrían. 접속법 현재 : ponga, pongas, ponga, pongamos, pongáis, pongan. 접속법 불완료 과거 : pusiera, pusiese ; pusieras, pusieses ; pusiera, pusiese ; pusiéramos, pusiésemos ; pusierais, pusieseis ; pusieran, pusiesen. 과거분사 : puesto].

poney *m. ing.* 조랑말 ; 작은 말. [*N.* 발음 : pone]
ponga[1] *f.* 《*Perú.*》 항아리, 단지.
ponga[2] poner의 접·현·1·3·단수 : *P–* el libro en la mesa 탁자 위에 책을 놓으십시오.
pongáis poner의 접·현·2·복수.
pongaje *m.* 《*AmérM.*》 원주민을 노역에 쓰는 일.
pongamos poner의 접·현·1·복수.
pongan poner의 접·현·3·복수.
pongas poner의 접·현·2·단수.
pongee *m.* 명주 : ~ de seda 비단 명주.
ponghee *m.* 《*Neol.*》 =**pongee.**
pongo[1] *m.* [*malayo.* pongo] ① 《*Amér.*》 【동물】 오랑우탄, 성성이(orangután). ② (콩고의) 흑인들의 우상.
pongo[2] [*quechua.* punco] ① 《*AmérM.*》 머슴살이 하는 원주민(indio que sirve de cirado). ② 《*Ecuad. Perú.*》 강의 험난한 곳.
pongo[3] poner의 직·현·1·단수.
poni *m.* 【동물】 포니 《조랑말》.
ponientada *f.* 계속 불어대는 서풍 (viento continuo de poniente).
ponientazo *m.* 서풍, 서쪽에서 불어오는 강풍.
poniente *m.* ① 서쪽(occidente). ② 서풍(viento de occidente). ③ 【은어】 모자. —*adj.* 낙일(落日)의.
ponimiento *m.* ① poner, ponerse 하는 일·것. ② 【고어】 세금 ; 지불 수표.
ponina *f.* 《*Col. Cuba.*》 축제일의 기부 ; 그 축제.
ponleví *m.* [*fr.* pont-levis] 하이힐 모양의 옛날 구두.
ponqué *m.* [*ing.* pound cake]. 《*Venez. Cuba.*》 케이크의 일종.
pontaje *m.* 다리 사용료, 도교료(渡橋料).
pontazgo *m.* =**pontaje.**
pontazguero, ra *m.f.* 교량 사용료 담당자.
ponte [ponerse의 2인칭 단수 명령] 입어라, 신어라, 써라, 끼어라 : *Ponte* los zapatos 신발을 신어라.

pontear *tr.intr.* 다리를 놓다.

Pontevedra 【지명】 뽄떼베드라 《서반아의 갈리시아주의 도시》.

pontevedrés, sa *adj.* 뽄떼베드라의. —*m.f.* 뽄떼베드라 사람.

pontezuela *f. dim.* puente.

pontezuelo *m. dim.* puente.

póntico, ca *adj.* ① 폰토 《고대 아시아의 한 지방 Ponto. 또는 현재의 흑해. Ponto Euxino》의. ② 【고어】 씁쓸한, 맛이 신.

pontificado *m.* ① 대주교·교황의 지위. ② 대주교·교황의 재임기 : El ~ de Pío IX fue muy largo.

pontifical *adj.* [*lat.* pontificalis] ① 법왕·교황의 : sede ~ 로마 교황의 지위, 교황청 소재지. ② 주교의 대주교의. —*m.* [주로 *pl.*] ① 교황·주교의 예장(禮裝)·의식·예식 : el ~ romano 로마 교황의 예장. ② 주교 식서(主教式書). ③ 교구의 부과금.

de ~ 예복을 입고, 주교복 차림으로 : estar· ponerse de ~.

pontificalmente *adj.* 주교·교황답게, 주교·교황의 권위를 가지고.

pontificar *intr.* ⑦ 법왕·교황의 자리에 오르다 ; 주교·교황으로서 근행을 하다.

pontífice *m.* [*lat.* ponifex] ① 주교, 대주교 (obispo, arzobispo). ② 사제(sacerdote). ③ 로마 교황(sumo ~). ④ 권위자 : los ~*s* de la crítica 비평의 권위자.

Soberano P- 교황(el Papa).

pontificio, cia *adj.* 주교의, 대주교의 : dignidad ~*cia* 주교·대주교의 지위.

pontín *m.* 필리핀의 선박의 일종.

ponto *m.* [*lat.* pontus] 【시어】 =**mar.**

pontocón *m.* ① 발로 걷어차기. ② 【고어】 《*Col.*》 밀쳐내기(empellón, empujón).

pontón *m.* [*lat.* ponto, pontonis] ① 선교(船橋), 부교(浮橋) ; 주교(舟橋) ; 부잔교(浮棧橋) (~ flotante). ② (창고·병원 등으로 이용 되고 있는) 폐선, 계류선.

barco ~ 기중기선.

pontonero *m.* 교량 가설병(兵).

—*adj. ingeniero* ~ 교량 기사.

ponzoña *f.* ① 독 (veneno) : la ~ de la víbora. ② 유해물 : la ~ de la herejía.

ponzoñar *tr.* 【속어】 (…에) 독을 타다 ; 독으로 해치다, 독살하다(emponzoñar).

ponzoñosamente *adv.* 독으로 ; 유해하게.

ponzoñoso, sa *adj.* ① 유해한, 독이 있는 : culebra ~*sa.* ② 해로운, 유해한 (novico y perjudicial).

pool *m. ing.* 공동 출자, 기업 연합, 기업자 합동. [*N.* 발음 : pul].

pooling *m.* 공동 계산 : ~ de beneficio 이익의 공동 계산.

popa *f.* [*lat.* puppis] ① 【해사】 고물, 선미(船尾) ; 선미의 상갑판. ② 【천문】 선미좌.

de ~ *a proa* 완전히, 몽땅(enteramente).

a·en ~ 선미에 ; 뒤에.

popal *m.* 《*Méx.*》 【고어】 늪지, 소택지(沼澤地) (laguna chica).

popamiento *m.* 멸시, 우롱, 조소, 조롱.

popar *tr.* ① 업신여기다, 놀리다(despreciar, burlarse de). ② [드뭄] 귀여워하다(acariciar, halagar, mimar). ③ 위로하다.

popayanejo, ja *adj.m.f.* 뽀빠얀 《Popayán, 꼴롬비아의 동서부에 위치한 도시》의 (사람).

popayanense *adj.m.f.* =**popayanejo.**

pope *m.* (그리스 정교의) 사교(司敎).

popel *adj.* 【선박】 후미의, 맨 꽁무니의.

popelín *m.* =**popelina.**

popelina *f.* 《*Col. Ecuad.*》 포플린 : ~ de seda 비단 포플린.

popero *m.* ① =**popel.** ② 《*Bol.*》 배의 조타수.

popés *m.* 마스트가 셋인 배의 뒷쪽 돛의 조임줄.

popí *m.* 《*Arg.*》 =**mandioca.**

poplín *m.* 《*Arg.*》 =**popelín.**

poplíteo, a *adj.* 【해부】 오금(corva)의 : músculo ~ 오금 근육.

popo *m.* 《*Col.*》 관(tubo, cañuto).

popocho, cha *adj.* 《*Col.*》 가득한, 배부른, 포식한(harto).

poporo *m.* 《*Venez.*》 ① 곤봉. ②혹(chichón).

popotal *m.* 《*Méx.*》 뽀뽀떼 밭.

popote *m.* 《*Méx.*》 ① 【식물】 뽀뽀떼 짚 《메시코산 화본과 식물》. ② (음료수를 빨아들이는) 빨대.

hecho un ~ 매우 여윈(muy flaco).

no levantar ni un ~ (여자가) 매우 약하다(ser muy floja una mujer).

popotillo *m.* 《*Méx.*》 【식물】 =**jaral blanco.**

populación *f.* [드뭄] =**población.**

populachería *f.* 인기(popularidad) : la ~ de un orador 웅변가의 인기.

populachero, ra *adj.* ① 속된 무리의 : costumbres ~*ras.* ② 대중적인 인기가 있는, 대중적인 : discurso ~.

populacho *m.* ① 평민, 서민, 대중, 속된 무리 (plebe) : el ~ romano 로마의 평민. ② 풍속.

popular *adj.* [*lat.* popularis] ① 인민의, 서민의 : frente ~ 인민 전선. ② 통속의, 통속적인, 일반적인, 대중적인 : la opinión ~. ③ 인기가 있는, 평판이 좋은, 유행하고 있는 : un escritor muy ~ 인기 있는 작가. El fútbol es uno de los deportes más ~*es* en España 축구는 서반아에서 가장 인기있는 스포츠 중의 하나이다. **Contr.** impopular.

popularidad *f.* ① 인기, 인망, 평판 (fama, reputactión) : Usted tiene una enorme ~ 당신은 인기가 대단하다. El presidente goza de gran ~ 대통령은 굉장한 인기를 얻고 있다. ② 일반성, 통속성 ; 유행.

popularismo *m.* 일방성, 통속성.

popularización *f.* 일반화, 통속화, 보급.

popularizar *tr.* ⑨ ① 통속적·일반적으로 하다 (vulgarizar, hacer popular). ② 보급시키다, 유행시키다.

~se ① 통속적으로 되다, 일반에 유행·보급되다. ② 인기를 얻다.

popularmente *adv.* 일반적으로, 통속적으로 ; 평판이 좋게, 인기있게.

populazo *m.* =**populacho.**

populeón *m.* 진통 연고 《진통제약》.

populismo *m.* 인민당.

populista *adj.* 인민파의 : partido ~ 인민당 (populismo). —*m.f.* 인민파 당원.

pópulo *m.* =**pueblo.**
hacer una de ~ bárbaro 폭력에 호소하다.

populoso, sa *adj.* 인구 밀도가 높은, 조밀한 (muy poblado).

popurrí *m.* ①【음악】혼성곡, 접속곡. ② 잡집 (雜集), 잡록(雜錄).

popusa *f.* 《*Bol.*》 =**pupusa.**

poquedad *f.* ① 근소, 소량(escasez). ② 인색함, 째째함 ; 빈곤, 빈한(miseria). ③ 소심함, 무기력 (pusilanimidad). ④ 하찮은 물건·대단치 않은 일.

póquer *m.* 포카 《카드 놀이》.

poquillo, lla *adj. dim.* poco.

poquísimo, ma *adj. sup.* poco.

poquitito, ta *adj. dim.* poco.

poquito, ta *adj.* [*dim.* poco] ① 아주 적은. ② 겁이 많은, 소심한, 비겁한(pusilánime).
—*adv.* 근소하게.
~ a poco 조금씩, 점점.
a ~ 차츰, 조금씩(poco a poco).
a ~s 조금씩, 소량씩.
de ~ ① 배짱이 없는, 능력·수완이 없는. ② 소심한, 겁이 많은.

por *prep.* [*lat.* per] ① [동기·원인·이유] ㄱ) …에 의해서, …으로, …의 까닭으로 : Riñen *por* poca cosa. ㄴ) [동기적 목적] …을 위해 : Murió *por* la patria 조국을 위해 죽었다.
② …을 가지러, 사러, 마중하러, 부르러(en busca de) : Van *por* leña·*por* agua 땔감을 가지러·물을 길르러 간다. Fue *por* el médico 의사를 부르러 갔다.
③ [행위자] …에 의해서, …에 의한 : el problema discutido *por* muchos 많은 사람들에 의해서 논의된 문제. María es amada *por* todo el mundo 마리아는 모든 사람들로부터 사랑을 받고 있다.
④ [수단·방법] …에 의해서, …으로 : hablar *por* teléfono 전화로. *por* fuerza 힘으로.
⑤ [의지하는 곳·점] ㄱ) …하는 곳에서·을 : Lo tomó *por* el brazo 그의 팔을 잡았다. Le llamó *por* su nombre 그의 이름을 불렀다. ㄴ) …을 지나서 : entrar *por* la puerta 문으로 들어가다. Pasaré *por* tu casa 너의 집에 들르겠다.
⑥ [공간적인 넓이] ㄱ) …을, …으로 : dar un paseo *por* el parque 공원을 산보하다. ㄴ) …부근 : *por* aquí 이 쪽으로, 이 부근에, 여기서. *por* todas partes 모든 곳에.
⑦ ㄱ) [시간적인 넓이] …동안 : Hablaron *por* un largo rato 장시간에 걸쳐 이야기했다. mañana *por* la mañana 내일 아침. ㄴ) …무렵·에 : *por* agosto 8월 경에.
⑧ [대체] …의 대신에(en lugar de) : Lo haré *por* ti 네 대신에 내가 그 일을 하겠다.
⑨ [대상(代償)·대가] …의 대신에, (얼마)로 : Venderá la casa *por* poco dinero 적은 값에 그 집을 팔 것이다.
⑩ [금액] : un cheque *por* suma de mil pesos 액면 천 뻬소의 수표. Giramos *por* el importe de la factura 송장의 금액을 수표로 발행합니다.
⑪ [tener, tomar, pasar, dar, 등과 쓰여] …으로, …처럼 : recibir *por* esposa 아내로 맞이하다. Tiene a sus maestros *por* padres 자신의 선생을 부모처럼 생각하고 있다. Pasaba *por* rica 그녀는 부자로 세상에 통하고 있었다.
⑫ [비율] …마다, …당 : a peseta *por* persona 1인당 1뻬세따씩. 120 revoluciones *por* minuto 1분간에 120회전. *por* año·por mes 1년에·1개월마다.
⑬ [배수] : Tres *por* cuatro son·es doce 3×4=12.
⑭ [감정·좋고 나쁜 것의 표현으로] …에 대하여, 까닭에 : Sentía tierno afecto *por* la niña 소녀에게서 다정한 사랑을 느꼈다.
⑮ [+ *inf.*] …하고자 : Callaré *por* no disgustarle 그를 불쾌하게 하지 않으려고 잠자코 있겠다.
⑯ [estar por + *inf.*] 아직 …하지 않고 있다, …하려 하고 있다 : Las peras *están por* madurar 배는 아직 다 익지 않았다. *Está por* venir 그는 곧 올 것이다.
por aire 공중을·에 ; 비행기로 (여행하다 등).
por consiguiente 따라서.
por cuanto 그러므로(porque).
por docena 다스로.
por donde …하는 곳을 지나 ; 그러기에, 그러니 (por lo cual).
por entre …의 사이·가운데를 지나 : Paseaba *por entre* la nieve 눈 오는 데를 걸어 다녔다.
por escrito 문서로, 서면으로.
por eso 그래서, 그 때문에.
por más·mucho que ① [+ *subj.*] 제아무리 …하여도 : *por más que* llores 네가 아무리 울어 보아도. ② [+ *ind.*] 한껏 …하였었지만.
por que ① …이므로. ② [+ *subj.*] …하도록 (para que) : Hice cuanto pudo *por que* no llegara este caso 이런 일이 되지 않도록 나는 최선을 다했다.
por qué ① 왜, 무엇 때문에 : *¿Por qué* no vas? 왜 가지 않지? ② 왠지 (이유) : No sé *por qué* no viene 그가 오지 않는 까닭을 나는 모르겠다.
por si acaso 만일, 만일의 경우에 대비해서.
por siempre 영구히.
por tanto =por consiguiente.
por tierra 지상을, 지상에 ; 기차로, 자동차로.

pora *f.* 《*Arg.*》 유령, 도깨비.

porcachón, na *adj. m.f.* [*aum.* puerco] = **porcallón.**

porcallón, na *adj. m.f.* [*aum.* puerco] 구질구질한, 더러운, 꾀죄죄한, 지저분한 (사람)(muy puerco) : una mujer *~na* 지저분한 여자.

porcel *m.* 《*Murc.*》 [*lat.* porcellus] =**chichón.**

porcelana *f.* [*ital.* porcellana] ① 자기(磁器) : ~ agrietada 겉에 간 금이 가게 구운 도자기. ② 청자색(青磁色).

porcelanita *f.*【광물】이회암(泥灰岩).

porcentaje *m.* 《*Galic.*》 백분율, 비, 퍼센티지 (proporción, tanto por ciento) : un ~ crecido.
~ de accidentes 상해율. *~ de amortización* 자본 감모(減耗) 비율, 감가 상각비 비율.
~ de depreciación 감가 상각율.

porcentual *adj.* 백분율의, 퍼센티지의.

porche *m.* ① 현관, 주차장. ② 추녀 끝에 달린 복도(atrio).

porcicultor, ra *m.f.* 양돈가.

porcicultura *f.* 양돈 (기술).

porciento *m.* (비)율 : ~ de utilidad bruta

《Méx.》 총이익율.

porcino, na *adj.* [*lat.* porcinus] 돼지의 : la cría del ganado ～.
—*m.* 새끼 돼지(cochinillo, chichón).

porción *f.* ① [*lat.* portio] 부분, 분량. ② 몫, 배당분. ③ 1인분의 식량. ④ 상당한 수·양 : una pequeña ～ 아주 적은 분량. Llegaron una ～ de soldados 상당수의 병사가 도착했다.

porcionero, ra *adj.* 참가하는, 가담하는(partícipe). —*m.f.* 참가자.

porcionista *m.f.* 주주, 조합원, 사원 ; 기숙생 (pensionista).

porcipelo *m.* 돼지의 털(pelo del puerco).

porciúncula *f.* =**jubileo.**

porcuno, na *adj.* 돼지의.

pordiosear *intr.* ① 구걸하다, 동냥하다(mendigar, pedir limosna). ② 많이 요청하다(pedir mucho).

pordioseo *m.* 동냥하고·얻어 먹고 다니는 일.

pordiosería *f.* =**pordioseo.**

pordiosero, ra *adj.* 얻어 먹는, 동냥하는.
—*m.f.* 거지(mendigo).

porfía *f.* 끈덕짐, 집념, 고집 : una necia ～.
a ～ 남에게 질세라, 앞을 다투어(a cual más o a cual mejor).

porfiadamente *adv.* 끈덕지게, 집념을 가지고, 집요하게, 고집을 부려서(con porfía).

porfiado, da *adj.* 끈덕진, 집요한, 고집스런 (obstinado) : Pobre ～ saca mendrugo. —*m.* 《AmérM.》 오뚜기(dominguillo).

porfiar *intr.* ⑫ ① [+ en · por : …을] 고집을 부리다, 끈덕지게 추구하다, 강하게 가지고 싶어하다 : ～ *por* algo. ② [+ a · en + *inf.*] 열심히 …하다, 애쓰다 : *Porfiaba en* abrir la puerta.

porfídico, ca *adj.* 반암(斑岩)의 ; 반상(斑狀)의.

pórfido *m.* [*gr.* porphura] 【광물】 반암, 운반석 (雲斑石).

porfioso, sa *adj.* =**porfiado.**

porfirizar *tr.* (돌절구로) 빻다, 가루로 만들다 (reducir a polvo).

pórfiro *m.* 《Galic.》 =**pórfido.**

porfirogeneto *m.* [*gr.* porphurogenêtos] (고대 그리스의 황제의) 황태자.

porfolio *m.* 【방언】 =**portafolio, cartera.**

porgadero *m.* 《Ar.》 (까부는) 체, 얼멍체(zaranda, criba).

porgar *tr.* 《Ar.》 =**ahechar.**

porisma *m.* [*gr.* porisma] 【수학】 정리(定理).

pormenor *m.* 》[주로 *pl.*] ① 세목. ② 상세, 세부, 세(detalle) : referir los ～*es* del asunto. ③ 부차적·이차적인 것.

pormenorizar *tr.* ⑨ =**circunstanciar, particularizar, detallar.**

porno *adj.* =**pornográfico.**

pornografía *f.* ① 외설·호색 문학(literatura obscena). ② 외설. ③ 매음 연구.

pornográficamente *adv.* 외설적으로.

pornográfico, ca *adj.* 호색 (문학)의, 외설의 : periódico ～ 외설 신문. literatura ～*ca* 외설 문학. **Sinón.** obsceno.

pornógrafo, fa *m.f.* 호색·외설 문학 작가.

poro[1] *m.* [*gr.* poros] ① 기공(氣孔), 세포 구멍, 가는 구멍 : Los ～*s* dejan salir el sudor. ② 쓸모없는 인물.

poro[2] *m.* 《AmérM.》 마떼차(茶) 용의 그릇.

poró *m.* 《CRica.》 =**bucaré.**

poronga *f.* 《Chile.》 =**burla.**

porongo *m.* 《AmérM.》 호박·호리병박을 말린 그릇.

pororó *m.* 《Riopl.》 ① 소음, 소동. ② 익어서 터진 옥수수(rosetas).

pororoca *m.* 《AmérM.》 (강어귀에서 일어나는) 역조(逆潮) : La ～ sube a veces aguas arriba por los ríos con gran velocidad. **Sinón.** macareo.

porosidad *f.* 구멍투성이, 다공성(多孔性) : la ～ de la piedra pómez 경석의 구멍투성이.

poroso, sa *adj.* 구멍이 많은, 기공이 있는, 다공질(多孔質)의.

porotada *f.* 《Chile.》 ① 강낭콩 요리. ② 식사, 음식 : trabajar por la ～ 먹기 위해 일하다.

porotera *f.* 《Chile.》 입(boca).

porotero, ra *adj. m.f.* 《Chile.》 강낭콩을 잘 먹는·주식으로 하는 (사람).

poroto *m.* 《AmérM.》 ① 강낭콩(judía). ② 아랫사람, 하급자.

porque *conj.* ① [이유·원인] …때문에, …이므로(como) : No vino ～ no quiso. ② [+ *subj.* : 목적] …하도록(para que).

porqué *m.* ① 까닭, 이유(causa, motivo) : No sé el ～ 나는 이유를 모른다. Quiero saber el ～ de esta demora 이렇게 지체된 이유를 알고 싶다. Ella no ha explicado el ～ de su ausencia 그녀는 결석의 이유를 설명하지 않았다. ② 상당한 수량, 분량, 양(cantidad) : tener su ～ de dinero.

porquecilla *f.* [*dim.* puerca] 새끼 암돼지.

porquera *f.* (사냥에서) 멧돼지의 집, 멧돼지가 숨는 곳.
lanza ～ 단창(短槍).

porquería *f.* ① 더러워진·불결한 것, 오물, 더러운 일·물건(suciedad). ② 비열한 일 ; 추잡스러운 짓, 외설적인 일 ; 추행, 품위 없는 짓 ; 무용지물 ; 몸에 해로운 것. ③ 몸에 해로운 과자 : comer ～*s.*

porqueriza *f.* 돼지 우리 (pocilga, establo de puercos).

porquerizo, za *m.f.* 돼지 지키는 사람.

porquero, ra *m.f.* 돼지 지키는 사람 ; 양돈가.

porquerón *m.* 【고어】 포리, 순경.

porqueta *f.* =**cochinilla.**

porquezuelo, la *m.f. dim.* puerco.

porra *f.* ① 곤봉 ; 경찰봉 ; (자루가 긴) 망치(martillo). ② (어린이의 놀이에서) 맨 마지막 아이. ③ 허세 : José gasta mucha ～. ④ 귀찮게 구는 사람. ⑤【은어】 얼굴, 얼굴 생김새. ⑥《Arg. Bol.》 고수머리, 쭈글쭈글해진 털(pelo enredado). ⑦《Méx.》 (극장 등의) 박수 부대. ⑧ 튀긴 과자의 일종.
—*interj.* 혐오를 나타내는 감탄사.
de ～ 나쁜, 싫은, 불유쾌한(malo, desagradable).
hacer ～ 옴쭉달싹 못하게 되다.
mandar a la ～ 배척·혐오하다(mandar a paseo).

porracear *tr.* 【방언】(몽둥이로) 치다·때리다(aporrear, golpear).
porráceo, a *adj.* 암록색(暗綠色)의, 검푸른(verde obscuro).
porrada *f.* ① (본래는 몽둥이로) 구타 ; 부딪치는 일, 타박(porrazo). ② 어리석은 짓(necedad) : soltar una ～. ③ 대량, 산더미처럼 많은 것(multitud).
porral *m.* 서양파(puerro) 밭, 파밭.
porrazo *m.* ① 때리기 ; 부딪치는 일, 타박. ② 《*Ecuad.*》 많음, 풍부(abundancia, multitud).
porrear *intr.* 귀찮게 굴다, 애먹이다(machacar). **～se** 열을 내다, 부지런히 일하다.
porredana *f.* (깐따브리아 해안의) 물고기.
porrería *f.* ① 어리석음, 바보스러운 짓·일(tontería). ② 굼뜸(pesadez).
porreta *m.* (파 따위의) 잎 ; (보리·밀 등의) 눈·보드라운 싹.
en ～ 알몸으로, 벌거벗은 채로(en cueros, desnudo).
porretada *f.* ＝**multitud.**
porrigo *m.* 【의학】 탈모증의 하나.
porrilla *f.* (대장간의) 쇠망치.
porrillo (a) *adv.* 많이, 풍부하게(en abundancia, en gran cantidad) : Caía granizo *a* ～ 우박이 많이 내렸다.
porrina *f.* ① 어린 밀, 밀의 묘의 묘상(苗床). ② 파의 무리(porreta).
porrino *m.* 파의 씨 ; 파의 묘상.
porro[1] *adj.m.* 어리석은 (남자)(torpe).
porro[2] *m.* [*lat.* porrum] ①【식물】 파의 무리(puerto. ② 《*Col.*》 북의 일종.
porrón, na *adj.* 굼뜬. —*m.* ① 《*Arg.*》 물항아리 ; 술병. ② 《*Chile.*》 【식물】 ＝**puerro.** ③ 마늘 양념·소스(salsa de ajos).
porrudo *adj.* 《*Arg.*》 머리카락이 곱슬곱슬한. —*m.* 《*Murc.*》 목동들이 쓰는 지방이(cayado).
porsiacaso *m.* 《*Venez.*》 자루, 푸대.
porta *f.* 현창(舷窓) ; 현문 ; (군함의) 포문(cañonera).
portaagujas *m.* 【단·복수 동형】 ① 바늘꽂이, 바늘방석 ; (편물기 등의) 바늘 보내기. ② 【외과】 지침기(支針器).
portaaeronaves *m.* 【단·복수 동형】 항공기 이착륙 전함.
portaalmizcle *m.* 【동물】 (북극 지방에 서식하는) 사향 사슴(almizclero).
portaaviones *m.* 【단·복수 동형】 항공모함.
portabandera *f.* 깃발을 받치는 혁대.
portabebés *m.* 【단·복수 동형】 포대기.
portabombas *m.* 【단·복수 동형】 폭탄 수송기. —*adj.* 폭탄을 수송하는.
portabrocas *m.* 【단·복수 동형】 드릴·송곳 척.
portacaja *f.* 북·장고를 매는 가죽.
portacarabina *f.* 소총·단총 멜빵.
portacartas *m.* 【단·복수 동형】 우편 행낭 ; 편지꽂이.
portacazuela *f.* 냄비 받침.
portacigarros *m.* 【단·복수 동형】 담배갑.
portacomidas *m.* 《*Col. PRico. Venez.*》 도시락통(fiambrera).
portacruz *m.* (행렬의 선두에서) 십자가를 들고 가는 사람.
portacubos *m.* 【단·복수 동형】 물통을 매는 데 쓰는 목도.
portacuchillos *m.* (산 사이의) 골짜기(boquete entre dos montes).
portada *f.* ① 큰 현관 : La ～ está pintada de verde 현관은 녹색으로 칠해져 있다. ② 정면, 표면 : La ～ del edificio es muy hermosa 건물의 저면이 매우 아름답다. ③ (서적의) 속표지, 타이틀 페이지 : La ～ de la revista reproduce un retrato del jefe del Estado 잡지의 표지에 국가 원수의 초상이 그려져 있다. ④ (직물에서) 날실의 수효의 단위 : Esta tela lleva ochenta ～*s.*
portadera *f.* 길마 상자(aportadera).
portadilla *f.* ＝**anteportada.**
portado, da *adj.* [bien · mal ＋] 옷매무새·몸가짐이 단정한·단정치 못한.
portadocumentos *m.* 【단·복수 동형】 서류 봉투.
portador, ra *adj.* 들어 나르는. —*m.f.* 운반자, (어음) 지참자·인, 피이서인, 피지불인, 양수인 : cheque al ～ 지참인불 수표. Páguese al usted la respuesta al ～ de esta carta 이 편지의 회답은 이 편지의 지참인에게 주십시오.
—*m.* 막 쓰는 쟁반, 물건을 나르는 쟁반.
～ *de cheque* 수표 지참인·소지인.
～ *de la póliza* 보험 계약자, 보험 증서 소지자.
～ *de una letra* 어음 지참인.
portaequipajes *m.* 【단·복수 동형】 (자전거 등의) 짐 얹는 곳 ; (열차 등의) 그물 선반 ; (공항 등의) 소형 짐수레.
portaeronaves *m.* ＝**portaaeronaves.**
portaestandarte *m.* (기병의) 기수(旗手).
Sinón. abanderado.
portafolio *m.* 《*Galic.*》 종이 집게 ; 서류 가방(cartera).
portafusil *m.* (총의) 멜빵.
portaguión *m.* 선두 기수, 향도 기수.
portahelicópteros *m.* 【단·복수 동형】 헬리콥터 적재 전함.
portaherramientas *m.* 【단·복수 도형】 【기계】 척《선반의 물림쇠》 ; 척, 지퍼.
portaje *m.* ＝**portazgo.**
portal *m.* ① 현관(zaguán, vestíbulo). ② 현관의 홀, 현관에 딸린 방. ③ (시가의) 건물 사이에 낀 통로. ④ (큰 공장 등의) 앞문. ⑤ (어떤 도시에서) 시문(市門)
～ *de salida* 경마의 출발점.
portalada *f.* 대현관, (대저택·건물 안으로 들어가는) 겉문.
portalámpara(s) *m.* 【단·복수 동형】 전구의 소켓.
portalápiz *m.* 연필 집게·꽂이(lapicero).
portalejo *m. dim.* portal.
portaleña *adj.* ＝**portadilla.** —*f.* ＝**portañola.**
portalero *m.* (도시나 마을의) 입구의 수위.
portalibros *m.* 【단·복수 동형】 책 밴드(correa para llevar libros).
portaligas *m.* 【단·복수 동형】 양말 대님의 끈.
portalón *m.* ① 현문(舷門). ② ＝**portal.**
portallaves *m.* 【단·복수 동형】 ＝**llavero.**
portamaletas *m.* 【단·복수 동형】 자동차 뒷트

렁크(maletero de un coche).

portamantas *m.* 【단·복수 동형】 가죽으로 만든 모포 멜대.

portamanteo *m.* 여행 가방(manga, maleta, saco de viaje).

portaminas *m.* 【단·복수 동형】 ① 샤프펜슬. ② 기뢰 부설 : buque ~ 기뢰 부설함(정).

portamira *m.* (토목 측량할 때의) 장대를 드는 사람.

portamonedas *m.* 【단·복수 동형】 지갑(bolsa para llevar dinero).

portanario *m.* 【해부】 유문(幽門)(válvula ileocecal).

portante *m.* 말의 구보, 측대보(側對步)
de ~ 가벼운 발걸음으로, 급히.
coger·tomar el ~ 가버리다(irse, marcharse).
tomar un ~ 서둘다, 급하게 굴다.

portantillo *m.* 보폭(步幅)이 좁은 걸음.

portanuevas *m.f.* 【단·복수 동형】 남의 말하기 좋아하는 사람.

portanveces *m.* 【단·복수 동형】 대리 사제, 보좌 목사.

portañica *f.* =**portañuela.**

portañola *f.* (함선의) 포문(砲門), 총안(銃眼)(cañonera).

portañuela *f.* ① 바지의 앞을 트기, 단추 가리개. ② 《*Col. Méx.*》 (자동차 등의) 문(짝).

portaobjeto *m.* =**portaobjetos.**

portaobjetos *m.* 【단·복수 동형】 현미경의 슬라이드.

portaparaguas *m.* 【단·복수 동형】 우산 꽂이.

portapaz *m.* *(f.)* (사원에게 사용하는 성패(聖牌).

portaplacas *m.* =**portaplanchas.**

portaplanchas *m.* 【단·복수 동형】 (사진 기구의) 건판(乾板) 테.

portapliegos *m.* 【단·복수 동형】 종이 집게.

portaplumas *m.* 【단·복수 동형】 펜대 (palillero, mango de plumas).

portar *tr.* 【고어】 나르다, 가지고 가다·오다(llevar); (개가 노획물을) 물고 오다. —*intr.* 돛이 바람을 잘 받다.
~se ① [+ bien·mal] 행실이 좋다·나쁘다; 거동하다, 행동하다 : Ese muchacho no *se porta* muy *bien* 그 소년의 행실은 매우 좋지 않다. ② 특출한 일을 하다(distinguirse) : ~*se* como príncipe. ③ (이성 관계에서) 조심하다.

portarretrato *m.* =**portarretratos.**

portarretratos *m.* 【단·복수 동형】 초상화 액자.

portasenos *m.* 【단·복수 동형】 젖가리개, 브래지어.

portátil *adj.* ① 휴대용의 : radio ~ 휴대용 라디오. ② 이동식의 : grúa ~ 이동식 기중기.

Port-au-Prince *m.* 【지명】 포트 프린스 《아이띠의 수도》.

portavasos *m.* 【단·복수 동형】 컵 놓는 대.

portaventanero *m.* 문과 창문을 만드는 목수 (carpintero que fabrica puertas y ventanas).

portaviandas *m.* 【단·복수 동형】 =**fiambrera.**

portaviones *m.* 【단·복수 동형】 비행기 적재 전함.

portavoz *m.* ① 메가폰, 전성(傳聲) 나팔. ② (정부 등의) 공보관, 대변자, 대변인(vocero) : ~ oficial 공보 대변인.

portazgar *tr.* ⑧ 통행료를 징수하다.

portazgo *m.* 통행세·료; 통행료 징수소.

portazguero, ra *m.f.* 통행료 징수인.

portazo *m.* (문짝이 떨어져 나갈 정도로) 문을 두드리기; 꽝하고 문 닫히는 소리.

porte *m.* ① 운반, 운송(transporte) : carta·nota de ~ 화물의 물표. ② 운임 : ~ debido 운임 선불. ~ en la compra 매입 운임. ~ en la venta 판매 운임. ~ franco, franco de ~ 운임·우편세 무료. ③ 우편 요금 : ~ pagadero al hacer entrega 운임 후불·착불. ~ pagado 우편료 지불필·별납; 운임 선불. ④ 거동, 태도, 행실(conducta) : Ese hombre tiene mal ~ 그 남자는 태도가 나쁘다. ⑤ 풍채. ⑥ [드뭄] 크기, 용량(tamaño, capacidad). ⑦ 《*Chile.*》 (주로 생일날의) 선물.

porteador, ra *adj.* 운반의. —*m.* 짐꾼, 부두 노동자, 운송(업)자 : empresa ~*ra* 운송업, 운송회사. Sinón. mozo de cordel.

portear *tr.* 나르다, 운반하다, 운송하다(llevar o conducir una cosa a cuestas) : ~ leña.
—*intr.* ① 문에 메어 붙이다. ② 《*Arg.*》 문간에서 나가다(marcharse).
~se (철새가) 날아가다, 이동하다(pasarse de una parte a otra).

portegado *m.* 《*Ál.*》 =**tejavana, cobertizo.**

portel *m.* =**portillo.**

portela *f.* =**portel.**

portento *m.* [*lat.* portentum] 경이(적인 것); 기적 : un ~ de belleza.

portentosamente *adv.* 무섭게, 경이적으로 : ser ~ rico.

portentoso, sa *adj.* 무서울 만한, 놀라운, 경이적인(extraordinario).

porteño, ña *adj.* ① 뿌에르또《Puerto de Santa María, 까뗀스주의 도시》의. ② 부에노스 아이레스의. —*m.f.* ① 뿌에르또 사람. ② 부에노스 아이레스 사람(bonaerense).

porteo *m.* 운반, 운송.

porterejo *m. dim.* portero.

portería *f.* ① 수위실, 문지기방. ② 문지기 (의 직책). ③ [집합] 현창(舷窓)(portas del buque). ④ (풋볼의) 골(meta).

portero, ra *m.f.* ① 문지기, 수위 : ~ de estrados 의회·법정의 수위. ② (풋볼의) 문지기, 골키퍼.

portezuela *f.* [*dim.* puerta] ① (타는 것의) 승강구. ② 호주머니의 뚜껑.

portezuelo *m.* [*dim.* puerto] ① 작은 항구. ② 《*Chile.*》 고갯길(camino entre dos cerros).

pórtico *m.* [*lat.* porticus] (기둥을 사이에 한) 현관; 현관 사이; 통로, 회랑; 복도.

portichuelo *m. dim.* puerto.

portiello *m.* 【고어】 작은 문.

portier *m.* 《*Galic.*》 [*fr.* portiére] 문의 커튼 (antepuerta).

portilla *f.* ① 선창(船窓), 현창. ② (농장 울타리의) 출입구.

portillera *f.* (농장 등의 울을 친) 출입구.

portillo *m.* ① 작은 문, 좁은 문; 뒷문(postigo). ② 골자기길. ③ 갈라진 금(abertura). ④ 빠져 나갈 구멍.

portón *m.* [*aum.* puerta] 큰 문, 현관 안문(짝); 대문짝.

portorriqueño, ña *adj.* 뿌에르또 리꼬《Puerto Rico, 카리브해에 있는 섬》의. **—*m.f.*** 뿌에르또 리꼬 사람.

portuario, ria *adj.* 항구의, 항구 도시의; 항만의: ciudad *~ria* 항구 도시. obras *~rias* 항만 시설. obrero ~ 부두 노동자, **—*m.*** 부두 노동자.

portuense *adj.* 뿌에르또《Puerto, 곳곳에 있는 지명》의. **—*m.f.*** 뿌에르또 사람.

Portugal *m.* 【지명】 포르투갈.

portugués, sa *adj.* 포르투갈의. **—*m.f.*** 포르투갈 사람. **—*m.*** 포르투갈말.

portuguesada *f.* 포르투갈 사람·식의 행동, 호들갑스러운 행동·짓·말, 허풍, 과장(exageración).

portuguesismo *m.* 포르투갈식 사투리·발음(lusitanismo).

portuguesista *adj.* 포르투갈식의.

portulano *m.* [*ital.* portolano] 해항 지도집(海港地圖集).

poruña *f.* 《*Chile.*》 주걱(cucharón).

poruñear *tr.* 《*Chile.*》 속이다, 사기치다, 눈속임하다(engañar).

porvenir *m.* [*pl.* 없음] 미래, 장래, 전도(前途) (tiempo futuro): el joven de ~ 전도 유망한 청년. lo ~ 미래. No puede adivinarse lo ~ 장래는 점칠 수 없다.

¡porvida! *interj.* 이놈!《겁을 주거나 화낼 때》.

porvidar *intr.* =**echar porvidas.**

pos[1] *m.* (식사 후에) 나오는 요리, 식후 디저트(postre).
en ~ 잇달아, 연속으로, 계속해서(en seguimiento, a continuación)
en ~ *de* …의 뒤에, …에 잇달아, …을 따라서.

pos[2] *conj.* 《*Méx.*》 =**pues.**

pos- *pref.* [*lat.* post] 「뒤(後)」를 의미하는 접두어: *pos*data, *pos*poner.

posa *f.* ① 조종(弔鍾). ② 장례 행렬에서 명복을 빌고자 잠시 서는 일; 묵념. ③【사진】 노출. **—*pl.*** 궁둥이(asentaderas).

posada *f.* ① 주거. ② 여관, 객줏집; 하숙집(casa de huéspedes). ③ 숙박 (hospedaje): tomar ~ en una casa. ④ 휴대용 식기 상자. ⑤《*Méx.*》 (성탄절 무렵에 행렬을 만들어 걷는) 음악대.

Posadas 【지명】 뽀사다스《아르헨띠나 Misiones 주의 주도; Parana 강변에 있음》.

posadeño, ña *adj. m.f.* 뽀사다스(Posadas)의 (사람).

posaderas *f.pl.* 궁둥이, 엉덩이(las nalgas).

posadero, ra *m.f.* 여관 주인. Sinón. mesonero.

posaminas *m.* 【단·복수 동형】 어뢰 부설함.

posante *adj.* 쉬는, 쉬고 있는; 동요가 적은 (배).

posar *intr.* ① 묵다, 유숙·숙박하다(alojarse). ② 쉬다, 휴게하다 (descansar). ③ 포즈를 취하다. ④ (새가) 앉다 (pararse): *~(se)* en·sobre una rama 가지에 앉다. La golondrina *posó en* el árbol 제비가 나무에 앉았다.
—*tr.* ① (쉬려고 짐을) 내려 놓다. ② 놓다 (poner).
~se ① 가라앉다, 침전하다. ② (먼지가) 쌓이다. ③ (새가) 앉다: Los pájaros *se posaron* en los alambres eléctricos 새가 전기줄에 앉았다. ④《*Galic.*》 (화가·사진기 앞에서) 포즈를 취하다: *Pósese* usted para la foto 사진 찍게 포즈를 취하십시오.

posarmo *m.* 《*Sant.*》 양배추(berza)의 일종.

posaverga *f.* (돛배가 싣고 있던) 예비용 돛.

posbélico, ca *adj.* 전후(戰後)의.

posca *f.* 뽀스까《옛날 로마 사람들이 청량 음료로 사용했던 물과 식초의 혼합 음료》.

poscafé *m.* 식후에 마시는 술(pluscafé).

poscomunión *f.* 성체 배령 후의 기도.

posdata *f.* (편지의) 추신(追伸)《약자: P.D.》. Sinón. postscriptum.

pose *m. fr.* 《*Galic.*》 ①【사진】 노출(exposición). ② 포즈, 자세(postura). ③ 잰 체하기(afectación). [*N.* 발음: pos].

poseedor, ra *adj.* [+de: …을] 소유하는. **—*m.f.*** 소유자, 소지인: ~ de patente (전매) 특허권 소유자.

poseer *tr.* 78 [*p.p.* poseído] [*lat.* possidere] ① 갖고 있다, 소유하다: Mi tío *posee* una casa de campo 숙부는 별장을 하나 가지고 있다. ② …에 통달하다, 알고 있다(dominar): *Posee* bien el alemán.
~se ① 자제하다(dominarse). ② (사상·감정에) 사로잡히다.

poseído, da *adj.* [poseer의 *p.p.*] ① [+de: …에] 사로잡힌: ~ *de* temor 공포에 사로잡힌. ② 미친, 열중해 버린(loco). **—*m.f.*** 악마에 홀린 사람.

Poseidón *m.* 【희랍 신화】 해신(海神). [*N.* 로마 신화의 Neptuno].

posesión *f.* [*lat.* possessio] ① 소유; 취득, 점유: ~ civil 민법상의 점유. ~ clandestina 불법 취득. ~ violenta 강점. ② 보유(권); 소유물, 소유지; 재산: José tiene muchas *~es.* ③ 영토, 속국(屬國): España tiene algunas *~es* en Africa 서반아는 아프리카에 약간의 영토를 가지고 있다. ④ 악마에 홀리는 일. ⑤《*Chile.*》 별장. ⑥《*Venez.*》 농지. ⑦ 취임.
dar ~ *a* …의 취임식을 거행하다; 양도하다.
tomar ~ *de* …을 빼앗다, 점유·점령하다; 취임하다.

posesional *adj.* 소유의, 점유의.

posesionar *tr.* 취득시키다; (…의) 자리에 놓다 (poner en posición de).
~se [+de: …을] 점유하다, 강점하다, …을 가지다, 취득하다.

posesionero *m.* 빌린 땅에 목초를 심은 목축가.

posesivo, va *adj.* 【문법】 소유의: pronombre ~ 소유 대명사《mío, tuyo, suyo, nuestro, vuestro, suyo》. **—*m.*** 소유어.

poseso, sa *adj.m.f.* 악령에 홀린 (사람), 신들린 (사람).

posesor, ra *adj.m.f.* 소유하는 (사람); 점유자, 소유자, 임자(poseedor).

posesorio, ria *adj.* 소유의, 점유의: juicio ~.

posete *m.* 《*Murc.*》 단지 증류기·여과기.

poseyente *adj.* 소유하고 있는.
posfecha *f.* 실제보다 뒷 날짜, 사후 날짜(fecha posterior a la verdadera).
posfechar *tr.* 실제보다 날짜를 늦추다.
posfijo *m.* =**postfijo.**
pos-grado *m.* 대학원 과정.
posgraduado, da *adj. m.f.* 대학을 졸업한 (사람) ; 대학 졸업자, **대학원생.**
posguerra *f.* 전후(postguerra).
posibilidad *f.* ① 가능(성), 실현성 : tener ~ de …할 가능성이 있다. No veo ~ de hacer aquello 그것을 할 가능성이 보이지 않는다. ② 장래성, 가망. ③ 재산.
~ *de ser o no ser vendido* 시장성(市場性).
posibilitar *tr.* 가능하게 하다, 형편에 어울리게 하다, 편리하게 만들다(facilitar).
posible *adj.* ① 할 수 있는, 가능한 : Es muy ~ que venga 그가 올 가능성이 많다. lo más pronto ~ 되도록·가능한 빨리. No le fue ~ venir aquí 그가 이곳에 오는 것은 불가능했다. Todo es ~ con buena voluntad 의지만 있으면 무엇이든지 가능하다. ② 있음직한, 일어날 수 있는. Contr. imposible.
—*m. pl.* 자산, 재력, 재산 (bienes) : Mis ~*s* no alcanzan a diez mil pesetas 내 자산은 1만 페세따에 이르지 못한다.
~ *cliente* 잠재적 고객.
de ser ~ 가능하다면.
hacer (todo) lo ~ 전력을 다하다, 최선을 다하다 : *Haré todo lo* ~ 최선을 다하겠다.
posiblemente *adv.* ① 가능하게. ② [감탄사적] 가능하다(es posible).
posición *f.* [*lat.* positio] ① 위치 ; 장소 ; 진지(陣地) : El cambió de ~ para estar más cómodo 그는 더 편하기 위해 위치를 바꾸었다. ② 입장(situación) : en ~ ventajosa 유리한 입장에서. ③ 지위, 신분 : hombre de alta ~ 신분이 높은 사람. ④ 자세(postura). ⑤ 논지, 견해 ; 상정(想定)(suposición).
~ *de un producto frente a los compradores* 시장성(市場性). ~ *financiera* 재정 상태. ~ *preferente* 우선적 지위.
posimpresionismo *m.* =**postimpresionismo.**
posimpresionista *adj.m.f.* =**postimpresionista.**
positiva *f.* 【사진】 양화(陽畵).
positivamente *adv.* ① 확실히, 분명히, 사실상, 실제로. ② 적극적으로, 능동적으로(depositivo).
positivar *tr.* 음화 사진을 찍다.
positividad *f.* 적극성.
positivismo *m.* 실리주의, 실증주의, 실증론, 실증 철학 : El ~ fue fundado por Augusto Comte.
positivista *adj.* 실리주의의 ; 실증주의의 : doctrina ~. —*m.f.* 실리주의자, 실증주의자.
positivo, va *adj.* [*lat.* positivus] ① 확실한(cierto) : un hecho ~. ② 현실적인, 실제의, 실제적인 : El no hace trabajo ~ 그는 실제적인 일은 하지 않는다. ③ 착실한. ④ 실천적인, 실험적인. ⑤ 긍정의, 긍정적인(afirmativo). ⑥ 적극적인, 능동적인 ; 절대적인 : Es un hombre muy ~ 그는 매우 적극적인 사람이다. ⑦【전기】 양(陽)의 : electricidad ~*va* 양전기. ⑧【수학】 정(正)의, 플러스의 : cantidades ~*va*. ⑨ 정량(正量). ⑩【사진】 양(화)의 : prueba ~*va* 양화. ⑪【문법】 원급의 : grado ~ 원급. ⑫【의학】 (반응에서) 양성의. —*m.* 실재, 확실한 일.
de ~ 확실하게, 사실상.
pósito *m.* [*lat.* positus] 공동 곡창, 공제 조합.
positón *m.* =**positrón.**
positrón *m.* 【물리】 양전자.
positura *f.* =**postura.**
posliminio *m.* =**postliminio.**
posma *f.* ① 굼뜸, 어물거림(pesadez, flema). ② 《*Venez.*》 썩은 물. —*adj.m.f.* 느린, 굼뜬 (사람) : Es muy ~ 그는 매우 느리다.
posmeridiano *m.* 오후(postmeridiano).
posmodernismo *m.* =**postmodernismo.**
posmodernista *adj.m.f.* =**postmodernista.**
posmoso, sa *adj.* =**lerdo, perezoso.**
poso *m.* ① 앙금, 침전물. ② 쉼, 정지(reposo).
posó *m.* 필리핀 원주민 여자의 땋은 머리 모양.
posol *m.* 《*Amér.*》 =**pozol.**
posología *f.* 【약학】 약량학, 처방학.
pospalatal *adj.* =**postpalatal.**
pospelo (a) *adv.* 머리카락을 곤두세워 (a contrapelo).
pospierna *f.* (말 등의) 허벅다리.
posponer *tr.* 61 [*lat.* postponere] [*p.p.* pospuesto] ① 뒤에 두다 ; 뒤로 돌리다(poner atrás) : Hay que ~ el interés personal *a*l general 개인적인 이해는 전반적인 것의 뒤로 돌려야 한다. ② 보다 낮게 평가하다.
posposición *f.* ① 후치 ; 뒤로 미룸. ②【문법】 후치사.
pospositivo, va *adj.* 후치의 : partícula ~*va* 【문법】 후치사.
pospuesto, ta *adj.* [posponer의 *p.p.*] 뒤에 둔.
posromanticismo *m.* 로만티즘과 리얼리즘 사이의 문학 전환 운동.
posromántico, ca *adj. m.f.* 로만티즘 이후의 (사람).
posta *f.* ① [집합] 역마 ; 계마(繼馬) : correr la ~ 역마를 몰다. ② 객줏집, (말의) 역 ; 역정(驛程). ③ 산탄(散彈). ④【건축】 물결 모양의 장식. ⑤ [드묾] (고기·생선의) 토막. ⑥ (도박에서의) 판돈(apuesta). ⑦【은어】 순경. —*m.* ① 역마를 타고 가는 사람. ② 옛날의 속달 우체부.
a ~ 고의로.
a su ~ 【고어】 자신의 생각으로.
por la ~ 급하게, 부랴부랴(muy de prisa).
postal *adj.* 우편의 : apartado·casilla ~ 우편 사서함. ahorro ~ 우편 저금. giro ~ 우편환. paquete ~ 우편 소포. reglamento ~ 우편 규칙. servicio ~ 우편 제도·업무. tarjeta ~ 우편 엽서. unión ~ universal 만국 우편 연맹. ¿Cuál es el número de su casilla ~? 당신의 우편 사서함은 몇 번입니까? Deseo enviar un giro ~ 우편환을 보낼려는데요.
—*f.* ① (우편) 엽서(tarjeta postal). ② 그림 엽서(tarjeta ilustrada).
postar *tr.* =**apostar.**
postdata *f.* 추신(posdata) 《약자 : P.D.》.
postdiluviano, na *adj.* 노아의 홍수 (diluvio) 이후의.

postdorsal *adj.m.* 【언어】 후설음(의).

poste *m.* [*lat.* postis] ① 기둥, 전주 ; 푯말, 표석, 경계표 (pilar o puntal) : un ~ de maderas 나무 푯말·기둥. ② 벌서기 (학교에서의 벌). ③ 기다리다 허탕치기 : dar ~ 기다리는 사람을 허탕치게 만들다.
asistir al ~ 수업 후 교사가 학생에게 붙들려 질문에 응하다.
llevar ~ 기다리다 허탕치다.
oler el ~ 위험한 일을 당할지 몰라 조심하다.
quedarse al ~ =asistir al ~.
ser un ~ 바보·얼간이다 ; 심한 귀머거리이다.

postear *tr.* 《*Col.*》 ① 뒤를 노리다(asechar). ② 《*Panamá.*》 따라다니다. ③ 말뚝을 박다, 기둥을 세우다.

postelero *m.* (선박의) 방현재(防舷材).

postema *f.* ①【의학】 곪은 종기 : El cirujano me abrió la ~ 외과 의사는 나의 종기를 절개했다. ② 귀찮은 인간.
*no criar*le a uno ~ (누가) 비밀을 말했던 것을 그냥 남에게 말해버리다 ; 원망·불평 같은 것을 그대로 누르고 있을 수가 없다.

postemero *m.* 절개용 메스 ; 란세트.

posteo *m.* 《*Méx.*》 =**entibación.**

poster *m. ing.* =**cartel.**

postergación *f.* 뒤지게 하는 일, 연체 ; (선임자를) 뒤로 돌리기.

postergar *tr.* ⑧ 뒤지게 하다 ; (선임자를 승급 서열에서) 뒤로 돌리다.

posteridad *f.* ① 자손. ② 후세 ; 사후(死後)의 명성 : Se transmitirá su nombre a la ~ 그의 이름은 후세에 전해질 것이다.

posterior *adj.* [*lat.* posterior] ① 후의, 다음의 : Salga usted por la puerta ~ 뒷문으로 나가 주십시오. La parte ~ era de dos tonalidades 후부는 두 개의 멜로디로 되었다. ② 후세·후대의, 뒤를 잇는. —*m.f.* 뒤를 잇는 사람. **Contr.** anterior.

posteriori (a) *adv.* =**posteriormente.**

posterioridad *f.* ① 뒤져 있는 일, 뒤에 오는 것. ② 후천성.
con ~ *a* …보다 뒤에·늦게.

posteriormente *adv.* 뒤에, 뒤에 가서 ; 후에. **Contr.** anteriormente.

postescolar *adj.* 학교 졸업 후의 : enseñanza ~ 학교 졸업 후의 교육.

posteta *f.* (제본 때의) 한번 칠하기.

postfijo *m.* 【문법】 접미어(sufijo).

postgraduado, da *adj. m.f.* =**posgraduado.**

postguerra *f.* 세계 대전 후, 전후(戰後) : en la ~ 세계 대전 후에는.

postigo *m.* [*lat.* posticum] ① 작은 문, 쪽문. ② 작은 창, 창구(cuarterón). ③ (시가의) 후문, 곁문.

postila *f.* 주기(注記)(apostilla).

postilación *f.* 주기, 주해.

postilador, ra *m.f.* 주해자. 주석자.

postilar *tr.* 주기·주해하다(apostillar).

postilla *f.* [*lat.* pustula] ① 부스럼 딱지. ② 주기(注記)(postila).

postillón *m.* 역마차의 마부 ; 말고삐를 잡고 앞서 가는 마부.

postilloso, sa *adj.* 부스럼 딱지투성이의, 부스럼 딱지가 생긴.

postimpresionismo *m.* 인상파 이후의 예술 운동, 후기 인상파.

postimpresionista *adj. m.f.* 후기 인상파의 (사람).

postín *m.* 뽐내기, 잘난 체하기 (presunción) : darse ~ 잘난 체하다.

postinero, ra *adj.m.f.* 뽐내는 (사람).

postino *m.* 《*Chile.*》 역마차 ; 버스.

postitis *f.* 【의학】 포피염.

postiza *f.* [*pl.*] ①【악기】 소형 캐스터네츠. ② (배의) 건현(乾舷).

postizo, za *adj.* ① 끼운, 떼었다 붙였다 할 수 있는 : cuello ~ 떼고 붙이고 할 수 있는 칼라. ② 자연이 아닌, 인공의, 인조의(que no es natural) : dentadura ~*za* [집합] 의치, 틀니. diente ~ 의치, 틀니. mano ~*za* 의수. pierna ~*za* 의족. ③ 허위의(falso) : cortesía ~*za.* —*m.* 가발 ; 틀니.

postliminio *m.* (로마법으로) 적국의 포로로 되었다가 본국에 돌아가 원상태로 복귀하는 일.

postmeridiano, na *adj.* 오후의. —*m.* 오후.

postmodernismo *m.* 후기 모더니즘.

postmodernista *adj. m.f.* 후기 모더니즘의 (주의자).

postónico, ca *adj.* 【문법】 강음절로 이어지는.

postor, ra *m.f.* 경매·공매 참가자, 경매자, 입찰자(licitador) : ~ mayor·mejor 최고 입찰자. ~ menor 최저 입찰자. El edificio fue vendido al mejor ~ 건물은 최고 입찰자에게 팔렸다.

postpalatal *adj.* 후두개(음)의 《k 문자 등》.

postración *f.* [*lat.* postratio] ① 기운이 빠짐, 맥빠짐. ② 패배. ③ 엎드려 빌기. ④ 쇠약, 허탈 (abatimiento) : ~ nerviosa 신경 쇠약.

postrador, ra *adj.* 쓰러뜨리는 ; 기운이 빠진. —*m.* (기도할 때의) 무릎을 꿇는 받침.

postrar *tr.* ① 넘어뜨리다, 자빠뜨리다, 쓰러뜨리다(derribar). ② 뻗게 만들다 ; 쇠약하게 만들다, 기운이 빠지게 만들다(abatir).
~se ① 쓰러지다, 넘어지다, 허물어지다. ② 지치다, 기운이 빠지다 : *postrado con·de* la enfermedad 병으로 지친. ~*se por* el trabajo 일하여 지쳐 버리다. ③ 무릎을 꿇다, 부복하다 : El *se postró* a los pies del rey 그는 왕의 발에 무릎을 꿇었다.

postre *adj.* [*lat.* poster] 최후의, 마지막의 (postrero, último) : un ~ deseo 마지막 소원·소망.
—*m.(pl.)* 후식, 디저트 : ¿Qué pide usted de ~? 디저트로 무엇을 주문하시겠습니까?
a la ~, *al* ~ 최후에, 마지막에.
para ~ =para colmo.

postremero, ra *adj.* =**postrero, último.**

postremo, ma *adj.* [드뭄] =**postrero.**

postrer *adj.* 최후의 : un ~ deseo 마지막 소원·소망. [*N.* 남성 단수 명사의 앞에서 postrero가 o 탈락형].

postrera *f.* 《*Amér.*》 뒷젖 《맑은 물이 나온 다음의 진한 젖》.

postreramente *adv.* 마지막에, 최후에.

postrero, ra *adj.* ① 최후의, 마지막의 (último) : el *postrer* tomo 마지막 권. ② 다음에 오는. [*N.* 남성 단수 명사 앞에서 어미가 탈락하여 postrer가 됨].

postrimer *adj.* =**postrimero, postrero, último.**

postrimeramente *adv.* =**postreramente.**

postrimería *f.(pl.)* ① (달의) 하순, (해의) 세모, 세밑. ② 만년(晩年). ③【신학】=**novísimo.**

postrimero, ra *adj.* 최후의(postrero).

postromanticismo *m.* =**posromanticismo.**

postromántico, ca *adj. m.f.* =**posromántico.**

postscenio *m.* =**poscenio.**

post scríptum *m. lat.* [드뭄] 추신(postdata).

póstula *f.* =**postulación.**

postulación *f.* ① 간청, 청원. ② 의연금의 모금.

postulado *m.* [*lat.* postulatum]【기하·논리】가정(假定), 정리(定理); 공리; 선결 조건, 기초 조건.

postulante, ta *m.f.* ① 간원자, 청원자. ② 성직 지원자. ③ 의연금 모으는 사람.

postular *tr.* [*lat.* postulare] 지원하다, 청원하다(pedir, solicitar); 자격을 요구하다, 무자격자가 상위 성직을 청원하다.

póstumo, ma *adj.* [*lat.* postumus] 사후에 세상에 알려진, 사후의, 죽은 후의 : hijo ~ 유복자. obra ~*ma* 유저(遺著).

postura *f.* [*lat.* positura] ① 자세, 태도, 포즈, 모습. ② 경쟁 입찰 가격, 매긴 값, 입찰 : hacer ~ 입찰하다. ③ 건 돈, 판돈. ④ (옛날의) 식료품의 지정 가격, 규정 가격. ⑤ 계약, 협정(pacto). ⑥ poner(se) 하는 일 : ~ del sol 낙일(落日), 지는 해. ⑦ (새의) 알; 산란(產卵). ⑧ 묘목, 어린 나무; 묘목 이식 : plantar de ~ 이식하다, 나무를 심다. ⑧《*Venez.*》(상하 세 가지가 한 벌인) 옷.

postventa *adj.f.* 애프터서비스(의).

potabilidad *f.* 물을 마실 수 있는 일.

potabilizar *tr.* ⑨ (물을) 마시기 좋게 하다.

potable *adj.* [*lat.* potabilis] 마실 수 있는, 마시는 (물); 액체의(líquido) : agua ~ 음료수.

potación *f.* 마시기; 마실 것(bebida).

potado, da *adj.* potar의 *p.p.* —*m.*【은어】=**borracho, ebrio.**

potador, ra *adj.m.f.* 마시는 (사람).

potaje *m.* ① 짙은 수프. ② [드뭄] 요리한 야채 : un ~ de berzas. ③ 말린 야채, 콩류. ④ 맑은 장국; 잡탕.

potajera *f.* (옛날의) potaje 장수.

potajería *f.* ① potaje를 만들기 위한 말린 야채·콩류. ② (본래는 왕궁에서의) 야채 저장 창고.

potajier *m.* potajería 장(長).

potala *f.* (거룻배의 닻 대신으로 쓰이는) 돌; 느린 배.

potámide *f.* [주로 *pl.*] 강의 요정.

potango *m.*《*Arg.*》알 모양의 그릇.

potar[1] *tr.* (어떤 것의) 중량·치수를 정하다.

potar[2] [*lat.* potare] 마시다(beber).

potasa *f.* [*alam.* pottasche]【화학】잉금, 무거리; 칼륨, 가성 칼리(~ cáustica).

potásico, ca *adj.* 칼륨의, 칼륨을 함유한 : sales ~*cas*.

potasio *m.*【화학】포타슘, 칼륨《금속 원소》: El ~ fue descubierto por Davy en 1807.

pote[1] *m.* [*lat.* potus] 항아리, 단지 화분, 냄비. *a* ~ 많이, 듬뿍.

fuera de ~《*Venez.*》흥분 때문에 예의를 잊고.

pote[2] *m.* 도량형의 원기(原器).

potencia *f.* [*lat.* potencia] ① 힘, 능력 : ~ auditiva 청력. ~ económica 경제력. ~ visiva 시력. ② 생식력. ③ 권력; 세력, 위력; 병력, 국력; 대국(大國), 강대국 : tres ~*s* del mundo 세계의 삼대 강국. las grandes ~*s* 열강(列强). No sabemos qué decidirán las cuatro ~*s* 4대 강국이 무엇을 결정할 것인지 우리는 모른다. ④【물리】사정(射程); 동력, 마력 : una ~ de cien caballos 100 마력. El motor tiene gran ~ 모터는 출력이 크다. ⑤【수학】승(乘) : segunda ~ 자승. tercera ~ 삼승. elevar a ~ …승·제곱하다. ⑥ (예수·모세 상에 비치는) 후광. Contr. impotencia.

potenciación *f.*【수학】승(乘).

potencial *adj.* ① 힘이 있는, 잠재적인, 잠재력이 있는; 가능한. ②【문법】가능법의 : modo ~ 가능법. ③【물리】위치의 : energía ~ 위치 에너지. ④【물리】전위(電位)의. —*f.* ① 가능(성), 능력, 잠재력, 힘 : ~ agrícola 농업의 가능성. ~ económico 경제력. ~ humano 인적 자원, 동원 가능 인력 노동력. ②【전기】전위(電位) : ~ eléctrica. ③【문법】가능법.

potencialidad *f.* 가능성; 능력, 잠재력; 동등한 힘.

potencialmente *adv.* 잠재적으로; 가능성 있게.

potenciar *tr.* ⑪ 힘을 가하다; 가능케 하다.

potentado *m.* [*lat.* potentatus] 군후(君侯), 절대 세력자; 실력가; 대실업가 : ~ del petróleo 석유왕.

potente *adj.* ① 힘이 있는, 강한; 세력·권력이 있는(poderoso). ② 효력이 있는. ③ 생식력이 있는. ④ 위대한. Contr. impotente.

potentemente *adv.* 강력하게, 힘있게, 힘차게(poderosamente).

potentila *f.*【식물】(따뜻한 나라의) 장미과 식물.

potenza *f.* [*fr.* potence]【문장】丁자 모양.

potenzado, da *adj.* 丁자 모양의 : cruz ~*da*.

potería *f.*《*PRico.*》[집합] 병·독·항아리류.

poterna *f.*【축성】작은 옆문, (성의) 뒷문.

potero *m.* 치수와 중량을 정하는 사람.

potestad *f.* [*lat.* potestas] ① 세력, 권력 : patria ~ 친권. ② (이탈리아에서) 대관; 판관, 제후(potentado). ③【수학】승(乘)(potencia). —*pl.* 능천사《천사의 여섯 번째 계급》.

potestativo, va *adj.* 임의의 : condición ~*va* 임의 조건.

potetería *f.*《*And.*》아부, 아첨.

potetero, ra *adj.*《*And.*》아부·아첨·알랑거리는.

potingue *m.*【속어】약을 마시기, 마시는 약(bebida medicinal).

potísimo, ma *adj.* 중요한, 주요한; 강력한; 매우 특별한.

potista *m.f.* 주정뱅이.

potito *m.*《*Chile.*》【식물】호박(calabaza)의 일종.

poto *m.* ①《*AmérM.*》궁둥이(trasero, ano). ②(물건의) 끝. ③《*Chile. Ecuad. Perú.*》말린 박으로 만든 그릇.
～ *colorado* (칠레의) 독거미의 일종.
potoco, ca *adj.*《*Bol. Chile.*》토실토실한, 비대한, 땅딸막한(rechoncho).
potolina *f.*《*Chile.*》＝**polisón.**
potorillo *m.*《*Chile.*》【식물】＝**coral.**
potorro *m.* ①《*Ál.*》＝**salero.** ② 소금 그릇.
potosí *m.* ① 큰 부자, 거부(巨富)(riqueza extraordinaria). ②《*Perú.*》【속어】엉덩이.
valer un ～ 대단한 가치가 있다(valer mucho).
Potosí *m.*【지명】뽀또씨《볼리비아의 도시》.
potosino, na *adj.* ① 거부의. ② 뽀또시의 (사람).
potra[1] *f.* 암망아지, 어린 말.
potra[2] *f.* [*port.* potra] ① 헤르니아(병)(hernia); 음낭 헤르니아. ② 행운 : tener ～운이 좋다(tener buena suerte).
potrada *f.* [집합] 망아지의 떼.
potranca *f.* (세 살 이하의) 암말.
potranco *m.*【속어】＝**potro.**
potreador *m.*《*Riopl.*》＝**palenque.**
potrear *tr.* ① 애먹이다, 성가시게 굴다, 괴롭히다. ②《*Méx. PRico.*》길들이다, 훈련시키다(domar). ③《*Guat. Perú.*》작대기로 때리다·구타하다.
potrera *adj.* 어린 말의 삼으로 만든 (장식 띠).
potreraje *m.*《*Arg. Chile.*》＝**potrero.**
potrero, ra *adj.* 망아지의. —*m.* ① 망아지 지기. ②【속어】헤르니아 의사. ③《*Amér.*》목장.
potril *adj.* 어린 말(potro)의 (목장).
potrillo *m.* ① 세 살 이하의 말. ②《*Chile.*》길다란 술잔.
potro *m.* ① 어린 말. ② 고문대(拷問臺). ③(말을) 묶는 곳. ④《*Col. Ecuad. Perú.*》【의학】헤르니아 (potra). ⑤【체조】뜀틀. ⑥《*Amér.*》큰 곤란.
ser un ～ 아주 어려운 일이다.
potrón *m.*《*Col.*》＝**potro.**
potroso, sa *adj.m.f.* ① 헤르니아를 앓는 (사람). ② 행복한(dichoso, feliz, afortunado).
P.O.U.M Partido Obrero de Unificación Marxista.
pourboire *m. fr.* ＝**propina.**
po.vo. próximo venidero.
poya *f.* ① 공동 가마솥에 빵 굽기 ; 그 굽는 삯 : horno de ～, pan de ～. ② 아마 껍질.
poyal *m.* ＝**poyo.**
poyar *intr.* (공동 가마솥의 빵 구운 값을) 치르다.
poyata *f.* ① 찬장. ②(화분, 장식물 등을 올려놓는) 장식 선반(repisa). ③《*Venez.*》강의 모래톱.
poyete *m.* 작거나 낮은 돌벤치 (poyo de piedra pequeño o bajo).
poyo *m.* [*lat.* podium](입구의 벽가에 붙인) 벤치.
poza *f.* 물웅덩이 ; 물통.
lamer la ～ (누구의) 가진 돈을 조금씩 후려내다.
pozal *m.* 두레박 ; 우물통 ; 단지.
pozalero *m.*《*Murc.*》＝**tonelero.**
pozanco *m.* (물난리가 난 뒤에 생긴) 물웅덩이.
pozar *tr.* 우물에서 물을 푸다(sacar el agua del pozo).
pozo *m.* [*lat.* puteus] ① 샘, 우물. ②(강의) 깊은 곳 ; 깊은 구멍. ③【광산】수직 갱도. ④【선박】선창(船倉) ; 어선의 방어조. ⑤《*Amér.*》물웅덩이.
～ *airón* 아주 깊은 우물. ～ *artesiano* 판 우물. ～ *de ciencia* 지식이 깊은 사람, 대학자. ～ *de lobo* 함정 ; 전차호(戰車壕). ～ *de nieve* 눈 창고. ～ *de negro* 하수구. ～ *de petróleo* 유정(油井). ～ *séptico* (하수의) 부패조(腐敗槽).
pozol *m.*《*AmérC. Méx.*》① 옥수수 가루. ② 카카오를 섞은 음료수 ; 닭에게 주는 탄 옥수수. ③ 앙금, 무거리, 침전물.
pozole *m.* ①《*AmérC.*》＝**pozol**. ②《*Méx.*》옥수수·돼지고기·후추를 섞어 넣어 만든 음식물.
pozolera *f.*《*AmérC.*》천박한 여자.
pozuela *f. dim.* poza.
pozuelo *m.* [*dim.* pozo] ①(땅에 묻은) 항아리. ② ＝**pozal.**
p.p. por poder, por procuración 대리로 ; participado pasado 과거 분사 ; porte pagado 우편 요금 별납.
P.P. porte pagado ; por poder ; por procuración ; pronto pago 즉시불.
p/p pronto pago 즉시불.
PPD Partido Popular Democrático.
ppdo. próximo pasado.
pp.do. participio pasado ; próximo pasado.
p.pr. participio presente.
Pr praseodimo.
pr. por.
pracrito *m.* (sánscrito에 대해서) 인도의 속어. [*N.* 때로는 prácrito].
prácrito *m.* ＝**pracrito.**
práctica *f.* ① 실행, 실천, 실제, 실시 : en ～ 실제로. poner en ～ 실행에 옮기다. ② 실지 응용 ; 실습 : hacer dos años de ～*s* 실습을 2년간 하다. ③ 습관, 하는 법. ④ 관례. ⑤ 연습 : La ～ hace al maestro 연습은 명인을 만든다. ⑥ 경험(experiencia).
～ *contable* 회계 실무. ～ *prespuestaria* 예산의 실시. *en la* ～ 개업하여 (있는).
practicable *adj.* ① 실행할 수 있는, 실용되는. ②《*Galic.*》통행할 수 있는(transitable).
practicador, ra *adj.m.f.* 실지로 하는, 실천하는 (사람) ; 견습생.
practicaje *m.* 수로 안내(水路案內) ; 수로 안내료(pilotaje).
prácticamente *adv.* 실지로 , 실제적으로, 실용적으로.
practicante, ta *adj.* 실습하는. —*m.f.* (의사나 약제사의) 실습생 ; 병원의 대리로 진찰하는 의사 ; 약국 (보조)원.
practicar *tr.* ⑦ ① 행하다 : Yo *practico* la esgrima 나는 펜싱을 한다. ¿*Practica* usted algún deporte? 당신은 어떤 스포츠를 하십니까? ② 실행하다. ③ 연습·수업하다 : Hemos de ～ ejercicios en la montaña 우리들은 산에서 연습하기로 되어 있다. ④ 업으로 삼다, 실습하다 : ～ la medicina. ⑤ 개업하다. ⑥ 만들다, 제작하다(hacer) : ～ un hueco.

—*intr.*, ~**se** [+en : …의] 실습을 하다 : ~*se en* la enseñanza 교육 실습을 하다. El *se ha practicado* en una escuela 그는 학교에서 실습했다. [직설법 부정과거 1인칭 단수 : practiqué. 접속법 현재 : practique, practiques, practique, practiquemos, practiquéis, practiquen].

práctico, ca *adj.* [*lat.* practicus] ① 실지의, 실용·실제·실행적인 : Los anglosajones son muy ~*s* 앵글로 색슨 사람들은 매우 실리적이다. ② 쓸모 있는, 일 잘하는. ③ 유효한, 편리한. ④ 경험이 풍부한, 노련한 (experimentado) : ~ *en* cirugía 외과 수술에 경험이 많은. Ese doctor es muy ~ en cirugía 그 의사는 외과의 숙련가이다. —*m.* 수로 안내 : ~ de puerto 항내(港內) 수로 안내원.

practicón, na *m.f. desp.* 경험가, 실제적인 인물, 그 방면에서 도가 트인 사람.

pradal *m.* =**prado.**

pradejón *m.* 작은 목장.

pradeño, ña *adj.* 목장의, 초원의.

pradera *f.* [집합] ① 대초원. ② 목장, 목장지, 대목초지.

pradería *f.* [집합] 목장지, 목축장.

praderoso, sa *adj.* 목장의.

predezuelo *m. dim.* prado.

pradial *m.* 초월(草月) 《불란서 공화력의 9월 ; 초여름 쯤》.

prado *m.* [*lat.* pratum] 목장 ; 초원(草原) ; 산책길.

Prado (Museo del) *m.* 쁘라도 미술관.

prae mánibus *adv. lat.* 손에 가지고, 손에 들고.

Praga *f.* 【지명】 프라하 《체코슬로바키아의 수도》 : primavera de ~ 프라하의 봄.

praganga *f.* 《*Ant.*》 *en la* ~ 일전 한푼 없이 ; 벌거숭이로.

pragmática *f.* 【고어】 소칙(詔勅), 칙령.

pragmático, ca *adj.* 실용주의의, 실천적인, 실제적인 ; 국내법의. —*m.f.* 국내법 학자.

pragmatismo *m.* 【철학】 실용주의 ; 실제적인 사고 방식 ; 쓸데없는 참견 ; 독단 ; 학자연함.

pragmatista *adj.* 실용주의의. —*m.f.* 실용주의자.

praguense *adj.m.f.* 프라하의 (사람).

pral. principal 주요한 ; 원금.

prao *m.* 말레이 지방의 길다란 범선.

prasio *m.* 【광물】 녹석영(綠石英).

prasma *m.* 【광물】 짙은 녹색 마노(plasma).

pratense *adj.* 목장의, 목장에서 돋아나는(pradeño).

praticultor *m.* 초원 경작자 ; 목장·경영자·관리자.

praticultura *f.* 초원의 경작, 목장 경영·관리.

pravedad *f.* [*lat.* pravitas] [드묾] =**iniquidad, maldad, perversidad.**

praviana *f.* 아스뚜리아스 민요 《Pravia 지명에서》.

pravo, va *adj.* 버릇없는, 방종스러운, 무례한 (perverso).

praxis *f.* (이론에 대해) 실천, 실지 응용(práctica).

pre *m.* (병사의) 일당(prest).

pre- *pref.* [*lat.* prae] 「미리」「이전」「앞」을 뜻하는 접두어 : *pre*ámbulo, *pre*cursor.

preadamita *m.* 아담 이전의 사람.

preadamítico, ca *adj.* 아담(Adán) 이전의.

preagónico, ca *adj.* 단말마(agonía)의.

preámbulo *m.* 머리말, 서언(序言), 지리하게 긴 서론.

preaviso *m.* 미리 알림, 사전 통고.

prebélico, ca *adj.* 전쟁 전의.

prebenda *f.* [*lat.* praebenda] 성직자의 봉급 ; 교회의 수입 ; 보조금, 찬조금 ; 수입이 많고 편한 직업.

prebendado *m.* 봉급을 받는 성직자(의 지위).

prebendar *tr.* (…에게) prebenda를 주다.
~**se** (성직자들이) 봉급을 받다.

prebestad *f.* =**prebostazgo.**

prebostal *adj.* preboste의.

prebostazgo *m.* preboste의 직·직책.

preboste *m.* 【고어】 승려 회장 ; 판관 ; 헌병 대장.

precariamente *adv.* 불안정하게, 조마조마하게 ; 가령, 추정적으로, 가상적으로.

precario, ria *adj.* [*lat.* precarius] ① 기대할 수 없는, 불안정한(inseguro) : El tiene una salud muy ~*ca* 그의 건강은 불안정하다. ② 가상의, 추정적인 ; 권리없이 보유·사용하는 : tenencia ~*ca*.

precaución *f.* [*lat.* praecautio] 조심, 신중, 주의, 경계, 예방 : medios de ~ 예방 조치.
—*pl.* 예방책, 방비책.

precaucionarse *r.* 조심하다, 주의하다, 경계하다(precaverse, prevenirse) : ~*se* contra la enfermedad.

precautelar *tr.* 조심·주의하다, 예방하다.

precautorio, ria *adj* 조심·주의하는 ; 예방하는, 경계하는.

precaver *tr.* [*lat.* praecavere] [+de·contra : …을] 조심·주의하다, 방비하다, 예방하다, 경계하다 : Hay que ~ de todos los peligros 모든 위험을 경계해야 한다.
~**se** [+de·contra : …에] 조심·주의하다, 예방하다, 경계하다 : ~*se contra* el mal, ~*se de* aire 바람을 막다.
Precávase de fuego 화기 엄금.

precavidamente *adv.* 주의깊게, 용의 주도하게, 조심스럽게, 신중하게.

precavido, da *adj.* ① 주의깊은, 용의 주도한, 신중한, 조심스러운(sagaz, astuto, prudente). ② 민감한, 예리한.

precedencia *f.* 선행(先行) ; 우월, 우선 ; 상위, 상석 ; 선취 특권.

precedente *adj.* [+a : …보다] 앞서는, 앞의, 전(前)의, 전조(前條)·선례의 : año ~ 전년(前年). —*m.* 선례(先例), 전례(前例) : apoyarse en el ~ 선례·전례를 근거로 하다. **Contr.** siguiente.

precedentemente *adv.* 전례·선례로 ; 앞서.

preceder *tr.* [*lat.* praecedere] [+a : …보다] 앞서다, 앞에 놓이다·있다 ; 뛰어나다, 상위·우위에 있다 : Ricardo *precede a* Ramón en categoría 리까르도는 라몬보다 계급이 위다.

precedido, da *adj.* 앞선 : un chaparrón ~ *de* granizo 우박을 동반한 폭우.

precelente *adj.* 뛰어난(muy excelente).

preceptista *adj.* 교훈을 주는 · 가르치는. —*m.f.* 교훈가.

preceptivamente *adv.* 교훈적으로, 교훈으로 하여.

preceptivo, va *adj.* 교훈의, 교훈이 되는.

precepto *m.* [*lat.* praeceptum] ① 교훈, 명령 : ~ paterno 아버지의 교훈. ② 법칙, 규율, 계율 : El a veces no cumple los ~*s* 그는 가끔 규칙을 지키지 않는다.

preceptor, ra *m.f.* [*lat.* praeceptor] 교사 ; 라틴어 교사.

preceptoril *adj. desp.* 교사 같은.

preceptuar *tr.* ⑮ 타이르다 ; 규율 · 계율을 정하다, 규정하다 : *Se ha preceptuado* salir de noche 야간 외출 규칙이 정해졌다.

preces *f.pl.* [*lat.* preces] 기도, 기원(súplicas) ; (교황청에 대한) 청원 ; (국난 극복을 비는) 대기도.

precesión *f.* ① 말을 빠뜨리기(reticencia). ② 【천문】 세차(歲差)(~ de los equinoccios).

preciado, da *adj.* ① 높이 평가받는, 귀중한, 우수한(precioso, estimado) : una obra ~*da*. ② 의기 양양한(jactancioso, fachendoso).

preciador, ra *adj.m.f.* 감정 · 평가하는 (사람) (apreciador, tasador).

preciar *tr.* ⑪ [*lat.* pretiare] 평가하다(apreciar) ; 높이 평가하다, 값을 높이 보다 : Ella *precia* mucho aquellos recuerdos 그녀는 그 기념품을 높이 평가하고 있다.

~se [+de : …에] 의기 양양해지다, 우쭐하다, 자만하다, 으스대다(jactarse, vanagloriarse, gloriarse) : ~*se de* valiente 용감한 척 우쭐대다. Ella *se precia de* su habilidad 그녀는 그의 능력에 의기 양양하다.

precinta *f.* ① (상자 · 트렁크의 모서리를 보강하는) 모서리 가죽. ② 새끼줄에 감아 보강하는 타르를 바른 돛단배의 가는 조각.

precintar *tr.* (상자 같은 데에) 모서리 가죽을 대다 ; (…에) 띠로 감다 · 봉하다.

precinto *m.* [*lat.* praecinctus] (상자 등의 띠 모양의) 봉(封) ; 띠쇠 ; 혁대.

precio *m.* [*lat.* pretium] ① 가치, 대가 ; 가격, 값 : aminorar · reducir el ~ 값을 내리다. aumentar ~ 값을 올리다. poner ~ 값을 매기다. Hoy día la carne no tiene ~ 요즈음 고기값이 천정부지다. Los ~*s* han bajado en los últimos días 최근 물가가 내렸다. ¿Qué ~ tiene este reloj? 이 시계는 얼마입니까? a mejor ~ 최상의 값으로. ② 보상, 갚음 : La autoridad puso ~ a la cabeza del revolucionario 당국은 그 혁명가의 머리에 상금을 걸었다. ③ 대상(代償) : al ~ de …의 대가를 치루어, …을 희생으로 하여 (a costa de, a fuerza de). a cualquier ~ 어떻게 해서라도. ④ 시세 ; 가치, 귀중, 중요 : Es hombre de gran ~. ⑤ 존중 : tener en (mucho) ~ 몹시 존중하다.

~ ***acordado*** 협정 가격. ~ ***acordado según contrato*** 계약 가격. ~ ***actual*** 시가(時價), 현행 가격. ~ ***agrícola*** 농장 · 농산물 가격. ~ ***al consumidor*** 소비자 가격. ~ ***al contado*** 현금 · 매매 · 거래 가격. ~ ***al detalle · menudeo*** 소매 가격. ~ ***al por mayor*** 도매 가격 · 물가. ~ ***al por menor*** 소매 가격. ~ ***al productor*** 생산자 가격. ~ ***alto*** 높은 가격. ~ ***apropiado*** 적정 가격. ~ ***astronómico*** 터무니없이 높은 가격. ~ ***bajo · barato*** 염가, 싼값. ~ ***base · básico*** 기본 가격, 기준 가격. ~ ***bruto*** 총가격. ~ ***caro*** 비싼 값, 고가. ~ ***comercial*** 거래 · 도매 가격. ~ ***competitivo*** 경쟁 (가능) 가격. ~ ***con bonificación · descuento*** 할인 가격. ~ ***con descuento para el comercio,*** ~ ***con rebaja*** 거래 가격, 도매 · 중간 가격. ~ ***con tendencia al alza*** 고등(高騰) 가격. ~ ***contractual*** 협정 가격. ~ ***controlado*** 관리 · 통제 가격. ~ ***convenido*** 협정 가격. ~ ***corriente*** 시가(時價), 현행 가격, 거래 가격, 시장 가격. ~ ***corriente del mercado*** 시가(市價 · 時價), 시장 · 경영 가격. ~ ***cotizado*** 매긴 가격. ~ ***de apertura*** (주식의) 기부 가격. ~ ***de cambio*** 환 환산율. ~ ***de cesión*** 양도 가액. ~ ***de competencia*** 경쟁 가격. ~ ***de compra*** 매입 · 구입 가격. ~ ***de contrato*** 계약 가격. ~ ***de costo · coste comercial*** 원가, 매입 가격. ~ ***de descuento*** 할인 가격. ~ ***de dumping*** 덤핑 · 투매 가격. ~ ***de emisión*** 발행 가격. ~ ***de equilibrio*** 균형 가격. ~ ***de especulación*** 투기 가격. ~ ***de exportación*** 수출 가격. ~ ***de fábrica*** 공장 가격, 제조 원가, 공장도 가격. ~ ***de factura*** 송장 가격. ~ ***de importación*** 수입 가격. ~ ***de la demanda global*** 총수요 가격. ~ ***de la entrada*** 입장료. ~ ***de la oferta global*** 총공급 가격. ~ ***de mayoreo*** 도매 가격. ~ ***de menudeo*** 소매 가격. ~ ***de mercado*** 시가(市價), 시장 가격. ~ ***mercado nacional*** 국내 시장 가격. ~ ***de monopolio*** 독점 가격. ~ ***de oferta*** 입찰 · 견적 · 공급 가격. ~ ***de oportunidad*** 할인 가격. ~ ***de orientación*** 지시 가격. ~ ***de paridad*** 균형 가격. ~ ***de plaza*** 현장 가격, 현장도 가격. ~ ***de primera oferta*** 경매 개시 가격. ~ ***de remate*** 최저 가격. ~ ***de rescate*** 매입 · 상환 가격 ; (보험의) 해약 가격 · 반환 금액, 중도 해약금 반환액. ~ ***de reventa*** 재판매 가격. ~ ***de subasta*** 경매 개시 가격. ~ ***de transporte*** 운임, 수송료. ~ ***de venta*** 판매 가격, 매각 가격. ~ ***de venta (al) por mayor*** 도매 가격. ~ ***de venta (al) por menor,*** ~ ***de venta al público*** 소매 가격. ~ ***del mercado*** 시장 가격. ~ ***del mercado mundial*** 세계 시장 가격. ~ ***definitivo*** 기한부 가격, 확약 가격. ~ ***determinado*** 고정 가격. ~ ***doméstico*** 국내 가격. ~ ***dominante*** 일반 가격, 현행 가격. ~ ***efectivo*** 실질 가격. ~ ***elevado*** 높은 가격. ~ ***en globo*** 개산 가격. ~ ***en fábrica*** 공장도 가격. ~ ***en junto*** 총괄 가격. ~ ***en la plaza*** 현장도 가격. ~ ***en vigor*** 시가(時價), 현행 가격. ~ ***equitativo*** 적정 가격. ~ ***especial*** 특가, 특별 가격. ~ ***estacionario · estable*** 안정 가격. ~ ***estipulado*** 협정 가격. ~ ***exorbitante*** 터무니없는 가격. ~ ***fábrica*** 생산자 가격. ~ ***facturado*** 송장 가격. ~ ***favorable*** 유리한 가격. ~ ***fijado*** 정가. ~ ***fijo*** 정가, 기한부 가격, 고정 가격. ~ ***firme*** 기한부 매매 가격. ~ ***fuerte*** 확약 가격. ~ ***garantizado*** 보증 가격. ~ ***indicativo*** 지시 가격. ~ ***internacional*** 국제 가격. ~ ***interno*** 국내 판매 가격. ~ ***justo · leal*** 적정 가격. ~ ***máximo*** 최고 · 한계 가격, 가격 한계. ~ ***máximo permitido · autorizado*** 최고 통제 가격, 최고 가격. ~ ***mayorista*** 도매 가격. ~ ***medio*** 평균 가격. ~ ***mínimo · míni-***

mum 최저 가격. ~ *mínimo fijado en la subasta* 최저 경매 가격. ~ *moderado·módico* 적정 가격. ~ *muy rebajado* 최저 가격. ~ *neto* 정가, 정미 가격. ~ *nominal* 명목 가격. ~ *oficial* 공정 가격. ~ *original* 원가, 매입·취득 원가. ~ *oro* 금가격. ~ *oscilante* 변동 가격. ~ *para venta a crédito·plazos* 외상 거래 가격. ~ *para venta al contado* 현금 거래 가격. ~ *para venta interior* 국내 판매 가격. ~ *por mayor* 도매 가격. ~ *por pieza·unidad* 단가, 단위 가격. ~ *predominante* 일반 가격. ~ *prohibitivo* 금지 가격. ~ *razonable* 적정 가격. ~ *real* 실제·실질 가격. ~ *rebajado·reducido* 할인 가격. ~ *regulado* 관리·통제 가격. ~ *regulador·regular* 표준 가격. ~ *reinante* 일반 가격. ~ *según lista* 표시 가격. ~ *subvencionado·sostenido por el gobierno* 지지 가격, 조성 가격. ~ *tope* 최고 가격, 한계 가격, 최고 통제 가격, 가격 한계. ~ *total* 총괄 가격. ~ *último* 최종 가격. ~ *unitario* 단위 가격. ~ *usual* 통상 가격. ~ *usual de competencia* 통상의 경쟁 가격. ~ *variable* 변동 가격. ~ *vigente* 현행 가격.

preciosamente *adv.* 아름답게, 훌륭하게, 보기 좋게, 멋있게 ; 소중하게, 값있게 (de un modo precioso).

preciosidad *f.* ① 귀중한 것, 훌륭한 것, 소중한 것, 아름다운 것 : Ese niño es una ~. ② 미인.

preciosismo *m.* 용어의 세련주의 ; 열중하는 성질.

preciosista *adj. m.f.* =**afectado** : escritor ~.

precioso, sa *adj.* ① 비싼 ; 귀중한, 가치가 있는 (valioso) : piedra ~*sa* 보석. metal ~ 귀금속. ② 중요한, 소중한, 아까운 ; 훌륭한, 우수한 (excelente). ③ 아름다운, 깨끗한, 고운 (hermoso) : una pintura ~*sa* 아름 다운 그림. El poeta escribe versos ~*s* 그 시인은 아름다운 시를 쓴다. ¡Qué ~! 굉장히 곱군요.

preciosura *f.* 《*Amér.*》 우아 ; 귀여운 아이, 미인 (preciosidad).

precipicio *m.* [*lat.* praecipitium] ① 벼랑, 단애, 절벽(despeñadero). ② (급격한) 타락·전락 ; 파멸(ruina).

precipitación *f.* ① 투하, 낙하, 추락, 돌진. ② 화급, 조급 ; 경솔 ; 급격한 촉진. ③【화학】침전(물) ;【기상】강수(降水)《비·이슬 따위》; 강수량, 우량, 강우, 강설(降雪) : Las ~*es* han sido abundantes este verano 금년 여름에는 강우량이 풍부했다.

precipitadamente *adv.* 당황하여, 허둥지둥, 급히.

precipitadero *m.* 낭떨러지의 험한 언덕, 벼랑, 절벽, 단애(precipicio).

precipitado, da *adj.* [precipitar의 *p.p.*] ① 허둥대는, 당황하는. ② 별안간의. ③ 경솔한 : hacerlo todo de un modo ~ 모든 일을 경솔하게 하다.

—*m.* 침전물 : ~ blanco 감홍.

precipitante *m.*【화학】침전제, 침전 시약(試藥).

precipitar *tr.* ① 메어 붙이다, 밀쳐서 떨어뜨리다(despeñar, arrojar desde un lugar alto). ② 몰아내다, 전락시키다 : El vicio le *precipita a* la miseria 나쁜 버릇이 그를 비참하게 만들고 있다. ③ ㄱ) 빨리 하다, 재촉하다(acelerar) : ~ el paso. ㄴ) 서둘다, 서둘게 하다, 독촉하다 (apresurar). ④ 침전시키다.

~se ① 뛰쳐 나가다, 뛰어들다. ② 추락하다, 전락하다 : En Roma *se precipitaba* a ciertos criminales desde lo alto de la roca Tarpeya. ③ 서둘다, 당황하다 : A partir de este momento las viejas victorias *se precipitaron* por el camino de la derrota.

precípite *adj.* 떨어질 듯한, 위태로운, 위험한.

precipitosamente *adv.* =**precipitadamente.**

precipitoso, sa *adj.* 미끄러지기·넘어지기 쉬운, 굴러 떨어지기 쉬운, 위험한, 위태로운 ; 몹시 당황한, 허둥대는(atropellado, precipitado).

precipuamente *adv.* 주로, 현저하게.

precipuo, pua *adj.* [*lat.* praecipuus] 주요한, 현저한.

precisamente *adv.* 에누리없이, 그대로 ; 정확하게.

precisar *tr.* ① 정확히 정하다 : Hay que ~ la fecha de salida 출발 날짜를 정해야 한다. Vamos a ~ la hora de la cita 만날 시간을 정합시다. ② [+a+*inf.*] 무리하게 …하다, …을 강요하다 (obligar) : ~ al reo *a* confesar 자백을 강요하다. ③ 《*Amér.*》 필요로 하다 (necesitar) : *Precisamos* ese libro 우리는 그 책이 필요하다. *Precise* usted lo que quiere decir 당신은 말하고 싶은 것을 정확히 하십시오.

—*intr.* ① 필요하다 : *Precisa* hacer eso pronto 그것을 곧 하는 것이 필요하다. *Precisa* que le escribas 너는 그에게 편지를 쓰는 것이 필요하다. [*N.* precisar + que + *subj.*, precisar가 무인칭 동사로 쓰임]. ② [+de : …을] 필요로 하다.

precisión *f.* ① 필요 : tener ~ de hacer algo. ② 정확, 적확(的確), 명확 : con la ~ debida 필요한 정확성을 가지고. la ~ de tus ideas 빈틈없는 너의 계획. hablar con ~ 명확하게 말하다. ③ 정밀(함) : instrumento·máquina de ~ 정밀기계. Es admirable la ~ de la máquina 기계의 정밀함이 대단하다.

preciso, sa *adj.* [*lat.* praecisus] ① 정확한 (muy exacto) : Este reloj es muy ~ 이 시계는 매우 정확하다. Dígame la hora ~*sa* 나에게 정확한 시간을 말씀해 주십시오. ② 명확한, 적확한 (말, 표현 등)(conciso). ③ 착실한, 고지식한. ④ 필요한(necesario) : Es ~ llegar temprano 일찍 도착하는 것이 필요하다. ⑤ 정밀한. ⑥ 《*Venez.*》 으시대는(presuntuoso).

—*m.* 《*Ecaud.*》 기저귀.

don P- 《*AmérM.*》 우쭐거리는 사람.

precitado, da *adj.* 전술(前述)한, 앞에 적은, 전기(前記)한.

precito, ta *adj.m.f.* 신에게 버림받은, 무간 지옥(無間地獄)에 떨어진 (사람)(réprobo).

preclaramente *adv.* 찬란하게, 저명하게.

preclaro, ra *adj.* 찬란한, 유명하게, 저명한, 유명한, 이름난(ilustre, famoso) : ~*ra* nobleza.

preclásico, ca *adj.* 고전(古典)시대 이전의 (anteclásico).

precocidad *f.* 조숙 ; 일찍 꽃핌 ; (야채·과일 따위의) 조생(早生).

precognición *f.* 예지, 예찰(豫察), 사전 인지.

precolombiano, na *adj.* =**precolombino.**

precolombino, na *adj.* 콜럼부스의 아메리카 발견 이전의(anterior a Cristóbal Colón) : civilización ~*na.*

preconcebido, da *adj.* 미리부터 생각했던, 예감했던 : plan ~.

preconcebir *tr.* 미리 생각하다, 예감하다.

preconcepción *f.* =**preconcepto.**

preconcepto *m.* 예감했던 생각.

preconización *f.* 추천, 권장 ; 찬양 ; (교황의) 사교의 임명 재가 : la ~ de un obispo.

preconizador, ra *adj.m.f.* preconizar 하는 (사람).

preconizar *tr.* 9 ① 권장하다. ② 예찬 · 찬양하다 (elogiar). ③ 후원하다. ④ (교황이) 사교의 임명 재가를 하다.

preconocer *tr.* 32 예지(豫知)하다, 미리 알다 (conocer anticipadamente, prever, conjeturar).

precordial *adj.* [*lat.* precordia] 【해부】 전흉부(前胸部)의, 심장 부분의 : dolor ~.

precoz *adj.* [*lat.* precox] ① 올된, 조숙한 : niño ~ 조숙한 아이. fruto ~ 올된 과일. ② 일찍 핀 : flor ~ 일찍 핀 꽃. Contr. tardío.

precozmente *adv.* 조숙하게(con precocidad).

precursor, ra *adj.* [*lat.* praecursor] 선구의, 선조의, 앞서는 : signos ~*es* de la tempestad. —*m.f.* 선구자, 선각자 : el ~ de Cristo 세례 요한.

pred. predicado.

predador, ra *adj.* 약탈하는. —*m.f.* 약탈자.

predatorio, ria *adj.* 약탈의, 약탈적인.

predecesor, ra *m.f.* [*lat.* praedecessor] ① 선인(先人), 선조(antecesor). ② 선배, 전임자(前任者) : El papa León XIII fue el ~ inmediato de Pío X. Contr. sucesor.

predecir *tr.* 70 [*p.p.* predicho] ① 예언하다 ; 예보하다(anunciar lo futuro) : La vieja *ha predicho* el acontecimiento 그 노파는 그 사건을 예언했다.

predefinición *f.* 【신학】 신의 섭리 ; 운명.

predefinir *tr.* 【신학】 (신이) 때를 정하다 ; 미리 운명짓다, 예정하다(prefinir).

predestinación *f.* 예정 ; 숙명, 운명, 전세(前世)의 약속 ; 【신학】 운명 예정설 : Calvino *defendió* la ~.

predestinado, da *adj.m.f.* [predestinar의 *p.p.*] 숙명을 지닌 ; 신에 의해서 영혼의 구제를 예정받은 (사람) ; 아내를 빼앗긴 (남자)(cornudo).

predestinante *adj.* 미리 정한, 예정한, 운명으로 정한.

predestinar *tr.* (신이) 미리 정하다, 예정하다, 운명으로 하다.

predeterminación *f.* 예정, 선결.

predeterminar *tr.* 예정하다, 선결하다, 미리 …하게 하다, 미리 정하다 (determinar anticipadamente).

predial *adj.* 토지(predio)의, 부동산의 : impuesto ~ 토지 가옥세.

prédica *f.* (비카톨릭 성자의) 설교 ; 열변.

predicable *adj.* 설교 · 전도 할 수 있는. —*m.* 단정할 수 있는 · 확언할 수 있는 · 속성으로 돌릴 수 있는 · 단정할 수 있는 것 ; 속성. —*pl.* 빈위어(賓位語).

predicación *f.* [*lat.* praedicatio] 선교, 포교 : Desde joven él se entregaba a la ~ de la religión católica 그는 젊어서부터 카톨릭의 포교에 몸을 바쳤었다.

predicaderas *f.pl.* 설교사로서의 자질 : tener un sacerdote buenas ~.

predicado *m.* 【문법】 서술부, 술부, 술어 : ~ nominal 명사적 술어. ~ verbal 동사적 술어.

predicador, ra *adj.* 포교 · 선교하는 ; 교리를 푸는. —*m.f.* 포교사, 선교사, 설교사 (특히 도미니코회). —*m.* 【곤충】 사마귀.

predicamental *adj.* predicamento의.

predicamento *m.* ① 평(評), 인기 : gozar de buen ~ en su pueblo. ② 【논리】 =**categoría.**

predicante *adj.* 설교 · 선교 · 포교하는. —*m.f.* 설교사, 선교사.

predicar *tr.* 7 [*lat.* praedicare] ① 설교하다 : ¿Quién *predica* hoy? 오늘 누가 설교하느냐? Yo le *prediqué* que no bebiera 나는 그에게 술을 마시지 말라고 설교했다. [*N.* predicar que+*subj.*]. ② 훈계하다 : Yo le *predico* y no me hace caso 나는 그를 훈계하지만 내 말에 무관심하다. ③ 나무라다, 꾸짖다 : Por más que le *predico* no se enmienda 아무리 그를 나무라도 그는 고치지 않는다. ④ 추켜 올리다. ⑤ 【고어】 공표하다.

predicativo, va *adj.* 【문법】 predicado의.

predicción *f.* 예언 ; 예보 ; 예측 : ~ estadística 통계 예측.

predicho, cha *adj.* [predecir의 *p.p.*] [드묾] 앞서 설명한, 앞서 말한(dicho antes).

predij- →**predecir** 70.

predilección *f.* ① 편애, 편들기. ② 애호 : tener ~ por …을 애호하다. Ella tiene ~ por la música 그는 음악을 애호한다.

predilecto, ta *adj.* ① 마음에 들어하는, 가장 좋아하는 : ¿Cuál es su afición ~*ta*? 당신이 가장 좋아하는 취미는 무엇입니까? ② 총애를 받는(preferido) : hijo ~.

predio *m.* [*lat.* praedium] 대지, 토지, 부동산 (heredad, herencia, finca) : ~ rústico 농지, 삼림, 농업 부동산. ~ urbano 택지 가옥, 도시 부동산.

predique *m.* 【속어】 설교, 선교(predicación, sermón).

predisponer *tr.* 61 [*p.p.* predispuesto] ① (…의) 소지를 만들다, 꾀다, 하게 하다 : La mala higiene *predispone* para gran número de enfermedadas 나쁜 위생은 많은 병의 소지를 만든다. ② 적응시키다. ③ (질병에) 걸리기 쉽게 하다. **~se** …하는 경향 · 소질이 있다, 곧잘 …하다.

predisposición *f.* ① 【의학】 소인(素因), 체질, 특이(체)질 : ~*es* ancestrales 유전적 체질. ② 소지(素地). ③ 소질, 경향.

predispuesto, ta *adj.* [predisponer의 *p.p.*] (…의) 경향 · 소지가 있는.

predominación *f.* ① 초월, 우월. ② 중요성. ③ 지배.

predominancia *f.* =**predominación.**

predominante *adj.* ① 우세한, 뛰어난, 탁월한. ② 중요한. ③ 주요한, 지배적인, 위압적인, 세력이 있는, 주권을 장악하고 있는.

predominar *tr.* 지배하다 : El dinero lo *pre-*

domina todo 돈이 모든 것을 지배한다. —*intr.* ① 지배력을 갖다, 뛰어나다, 우위·우세를 차지하다, 탁월하다 : Las montañas *predominan* en este continente 이 대륙에서는 산이 지배적(우세)이다. ② 뛰어나게 높다.

predominio *m.* 탁월, 탁출, 우월, 우월성(superioridad); 권력, 위력, 지배력, 통솔력(poder) : el ~ del poder temporal sobre el ~.

predorsal *adj.* ① 등뼈 앞에 있는. ② 전설면(前舌面)의 (음)《ch 등》.

predorso *m.* 【해부】 전설면(前舌面).

preelegir *tr.* 45 예선하다, 미리 가려내다, 예정하다(predestinar).

preeminencia *f.* ① 특권, 특전, 우대, 우월성(privilegio). ② 탁월(superioridad).

preeminente *adj.* [*lat.* praeeminens] 뛰어난, 숭고한; 높은 : virtud ~ 숭고한 덕.

preempción *f.* 【법률·상업】 선매(권).

preestablecer *tr.* 미리 설정하다(establecer de antemano).

preestablecido, da *adj.* 미리 설정(設定)된(establecido previamente) : la armonía ~*da* de Leibniz.

preexcelso, sa *adj.* 걸출한, 뛰어난, 빼어난, 훌륭한; 지고(至高)의(supremo).

preexistencia *f.* (영혼의) 선재(先在)(existencia anterior).

preexistente *adj.* 선재(先在)하는.

preexistir *intr.* 선재하다, 전존(前存)하다(existir antes).

prefabricación *f.* 규격 조립식 건축·구조.

prefabricado, da *adj.* [prefabricar의 *p.p.*] 조립식의 : casas ~*das* 조립식 가옥.

prefabricar *tr.* 7 조립식으로 건조하다 : casa *prefabricada* 조립식으로 건조한 집.

prefacio *m.* [*lat.* praefatio] ① 서문, 서언, 머리말(prólogo). ②【종교】 (미사의) 서문경(經). ③ [비유적] 전제; 시작의 말.

prefación *f.* [드묾] =**prólogo.**

prefecto *m.* [*lat.* praefectus] (옛 로마의 군·민정의) 우두머리·장관; (특히 불란서의) 지사; 총독, 태수.

prefectoral *adj.* 《*Neol.*》 ① 주·도·군의. ② prefecto의·에 관한.

prefectura *f.* prefecto의 직; 주, 도, 군 (청).

preferencia *f.* ① 기호, 각별히 좋아하는 것 : Ellos dan ~ al estudio de español 그들은 서반아어 학습을 좋아서 하고 있다. ② 편애, 편들기. ③ 특권, 우선(권). ④ (조세·관세의) 특혜, 특전.

~ ***del consumidor*** 소비자 선호(選好).

~ ***por la liquidez*** 유동성 선호(選好).

con ~ ① 즐겨 : Los estudiantes aprenden español *con* ~ 학생들은 즐겨 서반아어를 배우고 있다. ② 어느 편이냐 하면.

de ~ 우선적인·으로.

preferencial *adj.* 우선적인, 특혜의.

preferente *adj.* …보다 바람직한, 오히려 더 나은; 우선의, 우선적인.

preferentemente *adv.* 즐겨, 우선적으로, 특히.

preferible *adj.* [+a : …보다] 바람직한, 좋은 : El café es ~ *a*l té 커피가 홍차보다 오히려 더 낫다.

preferiblemente *adv.* 즐겨(con preferencia).

preferir *tr.* 54 [*lat.* praeferre] ① [+a : …보다] 좋아하다, 오히려 …을 택하다 : *Prefiero* el café *a*l té 나는 홍차보다 커피를 좋아한다. Debe ~*se* la honra *a*l dinero 돈보다 명예를 택해야 한다. ② 우선하다 : acciones *preferidas* 우선주(優先株).

~se =**ufanarse.**

[직설법 현재 : prefiero, prefieres, prefiere, preferimos, preferís, prefieren. 접속법 현재 : prefiera, prefieras, prefiera, preferamos, preferáis, prefieran. 직설법 부정과거 : preferí, preferiste, prefirió, preferimos, preferisteis, prefirieron. 접속법 과거 : prefiriera, …, prefiriese, …. 현재분사 : prefiriendo].

prefiguración *f.* 예상표, 예시; 예상.

prefigurar *tr.* [*lat.* praefigurare] 예시(豫示)하다; 예상하다.

prefijación *f.* 접두어를 붙여서 새로운 낱말·단어를 만들어 내는 일.

prefijar *tr.* ① 미리 결정하다 : el día *prefijado* 미리 정한 날. ~ un plazo 기한을 미리 정하다. ② …에 접두어를 붙이다.

prefijo *m.* [*lat.* praefixus] ①【문법】 접두어, 접두사. **Contr.** sufijo. ②【전화】 국번(局番)《국별·지방별 번호 등》.

prefinición *f.* (기일·시간 등의) 예정.

prefinir *tr.* [*lat.* praefinire] (기일·시간 등을) 예정하다.

prefirie- →**preferir** 54.

prefloración *f.* 【식물】 꽃봉오리의 발생.

prefoliación *f.* 【식물】 싹의 발생.

preformado, da *adj.* 미리 형성된.

prefulgente *adj.* 빛나는, 찬란한.

pregenio *m.* 《*Col. PRico.*》 외관, 모습.

pregón *m.* [*lat.* praeconium] 부르는 일, 큰 소리로 외고 다니는 일, 알리고 다니는 일; 외치며 팔기.

pregonar *tr.* ① 큰 소리로 부르다, 소리쳐 알리고 다니다. ② 외치고 다니며 팔다, 선전하다, 이 사람 저 사람에게 알리다 : Se oyen voces que *pregonan* frutas 과일을 외치고 다니며 파는 소리가 들린다. ③ 마구 칭찬하다 : ~ mucho los méritos de una persona.

pregonería *f.* pregonero의 직.

pregonero, ra *adj.* 선전의. —*m.f.* 방을 외고 다니는 사람; 광고인; 외치며 파는 사람; 경매하는 사람.

preguerra *f.* 전쟁이 시작되기 전 무렵.

pregunta *f.* 심문, 물음, 질문 : ~ directa 직접조회. hacer ~*s* 질문을 하다. El me hizo muchas ~*s* 그는 나에게 많은 질문을 했다. ¿Puedo hacerle una ~? 질문을 하나 해도 괜찮겠습니까? ¿Quién quiere hacer ~? 누가 질문을 하고 싶습니까?

andar·estar a la cuarta ~ 빈털터리가 되다.

preguntador, ra *adj.m.f.* 묻는; 자꾸 묻고 싶어하는 (사람), 꼬치꼬치 캐는 (사람).

preguntante *adj.* 묻는, 질문하는, 질문으로 괴롭히는.

preguntar *tr. intr.* [*lat.* precunctari] ① 묻다, 물어 보다, 질문하다 (interrogar, hacer preguntas) : ~ *para* saber 알기 위해 질문하다. ~ *del* delito a un reo 죄인에게 죄를 심문하다. ~ por …을 일을 묻다. *Preguntaban por* usted 당신에 대한 일을 묻고 있었습니다. El conde *preguntó por* el castillo de los reyes 백작은 왕의 성에 관한 것을 물었습니다. El me *preguntó* dónde vive ella 그는 그녀가 어디에 살고 있는가를 나에게 물었다. Me *preguntaron por* usted esta mañana 오늘 아침 당신에 관한 일을 들었습니다. ~ *sobre* aritmética 수학에 관한 것을 묻다. ② 《*Col.*》 부르다, 찾다 : Lo *preguntan* ahí 저기서 당신을 부르고 있습니다.

~se 자문하다 : El *se pregunta* el porqué de su fracaso 자기의 실패했던 까닭을 마음 속에 물어본다. *Me pregunto* cuándo volverá 그는 언제 돌아올까 나는 자문해 본다. El *se pregunta*, ¿será verdad? 그는「정말인가?」하고 자문했다.

pregunteo *m.* 질문하기.

preguntón, na *adj.* 질문하기 좋아하는, 꼬치꼬치 물어보는. —*m.f.* 질문 좋아하는 사람, 꼬치꼬치 캐묻는 사람(preguntador).

pregustación *f.* =**pregusto.**

pregustar *tr.* 미리 맛보다(saborear de antemano); 독이 들어 있는 지를 맛보다.

pregusto *m.* 《*Neol.*》 미리 보는 맛(sabor anticipado).

prehelénico, ca *adj.* 그리스 시대 이전의.

prehensión *f.* 《*Neol.*》 =**prensión.**

prehispánico, ca *adj.* 서반아인 도항·식민 이전의 (아메리카).

prehistoria *f.* ① 유사 이전·선사 시대 : El estudia la ~ americana en la universidad 그는 대학에서 아메리카 선사 시대를 공부하고 있다. ② 선사학(先史學). ③ 먼 옛날.

prehistórico, ca *adj.* ① 유사 이전의 : un hombre ~ 유사 이전의 인간. cueva ~*ca* 선사 시대의 동굴. ② 선사학의.

preincaico, ca *adj.* 잉카족 지배 이전의.

preinserto, ta *adj.* 미리 삽입한·기입한.

prejudicial *adj.* 선결(先決)의, 선결할.

prejudicio *m.* =**prejuicio.**

prejuicio *m.* 편견, 선입관; 억측, 예견.

prejuzgar *tr.* ⑧ 예측하다; 억측하다.

prelacía *f.* prelado의 직.

prelación *f.* [*lat.* praelatio] 우선; 기선.

prelada *f.* [드묾] 수녀원의 원장 (superiora de un convento).

prelado *m.* [*lat.* praelatus] 고위 성직자 《대주교, 주교, 수도원장 등》, 고승.

~ ***doméstico*** 보랏빛 법의를 입는 교황청의 추기경.

prelaticio, cia *adj.* 대사교(prelado)의.

prelatura *f.* =**prelacía.**

preliminar *adj.* 예비의, 예비적인, 미리 하는 : discurso ~. —*m.* ① 초보; 예비; 전문(前文). ② [주로 *pl.*] 예비 행위; 예비 과목; 가조약 : Se fijaron los ~*es* de la paz 평화 가조약이 정해졌다.

preliminarmente *adv.* 미리, 앞당겨.

prelucir *intr.* ㉝ 앞서·앞에 빛나다.

preludiar *tr.intr.* ⑪ [*lat.* praeludere] (소리·악기를) 조정하다; 전주하다; 준비하다; 시작하다. —*intr.* (…의) 전주곡·서막이 되다, 전조가 되다.

preludio *m.* 서곡, 전주곡, 서막 : Los escalofríos son el ~ de la calentura 한속은 열병의 전주곡이다.

prelusión *f.* [드묾] =**preludio.**

prematrimonial *adj.* 혼전(婚前)의; 결혼 준비에 쓸.

prematuramente *adv.* 제 시기보다 빠르게; 조숙하게 : morir ~ 요절하다.

prematuro, ra *adj.* ① 올된, 조숙(早熟)한 : vejez ~*ra* 겉늙음. ② 너무 이른, 시기 상조의 : decisión ~*ra* 시기 상조의 결정. ③ 아직 철이 되지 않은 : lluvia ~*ra* 철 이른 비. ④ (여자로서) 아직 성숙하지 못한 (여자).

premeditación *f.* 미리 생각하기, 사전 계획; (범죄의) 예비 모의 : La ~ es circunstancia agravante del crimen.

premeditadamente *adv.* 미리 생각하여, 계획적으로.

premeditado, da *adj.* 계획적인 : crimen ~ 계획적인 범죄. Contr. impremeditado.

premeditar *tr.* 미리 생각하다·꾸미다, (범죄를) 음모·계획하다 : Ellos *premeditaron* el asesinato 그들은 그 암살을 모의했다.

premiación *f.* 수상, 상을 받음 : concurrir a la ceremonia de ~ 수상식에 참석하다.

premiado, da *adj.* 입상한(que ha ganado un premio). —*m.f.* 입상자(入賞者).

salir ~ 입상하다.

premiador, ra *adj.m.f.* premiar하는 (사람).

premiar *tr.* ⑪ 칭찬하다, 보답하다, 보상하다, 상을 주다(galardonar, remunerar) : La obra *premió* en el certamen 그 작품은 그 콩쿠르에서 수상했다.

premidera *f.* =**cárcola.**

premier *m.* 《*Angl.*》 수상(首相), 수령(首領).

premio *m.* [*lat.* praemium] ① 상 : ganar·obtener un ~ 상을 받다. conceder un ~ al buen alumno 우수한 학생에게 상을 주다. ~ áureo·argentino 금·은상. ~ Nobel 노벨상. ~ Nobel de Literatura 노벨 문학상. ② 상금, 상품, 상여. ③ 복권 당첨 : ~ gordo 일등 당첨, 특상; 서반아 복권 중에서 상금이 제일 많은 복권. ganar el primer ~ 일등 복권에 당첨되다. ④ 상을 탄 저명 인사 : Neruda fue ~ Nobel 네루다는 노벨상을 수상한 저명 인사였다. ⑤【상업】 상여금, 할증금, 프리미엄 : ~ de auxilio 보조금. ⑥ 이자; 보험료(~ de seguro, prima) : ~ de seguro marítimo 해상 보험료. ~ por salvamento 구조료 재정액(裁定額).

a ~ 프리미엄 조로.

premiosamente *adv.* 거북한 듯이; 둔중하게; 답답하게.

premiosidad *f.* 거북함; 답답함.

premioso, sa *adj.* 거북한, 둔중한; 답답한 (문체).

premisa *f.* [*lat.* praemisa] ①【논리】 전제(前提) : ~ mayor·menor 대·소 전제. De las ~*s* se saca la conclusión 전제에서 결론이 나온다. ② 징후, 표적(señal, índice).

premiso, sa *adj.* 미리 보낸; 전제로 한 : ~*sa* la autorización 허가를 전제 조건으로 하여, 승인을 전제로 하여.

premoción *f.* 앞선 동작.

premolar *f.* 송곳니와 가장 큰 어금니 사이에 있는 이(diente entre el colmillo y las muelas mayores).

premonición *f.* 사전 경고, 예고; 예감, 징후, 전조.

premonitorio, ria *adj.* ① 예고의; 전조의. ② 【의학】 전구적(前驅的)인.

premonstratense *adj.m.f.* 승려회 의원(의), 교단 회원(의).

premoriencia *f.* 다른 사람보다 앞서 죽는 일.

premoriente *adj.m.f.* (…보다) 앞서 죽는 (사람). Contr. superviviente.

premorir *intr.* 58 [*lat.* praemori] (…보다) 앞서 죽다.

premostrar *tr.* 24 앞서·미리 보이다.

premuerto, ta *adj.m.f.* (…보다) 앞서 죽은 (사람).

premunido, da *adj.* 미리 방비한.

premunir *tr.* 《*Galic.*》 =**precaver.**

premura *f.* [*lat.* premere] 급함, 서두름, 재촉, 독촉(prisa): con ~ 급히, 서둘러.

prenatal *adj.* 탄생 이전의.

prenda *f.* ① 물건. ② 옷, 의류(~ de vestir): ~ interior 속옷. ③ 보증금, 담보물, 저당물. ④ 언질; 증거: dar una ~ de amor. ⑤ 귀여운 사람: ¡*Prenda* mía! 나의 귀여운 사람이여. ⑥ (특히 좋은) 성질: hombre de ~*s* 선량한 인물.

en ~(s) 표적·증거·보증·담보로서: dar *en* ~ 담보로 하다.

estar por más la ~ 받은 은혜보다 은혜 갚음이 적다.

hacer ~ 담보로 잡다; 말 꼬투리를 잡히다.

meter ~s 참여하다.

no dolerle a uno ~s 의무를 충실히 이행하다: Buen pagador *no le duelen ~s.*

soltar ~ 언질을 주다, 약속하다.

prendador, ra *adj.* 저당·담보하는. —*m.f.* 저당주, 저당 잡힌 사람.

prendamiento *m.* 담보·저당 잡히는 일; 마음을 사로 잡는 일.

prendar *tr.* 담보·저당으로 잡다·잡히다; (…의 사랑을) 얻다, 마음을 사로잡다.

~se [+de: …에게] 반하다, 빠지다, 열중하다 (aficionarse, enamorarse): ~*se de* amor 사랑하다. El *se prendó de* la hermosura de ella 그는 그녀의 미모에 반했다.

prendario, ria *adj.* 《*Amér.*》 담보의: contrato ~ 담보 계약.

prendedera *f.* 《*Col.*》 =**camarera.**

prendedero *m.* 고리쇠, 훅; 핀(alfiler), 브로치(broche); (머리채를 묶는) 리본.

prendedor *m.* ① 포박자, 잡는 사람. ② =**prendedero, broche, alfiler.**

prendedura *f.* (알의) 눈, 태반(胎盤)(galladura).

prender *tr.* [*lat.* prehendere] [*p.p.* preso, prendido] ① 붙잡다, 잡다(coger, asir). ② 체포하다, 포박하다: Lo *prendió* la policía 경찰이 그를 체포했다. Contr. soltar. ③ 걸다, 끼우다: Las ramas *prendieron* el vestido 가지에 옷이 걸렸다. ④ 성장시키다(ataviar): La madre *prendió* a la hija con alfileres 모친이 딸에게 머리핀을 꽂아 주었다. *Se prendía* de veintiocho alfileres 그녀는 28개의 머리핀을 꽂았다. *Prenda* esto con un alfiler 이것을 핀으로 꽂으세요. ⑤ (수컷이 암컷에) 교미하다. ⑥ 《*Amér.*》 불을 부치다·켜다, 점화·점등(點燈)하다: ~ la habitación 방에 불을 켜다. *Prendieron* fuego a la casa 그들은 집에 불을 켰다. ⑦ 《*Arg.*》 준비시키다, 갖추어지다, 정리하여 주다.

—*intr.* ① 걸리다: El vestido *prendió en* un gancho 옷이 옷걸이에 걸렸다. ② 뿌리가 뻗다·돋아나다(arraigar). ③ 불이 붙다, 불길이 솟다: La leña no *prende* 장작이 불에 붙지 않는다.

~se ① 성장하다. ② 《*Arg.*》 준비하다. ③ 《*Col.*》 단물을 빨다. ④ 《*PRico.*》 술을 마시다 (embriagarse): José *se prende* a menudo 호세는 자주 술을 마신다.

~la 《*Col.*》 도망치다.

~ fuego ① 방화하다(incendiar). ② 《*Amér.*》 불을 켜다(encender).

~ vuelo 뛰쳐 나가다, 뛰기 시작하다.

prendería *f.* 고물상.

prendero, ra *m.f.* 고물 상인.

prendido, da *adj.* [prender의 *p.p.*] ① 《*Chile.*》 변비가 된(estreñido). ② 《*Méx.*》 성장한 (acicalado). ③ 《*PRico.*》 술취한. —*m.* 여자의 머리 장식품; (레이스의) 뜨개 모양.

prendimiento *m.* ① 포박, 체포. ② 《*Chile.*》 변비(estreñimiento). ③ 《*Chile.*》 몸 마디 마디가 아픔, 압통(壓痛). ④ 《*Venez. Col.*》 몸이 화끈거림. ⑤ 《*SDgo.*》 열(병)(fiebre).

prenoción *f.* 【논리】 선천적 관념; 예비 지식.

prenombrado, da *adj.* 《*Amér.*》 앞서 적은, 전기한, 앞서 말한, 전술한(susodicho).

prenombre *m.* [*lat.* praenomen] (옛날 로마에서 가문의 이름 앞에 붙였던) 첫 이름, 개인 이름; (불란서에서의) 이름, 세례명.

prenotar *tr.* 미리·먼저 알아채다.

prensa *f.* [*lat.* pressa] ① 압착기. ② 광택기. ③ 인쇄기(~ de imprimir). ④ 인쇄(물): en ~ 인쇄 중의. ⑤ 신문, 저널리즘 (periodismo): conferencia de ~ 기자 회견. ~ especializada 업계지·신문. ~ sensacionalista 선정적인 신문. Se exige la libertad de ~ 신문의 자유가 요구되고 있다. No hay libertad sin libertad de ~ 언론의 자유없는 자유란 존재하지 않는다.

~ asociada 공동 통신. ***~ de copiar*** 복사기 (copiadora). ***~ de forja*** 압연기(壓延機). ***~ rotativa*** 윤전기.

dar a la ~ 간행하다: *Dieron* a la ~ su nueva obra 그의 새로운 작품이 간행되었다. ***meter en ~*** 강요하다: Comenzaron a *meter*le *en* ~ 그들은 그에게 강요하기 시작했다.

sudar la ~ 많이 인쇄하다, 판을 거듭하다.

tener buena ~ 호평을 받다.

prensado, da *adj.* prensar의 *p.p.* —*m.* ① 광택, 윤기(lustre). ② 압착, 압연.

prensador, ra *adj.m.f.* 압착하는·누르는 (사람), prensa의 기계를 조작하는 (사람).

prensadura *f.* 압착; 광택 내기; 압연(壓延).

prensar *tr.* ① 누르다, 조이다, 압착하다; 압연하다; 압착기·프레스·광택기에 넣다: *Prensaron* las uvas en la bodega. ② 인쇄하다: ~

un libro.

prensil *adj.* (다리·꼬리·코끼리의 코처럼) 거머잡기에 알맞은 : El elefante tiene trompa ~ 코끼리는 잡기에 적당한 코를 가지고 있다.

prensión *f.* [*lat.* prenhensio] 파악, 포착 ; 포박.

prensista *m.f.* 인쇄공, 인쇄기 담당자.

prensor, ra *adj.* ① 붙잡는 : órgano ~. ②【조류】앵무새속의. —*f.pl.* 앵무새속.

prenunciar *tr.* 11 예고·예보하다(anunciar con anticipación).

prenuncio *m.* 예고, 예보, 징조, 조짐(anuncio anticipado, predicción, presagio).

prenupcial *adj.* 결혼 전의.

preñadilla *f.* 《*Ecuad.*》 안데스산 주위에 있는 강에서 자라는 작은 물고기.

preñado, da *adj.* ① 임신 중의 ; (…을) 잉태한, 밴. ② 가득찬, 머금은 : nube ~*da de* agua 비가 내릴 듯한 구름. asunto ~ *de* dificultades 난관으로 가득찬 문제. ③ 튀어나온 (벽). —*m.* 임신 ; 태아.

preñar *tr.* ① 임신시키다, 잉태시키다, 머금게 하다(empreñar). ② 가득 채우다(llenar, henchir).

preñez *f.* ① 임신 (기간). ② (결과에 대한) 불안 (상태). ③ 혼미 (상태).

preocupación *f.* [*lat.* praeocupatio] ① 선취, 선점. ② 선입관, 편견 : Hay que juzgar sin ~. ③ 망아(忘我), 들뜬 마음, 건성, 몰두. ④ 걱정, 우려, 걱정거리 : ¿Qué ~*es* tienes? 너는 무슨 걱정거리가 있느냐? El comerciante tiene mucha ~ 그 상인은 무척 걱정을 하고 있다. No hay motivo de ~ 걱정할 이유가 없다.

preocupadamente *adv.* 무심코 ; 넋을 잃고 ; 선입관을 가지고.

preocupado, da *adj.* 마음을 빼앗긴, 몰두한, 열중해 버린(distraído) : tener el espíritu ~ por un proyecto.

preocupante *adj.* preocupar 하는.

preocupar *tr.* [*lat.* praeoccupare] ① 선취하다. ② (…의) 마음을 사로잡다·빼앗다 ; 걱정시키다, 마음에 걸리게 만들다 : Este asunto me *preocupa* 이 일은 나를 걱정시킨다. ③ 편견을 갖게 하다 : Mis noticias le *preocupan*.

~se ① [+con·por·de·en : …을] 걱정하다 ; 마음을 사로잡히다, 열중하게 되다 : No *se preocupe* usted *por* esas cosas 그 일을 걱정마십시오. *Se preocupa con·por* la guerra 전쟁이 걱정스럽다. *Preocúpate* 걱정 좀 해보아라. No *te preocupes* 걱정하지 마라. ② 편견을 갖다.

preoperatorio, ria *adj.* 외과 수술 전의.

preopinante *adj.m.f.* (토의 등에서) 먼저 의견을 말한 (사람), 먼저 제안한 (사람).

preordinación *f.* (하나님이 정한) 명(命), 운명.

preordinadamente *adv.* 숙명·운명적으로.

preordinar *tr.* 예정하다, 미리 운명을 정하다.

prep. preposición.

prepalatal *adj.*【음성】센입천장소리·경구개(음)의 《예 : ch, ll, ñ》.

preparación *f.* ① 준비 : con ~ 준비해서. en ~ 준비 중에. ② 예습. ③ 조정. ④ 조제(품) : una ~ farmacéutica. ⑤ 각오. ⑥ [집합] 지식 (conocimientos) : tener una buena ~ científica 훌륭한 과학 지식을 가지다. ~ *de cuentas* 회계, 경리. ~ *especializada* 전문적 훈련.

preparado, da *adj.* [preparar의 *p.p.*] ① 준비된, 채비가 된 : estar ~ para …을 위한 준비가 되어 있다. ② 조제된. —*m.* 조제 ; 매약(賣藥), 약을 팜.

preparador, ra *adj.m.f.* ① 준비하는 (사람). ②【운동】지도원, 코치.

preparam(i)ento *m.* =**preparación.**

preparar *tr.* ① 준비하다, 마련하다, 장만하다 (disponer, arreglar) : ~ la comida 식사를 준비하다. Vamos a ~ una fiesta de despedida 송별회·송별연를 준비합시다. ② 예습하다 : ~ bachillerato. ③ 만들다, 조제하다 : Mi esposa me *preparó* el desayuno 내 아내는 나에게 조반을 지어 주었다. ④ [+para : …할] 준비를 하다 : *Está preparándose* para hacer un viaje 그는 여행할 준비를 하고 있다. ⑤ (직업적으로) 훈련시키다. ⑥ 꾸미다, 만들다(tramar, organizar) : ~ un complot. ⑦ 수업을 하다(dar clase) : Me *preparó* para la oposición.

~se ① [+ para : …의] 준비를 하다 : ~*se para* un examen 시험 준비를 하다. ② 징후·징조가 있다(existir síntomas) : *Se prepara* una tormenta.

preparativo, va *adj.* 준비의, 예비의, 예비적인. —*m.* 준비(할 것) : ~*s* de viaje 여행 준비. hacer ~*s* 준비를 하다.

preparatoriamente *adv.* 준비로, 예비로.

preparatorio, ria *adj.* 준비의, 예비의 ; 준비·예비 교육의 : escuela militar ~*ria.* —*m.pl.* (대학 진학의) 예비 교육·코스.

preparos *m.pl.* 《*PRico. Riopl.*》 준비한 것, 도구 (avíos).

preponderancia *f.* [+sobre : …보다] 절대적인 우세, 보다 강한·무거운 것 (superioridad) : Bismark estableció la ~ de Prusia *sobre* la Alemania del Norte 비스마르크는 북부 독일보다 프러시아의 우의를 확립했다.

preponderante *adj.* 우세한, 압도적인 : la influencia ~ 압도적인 영향.

preponderar *intr.* [*lat.* praeponderare] ① 무게에서 앞서다 ; 우세하다, 압도적이다 : Esta idea *prepondera en* la asamblea. ② [+sobre : …보다] 우위에 있다, 세력이 있다, 영향력이 있다.

preponer *tr.* 61 [*p.p.* prepuesto] 앞에 놓다.

preposición *f.* [*lat.* praepositio]【문법】전치사(前置詞) : ~ inseparable 접두어(prefijo).

preposicional *adj.* 전치사의, 전치사적인 : modo ~ 전치구.

prepositivo, va *adj.* [*lat.* praepositivus] 전치사의, 전치적인 : partícula ~*va* 접두어.

prepósito *m.* 장(長), 우두머리 ; 승려 회장, 교단장.

prepositura *f.* prepósito의 직·지위.

preposteración *f.* 전도, 전환.

prepósteramente *adv.* 제철이 아닌 때에, 엉뚱한 때에 ; 장소에 어울리지 않게.

preposterar *tr.* [드뭄] 앞뒤가 뒤바뀌다, 역전하다(alterar el orden).

prepóstero, ra *adj.* 제때가 아닌, 장소에 어울리지 않는.

prepotencia *f.* 대세력 ; 우세.
prepotente *adj.* 우세한 ; 세력이 있는, 매우 강한(muy poderoso o fuerte).
prepucio *m.* 【해부】 포피(包皮)(piel móvil que cubre el bálano).
prepuesto, ta *adj.* [preponer의 *p.p.*] 앞에 둔, 앞에 놓은.
prepus- →**preponer** [61].
prerrafaelismo *m.* 라파엘 전파주의(前派主義), 사실주의 : Juan Ruskin fue el más ardiente defensor del ~.
prerrafaelista *adj.m.f.* 라파엘 전파의 ; 사실주의의 (사람).
prerrafaelita *adj.m.f.* =**prerrafaelista.**
prerrogativa *f.* [*lat.* praerogativa] 특권, 특전 : las ~*s* de la fortuna.
prerrománico, ca *adj.* románico 이전의.
prerromanticismo *m.* 낭만파 이전의 문학사 기간의 작가의 성격.
prerromántico, ca *adj.* 1830년 이전 서반아에서 출판되거나 쓰여진 문학 · 문학 작품의.
presa *f.* [*lat.* prensa] ① 포획, 체포. ② 획득물, 노획물 : El león devoraba su ~ 사자는 획득물을 먹고 있었다. ③ (음식의) 한 조각. ④ 수채(acequia) ; 댐 : Sacamos una foto de la ~ 우리들은 댐의 사진을 찍었다. ⑤ 여자 죄수. ⑥ (사나운 새의) 발톱 ; 이빨(colmillos). ⑦ 《*Galic.*》 먹이, 희생 : ser ~ de la calumnia del incendio.
caer a la ~ (매 · 독수리 등이) 짐승을 습격하다 · 덮치다.
estar en ~ *al temor* 공포에 사로잡히다.
hacer ~ 붙잡다(agarrar) ; 먹이로 만들다.
presada *f.* (물레방아용) 고인 물, 댐의 물.
presado, da *adj.* 담녹색의, 엷은 녹색의 , 연두의(de color verde claro).
presagiar *tr.* [11] 예언 · 예견 · 예지하다.
presagio *m.* [*lat.* presagium] 전조(前兆), 조짐 : El trueno que se oía a la izquierda un mal ~ 왼쪽에서 들리는 천둥 소리는 로마인들한테는 나쁜 조짐이었다. ② 예언, 예지(豫知) ; 점.
presagioso, sa *adj.* 전조의, 조짐의.
presago, ga *adj.* =**présago.**
présago, ga *adj.* =**presagioso.**
presb. presbítero.
presbicia *f.* 원시, 노안(vista cansada).
présbita *adj.m.f.* 원시안의 (사람) : Soy ~ 나는 원시다.
présbite *adj.* =**présbita.**
presbiterado *m.* 승직(僧職).
presbiteral *adj.* 승려의, 사제의(sacerdotal).
presbiterato *m.* =**presbiterado.**
presbiterianismo *m.* 장로 교회, 장로제.
presbiteriano, na *adj.* 장로 교회의, 장로제 · 주의의. —*m.f.* 장로 교회 신도.
presbiterio *m.* ① (교회당 속의) 내진(內陣) 《성단이 있는 곳》. ② 사제들. ③ 사제관(司祭館).
presbítero *m.* [*lat.* presbyter] 승려, 사제, 목사, 장로.
presciencia *f.* [*lat.* praescentia] (장래의) 예지, 선견 ; 통찰, 달견.
presciente *adj.* 선견적인 ; 달견한.
prescindencia *f.* 《*Amér.*》 초탈, 독립, 해방(abstracción).
prescindente *adj.* 《*Amér.*》 독립된, 해방된(independiente).
prescindible *adj.* 떼어 버릴 수 있는, 물리칠 수 있는, 배제할 수 있는. **Contr.** imprescindible.
prescindir *intr.* [+de : …을] 묵과 · 무시 · 지양 · 배제하다, 벗어 던지다, 잊어버리다 : Hay que ~ *de* lo sentimental 감정적인 것을 잊어버려야 한다.
prescito, ta *adj.m.f.* [드뭄] =**precito.**
prescribir *tr.* [*lat.* praescribere] [*p.p.* prescrito] ① 명령하다 : Le *prescribió* un reposo absoluto 그는 그에게 절대 안정을 명령했다. ② 규정하다 : La ley *prescribe* nuestros derechos 법률은 우리들의 권리를 규정하고 있다. ③ 처방하다(recetar) : Yo voy a ~le un medicamento muy eficaz 나는 매우 효험이 있는 약을 그에게 처방하겠다. —*intr.* 시효에 걸리다 ; 실효(失效)하다.
prescripción *f.* ① 지령, 명령. ② 규정. ③ 처방. ④ 시효, 실효(失效) : ~ extintiva 소멸 시효. ~ ordinaria 통상 시효.
prescriptible *adj.* 시효에 의한, 시효가 되는.
prescri(p)to, ta *adj.* [prescribir의 *p.p.*] ① 규정된 : Mañana cumple el plazo ~ por la ley 내일은 법에 규정된 기간이 만료된다. ② 처방한. ③ 지정된, 명령된. ④ 기간이 지난, 시효가 된.
presea *f.* ① 보석, 보옥(寶玉)(alhaja, joya). ② 보물. ③ 【고어】 집안의 가구.
preselección *f.* 사전 선출.
presencia *f.* ① (어떤 장소에) 있는 일, 마침 어떤 자리에 있음. ② 출석 ; 출정, 출두 ; 출현 : Se exige la ~ de un testigo 증인의 출두가 요청되고 있다. Es muy de agradecer su ~ en este acto 이 식에 귀하의 참석을 감사드립니다. ③ 입회 ; 눈앞, 면전, 목전 : en ~ de …의 면전에서. Lo decía en ~ de todos 그는 모든 사람의 면전에서 그렇게 말했다. ④ 외모, 풍채, 풍모 : persona de mala ~ 풍채가 좋지 않은 사람. El tiene muy buena ~ 그는 풍채가 매우 좋다.
~ *de ánimo* 냉정, 침착, 행동이 찬찬함, 태연한 태도(serenidad).
presencial *adj.* 현재의, 현존하는 ; 목격한 : testigo ~ 목격자.
presencialmente *adv.* 자진해서 ; 출두하여.
presenciar *tr.* [11] ① 목격하다 : Yo *presencié* ese accidente 나는 그 사고를 목격했다. ② (…에) 입회하다, 어떤 자리에 있다 : No he tenido la oportunidad de ~ esa ceremonia 나는 그 식에 있을 기회가 한번도 없었다.
presentable *adj.* 남에게 내어 놓을 수 있는, 모양 좋은, 볼품 있는 ; 소개할 수 있는.
presentación *f.* ① 제출, 제시. ② 전시 : Aquel escaparate tiene ~ muy bonita 저 진열장의 전시는 매우 아름답다. ③ 증정, 바침, 봉정, 증여. ④ 소개 : La ~ del orador fue hecha por el presidente 의장이 강연자의 소개를 했다. ⑤ 피로(연) : *He presenciado* la ceremonia de ~ de los campeones 나는 선수들의 피로연을 본 적이 있다. ⑥ 추천 : carta de ~ 추천장, 소개장. ⑦ 《*Amér.*》 청원.
a ~ 일람 후에, 제시 · 요구불의.

presentado, da *adj.m.f.* [presentar의 *p.p.*] ① (종교상의) 교사 후보자; 성직에 추천된 (사람). ②《*PRico.*》방정맞은.
presentador, ra *adj.m.f.* ① 제시하는 (사람). ② (수표 등의) 지참인. ③ 증정하는 (사람). ④ 소개·추천하는 (사람).
presentalla *f.* 봉납·봉헌물(exvoto).
presentáneamente *adv.* 즉효가 있는.
presentáneo, a *adj.* 효험이 빠른, 즉효적인.
presentante *adj.m.f.* =**presentador.**
presentar *tr.* [*lat.* praesentare] ① 내놓다; 제출하다; 보이다, 제시하다 : ~ a la aceptación 어음의 인수 제시를 하다. ~ un reclamación 이의를 신청하다. El comité *presentará* un nuevo plan 위원회는 새로운 계획을 제출할 것이다. El me *presentó* un grabado 그는 나에게 그림 하나를 보여주었다. ② 바치다; 증정하다, 선사하다 (regalar) : ~ a uno un libro. ③ 소개하다 (introducir) : Permítame ~le a usted a mi amigo el Sr. Reyes 나의 친구 레예스씨를 소개합니다. ④ 추천·천거하다 (recomendar) : ~ *de·por* candidato 후보자로 추천하다. ⑤ 상연·상영하다.
~se ① 나타나다. ② (어떤 상태로) 보이다 : El coche *se presentó* con mal aspecto 자동차의 외모가 나빴다. ③ 출두하다 (comparecer) : El *se presentó* a la oficina de inmigración 그는 출입국 관리국 사무실에 출두했다. ④ 어떤 자리에 있다. ⑤ 스스로 선택하다. ⑤ 자신을 소개하다 : Permítame ~*me* a mí mismo 제 자신을 소개하겠습니다.
presente *adj.* [*lat.* praesens] ① (어떤 장소에·그 곳에) 있는, 있던 : todos los que allí estaban ~*s* 그곳에 있던 사람 모두. ② 출석한, 참석한. ③ 지금의, 현재의, 현(現) … (actual) : Hay cinco fiestas en el ~ mes 금월에는 휴일이 5회 있다. ④ (현재 문제로 삼고, 또 손에 들고 있는) 현금의; 본, 당면한, 목전의. ⑤【문법】현재(형)의.
—*m.f.* 참석자, 출석자 : Todos los ~*s* nos levantamos 모든 참석자들은 일어섰다.
—*m.* ① 선물(don, regalo). ②【문법】현재(형).
—*adv.* [편지에서 주소 성명아래 넣어] 시내, 당지(當地).
—*interj.* [점호에 대한 출석자의 대답] 네!
~ ***a*** …을 앞에 하여.
la ~ 본장(本狀), 본서 (서류, 서한).
lo ~ 현재, 현시(現時).
al·de ~ ① 현재, 지금(ahora) : *Al* ~ no tenemos ninguna noticia de él 현재 우리들은 그에 대한 아무런 소식도 가지고 있지 않다. ② 현세에(en la época actual).
del ~ 금월의.
por el·la·lo ~ 현재로, 목하.
mejorando lo ~ (사람들 앞에서 남을 비평할 때) 이 자리에 계시는 분들은 예외입니다만.
hacer ~ 분명하게 하다, 상기시키다.
tener ~ 기억하다, 명심하다, 잊지 않다 : *Tengo* ~ lo que me dijo 그가 나에게 말했던 것을 나는 잊지 않고 있다.
presentemente *adv.* 현재, 지금 (al presente, ahora).
presentero *m.* (성직에 대한) 천거인, 천거자.
presentimiento *m.* 예감, 조짐.
presentir *tr.* 53 [*lat.* praesentire] 예감·예견·예지하다; 예측하다 (adivinar) : *Presentí* su muerte 나는 그의 죽음을 예감했다.
presepio *m.* 구유통 (pesebre); 마굿간; 목사(牧舍)(establo).
presera *f.*【식물】갈퀴 덩굴(amor de hortelano).
presero, ra *m.f.* 용수로 지기.
preservación *f.* ① 보존, 보관, 보호, 저장 : la ~ de las telas. ② 유지. ③ 예방, 방부(防腐).
preservador, ra *adj.m.f.* 보존하는 (사람).
preservar *tr.* [*lat.* praeservare] ① 보존하다, 저장하다. ② 보관·보유·보호·보지(保持)하다, 유지하다, 방호(防護)하다 : *Presérvese* seco 습기 엄금. ③ 예방하다 : La vacuna *preserva* contra la viruela 종두는 천연두를 예방한다.
preservativamente *adv.* 예방적으로.
preservativo, va *adj.* 예방의; 보존용의; 보호의. **—*m.*** 예방법; 방부제.
presidario *m.* =**presidiario.**
presidencia *f* ① 대통령·주재자·총재·의장·회장·사장·총장·학장의 직·임기·관사·석 : ~ de la República《*Col.*》대통령 부(府). candidato a la ~ 대통령 입후보자. ② 통할, 주재, 사회.
presidencial *adj.* presidente의 : consejero ~ 대통령 보좌관. decreto ~ 대통령령(令). mensaje ~ 대통령 교서. silla ~ 대통령 자리.
presidencialismo *m.* 대통령 중심제.
presidencialista *adj.m.f.* 대통령파(의); 대통령 중심제주의의 (사람).
presidenta *f.* presidente의 아내; presidente의 여성형 : la ~ de una reunión 회의의 여자 회장.
presidente *m.* [*lat.* praesides] 주재자; 총재, 의장; 회장, 사장; 총장, 학장; 대통령 (~ de la República) : ~ de Congreso 국회의장. ~ del consejo de administración 이사회 의장. ~ interino 사장 대리. El ~ ha de llegar el día ocho del presente mes 대통령은 금월 8일에 도착하기로 되어 있다. Cada año la comisión elige un nuevo ~ 위원회는 매년 새 의장을 선출한다.
presidiable *adj.* 도형(徒刑)에 처해야 할.
presidiar *tr.*【고어】(…에) 수비대를 두다, 수비하다.
presidiario *m.* 도형수, 죄수.
presidio *m.* [*lat.* praesidium] ① 수비대; 요새(要塞), 수비, 성체 (fortaleza). ② 보호, 구조 (auxilio). ③ 도형장, 감옥; (도형) 징역 : diez años de ~ 10년 징역. ④ [집합] 죄수.
presidir *tr.* 주재하다, 통할하다; 사회를 보다; 지배하다(predominar) : El doctor Ramos *presidió* la asamblea general; La justicia *preside* nuestros actos. **—*intr.*** 주재·사회하다.
presidium *m.* (소련에서) presidencia.
presilla *f.* 매는 끈; 구멍에 실을 꿰기.
presint- →**presentir** 53.
presintie- →**presentir** 53.
presión *f.* [*lat.* pressio] ① 압력(壓力) : ~ atmosférica 기압. ~ arterial 혈압. ~ de la demanda 수요 압력. ~ especulativa 투기적 압력. ~ osmótica 삼투압. ~ político-económica

정치적 경제적 압력. alta ~ arterial 고혈압. fuertes ~*es* internacionales 강력한 국제적 압력. ② 긴급.

a ~ 즉석의, 즉석에서.

dar una ~ 압력을 가하다.

presionar *tr.* 《*Ant. Guat. Ecuad.*》 잡다, 체포하다.

preso, sa *adj.* [*lat.* prensus] [prender의 *p.p.*] 붙잡힌. —*m.* 포로, 잡힌 사람, 검거된 사람, 죄수 : libertad de todos los ~*s* políticos colombianos 콜롬비아의 모든 정치범의 석방.

poner ~ *a* …를 잡다.

prest *m.* [*pl.* prestes] 사병의 일급·일당.

presta *f.* 【방언·식물】 박하.

prestación *f.* ① 대부, 대여 ; 제공 : ~ de previsión social 사회 보장 교부금. ~ de servicios 서비스의 제공. ② 부역을 과하기 ; 부과금 ; 과세. ③ 연공(年貢), 봉납물.

prestadizo, za *adj.* 빌려줄 수 있는.

prestado, da *adj.* [prestar의 *p.p.*] 빌린, 빌려준.

de ~ 빌린 물건의 ; 명목상의.

dar ~ 대여하다.

pedir ~ 빌리다, 빌려 달라고 부탁하다, 차관을 신청하다 : El gobierno *pidió* ~ a los Estados Unidos un millón de dólares 정부는 미국에 백만 달라의 차관을 신청했다. ¿Podría *pedir*le ~ su coche el próximo domingo? 이번 일요일에 차를 빌릴 수 있을까요?

tomar ~ 빌리다, 빌려내다, 차용하다.

prestador, ra *adj.* 빌려주는. —*m.f.* 대부업자.

prestamente *adv.* 재빨리, 민첩하게, 속히 (rápidamente, pronto).

prestamera *f.* (교회가 수업 중인 승려·선교사에게 주었던) 급부금 ; 교회 수입금.

prestamería *f.* prestamera의 수급(受給) ; 그 자격.

prestamero *m.* prestamera의 수급자 : ~ mayor 교부금 종신 수급자.

prestamista *m.f.* 고리 대금 업자 : ~ sobre prendas 전당포 경영자.

préstamo *m.* ① 대여, 대부(貸付) (empréstito) ; 차관(借款), 대부금, 빌린 돈, 빚 : casa de ~*s* 전당포. hacer un ~ 대부·대여하다. tomar a ~ 차입하다. ② =**prestamera.**

~ *a bajo precio* 저리 대부. ~ *a corto·largo plazo* 단기·장기 대부. ~ *a descubierto* 신용 대부, 무담보 대부. ~ *a la gruesa* 모험 대부, 쌍무 대부. ~ *a plazo (fijo)* 정기 대부. ~ *bancario* 은행 차입금. ~ *colateral* 담보부 대부. ~ *con garantía* 담보부 대부. ~ *condicionado* 조건부 융자. ~ *diario* 콜론, 당좌 대부. ~ *extranjero* 외자 차관. ~ *fiduciario* (무담보의) 신용 대부. ~ *garantizado* 담보부 공채. ~ *hipotecario* 저당 대부, 담보부 대부. ~ *otorgado por el gobierno* 국채, 공채. ~ *pagadero a la demanda* 요구불 대부, 당좌 대부. ~ *pagadero a su reclamo·solicitud* 단기 대부(금). ~ *para la construcción de viviendas* 주택 대부·차관. ~ *personal* 개인 대부. ~ *pignoraticio* 담보부 대부. ~ *prendario* 저당부 대부, 담보부 공채. ~ *reembolsable a la vista* 콜론, 당좌 대부. ~ *sin caución* 신용 대부, 무담보 대부. ~ *sin garantía* 무담보 대부. ~ *sin garantía real* 《*Arg.*》 무담보 대부. ~ *sobre título·valores* 유가 증권 담보 대부.

prestancia *f.* [*lat.* praestantia] 우수, 뛰어남, 탁월(excelencia).

prestante *adj.* ① 빌려주는. ② 전하는. ③ 제공하는. ④ 우수한, 뛰어난, 탁월한.

prestar *tr.* [*lat.* praestare] ① 빌려주다 : Ella me *prestó* el dinero sobre prenda 그녀는 담보를 잡고 나에게 돈을 빌려주었다. ¿Quiere ~me este libro? 이 책을 나에게 빌려 주시겠습니까? ② 전하다 (comunicar) : Le *presté* la noticia. ③ 제공하다 : ~ auxilio 원조하다. ~ ayuda 돕다, 조력하다. ④ [atención, paciencia, silencio 등을 보어로 하여, 그것을] 주다, 기울이다, …하다 : ~ atención a …에 주의·주목을 하다. ~ un servicio 봉사하다. ~ oídos 귀를 기울이다. El no quiere ~ sus oídos a mi consejo 그는 나의 충고에 귀를 기울이고 싶어하지 않는다. ⑤ 내팽개치다. ⑥ 《*Galic.*》 드러내다 ; 보이다(presentar) : ~ el flanco al enemigo.

—*intr.* ① 도움이 되다 : Esta herramienta *presta* mucho 이 도구는 무척 도움이 된다. ② 늘어나다 ; 융통이 되다 : Esta tela no *presta* nada 이 천은 전혀 늘어나지 않는다.

~se [+a : …에] 봉사하다 (ofrecerse) ; …의 경향이 있다 ; 하자는 대로 하다 : *Se prestó* a todos sus caprichos.

prestatario, ria *m.f.* 돈을 빌린 사람.

preste *m.* 사제, 승정(僧正) : ordenar de ~.

el P- Juan 아비시니아왕 《중세기의 가공의 인물》.

presteza *f.* 신속, 재빠름, 민첩함, 기민함, 날렵함(agilidad, prontitud).

prestidigitación *f.* 요술.

prestidigitador, ra *m.f.* 요술사, 마술사 (jugador de manos).

prestigiador, ra *adj.* 속임수를 쓰는. —*m.f.* 사기꾼.

prestigiar *tr.* ⑪ 《*Amér.*》 ① (…에) 명성·권위를 더하다(comunicar prestivio). ② 광채를 더하다.

prestigio *m.* [*lat.* praestigium] ① 명성, 권위, 위신, 세력 : someterse al ~ del talento. ② 환술(幻術)(fascinación). ③ 사기, 속임수 (engaño).

prestigioso, sa *adj.* 《*Neol.*》 명성·세력·권위가 있는 ; 속임수의.

prestimonio *m.* =**préstamo.**

prestiño *m.* =**pestiño.**

prestir *tr.* 【은어】 =**prestar.**

presto, ta *adj.* [*lat.* praesto] ① 신속한, 재빠른, 민첩한, 기민한, 날렵한(pronto, vivo, diligente) : ~ en obrar 일손이 빠른. ② 준비가 갖추어진(preparado) : Estoy ~ *para* salir 나는 외출할 준비가 되어 있다. —*adj.* 재빨리, 날렵하게, 신속하게, 즉시 : Vístete ~ 즉시 옷을 입어라.

de ~ 민첩하게, 신속하게, 재빨리.

presumible *adj.* 가정·추측·추정·짐작할 수 있는 ; 그럴싸한.

presumiblemente *adv.* 추측·추정·짐작으로, 그럴싸하게.

presumido, da *adj.* [presumir의 *p.p.*] 시건방

진, 자랑하는, 자만하는, 자부하는, 우쭐대는 (presuntuoso) : Ella es una mujer muy ~*da* 그녀는 매우 시건방진 여자이다. —*m.f.* 시건방진 사람, 우쭐대는 사람.

presumir *tr.* ① 짐작하다, 헤아리다, 추측·추정하다(sospechar, conjeturar, juzgar por inducción) : *Presumo* que lo hará él mismo 그 사람 자신이 그 일을 하리라고 나는 추측한다. ②《*Arg. Bol.*》(여자에게) 사랑을 하소연하다(cortejar a una mujer) : Luis *presume* a Lola. —*intr.* [+de : …라고·을] 우쭐대다, 자부하다 (vanagloriarse) : Ella *presume de* elegante 그녀는 자신을 날씬하다고 자부하고 있다.

presunción *f.* [*lat.* praesumptio] ① 추측, 추정. ② 자부심, 우쭐거림 : La ~ es un defecto de necios 자부심은 어리석은 자들의 결점.

presuntamente *adv.* 상상으로, 억측으로(por presunción).

presuntivamente *adv.* 추측으로, 추정해서, 억측해서.

presuntivo, va *adj.* 가정의 ; 추측적인, 추정·억측의.

presunto, ta *adj.* [*lat.* praesumptus] [presumir의 *p.p.*] ① 추정의, 추정적인 : El es el ~ autor del crimen 그는 그 범행의 추정 범인이다. ② 가상적인, 상상의 ; 용의가 있는, 미심쩍은 : un ~ reo.

presuntuosamente *adv.* 자부하여, 우쭐해서.

presuntuosidad *f.* 자부심(presunción).

presuntuoso, sa *adj.* 허영심이 강한, 자부심이 강한, 우쭐한 : mozalbete ~.

presuponer *tr.* 61 [*p.p.* presupuesto] 미리 가정하다, 예상하다 ; 견적하다, 예산을 세우다 : *Se presupone* la cifra global de 1.000.000 pts. 어림잡아 백만 뻬세따가 예상되고 있다.

presuposición *f.* ① 예상(suposición previa) : ~ arriesgada 위험한 예상. ② 이유, 구실, 핑계. ③ 견적, 예산(presupuesto).

presupuestal *adj.*《*Amér.*》예산의 : desmoche ~ 예산의 삭감.

presupuestar *tr.*《*Neol.*》예산을 세우다, 예산을 편성하다(establecer un presupuesto).

presupuestario, ria *adj.* 예산의.

presupuesto, ta *adj.* [presuponer의 *p.p.*] 예상된. —*m.* ① 예산(안), 수지 예산표 ; 개산(概算). ② 견적(서). ③ 계산서. ④ 가정, 예상, 상상(supuesto). ⑤ 이유.

~ ***adicional*** 추가 예산. ~ ***anual destinado a la publicidad*** 연간 광고 예산액. ~ ***aproximado*** 개략(概略)의 예산, 계산(概算). ~ ***de entradas y salidas en caja*** 현금 수지 예산. ~ ***de gastos de capital*** 고정 지출 예산, 자본의 지출 예산. ~ ***de publicidad·propaganda*** 광고(비) 예산. ~ ***del Estado*** 국가 예산. ~ ***detallado*** 세목 예산. ~ ***extraordinario*** 임시 예산. ~ ***familiar*** 가계 예산. ~ ***federal*** 연방 예산. ~ ***general de egresos e ingresos*** 세입 세출 예산. ~ ***global*** 종합 예산. ~ ***limitado*** 긴축 예산. ~ ***municipal*** 시의 예산. ~ ***nacional*** 국가 예산. ~ ***no nivelado*** 적자·불균형 예산. ~ ***ordinario*** 통상(通常) 예산. ~ ***para publicidad*** 광고 예산. ~ ***reducido*** 긴축 예산. ~ ***variable*** 변동·탄력성 예산.

~ ***que*** …하는 바에는 (supuesto que) ; …라고 가정하면.

presura *f.* ① 서두름, 신속(prisa). ② 열심, 강한 집념(ahinco).

presurizar *tr.*《*Neol.*》(높이 날아가는 비행기 안에서) 공기를 압축하다.

presurosamente *adv.* 황급하게, 급히, 서둘러.

presuroso, sa *adj.* 서두르는, 빠른, 바쁜, 급한 (apresurado, pronto).

pretal *m.* 흉대(胸帶)(petral).

prete *m.*《*And.*》=**peltre.**

pretencioso, sa *adj.*《*Galic.*》자부하는, 우쭐대는, 으시대는, 자만하는(presumido).

pretendencia *f.* =**pretensión.**

pretender *tr.* [*lat.* praetendere] ① 바라다, 희구하다 : ~ un destino. ② 노리다, 은근히 바라다. ③ 구애·구혼하다 : El *pretendía* a esa chica 그는 소녀에게 구애했었다. ④ [+*inf.* : …하려고] 하다, 해보다, 시도하다(procurar) : *Pretende* convencerme 그는 나를 수긍할려고 한다. El *pretende* aprovecharse de usted 그는 당신을 이용할려고 하고 있다. El *pretendió* no haberme visto 그는 나를 보지 않으려 했다. ⑤《*Galic.*》=**suponer.**

~se 자신을 …로 생각하다, 자칭하다, …체하다 : *Se pretende* hijo del rey 그는 자칭 왕의 아들인 척한다.

pretendido, da *adj.*《*Galic.*》추측의, 추정의, 가정의 ; 자칭의 (presunto, supuesto) : el ~ duque.

pretendiente, ta *adj.* 바라는, 희구하는 ; 구애·구혼하는. —*m.f.* ① 지망자, 희망자, 후보자 ; 요구자. ② 노리는 사람 : el ~ al trono 왕위를 노리는 사람. ③ 구애자, 구혼자, 신청자.

pretensión *f.* ① 바람, 소원, 소망. ② 희구. ③ 구혼, 구애, 청혼(請婚). ④ 권리, 주장 : una ~ mal fundada. ⑤《*Galic.*》잰 체하기, 자만심, 자부심(presunción) : tener ~*es* de elegante.

pretensioso, sa *adj.*《*Galic.*》=**presuntuoso, vanidoso.**

pretenso, sa *adj.* 가상의, 가상적인, 상상으로서의(pretendido).

pretensor, ra *adj.m.f.* 희구하는 (사람).

preterición *f.* [*lat.* praeteritio] ① 묵살, 간과, 탈락. ②【수사】암시적인 간과법(看過法).

preterir *tr.* 54 [*lat.* praeterire] 따돌리다, 묵살하다, 간과하다, 무시하다 (no hacer caso de una persona o cosa).

pretérito, ta *adj.* 과거의(pasado) : suceso ~. —*m.*【문법】과거(형) : ~ imperfecto 불완료 과거. ~ perfecto 완료 과거. ~ pluscuamperfecto 대과거.

pretermisión *f.* [드뭄] 묵살, 간과, 탈락 (omisión, preterición).

pretermitir *tr.* 빠뜨리다, 탈락하다, 묵살하다, 간과하다(omitir, preterir).

preternatural *adj.* 이상한, 초자연적인.

preternaturalizar *tr.* 9 달리하다, 변질·변형시키다 ; 초자연적으로 하다.

preternaturalmente *adv.* 이상하게.

pretexta *f.* [*lat.* praetexta] (옛날 로마의 법관이나 귀족의 소년이 입었던) 두루마기, 가운, 법복 (toga blanca).

pretextar *tr.* 핑계·구실로 삼다 : El *pretextó* una enfermedad 그는 병을 핑계댔다. El *pretextó* que se ha hecho tarde 그는 늦은 것을 구실에 붙였다.
pretexto *m.* [*lat.* praetextus] 구실, 핑계, 변명 : a ~ de …의 구실로. so ~ de …의 구실로. tomar por ~ …을 구실로 삼다. El *tomó por* ~ la enfermedad de su hermano 그는 형의 병을 구실로 삼았다.
pretil *m.* [*lat.* pectus, pectoris] (다리·층계 등의) 난간, 손잡이 ; 손잡이가 있는 통로·층계.
pretina *f.* ① 혁대, 띠. ② (의복의) 허리.
pretinar *tr.* 《*Chile.*》 허리띠를 매다·조이다.
pretinazo *m.* 혁대로 때리기.
pretinero *m.* 혁대 제조자·판매인.
pretinilla *f.* (옛날 부인복의) 장식 벨트, 허리띠.
pretónico, ca *adj.* =**protónico.**
pretor *m.* ① (옛날 로마의) 지방 장관. ② (다랑어가 있는) 다랑어 조수.
pretoría *f.* =**pretura.**
pretorial *adj.* (옛날 로마의) 지방 장관의 근위대의 : derecho ~.
pretorianismo *m.* 군벌(軍閥) 독재.
pretoriano, na *adj.* (고대 로마 황제의) 근위대의(pretorial). —*m.* 근위병, 친위 대원.
pretoriense *adj.* =**pretorio.**
pretorio, ria *adj.* 지방 장관의. —*m.* ① (옛날 로마의) 관아. ② 《*Cuba.*》 (문앞의 콘크리트 등의) 담.
pretura *f.* (옛날 로마의) 장관의 직위.
preu *m.* =**preuniversitario.**
preuniversitario, ria *adj.m.* 대학 진학 준비의 (강좌). —*m.f.* 예비 대학생, 대학 진학 준비생.
prevalecer *intr.* 31 [*lat.* prevalescere] ① 이기다, 압도하다 : La verdad *prevalece sobre* la mentira 진실은 허위를 압도하는 법이다. ② 얻다, 쟁취하다 (obtener). ③ 우세해지다 : Su opinión *prevaleció* 그의 의견이 우세했다. ④ 뿌리를 뻗치다 : Este ábrol no *prevalece* 이 나무는 뿌리를 뻗치지 않는다. ⑤ 보급되다, 퍼지다.
~se 【속어】 [+de : …을] 이용하다, 악용하다 : *~se de su* talento (자기의) 재능을 이용·악용하다. *Se prevaleció de* la inexperiencia de su compañero 그의 친구가 경험이 없는 것을 악이용했다.
prevaleciente *adj.* prevalecer하는.
prevaler *intr.* 62 =**prevalecer.**
~se [+de : …을] 이용하다, 악용하다 : *~se de* su talento (자기의) 재능을 이용하다·악용하다
prevaricación *f.* ① 배반, 위배, 배신. ② 배임, 오직(汚職), 독직. ③ 태만.
prevaricador, ra *adj.m.f.* 배임·독직하는 (사람) : destituir a un magistrado ~.
prevaricar *intr.* 7 [*lat.* praevaricare] ① 의무를 게을리하다, 배임·독직하다. ② 어수룩한 말을 하다(desvariar).
prevaricato *m.* 오직, 독직, 배임.
preve *f.* 【방언】 =**prevención.**
prevelicar *intr.* 《*And.*》 이성을 잃다 (perder la cabeza).
preven *f.* 【속어】 =**prevención.**
prevención *f.* [*lat.* praeventio] ① 준비 : por ~ 준비로서. ② 저축, 양식. ③ 방지 ; 주의, 예방, 경계 : El me tiene ~ 그는 나를 경계하고 있다. ④ 예지(豫知). ⑤ 경고, 계고, 미리 알림. ⑥ 편견. ⑦ 구치소 ; 파출소 ; 위병소.
~ *de accidentes (de trabajo)* (노동) 재해의 예방. ~ *de incendios* 화재 예방.
a ~ *de* …을 경계해서.
a·de ~ 예비의, 예방·경계를 위해 (de repuesto, de reserva).
con ~ 미리(de antemano).
matar a ~ 《*Chile.*》 (도살한 짐승의) 사지를 토막내다.
prevenda *f.* 【방언】 =**prevención.**
prevenidamente *adv.* 예비로, 미리 앞당겨.
prevenido, da *adj.* [prevenir의 *p.p.*] ① 준비가 다 된(apercibido). ② 풍부한(abundante) ; 가득해진(lleno). ③ 경계하는, 조심스러운(advertido). ④ 편견을 가진, 미리 딴마음을 품은. ⑤ 경고를 받은, 대비한.
Un hombre ~ vale dos 【속담】 조심스런 사람은 두 사람의 가치가 있다, 유비무환.
preveniente *adj.* 미리 준비하는 ; 예방 (조치)하는 ; 알리는, 경고·주의하는 ; 예지·예견하는.
prevenir *tr.* 60 [*lat.* praevenire] ① 미리 준비하다 (preparar) : Será necesario ~ algo para la fiesta 파티를 위해 무언가 준비하는 것이 필요하다. ② 예방 조치하다, 예방하다 : ~ una enfermedad 병을 예방하다. ③ 방지하다 (evitar, impedir) : ~ la rebelión 반란을 방지하다. ④ 알리다, 경고하다, 주의하다(advertir) ; 주의시키다. ⑤ 예지·예견하다 (prever) : Hay que ~ las enfermedades 병을 예견해야 한다. ⑥ (무엇을 하도록) 미리 어떤 편견·생각을 가지게 하다. ⑦ 습격하다, 놀라게 하다 (sorprender) : *Previno* una tempestad furiosa. ⑧ 예비 조사하다, 예심하다.
~se ① [+a·con : …을] 주의·대비·경계하다 : *~se a·contra* el peligro 위험에 대비하다. ② [+de·con : …을] 준비하다 : *~se de·con* lo necesario *para* el viaje 여행에 필요한 것을 준비하다. ③ 마음에 떠오르다, 생각나다 (ocurrir).
preventivamente *adv.* 미리, 사전에, 예방으로(con prevención) : detener ~ a un acusado.
preventivo, va *adj.* 예방의, 예비의, 사전의 : medida *~va* 예방책.
prever *tr.* 38 [*p.p.* previsto] 예견하다, 예지하다, 미리 알다, 속심을 알아채다, 눈치채다 : El *previó* nuestro fracaso.
previamente *adv.* 미리, 앞질러, 사전에(con anticipación).
previdencia *f.* =**previsión.**
previdente *adj.* 예지적인, 예지·예견할 수 있는.
previo, via *adj.* 앞선, 사전의(anticipado, que precede) : ~ aviso 예고. autorización *previa* 사전 허가.
previsibilidad *f.* 예견할 수 있는 조건.
previsible *adj.* 예견할 수 있는.
previsión *f.* ① 선견(지명), 예지(豫知), 예견. ② 예방책·조치 : ~ social 사회 보장. ④ 준비

금.

~ de ventas 판매 예상. *~ por responsabilidades hacia terceros* 《*Arg.*》 우발 채무 준비금, 제삼자에 대한 책임 준비금.

previsivo, va *adj.* 《*Neol.*》 =**previsor.**

previsor, ra *adj.* 선견지명이 있는, 미리 알아채는, 앞지른, 앞서 판단하는, 선견적인 : *~ras* innovaciones. **—***m.f.* 선견지명이 있는 사람, 예견자.

previsto, ta *adj.* [prever의 *p.p.*] 예지·예견된.

prez *m.(f.)* [*lat.* pretium] 가치, 명예(honor, gloria).

pr. fr. próximo futuro 오는.

PRI Partido Revolucionario Institucional.

priado *adv.* =**pronto.**

Príamo *m.* Troya의 마지막 왕, Héctor와 Paris의 아버지.

priapismo *m.* 【의학】 (성욕없이) 성기의 계속적이고 고통스러운 발기 (현상).

priesa *f.* [드뭄] 서두름, 황급(prisa).

a·de ~ 부랴부랴, 황급히, 서둘러(a prisa, de prisa).

prieto, ta *adj.* ① 검붉은 (muy obscuro y casi negro). ② 인색한(miserable).

prietuzco, ca *adj.* 《*AmérC. Ant.*》 가무잡잡한.

priísta *adj. m.f.* PRI의 (당원).

prima *f.* [*lat.* prima] ① 사촌 자매. ② 옛 로마에서 낮의 첫 4분의 1, 새벽; (교회에서) 아침 과제; (야경들의) 초저녁 당번. ③ (현악기의) 가장 높은 소리를 내는 현. ④ 【은어】 셔츠(camisa). ⑤ 【동물】 (사냥에서의) 암매. ⑥ 【상업】 보험료 (~ de seguro); 프리미엄; 계약금, 보증금; 보조금, 장려금, 조성금, 교부금, 특별수당.

~ adicional 추가 보험료. *~ anual* 연액 불입 보험료. *~ bruta* 영업 보험료. *~ de emisión* 주식 프리미엄. *~ de exportación* 수출 장려금, 수출 보상금. *~ de fletamento* 용선료(傭船料). *~ de incentivo* 장려금, 능률 수당. *~ de producción* 생산 장려금. *~ de renovación* 계속 보험료. *~ de salvamento* 해난 구조 요금·보수금. *~ de seguro* 보험료. *~ de seguro marítimo* 해상 보험료. *~ de seguros pagados por adelantado* 선불 보험료. *~ fija* 정액·균일 보험료. *~ mensual* 매월 보험료. *~ neta* 순보험료. *~ por rendimiento* 수익 특별 수당. *~ por seguro* 보험료. *~ por trabajo nocturno* 야근 수당. *~ semestral* 반년분 보험료. *~ señalada* 표시 보험료. *~ sucesiva* 계속 보험료. *~ suplementaria* 추가 보험료. *~ trimestral* 연 4회 불입 보험료. *~ única* 연 1회 불입 보험료.

a ~ 자유 선택으로.

bajar·subir la ~ 《*Arg.*》 말을 삼가다, 호된 말을 하다.

primacía *f.* ① 수위, 상위, 탁월. ② primado의 직·지위.

detener la ~ 수위를 지키다.

primacial *adj.* (종교 교구의) 수석 사교의, 교구장의, 수석 대주교의 : dignidad ~.

primada *f.* ① 눈 뜨고 병신 만들기. ② 추켜주는 말에 우쭐해서 내는 돈 : pagar la ~. ③ 어리석은 짓.

primado *m.* [*lat.* primâtus] ① 수위, 상석. ② (어떤 지역에서의) 수석 대주교·대감독 : ~ de España 똘레도 대주교. ③ 수석 사교·대주교·대감독의 직위·지위·권능.

primado, da *adj.* 수위의, 상석의 ; 수석 사교의 : Iglesia *~da*, silla *~da*.

prima donna *f. ital.* 오페라 등의 주역 여우·가수, 프리마 돈나.

prima facie *adv. lat.* 얼핏 보아, 보아한 즉(a primara vista).

primal, la *adj. m.f.* 한 살 미만의 (새끼 산양, 새끼 양). **—***m.* 비단 끈(cordón de seda).

primar *intr.* 《*Galic.*》 뛰어나다, 빼어나다, 탁월하다(sobresalir).

primariamente *adv.* 먼저, 최초로.

primario, ria *adj.* ① 최초의, 초보의; 초등의, 기본의 : enseñanza *~ria* 초등 교육. elección *~ria* 예비 선거. escuela *~ria* 국민 학교. ② 【지질】 제1기의. ③ 【전기】 1차의 (전지 따위).

primate *m.* 위인, 빼어난 인물, 대관. **—***m.pl.* 【동물】 영장류(靈長類) 《원숭이 무리》.

primavera *f.* ① 봄 : La ~ astronómica dura desde el 22 de marzo hasta el 21 de junio. ② 청춘; 전성 시대, 한창때, 전성기(juventud) : la ~ de la vida 일생 중의 전성기. ③ 꽃 무늬가 든 비단. ④ 【식물】 앵초(櫻草). ⑤ 【속어】 바보, 얼간이(tonto). ⑥ 나이(año) : tener 16 *~s* 열여섯 살이다. ⑦ 쁘리마베라 《멕시코의 새의 일종》.

primaveral *adj.* 봄의·같은 : calor ~.

primazgo *m.* ① 사촌 관계. ② primado의 직.

primearse *r.* 서반아 왕과 대공작이 서로 사촌 형제의 대우를 하다.

primer *adj.* [primero의 남성·단수 명사 앞에서 탈락형] 제일의, 최초의 : el ~ día 첫 날. el ~ aniversario (제) 1주년·1주기.

P- Ministro 《*Cuba.*》 수상, 국무총리. *~ pago* 첫 불입금. *~ pedido* 첫 주문. *~ secretario de la embajada* (대사관의) 일등 서기. *~ semestre* 상반기. *~ trimestre* 제 1·4반기. *~ vapor* 제일선(船).

primera *f.* ① (검술에서) 제 1단 자세. ② (객차의) 1등실 : viajar de ~. ③ (자동차의) 저속도. ④ 일류, 최고급 : casa de ~ 일류 상사. ⑤ 환어음의 제 1권 : ~ de cambio·letra 어음의 제1권, 제1호 어음.

primeramente *adj.* 첫째로, 최초로, 처음으로 (previamente).

primeriar *intr.* ⑪ 《*Urug.*》 첫째를 하다.

primerizo, za *adj.* 처음의, 애숭이의, 신출내기의(principiante). **—***m.f.* 초심자. **—***f.* 초산부(初產婦).

primero, ra *adj.* [*lat.* primarius] [남성 단수 명사 앞에서 primer로 됨] ① 제일의, 최초의; 일등의, 첫째의, 일류의, 뛰어난 : *~ra* calidad 일류·극상품. Es el ~ de la fila 그는 그 열의 1번이다. Recobró su autoridad *~ra* 그는 처음의 권위를 회복했다. Partimos el día ~ de diciembre 우리는 12월 1일에 출발했다. A *~ra* vista me pareció magnífico 처음 볼 때에는 훌륭한 것 같았다. Es la *~ra* vez que ha hecho tal cosa 그가 그런 일을 한 것은 처음이다. ¿Recuerda usted la *~ra* vez que vine aquí? 당신은 내가 처음 이곳에 왔을 때의 일을 기억하십니까?

Fui allí por ~*ra* vez en 1959 나는 1959년에 처음 그곳에 갔다. Cicerón fue el ~ de los oradores de su tiempo 키케로는 당대의 웅변가 중의 첫째였다. ② [명사 뒤에 붙어] 옛의, 본래의 : el estado ~ 옛날 상태. ③ 바탕이 되는, 원래의 : ~*ra* materia 원료. ④【수학】소수(素數)의 : números ~*s* 소수《3, 5, 7, 등》. ⑤ 가장 중요한 : ~*s* necesidades 생필품.

— *adv.* ① 처음에, 처음으로, 최초로, 우선(primeramente) : *Paso* ~ 먼저 가겠습니다. *Primero* es un tonto ; segundo no me gusta 처음에 그는 바보였고, 두 번째는 그가 싫었다. ② 차라리, 오히려(antes, más bien) : ~ morir *que* cometer tal crimen 그런 범죄를 범하느니 차라리 죽겠다. ***a las ~ras, de buenas a ~ras*** 별안간, 갑자기, 느닷없이, 돌연 (de repente, repentinamente, de súbito) : *De buenas a ~ras* empezó a llorar 그녀는 갑자기 울기 시작했다.

de ~ 최초에 ; 일등급의, 고급의, 금상의 ; 연장(年長)의, 나이가 위인 ; 매우 잘, 훌륭하게.

primevo, va *adj.* 다른 사람보다 나이가 더 많은.

primicerio, ria *adj.* [드묾] 탁월한, 일등의, 첫째의. —*m.* (교회 합창대의) 지휘자·수창자(首唱者)(chantre).

primicia *f.* [*lat.* primitiae] 햇것《과일·곡식 등의 그 해 처음 나온 것》; (교회에 바친) 햇곡식. —*pl.* 초산물 ; 처녀작.

primicial *adj.* 햇곡식의.

primiclerio *m.* =**primicerio.**

primichón *m.* 자수용 비단실.

primigenio, nia *adj.* 원시(原始)의, 본원의(primitivo, originario).

primilla *f.* ① 초범(初犯)의 훈방. ②【조류】황조롱이(cernícalo).

primípara *f.* 초산부(mujer primeriza).

primitivamente *adv.* 처음에, 시초에는, 당초에는 (al principio, originariamente, en un principio).

primitivismo *m.* ① 원시성(原始性). ② =**prerrafaelismo.**

primitivo, va *adj.* ① 원시 (시대)의, 원시적인, 미개의, 초기의 ; 태고의. ② 소박한, 고풍(古風)의. ③ 근본의, 본원의 ; 원(原)… : color ~ 원색. línea ~ 원선. ④ 소(素)… : palabra ~*va* 소어(素語). ⑤ 문예 부흥기 전의.

—*m.f.* 문예 부흥기 이전의 화가와 조각가(pintor y escultor anterior al Renacimiento).

primo, ma *adj.* ① 제일의, 첫째의 (primero) : materia ~*ma* 원료, 원자재. vigésimo ~ 제21번. número ~ 제1번. ② 우수한 (primoroso, excelente). ③【수학】소수(素數)의 : número ~.

—*m.f.* ① 사촌 (hijo o hija del tío o tía) : ~ hermano·carnal 친 사촌. ~ segundo 육촌 형제. ser ~*ma* segunda de …와 아주 비슷하다. ② (국왕이 대공작에 대해 문서에서 쓰는 호칭으로) 경(卿). ③ 호인. ④【은어】속셔츠. ⑤ 바보(tonto).

—*adv.* 처음에, 우선, 무엇보다 먼저.

primo cartelo (de) *adj.* 일류의.

primogénito, ta *adj.* [*lat.* primogenitus] 처음에 낳은, 장남·장녀의 : hijo ~ 장남. —*m.* 장남. —*f.* 장녀.

primogenitura *f.* 장자권(長子權) : Esaú vendió la ~ por un plato de lentejas.

primor *m.* ① 교묘(함), 정교함(habilidad). ② 아름다움, 우아함(hermosura) : Ese bordado es un ~ 그 자수는 우아하다.

primordial *adj.* [*lat.* primordialis] 원시 (시대)의 ; 본원의 ; 기초적인, 근본적인.

primordialmente *adv.* 근본적으로, 기초적으로.

primorear *intr.* ① (악기의 연주에서) 교묘한 솜씨를 보여 주다. ②《*And.*》미화하다, 꾸미다(embellecer).

primorosamente *adv.* 교묘하게, 감쪽같이.

primoroso, sa *adj.* ① 훌륭한, 뛰어난(excelente) : artista ~. ② 희한한, 교묘한, 솜씨있는, 정교한(diestro, hábil, experimentado) : labor muy ~. ③《*Guat.*》친절한, 애정이 깊은(amable, cariñoso). ④ 매력적인, 매우 예쁜(encantador, muy lindo) : niño ~.

prímula *f.*【식물】앵초(primavera).

primuláceo, a *adj.*【식물】앵초과의. —*f.pl.* 앵초과에 속하는 식물.

princeps *adj. lat.* ① 제일의, 최초의 : edición ~ 초판. ②【해부】(특히 엄지손가락·경동맥에 관하여) 주요한. —*m.* 주요한 것 ; 초판(본).

princesa *f.* ① 왕녀, 공주 ; (특히 서반아의 왕위 계승의) 왕녀(~ de Asturias). ② 왕자비. ③ 공작 부인 ; 여자 공작. **Contr.** príncipe.

principada *f.* 전권(專權).

principado *m.* [*lat.* principatus] 공작의 작위 ; 공작령(公爵領), 공령(公領). —*pl.* 권천사(權天使).

principal *adj.* [*lat.* principalis] ① 주(主)된, 주요한 : ~*es* industrias 주요 산업. ~*es* zonas productoras 주요 생산 지역. agencia ~ 총대리점. calle ~ 메인 스트리트. casa ~ 본점, 본사. piso ~ 2층. Es una de las calles ~*es* de esta ciudad 그것은 이 도시의 메인 스트리트 중의 하나이다. ② 본질적인, 기본적인. ③ 유명한, 뛰어난. ④ 초판(初版)의(príncipe). —*m.* ① 본거지. ② (건물의) 주계단. ③ 원금(元金). ④ 우두머리, 보스, 사장, 가게 주인, 왕초.

principalía *f.* 옛날 필리핀에서 지방 실력자의 모임.

principalidad *f.* 주요성, 주된 일 ; 제일인자.

principalmente *adv.* 첫째로, 주로, 우선(primeramente, preferentemente) : Debe usted mostrarse ~ claro en su carta.

príncipe *adj.* [*lat.* princeps] ① 초판의 : edición ~ 초판본. —*m.* 제일인자 : el ~ *de·entre* los poetas 시인 중의 제일인자. ② 왕자, 황태자 ; 공작 ; 군주.

~ de Asturias 서반아의 왕위 계승의 왕자. ***~ de la sangre*** 불란서 왕실의 왕자. ***~ de los apóstoles*** 베드로(San Pedro)의 이칭(異稱). ***~ de las tinieblas*** 마왕. ***~ heredero*** 황태자.

vivir como un ~ 멋지게·훌륭하게 살다(vivir magníficamente).

principela *f.* 옛 모직물의 일종.

principesco, ca *adj.* ① 왕자다운, 귀공자다운 ; 군주같은. ② 화려한, 훌륭한(espléndido) : comida ~*ca* 훌륭한 음식·식사

principiador, ra *adj.m.f.* 시작한 (사람).

principianta *f.* 여자 견습자·초심자.

principiante *adj.* 초심의 ; 견습의. —*m.f.* 초심자, 견습생 : Hay que ser muy indulgente con los ~*s.*

principiar *tr.* ⑪ ① 착수하다, 개시하다, 시작하다 : Hay que ~ el trabajo inmediatamente 즉시 그 일을 시작해야 한다. ② [+a+*inf.*] …하기 시작하다.

principio *m.* [*lat.* principium] ① 시작, 기원, 본원. ② 바탕, 기점, 원점 : el ~ de un camino. ③ 소(素), (구성) 요소, 원소. ④ 원칙, 원리, 주의(主義) : ~ de reciprocidad 상호 호혜의 원칙. ~ del mercado libre 자유 시장의 원칙. ~ económico 경제 원칙. ~ general de derecho público económico 경제 공업 원리. tener por ~ 원칙으로 되어 있다. ¿En qué ~ basa él? 그는 어떤 원리에 기초를 두고 있는가? Eso no está de acuerdo con sus ~*s* 그것은 그의 주의와는 모순되고 있다. ⑤ (식사에서) 앙트레 《생선과 고기 중간에 내는 요리》, 소채. ⑥ 방침, 법칙. —*pl.* (서적의) 권두언 《서문·헌사 등》.

al **~, *a los*** **~*s*** 당초에는, 처음에는 : *Al* ~ me pareció magnífico 처음에는 훌륭하다는 생각이 들었다.

a **~*s de*** (월·연·세기 등의) 초순·초순경에 : a ~*s* de este mes 이달 초순에. Volveré *a* ~*s de* octubre 10월 초순경에 돌아오겠다.

del **~ *al fin*** 시종, 처음부터 끝까지.

en **~** 원칙상, 대체적으로 ; 처음에 : No es que me gustara la idea *en* ~ 처음에 내가 그런 생각을 좋아했던 것은 아니다.

en un **~** 당초에는, 처음에, 애초에(al principio, al empezar).

por **~*s*** 원칙상.

principote *m.* 외모에 치중하는 허영꾼.

pringada *f.* 기름 바른 빵.

pringado, da *adj.* pringar의 *p.p.*

pringamoza *f.* ① 《*Cuba.*》 덩굴풀 ; 등나무. ② 《*Venez.*》 【식물】 쐐기풀(ortiga).

pringar *tr.* ⑧ ①(…에) 기름·지방을 바르다, 기름에 적시다 ; 기름으로 더럽히다. ② 손상시키다(infamar) ; 상처를 입히다, 피를 흘리게 하다. ③ 기름으로 고문하다. —*intr.* ① 손을 대다, 참가하다 : ~ en todo 어떤 일에나 손을 대다. ② 《*Amér.*》 가랑비가 내리다.

~se ① 기름으로 더럽혀지다. ② (부당하게) 손을 내밀다 ; 횡령하다. ③ 재미보다. ④ 설사하다.

pringo *m.* 《*AmérC.*》 ① 물방울. ② 설사. ③ 소량, 미량(prizca).

pringón, na *adj.* 더러운, (기름으로) 더럽혀진, 기름이 낀(pringoso). —*m.* 기름때, 얼룩.

pringoso, sa *adj.* 기름진 ; 기름기가 낀 : un guisado muy ~.

pringote *m.* 고기 덩어리.

pringue *m.(f.)* [*lat.* pinguis] ① 기름, 지방 : la ~ del tocino. ② 더러움, 때(suciedad) : mancha de ~. ③ 기름으로 하는 고문 《펄펄 끓는 기름을 붓는 형벌》. ④ 《*Ecaud.*》 =**quemadura.**

priodonte *m.* 【고생】 =**prionodonte.**

prionodonte *m.* 【고생】 갑옷쥐 《몸이 갑옷처럼 된 고생대의 쥐》.

prior *adj.* [*lat.* prior] 앞서의, 먼저의, 선임의. —*m.* 윗사람 ; 수도원장 ; 부 수도원장 ; 사제(cura).

priora *f.* 여자 수도원장.

prioral *adj.* 수도원장의 : autoridad ~.

priorato[1] *m.* [*lat.* priorâtus] 수도원장의 직·직위·관구 ; (산베니또 파에서는) 승원(僧院).

priorato[2] *m.* 까딸루냐산의 유명한 적포도주.

priorazgo *m.* =**priorato.**

priori (a) *adv. lat.* =**a priori.**

prioridad *f.* 우선함, 앞섬 ; 상석(上席) ; 우선권 : valores de ~ 우선주(優先株).

prioste *m.* 종교 단체(cofradía)의 이사.

prisa *f.* ① 서두름, 조급함, 급함 ; 신속함(prontitud, rapidez) : Hágalo con muhca prisa 황급히 그것을 하시오. No hay ~ de terminar este trabajo 이 일을 끝마치는 것은 급하지 않다. ② [드뭄] 싸움(riña, pelea).

a·de **~** 서둘러, 급하게 (aprisa, aceleradamente) : Ella siempre anda *de* ~ 그녀는 항상 급하게 걷는다.

a toda **~** 황급히 : Hágalo *a toda* ~ 황급히 그 일을 하십시오.

correr **~** 서두르다, 긴급을 요하다 : Esta obra no *corre* ~ 이 일은 긴급을 요하지 않는다.

dar **~** 서둘게 하다, 재촉하다, 몰아대다, 긴급을 요하다.

darse **~** 서두르다 : *Date* ~ 서둘러라. No *te des* ~ 서두르지 마라. *Dése* ~ 서두르십시오. No *se dé* ~ 서두르지 마십시오. *Daos* ~ 너희들 서둘러라. No *os deis* ~ 너희들 서두르지 마라. *Démonos* ~ 서두릅시다. No *nos demos* ~ 서두르지 맙시다.

estar de **~** 급하다, 서두르고 있다 : *Estoy* de ~ 나는 급하다.

meter de **~** 서둘게 하다.

tener **~** 서둘다, 급하다 : *Tengo* mucha ~ 나는 무척 급하다.

priscal *m.* 들 가운데 있는 목사(牧舍).

priscilianismo *m.* 쁘리스실리아노교 《4세기 서반아의 Prisciliano가 창시한 한 교파》.

priscilianista *adj.m.f.* =**prisciliano.**

prisciliano, na *adj.m.f.* 쁘리스실리아노 교도(의).

prisco *m.* 복숭아(abridero).

prisión *f.* ① 체포. ② 금고형 ; 감옥, 형무소 : reducir a ~ 투옥하다. ③ 포승, 오랏줄, 수갑, 족쇄. ④ 묶는 것 ; 배의 발 묶는 끈. ⑤ 속박(하는 일) : las ~*es* del amor.

~ *de estado* 국사범 형무소. **~ *mayor*** 장기 금고형 《6년에서 12년까지》. **~ *menor*** 단기 금고형 《6개월에서 6년까지》. **~ *preventiva*** 미결감 ; 예비 검속.

prisionero, ra *m.f.* ① 포로 : ~ de guerra 전쟁포로. ② 죄수 : ~ político 정치범. ③ 애정·열정의 포로 : ~ de un amor·del vicio.

prisma *m.* [*lat.* prisma] 【결정】 기둥, 각주(角柱), 모난 기둥 ; 프리즘 : Ella siempre ve las cosas a través del ~ de la pasión 그녀는 항상 색안경으로 사물을 본다.

prismático, ca *adj.* 각주형(角柱形)의 ; 삼능형(三稜形)의 ; 프리즘의 : anteojos ~*s* 프리즘 쌍안경. —*m.pl.* 프리즘, 쌍안경 : ~ de teatro 오

페라 글라스.

prismatizar *tr.* 《*Neol.*》 =**irisar.**

priste *m.* 【어류】 톱상어(pez sierra).

prístino, na *adj.* ① 본래의, 옛날의, 낡은, 옛날 그대로의, 원시의, 케케묵은(primitivo). ② 【속어】 순수한, 비할 데 없는.

pristiño *m.* 《*Ecuad.*》 =**prestiño, pestiño.**

priv. privilegio.

privación *f.* ① 상실 : ~ de la vista 시력 상실. ② (권리 등의) 박탈, 면직 : ~ de libertad 금고형. ③ 결핍, 궁핍. ④ 부자유 : sufrir ~*es* 여러 가지로 애먹다, 부자유스런 생활을 하다. soportar ~*es* 부자유스런 생활을 참다.

privada *f.* ① 변소. ② (마루나 길바닥에 말라 붙은) 똥·토한 것 (등). ③ 《*Méx.*》 좁은 거리.

privadamente *adv.* 살그머니 ; 사사로이, 내밀히, 개인적으로, 사적으로.

privadero *m.* 하수도 인부(pocero).

privado, da *adj.* [privar의 *p.p.*] ① 사적(私的)인, 사용(私用)의, 개인적인, 일개인의(particular) : carta ~*da* 사신. ② 사사로운 : secretario ~ 개인 비서. Los cuartos están dotados de baño ~ 방에는 개인용 욕실이 비치되어 있다. Los resolvieron en ~ 그들은 그것들을 사적으로 해결했다. ③ 은밀한, 비공식의 : conferencia ~*da* 비공식 회담. ④ [+de : …을] 정신을 잃은, 실신한. —*m.f.* ① 측근자 ; 총애 받는 사람. ② 【방언】 주정뱅이(borracho). ③ 《*Amér.*》 미치광이(loco).

privador, ra *adj.* 《*Chile.*》 편애하는.

privanza *f.* 총애, 애호.

privar *tr.* [*lat.* privare] ① [+de : …을] 빼앗다, 박탈하다(despojar) : Le *privaron de* sus derechos 그는 권리를 박탈당했다. El golpe le *privó de* la vista 타격이 그의 시력을 잃게 했다. ② 파면하다 : La *privaron* a Carmen *de* la secretaría 까르멘에게 비서직을 그만두게 했다. ③ 금하다(prohibir) : Le *privaron del* paseo al preso 그 죄수는 산책하는 것을 금지당했다. El médio le *privó* el fumar 의사는 그에게 담배피우는 것을 금했다.

—*intr.* ① 총애를 받다 : ~ *con* uno 누구에게 특별히 사랑받고 있다. ② 인기를 얻다 : Esta moda es la que *priva* 이것이 인기있는 유행이다. ③ 무척 좋아하다(gustar mucho) : Me *privan* las películas del Oeste 나는 서부 영화를 무척 좋아한다.

~se ① [+de : …을] 사양하다, 그만두다, 중지하다, 폐지하다 : ~*se de* fumar 담배를 끊다. ② 감각을 잃다.

privat docent *m.* (독일의 어떤 대학에서의) 무료 교수.

privatista *m.f.* 사법 학자(私法學者).

privativamente *adv.* 다른 것을 제쳐 놓고 ; 혼자, 다만, 오직.

privativo, va *adj.* ① 부정(否定)의, 배타적인. ② 독특한, 특유의, 특색적인 (peculiar) : manjares ~*vos.*

privatización *f.* 사유화

privatizar *tr.* 사유화하다.

privelo *m.* 【은어】 빨대.

privilegiadamente *adv.* 특별하게, 특권·특전을 가지고 ; 우선적으로, 우대하여.

privilegiado, da *adj.m.f.* [privilegiar의 *p.p.*] 특권·특전을 가진 (사람) ; 우선적인 : crédito ~ 담보부 신용장. títulos ~*s* 우선주(優先株).

privilegiar *tr.* ⑪ (…에) 특전·특권을 부여하다.

privilegiativo, va *adj.* 특권의·있는.

privilegio *m.* [*lat.* privilegium] ① 특권, 특전(ventaja exclusiva) : obtenter un ~. ② 우선. ③ 특허(권) : ~ de invención 특허권. La razón es uno de los ~*s* del hombre 이성은 인간의 특권 중의 하나이다. ④ 우선 변제권.

privón, na *adj.* 《*SDgo.*》 총애하는, 마음에 들어하는 ; 편드는, 역성드는.

pro[1] *m.f. lat.* ① 찬성(론) ; 찬성 투표 ; 찬성자. ② 유익, 유용(provecho) : hombre de ~ 훌륭한 사람.

en ~ =en favor.

en ~ *de* …을 위해 : trabajar *en* ~ *de*l bien del país.

el ~ *y el contra* 찬부(贊否), 가부(可否).

en ~ *y en contra* 찬부양쪽에, 양쪽에

¡ buena ~ *!* 어서 많이 드십시오 《식사 중인 사람에게 인사말》.

¡ Buena ~ *le haga*! 어서 많이 드십시오..

pro[2] *prep. lat.* ① …을 위한 ; …에 따라 : ~ forma 형식상, 형식을 위한. una manifestación ~ judíos 유태인을 지키기 위한 데모. ② 【상업】 견적의, 가(假) … : factura ~ forma 견적 송장.

~ *hac vice* 이번만, 이 경우에만. ~ *patria* 조국을 위하여. ~ *rata* 비례하여 ; 비례한. ~ *re nata* 임기(臨機)로 ; 임기로. ~ *tanto* 그 정도까지. ~ *tempore* 일시적인, 일시적으로, 임시의, 임시로 《생략 pro tem》.

pro- *pref.* 「대신」 : *pro*nombre ; 「앞, 앞에」 : *pro*seguir ; 「공연(公然)」 ; *pro*clamar ; 「반대, 부인」 : *pro*scribir 등의 뜻을 나타내는 접두어.

proa *f.* [*lat.* prora] ① 이물, 선수, 뱃머리, 함수(艦首)(parte delantera del barco). ② (비행기의) 기수(機首). **Contr.** popa.

castillo de ~ 앞 갑판, 선수루(船首樓).

proal *adj.* 뱃머리의, 이물의 ; 기구(機構)의.

proárabe *adj.* 친 아랍의.

probabilidad *f.* ① 있을 법한 일, 그럴싸한 일, 전망, 가능성, 가망성 ; 확실성. ② 【수학】 확률, 공산(cálculo de ~*es*). ③ 【철학】 개연성(蓋然性).

~ *de una pérdida·un daño* 손실의 확률. ~ *estadística·matemática* 통계적·수학적 확률. ~*es de vida* 평균 여명.

probabilismo *m.* 【신학】 개연설.

probabilista *adj.* 개연론, 개연설의. —*m.f.* 개연론자.

probable *adj.* [*lat.* probabilis] ① 있을 법한, 가능성 있는, 일어날 수 있는, 그럴싸한 : opinión ~ 그럴싸한 견해. acontecimiento ~ 일어날 수 있는 사건. Es ~ que venga 그는 올지도 모른다. ② 개연적인. **Contr.** improbable.

probablemente *adv.* 아마도, 필경(quizá, quizás, tal vez, acaso) : *P*- tengas razón 아마도 네 말이 맞을 지도 몰라.

probación *f.* ① 시험, 입증 ; 증거(prueba). ② (종교적인) 시련.

probado, da *adj.* [probar의 *p.p.*] ① 시험 필의,

분명한 : Es remedio ～. ② 수많은 시험·시련을 겪어 온. ③ 보증의 : crédito ～ 은행 보증 신용장.

probador, ra *adj.m.f.* 시도·시험하는 (사람), 검정하는 사람. —*m.* (양복점 등의) 가봉실.

probadura *f.* 시식, 시음, 맛보기.

probanza *f.* (법 질차에 의한) 증거를 내세우기, 증거 조사, 증거품·물건·자료.

probar *tr.* ㉔ [*lat.* probare] ① 시험해 보다, 시도하다 : ～ el valor 용기를 시험해 보다. ～ un vestido ordenado 주문복을 입어 보다. ② 증명하다, 증거를 대다, 입증하다 : El *probó* su inocencia 그는 자신의 무죄를 입증했다. ④ 시식·시음하다 : *Pruebe* usted esta fruta 이 과실을 먹어 보십시오. —*intr.* ① [+a+*inf.* : …을] 시험삼아 해보다, 시험·시도해 보다(intentar) : El enfermo *probó a* levantarse 환자는 일어날려고 했다. ② [+de : …을] 시식하다, 시음하다 : ～ *de* todo 무엇이나 먹어 보다. ③ [+bien·mal] 적합하다·적합하지 않다(sentar) : No me *prueba* bien el vino 포도주는 나에게 맞지 않는다. Le *prueba* bien el clima de montaña 산의 기후(공기)는 그에게는 잘 맞는다.

probática *adj.* *Piscina* ～ 예루살렘에 있던 희생으로 바치는 동물을 깨끗이 씻는 못.

probatoria *f.* 유예 기간.

probatorio, ria *adj.* 증거의, 증거를 내세우는 ; 시험 중의.

probatura *f.* ① 시험, 시도. ② 시식, 맛보기, 시음.

probeta *f.* ① 시험관 : ～ graduada 유리로 된 계량기. ② 압력계, 수압계 ; 화약 시험기 ; 사진의 현상 접시 ; (총포의) 폭압계.

probidad *f.* 성실, 곧음, 강직, 강직성 (rectitud, integridad) : La ～ es la regla de nuestros actos. **Contr.** improbidad.

próbido, da *adj.* =**probo.**

problema *m.* [*gr.* problêma] ① 문제 : Antes que todo tengo que resolver ese ～ 무엇보다 먼저 나는 그 문제를 해결하지 않으면 안된다. ② 난제(難題) : Tengo un gran ～ 나는 대단히 어려운 처지에 놓여 있다.

～ ***de desarrollo*** 개발 계획·문제. ～ ***de desempleo*** 실업 문제. ～ ***de (la) vivienda*** 주택 문제. ～ ***de mares territoriales*** 영해 문제. ～ ***de población*** 인구 문제. ～ ***de vivienda en las ciudades*** 도시 주택 문제. ～ ***del agro*** 농지 문제. ～ ***económico*** 경제 문제. ～ ***futuro*** 금후의 과제. ～ ***obrero*** 노동 문제. ～ ***pendiente*** 당면의 현안. ～ ***sobre la inversión extranjera*** 외자 문제.

problemáticamente *adv.* 의심스러워, 미심쩍어, 수상쩍어 ; 까다롭게 ; 가망없이.

problemático, ca *adj.* ① 문제의 ; 까다로운, 의심스러운, 미심쩍은, 수상쩍은(dudoso). ② 가망없는, 미정의 : ～ *por·para* resolver 해결 가망이 없는, 해결이 안된. **Contr.** seguro. —*f.* [추상·집합] 문제, 문제성.

problematismo *m.* 문제 의식, 의심스러운 것.

probo, ba *adj.* 정직한, 성실한, 곧은, 강직한 ; 공평한.

probóscide *f.* 【곤충】 주둥이, 부리 ; (코끼리 등의) 코.

proboscidio *adj.* 【동물】 장비류(長鼻類)의. —*m.* 장비류의 동물 《코끼리 등》.

proc. procesión.

procacidad *f.* 낯가죽이 두꺼움, 파렴치, 철면피, 뻔뻔스러움, 오만 불손, 교만, 거만스러움 (desvergüenza, insolencia).

procaz *adj.* 파렴치한, 낯가죽이 두꺼운, 뻔뻔스러운, 거만스러운(insolente, desvergonzado).

procedencia *f.* ① 기원, 출처, 원산지(origen) : país de ～ 원산지(국). ② 출신 성분. ③ (교통 기관의) 출발점, 출범 항구, 전(前) 기항지, 출국, 발역, …발(發) : ¿Cuál fue su lugar de ～? 전 숙박지는 어디였습니까? 《호텔에서 묻는 표현》. ④ (청원 등의) 근거.

procedente *adj.* ① [+de : …에서] 나온 ; …발(發)의 ; 유래한, 근거한. ② 까닭·이유가 있는 : una demanda ～.

proceder[1] *intr.* [*lat.* procedere] ① [+de : …에서] 비롯되다, 생기다, 나오다, 시작되다, 유래하다 (originarse) : ¿*De* dónde *proceden* sus padres? 당신의 부모님은 출신지가 어디입니까? El barco *procede de* Valparaíso 그 배는 발빠라이소를 출항지로 하고 있다. Su enfermedad *procedía de* la mala alimentación 그의 병은 영양 부족에서 왔다. ② (법·권리 등에) 근거를 두고 있다, 근거가 있다 : Tu instancia no *procede.* ③ [+bien·mal] 멋지게·서툴게 하다 ; 거동하다 (portarse), 행동·처치하다 : Mi amigo *procede con·sin* acuerdo. ④ [+a : 어떤 행동으로] 옮기다, 착수하다, 시작하다 : Se *procedió* *a*l acto solemne. ⑤ 계속하다, 계속되고 있다 : ～ *en* su empeño 아직도 단념하지 못하고 있다. ～ en infinito 한없이 계속되다. ⑥ 열(列)을 짓다 : Los soldados *procedieron a* tres de fondo 병사들은 삼열 종대로 열을 지었다. ⑦ 수속을 밟다 : Las partes acordaron ～ *a* registrar legalmente 양측은 합법적으로 등기 수속을 취하기로 합의함. *Procedemos a* abonarles en su cuenta 귀하의 계정으로 입금 수속을 취하겠습니다. ～ *a*l embargo 차압 수속을 취하다. ⑧ [+contra : …에 대해] 소송을 제기하다 : ～ *contra* su amigo.

proceder[2] *m.* 거동, 하는 행동·짓, 행동 ; 처리 : Ese hombre obró con hipócrita ～ 그 사람은 위선적인 행동을 했다.

procedimiento *m.* ① 행동. ② 방법, 순서 : Su ～ de enseñanza es muy buena 그의 교육 방법은 매우 훌륭하다. ③ 조치, 처치, 처리. ④ 소송(수속) : ～ costoso.

～ ***administrativo de ejecución*** 행정상의 압류 수속. ～ ***conciliatorio*** 고정 처리 수속. ～ ***de auditoría*** 감사 수속. ～ ***de concesión*** 입찰 수속. ～ ***de distribución*** 판매 수속. ～ ***de exportación*** 수출 수속. ～ ***de fabricación*** 제조 공정. ～ ***de importación*** 수입 수속. ～ ***de quiebra*** 파산 조치. ～ ***de reparto*** 분배 처분. ～ ***ejecutivo*** 집행 수속. ～ ***impositivo*** 과세 수속. ～ ***legal*** 법적 조치.

procela *f.* 【시어】 태풍(borrasca, tempestad).

proceloso, sa *adj.* 비바람이 불듯한, 태풍을 안은(borrascoso).

prócer *adj.* [*lat.* procer] [드뭄] =**alto.** —*m.* 요인(要人), 대관(大官), 거물 ; 대공(大公) ; 독립 유공자, 애국 지사.

procerato *m.* 고관 대작.
proceridad *f.* 높인 일, 빼어남 ; 무럭무럭 성장함.
procero, ra *adj.* 높은, 빼어난.
prócero, ra *adj.* =**procero.**
proceroso, sa *adj.* 체격이 당당한, 훌륭한.
procesado, da *adj.* 소송의 ; 고소당한. —*m.f.* 피고.
procesal *adj.* 소송의 : Le condenaron a·en costas ~*es* 그는 소송 비용의 부담을 언도받았다.
procesamiento *m.* 기소(起訴), 소송.
procesar *tr.* ① 소송하다. ② 기소하다, 제소하다. ③ 취조하다 : Le *procesaron por* ladrón.
procesión *f.* [*lat.* processio] ① 행렬, 왕의 행차 : La gente va en ~ 사람들이 행렬을 지어 간다. ② 열(列)(hilera). ③ 시작, 착수, 개시 ; 진행, 전진. ④ (의식·종교 행사의) 행진, 행렬 : ¿Quiere explicarme el significado de esa ~ que va por la calle? 거리를 가는 저 행렬의 의미를 설명해 주시겠습니까? ⑤ (신과 그리스도에서 비롯된다고 하는) 성령의 나타남.
andar·ir por dentro de la ~ 얼굴에 나타내지 않고 괴로워하다.
No se puede repicar y andar en la ~ 【속담】 완전히 다른 두 가지 일을 동시에 할 수는 없다.
procesional *adj.* 행렬(용)의, 줄을 이룬.
procesionalmente *adv.* 줄을 이루어 : adelantar ~.
procesionaria *f.* (송백 따위를 해치는 일반적으로) 모충(毛虫), 송충이.
procesionario *adj.m.* 행렬 찬미가집(의).
proceso *m.* [*lat.* procesus] ① 고소, 기소, 소송 : 일건 서류(一件書類) ; 피고 소환(영)장 ; 소송 수속. ② 【의학·생물】 돌기, 융기. ③ 시간의 흐름, 경과 ; 추이(推移). ④ 《*Galic.*》 공정, 방법, 처리 : ~ químico. ⑤ [드뭄] 진행, 진보(progreso) : ~ en infinito 무한히 계속되는 것. ⑥ 전진.
~ *de fabricación* 제조 공정. ~ *de información* (전자 계산기의) 테마 처리. ~ *de integración* 통합 과정. ~ *de obtención de datos* 정보 처리. ~ *económico* 경제 과정. ~ *estocástico puro* 순확률 과정.
procidencia *f.* =**prolapso.**
proclama *f.* 공시(公示) ; 포고, 선언 ; 훈시. —*pl.* (교회에서 행해지는) 결혼의 예고 : correr las ~*s* 결혼을 예고·널리 알리다.
proclamación *f.* [*lat.* proclamatio] 포고 ; (법령의) 공포, 발표, 발포, 선언 ; 환호, 갈채.
proclamar *tr.* [*lat.* proclamare] ① 큰 소리로 알리다. ② 포고·공포·선언하다 (declarar) : En aquel mismo año se *proclamó* la independencia 바로 그 해에 독립이 선언되었다. ③ 환호·칭찬하다(aclamar).
~se 취임·즉위를 선포하다.
proclisis *f.* 【문법】 단음절어와 다음 말과의 결합, 이어서 읽음 《*la* casa, *mi* padre, *en* tren 등》.
proclítico, ca *adj.* 【문법】 단음절에서 다음 말과 결합하여 발음되는 강세가 없는 (말 : 주로 관사, 소유 형용사, 전치사 등).
proclive *adj.* (주로 나쁜 것에의) 경향이 있는.
proclividad *f.* (주로 나쁜 것에의) 경향, 성벽, 버릇, 취향, 기질.
procomún *m.* [드뭄] 공익(公益).
procomunal *m.* =**procomún.**
procomunista *adj.m.f.* 용공적 (사람), 친공산군·당의 (사람).
procónsul *m.* (고대 로마의) 지방·식민지 총독.
proconsulado *m.* procónsul의 직·재임기.
proconsular *adj.* 총독 (관하)의 : autoridad ~.
procreación *f.* 출생 ; 생식, 번식.
procreador, ra *adj.* 출생하는, 생식의.
procreante *adj.* =**procreador.**
procrear *tr.* 낳다, 산출하다, 생산하다, 생식하다(engendrar, dar nacimiento).
proctitis *f.* 【의학】 항문염(inflamación del ano).
proctología *f.* 【의학】 항문학, 직장학(直腸學).
proctólogo, ga *m.f.* proctología 전문 의사.
procura *f.* ① 대리권. ② 노력. ③ 《*Amér.*》 구함, 모금, 조달 : ir en ~ de algo.
procuración *f.* [*lat.* procuratio] ① 노력, 마련. ② 대표, 대리(권) : por ~ 대리로(por poder). ③ 출납부. ④ 위임장.
procurador, ra *adj.* 노력하는 ; 대리하는. —*m.f.* ① 대리인, 대행자 : Le nombraron ~ 그는 대리인으로 임명되었다. ② 검사 : ~ general 법무 장관, 검찰 총장. ~ público 검사. ③ 회계 담당자.
~ *de pobres* 주책바가지.
procuradora *f.* (사원의) 재정 담당 수녀.
procuraduría *f.* procurador의 직·사무소.
P- Fiscal 《*Méx.*》 재무 대리 사무국.
procurante *adj.* 애쓰는, 노력하는.
procurar *tr.* [*lat.* procurare] ① 애쓰다, 노력하다. ② [+*inf.*] …하려 하다 : ~ apoderarse del sitio 기를 쓰고 장소를 얻고자 하다. *Procuraré* llegar a tiempo 나는 제시간에 도착할려고 노력했다. ③ 가져오게 하다, 얻게 하다(ocasionar) : Ese niño sólo me *procura* satisfacciones 그 아이는 그저 나를 기쁘게 해 줄 뿐입니다. Esta carrera me *procurará* buenas ingresos 이 직업 (경력)은 나에게 좋은 수입을 가져다 줄 것이다. ④ 대리·대행하다 : *Procuro* las casas de mi tío 나는 숙부네 집의 농사를 맡아서 보아 드리고 있다.
~se (자산을 위해) (돈) 마련을 하다.
procurrente *m.* (이탈리아 같은) 큰 반도.
prodición *f.* [드뭄] 배반, 배신(traición).
prodigación *f.* 낭비 ; 탕진.
prodigalidad *f.* [*lat.* prodigalitas] ① 낭비, 허비, 방탕 (derroche, gasto excesivo) : arruinado por sus ~*es.* ② 풍부, 풍족, 많음, 다수 (abundancia o multitud). **Contr.** economía.
pródigamente *adv.* 듬뿍, 풍부하게, 푸짐하게.
prodigar *tr.* ⑧ 낭비하다 ; 푸짐하게 주다·내다 ; (재산을) 탕진하다, 무턱대고 뿌리고 다니다 : ~ elogios.
prodigio *m.* [*lat.* prodigium] ① 불가사의, 경이 (적인 일·것)(maravilla) : un ~ del arte 예술의 불가사의 ② 기적 (milagro) : La ciencia realiza hoy verdaderos ~*s* 오늘날 과학은 진정

한 기적을 행하고 있다. Su curación fue un ~ 그의 치료는 기적이었다. ③ 천재(天才). ④ 장관(壯觀).

prodigiosamente *adv.* 놀라울만큼, 훌륭하게 : ser ~ rico.

prodigiosidad *f.* 불가사의, 경이.

prodigioso, sa *adj.* ① 불가사의한, 경이적인 (maravilloso, extraordinario) : un hecho ~. ② 멋진, 훌륭한, 뛰어난(excelente). ③ 완벽한, 완전한(perfecto).

pródigo, ga *adj.* ① 방탕한, 낭비성의 : hijo ~ 방탕한 자식. ② (재산을) 탕진하는, 물건을 아끼지 않는, 대담한, 과대한 (generoso) : ~ *de* · *en* ofertas. —*m.f.* 방탕한 사람. Contr. avaro, cicatero, miserable.

prodrómico, ca *adj.* 병증세가 있는.

pródromo *m.* [*gr.* prodromos] 【의학】 병증세, 징후.

producción *f.* [*lat.* productio] ① 생산 (고·액·율), 산출 ; 제작. ② 산물(産物), 생산물, 제작물, 저작물, 작품 : ~ literaria 문학 작품. ③ 《*Amér.*》 연장(延長)(prolongación). ④ 제출. ~ ***agrícola*** 농업 생산(물). ~ ***anual*** 연산(年産). ~ ***azucarera*** 설탕 생산. ~ ***bruta*** 총생산고, 총산출고. ~ ***de azúcar*** 설탕 생산. ~ ***de carbón*** 석탄 산출. ~ ***de carnes*** 식육 생산. ~ ***de cobre*** 동생산. ~ ***de energía eléctrica*** 전력 생산. ~ ***de oro*** 금생산. ~ ***de petróleo*** 산유, 석유의 산출. ~ ***deficitaria*** 과소 생산, 생산 부족. ~ ***diaria*** 일산(日産). ~ ***en cinta continua*** 콘베이어 (시스템)에 의한 생산. ~ ***en masa*** · ***en gran escala*** · ***en grandes cantidades*** 양산(量産), 대량생산. ~ ***individual*** 개별 생산. ~ ***industrial*** 공업 생산(액). ~ ***insuficiente*** 과소 생산, 생산 부족. ~ ***mensual*** 월산(月産). ~ ***minera y manufacturera*** 광공업 생산. ~ ***nacional*** 국산(품). ~ ***neta*** 순산출량. ~ ***petrolera*** · ***petrolífera*** 산유, 석유의 산출. ~ ***por encargo especial*** 개별 생산. ~ ***por hombre - hora*** 1인 1시간의 생산량. ~ ***primaria*** 제일차 생산.

producibilidad *f.* 생산성, 생산력.

producible *adj.* 생산할 수 있는 ; 보일 수 있는.

producido *m.* 【속어】 =**producto.**

producido, da *adj.* [producir의 *p.p.*] 생산된 ; 제작된.

produciente *adj.* 생산하는, 제작하는.

producir *tr.* 71 [*lat.* producere] ① 생산하다, 만들어 내다, 낳다 ; 제작하다, 만들다 : El arte *produce* maravillas 예술은 기적을 낳는다. Colombia *produce* mucho café 콜롬비아는 커피를 많이 생산한다. ② 여물게 하다, (이익 등을) 얻다(hacer ganar, dar benefecio) : Su negocio le *produce* mucho 그는 사업으로 많은 이익을 얻는다. ③ (감정 등을) 일게 하다, 일으키다, 느끼게 하다. ④ (이유·증거 등을) 내세우다, 개진(開陣)·제출하다. ⑤ 점수를 얻다.

~se ① 설명을 하다(explicarse, expresarse) : El orador *se produjo* en forma violenta 연사는 격렬하게 소신을 말했다. ② (사건이) 일어나다, 발생하다(tener lugar).

productividad *f.* 다산(성), 생산력, 생산성 : ~ laboral 노동 생산성. ~ marginal 한계 생산성.

productivo, va *adj.* ① 만들어내는 ; 생산적인 : capital ~ 생산 자본. ② 유리한, 득이 있는 : negocio ~. ③ 풍요한. Contr. improductivo.

producto [*lat.* productus] *adj.* =**producido.** —*m.* ① (생)산물, 제품, 국내 생산물. ② 제작물, 작품 ; 산출 ; 생산고. ③ 성과, 결과 ; 수익, 매상고. ④ 【수학】 적(積), 승적(乘積). ~ ***acabado*** 완성품. ~ ***accesorio*** 부산물. ~ ***acero semi - elaborado*** 철강 반(半)제품. ~ ***acumulado*** 미수(未收) 수익. ~ ***agrícola*** 농산물. ~ ***alimenticio*** 식료품. ~ ***animal*** 동물성 산물. ~ ***básico*** 중요 산물, 주요 상품. ~ ***bruto*** 총매상고·금. ~ ***bruto nacional*** 국민 총생산. ~ ***capital*** 자본재(財). ~ ***de desecho*** 노폐물. ~ ***de la explotación*** 영업 수입·이익·수익·소득. ~ ***de las ventas*** 판매·매상 금액. ~ ***de primera necesidad*** 생활 필수품. ~ ***de uso general*** 주요상품. ~ ***del campo*** 농산물. ~ ***del capital*** 자본에서의 수익. ~ ***del descuento*** 할인 수익. ~ ***del país*** 국내 생산물. ~ ***doméstico*** 국산품, 국내 제품. ~ ***elaborado*** 제품 ; 가공품, 완성품. ~ ***en (curso de) elaboración*** 제작 과정의 제품. ~ ***extranjero*** 외국제, 외국 생산물. ~ ***final*** 최종 제품. ~ ***ganadero*** 축산물. ~ ***industrial*** 공업 제품. ~ ***interno bruto*** 역내(域內) 총생산. ~ ***lácteo*** 낙농 제품. ~ ***licenciado*** 실시 허락 제품. ~ ***líquido*** 정미 매상고. ~ ***manufacturado*** 공업 제품. ~ ***nacional*** 국민 생산, 국산품, 국내 제품. ~ ***nacional bruto*** 국민 총생산, GNP. ~ ***nacional neto*** 국민 총생산, 순국민 생산물. ~ ***neto*** 정미 매상고. ~ ***neto de las ventas*** 매상 순익. ~ ***perecedero*** 비내구재(非耐久財). ~ ***primario*** 주요 상품·생산물, (제)1차 산품. ~ ***principio*** 주요 상품. ~ ***semiacabado*** · ***semimanufacturado*** · ***semiterminado*** 반제품. ~ ***simultáneo*** 결합 생산물. ~ ***sucedáneo*** 대용품. ~ ***terminado*** 완성품. ~ ***total*** 총생산물. ~ ***transformado*** 가공품.

productor, ra *adj.* 생산하는, 제작하는 ; 생산의 : casa ~*ra* 생산 회사. los países ~*es* de petróleo 석유 생산국들. —*m.f.* ① 생산자, 제작자, 제조업자, 공원 : El consumidor enriquece al ~ 소비자는 생산을 풍요롭게 한다. ② (경기의) 득점자.

~ ***de artículos de inversión*** 투자재 생산 업자.

productriz *adj.* 【속어】 =**productora.**

produj-, produzc- →**producir** 71.

proejar *intr.* 물줄기나 바람을 거슬러 배를 젓다 (remar contra la corriente o el viento).

proel *adj.* 이물·뱃머리의. —*m.* 뱃사공, 뱃머리에서 노를 젓는 사람.

proemial *adj.* 머리말·서언·서문의.

proemio *m.* [*lat.* proemium] 머리말, 서문, 서언 (prólogo, prefacio).

proeza *f.* 공로, 용감함, 장거(壯擧), 위업(偉業) : leer las ~*s* fabulosas.

prof. profesión ; profesor 교수 ; profeta 예언자.

profanación *f.* 독신(瀆神), 불경, (신성) 모독 ; 난용.

profanador, ra *adj.m.f.* 모독하는 (사람).

profanamente *adv.* 불경하게, 신을 두려워 않고.

profanamiento *m.* =**profanación.**

profanar *tr.* [*lat.* profanare] ① (신성한 것을) 더럽히다 : Los paganos *profanaron* los vasos sagrados 이교도들은 성기(聖器)를 더럽혔다. ② 남용하다 : El *profanaba* su talento 그는 그의 재능을 남용하고 있었다.

frofanidad *f.* 불경, 신성 모독 ; 남용.

profano, na *adj.* ① 불경한, 믿음이 없는. ② 품위없는, 꼴이 사나운. ③ 카톨릭교가 아닌 ; 세속의, 세속적인 ; 민간의. ④ (어떤 일에) 경험이 없는, 아마추어의. —*m.f.* 비전문가, 초심자, 풋내기, 문외한, 국외자(局外者).

profazar *tr.* =**abominar, hablar mal.**

profecía *f.* ① 예언. ② 【성경】 예언서.

profecticio, cia *adj.* 부모로부터 물려받은 (재산 등).

proferente *adj.* 말하는, 지껄이는.

proferir *tr.* 54 말하다, 지껄이다 (pronunciar) : ~ injurias.

profesante *adj.* 행하는, 영업하는 ; 가르치는, 교수하는 ; 신봉하는.

profesar *tr.* ① (과학 · 기술 연구를) 업으로 삼다, 영위하다, 행하다, 영업하다 : ~ medicina 의사를 개업하다. ② 교수하다. ③ 신봉하다, 신조로 삼다 : ~ un principio 주의를 신봉하다. ~ comunismo 공산주의를 신봉하다. ④ 믿다. ⑤ (애정 등을) 느끼고 있다, 품다 : ~ amistad · odio *a* uno (…에게) 우정 · 증오를 느끼고 있다. —*intr.* 수도를 맹세하다, 득도하다; 가르치다.

profesión *f.* ① 직(職), 직업(oficio, empleo) : ~ liberal 자유업. ~ liberal no comercial 《*Perú.*》 비상업적 자유업. ~ lucrativa 영리적 직업. ② 공언, 고백 : ~ de fe 신앙 고백.
de ~ 직업적인, 본직의, 프로의(por oficio) : jugador ***de*** ~ 직업 선수, 프로 선수.
hacer ~ ***de*** (…을) 자만하다, 으시대다, 뽐내다, 과시하다(vanagloriarse).

profesional *adj.* ① 직업(상)의 : enfermedad ~ 직업병. enseñanza ~ 직업 교육. escuela ~ 직업 학교. jugador ~ 프로 선수. luchador ~ 직업 레슬링 선수. El gobierno debe fomentar la enseñanza ~ 정부는 직업 (전문) 교육을 육성해야 한다. ② 본직의, 전문의. —*m.f.* ① 본직 · 직업적인 사람, 숙련자, 전문가 : un ~ del periodismo. ② 프로 선수 : un ~ de fútbol.

profesionalidad *f.* 전문성, 직업 근성.

profesionalismo *m.* 《*Neol.*》 같은 직업을 가진 사람들의 결합 ; 전문가 기질; 프로 선수의 팬.

profesionalización *f.* 전문화, 직업화,

profesionalizar *tr.* 전문화하다, 직업화하다.

profesionalmente *adv.* 직업적으로.

profesionista *m.f.* 《*Méx.*》 전문가.

profeso, sa *adj.* 서원(誓願)한. —*m.f.* 서원 수사 · 수녀 ; 도를 깨우친 사람.

profesor, ra [*lat.* professor] *m.f.* 교수 ; 교사, 선생 : ~ agregado 조교수. ~ honorario 명예 교수. ~ numerario · titular 전임 교수. ~ de matemáticas 수학 교수.

profesorado *m.* ① 교수 · 교사직 : El pertenece al ~ superior 그는 상급 교수직에 속해 있다. ② 교수 · 교사단.

profesoral *adj.* 《*Neol.*》 교수다운, 교사 같은 : tono ~.

profeta *m.* [*gr.* prohêtês] 예언자, 신의 뜻을 알리는 사람 ; 사전에 아는 사람.
el P- 마호멧. ***el Rey P-*** 다윗왕.

profetal *adj.* =**profético.**

profetastro *m.* 엉터리 예언자.

proféticamente *adv.* 예언하듯이, 예언자처럼 : hablar ~ 예언자처럼 말하다.

profético, ca *adj.* 예언의, 예언적인, 예언자 같은 : emplear un lenguaje ~.

profetisa *f.* 여자 예언자.

profetismo *m.* 예언하는 경향.

profetizador, ra *adj.m.f.* 예언하는 (사람) ; 예언적인.

profetizante *adj.m.f.* =**profetizador.**

profetizar *tr.* 9 ① 예언하다, 예보하다 : El anciano *profetizó* lluvia 그 노인은 비를 예언했다. Sinón. predecir. ② 억측하다.

proficiente *adj.* 숙달된, 향상된.

proficuo, cua *adj.* [드묾] =**provechoso, útil.**

profiláctica *f.* 위생, 위생학(higiene).

profiláctico, ca *adj.* ① 위생의, 위생상의. ② 예방의 (preservativo) : Se decretaron medidas ~*cas* contra la epidemia 유행병에 대한 예방 조치가 공포되었다. —*m.* 예방제 · 혈청.

profilaxia *f.* =**profilaxis.**

profilaxis *f.* 예방(법) : ~ colectiva 집단 예방.

profir- →**proferir** 54.

pro-forma *f.* 견적 송장(factura ~).

prófugo, ga *adj.* 도망하는, 기피하는. —*m.f.* 도망범, 탈옥수 ; (징병) 기피자.

profundamente *adv.* ① 깊이, 깊게(con profundidad). ② 심하게(agudamente). ③ 마음 속으로부터(de lo íntimo del alma).

profundar *tr.* =**profundizar.**

profundidad *f.* ① 깊이 : de poca ~ 얕은. Hay poca ~ 얕다. El Río Jan tiene poca ~ 한강은 얕다. ② 세로 길이, 안의 너비. ③ 심원함. ④ (물체의) 높이 · 두께.

profundizar *tr.intr.* 9 ① 깊게 하다 : Hay que ~ el hoyo 구덩이를 더 깊게 해야 한다. ② 깊이 연구하다, 캐다 : Quiero ~ este tema 이 테마를 캐야 한다. Es necesario ~ el asunto 문제를 캐는 것이 필요하다. Mi compañero *profundiza* mucho 내 동료는 깊이 연구하고 있다.

profundo, da *adj.* [*lat.* profundus] ① 깊은 (hondo) : piscina ~*da* 깊은 수영장. poco ~ 얕은. El río es muy ~ en esta parte 강은 이 부분에서 매우 깊다. ② 깊이 들어간 ; 안이 깊숙한 : bosque ~ 깊숙한 숲. raíz ~*da* 깊이 박힌 뿌리. ③ 심원한, 함축성이 있는 pensamiento ~ 함축성이 있는 생각. ④ 심각한, 몹시 격렬한. ⑤ 마음 속으로부터의 : No sabía cómo expresar mi ~ agradecimiento 나의 심심한 감사를 어떻게 표해야 할 지 몰랐다. ⑥ 난해한, 이해하기 어려운(difícil de comprender) : enigma ~ 어려운 수수께끼. discurso ~ 난해한 연설. Contr. superficial.
—*m.* ① 깊이 : cinco metros de ~ 깊이 5미터. ② 깊은 바다. ③ 지옥.

profusamente *adv.* 푸짐하게, 아낌없이, 실컷. Contr. parcamente.

profusión *f.* ① 많음, 다량(copia). ② 아낌없음, 낭비(prodigalidad). Contr. escasez, miseria.

profuso, sa *adj.* [*lat.* profusus] ① 다량의, 막대한, 푸짐한, 많은(abundante, copioso, pródigo) : derramar sudor ～ 땀을 많이 흘리다. ② 낭비적인.

progenie *f.* [*lat.* progenies] 혈통, 자손(子孫) : la ～ de Abrahán.

progenitor *m.* [*lat.* progenitor] (직계의) 선조, 조상, 선친, 선대 ; 조부 : El se parece mucho a sus ～*es*.

progenitura *f.* [*lat.* progenitum] 자손(子孫) (descendencia), 장자권(長子權).

progimnasia *f.* 연설의 연습.

progimnasma *m.* 충분한 연습.

proglosis *f.* 혀끝(punta de la lengua).

prognatismo *m.* ① 턱이 튀어나옴. ②【생물】 튀어나온 턱.

prognato, ta *adj.* 턱이 튀어나온, 턱이 긴 : Los negros suelen ser ～*s*.

progne *f.*【시어】 제비(golondrina).

prognosis *f.*【단·복수 동형】① 예지(豫知) ; 일기 예보. ②【의학】 예후(豫後), 병후의 경과.

programa *m.* [*gr.* pro+gramma] ① 프로그램, 순서표, 예정, 예정표, 계획(표), 행사 계획 : ¿Qué ～ de la televisión le gusta más? 텔레비전의 어떤 프로그램을 가장 좋아하십니까? ¿Tiene usted el ～ del concierto? 음악회의 프로그램을 가지고 계십니까? El siguió su ～ sin variación 그는 예정을 변경하지 않고 속행했다. ¿Cuál es su ～ para mañana? 귀하의 내일 예정은? ② (대학의) 과정(課程) : ～ doctoral 박사 과정. ～ de estudios 교육 과정.

～ *a beneficio de los empleados y obreros* 종업원 복리 계획. ～ *de colonización* 토지 개척 계획. ～ *de complementación industrial* 공업 보완 계획. ～ *de construcción de centrales de energía·enérgicas* 에너지 발전소 건설 계획. ～ *de construcción de centrales de energía atómica* 원자력 발전소 건설 계획. *P- de Cooperación Técnica* 기술 협력 계획. ～ *de desarrollo energético* 에너지 개발 계획. ～ *de desarrollo multilátero* 다각적 개발 계획. ～ *de desenvolvimiento de las aéreas en vías de desarrollo* 발전 도상 지역 개발 계획. ～ *de fabricación* 제조 계획. ～ *de integración económica* 경제 통합 계획. ～ *de inversiones* 투자 지출 계획. *P- de las Naciones Unidas para el Desarrollo* 유엔 개발 계획. *P- de Mejoramiento de Tierras Agrícolas* 《*Salv.*》 농지 개량 계획. ～ *de producción* 제품 계열(系列). ～ *de producción de acero* 철강 생산 계획. ～ *de suministración por sí mismo de petróleo* 석유 자급 계획. ～ *de ventas* 판매 계획, 제품 계열. ～ *de vivienda* 주택 계획·대책. ～ *gubernamental de construcción de viviendas* 정부의 주택 건설에 관한 계획. ～ *gubernamental de desarrollo económico* 정부의 경제 개발 계획. *P- Interamericano de Estadísticas Básicas* 기초적 통계에 관한 전미(全美) 계획. *P- Interamericano de Planeamiento Urbano y Regional* 도시 및 농촌 구상에 관한 전미(全美) 계획. ～ *nacional de la vivienda* 국가 주택 계획. ～ *patrocinado* 제공·상업 프로그램. ～ *serializado que financia una casa patrocinadora* 스폰서 회사 제공의 주 5일간 연속 방송되는 15분 통속 드라마.

programable *adj.* 계획을 세울 수 있는.

programación *f.* 프로그래밍, 순서 편성, 계획 제작 : ～ a largo plazo 장기 계획. ～ económica 경제 계획. ～ lineal 선형(線型) 계획(법). ～ no lineal 비선형 계획법.

programador, ra *m.f.* 프로그램·순서 작성자. —*adj.* 프로그램을 작성하는. —*m.*【전산】 (컴퓨터의) 프로그래머.

programar *tr.* 순서를 만들다 ; 계획을 세우다 ; (컴퓨터의) 프로그램을 작성하다.

programático, ca *adj.* 순서·프로그램·계획의 ; 예정의.

progre *adj. m.f.* =**progresista.**

progresar *tr.* 진척시키다, 추진시키다. —*intr.* 진보하다, 발전하다, 진척되다, 나아지다 : España *ha progresado* mucho en los últimos años 서반아는 최근 수년에 무척 진보했다. Su español *ha progresado* mucho 당신의 서반아어는 많이 진척되었다. Aquel negocio no *ha progresado* desde entonces 그 사업은 그때부터 진척이 되지 않는다. Contr. retroceder.

progresía *f.* [집합] =**progres.**

progresión *f.* ① 전진, 진보, 발전. ② 누증(累增). ③【수학】 수열(數列), 급수(級數) : ～ aritmética 산수·등차 급수. ～ ascendiente 진가 급수. ～ descendiente 체감 급수. ～ geométrica 기하·등비 급수.

progresismo *m.* 진보·개혁주의 ; 진보당, 개혁당.

progresista *adj.m.f.* ① 진보주의의, 개혁당의 (사람) : política ～ 진보 정책.

progresivamente *adv.* ① 진보적으로, 점진적으로, 점차로 : desarrollarse ～. ② 누진적으로.

progresividad *f.* progresivo 성 : ～ del impuesto.

progresivo, va *adj.* ① 전진의 ; 진행의 : forma ～*va*. ② 진보적인 ; 누진의, 점진의 : impuesto ～ 누진 과세. número ～ 번호순. ③ 진행성의 (질병).

progreso *m.* [*lat.* progressus] ① 진보, 발전, 발달(desarrollo) : hacer ～*s* 진보하다. La instrucción favorece el ～ 교육은 진보를 도와준다. ② 숙달됨, 향상 (adelantamiento). ③ 진행 : el ～ de una enfermedad.
Contr. decadencia.

prohibente *adj.* 금지하는, 금지적인.

prohibición *f.* 금지 : El muchacho infringió la ～ 그 소년은 금지를 위반했다. ～ del trabajo infantil 유아 노동 금지. ～ de manejar productos similares 유사품 취급 금지. Contr. autorización.

prohibicionismo *m.* 금지주의·정책.

prohibicionista *adj.* 금지주의의 ; 금지적인 : medidas ～*s* 금지 조치.

prohibido, da *adj.* [prohibir의 *p.p.*] 금지된 : artículos ～*s* 금제품(禁製品). cazar en tiempo ～ 금렵기에 사냥하다. Está ～ fumar 흡연을 금함. *Prohibido* fumar 금연. Contr. permitido.

prohibir *tr.* 16 [*lat.* prohibere] 금하다(vedar) ; 막다, 저지하다(impedir) : *Se prohibe* la entrada 입장 금지. *Se prohibe* fumar 금연. *Se prohibe* comer entre horas 시간 중에 식사를 금함. *Se* *prohibe* fijar carteles 포스터 첨부를 금함. El médico me *prohibe* fumar 의사가 나에게 담배 피우는 것을 금하고 있다. El médico me *prohibe* que fume tanto 의사는 내가 이렇게 많이 담배 피우는 것을 금한다. [*N.* prohibir que 다음에는 접속법 동사를 사용한다]. Contr. autorizar.

prohibitivo, va *adj.* =**prohibitorio.**

prohibitorio, ria *adj.* 금지의, 금제의, 금지적인 : adoptar medidas *~rias.*

prohijación *f.* =**prohijamiento.**

prohijador, ra *adj.m.f.* 양자를 맞는 (사람).

prohijamiento *m.* 양자 결연 ; 양자.

prohijar *tr.* 16 ① 양자로 삼다 (adoptar) : Ellos *prohijaron* a un huérfano 그들은 어떤 고아를 양자로 삼았다. ② 찌어내다, 통째로 자기 것으로 만들다.

prohombre *m.* 보스, 우두머리, 주요 인물, 왕초.

proindivisión *f.* (재산 등의) 불가분성.

proindiviso *adv. lat.* 불가분으로.

proís *m.* (선창의) 배를 매는 기둥·돌·밧줄. Contr. noray.

proíz *m.* =**proís.**

prójima *f.* 이래도 흥 저래도 흥하는 여자.

prójimo *m.* [*lat.* proximus] ① 다른 사람, 타인, 이웃 사람(semejante) ; 한 겨레, 동포. ② 인물, 작자, 놈(sujeto) : ¿Quién es ese ~?

no tener ~ 냉혹하다, 매정하다.

pról. prólogo.

prolación *f.* proferir하는 일.

prolapso *m.* [*lat.* prolapsus] 【의학】 (자궁·곧은 창자 등의) 탈출, 탈수, 탈장 : ~ del riñón.

prole *f.* [*lat.* proles] [집합] 아이들 ; 자손 : Tiene numerosa ~.

prolegómenos *m.pl.* [*gr.* prolegomena] 작품의 머리말.

prolepsis *f.* [*gr.* prolepsis] 【단·복수 동형】 (반대를 예상해서 예방적으로 반론을 해두는) 예변법(豫變法)(anticipación).

proletariado *m.* 《*Neol.*》 무산·노동(자) 계급 : ~ intelectual 지적 노동(자) 계급.

proletarianismo *m.* 무산자 운동·정치.

proletario, ria *adj.* 무산(無產)의, 노동 계급의 ; 평민의, 하층 계급의(plebeyo) : costumbre *~ria.* **—***m.f.* 무산·노동·하층 계급자, 프롤레타리아, 무산자 ; 고대 로마의 천민, 평민.

proletarización *f.* proletario화.

proletarizar *tr.* proletario 상태로 화하다 : una sociedad *proletarizada* 무산 사회.

proliferación *f.* 《*Neol.*》 【생물】 세포의 증식, 번식, 분포 ; 격증, 급증.

proliferante *adj.* 증식하는, 증식성의.

proliferar *intr.* 《*Neol.*》 =**multiplicarse.**

prolífero, ra *adj.* 증가하는, 번식하는.

prolífico, ca *adj.* ① 생식력이 왕성한, 다산(多產)의 : mujer *~ca* 다산녀. El ratón es un animal muy ~ 쥐는 매우 다산하는 동물이다. ② 다작(多作)의 : escritor ~ 다작 작가. Contr. estéril.

prolijamente *adv.* 지루하고 따분하게, 길고 길게, 먼저 했던 말을 되풀이해서 : escribir ~. Contr. lacónicamente.

prolijidad *f.* 장황하고 따분함, 끈덕짐, 귀찮음 : ~ insoportable. Contr. laconismo.

prolijo, ja *adj.* [*lat.* prolixus] 장황한, 지리한, 번거로운 : carta *~ja.* Contr. lacónico, conciso.

prologal *adj.* 머리말·서문(prólogo)의.

prologar *tr.* 8 《*Neol.*》 (…에) 머리말·서문을 달다·쓰다.

prólogo *m.* [*lat.* prologus] 머리말, 머리글, 서언, 권두언, 서문 ; 서곡, 서막.

prologuista *m.f.* 머리말 쓰는 사람, 서문가(序文家)(autor de un prólogo).

prolonga *f.* (포차를 끄는) 긴 밧줄.

prolongable *adj.* 연장·연기할 수 있는.

prolongación *f.* 연기·연장(하는 일) : ~ de las vacaciones 휴가의 연장. ~ del pago 지불 연기·연체. ~ del plazo de pago 지불 기한의 연기.

prolongadamente *adv.* 길다랗게, 길게 : Ella me habló ~ de ese asunto 그녀는 나에게 그 일에 대해 길게 말했다.

prolongado, da *adj.* 길고 긴 ; 길쭉한.

prolongador, ra *adj.m.f.* 연장하는 (사람).

prolongamiento *m.* =**prolongación.**

prolongar *tr.* 8 [*lat.* prolongare] ① (공간적·시간적으로) 길게 하다, 늘이다, 잡아 늘이다, 연장하다(alargar) : ~ una calle·el plazo. ② 연기하다 : ~ una tregua. Contr. acortar.

proloquio *m.* 문장 ; 격언(格言).

prolusión *f.* =**prelusión.**

promanar *intr.* =**provenir.**

promediar *tr.* 11 절반으로 나누다, 이등분하다, 균등하게 나누다, 평균을 내다(dividir en dos partes iguales).

—*intr.* ① 중재하다 (interponerse). ② 중간 쯤이 되다 : Se solucionará antes de ~ el mes 달의 중간쯤이 되기 전에 해결될 것이다.

promedio *m.* 한복판, 한가운데, 중간쯤 ; 평균 (término medio) : ~ compensado·pesado·ponderado 가중(加重) 평균. en ~ 평균하여. El ~ no pasa de mil metros 평균은 1000미터를 넘지 않는다.

~ de natalidad 출생률.

promesa *f.* ① 약속 : ~ de pago 지불 약속. ~ verbal 구두 약속. Volvió en cumplimiento de sus *~s* 그는 약속을 이행해서 돌아왔다. Usted no cumple bien por su parte con las mutuas *~s* 귀하는 서로의 약속을 충분히 이행하지 않는군요. ② 가망, 소망, 기대, 유망.

~ de cambio 어음의 계약. ***~ de crédito*** 신용공여. ***~ del obrero de no sindicalizarse*** 노조에 가입하지 않는다는 조건으로 행하는 고용 계약.

promesante *adj.* 《*Arg.*》 【속어】 =**peregrino.**

promesero, ra *adj.* 《*Col.*》 =**peregrino.**

prometedor, ra *adj.* ① 약속만 하는. ② 유망한, 가망성이 있는 : Los candidatos suelen ser sumamente *~es.* **—***m.f.* 약속자.

~ra exportación 증가가 예상되는 수출.

prometer *tr.* [*lat.* promittere] ① 약속하다 : Le *prometí* un regalo 나는 그에게 선물을 약속했다. Le *prometí* ir a visitarla 나는 그녀를 방문하러 가기로 약속했다. ② 기대하다 : La fiesta *promete* estar muy alegre 파티는 매우 즐거울 것이라 기대된다. ③ 책임지고 말다(asegurar).

—*intr.* 유망하다 : Este mozo *promete*.

~se ① 유망하다 : *Se promete* buen resultado de aquel negocio 그 거래에서 좋은 결과가 기대된다. ② 약혼을 하다 : El *se prometió* en casamiento con la hija del comerciante 그는 그 실업가의 딸과 약혼했다.

prometérselas felices 즐거운 기대를 품고 있다.

prometido, da *m.f.* 약혼자(futuro) : anillo de ~*da* 약혼 반지. —*m.* 약속(promesa) : El simepre cumple su ~ a toda costa 그는 항상 무슨 수를 써서라도 그의 약속을 지킨다.

—*adj* 약속된, 기대할 수 있는.

prometiente *adj.m.f.* 약속하는 ; 약속자.

prometimiento *m.* =**promesa.**

prominencia *f.* 돌출, 돌기, 융기.

prominente *adj.* [*lat.* prominens] 돌출한 : Tiene una barriga ~ 그는 배가 튀어나왔다.

promiscuación *f.* 정진일(精進日)의 육식.

promiscuamente *adv.* 구별없이, 뒤섞여(indiferentemente, mezcladamente, sin distinción).

promiscuar *intr.* ⑭ ①(정진일·사순절에) 육식을 하다 : Está prohibido a los católicos ~. ② 뒤죽박죽이 되다, 뒤범벅으로 섞이다.

promiscuidad *f.* 《*Neol.*》 잡탕, 범벅, 뒤죽박죽, 뒤섞음(mezcla, confusa).

promiscuo, cua *adj.* ① 혼합의, 뒤섞은. ② 애매한, 어정쩡한, 이렇게도 저렇게도 해석되는. ③ 혼혈의.

promisión *f.* 약속, 약조, 협약 ; 가망, 전망(promesa) : la tierra de ~ 약속의 땅 《성서에서 신이 유태인에게 약속한 가나안의 땅》.

promisorio, ria *adj.* 약속의, 서약의 : juramento ~.

promoción *f.* [*lat.* promotio] ① 승진, 승격, 진급. ② 동기(同期) 승급자, 동기생. ③ 조장, 촉진, 장려, 진흥 : ~ de la construcción de viviendas 주택 건축 진흥. ~ de las exportaciones 수출 진흥·장려. ~ de las inversiones 투자 진흥·조성. ~ de ventas 판매 촉진. *P-* Popular 《*Chile.*》 사회 복지 촉진 본부.

promocionador, ra *adj.* 촉진하는 ; 조장하는 ; 장려하는. —*m.f.* 조장자 ; 장려자 ; 후원자 ; 발기인, 창립자 ; 선동자.

promocional *adj.* 증진의 ; 장려의, 장려하기 위한.

promocionar *tr.* 증진시키다, 촉진시키다 ; 승진·진급시키다.

promontorio *m.* ① 곶, 갑(岬) : Gibraltar se lazo sobre un ~. ② 둔덕, 작은 언덕. ③ 방해되는 것.

promotor, ra *adj.* 장려의. —*m.f.* 장려자, 진흥자, 촉진자 ; 주창자, 발기인.

promotoría *f.* promotor의 직.

promovedor, ra *adj.* =**promotor.**

promover *tr.* ㉕ [*lat.* promovere] ① 승진·승급시키다(elevar) : Le *promovieron* a capitán 그는 대위로 승진되었다. ② 장려·진흥·촉진·조장하다 : ~ un pleito· un alboroto.

promulgación *f.* ① 발포(發布)·공포(公布), 공시(公示) : la ~ de un decreto 법령의 공포. ② 광고, 선전.

promulgador, ra *adj.* 발포·공포하는 ; 광고·선전하는. —*m.f.* 공포자 ; 광고자, 선전자.

promulgar *tr.* ⑧ [*lat.* promulgare] ① 발포·공포하다 : *Se promulgó* el decreto presidencial 대통령령이 공포되었다. ② 발표하다, 널리 퍼뜨리다, 알리다(publicar, anunciar). ③ 광고하다, 선전하다.

pron *m.* 《*Chile.*》 (고대 칠레 인디오의) 결승 문자(quipos).

pron. pronombre.

pronación *f.* (손발의) 내전(內轉). **Contr.** supinación.

pronador *adj.* 【해부】 전회근(前廻筋)의, 내전근(內轉筋)의 : músculo ~ 내전근.

pronaos *m.* (고대 그리스의) 신전 입구(vestíbulo de los santuarios).

prono, na *adj.* [드뭄] 쓰러져 가는, 경사진, 기울은 ; (…에) 반해 버린 ; 엎드린.

pronombre *m.* 【문법】 대명사 : ~ demostrativo 지시(指示) 대명사 《예 : éste, ése, aquél 등》. ~ indeterminado 부정 대명사 《예 : alguien, nadie, uno 등》. ~ personal 인칭 대명사 《예 : yo, tú, él, me, te, nos, sí 등》. ~ posesivo 소유 대명사 《예 : mío, tuyo, suyo 등》. ~ relativo 관계 대명사 《예 : quien, cuyo, cual, que 등》.

pronominado *adj.* 【문법】 ***verbo*** ~ 대명 동사 《se를 거느리는 재귀동사·상호동사 등의 총칭》.

pronominal *adj.* [*lat.* pronominalis] ① 대명사의 ; 대명사적인 : forma ~. ② =**pronominado.**

pronosticación *f.* 예상, 예측, 예지(豫知) ; 예언, 예보(pronóstico, predicción).

pronosticador, ra *adj.m.f.* 예측·예지하는 (사람) ; 예언·예보하는 (사람).

pronosticar *tr.* ⑦ ① 예측·예지하다 : Con aquellas condiciones *se pronosticaba* un grave accidente 그런 상태로 중대한 사고가 예측되었었다. ② 예언·예보하다 : ~ un fracaso.

pronóstico *m.* [*gr.* prognôstikon] ① 예측, 예상 : ~ de ventas 판매 예측. ~ del mercado 시장 예측, 경기 예측. ② 예언 : acertar en el ~ 예언을 적중시키다. ③ 예보 : El ~ meteorológico dice que lloverá mañana 일기 예보는 내일 비가 내릴 것이라고 한다. ③ 【의학】 치료 후의 경과.

pronoto *m.* (곤충의) 앞가슴의 안면.

prontamente *adv.* 일찍, 재빨리 (con prontitud, pronto).

prontito *adv.* 즉시, 바로, 곧(muy pronto, en seguida).

prontitud *f.* ① 재빠름, 신속, 기민 (celeridad) : con ~ 재빠르게. ② 미리 움직임의 빠름, 영특함, 영민함, 재빠른 이해(력). **Contr.** lentitud, pereza.

pronto, ta *adj.* ① 빠른(veloz) ; (…하는 데) 재빠른 : ~ *a* enfadarse 그냥 화내는. ~ *en* respuestas 바로 대답하는. ~ pago 즉시불. ~*ta* entrega 선도(先渡), 직도(直渡). ② 날쌔고 빠른 ; 조급한 : contestación ~*ta* 조급한 대답. ③ 준민(俊敏)한 : ~ *de* genio 머리 회전이 빠른. ④ 준비가 된 : Estamos ~*s* para salir. **Contr.** lento.

—*m.* ① 서두름 : tener muchos ~*s* 몹시 서둘고 있다. ② 갑작스러운 생각·충동 ; 최초의 충동,

순간적인 느낌 : Le dio un ~ 그는 순간적으로 머리에 떠올렸다. El todavía siente aquel ~ que tuvo 그는 아직도 그때의 충동을 느끼고 있다.

—*adv.* 재빨리, 날렵하게 (prontamente) : Vuelva usted ~ 빨리 돌아오세요. Venga ~ 빨리 오십시오. Llegué más ~ de lo que esperaba 나는 예상했던 것보다 더 빨리 도착했다. Hasta ~ 곧 만납시다.

al ~ 즉각 : *Al* ~ no lo reconocí 나는 즉시 그가 누구라는 것을 알아보지 못했다.

de ~ ① 별안간, 갑자기, 돌연(de repente) : *De* ~ apareció 그는 별안간 나타났다. ② 부랴부랴, 급히, 서둘러(apresuradamente).

por de ~, ***por el · lo*** ~ 우선은 : *Por de* ~ trabaje usted en esto 우선은 이 일을 해주십시오.

tan ~ ***(como)*** …하자마자(en cuanto) : *Tan* ~ *(como)* vengas, saldremos.

lo más ~ ***posible*** 가능한 한 빨리, 되도록 빨리 (cuanto antes).

prontuario *m.* 요약 ; 각서 ; 메모, 비망록 ; 편람, 안내서 : ~ de ortografía.

prónuba *f.* [*lat.* pronuba]【시어】결혼에서의 여자 들러리(madrina de boda).

pronuncia *f.*【방언】판결 언도.

pronunciable *adj.* 발음할 수 있는 ; 발언 · 선언할 수 있는.

pronunciación *f.* [*lat.* pronuntiatio] ① 발음 : La ~ española es bastante fácil para los coreanos 서반아어 발음은 한국 사람한테는 매우 쉽다. ② (판결의) 언도.

pronunciado, da *adj.* 《*Galic.*》 [pronunciar의 *p.p.*] ① 튀어나온, 돌출한 (abultado, saliente). ② 두드러진, 현저한(revelado).

pronunciador, ra *adj.m.f.* ① 발음 · 발언하는 (사람). ② 선언 · 판결문을 낭독하는 (사람).

pronunciamiento *m.* ① 군의 반란, 궐기 ; (무력) 폭동(alzamiento, rebelión). ② 선언, 언도 : de previo y especial ~ 판결문으로, 판결 이유로서.

pronunciar *tr.* ⑪ [*lat.* pronuntiare] ① 발음하다. ② 발언하다, 말하다, 술회하다 : El presidente *pronunció* un discurso 대통령은 연설을 했다. ③ 선고하다 : ~ sentencia. ④ 《*Galic.*》 분명하게 하다, 나타내다(revelar). ⑤ 결정하다 : *Hemos pronunciado* tu venida 우리는 네가 오는 것을 결정했다.

~se ① 선고하다. ② 반란을 일으키다, 궐기하다(sublevarse) : El general *se pronunció* al frente de sus tropas 장군은 군대의 선두에 서서 궐기했다. *Se pronunció* un regimiento 어떤 연대가 반란을 일으켰다. ③ 《*Galic.*》 분명하게 나타나다(declararse).

pronuncio *m.* ① (로마 교황의) 사절 대리, 교황청 대사 대리. ② 《*Col.*》 폭동(motín).

prooccidental *adj.* 친 서방의.

propagación *f.* 번식 ; 선전, 전파, 보급.

propagador, ra *adj.* 번식시키는, 전파 · 선전하는.

propaganda *f.* ① 선전 · 광고 : hacer ~ 선전 · 광고하다. ② 포교 ; 선전대(宣傳隊) ; 포교단.

~ ***en la prensa,*** ~ ***en los periódicos*** 신문 광고.

~ ***practicada por correo*** 다일렉트 메일 광고.

propagandista *adj.* 선전적인. —*m.f.* 선전자.

propagante *adj.* 번식시키는 ; 선전하는, 전파하는, 보급하는.

propagar *tr.* ⑧ [*lat.* propagare] ① 번식시키다. ② 널리 알리다, 선전하다, 전파하다, 보급시키다(difundir). ③ (질병을) 널리 유행시키다, 퍼뜨리다 : Los mosquitos *propagan* las fiebres amarillas, las fiebres palúdicas, etc. 모기는 황열병과 말라리아 등을 퍼뜨린다.

~se (널리 · 일반에게) 퍼지다 ; 번식하다 ; 보급되다. Contr. limitar, restringir.

propagativo, va *adj.* 번식의, 번식력이 있는.

propalador, ra *adj.m.f.* 폭로하는 (사람), 공포하는 (사람).

propalar *tr.* ① (비밀을) 들추어내다, 폭로하다 (divulgar un secreto). ② 공포하다, 공표하다 (divulgar).

propano *m.*【화학】프로판《석유에서 채집하는 화합물》.

propanona *f.*【화학】=**acetona.**

propao *m.*【선박】배의 밧줄을 매는 곳, 목책.

proparoxítono, na *adj.* =**esdrújulo.**

propartida *f.* 출발점.

propasarse *r.* [+a · en : …에] 도를 지나치다, 엉터리짓을 하다, 지나친 짓을 하다 : ~ *a · en* la confianza 믿는 나무에 곰팡이 피는 짓을 하다. ~ la estima 계산에서 슬쩍하다. ~ *a · en* hablar 너무 많은 말을 하다.

propedéutica *f.* 초보 학문, 준비 교육(enseñanza preparatoria).

propedéutico, ca *adj.* 초보의, 준비 교육의.

propender *intr.* [*lat.* propendere] ① [+a] …하는 경향이 있다, 곧잘 …하다, …하는 버릇이 생기다 : Aquel joven *propende a* perpetrar un crimen 그 청년은 범죄를 범하는 경향이 있다. ~ todo a la exageración 무슨 일이나 곧잘 과장하다.

propensamente *adv.* 어떤 경향을 가지고, 툭하면.

propensión *f.* ① 기울기, 경향, 성향, 기호 (inclinación, tendencia) : tener ~ *a*l vino 술을 좋아하다. ② (병에 대한) 소질.

~ ***a atesorar*** 비축 성향. ~ ***a comprar*** 구매 성향. ~ ***a gastar · consumir*** 소비 성향. ~ ***a invertir*** 투자 성향. ~ ***al ahorro,*** ~ ***a ahorrar*** 저축 성향. ~ ***marginal a consumir*** 한계 소비 성향.

propenso, sa *adj.* [propender의 *p.p.*] [*lat.* propensus] 경향이 있는, 곧잘 …하는 : ~ *a* borrachear 술에 취하는 경향이 있는. ser muy ~ *a* la ira 곧잘 화내는 사람이다.

propiamente *adj.* 적절하게 ; 그야말로 ; 진정한 의미에서 : ~ dicho 본래의 뜻으로 말하자면, 적절히 말하자면.

propiciación *f.* ① 달래기. ②【종교】(하나님의 노여움을 가라앉히는) 보상될 만한 일.

propiciador, ra *adj.* 달래는, 조용한.

propiciamente *adv.* ① 안성맞춤으로, 재수 좋게, 적절하게(favorablemente), ② 친절하게, 다정하게(benignamente).

propiciar *tr.* ⑪ [*lat.* propitiare] ① 달래다, (화, 분노 · 따위를) 가라앉게 하다(ablandar, aplacar) : ~ la ira divina. ② 《*Amér.*》 =**proponer, patrocinar.**

propiciatorio, ria *adj.* 달래는, 부드럽게 하는. **—*m.*** ① (유태인이 신의 앉는 곳으로 생각하여 성서의 궤 위에 씌웠던) 황금의 뚜껑 ; 성전(聖殿), 성스러운 물건. ② (기도할 때의) 무릎받침(reclinatorio). ③ 성상(聖像), 성당(聖堂).

propicio, cia *adj.* [*lat.* propitius] ① 친절한, 다정한 : El se muestra poco ~ a los pobres 그는 가난한 사람들에게 별로 친절하지 않다. ② 안성 맞춤의, 다행스러운(favorable) ; 적절한, 적당한 (oportuno) : Hace un tiempo muy ~ a los deportes de invierno 겨울 스포츠에는 무척 적절한 날씨다. **Contr.** desfavorable, nefasto.

propiedad *f.* [*lat.* proprietas] ① 소유, 소유권. ② 소유물 ; 대지, 재산, 부동산. ③ 기질, 특성, 특질, 성질 : El magnetismo es una ~ de hierro 자성(磁性)은 철의 특성의 하나이다. Las hojas verdes de este árbol tiene la ~ de cambiar en el otoño en hojas completamente rojas 이 나무의 푸른 잎은 가을에는 완전 붉은 잎으로 변하는 특질이 있다. ④ 적절성, 적확성. ⑤ 본래 의미, 정확한 의미. ⑥ 진짜 같은 것, 완전히 비슷함 : Tiene mucha ~.
~ ***colectiva*** 공동 소유. ~ ***de la mercancía*** 상품의 소유권. ~ ***del Estado*** 국유 재산. ~ ***indivisa*** 공유 재산. ~ ***industrial*** 특허권 ; 공업 소유권. ~ ***literaria*** 판권, 저작권. ~ ***mancomunada*** 공유 재산. ~ ***privada*** 사유 재산. ~ ***social*** 사회(적) 자산. ~***es no saneadas catastralmente*** 《*Domin.*》 지적 미정리지(地籍未整理地). ***nuda*** ~ 허유권(虛有權).

propienda *f.* (수 놓은 것을 수틀에 꿰매는) 밑천.

propietariamente *adv.* 정당한 소유권으로.

propietario, ria *adj.* [+de : …을] 소유하는 ; (물욕에 사로잡힌) 속된 (승려). **—*m.f.*** 소유자, 소유주 ; 지주(地主).
~ ***de una marca*** 상표 소유자. ~ ***de una tienda*** 가게 주인·소유자. ~ ***del almacén*** 창고주. ~ ***único*** 단독 소유주.

propileo *m.* (사원·궁전 등의) 입구.

propina *f.* 팁, 심부름 값 : de ~ 팁·덤으로 ; 곁두리로.

propinación *f.* 마시는 일.

propinar *tr.* [*lat.* propinar] ① 마시게 하다, 마실 것을 주다(dar a beber). ② 투약·처방하다(prescribir, administrar una medicina). ③ 먹이다, 때리다(dar golpes) : ~ una paliza. ④ 혼내주다.
~se 들이키다, 마시다 : ~ un vaso de vino.

propincuidad *f.* [*lat.* propinquus] 가까운 일, 가까움, 근접.

propincuo, cua *adj.* ① 가까운, 이웃한(cercano) : esperanza ~*cua* 이룰 수 있는 듯한 소원. ② 《*SDgo.*》 진짜의, 정당한.

propio, pia *adj.* [*lat.* proprius] ① 독특한(peculiar), 본연의, 본래의 : sentido ~ 본래의 의미. ② 특유의, 고유의 : nombre ~ 【문법】 고유 명사. ③ 자신의, 자기의 : ~ abstecimiento 자급 자족. amor ~ 자존심, 자부심, 자중(自重), 자애(自愛). El me escribió con su ~*pia* mano 그는 나에게 자기 자신의 손으로 편지를 써 보냈다. Lo vi con mis ~*s* ojos 나는 내 자신의 눈으로 그것을 보았다. ④ (postizo에 대한) 자연의(natural) : pelo ~. ⑤ 동일한, 같은(mismo) : al ~ tiempo 동시에. ⑥ 적당한, 적절한, 어울리는 : ~ *de·para* el caso 그 경우에 적절한. Era el hombre ~ para aquel trabajo 그는 그 일에 적절한 남자였다. No es su conducta ~*pia* para granjearle amistades 그것은 우정을 얻기에 적당한 행동이 아니다.
—*pron.* 동일 인물, 본인, 장본인, 당사자 : El ~ interesado debe firmar 이해 당사자가 서명해야 한다.
—*m.* ① 사자(使者). ② [주로 *pl.*] (도시·마을의) 공유지(共有地) 자산.
al ~ ① 적절하게. ② 《*CRico. Chile.*》 분명하게. ***lo*** ~ ① 같은 일 : Haré *lo* ~ que tú 나는 너와 같은 일을 하겠다. ② 적당한 일.

prop.[n] proposición.

propóleos *m.* (벌꿀의) 밀랍.

propondr- →**proponer** 61.

proponedor, ra *adj.* 신청하는, 제의하는. **—*m.f.*** 제안자, 제의자, 발의자.

proponente *adj.* 제안·제의·발의하는. **—*m.f.*** 제안·제의자, 발의자 ; 옹호자, 지지자.

proponer *tr.* 61 [*lat.* proponere] [*p.p.* propuesto] ① 신청하다, 제의·제안하다, (의견 등을) 내다 : ~ un plan. ② 제출하다 ; 추천하다 : ~ *por* árbitro 중재자로 추천하다.
~se [+*inf.*] …하려고 하다, …할 계획을 세우다, 꾀하다, 결심하다 : *Me propongo* ir a verle 그를 만나러 갈 생각이다.

proporción *f.* [*lat.* proportio] ① 비례 ; 비율. ② 조화, 균형 : Las ~*es* del cuerpo humano son perfectas 인체의 균형은 완전하다. preservar la ~ 적당한 균형을 유지하다. ③ (일정 비율의) 부분, 몫, 할당분, 배당분. ④ 정도 ; 크기, 넓이(tamaño) : asumir grandes ~*es* 증대하다. ④ 중대성, 심각성, 대단함, 혹독함 : El incendio adquirió grandes ~*es* 화재는 대화재가 되었다. ⑤ 기회, 계기, 빌미 : esperar una buena ~.
~ ***de accidentes*** 상해율(傷害率). ~ ***de flete*** 비례 운임. ~ ***entre el activo y pasivo circulante*** (회사 등의 회계의) 엄밀 검사 비율.
a ~ (***que***) …하는 데 따라, 따라서(a medida, según, conforme a).

proporcionable *adj.* 어울리는, 비례되는, 균형이 잡힌, 알맞은.

proporcionablemente *adv.* 균형이 잡혀, 알맞게, 적당한 비례로, 어울리게.

proporcionadamente *adv.* 알맞게, 균형이 잡혀.

proporcionado, da *adj.* [proporcionar의 *p.p.*] ① 균형이 잡힌, 정돈된, 가지런한 (regular) : el cuerpo bien ~. ② (…에) 맞은, 적절한.

proporcional *adj.* ① 【수학】 비례의 ; 균형이 잡힌, 조화된, 비례하는. ② 【문법】 배수(倍數)의 : adjetivo numeral ~ 배수 형용사 《doble, triple 등》.

proporcionalidad *f.* 비례, 균형, 조화, 조화성(proporción).

proporcionalmente *adv.* 분수에 맞게, 어울리게, 비례하여, 조화를 이루어, 적당하게, 알맞게(porporcionadamente).

proporcionar *tr.* ① [+a·para·con : …에,

…과] 균형을 잡히게 하다, 조화·비례시키다. ② 맞추다, 적응시키다. ③ 가져오게 하다 : lo que le *proporcionó* grandes éxitos. ④ 제공·융통·공급하다.

~se ① 균형이 잡히다. ② 조화가 되다 : Hay que *~se* las aspiraciones a las fuerzas 힘에는 열망이 조화되어야 한다. ③ (자신을 위해) 마련하다, 조달하다 : *~se* dinero 돈을 마련하다. Le voy a *~se* a usted todo lo que necesita 당신이 필요한 모든 것을 조달해 드리겠습니다.

proposición *f.* ① 제안, 건의. ② 계획, 플랜 ; 제출 ; 추천. ③ 진술, 주장. ④【논리】명제 ;【수사학】주제. ⑤【수학】정리(定理), 명제. ⑥【문법】문(文)(oración) ; 종속문. ⑦ 입찰 : ~ en sobre cerrado 경쟁 입찰. ~ ganadora 낙찰.

propositar *intr.* 《*Méx.*》 계획이 있다, 목적하는 바가 있다, 노리는 바가 있다.

propósito *m.* ① 목적(물)(objeto). ② 의지, 의도(intención, designio, ánimo) : ¿Cuál es su ~? 당신의 의도는 무엇이오?

a·al ~ 바랬던 것처럼 ; 안성맞춤으로, 때마침 ; (…에) 알맞게 ; (이야기를 처음 꺼낼 때) 그런데, 그것은 그렇다치고.

a ~ de 《*Galic.*》 …에 관하여(acerca de).

a ~ para …에 적합하게.

a todo ~ 《*Galic.*》 무작정, 시종.

de ~ 일부러, 고의로(de intento).

fuera de ~ 좋지 않은 때에 ; 철 지나(sin venir al caso, fuera de tiempo y sazón, inoportunamente).

proprio marte *adv. lat.* 자신의 고안·창안·생각으로(de propio ingenio) ; 남의 도움이 없이 혼자 힘으로(sin ayuda ajena).

propuesta *f.* ① 신청 ; 제안 (proposición) : a ~ de …의 제안에 의하여. ② 건의.

~ ***sellada*** 봉서(封書) 입찰.

propuesto, ta *adj.* [proponer의 *p.p.*] 신청된, 제출·제안·제의된.

propugnáculo *m.* 성채 ; 보루, 요새.

propugnar *tr.* 지키다, 방어하다, 보호하다(defender, amparar, proteger).

propulsa *f.* ① 배격(repulsa). ② 추진.

propulsar *tr.* 《*Neol.*》 배격하다 (repulsar) ; 추진하다(propeler).

propulsión *f.* =**propulsa.**

propulsor *adj.* [*lat.* propulsor] 추진(용)의 : Los principales *~es* son : los remos, las ruedas de paletas, la hélice y el reactor de chorro.

—*m.f.* 추진자.

~ ***a chorro*** 제트 추진기(autopropulsor, autorreactor)

propus- →**proponer** 61.

propusie- →**poponer** 61.

pror. procurador.

prora *f.*【시어】=**proa.**

pro-rata *f. lat.*【상업】비례 배분, 안내, 몫, 배당분(prorrata).

pro rata parte *f. lat.* =**prorrata.**

pro-ruso, sa *adj.* 친 러시아의.

prorrata *f.* 안배, 몫, 배당분.

a ~ 비율에 따라, 각각, 비례하여, 안배하여 (mediante prorrateo).

prorratear *tr.* 안배하다, 배분하다, 배당하다 (repartir a prorrata).

prorrateo *m.* 안배, 비례 ; 비율, 배당, 분배 : mediante ~ 안배·비례하여.

prórroga *f.* ① 연기, 연장, 순연(順延) : dar ~ 지불 날짜를 연기하다. ② 중지, 정지. ③ 지불 추예 : ~ del pago 지불 연체·추예.

prorrogable *adj.* 연기·연장할 수 있는.

prorrogación *f.* =**prórroga** : la ~ de un plazo.

prorrogar *tr.* 8 [*lat.* prorogare] ① 뒤로 미루다, 연장하다, 연기하다(dilatar) : ~ una aceptación 인수를 연기하다. ~ el plazo 기한을 연장하다. ~ el pago 지불을 연기하다. ② 정지하다, 중지하다(suspender). ③ 폐지하다 (abolir).

prorrogativo, va *adj.* 연기의, 연장하는 : acto ~.

prorrumpir *intr.* [*lat.* prorrumpere] [+en : …을] 돌연·갑자기·별안간 … 하기 시작하다 : *Prorrumpe en* gemir·*en* una carcajada 별안간 울기 시작하다·크게 웃다.

prosa *f.* [*lat.* prosa] ① 산문(체) : en ~ 산문으로. ② 산문성 ; 살풍경한 부분, 추악한 면 : la ~ del amor. ③ (기도에서) 속창. ④ 잡담 : gastar mucha ~. ⑤ 《*Chile.*》 거만스러움, 으시대기.

prosado, da *adj.* 산문으로 된·쓰인 (escrito en prosa).

prosador, ra *m.f.* ① 산문가(prosista). ② 잡담 잘하는 사람(hablador impertinente). ③ 글을 장황하게 쓰는 사람.

prosaicamente *adv.* 산문적으로 ; 살풍경하게.

prosaico, ca *adj.* [*lat.* prosaicus] ① 산문의 ; 산문적인 ; 시적인 흥취가 없는. ② 평범한, 쓸데없는 : gusto·pensamiento ~. ③ 살풍경한 ; 따분한 : vida *~ca.*

prosaísmo *m.* ① 산문적인 것. ② 멋이 없음, 평범(vulgaridad, trivialidad).

prosapia *f.* [*lat.* prosapia] 가계, 가문 (linaje) : hombre de ilustre ~.

proscenio *m.* [*lat.* proscenium] 무대의 앞 부분 ; 무대 옆 ; (고대 그리스에서) 무대.

proscribir *tr.* [*lat.* proscribere] [*p.p.* proscrito] ① 추방하다 : *Proscribieron* al político 그 정치가는 추방되었다. ② 금지하다(prohibir) : *Proscribieron* su uso 그 사용은 금지되었다.

proscripción *f.* ① (국외) 추방. ② 금지 : la ~ de un uso 사용 금지. ③ 공적 선언(公敵宣言).

proscri(p)to, ta *adj.* [proscribir의 *p.p.*] 추방당한. **—*m.f.*** 피추방자.

proscriptor, ra *adj.m.f.* 추방하는 (사람).

prosear *intr.* 《*Riopl.*》 잡담하다, 잡담을 늘어놓다(charlar).

prosecución *f.* [*lat.* prosecutio] 속행, 계속 (continuación) ; 추구(seguimiento).

proseguible *adj.* 속행할·계속할 수 있는(que puede seguirse).

proseguimiento *m.* =**prosecución.**

proseguir *tr.* 46 [*lat.* prosequi] ① 계속해서 하다, 앞으로 계속하다 : *Prosiguió* su relato interrumpido 그는 중단된 이야기를 계속했다. ② [+con·en : …을] 계속하다 : *Prosiguió en·con* el trabajo 그는 그 일을 계속했다.

proselitismo *m.* 개종(改宗)·가입의 권유 : ~

protestante.

proselitista *adj.* 가입 권유의. —*m.f.* 권유자.

prosélito *m.* [*lat.* proselytus] [집합] ①(본래는 카톨릭교로) 개종자 : Las persecuciones consiguen siempre hacer ~*s* 박해는 항상 카톨릭에의 개종자를 만든다. ② 가맹자, 가입자, 찬성자.

prosénquima *m.* ①【생리】섬유 세포 조직.

Proserpina *f.* 【로마 신화】저승의 여신.

prosificación *f.* 산문화(散文化).

prosificador, ra *adj.* 산문으로 하는. —*m.f.* 산문가.

prosificar *tr.* ⑦ 산문으로 하다.

prosig- →**proseguir** ㊻.

prosimios *m.pl.* =**lemúridos.**

prosista *m.f.* 산문(작)가.

prosístico, ca *adj.* 산문의.

prosita *f.* [*dim.* prosa] 소품, 산문의 단편.

prosodia *f.* [*lat.* prosodia] ①【문법】음운론, 운율학 ; 발음. ② 시형론(詩形論). ③【언어】운율, 음조.

prosódico, ca *adj.* ① 음운의, 음율학의, 발음(상)의 : acento ~ 표기 부호의 악센트에 대해 발음상의 실제 악센트. ② 운율의, 음조의.

prosopografía *f.* 외형·형태 묘사.

prosopopeya *f.* [*gr.* prosopopoeia] ①【수사】의인법(擬人法). ② 으시대기 : gastar mucha ~ 몹시 으시대다.

prosoviético, ca *adj.* 친 소련의 : línea ~*ca* 친 소련 노선.

prospección *f.* 《*Neol.*》 =**exploración.**

prospectar *tr.* 시굴하다, 탐광하다 ; 답사하다.

prospectivo, va *adj.* ① 거래의, 장래의. ②【언어】전망적인.

prospecto *m.* [*lat.* propectus] 강령, (설립) 취지서 ; 내용 설명서 ; 전단, 광고문.
~ ***ilustrado y detallado*** 그림이 든 종합 카탈로그.

prósperamente *adv.* 번창하여, 융성하게, 야단스럽게(con prosperidad).

prosperar *tr.* [*lat.* prosperare] 번영시키다, 번영케 하다, 융성하게 하다 : Dios te *prospere* 신이 그대를 번영케 하리라.
—*intr.* 번영하다, 번창하다, 융성하게 되다 : Su negocio *prospera* cada día 그의 사업은 매일 번창하고 있다.

prosperidad *f.* [*lat.* prosperitas] ① 번영, 번창, 융성, 호경기, 행운, 성공.
~ ***comercial*** 경기. ~ ***económica*** 호황, 호경기.
~ ***repentina (en comercio)*** 벼락 경기.

próspero, ra *adj.* 번영하는, 번창한, 융성한, 부유한 : negocio ~ 번창한 사업. fortuna ~*ra* 융성한 재산. Le deseo felices Pascuas y ~ Año Nuevo 근하 신년.

próstata *f.* 【해부】전립선(前立腺), 섭호선(攝護腺).

prostático, ca *adj.* 전립선의.

prostatitis *f.* 【단·복수 동형】【의학】전립선염(前立腺炎)(inflamación de la próstata).

prosternarse *r.* [*lat.* prosternare] 무릎을 꿇다(postarse) : Antiguamente los vasallos *se prosternaban* de rodillas ante sus soberanos 옛날에 신하들은 제왕들의 앞에서 무릎을 꿇었었다.

próstesis *f.* =**prótesis.**

prostético, ca *adj.* =**protético.**

prostibulario, ria *adj.* 매춘의.

prostíbulo *m.* 《*Neol.*》 매춘굴, 매음굴(lugar de prostitución).

próstilo *adj.m.* 【건축】(고대 그리스의) 전주식(前柱式)의 (건물).

prostitución *f.* ① 매음, 매춘. ② 오직(汚職), 독직.

prostituir *tr.* ㊆ ① 매춘 행위를 하게 하다 ; 몸을 팔게 하다. ② (직업·명예 등을) 팔다, 더럽히다 : El *prostituyó* su talento al diablo 그는 그의 재능을 악마에게 팔았다.
~se 몸을 팔다, 매춘을 하다 ; 정조를 팔다, 퇴폐하다, 타락하다.

prostituta *f.* 매춘부, 매음부, 창녀, 창부, 갈보(ramera).

prostituto, ta *adj.* prostituir의 *p.p.*

prosudo, da *adj.* 《*Chile. Riopl.*》 육중한, 두꺼운 ; 거드름피우는(grave).

protactinio *m.* 【화학】프로토악티늄 《방사성 희귀 금속 원소》.

protagonista *m.f.* (극·소설의) 주역, 히로인, 주인공(héroe, personaje principal).

protagonizar *intr. tr.* (주역을) 연출하다 : ~ una película 어떤 영화의 주연을 하다.

protano *m.* 【화학】 =**metano.**

protargol *m.* 의학상의 은소금.

prótasis *f.* [*gr.* protasis] 【문법】조건구(條件句), 가정절(假定節). Contr. spódosis. ②【연극】서막(序幕), (극시의) 도입부.

protático, ca *adj.* 서막의, 서언(序言)의, 서론을 늘어놓는 (배우).

protección *f.* [*lat.* protectio] 보호, 옹호 ; 비호(apoyo) ; 지지. Contr. opresión, tiranía.
~ ***contra incendios*** 방화(防火). ~ ***de las plantas*** 작물 보호. ~ ***de marcas*** 상표 보호.

proteccionismo *m.* 보호 무역론·주의·경제 ; 산업 보호 정책. Contr. librecambio.

proteccionista *adj.* 보호 무역의, 산업 보호의. —*m.f.* 보호 무역 (정책) 주의자. Contr. librecambista.

protector, ra *adj.* 보호(용)의 ; 비호하는 ; 보호 무역의 : sistema ~. —*m.f.* 보호자, 옹호자 ; 우두머리. —*m.* ① 보호물·장치, 안전 장치. ② 호민관. ③ (영국의) 섭정. Contr. opresor, tirano.

protectorado *m.* ① 보호자의 지위. ② 호민관·섭정관의 지위·직. ③ 보호령, 보호국.

protectoría *f.* protector의 직·사무소.

protectorio, ria *adj.* 보호의, 옹호의 ; 비호의.

protectriz *adj.* =**protectora.**

proteger *tr.* ③ [*lat.* protegere] 두둔하다, 보호·옹호·비호·원호하다(amparar) : ~ una planta *del* frío *con* cristales 유리를 끼워 추위에서 나무를 보호하다. El gobierno debe ~ a los desvalidos 정부는 의지할 데 없는 자들을 보호해야 한다. ¡*Protéja*se contra humedad! 습기 엄금·주의. El marido debe ~ a su mujer 남편은 아내를 보호해야 한다. Entramos en una tienda para ~*nos* de la lluvia 우리는 비를 피하기 위해 상점에 들어갔다.

protegido, da *m.f.* 부하 ; 피보호자. —*f.* 총희

(寵姬).

proteico, ca[1] *adj.* 【화학】 단백질의, 단백성의.

proteico, ca[2] *adj.* 방식·생각을 바꾼.

proteiforme *adj.* 매우 변화하는 형태로.

proteína *f.* 【화학】 단백, 단백질 (albuminoide) : ~ animal.

proteínico, ca *adj.* 【화학】 단백질의, 단백질이 함유된.

protej- →**proteger** ③.

proteja →**proteger** ③.

próteles *m.* 【동물】 (남아프리카산의) 갈기개.

proteo *m.* 변덕쟁이.

Proteo *m.* ① 【희랍 신화】 마음대로 몸을 바꾸고 예언력을 가졌다는 바다의 신.

protervamente *adv.* 사악하게.

protervia *f.* 사악(maldad).

protervidad *f.* =**protervia.**

protervo, va *adj.m.f.* [*lat.* protervus] 사악한, 나쁜 (사람).

ángel ~ 악마.

prótesis *f.* ① (외과·치과의) 보철(補綴) : ~ dental 의치. ~ ortopédica 의족. ② 【문법】 어두음의 첨가 《예 : matar → amatar》.

protesta *f.* ① 이의, 항의, 거부 : El juez no dio importancia a la ~ del público 재판관은 대중의 항의에 중요성을 두지 않았다. ② (어음의) 거절 증서. ③ 해난 증명서(海難證明書) : ~ de mar 해난 보고서. ④ 확언, 언명, 서약, 선서 : ~ de amistad 우정의 선서.

protestación *f.* 항의, 거절, 거부 ; 서약(protesta) : ~ de la fe 신앙 선언.

protestante *adj.* ① 항의하는. ② 확언하는, 공언하는. ③ 그리스도 신교의 : culto ~ 신교.
—*m.f.* 그리스도 신교도.

protestantismo *m.* ① 그리스도 신교. ② [집합] 신교도.

protestar *tr.* [*lat.* protestari] ① 공언하다 : Ellos *protestaron* los deseos de trabajar 그들은 일하고 싶은 의욕을 공언했다. ② 서약하다, (신앙의) 선서를 하다. ③ 겁을 주다(amenazar). ④ (…에) 항의하다, (…의) 무효를 주장하다 : ~ la fuerza 폭력에 의한 것이라고 주장 항의하다. ⑤ 거절 (증서를 작성)하다 : ~ una letra 어음의 인수·지불을 거절하다, 어음의 거절 증서를 작성하다. hacer ~ un giro 어음 발행을 거절하다. ⑥ 《*Amér.*》 제공하다(ofrecer) : Le *protesto* a usted mis servicios.
—*intr.* ① [+contra·de·por : …에 대하여] 항의하다, 이의·불평을 내세우다 : ~ *contra* la calumnia 중상 모략에 항의를 하다. ~ *de* estas palabras 이러한 발언에 이의를 제기하다. El público *protestó de* la injusticia 대중은 부정을 항의했다. El *protestaba contra* la ocupación de la compañía 그는 회사측의 점거에 대해 항의했다. ② [+de : …을] 주장·단언하다. ~ *de* su inocencia 자신의 결백을 주장하다.

protestativo, va *adj.* 주장의, 단언의 ; 이의·항의하는 ; 보증하는, 증명하는.

protesto *m.* ① 거절, 거부 ; 항의, 이의 : hacer ~ 거절하다. bajo ~ 마지못한 듯이. ② (약속·환어음의) 거절 증서 ; 어음 거절 (증서의 작성) : ~ por falta de aceptación 인수 거절 증서. ~ por falta de pago 지불 거절 증서. gastos de ~ 거절 증서 작성 비용. aceptar bajo ~ 이의를 신청하여 인수하다. hacer el ~ 거절 증서를 작성하다. ③ 증언, 선서(protesta).

protético, ca *adj.* 말의 첫머리에 첨가시키는 (문자·음) 《예 : spiritus → espíritu의 e》 : letra ~*ca.*

protileno *m.* 【화학】 =**protano, metano.**

proto- *pref.* [*gr.* prôtos] 「첫째의」「주된」「원시」 등을 나타내는 접두어 : *proto*mártir 첫 순교자. *proto*historia 원시 역사(학). *proto*zoo 원생 동물.

prot.º protesto.

protoalbéitar *m.* 수의장(獸醫長).

protocandidato *m.* [+a : …에] 제일후보자.

protocloruro *m.* 【화학】 저위(低位) 염화물.

protocolar[1] *tr.* =**protocolizar.**

protocolar[2] *adj.* [*lat.* protocollum] ① 서식(書式)에 의한. ② (외교적으로) 의례적인, 상투적인 : La gracia suya es ~.

protocolario, ria *adj.* 의례적인, 의전상의 ; 형식적인.

protocolización *f.* protocolizar하는 일.

protocolizar *tr.* ⑨ 의정서·조서·공증서 원부에 적어 넣다 ; 조약문·의정서를 만들다.

protocolo *m.* ① 서식(書式), 공식 문서. ② 의정서(議定書), 조약안. ③ 조서 ; (공증인의) 공증 원부. ④ 《*Galic.*》 전례, (외교) 의례(서). ⑤ (불란서의 외무성의) 의전국 : sección de ~ 의전과.

protohistoria *f.* 전설 시대 ; 원시 역사학.

protohistórico, ca *adj.* 계명기의, 전설 시대의 ; 원사학(原史學)의.

protomártir *m.* 첫 순교자 《고유 명사로서는 San Esteban을 가리킴》.

protomedicato *m.* 시의단(侍醫團), 시의 ; 의사 자격 고시 위원회.

protomédico *m.* (옛날의 왕의) 시의(侍醫) ; 의사 자격 심사관.

protón *m.* 【물리】 양자(陽子) : anti- ~ 반양자.

protónico, ca *adj.* 양자(陽子)에 관한 ; 강음절 앞에 있는 약음절의.

protonotario *m.* (교황청의) 서기장 ; (옛날의) 상서(尙書).

protoplaneta *m.* 【천문】 신생 혹성.

protoplasma *m.* 【생물】 원형질 : El ~ contiene generalmente un núcleo 원형질은 통례로 한 개의 핵을 보유하고 있다.

protoplasmático, ca *adj.* 원형질의.

protoplásmico, ca *adj.* =**protoplasmático.**

protórax *m.* 【곤충】 (곤충의) 앞가슴.

protosol *m.* 【천문】 원시 태양.

protosulfuro *m.* 【화학】 유화물(硫化物).

prototípico, ca *adj.* 원형의 ; 전형적인.

prototipo *m.* ① 원형 ; 전형, 모범 : El perro es el ~ de la amistad 개는 우정의 전형이다. ② 【물리】 원기(原器).

protóxido *m.* 【화학】 일산화물(一酸化物).

protozoario, ria *adj.m.* 【동물】 원생 동물(의).

protozoo *m.* 【동물】 원생 동물.

protráctil *adj.* 길게 늘일 수 있는, 기다랗게 입밖에 나오는 (혀 : 뱀의 혀 등).

pro tribunali *adv. lat.* 위엄을 갖추어 ; 정중하

게.

protuberancia *f.* 융기, 돌기 ; 혹 : ~ solar 일식 때의 홍염(紅炎).

protuberante *adj.* 《*Neol.*》 둥그렇게 튀어나온, 둥그스름한, 튀어나온(saliente) : nariz ~.

protutor *m.* 준(準) 후견인.

prov.ª provincia.

provecho *m.* [*lat.* profectus] ① 이익 : en su ~ 당신 · 그 · 그녀를 위해. ② 유용(성) : ser *de* ~ 유용하다. sacar ~ 선용(善用)하다 ; 이익을 얻다. No sacamos ningún ~ de aquel negocio 우리들은 그 사업에서는 아무런 이익도 얻지 못했다. ③ 진보, 향상. —*pl.* 부가적인 이득. *de* ~ 유용한, 유리한, 쓸모있는 : Es hombre *de* ~ 그는 쓸모있는 사람이다. Esta comida no es *de* ~ para mí 이 음식은 나한테는 좋지 않다. ¡*Buen* ~! 많이 드십시오(Buen apetito ; Que aproveche) ; 재미 많이 보십시오.

provechosamente *adv.* 유용 · 유리하게.

provechoso, sa *adj.* ① 유리한 : empleo ~. ② 유익한, 유용한 : ~ *a* · *para* los vecinos.

provecto, ta *adj.* [*lat.* provectus] ① 묵은, 낡은. ② 늙은. ③ 노련한.

proveedor, ra *m.f.* 조달자, 납입자, 공급자, 어용 상인 : ~ principal 주요 공급자.

proveeduría *f.* 식료품 창고 ; 조달과, 조달청 ; 어용상, 어용 상점.

proveer *tr.* 78 [*lat.* providere] [*p.p.* proveído, provisto] ① 갖추다, 준비하다 : Tenemos que ~ lo más conveniente 우리들은 가장 편리한 것을 준비해야 한다. El gobierno *provee* a la necesidad pública 정부는 대중의 필요에 응해 대비하고 있다. ② ㄱ) [누구에게 · 무엇에 de, con으로 나타낸 것을] 주다 : Dios les *provee de* alimento. ㄴ) 보급 · 지급하다, 공급하다, 조달해 주다 : El instituto *provee* la expedición *con* víveres 협회는 원정대에 식량을 조달한다. ③ 처리 · 해결하다 : *Se proveyó* la cuestión en justicia 문제는 재판으로 처리되었다. ④ 예비적 판결 · 재정을 내리다. ⑤ (관리직을) 보충하다 ; (역원의 직책을) 주다.
~se ① [+de : …을] 갖추다, 준비하다, 구입하다 : La expedición *se proveía de* abundantes víveres 원정대는 풍부한 양식을 준비하고 있었다. ② 대변을 보다.

proveído, da *adj.* [proveer의 *p.p.*] —*m.* (예비적) 판결, 재정(裁定).

proveimiento *m.* 준비 ; 지급, 보급 ; 임관.

provena *f.* 포도 나무의 꺾꽂이, 압지(壓枝) (mugrón).

proveniente *adj.* [+de : …에서부터] 내려오는, 유래한, 비롯된.

provenir *intr.* 60 [+de : …에서] 일어나다, 유래하다, 나오다, 비롯되다(nacer, proceder) : Las mariposas *provienen de* la metamorfosis de una oruga 나비는 배추벌레의 변태로 생긴다.

provento *m.* 수익, 수입(producto, renta).

Provenza, la 【지명】 프로방스 《불란서의 남부 지방》.

provenzal *adj.* 프로방스의. —*m.f.* 프로방스 사람. —*m.* 프로방스말.

provenzalismo *m.* 프로방스식 발음.

provenzalista *m.f.* 프로방스어 · 문학자.

proverbiador *m.* 격언 · 속담집, 격언 수집 공책 ; 수첩.

proverbial *adj.* ① 속담의 ; 격언적인 : expresión ~. ② 만인 주지(萬人周知)의, 세상에 알려진(notorio) : la crueldad ~ de Nerón.

proverbialmente *adv.* 속담 · 격언같이.

proverbiar *intr.* 속담 · 격언을 많이 사용하다.

proverbio *m.* [*lat.* proverbium] ① 속담, 격언 : Los ~*s* son el eco de la experiencia. ② 격언극 : presentar ~*s*. ③ 미신. —*pl.* 【성경】 잠언.

proverbista *m.f.* 속담 연구가 ; 속담을 좋아하는 사람.

provicero *m.* 예언자, 점쟁이(vaticinador, agorero).

próvidamente *adv.* 용의 주도하게, 신중하게.

providencia *f.* [*lat.* providentia] ① 섭리, 신의(神義), 천명(天命) ; 신 (Dios) : ~ divina 신의 섭리. a la *P-* 신에게만 의지하여, 천운에 맡겨. ② 가호 ; 보호자 : ser la ~ de los desvalidos. ③ 조치(disposición) : tomar las ~*s* necesarias 필요한 조치를 취하다. ④ 판결, 결정, 명령(resolución del juez).

providencial *adj.* ① 신의, 천우 신조의, 신의 섭리에 의한, 운이 좋은 : recibir socorro ~. ② 우연의 ; 임시의.

providencialismo *m.* 섭리설, 신의설(神意說).

providencialista *adj.* 섭리설의. —*m.f.* 섭리설 · 신의설 주장자.

providencialmente *adv.* ① 하늘의 도움으로, 천우 신조로, 다행히. ② 임시로, 임시 변통으로, 잠정적으로(provisionalmente).

providenciar *tr.* 11 ① 조치를 취하다 (tomar la providencia). ② 재정(裁定)하다, 조정하다, 판가름하다 : ~ un conflico 분쟁을 조정(調整)하다. ③ (재판에서) 판결 · 결정 · 명령하다.

providente *adj.* =**próvido.**

próvido, da *adj.* [*lat.* providus] ① 신중한, 용의 주도한(cuidado). ② 다행스러운.

provin- →**provenir** 60.

provincia *f.* [*lat.* provincia] ① 주(州), 도(道) : España está dividida en 50 ~*s* 서반아는 50주로 나누어져 있다. ② 시골, 지방 : Mi tía de la ~ me envió esto 시골의 숙모님께서 나에게 이 것을 보냈다. ③ 【종교】 사교 관구(司敎管區).

provincial *adj.* ① 주 · 도의, 지방의 : diputación ~. ② 【종교】 관구(管區)의. —*m.* (종교상의) 주관구장(州管區長).

provinciala *f.* 주관구 수녀장.

provincialato *m.* provincial의 직 · 지위.

provincialismo *m.* ① 지방풍, 시골풍, 지방색 : un ~ intolerante. ② 지방어, 사투리, 방언. ③ 편협.

provinciano, na *adj.* ① 지방의, 시골의. ② Vascongadas · Álvara · Viscaya · Guipúzcoa주의. —*m.* ① 지방 사람. ② Vascongadas · Álvara · Viscaya · Guipúzcoa주의 사람.

provine- →**provenir** 60.

provinie- →**provenir** 60.

provisión *f.* ① 공급, 보급, 준비, 저축 : hacer ~ 저축하다. ② [주로 *pl.*] (저정한) 식료(품), 양식(~ de boca) ; 탄약. ③ 준비금, 적립금 ; 자금 송부 ; 송금. ④ 조치 ; 방도(providencia). ⑤

(옛날의) 서반아의 국왕령, 칙령.

~ ***de fondos*** 적립금. ~ ***insuficiente*** (은행에서) 예금 부족. ~ ***para cargas sociales*** 《*Arg.*》 미불 사회 보험료. ~ ***para castigos*** 《*Perú.*》 감가 상각 적립금. ~ ***para deudores incobrales*** 《*Arg.*》 회수 불능 채권자용 적립금. ~ ***para impuestos*** 《*Arg.*》 미불(未拂) 세금. ~ ***para los impuestos a pagar*** 《*Arg.*》 납세 적립금. ~***es reservadas*** 저장품.

provisional *adj.* 가(假), 임시의, 잠정적인 : contrato ~ 가계약. gobierno ~ 임시 정부. pago ~ 임시불, 가불.

provisionalmente *adv.* 임시로, 잠정적으로 : Vivimos ~ en el hotel 우리들은 잠정적으로 호텔에 살고 있다.

proviso (al) *adv.* 당장, 즉시, 즉각(al instante, al punto).

provisor, ra *m.f.* [*lat.* provisor] 지급자, 공급자, 조달자 ; 어용 상인(proveedor). —*m.* ① 사교 대리. ② (물건을 넣는) 그릇.

provisora *f.* (수도원의) 경리 수녀.

provisorato *m.* ① provisor의 일 · 지위 · 사무소. ② (식료품 등의) 보급소. [Sinón.] despensa.

provisoría *f.* =**provisorato.**

provisorio, ria *adj.* 《*Amér.*》 =**provisional.**

provista *f.* 《*Riopl.*》 식량의 비축 · 저축.

provistar *tr.* 마련하다, 준비하다, 갖추다 ; 지급 · 보급하다.

provisto, ta *adj.* [proveer의 *p.p.*] [+de : …을] 갖춘 · 가진 · 준비된 : La habitación está *provista de* todas las facilidades 방은 모든 설비가 되어 있다.

provocación *f.* ① 사주, 선동. ② 자극, 도발, 도전(desafío) : No respondas a la ~ 도전적으로 대답하지 말라. ③ 화남.

provocador, ra *adj.m.f.* 도발 · 도전하는 (사람).

provocante *adj.* 교사 · 사주하는 (듯한) ; 도발 · 도전적인 ; 부아를 돋구는.

provocar *tr.* [7] [*lat.* provocare] ① 사주하다, 꾀다 ; 유발하다 (incitar, excitar) : El río *provoca a* bañarse 강을 보고 있으면 공연히 헤엄치고 싶어진다. ~ *a* risa 웃음을 자아내다. ~ *a* lástima 가엾은 생각이 들게 하다. ② 편의(便宜)를 제공하다 (facilitar), 돕다(ayudar). ③ 교사하다, 도발 · 도전하다(desafiar) : ~ a uno *al* combate. ④ 성나게 하다, 화나게 하다, 자극하다(irritar) : ~ a su adversario. ⑤ 토하다, 게우다(vomitar).

—*intr.* 《*Amér.*》 …하고 싶다(apetecer) : Me *provoca* ir al cine.

provocativo, va *adj.* 어떤 마음이 들게 하는, 도전적인, 도발적인, 교사적인 ; 화나게 하는, 부아를 돋우는(provocador, provocante).

prov.[or] provisor.

prox.[o] próximo.

proxeneta *m.f.* [*gr.* proxenêtês] 《*Neol.*》 매춘 주선업자, 뚜쟁이(alcahuete).

proxenético, ca *adj.* 뚜쟁이의, 매음 중개의.

proxenetismo *m.* 《*Neol.*》 매춘부 주선, 뚜쟁이 업 · 행위.

proxeno *m.* (고대 그리스의) 외국 사절 영접 담당자.

próximamente *adv.* 가까이 ; 대충, 대강, 대략 (aproximadamente).

proximidad *f.* 가까운 일, 가까움, 접근, 근접 (cercanía). —*pl.* 부근, 근처(contornos).

próximo, ma *adj.* [*gr.* proximus] ① 인접한, 가까운(cercano) : casas ~*mas a* la carretera 도로변에 있는 집. ② 다음의, 오는(siguiente, que viene) : ~ correo 다음 (우)편. el año ~ 내년, 다음해. el mes ~ 다음달, 내월. el mes ~ pasado 지난달. la semana ~*ma* 다음 주, 내주. ③ [+a+*inf.* : …할] 찰나의, …지경인 : Ella está ~*ma a* caer al río 그녀는 금새라도 강에 빠질 지경에 있다.

de ~, ***en el*** ~ 가까이에, 곧.

estar ~ ***a*** …에 가깝다.

proyección *f.* ① (탄환의) 발사, 사출(射出) : ~ de bombas. ② 투사 ; 투영(도), 사영(射影) : ~ ortogonal 정사영(正射影). El mapamundi es una ~ del globo terrestre 세계 지도는 지구의 투영도이다. ③ (영화의) 영사 : ~ fotográfica. ④ 평면도 ; 계획, 설계, 기초(起草).

proyectante *adj.* 사출하는 ; 발사하는 ; 투영 · 투사하는 ; 영사 · 상영하는 ; 계획 · 설계 · 구상하는.

proyectar *tr.* ① 던지다, 사출하다 ; 발사하다 (lanzar, arrojar). ② 투영 · 투사하다, (그림자를) 비치다 : El árbol *proyecta* su sombra sobre la pared 나무가 벽에 그림자를 비친다. ③ 영사 · 상영하다 : Van a ~ una película científica 과학 영화가 상영될 것이다. ④ (줄을) 치다 ; 계획하다, 구상하다, 설계하다 : Yo *proyecto* un viaje a Europa 나는 유럽 여행을 계획하고 있다. ⑤ [+*inf.*] …할 계획을 세우다 : ~ viajar por España 서반아를 여행할 계획을 세우다.

proyectil *m.* 사출물, 발사체 《탄환, 폭탄, 수뢰, 화살 등》 ; 탄도 병기, 유도 병기 : ~ atómico 원자탄. ~ balístico 탄도탄. ~ balístico intercontinental 대륙간 탄도탄. ~ balístico de mediano alcance 중거리 탄도 병기. ~ cohete 로켓탄. ~ dirigido · teleguiado 유도탄.

proyectista *m.f.* 계획자, 설계자, 입안자.

proyecto *m.* 계획, 문안, 안, 설계(도) ; 견적, 초안 ; 의안(議案).

~ ***de construcción del oleoducto*** 석유 파이프 라인 건설 계획. ~ ***de contrato*** 계약서 원안(原案). ~ ***de estatutos*** 정관의 문안(文案). ~ ***de inversión*** 투자 계획. ~ ***de irrigación*** 관개 프로젝트. ~ ***de la explotación de energía geotérmica*** 지열(地熱) 이용 프로젝트. ~ ***de ley*** 법안. ~ ***de plantación*** 플랜테이션 계획. ~ ***de presupuesto*** 예산안, 예산 계획. ~ ***de transportación*** 수송 프로젝트. ~ ***hidroeléctrico*** 수력 발전 프로젝트. ~ ***petroquímico*** 석유 화학 프로젝트. ~ ***regional de alimentos*** 지역 식량 프로젝트.

proyecto, ta *adj.* 스크린에 영사된.

proyector *m.* ① 환등기, 투광기(投光器) : ~ eléctrica. ② 영사기. ③ 발사기. ④ (극장의) 스포트 라이트.

proyectura *f.* 【건축】 (난간의) 돌출부, 불쑥 내민 곳(vuelo, salida).

pr.p. próximo pasado.

prudencia *f.* [*lat.* prudentia] 신중, 분별, 세심 ; 절도 ; 온건. [Contr.] imprudencia.

prudencial *adj.* ① 만전을 기한 : plazo ~. ②

대강의, 개산(概算)의(aproximativo) : un cálculo ~ 개산.

prudencialmente *adv.* 신중하게, 만전을 기해 ; 가까이(aproximadamente).

prudenciarse *r.* ⑪ 《*Amér.*》 신중하게 행동하다, 삼가하다, 근신하다.

prudente *adj.* 주의깊은, 신중한, 용의 주도한, 분별이 있는 ; 온건한.

prudentemente *adv.* 신중하게, 용의 주도하게 (con prudencia).

prueba *f.* ① 시도, 시험, 검정(檢定), 실험 : ~ nuclear 핵실험. El aparato se rompió en la ~ 기계는 시험 중에 부서졌다. ② 검산 ; 맛보기. ③【인쇄】교정쇄 : ~ de plana 견본쇄. Me han enviado las ~*s* de la imprenta 나에게 인쇄의 교정쇄가 보내졌다. ④ ㄱ) 증거, 증명 : en · como ~ (de) (…의) 증거로서. dar una ~ de …의 증거를 보이다 · 제시하다. No hay ~ para condenarla 그녀를 조치할 증거가 없다. ㄴ) 증거가 되는 일, 증적(證跡) : ~ de indicios, ~ indiciaria 정황 증거. ⑤ 시합, 경기 ; 연습. ⑥ *pl.* 가계(家系) · 혈통 증명서. ⑦ 《*Amér.*》 [주로 *pl.*] 곡예 (홍행).

~ ***de aptitud · capacidad · disposición*** 적성 검사. ~ ***de materiales*** 재료 검사. ~ ***negativa*** (사진의) 음화, 원판, 네가. ~ ***positiva*** (사진의) 양화.

a ~ 시험 · 검정 · 실험을 끝마친 ; 시험삼아, 시험적으로.

a ~ ***de*** …에 견딜 수 있는 : ***a*** ~ ***de*** agua 내수 · 방수의. ***a*** ~ ***de*** bomba 방탄의. ***a*** ~ ***de*** fuego 내화의. ***a*** ~ ***de*** aire 공기가 안 새게 하는.

de ~ 견고한.

hacer la ~ 시도하다.

poner · someter a ~ 시험해 보다, 실험하다, 테스트하다.

pruebista *m.f.* 《*Amér.*》 곡예사, 요술사 (gimnasta, volatinero).

pruna *f.* 【방언】 매화나무, 서양 살구(ciruela).

pruno *m.* 【방언 · 식물】 =**ciruelo.**

pruriginoso, sa *adj.* 양진성(痒疹性)의, 가려운(que escuece).

prurigo *m.* [*lat.* prurigo] 【의학】 양진(痒疹).

prurito *m.* [*lat.* pruritus] ① 가려움 (comezón). ② 근질근질함, 열망, 갈망, 조바심(deseo excesivo) : sentir el ~ de hablar.

prusiano, na *adj.* 프러시아(Prusia)의. —*m.f.* 프러시아 사람. —*f.* 인쇄된 면직물.

prusiato *m.* 【화학】 청산염(靑酸鹽).

prúsico *adj.* 【화학】 ***ácido*** ~ 청산(靑酸).

ps. pesos 뻬소.

P.S. post scríptum 추신.

PSA Partido Socialista de Andalucía ; Partido Socialista Andaluz.

¡psch! *interj.* 경멸을 나타내는 접두어.

pseudo *adj.* [*gr.* pseudos] 가짜의, 사이비의 ; 비슷한(seudo). [*N.* 남녀 동형일 때 접두어적으로 : *pseudó*nimo 필명(筆名), 가명].

pseudónimo *adj. m.* =**seudónimo.**

pseudópodo, da *adj. m.* =**seudópodo.**

psi *f.* 그리스 자모(字母)의 23번째 문자.

psicastenia *f.* 정신 쇠약증.

psicoanálisis *m.* 정신 분석. —*f.* 정신 분석학.

psicoanalista *m.f.* 정신 분석 학자 · 전문의.

psicoanalítico, ca *adj.* 정신 분석의, 정신 분석학적인.

psicoanalizar *m.* 정신 분석 요법으로 처리하다.

psicodélico, ca *adj.* 환각적인 ; 환각제의.

psicodelismo *m.* 환각 상태.

psicódrama *m.* 심리극, 사이코드라마.

psicofísica *f.* 정신 물리학.

psicogénico, ca *adj.* 심인성(心因性)의, 정신에서의.

psicología *f.* 심리 ; 심리학 : ~ industrial · del trabajo 산업 심리학. ~ infantil 아동 심리학.

psicológico, ca *adj.* 심리학의 ; 심리적인 : problema ~.

psicólogo, ga *adj.* 심리학을 연구하는. —*m.f.* 심리학자.

psiconeurosis *f.* 정신 신경병, 노이로제.

psicópata *m.f.* ① 정신병 학자, 정신병 전문 의사 (alienista). ② 정신병자.

psicopatía *f.* 정신병(enfermedad mental).

psicopático, ca*adj.* 정신병의 ; 정신병에 걸린. —*m.f.* 정신병자.

psicopatología *f.* 정신 병리학.

psicopedagogía *f.* 아동 발육에 기초한 아동 교육학.

psicopedagógico, ca *adj.* psicopedagogía의.

psicosexología *f.* 성심리학.

psicosis *f.* 정신병, 정신 착란증 · 이상.

psicosocial *adj.* 개인 심리와 사회 생활의.

psicosociología *f.* 사회 심리학.

psicosociológico, ca *adj.* 사회 심리학의.

psicosociólogo, ga *m.f.* 사회 심리학 전문가 · 학자.

psicotecnia *f.* 성격 연구 ; 산업 심리학.

psicoterapeuta *m.f.* 정신 요법 전문 의사.

psicoterapia *f.* 정신 요법.

psicrómetro *m.* 건습구 온도계(乾濕球溫度計).

psique *f.* 정신, 영혼, 혼(魂).

Psique *f.* 【신화】 Cupido에게 사랑을 받은 아름다운 소녀, 날개를 가진 영혼의 권화(權化).

psiquiatra *m.* =**psiquíatra.**

psiquíatra *m.* 정신병 학자, 정신과 의사 (alienista).

psiquiatría *f.* 정신병학.

psiquiátrico, ca *adj.* 정신병학의.

psíquico, ca *adj.* 심령의, 정신의, 심리적인 : actividad ~*ca* 심리 · 정신 활동. fenómenos ~*s* 심령 현상.

psiquis *f.* 정신, 혼(魂)(psique) ; 거울.

psiquismo *m.* 심리 현상.

psitácida *adj.* 【조류】 앵무새 무리의. —*f.pl.* 앵무새 무리.

psitácido *adj.* =**psitácida.** —*m.pl.* =**psitácidaz.**

psitacismo *m.* 암기 교수법.

psitacosis *f.* 앵무병 《앵무새에게서 옮아지는 티푸스형의 전염병》.

P.S.M. por su mandato.

PSOE Partido Socialista Obrero Español.

PSP Partido Socialista Puertorriqueño.

Pt platino.

pta(s). peseta(s) ; pasta 풀.

pte. presente 본장(本狀) ; parte.

p.[te] parte.

ptero- *pref.* [*gr.* pteron]「날개」의 뜻을 나타내는 접두어.

pterodáctilo *m.* 익룡(翼龍)의 무리《고생대의 화석》.

pterosauro *m.*【고생대】익룡.

ptialina *f.* 프티알린, 타액소(唾液素).

ptialismo *m.* 침을 흘리기.

pto. puerto ; punto.

ptomaína *f.*【화학】프토마인, 시독(屍毒), 사체독(死體毒)(tomaína).

ptosis *f.*【의학】하강, 하락, 떨어짐(descenso, caída) : ~ estomacal.

¡ pu! *interj.* =**¡ puf!**

púa *f.* ① 작고 끝이 뾰족한 물건. ② 가시, 바늘, 침 : alambre de ~*s* 가시 철사, 철조망. ③ (축음기·성게·고슴도치의) 바늘. ④ 빗살(diente de un peine). ⑤ (꺾꽂이의) 접붙인 이삭. ⑥ (악기의) 골무. ⑦ (팽이의) 축. ⑧ 골칫거리의·아픈 원인 ; 가시. ⑨ 빈틈없는 사람 : José es buena ~ 호세는 빈틈이 없다. ⑩《*Amér.*》(새의) 며느리발톱.

sacar la ~ al trompo 참된 원인을 파악하다.

püado *m.* [집합] 빗살 : ~ de peine.

¡puah! *interj* =**¡huh!**

püar *tr.* ⑮ 빗살을 넣다.

púber, ra *adj.m.f.* 사춘기의 ; 혼기에 이른 ; 그 연배의 사람. Contr. impúber.

púbero, ra *adj.m.f.* =**púber.**

pubertad *f.* [*lat.* pubertas] 사춘기, 묘령(妙齡).

pubes *m.*【해부】=**pubis.**

pubescencia *f.* ① =**pubertad.** ②【식물】보드라운 털로 덮임 ; 연한 털.

pubescente *adj.* ① 묘령의. ②【식물】보드라운 털이 있는(velloso) : hoja ~.

pubescer *intr.* 혼기에 이르다.

pubiano, na *adj.*【해부】pubis의·에 관한 : ligamentos ~*s* 치골의 인대.

pubis *m.*【해부】음부(陰部) ; 음모(陰毛) ; 치골(恥骨), 치골부.

publicable *adj.* 공표·발표·발행할 수 있는.

publicación *f.* 공포, 발표, 공표 ; 발행, 출판. —*pl.* 저작물, 간행물, 출판물 : ~ artística.
~ *especializada* 업계지(業界誌).

publicador, ra *adj.* 공표·발표하는. —*m.f.* 공포자 ; 공표자, 발표자 ; 발행자.

públicamente *adv.* 공공연하게.

publicano *m.* [*lat.* publicanus] (특히 옛 로마의) 세리(稅吏).

publicar *tr.* ⑦ [*lat.* publicare] ① 세상에 널리 알리다, 공포·공표하다 : La sentencia *se publicará* la semana próxima 선고는 다음 주에 공포될 것이다. ② 발표하다 : Este novelista *publicó* su primera obra en 1944 이 소설가는 그의 첫 작품을 1944년에 발표했다. ③ 발행·발간·출판하다 : Este libro *se publicó* en Seúl en 1990 이 책은 1990년 서울에서 발행되었다.

publicata *f.* 발행 증명서.

publicidad *f.* ① 주지, 공연성(公然性), 공개 : en ~ 공공연하게. ② 선전, 광고(anuncio) : sección de ~ 광고과.
~ *aérea* 공중 광고. ~ *colectiva* 공동·연합 광고. ~ *competitiva* 경쟁적 광고. ~ *con impresos* 인쇄물에 의한 선전. ~ *directa* 직접 광고. ~ *directa por correo* 직접 우편 광고. ~ *en la prensa,* ~ *en los periódicos* 신문 광고. ~ *en la televisión* 텔레비전 광고. ~ *exterior* 옥외 광고. ~ *individual* 개별 광고. ~ *nacional* 전국적 광고. ~ *no selectiva* 무차별 광고. ~ *por carteles* 포스터 광고. ~ *por medio de carteles* 포스터에 의한 광고. ~ *practicada por correo* 직접 우편 광고. ~ *radiada·radiofónica* 라디오 광고. ~ *reiterativa* 반복 광고. ~ *selectiva* 스포트 광고. *agencia de* ~ 광고 회사. *balón de* ~ 애드벌룬. *material de* ~ 광고 재료.

publicista *m.f.* ① 공법 학자. ②《*Galic.*》신문인, 신문 기자(periodista).

publicitario, ria *adj.* 광고·선전의.

público, ca *adj.* [*lat.* publicus] ① 공공의 : hacer ~ 공표하다. Mañana al mediodía será hecho ~ el nombre del premio Nobel de Literatura 내일 정오에 노벨 문학상의 이름이 발표될 것이다. ② 국가의, 관의 : edifico ~ 공공 건물. ③ 공공연한 ; 공개의. ④ 공중(公衆)의 : plaza ~*ca* 공중 광장. teléfono ~ 공중 전화. vía ~*ca* 공도(公道). ⑤ 주지의, 평판의 : ladrón ~ 평판이 있는 도둑.
—*m.* 공중, 대중, 관중, 청중 : la opinión del ~ 대중의 의견.
mujer ~ca 창녀(ramera).
sector ~ 국가 통치자.
de ~ 공공연하게, 드러내놓고, 세상에 널리 알려져(notoriamente, públicamente).
en ~ 공공연하게(públicamente).
dar·sacar al ~ 세상에 공표하다 ; 출판하다(publicar).

puca *adj.*《*Ecuad.*》【남·여 동형】=**barbirrojo, barbitaheño.**

pucará *m.*《*AmérM.*》(고대의) 성채의 유적.

pucelana *f.* =**puzolana.**

pucha *f.* ①《*Cuba.*》꽃다발(ramillete). ②《*Col.*》곡식의 4분의 1.
—*interj.*《*Riopl.*》놀라움을 표시하는 말.

puchada *f.* 밀가루로 하는 습포(濕布) ; 돼지 사료.

pucharse *r.* 굴종하다 ; 적에게 필사적으로 맞서다.

puchas *f.pl.*《*Amér. Ant.*》【방언】=**puches.**

puche *m.* =**puches.**

puchera *f.* =**olla** : ganar para la ~.

pucherazo *m.* [*aum.* puchero] ① 선거 조작(maniobra electoral). ② 흙냄비를 부딪치기.

pucherear *intr.*《*Chile.*》우거지상·울상을 짓다(hacer pucheros).

pucherete *m.* [*dim.* puchero] 작은 냄비.

puchero *m.* [*lat.* pultarius] ① 흙냄비 ; 전골 냄비. ② 전골 요리(olla) : comer siempre ~. ③ 평시에 먹는 음식(alimento diario) : no ganar para el ~. —*pl.* 울상, 우거지상 : hacer ~*s* 울상을 짓다.
empinar el ~ 허기지지 않을 만큼 먹다.
salirse el ~ 실패하다.
volcar el ~ 속임수·부정 투표를 하다.

pucheruelo *m. dim.* puchero.

puches *m.(f).pl.* 풀죽(gachas).
puchicanaga *f.* 《*Col.*》 =**rueca.**
puchingajos *m.pl.* 《*Cuba.*》 우스운 장식.
puchito *m.* 《*Col. Hond.*》 =**poco, poquito.**
pucho *m.* 《*Amér.*》 ① 끝 ; 조금, 소량. ② 담배 꽁초 (colilla de cigarro). ③ 《*Chile. Ecuad.*》 막내둥이. ④ 《*Arg.*》 나머지(sobra, resto de algo).
a ~s 가루가 되게 부수어서.
sobre el ~ 《*AmérM.*》 즉시, 곧장.
no valer un ~ 아무 쓸모가 없다.
puchuela *f.* 《*Ecuad. Perú.*》 ① 찌꺼기, 퇴물 ; 하찮은 것(cosa insignificante). ② 소량, 근소한 것(pizca).
puchuelada *f.* 《*Col.*》 분량, 한 무더기.
puchungo, ga *m.f.* 《*PRico.*》 귀여운 사람.
puchusco, ca *m.f.* 《*Chile.*》 막내둥이(el último hijo de la familia).
pucia *f.* [드뭄] 약그릇(vaso farmacéutico).
puco *m.* 《*AmérM.*》 종재기, 나무 그릇, 쟁반.
pucucho, cha *adj.* 《*Ecuad.*》 =**hueco.**
pud *m.* (러시아의) 무게의 단위 《16.38kg》.
pudding *m. ing.* 푸딩 《밀가루에 우유·달걀·과일·설탕·향료를 넣고 찐·구운 식후에 먹는 과자》.
pude poder의 직·부정과거·1·단수.
pudelación *f.* 주철 정련(鑄鐵精練).
pudelar *tr.* [*ing.* puddle] (철을) 정련하다 : horno de ~.
pudendo, da *adj.* 수줍은, 수치스런, 부끄러운 (vergonzoso) : partes *~tas* 치부(恥部).
pudibundez *f.* 부끄럼, 수줍음.
pudibundo, da *adj.* =**pudoroso.**
púdicamente *adv.* 청렴 결백하게 ; 얌전하게, 내성적으로.
pudicicia *f.* 정절(貞節), 청렴 결백. Contr. impudicicia.
púdico, ca *adj.* [*lat.* pudicus] ① 지조가 굳은, 청렴 결백한, 정결한(honesto). ② 부끄럼 잘 타는, 얌전한, 내성적인, 수줍음을 잘 타는.
mimosa ~ca 【식물】 함수초.
pudiente *adj.* ① 세력이 있는(poderoso). ② 호사스러운, 사치스러운, 금력이 있는, 부유한 (rico). **—*m.f.*** 유력자.
pudiera poder의 접·불완료과거·1·3·단수.
pudierais poder의 접·불완료과거·2·복수.
pudiéramos poder의 접·불완료과거·1·복수.
pudieran poder의 접·불완료과거·3·복수.
pudieras poder의 접·불완료과거·2·단수.
pudieron poder의 직·부정과거·3·복수.
pudiese poder의 접·불완료과거·1·3·단수.
pudieseis poder의 접·불완료과거·2·복수.
pudiésemos poder의 접·불완료과거·1·복수.
pudiesen poder의 접·불완료과거·3·복수.
pudieses poder의 접·불완료과거·2·단수.
pudimos poder의 직·부정과거·1·복수.
pudín *m.* 《*Neol.*》 =**pudding.**
pudinga *f.* 【지질】 역암(礫岩).
pudio, dia *adj.* 거무잡잡한 (소나무).
pudiste poder의 직·부정과거·2·단수.
pudisteis poder의 직·부정과거·2·복수.
pudo poder의 직·부정과거·3·단수.
pudor *m.* [*lat.* pudor] 수치, 부끄러움(vergüenza) ; 절조, 조심성. Contr. impudicicia.
pudoroso, sa *adj.* 체통을 세울 줄 아는, 지조가 있는, 정절이 있는.
pudrición *f.* =**putrefacción.**
pudridero *m.* 썩히는 곳 ; 시체 안치소.
pudrigorio *m.* =**podrigorio.**
pidrimiento *m.* =**putrefacción, corrupción.**
pudrir *tr.* [*lat.* putrere] [*p.p.* podrido] ① 썩히다 (corromper). ② 싫증나게 만들다. **—*intr.*** 썩다, 부패하다 ; 매장되다 : Tu amigo *pudre* en el cementerio 너의 친구는 묘에 묻혀 있다.
~se ① 썩다 : Las raíces de los árboles *se pudren* en los sitios demasiado húmedos 나무의 뿌리들은 너무 습한 곳에서 썩는다. ② 싫증나다 : *~se de* aburrimiento.
pudú *m.* 《*Amér.*》 【동물】 칠레산의 어린 산양.
puebla *f.* ① 야채밭. ② 【고어】 마을, 고을, 촌락 (población).
pueblada *f.* ① 《*AmérM.*》 폭동. ② 《*Arg. Col. Perú.*》 =**pueblo.**
pueble *m.* [집합] 광산의 작업원.
pueblecito *m. dim.* pueblo.
pueblerino, na *adj.* 마을의, 고을의, 시골의 (lugareño) ; 촌스러운, 촌티가 나는.
pueblero, ra *m.f.* 《*AmérM.*》 마을 사람.
pueblo *m.* [*lat.* populus] ① 촌, 촌락 ; 마을, 도시 (población) : un ~ de tres mil almas 3천명의 마을. Hemos pasado por un ~ muy pintoresco 우리들은 아주 아름다운 마을을 지나갔다. ② 나라, 국가, 국민 (nación) : los *~s* civilizados 문명국들. Nunca lo olvidará el ~ coreano 한국 국민은 절대로 그것을 잊지 않을 것이다. ③ 민중, 인민 : ~ bajo. ④ 겨레, 민족. ⑤ 주민.
pueda poder의 접·현·1·3·단수.
puedan poder의 접·현·3·복수.
puedas poder의 접·현·2·단수.
puede poder의 직·현·3·단수.
pueden poder의 직·현·3·복수.
puedes poder의 직·현·2·단수.
puedo poder의 직·현·1·단수.
puelche *m.* ① 뿌엘체족 《칠레의 안데스 산맥의 동쪽에 거주하는 원주민》. ② 《*Chile.*》 동풍(東風).
puente *m.* [전에는 *f.*] [*lat.* pons, pontis] ① 다리, 교량. ② 선교(船橋). ③ 갑판. ④ (악기의) 줄받침(cordal). ⑤ 배에 걸친 널 ; 가로나무, 횡재(橫材). ⑥ 가공 의치.
~ ***acorazado*** 장갑 갑판. ~ ***aéreo·de aterrizaje*** 비행 갑판. ~ ***cerril*** 작은 걸친 다리. ~ ***colgante*** 조교(吊橋). ~ ***de barcas*** 주교(舟橋). ~ ***de los asnos*** 헤쳐 나가기 어려운 곤란. ~ ***de desembarque*** 화물 양륙용 잔교. ~ ***de mando*** (군함의) 사령 갑판. ~ ***de pontones*** 주교(舟橋). ~ ***grúa*** 다리 모양의 기중기, 천장식 기중기. ~ ***levadizo*** 도교(跳橋). ~ ***metálico*** 철교. ~ ***militar*** 군대의 도하교(渡河橋). ~ ***transbordador*** 고가식 운반교. ~ ***volante*** 선회교.
hacer ~ 휴일과 휴일 사이의 하루를 쉬다, 휴일 사이의 날을 휴일처럼 생각하다 (considerar como festivo el día intermedio entre dos que lo son) : El jueves *hago* ~ porque son fiestas el

miércoles y el viernes 수요일과 금요일은 휴일이기 때문에 목요일은 쉬겠다.

hacer·tender ~ de plata 모든 편의를 성심 성의껏 제공해 주다.

poner un ~ (이를) 보철하다.

puentecilla *f.* [*dim.* puente] ① (현악기의 줄을 세우는) 기러기발. ② 작은 교량.

puentezuela *f.* [*dim.* puente] 작은 다리.

puerca *f.* ①【동물】암퇘지. ② 짚신벌레 (cochinilla). ③ [드뭄] 나력(escrófula). ③ 더러운 여자(mujer sucia); 천한 여자.

~ *montés·salvaje* 암멧돼지(jabalina).

puercada *f.* 《*Amér.*》 =**porquería.**

puercamente *adv.* 더럽게, 추접스럽게, 비열하게, 천박하게, 교양없게.

puerco *m.* [*lat.* porcus] ①【동물】돼지(cerdo). ② 추접스러운 인간, 야비한 인간(hombre sucio y grosero). ③ 구두쇠.

~ *espín·espino*【동물】맷돼지(의 일종). ~ *marino* 돌고래 (marsopa). ~ *montés·salvaje* 멧돼지(jabalí).

declararse el ~ 항복하다, 두 손을 들다.

A cada ~ le llega su San Martín【속담】인간은 누구나 잘못을 저지르는 법이다.

Al más ruin ~ la mejor bellota【속담】행운을 얻지 못할 자가 늘 행운을 얻는다.

puerco, ca *adj.* ① 불결한, 추접스러운, 더러운(sucio). ② 욕심많은, 욕심꾸러기의.

puercoespín *m.* =**puerco espín.**

puericia *f.* [*lat.* pueritia] 유년기, 어린 시절 《7세부터 14세》.

puericultor, ra *m.f.* 육아 전문가.

puericultura *f.* 《*Neol.*》 육아법.

pueril *adj.* [*lat.* puerilis] 어린 시절의, 아동의, 어린애 같은, 철부지 같은 : juegos ~*es* 어린애 같은 장난·놀이.

puerilidad *f.* 어린애 같음, 어린애 장난; 어처구니 없는 일, 유치한 짓, 하는 짓이 어림 : perder el tiempo en ~*es* 어처구니 없는 일에 시간을 보내다.

puerilizar *tr.* =**infantilizar.**

puerilmente *adv.* 어린애·철부지처럼.

puérpera *f.* 임산부(mujer racién parida).

puerperal *adj.* 산욕의 : fiebre ~ 산욕열.

puerperio *m.* =**sobreparto.**

puerquezuelo, la *m.f. dim.* puerco.

puerro *m.* [*lat.* porrus] 파의 일종.

puerta *f.* [*lat.* porta] ① 문 : la ~ de la casa. ② 입구, 문간, 출입구(entrada) : en las ~*s* de la ciudad. ③ 현관. ④ 접근 방식, 입문(introducción) : La virtúd es ~ de la felicidad. ⑤ 문짝. ⑥ 성문 통과료.

~ *accesoria* 옆문, 뒷문. ~ *caediza* 낙하식문. ~ *cochera* 마차용 문. ~ *excusada·falsa* 뒷문, 부엌문. ~ *franca* 출입의 자유항; 무관세(無關稅). ~ *giratoria* 회전문(回轉門). ~ *plegadiza* 접는 문. ~ *reglar* 수도원에 사는 사람들의 전용 출입문. ~ *secreta* 비밀문. ~ *trasera* 뒷문; 항문. *P- Sublime* 터키 (정부). ~ *vidriera* 유리문.

a la ~ 문간·입구에서.

a la otra ~ 완강하게, 고집을 부려.

a ~(s) cerrada(s) 비공개로, 은밀하게, 내밀히, 비밀리에(en secreto).

a ~s 아주 가난하게, 째지게 가난하게.

de ~ en ~ 집집마다 다니며 (구걸하는).

de ~s adentro 실내 쪽으로, 실내에서.

detrás de la ~ 쉽사리, 손쉽게 (찾아내다 등).

fuera de ~s 문 밖에서.

por ~ s 아주 가난하게, 가난에 찌들어, 째지게 가난하게(a ~*s*)

abrir la ~ 길을 열어 주다, 계기를 만들어 주다, 편의를 도모해 주다.

cerrarsle a uno *todas las ~s* 달리 더 손을 쓸 수 없게 되다, 만책(萬策)이 무효다.

coger la ~ 물러나다, 돌아가다(tomar la ~).

dar a uno *con la ~ en la cara·las narices* 쌀쌀하게 거절하다.

echar las ~s abajo 현관에서 큰 소리로 부르다.

estar a la ~ 문간·입구까지 와 있다.

llamar a la ~ 방문하다, 문을 두들기다.

llamar a la ~ de (…의) 호의를 바라다.

poner ~s al campo 애써도 소용없는 일이다, 결말이 날 수 없는 일이다.

tomar la ~ 물러나다, 떠나다, 돌아가다(salirse, marcharse).

Puerta del Sol【지명】① 마드리드 중심지의 광장. ② 서반아 Toledo에 있는 무데하르식 문. ③ 볼리비아 Tiahuanaco에 있는 돌문.

puertaventana *f.* =**contraventana.**

puertear *intr.* 《*Arg.*》 떠나다, 나가다.

puertezuela *f.* [*dim.* puerta] 작은 입구·문.

puertezuelo *m.* [*dim.* puerto] 작은 항구.

puerto *m.* [*lat.* portus] ① 항구; 항구 도시 : vivir en un ~ 항구 도시에 살다. ② 골짜기, 고개, 골짜기길; 어떤 길이 있는 산골. ③ 피난처(asilo, amparo) : descanser en el ~. ④【은어】하숙집, 여인숙. ⑤【방언】여름 목초; 바람이 그대로 내부는 곳; 춤추는 곳; 어지러운 집.

~ *abierto al comercio extranjero* 개항지. ~ *aduanero* 통관항, 세관 소제항. ~ *aéreo* 공항. ~ *comercial* 상항(商港). ~ *con aduana para entrada de importaciones* 통관항. ~ *de armamento* 선적항. ~ *de carga* 수출항·선적항. ~ *de depósito* 보세 창고항. ~ *de descarga·desembarco* 양륙항. ~ *de desembarque* 양륙지, 양륙항. ~ *de destino* 도착항. ~ *de embarque* 선적항. ~ *de entrada* 통관항. ~ *de escala* 기항지. ~ *de escala especial·extraordinaria* 임시 기항지. ~ *de exportación·importación* 수출항, 수입항. ~ *de llegada* 도착항. ~ *de matrícula·registro* 선적항. ~ *de salida* 출발항. ~ *de transbordo·tránsito* 중계항. ~ *especificado* 특정항. ~ *fiscal* 통관항. ~ *fluvial* 하항(河港). ~ *franco* 자유 (무역)항. ~ *habilitado* 관세 수속항. ~ *interior* 내륙항. ~ *libre* 자유항. ~ *marítimo* 해항(海港). ~ *no abierto al comercio extranjero* 불개항지(不開港地). ~ *seco* 국경의 세관 소제지.

de ~s allende 산 저 너머에서 오는.

de ~s aquende 산 이쪽의.

agarrar el ~ (곤란을 이겨내고) 무사히 입항하다 : Por fin (el barco) *agarró el ~*.

arribar a ~ de claridad·de salvación·de salvamento (곤란했던 일이) 무사히 목적을 달성하다 : *Arribé a ~ de salvación.*

naufragar en el ~ 마지막에 가서 실패하다. *tomar* ~ 입항하다 ; 안전 지대로 피난하다.

Puerto Príncipe 【지명】 뿌에르또 쁘린시뻬 《아이티의 수도》.

Puerto Rico 【지명】 뿌에르또리꼬.

puertoriqueñismo *m.* 뿌에르또리꼬 방언.

puertorriqueño, ña *adj.* 뿌에르또리꼬의. —*m.f.* 뿌에르또리꼬 사람.

pues *conj.* [*lat.* post] ① [원인·이유] 왜냐하면, …하니, …했으니, 그렇다면, …하는 바에야, 했을 바에야 : Págalo, ~ lo compraste 네가 샀으니, 네가 지불해라. Sufre la pena, ~ cometiste la culpa 벌을 받게, 잘못을 저질렀으니까. *Pues* el mal es ya irremediable, llévalo con paciencia 기왕에 불행을 피할 수 없으니 참아라. ② [부사적으로] 그러면 : ~ bien 그럼. *Pues* bien, te lo avisaré mañana 그럼 내일 너에게 그것을 알려 주겠다. ③ [계속] 그 때문에 : Repito, ~ que hace lo que debe 그러니, 거듭 말하지만 하지 않아서는 안 될 일을 하고 있다더군. ④ [배반] 그렇지 않으면 : ¿No quieres oir mis consejos? *Pues* tú lo llorarás algún día 나의 충고를 듣지 않겠다는 거냐? 언젠가는 울 날이 올 것이다. ⑤ [강조, 말문을 꺼낼 때, 특별한 뜻이 없이] 그런데, 저… : *Pues* como iba diciendo 그런데 말씀 드렸듯이. *Pues*, yo no puedo 에에, 나는 할 수 없다. ⑥ [의문 부사적으로] 그런데? 왜? : ¿Esta noche iré a la tertulia? —¿*Pues*? 오늘 밤 내가 모임에 가느냐고? —왜 (그런 말을 묻지)? ⑦ [긍정의 부사로서] 예, 그래(sí) : ¿Conque habló mal de mí? —*Pues* 내 욕을 했다고? —그래도 좋아. ⑧ [감탄사적으로] 그래, 분명히 ; 으흠 : ~ sí 물론. ¡*Pues* sí yo iré! 물론 나는 가겠다! ¡*Pues*, se salió con la suya! 그래, 잘 됐군, 잘 됐어! ⑨ 실은 : ¿Qué tal le va en ese hermoso país? —*Pues* nos pasamos la vida tomando cerveza 그 아름다운 나라에서 당신은 어떻게 지냈습니까? —실은 맥주를 마시면서 지냈습니다. ⑩ [문어체에서 사용하여] …에 관하여, …에 대하여(en cuanto a) : *Pues* el ropero, estaba tan bruñido 옷장에 대해서는 무척 빛이 났다.

pues que …한 이상, …한 바로는 : Y el mundo, ~ *que* existe, pasará a ser ceniza 세계는, 그것이 존재하고 있는 이상은, 재로 될 때가 올 것이다.

puesta *f.* ① 천체가 지는 것 : la ~ del sol 낙조, 일몰, 석양. Contr. salida. ② (도박 등의) 판돈(cantidad que se apuesta en un juego). ③ (고기·생선의) 살코기 토막(posta). ④《*Arg.*》경마의 무승부. ⑤《*Arg.*》산란(產卵).

~ *en explotación de eriales* 미개간지의 개간. *primera* ~ 입대한 사병에게 처음으로 공급하는 피복류.

puestear *intr.* 《*Col.*》 엿보다, 노리다(acechar).

puestero, ra *m.f.* ①《*Riopl.*》농장지기. ②《*Amér.*》노점·매점의 감시인·판매자·점원.

puesto, ta *adj.* [poner의 *p.p.*] ① 놓여진 : La mesa está ~*ta* 식탁이 차려 있다. ② 내기를 건. ③ [+bien·mal] 잘 차려 입은, 남루한 옷을 입은 (vestido) : Iba muy bien ~ 그는 옷을 잘 차려 입고 있었다.

—*m.* ① 장소, 위치 : ocupar el segundo ~ 2위·2등을 차지하다. Tengo el tercer ~ en la cola 나는 열의 세 번째이다. ② 지위, 직업, 직(장), 신분 : Ella tiene un buen ~ en la compañía 그녀는 회사에서 좋은 직을 가지고 있다. ③ 상태. ④ 노점 : ~ de verdura. ⑤ 스탠드 : ¿Hay ~ de gasolina por aquí? 이 근처에 가솔린 스탠드가 있습니까?

~ *a bordo* (수출항) 본선도(本船渡). ~ *al costado del buque* 선측도(船側渡). ~ *en almacén* 창고도(渡). ~ *en el buque* 착선도(着船渡). ~ *en el muelle* 부두도. ~ *en fábrica* 공장도. ~ *en vagón* 화차·철도도.

~ *que* ① 설사 …하여도 (aunque) : … 할 바에야·했을 바에야 : …이므로 : Hágalo, ~ *que* no hay otro remedio 다른 방도가 없으니 그렇게 하십시오. ② …이라면·하였다면 : *Puesto que* lo temes, no vayas 그것이 걱정이라면 가지 말게.

puf *m.* ①《*Galic.*》걸상(taburete) ; 꾸밈, 치장, 장식(adorno). ②《*Col. Chile.*》=**tontillo.**

¡puf! *interj.* 아이, 싫어!

pufo *m.* 속임수, 남의 눈을 속임.

de ~ 미불로, 빌린 돈으로.

puga *f.* 【고어】 =**púa.**

púgil *m.* 《*Neol.*》 =**boxeador.**

pugilar *m.* 헤브루인의 성서의 휴대용 발췌서.

pugilato *m.* 주먹다짐(pelea a puñadas) ; 권투.

pugilismo *m.* =**pugilato.**

pugilista *m.* 《*Neol.*》 =**boxeador.**

pugna *f.* ① 싸움, 다툼(lucha, batalla, contienda, pelea). ② 버팀, 맞섬. ③ 충돌, 모순.

estar en ~ 투쟁 중이다, 서로 맞서고 있다.

pugnacidad *f.* 호전성(belicosidad).

pugnante *adj.* 반대의, 상충하는, 투쟁하는, 모순되는, 서로 맞서는, 티격태격하는(contrario, opuesto, adversario, enemigo).

pugnar *intr.* [*lat.* pugnare] ① [+con·contra : …과] 투쟁하다, 다투다, 싸우다 (batallar, luchar, pelear) : ~ *con·contra* uno. ② 노력하다, 진력하다. ③ [+por·para : …하고자] 안달을 부리다, 노력하다, 애쓰다 : El ladrón *pugnaba por* desasirse.

pugnaz *adj.* [드뭄] =**belicoso.**

¡puh! *interj.* 《*Col.*》 동의·놀람의 표시.

puja *f.* ① 미는 일, 엎치락뒤치락. ② 경합. ③ 값을 올리기, 낙찰 가격의 상승. ④ 노력.

sacar de la ~ a uno ① 한술 더 뜨다, 단수가 더 높다 : Luis es listo, José le *saca de la* ~. ② (곤궁한 처지에서) 벗어나게 하다.

pujador, ra *m.f.* 경매자, 입찰자.

pujaguante *m.* 《*Hond.*》 =**azadón.**

pujame *m.* 돛의 자락(pujamen).

pujamen *m.* =**pujame.**

pujamiento *m.* 혈액의 과다 (abundancia de humores en el cuerpo) : sentir un ~ de sangre.

pujante *adj.* 건장한, 씩씩한, 박력이 있는 : mozo ~.

pujantemente *adu.* 씩씩하게, 힘차게, 기운차게(con pujanza).

pujanza *f.* 강력, 완강함, 씩씩함(vigor, fuerza) : luchar con ~.

pujar[1] *tr.* [*lat.* pulsâre] ① 밀다, 밀어제치다 : Hay que ~ el proyecto contra los obstáculos. ②《*Perú*》해고하다, 쫓아내다(despedir).

—*intr.* ① 말을 주저하다, 입속말을 하다. ② 주저하다. ③ 울상을 하다(hecer pucheros).
pujar² *tr.* (경매 등에서) 값을 올리다. —*intr.* 【고어】 오르다, 올라가다(subir, ascender) : ~ *en·sobre* el precio 값을 올리다. El *pujaba* por lo largo de la cuesta 그는 언덕을 따라 올라가고 있었다.
pujavante *m.* 발굽 깎는 기구.
puje *m.* 《*Perú.*》 질책, 나무라기, 꾸지람, 꾸중(reprimenda, peluca).
pujido *m.* 《*Amér.*》 우는 소리.
pujo *m.* ① 오줌 마려움 ; 무질근한 배 ; 그 아픔 : ~ de sangre 코나 변에 피가 섞인 것. ② 울고 싶은 심정, 웃고 싶은 충동. ③ 열망(deseo grande). ④ 경향.
a ~s 차츰, 겨우.
pujón, na *adj.* 《*Ecuad.*》 우는 소리를 내는.
pularda *f.* =**gallina.**
pulcazo *m.* 《*Méx.*》 pulque 한 모금.
pulcramente *adv.* 아담하게, 깨끗하게, 깔끔하게.
pulcritud *f.* ① 청결(aseo) : vestir con ~. ② 주의, 조심(cuidado) : trabajo hecho con ~.
pulcro, cra *adj.* [*lat.* pulcher] ① 깨끗한, 청결한, 깔끔한(aseado, limpio). ② 세련된(delicado).
pulchen *m.* 《*Chile.*》 =**ceniza.**
pulchinela *m.* 판치넬로 《17세기 이탈리아의 희극·꼭두각시의 어릿광대》.
pulenta *f.* =**polenta.**
pulga [*lat.* pulex] ① 【동물】 벼룩. ② 작은 팽이 《어린애 장난감》.
buscar las ~s a uno =provocar.
no aguantar ~s 성미가 급하다, 화를 잘 내다(ser muy quisquilloso).
echar la ~ detrás de la oreja 비위에 맞지 않는 말을 하다.
sacudirse ~s 욕지거리 같은 것을 물리치다.
ser de pocas ~s 《*Perú.*》 참을성이 별로 없다.
tener ~s 차분하지 못한 성미이다.
tener la ~ tras de oreja 불안하다(estar inquieto).
tener malas ~s 참을성이 별로 없다(ser poco sufrido).
Cada uno tiene su modo de matar ~s 【속담】 각기 자신을 처리하는 방법을 가진다.
pulgada *f.* 인치 《1/2 피트, 25.4㎜》.
pulgar *adj.* 엄지손가락의. —*m.* ① 엄지손가락·발가락(dedo ~). ② (포도를 전정할 때 남긴) 어미 싹.
menear los ~es 카드의 패를 떼다 ; 바쁘게 손가락을 움직이다.
por sus ~es 자기 손가락으로, 혼자 힘으로.
pulgarada *f.* ① 엄지손가락으로 튀기는 일 ; 엄지손가락으로 한번 집기(polvo) : una ~ de tabaco. ② 인치(pulgada). ③ 지탄(指彈).
pulgarcito *m. dim.* pulgar.
pulgón *m.* ① 【곤충】 진딧물. ② 《*SDgo.*》 생활력이 강한 사람.
pulgonear *intr.* 《*SDgo.*》 남에게 붙어 살다, 기식하다.
pulgoso, sa *adj.* 벼룩투성이의(que tiene pulgas).
pulguera *f.* ① 벼룩(pulga)의 집. ② 【식물】 차전초(zaragatona).
pulguerío *m.* 《*PRico. Urug.*》 벼룩투성이(인 곳).
pulguero *m.* 《*Amér.*》 =**pulguera.**
pulguiento, ta *adj.* 《*Amér.*》 =**pulgoso.**
pulguillas *m.* 떠들썩한 사람.
pulicán *m.* (치과용) 이뽑이(gatillo).
pulidamente *adv.* 깨끗이, 닦아 놓은 듯이.
pulidero *m.* (닦는 데 쓰이는) 천조각.
pulidez *f.* 윤이 나게 닦는 일 ; 연마 ; 윤이 남, 번지르르함, 고움.
pulido, da *adj.* 닦아 놓은, 윤을 낸 ; 고운, 맑은(lindo, pulcro, primoroso).
pulidor, ra *adj.* 닦는. —*m.f.* 닦는 사람, 완성공, 연마공. —*m.* 연마 도구, (물건을 닦을 때) 손가락 사이에 끼는 가죽 조각.
pulimentar *tr.* 닦다, 연마하다(pulir).
pulimento *m.* 닦아 내기, 연마 ; 윤, 광택 : La madera de nogal es susceptible de hermoso ~.
pulir *tr.* [*lat.* polire] ① 닦다, 연마하다 ; (…의) 윤을 내다 : taller de ~ 연마 공장. ② 끝마무리하다, 다듬다, 쪼아서 만들다. ③ 【은어】 팔아치우다 ; 훔치다(hurtar).
~se ① 윤을 내다. ② 멋을 부리다, 치장하다(adornar, ataviar) : *~se* mucho.
pulla *f.* ① 음담, 상소리, 비꼬기, 빗대기. ② 【새】 수리의 일종(planga). ③ 《*Col.*》 도끼.
pullista *m.f.* 비꼬는 사람, 익살부리는 사람.
pullman *m.* 풀먼차 《설비가 갖추어져 있고 침대도 있는 특별차》.
pullo *m.* 《*Arg. Bol.*》 토인이 쓰는 모포.
pullucata *f.* 《*Perú.*》 토인의 모포.
pulmón *m.* [*lat.* pulmo] 【해부】 폐(肺).
~ *marino* 해파리, 수모(水母)(medusa). ~ *de acero·hierro* 인공 호흡기. ~ *artificial* 인공 호흡기. ~ *eléctrico* 전기 호흡기. *cáncer del* ~ 폐암.
pulmonado, da *adj.* 【동물】 폐를 가진 : tuberculosis ~. —*m. pl.* 폐를 가진 동물 《활유 등》.
pulmonar *adj.* 폐(pulmón)의 : tuberculosis ~ 폐결핵.
pulmonaria *f.* 【식물】 폐장초.
pulmonear *tr. intr.* 《*Arg.*》 =**fumar.**
pulmonía *f.* 【의학】 폐렴 (neumonía) : ~ doble 양폐렴.
pulmoniaco, ca. *adj.* 폐렴의 : padecer inflamación *~ca* 폐렴에 걸리다, 폐렴을 앓다.
—*m.f.* 폐렴 환자.
pulmoníaco, ca *adj.* =**pulmoniaco.**
pulmotor *m.* 호흡기.
pulpa *f.* ① (뼈가 없는) 살, (이의) 물렁살. ② 과육(果肉) (carne de la fruta) : la ~ del melocotón 복숭아의 과육. ~ de fruta 과육. ③ (목재의) 속. ④ 펄프. ⑤ (사탕수수의) 짜고 남은 껍질 《가축의 사료》. ⑥ 【해부】 수질(髓質) ; 치수(齒髓), 이골, 이빨속.
pulpejo *m.* 물렁살, 육질부 : el ~ de la oreja 귓불. el ~ del dedo 손가락의 배.
pulpería *f.* 《*Amér.*》 식품 잡화상.
pulpero, ra *m.f.* ① 《*Amér.*》 식품점·잡화상 주인. —*m.* 낙지 ; 낙지 잡는 기구, 낙지잡이 항아리. ② 낙지·문어잡이 어부. ③ 문어 전문집.

pulpeta *f.* 과육(果肉)의 토막.
pulpetón *m.* =**pulpeta.**
pulpiar *intr.* ⑪ 《*Urug.*》 호사스런 식사를 하다.
pulpitis *f.* 【의학】 이의 물렁살의 염증.
púlpito *m.* ① 설교대・단 : subir al ~. ② 설교사의 직업.
pulpo *m.* ① 【동물】 문어(文魚). ② 비굴한・비열한 사람(persona despreciable) : Es un ~.
poner como un ~ (누구를) 때려 눕히다.
pulposo, sa *adj.* 살・과육(果肉)이 많은.
pulque *m.* 《*Méx.*》 용설란으로 빚은 술.
pulquería *f.* 《*Méx.*》 pulque 파는 주점.
hablar en ~ 생각했던 것과 반대되는 말을 하다.
pulquero, ra *m.f.* pulque 파는 사람.
pulquérrimo, ma *adj.* [*sup.* pulcro] 아주 고운, 호사스러운, 아주 정결한.
pulsa *f.* 《*Cuba.*》 =**pulsera, mamilla.**
pulsación *f.* ① (혈관의) 맥박, 맥동, 박동 : La fiebre acelera las ~*es* 열은 맥박을 높인다. ② (소리의) 진동. ③ (전류의) 맥동. ④ 키를 치는 일.
pulsada *f.* =**pulsación.**
pulsador, ra *adj.* ① 악기를 켜는. ② 맥박을 재는. —*m.* ① 보턴. ② 맥박을 재는 사람.
pulsante *adj.* ① 두근거리는 ; 맥박이 뛰는. ② 현악기를 켜는.
pulsar *tr.* [*lat.* pulsare] ① (악기를) 켜다, 치다, 타다 (tocar) : ~ un instrumento músico. ② (키를) 때리다. ③ 맥박을 재어보다 (tomar el pulso a uno) : El médico *pulsó* al enfermo 의사는 환자의 맥박을 재어 보았다. ④ 넌지시 떠보다 (tantear). —*intr.* 맥박・심장이 뛰다 (latir las arterias o el corazón).
pulsátil *adj.* =**pulsativo.**
pulsatila *f.* [*lat* pulsatilla] 【식물】 할미꽃의 일종 ; 여기서 추출해 낸 약 《기관지염의 약, 통경제》.
pulsativo, va *adj.* 맥박이 뛰는 ; 두근두근・우끈우끈하는.
pulseada *f.* 《*Amér.*》 맥박을 재는 일.
pulsear *intr.* 팔씨름을 하다.
pulsera *f.* ① 팔찌 : reloj (de) ~ 손목시계. ~ pedida 여자의 약혼 기념 팔찌. ② 손목에 감은 붕대. ③ 귓집의 머리털.
pulsímetro *m.* 맥박계, 검맥계(檢脈計)(esfigmómetro).
pulsión *f.* =**impulso.**
pulsista *adj.m.f.* 맥박을 잘 보는 (의사).
pulsivo, va *adj.* 밀어내는, 추진(推進)하는 : hélice ~*va.*
pulso *m.* [*lat.* pulsus] ① 맥박 : ~ formicante 미약한 맥박. ~ sentado 천천히 규칙적으로 뛰는 맥박, 평맥. ~ arrítmico 불규칙한 맥박. ② 손목의 오금, 손목 ; 손목의 힘. ③ 기술이나 솜씨의 확실성. ④ 알아보는 일, 조심, 신중 (tiento) : ir con mucho ~ 신중에 신중을 기하다. ⑤ 《*Col. Cuba.*》 팔찌(pulsera).
a ~ 손으로, 손의 힘으로 ; 손을 짚고, 손으로 끌고 : levantar *a* ~.
de ~ 건실한, 확실・분명한 (사람).
quedarse sin ~*(s)* 흠칫하다, 간담이 서늘해지다.
sacar a ~ (곤란을 극복하여) 가까스로 완수하다.
tomar a ~ 손바닥에 얹어 무게를 재어 보다.
tomar el ~ 맥을 짚어 보다 (pulsar) ; 넌지시 알아보다(tantear).
pulsómetro *m.* bomba의 일종.
pulsorreactor *m.* 간결(間欠) 제트 엔진.
pultáceo, a *adj.* 진무른, 부패 상태의, 썩어문드러진.
pululación *f.* 번식 : La ~ de los microbios es muy rápida 미생물의 번식력은 무척 빠르다.
pululante *adj.* 우글우글 모여 있는, 많은.
pulular *intr.* [*lat.* pullulare] ① (동식물이) 꼬이다. ② 번식하다. ③ 우글거리다, 우글우글 모이다 : *Pululan* las hormigas aquí 이곳은 개미가 우글거린다. *Pululan* las malas traducciones 오역이 많다.
pululo, la *adj.* 《*Guat.*》 =**enano, rechoncho.**
pulverizable *adj.* 빻을 수 있는.
pulverización *f.* 가루로 만드는 일, 분쇄 ; 고운 가루 ; 분무 살포.
pulverizador, ra *adj.* 빻는, 부수는. —*m.* 분무기, 향수 뿌리개. [Sinón.] vaporizador.
pulverizar *tr.* ⑨ [*lat.* pulverizare] ① 가루로 만들다, 잘게 부수다 : Esta máquina sirve para ~ azúcar 이 기계는 설탕을 잘게 부스는 데 사용된다. ② 분무기로 뿜다.
~se 가루가 되다, 부서지다 ; (액체를) 안개로 만들다.
pulverulento, ta *adj.* 가루가 된 ; 가루투성이의 ; 먼지투성이의(polvoriento).
¡ pum! *interj.* 꽝 《소리의 발사, 물건을 때리는 소리 등의 의성어》.
puma *m.(f.)* 【동물】 아메리카산 표범, 퓨마.
pumarada *f.* 사과밭(pomarada).
¡ pumba! *interj.* 쿵, 털썩, 꽝 《무거운 물건이 떨어지는 소리》.
pumente *m.* 【은어】 속치마(refajo).
pumita *f.* [드뭄] 경석(輕石)(piedra pómez).
pumpo, pa *adj.* 《*AmérC.*》 광대뼈가 불거지고 코가 납작한 얼굴의.
puna *f.* 《*AmérC.*》 ① (안데스 산중의) 황야. ② 호흡 곤란, 고산병. [Sinón.] soroche.
punción *f.* [*lat.* punctio] ① 【외과】 찌르기, 절개, 째는 일 ; 고름 짜기. ② 《*Col. PRico.*》 찌르는 듯한 아픔.
puncionar *tr.* 【외과】 침으로 구멍을 내다・찌르다・쑤시다.
punch *m. ing.* =**ponche.**
puncha *f.* 뾰족한 것, 끝, 선단(先端).
punchar *tr.* [드뭄] 찌르다(picar, punzar).
~se 《*AmérC.*》 건조하여 금이 가다 (agrietarse con el calor).
punches *m.pl.* 《*AmérC.*》 익어서 터진 옥수수 (rosetas).
pundonor *m.* 체면, 체모, 면목, 절조 (el punto de honor o de honra).
pundonorosamente *adv.* 체면을 중히 하여.
pundonoroso, sa *adj. m.f.* 체면을 중히 여기는, 절조있는 ; 부끄러움을 아는 (사람) (puntoso) : hombre ~.
punga *f.* 《*Arg.*》 도둑질. —*m.f.* 《*Chile.*》 좀도둑.
pungente *adj.* 찌르는 듯한, 날카로운, 아픈.

pungimiento *m.* 찌르기, 자극하기.

pungir *tr.* ④ ① 찌르다(punzar). ② 자극하다. ③ 아프게 하다(herir).

pungitivo, va *adj.* 찌르는, 툭 쏘는 ; 따끔하게 찌르는.

punguista *m.f.* 《*Arg.*》 좀도둑(ratero).

punible *adj.* 처벌해야 할 (castigable) : un delio ~.

punición *f.* [*lat.* punitio] 벌, 꾸중(castigo).

púnico, ca *adj.* [*lat.* punicus] 고대 카르타고의 (cartaginés) : Guerras *Púnicas* 카르타고 전란(戰亂).

fe ~ca 신뢰할 수 없는 일.

punir *tr.* 벌하다, 처벌하다(castigar).

punitivo, va *adj.* [*lat.* punire] 벌의, 형벌의 (징계) ; 성패의 ; 혼내주는 : justicia *~va* 인과응보(因果應報).

punitorio, ria *adj.* 《*Amér.*》 벌에 해당하는 : intereses *~s* de una deuda.

punta *f.* [*lat.* puncta] ① 끝이 뾰족한 것, 선단(先端) (extremo agudo) ; 칼끝, 창끝, 이삭 끝 : ~ de la lanza 창끝. ② 끝이 뾰족한 공구 《끌이나 정 따위》 : ~ de diamante 유리 절단용 다이아몬드. ~ seca 에칭용의 끌 · 정. ③ 끝(extremidad) : la ~ del pie. ④ (소의) 뿔 (asta del toro) ; (사이가 떨어진) 뿔의 한 쪽. ⑤ (담배 등의) 꽁초 (colilla). ⑥ 곶 (cabo). ⑦ (초처럼 시어지기 시작한 술의) 톡 쏘는 맛. ⑧ [tener +] …다운 면 (algo, un poco) : tener una ~ de loco 실성된 면이 있다. sus *~s* de poeta 시인다운 점. ⑨ 조금, 소량 ; (무리에서 떨어진 가축의) 작은 무리. ⑩ *pl.* 레이스 편물 : en *~s* 레이스 뜨기로 된. ⑪ (강 등의) 수원, 수원 지대. ⑫ 《*Ant.*》 풍부, 상당한 분량. ⑬ 《*Ant.*》 질이 좋은 고급 담배. ⑭ 《*Col.*》 강물의 불어남 : echar una ~. ⑮ 《*Perú.*》 커다란 숄의 일종. ⑯ 《*Venez.*》 빈정거림, 비꼬기, 빗댐(pulla).

velocidad ~ (자동차가 움직일 때 낼 수 있는) 최대 속도.

agudo como ~ de colchón 아주 둔한, 우둔한.

a ~ de 《*Amér.*》 …의 힘으로, …를 위해 : Lo conseguí *a ~ de* ruegos 그것을 애걸하여 얻었다.

a ~ de lanza 아주 엄격하게.

a torna ~ 서로(mutuamente).

de ~ 발끝으로 서서 (걷다).

de ~ a cabo 끝에서 끝까지.

de ~ a ~ 처음부터 끝까지, 발끝부터 머리까지.

de ~ en blanco 전혀 빈틈없이 ; 정장하여 : El se viste *de ~ en blanco*.

en ~ ① 끝이 뾰족하여 : terminado *en ~* 끝이 뾰족한. ② 《*AmérC.*》 함께.

en ~s de pies 《*Arg.*》 =de puntillas.

hasta la ~ de los pelos =harto.

por ~ 《*Bol.*》 함께, 뭉뚱그려.

estar de ~ con 서로 으르렁거리고 있다.

estar hasta la ~ de los pelos 싫증 내고 있다.

hacer ~ 앞장서다 ; 앞서다 ; 앞을 다투다.

poner el cabello de ~ 소름이 끼치게 만들다 : Me *pone el cabello de ~* 나는 소름이 끼칠 듯하다.

poner los nervios de ~ =crispar los nervios.

ponerse de ~ con uno =estar hostil con uno.

sacar ~ a ① 끝을 뾰족하게 하다 : ¿Con qué usted *saca ~ a* su lápiz? 연필은 무엇으로 뾰족하게 합니까? ② 곡해하다 ; 이용하다.

ser de ~ 빼어나다.

tener en la ~ de la lengua 입밖에 내지 않다 ; 입가에 뱅뱅 돌면서 말이 나오지 않다.

tocar en la ~ de un cabello 사소한 일로 화나게 만들다 : Le *tocó en la ~ de un cabello* 그를 사소한 일로 화나게 만들었다.

puntación *f.* 문자에 점 · 부호를 치기.

puntada *f.* ① 바늘땀 ; 재봉땀 : coser a *~s* largas 듬성듬성 꿰매다. ② 암시, 힌트, 계기, 실마리. ③ 《*Amér.*》 자상(刺傷) ; 찔리는 듯한 아픔 (punzada). —*pl.* 《*Amér.*》 터무니없는 생각, 그릇된 생각.

no dar ~ en …에 손대지 못하게 하다 ; 지식을 얻지 못하다 ; …에 관계없는 일을 이야기하다.

no dar ~ sin nudo 《*AmérM.*》 신중하게 · 완벽하게 하다.

puntador *m.* =**apuntador.**

puntal *m.* ① 버팀 나무 받침, 버팀대(apoyo, sostén). ② 【선박】 갑판까지의 높이. ③ 《*AmérC. Col. Ecuad.*》 가벼운 식사(merienda ligera).

puntalear *tr.* 《*Col.*》 =**apuntalar.**

puntano, na *adj.* 《*Arg.*》 산 · 루이스 (San Luis)의.

puntapié *m.* 발로 걷어 차기 : a *~s* 발로 걷어 차. dar ~ 차다. Dé usted un ~ a la pelota 공을 차십시오.

mandar a ~s 함부로 부려 먹다, 멋대로 하다.

puntar *tr.* (문자 · 음악 부호에) 점 · 부호를 달다 : ~ una letra · una nota.

puntazo *m.* 《*Col.*》 =**puntada.**

punte *m.* 《*Col.*》 재목이 썩지 않는 나무.

punteada *f.* =**punteado.**

punteado, da *adj.* [puntear의 *p.p*]. —*m.* ① 기타 줄 튕기는 기구. ② 【인쇄】 점선(點線). ③ 점선 긋기.

puntear *tr.* ① (…에) 점선을 긋다. ② 점묘(點描)하다. ③ 손톱으로 튀기다, 기타를 연주하다. ④ 꿰매다, 시침질하다. ⑤ 《*Arg.*》 땅을 파다. ⑥ (무리의) 선두에 서다. —*intr.* ① 산들바람을 이용할 수 있도록 진로를 잡다. ② 《*Arg.*》 도망치다 ; (어떤 방향으로) 향해 가다. ③ 《*Col.*》 물이 불다.

puntel *m.* (유리를 부풀리는) 부는 통.

punteo *m.* 기타를 칠 때 줄을 튕기는 대롱.

puntera *f.* ① (구두 등의) 앞축 가죽 : ~ de charol. ② 구두 앞축의 수선. ③ =**puntapié.**

puntería *f.* ① 겨냥, 조준 : afinar la ~ 조준을 맞추다, 겨냥하다. enmendar la ~ 조준선을 수정하다. hacer ~ 조준하다. rectificar la ~ 조준을 수정하다. ② 조준법 : El tiene mala ~ 그는 사격이 서툴다.

puntero, ra *adj.* 겨냥이 확실한 ; 걸출한. —*m.* ① 지시봉, 회초리, 채찍. ② (시계의) 바늘. ③ (석수장이의) 끌. ④ 《*Arg. Col.*》 길잡이 짐승. ⑤ 《*SDgo.*》 강의 안내인.

punterola *f.* 돌에 구멍을 뚫는 끌.

puntiagudo, da *adj.* 끝이 뾰족한 · 날카로운 (de punta aguda).

puntido *m.* 【방언】 계단의 층계참 (descansillo de escalera).

puntilla *f.* ① 갓단을 꿰맨 레이스. ② 주걱. ③ 줄 치는 데 쓰는 송곳《공구》. ④ 단검(短劍) : dar la ~ 단검으로 찌르다 ; 최후의 급소를 찌르다(rematar). ⑤《*Venez.*》 연필 깎는 칼 (cortaplumas).
de·en ~s 발돋움하여 : El salió *de ~s.*
ponerse de ~s 발돋음하다 ; (자기 주장을) 고집하다.

puntillado *m.* 점선(點線).

puntillanto *m.* 《*PRico.*》 요란한 춤의 일종.

puntillazo *m.* 발로 차기(puntapié, puntera).

puntillería *f.* 《*Arg.*》 잡화상(mercería).

puntillero *m.* 마지막 급소를 찌르는 투우사.

puntillo *m.* ① 사소한 것 ; 옹졸함 : tener mucho ~ 옹졸하다. ② 음부(音符) 오른쪽의 부점, 원점.

puntillón *m.* =**puntillazo.**

puntilloso, sa *adj.* 사소한 일에 얽매이는, 옹졸한.

puntiseco, ca *adj.* 잎끝이 시든.

puntito *m. dim.* punto.

puntizón *m.* 【인쇄】(인쇄기에서 종이의 가장자리에 생긴) 작은 구멍 ; (습자기 같은 데 있는) 투명선.

punto *m.* [*lat.* punctum] ① 점(點) ; (기하·이학상의) 점 ; (정도·한계의) 점 ; (문법의) 구두점, 종지부, 약어부(略語符)《예 : Sr.》; (악부의) 점, 부(符). ② 아주 적음, 미량 ; 순간 : un ~ 잠깐. La joven no vaciló *un* ~ 처녀는 조금도 주저하지 않았다. ③ 기회, 찬스 (ocasión, oportuna) ; 극점, 한계점에 이른 점·때 ; 한창하는 동안. ④ 지점, 곳, 개소(個所), 장소, 위치 (sitio, lugar) : un ~ poco conocido. ⑤ 문제점, 주안점 ; 요점, 주지(主旨). ⑥ 의도, 목적, 대상물 (fin). ⑦ (경기 등의) 점수, 득점. ⑧ (빌린 마차·택시의) 주차장. ⑨ 방위, 방향 : *~s* cardinales 동서남북의 네 방위. ⑩ (활자의) 포인트. ⑪ 물건의 끝 ; 펜의 끝 ; (총의) 가늠쇠 끝. ⑫ ㄱ) (혁대·고리·버클 등에 사이를 둔) 구멍 ; 레이스 뜨개 : tejido de ~. ㄴ) (운침·짜는 법으로) …코, 땀, 바늘땀, 재봉땀 (puntada) : ~ atrás 시침. ⑬ 면목, (아는) 수치 (pundonor). ⑭ 학생의 휴가. ⑮ 영리한 사람(hombre listo). ~ *capital* 중요한 점 ; 난점(難点). ~ *central de información* 중앙 정보 센터. ~ *céntrico* 중심점. ~ *crítico* 위험점《수입 관세 인하의 최저치》. ~ *crudo* 마침 그 때. ~ *de aguja* 편물. ~ *de apoyo* (지렛대의) 버팀점. ~ *de congelación* 빙점(氷點). ~ *de costado* 옆구리의 아픔. ~ *de destino* 목적 지점. ~ *débil* 약점. ~ *de ebullición* 비등점. ~ *de embarque* 선적 지점. ~ *de equilibrio,* ~ *sin utilidad ni pérdida* 손익 분기점, 채산점. ~ *de estima* 자기 배의 위치의 추정점. ~ *de exportación·importación de oro* 금수출·수입점. ~ *de fábrica* 벽·담장의 보수할 자리. ~ *de fusión* 용해점. ~ *de hielo* 빙점. ~ *de honra* 체면, 면목. ~ *de inflamación* 발화점. ~ *de la vista* 관점, 시점(視点). ~ *de mira* 조준점, 목표. ~ *de partida* 출발점. ~ *de vista* 관점, 견지, 시점. ~ *(del) oro* 금현송점(金現送点), 정화(正貨) 수송점. ~ *en boca* 침묵. ~ *equinoccial* (봄·여름의) 평분점(平分點). ~ *final* (문장의) 종지부(.) ~ *flaco* 약점. ~ *focal* 정보 센터. *P- Focal Nacional*《*Nicar.*》 중앙 정보 센터. ~ *interrogante* 의문 부호 (¿?). ~ *muerto* (크랭크의) 사점(死點). ~ *musical* 음부(音符). ~ *principal* 관찰점, 시점. ~ *radiante* 광점(光點). ~ *redondo* 종지 부호(punto final). ~ *visual* 정상 가시점(可視点)《눈 앞 24㎝ 가량의 거리》. ~ *y coma* 세미콜론(;). *medio* ~ 【고어】 콤마(,) ; 정반원(正半圓)의 아치(arco). *dos ~s* 콜론(:). *~s suspensivos* 세 점(…).
~ *en boca* (감탄사적으로, 비밀 등에 대해) 잠자코 있어.
~ *menos* 거의 같은 정도.
~ *por* ~ 알뜰살뜰히, 낱낱이 (con todos los pormenores).
a ~ 안성맞춤으로, 제대로 ; 준비하여, 갖추어 (a tiempo).
a ~ de …하는 점·때에 ; …할 수 있는 상태로.
a buen ~ 때마침.
a ~ fijo 정확히, 어김없이(con el certidumbre).
a ~ largo 대략, 대충.
al ~ 즉석에서, 즉시(inmediatamente, en el acto).
con ~s y comas 상세히(con todo detalle).
de ~ en ~《*Galic.*》=~ por ~.
de todo ~ 통틀어, 정확히(enteramente, cabalmente).
en ~ 정각, 정확히(sin sobre ni falta) : Son las seis *en* ~ 정각 여섯 시다.
en ~ a …에 관해서 (en punto de, a materia de).
en buen·mal ~ 안성맞춤으로·나쁜 때에 ; 재수 좋게·나쁘게.
en ~ de caramelo 만반의 준비를 맞추어.
hasta cierto ~ 어느 점·정도까지.
por ~s 시시 각각으로, 금방이라도.
por ~ general 일반적으로.
sin faltar ~ ni coma 일점 일획도 빠뜨리지 않고, 빈틈없이.
y ~ =y nada más.
andar en ~s 사이가 나빠지다.
bajar de ~ (지난번 상태보다) 나빠지다.
calzar muchos·pocas ~s (상대편 보다) 훨씬 더 유리한 입장에 있다·못하다.
dar ~ ① 종지부를 찍다, 그만두다 (terminar). ② 【상업】 지불할 수 없게 되다, 파산하다.
dar en el ~ 난관에 부딪치다.
darse un ~ en la boca 입을 다물다(callar).
estar a·en ~ de +inf. …할 순간이다, 막 …하려 하다 : *Estaba a ~ de* perder mi vida ; *Estuvo en ~ de* morir.
hacer ~ 종지부를 찍다, 그만두다 ; 지불할 수 없게 되다(dar punto).
hacer ~ de …을 체면을 걸고 수행하다.
levantar de ~ 올리다, 높이다.
no perder ~ 한 점도 소홀히 하지 않다.
poner en su ~ 완전한 상태로 만들다 ; 정당하게 평가하다.
poner los ~s 눈을·마음을·의도를 돌리다 (dirigir la intención).
poner los ~s sobre las íes 최종적으로 완성하다, 끝마무리하다.

poner ~ final =acabar.
sacar de ~s 끝마무리하다, 지성스럽게 모델을 그리다.
subir de ~ 증대·증가하다(crecer, agravar).

puntoso, sa *adj.* 체면을 중시하는 ; 사소한 일에 얽매이는(puntilloso).

puntuación *f.* ①【문법】구두점 ; 구두법. ② 득점 ; 목표점.

puntual *adj.* ① 고지식한. ② 시간을 잘 지키는, 정시의(exacto) : hombre muy ~ 시간을 잘 지키는 사람. He sido ~ 나는 정시에 왔다. ③ (하는 일이) 확실한(seguro), 의심할 여지가 없는 (indubitable).

puntualidad *f.* 고지식함 ; 시각이나 날짜의 정확성, 정확히 맞음 : con toda ~ 어김없이.

puntualizar *tr.* ⑨ ① 마음속에 새겨 넣다 ; 상세하게 말하다, 자세히 묘사하다 : un relato *puntualizado* 상세한 보고. ② 완성시키다.

puntualmente *adv.* 고지식하게, 어김없이, 틀림없이, 빈틈없이 ; 시간을·날짜를 지켜(con puntualidad).

puntuar *tr.* ⑮ (…에) 구두점을 붙이다 ; 채점하다. —*intr.*【경기】점수를 얻다, 득점하다.

puntudo, da *adj.* 《*Amér.*》 끝이 뾰족한, 끝이 예리한(puntiagudo).

puntuoso, sa *adj.* 체면을 중시하는(puntilloso).

puntura *f.* [*lat.* punctura] ① 찌르기 ; 자상(刺傷), 찔린 자국. ② (인쇄기의 종이를 누르는) 물림쇠.

punzada *f.* ① 찔림, 자상(刺傷)(punzadura). ② 찌르는 듯한 고통. ③ 《*Cuba.*》 아이들 장난 같은 일, 바보짓, 우둔한 짓(necedad) : edad de la ~ 7세부터 사춘기 전까지의 어린 시절.

punzador, ra *adj.m.f.* 찌르는 (사람).

punzadura *f.* ① 자상(刺傷) ; 찌르는 듯한 아픔 (punzada, pinchazo). ② 고민 : ~ del remordimiento.

punzante *adj.* 찌르는 (듯한) : un dolor ~.

punzar *tr.* ⑨ [*lat.* pungere] ① 따끔하게 찌르다·쏘다(picar) : ~ con un aguijón. ② 찌르는 듯이 아프다 (dar punzadas) : absceso que *punza* 찌르는 듯이 아픈 종기. ③ (속으로) 아프게 하다, 괴롭히다(molestar).

punzó *adj.m.* [*fr.* ponceau] 진홍(의) (색깔), 불빛깔 : cortina ~.

punzón *m.* ① 돗바늘 ; 송곳 ; 끌 (buril) : ~ de moldear【주조】공기 빼는 바늘. ② (화폐 등의) 각인기(刻印器) ; 활자 주조의 원형. ③ (사슴의) 어린 뿔(pitón). ④ 명예의 징표.

punzonería *f.* 활자형.

puñada *f.* =**puñetazo** : darse de ~*s* 주먹질을 하다, 손찌검을 하다.

puñado *m.* 한 줌, 한 움큼 ; 소수(少數), 소량 : un ~ de soldados.
a ~s 손에 쥐고, (모자랄 때에는) 듬뿍, (남을 듯 싶을 때에는) 조금씩.

puñal *m.* 단도, 비수(arma blanca), 주머니칼 : El ~ malayo se llama kris.

puñalada *f.* 단검으로 한번 찌르기 ; 그 상처 ; 극심한 타격.
~ de misericordia (거의 죽어 가는 사람에게) 급소 찌르기.
coser a ~s a uno 사정없이 쿡쿡 찌르다 (darle muchas puñaladas).
ser ~ de pícaro 긴급을 요하다 (no correr suma prisa) : *¿Es ~ de pícaro?* 긴급을 요하는 일인가? No *es ~ de pícaro* 그렇게 급한 일이 아니다.

puñalear *tr.* 《*Ant. Col.*》 =**apuñalar.**

puñalejo *m.* [*dim.* puñal] 적은 한 움큼 ; 소수.

puñalero, ra *m.f.* 단도 제조자·판매자.

puñalón *m.* 《*PRico.*》 =**puñalada.**

puñera *f.* (두 손을 모아) 한 움큼 (의 분량) (almorzada).

puñetada *f.* 《*Venez.*》 =**puñetazo.**

puñetazo *m.* 주먹질 (el golpe dado con el puño) : dar ~*s.*

puñete *m.* ① 주먹질(puñetazo). ② 팔찌(pulsera).

puñetería *f.* =**menudincia, insignificancia ; molestia.**

puñetero, ra *adj.* =**molesto ; malvado ; difícil.**

puñimiento *m.* 찌르는 듯한 통증.

puño *m.* [*lat.* pugnus] ① 주먹 ; 쥔 손(mano cerrada) ; 한줌, 한 움큼 (puñado). ② 소맷부리, 커프스 : los ~*s* de una camisa. ③ (지팡이·우산·칼 등의) 손잡이(mango) : ~ de bicicleta·bastón. ④ (돛의) 구석. ⑤ 《*Col.*》 주먹질 (puñetazo) : darse de ~*s.*
—*pl.* 힘, 용기 : hombre de ~*s* 용기있는 사람. Tiene ~*s* 그는 용기가 있다.
a ~s 주먹으로 : medir *a ~s* 주먹으로 길이를 재다.
a ~ cerrado 주먹을 쥐고, 주먹으로, 끈질기게 : creer a ~ *cerrado* 확신하다.
como un ~ ① 주먹만한 크기의 ; [비교물이 작을 때에는] 큰 : un huevo *como un ~* 주먹만한 큰 알. mentira *como un ~* ① 터무니없는 거짓말. ② [예상이 클 때에는] 자그마한 : el aposento *como un ~*. ③ [ser와 쓰이면] 몸뚱아리가 자그마하다 ; 알깍쟁이 같다.
de propio ~ 자기 손으로, 스스로.
por sus ~s 자기 힘으로.
apretar los ~s 주먹을 쥐다, 원기·용기를 내다.
jugarla de ~ 감쪽같이 속이다.
meter en un ~ (입을 열지 못하게 상대방을) 겁주다·부끄러워 맥을 못추게 만들다.
partir al ~ 바람 부는 방향으로 선수를 돌리다.
pegarla de ~ =jugarla de puño.

puñusco *m.* 《*AmérC.*》 (사람의) 한 무리·떼 (apiñadura de gente), 한줌.

pupa *f.* ① (입술 가장자리에 생기는) 부스럼, (부스럼이 마른 다음의) 부스럼 딱지 : una ~ viva 조금씩 커지는 부스럼. ② (어린아이가 아픔을 호소할 때의) 아야 아야 : hacerse mucha ~.
comer como una ~ viva 굉장히 먹다.
hacer ~ 슬프게 하다 ; 해를 입히다.

pupazzo *m.* [*pl.* pupazzi] 《*Neol.*》 =**títere italiano.**

pupear *tr.* 《*Ecuad.*》 방석에 시침질을 하다 (bastear los colchones).

pupila *f.* [*lat.* pupilla] ① 눈동자(niña del ojo) : La ~ se contrae bajo la influencia de la luz. ② 특히 귀여워하는 기생. ③【속어】눈(ojo) : ~*s* saltonas.

tener ~ 눈썰미가 있다, 매우 영리하다(ser muy listo).

pupilaje *m.* ① 피후견인(被後見人)의 신분, 유년자·미성년자의 신분. ② 기숙사, 하숙집. ③ 기숙사비, 하숙비, 식사비.

pupilar *adj.* ① 피후견인의. ② 하숙의. ③ 어린 시절의. ④ 눈동자의 : contracción ~.

pupilero, ra *m.f.* pupilo를 받는 사람.

pupilo, la *m.f.* [*lat.* pupilus] ① 고아 (huérfano). ② 피후견인. ③ 하숙인, 하숙생 : casa de ~*s* 기숙사.

a ~ 식비를 치르고.

pupitre *m.* [*fr.* pupitre] 아동용 책상, 공부 책상.

pupívoro, ra *adj.m.* =**entomópago.**

pupo *m.* ①《*AmérM.*》 배꼽(ombrigo). ② 쿠션(colchón)이 충분함.

puposa *f.* 《*Hond.*》 옥수수와 치즈로 만든 파이.

puposo, sa *adj.* 부스럼·종기(pupa) 투성이의 : boca ~*sa.*

pupusa *f.* 《*Arg.*》 고기 만두.

pupuso, sa *adj.* 《*AmérC.*》 ① 땅딸막한, 작고 둥그런 (rechoncho). ② 부풀어 오른(hinchado). ③ 우쭐한. ④ 돈이 있는.

puquial *m.* 《*Perú.*》 샘, 연못.

puquio *m.* =**puquial.**

puramente *adv.* ① 순수하게(con pureza) : Lo hizo ~ con caridad. ② 무조건으로.

puraqué *m.* 《*Arg.*》【어류】 =**gimnoto.**

puré *m.* [*fr.* purée] 퓌레, 농후한 수프 ; 농후한 수프의 재료.

purear *intr.* 여송연(puro)을 피우다.

purera *f.* 시거 케이스, 담배통.

purería *f.* 《*Salv.*》 =**cigarrería.**

pureta *adj.m.f.* 《*And.*》 =**viejo.**

pureza *f.* ① 깨끗함, 순수 : ~ del agua. ② 청정(清淨), 천진 난만, 청순. ③ (언어의) 정화, 순화. ④ 순결, 처녀성(virginidad).

purga *f.* ① 설사약, 하제(下劑). ② (설탕을 만드는 과정에서 때때로 버려야 할) 찌꺼기, 앙금. ③ 숙청. ④ 《*Perú. PRico.*》 꿀(miel).

purgable *adj.* 깨끗이 할 수 있는, 정화해야 할.

purgación *f.* ① 깨끗이 하기, 정화. ② 죄의 소멸 ; 무죄의 증명. ③ 설사 ; 고름을 짬 ; 경혈(輕血).

purgador, ra *adj. m.f.* 깨끗이 하는 (사람).

purgamiento *m.* 깨끗이 하기(purgación).

purgante *adj.* 깨끗이 하는 ; 하제(下劑)의. —*m.* 하제(下劑).

purgar *tr.* ⑧ [*lat.* purgare] ① 깨끗이 하다, 청정하게 하다 (limpiar, purificar). ② ㄱ) (죄를) 청산하다·갚다 : ~ su culpa. ㄴ) 속죄하다. ③ (…에) 설사약을 먹이다 ; 고름을 짜다. ④ 혐의를 풀다.

—*intr.* ① 죄 갚음을 하다 : ~ *por* robo 훔친 물건의 보상을 하다. ② 연옥에서 영혼이 죄의 갚음으로 고통을 받다. ③ 고름을 뽑아내다.

~se ① 깨끗해지다, 맑아지다. ② 결백한 몸이 되다, 혐의가 풀리다. ③ 하제를 먹다 (tomar una purga). ④ 고름을 짜다.

purgativo, va *adj.* 하제(下劑)의 : remedio ~. —*m.* 하제(purgante).

purgatorio *m.* 연옥, 정죄 지옥(淨罪地獄) ; 연옥의 고통.

purgo *m.* 《*Venez.*》 =**ácana.**

puridad *f.* ① 순수, 청정, 정화(pureza). ② 비밀, 은밀(secreto).

en ~ 분명하게(claramente) ; 비밀리에, 살짝, 살그머니(en secreto).

purificación *f.* [*lat.* purificatio] ① 순화, 정화(淨化), 청정(清淨), 정련, 정제. ②【종교】 마귀를 쫓기 ; 성배(聖杯)를 깨끗이 하기 ; 성모 마리아의 정화의 축일 2월 2일.

purificadero, ra *adj.* 티없이 맑게 하는 ; 정제·정련용의 ; 청정(清淨)하는.

purificado, da *adj.* 순화·정화된.

purificador, ra *adj.* 맑게 하는 ; 정련의, 정화하는. —*m.* 성배(聖杯) 수건.

purificante *adj.m.f.* 순화·정화하는 ; 정련·정제하는 (사람).

purificar *tr.* ⑧ ① 맑게 하다, 순화·정화하다 (limpiar) : Este aparato sirve para ~ el aire 이 기계는 공기를 맑게 하는 데 쓰인다. ② (사람의 죄·잘못을) 씻다 : El sufrimiento *purifica* las almas. ③ 정련·정제하다 : ~ los metales. ④ 권리를 회복시키다(rehabilitar).

Contr. contaminar, manchar.

~se 순수하게 되다 ; 깨끗하게 되다 : ~*se* la mancha 때가 빠지다.

purificatorio, ria *adj.* 깨끗하게 하는 ; 정련의, 정제(精製)의 ; 정화적(淨化的)인.

purisca *f.* 《*CRica.*》 강낭콩의 꽃피는 철.

purisco *m.* 《CRica.》 강낭콩(frijol, judía)의 꽃.

Purísima (la) *f.* 성모 마리아 (Virgen María) : una estatua de la ~ 성모 마리아의 상. [*N.* Purísma Concepción의 약자].

purisimitas *f.pl.* 《*Perú.*》 *hacer* ~ 아부하다, 아첨하다, 알랑거리다(adular).

purismo *m.* ① 국어 정화 (운동) : El ~ exagerado produce la frialdad del estilo. ② 수사벽(修辭癖).

purista *adj.m.f.* 국어 정화의 (주의자).

puritanismo *m.* ① 청교(清教), 청교주의. ② 지나친 엄격·엄격주의.

puritano, na *adj.* [*ing.* puritan] 청교도의 ; 청교도적인, 너무나 근엄한. —*m.f.* 청교도 ; 엄격한 사람.

puro, ra *adj.* [*lat.* purus] ① 티없는, 순수한, 순정 무구한 : oro ~ 순금. ② 청정한, 맑은 : aire ~. ③ 순결한. ④ 결백한. ⑤ 정순(正純)한 (casto). ⑥ 《*Amér.*》 단 하나의 (único, solo) : Una *pura* vaca ordeño cada día 나는 하루에 단 한 마리의 젖을 짜고 있다. ⑥ 순전한 : ~ mentira. ⑦ 정확한(correcto) : estilo ~.

—*m.* 시거, 여송연 (cigarro ~) : Me gustaría fumar un ~.

café ~ 밀크 없는 커피.

a ~ *de* …의 힘에 의해, …의 덕분으로.

de ~ 굉장히, 극도로 : Estuvo *de* ~ fatigado 그는 극도로 지쳐 있었다.

púrpura *f.* [*lat.* purpura] ①【동물】 연체 동물. ② 자줏빛, 자홍색 ; 자줏빛 옷·천 : manto de ~. ③ 고승 ; 왕위 ; 높은 자리 : ~ cardenalicia 추기경의 지위. ④【시어】 피, 혈조(血潮), 핏대. ⑤【의학】 자반(紫斑), 멍.

purpurado *m.* [드뭄] 추기경(cardenal).
purpurante *adj.* 자줏빛으로 물들인.
purpurar *tr.* ① 자줏빛으로 물들이다(teñir de púrpura). ② 자줏빛 옷을 입히다(vestir de púrpura). ③ 추기경으로 승격시키다.
purpúrea *f.* 【식물】 우엉(lampazo).
purpurear *intr.* 자홍색(紫紅色)으로 되다, 보랏빛으로 자욱해지다.
purpúreo, a *adj.* [*lat.* purpureus] ① (붉은) 자줏빛의 : rosa ~*a*. ② 제왕의, 고관 대작의, 높은 자리의.
purpurina *f.* ① 꼭두서니의 물감; 청동 가루. ② 《*Ecuad. Perú.*》 금속 가루.
purpurino, na *adj.* =**purpúreo.**
purrela *f.* =**aguapié.**
purrete *m.* 《*Arg.*》 꼬마; 누더기를 걸친 어린이.
purria *f.* 비천한 인간들(gentuza).
purriela *f.* 값어치 없는 것, 허섭스레기.
purrón *m.* 《*Ecuad.*》 =**porrón.**
pur sang *m. fr.* 순수 혈통의 말. [*N.* 발음 : pursán].
purulencia *f.* 화농, 곪음 (supuración) : detener la ~ de una llaga.
purulento, ta *adj.* 고름이 나오는 : llaga ~*ta.*
puruña *f.* 《*Arg.*》 =**tinaja.**
pururú *m.* 《*Arg.*》 =**pororó.**
pus[1] *adj.* [*fr.* puce] 밝은 초콜릿 색깔의 : falda amarillo ~.
pus[2] *m.* [*lat.* pus] 고름. —*adj.* 옅은 차색(茶色)의.
puscallo *m.* 《*Bol.*》 선인장의 꽃.
pusiega *f.* 《*Sant.*》 부엌의 삼발이(trébedes).
pusilánime *adj.* 겁이 많은, 소심한, 비겁한 (cobarde).
pusilanimidad *f.* 겁쟁이, 소심함, 비겁함.
pústula *f.* [*lat.* pustula] 【의학】 (피부의) 곪은 곳, 작은 고름집 : ~ maligna 탄저(ántrax).
pustuloso, sa *adj.* 곪긴, 고름집의.
pusunque *m.* 《*Guat.*》 =**brebaje.**
pusuquear *intr.* 《*Arg.*》 붙어 살다, 기식하다 (vivir de gorra).
puta *f.* 창녀, 창부, 매춘부, 갈보, 매음부, 매음녀(ramera) : hijo de ~.
putaísmo *m.* ① 매춘부 생활. ② [집합] 매춘부. ③ 갈보집.
putanismo *m.* =**putaísmo.**
putañear *intr.* 창녀를 찾아다니다.
putañero *adj.m.* 창녀를 찾아다니는 (남자).
putativo, va *adj.* [*lat.* putativus] 추정의, 소문으로의, 가짜의 : padre·hermano ~.
puteada *f.* 《*Arg.*》 【은어】 거친 말(palabrota grosera).
puteador *m.* =**putañero.**
putear *intr.* =**putañear.**
putería *f.* ① =**putaísmo.** ② 아양, 교태.
putero *adj.m.* =**putañero.**
putesco, ca *adj.* 매춘부의.
putilla *f.* 《*Perú.*》 【조류】 뿌띠야 《붉고 검은 색깔의 아름다운 새》. **Sinón.** churrinche, pichibilín.
puto *m.* 호색가(好色家).
a ~ el postre 꼴찌가 되지 않으려고.
¡ Oxte ~ ! 저리 가! 《배척·혐오의 감탄사》.
putrefacción *f.* [*lat.* putrefactio] 부패(podredumbre) : El frío retrasa la ~ 추위는 부패를 지연시킨다.
putrefactible *adj.* =**putrescible.**
putrefactivo, va *adj.* 부패의, 썩은, 부패한 : la influencia ~*va* del aire.
putrefacto, ta *adj.* 부패한, 썩은, 썩어 버린 (podrido, corrompido).
putrescencia *f.* =**putridez.**
putrescente *adj.* 썩는, 부패하는.
putrescible *adj.* 《*Neol.*》 썩을 수 있는, 썩기 쉬운(que puede pudrirse).
putridez *f.* 부패(성)(putrefacción).
pútrido, da *adj.* [*lat.* putritus] 썩은, 부패한 (podrido); 부패에 의한 : fermentación ~*da* 부패에 의한 발효 (작용).
putrílago *m.* 썩은 근육 조직, 부육(腐肉).
putuela *f.* [*dim.* puta] 매춘부, 갈보.
pututo *m.* 《*Bol. Col.*》 뿔피리.
puya *f.* 찌름 나무의 끝에 단 쇠붙이; 칠레산 난과 식물.
puyada *f.* 《*Hond.*》 투우(corrida de toros).
puyador *m.* 《*Guat. Hond.*》 (투우의) 창을 찌르는 사람.
puyar *tr.* 《*Amér.*》 ① 찌르다, 쑤시다. ② 놀려대다, 애먹이다. ③ 《*Chile. Salv.*》 싸우다, 다투다(bregar, luchar). —*intr.* ① 《*Chile.*》 힘을 내다. ② 《*Venez.*》 싹이 트다.
puyazo *m.* 나무에 찔린 상처.
puyense *adj.m.f.* 뿌요 《Puyo, 에꾸아도르의 도시》의 (사람).
puyo, ya *adj.* 《*AmérC.*》 빈털터리의. —*m.* ① 《*Arg.*》 짧은 뽄쵸(poncho ~). ② 《*Perú.*》 모포.
puyón *m.* ① 《*AmérC. Venez.*》 나무의 어린 싹; 팽이의 꼭지. ② 《*Bol.*》 적은 금액. ③ 《*Col. PRico.*》 (나무 끝으로) 찌르기; 찔린 상처.
puyonazo *m.* 《*AmérC. Col.*》 찌르기; 찔린 상처.
puzcua *f.* 부침개용 삶은 옥수수.
puzol *m.* =**puzolana.**
puzolana *f.* 화산 회토(火山灰土) 《이탈리아의 Puzol에서 나는 수경 시멘트의 원료》.
puzzle *m. ing.* =**rompecabezas.**
pv., P.V. pequeña velocidad 보통편(便); precio de venta.
P.V.P. Precio de venta al público 소매 판매 가격.
pxmo., Pxo. próximo.
pyrex *m.* =**pirex.**
pz. pieza.
pza(s). Pza(s). pieza(s) …개.

Q

q *f.* 꾸《서반아어 자모의 스무 번째 문자(vigésima letra del abecedario castellano)》.
q. que ; quien.
Q. quetzal.
Qatar (Al-) 【지명】 카타르《페르시아만에 있는 아랍 국가 ; 수도 Doha ; 1971년 독립》(Katar).
q.b.s.m. ; Q.B.S.M. que besa(n) su mano 경구(敬具).
q.b.s.p. ; Q.B.S.P. que besa(n) sus pies 경구(敬具).
qda. queda.
q.D.g. ; Q.D.G. que Dios guarde 신의 가호를, 명복을 빕니다, 고(故)….
q.d.g.g. que de gloria goce.
q.D.h. que Dios haya.
q.[e] que.
q.e.g.e ; Q.E.G.E. que en gloria esté 고(故)….
q.e.p.d. ; Q.E.P.D. que en paz descanse 고(故)… ; 명복을 빕니다.
q.e.s.m. ; Q.E.S.M. que estrecha(n) su mano 경구(敬具).
q.g.g. que gloria goce.
ql. ; q.l. quintal(es) 낀딸, 100㎏.
q.[n] quien.
qq. quintales.
q.s.g.h. que santa gloria haya.
quanta *f. lat.* 《*Neol.*》 양(量), 액(額) ; 특정량, 할당량 ; 몫.
quántico, ca *adj.* =**cuántico.**
que[1] *pron.* [*lat.* qui] [관계 대명사] ① [사람·일·물건의 명사·대명사를 받음 ; 성과 수는 변화하지 않음] El señor *que* acaba de salir es Don José 방금 나간 분이 Don José이다. Este es el libro *que* compré ayer 이것이 내가 어제 산 책이다. Este es el libro *de que* hablé ayer 이것이 어제 얘기했던 책이다. Se presentó al padre de su amiga, *al que* no había visto 그는 여자 친구의 아버지 앞에 모습을 나타냈는데 그를 그 전에는 만난 적이 없었다.
② [때의 명사를 받을 때는 전치사 en을 생략하는 수도 있음] Nevaba el día *que* llegaste a Madrid 네가 마드리드에 도착하던 날은 눈이 내렸다 (el día *en* que…). Esta era la primera vez *que* había visto el espejo 거울을 본 것은 이번이 처음이었다. punto *que* le vi 그를 본 순간에.
③ [한정적 용법] …하는 : Tengo un hermano *que* tiene quince años 나는 열다섯 살 되는 동생이 있다.
④ [계속적 용법] …하는데 …는 : Escribí a Andrés, *que* vive en Madrid 나는 안드레스에게 편지를 썼는데, 그는 마드리드에 살고 있다. Tengo un hermano, *que* tiene quince años 내게는 동생이 있는데 그는 열다섯 살이다.
⑤ …이므로, …이어서, …때문에(porque, pues) : La Carmeta, *que* es muy buena, me arregló las cuentas 까르메따는 매우 착한 여자이므로, 내 계산을 모두 청산해 주었다. El sol pica a ti, *que* tienes veinte años 햇빛은 자극적이지, 너는 아직 스무 살이니까 말이야.
⑥ [el *que*, la *que*, los *que*, las *que*, lo *que*] …하는 사람·일·것 : *El que* estudia mucho aprende mucho 많이 공부하는 사람이 많이 배운다. *El que* sabe mucho, habla poco 많이 아는 사람은 말이 적다. Tú eres *la que* te equivocas 잘못한 사람은 바로 너다 (여자에게). El niño *al que* doy caramelos es mi sobrino 내가 캐러멜을 주는 아이는 내 조카이다. No comprendo *lo que* quieres decir 당신이 말하고자 하는 것을 나는 이해할 수 없다.
⑦ [coma (,) 다음에 오는 lo que는 앞 문장을 받는다] 그것, 그 일 : Le encontré a Juan ayer, *lo que* me agradó mucho 나는 어제 Juan을 만났는데, 그 일은 나를 무척 기쁘게 했다.
que[2] *conj.* [*lat.* quid] ① [동사+～ ; que 이하는 동사의 목적어나 주어] …하는 것, …한다고 : Se dice *que* vuelven pronto 그들은 곧 돌아간다고 한다. Era imposible *que* volviesen pronto 바로 돌아가기란 불가능했다. Dicen *que* vuelven pronto 그들은 곧 돌아간다고 한다. Pensaba *que* volverían pronto 그들이 곧 돌아갈 것으로 나는 생각하고 있었다. Pensaba *que* volvería pronto 나는 곧 돌아가려 생각하고 있었다. Les dije *que* volvería pronto 곧 돌아오겠다고 나는 그들에게 말했다. Dígale *que* me espere en la oficina 사무소에서 나를 기다리라고 그에게 말씀해 주십시오.
② [문맥이 분명할 때는 생략될 수도 있음] Les dije *(que)* volviesen pronto 그들에게 곧 돌아오라고 나는 말했다. Le agradecemos mucho *(que)* se sirva darnos su respuesta favorable 호의적인 회답을 주시면 고맙겠습니다. Le rogamos *(que)* nos visite 우리를 방문해 주실 것을 부탁드립니다. Vio un burro, que pensó *(que)* no le pertenecía 그는 당나귀를 보았지만 자기 것이 아니라고 생각했다.
③ [전치사 +～ ; que 이하는 전치사의 목적어] …이라 하는, …이라 하는 일 : Hizo señal *de que* había visto la tierra 육지를 발견했다고 신호를 했다. Tenemos la seguridad (Estamos seguros) *de que* nuestro ideal se realiza 우리의 이상은 실현되리라는 확신을 가지고 있다. Pensaba *en que* José era muy enamorado y su mujer muy bonita 호세는 아주 홀딱 반하기 쉬운 남자이며 그의 아내는 퍽 미인이라는 데에 그는 생각이 미쳤다.

④ [ser 다음에서 보어가 된다] Toda mi matanza *es que* él se corrija 나의 간절한 소망은 그가 행실을 스스로 고치는데 있다. La verdad *era que* José tuvo una vida azarosa 사실 호세는 기복이 많은 생활을 했다.
⑤ [무인칭] …이라고 한다 : *Es que* te lo he dicho 나는 너에게도 그런 말을 했었다.
⑥ [계속의 접속사] 그래서, 그 때문에 : Me entró una pena y una congoja *que* no podía contar el dinero que me pertenecía 나는 별안간 슬프고 마음이 산란해져서 내 것이 된 돈도 계산할 수 없었다.
⑦ [que+*inf.* =형용구] …해야 할 : ¿Tienes algo *que hacer*? 너는 무슨 할 일이 있느냐? No hay nada *que ver* 아무 볼 만한 것이 없다. No tiene ningún camello en *que llevar*lo 그것을 실어야 할 한 마리의 낙타도 데리고 있지 않다.
⑧ [글머리에서, 가볍게 이유] …이라고 한다 : *Que* tienes un porvenir 너에게는 장래가 있다는 거야.
⑨ [배분] : …이건 …이건 (간에) : *Que* quiera, *que* no quiera 좋아하건 싫어하건 간에. *Que* venga o *que* no venga 그가 오건 오지 않건.
⑩ [월등 비교 : más …que] …보다 : Isabel es *más* alta *que* Antonio 이사벨은 안또니오보다 키가 더 크다. *Más* quiero perder la vida *que* perder la honra 명예를 잃느니 생명을 버리고 싶다. Carlos es unos diez centímetros *más* alto *que* Isabel 까를로스는 이사벨보다 약 10센티 더 크다. Juan es dos veces *más* alto *que* su hijo 후안은 자기 아들보다 두 배 더 키가 크다. Juan es mucho *más* alto *que* Carlos 후안은 까를로스보다 훨씬 더 키가 크다. *Más* vale tarde *que* nunca 늦더라도 안 하는 것도다 낫다.
⑪ [열등 비교 : menos … que] …보다 (덜…) : Isabel es *menos* alta *que* Juan 이사벨은 후안보다 키가 덜 크다; 이사벨은 후안보다 키가 작다.
⑫ [뜻이 없는 no를 뒤에 써서 비교의 강조를 함]…보다 : Más moscas se cogen con miel *que no* con hiel 쓴것보다는 단것으로 보다 많은 파리를 잡을 수 있다.
⑬ [no를 뒤에 써서] …이 아니라 (sino) : Justicia pido, *que no* gracia 나는 정의를 요구하는 것이지, 은혜를 요구하는 것이 아니다. Suya es la culpa *que no* mí 그 사람의 탓이지 내 탓이 아니다.
⑭ [no를 뒤에 써서, 접속법 동사와 함께] …하면 반드시(sin que) : No salgo una sola vez a la calle, *que no* tropiece con algún inoportuno 거리에 나가면 어김없이 골치 아픈 사람을 만난다.
⑮ [결과] 그렇게 하면 : Vamos *tan* despacio *que* no llegaremos a tiempo 이렇게 천천히 가다가는 우리는 제시간에 도착하지 못할 것이다.
⑯ [이유] …하므로, …니까 (porque, pues) : Lo hará, sin duda, *que* ha prometido hacerlo 한다고 약속했으니까 그는 틀림없이 그렇게 할거야.
⑰ [목적] …하도록 (para que) : Dio voces al huésped de casa, *que* le ensillase el cuartago 여관 주인에게 그 여윈 말에 안장을 얹으라고 소리쳤다.
⑱ [방법] …하듯이, …해서 : Corre *que* vuela 나는 듯이 뛰어라. Esa oliva se haga rajas y se queme, que queden de ella las cenizas 그 올리브는 토막토막 나누어서 재도 남지 않게 태워야 한다.
⑲ [성구적 어구 안에서는 비슷한 구실로] una *que* otra casa 띄엄띄엄 있는 약간의 집. una *que* otra vez 때때로. otro *que* tal 비슷한, 그러한.
⑳ [부사 sí, no의 뒤에서 y와 비슷한 뜻으로 강조, 앞에 있는 digo등의 생략으로 보임] Sí *que* lo haré, lo haré 그래, 그렇게 하겠어. No, *que* no lo haré 아니야, 그런 짓은 하지 않겠다. No, *que* no 싫어, 싫다니까.
㉑ [동일어의 반복을 나타낼 때 ; 강조] ¡Dale *que* dale! 완고함을 나타냄. firme *que* firme 단단히. porfía *que* porfía 끈덕지게 버틴다. corre *que* corre 뛰고 또 뛰어라.
㉒ [간접 명령 : que+접속법 현재] …하게 하십시오, …하기를 : *Que* me *suban* el equipaje 내 짐을 올려 달라고 하십시오. *Que esperen* 그들을 기다리게 하십시오.
㉓ [현재・미래의 일에 대한 단순한 원망 : Ojalá que +접속법 현재 ; ojalá나 que를 생략할 수도 있음] 원컨데・바라건데 …하기를 : ¡*Ojalá que* Vd. *tenga* buen éxito 부디 성공하시기를 ! ¡*Ojalá que* todo *salga* como dices! 네가 말한 데로 만사 형통하길 ! ¡*Que haga* buen tiempo mañana! 제발 내일 날씨가 좋았으면 ! ¡Viva Corea! 한국 만세 !
㉔ [실현성이 의심스럽거나 실현성이 없는 현재나 미래의 일에 대한 원망문 : Ojalá que+접속법 불완료과거 ; Ojalá나 que를 생략할 수도 있음] 제발…하기를 : ¡*Ojalá que* me *tocase* la lotería! 제발 복권이 당첨되었으면 좋겠는데 ! ¡*Ojalá que* no *lloviera* mañana! 제발 내일 비가 오지 않았으면 ! ¡*Ojalá* no *estuviera* enferma! 그녀가 아프지 않기를 ! ¡*Que fuese* así! 정말 그렇다면 !
㉕ [실현되지 않았던 과거에 대한 원망문 : Ojalá que +접속법 과거완료] …했었더라면 (좋았을텐데) : ¡*Ojalá que hubieras venido* ayer! 자네가 어제 왔었더라면 (좋았을텐데).
a fe・voto a tal・por vida de mi padre que 실지로, 사실로 : *A fe que* no andaba muy descaminado 실지로 그는 예상에서 별로 벗어나지 않고 있었다.
ahora que …이고 보니, …인 이상은 : *Ahora que* nos conocemos 우리가 서로 알게 된 지금.
de modo que + *ind.*, ***de manera que*** + *ind.*, ***de suerte que*** + *ind.* 그래서 (…하다; …하게, …하도록) : Hablaba *de modo・de manera・de suerte que* no le entendía nadie 누구도 이해하지 못하는 말을 했다. El profesor habla despacio *de manera que* le entienden los alumnos 선생님이 천천히 말씀하신다 ; 그래서 학생들은 그의 말을 이해한다.
de modo・manera que + *subj.* …하도록 : El profesor habla despacio *de manera que* le *entiendan* los alumnos 학생들이 이해하도록 선생님은 천천히 말한다.
con tal (de) que + *subj.* …하는 조건으로, …라면 : Procuraré ayudarte, *con tal que* no me pidas cosas imposibles 네가 불가능한 일을 요구만 하지 않는다면 너를 도와주도록 노력하겠다.

Q

antes (de) que *+ subj.* …하기 전에 : *Antes que* llegue 오기 전에.
a que ① …하기를 : Esperaba *a que* llegaran 그들이 오기를 기다렸다. ② …하도록(para que) : Nos invitan *a que* no sentemos allí 그곳에 앉도록 우리들을 초대하고 있다.
hasta que …할 때까지 : Te esperaré *hasta que* vuelvas 자네가 돌아올 때까지 기다리겠다. Esperaba, *hasta que* llegaron 기다리고 있었더니 드디어 그들은 왔다 ; 그들이 도착할 때까지 기다렸다.
luego que …하자마자, …하면 곧(tan pronto) : *Luego que* amanezca 날이 새면 곧.
para que *+ subj.* …하도록 : Se dio prisa *para que* llegara a tiempo 제시간에 늦지 않도록 서둘렀다.
por +「형용사 · 부사」+***que*** 아무리 …해도 : *Por* mucho *que* corriese 아무리 뛰어도. *por* necio *que* sea 아무리 바보라도.
siempre que …할때는 언제나 : *Siempre que* estudies *no* debes pensar en otra cosa 공부할 때에는 언제나 다른 생각을 해서는 안된다.
tal … que : 그러므로, …이기에 : *Tal* estaba, *que* no le reconocí 그러한 상태이므로, 나는 그 인줄을 몰랐다.
tanto … que 너무 …해서 …하다 : *Tanto* rogó, *que* al fin tuve que perdonarle 너무나 간청해 오는 바람에, 하는 수 없이 용서해 주었다.

qué¹ *adj.* [의문 형용사] [사람 · 물건 · 일에 사용하며 성(性)과 수(數)의 변화를 하지 않음]. ① 무슨, 어떤, 무엇 : *¿Qué* preocupaciones tienes? 너는 무슨 걱정거리가 있느냐? ¿De *qué* color es este lápiz? 이 연필은 무슨 색깔입니까? ② 어떠한 (cuál) : Dime *qué* gente es ésa 저 사람들은 어떤 사람들인지 말해 다오. ③ 어느 정도의 (cuánto) : ¡*Qué* gozo tendrá cuando lo sepa! 그가 그것을 안다면 얼마나 기뻐할까!
—*adv.* 얼마나 (cuán) : Mira *qué* triste viene 얼마나 쓸쓸한 얼굴을 하고 오는지 보아라. ¡*Qué* espléndido cielo! 얼마나 찬란한 하늘인가! ¡*Qué* desgracia! 정말 불행하구나. ¡*Qué* lástima!, ¡*Qué* pena! 정말 안됐군요.
—*pron.* [의문 대명사] ① 무엇, 무슨 일 : *¿Qué* es eso? 그것은 무엇입니까? *¿Qué* hay? 무슨 일입니까? *¿Qué* tiene usted? 무슨 일입니까? ¿A *qué* vienes? 무엇하러 왔느냐? *¿Qué* le pasa? 무슨 일이십니까? Dime *qué* te pasa 무슨 일인지 말해라. *¿Qué* le parece? 어떻게 생각하십니까? ② [~+*inf.* =명사구] 무엇을 …할 것인가, 무어라고 …해야 할것인가 : No sabía *qué* hacer 무엇을 해야 할지 몰랐었다. ③ [qué de +「명사 · 형용사」=감탄] 굉장한, 생각할 수 없는(cuánto) : ¡*Qué de* gente! 사람들 많군! ¡*Qué de* flores! 꽃이 굉장히 많군! ¡*Qué de* pobres! 굉장히 가엾은 사람들이군!
—*interj.* 설마, 뭐, 그럴리가 (있을 수 있나)! ; 저런, 어쩌나!
el qué dirán 여론(la opinión pública).
¿Qué tal?, ¿Qué hay? 어떠십니까?, 안녕하세요.
¿Qué tal ……? …은 어떠세요? : *¿Qué tal* la película? 그 영화 어떻게 생각했습니까? *¿Qué tal* el viaje? 여행 어땠습니까?
¡Qué va! 설마, 뭐, 말도 마십시요 ; 그럴 리가 있을라고 ; 별 소리 다 하는군요.
No hay de qué 천만에 《gracias에 대한 대답》.
no sé qué [삽입구적으로] 무엇인지 모르지만 : Había en aquellos cadáveres *no sé qué* de envidiable 그 시체에는 무언지 모르게 탐나는 것이 있었다. Un sabio de *no sé qué* país 어느 나라 사람인지 알 수 없는 한 학자.
¡pues qué! 뭐, 까짓 일! (부정적으로).
¡pues y qué! 상관없어!, 그건 어떻게 하지!
sin ni qué para qué · ni por qué 아무런 이유도 · 목적도 없이, 이것 저것 가릴 것 없이.
tener buen qué, tener su qué 재산 · 소견이 있다.
Vive Dios que … 분명히 …이다.

qué² *m.* 무엇인가, 어떤 것.

quebrable *adj.* 부술 수 있는, 깨지기 쉬운, 무른.

quebracía *f.* =**quebradura.**

quebracho *m.* 《*Amér.*》 ① 께브라쵸 《중남미산 콩과의 딱딱한 나무로 염색 재료로 쓰임》; 그 목재 : El ~ es muy rico en tanino. ② 나무 껍질(jabí).

quebrada *f.* ① 협곡, 계곡, 산골짜기 ; 깊은 골짜기, 심심 산천. ② 《*Amér.*》 개울, 개천, 실개천 (arroyo, riachuelo). ③ 손해.

quebradero *m.* ① 근심거리. ② 귀여운 사람. ~ ***de cabeza*** 근심거리.

quebradillas *m.* 《*PRico.*》 ***irse para*** ~ 가게문을 닫다, 파산하다.

quebradillo *m.* ① 나무 구두 뒤축. ② (댄싱에서) 몸의 굴곡.

quebradizo *adj.* ① 부서지기 쉬운, 깨지기 쉬운, 무른 : ~ espejo 깨지기 쉬운 거울. Cuidado con el vaso, que el cristal es ~ 컵을 조심하세요 ; 유리는 깨지기 쉬우니까. ②【시어】무상한, 덧없는(frágil). ③ 몸이 약한, 쇠약한 (delicado de salud). ④ 버들 같은 ; 떨리는 (목소리).

quebrado, da *adj.* ① 깨진, 부서진 ; 부러진 : línea ~*da* 절선(折線). ② 파산된 : comerciante ~. ③ 헤르니아를 앓는. ④ 변색 · 퇴색된 ; 혈색이 나쁜 : ~ de color. ⑤ 울퉁불퉁한, 험한 : terreno ~ 울퉁불퉁한 땅(terreno accidentado). Hemos viajado por terrenos muy ~*s* 나는 대단히 험한 지방을 여행하고 왔다. ⑥ 쇠약해진.
—*m.f.* ① 파산자, 지불 불능자. ② 헤르니아 환자(persona que padece una hernia).
—*m.* ①【수학】분수(fracción) : ~ decimal 소수(小數). ~ propio 진분수. ~ impropio 가분수. ② 《*Cuba.*》 (두 섬 사이의) 수로(水路), 작은 골짜기. ③ 《*Cuba.*》 좋은 질의 담배잎.

quebrador, ra *adj.* 자르는, 부수는 ; 어기는.
—*m.f.* 파괴자, 위반자.

quebradura *f.* ① 갈린 금, 깨어진 금, 균열 (hendedura, grieta). ②【의학】헤르니아(hernia) : curar una ~ con un braguero.

quebraja *f.* =**grieta, raja, hendedura.**

quebrajar *tr.* 금(raja)이 가게 하다(requebrajar, rajar). —*intr.* 금이 가다.

quebrajoso, sa *adj.* 부서지기 쉬운, 헤픈 (frágil, quebradizo) ; 사방에 금이 간, 균열투성이의 : una madera muy ~*sa.*

quebramiento *m.* =**quebrantamiento.**

quebrantable *adj.* 쪼갤 수 있는, 부서뜨릴 수 있는 ; 헤픈 ; 짓밟아도 되는.

quebrantado, da *adj.* quebrantar의 *p.p.*

quebrantador, ra *adj.* ① 잘게 부수는. ② 더럽히는. ③ 짓밟아 버리는. **—***m.f.* ① 부수는 · 빻는 사람. ② 밤도둑, 모독자 ; 탈옥자 ; 짓밟는 사람 : ~ de una casa 밤도둑. ③ (법의) 위반자 : **—***m.* 빻는 기계.

quebrantadora f. 파쇄기(破碎機), 쇄광기 ; 빻는 기계.

quebrantadura *f.* =**quebrantamiento.**

quebrantahuesos *m.* 【단 · 복수 동형】 ① 【조류】 독수리(águila) 비슷한 매의 일종 : El ~ es la mayor ave de rapiña de Europa. ② 귀찮은 사람. ③ 아이들의 놀이의 일종.

quebrantamiento *m.* ① 부수기, 깨기, 파괴. ② 파기 : ~ de un contrato 파약(破約). ③ 탈옥 ; 탈옥 행위. ④ 짓밟기 : ~ de la ley. ⑤ 피곤, 피로.

~ ***de una casa*** 밤도둑질.

quebrantanueces *m.* 【단 · 복수 동형】 호두까는 기구.

quebrantaolas *m.* 【단 · 복수 동형】 (돌로 가득 채운) 방파제 대신 쓰이는 폐선.

quebrantapiedras *f.* 【식물】 범의귀 : La ~ se ha usado mucho contra el mal de piedra.

quebrantar *tr.* ① 부수다, 깨다, 쪼개다 ; 빻다 (quebrar, cascar, machacar, romper, moler). ② (신성한 것 · 법을) 어기다, 범하다, 더럽히다 ; 짓밟다 (violar) : El *quebrantó* la ley 그는 법률을 파괴했다. No *quebrantéis* las leyes 너희들은 법을 어겨서는 안된다. ③ 분쇄하다 : *Quebrantó* sus intenciones 그의 의도를 분쇄해 버렸다. ④ 때려 눕히다. ⑤ 괴롭히다, 슬프게 하다 (molestar, fastidiar) : La noticia *quebrantó* el corazón 그 소식을 듣고 내 마음이 슬펐다. ⑥ (분노 · 더위 · 추위 따위를) 누그러뜨리다 : *Quebrantó* su furor 그의 노여움을 누그러뜨렸다. ⑦ (유언을) 무효로 만들다. ⑧ 색을 바래게 하다(suavizar) : ~ un color. ⑨ =**templar** : ~ el agua.

~se ① 깨지다, 부서지다. ② 축 늘어지다, 지쳐 빠지다 : *~se con · por* el esfuerzo hecho, *~se de* angustia. ③ (배의) 용골이 틀어지다.

quebrantaterrones *m.* 【단 · 복수 동형】 시골뜨기.

quebrante *adj.* 깨는, 부수는.

quebranto *m.* ① 산산조각을 냄, 파괴. ② 짓밟기, 위배. ③ 무기력, 쇠약, 기운없이 축 늘어짐 : El ~ de su salud le impide ir a verte 그는 건강이 나빠서 너를 만나러 가지 못한다. ④ 손해, 손실. ⑤ 슬픔, 탄식, 고통(pena, aflicción). ⑥ (은행의) 환수수료.

quebrar *tr.* ⑲ ① 깨다, 부수다 (quebrantar, romper, rajar) : La muchacha *quebró* un plato 그 소녀는 접시를 깨뜨렸다. *Has quebrado* una pata de la silla 너는 의자 다리를 한 개 꺾었구나. ② (법을) 범하다, 어기다, 짓밟다(quebrantar, violar). ③ 극복하다 : ~ una dificultad. ④ (색을) 바래게 하다 (suavizar) : ~ el color. ⑤ (몸을) 굽히다, 틀다, 꼬다. ⑥ 방해하다, 저지하다. ⑦ 누그러뜨리다 (templar). ⑧ 《*Arg.*》 (말을) 훈련시키다(domar).

—*intr.* ① [+con : …와] 사이가 틀어지다, 절연하다, 절교하다 : Rodrigo *quebró con* su hermano que vive en América 로드리고는 아메리카에 살고 있는 형제와 절연했다. ② 부러져 나오다, 약해지다 (ceder) : Los muelles del coche *quiebran* 자동차의 나사가 듣지 않게 되었다. ③ 【상업】 파산하다 : ~ *en* un millón de pesetas 100만 뻬세따의 적자로 파산하다. El banco *quebró* cuando no esperaba 예기치도 않았을 때 은행은 파산했다. La sociedad *quebró* cuando nadie lo esperaba 그 회사는 아무도 생각지 않은 때 파산했다.

~se ① 깨지다, 부서지다 : El plato se *quebró* 접시가 깨졌다. ② 구부러지다, 휘다, 부러지다 : Al caer *se quebró* un brazo 그는 떨어져서 팔이 부러졌다. ③ 축 늘어지다, 기운이 빠지다 : Su ánimo *se quebró* con las desgracias 불행으로 그의 기운이 빠졌다. ④ 핼쑥해지다. ⑤ 헤르니아에 걸리다. ⑥ (산맥 따위가) 끊기다 : La cordillera *se quiebra* a pocos kilómetros hacia el oeste de aquel pico 산맥은 저 봉우리 서방 수 킬로미터 쯤에서 끊긴다.

quebraza *f.* (피부의) 틈. **—***pl.* (칼날에 생긴) 금.

quebrazón *f.* ① 《*Col.*》 부서져 사방으로 흩어짐. ② 《*Chile.*》 =**quebradura.** ③ 싸움. ④ 《*Méx.*》 균열, 갈라진 금.

queche *m.* [*ing.* ketch] (북유럽의 마스트가 한 개인) 범선.

quechemarín *m.* (마스트가 두 개인 작은) 돛배.

quechera *f.* 《*Perú.*》 설사.

quechol *m.* 《*Méx.*》 【조류】 홍학(紅鶴).

quechole *m.* 《*Méx.*》 =**quechol.**

quechua *adj.* 께츄아족 《현재의 Perú, Ecuador 및 Bolivia의 안데스 지역에 살았던 인디오 ; 12세기에 잉카 제국을 세움》의. **—***m.f.* 께츄아족 사람. **—***m.pl.* 께츄아족. **—***m.* 께츄아말. [*N.* alpaca, coca, cóndor, guano, inca, llama, pampa, quina, papa, chiripa, tanda 등 수많은 께츄아말이 유럽의 말이 되어 현재도 사용되고 있음].

quechúa *adj.m.f.* =**quechua.**

quechuismo *m.* 서반아어에 들어온 께츄아어.

quechuista *adj.* 께츄아어에 정통한. **—***m.f.* 께츄아어 학자 ; 께츄아어에 정통한 사람.

queco *m.* 《*Arg.*》 =**hazmerreír.**

quecuesqe *adj.* 《*Méx.*》 가려운.

queda *f.* [*lat.* quies, quietis] (도시 같은 곳에서) 귀가를 알리는 종 ; 소등종(消燈鐘).

estar de ~ 농담하다.

quedada *f.* ① 체재. ② 바람이 멎고 물결이 잔잔해짐. ③ 《*Méx.*》 독신 노파.

quedado, da *adj.* ① 《*Chile.*》 진취성이 없는, 소극적인. ② 《*Méx.*》 게으른.

quedamente *adj.* ① 조용히, 낮은 소리로. ② 신중하게, 주의해서.

quedan *m.* 《*Nic.*》 차용증, 약속 어음 : *~es* del Gobierno 국채 증서.

quedar *intr.* [*lat.* quietari] ① 있다, 남다 ; 체류하다 : *Quedó* en el teatro 그는 극장에 있었다. *Se quedará* en Toledo 그는 Toledo에 체류할 것이다.

② [결과로서] 남다 : Sólo *quedan* cien pesetas

내게는 100뻬세따 밖에 없다.
③ [+형용사·과거 분사·부사, …의 상태로] 남다, 되다 : La casa *quedó* vacía 그 집은 텅 비었다. *Quedaron* atónitos 그들은 멍해졌다. *Quedamos* conformes 우리는 의견의 일치를 보았다.
④ [어떤 상태] 그대로 되다, 그대로 있다(permanecer) : La carta *queda* sin terminar 편지는 끝맺지 못한 채로이다. La carta *quedó* sin contestar·por contestar 편지에 대한 회답은 끝내 오지 않고 말았다. *Quédate* sentado en esta silla 이 의자에 앉아 있어라.
⑤ [결과적·협정적·최후적으로] 되다, 끝나다 (terminar, acabar) : Aquí *quedó* la conversación 대화는 여기서 끝났다. *Quedamos* en reunirnos al otro día 다른 날 만나기로 되어 있다.
⑥ [+en : …을] 결정하다 : *Quedamos en* vernos a las siete 우리들은 일곱 시에 만나기로 정했다.
⑦ [+para : 까지에] 거리·시간이 있다 : *Quedan* tres semanas *para* Navidad 크리스마스까지는 아직 3주간 있다.
~se ① 남다, 뒤처지다 : Mi mujer *se ha quedado* en casa 내 아내는 집에 남았다.
② (어느 상태로) 완전히 되다 : *Nos quedamos* asombrados al oírlo 그 말을 듣고 우리들은 깜짝 놀랐다.
③ [+con : …을] 자기의 것으로 만들다. *Quédese con* la vuelta 거스름돈은 넣어 두시오.
④ (풍파가) 자다.
~(se) atrás 늦어지다 ; 뒤에 처지다 ; 뒤지다, 못하다 ; 힘이 약해지다 (aflojar) ; 참으로 이해하기 어렵다.
~ bien 잘하다, 성공하다(tener éxito).
~ en blanco·in albio (읽고 들었던 일을) 끝내 모르고 말다.
~ limpio (돈을 뺏겨) 빈털터리가 되다.
~ mal 실패하다, 처참해지다(fracasar).
~ muerto 질겁하다.
~ por ① (소문이나 다른 의견에 의하면) …이 된다, …이 되다 : *Queda por* valiente 용감한 것이 되었다. *Quedó por* fiador 보증인이 되었다.
② (서로 차지하려고 다투었던 것이 한 쪽에) 돌아가다, 것이 되다 : La contrata *quedó por* José 청부 계약은 호세에게로 돌아갔다. ③ 끝내 …않고 말다 : La carta *quedó por* contestar 편지는 끝내 오지 않고 말았다.
~se ahí 죽다(morir).
~se con ① …을 자기 것으로 삼다, 얻어 두다 : *Me quedaré con* estos libros 이 책을 얻어 두겠다. ② (누구를) 속이다(engañar).
~se corto 계산을 잘못하다 ; …에 대해 말을 덜 하다.
~se fresco (기대했던 것을) 끝내 얻지 못하고 말다.
~se a obscuras 잃고 말다 ; 기대에 어긋나다.
~se frío (일이) 생각과 달라지다.
~se helado 깜짝 놀라다.
~se riendo (악한 짓을 한 사람이 벌을 무서워 않고) 콧방귀 뀌고 있다.
~se tieso ① 질겁하다(quedarse muerto). ② 추위에 몸이 곱아지다.
~se yerto 질겁하다 ; 깜짝 놀라다, 기절 초풍하다.

quedito *adj.* [*dim.* quedo] 다소곳이, 조용히, 작은·낮은 소리로.

quedo, da *adj.* 조용한, 고요한 (quieto, tranquilo) : estarse ~. **—***adv.* ① 조용히, 낮은·작은 소리로 (en voz baja) : hablar muy ~. ② 신중하게 (quedamente) : El habla muy ~.
—*interj.* (남을 제지하기 위해) 쉬 !, 조용히 !
~ a ~ 천천히.
~ que ~ 한가롭게.
a·de ~ 천천히 ; 점차로.

quefir *m.* =**kefir.**

quehacer(es) *m.* *(pl.)* 일, 볼일, 업무 (ocupaciones, trabajos) ; 사무, 잡일 : los ~ domésticos 가사. Ya me marcho porque tengo *~es* 나는 일이 있어서 이만 실례합니다. entregarse una mujer a los *~es* domésticos 여인이 가사에 종사하다. Mis *~es* no me dejan tiempo libre 잡일이 나에게 자유로운 시간을 가지지 못하게 한다.

queja *f.* ① 한탄·탄식(의 표현) : las *~s* del herido. ② 불평, 호소, 하소연 : Tengo ~ de tu padre. ③ 이의 신청. ④ 【상업】 클레임, 손해 배상 청구.

quejadera *f.* 《*Col.*》 불평.

quejambre *f.* 《*Col.*》 =**quejumbre.**

quejambroso, sa *adj.* 《*Ecuad.*》 =**quejumbroso.**

quejarse *r.* ① [+de : …을] 탄식하다, 한탄하다 : No *me quejo de* mi suerte 나는 내 운명을 한탄하지 않는다. ② 호소하다, 원망을 털어놓다. ③ [+de : …을] 불평하다, 투덜대다 ; 이의를 내세우다 : No pudimos menos de *~nos de* su voz baja 우리들은 그의 목소리가 낮다고 불평하지 않을 수 없었다. Ella *me quejaba de* su suegra 그녀는 나에게 그녀의 시어머니를 불평했다. No *te quejes* 불평하지 마라, 바가지 긁지 마시오.

quejicoso, sa *adj.* =**quejumbroso.**

quejido *m.* 탄식, 한탄 (queja lastimosa) : dar *~s* 탄식하다. lanzar un ~ 비명을 지르다.

quejigal *m.* quejigo의 숲.

quejigar *m.* =**quejigal.**

quejigo *m.* 【식물】 떡갈나무 무리.

quejigueta *f.* 【식물】 서반아산의 도토리가 여는 떡갈나무의 일종.

quejilloso, sa *adj.* =**quejicoso.**

quejitas *adj.* 《*Col.*》 =**quejumbroso.**

quejo *m.* =**queja.**

quejón, na *adj.* 《*Col. PRico.*》 =**quejumbroso.**

quejosamente *adj.* ① 불평스럽게, 원망스럽게 (con queja, quejándose). ② 불쌍하게.

quejoso, sa *adj.* 불평스런, 원망하는, 원한을 품은 듯한 ; 처량한.

quejumbre *f.* 한탄, 불평, 이유도 없이 잦은 불평.

quejumbrosamente *adj.* 가엾게, 처량하게 ; 불평스레.

quejumbroso, sa *adj.* 불평이 많은 ; 가엾은 : Me pidió que le ayudara con tono ~ 그는 불평투로 내게 도와달라고 부탁했다.

quelenquelén *m.* 【식물】 껠렌껠렌 《칠레산 애기풀의 일종으로 소화제로 쓰임》.

Q

quelícero *m.* 거미류의 집게손 (pinzas de los arácnidos).

quelidonia *f.* =**celidonia.**

quelite *m.* 《*AmérC. Méx.*》【식물】유채과 식물의 일종. Sinón. yuyo.

poner como ~ 푸르게 하다; 파랗게 질리게 하다.

tener cara de ~ 얼굴빛이 창백하다 (tener la tez verdosa).

quelitera *f.* 《*Méx.*》 푸성귀 장수.

quelonio, nia *adj.*【동물】거북(tortuga) 따위의. —*m.pl.* 거북과의 학명.

quema *f.* ① 굽는·태우는 일, 타는 일, 소각. ② 화형(火刑) : condenar a un hereje a la ~ 이단자를 화형에 처하다. ③ 증류, 여과 (destilación) : vino de ~. ④ 화재 (incendio) : la ~ del almacén. ⑤ 위험 : huir de la ~ 감쪽같이 도망치다. ⑥《*SDgo.*》 취기.

estar en ~ 《*Col.*》 싸게 팔다.

hacer ~ 과녁에 맞추다, 적중하다(dar en el blanco).

quemacina *f.* 《*And.*》 강한 열(calor fuerte).

quemada *f.* ① =**quemadura, incendio.** ②《*Cuba.*》 놀려주기, 속임수(chasco).

quemadero, ra *adj.* 구울, 타야 할, 불살라야 할. —*m.* 화형장; 소각장.

quemado, da *adj.m.f.* ① 탄, 타버린. ② 그을은. ③ 검은. ④ 흑인(의)(negro). ⑤《*SDgo. Venez.*》 취한. —*m.* ① (산불의) 불이 난 자리, 불탄 산. ② 불탄 것 : Huele a ~ 탄내가 난다. ③《*Ecuad. Perú.*》 뽄체(ponche)《음료의 일종》.

quemador, ra *adj.* 타는, 굽는. —*m.f.* 굽는 사람; 소각자, 방화자. —*m.* ① (액체·가스의) 연소 장치; 연소기, 버너 : ~ de gas 가스 버너. ~ de petróleo 석유 버너, 석유 난로. ②《*Amér.*》 (가스 등의) 화구(mechero).

quemadura *f.* ① 화상(火傷) : El ácido pícrico disuelto calma instantáneamente el dolor de la ~. ② (식물이) 타는 일. ③ 타다 남은 가지 (tizón). ④ 흑수병균, 깜부기병균.

quemajoso, sa *adj.* 따끔따끔한, 아릿아릿하게 아픈.

quemante *adj.* 타는, 타는 듯한(que quema, ardiente). —*m.*【은어】눈(ojo).

quemar *tr.* [*lat.* cremare] ① 굽다; 불사르다, 태우다(abrasar) : Vamos a ~ leñas 장작을 태웁시다. *He quemado* los papeles inútiles 나는 휴지를 불태웠다. ② 초조하게 만들다, 애태우다 (impacientar). ③ (매운 것이 입속을) 아리게 하다 : Ese pimiento me *ha quemado*. ④ 투매하다(malbaratar). ⑤《*AmérC.*》 호소하다, 고발하다(denunciar). ⑥《*Ant.*》 눈속임하다. ⑦《*Méx.*》 총으로 쏘다. ⑧ 증류하다, 여과하다 (destilar) : ~ vinos. ⑨ (식물 따위를) 말라 비틀어지게 하다 : El hielo y el sol suelen ~ las plantas 얼음과 태양은 식물을 자주 말라 비틀어지게 한다.

—*intr.* 타는 듯이 덥다·뜨겁다(calentar mucho) : El sol *quema* esta tarde 오늘 오후는 날씨가 무척 덥다. La sopa *quemaba* y no pude tomarla 수프가 너무 뜨거워서 먹을 수가 없었다.

~se ① 데다 : *Me quemé* la lengua 나는 혀를 데었다. ② 그을리다 : En la playa *me he quemado* mucho al sol 나는 해변에서 많이 그을었다. ③ 태워 버리다, 불살라 버리다, 전소되다. ④ 몹시 덥다. ⑤ (격정에) 불타 오르다, 애간장을 녹이다. ⑥ 초조해 하다, 안달하다 (impacientarse); 발끈하다 : ~*se con·de·por* una palabra. ⑦ 눈앞에까지 왔다. ⑧《*Ant.*》 잘못하다, 속다. ⑨《*Ant.*》 취하다.

~ *los libros* 학문을 그만두다.

~ *los papeles* 일에 결말을 내기로 하다.

~ *las naves, como Cortés* 배수진을 치다; 굳은 결심을 하다.

~*se la cejas* 열심히 공부하다(estudiar con ahínco).

~*se la sangre* 무척 걱정하다(preocuparse mucho).

tomar por donde quema 나쁜 뜻으로 해석하다.

quemarropa (a) *adj.* 총구를 들이대고; 뜻밖에 (a quema ropa).

quemazón *f.* ① 연소, 소각(quema). ② 찌는 듯한 더위, 혹서(酷暑)(calor excesivo). ③ 가려움 (comezón). ④ 신랄한 말, 빈정거림(palabra picante). ⑤ 불쾌, 원한, 앙심. ⑥ 투매(投賣). ⑦《*Amér.*》 불, 화재(incendio). ⑧《*Arg.*》 pampa의 신기루(espejismo).

~ *de sangre* 괴로움, 번거로움(molestia).

quemí *m.*【동물】(Cuba 원산의) 토끼(conejo)의 일종.

quemón *m.* ①《*Guat.*》 =**quemada.** ②《*Méx.*》 =**herida de arma de fuego.**

quemosis *f.*【의학】=**oftalmía.**

quena *f.* 께나《뻬루 인디오의 피리(flauta)》.

quenado, da *adj.* 《*Bol.*》 흥분된.

quenco, ca *adj.* 《*Arg.*》 =**sinuoso.**

quenopodiáceas *f.pl.*【식물】salsoláseas과 식물.

quenopodio *m.* =**pata de ganso.**

quenua *f.*【식물】적도 지대의 장미과 식물.

queo *m.* =**aviso.** —*interj.* 조심해라(¡cuidado!).

quepa caber의 접·현·1·3·단수.

quepáis caber의 접·현·2·복수.

quepamos caber의 접·현·1·복수.

quepan caber의 접·현·3·복수.

quepas caber의 접·현·2·단수.

quepi *m.* =**quepis.**

quepis *m.* [*fr.* képi]【단·복수 동형】군모; 군모 모양의 학생모.

quepo caber의 직·현·1·단수.

queque *m.* 《*Amér.*》 [*ing.* cake] ① 카스텔라(torta). ②《*Cuba.*》 (일반적인) 과자. ③《*Guat.*》【속어】국가의 상징인 껫살새(quetzal).

quera *f.* 《*Ar. Sor.*》 =**carcoma.**

querandí *adj.m.f.* 께란디족《남미인디오》의(사람).

querando *m.* 께란도족 《빠라구아이의 원주민 중의 한 종족》.

querargirita *f.*【광물】각은광(角銀鑛).

queratina *f.* 각소(角素), 각질(角質) 《표피·모발 등의 주성분》.

queratitis *f.*【의학】각막염.

querella *f.* [*lat.* querela] ① 싸움 : ~*s* políticas 정치 싸움. ② 제소, 소송. ③ 불평(queja). ④ 불화.

querellado, da *adj.m.f.* 제소된 (피고).

querellador, ra *adj.m.f.* =**querellante.**

querellante *adj.* 기소의 ; 불평하는. —*m.f.* 제소자.
querellarse *r.* ① 소송을 제기하다, 제소하다(presentar querella contra uno) : ~*se de* la injuria. ② 【고어】 불평하다(quejarse).
querellosamente *adj.* 짜증스럽게, 마지 못해.
querelloso, sa *adj.m.f.* =**querellante.**
quereme *m.* 《*Col.*》 *dar* ~ 놀리다, 우롱하다, 가지고 놀다, 정신을 빼다(hechizar).
querencia *f.* ① 미련, 애착 ; 애정. ② 귀소 본능(歸巢本能). ③ [드묾] 사랑.
querencioso, sa *adj.* ① 귀소 본능이 강한. ② 《*Ant.*》 사랑스러운, 다정한(cariñoso).
querendón, na *adj.* 《*Amér.*》 ① 홀딱 반한. ② 《*Amér.*》 매우 다정한(muy cariñoso). ③ 사랑을 과장하는.
querepe *m.* 《*Venez.*》 ① 활의 일종. ② 매독.
querer[1] *m.* ① 애정, 사랑 (cariño, afecto) : un ~ profundo. ② 의지(voluntad) : *Q-* es poder 정신일도 하사불성, 뜻 있는 곳에 길이 있다.
querer[2] *tr.* 68 [*lat.* quaerere] ① 좋아하다, 사랑하다, 애정을 갖다 (amar) : *Queríamos* mucho a la abuela 우리들은 할머니가 대단히 좋았다. Ella *quiere* a sus padres 그녀는 부모를 사랑한다. *Quiero* té 나는 홍차를 좋아한다. Yo te *quiero* 나는 당신을 사랑한다.
② 바라다, 원하다, 욕심내다 (desear) : *Quiero* que me esperen 나를 기다려 주시기 바란다. El niño *quiere* una bicicleta 그 어린이는 자전거를 한 대 갖고 싶어한다. *Quiero* un traje para mi hijo 나는 내 자식을 위해 옷을 사고 싶다. *Quiero* que vengas 네가 오길 바란다. ¿Qué *quiere* que le diga? 당신에게 무슨 말을 하길 원하십니까? [*N.* querer que 다음에 오는 동사는 접속법을 사용함].
③ 꾀하다, 시도하다, 마음먹다(intentar) : ~ lo imposible 불가능한 일을 꾀하다. ¿*Quieres* pasarme la sal? 소금을 집어 주지 않겠나 (줄 마음이 있는가)?
④ [+*inf.*]…하고 싶다 : *Quiero* salir 나는 나가고 싶다. Parece que *quiere* despertarse el niño 애기는 눈을 뜬 듯하다. *Quiero* tomar café 나는 커피를 마시고 싶다. *Quisiera* ver a la señora 부인을 뵙고 싶은데요. ⑤ …하려 하다 : *Quiere* llover 금새라도 비가 쏟아질 것 같다.
~ decir ① 의미하다 (significar) : ¿Qué *quiere decir* eso? 그것은 무슨 뜻인가? ¿Qué *quiere decir* esto en español? 이것을 서반아어로 뭐라고 합니까? (¿Cómo se dice esto en español?). ② 뭐라구, 다시 한번 말해봐! 《협박》.
~ bien (연애적으로) 사랑하다.
no ~ 무심코.
como así me lo quiero 소원대로.
como quiera que + subj. 아무튼, 여하간에 ; …인 바에는 (supuesto que) : *Como quiera que sea*, lo hecho no merece disculpa 그것이 무엇이건 간에 이미 한 일에 변명의 여지는 없다.
cuando quiera 형편대로, 좋아하는 때에, 언제라도 : Venga *cuando quiera* 언제라도 오십시오.
cuanto quiera que =como quiera que.
donde quiera 어느 곳이라도.
no (así) como quiera, sino …이라고 말한다는 것조차 어리석을 정도로 : La mentira es un vicio, *no como quiera ; sino* muy odioso y despreciable 거짓말은 악덕이라고 말하는 것도 어리석을 만큼 악이다.
que quiera, que no quiera ; quiera o no 군소리없이, 쓰다달다 없이.
¿*Qué quiere usted*? 나는 어쩔 수 없다, 나는 별 수 없다.
¡*Que si quieres*! 그런 것은 무리한 일이다!
sin ~ 마지못해.
[직설법·현재 : quiero, quieres, quiere, queremos, queréis, quieren. 접속법·현재 : quiera, quieras, quiera, queramos, queráis, quieran. 직설법·미래 : querré, querrás, querrá, querremos, querréis, querrán. 직설법·부정과거 : quise, quisiste, quiso, quisimos, quisisteis, quisieron. 가능법 : querría, querrías, querría, querríamos, querríais, querrían. 접속법·불완료과거 : quisiera, … ; quisiese, …].
queresa *f.* =**cresa.**
queretano, na *adj.m.f.* Querétaro의 (사람).
Querétaro 【지명】 께레따로 《멕시코의 주·시》.
querida *f.* 첩, 정부 ; 애인, 연인.
querido, da *adj.* 좋아하는, 친애하는 : ¡*Querido* y recordado amigo! 친애하는, 그리고 그리운 친구여! —*m.f.* ① 좋아하는 사람, 애인(amante), 정부. ② [호격] 여보. [*N.* 주로 부부·연인 사이에서 사용함].
queriente *adj.* 사랑하는, 좋아하는.
querindón, na *m.f.* =**querindongo.**
querindongo, ga *m.f.* 애인, 연인 ; 첩, 정부(情婦)(mujer amancebada).
quermes *m.* [*ár.* quermes] 【동물】 연지벌레(kermes, Kermes) ; 연지 : ~ mineral (광물성의) 양홍(洋紅).
quermese *f.* =**kermese.**
quero *m.* (잉카 시대의) 토기.
querocha *f* =**queresa.**
querochar *intr.* (벌레가) 알을 낳다.
querosén *m.* (정제) 석유, 등유.
querosene *f.* 《*Neol.*》 =**querosina.**
querosín *m.* 《*Neol.*》 =**querosina.**
querosina *f.* 《*Neol.*》 등유, (정제) 석유.
querosene *f.* =**querosina.**
queroseno *f.* (정제) 석유.
querques *m.* 《*Col. Venez.*》【조류】 =**carriquí.**
querrá querer의 직·미·3·단수.
querrán querer의 직·미·3·복수.
querrás querer의 직·미·2·단수.
querré querer의 직·미·1·단수.
querréis querer의 직·미·2·복수.
querremos querer의 직·미·1·복수.
querrequerre *m.* 《*Col. Venez.*》【조류】 =**carriquí.**
querría querer의 가·1·3·단수.
querríais querer의 가·2·복수.
querríamos querer의 가·1·복수.
querrían querer의 가·3·복수.
querrías querer의 가·2·단수.
quersoneso *m.* [드묾] =**península.**
querub *m.* 【시어】 =**querubín.**
querube *m.* 【시어】 =**querubín.**
querúbico, ca *adj.* 천사의, 천사 같은.

querubín *m.* [*hebr.* kerubim] ① 천사, 어린 천사. ② 케루빈《Serafín 다음의 천사로 9위중 제2위 ; 지식을 관장하는 천사》. ③ 귀여운 아기.
querva *f.* 【식물】 피마자(ricino).
quesada *f.* 【고어】 =**quesadilla.**
quesadilla *f.* ① 치즈(queso) 과자의 일종. ②《*AmérC. Ecuad. Méx.*》 옥수수 가루로 만든 빵의 일종.
quesear *intr.* 치즈를 만들다.
quesera *f.* 치즈를 만드는 · 파는 여자 ; 치즈 공장 ; 치즈(를 만드는) 대(臺) ; 치즈 접시.
quesería *f.* 치즈 가게 · 공장 ; 치즈 받침.
quesero, ra *adj.* 치즈의, 치즈 같은(caseoso). —*m.f.* 치즈 제조인, 치즈 판매인.
quesillo *m.* [*dim.* queso] =**corazón de alcachofa.**
pan y ~ 【식물】 =bolsa de pastor.
quesiqués *m.* 【속어】 수수께끼.
queso *m.* [*lat.* caseus] 치즈 : Llevo de almuerzo pan y ~ 나는 도시락에 빵과 치즈를 가지고 간다. ~ de bola 공 모양의 화란 치즈. ~ de cerdo 돼지고기로 만든 음식. ~ helado 틀에 만든 아이스크림.
~ *nacional*《*Arg.*》 나라의 예산.
medio ~ (옷소매 같은 것을 다릴 때의) 다리미틀, 아래쪽이 벌어진 네 발 달린 발판《미장이 등이 사용하는 것》.
de dos de ~ 가치가 없는.
dar el ~, *armar con* ~ 속이다, 놀려주다.
estar firme como un ~《*Perú.*》 의무에 충실하다.
partir el ~《*SDgo.*》 일을 해결하다.
tener ~《*Arg.*》 운이 좋다.
quetona *f.* 【화학】 =**centona.**
quetro *m.* 【조류】 (칠레산의) 날개없는 물오리.
quetzal *m.* [*mej.* quetzalli] ① 【조류】 (열대 아메리카산의 꼬리가 긴) 껫살새 : El ~ figura en las armas de Guatemala. ② 껫살《구아떼말라의 화폐 단위》.
Quetzalcóatl 【신화】 ① (고대 멕시코의) 공기와 기압의 신. ② 아스떼가족의 전설의 왕.
quetzale *m.* [*mej.* quetzalli] 【조류】 =**quetzal.**
quevedesco, ca *adj.* ① 께베도《서반아의 풍자작가 Francisco G. de Quevedo, (1580-2454)》의 ; 께베도풍의. ② 통렬한.
quevedos *m.* 【단 · 복수 동형】 코안경.
quezal *m.* =**quetzal.**
quezalteco, ca *adj.m.f.* 께살떼낭고《Quezaltenango, 구아떼말라의 주 · 도시》의 (사람).
qui *pron.* [*lat.* qui] 【고어】 =**quien.**
¡quia! *interj.* 글쎄 !《불신 · 부정을 나타냄》.
quiaca *f.* 【식물】 (칠레산의) 버드나무의 일종.
quianti *m.* [*ital.* Chianti] 깐띠술《이탈리아, 토스카나산 포도주》.
quiasma *m.* =**cruce.**
quibdoano, na *adj.m.f.* 낍도《Quibdo, 꼴롬비아의 도시》의 (사람).
quibdoene *adj.m.f.* =**quibdoano.**
quibebe *m.*《*Riopl.*》 =**quiveve.**
quibey *m.* (Antillas의) 제비꽃.
quibombo *m.* =**quingombó.**
quibutz *m.* 키브츠.
quiché *adj.* 끼체족《구에떼말라의 원주민》의. —*m.* (마야어에서 파생된 것으로 보이는) 끼체어. —*m.f.* 끼체족.
quichua *adj.* 께츄아족《뻬루의 Cuzco 북서쪽에 살았던 원주민》의. —*m.f.* 께츄아 사람. —*m.pl.* 께츄아족. —*m.* ① 께츄아말 : El ~ se hablaba desde Quito hasta Santiago del Estero 께츄아말은 Quito에서 Santiago del Estero까지의 지역에서 사용되었다. El ~ , lengua primitivamente hablada en el Perú, el Ecuador y Bolivia, se disfundió antes de la conquista española por los países vecinos : Colombia, Norte de Chile y de la Argentina 뻬루, 에꾸아도르, 볼리비아에서 원래 사용된 언어인 께츄아말은 서반아 정복 이전에 이웃 나라인 꼴롬비아와 칠레 및 아르헨띠나 북부 지역으로 전파되었다. [*N.* 유럽의 언어로 도입된 께츄아말 : alpaca, coca, cóndor, guano, inca, llama, pampa, quina]. ②《*Perú.*》 골짜기의 비탈 · 비탈길.
quichuismo *m.* =**quechuismo.**
quichuista *adj.* =**quechuista.**
quicial *m.* ① =**quicio.** ② =**quicialera.**
quicialera *f.* (경첩을 대는) 곁기둥.
quicio *m.* ① (경첩이 있는 쪽의) 기둥 · 기둥틀. ② 정상, 상궤.
fuera de ~ 규칙 · 상식에서 벗어나 (fuera de lo regular).
sacar de ~ ① 정상에서 벗어나게 하다. ② 화나게 만들다, 신경질이 나게 하다, 성나게 하다, 격분시키다(exasperar).
quid *m.* 안목, 요점 : Ese es el ~ del negocio.
quídam *m. desp.* [*lat.* quidam] ① [경멸적으로] 모씨(某氏), 아무개. ② 쓸모없는 인간 : Es un ~. ③ 쓸모없는 것.
quid divínum *m. lat.* 영감(靈感).
quid pro quo *m. lat.* 대상(對償)(물), 보상, 응분의 대상 ; 보복.
quiebra *f.* ① 갈라진 금, 틈 (grieta) ; 산사태가 난 자리. ② 손실, 손해. ③ 실패. ④ 【상업】 파산, 도산 : ~ casual 우발적 도산. ~ fortuita 우연의 파산. ~ fraudulenta 위장 파산죄, 위장 도산. declararse en ~ 지불 불능임을 표시하다, 지불을 정지하다. hacer ~ 파산하다. La compañía se ha declarado en ~ 그 회사는 파산 선고를 했다. —*adj.*《*Ecuad.*》 쓸모없는 : animal ~.
quiebracajete *m.*《*Guat.*》 【식물】 메꽃과(科) 식물.
quiebrahacha *m.* =**quebracho.**
quiebro *m.* ① (몸을 구부려) 몸을 비키기. ② 【음악】 떨리는 소리(mordente).
dar el ~ 몸을 피하다 ; (동반을 피하기 위해) 비키다, 몸을 돌리다.
quien *pron.* [*lat.* quinam] [관계 대명사 ; 사람을 선행사로 함 ; 수의 변화를 하나 복수 대명사를 단수형으로 받는 수도 있음 ; 관사와 함께 쓰이는 경우는 없음]. ① [계속적 용법 ; 보통 앞에 coma를 찍음] 그 사람 ; 그 일 · 물건 : mi madre, a *quien* respeto 나의 어머니, 그 분을 나는 존경하고 있다. El buen gobierno, por ~ florecen las Estados 좋은 정치, 그것에 의해 국가는 번영한다. Ha llegado el señor, de ~ hablábamos 우리들이 이야기하고 있던 그 사람이 왔다. ② [한정적 용법] …하는, …한. las personas de ~

~*es* he recibido favores 내가 여러모로 도움을 받은 사람들. El joven *de* ~ hablabas vendrá mañana 자네가 말한 젊은이가 내일 올 것이다. ③ [관사를 동반하지 않음] : (…하는) 사람, (…하는) 사람은 누구나 : *Quien* así lo crea, se engaña 그것을 그런 식으로 생각하는 사람은 잘못이다. No soy yo ~ te los reprocha 당신의 그 일을 비난하는 것은 내가 아니다. Dáselo a ~ quieras 당신이 드리고자 하는 분에게 그것을 드리십시오. Pedro fue ~ me lo aconsejó 빼드로가 나에게 그것을 충고한 사람이었다. *Quien* mucho duerme, poco aprende 잠을 많이 자는 사람은 조금 밖에 배우지 못한다. *Quien* sabe mucho, habla poco 많이 아는 자는 적게 말한다. *Quien* estudia mucho aprende mucho 많이 공부하는 자가 많이 배운다. ④ [+ *inf.*] 해야 할 사람 : Tiene una población de sobrinos a ~ · ~*es* ayudar 그에게는 돌보아 주어야 할 많은 조카가 있다.

como ~ no quiere la cosa 시치미떼고, 위장하여.

ser ~ para …에 권위 · 능력을 가지다.

Quien del trabajo huye, su porvenir destruye 【속담】 일을 하지 않는 자는 자기의 장래를 파괴한다.

A ~ madruga, Dios le ayuda 【속담】 신은 부지런한 자를 돕는다; 부지런해야 수가 난다.

quién *pron.* [의문 대명사 ; *pl.* quiénes] ① 누구, 어떤 사람 : ¿*Quién* eres tú? 너는 누구냐 ? [비교 : ¿Qué eres tú? 너는 무엇하는 사람이냐 ?]. Dime a ~ buscas 누구를 찾는 지 내게 말해라. ¿*Quién* habla? [전화에서] 누구십니까 ? ¿*Quién* sabe? 혹시 누가 알아요 ? ¿De *quién* es este abrigo? 이 오바는 누구의 것입니까 ? ¿A *quién* espera Vd.? 당신은 누구를 기다리십니까 ? ¿Para *quién* es? 누구 몫이냐 ? ¿Con *quién* hablo? [전화에서] 누구십니까 ? Dime con ~ andas y te diré ~ eres 네가 누구와 있는지 말해라 ; 그러면 네가 누구인지 말해 주마, 유유상종. ② [배분 접속사] 어떤 사람은 … 또 어떤 사람은 (unos … otros …) : *Quién* aconseja la retirada, ~ morir peleando 어떤 사람은 후퇴하라고 하고 또 어떤 사람은 싸워 죽으라 한다. ③ [+ *inf.* =형용사구] 누구에게 …해야 할 것인가 : No sabía a ~ dirigirme 나는 누구에게 의논해야 할 지 몰랐다.

quienesquiera *pron.* quienquiera의 복수.

quienquier *pron.* [드묾] quienquiera의 어미 탈락형.

quienquiera *pron.* [*pl.* quienesquiera] 누구라도, 누구던지, 누구나, 누구이건 : ~ que sea se arrepentirá 누구나 후회할 것이다. Deja pasar a ~ que venga 어떤 사람이건 통과하게 하라.

quierde *adv.* 《*Ecuad.*》 【방언】 =**¿Dónde está? ; ¿Qué es de?**

quieta *f.* 《*Perú.*》 =**quiete.**

quietación *f.* 가라앉음, 차분해짐.

quietador, ra *adj.* 가라앉히는, 진정시키는, 안정시키는.

quietamente *adj.* 조용히, 가만히 ; 침착하게, 얌전히.

quietar *tr.* 가라앉히다, 진정시키다, 안정시키다 (aquietar).

quiete *m.* (수도원 등에서) 식사 후에 쉬는 시간.

quietismo *m.* 정숙주의 《17세기 말의 종교 운동의 일종》; 무위주의(無爲主義).

quietista *adj.m.f.* quietismo의 (사람).

quieto, ta *adj.* [*lat.* quietus] ① 움직이지 않는 (inmóvil). ② 조용한, 평온한, 침착한, 평안한 (pacífico, tranquilo) : Estése ~ un momento 잠시 조용히 계십시오. El lago ha estado ~ todo el día 호수는 하루 종일 평온했다. Ella es una chica muy *quieta* 그녀는 침착한 소녀이다. Estaba ~ como una estatua 그는 조각상처럼 조용히 하고 있었다.

quietud *f.* ① 부동성(inmovilidad). ② 정막, 정적, 온화, 평정, 평온, 안온(paz) : No hay ~ en esta casa ni un solo día 이 집에는 단 하루도 안정된 날이 없다. ③ 침착성(tranquilidad, sosiego). **Contr.** inquietud.

quijada *f.* 【해부】 턱뼈. ② (집게의) 턱 부분.

quijal *m.* =**quijada.**

quijar *m.* =**quijal.**

quijarudo, da *adj.* 턱이 나온.

quijera *f.* ① (마구의) 턱 가죽. ② 석궁(石弓)의 쇠붙이의 일종. ③ (상자를 만들 때 상자의 한 쪽에 만드는) 장부촉.

quijero *m.* (용수로의) 둑의 경사면.

quijo *m.* =**cuarzo.**

quijones *m.pl.* 【식물】 시라.

quijongo *m.* 《*CRica.*》 원주민의 현악기.

quijotada *f.* 동끼호떼 같은 짓, 엄청난 행동.

quijote *m.* ① (마구의) 넓적다리 받이. ② 말의 궁둥이(anca) 윗부분. ③ 동끼호떼 같은 사람 : No seas ~ y deja las cosas como están 동키호떼 같은 짓을 하지 말고 물건은 있는 그대로 놓아두게. ④ 상식에 벗어난 이상주의자.

Quijote *m.* 세르반떼스의 작품인 「동키호떼」를 가리킴.

Quijote de la Mancha (El ingenioso hidalgo don) 동끼호떼 《세르반떼스의 작품 ; 1605년에 제1부, 1615년에 제2부가 출판됨》.

quijotería *f.* 동끼호떼 짓 · 행동, 거드름피움. **Sinón.** quijotismo.

quijotescamente *adj.* 동끼호떼적으로.

quijotesco, ca *adj.* 동끼호떼적인, 동끼호테류의, 거드름부리는 : un tono ~.

quijotil *adj.* 동키호떼의.

quijotismo *m.* 동끼호떼식, 어리석은 박애주의, 공상적 이상주의, 젠 체하는 의협심.

quila *f.* 【식물】 《 *Chile.*》 대나무의 일종.

quilamole *m.* 【식물】 《*Méx.*》 비누풀, 사본초.

quilatación *f.* (금은 보석의) 감정 · 식별.

quilatador, ra *m.f.* (금은 보석의) 감정인, 식별인.

quilatar *tr.* =**aquilatar.**

quilate *m.* [*ár.* quirat] ① 금위(金位) : oro de 22 ~*s* 22금. ② 캐럿 《보석의 중량 단위, 205mg》. —*pl.* 완전성.

de ~s 완전한, 흠이 없는.

por ~s 아주 적은 미량으로.

quilatera *f.* 진주 감정기.

quilco *m.* 《*Chile.*》 큰 광주리(canasta grande).

quilde *m.* 《*Chile.*》 낚싯줄의 일종.

quili- *pref.* 「1000」을 뜻하는 접두어(kili).

quiliárea *f.* 1000 아르 《약 10정보》.

quilico *m.* 《*Ecuad.*》【조류】=**cernícalo.**
quilífero, ra *adj.*【동물】유미(乳靡)를 보내는 (맥관 따위).
quilificación *f.*【동물】유미화(乳靡化).
quilificar *tr.* ⑦ 유미화하다.
~se 유미화하다.
quiligua *f.* 《*Méx.*》 광주리 《야채용》.
quilín *m.* 《*Chile.*》 빳빳한 짐승털.
quilina *f.* 《*Chile.*》 숱이 많고 부드러운 털.
quilinchuche *m.* 《*Hond.*》 =**jilosúchil.**
quilla *f.* ① (배의) 용골(龍骨) : falsa ~ 부용골. ② (새의) 용골 돌기. ③ (나비 모양 화관의) 용골판.
casco y ~ 선박 저당.
dar de (la) ~ (배를) 용골이 나올 때까지 기울리다.
quillango *m.* ① 《*Bol. Riopl.*》 모피로 만든 모포. ② 《*Bol.*》 한 벌의 안장.
quillapí *m.* =**quiyapí.**
quillay *m.* 《*Arg. Chile.*》 비누나무 (palo de jabón, jaboncillo) 《남미산 장미과 식물, 나무껍질이 세제로 쓰임》.
quillón *m.* 《*SDgo.*》 막대한 양(量).
quillotra *f.* 여자 친구, 애인 ; 정부.
quillotrador, ra *adj.* 자극하는, 사주하는 ; 심사 숙고하는.
quillotranza *f.* =**trance.**
quillotrar *tr.* ① 자극하다, 사주하다(excitar). ② 반하게 만들다(enamorar). ③ 심사 숙고하다, 생각하다(meditar). ④ 성장시키다, 잘 차려 입히다. ⑤【고어】(일정치 않은 행위를) 뜻하다.
~se ① 반하다(enamorarse). ② 멋을 부리다(ataviarse). ③ 탄식하다, 한탄하다(quejarse).
quillotro *m.* ① 자극, 부추김 (estímulo, incentivo). ② 표적, 징후, 징조(síntoma, señal). ③ 반해 버림(amorío, enamoramiento). ④ 구슬리기 (galanteo, requiebro). ⑤ 고민, 한탄.
quilma *f.* =**costal, saco, talego.**
quilmay *m.* (칠레산의) 덩굴식물.
quilmo *m.* 《*Chile.*》 빗장.
quilmole *m.* 《*Méx.*》 =**potaje.**
quilo[1] *m.* [*gr.* khulos]【생리】유미(乳靡)
sudar el ~ 비지땀을 흘리다, 일을 많이 하다.
quilo[2] *m.* [*gr.* khilia] =**kilo.**
quilo- *pref.* 「유미(乳靡)」「입술」「1000」을 의미하는 접두어.
quilocaloría *f.* =**kilocaloría.**
quilociclo *m.* =**kilociclo.**
quilográmetro *m.* =**kilográmetro.**
quilogramo *m.* =**kilogramo.**
quilojulio *m.* =**kilojulio.**
quilolitro *m.* =**kilolitro.**
quilombear *intr.* 《*Riopl.*》 =**putañear.**
quilombera *f.* 《*Arg.*》 =**puta.**
quilombo *m.* ① 《*Arg.*》 매음굴, 갈보집, 사창굴 (lupanar). ② 《*Venez.*》 오두막, 움막 (choza, cabaña en el campo). —*pl.* 《*Col. Ecuad. Venez.*》 길이 없는 곳, 샛길(andurriales).
quilometraje *m.* =**kilometraje.**
quilometrar *tr.* =**kilometrar.**
quilométrico, ca *adj.* ① 킬로미터의. ② 길고 긴 ; 기다란 : una novela ~*ca.*
quilómetro *m.* =**kilómetro.**
quiloso, sa *adj.* 유미 (모양)의.
quilovatio *m.* =**kilovatio.**
quilovoltio *m.* =**kilovoltio.**
quilquil *m.*【식물】(칠레산의) 큰 양치(羊齒).
quilto *m.* 《*Chile.*》 =**quídam.**
quiltrear *tr.* 《*Chile.*》 애먹이다, 곤란하게 하다 (importunar).
quiltrín *m.* 《*Chile.*》 =**quitrín.**
quiltro *m.* 《*Chile.*》【동물】삽살개(perro gozque).
quima *f.*【방언】나뭇가지.
quimba *f.* ① 《*AmérM.*》 으시대는 걸음걸이 (contoneo). ② 《*Col.*》 샌들, 나막신(abarca). —*pl.* 《*Col.*》 빈궁, 곤궁(apuro).
quimbambas *f.pl.* (어떤 특정하지 않은) 아주 먼 곳 : Se marchó a las ~.
quimbear *intr.* 《*Ecuad.*》 꾸불꾸불 나아가다, 몸을 옆으로 눕혀서 걷다.
quimbo *m.* ① 《*Ant.*》 단도, 비수. ② 《*Col.*》 낫 (machete). ③ 《*Ecuad. Perú.*》 으시대는 걸음걸이.
quimboliyo *m.* 《*Ecuad.*》 =**tamal no relleno.**
quimbombó *m.* 《*Cuba. Venez.*》 =**quingombó.**
quimera *f.* [*gr.* khimaira] ①【희랍 신화】키메라 《사자 머리·양의 몸·용의 꼬리로 불을 내뿜는 괴수》. ② 망상, 공상 : Tiene ~ de que su mujer le oculta algo 그는 아내가 무엇인가 숨기고 있다는 망상을 품고 있다. ~ del oro 노다지 판. Contr. realidad. ③ 싸움, 언쟁, 말다툼(riña, disputa, pendencia) : buscar ~. ④【어류】은상어속 물고기.
quimérico, ca *adj.* ① 망상적인, 가공적인 : espíritu ~. ② 근거없는 : idea ~*ra.*
quimerino, na *adj.* =**quimérico.**
quimerista *adj.* 싸움질을 좋아하는. —*m.f.* 망상가, 공상가 ; 싸움패.
quimerizar *intr.* ⑨ 망상을 그리다.
quimiatria *f.* 《*Neol.*》 화학에 기초를 둔 의료 제도.
química *f.* [*gr.* khêmeia] 화학 : ~ aplicada 응용 화학. ~ biológica 생화학(bioquímica). ~ de las radiaciones 방사능 화학. ~ industrial 화학 공업. ~ inorgánica·mineral 무기 화학. ~ orgánica 유기 화학.
químicamente *adv.* 화학적으로 ; 화학 작용에 의하여.
químico, ca *adj.* 화학의, 화학적인, 화학 작용의 : abono ~ 화학 비료. análisis ~ 화학 분석. composición ~*ca* 화합. ingeniero ~ 화학 기사. productos ~*s* 화학 제품. —*m.f.* 화학자 : En el laboratorio trabajan ilustres ~*s* 그 실험소에는 유명한 화학자들이 일하고 있다.
andar como ~ 《 *Ant.*》 시침을 떼고 아장아장 걷다.
quimicofísico, ca *adj.* 물리 화학의. —*m.f.* 물리 화학자.
quimicultura *f.* 수경법(水耕法), 물재배.
quimificación *f.*【생리】미즙화(靡汁化), 위소화(胃消化).
quimificarse *r.* ⑦【생리】미즙화하다.
quimil *m.* 《*Méx.*》 ① 옷 꾸러미(lío de ropa). ② 가방(maleta, maletino). ③ 상당한 분량.
quimioterapia *f.* 화학 제품을 사용하는 치료법.

quimista *m.* 연금술사(alquimista).
quimo *m.* [*gr.* khumos]【생리】유미(乳糜), 미즙.
quimón *m.* ①(특히 일본 여자의) 옷, 기모노(kimono). ② 일본의 피륙.
quimono *m.* =**quimón.**
quimpo *m.*《*Col.*》무성한 나뭇가지.
quin *m.*《*Chile.*》=**quiño.**
quina *f.* ①【식물】기나 : La ~ amarilla es la más estimada. ② 기나 껍질. —*pl.* ① 포르투갈의 국장(國章). ②【은어】돈.
más malo que la ~ 매우 나쁜(muy malo).
tragar ~ 어려움을 참다(aguantar).
quinado, da *adj.* quina가 함유된 (약용 포도주).
quinal *m.* ① 예비 돛줄. ②《*Amér.*》기나 나무(quino).
quinao *m.* (토론자에 대한) 오류의 지적.
quinaquina *f.* 기나 껍질(quina).
quinar *tr.*《*Cuba.*》토론으로 이기다.
quinario *adj.* 5단위의, 다섯 개로 된. —*m.* ① 다섯 개 한 벌. ② 오일제(五日祭). ③ 고대 로마의 은화.
quincajú *m.* =**kincajú.**
quincalla *f.* [집합] 쇠붙이 : una tienda de ~.
quincallería *f.* ① [집합] 쇠붙이. ② 금은방. ③ 금속 세공 공장.
quincallero, ra *m.f.* 쇠붙이 장수 · 제조인 ; 금붙이 세공사.
quince *adj.* [*lat.* quindecim] ① 15의 : El reloj será compuesto dentro de ~ días 그 시계는 2주일 내에 수리될 것이다. ② 15번째의(decimoquinto) : año ~ 열다섯 번째 해. —*m.* 15.
dar ~ *y raya* 많은 점에서 뛰어나다.
quinceañero, ra *adj.m.f.* 열다섯 살 정도의(소년, 소녀).
quinceavo, va *adj.* 15등분의. —*m.* 15분의 1.
quincena *f.* ① 15일, 반달, 보름 : la primera ~ del mes 달의 전반(前半). la última · segunda ~ 달의 후반(後半). Estaré de vacaciones una ~ 나는 보름간 휴가이다. ② 보름치의 급료 ; 보름간의 구류.
quincenal *adj.* 보름마다의, 반달의, 보름의, 15일간의 : revista ~ 반월간 잡지.
quincenario, ria *adj.* =**quincenal.** —*m.f.* 15일간의 구류자.
quinceno, na *adj.* 제 15의. —*m.f.* 생후 15개월이 된 노새.
quincha *f.*《*Amér.*》① 대발(zarzo), 갈대발, 갈대발 벽. ②《*Col.*》【조류】=**tominejo.**
quinchar *tr.*《*AmérM.*》(…에) quincha를 치다 · 놓다.
quinche *m.* ①《*Riopl.*》quincha로 만든 오두막. ②《*Urug.*》=**quincha.**
quinchinela *f.*《*Venez.*》낀치넬라《애조띤 민요》.
quincho *m.*《*Bol. Chile.*》=**quincha.**
quinchoncho *m.* 낀촌쵸콩《남미산 콩과의 관목》.
quincineta *f.*【조류】푸른 도요(ave fría).
quinconce *m.*《*Galic.*》=**tresbolillo.**
quincuagena *f.* [*lat.* quincuageni] =**cincuentena.**
quincuagenario, ria *adj.* 50단위의 ; 50대의(사람)(cincuentón).
quincuagésima *f.* 사순절 전의 일요일.
quincuagésimo, ma *adj.* [*lat.* quinquagesimus] 50번째의 ; 50등분의. —*m.* 50번째, 50분의 1.
quincurión *m.* [*lat.* quinque] (옛 로마의) 병사 다섯 명의 두목.
quinde *m.*《*Amér.*》【조류】참새의 일종.
quindécimo, ma *adj.m.* [드뭄] =**quinzavo.**
quindenial *adj.* 15년마다의 ; 15년간의.
quindenio *m.* 15년간.
quinear *tr.*《*Col.*》뿔로 받다.
quinesiología *f.* 운동 과학, 운동 위생학.
quinesiterapia *f.* 운동 요법.
quinfa *f.* (콜롬비아의) 시골 짚신.
quingentésimo, ma *adj.* 500번째의 ; 500등분의. —*m.* 500번째, 500분의 1.
quingo *m.*《*Amér.*》=**quingos.**
quingombó *m.*【식물】낑곰보《아프리카 원산, 남미산 비단 아욱과의 초본 ; 열매는 수프의 재료 ; 섬유를 얻음》.
quingos *m.pl.*《*Amér.*》지그재그, 곡절(曲折)(zigzag) : El río hace muchos ~.
quinguear *intr.*《*Col.*》구불구불하다, 구불구불하게 되다.
quínico, ca *adj.* quina의.
quinielas *f.pl.*《*Arg.*》① 공인 경기 도박《축구 · 경마 따위》; (경기의) 현상(금). ② (주로 축구 경기의) 내기표 : Llena esta ~ 이 표에 (예상 승리 팀의 이름을) 써 넣으시오.
quinientos, tas *adj.* ① 500의 (cinco veces ciento) : ~ hombres 500명의 남자. ~*tas* mujeres 500명의 여자. ② 500번째의(quingentésimo) : años ~. —*m.* 500.
Esos son otros ~ 더군다나 공연한 짓이야.
quinina *f.* 기나염(鹽), 키니네 : La ~ se emplea como febrífugo.
quinismo *m.*《*Méx.*》기나 중독.
quino *m.* ①【식물】기나나무. ② 기나 수지(樹脂) ; 기나 껍질(quina).
quínoa *f.*《*Chile.*》【식물】끼노아《아메리카산 색비름 비슷한 초본, 식용》.
quínolas *f.pl.* ① 카드 놀이의 일종 ; 그 카드 놀이의 모임. ② 기묘함, 기이함, 이상스러움(cosa rara, extraña) : estar de ~.
quinolillas *f.pl.* =**quínolas.**
quinoquino *m.*《*Perú.*》【식물】bálsamo를 생산하는 나무.
quinqué *m.* [*fr.* quinquet] [*pl.* quinqués] ① 탁상 램프, 석유 램프. ② 명민, 총명(perspicacia) : tener mucho ~.
quinquefolio *m.*【식물】뱀딸기류.
quinquelingüe *adj.* 5개 국어에 능통한 ; 5개 국어로 쓴.
quinquenal *adj.* 5년의, 5년간의, 5개년의 : el plan ~ 5개년 계획. El gobierno ha emprendido un plan ~ 정부는 5개년 계획에 착수했다.
quinquenervia *f.*【식물】질경이(lancéola).
quinquenio *m.* 5개년, 5년간 : He firmado el contrato por un ~ 나는 5년간의 계약에 서명했다.
quinquí *m.* ① quincalla 판매원. ② =**malhe-**

chor.

quinquillería *f.* =**quincallería.**

quinquillero, ra *m.f.* =**quincallero.**

quinquín *m.* 《*Ecuad.*》 독거미 (hormiga venenosa)의 일종.

quinquina *f.* 기나 껍질(quina).

quinta *f.* ① 농원. ② 별장 (quintana, villa, casa de campo) : La familia pasa el fin de semana en la ~ 그 가족은 주말을 별장에서 지낸다. ③ 병역의 추첨 ; 병적 ; 징모, 징병 : entrar en ~. ④ (카드에서) 같은 짝으로 계속 이어지는 패 5매. ⑤【음악】5도 (음정). ⑥《*Galic.*》기침의 발작, 숨막힐 듯이 나오는 기침(ataque de tos).

~ *esencia* 본질, 정수(精髓).

~ *de salud* (사립의 새로운) 병원.

quintacolumnista *adj.m.f.* 제5(열)의 ; 제5열의 책동가.

quintador, ra *adj.m.f.* quintar 하는 (사람).

quintaesencia *f.* ① (고대 철학의) 제오원(第五元) 《물 (agua), 불 (fuego), 흙 (tierra), 공기 (aire)의 4원 밖에 있으면서 삼라 만상을 확충함》. ② 정(精), 정수(esencia).

quintaesenciado, da *adj.* 《*Neol.*》 =**refinado.**

quintaesenciar *tr.* ⑪ 정련하다, 정제하다 ; 정수를 뽑다(refinar, alambicar).

quintal *m.* 낀딸 《중량의 단위 ; 까스띠야에서는 100 libras =4 arrobas =40 kilogramos》: ~ métrico 100 킬로그램. El ~ es la medida de peso, que equivale a 100 kilos 낀딸은 무게의 단위로서 100킬로그램에 해당된다.

quintalada *f.* 옛날 배에서 실은 짐으로 인한 이익금으로 선원에게 주는 특별 상여금.

quintaleño, ña *adj.* 1낀딸 들이의.

quintalero, ra *adj.* 1낀딸의.

quintamiento *m.* quintar하는 일.

quintana *f.* ① 별장(quinta). ② (고대 로마의 진지에서) 물건 팔던 곳.

quintante *m.* 선박용 관측기의 일종, 오분의(五分儀).

quintañón, na *adj.m.f.* 100세의 (노인) (centenario).

quintar *tr.* ① 다섯 개마다 한 개씩 가지다 ; 다섯 사람마다 한 사람을 뽑다. ② (병역에) 제비를 뽑다, 징병하다. ③ (다섯 번째의) 종경(終耕)을 하다. ④ 2할세(稅)(quinto)를 납부하다. —*intr.* 월령(月令)이 닷새가 되다, 달이 5일째가 되다 : La luna *ha quintado.*

quinte *m.*【동물】사슴(gamo)의 일종.

quintego *m.* [*ital.* quintetto] ①【음악】오부곡(五部曲) : escribir un ~. ② 오중주.

quintería *f.* 농원, 장원.

quinterna *f.* 복권에서 5의 당첨(quinterno).

quinterno *m.* 다섯으로 철해진 장부 ; 복권에서 5의 당첨 ; 복권 비슷한 일종의 카드 놀이.

quintero *m.* 농장 인부, 소작인 ; 농부.

quinterón, na *adj.m.f.* 《*Perú.*》 백인과 혼혈아와의 (혼혈인).

quintil *m.* 원시 로마력(曆)의 다섯 번째 달.

quintilla *f.* (8음절의) 5행시.

andarse · ponerse en ~s con (…와) 서로 겨루다.

quintillizo, za *adj.m.f.* 다섯째 아이(의).

quintillo *m.* 다섯 사람이 하는 카드 놀이.

quinto, ta *adj.* [*lat.* quintus] 다섯 번째의 ; 5등분의. —*m.* ① 5분의 1 ; 2할세(稅). ② 병역의 당첨자. ③ (목장이나 토지의 부분적) 대지. ④ (유언한 사람이 자식이 있더라도 남에게 자유로이 처분할 수 있는) 5분의 1의 재산. ⑤《*Méx. Chile.*》 5센따보 짜리 돈.

en los ~s apurados 《*Amér.*》 깊은 데에, 먼 데에.

quint.º quintuplicado.

quintové *m.* 《*Arg.*》【조류】=**bienteveo.**

quintral *m.* 《*Chile.*》 ① 기생목의 일종 《끈끈이 물감의 재료가 됨》. ② 수박과 강낭콩의 병 (una enfermedad de las sandías y las judías).

quintuplicación *f.* ① 오배·5겹으로 하기. ② 5배.

quintuplicado *m.* 5통, 5부.

quintuplicar *tr.* ⑦ 5배·5겹으로 하다 (multiplicar por cinco).

quíntuple *adj.* 5중의 : ~ colisión 5중 충돌.

quíntuplo, pla *adj.* 5배의 : una cantidad ~*da* de otra. —*m.* 5배.

quinua *f.* =**quínoa.**

quinual *m.* 《*Chile.*》 =**quínoa.**

quinuza *f.* 《*Venez.*》 슬픔, 비탄(tristeza).

quinzal *m.* (제재에서) 15피트 재목.

quinzavo, va *adj.* 15등분의. —*m.* 15분의 1.

quiña *f.* 《*Col. Perú.*》 부딪치기, 충돌.

quiñada *f.* =**quiña.**

quiñado, da *adj.* 《*Col. Peru.*》 ① 곰보 자국투성이의(cacarañado). ②《*Perú.*》 구멍이 난.

quiñar *intr.* ①《*Perú.*》 나무에 구멍을 내다. ②《*Chile. Perú.*》 춤추면서 팽이를 치다. ③ 미끄러져 부딪치다(chocar). ④《*Col.*》 치고 받고 싸우다.

~se ① 상처가 생기다. ②《*PRico.*》 실패하다, 뜻을 이루지 못하다.

quiño *m.* ①《*AmérM.*》 부딪치기. ②《*Chile.*》 망태기, 자루.

quiñón *m.* ① (공동 사업의) 배당, 배당 토지. ② (필리핀의) 토지 단위 《2.8 hectáreas》.

quiñonero *m.* quiñón의 소유주.

quío, a *adj.* 끼오《Quío. 에게해의 섬》의 (사람).

quiosco *m.* [*turco.* kiuchk] ① (역·광장 따위의) 매점, 구멍가게, 노점 ; 신문 판매대(kiosco) : ~ de periódicos 신문 판매대. ~ de necesidad 공중 변소. ~ de música 음악당. Compraré el plano de la ciudad en un ~ 어디 끼오스꼬에서 시가 지도를 사겠다. ② 정자 : Esta tarde tocará la banda en el ~.

quiote *m.* 《*Méx.*》 용설란(maguey)의 어린 싹.

quipe *m.* 《*Bol. Ecuad.*》 배낭(morral). ②《*Perú.*》 등짐, 등짐 자루.

quipos *m.pl.* (고대 뻬루의) 결승 문자(結繩文字).

quique *m.* ①《*Chile.*》【동물】족제비의 일종. ②《*Chile.*》 화 잘 내는 사람.

quiquiriquí *interj.* 꼬끼오 《수탉이 크게 울 때의 의성어》: un alegre ~. —*m.* 으스대고 싶어 하는 남자.

quiragra *f.*【의학】손이 쑤심,

quirate *m.* (고대 서반아의) 은화의 일종.

quirguiz *adj.m.f.* 키르기스 족의 (사람).

quírico *m.* 《*Venez.*》 =**mandadero.**

quirie *m.* =**kirie.**
quirigalla *f.* 【동물】 =**cabra.**
quirinal *adj.* *el monte* ~ 로마에 있는 일곱 언덕 중의 하나. —*m.* (바티칸궁에 대하여) 이탈리아 궁정·정부.
quiritario, ria *adj.* 고대 로마 시민의.
quirite *m.* 옛 로마의 시민(ciudadano romano).
quirófano *m.* (외부에서 볼 수 있게 한) 수술실.
quirografario, ria *adj.* 사문(私文)의, 자필의 : crédito ~ 신용 대부.
quirográfico, ca *adj.* 사문서의.
quirógrafo, fa *adj.* 사문 증서의. —*m.* (공문서·공공 증서에 대해서) 사문서·사서 증서(私署證書).
quiromancia *f.* 수상(학) (adivinación por las rayas de la mano).
quiromancía *f.* =**quiromancia.**
quiromántico, ca *adj.* 수상(手相)의. —*m.f.* 손금쟁이.
quiropodia *f.* 수족 치료, 수족 안마.
quiropodista *m.f.* 손의 전문 의사.
quiróptero, ra *adj.* 【동물】 익수류(翼手類)의. —*m.pl.* 박쥐 무리.
quiroteca *f.* [드묾] 장갑(guante).
quirquincho *m.* ①【동물】 (남미산의) 아르마디요(armadillo), 갑옷쥐. ②《*Arg. Chile.*》 근성이 나쁜 사람.
ponerse como un ~ 맹수처럼 되다.
quirúrgico, ca *adj.* 외과(cirugía)의, 외과적인 : operación ~ *ca* 외과 수술.
quirurgo *m.* [드묾] 외과 의사(cirujano).
quisa *f.* ① (멕시코산의) 후추의 일종. ②《*Bol.*》 익은 바나나.
quisca *f.* ①《*Chile.*》 끼스꼬 선인장 ; 그 가시 《길이가 30㎝나 되어 뜨개바늘로 씀》. ②《*Arg.*》 굵고 빳빳한 머리카락.
quiscal *m.* 【조류】 까마귀류의 새.
quiscamote *m.* 《*Hond.*》 천남성과 식물.
quisco *m.* 끼스꼬 선인장, 바늘 선인장 《칠레산 오르간 선인장의 일종》.
quiscudo, da *adj.* 《*Chile.*》 성한 데 없이 가시가 박힌 ; 가시처럼 빳빳한 (머리칼).
quise querer의 직·부정과거·1·단수.
quisicosa *f.* 수수께끼(enigma).
quisiera querer의 접·불완료과거·1·3·단수.
quisierais querer의 접·불완료과거·2·복수.
quisiéramos querer의 접·불완료과거·1·복수.
quisieran querer의 접·불완료과거·3·복수.
quisieron querer의 직·부정과거·3·복수.
quisieras querer의 접·불완료과거·2·단수.
quisiese querer의 접·불완료과거·1·3·단수.
quisieseis querer의 접·불완료과거·2·복수.
quisiésemos querer의 접·불완료과거·1·복수.
quisiesen querer의 접·불완료과거·3·복수.
quisieses querer의 접·불완료과거·2·단수.
quisimos querer의 직·부정과거·1·복수.
quisiste querer의 직·부정과거·2·단수.
quisisteis querer의 직·부정과거·2·복수.
quisneado, da *adj.* 비꼬인, 뒤틀린.
quisneto, ta *adj.* =**quisneado.**
quiso querer의 직·부정과거·3·단수.
quisque *pron. lat.* *cada* ~ 각각, 저마다(cada uno, cada cual) : Le dieron a *cada* ~ su merecido.
quisquido, da *adj.* 《*Arg.*》 옹색한, 생활이 궁색한 ; 인색한(estreñado).
quisquilla *f.* ① 사소한·하찮은 일 (pequeñez). ②【동물】 새우(camarón)의 일종.
quisquillar *intr.* 《*Chile.*》 불만을 느끼다(sentir cojijo).
quisquilloso, sa *adj.m.f.* ① 사소한 일에 신경을 쓰는 ; 화 잘 내는 (사람). ② 매우 가냘픈, 연약한, 허약한(muy delicado) : un hombre demasiado ~.
quistarse *r.* =**bienquistarse.**
quiste *m.* [*gr.* kustis] ①【의학】 낭종(囊腫), 낭포(囊包). ②【생리】 포낭.
quistión *f.* [드묾] =**cuestión.**
quisto, ta *adj.* [querer의 옛날 불규칙형 과거 분사 ; 부사 bien·mal과 함께 쓰여] 호감을 사는·미움 받는.
quita *f.* (차용금 상환의) 일부 면제 ; 공제.
de ~ y pon 떼어낼 수 있는.
quitacalzón *f.* 《*Col.*》 장수벌레의 일종.
quitacamisa *m.* 《*Cuba.*》 카드(naipe)의 일종.
quitación *f.* ①【고어】 봉급 (salario). 연금 (renta). ② [드묾] =**cólquico.**
quitador, ra *adj.m.f.* 떼어가는·철거시키는 (사람).
quitaguas *m.* [드묾] =**paraguas.**
quitaipón *m.* =**quitapón.**
quitamanchas *m.f.* 【단·복수 동형】 빨래하는 사람(sacamanchas). —*m.* 얼룩 빼기 (약제).
quitameriendas *f.* 【식물】 =**cólchico.**
quitamiedos *m.* 【단·복수 동형】 도로 가에 있는 담(벽).
quitamiento *f.* =**quita.**
quitamotas *m.f.* 【단·복수 동형】 아첨꾼, 알랑쇠, 아부쟁이(adulador, lisonjero).
quitanda *f.* 《*Urug.*》 식품을 파는 구멍가게.
quitandera *f.* 《*Urug.*》 구멍가게의 점원.
quitanieves *m.* 【단·복수 동형】 제설차(除雪車).
quitanza *f.* (차용금의) 수령증, 차용 증서.
quitapelillos *m.f.* =**quitamotas.**
quitapesares *m.pl.* 위안 ; 심심풀이.
quitapón *m.* (다채로운 색깔의) 노새의 머리 장식.
de ~ 떼었다 붙였다 할 수 있는(de quita y pon).
quitar *tr.* ① 제거하다, 치우다, 없애다, 벗기다 : *Quita* este libro del medio 가운데의 이 책을 치워라. *Quita* un párrafo *a* lo escrito 쓴 것에서 한 절을 빼내어라. Comí la fruta sin ~le la piel 나는 껍질을 벗기지 않고 그 과일을 먹었다. ② 빼앗다 : ~ la vida. ③ 훔치다(hurtar, robar) : Nos *han quitado* el dinero 우리의 돈을 훔쳤다. Me *quitaron* el reloj 나는 시계를 도둑맞았다. ④ (약속·계약·의무 따위를) 해소하다, 면제하다(redimir). ⑤ 방해하다(impedir) : Ana me *quitó* ir a paseo. Ana me *quitó* que fuese a paseo 아나는 내가 산책가는 것을 방해했다. Me

quitas que salga 너는 내가 나가는 것을 방해하는구나. ⑥ [자동사적으로] 방해가 되다 : No *quita* lo cortés *a* lo valiente 겸양은 용기와는 아무 상관이 없다. Eso no *quita* para que yo te ayude 내가 너를 돕는데 그 일이 방해가 되지 않는다. ⑦ 금하다, 못하게 하다 (prohibir) : Les *quitaré* el trasnochar 그들이 밤샘하는 것을 막아야겠다. ⑧ 파면하다. ⑨ (법령들을) 파기하다 : La orden *ha sido quitada* 명령은 철회되었다. ⑩ (덤벼드는 사람·찌르고 덤비는 칼 등을) 비키다.

~se ① (자신의 몸에 지녔던 것을) 벗다 : *Quítese* el sombrero 모자를 벗으십시오. **Contr.** ponerse. ② 치우다 : *~se* años 나이를 잊고 젊어지다. ③ 벗어지다. ④ 물러서다 : *Quítate* de ahí 그곳을 비키시오. ⑤ 막다 ; 면하다. ⑥ [+de : …를] 멈추다 : *Se ha quitado del* negocio 그는 그 일을 그만두었다.

al ~ 순식간의, 덧없는, 허망한, 일시적으로.

de quita y pon 쉽게 떼고 붙일 수 있는, 쉽게 벗고 입을 수 있는.

sin ~ ni poner 고스란히 그대로.

~se años 회춘하다(rejuvenerse).

~se de en medio 떠나다.

~se de encima (방해물 등을) 치우다.

~se la vida 자살하다(suicidarse).

vender al ~ 다시 사들인다는 계약 하에 양도하다.

¡Quita, allá! ; *¡Quite, allá!* 안돼 !, 저리 치워 ! 《배척·부인의 감탄사》.

quitasol *m.* ① 양산, 파라솔(parasol). ② 《*Méx.*》 야생 버섯(hongo silvestre)의 일종.

quitasolillos *m.* 【식물】 양산풀 《꾸바산의 물풀》.

quitasueño *m.* 걱정거리, 애태우는 것.

quite *m.* ① 방해, 훼방. ② (칼의) 받아 치우기·비킴. ③ 【투우】 가빠로 소를 피하는 일.

estar al ~ · ***a los ~s*** 제때에 위험을 막다, 방어에 나서다.

no tener ~ 하는 수 없다, 불가피하다.

quiteño, ña *adj.* 끼또(Quito)의. —*m.f.* 끼또 사람.

quitina *f.* 【동물】 각질(角質) 갑각소(甲角素) 《곤충들의 골격 속에 있는 유리 모양의 질》.

quitinoso, sa *adj.* 각질을 함유한 ; 각질성의 : degeneración *~sa* 각질 변성.

Quito 【지명】 끼또 《에꾸아도르의 수도 ; 1534년 Sebastián de Benalcázar이 San Francisco de Quito라는 이름으로 설립》.

quito, ta *adj.* =**libre, exento.**

quitón *m.* [*gr.* khitón] =**chitón.**

quitrín *m.* 《*AmérM. Ant. Guat.*》 이륜 포장 마차.

quitucho *m.* 《*Arg.*》 작은 고추.

quiveve *m.* 《*Riopl.*》 삶은 호박 요리.

quiyá *m.* 《*Riopl.*》 carpincho의 일종. **Sinón.** coipú.

quiyapí *m.* 《*Arg.*》구아라니족의 가죽 모포(manta de pieles de los indios guaraníes).

quizá *adv.* 아마, 어쩌면, 필경 : *Quizá* sea verdad lo que él dice 그가 하는 말은 아마도 사실일 것이다. *Quizá* no lo creas 아마도 너는 그렇게 생각하지 않겠지. *Quizá* vaya mañana a verte 어쩌면 나는 내일 너를 만나러 가겠다. [*N.* 이 부사가 사용되면 접속법이 원칙이지만 직설법이 쓰여 확신을 나타낼 수도 있다 : *Quizá tienes* razón].

~ y sin ~ 아무튼, 좌우지간에, 하여간에 (de todos modos), 분명히 (seguramente) : Lo haré *~ y sin ~* 좌우간 그렇게 하겠습니다.

quizás *adv.* =**quizá.**

quórum *m. lat.* 《*Neol.*》 (선거·투표·주주 총회 따위의) 성원, 정원, 정(족)수.

q.v. que se vea 참조.

Q

R

r *f.* 에레《서반아어 자모(字母)의 스물한 번째 문자(vigésima primera letra del abecedario castellano)》.
r /. remesa 송금.
R. Reprobado 불합격; Respuesta 회답; Reverendo, Reverencia …신부《경칭》.
raba *f.* ①(대구 알로 만든 낚시에서의) 먹이(cebo de huevas de bacalao para la pesca de la sardina). ②《*Sant.*》낙지의 촉각.
rabada *f.* (식용으로서의) 궁둥이살.
rabadán *m.* 목동의 우두머리.
rabadilla *f.* ①【해부】미저골(尾骶骨), 미골(尾骨), 꽁무니뼈. ②(새의) 미골(尾骨), 꼬리뼈.
rabal *m.* 【방언】시외(市外), 교외구(arrabal).
rabalero, ra *adj.m.f.* ①시외의, 교외구의 (사는 사람). ②라발《Zaragoza의 도시 el Rabal》의 (사람).
rabanal *m.* 무밭, 순무밭.
rabanera *f.* ①무 파는 여자(verdulera). ②닳고 닳은 여자, 수치를 모르는 여자(mujer muy grosera, desvergonzada).
rabanero, ra *adj.* ①짧은 옷을 입은. ②천박한, 수치·부끄럼을 모르는(desvergonzado): modales ~*s* 부끄럼을 모르는 태도. —*m.f.* 무장수, 푸성귀 장수.
rabanete *m.* [*dim.* rábano] 작은 순무.
rabanillo *m.* [*dim.* rábano] ①【식물】독무. ②(술의) 신맛(agrio del vino que va haciéndose vinagre). ③무뚝뚝함. ④경멸. ⑤【회언】열망, 갈망(deseo grande).
rabaniza *f.* 무의 씨; (야생종의) 산무.
rábano *m.* [*lat.* raphanus] ①【식물】무, 순무: El ~ es originario de la China. ②(술에 생기는) 신맛.
~ encarnado 붉은 무.
~ picante·rusticano 서양 고추 냉이.
tomar el ~ por las hojas 완전히 뒤바뀌다·잘못하다, 오역하다.
rabárbaro *m.* 【식물】대황(大黃).
rabassa *f.* *catalán.* =**cepa, tronco.**
rabazuz *m.* 감초(orozuz)의 즙.
rabdomancia *f.* 마술의 회초리로 치는 점.
rabdomancía *f.* =**rabdomancia.**
rabdomántico, ca *adj.* rabdomancia 의. —*m.f.* rabdomancia 점쟁이.
rabear *intr.* ①(동물이) 꼬리를 흔들다(menear el rabo). ②선미(船尾)가 흔들리다.
rabel[1] *m.* [*ár.* rabeb] ①3현금(三弦琴).
rabel[2] *m.* (특히 어린이의) 궁둥이(trasero).
rabelejo *m.* *dim.* rabel.
rabeo *m.* 꼬리·선미(船尾)를 흔듦.
rabera *f.* ①밑부분, 궁둥이, 뒤끝. ②연장의 손잡이(mango de herramienta). ③밀기울. ④《*Cuba.*》=**atacola.**
raberón *m.* (장작·땔나무·나무의) 끝.
rabí *m.* 랍비, 유태의 율법 박사·학승.
rabia *f.* [*lat.* rabies] ①【의학】공수병, 광견병: Pasteur inventó la vacuna contra la ~ 파스테르는 공수병 왁친을 발명했다. Ese perro tiene ~ 그 개는 광견병이 있다. ②화남, 격노함: dar·tomar ~ 격노하다. ③증오: tener ~ 미워하다. ¡Qué ~! 아이, 지겨워. Me da ~ de leer eso 나는 그것을 읽는데 지쳤다.
con ~ 《*Ant.*》격렬하게: Anoche llovió *con* ~ 어젯밤에 비가 억수처럼 내렸다.
rabiacana *f.* 【식물】=**arísaro.**
rabiada *f.* ①《*AmérC.*》보챔. ②《*Méx.*》등을 흔드는 일.
rabiadero *m.* 《*Col.*》항상 화내는 일.
rabiamarillo *m.* 《*Amér.*》【조류】황미조(黃尾鳥)(el gulungo).
rabiar *intr.* ⑪ ①공수병에 걸리다·고통을 겪다(padecer la enfermedad llamada rabia). ②고통스러워하다(sufrir mucho): ~ de dolor de muelas. ③[+por+*inf.*: …하고 싶어] 초조해하다, (무엇을 하려고) 몸부림치다, 안달하다(impacientar): *Rabiaba por* salir 그는 나가고 싶어 안달을 했다. *Rabia por* casarse 그녀는 결혼하고 싶어 안달이다. ④날뛰다; 공연히 화내다. ⑤지나치다, 보통을 넘다(exceder en mucho lo usual): *Rabiaba de* tonto 바보 이상의 짓을 했다.
a ~ 심하게, 몹시: Todos aplaudían *a* ~ 모두가 몹시 환호했다.
estar a ~ (누구에게) 몹시 화내고 있다.
rabiasca *f.* 《*Ant.*》=**rabieta.**
rabiascoso, sa *adj.* =**rabioso.**
rabiatar *tr.* 꼬리를 묶다(atar por el rabo): ~ un cerdo.
rabiazorras *m.* [드뭄] 동풍(viento solano).
rabicán *adj.* 꼬리가 흰.
rabicano, na *adj.* =**rabicán.**
rábico, ca *adj.* 공수병(rabia)의: inocular el virus ~ a un conejo.
rabicorto, ta *adj.* ①꼬리가 짧은(que tiene el rabo corto): un perro ~. ②괴상야릇한 옷을 입은 (사람). ③스커트·소매가 짧은 (que viste faldas bastante más cortas que lo regular): una chiquilla ~*ta.*
rabiche *f.* 《*Cuba.*》=**rabuda.**
rábida *f.* (모로코에서) 수도원, 암자.
rábido, da *adj.* =**rabioso.**
rabieta *f.* 화남, 부아, 분노; 보챔, 칭얼댐.
rabihorcado *m.* 【조류】대군함조(大軍艦鳥).
rabijunco *m.* 【조류】(남미의) 새.
rabil *m.* ①《*Ast.*》【조류】황새(cigüeña). ②(도

구의) 굽은 자루, 크랭크. ③ 수동식 탈곡기.

rabilar *tr.* rabil에 걸다, 탈곡하다.

rabilargo, ga *adj.* 꼬리가 긴 ; 자락이 긴 옷을 입은. **—***m.* 【조류】 물까치 《까치의 일종》 : Las costumbres del ~ son parecidas a las de la urraca. Sinón. gálgulo.

rabillo *m.* [*dim.* rabo] ① 꼬리. ② (꽃 · 잎사귀 · 열매의) 자루(pecíolo). ③ (바지 · 조끼 등의 등에 다는) 작은 꼬리. ④ (눈의) 꼬리, 끝. ⑤ 【식물】 독맥(毒麥) (cizaña).

~ de conejo 【식물】 토끼 꼬리풀.

con el ~ del ojo, de ~ de ojo 눈을 스쳐 (보다).

rabimocho, cha *adj.* 《*Col. Perú. PRico.*》 꼬리가 짧은, 꼬리가 없는.

rabincho, cha *adj.* 《*Arg. Ecuad.*》 ① 자루가 없는 : cuchillo ~. ② 여유없이 막힌 ; 짧은 : cola *~cha* 짧은 꼬리.

rabínico, ca *adj.* 랍비(rabinos)의 ; 유태교 성서 해석의.

rabinismo *m.* rabí · rabino의 설교 ; 유태 구교.

rabinista *adj.m.f.* 랍비의 가르침을 믿는 (신도).

rabino *m.* [*hebr.* rabb] 유태 학승(學僧) · 율법 박사(rabí).

rabión *m.* =**raudal, racial.**

rabiosamente *adv.* 미쳐 날뛰어(con rabia o cólera).

rabioso, sa *adj.* ① 공수병에 걸린, 광견병의 : perro ~. ② 미쳐 날뛰는, 성이 잔뜩 난(colérico, enojado). ③ 격렬한 : deseo ~. ④ 색깔이 칙칙한(chillón). ⑤ 무척 매운(muy picante). **—***m.f.* 공수병 환자, 광견병 환자.

filo ~ (숫돌에 잘못 간) 날.

rabirrubia *f.* 《*Cuba.*》 안띠야스 해의 물고기.

rabisalsera *adj. f.* 분방한, 팔팔한 (여자).

rabisca *f.* =**rabieta, enojo, enfado.**

rabiza *f.* ① 낚싯대의 끝(punta de la caña de pescar). Sinón. mediana. ② (물건의) 끝(extremo). ③ 모래땅 (terreno arenoso). ④ (매단 짧은) 줄. ⑤ 【은어】 매춘부. ⑥ 《*Ant.*》 물건의 가늘어진 부분.

rabo *m.* [*lat.* rapum] ① 꼬리(cola) : Se fue con el ~ entre las piernas 그는 꼬리를 감추고 가버렸다. ② (꽃 · 열매 · 잎의) 자루(pedúnculo) ; 꼬리처럼 밑으로 처진 것.

~ de gallo ① 선미재(船尾材). ② 《*Col. CRica.*》 시골에서 쓰이는 빨간 손수건. *~s de gallo* 새털구름, 권운(卷雲) (cirro). *~ de junco* 뉴기니아산 바다새의 일종. *~ del ojo* 눈초리. *~ de ratón* 《*PRico.*》 손으로 미는 작은 톱. *~ de zorra* 【식물】 여우의 꼬리 (vupino, carricera). *~ verde* 《*AmérC. Méx.*》 성적 매력이 있는 노인.

asir · coger por el ~ 사소한 꼬투리를 잡고 늘어지다.

estar · faltar aún el ~ por desollar 일이 아직 끝나지 않았다(no haber acabado aún un trabajo).

ir al ~ de (누구의) 비위만 살피고 다니다.

salir con el ~ entre piernas 꼬리를 말다, 지다, 당해내지 못하다.

mirar con el ~ del ojo · de ~ de ojo 흘깃 스쳐보다, 곁눈질하여 슬쩍 보다.

volver de ~ 정반대가 되다.

rabón, na *adj.* ① 꼬리가 짧은 · 없는 · 잘린 : perro ~. ② 《*Arg. Venez.*》 손잡이가 빠진《날이 있는 연모 등》. ③ 《*Chile.*》 벌거숭이의, 속셔츠 차림으로 있는 (사람). ④ 스커트가 짧은.

rabona *f.* 《*AmérM.*》 행군 수행 인디오 여인 : En otro tiempo las *~s* habitaban en el cuartel con los soldados.

hacer ~ 학교를 빼먹다, 학교를 땡땡이치다 (hacer novillos de la escuela).

irse ~ 《*Chile.*》 모조리 잘못하다.

rabonada *f.* 《*Sant.*》 =**rabotada.**

raboncito *m.* 《*Ecuad.*》 단도, 비수.

rabonear *intr.* ① 《*Sant.*》 난폭한 짓을 하다 (dar rabotadas). ② 《*Riopl.*》 학교를 빼먹다(hacer rabona).

rabopelado *m.* 【동물】 =**zarigüeya.**

raboseada *f.* 문지르기, 비비기, 쓰다듬기 ; 더럽히는 일.

raboseadura *f.* =**raboseada.**

rabosear *tr.* ① 문지르다, 쓰다듬다, 주무르다. ② 더럽히다, 상처를 주다.

raboso, sa *adj.* 꼬리가 있는 ; 꼬리처럼 된.

rabotada *f.* 심한 일, 난폭한 짓(grosería) : soltar *~s.*

rabotar *intr.* 《*Venez.*》 꼬리를 흔들다.

rabotazo *m.* 《*PRico.*》 =**rabotada.**

rabotear *tr.* 꼬리를 자르다 : ~ a una oveja.

raboteo *m.* 양의 꼬리 자르기 ; 그 시기 《3월경》.

rabudo, da *adj.* 꼬리 · 궁둥이가 큰 : arado ~. **—***f.* (꾸바의) 비둘기의 일종.

rabuja *f.* 《*Cuba.*》 [집합] (돼지에게 주는 상하기 시작한) 고구마.

rábula *m.* [*lat.* rabula] 엉터리 변호사(el abogado charlatán).

rabulense *adj.* rábula의.

raca *f.* 【선박】 큰 고리.

racacha *f.* 《*Chile.*》 【식물】 구근 식물.

racahut *m. ár.* (아라비아인이 사용한) 영양분이 있는 가루.

racamacana (de) *adj.* 《*Col.*》 부피가 커서 무거운.

racamenta *f.* =**racamento.**

racamento *m.* 가로대를 돛에 매다는 도구.

racel *m.* 선미(船尾)의 좁은 부분(lleno) ; 선미의 끝부분.

racha *f.* ① 돌풍(ráfaga súbita y corta de viento). ② (도박 등에서) 깜빡하게 일어서는 재수 (breve período de fortuna o de suerte). ③ 《*León.*》 나뭇잎(raja).

rachar *tr.* 《*Ast. Gal. León. Sal.*》 (세로로) 자르다, 깎다(rajar).

rachón *m.* =**empujón violento.**

racial *adj.* 인종(상)의, 종족적인, 민족적인 (étnico) : Tenía un orgullo ~ 그에게는 민족적인 자랑이 있었다.

racima *f.* 작은 포도 송이.

racimado, da *adj.* 송이가 된, 주렁주렁 열린 (arracimado).

racimal *adj.* 송이의, 다발이 되는.

racimarse *r.* 주렁주렁 열리다, 송이가 되다.

racimeo *m.* 주렁주렁 열림.

racimo *m.* [*lat.* racemus] ① (포도 · 바나나 · 꽃 등의) 송이 : Me dieron un ~ de uvas 그들은

R

나에게 포도를 한 송이 주었다. ②【식물】총상화(總狀花).

～ *de horca* 교수형 당한 사람.

racimoso, sa *adj.* ① 송이가 많은, 꽃송이가 휘어질 듯한. ②【식물】총상 화서(總狀花序)의. ③【식물】다포상(多胞狀)의.

racimudo, da *adj.* 큰 송이의, 큰 송이가 되는.

raciocinación *f.* raciocinar 하는 일.

raciocinar *intr.* 추론·추리하다, 판단하다, 생각하다.

raciocinio *m.* [*lat.* ratiocinium] 추리(력); 추론.

ración *f.* [*lat.* ratio] ① 1회·1일분의 식량; 몫, 배당분 : Cada soldado acudió por la ～ a la hora de comer 병사는 식사 때에 각각 (할당의) 식량을 받으러 갔다. ② 생각대로 주는 기사의 급료; 병사에게 급여하는 1일분의 양식; 이를 위한 수당; 1회분의 말먹이. ③ (여관·식당의) 정식(定食). ④ 성직자에게 주는 급료의 일종; 배급(配給). ⑤ (노점 등에서의) 한 무더기 : Déme dos ～*es* de naranjas 밀감을 두 무더기 주세요.

～ *de hambre* 입에 풀칠하기 조차 어려운 봉급·직.

a ～ 일정치 않게 받아.

a media ～ 받는 둥 마는 둥하게 소량으로, 적은 식사로.

R

racionabilidad *f.* 이성, 합리성.

racional *adj.* ① 도리에 맞는, 이치가 닿는(razonable) : expresión ～【수학】유리식(有理式). ② 합리적인; 이성이 있는, 이성을 부여받은 (dotado de razón) : El hombre es un animal ～. ③【화학】시성(示性)의 : análisis ～ 시성 분석. fórmula ～ 시성식(示性式).

—*m.* 유태 고승(高僧)의 가슴 장식.

—*m.pl.* 인간(ser humano).

racionalidad *f.* 합리성; 이성(ser humano).

racionalismo *m.* 이성론; 합리주의.

racionalista *adj.m.f.* 이성론의, 순리파의; 합리주의의 (사람) : filósofo ～.

racionalización *f.* 합리화 : ～ industrial 산업 합리화.

racionalizar *tr.* 9 합리화하다.

racionalmente *adv.* 합리적으로.

racionamiento *m.* 배급 : ～ de artículos 물품의 배급.

racionar *tr.* ① (군대의) 양식을 배급하다(dar raciones a la tropa). ② (필수 물자를) 배급제로 하다.

racionero *m.* =**racionista.**

racionista *m.f.* ① 급료·급식을 받는 사람, 급비생(給費生). ② 말단 배우.

racismo *m.* 인종주의, 민족주의; 인종 차별(주의).

racista *adj.* 인종·민족주의의 : país ～. **—***m.f.* 인종 차별주의자.

ráculo, la *adj.* 《*Arg.*》 꼬리가 없는.

rada *f.* 후미, 대피항, 피난항.

radar *m. ing.* ① 레이더 : El ～ cogió la presencia de barcos enemigos 레이더는 적선(敵船)이 있는 것을 포착했다. ② 전파 탐지 (장치)·기 : estación de ～.

radarista *m.f.* 레이더 조작원.

radarscopio *m.* (레이더의) 영상경(映像鏡).

radiación *f.* ①【물리】방사, 복사; 발산; 발광, 방열. ② 라디오·텔레비전의 방송. ③《*Galic.*》 말소, 삭제.

radiactividad *f.*【물리】방사능.

radiactivo, va *adj.* 방사능·방사성의.

radiado, da *adj.* [radiar의 *p.p.*]① 방사상(放射狀)의, 복사형의, 사출(射出)한. ②【식물】사출 화서(花序)의 : flor ～*da.* ③【동물】방사형·사출형 동물의. **—***m.* 방사형 동물《말미잘 등》.

radiador *m.* ① 방열기, 난방기 : ～ eléctrico 전기 난방기. ② (발동기 등의) 냉각 장치기, 공기 온도 조절기, 라디에이터.

radial *adj.* ① 반경의; 방사상(放射狀)의. ②【해부】요골의 : arteria ～ 요골 동맥. ③《*Amér.*》 라디오 (방송)의.

radialismo *m.* 급진주의, 과격주의, 과력론.

radialista *adj.* 급진·과격주의의. **—***m.f.* 급진·과격 주의자.

radián *m.*【기하】라디안《각도의 단위》.

radiante *adj.* ① 빛·열을 내는; 빛나는, 눈부신, 찬란한, 반짝이는(brillante) : A todos admiró con su belleza ～ 그녀는 그 눈부실 만큼의 아름다움으로 모두를 놀라게 했다. ② 복사의, 방사의 : calor ～ 복사열. **—***m.* ① 광점(光點). ②【천문】방사점《유성군(流星群)의 중심》.

radiar *intr.* [*lat.* radiare] 11 ① 방사하다 : El sol *radia* su luz y calor 태양은 빛과 열을 방사한다. ② 빛을 뿜다, 반짝이기 시작하다 : *Radia* una idea 하나의 상념이 번득이거 시작한다. ③ 방열하다(irradiar). **—***tr.* ① 방사하다. ② 방송하다(radiodifundir). ③《*Galic. Amér.*》 취소하다, 제거하다, 삭제하다(eliminar).

radiarios *m.pl.*【동물】【방언】=**radiados.**

radicación *f.* ① [집합] 뿌리(가 내림), 뿌리가 뻗침. ②【수학】개방(開方)《평방근이나 입방근을 개산하여 구함》.

radical *adj.* [*lat.* radix, icis]① (식물의) 뿌리의, 근생(根生)의 : pedúnculo ～ 뿌리의 꽃꼭지. ② 기본적·근본적인; 철저한 : curación ～ 철저한 치료. Sus reformas ～*es* no agradaron a muchos 그 철저한 변혁은 많은 사람을 기쁘게 하지 않았다. ③ 급진파의, 과격주의의 : periódico ～ 급진파 신문. ④【수학】근(根)의. ⑤【화학】기(基)의. ⑥【문법】어근의.

—*m.f.* 급진론자, 과격주의자, 과격파 당원 : Los ～*es* aprobaron el nuevo sistema 급진 분자는 새로운 제도를 승인했다.

—*m.* ①【수학】루트, 근의 부호(√). ②【화학】기(基). ③【문법】어근, 어간. ④ (한자의) 부수(部首)《部·趙·達 등에서의 邦·走·遠 따위》.

radicalismo *m.* 급진론, 과격주의.

radicalización *f.* 과격, 급진.

radicalizquierdista *adj.* 과격 좌익의. **—***m.f.* 과격 좌익 분자.

radicalmente *adv.* 밑바탕에서부터; 근본적으로; 철저하게, 철두철미하게.

radicar(se) *intr.* (*r.*) 7 ① 뿌리를 내리다·뻗치다, 깊이 뿌리를 박다. ② 정주하다, 정착하다 (arraigar). ③ (어떤 장소에) 있다, 존재하다 (estar) : La finca *radica* en término de Granada.

③ [+en : …에] 기지·본거를 두다.

radicícola *adj.* 뿌리 위에 사는·돋는, 뿌리에 기생하는.

radicoso, sa *adj.* 뿌리 같은.

radícula *f.* 【식물】 어린 뿌리, 유근(幼根) ; 작은 뿌리.

radiestesia *f.* 전자기 방사능 감지술.

radiestesista *m.f.* radiestesia를 연구하는 사람.

radífero, ra *adj.* radio가 있는.

radigrafía *f.* 방사선 사진(radiografía).

radigráfico, ca *adj.* 방사선·뢴트겐 사진의·에 의한.

radio[1] *m.* [*lat.* radius] ① 반경 : en un ~ de 300m 반경 300m의 범위에. El ~ de acción del avión es muy extensa 그 비행기의 행동 반경(범위)는 비상히 넓다. ② (수레 바퀴의) 살. ③ 【해부】 요골. ④ 【속어】 (라디오의) 수신기, 기계(器械) : ~ a transistores 트랜지스터 라디오. ⑤ 무전 [radiograma의 약어].

—*f.* ① [radiodifusión, radiorreceptor의 약어로서] 라디오 방송 : emitir por ~ 라디오로 방송하다. comentarista de la ~ 라디오 해설자. La ~ dio la noticia 라디오가 그 뉴스를 전했다. ② 라디오 수신기.

el ~ de acción 행동 반경, 항속 거리 ; 활동 범위. ***~ de la plaza*** 요새 방비권 《포의 착한 거리》. ***~ de población*** 시가의 주변권 《시가의 변두리에서 1,600m》. ***~ vector*** 【수학】 동경(動徑).

radio[2] *m.* [*lat.* radium] 【화학】 라듐 《원소》.

radío, a *adj.* 방랑하는(errante).

radioactividad *f.* 방사능(radiactividad).

radioactivo, va *adj.* =**radiactivo.**

radioaficionado, da *m.f.* 라디오 팬·햄.

radiocarbono *m.* 방사성 탄소.

radiocobalto *m.* 코발트 방사능.

radiocompás *m.* 라디오 컴퍼스, 무선 방향 지시기 《항해 중인 선박이나 비행 중인 항공기가 신호 전파로써 자기의 위치를 알아내는 무선 측정기》.

radiocomunicación *f.* 무선 통신, 라디오 통신 ; 무전.

radioconcierto *m.* 라디오로 방송된 콘서트.

radioconductor *m.* 무전 수신기·수화기 ; 무전 검파기.

radioconferencia *f.* 라디오 방송을 통한 회담.

radiocronométrico, ca *adj.* radiocronómetro의·에 관한.

radiocronómetro *m.* x선 측정기.

radiodifundir *tr.* 방송하다(difundir por medio de radiofonía). Sinón. perifonear.

radiodifusión *f.* 방송 ; 라디오 방송.

radiodifusora *f.* 방송국.

radiodirigido, da *adj.* 무선 유도의 : cohete ~ 무선 유도 로켓.

radioelectricidad *f.* 전파 방송.

radioeléctrico, ca *adj.* 전파 (방송)의·에 의한.

radioemisora *f.* 방송국.

radioemisión *f.* =**radiodifusión.**

radioemisor, ra *adj.* 방송의.

radioescucha *m.f.* 라디오 청취자, 라디오 팬(radioyente).

radiofaro *m.* 라디오 비컨, 무선 표지(標識) 《특정한 부호를 가진 전파를 이용하여 항공기나 선박의 위치·방향을 확인하는 방식, 또는 그 시설》.

radiofonía *f.* 무선 전화(radiotelefonía).

radiofónico, ca *adj.* ① 라디오 방송의. ② = **radiotelefónico.**

radiofonista *m.f.* 무선 전화 통신자·기술자.

radiófono *m.* 무선 전화기.

radiofotografía *f.* 전송 사진.

radiofrecuencia *f.* 라디오 방송 주파수, 무선 주파수.

radiogoniometría *f.* 무선 방향 측정학.

radiogoniométrico, ca *adj.* 무선 방향 측정학의.

radiogoniómetro *m.* 라디오 컴퍼스, 무선 방위계, 무선 방향 지시기(radiocompas).

radiografía *f.* 뢴트겐 사진(radigrafía) : La ~ determina la situación de las lesiones internas 뢴트겐 사진은 내상(内傷)의 위치를 결정한다.

radiografiar *tr.* 뢴트겐 사진을 찍다, 방사선 사진을 촬영하다.

radiográfico, ca *adj.* 뢴트겐 사진에 의한.

radiograma *m.* 무선 전보.

radiogramófono *m.* 라디오 겸용 축음기.

radiogramola *f.* 전축 겸용 라디오.

radioguiar *tr.* (비행기·선박 등을) 라디오로 안내하다.

radioisótopo *m.* 방사성 동위 원소.

radiolarios *m.pl.* 【동물】 방산충(放散虫).

radiología *f.* 뢴트겐과(科) ; 방사선학.

radiólogo, ga *adj.m.f.* 뢴트겐과의 (의사·기사).

radiomensaje *m.* 라디오 메시지·발표.

radiómetro *m.* 방사계, 복사계.

radioonda *f.* 라디오 방송 주파수 전파.

radiopatrulla *f.* 무선 연락이 가능한 순찰대 : coche ~.

radioperiódico *m.* 정시 뉴스 (해설).

radiorrecepción *f.* 무선 전신에 의한 수신.

radiorreceptor *m.* 라디오·무선 전신 수신기.

radioscopia *f.* 엑스 광선·방사능 시험 ; 엑스선 진찰 ; 방사선 투시·진단(법).

radioscópico, ca *adj.* 엑스 광선에 의한.

radioso, sa *adj.* 빛나는, 번쩍이는(brillante, luminoso).

radiosonda *f.* 라디오 존데 《전파를 이용하여 대기 상층의 기압·온도·습도 따위를 측정하는 장치》.

radiotecnia *f.* 무선 전신 공학.

radiotécnica *f.* =**radiotecnia.**

radiotécnico, ca *adj.* ① 무선 전신 공학에 정통한 : ser un buen ~. ② 무선 전신 공학의·에 관한 : estudios ~*s.*

radiotelecomunicación *f.* 무선 전화 통신.

radiotelefonía *f.* 《*Neol.*》 무선 전화 ; 라디오.

radiotelefónico, ca *adj.* 무선 전화의.

radiotelefonista *m.f.* 무선 전화수.

radioteléfono *m.* 무선 전화기, 트랜스 레시버.

radiotelefoto *f.* 전송 사진.

radiotelegrafía *f.* 무선 전신.
radiotelegrafiar *tr.* ⑫ 무전으로 타전하다.
radiotelegráfico, ca *adj.* 무선 전신의 : aparato ~ 무전기.
radiotelegrafista *m.f.* 무전 기사, 무전 전신수.
radiotelégrafo *m.* 무선 전신.
radiotelegrama *m.* 무선 전신 발송.
radiotelescopio *m.* 전파 망원경.
radiotelepeuta *m.f.* 【의학】 방사선 요법 전문 의사.
radiotelevisión *f.* 라디오 텔레비전.
radioterapia *f.* 방사선·엑스 광선 요법(roentgenoterapia).
radioterápico, ca *adj.* 엑스선 요법의.
radiotransmisión *f.* 무선 방송.
radiotransmisor *m.* 무선 발신기·송화기.
radiovisión *f.* 라디오 텔레비전.
radiovisor *m.* 라디오 텔레비전 기구.
radioyente *m.f.* 라디오 청취자(radioescucha).
raditerapia *f.* 라듐 요법.
radiumterapia *f.* =**raditerapia.**
radón *m.* 【화학】 라돈 《방사성 원소》.
RAE Real Academia Española.
raedera *f.* 갈거나 깎거나 하는 도구, (땅 다지는 데 쓰는) 달구.
raedizo, za *adj.* 깎기 쉬운 ; 닳기 쉬운.
raedor, ra *adj.* 깎는, 닳게 하는 : ~ de tinta 잉크 지우개. —*m.* ① 곡식을 될 때 위를 쓰는 막대. ② 곡물 검량관.
raedura *f.* 깎아내기, 땅 다지기. —*pl.* 깎아낸 부스러기.
raer *tr.* ⑭ [*lat.* radere] ① 깎다, 문질러 닳게 하다, 다지다(rasar). ② 근절하다.
rafa *f.* ①【건축】 공벽(控壁). ②(물을 끌어내는) 도랑. ③(말발굽 모양의) 균열. ④(바위에) 구멍 파기.
rafaelesco, ca *adj.* 라파엘 《이탈리아의 화가 Rafael》의 ; 라파엘 풍(風)의, 라파엘 식의 : madona ~*ca.*
ráfaga *f.* ① 일진의 광풍, 돌풍. ② 섬광. ③ 설편(雪片), 조각 구름 : ~*s* doradas 금빛의 구름송이. ④ 소사(掃射) : ~*s* de ametralladora 기총 소사. ⑤《*AmérC.*》 분할불의 1회분.
estar de·en ~ 《*Ecuad. Perú.*》 곤경·역경에 처하다.
rafal *m.* (지방의) 농사막.
rafalla *f.* =**rafal.**
rafania *f.* [*lat.* raphanus] 【의학】 (독무에 의한) 러프누스 중독증.
rafañoso, sa *adj.* 《*Arg.*》 더러운 ; 변변치 못한.
rafe *m.* ① 처마 끝, 추녀. ②【해부·동물】 봉합. ③【식물】 배선(背線).
rafia *f.* 【식물】 라피아 종려 ; 그 섬유.
Raf.[1] Rafael.
raga *f.* 《*Arg. Bol.*》 야유, 조롱(chanza, burla).
raglán *m.* (19세기 경에 유행된) 두겹 망토, 긴 외투, 라글란형의 외투.
ragú *m.* ①《*Arg.*》 심한 공복. ②《*Chile.*》 양고기 요리.
ragua *f.* 사탕수수의 끝.
raguseo, a *adj.* 라구사 《Ragusa, 여러 곳의 지명》의. —*m.f.* 라구사 사람.
rahalí *adj.m.f.* 모로코의 농부(의).
rahez *adj.* ① 천한(despreciable, vil). ② 값이 싼(barato).
raí *m.* (모로코에서) 목동(pastor).
raíble *adj.* 깎을 수 있는, 닳게 할 수 있는 ; 고르게 할 수 있는 ; 근절할 수 있는.
raicear *intr.* 《*Amér. Venez.*》 뿌리를 내리다(arraigar).
raiceja *f.* [*dim.* raíz] 작은 뿌리.
raicero *m.* 《*Amér.*》 [집합] 뿌리, 뿌리 뻗기(raigambre).
raíces *f.pl.* raíz의 복수형.
raicilla *f.* [*dim.* raíz] 작은 뿌리 ; 어린 뿌리 ; 토근(吐根).
raicita *f.* [*dim.* raíz] 어린 뿌리(radícula).
raid *m. ing.* 습격, 침입. [*N.* 발음 : red].
raido *m.* 《*Parag.*》 빠라구아이의 전원(田園)에 사는 사람.
raído, da *adj.* [raer의 *p.p.*] ① 털이 닳아버린, 써서 낡은. ② 닳아 빠진, 염치없는, 뻔뻔스런, 낯가죽이 두꺼운(desvergonzado, descarado).
raigal *adj.* 뿌리의, 뿌리 밑의 ; (재목에서) 뿌리의.
raigambre *f.* (*m.*) ① [집합] 뻗은 뿌리 ; 많은 뿌리 ; 뿌리의 자리잡기. ②(어느 사람의) 과거, 과거의 경력.
raigón *m.* [*aum.* raíz] ① 굵은·큰 뿌리(raíz grande). ②【해부】 치근(齒根) 《이의 치조(齒槽) 속에 끼어 들어가 있는 부분》(raíz de las muelas y dientes). ③《*Murc.*》 =**atocha, esparto.**
raigrás *m.* [*ing.* ray-grass] 잔디, 잔디풀.
raijo *m.* 《*Murc.*》 =**brote, renuevo, retoño.**
rail *m. ing.* 궤도, 레일, 선로(carril).
raíl *m.* =**rail.**
railway *m. ing.* =**ferrocarril.** [*N.* 발음 : relué].
raimar *tr.* 《*Ecuad.*》 (사탕수수의) 잎을 자르다, 솎다.
raimiento *m.* ① 깎는 일, 닳음. ② 얌체, 뻔뻔스러움(desvergüenza, descaro).
raín *f* 《*Ál.*》 =**cortinal.**
raiputa *adj.m.f.* 라이뿌따나 《Raiputana, 인도의 북서쪽에 워는 지역》의 (사람).
rais *m.* 수령, 두목(jefe) : El martes, el secretario de Estado para Asuntos Exteriores, había declarado que la oferta del ~ egipcio era altamente apreciada por marruecos 화요일에 외무 담당 국무장관이 이집트 국가 원수의 제안이 모로코 측에 의해 높이 평가됐다고 발표했다.
raíz *f.* [*pl.* raíces] [*lat.* radix] ①【식물】 뿌리 : ~ bulbosa 알뿌리. echar *raíces* 뿌리를 내리다·뻗다, 뿌리가 자리를 잡다 ; 정착·정주하다. Este árbol tiene las *raíces* muy hondas 이 나무는 뿌리가 깊다. ② 근원, 바탕(origen, principio) : cortar la ~ 뿌리를·원인이 되는 것을 절단하다. La pereza es ~ de otros muchos vicios 나태는 다른 많은 악덕의 근원이다. ③ 뿌리 밑, 근원 : a ~ de …의 뿌리 밑에, 가까이에, 곁에 ; …에 바로 이어. de ~ 뿌리 밑둥에서 ; 근본적으로, 완전히. Este árbol fue arrancado *de* ~ 이 나무는 뿌리째 뽑혔다. ④【문법】 어근(語根), 어간. ⑤【수학】 근(根) : ~ cuadrada

평방근. ~ cúbica 입방근. ~ irracional · sordo 부진근 · 무리수. ⑥ 어원(語源). —*pl.* 토지, 대지, 부동산(bienes *raíces*).
~ de senega 세네가.
~ del moro 【식물】 차전초(helenio).
~ medicinal 약재 뿌리.
~ tintórea 염색용 뿌리.

raizal *adj.* 《*Col.*》 지방에 기반을 둔 (사람).

raizalismo *m.* 《*Col.*》 태어난 고향에 대한 집착.

raizar *intr.* ⑯ ⑨ 《*Col.*》 =**raicear.**

raja *f.* ① 틈, (갈라진) 금, 균열. ② (세로로 자른) 조각 : comerse una ~ de melón. ③ 베어낸 나뭇가지, 장작, 쪼갠 나무 ; 단편. ④ 옛날의 두꺼운 나사.
en la ~ 《*Col.*》 돈 한푼없이, 빈털터리로.
hacer ~s 나누다, 분배하다.
hacerse ~s 토막이 나다, 갈갈이 찢어지다.
sacar ~ 재미를 보다, 단물을 빨다.
tener ~ 《*CRica.*》 (이민족의) 피가 섞여 있다.

rajá *m.* [*sánscr.* raga] [*pl.* rajaes] (인도의) 왕.

rajable *adj.* 깨지기 쉬운, 찢어지기 쉬운, 쪼개지기 쉬운(fácil de rajar) : una madera ~.

rajabroqueles *m.* 허세부리는 사람.

rajada *f.* 《*Méx.*》 소심증, 비겁(cobardía).

rajadera *f.* 자귀, 작은 도끼.

rajadillo *m.* 설탕을 뿌린 편도.

rajadizo, za *adj.* 금이 가기 쉬운, 쪼개지기 쉬운(fácil de rajar).

rajado, da *adj.* ① 《*PRico.*》 취한. ② 《*SDgo.*》 일류의, 훌륭한.

rajador, ra *m.f.* 장작 · 목재 자르는 사람.

rajadura *f.* 균열, (갈라진) 금(raja, grieta) : las ~*s* de una tabla.

rajamacana *f.* 《*Venez.*》 ① 곤란한 일. ② 고집쟁이.

rajante *adj.* ① 찢는, 쪼개는 듯한. ② 《*Arg.*》 재빠른.

rajar *tr.* ① 빠개다, 쪼개다, 찢다, 세로로 자르다 : La madre *rajó* un melón 어머니는 참외를 쪼갰다. ② 금이 가게 하다. ③ 《*Amér.*》 극복하다, 해치우다 ; 애먹이다. —*intr.* 거짓말을 하다, 터무니없는 허풍을 떨다 ; 마구 지껄여대다.
~se ① 쪼개지다, 금이 가다 : La cristal del reloj *se rajó* 시계의 유리가 깨졌다. *Se rajó* el mueble 가구가 금이 갔다. ② 단념하다. ③ 약속을 어기다. ④ 후회하다. ⑤ 《*Amér.*》 뛰쳐나가다 ; 도망치다, 달아나다(huir). ⑥ 《*AmérC.*》 아낌없이 돈을 내다(gastar mucho). ⑦ 《*Méx.*》 주춤하다(acobardarse).
a la ~ 《*Ecuad.*》 어중간하게, 중도에서.
a toda ~ 《*Méx.*》 전속력으로.

rajatabla (a) *adv.* ① 단호히. ② 《*Amér.*》 민활하게, 급히, 서둘러(de prisa).

rajatablas *m.pl.* 《*Col. Venez.*》 나무람, 책망, 꾸중(reprimenda).
a ~ 급히, 서둘러(de prisa).

raje *m.* 《*Arg.*》 도망 : tomar el ~ 도망치기 시작하다.

rajeta *f.* 얇은 모직물의 일종.

rajetear *tr.* 《*Arg.*》 찢다(resquebrajar).
~se 금이 가다.

rajo *m.* ① 《*AmérC.*》 터진 금(rasgadura). ② 《*Chile.*》 갈라진 금 ; 폭파 구멍.

rajón, na *adj.* ① 《*AmérC.*》 허세 부리는 (fanfarrón) ; 지나치게 화려한(ostentoso). ② 《*Cuba. Méx.*》 말이 없는. —*m.* ① 《*Amér.*》 갈라진 금, 째진 곳(raja). ② 《*Cuba.*》 돌멩이의 부스러기, 메우는 것(ripios).

rajonada *f.* 《*AmérC.*》 허세 ; 교만, 불손.

rajuca *f.* 《*Sant.*》 =**un pajarillo cantor.**

rajuela *f.* [*dim.* raja] 얇은 판석(板石).

rajuñar *tr.* =**rasguñar.**

rala *f.* 《*Col.*》 새똥.

ralada *f.* ① 《*Cuba.*》 ① =**rala.** ② 《*Chile.*》 눌어붙은 똥.

ralbar *tr.* 《*León.*》 첫 경작을 하다.

ralea *f.* ① 질(質) ; 혈통, 가문(raza, linaje) : persona de baja ~. ② (사냥개 · 매에게) 가장 만만한 짐승.

ralear *intr.* ① 얇아지다, 드문드문 해지다, 희박해지다. ② 나쁜 버릇 · 혈통을 드러내다, 나쁜 버릇에 물들다. ③ 《*Arg.*》 무리에서 벗어나다.

raleón, na *adj.* 먹이를 많이 잡는 : gavilán ~.

raleza *f.* 듬성듬성함, 드문드문함 : ~ de un tejido.

rali *m.* 《*Chile.*》 나무 대야.

rallador, ra *adj.* 【고어】 =**hablador.** —*m.* (빵 · 치즈 등을 가는 데 쓰는) 강판.

ralladura *f.* 강판으로 갈아낸 자국 ; 좁다란 홈 ; 강판에 간 것.

rallante *adj.* 끈질긴, 끈덕진, 집요한, 치근치근한.

rallar *tr.* ① 강판에 갈다. ② 애먹이다, 괴롭히다, 싫증나게 만들다(molestar, fastidiar).

rallente *adj.* 《*And.*》 =**cargante.**

rallo *m.* [*lat.* rallum] ① 강판. ② 얼음 가는 도구. ③ 결이 커진 줄(lima de dientes muy gruesos). ④ 채칼. ⑤ 물을 식히는 항아리.

rallón, na *adj.* 《*Ecuad.*》 귀찮은(fastidioso). —*m.* (커다란 짐승을 잡을 때 쓰는) 십자 화살.

ralo, la *adj.* ① 엷은, 듬성듬성한, 드문드문한 : cabellera ~*la* 숱이 적은 머리칼. ② 밝은(claro) : tela ~*ra.* ③ 《*And.*》 낯가죽이 두꺼운, 철면피한, 뻰뻰스러운(descarado).

rama *f.* ① (나무의) 가지 : Córtate las ~*s* bajas al árbol 그 나무의 밑가지를 끊어버리시오. ② 분가(分家), 분파(分派) : Es de la misma familia, pero de distinta ~ 그는 같은 일족이지만 다른 가계이다. ③ (회사 등의) 지점, 출장소. ④ 활자 조임틀.
de ~ en ~ 가지에서 가지로 ; 지향없이.
en ~ ① 생의, 날것의, 가공되지 않은 : algodón *en ~* 원면, 생면, 면화. seda *en ~* 생견, 생사. tabaco *en ~* 잎담배. ② 아직 제본되지 않은.
andarse por las ~s 주된 일은 잊어버리고, 지엽적인 일에 얽매이다(pararse en menudencias olvidando el asunto principal).
asirse a las ~s 공연한 핑계를 대다.
plantar de ~ 가지를 쳐서 이식하다.

ramada *f.* ① [집합] 나뭇가지의 무성함, 나뭇가지(ramaje). ② 《*Amér.*》 곁채, 판잣집 ; 가옥(家屋).

ramadán *m.* (30일 간의 단식을 하는 회교력(回教曆)의) 아홉 번째 달.

R

ramaje *m.* ① 나뭇가지의 무성함. ② [집합] 나뭇가지.

ramajear *tr.* 《*Col. Cuba.*》 나뭇가지를 치다·솎다(chapodar, ramonear). —*intr.* 《*Col.*》 흥정하다(regatear).

ramal *m.* ① (밧줄의) 꼰 것; 밧줄; 끝 줄. ② 지엽(枝葉). ③ 지선(支線), 지류, 지맥, 샛길 : ~ de una acequia · de una cordillera · de una vía férrea.

ramalazo *m.* ① 밧줄로 때리기; 그 자국, 부르틈. ② 몸의 우끈거림(dolor agudo en una parte del cuerpo). ③ 예상하지 않은 슬픔(pesar inesperado).

ramalear *intr.* =**cabestrear.**

ramazón *f.* 잘라낸 나뭇가지.

rambla *f.* ① 물 흐른 자국. ② 물이 빠진 뒤의 모래 바닥, 강바닥. ③ 산책 도로, 큰길. ④ (천의) 치는 테. ⑤ 《*Amér.*》 부두, 선창(muelle, andén a orillas del mar).

ramblar *m.* 산책 도로 모퉁이의 작은 광장.

ramblazo *m.* 홍수의 수로.

ramblizo *m.* =**ramblazo.**

rameado, da *adj.* 가지 무늬의, 가지 무늬가 있는.

rameal *adj.* =**rámeo.**

rámeo, a *adj.* 나뭇가지의, 가지에 붙은 : hojas ~*as* 가지에 붙은 잎.

ramera *f.* 매춘부, 매음부, 매음녀, 창녀, 갈보 (puta).

ramería *f.* 매춘굴; 매춘.

ramero, ra *adj.* 작은 (매).

rameruela *f. dim.* ramera.

ramial *m.* ramio의 밭.

ramificación *f.* ① 분지(법); 나뭇가지 자르기. ② 분기(分岐), 분파 : las ~*es* de una vía férrea. ③ 작은 구분(subdivisión).

ramificarse *r.* ⑦ 가지로 갈라지다; 분기·분파하다 : El protestantismo *se ramifica* hasta lo infinito 신교는 무한히 분파하고 있다.

rámila *f.* 《*Ast. Sant.*》 =**garduña.**

ramilla *f.* [*dim.* rama] 작은 가지, 지엽; 사소한 끄나풀.

ramillete *m.* ① 꽃다발; 활짝 핀 꽃; 떼지어 피어있는 꽃 : Cómpreme usted este ~ (나에게서) 이 꽃다발을 사주세요. ② 장식용 과자. ③ 식탁의 가운데 꾸미기. ④ 선집, 사화집.
~ *de Constantinopla* 【식물】 아메리카 패랭이꽃.

ramilletero, ra *m. f.* 꽃파는 사람; 생화 만드는 사람. —*m. f.* ① 꽃병, 화분(maceta). ② 제단의 장식.

ramillo *m.* 《*Ar.*》 =**dinerillo.**

ramillón *m.* 《*Venez.*》 항아리의 물을 뜨기 위한 손잡이 달린 그릇(vasija con mango para sacar agua de la tinaja).

ramina *f.* 라미삼, 모시풀·참모시의 섬유(hilaza del ramio).

ramio *m.* 【식물】 모시풀.

ramiro *m.* [드묾] =**carnero.**

ramito *m.* [*dim.* rama] 작은 가지.

ramiza *f.* [집합] 잘린 가지.

ramo *m.* ① 작은 가지, 나뭇가지, 분지(分枝). ② 잘린 가지(rama cortada). ③ 꽃다발(manojo de flores) : un ~ de flores. ④ 부문, 부면, 분야, 분과; 업종; 과(課), 부(部); 조항 : ~ de textiles 섬유 부문. ~ productivo de la economía 경제의 생산 부문. ~ profesional 전문 분야. La química es un ~ de la ciencia 화학은 과학의 일부분이다. La compañía se dedica al ~ de ferretería 그 회사는 철물 부문에 전문이다. ⑤ 질병의 초기 증세, 가벼운 증세(enfermedad ligera o ataque leve) : ~ de locura.
vender al ~ (포도주를 만드는 사람이 그것을) 소매로 팔다.

ramojo *m.* [집합] 잘린 가지(ramas cortadas).

ramón *m.* (가축에게 주는) 연한 어린 가지, 지엽; (올리브 등의) 잘라버린 가지.

ramonear *intr.* ① 어린 가지를 치다(podar los árboles). ② 동물이 나뭇잎과 가지를 먹다.

ramoneo *m.* 가지 치기; 가지 치는 시기.

ramoso, sa *adj.* 나뭇가지가 무성한·우거진 : planta ~*sa* 가지가 무성한 식물.

rampa[1] *f.* [*lat.* campa; *alem.* krampt] 【의학】 몸에 일어나는 쥐(calambre).

rampa[2] *f.* [*fr.* rampe; *port.* rampa] ① 비탈길, 경사면, 경사진 길. ② 《*Bol.*》 들것(andas).

rampante *adj.* [*f.* rampant] 습격한 자세의 《문장에서의 사자 등》 : león ~ 약이 올라 있는 사자.

rampar *intr.* 《*Galic.*》 박박 기다; 비탈지다.

rampete *m.* 《*Murc.*》(샐러드용) 야생 풀.

rampiñete *m.* 옛날 포병들이 포의 화문(火門)을 청소할 때 사용했던 기구.

ramplón, na *adj.* ① 묵지근한, 바닥이 두꺼운 : zapatos ~*es.* ② 까칠까칠한, 어줍잖은, 시원찮은(tosco). —*m.* (발굽·구두 밑창에 대는) 뾰족한 쇠·징, 스파이크.

ramplonería *f.* 변변치 못한 것, 어줍잖은 일.

rampojo *m.* 포도알을 다 떼어낸 껍질.

rampollo *m.* 꺾꽂이. **Sinón.** estaca.

ramuja *f.* 《*Murc.*》 올리브 나무의 잘린 가지.

ramujos *m.pl.* [드묾] 장작, 땔감(támaras, leña menuda).

ramulla *f.* 연료로 쓰는 작은 나뭇가지; 잘라버린 가지.

rana *f.* ① 【동물】 개구리 : ~ de San Antonio 청개구리. ~ de zarzal 두꺼비. ~ toro **황소**개구리. ② (철도의) 분기점. ③ 《*Méx.*》 빨래하는 여자(lavandera). —*pl.* 【의학】 두꺼비종(腫) (ránula).
~ *marina* · *pescadora* 【어류】 아귀(pejesapo).
cuando la ~ *críe* · *tenga pelos* 언젠가는.
no sea ~ 그저 바보만은 아니다.
salir ~ 신용을 잃다.

ranaco, ca *adj.* 《*Cuba.*》 두꺼비 같은, 땅딸막한.

ranacuajo *m.* =**renacuajo.**

ranada *f.* 《*Arg.*》 =**picardía.**

ranal *m.* 《*Murc.*》 =**ranero.**

rancaca *f.* 【조류】 남미산 매의 일종.

rancajada *f.* 뿌리째 뽑아버리는 일.

rancajado, da *adj.* 나무가 살에 찔린.

rancajo *m.* 몸에 찔린 나무나 다른 것의 부스러기.

ranchada *adj.* 《*Col.*》 나뭇잎으로만 덮여진 선박의.

ranchar(se) *intr.* *(r.)* =**ranchear.**
rancheadero *m.* 작은 마을을 이루는 곳.
ranchear *intr.* *(r.)* 작은 마을을 이루다, 임시 움막을 세우다. —*tr.* 《*Amér.*》 부락을 습격·약탈하다.
rancheo *m.* 《*Amér.*》 습격, 약탈, 도둑질(saqueo, robo, rapiña).
ranchera *f.* 《*Méx. Perú.*》 민요의 일종.
ranchería *f.* ① 오두막의 집단, 작은 부락. ② 《*Cuba.*》 습격, 약탈(saqueo). ③ 《*Perú.*》 농부의 막사.
rancherío *m.* 《*Amér.*》 =**ranchería.**
ranchero, ra *adj.* 《*Méx.*》 ① 농사일에 밝은. ② 소심한. ③ 서먹서먹한. —*m.* 요리인 ; 식사 당번 ; 오두막 지기 ; 농장 인부의 우두머리.
rancho *m.* ① 여러 사람을 위해서 만들어진 양식, 급식, 도시락 : el ~ de los soldados. ② 급식을 함께 먹는 사람들. ③ 방갈로, 오두막이 즐비한 마을, 텐트 촌 : ~ de gitanos·de carboneros. ④ 여럿이 모여 식사하는 사람들, 식사반, 딴 자리에 앉은 사람들. ⑤ 《*Amér.*》 농장; 목사(牧舍); 유업장(乳業場). ⑥ 《*Perú.*》 별장(quinta, casa de campo). ⑦ 함선 내에서의 부서 구분 ; 교대반 ; (실어 놓은) 양식. ⑧ 《*Arg.*》 맥고 모자. ⑨ 《*Cuba.*》【상업】소액의 송장(送狀). ⑩ 《*Perú.*》 온천숙.
alborotar el ~ 농담으로 장단을 맞추다.
armar·hacer un ~ 《*Ant.*》 잠자리를 만들다; 덫을 놓다.
asentar el ~ (휴식·식사를 위해) 멈추다, 휴식하다.
comer el ~ 《*Venez.*》 야유하다, 놀려주다.
llover el ~ 《*Arg.*》 잇달아 불행한 일을 당하다.
hacer ~ 개간하다.
hacer ~ *aparte* (동행한 사람들로부터) 떨어지다, 떨어져 행동하다.
ranchón *m.* 《*PRico.*》 민가.
ranciarse *r.* ⑪ (식품이 오래 되어) 맛이 변하다.
rancidez *f.* =**ranciedad.**
ranciedad *f.* ① 식품이 오래 묵는 일 ; 오래 되어 나는 신맛. ② 낡음 ; 낡은 것, 케케묵은 것.
rancio, cia *adj.* [*lat.* rancidus] ① (식품이) 오래된, 기간이 경과한 : manteca ~*cia* 상하기 시작한 버터. vino ~ 오래 묵은 포도주. Este traje es muy ~ 이 옷은 매우 낡아빠졌다. ② 오래된, 예로부터의(antiguo) : cristiano ~ 대대로 내려온 기독교도. ③ 케케묵은 : Es un hombre muy ~ 그는 매우 케케묵은 사람이다. —*m.* ① 오래됨, 고색(古色). ② 기름때(rancidez).
rancioso, sa *adj.* =**rancio.**
rancla *f.* 《*Ecuad.*》 ① 도망(fuga). ② 핑계.
ranclarse *r.* 《*Ecuad.*》 ① 달아나다(fugarse, escaparse). ② 핑계를 대다.
rancontán *adv.* 《*Galic. Amér.*》 현금으로(al contado) : pagar algo ~.
rancuña *f.*【고어】=**rencor.**
randa *f.* 레이스 장식의 일종. —*m.* ① 좀도둑(ladronzuelo). ② 개구쟁이.
randado, da *adj.* 레이스 장식을 한.
randera *f.* 레이스 뜨기를 하는 여직공.
ranear *intr.* 《*Méx.*》 ① 큰 소리로 서툴게 읽다. ② 중상 모략하다(infamar). ③ 알지도 못하면서 말하다.
~**se** 무지를 폭로하다, 탈을 벗다.
ranero *m.* 개구리가 많은 곳.
ranfla *f.* 《*Amér.*》 비탈, 경사, 경사진 곳(rampa, declive).
ranfuñar *tr.* 《*Perú.*》 훔치다.
ranga *f.* 《*Col.*》 ① 거북(tortuga). ② 삐쩍 마른 말(rocín).
rangalido, da *adj.* 《*Ecuad. Perú.*》 때에 절은, 더러워진(mugriento).
rangífero *m.*【동물】순록(reno).
ranglán *m.* =**raglán.**
rango *m.* ① 계급, 신분, 지위 : Era una persona de alto ~ 그는 신분이 높은 인물이었다. ② 등급, 관등, 종목(índole, categoría, clase) : ~ de salarios 임금 등급. ③ 《*Amér.*》 상류 계급; 대범스러움(esplendidez). ④ 《*Col.*》 삐쩍 마른 말(rocín).
rangosidad *f.* 《*Chile.*》 대범스러움(liberalidad).
rangoso, sa *adj.* 《*Amér.*》 굉장한, 관대한, 대범한(generoso).
rangua *f.* (세로축의) 축받이.
Rangún *m.*【지명】랑군 《버마의 수도》.
ránidos *m.pl.*【동물】개구리 속의 동물.
ranilla *f.* ① 발굽 밑 중앙의 연한 겹질. ② 가축이 자주 앓는 병.
ranina *adj.*【동물】혀의 동맥과 정맥의.
ranita *f.* *dim.* rana.
ranking *m.* *ing.* 랭킹 : ~ mundial 세계 랭킹. ~ nacional 국내 랭킹.
rano *m.*【방언】개구리 수컷(rana macho).
rantifuso, sa *adj.* 《*Arg.*》 =**desvergonzado.**
ránula *f.* [*lat.* ranula]【의학】설하 낭종(舌下囊腫).
ranún *adj.* 《*Arg.*》 교활한, 빈틈없는; 발랄한.
ranunculáceo, cea *adj.*【식물】미나리아재비의. —*f.pl.* 미나리아재비과 식물.
ranúnculo *m.*【식물】미나리아재비.
ranura *f.* [*fr.* rainure] 문지방; 문지방의 홈.
ranzal *m.* 옛날의 무명직의 일종.
ranzón *m.* =**rescate.**
raña *f.* ① 문어 갈고리 《어구(漁具)》. ② 언덕, 구릉지.
raño *m.* ①【어류】바다 송어. ② (감을 딸 때 쓰는) 고리.
rapa *f.* [드묾] 올리브의 꽃.
rapabarbas *m.* *desp.*【단·복수 동형】이발사(barbero).
rapacejo, ja *m.f.* [*dim.* rapaz] 꼬마.
rapacería *f.* [*lat.* rapacitas] ① 강욕, 탐욕, 도심(盜心)(rapacidad). ② 어린애 같은 짓·일(rapazada).
rapacidad *f.* 강욕(强欲), 탐욕, 도심(盜心).
rapador, ra *adj.* 수염을 깎는. —*m.* *desp.* 이발사(rapabarbas, barbero, peluquero).
rapadura *f.* ① 수염 깎기, 머리 자르기. ② 《*Bol.*》 사탕수수와 우유로 만들어진 과자. ③ 《*Arg. Guat. Hond.*》 흑사탕.
rapaduritas *f. pl.* 《*Guat.*》 옥수수잎으로 싸인 사탕과자.
rapagón *m.* (아직 수염이 나지 않은) 젊은이(mozo barbilampiño).
rapamiento *m.* =**rapadura.**

R

rapante *adj.* ① 도둑질을 하는. ② =**rampante.**
rapapiés *m.* =**buscapiés.**
rapapolvo *m.* 질책, 꾸지람, 나무람(reprensión).
rapar *tr.* [*lat.* rapere] ① 수염을 깎다(afeitar la barba). ② 날치기하다, 강탈하다 (hurtar, robar) : Le *raparon* la bolsa 그는 지갑을 날치기 당했다.
~se (자신의) 수염을 깎다, 까까중이 되다.
rapavelas *m.* 꼬마중, 사원의 심부름꾼.
rapaz *adj.* [*lat.* rapax] ① 도벽이 있는(inclinado al rabo). ② 욕심많은(ávido de ganancia) : usurero ~. ③ 【조류】 맹금류의. *—f.pl.* ④ 맹금류 : El águila es ave ~ 독수리는 맹금이다.
rapaz, za *m.f.* 어린이(chiquillo, niño) ; 소년, 소녀(muchacho joven) : Esa *~za,* muy trabajadora, ya ayuda a sus padres en el campo 그 소녀는 대단히 부지런해서, 벌써 밭에서 부모를 거들어 주고 있다.
rapazada *f.* 어린이다운 짓 · 장난(muchachada).
rapazuelo, la *m.f.* [*dim.* rapaz] 개구쟁이.
rape *m.* ① 대충 미는 수염 깎기 : dar un ~ 대충 수염을 밀다. ② 힐책 : Le dieron un ~ al empleado 그는 종업원을 힐책했다. ③ 【어류】 아귀.
al ~ 뿌리째, 깨끗이 (밀다).
rapé *m.* 코담배(tabaco ~).
rápidamente *adv.* 빨리, 민첩하게, 신속하게, 재빨리, 즉각적으로(con prontitud).
rapidez *f.* 빠름, 신속함; 속력(velocidad) : Con ~ sorprendente sacó el revólver y disparó 그는 놀라운 속도로 권총을 빼어서 발사했다. Contr. lentitud, tardanza.
rápido, da *adj.* [*lat.* rapidus] ① 신속한, 재빠른(veloz) : alza *~da* 호경기, 붐. movimiento ~ 신속한 운동 · 움직임. ¿Cuál es más ~, ir en taxi o ir en metro? 택시로 가는 것과 지하철로 가는 것 중에서 어느 쪽이 더 빠릅니까? ② 급한. ③ 급행의 : tren ~ 급행 열차. Contr. lento. ④ 《*Col. Chile. Venez.*》 (눈 앞을 가리는 것 없이) 널찍한. ⑤ 《*Venez.*》 시원스럽게 트인(despejado) ; 구름 한 점 없이 맑은.
—m. ① 급행 열차 : tren ~ 급행 열차. Voy a tomar el ~ 나는 급행을 타겠다. ② 분류(奔流) : cruzar el ~ 분류를 가로지르다 · 건너다.
rapiega *adj. ave* ~ 맹수.
rapingacho *m.* 《*Perú.*》 치즈빵.
rapiña *f.* [*lat.* rapina] 강탈, 약탈(robo, saqueo) : ave de ~ 육식조(肉食鳥), 맹금류. vivir de ~ 도둑질을 해서 생활하다.
rapiñador, ra *adj. m.f.* 강탈 · 약탈하는 (사람).
rapiñar *tr.* 【속어】 도둑질하다, 강탈하다, 약탈하다(robar algo con violencia).
rapista *m. desp.* 이발사(rapabarbas, barbero, peluquero).
rápita *f.* =**rábida.**
rapo *m.* 순무 (뿌리만)(naba).
rapónchigo *m.* 【식물】 심산 사삼(深山沙蔘).
rapóntico *m.* 【식물】 =**ruipóntico.**
raposa *f.* ① 【동물】 여우; 암여우. ② 앙큼스러운 여자(zorra).
Cada ~ guarde su cola 각자 스스로 반성하라.
raposear *intr.* 교활한 짓을 하다, 간계를 꾸미다 (usar ardides como la raposa).
raposeo *m.* 교활한 짓, 간계.
raposera *f.* 여우굴(zorrera).
raposería *f.* =**zorrería.**
raposero, ra *adj.* 여우잡이용의 : perro ~.
raposía *f.* 교활한 짓, 흉계.
raposino, na *adj.* =**raposuno.**
raposo *m.* ① 【동물】 여우(zorro) : ~ ferrero 은여우. ② 뱃속이 검은 사람(zorro).
raposuno, na *adj.* =**zorruno.**
rapsoda *m.* (고대 희랍 역사시의) 음유 시인.
rapsodia *f.* [*gr.* rapsodia] ① 【음악】 광상곡, 광시곡(狂詩曲). ② (고대 그리스의) 서사시, (특히 호머의) 음송시의 1절. ③ (남의 작품을 여기저기 두드려 맞춘) 표절 작품.
rapsodo *m.* =**rapsoda.**
rapta *adj.* =**raptada.**
raptada *adj. f.* 유괴된 (여자).
raptar *tr.* (부녀자 등을) 호리다, 유괴하다.
rapto *m.* [*lat.* raptus] ① 호리기, 유괴(robo) : el ~ de un niño. ② 황홀, 정신없는 환희(éxtasis); 흥분, 충동(arrebato). ③ 【의학】 실신 ; (정신병에 의한) 급격한 발작, 충동 행위.
raptor, ra *adj.* 유괴를 범하는. *—m.f.* 유괴자.
rapuzar *tr.* 《*León.*》 가지를 치다(desmochar).
raque *m.* [*alem.* wrack] ① (난파선 · 표류물의) 물건 줍기 : andar · ir al ~. ② 《*Col.*》 야윈 말, 조랑말. ③ 《*Cuba.*》 옹골진 발굴물 · 산 물건. *—adv.* 《*Venez.*》 병약한(enclenque, flaco).
raquear *intr.* ① 난파선의 표류물을 줍다. ② 《*Cuba.*》 도둑질하다, 훔치다.
raquero, ra *adj.* 해적의. *—m.* 난파선의 표류물 줍기 ; 해적 ; 연안 도둑.
raqueta *f.* [*fr.* raquette] 라켓 ; 그 경기. ② 【식물】 들겨자(jaramago).
~ *de nieve* 눈 신 《눈 올 때 신는 신》.
raquetazo *m.* 라켓으로 치기.
raquetero, ra *m.f.* (여러 가지의) raqueta의 직공.
raquialgia *f.* 【의학】 척추통(dolor en el raquis).
raquianestesia *f.* 【의학】 척수 마비.
raquídeo, a *adj.* 척추의.
raquis *m.* ① 【해부】 척추, 등뼈. ② 【식물】 화축, 엽축. ③ 【동물】 (새의) 날개 축.
raquítico, ca *adj.* ① 구루병(raquitis)의. ② 작은, 빈약한; 약골의, 나약한. *—m.f.* 구루병 환자.
raquitis *f.* 【의학】 곱사병, 비타민 결핍증.
raquitismo *m.* =**raquitis.**
raquitomía *f.* 척추 수술.
raquitomo *m.* 척추 절개 기구.
rara *f.* 《*Chile.*》 해조(害鳥)의 일종.
rara avis (in terris) *f. lat.* 지상에서 드문 것, 진기한 새 · 물건; 드문 사람.
raramente *adv.* ① 드물게, 어쩌다가(rara vez) : venir ~. ② 기묘하게(de un modo raro o ridículo) : ir ~ vestido.
rarefacción *f.* 희박(화), 드물게 하기 : La máquina neumática produce ~ del aire.
rarefacer *tr.* 69 [*p.p.* rarefacto] =**enrarecer.**
rarefacto, ta *adj.* [rarefacer의 *p.p.*] 희박해진, 드문.

rareza *f.* 희박, 드문 일, 진기(한 것); 괴짜 같은 짓 : Ese muchacho tiene muchas *~s.*
rari *m.* (칠레산의) 약재 나무.
raridad *f.* =**rareza.**
rarificar *tr.* ⑦ =**rarefacer, enrarecer.**
rarificativo, va *adj.* 희박해지는, 드문.
rarísimo, ma *adj.* 매우 드문(muy raro, poco frecuente).
raro, ra *adj.* [*lat.* rarus] ① 드문, 진기한(singular, extraño) : enfermedad *rara.* ② 드물게 보는, 뛰어난, 희귀한(insigne, muy notable) : Las *ra-ras* calidades de un escritor. ③ 이상한, 기묘한, 기발한(extravagante) : un hombre muy ~. ④ 희박한, 적은 : *raras* veces 드물게, 더러, 드문드문.
ras[1] *m.* ① 같은 높이 · 수준 · 평면에 있는 일, 반반한 것. ② 닿을 듯 말 듯함.
a ~ de · con …과 같은 높이로, 아슬아슬하게, 닿을락말락하게 : volar *a ~ de* suelo.
~ con ~ , ~ en ~ 닿을 듯 말 듯하게, 같은 수준으로(al mismo nivel).,
~ con apenas 《*Col.*》 겨우, 간신히.
~ con bola · cantidad 《*Col.*》 겨우, 간신히, 아슬아슬하게.
ras[2] *m. ár.* ① =**cabo, promontorio.** ② =**jefe.**
rasa *f.* ① 천의 뒤가 비칠 정도로 잘못 짜진 피륙, 성긴 것. ② 고원, 대지.
rasadura *f.* (반반하게) 고르기 ; 문지르는 일.
rasamente *adv.* 방해하는 것없이, 넓고 밝게.
rasante *adj.* 거의 닿을 듯한, 아슬아슬한 : vuelo ~ 아슬아슬한 비행. **—***f.* 기울기, 경사도.
rasar *tr.* 되밀이로 밀다 ; (반반하게) 다지다 ; 스치다, 문지르고 지나치다 : La bala *rasó* la pared.
~se 맑게 개이다(ponerse raso el cielo).
rasca *f.* 《*Amér.*》 취기(borrachera, embriaguez).
rascabarriga *f.* 《*Cuba.*》 야생나무(un árbol silvestre).
rascabuchar *tr.* 《*Cuba. Méx.*》 =**curiosear.**
rascacielos *m.* 【단 · 복수 동형】 ① 마천루, 초고층 건축물(edificio moderno altísimo). ② (전화 · 무전) 공급 고층 빌딩.
rascacio *m.* 【어류】 쏨뱅이 ; 수염어.
rascacueros *m.* 【단 · 복수 동형】 =**rastracueros.**
rascadera *f.* ① =**rascador.** ② 말빗(almohaza).
rascadillar *tr.* 《*Ecuad.*》 =**escardillar.**
rascado, da *adj.* 《*AmérC.*》 대담한, 엉뚱스러운, 앞뒤를 가리지 않는(atrevido).
rascador *m.* 긁는 도구; 비녀, 장식 머리핀; 부싯돌.
rascadura *f.* 긁기, 할퀴기; 할퀸 자국, 빗겨낸 자국; 벗겨낸 먼지.
rascalino *m.* 【식물】 덩굴풀의 일종(tiñuela).
rascamiento *m.* =**rascadura.**
rascamoño *m.* 비녀, 장식핀(rascador).
rascar *tr.* ⑦ 긁다; 할퀴다(arañar); 벗어내리다. **—***intr.* 【방언】 =**picar, escocer.**
~se ① (자기의 몸을) 긁다. ② 《*Amér.*》 취하다(emborracharse).
llevar · tener qué ~ 손쉽게 만회하지 못할 손해를 보다.
rascarrabias *m.f.* 【단 · 복수 동형】 《*Amér.*》 화잘 내는 사람, 신경질적인 사람(cascarrabias).
rascaso *m.* 《*Cuba.*》 바닷물고기.
rascatripas *m.f.* 【단 · 복수 동형】 솜씨가 서툰 바이올린 연주가.
rascazón *f.* ① 가려움, 근질근질함(comezón). ② 《*Venez.*》 =**orgía.**
rascle *m.* 산호 채집(술).
rascón, na *adj.* 혀를 찌르는 듯한(áspero). **—***m.* 【조류】 흰눈썹뜸부기, 수계(水鷄)(polla de agua).
~ de agua 메추라기, 흰눈썹뜸부기.
rascoso, sa *adj.* 《*Venez.*》 술꾼의, 잘 취하는.
rascuache *adj.* ① 《*AmérC.*》 빈털터리의(pelado). ② 《*Méx.*》 촌스러운, 우스운(cursi).
rascucho, cha *adj.* 《*Chile.*》 취한(ebrio).
rascuñar *tr.* =**rasguñar.**
rascuño *m.* =**rasguño.**
RASD la República Arabe Saharaui Democrática.
rasel *m.* 선미(船尾)의 좁은 부분.
rasera *f.* ① =**rasero.** ② 프라이에 쓰이는 주걱.
rasero, ra *adj.* =**rasante. —***m.* 평미레, 평목(平木).
por el mismo ~, por un ~ 같은 표준으로(재다 · 대다 등).
rasete *m.* 비단 비슷한 피륙, 면비단 (직물).
rasgado, da *adj.* [rasgar의 *p.p.*]눈초리가 사나운, 크게 찢어진 (눈), 큰 (창문 등) : Ella tiene unos ojos *~s* 그녀는 큰 눈을 하고 있다. Ella tiene una boca muy *~da* 그녀는 입을 떡 벌리고 있다. **—***m.* 터짐 (구멍).
rasgador, ra *adj.* 찢는.
rasgadura *f.* 찢기, 찢어짐; 터진 구멍.
rasgar *tr.* ⑧ ① 찢다(desgarrar, romper). ② (기타 등을) 마구 요란하게 치다. ③ 《*Ecuad.*》 (말을) 마구 몰다.
~se ① 찢어지다 : El *se rasgó* los pantalones 그는 바지를 찢었다. ② 《*Amér.*》 죽다(morir).
rasgo *m.* ① 선, 줄. ② 일필, 자획, 필치 : Los *~s* de este dibujo son muy acentuados 이 그림의 필치는 무척 강조가 잘 되어 있다. ③ 일면, 하나의 얼룩을 나타내기 : un ~ caritativo 자비로운 일면. ④ 업적, 공적 : El tiene un ~ muy digno de alabanza 그는 칭찬받을 가치가 있는 업적을 가지고 있다. ⑤ 인격; 특성, 특색 : ~ característico 특징. ⑥ [주로 *pl.*] 풍모, 용모(facción).
a todo ~ 《*Bol.*》 힘껏.
a grandes ~s 획이 굵게; 호방하게 : El me lo contó *a grandes ~s* 그는 호방하게 나에게 그것을 말했다.
rasgón *m.* ① (의복 등의) 째진 곳, 터진 곳 : El niño llevaba un ~ en su traje 그 아이는 옷에 째진 곳이 있었다. ② 《*Col.*》 강하게 박차를 가하는 일.
rasgueado, da *adj.* rasguear의 *p.p.* **—***m.* =**rasgueo.**
rasgueador, ra *adj.m.f.* 줄을 마구 긋는 ; 시끄럽게 악기를 치는 (사람).
rasguear *tr.* (기타 등을) 시끄럽게 치다. **—***intr.* 줄을 마구 긋다; 활약하다, 살아 있다.
rasgueo *m.* 기타를 시끄럽게 치기.
rasguñar *tr.* ① 긁다, 할퀴다(arañar) : ~ el

R

cuero. ② 벗겨내다. ③ 소묘하다.

rasguño *m.* ① 할퀴기, 할퀸 자국(arañazo). ② 소묘, 데생, 스케치.

rasguñuelo *m. dim.* rasguño.

rasilla *f.* ① 소모사(梳毛絲)의 일종. ② (포장·장식용) 타일.

rasión *f.* =**rasuración.**

rasmillado *m.* 《*Ecuad.*》 =**rasguño.**

rasmillar *tr.* 《*Chile. Ecuad.*》 =**rasguñar.**

rasmillón *m.* 《*Chile. Ecuad.*》 할퀴는 일; 할퀸자국.

raso, sa *adj.* ① 반반한, 확 트인, 평탄한 (plano, liso) : Hay que echar dos cucharadas bien ~*s* de azúcar 설탕을 싹 깎아서 두 숟갈 넣어야 한다. ② 졸병의 : soldado ~ 졸병. ③ 하늘이 환히 트인, 맑은 : Cuando salimos de casa estaba ~ , pero se nubló luego 집을 나올 때는 맑았는데, 이윽고 흐려졌다. ④ 등받이가 없는 (의자). ⑤ 땅에 거의 닿을 듯한 : El pájaro sale en vuelo ~ 그 새는 땅에 달락 말락하게 날아간다. **—***m.* ① 평지, 고원. ② 융단(satén). ③ 【은어】 주지(住持)(clérigo).
al ~ 노천에서, 야외에서(en el campo, al aire libre) : Pasaron la noche *al* ~ 그들은 그 밤을 노천에서 지냈다.

R

rasoliso *m.* 융단(raso).

raspa *f.* ① 밀·보리 이삭 등에 나는 수염(arista). ② 펜촉 끝에 엉긴 티(pelo). ③ 생선의 뼈(espina de un pescado). ④ (포도 송이의) 가지 송이. ⑤ 화축(花軸), 열매 축; 옥수수의 알을 발라낸 껍질. ⑥ 《*Amér.*》 질책(reprimenda áspera). ⑦ 《*Ant. Méx.*》 흑설탕. ⑧ 《*Méx.*》 야유, 놀려주기 (chanza). **—***m.* 《*Riopl.*》 좀도둑(ratero). **—***adj.* 《*Méx.*》 야비한(soez).
ir a la ~ 도둑질하러 가다
tender la ~ 잠자기 시작하다, 쉬기 시작하다.

raspada *f.* 《*Méx.*》 ① 나무람, 꾸중, 질책(reprimenda) ② 입은 손해.

raspadilla *f.* 《*Perú.*》 당밀로 혼합된 혀를 쏘는 얼음.

raspado, da *adj.* [raspar의 *p.p.*] ① 《*CRica. Venez.*》 낯가죽이 두꺼운, 철면피한, 뻔뻔스러운(descarado). ② 《*Méx.*》 허둥지둥하는 : salir ~ 허둥지둥 뛰쳐 나가다. **—***m.* 깎아냄, 긁어냄.

raspador *m.* 잘못 쓴 글씨를 긁어내는 칼.

raspadura *f.* ① 찰과상 : Tengo una ~ en el brazo 나는 팔에 찰과상이 있다. ② 깎아내기, 삭제; 깎아낸 부스러기 : ~*s* de papel. ③ 《*Amér.*》 흑사탕; 눌어붙음.

raspagón, na *adj.* 《*And.*》 =**descarado.**

raspajilar *intr.* 【방언】 =**respailar.**

raspajo *m.* 알맹이를 빼낸 포도 껍질(escobajo).

raspamiento *m.* =**raspadura.**

ráspano *m.* 《*Sant.*》 =**rasponera.**

raspante *adj.* 혀를 톡 쏘는 : vino muy ~.

raspar *tr.* ① [*lat.* raspare] 깎아내다, 긁아내다. ② (술 등이) 혀를 톡 쏘다 : Este vino *raspa* 이 포도주는 혀를 톡 쏜다. ③ 문지르다(rasar). ④ 야바위치다(hurtar). ⑤ 《*Amér.*》 꾸짖다; 해고하다. **—***intr.* 《*Venez.*》 물러가다, 떠나다 ; 죽다.

raspear *intr.* ① (펜 끝이) 걸리다. ② 《*AmérM.*》 꾸짖다(reconvenir, regañar).

raspetón *adv.* *de* ~ 《*Amér.*》 비스듬히, 곁눈질로(de refilón).

raspilla *f.* 【식물】 물망초(nomeolvides).

raspín *m.* 끌의 일종.

raspínegro, gra *adj.* 수염이 검은 밀 또는 보리 이삭의.

raspón *m.* 《*Amér.*》 ① 나무람, 꾸중, 질책(reprimienda) ② 껍질을 벗기는 일(desolladura). ③ 《*Col.*》 농부의 밀짚 모자.
de ~ 비스듬이, 곁눈질로(de refilón, de soslayo).

rasponazo *m.* 쓸린 상처.

rasponear *tr.* 《*Col.*》 꾸짓다, 꾸중하다, 힐책하다, 질책하다, 나무라다.

rasponera *f.* 《*Sant.*》 【식물】 월귤 ; 월귤나무 (arándano).

rasposo, sa *adj.* ① 까끄러운. ② 《*Arg.*》 인색한. ③ 《*Méx.*》 농담 잘하는(bromista).

raspudo, da *adj.* *trigo* ~ 까끄라기가 있는 밀.

rasqueta *f.* 말 빗, 비비는 기구, 구두 닦음질.

rasquetear *tr.* 《*Amér.*》 =**almohazar.**

rasquiña *f.* 가려움, 근지러움 (rascazón, comezón).

rastacuero *m.* [*fr.* rastaquourer] (남미의) 벼락부자, 사기꾼, 광산가. [*N.* rrastrar와 cuero의 합성어].

rastel *m.* [*lat.* rastellus] [드뭄] 난간(barandilla).

rastillado, da *adj.* 【은어】 물건을 도난 당한.

rastillador, ra *adj.* =**rastrillador.**

rastillar *tr.* ① =**rastrillar.** **(mano)**

rastillero *m.* [rastillar 의 *p.p.*] 【은어】 소매치기 (ratero).

rastillo *m.* ① =**rastrillo.** ② 【은어】 손(mano).

rastra *f.* ① 자국, 흔적(rastro, vestigio). ② 결과. ③ 질질 끄는 것, 잡아 끄는 것, 끄는 틀, 대차(臺車)(narria). ④ (밭을 고르는) 써레. ⑤ 매다는 것, 매단 것. ⑥(양파 등의) 다발. ⑦ 깊이를 재는 데 쓰는 닻. ⑧ (말이나 동력으로 끄는) 견인식 풀베는 기계.
a (la) ~ , *a* ~*s* ① 질질 끌어(arrastrando). ② 하는 수 없이.
hacerse ~ 《*Chile.*》 승낙하지 않다.

rastracueros *m.* =**rastacuero.**

rastrallar *intr.* (채찍으로 때려) 찰싹 소리가 나다(restallar, chasquear el látigo).

rastrar *tr.* [드뭄] =**rastrear.**

rastreado, da *adj.* rastrear의 *p.p.* **—***m.* ① = **rastra.** ② 라스뜨레아도 《17세기 서반아의 춤이름》.

rastreador, ra *adj.m.f.* rastrear 하는 (사람).

rastrear *tr.* ① (…의) 뒤를 밟다(seguir el rastro de una persona o cosa). ② 캐다, 넌지시 떠보다. ③ 질질 끌다(llevar arrastrando una cosa). ④ (물 바닥을) 훑다, 끌다. ⑤ (도살장에서 살을) 저울로 달아 팔다. **—***intr.* ① (수면·지상을) 스칠 듯 말 듯하게 날다, 낮게 공중을 날다 (ir volando muy cerca del suelo). ② 갈퀴로 일하다(trabajar con el rastro).

rastrel *m.* =**ristrel.**

rastreo *m.* 인양, 물속·해저에서 물건을 끌어내는 일.

rastrera *f.* 【해사】 하부의 보조돛(arrastradera).

rastreramente *adv.* ① 기듯이, 질질 끌어, 땅

바닥에 엎드려 기듯이(de un modo rastrero). ② 비굴하게, 쩔쩔 매어.

rastrero, ra *adj.* ① 기는, 기어가는(que va arrastrando) : perro ~ 자국으로 사냥감을 찾는 개. ② 덩굴손의, 덩굴이 되는 (식물). ③ 스칠 듯 말 듯하게 날으는. ④ 야비한, 천박한(bajo, vil) : alma *~ra.* **—*m.*** 백정.

rastrilla *f.* 《*Sant.*》 =**rastrillo.**

rastrillada *f.* ① 갈퀴로 한번 긁어 모은 분량. ② 《*Amér.*》 발자국. ③ 갈퀴, 써레, 고무래.

rastrillado, da *adj* rastrillar의 *p.p.*

rastrillador, ra *adj. m.f.* 삼을 빗는 (사람).

rastrillaje *m.* 삼 빗기 ; 긁어 모으는 일.

rastrillar *tr.* ① 긁어 모으다 ; 갈퀴로 긁어 모으다 : Un agricultor *rastrillaba* parva 농부는 보리를 긁어 모았다. ② 써레질하다. ③ (삼 등을) 빗다. ④ 《*Col.*》 문지르다 : ~ un fósforo 성냥를 긋다.

rastrillazo *m.* 갈퀴로 때리기.

rastrillo *m.* ① 손톱이 많이 나온 것, 삼을 빗는 기구. ② 보리 훑는 기구. ③ (성문 등의) 낙하식 격자 ; 철색. ④ 갈퀴.

rastro *m.* ① 자국, 형적 ; 흔적 ; 증적, 증거 : Los perros perdieron su ~ al llegar al río 개들은 강에 도착했을 때 그의 흔적을 잃었다. Después del incendio no quedó ni ~ del edificio 화재 후에 건물의 흔적조차 남지 않았다. ② 갈퀴. ③ 도살장(matadero). ④ 육수 파는 시장.

~ ***de condensación*** 비행운(飛行雲), 항적(航跡).

Rastro (el) *m.* (특히 마드리드에서) 고물 시장 : En el *R-* hay de todo y se vende de todo 고물 시장에는 무엇이든지 있고, 무엇이든지 팔고 있다.

rastrojal *m.* 《*Ecuad.*》 =**rastrojera, rastrojo.**

rastrojar *tr.* 《*Arg.*》 밀·보리의 그루터기를 뽑다(arrancar el rastrojo).

rastrojera *f.* ① 밀을 베고 난 뒤의 밭. ② 가축이 이것을 먹는 시기. ③ 사료가 되는 그루터기.

rastrojo *m.* ① (보리 등의 베고 남은) 그루터기 : ~ del arroz. ② 베고 난 뒤의 자국, 보리베기가 끝난 밭.

sacar de los ~s 궁지에서 구출하다.

rasura *f.* 수염 깍기.

rasuración *f.* =**rasura.**

rasurar *tr.* 깎아내다(raer) ; 면도하다(afeitar).

rata *f.* ① 【동물】 쥐, 큰 쥐 : ~ de agua 뒤쥐. ② ratón의 암컷. ③ (곳에 따라) 땋아 늘어뜨린 머리칼. ④ 【은어】 호주머니. **—*m.f.*** ① 소매치기(ratero, carterista). ② 도둑(ladrón).

~ ***parte*** 비례해서.

~ ***por cantidad*** 골고루 나누어.

más pobre que las ~s·una rata 째지게 가난한.

hacer la ~ 《*Arg.*》 학교를 빠지다.

matar la ~ 《*Venez.*》 해장술을 마시다.

ratafía *f.* 과일주.

ratania *f.* [*quichua.* ratati] 【식물】 라따니아 《약용 물》; 그 뿌리.

rata parte *adv. lat.* =**prorrata.**

rata por cantidad *adv.* 비율에 따라, 비례하여(a prorrata).

rataplán *m.* 둥둥 《북소리의 의성어》.

ratear[1] *tr.* [*lat.* ratus] 똑같이 나누어 줄이다 ; 할당하다, 똑같이 나누다.

ratear[2] *tr.* [*lat.* raptare] 훔치다, 사취하다, 슬쩍하다(hurtar con ratería).

ratear[3] *intr.* [*lat.* reptare] [드묾] 땅바닥을 기다 (andar arrastrándose por el suelo).

ratel *m.* 【동물】 (인도산) 곰의 일종.

rateo *m.* =**prorrateo.**

ratera *f.* =**ratonera.**

rateramente *adv.* 기는 듯이.

ratería *f.* ① 사취, 좀도둑. ② 비천, 천박함(bajeza) : hacer *~s.*

ratero, ra *adj.* ① 기어가는, 기는 듯한(rastrero). ② 낮게 날으는. ③ 추접스러운, 야비한, 천박한(bajo, vil). **—*m.f.*** 소매치기(carterista, rata) : un ~ muy hábil.

rateruelo, la *m.f. dim.* ratero.

ratificación *f.* 비준, 추인, (사후) 승인, 비준서.

ratificador, ra *adj.m.f.* 비준하는 (사람).

ratificar *tr.* ⑦ 승인하다, 비준·추인하다 ; 재가·인가하다 : ~ una proposición.

ratificatorio, ria *adj.* 비준의, 추인의, 승인의.

ratigar *tr.* ⑧ (달구지의 짐을 밧줄로) 얽어매다, 조이다, 고정시키다.

rátigo *m.* [드묾] 자동차의 짐.

ratihabición *f.* [*lat.* ratihabitio] 추인.

ratimago *m.* 《*And.*》 ① 계략, 책략(artería). ② 속임수, 사기(engaño).

ratina *f.* [*fr.* ratine] 주름 나사.

ratinado, da *adj.* 주름 나사 같은.

ratino, na *adj.* 쥣빛의 (소).

ratito *m.* [*dim.* rato] un ~ 잠깐.

rato[1] *m.* [*lat.* raptus] ① 잠깐 : Hace un ~ que lo espero 조금 전부터 나는 그를 기다리고 있다. ② [buen·mal+] 즐거운·언짢은 시간 : tener un buen ~ 즐거운 시간을 갖다. Allí pasé un buen ~ charlando con mis amigos 거기서 나는 내 친구들과 이야기하면서 즐거운 시간을 보냈다.

buen ~ 많음, 풍부, 풍족(mucha cantidad).

matrimonio ~ 결혼식만 마친 부부.

a cada ~ 부단히.

a ~s, de ~ en ~ 때때로, 사이를 두어.

a ~s perdidos 한가로울 때에 : El estudiaba *a ~s perdidos* 그는 한가할 때에 공부를 하곤 했다.

hasta cada ~ 《*AmérM.*》 언젠가 다음에(hasta luego).

dar el ~ 때리다(dar la lata).

pasar el ~ 시간을 보내다, 심심풀이를 하다, 시간을 낭비하다(matar el tiempo).

rato[2] *m.* ① 【동물】【방언】 생쥐(ratón). ② 쥐의 수컷.

ratón *m.* [*alem.* ratto] ① 【동물】 생쥐 : ~ almizclero 사향 두더지(desmán). ~ casero 집쥐. ~ de campo 들쥐. ~ de monte 캥거루. Nuestro gato apenas caza ya *~es* 우리집 고양이는 이제 거의 쥐를 잡지 않는다. ② 【은어】 좀도둑. ③ (바다 밑에 있으며 밧줄을 끊어 먹는) 바위, 암초. ④ 《*CRica.*》 알통. ⑤ 《*Venez.*》 뱀 모양의 꽃불. ⑥ 숙취 : sacarse el ~ 숙취가 가시어지다.

~ ***de biblioteca*** 독서광.

ser tan pobre como un ~ *de sacristía* 찢어지게 가난하다.

ratona *f.* ① ratón의 암컷. ②《*Arg.*》(남극쪽에 있는 아메리카의) 작은 새.

ratonar *tr.* (쥐가) 쏠다 : estar el queso *ratonado.*
~se 고양이가 쥐에 식상하다.

ratoncito *m.* ①《*Bol.*》장님 암탉 놀이. ② 작은 쥐.

ratonera *f.* ① 쥐덫(trampa para ratones); 덫 : caer en la ~ 덫에 걸리다. ② 쥐구멍(agujero que hace el ratón). ③ 쥐의 집(madriguera de ratones). ④《*Arg.*》초라한 집, 지저분한 집(casucha, cochitril).

ratonero, ra *adj.* 쥐의, 쥐에 관한.

ratonesco, ca *adj.* 쥐의 ; 쥐같은.

ratonil *adj.* =**ratonesco.**

ratonita *f. dim.* ratona.

rauco, ca *adj.* [*lat.* raucus]【시어】목쉰, 짖는 듯한(ronco).

rauda *f.* 아라비아 사람의 묘지.

raudal *m.* 급류, 격류, 분류 ; 풍부, 많음.

raudamente *adv.* 급속히, 격렬하게.

raudo, da *adj.* [*lat.* rapidus]【시어】빠른(rápido), 격렬한(violento).

raulí *m.*《*Chile.*》라울리나무.

rauta *f.* 길, 방향 : coger·tomar ~ 길을 더듬어 가다, 길을 들다.

ravenala *f.*【식물】나그네나무《서부 아프리카산의 야자》.

ravenés, sa *adj.* 라베나《Ravena, 이탈리아의 도시》의. **—***m.f.* 라베나 사람.

ravioles *m.pl.* [*ital.* ravioli] 이탈리아 만두.

raya[1] *f.* [*lat.* radia] ① 선, 금, 줄, 괘, 괘선 : Trazó una ~ con el bastón 그는 지팡이로 선을 그었다. La pelota cayó fuera de la ~ 공이 선 밖에 떨어졌다. ② 줄무늬 : Ayer compré una corbata a ~*s* azules y blancas 어제 나는 감색과 백색 줄무늬가 든 넥타이를 샀다. tela de ~*s* 줄무늬 천, 체크 무늬의 천. Prefiero esa camisa de ~*s* 나는 그 무늬있는 와이셔츠가 좋다. ③ (괄호 대신의·회화와 본문을 구별하기 위한) 선, 줄, 밑줄. ④ 가르마 : Hágame la ~ 가르마를 갈라 주시오. ⑤ (줄로 표를 하는 데서, 게임 등의) 득점. ⑥ (총포의) 강전. ⑦ 방화선. ⑧ 경(境), 경계(lindero, confín). ⑨ 경내 ; 한계, 한도, 한정(término) : poner ~ a los excesos. ⑩《*Méx.*》급료, 봉급, 임금, 삯. *a* ~ 한도 내에서, 제한 내의.
dar quince y ~ (어떤 사람보다) 훨씬 낫다.
echar ~ 서로 팽팽히 맞서다(competir).
hacer ~ 뛰어나다.
hacer ~*s* 괘를 치다.
pasar de (la) ~ 한도를 넘다(propasarse).

raya[2] *f.* [*lat.* raia]【어류】가오리.

rayadillo *m.* 무늬가 든 무명베.

rayado, da *adj.* [rayar의 *p.p.*] 줄이 쳐진, 줄을 친, 줄무늬가 든. **—***m.* [집합] ① 줄, 괘(罫)(raya) : ~ de un papel. ② 줄무늬 ; 괘·선을 긋을 일.

rayador *m.* ① (남미산의) 물새의 일종. ②《*Méx.*》급료 지불인.

rayano, na *adj.* ① 인접한(contiguo) ; 경계의, 경계에 있는. ② 가까운, 비슷한.

rayar *tr.* ① (…에) 선을·괘를 긋다 : *Raye* usted este papel 이 종이에 선을 그으세요. ② 밑줄을 긋다(subrayar). ③ 선으로 지우다(tachar). ④《*AmérC. Col.*》(말에) 박차를 가하다. ⑤《*Arg. Méx.*》(말을) 급정거시키다. ⑥《*Méx.*》급료를 주다·받다. **—***intr.* ① 인접하다, 접근하다(confinar) : Esa comarca *raya* con Huesca 그 지방은 우에스까와 인접하고 있다. ② 아주 닮다. ③ 어깨를 나란히 하다. ④ 닿다(tocar). ⑤ 뛰어나다. ⑥ 날이 밝아 오다 : al ~ el alba 날이 밝아 올 때. ⑦《*Chile.*》외상으로 하다.

rayente *adj.*《*And.*》=**rallente.**

rayero *m.*《*Arg.*》경마의 심판.

rayo *m.* [*lat.* radius] ① 광선 ; 복사선(輻射線) : Los ~*s* del sol queman mucho en verano 태양 광선은 여름에는 몹시 뜨겁다. Un ~ de luz penetró en la habitación 한 줄기 광선이 방 속에 들어왔다. ② 번갯불, 뇌격, 벼락치기 : Cayó un ~ e incendió la casa 벼락이 떨어져 집이 탔다. ③ (수레 바퀴의) 살 ; 폭. ④ 기민·민첩한 사람. ⑤ 생각지도 않은 재앙 ; 어떤 위험이 있는 일. ⑥【은어】경찰의 끄나풀 ; 눈.
~ *de calor* 열선(熱線). ~ *de leche* 유선(乳腺)에서 뻗는 젖. ~ *de luz*, ~ *de especies* 광선 ; (지성 등이) 번득임. ~ *del sol* 일광, 햇볕. ~ *directo* 직사 광선. ~ *incidente* 입사 광선. ~ *óptico* 시선. ~ *reflejo* 방사 광선. ~ *refracto* 굴사 광선. ~ *textorio* (직물 기계의) 새틀. ~*s alfa* 알파선, α선. ~*s beta* 베타선, β선. ~*s catódicos* 음극선. ~*s cósmicos* 우주선. ~*s gamma* 감마 방사선. ~*s infrarrojos* 적외선. ~*s X* 엑스선. ~*s de Roentgen* 뢴트겐선.
echar ~*s* 몹시 화가 나서 눈에서 불이 나다.

rayón *m.* 레이온, 인견(seda artificial) : ~ de aceteto de celulosa 아세테트 레이온.

rayoso, sa *adj.* 선·줄이 많은(que tiene muchas rayas).

rayuela *f.* [*dim.* raya] ① 짧은 선. ② 돈던지기 놀이 ; 돌차기 놀이.

rayuelo *m.*【조류】도요새(agachadiza).

raza[1] *f.* [*fr.* race ; *port.* raça] ① 종족, 인종 : ~ humanas 인류의 여러 인종. ~ amarilla·blanca·negra 황·백·흑인종. ② 혈통, 계통, 족(族), 류(類) : No desmiente su ~ 혈통은 속일 수 없다. ③ 성질, 계급(casta).

raza[2] *f* [*lat.* radia] ① 갈라진 틈, 균열(grieta). ② 새어 나오는 불빛 ; 햇빛. ③ 피륙이 잘못 짜진 흠.
Fiesta de la R- 아메리카 발견 기념일《10월 12일》.

razado, da *adj.* 피륙이 잘못 짜진, 흠이 있는.

rázago *m.* 툭툭한 삼베(harpillera).

razón *f.* ① 까닭, 이유, 도리(motivo) : por ~ de …하는 까닭으로 ; …때문에. Tiene usted ~ 당신이 옳습니다. La ~ no quiere la fuerza 도리는 힘을 필요하지 않는다. ② 이성, 이지(理知), 제정신 : La ~ distingue al hombre del animal 이성은 인간을 동물과 구별한다. ③ 이론 ; 변명. ④ 말, 문구 ; 알림, 설명 : dar ~ de …을 알게 하다. Dé usted algunas ~*es* si quiere convencerme 나를 납득시키려면, 사정의 설명을 해

주시오. ⑤ 계산, 셈 ; 비율, 비례 : *a* ~ *de* diez por ciento 1할로. ⑥【수학】중항(中項). ⑦ 정당성(justicia).

~ *aritmética* 등차 중항. ~ *de cartapacio* 핑계, 구실, 변명. ~ *de Estado* 국시(國是), 국가적 이유 ; 사회적 고려. ~ *de ser* 존재 이유. ~ *de pie de banco* 당치도 않은 핑계. ~ *directa* 정비례. ~ *geométrica* 등비 중항. ~ *inversa* 반비례 : en ~ *inversa* 반비례하여. ~ *por diferencia* 등차 중항. ~ *por cociente* 등비 중항 (~ geométrica). ~ *social·comercial* 사명(社名), 상호(商號) ; 상사(商社). ~ *social de una sociedad anónima* 주식 회사명(名).

a ~ *de* …율로, 비율로, 비례해서 : Le pagábamos *a* ~ *de* seis por ciento al año 우리는 그에게 일년에 6%의 비율로 지불했다. *con* ~ 충분한 이유를 가지고 : *Con* ~ se dice que …의 말을 듣는 것은 당연하다. *en* ~ …을 고려에 넣어(en consideración a). *en* ~ *a·de* …에 관련된 ; …에 비례하여, 따라. *sin* ~ 이유없이, 까닭없이, 함부로 : No hagas nada *sin* ~ 이유없이는 아무 것도 하지마라.

alcanzar de razones (토론에서) 이기다.

dar ~ *de* …을 보고· 통보하다, 알리다(noticiar).

dar ~ *de sí·de su persona* 충분히 책임을 다하다.

envolver en razones 넌지시 일러주다.

hacer la ~ 건배에 응하여 건배하다.

meter en ~ (누구를) 도리에 따르게 하다.

perder la ~ 이성을 잃다, 미치다(volverse loco).

poner en ~ (싸우는 사람을) 달래다, 어르다 ; 징계하다.

ponerse a razones con …와 말씨름하다, 싸우다.

ponerse en (la) ~ 이야기 상대가 되다.

privarse de ~ (취해서) 정신을 잃다.

reducirse a la ~ 타협이 이루어지다, 결말을 내다.

tener ~ 일리가 있다, 타당하다, 옳다 : No *tienes* ~ 네 말이 틀리다. *Tiene* usted ~ en quejarse 당신이 불평하는데는 당연하다.

tomar (la) ~ *de* …을 기장하다, 목록에 넣다.

razonable *adj.* ① 당연지사의, 타당한, 지당한 : Encuentro ~ que se independice de sus padres 그가 양친 슬하에서 떠나는 것은 당연하다고 나는 생각한다. ② 합리적인, 상응하는, 알맞는, 적당한 : precio ~ 합당한 값. ③ 상당한, 꽤 많은, 수월찮은 : fortuna ~.

razonablejo, ja *adj.* [*dim.* razonable]【속어】상당한 ; 어울리는 ; 이유있는.

razonablemente *adv.* 합리적으로, 합당하게 ; 형편에 맞게 : hablar ~.

razonadamente *adv.* 이론적으로.

razonado, da *adj.* ① 이론적인 : análisis ~. ② 세목이 명세된 : cuenta ~*da* 세목 계산서.

razonador, ra *adj. m. f.* 캐기 좋아하는, 이론을 좋아하는, 따지기를 좋아하는 (사람) : un ~ temible 무서울 정도로 따지기를 좋아하는 사람.

razonamiento *m.* ① 추리, 추론 ; 연구, 궁리 ; 이론. ② 이유 붙임 : Con tales ~*s* me quiere convencer que lo blanco es negro 그런 이유를 늘어놓고 그는 흰 것을 검다고 억지를 쓰려 하고 있다.

razonante *adj.* =**razonador.**

razonar *intr.* ① 추리하다, 고찰하다. ② 이야기하다, 담화하다(hablar, discurrir). ③ 이유를 설명하다, 해명하다 : No entendí el problema hasta que el profesor lo *razonó* punto por punto 나는 그 문제를 선생이 자초지종 이유 붙여서 설명해 줄 때까지 이해할 수 없었다. —*tr.* 증명하다, 논하다, 논증하다 : El abogado *razonó* maravillosamente 변호사는 훌륭히 논증했다.

razzia *f.* 《*ital. Neol.*》 약탈(saqueo, robo).

RBI run batted in 타점.

Rbí., R.[bí] Recibí 수령필.

rb.[do] recibido.

Rbmos. Recibimos 수령필.

R.D. Real Decreto 칙명 ; República Dominicana 도미니까 공화국.

RD$ 뻬소 《도미니까 공화국의 화폐 단위》.

RDA. República Democrática Alemana.

Rda.M. Reverenda Madre.

Rdo.P. Reverendo Padre.

re *m.*【음악】장음계의 제2음.

R.[e] Récipe.

re., Re. referente a …에 관해서, …의 건.

re- *pref.* ①「반복, 재(再)…」: *re*caer, *re*elegir. ②「증가」: *re*cargar. ③「반대, 저항」: *re*pugnar, *re*chazar. ④「후퇴」: *re*troceder. ⑤「부정(否定)」: *re*probar. ⑥「강조」: *re*pudrirse.

rea *f.* [드뭄] reo의 여성형.

Rea *f.*【신화】① Urano의 딸로서 Cronos의 아내. ② 신들의 어머니(Cibeles).

reabrir *tr.* 《*Neol.*》 다시 열다, 재개하다(abrir de nuevo).

reabsorber *tr.* 다시 흡수하다.

reabsorción *f.* 재흡수.

reacción *f.* ① 반동, 반작용 : de ~ 반동식의. avión a·de ~ 제트기. ② 반발 : ~ vigorosa 주식 시세의 강반발. La medida provocó una ~ hostil en la población 그 조치는 읍내 사람들의 적의있는 반발을 초래했다. ③【의학·화학】반응 : ~ de tuberculina 투베르쿨린 반응. ~ en cadena 연쇄 반응. ~ favorable 호의적 반응. ④【물리】항력(抗力), 반작용 ; (원자) 핵반응. ⑤ 보수적 경향, 복고적(復古的) 경향, 반혁신파. ⑥ 라디오의 재생.

reaccionar *intr.* ① 반동하다, 반동이 생기다, 반응하다 ; 반응을 보이다 : Al oírlo *reaccionó* violentamente 그것을 듣고 그는 격렬하게 반발했다. ② 반격·역습하다. ③ 반대하다, 반항하다.

reaccionario, ria *adj.* 반동적인, 복고적인, 반혁신파의. —*m.f.* 반동 분자, 반혁신주의자, 보수주의자 : Los ~*s* están siempre atrasados 반동가는 언제나 시대에 뒤지고 있다.

reaccionarismo *m.* 반동주의, 반동파, 보수주의.

reacio, cia *adj.* ① 강렬한, 격렬한. ② 딱딱한, 완고한, 고집 불통의, 융통성이 없는(terco, porfiado). ③ 반발적인.

reacondicionar *tr.* 분해 수리하다.

reactivar *tr.* 재촉진하다, 재추진하다.

reactivo, va *adj.* 반동·반응의, 반발적인, 반작용의. —*m.*【화학】시제(試劑), 시약, 반응 물

질.

reactor *m.* ① 원자로 : ~ atómico 원자로. ~ generador 원자력 발전기. ② 제트기. ③ 반동 모터 엔진.

reacuñación *f.* 화폐의 재주조.

reacuñar *tr.* (화폐를) 재주조하다.

readaptar *tr.* 다시 채택·채용하다 (adaptar de nuevo).

readmisión *f.* 재고용, 재허가.

readmitir *tr.* 재허가·재허용·재고용하다.

reafirmar *tr.* 다시 단언·긍정하다, 재강조하다, 재확인하다, 다시 시인하다(firmar de nuevo).

reagradecer *tr.* 31 깊이 사례·감사하다.

reagravación *f.* reagravar하는 일.

reagravar *tr.* 다시·더욱 험악하게 만들다 ; 더욱 못쓰게·나쁘게 만들다 : ~ una falta.
~se 더욱 나빠지다·악화되다(agravarse de nuevo) : La enfermedad *se reagrava.*

reagudo, da *adj.* 아주 예민한, 아주 날카로운 : dolor ~.

reajustar *tr.* 재조정·재정리하다.

reajuste *m.* 재조정, 수정(修正) : ~ anual del capital propio (소득 세법상의) 자기 자본의 연도 수정. ~ de salarios 임금 조정.

R

real[1] *adj.* [*lat.* realis] ① 실재하는, 현실의, 실제의 : Los monstruos no son animales ~*es* 괴수는 실재의 동물은 아니다. Contr. imaginario. ② 진짜의 : águila ~ , tigre ~. ③ 진실한, 성실한 (verdadero, sincero). ④ 현실적인, 사실적인 (realista). ⑤ 훌륭한 : una ~ moza.

real[2] *adj.* [*lat.* regalis] ① ㄱ) 왕의, 국왕·제왕의 : familia ~ 왕가. palacio ~ 왕궁. ㄴ) 왕실의, 왕립의 : *R-* Academia 왕립 한림원. ~ hacienda 국고. ② 왕당(파)의. ③ 장엄한(regio) ; 굉장한, 희한한(espléndido). ④ 군함 형의 : navío ~ 3층으로 포가 120문 이상인 배. ⑤ 왕기(王旗)를 게양한 : galera ~.
—*m.f.* 현실파 ; 사실주의자.
—*m.* ① 본거 ; 진영, 본진 ; 야영지. ② 시장, 장이 서는 곳. ③ 레알《옛 서반아의 은화의 단위 ; 25 céntimos, 34 maravedís》. ④ 이 밖에 중남미 여러 나라의 옛 화폐의 명칭.
~ de agua 흐르는 물을 재는 데 쓰던 옛 단위. ***~ de ardite*** 옛 까딸루냐의 화폐. ***~ de minas*** 《*Méx.*》 은광 지대·지구. ***~ de plata*** 2레알 은화. ***~ de vellón*** 1레알 은화. ***~ fuerte*** 서반아인이 멕시코에서 주조한 2레알 반의 은화.
con mi ~ y mi pala 자신의 돈과 몸으로써.
un ~ sobre otro 꼭 다 채워서.
alzar·levantar el ~ ·los ~es 진지를 철수하다.
asentar los ~es 야영하다.
estirar el ~ 《*Chile.*》 뾰루퉁하다, 화내다.
sentar el ~ ·los ~es 거처를 정하다, 정주(定住)하다, 정착해 살다.
tirar como a ~ de enemigo 끝까지 적을 괴롭히다.

reala *f.* =**rehala.**

realce *m.* ① ㄱ) 부조(浮彫) : labrar de ~ 부조로 하다. ㄴ) 부조한 자수·무늬. ②【회화】광선에 비친 부분. ③ 광채, 뛰어난 것 ; 위광(威光). ④ 존경, 존중.
bordar de ~ (자수에서) 두드러지게 수를 놓다 ; 과장하다.

realdad *f.* 왕위, 왕권 ; 왕의 위엄, 존엄.

realegrarse *r.* 몹시 기뻐하다.

realejo *m.* ① 손풍금(organillo). ② 《*Guat.*》【조류】멋쟁이새(ave fringílida).

realengo, ga *adj.* ① 왕 직속의, 왕실의 : terreno ~ 왕실의 토지. ② 국유의. ③ 《*Ant.*》 주인없는. ④ 《*Perú.*》 면세의 (토지). **—*m.*** 《*Arg.*》 부담, 과세.
estar ~s ① 《*Bol.*》 안심하고 있다, 마음을 놓고 있다(estar en paz). ② 《*Amér.*》 하릴없이 빈둥거리고 있다.

realeo *m.* 《*Hond.*》 토요일에 주는 급료.

realera *f.* 《*CRica.*》 =**machete recta.**

realero *m.* 《*Venez.*》 큰 돈 ; 재물(caudal).

realete *m.* [*dim.* real] ① 은화 《34maravedís에 해당함》. ② 디에시오초 《dieciocho, 발렌시아에서 주조된 은화》.

realeza *f.* 왕위, 왕권, 존엄(dignidad real, monarquía, majestad).

realidad *f.* ① 사실, 진실(verdad, sinceridad). ② 실제, 현실성, 실재(實在), 실존(existencia efectiva) : la ~ del mundo exterior 외부 세계의 실제·실존. La ~ del conflicto es muy distinta de lo que parece 분쟁의 현실은 외견과 대단히 틀린다. **—*pl.*** 실현 이익. Contr. ficción, quimera.
en ~ 실제로, 현실로, 사실(verdaderamente) : *En ~* no sabe ni una palabra de ese idioma 실제로는 그는 그 언어의 한마디도 모른다. Lo decía, pero no quería venir *en ~* 그는 그렇게 말했지만 실제로는 오고 싶지 않았던 것이다.
en ~ de verdad 그야말로 실지로.

realillo *m.* 1레알(real)의 은화.

realismo *m.* ① 실제론 ; 실체주의 ; 현실주의. Contr. idealismo. ② 사실주의 ; 사실성 : El ~ español es tan antiguo como el idioma castellano 서반아의 사실주의는 서반아어와 비슷하게 오래되었다. ③ 근왕당, 존왕주의 ; 왕당파.

realista *adj.* ① 실재론의, 현실주의의. ② 사실주의의, 사실적인 : El romanticismo ya llevaba dentro de sí la tendencia ~ 낭만주의는 이미 그 속에 사실적 경향을 가지고 있었다. ③ 근왕당의 : partido ~ 근왕당. **—*m.f.*** 사실주의자 ; 현실주의자 ; 근왕당원.

realito *m.* =**realillo.**

realizable *adj.* ① 실현·실행할 수 있는(que puede realizarse) : un proyecto que no es ~. Contr. irrealizable. ② 환금되는.

realización *f.* ① 실현, 실행, 실시 : ~ de una comunidad 공동체의 실현. Se esperaba la ~ de los planes 그 계획의 실현이 기대되었다. ②【상업】환금 (처분). ③ 투매, 대할인 판매 : ~ de pedido 발주(發注). ④【영화】촬영, 제작.
a la gran ~ 대매출로.

realizadas *f.pl.*【상업】실현 이익.

realizador *m.*【영화】제작자, 프로듀서.

realizar *tr.* 9 ① 실현하다, 실행하다, 이행하다 : ~ una promesa 약속을 이행하다. Pudo ~ al fin la ilusión de su vida 그는 일생의 꿈을 드디어 실현할 수 있었다. *Realizaron* el plan con todos sus detalles 그들은 그 계획을 세부에 걸쳐서 실시했다. ② 환금 (처분)하다, 돈으로 바

꾸다 : capital *realizado* 불입필 자본금. Tenemos que ~ estas mercancías cuanto antes 될 수 있는 대로 빨리 상품을 환금해야 한다. ③ 《*Galic.*》 승인하다. ④【영화】촬영·제작하다.

realmente *adv.* 사실로, 실제로, 진실로(de un modo real) : ¡ *R-* bonita la ciudad! 정말로 아름다운 도시군요. Lo dijo, pero, ~ no lo creía 그는 그렇게 말했지만, 사실은 그렇게 생각하지 않고 있었다.

realzar *tr.* 9 ① 높이 올리다 ; 두드러지게 하다. ② 부조(浮彫)로 하다. ③ (…에) 광채를 주다, 한결 훌륭하게 하다 : ~ un acto 어떤 행사에 더욱 빛을 내게 하다. Le rogamos se sirva ~ el acto con su presencia 귀하의 왕림으로 이 회에 한층 광채를 더해 주시기를 바라나이다. ④ 찬양하다. Contr. rebajar, humillar.
~se 고양하다 ; 두드러져 보이다 ; 빛을 내다.

reamar *tr.* 몹시 사랑하다(amar mucho).

reana *f.* 《*And.*》 =**ruedo.**

reanimar *tr.* ① 활기를 주다 ; 원기를 돋우다 : El ejemplo de los jefes *reanima* con frecuencia a los soldados 대장의 본보기는 늘 병사들에게 원기를 돋우어 준다. La primavera *reanima* la naturaleza 봄은 자연에 활기를 준다. Este vino me *ha reanimado* 이 술은 나에게 원기를 돋우어 주었다. El aire nos *reanima* 바람은 우리에게 원기를 회복시킨다. ② (…의) 숨을 되돌리게 하다.
~se 기운이 나다 ; 기력을 회복하다 : *Me he reanimado* con este vino 나는 이 술로 원기가 회복됐다.

reanudación *f.* ① 재개(再開) : ~ del trabajo 일의 재개. ~ de las relaciones comerciales 거래의 재개. ② 갱신(更新).

reanudar *tr.* 재개하다, 갱신하다 : ~ una conversación.
~se 재개되다, 재착수되다 : *Se reanudó* la conversación 회담은 재개되었다.

reaparecer *intr.* 31 다시 나타나다(volver a aparecer).

reaparición *f.* 다시 나타남·나타냄, 재현(nueva aparición).

reapertura *f.* 재개통 : ~ del Canal de Suez 수에즈 운하의 재개.

reapretar *tr.* 19 다시 조이다, 되조이다 ; 더 단단히 조이다.

rearar *tr.* (밭을) 그루갈이하다, 이모작하다.

reargüir *tr.* 77 다시 논쟁하다 ; 반론하다(reargüir).

rearmar *tr.* 재군비·재장비하다 ; (군사적으로) 증강시키다.

rearme *m.* 재군비, 재장비, 증강.

reasegurado, da *m.f.* 재피보험자(再被保險者).

reasegurador, ra *m.f.* 재보험자(再保險者).

reasegurar *tr.* 재보험을 걸다 ; 재삼 보장하다.

reaseguro *m.* 재보험 ; 재보장 : ~ automático 자동 재보험. ~ extranjero 대외 재보험. ~ facultativo 임의 재보험. ~ obligatorio 의무 재보험.

reasumir *tr.* 다시 가지다 ; 재취임하다, 다시 찾다 ; 간추리다, 요약하다, 줄잡다(resumir).

reasunción *f.* 다시 차지함 ; 되찾음, 회수.

reasunto, ta *adj.* reasumir의 *p.p.*

reata *f.* ① (말 등을 같이 매는) 모듬줄. ② 줄줄이 선 짐승. ③ 앞장서서 끄는 말.
de ~ 줄지어 ; 잇따라 ; 남이 하자는 대로.

reatadura *f.* 다시 묶기 ; 여러 겹으로 묶기.

reatar *tr.* 다시 묶다 ; 여러 겹으로 묶다 ; 한 줄로 매다.

reatino, na *adj.* 리에띠 《Rietti, 이탈리아의 도시》의. **—***m.f.* 리에띠 사람.

reato *m.* 속죄하고 난 뒤의 승려의 수행(修行).

reaventar *tr* 19 다시 바람에 쏘이다, 다시 바람을 일게 하다 ; (곡물을) 다시 까부르다.

reavivar *tr.* ① 소생·부활시키다, 타오르게 하다 : ~ el fuego. ② 발랄하게 만들다.

rebaba *f.* (주물의) 깔쭉깔쭉하게 삐져나온 쇠 : quitar la ~ 깔쭉깔쭉한 꺼풀을 떼어내다.

rebabar *tr.* 오줌을 싸다.

rebaja *f.* ① 할인, 가격 인하, 에누리 : ~ a los empleados 종업원 할인. ~ al revendedor 소매·중간 할인. ~ de flete 운임 덤핑. ~ especial 특별 할인. hacer una ~ de 10 por ciento 1할을 할인하다. ② 저하 ; 리베이트.

rebajado, da *adj.* rebajar의 *p.p.* **—***m.* 퇴역병.

rebajador *m.* 사진에서 빛을 어둡게 하는데 사용하는 용액조(溶液槽).

rebajamiento *m.* 저하, 저락 ; 기운이 꺽임 ; 소침.

rebajar *tr.* ① 낮게 하다 : En el nuevo proyecto *han rebajado* la torre 이번의 설계에서는 탑의 높이를 낮추었다. ② 내리다 : *He rebajado* dos kilos durante mi permanencia 나는 체재 중에 체중이 2킬로 줄었다. ③ 가격을 내리다·인하하다(descontar). ④ 때려 눕히다, 굴복시키다, 교만한 콧대를 꺾다 : Vamos a ~le la vanidad 그의 허영심의 콧대를 꺾어주자. ⑤ 기운을 늦추다. ⑥ 빛을 어둡게 하다.
~se ① 그치다, 의기 소침해지다(abatirse). ② 병역 면제가 되다. ③ 머리를 숙이다 ; 굴복하다 : Al fin *se rebajó* a pedirle perdón 그는 드디어 머리를 숙이고 상대에게 용서를 빌었다.

rebajete *adj.* 매우 낮은(muy bajo).

rebajo *m.* (널빤지의 단면에서) 얇게 한 부분.

rebalaje *m.* 흐르는 물, 흐름.

rebalgar *intr.* 8 【방언】 성큼성큼 걷다.

rebalsa *f.* 물웅덩이, 풀, 수영장 ; 액체의 침체.

rebalsar(se) *intr.* *(r.)* 물이 고이다 ; 웅덩이를 만들다 : La corriente *(se) rebalsa.*

rebalse *m.* 물웅덩이, 물이 고인 곳.

rebanada *f.* ① (특히 빵의) 길쭉한 조각 : una ~ de pan. ② 《*Méx.*》 버터로 구운 빵(picatoste).

rebanar *tr.* (여러 조각으로) 자르다, 가늘고 길게 자르다.

rebanear *tr.* =**rebanar.**

rebañadera *f.* (빠뜨린 것을 찾고자 우물에 넣는) 갈고리.

rebañadura *f.* =**arrebañadura.**

rebañar *tr.* =**arrebañar.**

rebañego, ga *adj.* ① 목축떼의, 양떼의. ② 신도단(信徒團)의.

rebaño *m.* ① 떼, 무리, 목축떼(hato) : El niño conducía un ~ de cabras 소년은 염소떼를 몰고 있었다. ② [집합] 신도단(信徒團) ; 신도.

rebañuelo *m.* *dim.* rebaño.

R

rebarba *f.* 【속어】 =**rebaba.**
rebasadero *m.* (배가 위험을 피하기 위한) 우회로(迂回路).
rebasar *tr.* ① 삐죽이 나오다, (한도·한계를) 넘다, 초과하다. ② 피해 가다, 우회하다 : ~ un escollo. ③ 《*Cuba.*》 위험을 벗어나다.
—*intr.* [+de : …를] 넘다 : *Rebasó del* punto previsto 그는 예상점을 넘었다.
rebascada *f.* 《*PRico.*》 성난 얼굴.
rebate *m.* [드뭄] 다툼, 싸움(riña, combate).
rebatible *adj.* 반론·반격할 수 있는 : argumento ~.
rebatimiento *m.* 반론, 반격 ; 배척, 배격 ; 에누리, 할인.
rebatinga *f.* 《*Hond. Méx.*》 쟁탈전.
rebatiña *f.* 쟁탈전 : andar a la ~ 쟁탈전을 벌이다.
rebatir *tr.* ① 반격·배격하다 ; 물리치다 ; 때려눕히다 : El comité *rebatió* esa proposición 위원회는 그 제안에 반론했다. ② 더욱 강하게 하다, 보강하다. ③ 에누리하다, 가격을 인하하다. ④ (상대의 칼을) 쳐서 뿌리치다.
rebato *m.* ① 비상 소집 : llamar a ~. ② 경보, 비상 경계. ③ (군대의) 강습, 불의의 타격, 기습.
de ~ 별안간, 갑자기(repentinamente).
tocar a ~ 경종을 울리다.
rebautizante *adj.* 다시 영세·세례를 받게 하는.
rebautizar *tr.* ⑨ 다시 영세·세례를 받게 하다 (bautizar de nuevo).
rebeco *m.* 【동물】 영양(gamuza).
rebelarse *r.* [*lat.* rebellare] ① 반란·폭동·모반을 일으키다. ② [+contra : …에] 반역·반항하다, 대들다, 거스르다, 어기다 : El pueblo *se rebeló contra* la autoridad 민중은 당국에 반항했다.
rebelde *adj.* [*lat.* rebellis] ① 거스르는, 반역의, 반란을 일으키는, 반란군의 ; 반란을 일으키기 쉬운 : general ~. ② 다루기 벅찬, 힘겨운(indócil) : Le atormentaba la pasión ~ 억누를 수 없는 감정으로 그는 고민하고 있었다. ③ 치료하기 어려운. —*m.f.* 모반자, 반란자 ; (법정에서의) 궐석자, 출정 기피자. **Contr.** obediente.
rebeldía *f.* ① 반란, 반역, 반역심, 모반심. ② (법정의) 궐석 : en ~ 피고는 불참한 채.
rebelión *f.* 반역, 모반, 반란 : El director castigó la ~ de los jóvenes desobedientes 교장은 규칙을 지키지 않는 젊은이들의 반역을 처벌했다.
rebelón, na *adj.* 애먹이는, 다루기 어려운, 고삐에 따라 움직이지 않는 (말).
rebencazo *m.* 채찍질.
rebencudo, da *adj.* 《*Cuba.*》 고집 불통의, 옹고집의(testarudo).
rebenque *m.* ① (본래는 도형선에서 사용했던) 채찍 ; (말의) 채찍 ; 짧은 밧줄. ② 《*Cuba.*》 시무룩함, 마음이 언짢음. —*adj.* 《*Cuba.*》 성미가 불같은.
rebenquear *tr.* 《*Riopl.*》 채찍으로 때리다(pegar con el rebenque).
rebién *adv.* =**muy bien.**
rebina *f.* 포도밭의 두 번째 갈아엎기.
rebinar *tr.* (포도밭을) 두 번째 갈아엎다.
—*intr.* 반성·숙고하다(reflexionar).
rebisabuelo, la *m.f.* =**tatarabuelo, la.**
rebisnieto, ta *m.f.* =**tataranieto, ta.**
reblandecer *tr.* ㉛ 말랑말랑하게·연하게 하다, 부드럽게 하다(ablandar). —*intr.* 부드러워지다, 연해지다.
reblandecimiento *m.* 연화(軟化).
reblar *intr.* 주춤하다, 뒷걸음질치다.
reble *m.* 【은어】 궁둥이.
rebocillo *m.* 베일.
rebociño *m.* =**rebocillo.**
rebojo *m.* 먹다 남은 빵의 부스러기(regojo).
rebolear *tr.* 《*Arg.*》 =**bolear.**
reboleras *f.pl.* 【투우】 멋있는 풍채.
rebollar *m.* 터키 떡갈나무숲.
rebolledo *m.* =**rebollar.**
rebollidura *f.* 포강(砲腔) 속의 혹·흠.
rebollo *m.* [*lat.* robur] ① 【식물】 터키 떡갈나무. ② 《*Ast.*》 나무 줄기.
rebolludo, da *adj.* 늠름한 ; 거친 : diamante ~.
rebombar *intr.* 요란하게 울리다.
rebonito, ta *adj.* =**muy bonito.**
reboñar *intr.* 【방언】 (물레방아가 무엇에 걸려) 멎다.
reboño *m.* 물웅덩이에 쌓인 개흙.
reborda *adj.f.* *pega* ~ 【조류】 백설조(百舌鳥), 때까치(alcaudón).
reborde *m.* 외연(外緣), 겉둘레, 가장자리 (borde saliente) ; 이중 겉둘레.
rebordeador *m.* 홀치기 기계·재봉틀.
rebordear *tr.* (…을) 홀치다 (formar un reborde).
reborondo, da *adj.* 《*And.*》 =**borondo.**
rebosadero *m.* 넘쳐 나오는 곳, 새어 나옴.
rebosadura *f.* 넘쳐·흘러 나오는 일.
rebosamiento *m.* =**rebosadura.**
rebosante *adj.* 넘치는.
rebosar *intr.* ① (액체·그릇이) 넘치다 ; 넘쳐 나오다 : El vino *rebosa* de la copa 포도주가 잔에서 넘치고 있다. El embalse estaba *rebosando* 댐은 (물이) 넘치고 있었다. ② 넘칠만큼 많다 (abundar con exceso) : ~ *en* dinero. ③ 입 밖으로 넘쳐 나오다 : *Rebosaba de* alegría 그는 기쁨에 넘쳐 있었다. —*tr.* 엎지르다, 넘쳐 흐르게 하다.
rebotación *f.* ① 튀겨 나옴, (공의) 튀김. ② 《*Col.*》 체액이 넘쳐 나옴.
rebotadera *f.* 털을 세우는 빗.
rebotador, ra *adj.* 튀겨 나오는.
rebotadura *f.* =**rebote.**
rebotar *intr.* ① 튀겨 돌아오다, (몇 번이고) 튕겨져 돌아오다 : La pelota *rebotó* en el suelo. ② 보풀을 세우다. —*tr.* ① 튀기다. ② (뿌리쳐) 치우다 ; 물리치다(rechazar). ③ 끝을 구부리다 : ~ un clavo. ④ 화내다, 노하다, 성내다(irritar, enfadar).
~se 기겁하다 ; 변질하다, 변색하다.
rebote *m.* (공의) 튀겨 오르기, 되 튀어 나오기, 반발 ; 되울림.
de ~ 튕겨 나와 ; 결과로서 ; 간접적으로.
rebotica *f.* ① (약국·가게의) 대기실. ② =

trastienda. ③ 휴게실, 담화실.
rebotiga *f.* =**trastienda.**
rebotín *m.* 두 번째 난 뽕잎.
rebozar *tr.* 9 ① (얼굴을) 감싸다, 가리다(arrebozar). ② 어육 등의 식품에 밀가루를 묻혀 기름에 튀기다.
～se 얼굴을 감싸다, 얼굴을 파묻다.
rebozo *m.* ① 얼굴을 감추는 일. ② 베일(rebociño). ③ 구실(pretexto). ④ 숄(chal o pañolón que cubre los hombros).
de ～ 살그머니, 은밀히(ocultamente).
sin ～ 솔직하게, 분명하게, 단도 직입적으로 (con franqueza).
rebramar *intr.* 짖어대다 ; 번갈아 짖다.
rebramo *m.* (사슴 등의) 짝을 부르는 울음.
rebrillar *intr.* 무척 번쩍거리다(brillar mucho).
rebrincar *intr.* 7 깡충깡충 뛰다.
rebrotar *intr.* 싹이 나오다(retoñar).
rebrote *m.* 어린 싹(retoño).
rebú *m.* [*pl.* rebuses] 《*SDgo.*》 싸움, 말다툼, 투닥거리기.
rebudiar *intr.* 11 멧돼지가 끙끙거리다(roncar el jabalí acosado).
rebudio *m.* 멧돼지의 끙끙거리는 소리(gruñido del jabalí).
rebufar *intr.* (심하게) 신음하다.
rebufe *m.* 소의 씨근덕거림.
rebufo *m.* (발사할 때의 포구 부근의) 충격, 튕겨 오름.
rebujado, da *adj.* [rebujar의 *p.p.*] 착잡해진, 어지러워진, 혼란해진(desordenado, enredado).
rebujal *m.* (50 단위의 목축의 계산에서) 나머지 수, 끝수 ; 끝수의 번지.
rebujar *tr.* ① 파묻히듯 감싸다(arrebujar). ② 뒤얽히게 만들다.
～se ① 몸을 잘 감싸다. ② (일이) 어지러워지다 · 뒤얽히다.
rebujina *f.* 어수선한 인파 ; 그 소음 ; 소란, 교란 (bullicio, jaleo).
rebujiña *f.* =**rebujina.**
rebujo *m.* =**embozo, envoltorio.**
rebulicio *m.* 《*Col. SDgo.*》 =**rebullicio.**
rebultado, da *adj.* 불룩해진, 부피가 커진, 수북해진(abultado).
rebullicio *m.* 떠들썩함, 소동, 소란.
rebullir *intr.* 50 꿈틀거리다, 움직이기 시작하다. —*tr.* 《*Col.*》 흔들다(menear).
～se 움직이다, 흔들리다(moverse, agitarse).
rebullón *m.* 《*Col.*》 =**sacudimiento, temblor.**
rebumbar *intr.* (포탄 등이) 굉음을 내다.
rebumbio *m.* 혼란, 혼잡(barullo).
reburujar *tr.* ① 싸매다, 동여매다. ② 《*Ant.*》 뒤섞다.
reburujiña *f.* 《*Ant.*》 =**rebujo, mezcla.**
reburujón *m.* =**rebujo, envoltorio.**
rebusca *f.* ① (면밀한) 수색, 찾는 일 ; 주워 모으기. ② (포도 등의) 찌꺼기, 부스러기(desecho). ③ 《*Col.*》 (덤으로) 번 것. ④ 《*Ecuad.*》 이면 공작 ; (12월에 거두어 들이는) 두 번째 딴 코코아.
rebuscado, da *adj.* 애써 만들어낸, 짐짓 그러는 듯한, 투박스러운.
rebuscador, ra *adj. m.f.* 세심하게 · 무작정 찾아 다니는 (사람).
rebuscamiento *m.* ① =**rebusca.** ② 기교를 부리는 말투 · 말. ③ 시큰둥한 태도 ; 으시댐.
rebuscar *tr.* 7 ① 탐색하다, 면밀히 살피고 찾다, 쑤셔 대다 : *Rebuscaron* la habitación cuidadosamente 그들은 방을 면밀히 조사했다. ② 주워 모으다 ; (포도 등의) 남겨 두었던 송이를 따다.
rebusco *m.* ① =**rebusca.** ② 《*Ecuad.*》 카카오의 부분 수확.
rebuscón, na *adj.* 《*Col.*》 =**rebuscador.**
rebutir *tr.* (물건 속에) 채워 넣다, 끼워 맞추다.
rebuznador, ra *adj.* 자꾸만 우는 (나귀).
rebuznar *intr.* (나귀가) 울다.
rebuzno *m.* (나귀의) 울음 소리 : un sonoro ～.
recabar *tr.* ① 구하다 ; 원하여 · 부탁하여 얻다 (alcanzar · obtener · conseguir lo que se desea) : ～ una cosa *con* · *de* alguno 어떤 사람에게 부탁하여 · 어떤 사람에게서 무엇을 얻다. ② 《*Amér.*》 부탁하다, 간청하다(solicitar).
recabita *adj. m.f.* 【성서】 레카브(Recab)의 자손인 이스라엘 사람(의) ; 금주(禁酒) 회원.
recadero, ra *m.f.* 사자(使者)(mensajero), 편지 심부름꾼, 급히 하는 심부름꾼.
recadista *m.f.* =**recadero.**
recado *m.* ① 전언(傳言), 용무, 전갈 편지, 쪽지(mensaje) : El amo mandó a la criada por ese ～ 주인은 그 전갈 편지 때문에 하녀를 불렀다. ¿Quiere usted dejar algún ～? 전하실 말씀이라도 있습니까? ② (나타내는) 경의, 애정. ③ 분부, 명령(mandato) : Le envié un ～. ④ 선물 (regalo). ⑤ (나날의) 장보기, 물건 사기 : mandar a la criada por el ～. ⑥ (한 벌의) 용품, 도구 : ～ de cocina 주방 도구. ～ de escribir 문방구 한 벌 ; 이것을 갖춘 대형 책상. ～ de afeitar 수염 깎는 도구. ～ de montar 마구(馬具). Tenemos que preparar aquí un ～ de escribir 여기 필기 용구를 준비해야 한다. ⑦ 계산서, 증서류. ⑧ 안전 ; 조심(precaución) : a buen · mucho ～ 단단히 조심하여 ; 안전하게. ⑨ 페이지 매기는 활자. ⑩ 《*Amér.*》 마구. ⑪ 《*Méx.*》 *pl.* 인사, 경의(saludos) : Dale ～*s* a la familia 가족 여러분에게 안부 전해라.
mal ～ 장난(travesura).
dar ～ *para* …에게 필요한 것을 제공하다.
ir ～ 호되게 혼이 나고 있다, 곤경에 빠져 있다.
recaer *intr.* 73 ① (죄 · 나쁜 버릇 등에) 다시 빠지다(volver a caer en un pecado o falta) : *Recayó en* la falta 또 잘못을 저질렀다. ② (같은 질병에) 다시 걸리다, 재발하다(volver a caer enfermo el que había sanado ya). ③ (누구의) 것이 되다 : La herencia *recayó* en su sobrina 유산 상속은 그의 질녀의 것이 되었다. ④ (책임 등이) 돌아오다 : *Recayó* sobre él la responsabilidad 책임은 그에게 돌아갔다.
recaída *f.* ① (질병 · 나쁜 버릇의) 재발 : Ella padeció una ～ grave. ② 재범(再犯).
recaig- →**recaer** 73.
recaiga →**recaer** 73.
recalada *f.* 배의 육지 접근.
recalador, ra *adj.* =**penetrante.**
recalar *tr.* 젖게 하다, 물에 흠뻑 적시다 ; 적시다, 담그다, 축이다. —*intr.* ① (배가) 육지에 가까워지다. ② (배 있는 데까지) 조수가·바람이 불어 오다. ③《*Can. Venez.*》정해진 장소에 도착하다.
∼se 물에 빠진 생쥐 꼴이 되다.

recalcada *f.* 배의 기울기, 기우는 일.

recalcadamente *adv.* 가득 들어차; 천천히 힘주어, 되풀이하여 (말하다 등).

recalcadura *f.* 가득 채움, 가득 참.

recalcar *tr.* ⑦ ① 조이다, 짓누르다. ② 밀어 넣다. ③ 한마디 한마디 짓누르는 듯이 말하다. **—*intr.*** (배가) 기울다.
∼se ① 했던 말을 자꾸 되풀이하다, 강조하다: El presidente se *recalcó* sus palabras 대통령은 했던 말을 자꾸 되풀이했다. ② 아주 차분히 앉다, 차분히 허리를 구부리다.

recalce *m.* 나래, 써레; 뿌리에 흙돋우기; 토대를 튼튼히 하기.

recalcificación *f.* 칼슘 증강·보강.

recalcificador *adj. m.* =**recalcificante.**

recalcificante *adj.* 칼슘을 증강하는. **—*m.*** 칼슘제.

recalcificar *tr.* ⑦ 칼슘을 증강하다.

recalcitrante *adj.* 고집이 센(obstinado, terco): caballo ∼.

recalcitrar *intr.* ① 고집을 부리다. ② 뒷걸음질치다. ③ 발끝으로 걷어차다.

recalcón *m.*《*And.*》=**esguince.**

recalentado, da *adj.* 다시·재차 덥히는, 너무 뜨거운.

recalentamiento *m.* ① 다시 덥히기, 과열: ∼ de la coyuntura 경기(景氣)의 과열. ② 식물이 열로 인해 시듦.

recalentar *tr.* ⑲ ① 다시 덥히다(volver a calentar); 너무 뜨겁게 하다, 너무 굽다(calentar demasiado). ② 흥분시키다; 암내를 내게 하다.
∼se ① 과열하다; 너무 뜨거워지다; 흥분하다; 발정하다. ② (식물·과일이) 타다.

recaliente *adj.* =**recalentado.**

recalmón *m.*【해사】별안간 바람이 잠, 갑자기 바다가 잔잔해짐(súbita calma en el mar).

recalvastro, tra *adj.* 이마가 홀랑 벗겨진.

recalzar *tr.* ⑨ [*lat.* recalceare] ① (식물의) 뿌리 위에 흙을 돋우다, 뿌리에 흙을 북돋우다. ② (건물의) 토대를 보강·튼튼히 하다. ③ 스케치하다.

recalzo *m* ① (수레바퀴의) 테(recalzón). ② 토대의 보강.

recalzón *m.*(수레바퀴의) 테.

recamado, da *adj.* recamar의 *p.p.* **—*m.*** 돋보이게 수를 놓는 일.

recamador, ra *m.f.* 돋보이게 수를 놓는 사람.

recamar *tr.* 돋보이게 수를 놓다(bordar de realce).

recámara *f.* ① (큰 방으로 통하는) 작은 방, 대기실. ② (극장의) 분장실; (보통 침대 옆에 있는) 화장실, 옷 갈아 입는 방. ③ 집세간; (특히) 예비 의상, 갈아입을 옷. ④ 총개머리, 포미(砲尾). ⑤ (총의) 탄약함. ⑥ 지뢰 화공; (광갱의) 폭약 장전부. ⑦《*Col. Méx.*》침실(alcoba, dormitorio). ⑧《*CRica.*》거실. ⑨《*CRica. Venez.*》폭죽. ⑩【속어】꽁무니(trasero). ⑪ 신중; 앙큼스러움(cautela, reserva): tener mucha ∼ 매우 신중하다.

recamarera *f.*《*Méx.*》귀부인의 몸종(doncella o criada).

recambiable *adj.* 바꿀 수 있는, 교환할 수 있는.

recambiar *tr.* ⑪ ① 다시 교환하다(cambiar de nuevo). ② 바꾸어 놓다. ③ 재교환 어음을 발행하다(volver a girar contra el librador la letra no pagada).

recambio *m.* ① 재발행; 재교환 어음. ② (기계의 수리용) 예비품, 부분품: piezas de ∼ 부품. ∼ del tiralíneas 오구《제도용 먹줄펜》를 잇는 다리. ③【은어】목로 주점.

recamo *m.* ① 돋보이게 놓는 수(recamado). ② 장식 단추.

recancamusa *f.* 사기, 속임수(cancamusa).

recancanilla *f.* ① 절름발이 흉내(modo de andar los niños fingiendo que cojean). ② 힘주어 말하기: hablar con ∼ 한마디 한마디에 힘을 주어 말하다, 알아 듣도록 말하다.

recaní *m.*【은어】=**celda.**

recantación *f.* (먼저 한 말이나 잘못의) 취소, 철회.

recantón *m.* ① 우석(隅石), 돌로 된 말뚝. ② (탈선 방지용) 보조 레일, 가드 레일(guardacantón).

recapacitar *tr. intr.* ① 고쳐 생각하다. ② 심사숙고하다, 깊이 생각하다(meditar mucho en algo): ∼ la cuestión, ∼ *sobre* la cuestión 질문을 깊이 생각하다. ∼ (sobre) el tema 문제를 심사숙고하다. ③ 의식을 회복하다.

recapitulación *f.* recapitular하는 일.

recapitular *tr.* (전술한 것 등을) 요약하다, 개괄적으로 고찰하다·설명하다; 개관·반성하다: *Recapitulaba* su vida presente.

recarga *f.* ① 과세, 중과세, 재과세(再課稅). ② 충전.

recargado, da *adj.* ① (cargado보다 과중한 상태) 짐이 너무 많은; 너무 많이 쌓아 올린; 더덕더덕 장식한. ② 중과세된, 과태료가 부가된.

recargar *tr.* ⑧ ① 다시 짐을 지우다(volver a cargar); 잔뜩 짊어지게 하다, 지나치게 싣다; 너무 많이 쌓다. ② 더욱 무겁게 하다, (형벌·의무 등을) 더 무겁게 지우다(agravar la condena de un preso). ③ 누덕누덕 장식하다.
∼se ① 잔뜩 짊어지다: No queremos ∼*nos de* estos artículos 폐사는 이 물건을 너무 많이 사들이고 싶지 않다. ② (부담 등이) 몹시 무거워지다. ③ 열이 한층 높아지다.

recargo *m.* ① 가중(加重), 과열; 과태료, 추징세; (부담의) 중과(重課): ∼ de impuesto 부가세. ∼ por la financiación 융자 수수료. ∼ regional《*Chile.*》지역적 추가세. ② 과중한 짐; 너무 많이 쌓음. ③ 열병이 중하게 됨(aumento de calentura): El enfermo tuvo ∼. ④ 보험금의 할증(割增): ∼ de flete 할증 운임. ∼ de invierno 동기(冬期) 할증금·료. ∼ sobre el trabajo durante la noche 야간 할증. ⑤ (세금·벌금의) 추징(追徵).

recartelización *f.* 재카르텔화(化).

recata *f.* 재조사.

recatadamente *adv.* 신중하게; 몹시 조심스럽게(con recato): vivir una mujer ∼.

recatado, da *adj.* 신중한; 주의깊은, 몹시 조심

스러운.

recatar *tr.* ① 감추다, 숨기다(esconder u ocultar) : *Recataba* su pobreza. ② 다시 훑어보다, 다시 조사하다. ③ 다시 한번 시식해 보다 · 맛보다.

~se ① (사양하여) 숨다 : *~se de* las gentes. ② 감히 결정을 내리지 못하다(no atreverse a tomar una resolución).

recatear *tr.* ① 에누리하다(regatear). ② 소매하다.

recatería *f.* 소매(regatonería).

recato *m.* 신중함(cautela) ; 신중한 태도(modestia) : El ~ es la primera virtud de la mujer 신중은 여성 제일의 미덕이다.

recatón, na *adj.m.f.* =**regatón.**

recatonazo *m.* (창 등의) 물미로 찌르기.

recatonear *tr.* 소매하다 ; 대량 구입하다.

recatonería *f.* 소매, 나누어 팔기.

recatonía *f.* =**recatonería.**

RECAUCA Reglamento del Código Aduanero Uniforme Centroamericano.

recauchar *tr.* (고무를 씌워) 타이어를 재생하다.

recaudación *f.* ① 징수, 수세(收稅) ; 수금(收金), 징수액 : la ~ de (los) impuestos 수세(收稅). ~ por impuestos 세수(稅收). ② 수세국(收稅局), 세무서 : *R-* General de Aduanas 《*Nicar.*》 관세국. ③ 매상금. ④ 모금.

recaudador *m.* ① 세무 공무원, 세리(稅吏), 징수인, 징세관(徵稅官) : un ~ fiscal (de impuestos) 세무관, 수세관(收稅官). ② 관재인(管財人), 재산 관리인 : ~ de la masa 파산 재산 관리인.

recaudamiento *m.* =**recaudación, recaudo.**

recaudar *tr.* ① (세금을) 징세 · 징수하다 : ~ tributos. ② 지키다, 감시하다, 관리하다(asegurar, custodiar). ③ (돈을) 모으다 ; 모금하다.

recaudatorio, ria *adj.* 징수 · 수납의.

recaudería *f.* 《*Méx.*》 양념 가게, 야채 가게.

recaudo *m.* ① 징수, 수세(收稅)(recaudación). ② 경계, 주의(precaución, cuidado). ③ 보증 ; 관리.

a (buen) ~ 단단히 조심하여, 안전하게.

recavar *tr.* 땅을 다시 파다.

recay- → **recaer** [73].

recazo *m.* ① (날이 있는 쇠붙이의) 자루, 손잡이. ② (주머니칼의) 칼등.

recebar *tr.* (노면을 굳히거나 고르기 위해) 모래 · 자갈을 깔다.

recebo *m.* ① 땅에 까는 모래 · 자갈. ② (분량이 줄어든 술통에) 더 부어 넣는 술.

recechar *tr.* (사냥에서 짐승을) 숨어 기다리다.

rececho *m.* (사냥할 짐승을) 길목에서 기다리기, 매복(acecho).

recejar *intr.* 양보 · 후퇴하다(recular).

recejo *m.* 물이 빠지는 일.

recela *adj.* 암말을 발정케 하는 (수말).

recelador *adj.* 암말을 발정시키는 (수말).

recelamiento *m.* =**recelo.**

recelar *tr.* [*lat.* recelare] ① 위험하게 생각하다, 걱정 · 의심하다(temer, sospechar) : *Recelo* que no ha dicho todo lo que sabe 그가 알고 있는 전부를 말하고 있지 않는 것이 아닌가 하고 나는 걱정하고 있다. *Recelo* que me vais a engañar 너희들이 나를 속이려 할까 걱정이다. ② (암말을) 발정케 하다.

recelo *m.* 걱정, 우려, 의심, 의혹, 의구심(miedo, sospecha) : Los ~*s* que tenían de su amigo se desvanecieron en seguida 그들이 친구에 대하여 품고 있던 의심은 곧 풀렸다.

receloso, sa *adj.* 의심하는, 의심많은, 의구심을 품은, 조심성 많은.

recensión *f.* (학술적인) 비평, 서평.

recensor, ra *m.f.* 비평가, 서평가(書評家).

recentadura *f.* (남겨 두는) 효모.

recental *adj.* 아직 젖을 먹는 : corderillo ~.

recentamiento *m.* =**recentadura.**

recentar *tr.* [19] (남겨 둔) 효모를 넣다(reudar).

~se 갱신되다, 새로워지다(renovarse).

recentín *adj.* =**recental.**

recentina *adj.* 《*Ant.*》 젖먹이는 (어미 소 등).

recentísimo, ma *adj.* [*sup.* reciente] 아주 새로운, 가장 새로운, 극히 최근의.

receñir *tr.* [49] 다시 감다, 거듭 감다(ceñir de nuevo).

recepción *f.* ① 받음, 접수, 수령 : la ~ de una carta 편지의 수령. ~ de órdenes de pedido 수주(受注). ② 수용 ; 용인, 시인(admisión). ③ 접대, 응접 ; 접견 ; 연회, 환영회, 초대연 : El gobernador ha dado una ~ muy lucida en su palacio 지사는 화려한 리셉션을 자기의 공관에서 열었다. ④ 입회(入會), 입사, 가입 : la ~ de un académico. ⑤ 《*Galic.*》 대우, 접견(acogida) : una ~ fría 냉대. ⑥ (무전의) 접수, 수신(력) : oficina de ~ 수신국(受信局). ⑦ (법정에서의) 증인 조사.

recepcionista *m.f.* (회사 · 호텔 따위의) 접수 · 접대 · 응접 계원, 안내양.

receptáculo *m.* [*lat.* receptaculum] ① 용기(容器). ②【식물】화탁(花托), 화상(花床), 생식기상(床). ③【전기】소켓. ④ [드묾] 피난처, 은둔처(asilo).

receptador, ra *m.f.* (범인 · 장물의) 은닉자, 장물아비.

receptar *tr.* ① (범인 등을) 은닉하다(encubrir) ; 장물을 맡다. ② 맞다, 받아들이다(acoger).

receptividad *f.* 수용력, 감수성 ; 수용성(受容性).

receptivo, va *adj.* 받는, 받아들이는, 받아들일 수 있는.

recepto *m.* 도망쳐 숨는 곳, 은둔처(asilo).

receptor, ra *adj.* 받는 : máquina ~*ra.* —*m.f.* ① 수취인, 수령자, 수세관(收稅官) : ~ de la oferta 오퍼 수취인. ② 파산 재산 관리인. ③ (법원, 은행 등의) 출납자, 수납 계원, 법원 서기, 접수 계원. —*m.* 수신기 ; 수화기(~ acústico) : ~ para todas las ondas · bandas, ~ de toda onda 올웨이브 수신기.

receptoría *f.* 출납자, 수납 계원의 직무 · 사무소.

recercador, ra *adj.* 에워싸는. —*m.* =**cercador.**

recercar *tr.* [7] 다시 둘러싸다, 에워싸다 ; (…에) 울타리를 치다.

recesar *intr.* 《*Amér.*》 휴교 · 휴회 · 휴업하다.

recesión *f.* 불황, 경기의 후퇴.

R

recésit *m.* 【단·복수 동형】 =**recle.**

receso *m.* [*lat.* recessus] ① 이탈. ② 후퇴, 하강(下降) : ~ económico 경기의 하강. ③ 중지. ④《*Amér.*》(의회의) 휴회 : estar en ~ 휴회하다 (no funcionar la asamblea). ⑤《*Amér.*》휴교, 휴회, 휴업.

receta *f.* [*lat.* receptus] ① 처방(서), 처방전 : Esta medicina no me la dan si no es con una ~ del médico 이 약은 의사의 처방서가 없으면 팔지 않는다. ② 전표, 계산·주문 전표, 명세서 ; 각서. ③ 방법, 순서. ④【상업】이월 금액. ⑤ 요리 재표의 배합서, 요리법 : ~ de cocina 요리법.

recetador, ra *m.f.* 처방 의사.

recetante *adj.* 처방하는.

recetar *tr.* ① 처방하다. ② 부탁하다, 의지하다, 요청·요구하다(pedir) : Mi hijo *receta* una cosa difícil.

recetario *m.* ① 처방서 ; 처방전, 조제전, 조제서. ② (혼합주 등의) 칵테일 편람.

recetor *m.* 수납 담당자 ; 수납 관리원.

recetoría *f.* 수납 담당·수납 관리 사무소, 수납국 ; 사원의 출납계.

rechazador, ra *adj. m.f.* 거절·거부·사절하는 (사람).

rechazamiento *m.* 거부, 거절 ; 사절 ; 격퇴.

rechazar *tr.* 9 ① 뿌리치다, 사절하다, 격퇴하다 : ~ el ataque. ② 거부하다, 물리치다, 각하하다, 거절하다, 퇴짜놓다 : Ella *rechazó* su regalo 그녀는 그의 선물을 거절했다. **Sinón.** rehuzar.

rechazo *m.* ① 튕겨져서 제자리로 돌아옴(retroceso). ② 거부, 거절 : ~ de aceptación (어음의) 인수 거절. ~ de pago 지불 거절. ~ de un pedido 주문 거절.

de ~ ① 그 결과, 결과로서(de resultas) : La bala chocó en una piedra y le hirió *de* ~ 탄환은 돌에 닿아 튕겨나서 그를 부상시켰다. ② 간접적으로.

récheb *m.* 이슬람의 7월.

rechifla *f.* (놀려주려고) 휘파람 불기, 야유.

rechiflar *tr.* (놀려주려고) 휘파람을 불다, 야유하다.

~se [+de : …을] 조소하다, 조롱하다, 비웃다.

rechín *m.* 《*Col.*》(삶는 것의) 눌어붙음 : oler a ~ 눌은 냄새가 나다.

rechinador, ra *adj.* 삐걱거리는, 삐걱삐걱 소리 나는.

rechinamiento *m.* 삐걱거림, 삐걱거리는 소리.

rechinante *adj.* =**rechinador.**

rechinar *intr.* ① 삐걱거리다, 삐걱삐걱 소리내다(chirriar). ② 마지못하여 하다(hacer algo a disgusto).

~se 《*Amér.*》 불에 타서 눌어붙다.

rechinido *m.* =**rechinamiento.**

rechino *m.* =**rechinamiento.**

rechistar *intr.* 살그머니 소리를 내다(chistar) ; 중얼거리다.

rechizar *tr.* 9 【방언】 태양이 이글이글 타오르다.

rechoncho, cha *adj.* 키가 작고 똥똥한, 땅딸막한 : un hombrecillo ~ 땅딸막한 사나이.

rechonchón, na *adj.* 《*PRico.*》 =**coquetón.**

rechupado, da *adj.* =**flaco, enjuto.**

rechupete (de) *adj.* 희한한, 훌륭한, 멋진.

recial *m.* 분류(奔流), 격류, 급류(corriente rápida de un río).

reciamente *adv.* ① 강하게, 격렬하게, 심하게 (con mucha fuerza) : pegar ~ 심하게 때리다. llover ~ 비가 몹시 내리다. ② 큰 소리로 (con voz alta).

reciario *m.* (옛 로마에서) 그물을 가지고 싸우던 격투사.

recibí *m.* 영수필 ; 영수증, 수령증, 인수증.

recibidero, ra *adj.* 받을 수 있는, 수용할 수 있는 ; 받아들일 수 있는, 영접할 수 있는.

recibidor, ra *adj.* 받는, 수취하는. **—***m.f.* (어음) 수취인, 수납자 : ~ de expedición 납품서, 적송품 수령서. ~ de garantía al entregar documentos contra aceptación 저당 화물 보관 예치 증서. ~ del piloto, ~ del segundo oficial 본선(本船) 수취증, 선원 수취증. ~ fiduciario (de confianza) 어음 담보 화물 보관증. **—***m.* 대합실(antesala); 행랑채, 현관에 딸린 방(recibimiento).

recibidora *f.* 《*Perú.*》 무자격 산파.

recibiente *adj.* 받는, 수령하는.

recibimiento *m.* ① 수취(recepción). ② 환대, 영접, 환영, 접대(acogida) : Le dispensaron un ~ amistoso 사람들은 그에게 우정있는 환영을 했다. ③ (모든 방으로 통하는) 현관에 딸린 방 ; 객실 ; 응접실(antesala). ④ 문상, 축하 방문.

recibir *tr.* [*lat.* recipere] ① 받다, 수취하다(percibir) ; 얻다 : *Recibí* su carta anteayer 나는 그의 편지를 그저께 받았다. Ella no quiso ~ mi regalo 그녀는 나의 선물을 받고 싶지 않았다. *Recibió* una estocada en el hombro 그는 어깨에 자상을 받았다. *Recibió* una herida en un brazo 그는 팔에 부상을 입었다. ② 받아들이다(admitir) : El comité *recibió* mi opinión 그 위원회는 나의 의견을 받아들였다. ③ 기다리다. ④ (손님을) 맞다 : Hoy no *recibe* 그는 오늘은 손님을 만나지 않는다. ⑤ 영접하러 가다·나가다 : Voy a ~ a mi esposo 나는 남편을 영접하러 간다. ⑥ 환영하다 ; 초대하다. ⑦ 수신하다.

~se [+de : …의] 자격·직함을 얻다 : *~se de* abogado 변호사의 자격을 따다. *Se recibió de* doctor en la Universidad de Caracas 그는 까라까스 대학에서 박사 학위를 받았다.

recibo *m.* ① 받는 일, 수령, 수취 ; 인수 ; 인수증, 영수증 : ~ aduanero·de aduanas 세관 영수증. ~ de almacén 창고 증권. ~ de confianza al entregar documentos contra aceptación 저당, 선적 서류 영수서. ~ de depósito 예금 증서. ~ de dock·muelle 선거(船渠) 하수증(荷受證). ~ de entrega 인도 인지서(引渡認知書), 납품서. sello de ~ 영수인(印). ② 응접실.

acusar ~ 인수증을 내다 : *Acusamos* ~ *de* su atta. 서신은 받았습니다. Sírvanse acusarnos ~ 영수를 통지하여 주십시오.

estar de ~ ① (여자가) 방문객을 맞으려 몸치장을 하고 있다(estar vestida para recibir visitas). ② 받아들일 태세가 되어 있다. ③ 접수될 수 있다.

ser de ~ 접수할 수 있다, 받아들일 수 있다(ser aceptable).

recidiva *f.* [*lat.* recidivus] 질병의 재발.

reciedumbre *f.* 건장함, 늠름함, 씩씩함, 강인함, 힘이 샘(fuerza, vigor).

recién *adv.* ① [recientemente가 과거 분사의 앞에 올 때 -temente가 탈락] 막 …한, 갓…한 : la leche ~ ordeñada 막 짠 젖. los ~ casados 신혼 부부. el ~ nacido 갓난아이. el ~ llegado 신참자. Me presentó a un matrimonio ~ casado 그는 나에게 신혼 부부를 소개했다. ② [중남미에서는 과거 분사의 앞 이외에서도 씀] ~ vengo 나는 이제 막 왔다. Lo vi ~ que llegó 그가 온 것을 아까 보았다.

reciente *adj.* [*lat.* recens]① 최근의(nuevo, que acaba de suceder o hacerse) : acontecimiento ~. ② 최신의. —*m.* 《*And.*》 효모(균)(levadura, recentadura).

recientemente *adv.* 최근에, 요즈음에, 근자에(últimamente).

recientísimo, ma *adj.* [*sup.* reciente] 아주 최근.

recinchar *tr.* 칭칭 감다, 동여매다.

recincho *m.* 스파르토(esparto)의 띠.

recinto *m.* 장소, 구내, 경내(境內) : el ~ de una iglesia · un monumento.

recio, cia *adj.* ① 건장한, 강한, 늠름한(robusto) : He comprado una tela *re cia* para hacer colchones 나는 이불을 만들기 위해 질긴 천을 사 왔다. Eran doce hombres ~*s* y curtidos al sol y al viento 그들은 태양이나 바닷바람으로 단련된 완강한 12인의 사내들이었다. ② 격렬한, 굉장한, 지독한, 심한, 엄한(riguroso) : frío ~. —*adv.* 강하게 ; 강력하게, 큰 소리로 ; 격하게 : Llama más ~ a la puerta 문간에서 더 큰 소리로 부르시오.

de ~ 심하게, 굉장하게, 강하게, 열렬하게(reciamente) : poner la radio *de* ~.

récipe *m.* ① 처방서 《처방전의 앞에 적어 넣은 말》. ② 처방전. ③ 꾸중, 질책, 나무람, 오기 부리기, 심한 일 : dar un ~ 꾸중하다. ④ 불쾌(desazón).

recipiendario, ria *m.f.* (회의 · 학회에서의) 신입 회원.

recipiente *adj.* 받는. —*m.* ① 용기(容器), 받는 그릇(receptáculo) : ~ de basura 쓰레기통. ② 배기종(排氣鍾). ③ 수령자.

reciprocación *f.* =**reciprocidad.**

recíprocamente *adv.* 서로, 상호간에, 피차(mutuamente).

reciprocar *tr.* ⑦ 서로 번갈아 하다(establecer la reciprocidad).

reciprocidad *f.* 상호(성), 교호 운동 · 작용, 호혜주의(互惠主義).

recíproco, ca *adj.* [*lat.* reciprocus] 상호의, 호혜의, 교호의(mutuo) : verbo ~ 【문법】 상호 동사. El amor ~ es el verdadero amor 상호간의 사랑이야 말로 진실한 사랑이다.

a la ~*ca* 서로, 호혜적으로(mutuamente).

recisión *f.* =**rescisión.**

recitación *f.* [*lat.* recitatio] 암송 ; 낭송, 음송(吟誦), 읊기 : la ~ de una lección.

recitáculo *m.* (옛날 사원의) 낭영대(朗詠臺).

recitado, da *adj.* recitar의 *p.p.* —*m.* 낭송시, 음송시 ; 【음악】 서창(조) ; 서창부(敘唱部).

recitador, ra *adj.* 암송하는. —*m.f.* 암송자, 음송자.

recital *m.* 독연(獨演), 독주, 독창, 리사이틀 : ~ poético.

recitante, ta *m.f.* 배우(comediante).

recitar *tr.* [*lat.* recitare] ① 암송하다, 음송하다, 낭송하다, 읊다 : *Recite* usted la lección de ayer 어제의 학과를 암송하십시오. ② [드뭄] 말하다(referir). ③ 【법률】 (사실을) 열거하다.

recitativo, va *adj.* 음송의, 낭음조의 : estilo ~.

reciura *f.* ① 늠름함, 씩씩함. ② (기후의) 모짐, 혹독함(rigor).

recizalla *f.* =**segunda cizalla.**

reclamación *f.* ① 청구, 요청, 요구 : ~ del pago 지불 청구. ② 이의(의 제기), 항의 : presentar una ~ 이의를 제기하다. ③ (거래상의) 클레임, 배상 요구 : ~ infundada · injustificada 부당한 클레임, 근거가 없는 클레임. ~ justificada 근거가 있는 클레임. ~ por defectos · vicios de la mercancía 품질 불량에 대한 클레임.

reclamador, ra *adj.m.f.* =**reclamante.**

reclamante *adj. m.f.* (자신의 권리를) 주장하는, 요구하는 ; 이의를 제기하는 (사람), 항의하는 (사람).

reclamar *intr.* [*lat.* reclamare] ① 이의 · 항의를 제기하다, 항의하다 : El pueblo *reclamó contra* la sentencia de su destierro 민중은 그의 추방 판결에 항의했다. ② 【시어】 울리다(resonar). —*tr.* ① 항의하다(protestar) : ~ contra una injusticia. ② (소리쳐) 요구하다 : ~ el socorro. ③ (권리로서) 요구 · 청구하다 : ~ una deuda *a* · *de* un amigo 친구에게 빚을 갚으라고 요구하다. Los obreros *reclaman* aumento de salario 노동자들은 임금의 증액을 요구하고 있다. ④ 불러들이다, 끌어들이다 : ~ atención. ⑤ (피리를 불어 새를) 부르다. ⑥ 소환하다 ; 죄인의 인도를 요구하다.

~se (새가) 울어서 벗을 부르다.

reclamista *adj. m.f.* 요구가 많은 (사람).

reclamo *m.* ① 미끼새, 후림새 ; 벗을 불러 우는 소리 ; 후림 피리. ② 유혹, 미끼 ; 남을 낚는 일. ③ 광고, (자기) 선전. ④ 이의, 항의. ⑤ 【상업】 크레임 : oficina de ~*s* 크레임 사무소. ⑥ 【인쇄】 주의 기호 ; 페이지의 오른쪽 아래 구석에 인쇄한 다음 페이지의 머리말. ⑦ 【은어】 뚜쟁이.

acudir al ~ 새로운 소식이 있는 곳으로 찾아가다, 이끌려 가다, 솔깃해서 가다.

reclavar *tr.* 다시 못을 박다, 못을 더 많이 박다 : ~ una caja.

recle *m.* (수도원에서의) 휴양철, 휴식철.

reclinable *adj.* 기댈 수 있는, 의지할 수 있는.

reclinación *f.* 의뢰, 의탁 ; 기대기.

reclinar *tr.* 기대어 놓다 : *Reclina* las sillas contra la pared 의자를 벽에 기대 세워라.

~se 기대다 (recostarse) : ~*se en* · *sobre* la almohada · la cama.

reclinatorio *m.* ① 팔걸이, 침대 의자. ② 기도대.

recluir *tr.* [*lat.* recludere] ⑰ 가두어 놓다, 유폐

하다, 감금하다(encerrar) : Le *recluyeron* al rey en un pequeño castillo 왕은 작은 성에 감금되었다.

~se 들어박히다, 은거하다, 은퇴 생활을 하다.

reclusión *f.* ① 두문 불출, 은거 : vivir en una ~ voluntaria. ② 유폐, 감금 ; 은신처 ; 유폐소, 감금소(prisión).

recluso, sa *adj.* 폐거(閉居)한 ; 감금·유폐된. **—***m.f.* 은둔자 ; 감금 당한 사람 ; 죄수.

reclusorio *m.* 들어박혀 있는 곳(reclusión).

recluta *f.* ① 응모, 징병. ②《*Arg.*》목축을 불러 모음. **—***m.* 응모병, 소집병, 신병 : ~ disponible 예비병.

reclutador, ra *adj.* 응모·징모하는. **—***m.* 징병관, 징모관.

reclutamiento *m.* ① 징모, 징병 ; 모집. ② [집합] 징집병.

reclutar *tr.* [*fr.* recruter] ① (병사를) 징병·모집하다, 병적에 올리다 : ~ un reemplazo 보충병을 징모하다. ② (사람을) 징용·모집하다 : ~ obreros·prosélitos 노동자·회사원을 모집하다. ③《*Arg.*》(목축을) 불러모으다 ; 선별하다.

recobramiento *m.* =**recobro.**

recobrante *adj.* 회복하는, 되찾는.

recobrar *tr.* 만회하다, 되찾다, 돌이키다, 회복하다 : ~ el ánimo·la salud 기력·건강을 되찾다. Terminada la guerra *recobró* su puesto anterior 전쟁이 끝나고 그는 전(前) 지위를 되찾았다. Cuando *recobró* el sentido no sabía lo que le había pasado 그가 의식을 회복했을 때, 자기 자신에게 무슨 일이 일어났는지 몰랐다.

~se ① 되찾다, 회복하다(recuperarse). ② 제정신을 차리다, 정신을 돌이키다(volver en sí). ③ 보상을 받다(desquitarse).

recobro *m.* ① 만회, 회복 : pérdida con ~ (해난의) 구화 손실(救貨損失). ② 갚음, 보복.

recocer *tr.* ㉓ ⑴ 다시 삶다 ; 너무 삶다 ; 강철 등을 다시 벼리다.

~se ① 너무 삶아지다. ② 고민하다, 고통을 겪다(atormentarse).

recocida *f.* =**recocido.**

recocido, da *adj.* [recocer의 *p.p.*] [드뭄] 손에 익은. **—***m.* 되삶기 ; 되굽기.

recocina *f.* 취사장의 대기실.

recocho, cha *adj.* 지나치게 삶은·구운.

recodadero *m.* 팔걸이, 팔받침.

recodar *intr.* ① (강·길이) 구부러지다(formar recodo) : río que *recoda* 구부러진 강. ② 팔꿈치로 기대다.

~se 팔꿈치를 짚다(apoyarse sobre el codo) : *~se* en la mesa 테이블에 팔꿈치를 고이다.

recodo *m.* (강·길의) 굽이, 굽이진 곳, 모퉁이 : un ~ del río 강의 굽이.

recogeabuelos *m.* 【단·복수 동형】 살쩍.

recogedero *m.* ① 인수 장소, 모으는 곳. ② 철수하는 곳. ③ 그러모으는 도구.

recogedor, ra *adj.* 수집하는. **—***m.f.* ① 수집가 ; 채집가. ② 보호자, 비호하는 사람. **—***m.* 수집 도구, 집적기(集積器) ; 포수(捕手).

recoger *tr.* ③ ① 다시 들다·가지다. ② 줍다 : *Recogí* un libro del suelo 책을 땅바닥에서 주웠다. *Recoja* usted eso que se le ha caído 그것을 주으세요, 당신한테서 떨어졌습니다. ③ 모으다(juntar, reunir). ④ (농작물을) 거두어 들이다, (과일 등을) 따다 ; 채집하다 ; (돈을) 모으다 ; 챙겨 놓다 : *Han recogido* mucho dinero para la Cruz Roja 적십자를 위해 많은 돈이 모였다. ⑤ 긴축하다 ; 조이다(encoger), 줄이다, 오므라뜨리다, 접다 : ~ las cortinas·las velas. ⑥ 제지하다, 중지하다(suspender) : ~ una publicación. ⑦ 떠맡다 ; 수용하다, 보호하다 ; (정신 병자 등을) 감금하다 : *Han recogido* muchos huérfanos de la guerra 많은 전쟁 고아가 수용되었다. ⑧ (어음을) 인수하다 : ~ una letra 어음을 인수하다·지불하다.

~se ① 철수하다, 들어가 버리다, 집에·방으로 들어가다(retirarse) : Antonio siempre *se recoge* antes de las doce 안또니오는 언제나 열두 시 이전에 돌아간다. ② 은퇴하다. ③ 세상을 버리다. ④ 비용을 긴축하다(moderarse). ⑤ 묵상하다, 묵념하다 : *~se* en sí mismo 속으로 관찰한다.

~ ***la alusión·la indirecta*** 넌지시 돌려 말하다.

recogida *f.* ① 수집 ; 수확 : ~ de aceitunas 올리브 수확. ~ de las mercancías 집하(集荷). ② 두문 불출 ; 제지, 중지.

recogidamente *adv.* 사양하는 듯이.

recogido, da *adj.* [recoger 의 *p.p.*]① 은퇴·은둔한. ② 수도원에 들어간 (여자). ③ 앞이 막힌 ; 따뜻한. **—***m.* (재봉에서) 주름 모으기, 줄이기.

recogimiento *m.* ① 채집, 수집. ② 보호, 수용. ③ 인퇴, 은퇴, 하야, 은둔. ④ 수도원 생활. ⑤ 겸허, 얌전함 : Los monjes asistían a la procesión con el máximo ~ 승려들은 더없이 얌전한 모습으로 행렬에 참가하고 있었다. ⑥ 은둔처 ; 부녀자 수용소.

recolar *tr.* ⑯ 다시 거르다 : ~ un licor.

recolección *f.* ① 적요, 개황(resumen). ② 수확, 거두어 들이기(cosecha) : ~ del heno. ③ 모으기, 수집. ④ 수금(cobranza) ; 회수. ⑤ 수도원, 도장 ; 은둔처.

recolectar *tr.* ① 모금하다. ② (작물을) 거두어 들이다, 채집하다, 수집하다(cosechar).

recolector *m.* ① 수세관(收稅官) ; 세리(recaudador) : ~ de diezmos. ② 과일 따는 도구.

recolegir *tr.* ㊺ 모으다, 수집하다(colegir, juntar, reunir).

recoleto, ta *adj.* 수도하는. **—***m.f.* 수도승.

recolta *f.*《*Cuba.*》=**cosecha.**

recomendable *adj.* 추천할 만한, 권장할 만한 : No es ~ andar de noche por este sitio 이런 곳을 밤에 다니는 것은 권장할 수 없다.

recomendablemente *adv.* 크게 칭찬하여.

recomendación *f.* ① 부탁, 의뢰, 추천, 권장, 청탁 ; 천거, 소개 : carta de ~ 추천장, 소개장. ② 권고, 충고 : El olvidó por completo las *~es* de su padre 그는 부친의 충고를 완전히 잊었다. ③ 가치.

recomendado, da *adj.* recomendar 의 *p.p.* **—***m.f.* 추천받은 자.

recomendante *adj.m.f.* 의뢰하는, 천거·추천하는 (사람).

recomendar *tr.* ⑲ ① 권하다, 천거하다, 추천하다, 소개하다 : ¿Puede usted *~me* un buen hotel? 좋은 호텔을 소개해 주시지 않겠습니까?

Le *recomiendo* que lo haga usted de prisa 그것을 서둘러서 하도록 권고합니다. Me puede usted ~ un buen restaurante 좋은 식당을 소개해 주십시오. ② 부탁하다, 의뢰하다 : El *recomendó* a un mozo que le despertase a su tío a las seis 그는 여섯 시에 숙부님을 깨워달라고 종업원에게 부탁했다. [*N.* recomendar que 다음에 오는 동사는 접속법을 사용함].
[직설법 현재 : recomiendo, recomiendas, recomienda, recomendamos, recomendáis, recomiendan. 접속법 현재 : recomiende, recomiendes, recomiende, recomendemos, recomendéis, recomienden].

recomendatorio, ria *adj.* 추천의, 소개의, 권고의, 권장하는. **—*m.*** 의뢰서.

recomenzar *tr.* ⑲ ⑨ 《*Neol.*》 재개(再開)하다 (volver a comenzar).

recomerse *r.* 어깨를 흔들다, 몸을 꼬다 · 비틀다(concomerse).

recomienzo *m.* 《*Neol.*》 다시 시작함, 재개 (nuevo comienzo).

recompensa *f.* ① 보상, 갚음, 보수 : la ~ de una pérdida. ② 위로금, 수당 : ~ de navegación 항해 수당. ③ 상여, 포상 : una ~ magnífica. **Contr.** castigo.

recompensable *adj.* 보상할 수 있는 ; 포상할 만한.

recompensación *f.* **=recompensa.**

recompensar *tr.* ① 보상하다 : La ganancia de hoy me *recompensa* la de ayer. ② 상을 주다 : ~ un trabajo. **Contr.** castigar.

recomponer *tr.* ⑥① [*p.p.* recompuesto] 수선하다, 고치다.

recomposición *f.* 수선, 수리.

recompresión *f.* ***cámara de*** ~ 재압력실(再壓力室).

recompuesto, ta *adj.* recomponer의 *p.p.*

reconcentración *f.* 재집중(reconcentramiento).

reconcentramiento *m.* 집중, 전념 ; 심사 숙고.

reconcentrar *tr.* ① 안에 넣다, 모으다(reunir). ② 집중하다(concentrar) : Lola *reconcentró* su cariño en su nieto 롤라는 애정을 손자에게 집중했다. ③ (감정을) 드러내지 않다(disimular un sentimiento) : ~ su ira.
~se ① 집중하다. ② 골똘히 생각하다 (ensimismarse). ③ 들어가다.

reconciliable *adj.* 화해할 수 있는.

reconciliación *f.* 화해 ; 조정 : preparar la ~ entre dos hermanos.

reconciliador, ra *adj.m.f.* 조정하는 (사람).

reconciliar *tr.* ⑪ [*lat.* reconciliare] ① 화해시키다, 조정하다 : ~ enemigos. ② 고해를 듣다. ③ (더렵혀진 것을) 깨끗이 하다.
~se ① 화해하다 : El *se reconcilió* con su hermano 그는 형과 화해했다. Tratad de *~os*, ¿por qué habéis de estar enfadados tanto tiempo? 너희들은 화해하도록 하여라 ; 왜 언제까지나 성을 내고 있어야 하느냐? ② 【종교】 고해하다. **Contr.** desunir, enemistar.

reconcomerse *r.* **=recomerse.**

reconcomio *m.* ① 어깨를 으쓱하기. ② 의구심, 걱정, 우려(recelo, sospecha) : guardar un ~ 걱정거리가 있다. ③ 마음의 움직임. ④ 열망 (prurito).

recondenar *tr.* **=condenar.**

reconditez *f.* 감추어진 것, 속에 들어 있는 것.

recóndito, ta *adj.* [*lat.* reconditus] 속으로 감추어진 ; 깊이 들어 있는, 깊숙히 숨겨진, 마음저 밑바닥의 : una inquietud *~ta* 마음 밑바닥에 숨어 있는 하나의 불안한 생각.

reconducción *f.* 대차 계약의 연기 개서(改書).

reconducir *tr.* ⑦① (대차 계약을) 연기 · 갱신하다, 개서(改書)하다, 개정하다.

reconduj- →**reconducir** ⑦①.

reconfortante *adj.* 기운이 솟는, 유쾌한.

reconfortar *tr.* 《*Galic.*》 **=confortar, fortalecer, reanimar.**

reconocedor, ra *adj. m.f.* 자세히 조사하는, 조사 · 검사하는 (사람).

reconocer *tr.* ③② [*lat.* recognoscere] ① 인정하다, 인지하다, 인식하다 : *Reconozco* el mérito de la obra, pero a mí no me gusta 그 작품의 가치는 인정하지만 내 기호에는 맞지 않는다. ② (누구 임을) 알아보다, …로 판명되다 : Al verla por segunda vez no la *reconocí* apenas 두 번째 그 여자를 만났을 때, 나는 거의 그녀를 알아볼 수 없었다. Apenas pude ~ a mi amigo al cabo de diez años de ausencia 십년 부재후 나는 겨우 친구를 알아 볼 수 있었다. ③ (자기 것으로) 인정하다 : ~ su culpa. ④ 승인하다 : ~ a un nuevo Estado 새로운 국가를 승인하다. ⑤ ㄱ) 조사하다, 사정하다, 정확히 검사하다 : ~ la avería 손해를 사정하다. ~ el sitio donde se encuentra 자기 자신이 있는 장소를 상세히 조사하다. ㄴ) 검사하다, (세관 등에서) 내용물을 검사하다 : ~ una maleta 가방을 검사하다. El paciente *fue reconocido* cuidadosamente 환자는 정밀하게 검사를 받았다. ⑥ 답사하다, 정찰하다 : ~ el sitio 장소를 답사하다. ⑦ [+por : …로] 인정하다 : ~ a uno *por* presidente 누구를 대통령으로 인정하다. ~ su amigo *por* la voz 목소리로 친구를 알아보다. El la *reconoció por* hija 그는 그녀를 딸로 인정했다. ⑧ 감사하다.
~se ① 분명하게 판단하다 : *Se reconoce* que no me quieres. ② 자신의 잘못임을 시인하다 · 자백하다. ③ 자신의 것으로 인정하다. ④ 만족해하다. ⑤ 후회하다(arrepentirse). **Contr.** desconocer.

reconocible *adj.* ① 인정할 수 있는, 승인할 수 있는. ② 인식할 수 있는. ③ 판별이 가능한.

reconocidamente *adv.* 사의를 표해, 감사의 표시로(con gratitud).

reconocido, da *adj.* [reconocer 의 *p.p.*] 은혜를 느낀, 고마워하는, 감사하고 있는(agradecido) : persona *~da* 감사해 하는 사람. Le queda muy ~ 당신에게 깊이 감사드리고 있습니다. Estoy muy ~ *por* las atenciones prestadas durante mi estancia en Madrid 나의 마드리드 체재중 a베풀어 주신 친절에 감사드립니다. **Contr.** ingrato.

reconociente *adj.* 인정하는, 인지하는, 인식하는, 알아보는.

reconocimiento *m.* ① 인식, 인지(認知), 승인, 확인, 식별 : ~ del Gobierno 정부의 승인.

～ de ferrocarril 철도 화물 상환증. ② 정밀 검사, 검사, 감별, 조사 : ～ médico 신체 검사, 건강 진단. ③ 답사. ④ 정찰(偵察). ⑤ 감사(gratitud, agradecimiento).

reconozc- → reconocer 32.

reconquista *f.* 재정복, 되찾음, 만회, 회복, 탈환, 탈회(奪回) ; 실지(失地) 회복.

Reconquista *f.* 국토 회복 전쟁《이베리아 반도에서 아라비아인을 추방하기 위해 장기간 계속된 일련의 전쟁, 711 — 1492》.

reconquistar *tr.* ① 재정복하다(conquistar de nuevo), (애정·명예·재산 등을) 다시 찾다. ② 회복·만회하다 : El logró ～ la estimación pública 그는 일반의 존경을 회복했다. ③ 탈환하다 : ～ una provincia.

reconsiderar *tr.* 9 고쳐 생각하다, 곰곰이 생각하다.

reconstitución *f.* 재조직, 재편성, 재제정 ; 회복.

reconstituir *tr.* 77 ① 재건하다, 재조직·재편성·재제정하다 : La asociación *se reconstituyó* cinco años después 협회는 5년 후에 재편성되었다. ② 재현하다 : El juez *reconstituyó* la escena 재판관은 그 장면을 재현하였다. ③ 회복하다 ; 건장하게 하다. ④ (조직·활력을) 재생시키다.

reconstituyente *adj.* 새로운 조직을 만드는 ; 새로운 정력을 불어넣는. Contr. debilitante. —*m.* 강장제, 재생제.

reconstrucción *f.* 재건 ; 개축, 개조 ; 부흥, 재흥.

reconstructivo, va *adj.* 재건의 ; 부흥의.

reconstruir *tr.* 77 ① 재건하다 ; 개수·개축·개조하다 : Este edificio *ha sido reconstruido* recientemente 이 건물은 최근 재건되었다. ② 부흥·재흥하다. ③ (심리적으로) 여러 모로 생각해 보다, 숙고하다, 재현하다 : Con un solo hueso *han reconstruido* un esqueleto 그들은 단 한 개의 뼈에서 전체 골격을 재현했다.

recontamiento *m.* 이야기하는 일, 재설(再說).

recontar *tr.* 24 ① 다시 세어보다·계산하다 (volver a contar). ② 다시 이야기하다(volver a referir).

recontento, ta *adj.* 아주 기뻐하는, 기뻐서 어쩔줄 모르는(muy contento) : Estoy ～ *de* verte 너를 만나서 기쁨을 억제할 수 없다. —*m.* 대단한 희열·만족(gran satisfacción).

reconvalecer *intr.* 31 다시 회복하다.

reconvención *f.* 책망, 질책, 비난 ; 죄를 뒤집어씌움 ; 반소(反訴).

reconvencional *adj.* 반소(反訴)의 : demanda ～ 반소 청구.

reconvenir *tr.* 59 비난하다 ; …의 탓으로 돌리다, 죄를 뒤집어씌우다 ; 반소(反訴)하다.

reconversión *f.* 환원 : la ～ de la industria de guerra en industria de paz 전시 산업을 평화 산업으로 재편.

reconvertir *tr.* 55 원상으로 복구하다 : ～ economía de guerra.

recopilación *f.* ① 적요, …집(集), 초(抄). ② 편집(물). ③ 법규, 법령집 : ～ de leyes. ④ 편저.

recopilado, da *adj.* recopilar의 *p.p.*

recopilador, ra *m.f.* 편집자, 편저자.

recopilar *tr.* 편집하다, 편저하다, 발췌하다.

recoquearse *r.* =**encubrirse, ocultarse.**

recoquín *m.* 땅딸보(hombre pequeño y grueso).

récord *m. ing.* [*pl.* récords] (경기 등의) 기록 : establecer·batir un ～ 기록을 수립하다·깨트리다. ～ mundial 세계 기록. Se estableció un nuevo ～ mundial 세계 신기록이 수립되었다. El nadador batió el ～ mundial de 400 metros estilo libre 그 수영 선수는 400미터 자유형의 세계 기록을 깨트렸다.

recordable *adj.* 기억할 수 있는, 기억할 만한. Sinón. memorable.

recordación *f.* 기억(recuerdo) ; 생각이 떠오르는 일, 회포.

recordador, ra *adj.* =**recordante.**

recordante *adj.* 생각나게 하는, 생각이 나는.

recordar *tr.* 24 [*lat.* recordari] ① 기억하다 ; 생각해 내다 : *Recuérde*le usted que él nos escriba 그가 우리들에게 편지하는 것을 생각해 내게끔 해주십시오. ② 기억나게 하다 : Esto me *recuerda* mi niñez 이것은 나의 어린 시절을 생각케 한다. ③ 지난 일을 생각하며 말하다 ; 회고담을 말하다. ④ 그리워하다, 회고하다.
—*intr.* ① 생각해 내다. ② 잠에서 깨어나다 : Yo no *recordaré* tan temprano 나는 그렇게 일찍 깨지 못할 것이다.
～se ① [+ de : …을] 생각해 내다, 기억해 내다 : ¿*Se recuerda* usted lo que le dije el otro día? 일전에 당신에게 말한 것을 기억하십니까? ② 제정신을 돌이키다.
[직설법 현재 : recuerdo, recuerdas, recuerda, recordamos, recordáis, recuerdan. 접속법 현재 : recuerde, recuerdes, recuerde, recordemos, recordéis, recuerden].

recordativo, va *adj. m.f.* 기억·생각나게 하는 (사람·일). —*m.* 기념품.

recordatorio, ria *adj.* 주의를 환기시키는. —*m.* ① 알림, 통지, 재통첩, 주의(의 환기)(aviso). ② (지불) 독촉장. ③ 안내, 길잡이(guía).

recordman *m. ing.* 운동 기록 보유자. [*N.* 발음 : recorman].

recorrer *tr.* [*lat.* recurree] ① [거리·장소를 직접 보어로 하여, 계속·대충 돌아보아·단숨에] 걷다, 뛰다, 거닐다, 쏘다니다(andar, caminar) : El tren *recorrió* doce kilómetros 열차는 12킬로를 단숨에 달렸다. El viajero *recorrió* toda España 그 여행자는 서반아 방방곡곡을 돌았다. Las golondrinas *recorren* cielos desde Africa hasta Europa 제비는 아프리카에서 유럽까지 공중을 날아다녔다. ② 보고 다니다. ③ 대충 훑어보다, 훑어 읽어 보다 : ～ un escrito. ④ 광범하게 조사하다(registrar) ; 정찰·시찰하다. ⑤ (활자를 다음 행·다음 페이지로) 보내다. ⑥ 수선·수복(修復)하다(reparar).
—*intr.* ① [드뭄] 달려오다, 뛰어오다(acudir). ② [+a : …에] 의지하다.

recorrido, da *adj.* recorrer의 *p.p.*
—*m.* ① recorrer 하는 일, 달려가기 ; 그 구역·거리 ; 달린 정도 ; 달린 총 킬로수·마일수. ② 노선(路線). ③ 정찰. ④ 수선, 수복 ; 수정. ⑤ 질책, 꾸짖음, 꾸중, 나무람, 혼내주기. ⑥ 구타

(paliza, tunda).

recortable *adj.* 재단할 수 있는, 자를 수 있는.

recortado, da *adj.* [recortar 의 *p.p.*] ① 톱니 모양의 (잎사귀 등)(recortadura). ② 《*Cuba.*》 땅딸막한. —*m.* ① 종이를 잘라 하는 세공 ; 잘게 새기는 일(recortadura). ② 《*Arg.*》 피스톨, 단총.

recortadura *f.* 재단, 잘라 버리기, 다지기 (recortado). —*pl.* 자르고 남는 찌거기, 부스러기, 재단 조각.

recortar *tr.* ① 잘라 버리다, 재단하다, 잘게 잘라 세공하다 : *Recorte* dos centímetros de la tela 이 헝겊을 2센티미터 끊어 내시오. ② 다지다, 도려내다, 오려내다. ③ 윤곽을 뚜렷이 그리다.
~se 윤곽을 뚜렷이 드러내다, 현저해지다(destacarse) : Mire aquella sombra que *se recorta* en la pared 벽에 윤곽이 뚜렷한 저 그림자를 보십시오.

recorte *m.* ① 잘라 버리기, 다지기, 잘라서 하는 세공. ② (신문 등의) 스크랩 : cuaderno de ~*s* 스크랩북. ③ (신문의) 단신·단평·짧은 기사(記事). ④ (투우에서) 몸을 비키는 동작. —*pl.* 토막낸 부스러기.

recorvar *tr.* 구부리다, 휘다(encorvar).

recorvo, va *adj.* 구부러진, 휜(corvo).

recordwoman *f. ing.* 여자 기록 보유자 : ~ mundial 세계 여자 기록 보유자.

recoser *tr.* ① 다시 꿰매다 ; 바느질을 다시 한 번 더 하다(coser de nuevo). ② (특히 속옷 따위를) 고치다(zurcir o remendar la ropa blanca).

recosido *m.* ① 두 번 박기. ② 고치는 것(zurcido).

recostadero *m.* 기대는 의자, 낮은 의자, 안락의자, 비스듬히 눕는 의자 ; 드러눕는 곳.

recostar *tr.* 24 기대어 놓다, 기대다(reclinar, apoyar).
~se [+en : …에] 기대다 ; 눕다 : ~*se en* la cama 침대에 기대다·드러눕다. ~*se a* la sombra 그늘에 드러눕다.

recotín *adj.* 《*Chile.*》 가만 있지 않는(inquieto).

recotín recotán *m.* 어린이들의 놀이의 일종.

recova *f.* ① 달걀이나 닭을 사모으기 (장사) : andar a la ~ 달걀을 사러 가다. ② 닭시장. ③ 【방언】 (어떤 물건의) 덮개, 돌 뚜껑. ④ 《*Amér.*》 식품 시장. ⑤ 《*Arg.*》 (집 앞의) 차일, 챙(portal). ⑥ 《*Amér.*》 임시 시장(mercado temporal).

recoveco *m.* ① (강·길의) 꺾인 곳, 휘어진 곳 (vuelta que da una calle, camino, arroyo, etc.). ② (목적을 위한) 준비. ③ 《*Méx.*》 촌스러운 장식.

recovero, ra *m.f.* 달걀과 닭을 사고 파는 사람.

recre *m.* 합창에 나오지 않아도 되는 승려의 휴가.

recreable *adj.* 즐거운, 기쁜, 흐뭇한.

recreación *f.* ① 심심풀이, 심심 파적, 즐거움, 오락(entretenimiento, distracción). ② 휴양 : Me autorizaron tomar alguna ~ 나는 휴양하는 것을 허가 받았다. ③ (학교 등의) 휴식 시간 : hora de ~.

recrear *tr.* [*lat.* recreare] ① 즐겁게 하다(divertir, entretener, deleitar) : El jardín florido *recrea* el ánimo 꽃이 핀 뜰은 사람의 마음을 즐겁게 해 준다. ② 다시 만들다.
~se ① [+con : …을] 즐기다(deleitarse) : En su soledad *se recreaba con* los recuerdos de su juventud 그는 그 고독한 생활로 젊었을 때의 추억을 위안으로 삼고 있었다. ② [+en+*inf.* : …을 하며] 즐기다, 놀다 : *Se recreaba en* leer novelas 그는 소설을 읽으면서 즐겼다.

recreativo, va *adj.* 재미나는, 신나는, 즐거운 (ameno) ; 심심풀이가 되는 : un libro muy ~ 아주 신나는 책.

recrecer *tr.* 31 [*lat.* recrescere] 크게 하다, 증대시키다(aumentar). —*intr.* ① 크게 되다, 증대하다 : El caudal *recrece* 물이 붇는다. ② 다시 일어나다·나타나다(ocurrir de nuevo) : *Recreció* su encuentro con la fiera 다시 맹수를 만났다.
~se 기운을 차리다(cobrar ánimo).

recrecimiento *m.* 증대, 성장.

recreído, da *adj.* 야생으로 되돌아간 (새 등).

recrementicio, cia *adj.* 재귀액(성)의 : depósito ~.

recremento *m.* [*lat.* recrementum] ① 【생리】 재귀액(再歸液) 《한번 분비된 다음 다시 흡수된 체액(體液)》. ② 혼합물, 찌꺼기.

recreo *m.* ① 휴양, 보양. ② 소창, 오락, 레크리에이션(recreación). ③ 틈, 여가, 유유자적, 무위, 안일. ④ 한가한 때, 노는 시간. ⑤ 유희, 유람, 피크닉 : patio·campo de ~ 운동장, 놀이터. el tren de ~ 유람 열차.

recría *f.* 사육(飼育).

recriador *m.* 사육하는 사람.

recriar *tr.* 12 (원산지 밖에서 말 등을) 사육하다 ; (영양분을 주어) 원기를 북돋우다.

recriminación *f.* recriminar 하는 일.

recriminador, ra *adj.m.f.* 항변하는, 반항하는 (사람).

recriminar *tr.* 항변하다, 반항하다 ; 꾸중하다, 나무라다 : El reo *recriminó* contra su acusador 피고는 그의 고발자에게 항변했다.
~se 서로 죄를 뒤집어씌우다(acriminarse uno a otro).

recriminatorio, ria *adj.* 항변하는, 반항하는 : pronunciar un discurso ~ 항변하는 연설을 하다.

recrudecer *intr.* 31 [*lat.* recrudescere] 재발하다, 다시 격렬해지다, 재차 심해지다, 다시 성하여지다.

recrudecimiento *m.* =**recrudescencia** : ~ de entusiasmo.

recrudescencia *f.* 재발 ; 다시 격렬해짐, 원기의 회복 : ~ del frío.

recrudescente *adj.* 다시 격렬하여지는, 회복할 힘이 있는.

recrujir *intr.* 심하게 삐걱거리다.

recruzar *tr.* 9 (같은 곳을) 다시 횡단하다, 다시 지나다.

recta *f.* ① 직선 코스, 직선 도로. ② 직선(línea ~) : trazar una ~ 직선을 긋다.

rectal *adj.* 직장(直腸)(intestino recto)의.

rectamente *adv.* ① 똑바로(con rectitud). ② 정직하게, 올바로.

rectangular *adj.* 직사각형·구형의 ; 정방형의, 직각의, 네모난 : la cara ~ 네모난 얼굴.

rectángulo, la *adj.* 직각의 : triángulo ~ 직각

삼각형. —*m.* 【수학】 직사각형, 구형, 장방형 : El tablero de la mesa en un ~ 테이블 판자는 장방형이다.

rectar *tr.* [드뭄] =**rectificar, enmendar, corregir.**

rectificable *adj.* 수정할 수 있는, 개정되는.

rectificación *f.* ① 정정(訂正), 수정, 개정 ; 교정. ② 【수학】 (곡선의 길이를 구하는) 구장법(求長法). ③ 【화학】 정류(精溜). ④ 【전기】 정류(整流).

rectificador, ra *adj. m.f.* 수정 · 교정하는 (것 · 사람), 정정하는 (사람 · 기구). —*m.* 【전기】 정류기(整流器) ; 【화학】 정류기(精溜器).

rectificadora *f.* 정류기(máquina para rectificar).

rectificar *tr.* [7] ① 개정 · 수정하다 ; (악습 따위를) 바로잡다, 교정하다, 고치다 : ~ una cálculo 계산을 고치다. *Rectificaron* la opinión que tenían de mí ante el resultado de los exámenes 그들은 시험 결과를 보고 나에게 대한 생각을 정정했다. ② 【화학】 정류(精溜)하다 : ~ aguardiente 아구아르디엔떼를 정류하다. ③ 【전기】 정류(整流)하다. ④ 【기계】 조정하다. ⑤ 【수학】 (곡선의) 길이를 구하다.

~se 행실을 고치다.

rectificativo, va *adj.* 수정의, 개정의, 조정의 : poner una nota *~va.*

rectilíneo, a *adj.* 직선의, 똑바른 ; 직선적인 ; 곧은, 몹시 정직한. —*m.* (사진의) 직선 렌즈.

rectitud *f.* [*lat.* rectitudo] ① 똑바름. ② 방정함, 정직함, 품행 방정 : Esto prueba su ~ 이것은 그의 품행이 방정함을 증명하고 있다. ③ 정확.

recto, ta *adj.* [*lat.* rectus] ① 똑바른, 곧은. [Contr.] torcido. ② 직선의, 직각의 : línea *~ta* 직선. ángulo ~ 직각. ③ 올바른, 정직한(justo) : Le admiraban por ser muy ~ en sus determinaciones 그는 결정이 매우 공정하여, 모두 감복하고 있었다. ④ (전의에 대해) 본래의 (말의 뜻). [Contr.] figurado. ⑤ 【인쇄】 오른쪽의 (페이지). [Contr.] verso. ⑥ 【해부】 곧은 창자의 : intestino ~ 곧은 창자.

todo ~ 똑바로(todo derecho) : Siga usted esta calle *todo* ~ 이 거리를 줄곧 똑바로 가십시오. —*m.* ① [기하] 직각. ② 【해부】 직장(直腸), 곧은 창자 (intestino ~). ③ 직근(直筋). ④ 【철도】 직선 궤도.

rector, ra *adj.* 통할하는. —*m.f.* ① 장(長) ; (병원의) 원장 ; (대학의) 학장 · 총장. ② 주지(住持), 주임 사제 (cura, párroco) : El ~ de la iglesia dirá la misa de once 교회의 주임 사제가 열한 시 미사를 드린다.

rectorado *m.* rector의 직 · 재임기.

rectoral *adj.* 우두머리의, 원장 · 학장 · 총장의 : sala ~. —*f.* 사제의 집 ; 사제관.

rectorar *intr.* [드뭄] rector가 되다(llegar a ser rector).

rectoría *f.* rector의 직 · 사무소.

rectriz *adj.* 【조류】 꼬리의 깃이 긴 (새).

recua *f.* ① 짐을 나르는 짐승떼, 무리, 가축떼 (tropa) : una ~ de llamas. ② 열(列).

recuadrar *tr.* 사각으로 하다(cuadrar, cuadricular).

recuadro *m.* (벽 등의) 네모진 구획.

recuaje *m.* 짐승떼(recua)의 통행료.

recuarta *f.* 기타 줄의 하나.

recubierto, ta *adj.* [recubrir의 *p.p.*] 이중으로 덮여진.

recubrir *tr.* [*p.p.* recubierto] 위에다 · 다시 덮다 · 씌우다 (cubrir de nuevo) ; 지붕을 다시 이다.

recudimento *m.* =**recudimiento.**

recudimiento *m.* ① 징수권. ② 지불 명령서.

recudir *tr.* (자기가 받는 것에서) 내다, 치르다, 지불하다, 바치다. —*intr.* (본래 있던 곳으로) 되돌아가다, 돌아가다 : La pelota *ha recudido.*

recuelo *m.* ① 표백용의 독한 무거리 · 양잿물 ; 재탕 : café de ~. ② 《*Venez.*》 용설란 소주의 일종.

recuento *m.* ① 계산(을 다시 하기), 다시 헤아리기. ② (어떤 것의) 총수효. ③ 재고 정리, 재산 · 상품 목록(inventario).

recuentro *m.* 충돌(reencuentro).

recuerda recordar의 직 · 현 · 3 · 단수.

recuerdan recordar의 직 · 현 · 3 · 복수.

recuerdas recordar의 직 · 현 · 2 · 단수.

recuerde recordar의 접 · 현 · 1 · 3 · 단수.

recuerden recordar의 접 · 현 · 3 · 복수.

recuerdes recordar의 접 · 현 · 2 · 단수.

recuerdo[1] *m.* ① 회상, 추억 : Guardo muy amenos *~s* de mi infancia 나는 유년 시절의 즐거운 추억을 간직하고 있다. ② 유품 ; 기념품, 선물 : Estos son *~s* de nuestro viaje por España 이것은 우리 서반아 여행의 기념품들이다. Estos son *~s* de mi viaje por el Oriente 이것들은 나의 동양 여행의 선물이다. —*pl.* 안부 : dar *~s* a …에게 안부를 전하다. Dé mis *~s* a su señora madre 어머니께 안부 전해 주십시오.

Recuerdos a …에게 안부 전해 주십시오(Saludos a) : *Recuerdos a* su familia. —Igualmente 당신의 가족한테 안부 전해 주십시오 —당신도.

recuerdo[2] recordar의 직 · 현 · 1 · 단수.

recuerdo, da *adj.* 《*Col.*》 =**despierto.**

recuez- → **recocer** [25] [1].

recuero *m.* (짐을 싣는 말 recua 등의) 말구종.

recuesta *f.* [드뭄] 요청, 청구, 원한, 간청(requerimiento, intimación).

recuestar *tr.* 청구 · 간청하다(demandar).

recuesto *m.* ① 경사지, 경사면, 비탈. ② 《*Arg.*》 비탈길, 오르막길.

reculada *f.* 후퇴 ; 양보(retroceso).

recular *intr.* ① 후퇴하다(cejar) : Espere mientras hago ~ mi coche 내가 자동차를 후퇴시키는 동안 기다려 주십시오. ② 양보하다, 양보하고 나서다(ceder).

reculo, la *adj.* 꼬리 없는 (닭).

reculón *m.* 《*Amér.*》 =**reculada.**

reculones (a) *adv.* 뒷걸음질 쳐서, 뒤로 물러나서 : andar *a* ~ 뒷걸음질로 걷다.

recuñar *tr.* (돌 등을) 쐐기를 박아 쪼개다.

recuperable *adj.* 회수할 수 있는, 회복할 수 있는, 되찾을 수 있는.

recuperación *f.* ① 회수, 회복, 되찾는 일. ② 경기의 회복 : ~ económica 경기의 회복. ~ general 전반적인 회복.

recuperador, ra *adj.* 되찾는, 회복하는, 환원

하는. —*m.f.* 회복자. —*m.* 복원 장치; (포의) 복좌기(復座器); 열의 회수 장치; 복열로(復熱炉).

recuperar *tr.* ① 되찾다, 회복하다(recobrar) : El *recuperó* su salud 그는 건강을 회복했다. ② (다시 이용하고자) 환원·회수하다.
~se 제정신을 차리다; 건강이 회복되다.

recuperativo, va *adj.* 회복의, 회복시키는.

recura *f.* 빗살을 세우는 작은 톱.

recurar *tr.* 빗살을 세우다·자르다.

recurrente *adj.* ① 복귀·복원한, 회귀의 : nervio ~ 회귀 신경. fiebre ~ 회귀열. ② 순환의 : serie ~ 순환 수열(數列). —*m.f.* 상고자, 항소인.

recurrible *adj.* 상고할 수 있는, 항소되는.

recurrido, da *adj.* recurrir의 *p.p.*

recurrir *intr.* ① 호소하다, 호소하러 가다. ② (도움을 구하려고) 뛰어오다 : ~ *a*l médico. ③ (어떤 수단·방법에) 의지하다 : ~ *a* la astucia 앙큼한 꾀를 부리다. Tuve que ~ a los zapatos que ya había desechado 나는 이미 버려 두었던 구두라도 신지 않으면 안되었다. ④ 상고·항소하다. ⑤ 원상으로 돌아가다(recudir).

recursivo, va *adj.* 재치가 있는.

recurso *m.* [*lat.* recursus] ① 호소하는 일, 의뢰, 청구, 청원(서); 상고(서), 항소(장) : ~ de reconsideración 심사 청구. ② 복원, 복귀, 구제 : ~ administrativo 《*Méx.*》 (납세자의) 행정 구제. ③ 수단, 방법 : No me queda otro ~ 나에게는 달리 방법이 없다. No tengo otro ~ que esperar 나는 기다릴 수 밖에 없다. —*pl.* ㄱ) 자산, 재산, 자력, 자금; 자재, 재료, 자원 : ~*s* de energía 에너지 자원. ~*s* económicos 경제적 자원. ~*s* energéticos 에너지 자원. ~*s* materiales 자재(資材), 원료. ~*s* nacionales 국내 자원. ~*s* naturales 천연 자원. ~*s* petrolíferos 석유 자원. ~*s* productivos 생산 자원. Faltó de ~*s*, no pudo hacer frente a sus necesidades 그는 재산이 없어서 (나날의) 필수품도 마련할 수 없었다. ㄴ) 끼니, 생활 거리 : La familia carece de ~*s* 그 가족은 끼니 걱정까지 하고 있다.

recurtidero *m.* 《*Col.*》 다니는 장소.

recurvar *intr.* 《*Cuba.*》 구부러진 것을 다시 복구하다.

recusable *adj.* 기피·거부할 수 있는.

recusación *f.* 거부, 기피 (rechazo) : ~ de un testigo 증인의 기피.

recusante *adj. m.f.* 기피하는 (사람), 거부적인.

recusar *tr.* [*lat.* recusare] 기피하다, 거부하다 : El hijo *recusa* el testimonio de su padre 아들은 자기 아버지의 유언을 거부하고 있다.

red *f.* [*lat.* rete] ① 그물; (고기잡이·새잡이용) 그물 : ~ del aire 새잡이 그물. Los pescadores echaron al mar sus ~*es* 어부들이 바다에 그물을 던졌다. ② 덫, 함정, 술책(ardid) : caer en la ~ 함정에 빠지다. *Cayó en la* ~ que le tendieron 그는 쳐있던 덫에 떨어졌다. ③ 헤어네트; 쇠그물 (red de alambre); 쇠로 만든 격자(reja). ④ 그물 눈 같은 것, …망 : ~ aérea 항공망. ~ de caminos 도로망. ~ de distribución 급수망. ~ del abastecimiento de agua 급수망. ~ de emisoras·radioemisoras 방송·라디오 방송망. ~ de salvamento 구조망. ~ de sucursales 지점망. ~ de telecomunicación 전신 전화망. ~ de ventas 판매망. ~ ferroviaria·de ferrocarriles 철도망. *R*- Interamericana de Telecomunicaciones 전미(全美) 전신 전화망. ~ internacional de ventas 국제 판매 조직. ~ principal 간선망(幹線網). ~ telefónica 전화망. ~ barredera 예인망(曳引網). ~ de araña 거미집. ~ de jorrar·de jorro 예인망. Se ha tendido una ~ de espionaje en todo el mundo 전세계에 첩보망이 펴졌다. ⑤【광학】회절 격자.
a ~ ***barredera*** 일망 타진하여.
echar·tender la ~ 그물을 치다·수사망을 펴다; 속임수를 쓰다.

redacción *f.* ① 편집 : ~ de textos publicitarios 광고 문안 작성. ② 작문, 글짓기 : Este niño tiene una ~ muy buena 이 소년은 글짓기가 매우 능란하다. ③ 편집국, 편집실; 편집부(전원) : Entró en la ~ de una revista 그는 어느 잡지의 편집부에 들어갔다. La ~ de esta carta es mala 이 편지의 작문은 나쁘다.

redactar *tr.* 편집하다; (편지·기사를) 쓰다, 기사(記事)로 만들다, 작문하다; (기록 등을) 작성하다 : ~ el acta 의사록을 작성하다. Tengo que ~ un anuncio para que se inserte en un periódico 나는 신문에 게재하기 위해 광고문을 작성해야 한다.

redactor, ra *adj.* 편집하는. —*m.f.* 기초자(起草者), 편집자; 편집 부원 : ~ en jefe 주필, 편집 국장, 편집장.

redada *f.* ① 그물치기·던지기(lance de red) : sacar una buena ~. ② 일제 수사, 여럿이서의 급습 : hacer una ~. ③ 망의 어획. ④ 일망 타진 : una ~ de ladrones 도둑의 일망 타진.

redaje *m.* 《*Ecuad.*》 ① 그물(red). ② 이리저리 얽힌 숲(maraña).

redán *m.* =**rediente.**

redaño *m.*【해부】장망막(腸網膜) : El ~ se carga con frecuencia de grasa. **Sinón.** omento. —*pl.* 원기, 힘, 기운(fuerzas, vigor).

redar *tr.* 그물을 치다; 그물로 잡다(coger en la red).

redargución *f.* 말대답, 반론, 논란.

redargüir *tr.* [*lat.* redarguere] (…에) 말대답하다, 반론하다, 비난하다.

redaya *f.* 강에서 쓰는 그물.

redecilla *f.* [*dim.* red] ① 작은 그물; 그물코, 그물눈, 그물 두건, 머리 그물. ②【동물】(소 따위의) 되새김 동물의 두 번째 위.

redecir *tr.* 70 [*p.p.* redicho] 자꾸만·거듭·되풀이·끈질기게 말하다; 과장해서 발음하다.

rededor *m.* [드뭄] 부근, 주변, 주위(contorno).
al ~ 주위에, 대략, …쯤, …경(alrededor).
en ~ 주위에.

redejón *m.* 커다란 그물코·그물눈, 머리 그물.

redel *m.* 배의 늑재(肋材)의 일종.

redención *f.* [*lat.* redemptio] ① 신병 인수; 다시 받아들이기, 다시 사들이기. ② 전당 잡히기. ③ 죄의 갚음. ④ 해방, 구조; 구출, 구제, 구원.

redendija *f.* 갈라진 틈, 균열(rendija).

redentor, ra *adj.* 다시 받아들이는, 다시 사들이는; 구출하는. —*m.f.* 물건을 다시 받아들이는 사람, 판 물건의 환매자; 신병의 인수자; 구조자, 보상한 사람.

Redentor *m.* 구세주, 그리스도.

redentorista *adj. m.f.* 1721년에 성 알폰소 리고리오에 의해 나폴리에 세워진 Rentor 교파의 (사람).

redeña *f.* 사내끼, 산대 《고기를 뜨는 작은 그물》.

redepente *adv.* 《*Perú. Riopl.*》 =**de repente.**

redero, ra *adj.* 그물의. —*m.f.* 그물을 짜는 사람 ; 어망 만드는 사람 ; 그물로 새를 잡는 사람.

redescuento *m.* 【상업】 재할인(segundo descuento).

redhibición *f.* 매매 계약의 취소.

redhibir *tr.* (물건의 결함 때문에 무엇의 매매를 사는 사람이) 취소하다.

redhibitorio, ria *adj.* 매매 계약 취소의 ; 그 원인으로 되는 : defecto ～.

redición *f.* 반복, 되풀이(repetición).

redicho, cha *adj.* [redecir의 *p.p.*] 정확성을 과장하여 말·발음하는 : persona muy ～*cha.*

rediente *m.* 반곡선에 의한 공개 작업.

¡ rediez! *interj.* =**¡ Rediós!**

rediezmar *tr.* rediezmo를 징수하다.

rediezmo *m.* 1할세를 받고 남은 1할의 감액, 혹은 그 다음의 9분의 1.

redil *m.* (가축의) 우리를 친 곳 : meter en el ～ 우리를 친 곳에 넣다.

redilar *tr.* 우리에 넣다.

redilear *tr.* =**redilar.**

redimible *adj.* ① 다시 받아들일 수 있는, 다시 사 들일 수 있는, 신병을 인수할 수 있는. ② 구조·구원할 수 있는. ③ 보상할 수 있는.

redimir *tr.* [*lat.* redimere] ① 물건을 다시 받아들이다·사들이다. ② 저당물·담보물을 되찾아 오다. ③ 신병을 인수하다. ④ 보상하다. ⑤ 구출해 내다, 자유를 되찾다 : ～ esclavos.

redingote *m.* [*ing.* riding coat] 긴 외투.

¡ rediós! *interj.* 화가 날 때 쓰는 감탄사.

redistribución *f.* 재분배 : ～ de la renta 소득 재분배.

redistribuidor, ra *adj.* 재분배의 : mercado ～ 재분배 시장.

redistribuir *tr.* 77 재분배·재구분하다.

redistributivo, va *adj.* 재분배의.

rédito *m.* 수입, 수익, 이익 ; 소득 ; 이자(interés) : ～*s* de los ～*s* 복리. impuestos a los ～*s* 이자 소득세.

redituable *adj.* 이자·수익을 올리는.

reditual *adj.* =**redituable.**

redituar *tr.* 15 (이자가) 생기다, 늘다(rentar) : *Reditúa* intereses.

redivivo, va *adj.* ① 나타난(aparecido). ② 되살아난, 소생된(resucitado).

redoblado, da *adj.* [redoblar의 *p.p.*] ① (체구가) 단단한, 늠름한 : hombre ～. ② 아주 견고한, 단단하게 만들어진.

paso ～ 보통 사람의 두 배 속력을 내는 걸음.

redobladura *f.* =**redoblamiento.**

redoblamiento *m.* ① 두 배·이중으로 하는 일·되는 일. ② (못 같은 것의) 끝이 구부러지는 일.

redoblante *m.* 북의 일종 ; 그 북을 치는 사람.

redoblar *tr.* ① 두 배로 하다, 이중으로 하다 (duplicar). ② 여러 겹으로 구부리다·접다. ③ 되풀이하다. ④ (못 등을) 쳐서 구부러뜨리다. ⑤ 증강하다. —*intr.* (북을) 연타하다·난타하다, 비스듬히 빗겨 치다.

redoble *m.* 배가, 이중, 되풀이(redoblamiento) ; (북의) 연타, 난타 : tocar un ～.

redoblegar *tr.* 8 이중으로 하다, 겹으로 하다, 접다(redoblar, duplicar).

redoblón *m.* 구부러뜨린 못.

redolente *adj.* 아픔이 가시지 않는.

redoler *intr.* 23 쑤시고 아프다.

redolor *m.* 잔통(殘痛)(dolor sordo y leve).

redoma *f.* ① (가느다란 목의) 유리병, 삼각 플라스크. ② 《*Hond.*》 오이의 열매. ③ 《*Venez.*》 =**fanal.** ④ 《*Chile.*》 =**pecera.** ⑤ 《*Venez.*》 거리를 덮고 있는 아치.

redomado, da *adj.* 신중한, 빈틈없는, 교활한 (astuto) : pícaro ～.

redomazo *m.* redoma를 던져버리는 일 ; 그 내용물로 더럽히는 일.

redomón, na *adj.* 《*AmérM.*》 길들지 않은 (말).

redomonear *tr.* 《*Arg.*》 (야생마·소를) 길들이다.

redonda *f.* ① 주변, 주위 ; 지방 일대 : Es el labrador más rico de la ～ 그는 지방 일대에서 가장 부유한 농부이다. Es el campo más hermoso de la ～ 그곳은 주변에서 가장 아름다운 전원이다. No nace ni una sola hierba a diez kilómetros de la ～ 주위 10킬로 거리에는 풀 한 포기도 나지 않는다. ② 목초지. ③ 네모진 돛. ④ 【음악】 전음부(semibreve). ⑤ 【은어】 속치마, 패티 코트.

a la ～ 주위에 : en veinte metros *a la* ～ 주위 20 미터에.

redondamente *adv.* ① 둥그렇게, 주위에(en torno, alrededor). ② 단호하게 (categoricamente).

redondeado, da *adj.* [redondear의 *p.p.*] 원형의, 둥그런 모양의, 둥그스름한.

redondear *tr.* ① 둥글게 하다, 원형·구형으로 만들다. ② (금액·수 등의) 끝수·우수리를 떼어 버리다. ③ 정미만으로 하다, 완전하게 하다. **～se** 둥그렇게 되다, 상당한 재산을 모으다 ; 부채를 모두 갚다.

redondel *m.* ① 원(圓) : El dibujó un ～ en la arena 그는 모래 위에 원을 그렸다. ② 둥근 것. ③ (투우장의) 모래터. ④ 깃이 없는 망토. ⑤ (수레바퀴의) 테, 가장자리.

redondeo *m.* 원형, 구형.

redondete, ta *adj.* 둥그스름한.

redondez *f.* 둥근 면, 원형(原形) ; 호(弧) ; 구면(球面) : ～ de la Tierra 지구의 둥근 면.

redondilla *f.* 8음절의 4행시.

redondillo, lla *adj.* 둥그스름한 : letra ～*lla* 이탤릭체가 아니고 종서(縱書)로 둥근 맛이 나는 필기체.

redondito, ta *adj. dim.* redondo.

redondo, da *adj.* [*lat.* rotondus] ① 둥근, 원형의, 구형의: mesa ～*da* 원탁. La Tierra es ～*da* 지구는 둥글다. ② 목초지로 한 : terreno ～. ③ 부모와 모든 면에서 신분이 같은 : hidalgo ～. ④ 나무랄 데 없는 ; 솔직한, 노골적인(claro) :

una negativa ～*da* 단호한 거부. ⑤ 우수리·끝수가 없는 : número ～ 개수(概數). ⑥【인쇄】(고딕이나 이탤릭체에 대하여) 로마 자체의 : letra ～*da* 로마 자체·보통의 활자. —*m.* 둥그런 물건, 원형·구형의 것 ; 동전(dinero).
músculo ～ mayor【해부】대원근(大円筋).
de ～ 옷자락을 접어·짧게 하여.
en ～ ① 둥그렇게, 빙 둘러서, 주위에(en torno, alrededor, a la redonda). ② 솔직하게, 노골적으로(francamente). ③ 어림수로, 대략(en números ～*s*).
caer ～ 움직이지 않고 떨어지다.

redondón *m.* 큰 원.

redopelo *m.* ① 치켜 쓰다듬기. ② 아이들의 욕지거리 싸움(riña entre chiquillos).
al·a ～ 치올려 쓰다듬어서 ; 순리를 역행하여.
traer al ～ 혼내주다.

redor *m.* ① 둥그런 돗자리(estera redonda). ②【시어】주위(rededor).

redorar *tr.* =**dorar de nuevo.**

redova *f.* 보헤미안 무용의 일종, 그 음악.

redowa *f.* =**redova.**

redro *m.* [*lat.* retro] (뿔의) 나이테, 연륜. —*adv.* 뒤에, 뒤로(atrás, detrás).

redrojo *m.* ① 따지 않고 남겨 둔 포도 송이. ② 되피어 남 ; 되살아 남. ③ 허약한 아이.

redrojuelo *m. dim.* redrojo.

redropelo *m.* =**redopelo.**

redroviento *m.* (사냥에서 짐승이 냄새 맡은) 사냥꾼의 냄새.

redruejo *m.* =**redrojo.**

reducción *f.* ① 화성(化成), 변형. ② 환원, 복원. ③ 축소 ; 축사(縮寫), 축도, 축상(縮像) : la ～ de una estatua. ④ 감소, 절감, 삭감, 경감 : ～ de impuestos 감세. ～ de ingresos 수입의 감소·삭감. ～ de la producción 감산(減產). ～ de las inversiones 투자의 삭감. ～ de los salarios 감급(減給). ～ de stocks 재고품의 감소. ～ del capital social 주식 자본의 감액. ～ del presupuesto 예산의 삭감. ⑤ 할인, 가격 인하 : ～ de derechos 관세의 인하. ～ de precios 가격 절하, 물가의 하락. ～ del flete 운임의 할인. ～ del tipo de descuento 공정 보합·할인 보합의 인하. hacer una ～ de 5 por ciento 5% 할인을 하다. ⑥ 환전(換錢). ⑦ 조이는·줄이는 일, 간추림, 요약, 한정 ; 귀결. ⑧ 귀순, 항복 ; 평정, 정복 : la ～ de los rebeldes. ⑨【수학】환산 ; 약분 : la ～ de quebrados. ⑩【화학】환원(법). ⑪【외과】복위(復位), 정복(整復)(술). ⑫ (계산의) 수정, 보정(補正). ⑬【사진】감력(減力). **Contr.** aumento.

reducible *adj.* [+a·en : …로] 할 수 있는, …화 할 수 있는 ; 줄일 수 있는, 적게 할 수 있는 ; 환원할 수 있는 ; 요약할 수 있는 ; 생략할 수 있는.

reducido, da *adj.* [reducir의 *p.p.*] 한정된, 근소한 ; 좁은 : ～ espacio 좁은 공간. precio ～ 싼 값, 할인 가격.

reducimiento *m.* =**reducción.**

reducir *tr.* [71] [*lat.* reducere] ① 줄이다, 요약하다. ② [+a·en : 어떤 상태나 형으로] 하다, 화하다 : ～ *a* polvo 가루로 만들다. El incendio *redujo* aquel edificio *a* cenizas 화재가 그 건물을 잿더미로 만들었다. ③ …로 돌아가게 하다 ; 복원·환원하다 ; 화성(化成)하다. ④ ㄱ) 감하다(disminuir) : ～ sus gastos. ㄴ) 축소·감소·절감·경감하다 : ～ los impuestos 세금을 감하다. La fotografía permite ～ fácilmente los dibujos 사진은 그림을 간단히 축소한다. ⑤ 할인·가격 인하하다. ⑥ 약하게 하다, 쇠약하게 하다, 말라빠지게 하다, 피골이 상접하다 : ～ el efectivo del ejército. ⑦ 복종시키다 ; …시키다 ; 귀순시키다, 평정·정복하다 : Alejandro *redujo* el Asia entera 알렉산더는 전 아시아를 평정했다. ⑧ 세분하다 ; 돈을 바꾸다 ; 환산하다, 고치다 : ～ pesetas *a* dólares, ～ litros *a* hectolitros. ⑨【수학】통분하다, 약하다 : ～ quebrados *a* un común denominador 분수를 공통 분모로 만들다. ⑩ ㄱ)【화학】환원하다, 기화·액화·고체화하다 : ～ *a* líquido. ㄴ) (성분으로) 분배하다 ; 산화물로부터 산소를 분리하다. ⑪ (탈구 등을) 복위하다. **Contr.** aumentar.
～se ① (어떤 형이나 상태로) 되다 : ～*se* a ceniza 잿더미로 되다. ② 줄다, 축소하다 : El presupuesto *se redujo* en la construcción 예산은 그 건설로 축소되었다. ③ 약해지다. ④ 절약하다 : ～*se en* gastos 비용을 절감하다. ⑤ [+a +*inf.*] …만으로 하다, 한정하다 : *Me he reducido a* estar en casa 나는 집에 있기로 했다. ～*se a* lo más preciso 가장 필요한 것만으로 하다. [직설법 현재 1인칭 단수 : reduzco. 접속법 현재 : reduzca, reduzcas, reduzca, reduzcamos, reduzcáis, reduzcan. 직설법 부정과거 : reduje, redujiste, redujo, redujimos, redujisteis, redujeron].

reductible *adj.* =**reducible.**

reductivo, va *adj.* 줄이는, 축소하는, 한정하는.

reducto *m.*【축성】각면보(角面堡) ; 거점.

reductor, ra *adj.* 환원하는. —*m.* 환원제 ; 감속 장치.

reduj- → **reducir** [71].

reduje- → **reducir** [71].

redundancia *f.* 과다 ; 여분(exceso) : emplear una ～ de palabras. ②【통신】반복, 중단.

redundante *adj.* 과다한, 지리한 ; 여분의 : expresión ～.

redundantemente *adv.* 지리하게, 따분하게 ; 여분으로 ; 과다한 수식으로.

redundar *intr.* ① [*lat.* redundare] [+en : 결과가 …으로] 되다 (resultar) : Su mala acción *redundó* en perjuicio suyo. ② (그릇·내용물이) 넘치다(rebosar).

reduplicación *f.* [*lat.* reduplicatio] 이중으로 하는 일, 배가 ; 반복, 중복.

reduplicar *tr.* [7] ① 두 배·이중으로 하다(redoblar). ② 되풀이하다, 반복하다(repetir).

reduplicativo, va *adj.* 이중의 ; 반복하는.

reduvio *m.* (더러운 집에서 사는) 반치류 곤충.

reduzc- → **reducir** [71].

reedificación *f.* 재건, 재건축, 복원.

reedificador, ra *adj. m.f.* 재건하는 (사람).

reedificar *tr.* [7] 재건하다, 복원하다(volver a edificar o construir).

reeditar *tr.* 재판·중판·재간행·재출판하다 (reimprimir).

reeducación *f.* ① 재교육, 재훈련. ② (병후·마비 뒤에 중추 신경의) 단련.

reeducar *tr.* 7 ① 재교육·재훈련시키다(educar de nuevo). ② (부자유해진 손발 등을) 다시 써서 움직이게 하다 : ~ un miembro paralizado.

reelección *f.* 재선거, 재선(再選).

reelecto, ta *adj.* 재선된, 다시 뽑힌.

reelegible *adj.* 재선할 수 있는.

reelegir *tr.* 45 재선하다 : ~ a uno diputado por el distrito 어떤 사람을 지구(地區)에서 대의원으로 재선하다.

reelij- →**reelegir** 45.

reembarcar *tr.* 7 짐을 다시 싣다, 딴 배에 옮겨 싣다 ; 다시 싣다, 탑재(搭載)하다.
~se 다시 타다.

reembarque *m.* 【상업】 적환(積換), 짐을 고쳐 싣기.

reembolsable *adj.* 환불해야 되는, 상환할 수 있는·해야 할 ; 회수할 수 있는.

reembolsar *tr.* [+de : …을] 환불·반제·상환·상각·결제하다 : Así que recibamos su aviso, *reembolsaremos* a Vds. *del* importe 귀사의 통보를 접수하는 대로 해당 금액을 결제해 드리겠습니다.
~se 징수하다, 환수하다, 환급하다, 회수하다 (cobrar) : Sírvanse *~se* por nuestra cuenta con Vds. *por* el importe 이 금액을 귀사에게서 당방 계정을 차기한 다음 회수하여 주십시오.

reembolso *m.* ① 상환, 상각, 반제, 환불 : ~ de la prima 보험료의 환불. ~ de un préstamo 차입금의 상환, 대부금의 반제. ~ en dinero·efectivo 현금으로 환불. ② 징수, 회수, 결제 : en ~ de sus pagos 귀하의 제반 비용의 환금에 관해서는. forma·modalidad de ~ 결제 방법. ③ 주식의 상환.
a·contra ~ 대금과 교환으로.

reemplazable *adj.* 교환할 수 있는, 대치할 수 있는, 경질할 수 있는, 대체해도 되는.

reemplazante *adj.* 교환하는 ; 경질하는.

reemplazar *tr.* 9 교환하다 ; 교체시키다, 경질하다 : Mejor sería ~ ese mueble viejo 그 낡은 가구를 바꾸는 것이 더 좋겠다. *Reemplazaron* a Antonio *con* Raúl 안또니오는 라울과 교체되었다.

reemplazo *m.* ① 대리 : en ~ de …의 대리로. ② 대용, 대체, 교환, 교체, 교대 ; 경질 보충병, 교체 요원.
de ~ 명령 대기 중의 (장교).

reemprender *tr.* 다시 시작하다, 재기획하다.

reencarnación *f.* 화신, 재생, 회생, 갱생, (영혼의) 재래(설).

reencarnar(se) *intr.(r.)* 다시 육체를 얻다, 화신(化身)이 되다, 다시 태어나다.

reencender *tr.* 불을 다시 켜다.

reencontrar *tr.* 다시 보다, 다시 발견하다.
~se 다시 만나다.

reencuadernación *f.* 재장정.

reencuadernar *tr.* 재장정하다, 장정을 고치다.

reencuentro *m.* 충돌 ; (작은 부대의) 충돌전.

reenganchamiento *m.* =**reenganche.**

reenganchar *tr.* 다시 모병하다, (사병으로) 재복무시키다.
~se 재복무하다.

reenganche *m.* (사병의) 재복무 ; 재복무 급료.

reengendrador, ra *adj. m.f.* 재생·갱생시키는 (사람) ; 새 생명을 주는.

reengendrar *tr.* 갱생·재생시키다, 소생케 하다 ; 새 생명을 주다.

reensayar *tr.* 재시도하다, 시험 공연하다 ; 재검사하다.

reensaye *m.* (광물의) 재검사.

reensayo *m.* (최후의) 시험 공연 ; 시운전.

reenvasar *tr.* 재포장하다 ; 포장을 바꾸다.

reenviar *tr.* 12 되돌려 보내다, 재차 보내다 (enviar de nuevo).

reenvidar *tr.* (노름에서 댄 돈에) 다시 웃돈을 얹다.

reenvío *m.* 반송, 파송.

reenvite *m.* 돈을 더 대는 일.

reestrenar *tr.* 재상영·재상연하다.

reestreno *m.* 재개봉, 재상연.

reestructuración *f.* 재편성, 재구성 : ~ del gabinete 내각의 재편성.

reexamen *m.* 재조사, 재시험, 재검사.

reexaminación *f.* 재시험.

reexaminar *tr.* 재조사하다, 재시험하다.

reexpedición *f.* 역송, 반송(返送) ; 재파견.

reexpedir *tr.* 42 반송·역송하다 ; 재파견하다.

reexportación *f.* 역수출, 재수출 (segunda exportación).

reexportar *tr.* 재수출·역수출하다 (expotar de nuevo).

ref., Ref. referencia, referente a …의 건, …에 관하여.

refacción *f.* ① 가벼운 식사, 간식. ② 회복. ③ 수선, 수복(修復) (refección) : ~ de un edificio. ④ (산 물건에 대한) 덤, 프리미엄. ⑤ 《*Ant. Perú.*》 (농장·사업의) 경영비. ⑥ 《*Méx.*》 예비품 : llanta de ~ 예비 타이어.

refaccionar *tr.* 《*Amér.*》 ① (건물을) 수선·수리하다 (reparar un edificio). ② (지주가 경작자에게) 자재(資材)를 주다.

refaccionario, ria *adj.* 수선의, 영선비의.

refajo *m.* 속치마, 페티 코트, 허리 치마.

refajona *f.* =**mujerona.**

refalar *tr.* 《*Arg. Bol.*》 탈취하다, 사취하다, 빼앗다(hurtar).
~se ① 치워 버리다, 옷을 벗다 (despojarse) : *~se* las botas 신을 벗다. ② 살그머니 사라지다. ③ 미끄러지다(deslizarse). ④ 재빠르게 하다.

refalosa *f.* 《*Arg.*》 =**resbalosa.**

refalsado, da *adj.* 가짜의, 속임수의(falso).

refección *f.* =**refacción.**

refeccionario, ria *adj.* =**refaccionario.**

refectolero *m.* =**refítolero.**

refectorio *m.* (사원·수도원 등의) 식당.

referencia *f.* ① 말, 이야기 ; 소문, 풍문 ; 보고(서), 언급 : hacer ~ a …에 대해 언급하다. Hizo ~ a un autor muy famoso 그는 어떤 유명한 저자의 작품을 인용했다. ② 관계, 관련 ; 용건 : con ~ a …에 관하여. los géneros *de* ~ 현재 문제되고 있는·전술한 물품. ③ 참고서 목록, 참조·참고·인용·연관 (사항) ; (가지고 있는) 정보, 지식 : Tenemos buenas *~s* de los clientes 우리는 고객의 사정을 잘 알고 있다. ④ 신용 조회처, 신용 조회 : ~ bancaria 은행 신용 조회처. ~ comercial 동업자 신용 조회처. ~ de crédito 신용 조회처. ~*s* 신원 조회, 신원 정보, 신원 증명·증명서. número de ~ 조회 번호. ¿Cuáles son sus ~*s*? 당신의 신용 조회선은 어디입니까? ⑤ 신용 보증인.

referendario *m.* =**refrendario.**

referéndum *m.* ① 국민 투표(plebiscito). ② 청훈(請訓), 훈련 전신 요청. ③【상업】스트라이트권 투표.

referente *adj. adv.* [+a : …에] 관한, 관하여, …관한 것 : ~ *a*l Sr. A A씨에 관한 건.

referible *adj.* 말해도 되는, 이야기할 수 있는.

referido, da *adj.* 문제의, 전술(前述)의 : los ~*s* géneros.

referimiento *m.* =**referencia.**

referir *tr.* 54 [*lat.* referre] ① 말하다, 이야기하다, 언급하다 : Me *refirió* lo ocurrido con muchos detalles 그는 사건을 상세히 말해 주었다. ② (어떤 목적으로) 돌리다(dirigir) : Lo *referiremos a* tu asunto 그것을 자네의 문제로 돌리겠네. ③ [+a : …에] 관련시키다(relacionar) : Todo lo *refiere a* sus teorías 그는 무엇이나 자기의 주장으로 가져 간다 (관련시킨다). ④ 《AmérC. Méx.》 (빗대어, 면박하여) 말하다.

~se ① [+a : …에] 관계·관련이 있다 : Esto *se refiere a* tu asunto 그것은 네 문제다. por lo que a España *se refiere* 서반아에 관해서는. ② (…의 일을) 문제로 하다, (…에 대해) 말하다 : ¿*A* qué *se refiere* usted? 당신은 무슨 말을 하고 있는가요? *Nos referimos a* su atta. del 5 5일자 서신 건에 관하여 말씀드립니다. ③ [주어 없이, …의] 건이다, 이야기는·문제는 …에 대해서이다 (tratarse de) : *Se refiere a* la boda de su hija 일은 딸의 결혼에 대해서이다. En lo que *se refiere a* nuestras relaciones, nunca han sido más afectuosas que ahora 우리들의 관계에 대하여 (말하면) 지금처럼 친밀했던 일은 없다. [직설법 현재 : refiero, refieres, refiere, referimos, referís, refieren. 접속법 현재 : refiera, refieras, refiera, refiramos, refiráis, refieran. 직설법 부정과거 : referí, referiste, refirió, referimos, referisteis, refirieron. 현재 분사 : refiriendo].

refertero, ra *adj. m.f.* 싸움패, 툭하면 싸우려 드는 (사람).

refigurar *tr.* 다시 상상·공상하다.

refilón (de) *adv.* ① 곁눈질로 (de deslayo) : Lo veía *de* ~ 곁눈질로 그것을 보고 있었다. ② 하는 김에, 내친 김에.

refinación *f.* 정련, 정제 : ~ de azúcar.

refinadera *f.* 초콜릿 정제용 맷돌.

refinado, da *adj.* [refinar의 *p.p.*] ① 정제한, 정련된 : azúcar ~ 정백당. ② 세련된, 품위있는, 우아한 ; 뛰어난 : Era una persona de gustos ~*s* 그는 세련된 취미를 가진 사람이었다. ③ 간사한, 엉큼한, 교활한(malicioso).

refinador *m.* 정제하는 사람 ; 정련공 : ~ de azúcar.

refinadura *f.* ① 정제, 정련. ② 품위, 우아.

refinamiento *m.* ① 세련, 기품이·품위가 있음 : Ella se viste con ~ 그녀는 품위있게 옷을 입는다. ② 교묘. ③ [드뭄] 교활함.

refinanciación *f.* 자금 재조달.

refinar *tr.* ① 정련·정제하다 : En estos enormes complejos *se refina* el petróleo 이 거대한 복합체에서 석유가 정제된다. *Se refina* el azúcar en esta fábrica 설탕은 이 공장에서 정제된다. ② 세련시키다, 닦아 완성시키다, (문장 등을) 다듬다.

refinería *f.* ① 정제소, 정련 공장 : ~ de petróleo 정유 공장. ② 제당·정유 공장.

refino, na *adj.* 특선의, 상등의, 극상의 ; 우아한 ; 정제된. —*m.* ① 정련, 정제(refinación) : fábrica de ~ 정제 공장. ②《Méx.》 정류주 (aguardiente refinado) ; 브랜디.

refirmar *tr.* 확실히 하다, 확인하다(confirmar) ; 비준하다.

refistolear *intr.* 《Ecuad.》 아는·있는 척하다, 자만하다, 우쭐대다, 뻐기다, 으시대다(presumir).

refistolería *f.* 《Ant. Ecuad.》 으시대기, 자만 (orgullo, presunción).

refistolero, ra *adj. m.f.* 《Ant. Ecuad.》 ① 으시대는, 촌스러운, 아는 척하는, 허세 부리는(presumido, orgulloso). ② 《Venez.》 일을 복잡하게 만드는 사람(embrollón).

refitolero, ra *adj.* 《Amér.》 건성으로 우쭐대는 ; 촌스러운(pedante) ; 유별스럽게 친절한 ; 주책스러운. —*m.f.* 식당의 심부름꾼, 요리사 ; 주책바가지.

reflación *f.* 리플레이션.

reflectante *adj.* 반사하는, 반사의.

reflectar *intr.* 【물리】 =**reflejar.**

reflector, ra *adj.* 반사하는. —*m.* ① (무대 장치·차의 후미·도로 표지 등의) 반사 유리, 반사경, 반사등. ② 투광기 ; 탐조등, 서치라이트 ; 대공등(對空燈) : ~ giratorio. ③ 망원경(telescopio).

refleja *f.* =**reflexión.**

reflejar *tr.* ① 반사하다 : El espejo *refleja* los rayos del sol 거울은 태양 광선을 반사한다. El lago *refleja* la luna 호수가 달을 반사한다. ② 튕겨내다. ③ 비치다, 비쳐 내다, 나타내다(manifestar) : ~ la alegría. ④ 심사 숙고하다, 반성하다(reflexionar).

—*intr.* 반사하다 ; 튕겨나오다.

~se ① [+en·sobre : …에] 반사하다 : (*Se*) *refleja* la luna *en·sobre* lago 달이 호수에 반사하고 있다. ② 반영하다, 밖으로 드러나 보이다 : ~*se* el alma *en* los ojos 마음이 눈에 나타나다.

reflejo, ja *adj.* [*lat.* reflexus] ① 반사하는, 반영된. ② 반사적인, 반사(反射) 작용의 : movimientos ~*s* 반사 운동. ③【문법】재귀 동사의 : pasiva ~*ja* 재귀적 수동태 《예 : *Se firma* la paz por embajadores》.

—*m.* 반사(광) ; 그림자, 영상 ; 반영 ; 광택 ; 영사(映寫) : Vi su ~ en el vidrio de la ventana 나는 창 유리에 비친 그녀의 그림자를 보았다.

—*pl.* (반사적인) 가늠 : Conduce muy bien y tiene buenos ~*s* 그는 운전이 능숙하고, 가늠이 좋다.

reflex *adj.* 레플렉스의 (카메라) : la cámara ~ de un·dos objetivos 【사진】 일안(一眼)·이안(二眼) 레플렉스 카메라.

reflexible *adj.* 반사할 수 있는, 반사성의 (열·

빛 따위), 굴절하는.

reflexión *f.* [*lat.* reflexio] ① 반사; 반사열, 반사광, 반사색, 반향음. ② 반영; 영상, (물에 비친) 그림자. ③ 반성, 숙고, 심사, 회상; 【철학】 반성. ④【심리】 반사 작용; 【해부】 반전(反轉)·굴절(부). ⑤ (동사의) 재귀성.

reflexionar *tr. intr.* [+en·sobre: …을] 고찰·숙고하다; 충고·경고하다; 반성·내성하다: ~ *en·sobre* una cosa 어떤 일을 곰곰이 생각하다. *Reflexiónese* bien antes de obrar 행동하기 전에 숙고하십시오.

reflexivamente *adv.* 반성하여, 곰곰이 생각하여(con reflexión).

reflexivo, va *adj.* ① 반사의, 반사하는(reflejo). ② 반성적인, 내성적인, 사려깊은: un niño ~ 내성적인 아이. ③【문법】 재귀의: verbo ~ 재귀 동사. pronombre ~ 재귀 대명사.

reflorecer *intr.* ㉛ 다시 꽃이 피다·꽃피우다(florecer de nuevo).

reflorecimiento *m.* 다시 꽃이 피는 일·꽃 피우는 일; 부흥, 재번창.

reflotar *tr.* (침몰·좌초된 배를) 다시 끌어올리다.

refluente *adj.* (물이) 빠지는; 역류하는.

refluir *intr.* ㊆ ① (조수·물이) 빠지다. ② 역류하다, 튕겨 나오다. ③ 결과가 되다, 결과가 미치다(resultar): ~ *sobre* la vida.

reflujo *m.* ① 썰물. ② 역류. ③ 퇴거, 빵소니: ~ de la multitud.

refocilación *f.* 즐거움, 위안, 기쁨.

refocilar *tr.* 즐거움을 주다, 즐겁게하다, 기쁘게 하다, 위안하여 힘을 내게 하다(divertir, alegrar). —*intr.* 《*Riopl.*》 번개치다(relampaguear). **~se** 즐기다, 기뻐하다(divertirse, alegrarse).

refocilo *m.* ① =**refocilación, gozo, alegría.** ② 《*Riopl.*》 전광(電光), 번갯불(relámpago).

refollar *tr.* 《*And.*》 =**soplar.**

reforma *f.* ① 재건; 개혁, 개정, 개량: ~ aduanera 관세 개혁. ~ agraria 농지 개혁. ~ del suelo 토지 개혁. ~ monetaria 금융·통화 개혁. ~ social 사회 개혁. ~ tributaria·fiscal 조세(租稅) 개혁. ② 교정(矯正), 감화. ③ (폐해 따위의) 수습, 구제. ④ [R-] 종교 개혁; 그리스도 신교(protestantismo).

reformable *adj.* 개혁·개선·개정할 수 있는; 개심할 가망이 있는; 교정(矯正)할 수 있는.

reformación *f.* =**reforma.**

reformado, da *adj.* [reformar의 *p.p*] 개정한, 혁신된. ① 개혁·교정·개선된; 개심한; 신교의, (특히) 칼빈파(派)의: religión ~*da.* ② 무보직의 (장교). —*m.f.* 그리스도 신교도(protestante).

reformador, ra *adj.* 고치는; 개량된; 【종교】 신교파의, 프로테스탄트의. —*m.f.* 개혁자; (정치, 특히 의회 제도의) 개혁론자, 선거법 개정론자.

reformar *tr.* [*lat.* reformare] ① 고치다, 다시 만들다, 개수하다(corregir): ~ las leyes 법률을 개정하다. ② 재건하다. ③ 수선하다, 수복·개축하다(arreglar, reparar): Tienen que ~ la casa en que viven 그들은 지금 살고 있는 집을 개축해야 한다. ④ 고치다, 개정·개혁·혁신하다; 개폐·폐지하다, 없애다; 교정(矯正)하다, 바로 잡다: Santa Teresa *reformó* a su orden 성녀 떼레사는 자기의 수도회를 개혁했다. ⑤ 퇴직시키다, 파면하다. ⑥ 줄이다, 덜다.

~se ① (자기의 무엇을) 바꾸다, 행실을 고치다: ~*se en* el vestir 옷 입는 법을 고치다. ② 개정되다: Recientemente *se ha reformado* esta ley 이 법은 최근 개정되었다. ③ 사양하다, 양보하다.

reformativo, va *adj.* =**reformatorio.**

reformatorio, ria *adj.* 개량·개혁의; 교정의, 감화의; 쇄신하는, 혁신적인. —*m.* 소년원, 감화원, 교도소.

reformismo *m.* 혁신주의, 개혁파.

reformista *adj.* 혁신파의. —*m.f.* 혁신 당원.

reforzado, da *adj.* [reforzar 의 *p.p.*] 강화·보강·강화된: cañón ~. —*m.* (보강용) 끈, 리본, 테이프, 철사.

reforzador, ra *adj.* 보강·강화·보수하는; 증강·증액·증병하는. —*m.* 사진용 보력제(補力劑).

reforzamiento *m* =**refuerzo.**

reforzar *tr.* ㉔ ⑨ ① 더욱 강하게 보수하다, 더욱 튼튼하게 하다, 보강·강화·보수하다: *Se ha reforzado* la pared 벽이 보수되었다. ② 증병·증액·증강하다; 영양가를 높이다: chocolate *reforzado con* vitamina 비타민을 넣어 영양가를 높인 초콜릿. ③ 힘이 나게 하다, 용기를 주다, 격려하다(animar). ④ 전압을 올리다.

~se 힘을 내다.

refracción *f.* [*lat.* refractio] 굴절; 굴절 작용; 굴절력: índice de ~ 굴절률.

refractar *tr.* 굴절시키다(refringir): El prisma *refracta* los rayos de luz.

refractario, ria *adj.* [*lat.* refractarius] ① 도저히 다룰 수 없는, 옹고집의. ② 반항하는, 반발적인(rebelde): ser ~ al progreso. ③ 내화성(耐火性)의: caja ~ *ria* 내화성 상자.

refractivo, va *adj.* 굴절의.

refracto, ta *adj.* 굴절한: El rayo luminoso ~ cambia de dirección.

refractómetro *m* 굴절계(屈折計)

refractor *m.* 굴절시키는 것 《렌즈 등》; 굴절 망원경.

refrán *m.* 속담, 격언(proverbio): un ~ popular.

tener muchos ~es 무슨 일에나 빠져 나갈 수완을 가지고 있다.

refranero *m.* 격언집(colección de refranes).

refranesco, ca *adj.* 속담의, 격언 같은.

refrangibilidad *f.* 굴절성; 굴절도: Cada color tiene su ~.

refrangible *adj.* 굴절하는, 굴절성의: Los rayos violetas son los más ~*s* del espectro.

refranista *m.f.* 속담을 자주 인용하는 사람.

refregadura *f.* 문지르기, 마찰; 쓸린 자국, 상처.

refregamiento *m.* 문지르는 일.

refregar *tr.* ⑲ ⑧ [*lat.* refricare] ① 문지르다(estregar), 닦다. ② 비난하다. ③ 대놓고 욕지거리를 퍼붓다.

refregón *m.* ① =**refregadura.** ② 돌풍(ráfaga).

refreir *tr.* ㊹ ① (기름으로) 다시 튀기다; 충분히

튀기다; 기름에 너무 튀기다. ② 개작(改作)하다.

refrenable *adj.* 제어·억제할 수 있는.

refrenada *f.* 고삐를 당기는 일.

refrenamiento *m.* 제어, 억제.

refrenar *tr.* [*lat.* refrenare] 억누르다, 제지하다, 견제하다(contener).
~se (자신의 감정 등을) 억제하다, 자제하다, 삼가하다, 조심하다.

refrenda *f.* 《*Ecuad.*》 refrendar 하는 일.

refrendación *f.* 사증, 인증, 부서(副署).

refrendador *m.* 《*Perú.*》 =**refrendario.**

refrendar *tr.* ① 사증하다 : ~ el pasaporte 여권에 사증하다. ② 부서(副署)하다 : El vice cónsul *refrendó* el documeuto 부영사가 서류에 부서했다. ③ (무엇을) 다시 하다, 다시 시작하다 : ~ la comida.

refrendario *m.* 사증인; 부서자(副署者).

refrendata *f.* 사증·부서의 서명.

refrendo *m.* [*lat.* refrendum] =**refrendación.**

refrescador, ra *adj.* =**refrescante.**

refrescadura *f.* 청량, 시원하게 하는 일·되는 일.

refrescamiento *m.* =**refresco.**

refrescante *adj.* 시원하게 하는 (음료수 등).

refrescar *tr.* 7 ① 시원하게 하다 : Hay que ~ el agua 물을 시원하게 해야 한다. ② 청신하게 하다. ③ 다시 새로이 하다 : ~ la lid · el recuerdo de una cosa.
—*intr.* ① 힘을 새로 솟게 하다, 원기가 생기다 : *Refrescamos* un poco con el descanso 휴식을 취했더니 기운이 좀 낫다. ② 시원해지다 : *Ha refrescado* esta tarde 오늘 오후는 시원해졌다. ③ 시원하게 지내다, 시원해 하다 : Vamos a ~nos a la sombra de aquel árbol 저 나무 그늘에서 시원하게 지냅시다. ④ 청량 음료·얼음물을 마시다.
~se ① 시원하게·청량하게 되다; 청량 음료를 마시다; 청신하게 되다 : Viendo este paisaje *se refrescan* mis recuerdos. ②【해사】 바람이 일다·세어지다.

refresco *m.* ① 가벼운 식사(alimento ligero). ② 기운을 내게 하기. ③ (손님에게 내는) 다과, 마른 안주 : Después de la misa nos ofrecieron un ~ 미사 뒤에 우리들에게 과자랑 마실 것이 나왔다. ④ 찬 음료수 : Vamos a tomar algún ~ para aplacar la sed 해갈시키기 위해 찬 음료를 좀 마십시다.
de ~ 덤의; 신규의, 신예의 : tropa *de* ~ 신예부대. armas *de* ~ 신예 무기.

refresquería *f.* 《*AmérC.*》 refresco의 상점.

refriante *m.* =**refrigerante.**

refriega *f.* 실랑이, 충돌(reencuentro, pelea de poca importancia).

refrigeración *f.* 냉각, 냉동; 가벼운 식사(refrigerio) : ~ con · por aire 공기 냉각. En este banco hay ~ 이 은행은 냉방이 돼 있다.

refrigerador, ra *adj.* 냉각하는. —*m.(f.)* 냉장고, 냉각기, 냉각 장치 : ~*ra* eléctrica 전기 냉장고. Hemos comprado un ~ eléctrico · una ~*ra* eléctrica 우리들은 전기 냉장고를 샀다.

refrigerante *adj.* 냉각하는. —*m.* 냉각조(冷却槽); 증류기의 냉각 꼭지관.

refrigerar *tr.* [*lat.* refrigerare] ① 냉각하다(refrescar). ② 기운을 돋우다, 원기가 나게 하다(reparar las fuerzas).
~se 얼리다; 기운을 다시 내다.

refrigerativo, va *adj.* 냉각의, 냉각용의 : remedio ~*vo.*

refrigerio *m.* ① 위안, 안도(alivio). ② 가벼운 식사(refresco). ③ 힘을 돋우기. ④ 숨을 쉬는 일.

refringencia *f.* 굴절성 : la ~ del agua.

refringente *adj.* 굴절시키는.

refringir *tr.* 4 [*lat.* refringere]【물리】 굴절시키다(refractar).

refrito, ta *adj.* [refreír 의 *p.p.*] 기름으로 다시 튀긴, 충분하게·지나치게 기름에 튀긴. —*m.* (작품에) 다시 손질하기, 개작; 개작 작품.

refucilar *intr.* 《*Ecuad.*》 번갯불이 번쩍하다.

refucilo *m.* 《*Arg.*》 =**relámpago.**

refuerce- → **reforzar** 24 9.

refuerzo *m.* ① 보강, 보완. ② 안감 대기. ③ 도움, 원조(socorro, ayuda); 원군(援軍). —*pl.* 구원병, 구원군.

refugiado, da *adj.* 피난하는. —*m.f.* 피난민.

refugiar *tr.* 11 도망시키다; 수용하다.
~se 피해 들어가다, 도망·도피하다, 몸을 숨기다; 피난하다; 철수하다 : El revolucionario *se refugió* en Francia 그 혁명가는 불란서에 도피했다.

refugio *m.* [*lat.* refugium] ① 도피처, 피난소(asilo, retiro) : Las iglesias eran en otro tiempo lugares de ~ 옛날에는 교회가 피난처였다. Durante los bombardeos todos corríamos al ~ 폭격중 우리는 모두 피난처로 달려갔다. ② 보호, 의지(가 되는 것). ③ 극빈자 수용소, 구호소, 피난민 수용소.

refulgencia *f.* (발광체의) 빛남, 빛, 광채(resplandor, brillo, fulgor).

refulgente *adj.* (빛이) 번쩍이는, 반짝이는, 찬란하게 비치는·빛나는.

refulgir *intr.* 4【시어】 =**resplandecer, brillar.**

refundición *f.* 재용해, 주물을 다시 녹이기; 개작(품).

refundidor, ra *adj. m.f.* ① 주물을 다시 녹이는 (사람). ② 개작자.

refundir *tr.* ① 다시 용해하다, 주물을 다시 녹이다. ② (작품을) 고쳐 쓰다, 개작하다 : La poesía *se refundió* en el texto. ③ 포함하다, 포함시키다, 섞다(incluir). —*intr.* ① [+a · en : …로] 되다(redundar) : El trabajo *refundió* a su favor 그 일은 결국 그에게는 득이 되었다. ② 《*Amér.*》 길을 잃다, 행방 불명이 되다, 뒤섞이다(perderse, extraviarse).
~se 혼합하다, 섞여 들다.

refunfuñador, ra *adj. m.f.* 툴툴거리는 (사람), 군소리 잘하는 (사람).

refunfuñadura *f.* 툴툴거리기, 몹시 화내는 일(gruñido de enojo o cólera).

refunfuñar *intr.* (성이 나서·불쾌해서) 투덜거리다(gruñir en señal de disgusto, murmurar, rezongar, hablar entre dientes).

refunfuño *m.* =**refunfuñadura.**

refunfuñón, na *adj. m.f.* 《*Amér.*》 =**refunfuñador.**

refungar *intr.* 《*León.*》 =**refunfuñar.**

refusilo *m.* 《*Arg.*》 전광, 번갯불(relámpago).

refutable *adj.* 반론할 수 있는 : argumento difícilmente ~. Contr. irrefutable.

refutación *f.* ① 반론, 설파(說破) : ~ lógica 논란(論難). ②【수사】논변법.

refutar *tr.* [*lat.* refutare] 반론·설파하다 : Ella *refutó* aquella calumnia 그녀는 그 중상을 반론했다.

refutatorio, ria *adj.* 반론의.

Reg. registro.

regacearse *r.* 옷자락을 걷어 올리다.

regadera *f.* 물뿌리개 ; 살수기 ; 용수구(用水溝) (reguera). —*pl.* ① (기계 냉각용) 관수(灌水) 장치. ② 《*Méx.*》 샤워(ducha).

regadero *m.* 용수구(regadera).

regadío, a *adj.* 관개할 수 있는, 물을 댈 수 있는 : terreno ~. —*m.* 논.

regadizo, za *adj.* =**regadio.**

regador, ra *m.f.* 관개자(灌漑者) ; 물 뿌리는 사람. —*m.* ① 빗의 살을 세우는 기구. ② 《*And. Col.*》 살수기(regadera).

regadura *f.* ① 관개(riego). ② 물뿌리기.

regaifa *f.* [*ár.* regaifa] ① 둥근 빵(torta). ② 착유용의 홈을 판 둥그런 돌.

regajal *m.* [드뭄] =**regajo.**

regajo *m.* 물웅덩이(charco formado por un arroyuelo), 실개천.

regala *f.* 뱃전, 선체의 가장자리.

regalada *f.* 왕실의 마굿간 ; 왕실 사육의 말.

regaladamente *adv.* 기쁘게 ; 즐겁게 ; 부족한 것 없이, 안락하게 ; 후의를 다해서.

regalado, da *adj.* [regalar의 *p.p.*] 섬세한 ; 즐거운, 유쾌한, 안락한(delicado).

regalador, ra *adj. m.f.* ① 남을 기쁘게 해주는 (일을 좋아 하는 사람). ② 선심을 잘 쓰는(aficionado a regalar). ③ 사람의 마음을 즐겁게 해주는 듯한. —*m.* (가죽 주머니를 만드는 사람이 쓰는 가죽의) 연마봉.

regalamiento *m.* 기쁘게 하는 일.

regalar *tr.* ① 기증하다, 선물하다, 선사하다, 증정하다(obsequiar, hacer regalo) : ~ una cartera a un amigo 친구에게 지갑을 선물하다. Yo le *regalé* un libro español 나는 그에게 서반아 책을 기증했다. El me *regaló* un jerez por mi cumpleaños 그는 내 생일에 헤레스주를 선물했다. ¿Qué vas a ~me por mi cumpleaños? 내 생일에는 선물로 무엇을 주겠는가? ② 위로하다, 달래다, 그리워하다(atender) : ~ a los ancianos 노인을 위로하다. ③ 즐겁게 하다, 기쁘게 하다(deleitar) : ~ el oído 듣기 좋게 말하다 ; 아부하다 ; 아첨하다. Yo lo *regalé* con buenos vinos 나는 좋은 포도주를 선물하여 그를 기쁘게 했다. ④ 용서하다(derretir).

~se ① [+en : …을] 즐기다 : El *se regalaba en* dulces memorias 그는 달콤한 추억을 즐겼다. ② 편안히 살아가다. ③ 자신을 위로하다·소중히 하다. ④ [+con : …을] 즐겁게 맛보다.

regalaría *f.* [드뭄] =**regalo.**

regalejo *m.* [*dim.* regalo] 간단한·대수롭지 않은 선물·기증품.

regalero *m.* 왕실의 생화·과일을 맡아 사들이는 사람.

regalía *f.* ① 왕권(derecho perteneciente al rey o al soberano) ; (로마 교황이 국왕에게 주는) 특권. ② (일반적으로) 특권, 특허권 (사용료), 로열티 : ~*s* entre particulares 《*Méx.*》 로열티. ③ 은총. ④ 임시 수당. ⑤ 《*Amér.*》 선물(regalo, obsequio).

tabaco de ~ 상등품의 엽궐련.

regalicia *f.* =**regaliz.**

regalillo *m.* [*dim.* regalo] ① 간단한 선물, 촌지(寸志), 조그마한 성의로 주는 것, 팁(propina). ② 부인들이 쓰는 가죽 토시.

regalismo *m.* 왕권 보호.

regalista *adj. m.f.* 왕권 보호파의 (사람).

regaliz *m.* 【식물】감초(orozuz).

regaliza *f.* =**regaliz.**

regalo *m.* ① 선물(obsequio) : ~ de boda 결혼 축하 선물. ~ publicitario 선전용 증정품. Recibí un buen ~ de mi tío 나는 숙부님한테서 좋은 선물을 받았다. ② 진수 성찬, 향응, 맛있는 음식. ③ 기쁘게 하기, 응석을 받아주기, 위안 : tratar con mucho ~ 한껏 응석을 받아주다. ④ 안락(comodidad) : Vivía con ~ 그는 안락하게 살고 있었다.

regalón, na *adj. m.f.* ① 응석받이로 자란 (사람)(criado con regalo). ② 호화스러운 생활을 하는 (사람), 사치하기 좋아하는 (사람). ③ 선물을 잘하는 (사람).

regalonear *tr.* 《*Arg. Chile.*》 응석받이로 키우다(mimar). —*intr.* 남의 호의에 버릇없이 굴다.

regalonería *f.* 《*Arg.*》 응석받이로 키우기 ; 아첨, 아부(mimo, halago).

regante *m.* 관개자 ; 용수 권리자 ; 용수지기.

regaña *f.* 《*And.*》 =**regaño.**

regañada *f.* ① 《*And.*》 꽈배기 과자(tortita muy cocida). ② 《*Méx.*》 꾸중, 질책, 나무람(regaño).

regañadientes (a) *adv.* 잔뜩 화를 내며, 기분이 나빠서(a disgusto).

regañado, da *adj.* [regañar의 *p.p.*] ① 완전히 감기거나 오무린 입과 눈의. ② 익어 터지는 (과일) : ciruela ~*da.*

regañadura *f.* =**regañamiento.**

regañamiento *m.* 개가 이를 드러내고 으르렁거림 ; 마구 부아를 터뜨리는 일.

regañar *intr.* ① (본래는 개가) 이빨을 드러내고 으르렁 거리다 ; 부아를 터뜨리다 : Mi mamá siempre me está *regañando* 모친은 항상 나에게 부아를 떠뜨리신다. ② 싸우다. ③ (과일이) 터지다. —*tr.* 힐난하다(reprender, reñir) : ~ a una criada.

regañina *f.* =**regaño.**

regañir *intr.* 52 개가 자주 슬프게 울다.

regaño *m.* ① 성난 얼굴·표정(gesto de disgusto o enojo). ② 꾸중, 질책, 나무람(reprensión) : un ~ severo. ③ 빵의 터진 곳. ④ 《*Méx.*》 넝마, 누더기(guiñapo).

regañón, na *adj. m.f.* ① 소리치기 잘하는, 서로 욕하며 싸우는, 악다구니 잘하는, 꾸짖기 잘하는, 정신 못차리게 나무라는 사람(의). ② 북서의 (바람).

regar *tr.* 19 8 [*lat.* rigare] ① 물을 뿌리다, (…에) 살수하다 : ~ la calle 거리에 물을 뿌리다. ② 관개하다, (…에) 물을 대다. ③ 《*Amér.*》 뿌

리다, 흐트러뜨리다, 흩뿌리다(esparcir). ④ 구타하다 ; 쓰러뜨리다.
~se 《*Col.*》 =**sublevarse, rebelarse.**

regata *f.* ① 용수구. ② 보트 레이스, 요트 경기 대회. ③ 《*Bol.*》 무명천(tela de algodón). ④ 《*Chile.*》 =**regateo.**

regate *m.* 도망(escape), 살짝 몸을 피하기, 몸을 피하는 일 ; 발뺌.

regateador, ra *adj.* 《*Amér.*》 =**regatón.**

regatear *tr.* ① 에누리하다, 값을 깎다 ; 흥정하다. ② 소매하다(vender al menudo). ③ 도망치다, 피하다, 달아나다(dar regates, hurtar el cuerpo). **—***intr.* ① 몸을 피하다, 교묘히 도망치다. ② 보트 레이스를 하다. ③ 《*Ant.*》 (운전수 등이) 서로 악다구니 쓰다.

regateo *m.* ① 에누리, 값을 깎기, 흥정. ② 소매.

regatería *f.* 소매(regatonería, venta por menor).

regatero, ra *m.f.* 소매 상인.

regato *m.* =**regajo.**

regatón, na *adj. m.f.* ① 에누리하는·잘하는 : una mujer muy *~na.* ② 소매 상인(vendedor por menor). **—***m.* ①(깃대·지팡이의) 물미. ② 《*Venez.*》 (바닥에 남은) 앙금(residuo).

regatonear *tr. intr.* 소매로 팔기 위해 도매로 사다(comprar ciertos géneros al por mayor para venderlos al por menor).

regatonería *f.* ① 산매, 소매(venta por menor, menudeo). ② 소매상.

regazar *tr.* ⑨ (옷자락을) 걷어 올리다 (arregazar, remangar las faldas).
~se 자신의 옷자락을 걷어 올리다.

regazo *m.* ① 무릎 : dormir en ~ de la madre 어머니에게 안겨서 자다. ② 의지, 믿는 것.

regencia *f.* ① 통치. ② 섭정, 섭정 정치·시대 ; 섭정부. ③ 옛 터키 영토의 총독부 : ~ de Túñez. ④ 《*Col.*》 zaraza의 일종.

regeneración *f.* ① 재생, 갱생. ② 쇄신, 갱신, 개혁(renovación moral) : la ~ de la sociedad. ③ 회춘(回春).

regenerador, ra *adj. m.f.* 재생의 ; 쇄신·혁신·개혁하는 (사람). **—***m.* 【전기】 재생기 ; 축열 장치.

regenerar *tr.* ① 재생시키다 (reproducir lo que estaba destruido) : La savia *regenera* los tejidos. ② 갱신·쇄신·개혁하다(renovar moralmente) : El bautismo nos *regenera.* ③ 회춘시키다 ; 부활시키다.

regenta *f.* ① regente의 아내. ② regencia를 가진 여자. ③ (약국·인쇄 공장 등의) 여주임. ④ (어떤 학원의) 여교사.

regentar *tr.* ① (regente 로서) 지배·주문·주관하다 : ~ una cátedra. ② (…의) 주임이 되다, (…에) 실권을 휘두르다, 군림하다.

regente *adj.* [*lat.* regens] 지배하는, 통치하는, 주관·주무하는 ; 섭정의 : reina ~ 섭정 대비《가령 Alfonso XIII에 대한 María Cristina》.
—*m.f.* 섭정자 ; (옛) 지방 재판소 주임 ; (어떤 교파의) 교무 주임 ; (대학이나 옛날의 학교에서) 특별·임시 교수 ; (대학의) 과장·부장 ; (약국, 인쇄소 등의) 주임 ; 관리자.

regentear *tr.* =**regentar.**

regiamente *adv.* 왕자답게 ; 호화 찬란하게, 호화스럽게 (suntuosamente, espléndidamente) : portarse ~.

regicida *adj.* 대역·시역죄의, 국왕 암살자의. **—***m.f.* 국왕 암살자(asesino de un rey o reina).

regicidio *m.* 시역, 국왕 암살(asesinato de un rey o una reina).

regidor, ra *adj.* 다스리는, 통치하는. **—***m.f.* (고대의) 원님, 사또 ; 시의원, 위원(concejal) : el ~ las justicias 사법 위원.

regidora *f.* ① regidor의 아내. ② 여자 참사·위원.

regidoría *f.* regidor의 직.

regiduría *f.* =**regidoría.**

regiego, ga *adj.* 《*Méx.*》 ① 힘에 벅찬, 반항적인(rebelde). ② 길들지 않은(indómito).

régimen *m.* [*pl.* regímenes] [*lat.* regimen] ① 제도, 조직 : ~ aduanero 관세 제도. *R-* Común de Tratamiento a los Capitales Extranjeros del Mercado Común Andino 안데스 공동 시장 외자 공동 규칙. ~ económico 경제 체제. ~ federal 연방제. ~ feudal 봉건 제도. ~ gremial 길드 제도. ~ impuesto 세제(稅制). ~ laboral 노동 제도. ~ tributario·fiscal 세제(稅制), 조세(租稅) 제도. ② 정체 : ~ antiguo 구정체 ; 구제도. ~ monárquico 군주제. ~ republicano 공화 체제. El ~ de este país es muy democrático 이 나라의 정치 제도는 매우 민주적이다. ③ 관리 : velocidad de ~ 관리·제한 속도. ④ 지배, 통치. ⑤ 섭생, 양생법, 건강법, 식사 양생 : ~ alimenticio 식이 요법. ponerse a ~ para adelgazar 살을 빼려고 식사를 줄이다. ⑥ 규정. ⑦ 【문법】 지배, (조사에서) 말과 말의 관계 ; 동사에 대한 보어 ; 동사가 요구하는 전치사 《예 : 동사 aspiar의 régimen은 a로 함》 ; 전치사의 동사에 대한 격 : Las equivocaciones en el ~ son frecuentes en castellano.
de ~ 표준·기준의, 기준이 되는.

regimentar *tr.* ⑲ 연대(regimiento)로 편성하다 : ~ guerillas.

regimiento *m.* [*lat.* regimentum] ① 지배, 관리, 통치. ② 【군사】 연대 : un ~ de artillería. ③ 시의회 의원단, 그 신분·직무. ④ 수로 안내 법규서.

regio, gia *adj.* [*lat.* regius] ① 왕의 ; 왕다운 ; 왕족의, 왕족다운 : majestad *regia.* ② 장엄한, 호화로운(suntuoso, espléndido) : ~ edificio.
agua regia 왕수(王水).

región *f.* [*lat.* regio] ① 지방, 지역, 지대 : *~es* árticas 북극 지방. ~ de confianza 신뢰 대상 지역. ~ de un representante 대리점 판매 구역. ~ ganadera 목축 지대. ~ industrial 공업 지대. ② 지구, 관구. ③ (대기·해양의) 층 : *~es* elevadas 상층부. ④ 범위 ; 계급. ⑤ 극치 ; 학술의 고도점. ⑥ (신체의) 부위(部位)·국부(局部) : ~ abdominal 복부.

regional *adj.* [*lat.* regionalis] ① 지방의, 지역의 : periódico ~ 지방 신문. ② 국부적인 : dolor ~. ③ 【종교】 지방 관구의 : superior ~ 관구장.

regionalismo *m.* 지방 (분권)제 ; 지방주의, 지방색, 지방 존중론, 지방 습관·제도 : el ~ catalán.

regionalista *adj.* 지방 주의의. **—***m.f.* 지방주의

자.

regionalización *f.* 지방 분권화.

regir *tr.* 45 [*lat.* regere] ① 통치하다, 지배하다, 다스리다(gobernar, dirigir) : Ahí *regía* un tirano 그곳에서는 한 폭군이 지배하고 있었다. ② 주재하다, 경영하다, 운영해 나가다 : ~ una institución, ~ una imprenta. ③ 이끌다, 운전하다(dirigir) : ~ un navío. ④ 뱃속을 조절하다, 정장(整腸)하다. ⑤【문법】(어떤 말이 다른 말을) 지배하다; (동사가 전치사를) 요구하다 : Los gobernantes *rigen* los destinos de la patria 위정자가 조국의 운명을 지배한다.
—*intr.* ①(법규 등이) 유효하다, 현행·실시 중이다 : Aun *rige* este decreto 이 법령은 아직 시행중이다. [*N.* 문법상 부정확하나 el mes que *rige* = el mes corriente(이달)로도 사용함]. ②【해사】키가 듣다.
~se 처신하다 : ¿Por qué método *se rige* usted? 당신은 어떠한 방법으로 행동합니까?

registrador, ra *adj.* 검사·등기·기록하는 : caja *~ra* 금전 출납기. —*m.* ① 검사관, 세관 관리. ② 등기소 직원; (사무소의) 문서·기록 담당자 : ~ de la propiedad 소유권 등기인. ~ de títulos 《*Domin.*》 등기관. ③ 자동 기록기; 기록 표시기, 타임 리코더. —*f.* 금전 출납기.

registrar *tr.* ① 검사하다. ¿Dónde *registrarán* el equipaje? 짐 검사는 어디서 합니까? Las mercancías *se registran* en la aduana 상품은 세관에서 검사받았다. ② 수색하다 : La policía *registró* su casa 경찰은 그의 자택을 수색했다. ③ 기록하다, 등기·등록하다; (원장·메모장에) 써넣다, 등본을 작성하다. ④ 표하다(señalar), 기록하다 : El sismómetro *registra* un terremoto a 2.000㎞. de distancia 지진계는 2,000킬로미터 거리에서 지진을 기록한다.
~se 입적(入籍)하다; (자신을) 등록·등기하다; 기록되다 : *Se registran* depresiones atmosféricas 저기압이 기록되고 있다. Una faja temperatura *se registró* hoy en esta ciudad 당시에서는 오늘 저온이 기록되었다. *Se registran* depresiones atmosféricas 저기압이 기록되고 있다.

registrero *m.* 《*Arg. Bol.*》 직물 수입 상인·업자(almacenista, tendero).

registro *m.* [*lat.* regestus] ① 검사; 국세 조사; 검사(기·소), (검사를 위해) 들여다 보는 구멍; 수사(搜査). ② ㄱ) 원부, 대장, 등기·등록(부) : libro de ~ 등록부. número de ~ 등록번호. ㄴ) 호적 대장, 공증부; 등기소. ③ 색인서; (책갈피에 끼는) 서표(書標). ④ (오르간 등의) 정조기(整調器) : (시계의) 정시기(整時器); 앞뒤 양쪽 인쇄면의 정합(整合); (실험 기구 등의) 공기 조절 구멍. ⑤【은어】식당, 선술집(bodegón). ⑥ 《*Arg. Bol.*》 직물 도매상(almacén de tejidos al por mayor).
~ ***aduanero*** 세관 검사. ~ ***de acciones*** 주식 대장. ~ ***de accionistas*** 주주 대장. ~ ***de buques*** 선박 원부. ~ ***de caja*** 현금 출납장. ~ ***de civil*** 호적 원부. ~ ***de compras*** 매입 (일기)장. ~ ***de comprobantes*** 지불 전표 기입장. ~ ***de cheques*** 수표 기입장. ~ ***de efectos a cobrar·pagar*** 수취·지불 어음 기입장. ~ ***de entrada*** 경기 참가 등록. ~ ***de exportación*** 수출 등록서. ~ ***de facturas*** 송장 기록부. ~ ***de importación*** 수입 등록서. ~ ***de marcas*** 상표 등록. ~ ***de patentes*** 특허 목록 (원부), 특허 신청. ~ ***de pedidos*** 주문 인수장. ~ ***de personal*** 인사 기록. ~ ***de propiedad*** 토지 가옥 대장. ~ ***de propiedad industrial*** 상표·신안 등록부. ~ ***de propiedad intelectual*** 저작권 등록부. ~ ***de sonido*** 녹음(錄音). ~ ***de ventas*** ① 매상 장부. ② 《*Perú.*》 매상 대장. ~ ***general de hipotecas*** 일반 저당권 등기부. ***R- Lloyd*** 로이드 선박 등록부. ~ ***mercantil*** 상업 등기. ***R- Nacional de Contratos y Transferencia de Tecnología*** 《*Arg.*》 국가 기술 등록·이양 등기소. ***R- Nacional de Transferencia de Tecnología*** 《*Méx.*》 기술 이전 전국 등록부. ~ ***público de comercio*** ① 상업 등기부. ② 《*Méx.*》 상업 등기소. ***R- Público de Propiedad*** 《*Méx.*》 재산 등기소.
fuera de ~ 기록이 안된.
echar todos los ~s 전력을 다하다.
salir por ~ 표현하다.
tocar muchos·todos los ~s 온갖 수단을 다하다, 안간힘을 쓰다.

registrón, na *adj.* 《*Perú.*》 주책스러운, 주책바가지의(fisgón, entremetido).

regitivo, va *adj.* [드뭄] 통치하는, 지배하는, 다스리는.

regla *f.* [*lat.* regula] ① 자 : Si lo trazas sin ~ te saldrá torcido 자를 쓰지 않고 선을 그으면 굽어져 버린다. ¿Quiere darme esa ~? 자를 좀 빌려주십시오. ② 법, 법칙; 규칙, 계율; 원칙(原則), 원리(principios) : como ~ general 원칙대로. No hay ~ sin excepción 예외 없는 규칙은 없다. Tú debes obedecer las *~s* 너는 규칙에 따라야 한다. Las *~s* son complicadísimas 규칙이 매우 복잡하다. ③ 훈령. ④ 규준, 표준(량). ⑤ 규율, 질서(disciplina); 신중(moderación). ⑥ 괘(罫); 본보기(pauta). ⑦ 월경(menstruación).
~ ***de arbitraje*** 중재 규칙. ~ ***de cálculo*** 계산자. ~ ***de compañía*** 합자 산법(合資算法). ~ ***de curvas*** 운형(雲形)자, 곡선자. ~ ***de falsa posición*** 가설 해법(假設解法). ***Reglas de Hague·La Haya*** 헤그 규칙. ~ ***de oro·de proporción·de tres*** 비례법. ~ ***fija*** 표준; 고정 식자. ~ ***graduada*** 눈금자. ~ ***lesbia*** 곡면용(曲面用) 자. ~ ***magnética*** 측량용 컴퍼스. ~ ***triangular*** 삼각자. ~ ***T*** 티자형, 정자(丁字)자. ***cuatro ~s***【수학】사칙(四則)《가감승제》. ***falsa*** ~ 밑받침으로 쓰는 괘.
a ~ 규칙에 따른; 정석에 따라, (…에) 맞추어.
en ~ 당연히, 과부족없이(como se debe) : Tiene todos los papeles *en* ~ 그는 정규 서류를 모두 갖추고 있다.
por ~ general 일반적으로.
echar la ~ 자를 대다·대 보다.
salir de ~ 테두리에서 벗어나다, 지나친 짓을 하다, 엉터리짓을 하다(propasarse, excederse).

regladamente *adv.* 자로 잰 듯이, 절도 있게(con regla y medida).

reglado, da *adj.* [reglar의 ***p.p.***] 신중성 있는, 섭생하는, 절도 있는(moderado, templado).

reglaje *m.* 종이에 줄긋기.

reglamentación *f.* 법규 (그 자체); 법규의 제정, 법률 집행의 지시 : ~ al capital extranjero 외자 취급 규칙. ~ de precios 가격 조정.

reglamentar *tr.* 규정하다, (…의) 규칙·법규를 정하다, (규칙으로) 단속하다 : Hay que ~ el turismo 관광을 법으로 단속해야 한다.
reglamentariamente *adv.* 규정에 의해, 법규상, 규칙대로.
reglamentario, ria *adj.* 규정의, 법규상의 : edad *~ria* 정년(停年). trabajo ~ 규정상의 일.
reglamentista *adj.* 법규·규정 준수주의의.
—*m.f.* 법규·규정 준수주의자.
reglamento *m.* ①【집합】규정, 규약, 법규 : sujetar a ~ 법규에 따르게 하다·맞추다. ② 내규, 세칙, 부칙.
~ de aduana 관세 규칙. *~ de comercio exterior* 무역 규칙. *R- del Código Aduanero Uniforme Centroamericano* 중미 통일 관세법 세칙. *~ marítimo* 선박법. *~ postal* 우편 규칙. *~s relativos al transporte de carga aérea* 항공 화물 관계 법규.
reglar[1] *adj.* 법칙의, 규칙에 의한 ; 규정상의, 내규의 ; 수도회에 소속하는.
reglar[2] *tr.* ① (종이 따위에) 줄을 긋다. ② 규칙에 맞게 하다. ③ 규칙적으로 하다 ; 조정하다.
~se ① 신중히 하다 ; 규칙에 따르다. ② [+a : …에] 따르다, 준거(準據)하다 : *~se a* lo justo 정당성에 따르다.
reglero *m.* 줄자.
regleta *f.* 【인쇄】인테르《활자를 조판에서 행간(行間)을 띄우기 위하여 행과 행 사이에 끼워 넣는 물건》(planchuela usada para regletear).
regletear *tr.* regleta를 끼워 넣다, 행간을 고르게 하다.
reglón *m.* (미장이·석공의) 큰 자.
regnícola *adj. m.f.* 【남·여 동형】어떤 왕국의 ; 그 나라 사람 ; 내국인 ; 자기 나라를 배경으로 작품을 쓰는 작가.
regocijadamente *adv.* 기뻐서, 반가워, 기쁜 듯이(con regocijo).
regocijado, da *adj.* [regocijar의 *p.p.*] 기쁜, 즐거운, 만족한 (alegre, contento) : rostro ~ 만족스런·즐거운 얼굴. Contr. triste.
regocijador, ra *adj. m.f.* 기뻐하는 (사람). Contr. entristecedor.
regocijar *tr.* 기쁘게 하다, 즐겁게하다, 좋아하게 하다(alegrar).
~se 기뻐하다, 좋아하다(alegrarse, ponerse contento) : *Se regocijó* por aquella noticia 그는 그 소식을 듣고 기뻐했다. Contr. entristecer.
regocijo *m.* 큰 기쁨, 환희(júbilo, goce).
—*pl.* 축제(fiestas públicas) : Con motivo de la coronación se organizaron diversos *~s* públicos 대관식 때문에 여러 가지 축하 행사가 행해졌다.
rogodearse *r.* ① 만족해 하다, 즐거워하다 : La gente *se regocijo con* sus chistes 사람들은 그 농담을 (듣고) 재미 있어 했다. ② 농담을 던지다(bromear, estar de chacota). ③《*Col. Chile.*》잘난 체하다, 배부른 얼굴을 하다.
—*tr.*《*Chile.*》=**regatear, escatimar.**
regodeo *m.* 기쁨, 즐거움(diversión, deleite).
regodeón, na *adj.*《*Col. Chile.*》=**regodiento.**
regodiento, ta *adj.*《*Col. Venez.*》① 응석받이로 자란. ② 바로 불평을 하는. ③ 별난, 까다로운 (성미).
regojo *m.* [*lat.* recollectus] ① 먹다 남은 빵. ② 어린이, 꼬마(muchachuelo).
regojuelo *m. dim.* regojo.
regola *f.*《*SDgo.*》용수구(用水溝).
regolaje *m.* 활달함 ; 흐뭇해 하는 마음.
regoldano, na *adj.* 야생의 (밤).
regoldar *intr.* 28 트림을 하다(eructar, despedir regüeldos).
regoldo *m.* 【식물】야생 밤나무(castaño silvestre).
regoldón, na *adj.* 트림을 하는(que regüelda).
regolfar(se) *intr.* (*r.*) 물이 괴다 ; (바람이) 방향을 바꾸다, 소용돌이치다.
regolfo *m.* ① (바람·물의) 역류(remanso del agua contra su corriente). ② 만(灣)(seno o bahía en el mar entre dos cabos).
regomello *m.*《*Murc.*》둔한 아픔 ; 내심의 불쾌.
regomeyo *m*《*And. Murc.*》=**regomello.**
regona *f.* 용수로(reguera grande, canal para riego).
regordete, ta *adj.* 땅딸막한(rechoncho, gordiflón) : un hombre ~.
regordido, da *adj.* [드뭄] 비대한, 부푼.
regorjeo *m.*《*Sant.*》환성(grito de júbilo).
regostarse *r.* 탐닉하다(arregostarse, engolosinarse).
regosto *m.* 다시 하고 싶은 마음, 탐닉(engolosinamiento).
regraciar *tr.* 11 사의를 표하다.
regresar *intr.* 되돌아가다, 돌아가다, 돌아오다(volver) : ~ a su patria 조국에 돌아가다. El *regresó* hace una hora 그는 한 시간 전에 돌아왔다. *Regresarán* el jueves a su casa 그들은 목요일에 집으로 돌아간다.
regresión *f.* 후퇴(retroceso) ; 돌아감(vuelta) ; 소급(遡及).
regresivo, va *adj.* ① 후퇴의 : movimiento ~ ; marcha *~va*. ② 소급적인. Contr. progresivo.
regreso *m.* ① 귀환, 귀착, 복귀, 돌아감(vuelta) : viaje de ~ 귀로. A mi ~ se lo contaré todo 내가 돌아온 뒤에 자초지종을 말하겠소. ② 후퇴(regresión) ; 퇴보, 퇴화.
regruñir *intr.* 52 (돼지 따위가) 자꾸만 꿀꿀거리다(gruñir mucho).
Regt.[o] regimiento.
reguardarse *r.* (…으로부터) 몸을 보호하다·방어하다 ; 몸을 감싸다(guardarse, resguardarse).
regüeldo *m.* 트림, 하품(eructo).
reguera *f.* ① 용수구. ②《*Amér.*》배를 매는 밧줄.
reguerete *m.*《*Ant.*》혼란, 난잡(confusión).
regueretear *tr.*《*PRico.*》산산조각으로 만들다.
reguero *m.* ① 흐름 : un ~ de sangre. ② 흐른 자국(señal que deja lo que se derrama). ③ 용수구(reguera).
ser un ~ pólvora 순식간에 퍼지다, 널리 알려지다.
reguilete *m.* =**rehilete.**
reguindar *intr.*《*And.*》=**trepar.**
reguío *m.*《*Col. Ecuad. SDgo.*》물뿌리기, 관개, 물을 대는 일(riego).
regulable *adj.* 조정·조절·규제할 수 있는.

regulación *f.* 조절, 조정, 절제, 규제, 통제 ; 제한 ; 법규, 규정 : ~ automática de los cambios 환시세 자동 조정. ~ de precios 가격 조정. ~ del consumo 소비 관리・통제. ~ del tránsito 교통 정리. válvula de ~ 조절반.

regulado, da *adj.* [regular 의 *p.p.*] 규범에 따라 (regular o conforme a la regla).

regulador, ra *adj.* 조정(調整)하는. —*m.* 조정・조절기・장치 ; 조절반 ; 표준 시계 ; (엔진의) 조속기.

regular[1] *adj.* [*lat.* regularis]① 규칙적인 ; 올바른, 정확한, 어김없는(ajustado, medido) : Tenía el pulso ~ 그의 맥은 정상이었다. ② 정규의, 정식의. ③ 보통의, 통상적인, 범용한(mediano) : Disfrutaba de un salario ~ 그는 많지도 않은 급료를 받고 있었다. ④ 수도회에 속하는 : clero ~. ⑤【기하】등변・등각의 (다변형) ; 등면・등각의 (다면체). ⑥【문법】규칙적인 : verbo ~ 규칙 동사.
—*m.* 수도 성직자, 승려.
—*adv.*【속어】① 보통으로 : comer ~ 보통으로 먹다. ② 이럭저럭, 겨우.
por lo ~ 보통으로, 일반적으로.

regular[2] *tr.* [*lat.* regulare] ① 정리하다, 조정・조절하다(medir) : Se ha construido una presa para ~ la distribución del agua de riego 용수(用水) 분배의 조절을 하기 위하여 댐이 만들어졌다. ② 바르게 하다, 규정하다(reglar, regularizar) : Hay que ~ el tráfico 교통을 규제해야 한다.

regularidad *f.* ① 규칙 바름 : ~ de vida. ② 고지식함. ③ 정확(puntualidad) : ~ en las comidas. ④ 고름, 균제, 조화. ⑤ 관습, 관례, 습관.

regularización *f.* 규칙 바르게 하는 일, 조정.

regularizador, ra *adj.* 규칙 바른.

regularizar *tr.* ⑨ ① 옳게 하다, 가지런히 하다, 조정하다, 규칙적으로 하다, 질서를 세우다(regular). ② 조직하다, 계통을 세우다.

regularmente *adj.* ① 규칙 바르게 ; 정식으로. ② 보통으로(comúnmente). Contr. irregularmente.

regulativo, va *adj.* 조정하는, 조절적인.

régulo *m.* [*lat.* regulus] ① 소왕(小王), 작은 나라의 군주 ; 추장(reyezuelo). ② 피(鈹)《거푸집의 바닥에 쌓이는 늘어나지 않는 광물질》. ③【조류】상모솔새. ④ [el R-]【천문】사자좌의 일등별(corazón del León).

regumbio *m.* 《*Méx.*》 혼란, 난잡(barullo).

regurgitación *f.* regurgitar하는 일.

regurgitar *intr.* ① 토하다 : Los niños de pecho *regurgitan* con gran facilidad. ② (피・체액이) 넘쳐 나오다, 역류하다.

regustado, da *adj.* 《*And.*》 입맛을 들여 버린, 재미를 붙인 : quedar ~ 입맛을 들이다.

regusto *m.* =**regodeo.**

rehabilitación *f.* 복권(復權), 복위, 복귀 ; 명예의 회복 ; 부흥 : ~ de los mutilados 신체 장애자의 사회 복귀. ~ del quebrado 파산에서의 복귀. ~ económica 경제 부흥. ~ profesional 복직.

rehabilitar *tr.* ① 복구하다 ; 복권・복위・복직시키다 : Algunos políticos *han sido rehabilitados* después de la guerra 정치가 중에는 전쟁후 원래의 지위에 복귀된 사람도 있다. ② 명예를 회복시키다 ; 되찾다 ; 부흥시키다.
~se 복권하다 ; 재기하다, 부흥하다.

rehacer *tr.* ⑥⑨ [*p.p.* rehecho] ① 다시 만들다, 다시 하다 : Hubo que ~ los planos perdidos 잃어버린 도면을 새로 만들어야 했다. ② 수선하다, 고치다(reparar).
~se ① 재기하다, 원기를 찾다, 기운을 돌이키다(fortificarse) : *Se rehizo* rápidamente después de la operación 그는 수술후 급속히 체력을 회복했다. ② 자리잡다(serenarse) ; 재편성하다.

rehacimiento *m.* 다시 하기 ; 수선 ; 재기(再起).

rehacio, cia *adj.*【고어】=**reacio.**

rehala *f.* (몇 사람한테서 맡은) 양떼.
a ~ 남의 양을 모두 뒤섞어.

rehalero *m.* 맡은 양떼지기.

rehartar *tr.* 늘어지게 만들다, 싫증나게 만들다.
~se 배가 잔뜩 불러지다, 포식하다.

reharto, ta *adj.* [rehartar의 *p.p.*] 배부른, 포식한, 싫증난.

rehecho, cha *adj.* [rehacer의 *p.p.*] 다시 만든, 재생(再生)된, 회복된 ; 작지만 당찬.

rehelear *intr.* 쓴맛이 나다. [*N.* h는 기음(氣音)으로 발음함].

reheleo *m.* 쓴맛(amargor).

rehelo *m.* 쓴맛.

rehén *m.* ① [주로 *pl.*] 인질 : quedar *en* ~*es* 인질이 되다. El infante quedó *en* ~*es* 왕자는 인질이 되었다. El presidente Jimmy Carter advirtió ayer que si uno sólo de los 49 ~*es* retenidos en la embajada norteamericana sufre algún daño, Irán tendrá que hacer frente a consecuencias extremadamente graves 지미 카터 대통령은 미대사관에 억류되어 있는 49명의 인질중 단 한 사람이라도 어떠한 부상을 입는다면 이란은 극심한 결과에 직면하게 될 것이라고 어제 경고했다. ② (성체 같은 데서 하는) 담보, 저당.

rehenchido, da *adj.* [rehechir의 *p.p.*]부푼(relleno). —*m.* (불룩하게 하기 위해) 안에 채워 넣는 것, 부풀리기, 부풀리는 일(rehenchimiento).

rehenchimento *m.* 부풀리기, 부풀리는 일.

rehenchir *tr.* ④⑧ (이불 등을) 부풀리다 ; 다시 채우다, 재차 팽창시키다 : La criada *rehenchó* cojines con paja 하녀는 방석을 짚으로 채웠다.
~se 부풀다.

rehendija *f.* =**rendija.**

reherimiento *m.* 배격.

reherir *tr.* ⑤④ 퇴치하다, 배격하다(rechazar).

reherrar *tr.* ①⑨ 같은 굽쇠를 다시 박다.

rehervir *intr.* ⑤⑥ ① 다시 끓어 오르다 ; 펄펄 끓다. ② (감정이) 타오르다(arder en una pasión).
~se (절인 음식이) 발효하다(fermentarse las conservas).

rehice- → **rehacer** ⑥⑨.

rehicie- → **rehacer** ⑥⑨.

rehiladillo *m.* 끈, 테이프(hiladillo).

rehilandera *f.* 풍차 《장난감》.

rehilar *tr.* ①⑧ 너무 꼬다. —*intr.* 비틀거리다 ;

(화살 등이) 울리다, 울리며 지나가다.
rehilero *m.* =**rehilete.**
rehilete *m.* ① 화살 ; 부는 화살《장난감》; (투우용) 작살(banderilla). ② 깃털 장난감의 일종(volante). ③ 빈정댐.
rehilo *m.* 희미한 진동·떨기.
rehílo *m.* =**rehilo.**
rehinchir *tr.* =**rehenchir.**
rehincho *m.* 《*Cuba.*》 흙을 북돋우기.
rehíncho *m.* =**rehincho.**
rehirv- → **rehervir** 56.
rehirvie- → **rehervir** 56.
rehogar *tr.* 8 (약한 불에) 볶다, 찌다.
rehollar *tr.* 24 ① 다시 밟다·짓밟다(pisotear). ② 유린하다.
rehoya *f.* =**rehoyo.**
rehoyar *intr.* (나무를 심기 위해) 구덩이를 다시 파다.
rehoyo *m.* 다시 판 구덩이.
rehuida *f.* 멀리하기, 피하기.
rehuir(se) *intr.(r.)* 77 ① 피하다 : José *(se) rehuye* ante el peligro. ② 거절하다, 거부하다. ③ 온 길로 도망치다.
rehumectar *tr.* =**rehumedecer.**
rehumedecer *tr.* 31 촉촉히 적시다·축이다(humedecer mucho).
~se 젖다.
rehundido, da *adj.* rehundir의 *p.p.* **—***m.* 【건축】 초석의 깊이 ; 구멍, 구덩이.
rehundir[1] *tr.* 18′ ① 깊이 가라앉히다. ② 더 깊다(ahondar).
rehundir[2] *tr.* 18 [*lat.* refundere] ① 용해하다(refundir). ② 낭비하다, 소비하다(gastar sin peso ni medida).
rehurtarse *r.* 18 (사냥에서 짐승이) 방향을 바꾸어 도망가다.
rehurto *m.* 탈골(esguince).
rehusar *tr.* 18′ 피하다, 거부·거절하다 : El *rehusó* el permiso 그는 그 허가를 거절했다. Le *rehúsan* hasta el derecho a defenderse 그는 자기 방위의 권리조차 거부당하고 있다. Sinón. rechazar.
rehuz *m.* 《*And.*》 =**desecho.**
reichstag *m. alem.* (독일의) 의회.
reidero, ra *adj.* 우스운, 웃을 만한.
reidor, ra *adj.* 자주 웃는 ; 생글생글한, 웃고 있는 듯한.
reimportación *f.* 재수입 ; 재수입품.
reimportar *tr.* 재수입하다.
reimposición *f.* 재과세(再課稅).
reimpresión *f.* 재판, 개정판 ; 재판서(再版書) : una ~ inferior al original.
reimpreso, sa *adj.* reimprimir의 *p.p.*
reimprimir *tr.* [*p.p.* reimpreso] 재판하다, 인쇄를 다시하다(volver a imprimir, imprimir de nuevo) : Se *está reimprimiendo* la obra agotada 절판된 작품은 인쇄를 다시 하고 있다.
reina *f.* ① [*lat.* regina] 여왕 ; 왕비 : La rosa es la ~ de las flores 장미는 꽃의 여왕이다. ② 카드의 여왕. ③ 여왕벌(abeja ~).
~ ***de los prados*** 【식물】 석잠풀.
~ ***luisa*** 향수나무.
~ ***mora*** 돌차기 놀이.
reinado *m.* 치세 ; 전성 시대, (만능) 시대 : ~ de cemento armado 철근 콘크리트의 시대. ~ de Carlos Ⅲ 까를로스 3세 시대.
reinador, ra *m.f.* 지배자, 통치자.
reinal *m.* (두 가닥으로 꼰) 삼줄, 삼베 밧줄.
reinante *adj.* ① 다스리는, 왕의 : dinastía ~. ② 당대(當代)의, 우세한, 넘쳐 퍼진 : un silencio ~.
reinar[1] *intr.* [*lat* regnare] ① 다스리다, 통치하다, 군림하다(dominar) : ~ *sobre* muchos pueblos 많은 민족을 통치하다. Luis XVI (dieciséis) *reinó en* Francia en el siglo dieciocho 18세기에는 불란서는 루이 16세가 지배했다. El color que *reina* en la moda en este momento es de beige 현재 유행계에 지배적인 색은 베이지이다. Durante la guerra *reinó* el terror 전시중에는 테러가 횡행했다. ② 우세하다 ; 기세를 부리다, 위세가 당당해지다 ; 크게 유행되다, 지배하다, 감돌다(dominar) : En él *reina* un espíritu revolucionario 그에게는 혁명 정신이 감돌았다. El cólera *reina* endémicamente en algunos países 몇몇 나라에서는 콜레라가 풍토병처럼 유행하고 있다.
reinar[2] *intr.* 【속어】 《*And.*》 =**rebinar, meditar, cavilar.**
reincidencia *f.* 재범, 누범(累犯) ; 타락.
reincidente *adj.* 재범의. **—***m.f.* 재범자.
reincidir *intr.* [+en : …을] 재범하다, 계속 범죄·과오를 저지르다, 다시 …에 빠지다 ; (병이) 재발하다.
reincorporación *f.* 재편입, 재합체, 재합동.
reincorporar *tr.* 재편입시키다, 다시 참가시키다, (분열된 정당·단체를) 재통합·결합시키다.
~se 재결합·참가·합동·합체하다.
reineta *f.* [*fr.* reinette] 레네트 사과《향긋하고 알이 굵은 사과의 일종》.
reingresar *intr.* 재입학·재가입하다(volver a ingresar).
reingreso *m.* 재가입, 재입학.
reino *m.* [*lat.* regnum] ① 왕국 : *R-* de Granada 그라나다 왕국. ② 분야, 활동 범위. ③ 【박물】 …계(界) : ~ vegetal · animal · mineral 식물·동물·광물계.
R- de los cielos 하늘 나라, 천국(cielo).
R- Unido 대영제국.
reinoso, sa *m.f.* 《*Col.*》 오지에 사는 사람.
reinscribir *tr.* 다시 새기다, 재가입하다.
reinscripción *f.* 다시 새김, 재가입.
reinsistir *intr.* 다시 주장하다·고집하다.
reinstalación *f.* 《*Neol.*》 재설치 ; 재설정.
reinstalar *tr.* 《*Neol.*》 재설치하다 ; 재설정하다 ; 다시 배치하다, 장치를 다시 하다.
reinstauración *f.* 재회복, 재복구, 재부흥, 복권(rehabilitación).
reintegrable *adj.* 반제·상환·변제할 수 있는 ; 복직·회복시킬 수 있는.
reintegración *f.* 반제, 상환, 지불 ; 복구, 회복, 복직 ; 재건 : ~ de los mutilados a la vida económica 신체 장애자의 경제 생활에의 복귀.
reintegrar *tr.* ① 원상으로 복구시키다 : ~ a un huérfano *en* sus bienes 어떤 고아에게 그의 재산을 원상으로 복구시켜 주다. ② 돌려주다 ; 반

제·변제하다. ③ 다시 완전하게 하다, 재건하다. ④ 수입 인지를 붙여 정식적인 것으로 만들다.
~se ① [+de : …을] 되찾다(recobrarse). ② [+a : …에] 복귀하다 : *~se al* partido.

reintegro *m.* ① 반제, 상환. ② 복구, 회복(reintegración). ③ 지불, 불입(pago). ④ (복권에서) 원금의 환불. ⑤ 복직, 복학, 복적.

reinversión *f.* 재투자 : ~ de ganancias 이윤의 재투자.

reinvertir *tr.* ① 재투자하다. ②【의학】정상으로 회복하다.

reir *intr.* 44 [*lat.* ridere] 웃다 ; 비웃다. —*tr.* 웃다 : Todos *rieron* sus chistes.
~se ① 웃다. ② [+de : …을] 비웃다, 조소하다 : Sus compañeros *se ríen de* él 동료들은 그를 비웃고 있다. ③ (옷 같은 것이) 해어지다, 떨어지다, 떨어지기 시작하다.
[직설법 현재 : río, ríes, ríe, reímos, reís, ríen. 접속법 현재 : ría, rías, ría, riamos, riais (riáis), rían. 직설법 부정과거 : reí, reíste, rio, reímos, reísteis, rieron. 현재 분사 : riendo. 과거 분사 : reído].

reír *intr. tr.*【고어】=**reir.**

reis *m. pl.* 레이스《포르투갈과 브라질의 화폐 단위》.

reiterable *adj.* 반복할 수 있는.

reiteración *f.* 반복, 되풀이 ; 누범.

reiteradamente *adv.* ① 반복하여, 되풀이하여, 자주(con reiteración, repetidas veces) : pedir una cosa ~. ② 누누히, 강조해서.

reiterar *tr.* [*lat.* reiterare] 되풀이하다, 반복하다(repetir) : ~ una pregunta 질문을 반복하다. ~ la necesidad de fortalecer la ayuda a Turquía y Pakistán 터키와 파키스탄에 원조를 강화할 필요성을 되풀이하다. Le *reitero* mis sentimientos amistosos (편지의 끝맺음) 나의 우정을 되풀이하여 말씀드립니다. Le *reitero* mis más expresivas gracias 귀하에게 거듭 심심한 사의를 표합니다.
~se 거듭해서 …이라고 말하다 : *Nos reiteramos* de ustedes sus afmos. ss. ss. 경구(敬具), 우리는 귀사에 정중한 경의를 재삼 표하는 바입니다.

reiterativo, va *adj.* ① 거듭하는, 반복하는, 반복성의 : una orden *~va.* ②【문법】반복(상)의(frecuentativo) : verbo ~.

reitre *m.* [*alem.* reiter] 옛 독일의 기병 : Hubo *~s* en España en tiempos de Carlos I.

reivindicable *adj.* 되찾을 수 있는.

reivindicación *f.* 청구 ; (상실한 권리 등을) 되찾기, 회복 ; 재평가.

reivindicar *tr.* 7 청구하다 ; 되찾다, 회복하다 ; 재평가하다.

reivindicatorio, ria *adj.* 되찾는, 회복하는.

reja *f.* [*lat.* regula ; *catalán.* rella] ① 철격자, 창격자 ; 철책 : Los dos novios se hablan por la ~ 두 애인이 창문 격자 너머로 이야기한다. ② 쟁기의 날. ③ 경작, 밭갈이. ④《*Méx.*》의복 수선. ⑤《*Hond.*》감옥(la cárcel).
~ *limpiabarros* 구두 밑창 닦는 철제의 도구.

rejacar *tr.* 7 사이갈이하다(arrejacar).

rejada *f.* =**arrejada.**

rejado *m.* 철책, 격자(verja), 쇠창살.

rejal *m.* 쌓아 올린 벽돌 ; 벽돌 쌓기.

rejalbido, da *adj.* 《*And.*》=**blanqueado.**

rejalgar *m.* [*ár.* rehchagar] ①【광물】계관석. ②《*Bol. Col.*》【식물】가지과 식물.

rejazo *m.* 《*Col.*》=**latigazo.**

rejeada *f.* 《*Ecuad.*》채찍질(azotaina).

rejego, ga *adj.* ①《*AmérC. Méx.*》단단한 ; 다루기 어려운, 힘겨운. ②《*Méx.*》성마른. ③《*Amér.*》온순한 ; 게으른. ④《*Cuba.*》젖을 짤 수 있는 (소).

rejera *f.* 《*Chile.*》① 배를 매는 밧줄(reguera echada al ancla). ②《*Cuba. Ecuad.*》젖을 짜고 있는 (소).

rejería *f.* ① 철책의 제작. ② [집합] 철책, 철제격자(reja).

rejero *m.* 철책·철격자의 제조인·판매인.

rejileto, ta *adj.* 《*Sal.*》=**tieso, garboso.**

rejilla *f.* [*dim.* reja] ① 격자, 격자망 ; 쇠그물 ; 격자창 ; 밖을 보는 창, 창구 ; 면회 창구. ② (차 내의) 그물 시렁. ③ 발을 덥게 하는 도구. ④【전기】라디오의 삼극(三極) 진공관의 제삼극(第三極).

rejiñol *m.* =**pito.**

rejitar *tr.* 게우다, 토하다(vomitar).

rejo *m.* ① 첨철(尖鐵)(punta o aguijón) : ~ de hierro. ② 침, 바늘, 칼 : ~ de la abeja. ③ 씩씩함, 늠름함, 단단함(vigor, robutez). ④【식물】씨눈의 어린 줄기. ⑤《*Amér.*》가죽 채찍, 회초리(azote, látigo) : dar ~ a uno (누구를) 채찍으로 때리다. ⑥《*Ecuad.*》젖소의 무리.
~ *tieso* 《*Venez.*》옹고집.

rejón *m.* ① 끝이 뾰족한 철봉, 꼬챙이. ② (투우용) 창. ③ 단도·비수의 일종. ④ 팽이의 축.

rejonazo *m.* rejón으로 찌르기 ; 그 상처.

rejoncillo *m.* (투우사가 사용하는) 창(rejón).

rejoneador *m.* (투우에서) 창·꼬챙이로 찌르는 사람.

rejonear *tr.* 창(rejón)으로 소를 다루다.

rejoneo *m.* 창으로 소를 다루는 스포츠.

rejudo, da *adj.* 《*Col.*》엿처럼 연한(correoso como melcocha).

rejuego *m.* ①《*Cuba.*》=**embrollo, trampa, añagaza,** ②《*Méx.*》=**algazara.**

rejuela *f.* [*dim.* reja] ① 작은 철격자·철창(reja pequeña). ② 발을 따뜻하게 하는 도구(braserillo o estufilla para calentarse los pies).

rejugado, da *adj.* 《*Amér.*》빈틈이 없는, 교활한, 뱃속이 검은(astuto, taimado).

rejundir *intr.* 《*Sant.*》=**aprovechar, lucir.**

rejuntar *tr.* =**juntar, escoger.**

rejuvenecer *tr.* 31 ① 다시 젊게 하다 ; 갱생케 하다 : Ese vestido le *rejuvenece* mucho 그 옷은 당신을 매우 젊어 보이게 한다. ② 실현하다.
—*intr.,* **~se** 다시 젊어지다, 정력을 되찾다 : Jóse (*se*) *rejuvenece.*

rejuvenecimiento *m.* 젊어지기 ; 회춘(법) ; 갱생, 재생.

rejuz *m.* 《*And.*》아주 작은 사람, 허약한 아이.

rel. religión 종교.

relabra *f.* (조각에서) 두 번 파기.

relabrar *tr.* (돌·나무의 세공에서) 두 번 파다, 세공을 다시 하다, 공들여 하다.

relación *f.* [*lat.* relatio] ① 연결, 관계, 관련

(conexión) : Eso no tiene ninguna ~ con este problema 그것은 이 문제와는 아무런 관계도 없다. No existe ninguna ~ entre ellos 그들간에는 아무런 관계도 없다. ② [주로 *pl.*] 관계, 사귐, 교제, 사이 : ~*es* de parentesco·de amistad 혈연·우정 관계. ~*es* diplomáticas 국교, 외교 관계. ~*es* comerciales 거래 관계. tener ~*es* con …와 교제·관계가 있다. El mantiene buenas ~*es* con los amigos 그는 친구들과 좋은 관계를 유지하고 있다. ③ 정교(情交) (~*es* amorosas). ④ 이야기, 소설 ; 담화 ; 진술, 구술 : hacer ~ de …의 이야기를 하다, 진술하다. Su ~ era muy interesante 그의 이야기는 매우 재미있다. ⑤ 보고, 보고서. ⑥《*Méx.*》묻힌 보물, 감춰둔 보물. ⑦ 표, 일람표 : Se publicó una ~ de aspirantes 지원자 일람표가 발표되었다.

~ ***de ciego*** (맹인이 거리를 노래하며 다니던) 맹인 이야기 ; 따분한 이야기 ; 무미 건조한 낭독·낭송. ~ ***jurada*** 선서 진술·구술. ~ ***comercial*** 통상·거래 관계. ~ ***de bultos*** 포장 명세서. ~ ***de cantidad*** 양적 관계. ~ ***de causalidad*** 우발적 관계. ~ ***de desgracia marítima*** 해난(海難) 보고서. ~ ***de existencias*** 재고표. ~ ***de reserva*** 준비율. ~ ***de ventas*** 매상 보고서. ~ ***económica*** 경제 관계. ~ ***entre activo corriente y pasivo corriente*** 유동 비율. ~ ***entre activo disponible y pasivo corriente*** (유동 부채에 대한 당좌 자산의) 산성(酸性) 비율, 당좌 비율. ~***es entre obreros y directivos,*** ~ ***entre patronos y obreros,*** ~ ***obrero-patronales*** 노사(勞使) 관계. ~***es humanas*** 인간 관계. ~***es industriales*** 노사 관계 ; (대기업의 노사 관계·대정부 관계 등의) 산업 섭외사무. ~***es internacionales*** 국제 관계. ~***es laborales·del trabajo*** 노동 관계. ~***es públicas*** 홍보 활동.

con ~ ***a*** …에 관하여 ; …의 비율로, 비례하여 : No me interesa nada *con* ~ *a* los negocios 나는 그런 사업에 관해서는 아무런 흥미가 없다.

en ~ ***con*** …에 관하여 ; …와의 관계로.

decir·hacer ~ ***a*** …에 언급하다, …의 말을 하다.

hacerse cisco la ~《*Méx.*》(일이) 틀어지다, 실패하다.

poner en ~ ***con*** …과 관계·관련시키다.

relacionado, da *adj.* 관계·관련된 : ~ con …에 관계해서.

relacional *adj.* 관계의 ; 대응의.

relacionar *tr.* [relacionar의 *p.p.*] ① 관계·관련시키다 ; 교제시키다 : Yo *relacioné* a mi prima *con* aquel joven 나는 내 사촌누이를 저 청년과 교제시켰다. ② 이야기하다(referir) ; 진술하다, 구술하다 : En su conferencia *relacionó* los dos hechos históricos 그는 강연에서 두 개의 역사적 사건을 진술했다. ③ 보고하다.

~se 관계·관련이 있다·을 맺다 ; 관계하다, 교제하다 ; 가까이하다 : No *te relaciones* con esa gente 저 사람들과는 교제하지 마라. Aquella familia no *se relacionaba con* nadie 저 가정은 아무하고도 교제하지 않았다.

relacionero *m.* 풍각쟁이, 방랑 시인.

reláfica *f.*《*Venez.*》긴 이야기, 긴 말.

relái *m.*《*Amér.*》(전기·방송에서) 중계 ; 계전기.

relais *m. fr.* =**relái.**

relajación *f.* ① 긴장 완화, 이완 ; 경감 : ~ de la restricción de créditos 금융 제한의 완화. ② 기분풀이, 심심풀이. ③ 마음 편히 쉼. ④ 헤르니아병(hernia).

relajadamente *adv.* 느긋하게, 마음을 편히 하여 ; 타락하여, 방종하여.

relajado, da *adj.* 느긋해진, 해이해진 ; 마음 편히 쉬는 ; 나태한, 게으른.

relajador, ra *adj. m.f.* 느긋하게 하는, 늦추어지는, 부드럽게 하는 (사람) ; 마음을 포근하게 해주는 듯한.

relajamiento *m.* =**relajación.**

relajante *adj.* 긴장을 풀게 하는, 마음을 편하게 하는, 이완시키는, 완화적인. **—*m.*** 이완제.

relajar *tr.* [*lat.* relaxare] 느긋하게 하다 : La humedad *relaja* las cuerdas 습기는 밧줄을 늦춘다. ② 이완·완화·경감하다(aflojar, ablandar) : La humedad *relaja* las cuerdas 습기 때문에 악기의 줄이 느슨해졌다. ③ 마음 편히 지내게 하다. ④《*Ant.*》야유하다 ; 실례를 하다.

—*intr.*《*Chile. PRico.*》지나치게 달다.

~se ① 느긋해지다 ; 이완하다, 늘어지다, 긴장이 풀리다. ② 헤르니아가 생기다. ③ 타락한 생활을 하다.

relajo *m.*《*Ant. Méx.*》① 소동, 소란, 시끄러움 : La fiesta terminó con gran ~ 축제의 마지막에는 난장판이 벌어졌었다. ②《*Cuba. Méx.*》야유, 놀려주기(burla, escarnio) : echarlo a ~ 그것을 농담으로 돌려버리다.

relajo, ja *adj.*《*Méx.*》=**arisco, fogoso.**

relajón, na *adj.*《*Ant.*》소란을 잘 피우는 ; 신소리꾼의(bromista) ; 타락된.

relamedura *f.* 재차 핥기, 마구 핥기.

relamer *tr.* [*lat.* relambere] 다시 핥다, 마구 핥다, 여기저기 핥고 다니다.

~se ① 입술을 핥다 ; 입맛을 다시다(pasarse la lengua por los labios). ② 면도하다(afeitarse). ③ 잔뜩 멋부리다. ④ 콧대가 높아지다, 교만하게 굴다(jactarse).

relamido, da *adj.* [relamer의 *p.p.*] ① 깨끗이 면도한. ② 아주 멋을 낸. ③《*AmérC. Cuba.*》철면피한, 낯가죽이 두꺼운, 뻔뻔스런(descarado).

relámpago *m.* ① 번개 ; 번득임 : cierre ~ 지퍼, 척, 파스너. ~ fotogémico 사진의 섬광 전구(閃光電球). guerra ~ 전격전(電擊戰). El tren pasó como un ~ 열차는 전광 석화(電光石火) 같이 지나갔다. ② 덧없는 것, 허망한 일. ③ 말의 눈에 생기는 별·안개. ④【은어】=**día.** ⑤【은어】=**golpe.**

relampagucear *intr.*《*And.*》=**relampaguear.**

relampagueante *adj.* 번득이는, 번쩍이는.

relampaguear *intr.* ① 번개가 치다·번쩍이다 : Allá lejos *relampaguea* 저 멀리서 번개가 치고 있다. ② 반짝이다(centellear) ; (화가 나서 눈이) 날카롭게 빛나다·불꽃을 튀기다 : Sus ojos *relampagueaban* 그의 눈은 날카롭게 빛나고 있었다.

relampagueo *m.* 번개의 번득임 ; 반짝임.

relampijo *m.* [*dim.* relámpago]《*Col.*》번갯불.

relampuso, sa *adj.*《*Cuba.*》뻔뻔스러운, 낯가죽이 두꺼운(descarado).

relance *m.* 두 번 맞기, 두 번 때리기 ; 계속, 연속 ; 두 번째 기회 ; 돌발 사건, 뜻밖의・우연한 일.
de ～ ① 우연히, 혹시(casualmente, por casualidad). ② 《*Col.*》 현금으로.

relancina (a) *adv.* 《*AmérM.*》 우연히.

relancino, na *adj.* 《*Venez.*》 빈틈없는, 날렵한, 기민한, 민첩한.

relanzar *tr.* ⑨ ① 튕기다(repeler, rechazar). ② (투표를) 다시 하다.

relapso, sa *adj. m.f.* [*lat.* relapsus] 재범의, 다시 죄에 빠진 (누범자) ; 다시 이교에 귀의한.
—*m.* 【의학】 =**recidiva, recaída.**

relatador, ra *adj.* =**relatante.**

relatante *adj. m.f.* 이야기하는 (사람), 알리는 (것) ; 알리는 듯한.

relatar *tr.* ① 이야기하다, 말하다(referir, contar) : El nos *relató* una anécdota 그는 우리들에게 일화를 이야기했다. ② 발표하다, 신고하다.

relativamente *adv.* 비교적으로.
～ *a* …에 비하여 : Este niño es grande ～ *a* su edad 이 아이는 나이에 비해 크다.

relativdad *f.* 관련성, 상호 관계, 상관(相關) ; 상대(相對), 상대성 : teoría de la ～ 상대성 원리.

relativismo *m.* 상대론, 상관론(相關論).

relativista *adj. m.f.* 상대론의 (사람).

relativo, va *adj.* ① [+a : …에] 관계 있는, 관계의, 관계하는 : ～ *a* guerra 전쟁에 관한. Se ha publicado el aviso ～ *a*l nuevo horario de trenes 열차의 새 시간표에 관한 예고가 발표되었다. ②【문법】 관계를 나타내는 (말), 관계의 : adverbio ～ 관계 부사. pronombre ～ 관계 대명사. ③ 상대적인, 비교적인 : valor ～ 상대적 가치. felicidad ～*va* 비교적인 행복. —*m.* ① 관계. ②【문법】 관계어 : oración de ～ 형용사 구실 관계절.
muy ～ 대단치 않은 : Su talento es *muy* ～ 그의 재능은 대단치는 못하다. **Contr.** absoluto.

relato *m.* [*lat.* relatus] 이야기, 담화, 말, 대화(narración) ; 보고.

relator, ra *m.f.* 이야기하는 사람 ; 보고자, 논고인, 담화자 ; (재판소의) 기록관.

relatoría *f.* 기록관 직・사무소.

relauchar *intr.* 《*Chile.*》 살짝살짝 몰래 쉬다, 사보타주하다.

relavar *tr.* 재차・다시 씻다, 행구다(lavar de nuevo).

relave *m.* 헹구기, 다시 빨기. —*pl.* 두 번째 씻기 ; 두 번째 씻어 나온 쇠똥.

relazar *tr.* ⑨ 걷어 올리다, 칭칭 감다.

relé *m.* 중계 ; 【전기】 계전기(繼電器).

releer *tr.* 78 ① 다시 읽다, 재독(再讀)하다, 정독하다(leer de nuevo) : ～ un libro. ② 교정・개정・수정하다.

relegación *f.* 추방, 방축(放逐), 쫓아냄(destierro).

relegar *tr.* ⑧ ① 추방하다, 쫓아내다(desterar) : ～ a un preso. ② 치우다, 뒷전으로 돌리다(apartar) : ～ al olvido.

relej *m.* =**releje.**

relejar *intr.* 벽의 윗 부분이 비스듬해지다.

releje *m.* ① 찻 자국, 수레 바퀴 자국. ② 칼의 무늬, (칼의) 칼날에 구름처럼 나타나는 무늬. ③ 치석(sarro). ④ 대포의 좁은 약실. ⑤ 벽 위 끝의 사이를 좁힌 사면.

relengo, ga *adj.* 《*Ast.*》 자갈땅의.

relente *m.* ① 야기(夜氣), 밤공기의 차고 눅눅한 기운, 밤공기, 밤이슬. ② 서늘함(frescura). ③ 말・행동의 신중함.

relentecer(se) *intr.* (*r.*) 31 느슨해지다, 보드라워지다, 완화되다(lentecer, ablandar).

relevación *f.* 두드러지게 함 ; 경감 ; 면제.

relevador *m.* 【전기】 계전기(繼電器) ; (라디오・텔레비전의) 중계국.

relevancia *f.* 중요성.

relevante *adj.* ① 뛰어난, 현저한(sobresaliente, notable) : un muchacho de calidades ～*s.* ② 중요한, 중대한, 의미 심장한.

relevar *tr.* [*lat.* relevare] ① 두드러지게 하다, 뚜렷하게 하다 ; 부조(浮彫)하다. ② 경감하다 ; 면하다 : ～ a uno de sus culpas 누구의 죄를 용서하다. ③ 돕다, 구하다 : ～ a uno *con* dinero. ④ 칭찬하다. ⑤ (병사・부대를) 교체하다 ; (인사 문제에서) 경질하다. —*intr.* 두드러져 보이다.

relevo *m.* ① 교대, 교체 : bastón de ～*s* 【경기】 릴레이 바통. 4×100m ～*s* (individual) 400미터 (개인) 릴레이. ② 교대병, 교체 부대.
—*pl.* 릴레이 경주.

reliarse *r.* =**liarse.**

relicario *m.* 납골당, 사리탑 ; (성자 등의) 유골함.

relicto *adj.* 유산(遺產)의, 유물의 : bienes ～*s* 유산.

relieve *m.* ① 부조(浮彫), 돋을새김 : bajo ～ 엷은 돋을새김. alto ～ 높은 부조. ② (그림에서) 부상(浮上). ③ 양각(陽刻)(의 무늬・장식). ④ (지표의) 기복(起伏) : El ～ de España es muy variado 서반아의 산이나 계곡의 기복은 대단히 변화가 있다. ⑤ 저명(著名) : Era un artista de mucho ～ 그는 대단히 저명한 예술가였다. —*pl.* 먹다 남은 것, 남은 음식(～*s* de la mesa).
poner de ～ 분명하게 하다, 또렷하게 하다, 두드러지게 하다.

religa *f.* (합금할 때의) 보족(補足) 금속.

religación 재합금(再合金).

religar *tr.* ⑧ ① 단단히 묶다, 다시 묶다(volver a ligar o atar). ② 황금에 다른 금속을 섞다.

religión *f.* [*lat.* religio] ① 종교 : Fíate del hombre religioso aunque profese una ～ distinta de la tuya 네 종교와 다른 종교의 취지라도 신앙심이 있는 사람을 믿어라. ② 교파. ③ 신앙(심)(fe, piedad) : hombre sin ～.
～ *reformada* 그리스도 신교(protestantismo).
entrar en ～ 수도자가 되다, 출가(出家)하다, 종문(宗門)에 들어가다.

religionario *m.* 신교도(protestante).

religiosamente *adv.* 종교적으로 ; 경건한 마음・태도로 ; 고지식하게 : Pagó ～ cuanto debía.

religiosidad *f.* 종교심, 신앙심, 종교적 감정 ; 종교가 정신 ; 경건 ; 절제, 절도(puntualidad).

religioso, sa *adj.* ① 종교의, 종교적인 : líder ～ 종교 지도자. ② 출가한 ; 믿음이 깊은, 경건한 : La tía es una mujer muy ～*sa* 숙모는 매우

신앙심이 두터운 여성이다. ③ 절제·절도있는 (puntual). ④ 검소한, 수더분한, 수수한(moderado). —*m.f.* 종교가, 승려, 수도사, 수녀 : Los ~*s* están ligados por los votos 수도사는 서원(誓願)에 구속 받고 있다. Contr. irreligioso.

relimar *tr.* 다시 줄(lima)로 밀다.

relimpiar *tr.* 다시 청소하다 ; 깨끗이 하다, 말끔하게 치우다.

relimpio, pia *adj.* 아주 깨끗한, 맑디 맑은, 매우 산뜻한, 청초한.

relinchada *f.* 《*Sant.*》 =**relincho, grito.**

relinchador, ra *adj.* 자주 우는 (말).

relinchante *adj.* (말이) 우는·울부짖는.

relinchar *intr.* (말이) 울다·울부짖다.

relinchido *m.* =**relincho.**

relincho *m.* ① (말의) 울부짖음(voz del caballo) : un sonoro ~. ② 《*Sant.*》 환성(grito de alegría muy prolongado).

relindo, da *adj.* 아주 깨끗한·고운·아름다운, 말끔한.

relinga *f.* (돛이나 그물의) 가장자리의 밧줄.

relingar *tr.* 8 (돛에) 가장자리의 밧줄을 대다 ; (가장자리의 밧줄이 팽팽해질 때까지) 돛을 펴다. —*intr.* 가장자리의 밧줄이 나풀거리다, 가장자리의 밧줄이 느슨해지다.

reliquia *f.* [*lat.* reliquiae] [주로 *pl.*] ① 유물, 유품, 유적 ; 회상거리, 유풍 ; 유골, 성유물(聖遺物) : ~ insigne 성도의 유체의 주요 부분. ② 병후에 오는 고통.

reliquiario *m.* [드뭄] =**relicario.**

reliz *m* 《*Méx.*》 비탈길, 경사(declive).

rellanar *tr.* 다시 한번 더 고르다 ; 반반하게 하다.
~se 편히 앉다(arrellanarse).

rellano *m.* ① (계단의) 층계참, 계단참(meseta de escalera). ② 비탈 중간에 있는 평지, 고원 지대. Sinón. descanso.

rellena *f.* 《*Col. Méx.*》 =**morcilla.**

rellenar *tr.* ① 가득 채우다, 채워 넣다, 기입하다, 틈새에 끼워 넣다 : ~ *de* pajas 보리짚으로 채우다. La criada *rellenó de* borra el cojín 하녀는 방석을 양모로 가득 채웠다. ¿Me hace el favor de ~ el registro de viajeros? 숙박인 명부에 기입해 주시겠습니까? ② 다진 고기를 넣다 : ~ un pollo 영계 속에 다진 고기를 채워 넣다.
~se 채워지다, 배가 가득 차다 ; 만원이 되다.

relleno, na *adj.* 가득 찬, 터지도록 채워 넣어진(muy lleno). —*m.* ① (순대 따위에 넣는) 잘게 다진 고기 : ~ de un pollo. ② (문장·이야기 등의) 불리기·늘리기 : de ~ 군더더기의, 중간 메우기의. ③ 벽의 초벽칠.

reló *m.* =**reloj.**

relocalización *f.* 재국한.

relocalizar *tr.* 9 재국한하다.

reloj *m.* [*lat.* horologiun] ① 시계 : Se me ha parado el ~ y no sé qué hora es 나는 시계가 멎어 있으므로 몇 시인지 모른다. Mi ~ anda muy bien 내 시계는 잘 간다. Mi ~ está adelantado·atrasado·parado 내 시계는 빠르다·늦다·멈췄다. ② *pl.* 【식물】 제라늄.
~ ***automático*** 자동 시계.
~ ***de agua*** 물시계.
~ ***de arena*** 모래 시계.
~ ***de bolsillo*** 몸시계, 회중 시계.
~ ***de campana*** 시보 시계.
~ ***de cucú*** 뻐꾹 시계.
~ ***de Flora*** 꽃시계 《꽃이 피는 시각표》.
~ ***de longitudes*** (항해용) 시계.
~ ***de marcar*** 타임 리코더.
~ ***de mesa*** 탁상 시계.
~ ***de música*** 주악 시계.
~ ***de péndola*** 추시계, 진자 시계.
~ ***de pared*** 벽시계.
~ ***de pesas·caja*** 대형 시계.
~ ***de pulsera*** 손목시계.
~ ***de repetición*** 시간을 치는 벽시계 《용수철을 눌러주면 15분 단위로 시간을 알리는 것》.
~ ***desconcertado*** 잘못된 시계·사람.
~ ***de sobremesa*** 탁상 시계.
~ ***despertador*** 괘종(시계)(despertador).
~ ***de sol*** 해시계.
~ ***de triquete*** 스톱워치.
~ ***de vigilancia*** 출퇴근 기록 시계.
~ ***de la muerte*** 【곤충】 (죽음의 전조라는) 다림충(茶立虫).
~ ***magistral*** 표준 시계.
~ ***marino*** 경선의(經線儀).
~ ***registrador*** 타임 리코더, 기록 시계.
~ ***solar*** 해시계.
aguja·manecilla del ~ 시계 바늘.
estar como un ~ 건강하다.

relojera *f.* 시계 상자 ; 시계 스탠드 ; 시계공의 아내.

relojería *f.* 시계점·공장 ; 시계업 : la ~ suiza 스위스의 시계업.

relojero, ra *m.f.* 시계공 ; 시계 장수·제조자.

relso, sa *adj.* [드뭄] =**terso.**

reluciente *adj.* ① 광채를 발하는, 빛나는, 반짝이는(que reluce) : joyas ~*s*. ② 번들번들한, 윤기가 흐르는.

relucir *intr.* 33 번쩍이다, 빛나다(brillar) : No es oro todo lo que *reluce* 빛나는 것이 모두 금이라고는 할 수 없다. La virtud *reluce* en sus acciones 덕은 그녀의 행동에서 빛나고 있다.

reluctancia *f.* 【전기】 자기 저항.

reluctante *adj.* 마지못해 하는, 자기 뜻이 아닌.

reluctividad *f.* 【전기】 항자율, 항자성(抗磁性), 자기 저항율.

reluchar *intr.* 심하게 다투다, 싸우다.

relujado, da *adj.* 《*Méx.*》 차려 입은, 성장한.

relujar *tr.* 《*AmérC. Méx.*》 광·윤을 내다(lujar).

relumbrante *adj.* 빛나는, 이글이글한.

relumbrar *intr.* 번쩍번쩍 빛나다(brillar, relucir mucho).

relumbre *m.* =**brillo, destello.**

relumbro *m.* 반짝이는 빛, 번득임(relumbrón).

relumbrón *m.* 번뜩이는 빛, 반짝임 ; 동이나 놋쇠의 박(箔), 반짝이는 것(oropel).
de ~ 겉보기만의, 겉치레로 : Ella se viste *de* ~ 그녀는 겉치레로 옷을 입는다.

relumbroso, sa *adj.* =**relumbrante, reluciente.**

relvun *m.* 《*Chile.*》【식물】 렐분 《염료용 열매가 열리는 작은 나무》.

remachado, da *adj.* [remachar의 *p.p.*]《*Col.*》 입을 꼭 다문, 뚱한(callado). —*m.* 조이기, 단단하게 함.

remachador, ra *adj.* 조이는, 단단히 하는.

remachadora *f.* 조이는 기구, 조여 철하는 기구.

remachar *tr.* (못·징 같은 것을) 조이다 ; 단단히 하다, 다짐해 말하다(confirmar) : ~ sus palabras.

~se《*Col.*》 고집을 부려 입을 다물다.

remache *m.* ① 조이는 일 ; 조임 못, 리벳《금속판 등을 잇는 데 쓰이는, 대가리가 굵은 금속의 못》. ②《*Col.*》 옹고집, 심술, 완고(tenacidad). ③ 입을 다물기.

de ~ =de remate.

remador, ra *m.f.* 노를 젓는 사람(remero).

remadura *f.* 노를 젓는 일.

remaduro, ra *adj.*《*AmérC. Chile.*》 지나치게 익어 버린 (과일).

remallar *tr.* (그물을) 수선하다(componer las mallas de la red).

remamiento *m.* =**remadura.**

remanal *m.*《*Sal.*》 샘(hontanar).

remandar *tr.* 몇 번이고 거듭 보내다.

remanecer *intr.* 31 다시 나타나다(aparecer nuevamente).

remaneciente *adj.* 다시 나타나는 ; 재현하는.

remanente *m.* ① 나머지, 찌꺼기(residuo). ② 잔고, 잔금, 잔액 ; 잉여분, 잉여물.

remanga *f.* 새우잡이 그물.

remangado, da *adj.* 팔뚝을 걷어 올린, 만반의 태세를 갖춘.

remangar *tr.* 8 =**arremangar.**

~se 팔뚝을 걷어 올리다 ; 결심을 단단히 하다, 태세를 갖추다.

remango *m.* ① =**arremango.** ②《*Sant.*》 =**soltura.**

remangué *m.*《*And.*》= **cosa remangada, peinado remangado.**

remanoso, sa *adj.*《*Sal.*》 =**manantío.**

remansarse *r.* 물이 괴다, 물웅덩이가 되다.

remanso *m.* [*lat.* remansum] ① 물웅덩이. ② 느림, 굼뜸(lentitud, flema).

remante *adj.* 노를 젓는, 배를 젓는.

remar *intr.* ① 노를 젓다, 배를 젓다 : ¿Sabe usted ~? 노를 저을 줄 아십니까? ② 고투하다, 다투다, 싸우다(bregar, luchar).

remarcable *adj.*《*Galic.*》 주의해야 할, 아주 중요한 ; 이름난, 저명한(notable).

remarcar *tr.* 7 (…에) 다시 표식을 하다 ; 표를 다시 달다 ; (…을) 재삼 강조하다.

rematadamente *adv.* 어김없이 ; 결정적으로 ; 완전히(completamente, enteramente) : un hombre ~ tonto.

rematado, da *adj.* [rematar의 *p.p.*] 구원할 길이 없는, 어떻게 손을 쓸 수도 없는, 끝장이 나 버린 : loco ~.

rematador *m.*《*Arg. Bol.*》 경매인.

rematamiento *m.* =**remate.**

rematante *m.* 최고 입찰자, 낙찰자.

rematar *tr.* ① 결말짓게 하다, 종지·결말 짓다(terminar) : Empieza muchas cosas pero no *remata* ninguna 그는 여러 가지 일을 시작하지만 최후까지 해내지 못한다. ② (…의) 숨통을 끊다, 죽여버리다 : El torero *remató* al toro 투우사는 황소의 숨통을 끊었다. ③ 이미 끝나다 : ~ con coplas 노래로 끝이 나다. ④ (무엇이 무엇의) 끝이다·꼭대기에 있다 : ~ en cruz 꼭대기가 십자가로 되어 있다. ⑤ (경매에서) 낙찰시키다, 입찰하다. ⑥ 꿰매어 풀어지지 않게 하다, 핀으로 꽂아 풀어지지 않게 하다. ⑦《*Chile.*》 (말을) 정지시키다. ⑧《*Chile.*》 수석을 다투다.

—*intr.* ① 끝내다(terminar) : La reunión *remató* con una canción 회의는 노래로 끝냈다. ② [+en : …으로] 끝나다 : La broma *remató en* boda 농담이 최후에 결혼으로 되었다.

~se ① 마지막이 되다, 소멸·전멸·전파되다(perderse, destruirse). ②《*Amér.*》 악화되다.

remate *m.* ① 끝, 종말, 멈춤, 종국 ; 마감, 결산 : ~ de cuentas 장부의 마감, 결산 ; 거래 중지. ② (건물의) 뾰족한 끝 ; 꼭대기. ③ 대할인 판매 ; 경매 가격. ④《*Arg.*》 경매, 공매 : vender en ~ 경매·공매에 붙이다. ~ judicial 차압 물건의 공매.

de ~ ① 완전한, 더없는 : tonto *de* ~ 더없는 바보. ② 절대로(absolutamente) : precio *de* ~ 최저 가격.

por ~ 최후로서, 최후에, 마침내, 결코(por último, al fin).

rematista *m.*《*Perú. PRico.*》 (부동산의) 경매자, 공매자(公賣者)(subastador).

rembolsar *tr.* 상환하다, 회수하다(reembolsar).

rembolso *m.* 회수, 상환(reembolso).

remecedor, ra *m.f.* 올리브 등을 흔들어 떨어뜨리는 사람.

remecer *tr.* 1 흔들다, 흔들어 떨어뜨리다, 진동시키다.

~se (심하게) 흔들리다.

remedable *adj.* 모방할 수 있는.

remedador, ra *adj. m.f.* 흉내내는·모방하는 (사람).

remedar *tr.* ① 흉내내다, 모방하다(imitar) : El *remedó* muy bien la voz de su profesor 그는 그의 선생의 목소리를 아주 잘 흉내냈다. ② 위조하다, 복사하다.

remediable *adj.* 구제할 수 있는, 치료할 수 있는 : miseria ~. **Contr.** irremediable.

remediador, ra *adj. m.f.* 치료하는, 고치는 ; 보수·보완하는 (사람) ; 구제하는 (사람).

remediar *tr.* 11 [*lat.* remediari] ① 손보다 ; 구하다, 구제하다(socorrer) : Llorando no *remedias* nada 네가 울어도 아무런 도움이 되지 않는다. ② 피하다, (폐단 등을) 없애다. ③ 보수·교정(矯正)하다(corregir). ④ 갚다, 보상하다(reparar). ⑤ 막다, 방해하다, 저지하다(impedir) : No he podido ~ que se fugara 그가 도주하는 것을 나로서는 막을 수 없었다. No pudo ~ lo que pasó 그가 지나가는 것을 막을 수 없었다.

remediavagos *m.* 【단·복수 동형】 (공부용) 간편한 공책.

remedición *f.* 다시 측량하기.

remedio *m.* [*lat.* remedium] ① 책략, 수, 수단 ; 구제책, 대책 ; 방법, 조치 : ~ heroico 비상 수단, 최후의 수단. No hay ~ 하는 수 없다. no tener ~ 방법·수단이 없다. No hay más ~

que dejarle pasar 그를 통과하게 할 수 밖에 없다. No hay más ~ que aceptarlo 그것을 승낙할 수 밖에 방법이 없다. ② 치료, 효력 ; 요법, 약 : ~ casero 가정 (상비)약, 가정 요법. Todavía no hay un ~ eficaz contra la enfermedad 그 병에 대한 효력이 있는 약은 아직 없다. ③ 교정, 보수, 보상. ④ (화폐의) 공차(公差) (permiso). ⑤ 소송 : ~ de la apelación 공소(控訴). ⑥【은어】검사(檢事).

no haber·tener para un ~ 약에 쓰려해도 없다, 도무지 아무 데도 없다, 어찌 할 수 없다(ser forzosa).

no encontrarse una cosa para un ~ 발견하기가 무척 어렵다, 약에 쓰려해도 없다(ser muy difícil de hallar).

sin ~ 덧없이, 무익하게 ; 반드시, 별 수 없이, 피할 수 없이.

remedión *m.* 임기 응변의 익살, 광대짓.

remedir *tr.* ㊷ 다시 측량하다.

remedo *m.* 모방, 흉내 ; 흉내내어 만든 것, 모방물 : El mono parece un ~ del hombre 원숭이는 인간의 모방물 같다.

remejer *tr.* =**remecer.**

remellado, da *adj.* 입술이 째진, 눈까풀이 없는 (사람), 언청이의 (사람) : ojos ~*s.*

remellar *tr.* (피혁의) 털을 밀다.

remellón, na *adj.* =**remellado.**

remembranza *f.*【고어】회상, 회포, 기억(recuerdo, memoria).

remembrar *tr.*【고어】=**rememorar.**

rememoración *f.* =**recuerdo.**

rememorar *tr.* 생각해 내다(recordar) : ~ un acontecimiento histórico. **Sinón.** conmemorar.

rememorativo, va *adj.* 생각이 나는, 기념이 되는, 회상의 : celebrar una fiesta ~*va.*

remendado, da *adj.* 반문(班紋)이 있는, 알록달록 아롱진 무늬가 있는 : El llevaba un traje ~ 그는 누덕누덕 기운 옷을 입고 있었다.

remendar *tr.* ⑲ ① 고치다, 천을 덧대어 옷을 깁다 ; 수리·수선하다 : El zapatero *remendó* mis zapatos muy bien 구두 수선공은 내 구두를 매우 잘 수선했다. ② 보충하다 : La sirvienta *remendó* el guiso con una salsa 하녀는 삶은 것에 소스를 쳤다. ③ 정정·보정하다.

remendón, na *adj. m.f.* 수선하는 (자) : zapatero ~.

remeneada *adj. f.* 《*PRico.*》 경망스러운 (여자).

remenearse *r.* =**contonearse.**

remeneo *m.* (무용 등에서) 격렬한 동작.

remeneón *m.* 《*Ant.*》 격동, 흔들기.

remense *adj.m.f.* 레임 《Reims, 불란서의 도시》의 (사람).

remera *f.* 칼 깃, 날개 깃.

remero, ra *m.f.* 노를 젓는 사람 ; 뱃사공 : lancha de diez ~*s.* **Sinón.** barquero, chinche de agua.

remesa *f.* [*lat.* remissa] 출하, 송부 ; 발송(물), 송금 : ~ de dinero 돈의 송금. ~ de inmigrantes 이민 송금. ~ postal 우편환. ~ sin traspaso de producto 무역외·무형의 수출. ~ telegráfica 전신환. letra de ~ 송금 어음. hacer una ~ 보내다.

remesar *tr.* ①【상업】발송·송부하다 ; 하물을 보내다, 출하하다 ; 송금하다, 입금시키다 : Yo *remesé* dinero a la librería 나는 서점에 돈을 송금했다. ② (수염·머리카락을) 뽑다(arrancar la barba o el cabello).

remesón *m.* ① 털을 뽑기(acto de mesar el cabello, la barba). ② 뽑은 털. ③ (마술에서) 질주시켰다가 갑자기 멎게 하는 일.

a ~***es*** 《*Bol.*》 이따금, 사이를 두어.

remeter *tr.* 포개어·접시에 담다·놓다·두다 ; 깊숙히 넣다 ; (기저귀에) 속 기저귀를 넣다.

remezón *m.* 《*AmérM.*》 지진, 경진(輕震) ; 땅울림(sacudida violenta, temblor de tierra).

a ~***es*** 《*Bol.*》 이따금, 사이를 두어, 간헐적으로 (a intervalos, a trechos).

remiche *m.* 도형선(徒刑船)에서 노를 젓는 사람 사이의 간격, 도형수 간의 좌석 거리.

remichero, ra *adj.* 《*Guat.*》 =**revoltoso.**

remiel *m.* (사탕수수에서 짜는) 두 번째의 당분.

remiendo *m.* ① 덧댄 천 ; 수리, 수선, 보수, 수정. ② (동물의) 얼룩 무늬. ③【인쇄】공간 메꾸기. ④【속어】(군복을 꿰맨) 옷소매의 기장.

a ~***s*** 덧천을 대어.

echar un ~ 한숨을 돌리다, 쉬다 ; 간식을 들다.

echar un ~ ***a la vida*** 생활에서 여유를 갖게 되다.

ser ~ ***del mismo paño·de otro paño*** 같은 종류이다·전혀 다른 것이다.

rémige *f.* 칼 깃(remera).

remilgadamente *adv.* 뽐내어, 으시대어, 유별나게 점잖빼어(con remilgo).

remilgado, da *adj.* 으시대는, 뽐내는.

remilgarse *r.* ⑧ 아니꼽게 으시대다, 새초롬해지다.

remilgo *m.* 으시대기, 우쭐한 표정.

remilgoso, sa *adj.* 《*Amér.*》 =**remilgado.**

remilitarizar *tr.* 재군대화하다 ; 재군국화하다.

remineralizar *tr.* 다시 광물화하다, 재차 광화(鑛化)하다 ; 다시 광물을 함유시키다 ; 다시 광물을 채집하다 ; 다시 채광하다.

rémington *m.* 레밍턴총. —*f.* 레밍턴 타자기.

reminiscencia *f.* 추억, 회상 ; 기억력 ; 무의식적인 기억 ; 생각나는 일·것, 추억 거리.

reminiscente *adj.* 추억의, 회상적인.

remirado, da *adj.* [remirar의 *p.p.*] [+en : …에] 조심스러운, 신중한.

remirar *tr.* 잘 보다, 잘 조사하다·생각하다 ; 고쳐 보다, 고쳐 생각하다 ; (매사를) 신중하게 하다.

~se 신중하게 보다 ; 황홀하게 바라보다 : ~*se en* el espejo 자신의 몸을 거울에 비쳐 보고 황홀해지다.

remisamente *adv.* 느릿느릿, 굼뜨게, 게을리 (perezosamente).

remisibilidad *f.* 사면성, 면제성.

remisible *adj.* 용서할 수 있는, 면제할 수 있는.

remisión *f.* [*lat.* remissio] ① 송부, 발송, 발신 ; 송금 : la ~ de un objeto. ② 사면, 면제, 방면 (perdón) : ~ de derechos 관세 면제. ③ 참조, 주의서. ④ 병이 가벼워짐.

remisivamente *adv.* 사면으로, 면제로; 발송으로.

remisivo, va *adj.* 사면의, 면제의 ; 발송의 : nota ~*va.*

remiso, sa *adj.* [*lat.* remissus] 등한한, 게으른(perezoso), 우유부단한(flojo); 활발하지 못한(poco activo).
remisor, ra *adj.m.f.* 《*Amér.*》 =**remitente.**
remisoria *f.* 이송서, 송달서.
remisorio, ria *adj.* ① 허가하는, 사면하는, 면제의. ② 이송하는, 송달하는.
remite *m.* 발신인의 주소 성명 : Aquí ponga usted su ~ 여기에 발신인의 주소 성명을 써 주십시오.
remitente *adj.* 발신·발송하는. —*m.f.* 발신인, 발송자, 하주(荷主), 송금인.
remitido, da *adj. m.* remitir의 *p.p.* —*m.* (신문의) 투서 기사.
remitir *tr.* [*lat.* remittere] ① 보내다, 발송·발신하다(enviar) : ~ dinero a su corresponsal 통신원에게 송금하다. Le *remitimos* por correo aéreo el catálogo general de nuestra casa 폐사의 종합 목록을 항공편으로 보냅니다. ② 허가하다, 면하다; 사면하다(perdonar). ③ 내팽개쳐두다, 포기하다, 등한히 하다. ④ 늦추다, 약하게 하다 : *Remitiremos* el ataque 공격의 손을 늦추다. ⑤ (남의 의견·판단에) 맡기다, 위임하다, 양도하다, 이관하다; 이송·부탁하다 : ~ una cuestión al juez 문제를 재판관에게 위임하다. *Remito* la desición a su buen criterio 결정은 당신의 양식에 맡긴다. ⑥ 참조·인용하다 : El texto *remite* a la página siguiente.
—*intr.* ① 힘이 풀리다, 약해지다, 완화되다. ② 참조가 되다 : El texto *remite a* la página siguiente 본문은 다음 페이지 참조. ③ 위임받다.
~se ① 느슨해지다, 약해지다, 풀리다 : El ataque (*se*) *remite.* ② 위임되다 : *Se* le *remitió* esa cuestión al juez 그 문제는 재판관에게 위임되었다. *A* los hechos *me remito* 내가 말하고자 하는 일은 사실에 판단을 맡긴다. ③ [+a : …을] 인용·참조하다 : Puede Vd. ~*se* a nosotros 폐사의 이름을 이용하셔도 괜찮습니다.
remo *m.* [*lat.* remus] ① 노. ② 애씀, 고역(trabajo pesado) : andar al ~. ③ (옛날의) 노를 젓는 형벌 : condenado al ~. —*pl.* 팔, 다리; 깃.
a·al **~** 노를 저어; 힘들여.
a ~ sin sueldo 보상없는 헛수고로, 공연한 애를 써서.
a ~ y vela 재빨리, 전력을 다해.
remoción *f.* ① 이동, 이전. ② 제거. ③ 파면, 해직, 해임, 면직.
remocho *m.* 【방언】 싹(brote).
remodelación *f.* 다시 형을 뜨기.
remojadero *m.* 물에 축이는 곳, 물 축이는 통.
remojar *tr.* ① (물이나 술에) 축이다, 적시다 : No *remojes* tu pan en sopa 빵을 국에 적시지 마라. ② 옷을 새로 맞추어 한턱내다 : Si venís *remojaremos* el estreno del vestido 너희들이 오면 새 옷을 맞춘 축하로 한 잔 하세. ③ 《*PRico.*》 팁을 주다(dar propina).
remojo *m.* ① 물에 잠김, 물에 담그는 일; 새 옷을 맞춘 축하. ② 《*Col. Méx.*》 =**estrena, regalo.** ③ 《*Amér.*》 팁(propina).
echar en ~ ① 물이나 소금물에 담그다 : El cocinero *echó* garbanzos *en* ~. ② (무엇을) 제때가 올 때까지 연기하다. ③ 때가 무르익기를 기다리다.
remojón *m.* =**mojadura.**
remolacha *f.* 【식물】 사탕무 : De la ~ se extrae gran cantidad de azúcar 사탕무에서 다량의 설탕이 뽑아진다. ~ forrajera 사료용 사탕무. **Sinón.** batarraga, betabel.
remolar *m.* [*lat.* remulus] ① 배 목수, 노 목수. ② 노·배 공장.
remolcador, ra *adj.* 예선·예항하는, 견인하는. —*m.* 예인선, 예항선(曳航船); 레커카, 견인차.
remolcar *tr.* 7 ① 예선(曳船)하다, 예항(曳航)하다; (다른 차를) 끌다, 견인하다 : Se le estropeó el motor y tuvieron que ~lo (그의 차의) 엔진이 망가져서, 끌고 가야 했다. ② (어떤 목적을 위해 누구를) 끌어들이다. **Sinón.** atoar, toar.
remolda *f.* 《*Ar.*》 =**monda.**
remoldar *tr.* 《*Ar.*》 전정하다, 가지를 치다(mondar los árboles).
remoledor, ra *adj.m.f.* 《*Chile. Perú.*》 =**jaranero, amigo de diversiones.**
remoler *tr.* 25 ① 으깨다, 빻다, 타다, 찧다, 맷돌에 갈다. ② 《*Guat. Perú.*》 괴롭히다(fastidiar, incomodar) : ~ la paciencia. —*intr.* 《*Chile. Perú.*》 들떠서 쏘다니다, 신바람을 내고 다니다.
remolido, da *adj.* remoler의 *p.p.* —*m.* (세광해야 할) 쇄광(碎鑛).
remolienda *f.* 《*Chile. Perú.*》 들떠 다니기(jarana).
remolimiento *m.* 소용돌이; 혼잡.
remolinante *adj.* 소용돌이치는; 많은 사람들이 모여 웅성대는, 북적거리는, 군집해 있는.
remolinar(se) *intr.* (*r.*) ① 소용돌이치다 : Ahí (*se*) *remolina* el agua 그곳에서는 물이 소용돌이친다. ② 웅성대다, 북적거리다, 대혼잡을 이루다(arremolinarse) : *Se remolina* la gente en la plaza 광장에 사람들이 모여든다.
remolinear *tr.* 소용돌이 모양으로 하다, 선회시키다. —*intr.* 소용돌이치다(remolinar).
remolino *m.* ① 소용돌이, 회오리 바람 : un ~ del río. ② 혼잡(apiñamiento de la multitud) : los ~*s* de la gente. ③ 공황, 혼란. ④ 소요, 불온. ⑤ 침착하지 못한 사람(persona inquieta).
remollar *tr.* 【은어】 안감을 대다; 보강하다.
remollerón *m.* 【은어】 투구.
remolón, na *adj.* 게으른, 나태한, 태만한(perezoso, holgazán). —*m.f.* 게으른 사람, 태만한 사람. —*m.* 멧돼지의 이빨(colmillo superior del jabalí).
remolonear(se) *intr.*(*r.*) 어물거리다.
remolque *m.* ① 예항(曳航) : dar ~ 예항하다(remolcar). ② 견인 : coche·carro ~ 견인차. ③ 트레일러 : coche ~ 트레일러. ④ 끄는 줄.
a ~ 예항하여, 배를 끌어; 질질 끌려서.
remondar *tr.* 다시 전정하다(volver a mondar).
remonín, na *adj.* 사랑스러운, 귀여운(muy mono, muy gracioso) : una niña ~*na.*
remonísimo, ma *adj.* =**remonín.**
remonono *adj.* =**remonín.**
remonta *f.* ① 구두의 수선, 구두창 갈기. ② 안장의 볼록한 곳. ③ (승마 바지의) 덧댄 천. ④ 말의 보충, 보충용 말. ⑤ 마필창(馬匹廠). ⑥

마필 징발대.

remontado, da *adj.* remontar의 *p.p.*

remontar *tr.* ① 높이 올리다, 올리게 하다, 높이다 ; 찬양하다 : ~ a un poeta. ② (사냥에서 짐승을) 몰이하다. ③ (말을) 보충하다 ; (안장을) 수선하다 ; (구두의) 밑창·위를 갈다. ④ 거슬러 오르다 : *Remontamos* el río hasta aquel punto 우리들은 그 지점까지 강을 거슬러 올라갔다. Hay peces que *remontan* el río 강물을 거슬러 오르는 물고기가 있다.

~se ① (노예 따위가) 산으로 도망가다. ② 하늘로 날아오르다, 높이 날다·오르다 : La alondra *se remontó* al cielo 종달새는 하늘로 높이 날았다. ③ 거슬러 오르다 : *~se hasta* el siglo X 10세기까지 거슬러 오르다. En su conferencia el profesor *se remontó* hasta los más remotos tiempos 연설에서 교수는 태고적까지 거슬러 올라갔다. Mis recuerdos *se remontan* a los primeros años de mi infancia 내 추억은 유년기의 초기까지 소급한다. ④ 노하다, 성내다, 화내다.

remonte *m.* 상승 ; 거슬러 오르는 일.

remontista *m.* 말 보충대 병사.

remontoir *m. fr.* = **remontuar.** [*N.* 발음 : re-montuar].

remontuar *m.* 열지 않고 태엽을 감게 되어 있는 몸시계(reloj de bolsillo al que se puede dar cuerda sin abrirlo).

remoque *m.* 비꼼, 빈정거림, 남의 속 긁어주기 (palabra picante, burla).

remoquete *m.* ① 주먹질(moquete, puñetazo). ② 비꼼, 빗댐(dicho agudo y picante). ③ 별명 (apodo). ④ 말을 걸며 가까이 하기(galanteo).

dar ~ 귀찮게 하다, 성가시게 굴다, 괴롭히다 (fastidiar).

rémora *f.* [*lat.* remora] ① 【어류】 빨판 상어. ② 방해물, 장해.

remordedor, ra *adj.* 가슴 아프게 해주는.

remorder *tr.* ㉕ ① 우적우적 깨물다, 물어뜯다 : Los dos perros *remuerden* uno a otro 개 두 마리가 서로 물어뜯고 있다. ② 괴롭히다, 못살게 굴다 : El recuerdo de su crimen *remuerde* la conciencia 죄의 기억에 그녀는 양심의 가책을 받고 있다. ③ 부식(腐蝕)하다.

~se 맞물다 ; 후회하다, 후회스러운 마음으로 고통하다 ; 번뇌하다.

remordiente *adj.* 후회스럽게 하는.

remordimiento *m.* ① 후회 : El ~ es el huevo fatal puesto por el placer 후회는 쾌락이 낳은 숙명적인 알이다. ② 고민, 번뇌. ③ 양심의 가책(pesar interno que produce en el alma una mala acción).

remosquearse *r.* ① 불안스러워지다. ② 인쇄면이 지저분해지다 ; 얼룩을 묻히다.

remostar *tr.* (묵은 술에) 새 술을 붓다.

~se (과일이) 섞어가다 ; (술이) 달다.

remostecerse *r.* ㉛ =**remostarse.**

remosto *m.* remostar 하는 일.

remotamente *adv.* ① 멀리, 아득히(lejanamente). ② 희미하게, 멍하니, 막연하게(vagamente) : recordar algo ~.

remotidad *f.* 《*AmérC.*》 ① 먼 곳(lugar remoto). ② 옛날 일.

remoto, ta *adj.* [*lat.* remotus] ① 먼, 아득한 (distante, lejano) : En un país ~ vivían dos esposos jóvenes 어느 먼 나라에 젊은 부부가 살고 있었다. ② 있을 것 같지 않은, 진실일 듯 싶지 않은, 미덥지 못한(improbable) : peligro ~ 있을 것 같지 않은 위험. Tengo una *~ta* idea de que una vez me hablaste de eso 나는 그 일에 대하여 한번 네가 이야기해 준 듯한 (막연한) 생각이 든다.

remover *tr.* ㉕ ① 옮기다(trasladar) : Hay que ~ la estantería de aquí 여기서 책장을 옮겨야 한다. ② (장애물 등을) 없애다, 치우다(quitar·apartar obstáculos). ③ (불을) 뒤적여 찾다 ; 흐뜨리다, 휘젓다 : *Remueva* usted la sopa 수프를 휘저으세오. ④ 해직하다, 파면·면직시키다 : El amo *removió* a toda la servidumbre 주인은 하인들을 모두 쫓아냈다. ⑤ 진동시키다 : La explosión *removió* la casa 폭발이 건물을 진동시켰다.

~se 이전하다 ; 몸부림치다.

removimiento *m.* ① 이동, 이전. ② 제거. ③ 해직. ④ 몸부림.

remozar *tr.* ⑨ 젊게 하다(rejuvencer) : La muchacha logró ~le al viejo 소녀는 그 노인을 젊게 했다.

~se 젊어지다 : Usted *se ha remozado* recientemente 당신은 최근 젊어지셨습니다.

remplazo *m.* =**reemplazo.**

remplazar *tr.* ⑨ =**reemplazar.**

rempujar *tr.* ① 누르다, 밀치다, 밀쳐내다 (empujar). ② 《*Hond.*》 =**ajustar.**

rempujo *m.* 밀쳐내기, 버티기 ; 골무.

rempujón *m.* 누르기, 누르는 일, 밀침, 몸으로 부딪치기(empujón).

remt.° remitido.

remuda *f.* 바꿈 ; 경질 ; 갈아입을 옷.

remudamiento *m.* =**remuda.**

remudar *tr.* 경질하다, 바꾸다, 갈다 : El siempre *remuda* los muebles en la casa 그는 항상 집에 있는 가구를 바꾸고 있다.

~se 속옷을 갈아입다(mudarse de ropa interior).

remudiar *intr.* ⑪ 【방언】 (송아지와 어미 소가) 서로 부르며 울다.

remugar *tr.* ⑧ 되새김질하다, 새김질하다, 반추하다(rumiar).

remullir *tr.* ㊿ 보드랍게 부풀리다, 유들유들하게 만들다 : ~ los colchones.

remunerable *adj.* 보상해야 할.

remuneración *f.* 보상, 임금, 보수, 급여, 급료 ; 상, 사례금 : El no quiere aceptar la ~ de aquel trabajo 그는 그 일의 보수를 받고 싶지 않았다. La ~ es proporcionada al esfuerzo 보수는 노력에 비례하고 있다.

~ ***básica*** 기본 보수. ~ ***complementaria hasta el salario garantizado*** 보충 임금. ~ ***del trabajo*** 노동의 보수. ~ ***de las horas extraordinarias*** 시간외 수당. ~ ***del trabajo personal*** 고용 보수, 인적 노동 보수. ~ ***media mensual*** 평균 월수입.

remunerador, ra *adj.* 보상있는 ; 유리한, 보람된 : Esta empresa es poco *~ra.*

remunerante *adj.* =**remunerador.**

remunerar *tr.* [*lat.* remunerari] 보수를 주다,

보답하다, 보상해 주다(recompensar) : ~ un trabajo 애쓴 보상을 하다. ~ a su ayudante 조수에게 보수·보상을 주다. Es un trabajo que se *remunera* bien 그것은 보수가 좋은 일이다.

remunerativo, va *adj.* 보수가 있는 ; 유리한.

remuneratorio, ria *adj.* 보상하는, 보답의, 보수의.

remusgar *intr.* ⑧ 예감하다, 예지하다, 짐작하다(barruntar).

remusgo *m.* ① 예감, 조짐. ② 시원한 바람(vientecillo fresco).

renacentismo *m.* 문예 부흥 연구 ; 문예 부흥기.

renacentista *adj.* 문예 부흥(기)의. —*m.f.* 문예 부흥기 연구자.

renacer *intr.* ㉚ ① 소생하다, 재생하다 ; 되살아나다(volver a nacer) : Las flores *renacen* por primavera 꽃은 봄에 소생한다. ② 회복하다(recobrar) : ~ después de una enfermedad 병후 힘을 회복하다. ③ 부흥하다.

renaciente *adj.* 소생하는, 재생하는, 회복하는, 부흥하는.

renacimiento *m.* 재생, 부활 ; 부흥.

Renacimiento *m.* 문예 부흥 (시대), 르네상스.

renacuajo *m.* ①【동물】올챙이 : El ~ tiene una cola y respira por medio de branquias. ② =**hombrecillo, chisgarabís, mequetrefe.**
Cada ~ tiene su cuajo【속담】지렁이도 밟으면 꿈틀한다.

renadío *m.* [*lat.* renatus] 곡식을 베고 난 자리에 다시 순이 나는 밭.

renal *adj.*【해부】신장의, 콩팥의 : arteria ~.

renano, na *adj.* 라인 강(el Rin)의, 라인 지방의 : provincias ~*nas.*

renard *m. fr.* 여우 가죽(piel de zorro).

rencilla *f.* 말다툼, 언쟁, 실랑이.

rencilloso, sa *adj.* 바로 싸우려 드는 (사람).

renco, ca *adj.* 절름발이의. —*m.f.* 《*Hond.*》 절름발이.

rencor *m.* 유한(遺恨), 원한, 앙심 : guardar ~ 앙심을 품다. Yo no guardo ~ a nadie 나는 아무한테도 앙심을 품고 있지 않다.

rencorosamente *adv.* 원한, 앙심을 품어(con rencor).

rencoroso, sa *adj. m.f.* 앙심을 품은, 원망하는 (사람) : Me echó una mirada ~*sa* 그는 원망스러운 시선을 나에게 던졌다.

renculillo *m.* 《*Cuba.*》 보챔, 언짢음.

renda *f.* ① (밭의) 재경작(再耕作). [Sinón.] bina. ②【고어】=**renta.**

rendaje *m.* 고삐, 뱃줄.

rendajo *m.* =**arrendajo.**

rendar *tr.* 재경작하다(binar).

rendez-vous *m. fr.* 《*Neol.*》 랑데부, 밀회(密會) (cita, entrevista) : dar un ~ 밀회하다, 랑데부하다. [*N.* 발음 : randevú].

rendibú *m.* [*pl.* rendibuses] 환대, 극진한 대접.

rendición *f.* ① 굴복, 항복, 패배, 인도, 개성(開城). ② 기가 죽음, 지침. ③ 생산, 연수(年收). ④ 이문, 이익, 수익. ⑤ 미발행 주조 화폐.
~ *de cuentas* 회계, 경리.

rendidamente *adv.* 비굴하게 ; 축 늘어져, 맥이 빠져.

rendido, da *adj.* [rendir의 *p.p.*] ① 굴복한, 묵사발이 된. ② 지쳐 빠진. ③ 비굴한. ④ 능률적인, 효율이 높은.

rendidor *m.* 《*And.*》 말의 조련사(domador de caballos).

rendija *f.* 갈라진 틈, 균열, 틈, 금(hendidura, raja, grieta, abertura muy estrecha) : mirar por una ~ de la puerta 문틈으로 보다.

rendimiento *m.* ① 피로, 피곤, 녹초가 됨(fatiga, cansancio). ② 경의 ; 굴종, 비굴 ; 아첨(sumisión, humildad) : manifestar ~ hacia un superior. ③ 이문, 이득, 이익(producto) : el ~ de una máquina. ④ (기계의) 효율, 능률, 효능 : ~ de un motor. ⑤ 생산, 연수(年收).
~ *al vencimiento* 최종·만기 이문. ~ ***bruto·total*** 총생산고, 총출산고. ~ ***de la cosecha*** 작물 수확. ~ ***del capital*** 자본·투자 수익, 자본에서의 이득. ~ ***del suelo*** 토지의 효율. ~ ***decreciente*** 수익 점감, 수확 체감. ~ ***efectivo*** 인사 고과(人事考課). ~ ***marginal*** 한계 수익. ~ ***medio*** 평균 수익. ~ ***probable*** 예상 수익.

rendir *tr.* ㉝ [*lat.* reddere] ① 때려 눕히다, 묵사발이 되게 하다(vencer) : ~ un barco enemigo. ② 피로케 하다, 피로에 지치게 만들다(fatigar) : *Rindió* al caballo con la carga 그는 짐으로 말을 피로케 했다. ③ 항복·굴복시키다, 두손들게 만들다(someter) : ~ una plaza. ④ 멋대로 하다 : ~ el caballo *a* mi voluntad. ⑤ (당연한 의무·권리가 있는 사람에게) 인도·인계하다 : ~ la guardia 수비의 임무를 인계받다. ⑥ 양도하다, 되돌려주다 ; 부여하다, 건네주다, 넘겨주다(dar, entregar) : ~ las llaves 열쇠를 주다. Le *rendiremos* el sueldo entero 전 봉급을 당신에게 바치겠습니다. El general *rindió* la plaza al enemigo 장군은 요새를 적에게 명도했다. ⑦ (감사·경의를) 표하다, 나타내다 ; 바치다, (예의를) 다하다 : ~ gracias 사의를 표하다. Han venido a ~le homenaje a este gran novelista 그들은 이 대 소설가에게 경의를 표하기 위해 왔다. ⑧ [~+명사 : 명사가 뜻하는 일을] 하다, 행하다 : ~ informe al jefe 과장에게 보고드리다. ⑨ 제출하다 : ~ examen de ingreso 입학 시험을 치다. ⑩ (이익을) 거두다, 올리다, 가져오게 하다 : ~ intereses 이자를 낳다. Esta hacienda *rinde* mucho trigo 이 농장은 많은 밀을 생산하고 있다. Es un trabajo que no *rinde* 그것은 이익을 가져다 주지 않는 일이다. ⑪ 되돌려 주다. ⑫ 게우다, 토하다(vomitar). ⑬ (선박 등이 항해를) 마치다. ⑭ (총·칼·깃발로) 경례하다 : ~ el arma, ~ la bandera. ⑮ 《*Galic.*》 번역하다(traducir). ⑯ (냄새와 같은 것을) 풍기다(despedir) : Las flores *rinden* buen olor. ⑰ 갖다, 끌어들이다(llevar) : Las malas costumbres *rinden a* la perdición.
—*intr.* ① 이익·효과를 거두다 : un trabajo que no *rinde* 아무 이익이 없는 일. ② 《*Amér.*》 어떤 물건이 오래가다(durar).
~se ① 피로하다, 지치다, 녹초가 되다 : *Se rindió de* tanto trabajar 그는 많은 일 때문에 지쳤다. El *se rindió* de tanto andar 그는 너무 걸어서 지쳤다. ② 굴복·항복하다 : Después de tres meses del cerco *se rindieron* los enemigos 3

개월의 포위 후에 적은 항복했다. El Alcázar no *se rindió* al enemigo 성은 적군에게 항복하지 않았다. ③ (돛대가) 꺾이다, 부러지다. ④ 《*Galic.*》 (어떤 상태로) 되다 : *Se rinde* diestro en el manejo 그 조작의 솜씨가 좋아지다. ⑤ 이전하다(trasladarse).
~ *el alma (a Dios)* 사망하다, 죽다.
~ *cuenta* (지불 청구의) 계산서를 제출하다, 변명하다 ; 책임을 지다 : Ese capitán también tendrá que ~ *cuentas* 그 선장도 책임을 져야 할 것이다.
~ *el bordo en* …에 도착하다.
~ *el homenaje* 경의를 표하다 ; 충성스럽게 따를 것을 맹세하여 신하가 되다. ~ *el puesto* (군대에서 다른 부대 등으로) 수비 위치를 인계하다.
~ *las armas* 무기를 버리다, 항복하다.
~ *marea* 조류에 거슬러 앞으로 나아가다.
~ *obsequios* 선물하다(regalar, obsequiar) ; 비위를 맞추다.
~ *parias* 복종하다, 경의를 표하다.

rendita *f. ital.* 《*Arg.*》 =**renta** : peón a la ~.

rene *f.* =**riñón.**

renegado, da *adj.* [renegar의 *p.p.*] 배교(背教)의, 회교에 귀의한 ; 변절한 ; 무뢰한. —*m.f.* ① 배교자 ; 변절자. ② 무뢰한. ③ 세 사람이 하는 카드 놀이(tresillo).

renegador, ra *adj. m.f.* 입이 더러울 정도로 욕을 퍼붓는 (사람) ; 변절하는 (사람).

renegar *tr.* ⑲ ⑧ ① 거부하다(negar mucho) : Niega y *reniega* que él haya intervenido en eso 그는 그 일에 가담하지 않았다고 강하게 몇 번이나 말했다. ② 증오하다, 미워하다, 싫어하다(abominar).
—*intr.* ① (특히 그리스도교에서 회교로) 개종하다. ② 싫어하다, 미워하다, 증오하다, 저주하다 : ~ *de* su amigo 친구를 증오하다. ③ 욕하다(blasfemar).

renegón, na *adj. m.f.* 욕 잘하는 (사람) ; 욕쟁이.

renegrear *intr.* 새까맣게 되다, 새까맣다(negrear mucho).

renegrido, da *adj.* 검붉은, 거무스름한, 가무잡잡한(denegrido, negruzco). —*m.f.* 《*Arg.*》 【조류】 개똥지바퀴.

Renfe *f.* =**RENFE.**

RENFE Red Nacional de los Ferrocarriles Españoles 서반아 국유 철도.

renga *f.* 《*Sal.*》 (말의 짐을 싣는) 등 ; 새우등, 구부정한 허리(joroba).

rengar *tr.* 《*Sal.*》 =**descaderar, derrengar.**

rengífero *m.* 【동물】 순록(rangífero).

rengle *m.* 줄, 열(ringlera).

renglera *f.* =**rengle.**

renglón *m.* ① (문장의) 행 : leer entre los ~*es* 행간의 숨은 뜻을 알아채다, 언어의 뜻을 음미하다, 속속들이 알아채다(penetrar la intención oculta de un escrito). ② 품목, 업종, (장부의) 항목, 비목(費目) : ~ comercial 상품 목록. ③ 수익, 이득, 이문 : el ~ principal de su haber. ④ 비용 : Es muy costoso el ~ del aceite. —*pl.* 문장, 글로 쓴 것 : Sírvase usted leer estos ~*es* que le mando 보내드리는 이 문장을 읽어 주십시오.
a ~ seguido 계속해서, 다음 줄에 계속해서 ; 즉각, 즉시.
dejar·quedarse entre ~es 잊다, 망각하다, 까맣게 잊고 있다.

renglonadura *f.* [집합] 줄, 괘(rayado).

rengo, ga *adj. m.f.* 절름발이(의)(renco, cojo).
dar con la de ~ 호감을 산 뒤에 속이다.
hacer la de ~ 일이 하기 싫어 꾀병을 부리다·꾀를 부리다(fingir enfermedad para no trabajar).

rengue *m.* 《*Col. Venez.*》 드문드문한 천(tela rala).

renguear *intr.* ① 《*AmérM.*》 발을 절다, 절룩거리다(renquear, cojear). ② 《*Arg.*》 여자의 뒤를 따르다.

renguera *f.* 《*AmérM.*》 절름발이(renquera, cojera).

reniego *m.* 안달, 앙탈 ; 잡소리, 욕지거리(blasfemia) : El soltó un ~ tremendo 그는 무시무시한 욕을 퍼부었다.

reniegue → **renegar** ⑲ ⑧.

reniegue- → **renegar** ⑲ ⑧.

reniforme *adj.* 콩팥 모양의, 신장(riñón)형의.

renil *adj.* 불임의 (양).

renio *m.* 【화학】 희귀 원소 《1925년 발견 ; 원자 무게 187 ; 원자 번호 75》.

renitencia *f.* ① 혐오(repugnancia). ② 【의학】 살결이 번들거림.

renitente *adj.* 싫어하는, 혐오하는.

reno *m.* [*alem.* renn] 【동물】 순록(馴鹿).

renombrado, da *adj.* 유명한, 명성이 높은, 이름난(célebre, famoso).

renombre *m.* ① 성(姓)(apellido). ② 별명(apodo, sobrenombre). ③ 명성, 평판, 명예, 고명(高名)(fama, gloria) : Era un médico de mucho ~ 그는 대단히 명성이 있는 의사였다.

renovable *adj.* 갱신할 수 있는, 새로이 할 수 있는.

renovación *f.* ① 갱신, 혁신, 쇄신. ② 갱생, 개작(改作). ③ (서류의) 개서 : la ~ de un contrato 계약의 개서. ~ de una letra 어음 개서. ~ del capital 자본 회전률.

renovador, ra *adj. m.f.* 개혁·혁신·갱신하는 (사람) : la influencia ~*ra* del Renacimiento.

renoval *m.* ① (나무가) 새로 자라난 산지(山地). ② 《*Arg. Chile.*》 어린 나무가 자란 산. ③ 《*Méx.*》 잡목산.

renovante *adj. m.f.* 갱신하는 ; 혁신적인 (사람).

renovar *tr.* ㉔ ① 새롭게하다 : *Hemos renovado* la antigua amistad 우리들은 다시 구정(舊情)을 새롭게 하고 있다. La primavera *renueva* el verdor de los campos 봄은 들의 신록을 새롭게 한다. ② 다시 시작하다 : ~ el trabajo. ③ (새것과) 바꾸다(trocar) : Ella *renovó* su vestido. ④ (원상으로) 복귀시키다 : El *renovó* la amistad con Pepe 그는 뻬뻬와의 우정을 회복했다. ⑤ 새것으로 만들다 ; 다시 만들다, 갱생하다. ⑥ 갱신·혁신하다 ; (계약 등을) 다시 작성하다, 연장하다 : Hay que ~ el contrato cada dos años 그 계약은 2년마다 경신해야 한다. ⑦ 반복하다, 되풀이하다(repetir, reiterar) : *Renovó* la expresión de un afecto 그는 애정의 표현을 되풀이

했다. ⑧ 재편성·재조직하다.

renovero, ra *m.f.* 고리 대금 업자(usurero, prestamista).

renquear *intr.* 발을 절다, 절룩거리다(cojear).

renquera *f.* 《*CRica.*》 =**cojera.**

renta *f.* [*lat.* reddita] ① 연수(年收); 연금, 은급 : ~ de supervivencia 양로 연금. ~ vitalicia 종신 연금; 종신 소유지. ② 수입, 소득 : ~ nacional 국민 소득. ~ rentada 정기 수입. impuesto sobre la ~ 소득세. ③ 금리 : vivir de sus ~*s.* ④ 소작료, 연공(年貢). ⑤ 세입 : ~ estancada 전매품 특별 세입. ⑥ 공채; 공채 이자 : ¿Qué ~ anual le produce el capital? 그 자금은 그에게 연간 얼마쯤의 이자를 생기게 하느냐? ⑦ *pl.* 세입 : ~*s* públicas · del Estado 공공단체·국가의 세입. ⑧ 임대료, 세(稅) : No hemos pagado la ~ de la casa este mes 우리는 아직 이 달의 집세를 지불하지 않았다.

~ ***acumulada*** 미수 수익(未收收益). ~ ***adelantada*** 선불 비용. ~ ***anticipada*** 전수(前受) 임대료. ~ ***anual*** 연수, 연간 소득; 연금. ~ ***bruta*** 총이익, 총소득, 총수입, 총소득 금액. ***cobrada por adelantado*** 전수(前受) 임대료. ~ ***de bienes raíces*** 부동산 소득. ~ ***capitales mobiliarios*** 동산 자본의 소득. ~ ***de explotación*** 영업 이익·수익·소득·수입. ~ ***de inversiones*** 불로 소득; 투자 이익. ~ ***de retiro*** 퇴직 연금. ~ ***de títulos*** 《*Arg.*》 사채·유가 증권 이자. ~ ***del suelo*** 지대(地代). ~ ***del trabajo*** 근로 소득. ~ ***devengada*** 《*Arg.*》 미수(未收) 임대료. ~ ***diferencial*** 차액 이익. ~ ***diferida*** 거치·지연 연금. ~ ***disponible*** 가처분 소득. ~ ***económica*** 경제적 지대(地代). ~ ***estancada*** 전매품의 특별 세입. ~ ***imponible*** 과세 소득. ~ ***inmediata*** 즉시불 연금. ~ ***líquida*** 순익, 순이익, 순소득. ~ ***per cápita*** 1인당 소득. ~ ***personal*** 개인 소득. ~ ***personal disponible*** 개인 가처분 소득. ~ ***por habitante*** 1인당 개인 소득. ~ ***pública*** 개인 소득. ~ ***temporal*** 정한(定限) 연금.

a ~ 소작 계약으로.

hacer (las) ~***s*** 대지(貸地)하다.

rentabilidad *f.* ① 유익, 유리함. ② 이문, 이득, 이익(성), 영리성 : ~ bruta · neta 총·순이익.

rentabilizar *tr.* ⑨ 유리하게 하다, 유리한 것으로 하다.

rentable *adj.* 《*Neol.*》 ① 유리한, 수익이 있는, 이문이 있는 : empresa ~. ② 유익한, 이로운.

rentado, da *adj.* [rentar의 *p.p.*] 연금·은급을 받는.

rentar *tr.* ① (세입·수익을) 올리다, 거두다 : ¿Cuánto *renta* estos cuartos? 이 방들은 얼마나 수입을 올립니까? Estos valores *rentarán* mucho en el futuro 이 유가 증권들은 장래 수입을 많이 올릴 것이다. ② 《*Amér.*》 임대하다.

rentero, ra *adj.* 소작료를 바치는, 납세(자)의 (tributario). —*m.f.* 납세자; 소작인, 소작농.

rentilla *f.* 카드 놀이의 일종.

rentista *m.f.* ① 재정가. ② 연금 수급자, 금리 생활자. ③ 공채 소지자, 회사채 소지자.

rentístico, ca *adj.* 재정의 : sistema ~ 재정 제도. reformas ~*cas* 재정 개혁.

rento *m.* 소작료, 연공(年貢).

rentoso, sa *adj.* 이익·수입이 있는.

rentoy *m.* ① (옛날의) 카드 놀이의 일종 《끝수가 높은 패를 보이는 일; 내통하는 일》. ② 넌지시 하는 신호. ③ 교만, 허세, 우쭐거리기 : echar · tirar un ~ 우쭐거리다.

renuencia *f.* 싫어하기, 언짢아 하기; 거부, 반대(repugnancia).

renuente *adj.* [*lat.* renuens] 다루기 어려운, 고집 불통의(indócil, terco).

renuevo *m.* ① 새싹(tallo) : echar ~*s* 싹이 돋다. ② 갱신, 쇄신(renovación).

renuncia *f.* ① 사직, 사임, 사퇴 : Presentó la ~ de su cargo 그는 (직무의) 사표를 냈다. ② 체념, 포기, 기권. ③ 거절; 이양.

renunciable *adj.* 포기할 수 있는; 거절할 수 있는; 양도할 수 있는.

renunciación *f.* =**renuncia.**

renunciamiento *m.* ① 체념, 포기, 기권(renuncia, desistimiento). ② 탈속(脫俗), 자기 희생.

renunciante *adj.* 체념하는; 사임하는. —*m.f.* 사직자; 기권자.

renunciar *tr.* ⑪ ① 버리다, 포기하다, 저버리다, 내동댕이치다; 사임하다, 사퇴하다; 단념·체념하다 : ~ el plan 계획을 포기하다. ~ al mundo 세상을 버리다. Mateo *ha renunciado* su derecho 마떼오는 그의 권리를 포기했다. El arquitecto *renunció* a su proyecto 건축가는 그의 계획을 단념했다. Ha tenido que ~ al viaje por la enfermedad de su madre 그는 모친의 병으로 여행을 단념했다. ② 기권하다; 양보하다 : *Renunció a* su parte de herencia en favor de su hermana 그는 유산의 자기 몫을 여동생에게 양보했다. ③ 거절하다 : ~ un ofrecimiento.

~se 사직하다.

~***se a sí mismo*** 자기 몸을 돌보지 않다·버리다.

renunciatario *m.* 포기의 이익을 받는 사람, 양도받은 사람.

renuncio *m.* 속임수; 오류, 잘못.

renvalsar *tr.* 【목공】 (문짝·창문의 나무틀에) 면을 두르다(hacer un renvalso).

renvalso *m.* 【목공】 (문짝 등의 나무틀에) 면 대기, 면을 두르기.

reñidamente *adv.* 심하게·격렬하게 (싸우다 등).

reñidero *m.* 투계장 : ~ de gallos.

reñido, da *adj.* [reñir의 *p.p.*] ① 화가 난. ② 심한, 격렬한 (다툼 등). ③ 사이가 나빠진 : estar ~ con …과 사이가 틀어졌다. Eso *está* ~ *con* mis ideas 그것은 내 생각과 맞지 않는다.

reñidor, ra *adj. m.f.* 곧잘 싸우려 드는 (사람).

reñidura *f.* =**regaño, reprensión.**

reñir *intr.* ㊾ ① [+con : …와] 싸움을 하다 (pelearse). ② 언쟁하다, 논쟁하다, 다투다(disputar) : ~ de bueno a bueno 정정당당하게 싸우다. Carlos *está* siempre *riñendo con* sus hermanos 까를로스는 언제나 형제들과 싸운다. Ella *riñe con* su suegra 그녀는 시어머니와 싸운다. El marido y la mujer se pasan la vida *riñendo* 그 부부는 싸움하면서 그날 그날을 지내고 있다.

—*tr.* ① 나무라다, 힐책하다, 꾸짖다(reprender) : La madre *riñó* a su niño 어머니는 아들을 꾸

짖었다. No le *riña* usted más 그를 더 이상 나무라지 마십시오. ② [싸움·전쟁 등을 보어로서, 그것을] 하다 : ~ batalla 전투를 하다, 싸우다. ~ desafío 결투하다.
[직설법 현재 : riño, riñes, riñe, reñimos, reñís, riñen. 접속법 현재 : riña, riñas, riña, riñamos, riñáis, riñan. 직설법 부정과거 : reñí, reñiste, riñó, reñimos, reñisteis, riñeron. 현재 분사 : riñendo].

reo *m.* [*ing.* ray trout]【어류】 송어(trucha).

reo, a *adj.* [*lat.* reus] 죄가 있는, 유죄의(culpado, criminoso). —*m.f.* [rea의 형은 쓰이지 않고 reo의 형으로 남녀 공히 사용함] ① 죄인, 범인, 수인 : ~ de estado 국사 범인. ~ de muerte 사형수. Llevaban a la ~ a la Audiencia 그 여죄수는 재판소로 연행되었다. ② (원고 actor에 대하여) 피고 : Es un ~ de aquel crimen 그는 그 범죄의 피고이다. —*m.* 차례(turno).
a ~ y al ~ 잇따라, 계속해서, 즉각.

reobrar *intr.* 다시 하다, 다시 만들다 ; 반응하다.

reoctava *f.* (기름·초·술에 대한 옛날의) 소비세.

reoctavar *tr.* reoctava를 산출하다.

reocupación *f.* 새 직업(nueva ocupación).

reóforo *m.* (전지의) 전선, 전극(電極).

reojo (de) *adv.* 곁눈질로 ; 증오하는 눈길로 : mirar *de ~* 곁눈질로 보다 ; 증오하는 눈길로 바라보다. La estuvo mirando *de ~* mientras comía 그는 식사하면서 그녀를 곁눈질로 보고 있었다.

reolín *m.* 《*Murc.*》【조류】 =**frailecito.**

reómetro *m.* ① 전류계. ② 수류계(水流計), 유량계(流量計). ③【의학】 혈류계(血流計).

reordenamiento *m.* 재정리 ; 재훈령.

reorganización *f.* 개조(改造), 개조(改組), 재조직, 재편성 : ~ de la agricultura 농업의 재편성.

reorganizador, ra *adj. m.f.* 재조직하는 (사람), 개조하는 (사람) : decreto ~ de una sociedad.

reorganizar *tr.* ⑨ 재조직·재편성하다, 편제를 바꾸다, 개조(改組·改造)하다(organizar de nuevo).

reorientación *f.* 재지도, 재지침.

reorientar *tr.* 재유도·재지도하다.

reóstato *m.*【전기】 가변 저항기.

reótomo *m.* 회로 개폐기.

reótropo *m.* 전류 전환 스위치.

Rep. República.

repacer *tr.* ㉚ (목축이 풀을) 모두 먹어 버리다 (pacer la hierba el ganado por completo).

repagar *tr.* ⑧ 충분히 지불하다·보상하다.

repajo *m.* 나무 울타리를 둘러친 곳.

repanchigarse *r.* ⑧ =**repantigarse.**

repantigarse *r.* ⑧ 깊숙이 몸을 파묻고 앉다.

repápalo *m.* 《*And.*》 (아침 식사용) 소형의 둥근 빵.

repapilarse *r.* [드뭄] 배불리 먹다(hartarse de comer).

repapo (de) *adv.* 침착하게.

reparable *adj.* 보상하는 ; 수선이 되는 ; 주의·주목할 만한.

reparación *f.* ① 보답, 배상, 보상 : Soy el ofendido y pido la ~ de tal injusticia 내가 피해자이다 ; 그러한 부정(不正)의 보상은 받아야 하겠다. ② 수선, 수리 : Después de la ~ que me hicieron en el coche, ha quedado como nuevo 수선을 했더니 (그것은) 새 차처럼 되었다. ③ 회복. ④ 보복. —*pl.* 배상금 ; 수선비.

reparada *f.* 말(馬)의 뜻밖의 움직임.

reparado, da *adj.* [reparar의 *p.p.*] ① 기운이 난. ② 사팔뜨기의, 사시의(bizco). ③ 주의를 기울인. ④ 수선된.

reparador, ra *adj. m.f.* ① 수선하는 (사람). ② 배상하는. ③ 기운을 돋우는 : alimento ~ 강장 식사, 기운이 나는 식사. sueño ~ 쾌적한 잠. ④ 눈치 빠른, 흘깃흘깃 보는 (사람). —*m.* 원기를 나게 하는 음식.

reparadoras *f. pl.* 부인들의 종교 단체.

reparamiento *m.* ① 수복, 수선. ② 보상(reparación). ③ 고려, 유의(reparo).

reparar *tr.* [*lat.* reparare] ① 고치다, 수선하다, 수복(修復)·개선하다(enmendar) : ¿Me puede usted ~ este reloj? 이 시계를 좀 수리해 주시겠습니까? ② 고치다, 수정하다(corregir) : Tengo que ~ los errores de este libro 나는 이 책의 오류를 고쳐야 한다. ③ 보답하다, 배상·보상하다 ; 갚다, 앙갚음하다, 보복하다 : ~ una injuria con su pistola 모욕을 권총으로 보복하다. Hace lo posible por ~ su falta 그는 과실을 보상하려고 가능한 한의 일을 하고 있다. ④ 조심하다 (atender) ; 주의해 보다, 관찰하다(mirar con mucha atención). ⑤ 고려하다. ⑥ 사양하다, 삼가다. ⑦ 막다, 저지하다 : ~ una estocada. ⑧ 위안하다, 힘을 돋우다. ⑨ (주물에) 끝마무리하다.
—*intr.* ① [+en : …에] 마음을 쓰다, 주의하다 : *Repare* usted *en* esto 이것에 주의하십시오. *Reparé en* que no llevaba paraguas 우산을 가지고 오지 않은 일에 나는 생각이 미쳤다. ② 멎다 (pararse).
~se ① 자제하다, 삼가하다. ② 보상을 받다, 보복하다 : ~*se del* daño. ③ 정지하다, 오도가도 못하게 되다(detenerse) : (*Se*) *reparó* a la mitad del camino. ④ 《*Amér.*》 말이 곤두서다.

reparativo, va *adj.* ① 보상하는, 배상의 ; 보답의. ② 수선하는, 수복의. ③ 기운을 돋우는.

reparista *adj. m.f.* 《*AmérC. Col. PRico.*》 훑어보는, 자세히 관찰하는 (사람).

reparo *m.* ① 수선, 수복 ; 복구 (공사). ② 주의(서), 관찰 ; 고려, 충고, 유의 : sin ~ 고려하지 않고. Es un hombre de muchosn ~*s* 그는 매우 숙고하는 사람이다. Los ~*s* de usted no son razonables 당신의 주의는 합리적이 아니다. ③ 의심(점)(duda) ; 난점(dificultad) : Quería poner algún ~ a la carta que redacté 그는 내가 쓴 편지에 어떤 트집을 잡으려 하였다. ④ 위(胃)의 윗부분에 바르는 강장약. ⑤ 방호물, 엄호물. ⑥ (칼의) 공격을 막기(parada). ⑦ (눈·눈두덩에 생긴) 얼룩, 반점. ⑧ 반대, 이의 : El puso ~ a nuestro proyecto 그는 우리의 계획에 반대했다.

reparón, na *adj. m.f.* 흘깃흘깃 자꾸 보는 (사람).

repartible *adj.* 분배할 수 있는, 분배할.

repartición *f.* ① 분배, 할당 : ~ de costos 비

용 배분. ~ de los gastos por sueldos 임금 배분. ② 구분. ③ 《*Arg. Urug.*》 행정상의 분담·분과.

repartida *f.* 《*Arg.*》 =**repartición.**

repartidamente *adv.* 세분하여.

repartidero, ra *adj.* 분배·구분해야 할.

repartido, da *adj.* 분배된, 할당된.

repartidor, ra *adj. m.f.* ① 분배하는 ; 분배하는 사람. ② 배달하는 (사람) : ~ de periódicos 신문 배달인. —*m.* 과세 평가인 : ~ de averías 해손(海損) 청산인.

repartija *f.* 《*Riopl.*》 배분, 몫 나누기.

repartimiento *m.* ① 분배, 할당. ② (연극의) 배역. ③ 부과, 부역 ; 할당금.

repartir *tr.* ① [+a·entre : …에] 분배하다, 할당하다, 배분하다 : Mamá nos *repartió* un pastel 엄마는 우리들에게 과자를 나누어 주었다. ② 부과하다. ③ (연극 등에서) 배역을 정하다. ④ (상품을) 배달하다.

reparto *m.* ① 분배, 할당. ② 배달, 배급 : La distribuidora no ha hecho hoy el ~ 배달하는 여자가 오늘은 배달하지 않았다. ③ (배우의) 배역 : ~ de papeles (연극의) 캐스터.

repasadera *f.* 끝마무리 대패.

repasador *m.* 《*Amér.*》 행주(lienzo para secar platos).

repasadora *f.* (염색 후의 천을 부풀게 하는) 보풀을 세우는 여직공.

repasar *tr.* ① 다시 지나가게 하다(pasar de nuevo) : ~ por una calle. ② 재조사·재시험하다. ③ 복습하다 : Tengo que ~ la lección aprendida 나는 배운 학과를 복습해야 한다. Estoy *repasando* la lección de esta tarde 나는 오늘 오후 배운 것을 복습하고 있는 중이다. ④ (…을) 대충 훑어보다, 다시 한번 훑어보다 : Yo *repasé* la prueba de imprenta 나는 교정쇄를 다시 한번 훑어보았다. *Repase* usted esa cuenta detenidamente 그 계산을 다시 한번 찬찬히 검산해 주십시오. ⑤ (염색후 천의) 보풀을 세우다. ⑥ (광물에 수은을) 화합시키다·섞다.

—*intr.* (같은 장소를) 다시 지나다 : ~ por un camino.

repasata *f.* =**reprimenda, reprensión.**

repaso *m.* repasar 하기, 복습 ; 재조사, 재검토 ; 질책.

dar un ~ 대강 복습하다 ; 대강 훑어보다 : *Di un* ~ al periódico 나는 신문을 대강 훑어보았다.

repastar *tr.* 반죽을 다시 하다 ; 목장에 다시 들여 놓다 ; (목축에서 사료를) 더 많이 주다.

repasto *m.* (평상시 보다) 더 많은 건초.

repatriación *f.* 귀국 ; 본국 송환.

repatriado, da *adj.* [repatriar의 *p.p.*] 본국으로 돌아간. —*m.f.* 본국으로 송환된 사람 ; 귀국자.

repatriar *tr.* 12 본국으로 송환하다·소환하다 (volver a su patria) : ~ a los soldados 병사를 본국에 송환하다. Los consulados *repatrían* a sus nacionales pobres 영사관은 가난한 자국민을 본국에 송환한다.

—*intr.,* **~se** 귀국하다 : Los soldados *(se) repatrían.* Contr. expatriarse.

repechar *intr.* ① (급경사를) 기어오르다. ② 《*Méx.*》 가슴을 대다.

repeche *adj.* 《*Méx.*》 =**excelente, muy bueno.**

repecho *m.* ① 급경사, 급사면, 가파른 비탈. ② 《*Cuba.*》 난간.

a ~ 비탈길을 위로(cuesta arriba).

repeinado, da *adj.* [repeinar의 *p.p.*] 곱게 머리를 빗은 ; 잔뜩 멋을 부린.

repeinarse *r.* 공을 들여 다시 빗질을 하다 ; 맵시를 내다, 몸단장을 하다.

repela *f.* 《*AmérC.*》 커피콩의 나머지를 다시 채집하기.

repelado, da *adj.* repelar의 *p.p.*

ensalada ~da 다른 풀로 만들어진 샐러드.

repeladura *f.* repelar 하기.

repelar *tr.* ① (…의) 털을·머리카락을 잡아 뽑다, 털을 뽑다(tirar del pelo). ② (말을) 급히 달리게 하다. ③ 끝을 자르다 : ~ las uñas 손톱을 자르다(cortarse las uñas). ④ (풀 등의 끝을) 따다, 물어 끊다 ; 칼로 밀다, 칼로 베어내다. ⑤ 《*Méx.*》 격앙·흥분시키다(exasperar) ; 심하게 꾸짖다.

~se ① 《*Chile.*》 불쾌한·개운치 않은 뒷맛을 맛보다. ② 《*Méx.*》 계속 투덜거리다.

repelencia *f.* 《*Amér.*》 철면피, 뻔뻔스러움 ; 언짢음(repugnancia).

repelente *adj.* ① 톡톡 쏘는 (듯한), 혐오의 : un gesto ~. ② 《*Amér.*》 뻔뻔스러운, 철면피한 ; 귀찮은.

repeler *tr.* [*lat.* repellere] 톡톡 쏘다, 퇴짜놓다 ; 물리치다, 격퇴하다, 배격하다, 거절하다, 거부하다(rechazar).

repellar *tr.* (벽의 울퉁불퉁한 것을 고르게 하기 위해) 회반죽을 바르다. —*intr.* 《*Cuba.*》 춤을 출 때 요염한 몸놀림을 하다.

repello *m.* ① 《*AmérC. Ant. Col.*》 상벽(上壁) (enlucido). ② 《*Cuba.*》 요염한 허리 놀리기.

repelo *m.* ① 결이 거꾸로 된 머리카락. ② 손거스러미. ③ 거꾸로 향해 있는 것, 거스러미. ④ 실랑이, 언쟁, 다툼. ⑤ 《*Méx.*》 누더기(harapo) ; 허름한 물건, 허섭쓰레기.

~ ***de calor*** 삼복 더위.

~ ***de frío*** 혹한, 혹독한 추위.

repelón *m.* 털을 잡아당기는 일 ; 한 줌 ; 닭이 마구 뛰어 감 ; (편물의) 얽힘. —*pl.* 난로의 틈새에서 새어 나오는 불꽃.

a ~es 겨우, 힘겨웁게, 어렵게, 애써(poco a poco y con dificultad).

de ~ 시원스럽게, 미련없이, 대충(ligeramente).

más viejo que el ~ 몹시 노쇠한·나이 많은.

repeloso, sa *adj.* ① 거스러미가 일어나는 : madera *~sa.* ② 성 잘 내는, 남을 원망하기 잘하는(quisquilloso), 자기 탓을 남에게 돌리는.

repeluco *m.* 《*And.*》 =**repelo.**

repeluzno *m.* 한속, 오한(escalofrío).

repensar *tr.* 19 심사 숙고하다, 다시 생각하다, 고쳐 생각하다, 곰곰이 생각하다(reflexionar, volver a pensar).

repente *m.* [*lat.* repens, repentis] 급한 동작, 돌연한 움직임, 돌발 : Tuvo un ~ de ira 그는 갑자기 성내기 시작했다.

de ~ 불시에, 돌연, 별안간, 느닷없이, 갑자기 (repentinamente, de súbito, subitamente) : El se puso a correr *de* ~ 그는 갑자기 달리기 시작했다. *De* ~ se apagaron todas las luces 돌연

등불이 모두 꺼졌다.
hablar de ~ 암송하다, 외다.

repentimiento *m.* 【고어】 후회(後悔) (arrepentimiento).

repentinamente *adv.* 급히, 돌연히, 갑자기 (de repente).

repentino, na *adj.* 갑작스러운, 돌연한, 불의의(súbito, impensado) : Nos sorprendió su muerte ~ 그의 급한 죽음이 우리들을 놀라게 했다.

repentista *m.f.* 즉석에서 읊는 사람, 즉석 연주자, 즉흥 연설가(improvisador).

repentizar *intr.* ⑨ 즉석에서 노래 부르다·연주하다.

repentón *m.* [*aum.* repente] 돌발, 격발 (repente violento).

repeor *adj. adv.* 훨씬 더 나쁜·나쁘게(mucho peor, muy mal).

repercudida *f.* =**repercusión.**

repercudir *intr. tr.* =**repercutir.**

repercusión *f.* ① 되돌아옴, 반향, 반사, 반동. ②(종양 등의) 가라앉음 ; 감퇴, 소산(消散), 사그라짐. ③ 반대 급부, 상대적인 손실.

repercusivo, va *adj. m.* (부기를) 가라앉히는 (약) : Los astringentes son buenos ~*s* 수렴제는 부기를 가라앉히는 좋은 약이다.

repercutir *intr.* [*lat.* repercutere] ① 되돌아오다 ; 반향·반사·반동하다(reverberar). ②《*Méx.*》 악취를 풍기다. —*tr.* ①(부기를) 가라앉히다. ②《*Col.*》 반론하다, 반박하다 ; 상대적으로 손실을 주다.

reperiquete *m.* 《*Méx.*》 촌스럽고 투박한 장식.

repertorio *m.* [*lat.* repertorium] ① 목록, 카탈로그, 색인 : ~ alfabético 알파벳순의 색인. ~ de aduanas 물품 특별 세율표, 세관 물품별 과세표. ② 레퍼터리, 연출, 연예·연주 목록, 연주곡목, 편람 : poner en el ~ 레퍼토리에 넣다. teatro de ~ 공연물을 바꾸어 가며 상연하는 극장. Buen ~ tiene ese teatro para la próxima temporada 그 극단은 이번 시즌에 내어 놓을 좋은 상연 종목을 갖추고 있다. ③ 수집, 유집(類集) ; 어휘집.

repesar *tr.* 분량을 다시 달다·측정하다(volver a pesar).

repeso *m.* ① 검량(檢量) ; 검량소. ②《*Col.*》 덤, 첨가물.
de ~ 힘을 다하여.

repetible *adj.* 반복할 수 있는.

repetición *f.* ① 되풀이, 반복 : Tu redacción está llena de ~*es* 너의 작문은 반복투성이다. ② 복창, 앙코르 : El público entusiasmado pidió la ~ 열광한 청중은 앙코르를 청했다.

repetidamente *adv.* 자주, 되풀이하여, 수없이, 몇 번이고, 반복하여.

repetido, da *adj.* 잦은, 반복한 : ~*das* veces 자주.

repetidor, ra *adj.* [*lat.* repetitor] 되풀이하는. —*m.f.* ① 되풀이하는 사람, 반복자, 복창자 ; 반복 교사. ②【전화】 증폭기 ; 계전기(繼電器).

repetir *tr.* ㊷ [*lat.* repetere] 되풀이하다, 반복하다 ; (남이 말했던 대로, 했던 대로) 말하다·하다(reiterar) : Te *repito* que no dejes de escribirme 거듭 말하지만 편지 내는 걸 잊지 마라. ¿Quiere usted ~me esa pregunta? 그 질문을 한번 더 말씀해 주시겠습니까? Los niños *repiten* lo que ven hacer a los mayores 어린이는 어른이 하는 짓을 보고 흉내낸다.
~se ① 똑같은 일이 일어나다·나타나다, 반복되다 : La historia *se repite.* ②(예술가가) 동일한 수법을 쓰다 ; 되풀이 해서 (자신을) …이라 하다 : *Me repito de* Vd. atto. y s.s. 경구《당신의 겸허하고 충실한 신하임을 거듭 말씀드려 인사올립니다》.
[직설법 현재 : repito, repites, repite, repetimos, repetís, repiten. 접속법 현재 : repita, repitas, repita, repitamos, repitáis, repitan. 직설법 부정과거 : repetí, repetiste, repitió, repetimos, repetisteis, repitieron. 접속법 과거 : repitiera…, repitiese …. 현재 분사 : repitiendo].

repicar *tr.* ⑦ ① 잘게 썰다, 다지다. ②(종을 심하게·시끄럽게) 울리다·치다. ③ 심하게 찌르다. ④《*Hond.*》 벌하다(castigar). —*intr.* 종을 연타하다.
~se [+de : …을] 자랑하다.

repicoteado, da *adj.* [repicotear의 *p.p.*](…에) 주둥이·이빨·물결 모양의 장식을 한.

repicotear *tr.* (…에) 주둥이·이빨·물결 모양의 장식을 대다.

repinaldo *m.* 사과의 일종.

repinarse *r.* [드뭄] 높이 오르다, 떠오르다(elevarse, alzarse).

repintar *tr.* (그림에) 가필하다, 수정하다 ; (벽에) 덧칠을 하다(pintar sobre lo pintado).
~se ① 루즈·입술 연지를 더덕더덕 바르다 (pintarse mucho). ②(갓 인쇄한 문자가 다른 페이지에) 묻다. ③ 이야기를 과장하다.

repinte *m.* 그림의 가필·보정(補正).

repique *m.* ① 새기는 일. ② 종의 연타 ; 종의 난타 소리. ③ 격렬한 입씨름, 언쟁, 실랑이. ④《*Méx.*》 힘이·세력이 대단한 척하기, 과대 망상적인 언동.

repiqueo *m.* 《*Ant.*》 =**repiqueteo.**

repiquete *m.* ① 종 따위의 난타 ; 요란한 종소리. ② 호기(好機), 기회(機會), 찬스(lance). ③《*Col.*》 원한.

repiquetear *tr.* 땡땡 종을 치다. —*intr.* 종소리가 요란스럽게 울리다 : Las campanas *repiquetean.*
~se 말다툼하다(reñirse).

repiqueteo *m.* ① 종의 난타 ; 그 소리. ② 말다툼, 언쟁, 입씨름.

repisa *f.* 【건축】 까치발(ménsula).

repisar *tr.* 두 번이나 밟다 ; 다져서 굳히다 (apisonar) ; (암기할 일을) 머리 속에 넣다.

repiso, sa *adj.* 후회·고민하고 있는. —*m.* 두 번 째 밟은 포도 찌꺼기로 빚은 포도주.

repita repetir의 접·현·1·3·단수.

repitan repetir의 접·현·3·복수.

repite repetir의 직·현·3·단수.

repiten repetir의 직·현·3·복수.

repites repetir의 직·현·2·단수.

repitiendo repetir의 현재 분사.

repitiente *adj.* 되풀이하는, 반복하는 ; 복습하는 ; 연발·연속하는.

repitiera repetir의 접·불완료과거·1·3·단수.

repitierais repetir의 접·불완료과거·2·복수.
repitiéramos repetir의 접·불완료과거·1·복수.
repitieran repetir의 접·불완료과거·3·복수.
repitieras repetir의 접·불완료과거·2·단수.
repitieron repetir의 직·부정과거·3·복수.
repitiese repetir의 접·불완료과거·1·3·단수.
repitieseis repetir의 접·불완료과거·2·복수.
repitiésemos repetir의 접·불완료과거·1·복수.
repitiesen repetir의 접·불완료과거·3·복수.
repitieses repetir의 접·불완료과거·2·단수.
repitió repetir의 직·부정과거·3·단수.
repito repetir의 직·현·1·단수.
repizcar *tr.* ⑦ 꼬집다(pellizcar).
repizco *m.* =**pellizco.**
replaceta *f.* 《*Ar.*》 작은 광장(plazuela).
replana *f.* 《*Perú.*》 은어(隱語).
replanar *intr.* 《*Perú.*》 은어를 사용하다.
replano *m.* =**caló peruano.**
replantación *f.* 옮겨심기, 이식.
replantar *tr.* (같은 장소에) 다시 심다; 옮겨심다(trasplantar); 이주시키다.
replantear *tr.* 설계를 다시 하다.
replanteo *m.* 재설계.
replantigarse *r.* ⑧ 《*And.*》 =**repantigarse.**
repleción *f.* 충만; 정력이 넘침; 비만.
replegar *tr.* [*lat.* replicare] ⑲ ⑧ 차곡차곡 접다(plegar reprtidas veces).
~se 퇴각·철퇴하다; 후퇴하다, 회군하다.
repletar *tr.* 《*Amér.*》 가득 채우다, 충만하게 하다(llenar) : Tiene la cartera *repleta* de billetes 그는 지갑을 지폐로 가득 채우고 있다.
~se 가득해지다; 배가 차다(hartarse).
repleto, ta *adj.* [*lat.* repletus] ① 가득 찬, 넘친, 만원의(muy lleno) : un saco ~ *de* dinero. ② 비만한(muy gordo).
réplica *f.* 대답, 답변; 말대답, 항변, 반론; 걸작의 모방.
replicador, ra *adj. m.f.* 말대답·항변하는 (사람).
replicante *adj. m.f.* =**replicador.**
replicar *intr.* ⑦ [*lat.* replicare] 대답하다; 말대답하다, 말대꾸하다, 항변하다, 반론하다 : Obedece y no me *repliques* 너는 내 말을 듣고, 말대답하지 마라. Los niños deben obedecer sin ~ 아이들은 말대꾸없이 순종해야 한다. No *repliques* mis órdenes 내 명령에 항변하지 마라.
—*tr.* 【고어】 =**repetir.**
replicato *m.* 항변, 이의.
replicón, na *adj. m.f.* 말대답만 하는 (사람) : niño ~. [Sinón.] respondón.
repliegue *m.* ① 주름, 구김살. ② 퇴각, 철퇴. ③ (경기의) 후퇴, 하락.
repo *m.* 【식물】 레뽀나무 《칠레산의 천인화과의 교목, 원주민이 불을 피우는 데나 가구를 짜는데 썼던 단단한 나무》.
repoblación *f.* 부락의 재건; 재입식(再入植); 재식림 : ~ forestal.
repoblar *tr.* ㉔ ① (…에) 다시 거주하게 하다 : ~ un estanque *de* peces 연못에 다시 물고기를 넣다. ② (…에) 다시 심다; 재입식(再入植)시키다 : *Repoblaron* ese monte 그 산은 식림되었다. *Repoblan* los pinos en la falda de la montaña 산기슭에 소나무의 식림을 한다.
repodar *tr.* 전정을 다시 하다.
repodrir *tr.* 많이·완전히 썩히다(repudrir, pudrir mucho).
repollar(se) *intr.* (*r.*) [*lat.* repullulare] 배추의 속이 들다 : lechuga que *repolla* 속이 든 상추.
repollo *m.* ① 【식물】 호배추. ② 결구(結球). ③ 《*Perú.*》 =**repullo.**
repolludo, da *adj.* ① 결구가 된; 결구 모양의 : lechuga ~*da.* ② 땅딸막한(rechoncho).
repolluelo *m. dim.* repollo.
reponer *tr.* ⑥① [*lat.* reponere] [*p.p.* repuesto] ① 다시 놓다; 제자리에 다시 놓다; 지위·직에 다시 앉히다; 경질시키다; 보충하다; 다시 돌려놓다. ② 재상영하다. ③ [직설법 부정 과거일 때] 말대답하다, 반론하다 : Le *repuse* 나는 그에게 말대답했다.
~se ① (건강·재산 등을) 되찾다, 회복하다(recobrarse) : Tardé en ~*me* del susto 나는 깜짝 놀라서 정신을 차리는데 시간이 걸렸다. Se marchó a la costa para ~*se* 그는 건강을 회복하기 위해 해안으로 떠났다. ② 마음이 가라앉다.
reportación *f.* 침착성; 자제(自制)(serenidad).
reportaje *m.* (신문 등의) 통신, 보고 기사; 기록 영화.
reportamiento *m.* 신중, 자제.
reportar *tr.* [*lat.* reportare] ① 억제·자제하다(moderar). ② 가져가다·오다(traer, llevar) : ~ una noticia 뉴스를 가져오다. ③ (이익 등을) 가져오게 하다 : el beneficio que nos *reporta* la venta 그 판매가 우리에게 가져다 주는 이익. ④ (석판에서) 본 인쇄로 돌리다. ⑤ [드뭄] =**conseguir, obtener.** ⑥ 《*AmérC.*》 일러 바치다(acusar); 알리다.
~se ① 자제하다, 삼가하다(moderarse, contenerse). ② 《*PRico.*》 출두하다(presentarse).
reporte *m.* ① (신문의) 기사, 통신(noticia). ② 소문(chisme). ③ 석판 교정쇄. ④ 거래 추예금, 주식 결재 추예금.
~ ***de la inspección de escotillas*** (갑판의) 해치 검사서.
reporteo *m.* 보고, 통지, 알림.
repórter *m.f. ing.* 《*Neol.*》 탐방 기자, 통신원(noticiero de periódico).
reporteril *adj. desp.* 신문 기자·통신원의·인 듯한.
reporterismo *m.* 《*Neol.*》 신문·탐방 기자의 직·임무 : dedicarse al ~.
reportero, ra *m.f.* 신문 기자, 탐방 기자, 통신원(noticiero).
reportista *m.* 석판 인쇄 기사.
reportorio *m.* ① 【고어】 =**repertorio.** ② 역(曆)(almanaque).
reposacabezas *m.* 【단·복수 동형】 (치료대 등에 놓는) 베개, 머리 받침.
reposadamente *adv.* 조용하게, 안정된 마음으로, 차분하게, 침착하게(con reposo).
reposadera *f.* 《*Guat.*》 빨아들임, 흡입(吸入)(sumidero).

reposadero *m.* (용광로의 뜨거워진 물을 받는) 물통 ; 녹은 광물이 흐르는 갱도.

reposado, da *adj.* [reposar의 *p.p.*] 조용한, 고요한, 차분히 가라앉은(sosegado, quieto, tranquilo).

reposapiés *m.* 【단·복수 동형】 (다리를 쉬기 위해 놓는) 다리 받침.

reposar(se) *intr.(r.)* [*lat.* repausare] ① 휴식하다, 쉬다(descansar) : Hay que dejarle ~ al enfermo 환자를 쉬게 해야 한다. ② (지하에서) 잠들다, 편히 쉬다(yacer) : Aquí *reposa* el cuerpo del Doctor Cisneros 여기에 시스네로스 박사가 잠들어 있다. ③ 침전하다(posarse).
~ ***la comida*** 식후에 쉬다.

reposición *f.* ① 제자리에 도로 놓는 일 ; 복위, 복직. ② (건강의) 회복. ③ 재상연. ④ 경질, 보충. ⑤ 항변, 말대답, 말대꾸.

repositorio *m.* 안치소, 저장소.

reposo *m.* ① 휴식, 쉼 : El trabaja sin ~ 그는 쉬지 않고 일한다. El tomó un momento de ~ 그는 잠깐 휴식을 취했다. ② 안정(安靜) : dejar en ~ 안정시키다.

repostada *f.* 【방언】 심하고 예의에 벗어난 말대답(respuesta áspera y descortés) : dar una ~.

repostar *tr.* ① [+de : 식료·원료, 탄약 등을] 보급하다. ② 《*And.*》 무례하게·버릇없이 대답하다(reponder groseramente).

repostería *f.* 제과 공장, 제과점 ; 식품실 ; (큰 저택의) 식기실 ; 조리법.

repostero *m.* ① 과자류 제조·판매 업자. ② (왕실의) 양식 광을 맡은 직책. ③ 문장이 들어있는 커다란 보, 유단(油單)《기름 종이》. ④ 《*Amér.*》 말대꾸 잘하는 사람(respondón).
~ ***mayor*** 까스띠야 왕실의 식당 책임자.

repotente *adj.* 《*And.*》 강한(fuerte) : Me da la ~ gana de salir 나는 무척 나가고 싶다.

repoyo *m.* 《*Cuenca.*》 ***vivir a*** ~ 자기의 부담으로 살다.

repregunta *f.* 재심문 ; 반대 심문, 대심(對審).

repreguntar *tr.* 반대 심문·대심하다.

reprehender *tr.* =**reprender.**

reprehensible *adj.* =**reprensible.**

reprehensión *f.* =**reprensión.**

reprendedor, ra *adj.* =**reprensor.**

reprender *tr.* [*lat.* reprehendere] 꾸짖다, 나무라다(censurar, amonestar) : Su padre le *reprendió* su mala conducta 그의 부친은 그의 악행을 꾸짖었다.

reprendiente *adj.* 비난의, 비난하는, 나무라는 투의.

reprensible *adj.* 비난받을 만한, 방종스러운 : acto ~. Contr. irreprensible.

reprensión *f.* 질책, 비난(censura) ; 견책.

reprensor, ra *adj.* 꾸짖는. —*m.f.* 비난자.

represa[1] *f.* [*lat.* repressus] 둑, 댐 ; 붙잡는 일 ; 정지하는 일(detención).

represa[2] *f.* represar 하는 일.

represalia *f.* [*fr.* représaille] [주로 *pl.*] ① 앙갚음, 보복 : tomar ~*s* 보복 수단을 취하다. Ese hombre siempre ejerce injustas ~*s* 그 남자는 항상 부당한 보복을 한다. ② 보복적인 나포.

represaliado, da *adj.* 보복을 당한.

represar *tr.* ① 둑을 막다 : ~ una corriente. ② 붙잡다, 나포하다. ③ 제지하다, 억제하다. ④ 되찾다, 만회하다 ; 나포된 선박을 되찾다.

representable *adj.* 해보일 수 있는 ; 소개할 수 있는 : drama difícilmente ~.

representación *f.* ① 표시, 표현, 표상 ; 묘사 ; 그림, 상(像). ② 상연, 상영, 연출, 흥행 : ¿A qué hora empieza la ~? 상영은 몇 시에 시작합니까? ③ 진정, 청원 : hacer ~*es* a un príncipe. ④ ㄱ) 대표, 대리 : en ~ de …을 대표하여, …의 대리로서. El gobernador asistió a la inauguración *en* ~ *de*l Jefe del Estado 총독은 국가 원수를 대표하여 개소식에 참석했다. ㄴ) 대리권 : llevar la ~ de una sociedad 어떤 회사의 대리권을 가지다, 대표가 되다. ⑤ ㄱ) 선출, 선거법, 대표제 : ~ proporcional 비례 선거법, 비례 대표제. ㄴ) 대표부, 대표단 : ~ diplomática. ㄷ) 대리점, 대리업, 대리 행위 : ~ exclusiva·única 독점 대리권, 독점 판매 대리권. ~ general 총대리점·대리권. ⑥ 고관 : gastos de ~ 기밀비. ⑦ 권위 ; 권능, 유력 : hombre de ~ 유력자. ⑧ 대승(代承) 상속권.

representador, ra *adj. m.f.* 대표하는 (사람) ; 배우.

representanta *f.* 여배우(actriz).

representante *adj.* 대표·대리하는 : casa ~ 대리점. —*m.f.* ① 대표(자), 대리인 : un ~ comercial 대리점, 무역 대리인. ② (국회의) 하원 의원, 민의원, 대의원. ③ 배우(comediante, cómico).
~ ***de exportación·importación*** 수출·수입 대리점. ~ ***de los trabajadores*** 직장 대표·대표 위원. ~ ***exclusivo*** 독점 판매 대리점. ~ ***extranjero*** 해외 (판매) 대리점. ~ ***financiero*** 재무 대리인. ~ ***general*** 총대리인. ~ ***legal*** 법정 대리인. ~ ***regional*** 지역 판매 대리인.

representar *tr.* ① 다시 내놓다, 재현하다. ② 나타내다, 나타내고 있다 ; 보이다(aparentar, parecer) : *Representaba* 50 años 50세 가량으로 보였다. ③ 의미하다, 상징하다 : La bandera *representa* a la patria 국기는 조국의 상징이다. ④ 겉으로 드러내다 ; 표현하다, 묘사하다 : *Representaba* su dolor con los ademanes 그는 자기의 고통을 얼굴에 나타내고 있었다. ⑤ 알리다, 이야기하다(informar) : Me *representó* el incidente con todos sus detalles 그는 나에게 그 사건을 상세히 말했다. Les *represente* el peligro que corrían 나는 그들에게 그때 있었던 위험을 이야기했다. ⑥ 연기하다, 분장(扮裝)하다 ; 상연·상영·흥행하다 : Los estudiantes van a ~ una zarzuela 학생들은 소희가극을 상연하려 한다. ⑦ 대표·대리·대행하다, …의 대표·대리가 되다 : ~ ministro 장관의 대리로 나가다. El Sr. N nos *representa* en ésa N씨가 귀 지방에 있어서의 폐사의 대리점입니다. El gobernador *ha representado* al ministro en la inauguración de un monumento 지사가 기념비의 제막식에 장관의 대리를 했다. ⑧ 【고어】 =**presentar.**
~se 상상하다, 생각해 보다.

representativo, va *adj.* ① [+de : …을] 표현·표시하는 : los signos ~*s de* la riqueza. ② 대표적인 ; 대리의. ③ 대의제(代議制)의 : gobierno ~ 대의제 정체.

represible *adj.* 억압할 수 있는.

represión *f.* 제지 ; 억제, 억압, 진압 ; 취체, 단속 : La ~ de los delitos pertenece a los tribunales 죄의 억제는 재판소에 속한다.

represivo, va *adj.* 제지하는, 억압적인 : medidas ~*vas* severas.

represor, ra *adj. m.f.* 억압하는 (사람) ; 진압하는 사람.

reprimenda *f.* 질책(reprensión).

reprimir *tr.* [*lat.* reprimere] 억제·억압하다 ; 진압하다(contener) : El no pudo ~ su pasión 그는 자신의 격정을 억누를 수 없었다. El ejército *reprimió* un levantamiento popular 군대가 민중의 폭동을 진압했다. Intentan ~ el alza de precios (그들은) 물가의 상승을 억제하려 하고 있다.
~se [+de : …를] 자제하다 : No pude ~*se de* reir 나는 웃음을 참을 수 없었다.

reprise *m. fr.* ① (자동차의) 가속(acelerada). ② (극장의) 재상연 ; 반복, 되풀이, 계속(reestreno). [*N.* 발음 : reprís].

reprobable *adj.* 비난할 만한, 건방진, 방자한.

reprobación *f.* ① 배척, 비난 : merecer una ~ universal 세상의 비난을 받아 마땅하다. ② 불합격. Contr. aprobación.

reprobadamente *adv.* 비난받아, 비난 속에.

reprobado, da *adj.* [reprobar의 *p.p.*] ① 불합격의, 낙제의. ② 신에게 버림받은(réprobo).

reprobador, ra *adj. m.f.* 비난하는·책하는 (사람) : tono ~. Contr. aprobador.

reprobar *tr.* 24 비난하다 ; 불합격(不合格)시키다(no aprobar). Contr. aprobar.

reprobatorio, ria *adj.* 비난의 ; 낙제의.

réprobo, ba *adj. m.f.* [*lat.* reprobus] 신에게 버림받은 (사람) : los justos y los ~*s.* —*m.f.* 지옥에 떨어지는 사람.

reprochable *adj.* 비난할 만한, 건방진, 버릇 없는, 고약한.

reprochador, ra *adj. m.f.* 비난하는·책하는 (사람), 남을 곧잘 탓하는 (사람).

reprochar *tr.* 비난하다, 힐책하다(censurar) : Su padre le *reprochó* su conducta 그의 아버지는 그의 행위를 힐책했다. No soy yo el que se lo *reprocha* 당신의 그 일을 비난하고 있는 것은 내가 아니다.
~se 후회하다 : *Se reprocha* a sí mismo su imprevisión 그는 자기의 선견이 없음을 후회하고 있다.

reproche *m.* 비난, 힐책, 질책(censura) : El soportó con paciencia los ~*s* injustas de su amo 그는 주인의 부당한 꾸중을 참고 견디었다.

reproducción *f.* 재생, 재판, 재생산 ; 복사, 복제(품) ; 전재(轉載) ; 번식, 생산 : Hizo buena ~ de un cuadro de Velázquez 그는 벨라스께스의 그림을 훌륭히 복제했다. En esta ~ hecha de papel y arcilla vemos un templo ciclópeo 종이와 점토로 만들어진 모형에서 우리는 거석 사원을 본다.

reproducir *tr.* 71 ① 다시 만들다, 다시 내놓다. ② 재생하다 : grabar y ~ los sonidos 소리를 녹음 재생하다. ③ 복제·복사·모조하다 ; 전재하다 : ~ un cuadro 그림을 복제하다. ④ 번식시키다, 생식시키다.
~se 재생되다 ; 번식·생식하다 ; 늘다, 퍼지다.

reproductible *adj.* 재생될 수 있는, 번식될 수 있는.

reproductivo, va *adj.* 재생산의, 번식의.

reproductor, ra *adj.* 재생(산)의 ; 복제의 ; 생식의. —*m.f.* 종축(種畜). —*m.* 【전기·기계】 음향 재생기.

reproduj- → **reproducir** 71.

reproduzc- → **reproducir** 71.

repromisión *f.* 거듭한 약속, 확약.

repropiarse *r.* 11 (말이) 말을 듣지 않다(desobedecer el caballo).

repropio, pia *adj.* 고삐에 따르지 않는 (말).

reprueba *f.* 재시험, 재검사(nueva prueba).

reps *m. fr.* 렙프《실내 장식용으로 사용하는 굵은 실과 가는 실을 섞어서 짜는 직물》.

reptación *f.* 땅을 기는 일.

reptante *adj.* 땅을 기는.

reptar *intr.* (뱀·거북 따위가) 땅을 기다(caminar arrastrándose).

reptil *adj.* [*lat.* reptilis] 【동물】 파충류의. —*m.* ① 파충 동물. ② 야비한 사람(persona vil y rastrera). —*m.pl.* 파충류(爬虫類).

república *f.* [*lat.* respublica] ① 공화국, 공화정체 : la *R-* Argentina 아르헨띠나 공화국. ~ de Corea 대한민국. ② 나라, 국가(estado). ③ 시《주민과 그 관리자를 포함한 전체》(municipio). ④ 공사(公事)(causa pública). ⑤ 단체, 연합 ; …사회, …계(界) : la ~ literaria de las letras 문단.

República Arabe Unida *f.* 아랍 연방 공화국《1958년 2월 1일 이집트와 시리아의 연합으로 설립된 연방》.
Segunda ~ 제2차 아랍 연방 공화국《1963년 4월 이집트, 이락, 시리아의 통일로 형성된 연방 국가 ; 동년 6월에 예멘이 합병됨》.

República Federal de Alemania *f.* 독일 연방 공화국.

República Socialista Checoslovaca *f.* 체코 슬로바키아 사회주의 공화국.

República Sudafricana *f.* 남 아프리카 공화국.

republicanismo *m.* 공화주의·정체(carácter republicano).

republicano, na *adj.* 공화국의 ; 공화파의, 공화당의, 공화주의의 : partido ~ 공화당. gobierno ~ 공화 정체. —*m.f.* ① 공화국 국민. ② 공화주의자, 공화당원. ③ 애국자(patriota).

repúblico *m.* ① 정치가(estadista). ② 애국자.

repudiación *f.* =**repudio.**

repudiar *tr.* 11 ① 거절·거부하다. ② 버리다 ; (아내와) 이혼하다 ; (재산을) 포기하다(renunciar) : ~ la herencia 유산 상속을 포기하다.

repudio *m.* [*lat.* repudium] ① (아내와의) 이혼 : carta libelo ~ 이혼장. ② (유산 상속의) 기권, 포기.

repudrir *tr.* [*p.p.* repodrido] 완전히 썩히다 (pudrir mucho).
~se 썩어 빠지다 ; 몹시 수척해지다.

repuesto, ta *adj.* [*lat.* repositus] [reponer의 *p.p.*] 원래의 위치에 놓여진 ; 따로 놓인 ; 숨겨진. —*m.* ① 준비, 저축 : ~ de víveres. ② 상을 차려 놓은 찬장, 식기를 두는 방. ③ 내기에 건 돈(puesta). ④ 교환 부품, 예비품 : de ~ 준비의,

예비의, 만일에 대비한. llanta *de* ~ 예비 타이어.

repugnancia *f.* [*lat.* repugnantia] ① 혐오 (aversión, antipatía) : La joven sintió ~ hacia su tía 아가씨는 그녀의 숙모에게 혐오감을 느꼈다. ② 모순.

repugnante *adj.* ① 언짢은, 싫은, 불유쾌한. ② 반대하는, 모순된.

repugnantemente *adv.* 언짢은 얼굴로 ; 반대로.

repugnar *tr.* [*lat.* repugnare] ① 싫어하다, 반발하다, 반대하다 : *Repugnaba* todo lo que yo decía 그는 내가 말했던 것을 모두 반대했다. ② 모순을 보이다. ③ 피하다, 마지못해 하다.
—*intr.* 혐오를 느끼다 : Esto me *repugna* 나는 이것에 혐오를 느낀다. Este manjar *repugna* 이 음식은 싫다. Me *repugna* hacerlo 나는 그런 일을 하는 것이 싫다.

repujado *m.* 타출(打出) 세공, 가공.

repujador, ra *m.f.* 타출 세공사.

repujar *tr.* (무늬를) 타출하다, 두드러지게 내다, (…에) 무늬를 두드러지게 내어 세공하다 : una vajilla de plata *repujada.*

repulgado, da *adj.* [repulgar의 *p.p.*] 젠체하는, 우쭐거리는(afectado, escrupuloso).

repulgar *tr.* ⑧ ① (옷을) 실밥이 밖으로 나오지 않게 공그르다. ② 자다(dormir).

repulgo *m.* ① 가장자리, 공그르기 ; 가장자리 장식. ② (나무 껍질의) 혹. —*pl.* 헛수고(~*s* de empanada).

repulido, da *adj.* [repulir의 *p.p.*] =**acicalado, listo, ataviado, peripuesto.**

repulir *tr.* ① 광을 내다(pulir de nuevo). ② 맵시를 내다(acicalar mucho).
~se 모양을 내다, 맵시를 내다.

repulsa *f.* [*lat.* repulsa] 퇴짜, 배격, 거절 ; 힐책, 꾸중, 나무람.

repulsar *tr.* 퇴짜놓다, 배척하다, 받아들이지 않다, 거절하다, 거부하다(rechazar, negar).

repulsión *f.* [*lat.* repulsio] 퇴짜놓기, 반발 ; 배격, 거절 ; 반감(antipatía) : Ese vicio causa ~.

repulsivo, va *adj.* ① 반발의 ; 반발적인 ; 거절적인 : fuerza ~*va.* ② 싫어하는, 반감적인(antipático) : cara ~*va.*

repullo *m.* [*lat.* repulsus] ① 작은 화살, 부는 화살(rehilete, flechilla). ② 어처구니없어 하기, 질려 버리기.

repunta *f.* ① 곶, 갑(岬). ② 징조, 징후(indicio). ③ 실랑이, 싸움(quimera). ④ 《*Col. Perú.*》 증수, 물의 불음.

repuntador *m.* 《*Arg.*》 목축을 모으는 사람.

repuntar *intr.* ① 조수가 빠지기 시작하다(empezar la marea a subir o bajar). ② 《*Col.*》 =**asomar, aparecer.** ③ 《*Chile. Riopl.*》 흩어진 목축을 모으다(reunir los animales). ③ (줄었던 물이) 다시 불어나다. ⑤ 느낄 수 있게 되다, 알기 시작하다.
~se ① 술이 시어지기 시작하다(empezar a picarse el vino). ② 사이가 나빠지다(disgustarse). ③ 《*Cuba.*》 악을 느끼기 시작하다. ④ 《*Riopl.*》 증권 시세가 오르다.

repunte *m.* ① (조수가) 빠지기 시작함. ② 《*Riopl.*》 증권 시세의 상승. ③ 《*Arg.*》 목축을 모으는 일. ④ 《*Arg.*》 빠졌던 조수가 불어남.

repurgar *tr.* ⑧ 다시 문질러 닦다, 더 한층 맑게 하다.

repus- → **reponer** ⑥①.

repusie- → **reponer** ⑥①.

reputación *f.* [*lat.* reputatio] ① 평판, 명성 (fama) : buena · mala ~ 호평 · 악평. El tiene muy buena ~ 그는 매우 평판이 좋다. ② 신용.

reputado, da *adj.* [bien · mal+] 평판이 좋은 · 나쁜.

reputante *adj.* reputar 하는.

reputar *tr.* [*lat.* reputare] ① [+por : …로] 생각하다, 평이 나게 하다 : hombre *reputado por* sabio 학자로 소문난 사람. ② 소중히 다루다, 중히 여기다(apreciar) : Está *reputado* en mucho 무척 대접받고 있다.

requebrador, ra *adj. m.f.* 구슬리는, 아양 떠는 (사람), 빌붙는 (사람).

requebrajo *m.* [*dim. desp.* requiebro] 구슬리기, 빌붙기.

requebrar *tr.* ①⑨ ① 잘게 부수다. ② (여자를) 구슬리다, 설득하다(lisonjear). ③ 아첨하다, 아부하다(adular).

requechete *adj.* 《*Guat.*》 땅딸막한(rechoncho, regordete).

requemado, da *adj.* [requemar의 *p.p.*] 새까맣게 그을린 ; 피부가 볕에 탄, 갯바람에 피부가 탄. —*m.* 매우 검은 가는 직물.

requemamiento *m.* =**resquemo.**

requemante *adj.* 다시 굽는 ; 불에 태우는 · 눌리는 · 굽는 ; 혀를 쏘는 · 찌르는.

requemar *tr.* [*lat.* recremare] ① 다시 굽다(volver a quemar). ② 불에 태우다 · 눌리다 · 굽다 (tostar demasiado). ③ (혀를) 쏘다 · 찌르다(resquemar el paladar una bebida). ④ 피가 끓다. ⑤ 햇볕에 식물을 말리다.
~se ① 눋다(tostarse). ② 볕에 그을리다 (quemarse). ③ (식물이 가뭄으로) 타다(secarse). ④ 마음이 뒤숭숭해지다 ; 불안에 사로잡히다.

requemazón *f.* =**resquemo.**

requemo *m.* 《*And.*》 가뭄에 타는 일.

requeneto, ta *adj.* 《*Col. Venez.*》 땅딸막한.

requerer *tr. intr.* 많이 요구하다 · 원하다.

requerido, da *adj.* 요구받는.

requeridor, ra *adj. m.f.* 통고하는 (사람) ; 요구하는 (사람) ; 구애하는 (사람).

requeriente *adj. m.f.* =**requeridor.**

requerimiento *m.* ① 요구, 필요(량) : ~*s* diarios 매일 필요량. a su ~ 그의 요구에 응하여. ② 명령 ; 통지, 시달 ; 최고(催告) : ~ al pago 지불 청구. ③ 구슬림, 설득 ; 구애.

requerir *tr.* ⑤⑥ [*lat.* requirere] ① 요구하다(solicitar), 필요로 하다 : Este juego *requiere* mucho tacto 이 경기는 많은 터치가 필요하다. Esto *requiere* cuidado 이것은 주의를 요한다. Se *requiere* el auxilio de los niños de la isla 섬 아이들의 원조가 요구된다. ② 구애하다 : ~ de amores 구슬리다, 설득하다. Nos *requirió* con mucha elocuencia y bondad 그는 우리들을 웅변과 친절로 설득했다. ③ 조사하다(reconocer) ; 검사하다 : El fiscal *requirió* las cuentas una a una 회계관은 계정을 낱낱이 조사했다. ④ 알리다, 시달하다, 최고(催告)하다 : La autoridad

requiere a los estudiantes revoltosos que se presenten 당국은 불온 학생들에게 출두하라고 시달하고 있다.
~se 필요가 있다.
requesón *m.* 연한 치즈, 엉긴 우유 덩어리(masa de leche cuajada).
requeté *m.* 서반아 내란기의 왕통파에 가담한 의용군 ; 그 대원(carlista).
requete- *pref.* 「매우」「무척」을 뜻하는 접두어 : *requete*bién, *requete*malo.
requetebién *adv.* 【속어】 멋들어지게, 실속있게, 훌륭하게(muy bien).
requiebro *m.* ① 구슬리기, 사랑의 속삭임, 사랑의 말(piropo, galanteo). ② 빌붙기. ③【광물】 쇄광(碎鑛).
réquiem *m. lat.* ① 진혼 기도 : cantar un ~. ② 진혼곡 : el *R-* de Mozart.
requiéscat in pace *adv. lat.* 편히 잠드소서, 고인에게 명복이 있으라(descanse en paz).
requilorio *m.* ① 불필요한 형식을 차린 것 : hablar con ~. ② =**accesorio.**
requintador, ra *adj. m.f.* (입찰에서) 많은 금액을 거는 (사람) ; 낙찰자.
requintar *tr.* ① 값을 20% 올리다 ; (입찰에서) 고액을 내다. ② 뛰어나다 : Tu hermano *requinta a* los demás. ③ (짐을) 짐바리에 나누어 싣다. ④【음악】 5음정을 올리다 · 내리다(subir o bajar cinco puntos) : ~ una cuerda. ⑤ 《*Amér.*》 안에 끼워 넣다(apretar). ⑥ 《*Perú.*》 욕설을 · 독설을 퍼붓다(insultar).
—*intr.* 《*PRico.*》 닮다, 비슷하다.
~se 《*AmérC.*》 (어떤 일을) 시작하다(ponerse a hacer una cosa) : El chico *se requintó* a llorar.
requinto *m.* ① 2할 가격 인상. ② 작은 클라리넷의 일종 ; 그 연주자. ③ 기타의 일종 ; 그 연주자. ④ 《*Arg.*》 욕심쟁이(avaro).
requirente *adj.m.f.* 최고(催告)하는 (사람).
requisa *f.* 검열, 사열, 검사 ; 감사.
requisar *tr.* 《*Ant.*》 ① 징발하다. ② 검사 · 검열하다(averiguar).
requisición *f.* ① (군에 의한) 징발. ② 《*Col.*》 =**requisa, registro.**
requisicionar *tr.* 【속어】 =**requisar.**
requisito, ta *adj.* [requerir의 *p.p.*] 필수의.
—*m.* 자격 요건 · 조건, 필요 조건, 필수 사항, 요건 : ~ estatutario 정관의 요건. El documento satisface todos los ~*s* 그 서류는 모든 요건을 만족시킨다.
requisitoria *f.* 청구장, 청구서 ; 최고서(催告書).
requisitorio, ria *adj.* 청구의, 요구의, 최고의.
requive *m.* =**arrequive.**
res *f.* [*ár.* res]① 네발 짐승 《소 · 양 · 돼지 · 말 · 사슴 등》; (사냥에서의) 짐승. ② 《*Amér.*》 소 : carne de ~ 쇠고기(carne de vaca).
res- *pref.* ① 원어의 뜻을 부드럽게 하는 접두어 : *res*quemar. ② 다시 강조하다 : *res*guardar.
resaber *tr.* 66 샅샅이 알고 · 잘 알고 있다(saber muy bien).
resabiado, da *adj.* [resabiar의 *p.p.*] 나쁜 버릇이 든.
resabiar *tr.* 11 (…에) 나쁜 버릇이 들게 하다 : Sus amigos le han *resabiado.*
~se ① 나쁜 버릇이 들다. ② 맛이 없어지다. ③ 사이가 나빠지다(disgustarse). ④ 천천히 · 차분하게 맛보다(saborear).
resabido, da *adj.* [resaber의 *p.p.*]① 아는 척하는. ② 《*Amér.*》 나쁜 버릇이 있는, 나쁜 버릇이 생긴.
resabio *m.* ① 개운치 않은 뒷맛(dejo, mal gusto). ② 악벽, 나쁜 버릇(vicio, mala costumbre) : ~*s* de colegio 학교 시절의 버릇. los ~*s* de un caballo 말의 나쁜 버릇.
resabioso, sa *adj.* 《*SDgo.*》 ① 성미가 발끈하는 ; 효과가 빠른 : una máquina ~*sa.* ② 나쁜 버릇이 있는, 성질이 괴팍한(resabiado).
resaca *f.* ① 썰물 파도. ②【상업】 회수 환어음. ③ 《*AmérC.*》 질이 좋은 소주의 일종. [Bolivia에서는 resacado라 함]. ④ 《*Ant.*》 몽둥이로 때리기(paliza) : dar una ~ de palos 몽둥이로 후려치다. ⑤ 《*Arg.*》 가라앉은 개흙, 기름진 흙. ⑥ 하층민, 인간 쓰레기. ⑦ 《*Méx.*》 으뜸, (특히) 가리고 가리는 일(lo mejor). ⑧ 《*SDgo.*》 숙취.
resacado, da *adj.* [resacar의 *p.p.*]《*Méx.*》 ① 인색한, 욕심많은(tacaño). ② 에누리 잘하는(regateador). —*m.* ① 《*Col.*》 정제 소주 ; 밀수한 소주. ② 《*Bol.*》 질이 좋은 소주의 일종.
resacar *tr.* 7 ① (밧줄을) 잡아 끌다. ② 회수(回收)하다. ③ 《*Col. Ecuad.*》 정류(精溜)하다.
resalado, da *adj.* ① 운치 있는, 쓸만한, 약삭빠른(muy salado). ② 운이 나쁜.
resalar *tr.* 다시 소금을 넣다.
resalga *f.* (소금에 절인 물고기의) 젓국.
resalir *intr.* 63 【건축】 튀어나와 있다(resaltar) ; 들리다.
resallar *tr.* 사이갈이하다, 중경(中耕)하다 ; 제초하다.
resallo *m.* 두 번째로 풀을 뽑기.
resaltante *adj.* 튀기는, 튀겨나오는 ; 돌출한 ; 빼어난 ; 두드러진.
resaltar *intr.* ① 튀기다, 튀겨 나오다. ② 빼어나다. ③ 돌출하다 : Vea ese balcón que *resalta* ahí 저기 돌출한 발코니를 보세요. El rojo *resalta* mucho sobre esos grises 그러한 쥐색 속에서 빨강이 선명하게 뛰어나 보인다. ④ 두드러지다 : hacer ~ 두드러지게 하다.
resalte *m.* 【건축】 돌출부.
resalto *m.* ① 튀어오름 : ~*s* de agua 스크루로 일어나는 역류. ②【건축】 돌출부 : un ~ de la pared.
resaludar *tr.* ① 답례하다(corresponder a la salutación). ② 재차 인사하다.
resalutación *f.* 답례 ; 재차의 인사.
resalva *f.* 자르지 않고 남긴 싹 · 어린 나무.
resalvo *m.* =**resalva.**
resanar *tr.* [*lat.* resanare] ① (벗겨진 곳에) 금을 씌우다 · 다시 도금하다. ② 《*Amér.*》 (벽을) 다시 칠하다.
~se 《*Mex.*》 숫처녀가 아닌 여자와 결혼하다.
resaquero, ra *adj.m.f.* 《*AmérC.*》 게으름뱅이(의).
resarcible *adj.* 보상할 수 있는, 변상 · 배상해야 할 .
resarcimiento *m.* 보상, 변상, 배상.
resarcir *tr.* 2 [*lat.* resarcire] 보상하다, 변상

하다(indemnizar).
~se [+de : …의] 보상을 받다 : *~se de* un perjuicio.
resayo *m.* 《*Sal.*》 무척 가파르지만 짧은 땅.
resbalada *f.* 《*Arg.*》 =**resbalón.**
resbaladera *f.* 【기계】 미끄럼틀 ; 미끄러운 곳, 미끄럼길 ; 미끄러지기.
resbaladero, ra *adj.* 미끄러지기 쉬운(resbaladizo). **—***f.* =**corredera.** **—***m.* 미끄러지기 쉬운 곳.
resbaladizo, za *adj.* 미끄러지기 쉬운 ; 실수하기 쉬운.
resbalador, ra *adj.* 미끄러지는.
resbaladura *f.* 미끄러진 자국.
resbalamiento *m.* 미끄러지는 일, 전도(轉倒)(resbalón) : ~ de ala (비행기의) 횡전(橫轉).
resbalante *adj.* 미끄러지는.
resbalar(se) *intr.(r.)* ① [+por : …의 위를] 미끄러지다 : ~ *por* el hielo 얼음 위를 미끄러지다. ② 미끄러져 넘어지다 : ¡Cuidado con (no) *~se*! 미끄러지지 않도록 주의하십시오. ③ 슬쩍 빠져나가다 : ~ *se de · de entre* las manos 손에서 빠져나가다. ④ 실수를 하다, 잘못하다.
resbalera *f.* 미끄러지기 쉬운 곳(sitio resbaladizo).
resbalón *m.* 미끄러지기 ; 과실.
resbaloso, sa *adj.* 미끄러운, 미끄러지기 쉬운(resbaladizo). **—***f.* 《*Arg.*》 춤의 일종 : tocar la ~.
rescacio *m.* 【어류】 쑤기미 무리.
rescaldar *tr.* ① 뜨거운 물을 붓다 : ~ la verdura. ② 삶다 ; 작열하다(escaldar).
rescaño *m.* 나머지, 다른 부분(resto).
rescatador, ra *adj. m.f.* 회수하는, 도로 빼앗는 (사람) ; 다시 차지하는 (사람).
rescatante *m.f.* 《*Col.*》 행상, 행상인, 도붓장수(traficante, trajinero).
rescatar *tr.* ① 되찾다(recobrar), 회수하다, 탈환하다, 도로 빼앗다 ; 다시 사들이다 : Fue a ~ aquella silla vendida por su esposa 그는 그의 아내가 팔았던 의자를 다시 사러 갔다. ② 사다, 보상하다 ; (포로·볼모 등의) 신병을 인수하다·구하다 : ~ un cautivo 포로의 신병을 인수하다. ③ 바꾸다, 교환하다(trocar). ④ 《*Col.*》 행상하다(traficar de pueblo en pueblo). ⑤ 《*Méx.*》 (샀던 것을) 되팔다.
rescate *m.* ① 되사기. ② (포로·인질 등의) 신병의 인수. ③ 회복, 원상 복구. ④ (포로·인질에 대한) 몸값, 사들인 값 : un ~ subido. ⑤ 보험 해약 : valor de ~ 해약 환불금. ⑥ 《*Arg.*》 = **marro** 《놀이의 일종》.
rescaza *f.* 【어류】 농어 비슷한 열대산의 식용 물고기(escorpina).
rescindir *tr.* (계약을) 무효로 하다, 취소하다, 해제하다, 파기하다 : El *rescindió* el contrato 그는 계약을 취소했다. **Contr.** confirmar.
rescisión *f.* 계약 취소·해제, 해약, 파기 : ~ del contrato de seguro 보험 계약 취소·종결.
rescisorio, ria *adj.* 해약의, 폐기에 관한, 계약 해제의 : cláusula *~ria* de un contrato.
rescoldar *tr.* 《*Sant.*》 (묻었던 불을) 휘저어 찾다.
rescoldera *f.* 가슴앓이(pirosis).
rescoldo *m.* ① 잿속에 묻어 놓은 숯불(borrajo) : arder en ~ 그을리다. ② 염려, 걱정, 근심.
rescontrar *tr.* 24 상쇄하다, 공제하다.
rescripto *m.* ① 윤허 : ~ imperial. ② (특히 로마 교황의) 윤허 교서(~ pontificio). ③ 소칙, 칙서.
rescriptorio, ria *adj.* 윤허의, 칙답(勅答)의.
rescrito *m.* 황제의 대답 ; 교황의 편지.
rescuentro *m.* (계산의) 공제, 상쇄.
resecación *f.* 말라 비틀어짐, 고사.
resecar *tr.* ① 말라 비틀어지게 하다(secar mucho). ② 【외과】 잘라내다, 절제하다.
~se 말라 비틀어지다, 고사하다.
resección *f.* [*lat.* resectio] 【외과】 절제(술) : la ~ de un nervio.
reseco, ca *adj.* ① 말라 비틀어진 : un dulce ~. ② 잘 마른 ; 깡마른. **—***m.* 나무의 말라 죽은 부분, 마른 가지.
reseda *f.* [*lat.* reseda] 【식물】 물푸레나무.
resedáceo, a *adj.* 【식물】 물푸레나무과의. **—***f.pl.* 물푸레나무과 식물.
resegar *tr.* 19 8 (한번 베어낸 자리를) 다시 베어내다.
reseguir *tr.* 46 (칼의) 날을 바로잡다.
resellante *adj.* (화폐 따위에) 각인을 다시 찍는.
resellar *tr.* (화폐 따위에) 각인을 다시 찍다 : ~ papel.
~se 당적(黨籍)을 옮기다.
resello *m.* ① (화폐 따위의) 재각인(再刻印) : ~ de la moneda 화폐의 재각인. ② 당적(黨籍)을 옮기기, 탈당.
resembrar *tr.* 11 (싹이 트지 않아 …에) 다시 씨앗을 뿌리다(volver a sembrar) : ~ un terreno · un campo.
resentamiento *m.* 재식민(再植民).
resentido, da *adj.* 원한을 가진, 섭섭한 ; 앙심을 품은.
resentimiento *m.* [resentir의 *p.p.*] 원한, 섭섭함, 앙심 : No expresaba temor ni ~ contra él 그는 그 사람에 대한 무서움도 원한도 표현하지 않았다.
resentirse *r.* 53 ① [+de · por : …일로] 노하다, 분개하다. 원한을 품다 : *Se resiente con · contra* alguien *de · por* algo 어떤 일로 어떤 사람에게 원한을 품다. *Se resiente por* la conducta de su hijo 그는 자식의 행위로 분개했다. ② 약점이 생기다, 쇠약해지기 시작하다 ; 아파 오기 시작하다. ③ 《*Galic.*》 느껴지다, 유감으로 생각하다, 언짢아하다. ④ (어떤 결함을) 가지고 있다 : Este libro *se resiente de* algunos defectos 이 책은 약간의 결함을 가지고 있다.
reseña *f.* ① 특징서(特徵書), 인상서(人相書). ② 스케치, 소묘. ③ 개략, 초(抄), 연혁, 개요. ④ (신문 등의) 문예 비평. ⑤ 사열(revista).
reseñador, ra *m.f.* 평론자, 평론가 ; 비평자, 비평가.
reseñar *tr.* ① 소묘·스케치하다. ② 사열하다 : ~ una tropa. ③ (서적·작품을) 논평하다, 개설하다.
resequido, da *adj.* 말라 비틀어진 : un dulce ~.
resero *m.* 《*Arg. Bol.*》 소장수.
reserva *f.* ① 보류, 따로 남겨놓기 ; 제외(excep-

ción) : dar una cosa con muchas *~s.* ② 저축, 여축, 비축 ; 예비 : de ~ 예비의. ③ 예비금 (capital de ~) ; 준비(금), 적립금. ④ 예비군 ; 예비대. ⑤【광산】 매장량. ⑥ 감추기, 삼가함, 사양 ; 신중 : bajo · con la mayor ~ 아주 신중하게 ; 은밀하게, 극비리에, 내밀히. ~ mental 묵비. ⑦【종교】 성체 원소 · 원료.

~ ***bancaria*** 은행 지불 준비금. ~ ***complementaria*** 보충 준비금. ~ ***de capital*** 자본 준비금. ~ ***de contingencia*** 위험 준비금. ~ ***de divisa*** 외화 보유(고), 보유 외화. ~ ***de fondos*** 준비 · 적립금. ~ ***de oro*** 금 · 정화(正貨) 준비. ~ ***de previsión*** 준비 기금. ~ ***de propiedad*** 소유권의 보유. ~ ***de reinversión*** 재투자 준비금. ~ ***en divisa*** 외화 보유(고), 보유 외화. ~ ***en efectivo*** 현금 · 지불 준비. ~ ***encubierta en los libros*** 비밀 · 특수 적립금. ~ ***estatutaria*** 법정 준비금 · 적립금. ~ ***facultativa*** 임의 준비금 · 적립금. ~ ***internacional neta*** 《*Salv.*》 순국제 준비 자금. ~ ***legal*** 법정 준비금 · 적립금. ~ ***máxima legal*** 법정 최고 준비금. ~ ***mínima*** 최저 준비금. ~ ***obligatoria*** 강제 적립금. ~ ***oculta*** 비밀 · 특수 적립금. ~ ***para amortización*** 감채 기금 적립금. ~ ***para casos imprevistos*** 비상 자금, 우발 손실 적립금. ~ ***para dividendos futuros*** 《*Arg.*》 배당 적립금. ~ ***para imprevistos · emergencias*** 우발 손실 적립금. ~ ***para indemnización*** 퇴직 연금 준비금. ~ ***para la nivelación de dividendos*** 《*Méx.*》 배당 평균 적립금. ~ ***para primas no devengadas*** 미경과 보험료 준비금. ~ ***para renovación de bienes de uso*** 《*Arg.*》 고정 자산 치환 준비금. ~ ***secreta · tácita*** 비밀 적립. ~ ***voluntaria*** 임의 적립금.

a ~ de …의 속셈으로, …의 의도로.

sin ~ 숨김없이, 솔직히(sinceramente, con toda franqueza).

reservable *adj.* 보류할 수 있는.

reservación *f.* ① 제외, 보류. ② 따로 남겨둠, 저축, 예비. ③ (장소, 좌석 등의) 지정, 예약, 대절 : ~ de espacio 선복(船腹) 예약. ④ 숨기는 일(reserva). **—***pl.* 보류 사항.

reservadamente *adv.* 사양하여, 서먹서먹하게 ; 신중히 : hablar ~.

reservado, da *adj.* [*lat.* reservatus] [reservar의 *p.p.*] 따로 아껴둔 ; 보류된 ; 예약을 필한, 약속이 끝난, 대절한 ; 서로 터놓지 못하는, 속셈이 다른 ; 조심성스러운, 신중한. **—***m.* ① 대절한 방, 예약이 끝난 곳. ②【종교】 성체(聖體) 원소.

reservar *tr.* [*lat.* reservare] ① 챙기다, 치워두다, 보류하다. ② 예약해 두다, 지정하다 : *He reservado* una habitación en este hotel 나는 이 호텔에 방 하나를 예약해 두었다. ③ 제외하다, 면하다(exceptuar, dispensar) : Mi hijo *fue reservado* de las levas 내 아들은 징병을 면제받았다. ④ 숨겨두다, 감추다, 숨기다. ⑤ 유보하다.

~se ① 보류하다 : *Me reservo* para mañana. ② 자신이 쓰고자 따로 두다, (뒷날로) 미루다, 유보하다 : Quiero *~me* algún dinero para los gastos imprevistos 나는 예기치 못한 비용을 위해 약간의 돈을 따로 두고 싶다. *Se reservó* el mejor asiento 그는 제일 좋은 자리를 자기 몫으로 떼어놓았다. ③ 말하지 않고 두다 : *Se reserva* su juicio 그는 자기 생각을 별로 말하고 싶어하지 않는다. ④ 마음을 터놓지 못하고 조심하다.

reservativo, va *adj.* 보류의 ; 예비의.

reservista *adj.* 예비역의. **—***m.* 예비병(soldado de la reserva).

reservón, na *adj.* 사양하는, 마음속을 터놓지 않는 ; 저의를 드러내지 않는.

resfalar *intr.* 《*Col. Venez.*》【속어】 미끄러지다 (resbalar).

resfalón *m.* 《*Col. Venez.*》【속어】 =**resbalón.**

resfriadera *f.* 《*Cuba.*》 사탕수수즙을 냉각시키기 시작한 저장소.

resfriado, da *adj.* [resfriar의 *p.p.*] ① 감기에 걸린 : Estoy ~ 나는 감기 걸려 있다. ② 《*Arg.*》 착실하지 못한(indiscreto). **—***m.* ① 감기(constipado, catarro) : coger · agarrar · pescar el ~ 감기에 걸리다. cocer(se) el ~ 감기가 낫다. tener un ~ 감기에 걸리다. Tengo un ~ 나는 감기에 걸려 있다. Cogí un ~ 나는 감기에 걸렸다. ② (너무 마른 논에) 물대기.

resfriador, ra *adj.* 냉각시키는.

resfriadura *f.* (가축의) 감기.

resfriamiento *m.* 냉각(冷却), 식혀서 차게 함, 식히기(enfriamiento).

resfriante *adj.* 냉각(용)의. **—***m.* (증류기의) 냉각관.

resfriar *tr.* ⑫ ① 식히다, 차게 하다(enfriar). ② (정열 등을) 식히다(entibiar). **—***intr.* 추워지다 (empezar a hacer frío).

~se ① 식다, 차지다 ; 싸늘해지다, 썰렁해지다. ② [+con : …과의 관계가] 식다 : *~se en* la amistad. ③ 감기에 걸리다(contraer un resfriado). ④ 냉담해지다(entibiarse el cariño).

resfrío *m.* ① 감기(resfriado). ② 냉각.

resgoso, sa *adj.* ① 《*AmérC.*》 위험한(peligroso). ② 《*Venez.*》 대담한.

resguardar *tr.* 지키다, 보호하다, 방어하다, 막다(proteger, defender).

~se [+contra : …에] 조심하다, 몸을 지키다, 막다 : *~se con* el muro 벽으로 방어하다. *~se del* frío 추위를 막다. *~se contra* el viento 바람을 막다. *Resguárdese* usted *del* frío 추위에서 몸을 지키십시오.

resguardo *m.* ① 보호 ; 안전 ; (해안선 · 국경에서의) 방비, 방위 ; 경비대. ② (계약 · 빚 등에 대한) 보증, 담보, 이서. ③ 보증서 : ~ de almacén · depósito 창고 · 창하 증권(倉荷證券). ~ provisional 가증권, 가주권. talón ~ 화물 인수증 ; 화물 인환증. ④ 밀수 감시(계).

residencia *f.* ① 거주, 거류 : tener ~ en las afueras. ② 주소 : ~ actual 현주소. ③ 주택, 저택. ④ 주재. ⑤ 변리 공사의 직. ⑥ 임지. ⑦ (단체 · 학원의) 기숙사 : ~ universitaria 대학 기숙사. ~ de ancianos 노인정, 양로원. ⑧ 성직자의 주재 기간.

residencial *adj.* 임지(任地) 거주의 ; 주재할 수 있는 ; 주택용의 : zona ~ 주택 지구.

residenciar *tr.* ⑪ 책임을 묻다, 힐난 · 탄핵하다.

residente *adj.* [+en : …에] 거주 · 거류하는 ; 주재의 : ministro ~ 변리 공사. **—***m.f.* 거주자, 주거자 ; 주재관.

residentemente *adv.* 현지에 거주하여; 임지에 있어서, 임지를 근거로 하여.

residir *intr.* [*lat.* residere] ① 살다, 거주하다, 거류하다 : El rey *reside* en la capital 왕은 수도에 거주하고 있다. ② 주재하다. ③ (권리·능력·난점·문제 등이) 존재하다·있다(existir) : Aquí es donde *reside* la dificultad 여기에 난점이 있다. En él *reside* mucha inteligencia 그의 심중에는 많은 지성이 있다.

residual *adj.* 나머지의, 잔여의; 찌꺼기의.

residuo *m.* [*lat.* residuum] ① 나머지; 찌꺼기 : Las cenizas son el ~ de la combustión 재는 연소의 찌꺼기이다. ②【수학】나머지, 잉여. ③【화학】잔기(殘基), 잔사(殘渣), 잔재(殘滓).

resiembra *f.* 씨앗의 다시 뿌리기; 수확후 바로 파종; 윤작(輪作).

resigna *f.* 단념; (성직의) 사임.

resignación *f.* 사임, 사직, 양위; 체념, 포기, 단념; 양도; 굴종, 인종(忍從).

resignadamente *adv.* 단념하여, 포기하여 (con resignación).

resignado, da *adj.* [resignar의 *p.p.*] 사임·단념·체념·포기한; 굴종·인종하는, 참고 따르는.

resignante *adj.* 사임·사직하는, 그만두는; 양도하는; 체념·단념·포기하는.

resignar *tr.* [*lat.* resignare] ① 사임하다, 사직하다, 그만두다. ② 양도하다(renunciar) : El jefe *resignó* su mando 대장은 지휘를 양도했다. ③ 체념하다, 포기하다, 단념하다; 굴종·인종하다; 참고 따르다.

~se ① 단념하다 : *Me resigno a* que continúes aquí 네가 여기 가만히 있는 것도 하는 수 없다고 단념한다. ② 몸을 맡기다; 인종하다 : *~se con* su suerte 운을 하늘에 맡기다. ③ [+ a + *inf.*] 체념하여 …하다 : *~se* a vivir modestamente.

resiliar *tr.* 《*Galic.*》 =**anular.**

resiliencia *f.* 《*Neol.*》 충돌할 때 물질의 저항도.

resina *f.* [*lat.* resina] 수지(樹脂), 송진 : ~ permutadora de iones 이온 교환 수지. ~ silicónica 실리콘 수지.

~*s* sintéticas vinílicas 비닐 합성 수지.

resinación *f.* 수지의 채취.

resinar *tr.* (…로부터) 수지를 채취하다 : ~ un pino 소나무에서 수지를 채취하다.

resinato *m.*【화학】수지산염.

resinero, ra *adj.* ① 수지의 : industria ~*ra* 수지 공업. ② 수지가 많은. **—***m.f.* 수지 채취자.

resinífero, ra *adj.* 수지를 내는, 송진이 많은.

resinificación *f.* 수지질화; 수지 처리.

resinificar *tr.* ⑦ 수지화하다; 수지 처리하다.

resinoso, sa *adj.* ① 수지(樹脂)가 나오는, 송진이 많은 : madera ~*sa.* ② 수지 같은 : olor ~. ③【전기】음의 : electricidad ~*sa*·negativa 음전기.

resisa *f.* =**reoctava.**

resisar *tr.* (중량을) 더욱 줄이다.

resistencia *f.* [*lat.* resistentia] ① 저항(력), 항전, 항거 : pasiva ~ 소극적인 저항. oponer ~ a …에 저항하다. ② 지구(력), 단단함, 건장함, 강함 : ~ *a* la rotura 항구성. ~ *a* la tracción 장력(張力), 항장력(抗張力). Esta tela tiene mucha ~ 이 천은 지구력이 있다. ③ 반옹, 반항 (oposición) : obedecer sin ~. ④【전기】저항 : ~ eléctrica. ⑤【전기】저항기. ⑥【사회】레지스탕스 운동.

resistente *adj.* 저항력이 있는, 강한; 참을성이 강한; 오래 쓸 수 있는, 오래 가는, 내구력이 있는. **—***m.* 저항의 투사.

resistero *m.* (여름의) 한낮(siesta); 뙤약볕, 뙤약볕이 내리 쪼임; 더위 : no poder soportar el ~.

resistible *adj.* 지구성이 있는, 견딜 수 있는, 부지할 수 있는; 저항·반항할 수 있는; 항거해야 하는.

resistidero *m.* =**resistero.**

resistidor, ra *adj.* 견디어 내는.

resistir *intr.* ① 참아내다, 견뎌 내다; 거스르다, 거역하다, 저항·대항하다, 반항하다 : Hay que ~ *a* la violencia 폭력에는 대항해야 한다. Este muchacho *resiste a* mis razones 이 소년은 나의 도리에 반항한다. ② 적대시하다; 저항력이 있다.

—*tr.* ① 참다, 견뎌 내다(sufrir, tolerar) : Esta columna *resiste* mucho peso 이 원주는 많은 중량을 견뎌 낸다. ② 물리치다, 격퇴하다(rechazar) : *Resistió* la tentación de comer 그는 먹고 싶은 유혹을 물리쳤다. ③ 방해·저해·저지하다.

~se ① [+a : …에] 저항하다, 거부하다, 거스르다; 반대하다; 참지 못하다. ② [+a+*inf.* : …하려] 하지 않다 : José *se resistía a* creerlo 호세는 그것을 믿으려 들지 않았다.

resistividad *f.* 전기 저항의 계수.

resistivo, va *adj.* 저항하는, 저항력 있는, 저항성의.

resma *f.* [*ár.* rezma] 연(連)《종이 20첩, 500매》.

resmilla *f.* 편지지 20권 묶음.

resobrado, da *adj.* [resobrar의 *p.p.*] 흔해 빠진, 아주 평범한.

resobrar *intr.* 남아 돌아가다, 흔해 빠지다, 많이 남다, 많은 여유가 생기다.

resobrino, na *m.f.* 조카의 아들·딸, 조카 자식.

resol *m.* 볕이 내리쪼임, 해의 반사광; 양지.

resolana *f.* ① 양지 바른 곳, 볕이 쪼이는 곳 (resol). ②《*Amér.*》볕이 내리쪼임, 이글거리는 해(resol).

resolano, na *adj.* 양지 바른.

resoli *m.* 《*Cuen.*》 =**rosoli.**

resolladero *m.* 《*Cuba.*》 땅밑에 가라앉은 후 다시 나타난 강의 복판.

resollar *intr.* ㉔ ① (색색, 시근시근, 헉헉) 숨쉬다; (후 하고) 숨을 내쉬다. ② 편히 지내다. ③ 소식을 전하다 : Hace dos años que no *resuella* 그가 소식을 전하지 않은 지 2년 되었다.

resoltarse *r.* 《*Col.*》 무안을 당하다, 무안해지다, 부끄러워하다(desvergonzarse).

resoluble *adj.* 용해되는, 녹는; 해결할 수 있는.

resolución *f.* [*lat.* resolutio] ① 해결. ② 결의, 의결; 판결(~ judicial). ③ 결심, 결정(decisión) : tomar una ~ 결심하다. ④ 과단(성), 용기 (ánimo, valor) : hombre de ~. ⑤ 분해, 용해. ⑥ 해산, 해제, 취소 : ~ del contrato de seguro 보험 계약의 취소.

en ~ 결국(en resumen).
resolutivamente *adv.* 결단성 있게.
resolutivo, va *adj.* ① 분해·용해의 : método ~. ② (종기를) 가라앉히는. —*m.* (멍울을) 가라 앉히는 약; 용해제.
resoluto, ta *adj.* ① 풀린; 결정한. ② 과단성 있는(resuelto). ③ 요약된(compendioso). ④ 숙련된.
resolutoriamente *adv.* 단호히.
resolutorio, ria *adj.* 단호한; 해결의; 용해의; 해제의.
resolvente *adj. m.* 용해·분해시키는 (것); 해결·결정하는; 해산하는.
resolver *tr.* ㉓ [*p.p.* resuelto] [*lat.* resolvere] ① 풀다, 녹이다; 용해하다; 분해·분석하다 (analizar) : Las aguas *resuelven* los cantos en arenas. ② [+*inf.* : …하기로] 정하다, 결심·결정·결의하다 : El presidente *resolvió* la paz 대통령은 평화를 결정했다. Como Vds. se quieren tanto *he resuelto* casarlos 여러분께서 그렇게도 서로 사랑하고 있으므로, 나는 당신들을 결혼시키기로 결정했어요. ③ 해결하다 : El *resolvió* el problema 그는 그 문제를 해결했다. ④ 요약하다 : El autor *resuelve* sus puntos de vista en una página 작가는 그의 관점을 1페이지에 요약하고 있다. ⑤ (멍울을) 가라앉히다, 소산시키다; 기체화하다, 발산시키다.
~se ① 녹다, 용해하다 : ~*se en* agua. ② 분해하다, 분석되다 : El agua *se resuelve en* oxígeno e hidrógeno. ③ 해결하다. ④ 결심하다 : ~*se por* tal partido 어떤 정당으로 정하다. ⑤ (어떤 상태로) 되다; 기체화·액체화 하다 : El agua *se resuelve en* vapor 물은 수증기로 된다. ⑥ 차츰 없어지다, 소산하다 : El tumor *se resuelve* por sí mismo 부기가 저절로 가라앉다. ⑦ [+a +*inf.* : …할] 결심을 하다.
[직설법 현재 : resuelvo, resuelves, resuelve, resolvemos, resolvéis, resuelven. 접속법 현재 : resuelva, resuelvas, resuelva, resolvamos, resolváis, resuelvan].
resonación *f.* 울림, 반향.
resonador *m.* ①【물리】공명체, 공명기, 공진자, 공명자. ②【전기】전음 발신기(電音發信機) : ~ eléctrico.
resonancia *f.* ① 울림, 반향(反響) : tener ~ 반향·공명이 있다; 널리 알려지다. La boda tuvo gran ~ 그 혼례는 대단한 평판이었다. ② 공명 : caja de ~ 공명 상자. ③ (무전의) 공진. ④【의학】가슴의 공명음.
resonante *adj.* 잘 울리는; 공명·반향하는.
resonar *intr.* ㉔ [*lat.* resonare] ① 울리다, 울려 퍼지다 : Esta sala *resuena* demasiado 이 방은 너무 울린다. La trompeta *resuena* 트럼펫이 울려 퍼진다. ② 반향·공명하다. —*tr.*【시어】울리게 하다.
resondrar *tr.* 《*Perú.*》 (명예 등을) 손상시키다, 모욕하다(deshonrar).
resongón, na *adj.* 《*Méx.*》 =**burlón.**
resoplar *intr.* (헉헉) 숨을 쉬다(dar resoplidos).
resoplido *m.* 콧김, 거친 숨소리 : dar ~*s.*
resoplo *m.* =**resoplido.**
resorber *tr.* ① 다시·충분히 흡수하다. ② 없어지게 하다(hacer desaparecer) : ~ un déficit.
resorcina *f.*【화학】레조르친 《염료 제조·의학·사진용》.
resorción *f.* 재흡수, 흡수 작용 : un absceso que sana por ~.
resorte *m.* [*fr.* ressort] ① 용수철. ② 탄력, 탄성. ③ 수단(medio). ④ 《*Galic. Amér.*》 연관, 관계(incumbencia) : No es de mi ~ 나와는 관계 없는 일이다.
en último ~ 《*Galic.*》 종결심(終結審)에서, 최종 단계에서, 최후로, 결정적으로.
respagilar *tr.* 《*SDgo.*》 축출하다, 쫓아내다, 추방하다, 몰아내다.
respailar *intr.* [주로 ir, llegar, venir 등의 보어로서 현재 분사형으로 사용함] 허겁지겁, 허둥지둥 : Salió *respailando* 그는 허겁지겁 나갔다.
respaldar *tr.* ① 배서(背書)하다 : *Respalde* usted este documento 이 서류에 이서해 주십시오. ② 지지하다, 후원하다 : Le *respaldan* sus amigos 그의 친구들이 그를 지지하고 있다. ③ 보증하다.
~se [+con·contra·en : …에] 등을 기대다 : ~*se en* la silla 의자에 등을 기대다. ~*se con·contra* la pared 벽에 등을 기대다. —*m.* 의자의 등, 기대는 것; 수액의 유출.
respaldo *m.* ① 의자의 등, 기대는 것. ② 종이나 서류의 뒷면. ③ 이서, 보증. ④ 준비금, 정화(正貨) 준비. ⑤ 후원, 지원; 보호; 안전.
respaldón *m.* [*aum.* respaldo] 《*Nav.*》 = **muralla.**
respble. respetable 존경할 수 있는.
respe *m.* 뱀의 혀.
respectar *intr.* [제삼인칭 단수에만 사용하는 무인칭 동사임] 관련되다(tocar, atañer) : por lo que *respecta* a su calidad 그 품질에 관해서는. Por lo que *respecta* a tu hermano ya nos arreglaremos 너의 형제에 관해서(는) 서로 의논하자.
respectivamente *adv.* ① 저마다의, 각기. ② [+a : …에] 관하여.
respective *adv.*【아어】=**respectivamente.**
al ~ *de*【속어】…에 관하여.
respectivo, va *adj.* 저마다의, 각자의, 개개의 : ~*s* maridos.
respecto *m.* [*lat.* respectus] 관계, 관련.
al ~ 그 일에 관하여 : las noticias *al* ~ 그에 관한 정보.
(con) ~ *a·de* …에 관하여 : Nada puedo decirte *(con)* ~ *de* tu padre 너의 아버지에 관해서는 아무 말도 할 수 없다.
résped(e) *m.* ① 뱀의 혀(lengua de la serpiente). ② 벌의 침(aguijón de la abeja). ③ (말속에 담긴) 가시(palabra malévola).
respeluzar *tr.* ⑨ =**despeluzar.**
respetabilidad *f.* 존경할 만한 일, 존엄; 체면; 상당한 지위; 신용해도 좋은 인물.
respetable *adj.* ① 존경할 만한, 훌륭한 : Es una persona ~ 그는 존경할 만한 인물이다. ② [경어로서 상대방의 사물을 가리켜] 귀하의, 선생의 … : su ~ casa 귀댁. ③ 상당한, 꽤 : Le presté una cantidad ~ 나는 그에게 상당한 액을 빌려 주었다.
respetador, ra *adj.* 존경하는, 존중하는.
respetar *tr.* ① 존경하다, 존중하다(tener res-

pecto) : Los jóvenes deben ~ a los ancianos 젊은이들은 노인을 존경해야 한다. ② 【고어】 = **respectar.**

respetivo, va *adj.* =**respetuoso.**

respeto *m.* [*lat.* respectus] ① 존경, 존중, 경의 : el ~ debido a los padres 부모님에 대한 존경. el ~ a la palabra dada 약속을 존중하는 일. infundir ~ por …에 존경심을 일으키다. Aquí la gente tiene mucho ~ a la religión 여기에서는 사람들이 종교에 무척 경의를 표하고 있다. ② 고려 : ~*s* humanos 세상에 대한 체면, 세상에 대한 의리. ③ 예비 : de ~ 예비의. coche de ~ 예비 자동차. piezas de ~ 예비품.
campar por su ~ 멋대로 굴다(ser dueño de sus acciones).

respetosamente *adv.* =**respetuosamente.**

respetoso, sa *adj.* =**respetuoso.**

respetuosamente *adv.* 정중하게, 공손히(con respeto o reverencia) : El saludó ~ al rey 그는 왕에게 정중히 인사했다.

respetuosidad *f.* 공손함, 정중함.

respetuoso, sa *adj.* ① 공손한, 공경하는, 존경심이 있는, 정중한(que manifiesta respeto) : niño ~. ② 존경할 만한(respetable).

réspice *m.* ① 말대답, 항변(respuesta seca y áspera). ② (엄하면서도 짧은) 나무람, 질책, 꾸중(reprensión corta y bastante severa).

respigador, ra *m.f.* 이삭 줍는 사람.

respigar *tr.* ⑧ (이삭을) 줍다(espigar).

respigo *m.* 【방언】 양배추의 씨.

respigón *m.* ① (손가락이) 위로 벗겨짐(padrastro). ② 수유 기간 중의 유방의 병. ③ 말발굽에 생기는 종기.

respingada *adj.* =**respingona.**

respingado, da *adj.* [respingar의 *p.p.*]① 위로 치켜 오른(arremangado) : nariz ~*da* 들창코. ② 위로 치켜 뜬 : ojos ~*s.* ③ 《*Guat.*》 다리·팔을 걷어 올린.

respingar *intr.* ⑧ ① (동물이) 으르렁거리면서 몸부림치다(sacudirse y gruñir). ② (스커트·소매가) 걷혀 올라가다 : la nariz *respingada.* ③ 뾰루퉁하다, 못마땅해 하다(hacer a regañadientes).

respingo *m.* ① 몸부림. ② 말려 오름. ③ 접힌 옷자락. ④ 【방언】 《*Amér.*》 스커트의 주름. ⑤ 《*Chile. Méx.*》 못마땅한 표정.

respingón, na *adj.* =**respingoso.**

respingona *adj.* 위로 젖혀진, 치켜 오른 (코) : cola ~.

respingoso, sa *adj.* 동물이 으르렁거리면서 몸부림치는.

respirable *adj.* 호흡할 수 있는, 호흡해도 되는 : aire ~. **Contr.** irrespirable.

respiración *f.* ① 호흡 ; 한번 숨을 쉼, 흡기(吸氣). ② 환기, 공기의 드나듦 : Dormía en un cuarto sin ~ 그는 환기가 나쁜 방에서 자고 있었다. ③ 【동물·식물】 호흡 작용.

respiradero *m.* ① 공기 구멍, 환기통 ; 공기통. ② 숨을 돌림, 휴식, 쉼(descanso). ③ 호흡기·기관(órgano de la respiración).

respirador, ra *adj.* 호흡하는, 호흡의 : músculos ~*s* 호흡근.

respirante *adj.* 호흡하는, 호흡의.

respirar *intr.* [*lat.* respirare] ① 호흡하다, 숨을 쉬다 : *Respire* usted fuerte 강하게 호흡해 주십시오. ② 숨을 내쉬다, 한숨 놓다, 안심하다 : Al oir al médico *hemos respirado* 의사의 말을 듣고 우리는 안심했다. ③ 쉬다(descansar) : sin ~ 숨도 쉬지 않고, 쉬지 않고(sin descanso). Al concluir *respiraremos* un poco 끝나면 잠시 쉽시다. El trabajó sin ~ 그는 쉬지 않고 일했다. Déjeme usted ~ 저를 쉬게 해 주십시오. ④ 말하다 : José no *respiró* 호세는 (반대를) 발언하지 않았다. ⑤ 살아 있다(vivir) : Aún *respira* el enfermo 환자는 아직 살아 있다.
—*tr.* ① 호흡하다, 빨아들이다 : ~ cloroformo. ② (냄새를) 풍기다, 발산하다(exhalar) : Sus vestidos *respiran* 그의 옷은 냄새를 풍긴다. ③ (넘치는 감정을) 나타내다 : *Respira* saña 미워하는 마음을 그대로 내보이다.
~ ***a*** …의 향기가 나다.

respiratorio, ria *adj.* 호흡의 : aparato ~ 호흡기. órgano ~ 호흡 기관.

respiro *m.* ① 호흡(respiración). ② 숨돌림, 휴식, 휴게. ③ 지불 유예.

resplandecer *intr.* ㉛ ① 번쩍이다, 빛나다(brillar) : El sol *resplandece* 태양은 빛나고 있다. ② 한층 더 광채를 내다(sobresalir).

resplandeciente *adj.* 찬란하게 빛을 내는.

resplandecimiento *m.* =**resplandor.**

resplandina *f.* 엄중한 질책.

resplandor *m.* ① 빛남 ; 광휘, 광채(luz, brillo) : el ~ del sol. ② (여자들이 사용하는) 하얀 화장품. ③ 《*Amér.*》 (여왕 등이 머리에 얹는) 영락(瓔珞)《앞면만 있는 관》(diadema).

respondedor, ra *adj.* 대답하는, 답하는 ; 책임을 가진. **—*m.f.*** 대답자, 답변자.

responder *tr. intr.* [*lat.* respondere] 답하다, 대답하다(contestar) ; 응하다(corresponder) ; 해답하다 : No le *respondí* nada 나는 그에게 아무 대답도 하지 않았다. Le *respondí* dos palabras 나는 약간 (두어 마디) 그에게 말대꾸했다. Le *he respondido* que puede venir cuando quiera 원할 때에 오는 것이 좋으리라고 나는 그에게 대답해 두었다. **—*intr.*** ① 대답하다, 답하다 : El maestro *responderá a* tu duda 선생님이 너의 질문에 대답해 주실 것이다. ② 말대답하다(replicar) : El no me *responde* 그는 나에게 말대꾸하지 않는다. Los niños no deben ~ a los padres 아이들은 부모님한테 말대꾸해서는 안된다. ③ 반응이 있다 ; 응해 오다 ; 어울리다, 맞다 : Este silla *responde a* la mesa 이 의자는 테이블에 어울린다. ④ (기대했던 만큼의 효과·결과가) 있다·나타나다 : Este campo no *responde* 이 논은 손을 보아도 그만한 결과를 얻지 못한다. ⑤ 반향하다 ; 반향이 있다. ⑥ (건물·장소가 어떤 쪽으로) 향해 있다(mirar, caer) : Esta habitación *responde* al norte 이 방은 북쪽으로 향해 있다. ⑦ 책임을 다하다 ; [+de·por] 책임을 지다, 보증하다 : *Respondo de* su buen comportamiento 그의 좋은 소행을 보증합니다. Yo *respondo por* José 나는 호세를 보증한다 (책임을 진다). El no *responde por* su tío 그의 일은 숙부의 책임은 아니다. Su jefe *responde por* él 그의 일은 그의 부장이 보증하고 있다. Yo *respondo de* lo que dice este muchacho 이 소년이 말하는

일에 대해서는 내가 책임을 진다.

respondiente *adj.* 대답하는, 응하는.

respondón, na *adj.* 말대답 잘하는 : un niño muy ~ 말대꾸를 잘하는 어린이.

responsabilidad *f.* ① 책임, 의무 관념 : sin ninguna ~ 아무런 책임없이. asumir la ~ 책임을 지다. La ~ implica la libertad 책임은 자유를 함축한다. ② 자산(資産).
~ *de indemnización* 보상 책임. ~ *de los socios* 공동 경영자의 책임. ~ *de prueba* 입증 책임. ~ *del transportista* 운송업자의 책임. ~ *ilimitada·limitada* 무한·유한 책임. ~ *neta estimada* 추정 정미 자산. ~ *objetiva* 물적 책임. ~ *por aval·endorso* 어음 배서 의무. ~ *por las deudas de la empresa* 회사의 부채에 대한 책임. ~ *solidaria* 연대 책임.
de ~ 책임 있는, 보증해야 할 ; 보증이 딸린 ; 신용할 수 있는, 책임감이 강한.

responsabilizar *tr.* 9 《*Arg.*》 책임을 전가시키다.
~se ① [+ de : …의] 책임을 지다.

responsable *adj.* ① [+de : …에] 책임 있는 : No es ~ *de* sus actos 그는 그의 행동에 책임을 지지 않는다. ¿Quién es la persona ~ aquí? 이곳 책임자는 누구입니까? ② 보증하는.
—*m.f.* 책임자. Contr. irresponsable.

responsablemente *adv.* 책임감을 느껴.

responsar *intr.* 명복을 비는 기도를 드리다(decir responsos).

responsear *intr.* =**responsar.**

responseo *m.* 명복을 비는 기도.

responsión *f.* =**contribución.**

responsiva *f.* 《*Méx.*》 공채 증서, 채권, 사채(社債) ; 저당, 담보.

responsivo, va *adj.* respuesta의·에 관한.

responso *m.* ①【종교】[죽은 자에 대한] 명복의 기도. ② 질책.

responsorio *m.* 【종교】 응답 성가, 찬송가.

respta. respuesta 회답.

respuesta *f.* ① 답, 대답, 회답, 반신(返信) : ~ negativa·positiva 부정적·긍정적 회답. una ~ satisfactoria 만족할 만한 회답. ~ pagada 반신료 지불필. en ~ a …에 대한 회답으로. ② 응답 ; 해답 : preguntas y ~*s* 질문과 해답. ③ 말대답, 반론. ④ 응보 ; 보복.

resquebradura *f.* 균열, 갈라진 틈(grieta).

resquebrajadizo, za *adj.* 잘 깨지는, 금이 가기 쉬운, 갈라지기 쉬운, 트기 쉬운, 쪼개지기 쉬운 : madera muy ~*za.*

resquebrajadura *f.* =**resquebradura.**

resquebrajamiento *m.* =**resquebradura.**

resquebrajar *tr.* 금이 가게 하다(esquebrajar) : ~ la loza.
~se 금·균열이 생기다.

resquebrajo *m.* =**resquebradura.**

resquebrajoso, sa *adj.* =**resquebrajadizo.**

resquebrar(se) *intr.(r.)* 금이 가다, 깨지다.

resquemar *tr.* ① (입안을) 따끔하게 자극하다, (혀를) 톡톡 쏘다(causar resquemo un alimento). ② 불에 태우다·눋게 하다(requemar). ③ 언짢게 하다(escocer). **—*intr.*** ① 따끔따끔하다. ② 눋다.
~se 불에 눋다 ; 따끔거리다.

resquemazón *f.* =**resquemo.**

resquemo *m.* ① 아릿아릿함, 따끔거림, 혀를 톡 쏘는 맛, 혀를 찌르는 매운 맛 : el ~ del pimiento. ② (음식의) 눋은내, 탄내, 쓴 냄새.

resquemor *m.* ① 우끈거림, 아림 ; 불쾌. ② 《*Ast. Sant.*》 =**resquemo.**

resquicio *m.* ① (문짝·문지방의) 틈새, 틈, 간격. ② 기회, 구실, 찬스, 호기(好機). ③ 《*Ant. Venez.*》 근소함, 미량(pizca). ④ 《*Col. Perú. PRico.*》 발자취, 행적, 자국(huella, vestigio).

resquilar *intr.* 【방언】 (나무 등에) 오르다.

resta *f.* ① 【수학】 뺄셈, 감법 : La ~ es una de las cuatro reglas fundamentales. ② 나머지(residuo).

restablecer *tr.* 31 재건하다 ; 다시 세우다 : ~ un reglamento.
~se (병에서) 낫다, 회복하다, 쾌유하다, 건강을 회복하다(recobrar la salud) : El enfermo *se restablecerá* pronto 환자는 곧 회복될 것이다.

restablecimiento *m.* ① 재건. ② 회복, 쾌차 : Le deseo a usted un pronto ~ 당신의 조속한 회복을 축원합니다.

restado, da *adj.* [restar의 *p.p.*] 대담한, 무모한, 무분별한(arrestado, esforzado).

restallar *intr.* ① 채찍을 내두르다 : ~ de látigos. ② 철썩 소리내다 : La madera muy seca *restalla* junto a la lumbre.

restallido *m.* 채찍을 휘두르기.

restampar *tr.* 재판하다.

restante *adj.* [*lat.* restans, antis] 남은, 잔유하는 : carta ~. **—*m.*** 나머지, 잔여.

restañadero *m.* 강어귀(estuario de un río).

restañadura *f.* 주석을 다시 도금하기.

restañamiento *m.* =**restañadura.**

restañar *tr.* ① (피 따위의 흐름을) 막다, 지혈(止血)하다 : ~ la herida 상처를 막다. ~ la sangre 지혈하다. ② 주석으로 다시 도금하다.
—*intr.*, ~se 피가 멎다(restallar) : La sangre *se restaña* fácilmente con percloruro de hierro 피는 과염화철로 쉽게 멎는다.

restañasangre *f.* =**alaqueca, cornalina.**

restaño *m.* ① 지혈(止血). ② 물이 고임 ; 웅덩이. ③ 옛날의 비단 직포의 일종.

restar *tr.* [*lat.* restare] ① [+a : …에서] 빼다 ; 공제(控除)하다 ; 감하다, 감쇄하다(cercenar) : Hay que ~ fuerzas *a*l enemigo 적의 힘을 감쇄해야 한다. ② (공을) 되던지다·받아 치다.
—*intr.* [+de : …에서] 남다, 남아 있다 : en todo lo que *resta de* año 금년 연말까지에. No nos *resta* más que marcharnos 우리에게 남아 있는 것은 떠나는 것 뿐이다. No nos *resta* nada que hacer 우리에게는 해야 할 일이 아무 것도 남아 있지 않다.

restauración *f.* ① 회복 ; 수복, 수리, 복원, 복구 : la ~ de un monumento 기념물의 복원. ② 부흥, (왕정) 복고 ; 복위 : la ~ de los Borbones.

restaurador, ra *adj. m.f.* 수복·부흥·만회하는 (사람) ; 재건·복고하는 (사람).

restaurant *m. fr.* [발음은 restorán] 음식점, 식당.

restaurante *m.* 요리점, 음식점, 레스토랑 : ~ automático 자동 판매 식당. [*N.* comedor와 구

별해야 한다. restaurante는 음식을 전문하는 곳이고 comedor는 호텔·가정의 부속된 곳].
—*adj.* 회복·수복·부흥하는, 재건적인; 사기·기운을 돋우는.
coche·vagón ~ (열차의) 식당차(칸).

restaurar *tr.* ① 회복하다, 되찾다(recobrar): Mi hijo *restauró* su confianza en los estudios 내 아들은 공부에 자신을 되찾았다. El Sr. Romero *restauró* su prestigio 로메로씨는 명성을 회복했다. ② 수복하다, (고미술품을) 복원하다: ~ una pintura·un edificio. ③ 부흥·재흥하다. ④ 복위시키다.

restaurativo, va *adj.* 원기를 회복시키는.
—*m.* 강장제.

restauro *m.* [드뭄] =**restauración.**

restinga *f.* 여울, 개천.

restingar *m.* 여울 지대.

restirarse *r.* 《*Méx.*》 죽다, 사망하다(morir).

restitución *f.* ① 상환, 반환: efectuar una ~. ② 회복, 복구.

restituible *adj.* ① 반환·상환할 수 있는: cantidad ~ en plazo fijo. ② 복구·회복할 수 있는.

restituidor, ra *adj. m.f.* 반환·상환하는 (사람); 복구·회복하는 (사람).

restituir *tr.* ㉗ [*lat.* restituere] ① 되돌리다, 원상으로 복구하다. ② 반환·상환하다(devolver): ~ el bien ajeno. ③ 원상으로 만들다, 복구·회복·복원하다.
~se 돌아가다(volver); 반환되다: *Se ha restituido* su terreno 그의 토지는 반환되었다.

restitutorio, ria *adj.* 반환의, 환부의: publicar una decisión *~ria.*

resto *m.* ① 나머지, 잔여, 잉여; 잔금, 잔고: ~ de existencias 재고품. Es el ~ del dinero 이것은 잔고이다. ② 그 밖의 부분(residuo): Ya te escribiré el ~ 그 밖의 부분은 너에게 편지하겠다. ③ (공놀이에서) 볼을 받아 치는·받아 던지는 사람. —*pl.* ① 유물: Se conservan sus *~s* que se han encontrado 발견된 유물은 보존되고 있다. ② 유골, 시체 (*~s* mortales), 유해: Trasladaron los *~s* al cementerio 유해를 묘지로 옮겼다.
a ~ abierto 무한·무제한으로.
echar·envidar el ~ ① 잔금을 전부 걸다. ② 전력을 다하다: *Echó el ~* por conseguir el trabajo 그는 일을 얻을려고 전력을 다했다.

restón, na *adj.m.f.* 상대 선수가 치는 공을 잘 되받는 (테니스 선수).

restorán *m.* 《*Galic.*》 레스토랑, 요리점, 음식점.

restrallar *intr.* 《*León.*》 =**restallar.**

restregadura *f.* =**restregamiento.**

restregamiento *m.* 문지르기, 닦기, 갈기(refregadura).

restregar *tr.* ⑲ ⑧ 문지르다, 닦다.

restregón *m.* 문지르기, 닦기(estregón).

restrellar *tr.* 《*PRico.*》 내팽개치다, 내붙이다, 메어붙이다(estrellar).

restribar *intr.* 땅을 단단히 밟다, 몸을 지탱하다, 버티다.

restricción *f.* ① 제한, 한정, 구속, 속박: ~ mental 심적 속박, 흉중 유보(胸中留保). Se introdujeron *~es* en el contrato 계약서에 제한 조항을 삽입했다. ② 억제, 긴축: ~ monetaria de crédito 금융 긴축.
~ a la exportación·importación 수출·수입 제한.
~ al comercio 무역 통제.
~ cuantitativa 양적(量的) 제한.
~ de divisas 외화 제한.
~ de exportación·importación 수출·수입 제한.
~ de la competencia (자유) 경쟁의 제한.
~ de las inversiones 투자 제한.
~ de·en las transferencias 대체 제한.
~ del comercio 거래 제한, 무역의 제한.
~es para salvaguardar la balanza de pagos 국제수지를 보호하기 위한 제제한(諸制限).

restrictivamente *adv.* 제한하여, 한정적으로.

restrictivo, va *adj.* ① 제한의: Hay que poner una cláusula *~va* 제한 조항을 넣을 필요가 있다. ② 구속의, 한정적인.

restricto, ta *adj.* 한정된, 좁혀진.

restrillar *tr.* 《*Perú. PRico.*》 회초리를 휘두르다.
—*intr.* 《*Perú. PRico.*》 회초리가 소리를 내다.

restrillazo *m.* 《*PRico.*》 채찍 소리; 삐걱거리는 소리.

restringa *f.* 여울(restinga).

restringente *adj.* 수렴시키는. —*m.* 수렴성; 수렴제.

restringible *adj.* 제한·한정할 수 있는.

restringir *tr.* ④ ① 한정시키다, 좁히다; 제한하다, 구속·속박하다: ~ la libertad 자유를 속박하다·제한하다. ~ los gastos 비용을 제한하다. El Gobierno norteamericano dio instrucciones a los bancos para que *restrinjan* sus empréstitos para financiar el proyecto de desarrollo de Siberia 미국 정부는 시베리아 개발 계획에 융자할 차관을 제한하도록 은행측에 훈령을 내렸다. Le *restringieron* la libertad al rey 왕은 자유를 제한받았다. ② 한정하다: Hay que ~ el sentido de una proposición 명제(命題)의 의미를 한정해야 한다. ③ 수렴시키다(astringir).

restriñidor, ra *adj.* 한정하는, 제한하는, 속박하는; 수축하는.

restriñimiento *m.* 수렴.

restriñir *tr.* ㊾ ① 제한하다, 속박하다. ② 수축시키다. ③ 수렴시키다(astringir).

restrojo *m.* [드뭄] =**rastrojo.**

resucitado, da *adj.* [resucitar의 *p.p.*] 되살아난, 부활된 (사람).

resucitador, ra *adj. m.f.* 부활·소생시키는 (사람).

resucitar *tr.* ① 소생시키다, 부활시키다: Jesús *resucitó* a Lázaro 예수는 라사로를 소생시켰다. ②【의학】 소생시키다(reanimar). ③ (습관 등을) 살리다(renovar): ~ una vieja costumbre 구습을 살리다. —*intr.* 소생하다, 부활하다, 되살아나다(volver a la vida, revivir): Cristo *resucitó* al tercer día 그리스도는 3일만에 부활했다.

resudación *f.* 가볍게 땀에 젖음; 땀에 젖음.

resudar *intr.* [*lat.* resudare] 땀에 젖다.

resudor *m.* 가벼운 땀; 땀에 젖음.

resueltamente *adv.* 결연히, 단호하게: El me

habló ~ 그는 나에게 단호하게 말했다.

resuelto, ta *adj.* [resolver의 *p.p.*] [*lat.* resolutus] ① 풀린, 녹은; 해결된. ② 시원스럽게 처리하는, 끊고 맺는 데가 있는, 과단성이 있는 : Es un hombre muy ~ 그는 무척 과단성이 있는 사람이다. ③ 대담한, 과감한, 단호한, 결의에 찬.

resuello *m.* ① 씩씩거림, 씨근덕거림; 콧김. ② 【은어】 돈(dinero).

meter el ~ en el cuerpo (누구를) 겁주어 입을 다물게 하다.

resulta *f.* ① 결과, 성과(consecuencia, resultado). ② 결론, 결의. ③ 결원, 결석, 공석(公席). **—***pl.* 유용 예산.

de ~s de …의 결과(로서), …때문에 : Se puso en cama *de ~s de* una enfermedad 그는 병 때문에 침대에 누워 있다.

resultado, da *adj.* resultar의 *p.p.* **—***m.* ① 결과, 성과, 효과, 결과로서 나타난·드러난 것 : dar buen ~ 좋은 결과를 가져오다·내다. El ~ de la operación es satisfactorio 수술 결과는 만족할 만하다. ② 성적. **—***pl.* 《*Arg.*》 이익.

~ *final* 《*Arg.*》 최종 손익.

~s ciertos 실적(實積).

~s de la exportación 영업·수출 실적.

resultancia *f.* [드뭄] =**resultado.**

resultando *m.* (판결 등의) 이유 조항.

resultante *adj.* ① 결과로서 생기는·나타나는. ② (기계에서) 합성적(合成的)인 : fuerza ~ 합력(合力). **—***f.* ① 【기계】 합력, 합성 (운동). ② 협력.

resultar *intr.* [*lat.* resultare] ① ㄱ) 결과로 되다 : *Resulta* que … 결과는 …이 되다. ¡Y si *resulta* que en todo esto él tiene razón! 만일 이런 모든 점에서 그의 말이 옳다는 결과가 된다면 어쩌지. ㄴ) (결과로서) 드디어 …이 되다, …로 되다 : La casa *resultó* pequeña 집이 좁아졌다. José *resultó* vencedor 결국 호세가 승자가 되었다. Los esfuerzos *resultaron* vanos 노력은 결국 헛된 것이었다. ② ㄱ) [+bien·mal] 일이 잘·잘못 되다; 꼭 들어맞다·맞지 않다 : El negocio *resultó* bien 사업이 잘 되었다. No le *resultó* bien la combinación 그의 공작도 결국 좋은 결과가 되지 못하였다. ㄴ) 기쁘게 하다, 마음에 들다(agradar) : Este libro no me *resulta* 이 책은 내 마음에 들지 않는다. ③ [+caro·barato] 비싸게·싸게 먹히다 : Esto le *resultó* muy caro 이것은 그에게 비싸게 먹혔다. ④ …으로 보이다 (aparecer). ⑤ (결과로서) 생기다, 일어나다, 야기되다 : *Resultaron* muchos heridos *del* incendio 화재로 인해 많은 부상자가 생겼다. ⑥ [드뭄] =**resurtir.**

resumbruno *adj.* 다갈색의 (매).

resumen *m.* 적요, 요약, 대략, 개략; 축도, 모습; 발췌.

~ *de cuentas* 계산서, 계정서.

~ *de ganancias y pérdidas* 손익(계산)표.

en ~ 곧, 끝내, 결국, 요약하면(recapitulando lo dicho antes) : *En* ~, que no quiere venir 결국 그는 올 의사가 없다.

resumidamente *adv.* 결국, 요약하여(en resumen).

resumidero *m.* 《*Amér.*》 개수물 통.

resumido, da *adj.* 요약된, 간추린 : en *~das* cuentas 간추려, 간단하게.

resumir *tr.* [*lat.* resumere] ① 요약하다, 간추리다 : ¿Quiere usted ~ su discurso? 당신의 연설을 요약해 주십시오. ② 반론하다. ③ 【속어】 =**reasumir.**

~se ① [+en : …로] 요약되다 : La cuestión *se resume en* estas líneas 문제는 이 몇 행의 문장에 요약된다. Esto *se resume en* cuatro palabras 이것은 네 마디로 요약된다. ② (…으로) 되다, 변하다(convertirse) : El azúcar *se resume en* alcohol 설탕은 알코올로 변한다.

resunta *f.* 《*Col.*》 ① =**resumen.** ② 대학의 입학·졸업 연설.

resurgencia *f.* =**reaparición a la superficie.**

resurgimiento *m.* 《*Neol.*》 =**renacimiento.**

resurgir *intr.* ④ 【고어】《*Neol.*》 다시 나타나다, 재현하다, 부활하다, 소생하다, 되살아나다(resucitar) : Después de la larga enfermedad *resurgió* con más fuerza 오랜 병환 뒤에 그는 더욱 힘차게 다시 일어섰다.

resurrección *f.* [*lat.* resurrectio] ① 되살아남. ② 【종교】 부활; 부활절(pascua). ③ 부흥, 재흥.

resurtido, da *adj.* resurtir의 *p.p.* **—***m.* 튕겨 나옴(rechazo).

resurtir *intr.* 튕겨 나오다. Sinón. rebotar.

resurtivo, va *adj.* 반발의; 튕겨 나오는.

retablero *m.* 성단의 병풍을 맡은 사람.

retablo *m.* ① 역사 화첩. ② 재단의 병풍. ③ 제단의 조각물 : El ~ de la catedral de Sevilla es una maravilla.

~ *de dolores·de duelos* 비참한 사람.

retacar *tr.* ⑦ (공을) 두 번 맞히다 : Está prohibido ~.

retacear *tr.* 잘게 자르다; 썰다; 토막내다.

retacería *f.* 천 조각, 조각(의 전체).

retaco *m.* ① 일종의 단총(escopeta corta). ② 짧은 큐. ③ 땅딸보(hombre rechoncho y bajito).

¡retaco! *interj.* 화가 날 때 쓰는 말.

retacón, na *adj.* 《*Perú. Riopl.*》 땅딸막한. **—***m.f.* 땅딸보.

retachar *intr.* 《*AmérC.*》 튕기다, 튀다.

retador, ra *adj.* 결투에 도전하는. **—***m.f.* 결투의 도전자.

retaguarda *f.* =**retaguardia.**

retaguardia *f.* ① 후위, 후미·후방 부대. ② (전시 중의) 피점령지.

a·en ~ 뒤쳐져서, 뒤따라.

a ~ de …의 뒤에·에서.

picar la ~ 급박하다.

retahila *f.* ① 계속, 일련 : Le dijo una ~ de injurias. ② 계속된 노래.

retahíla *f.* =**retahila.**

retajadura *f.* 둥글게 자르기.

retajar *tr.* ① 둥글게 자르다(cortar en redondo) : ~ una tabla. ② (깃털 펜을) 깎다(volver a cortar la pluma de escribir).

retajo *m.* 둥글게 자르기; 둥글게 자른것.

retal *m.* (천·가죽 등의) 조각, 자투리 : ~ de piel.

retaliación *f.* 《*Venez.*》 =**represalia.**

retallar *tr.* ① 다시 조각하다, 끌로 날을 세우다. ② (벽에) retallo를 내다.

—*intr.* 【희언】 =**retallecer.**
retallecer *intr.* ㉛ 어린 가지를 뻗치다.
retallo *m.* ① 어린 가지, 싹(pimpollo). ② 벽의 돌출부, 밖으로 내민 것.
retallón *m.* 《*Venez.*》 [주로 *pl.*] 먹다 남은 것, 찌꺼기.
retama *f.* [*ár.* retama] 【식물】 금잔화 : La ~ se emplea para hacer escobas y como combustible ligero.
~ ***de olor,*** ~ ***macho*** 【식물】 연옥(gayomba).
~ ***de escoba*** 대비금작화.
~ ***negra*** 바늘금작화.
mascar ~ 화를 내다.
retamal *m.* 금작화숲.
retamar *m.* =**retamal.**
retamero, ra *adj.* 금작화의, 금작화가 자란.
retamilla *f.* 《*Méx.*》 【식물】 =**agracejo.**
retamo *m.* 【방언】 《*Amér.*》 =**retama.**
retamón *m.* 【식물】 금작화.
retaporción *f.* 《*Sant.*》 =**prorrata.**
retar *tr.* ① 대들다, 도전하다(desafiar a duelo o batalla). ② 비난하다, 나무라다, 꾸짖다(censurar, reprender) : José *retó* a Gabriel *de* traidor 호세는 가브리엘을 변절자라고 비난했다. ③ 《*Arg. Chile.*》 욕지거리를 퍼붓다, 모욕하다(insultar).
retardación *f.* [*lat.* retardatio] 지각, 지체, 지연(retraso).
retardado, da *adj.* [retardar의 *p.p.*] 《*Arg.*》 = **retrasado.**
retardador, ra *adj.* 지체하는, 어물거리는 ; 훼방 놓은.
retardar *tr.* [*lat.* retardare] ① 어물거리다, 시간에 늦다, 지체하다(diferir, dilatar) : Los obreros *retardan* su trabajo 노무자들은 그들의 일을 지체시켰다. **Contr.** acelerar. ② 훼방 놓다 (retrasar).
~se 어물거리다.
retardatario, ria *adj.* 《*Galic.*》 늦어진. —*m.f.* 지각자, 지연자, 체납자(retrasado. rezagado) : castigar a los ~*s.*
retardativo, va *adj.* 지연시키는.
retardatriz *adj.* 【기계】 감속의, 감속시키는 : fuerza ~. —*f.* 감속 장치. **Contr.** aceleratriz.
retardo *m.* =**retardación.**
retartalillas *f. pl.* 일련의 말, 마구 지껄여대기.
retasa *f.* =**retasación.**
retasación *f.* 재평가, 가격의 재사정.
retasar *tr.* ⑨ 토막으로 만들다 ; 분할하다 ; (짐승 떼를) 적은 무리로 갈라놓다.
retazo *m.* ① (천 따위의) 조각, 피륙의 조각, 자투리(pedazo) : ~ de tela. ② 단편(fragmento). ③ 《*Col. PRico. Méx.*》 부스러기 고기, 가죽 뿐인 살(piltrafa).
rete- *pref.* 「과장」, 「대(大)…」를 뜻하는 접두어.
retebién *adv.* 아주 멋들어지게 · 시원시원하게 · 훌륭하게.
retecontento, ta *adj.* 아주 기뻐하는 · 만족하는.
reteguapo, pa *adj.* 아주 예쁜.
retejador, ra *adj. m.f.* 지붕을 수리하는 (사람).
retejar *tr.* ① 지붕을 수리하다. ② (가난한 사람에게) 구두나 옷을 주다.
retejer *tr.* [드뭄] 올을 촘촘하게 좁혀 짜다.
retejo *m.* 지붕 수리, 기왓장을 바꾸어 입히기.
retel *m.* 망태기 그물 《고기잡이 그물》.
retemblar *intr.* ⑲ 떨다, 진동하다, 흔들리다 : La casa *retiembla* cuando pasa un camión por la calle 자동차가 거리를 지나갈 때 집이 흔들린다.
retemplar *tr.* 《*Amér.*》 기운을 내게하다(templar, dar vigor).
~se 《*Amér.*》 기운을 회복하다, 기운이 나다.
retén *m.* 준비, 예비 ; 예비대, 예비군.
retención *f.* [*lat.* retentio] ① 보유. ② 제지. ③ 유치, 억류. ④ 기억. ⑤ (급료의) 지급 정지. ⑥ 《*Chile.*》 세금(稅金) 등의 원천 징수. ⑦ 보유액. ⑧ 《*Arg.*》 진체 유보금. ⑨ 【의학】 폐색 : ~ de orina 요도 폐색.
retenedor *m.* 《*Sant.*》 고리쇠의 나사.
retener *tr.* ㊾ ① 맡겨 두다, 가까이에 두다, 잡아 두다, 제지해 두다(detener), 하지 못하게 · 가지 못하게 억류하다 : Le *han retenido* en la comisaría mientras se aclaraba lo ocurrido 사건이 명백해질 동안, 그는 경찰에 유치되었다. ② 보지하다 ; 보유하다 : ¿*Retienes* todavía los libros de la biblioteca? 너는 아직 도서관의 책을 되돌리지 않았는가? ③ 기억에 새기다 ; 기억하다 : Esto es muy fácil de ~ 이것은 기억하기가 쉽다. No puedo ~ los números 숫자를 기억할 수 없다. ④ 유치하다. ⑤ (지불을 일시 · 일부) 정지하다 : Se le *retuvo* la mitad del sueldo a Ruiz 루이스의 월급의 반은 정지되었다. ⑥ (세금 등을 봉급에서) 원천 징수하다 · 미리 제하다 : Todos los meses me *retienen* una módica cantidad 나는 매달 근소한 금액을 공제당하고 있다.
reteng- → **retener** ㊾.
retenida *f.* 버팀줄, 지색(支索), 버팀대.
retenidamente *adv.* 억류하여, 붙잡아 놓고 (con retención).
retenimento *m.* =**retención.**
retentar *tr.* ⑲ [*lat.* retentare] (병세 따위가) 다시 위협하다, 재발할 듯하다.
retentiva *f.* 기억(memoria), 기억력(facultad de recuerdo) : Usted tiene buena ~ 그는 기억력이 좋다.
retentivo, va *adj.* 보지하는 ; 보유력이 있는 ; 기억력이 좋은 ; 제지하는, 억류하는.
reteñir[1] *tr.* ㊾ [*lat.* retingêre] 다시 염색하다 (volver a teñir).
reteñir[2] *intr.* 찌르릉 울리다(retiñir).
retesamiento *m.* 굳어지게 하기.
retesar *tr.* 굳히다, 빳빳하게 만들다.
reteso *m.* ① =**retesamiento.** ② 작은 산 ; 젖이 붙어 딴딴해짐, 굳어짐.
retestinar *tr.* 【방언】 더럽히다.
reticencia *f.* [*lat.* reticentia] ① 고의로 말을 빠뜨리기 : hablar con ~*s.* ② 【수사】 묵설법(默說法).
reticente *adj.* 말을 빠뜨리고 하는 ; 말속에 뼈가 있는 ; 말이 없는.
rético, ca *adj.* 레티아 《la Retia, 현재의 스위스의 한 지방》의. —*m.* 레티아말 《라틴어의 한 방언》.

retícula *f.* =**retículo.**

reticulado, da *adj.* =**reticular.**

reticular *adj.* 그물처럼 된, 그물 모양의, 망상(網狀)의 : membrana ~ 망상막(網狀膜), 그물 모양의 막.

retículo *m.* [*lat.* reticulum] 그물눈, 그물코 ; (망원 렌즈 등의) 망상선 ; 그물 모양의 섬유.

retiene- → **retener** [59].

retiforme *adj.* =**reticular.**

retín *m.* 방울·벨 소리(retintín).

retina *f.* 【해부】 망막 : La ~ está formada por una expansión del nervio óptico.

retinar *tr.* (양털을) 부벼서 풀다.

retinglar *intr.* 요란한 폭음을 내다 : Esta escopeta *retingla* mucho.

retingle *m* 《*Vall.*》 =**estampido.**

retiniano, na *adj.* 망막(retina)의.

retinitis *f.* 【의학】 망막염(inflamación de la retina).

retinte *m.* ① 두 차례 염색하기, 다시 염색하기. ② =**retintín.**

retintín *m.* ① 땡땡 울리는 소리, 종소리. ② 넌지시 돌려서 하는 말.

retinto, ta *adj.* [reteñir의 *p.p.*] ① 다시 염색한. ② 털 빛깔이 짙은 밤색인 : caballo ~.

retiñir *intr.* [52] [*lat.* retinnire] 땡땡땡땡 소리 나다(oírse el retintín) : La campana *retiñe.*

retío *m.f.* 《*Venez.*》 증조부, 왕고모.

retirable *adj.* 철회·회수할 수 있는 ; 끌어낼 수 있는, 인출할 수 있는 : depósito ~ a demanda 통지 예금.

retiración *f.* ① 양면 인쇄(impresión de las dos caras del papel) ; 그 기구 : prensa de ~ 양면 인쇄기. ② 잡아넣는 일, 더 밀어 넣기 ; 은퇴.

retirada *f.* ① retirarse 하는 일 ; 되들어 가는 일, 안으로 끌어들이기. ② 물러나기 ; 물러남. ③ 은퇴, 하야 ; 퇴직, 퇴임, 퇴학. ④ 퇴각, 철수 : emprender la ~ 철수를 개시하다. ~ del ejército norteamericano 미군 철수. ~ inmediata e incondicional 즉각적이고 조건없는 철수. ⑤ 철회, 회수 ; 예금의 인출. ⑥ 철수·귀영(歸營) 나팔(retreta). ⑦ 은둔처, 숨는 장소.

retiradamente *adv.* 들어박혀, 은둔해서 ; 살그머니.

retirado, da *adj.* [retirar의 *p.p.*] ① 들어박힌, 숨은. ② 외진, 인적이 뜸한(apartado) ; 물러선, 떨어진 : Mi casa está un poco *~da* la carretera 나의 집은 길거리에서 조금 들어가 있다. ③ 은퇴·퇴직한, 퇴학된, 퇴역의. —*m.* 퇴직자 ; 퇴역 군인.

retiramiento *m.* =**retiro.**

retirar *tr.* ① 안으로 들여 넣다 : ~ la mano. ② 제거하다 : *Retire* un poco la silla para que se pueda pasar 사람이 지나가도록 의자를 약간 치워 주세요. El *retiró* el documento de la mesa 그는 그 서류를 테이블에서 치웠다. ③ 몰수하다(quitar) : ~ el arma *al* niño. ④ 물러가게 하다 : ~ a un niño del colegio. ⑤ (신청·약속 등을) 철회하다. ⑥ 인출하다 : Quiero ~ esta cantidad de mi depósito 나는 이 금액을 예금에서 인출하고 싶다. ⑦ 꺼내다 : Su padre *retiró* a su hijo del kindergarten 그의 아버지는 아들을 유치원에서 꺼냈다. ⑧ 철수·회수하다 ; 물러가다·나다 : ~ una tropa 군대를 철수하다. ⑨ (인쇄에서) 뒷면 인쇄하다. —*intr.* 얼굴이 비슷하다, 유사하다(parecerse).

~se ① 몸을 피하다, 비켜서다 : *Me retiré* de la puerta 나는 문에서 물러섰다. ② 들어박히다, 은둔하다. ③ 은퇴하다 ; 퇴직하다 : Mi padre *se retiró* a los sesenta años 내 부친께서는 60세로 퇴직하셨다. Mi abuelo *se retiró* de los negocios 할아버지께서는 사업에서 물러나셨다. ④ 물러나다, 퇴거하다 : Ya es hora de *~nos* 우리는 이제 물러갈 시간이다. ⑤ 퇴각·철퇴하다 : Los enemigos *se retiraron* de España 적은 서반아에서 퇴각했다.

retiro *m.* ① retirarse 하는 일 ; 퇴거 ; 들어박히기 ; 은둔 생활 ; 숨는 곳, 은둔처 : El exministro vivió en el ~ hasta su muerte 전 장관은 그가 죽을 때까지 은둔처에서 살았다. ② 숨어서 하는 재계. ③ 퇴역. ④ 은급, 연금.

~ *obreo* 실업 보험금.

~ *temporal de obrero* 일시적 해고.

reto *m.* ① 도발, 도전(provocación). ② 위협(amenaza) : echar *~s.* ③ 《*Arg. Chile.*》 욕, 악담(insulto).

retobado, da *adj.* 《*Amér.*》 [retobar의 *p.p.*] ① 고분고분하지 못한, 순종하지 않는. ② 길들지 않은(indómito, salvaje) : un toro ~ 길들지 않은 황소. ③ 완고한(terco). ④ 《*Arg.*》 가죽을 입힌, 가죽을 씌운.

retobar *tr.* 《*Amér.*》 (…에) 가죽을 씌우다.

~se ① 《*Amér.*》 화를 내다(enojarse, enfadarse). ② 《*Arg.*》 지나치게 엄격하다.

retobear *intr.* 《*Guat.*》 =**porfiar.**

retobo *m.* ① 《*AmérC.*》 나쁜 버릇. ② 《*Arg. Chile.*》 가죽을 씌우기(forro de cuero). ③ 《*Col. Hond.*》 찌꺼기, 부스러기(desecho). ④ 《*Chile.*》 짐 꾸리는 천. ⑤ 《*Méx.*》 투덜거리기.

retocado *m.* =**retoque.**

retocador, ra *m.f.* 사진의 수정사. —*adj.* (사진·그림 등을) 수정하는 ; 끝마무리하는 ; 다시 손을 대는.

retocar *tr.* [7] ① 다시 손을 대다, 몇 번이고 만지다. ② 수없이 자꾸만 탄주하다·울리다. ③ …에 손을 대다. ④ (사진·그림 등을) 수정하다 : ~ una fotografía. ⑤ 끝마무리하다(dar la última mano a una cosa).

~se 지성스럽게 화장하다.

retomar *tr.* =**volver a tomar.**

retonto, ta *adj.* 매우 둔한(muy tonto).

retoñar *intr.* ① 다시 싹이 나다(brotar nuevos vástagos). ② 다시 나타나다(reproducirse, repetirse).

retoñecer *intr.* [31] =**retoñar.**

retoño *m.* ① 싹, 움, 어린 가지. ② 어린 아들(hijo de poca edad).

retoque *m.* ① 심하게 종을 치기 ; 그 소리. ② 빠른 맥박. ③ (그림·사진의) 수정·손질 : ~ fotográfico. ④ 마지막 마무리의 붓. ⑤ (병의) 기미, 징후.

retor *m.* 연사 면포(撚糸綿布).

rétor *m.* =**retor.**

retorcedura *f.* =**retorcimiento.**

retorcer *tr.* [25] [1] ① 꼬다, 비틀다 : máquina de ~ 꼬는 기계. ② 곡해하다. ③ (토론에) 역수를

쓰다.
~se 꼬이다 ; 몸부림치다.
~se el pescuezo 죽이다(matar).
~se de dolor 심한 통증이 눈에 띄게 나타나다(manifestar visiblemente un dolor muy violento).
~se de risa 실컷 웃다(reir mucho).
retorcido *m.* 재료를 많이 섞은 과자.
retorcido, da *adj.* [retorcer의 *p.p.*] 꼬인, 비틀린 : árbol ~ 비틀린 나무.
retorcijo *m.* =**retorcimiento.**
retorcijón *m.* 《*Amér.*》 =**retortijón.**
retorcimiento *m.* ① 꼬기, 꼬이기. ② 곡해, 역수. ③ 몸부림.
retórica *f.* [*lat.* rhetorica] ① 수사학. ② [주로 *pl.*] 수사, (내용 없는) 미사 여구, 그럴싸한 말 ; 궤변.
retoricadamente *adv.* 수사적으로.
retóricamente *adv.* 수사(학)적으로 : expresarse ~.
retoricar *tr. intr.* ⑦ 수사(修辭)를 하다, 언어를 아름답게 쓰다·말하다 ; 그럴싸하게 말하다 : Todo lo *retoricas* 너는 무슨 일이나 그럴싸하게 말한다.
retórico, ca *adj.* 수사학의 ; 수사적인. **—***m.f.* 수사학자.
retornamiento *m.* 되돌림, 되돌아가기 ; 반려, 반환 ; 귀환, 복귀(retorno).
retornante *adj.* 반환·상환하는.
retornar *tr.* 반환·상환하다, 반려하다, 되돌려 주다.
—*intr.*, **~se** 되돌아가다·오다, 왔던 길로 다시 가다 ; 원점으로 돌아가다 : *(Se) retornó* a sus malas costumbres 그는 그의 나쁜 버릇을 다시 드러냈다. El *(se) retornó* a su patria 그는 조국으로 돌아갔다.
retornelo *m.* 노래의 앞뒤에 연주하는 소악부 ; 노래의 반복절, 후렴.
retorno *m.* ① 반환, 복귀, 귀환. ② 반려, 반제, 반환, 상환 ; 보답, 보상. ③ 교환(cambio, trueque). ④ 귀환차.
retoro *m.* 《*Extr.*》 =**tuero.**
retorromanche *adj.* =**retorromano.**
retorromanico, ca *adj.m.* =**retorromano.**
retorromano, na *adj.* ① =**rético.** ② 옛날의 레티아인 동부 스위스에서 사용하는 (방언). **—***m.* 레티아말.
retorsión *f.* 비틀림, 꼬임 ; 역수, 반론 ; 보복 ; 곡해.
retorsivo, va *adj.* 반론적인, 역습적인.
retorta *f.* [*lat.* retorta] ① 증류기. ② 삼베의 일종.
retortero *m.* 빙글빙글 돌기(vuelta, revuelta).
al ~ 빙글빙글 ; 여기저기.
andar al ~ (끊임없이) 왔다갔다하다.
traer al ~ (바삐) 왔다갔다하게 만들다, 정신 못차리게 만들다.
retortijar *tr.* 꼬이게 하다, 얽히게 하다(ensortijar, retorcer).
retortijón *m.* 얽히는 일 ; 꼬임.
~ de tripas 【의학】 급한 요통, 산통(疝痛) ; 장염전증(腸捻轉症).
retostado, da *adj.* [retostar의 *p.p.*] 볕에 몹시 그을은, 새까만, 매우 어두운 색깔의.
retostar *tr.* ㉔ 다시 굽다 ; 충분히 굽다.
retozador, ra *adj.* 껑충껑충 뛰는 ; 재롱을 떠는.
retozadura *f.* =**retozo.**
retozar *intr.* ⑨ (기쁜 나머지) 깡충깡충 뛰다, 서로 시시덕거리다, 어리광부리다 : Esos niños *están* siempre *retorzando.*
retozo *m.* 깡충깡충 뛰기, 재롱 ; 시시덕거리기 ; 참을 수 없는 웃음(~ de la risa).
retozón, na *adj.* 재롱 잘 부리는.
retrabar *intr.* 《*Col.*》 비틀거리다(amblar).
retracción *f.* ① 숨기기, 감추기. ② 철회, 취소. ③ 다시 사들이기. ④ 【생리】 조직·기관의 수축.
retractable *adj.* 취소·철회할 수 있는·해야 할 : concesión ~.
retractación *f.* 앞의 말을 취소하기, 철회 : Usted tendrá que hacer una ~ pública.
retractar *tr.* [*lat.* retractare] ① 취소하다, 철회하다. ② 다시 사들이다.
~se [+de : 앞의 말을] 취소하다 : *~se de* lo dicho.
retráctil *adj.* 들여 넣을·감출 수 있는 (고양이 발톱 따위), 퇴축성의.
retractilidad *f.* 퇴축성, 들여 넣을 수 있는 일.
retracto *m.* [*lat.* retractus] ① 환매권(derecho de ~). ② 철회, 취소 : ~ de autorización 허가 취소.
retractor *m.* ① 【외과】 견인 포대·기(器). ② 【해부】 후인근(後引筋).
retraducir *tr.* ㉑ 개역하다 ; 번역에서 원어로 다시 번역하다 ; 중역하다.
retraer *tr.* ㉒ [*p.p.* retraído] ① 들여 넣다, 감추다. ② 회수하다, 다시 사들이다. ③ [+de : …을] 단념하게 하다 : Le *retrajimos.* ④ 생각해 내다(retratar).
~se ① [+de : …을] 생각을 중지하다 : *Se retrajo de* su intento. ② 몸을 의지하다, 도피하다(acogerse) : *Se retraen a* mi casa. ③ 철수하다, 퇴각하다(retirarse). ④ 은퇴하다.
retraído, da *adj.* [retraer의 *p.p.*] 몸을 의지한 ; 앞에 나타나지 않는, 고독주의의, 고독을 좋아하는, 내성적인, 소극적인.
retraimiento *m.* ① 철수, 도피. ② 은퇴. ③ 도피처, 은둔처, 피난처. ④ 내성적인 성격.
Sinón. retiro, aislamiento.
retranca *f.* ① (짐말의) 껑거리끈. ② 《*Méx.*》 (철도 등의) 브레이크(freno).
subirse la ~ 《*Col.*》 화내다, 노하다, 성내다.
retrancar *tr.* ⑦ 《*Ant. Perú.*》 제동하다, 브레이크를 걸다.
retranquear *tr.* (포석 등을) 움직여 고정시키다.
retranqueo *m.* 고정시키는 일.
retranquero *m.* 《*Cuba.*》 제동수(制動手).
retransmisión *f.* 재방송 ; 중계 방송.
retransmitir *tr.* ① 재·중계 방송하다(volver a transmitir) : ~ un mensaje. ② (라디오·텔레비전으로) 직접 연주회·쇼를 방송하다·방영하다.
retrasado, da *adj.* [retrasar의 *p.p.*] ① 지연된, 연기된 ; 중지된. ② 현세에 부적당한 : costum-

bres ~*das.* ③ 저개발의 : naciones ~*das.*

retrasar *tr.* ① 지연시키다, 연기하다 : *Retrasaron* la fecha de la entrevista 인터뷰 날짜가 연기되었다. ② 중지하다 : ~ la paga·el viaje. —*intr.* ① 늦어지다, 뒤지다 : ~ *en* la hacienda·*en* los estudios. ② (시계가) 늦어지다. ③ 감소하다, 약해지다.

~se 지각하다, (시계가) 늦다 : Este reloj *se retrasa* 이 시계는 늦다. Siento *haberme retrasado* tanto 이렇게 늦어서 미안합니다. Sinón. retardar.

retraso *m.* 지각, 지체, 지연 ; 감소 : tener ~ 늦다. ¿Llevaremos ~? 연착입니까? —*pl.* 지체, 체납액, 미불 잔금.

retratable *adj.* =**retractable.**

retratación *f.* =**retractación.**

retratador, ra *m.f.* [드뭄] =**retratista.**

retratar *tr.* ① (초상화를) 그리다, 조상으로 파다 ; 사진 찍다 : ¿Usted me permite ~la? 당신의 사진을 찍어도 괜찮겠습니까? ② 복사하다, 베끼다, 모사하다(copiar) : Cervantes *retrata* magistralmente 세르반떼스는 인물을 교묘히 묘사했다. ③ 흉내내다(imitar) : El *retrata* siempre a su hermano 그는 항상 그의 형을 흉내낸다.

~se 자화상을 만들다 ; 그려지다.

retratería *f.* 《*Amér.*》 사진관, 스튜디오(fotografía).

retratista *m.f.* 초상화가 ; 사진사.

retrato *m.* ① 초상화, (인물의) 사진. ② 묘사(descripción). ③ 꼭 빼놓은 듯이 닮은 일(vivo ~) : Es el vivo ~ de su difunto padre 그는 죽은 아버지를 빼놓은 듯이 닮았다.

retrayente *adj.* 남의 마음을 끄는 ; 견제하는 ; 철회하는 ; 되사들이는. —*m.f.* 회수자 ; 견제자.

retrazar *tr.* 9 《*Galic.*》 묘사하다 ; 이야기하다.

retrechar *intr.* (말이) 뒷걸음치다, 후퇴하다(retroceder).

retrechería *f.* ① 발뺌하기, 간계. ② 《*Venez.*》 인색함.

retrechero, ra *adj.* ① 교활한, 빈틈없는. ② 【속어】 매력있는, 매력이 넘치는, 반해버릴 만한 : una mujer ~*ra* 반해버릴 만한 여인. los ojos ~*s* 매력이 넘치는 눈. ③ 《*PRico. Venez.*》 인색한, 구두쇠의.

retrepado, da *adj.* [retreparse의 *p.p.*] 뒤로 기운·쓰러진.

retreparse *r.* 상체를 뒤로 젖히다 ; 몸을 뒤로 버티다, 몸을 뒤로 젖혀 거만 떨다 ; 뒤로 기울다 : *Se retrepaba* en la silla.

retreta *f.* [*fr.* retraite] ① 퇴각·귀영의 신호(나팔, 종, 북). ② 《*AmérC.*》 일련(serie) : Le dio una ~ de palos 그를 계속 두들겨팼다. ③ 《*Amér.*》 야외 연주회.

retrete *m.* [*lat.* retractus] ① 변소(excusado). ② 【고어】 사실(私室).

retribución *f.* [*lat.* retributio] 갚음, 보수 ; 보상(recompensa).

~ de los administradores 중역 수당.

~es de directores y gerentes 《*Arg.*》 임원 보수, 지배인에 대한 보수.

retribuir *tr.* 77 [*lat.* retribuere] 갚다(recompensar) ; 보수를 주다 : Le *retribuyeron* de la traducción 그는 번역의 보수를 받았다.

retributivo, va *adj.* 갚음이 되는.

retribuyente *adj.* 갚는 ; 응보적인.

retrillar *tr.* 다시 탈곡하다.

retro *m.* 다시 사들이기 : pacto de ~ 환매 계약.

retro- *pref.* 시간적으로 「앞으로, 거꾸로」「다시 원상으로」의 뜻을 나타내는 접두어.

retroacción *f.* ① 돌아가기, 후퇴, 소급(regresión). ② 【생물·물리】 역작용, 역반응.

retroactividad *f.* 【법률】 소급성, 소급력.

retroactivo, va *adj.* 소급의 : efectos ~*s* 소급력.

retrobar *intr.* 《*Chile.*》 투덜거리다, 불평하다(regañar).

retrocarga *f.* 후미 장전(식의 총포).

retroceder *intr.* [*lat.* retrocedere] ① 뒷걸음질치다, 되돌아가다, 뒤로 돌아가다 : ~ *en* el camino 왔던 길을 되돌아가다. ② 후퇴하다 : Se sorprendió y *retrocedió* unos pasos 그는 놀라 두세 걸음 후퇴했다. El coche *retrocedió* hasta la tienda 자동차는 상점까지 후퇴했다. ③ (증권 시세가) 하락하다.

retrocesión *f.* ① 환부, 반환(retoceso). ② 재재보험.

retrocesionario, ria *m.f.* 재재보험자.

retrocesivo, va *adj.* 환부·반환의.

retroceso *m.* 뒷걸음질, 후퇴 ; (병의) 재악화 ; (증권 시세의) 하락 : ~ fuerte·acusado 급락(急落). avances y ~*s* 일진 일퇴(의 상태).

retroflexión *f.* 자궁의 뒤쪽으로 경사.

retrogradación *f.* (유성의) 역행.

retrogradar *intr.* [*lat.* retrogradare] 뒷걸음질치다, 후퇴하다 ; 역행하다.

retrógrado, da *adj. m.f.* 뒷걸음질치는 ; 역행적인 ; 복고파의 (사람), 보수 반동적인 (사람).

retrogresión *f.* 뒷걸음질, 후퇴, 역행(retroceso).

retronar *intr.* 24 요란한 소리로 울리다.

retrónica *f.* =**retórica.**

retropilastra *f.* 【건축】 받침대.

retropropulsión *f.* 후방 추진, 로켓식 추진(propulsión a chorro).

retropropulsor *m.* 로켓식 추진 모터.

retropróximo, ma *adj.* 《*Amér.*》 바로 전의, 지난주·작년의(próximo pasado) : Te escribí el 15 de julio ~.

retropulsión *f.* 【의학】 후진증 ; (대장물의) 역류.

retrospección *f.* 회고, 회상.

retrospectivo, va *adj.* 회고적인, 묵은, 낡은 ; 옛날을 그리워하는, 과거에 사는 : hacer un estudio artístico ~.

retrotracción *f.* 실제보다 날짜를 앞당겨 적은 일.

retrotraer *tr.* 72 실제보다 앞당겨 날짜를 적다 : ~ el conocimiento de embarque 선(先) B/L을 끊다.

retrovendendo *m.* 판 사람에게 되파는 일.

retrovender *tr.* (팔았던 물건을) 다시 사다.

retrovendición *f.* 판 사람에게 되팔기, 되사기.

retroventa *f.* (팔았던 물건을) 되사기 ; 되받기.

retroversión *f.* ① 반전(反轉), 역전(逆轉). ② 【의학】 후방 굴곡, 후굴증(後屈症).

retrovisor *m.* 백미러.
retrucar *intr.* 7 ① (공이) 튀겨 돌아오다, (당구에서) 공이 접촉하다. ②《*Amér.*》 말대답하다, 한 소리를 또 하다.
retruco *m.* =**retruque.**
retruécano *m.* 신소리, 허튼 소리(juego de palabras).
retruque *m.* ① (당구 등에서) 공이 다른 공에 맞는 일. ②《*Perú. Riopl.*》 말대꾸, 반격(réplica).
de ~ 《*Chile. Méx.*》 우연하게 ; (…을) 위해 ; 결과로서.
retuelle *m.* 【방언】 어망(red de pesca)의 일종.
retuerce- → **retorcer** 23 1.
retuerto, ta *adj.* [retorcer의 *p.p.*] 구부러진, 꼬인.
retumbante *adj.* 울려 퍼지는 (듯한) ; 명성이 사방에 떨치는 ; 지나치게 화려한.
retumbar *intr.* 울려 퍼지다, 사방에 울리다 : *Retumbó* el trueno por todo el valle 천둥이 온 계곡에 울려 퍼졌다.
retumbo *m.* ① 울리는 소리, 울려 퍼지는 소리, 굉음(轟音)(ruido grande). ②《*Hond.*》 =**retobo.**
retundir *tr.* [*lat.* retundere] ① (벽돌담을 쌓을 때 높이를) 고르게 하다. ② (부기를) 가라앉히다(repeler).
retuso, sa *adj.* 【방언】 =**rehacio.**
retuv- → **retener** 59.
retuvie- → **retener** 59.
reuma *m.(f.)* [*lat.* rheuma]【의학】 류머티즘(reumatismo).
—*f.(m.)* (눈물 · 콧물 · 침 따위의) 점막 분비물(corrimiento).
reúma *m.(f).* =**reuma.**
reumático, ca *adj.* 류머티즘(성)의. **—***m.f.* 류머티즘 환자.
reumátide *f.* 【의학】 류머티즘성 피부염.
reumatismo *m.* [*lat.* rheumatismus]【의학】 류머티즘.
reumatología *f.* 류머티즘 의학.
reumatólogo, ga *m.f.* 류머티즘 전문 의사.
reunificación *f.* 재통일.
reunificar *tr.* 7 재통일하다.
reunión *f.* 결합 ; 모임, 회합, 집회, 회의 : ~ anual 연례 회의. ~ general 총회. ~ general de accionistas 주주 총회. ~ política 정치 집회. ~ de acreedores 채권자 집회 · 회의. ~ de los directores 임원 · 중역회(의). ~ sectoral 산업 부문별 회의 . ~ secreta 비밀 회의. ~ urgente 긴급 회의. **Contr.** dispersión.
reunir *tr.* 18 맺다, 합치다 ; 모으다(juntar) : *Reúne* muchos libros 그는 많은 책을 모은다. Deseo ~ a cenar el próximo miércoles, a varios amigos 이번 수요일에 몇몇 친구들을 저녁식사에 모으고 싶다. *Reunieron* mucho dinero en la función benéfica 그들은 자선 공연에서 많은 돈을 모았다. El interés *reúne* (a) los hombres 이해는 사람을 모은다.
—*intr.*, **~se** 모이다, 결합하다, 단결하다, 집결하다 : ¿Dónde *nos reunimos*? 우리 어디서 모일까? Todos *se han reunido* contra él 모두들 그에게 반대하여 단결했다. **Contr.** dispersar.
reuntar *tr.* 18 다시 기름을 치다 · 바르다.
reusense *adj.m.f* 레우스《Reus, Tarragona주의 한 도시》의 (사람).
reutilizable *adj.* 다시 이용할 수 있는.
reutilizar *tr.* 다시 이용하다(utilizar de nuevo).
rev. reverendo.
revacunación *f.* 재종두(再種痘).
revacunar *tr.* (…에) 다시 예방 접종하다.
revalenta *f.* 영양분이 풍요한 밀가루로 만들어진 영양소.
reválida *f.* 확인, 인정 ; 학력 인정 종합 시험, 사법 시험.
revalidación *f.* 유효함을 재인정하는 일.
revalidar *tr.* 확인 · 인정하다, 유효하게 하다, 유효함을 재인정하다.
~se [+de : …의] (학력 인정) 시험을 보다 : *Se revalidó* de ese título 그는 그 타이틀의 시험을 보았다.
revaloración *f.* 재평가 ; 화폐 가치의 회복.
revalorización *f.* 평가 절상, 재평가 ; 화폐 가치의 회복.
revalorizar *tr.* 9 재평가하다 ; 가치를 회복시키다.
revaluación *f.* 재평가.
revaluar *tr.* 재평가하다.
revancha *f.* 《*Galic.*》 ① 보복, 복수, 앙갚음(desquite, venganza) : tomar una brillante ~. ② 보상.
revanchismo *m.* 보복주의 · 운동.
revanchista *adj.m.f.* 보복주의의 (사람).
revdo. reverendo.
revecero, ra *adj.* 교체하는. **—***m.f.* 농장의 가축지기.
reveedor *m.* 【고어】 =**revisor.**
revejecer *intr.* 31 (나이에 비해) 겉늙다(envejecer, ponerse viejo).
revejido, da *adj.* ① 겉늙은. ②《*Col.*》 병약한, 여윈(enteco, flacucho, muy delgado).
revejirse *r.* 《*Col.*》 겉늙다.
revelable *adj.* 폭로할 수 있는, 발표할 수 있는 ; 나타낼 수 있는, 이야기해도 좋은.
revelación *f.* ① 적발, 폭로. ② 누설 : ~ de un secreto. ③ (사진의) 현상. ④【종교】 계시, 묵시 : los ~*es* de San Juan.
revelado *m.* (사진의) 현상.
revelador, ra *adj. m.f.* 분명하게 하는, 나타내는, 밝히는 ; 적발 · 폭로하는 (사람). **—***m.* 【사진】 현상액.
revelamiento *m.* =**revelación.**
revelandero, ra *m.f.* 사이비 종교인.
revelante *adj.* 환히 밝히는, 나타내는 ; 폭로하는.
revelar *tr.* [*lat.* revelare] ① 밝히다, 나타내다 : Este libro *revela* gran talento 이 책은 (저자의) 굉장한 재능을 나타낸다. ② 폭로 · 적발 · 노출시키다 : *Se reveló* la conspiración 그 음모가 적발되었다. ③【종교】 계시하다, 묵시하다 : Dios *reveló* a Moisés la verdadera ley 신은 모세에게 참된 법률을 계시했다.
reveler *tr.* [*lat.* revellere] (종기 등을 다른 자리로) 유도하다.
revellín *m.* ①【축성】 반월보(半月堡). ② 난로

위의 장식물을 놓는 선반. ③《*Cuba.*》곤란 ; 여자의 매력. ④《*Mál.*》=**borde, poyo.**

echar ~ 《*Cuba.*》머리 끝까지 화내다.

revellinejo *m. dim.* revellín.

revenar *intr.* 《*Arg.*》(잘린 뿌리에서) 싹이 트다.

revendedera *f.* =**revendedora.**

revendedor, ra *adj.* 소매하는, 전매하는. —*m.f.* 소매상인 ; 전매자.

revender *tr.* [*lat.* revendere] 소매하다 ; 전매하다.

revendón, na *m.f.* 《*And. PRico.*》=**revendedor.**

revenimiento *m.* ①수축. ②산화. ③【광물】(지반의) 침하, 함몰.

revenir *intr.* 60 [드뭄] 원상태로 돌아가다(retornar).

~se ①수축하다 : La madera *se ha revenido* 재목이 수축했다. ②산(酸)으로 되다(avinagrarse) : *Se ha revenido* el vino 포도주가 산화되었다. ③물기가 배어 나오다 ; 물이 나오다 ; 물에 불어 우글쭈글해지다 : La pared *se ha revenido* 벽에 물기가 스며 나왔다. ④부드러워지다, 연화(軟化)하다, 고집을 꺾다(ceder) : *Se revino de* sus principios 그는 자신의 주의를 누그러뜨렸다.

reveno *m.* 새싹(brote del árbol cortado).

reventa *f.* 소매 ; 전매, 재판매.

reventadero *m.* ①어려운 곳 ; 힘드는 일(trabajo grande y penoso). ②《*Col.*》물이 뿜어 나오는 땅. ③《*Chile.*》파도가 부서지는 곳.

reventador, ra *adj.* 파열시키는 ; 애먹이는 ; 파열·작열·폭발하는. —*m.* 훼방꾼.

reventar *tr.* 19 ①파열시키다. ②지치게 만들다, 애먹이다 : Tu amigo me *revienta* 너의 친구가 나를 애를 먹인다. ③죽이다(morir).

—*intr.*, **~se** ①(안에서) 튀기다, 터져·튀어나오다 : *Reventó* una fuente en la roca 바위에서 샘물이 솟았다. ②파열·작렬·폭발하다 : *Reventó* el cohete 꽃불이 작렬했다. La cañería *reventó* 수도관이 파열했다. *Se reventó* un reumático 타이어가 터졌다. ③(파도가) 부서지다. ④열망을 품다 : ~ *por* hablar 지껄이고 싶어 오금이 쑤시다. ⑤(감정 등이) 폭발하다 : Yo *reviento de* alegría 기뻐 몸이 날아갈 듯하다. ~ *de* risa 데굴데굴 구르며 웃다. ⑥횡사·폭사(暴死)하다 : Tu enemigo *ha reventado* 너의 적은 횡사했다. ⑦녹초가 되다, 지쳐 빠지다 : Con tanto andar *estoy reventado* 너무 걸어서 나는 녹초가 됐다.

reventazón *f.* 파열, 폭발. —*m.* 《*Arg.*》①작은 산맥(estrio). ②《*Méx.*》배가 팽팽해지는 일.

reventón *adj.* 폭발적인 : clavel ~ 튀겨서 피어난 카네이션. ojos ~*es* 또릿또릿한 눈.

—*m.* ①폭발, 파열. ②급경사, 난점. ③최후의 노력, 마지막 인내 : Se dio un ~ para acabar su trabajo 그는 일을 마무리하기 위해 최후의 노력을 했다. ④《*Arg. Chile.*》노출광. ⑤《*Bol.*》층층으로 된 땅. ⑥《*CRica.*》밀어붙이는 힘(empujón). ⑦《*Chile.*》감정의 폭발 ; (질병 등의) 만연, 재발 ; (작품의) 외설적인 부분.

darse un ~ de trabajar 일을 많이 하다(trabajar mucho).

rever *tr.* 38 [*p.p.* revisto] 재심사하다, 다시 보다, 잘 조사하다, 검사하다(revisar) ; (상급 재판소에서) 재심리하다.

reverberación *f.* 반영, 반사 ; 반사열.

reverberante *adj.* 반사하는, 반짝반짝하는.

reverberar *intr.* [*lat.* reverberare] 반영·반사하다 : El sol *reverbera* en la superficie del lago 태양은 호수의 표면에 반짝반짝 반사하고 있다.

reverbero *m.* ①반영, 반사. ②반사경 ; 반사등 ; 반사로(horno de ~) ; 가로등. ③《*Amér.*》알코올 곤로(hornillo).

reverdecer *tr.* 31 ①다시 녹색으로 만들다 : La lluvia *reverdece* el campo. ②기운을 돋우다. —*intr.* ①다시 녹색으로 되다. ②기운이 나다, 원기가 솟다, 젊어지다.

reverdeciente *adj.* 다시 푸르게 하는 ; 활기를 되찾는.

reverencia *f.* [*lat.* reverentia] ①존경, 경의 ; 인사, 절, 경례 : hacer una ~ porfunda 머리를 깊이 수그려 절하다. Contr. irreverencia. ②…사(師), 신부님《신부에 대한 존칭》.

reverenciable *adj.* 존경할 만한.

reverenciador, ra *adj. m.f.* 존경하는 (사람).

reverencial *adj.* 우러러볼 만한 : respeto ~.

reverenciar *tr.* 11 존경하다(respetar). —*intr.* 절하다.

reverendas *f.pl.* ①교적(敎籍) 이전 허가장. ②존경·공경할 만한 미덕 : Es un hombre de muchas ~*s* 그는 미덕이 많은 분이다.

reverendísimo, ma *adj.* [*sup.* reverendo] 굉장히 존경하는. —*m.f.* [최고위 성직자, 추기경·대주교에게 붙이는 경어] …사(師) ; 그 사람.

reverendo, da *adj.* [*lat.* reverendus] 숭고한 ; 아주 신중한. —*m.f.* [성직자에 대한 경칭] …사(師), 신부님 : el ~ padre N N 신부님.

reverente *adj.* 경건한.

reverentemente *adv.* 경건하게.

rêverie *f. fr.* 《*Neol.*》=**ensueño.** [*N.* 발음 : revrí].

reversar *intr.* =**repetir.**

reversibilidad *f.* 반대로 할 수 있는 일, 전환시킬 수 있는 일 ; 가역성(可逆性) ; 역전성 : la ~ de un movimiento.

reversible *adj.* ①반대로 할 수 있는, 뒤집을 수 있는, 역전시킬 수 있는 (기계). ②원 소유자의 손에 다시 돌아갈 수 있는, 복귀해야 할 : bienes ~*s.* ③양면을 사용하는 (코드 등).

reversión *f.* [*lat.* reversio] (소유물·소유권의) 복귀, 다시 차지할 수 있는 권리 ; (성질의) 유전.

reverso *m.* ①속, 안, 안쪽(revés) ; (특히 메달·화폐의) 안쪽(cruz) : el ~ de una tela·moneda. Contr. cara. ②(책의) 왼쪽 페이지. Contr. anverso.

~ ***de la letra*** 수표의 이면.

~ ***de la medalla*** 반대되는 사람, 대조적 인물.

pez ~ 【어류】빨판상어.

reverter *intr.* 20 넘치다.

revertir *intr.* 55 ①원래의 소유자·상태로 돌아가다. ②(어떤 상태로) 되다 : ~ en beneficio·perjuicio de … 에 유리·불리하게 되다.

revés *m.* ①속, 안(쪽) : el ~ de una tela 천의 안쪽. ②손등으로 때리기 ; (공을) 치올려 때리

기; (검도에서) 왼쪽에서 오른쪽으로 내려치는 일. ③ 역전. ④ 역경, 비운(desgracia): *~es* de fortuna.
al ~ 거꾸로, 반대로(al contrario); 뒤집어: ponerse la camisa *al* ~ 셔츠를 뒤집어 입다.
al ~ *de* …에 반대로(al contrario de).
de ~ 안에서; 손등으로.
del ~ 위아래로.

revesa *f.* (속이기 위한) 역수; 역류.

revesado, da *adj.* [revesar의 *p.p.*] ① 알기 어려운, 뒤얽힌(difícil, trabajoso de entender): frase muy *~da*. ② 장난기가 있는, 다루기 어려운, 방자한(travieso).

revesar *tr.* 【고어】 ① 되돌리다. ② 게우다, 토하다(vomitar).

revesero, ra *adj.* 《*Col.*》 ① 성실하지 못한(desleal). ② 비양·빈정거리는, 아이러니컬한.

revesino *m.* [*fr.* reversi] 점수가 적어야 이기게 되는 카드 놀이.
cortar el ~ 방해하다, 저지하다.

revestido, da *adj.* [revestir의 *p.p.*] [+con·de: …을] 씌운, 입힌, 덮힌: Las columnas son de cemento *~s* de mármol 원주는 시멘트제로 대리석을 씌운 것이다.

revestimiento *m.* ① 덮어 싸기; 덮개: Las columnas tienen un ~ de mármol 원주는 대리석 덮개를 하고 있다. ② 겉을 굳히기; 덧칠.

revestir *tr.* 43 ① [+de: …을] (곁에) 입히다; 씌우다, 덮다, 덧 입히다: ~ la caja *de* papel 상자에 종이를 바르다. ~ *de* piedra 돌을 붙이다. ② 덧칠하다. ③ 옷을 입히다; 입다, 몸에 붙이다; 갖추고·가지고 있다. ④ (권력 등을) 주다: ~ a uno *con·de* facultades 누구에게 권능을 부여하다. ⑤ 꾸미다, 치장하다: ~ gravedad 장중한 면을 보이다.
~se ① 걸치다, 입다, 몸에 걸치고 있다: El sacerdote *se revestía* 신부님이 옷을 겹쳐 입고 있었다. ② 구비하고 있다, 가지고 있다: *~se de* paciencia 인내심을 발휘하다. *~se de* valor 용기를 내다. ③ (사명·임무를) 띠다; 끌려가다; 자부하다.

reveza *f.* 역류(revesa).

revezar *tr.* 9 대체하다, 교체시키다(reemplazar a otro): ~ los bueyes de labranza.
—intr. **~se** 교체하다.

revezo *m.* 교환, 대체, 교체; 바꾸어 타는 말.

reviejo, ja *adj.* 나이가 많은; 아주 오래된, 케케묵은. *—m.* 마른 가지(rama seca).

revientabuey *m.* 【곤충】 =**bupresto.**

revientacaballo *m.* 《*Cuba.*》 =**quibey.**

reviernes *m.* 부활절 후의 금요일.

revigorar *tr.* 새로운 기운을 주다.

revigorizar *tr.* =**revigorar.**

revindicación *f.* 회복(reivindicación).

revindicar *tr.* =**reivindicar.**

revine → **revenir** 60.

revinie- → **revenir** 60.

revirada *f.* 꼬기, 비틀기.

revirado, da *adj.* [revirar의 *p.p.*] 꼬인 (나무의 섬유).

revirar *tr.* 꼬다, 비틀다(torcer). *—intr.* (배가) 다시 파도를 헤치고 나아가다.
~se 《*Cuba.*》 반란을 꾸미다, 모반하다.

revirón, na *adj.* 《*Amér.*》 반항적인.

revisable *adj.* 검사할 수 있는.

revisación *f.* 《*Arg. Urug.*》 =**revisión.**

revisada *f.* 《*Chile. Gaut. Méx.*》 =**revisión.**

revisador, ra *adj.* =**revisor.**

revisalsero, ra *adj.m.f.* 《*Ar.*》 =**refitolero, entremetido, caminero.**

revisar *tr.* ① 검사하다(rever); 점검하다, 체크하다; 심사하다, 조사하다, 교정·교열하다: ~ las cuentas 회계 검사·장부 검사를 하다. ② 분해 검사하다: hacer ~ el coche.

revisión *f.* [*lat.* revisio] 검열, 검사; 교정; 교열; 재심사, 재심리; 회계 감사.
~ *de cuentas·contable* 회계 검사·감사, 장부 감사. ~ *en la empresa misma* 내부 감사.

revisita *f.* 재심사, 재검사.

revisor, ra *adj.* 검사·검열하는. *—m.f.* 검사관, 감수자, 감사역; 검열 담당자, 검표원.
~ *de cuentas* (회계) 감사역, 감사인, 회계 검사관. ~ *fiscal* 감사역.

revisoría *f.* revisor의 직·사무소.

revista *f.* ① (재)검사, 정밀한 조사: pasar ~ a sus papeles 서류를 검사하다. ② 교정, 교열(校閱); (출판물 등의) 검열; 재심리; (재판의) 재심. ③ 사열, 열병; 열병식, 관병식: Se pasó ~ a los soldados 병사들은 사열을 받았다. ④ 잡지: ~ científica 과학 잡지. Es una ~ semanal 그것은 주간 잡지이다. ⑤ 논설, 논평. ⑥ (연극의) 레뷔.
~ *de un ramo comercial·industrial* 업계지(業界誌).
~ *del mercado* 시황 보고.
~ *de negocios·operaciones* 영업 보고서.
pasar ~ *a* ~ 열병하다; 검사·검열하다; 검열을 받다.

revistar *tr.* (군대를) 사열·열병하다(pasar revista a la tropa).

revistero, ra *m.f.* 《*Neol.*》 평론가, 논설 위원회.

revisto, ta *adj.* rever의 *p.p.*

revitalización *f.* 새 새명의 부여.

revitalizar *tr.* 새 새명을 주다.

revividero *m.* 누에 알의 부화장.

revivificación *f.* 소생시키는 일; 싱싱하게·팔팔하게 만드는 일; 원기의 회복.

revivificar *tr.* 7 소생시키다, 발랄하게 만들다, 생기를 돋우다(reavivar, vivificar, dar nueva vida).

revivir *intr.* ① 소생하다, 되살아나다(resucitar, renacer). ② 다시 일어나다, 재연(再燃)하다: *Revivió* la discordia entre los dos 두 사람의 불화가 재연됐다.

reviviscencia *f.* ① 소생, 부활; 원기 회복. ② 【생물】 (동면에서의) 깨어남. ③ 재연(再燃).

reviviscente *adj.* 소생한, 부활한, 깨어난.

revocabilidad *f.* 취소·폐지할 수 있는 성질.

revocable *adj.* 취소 가능한, 취소되는, 번복할 수 있는, 폐지할 수 있는: una decisión ~. **Contr.** irrevocable.

revocablemente *adv.* 번복할 수 있게.

revocación *f.* ① 취소, 철회, 폐지: ~ de oferta·pedido 오퍼·주문의 취소. ② 번복: ~ de un edicto.

revocador, ra *adj. m.f.* 취소・폐지・철회하는 (사람).
revocadura *f.* 초벽칠, 칠하기(revoque).
revocante *adj.* 취소의, 번복의.
revocar *tr.* 7 [*lat.* revocare] ① 무효로 하다, 취소・번복・폐지・철회하다(anular) : ~ un pedido 주문을 취소하다. *Se ha revocado* esa orden injusta 그 부당한 명령은 철회되었다. ② 생각을 다시하게 하다. ③ (벽의) 덧칠을 하다, 다시 칠하다. ④ 되돌아가게 하다, 역류시키다 : El viento *revoca* el humo 바람은 연기를 역류시킨다. —*intr.* 되돌아가다 ; 역류하다 : *Revoca* el humo 연기가 역류하고 있다.
revocatoria *f.* 《*Amér.*》 =**revocación.**
revocatorio, ria *adj.* 취소・폐지의 : decreto ~.
revoco *m.* ① 취소, 철회, 폐지. ② 초벽질, 흰벽에 다시 칠하기(revoque). ③ (연기 등의) 역류.
revolante *adj.* 팔랑거리는, 춤추는.
revolar *intr.* 24 (새가) 다시 날아 오르다 ; 날아다니다(revolotetar). —*tr.* 날려 보내다, 멀리 날려 버리다.
revolcadero *m.* 동물이 자주 넘어지는 곳.
revolcado, da *adj.* revolcar 의 *p.p.* —*m.* 《*Guat.*》 고추(chile), 토마토(tomate), 밀또마떼(miltomate), 기름(grasa), 빵(pan)으로 만들어진 요리.
revolcar *tr.* 24 7 ① 뒤엎다, 쓰러뜨리다. ② 입씨름에 이기다. ③ 낙제시키다.
~se ① 전도(轉倒)하다, 나가자빠지다, 넘어지다 : *Se revolcó* en el fango 그는 진탕에 넘어졌다. *Se revolcó* por el suelo 그는 땅에 나자빠졌다. ② 집착하다, 고집하다. ③ 몸을 비틀다・꼬다 : *~se* de risa 몸을 꼬면서 웃다.
revolcón *m.* ① 전복, 전도(revuelco). ② 황소가 투우사를 땅에 던지는 일.
dar un ~ 말로 이겨내다.
revolear *intr.* (원을 그리며) 날다・춤추다. —*tr.* 《*AmérC. Riopl.*》 휘두르다.
revoleo *m.* 《*And.*》 =**revuelo, agitación, confusa turbación.**
revolero, ra *adj.* 나부끼는, 펄럭펄럭하는. —*f.* 몸을 돌려 피하기.
revoletear *intr.* 《*Amér.*》 =**revolotear.**
revolica *f.* 《*Hond.*》 =**revolisco.**
revolisco *m.* 《*Ant.*》 혼란, 소동, 소란(confusión).
revolisquear *intr.* 《*Cuba.*》 큰 소란을 피우다.
revolotear *intr.* ① 훨훨 날아다니다, 훨훨 날다 : un pajarillo que *revolotea.* ② 춤추며 오르다・내려오다. ③ 날아오르다, 선회하다 : *Revoloteaba* un papel 종이 한 장이 날아 오르고 있었다. —*tr.* 돌아가도록 던져 올리다, 세게 내던지다.
revoloteo *m.* 날아다니기, 훨훨 나는 일.
revoltijo *m.* =**revoltillo.**
revoltillo *m.* ① 뒤얽힘, 분규(enredo). ② 잡동사니, 혼란. ③ 내장.
revoltiña *f.* =**revoltillo.**
revoltón *adj. m.* ①【곤충】(포도에 몰려드는) 입말이 벌레(gusano ~). ②【건축】사개의 모서리.
revoltoso, sa *adj.* 소동을 일으키는, 소동을 잘 피우는, 장난치기 좋아하는, 장난기가 있는(travieso, enredador). —*m.f.* 소요자, 반란자 : castigar a un ~.
revoltura *f.* 《*Ant. Méx. Chile.*》 =**revoltijo.**
revolú *f.* 《*Ant.*》 떠들기, 소동 ; 소란.
revolución *f.* ① 혁명 ; 소란 ; 동란(動亂), 대변혁. *R-* Francesa 프랑스 혁명. *R-* Industrial 산업 혁명. ~ mundial 세계 혁명. Estalló una ~ en aquel país 그 나라에서 혁명이 일어났다. ②【천문】공전, 운행 : la ~ de los astros en su órbita. ③ (수레바퀴・굴대 등의) 회전, 선회 ; 회전 운동 : dar *~es* 회전・선회하다. quinientas *~es* por minuto 1분당 500회전. ④ 주기, 회귀. ⑤ 완전한 변화(cambio completo) : ~ en el arte・en la vida.
revolucionar *tr.* 혁명・소동을 일으키다 ; 개혁하다 : La televisión *ha revolucionado* la vida cotidiana de las mujeres 텔레비전은 여성의 일상 생활을 크게 바꾸었다.
revolucionario, ria *adj.* ① 혁명의, 혁신파의 ; 반란의 : gobierno ~ 혁명 정부. ② 회전의, 선회의. ③【천문】공전(公轉)의. —*m.f.* ① 혁명가 : *~s* rusos 러시아의 혁명가들. ② 반도(反徒), 소요자.
revoluta *f.* 《*AmérC.*》 =**revuelta.**
revoluti *m.* 《*Arg.*》 =**revoltijo.**
revolutis *m.* 《*Chile.*》 =**revoltillo, enredo.**
revoluto, ta *adj.* =**revuelto, desordenado.**
revolvedero *m.* =**revolcadero.**
revolvedor, ra *adj. m.f.* revolver하는 (사람). —*m.* 풀의 제초기.
revolver *tr.* 25 [*lat.* revolvere] [*p.p.* revuelto]. ① ㄱ) 찾다 : ~ los papeles. ㄴ) 엎어 버리다 ; 뒤섞다 ; 끌고 다니다 ; 뒤엎다 : ~ al caballo. ② 끌어 들이다, 감싸 들이다. ③ 궁리하다, 골똘히 생각하다 : El *revolvió* ese asunto en la mente 그는 마음속으로 그 일을 골똘히 생각했다. ④ (왔던 길을) 되돌아가다, 발길을 돌리다. ⑤ 빙빙 돌리다 ; 회전시키다, 동요시키다 : Ese asunto *revolvió* toda aquella familia 그 사건은 모든 가족을 동요시켰다. ⑥ ㄱ) 어지럽히다, 소란을 피우다(disturbar) : ~ los ánimos. ㄴ) 싸움을 붙이다. ⑦ 《*Col.*》 제초하다(sachar).
—*intr.* 되돌아가다 ; (같은 곳을) 다시 걷다.
~se ① 말려들다. ② 되돌아가다. ③ 반격을 하다, 반격해 나가다 : *Se revolvió* contra el enemigo 그는 적에게 반격을 가했다. ④ 빙그르르 돌다. ⑤ 동요하다, 흔들리다 ; 어지러워지다. ⑥ 회전하다 ; 벌렁 나가자빠지다 : No nos podíamos ~ en aquella habitación tan pequeña 그렇게 작은 방에서는 들어 누울 수가 없었다. ⑦ 사이가 틀어지다; 지조를 팔다. ⑧ (천체가) 공전하다. ⑨ (날씨가) 폭풍우가 일듯이 되다, 급변하다.
revólver *m.* 회전식 연발 권총 : un ~ de seis tiros 연발 권총.
torno ~ 포탑 선박, 터릿 선반(旋盤).
revolvimiento *m.* revolver 하는 일.
revoque *m.* 벽의 덧칠 ; 초벽용의 흙・석회.
revotarse *r.* 전과 반대되는 투표를 하다.
revuelco *m.* 전도, 전복.
revuelo *m.* ① 날아오름 ; 날아 다니기 ; 선회. ② 소란, 소동. ③ 《*Amér.*》 투계가 바로 차는 일.

de ~ 날렵하게, 가볍게, 사뿐히(de paso).
revuelta *f.* ① 떠들기, 혼란, 소란; 혁명(revolución). ② 싸움(riña, pendencia). ③ 반전, 역전. ④ (강·길 등의) 굽어진 곳; 곡절 : una ~ del camino 길의 굽어진 곳. las ~*s* del río 강물의 휘어진 곳. Paró a la ~ del camino 길의 굽어진 곳에서 정지했다. ⑤ 의견 등의 변화, 전향.
revueltamente *adv.* 어지러이, 무질서하게(sin orden ni concierto).
revuelto, ta *adj.* [revolver의 *p.p.*] ① 뒤범벅이 된, 엉클어진, 무질서한(en desorden). ② 장난치기 좋아하는(revoltoso, travieso). ③ 알기 어려운, 얽힌, 복잡한. ④ (날씨가) 급변하는.
revuelvepiedras *m.* 【단·복수 동형】【조류】 도요새.
revulsión *f.* [*lat.* revulsio] 【의학】 유도 치료(법); 유출(법).
revulsivo, va *adj.* 【의학】 유도 치료의.
revulsorio, ria *adj.* 【의학】 =**revulsivo.**
rey *m.* [*lat.* rex] ① 왕, 국왕. ② 왕자 : El león es el ~ de los animales. ③ (카드의) 왕. ④ 여왕벌(abeja maesa). ⑤ 《*Neol.*》 굉장한 실력자 : el ~ del petróleo. ⑥ 돼지지기. ⑦ 【은어】 암탉.
~ ***consorte*** 여왕의 남편. ~ ***de armas*** 칙사. ~ ***de codornices*** 【조류】 흰눈섭뜸부기. ~ ***de la creación*** 인간, 사람. ~ ***de las aves*** 독수리. ~ ***de los gallinazos*** 까마귀의 일종. ~ ***de Romanos*** 후계자. ***Los Tres Reyes Magos*** 동방의 세 박사. ***la·lo del*** ~ 한길, 공공 도로, 가로. ***el*** ~ ***Perico, el*** ~ ***que rabió, el*** ~ ***que rabió por gachas*** 먼 옛날에 살던 우화적 인물(personaje fabuloso).
a cuerpo de ~ =muy bien.
del tiempo del ~ ***que rabió*** 옛날 옛적부터, 호랑이 담배 먹을 적부터.
en tiempos del ~ ***que rabió*** 옛날 옛적에, 호랑이 담배 먹을 적에.
ni ~ ***ni roque*** 아무도 (끼워넣지 않고) …없다.
servir al ~ 병사가 되다(ser soldado).
reyar *intr.* 《*PRico.*》 성탄절 무렵에 세뱃돈을 얻으러 다니다.
reyecía *f.* 《*Chile.*》 =**monarquía, realeza.**
reyedad *f.* 《*Col.*》 =**monarquía, realeza.**
reyerta *f.* 입씨름, 말다툼, 언쟁(riña, disputa).
reyertar *intr.* 【고어】 =**contender, altercar, reñir.**
reyezuelo *m.* [*dim.* rey] ① 소왕(小王), 추장. ② 【조류】 상모솔새.
reyunar *tr.* 《*Ripol.*》 (마소의 귀를) 표적으로 자르다.
reyuno, na *adj.* 《*Arg.*》 (폐마의 표적으로) 귀를 자른(tronzo).
alma de ~ 《*Arg.*》 무정함; 매정한 사람.
rezado, da *adj.* rezar의 *p.p.* —*m.* [드뭄] = **rezo.**
rezador, ra *adj. m.f.* 기도를 드리는; 기도만 하는 (사람); 잔소리가 많은 (사람).
rezaga *f.* =**retaguardia.**
rezagado, da *adj.* rezagar의 *p.p.*
rezagante *adj.* 뒤늦은, 뒤떨어진.
rezagar *tr.* ⑧ ①뒤에 남기다, 처지게 하다, 늦게 하다(dejar atrás). ② 뒤로 돌리다.
~se 남다, 처지다(quedarse atrás, retrasarse).
rezago *m.* 늦어짐; 나머지; 발육이 늦은 목축.
rezandero, ra *adj. m.f.* 《*Amér.*》 =**rezador.**
rezar *tr.* ⑨ [*lat.* recitare] ① 빌다, 기도하다 : ~ un padre nuestro. ② (서적에) 명기하여·적혀 있다, 그렇게 말하고 있다(decir) : El calendario *reza* agua 달력에는 비가 온다고 되어 있다. El libro lo *reza* 책에 그렇게 적혀 있다.
—*intr.* ① 기도드리다, 빌다 : ~ *a* Dios 신에게 기도드리다. ~ *por* los difuntos 죽은 사람을 위해 기도하다. ② 투덜거리다, 불평을 터뜨리다. ③ [+con : …과] 관련이 있다 : Esto no *reza conmigo* 이 일은 나와 관계가 없다.
rezmila *f.* 《*Ast. Sant.*》 =**ramila.**
reznero *m.* 【조류】 =**ardeola.**
rezno *m.* [*lat.* ricinus]① 【동물】 진드기. ② 【식물】 아주까리(ricino).
rezo *m.* 기도, 축수.
rezón *m.* 네 개의 가지가 달린 작은 닻.
rezondrar *intr. tr.* 《*Perú.*》 마구 욕지거리를 퍼부어 대다, 입에 못 담을 소리를 지껄여대다(injuriar, denostar, insultar a uno).
rezongador, ra *adj. m.f.* 투덜거리는 (사람).
rezongar *intr.* ⑧ ① (명령된 일에 대해) 투덜거리다, 불평하다(gruñir, refunfuñar) : El niño *estaba rezongando* 그 아이는 불평을 하고 있다. ② 《*AmérC.*》 꾸짖다, 질책하다, 나무라다(regañar).
rezonglar *intr.* =**rezongar.**
rezonglón, na *adj.* 투덜대는. —*m.f.* 불평꾼, 불평가, 불평객, 불평 분자.
rezongo *m.* ① 불평, 투덜거림(refunfuño). ② 《*AmerC.*》 나무람, 질책, 꾸중.
rezongón, na *adj. m.f.* =**rezonglón.**
rezongueo *m.* 《*Amér.*》 =**rezongo.**
rezonguero, ra *adj.* 불평이 많은, 투덜거리는(rezongador, gruñón, descontentadizo).
rezumadero *m.* (액체가) 스며 나오는 곳; 산출물; 그것이 고이는 곳.
rezumar *tr.* 스며 나오게 하다 : La pared *rezuma* humedad. —*intr.* 배어 나오다, 새어 나오다 : El sudor le *rezumaba* por la frente.
~se ① (액체가) 배다, 배어 나오다, 새어 나오다 : El cántaro *se rezuma* 항아리에서 물이 스며 나온다. El agua (*se*) *rezuma* por la cañería 물이 수도관에서 스며 나온다. ② (비밀 등이) 누설되다·새어 나오다, 세상에 알려지다(traslucirse).
rezumbador *m.* 《*Cuba.*》 윙윙거리는 팽이《장난감》.
rezumbar *intr.* 《*Méx.*》 술을 마시다.
R.F.A. Reales Fuerzas Aéreas 서반아 공군; República Federal de Alemania 독일 연방 공화국.
Rh rodio; Factor Rhesus.
rhesus Factor Rhesus.
R(h)in, el *m.* 【지명】 라인강 : milagro del ~ 라인강의 기적.
rho *f.* *r*에 해당되는 그리스 문자.
Rhodesia 【지명】 로데지아.
ría *f.* 하구(河口), 강어귀, 조수가 들어가는 강. ***Rías Bajas*** 갈리시아 서부 해안의 통칭.
¡riá! *interj.* 마소를 왼쪽으로 돌릴 때의 소리.
riacho *m.* [*dim.* río.] 내, 개울, 개천(riachuelo, arroyuelo).

riachuelo *m.* [*dim.* río] =**riacho.**
riad *m.* (모로코에서) =**arriate.**
riada *f.* ① 홍수, 큰물(avenida, inundación). ② 출수기(出水期). ③ 물밀듯이 밀려오는 것 : ~ turística 물밀듯이 밀려오는 관광객.
rial *m.* 리알《페르시아의 은화 ; 100 dinar로 나뉘어짐》.
riatillo *m.* [드뭄] =**riachuelo.**
riba *f.* [*lat.* ripa] ① 언덕, 밋밋한 경사(ribazo, colina). ② 【고어】=**ribera, orilla.** ③ 《*Nev.*》 운하·도랑의 상자형 벽.
ribacera *f.* 《*Ar.*》 운하의 경사면.
ribadense *adj.* 리바데오《Ribadeo, 갈리시아의 도시》의. —*m.f.* 리바데오 사람.
ribadoquín *m.* 대통, 청동포 《옛날의 화기》.
ribagorzano, na *adj.m.f.* 리바고르사 《Ribagorza, Huesca 주의 산악 지방》의 (사람).
ribaldería *f.* 망나니짓, 장난, 못된 장난(bellaquería).
ribaldo, da *adj.* [*ital.* ribaldo] 망나니의 (pícaro). —*m.f.* 악한, 망나니 ; 뚜쟁이짓(rufián).
ribazo *m.* 언덕, 구릉, 경사지 ; 두렁, 밭이랑.
ribazón *f.* 물고기떼의 접안(arribazón).
ribera *f.* ① 연안, 해안(orilla del mar o de un río). ② 해안 지대·지방 ; 강변 (지대) ; 하반(河畔).
riberano, na *adj. m.f.* 《*Amér.*》 =**ribereño.**
ribereño, ña *adj.* 해안 (지대)의; 강 언덕 부근의. —*m.f.* 해안 지대에 사는 사람.
riberiego, ga *adj. m.f.* 강변 부근·호숫가·해안 지방에 사는 (사람).
ribero *m.* 【방언】 둑.
ribes *f.* 【식물】 구즈베리와 비슷한 식물.
ribesiáceo, a *adj. f.pl.* =**saxifragáceo.**
ribete *m.* ① 면, 가(borde), 테 두르기(cinta u orilla que se pone a ciertas cosas). ② 첨가, 덧대기. —*pl.* 외견, …다운 면(visos) : Tiene sus ~*s* de médico 그는 의사다운 면이 있다.
ribeteado, da *adj.* [ribetear의 *p.p.*] 가장자리가 벌겋게 부은 (눈). —*m.* 면·테두리 두르기.
ribeteador, da *adj. m.f.* 옷의 솔기를 꿰매는 (직공).
ribetear *tr.* 테두리를 두르다, (…에) 면·테두리를 두르다(echar o poner ribetes).
ribo *m.* 《*Col.*》 =**orilla.**
riboflavina *f.* 리보프라빈 《비타민 B^2》.
ribota *f.* 《*Ant.*》 【방언】 =**diversión, bulla.**
rica *f* 《*Rioja.*》 리까 《콩과 식물의 일종》.
ricacho, cha *m.f.* =**ricachón.**
ricachón, na *m.f.* [*desp.* rico] 벼락 부자.
ricazo, za *m.f.* =**ricachón.**
ricadueña *f.* [*pl.* ricasdueñas] 고대 서반아 대공작의 부인·딸.
ricafembra *f.* [*pl.* ricasfembras] =**ricadueña.**
ricahembra *f.* [*pl.* ricashembras] =**ricadueña.**
ricahombría *f.* 고대 서반아의 대공작의 작위 ; 그 권능.
ricamente *adv.* 훌륭하게, 근사하게 ; 사치스럽게, 풍부하게.
ricial *adj.* 목초용의 (토지).
ricino *m.* [*lat.* ricinus] 【식물】 아주까리, 피마자나무 : aceite de ~ 아주까리 기름. **Sinón.** higuera infernal.
rico, ca *adj.* ① 부유한, 부자의, 재산이 있는 (acaudalado) : Juana es la más ~*ca* del pueblo 후아나는 마을에서 제일 부자다. ② 훌륭한, 뛰어난, 굉장한, 고귀한. ③ 여유있는, 풍부한 : ciudad ~*ca* 부유한 도시. mineral ~ 부광(富鑛). un país ~ *en* cereales 오곡이 풍성한 나라. persona ~*ca de* virtudes 미덕을 풍부하게 갖춘 사람. El tomate es muy ~ *en* vitaminas 토마토는 비타민이 풍부하다. ④ 맛있는, 맛이 좋은(sabroso) : Esta fruta está muy ~*ca* 이 과일은 맛이 매우 좋다. ⑤ 귀여운, 사랑하는(mono, lindo) : ¡Qué niño más ~ ! ⑥ 비옥한(fértil) : tierras ~*cas* 비옥한 땅. —*m.f.* 부자 : nuevo ~ 벼락 부자, 벼락 출세자. **Contr.** pobre.
ricohombre *m.* [*pl.* ricoshombres] 고대 서반아의 대공작.
ricohome *m.* =**ricohombre.**
ricote *adj. m.f.* [*aum.* rico] 대부호(의).
rictus *m. lat.* 【단·복수 동형】 웃고 있는 듯이 보이는 입술의 경기 ; 경기가 있는 얼굴, 위로 당긴 얼굴 ; 겸연쩍은 쓴 웃음 ; 우거지상, 울상 ; Hizo un ~ 울상을 지다.
ricura *f.* 훌륭함, 좋음 ; 맛좋음.
ridículamente *adv.* 우스꽝스럽게, 익살스럽게 ; 어리석게 ; 겸연쩍게 : un individuo ~ vestido.
ridiculez *f.* 우스꽝스러움, 익살스러움, 우스운 일 ; 비웃음.
ridiculización *f.* =**ridiculez.**
ridiculizar *tr.* ⑨ 우습게 만들다, 겸연쩍게 하다, 창피를 주다, 웃음거리로 만들다 : La comedia *ridiculiza* a los ricos 희극은 부자들을 창피를 주고 있다.
~***se*** =hacer el ridículo.
ridículo *m.* 《*Neol.*》 [*lat.* reticulus] 부인용 손가방(la bolsa manual que suelen usar la señoras).
ridículo, la *adj.* [*lat.* rediculus] ① 우스운, 익살스러운(risible) : El jefe pronunció un discurso ~ 부장은 익살스런 연설을 했다. ② 묘한, 괴상스러운 : Su aspecto es sumamente ~ 그의 모습은 매우 괴상했다. ③ 어리석은. —*m.* 야유, 조소, 우롱(ridiculez) ; 야유의 대상, 조롱거리 ; 겸연쩍은 입장.
caer en el ~ 우롱·조롱하다.
estar·quedar en ~ 우스운·익살스러운·겸연쩍은 입장이 되다.
poner en ~ 웃음거리로 만들다(ridiculizar) : Le *pusieron en* ~.
riecito *m.* 《*Ecuad.*》 =**riachuelo.**
riega, riegue- → **regar** ⑲ ⑧.
riego *m.* ① 관개 ; 살수 : manga de ~ 물뿌리개 호스. ② 용수(用水). ③ 《*Col.*》 (행렬이 지나는 길에) 꽃 뿌리기 ; 뿌리는 꽃.
riel *m.* [*alem.* riegel] ① 궤도, 레일(carril). ② (금속의) 작은 연봉(延棒).
rielar *intr.* [*lat* rutilare] (별이) 반짝이다 : Las estrellas *rielan* en el cielo 별들이 하늘에서 반짝인다.
rielera *f.* 레일의 주형(鑄型).
rienda *f.* [*lat.* rententa] ① 고삐(correa) : falsa ~ 보조 고삐. ② 제어. —*f.pl.* 권력, 지배권(dirección):apoderarse de *las* ~*s* del estado.

a ~ suelta 고삐를 놓아 ; 뒤도 안돌아보고 : Corrió *a ~* suelta.
aflojar·sujetar las ~s 고삐를 늦추다.
dar ~ suelta 고삐를 놓다(dar libre curso) : *Dio ~ suelta* al llanto.
empuñar las ~s =tomar la dirección.
tirar la ~ =sujetar, dominar, mantener a uno.
volver (las) ~s 궁둥이를 돌리다, 되돌아가다, 발길을 돌리다.

riente *adj.* ① 생글거리는, 미소짓는, 웃는 (얼굴의) ; 싱글벙글하는. ② 즐거운(alegre): paisaje ~.

riesgo *m.* 위험(peligro) : ~ de guerra 전쟁 위험. ~ de incendio 화재 위험. ~ de mar, ~ marítimo 해상 위험. ~ personal 인적(人的) 위험. ~ sobre casco y aparejos 선체와 선구(船具)에 대한 위험. ~ sobre mercancía 실은 하물의 위험. ~ unilateral 단독 위험. seguro contra todo ~ 모든 위험에 대한 보험. cubrir todos los ~*s* de expedición 실은 짐의 전체 위험을 담보·커버하다.
a ~ de …의 위험을 무릅쓰고.
por cuenta y ~ de …의 책임과 위험으로.
sin ~ 무사히.
correr ~ de …할 위험이 있다, 위험에 빠지다 : El *corrió* mucho ~ 그는 많은 위험을 당했다.

riesgoso, sa *adj.* 《*AmérM.*》 위험한(arriesgado).

riestra *f.* 【방언】 =**ristra.**

rifa *f.* ① 제비, 추첨 : ~ clandestina 부정한 추첨. ② 싸움(pendencia). ③ 《*Col.*》 노점.

rifador, ra *adj.* 인기있는. —*m.* 제비를 뽑는 사람.

rifadura *f.* 돛 등이 찢어지는 일 ; 갈라진 금.

rifar *tr.* 제비를 뽑다, 제비뽑기로 하다 : ~ un objeto. —*intr.* ① 싸우다, 사이가 틀어지다. ② 《*Méx.*》 빼어나다(sobresalir).
~se ① 【해사】 돛이 찢어지다. ② 《*Méx.*》 사이가 나빠지다, 싸우다.

rifeño, ña *adj.* 리프《Rif, 모로코의 한 지방》의, —*m.f.* 리프 사람.

rifirrafe *m.* 싸움, 소동(contienda, riña).

rifle *m. ing.* 라이플총, 소총.

riflero *m.* 《*Arg. Chile.*》 라이플 사수(射手), 소총병.

rige, rige- → **regir** 45.

Rigel *m.* 【천문】 오리온좌의 일등성(星).

rigente *adj.* 【시어】 =**rígido.**

rígidamente *adv.* ① 딱딱하게, 태도가 굳어져 (con rigidez). ② 엄하게(con severidad).

rigidez *f.* ① 굳어짐, 강직 : la ~ de una barra. ② 엄격(함), 가혹(함) : la ~ de un magistrado. padre muy ~ 무척 엄하신 아버지. ③ 무표정한(inexpresivo) : rostro ~ 무표정한 얼굴. **Contr.** flexibidad.

rígido, da *adj.* [*lat.* rigidus] ① 딱딱한, 굳어진, 휘어지지 않는(inflexible) : El acero es mucho más ~ que el cobre 강철은 동보다 훨씬 더 강하다. ② [+con·para con : …에] 엄한, 엄격한(severo) : ~ *con·para con* su familia 가족에 대해 엄격한. padre muy ~ 무척 엄하신 아버지. ③ 무표정한(inexpresivo) : rostro ~ 무표정한 얼굴. **Contr.** blando, flexible.

rigie- → **regir** 45.

rigodón *m.* [*fr.* rigodon] 리고돈 무용·그 음악 《4분의 2 혹은 4분의 4박자》.

rigola *f.* 《*SDgo.*》 용수구(用水溝).

rigor *m.* [*lat.* rigor] ① 엄함 ; 엄격 ; 엄밀 ; 엄정. (severidad, dureza) : el ~ de un padre. ② 심함, 가혹함. ③ 혹서, 혹한(aspereza) : el ~ de verano·invierno. ④ 딱딱함 ; 정확(exactitud). ⑤ 《*Col.*》 풍부(multitud).
de ~ =indispensable, lobligatorio, consabido.
en ~ 엄밀·엄격하게, 완전 무결하게.
ser el ~ de las desdichas 무척 불운하다(ser muy infeliz).

rigorismo *m.* 엄격주의.

rigorista *adj. m.f.* 엄격주의의 ; 지나치게 엄격한 (사람).

rigorosamente *adv.* =**rigurosamente.**

rigoroso, sa *adj.* =**riguroso.**

rigüe *m.* 《*Hond.*》 옥수수 부침개.

riguridad *f.* 【방언】 《*Amér.*》 =**rigor.**

rigurosamente *adv.* 엄하게 ; 가혹하게, 혹독하게.

rigurosidad *f.* [드뭄] =**rigor.**

riguroso, sa *adj.* ① 혹독한, 매서운, 심한 (aspero) : pasar un invierno ~ 혹독한 겨울을 보내다. Nunca he conocido un invierno tan ~ 이렇게 혹독한 겨울은 당해 본 적이 없다. ② 엄격한 ; 가혹한 ; 준엄한 ; 꼼짝 못하게하는. **Contr.** clemente, indulgente.

rij-, rija- → **regir** 45.

rija[1] *f.* 【의학】 누선루.

rija[2] *f.* [*lat.* rixa] 싸움, 난리, 소동, 폭동(riña, alboroto, pendencia).

rijador, ra *adj.* =**rijoso.**

rijosidad *f.* 호색성, 음란성(sensualidad).

rijo *m.* 음욕(淫欲)(lujuria).

rijoso, sa *adj.* [*lat.* rixosus] ① 툭하면 싸우려 드는. ② 호색의, 음란한(lujurioso) : caballo ~.

rila *f.* 《*Col.*》 ① 닭똥. ② =**ternilla.**

rilar *intr.* 떨리다(temblar).
~se 소름이 끼치다, 몸이 떨리다·오싹해지다 (estremecerse).

rima[1] *f.* ① 【시어】 운, 각운. ② 서정시 : ~*s* de Garcilaso·Bécquer. ③ 동운어(同韻語) : Diccionario de la ~ 동운어 사전.

rima[2] *f.* [*ár.* rizma] 쌓아 올림, 퇴적, 더미 (rimero).

rimado, da *adj.* rimar의 *p.p.*

rimador, ra *adj. m.f.* 시를 짓는 (사람) ; 평범한 시인.

rimar *intr.* [*lat.* rimari] 시를 짓다 ; 운이 맞다 : *Riman* las palabras frío y albedrío "frío"와 "albedrío"는 운이 맞는다. El primer verso *rima* con el tercero 첫째 절은 셋째 절과 운이 맞는다. —*tr.* 운을 맞추다, 운을 만들다.

rimbombancia *f.* 울림 ; 칙칙함, 촌스러움.

rimbombante *adj.* ① 울려 퍼지는. ② 칙칙한, 촌스러운, 요란스럽게 꾸민, 과대한.

rimbombar *intr.* [*ital.* rimbombare] 울려 퍼지다.

rimbombe *m.* 울려 퍼짐, 왁자지껄함.

rimbombo *m.* =**rimbombe.**

rimero *m.* 쌓아 올린 것, 퇴적, 더미 : ~ de libros.

rimú *m.* 《*Chile.*》 4월에 내리는 비로 핀다는 꽃.

Rin, el *m.* [지명] 라인강.
rinalgia *f.* 【의학】 코의 통증(dolor en la nariz).
rinanto *m.* 【식물】 맨드라미.
rincón *m.* ① 각, 구석, 모서리 : El siempre se esconde en un ~ 그는 항상 구석에 숨는다. Vamos a ocupar aquel ~ 저 구석의 자리를 잡읍시다. ② 한 쪽 귀퉁이, 귀퉁이 땅. ③ 은둔처, 숨는 곳; 아담하게 살 수 있는 곳.
rinconada *f.* ① (안에서 본) 귀퉁이, 모서리, 한 쪽 귀퉁이. ② 모퉁이(rincón).
rinconera *f.* ① 책상 모서리(cantonera). ② 모퉁이 벽. ③ 귀퉁이에 있는 책장·옷장.
rincha *f.* 【어류】 고등어.
rinche, cha *adj.* 《*Chile.*》 (그릇 가장자리까지) 가득찬.
rinchola *f.* 《*Ar.*》 자갈, 작은 돌멩이(canto rodado).
rind- → **rendir** 42.
rinda- → **rendir** 42.
rinde *m.* 《*Arg.*》 이득, 이익(rendimiento).
ringar *tr.* 8 《*Albac. And. Pal.*》 =**derrengar, descaderar.**
ringla *f.* 줄, 열(ringlera).
en ~ 《*Cuba.*》 완전 무결하게, 완전하게, 제대로(perfectamente).
ringle *m.* 【속어】 =**ringlera.**
ringlera *f.* 줄, 열 : ~ de botellas.
ringlero *m.* 괘, 선(線).
ringlete *m.* ① 《*Amér.*》 부는 화살 《장난감》. ② 《*Chile.*》 거리를 어슬렁거리는 사람.
ringletear *m. intr.* 《*Col. Chile.*》 =**callejear.**
ringorrangos *m. pl.* ① 글씨를 되는 대로 마구 쓰기 : escribir con muchos ~*s.* ② 칙칙한 장식(adorno inútil).
ringrave *m.* (독일의) 라인 백작.
ringuelete *m.* 《*AmérM.*》 ① 진득하지 못한 사람. ② 일없이 시내를 헤매다니는 사람.
ringueletear *intr.* 《*Col. Chile.*》 =**ringletear.**
rinitis *f.* 【의학】 비염(鼻炎), 비(鼻) 카타르, 코카타르(inflamación de la mucosa de las fosas nasales).
rinocéridos *m.pl.* 【동물】 =**rinocerontidos.**
rinoceronte *m.* 【동물】 무소, 코뿔소.
rinocerontido, da *adj.* 【동물】 코뿔소 무리의 (동물). —*m.pl.* 코뿔소 무리 동물.
rinofaringe *f.* 【해부】 비부 인두(鼻部咽頭).
rinología *f.* 비과 의학(鼻科醫學).
rinólogo, ga *m.f.* 비과 의사.
rinoplastia *f.* 정비 수술(整鼻手術), 조비술(造鼻術), **코정형술.**
rinoplástico, ca *adj.* **코정형술의**(rinoplastia).
rinopoma *m.* 【동물】 (이집트산의) 박쥐.
rinoscopia *f.* 검비법(檢鼻法), 비경(鼻鏡) 검사법.
rinorán *m.* 《*Murc. Val.*》 린랑 《후추, 토마토, 감자 및 대구 튀김》.
rinóscopo *m.* 비강경(鼻腔鏡).
riña *f.* 싸움 : ~ de gallos 닭싸움, 투계(鬪鷄). ~ sangrienta 피비린내나는 싸움. ~ tumultuaria 난투.
riñón *m.* [*lat.* ren. renis] ① 【해부】 신장. ② 중심; 중앙, 가장 긴요한 곳 : el ~ de Castilla. ③ 【광석】 괴광(塊鑛). —*pl.* 하복부 : Recibió un glope en los *riñones.*
tener (bien) cubierto el ~ 현금 사정이 좋다, 부유하다.
riñonada *f.* 허리, 허리 부분; 신장 요리.
río *m.* [*lat.* rivus] ① 강, 천(川) : ~ alto 수량(水量)이 증가된 강. El Misisipí y el ~ de las Amazonas son los dos ~*s* más grandes del mundo 미시시피강과 아마존강은 세계에서 가장 큰 두 강이다. ② 많음(abundancia) : Corrieron ~*s* de sangre 피가 많이 흘렀다. gastar un ~ de oro 많은 금을 허비하다. ③ 무리, 떼(riolada).
~ ***abajo·arriba*** 강 아래·위쪽으로 : navegar ~ *abajo·arriba.*
a ~ ***revuelto*** 혼란 상태에서, 무질서하게(en desorden).
pescar en ~ ***revuelto*** 혼잡한 틈에 부정한 이익을 얻다.
A ~ ***vuelto, ganancia de pescadores*** 【속담】 어부지리(漁父之利).
Río de Janeiro *m.* 【지명】 리오데자네이로《브라질의 도시》.
riobambeño, ña *adj.m.f.* 리오밤바 《Riobamba, Ecuador의 Chimborazo 주의 도시》의 (사람).
rioja *f.* 리오하 《리오하주에서 빚어진 포도주》.
Rioja, la 【지명】 라·리오하《서반아 Logroño 주의 도시, 포도주·후추의 명산지; 아르헨띠나의 중서부의 주·시》.
riojano, na *adj.* 라·리오하의. —*m.f.* 라·리오하 사람.
riolada *f.* 무리, 떼, 패거리.
rioplatense *adj.* 라·쁠라따 강(el Río de la Plata)의; 그 유역 여러 지방의. —*m.f.* 라쁠라따 지방 사람.
riosellano, na *adj.m.f.* 리바다세야 《Ribadesella, Oviedo 주의 한 소도시》의 (사람).
riostra *f.* 【건축】 어긋나게 이어 맞춘 나무에 대는 빗장.
riostrar *tr.* 어긋나게 이어 맞춘 나무에 빗장을 대다.
R.I.P. Requiéscat In Pace 영면하소서, 고이 잠드소서(En paz descanse).
ripa *f.* 《*Ar.*》 구릉, 언덕.
ripear *tr.* 《*PRico.*》 이삭 줍기를 하다.
ripia *f.* 지붕을 잇는 널, 거친 널판자; 나무 껍질이 그대로 붙어 있는 널판자.
ripiado, da *adj.* ① 《*Col.*》 누더기의, 누덕누덕한(andrajoso). ② 《*Cuba.*》 가난한(pobrete).
ripiar *tr.* 11 ① (…에) 잡동사니를 쓸어 넣다(enripiar). ② 《*Ant. Col.*》 부수다, 빻다. ③ 두들겨 패다 : Le *ripió* un palo. ④ 허비하다, 낭비하다.
ripiería *f.* 《*Cuba.*》 속된 무리, 천박한 자들.
ripio *m.* ① 찌꺼기, 여분(residuo). ② (틈새에 넣는) 자갈 부스러기(cascote). ③ 넋누리, 쓸데없는 말 : meter mucho ~ en el escrito. ④ 《*SDgo.*》 길쭉한 땅. ⑤ 꼬챙이처럼 마른 여자.
no desechar·perder ~ 기회를 놓치지 않다(no perder ocasión).
ripioso, sa *adj.* ① 군소리가 많은 : versos ~*s.* ② 《*Ant.*》 누더기를 걸친, 헐어 빠진(andrajoso).
riqueza *f.* ① 부, 재산 : la ~ del Estado. ② 풍부, 부유, 풍요, 풍성함(opulencia) : vivir en

～. ③ 비옥(fertilidad) : la ～ del suelo. ④ 가치 있는 물건(objetos de gran valor) : amontonar ～*s* en un museo. ⑤ 훌륭함, 우아. [Contr.] pobreza.

riquiña *f.* 《*Venez.*》 바구니.

riquiñeque *m.* 《*Col.*》 싸움, 불화.

risa *f.* [*lat.* risus] ① 웃음, 웃음 소리 : La ～ es propia del hombre 웃음은 인간 고유의 것. ② 우스운 것, 웃음을 자아내는 것 : Ese libro es una verdadera ～.

～ ***falsa*** 거짓 웃음, 비웃음. ～ ***sardesca·sardónica·sardonia*** 고소(苦笑), 비웃음. ***la ～ del conejo*** 싱거운 웃음, 우습지도 않은 웃음.

tentado a·de ～ 웃기 잘 하는 ; 반하기 잘 하는.

caerse·morirse·desternillarse·reventar de ～ 배꼽을 쥐고 웃다.

comerse de ～ 웃음을 죽이다.

jugar ～ 《*Riopl.*》 웃음거리로 만들다.

ser de ～ ＝ser divertido.

tomar a ～ 웃음거리로 만들다 ; 곧이 듣지 않다.

risada *f.* ＝**risotada.**

riscadillo *m.* 《*Amér.*》 무명베의 일종.

riscal *m.* 암산(岩山), 바위산.

risco *m.* 거암(巨岩), 암석(peñasco).

riscoso, sa *adj.* 바위투성이의, 험한 ; 바위의.

risibilidad *f.* 웃음거리, 우스움 ; 싱거운 일.

risible *adj.* ① 우스운, 웃어 넘길 만한. ② 묘한, 이상한 : Me gustan las cosas ～*s* 나는 이상한 것을 좋아한다. ③ 싱거운, 대단치 않은 : un proyecto ～. [Sinón.] ridículo.

risiblemente *adv.* 괴상 망측하게, 이상하게, 우습게.

risica *f.* [*dim.* risa] 꾸민 웃음, 억지 웃음, 약간 웃어 보이기(risa falsa).

risilla *f.* [*dim.* risa] ＝**risica.**

risita *f.* [*dim.* risa] ＝**risica.**

riso *m.* [*lat.* risus] 【시어·방언】 온화한 미소(sonrisa apacible).

risorio, ria *adj.m.* 【해부】 입술 수축 근육(의).

risotada *f.* 너털 웃음(carcajada).

risotero, ra *adj.* 《*Sant.*》 ＝**risueño.**

risotón, na *adj.* 《*Sant.*》 ＝**risueño** : ojillos ～*s.*

rispidez *f.* 《*Ecuad. Méx.*》 무뚝뚝함, 퉁명스러움, 가혹함(aspereza).

ríspido, da *adj.* 꺼끄러운, 거친, 무뚝뚝한(áspero, rudo).

rispión *m.* 《*Sant.*》 (베어낸 자리의) 그루터기(rastrojo).

rispo, pa *adj.* ① 꺼끄러운, 꺼칠꺼칠한, 까칠까칠한(ríspido). ② 무뚝뚝한, 퉁명스러운.

risquería *f.* 《*Chile.*》 바위만 깔린 곳.

ristolero, ra *adj.* 【방언】 ＝**risotero.**

ristra *f.* 마늘(ajo)이나 양파(cebolla)의 줄기(tallo)로 만들어진 줄·열 ; 염주알처럼 이어 놓은 것.

ristre *m.* 창받이.

ristrel *m.* 【건축】 사개(rastrel).

risueño, ña *adj.* ① 생글거리는, 흐뭇해 하는, 즐거운 듯한 : Asomó un rostro ～. ② 마음에 드는 : campo ～ 고즈넉하고 마음에 드는 들판. ③ 유망한 : porvenir ～.

RIT Red Interamericana de Telecomunicaciones 전미 전신 전화망.

¡rita! *interj.* 양 등을 부를 때의 소리.

Rita *f.* 리따《가공의 여성의 이름 앞에》: ¡Que lo haga ～! 난 싫어, 다른 사람이 하라지 ! ¡Que vaya ～! 난 싫어, 다른 사람이 가 !

ritmar *tr.* ＝**sujetar a ritmo.**

rítmico, ca *adj.* 운율의, 운율적인, 리드미컬한, 율동적인 ; 장단이 잘 맞는 ; 주기적인.

ritmo *m.* [*lat.* rhythmus] ① 율동, 리듬, 박자, 주기적 반복·순환, 주기성 : a ～ acelerado 급피치로, 급속도로. La música mudó de ～ 음악은 리듬을 바꿨다. ② 운율. ③ (그림·문장 따위의) 율동적인 흐름, 격조(格調).

～ ***de depreciación*** 감가 상각률. ～ ***de la expansión*** 확장률. ～ ***de los negocios*** 경기 동향.

rito[1] *m.* [*lat.* ritus] ① 습관. ② 의식(儀式) ; (옛 그대로의) 형(型), 방식 : ～*s* teatrales.

rito[2] *m* [*arauc.* rúthú, ruthú] 《*Chlie.*》 올이 굵은 모포·뾘초.

ritón *m. gr.* (동물의 머리나 뿔 모양으로 생긴) 그리스의 음료용 잔.

ritornelo *m.* (가극 등의) 반복 기악곡(器樂曲).

ritual *adj.* ① 의식의. ② 틀에 박힌, 형식적인 : leyes ～*es.* —*m.* 의식, 예식.

ser de ～ 형·관례로 되어 있다.

ritualidad *f.* 형식 존중, 형식적으로 하는 일.

ritualismo *m.* (영국 국교의) 의식주의(파) ; 형식주의 ; 제식(祭式).

ritualista *adj. m.f.* 의식파의 (사람) ; 형식주의의 (사람).

ritualmente *adv.* 관습·관례·형식·의식적으로.

rival *adj.*[*lat.* rivalis] 경쟁자의, 서로 싸우는 : países ～***es*** 경쟁국

—*m.f.* ① 경쟁자, 적수, 대항자(competidor). ② 필적자, 호적수 : Cervantes tuvo imitadores pero no ～*es.* [Contr.] partidario, socio.

rivalidad *f.* [*lat.* rivalitas] 경쟁, 맞겨룸, 경쟁의식·심 ; 적대 감정 ; 대항, 적대.

rivalizar *intr.* [＋con : …와] 다투다, 서로 버티다, 팽팽히 맞서다(competir) : ～ en ardor 격렬하게 경쟁하다. Isabel *rivalizó* con su hermana 이사벨은 언니와 팽팽히 맞섰다.

rivera *f.* ① 개천(arroyuelo, riachuelo). ②흐름.

riversa *f.* 《*Ant.*》 ***dar ～*** (자동차 등이) 후진하다(retroceder).

rixdal *m.* (옛날의 독일, 스웨덴, 폴란드, 스위스의 5빼세따에 상당하는) 은화.

riyal *m.* 리알《사우디아라비아의 화폐 단위》.

riza *f.* [*lat.* residua] ① (베어낸 자리의) 그루터기 ; 무거리. ② 건초 ; 건초 부스러기. ③ 찌꺼기, 먹다 남긴 것. [Sinón.] rastrojo.

rizado, da *adj.* [rizar의 *p.p.*] 곱슬곱슬해진. —*m.* 곱슬곱슬하게 하기 : el ～ del pelo.

rizador *m.* 머리를 지지는 기구·인두 ; 옷에 주름을 내는 기구.

rizal *adj.* ＝**ricial.**

rizamiento *m.* rizar하는 일.

rizar *tr.* [9] 많은 주름이 가게 하다 ; (머리카락을) 곱슬곱슬하게 하다, 물결 모양으로 만들다. **～se** ① 곱슬곱슬하게 되다 : ¿Quiere ～*me* el cabello con tenacillas? 헤어 아이언으로 머리좀 퍼머해 주시겠습니까? ② 많은 주름이 잡히다 ; 잔물결이 일다.

rizicultura *f.* 쌀 경작.
rizo, za *adj.* 곱슬곱슬한, 많은 주름이 잡힌. —*m.* ① 둥그렇게 말린 고수머리. ② 축범부(縮帆部). ③ 작은 파도.
hacer·rizar el ~ 공중 회전 비행을 하다.
largar·tomar ~s 돛을 풀다, 돛을 펴다.
rizófago, ga *adj. m.* 뿌리를 먹는 (벌레).
rizófora *f.* 【식물】 홍수(洪樹)나무 (mangle).
rizoforáceo, a *adj.* 【식물】 홍수과(紅樹科)의. —*f.pl.* 홍수과 식물.
rizofóreo, a *adj.* =**rizoforáceo.**
rizoma *m.* 【식물】 지하 줄기, 뿌리 줄기.
rizón *m.* 《*Sant.*》 작은 닻(ancla pequeña)의 일종.
rizópodo *adj. m.* 【곤충】 근족충(根足虫)류(의) 《아메바 등》.
rizoso, sa *adj.* ① 우글쭈글해진, 구겨진 : pelo ~. ② 구겨지기 쉬운.
r.[1] real 화폐 이름 .
R.[1] Real 왕의, 왕립의(del rey).
R.M. Reverenda Madre.
Rmo. Reverendísimo.
Rmrz. Ramírez.
Rn radon.
¡ro! *intrj.* 어린아이를 쓰다듬어 줄 때 계속해서 쓰는 말.
R.O. Real Orden.
roa *f.* 선수재(船首材)(roda).
roanés, sa *adj.* 루왕《Ruán, 블란서의 도시》의. —*m.f.* 루왕 사람.
roano, na *adj.* 흰 바탕에 흑·갈·적색 등의 반점이 섞인 (말).
roast-beef *m. ing.* =**rosbif.**
rob *m.* [*ár.* rob] 사탕·꿀을 썩은 과즙.
robachicos *m.f.* 【단·복수 동형】 아동 유괴자.
robada *f.* 나바라의 지적의 단위 《8 áreas, 98 centiáreas》.
robadera *f.* 땅을 다지는 도구의 일종.
robadizo, za *adj.* 도난 당한 것으로 꾸미는·허위 도난 신고의 (물건, 사람). —*m.* 유실되기 쉬운 땅; 유실 후의 물웅덩이.
robado, da *adj.* robar의 *p.p.*
robador, ra *adj. m.f.* 훔치는 (사람); 도둑, 범인. Sinón. ladrón.
robaliza *f.* róbalo의 암컷.
robalo *m.* 【어류】 농어. Sinón. lubine.
róbalo *m.* 【어류】 =**robalo.**
robar *tr.* [*lat.* rapere] ① [+a : …한테서] 훔치다, 빼앗다, 강탈하다(hurtar, raptar) : Un ratero le *robó* el portamonedas a Ramón 소매치기가 라몬의 지갑을 훔쳤다. Me *han robado* el reloj 나는 시계를 도둑맞았다. ② 사로잡다(atraer) : ~ el corazón·el alma 사람의 마음을 사로잡다. ③ (물이 흙을) 쓸다, 씻어 내리다. ④ 약탈하다. ⑤ (카드를) 뽑다·가지다·빼다.
robda *f.* =**robla.**
robeco *m.* 《*Ast.*》 =**robezo, rebeco.**
robellón *m.* 【식물】 식용 버섯.
robezo *m.* 【동물】 영양(gamuza).
robín *m.* (쇠의) 녹(orín).
robinetería *f.* 《*Galic.*》 =**grifería.**
robinia *f.* 【식물】 아카시아의 일종.
robínico, ca *adj.* 【화학】 아카시아 뿌리에서 채취한 (산).
robinsón *m.* 남의 도움없이 혼자 사는 사람.
robinsonismo *m.* (영국의 소설의 주인공 Robinsón Crusoe의 이름에서 따온) 고독주의.
robiñano *m.* [드뭄] =**perengano.**
robla *f.* ① 방목료(放牧料). ② 《*Ál. Ast. León. Sant. Rioja.*》 (어떤 판매 후의) 대접 : echar la ~ 손수 술을 따라 마시다.
robladero, ra *adj.* 끝을 구부릴 수 있는 : clavo ~.
robladura *f.* 못의 끝부분 등을 때려서 구부리는 일.
roblar *tr.* [*lat.* roborare] (못·징을) 끝을 구부리다(doblar, remachar).
roble *m.* ① 떡갈나무 : ~ rojo 붉은 떡갈나무. ② 건장한 사람, 단단한 것.
más fuerte que un ~ 매우 강한(muy fuerte).
robleda *f.* 떡갈나무 숲(robledal).
robledal *m.* =**robleda.**
robledo *m.* 떡갈나무 숲.
roblería *f.* 《*Chile.*》 =**robledo.**
roblizo, za *adj.* 단단한, 강한, 튼튼한(fuerte, robusto, vigoroso).
roblón *m.* ① 징, 끝이 구부러진 못. ② 수키와(cobija).
roblonado *m.* 징의 조인트.
roblonar *tr.* 끝을 구부러뜨리다(roblar).
robo[1] *m.* ① 도둑질, 강탈 : cometer un ~. ② 훔친 물건.
robo[2] *m.* [*ár.* roba] 곡물의 단위 《Navarra 에서 사용 ; 28.13리터》.
robo[3] *m. quechua.* 《*Chile.*》 수렁.
roboración *f.* 강하게 하는 일, 보강 ; 확실하게 하는 일, 확증.
roborante *adj.* ① 보강·강장의 : medicamento ~. ② 확증적인. Contr. debilitante.
roborar *tr.* [*lat.* roborare] 강하게 하다, 대장부로 만들다 ; 확실하게 하다, 확고히 하다. Contr. debilitar.
roborativo, va *adj.* 단단히 하는 ; 확증적인.
robot *m.* [*pl.* robots] ① 로봇, 인조 인간(autómata) ; 자동 기계·장치. ② =**muñeco.**
retrato ~ 몽타주.
robotización *f.* 로봇 작동.
robotizar *tr.* 로봇으로 작동시키다 : 로봇으로·자동으로 일하게 하다.
robra *f.* =**alboroque.**
robrar *m.* 떡갈나무 숲(robleda). —*tr.* 【고어】 (매매) 등기를 하다.
robre *m.* 【식물】=**roble.**
robredal *m.* =**robledal.**
robredo *m.* =**robledo.**
roburita *f.* 폭약의 일종.
robustamente *adv.* 기운차게, 씩씩하게, 강하게(con robustez).
robustecedor, ra *adj.* 기운차게 하는.
robustecer *tr.* 31 기운차게 하다, 씩씩하게 하다 ; 강화하다, 건장하게 하다(dar robutez, fortificar).
~se 강해지다.
robustecimento *m.* 기운참, 씩씩함 ; 강화, 건장.
robustez *f.* 단단함, 강함, 견고함, 씩씩함

(fuerza, vigor).

robusteza *f.* =**robustez.**

robusto, ta *adj.* [*lat.* robustus] ① 씩씩한, 건장한, 기운찬(fuerte, recio, vigoroso) : temperamento ~. Contr. débil. ② =**gordo.**

roca *f.* ① 바위(peñasco) : ~ arcillosa 점반암. ~*s* eruptivas · metamorficas · sedimentarias 화산 · 변성 · 침적암. Tuvieron que escalar una ~ 그들은 바위를 올라가야 했다. ② 단단함, 바위 같은 것 : corazón de ~.

rocada *f.* (실패 rueca에 한번 감긴) 실꾸리.

rocadero *m.* 실패의 머리 ; 옛날 죄인에게 씌웠던 종이로 만든 고깔 모자.

rocador *m.* =**rocadero.**

rocalla *f.* ① 자갈 (piedrecilla). ② 좀 굵은 유리 구슬.

rocalloso, sa *adj.* 자갈 · 돌멩이투성이의.

rocambola *f.* 【식물】 =**chalote.**

rocambor *m.* 【고어】《*Amér.*》 카드 놀이의 일종.

rocamborear *intr.* 《*Amér.*》 tresillo 놀이를 하다.

roce *m.* ① 마찰, 쓸림. ② 스치는 소리. ③ 접촉, 교제.

rocera *adj.* ***leña*** ~ 제초로 가져온 장작.

rocería *f.* 《*Col.*》 =**roza, desmonte.**

rocero, ra *adj.* 【방언】 망나니 패의.

rocha *f.* ① (씨앗을 뿌릴 수 있게 된) 밭. ② 【방언】 비탈길.

hacer ~ 《*Bol.*》 학교를 빼먹다, 수업에 빠지다 (hacer novillos, faltar a clase).

rochar *tr.* 《*Chile.*》 (남의 흠을) 찾아내다.

rochela *f.* 《*Col. Ecuad. Venez*》 아우성, 환성 (algazara).

rochelear *intr.* ① 《*Ant.*》 들떠 법석을 피우다. ② 《*Col. Venez.*》 재롱 떨다(retozar), 장난질 치다 (juguetear).

rochelero, ra *adj.* ① 《*Ant.*》 떠들기 좋아하는. ② 《*Venez.*》 까불기 좋아하는, 장난을 좋아하는 (juguetón) ; 버릇이 있는 (말).

rochelés, sa *adj.m.f.* 로첼라 《Rochela, 불란서의 한 도시》의 (사람).

rocho *m.* (전설의) 대괴조(大怪鳥).

rochuna *adj.* 《*Bol.*》 위조 돈의.

rociada *f.* ① 물에 적시기, 물뿌리기. ② 이슬 (rocío). ③ 뿌리기 ; 비산(飛散)하는 것 : una ~ de balas 비처럼 쏟아지는 총탄. ④ 소문, 험담. ⑤ 질책, 힐책.

rociadera *f.* 물을 뿌리는 기구, 살수기, 물뿌리개, 분무기(regadera).

rociado, da *adj.* [rociar의 *p.p.*] 이슬에 젖은 ; 이슬에 젖은 듯한.

rociador *m.* ① 옷을 적시는 솔. ② 《*Ecuad.*》 살수기, 물뿌리개, 스프링 쿨러, 분무기.

rociadura *f.* =**rociada.**

rociamiento *m.* =**rociada.**

rociar *intr.* 12 이슬이 맺히다, 축축히 적시다. —*tr.* ① 이슬에 적시다, 분무기나 물뿌리개로 적시다, (물 같은 것을) 뿌리다 : ~ *con* agua las flores de macetas 화분의 꽃에 물뿌리개로 물을 주다. ② 흩뿌리다 : ~ confites.

rocín *m.* [*alem.* ross] ① 야윈 말, 보통 말보다 키가 작은 말 ; 짐말 : un ~ de campo. ② 거칠고 무식한 사람.

rocina *f.* 《*Bol.*》 짐 노새(mula).

rocinal *adj.* 야윈 말의 ; 짐말의.

rocinante *m.* (Don Quijote가 타던 말의 이름에서) 야윈 말, 폐마(廢馬)(rocín, matalón).

rocino *m.* =**rocín.**

rocío *m.* [*lat.* ros] ① 이슬. ② (촉촉히 젖는) 밤기운. ③ 가랑비. ④ 이슬 방울 같은 것 : un ~ de lágrimas.

roción *m.* ① (파도 등의) 물보라. ② 《*Sant.*》 = **rociada, rociadura.**

rocking - chair *f.* *ing.* =**mecedora.**

rococó *adj.* 【건축】 로코코 양식(estilo ~)의.

rocoso, sa *adj.* 바위투성이의 (roqueño, peñascoso).

rocote *m.* *quechua.* ① 【식물】《*AmérM.*》 고추 · 후추의 일종. ② 고추, 후추.

rocotín *m.* 《*Ecuad.*》 =**recotín.**

rocoto *m.* 《*Amér.*》 후추의 일종.

roda *f.* [*lat.* rota] ① 겨울 목장의 방목료(robla). ② 【선박】 선수재. ③ 【방언 · 어류】 개복치(pezluna).

rodaballo *m.* ① 【어류】 가자미. ② 매우 교활한 사람, 뱃속이 검은 사람(hombre muy astuto).

rodachina *f.* 《*Col.*》 ① 물레방아 꽃불 (girándula). ② 작은 바퀴(ruedecilla).

rodada *f.* ① 수레바퀴 ; 바퀴 자국. ② 《*Arg.*》 말이 넘어짐.

rodadero, ra *adj.* 넘어지기 쉬운 ; 넘어질 듯한 (rodadizo) ; 위태로운. —*m.* ① 넘어지기 쉬운 비탈진 자갈땅. ② 《*Ecuad.*》 낭떠러지, 절벽.

rodadizo, za *adj.* 넘어지기 쉬운, 넘어질 듯한.

rodado, da *adj.* ① 넘어진 : venir ~ 어떤 일이 뜻밖에 일어나다. ② 둥글어진 : canto ~ 둥그런 돌멩이. ③ 구르는 듯한, 유창한. ④ 마차의, 자동차의 : tráfico ~ 차량 수송, 자동차 운수. tránsito ~ 마차의 왕래, 자동차의 교통. ⑤ 얼룩얼룩한, 점이 박힌, (회색 말의) 둥근 점이 있는, 얼룩덜룩한 : rucio ~ 밤색 털에 얼룩점이 있는 말. tordo ~ 회색에 검은 얼룩 점이 있는 말. ⑥ 【광물】 구르기 시작한 (광석).

—*m.* ① 《*León.*》 (여자용) 속치마(refajo)의 일종. ② 《*Amér.*》 차, 탈것(vehículo) ; 차량 운수 : gremio del ~ 운전수 노동 조합.

rodador, ra *adj.* 구르는, 도는 : coche muy ~. —*m.* ① (피를 빨면 굴러 떨어지는 남미산의) 모기(mosquito). ② 【어류】 개복치(rueda).

rodadura *f.* 회전, 구르기, 주행(走行) 차가 달리기 ; 바퀴 자국 ; 굴러 떨어지기.

rodaja *f.* ① 둥근 것 《동전 등》 ; (금속, 나무 등의) 작은 원반 ; 박차의 수레 ; 고리 모양으로 자른 것 : ~*s* de patata. ② 군살(rosca).

rodaje *m.* ① 회전부(回轉部), 수레바퀴 : el ~ de un reloj. ② 차량세. ③ 【영화】 촬영 ; 영사 : en ~ 촬영 중의 · 에서. ④ 《*Perú.*》 거마 교통세 · 통행세. ⑤ 시험적 시행 ; 익숙한 운전.

rodajuela *f.* [*dim.* rodaja] 작고 둥근 것.

rodal *m.* ① 작은 땅 · 터 : cultivar un ~ 작은 땅을 경작하다. ② 덤불 숲(mancha). ③ 달구지의 일종.

rodalán *m.* 【식물】 (칠레산의) 월견초.

rodamiento *m.* ① rodar하는 일. ② 베어링. ③ (타이어가 지면과) 접촉하는 부분. ④ bolas 놀이 · 경기.

rodancha *f.* 《*Murc. Sor.*》 =**rodaja, roncha.**

rodancho *m.* 【은어】 =**broquel.**

rodante *adj.* ① 구르는, 회전하는 : material ~ 차바퀴. ②《*Chile.*》 방랑하는, 방랑적인.

rodapelo *m.* =**redopelo.**

rodapié *m.* (침대·테이블의) 다리 가리개; (벽의) 굽에 치는 판자; (난간·발코니 밑의) 널쪽.

rodaplancha *f.* 열쇠 끝에 새긴 금; 치상 돌기 (齒狀突起).

rodar *intr.* ㉔ [*lat.* rotare] ① 구르다; 돌다, 회전하다 (dar vueltas) : ~ una rueda. ② 쓰러지다 : *Rodó por* tierra 땅바닥에 쓰러졌다. ③ 전락하다, 떨어지다 : *Rodó* la escalera abajo 층계 아래로 굴러 떨어졌다. ④ (차가) 움직이다, 달리다 : Empezó a ~ el tren 기차가 움직이기 시작했다. ⑤ ㄱ) 전전하다, 여기저기로 옮겨 다니다 : *He rodado* por todas las tiendas 가게를 모두 걸어 다녔다. ㄴ) 방랑하다. ⑥ 푸짐하게 있다, 흩어져 있다 (abundar) : En aquella casa *rueda* el dinero 저 집에는 돈이 푸짐하게 있다. ⑦ 잇따라 일어나다, 계속되다 : Los acontecimientos van *rodando* 사건이 잇따라 일어나고 있다. ⑧ [+por : 누구를 위해] 한번 힘쓰다·애쓰다. ⑨《*Arg.*》 (말이) 앞으로 넘어지다.
—*tr.* ①【영화】 촬영하다; 상영·영사하다 : Empezaron a ~ la película 영화가 시작되었다. ②《*Galic.*》 떠내려 보내다, 잡아 끌다 (arrastrar) : *Rueda* el río arenas de oro. ③《*AmérC.*》 일격에 쓰러뜨리다. ④《*Venez.*》 잡다, 체포하다.

Rodas *m.* 로다스.
olivastro de ~ 【식물】 노회(áloe).

rodeabrazo (a) *adv.* 팔을 돌려, 안무로(dando, una vuelta al brazo).

rodeador, ra *adj.* 에워싸는; 도는, 돌아가는, 우회하는.

rodear *tr.* ① [+con·de : …를] 둘러치다, 둘러싸다, 에워싸다 (cercar) : ~ *de* flores 주위에 꽃을 놓다. Las murallas *rodean* la ciudad 성벽이 도시를 둘러싸고 있다. El río *rodea* la ciudad 강은 시내를 둘러싸고 있다. La casa *está rodeada de* árboles 집은 나무로 둘러싸여 있다. ② 돌리다 (dar vueltas). ③《*Amér.*》 (흩어졌던 목축을) 몰아서 모으다. **—*intr.*** ① [+por : …을] 돌다, 돌아가다, 우회하다 : El camino *rodea* por el bosque 길은 숲을 에워싸고 있다. *Rodearon por* el bosque 그들은 숲을 우회했다. ② 말을 빙빙 돌려서 하다.
~se 이리저리 움직이다, 몸을 자꾸 움직이다, 자꾸만 뒤척거리다(revolverse) : ~*se* en su lecho sin cesar.

rodela *f.* [*lat.* rotella] ①【고어】 둥그런 방패. ②《*Chile.*》 (무 같은 둥글고 긴 것을) 송당송당 썰기; 둥근 것(rodaja).

rodeleja *f. dim.* rodela.

rodelero *m.* 【고어】 방패를 가진 병사.

rodenal *m.* 적송(赤松) 숲; 해안 송림(松林).

rodeno, na *adj.* 붉은 (rojo) : pino ~ 적송(赤松); 해안 송림(松林).
tierra ~na 적토(赤土).

rodeo *m.* ① rodear하는 일. ② 우회. ③ (몸을 이리저리 피해) 쫓는 사람을 따돌리는 일. ④ *pl.* 말을 이리저리 돌리는 일, 미꾸라지처럼 이리저리 피하는 말 : Dejémonos de ~*s* 빙빙 돌려서 말하지 말자, 단도직입적으로 말하자. ⑤ 목축떼 몰기, 소몰이; 그 장소; 모은 마소 : dar ~ 목축떼를 한군데로 몰다. parar ~ 목축떼를 한군데로 몰다; 버티고 서서 기다리다, 도전을 받고 서다. ⑥【은어】 망나니 떼.

rodeón *m.* [*aum.* rodeo] 도는 일, 일주, 멀리 도는 일.

rodera *f.* 바퀴 자국; 들 한가운데 난 바퀴 자국; (바퀴통이 없는) 수레.

rodericense *adj.m.f.* 로드리고시(市)(Ciudad Rodrigo)의 (사람).

rodero, ra *adj.* 수레(바퀴)의. **—*m.*** (인쇄의) 윤전기 담당자; 방목료 징수 담당자.

roderón *m.*《*Sant.*》 쟁기 자국, 경운기 자국; 깊이 패인 바퀴 자국.

Rodesia 【지명】 로데지아.

rodesiano, na *adj.* 로데지아(Rhodesia)의. **—*m.f.*** 로데지아 사람.

rodete *m.* ① 세 가닥으로 땋아서 말기, (짐을 머리에 일 때 쓰는) 똬리. ② 수평의 물레방아. ③ (마차의 채에 따라 움직이는) 활동부(滑動部). ④ 벨트를 거는 바퀴살.

rodezno *m.* ① 물레방아 : ~ de molino. ②【기계】 맞물려 있는 톱니바퀴.

rodezuela *f.* [*dim.* rueda] 작은 수레.

rodil *m.*《*Sal.*》 경작지 사이에 있는 목장.

rodilla *f.* [*lat.* rotula] ① 무릎, 무릎 관절. ② 마루 걸레. ③ (물건을 머리에 일 때 얹는) 또아리. ④ (기계의) 볼베어링. ⑤《*PRico.*》 양말. ⑥《*Méx.*》 연적, 연애의 경쟁자.
de ~s 무릎을 꿇고 : hincarse *de ~s* 복종하다, 무릎을 꿇다. ponerse *de ~s* 무릎을 꿇다.

rodillada *f.* =**rodillazo.**

rodillazo *m.* 무릎으로 찌르기.

rodillera *f.* ① 무릎받이 : ~ de lana. ② 의복에서 무릎 부분의 늘어난 곳. ③ 무릎에 난 상처.

rodillero, ra *adj.* 무릎 (부분)의.

rodillo *m.* ① (무거운 물건을 옮기는데 쓰는) 굴림대. ② (땅을 평평하게 하는·땅을 다지는) 롤러 (rulo). ③ (등사판 등의) 롤러, 롤 : ~ de goma 고무 롤러. ~ guía·tensor 【기계】 공전 바퀴. ④《*Sal. Zam.*》 =**rodil.**

rodillona *f.*《*Venez.*》 팔팔한 아가씨.

rodilludo, da *adj.* 무릎이 늘어난 (바지 따위).

rodio *m.* 【화학】 로듐《금속 원소》.

rodio, dia *adj.m.f.* 로다스(Rodas)의 (사람).

rodiota *adj.m.f.* =**rodio.**

rodo *m.* =**rodillo.**
a ~ 풍부하게, 풍족하게(en abundancia).

rodocera *f.* 【곤충】 나비의 일종.

rododafne *f.* 【식물】 협죽도(adelfa).

rododendro *m.* 【식물】 석남화.

rodofícea *f.* 【식물】 붉은 해초.

rodomiel *m.* 장미빛의 벌꿀즙.

rodrejo, ja *adj.*《*Murc.*》 아직 익지 않은 (과실). **—*f.***《*Guad. Rioja.*》 완전히 익지 않은 푸른 살구.

rodriga *f.* =**rodrigón.**

rodrigar *tr.* ⑧ (심은 나무 등에) 버팀대를 세우다 : ~ un arbusto.

rodrigazón *f.* 심은 나무에 버팀대를 세우는 시기.

rodrigón *m.* ① (수목의) 버팀 나무. ② (옛날 부인을 따라다니던) 늙은 남자 하인.

roedor, ra *adj.* ① (동물이) 이로 쏘는·갉는. ② 살을 에이는 듯한 : un sentimiento ~. ③ 【동물】 쥐 무리의. —*m.pl.* 쥐 무리 동물《쥐, 다람쥐, 토끼 등》.

roedura *f.* (이로) 갉기, 한번 갉기 ; 그 분량 ; 갉아 먹은 자국.

roel *m.* (문장의) 금빛깔로 된 작은 원.

roela *f.* 금·은의 원반(cospel).

roentgen *m.* 뢴트겐.

roentgenio *m.* 【이공】 뢴트겐 《방사선량의 단위》.

roentgenoterapia *f.* 뢴트겐 요법.

roer *tr.* [75] [*p.p.* roído] [*lat.* rodere] ① (이로) 쏠다·갉다, 갉아내다 : Los ratones *roen* todo lo que encuentran 쥐는 보는 것은 모두 갉는다. ② 침식하다 : El agua *roe* las rocas 물은 바위를 침식한다. ③ (줄로) 문지르다 : El *roe* muy bien el hierro con lima 그는 줄로 쇠를 매우 잘 문지른다. ④ 괴롭히다 : Ese pesar le *roe* continuamente 그런 슬픔은 그를 계속 괴롭히고 있다. Un crimen *roe* la conciencia 범죄는 양심을 괴롭힌다. Le *roe* la conciencia por lo que le ha dicho 그는 당신에게 말한 일 때문에 양심의 가책을 받고 있다, 양심이 그를 괴롭힌다.
duro de ~ =difícil, arduo.

roete *m.* 석류술 《약용》.

rogación *f.* [*lat.* rogatio] 소원, 간청, 애원, 탄원, 소망 (ruego). —*pl.* (그리스도 승천의 축하일 전 3일 동안의) 기도, 기원, 기원일 ; 그 행렬.

rogado, da *adj.* rogar의 *p.p.*

rogador, ra *adj. m.f.* 간청·탄원하는 (사람).

rogante *adj.* 소망·간청·탄원하는 ; 애원하는 듯한, 매달리는 듯한 : actitud ~.

rogar *tr.* [24] [8] ① 원하다, 기원하다, 간원하다, 간청하다 : Le *ruego* a usted que me espere en la estación 정거장에서 나를 기다려 주시길 부탁드립니다. Nos *ruega* que le esperemos 그는 우리들에게 기다리라고 부탁하고 있다. Les *ruego* (que) se sirvan tomar buena nota 충분히 알아주시도록 부탁드리겠습니다. [*N.* rogar que 다음에 접속법이 사용됨]. ② [+por : …을] 기원하다, …의 성취를 빌다.
[직설법 현재 : ruego, ruegas, ruega, rogamos, rogáis, ruegan. 접속법 현재 : ruegue, ruegues, ruegue, roguemos, roguéis, rueguen. 직설법 부정과거 1인칭 단수 : rogué].

rogativa *f.* [주로 *pl.*] 소원, 간청, 기원 ; 기원제 : ~*s* para pedir lluvia 기우(祈雨).

rogativo, va *adj.* 기원의, 간청·간원하는.

rogatorio, ria *adj.* 원하는, 바라는, 소망하는, 염원하는, 기원하는 ; 청원하는 : despacho ~ 청원서.

roge *m.* 《*Nav.*》 =**roscón.**

roghí *m.* =**roguí.**

rogo *m.* 【시어】 화톳불, 모닥불.

rogón, na *adj. m. f.* 《*Méx.*》 억지꾼(의), 떼쟁이(의).

rogona *f.* 《*Méx.*》 사내가 그리운 여자.

roguí *m.* (모로코에서) 선동자(agitador)

roído, da *adj.* [roer의 *p.p.*] 갉아 먹힌, 갉힌 ; 닳아 빠진 ; 노랭이 같은.

rojal *adj.* 불그레한, 불그스레한, 붉은 기운이 도는 : tierra ~ 붉은 기운이 도는 땅. —*m.* 붉은 기운이 도는 땅.

rojeante *adj.* 붉게 보이는, 붉은 기운이 도는.

rojear *intr.* 붉다, 붉게 보이다 ; 붉은 기를 띠다, 불그스레하다. —*tr.* 붉게 하다.

rojete *m.* 분홍 ; 연지, 루즈 《화장품》.

rojez *f.* 붉은 색, 붉은 기.

rojinegro, ra *adj.* 검붉은 : bandera ~*gra* 검붉은 깃발.

rojizo, za *adj.* 불그스름한, 불그레한, 연분홍의 : ponerse ~.

rojo, ja *adj.* [*lat.* russus] ① 붉은(encarnado, colorado) : El ~ es el primer color de espectro solar. ② 붉은 털의 (rubio). ③ 적색의 (정치 정당). —*m.* ① 빨강 ; 붉은 것, 연지 : ~ de plomo 연단(鉛丹). ~ ocre 황적색. ② 적군, 적색 분자 ; 공산주의자, 공산당원.
al ~ 새빨갛게 하여, 새빨갛게 달아오른 ; 작렬되어 ; 격렬하게, 흥분되어 ; 긴장 상태로.
en ~ 붉게 되어, 위험 상태로.

rojura *f.* [드묾] =**rojez.**

rol *m.* [*fr.* rôle] ① 명부, 목록, 표(lista, catálogo) : ~ de industrias 공업 명감(名鑑). ~ general de contribuyentes 납세자 등록부. ② 선원·탑승원 명부 (~ de tripulantes). ③ 《*Galic.*》 역할(papel) : hacer un gran ~ 큰 역할을 하다.

rola *f.* 《*Venez.*》 경찰서.

rolar *intr.* ① 빙글빙글 돌다 ; 회전하다 (rodar, dar vueltas en redondo) : ~ el viento. ② 《*Amér.*》 이야기하다, 관계하다, 교섭을 하다.

roldana *f.* (도르래의) 수레 : ~ de motón 【기계】 축받이통.

roldar *intr.* 빙빙 돌다(circular).

rolde *m.* ① 둥그렇게 둘러앉음(rueda). ② 《*Ar. Albac.*》 원, 둥근 것.

roldo *m.* 《*León.*》 잘려진 나무 조각.

roleo *m.* 【고어】【건축】 =**voluta.**

roleta *f.* 《*Amér.*》 =**ruleta.**

rolla[1] *f.* 말의 목에 매는 끈의 일종.

rolla[2] *f.* ① 《*Bad. Col. León. Pal. Vallad. Zam.*》 유모. ② 【조류】 개똥지바퀴(tórtola).

rollar[1] *tr.* 바퀴에 감다(arrollar) ; (땅에) 롤러질을 하다.

rollar[2] *m.* 《*Nav.*》 자갈땅(pedregal).

rollazo *m.* 귀찮은 사람·물건.

rolletal *m.* 《*Sal.*》 자갈 더미 ; 자갈땅(pedregal)

rollete *m.* ① 《*Bol.*》 =**jeta, hocico.** ② 《*Venez. Col.*》 =**rodete.**

rollista *adj.* ① =**pesado, latoso.** ② =**cuentista.**

rollizo, za *adj.* ① 둥근, 원통 모양의(redondo, cilíndrico). ② 건장한, 뚱뚱한, 땅딸막한 : un niño ~ 뚱뚱한 아이. —*m.* 통나무.

rollo *m.* [*lat.* rotulus] ① 둥그렇게 만 것(의 한 뭉치), 만 것 : un ~ de alambre · de estera · de película · de tabaco. ② ㄱ) 원통형 : madero en ~. ㄴ) 원통형·작대기 모양으로 된 것 ; 곤봉처럼 된 것 ; 반죽 방망이, 밀 방망이 : ~ de pastelero. ③ (고대 유물, 사직의 표식인) 원주탑. ④ 반질반질한 돌멩이. ⑤ 기다란 빵.
largar el ~ 《*Bol. Riopl.*》 토하다, 게우다(vomitar) ; 신소리 하다 ; 마음속을 털어놓다 ; 재산을 낭비하다.

rollón, na *adj.* 아이를 기저귀(pañal)로 싼.

—*m.* 밀겨(acemite).
rollona *f.* 유모(niñera, nodriza, ama de cría).
hacer la ~ 《*SDgo.*》 글을 써 넣을 때마다 돈을 벌다.
rolo *m.* ① 《*Col.*》 (인쇄기의) 롤러(rulo). ② 《*Venez.*》 곤봉.
rom *m.* =**ron.**
Roma *f.* 【지명】 로마 《이탈리아 수도》; 로마 교황청; 로마 교황의 권력.
a ~ por todo 모든 어려움을 물리치고.
romadizarse *r.* ⑨ 코감기에 걸리다 (arromadizarse, resfriarse).
romadizo *m.* [*gr.* reuma] 코막힘, 코감기.
romaico, ca *adj. m.* [*gr.* rômaikos] 근대 그리스어(의).
román *m.* 【고어】 로망스어(romance).
hablar en ~ paladino 분명한 어투로 말하다.
romana *f.* 막대 저울; 균형 : hacer ~.
romanador *m.* =**romanero.**
romanar *tr.* =**romanear.**
romanato *m.* 【건축】 천창(天窓)의 챙.
romance *adj.* 로망스어의, 라틴어 계열의 : El español, el francés, el portugués, el italiano, el rumano, el provenzal, y el catalán son lenguas ~*s.* —*m.* ① 로망스어. ② 서반아어 : escribir en ~. ③ 사시(史詩); 서정풍 서사시; (운문·산문의) 가사 이야기. ④ [주로] 8음절 시. ⑤ 《*Galic.*》 소설 (novela). —*pl.* 옹색한 변명 : venir con ~*s.*
~ *corto* 8음절 이하의 시.
~ *de ciego* (장님이 노래하고 다니는) 장님 이야기.
~ *de gesta* 대중적 사시(史詩)·이야기.
~ *heroico·real* (11음절의) 서사시.
hablar en ~ (누구나 다 알 수 있게) 분명하게 말하다(explicarse con claridad).
romanceador, ra *adj.m.f.* 서반아어·로망스어로 번역하는 (사람).
romancear *tr.* [드뭄] ① 서반아어·로망스어로 번역하다. ② 《*Chile.*》 구슬리다(galantear). —*intr.* 《*Chile.*》 엉뚱한 일에 시간을 보내다(divagar).
romanceresco, ca *adj.* 소설의 (novelesco), 소설적인.
romancerista *m.f.* 사시 작가(史詩作家).
romancero, ra *m.f.* 사시 작가; 노래로 업을 삼은 사람. —*m.* 로망스집·시집.
romancesco, ca *adj.* =**romanceresco.**
romancillo *m.* =**romance corto.**
romancista *adj. m.f.* (라틴어로 쓴 사람에 대하여) 서반아어·로망스어로 쓴 (작가).
romanche *adj.m.f.* 로만체족 《동부 스위스에 사는 주민》의 (사람). —*m.* 로만체말.
romaneaje *m.* 중량, 무게 : nota del ~ 중량 증명서.
romanear *tr.* 대저울로 재다; 검량하다; 균형을 이루게 하다. —*intr.* 균형을 이루다, 무게가 같아지다.
romaneo *m.* 대저울로 달기; 균형.
romanero *m.* 도살장의 검량관.
romanesco, ca *adj.* 로마인의; 로마풍의; 소설적인(romanceresco, novelesco).
romanía *f.* *andar de ~* 몰락하다(estar algo mal de fortuna ir a menos).
románico, ca *adj.* 【건축】 로마네스크 양식의, 로마 양식의; 신 라틴파·계의(neolatino).
romanilla *f.* 《*Venez.*》 미닫이 창.
romanillo, lla *adj. dim.* romano.
letra ~lla 로마 자체(letra redonda).
romanina *f.* 팽이 놀이.
romanismo *m.* (고대의) 로마 문화; 카톨릭교.
romanista *m.f.* 로마법 학자; 로망스어 학자.
romanización *f.* 로마풍으로 하기; 로마자화(化)(운동); 로마자로 표기하기.
romanizar *tr.* ⑨ 로마풍으로 하다; 로마자로 쓰다·하다.
~se 로마풍으로 되다.
romano, na *adj.* ① 로마 《Roma, 이탈리아의 수도; 또는 고대 로마 제국》의 : núrmeros ~*s* 로마 숫자. ② 로마 카톨릭교의. —*m.f.* 로마 사람. —*m.* 라틴어.
romanticismo *m.* 낭만·로만주의, 로만파, 낭만파.
romántico, ca *adj.* 낭만주의의, 로만파의, 소설적인, 주정적(主情的)인, 공상적인. —*m.f.* 로만파·주의의 시인·작가.
romantizar *tr.* 낭만적으로 묘사하다; 로맨틱하게 하다·다루다.
romanza *f.* [*ital.* romanza] 연애시; 연애 시곡.
romanzador, ra *adj.m.f.* =**romanceador.**
romanzar *tr.* ⑨ =**romancear.**
romaza *f.* [*lat.* rumex] 【식물】 수영, 승아 : La raíz de ~ se ha usado como tónico y laxante 수영의 뿌리는 강장제와 완화제로 사용되어 오고 있다.
rombal *adj.* 마름모꼴의.
rómbico, ca *adj.* =**rombal.**
rombo *m.* ① 마름모꼴. ② 【어류】 가자미 (rodaballo).
romboedro *m.* 마름모꼴 육면체.
romboidal *adj.* 편(偏) 마름모꼴의.
romboide *m.* 편 마름모꼴.
romeo, a *adj.* 비잔틴·그리스의.
Romeo y Julieta 【문학】 로미오와 주리에트.
romeraje *m.* [드뭄] =**romería, peregrinación.**
romeral *m.* 로즈메리(romero)의 들.
romereante *adj.* 《*Ecuad. Venez.*》 =**romero.**
romería *f.* 순례, 참배 여행; 제례; 군중.
romeriego, ga *adj.* 순례·축제를 좋아하는.
romerillo *m.* 【식물】 (꾸바의) 야생 식물.
romero, ra *adj.* 순례의. —*m.f.* 순례자, 참배자. —*m.* ① 【식물】 로즈메리. ② 【어류】 고등어의 일종.
romi *adj.* *azafrán ~* 【식물】 사프란.
romo, ma *adj.* ① 끝이 둥근, 뭉툭한(obtuso) : punta ~*ma.* ② 납작한 : una nariz ~*ma* 납작한 코.
rompe *m.* *de ~ y rasga* 단호히.
al ~ 《*Col.*》 갑자기, 돌연(de repente).
rompecabezas *m.* 【단·복수 동형】 퀴즈, 수수께끼; 머리를 때리는 몽둥이 《무기》.
rompecaldera *f.* 【방언·식물】 단풍(arce).
rompecamisa *m.* 《*Col.*》 =**cartílago.**
rompecoches *m.* 【단·복수 동형】 일종의 모직.

rompedera *f.* 강철로 만든 구멍 뚫는 기구.
rompedero, ra *adj.* 깨지기 쉬운, 갈라지기 쉬운(fácil de romper).
rompedor, ra *adj. m.f.* 깨는·부수는·꺾는 (사람); 옷을 입자마자 못쓰게 만드는 (사람).
rompedura *f.* [드묾] =**rompimiento.**
rompegalas *m.f.* 【단·복수 동형】 옷차림이 구질구질한 사람.
rompehielos *m.* 【단·복수 동형】 쇄빙선.
rompehuelga *m.* 《*PRico.*》 =**rompehuelgas.**
rompehuelgas *m.f.* 【단·복수 동형】 구사대원(求社隊員).
rompenueces *m.* 【단·복수 동형】 《*Amér.*》 호도까개 《도구》(cascanueces, partenueces).
rompeolas *m.* 【단·복수 동형】 방파제.
rompeplatos *m.* 【단·복수 동형】 =**campánula.**
rompepoyos *m.f.* 【단·복수 동형】 놈팽이.
romper *tr.* [*lat.* rumpere] [*p.p.* rompido, roto] ① 쪼개다, 빠개다 (dividir en pedazos). ② 깨다 (quebrar) : ~ un plato 접시를 깨다. ③ 부수다, 박살내다; 부러뜨리다. ④ 찢다 (quebrantar) : ~ un papel 종이를 찢다. ⑤ (옷을) 입어 없애다 (gastar, destrozar) : ~ la ropa 옷을 입어 없애다. ⑥ (규율·규칙 등을) 어기다; (정적을) 깨다. ⑦ 무찌르다, 격파하다 (desbaratar) : ~ una tropa 군대를 무찌르다. ⑧ 돌파하다, 뚫다; (군중을) 헤치고 나아가다. ⑨ (공기·물결 등을) 가르다, 가르고 나아가다 (surcar, dividir) : ~ las aguas el barco 배가 물을 가르고 나아가다. ⑩ (광선이) 내리쬐다. ⑪ 개간하다 (roturar) : ~ el campo 밭을 개간하다.
—*intr.* ① 시작되다 (empezar) : ~ el día 어둠이 걷히기·날이 새기 시작하다. ② [+a+*inf.*] 갑자기·별안간 …하기 시작하다 : El niño *rompió a* hablar 그 아이가 갑자기 말하기 시작했다. ③ [+en]별안간 …하다(prorrumpir) : *Rompió* en llanto 울음을 터뜨렸다. ④ (파도가) 부서지다. ⑤ 꽃봉오리가 벌어지기·피기 시작하다 (brotar las flores). ⑥ (작동하지 않던·움직이지 않던 것이) 움직이기 시작하다, 작동하기 시작하다. ⑦ (사냥에서 짐승이·잡으려는 것이 엉뚱한 곳으로) 빗나가다. ⑧ [+con : …과] 절교하다; 결렬하다(disgustarse con).
~se ① 깨지다, 부서지다, 망가지다, 부러지다, 찢어지다(no funcionar, tener una avería) : *Se* me *rompió* el coche. ② 《*PRico.*》 돈을 낭비하다. ③ 굉장한 노력을 하다(hacer un gran esfuerzo).
al ~ el alba·el día =al amanecer.
de rompe y rasga =resuelta.
~se las narices 큰 어려움에 봉착하다, 실패하다.
~se los cascos·la cabeza =reflexionar mucho.
rompesacos *m.* 【단·복수 동형】 【식물】 이삭이 타원형으로 된 보리.
rompesquinas *m.* 【단·복수 동형】 도시의 깡패·불량배.
rompezaragüelles *m.* 【단·복수 동형】 아메리카산으로 국화과의 향기가 있는 약초.
rompible *adj.* 찢을 수 있는, 부술 수 있는(que se puede romper).
rompido, da *adj.* [romper의 *p.p.*] [드묾] = **roto.** —*m.* 개간지.
rompiente *adj.* romper 하는. —*m.* 암초.
rompimiento *m.* ① romper(se) 하는 일 (rotura); 파괴. ② 갈라진 금, 꺾인 곳 (rotura). ③ 결렬, 절교; 단절; 싸움 (ruptura). ④ 시작 : ~ del día. ⑤ (무대에서 관객에게 원경을 보여주기 위한) 막; (그림에서 똑같은 수법으로 그린) 펼친 그림. ⑥ 지하 갱도의 연결점. ⑦ 개간.
rompope *m.* 《*AmérC. Méx.*》 우유(leche), 소주(aguardiente), 달걀(huevos), 설탕(azúcar)으로 만들어진 양분이 풍부한 음료.
rompopo *m.* 《*Hond.*》 =**rompope.**
Rómulo *m.* 로물로 《로물루스, 로마의 건설자로 불리는 전설의 인물; 쌍둥이인 Remo와 함께 Tíber 강변에 버려진 것을 늑대가 주워다 길렀음》.
ron *m.* [*ing.* rum] **럼주.**
ronca[1] *f.* ① 암컷이 그리워 우는 사슴 소리 (grito del gamo); 그 시기 (brama). ② 으시대기 위해·공연히 겁주려고 하는 위협 (amenaza jactanciosa) : echar ~*s.* ③ 나무람, 꾸짖음(reprimienda).
ronca[2] *m.* [*lat.* runca] 삼지창.
roncadera *f.* =**roncadora.**
roncador, ra *adj. m.f.* 으르렁거리는, 짖는 (것). —*m.* ① 【어류】 짖는 물고기 《물에서 건져 놓으면 짖는 소리를 내는 길이 50㎝ 정도의 물고기》 : Cuando se saca del agua, el ~ produce sonido especial. ② (Almadén의 수은 광산에서) 갱부 감독. ③ (Murcia에서) 대형의 꽃불.
roncadora *f.* 《*AmérM.*》 대형 박차의 일종.
roncal *m.* 【조류】 밤꾀꼬리, 나이팅게일 (ruiseñor).
roncalés, sa *adj.* 롱깔 계곡 《el Roncal, 피리네오 산중의 계곡》의. —*m.f.* 롱깔에 사는 사람.
roncamente *adv.* 텁텁한 목소리로, 목쉰 소리로; 앓는 듯한 소리로 : responder ~ a un aviso.
roncar *intr.* 7 ① 코를 골다 : Mi padre *ronca* mucho 내 아버님은 코를 많이 고신다. ② (사슴이) 짝을 그리며 울다. ③ (바다가·바람이) 울부짖다 : El mar *ronca* cuando hay tempestad. ④ (사람이 겁을 주기 위해) 악을 쓰다, 고함치다, 외치다, 위협하다(amenazar).
ronce *m.* 알랑거림(halago, roncería).
roncear *intr.* ① 지연시키다, 주춤거리다, 어물거리다(retrasar, dilatar). ② 알랑거리는 말을 하다 (halagar). ③ (배가) 천천히 앞으로 나아가다(caminar lentamente). ④ 《*Amér.*》 뒤를 노리다(atisbar). —*tr.* 《*Amér.*》 뒤흔들리다.
roncería *f.* ① 어물거림(tardanza). ② 아부, 아첨, 알랑거림(halago). ③ 배의 서행(徐行)(movimiento muy lento del barco).
roncero, ra *adj.* ① 굼벵이 같은, 게으름뱅이 같은 (tardo y perezoso). ② 투덜거리는. ③ 알랑거리는, 알랑쇠의. ④ 속도가 느린.
Roncesvalles *m.* 론세스바예스의 계곡 《778년 프랑코 왕국의 Roldán의 군을 바스꼬인이 격파한 곳》.
ser un ~ 대격전·대참사이다.
roncha *f.* ① (벌레 쏘인 자국의) 부기 : ~ de pulga. ② 피멍(cardenal). ③ (금전적인) 피해, 속임수, 사기, 야바위, 사취. ④ 둥그렇게 썰기·썬 것(rodaja).
levantar ~s 괴롭히다, 애먹이다.
ronchar *tr.* ① (단단한 것을) 오독오독 깨물다

(ronzar). ②《*Chile.*》 현장을 덮쳐 붙잡다.
—*intr.* ①(잘 삶아지지 않아) 오독오독하게 질기다 : ~ las patatas. ②(모기·이에 물려) 빨갛게 붓다, 피멍이 생기다. ③【방언】 넘어지다, 미끄러져 넘어지다.

ronchón *m. aum.* roncha.

ronco, ca *adj.* [*lat.* raucus] 목이 쉰, 걸걸한 목소리의 : voz ~*ca.* —*m.* (꾸바의) 물고기.

roncón, na *adj.* 《*Col. Venez.*》 허세부리는, 우쭐대는, 뻐기는(fanfarrón). —*m.* 자루 피리(gaita)의 나팔.

ronda *f.* [*fr.* ronde] ① 야경 ; 야경대. ② 환상 도로. ③ 술·담배를 여러 사람에게 대접하는 일 : pagar la ~ de aguardiente. ④ 젊은이들이 밤에 노래하며 다니기 : ir de ~ 밤에 노래하며 걷다. ⑤ 윤무(輪舞)(곡) ; 윤무대(輪舞隊).

rondador *m.* ① rondar하는 사람. ② 야경. ③(에꾸아도르·꼴롬비아의) 피리의 일종.

rondalla *f.* ① =**cuento, patraña.** ②《*And.*》 젊은이들의 밤에 노래하며 다니기. ③(거리의) 음악대, 밴드.

rondana *f.* 《*Amér.*》【방언】 =**roldana.**

rondar *intr.* ① 야간 순찰을 하다 ; 야경을 돌다. ② 거리를 산책하면서 걷다 : ~ la calle a la novia. ③ 야간 순시하다. —*tr.* ① 밤길을 걷다. ② …의 주위를 돌다 : La mariposa *está rodando* la luz 나비가 불빛의 주위를 돌고 있다. ③(누구의) 뒤를 밟다, 꽁무니를 따라 다니다 : El solía ~ la calle a alguna muchacha 그는 곧잘 어떤 소녀의 뒤를 밟아 밤거리를 쏘다녔다. ④ 끈덕지게 붙어 떨어지지 않다 : Me anda *rondando* un catarro 나는 감기가 떨어지지 않는다.

rondel *m.* =**rondó.**

rondeña *f.* 론다의 민요《8음절 4행으로 된 것》.

rondeño, ña *adj.* 론다《Ronda, 서반아 남부의 도시》의. —*m.f.* 론다 사람.

rondín *m.* ① 감시 초소의 순찰(대) ; 해군 공병창의 경비원. ②《*AmérM.*》(농목의) 야경. ③《*Ecuad. Perú.*》 하모니카.

rondís *m.* 보석의 면(面).

rondiz *m.* =**rondís.**

rondó *m.* [*pl.* rondós] [*fr.* rondeau]【음악】 론도, 회선곡(回旋曲), 윤무곡(輪舞曲).

rondón *m.* 《*CRica.*》 =**ronrón.**

rondón (de) *adv.* 성급히, 급격히, 경솔히 ; 갑자기, 별안간 : entrar *de* ~ en una casa 갑자기 어느 집에 들어가다.

rongacatonga *f.* 《*Arg.*》 =**ronda.**

rongigata *f.* 풍차《장난감》.

ronquear *intr.* 목쉰 소리로 말하다 (hablar roncamente).

ronquedad *f.* 쉰·잠긴 목소리.

ronquera *f.* 목이 잠기는 일 ; 잠긴 목소리.

ronquez *f.* =**ronquera.**

ronquido *m.* ① 코골기. ② 으르렁거리기. ③ 짖는 소리 : el ~ del huracán. ④ 잡음, 군소리.

ronrón *m.* ①《*Guat. Hond. Salv.*》【식물】 론론《중미산의 교목》. ②《*Sal. Hond.*》【곤충】(중미산의) 풍이. ③《*Hond.*》 윙윙《장난감》.

ronronear *intr.* 고양이가 으르렁거리다 (runrunear).

ronroneo *m.* 고양이의 으르렁거림 (runrún del gato).

ronsoco *m.* 《*Perú.*》 =**capibara, carpincho.**

röntgen *m.* =**roentgen.**

rontgenterapia *f.* =**radioterapia.**

ronza *f.* *ir a la* ~ 배가 바람부는 대로 가다, 바람부는 쪽으로 끌려가다(sotaventarse el barco).

ronzal *m.* ① 고삐의 일종. ②(배의 도르래에 달린) 밧줄·로프.

ronzar *tr.* 9 ①(딱딱한 것을) 이빨로 깨다, 물어 뜯다(mascar cosas duras con ruido). ② 지레로 움직이다 (mover una cosa pesada por medio de palancas).

ronzuella *f.* 《*Sant.*》【조류】 =**arrendajo.**

roña *f.* ① 양의 옴. ② 더러운 것의 뭉치, 부스럼 딱지 ; 녹. ③ 소나무 껍질. ④ 인색함. ⑤ 속임수, 교활함(astucia, treta). ⑥《*Ant.*》 원한 (rencor). ⑦《*Col.*》 까끄러움(aspereza). —*m.* 노랑이, 구두쇠.
hacer ~ 《*Perú.*》 야바위치다, 사기치다.
jugar a la ~ 《*Méx.*》 숨바꼭질하다.

roñal *m.* 《*Sal. Zam.*》(산속에서 벗긴) 나무 껍질 두는 곳.

roñar *tr. intr.* 《*Ar.*》 꾸중하다, 질책하다, 나무라다 ; 싸우다(reñir).

roñería *f.* 인색함 ; 구두쇠 짓(miseria, avaricia, tacañería).

roñero, ra *adj.* 게으른, 나태한(perezoso).

roñica *f.* =**persona roñosa.**

roñosería *f.* =**roñería.**

roñoso, sa *adj.* ① 부스럼투성이의 : oveja ~*sa.* ② 추접스러운, 더러운(mugriento, puerco). ③ 까끄러운. ④ 녹투성이의. ⑤ 인색한 (miserable). ⑥《*Ecuad.*》 간사한, 교활한.

ropa *f.* 옷, 의류, 의복.
~ ***blanca*** 셔츠, 속옷, 하얀 물건《타월, 셔츠, 테이블클로스 등》.
~ ***confeccionada*** 《*Amer.*》 기성복.
~ ***de dormir*** 잠옷.
~ ***de cámara·de levantar*** 아침에 입는 헐렁한 옷.
~ ***dominguero*** 나들이옷.
~ ***hecha*** 기성복.
~ ***interior·íntima*** 속옷.
~ ***de cama*** 시트, 침대 카바, 베개, 담요 따위.
~ ***sucia*** (빨래로 내놓는) 때묻은 의류.
~ ***talar*** 긴 관복.
~ ***vieja*** 낡은 옷 ; 나머지 것으로 만든 고기 요리.
a quema ~ ① 총부리를 들이대어 : disparar ***a quema*** ~. ② 뚱단지처럼, 별안간 (de improviso) : preguntar ***a quema*** ~.
nadar y guardar la ~ 상반된 이익을 화해할려고 애쓰다.
poner como ~ ***de pascua*** 욕지거리를 퍼붓다.
tentarse la ~ 미리 곰곰이 생각하다.

R.º P.[ad] Registro propiedad.

ropaje *m.* ① 옷 ; 의류 ; 법복(法服). ② 말씨, 말투(lenguaje).

ropavejería *f.* 헌옷 가게.

ropavejero, ra *m.f.* 헌옷 장수.

ropería *f.* ① 의류 상점 : ~ de viejo 헌옷 가게. ② 복장점. ③ 의상을 두는 방. ④ 의상 관리.

ropero, ra *m.f.* ① 의류 상인. ② 의상 담당자. —*m.* 의상을 두는 방 ; 옷장.

ropeta *f.* (옛날의) 반코트.

ropilla *f.* [*dim.* ropa] =**ropeta.**

ropo *m.* [*ing.* rope] 로프, 밧줄.

ropón *m.* ① 넓은 겉옷, 가운. ②《*Col. Venez.*》 부인용 승마복.

roque *m.* (서양 장기에서 말의) 성, 탑.
ni rey ni ~ 아무도 (끼워 넣지 않고) …없다.

roqueda *f.* 바위투성이의 땅.

roquedal *m.* =**roqueda.**

roquedo *m.* 바위(peñasco, roca).

roqueño, ña *adj.* 바위투성이의 ; 바위처럼 단단한, 바위 같은(duro).

roquería *f.* 《*Arg.*》 [*ing.* rockery] 물개가 많은 해안 지대.

roquero, ra *adj.* 바위의 ; 바위로 만든.

roqueta *f.* (성내의) 망루.

roquete *m.* ① (사교·감독이 입는) 소매가 짧은 하얀 법의(法衣). ② 삼지창·사지창의 일종. ③ (총포의) 삭장. ④ 문장(文章)의 한 무늬. ⑤ 【기계】 톱, 톱니바퀴.

rorante *adj.* [드묾] 이슬로 덮여진.

rorar *tr.* [드묾] 이슬로 덮다.

rorcual *m.* 【동물】 큰 고래.

rorro *m.* ① 젖먹이, 유아, 어린아이, 어린애. ② 《*Méx.*》 =**muñeca.**

ros *m.* 해군 모자의 일종.

rosa *f.* [*lat.* rosa] ① 장미(꽃) : Las ~*s* presentan infinitas variedades de color. ② 장미 모양으로 된 것 ; 장미 매듭, 장미 모양의 무늬 (adorno de figura de ~). ③ 【건축】 둥그런 꽃장식 (rosetón). ④ 붉은 혈반. ⑤ 장미 모양의 다이아몬드(diamante ~, 24면을 친 것). ⑥ 꼬리가 긴 혜성. ⑦ 【방언】 사프란 꽃 ; 그 꽃을 따는 계절. ⑧ 《*Amér.*》 장미나무. [*N.* rosal의 잘못 쓰임]. ⑨ 《*Chile.*》 Santa Rosa 회의 수도 승려. —*pl.* 불에 볶아 터진 옥수수(rosetas). —*m.* 장미색, 장미빛, 담홍색(淡紅色)(color ~).
~ ***albardera*** 【식물】 작약.
~ ***del Japón*** 동백꽃.
~ ***del azafrán*** 사프란 꽃.
~ ***de los vientos*** (32방위로 눈금을 새긴) 방위반.
~ ***de rejalgar,*** ~ ***montés*** 작약(~ albardera).
~ ***de té*** 월계화.
~ ***francesa*** 《*Cuba.*》 협죽도.
~ ***náutica*** (32 방위를 나타내는) 방위반.
estar como las propias ~*s* 마음이 무척 편하다.
verlo todo de color de ~ 매우 낙천적이다 (ser muy optimista) : El *lo ve todo de color de* ~ 그는 무척 낙천가이다.
vivir en un lecho de ~*s* 즐겁게 살다.
No hay ~ ***sin espinas*** 【속담】 가시없는 장미는 없는 법이다, 제 자식 귀엽지 않는 사람은 없다, 즐거움은 희생이 따르기 마련이다.
La vida no es un camino·senda de ~*s* 【속담】 인생살이란 고통스러운 때가 많은 법이다.

rosáceo, a *adj.* ① 장미빛의. ② 【식물】 장미의, 장미과의. —*f.pl.* 장미과 식물.

rosada *f.* 서리(escarcha).

rosadelfa *f.* 【식물】 철쭉(azalea).

rosadillo *m.* 【동물】 담비.

rosado, da *adj.* ① 장미색의. ② 장미를 넣은 : miel ~*da* 장미를 넣은 꿀. ③ 《*AmérM.*》 얼룩점이 박힌 (말).
Casa Rosada 까사 로사다 《아르헨띠나의 중앙청》.

rosal *m.* ① 【식물】 장미, 장미나무. ② 장미 울타리. ③ 《*AmérM.*》 장미원·농원(plantío de rosales).
~ ***perruno·silvestre*** 들장미(escaramujo).
~ ***de China,*** ~ ***japonés*** 동백나무.
~ ***de pitimaní,*** ~ ***trepador*** 덩굴장미.

rosaleda *f.* 장미원(plantío de rosales).

rosalera *f.* =**rosaleda.**

rosar *intr.* 《*Ast. Rioja.*》 이슬이 맺히다, 이슬이 내리다(rociar, caer rocío).
~se 빨갛게 되다, 얼굴을 붉히다(sonrojarse).

rosariera *f.* 【식물】 =**cinamomo.**

rosariero *m.* 염주 제조인, 염주 장수 ; 염주 상자.

rosarino, na *adj. m. f.* 《*Arg.*》 로사리오(Rosario)의 (사람).

rosario *m.* ① 염주. ② 주렁주렁 매닮. ③ 열 ; 일련 : un ~ de desdichas. ④ 염주의 기도, 로사리오의 기도. ⑤ 사슬식 양수기. ⑥ 【속어】 등뼈. ⑦ 《*Ant.*》 [주로 *pl.*] 이야기, 소문, 뜬소문, 낭설.
acabar una cosa como ~ ***de la Aurora·de Espera*** 《*And.*》 · ***de Amozoc*** 《*Méx.*》 때리기로 끝내다(acabar a porrazos).

Rosario *m.* 【지명】 로사리오 《Argentina의 Santa Fe주에 있는 도시》.

rosarse *r.* =**sonrosearse.**

rosbif *m.* [*ing.* roast beef] 《*Neol.*》 구운 쇠고기, 로스 (carne de vaca asada) : un ~ con patatas 감자 곁들인 구운 쇠고기.

rosca *f.* ① 나삿니 ; 나선 : ~ del tornillo. ② 소용돌이 : ~ de Arquímedes 나선식 양수기. ③ 나선형의 빵. ④ 《*Chile.*》 두건 (rodete). ⑤ 입씨름, 싸움. ⑥ (카드 놀이할 때의) 여럿이 빙 둘러앉는 일.
hacer la ~ 아첨하다.
hacer la ~ ***(del galgo)*** 아무 데나 가리지 않고 벌렁 눕다.
hacerse ~ 《*Méx.*》 기를 쓰고 하지 않으려 하다.
pasarse de ~ 나사가 맞지 않다.

roscadero *m.* 【방언】 운두가 깊은 망태기.

roscado, da *adj.* 나선형의(en forma de rosca).

roscar *tr.* ⑦ 나선형으로 만들다, 나사를 자르다 : máquina de ~ 나사 절단기.

rosco *m.* 《*And.*》 대형 롤빵.

roscón *m.* =**rosco.**

rosear *intr.* 장미색으로 보이다 ; 장미색이 되다.

rosedal *m.* 《*Arg.*》 =**rosaleda.**

roseína *f.* 장미 색소.

rosellonés, sa *adj. m.f.* 로세용 《Rosellón, 불란서의 지방 ; 아라곤 왕국의 일부였으나 1659년 피리네오 조약(Tratado de los Pirineos)에 의해 불란서에 양여함》의 (사람).

róseo, a *adj.* [*lat.* roseus] 장미색의 (de color de rosa).

roséola *f.* 【의학】 장미진(薔薇疹) 《모세 혈관의 충혈에 의하여 일어나는 장미빛 작은 홍반(紅斑) ; 장티푸스·발진 티푸스·매독 제2기의 초기 등에 나타남》.

rosero, ra *m.f.* 사프란 따는 농부.

roseta *f.* [*dim.* rosa] ① 작은 장미. ② 장미꽃 모양의 물건. ③ 장식 붙이. ④ 뺨의 불그레한 빛깔. ⑤ 물뿌리개의 아가리. ⑥ (대형 저울의 끝, 날밑 모양의) 걸이쇠. ⑦ 용광면에 생기는 순동의 장미색 광피(鑛皮). ⑧ 《*Galic.*》 약장(略章). ⑨ 《*Arg. Perú.*》 박차(拍車)의 자극쇠. —*pl.* (벌어진) 튀긴 옥수수.

rosetón *m.* ① (천장의) 장미꽃 모양의 장식. ② 원형 투명창.

rosicler *m.* ① 꼭두서니 빛 ; 장미빛의 새벽 구름. ②【광물】=**plata roja.**

rosigar *tr.* ⑧ 《*Albac. Ar. Murc.*》 갉다, 쏠다 (roer). —*intr.* 《*Ar. Murc.*》 중얼거리다.

rosigo *m.* 《*Ar.*》(전정에 의해) 베어낸 가지.

rosigón *m.* 《*Albac. Ar. Murc.*》 빵조각.

rosillo, lla *adj.* ① 엷은 장미빛의 ; 털이 갈대 빛깔인 (말). ② 《*Arg.*》 하얀 털이 섞인.

rosita *f.* [*dim.* rosa] ① 작은 장미. ② 《*Chile.*》 귀고리. —*pl.* 《*Cuba.*》 =**rosetas.**

de ~s 거저, 공짜로, 무료로 (gratis, de balde, de guagua).

rosjo *m.* 《*Sal.*》 떡갈나무 잎.

rosmarino, na *adj.* 연분홍 빛깔의(rojo claro). —*m.*【식물】로즈메리(romero).

rosmaro *m.*【동물】물소(manatí).

roso, sa *adj.* [*lat.* rosus] ① 털이 빠진, 벗겨진 (raído, pelado). ② 붉은(rojo).

a ~ y velloso 에외없이, 통틀어, 용서없이.

rosoli *m.* [*fr.* rossolis] 로솔리 《설탕 · 육계 · 회향풀 등으로 만든 리큐르(술)의 일종》.

roson *m.*【곤충】진디(rezno).

rosqueado, da *adj.* 나선형의, 말아 놓은, 소용돌이 모양으로 된.

rosquete *m.* 대형의 코페빵.

rosquilla *f.* ① 롤빵, 도넛빵. ② (나무나 야채의 해충으로서 여러 종류의) 털 벌레, 송충이, 구더기.

saber a ~s 기쁘다. *no saber a ~s* 슬프다.

rosquillero, ra *m.f.* 도넛빵 제조인 · 상인.

rosquillo *m.* =**rosco.**

rosquito *m.* =**rosco.**

rosquituerto, ta *adj.* 《*Col. Ecuad.*》 =**rostrituerto.**

rostir *tr.* 굽다.

rostrado, da *adj.* [*lat.* rostratus] 끝이 뾰족한, 부리 모양의.

rostral *adj.* [*lat.* rostralis]【고어】=**rostrado.**

rostrata *adj.*【건축】=**rostrada, rostral.**

rostrillo *m.* (옛날 여자들의) 얼굴 장식(물).

rostritorcido, da *adj.* =**rostrituerto.**

rostrituerto, ta *adj.* 찡그린, 화난 얼굴을 한, 얼굴 표정이 달라지는.

rostrizo *m* 《*Ál. Burg. Pal. Rioja.*》 구운 새끼 돼지(cochinillo asado o tostón).

rostro *m.* [*lat.* rostrum] ① 얼굴 (cara) : La conozco de ~ pero no sé su nombre 나는 그녀의 얼굴은 알지만 이름은 모른다. ② 부리 (pico del ave). ③ (선박의) 충각(衝角). ④ 부리 모양의 돌기.

a ~ firme 맞대 놓고, 의연히.

conocer de ~ 안면이 있다.

dar en ~ 화나게 만들다 ; 면박을 주다 ; 맞대 놓고 말하다.

hacer ~ a ① …에 얼굴을 마주 대하다 (hacer frente). ② 반항 · 대항하다 (resistir). ③ (꼼짝 않고) 참아내다. ④ (피하지 않고) 뚫어지게 쳐다보다.

volver el ~ (애정 때문에) 돌보다 ; 외면하다.

rostropálido, da *m.f.* 백인 《본래 북미 원주민이 백인을 이르는 말》.

rota[1] *f.* ①【식물】등나무. ② 궤주(潰走), 패배 (derrota). ③ 뱃길, 방향(dirección).

de ~ (batida) 돌연히 ; 몽땅, 철저하게.

rota[2] *f.* [*lat.* rota]【종교】최고 법원.

rota[3] *f.* [*malayo.* rotan]【식물】(인도산) 야자나무.

rotabilidad *f.* 회전율 : ~ de fondos 자본 회전율.

rotación *f.* [*lat.* rotatio] ① 회전 : ~ de trabajos 직장 윤번 근무 제도. ② (지구의) 자전. ③【농업】윤작(~ de cultivos).

rotacismo *m.* s음의 r음으로의 음전환.

rotal *adj.*【종교】최고 법원(rota)의.

rotamente *adv.* 엉망으로, 제 마음대로, 제멋대로, 사날 좋게, 제 하고 싶은 대로.

rotante *adj.* 구르는, 도는, 회전하는.

rotar *intr.* ① 구르다, 돌다, 회전하다 (rodar). ② 《*Ar. Ast.*》 트림하다(eructar). —*tr.* 《*Méx.*》 부수다, 깨다.

rotario, ria *adj.* 로터리 클럽(club ~)의. —*m.f.* 로터리 클럽 회원.

rotativa *f.* 윤전기.

rotativo, va *adj.* 윤전식의, 윤번(제)의. —*m.* 윤전 인쇄의 신문(지) ; 대 신문.

rotatorio, ria *adj.* 회전의, 회전식의.

roten *m.* [*fr.* rotin] ①【식물】등나무(rota). ② 등나무 지팡이.

rotería *f.* 《*Chile.*》 천민 ; 야비함.

roterodamense *adj.* 로테르담 《Roterdam, 네델란드의 도시로 Erasmo의 출생지》의 ; 에라스무스 철학의. —*m.f.* 에라스무스 학파의 사람.

roto, ta *adj.* [romper의 *p.p.*] ① 쪼개진, 깨진, 부서진. ② 찢어진 ; 누더기를 걸친, 다 헤어진. ③ 방탕한, 되먹지 못한. —*m.* ① 《*Chile.*》 천민. ② 《*Arg. Perú.*》 칠레 놈.

Nunca falta un ~ para un descosido【속담】가난한 사람은 항상 자기보다 더 가난한 사람을 발견한다.

rotograbado *m.* 윤전 그라비아(판).

rotonda *f.* ① 원형 건물 (edificio circular). ② 원형 사원. ③ 둥근 지붕. ④ 정자. ⑤ (합승 마차의) 뒷자리.

rotor *m.* ①【기계】(증기 터빈의) 축차(軸車). ②【전기】회전자. ③ (헬리콥터 등의) 회전 날개, 회전익(回轉翼).

rotoso, sa *adj.* 《*AmérM.*》 누더기를 걸친, 다 헤진 옷을 입은, 누덕누덕한(andrajoso).

rótula *f.* [*lat.* rotula] ①【해부】슬개골. ② 알약, 환약, 정제.

rotulación *f.* 라벨을 붙이기.

rotulado, da *adj.* rotular의 *p.p.* —*m* =**rotulación.**

rotulador, ra *adj.* rotulata를 붙이는. —*f.* rotulata 붙이는 기계.

rotular[1] *tr.* (…에) 명찰 · 표지 · 라벨을 붙이다 ; 표제를 붙이다 ; 표시하다.

rotular[2] *adj.* 슬개골의.
rotulana *f.* 【속어】 =**rótulo, título.**
rotulata *f.* 라벨, 표지, 상표 ; 레텔 수집.
rotuliano, na *adj.* =**rotular.**
rótulo *m.* 명찰, 라벨, 레텔, 제명(題名) ; 포스터 ; 표시 ; 간판 ; 【영화】 설명 자막.
～ *de precios* 정가표.
～ *luminoso neón* 네온 사인.
rotunda *f.* =**rotonda.**
rotundamente *adv.* 단호하게, 딱 잘라.
rotundez *f.* =**rotundidad.**
rotundifoliado, da *adj.* 【식물】 잎이 둥근 (식물).
rotundidad *f.* 원형 ; 비만 ; 단호함.
rotundo, da *adj.* [*lat.* rotundus] ① 쩌렁쩌렁하게 울리는(lleno y sonoro) : lenguaje ～. ② 단호한 (terminante) : negativa ～*da* 단호한 거절. ③ [드묾] 둥근(redondo).
rotuno, na *adj.* 《*Chile.*》 천민의 · 같은.
rotura *f.* ① 파괴, 파손, 손상 ; 벌어진 틈 (rompimiento) : resistencia a la ～ 항구성, 견고성. ② 【방언】 개간지. ③ 【의학】 파열, 파상.
roturación *f.* 개간 ; 개간지.
roturador, ra *adj.* 개간하는 ; 개간용의. —*m. f.* 개간하는 사람. —*m.* 개간용 쟁기.
roturadora *f.* 개간기(機).
roturar *tr.* 개간하다.
roya *f.* 【식물】 진균 식물.
royalties *m.pl.* 특허권 사용료, 로열티.
royega *f* 《*Pal.*》 과실나무의 배추벌레의 일종.
royo, ya *adj.* ① 붉은(rojo). ② 붉은 털의 (rubio). ③ 덜 익은 (과일).
roza *f.* ① 제초. ② 제초한 토지. ③ 【방언】(뽑아낸) 풀 ; (배수한) 도랑.
rozable *adj.* 제초할 수 있는.
rozadera *f.* 나무 낫(rozón).
rozadero *m.* 제초장.
rozador, ra *m.f.* 풀베는 사람.
rozadura *f.* ① 마찰 ; 찰과상. ② 【식물】 수피(樹皮)의 부패병(病).
rozagante *adj.* ① 찬란한, 화려한. ② 의기 양양한, 우쭐해진(ufano) : Iba ～ en su caballo.
rozamiento *m.* 마찰(roce) ; 불화 ; 쏠림.
rozar *tr.* ⑨ ① (초목을) 베어내다 : ～ la tierra. ② (이용하기 위해 초목을) 베어내다 ; (풀을) 입으로 자르다. ③ (표면을) 깎다, 깎아 고르다, 개간하다 : ～ la tierra. ④ 문지르다, (…에) 손대다. —*intr.* 손댈 수 있다, 문지를 수 있다. **～se** ① 서로 스치다. ② 발이 꼬이다, 부딪치다. ③ [+con : …과] 친하게 지내다, 교제하다, 접촉이 있다 : No le gusta ～*se con* nadie 그는 어느 누구와도 교제하는 것을 싫어한다. ④ (말할 때) 혀가 굳어지다(trabarse la lengua al hablar). ⑤ 서로 닮다, 관계가 있다.
rozavillón *m.* 【은어】 =**gorrón.**
roznar *tr.* (단단한 것을) 갉다, 깨물다 (ronzar, roer). —*intr.* 나귀가 울다(rebuznar).
roznido *m.* ① 갉는 소리(ruido hecho roznando). ② 나귀 우는 소리(rebuezno).
rozno *m.* 새끼 나귀.
rozo *m.* 초목 베기 ; 땔나무(leña).
ser de buen ～ (음식이) 맛있다.
rozón *m.* 나무 낫.
R.P. respuesta pagada ; Reverendo Padre.
r.p.m. revoluciones por minuto (분마다의) 회전수.
R.P.M. Reverendo Padre Maestro.
rpte. representante.
r.r. rogamos respuesta.
Rr. Rector.
RR.EE. Relaciones Exteriores.
r.[s] reales (monedas).
R.s. Reales (del rey).
R.S. Real Servicio.
Rs. Ps. Reales Pies.
rte., rtte. remitente 발송자, 발신인.
rúa *f.* 길, 큰길 ; 시골길.
ruaco, ca *adj.* 《*Venez.*》 =**albino.**
ruán *m.* 루앙 《Rouen, 불란서 북부의 도시》 직(織), 프린트 면포.
ruán, na *adj.* 【고어】 =**roano.**
ruana *f.* ① 나사 ; 털이 닳아 빠진 모포. ② 《*Col. Venez.*》 뒤집어쓰는 모포(poncho).
ruanada *f.* 《*Venez.*》 야비, 촌스러움.
Ruanda 【지명】 루안다 《중앙 아프리카의 나라 ; 면적 26,338㎢ ; 수도 Kigali》.
ruanés, sa *adj. m.f.* =**roanés.**
ruano, na *adj.* ① 털이 갈대 빛깔인(roano). ② 동그라미를 그린, 빙빙도는. ③ 《*Col.*》 다리가 흰 (말).
ruante[1] *adj.* 시내를 어정거리고 다니는 (남자).
ruante[2] *adj.* [*fr.* rouant] 꼬리가 펼쳐진 (칠면조).
ruar *tr.* ⑮ (특히 여자를 목적으로) 시내를 어정거리고 다니다.
rubefacción *f.* 【의학】 (피부에 돋아나는) 홍조(紅潮).
rubefaciente *adj.* 발적(發赤)의. —*m.* 발적제.
Rubén Darío *m.* 【인명】 루벤 다리오 《니까라구아의 시인(1867 – 1916)》.
rúbeo, a *adj.* 불그스름한.
rubéola *f.* 【의학】 풍진(風疹).
rubescencia *f.* 불그스레함.
rubescente *adj.* =**rúbeo.**
rubeta *f.* 【동물】 두꺼비.
rubí *m.* [*pl.* rubíes] [*lat.* ruber] ① 【광물】 홍옥, 루비 : ～ balaje 발리스 루비 《장미빛 루비》. ～ de Bohemia 붉은 수정. ～ del Brasil 붉은 색깔의 토파즈, 황옥(黃玉). ② (시계의) 석(石).
rubia[1] *f.* ① 【식물】 꼭두서니. ② 꼭두서니의 뿌리.
rubia[2] *f.* 【어류】 루비아 《민물 고기》.
rubia[3] *f.* [*ár.* ruba] 아라비아의 금화 《1／4 cianí》.
rubia[4] *f.* 소형 승용차의 일종.
rubiáceo, a *adj.* 【식물】 꼭두서니 속의. —*pl. f.* 꼭두서니속 《꼭두서니, 키나, 커피, 나무 등》.
rubial[1] *adj.* 흰 반점이 있는 밤색털의.
rubial[2] *m.* rubia가 자라는 곳.
rubicán, na *adj.* 털이 흰색과 붉은 색이 섞여진 (말).
rubicela *f.* 연분홍 빛깔의 루비.
Rubicón *m.* 이탈리아의 강 이름 ; 어떤 일을 단행해야 할 것인가 그만 두어야 할 것인가 하는 중요한 때.
atravesar·pasar el ～ 중대한 결심을 하다.

rubicundez *f.* ① 붉은 얼굴. ②【의학】 홍조.
rubicundo, da *adj.* ① 불그레한 (rojizo). ② 붉은 얼굴의.
rubidio *m.*【화학】 루비듐《금속 원소》.
rubiel *m.*【어류】 도미의 일종(pagel).
rubiera *f.* ①《Venez.》 장난, 실없이 하는 짓 (calaverada). ②《PRico.》 즐거움, 소란(diversión).
rubificar *tr.* 7 붉게 물들이다.
rubiginoso, sa *adj.* =**ruginoso.**
rubilla *f.*【식물】 질경이(asperilla).
rubín *m.* 루비(rubí) ; 녹(orín).
rubinejo *m.* [*dim.* rubí] 조그마한 루비.
rubio, bia *adj.* [*lat.* ruber] ① 삼베 색깔의, 금발의, 블론드의. ②《Bol.》 술취한. **—***m.f.* 금발의 사람 : Ella es *rubia* con el pelo largo y los ojos azules. **—***m.*【어류】 다랑어.
cigarrillo·tabaco ~ 필터있는 순한 담배.
rubión *adj.* 《Mancha.》 붉은 (밀). **—***m.* 《Mancha.》 =**alforfón.**
rublo *m.* 루블《러시아의 화폐 단위》.
rubo *m.* =**zarza.**
rubor *m.* [*lat.* rubor] ① 진홍. ② 무안, 얼굴을 붉힘, 수치, 창피스러움(vergüenza) : causar ~ 무안하게 하다. sentir ~ 수치심을 느끼다.
ruborizado, da *adj.* 얼굴을 붉힌, 부끄러워진.
ruborizar *tr.* 9 붉게 하다.
~se 얼굴을 붉히다 ; 얼굴이 화끈거리다 ; 부끄럽게 생각하다 : Ella *se ruborizó* al oir la noticia.
ruborosamente *adv.* 부끄러워하여, 창피스러워(con rubor).
ruboroso, sa *adj.* 얼굴을 붉힌 ; 창피해 하는 ; 부끄러워하는 : frente *~sa.*
rúbrica *f.* [*lat.* rubrica] ① 주인(朱印), 주서(朱書) ; 서판(書判), 서명, 조인 : ceremonia de ~ 조인식. ② 제명(題名)(rótulo). **—***pl.* 예배 규정, 교의 식순(教儀式順).
~ *fabril* (목수의) 붉은 먹.
~ *lemnia* 아르메니아 적점토.
~ *sinópica* 연단, 광명단(minio) ; 주사(bermellón).
de ~ 규정한 (바에 의해) ; 형식에 따라서.
rubricado, da *adj.* rubricar의 *p.p.*
rubricante *adj.* 주인(朱印)을 찍는·서명하는. **—***m.f.* 서명자.
rubricar *tr.* 7 (서류에) 도장을 찍다, 서판(書判)·화압을 찍다, 서명하다 ; 인지를 붙이다.
rubriquista *m.* (사원의) 예식 전문가.
rubro, bra *adj.* [*lat.* rubrus] 불빛깔의, 새빨간 (encarnado). **—***m.* 《Amér.》 ① 제명, 건명(件名), 표제(標題), 타이틀(epígrafe) : del ~ 기록하여 게시한. ②《Chile.》 항목, 필(筆) : *~s* del activo 자산 항목.
ruc *m.* [*pl.* ruques] (전설의) 괴조(rocho).
ruca *f. araucano.* 《Chile.》 움막, 초가집(choza).
rucaneado, da *adj.* 《Venez.》 촌스러운, 속된.
rucanear *tr.* 《Venez.》 속되게 만들다.
rúcano *m.* ①《Perú.》 솔(sol) 화(貨). ②《Venez.》 부피가 커진 것.
rucar *tr. intr.* 7 《Ast. León.》 아작아작 깨물다.
rucio, cia *adj.* ① 연한 잿빛의 : caballo ~. ② 머리가 희끗희끗한. ③《Chile.》 블론드의, 금발의(rubio).
ruco, ca *adj.* 《AmérC.》 낡아 빠진, 케케묵은, 쓸모 없는 (말 등).
ruchar *intr.* 《León.》 싹이 트다(brotar).
ruche *m.* ① (주로 어린) 나귀 (rucho). ②【속어】 돈. **—***f.* 《Galic.》 주름 장식.
a ~ 【방언】 돈 한푼 없이.
ruchique *m.* 《Hond.》 나무 컵받침.
rucho, cha *adj.* 《Col.》 까칠까칠한. **—***m.* ① (주로 어린) 나귀. ②【방언】 어린 싹.
ruda *f.* [*lat.* ruta] 【식물】 헨루다.
ser más conocido que la ~ 널리 알려져 있다 (ser muy conocido).
rudamente *adv.* 사납게, 거칠게, 난폭하게, 예의없이.
rudeza *f.* 거칠고 촌스러움, 우악스러움 ; 무지함, 혹독, 가혹, 사나움.
rudimental *adj.* =**rudimentario.**
rudimentario, ria *adj.* 초보의, 기본적인 ; 미발육의, 발육 부진의, 성장이 늦은 ; 흔적의.
rudimento *m.* [*lat.* rudimentum] 발육 부진 기관(器官)·국부 ; 흔적. **—***pl.* 초보, 기초적 지식.
rudo, da *adj.* ① 투박스런, 거친. ② 거칠고 촌스러운, 난폭한, 예의없는(descortés). ③ 혹독한, 가혹한, 심한, 모진(riguroso) ; 고통스런 : una vida *~da.*
rueca *f.* ① 실패, 북. ② 꼬기, 똘똘 감기.
rueda *f.* [*lat.* rota] ① 바퀴 : un coche de cuatro *~s.* ② 바퀴 모양으로 된 것 ; 고리 모양으로 토막내기·토막낸 물건 : una ~ de pescado. ③ 빙 둘러앉음 (corro). ④ (주식 시장의) 입회. ⑤ 둥그런 도장. ⑥ 윤번, 차례, 순서(truno, vez) ; 차례 맞추기《인쇄된 것을 페이지 순으로 둥그렇게 늘어놓아 차례로 집어 포개는 일》. ⑦ 수레 돌리기 형(刑)(suplicio de la ~)《수평으로 된 수레바퀴에 죄인을 얹고 때리면서 돌리는 형벌》. ⑧ (곳에 따라) 양수용 물레방아 (noria). ⑨ (칠면조 따위가) 넓게 편 꼬리. ⑩ 당구 놀이의 일종. ⑪【어류】 개복치. ⑫ (거래소의) 입회.
~ *catalina·de Santa Catalina* (시계의) 평형륜(平形輪).
~ *dentada* 톱니바퀴.
~ *de alimentación por abajo·por arriba* 하사식(下射式)·상사식(上射式) 물레방아.
~ *de andar* (벌로 밟게 했던) 발로 밟게 된 물레방아.
~ *de costado* 물레방아의 일종.
~ *de dirección, directriz del timón* 타륜(舵輪).
~ *de la fortuna* 인생의 무상함, 인생의 부침.
~ *de molino* 맷돌.
~ *de pólvora* =girándula.
~ *de triquete* 발톱 톱니바퀴.
~ *de engranaje* 톱니바퀴.
~ *guía* (운반차 등의) 자재차(自在車).
~ *hidráulica* 물레방아.
~ *libre* 놀이차.
~ *motriz* 동륜(動輪).
clavar la ~ *de la fortuna* 좋은 기회를 꼭 붙잡다 (hacer estable su suerte).
comulgar con ~s de molino 무슨 말이나 곧이 듣다(creerse todo cuanto le dicen).
deshacer la ~ 자신의 가치·능력을 분명하게

알다.

hacer la ~ 빙글빙글 돌다 ; (누구를) 꼭 붙어 따라다니다.

ruedero *m.* 수레 목수.

ruedo *m.* ① 회전 ; 바퀴, 테. ② 단 안에 대는 천 ; 옷단의 안에 대는 천 : ~ de cama 침대 주위에 대는 천. ③ 둥그런 돗자리. ④ 주위, 윤곽. ⑤ (투우장의) 모래 사장(redondel).

a todo ~ 무슨 수를 써서라도(a toda costa).

echarse al ~ 간섭하다(intervenir).

ruega rogar의 직 · 현 · 3 · 단수.

ruegan rogar의 직 · 현 · 3 · 복수.

ruegas rogar의 직 · 현 · 2 · 단수.

ruego[1] *m.* 간원, 간청, 탄원, 애원, 소원, 소망(súplica) : a ~ de …의 간청에 의해.

ruego[2] rogar의 직 · 현 · 1 · 단수.

ruegue rogar의 접 · 현 · 1 · 3 · 단수.

ruegue- → **rogar** 24 8.

ruejo *m.* 《*Ar.*》 맷돌 ; 달구.

ruello *m.* 《*Ar.*》 달구 ; 탈곡기.

rueño *m.* 《*Ast. Sant.*》 =**rodete.**

ruezno *m.* 호두 ; 호두 껍질.

rufa *f.* 《*Perú.*》 =**traílla.**

rufián, na *adj.* 《*SDgo.*》 기뻐하는, 좋아 어쩔 줄 모르는. —*m.* 뚜쟁이, 매춘 알선자 ; 악한.

rufianada *f.* 《*Cuba.*》 =**burla, chiste.**

rufiancete *m. dim.* =**rufián.**

rufianear *tr. intr.* 뚜쟁이 노릇을 하다.

rufianejo *m. dim.* rufián.

rufianería *f.* 뚜쟁이짓 ; 비천한 일.

rufianesca *f.* 뚜쟁이들 ; 천박한 직업.

rufianesco, ca *adj.* 뚜쟁이 같은 ; 치사한.

rufo *m.* 【은어】 =**rufián.**

rufo, fa *adj.* ① 빨간 (rubio, bermejo). ② 고수머리의. ③【방언】 단단한, 야무진 ; 싱싱한.

rufón *m.* 【은어】 =**eslabón.**

ruga *f.* =**arruga.**

rugar *tr.* 8 [드뭄] =**arrugar.**

rugby *m.* 럭비 : ~ americano.

rugible *adj.* 울부짖을 수 있는.

rugido *m.* [*lat.* rugitus]① (사자의) 울부짖는 소리. ② 장(腸)이 울리는 소리. ③ 굉장히 큰 소리 : los ~*s* de la tempestad.

rugidor, ra *adj.* =**rugiente.**

rugiente *adj.* 울부짖는, 울부짖는 듯한 : un león ~.

ruginoso, sa *adj.* 녹슨.

rugir *tr.* 4 [*lat.* rugire] ① 짖다, 으르렁거리다(bramar). ② [드뭄] (숨어있던 것이) 나타나기 시작하다.

rugosidad *f.* 주름잡음 ; 주름짐 ; 주름, (함석 따위의) 골.

rugoso, sa *adj.* [*lat.* rugosus] ① 주름살 잡은, 주름투성이의. ② 까끄러운 ; 울퉁불퉁한 : Cuando son muy ~*s* los caminos, la mejor manera de pasearse es a caballo o a pie 길이 매우 울퉁불퉁하면 산책하는데 가장 좋은 방법은 말을 타거나 걷는 것이다.

ruibarbo *m.* ①【식물】 대황(大黃). ② 대황 뿌리.

ruidajo *m.* 《*Col.*》 작은 소리.

ruido *m.* ① [*lat.* rugitus] 소음 ; 시끄러운 소리 : ¿Qué ~ es ése? 저건 무슨 소리입니까? El ~ llegó hasta nosotros 그 소리는 우리 있는 데까지 왔다. ② 소문 ; 진기한 일 · 사건.

~*s de fondo* 연예의 배경 음악.

hacer · meter ~ 소리를 지르다 ; 소란을 피우다 ; 깜짝 놀라게 만들다.

querer ~ 싸움을 좋아하다.

quitarse de ~*s* 시끄러운 일 · 골치 아픈 일에서 손을 떼다.

ser más el ~ *que las nueces* 그저 겉으로만 번드르르할 뿐이다.

ruidosamente *adv.* 소란스럽게, 시끄럽게, 야단스럽게.

ruidoso, sa *adj.* 시끄러운, 떠들썩한, 유명해진 ; 현저한.

ruin *adj.* 천박한, 추잡스러운 ; 치사한, 노랭이 같은. —*m.* 고양이 꼬리의 끝.

ruín *adj.* =**ruin.**

ruina *f.* [*lat.* ruina] ① 붕괴, 도괴 ; 몰락, 도산 : ir en ~ 몰락하다, 도산하다. ② 멸망 : la ~ del imperio romano. —*pl.* 폐허, 황폐한 자취 : El templo quedó en ~*s* 사원은 폐허로 됐다.

ruinar *tr.* =**arruinar.**

ruindad *f.* 비천, 야비 ; 비열한 행위, 천박한 짓 ; 추행, 추접스러운 일 (villanía) : El solía cometer ~*es* 그는 비열한 행동을 자주 했다. No se permitirá cometer tales ~*es* 그는 그런 비열한 짓은 감히 하지 않을 것이다.

ruinera *f.* 《*Sant.*》 =**ruina.**

ruinmente *adv.* 추접스럽게 ; 천박하게 ; 인색하게 : portarse ~.

ruinoso, sa *adj.* [*lat.* ruinosus] ① 넘어질 듯한, 쓰러지기 시작한, 무너진 : Pasaron la noche en una casa ~*sa* 그들은 그 밤을 넘어질 듯한 어떤 집에서 지냈다. ② 파괴적인 : La guerra es ~*sa* a las naciones beligerantes.

ruiponce *m.* 【식물】 =**rapónchigo.**

ruipóntico *m.* 【식물】 장군풀.

ruiseñor *m.* 【조류】 나이팅게일, 밤꾀꼬리 : El ~ se alimenta de insectos.

ruiz *m.* 《*Guat.*》【조류】(아메리카의) 멋쟁이새.

rujiada *f.* 《*Ar.*》 억수처럼 쏟아지는 비 ; 물뿌리기.

rujiar *tr.* 11 《*Ar. Murc. Nav.*》 (물뿌리개로) 물을 뿌리다.

rula *f.* ①《*Ast. Mál.*》 생선 거래소. ②《*Ast. Mál.*》 =**rueda.** ③《*Col.*》 작두(machete).

rular *tr. intr.* 회전하다(rodar).

rulé *m.* 궁둥이(culo, trasero).

rulenco, ca *adj.* 《*Chile.*》 병약한, 쇠약한, 쇠퇴한, 연약한(radquítico).

rulengo, ga *adj.* 《*Chile.*》 =**rulenco.**

ruleta *f.* [*fr.* roulette] ① 룰렛, 구슬 굴리기 놀이. ②《*Amér. Arg.*》 줄자.

ruleteo *m. de* ~ 《*Méx.*》 대차(貸車)의, 택시의.

ruletero *m.* 《*Méx.*》 택시 운전수.

rulo *m.* ① 공, 구슬. ② (땅 다지는) 롤러. ③ (롤러식의) 맷돌. ④《*Arg. Bol.*》 (머리칼의) 곱슬곱슬한 모양. ⑤《*Chile.*》 밭.

ruma *f.* 《*AmérM.*》 퇴적, 쌓아 올림(montón).

rumajear *intr.* 《*Col.*》 주변 · 주위를 빙빙 돌다(rondar).

Rumania *f.* 【지명】 루마니아.

rumano, na *adj.* 루마니아(Rumania)의.

—*m.f.* 루마니아 사람. —*m.* 루마니아어.
rumantela *f.* 《*Sant.*》 =**alboroto, jaleo.**
rumazo *m.* 《*Col.*》 =**rimero.**
rumazón *f.* 【해사】 적운, 뭉게구름(arrumazón).
rumba *f.* ① 《*Ant.*》 즐겁게 떠들어댐 (jolgorio). ② 룸바 《쿠바의 춤·곡》. ③ 《*Chile.*》 산적(山積)(montón).
rumbada *f.* galera 선(船)의 뱃머리 통로.
rumbador *m.* 《*Col.*》 =**bramadera.**
rumbancha *f.* 《*Cuba.*》 =**cumbancha.**
rumbanchear *intr.* 《*Ant.*》 즐겁게 떠들다, 들떠 다니다, 축제 기분을 내다.
rumbantela *f.* 《*Méx.*》 =**rumantela.**
rumbar *intr.* 【방언】 ① 찬란하다 ; 으르렁거리다, 짖다 (gruñir). ② 《*Col.*》 윙윙거리다 (zumbar). ③ 《*Arg. Chile.*》 =**rumbear.**
—*tr.* 《*AmérC. Col.*》 던지다.
~se 뛰어나오다, 뛰어들다.
rumbático, ca *adj.* 화려한, 찬란한, 자랑스러운.
rumbeador *m.* 《*AmérM.*》 길 안내인.
rumbear *intr.* 《*AmérM.*》 ① (어디로) 향하다, 향해 가다, 방향을 잡다 (orientarse). ② 《*Bol.*》 (산으로) 길이 트이다 (abrirse camino por el monte). ③ 《*Cuba.*》 룸바(rumba)를 추다 ; 들떠 다니다.
rumbo *m.* [*lat.* rhombus] ① 방향, 방위 : con ~ a …의 방향으로, 향하여. Salimos temprano con ~ a la montaña 우리들은 아침 일찍 산을 향해 출발했다. Salió con ~ a América 그는 아메리카로 향해 출발했다. El barco avanzaba con ~ a Manila 배는 마닐라를 향해 나아갔다. La suerte le ha dado (a su vida) otro ~ 운명은 그의 생애의 방향을 바꾸었다. ② 목적. ③ 코스, 루트. ④ (더듬어 향해 가는) 길, 진로, 항로 (camino, ruta) : tomar otro ~. ⑤ 화려함, 고움 (pompa, ostentación). ⑥ 대범스러움, 째째하지 않음 (desprendimiento). ⑦ 배 밑에 뚫는 구멍. ⑧ 【방언】 개의 으르렁거리는 소리. ⑨ 《*AmérC.*》 신이 나서 법석 떨기. ⑩ 《*Col.*》 벌참새.
sin ~ fijo =al azar.
abatir el ~ (배를) 바람이 불어가는 쪽으로 돌리다.
hacer ~ a (선박·비행기가) …로 향해서 진로를 잡다 : El capitán *hizo ~ a* Manila.
perder el ~ =desorientarse.
rumbón, na *adj.* 너그러운, 관대한(rumboso, generoso).
rumbosamente *adv.* 아름답게 ; 째째하지 않게.
rumboso, sa *adj.* ① 아름다운, 화려한, 희한한 (espléndido). ② 너그러운, 관대한(generoso).
rumeliota *adj.* 루멜리아 《Rumelia, 발칸 반도의 한 지방》의. —*m.f.* 루멜리아 사람.
rúmex *m.* 【식물】 =**romaza.**
rumí *m.* (서반아의 회교도가 말하는) 그리스도교도.
rumia *f.* 되새김질, 반추.
rumiador, ra *adj. m.f.* 되새김질 하는 (것) ; 깊이 생각하는 (사람).
rumiadura *f.* =**rumia.**
rumiante *adj.* ① 【동물】 반추 동물의. ② 반추적인, 숙고하는. —*m.* 반추 동물. —*m.pl.* 반추류 《소, 낙타, 양 따위》.
rumiar *tr.* ⑬ [*lat.* rumigare] ① 되새김질하다, 반추하다 : Las vacas *rumian* sus alimentos. ② 숙고하다, 이리저리 궁리하다 : ~ un proyecto. ③ 화가 나서 투덜거리다(refunfuñar) : Siempre *estás rumiando* palabras extrañas.
rumión, na *adj.m.f.* 자꾸만 되새기는 (사람), 같은 사건을 되씹는 ; 심사 숙고 형의 (사람).
rumo *m.* 어미테 《제일 먼저 끼우는 테》.
rumor *m.* [*lat.* rumor] ① 소문, 풍문, 평 : Un ~ confuso salió del público 민중 사이에서 어수선한 소문이 나왔다. Corre el ~ de que va a cambiar la política 정책이 변한다는 풍문이 돌고 있다. Según ~*es* no confirmados cambiará el gobierno 확인되지 않은 풍문에 의하면 정부가 바뀌는 듯하다. ② 산들거림. ③ 졸졸 흐르는 강물 소리. ④ 먼데서 들리는 소리·사람 음성.
~ público·general 소문, 풍문.
rumorarse *r.* 《*Amér.*》 소문나다, 소문이 퍼지다, 평이 나다(correr el rumor).
rumoreante *adj.* =**rumoroso.**
rumorear *intr.* 평이 나다, 소문이 알려지다 : Se *rumorea* que va a haber cambios políticos 정변이 있을 듯 하다는 풍설이다.
rumoroso, sa *adj.* ① 웅성거리는, 살랑거리는. ② 소문이 퍼지는.
runa[1] *f.* 루운 문자 《고대 스칸디나비아의 문자》. —*m.* 《*Ecuad.*》 토인 남자.
runa[2] *adj.* 《*Ecuad.*》 =**vulgar, bajo.**
runazambo, ba *adj. m.f.* 《*Ecuad.*》 흑인과 토인과의 혼혈아(의).
runchera *f.* 《*Col.*》 어리석은 짓(tontería).
runcho, cha *adj.* 《*Col.*》 못 배운(ignorante). —*m.* 《*Col.*》 【동물】 주머니쥐의 일종 ; 수달의 일종.
rundel *m.* 《*Sal.*》 여자들이 머리에 쓰는 만띠야 (mantilla).
rundir *tr.* 《*Méx.*》 숨기다(esconder).
rundún *m.* 《*Arg.*》 ① 【조류】 벌참새 (pájaro mosca). ② 윙윙 소리내는 장난감의 일종.
runfla *f.* ① 열, 줄, 늘어섬. ② 《*Amér.*》 군중.
runflada *f.* =**runfla.**
runflante *adj.* 【방언】 ① 쌩쌩·윙윙 부는. ② 으시대는, 뻐기는, 자랑하는.
runflar *intr.* 《*Sant.*》 바람이 강하게 불다(soplar con gran fuerza).
rungo, ga *adj.* 《*AmérC.*》 작달막한, 똥똥한 (사람). —*m.* 【방언】 일년이 못된 돼지.
rungue *m.* 《*Chile.*》 작대기, 곤봉 ; (요리를 할 경우 볶을 때) 젓는 막대 ; (빗자루 등의) 막대 ; (푸성귀의 이파리를 떼낸) 속.
rungul *m.* =**rungue.**
rúnico, ca *adj.* 루운 문자의·로 쓴 (runa) : carácter ~ 루운 문자. poesía ~*ca* 루운시.
runo, na *adj.* =**rúnico.**
runrún *m.* ① 살랑거림 ; 소문(rumor). ② 고양이가 만족스러워 으르렁거림. ③ 《*AmérM.*》 윙윙 소리내는 장난감의 일종.
runrunear *intr.* =**murmullar, zumbar.**
runrunearse *r.* =**rumorearse, susurrarse.**
ruñar *tr.* (통의) 안쪽 홈을 파다.
ruñir *tr.* ㊼ 《*Amér.*》 쏠다, 갉다(roer).

rupestre *adj.* ① 바위의, 바위에 그린 : pintura ~ 벽화 (동굴 내의). ② 바위굴의. ③ 바위에 생기는 : planta ~.

rupia *f.* [*sanscr.* rupya] ① 루피 《인도 · 버마 · 세이론 · 파키스탄 등의 화폐 단위》. ② 루피 은화. ③【의학】오선(汚癬).

rupicabra *f.*【동물】=**gamuza.**

rupicapra *f.*【동물】=**gamuza.**

rupícola *adj.* 바위에서 사는.

ruptura *f.* [*lat.* ruptura] ① 부조(不調). ② 파괴, 단절, 결렬(rompimiento) : ~ de relaciones comerciales 거래 관계 단절. ~ de negociaciones diplomáticas 국교 단절. ③ 좌상(挫傷)(rotura).

ruqueta *f.*【식물】나도냉이 (oruga) ; 겨자, 갓 (jaramego).

rural *adj.* [*lat.* ruralis] 전원(田園)의, 시골의 : vida ~ 시골 생활. —*m.* 시골 사람 (campesino). **Contr.** urbano.

ruralismo *m.* ① 시골 생활 · 양식. ② =**incultura.**

ruralmente *adv.* 촌스럽게, 시골풍으로.

rurrú *m.* =**runrún.**

rurrupata *f.* 《*Chile.*》 자장가.

rus *m.* [*lat.* rhus]【식물】옻나무(zumaque).

rusalca *f.* (슬라브의 신화에서 남자를 유혹하여 죽인다는) 물의 요정.

rusco *m.*【식물】=**brusco.**

rusel *m.* 서지의 일종.

rusentar *tr.* 벌겋게 태우다.

rusia *f.* 《*Cuba.*》 야전 침대용 투박한 천.

Rusia *f.*【지명】러시아 : la ~ Soviética 소비에트 러시아.

rusiente *adj.* 벌겋게 탄.

rusificación *f.* 러시아화.

rusificar *tr.* 7 러시아화하다.

ruso, sa *adj.* 러시아 (Rusia)의. —*m.f.* 러시아 사람. —*m.* 러시아어 ; 러시아 풍의 외투.

rusófilo, la *adj.* 러시아를 좋아하는. —*m.f.* 친소파의 사람.

rúst. rústica.

rústica *f.* ***a la*** ~, ***en*** ~ 임시로 철하여, 종이로 장정한 (책).

rusticación *f.* 시골살이.

rustical *adj.* =**rural.**

rústicamente *adv.* 시골풍으로, 촌스럽게.

rusticano, na *adj.* 야생의(silverstre).

rusticar *intr.* 7 [드뭄] 시골에 가다, 시골에 살다(vivir en el campo).

rusticidad *f.* 시골식 ; 거칠음, 야비함.

rústico, ca *adj.* [*lat.* rusticus] ① 촌스러운. ② 전원의, 시골 같은 : casa ~*ca.* ③ 거친(tosco grosero) : modales ~*s.* —*m.f.* 시골 사람, 촌놈. ***a la · en*** ~***ca*** (책을) 가철하여, 가장정한, 종이 장정된(encuadernado con cubierta de papel).

rustiquez *f.* =**rusticidad.**

rustiqueza *f.* =**rusticidad.**

rustir *tr.* ① 《*Ar. Ast. Cat. León.*》 굽다. ② 물어뜯다, 입으로 깨다 ; 갉다. ③ 《*Venez.*》 참다 (soportar).

rustrir *tr.* 《*Ast.*》 ① (빵을) 굽다(asar, tostar). ② (풀을) 먹다(pastar). ③ 게걸스럽게 먹다. ④ (기름을) 끓이다.

rustro *m.* =**rumbo.**

ruta *f.* [*fr.* route] ① 길, 노선, 루트 ; 진로, 항로 (camino) : hoja de ~ 화물 운송장. ~ aérea 노선, 항공로. ~ oceánica 원양 항로. ~ peligrosa · segura 위험 · 안전 항로. ~ señalada 상용 · 지정 항로 · 공로(空路). ② 도정. ③ 여정표. ④ 《*Galic.*》 국도 (carretera). ⑤ 《*PRico.*》 (밤에) 떠들썩하며 다니기, 잔치 (소란)(holgorio).

rutabaga *f.*【식물】순무의 일종.

rutáceo, a *adj.*【식물】귤과의. —*f.pl.* 귤과에 속하는 식물.

rutar[1] *intr.* 《*Ast. Burg. Sant.*》 ① 중얼거리다, 투덜거리다. ② 《*Burg. Pal.*》 속삭이다(susurrar). ③ 《*Bad. Pal.*》(빙글빙글) 돌다.

rutar[2] *intr.* 《*Ast.*》 트림을 하다(eructar).

rute *m.*【방언】=**rumor, susurro.**

rutel *m.* 《*Sal.*》 작은 양떼.

rutenio *m.*【화학】루테늄 《금속 원소》.

ruteno, na *adj.* 소러시아의. —*m.f.* 소러시아 사람.

ruteño, ña *adj.m.f.* 루떼 《Rute, Córdoba 주의 소도시》의 (사람).

rutero, ra *m.f.* 《*PRico.*》 경험이 풍부한 운전수, 노련한 운전수 ; 장거리 운전수.

rutilante *adj.* 찬란한, 반짝이는, 빛나는, 번쩍이는(brillante) : estrellas ~*s* 빛나는 별.

rutilar *intr.* [*lat.* rutilare]【시어】반짝반짝 빛나다, 반짝이다(brillar, resplandecer) : metal que *rutila* al sol 햇빛에 반짝이는 금속.

rutilo *m.*【광물】금홍석.

rútilo *m.* =**rutilo.**

rútilo, la *adj.* [*lat.* rutilus]【시어】금빛의, 찬란한, 빛나는, 반짝이는(rutilante).

rutina *f.* [*fr.* routine] 숙련, 인습, 습관성, 업무상의 습관, 일과(日課), 기계적인 사무.
por ~ 습관적으로, 생각없이.

rutinariamente *adv.* 습관적으로, 인습적으로, 기계적으로 ; 상투적으로.

rutinario, ria *adj.* 일상 · 일과 · 매일의, 습관에 의한, 습관적인, 인습적인, 기계적인 ; 상투적인, 늘 그렇게 해온(rutinero).

rutinarismo *m.* 습관성(espíritu rutinario).

rutinero, ra *adj. m.f.* 습관이 되어 움직이는 ; 관례에만 따르는 (사람).

rutista *m.f.* =**rutero.**

rutón, na *adj.*【방언】곧잘 잔소리하는(gruñón).

rutulos *m.pl.* 루틀로족 《로마 남쪽에 있는 Lacio의 옛 주민》.

ruzafa *f. ár.* (아라비아인의) 정원, 공원(jardín).

R.Von. Reales Vellón 레알 《4분의 1뻬세따》.

Rwanda【지명】루안다(Ruanda).

S

s *f.* 에세 《서반아어 자모의 스물 두 번째 문자(vigésima segunda letra del abecedario castellano)》.
s. sobre ; su ; substantivo.
s/ su, sus ; sobre ; según.
S. San ; Santo 성(聖) ; Sur 남쪽; Sobresaliente 수(秀); Segundo 제 2 ; Sociedad (회)사.
S/. sol 뻬루의 옛 화폐 단위; sucre 에꾸아도르의 화폐 단위.
$ dólar(es), dóllar(es) ; duro(s) ; peso(s).
S.ª Señora.
S. A. Sociedad Anónima 주식 회사; Su Alteza 전하.
s.a.a. su atento amigo.
S.A. de C.V. Sociedad Anónima de Capital Variable.
sáb. sábado.
sabaco *m.* 《*Cuba.*》 안띠야스(Antillas)해의 물고기.
sabacú *m.* 《*Arg.*》 =**ave zancuda.**
sabadellense *adj.m.f.* 사바델 《Sabadell, Barcelona 주의 한 도시》의 (사람).
sabadeño, ña *adj.* 《*Pal. Rioja. Vallad.*》 창자와 돼지고기로 만든 (순대).
sabadiego, ga *adj.* 《*Ast. León.*》 =**sabadeño.**
sábado *m.* [*lat.* sabbatum] ① 토요일(séptimo día de la semana) : Los israelitas santifican el ~ 이스라엘 사람들은 토요일은 신에게 바친다. Todos los ~*s* no hay clases 토요일에는 수업이 없다. ② 안식일 《유대교에서 1주일의 마지막 날》 : *S*- Santo, *S*- de Gloria 부활절 전날.
~ inglés 오전만 일하는 토요일.
hacer ~ 주말 청소를 하다.
sabalar *m.* 송어; 송어잡이 어망(red usada para pescar los sábalos).
sabalera *m.* 반사로의 화상(火床); 송어 잡이용 그물.
sabalero *m.* 송어잡이 어부.
sabaleta *f.* 《*Col.*》 【어류】 송어 비슷한 작은 물고기.
sábalo *m.* 【어류】 송어, 송어 무리.
sabana *f.* 《*Amér.*》 (특히 열대 · 아열대의) 대초원 ; 평원(llanura). [비교] pampas, pradera.
estar en la ~ 《*Venez.*》 자원이 남아 돌아가다, 생각지도 않은 행운을 만나다.
ponerse en la ~ 갑자기 큰 행운을 얻다(adquirir súbitamente gran fortuna).
sábana *f.* [*lat.* sabanum ; *gr.* sábanon] 시트 ; (침구 따위의) 커버, 홑이불; 제단 덮개(sabanilla) : Esta ~ está sucia ; tráigame otra limpia 이 홑이불은 더럽다 ; 다른 깨끗한 것을 가져오세요.
pegárselo a uno *las* ~*s* (누가) 게을러 늦게 일어나다, 늦잠을 자다(levantarse tarde por pereza).
sabanal *m.* 《*PRico.*》 =**sabana.**
sabanazo *m.* 《*Cuba.*》 (별로 크지 않은) 목장.
sabandija *f.* ① 벌레, 구더기 ; 곤충, 파충. ② 추잡한 인간, 벌레 같은 인간.
sabandijuela *f. dim.* sabandija.
sabanear *intr.* ① 《*Amér.*》 (목축떼를 지키기 위해) 초원을 돌아다니다. ② 《*AmérC. Venez.*》 붙잡다 ; 뒤를 따르다 ; 미행하다(lisonjear).
sabanera *f.* 《*Venez.*》 sabana에 살며 벌레를 잡아 먹는 뱀.
sabanero, ra *adj.* 《*Amér.*》 평원에 사는. —*m.f.* 초원 · 평야에 사는 사람. —*m.* ① 【조류】 찌르레기의 일종. ② 《*AmérC.*》 곧잘 싸움을 하는 사람.
sabanilla *f.* [*dim.* sábana] 작은 천, 책상보, 행커치프, 손수건, 냅킨; 제단 덮개.
sabañón *m.* [주로 *pl.* sabañones] 동상(凍傷). [*N.* congelación, congelamiento, quemadura 보다 가벼움].
comer como un ~ 많이 먹다, 게걸스럽게 퍼넣다(comer mucho).
sabara *f.* 《*Venez.*》 엷은 안개(niebla ligera).
sabatario, ria *adj. m.* 안식일을 엄수하는 유대교도(의).
sabateño *m.* 《*Venez.*》 경계석.
sabatiano, na *adj.* =**cuartodecimano.**
sabático, ca *adj.* [*lat.* sabbaticus] ① 토요일의 : descanso ~ 토요일의 휴식. ② (유대교도의 사이에서 7년마다의) 휴경(休耕) · 휴작(休作)하는 (해) : año ~ 휴경하는 해. ③ 안식일의.
sabatina *f.* ① 토요일의 예배 · 축제 · 학과. ② 《*Chile.*》 구타(zurra, paliza).
sabatino, na *adj.* 토요일의, 토요일에 행하는 : tertulias ~*nas.*
sabatismo *m.* 안식일(安息日) 엄수주의 ; (고된 일을 마친 뒤의) 휴식.
sabatizar *intr.* [9] 안식일에 일을 쉬다.
sabaya *f.* 《*Ar.*》 지붕밑 방, 다락방(desván).
sabe *m.* 《*Méx.*》 특수한 능력(能力)(habilidad peculiar).
sabedor, ra *adj.m.f.* [+de : …을] 잘 아는, 알고 있는 (사람).
sabeico, ca *adj.* 사바교의 ; 배성교적(拜星教的)인. —*m.f.* 사바 교도.
sabeísmo *m.* 사바(Sabá)교, 배성교(拜星教).
sabejo *m.* 【고어】 =**sabueso.**
sabela *f.* 【곤충】 모창충(毛槍虫).
sabelección *f.* 《*Amér.*》 【식물】 =**mastuerzo.**
sabelianismo *m.* 사벨리우스교 《삼위 일체론을 부정하는 신위 유일론(神位唯一論)》.
sabeliano, na *adj.* 사벨리우스교의. —*m.f.* 사

벨리우스 교도.

sabélico, ca *adj.* (고대 이탈리아 중부의) 사비누스인(人)의.

sabelotodo *m.f.* 【단·복수 동형】 무엇이든지 다 아는 척하는 사람, 만물 박사(sabidillo).

sabeo, a *adj.* 사바《Sabá, 고대 아라비아의 지방》의. —*m.f.* 사바 사람.

saber[1] *tr.* 66 [*lat.* sapere] ① 알다, 알고 있다 : No lo *sé* 나는 그것을 모른다. Ya lo *sé* 이미 그것을 알고 있다. ¿*Sabe* usted lo que ha pasado? 사건을 아십니까? ¿Quién *sabe*? 혹시 누가 알아요? No *sé* cómo agradecerle tantos favores 그토록 호의를 베풀어 주신데 대해 무어라 감사드려야 할지 모르겠습니다. ¿*Sabes* que José parte hoy para España? —No lo *sabía* 호세가 오늘 서반아로 출발하는 것을 알고 있느냐? —그것을 모르고 있었다. ② 기억하고 있다, 외우고 있다, 암기하고 있다 : Ya *sé* la lección. ③ [+*inf.* : …하는] 방법을 알고 있다, (기능적으로) …할 수 있다 : *Sabe* patinar 그는 스케이트를 탈 줄 안다. ¿*Sabe* usted escribir a máquina? 타자칠 줄 아십니까? Yo *sé* nadar, pero hoy no puedo hacerlo, que me lo prohibe el médico 나는 헤엄칠 수 있지만 오늘은 안 되겠다; 의사가 그것을 금하고 있으니까. ④ [완료형일 때] 알다, 생각이 미치다 : Ya lo *he sabido* 이제 알았다; 생각이 났다.

—*intr.* ① (무엇에 대해) 알고 있다, 지식이 있다 : ～ *de* trabajos 일에 대해 알고 있다. Hace un mes que no *sé de* mi hermano 1개월 전부터 동생의 소식을 알 수 없다. ② 빈틈이 없다 : *Sabe* más que Merlín·Lepe ; *Sabe* más que la zorra 그는 참으로 빈틈이 없다, 그는 머리가 좋다. ③ (어디에) 가는 길을 알고 있다 : Yo *sé a* su camino 당신의 집에 가는 길을 알고 있다. ④ ㄱ) [+a] …다운 데가 있다 : Esto *sabe a* revolución 이것은 아무래도 혁명적인 데가 있다. ㄴ) 맛이 나다, 풍미가 있다 : Esto *sabe a* café 이것은 커피 맛이 난다. ⑤《*AmérM.*》늘 …하다, 곧잘 …하다 (soler) : No *sabe* ir por esta calle 이 길은 별로 지나가지 않는다.

a **～** ① 다시 말해, 바꾸어 말하자면(es decir) : Son tres ; *a* ～ Carlos, Margarita y Rosario. ② [감탄적으로] 모르는 일이다 : *A* ～ cuándo vendrá.

～ *cuántas son cinco* 많이 알다.

～ *latín* 매우 교활하다.

hacer **～** 알리다(comunicar).

no **～ *dónde meterse*** 부끄러워하다.

no **～ *lo que se pesca, no*** **～ *por dónde (se) anda*** 오리 무중이다.

no sé cuántos (막연히 어떤 사람을 가리켜서) 모… (fulano) : El actor *no sé cuántos* llegó entonces 그때 어떤 배우가 왔다.

no sé qué 무엇인지, 어떤(cierto) : un sabio de *no sé qué* país 어떤 나라의 어떤 학자. Cantaba un *no sé que* pájaro (내가 알지 못하는) 어떤 새가 지저귀었다.

que yo sepa 내가 아는 바에 의하면.

¡y qué sé yo! 또한 그 밖에도 숱하게; 이것저것해서.

vete·vaya usted a **～** 알 턱이 없다 : *Vete a* ～ quién lo habrá traído 누가 그것을 가져왔는 지 알 수 없다.

¡Dios sabe! 하느님이 알고 있다; 아무도 모른다.

¡Qué sé yo! 내가 알게 뭐야; 난 모른다.

[직설법 현재 1인칭 단수 : sé. 접속법 현재 : sepa, sepas, sepa, sepamos, sepáis, sepan. 직설법 부정과거 : supe, supiste, supo, supimos, supisteis, supieron. 직설법 미래 : sabré, sabrás, sabrá, sabremos, sabréis, sabrán. 가능법 : sabría, sabrías, sabría, sabríamos, sabríais, sabrían. 접속법 불완료 과거 : supiera, …, supiese, …].

saber[2] *m.* 지식, 학문(sabiduría) : El ～ no ocupa lugar 아는 일은 자리를 차지하지 않는다, 알아서 남주나. Es famoso por su ～ 그는 학문으로 유명하다. Es hombre de profundo ～ 그는 심오한 지식을 가졌다.

saber-cómo *m.* 실제적인 지식·기술; 일의 요령, 전문적 지식, 노하우; 수완, 비결.

sabiá *m.*《*Arg.*》=**zorzal.**

sabiamente *adv.* 현명하게, 교묘하게.

sabicú *m.* 【식물】 (꾸바산의) 아카시아의 일종.

sabichoso, sa *adj.*《*Ant.*》아는 척하는(perspicaz, sabidor).

sabidillo, lla *adj. m.f.* 아는 척하는 (사람).

sabido, da *adj.*[saber의 *p.p.*] ① 박식한(sabio); (세상에) 알려진, 유명한 : Es ～ que debemos a su invención 그의 발명에 힘입었음은 주지한 바와 같다. Hoy vuelve con las ～*das* disculpas 그는 오늘도 또 바로 그 변명 (같은 말)을 말해 왔다. *S*- es que ésta es la obra maestra del autor 이것이 작자의 걸작임은 주지의 사실이다. Contr. ignorado. ②《*Col.*》재주가 넘치는.

de **～** 분명히, 명확하게(a ciencia cierta).

sabidor, ra *adj.* 【고어】 =**sabedor.**

sabiduría *f.* ① 현명함, 지혜, 분별(prudencia) : obrar con ～ 현명하게 행동하다. ② 지식, 학식, 학문, 가르침(instrucción) : la ～ eterna 영원한 가르침. La experiencia es la madre de la ～ 경험은 지식의 어머니.

sabiendas (a) *adv.* 고의로, 일부러, 알고서; 알면서도 : equivocarse *a* ～ 일부러 틀리다.

sabiente *adj.* 알고 있는.

sabihondez *f.* 아는 척하기.

sabihondo, da *adj.m.f.* 아는 척하는 (사람).

sábila *f.*《*Amér.*》=**áloe, zábila, acíbar.**

sabina *f.* [*lat.* sabina] 【식물】 두송(杜松)의 일종. —*m.f.*《*Cuba.*》주책바가지.

sabinar *m.* sabina 숲.

sabino, na *adj.* ① 갈대 빛깔을 가진(rosillo). ② (고대 이탈리아 중부의) 사비느의. —*m.* 사비느말. —*m.f.* 사비느 사람.

sabio, bia *adj.* 영리한, 현명한; 박식한, 박학한, 해박한, 학식이 있는; 신중한, 재주가 있는, 재주를 배운 : Le dieron un ～ consejo 사람들이 현명한 충고를 그에게 했다. María es una mujer *sabia* en su profesión 마리아는 자기 직업에 (대한) 지식이 깊다. El viejo tenía un mono ～ en su puesto 노인은 자기의 가게에 재주를 부릴 수 있는 원숭이 한 마리를 데리고 있었다. Contr. ignorante ; necio. —*m.f.* 지자(知者), 현자; 학자.

Sabio *m.* 현자 솔로몬.

sabiola *f.*《*Arg.*》뇌(cerebro).

S

sabiondo, da *adj.* =**sabihondo.**
sabir *m.* 솔직한 말《Levante 지방과 Argelia에서 사용되는 아랍어, 이탈리아어 및 서반아어의 혼합》.
sablacista *m.* 남을 뜯어먹고 사는 사람.
sablazo *m.* ① 검의 일격 ; 칼로 난 상처. ② 돈 뜯어내기 : dar ~*s* 돈을 뜯어내다. vivir a ~*s* 누구를 뜯어먹고 살다 · 생활을 하다.
sable[1] *m.* [*alem.* sabel] ① 검, 칼, 군도, 사벨 ; 【펜싱】 사브르, 사벨. ② 남의 돈을 자기를 위해 교묘하게 쓰는 일. ③《*Cuba.*》【어류】 뱀장어의 일종. ④【방언】 사막.
sable[2] *m.* [*fr.* sable] 문장학의 검은 색.
sable[3] *m.* [*lat.* sabulum]《*Ast. Sant.*》 모래 사장, 모래톱(arenal).
sableador, ra *m.* ① 검객, 검사, 칼잡이. ②《*Amér.*》 *desp.* 군인(soldadote, militarote).
sablear *intr.* 남의 돈을 뜯어내다(dar sablazos).
sablista *m.f.* 남의 돈으로 생활하는 사람. —*adj.* 남의 돈을 뜯는.
sablón *m.* [*lat.* sabulo] 알이 굵은 모래(arena gruesa).
saboga *f.* 【어류】 송어(sábalo).
sabogal *adj.m.* 송어 잡이의 (그물).
sabonera *f.* 【식물】 =**sayón.**
saboneta *f.* [*lat.* savonetta] 뚜껑이 달린 회중시계.
sabor *m.* [*lat.* sapor] ① 맛 : un ~ *a* naranja 귤 같은 맛. El ~ de este vino es delicioso 이 포도주의 맛이 좋다. Es una substancia sin olor ni ~ 그건 냄새도 맛도 없는 물질이다. ② 운치 : un poema de ~ clásico. —*pl.* 마구 · 재갈의 일종.
a ~ 신물이 날 정도로 · 정도까지.
sin ~ 맛이 없는 ; 운치가 없는.
saborcillo *m.* [*dim.* sabor] =**saborete.**
saborea《*Ar.*》=**hisopillo.**
saboreador, ra *adj.* 맛을 아는; 맛을 내는.
saboreamiento *m.* saborear 하는 일 · 것.
saborear *tr.* ① 맛보다, 음미하다; 즐기다 : ~ la música 음악을 즐기다. El *saboreaba* el triunfo 그는 승리를 맛보았다. ② (…에) 양념을 하다. **~se** 맛보며 먹다 · 마시다 · 즐기다 : ~*se con* la música · el confite.
saboreo *m.* =**saboreamiento.**
saborete *m.* [*dim.* sabor] 담담한 맛, 담백한 맛.
sabotaje *m.* [*fr.* sabotage] 태업, 사보타주 ; 파괴 행위 · 활동..
saboteador, ra *m.f.* 태업자 ; 파괴 활동자.
sabotear *tr. intr.*《*Neol.*》 사보타주하다, 태업하다(realizar un sabotaje); 고의로 파괴하다.
saboteo *m.* =**sabotaje.**
saboyana *f.* ① 사보이 외투《옛날 부인용》. ② 과자의 일종.
saboyano, na *adj.* 사보이《Saboya, 불란서나 이탈리아의 주 · 옛 국가》의. —*m.f.* 사보이 사람.
sabrá saber의 직 · 미 · 3 · 단수.
sabrán saber의 직 · 미 · 3 · 복수.
sabrás saber의 직 · 미 · 2 · 단수.
sabré saber의 직 · 미 · 1 · 단수.
sabréis saber의 직 · 미 · 2 · 복수.
sabremos saber의 직 · 미 · 1 · 복수.
sabría saber의 가 · 1 · 3 · 단수.
sabríais saber의 가 · 2 · 복수.
sabríamos saber의 가 · 1 · 복수.
sabrían saber의 가 · 3 · 복수.
sabrías saber의 가 · 2 · 단수.
sabrosamente *adv.* 맛있게; 맛있는 듯이(de un modo sabroso).
sabrosearse *r.*《*AmérC.*》 맛이 있어서 입맛을 다시다(relamerse de gusto).
sabrosera *f.*《*Hond.*》=**sabrosura.**
sabroso, sa *adj.* [*lat.* saporosus] ① 맛좋은, 맛있는(delicioso, gustoso) : La comida es muy ~*sa* 그 음식은 대단히 맛있다. manjar ~ 맛있는 음식물. ¡Qué ~! 맛이 참 좋습니다 ! ② 유쾌한(deleitoso). ③ 짭짤한, 소금기가 있는(algo salado). ④《*Ant. Méx. Perú.*》 남의 말하기 좋아하는.
sabrosón, na *adj.*《*Ant. Perú. Venez.*》 남의 말하기 좋아하는, 수다스러운.
sabrosura *f.*《*AmérC. Col.*》 맛있음, 훌륭한 맛; 즐거움.
sabucal *m.* 말오줌나무 숲.
sabuco *m.* 【식물】 =**saúco.**
sabueso, sa *m.f.* ① 사냥개의 일종. ② 【속어】 탐정.
sabugal *m.* =**sabucal.**
sabugo *m.* =**sabuco, saúco.**
sábulo *m.* [*lat.* sabulum] ① 자갈, 돌멩이. ② [드뭄] 굵은 모래(arena gruesa).
sabuloso, sa *adj.* 모래가 많은.
saburra *f.* [*lat.* saburra] 【의학】 (위벽에 생기는) 위벽태(胃壁苔) ; 혀에 끼는 벽태.
saburral *adj.* 위벽태의 : depósito ~.
saburroso, sa *adj.* 위벽태가 생긴; 그 징후가 있는 : lengua ~*sa.*
saca *f.* ① sacar 하기, 꺼내기, 잡아 뽑기, 잡아 꺼내기, 뽑아 버리기. ② (과일 등의) 수출. ③ (공증 원부의) 등본. ④ 큰 자루(costal); 행낭.
de ~《*Amér.*》① 전속력으로(a todo correr). ② 매입물(買入物)의, 매출한 것 중의.
sacabala *f.* 핀셋의 일종《외과 용구》.
sacabalas *m.* (옛날 총포의) 고랑.
sacabasura *m.*《*Chile.*》 넝마주이.
sacabera *f.*《*Ast.*》【곤충】 =**salamandra.**
sacabocado *m.* ① 천공기(穿孔器); 병마개 따개; (우표 구멍을 내는) 가위, 펀치 : hacer ~*s* 펀치를 넣다. ② 유효한 수단.
sacabocados *m.pl.* =**sacabocado.**
sacabotas *m.* 【단 · 복수 동형】 장화 벗는 도구.
sacabrocas *m.* 【단 · 복수 동형】 (제화공이 틀에 박은 못을 뽑는데 쓰는) 못뽑이.
sacabuche *m.* [*fr.* saquebute] ①【악기】 중세의 트롬본 비슷한 악기. **Sinón.** trombón. ②【음악】 트롬본 연주. ③ (선박에서 쓰는) 수동식 펌프. ④《*Méx.*》 나이프의 일종.
sacaclavos *m.* 【단 · 복수 동형】《*Chile.*》 못뽑이(desclavador).
sacacorchos *m.* 【단 · 복수 동형】 코르크뽑이, 병마개뽑이. **Sinón.** tirabuzón.
sacacuartos *m.* 【단 · 복수 동형】 =**sacadinero(s).**
sacada *f.* ① 멀리 떨어진 주 · 지방. ②《*Arg.*

Chile.》 sacar하는 일(saca).

sacadera *f.* 《*Ar.*》 포도 수확기의 큰 바구니.

sacadilla *f.* (작은 범위에서의) 몰이, 사냥.

sacadinero *m.* 겉만 그럴싸함 (그런 장신구·구경거리 등). —*m.f.* 돈독이 오른·돈만 아는 사람.

sacadineros *m.* =**sacadinero.**

sacador, ra *adj.m.f.* sacar 하는 (사람·물건), 인출하는·취하는·꺼내는·뽑는 (사람).
—*m.* ① (인쇄가 끝난 인쇄물의) 종이받이판. ② (테니스에서) 서브를 넣는 사람.

sacadura *f.* ①【재봉】비스듬하게 절단하기. ② 《*Chile.*》 =**sacamiento.**

sacafaltas *m.*【단·복수 동형】=**criticón.**

sacafondos *m.* 통의 통나무 교환용 연장.

sacáis *m.pl.*【은어】눈(ojos).

sacalagua *m.* 《*Perú.*》 살결이 하얀 혼혈아.

sacaleche *m.* 착유기.

sacaliña *m.* ① 작대기(garrocha). ② 음모, 사취(socaliña).

sacamanchas *m.*【단·복수 동형】얼룩빼는 물질; 청소기. **Sinón.** quitamanchas.
tierra de ~ 산성 백토(白土), 표토(漂土).

sacamantas *m.*【단·복수 동형】(빚을) 받으러 다니는 사람.

sacamantecas *m.*【단·복수 동형】희생자의 복부를 째는 죄인.

sacamiento *m.* 잡아빼기, 꺼내기, 인출, 꺼냄.

sacamolero *m.* =**sacamuelas.**

sacamuelas *m.f. desp.*【단·복수 동형】① 치과의사(dentista). ② 말이 많은 사람, 홍행사.

sacamuertos *m.*【단·복수 동형】=**metemuertos.**

sacamuestras *m.* (포도주의 질을 감정하기 위해 사용하는) 여러 기구의 명칭.

sacanabo *m.* (끝에 갈고리가 달린) 철봉.

sacanete *m.* [*fr.* lansquenet] 카드 놀이의 일종.

sacapelotas *m.*【단·복수 동형】소총의 총강 내부를 청소하는 데 쓰이는 쇠꼬챙이; 경멸할 만한 인간.

sacaperras *m.*【단·복수 동형】=**sacadineros.**

sacapotras *m.*【단·복수 동형】솜씨가 서툰 외과 의사.

sacapuntas *m.* ①【단·복수 동형】연필깎이. ② 《*Amér.*》 목수를 돕는 소년.

sacar *tr.* 7 ① ㄱ) 뽑다, 뽑아내다(extraer) : ~ una muela 이를 뽑다. Me *han sacado* una muela 나는 어금니를 한 개 뽑았다. ㄴ) (물을) 푸다 : Este cubo sirve para ~ agua 이 바께쓰는 물을 푸는데 사용한다. ㄷ) (칼 따위를) 뽑다(desenvainar) : El caballero *sacó* la espada 기사는 칼을 뽑았다. ㄹ) 끌어내다.
② (가운데서) 꺼내다, 잡아내다 : *Saca* un abanico del bolsillo 그는 호주머니에서 부채를 꺼낸다. Por último *sacó* el libro 마지막으로 그는 책을 꺼냈다.
③ 밖으로 내다 : Se prohibe ~ la cabeza ni los brazos fuera de las ventanillas mientras el tren está en marcha 열차가 달리는 동안 차창 밖으로 머리나 팔을 내놓는 것은 금지되어 있다. Mi hermana me *sacó* la lengua 내 누이동생이 나에게 혀를 내밀었다. *Sacó* la cabeza por la ventana 그는 창으로 머리를 내놓았다.
④ 구출하다 : ~ a uno del apuro · de la pobreza …를 곤궁·가난에서 구출하다.
⑤ 물러나게 하다 : ~ al niño de la escuela.
⑥ (계산하여) 산출하다 : ~ la cuenta 총계하다.
⑦ (숨긴 어떤 일을) 말하게 하다, 자백시키다 : ~ al niño la verdad.
⑧ (결론) 짓다, 결론을 맺다, (징후·흔적에서) 추정·판단하다, 확인하다 : ~ verdadero · mentiroso 진실로·거짓으로 단정하다. ~ *por* el rostro 얼굴빛으로 판단하다.
⑨ 채취하다, 추출하다 : ~ aceite de almendras 편도 기름을 채취하다.
⑩ 획득하다(obtener, conseguir) : *He sacado* lo que quería 원하고 있던 것을 입수했다.
⑪ (돈 따위를) 인출하다 : Tendré que ~ mil pesetas del banco 나는 은행에서 1000 뻬세따를 인출해야 한다.
⑫ 뽑다, 선출하다 : ~ alcalde 시장으로 선출하다. ~ presidente 대통령으로 뽑다.
⑬ (제비를) 뽑다, 당첨하다 : ~ un premio de la lotería.
⑭ (도박 따위에서) 따다 : ~ la puesta.
⑮ 앞으로 내다, 돌출시키다 : José *saca* el pecho al andar.
⑯ 제거하다, 제외하다(excluir); 치우다, 철거하다(quitar) : ~ una mancha.
⑰ 빼놓다 : De siete, *sacando* tres, quedan cuatro 7에서 3을 빼면 4가 남는다.
⑱ 꺼내다, 제시하다, 과시하다, 표시하다, 보이다(mostrar) : Los pedantes *sacan* todo cuanto saben.
⑲ 만들다, 만들어 내다, 생각해 내다, 안출(案出)·고안하다(inventar); 세상에 내놓다, 출판하다, 출간하다(publicar) : ~ una moda 유행을 만들어 내다. ~ una máquina 기계를 고안하다. ¿De dónde *ha sacado* usted esa idea? 어디서 그런 생각을 해내셨습니까?
⑳ (원문·원본·원작·원형 등에서) 인용하다, 예를 들다, 가져오다 : ~ una cita de un libro.
㉑ 모방하다, 본뜨다; 베끼다(copiar) : ~ una copia en limpio 깨끗이 복사하다.
㉒ (사진을) 찍다 : Le *sacaron* la fotografía al niño 아이의 사진을 찍었다. Déjeme *sacar*le una foto 당신의 사진을 찍게 해주세요.
㉓ (별명 등을) 붙이다.
㉔ (공놀이에서 지정 장소에서 공을) 던지다, 서브하다 : ~ largo 공을 멀리 서브하다.
㉕ [+de : …을] 없애주다(librar) : ~ *de* cuidados a uno 어떤 사람의 걱정을 없애주다.
㉖ [de+대명사 : 그 사람을] 질겁하게 만들다 : La pasión te *saca de ti.*
~ ***adelante*** 추진하다, 후원하다; 성공적으로 끝나게 만들다.
~ ***a baliar*** 춤 상대로 끌어내다; 정신 못차리게 끌고 다니다.
~ ***a luz*** 출판하다(publicar).
~ ***a pasear*** 산책에 데리고 나가다.
~ ***a volar*** 대중 앞에 끌어내다; 세상에 알리다.
~ ***cuenta*** 총계하다.
~ ***de madre · de quicio*** 도저히 더 참지 못하게 만들다.
~ ***de pila*** (갓난아기의) 세례 부모가 되다.

～ *el billete* 표를 사다 : ¿Dónde se puede ～ *los billetes*? 표를 어디서 사면 됩니까?
～ *el pecho por* …을 위해 싸우다.
～ *en claro·en limpio* 명백하게·분명하게 하다, 결론으로 내리다 : Lo único que *he sacado en limpio* es que no tiene dinero 내가 명백하게 한 것은, 다만 그가 돈을 가지고 있지 않다는 점뿐이다.
～ *la cara* 출두하다, 얼굴을 내밀다.
～ *partido·provecho* 이용하다(aprovechar).
～ *por factor común* 공통 인수로 분해하다.
[직설법 부정과거 1인칭 단수 : saqué. 접속법 현재 : saque, saques, saque, saquemos, saquéis, saquen].

sacarato *m.* 【화학】 당산염.
sacárido *m.* 【화학】 당류.
sacarífero, ra *adj.* 【식물】 당분이 함유된, 당(糖)을 내는 : planta ～*ra.*
sacarificable *adj.* 당화(糖化)할 수 있는.
sacarificación *f.* 당화 (작용).
sacarificar *tr.* ⑦ 당화(糖化)하다(convertir en azúcar).
sacarígeno, na *adj.* 당화성의, 당화할 수 있는.
sacarimetría *f.* 검당법(檢糖法).
sacarímetro *m.* 당량계, 검당계.
sacarina *f.* 【화학】 사카린(azúcar de hulla).
sacarino, na *adj.* 설탕의, 설탕 같은; 당질의; 당분을 함유한.
sacaroideo, a *adj.* (구조적으로) 설탕 같은, 당정상(糖晶狀)의 : mármol ～.
sacarol *m.* 조제(excipiente)로써 약국에서 설탕에 붙인 이름.
sacarolado *m.* 사카린을 기본으로 한 약의 이름 : Los jarabes son ～*s.*
sacarosa *f.* 【화학】 설탕(azúcar).
sacaroso, sa *adj.* 설탕의.
sacaruro *m.* 사카린을 기본으로 한 약제.
sacasillas *m.* 【단·복수 동형】 (연극에서) 대도구를 맡은 사람(metemuertos); 무대 담당자.
sacatapón *m.* =**sacacórchos.**
sacatepequense *adj.m.f.* 사까떼뻬께스 《Sacatepéquez, 구아떼말라에 있는 주》의 (사람).
sacatepesano, na *adj.m.f.*=**sacatepequense.**
sacatestigos *m.* 【단·복수 동형】 (바위의 샘플을 얻기 위해 땅의 시추에 사용되는) 긴 파이프.
sacatín *m.* 《*Col.*》 =**alambique.**
sacatinta *m.* 《*AmérC.*》 【식물】 쪽나무.
sacatrapos *m.* 【단·복수 동형】 =**sacabalas.**
sacayán *m.* =**baroto.**
sacciforme *adj.* 자루(saco) 모양의 : glándula ～.
sacerdocio *m.* 승직, 사제직.
sacerdotal *adj.* 승려·사제의 : dignidad ～.
sacerdote *m.* [*lat.* sacerdos, otis] 승려, 사제 ; 목사, 신부; 성직자 : ～ cristiano 카톨릭 사제. ～ de Buda 불교 승려. El ～ celebra la misa 사제가 미사를 행한다.
sacerdotisa *f.* 무당, 무녀(巫女).
sácere *m.* 【식물】 단풍나무(arce).
sacha *pref.* 《*Amer.*》 「…과 닮은」을 뜻하는 께추아어 : *sacha*col, *sacha*cabra.
sachadura *f.* 제초(除草) ; 사이갈이.
sachar *tr.* [*lat.* sarculare] 제초·사이갈이하다(escardar la tierra).
sachet *m. fr.* 향낭(almohadilla perfumada).
sacho *m.* 괭이, 제초기.
saciable *adj.* ① 충분히 만족시킬 수 있는 : apetito ～. ② 흡족하게 할 수 있는. Contr. insaciable.
saciar *tr.* ⑪ [*lat.* satiare] ① 흡족하게 만들다, 충족시키다(satisfacer) : Nadie puede ～ los deseos de ese hombre 아무도 그 남자의 욕망을 충족시킬 수 없다. ② 포식시키다, 싫증나게 만들다 (hartar) : ～ *de* viandas 배가 터지게 대접하다.
～se [+con·de : …에] 싫증을 내다; 만족하다; 통달하다, 능통하다 : ～*se con* poco 조금으로 만족하다. ～*se de* poesía 시에 능통하다.
saciedad *f.* [*lat.* satietas] 충족, 포만(飽滿), 포화(飽和) : hasta la ～ 충족할 때까지, 싫증이 날 때까지.
saciña *f.* 【식물】 버드나무의 일종(sargatillo).
sacio, cia *adj.* [드뭄] =**harto.**
saco *m.* [*lat.* saccus] ① 자루, 포대 : ～ de dormir 침낭. ～ de papel 종이 포대. ～ terreno·de tierra 방비를 위한 흙주머니. Nos han traído treinta ～*s* de patatas 우리들은 감자 30부대를 들여 놓았다. ② 가방 : ～ de viaje 여행 가방. ～ de noche·de mano 손가방. ③ 가득찬 것, 덩어리 : ～ de mentiras 거짓말투성이의 일. ～ de vicios 악덕 덩어리. ④ 《*Amér.*》 신사복의 저고리(americana) : Le sienta muy bien este ～ 이 저고리는 당신에게 썩 잘 어울린다. ⑤ 약탈(saqueo) : entrar·meter a ～ 약탈하다. ⑥ (공놀이에서) 서브, 공던지기(saque). ⑦ 일종의 넓은 외투.
caer en ～ roto 실패하다.
no echar·caer en ～ roto 명심하여 실패를 피하다; 헛수고를 하지 않다.
meterse en el ～ 《*Cuba.*》 취하다.
ser un ～ de huesos 《*Ecuad. PRico.*》 너무 말라 뼈만 남다.
sacocha *f.* 【은어】 주머니, 쌈지(faltriquera).
sacoime *m.* 【은어】 집사(mayordomo).
sacomano *m.* 약탈(saqueo).
sacón *m.* 《*Arg. Urug.*》 (넓고 짧은) 여자 외투.
sacón, na *adj.m.f.* 《*AmérC.*》 =**adulador.**
saconería *f.* 《*AmérC.*》 =**adulación.**
sácope *m.* 《*Filip.*》 부하, 신하.
sacorio *m.* 《*And.*》 여자를 결혼하기 위해 집으로 데려오는 행위.
sacra *f.* (제단에 놓는 세 기의) 기도 구대(祈禱句臺).
sacramentación *f.* 성체를 받는 일·주는 일.
sacramentado, da *adj.* 성체(聖體)화 된 (빵 따위); 성체를 받은 영성체를 한.
sacramental *adj.* ① 성체·성사(聖事)에 관한; 성찬의; 비적(秘跡)의; 성례의; 주문의 : palabras ～*es* 비적을 줄 때 쓰는 말. ② 상투적인 (acostumbrado). —*m.* 종교 단체의 역원.
—*m.pl.* 주문, 비적 《성수·성유를 바르거나 십자를 긋는 일》. —*f.* 종교 단체(cofradía).
sacramentalmente *adv.* 비적으로서, 비적에 의하여; 고해에 의해; 여느 때와 마찬가지로.
sacramentar *tr.* ① (빵을) 성체(聖體)로 만

들다; (임종하는 사람에게) 성례를 행하다, 성체를 주다. ② 숨기다, 감추다(ocultar).

sacramentario, ria *adj.m.f.* 성체 부정론자(의).

sacramente *adv.* =**sagradamente.**

sacramento *m.* [*lat.* sacramentum] ① 성사(聖事) : recibir ~*s* 종부 성사를 받다. ② 성(聖)빵, 성체(del altar, Santísimo *S-*). ③ 비적(秘跡) : siete ~*s* 7성사(聖事) 《영세(bautismo) · 견진(confirmación) · 성체(eucaristía) · 고해(penitencia) · 종부 (extremaunción) · 신품 (orden) · 혼인 (matrimonio)》. ~ del orden 신품 성사.

sacratísimo, ma *adj.* [*sup.* sagrado] 아주 신성한, 극히 거룩한.

sacre *m.* ①【조류】 매의 일종. ② 도둑; 옛날의 화포(火砲). —*adj.m.f.* 《*Perú.*》 기식가(寄食家) · 빌어먹는 사람(의).

sacrificadero *m.* 희생물을 잡는 곳; 도살장.

sacrificador, ra *adj.m.f.* 희생하는 · 되는 (사람) : los ~*es* romanos 로마의 희생자들.

sacrificante *adj.* =**sacrificador.**

sacrificar *tr.* 7 [*lat.* sacrificare] ① 희생으로 하다, 희생물을 바치다 : ~ a los ídolos. ② 도살하다(degollar). ③ 희생하다 : ~ la dicha *por* su amigo.

~se 몸을 바치다(dedicarse); 희생되다 : ~*se por* un compañero · la patria 동료 · 조국을 위해 희생되다.

sacrificatorio, ria *adj.* 희생의, 헌신적인.

sacrificio *m.* [*lat.* sacrificium] ① 희생; 공물(供物) : ~ del altar 성체. ~ incruento 무혈의 공물. ~ propiciatorio 속죄를 위한 희생물. ② 희생, 헌신(적 행위); 큰 손해 : a precio de ~ 출혈 값으로. ③ 위험한 대수술. ④【야구】 희생타.

sacrílegamente *adv.* 불경스럽게도, 하나님을 두려워하지 않고.

sacrilegio *m.* [*lat.* sacrilegium] 신성을 모독하는 일, 불경스러운 일; 황공스러운 일 : cometer ~ 신성 모독을 범하다.

sacrílego, ga *adj.m.f.* 신성을 모독하는 (사람) : 죄받을, 불경스러운, 황공스러운 : castigar a un ~ 신성 모독자를 벌하다.

sacrismoche *m.* 검은 의상을 입은 사람.

sacrismocho *m.* =**sacrismoche.**

sacrista *m.* [드묾] =**sacristán.**

sacristán *m.* ①【종교】 성기계(聖器係)(승려). ② (스커트 자락을 펴기 위한) 페티코트, 파니에(tontillo). —*adj.m.f.* 《*Venez.*》 주책스러운 (사람).

sacristana *f.* sacristán의 아내; 수도원 등의 성기계(聖器係)의 여승.

sacristanejo *m. dim.* sacristán.

sacristanía *f.* sacristán의 직 · 신분.

sacristía *f.* [*lat.* sacristía] ① (사원의) 성기실(聖器室). ② =**sacristanía.**

sacro, cra *adj.* [*lat.* sacer] ①신성(神聖)한(sagrado). ② 선골(仙骨)의: vértebras *sacras* 요선골(腰仙骨). —*m.*【해부】 선골.

sacrón, na *adj. m. f.* 《*Ecuad.*》 귀찮게 졸라대는 (사람)(sablista).

sacronería *f.* 《*Perú.*》 졸라대기, 조름.

sacrosantamente *adv.* 매우 신성하게.

sacrosanto, ta *adj.* 매우 신성한(muy sagrado y santo).

sacrovertebral *adj.*【해부】 선골의.

sacuara *f.* 《*Perú.*》 =**zacuara.**

sacudida *f.* 진동, 흔들림, 떨림(sacudimiento) : ~ violenta 격렬한 진동. ~ eléctrica【전기】 방전(descarga).

sacudidamente *adv.* 세게 흔들어; 제멋대로.

sacudido, da *adj.* [sacudir의 *p.p.*]제멋대로 구는, 방자한, 불손한(áspero, intratable); 마구 날뛰는, 방종스러운.

sacudidor, ra *adj.m.f.* 흔드는, 흔들어 떨어뜨리는 (사람 · 물건). —*m.* 먼지털이, 총채 : ~ de hierba.

sacudidura *f.* 먼지를 털어내기, 닦기, 깨끗이 하기.

sacudimiento *m.* =**sacudidura.**

sacudión *m.* 심하게 흔들기 ; 심한 진동.

sacudir *tr* [*lat.* succutere] ① 흔들다 ; 흔들어 털다, 뿌리치다, 뿌리쳐 버리다 : La sirvienta salió para ~ la manta 하녀는 모포를 털러 나갔다. ② 두들기다, 두들겨 패다(golpear) : ~ a uno. ③ (타격을) 가하다 : ~ un palo 몽둥이 찜질을 하다.

~se ① 뿌리치다 ; 쫓다 : Los caballos *se sacuden* las moscas con la cola 말은 꼬리로 파리를 쫓아버린다. ② 흔들리다, 진동하다. ③ 감쪽같이 빵소니치다.

sacudón *m.* 《*Amér.*》 =**sacudida.**

saculiforme *adj.* 자루(saco) 모양의.

sáculo *m.*【해부】 내이(內耳)의 귓구멍.

S.A. de C.V. Sociedad Anónima de Capital Variable.

sádico, ca *adj.* 새디즘의 ; 새디즘적인. —*m.f.* 새디스트, 가학성 색욕 이상자.

sadismo *m.* 새디즘, 가학성 색욕 이상증.

sadista *m.f.* 새디스트, 가학성 색욕 이상자.

saduceísmo *m.* 사드카이교《고대 유태교의 한 종파》.

saduceo, a *adj.* 사드카이교의. —*m.f.* 사드카이교 신도.

saeta *f.* [*lat.* sagitta] ①화살(flecha). ② (시계 · 자석의) 바늘. ③ (성주간의 행렬을 향해 노래하는 종교적인) 짧은 노래. ④【천문】 (성좌의) 화살.

saetada *f.* ① 화살에 찔린 상처(la herida de saeta). ② 활쏘기.

saetazo *m.* =**saetada.**

saetear *tr.* 쏘다, (활로) 쏘아 죽이다(asaetear).

saetera *f.* ① 총안(銃眼)(aspillera). ② 작은 창.

saetero, ra *adj.* 화살의. —*m.* 궁병(弓兵), 사수(射手).

saetí *m.* =**saetín.**

saetía *f.* (돛대가 세 개인 옛날의) 상선 · 해적선 ; 총안(銃眼)(saetera).

saetilla *f.* [*dim.* saeta] ① 작은 화살. ② (시계 · 자석의) 바늘. ③【식물】 쇠귀나물.

saetín *m.* ① (물레방아로 물을 끌어오는) 도랑. ② 양끝이 뾰족한 못. ③ 부드러운 비단(raso).

saetón *m. dim.* saeta.

safacoca *f.* 《*Amér.*》 싸움, 난투(zafacoca).

safado, da *adj.* 《*Amér.*》 뻔뻔스러운, 철면피한

S

; 대담한(zafado).
safagina *f.* 《*Col.*》 소란, 소음.
safajina *f.* 《*Col.*》 =**safagina.**
safar *tr.* 꾸미다, 장식하다(adornar).
safari *m.* (수렵·탐험 따위의) 원정 여행; 수렵대.
safarí *adj.* 사파리족 《서기 868년부터 907년까지 페르시아의 동부 지방을 지배했던 왕조》의 (사람). [*N.* 주로 복수로 사용].
safárida *adj.* =**safarí.**
safena *adj. vena* ~ 복재 정맥(伏在靜脈).
saffarí *adj.* =**safarí.**
saffárida *adj.* =**safárida.**
sáfico, ca *adj.* 사포《기원전 600년경 그리스의 시인》의; 사포풍의; (라틴·그리스 시로서) 11음절의 (시구).
safio *m.* 《*Cuba.*》 【어류】 congrio 비슷한 물고기의 일종.
s. afmo. su afectísimo.
safra *f.* 《*Cuba.*》 =**zafra.**
saga[1] *f.* [*lat.* saga] 무당, 무녀, 주문사.
saga[2] *f.* [*alem.* sage] 북구의 신화·사전(史傳).
sagacidad *f.* [*lat.* sagacitas] 기민, 예민, 날렵함, 빈틈없음.
sagallino *m.* 《*Sant.*》 조잡한 시트의 일종.
sagapeno *m.* 사가페눔 《진정제》.
sagardúa *f. vasco.* 《*Guip. Vizc.*》 =**sidra.**
sagarmín *f.* (Álava 지방의) 야생 사과(manzana silvestre).
sagarrera *f.* 《*Col.*》 실랑이, 말다툼, 언쟁, 싸움(gresca, pelotera, riña).
sagatí *m.* 하얀 날실의 나사(羅紗).
sagaz *adj.* 날렵한, 기민한, 재치있는, 영리한, 예민한; 냄새를 잘 맡는.
sagazmente *adv.* 기민하게, 날새게, 날렵하게, 빈틈없이.
sagita *f.* [*lat.* sagitta] 【기하】 화살(flecha).
sagitado, da *adj.* 화살 모양의(aflechado).
sagital *adj.* 화살(saeta) 모양의.
sagitaria *f.* 【식물】 쇠귀나물.
sagitario *m.* ① 【고어】 궁병(弓兵)(arguero). ② 【천문】 인마궁(人馬宮).
sago *m.* 【고어】 [*lat.* sagum] =**sayo.**
ságoma *f.* [*ital.* ságoma] 【건축】 =**escantillón.**
sagotal *m.* [*fr.* sagoutier] =**burí.**
sagradamente *adv.* 거룩하게, 공손하게.
sagrado, da *adj.* [*lat.* sacratus] 신의; 신성한, 성스러운, 거룩한 : La persona del padre debe ser ~*da* para los hijos 어버이의 인격은 자녀에게는 신성해야 한다. la *Sagrada* Escritura 성서(聖書). —*m.* 죄인의 도피 장소(asilo); 안전한 장소 : acogerse a ~.
sagrariego *m.* 감실(sagrario)을 돌보는 사람.
sagrario *m.* [*lat.* sacrarium] 감실(龕室); (사원의) 내진(內陣); 배전(拜殿).
sagú *m.* [*malayo.* çagú] 【식물】 사고 야자 《인도·말레이산》; 사고 전분, 사고 쌀.
saguaipé *m.* 《*Amér.*》 【곤충】 (남미산의) 양의 기생충(babosa).
saguí *m.* 《*Arg.*》 =**zaguí.**
ságula *f.* =**sayuelo.**
sagundil *m.* 《*Nav.*》 도마뱀(lagartija).
saguntino, na *adj.* 사군또 《Sagunto, 발렌시아 주의 도시》의. —*m.f.* 사군또 사람.
saguo *m.* 《*Col.*》 열매에서 아름다운 푸른 색을 추출하는 나무.
sah *m.* =**sha.**
Sahara Español *m.* 서반아령 사하라 《1980년 독립》.
sahariano, na *adj.* =**sahárico.** —*f.* (장교의) 군복 상의(guerrera).
sahárico, ca *adj.* 사하라 사막(el Sahara)의.
sahel *m.* (모로코에서) 해안(costa).
sahina *f.* 【식물】 기장(zahína).
sahína *f.* =**sahina.**
sahinar *m.* 기장 밭.
sahino *m.* =**saíno.**
sahornarse *r.* 살껍질·살갗이 쓸려 벗겨지다(escocerse, desollarse).
sahorno *m.* 찰상(擦傷), 찰과상.
sahumado, da *adj.* [sahumar의 *p.p.*] ① 더욱 좋게 된. ② 《*Amér.*》 얼근히 취한(calamocano).
sahumador *m.* ① 향로(perfumador). ② 옷을 따뜻하게 하는 기구.
sahumadura *f.* =**sahumerio.**
sahumar *tr.* ⑰ ① 향을 피우다. ② 《*Chile.*》 금은을 도금하다.
sahumerio *m.* 향을 피우기; 훈향, 향연; 향.
sahumo *m.* =**sahumerio.**
sahúmo *m.* =**sahumo.**
saí *m.* 《*AmérM.*》 【조류】 작은 새의 이름.
S.A.I. Su Alteza Imperial.
saibó *m.* [*ing.* side-board] 《*Amér.*》 찬장(aparador).
saibor *m.* [*ing.* side-board] 《*Col.*》 =**aparador.**
saifio *m.* 【어류】 (카나리아 군도와 사하라 해안의) 잉어과 어류.
saiga *m.* 【동물】 영양의 일종.
Saigón *m.* 【지명】 사이공 《옛 베트남의 수도.》
saimirí *m.* 【동물】 (중미산의) 금빛 원숭이.
saín *m.* [*lat.* sagina] (동물의) 기름, 비계; (불을 켜는) 어유(魚油); (모자 등에 묻은) 기름때.
sainar *tr.* ⑯ (가축을) 살찌게 하다(engordar, cebar).
sainete *m.* ① 기름, 비계(saín); 기름 소스; 맛; 맛을 내는 것. ② 사이네떼 《일종의 희극》; 소극(笑劇).
sainetear *intr.* 사이네떼(sainete)를 공연하다(representar sainetes).
sainetero, ra *m.f.* 사이네떼 작가.
sainetesco, ca *adj.* 사이네떼풍의; 우스운.
sainetista *m.f.* =**sainetero.**
saíno *m.* 【동물】 멧돼지의 일종.
saja[1] *f.* =**sajadura.**
saja[2] *f. tagala.* 마닐라 삼의 잎줄기.
sajado, da *adj.* sajar의 *p.p.*
sajador *m.* 난절(亂切) 의사; 난절도(亂切刀).
sajadura *f.* 【외과】 난절, 방혈(放血).
sajar *tr.* 【외과】 난절·방혈하다 : ~ un músculo.
sajelar *tr.* (진흙의) 굳은 것을 없애다.
sajía *f.* =**sajadura.**
sajín *m.* 《*AmérC.*》 ① =**saíno.** ② 암내(sobaquina).
sajino *m.* =**sajín.**
sajón, na *adj.* 색슨족 《북부 독일에서 살았던 민족》의 ; 색슨계의. —*m.pl.* 색슨족.

sajónico, ca *adj.* 색슨족의.

sajornar *tr.* 《*Cuba.*》 애먹이다(fastidiar).

sajú *m.* 【동물】 (중미산의) 꼬리말이 원숭이의 일종(capuchino).

sajumaya *f.* 《*Cuba.*》 (돼지를 질식시키는) 병.

sajuriana *f.* 《*Perú. Chile.*》 대중적인 춤(baile popular).

sake *m.* (일본의) 정종.

sakí *m.* ① (일본의) 정종(aguardiente de arroz). ② 【동물】 남미산 원숭이의 일종.

sal *f.* [*lat.* sal] ① 소금 ; 조미료 : La risa es la ~ de la vida 웃음은 인생의 조미료다. ② 맛보기. ③ 기지, 재치, 유머, 해학, 위트(agudeza) : ~ ática 아테네풍, 전아·우아한 표현, 재치 있는 말씨(aticismo). ④ 우아(garbo). ⑤ 【화학】 염(鹽). ⑥ 《*AmérC. Dom.*》 불운, 불행(mala suerte, desgracia).

~ amoniaca·amoniaco 염화 암모늄. *~ de acederas* 수산화 칼륨. *~ de compás* 암염(sal gema). *~ blanca·comestible·de comida·para mesa* 맛소금, 양념 소금. *~ de la Higuera* 앱솜염(鹽) 《하제로 쓰임》. *~ de quina* 키나염. *~ gema·pedrés·piedra* 암염(岩鹽). *~ infernal* 초산은(硝酸銀). *~ volátil* 탄산 암모니아(수).

con su ~ y pimienta 심술궂게 ; 고생하여, 애써서 ; 재치있는, 재치있고 날렵한, 재치를 부려.

echar en ~ 소금에 절이다 ; 다음 기회를 기다리다.

no alcanzar·llegar la ~ al agua 가난하게 살아가다.

sala *f.* [*germ.* sal] ① 방, 실내 ; 응접실, …실 : ~ de batalla 우편물 구분실. ~ de clase 교실. ~ de distribución 배전실. ~ de espera 대합실, 대기실. ~ de estar 거실. ~ de fiestas 카바레. ~ de exposición 진열실. ~ de fumar 끽연실, 흡연실. ~ de lectura 독서실. ~ de recibo 응접실. ② 법정 ; 재판소 : ~ de justicia 법정, 재판소. ~ del crimen 형사 재판소.

¡sala! *interj.* 《*Chile.*》 개에게 누구를 물라고 시키는 소리(para azuzar a los perros).

salabardo *m.* 사둘, 뜰채(manga de red para sacar la pesca de las redes grandes).

salacenco, ca *adj.* 살라사르 분지 《Salazar, 나바라에 있는 골짜기》의. —*m.f.* 살라사르 사람.

salacidad *f.* 호색, 음탕함.

salacot *m.* (동양 여러 나라의) 갈대풀로 만든 모자.

saladamente *adv.* 재치있게 ; (좋은 뜻에서) 장난스럽게, 어리광스럽게.

saladar *m.* 염호(鹽湖) ; 염지(鹽地), 염분이 많은 토지.

saladería *f.* 《*Arg.*》 (고기를) 소금에 절이는 산업.

saladeril *adj.* 《*Arg*》 고기를 절이는.

saladero *m.* ① 소금 절임 공장. ② (옛날 마드리드의) 감옥.

saladillo, lla *adj.* [*dim.* salado] ① 소금기가 약간 있는, 짭짤한. ② 재치있는, 날렵한.

salado, da *adj.* [salar의 *p.p.*] ① 소금에 절인 : carne *~da* 소금에 절인 고기. ② 염분이 많은, 소금기가 많은, 짭짤한 : agua *~da* 염분이 많은 물. ③ 재수없는. ④ 재치있는, 영특한, 애교있는 : Es una chica muy *~da* 그녀는 매우 애교있는 소녀이다. ⑤ 《*Amér.*》 불행한, 재수없는. ⑥ 《*AmérM.*》 값이 비싼, 고가의 : precios *~dos.* —*m.* ① 【식물】 나문재 : ~ negro. ② 【식물】 수송나무(zagua).

salador, ra *adj.* 소금기가 있는. —*m.f.* 소금 절이는 사람. —*m.* 소금 절임 공장.

saladura *f.* 소금 절임 ; 간맞.

salagón *m.* 《*Ar. Rioja.*》 점토질의 돌.

salamanca *f.* 《*Arg.*》 주문(呪文)을 외는 일. ② 《*Arg.*》 도롱뇽(salamandra). ③ 《*Cuba.*》 도마뱀(lagartija). ④ 《*Arg. Chile.*》 (주문을 외는 사람이 살았다는) 동굴. ④ 《*Filip.*》 요술.

Salamanca 【지명】 살라망까주·시.

salamandra *f.* ① (불속에 살았다는) 불 도마뱀, 불의 정(精). ② 내화성(耐火性) 물건. ③ 【동물】 도롱뇽 : ~ acuática 도롱뇽.

salamandria *f.* =**salamanquesa.**

salamandrino, na *adj.* 도롱뇽의·같은.

salamanqueja *f.* 《*Amér.*》 =**salamanquesa.**

salamanquero, ra *m.f.* 《*Filip.*》 요술사.

salamanqués, sa *adj.* 살라망까의(salmantino). —*m.f.* 살라망까 사람.

salamanquesa *f.* 【동물】 도롱뇽 : Las *~s* pueden trepar por las paredes 도롱뇽은 벽을 기어오를 수 있다.

~ de agua 도롱뇽.

salamanquina *f.* 《*Chile.*》 【동물】 도마뱀.

salamanquino, na *adj. m.f.* =**salmantino.**

salamanquita *f.* 《*Cuba.*》 도마뱀(lagartija).

salamanteco, ca *adj. m.f.* 살라마 《Salamá, 구아떼말라에 있는 도시》의 (사람).

salamántiga *f.* 【방언】 도롱뇽.

salame *m.* 《*Arg.*》 [*ital.* salami] 소시지(salchichón)의 일종.

salamelé *m.* =**zalamelé.**

sálamo *m.* 【식물】 (아메리카산의) 참회양목·회양목의 일종.

salangana *f.* 【조류】 바다제비의 일종.

salar[1] *tr.* ① 소금에 절이다(echar en sal) : ~ carne 고기를 소금에 절이다. ② (식품에) 소금을 넣다·뿌리다, 짜게 하다(sazonar con sal) : ~ el caldo 육즙·육수에 소금을 넣다. ③ 간을 너무 넣다. ④ 《*Amér.*》 더럽히다(manchar). ⑤ 불행하게 하다, 불운하게·재수없게 만들다(desgraciar).

salar[2] *m.* 《*Arg. Bol. Chile.*》 =**saladar, salina.**

salariado *m.* 《*Neol.*》 [집합] 임금·봉급 제도 ; 급료 생활.

salariar *tr.* ⑪ (누구에게) 봉급을 주다, 급료·봉급을 정하다(asalariar).

salario *m.* [*lat.* salarium] 봉급, 급료 ; 지급금(sueldo, paga) : ¿Cuánto te dan de ~? 봉급이 얼마입니까? ② 주급, 월급.

~ basado en el índice del coste de (la) vida 물가 지수에 근거한 임금. *~ base* 기본급, 표준임금. *~ bruto* 총임금. *~ con incentivos* 장려임금. *~ diario* 일급(日給). *~ de empleados* 종업원 급여. *~ en efectivo* 현금불 임금. *~ máximo* 최고 임금. *~ medio* 평균 임금. *~ mínimo* 최저 임금. *~ mínimo general* 일반적 최저 임금. *~ mínimo legal* 법정 최저 임금. *~ mínimo para subsistir* 최저 생계 임금. ~

S

monetario 화폐·현금 임금. ~ *neto* 정미 임금. ~ *nominal* 명목 임금. ~ *por hora* 시간급, 시간당 임금. ~ *por rendimiento* 장려 임금. ~ *real* 실질 임금. ~ *semanal* 주급. ~ *sindical* 노동 조합이 규정한 임금률. ~ *tope* 최고 임금. ~ *total* 임금 총액. ~ *vencido* 미불 임금. ~ *vital* 최저 임금.

salaz *adj.* =**lujurioso.**

salazón *f.* ① 소금 절임; 절인 것《고기나 생선 따위》; 염물업(鹽物業). ②《*AmérC. Ant.*》 불운. —*pl* 소금에 절인 고기(carnes saladas).

salazonero, ra *adj.* 소금 절임의, 소금에 절인 물건의.

salbadera *f.* (잉크를 빨아들이기 위해 모래를 넣는) 모래 컵.

salbanda *f.* (광맥을 포함한) 점토층.

salce *m.* 【식물】 =**sauce.**

salceda *f.* 버드나무 숲, 버드나무 가로수.

salcedense *adj. m.f.* 살세도《Salcedo, 도미니까에 있는 주·도시》의 (사람).

salcedo *m.* =**salceda.**

salchicha *f.* ① 순대, 가는 소시지. ② 타원탄(楕圓彈). ③ (프랑스군이 쓰던) 기구(氣球), 비행선.

salchichería *f.* 순대·소시지 점·공장.

salchichero, ra *m.f.* 순대·소시지 장수·직공.

salchichón *m.* [*aum.* salchicha] 소시지.

salchucho *m.*《*Ál. Nav. Rioja.*》 혼란, 잡동사니.

salcinar *m.*《*Ál. Ar.*》 =**salceda.**

salciña *f.*《*Burg.*》 =**sargatillo.**

salcochar *tr.*《*AmérM.*》 소금물에 절여 익히다.

salcocho *m.* ①《*AmérM.*》 소금물에 절여 익히기. ②《*Cuba.*》(돼지에게 주는) 찌꺼기.

saldar *tr.* ① 결산·청산하다 : ~ la cuenta de caja 결산을 하다. ② (…의) 계산을 끝내다. ③ 헐값에 팔아 치우다, 재고품을 정리하다.

salderita *f.*《*Ál.*》 =**lagartija.**

saldista *m.f.* 투매품(投買品) 거래 상인, 하자 물건 팔이.

saldo *m.* [*ital.* saldo] ① 결산(決算), 잔고 : ~ acreedor 대변 잔고, 수취 계정. ~ anterior 전기 조월(前期操越). ~ deudor 차변 잔고, 지불 계정. ~ a su·nuestro favor 귀사·폐사 수취 계정. ~ al debe 차변 잔고. ~ al haber 대변 잔고. ~ de cuenta 전액 지불. ~ debido 부족액. ~ del ejercicio 당기 잔고,《*Arg.*》 당기 순이익. ~ del mayor 원장 잔고. ~ desfavorable 무역의 역조, 국제 수지의 적자. ~ en caja 현금 잔고. pasar el ~ a cuenta nueva 잔고를 신계정으로 이월하다. Queda todavía a mi favor un pequeño ~ 내 구좌에는 아직 잔고가 약간 있다. ② 투매품, 잔품 : venta de ~*s* 염가 판매, 재고품 대매출. La tienda anuncia un ~ 그 상점은 바겐 세일 광고를 내고 있다.

saldo, da *adj.*《*Col.*》 =**saldado, liquidado.**

saldrá salir의 직·미·3·단수.

saldrán salir의 직·미·3·복수.

saldrás salir의 직·미·2·단수.

saldré salir의 직·미·1·단수.

saldréis salir의 직·미·2·복수.

saldremos salir의 직·미·1·복수.

saldría salir의 가·1·3·단수.

saldríais salir의 가·2·복수.

saldríamos salir의 가·1·복수.

saldrían salir의 가·3·복수.

saldrías salir의 가·2·단수.

saldubense *adj. m.f.* 살두바《Sálduba, Zaragoza의 옛 이름》의 (사람).

salea *f.* 소형 배로 바다 산책.

salearse *r.* 소형 배를 타고 바다를 산책하다.

saledizo *m.* (건물의) 돌출 부분(salidizo).

saledizo, za *adj.* =**saliente.**

salega *f.* (가축에게) 소금 주는 곳.

salegar[1] *intr.* ⑧ (가축이) 소금을 핥다.

salegar[2] *m.* =**salega.**

salema *f.* =**salpa.**

saleo, a *m.f.*《*SDgo.*》 새끼 나귀.

salep *m.* 살렙 가루《난속 구근의 분말 식품》.

salera *f.* ① (가축에게 소금을 줄 때의) 소금 그릇. ②《*Chile.*》 =**salina.**

salernitano, na *adj.* 살레르노《Salerno, 이탈리아의 도시》의. —*m.f.* 살레르노 사람.

salero *m.* ① 식탁 소금 그릇, 소금병; 소금 창고; 소금 배급소. ② 멋진 일, 애교(gracia, chiste, donaire) : tener mucho ~ 애교가 많다. ③ 재치 있는 사람. ④《*Chile.*》 염갱(鹽坑), 염전.

salerón *m.*《*And.*》 포도주 농도 측정기.

saleroso, sa *adj.* 멋진, 애교있는(que tiene sal o gracia).

salesa *f.* 성모 방문회《orden de la Visitación de Nuestra Señora, 17세기에 San Francisco de Sales가 창립》의 수녀.

salesiano, na *adj.* 살레시오 수도회《19세기 San Juan Bosco가 창립한 San Francisco de Sales》의. —*m.f.* 살레시오 수도회의 승려; 그 회에 속하는 신도.

saleta *f.* [*dim.* sala] 작은 홀; 공소원(控訴院); (왕가의) 대기실 (antecámara). —*m.f.*《*Cuba.*》 경박한 사람; 괴짜.

salga[1] *f.* (아라곤에서) 소금 소비세.

salga[2] salir의 접·현·1·3·단수.

salgada *f.* 【식물】 =**orzaga.**

salgadera *f.* =**salgada.**

salgáis salir의 접·현·2·복수.

salgamos salir의 접·현·1·복수.

salgan salir의 접·현·3·복수.

salgar[1] *tr.* ⑧ (가축에게) 소금을 먹이다·주다 (dar sal a los ganados).

salgar[2] *m.*《*Ast.*》【식물】 버들(sauce).

salgareño *adj.* 거무잡잡한 (포도주).

salgas salir의 접·현·2·단수.

salgo salir의 직·현·1·단수.

salgue *m*《*Ar.*》 =**forraje.**

salguera *f.* 【식물】 버들, 수양버들(sauce).

salguero *m.* =**salguera.**

salicáceo, a *adj.* 【식물】 수양버들과의. —*f.pl.* 수양버들과 식물.

salicaria *f.* [*lat.* salix, salicis] 【식물】 털부처꽃.

salicilato *m.* 살리신 산염(酸塩).

salicílico *adj.* *ácido* ~ 살리신 산.

salicina *f.* 【화학】 살리신, 수양소(水楊素).

salicíneo, a *adj.* 【식물】 수양버들과의(salicáceo). —*f.pl.* 수양버들과에 속하는 나무.

sálico, ca *adj.* 프랑크족·살리오족의(perteneciente a los salios · francos).
ley ~ca 살리카법《여자의 토지 상속권·왕위 계승권을 인정하지 않는 일》.

salicor *m.* 【식물】 퉁퉁마디《명아주과》.

salida *f.* ① 나오기, 나가기, salir 하기 : ~ del puerto 출항(出港). ~ del sol 일출(日出). billete de ~ 외출 허가표. ② 내는 일, 발전력(發電力), 출력; 【기계】 배기, 배기관. ③ 외출, 출발, 발차, 출범 : hora de ~ 출발 시간. estación de ~ 발차역. lugar de ~ 발항지. puerto de ~ 출발항. estar de ~ 출범 준비가 되어 있다. Esperó hasta la ~ del avión 그는 비행기의 출발까지 기다렸다. Aquí podemos esperar hasta la ~ del barco 우리들은 여기서 배가 출발할 때까지 기다리면 된다. ④ 돌출부, 튀어 나온 곳. ⑤ 출구, 나가는 문 : ¿Dónde está la ~? 출구는 어딘가요? no dar con la ~ 출구를 찾지 못하다. ⑥ 진로; 돌파구, 출격; 도피구, 발뺌(pretexto) : No queda otra ~ 달리 빠져 나갈 구멍이 없다. ⑦ 지출 : ~*s* de caja 현금 지출. ~ de divisas 외화의 소비·유출, 환자금의 유출. ⑧ 팔아 버리기, 팔리는 추세, 배출구 : dar ~ a …을 팔다, …을 처분하다. existencia de difícil ~ 체화(滯貨). tener buena ~ 잘 팔리다. ⑨ 결과, 종말. ⑩ 선박 같은 것이 앞으로 휙 나가는 일; 초속(初速); 배의 속도. ⑪ 테두리 밖, 교외; 마을 변두리, 교외의 농지, 목초지. ⑫ 기지, 재치(ocurrencia) : tener buenas ~*s* 재치가 많다. El niño tuvo una ~ que nos dejó sorprendidos 그 어린이의 기지는 우리들을 경탄케 했다.
~ ***de baño*** 목욕 후에 걸치는 옷.
~ ***de pavana*** 하찮은 일.
~ ***de pie de banco*** 엉터리(disparate).
~ ***de teatro*** 부인들이 극장에 갈 때 입는 외투.
~ ***de tono*** 엉뚱함.

salidero, ra *adj.* 외출하기 좋아하는, 나다니기 좋아하는. —*m.* 출구, 나가는 문(salida).

salidizo *m.* 건물의 돌출부, 밖으로 내민 창문·지붕(parte de un edificio que sobresale de la pared, como balcón, tejadillo, etc.).

salido, da *adj.* [salir의 *p.p.*] 너무 튀어나온, 돌출한(que sobresale demasiado).

salidor, ra *adj.* ①《*Chile. Venez.*》 외출이 잦은, 나다니기 좋아하는(andariego, salidero). ②《*Méx.*》 생기·활기가 넘치는, 기운이 팔팔한, 위세가 당당한(animoso, brioso).

saliente *adj.* ① 나온, 돌출한 : ángulo ~ 돌출각. Contr. entrante. ② 떠오르는. ③《*Galic.*》 뛰어난, 현저한. —*m.* ①돌출부. ②[드뭄] 동쪽(oriente, este).

saliera salir의 접·불완료과거·1·3·단수.

salierais salir의 접·불완료과거·2·복수.

saliéramos salir의 접·불완료과거·1·복수.

salieran salir의 접·불완료과거·3·복수.

salieras salir의 접·불완료과거·2·단수.

saliese salir의 접·불완료과거·1·3·단수.

salieseis salir의 접·불완료과거·2·복수.

saliésemos salir의 접·불완료과거·1·복수.

saliesen salir의 접·불완료과거·3·복수.

salieses salir의 접·불완료과거·2·단수.

salífero, ra *adj.* 염분을 함유한(salino).

salificable *adj.* 【화학】 염화(鹽化)할 수 있는.

salificación *f.* 【화학】 염화(鹽化).

salificar *tr.* 7 【화학】 염화하다.

salimiento *m.* 나가기, 외출, salir 하기.

salín *m.* 소금 창고(salero).

salina *f.* 염전; 소금산.

salinera *f.*《*PRico.*》 =**salina.**

salinero *m.* 염전 인부; 소금 장수. —*adj.* 희고 붉은 얼룩이 있는 (소).

salinidad *f.* 염분; 염기, 염도(鹽度) (calidad de salino).

salino, na *adj.* 염분을 함유한, 소금기가 있는, 소금기의 : calidad de ~ 염도.

salinómetro *m.* 검염계(檢鹽計), 염도 검정계.

salio, lia *adj. m.f.* (프랑크족의 한 파) 살리아이족(의). —*m.pl.* 살리아이족. —*m.* 고대 로마에서 마르떼(Marte) 신의 신관(神官).

salir *intr.* 63 [*lat.* salire] ① ㄱ) [+de : …에서] 나가다·나오다 : ~ de casa 집에서 나가다·나오다. ㄴ) [+a·en : …로·에] 나가다; 나들이하다, 외출하다 : No *salgo* hoy 나는 오늘 나가지 않는다. Este camino *sale a* la estación 이 길은 역으로 나간다. Terminada la cena *salimos a* la calle 저녁 식사가 끝난 후 우리는 외출한다.
② [+para : …로 향해] 출발·발차·출범하다 : Mañana *salimos para* Italia 내일 우리는 이탈리아로 출발한다.
③ 면하다, 통하다, 통해 있다(dar) : Esta calle *sale a* la plaza.
④ 나타나다(aparecer) : Aquí en invierno el sol *sale* a las ocho 이곳에서는 겨울이 되면 8시에 해가 뜬다. El sol *sale* por el este 태양은 동쪽에서 뜬다.
⑤ (연극에서 entrar에 대하여, 배우가) 등장하다.
⑥ 생기다, 싹트다(brotar) : Empieza a ~ el trigo.
⑦ 생겨나다, 비롯되다, 유래하다(nacer) : De su conducta *sale* la idea de alejarle.
⑧ 벗어나다, 피하다(librarse) : *Salió* de la duda · de apuros.
⑨ (의무·임무로부터) 면하다, 벗어나다 : *Salió* de la regla 규칙에서 벗어났다.
⑩ (결과로서) 발생하다, 나타나다(ocurrir) : No le *salió* conveniencia 뜻과 같이는 되지 않았다.
⑪ 세상에 나오다, 출판되다 : Su primera obra *salió* en 1956 그의 처녀작은 1956년에 출판되었다. ¿*Ha salido* ya el último número de esta revista? 이 잡지의 최근호는 이미 발간되었습니까?
⑫ 생겨나다, 내밀다, 불쑥 내밀다, 튀어 나오다, 불거져 나오다 : Este balcón *sale* demasiado.
⑬ (제비 뽑기 등에서) 적중하다, 맞다.
⑭ [+a : …과] 닮다, 닮아지다(parecerse) : La niña *ha salido a* su madre 그 여아는 어머니와 닮았다.
⑮ (계절·시기 등이) 끝나다 : Hoy *sale* el verano 오늘 여름이 끝난다.
⑯ [+contra : …에] 반대하다.
⑰ (때·오물 같은 것이) 없어지다, 떨어지다

S

(borrarse).

⑱ ㄱ) [불완전 동사로서, 명사·형용사·부사를 보어로 하여] …에·로 되다 : El niño *salió* muy travieso 다루기 어려운 아이가 되었다. *Salió* buen matemático 훌륭한 수학자가 되었다. ㄴ) (결과로서·끝내) …이·로 되다 (resultar, quedar) : *Salió* vencedor 승자가 되었다. La sospecha *salió* falsa 의심은 결국 근거 없는 일이었다. ㄷ) (뽑혀) …이 되다, …로 나서다 : José *ha salido* alcalde.

⑲ [+bien·mal] 성공·실패하다 ; 잘 되다·잘못 되다 : La comedia *salió bien* 희극은 성공이었다. *Salió bien* en los exámenes 그는 시험에 합격했다.

⑳ (비싸게·싸게·얼마) 먹히다, …이 되다 (costar) : Esto me *salió* muy caro 이것은 무척 비싸게 먹혔다. Me *sale* por veinte pesetas el metro de paño 천은 1m에 20뻬세따 먹혔다.

㉑ [+a+*inf.*] ㄱ) …하러 가다 : *Salió a* recibirle. ㄴ) 하는 수 없이 …하다.

㉒ [+con] 돌연·별안간 말하다·하다 : ¿Ahora *sale con* eso? 이번엔 그러한 일을 들추어낼 참인가?

㉓ [+con] 이룩하다, (소원 등을) 달성하다 : *Salió con* la pretensión.

㉔ [+de : …로 부터] 나가다·벗어나다, 탈출하다, …을 잃다 : ~ *de* juicio·*de* sentido·*de* tino 제정신·의식·이성을 잃다. El *salió de* apuro 그는 곤궁에서 벗어났다. Por fin logramos ~ *de* la zona peligrosa 결국 우리는 위험지대를 탈출했다.

㉕ [+de : …을] 처분·처리하다, 팔아치우다 : Ya *he salido de* todo mi terreno 나는 내 땅을 모두 팔아 치웠다.

㉖ [+de : …을] 제거하다, 면하다, …을 그만두다 : Pronto *saldré de* tutor 나는 곧 후견인을 그만두겠다.

㉗ [+por : …을] 인계하다 : El *salió por* fiador 그는 보증인을 인계했다.

~se ① 나가다, 떠나다 : *Me salí* del teatro 나는 극장에서 나갔다. Voy a ver si *me salgo* de este negocio 내가 이 일에서 탈출할지 보아야겠다. ② 벗어나다 : *Se salió de* tono 제자리에서 벗어났다. ③ 넘치다(derramarse) : *Se ha salido* la leche. ④ 새다 : Este cántaro *se sale*. ⑤ [+con : …을] 완수하다. ⑥【방언】(야채에서) 속이 나오다, 줄기가 돋아나다.

~ ***al encuentro de*** …를 만나러 가다.

~ ***avante***·***con bien*** 성공하다, 일이 잘 되다.

~ ***de*** ① …에서 나가다·나오다 : ~ *de* casa 외출하다. ~ *de* la oficina 사무실에서 나오다. ② …를 출발하다 : ~ *de* Seúl 서울을 출발하다.

~ ***de compras*** 쇼핑하러 가다.

~ ***de sus casillas*** 참고 참았던 것이 끝내 터지다.

~ ***caro*** ① 비싸게 먹히다 : Lo barato *sale caro* 싼 것이 비지떡이다. ② 혼나다.

~ ***pitando*** 당황해서 뛰기 시작하다 ; 별안간 화내다.

~se con la suya 뜻과 같이 되다, 성공하다.

no ~ de uno (누가) 입을 벌리지 않다, 말하지 않다.

salga lo que saliere 결과야 어찌되든, 아무튼, 아무튼지 ; 단호히.

[직설법 현재 1인칭 단수 : salgo. 접속법 현재 : salga, salgas, salga, salgamos, salgáis, salgan. 직설법 미래 : saldré, saldrás, saldrá, saldremos, saldréis, saldrán. 가능법 : saldría, saldrías, saldría, saldríamos, saldríais, saldrían].

salisipán *m.* 필리핀 남해의 배의 일종 : El ~ es un barco de piratas de extraordinaria velocidad.

salitrado, da *adj.* 초석을 섞은(mezclado con salitre).

salitral *adj.* 초석(硝石)을 함유한(salitroso). —*m.* 초석상(硝石床), 초석산(硝石山).

salitre *m.*【광물】초석, 질산 칼륨(nitro) : El ~ se emplea generalmente para fabricar la pólvora.

salitrera *f.* 초석상(硝石床) ; 초석산(salitral).

salitrería *f.* 초석 공장.

salitrero, ra *adj.* =**salitroso.** —*m.f.* 초석 상인.

salitroso, sa *adj.* 초석을 함유한.

saliva *f.* [*lat.* saliva] 침 : La ~ sirve para preparar la digestión de los alimentos.

gastar ~ en balde 공연한 말을 하다, 쓸데 없는 말을 하다(hablar inútilmente).

tragar ~ 참고 입밖에 내지 않다, 멍하니 말을 못하다, 꿀먹은 벙어리가 되다(tener que callarse uno ante algo que le ofende o disgusta).

salivación *f.* 침·게침·군침을 흘리는 일.

salivadera *f.* 《*AmérM.*》 가래통(escupidera).

salivajo *m.* =**salivazo.**

salival *adj.* 침의 : glándulas ~*es* 타액선.

salivar *intr.* 침이 나오다, 침을 뱉다(arrojar saliva). —*adj.* 침의(salival).

salivatorio, ria *adj.* 군침을 삼키는.

salivazo *m.* (뱉은) 침 ; 침뱉기(salivajo).

salivera *f.* 《*Arg.*》 가래통(salivadera). —*f.pl.* 마구(馬具)의 재갈 부분에 대는 구슬.

salivón *m.* =**salivajo.**

salivoso, sa *adj.* 침을 많이 흘리는, 게침투성이의 ; 침같이 생긴 : líquido ~.

sallador, ra *adj.* =**escardador.**

salladura *f.*【방언】제초, 사이갈이.

sallar *tr.* [드묾] 제초(除草)하다, 사이갈이하다 (sachar, escardar la tierra).

sallete *m.* 써레 《농기구의 일종》; 제초기(除草器).

sallo *m.* =**escardillo.**

salma *f.* ① (배의) 톤(tonelada). ② 《*Rioja. Sor.*》 길마의 일종(enjalma).

salmanticense *adj. m.f.* =**salmantino.**

salmantino, na *adj.* 살라망까(Salamanca)의. —*m.f.* 살라망까 사람.

salmar *tr.* 《*Rioja. Sor.*》 (말 등에) 길마를 얹다 (enjalmar).

salmear *intr.* 찬미가를 노래하다 (rezar salmos, salmodiar).

salmer *m.* [*fr.* sommier] 홍예머리 《아치문 안쪽의 기점이 되는 돌》.

salmerón *adj. m.* 키가 큰 밀의 (일종) (trigo ~). —*m.* 《*Hond.*》 키다리.

salmista *m.* [*lat.* psalmista] 찬미가 작자 ; (사원의) 찬미가 담당자 ; 그것을 부르는 사람 ; [el

S-] 다윗왕.

salmo *m.* [*lat.* psalmus] 찬미가, 성가(聖歌), 성시(聖詩) : ~ gradual 시편 가운데 119번에서 133번까지의 각 시(各詩). **—*pl.*** [주로 대문자로, 성서의] 시편 : los *Salmos* de David.

salmodia *f.* 찬미가, 성가; 【속어】 단조로운 노래(canto monótono).

salmodiar *intr.* ⑪ 찬미가 · 찬송가를 부르다; 단조롭게 노래하다(cantar monótonamente).

salmón *m.* [*lat.* salmo, onis] 【어류】 연어 : ~ ahumado 훈제 연어. ~ en conservas 연어 통조림. ~ salado 소금에 절인 연어.

salmonado, da *adj.* 연어 살 비슷한, 연분홍빛깔의 : trucha *~da.*

salmonera *f.* 연어잡이용 어망.

salmonete *m.* [*fr.* surmulet] 【어류】 (지중해산의) 노랑촉수(trilla).

salmónidos *m.pl.* 【어류】 연어류.

salmorear *tr.* 《*Venez.*》 설교하다, 꾸짖다.

salmorejo *m.* ① 후추 소스. ② 나무람, 꾸짖음.

salmuera *f.* (만든) 소금물, 간국(agua salida) : carne en ~ 소금에 간한 고기.

salmuerarse *r.* (가축이 소금을 너무 많이 먹어) 체하다.

salobral *adj.* 염분을 함유한 : tierra ~. **—*m.*** 염분이 나는 곳.

salobre *adj.* 짭짤한; 염분을 함유한 : aguas *~s* 자연수, 염수.

salobreño, ña *adj.* ① 살로브레냐 《Salobreña, 마드리드 근처의 도시》의. ② 짭짤한, 염분의(salobre). **—*m.f.*** 살로브레냐 사람.

salobridad *f.* 염분을 함유하고 있는 일, 짭짤한 맛.

salol *m.* 자롤 《해열 · 방부제》.

saloma *f.* 뱃노래; 농부가; 노동가.

salomar *intr.* 뱃노래 · 농부가를 부르다; 노래하며 일하다.

Salomé *f.* 【성서】 살로메 《Herodías의 딸로 Herodes 왕의 조카, 어머니의 명에 춤의 값으로 Juan Bautista의 목을 왕에게서 받았다는 여자》.

salomón *m.* 박식한 사람.

Salomón *m.* 【성서】 솔로몬 《기원전 10세기의 이스라엘의 현명한 왕》.

salomónico, ca *adj.* 현명한 왕 솔로몬의 · 같은 : columna *~ca* 꼬인 기둥.

salón[1] *m.* [*aum.* sala] ① 큰 홀, 응접실(sala grande) : ~ de belleza 미용실, 미장원. ~ de descanso 극장 등의 휴게소. ~ de exposición 전시회장. ~ de venta 매장(賣場), 직매장. ~ del automóvil 자동차 전시회, 모터 쇼. En este ~ caben más de cien personas 이 홀에는 100명 이상은 들어갈 수 있다. ② 회의실 (~ de conferencia · sesiones). ③ 《*Galic.*》 미술 전람회 (exposición) : ~ de pintura 미술 전시회. ~ de retratos 초상화 전시회. ④ 《*Ecuad.*》 살롱. **—*pl.*** 사교장, 사교계.

salón[2] *m.* [드묾] 소금에 간한 살코기나 생선(carne o pescado salados).

saloncillo *m.* [*dim.* salón] 작은 홀; 특별실, 별실, 대합실, 부인실; (극장의) 휴게실 (salón de descanso).

salpa *f.* [*lat.* salpa] 【어류】 지중해산 농어의 일종.

salpicadero *m.* (진흙의 튀기는 것을 막기 위한 운전석의) 판.

salpicadura *f.* ① 튀김, 물보라; 뿌려져 묻은 것; 튀긴 흙탕물 (등) : las *~s* de la guerra entre los neutrales 중립 국가에로의 전쟁의 비화. ② 점재(點在). ③ (책을) 건너뛰어 읽기; 얼룩점.

salpicar *tr.* ⑦ ① 튀겨 오르게 하다; (물이나 흙탕물을) 끼얹다 : El coche le *salpicó* el barro *a* la ropa; El coche le *salpicó* la ropa *de · con* barro 자동차가 그의 옷에 흙탕물을 끼얹었다. ② 뿌리다, 점재(點在)시키다 : un valle *salpicado* de caseríos 옹기종기 부락이 있는 골짜기. ~ *de* chiste la conversación 말하면서 자꾸만 농담을 하다. ③ 여기저기 건너뛰다 : ~ la lectura de un libro 책을 여기저기 건너뛰어 읽다.
~se 여기저기로 튀다; 점재(點在)하다.

salpicón *m.* ① 물방울의 튀김, 물방울, 물보라. ② 점재(salpicadura). ③ 소금, 식초 및 양파를 넣어 버무린 고기 요리(fiambre de carne picada con sal, vinagre y cebolla). ④ 토막토막 (으로 한 것). ⑤ 《*Ecuad.*》 과일 즙으로 만든 아이스크림(helado de zumo de frutas).

salpimentar *tr.* ⑲ ① 소금(sal)과 후춧가루(pimienta)로 양념하다 : ~ carne. ② [추상] 맛을 내다.

salpimienta *f.* 소금과 후춧가루의 조미료.

salpique *m.* =**salpicadura.**

salpiquear *tr.* 《*Col. PRico.*》 =**salpicar.**

salpor *m.* 《*Salv.*》 옥수수의 일종.

salpresamiento *m.* 소금으로 간을 맞춤.

salpresar *tr.* 소금으로 간을 맞추다 : ~ pescado.

salpreso, sa *adj.* [salpresar의 *p.p.*] 소금으로 간을 맞춘 : pescado ~.

salpuga *f.* 【곤충】 《*And.*》 독개미(hormiga venenosa).

salpullido *m.* (바로 없어지는) 발진; 벼룩에 물린 자국 (roncha leve que deja la picadura de la pulga).

salpullir *tr.* ㊿ 벼룩에 물린 자국이 나게하다.
~se 벼룩에 물린 자국이 생기다.

salsa *f.* [*lat.* salsus] ① 소스, 간장; 양념 : No hay mejor ~ que el hambre 시장이 반찬이다. ② 《*Chile.*》 구타.
~ ***blanca*** 백 소스. ~ ***de San Bernardo*** 공복(空腹)(hambre, apetito). ~ ***de tomate*** 토마토 소스, 케첩. ~ ***mahonesa · mayonesa*** 마요네즈.
en su propia ~ 안성맞춤의 상태로.
Vale más la ~ ***que los perdigones*** 배꼽이 배보다 더 크다, 망치보다 자루가 더 무겁다, 부속값이 더 비싸다.

salsear *intr.* 《*Murc.*》 (어떤 일에나) 간섭하다 (entremeterse).

salsedumbre *f.* [드묾] 간이 되어 있음.

salsera *f.* 소스 그릇; 그림 물감 접시.

salsereta *f.* 그림 물감 접시.

salserilla *f.* =**salsereta.**

salsero, ra *adj.* 소스가 되는, 소스로 만드는 : tomillo ~. **—*m.f.*** 《*Chile.*》 소금 장수.

salserón *m.* 《*Burg.*》 곡물의 단위.

salseruela *f.* [*dim.* salsera] 그림 물감 접시.

S

salsifí *m.* [*fr.* salsifis] 【식물】 선모(仙茅) : ~ de España, ~ negro 검은꽃 선모(escorzonera).
salso *m.* 【지질】 작은 화산.
salsoláceo, a *adj.* 【식물】 수송나물과의. —*f.pl.* 수송나물과 식물.
saltabanco *m.* 곡예사(titiritero) ; (쇼를 벌이는) 엉터리 약장수(charlatán) ; 요술쟁이 ; 방정맞은 사람.
saltabancos *m.pl.* =**saltabanco.**
saltabardales *m.f.* 【단·복수 동형】 장난꾸러기 소년(muchacho travieso).
saltabarrancos *m.f.* 【단·복수 동형】 덜렁이 마냥 바삐 뛰어다니는 사람.
saltable *adj.* 날 수 있는, 뛰어 넘을 수 있는.
saltacaballo *m.* (각 아치 위쪽의) 각석(角石). *en* ~ 포개어, 포개어진.
saltación *f.* 뛰어 넘는 일, 도약 ; 무도.
saltacharquillos *m.f.* 【단·복수 동형】 발끝으로 걷는 새침데기 (persona que camina pisando de puntillas con afectación).
saltadero *m.* 도약장 ; 분수(surtidor de agua).
saltadizo, za *adj.* 깨지기 쉬운, 터져서 흩어지기 쉬운.
saltado, da *adj.* [saltar의 *p.p.*] 튀어나온 : ojos ~*s*.
saltador, ra *adj.* 잘 뛰는 : insecto ~. —*m.f.* 도약 선수 ; 날으는 사람. —*m.* (줄넘기에 쓰이는) 줄(comba).
saltadura *f.* 석재의 면에 생긴 이 떨어진 자국.
saltaembanco *m.* =**saltabanco.**
saltaembancos *m.pl.* =**saltabanco.**
saltaembarca *f.* (옛날의) 옷의 일종.
saltagatos *m.* 【단·복수 동형】 《*Col.*》 【곤충】 메뚜기(saltón).
saltambarca *f.* =**saltaembarca.**
saltamontes *m.* 【단·복수 동형】 【곤충】 메뚜기.
saltaneja *f.* =**sarteneja.**
saltanejal *m.* 《*Col.*》 울퉁불퉁한 땅.
saltanejo *m.* 《*Col.*》 진흙 소택지.
saltanejoso, sa *adj.* 《*Cuba.*》 밋밋하게 기복이 있는 (토지), 울퉁불퉁한, 고르지 못한.
saltante *adj.* ① 잘 뛰는. ② 《*Chile. Perú.*》 눈에 띄우는, 두드러진(notable, sobresaliente).
saltaojos *m.* 【단·복수 동형】 【식물】 작약(芍藥). Sinón. peonia.
saltapajas *m.* 【방언】 =**saltamontes.**
saltapalo *m.* 【조류】 (멕시코의) 가느다란 부리를 가진 새.
saltaparedes *m.f.* 【단·복수 동형】 장난꾸러기, 장난꾼(saltabardales).
saltaperico *m.* ① 《*Cuba.*》 폭음 꽃불. ② 《*Méx.*》 딱총약 《장난감》. ③ 《*Venez.*》 소동, 소란.
saltaprados *m.* 【방언·곤충】 메뚜기.
saltar *intr.* [*lat.* saltare] ① 날다, 뛰다, 도약하다, 비약하다 : La cabra *saltó* en tierra 산양은 땅바닥으로 훌쩍 뛰었다. Las cabras *saltaban* 산양은 깡충깡충 뛰고 있었다. ② 뛰쳐 나가다, 뛰어 내리다·들다 : Eso *salta* a los ojos 그것은 손쉽게 알 수 있는 일이다. ③ 튀어나와 있다, 돌출되어 있다. ④ 날아·뛰어 오르다, 튀기다 : La pelota *saltó* del suelo 공이 땅에서 튀겼다. ⑤ 뛰어넘다 : El toro *saltó* a la arena 투우가 장내를 뛰어넘었다. ⑥ 분출하다. ⑦ (조가리 등이) 튕기다, 사방으로 흩어지다 : ~ una chispa 불꽃이 튀다. *Saltó* una astilla de madera 톱밥이 사방으로 흩어졌다. ⑧ 짝 깨지다·찢어지다 : Los vasos de cristal *saltan* con agua caliente 유리잔이 뜨거운 물에 깨졌다. ⑨ 불현듯 머리에 떠오르다 ; (생각·화제가) 비약하다. ⑩ (뛰어넘어) 승진하다. ⑪ (거꾸로) 전락(轉落)하다, 곤두박질치다 : Le hicieron ~ del ministerio.
—*tr.* ① 날다, 뛰어넘다 : El ladrón *saltó* la pared 도둑이 담을 뛰어넘었다. ② (밧줄을) 늦추다. ③ (암컷에게) 흘레하다, 흘레붙다.
~se 빠뜨리고 읽다·말하다(omitir) : Al escribir a máquina *me he saltado* un renglón 나는 타이프 라이터를 쳤을 때 한 줄 빠뜨렸다. *Me he saltado* un renglón 나는 한 줄을 빠뜨리고 읽었다.
~ *a la vista* 분명해지다.
hacer ~ 폭파하다 ; 녹아웃시키다.
saltarel *m.* 옛 서반아의 무용.
saltarelo *m.* [*ital.* saltarella] =**saltarel.**
saltarén *m.* ① 기타로 켜는 무용곡의 일종. ② 【곤충】 메뚜기의 일종.
saltarilla *f.* (일반적으로 작은) 팔딱팔딱 뛰는 벌레 《메뚜기 등》.
saltarín, na *adj.* 날기도 하고 팔딱팔딱 뛰기도 하는 ; 춤추는. —*m.f.* 댄서 ; 방정스러운 사람.
saltarregla *f.* [*fr.* sauterelle] 각도자, 곱자(falsarregla).
saltarrostro *m.* 《*Extr.*》 【동물】 도롱뇽(salamanquesa).
saltaterandate *m.* 바늘땀을 크게 뜨는 수의 일종.
saltatrás *m.f.* 【단·복수 동형】 혼혈아(tornatrás).
saltatriz *f.* 댄서, 여류 무용가.
saltatumbas *m.* 【단·복수 동형】 장례식마다 참석하여 기도하는 승려.
salteador, ra *m.f.* 들치기, 네다바이 ; 바람잡이.
salteamiento *m.* saltear하는 일.
saltear *tr.* ① 들치기하다 : ~ a un viajero. ② 치다, 습격하다(asaltar). ③ (누구의) 선수를 치다 ; 멍하게 만들다(sorprender). ④ (음식물) 눌리다·태우다 ; 기름에 볶다.
salteño, ña *adj.* 살따 《Salta, 아르헨띠나·우루구아이에 있는 지명》의. —*m.f.* 살따 사람.
salteo *m.* =**salteamiento.**
salterio *m.* ① (구약 성서의) 시편 ; 찬미가 집 ; 백오십 염주. ② 옛 하프의 일종. ③ 【은어】 들치기.
saltero, ra *adj.* =**montaraz.**
saltigallo *m.* 【방언·곤충】 메뚜기.
saltígrado, da *adj.* 깡충깡충 뛰어다니는 (동물).
saltillense *adj.m.f.* 살띨료 《Saltillo, 멕시코에 있는 도시》의 (사람).
saltimbanco *m.* [*ital.* saltimbanco] =**saltabanco, titiritero.**
saltimbanqui *m.* 【속어】 곡예사 ; 행길의 약장수, 쇼맨(saltabanco) ; 《*Arg.*》 요술사, 마술사.

salto *m.* [*lat.* saltus] ① 날기 : dar un ~ 훌쩍 뛰어오르다. ② 뛰기, 뛰어넘기 : dar ~*s* 깡충깡충 뛰다. ③ 뛰는 곳 ; 한번 뛰기, 그 거리. ④ 도약, 비약 ; 뛰어넘기 ; 남을 앞지른 승진 ; 약진. ⑤ 습격(asalto). ⑥ 가슴이 두근거리는 일. ⑦ 협곡 ; 폭포(~ de agua). ⑧ 말넘기 《어린이 놀이》. ⑨ 빠뜨리고 읽기, 빠뜨리고 베끼기(omisión). ⑩ (밧줄을 늦추기 위해 쓰는) 예비줄. ⑪ 급등(急騰).

~ *atrás* 혼혈아(saltatrás) ; 뒤로 뛰어넘기, 후퇴. ~ *de altura* (*con garrocha*) (장대) 높이뛰기. ~ *de agua* 폭포. ~ *de carnero* 말이 일부러 기수를 떨어뜨리는 일. ~ *de lodo* 뛰어넘을 수 없도록 물을 채워놓은 도랑. ~ *de longitud* 넓이뛰기. ~ *mata* 도망, 도주. ~ *de pértiga* 봉고도. ~ *de trucha* (곡마단의) 제비넘기. ~ *de viento* 바람 부는 방향의 급작스러운 변화. ~ *mortal* 제비넘기, 공중 회전.

a ~*s* (깡충깡충) 뛰면서 ; 사이사이를 건너 뛰면서 ; 자꾸만 (불어나다).

a ~ *de mata* 걸음아 날 살려라 하고 (뺑소니치다).

al ~ 《*Cuba.*》 현금으로 ; 즉각.

de ~ 갑자기, 별안간.

de un ~ 단걸음에.

en un ~ 단 한번 뛰어 ; 재빨리(rápidamente).

por ~ 건너뛰면서, 생략하면서, 듬성듬성.

saltoatrás *m.* =**saltatrás, tornatrás.**

saltómetro *m.* (운동 선수의 뛰는 것을 재기 위한) 나무봉.

saltón, na *adj.* ① 뛰어오르는, 깡충깡충 뛰는 ; 뛰쳐나간 : ojos ~*es* 도글도글한 눈. ② 《*AmérM.*》 설익은.

—*m.* 【곤충】 메뚜기(saltamonts) ; (햄 · 순대 같은 데 꼬이는) 구더기.

salubérrimo, ma *adj. sup.* salubre.

salubre *adj.* =**saludable.**

salubridad *f.* 건강한 일 ; (국민의) 건강 상태.

salud *f.* [*lat.* salus] ① 건강 (상태) : estar bien de ~, estar en buena ~ 건강하다. a su ~ 건배 (당신의 건강을 축하하여). Vamos a beber a la ~ del profesor 교수님의 건강을 축하하여 마십시다. Disfruta de muy buena ~ 그는 대단히 좋은 건강을 지니고 있다. ② 건전. ③ 구원(salvación) : la ~ eterna.

—*pl.* 절, 인사, 경례.

—*interj.* 안녕히 !, 축배 · 건배 ! (a su salud).

saludable *adj.* ① 건강이 좋은, 건강한, 건전한(sano). ② 유익한 : un ejemplo ~.

saludablemente *adv.* 건전하게.

saludación *f.* [드묾] = **salutación.**

saludador, ra *m.f.* 주문을 외는 사람.

saludar *tr.* [*lat.* salutare] ① 절하다, 인사하다, (…에) 경례를 하다, 경의를 표하다 : Le *saludo* a usted atentamente 삼가 귀하에게 경의를 표하는 바입니다 《편지의 끝맺음 말》. Ella me *saludó* de una manera fría 그녀는 냉정하게 나에게 인사했다. Los barcos *saludaron* al presidente con veinte cañonazos 함선은 대통령에게 20발의 축포를 터트렸다. Mi mujer le *saluda* 내 집 사람이 당신한테 안부 전합니다. *Saluda* de mi parte a tu madre 너의 어머님께 안부 전해라. ② 환호하다 (aclamar) : ~ el advenimiento de la libertad 자유의 도래를 환호로서 맞이하다. ③【고어】 추대하다. ④ 주문을 외다, 주문을 외어 고치다.

saludo *m.* 인사, 절, 경례, 목례 ; 예포(禮砲) : ~ cortés 정중한 인사. ~*s* a …에게 안부 전하십시오. Muchos ~*s* de mi parte al señor Guim 부디 김씨에게 안부 전하세요.

~ *a la voz* 만세 등을 부르기.

salumbre *f.* 【식물】 소금꽃 《약용》.

salutación *f.* [*lat.* salutatio] 인사(saludo) ; 성모에 대한 기도의 머리말 : ~ angélica 아베 마리아의 기도.

salute *m.* 살루떼 《까를로스 4세 때의 금화》.

salutíferamente *adv.* 건강하게.

salutífero, ra *adj.* 건강에 좋은(saludable) : aguas ~*ras.*

salutista *m.f.* [*ing.* salutist] 《*Neol.*》 구세군 군인(miembro del Ejército de salvación).

salva *f.* ① ㄱ) 예포(禮砲) : tirar una ~. ㄴ) 환영, 인사(saludo). ㄷ) 환호 : ~ de aplausos 우뢰와 같은 갈채. ② 서언(誓言). ③ 무혐의의 증명. ④ 쟁반(salvilla). ⑤ (왕의 음식물에) 독이 있는지 없는지를 검사하는 일.

salvabarros *m.* 【단 · 복수 동형】 (수레바퀴 같은 데 붙은) 흙받이(guardalodos de la bicicleta).

salvable *adj.* 구제 · 구원할 수 있는 ; 단축할 · 뛰어 넘을 수 있는.

salvación *f.* 구원, 구조, 구세(救世) : áncora de ~ 구조 닻.

Ejército de S- 구세군.

salvacionista *m.f.* 구세군 군인.

salvada *f.* 《*Amér.*》【속어】 구제되는 일 : ¡Qué ~ nos dimos! 우리는 용케도 살았다 !

salvadera *f.* ① (잉크를 빨아들이는) 모래를 넣은 병(salbadera) ; 《*Col.*》 잉크를 빨아들이는 고운 모래. ② 《*Cuba.*》【식물】 =**jabillo.**

salvado, da *adj.* salvar의 *p.p.* —*m.* (가루를 빻을 때 나오는) 밀기울.

salvador, ra *adj.* 구원하는, 구제하는, 돕는 : medicina ~*ra* 구원의 약.

—*m.f.* 구조자, 구제하는 사람.

—*m.* [el S-] 구세주, 그리스도.

Salvador, El 【지명】 엘살바도르 《중앙 아메리카의 공화국 ; 면적 21,393㎢ ; 수도 San Salvador》.

salvadoreñismo *m.* 엘살바도르의 방언 · 어투.

salvadoreño, ña *adj.* 엘살바도르의. —*m.f.* 엘살바도르 사람.

salvaguarda *f.* =**salvaguardia.**

salvaguardar *tr.* ① 옹호 · 보호하다(proteger) : ~ los intereses del país 국가 권익을 옹호하다. ② 경비 · 경계하다. ③ (안전을) 보증하다.

salvaguardia *f.* 안전 통행권 ; 부적 ; 보호, 감시(custodia) ; 전쟁 때의 보호 물건의 표식, 불가침 표식. —*m.* 감시인, 보호자 ; 호위병, 경호원, 보디가드.

salvajada *f.* 야만성, 폭력, 난폭 ; 공포.

salvaje *adj.* [*lat.* silvaticus] ① 야생의(silvestre) : planta ~ 야생 식물. En el parque había animales ~*s* 공원에는 야생 동물이 있었다. ②

S

훈련되지·길들지 않은 : caballo ~ 야생마. ③ 야만스런, 미개한(inculto) : país ~ 미개국. ④ 우악살스러운(rudo). ⑤ 거친, 황량한. —*m.f.* 야만인, 미개인 : Vivió una temporada entre los ~*s* del Brasil 그는 한때 브라질의 미개인 속에서 생활했다.

salvajería *f.* =**salvajada, barbaridad** : cometer ~*s.*

salvajez *f.* 야생, 야만성 ; 야성(野性).

salvajina *f.* ① 야생의 동물 《멧돼지, 사슴 등》 : cazar las ~*s.* ② 야생 동물의 고기·모피.

salvajino, na *adj.* ① 야생의 (동식물). ② 야만인의·같은. ③ 야생 동물의 (고기).

salvajismo *m.* 야만, 잔인 ; 야성(salvajez).

salvajuelo, la *adj.m.f. dim.* salvaje.

salvamano (a) *adv.* 안전하게 (a mansalva, sin peligro).

salvamanteles *m.* 【단·복수 동형】 깔개 《식탁의 접시·화분 밑에 까는 것》.

salvamente *adv.* 안전하게.

salvamento *m.* (주로 바다에서의) 구조(救助) ; 구제 ; 안전한 장소.
contrato de ~ 구조 계약.
derechos de ~ 구조료(救助料).

salvamiento *m.* =**salvamento.**

salvante *adj.* 구하는, 돕는. —*adv.* [전치사적으로] …를 예외로 한, …을 제외(除外)한 (excepto, salvo).

S

salvar *tr.* [*lat.* salvare] ① 구하다, 돕다, 구출하다, 구조하다 ; 구제하다 ; 영혼을 구하다 : El guardacostas *salvó* a los náufragos 연안 경비함이 파선자들을 구조했다. ② (위험·곤란·장해를) 제거하다, 없애다, 배제하다(evitar) ; 극복하다 : ~ la dificultad. ③ 제외하다 ; 예외로 하다(exceptuar) : Mis compañeros, *salvando* a los presentes, me han abandonado 내 친구들은, 여기 있는 사람은 제외하고, 모두 나를 버렸다. ④ ㄱ) 넘다, 뛰어넘다 (saltar) : ~ de un salto un arroyo 단번에 강을 뛰어넘다. ㄴ) La avenida *salvó* el pretil del puente. ㄷ) (어떤 거리를) 지나치다, 통과하다, 주파하다 : ~ una montaña 산을 통과하다. El tren *salvó* en doce horas la distancia entre dos ciudades 열차는 두 도시 사이를 열두 시간으로 주파했다. ⑤ (어떤 것보다) 빼어나다 : La torre *salva* las copas de los árboles que la rodean. ⑥ (서류·서적에) 정정 사항을 써서 첨부하다, 단서·정오표를 넣다 : ~ una edición 출판물에 정오표를 넣다. ⑦ (피의자의) 무죄를 증명하다, 목숨을 구하다.
—*intr.* 시식하다, 독이 있는지를 맛보다.
~se ① 구출되다, 살다, (위험을) 벗어나다 (librarse) : *Se salvó* el templo del incendio 그 사원은 화재를 면했다. *Se salvó* a nado 그는 헤엄쳐서 살아났다. ② (영혼이) 구원의 영광을 얻다, 열반하다, 승천하다. ③ 도망치다 : *Sálvese* quien pueda 도망칠 수 있는 사람은 도망치십시오. ④ 도움을 받다.

salvarruedas *m.* 【단·복수 동형】 (보도의) 가장자리 돌.

salvarsán *m.* 《*Neol.*》 살바르산 《매독약》.

salvataje *m.* =**salvotaje.**

salvático, ca *adj.* 【고어】 =**selvático.**

salvatierra *m.* 【은어】 =**fullero.**

salvatiqueza *f.* 【드뭄】 =**selvatiquez.**

salvavidas *m.* 【단·복수 동형】 ① 구명 장비, 튜브 : bote ~ 구명정. boya ~ 구명대. ② (전차 등의) 구조망·장치.

salve *interj.* [*lat.* salve] 【시어】 행복이 있으라!, 만세!, 안녕!
—*f.* (Salve, regina… 로 시작되는) 성모 찬가 : cantar una ~ 성모 찬가를 부르다.

salvedad *f.* (상대방을 화나지 않게 하기 위해 미리 하는) 양해를 구하기, 삼가하기, 변명.

salvia *f.* [*lat.* salvia] 【식물】 샐비어 《서반아 황무지에서 나는 약초의 일종》.

salvilora *f.* 《*Arg.*》 【식물】 살빌로라 《꽃이 아름다운 쌍엽류 관목》.

salvilla *f.* ① (찻잔·컵을 담아 들고 다니는) 쟁반(bandeja). ② 《*Chile.*》 향신료 받침(angarillas).

salvo, va *adj.* [*lat.* salvus] 무고·무사한, 탈이 없는 ; 제외된. —*adv.* [전치사적으로] …이외에는, …을 제외하고(excepto) : *S-* error u omisión, *S-* errores y omisiones 오기 누락 없음. ~ las reservas normales 통상의 권리 유보. en ~ el caso de …하는 경우 이외에는. Todos vinieron ~ él 그 사람을 제외하고 모두 왔다.
~ *que* [+*subj.*] …하는 것이 아니라면, …하지 않는한 : *S- que* llueva mucho, iremos de compras 비가 많이 내리지 않는한 우리는 쇼핑갈 것이다. ~ *que* me *otorguen* una bonificación 나에게 보너스를 주지 않는다면.
~ ***buen fin*** (s.b.f.) 무사히 결재되었다면.
a·en ~ 무사히, 탈없이, 안전하게 ; 제외하여.
dajar a ~ 치워버리다, 제외하다.
poner a ~ ***de*** 안전하게 하다, 보호하다, …로부터 해방시키다.
quedar a ~ 안전하게 되다, 보호받다.
salir a ~ 무사히 헤쳐나가다.

salvoconducto *m.* 통행 허가증 ; 안전, 보증 (seguridad) ; 안전 보증권 ; 부적.

salvoguardar *tr.* 《*Galic.*》 안전하게 지키다, 보호하다(proteger).

salvohonor *m.* 【속어】 궁둥이(culo).

salvotaje *m.* 《*Galic.*》 =**salvamento.**

salza *f.* =**salso.**

salzmimbre *m.* 《*Ar.*》 버들가지.

sama *f.* 【어류】 도미의 일종.

sámago *m.* 변재(邊材) 《통나무의 겉부분》 (albura) : madera llena de ~.

samán 【식물】 사만나무 《남미산 콩과의 교목》.

samanense *adj.m.f.* 사마나 《Samaná, 도미니까에 있는 주》의 (사람).

samanés *adj.m.f.* =**samanense.**

samanta *f.* 【방언】 나뭇단.

samaquear *tr.* 《*Venez.*》 흔들다.

samar *tr.* 《*SDgo.*》 =**manosear.**

sámara *f.* [*lat.* samara] 【식물】 시과(翅果).

samario, ria *adj.* 산따·마르따 《Santa Marta, 꼴롬비아의 도시》의. —*m.f.* 산따·마르따 사람.

samarita *adj. m.f.* =**samaritano.**

samaritano, na *adj.* 사마리아 《Samaria, 고대 팔레스티나의 한 지방 ; 그 수도》의. —*m.f.* 사마리아 사람.

samaruco *m.* 《*Chile.*》 (사냥꾼의) 자루, 배낭 (morral de cazador).
samarugo *m.* 《*Arg.*》 ①【방언】 올챙이 (renacuajo). ② 둔한 사람.
samaruguera *f.* (개천 같은 데에 치는) 고기잡이 그물.
samba *m.* 《*Riopl.*》 (아프리카에 기원을 둔) 브라질의 민요·춤, 삼바, 삼바 춤·음악.
sambac *m.* 《*Filip.*》 =**tamarindo.**
sambenitar *tr.* (…의) 명성·평을 손상시키다.
sambenito *m.* (이단자로서 심문받게 된 자의) 죄인의 웃옷·두건 ; 죄상을 적은 방 ; 치욕, 오명, 불명예.
sambeque *m.* 《*Cuba.*》 큰 소란(zambra).
sambí *m.* 《*Cuba.*》 삼비 《아프리카계의 현악기》.
samblaje *m.* =**ensambladura.**
samblasino, na *adj.m.f.* 산·블라스 《San Blas, 빠나마에 있는 지방》의 (사람).
sambrano *m.* 《*Hond.*》 약재로 쓰는 콩과 식물.
sambrote *m.* 《*CRica.*》 =**revoltillo.**
sambuca *f.* [*lat.* sambuca] ① 옛날 성을 공격할 때 쓰던 사닥다리. ② 하프의 일종.
sambumbe *m.* ① 《*Col.*》 바나나 요리의 일종. ② 난투, 소동, 소란(mezcolanza).
sambumbia *f.* ① 《*Cuba. Mex.*》 당밀·고추가루·파인애플·설탕을 넣은 음료수. ② 《*Col.*》 부스러뜨린 것.
sambumbiería *f.* 《*Cuba. Méx.*》 sambumbia의 상점.
sambumbiero *m.* sambumbia 제조원·판매원.
sambutir *tr.* 《*Méx.*》 깊이 넣다, 밀어 넣다.
samio, mia *adj.* 사모스 《Samos, 소아시아 서안의 섬》의. —*m.f.* 사모스 사람.
samnita *adj.* 삼니오 《Samnio, 고대 이탈리아에 살던 민족》의. —*m.f.* 삼니오 사람.
samnite *adj. m.f.* =**samnita.**
samnítico, ca *adj.* 삼니오의.
samosateno, na *adj.* 사모사타 《Samosata, 고대 아시아에 있던 나라》의. —*m.f.* 사모사타 사람.
samosatense *adj. m.f.* =**samosateno.**
samotana *f.* 《*AmérC.*》 야단법석, 술 마시고 떠들기(bullanga).
samotracio, cia *adj.* 사모트라시아《Samotracia, 에게해에 있는 섬》의. —*m.f.* 사모트라시아 사람.
samovar *m.* 사모바르 《러시아 전래의 특유한 주전자》.
samoyedo, da *adj.* 사모예드족 《중앙 시베리아의 모크족》의. —*m.f.* 사모예드 사람. —*m.* 사모예드말.
sampaguita *f.* 【식물】 아라비아 재스민.
sampablera *f.* 《*Venez.*》 대판 싸움.
sampán *m.* 【해사】 중국의 선박(champán).
sampedrada *f.* 【방언】 사도 성 베드로의 축제.
sampedrano, na *adj.* 산·뻬드로 《San Pedro, 빠라구아이에 있는 주·도시》의 (사람).
sampedrense *adj.m.f.* 삼뻬도르 《Sampedor, Barcelona주의 마을》의 (사람).
sampedreño, ña *adj.m.f.* 산·뻬드로 《San Pedro, Albacete주의 마을》의 (사람).
sampedrillo *m.* 《*SDgo.*》 더러운 흑인.
sampedrín, na *adj.m.f.* 산·뻬도르 데 라따르세 《San Pedro de Latarce, Valladolid주의 마을》의 (사람).
samplegorio *m.* 《*Venez.*》 즐거운 소동.
sampsuco *m.* 【식물】 마요라나 《향초》 (mejorana).
samuga *f.* 부인용의 안장(jamuga).
samugo *m.* 《*AmérM.*》 【조류】 =**aura.**
samungo *m.* 《*Ar. Albac.*》 뚱하고 말없는 사람, 고집쟁이.
samurai *m.* (일본의 봉건 시대의) 무사, 사무라이.
samurear *intr.* 《*Venez.*》 살피듯이 하며 걷다.
samurito *m.* 《*Col.*》 【조류】 =**aní.**
samuro *m.* ① 《*Amér.*》 작은 콘도르. ② 《*SDgo.*》 잡종의 닭. ③ 《*Venez.*》 닭똥.
san *adj.* santo의 어미 탈락형 《남성 성인의 고유명사의 앞에서 이 형을 취함 : *San* Juan, *San* Pedro [*N. Santo* Tomás, *Santo* Tomé, *Santo* Toribio, *Santo* Domingo만은 예외].
—*m.pl.* ¡Por vida de ~*es*!, ¡Voto a ~*es*! 빌어먹을 !
Sana *f.* 【지명】 사나 《예멘의 수도》.
sanable *adj.* 낫는, 회복할 수 있는 (병).
sanabrés, sa *adj. m.f.* 뿌에블라 데 사나브리아 《Puebla de Sanabria, Zamora주의 마을》의 (사람).
sanabria *f.* 《*Arg.*》 【속어】 【식물】 당근, 홍당무 (zanahoria).
sanaco, ca *adj.* 《*Cuba. PRico.*》 굼벵이같은, 게으른, 얼뜬, 바보스러운.
sanador, ra *adj.m.f.* 치료하는 (사람) ; 주술사.
sanagoria *adj.* 《*Arg.*》 어리석은, 바보의, 멍청한, 얼간이같은.
sanalotodo *m.* 【단·복수 동형】 만능 고약, 만능약.
sanamente *adv.* 건강하게(con sanidad) ; 착실하게, 성실하게, 열심히, 솔직히(sinceramente, francamente).
sananería *f.* 《*PRico.*》 바보·얼간이 짓.
sananica *f.* 《*León.*》 무당벌레(mariquita).
sanano, na *adj.* =**sanaco.**
sanantona *f.* 《*Sal.*》 【조류】 할미새(aguzanieves).
sanapudio *m.* 【방언】 【식물】 오리나무 속의 일종(arraclán).
sanar *tr.* 치료하다, 고치다(curar). —*intr.* [+de : …가] 낫다(recobrar la salud, curarse) : La herida *sanó* pronto 상처는 곧 나았다. José *sanó de* la enfermedad 호세는 병이 나았다.
sanate *m.* 《*Amér.*》 【조류】 =**quiscal.**
sanativo, va *adj.* [드믐] 치유력이 있는, 치료상의.
sanatorio *m.* (정신 병자들의) 요양소 ; 병원, 산원(産院).
sanavirón, na *adj.m.f.* (아르헨띠나의 꼬르도바주의 산악 지방에서 거주했던) 주민(의).
sancarlense *adj.m.f.* 산·까를로스 《San Carlos, 베네수엘라에 있는 주》의 (사람).
sancarleño, ña *adj.m.f.* 산·까를로스 《San Carlos, 니까라구아에 있는 도시》의 (사람).
sanchete *m.* 나바라의 현왕(賢王) Sancho가 주조한 은화.

S

sanchina *f.* 《*Sal.*》 진드기(garrapata).
sancho, cha *m.f.* 《*Ar. Mancha. Méx.*》 돼지 ; (일반적으로) 순한 가축.
sanchopancesco, ca *adj.* 산초 빤사 《Sancho Panza, 동끼호떼의 종자(從者)》적인, 사상도 이상도 없이 그저 실리적인 : la gente un tanto ~*ca* 약간 산초적인 사람들.
sanción *f.* [*lat.* sanctio] ① 법령, 계율(estatuto). ② (원수의) 비준, 재가, 인가(aprobación) ; 시인(confirmación). ③ 징벌, 제재, 제재 수단·규약 : ~ económica 경제적 제재. ~ judicial 재판에 의한 제재. ④ 연체 가산세(延滯加算稅).
sancionable *adj.* 재가·승인·찬성할 수 있는 ; 제재할 수 있는 ; 허용·용인적인.
sancionador, ra *adj.m.f.* 재가·승인하는 (사람) ; 징벌·징계·제재하는 (사람).
sancionar *tr.* 법령화하다, (법령 등을) 재가·인가하다 ; 시인·승인·찬성하다 ; 징계하다, 제재를 가하다, 징벌하다 ; (신어를) 채록·채용하다.
sancionismo *m.* 제재주의, 제재 만능론.
sancionista *adj.* 제재주의의. —*m.f.* 제재론자.
sancirole *m.* 바보, 얼간이(papanatas).
sanco *m.* ① 《*Amér.*》 피·비계·양파·밀가루를 섞어서 만든 요리. ② 《*Chile.*》 미숫가루 ; 흙탕.
sancochar *tr.* ① 덜 삶다. ② 《*AmérM.*》 찌다.
sancocho *m.* ① 덜 삶은 요리. ② 《*Amér.*》 일종의 잡탕 요리. ③ 《*AmérC.*》 소란, 소동, 혼란. ④ 《*Cuba.*》 맛없는 요리.
sancristobalense *adj.m.f.* 산·끄리스또발 《San Cristóbal, 도미니까에 있는 주·도시 ; 베네수엘라에 있는 도시》의 (사람).
sancta *m.* (유태 신전의) 배전(拜殿).
non ~ 몹시 나쁜 : gente *non* ~ 악인들, 악당들.
sanctasanctórum *m.* ① (유태 신전의) 지성소(至聖所), 내진(內陣). ② 어떤 사람의 진면목. ③ 극비.
sanctus *m.* (「성스러울진저」로 시작되는 기도문·성가 ; 미사 성찬식에서 부르는) 삼성창(三聖唱) ; 성종(聖鍾) : Tocan a ~.
sandalia *f.* [*lat.* sandalium] 짚신 ; 샌들.
sandalino, na *adj.* 박하(sándalo)의 ; 백단의.
sándalo *m.* 【식물】 ① 박하. ② 백단(白檀) ; 백단제. ③ 《*Hond.*》 안감용 보통 천.
~ ***rojo*** 자단(紫檀).
sandáraca *f.* 산다라까유 《송백 수지》.
sande *m.* 《*Col.*》 =**árbol de la leche o árbol vaca.**
sandez *f.* 어수룩함, 실수, 바보짓, 어리석은 짓(tontería).
sandía *f.* 【식물】 수박(melón de agua).
sandial *m.* =**sandiar.**
sandialero, ra *m.f.* 《*Chile.*》 수박 재배인.
sandiar *m.* 수박밭.
sandio, dia *adj.* 어리석은, 멍청한, 얼뜬(necio, tonto, simple).
sandow *m. ing.* [발음은 sándou] 체조 등을 할 때 사용하는 고무 늘이개.
sanducero, ra *adj.* 빠이산두 《Paisandú, 우루구아이의 도시》의. —*m.f.* 빠이산두 사람.
sandunga *f.* ① 멋스러움, 풍채, 교태, 세련됨 (chiste, donaire, gracia). ② 《*Chile.*》 야단법석(zambra, jolgorio).
sandunguero, ra *adj.* 귀여운, 사랑스러운(gracioso).
sandwich *m. ing.* [발음은 sánduich] 샌드위치(emparedado) : hombre ~ 샌드위치맨.
sandwichería *f.* 샌드위치 전문점.
saneado, da *adj.* [sanear의 *p.p.*] 통째로 차지하는, 고스란히 내 것이 되는, 정미(正味)의 (재산·수입 등).
saneamiento *m.* ① 보증. ② 보상, 배상. ③ 배수(排水), 준설 공사.
sanear *tr.* ① (손실 등을) 보증하다(garantizar). ② 갚다, 보상·배상하다(indemnizar). ③ 배수(排水)하다 ; 위생적인 고장을 만들다 ; 위생적으로 하다, 위생 설비를 갖추다 : ~ un lugar.
sanedrín *m.* [*gr.* sanedrion] (옛날 유태의) 의회, 중의소(衆議所) ; 조사 회의.
sanfasón *m.f.* [*fr.* sans facon] 뻔뻔스러움, 체면없이 굴기, 능글맞음 : a la ~ 《*Amér.*》 스스럼없이, 사양없이.
sanfelipeño, ña *adj.m.f.* 산·펠리뻬《San Felipe, 칠레의 도시 ; 베네수엘라의 도시》의 (사람).
sanfernandino, na *adj.m.f.* 산·페르난도 《San Fernando, 칠레의 도시》의 (사람).
sanforizado, da *adj.* 샌퍼라이즈 가공의.
sanforizar *tr.* 9 (천을 빨아도 줄지 않도록) 샌퍼라이즈 가공하다.
sanfrancia *f.* [드뭄] 싸움(pendencia).
sangley *m.* 필리핀 화교(indio sangley).
sango *m.* 《*Amér. Chile.*》 =**sanco.**
sangonera *f.* 【방언】【동물】 거머리.
sangordilla *f.* 【방언】【동물】 도마뱀.
sangradera *f.* ① 피 뽑는 바늘 ; 피 받는 접시. ② 물을 끄는 도랑 ; 수문(水門). ③ 《*Amér.*》 팔의 안쪽.
sangrado *m.* sangrar 하기.
sangrador, ra *m.f.* 직업적으로 피 뽑는 의사·사람(persona que sangra por oficio). —*m.* (그릇의) 아가리.
sangradura *f.* ① 피뽑기, 사혈(瀉血). ② 팔의 안쪽. ③ 배수, 물뽑기 ; 방수로(放水路).
sangrante *adj.* 피를 흘리는 : herida ~ 피를 흘리는 부상.
sangrar *tr.* ① (환자·죄인의) 피를 뽑다 ; 사혈(瀉血)하다. ② 수액(樹液)을 채취하다(resinar). ③ 배수하다, 물을 뽑다, 방수(放水)하다 : ~ una presa 댐의 물을 방수하다. ④ (도둑질에서) 뽑아내다 : ~ un costal de trigo 자루에서 밀을 뽑아내다 ⑤ (인쇄에서) 행의 머리를 내리다. —*intr.* 피를 내다·흘리다(arrojar sangre) : La herida *sangra* mucho.
~se ① 자기의 피를 뽑다, 사혈(瀉血)하다, 수술을 받다 : ~*se* en salud 건강할 때부터 조심하다. ② (색이) 스며나오다.
estar sangrando 피가 떨어지고 있다 ; 새것이다 ; 또렷하다, 분명하다.
sangraza *f.* 썩은 피(sangre corrompida y espesa).
sangre *f.* [*lat.* sanguis] ① 피, 혈액 : transfusión de ~ 수혈. el banco de ~ 혈액 은행. ② 피, 혈족, 혈통(linaje, parentesco) : ~ plebeya 평

민의 혈통.
~ ***azul*** 귀족(의 혈통), 고귀한 가문의 태생(sangre noble). ~ ***caliente*** 격정. ~ ***de drago*** (drago 의 나무의) 선홍 수지 ; 기린 혈《용혈수의 과실에서 나는 분홍빛 수지》. ~ ***de Francia*** 【방언】 국화. ~ ***de horchata*** 냉정한 사람. ~ ***en el ojo*** (주로 tener의 직접 보어로 쓰여) 책임감 ; 원한. ~ ***fría*** 냉정, 침착(serenidad). ~ ***ligera*** 《*Amér.*》 인상이 좋은 사람. ~ ***negra*** 정맥혈. ~ ***noble*** 귀족 혈통. ~ ***pesada*** 《*Amér.*》 굼뜨고 썩 마음에 들지 않는 사람. ~ ***roja*** 동맥혈. ~ ***venosa*** 정맥혈. ~ ***y leche*** 적색·백색의 얼룩이 있는 대리석. ***mala*** ~ 유한(遺恨), 마음에 꽁한 일.
a ~ fría 침착하게, 신중하게, 냉정하게(con sosiego, sin arrebatarse).
a ~ y fuego 인정 사정없이.
de pura ~ 순혈종의.
bullirle a uno ***la ~*** 젊은 피가 들끓다(tener mucho vigor y lozanía).
cobrar la ~ 《*Venez.*》 원한을 풀다.
chuparle a uno ***la ~***(누구를) 파멸시키다.
hacer ~ 피를 흘리다.
estar chorreando la ~ 아주 새로운 일이다.
freir · encender · quemar la sangre =fastidiar.
lavar con ~ 잔인하게 원한을 풀다.
subirse la ~ a la cabeza 몹시 흥분하다.
sudar ~ 노력하다(hacer muchos esfuerzos).
tener ~ de chinches 눈치없이 둔하고 귀먹은 사람이다(ser muy pesado y molesto).
tener ~ en el ojo 용감하다(ser valiente y arrojado).
tener al ~ gorda 무척 인색하다 ; 굼뜨다, 무척 느리다(ser pachorrudo, ser muy lento).
tener ~ de horchata 무척 게으르다 ; 힘이 없다
tener ~ de atole 《*Méx.*》 =tener ~ de horchata.
tener mala ~ 심술 궂다.
No llegará la ~ al río (싸움 같은 것을 빈정거려 봐야) 대수로운 일은 없으리라.

sangredo *m.* 【식물】 수랍목, 쥐똥나무.

sangría *f.* ① 피빼기, 사혈(瀉血) : ~ suelta 방혈(放血) ; 물쓰듯 쓰는 돈. ② 팔의 안쪽. ③ 방수로, 물길. ④ (수지를 따는) 새긴 금. ⑤ 도둑질하기 ; 훔치는 곳. ⑥ (인쇄에서) 행의 머리 내리기. ⑦ 상그리아《포도주를 설탕·레몬·과실로 맛을 내는 술》.

sangricio *m.* 《*Sant.*》 【식물】 =**aladierna.**

sangrientamente *adv.* 지독하게, 가혹하게, 잔인하게(de un modo sangriento o sanguinario).

sangriento, ta *adj.* ① 피를 흘리는 : la herida ~*ta.* ② 피투성이의 ; 피를 빠는·좋아하는. ③ 피비린내나는, 처참한 : batalla ~*ta* 피비린내 나는 전투. ④ 잔인한(cruel). ⑤ 【시어】 선혈색의.

sangrigordo, da *adj.* 《*Ant.*》 귀찮은(fastidioso).

sangriligero, ra *adj.* 《*AmérC. Col.*》 인상·성질이 좋은, 호감이 가는(simpático).

sangriliviano, na *adj.* 《*AmérC. Col. Méx.*》 =**sangriligero.**

sangripesado, da *adj.* 《*AmérC. Col. Méx.*》 마음에 탐탁하지 못한, 인상이 나쁜, 싫은(antipático).

sangriza *f.* 경혈(經血).

sangrón, na *adj.* 《*AmérC. Col. Cuba. Méx.*》 =**sangripesado.**

sangruno, na *adj.* 《*PRico.*》 =**sangrón.**

sanguaraña *f.* 《*Perú.*》 상구아라냐《춤의 일종》. —*pl.* 《*AmérM.*》 답답한 말투(rodeos) : dejarse de ~*s.*

sanguaza *f.* 썩은 피 ; 붉은 과즙.

sangüeño *m.* 【식물】 산수유(cornejo).

sangüesa *f.* =**frambuesa.**

sangüeso *m.* 【식물】 =**frambueso.**

sanguífero, ra *adj.* 혈액이 함유된.

sanguificación *f.* 혈액 생성 ; 정맥 피를 동맥 피로 변하게 하는 일 ; 조혈(造血).

sanguificar *tr.* [7] 새 피를 만들다(criar sangre nueva) ; 조혈하다.

sanguijolero, ra *m.f.* =**sanguijuelero.**

sanguijuela *f.* ① 【곤충】 거머리. ② 교묘하게 남의 돈을 뜯어먹는 사람 : Los usureros son verdaderas ~*s* 고리대금업자는 진짜 남의 돈을 뜯어먹고 사는 사람이다.

sanguijuelero, ra *m.f.* 거머리잡이.

sanguina *f.* ① 주묵(朱墨) ; 주묵의 그림. ② 【은어】 월경.

sanguinaria *f.* ① 【광물】 혈옥수. ② 【식물】 (뿌리가 굵은) 양귀비과의 식물.

sanguinariamente *adv.* 참혹하게, 잔혹하게, 잔인하게 : gobernar ~ .

sanguinario, ria *adj.* 피를 좋아하는 ; 잔인한, 잔혹한(cruel) : Caracala fue un tirano ~ 까라깔라는 잔인한 폭군이었다.

sanguíneo, a *adj.* ① 피의 : vasos ~*s* 혈관. ② 혈액성의, 피가 많은, 다혈질의 ; 혈색의.

sanguino, na *adj.* 혈의 ; 혈색의 ; 알이 붉은(귤). —*m.* 【식물】 산수유.

sanguinolencia *f.* 피투성이.

sanguinolento, ta *adj.* ① 피를 흘리는, 피투성이의 : trapo ~ . ② 참혹한(sangriento).

sanguinoso, sa *adj.* 피같은 ; 잔인한(sanguinario, sangriento).

sanguiñuelo *m.* 【식물】 산수유(cornejo).

sanguis *m.* 그리스도의 피《포도주를 말함》.

sanguisorba *f.* 【식물】 =**pimpinela.**

sanguisuela *f.* 【동물】 거머리.

sanguja *f.* =**sanguijuela.**

sanhedrín *m.* =**sanedrín.**

sanícula *f.* 【식물】 참반디 속의 식물.

sanidad *f.* [*lat.* sanitas] ① 건강, (보건) 위생 : patente · carta de ~ (limpia) 건강 증명서. ~ pública 공중 위생. junta de ~ 위생국. ~ sucia 몹쓸병. ② 위생대(sanidad militar).
en ~ 건강하여, 건강하게.

sanidina *f.* =**ortoclasa.**

sanie(s) *f.* [*lat.* sanies] 【병리】 피고름, 혈농(icor).

sanioso, sa *adj.* 혈농성의(icoroso).

sanitario, ria *adj.* 위생(상)의, 보건의 : toalla ~*ria* 월경대, 위생 냅킨. tomar medidas ~*rias* 위생상의 조치를 취하다. —*m.f.* 위생 대원.

sanjacado *m.* 터키의 총독이 지배한 터키의 영토.

S

sanjacato *m.* =**sanjacado.**
sanjaco *m.* 터키의 지사·총독.
San José *m.* 【지명】 산 호세 《꼬스따리까의 수도》.
sanjuán *m.* 《*Bad.*》 길이가 약 3.5미터 지름이 12센티미터인 원통형 목재(madero de rollo).
San Juan *m.* 산·후안 《뿌에르또리꼬의 수도》.
sanjuanada *f.* 산·후안제(祭) ; 산·후안의 축제 무렵 《6월 24일 전후》.
sanjuaneada *f.* 《*Méx.*》 구타(zurra).
sanjuanear *tr.* 《*Méx.*》 때리다(zurrar).
sanjuanense *adj.m.f.* 산 후안 《San Juan, 도처에 있는 San Juan이라는 이름을 가진 도시》의 (사람).
sanjuaneño, ña *adj.* =**sanjuanero.**
sanjuanero, ra *adj.* ① 산·후안의 축제 무렵에 익는 (과일). ② 《*Cuba.*》 산·후안《San Juan, 꾸바의 여러 곳에 있는 지명》의. —*m.f.* 산·후안 사람.
sanjuanino, na *adj.* 《*Arg.*》 산·후안 《San Juan, 지명》의. —*m.f.* 산·후안 사람.
sanjuanista *adj.* 산·후안 기사단(Orden de San Juan)의. —*m.f.* 산·후안 기사 단원.
sanjuanito *m.* 《*Col.*》 【동물】 갑충류 곤충.
sanlucareño, ña *adj. m.f.* =**sanluqueño.**
sanluiseño, ña *adj. m.f.* =**sanluisero.**
sanluisero, ra *adj.* 산·루이스 《San Luis, 아르헨띠나의 주》의. —*m.f.* 산·루이스 사람.
S
sanluqueño, ña *adj.* 산루까르 《Sanlúcar, 곳곳에 있는 지명》의. —*m.f.* 산루까르 사람.
sanmartinense *adj. m.f.* 산·마르띤 《San Martín, 뻬루의 주》의 (사람).
sanmartiniano, na *adj.* 산·마르띤 《José de San Martín (1778—1850) ; 아르헨띠나의 장군》의 작품·인격의·에 관한.
sanmiguelada *f.* 산·미겔(San Miguel)의 축제 무렵 《9월 말경》.
sanmigueleño, ña *adj.* 9월말에 익는 (과일).
sano, na *adj* [*lat.* sanus] ① 건강한(de buena salud), 건강에 좋은 : La región tiene un clima muy ~ 그 지방의 기후는 건강에 매우 좋다. Estaba más ~ de lo que creía 생각했던 것보다 그녀는 건강했다. ② 건전한 : Es una diversión muy ~*na* 그것은 매우 건전한 오락이다. Creció en un ambiente familiar ~ 그는 건전한 가정 환경에서 자랐다. ③ 온건한 : una doctrina ~*na.* ④ 착실한·고지식한(sincero). ⑤ 안전한 (seguro) ; 완전한 (entero). ⑥ 상처나 흠이 없는 (sin daño) : fruta ~*na* 흠이 없는 과일. árbol ~ 상처없는 나무.
~ ***y salvo*** 아무 탈없이, 무사히 : Su marido regresó a casa ~ *y salvo* 그 남편은 무사히 집에 돌아왔다.
cortar por lo ~ 단호한 조치를 취하다.
sanote, ta *adj. aum.* sano.
sanroqueño, ña *adj.* 산·로께(San Roque)의 축제 무렵 《8월 중순》에 익는 (과일).
sansa *f.* 【방언】 짠 올리브의 찌꺼기.
San Salvador *f.* 【지명】 산·살바도르 《엘살바도르의 수도》.
sansalvadoreño, ña *adj. m.f.* 산·살바도르 《San Salvador, 엘살바도르의 주·수도)의 (사람).
sanscritismo *m.* [드뭄] 산스크리트·범어학(梵語學).
sanscritista *m.f.* 산스크리트·범어 학자.
sanscrito, ta *adj.m.* =**sánscrito.**
sánscrito, ta *adj.* 산스크리트·범어의, 범문(梵文)의 : poemas ~*s.* —*m.* 산스크리트, 범어.
sanseacabó *adv.* 만사 완료 !, 끝났다 ! (Ya está).
San Sebastián 【지명】 산·세바스띠안 《서반아의 Guipúzcoa주의 수도》.
sans-façon *adv. fr.* 《*Amér.*》 =**descaradamente.** [*N.* 발음 : sanfasón].
sansimoniano, na *adj. m.f.* 산·시몬의 ; 국가 사회주의의 (사람).
sansimonismo *m.* 국가 사회주의《불란서의 경제학자 Comte de Saint Simón(1760—1825)의 주장》.
sansirolé *m.f.* 호인, 얼뜬 사람(bobo).
sanso *m.* 《*Vizc.*》 환성, 기쁨의 환호성.
sansón *m.* 괴력을 가진 사람.
Sansón *m.* 【성서】 삼손 《자신이 갇혔던 사원의 기둥을 뽑아 자신과 의식에 참석한 사람까지도 밑에 깔려 죽게 한 인물》.
santabárbara *f.* (배의) 화약고.
santacruceño, ña *adj.m.f.* 산따·끄루스 《Santa Cruz, 아르헨띠나에 있는 주》의 (사람).
Santa Cruz de Tenerife 【지명】 산따·끄루스·데·떼네리페 《서반아의 주·시》.
santafecino, na *adj. m.f.* =**santafesino.**
santafereño, ña *adj.* 산따페 《Santa Fe de Bogotá, 꼴롬비아의 도시》의. —*m.f.* 산따페 사람.
santafesino, na *adj.* 산따페 《Santa Fe, 아르헨띠나의 주》의. —*m.f.* 산따페 사람.
santainés *f.* 《*Col.*》 작은 종려나무.
santaláceo, a *adj.* 【식물】 단향과의. —*m.pl.* 단향과 식물 《백단 등》.
santamente *adv.* 깨끗이, 청결하게 ; 순진하게, 단순하게.
Santander 【지명】 산딴데르 《서반아 북부 해안의 주·시》.
santandereano, na *adj.* 《*Col.*》 산딴데르의. —*m.f.* 산딴데르 사람.
santanderiense *adj. m.f.* =**santanderino.**
santanderino, na *adj.* 산딴데르의. —*m.f.* 산딴데르 사람.
santaneco, ca *adj.* 산따·아나(Santa Ana)의. —*m.f.* 산따·아나 사람.
santarroseño, ña *adj.m.f.* 산따·로사 《Santa Rosa, 구아떼말라의 주》의 (사람).
santateresa *f.* =**mantis.**
santazo *m.* 《*And.*》 떨어질 때 받는 충돌.
santelmo *m.* 구해준 사람, 은인.
fuego de ~ 【기후】 장두 전광(墻頭電光) (fuego).
santeño, ña *adj.m.f.* 로스 산또스《Los Santos, 빠나마에 있는 주》의 (사람).
santera *f.* ① santero의 아내. ② santuario를 돌보는 여인.
santería *f.* 성스러운 일, 성자다운 행위.
santero, ra *adj.* 성당·성상을 모시는. —*m.f.* 성당 지기 ; 성상을 들고 다니는 걸인.

santiago *m.* ① 돌격 : dar un ~ 돌격하다. ② 산띠아고 직(織).

¡santiago! *interj.* 신이여 살피소서 ! (…에 해당하는 전투 때의 함성).

Santiago *m.* 【지명】 산띠아고 《칠레의 수도》 : el Orden de ~ 산띠아고 교단. ~ de Compostela 산띠아고 데 꼼뽀스텔라시(市) 《서반아 Coruña 주에 있음》.

santiaguense *adj.m.f.* 산띠아고 《Santiago, 도미니까에 있는 주·도시》의 (사람).

santiagueño, ña *adj.* ① 산띠아고《Santiago, 아르헨띠나의 Santiago de Estero 주 ; 빠나마의 Santiago de Veraguas시》의 (사람). ② 산띠아고 성자의 축제 무렵 《7월 하순》에 익는 (과일).

santiaguero, ra *adj.* 산띠아고 《꾸바의 Santiago시》의. —*m.f.* 산띠아고 사람.

santiagués, sa *adj.* 산띠아고 《Santiago de Compostela ; Santiago de los Caballeros, 도미니까의 주와 그 주요 도시》의. —*m.f.* 산띠아고 사람.

santiaguino, na *adj.* 산띠아고 《Santiago, 칠레의 수도》의. —*m.f.* 산띠아고 사람.

santiaguista *adj.* 성 야곱 수도회《el Orden de Santiago, 12세기 말에 생긴 승병단》의. —*m.f.* 산띠아고 기사단 승병.

santiamén *m.* 순간, 일순(espacio breve, instante).
en un ~ 즉각, 일순(一瞬)에.

santidad *f.* [*lat.* sanctitas] ① 신성, 존엄 ; 고결 : olor de ~ 덕성을 지닌 명예. ② 성하(聖下) 《로마 교황에 대한 경어》 : Su *S-* 교황 성하.

santificable *adj.* 신성하게 할 수 있는, 티없이 맑게 할 수 있는.

santificación *f.* ① 신성하게 하는 일 : ~ de las fiestas. ② 봉납 ; 청정화.

santificador, ra *adj. m.f.* 신성하게 하는, (죄 등을) 씻는 (사람).

santificante *adj.m.f.* =**santificador.**

santificar *tr.* ⑦ 신성하게 하다 ; 성자로 하다 (hacer santo), 성별(聖別)로 모시다 ; 봉헌하다, 신에게 바치다(dedicar a Dios una cosa) ; 신으로 모시다 ; (사람의) 죄를 씻다.
~se 성자가 되다 ; 더러움을 씻다, 깨끗한 몸이 되다.

santificativo, va *adj.* 신성화의, 정화하는.

santiguada *f.* 십자를 긋는 일 ; 구타, 폭력.
para · *por mi* ~ 맹세코, 틀림없이.

santiguadera *f.* (미신적으로 남에게) 십자긋기, 주문(呪文) ; 그것을 하는 여자.

santiguadero, ra *adj.* =**santiguador.**

santiguador, ra *m.f.* (미신적으로 재계하는) 기도사, 주문사.

santiguamiento *m.* 십자를 긋기.

santiguar *intr.* ⑩ (재계나 주문을 외우기 위해) 십자를 긋다. —*tr.* 후려치다(abofotear) : Le *santiguó* las espaldas con un palo 그의 등을 몽둥이로 후려 때렸다.
~se 십자를 긋다 《오른 손으로 머리에서부터 가슴으로, 왼쪽 어깨에서부터 오른쪽 어깨로》 ; 경탄 · 질겁하다(hacerse cruces).

santiguo *m.* ① 십자를 긋기. ② 【방언】 =**santiamén.**

santimonia *f.* ① 【식물】 국화. ② [드뭄] =**santidad.**

santiscario *m.* 궁리, 고안, 발명, 재치(invención) : de mi ~ 내가 생각해 낸, 내가 고안한.

santísimo, ma *adj.* [*sup.* santo] ① 극히 신성한 ; 성(聖) 《교황에의 경칭》 : el *S-* Padre 로마 교황. ② [*S-*] 그리스도 : el *S-* Sacramento 성체.

santo, ta *adj.* [*lat.* sanctus][남성 단수 명사의 앞에서 to가 탈락되어 san으로 됨] ① 성스런, 성(聖)… : Semana *Santa* 성주간, 부활절 전의 1주간. fuego ~ 성화(聖火). Que *santa* gloria haya 성스러운 영광 있으라 《약자 : q.s.g.h.》. ② 신성한(sagrado). ③ 맑고 깨끗한, 청정한 : una vida *santa.* ④ 순수한, 단순한, 호인의 : un varón ~. ⑤ 약효가 있는, 잘 듣는 : hierba *santa* 약초 · medicia *santa* 효험이 있는 약. ⑥ [강조의 형용사로서] 그, 이(propio) : Esperó todo el ~ día 꼬박 하루를 기다렸다.
—*m.f.* ① 성인, 성자, 성도(聖徒) : ~ patrón 어떤 사람의 수호 성자, 영명(靈名)의 성인. Se ha erigido un monumento a dos ~*s* coreanos en Seúl 서울에 한국의 두 성인의 기념비가 세워졌다. ② 훌륭한 · 덕망이 있는 사람.
—*m.* ① 성상(聖像), 성화(聖畵) : ~ de palo 목상. ② 삽화 : Este libro tiene ~*s* 이 책은 삽화가 들어 있다. ③ 탄생일 : Mañana será tu ~ 내일은 너의 생일이다. el día de mi ~ 나의 생일. ④ 《*Chile.*》 (옷의) 수선.
~ ***de pajares*** 수상쩍은 성자.
~ ***y bueno*** 아주 훌륭하다, 나무랄 데 없다, 흠이 없다.
~ ***y seña*** 군대에서 쓰는 암호.
a ~ ***de*** …에 의해, …을 위해 ; …의 구실로.
dar el ~ 암호를 정하다 · 알리다 ; 암호를 말하다.
írsele a uno ***el*** ~ ***al cielo*** (어떤 사람이) 깜빡잊다 : *Se* me *ha ido el* ~ *al cielo* 나는 깜빡잊었다.
Rogar al ~ ***hasta pasar el tranco*** 【속담】 배은 망덕하다 《은혜를 베풀어 준 사람을 빨리 잊는 사람을 비난하는 말》.

Santo Domingo *m.* 【지명】 산또 · 도밍고 《도미니까 공화국의 수도》.

santodominquense *adj.m.f.* Santo Domingo 의 (사람).

santol *m.* 【식물】 산똘 《필리핀산의 과일나무》.

santolio *m.* 【속어】 성유(聖油), 성유식(Santo Oleo).

santomadero *m.* 《*Mex.*》 뿔께(pulque)의 술통.

santón *m.* (회교의) 탁발승 ; 유력자 ; 위선자 ; 사이비 성자 ; 사이비 신자.

santónico *m.* 【식물】 산또니까.

santonina *f.* 산토닌 《회충 구제약》.

santoñés, sa *adj.* 산또냐 《Santoña, 서반아 북부의 도시 ; 옛 불란서의 주》의 ; 그곳에 관한.
—*m.f.* 산또냐 사람.

santoral *m.* 성도 열전(聖徒列傳) ; 성도 제일표(聖徒祭日表) ; 합창곡집.

santorra *f.* 《*Can.*》 =**bogavante.**

santuario *m.* ① [*lat.* sanctuarium] 성전, 신전, 사당, 궁. ② (예루살렘의) 지성소(至聖所). ③ 《*Col. Venez.*》 묻혀 있는 보물(tesoro enterrado) ; 토인의 우상.

santucho, cha *adj. m.f.* =**santurrón, santu-**

lón.

santulón, na *adj.m.f.* =**santurrón.**

santurrón, na *adj. m.f* 믿음이 강한 척하는 (사람); 사이비 신자, 위선의 신도.

santurronería *f.* 믿음이 강한 척하기, 위선.

saña *f.* 원한을 품은 분노, 격노(furor, ira, cólera): El marqués lo castigó con ~ 후작은 격노해서 그를 벌했다.

sañosamente *adv.* =**sañudamente.**

sañoso, sa *adj.* =**sañudo, iracundo, colérico.**

sañudamente *adv.* 화가 나서.

sañudo, da *adj.* 화 잘 내는, 성마른(ensañado, iracundo); 미친듯이 날뛰는.

sao *m.* 【식물】 ① 수랍목, 쥐똥나무(labiérnago). ② 《*Cuba. SDgo.*》 평원(平原).

saona *f.* 【식물】 (도미니까의) 쌍자엽 나무.

sapa *f.* 깨물어 먹는 과자(buyo)의 부스러기.

sapada *f.* 【방언】 앞으로 쓰러지기; 발바닥에 난 종기.

sapajú *m.* 【동물】 =**saimirí.**

sapallada *f.* 《*Arg.*》 =**chiripa.**

sapallo *m.* =**zapallo.**

sapan *m.* 【식물】 《*Filip.*》 =**sibucao.**

sapance *adj.* 《*AmerC.*》 =**silvestre (ganado).**

sapaneco, ca *adj.* 《*Hond.*》 =**rechoncho.**

saparruco, ca *adj.* 《*AmérC.*》 =**saporro.**

sapidez *f.* 맛(이 있는 것·일).

sápido, da *adj.* 맛있는(sabroso): fruto poco ~ 맛이 별로 없는 열매. **Contr.** insípido.

sapiencia *f.* ① 지식, 박식(sabiduría). ② 【성서】 솔로몬의 서.

sapiencial *adj.* 지혜의: los libros ~*es* 성서 중의 잠언서·전도서.

sapiente *adj. m.f.* [드묾] =**sabio.**

sapientísimo, ma *adj.* [*sup.* sapiente] =**muy sabio.**

sapillo *m.* 【의학】 설하연류(舌下軟瘤). **Sinón.** alhorre, blanquillo, algodoncillo.

sapina *f.* 【식물】 =**salicor.**

sapindáceo, a *adj.* 【식물】 무환자나무·무환자나무과의. —*f.pl.* 무환자나무과 식물.

sapino *m.* 【식물】 =**abeto.**

sapo *m.* 【동물】 ① 두꺼비. ② (이름을 알 수 없는) 벌레. ③ 《*Amér.*》 개구리 입에 돌을 던지는 어린이 장난. ④ 《*Chile.*》 보석 안에 부옇게 낀 안개. ⑤ 행운, 좋은 찬스.

~ *marino* 【어류】 아귀(pejesapo).

~*s y culebras* 잡탕으로 된 것.

echar ~s y culebras 욕지거리를 퍼붓다; 터무니없는 소리·헛소리를 하다.

hacerse el ~ 《*AmérC.*》 모른 척하다, 시치미를 떼다.

matar el ~ 《*Méx.*》 (어떤 일을) 심심풀이로 하다.

*reventar*le a uno ~ *el* (누구를) 감쪽같이 속이다.

sapo, pa *adj.* 《*Chile. Perú.*》 속이 검은, 능청스러운.

saponáceo, a *adj.* 【화학】 =**jabonoso.**

saponaria *f.* 【식물】 =**jabonera.**

saponificable *adj.* 비누질로 만들 수 있는.

saponificación *f.* saponificar 하기.

saponificar *tr.* 7 비누로 만들다(convertir en jabón).

saponina *f.* 【화학】 사포닌.

saponita *f.* 【광물】 비누석(石).

saporífero, ra *adj.* [드묾] 맛을 내는.

saporreto, ta *adj.* 《*Venez.*》 땅딸막한.

saporro, rra *adj.* 《*AmérC. Col.*》 땅딸막한 (ceporro, cachigordete, rechoncho).

sapotáceo, a *adj.* 【식물】 적철과의. —*f.pl.* 적철과 식물.

sapote *m.* 【식물】 =**zapote.**

sapotear *tr.* 《*Col.*》 우롱하다, 놀리다(tentar).

sapotina *f.* 《*Ecuad.*》 =**hidrosilicato de magnesia y alúmina.**

saprofítico, ca *adj.* saprófito의.

saprófito *m.* 【식물】 부생(腐生) 식물·균.

sapuyulo *m.* 《*Guat.*》 =**cuesco.**

saque *m.* ① (공놀이에서) 공을 던져 보내기, 서브: ~ a sotamano (배구의) 안전 서브. ~ a machete 강서브. zona de ~ 서브 지역. Usted tiene el ~ 이번에 당신이 서브할 차례이다. ② 킥: ~ de esquina·meta 코너·골킥. ~ libre 프리킥. ③ 서브 라인. ④ 서브 넣는 사람. ⑤ 《*Cal.*》 소주 제조소.

tener buen ~ 실컷 먹고 실컷 마시다.

saqué *m.* 《*Neol.*》 [*fr.* jaquette] 모닝 코트 (chaqué, chequet, jaquet).

saqueador, ra *adj. m.f.* 약탈하는 (사람).

saqueamiento *m.* 강탈, 약탈; 표절.

saquear *tr.* ① 강탈·약탈하다: ~ una casa 어떤 집을 약탈하다. ~ los muebles de la casa 그 집의 가구류를 강탈하다. Los piratas ingleses *saquearon* la costa atlántica del país 영국의 해적들이 그 나라의 대서양 연안을 약탈했다. ② (작품을) 표절하다.

saqueo *m.* 약탈, 강탈; 표절.

saquera *f.* 자루 꿰매는 바늘.

saquería *f.* 자루 공장; 자루, 주머니, 포대.

saquerío *m.* 자루(의 총체)(saquería).

saquero, ra *m.f.* 자루 제조자·장수.

saquete *m.* [*dim.* saco] 작은 자루.

saquí *m.* 《*Ecuad.*》 【식물】 용설란(pita, agave)의 일종.

saquilada *f.* (하나 가득하지 않은) 한 자루(의 분량).

saquillo *m. dim.* saco.

S.A.R. Su Alteza Real.

Sara *f.* 【성서】 사라 《Abraham의 아내이자 Isac의 어머니》.

saraguate *m.* 《*Guat. Nicar.*》 【동물】 중미산 원숭이의 일종.

saraguato *m.* 《*Méx.*》【동물】 =**saraguate.**

saragüete *m.* 소규모의 무도회.

sarama *f.* 《*Vizc.*》 =**basura.**

sarampión *m.* 【의학】 홍역, 마진(痲疹): El ~ se manifiesta por una erupción de manchas rojas en la piel 홍역은 피부에 붉은 발진으로 나타난다.

~ *alemán* 삼일 홍역.

sarán *m.* 《*Vizc.*》 밤나무 바구니.

sarandí *m.* 아르헨띠나산 등대풀과의 관목.

sarandisal *m.* 《*Arg.*》 sarandí의 숲.

sarao *m.* [*fr.* soirée] 무도회, 야회(夜會).

sarape *m.* 《*Mex.*》 =**poncho.**

sarapia *f.* 【식물】 통가콩 《남미산 콩과 교목 ; 열매는 담배의 향료·제충제》.
sarapico *m.* ①【조류】 중부리 도요(zarapito). ②【방언】 홍역, 마진(sarampión).
sarará *m.* 《*Arg.*》 작은 게(cangrejo pequeño).
sarasa *m.* 여자 같은 남자(hombre afeminado).
saraviado, da *adj.* 《*Col. Venez.*》 알룩달룩한, 반점이 들어 있는 (새).
sarazo, za *adj. m.* ①《*Amér.*》 익기 시작한 (주로 옥수수). ②《*Col. Venez.*》 술에 설 취한.
sarazón *adj.* 《*Mex.*》 =**sarazo.**
sarcasmo *m.* 빗대기, 빈정대기, 싫은 소리.
sarcásticamente *adv.* 빈정대는 투로, 통렬히 (con sarcasmo).
sarcástico, ca *adj.* [*gr.* sarkastikos] 빈정대는, 통렬한 ; 비꼬는 : un tono ~.
sarcia *f.* [드뭄] 짐, 화물(carga).
sarcillo *m.* =**escardillo.**
sarco *m.* 【은어】 =**sayo.**
sarcocarpio *m.* 【식물】 과육(果肉).
sarcocele *m.* 【의학】 고환 육류(睾丸肉瘤)·육혹.
sarcocola *f.* [*lat.* sarcocolla] 사르코콜《아라비아 고무의 일종》.
sarcófago *m.* 석관(石棺) ; 묘.
sarcolema *m.* 【동물】 =**milema.**
sarcolito *m.* 【의학】 연부 조직의 결석 ; 근분해(筋分解) 세포.
sarcología *f.* 근육학 ; 연부(軟部) 조직학.
sarcoma *m.* 【의학】 육종(肉腫), 혹.
sarcomatoso, sa *adj.* 【의학】 sarcoma 같은.
sarcopto *m.* 【곤충】 옴벌레.
sarcoranfus *f. gr.* 콘도르, 독수리.
sarcótico, ca *adj. m.* 육아(肉芽) 촉진의 (약제) ; 치료약.
sarda *f.* [*lat.* sarda] ①【어류】 고등어(caballa). ②【방언】 잡목 숲.
sardana *f.* 사르다나 《까딸루냐의 춤의 일종》.
sardanapalesco, ca *adj.* 방자한, 건방진 : una vida ~*ca* 방자한 생활.
sardanés, sa *adj.* 세르다냐 《Cerdaña, 까딸루냐 지방》의. —*m.f.* 세르다냐 사람.
sarde *m.* 《*Nav.*》 =**bieldo.**
sardesco, ca *adj.* 몸집이 작은 (말·나귀 등) ; 다루기 어려운 (사람).
sardicense *adj.m.f.* 사르디카 《Sárdica, 현재의 불가리아 수도 Sofia》의 (사람).
sardieno, na *adj. m.f.* 사르데스《Sardés, 옛 소아시아의 도시》의 (사람).
sardina *f.* [*gr.* sardinê] 【어류】 정어리 : ~ en conserva 정어리 통조림. La pesca de la ~ constituye uno de los principales recursos de los pescadores del Cantábrico 정어리 어업은 깐따브리아의 어부들의 주요한 자원의 하나이다.
sardinal *m.* 정어리 어망(red para pescar las sardinas).
sardinel *adj.* ① 벽돌의 층층이 쌓기. ②【방언】 현관이나 입구의 계단.
sardinero, ra *adj.* 정어리의 ; 정어리 잡이용의 : barco ~ 정어리 잡이 배. —*m.f.* 정어리 어부·팔이.
sardineta *f.* [*dim.* sardina] ① 작은 정어리. ② (하사관의) 소매에 대는 기장.
sardinista *m.f.* sardana 연구가.
sardio *m.* =**sardánice.**
sardique *m.* ①【은어】 =**salero.** ②【은어】 =**sal.**
sardo, da *adj.* ① 세르데냐 《Cerdeña, 이탈리아령의 섬》의. ② 반점이 있는 (소). —*m.f.* 세르데냐 사람. —*m.* ① 세르데냐말. ②【광물】 붉은 마노.
sardón *m.* 《*León. Zam.*》 떡갈나무가 울창한 숲. ②《*Ast.*》 덤불로 가득 찬 낮은 산.
sardonal *m.* 《*León. Zam.*》 떡갈나무 숲.
sardonia *f.* 【식물】 실미나리아재비 《그 즙액은 얼굴 근육에 일종의 경련을 일으킨다고 함》. *risa* ~ 비웃음, 냉소.
sardónica *f.* 【광물】 노란 마노.
sardónice *f.* =**sardónica.**
sardónico, ca *adj* ① 실미나리아재비의·에 의한. ②《*Arg. Perú.*》 비꼬는, 빈정거리는, 야유적인(irónico) : risa ~*ca* 비웃음, 냉소, 조소.
sardonio *m.* =**sardónice.**
sardónique *f.* =**sardónice.**
Sarg. Sargento.
sarga[1] *f.* [*lat.* serica] 능견(綾絹) ; (벽 장식용의) 무늬 놓은 두꺼운 천 : ~ cruzada 능직 나사. ~ de seda 비단 능견.
sarga[2] *f.* [*lat.* salix] 【식물】 비단 버드나무.
sargado, da *adj.* sarga 비슷한(asargado).
sargal *m.* 비단 버드나무 밭·숲.
sargantana *f.* 【방언】【동물】 도마뱀.
sargantesa *f.* =**sargantana.**
sargantillo *m.* 【식물】 버들의 일종.
sargazo *m.* 【식물】 모자반류 해초(海草) : Mar de los *Sargazos* 대서양의 모자반류 바다.
sargenta *f.* ① 삼지창의 일종. ② 중사의 아내.
sargentear *tr. intr.* 지휘하다 (capitanear, dirigir) ; 조종하다 ; 으시대다. —*intr.* 《*Col.*》 재치를 부리다 ; 이 궁리 저 궁리하다.
sargentería *f.* 하사관의 직무.
sargentía *f.* =**sargentería.**
sargento *m.* [*fr.* sergent] ① 하사관, 중사, 상사. ② 경사 : ~ primero 중사. ~ segundo 하사.
sargentona *f.* =**mujerona.**
sargo *m.* [*lat.* sargus] 【어류】 잉어과의 식용 어류 《도미 따위》.
sarguero, ra *adj.* 비단 버드나무의. —*m.* 벽포(壁布)의 화가.
sargueta *f.* 서지의 일종 《옷감》.
sariá *f.* 《*Arg.*》 =**chuña.**
sariama *f.* 《*Arg.*》【조류】 까치의 일종.
sariga *f.* 《*Amer.*》【동물】 =**zarigüeza.**
sarilla *f.* 【식물】 마요라나(majorana).
sarillo *m.* 《*Ast.*》 =**devanadera.**
sarita *f.* 《*Perú.*》 일종의 맥고 모자.
sármata *adj.* [*lat.* sarmata] 사르마시아 《Sarmacia, 폴란드, 러시아의 일부를 포함한 지방의 옛 이름》의 ; 폴란드의. —*m.f.* 사르마시아 사람.
sarmático, ca *adj. m.f.* =**sármata.**
sarmentador, ra *adj. m.f.* 포도의 전정을 하는 (사람).
sarmentar *intr.* ⑲ (포도의) 가지를 전정하다·잘라 모으다.

sarmentazo *m.* [*aum.* sarmento] 포도 덩굴로 때리기.
sarmentera *f.* 포도의 가지 치기·전정 ; 자른 가지를 두는 곳.
sarmenticio, cia *adj. m.f.* 고대 그리스도 교도를 경멸적으로 부르는 말.
sarmentillo *m.* [*dim.* sarmiento] 포도나무의 작은 덩굴.
sarmentoso, sa *adj.* 덩굴의, 덩굴 모양의 : arbusto ~.
sarmiento *m.* (포도 등의) 덩굴.
sarna *f.* 【의학】 옴.
más viejo que la ~ 아주 오래된.
sarnazo *m. aum.* sarna.
sarnífugo *m.* 옴약, 옴 치료제.
sarnoso, sa *adj. m.f.* 옴 오른·옴에 걸린 (사람).
hacerse el ~ 《*Arg.*》 능청을 떨다.
sarpullido *m.* 두드러기(salpullido).
sarpullir *tr.* =**salpullir.**
sarpullo *m.* =**salpullido.**
sarracénico, ca *adj.* 사라센인의 ; 사라센풍의.
sarraceno, na *adj.* 사라센·아라비아 《시리아, 아라비아 사막에 사는 유목인》의. —*m.f.* 사라센 사람, 아라비아 사람 ; 회교도(moro).
sarracín *adj.* =**sarracino.**
sarracina *f.* 난투(pelea, riña, alboroto confuso).
sarracino, na *adj. m.f.* =**sarraceno.**
sarrapia *f.* =**sarapia.**
sarria *f.* 짚을 나르는 그물.
sarrieta *f.* 꼴망태.
sarrillo *m.* ①【식물】 타로토란(aro). ②[드뭄] 단말 호흡(斷末呼吸).
sarrio *m.* 《*Ar.*》 =**gamuza.**
sarro *m.* [*lat.* saburra] 버캐 ; 이똥, 치석(齒石) ; 설태(舌苔).
sarroso, sa *adj.* 버케·이똥·설태가 낀 : tener la lengua ~*sa.*
sarruján *m.* 【방언】 견습 목부(牧夫)(zagal).
sarrusófono *m.* 【음악】 (군악대에서 사용하는) 취주 악기.
sarta *f.* [*lat.* serta] 염주처럼 꿴 것, 일련(으로 된 것), 줄줄이 이어진 것 : ~ de desdichas, ~ de disparates.
sartal *m.* =**sarta.**
sartalejo *m. dim.* sartal.
sartanejas *f.pl.* 《*Bol.*》 개미탑.
sartén *f.* 프라이팬 ; 한 냄비(의 분량) : La criada puso la ~ sobre la estufa 식모는 프라이팬을 난로 위에 놓았다.
tener la ~ *por el mango* (누구를) 조종하다.
sartenada *f.* 한 냄비(의 분량).
sartenazo *m.* (본래는 프라이팬으로) 때리기.
sarteneja *f.* [*dim.* sartén] ① 소형 프라이팬. ② 《*And. Eucad.*》 (땅에 생긴) 갈라진 금, 균열.
sartenejal *m.* 《*Ecuad.*》 균열이 많은 곳.
sartenero *m.* 프라이팬 제조인·판매인.
sartorio *adj, m.* 【해부】 *músculo* ~ 봉장근(縫匠筋).
S.A.S. Su Alteza Serenísima.
sasafrás *m.* 【식물】 황장(黃樟).
sastra *f.* 재단사의 아내 ; 여자 재단사.
sastre *m.* [*lat.* sastor] (남자 복장의) 재단사, 재봉사 : ~ remendón 수선 전문 복장사.
Entre ~s no se pagan hechuras 【속담】 같은 직종에 종사하는 사람들은 늘 서로 무료 봉사한다.
sastrería *f.* 재봉직, 양복점, 양복 공장.
sastresa *f.* =**sastra.**
sata *f.* 《*Ant.*》 남자를 꼬이고 다니는 여자.
Satán *m.* 마왕 ; 악마(Lucifer, diablo).
Satanás *m.* =**Satán.**
satandera *f.* 《*Ál.*》 【동물】 족제비(comadreja).
satánico, ca *adj.* 마왕의; 악마적인, 심한, 모진 : orgullo ~ 굉장한 자만심. risa ~*ca* 악마적인 웃음.
satanismo *m.* 극악 무도 ; 악마주의.
satélite *m.* [*lat.* satelles] 【천문】 ① 위성(衛星) : ~ artificial 인공 위성. La luna es ~ de la Tierra 달은 지구의 위성이다. ② 종자(從者), 주구(走狗), 알랑쇠. ③ 경찰관. —*adj.* 위성의 : ciudades ~*s* 위성 도시. estados·países ~*s* 위성국.
satén *m.* 《*Galic.*》 [*fr.* satin] 비단, 공단(raso).
satín *m.* ① 남미산 호두나무 목재. ② 《*Amér.*》 =**satén.**
satinación *f.* 매끄럽게 하기.
satinado, da *adj.* =**sedoso.**
satinador *m.* 연마기, 매끄럽게 하는 기구.
satinar *tr.* [*fr.* satiner] (종이·천 등을) 매끄럽게 하다 : papel *satinado* 광택지.
satinete *m.* 견면(絹綿) 교직 공단.
satiné *m.* 《*Arg.*》 =**satén.**
sátira *f.* [*lat.* satira] 풍자시, 풍자 문학 ; 풍자, 빈정대기, 비꼬기.
satiresa *f.* 《*Neol.*》 sátiro의 여성.
satiriasis *f.* 성의 충동.
satíricamente *adv.* 풍자적으로, 비꼬아, 빈정거려.
satírico, ca *adj.* ① 풍자의 : poesía ~*sa.* ② 빈정대는, 신랄한. —*m.* 풍자 문학가·시인 ; 풍자가.
satirio *m.* 【동물】 뱀족뒤쥐.
satirión *m.* [*gr.* saturion] 【식물】 난초의 일종.
satirizante *adj.* 빈정대는, 비꼬는.
satirizar *tr.* ⑨ 빈정대다, 풍자하다, 비꼬다 (criticar, burlar, zaherir). —*intr.* 풍자시·글을 쓰다.
sátiro *m.* ① 숲의 신 《신화에서 술의 신 Baco에 따르는 반은 사람 반은 짐승인 괴물로서, 술과 여자를 매우 좋아하는 신》. ② 호색한. ③ 염소시(艶笑詩).
satis *m.* [드뭄] (하루·반나절의) 휴식.
satisdación *f.* 【법률】 담보(fianza).
satisfacción *f.* ① 기쁨, 만족(contento, placer, gusto) : ~ de los clientes 고객의 만족도. dar ~ 만족시키다. Contr. disgusto. ② 득의(presunción) : tener mucha ~ de sí mismo. ③ 보상, 변제, 배상 : ~ de los créditos 부채의 상환·배상. ④ 변명, 해명. ⑤ 참회의 고행, 속죄하는 행위.
a ~ 실컷, 충분히.
satisfacer *tr.* 69 [*p.p.* satisfecho] ① 기쁘게 하다, 만족시키다(contentar) : ~ a sus padres 부모를 만족시키다. La solución *satisfizó* a

nadie 그 해결은 아무도 만족시키지 못했다. ② 안심시키다 : ~ la sed. ③ 보상하다 ; 지불하다 ; 변상・변제하다(pagar) : El *ha satisfecho* sus deudas por completo 그는 부채를 완전히 지불했다. ④ 해결하다. ⑤ 풀다, 달래다(saciar) : ~ sus pasiones 격정을 달래다. ~ la ira 노여움을 풀다.

—*intr.* 갚다, 보상하다 : *He satisfecho por* mis pecados 나는 죄에 대한 보상을 했다.

~se [+con・de : …에] 만족하다 ; 납득하다 ; 화풀이하다, 원수를 갚다, 원한을 풀다(vengarse) ; 명예를 회복하다.

satisfaciente *adj.* 만족시킬 수 있는, 충분한. —*adv.* 만족스레.

satisfactoriamente *adv.* 만족하게, 나무랄 데 없이, 흡족하게, 더할 나위 없이.

satisfactorio, ria *adj.* 만족한, 나무랄 데 없는 : un arreglo ~ 만족스러운 조치・결정. recibir una contestación poca *~ria* 별로 만족스럽지 못한 회답을 받다. Su respuesta era *~ria* 그의 대답은 만족시키는 것이었다.

satisfecho, cha *adj.* [satisfacer의 *p.p.*] ① 만족한, 기뻐한(contento) : Estoy ~ *de* tu trabajo 나는 그대의 일에 만족스럽다. Estoy ~ *con* mi vida 나는 생활에 만족하고 있다. Estoy ~ 잘 먹었습니다. ② 가득찬 ; 완전한(lleno, cumplido) : Están *~s* todos tus deseos. ③ 우쭐해져 있는(presumido) : ~ consigo, ~ de sí 자부하는.

satisfic- →**satisfacer** 69.

sativo, va *adj.* [*lat.* sativus] 재배(栽培)된 : planta *~va.* Contr. silvestre.

sato *m.* [드뭄] =**sembrado.**

sato, ta *adj. m.f.* ① 《*And.*》 자주 짖는 개의 일종 ; 남자를 호리고 다니는 (여자). ② 《*Col.*》 근성이 나쁜. ③ 《*SDgo.*》 뻔뻔스러운, 낯가죽이 두꺼운, 철면피한.

sátrapa *m.* 고대 페르시아의 태수. —*adj. m.* 뱃속이 검은 (남자).

satrapía *f.* sátrapa의 직・관할구.

saturabilidad *f.* 포화성(飽和性).

saturable *adj.* 포화할 수 있는, 가득히 채울 수 있는.

saturación *f.* 포화 ; 포화 상태 : ~ del mercado 시장의 포화 (상태).

saturado, da *adj.* 《*Neol.*》 가득한(lleno) ; 포화된 ; 충분히 들어 있는 : aire ~ *de* olor.

saturar *tr.* [*lat.* saturare] ① =**saciar.** ② 포화시키다. ③ [+de : …을, …에] 채우다, 가득 차게 하다(colmar) ; 스며들게 하다.

~se 포화하다, 가득 차다 ; 몰두하다.

saturnal *adj.* 사투르누스 신의 ; 토성의. —*f.pl.* ① 사투르누스 신의 축제 《12월 중순 Júpiter의 아버지 Saturno를 위해 행한 축제》. ② 야단법석.

saturnino, na *adj.* ① 납의 ; 연독(鉛毒)의, 납에 의한 : intoxicación *~na* 납중독. ② 납같은. ③ 침울한, 어두운, 입을 다문(taciturno).

saturnio, nia *adj.* =**saturnino.**

saturnismo *m.* 【의학】 납중독, 연독(鉛毒).

saturno *m.* 【화학】 납(plomo).

Saturno *n.* ① 사투르누스 신 《고대 로마에서 농경의 신, 황금 시대의 주신(主神), 그리스 신화의 Cronos》. ② 【천문】 토성.

saturno, na *adj.* 침묵을 지키는(taciturno).

sauale *m. tagala.* (필리핀에서) 토인의 오두막용 갈대 직물.

sauba *f.* 《*Amér.*》 =**bachaco.**

sauce *m.* 【식물】 버들(sauce blanco) : ~ de Babilonia, ~ llorón 수양버들.

sauceda *f.* 버드나무 숲.

saucedal *m.* =**sauceda.**

saucera *f.* =**sauceda.**

saucillo *m.* 【식물】 =**centinodia.**

saúco *m.* 【식물】 말오줌나무(sabuco).

saudade *f.* =**nostalgia.** Sinón. añoranza.

saudoso, sa *adj.* =**nostálgico.**

Saúl *m.* 【성서】 사울 《이스라엘의 첫 왕》.

sauquillo *m.* 【식물】 =**mundillo.**

saurín *adj. m.f.* 《*Hond.*》 =**zahorí.**

saurio, ria *adj.* [*gr.* sauros] 【동물】 도마뱀 무리의. —*m.pl.* 도마뱀 무리.

sausería *f.* 궁정의 식사 담당처.

sausier *m.* [*fr.* sausier] 궁정의 식사 담당자.

sauz *m.* [*pl.* sauces] =**sauce.**

sauzal *m.* =**sauceda.**

sauzgatillo *m.* 【식물】 서양 인삼목(西洋人參木).

savarina *f.* 《*Neol.*》 램주로 적셔진 케이크.

savia *f.* [*lat.* sapa] 수액(樹液) ; 활기, 활력, 힘(energía).

saxafrax *f.* =**saxífraga.**

saxátil *adj.* 바위 사이의 ; 바위 틈에 나는・돋는.

sáxeo, a *adj.* 돌의.

saxífraga *f.* 【식물】 범의귀.

saxifragáceo, a *adj.* 【식물】 범의귀과의. —*f.pl.* 범의귀과 식물.

saxifragia *f.* =**saxífraga.**

saxofón *m.* 《*Galic.*》 =**saxófono.**

saxófono *m.* 【악기】 색소폰.

saxoso, sa *adj.* 【고어】 =**pedregoso.**

saya *f.* [*lat.* saga] 스커트, (여자의) 겉옷 ; (옛날의) 두루마기.

sayagués, sa *adj.m.f.* 사야고(Sayago)의 (사람).

sayal *m.* 툭툭하게 짠 직물 ; 나사.

sayalería *f.* 툭툭하게 짠 나사・즈크 공장.

sayalero, ra *m.* 툭툭하게 짠 나사・즈크 직공.

sayalesco, ca *adj.* 툭툭하게 짠 라사・즈크제의・같은.

sayalete *m.* [*dim.* sayal] (바지용) 얇은 직물.

sayete *m.* 작은 가운, 짧은 겉옷.

sayo *m.* [*lat.* sagum] ① 가운, 겉옷, 작업복 : ~ baquero 등에 단추를 댄 겉옷. ② (일반적으로) 옷.

cortar un ~ 남의 험담을 하다.

decir para su ~ (누구를) 몰래 비웃다.

sayón *m.* [*lat.* saio, saionis] ① (중세기의) 판관 ; 사형 집행인(verdugo). ② 성주간 행렬에 나오는 긴 두루마기를 입은 인물 ; 무섭게 생긴 남자.

sayona *f.* 《*Venez.*》 도깨비, 유령.

sayuela *adj.* ***biguera*** ~ 무화과의 일종. —*f.* ① 승려가 입은 일종의 와이셔츠. ② 《*Cuba.*》 부인용 속옷.

sayuelo *m. dim.* sayo.

saz *m.* 【식물】 버드나무(sauce).

sazón *f.* ① 성숙(madurez). ② 때, 시기, 기회, 찬스(ocasión). ③ 맛(sabor); 좋은 맛.
—*adj.* 《*Amér.*》 무르익은, 맛이 있는(sazonado): plátano ~ 알맞게 익은 바나나.
a la ~ 그때(entonces): *A la* ~ estuve en España 그때 쯤 알맞게 (호기에) 나는 서반아에 있었다.
en ~ 때마침, 제때에; 제때의: fruta *en* ~ 제철의 과일. La fruta está *en* ~ 그 과일은 지금이 제철이다.

sazonadamente *adv.* 완전히 익어, 완전히 익게 하여; 맛있게, 맛좋게.

sazonado, da *adj.* [sazonar의 *p.p.*]충분히 시간이 경과된, 무르익은; 깊은 맛이 있는; 감칠 맛이 있는: una frase bien ~*da* 충분히 다듬어 감칠맛이 있는 문구.

sazonador, ra *adj.* 읽은, 성숙한; 맛이 나는.

sazonar *tr.* 익히다; 맛을 내다: Tú *sazonas* muy bien las comidas 너는 음식 맛을 아주 잘 낸다. La cocinera *sazona* bien la comida 그 여자 요리사는 음식 맛을 잘 낸다.
~se 익다, 성숙하다; 맛이 나다: Esa fruta (*se*) *sazona* en la primavera 그 과일은 봄에 익는다. Esta fruta *se sozona* en el otoño 이 과실은 가을에 맛이 난다.

$b. peso boliviano 뻬소 볼리비아노 《볼리비아의 화폐 단위》.

s.b.f. salvo buen fin.

Sbn. Sebastián.

s.b.r. salvo buen recibo.

sbre. septiembre 9월.

s.c., s/c., S.C. su casa; su cargo; su cuenta.

S.C.C.R.M. Sacra, Cesárea, Católica, Real Majestad.

s/cgo. su cargo.

S.C.I. Sociedad Comercial e Industria.

S.C.M. Sacra, Católica Majestad.

scottish *f. ing.* 《*Neol.*》 폴카 비슷한 춤.

scout *m.* =**explorador.**

SCT Servicio de Corporación Técnica.

s/cta. su cuenta.

s/ch. su cheque 귀 수표.

schema *m.* 《*Galic.*》 =**esquema.**

scherzo *m.* 【음악】 생기있고 즐거운 단편.

schotis *m.* =**chotis.**

schottisch *f. alem.* =**scottish.**

s.d., S.D. Se despide 해고, 결별; sin data.

Sdad. Sociedad 회사.

Sdad. Ltda. Sociedad Limitada 유한 책임 회사.

S.D.M. Su Divina Majestad.

S.D.N. Sociedad de Naciones.

sdo. saldo.

se *pron.* [*lat.* se] [부정형·긍정 명령에 붙을 때는 반드시 말끝에 붙이고 활용 동사·현재 분사로도 더러 말끝에 옴; 이 밖의 경우에는 동사의 앞에, 다른 대명사가 있을 때는 다시 그 앞에 둠: levantar*se* 서다. Levánte*se* usted 서시오. *Se* levantaba 혹은 Levantába*se* 섰다. levantándo*se* 서면서. *Se* lo dio 혹은 Dióselo 그에게 그것을 주었다. *Se* te olvidará, 더러 속어로 Te *se* olvidará 자네같은 사람은 잊혀져. 부정의 부사 no와 함께면 no는 se보다 앞으로 나옴: No *se* te olvidará 자네는 잊혀지지 않을 것이다].
① 재귀 대명사의 원형으로, 대격(「자기 자신을」의 뜻)으로, 여격(「자기 자신에게·에서」의 뜻)으로 됨. 단·복수 동형으로 성의 구별도 없음. 재귀 대명사로서는, 즉 다음 ②-⑤, ⑧-⑩항에서는 인칭과 수에 따라: me, te, se, nos, os, se로 변화함.
② 재귀 대명사 제3인칭 대격;「자기 자신을」의 뜻으로, 타동사를 자동사화 시킴: levantar 일으키다 → levantar*se* 일어나다; lavar 씻기우다 → lavar*se* 씻다; despertar 깨우다 → despertar*se* 깨어나다, 눈을 뜨다; sentar 앉히다 → sentar*se* 앉다; bañar 목욕시키다 → bañar*se* 목욕하다; acostar 눕히다 → acostar*se* 눕다, 잠자리에 들다; detener 멈추다 → detenerse 멎다; reunir 모으다 → reunir*se* 모이다; acercar 가까이하다 → acercar*se* 가까이 가다. ¿A qué hora *se levanta* usted? —*Me levanto* a las seis 몇 시에 일어나십니까? —여섯 시에 일어납니다.
③ 재귀 대명사 대격으로「자신을, 스스로를」: *Se* mira a sí mismo 그는 자기 자신을 되돌아본다. El Sr. N *se* retira de nuestra casa N씨는 당사에서 사퇴합니다. *Se* sacrificó 그는 자신을 희생했다. *Se* afeita 그는 얼굴을 면도질 한다. Lsa niñas *se* vistieron de traje de gala 소녀들은 나들이옷을 입었다.
④ 재귀 대명사 여격으로「자기 자신에게」: *Se* pregunta el porqué de su fracaso 그는 자신의 실패를 자신에게 물어본다. *Se* decía para sí 그는 자신에게 혼잣말을 하였다.
⑤ 이해(利害)의 se: 동작이 신체의 일부에 돌아오는 성질이 있는 동작에서는「자기 자신을 위해, 스스로」의 뜻을 잠재시켜 이해 관계나 소유를 나타냄; 의미를 강조함: *Se* corta las uñas 그는 자기 손톱을 자르고 있다. *Se* lo comió inmediatamente 바로 그것을 먹어버렸다. *Se* quitó el sombrero 그는 자기의 모자를 벗었다. *Me* pongo los guantes 나는 장갑을 낀다.
⑥ 타동사에 붙어, 주어가 사물일 때 수동적인 표현을 함; 주어는 사물이 되어야 하기에 동사는 3인칭에 한정됨: Esto *se* aprende fácilmente 이것은 쉽사리 외울 수 있다. Eso no puede negarse, Eso no *se* puede negar 그것은 부정할 수 없다. La historia *se* repite 역사는 되풀이된다. *Se* me dio una mala noticia 나에게 흉보가 전해졌다. Estas ayudas *se* nos darán 이러한 원조가 우리에게 주어진다. *Se* las recibirá bien a tus hijas 당신의 딸들은 환영 받을 것이다. *Se* me robó el reloj 나는 시계를 도난당했다. *Se* le nombró presidente al Sr. N N씨가 사장으로 임명되었다. *Se* dice que es una santa 성자같은 여자로 불리고 있다.
⑦ 타동사에서도 자동사에서도 se가 가능의 표현법을 만듦: oírse 들리다. verse 보이다. figurarse 생각되다. *Se* oyen los gritos lejanos 멀리서 외치는 소리가 들린다. *Se* sube por aquí 여기서 오를 수 있다. *Se* llega a esa ciudad por este camino 그 도시로는 이 길로 해서 갈 수 있다.
⑧ 자동사에 붙어, 뜻을 강조하거나 약간 바꿈: irse, marcharse 가버리다. *Se* quedó hasta muy tarde 늦게까지 남았다. *Se* reirán de ti 너

를 비웃을 것이다. Erase una vez una cabra vieja 옛날에 나이 많은 한 마리의 산양이 있었습니다.

⑨ 재귀 동사로만 쓰이는 동사 : arrepentirse 후회하다, suicidarse 자살하다. *Se* quejaba de su suerte 그는 자기의 운명을 한탄하고 있었다.

⑩ 자동사나 타동사에 붙어 상호 동사를 만듦 ; 대격 혹은 여격(「서로를」, 「서로」의 뜻) : mirar*se* 얼굴을 마주보다. sonreír*se* 미소를 나누다. José y Ana *se* aman, pero no *se* hablan 호세와 아나는 서로 사랑하고 있지만 어느 쪽도 서로 말하지 않는다. *Se* dieron las manos 서로 손을 마주잡았다. Hablando *se* entiende la gente 말하면 알게 된다. José *se* escribía con Ana 호세는 아나와 편지를 주고 받고 있었다.

⑪ 무인칭의 표시로, 「사람은」「사람들은」의 뜻이 잠재함 ; 타동사나 자동사에 붙음 ; 동사는 3인칭 단수 : ¿Por dónde *se* va al Museo de Oro? 황금 박물관으로 갈려면 어디로 가면 됩니까? ¿Cuánto *se* tarda de Seúl a Madrid en avión? 서울에서 마드리드까지 비행기로 얼마나 걸립니까? Cada día *se* aprende algo nuevo 사람은 날마다 새로운 것을 배워 간다. *Se* oye con los oídos 사람은 귀로 듣는다. Allí *se* vive mal pero *se* teme a Dios 그 부근은 생활은 낮지만 모두 신앙심이 높다. Aquí *se* riñe, allá *se* canta 여기서는 싸우고, 저기서는 노래부르고 있다.

⑫ ㄱ) [일반 원칙적인 표현] …하는 것, …해야 한다 : Cuando *se* viaja, *se* tiene más apetito 여행을 하면 더욱 배가 고픈 법이다. Amor con amor *se* paga 사랑은 사랑으로써 갚아야 한다. ㄴ) [일반적으로] 그것은, 문제는 : Era fácil para mí entenderlo cuando *se* es mujer 이야기가 여자에 대한 것이었으므로, 내가 그것을 이해하기 쉬웠다.

⑬ [명령형에 붙는다] : …할 것 : Véa*se* 참조할 것. Escríba*se* al secretario 비서에게로 서신 문의할 것. Pídan*se* los folletos, que se envían gratis 팸플릿을 청구하시면 무료로 보내드립니다.

⑭ 대격 대명사 lo, la, los, las의 앞에서 여격의 le, les는 모두가 같은 se의 형태를 취함 : *Se* lo di a un amigo 나는 그것을 친구에게 주었다. *Se* los prestaré a ustedes 그것들을 당신네들에게 빌려드립니다. Dió*se*lo 그것을 그에게・그녀에게・그들에게・당신에게 주었다.

sé ① saber 직・현・1・단수 : No lo ~ 나는 그것을 모른다. ② ser의 2인칭 명령형 : *Sé* bueno 착한 사람이 되어라. [*N.* 부정 명령 no seas → No seas malo 나쁜 사람이 되지 마라].

SE. sudeste.

S.E. Su Excelencia.

sea ser의 접・현・1・3・단수.

seá *f.* 《*Amér.*》 mi ~ 부인(misia).

seáis ser의 접・현・2・복수.

seamos ser의 접・현・1・복수.

sean ser의 접・현・3・복수.

seas ser의 접・현・2・단수.

sebáceo, a *adj.* ① 기름기의 : glándulas ~*as* 피지선(皮脂腺). ② 지방질의 ; 기름기같은.

sebácico, ca *adj.* 【화학】 지방산의.

sebastiano *m.* =**sebestén.**

sebe *m.* ① =**cercado.** ② 《*Vizc.*》 낮은 산의 덤불 숲.

sebear *tr.* 《*Venez.*》 연애하다.

sebera *f.* 《*Chile.*》 가죽 지갑(cartera de cuero).

sebero, ra *adj.* sebo의 : industria *seba* 수지 산업.

sebesta *f.* =**sebestén.**

sebestén *m.* ① 【식물】 지치《ciruela 비슷한 흰 꽃이 피고 열매는 누런빛을 띰》. ② 지치 열매《약용, 식용》.

sebillo *m.* 수지(獸脂) ; 화장 비누.

sebista *adj.* 《*Arg.*》 게으른(holgazán) ; 떠돌아다니는(vagabundo).

sebiya *f.* 《*Cuba.*》 【조류】 =**platalea.**

sebo *m.* [*lat.* sebum] ① 수지(獸脂), 지방(脂肪) : ~ en rama 미가공의 원료 기름. El ~ se emplea para hacer las velas 수지는 양초 만드는데 사용된다. ② 《*Perú.*》 아이들이 세례받을 때 대부에게 요청하는 선물.

dar ~ 《*Col. Venez.*》 애먹이다.

haber ~ 《*Méx.*》 싸움판이 벌어지다.

hacer ~ ① 《*Riopl.*》 빈둥빈둥 놀며 지내다 (haraganear). ② 《*Cuba.*》 어처구니없게 만들다.

*helárse*le a uno ~ 《*Arg. Bol.*》 (어떤 사람이) 실패하다(fracasar) ; 기진 맥진하다 ; 사망하다, 죽다(morir).

volver ~ 《*Cuba.*》 =*hacer* ~.

sebón, na *adj. m.f.* 《*Arg. Guat.*》 게으름뱅이(의).

seboro *m.* 《*Bol.*》 【동물】 민물 게 (cangrejo de río).

seborrea *f.* 【의학】 피지루 《질환》.

seborucal *m.* ① 《*Cuba.*》 해안의 암초 지대. ② 《*PRico.*》 산야.

seboruco *m.* ① 《*Cuba.*》 암초. ② 《*PRico.*》 들, 산.

seboso, sa *adj.* 지방질을 함유한 ; 기름기 있는 ; 기름을 바른.

sebre. septiembre 9월.

sebucán *m.* =**colador.**

seca *f.* ① 가뭄, 한발 ; 건조 ; 건조기(sequía). ② =**secano.** ③ 【의학】 표피의 탈락・박리(剝離). ④ 《*And.*》 길고 납작한 부침개.

secácul *m.* 아메리카 방풍나물의 뿌리 《향료, 식용》.

secadal *m.* ① =**secano.** ② =**sequedal.**

secadero, ra *adj.* 과일을 말리는.

—*m.* 건조실, 건조장 : ~ de tabaco.

secadillo *m.* 편도와 계란 흰자위로 만든 과자.

secadío, a *adj.* 마르기 쉬운, 물이 마르는 : río ~ 물이 마른 강.

secado *m.* 건조, 말리기.

secador, ra *adj.* 건조하는.

—*m.* ① 건조기 ; 옷 말리기. ② 헤어 드라이어 : ~ para el cabello 헤어 드라이어. ③ 《*Arg.*》 건조기 ; 손수건(toalla).

—*f.* 《*Neol.*》 건조기, 탈수기 ; 헤어 드라이어.

secamente *adv.* 퉁명스럽게, 무미 건조하게 ; 무뚝뚝하게 : hablar ~ 퉁명스럽게 말하다.

secamiento *m.* 건조.

secano *m.* ① 건조한 땅 ; 밭 : campo de ~. ② 사주(砂洲). ③ 말라빠진 것.

secansa *f.* [*fr.* séquence] 카드 놀이의 일종.

secante *adj.* ① 말리는. ② 【수학】 자르는 : línea～ 절선, 할선. ③《*Arg.*》 귀찮은 (fastidioso). **—*m.*** ① 말리는 것 ; 압지, 흡묵지 (papel ～) ; 건조제 · 기름(aceite ～). ② 【운동】 상대방 감시 담당 선수.
—*f.* 【수학】 정할(正割) ; 할선(割線)(línea～).

secapelos *m.* 【단 · 복수 동형】 헤어 드라이어 (secador de los cabellos).

secar *tr.* 7 [*lat.* siccare] ① 말리다 : Puso a ～ la ropa cerca del fuego 그는 옷을 말리기 위하여 불 가까이에 놓았다. El calor *ha secado* la hierba 더위가 풀을 말라 죽게 했다. ～ higos al sol 무화과를 볕에 말리다. ② 훔치다, 닦다 : ～ el rostro · el sudor *con* una toalla 타월로 얼굴을 · 땀을 닦다. ¿Usted ayuda a su señora ～ los platos? 당신은 부인께서 접시를 닦는 것을 도와 주십니까? *Séquese* bien después del baño 목욕하고 나서 몸을 잘 닦으십시오. ③ 싫증나게 · 넌더리나게 만들다(fastidiar).
～se ① 마르다, 말라 비틀어지다 : ～*se* un río. ② 넌더리치다 ; 말라 버리다 ; 여위다 ; (힘이) 빠지다.
[직설법 부정과거 1인칭 단수 : sequé. 접속법 현재 : seque, seques, seque, sequemos, sequéis, sequen].

secaral *m.* =**sequeral, sequedal.**

secarrón, na *adj.* [*aum.* seco] 멋이 없는, 재미없는, 윤택하지 못한.

secativo, va *adj.* =**secante.**

secatón, na *adj.* 멋이 없는, 운치가 없는(sin gracia, soso).

secatura *f.* 몰취미, 무미 건조 ; 귀찮음, 성가심 (insulsez, fastidio, aburrimiento).

sección *f.* [*lat.* sectio] ① 끊는 일, 절단, 분할 (cortadura). ② 단면, 단면도 ; 절단면(corte). ③ 구분, 구획 ; 부(部), 부분 ; (신문의) 난(欄) : ～ de fondo 신문의 사설란. ④ 과(課), 과(科), 부(部) : jefe de ～ 부장, 과장. ¿En qué ～ trabaja usted? 무슨 과에서 근무하십니까? ⑤ 부문, 부속, 구분 : ～ de camisería en un almacén 백화점의 양품부. ⑥ (문장의) 절(節), 단락(段落). ⑦ 【군대】 소대. ⑧ 절개 : ～ cesárea 제왕 절개.
～ ***cónica*** 원추 곡선(圓錐曲線).
～ ***administrativa · de administración*** 총무과. ～ ***comercial*** 상업과. ～ ***de agricultura*** 농업과. ～ ***de almacén e inventarios*** 창고 재고과. ～ ***de archivos*** 자료과. ～ ***de auditoría*** 회계 검사과. ～ ***de beneficencia*** 사회 보장 급부과. ～ ***de cartografía*** 도료 · 제도과. ～ ***de cartografía estadística*** 통계 도표과. ～ ***de censos*** 국세 조사과. ～ ***de censos demográficos · económicos*** 인구 · 경제 센서스과. ～ ***de cobranza · cobros*** 수금과, 징수과. ～ ***de codificación*** 부호과. ～ ***de comercio e industria*** 통상 산업과. ～ ***de comercio exterior*** 외국 무역과. ～ ***de compras*** 구매과. ～ ***de contabilidad*** 회계 · 경리과. ～ ***de coordinación técnica*** 조정 기술과. ～ ***de correspondencia*** 문서과. ～ ***de correspondencia y archivos*** 통신 문서과. ～ ***de créditos*** 대부과. ～ ***de economía agrícola*** 농업 경제과. ～ ***de embalaje*** 포장과. ～ ***de encuestas*** 앙케트 조사과. ～ ***de estadística (comercial)*** (상업) 통계과. ***S- de Estadísticas de Comercio Exterior*** 《*CRica.*》 무역 통계과. ～ ***de estadística demográfica, salubridad y cultura*** 인구 위생 문화 통계과. ～ ***de estadística e investigaciones económicas*** 통계 경제 조사과. ～ ***de estadística económica, gubernamental y política*** 경제 행정 통계과. ～ ***de estadísticas agrícolas*** 농업 통계과. ～ ***de estadísticas industriales continuas*** 공업 경상 통계과. ～ ***de estadísticas vitales*** ① 인구 동태 통계과. ②《*Méx.*》 출생 사망 통계과. ***S- de Estadística y Publicaciones*** 《*CRica.*》 통계 공표과. ***S- de Estudios de Economía Agrícola*** 《*Hond.*》 농업 경제 조사과. ～ ***de estudios económicos*** 경제 조사과. ～ ***de expedición*** 상품 발송과. ～ ***de exportación*** 수출과. ～ ***de finanzas y trabajo*** 재정 노동과. ～ ***de importación*** 수입과. ～ ***de impresión y encuadernación*** 인쇄 제본과. ～ ***de impresiones*** 인쇄과. ～ ***de industrias y minería*** 광공업과. ～ ***de información, estadística y propaganda*** 홍보 통계과. ～ ***de la revista y estadística*** 통계 월보과. ～ ***de máquinas y cálculo*** 기계 계산과. ～ ***de mecanografía*** 타이프라이팅과. ～ ***de migración*** 출입국 관리과. ～ ***de personal*** 인사과. ～ ***de planificación*** 기획과. ～ ***de prensa*** 인쇄물과. ～ ***de publicidad*** 광고 · 선전과. ～ ***de tabulación (mecánica)*** (기계) 제표과. ～ ***de turismo*** 관광과. ～ ***de ventas*** 판매과.

seccionador, ra *adj. m.f.* 분리하는 (사람).
—*m.* 【전기】 회로 안전 장치.

seccional *adj.* ① 부분의 ; 구분의 ; 부문의 ; 절의, 단락의, 구분이 있는 ; 조립식의, 짜맞추는 식의. ② 부분적인 ; 지방적인 ; 지방적 편견이 있는. ③ 단면(도)의.

seccionar *tr.* ① 【의학】 째다, 절개하다. ② 절단하다, 자르다, 잘라 내다(contar). ③《*Neol.*》 분할하다, 구분하다(fraccionar, fragmentar, dividir).

secén *adj.* 《*Ar.*》 길이 약 6미터, 지름 19～25센티미터인 원통형의 (목재).

secesión *f.* ① 분리, 분할, 분열(separación) : Guerra de *S-* 북미의 남북 전쟁. ② 은퇴 ; 탈퇴 ; 인퇴(引退).

secesionismo *m.* 분리주의.

secesionista *adj.* 분리파의, 탈퇴론의. **—*m.f.*** 분리 · 탈퇴론자.

seco, ca *adj.* [*lat.* siccus] ① 마른, 건조된 (árido), 건(乾)… : fruta ～*ca* 건과《호도, 밤 등》. terreno ～ 건조한 땅. tiempo ～ 건조기. consérvese · guárdese · manténgase · presérvese ～ 습기 엄금. ② 바싹 마른 : El río está ～. ③ 말린 : higo ～. ④ 물기가 없는 : arroz ～ 물기 없는 밥. ⑤ 무미 건조한. ⑥ 마른, 말라 죽은 : hoja ～*ca* 마른 잎. árbol ～ 말라 죽은 나무. ⑦ 여윈(flaco). ⑧ 알몽뚱어리의 ; 꾸밈없는 : estilo ～. ⑨ 퉁명스러운, 무뚝뚝한, 따뜻한 맛이 없는 : Me dijo con voz ～*ca* 그는 나에게 퉁명스런 목소리로 말했다. ⑩ 엄한, 엄격한, 냉혹한 : justicia ～*ca*, verdad ～*ca*. ⑪ 순수한 그대로의, 다른 것이 섞이지 않은, 물을 타지 않은 : aguardiente ～. ⑫ 단맛이 없는 : vino ～. ⑬ 크게 울리지 않는 : tos ～*ca* 헛기침.
—*m.* 《*Chile. Méx. Urug.*》 주먹, 주먹질.
a ～cas 오직 그것만으로, 단지(solamene).

en ~ ①물에서 밖으로(fuera del agua) : La nave varó *en* ~ 배는 모래 사장에 얹혔다. ② 이유도 동기도 없이, 까닭없이. ③ 무일푼으로 : quedarse *en* ~ 빈털터리가 되다. ④ 알몸으로. ⑤ 별안간(de repente) : Paró *en* ~ 별안간 멎었다. ⑥ 억지로. ⑦ 회반죽이 없는·없이.
dejar ~ 즉사케 하다.
quedar ~ 즉사하다.
tener ~ 《*Arg. PRico.*》 넌더리 나게 하다.

secón *m.* 《*Sal.*》 꿀이 없는 벌집.

secoya *f.* 【식물】(북미산의) 매머드나무 : Las más hermosas ~*s* se encuentran en California 가장 아름다운 세꼬야는 캘리포니아에 있다. **Sinón.** wellingtonia.

secreción *f.* ① 분리(apartamiento). ② 분비(물) : ~ interna 내분비〈內分泌〉.

secreta *f.* ① 옛 대학의 졸업 시험의 일종. ② 【종교】(기도의) 밀창(密唱). ③【속어】비밀 경찰(policía ~). ④【속어】내탐《경찰 등이 행하는 비밀 경찰》. ⑤[드뭄] 변소(letrina, excusado).

sacret.[a] secretaría.

secretamente *adv.* 비밀로, 비밀리에, 내밀하게(en secreto).

secretar *tr.* 분비하다(segregar) : El hígado *secreta* la bilis 간장은 담즙을 분비한다.

secretaria *f.* secretario의 부인 ; 여비서.

secretaría *f.* ① 비서직, 서기직. ② 서기과, 비서실, 문서과, 관방(官房). ③ 사무국. ④ 《*Arg.*》 청(廳). ⑤《*Hond. Mex.*》 부(部), 성(省) : ~ de Estado 국무성, 국무부.
S- de Agricultura y Ganadería ①《*Arg.*》 농목청. ②《*Méx.*》 농목성(省). *S- de Comunicaciones* 《*Arg.*》 통신청. *S- de Comunicaciones y Transportes* 《*Méx.*》 통신 운수성. *S- de Cultura y Educación* 《*Arg.*》 문화 교육청. *S- de Defensa Nacional y Seguridad Pública* 《*Hond.*》 국방 공안성. *S- de Economía y Hacienda* 《*Hond.*》 경제 대장성. *S- de Educación Pública* 《*Hond. Méx.*》 문교부. *S- de Energía y Minería* 《*Arg.*》 동력 광업청. *S- de Estado de Industria y Comercio* 《*Arg.*》 상공업청. *S- de Estado de Salud Pública y Asistencia Social* 《*Domin.*》 후생 사회 보장성. *S- de Fomento, Agricultura y Trabajo* 《*Hond.*》 권업 농업 노동성. *S- de Gobernación* 《*Méx.*》 내무부. *S- de Gobernación y Justicia* 《*Hond.*》 내무 사법성. *S- de Gobierno* 《*Arg.*》 자치청. *S- de Guerra, Marina, y Aviación* 《*Hond.*》 국방 해운 항공성. *S- de Hacienda* 《*Arg.*》 재무청. *S- de Hacienda, Crédito Público y Comercio* 《*Hond.*》 재무 상무성. *S- de Hacienda y Crédito Público* 《*Méx.*》 재무부. *S- de Industria y Comercio* ①《*Arg.*》 상공청. ②《*Méx.*》 상공부. *S- de Informaciones del Estado* 《*Arg.*》 국가 정보청. *S- de Integración Turística Centroamericana* 중미 관광 통합 사무국. *S- de Justicia* 《*Arg.*》 사법청. *S- de la Defensa Nacional* 《*Méx.*》 국방성. *S- de Marina* 해군성. *S- de Obras Públicas* ①《*Arg.*》 공공 사업청. ②《*Méx.*》 공공 사업성. *S- de Obras Públicas y Comunicaciones* 《*Hond.*》 공공 사업 통신성. *S- de Promoción y Asistencia de la Comunidad* 《*Arg.*》 공동체 진흥 구제청. *S- de Recursos Hidráulicos* 《*Méx.*》 수자원부. *S- de Recursos Naturales* 《*Hond.*》 천연 자원부. *S- de Relaciones Exteriores* 《*Hond. Méx.*》 외무부. *S- de Salubridad y Asistencia* 《*Méx.*》 보건 후생성. *S- de Salud Pública* ①《*Arg.*》 공중 후생청. ②《*Hond.*》 공공 후생성. *S- de Seguridad Social* 《*Arg.*》 시회 보장청. *S- de Trabajo* 《*Arg.*》 노동청. *S- de Trabajo y Previsión Social* 《*Hond. Méx.*》 노동 사회 보장성. *S- de Transporte* 《*Arg.*》 운수청. *S- de Vivienda* 《*Arg.*》 주택청. *S- del Patrimonio Nacional* 《*Méx.*》 국가 자산성. ~ *ejecutiva* 집행 사무국. ~ *general* 사무국. *S- Nacional de Asistencia Social* 《*Col.*》 전국 사회 원조청. ~ *particular* 비서과. *S- Permanente del Tratado General de Integración Económica Centroamericana* 중미 경제 통합 일반 조약 상설 사무국. *S- Técnica de Planificación Económica y Social* 《*Parag.*》 경제 사회 계획 전문 사무국.

secretariado *m.* [추상] ① 서기, 비서. ② 서기과, 비서과, 사무국.

secretario, ria *m.f.* ① 비서(관) : ~ particular 총무 비서관, 개인 비서. ~ privado 개인 비서. ② 서기(관) ; 사무관, (회의) 간사 : primer · tercer ~ de la embajada 대사관 일등·삼등 서기관. ③ (미국의) 국무장관, 장관, 대신.
—*m.* 【조류】 사식조(蛇食鳥)(serpentario).
S- de Agricultura y Ganadería 《*Arg. Méx.*》 농목장관. *S- de Comunicaciones* 《*Arg.*》 통신 장관. *S- de Comunicaciones y Transportes* 《*Méx.*》 통신 운수 장관. *S- de Cultura y Educación* 《*Arg.*》 문화 교육 장관. *S- de Defensa Nacional y Seguridad Pública* 《*Hond.*》 국방공안장관. *S- de Economía y Hacienda* 《*Hond.*》 경제 대장 장관. *S- de Educación Pública* 《*Hond. Méx.*》 문교장관. *S- de Energía y Minería* 《*Arg.*》 동력광업장관. *S- de Estado* 국무장관. *S- de Gobernación* 《*Méx.*》 내무장관. *S- de Gobernación y Justicia* 《*Hond.*》 내무사법장관. *S- de Gobierno* 《*Arg.*》 자치장관. *S- de Hacienda* 《*Arg.*》 재무장관. *S- de Hacienda y Crédito Público* 《*Méx.*》 대장성 장관. *S- de Industria y Comercio* 《*Arg. Méx.*》 상공장관. *S- de Justicia* 《*Arg.*》 사법장관, 법무장관. *S- de la Defensa Nacional* 《*Mex.*》 국방장관. *S- de la Presidencia* 《*Mex.*》 대통령부 장관. *S- de la Presidencia y del Consejo de Ministros* 《*Cuba.*》 대통령부 및 내각 관방장관. *S- de Marina* 《*Méx.*》 해군장관. *S- de S- de Obras Públicas* 《*Arg. Méx.*》 공공 사업 장관, 공공 사업청장. *S- de Obras Públicas y Comunicaciones* 《*Hond.*》 공공 사업 통신 장관. *S- de Promoción y Asistencia de la Comunidad* 《*Arg.*》 공동체 진흥 구제 장관. *S- de Recursos Hidráulicos* 《*Méx.*》 수자원장관. *S- de Recursos Naturales* 《*Hond.*》 천연자원장관. *S- de Relaciones Exteriores* 《*Hond. Méx.*》 외무장관. *S- de Salubridad y Asistencia* 《*Méx.*》 보건 후생장관. *S- de Salud Pública.* ①《*Arg.*》 공중위생 장관, 공중 위생청장. ②《*Hond.*》 공공 위생 장관. *S- de Seguridad Social* 《*Arg.*》 사회 보장 장관, 사회 보장청장. *S- de Trabajo* 노동장관. *S- de Trabajo y Provisión Social* 《*Hond. Méx.*》 노동사회보장장관. *S- de Transporte* 《*Arg.*》 운수

장관. *S- de Vivienda* 《*Arg.*》 주택장관. *S- del Patrimonio Nacional* 《*Méx.*》 국가자산장관. *S- Ejecutivo del Consejo Nacional de Planificación y Coordinación Económica* 《*Salv.*》 경제기획청 장관. ~ *general* 총무부장, 사무국장, 사무총장. *S- General de la Presidencia* 《*Hond. Salv. Venez.*》 대통령부 장관. *S- General de la Presidencia de la República* 《*Guat.*》 대통령부 장관. *S- Particular del Presidente de la República* 《*Guat.*》 대통령 비서관.

secretear *intr.* 밀담하다, 속삭이다(hablar en secreto dos personas).

secreteo *m.* secretear하는 일.

secreter *m.* [*fr.* secrétaire] 《*Neol.*》 = **escritorio.**

secretista *adj. m.f.* 비밀스러운 일을 좋아하는 (사람); 비밀주의의 (사람); 신비학자.

secreto *m.* [*lat*·secretum] ① 비밀, 은밀한 일; 기밀: ~ bancario 은행 기밀. ~ de Estado 국가의 기밀. ~ capital 극비. ~ profesional 직무상의 비밀. ~ de anchuelos · a voces · con chimirías 공공연한 비밀. guardar ~ 비밀을 지키다. revelar ~*s* 비밀을 누설하다. ② (물건을) 감추는 곳(escondrijo): armario de ~. ③ 비밀 장치.
~ a voces 모든 사람이 알고 있는 것.
de · en ~ 비밀리에, 비밀로, 남 몰래 넌지시, 슬그머니, 남 모르게(secretamente); 사적으로, 미행해서.

secreto, ta *adj.* [*lat.* secretus] ① 비밀의; 기밀의; 은밀한: negociacion ~*ta* 비밀 교섭. policía ~*ta* 비밀 경찰. No deben descubrirse cosas ~*tas* 비밀한 일을 폭로해서는 안된다. ② 감추어진, 숨은; 감춘.

secretor, ra *adj.* =**secretorio.**

secretorio, ria *adj.* 분비하는, 분비의, 배설하는: El hígado es el aparato ~ de la bilis 간장은 담즙의 분비 기관이다.

secta *f.* [*lat.* secta] 분파, 종파; 당파; 학파; 주의; 이단파.

sectador, ra *adj.m.f.* =**sectario.**

sectario, ria *adj.* 분파의, 종파의; 학파의; 당파심이 강한. **—***m.f.* ① 문도(門徒), 신도, 신봉자: Todas las religiones tienen ~*s* 모든 종교는 신도가 있다. ② 한편, 동료; 주의자, 당원.

sectarismo *m.* 분파 근성(分派根性), 당파심; 주의의 신봉; 학벌.

sector *m.* [*lat.* sector] ①【기하】선형(扇形): ~ esférico. ② 지구, 방면, 부면(部面), 범위: en los ~*es* comerciales 실업계에서(는). Por este ~ de la ciudad circulan pocos coches 도시의 이 지구에는 차가 별로 다니지 않는다. ③ 전구(戰區).
~ abarcado 적용 범위. *~ de exportaciones · importaciones* 수출·수입 부문. *~ del transporte de carga aérea* 항공 운송업 부문. *~ industrial* 공업 부문. *~ laboral* 노동 부문. *~ privado* 민간·사기업 부문. *~ público* 공공·공기업 부문.

sectorial *adj.* sector의·에 관한.

secuaz *adj.m.f.* =**sectario.**

secuela *f.* [드묾] 결과(consecuencia).

secuencia *f.* ① 결과, 효과. ② 연속(물). ③【영화】시퀀스《몇 개의 장면이 모여 이룬 일련의 화면》. ④【음악】화성적 진행. ⑤【수학】수열. ⑥【종교】추창(追唱), 속창(續唱).

secuencial *adj.*【종교】속창의.

secuenciar *tr.* 연속시키다, 계속하다.

secuestración *f.* =**secuestro.**

secuestrado, da *adj.* 압류·몰수당한; 인질로 잡힌, 유괴된: El gobierno colombiano negocia la liberación de los embajadores ~*s* 콜롬비아 정부는 인질로 잡힌 대사들의 석방을 교섭하고 있다.

secuestrador, ra *adj.* 압류·몰수하는; 유괴·납치하는. **—***m.f.* 압류자, 몰수자; 유괴자, 유괴범, 납치자, 하이재커.

secuestrar *tr.* [*lat.* sequestrare] 압류하다, 몰수하다(embargar); 인질로 삼다, 납치·유괴하다: ~ a un niño 어린이를 유괴하다.

secuestrario, ria *adj.* 압류하는, 몰수의; 유괴하는.

secuestro *m.* ① 압류, 몰수; 압류 물건. ② 공탁. ③ 인질, 유괴, 납치: ~ aéreo 하이잭. ④ 강탈. ⑤ (체내에 남은) 부골편(腐骨片).

sécula (para) *adv. lat.* 영구히(para siempre jamás).
para in ~; para ~ sin fin; para ~ seculórum 영구히.

secular *adj.* [*lat.* secularis] ① 세속의, 아무 것도 아닌(seglar); 재가(在家)의 (승려). **Contr.** regular. ② 100년의; 100년마다의: fiesta ~. ③ 수백년의: árboles ~*es*. **—***m.* 수도회에 속하지 않은 성직자, 제가승(在家僧), 교구목 사제(教區牧司祭); 평신자.

secularización *f.* 세속화; 환속; 교권에서의 해방; 교육과 종교의 분리.

secularizado, da *adj.* secularizar의 *p.p.*

secularizar *tr.* 9 환속시키다: ~ a un religioso. ② (사원의 영지 따위를) 속인에게 이양하다; 수도원에서 세상에 내보내다; 교권에서 해방·분리하다.

secularmente *adv.* ① 세속적으로: vivir ~. ② 100년마다.

secundar *tr.* 돕다, 후원·원조하다, 보좌하다; 응원·지원·지지하다(ayudar, servir, favorecer): ~ la política del gobierno.

secundariamente *adv.* 부차적으로(en segundo lugar).

secundario, ria *adj.* ① 부(副)의, 제이의, 이차적인: motivo ~. ② 부수적인(accesorio). ③ 중등 교육의: escuela ~*ria* 중학교.

secundinas *f. pl.*【해부】=**placenta, membranas.**

secundípara *adj. f.* 경산(經產)(부), 두 번째 출산하는·한 (여자).

secura *f.* [드묾] =**sequedad.**

sed *f.* [*lat.* sitis] ① 목마름, 갈증: Tengo ~ 나는 목이 마르다. ② 마름, 건조하여 물을 필요로 하는 일. ③ 갈망, 열망(apetito, deseo ardiente): la ~ de riquezaz 부의 갈망. la ~ de honores 명예의 갈망.
una ~ de agua 아주 작은 것·일: No le da *una ~ de agua.*
apagar · matar la ~ 갈증을 풀다, 해갈하다; 소원을 이루다.

tener ～ de …을 갈망하다, …이 풍부하다 : Los españoles *tienen ～ de* aventuras 서반아 사람들은 모험심이 풍부하다.

seda *f.* [*lat.* seta] ① 비단, 실크 : Tiene la piel como la ～ 그녀는 명주같은 (미끈한) 피부를 가지고 있다. falda de ～ 실크 스커트. gusano de ～ 누에. ② 생사(生糸), 견사, 견포 : Corea produce gran cantidad de ～ 한국은 생사를 많이 생산한다. ③ (동물의) 털(cerda):la ～ del jabalí 멧돼지의 털.
～ ***artificial*** 인조 견사, 인견, 레이온.
～ ***azache*** 질이 낮은 비단.
～ ***cocida*** 정제견(精製絹).
～ ***conchal*** 정선견(精選絹).
～ ***cruda*** 생사(生糸).
～ ***en rama*** 원료 생사.
～ ***floja*** 꼬지 않은 견사(絹糸).
～ ***lustrosa*** 연견(練絹).
～ ***natural*** 본견(本絹).
～ ***torcida*** 꼰 견사.
～ ***vegetal*** = ～ artificial.
～ ***verde*** 생견사(生絹糸).
como una ～ 보드라운 ; 부드럽게, 어렵지 않게 : El negocio marchaba *como una ～*.

sedación *f.* 진정.

sedadera *f.* 삼을 빗는 기구.

sedal *m.* [*lat.* seta] 낚싯줄(hilo o cuerda de la caña de pescar) ; 고름을 뽑아내는 가제.

sedalina *f.* 면사.

sedán *m.* ① 세단형 자동차. ② 세단(Sedán)에서 제조되는 불란서의 모직.

sedancia *f.* 진정성.

sedante *adj.* =**sedativo.**

sedar *tr.* [*lat.* sedare] ① 진정시키다, 완화시키다, 가라앉히다, 다스리다(apaciguar, sosegar, calmar). ②【방언】 째다, 절개하다, 가르다, 찢다(quebrar, rajar).

sedativo, va *adj.* 진정(鎭靜)하는, 마음을 가라앉히는 : agua *～va.* **—*m.*** 진정제.

sede *f.* [*lat.* sedes] ① 교좌(教座), 왕좌. ② 본청, 본점, 본부, 본거지 : ～ del sindicalismo 조합운동의 본거. La ～ de la organización está en Barcelona 그 협회의 본부는 바르셀로나에 있다. ③ 승정·대승정·주교·대주교좌 ; 그 관구. ④ 로마 교황의 좌·위(Santa *S*-) : ～ gestatoria 교황을 태우고 다니는 어가.
～ ***social*** (은행·회사 등의) 본부, 본점 ; 위치.
S- Apostólica 로마 교황의 좌·위.

sedear *tr.* 솔(sedera)로 털다, 솔질하다 : ～ joyas.

sedentario, ria *adj.* ① 외출하기를 별로 좋아하지 않는, 집에 들어박힌, 집에 들어박혀 있는 : Los ancianos son generalmente *～s* 노인들은 대개 외출하기를 싫어한다. una vida *～ria* 집에 들어박힌 생활. ② 너무 많은 시간을 앉아 있는, 앉아서 하는 일의, 움직이지 않는 : un empleado ～. ③ 한곳에 정주하는 (인종·동물). **Contr.** nómada, activo.

sedente *adj.* 앉아 있는(que está sentado) : una estatua ～.

sedeña *f.* ① 부스러기 삼, 그 직물. ②【방언】 낚싯줄(sedal de la caña de pescar).

sedeño, ña *adj.* ① 비단의 ; 비단같은, 비단 비슷한 : una tela *～ña.* ② [드뭄] 털이 있는.

sedera *f.* 억센 솔·브러쉬.

sedería *f.* 비단 상품, 견직류 ; 비단 상점 ; 견직물점.

sedero, ra *adj.* 비단의, 제견(製絹)의 : industria *～ra* 견직물 생산업. **—*m.f.*** 견직물 업자, 견직공(絹織工) ; 견직물 상인.

sedicente *adj.* =**sediciente.**

sediciente *adj.* 《*Galic.*》 가상의, 아마 그러리라 생각되는(supuesto) ; 자칭의 : un ～ marqués.

sedición *f.* [*lat.* seditio] ① 반란, 모반, 소란, 동란, 폭동(rebelión, tumulto, levantamiento contra la autoridad). ② 마음의 어지러움, 유혹.

sediciosamente *adv.* 소란을 일으켜 ; 선동적으로.

sedicioso, sa *adj* ① 반란하는, 궐기하는, 폭도의 : populacho ～ 폭도. ② 선동적인 : pronunciar un discurso ～. **—*m.f.*** ① 반도(反徒), 폭도 : el jefe de los *～s.* ② 선동자.

sedientes *adj.pl.* [*lat.* sedens, seditiosus] 움직이지 않는 : bienes ～ 부동산, 토지.

sediento, ta *adj.* ① 목이 마른, 갈증이 나는 ; 고갈된 ; 건조해 버린 : campo ～. ② [+de : …을] 갈망하는 : esar muy ～ de riquezas.

sedimentación *f.* ① 침전 ; 침전층 ; 침강 : ～ globular 혈침(血沈). ②【지질】 침적(沈積).

sedimentar *tr.* 침전시키다.
～se 침전하다(formar un sedimento).

sedimentario, ria *adj.* ① 침전(물)(의) : un depósito ～. ②【지질】 침전·침적에 의한 ; 수성(水成)의 : roca *～ria* 수성암.

sedimento *m.* [*lat.* sedimentum] 무거리, 찌꺼기, 침전(물), 침적(물), 버캐. **Sinón.** poso.

sedoso, sa *adj.* 비단같은.

seducción *f.* [*lat.* seductio] 꼬임, 유혹, 매력, 매료 ; 매혹(물).

seducente *adj.* =**seductor.**

seducible *adj.* 유혹하기 쉬운, 꼬이기 쉬운.

seducir *tr.* 71 [*lat.* seducere] ① 유혹하다, 꼬이다, 우롱하다 ; 끌다, 매료·매혹하다, 마음을 사로잡다(cautivar, encantar) : Esa mujer me *ha seducido* 그녀는 나의 마음을 사로잡았다. *Seduce* a todos con su simpatía 그는 타고난 붙임성 때문에 아무라도 매료한다. ② 교묘히 구슬러 버리다, 농락하다(sobornar, corromper) : ～ un testigo.

seductivo, va *adj.* =**seductor.**

seductor, ra *adj.* 유혹하는, 마음에 솔깃한, 달콤한 : oir un discurso ～. **—*m.f.*** 유혹하는·매혹시키는 사람.

seduj-, seduzc- →**seducir** 71.

sefardí *adj. m.f.* 서반아계 유태의 (사람) : (judío oriental de origen español).

sefardita *adj. m.f.* =**sefardí.**

segable *adj.* 거둬 들이는 ; 베는 시기의.

segada *f.* 곡식 베기 ; 그 시기(siega).

segadera *f.* [드뭄] 낫.

segadero, ra *adj.* 곡식을 베어 들일 수 있는, 베는 시기의(segable) : campo ～.

segador, ra *m.f.* 곡식을 베는 사람. **—*m.*** 【곤충】 갈거미.

segadora *adj.* 베는 (기계). **—*f.*** 베는 기계.

segallo *m.* 《*Ar.*》 한 살 미만의 새끼 산양.
segar *tr.* ⑲ ⑧ [*lat.* secare] ① 베다. 자르다 : ~ la hierba 풀을 베다. ② 절취하다 ; 단칼에 베다 : ~ la cabeza a uno.
segazón *f.* 베어 거둬 들이기, 밀(벼·풀)베기.
SEGBA Servicios Eléctricos del Gran Buenos Aires.
seglar *adj.* 세속의, 속인의, 보통의 : vestir traje ~.
seglarmente *adv.* 세속적으로, 속인으로.
segmentación *f.* 【생물】 체절화(體節化), 분절화(分節化) ; 분할.
segmentado, da *adj.* 몸이 부분으로 된 (동물).
segmentar *tr.* 《*Neol.*》 부분으로 나누다(dividir en segmentos).
~se 부분으로 나누어지다.
segmento *m.* [*lat.* segmentum] ① 부분, 쪼가리, 절편. ②【기하】(직선의) 선분(線分) ; (원의) 궁형(弓形)(~ esférico). ③【생물】 체절, 환절.
~ *de émbolo* 피스톤 링.
Seg.º, Serv.ºʳ seguro servidor 충실한 종복《편지의 끝맺음말》.
segobricense *adj. m.f.* =**segorbino.**
segobrigense *adj.* 세고브리가 《Segóbriga, 현재의 Segorbre의 옛 이름》의. **—***m.f.* 세고브리가 사람.
segorbino, na *adj.* 세고르베 《Segorbe, 서반아 동해안 근처의 도시》의. **—***m.f.* 세고르베 사람.
segote *m.* 《*Ast.*》 풀 베는 낫.
Segovia *f.* 【지명】 세고비아주·시.
segoviano, na *adj.* 세고비아의. **—***m.f.* 세고비아 사람.
segoviense *adj. m.f.* =**segoviano.**
segregación *f.* ① 분리, 격리(separación). ② ~ racial 인종 차별. ③【생리】 분비.
segregacionismo *m.* 인종 분리주의.
segregacionista *m.f.* 인종 분리주의자.
segregar *tr.* ⑧ [*lat.* segregare] ① 분리·격리하다(separar). **Contr.** reunir. ② 분비하다, 배설하다(secretar).
segregativo, va *adj.* 분리·격리하는.
segrí *m.* 옛 비단의 일종.
segueta *f.* 세공용 톱.
seguetear *intr.* segueta로 자르다.
seguida *f.* [드묾] ① 순차(orden) ; 연속, 계속 ; 일련(serie). ② 추적. ③ 옛 무용의 일종.
de ~ ① 계속된 : tres días de ~. ② 순서대로. ③ 즉각.
en ~ 즉각, 즉시, 곧바로(inmediatamente) : Vaya usted *en* ~ 곧바로 가주십시오.
seguidamente *adv.* ① 계속적으로 ; 잇달아(de seguida). ② 즉시(en seguida).
seguidero, ra *adj.* 계속할 수 있는 ; 따를 수 있는. **—***m.* [드묾] 괘(罫).
seguidilla *f.* 4내지 7행 시의 일종. **—***pl.* ① 민요의 일종 : ~*s* manchegas 만차 지방의 특유한 박자의 민요·춤. ②【속어】 설사.
seguido, da *adj.* [seguir의 *p.p.*] ① 계속된, 잇따른, 연이어지는(continuo) : en tres días ~*s* 연달은 3일간. ② 똑바로 된 (en línea recta) : camino ~ 똑바른 길. de ~ …을 뒤에 거느리고 : Corría ~ *de*l perro 개를 뒤에 거느리고 달렸다. **—***m.* (양말·편물 등의) 줄인 코.
—*adv.* 잇따라, 즉시(a menudo, en breve).
seguidor, ra *adj.m.f.* 따라가는 (사람) ; 추종하는 (사람). **—***m.* =**suguidero.**
seguimiento *m.* 추종, 수행 ; 연속, 계속 ; 추적.
seguir *tr.* ㊻ [*lat.* sequi] ① 따르다, 따라가다, 쫓다 : *Sigo* el consejo del padre 나는 아버지의 충고에 따른다. *Sigo* a mi hermano en su intento 나는 형의 뜻에 따라서 한다. ② 추종하다, 수행하다, 뒤따르다 : *Seguiré* sus amables consejos 나는 친절하신 충고에 따르겠소. ③ 뒤따라 가다, 밟아 가다, 쫓다, 추적하다(perseguir) : ~ los pasos de otro. ④ …을 따라 가다, 더듬어 가다 : ~ un camino 길을 더듬다. ⑤ (…의 뒤에) 따르다, 다음에 오다, 후속하다 ; …을 따르다. ⑥ 계속하다, 속행하다, 계속해 하다 (proseguir) : ~ el viaje 여행을 계속하다. Ya es imposible ~ el viaje 그 여행을 계속하기는 이미 불가능하다. ⑦ 모방하다. ⑧ (어떤 기술·학문 등에) 종사하다 : ~ las matemáticas 수학 연구에 종사하다.
—*intr.* ① 그대로 따르다, 계속해 하다 : como *sigue(n)* 다음과 같이, 하기한 바와 같이. suma y *sigue* 다음 페이지 이월. Aún *sigue* con sus preocupaciones 아직 그는 계속 걱정하고 있다. ~ *con* la empresa 역시 사업을 계속해 하다. ② 길을 계속하다 : *Siga* por la derecha 우측 통행 (우측을 계속 가십시오). *Siga* todo derecho 똑바로 가십시오. ③ [+현재분사] 계속해서 …하다(continuar+현재분사) : *Sigue* hablando 그는 계속해서 말하고 있다. Ella *sigue aprendiendo* el arreglo de flores 그 여자는 꽃꽂이를 계속 배우고 있다.
~se 뒤에 있다·오다·일어나다 ; 잇따르다, 뒤을 잇다, 뒤따르다.
[직설법 현재 : sigo, sigues, sigue, seguimos, seguís, siguen. 접속법 현재 : siga, sigas, siga, sigamos, sigáis, sigan. 직설법 부정과거 3인칭. 단·복수 : siguió, siguieron. 접속법 불완료과거 : siguiera,… ; siguiese,… . 현재 분사 : siguiendo].
según *prep.* [*lat.* secundum] ① [근거가 되는 것을 나타냄] ㄱ) …에 의해 : ~ la ley 법률에 준거하여. ㄴ) …에 따라서 : ~ arte 정석에 따라서. ~ contrato 계약에 따라. ㄷ) …에 의하면 : ~ la tradición 전설에 의하면. ㄹ) (누가) 말하는 바·의견에 의하면 : ~ el padre. ㅁ) …에 따라 : Pórtate ~ las circunstancias 상황에 따라 행동하라. Se te pagará ~ lo que trabajes 급료는 네가 일하기에 달렸다. ② [접속사적으로] ㄱ) …하는·했던 듯이 : ~ se especifica en la copia de factura 송장 리카피에 명세한 바와 같이. ㄴ) …그대로 : Todo queda ~ estaba 만사가 앞서 있던 그대로 되어 있다. ㄷ) …에 의하여, 따라 : ~ se encuentre mañana el enfermo 환자의 내일 병상의 증세에 따라. ㄹ) …하고 있는 데서 : Sus cabellos parecían sortijas de oro, ~ eran rubios y enrizados 그녀의 머리칼은 금빛으로 곱슬곱슬하여 금반지처럼 보였다. ㅁ) …하는 바에 의하면 : ~ dice la tradición 전설이 전하는 바에 의하면. ~ supe después

내가 뒤에 알아본 바에 의하면. *S-* dicen está muy enfermo 사람들이 말하는 바에 의하면 그는 몸이 몹시 불편하다. *S-* ha afirmado el gobierno, no vendrá el presidente de aquel país 정부의 발표에 의하면 그 나라의 대통령은 오지 않을 것이라 한다. Fue más horrible de lo que me imaginaba, ~ el informe que me dieron 내게 해 온 통지에 의하면, 그것은 상상 이상으로 심했다. ③[+que] …하는 바에 의하면·의해 : ~ *que* lo prueba la experiencia 경험이 실증하는 바에 의하면. ④[부사적] 경우에 따라 : lré o me quedaré, ~ 사태 여하에 따라 가든지 남든지 하겠다. ¿Toma usted esto? — *S-* 이것 드시겠습니까? —좋은 것이라면, 맛이 있다면.

~ *y como* ㄱ) …하는 것과 마찬가지로, 하는 그대로 : Se lo diré ~ *y como* tú me lo dices 네가 나에게 말한 그대로 그에게 말하겠다. ㄴ) 경우·때와 사정에 따라 : ¿Vendrás mañana? *S- y como* 내일 오겠지? —형편에 따라서.

~ *y conforme* …하는 그대로, 형편에 따라(~ y como) : ¿Lo harás mañana? *S- y conforme* 내일 그것을 할거냐? —형편에 따라.

segunda *f.* ①(자물쇠 등의) 이중 장치. ②두마음, 저의(底意), 속셈(segunda intención) : hablar *con* ~. ③2등(segunda clase) : billete de ~ 2등표. montar *en* ~ 2등차에 타다. ~ de cambio 환어음의 제2권. ④중고품, 쓰던 물건. ⑤(자동차의) 제2속(速). ⑥【음악】 2도 음정 ; 저음부 (음성).

segundar *tr.* ①되풀이하다, 재연하다 (asegundar). ②《*Galic.*》 돕다, 지원하다, 원조하다 (ayudar, auxiliar). —*intr.* 뒤에 오다, 두 번째이다.

segundariamente *adv.* =**secundariamente.**

segundario, ria *adj.* =**secundario.**

segundero, ra *adj.* 두 번째 연, 철 늦게 열린. —*m.* (시계의) 초침(aguja de los segundos en un reloj).

segundilla *f.* ①(어떤 수도원에서 집합 신호로 쓰이는) 두 번째 치는 종, 작은 종. ②《*Ál.*》【동물】 도마뱀(lagartija).

segundillo *m.* ①(수도원 등의 식사로 주는)두 번째 빵. ②【음악】 반음. ③《*Col.*》 두 번째 종 (segundilla) ; 작은 종(campana pequeña).

segundo, da *adj.* [*lat.* secundus] ①제이의, 두 번째의 ; 차석(次席)·차점자의 ; 이류의 : ~ plan nacional de desenvolvimiento 제이차 국가 개발 계획. ~ semestre 하반기. ~ trimestre 제2·4반기. Me lo dijo con ~*da* (intención) 그는 나에게 이중의 의미로 (저의가 있게) 말했다. en ~*da* (탈것의) 2등으로 ; 《자동차》 제이 속력으로. Tuve que subir la cuesta en ~*da* 나는 그 언덕을 제이 속력으로 올라가야 했다. ②보좌의, 보좌역의 : ~ carpintero 우두머리의 상대. ③호의 있는(favorable). —*m.* (시계·저울의) 초(秒). ②차석, 보좌역, 조역.

de ~da mano 중고(中古)의, 팔 물건으로.

sin ~ 비길 데 없이 훌륭한, 대체시킬 수 없는 (sin par, que no tiene igual o semejante).

segundogénito, ta *adj. m.f.* 차남·차녀(의) (hijo segundo).

segundogenitura *f.* 차자(次子)인 일·권리.

segundón, na *m.f.* 차남 ; 차녀 ; 차남 이하의 자녀.

seguntino, na *adj.* 시구엔사 《Sigüenza, 서반아 중부 구아달라하라 주의 도시》의. —*m.f.* 시구엔사 사람.

segur *m.* 큰 도끼(hacha grande), 큰 낫.

segurador *m.* 보증인, 보증자(fiador) ; 보험자.

seguramente *adv.* ①안전하게 ; 확실히, 확고하게, 틀림없이. ②【속어】 아마도(probablemente).

seguranza *f.* 《*Ast. Sal. PRico.*》 =**seguridad.**

segurar *tr.* =**asegurar.**

seguridad *f.* [*lat.* securitas] ①안전 : Este puente no ofrece ~ 이 다리는 위태롭다. consejero presidencial para la ~ 안보 담당 대통령 보좌관. ②안심 : Puede usted tener la ~ de que lo haré 내가 그 일을 하겠으니 당신은 안심해도 좋소. ③확실, 확신 : Tengo la ~ de que vendrá 그가 온다는 확신이 있다. ④치안, 보안 : agente de ~ 보안관, 경관. ⑤보증, 담보 ; 보장, 보호 : ~ colectiva 집단 보장. ~ industrial 산업 안전. ~ social 안전 보장. Comité de ~ 안전 보장 위원회. Consejo de ~ 안전 보장 이사회. ⑤신탁.

con (toda) ~ (그야말로) 확고하게·확실하게, 틀림없이, 반드시.

de ~ 안전한, 안전 장치가 된 : alfiler *de* ~ 안전핀. caja *de* ~ 대형 금고. cinturón *de* ~ 안전벨트. dispositivo *de* ~ 안전 장치. lámpara *de* ~ 안전등. muelle *de* ~ 안전 용수철. válvula *de* ~ 안전판.

seguro, ra *adj.* [*lat.* securus] ①안전한, 안심할 수 있는. ②명확한, 확실한 (cierto) : un acontecimiento ~. ③확신이 있는 : Estoy ~ (de) que vendrá 나는 그가 올 것으로 확신하고 있다. ④지불 능력이 있는. —*m.* ①안전, 확실 (seguridad). ②보증, 신용(confianza). ③안전(한 장소). ④(화기의) 안전기 : Puso la pistola en el ~ 그는 권총의 안전 장치를 채웠다. ⑤허가서, 보증서, 안전증(salvoconducto). ⑥보험 : hacer·efectuar el ~ 보험을 들다. —*pl.* 보험, 보험 업무 : Compañía de ~*s* 보험 회사. —*adv.* 확실히(con certeza) : *S-* que mañana llueve.

~ *colectivo* 단체 보험. ~ *contra todo riesgo* 전(全) 위험에 대한 보험. ~ *coincidente* 이중 보험. ~ *contra accidentes* 상해·재해 보험. ~ *contra accidentes de trabajo* 노동·공장 종업원 보험. ~ *contra avería particular* 단독 해손 담보. ~ *contra cese de negocio* 휴업 보험. ~ *contra daños a terceros* 제삼자 보험. ~ *contra el desempleo·paro* 실업 보험. ~ *contra el pedrisco* 우박 피해 보험. ~ *contra incendios* 화재 보험. ~ *contra la pérdida de huelga* 파업 보험. ~ *contra la pérdida de las cosechas* 작물 보험. *contra las heladas* 서리 피해 보험. ~ *contra responsabilidad civil* 책임 보험. ~ *contra responsabilidades patronales* 고용주 책임·부담 종업원 구제 보험. ~ *contra el robo* 도난 보험. ~ *contra riesgo de guerra* 전시 보험. ~ *contra rotura de vidrios y cristales* 유리 보험. ~ *contra tercero* 제삼자 보험. ~ *contra toda avería* 전손 담보. ~ *contra todo riesgo* 전위험 담보.

～ *contra tormentas* 풍수해・폭풍우 보험. ～ *de accidentes* 상해 보험. ～ *de accidentes de trabajo* 공장 재해 보험. ～ *de antemano* 예정 보험. ～ *de asistencia a ferias* 견본시(見本市) 참가 보험. ～ *de automóviles* 자동차 보험. ～ *de calderas de vapor* 증기 보일러 보험. ～ *de compensación por accidentes de trabajo* 노동자 재해 보상 보험. ～ *de cosas* 동산 보험. ～ *de cosechas* 수확 보험. ～ *de crédito* 신용 보험. ～ *de crédito a la exportación* 수출 신용 보험. ～ *de daños a terceros* 제삼자 보험. ～ *de desempleo・desocupación* 실업 보험. ～ *de enfermedad* 건강・질병 보험. ～ *de equipajes* 수하물 보험. ～ *de exportación* 수출 보험. ～ *de flete* 운임 보험. ～ *de ganado* 가축 보험. ～ *de incendios* 화재 보험. ～ *de indemnización* 손해 보험. ～ *de la carga* 적하 보험. ～ *de los daños* 손해 보험. ～ *de maquinaria* 기계 보험. ～ *de mercancías* 적하 보험. ～ *de mudanza* 가구 수송 보험. ～ *de objetos domésticos* 가재 도구 보험. ～ *de pago para exportación* 수출 대금 보험. ～ *de paro* 실업 보험. ～ *de personas* 개인 보험. ～ *de responsabilidad* 책임 보험. ～ *de responsabilidad civil* 제삼자 보험. ～ *de responsabilidad frente a terceros* 상해・재해 보험. ～ *de riesgo de guerra* 전시・전쟁 보험. ～ *de riesgo de insolvencia* 신용 보험. ～ *de robo* 도난 보험. ～ *de terremotos* 지진 보험. ～ *de transporte* 운송 보험. ～ *de transportes interiores* 내국 수송 보험. ～ *de vejez* 양로 보험. ～ *de vida* 생명 보험. ～ *de vida sin reconocimiento médico* 무진찰 생명 보험. ～ *del buque* 선체 보험. ～ *del cargamento* 적하 보험. ～ *doble* 중복 보험. ～ *dotal* 양로 보험. ～ *individual* 개인 보험. ～ *industrial* 노동 보험. ～ *libre de avería particular* 단독 해손 불담보. ～ *libre de primas* 불입필 보험. ～ *marinero* 선원 보험. ～ *marítimo* 해상 보험. ～ *mínimo* 최저 보험. ～ *mutuo* 상호 보험. ～ *obligatorio* 강제 보험. ～ *por cuenta de un tercero* 제삼자 부담에 의한 보험. ～ *por cuenta propia* 자기 부담 보험. ～ *que cubre insuficientemente* 부족・일부 보험. ～ *sobre la vida* 생명 보험. ～ *sobre sí mismo* 자가 보험. ～ *social* 사회 보장・보험. ～ *superior al valor* 초과 보험. ～ *voluntario* 임의 보험. *contrato de* ～ 보험 계약. *póliza de* ～ 보험 증권. *premio・prima de* ～ 보험료. *tipo de* ～ 보험율.

a buen ～, *al* ～, *de* ～ 분명하게, 명백히, 확실히(ciertamente).

en ～ 안전하게, 탈없이(salvo, a salvo).

sobre ～ 보험・위험없이 ; 확실히.

irse de ～ 열중하다.

segurón *m.* [*aum.* segur] 큰 도끼.

seiba *f.* ceiba의 잘못된 철자법.

seibano, na *adj. m.f.* 엘세이보 《El Seibo, 도미니까에 있는 주》의 (사람).

seibo *m.* =**seíbo.**

seíbo *m.* 《*Riopl.*》【식물】=**bucare.**

seibó *m.* 《*Amér.*》 찬장.

seibón *m.* =**ceibón.**

séibor *m.* 《*Amér.*》=**sáibor.**

seico *m.* 《*Ál.*》[집합] 밀・보리・귀리의 여섯 다발.

seide *m.* 《*Galic.*》 순경, 정보원, 끄나풀.

seis *adj.* [*lat.* sex] 6의 ; 여섯 번째의 : el número ～ 제6번. —*m.* ① 6 ; 6일 : el ～ de abril 4월 6일. ② 카드에서 6의 패. ③ 뿌에르또리꼬의 춤의 이름. —*f. pl.* 6시 : las ～ de la mañana 오전 6시.

seisavado, da *adj.* 정육각형의(hexagonal regular).

seisavar *tr.* 정육각형으로 만들다.

seisavo, va *adj.* 6등분의(sexto). —*m.* 6분의 1 ; 정육각형(hexágono).

seiscientos, tas *adj.* ① 600의 : Poseemos cerca de ～ libros. ② 600번째의(sexcentésimo). —*m.* 600.

seiscientos seis *m.* 【약】=**salvarsán.**

seise *m.* (세빌랴나 그 외의 사원에서, 노래하고 춤추는) 어린이.

seisén *m.* 아라곤의 옛 은화(sesén).

seiseno, na *adj.* [드뭄] =**sexto.**

seisillo *m.* 【음악】 6음부.

seísmo *m.* 지각 지진(地殼地震)(sismo).

seje *m.* 【식물】 남미산 코코야자의 일종.

sel *m.* 《*Sant.*》 목초지, 초원 ; 목자.

SELA Sistema Económico Latinoamericano.

selacio, cia *adj.* 【어류】 돌묵상어의. —*m. pl.* 돌묵상어 속.

selagináceo, cea *adj.* 【식물】 바위솔・돌나물과의. —*f.pl.* 바위솔과 식물.

selágine *f.* 【식물】 바위솔, 돌나물.

selección *f.* ① 가려뽑은 것 ; 선택, 발췌, 정선(elección) : ～ al azar 무작위 추출. ～ periódica 주기적 선택. ～ representativa 대표 추출. ～ sistemática 계통적 선택. ②【생물】 선택, 도태(淘汰) : ～ natural・artificial 자연・인위 도태. ③【무전】 분리, 선택.

seleccionar *tr.* 뽑다, 가리다, 고르다 ; 선택하다(elegir), 도태하다(separar) ;【무전】 분리하다.

selectas *f.pl.* 발췌집(analectas).

selectividad *f.* 【무전】 분리 성・도・감도 ; 선택도・율.

selectivo, va *adj.* ① 선택(적)인, 선택성 있는. ②【무선】 분리식의 : sistema ～ 분리식 통신법.

selecto, ta *adj.* 골라진, 선택된, 가려뽑은, 정선된(escogido) : poesías ～*tas* 정선된 시. Anoche había una ～*ta* concurrencia 어젯밤은 품위 있는 (정선된) 사람들이 모여 있었다. —*f.pl.* =**analectas.**

selector *adj.* =**selectivo.** —*m.* 【무전】 분리기, 선택기 ; (다이알식 전화의) 숫자 선택 회로.

selenato *m.* =**seleniato.**

Selene *f.* 【희랍 신화】 달의 여신.

seleniato *m.* 【화학】 셀렌산염.

selénico, ca *adj.* 【화학】 셀렌의 : ácido ～ 셀렌산.

selenio *m.* [*gr.* selênion] 【화학】 셀렌, 셀레늄, 섭소(攝素) : El ～ se emplea en la fotoelectricidad.

selenioso, sa *adj.* 셀레늄을 함유한.

selenita *m.f.* 달나라의 사람. —*f.* 【광물】 투명석고(espejuelo, yeso).

selenito *m.* 【화학】 아(亞)셀렌산염.

selenitoso, sa *adj.* 석고를 함유한 : agua ~*sa.*

seleniuro *m.* 【화학】 셀렌화물.

selenografía *f.* 태음 지리학, 월리학(月理學).

selenógrafo, fa *m.f.* 달 연구가, 월리학자(月理學者).

selenosis *f.* 【단·복수 동형】 손톱에 생기는 흰 반점(mentira).

self *m.* 전기 감응 코일.

selfactina *f.* 자동 정방기(精紡機).

selfagobierno *m.* 《*Angl.*》 자치(自治) ; 자활.

self-gobierno *m.* =**selfagobierno.**

selfinducción *f.* 《*Angl.*》 【전기】 자기 감응·유도(autoinducción).

sellado, da *adj.* [sellar의 *p.p.*] ① 날인(捺印)한 ; 검인한 : papel ~ 인지 붙은 용지. ② 소인(消印)된 ; 각인(刻印)된 : oro ~ 금화. **—***m.* 도장을 찍는 일 ; 소인을 찍는 일.

sellador, ra *adj. m.f.* 날인·봉인·검인하는 (사람·기구) ; 날인기.

selladura *f.* 날인, 봉인, 검인.

sellar *tr.* ① (…에) 날인·검인하다(imprimir, estampar el sello) : ~ papel. ② 증인(證人)하다 ; 도장을 찍다, 표하다. ③ 봉인하다, 봉하다. ④ 닫다, 뚜껑을 닫다(tapar) : ~ los labios 입술을 다물다. ⑤ 끝내다, 끝마치다 (concluir, terminar).

sello *m.* [*lat.* sigillum] ① 우표(estampilla, timbre, ~ postal, ~ de correo) : ¿Dónde se venden los ~*s*? 우표는 어디서 팝니까? Para mayor rapidez en sus envíos peguen los ~*s* en la parte superior derecha 우편물에는 더욱 빠르게 하기 위하여 우표를 오른쪽 상단에 붙여 주십시오. ② 인지(印紙) : ~ de ingreso · recibo 수입 인지. ③ 증지 : ~ de aduana 관세 납부 증서, 통관용 증지. ④ 도장 : ~ de caucho 고무인. ⑤ 스탬프, 날인기 ; 날인소. ⑥ 봉인 ; 소판 ; 표적. ⑦ (약제의) 오블라토. ⑧ 《*Arg.*》 (정식의) 증서 용지. ⑨ 표상 ; 기질 ; 특질.

~ ***de Salomón*** 【식물】 진황정.

bajo firma y ~ 서명 날인으로.

echar · poner el ~ a una cosa 끝마무리하다, 완료하다(rematarla, acabarla, terminarla).

selva *f.* [*lat.* silva] ① 밀림 : Los niños se han perdido en la ~ 어린이들은 숲에서 길을 잃었다. ② (물건이) 무질서하게 많음 : Había una ~ de papeles sobre su escritorio 그의 책상 위에는 종이가 어지럽게 많이 있었다. ③ 대혼란.

selvático, ca *adj.* ① 밀림의(de las selvas) : planta ~*ca.* ② 조잡한, 조악한, 거칠고 촌스러운(rústico, tosco, silvestre).

selvatiquez *f.* 조잡, 조악.

selvicultor, ra *m.f.* =**silvicultor, silvicultora.**

selvicultura *f.* =**silvicultura.**

selvoso, sa *adj.* 밀림같은 ; 밀림이 많은, 밀림에 뒤덮인 : país ~.

semafórico, ca *adj.* 신호의.

semaforista *m.* (철도의) 신호수.

semáforo *m.* 신호(등), 신호탑, 신호기 : ~ de banderas 수기 신호. El ~ está en rojo 신호가 붉은 것이다.

semana *f.* [*lat.* septimana] ① 주(週), 주간(週間) : Hay cincuenta y dos ~*s* en el año 1년에는 52주가 있다. la ~ entrante · próxima · que viene · que entra 내주. ~de 40 horas 주 40시간 노동. la ~ pasada · precedente · anterior 지난주. esta ~ 금주. ¿En qué día de la ~ estamos hoy? ; ¿Qué día de la ~ es hoy? 오늘은 무슨 요일인가? Solían pasar el fin de ~ en el campo (그들은) 주말은 언제나 시골로 가서 지내고 있었다. a fines de la ~ 주말에. ② 주급(sueldo semanal).

~ ***grande · mayor · santa*** 성주간(聖週間) 《부활절 전의 일주일간》.

~ ***inglesa*** 토요일 오후를 쉬게하는 노동 주간제.

entre ~ 주일, 평일 《토요일과 일요일을 제외한》(에).

mala ~ 월경, 멘스, 경도(經度), 경수(經水), 달거리, 월사(月事), 월후(月侯)(mes, menstruo).

semanal *adj.* ① 주(週)의, 주 1회의, 매주의 : descanso ~ 매주의 정휴일. liquidación ~ 주마다의 청산. salario ~ 주급. ② 주간(週間)의 : revista ~ 주간지. **—***m.* 주간지, 주간 잡지, 주보(週報).

semanalmente *adv.* ① 주간으로 : pagar ~ 주급으로 지불하다. ② 주 1회씩 : Esta revista sale ~.

semanario, ria *adj.* 주의, 주간(週刊)의(semanal). **—***m.* 주간 잡지·신문, 주보(週報) : publicar un ~ ilustrado 주간 화보를 발행하다.

semanería *f.* 주번 근무 ; 주간 검열(週刊檢閱).

semanero, ra *adj.* 주간제의, 주급제의, 주번의. **—***m.f.* 주번, 주무자 ; 주무제의 노무자.

semanilla *f.* 성주간(聖週間)의 기도서.

semantema *m.* 말의 어근·주제.

semántica *f.* 【언어】 의미론(意味論), 어의학(語意學), 의의학(意義學)(semasiología).

semántico, ca *adj.* 어의(상)의, 의미론의, 어의학의 : cambio ~ 의미의 변화.

semasiología *f.* 【언어】 의의학(意義學), 의미론, 어의 발달학(semántica).

semasiológico, ca *adj.* 어의학(상)의.

semblante *m.* ① 안색, 용모(rostro, cara) : mostrar un ~ risueño 웃는 용모를 보이다. ~ risueño 웃는 상. mudar de ~ 안색을 변하다. Hoy tiene usted muy buen ~ 오늘 당신은 낯빛이 매우 좋습니다. ② 얼굴(cara). ③ 외견, 겉치레, 외관(apariencia, figura).

semblantear *tr.* 《*Chile. Méx.*》 안색을 살피다, (상대방의) 얼굴을 뚫어지게·자세히 보다 ; 잘 보다, 살피다(examinar).

semblanza *f.* 【고어】 =**biografía, semejanza, parecido, analogía.**

sembrada *f.* 밭 ; 씨앗을 뿌리기 ; 나무 심기.

sembradera *f.* 파종기, 씨앗 뿌리는 기계.

sembradero *m.* 《*Col.*》 작은 밭, 작은 묘밭, 남새밭.

sembradío, a *adj.* 씨앗을 뿌릴 수 있는.

sembrado, da *adj.* sembrar의 *p.p.* **—***m.* 밭 : ~ de patatas 감자밭.

sembrador, ra *adj. m.f.* 씨를 뿌리는 (사람).

sembradora *f.* =**sembradera.**

sembradura *f.* 씨뿌리기 ; 뿌리는 일 ; 산재.

sembrar *tr.* [*lat.* seminare] ⑲ ①(…에) 씨를 뿌리다, 뿌리다 : ~ el trigo 밀을 뿌리다. Los padres *siembran* y los hijos recogerán el fruto 부모들이 씨를 뿌리고 아이들이 그 혜택을 받는다. ~ un campo *de* trigo 밭에 밀을 뿌리다. ②흩뿌리다, 살포하다 : ~ dinero por la calle 거리에 돈을 뿌리다. campo *sembrado de* flores 꽃이 점점이 피어 있는 들. ③(…의) 씨를 뿌리다(causar, provocar) : ~ la discordia 불화의 씨를 뿌리다. ~ la fe en los corazones 사람의 마음에 신앙의 씨를 심어주다. ④세상에 널리 퍼뜨리다·유포시키다. ⑤《*Méx.*》 쓰러뜨리다(derribar).

sembrío *m.* 《*AmérM.*》 =**sembrado.**

semeiología *f.* =**semiología.**

semeja *f.* [드뭄] 닮음, 비슷함(semejanza). —*pl.* 표시, 표적, 징후(señal).

semejable *adj.* [드뭄] 닮을 수 있는; 비슷한.

semejado, da *adj.* [semejar의 *p.p.*] =**semejante, parecido.**

semejante *adj.* ①[+a : …와] 비슷한, 닮은 : dos objetos ~*s* 비슷한 두 물건. un libro ~ *a* otro en todo 별개의 아주 비슷한 책. ②비슷한 듯한, 똑같은, 이와 같은 : No he visto a ~ hombre. ③[과장적으로] 그러한 : No es lícito valerse de ~*s* medios 그런 수를 쓰는 것은 옳지 못하다. [*N.* 이 경우, 명사의 앞에 붙으며 관사가 따르지 않음]. ④【기하】 서로 닮음. —*m.* ①유사, 상사(相似), 비슷한 것 : Este es el ~ 이것도 비슷한 것이다·일이다. Es muy ~ *a* ti en el carácter 그는 성격이 너와 많이 닮아 있다. ②모조, 모조품, 위조품. ③동류, 동배(同輩), 동포, 한 겨레(prójimo) : Ellos también son nuestros ~*s* 그들도 우리의 동포이다. Piense que son nuestros ~*s* 그들도 우리와 같은 사람임을 생각하십시오.

semejantemente *adv.* 같은 모양으로, 비슷하게; 똑같이 닮게.

semejanza *f.* 상사, 유사, 똑같음(parecido) : a ~ de …과 같이, …에 닮아서. La flor tiene mucha ~ con la margarita 그 꽃은 들국화와 많이 닮았다.

semejar(se) *intr.* (*r.*) [+a : …과] 닮다, 비슷하다(parecerse) : ~ uno a otro.

semejos *m. pl.* 《*Col.*》 *darse* ~ 닮다, 비슷하다(parecerse, semejar).

semen *m.* [*lat.* semen] 종자(semilla); 정액(精液).

semencera *f.* =**sementera.**

semencontra *f.* [*lat.* semen contra vermes] 구충제.

semental *adj.* 씨·종자의; 종축(種畜)의. —*m.* 종축용 수컷.

sementar *tr.* 씨를 뿌리다(sembrar).

sementera *f.* 씨뿌리기, 파종 (시기); 밭; 못자리; [추상적] 종자(semillero, origen).

sementero *m.* ①씨앗 자루. ② =**sementera.**

sementino, na *adj.* 씨앗·종자(種子)의, 종자용의.

semestral *adj.* 6개월의; 반년마다의, 반기(半期)의 : amortización ~ 반기 상환. una revista ~ 상·하반기 잡지.

semestralmente *adv.* 반년마다.

semestre *m.* [*lat.* semestris] ①6개월, 반년, (상·하) 반기(半期) : el primer · segundo ~ 상·하반기. ②(6개월제의) 한 학기; (수입금·신문 등의) 반년분.

semi- *pref.* [*lat.* semi] 「거의…」, 「절반의」, 「대부분」의 뜻의 접두어 : *semi*círculo, *semi*difunto.

semianular *adj.* 반년의, 반년마다의.

semiárido, da *adj.* 비가 아주 적은, 반 건조한 (기후).

semiautomático, ca *adj.* 반자동적인.

semibreve *m.* 【음악】 전음부.

semicabrón *m.* =**semicapro.**

semicapro *m.* 반양 반인(半羊半人)의 괴물 (sátiro).

semicilíndrico, ca *adj.* 반원통의.

semicilindro *m.* 반원통.

semicircular *adj.* 반원(형)의.

semicírculo *m.* 반원(형), 반월형(半月形) : colocarse en ~.

semicircunferencia *f.* 반원주(半圓周).

semiconductor, ra *adj.* 반도체의. —*m.* 반도체.

semiconsonante *adj.* 반자음의《diablo, cuando 등 이중 모음 앞의 i, u를 가리킴》. —*f.* 반자음자(半子音子).

semicopado, da *adj.* 【음악】 이세(移勢)된, 조절된(sincopado).

semicorchea *f.* 【음악】 16분음부.

semicromático, ca *adj.* 【음악】 사부 음계의.

semicupio *m.* 《*Cuba.*》 목욕에서 허리만 담그는데 쓰는 목욕통.

semidea *f.* 【시어】 =**semidiosa.**

semideo *m.* 【시어】 =**semidiós.**

semidiáfano, na *adj.* 반투명의.

semidiámetro *m.* 반경, 반지름.

semidiapasón *m.* 【음악】 불완전 제8음정.

semidifunto, ta *adj.* 반죽음의.

semidiós, sa *m.f.* 반신(半神), 신인(神人) (héroe).

semidoble *adj.* (장엄 미사 다음의) 반장엄(半莊嚴)의, 중간 장엄의.

semidormido, da *adj.* 비몽 사몽간의, 선잠을 자는.

semidragón *m.* 반용 반인(半龍半人)의 괴물.

semieje *m.* (장원〈長園〉의) 반축(半軸).

semienterrado, da *adj.* 완전히 묻히지 않는.

semiesfera *f.* 반구(半球)(hemisferio).

semiesférico, ca *adj.* 반구(형)의.

semifinal *adj.* 준결승의. —*f.pl.* 준결승(전).

semifinalista *adj. m.f.* 준결승 출전의 (자); 준우승자.

semiflósculo *m.* (국과 식물 꽃의) 설상화(舌狀花).

semifluido, da *adj.* 반유동의. —*m.* 반유동체.

semiflúido *m.* =**semifluido.**

semiforme *adj.* 반형성(半形成)의.

semifusa *f.* 【음악】 64분 음부.

semifuso, sa *adj.* 《*PRico.*》 발이 움츠러든.

semihombre *m.* 【고어】 소인(小人), 난쟁이 (pigmeo).

semilíquido, da *adj.* 반 액체의.

semilla *f.* [*lat.* semen, seminis] ①씨, 종자 : sin ~ 씨 없는. ②바탕, 근원. —*pl.* 수수류《수

수나 옥수수》: tratar en ~*s*.

semillero *m.* ① 못자리, 묘상(苗床): ~ de árboles frutales 과실수의 묘상. ② 기원, 바탕, 근원: ~*s* de vicios.

semilunar *adj.* 반달형의.

semilunio *m.* 반달 (모양).

semimanga *f.* 반소매.

seminal *adj.* 정액(精液)의; 종자의.

seminario *m.* ① 못자리, 묘상(semillero). ② 기원, 시작, 원인(origen). ③ 신학교, 학원; 교습소, 양성소: ~ conciliar 신학교. ④ 세미나; 그 연구실; 연구과; 연구회, 토론회.

seminarista *m.f.* 신학생; (대학의) 연구생.

seminífero, ra *adj.* 정액(精液)의, 수정(輸精)의: tubos ~*s*.

semínima *f.* 【음악】 4분 음부. —*pl.* 자질구레한 것(menudencias).

sémino *f.* 《*SDgo.*》 수말과 암나귀 사이의 새끼.

seminternado *m.* 급식(의 제도·학교).

seminuevo, va *adj.* 중고의, 새것 같은.

semioficial *adj.* 반관(半官)의.

semiología *f.* 기호학(記號學); 증후학.

semiológico, ca *adj.* 【의학】 증후학의.

semioscuridad *f.* 불완전한 어두움.

semiotecnia *f.* 음악 기호의 전체; 그 지식.

semiótica *f.* ① 【의학】 증후학(症後學). ② 【논리】 기호론.

semiótico, ca *adj.* 【의학】 증후학의.

semiparásito, ta *adj.* 【생리】 반기생의.

semipedal *adj.* 반걸음의 (길이).

semiperiodo *m.* =**semiperíodo.**

semiperíodo *m.* 【전기】 반주파.

semipermeable *adj.* 반투명성의.

semipesado *adj.* *m.f.* 라이트 헤비급의 (복서).

semiplenamente *adv.* 불완전하게; 일방적으로.

semipleno, na *adj.* 【법률】 불완전(不完全)한 (incompleto, imperfecto); 일방적인: prueba ~.

semiproducto *m.* 부산물.

semiquintil *m.* 유성(遊星)이 서로 36도를 사이하고 있는 거리.

semirrecto *adj.* 반직각·45도의: ángulo ~.

semirrubio, bia *adj.* 반 붉은 털의, 블론드 비슷한.

semis *m.* 로마의 옛 돈.

semisalvaje *adj.* 반 미개의, 반 야만의.

semisólido, da *adj.* 반 고체의.

semisuma *f.* 절반, 2로 나눈 수.

semisurgente *adj.* 땅표면까지 오르지 않는 샘물의.

semita[1] *f.* ① 《*Amér.*》 과자 빵의 일종. ② 《*Méx.*》 보통 빵.

semita[2] *adj.* 【성서】 셈 《Sem, 노아의 아들》의; 셈의 자손의. —*m.pl.* 셈족《셈의 자손으로 불리는 아라비아·유태·헤브루·시리아인 등》.

semítico, ca *adj.* 셈족의, 셈족에 관계되는, 셈족계의; 셈어계의: estudiar las lenguas ~*cas* 셈어를 연구하다. —*m.* 셈어.

semitismo *m.* 셈족풍; 셈족 문화; 셈어식 발음.

semitista *m.f.* 셈어 학자.

semitono *m.* 【음악】 반음, 반음정.

semitrasparente *adj.* =**semitransparente.**

semitransparente *adj.* 반투명한.

semivivo, va *adj.* 거의 숨이 넘어가게 된.

semivocal *adj.* 반모음의 《aire, aula 등, 이중 모음 뒤에 있는 i, u를 가리킴》. —*f.* 반모음자.

semnopiteco *m.* 【동물】 원숭이의 일종.

sémola *f.* [*lat.* semola] 탄 보리; (껍질을 벗긴) 보리.

semoviente *adj.* 가축류의: bienes ~*s* 가축, 목축 재산. —*m.pl.* 가축류, 가축.

sempervirente *adj.* 상록 식물의.

sempiterna *f.* 【식물】 천일홍(perpetua).

sempiternamente *adv.* 영구히, 영원히.

sempiterno, na *adj.* 영원한, 불멸의(eterno, perpetuo).

sen *m.* 【식물】 센(arbusto leguminoso parecido a la casia).

sena[1] *f.* [*ár.* sena] 【식물】 센(sen).

sena[2] *f.* [*lat.* sena] (주사위 눈의) 6.

Sena, el *m.* 【지명】 세느강.

senada *f.* 호주머니(seno)·앞치마 하나 가득한 분량, 그것을 채울 수 있는 분량.

senado *m.* [*lat.* senatus] ① 상원, 귀족원; 참의원, 원로원: César fue asesinado en el ~. ② 【고어】 (연극의) 관객.

senadoconsulto *m.* (고대 로마의) 원로원령(元老院令), 원로원의 결의 사항.

senador *m.* 상원·귀족원·원로원·참의원 의원, 참의, 참사.

senaduría *f.* senador의 지위·직.

senara *f.* 고용인에게 준 토지; 그 수확; 밭.

senario, ria *adj.* ① 6단위의, 6개의. ② 【시어】 6음각의.

senatorial *adj.* 원로원의, 상원의.

senatorio, ria *adj.* =**senatorial.**

S. en C. Sociedad en Comandita.

sencido, da *adj.* 《*And. Ar. Sor. Rioja.*》 =**cencido, intacto.**

sencillamente *adv.* 단지, 간단하게, 단순하게, 솔직히, 꾸밈없이, 소박하게, 순순히(con sencillez): hablar ~ 간단하게·솔직히 말하다. Vestía con mucha ~ 그는 매우 간소한 옷을 입고 있었다.

sencillero, ra *m.f.* 《*Ecuad. Perú.*》 월부 판매원.

sencillez *f.* ① 순박, 단순, 간단. ② 소박, 꾸밈없음, 천진스러움, 유순성, 앳됨, 천진 난만(ingenuidad): la ~ del vestido 옷의 소박함. ③ 《*SDgo.*》 호인, 어리석은 일.

sencillo, lla *adj.* ① 순한, 단순한, 간단한; 단일의: habitación ~*lla* 방 하나. billete ~ 편도표. El trabajo no era tan ~ como parecía 그일은 보기보다 간단하지는 않았다. ② 소박한, 꾸밈없는, 간소한: vestido ~. ③ 소탈한: hombre ~. ④ 솔직한: persona ~*lla*. —*m.* 《*Amér.*》 잔돈(menudo, suelto).

senda *f.* [*lat.* semita] ① 작은·좁은 길(caminito estrecho), 길: no abandonar la ~ de la virtud. 덕의 길을 포기하지 않다. Me conduce por ~*s* de justicia (신은) 나를 정의의 길로 인도하신다. ② 방법.

SENDAS Secretaría Nacional de Asistencia Social.

senderar *tr.* =**senderear.**

senderear *tr.* 이끌다, 안내하다(guiar); (…에) 길을 열다. —*intr.* 비상 수단을 쓰다, 엉뚱한 생각을 하다.

sendero *m.* =**senda.**

senderuela *f.* 《*Rioja.*》 센데루엘라 《5월부터 9월까지 오솔길에서 나는 식용 버섯》.

sendo, da *adj.* 【속어】 커다란, 심한, 거대한, 막중한, 터무니없는: Recibió ~*dos* disgustos 아주 불유쾌한 일을 당했다.

sendos, das *adj. pl.* [관사없이 쓰임] 각각 하나씩의: Dio a ambos ~ golpes 두 사람에게 하나씩 군밤을 먹였다. Se comieron ~*das* tortas 모두 과자 하나씩을 먹었다.

séneca *m.* 아주 박식한 사람(hombre muy sabio).

senectud *f.* [드뭄] =**vejez.**

senegalés, sa *adj.* 세네갈 《el Senegal, 북아프리카의 전 불란서 식민지》의. —*m.f.* 세네갈 사람.

senegaliano, na *adj. m.f.* =**senegalés.**

senequismo *m.* 세네카 《Séneca, 꼬르도바에서 태어나 로마에 이름을 떨친 철학자(2—66)》 철학.

senequista *adj. m.f.* 세네카 철학의; 그 계승자.

senescal *m.* (왕실 등의) 집사, 가령(家令).

senescalado *m.* senescal의 영유지·직·지위.

senescalía *f.* senescal의 직·지위.

senescencia *f.* 노쇠성.

senescente *adj.* 노쇠하기 시작한.

senil *adj.* 늙은, 노령의, 노인의: edad ~ 노년기. debilidad ~ 노령기의 쇠약.

senior *adj. m.f.* =**sénior.** —*m.* ①【고어】=**señor.** ②【고어】=**senador.**

sénior *adj. m.f.* [*lat.* senior] (운동 경기의) 고참자(의), 선배(의).

seno *m.* [*lat.* sinus] ① 오목한 것, 패인 것, 들어간 것(hueco, concavidad): ~ de una llaga. ②【해부】강(腔). ③ 흉강(胸腔); 가슴(pecho): Llevaba una medalla en el ~. ④ (여자의) 유방; 품속, (숨을 수 있는 따뜻한) 품(regazo): Sacó del ~ una bolsa. ⑤ 가슴속: Lo llevaba siempre guardado en el ~ 그는 그것을 언제나 품안에 넣고 있었다. ⑥ (품속같은) 불룩함: formar ~ 불룩하게 하다. ⑦【해부】자궁(matriz). ⑧ 한복판, 내부, 깊숙히 들어간 곳, 중앙: en el ~ del mar 바다 한복판에. ⑨ 후미; 만(灣); (파도의) 골짜기. ⑩【수학】사인, 정현(正弦)(~ recto): ~ segundo 코사인, 여현. ~ verso 삼각법의 정시〈正矢〉.

senoidal *adj.* =**sinusoidal.**

sensación *f.* [*lat.* sensatio] ① 느낌, 마음, 기분, 감정: una ~ de frescura 서늘한 느낌. producir una ~ agradable 상쾌한 기분을 느끼게 하다. Algunas masas de hielo nos producen una ~ de frescura 두어 개의 고드름이 우리에게 서늘한 느낌을 일으키게 한다. ② 감각, 지각(知覺). ③ 감동(感動), 감개(感慨), 흥분. ④ 센세이션, 물의, 평판(이 대단한 것), 대사건: Es ésta la novela que ha causado ~ 선풍적인 인기를 불러 일으킨 소설은 이것이다.
hacer ~ 남의 이목을 끌다.

sensacional *adj.* ① 선풍적 인기의, 대평판의, 세상을 놀래는, 놀라운; 선정적인. ② 감각·지각의. ③【철학】감각론의.

sensatamente *adv.* 깊은 생각을 가지고, 현명하게; 진지하게.

sensatez *f.* 사려 분별, 사려(prudencia); 현명.

sensato, ta *adj.* 사려·분별있는(prudente); 현명한.

senserina *f.* 《*Sal.*》 =**tomillo fino.**

sensibilidad *f.* ① 감각(력), 지각: Los nervios son los órganos de la ~ 신경은 감각 기관이다. ② 신경 과민, 신경질. ③ 감성, 감수성: tener demasiada ~. ④ (계기 따위의) 감도. ⑤【사진】감광성.

sensibilización *f.* sensibilizar하는 일.

sensibilizar *tr.* ⑨ 감광성이 있게 하다; 감도를 높이다; 감각을 예민하게 하다: La música *sensibiliza* el oído 음악은 귀의 감각을 좋게 한다.

sensible *adj.* [*lat.* sensibilis] ① 분별있는, 양식(良識)을 갖춘, 사리를 아는, 현명한. ② 느낄 수 있는, 지각할 수 있는: Los animales son ~*s.* ③ 두드러질 정도의, 현저한, 분명한. ④ 감각이 있는. ⑤ 느끼기 쉬운, 민감한, 예민한: Era una niña ~ 그녀는 감수성이 예민한 아이였다. Ella es muy ~ *a* la injuria 그녀는 모욕에 무척 민감하다. Los perros tienen los oídos muy ~*s* 개는 무척 민감한 귀를 가지고 있다. Tenía el oído muy ~ *a* la música 그는 음악에 매우 예민한 귀를 가지고 있었다. ⑥ 감정적인, 다감한; 곧잘 슬픔을 타는. ⑦ 감도가 강한, 감광성의: placa ~ 감광판.

sensiblemente *adv.* 감정으로; 슬픈 듯이.

sensiblería *f.* 감정의 과장, 과장된 감정.

sensiblero, ra *adj.* 감정이 과장된. —*m.f.* 감정가.

sensitiva *f.*【식물】함수초.

sensitivo, va *adj.* ① 민감한, 예민한: oído ~ 밝은 귀. ② 느끼기 쉬운; 감수성이 강한; 신경과민의, 화 잘 내는; (감정이) 상하기 쉬운; 걱정·고민하는. ③【사진】감광성(感光性)의 (필름 따위); 【기계】감도가 좋은·강한. ④【상업】불안정한(시장 따위). ⑤ (국가 기밀을 취급하므로) 극히 신중을 요하는, 절대로 충성을 필요로 하는.

sensorial *adj.* 감각 중추의.

sensorio, ria *adj.* ① 감각의: órgano ~ 감각 기관. ② 지각의: fenómenos ~*s* 지각 기관.
—*m.* 감각·지각 중추(~ común), 지각 기관.

sensual *adj.* ① 관능적인, 육감적인, 호색의, 육욕의: hombre ~ 호색한. placeres ~*es* 관능의 쾌감. ② 세속적인, 물질적인. ③ 감각의. ④【철학】감각론의.

sensualidad *f.* 육감, 관능성, 육욕성, 관능적인 일; 감지성, 감각성; 음탕, 호색: vivir con ~.

sensualismo *m.* ① 육욕·관능주의, 호색. ②【철학】감각론. ③【윤리】쾌락주의. ④【미술】감각주의.

sensualista *adj.* 감각론의; 육욕주의의. —*m.f.* 감각론자; 관능주의자, 쾌락주의자; 【미술】감각주의자.

sensualmente *adv.* 관능적으로; 기분좋게.

sentada *f.* ① 앉아 있기(asentada). ② 《*Col.*》 빨리 뛰는 말을 갑자기 정지시키는 일.

de una ~ 앉은 자리에서, 일어나지 않고, 앉아 있는 동안, 앉은 그대로, 자리를 뜨리 않고(sin levantarse) : *De una* ~ se zampó una pierna de cordero y seis pasteles 그는 앉은 자리에서 새끼양 다리 하나와 케이크 여섯 개를 먹어 치웠다.

sentadero *m.* 좌석으로 사용되는 물건 《특히 돌, 통나무 등》.

sentadillas (a) *adv.* 여자처럼 타고, 여자가 타는 식으로, 걸터 타고(a mujeriegas, a asentadillas).

sentado, da *adj.* [sentar의 *p.p.*] ① 앉은, 걸터앉은 : estar ~ a la mesa 식탁에 앉아 있다. Una vieja iba ~*da* delante de mí 내 앞에 한 노파가 앉아 있었다. ② 신중한, 분별있는(prudente) ; 침착한, 안정된, 정착된(juicioso). Sinón. sesil.

dar por ~ 침착했던 것으로 인정하다.

sentador, ra *adj.* 《*Chile.*》 (옷이) 몸에 꼭 맞는.

sentadura *f.* 【의학】 부르틈.

sentamiento *m.* 착석(하는 일).

sentar *tr.* ⑲ [*lat.* sedere] ① 앉히다, 착석시키다, 걸터앉게 하다(asentar) : Voy a ~le en la última fila 제일 뒷줄에 그를 앉힐려고 한다. ~ a uno en la butaca (누구를) 안락 의자에 앉히다. ~ a uno a la mesa (누구를) 식탁에 앉히다. ② 기입하다, 기장(記帳)하다 : ~ una partida · en los libros · en cuenta. ③ 《*Col.*》 (말을) 딱 멈추게 하다 ; 놀라 어안이 벙벙하게 만들다(apabullar).

—*intr.* ① (음식물 · 음료수가 위에) 자리잡다 : Me *ha sentado* mala comida 음식이 내 입에 맞지 않았다. ② (몸 · 체질 등에) 맞다, 적합하다 : Le *sentará* mal la ducha 샤워는 그에게는 좋지 않을 것이다. Me *sienta* mal la grasa 지방은 내 몸에 좋지 않다. ③ (옷 따위가) 맞다, 어울리다 : Le *sienta* bien ese chaleco. ④ [+bien · mal] 맞다, 어울리다, 딱 맞다 · 맞지 않다 : El hablar modesto le *sienta* bien. ⑤ 마음에 들다(agradar) : Tu consejo no le *sentó* 너의 충고는 그의 비위에 맞지 않았다.

~se ① 앉다, 착석하다, 걸터앉다 ; 좌석에 앉다(asentarse, ponerse en un asiento) : ~*se a* la mesa 식탁에 앉다. ~*se* en el sofá 소파에 앉다. ~*se* en el suelo 땅바닥에 앉다. Yo *me senté* al lado del doctor 나는 의사 옆에 앉았다. *Siéntese* usted aquí 여기 앉아 주세요. *Siéntense,* por favor 여러분, 앉으십시오. *Siéntate* aquí 여기 앉아라 · 앉으세요 《친칭 명령》. No *te sientes* 앉지 마라. *Sentémonos* 우리 앉읍시다. No *nos sentemos* 앉지 맙시다. *Sentaos* 너희들 앉아라. No *os sentéis* 너희들 앉지 마라. Los invitados están *sentados* a la mesa 손님들은 테이블에 앉아 있다. ② 흠 · 자국이 나다, 상하다 ; 구두가 쓸리거나 상하다 : *Se* me *ha sentado* una costura.

~ ***como un tiro*** 아프다(caer muy mal).

~se en la palabra 《*Col.*》 쉬지 않고 마구 지껄여 대다.

[직설법 현재 : siento, sientas, sienta, sentamos, sentáis, sientan. 접속법 현재 : siente, sientes, siente, sentemos, sentéis, sienten].

sentazón *f.* 《*Chile.*》 【광물】 낙반.

sentencia *f.* ① 금언, 격언 : ~ de Séneca. ② 판결(문), 선고 : ~ injusta 부당한 판결. ~ pasada en cosa juzgada 상소하여 확정된 판결. ~ de muerte 사형 선고. El tribunal dictó la ~ 재판소는 판결을 선고했다. ③ (일반적으로) 판정, 재정 ; 신의 심판 : las ~*s* de la opinión. ④ 의견, 비판. ⑤ 【상업】 (손해 배상 청구 등의) 재정(액) : ~ arbitral 재정서.

fulminar · pronunciar la ~ 판결을 내리다 ; 판정 · 재정 · 심판하다 ; 그 결과를 선언하다.

sentenciador, ra *adj. m.f.* 선고 · 판결 · 판정하는 (사람) : tribunal ~.

sentenciar *tr.* ⑪ ① 선고하다, 판결하다(pronunciar una sentencia) ; 형에 처하다, 처벌하다 : Se le *ha setenciado a* trabajos forzados 그는 강제 노동형에 처해졌다. ~ a uno *por* estafa 누구를 사기죄로 처벌하다. ② 재정하다. ③ 처분하다 : ~ un libro *a* la hoguera 책을 불사르기로 하다.

sentención *m.* [*aum.* sentencia] 가혹한 판결(sentencia muy rigurosa).

sentenciosamente *adv.* 근엄하게, 엄숙하게, 공연히 거드름을 피워 ; 격언적으로 : hablar ~.

sentencioso, sa *adj.* ① 격언적인, 금언같은 : frase ~*sa*. ② 곧잘 돈을 쓰는 : hombre ~ 돈을 잘 쓰는 사람. ③ 근엄한, 공연히 으시대는 : lenguaje ~. ④ 금언 · 격언을 좋아하는.

senteneja *f.* 《*PRico.*》 =**sarteneja.**

sentenzuela *f. dim.* sentencia.

senticar *m.* =**espinar.**

sentidamente *adv.* 슬픈듯이, 슬프게.

sentido, da *adj.* ① 감정이 서린, 의미있는 : un pésame muy ~ 감정이 넘친 조의문. ② 슬픈, 애절한. ③ 감정이 풍부한, 성마른. ④ 《*Méx.*》 금이 조금간.

—*m.* ① 느낌 ; 감각 : los cinco ~*s* 오관(五官). Hasta entonces sus cinco ~*s* funcionaban normalmente 그때까지는 그의 오관은 정상적으로 작용했다. ② 의지 : Perdió el ~ 그는 의식을 잃었다. ③ 감성, 감각 ; 판단력 : buen ~ 양식. ~ común 상식. tener ~ de la estática 미적 감각이 있다. El carece del ~ común 그는 상식이 없다. Ese hombre no tiene ~ 그 사람은 판단력이 없다. ④ 의미, 의의, 뜻(significado, significación) : palabra de doble ~ 두 가지 뜻이 있는 말. No lo tome usted en ese ~ 그것을 그런 의미로 받아들이지 마시오. en el ~ de que… …이라는 의미에서. Este vocablo tiene varios ~*s* 이 단어는 여러 가지의 의미가 있다. ⑤ 목적성, 목적 의식 : Su conducta carece de ~ 그의 행위에는 목적 의식이 없다. ⑥ 방향(dirección) : el ~ de movimiento 움직이는 방향. en ~ contrario 반대 방향으로. Caminaba en ~ opuesto 나는 반대 방향으로 걷고 있었다. ⑦ 《*Amér.*》 관자놀이(sien).

sin ~ 의미없는 ; 의식하지 않고 ; 의식을 잃고.

con todos sus cinco ~s 무척 주의하여.

abundar en un ~ 고집을 피우다, 집착하다.

aguzar el ~ ① 무척 신중하다(poner gran cuidado). ② 무척 주의를 기울이다(prestar mucha atención).

costar un ~ 비싸게 먹히다.

darse por ~ 발끈하다.
perder el ~ 실신하다, 졸도하다, 의식을 잃다 (privarse, desmayarse).
valer un ~ 몹시 값이 비싸다·귀중하다.

sentidor, ra *adj.m.f.* 【고어】 느끼는, 느낄 수 있는 (사람).

sentimental *adj.* ① 감상적인, 다정 다감한; (나쁜 의미로) 정에 약한, 눈물이 헤픈 : La vieja era tan ~ que guardaba todo lo que había sido de su marido 그 노부인은 매우 감상적인 여인이어서, 남편의 물건은 무엇이나 간직해 두고 있었다. ② 감정적인 : un discurso ~. ③ 감정이 과장된 : muchacha muy ~. ④ 잘난 척하는.

sentimentalismo *m.* ① 감상(感傷), 다감 : quitar el ~ 감상을 버리다. ② 감정·감상주의, 감격성.

sentimentalmente *adv.* 감상적으로 : escribir ~ 감상적으로 글을 쓰다.

sentimentero, ra *adj.*《*Méx. PRico.*》=**sensiblero.**

sentimiento *m.* ① 느낌; 정(情), 감정; 감격, 마음. ② 슬픔; 유감(pesar, aflicción) : con profundo ~ 유감스럽게도. tener mucho ~ *por* una cosa 어떤 일을 몹시 슬퍼하다. saber con mucho ~ 알고서 슬퍼하다, 유감으로 생각하다. ③ (예술에 나타난) 정취, 정서.

sentina *f.* [*lat.* sentina] ① (물이 고이는) 배밑창 ② 쓰레기터, 매우 불결한 곳(lugar muy sucio). **Sinón.** albañal. ③ 악의 소굴 : las ~*s* del vicio.

sentir[1] *m.* 느낌(sentimiento); 의견(dictamen, opinión), 생각(parecer) : ~ común 여론. A mi ~ te equivocas 내 생각에는 내가 틀렸다.

sentir[2] *tr.* 53 [*lat.* sentire] ① 느끼다 : ~ alegría *por* una cosa 어떤 일에 기쁨을 느끼다. ~ frío 추위를 느끼다. ~ hambre 배고픔을 느끼다. ~ miedo 공포를 느끼다. *Por* aquí *siento* un agudo dolor 나는 이 근처에 날카로운 아픔을 느낀다. ② 느끼다, 깨닫다 : sin ~ 느끼지 않고; 무의식으로. ③ 판단·생각하다(juzgar) : Digo lo que *siento* 나는 생각한 바를 말하고 있는 거야. ④ 듣다, 들린다(percibir) : *Siento* pasos 나는 발소리가 들린다. No lo *he sentido* nunca《*Amér.*》 나는 그러한 일은 들은 일이 없다. ⑤ 느껴 알다, 맛보다 : ~ bien el verso. ⑥ 슬퍼하다 : *Sentíamos* mucho la muerte del amigo 친구의 죽음을 몹시 슬퍼했다. ⑦ 유감이다, 가엾어하다, 안스러워하다 : Lo *siento* mucho 안됐습니다; 섭섭합니다, 애석하게·유감으로 생각한다; 미안합니다. *Siento* mucho molestarle 당신을 괴롭혀서 죄송합니다; 실례했습니다. *Siento* que no hayas venido 네가 오지 않아 유감스럽다. *Sentimos* no poder enviárselo 유감스럽게도 그것을 보내드릴 수가 없습니다. *Siento* mucho haberle hecho esperar 기다리게 해서 미안합니다. *Siento* mucho llegar tan tarde 이렇게 늦게 와서 대단히 죄송합니다.
~se ① 유감으로 생각하다, 불평을 품다; 발끈하다 : ~*se de* unas palabras 어떤 말을 듣고 발끈하다. No *me sentía* bien 나는 기분이 언짢았다·나빴다. *Me siento* mucho mejor 기분이 훨씬 좋아졌다. ② (몸의 일부에) 아픔을 느끼다 : ~*se de* la mano 손이 아픈것을 느끼다. ③ 다치다 : ~*se del* pecho. ④ [+형용사 : …하는] 생각이 든다 : ~*se* enfermo 병이 아닌가 생각이 든다. ~*se* malo 병이 아닌가 생각이 든다. *Me siento* feliz 나는 행복하다고 생각한다. ⑤ 마음이 들다 : ~*se* muy obligado 몹시 송구스럽게 생각된다. ⑥ 금이 가다, 갈라지다, 균열이 생기다 : Este vaso *se siente.* ⑦ 썩어 들어가다. ⑧《*Amér.*》 원망하다, 화내다.
dar que ~ 슬프게 만들다.
tener que ~ 슬퍼하는 까닭이 있다.
[직설법 현재 : siento, sientes, siente, sentimos, sentís, sienten. 접속법 현재 : sienta, sientas, sienta, sintamos, sintáis, sientan. 직·부정과거 3인칭 단·복수 : sintió, sintieron; 접·불완료과거 : sintiera…, sintiese…. 현재 분사 : sintiendo].

sentón *m.* ①《*AmérC. Méx.*》 엉덩방아 찧기. ②《*AmérC. Ecuad.*》 달리는 말을 갑자기 정지시키기.

seña *f.* [*lat.* signa] ① 표, 부호; 표적, 표시, 증거 : ~*s* mortales 명백한 증거. por más ~*s* 더 강력한 증거로서. No dejaron ni ~*s* del pastel 그들은 과자를 깡그리 먹어 치웠다. ② 낌새, 거동, 몸짓(señal) : dar ~*s* de impaciencia 초조한 듯이 거동하다. ③ 신호, 손짓 : hablar por ~*s* 손짓으로·신호로 말하다. El mudo hablan por ~ 벙어리는 손짓으로 말한다. hacer ~*s* 신호를 하다; 몸짓으로 보이다. ④ 암호(~ de reconocimineto). ⑤ 표적(señal) : ~*s* personales 인상서. ⑥《*Chile.*》 사원의 종. —*pl.* 주소(dirección) : ¿Quiere usted escribir aquí sus ~*s*? 여기 주소를 써주시겠습니까? Me olvidé de poner las ~*s* en el sobre 나는 봉투에 주소를 쓰는 것을 잊었다. ¿Cuáles son sus ~*s*? 주소는 어디입니까?

señá *f.* señora의 사투리.

señal *f.* ① ㄱ) 표, 표적(marca) : poner una ~ a un árbol 나무에 표를 하다. ㄴ) 표식; 표기 : ~ de borrica frontina 넌지시 보이는 중심·속셈. ~ de la cruz 십자의 표시. ~ de tronca 짐승의 귀를 자른 표시. ② ㄱ) 신호 : ~*es* de peligro 위험 신호. ㄴ) (전화나 기계의) 신호 : hacer ~ 신호를 하다. ㄷ) (손짓·눈짓 등의) 신호 (aviso). ③ (전신의) 전파. ④ 안내, 길잡이 : poner una ~ en un libro. ⑤ 표적, 기척; 징후, 낌새 : El color amarillo en la fruta es ~ de madurez 과실이 노랗게된 것은 익은 징조이다. sin ~ de vida 살아 있는 것 같지도 않게. ⑥ 증거(prenda, prueba). ⑦ 자국, 흔적, 형적(形跡); 발자국; 상처 자국(cicatriz) : ~*es* de viruelas 천연두 자국. ⑧ 증거금; 착수금. Tuve que dejar 5000 pesetas en ~ 나는 착수금으로 5000 뻬세따를 예치해야 했다. ⑨ 경계표(mojón).
en ~ *de* …의 표시·증거로서 : bandera a media asta *en* ~ *de* duelo 경조(敬弔)의 표시인 반기.
ni ~ 흔적도 없이.

señala *f.*《*Chile.*》 가축의 귀를 자른 표시.

señalada *f.*《*Arg.*》=**señala.**

señaladamente *adv.* 현저하게, 특히(especialmente, particularmente).

señalado, da *adj.* [señalar의 *p.p.*] ① 유명한 (famoso, célebre); 뜻 깊은 : un día tan ~ 뜻 깊은 날. ② 뚜렷한, 현저한 : con un acento catalán bien ~ 뚜렷이 알 수 있는 까딸루냐식

발음으로.

señalamiento *m.* señalar하는 일.

señalar *tr.* ① (…에) 표를 하다(poner una señal); 도장을 찍다(rubricar) : ~ un carnero 양에게 표를 찍다 · 하다. *Señale* usted esta caja con la marca, "frágil" 이 상자에 《깨질 물건》의 표를 해 주십시오. ② 가리키다, 점찍어 두다 ; 나타내다, 지시하다, 보이다 ; 가르치다 : ~ con el dedo 손가락으로 가리키다. El termómetro *señala* 5 grados bajo cero 온도계는 영하 5도를 가리킨다. ③ (때 · 장소 등을) 지정하다(determinar) : ~ el día de una reunión 회의 날을 정하다. ④ 흔적을 남기다. ⑤ (어떤) 신호를 하다. ⑥ 낌새를 보이다, 모습을 보이다 : ~ una estocada 찌르는 척하다.

~se ① 뛰어나다, 빼어나다(distinguirse, hacerse muy notable) : *~se* en la artes 예술 분야에 뛰어나다. Se ha *señalado,* especialmente, como ensayista 그는 수필가로서 특출하였었다. ② 수훈을 세우다.

señaleja *f. dim.* señal.

señalero *m.* (철도의) 신호수.

señalización *f.* ① señalizar 하기. ② (철도 따위의) 신호 제도.

señalizar *tr.* 9 시그널을 설치하다 ; (철도 따위에서) 신호하다.

señera *f.* 【고어】 = **seña.**

señero, ra *adj.* [드묾] = **solitario.**

señolear *intr.* señuelo로 사냥하다.

señor, ra *adj.* [*lat.* senior] ① (본래는 영토를 · 무엇을) 차지하는 · 지배 · 군림하는 · 다스리는. ② 신분이 높은, 고귀한(noble, distinguido). ③ 【속어】 지독한 : Me dio un ~ disgusto ; Se produjo una *~ra* herida. ④ [사람의 성명에 붙이는 경칭 ; 더러는 직함에 붙임 ; 사람을 부를 때에는 관사를 쓰지 않음 ; 여성형은 기혼 부인]… 군 · 씨 · 귀하 · 님 : el ~ González 곤살레스 씨. el ~ director 사장님. el ~ cura 신부님. su *~ra* madre 자당님. ⑤ [이름 앞에 붙이는 것은 속된 사용] ~ José 호세씨. ⑥ [이름 앞에 붙이는 경칭인 don이 있으면 그 앞에 나옴] el ~ don José González y García.

—*m.f.* ① 주인, 소유자(dueño, propietario) : ~ de horca y cuchillo 생살 여탈권을 가진 사람. ~ de sí 자신을 확실하게 파악한 사람. ② 영주, 원님, 임금님, 황제 : el Gran ~ 터키 황제. ③ [하인 · 신하에서 보아] 주인(amo, ama). ④ [일반적인 경어로] 사람 · 분 : este ~ 이 사람, aquella *~ra* 저 부인. ⑤ 신사 ; 부인(婦人) ; 부인(夫人). ⑥ [마주 대해 부를 때] 선생님 ; 부인 : Sí, ~ ; No, *~ra.* ⑦ 연배인 사람(~ · *~ra* mayor). ⑧ 장인(suegro) ; 시어머니(suegra). ⑨ [el S-] 신(神) (Dios) : Nuestro *S-* 우리 주 예수 그리스도.

descansar en el S- 죽다, 서거하다.

¡señor! *interj.* 「놀람 · 고통」을 뜻하는 감탄사.

señora *f.* ① 여주인(ama, dueña). ② (señor의) 아내, 부인(夫人), 마님 : Déle usted mis recuerdos a su ~ 부인에게 안부 전하여 주십시오. ③ 부인 ; (특히 연배인) 여자. [*N.* 옛날에는 미혼 여자에게도 썼음] 양, 영양, 공주. ④ 시어머니(suegra). ⑤ [결혼한 부인의 이름 앞에 doña가 있으면 그 앞에 사용함] *S-* Doña Luisa López de Pérez.

Nuestra S- 성모(聖母) (la Santísima Virgen, la Virgen María). ~ ***de compañía*** 시녀.

señorada *f.* 주인 행세, 마님 행세 ; 거만스러운 태도 ; 훌륭한 행동.

señoraje *m.* = **señoreaje.**

señoraza *f. aum.* señora.

señorazo *m. aum.* señor.

señoreador, ra *adj. m.f.* 지배 · 군림하는, 함부로 구는 (사람).

señoreaje *m.* 구조소에서 군주 · 왕자에게 속한 세금.

señoreante *adj.* 다스리는, 지배하는, 군림하는.

señorear *tr.* ① (주인으로서) 다스리다 ; 지배하다, (…에) 군림하다(dominar). ② 제멋대로 처리하다. ③ (격정을) 억제하다. ④ 상전으로 모시다.

~se 상전으로 모시다 ; 상전 티를 내다 ; 으시대다 ; 제것으로 만들다(apoderarse) : *~se de* una finca 농장 하나를 손에 넣다. **Sinón.** enseñorearse.

señoría *f.* ① 각하 《어떤 계급에 속하는 사람이나 승려에 대한 경어》 : su ~ 당신, 선생님, 귀하. ② 지배 ; 영주권 ; 통치(권)(señorío).

señorial *adj.* 영토 · 영지의 ; 당당한, 가족스러운, 점잖은 : aspecto ~.

señoril *adj.* ① 영주(領主)의 : tierras *~es.* ② 당당한.

señorilmente *adv.* 당당하게.

señorío *m.* ① 영주권, 지배권, 영지. ② 자중 ; 점잖음 ; 위엄 : portarse con ~. ③ 명사들, 나리들.

señorita *f.* ① 아가씨, 영양, 양 ; 미혼의 젊은 아가씨. ② [미혼 여자에 대한 경어로서] 양, 미스 : la ~ López 로뻬스양. Mucho gusto en conocerla, ~ García [소개 받은 상대에게] 가르시아양, 알게 되어서 즐겁습니다. ③ [하인으로부터] 마님(ama).

señoritingo, ga *m.f. desp.* señorito, señorita.

señorito *m.* 도련님, [하인으로부터] 주인님, 나리(amo) ; 망나니 아들 ; 젊은 남자.

señorón, na *adj. m.f.* [*aum.* señor] 상전 티를 내는, 마나님 티를 내는 (사람).

señuelo *m.* ① 미끼새, 후림새(cimbel) ; 꼬이는 물건, 미끼 ; [일반적으로] 꼬이는 것 · 법. ② 《*Arg. Bol.*》 (다른 소를 이끄는) 도우(導牛).

seo *f.* 《*Ar.*》 대사원, 대본당(大本堂), 대가람(大伽藍)(Iglesia Catedral).

seó *m.* seor, señor의 사투리.

seor, ra *m.f.* señor, señora의 사투리.

sepa saber의 접 · 현 · 1 · 3 · 단수.

sepáis saber의 접 · 현 · 2 · 복수.

sépalo *m.* 【식물】 꽃받침.

sepamos saber의 접 · 현 · 1 · 복수.

sepan saber의 접 · 현 · 3 · 복수.

sepancuantos *m.* 【단 · 복수 동형】 벌, 징계, 꾸중, 질책(castigo, reprimenda).

separable *adj.* 분리할 수 있는 : partícula ~. **Contr.** inseparable

separación *f.* ① 분리 ; 격리 ; (부부의) 이별, 별거, 별거 생활 ; 분열 ; 탈퇴 ; 분석. ② 《*Méx.*》 퇴직.

separadamente *adv.* 따로따로(con separación).

separado, da *adj.* [separar의 *p.p.*] 갈라진 ; 떨어진 ; 따로따로한(apartado).
por ~ 따로따로 ; 별편으로(separadamente).

separador, ra *adj.* 분리하는. —*m.f.* 가르는 사람·물건. —*m.* (우유 따위의)분리기 ; 격리판(板) ; 선광기(選鑛器).

separante *adj.* 나누는, 분리시키는.

separar *tr.* ①[+de : …에서] 나누다(dividir) : ~ el cabello dos partes 머리를 양쪽으로 나누다. El istmo de Panamá *separa* las dos Américas 파나마의 지협은 두 아메리카를 나눈다. ② 떼어놓다, 분리시키다 : El *separó* la mesa un poco de la pared 그는 벽에서 탁자를 약간 떼어 놓았다. ③ 격리시키다(desunir) : ~ la cabeza del cuerpo. ④ 별거시키다 ; 이혼시키다. ⑤ 해임하다. Contr. unir.
~se ①[+de : …에서] 나누어지다, 떨어지다, 갈라지다(apartarse) ; 이혼하다 : El matrimonio decidio ~*se* 부부는 이혼하기로 결심했다. ② 떠나다, 손을 떼다(alejarse) : El *se separó* de la vida política 그는 정치 생활에서 손을 뗐다.

separata *f.* (인쇄물 따위의) 분리 인쇄.

separatismo *m.* (정치·종교상의) 분리주의 ; 분리파 ; 독립 정신. Contr. unionismo.

separatista *adj.* 분리파의, 독립주의의 : tendencias ~*s* de Cataluña 까딸루냐의 분리 경향. movimiento ~ 독립 운동. —*m.f.* 분리주의자, 독립파.

separativo, va *adj.* 분리(성)의, 분리용의 ; 분리적인.

sepas saber의 접·현·2·단수.

sepe *m.* 《*Bol.*》 =**comején.**

sepedón *m.* [*gr.* sepedôn] 【동물】 뱀, 도마뱀(eslizón).

sepelio *m.* 【아어】 장례, 매장(entierro, sepultura).

sepia *f.* [*lat.* sepia] 【동물】 뼈오징어(jibia) ; 뼈오징어의 먹물 ; (그것으로 만든) 세피아 그림 (물감) ; 세피아 빛 : hacer un dibujo a la ~.

sepiolita *f.* 【광물】 해포석(海泡石). Sinón. espuma de mar.

sepsis *f.* 【의학】 부패 (작용) ; 패혈증.

Sept., sept.[e]**, septe.** septiembre.

septembrino, na *adj.* 9월의 : revolución ~*na* 9월 혁명.

septena *f.* 7개조.

septenario, ria *adj.* 7의, 7단위의. —*m.* 1주, 7일간(semana) ; 7일제·근행.

septenio *m.* 7년(간)(período de siete años).

septeno, na *adj.* =**séptimo.**

septentrión *m.* [*lat.* septentriones] ① 북쪽(norte). ② 북두칠성(Osa Mayor).

septentrional *adj.* 북쪽의 : el polo ~ 북극. país ~ 북쪽 나라.

septeto *m.* [*lat.* septem] 【음악】 7중주·창(곡).

septicemia *f.* 【의학】 패혈증 : La ~ era frecuente en las ambulancias antiguas.

septicémico, ca *adj.* 패혈증의.

séptico, ca *adj.* 부패시키는, 패혈성의.

septiembre *m.* [*lat.* september] 9월 : El mes de ~ tiene treinta días 9월에는 30일이 있다.

séptima *f.* 【음악】 제7도 음정.

septimino *m.* 【음악】 =**septeto.**

séptimo, ma *adj.* [*lat.* septimus] 일곱번째의 ; 7등분의. —*m.* 7분의 1.

septingentésimo, ma *adj.* 700번째의 ; 700등분의. —*m.* 700분의 1.

septisílabo, ba *adj.* 7음절의.

septo *m.* 【해부】 =**septum.**

septuagenario, ria *adj.* 70대의《70 세이상 80세 이하의》. —*m.f.* 70대의 사람.

septuagésima *f.* 칠순제의 주일《사순절의 첫 안식일 전에 3주간의 종교적 축제》.

septuagésimo, ma *adj.* 70번째의 ; 70등분의. —*m.* 70분의 1.

septum *m.* 【해부】 (코의) 막 모양의 격장.

septuplicación *f.* 7배(하는 일).

septuplicar *tr.* 7 7배하다 : ~ un número 숫자를 7배하다.

séptuplo, pla *adj.* 7배의 ; 7중의. —*m.* 7배.

sepulcral *adj.* ① 묘의 : inscripción ~ 묘비명. ② 호젓한, 을씨년스런, 묘지같은, 음침한, 침울한, 암담한(lugubre).

sepulcro *m.* [*lat.* sepulcrum] ① 묘, 무덤, 상자묘 ; 분묘 : ~ sagrado 성묘(聖墓)《예루살렘에 있는 그리스도의 묘》. ② 은밀하게 감추는 일.

sepultación *f.* ① 매장. ②《*Chile.*》 장사, 장례.

sepultador, ra *adj. m.f.* 매장하는 (사람) ; 무덤을 파는 사람 ; 감추는·숨기는 (사람).

sepultar *tr.* ① 장사지내다, 매장하다(poner en la sepultura) : ~ a un difunto. ② 묻다, 숨기다(ocultar, esconder), 가라앉히다 : Las aguas *sepultaron* el pueblo entero 그 고을은 완전히 수몰했다.
~se 몸을 숨기다 ; 잠적하다.

sepulto, ta *adj.* [sepultar의 *p.p.*] 묻힌, 매장된(enterrado) ; 숨은.

sepultura *f.* [*lat.* sepultura] 무덤, 묘, 분묘 ; 매장 ; 묘소 : Mi amigo, obrando así, estaba cavando su ~ 내 친구는 그렇게 해서 스스로의 무덤을 파고 있었다.
dar ~ 매장하다, 장사지내다, 묻다(sepultar, enterrar).

sepulturero *m.* 무덤을 파는 인부, 묘지기. Sinón. enterrador.

sequedad *f.* ① 건조 : la ~ de un terreno 토지의 건조. ② 살풍경. ③ 무뚝뚝함, 냉담, 쌀쌀함(palabras ásperas y duras).

sequedal *m.* 건조지.

sequeral *m.* =**sequedal.**

sequero *m.* 건조지(secano) ; 밭 ; 건조장(secadero).

sequerón, na *adj.* =**sequeroso.**

sequeroso, sa *adj.* 말라 비틀어진.

sequete *m.* (말라 비틀어진) 빵부스러기 ; 두들겨 패기 ; 무뚝뚝함, 쌀쌀함.

sequí *m.* =**cequí.**

sequía *f.* ① 가뭄, 한발 ; 건조기(temporada seca) : Las ~*s* son muy malas para los campos. ② 【고어】《*Amér.*》 갈증, 목마름(sed).

sequiar *intr.* 12 《*Arg.*》 담배 연기를 삼키다.

sequillo *m.* [드묾] 빵부스러기.

sequío *m.* =**secano.**

séquito *m.* ① 뒤따라가는 사람들, 수행원, 행렬 : un ~ numeroso. ② 갈채, 인기.
sequizo, za *adj.* 건조하기 쉬운(fácil de secar).
sequoia *f.* =**secoya.**
ser *intr.* 39 [*lat.* sedere] ①[연결 동사로서, 주어의 성질을 나타내는 형용사, 명사를 주어에 연결시킴] …이다 : La nieve *es* blanca 눈은 하얗다. El hombre *es* mortal 사람은 죽는 것이다. ¿ Qué *es* esto?–*Es* un lápiz 이것은 무엇입니까? —연필입니다. Lola *era* bonita y simpática 롤라는 예쁘며 붙임성있는 어린이였다. Mi criado *es* viejo y obediente 우리집의 하인은 노인으로서 성질이 아주 유순하다 [Mi criado *está* obediente 우리집 하인은 유순하다]. Su padre *es* médico 그의 아버지는 의사다. Su apellido *es* Vales 그의 성은 발레스이다. Mi nombre *es* Guim Chuncha 내 이름은 김춘자이다.
②[연결 동사로서, 성질이 같은 두 부분을 연결한다] …이다 : Entonces *es* cuando debes ir 네가 가야 할 때는 바로 그때이다. No *es* llorando ni desolándose como se adquiere la paz del espíritu 울고 슬퍼하고 해서만 정신 안정을 얻는 것은 아니다. *Es* a ti quien busco 내가 찾고 있는 것은 너다. No *era* sólo por esta causa por lo que yo quería humillar a Román 내가 로만을 혼내주려 했던 것은 오직 이 이유 때문만은 아니었다.
③[+형용사나 명사 : …이] 되다(hacerse) : ¡Ay, qué *será* de nosotros! 아아, 우리는 어떻게 될 것인가! *Sé* grande 위대한 사람이 되라. *Sé* bueno 착한 사람이 되어라. No *seas* malo 악한 사람이 되지 마라. Al fin *fue* Ministro de Hacienda 그는 드디어 재무 장관이 되었다.
④[일반적인 자동사로] 있다, 존재하다 (existir) : Pienso, luego *soy* 나는 생각한다, 고로 나는 존재한다. *Ha sido* en mi poder su atta. fechada el 2 2일자 편지 받았습니다.
⑤(어떤 일에) 도움되다, …의 것이다 : José no *es para* ese destino 호세는 그러한 일에는 어울리지 않는다. Esto *es para* usted 이것을 당신에게 드리는 것입니다.
⑥일이 어떤 모양으로 되다(suceder) : ¿Cómo *fue* ese caso? 그것은 어떻게 됐지?
⑦가치가 있다(valer) : ¿A cómo *es* esa tela? 그 천은 얼마입니까?
⑧[+de](누구의, 무엇의 소유·차지)이다 : Este jardín *es del* tío · *es* mío 이 정원은 숙부의 것·내 것이다.
⑨[+de] 어느 지방 출신·생산이다 : José *es de* Madrid 호세는 미드리드 출신이다.
⑩[+de] (어떤 재료로) 되어 있다 : Las mesas *son de* madera 탁자는 나무로 되어 있다.
⑪[+de] (무엇에)어울리다(cornesponder, tocar) : Sus modales no *son de* personas decentes 그의 행실은 양가집 사람으로서 어울리지 않는다.
⑫[무인칭 동사로서 때를 나타냄, 3인칭 단수에만] …이다 : Ya *es* tarde 이제 시간이 늦었다. *Era* de noche 밤이었다.
⑬[무인칭 동사로서 시각을 말할 때에 한 시를 중심으로 하는 것에는 단수 ; 두 시 이후에는 복수] …시이다 : ¿Qué hora *es*? 몇 시이지? *Es* la una 한 시이다. *Eran* las cuatro 네 시였다. *Son* las tres y media de la tarde 오후 세 시 삼십분이다.
⑭[무인칭 동사로서 que로 시작되는 명사구를 설명함]…이란 것이다, 바로 이렇게 된다 : *Es que* te lo he dicho 너에게 그말을 했다는 거야.
⑮[+ 타동사의 *p.p.* =수동태] …받다 ; 받고 있다 : José *era amado* de todos 호세는 모든 사람으로부터 사랑받고 있었다. La noticia *ha sido comentada* en la ciudad 그 소식은 시내에서 말썽이 되었다.
⑯[+자동사의 *p.p.* : 완료의 뜻을 나타냄]…하고 있다, 해버렸다 : Ya *son idos* los turcos [Ya *han ido* los turcos] 벌써 터키군은 철수해 버렸다. *Eran pasados* ya doce años [*habían pasado* ya doce años] 벌써 12년이 흘렀다.
~ *de* + *inf.* …해야 한다 : *Es de admirar* lo hacendosas que tus hijas son 자네의 딸들이 모두 부지런한 것은 참으로 훌륭하네. *Es de* creer 믿어도 좋다. *Era de* esperar 기대하기를 잘 했어.
~ *de ver* · *para ver* 볼만하다, 볼만한 가치가 있다.
~ *muy otro* (몹시 달라져서) 딴 물건·딴 사람 같다.
~ *para poco* 거의 가치·재능·능력이 없다.
~ *de lo que no hay* 비할 것이 없다.
a no ~ *que* + *subj.* …하지 않으면(a menos que+*subj.*)
esto es 그렇고 말고, 바로 그거야 ; 즉.
como dos y dos son cuatro 틀림없이.
¡cómo es eso! (비난적으로 이상하다는 생각을 가지고) 그것 참.
¡como ha de ~*!* 하는 수 없지 《단념을 나타냄》.
érase que se era 호랑이 담배 먹을 적, 옛날 옛적에 있었던 일이지요 《옛 이야기할 때 쓰는 상투적인 말》.
es a saber 그러니까, 바꾸어 말하면(esto es).
lo que fuere, sonará 이러쿵 저러쿵 해도 언젠가는 알게 돼 ; 이판사판으로 해보는 거야.
un sí es, no es 하찮은 일(pequeñez).
Soy contigo · *con usted* 조금만 기다리세요, 지금 말할 테니까 ; 곧 가겠습니다.
[직설법 현재 : soy, eres, es, somos, sois, son. 접속법 현재 : sea, seas, sea, seamos, seáis, sean. 직설법 부정과거 : fui, fuiste, fue, fuimos, fuisteis, fueron. 직설법 불완료과거 : era, eras, era, éramos, erais, eran. 접속법 불완료과거 : fuera,… ; fuese.…].
ser² *m.* ①존재, 존재하는 것(existencia) : razón de ~ 존재 이유. modo de ~ 바람직한 방법. ②실체, 실존 ; 본질 ; 생명 ; 본체, 물건 : el *Ser* Supremo 신(神). su ~ anterior 그의 전신. ~ viviente 생물. En eso está todo el ~ del negocio 그 사업의 본질은 오로지 거기에 있다. ③인간, 놈 : ~ humanos 인간. ④사는 법·방식(modo de existir).
sera *f.* [*lat.* seira] 망태기, 큰 광주리 : conducir carbón en una ~.
serado *m.* [집합] 망태기, 광주리(seraje).
seráficamente *adv.* 천사처럼, 장엄하게 ; 가엾게, 천하게(pobremente).

seráfico, ca *adj.* ① 천사의 ; 천사같은 : belleza ~*ca.* ② 아시스의 성 프란시스코(San Francisco de Asís) 파의. ③ 가엾은, 천한(pobre, humilde).
hacer la ~ca 순진한 척하다.

serafín *m.* [*hebr.* serafim] ① 수천사(首天使). ②《*Venez.*》 혹, 브로치. ③ 15세기 아라비아의 금화.

serafina[1] *f.* 올이 툭툭한 나사의 일종.

serafina[2] *f.* [*fr.* serre-fine] 부상한 여자의 입술을 연결하는데 사용한 외과 의사의 핀셋.

seraje *m.* [집합] 망태기, 광주리.

serano *m.* 시골에서의 밤의 모임.

serao *m.* 【동물】 세라오《말레지아의 산양 비슷한 동물》.

serapia *f.* 【식물】 세라삐아《열매는 haba tonca 라 불리우고, 담배의 향료용으로 사용되는 아메리카의 나무》.

serapino *m.* =**sagapeno.**

serasquier *m.* (터키의) 장군.

serba *f.* [*lat.* sorba] 마가목·청량차(淸涼茶)의 열매.

serbal *m.* 【식물】 마가목(acafresna).

serbio, bia *adj. m.f.* 【식물】 =**servio.**

serbo *m.* =**serbal.**

serbocroata *adj.* 세르비아 크로아티아(사람).

serena *f.* 밤이슬, 밤기운 ; (음유 시인이 노래한) 야곡(夜曲).
a la ~ 밤이슬에 젖어 ; 야외에서(al sereno) : dormir a *la serena* 야외에서 자다.

serenamente *adv.* 조용히 ; 침착하게 ; 온화하게.

serenar *tr.* [*lat.* serenare] ① 고즈넉하게 만들다, 가라앉히다(tranquilizar, sosegar), 진정시키다(aplacar), 부드럽게 하다 (apaciguar). ② (밤기운에 쏘여) 식히다(enfriar). ② 맑게 하다.
—*intr.* ① 가라앉다, 조용해지다 : La tarde (*se*) *ha serenado* 하늘이 개어 고즈넉한 오후가 되었다. ② 침착하다.
~se ① 잔잔해지다, 바람이 자다(calmar) ; 잠잠해지다, 진정하다 : *Serénese* usted 마음을 가라앉히십시오. ② 맑아지다 ; 밤기운에 식다.
Contr. agitarse, irritarse.

serenata *f.* [*ital.* serenata] 【음악】 소야곡, 세레나데.

serenense *adj. m.f.* 라·세레나《La Serena, 칠레에 있는 도시》의 (사람).

serenera *f.* 《*AmérC. Col. Venez.*》 ① = **serenero, sereno.** ② 밤에 입는 외투.

serenero *m.* ① 《*Amér.*》 =**sereno.** ② 《*Arg.*》 스카프, 손수건(pañuelo).

serení *m.* ① (옛날의 전함에 싣던) 전마선(傳馬船) ② 옛날 무용. ③ 《*Cuba.*》 【식물】 작장초(aleluya).

serenidad *f.* ① 침착, 냉정, 차분함, 평온(tranquilidad, sosiego) ; 맑음 ; 고요함, 고즈넉함 : la ~ del cielo 하늘의 맑음. ② 전하 《príncipe 에 대한 경어》.

serenísimo, ma *adj.* [*sup.* sereno] ① 극히 침착한, 아주 차분한(muy sereno). ② príncipe에 대한 경어.

sereno *m.* [*lat.* serenum] ① 야기(夜氣), 밤이슬 : exponer al ~ 밤의 찬 기운에 쏘이다. Se ve mucho ~ en las flores 꽃에 밤이슬이 많이 있다. El ~ le perjudica 밤 공기는 그에게는 해롭다. ② 야간 순찰, 야경꾼, 야간 당번.
al ~, a la ~na 밤이슬에 젖어, 야외·노천에서 (a la intemperie de la noche) : dormir *al* ~ 노천에서 자다.

sereno, na *adj.* [*lat.* serenus] ① 맑고 고요한, 온화한 : El cielo estaba ~ 하늘이 맑았다. La noche esaba muy ~*na* 그 밤은 대단히 온화했다. ② 차분히 가라앉은, 침착한. ③ 어떤 일에 침착한, 전혀 흥분되지 않는 : Es un señor muy ~ 그는 무척 침착한 사람이다. Era un hombre ~ de ánimo 그는 변덕이 없는 온화한 사람이었다.

sereña *f.* =**sedeña.**

sereta *f.* =**serete.**

serete *m.* [*dim.* sera] (소형) 망태기, 광주리.

sergas *f. pl.* ① 기사도의 유명한 책이름 : *S-* de Esplandián. ② 공훈, 위업(偉業)(proezas, hazañas).

sergenta *f.* 산티아고 회의 재가(在家) 수녀.

seri *adj. m.f.* 세리가(家)《현 Sonora 주의 서쪽에 살았던 멕시코 원주민》의 (사람).

seriado, da *adj.* =**en serie:** radiografía ~*da.*

seriador, ra *adj.* 늘어놓은.

serial *m.* (라디오·텔레비전의) 연속물.

seriamente *adv.* 진지하게, 정색으로, 착실하게, 심각하게.

seriar *tr.* ⑪ (줄로) 늘어놓다, 차례로 하다 ; 줄줄이 이어 놓다(poner en serie).

sericícola *adj.* 양잠의.

sericicultor, ra *m.f.* 양잠가(persona que se dedica a la sericicultura).

sericicultura *f.* 양잠(업).

sericígeno, na *adj.* 비단을 생산하는 기관의 : la glándula ~*na* de la araña.

sericina *f.* 명주에서 뽑은 질소 함유 물질.

sérico, ca *adj.* [*lat.* sericus] [드뭄] 명주·비단의.

sericultor, ra *m.f.* 양잠가.

sericultura *f.* 양잠(업).

serie *f.* [*lat.* series] ① 연결, 열, 일련, 계열, 조(組), 군(群), 무리 : Ha publicado una ~ de artículos sobre política internacional 그는 국제 정치에 관하여 일련의 기사를 발표하고 있다. coche de ~ (보통의) 승용차. *S-* Mundial (야구의) 월드 시리즈. ② 【동물·식물·화학】 족 : ~ zoológica. ③ 【수학】 수열, 급수. ④ 【전기】 직렬. ⑤ 【지질】 통(統).
en ~ 【전기】 직렬식의 ; 대량의 : producción *en* ~ 대량 생산.

seriedad *f.* [*lat.* serietas] ① 고지식함, 진지함, 엄숙. ② 중대성, 위험. ③ (병세의) 위독, 중태.

serifa *f.* 【인쇄】 세리프《H, I 따위의 활자에서 볼 수 있는 상하의 가는 장식선(線)》.

serifio, fia *adj.* 세리포《Serifo, 에게해의 섬》의. —*m.f.* 세리포 사람.

serigrafía *f.* 실크 스크린 인쇄《등사 인쇄의 일종》.

serija *f.* [*dim.* sera] 작은 망태기.

serijo *m.* 망태기, 작은 광주리(sera pequeña) : un ~ de higos 무화과 광주리.

serillo *m.* =**serijo.**
seringa *f.* 《*AmérM.*》【식물】=**siringa.**
serio, ria *adj.* [*lat.* serius] ① 진지한, 정색을 한, 농담이 아닌, 착한, 고지식한 : ponerse ~ 진지한 표정이 되다. Cuando le vi, llevaba una cara muy *seria* 그를 만났을 때, 그는 매우 성실한 얼굴을 하고 있었다. ② 엄숙한 ; 중대한 ; 심상치 않은, 중한, 위독한(grave) : La situación iba poniéndose *seria* 사태는 점점 중대해지고 있었다.
en ~ 진지하게, 농담이 아니라(seriamente) : Hablando *en* ~ eso no está bien 진지하게 말하지만, 그건 안되겠는데.
Nada ~ 대단치 않다.
Ser.ma, Serm.a Serenísima.
Ser.mo, Sermo. Serenísimo.
sermón *m.* [*lat.* sermo] ① 설교 : ~ de la Montaña 그리스도의 산상 설교. ② 잔소리, 비난, 질책(reprensión, amonestación) : oir un ~. ③ [드뭄] 말(lenguaje).
sermonar *intr.* 설교하다, 훈계하다.
sermonario, ria *adj.* 설교의. —*m.* 설교집(colección de sermones) : ~ de Semana Santa.
sermoneador, ra *adj.* 설교하는. —*m.f.* 설교자.
sermonear *intr.* 설교하다(sermonar). —*tr.* 꾸짖다, 훈계하다 : ~ a un muchacho.
sermoneo *m.* 잔소리, 질책(reprensión áspera) ; 훈계.
serna *f.* [드뭄] 경지(耕地), 밭.
sernambí *m.* 《*AmérM.*》 질이 나쁜 고무의 일종.
seroalbumina *f.* 혈청 단백질의 하나.
seroalbuminoso, sa *adj.* 혈청 단백질을 함유한.
serodiagnosis *f.* =**serodiagnóstico.**
serodiagnóstico *m.* 혈청 반응 증상.
seroja *f.* [드뭄] 낙엽(hojarasca) ; 땔나무 부스러기.
serojo *m.* =**seroja.**
serología *f.* 혈청학(血清學).
serón *m.* 큰 광주리.
serondo, da *adj.* 늦되는 (과일 따위).
seronero *m.* 광주리 제조인·상인.
serosidad *f.* 【생리】 장액, 혈장.
seroso, sa *adj.* [*lat.* serum] 장액(漿液)의 ; 혈청의 ; 장액 모양의. —*f.* 【해부】 장막(漿膜).
seroterapia *f.* 【의학】 혈청 요법(sueroterapia).
serotino *m.* 【동물】 박쥐.
serótino, na *adj.* =**serondo.**
serpa *f.* (꺾꽂이용) 가지(jerpa).
serpear *intr.* 사행(蛇行)하다, 굽이치다, 꾸불꾸불 구부러지다(serpentear).
serpentaria *f.* 【식물】 =**dragontea.**
~ ***virginiana*** =aristoloquia.
serpentario *m.* ①【조류】 (뱀을 잡아 먹는) 뱀새. ②【천문】 사좌(蛇座)(Ofiuco).
serpenteado, da *adj.* [serpentear의 *p.p.*] 사행(蛇行)한, 구부러지는, 구불텅한, 감도는.
serpentear *intr.* 사행하다, 굽이치다, 꾸불꾸불 구부러지다 : arroyuelo que *serpentea* por la pradera.
serpenteo *m.* serpentear 하는 일.
serpentiforme *adj.* 뱀 모양의.
serpentígero, ra *adj.* 【시어】 뱀을 가진.
serpentín ① (증류기 등의) 꼭지 파이프. ② (옛날 총의) 격철 ; (옛날의) 박격포.
serpentina *f.* ① (축제 때 창에서 던지는) 테이프. ②【광물】 사문석(蛇紋石) : vaso de ~. ③【고어】 투창, 단창 ; (옛날의) 박격포, 화승포.
serpentinamente *adv.* 뱀처럼, 꾸불꾸불.
serpentiniforme *adj.* =**serpentiforme.**
serpentino, na *adj.* ① 뱀의 ; 뱀같은, (강 따위가) 꾸불꾸불한, 굽이진 ; 물결 모양의, 기복이 있는. ②【시어】 감돌아드는.
serpentón *m.* [*aum.* sierpiente] ① 큰 뱀. ② 뱀 모양의 나팔.
serpezuela *f.* *dim.* sierpe.
serpia *f.* 《*And.*》 =**jerpa.**
serpiente *f.* [*lat.* serpens] 【동물】 뱀(culebra) : El demonio adoptó la figura de una ~ para tentar a Eva 악마는 뱀의 모습을 하고 이브를 유혹했다.
~ ***de anteojos*** 코브라.
~ ***de cascabel*** 방울뱀(demonio).
Serpiente *m.* 마귀, 귀신 ; 【천문】 뱀좌.
serpiginoso, sa *adj.* 【의학】 복행성(匐行性)의, 복행진(匐行疹)의.
serpigo *m.* 【의학】 복행진(疹).
serpol *m.* 【식물】 백리향(白里香).
serpollar *intr.* 싹트다, 잎이 나오다.
serpollo *m.* 싹, 어린 가지.
serradizo, za *adj.* ① 켜기 쉬운 : árbol ~ 켜기 쉬운 나무. ② (곡식을) 타는데 쓰는(aserradizo).
serrado, da *adj.* [serrar의 *p.p.*] 톱니같은 이를 가진, 거치상(鋸齒狀)의.
serrador, ra *adj.* *m.f.* =**aserrador.**
serraduras *f.* *pl.* 톱밥.
serragatino, na *adj.* 시에라·데·가따 《La Sierra de Gata, 살라망까 주의 한 지방》의. —*m.f.* 시에라·데·가따 사람.
serrallo *m.* (회교국의) 후궁, 처·첩들이 쓰는 방(harén) ; 기생집, 매음굴.
serrana *f.* 산에서 부르는 노래.
serranada *f.* 배반, 배신(traición) ; 불충, 불신.
serranía *f.* 산지(山地), 산악 지대, 산맥.
serraniego, ga *adj.* *m.f.* =**serrano.**
serranil *m.* 단도의 일종.
serranilla *f.* (17 세기 경의) 전원 서정가.
serrano, na *adj.* 산맥의 ; 산의, 산지의 : costumbres ~*nas.* —*m.f.* 산 사람.
serrar *tr.* ⑲ [*lat.* serrare] =**aserrar.** —*intr.* 《*Murc.*》 자고새가 울다(ajear la perdiz).
serrátil *adj.* ① 톱니 모양의 (뼈의 맞물음). ② 고르지 않은 : pulso ~ 고르지 못한 맥박.
serratilla *f.* [*dim.* sierra] 작은 산맥.
serrato *adj.* *m.* [*lat.* serratus] 【해부】 톱니 모양의 (근육).
serrería *f.* 제재소, 나무 켜는 곳(aserradero).
serreta *f.* [*dim.* sierra] 작은 톱 ; (말의) 가죽 재갈.
serretazo *m.* ① 말의 가죽 재갈을 되게 조이는 일, 그것으로 때리기. ② 꾸중, 나무람.
serrezuela *f.* [*dim.* sierra] 작은 톱.

serrijón *m.* [*dim.* sierra] 작은 산맥.
serrín *m.* 톱밥(serraduras, aserrín).
serrino, na *adj.* 톱의 ; 톱 모양의.
pulso ~ 부정 맥박.
serrón *m.* [*aum.* sierra] 큰 톱.
serrote *m.* 《*Méx.*》 =**serrucho.**
serruchar *tr.* 《*Amér.*》 톱으로 켜다(aserruchar, aserrar). ② 《*Col.*》 반으로 나누다.
serrucho *m.* ① 톱. ② 《*Ant.*》 【어류】 톱고기.
al ~ 《*Ant.*》 한 복판에서 ; 갈라져.
hacer un ~ 《*Ant.*》 각자 부담으로 하다.
serta *f.* 【은어】 셔츠(camisa).
serum *m.* 《*Galic.*》 장액(漿液), 혈청(suero).
servador *adj. m.* 【시어】 옹호하는 (사람) 《Júpiter의 별칭》 (guardador, defensor).
servar *tr.* 【고어】 =**observar, guardar, defender.**
servato *m.* 【식물】 방풍목(防風木).
serventesio *m.* 플로방스의 도덕시(道德詩) ; 제1행과 제3행 · 제2행과 제4행의 각운을 가진 4행시.
serventía *f.* 《*Cuba.*》 사잇길.
servible *adj.* ① 쓸 수 있는, 도움이 되는. Contr. inservible. ② 소중한, 편리한.
serviciador, ra *m.f.* 봉사자.
servicial *adj.* 친절한, 부지런한(diligente) ; 남을 거들기 좋아하는 : hombre ~. —*m.* ① 관장약(ayuda). ② 《*Bol.*》 하인(criado).
servicialmente *adv.* 친절하게, 부지런하게.
serviciar *tr.* 봉사하다, 시중들다.
servicio *m.* [*lat.* servitum] ① 섬기는 일, 모시는 일, 봉사 : estar a(l) ~ de uno 누구를 모시고 있다, 섬기고 있다. ofrecer · prestar ~*s* 봉사하다, 도움이 되다. hacer un flaco ~ 해를 끼치다. ② 신을 섬기는 일, 근행(勤行), 예배, 식(culto) : ~ de los altares. ③ ㄱ) 봉사, 근무 : ~ social 사회 봉사. ㄴ) 직무, 사무, 업무, 봉직 : Lleva treinta años al ~ del Estado 그는 국가공무원으로서 30년 봉직하고 있다. ㄷ) 진력, 돌봄 : Me prestó en aquella ocasión un ~ que nunca le agradeceré bastante 그는 그때 감사의 말을 다 할 수 없을 만큼 나를 위하여 진력해 주었다. Me permito ofrecer mis ~*s* como agente 대리점으로서 일할 수 있게 해 주시기를 부탁드립니다. ④ 공헌, 공로, 공훈(功勳)(mérito) ; (국가 · 공공 단체에의) 헌금. ⑤ 도움이 되는 일, 쓸모있는 일(utilidad, provecho) : Este vestido ha hecho buen ~ 옷은 쓸모있게 오래 입을 수 있었다. ⑥ (공공적인) 사업, 업무, …업 : ~ de correos 우편 사업. ~ postal 우편 (업무). ⑦ 설비, 기관 : ~ de incendios 소방 시설, 소방서. ~ secreto 비밀 첩보기관. ⑧ 부문, …부(富) : ~ de reparaciones 수리부. ⑨ (교통 기관의) 편(便) : Los viajeros del ~ 202 pueden pasar al avión 제 202편의 승객들 비행기 탑승해 주십시오. ⑩ 왕복 ; 영업 : entrar en ~ 영업을 시작하다. En breve, el nuevo ferrocarrilentrará en ~ 이윽고 새로운 철도가 영업을 시작한다. ⑪ 편이. ⑫ 병역, 군무(~ militar) : ~ activo 현역. ser llamado al ~ 소집되다. ⑬ 식사 시중, 거들기. ⑭ (식기 등의) 한벌, 일식(一式), 세트 : ~ de café 커피 세트. ⑮ (한 사람 분의) 밥상, 1 인분 식사(cubierto). ⑯ 【아어】 관장약(lavativa) ; 변기(便器). ⑰ 이자 지불 : ~*s* de una deuda pública 공채의 이자 지불. ⑰ 《*Arg.*》 공중변소.
S- Cooperativo de Desarrollo Rural 《*Hond.*》 농촌개발 협력 기관. ~ *costanero* 연안 항로. ~ *de asistencia después de la venta,* ~ *de ayuda después de vender* 사후 봉사(事後奉仕), 애프터서비스. ~ *de aviones de carga* 항공 화물 수송 업무. ~ *de banco* 은행 업무. ~ *de colocación* 직업 소개. *S- de Corporación Técnica* 《*Chile.*》 기술 협력국(局). ~ *de entrega* 배달. ~ *de oficina* 업무 용역. ~ *de postventas,* ~ *de piezas de recambio* 애프터서비스. ~ *de recogida* 집하(集荷). ~ *de transporte a la ciudad* 시내 수송. ~ *de vigilancia* 수위소. ~ *especial de expedición* 특별 출하. *S- Interamericano de Cooperación Agrícola en Panamá* 파나마 전미 농업 협력센타. *S- Nacional de Exportaciones* 《*Arg.*》 수출 서어비스국(局). *S- Oceanográfico y de Pesca* 《*Urug.*》 국영 해양 어업 회사. ~ *regular de carga por ca. mión* 혼재(混載) 트럭 수송. *Servicios Eléctricos del Gran Buenos Aires* 《*Arg.*》 대부에노스아이레스 전력 회사.
~*s públicos* 공익 · 공공 사업.
~*s varios* 각종 · 기타 서비스.
estación de ~ 주유소(gasolinera).
servidero, ra *adj.* [드뭄] 쓸모 있는, 편리한 ; 번거로운, 애먹는.
servido, da *adj.* 《*Arg. Urug.*》 (특히 가축이) 새끼를 밴, 잉태한(que está preñado).
servidor, ra *m.f.* ① 하인, 급사. Sinón. criado, doméstico, sirviente. ② 타인에 대해 자신을 겸손하게 낮출 때의 말 : su ~ de usted (통성명한 다음) 지도 편달을 바랍니다. ¿Quién es el último que ha entrado?—Un ~ 최후에 들어온 사람은 누구냐? —나요. —*m.* ① 여자의 비위를 맞추는 남자. ② [드뭄] 변기(便器).
su seguro ~ 불비 [약 : S.S.S. ; 편지의 맺음말로서 서명자의 비칭].
servidumbre *f.* ① (하인의) 봉공(奉公), 예종(隷從). ② [집합] 노비(奴婢), 하인 : una numerosa ~. ③ 의무, 역할 ; 근무. ④ 애먹임. ⑤ 사용원, 용익권, 통행권(~ de paso) : ~ de vistas.
servil *adj.* [*lat.* servilis] ① 하인의 · 같은, 노예적인 : ocupaciones ~*es.* ② ㄱ) 천한, 비굴한 (bajo) : alma ~ 천박한 근성. ㄴ) 굴종적인. ③ 한 치도 틀림이 없는, 개성이 없는 : imitación ~. ④ (서반아 19 세기 초의 왕당파에 대한 경멸적인 칭호로서) 왕당파의 (사람).
oficio ~ 수공업(el manual).
trabajo ~ 카톨릭교에서 일요일이나 대축제일에 금지되어 있는 육체 노동.
servilismo *m.* ① 비굴, 노예 근성 : el ~ de un funcionario. ② (19세기초의) 왕당파, 전제파.
servilmente *adv.* 노예처럼 ; 비굴하게, 굴종적으로 ; 한 치도 틀림이 없이(a la letra).
servilón, na *adj. m.f.* [*aum.* servil] 비굴한 ; (19세기 초의) 존왕당의 (사람).
servilla *f.* [드뭄] =**zapatilla.**
servilleta *f.* 냅킨 : anillo de ~ 냅킨 꽂이.
doblar la ~ 죽다.
estar de ~ *en ojal · prendida* 초대되어 식사를 하다.

servilletero *m.* 냅킨꽂이 《고리 모양으로 된 것》.

servio, via *adj.* 세르비아 《Servia, 현재의 유고 슬라비아》의. **—*m.f.*** 세르비아 사람. **—*m.***세르비아말.

serviola *f.* 【선박】 닻걸이.

servir *intr.* 43 [*lat.* servire] ① ㄱ) 섬기다, 봉사하다 : *Sirve* a un amo benévolo 마음씨 고운 주인을 섬기고 있다. para ~ a usted (의례적인 말로서 자기 소개를 한 뒤에 붙여) 제발 부탁드리겠습니다. Oiga usted. —¿En qué puedo ~ le? 여보세요, —무슨 일이오 (무엇으로 나는 당신에게 봉사할까)? ㄴ) 근무하다 : ~ en Hacienda 재무성에 근무하다. ㄷ) 공헌하다, 봉사하다, 있는 힘을 다하다 : El tendero me *sirve* muy bien. ② 도움이 되다, 일보다, 일꾼이 되다(valer) : Esta máquina no *sirve* para eso 이 기계는 그것에 소용이 없다. No lo tire suted, que puede ~ para algo 그걸 버리지 말아 주시오, 무슨 소용이 될지도 모르니까. ③ [+de : …의] 역할을 하다, …으로서 도움이 되다 : ~ de apoyo 의지·조력이 되다. Tus palabras le *servirán de* consuelo 너의 말은 그의 위로가 될 것이다. ④ 현역병이 되다. ⑤ 거들다, 돕다; (식사의) 시중을 들다 : *Sirva* usted primero a las señoras 《식사에서》 처음에 부인들께 시중드시오. ⑤ (놀이에서) 서브를 넣다.

—*tr.* ① …에게 일하다·복무하다, 근무하다, …의 역할을 하다 : ~ una portería · el cargo de portero 수위 노릇을 하다. *Sirve* este mismo puesto desde hace veinte años 그는 이 한가지 직을 20년 전부터 근무하고 있다. ② …을 위해 힘쓰다, …에 봉사하다 : ~ a patria 나라를 위해 일하다. ③ 말을 따르다 : ser servido 소원이 이루어지다. ④ (여자의) 비위를 맞추다(cortejar). ⑤ (신·성자를) 예배하다. ⑥ 제공하다; 헌금·헌납하다. ⑦ ㄱ) (식사의) 시중을 들다 : ~ la sopa. ㄴ) (술 등을) 따르다 : ¿Qué le sirvo? 무얼로 드릴까요? ⑧ (감정을) 불러일으키다 : ~ las pasiones.

~se ① [+*inf.* : …해] 주시다(tener a bien) : *Se ha servido* venir 와주셨다. Les suplico *se sirvan* darme algunos informes 어떤 정보를 전하여 주시기 바라겠습니다. *Sírvase* explicármelo 그것을 내게 설명해 주셔요. *Sírvase* tomar lo quiera de la fuente 접시에서 원하는 것을 드십시오. *Se sirvió* traérmelo el mismo 그분은 손수 그것을 나에게 가지고 와 주셨다. *Sírvanse* ustedes cerrar las ventanas 여러분들, 창문을 닫아주세요. ② [+de : …을] 쓰다, 이용하다(valerse de) : ¿Puedo *servirme de* esto? 이것을 써도 좋습니까? Los coreanos *se sirven de* palillos para comer 한국 사람은 식사하기 위해 젓가락을 사용한다. ③ (식사가) 들어오다, 시중받다. ④ (스스로) 식사·음식물의 준비를 하다, 따르다, 붓다 : *Sírvase,* por favor 어서 드십시오. *Sírvase* usted el azúcar primero 어서 먼저 설탕을 넣으십시오. El niño ha aprendido a *~se* del tenedor y el cuchillo 이 어린이는 포크랑 나이프를 쓸 수 있게 되었다.

[직설법 현재 : sirvo, sirves, sirve, servimos, servís, sirven. 접속법 현재 : sirva, sirvas, sirva, sirvamos, sirváis, sirvan. 직설법 부정과거 : serví, serviste, sirvió, servimos, servisteis, sirvieron. 접속법 불완료 과거 : sirviera …, sirviese …. 현재 분사 : sirviendo].

serv.º servicio.

servofreno *m.* 자동 제동기, 자동 제어 장치.

servomecanismo *m.* 【기계】 자동 제동 장치.

servomotor *m.* (발동기의) 자동 제동기; 간접 조속(調速) 장치, 보조 전동기.

serv.ºr servidor.

ses *m.* 《*Ar. Murc.*》 =**sieso.**

sesada *f.* 기름에 튀긴 골; 짐승의 골.

sesámeo, a *adj.* 【식물】 참깨의, 참깨과의. **—*f. pl.*** 참깨과에 속하는 식물.

sésamo *m.* [*lat.* sesamum] 【식물】 참깨(ajonjolí).

sesamoide *adj.* =**sesamoideo.**

sesamoideo, a *adj.* ① 참깨·참깨 모양의. ② 【해부】 씨앗 모양의, 종자골(種子骨)의.

sesamoides *m.* 【해부】 손목과 부골의 뼈이름.

sescuncia *f.* 고대 로마의 동전.

sesear *intr.* c·z [θ음]을 [S음]으로 발음하다.

sesén *m.* 아라곤의 옛 화폐.

sesena *f.* =**sesén.**

sesenta *adj.* [*lat.* sexaginta] ① 60의 : tener ~ libros. ② 60번째의(sexagésimo) : el año ~. **—*m.*** 60.

sesentavo, va *adj.* 60등분의. **—*m.*** 60분의 1.

sesentón, na *adj. m.f.* 60대의 (노인)(sexagenario).

seseo *m.* sesear 하는 일.

sesera *f.* 【해부】 뇌개(腦蓋); 뇌수(腦髓)(seso).

sesga *f.* =**nesga.**

sesgadamente *adv.* [sesgar의 *p.p.*] ① 비스듬히(al sesgo, oblicuamente). ② [드뭄] 조용히.

sesgado, da *adj.* ① 비스듬한. ② 조용한(sosegado).

sesgadura *f.* ① 비스듬하게 하는 일·자르는 일; 기우는 일. ② 조용함, 잠잠함.

sesgamente *adv.* ① 비스듬히. ② [드뭄] 잠잠히.

sesgar *tr.* 8 비스듬히 자르다(cortar en sesgo); 비스듬히 기울다(torcer a un lado). **—*intr.*** 비스듬히 기울다; 잠잠해지다.

sesgo, ga *adj.* ① 비스듬한(oblicuo); 기운(torcido). ② 떨떠름한 (표정), 씁스레한 (얼굴). ③ [드뭄] 조용한, 잠잠한(sosegado, tranquilo).

—*m.* ① 비스듬히 기움(oblicuidad, torcimiento). ② 섶, 깃. ③ 중간, 중용. ④ 《*Chile.*》 방향(rumbo).

***al · en* ~** 비스듬히(sesgadamente, oblicuamente).

sesí *m.* 《*Cuba.*》 =**cecí.**

sésil *adj.* 【식물】 착생(着生)의, 손·자루가 달리지 않은 : hoja ~ 자루가 없는 잎.

sesión *f.* ① (의회·회의의) 개회, (회의·법정의) 개정 : ~ plenaria 전체 회의. ~ de directores · de la directiva · del consejo · directiva 역원·중역 회의. acta de ~ 의사록, 회의록. ② (거래소의) 입회(入會). ③ (영화의) 상영(representación), 흥행. ④ 회기. ⑤ 협의회, 위원회 : Acaba de celebarse la segunda ~ de la comisión mixta 합동 위원회의 제2회 협의회가 열렸습니다.

***abrir la* ~** 개회·개원·개정(開廷)하다 : *La*

～ *se abre* a las dos de la tarde 회의는 오후 2시에 개회한다.

levantar la ～ 폐회·폐원·폐정하다(terminar la sesión).

sesionar *intr.* 《*Neol.*》 회의를 개최하다, 회의에 모이다(reunirse en una sesión) ; (회의에) 출석하다.

sesma *f.* =**sexma.**

sesmero *m.* =**sexmero.**

sesmo *m.* =**sexmo.**

seso[1] *m.* [*lat.* sensus] ① 뇌(cerebro). ② 이성, 머리(juicio) ; 신중(prudencia) : no tener mucho ～ 별로 신중하지 못하다. No tiene dos gramos de ～ 그는 이만큼의 (2그램의) 이성도 없다. perder el ～ 이성을 잃다(volverse loco). —*pl.* 뇌수 : ～*s* de carnero.

calentarse · devanarse los ～*s* 지혜를 짜내다, 머리를 짜다, 궁리를 하다(preocuparse mucho por resolver una cuestión). : El tuvo que *devanarse los* ～*s* para solucionar aquel problema 그는 그 문제를 해결하기 위해 궁리를 했다.

sorber los ～*s a, tener sorbido el* ～ *de* (누구를) 완전히 손아귀에 넣고 있다, 조종하고 있다.

seso[2] *m.* [*lat.* sessus] 냄비를 받치는 돌멩이나 쇠.

sesqui- *pref.* 「1배 반」을 뜻함(uno y medio) : *sesqui*modio.

sesquiáltero, ra *adj.* 1배 반의. —*m.* 【음악】 1도 반음정.

sesquicentenario, ria *adj.* 150년의. —*m.* 150년제, 150년 축제, 150주년.

sesquidoble *adj.* 2배 반의.

sesquimodio *m.* (양동이 따위의) 한 통 반.

sesquióxido *m.* 【화학】 삼이(三二)산화물.

sesquipedal *adj.* ① 1피트 반의. ② 따분하게 긴 (말).

sesquiplano *m.* 【항공】 날개 한 쪽을 짧게 한 복엽기(複葉機).

sesteadero *m.* (목축의) 낮에 쉬는 곳.

sestear *intr.* ① 낮잠을 자다(dormir la siesta), 낮에 쉬다(pasar la siesta) : ～ en casa. ② (목축이) 응달에서 쉬다·휴식하다.

sesteo *m.* sestear 하기.

sestercio *m.* 옛 로마의 동전 《2 ases 반에 해당함》.

sestero *m.* =**sesteadero.**

sestil *m.* =**sesteadero.**

sesudamente *adv.* 신중하게, 사려깊게.

sesudez *f.* =**sensatez.**

sesudo, da *adj. m.f.* ① 사려·분별있는 (사람), 신중한 (사람)(juicioso, cuerdo) : hombre ～. ② 《*Chile.*》 옹고집의, 고집센 (사람)(testarudo).

Set[1] *m.* 【이집트 신화】 악의 신.

Set[2] *m.* 【인명】 아담과 이브의 셋째 아들.

seta[1] *f.* [*port.* seta] ① 【식물】 버섯(hongo) : ～ comestible 식용 버섯. ～ venenosa 독버섯. ② 촛농, 촛물(moco).

seta[2] *f.* [*lat.* seta] ① 빳빳한 동물의 털(seda). ② 뱀장어 낚시용 살.

setabense *adj.* 세따비스 《Setabis, 현재의 Játiva의 옛 이름》의 (jativés). —*m.f.* 세따비스·하띠바 사람.

setabitano, na *adj.* 하띠바 《Játiva, 발렌시아 주의 도시》 의. —*m.f.* 하띠바 사람.

setáceo, a *adj.* 암퇘지 닮은.

setal *m.* 버섯이 나는 곳.

set.[e] septiembre 9월.

setecientos, tas *adj.* ① 700의(siete veces ciento) : ～ pies 700피트. ② 700번째의(septingentésimo) : año ～. —*m.* 700.

setena *f.* 7개조, 7개(septena). —*pl.* 7배의 벌금. *pagar con tres* ～*s* 호된·가혹한 중형을 받다.

setenado, da *adj.* [setenar의 *p.p.*] 몹시 과중한 형벌을 받은, 중벌로 다스린. —*m.* 7개년.

setenar *tr.* 일곱 개 가운데서 하나를 가지다.

setenario *m.* =**septenario.**

setenta *adj.* [*lat.* septuaginta] ① 일흔의, 70의 (siete veces diez) : comprar ～ libros 나는 책 일흔 권을 산다. ② 70번째의(septuagésimo) : año ～. —*m.* 70, 일흔.

setentavo, va *adj.* =**septuagésimo.**

setentón, na *adj. m.f.* =**septuagenario.**

setero *adj.* 【식물】 엉겅퀴의 한 일종 : cardo ～.

setica *f.* 《*Perú.*》 【식물】 세띠까 《아메리카의 나무 이름》.

setiembre *m.* 【속어】 9월(septiembre).

sétimo, ma *adj.* 【속어】 =**séptimo.**

seto *m.* [*lat.* septum] ① 울타리(cercado, valla) : ～ vivo 생울타리 일종. ② 《*Ant*》 벽, 간막이 벽(tabique).

llevarse un ～ 《*Ant.*》 퇴짜맞다, 기대에 어긋난 일을 당하다.

sétter *m.* 길고 곱슬곱슬한 털이 있는 영국의 개 : El ～ es animal muy inteligente.

setuní *m.* 아라비아 당초 무늬 세공(aceituní).

seudo- *pref.* [*gr.* pseudos] 「가짜의, 비슷한」을 뜻하는 접두어(pseudo) : ～ membrana 의막(擬膜).

seudónimo, ma *adj.* 가명·익명으로 쓴. —*m.* 가명, 익명, 필명, 아호, 펜네임 : Fernán Caballero era el ～ de Cecilia Bohl de Faber.

seudomorfosis *f.* 【광물】 가정(假晶).

seudopodio *m.* =**seudopodo.**

seudópodo *m.* 【의학】 (아메바 등의) 가족(假足)(pseudópodo).

Seúl *m.* 【지명】 서울 《대한민국의 수도》.

seulense *adj.* 서울의. —*m.f.* 서울 사람, 서울 태생의 사람.

s.e.u.o., S.E.u.O. salvo error u omisión.

severamente *adv.* 호되게, 엄하게(con severidad).

severidad *f.* 엄함, 호됨, 엄격 ; 엄숙, 준엄 ; 가혹(rigor grande).

severo, ra *adj.* [*lat.* severus] ① 엄한, 엄격한 : Era un maestro ～ con sus alumnos 그는 학생들에게 엄격한 교사였다. ② 근엄한 : semblante ～ 근엄한 얼굴 표정. ③ 준엄한, 중대한.

sevicia *f.* ① 잔혹, 학대(crueldad excesiva). ② 《*Cuba.*》 해오라기 비슷한 물새.

seviche *m.* 《*Péru.*》 세비체 《굴·조개 등을 사용한 요리의 일종》 (cebiche)

Sevilla 【지명】 세비야《서반아 남부의 한 주·그 주도》.

sevillanas *f. pl.* 세빌랴나스 《세비야의 민요·춤》.

sevillano, na *adj.* 세빌랴의. **—***m.f.* 세빌랴 사람.

séviro *m.* 고대 로마의 십인조 병사의 대장.

sex- *pref.* 「6」을 뜻하는 접두어.

sexagenario, ria *adj. m.f.* 60대의 (노인).

sexagésima *f.* 사순절 전의 제 2 의 일요일.

sexagesimal *adj.* 60의, 60으로 나뉘는, 60을 기점으로 한.

sexagésimo, ma *adj.* 60번째의 ; 60등분의. **—***m.* 60분의 1.

sexagonal *adj.* =**hexagonal.**

sexángulo, la *adj.* 6각의. **—***m.* 6각형(hexágono).

sexcentésimo, ma *adj.* 600번째의 ; 600등분의. **—***m.* 600분의 1.

sexenal *adj.* 6년마다의.

sexenio *m.* 6개년(período de seis años).

sexma *f.* ① 6분의 1. ② 6분의 1 vara. ③ =**séxtula.**

sexmero *m.* sexmo의 관리.

sexmo *m.* 군(郡), 군구(郡區).

sexo *m.* [*lat.* sexus] (남녀·자웅의) 성(性) : ~ masculino 남성. ~ femenino 여성. débil·bello ~ 여성, fuerte·feo ~ 남성. las personas de ambos ~*s* 양성을 가진 사람.

sexología *f.* 성과학(性科學), 성욕학(性欲學).

sexólogo, ga *m.f.* 성과학자.

sexta *f.* [*lat.* sexta] 6시과(六時課) ; (카드의) 6매조 ; 제6도 음정.

sextaferia *f.* (서반아 북부에서 마을 사람이 나와서 하는) 도로 부역 공사.

sextaferiar *tr.* sextaferia에서 일하다.

sextantario, ria *adj.* sextante 무게의.

sextante *m.* [*lat.* sextans] 6분의(六分儀) ; 고대 로마의 육푼짜리 동전.

sextario *m.* 고대 용량의 단위.

sextavado, da *adj.* =**hexagonal.**

sextavar *tr.* 육각형으로 만들다.

sexteto *m.* 【음악】 육중창, 육중주.

sextil *adj.* 서로 60도 거리에 있는 (두 혹성의 위치).

sextilla *f.* 【시어】 6행시.

sextillo *m.* =**seisillo.**

sextina *f.* 【고어】 장시(長詩)의 일종 《11음절의 6행련 6개와 3행련 1개로 이루어진 시》.

sexto, ta *adj.* [*lat.* sextus] 6번째의 ; 6등분의. **—***m.* 6분의 1 ; 교령전(教令典).

séxtula *f.* 고대 로마의 동전.

sextuplicación *f.* sextuplicar 하는 일.

sextuplicar *tr.* [7] 6배하다(multiplicar por seis).

séxtuplo, pla *adj.* 6배의, 여섯 겹으로 된. **—***m.* 6배.

sexual *adj.* 남녀의, 암수의, 자웅의 ; 성의, 성적인, 성에 관한 ; 유성(有性)의 : apetito ~ 성욕. enfermedad ~ 성병. intercambio ~ 성교. moralidad ~ 성도덕. órganos ~*es* 생식기. perversión ~ 변태 성욕, 성도착, 색정 도착증. reproducción ~ 【생물】 유성 생식. selección ~ 【생물】 자웅 선택. observar diferencias ~*es* 성의 차이를 관찰하다.

sexualidad *f.* 남녀 · 암수 · 자웅의 구별, 성별, 유성(有性) ; 성욕, 성적인 것(apetito sexual) ; (지나친) 성행위 ; 성기능.

sexualmente *adv.* 남녀·암수의 구별에 따라, 성적으로.

s/f saldo a favor.

s/f. su favor.

s/fª., s/fra. su factura.

s/g. su giro.

S.G.D.G. sin garantía del gobierno 정부의 보증없이.

s/gº su giro 귀사의 환어음.

shah *m.* =**cha, sah.**

shake-hand *m. ing.* 악수 : dar un vigoroso ~. [*N.* 발음 : chek-jand].

shakespeariano, na *adj.* 세익스피어 풍의 : fantasía ~*na*. [*N.* 발음 : chekspiriano].

shakó *m.* =**chacó.**

shampoo *m. ing.* =**champú.**

shampooing *m. ing.* 머리 감기(lavado de cabeza).

shantung *m. chino.* 비단천(tela de seda).

sheriff *m. ing.* 보안관, 행정관.

sherry *m. ing.* 헤레스산 포도주(vino de Jerez).

shilling *m. ing.* =**chelín.**

shintoísmo *m.* =**shinto.**

shock *m. ing.* 【의학】 =**choque.**

shocking *m. ing.* 쇼킹. [*N.* 발음 : chokin].

shogún *m.* =**taikún.**

show *m. ing.* 쇼(espectáculo teatral o televisivo).

shrapnell *m. ing.* 유산탄, 포탄의 파편. [*N.* 발음 : chrapnel].

shunt *m. ing.* 한 옆으로 비켜섬·돌림.

shuntar *tr.* 옆으로 돌리다, 비키게 하다.

si[1] *m.* 【음악】 (도레미 창법의) 시 ; B음 《음계의 제7음》.

si[2] *conj.* [*lat.* si] ① [조건 · 가정 · 가상을 나타냄 ; 미래나 단순한 그것이면 직설법 동사를 사용함] 만약 …이라면, …이면 : *Si* vuelves, te esperaré aquí 또 오겠다면, 여기서 너를 기다리겠다.
② [현재의 사실에 반대되는 가정이라면 접속법 과거의 se 혹은 ra의 형 ; 과거의 사실에 반대되는 가정이면 접속법 대과거의 동사를 사용함 : 가정법] 만약 …이라면 : *Si* tuviese trabajo, trabajara (혹은 trabajaría) ; *Si* tuviera trabajo, trabajaría 만약 내게 일이 있다면 일을 할텐데 (없어서 못한다) [가정법 현재]. *Si* lo hubiese sabido, no le hubiera (habría) dejado salir ; *Si* lo hubiera sabido, no le habría dejado salir 만약에 내가 그것을 알았던들, 그를 밖에 내보내지는 않았을텐데 [가정법 과거].
③ [단정에 대한 기대의 어긋남] …하였는데, 하였는데도 : *Si* ayer lo dijiste, ¿ cómo lo niegas hoy? 어제는 그렇게 말했으면서도, 왜 오늘 와서 그 말을 부인하지 ?
④ [배반] …한다고 해도, 하였다고 해도(aunque) : No lo haré *si* me matan 죽어도 나는 그런 일은 하지 않겠다. *Si* Flavia ha salido, va a venir pronto 플라비아는 외출은 했지만 곧 돌아올 것이다.
⑤ [대립] …이라고 한다면, …이라면, 한편으로 : *Si* hay buenos, hay malos 착한 사람이 있다면, 나쁜 사람도 있다. *Si* aquélla era buena, éste era malo 그 여자가 착한 사람이었다면, 이

자는 나쁜 남자였다.

⑥[강조・과정] …한다고 해도 : Es atrevido, *si* los hay 세상에 겁없이 덤비는 놈도 있지만 그놈이야 말로 겁없는 놈이다.

⑦ㄱ) [간접 의문 : 명사구를 만든다] …할지 어쩔지, …하는지 마는지, 하였는지 말았는지 : Le preguntaron *si* tenía equipaje 그는 짐이 있는지 없는지를 질문받았다. Me senté en la cama pensando en *si* valdría la pena de acudir 나는 침대에 주저앉아, 가주어야 할 만한 일이 있을까 생각했다. ㄴ) [+*inf.* : 주어가 동일할 때] …할지 어쩔지 : No sabía yo *si acercarme* a él 나는 그에게 접근할지 어쩔지 몰랐었다.

⑧[글머리에서 회의] 과연 …일까 : ¿*Si* será verdad lo del testamento? 유언장에 대한 일은 사실일까?

⑨[글머리에서 강조] …이라고 한다 : ¡*Si* no he estado nunca en Sevilla! 나더러 한번도 세빌랴에 가본 일이 없다는 겁니다!

⑩[반복해서 쓰여 배분의 접속사] Malo *si* uno habla, *si* no habla, peor 아무라도 입밖에 내는 것이 나쁜 일이기는 하지만, 말하지 않는다면 더욱 나쁘다.

⑪[como, cual, igual que+접속법 과거・대과거] 마치 …처럼 : Le tratan *como si fuera* hijo suyo 그를 친자식처럼 다루었다. Las luces se desvanecieron tras la niebla *cual si* un soplo las *hubiera extinguido* 등불은 마치 일진 광풍이 커버리기라도 한 것처럼 안개의 저쪽으로 사라져 버렸다.

⑫[más…que+접속법 동사] …하였던 것보다 더욱더 … : Se quedó *más* contento *que si* le hubieran dado un millón 백만이나 되는 돈을 받았던 것보다 더 기뻐했다.

⑬[+no] ㄱ) …하지 않다면 : Callaré *si no* quieres oírme 내 말을 듣고 싶지 않다면 잠자코 있겠네. ㄴ) …이 아니라면 : Pórtate como hombre de bien, *si no,* deja de frecuentar mi casa 훌륭한 사람 행세를 하시오, 그렇지 않으면 내 집에 발걸음도 하지 마시오.

si bien 설사, 설혹(aunque).

si que también 【속어】 =pero, sino también.

sí¹ *pron.* [*lat.* sibi] [주어 자신을 받는 대명사 ; 재귀 대명사의 전치사를 취하는 형 ; 남성・여성 동형, 단・복수 동형]

①자기 자신, 그것 자체 : En *sí* hallarán la paz 그들은 자기 자신 속에서 평안을 찾게 될 것이다. Ya volvió en *sí* 그는 벌써 제정신을 찾았다. Lo dice para *sí* 마음 속으로 그렇게 말하는 것이다.

②[더러 mismo를 붙여 강조 : mismo의 성・수는 주어의 성・수에 일치해야 함] A *sí mismo* se llamó don Quijote de la Mancha 자신은 스스로 동끼호떼・데・라・만챠라고 자기 소개를 했다. lo que decía Santa Teresa de *sí misma* 산따 떼레사가 자기에 대한 일을 말했던 일.

③[대격의 성질과 여격의 성질을 아울러 가짐] *Se* quiere a *sí* misma 그녀는 자기 자신이 사랑스러운 거야. *Se* lee la carta a *sí* mismo 그는 혼자서 편지를 읽고 있다.

④[con+sí =consigo] Ella llevó (a) su perro *consigo* 그녀는 자기의 개를 손수 가지고 갔다. El asunto es ya bastante difícil *de sí* 그 문제는 이미 그 자체가 꽤 곤란한 것이다. La felicidad lleva la desgracia *consigo* 행복은 그 자체 속에 불행을 내포하고 있다.

de por sí 따로따로, 저마다.

de sí 스스로, 선천적으로, 본래부터(naturalmente, de suyo) : Ya es malo *de sí* 이미 본래부터 그는 악질이다.

para sí 스스로에게, 마음속에서 : Se lo dijo *para sí* 그는 혼자 그렇게 말했다. Si lo dijo, lo diría *para sí* 그가 그렇게 말했다 하더라도 혼자 말이었겠지.

por sí y ante sí 자기 혼자(의 판단・책임)서 멋대로.

sobre sí 신중하게, 자기 자신을 잃지 않고 ; 의연하게, 버젓이 ; 이성을 잃지 않고 : Tenía gran dominio *sobre sí* mismo 그는 굉장한 자제심이 있다.

entre sí 서로 ; 마음속에서 : Los soldados hablaban bajo *entre sí* 군인들은 서로 소곤소곤 이야기했다.

volver en sí 본 정신으로 돌아오다 : Cuando *volví en mí* ya no estaban 내가 제정신으로 돌아왔을 때 모두들 이미 없었다.

sí² *adv.* [*lat.* sic] ①ㄱ) [긍정의 부사 ; 질문에 대해 대답이 긍정문일 때] 예, 그렇습니다 : ¿Lo sabía usted? —*Sí*, lo sabía 그것을 알고 있었습니까? — 네, 알고 있었습니다 : ¿No lo sabía? —*Sí,* lo sabía 그것을 모르셨군요? —아닙니다, 알고 있었습니다. ㄴ) [부정 의문에 대한 대답] 아닙니다 : ¿No estuviste aquí ayer? —Sí, estuve 너는 어제 오지 않았느냐? —아니, 왔습니다. ②[긍정의 강조] 그렇고 말고요, 응, 확실히, 정말로 : Iré, *sí,* aunque pierda la vida 설사 생명이 없어지는 한이 있더라도, 그래, 나는 가겠어. ③[+que] 분명히 …이다, …이라는 것은 분명하다 : En esto *sí que* dices bien 이 점에서는 당신 말이 옳아.

sí³ *m.* 동의, 허락, 승인 : Ya tengo el *sí* del padre 나는 이미 부친의 동의를 받았다.

dar el sí 승인하다.

por sí o por no 아무튼, 좌우간 : Aunque ya no creo que venga, *por sí o por no,* bueno será esperarle 이제 그가 올 것 같지는 않지만, 아무튼 기다려 보는 것이 좋을 거야. *Por sí o por no* vamos a coger el paraguas 좌우간 우산을 가지고 가자.

sí tal 그렇고말고, 분명히.

que sí, que sí 아무렴, 그렇고 말고.

sialagogo *adj. m.* 침이 증가하는 (것・사람).

sialismo *m.* 【의학】 침을 흘림, 타액루(唾液漏) (salivación).

siamanga *f.* 【동물】 시아망가《스마트라와 오세아니아의 섬에서 사는 긴손 원숭이의 일종》.

siamés, sa *adj.* ①샴(Siam)의. ②몸이 붙은 (쌍둥이). —*m.f.* 샴사람, 태국사람. —*m.* 샴어, 태국어.

sibanco *m.* 《*PRico.*》 한쪽 구석, 변두리, 먼곳.

sibarita *adj.* ①시바리스《Síbaris, 이탈리아에 있던 고대 그리스의 수도 ; 주민은 사치하고 유약했음》의. ②음탕한, 음란한. ③사치스런. —*m.f.* ①시바리스 사람. ②사치에 빠진 무리, 음탕에 빠진 무리 : tener una vida de ~ 음란한 생활을 하다.

sibarítico, ca *adj.* 시바리스 풍의 ; 음란한, 음탕한(sensual).
sibaritismo *m.* ① 쾌락주의, 음탕, 음란(vida sensual). ② 사치.
Siberia *f.* 【지명】 시베리아.
siberiano, na *adj.* 시베리아의, 시베리아에 관한. —*m.f.* 시베리아 사람.
sibil *m.* (자연적 · 인위적) 동굴 ; 양식 · 식량 저장하는 굴.
sibila *f.* (아폴로 신을 받들던) 무당 《신탁(神託)을 알리는 여자》; 예언자, 점쟁이(adivina).
sibilante *adj.* ① 슈슈 · 휭휭 소리를 내는. ② 【음성】 치찰음의(silbante).
sibilejos *m.pl.* 《*Amér.*》 원숭이의 놀이.
sibilino, na *adj.* [*lat.* sibyllinus] ① 무녀 sibila의 ; 신탁적(神託的)인, 예언적인 : libros ~*s.* ② 불가사의한, 신비스런, 수상쩍은.
sibilítico, ca *adj.* =**sibilino.**
siboney *adj.m.f.* 시보네이족 《안띠야스 출신의 콜롬부스 이전 시대의 꾸바 원주민》의 (사람).
sibucao *m.* 《*Filip.*》 【식물】 다목.
sic *adv. lat.* 원문 그대로 《의심스럽거나 잘못된 원문을 그대로 인용하였을 때, 인용 어구의 말미에 [sic]를 써 넣음》.
sicalipsis *f. Neol.* =**pornografía.**
sicalíptico, ca *adj. Neol.* =**pornográfico.**
sicambro, ra *adj. m.f.* 라인강 근처의 북부 게르마니아에 살던 종족(의).
sicamor *m.* 【식물】 =**ciclamor.**
sicano, na *adj.* 시까니아 《Sicania, 현재의 시칠리아 섬, 서반아에서 이탈리아에 건너가 창립하였다는 도시》의 ; 시실리아 섬의. —*m.f.* 시까니아 사람.
sicario *m.* 자객(el asesino pagado · asalariado).
sicasica *f.* 《*Bol.*》 털이 많은 모충.
sicastenia *f.* =**psicastenia.**
sicasténico, ca *adj.* =**psicasténico.**
sicélide *adj.f.* =**siciliana.**
sicigia *f.* 【천문】 대천(對天), 삭망(朔望).
Sicilia *f.* 【지명】 시실리아섬《이탈리아의》.
siciliano, na *adj.* 시실리아의. —*m.f.* 시실리아 사람.
sicionio, nia *adj.* 시시온 《Sición, 남부 그리스의 옛 도읍》의. —*m.f.* 시시온 사람.
siclo *m.* ① 바빌로이나, 페니키아 및 헤브루에서 사용된 무게의 단위. ② 헤브루에서 사용된 은화.
sicoanálisis *m.* 정신분석(학 · 법)(psicoanálisis).
sicoanalítico, ca *adj.* 정신 분석의(psicoanalítico).
sicodiagnóstico, ca *adj.* =**psicodiagnóstico.**
sicodrama *m.* 【정신병학】 정신극(psicodrama).
sicoestadística *f.* =**psicoestadística.**
sicofanta *m.* 중상 모략가(calumiador, delator).
sicofante *m.* =**sicofanta.**
sicofarmacología *f.* =**psicofarmacología.**
sicofísica *f.* 정신 물리학(psicofísica).
sicofísico, ca *adj.* 정신 물리학의(psicofísico). —*m.f.* 정신병 전문의.
sicofisiología *f.* =**psicofisiología.**
sicogénesis *f.* 정신 발생(학) (psicogénesis).
sicogenia *f.* =**psicogenia.**
sicogenio, nia *adj.* =**psicogenio.**
sicognostia *f.* 정신력 직관.
sicolingüística *f.* 언어 심리학(psicolingüística).
sicolingüístico, ca *adj.* 언어 심리학의(psicolingüístico).
sicología *f.* 심리학(pscología) : ~ de la publicidad 광고 심리학.
sicológico, ca *adj.* =**psicológico.**
sicólogo, ga *m.f.* =**psicólogo.**
sicometría *f.* 정신 측정(학)(pscometría).
sicómoro *m.* 【식물】 ① (이집트산의) 무화과, 무화과나무. ② 플라타너스(plátano falso).
siconeurosis *f.* (정신) 신경증(psiconeurosis).
siconio *m.* 【식물】 =**sicono.**
sicono *m.* 【식물】 음화과(陰花果) 《무화과 등》.
sicópata *m.* 정신병자(psicópata).
sicopatía *f.* 정신병(pscopatía).
sicopático, ca *adj.* 정신병의, 정신병에 걸린.
sicopatología *f.* 정신 병리학(psicopatología).
sicopatológico, ca *adj.* 정신 병리학의(psicopatológico).
sicopedagogía *f.* =**psicopedagogía.**
sicopedagogo, ga *m.f.* =**psicopedagogo.**
sicosexual *adj.* =**psicosexual.**
sicosis *f.* =**psicosis.**
sicosomático, ca *adj.* 정신 신체 (의학)의 (psicosomático).
sicote *m.* 《*Ant.*》 고약한 냄새가 나는 발 ; 발의 고약한 냄새.
sicotecnia *f.* =**psicotecnia.**
sicotécnico, ca *adj.* =**psicotécnico.**
sicotera *f.* 《*Ant.*》 =**sicote.**
sicoterapeuta *m.f.* =**psicoterapeuta.**
sicoterapéutico, ca *adj.* =**psicoterapéutico.**
sicoterapia *f.* 정신 요법(psicoterapia).
sicoterápico, ca *adj.* =**psicoterápico.**
sicótico, ca *adj.* 정신병의(psicótico). —*m.f.* 정신병자, 정신 이상자.
sicotudo, da *adj.* 《*Ant.*》 발에서 고약한 냄새가 나는, 몸에서 고약한 냄새가 나는.
sicrómetro *m.* 습도계, 검습기(psicrómetro).
sículo, la *adj. m.f.* [*lat.* siculus] =**siciliano.**
SIDA *m.* 【의학】 에이즈, 후천성 면역 부전 증후군 (Síndrome de Inmunodeficiencia Adquirida).
SIDE Secretaría de Informaciones del Estado.
sidecar *m. ing.* 사이드카.
sideración *f.* 인간의 생활이나 건강에 대한 천체의 영향.
sideral *adj.* ① [*lat.* sidereus] 천체의(de los astros) : el espacio ~ 천체의 공간. observaciones ~*es* 천체 관측. ② 별의, 항성(恒星)의 : año · día · hora ~ 항성년 · 일 · 시간.
sideratina *f.* =**sideretina.**
sidéreo, a *adj.* =**sideral.**
sideretina *f.* 수화 비산염.
siderita *f.* ① 【광물】 =**siderosa.** ② 【식물】 박하류의 풀.
sideritis *f.* 순형과 식물.
siderosa *f.* 【광물】 능철광.
siderosis *f.* 【의학】 철증(鐵症) 《철분 등의 흡입으로 인한 폐질환》.

sideróstato *m.* 성광 반사경(星光反射鏡).
siderotecnia *f.* 제철학(metalurgia del herro).
siderurgia *f.* 제강(製鋼); 제철업, 단철술(鍛鐵術): los progresos de la ~ coreana 한국 제철업의 발전.
siderúrgico, ca *adj.* 제철업의, 단철의: acciones ~*cas* 제철주(株). industria ~*ca* 제철업.
sidi *m.* (모로코에서) =**señor, santo.**
sidonio, nia *adj.* 시돈《Sdón, 페니키아의 도시》의. —*m.f.* 시돈 사람(fenicio).
sidra *f.* [*lat.* sicera] 사이다; 사과술.
sidrería *f.* 사이다 판매소.
sidrero, ra *adj.* sidra의: industria ~*ra* 사이다·사과주 산업.
SIECA Secretaría Permanente del Tratado General de Integración Económica Centroamericana.
siega *f.* ① 베어 들임. ② 추수기: Llegó por la ~추수기가 왔다. ② 베어들이는 보리.
siegue- → **segar** ⑲ ⑧.
siembra *f.* ① 파종; 파종 시기: Se hace la ~ del trigo en otoño 소맥의 파종은 가을에 행해진다. ② 밭.
siemens *m.* (국제) 전기 콘덕턴스 단위.
siemensio *m.* =**siemens.**
siempre *adv.* [*lat.* semper] ① ㉠ 언제나, 늘, 항상(en todo tiempo, en cualquier tiempo): No están ~ contentos los ricos 부자가 항상 만족하고 있는 것은 아니다. ㉡ 어떤 경우에나(en todo caso). *S-* hago las mismas cosas 나는 항상 같은 일을 한다. ② 《*Galic.*》 역시, 아직(aún): ¿Vives ~ en la misma casa? 아직도 그 집에서 살고 있나? ③ 《*AmérC. Ant. Méx. Col.*》 틀림없이, 반드시: *S-* me iré hoy 반드시 오늘 나는 간다.
~ ***jamás*** 언제 어느때라도 (siempre의 강조).
~ ***que*** · ~ ***y cuando que*** ① …할 때는 언제라도: *S- que* nos encontramos me saluda 우리가 만날 때는 언제나 그는 나에게 인사한다. ② …의 조건으로, …한다면(con tal que): *S- que* estudies, te aprobarán 네가 공부하면 합격할 것이다. Mañana comeré en tu casa ~ *que* tú comas hoy en la mía 네가 오늘 내 집에서 식사하면, 내일 네 집에서 식사하겠다.
de ~ 예(例)의, 항상의; 옛날부터(의): Somos amigos *de* ~ 우리는 옛날부터 친구다.
para ~ 영원히, 언제까지나: Me voy *para* ~ 영원히, 나는 가버린다: No me olvides *para* ~ 그대 나를 영원히 잊지 말아 다오. Lo guardaré *para* ~ 그것을 영원히 간직하겠다.
por ~ 영구히, 영원히, 언제까지나: *Por* ~ será alabada su hazaña 그의 공적은 영원히 칭찬 받을 것이다.
siempretieso *m.* 오뚜기(dominguillo).
siempreviva *f.* 【식물】 떡쑥: ~ mayor 돌나물과의 다년초. ~ menor 꿩의 비름.
sien *f.* 【해부】 관자놀이. —*pl.* 이마.
siena *f.* ① 【은어】 =**cara, rostro, semblante.** ② (회화용) 황토(ocre).
sienita *f.* 【광물】 섬장석(閃長石)(granito rojizo).
sienta ① sentar의 직·현·1·3·단수. ② sentir의 접·현·1·3·단수.
sientan ① sentar의 직·현·3·복수. ② sentir의 접·현·3·복수.
sientas ① sentar의 직·현·2·단수. ② sentir의 접·현·2·단수.
siente ① sentir의 직·현·3·단수. ② sentar의 접·현·1·3·단수.
sienten ① sentir의 직·현·3·복수. ② sentar의 접·현·3·단수.
sientes ① sentiir의 직·현·2·단수. ② sentar의 접·현·2·단수.
siento ① sentar의 직·현·1·단수. ② sentir의 직·현·1·단수.
sieporita *f.* 【광물】 유화 코발트.
sierpe *f.* ① 【동물】 뱀(serpiente, culebra). ② 지독한 사람, 흉칙한 사람; 꿈틀거리는 것. ③ 《*Ast.*》 (종이로 만든)연(cometa). ④ 【은어】 열쇠(ganzúa). ⑤ 【식물】 뿌리에서 나온 싹.
sierra *f.* [*lat.* serra] ① 톱: No corta bien esta sierra이 톱은 잘 들지 않는다. ② 산맥, 연봉(cordillera de montañas): En Madrid, cuando se habla de la ~, se entiende la de Guadarrama 마드리드에서 산맥이라면 구아다라마 산맥이라고 이해된다. ③ 《*Arg.*》 작은 산맥. ④ 【어류】 톱상어(pez sierra). —*pl.* 【은어】 이마(las sienes).
~ ***bracera*** 통나무 자르는 톱. ~ ***circular*** 원형톱, 평면반. ~ ***de arco*** 활톱. ~ ***de cinta*** 띠톱 ~ ***de ingletes*** 홈톱. ~ ***de mano*** 손톱(serrucho). ~ ***de punta*** 둥근 모양으로 자르는 실톱. ~ ***de trasdós*** (등에 쇠를 받친) 얇은 톱. ~ ***mecánica*** 기계톱, 동력톱. ~ ***sin fin*** 띠톱.
sierro *m.* 《*Sal.*》 =**risco.**
siervo, va *m.f.* [*lat.* servus] ① 하인, 머슴, 노예(esclavo). ② 소인; 저, 소생《남에게 경의를 표하기 위해 자신을 낮추는 말》. ③ 어떤 교단·교회파에 속하는 것의 비칭(卑稱): ~ de María 마리아회의 수녀.
~ ***de Dios*** 하나님의 종; 가엾은 사람, 불쌍한 사람.
~ ***de la pena*** 옛날의 종신 중노동 죄수.
~ ***de los siervos de Dios*** 미천한 하나님의 종《로마 교황의 자칭》.
sieso *m.* 【해부】 항문(ano) 부분.
siesta *f.* [*lat.* sexta hora] (점심 식사 후의) ① 낮잠, 오수(의 시간): dormir · tomar la ~ 낮잠을 자다. ~ del carnero 점심 식사 전 낮잠. ② 눈금. ③ 【종교】 오후의 음악.
siete *adj.* [*lat.* septem] ① 7의: ~ libros. ② 일곱 번째의: el año ~. —*m.* ① 7, 일곱. ② 카드의 7패(barrilete). ③ 자 모양으로 찢어진 것. ④ 《*Amér.*》 [드뭄] 항문.
tres ~***s*** 21점으로 하는 카드 놀이.
más que ~ 아주 많이, 많이: hablar · comer · saber *más que* ~ ¡
¡la gran ~***!*** 《*Arg.*》 놀랬다, 놀랬어!
sietecolores *m.* 【단·복수 동형】 ① 《*Pal. Burg.*》 홍방울새 (jilguero). ② 《*Arg. Chile. Ecuad.*》 【조류】 (날개와 꽁지가 검은) 칠색(七色) 참새.
sietecuchillos *m.* 【단복수 동형】 =**sietecolores.**
sietecueros *m.* 【단·복수 동형】 ① 《*Col.*

Hond.》 발뒤꿈치에 생기는 굳은 살 (divieso en el talón). ② 생인손, 생인발 (panadizo). ③ 약골(enclenque).

sieteenrama *m.* 【단·복수 동형】【식물】 양지꽃무리(tormentilla).

sietelevar *m.* 카드 놀이에서 단판에 7점을 딸 수 있는 수.

sietemesino, na *adj.* 임신 7개월에 태어난; 되바라진. **—***m.f.* 칠삭둥이 (el niño nacido a los siete meses de engendrado).

sieteñal *adj.* 일곱 살의, 7년의.

sietesangrías *f.* 《*Ál.*》【식물】 =**centaurea menor.**

sifilete *m.* 【조류】 (뉴기니아의) 극락조.

sifilide *f.* 【의학】 매독진(梅毒疹).

sífilis *f.* 【의학】 매독.

sifilítico, ca *adj.* 매독의. **—***m.f.* 매독 환자.

sifilografía *f.* 매독학.

sifilográfico, ca *adj.* 매독학의.

sifilógrafo *m.* 매독 전문 의사, 매독학자.

sifón *m.* 사이펀 곡관(曲管), 흡수관; 사이펀 병; 사이펀식 관·용기 : ~ de depósito 방취판, 하수관.

sifonóforos *m. pl.* 【동물】 관상(管狀) 해파리무리.

sifosis *f.* 곱사등이, 곱사(corcova).

sifué *m.* (마구의) 배대끈(sobrecincha).

sig. siguiente.

siga[1] *f.* 《*Chile.*》 뒤를 잇는일 (seguimiento) : a la ~ 뒤따라, …의 뒤에서.

siga[2] seguir의 접·현·1·3·단수.

sigáis seguir의 접·현·2·복수.

sigamos seguir의 접·현·1·복수.

sigan seguir의 접·현·3·복수.

sigas seguir의 접·현·2·단수.

sigilación *f.* 봉인(封印), 날인, 인(印); 묵비, 은닉.

sigilar *tr.* [*lat.* sigillare] ① 감추어 두다, 묵비·은닉하다 (callar, encubrir, obrar en secreto, ocultar). ② [드뭄] 봉하다(sellar).

sigilo *m.* [*lat.* sigillum] ① 비밀, 은닉, 묵비 (secreto) : ~ profesional 변호사·의사 등이 지키는 직무상의 비밀. ~ sacramental 고해 신부가 지키는 비밀. ② 도장, 인판(印判), 봉인 (sello).

sigilografía *f.* 고인학(古印學)·연구; 인장학 (印章學).

sigilomanía *f.* 인장·우표 수집 취미.

sigilosamente *adv.* 은밀히, 살그머니, 숨기는 듯이; 감추어, 몰래(con sigilo o secreto).

sigilosidad *f.* 비밀스러운 일, 은밀성, 비밀.

sigiloso, sa *adj.* 비밀스러운, 몰래 숨긴.

sigisbeo *m.* =**chichisbeo.**

sigla *f.* [*lat.* sigla] ① 생략어를 표시하는 머리글자 : OIT son las ~*s* de la Organización Internacional del Teabajo. ② 생략 부호; 약어.

siglo *m.* [*lat.* saeculum] ① 세기, 백년 (espacio de cien años : vivir un ~ 백년을 살다. ¿ En qué ~ estamos? 지금 몇 세기인가요? El novelista vivió en el ~ V 그 소설가는 5세기에 살았다. Un ~ tiene cien años 1세기는 백년이다. ② 오랫동안 : en·por los ~*s* de los ~*s* 오랫동안, 영구히 (enteramente). Un ~ ha que no te veo 꽤 오랫동안 자네를 만나지 못하였군. ¡ Hace un ~ que no la he visto! 오랫동안 그녀를 만나지 못했다. ③ 시대 : el ~ de la electricidad 전기 시대. ④ 시기, 속계(俗界), 현세; 활동계 : José deja el ~ 호세는 은퇴했다. ~ de cobre (신화에서) 황동 시대(黃銅時代). ~ de hierro 【신화】 흑철 시대(黑鐵時代); 말세. ~ de oro 황금 시대, 전성기. ~ dorado 황금 세기(siglo de oro). ~*s* y medios 로마 제국의 붕괴에서 터키의 콘스탄티노플의 점령까지의 시대.

sigma *f.* S에 해당하는 그리스 자모(字母)의 18번째 문자.

sigmoideo, a *adj.* S자 형의.

sigmoides *adj.* 【해부】 S자형의 : las válvulas ~ de la aorta 대동맥의 S자형 판막.

signáculo *m.* (기록에 쓰이는) 표적(señal).

signar *tr.* [*lat.* signare] ① (…에) 십자 표시를 해주다. ② 【고어】 사인·서명하다, 날인하다 (firmar) : El notario *signó* el documento 공증인은 서류에 서명을 했다.

~se 십자표를 하다, 십자를 긋다 《오른쪽 손의 검지를 구부려 엄지 손가락에 포갠 십자로, 이마·입·가슴의 순서로 하는 일》 : *Se signó* ante el peligro 그는 위험에 처했을 때 십자를 그었다.

signatario, ria *adj. m.f.* 서명하는, 조인하는 (사람); 협정 당사자 (firmante).

signatura *f.* ① 【인쇄】 (접지를 위한) 전자 번호; 문서·서적이 정리 번호. ② 조인(식) : efectuarse la ~ 조인(식)이 행해지다. ③ [드뭄] 표, 부호, 기호(señal).

signífero, ra *dj.* 【시어】 표시가 되는; 표적이 되는. **—***m.* 기수(旗手).

significación *f.* [*lat.* significatio] ① 어의(語義), 뜻, 의미 (sentido) : Es un acto formulario que no tiene ~ 그것은 아무런 의미도 없는 형식적인 의식이다. ② 《*Amér.*》 중요함 (importancia) : Esto no tiene ninguna ~ 이것은 아무런 중요성이 없다.

significado, da *adj.* [significar의 *p.p.*] 평판이 있는(notable), 잘 알려진, 의미있는; 중요한. **—***m.* 의미, 말뜻(significación, sentido) : explicar el ~ de una palabra 낱말의 뜻을 설명하다. ¿ Cuál es el ~ de esta palabra? 이 단어의 의미는 무엇인가요?

significador, ra *adj. m.f.* (무엇을) 의미하는 (사람).

significancia *f.* 의미, 의의 (significación).

significante *adj.* 의미있는, 의미 심장한; 중요한, 중대한(importante). **Contr.** insignificante.

significar *tr.* 7 [*lat.* significare] ① 의미하다, 뜻하다, 나타내다 (querer decir) : ¿ Qué *significa* esta alegría? 이 비유는 무엇을 의미하는가? ¿ Qué *significa* esto en español? 이것을 서반아어로 무슨 뜻입니까? No sé qué *significa* esta palabra 이 단어가 무슨 뜻인지 나는 모른다. ② 대표하다. ③ 알리다 (hacer saber, notificar) : ~ una orden. **—***intr.* 의미가 있다, 중요성을 가지다 : Dos mil pesetas no *significan* nada para él 2,000 빼세따는 그에게는 아무런 뜻도 없다.

~se 두드러지다, 뛰어나다 (distinguirse) :

José *se significó* como liberal entra nosotros 호세는 우리 사이에서 자유주의자로서 특출했다.

significativamente *adv.* 의미 심장하게.

significativo, va *adj.* ① [+ de : …을] 뜻하는, 의미를 나타내는, 영문이 있는 듯한, 의미 심장한 듯한, 의미 심장한. ② 중요한.

signo *m.* [*lat.* signum] ① 표시, 표적 : Ponga usted aquí el ~ de la cruz 여기에 십자표를 하세오. ② (숫자·음악·수학 따위의) 기호, 부호 : ~ de admiración · admirativo, ~ de exclamación · exclamativo 감탄 부호《¡…!》. ~ de entonación 억양. ~ de interrogación · interrogativo 의문 부호《¿…?》. ~ de puntuación 구두점. ~ negativo 마이너스 기호《−》. ~ positivo 플러스 기호 《+》. ③ 부첨, 인판, 징조, 징후 (señal). ④ 신호(seña). ⑤ 자국, 흔적, 자취, 형적. ⑥ 운명, 숙명(sino). ⑦【천문】궁(宮)《황도의 12구분 가운데 하나》.

~ *por costumbre* 관습적인 표시 《빨강 위험을 나타내는 등》.

poner el ~ 표하다.

sigo seguir의 직·현·1·단수.

sigse *m.* 《*Ecuad.*》 지붕을 이는데 쓰는 갈대.

sig.[te]**, sgte.** siguiente.

sigua *f.* 【식물】《*Cuba.*》 물푸레나무 무리.

siguapa *f.* 《*Cuba.*》 밤새(ave nocturna).

siguato, ta *adj.* 《*Venez.*》 바보의, 어리석은.

sigue seguir의 직·현·3·단수.

siguemepollo *m.* 옛날 부인복의 등에 늘어뜨린 장식 리본·끈.

siguen seguir의 직·현·3·복수.

sigues seguir의 직·현·2·단수.

siguetear *tr.* 《*Perú.*》 뒤를 밟다(seguir).

siguiendo seguir의 현재 분사.

siguiente *adj.* 따르는, 뒤따라 오는, 다음의, 이하의 (posterior) : al día ~ 이튿날. como ~ 다음과 같이. Las noticias ~*s* fueron agradables (처음에 어떤 소식이 있은 다음) 그 다음 뉴스는 즐거운 것이었다. Esperó hasta el día ~ 그는 다음날까지 기다렸다. El llegó al día ~ 그는 다음날 도착했다. **Contr.** anterior.

siguiera seguir의 접·불완료과거·1·3·단수.

siguierais seguir의 접·불완료과거·2·복수.

siguiéramos seguir의 접·불완료과거·1·복수.

siguieran seguir의 접·불완료과거·3·복수.

siguieras seguir의 접·불완료과거·2·단수.

siguieron seguir의 직·부정과거·3·복수.

siguiese seguir의 접·불완료과거·1·3·단수.

siguieseis segur의 접·불완료과거·2·복수.

siguiésemos seguir의 접·불완료과거·1·복수.

siguiesen seguir의 접·불완료과거·3·복수.

siguieses seguir의 접·불완료과거·2·단수.

siguió seguir의 직·부정과거·3·단수.

sijú *m.* 《*Ant. CRica.*》【조류】밤새의 일종.

sil *m.* 황토(ocre).

sílaba *f.* [*lat.* syllaba] 음절 : La palabra MANO tiene dos ~*s* MANO는 2음절이다.

~ ***abierta*** 열린 음절(~ libre).

~ ***aguda*** 악센트가 있는 음절.

~ ***átona*** 악센트가 없는 음절.

~ ***cerrada*** 폐쇄된 음절(~ trabada).

~ ***libre*** 열린 음절 《oveja 처럼 모음으로 끝나는 것》.

~ ***postónica*** 악센트가 있는 음절의 뒤에 오는 음절.

~ ***protónica*** 악센트가 있는 음절의 뒤에 있는 음절.

~ ***tónica*** 악센트가 있는 음절.

~ ***trabada*** 폐쇄된 음절 《pan, sol과 같이 자음으로 끝나는 것》.

silabación *f.* 음절 분해.

silabante *adj.* 음절 분해하는.

silabar *intr.* =**silabear.**

silabario *m.* 음절표, 읽기 교본.

silabear *intr. tr.* 음절 분해를 하다, 음절로 끊다, 끊어 읽다 : ~ una palabra 낱말을 끊어 읽다.

silabeo *m.* 분절법, 음절로 끊는 일.

silábico, ca *adj.* 음절(escritura ~*ca*)의 .

silabismo *m.* 음절(escritura silábica).

sílabo *m.* 표(lista) ; 목록(índice).

silampa *f.* 《*AmérC.*》 이슬비, 가랑비, 보슬비.

silanga *f.* 《*Filip.*》 (가늘고 긴) 해협, 수로(水路).

silba *f.* (군중들이 배우나 연설자에게 향하여 항의 표시나 화를 내서 그만두라는 뜻에서) 야유, 휘파람을 부는 것.

silbador, ra *adj. m.f.* 휘파람을 부는, 으르렁거리는 ; 우우하고 야유하는 (사람).

silbante *adj. m.f.* 휭휭 소리내어 울리는 (sibilante). **—***m.* 가난한 도련님.

silbar *intr.* [*lat.* sibilare] ① 휘파람을 불다 ; 호루라기를 불다 ; 기적을 울리다 ; 휭하는 소리를 내다 : ~ las balas. ② 쉿쉿 하고 야유를 퍼붓다 : ~ una comedia. **—***tr.* 쉿쉿하는 소리를 내어 집어치우게 하다·들어가게 만들다 : ~ a un actor 배우를 향해 야유하다.

silbatería *f.* 휘파람·호루라기로 표현하기.

silbatina *f.* 《*Arg. Chile. Ecuad. Perú.*》 =**silba.**

silbato *m.* 호루라기 ; (공기나 액체가 새는) 틈.

silbido *m.* ① 윙윙거리는 소리 (silbo) : el ~ de una culebra. ② 휘파람·기적·호루라기 소리 : ~ de oídos 귀울림.

silbo *m.* [*lat.* sibilus] 윙윙거림, 휘파람, 기적, 고동 소리.

silbón *m.*【조류】오리 비슷한 물갈퀴류의 일종.

silboso, sa *adj.* 휭 소리를 내는, 윙윙 소리를 내는 ; 휘파람 소리가 나는.

silenciador *m.* 《*Neol.*》 (화포) 방음 장치 ; (배기관·화기의) 소음기(消音器) : el ~ Maxim ahoga el ruido de los tiros.

silenciar *tr.* 11 ① (입을 다물고) 침묵시키다 (callar). ② 《*Amér.*》 잠자코 있게 하다, 조용하게 만들다(acallar). ③ 방음하다.

silenciario, ria *adj.* 소리가 나지않게 하는, 침묵을 지키는(que guarda el silencio). **—***m.* 조용하게 하는 사람.

silenciero, ra *adj. m.f.* 조용하게 하는 (사람).

silencio *m.* [*lat.* silentium] ① 침묵, 무언 : El historiador guarda sobre este punto 그 역사가는 이 점에 대하여 침묵을 지키고 있다. ② 조용함, 정숙, 정적 : Reinaba en la sala un ~ absoluto 방 속에 완전한 정적이 가득 차 있

었다. ③ 묵살. ④ 적조함, 무소식. ⑤ 묵비, 비밀 엄수(sigilo) : ~ profesional. ⑥【음악】휴지(休止)(pausa) : ~ de blanca · negra · corchea 2 · 4 · 8분 휴지 부호.
en ~ 침묵을 지켜; 잠자코, 불평없이 : sufrir *en* ~.
guardar ~ 침묵을 지키다.
entregar al ~ 잊어버리다.
imponer ~ 말하지 말라고 하다, 침묵시키다; (감정 등을) 진정시키다.
pasar en ~ 묵살 · 묵과하다.
quebrar · romper ~ 침묵을 깨드리다.

silenciosamente *adv.* ① 잠자코; 조용하게, 쥐죽은 듯이(con silencio, sin hacer ruido alguno). ② 살그머니, 비밀리에, 살짝, 남모르게 : entrar muy ~.

silencioso, sa *adj.* ① 침묵의, 말없는, 묵묵한 : un hombre muy ~. ② 조용한, 고요한, 정숙하게 하는 (때 · 장소) : Caminaba una multitud ~*sa* guardando el ataúd 관을 지키면서 고요한 일단의 사람들이 걷고 있었다. ③ 무음의; 소음장치(消音裝置)의 : máquina de coser ~ 소음 미싱. —*m.* 소음 장치. —*m.f.* 과묵한 사람. Contr. ruidoso.

silente *adj.* 《*Neol.*》【시어】고요한, 조용한 (silencioso, sosegado).

silepsis *f.* [*lat.* syllepsis]【문법】의미상의 일치, 의의적 조응(意義的照應)《성 · 수의 일치의 원칙을 깨뜨리는 것; 예 : La mayor parte murieron》.

siléptico, ca *adj.* silepsis의 : dar una forma ~ una frase.

silería *f.* 원통 창고, 광 (silo); 저장소.

silero *m.* =**silo.**

silesia *f.* 《*Amér.*》하얗고 거친 실로 짠 천.

silesiano, na *adj. m.f.* =**silesio.**

silesio, sia *adj.* 실레시아 《Silesia, 독일의 한 지방》의. —*m.f.* 실레시아 사람.

sílex *m.*【단 · 복수 동형】【광물】규토(硅土), 부싯돌 (pedernal).

sílfide *f.*【신화】공기의 요정(妖精); 미소녀.

silfo *m.*【신화】바람의 신.

silga *f.* (배나 그물의) 후릿그물 (sirga).

silgado, da *adj.* 《*Ecuad.*》=**muy delgado, cenceño.**

silgar *tr.* ⑧ (배 · 그물을) 글다 (signor).

silguero *m.*【방언】=**jilguero.**

silicato *m.* [*lat.* silex, silicis]【화학】규산염(硅酸鹽).

sílice *f.* [*lat.* silex, silicis]【화학】무수(無水), 규산, 규토(硅土).

silíceo, a *adj.* 규토 · 규질(硅質)의.

silícico, ca *adj.*【화학】규토 · 규산의.

silicio *m.*【화학】규소(硅素).

siliciuro *m.* 쇠와 규소의 혼합물 : ~ de hierro.

silicón *m.*【화학】실리콘(유 · 수지).

silicona *f.* =**silicón.**

silicónico, ca *adj.* 실리콘의 : resina ~*ca* 실리콘 수지(樹脂).

silicono *m.*【화학】=**silicón.**

silicosis *f.*【단 · 복수 동형】【의】규폐증(桂肺症).

silicua *f.* ①【식물】장각(長角)《겨자 등의 꼬투리》. ② 캐럿《옛 무게의 단위》.

silícula *f.*【식물】단각(短角) (silicua pequeña).

silingo, ga *adj. m.f.* 실링고족(의)《엘베강과 오베르강 사이에 살았던 고대 종족》.

silla *f.* ① 의자 : Acerque esa ~ más a la mesa 그 의자를 좀더 테이블에 당겨주십시오. ② 안장(~ de montar). ③ (교황 등의) 지위, 위치. ④【속어】항문(ano).
~ *curul* (고대 로마의) 대관의 의자; 현직(顯職), 현관(顯官). ~ *de columpio* 흔들의자. ~ *de la reina* 손가마《두 사람이 손목을 서로 잡아 사람을 태우는 일》. ~ *de manos* 손가마; 《*Amér.*》손목 가마. ~ *de montar · de caballería* 안장. ~ *de posta* 우편 마차, 경마차. ~ *de caballería* 등나무 의자. ~ *de tijera* 접의자. ~ *eléctrica* 전기 의자. ~ *gestatora* 교황의 의식용 의자. ~ *giratoria* 회전 의자. ~ *hamaca* 《*Amér.*》흔들의자. ~ *plegable · plegadiza* 접의자. ~ *poltrona* 팔걸이 의자; 안락 의자. ~ *volante* 경마차(輕馬車).
de ~ *a* ~ 마주보고.

sillada *f.* (산등성이의) 평지.

sillar *m.* (말의) 안장 부분; 건축 토대용의 장방형 절석(切石), (건축용의) 사각석(四角石).

sillarejo *m. dim.* sillar.

sillera *f.* [드묾] 가마 두는 곳; 사원에서 의자나 좌석으로 안내하는 사람.

sillería *f.* ①[집합] 각석(角石) 건축, 절석(切石) 쌓기. ② 의자, 의자를 놓은 자리; (길게 잇대어 놓은) 의자, 의자 세트. ③ 의자 제조업; 의자 공장 · 가게.

sillero, ra *m.f.* ① 의자 제조인 · 상인. ② 《*Arg.*》사람을 태우는 나귀 · 말.

silleta *f.* [*dim.* silla] ① 작은 의자. ② 차입식 변기(差入式便器). ③ 초콜릿 타는 맷돌. ④【방언】손가마 (silla de la reina). ⑤《*Chile. Venez.*》=**silla.**

silletazo *m.* 의자로 때리기.

sillete *m.* [*dim.* silla]【방언】걸상.

silletería *f.* 《*Perú.*》의자 공장 · 가게.

silletero *m.* 《*Amér.*》=**sillero.**

silletín *m.* [*dim.* silleta, sillete] ① 작은 의자. ② 《*León. Zam.*》=**escabel.**

sillico *m.* 변기, 요강(bacín).

sillín *m.* 부인용 안장; 간단한 안장; (자전거 · 오토바이 등의) 안장.

sillón *m.* [*aum.* silla] ① 팔걸이 의자. ② 부인용 승마 안장. ③《*Ant. Perú.*》흔들의자. ④《*Col. Perú.*》접기식으로 된 안장 : ~ de ruedas 바퀴의자. La abuela cayó desmayada en el ~ 할머니는 실신하여 안락 의자에 넘어졌다.

sillón, na *adj.* 《*Amér.*》안장 놓는 부분이 들어간 (말).

sillonero, ra *adj.* 《*Bol. Venez.*》승용(乘用)의 (마소).

silo *m.* ① 헛간, (곡물 · 석탄 · 목초를 저장하는) 원통(圓筒) 창고, 사일로, 실(室). ②《*Chile.*》꼴, 건초.

silogismo *m.*【논리】삼단 논법, 추론식(推論式); 연역법(演繹法).

silogístico, ca *adj.* 삼단 논법의, 추론적인; 연역법의.

silogizar *intr.* ⑤ 삼단 논법을 쓰다, 추론하다.

silonia *f.* 《*Ál.*》【식물】=**nueza.**
silueta *f.* 반면 영상(半面影像), 그림자 그림 ; 그림자 ; 옆 얼굴, 윤곽(perfil) : en ~ 옆 얼굴 화상으로 하여 ; 윤곽만. Ella tiene una ~ muy elegante 그녀는 매우 우아한 옆얼굴을 하고 있다.
siluetear *intr.* 실루엣 · 윤곽을 그리다.
siluriano, na *adj. m.* =**silúrico.**
silúrico, ca *adj. m.* 【지질】 고생대 · 실루리아기(紀)(의).
silúridos *m.pl.* 【어류】 메기(siluro) 모양의 물고기.
siluro *m.* [*lat.* silurus] ①【어류】 메기의 일종. ② 자동 기뢰(自動機雷).
silva *f.* [*lat.* silva] 선집, 잡기(雜記) ; 시의 한가지.
silvanos *m. pl.* 【로마 신화】 숲의 신, 농목의 신.
silvático, ca *adj.* 삼림(森林)의 ; 야생적인, 사나운 ; 거칠고 촌스러운(selvático).
silvestre *adj.* [*lat.* silvestris] ① 야생의 : Las flores ~*s* poseen una belleza distinta de las cultivadas 야생의 꽃에는 재배한 것과는 다른 아름다움이 있다. Contr. cultivado. ② 들의. ③ 미개한, 조악한(inculto).
silvicultor, ra *m.f.* 조림학자 ; 임업자.
silvicultura *f.* 조림, 임산(林產) ; 임학.
silvina *f.* 【광물】 칼륨 염화물.
silvinita *f.* 【광물】 =**silvina.**
silvoso, sa *adj.* 삼림의, 삼림이 많은(selvoso).
sima *f.* ① 심연(深淵)(abismo). ② 깊은 동굴.
simado, da *adj.* 《*And.*》 깊어진, 깊은 (땅).
simar *tr.* =**abismar, hundir.**
simaruba *f.* 《*Bol. Col. CRica. Cuba. Perú. Venez.*》 =**simarruba.**
simarruba *f.* 《*Arrg. col. PRico*》【식물】 소태나무의 일종. Sinón. aceitillo.
simba *f.* 《*Bol.*》 세 가닥으로 꼰 가죽끈.
simbiosis *f.* ① 잡거, 혼주(混住). ②【생물】 공생, 공동 생활.
simbiótico, ca *adj.* 공생의.
simbol *m.* 《*Arg.*》【식물】 심볼 《소쿠리를 짜는 화본과 식물》.
simbólicamente *adv.* ① 상징적으로 (de modo simbólico) : hablar ~. ② 기호로.
simbólico, ca *adj.* ① 상징적인 ; 표상적인 ; 기호 · 부호의 : Se abrazaron ; pero, era un abrazo ~ 두 사람은 서로 껴안았다 ; 그러나 그것은 형식 만의 포옹이었다. ②【종교】 신조의.
simbolismo *m.* 상징주의 ; 기호법 ; 표기법.
simbolista *adj.* 상징파의 : poesía ~. —*m.f.* 상징주의자.
simbolizable *adj.* 상징할 수 있는.
simbolización *f.* 상징화, 표상화.
simbolizar *tr.* ⑨ ① 상징하다 : La paloma *simboliza* la paz 비둘기는 평화를 상징한다. La balanza *simboliza* la justicia 저울은 정의를 상징한다. ② 기호로 나타내다. —*intr.* [드뭄] 닮다.
símbolo *m.* [*gr.* sumbolon] ① 상징, 표징, 심벌 : El perro es el ~ de la fidelidad 개는 충실의 심벌이다. ② 기호, 부호. ③【화학】 기호. ④ 신조 (~ de la fe). ⑤【종교】 신경(信經) : ~ de los apóstoles 사도 신경.
simbología *f.* 상징학, 표상학 ; 기호론 ; 기호 체계.
simbombo *adj.* 《*Cuba.*》 어리석은.
simetría *f.* 조화, 대칭 ; 균형(미).
simétricamente *adv.* 어울려서, 조화되어, 대칭적으로, 균형을 이루어 ; 대생으로.
simétrico, ca *adj.* (좌우) 균형이 잡힌, 대칭적인 : hacer construcciones ~*cas.* Contr. asimétrico.
simetrizar *tr.* ⑨ 대칭적으로 하다 ; 균형을 이루게 하다, 조화시키다, 어울리게 하다.
simia *f.* simio의 암컷.
simiaco, ca *adj.* =**símico.**
símico, ca *dj.* 원숭이의, 원숭이같은.
simiente *f.* [*lat.* sementis] ① 씨, 종자(semilla) ② 정액(semen). ③ 배(胚)(germen). ~ *de papagayos* 【식물】 잇꽃(alazor).
simienza *f.* =**sementera.**
simiesco, ca *adj.* 원숭이의, 원숭이 같은 : rostro ~.
símil *adj.* 닮은, 비슷한 (semejante, parecido). —*m.* ① 유사, 상사, 비교 (comparación). ②【수사】 직유(直喩).
similar *adj.* ① 비슷한, 유사한 (semejante, parecido) : En un producto ~ ; no es auténtico 이것은 유사품이다 ; 진짜가 아니다. ② 같은 모양의, 동류의, 동종(同種)의 : y cosa ~ …이나 똑같은 일 · 것. ③ 서로 비슷한. Contr. diferente.
símili- *pref.* 「같은(semejante)」의 뜻을 갖는 접두어 : *simili*piedra.
similicadencia *f.* 【수사】 유음 어미의 사용.
similigrabado *m.* 사진판의 일종.
similirraté *m.* 【은어】 도둑.
similitud *f.* 상사(相似), 유사, 근사(semejanza, parecido).
similitudinario, ria *adj.* [드뭄] 유사한, 동류의(semejante).
similor *m. fr.* ① 모조금, 의금 《아연과 구리의 합금》. ② 가짜 : de ~ 가짜의(falso).
simio, mia *m.f.* [*lat.* simius] 【동물】 원숭이 (mono) ; 유인원(類人猿). —*m.pl.* 유인원류.
simón *adj. m.* (옛날 마드리드에서) 합승 마차 (coche ~) : tomar un ~.
simonía *f.* 성직 매매.
simoniacamente *adv.* 성직 매매로써.
simoniaco, ca *adj.* 성직 매매의. —*m.f.* 성직 매매자.
simoníaco, ca *adj. m.f.* =**simoniaco.**
simoniático, ca *adj.* =**simoniaco.**
simpa *f.* 《*Arg. Perú.*》 셋으로 땋기 (trenza).
simpar[1] *adj.* 유례없는, 전례가 없는, 무쌍(無雙)의 : hermosura ~ y perfecta.
simpar[2] *tr.* 《*Arg.*》 셋으로 짜다, 세 가닥으로 꼬다.
simpatía *f.* ① 호감, 친절, 애정 : José no tiene ~ en la oficina 호세는 그 사무소에 호감이 가지지 않는다. sentir ~ *por* una persona (누구에게) 호감을 느끼다. ② 공감, 감응, 교감 ; 융합성. ③【물리】 공명, 공진(共振). Contr. antipatía.
simpáticamente *adj.* 공감을 가지고 ; 상냥하게, 친밀감을 가지고 ; 공명하여(con simpatía).

simpático, ca *adj.* ① 호감이 가는, 상냥스러운 : La chica era amable y ~*ca* 그 소녀는 상냥하고 느낌이 좋았다. ② 교감(交感)하는. ③【물리】공명하는. —*m.*【해부】교감 신경(gran ~).
tinta ~ 요술 잉크.

simpatizador, ra *adj.* 동조하는, 공감하는 ; 친근감을 가진.

simpatizante *adj. m.f.* 공감을 가진 (사람), 동조·공명하는 (사람).

simpatizar *intr.* ⑨ ① 호감을 가지다, 친근감을 느끼다. ②[+con : …과] 동조·공명하다 : Esos dos hombres *simpatizan*. ③ 동정하다.

simpétalo, la *adj.* =**gamopetalo.**

simplada *f.* 《AmérC. Col.》 =**simpleza.**

simplaina(s) *m.* 바보, 멍청이(tonto).

simple *adj.* [*lat.* simplex] ① 순수한 (puro, sin mezcla). ② 단순한, 간단한(sencillo) ; 단일의 : El trabajo parecía complicado, pero al realizarlo resultó muy ~ 그 작업은 복잡할 듯했으나 해보니 대단히 간단했다. ③ 간소한 (único) : Ese día Lola llevaba un vestido ~ 그 날 롤라는 간소한 옷을 입고 있었다. ④ 담백한, 싱거운, 맛 없는(desabrido). ⑤ 온화·온순한 (manso, apacible). ⑥[명사 뒤에서 가끔] 어리석은, 얼빠진, 무던한 (mentecato) : un soldado ~ 얼빠진 군인. ⑦[명사 앞에서는, 복잡성이 없는] 단순한 : un ~ soldado 일개 병졸. una ~ pregunta 아무런 저의도 없는, 그저 보기만 할 뿐인, 혹은 대답의 간단한 질문. La pobre era muy ~ y se lo creía todo 불쌍하게도 그 여인은 호인이어서 무엇이든지 믿어버렸다. Contr. compuesto. —*m.f.* 바보 : engañar a los ~*s.* —*m.*【화학】단체(單體) : El oro y la plata son cuerpos ~*s* 금이나 은은 단체(單體)이다. —*m.pl.* 약용 식물, 약초.

simplemente *adv.* ① 단지, 다만, 한갓, 단순히 (con sencillez) : vestir ~. ② 절대적으로 (absolutamente).

simpleza *f.* 우직함, 바보짓, 바보스러운 짓, 호인(스러운 일) ; 하찮은 일.

simplicidad *f.* [*lat.* simplicitas] 순진스러움, 순진, 솔직, 소박(ingenuidad) ; 단순, 간단 ; 간소함, 평이함 (sencillez) ; 단일성 : muebles de gran ~.

simplicísimo, ma *adj.* [*sup.* simple] 아주 간단한, 단순한 ; 극히 순진한.

simplicista *adj. m.f.* 간결하게 처리하는 ; 간이·평이주의의 (사람)(simplista). —*m.f.* 약초학자 ; 한방의(漢方醫).

simplificable *adj.* 간소·단순하게 할 수 있는 ; 간단하게 할 수 있는.

simplificación *f.* 단일화, 간략화, 단순화, 평이화.

simplificador, ra *adj.m.f.* 간소화하는 (사람).

simplificar *tr.* ⑦ 단순·간단하게 하다, 평이하게 하다, 간략하게 하다 : ~ una máquina 기계를 간단하게 하다. Hay que el ~ sistema 시스템을 단순화 해야 한다. Este procedimiento *simplificará* los trámites 이 방식은 절차를 간소화할 것이다. Contr. complicar.

simplísimo, ma *adj.* [*sup.* simple] 천진한 ; 사람이 아주 무던한·어리석은.

simplismo *m.* *Neol.* 간결주의.

simplista *adj.* 간결·간이주의의. —*m.f.* 평이화(平易化) 주의자 ; 약초 학자.

simplón, na *m.f.* [*aum.* simple] 사람이 무던한 ; 천진스러운 (사람)(sencillo).

simplote *adj. m.f.* =**simplón.**

simposia *f.* =**festín, banquete.**

simposio *m.* 심포지엄.

simulación *f.* [*lat.* simulatio] 짐짓 꾸미기, 티, 가장, 의태(擬態) : la ~ de la locura 광기의 가장.

simulacro *m.* [*lat.* simulacrum] (우)상 ; 환상, 허깨비, 유령, 혼령 ; 모의, 대연습, 모의전(模擬戰).

simuladamente *adv.* 겉으로 꾸며, 위장하여.

simulado, da *adj.* ① 꾸민, 가짜의 (fingido) : Pedía limosna *simulando* que estaba cojo 그는 절름발이 흉내를 내며 동냥질하고 있었다. ②【상업】가상의, 견적의 : cuenta de venta ~*da* 견적 계산서. cuenta·factura ~*da* 견적 송장.

simulador, ra *adj. m.f.* [*lat.* simulator] 꾸민, 가짜의 : descubrir un hábil ~.

simular *tr.* [*lat.* simulare] ① …을 가장하다, (짐짓) …체하다, 시늉하다 ; 흉내내다 ; (…로) 분장·가장하다(fingir) : ~ la embriaguez 취한 척하다. ②【생물】…의 의태(擬態)를 하다.

simultáneamente *adv.* 동시에, 일제히, 아울러(al mismo tiempo).

simultanear *tr.* 동시에 하다 ; 겸수(兼修)하다.

simultaneidad *f.* 동시성, 병존 : la ~ de los acontecimientos.

simultaneísmo *m.* =**simultaneidad.**

simultáneo, a *adj.* 동시의, 한꺼번에 하는 : Es difícil ejecutar dos acciones ~*as* 동시에 두 개의 행동을 하는 것은 곤란하다. Mi pregunta y su respuesta fueron casi ~*as* 내 질문과 그의 대답은 거의 동시였다.

simún *m.* (아라비아 지방의) 열풍.

sin *prep.* [*lat.* sine] ① …없이, …없는 : ~ duda alguna 아무 의심없이. Estoy ~ empleo 나는 무직이다. café ~ leche 밀크가 들어가지 않은 커피. Nos quedamos ~ agua 우리는 물이 없다. No puedo vivir ~ ti 나는 그대없이는 살 수 없다. El llegó ~ un centavo 그는 한 푼 없이 왔다. ¿Lo tomas con leche o ~ leche? 밀크를 넣겠습니까 넣지 않겠습니까? Ya estoy ~ neuralgia 이제 신경통이 나았다. ② …을 계산에 넣지 않고, …이외에, 말고도 또 (además) : Tiene diez hectáreas de tierra ~ el olivar 그는 올리브밭 이외에 1만 헥타르의 토지를 가지고 있다. Llevó tanto en dinero, ~ las alhajas 보석류 말고도 또 현금으로 그렇게 많이 가져갔다. ③[+ *inf.*] 하지 않고 : Llueve ~ cesar 줄곧 비가 내리고 있다. Salió ~ comer 식사를 하지 않고 외출을 했다. ④[sin que + *subj.* : 하는 일없이]…하였으나 …하지 않다 : José se despertó ~ *que* nadie llamara 호세는 아무도 부르지 않았는데 잠을 깼다. Llamó a la puerta ~ *que* le respondiesen 문간에서 불렀지만 아무런 대답이 없었다. Sal por aquí ~ *que* nadie te vea 너는 아무 눈에도 띄지 않게 여기서 나가거라. ⑤[부정어와 쓰이면 긍정이 됨] Entró, *no*

～ miedo 잔뜩 겁을 먹고 들아갔다. *No* veía nada ～ examinar 무엇을 보면, 반드시 그것을 살펴보았다. No podríamos verle ～ sentir hacia él compasión 우리는 그를 보면, 반드시 그에게 동정을 느낀다. Lo tomé *no sin* repugnancia 나는 약간 나쁜 기분으로 그것을 먹었다.

～ ***embargo*** 그럼에도 불구하고, 그러나.

～ ***duda*** 의심없이.

～ ***falta*** 꼭, 틀림없이, 반드시.

la ～ ***par princesa*** 비할 데 없는 공주.

un ～ ***número de automóviles*** 무수한 자동차.

los ～ ***trabajos*** 실직자들.

sin. sinónimo.

sin- *pref.* 「결합」, 「종합」, 「동시성」을 나타내는 접두어.

sinabafa *f.* (옛날의) 질이 우수한 옥양목·삼베 천.

sinabrés, sa *adj. m.f.* sanabés의 사투리.

sinagoga *f.* 유태 교회·교단 ; 교회당 밀회, 밀의, 밀모(conciliábulo).

sinalagmático, ca *adj.* 쌍무적(雙務的)인(bilateral) : contrato ～ 쌍무 계약.

sinalefa *f.* 【문법】 약음절 《어미의 모음과 어두(語頭)의 모음을 한 음절로 줄여 발음하는 것 《예 : l(a e)strella, est(e ho)mbre》.

sinaloense *adj. m.f.* 시날로아 《Sinaloa, 멕시코에 있는 주》의 (사람).

sinamay *m.* 《*Filip.*》 얇은 마닐라 삼베.

sinamayero, ra *m.f.* 《*Filip.*》 sinamay를 파는 여자, 삼베 장수.

sinapismo *m.* ① 묽게 물을 탄 겨자, 겨자 습포. ② 귀찮은 사람.

sinario *m.* [드뭄] 숙명적인 운명, 팔자, 숙명, 정명(定命)(sino).

sinartrosis *f.* 【해부】 부동 관절 《두개골 따위》.

sincerador, ra *adj. m.f.* 무죄 증명의 (사람).

sinceramente *adv.* 고지식하게, 성실하게, 진지하게, 진실하게(con sinceridad).

sincerarse *r.* [+ de : …의] 무죄를 증명하다 : El no pudo ～*se de* esa acusación 그는 그 고소의 무죄를 증명할 수 없다.

sinceridad *f.* 고지식함, 성실, 성의, 진심 ; 진지함 ; 순수함.

sincero, ra *adj.* [*lat.* sincerus] 성실한, 진실한 ; 충심으로의 ; 성심성의의, 거짓 없는(honrado) : Reciba usted mis ～*ras* felicitaciones 진심으로 축하드립니다. Fue ～ y no sabía mentir 그는 성실해서 거짓말을 하지 못했다. Contr. falso, hipócrita.

sinclinal *m.* 【지질】 땅의 패인 곳. Contr. anticlinal.

síncopa *f.* [*gr.* sunkopê] ① 【문법】 음절 생략, 중략어 《예 : natividad에서 navidad》. ② 【음악】 약조(約調).

sincopadamente *adj.* 생략하여.

sincopado, da *adv.* [sincopar의 *p.p.*] ① 【문법】 중략·생략된. ② 【음악】 약조된.

sincopal *adj.* 중략의 ; 가사(假死)의.

sincopar *tr.* 생략하다 ; 중략하다, 줄이다(abreviar) : Aquí *se sincopa* una sílaba 여기는 1음절이 생략된다.

síncope *m.* ① 음절 생략, 중략어(síncopa). ② 【의학】 가사(假死), 실신, 기절(desmayo).

sincopizar *tr.* ⑨ 가사 상태로 만들다 ; 실신시키다.

～se 가사 상태가 되다, 기절하다, 실신하다.

sincrético, ca *adj.* 혼합주의의.

sincretismo *m.* 【종교·철학】 제설(諸說)의 혼합주의.

sincretista *adj. m.f.* 혼합주의의 (자).

sincrociclotrón *m.* 【물리】 싱크로 싸이클로트론 《입자(粒子) 가속 장치의 일종》.

sincrónicamente *adv.* 동시적으로.

sincrónico, ca *adj.* ① 동시(성)의, 동시적인, 동시에 일어나는, 동기(同期)의. ② 병발(併發)의.

sincronismo *m.* 동시 발생, 동시성 ; 병발(併發) ; 【전기】 동기(同期) ; 영화의 영상과 발성과의 일치.

sincronización *f.* 시간 관리.

sincronizador, ra *adj.* 동시(성)의. —*m.* ① 【전기】 동기(同期) 장치. ② 【사진】 동기 발광 장치, 싱크로 장치.

sincronizar *tr.* ⑨ [+ con : …과] 동시에 일어나다·움직이다 ; 동시에 하다 ; (시계 따위의) 시간을 맞추다 ; (사건 따위가) 동시·동시대임을 나타내다 ; 【영화·텔레비전】 (음성을) 화면과 일치시키다 : ～ las imágenes con los sonidos 영화의 영상을 발성에 일치시키다.

sincrotrón *m.* 【물리】 싱크로트론 《싸이클로트론을 개량한 전자 가속 장치》.

sindáctilo, la *adj.* 손가락이 없는.

sindéresis *f.* [*gr.* suntêrêsus] 분별력, 이해력(entendimiento, juicio).

síndica *f.* 《*Seg.*》 성녀 아게다(Santa Agueda) 축제에서 대표직을 맡고 여자 부시장을 돕는 여자.

sindicable *adj.* 조합에 가입할 수 있는 ; 혐의를 둘 수 있는, 문책 당할 만한.

sindicación *f.* 신디케이트 조직.

sindicado *m.* ① 재산 관리인, 관리자단. ② 기업 조합, 노동 단체, 조합(sindicato) : ～ formado por empleados de una sola compañía 단독 조합.

sindicador, ra *adj.m.f.* sindicar하는 (사람).

sindical *adj.* 관리자의 ; 신디케이트의, 기업·노동 조합의 ; 노동 운동의 : la acción ～ 노동 조합·운동의 행위.

sindicalismo *m.* 신디컬리즘, 노동 조합 주의·운동.

sindicalista *adj.* 노동 조합 주의의, 산업 혁명 주의의 : movimiento ～. —*m.f.* 조합 주의자.

sindicar *tr.* ⑦ ① [드뭄] 죄를 고발하다(acusar, delatar). ② 혐의를 두다. ③ (현금·상품 등을) 관재(管財)하다. ④ 조합으로·신디케이트로 조직하다(organizar en sindicato).

～se 기업·동업 조합에 가입하다.

sindicato *m.* ① 신디케이트, 기업가 재단, 기업 연합·조합 : ～ comercial 기업 연합. formar un ～ 동업 조합을 결성하다. ② (동업자의) 연맹 ; (사업·채권발행·주식 등의) 인수 조합·은행단 : ～ bancario. ③ 관재인 회·단(sindicado) ; 노동 조합(～ obrero) : ～ estudiantial 학생 자치회. En esta compañía el ～ apenas si tiene fuerza 이 회사에서는 노동 조합

은 거의 힘이 없다.
~ *de artesanía* 기술자 조직.
~ *de empresa* 기업내(內) 조합.
~ *de trabajadores* 노동자 연합.
~ *gremial* 직업 길드.
~ *in dependiente* 단독 조합.
~ *industrial* 산업별 노동조합.
~ *obrero* 노동조합.
~ *vertial* 산업별 노동조합.

sindicatura *f.* síndico의 직무·사무소 : ~ de quiebras 파산 관리 사무소.

síndico *m.* (파산 재산의) 관리자 ; 청산인 ; (조합 등의) 이사(理事), 감사(역).

sindineritis *f.* 돈의 부족.

sindiós *adj. m.f.* 【단·복수 동형】 무신론의(자).

sindrome *m.* 【의학】 징후, 증후군(症候群) : *S-* de Inmunodeficiencia Adquirida 후천성 면역 부전 증후군, 에이즈.

síndromo *m.* =**sindrome.**

sinécdoque *f.* 【수사】 제유법, 대유 《일부로써 전체를 나타내는 방법 ; 예 : nave 대신 vela ; 식료품을 빵, 포(砲)나 종을 bronce로 하는 등.》

sinecura *f.* 한직(閑職), 편한 일.

sinedrio *m.* 고대 유태인의 참의원·장로회(sanedrín).

sine qua non *adj. lat. condición* ~ 필요 불가결한 것, 필수 조건.

sinéresis *f.* 두 모음의 합약·합음 《시에서 다른 음절의 두 모음을 이중 모음화하는 일《예 : a-ho-ra를 aho-ra》.

sinergia *f.* 【물리】 공동 작용 ; (약이나 조직의) 상승 작용, 합력, 협력.

sinérgico, ca *adj.* sinergía의.

sinestesia *f.* 【생리·심리】 공감각(共感覺).

sinfín *m.* 무한, 무수(infinidad) : Tengo un ~ de problemas 나는 무수한 문제를 가지고 있다. [Sinón.] infinidad, sinnúmero.

sinfinidad *f.* 【속어】 =**sinfín.**

sínfisis *f.* ①【식물】 합생(合生), 결합. ②【의학】 유착, 유합.

sínfito *m.* 【식물】 컴프리 《지치과의 식물 ; 잎과 뿌리는 약용》(consuelda).

sinfonía *f.* [*gr.* sumphônia] 【음악】 교향곡, 심포니 ; 화음, 계음(階音) ; (색의) 조화.

sinfónico, ca *adj.* 교향곡의, 교향악의 ; 조화적인, 화음의.

sinfonista *m.f.* 교향곡 작곡가, 교학곡 연주자.

sinfonizar *tr.* [9] 교향곡에 편곡하다, 조화시키다, 화음을 주다.

singa *f.* 노를 젓기.

Singapur *m.* 【지명】 싱가폴.

singar *intr.* [8] 노를 젓다(cinglar).
—*tr.* 《*Cuba.*》 애먹이다(chingar).

singenésico, ca *adj.* =**singenético.**

singénesis *f.* ①【생물】 유성 생식. ②【지질】 동생(同生)《광상이 모암과 동시에 생성하는 일》.

singenético, ca *adj.* singénesis의·에 관한.

singladura *f.* 1일 항정(航程) ; 배를 타고 하는 여행.

singlar *intr.* [*lat.* cingler] (어디를 향해) 항해하다(navegar).

single *m.* 【정구】 싱글, 단식 시합 (partido entre dos jugadores).

singlón *m.* 【해사】 중간 늑재(genol).

singracia *adj. m.f.* 멋없는, 싱거운, 성적인 매력이 없는 (사람) : ser una mujer muy ~.

singular *adj.* [*lat.* singularis] ① 단일의(único, solo). ②【문법】 단수의 : número ~ 단수. ③ 독특한 : José tenía dotes ~*es* de diplomático 호세에게는 외교관으로서 독특한 재능이 있었다. ④ 엉뚱한, 유별난, 괴짜같은, 진기한 (extraordinario, raro) : ¡Qué caso tan ~ ! 얼마나 진기한 사례인고 ! hombre ~ 유별난 남자.
—*m.* 단수 : Ponga usted este adjetivo en ~ 이 형용사를 단수형으로 만드시오. [Contr.] plural.
en ~ 단수형으로 ; 특히, 유별나게 : No me refiero a nadie ~ 나는 특히 누구라고 지명해서 말하지는 않는다.

singularidad *f.* ① 단독, 단일, 단일성 : la ~ de una opinión 의견의 단일성. ② 특이성, 독특, 유별남, 기발, 괴짜 : observar la ~ de un hecho 유별난 행위를 관찰한다. [Contr.] pluralidad.

singularizar *tr.* ① 두드러지게 하다, 유별나게 만들다, 특이하게 하다 : Este traje me *singulariza* 이 옷은 나를 두드러지게 한다. ②【문법】 단수형으로 하다, 단수로 사용하다.
~se 특출하게 되다, 진귀하게 되다, 두드러지다 (distinguirse) : *Se singularizaba* entre sus compañeras por su traje 그녀는 친구들 중에서도 옷으로 두드러졌다.

singularmente *adv.* 유별나게 ; 낱낱이, 하나하나 마다(particularmente, de un modo singular) : un hombre que va ~ vestido.

singulto *m.* [*lat.* singultus] ① 흐느끼는 울음(sollozo). ② 딸꾹질(hipo).

singultuoso, sa *adj.* 흐느끼는.

sinhueso *f.* 【속어】 (말하는 기관으로서의) 혀.

sínico, ca *adj.* =**chino.**

siniestra *f.* [*lat.* sinistra] 왼쪽(izquierda) ; 왼쪽손(mano izquierda).

siniestrado, da *adj.* 조난 당한, 피해를 입은.
—*m.f.* 피재자(被災者) ; 배상 청구자.

siniestramente *adv.* 악의로, 저의를 가지고, 사악하게 ; 불행하게, 불길하게.

siniestro, tra *adj.* [*lat,* sinister] ① 왼쪽·좌측의 : lado ~ 왼쪽. Está al lado ~ del altar 그것은 성단의 왼쪽에 있다. ② 사악한 ; 불행한 (infeliz), 불길한, 기분 나쁜. —*m.* [주로 *pl.*] 사악 ; 해난 ; 화재(incendio) ; 손해, 재해(災害) (avería grande) : La compañía de seguros cubrió el ~ 보험 회사는 재해를 보상했다.

siniquitate *adj. m.* 《*PRico. Venez.*》 얼간이(의).

sinistrorso, sa *adj.* 【식물】 왼쪽으로 감기는·말리는. [Contr.] dextrorso.

sinistrórsum *adv. lat.* 오른쪽에서 왼쪽으로. [Contr.] dextrorso.

sinjundia *f.* 《*Sant.*》 =**cantinela.**

sinjusticia *f.* 【속어·방언】 불법, 무법, 부정(不正)(injustica).

sinnúmero *m.* 무수(無數)(infinidad), 막대함 : un ~ de 막대한. Recibió un ~ de felicitaciones. 그는 많은 축하를 받았다. [Sinón.] multitud, sinfin.

sino[1] *m.* ① 숙명(宿命), 운명(hado, destino). ② 《*Cuba.*》 설탕형(型).

sino[2] *conj.* ①[부정을 긍정으로 고침]…이 아니라 : *No* como carne de vaca, ~ la de pescado 나는 쇠고기는 먹지 않고 생선을 먹는다. *No* lo hizo Juan, ~ José 후안이 그것을 한 게 아니라, 호세가 했다. *No* es azul, ~ verde 청색이 아니라, 녹색이다. ②…이외에는 : Nadie lo sabe ~ José 호세 이외에는 아무도 모른다. ③[절을 연결시킬 때는 *sino que*가 됨]…이 아니라 : No lo sabe ~ *que* lo aparenta 그는 알고 있는 것이 아니라, 그저 아는 척하고 있을 뿐이다. No me molesta, ~ *que* me agrada hacerlo 그렇게 하는 일은 내게는 방해가 아니고, 즐겁다. ④다만 (solamente) : Nadie lo sabe ~ tú 너 이외에는 아무도 그것을 모른다. No te pido ~ *que* me oigas 다만 내가 하는 말만 들어달라는 것이다. ⑤[al contrario 와 같이 쓰여 강조] …하기는 커녕 : No quiero que vuelva. ~ *al contrario* se vaya más lejos 돌아와 달라고 하기는 커녕 더 멀리 가버리기를 원하고 있다.

no sólo · solamente··· ~ *(que)* …뿐만 아니라 …도 또한 : *No sólo* era pobre, ~ desgraciado 그는 가난할 뿐만 아니라, 불행한 사람이다. Va a venir *no sólo* él, ~ toda su familia 그 뿐만아니라, 그 가족이 모두 오려 하고 있다. *No sólo* por entendido, ~ por afable, merece ser estimado 머리가 좋을 뿐만 아니라, 친절한데서 그는 칭찬을 받을 만하다.

no sólo ···~ *también* =no sólo···~: *No sólo* por dinero, ~ *también* por inteligente, es muy elogiado 그는 돈 뿐만 아니라 지식인으로도 매우 칭찬받고 있다.

sinoble *adj.* =**sinople.**

sinocal *adj.* 지속성의.

fiebre ~ (원인 불명의) 계속되는 열(熱).

sínoco, ca *adj.* =**sinocal.**

sinodal *adj.* (종교) 회의의 : decisiones ~*es.* —*f.* 종교 회의 결정.

sinodático *m.* 사교(司敎)에게 바치는 봉납금.

sinódico, ca *adj.* 종교 회의의.

sínodo *m.* [*gr.* sunodos] 종교 회의, (사제 등의) 서임 회의 : Santo ~ 러시아 최고 종교 회의.

sinojaponés, sa *adj.* 중일(中日)의 : la guerra ~*sa* 중일 전쟁.

sinología *f.* 중국학(中國學).

sinólogo, ga *m.f.* 중국학자 ; 중국 어(문)학자.

sinonimia *f.* ① 동의(同意), 유의(類意) : La ~ perfecta no es muy frecuente 완전한 동의(어)는 별로 잦지 않다. ②(강조를 위한) 동의어(同意語)의 중복 사용. [Contr.] antonimia.

sinonímico, ca *adj.* sinónimo나 sinonimia의·에 관한.

sinónimo, ma *adj.* 동의(同意)의. —*m.* ① 동의어, 비슷한 말. [Contr.] antónimo. ②(타국어의) 해당어(該當語). ③【동물·식물】(분류상의) 이명(異名).

sinopense *adj. m.f.* 시노페《Sinope, 터키의 도시》의 ; 시노페 사람.

sinópico, ca *adj. m.f.* =**sinopense.**

sinople *adj. m.* 【문장】 녹색(의)(verde).

sinopsis *f.* 【단·복수 동형】 요약, 대의, 개요, 일람(표) (conjunto, suma, resumen) : Tengo que hacer una ~ estadística para mañana 나는 내일까지 통계 일람표를 작성해야 한다.

sinóptico, ca *adj.* 요약의, 개괄적인, 일람의 : tabla ~*ca*, cuadro ~ 일람표.

sinovia *f.* 【해부】 (관절의) 활액(滑液), 관절염 (inflamación de una articulación).

sinovial *adj.* 【해부】 활액의 : La cápsula ~ de una articulación.

sinovitis *f.* 【의학】 관절 낭염(inflamación de las glándulas sinoviales).

sinrazón *f.* 엉터리 짓, 무분별한 일, 비도(非道) : a ~ 무분별하게도. [Sinón.] atropello, desafuero, injusticia.

sinsabor *m.* ① 무미 건조, 불쾌(disgusto) ; 싱거움(pesadumbre) : los ~*es* de la vida. ② 불행, 불상사.

sinsépalo, la *adj.* =**gamosépalo.**

sinservil *m.f.* 《*PRico.*》 【희언】 까불이.

sinsilico, ca *adj.*. 《*Méx.*》 =**tonto, necio.**

sinsonte *m.* 《*Méx.*》 【조류】 ① 흉내새(cenzontle). ② 《*Cuba.*》 바보, 멍청이, 우둔한 사람(bobo).

sinsorgo, ga *adj. m.f.* 《*Ál. Murc. Vizc.*》 경박한 (사람).

sinsubstancia *m.f.* 경박한 사람 (persona insubstancial).

sintáctico, ca *adj.* 문장법의, 구문상의.

sintáis sentir의 접·현·2·복수.

sintamos sentir의 접·현·1·복수.

sintaxis *f.* ① 문장론, 구문법 : estudiar la ~ latina. ② 연어(連語) 규칙.

síntesis *f.* [*gr.* sunthesis] 【단·복수 동형】 ① 총화, 종합, 통합 ; 총괄, 개괄 : en ~ 총괄적으로. La ~ es operación inversa de la análisis 총합은 분석의 역작용이다. En su conferencia nos dio una ~ de la novela contemporánea 그는 강연에서 현대 소설을 총괄적으로 이야기했다. ② 개요, 줄거리, 요약 : ~ estadística 통계 요람. ③【화학】 합성 : por ~ 합성적으로. La ~ del alcohol fue conseguida por Berthelot 알코올 합성은 베르테로에 의해 달성되었다. [Contr.] análisis.

sintéticamente *adv.* 종합적·개괄적으로 ; 합성적으로.

sintético, ca *adj.* ① 종합적인, 총괄적인 ; 요약적인. ②【화학】 합성의, 인조의 : caucho ~ 합성 고무. El caucho ~ ha tomado importancia considerable 합성 고무는 상당한 중요성을 가져왔다. detergente ~ 합성 세정제(洗淨劑). petróleo ~ 합성 석유. resinas ~*cas* 합성 수지. [Contr.] analítico.

sintetizable *adj.* 종합·합성할 수 있는.

sintetizador, ra *adj. m.f.* 종합·합성하는 (사람·것) ; 개요·요약하는 (사람).

sintetizar *tr.* [9] 종합하다 ; 조립하다 ; 합성하다.

sintie- →**sentir** [53].

sintiendo sentir의 현재 분사.

sintiera sentir의 접·불완료과거·1·3·단수.

sintierais sentir의 접·불완료과거·2·복수.

sintiéramos sentir의 접·불완료과거·1·복

수.
sintieran sentir의 접·불완료과거·3·복수.
sintieras sentir의 접·불완료과거·2·단수.
sintieron sentir의 직·부정과거·3·복수.
sintiese sentir의 접·불완료과거·1·3·단수.
sintieseis sentir의 접·불완료과거·2·복수.
sintiésemos sentir의 접·불완료과거·1·복수.
sintiesen sentir의 접·불완료과거·3·복수.
sintieses sentir의 접·불완료과거·2·단수.
sintió sentir의 직·현·3·단수.
sinto *m.* =**sintoísmo.**
sintoísmo *m.* (일본의) 신도(神道) (shintoísmo).
sintoísta *adj.* 신도(神道)의. —*m.f.* 신도가, 신도 신자(神道信者).
síntoma *m.* [*gr.* sumptôma] ①【의학】(병세의) 징후, 증상, 증세, 증후 : ~ subjetivo 자각 증상. ②(이 밖에) 징조, 조짐(indicio, presagio) : Hay ~*s* de mejoría en las relaciones internacionales 국제 관계에 호전의 징조가 있다.
sintomático, ca *adj.* 징후적인, 징후성의 ; 대증의 : tratamiento ~ 대증 요법. ②특징적인.
sintomatología *f.* 여러 가지 병의 징후를 연구하는 의학, 증후학(症候學).
sintomatológico, ca *adj.* 증후학의.
sintonía *f.* =**sintonismo.**
sintónico, ca *adj.*【무전】동조의, 합조의(sintonizado).
sintonismo *m.*【무전】동조, 합조(合調).
sintonización *f.*【무전】동조로 하는 일, 파장을 맞추는 일, 공진(共振), 합조(合調).
sintonizador *m.* (무전이나 라디오의) 파장 조정기.
sintonizar *tr.* ⑨ 파장을 맞추다, 동조시키다.
sinuosidad *f.* 꾸불꾸불함, 굴곡, 만곡 ; 만곡부, (강 따위의) 굽어진 곳 : la ~ de las costas del mar 해안의 만곡.
sinuoso, sa *adj.* (강 따위가) 꾸불꾸불한, 굽이진 ; 물결 모양의, 기복하는 ; 복잡한 ; (말을) 돌려서 하는 ; 본색을 감추고 하는.
sinusitis *f.*【단·복수 동형】【의학】정맥동염의 일종.
sinusoidal *adj.* sinusoide의·에 관한, sinusoide형의.
sinusoide *f.*【수학】정현(正弦) 곡선.
sinventura *f.* =**desventura.**
sinvergonzón, na *adj.* 아주 뻔뻔스러운, 낯가죽이 두꺼운 (사람).
sinvergonzonería *f. aum.* sinvergüencería.
sinvergüencería *f.* 낯가죽이 두꺼운 짓, 뻔뻔스러운 일·짓(poca vergüenza).
sinvergüenza *adj.* 뻔뻔스러운, 철면피한, 낯가죽이 뚜꺼운. —*m.f.* 철면피, 뻔뻔스런 사람 (persona que no tiene vergüenza).
sinvergüenzada *f.* 《*Amér.*》 비열한 짓·일.
sinvivir *m.* 끝까지 할 수 없음.
sionismo *m.* 시온주의, 유태·팔레스티나 재부흥 운동.
sionista *adj.* 시온주의의, 유태 재부흥 운동을 하는. —*m.f.* 시온주의자, 유태 재부흥 운동가.
sioux *adj. m.f.ing.* 수우족 《북미 토인 중 가장 큰 종족 ; 원래 주로 미국 중서부에 살고 있음》의 (사람). —*m.* 수우말.
sipedón *m.* =**eslizón, sepedón.**
sipia *f.*【방언】【동물】오징어.
sipidón *m.* =**sepedón.**
sipo, pa *adj.* 《*Ecuad.*》 마마 자국이 있는(picoso).
sipó *m.* =**isipó.**
sipón *m.* [*fr.* jupón] 《*Dom.*》 =**refajo.**
sique *f.* =**psique.**
siquemita *adj. m.f.* 시켐 《Siquem, 팔레스티나의 한 도시》의 (사람).
siquiatra *f.* =**psiquiatra.**
siquíatra *f.* =**psiquiatra.**
siquiatría *f.* =**psiquiatría.**
siquiátrico, ca *adj.* =**psiquiátrico.**
síquico, ca *adj.* =**psíquico.**
siquier *conj.*【고·아어】=**siquiera.**
siquiera *conj.* ①[+*subj.*] 비록 …(이라도) (aunque, bien que) : Haz esto, ~ no hagas otra cosa 비록 다른 일을 하지 않드라도, 이것을 해라. Hágame este favor ~ sea el último 비록 이것이 최후라 할지라도, 이 소원을 들어 주십시오. ②…이든, 혹은 …이든(o … o, ya … ya) : ~ venga, ~ no venga 오든 오지 않든. —*adv.* ① 하다못해 : Déme ~ agua fría 하다못해 냉수라도 주십시오. Dame ~ mil pesetas 천뻬세따 만이라도 주라. Págueme usted medio ~ 절반만이라도 지불해 주십시오. ②[no, ni, sin +] …조차도 …않다 : *sin* preguntar ~ 질문조차 없이. No me saludó *ni* ~ 그는 나에게 인사조차 안했다. *Ni* ~ le dieron las gracias 그들은 그에게 고마워조차도 안했다. Se marchó *sin* enterarse ~ de lo que pasaba 그는 무슨 일이 일어났는지 조차 알지 못하고 떠났다. *No* permite ~ que le hable 그는 나에게 말하는 것조차 허락하지 않는다. *No* los había soñado antes ~ 그런 일을 전에는 꿈에 조차도 생각해 본 적이 없었다. *Ni* ~ me daba cuenta de ello 그런 일은 미처 의식조차 않았다. ③【속어】[강조 : tan+] 하다못해 ; [ni tan+] …조차 …없다 : *Ni tan* ~ me dio las gracias 그는 고맙다는 인사조차 하지 않았다.
siquismo *m.* =**psiquismo.**
siquitraque *m.* 《*And. Cuba.*》 =**triquitraque.**
sir *m. ing.* =**don, señor, caballero.** [*N.* 발음 : ser].
siracusano, na *adj.* 시라꾸사 《Siracusa, 시칠리아의 도시》의. —*m.f.* 시라꾸사 사람.
sirca *f.* 《*Chile.*》 광맥(circa).
sircar *tr.* 《*Chile.*》 =**circar.**
sirdar *m. ing.* (본디 이집트에서 영국군의) 군사령관 ; (인도의) 대장, 지휘관.
sire *m.* 폐하 《어떤 나라의 왕에 대한 경칭》.
sirena *f.* ① 인어(人魚). ②【희랍 신화】바다의 정녀(精女)《반인 반어(半人半魚) 또는 반인 반조(半人半鳥)의 여자로, 아름다운 노래로 근처를 지나는 뱃사람을 유인하여 죽였음》: La ~ atraía a los navegantes con la dulzura de su canto 물의 요정은 상냥한 노랫소리로 뱃사람들을 꼬여 들였다. ③ 뱃고동, 기적, 사이렌 : La ~ de la fábrica avisa la entrada y salida de los obreros 공장의 사이렌이 공원들의 입장이나

출장(의 시각)을 알린다. ④ 무적(霧笛). ⑤ 음향 검진기.

sirenio, nia *adj.* 【동물】 해우(海牛) 무리의. —*m.pl.* 해우 무리.

sirga *f.* 밧줄 : a la ~ 배를 끌어서.

sirgar *tr.* ⑧ (배를) 끌다.

sirgo, ga *adj.* 【방언】 반점의. —*m.* 꼰 비단 ; 꼰 비단천.

sirguero *m.* 【드뭄】 =**jilguero.**

Siria *f.* 【지명】 시리아.

siriaco, ca *adj.* 시리아의. —*m.f.* 시리아 사람. —*m.* (특히 고대의) 시리아말.

siríaco, ca *adj. m.f.* =**siriaco.**

sirigote *m.* 《*Arg.*》 =**lomillo.**

sirimba *f.* 《*Cuba.*》 =**síncope.**

sirimbo, ba *adj.* 《*Cuba.*》 바보스러운, 멍청이 같은, 맹추같은.

sirimbombo, ba *adj.* 《*Cuba.*》 너무 소심한, 마음이 약한, 뒤가 무른.

sirimiri *m.* 《*Ál. Nav. Vizc.*》 =**llovizna, calabobos.**

siringa *f.* 《*AmérM.*》 ①【식물】 고무나무 ; 고무(caucho). ②【시어】 (악기로서의) 관적(管笛).

siringuera *f.* 《*Bol. Perú.*》 고무액 즙 ; 고무나무 숲.

siringuero *m.* 고무액 채집자.

Sirio *m.* 【천문】 천랑성, 낭성, 시리우스.

sirio, ria *adj. m.f.* =**siriaco.**

sirle *m.* 산양이나 양의 똥.

siro, ra *adj. m.* =**siriaco.**

siró *m.* 《*PRico.*》 당밀, 시럽.

siroco *m.* 사하라 사막에서 지중해 연안으로 부는 동남 열풍.

sirón *m.* 《*Ál. Vizc.*》 =**lución.**

sirope *m.* =**siró.**

sirria *f.* =**sirle.**

sirte *f.* [*gr.* surtis] 여울, 모래톱, 사주(砂洲) (banco o bajo de arena), 유사(流砂).

siruposo, sa *adj.* jarabe형의.

sirva servir의 접·현·1·3·단수.

sirváis servir의 접·현·2·복수.

sirvamos servir의 접·현·1·복수.

sirvan servir의 접·현·3·복수.

sirvas servir의 접·현·2·단수.

sirventés *m.* =**serventesio.**

sirvie- → **servir** ㊸.

sirviendo servir의 현재 분사.

sirvienta *f.* 하녀(criada) : una ~ hacendosa.

sirviente, ta *adj.* 봉사·봉공하는. —*m.f.* 봉사자, 종, 머슴, 소사, 하인.

sirvientés *m.* =**serventesio.**

sirviera servir의 접·불완료과거·1·3·단수.

sirvierais servir의 접·불완료과거·2·복수.

sirviéramos servir의 접·불완료과거·1·복수.

sirvieran servir의 접·불완료과거·3·복수.

sirvieras servir의 접·불완료과거·2·단수.

sirvieron servir의 직·부정과거·3·복수.

sirviese servir의 접·불완료과거·1·3·단수.

sirvieseis servir의 접·불완료과거·2·복수.

sirviésemos servir의 접·불완료과거·1·복수.

sirviesen servir의 접·불완료과거·3·복수.

sirvieses servir의 접·불완료과거·2·단수.

sirvió servir의 직·부정과거·3·단수.

sisa[1] *f.* [*lat.* scissa] ① (하녀 등의) 눈속임, 훔치는 일. ② (옷의) 진동.

sisa[2] *f.* [*fr.* assise] 박압(箔押)의 밑칠하기.

sisa[3] *f.* 《*Ar.*》 【조류】 =**sisón.**

sisador, ra *adj. m.f.* 도둑질하는, 도벽(盜癖)이 있는 (사람), 눈속임하는 (하인).

sisal *m.* 《*Amér.*》 【식물】 용설란의 일종.

sisallo *m.* 【식물】 나문재(caramillo. jijallo).

sisar *tr.* ① 훔치다, 속여 빼앗다. ② (재봉에서) 파다. ③ (…에) 박압 와니스를 칠하다. ④ 《*Bol. Ecuad.*》 붙이다(pegar).

sisardo *m.* 《*Ar.*》 【동물】 (피리네오 산지의) 영양.

sisca *f.* 《*Ar. Murc.*》 =**cisca, carrizo.**

sisear *intr.* 쉿쉿하다. —*tr.* (배우·연설자에게) 욕설·욕지거리를 퍼붓다, 야유하다 : El público *siseó* al orador 청중은 연설자를 야유했다.

sisella *f.* 《*Ar.*》 【조류】 비둘기의 일종(paloma torcaz).

siseo *m.* 쉿쉿하는 소리 ; 욕지거리, 욕설, 야유.

Sisifo *m.* 【희랍 신화】 Corinto 왕 《생전에 못된 짓을 하여 사후 지옥에 떨어짐, 그에 대한 벌로서 돌을 산꼭대기로 나르게 되었는데 돌은 몇 번 하여도 그대로 굴러 떨어졌다고 함》.

piedra de ~ 아무리 해도 결국은 마찬가지로 되는 헛된 노력.

sisimbrio *m.* 【식물】 겨자(jaramago).

sisiones *f.pl.* ciciones의 사투리.

sismar *intr.* 《*Urug.*》 =**cavilar sobre un asunto.**

sismicidad *f.* 지진 현상의 빈도수·강도.

sísmico, ca *adj.* [*gr.* seismos] 지진의, 지진에 의한·관한 : un movimiento ~ 지진 운동. temblores ~*s* 지진.

sismo *m.* 【지각】 =**seísmo.** **Sinón.** terremoto.

sismografía *f.* 지진 관측(학).

sismógrafo *m.* 지진계.

sismograma *m.* 지진계에 의한 파도 형태의 도표.

sismología *f.* 지진학.

sismológico, ca *adj.* 지진학의.

sismómetro *m.* =**sismógrafo.**

sismorresistente *adj.* =**asísmico.**

sisón *m.* 【조류】 들기러기.

sisón, na *adj. m.f.* 남의 물건을 슬쩍하는, 훔치는 버릇이 있는 (사람), 훔치지 않고는 못 참는 (사람).

sistema *m.* [*gr.* sum + istêmi] ① 조직, 조립, 기구. ② 계통, …계 : ~ de tranvías 전차의 계통. ~ nervioso 신경 계통. ~ respiratorio 호흡기 계통. ~ de montañas 산계(山系). ③【천문】 계, 계통 : ~ solar · planetario 태양계. ④ 수의 체계, 학설, 설, 주장. ⑤ 법, 식, 제도, 방법, 방식(método), 형, 스타일 : Después de la última guerra se implantó un ~ nuevo de educación 지난번 전쟁후, 새로운 교육 제도가 도입되었다. ⑥ 분류(법) : el ~ de Linneo 린네의 식물 분류법. ⑦ (기계 내부의) 장치.

~ ***cegesimal*** C.G.S.단위(centímetro-gramo-segundo).

~ ***cúbico · hexagonal · monoclínico · regular ·***

tetragonal 입방·육방(六方)·단사(單斜)·등축(等軸)·정방(正方) 정계(晶系).
～ ***métrico*** 미터법.
～ ***abierto*** 개방 체제. ～ ***aduanero·arancelario*** 관세 제도. ～ ***bancario*** 은행 제도·기구·조직. ～ ***bancario caracterizado por constar de bancos independientes*** 단일 은행 제도. ～ ***bancario constituido por consorcios bancarios*** 연쇄·집단 은행 제도. ～ ***capitalista*** 자본주의 체제. ～ ***cerrado*** 봉쇄 체제. ～ ***competitivo*** 경쟁적 체제. ～ ***común*** 공동·공통 체제. ～ ***contable*** 회계 조직·제도. ～ ***de bonificación por aumento de producción*** 장려 임금제. ～ ***de comercio preferencial*** 특혜 제도. ～ ***de compensación*** 구상제(求償制). ～ ***de contabilidad*** 회계 조직·제도. ～ ***de contuidad*** 권유 판매법. ～ ***de comparación de factores*** 요소 비교법. ～ ***de cuota de exportación·importación*** 수출·수입 할당제. ～ ***de descuento*** 할인 정책. ～ ***de elaboración*** 가공법. ～ ***de fondo fijo*** 정액(자금) 전도 제도. ～ ***de impuestos*** 세제, 조세 제도. ～ ***de incentivo y primas*** 할증금·상여금 제도. ～ ***de intercambio*** 바터제. ～ ***de la banca central en los Estados Unidos*** 미국 연방 준비 은행 제도. ～ ***de paridad*** 등가 계산. ～ ***de preferencias imperiales*** 영연방 특혜 관세 제도. ～ ***de premios*** 상여금 제도. ～ ***de primas*** 장려금 제도; 수출 상여 제도. ～ ***de producción en serie*** 대량 생산 방식. ***S- de Registro Civil*** 《*Nicar.*》 인구 등록청. ～ ***de salario incentivo·con prima*** 장려 임금제. ～ ***de tasas*** 과세 징집 제도. ～ ***de tributación*** 세제, 조세 제도. ～ ***de trueque*** 바터제. ～ ***de regulación de la competencia*** 경쟁 규정 제도. ～ ***de valores*** 가치 체계. ～ ***de valuación*** 평가 방식. ～ ***de ventas*** 판매 정책·조직. ～ ***económico*** 경제 체제. ～ ***económico en tiempo de guerra*** 전시 경제 체제. ***S- Económico Latinoamericano*** 라틴아메리카 경제 조직. ～ ***financiero*** 재정 제도. ～ ***fiscal*** 세제, 조세 제도. ～ ***gremial*** 길드 제도. ～ ***lash*** 라쉬 시스템《수륙 컨테이너 적송 방식》. ～ ***mercantil*** 중상주의. ～ ***monetario*** 통화·화폐 제도. ～ ***monetario bimetálico*** (금은의) 복본위제. ～ ***normativo*** 준칙주의. ～ ***tributario*** 세제, 조세 제도. ～***s económicos clásicos*** 고전파 경제학.

sistemar *tr.* 《*Amér.*》 =**sistematizar.**

sistemática *f.* 분류학, 분류법; 계통학(系統學)(taxonomía).

sistemáticamente *adv.* ① 체계·조직·계통적으로. ② 질서 있게, 조리 정연하게; 규칙적으로; 판에 박은 듯이 : Me despierto ～ a las seis 나는 판에 박은 듯이 여섯 시에 깨어난다. ③ 고의로, 계획적으로. ④【생리】 분류상으로.

sistemático, ca *adj.* ① 체계·조직·계통적인 : curso ～ de estudio 조직적 학습 과정. ② 질서 있는·잡힌, 조리가 정연한; 규칙적인, 규칙바른 : de una manera ～*ca* 질서 정연하게. ③ 고의의, 계획적인 : mentiroso ～ 고의로 거짓말하는 사람. ④【생리】 분류(법)의, 분류상의 : botánica·zoología ～*ca* 식물·동물 분류학.

sistematización *f.* 조직화, 체계화; 계통을 세움, 분류, 처리 : ～ de datos(전자 계산기의) 데이터 처리, 정보 처리.

sistematizar *tr.* ⑨ ① 조직화하다, 계통적으로 하다·체계를 세우다 : Hay que ～ el método 방법을 조직화할 필요가 있다. ② 분류하다.

sistémico, ca *adj.* 조직체 전부의.

sístilo *adj.* [*lat.* sustulos] 【건축】 주간(柱間)이 약간 좁은.

sístole *f.* [*lat.* systole] ①【시어】 음절의 단축. ②【생리】 (심장이나 동맥의) 수축 (운동).

sistólico, ca *adj.* 수축의·에 관한.

sistólido, da *adj.* =**rotífero.**

sistro *m.* [*lat.* sistrum] (고대 이집트의) 악기의 일종.

sitácido, da *adj. f.pl.* =**psitácido.**

sitacismo *m.* =**psitacismo.**

sitacosis *f.* =**psitacosis.**

sitiado, da *adj.* [sistiar의 *p.p.*] 포위된.

sitiador, ra *adj.* 포위하는 : ejército ～포위군. —*m.f.* 포위자.

sitial *m.* ① (행사 때의) 의자. ②《*Chile.*》 덮는 물건, 커튼류.

sitiar *tr.* ⑪ ① 포위하다 : ～ por tierra y mar 해륙으로 포위하다. *Sitiaron* a un ladrón en la esquina 코너에 도둑이 포위되었다. ② 구석으로 몰다(asediar).

sitibundo, da *adj.* 【시어】 목마른(sediento).

sitiería *f.* 《*Cuba.*》 작은 마을·부락 (ranchería, casería).

sitiero, ra *m.f.* 《*Cuba.*》 가난한 농부; 소작인.

sitio *m.* [*lat.* situs] ① 장소, 곳(lugar, punto); 적당한·알맞은 장소, 오락 장소 : en el ～ 그 장소에. No recuerdo en qué ～ puse el papel 나는 그 서류를 어디에 두었는지 생각나지 않는다. Es un ～ bonito para veranear 그곳은 피서하기에 아주 좋은 장소이다. Es un ～ precioso para ver el desfile 그곳은 행렬을 보기에 알맞은 장소이다. ② 여지, 여유 : Hay bastante ～ para todos 모든 사람한테 충분한 여유가 있다. No hay ～ para andar 걸을 여유가 없다. ③ 별장. ④ 포위(asedio, cerco) : El ～ de Zaragoza duró ocho semanas 사라고사의 포위는 8주간 계속됐다. ⑤《*Arg. Chile.*》 집을 지을 장소. ⑥《*Cuba.*》 소농지.
dejar en el ～ 즉사시키다.
levantar el ～ 포위망을 풀다. : Los franceses *levantaron el* ～ después de haber perdido 3.000 hombres 불란서인들은 3,000명을 잃은 후에 포위를 풀었다.
poner ～ 포위하다.
quedar(se) en el ～ 즉사하다, 그 자리에서 죽다.

sitios *adj. pl.* 부동산의 : bienes ～ 부동산.

sito, ta *adj.* 위치한, 자리잡은, 놓인(situado).

situación *f.* ① 위치, 장소 : la ～ de una ciudad. ② 상태, 정황, 형세, 정세, 상황, 사정(estado, disposición) : ～ coyuntural·de la coyuntura 경기 순환 상황. ～ de divisas 외화 사정. ～ del·en el mercado 상황(商況), 시황(市況). ～ económica 경제 정세·사정·상태. ～ financiera 금융 정세·상태, 재정 상태. ～ habitacional 거주 상황. ～ monetaria estable 안정된 금융 정세. ～ para obtener créditos 신용 상태. ～ política 정정(政情), 정치 정세. ～

político-económica 정치 경제 정세・사정. ③ 경우, 입장；지위, 신분, 직：～ activa 현직(現職). ～ pasiva 휴직. ④《*Galic.*》(극의) 장면(escena). ⑤ 통치 집단, 여당.
de ～《*Amér.*》얼마 안되는；저렴한(barato).

situado, da *adj.* [situar의 *p.p.*] 위치한, 있는：La península ibérica está ～*da* en el extremo sudoccidental de Europa 이베리아 반도는 유럽의 서남단에 위치해 있다. **—*m.*** (어떤 유가물에서의) 고정 수입；(정해진) 수입：de ～ 수입으로・에서.

situar *tr.* ⑮ ① 위치를 정하다, 배치하다, 놓다, 비치하다：*Situaron* una tropa en un punto estratégico 1군을 전략 지점에 배치했다. *Situaron* unos vigilantes de trecho en trecho 곳곳에 두어 명의 감시인이 세워졌다. ② (자금 등을) 적당히 할당하다(asignar)：El padre *situó* una considerable cantidad para la dote de su hija 부친은 상당한 돈을 딸의 지참금에 충당해 두었다. ③ 불입하다, 송금하다.
～se 지위를 확보하다：La casa está bien *situada* 집은 좋은 위치다・위치를 차지하고 있다. Uno *se situó* al principio de la calle y otro al final 한 사람은 거리의 기점에, 한 사람은 종점에 위치했다.

síu *m.* 【조류】《*Chile.*》검은 방울새.

siútico, ca *adj.*《*Chile.*》＝**cursi, currutaco.**

siutiquez *f.*《*Chile.*》＝**cursilería.**

siux *adj.* 수우족의(sioux).

Siva *m.* 시바, (인도의 신) 대자재천(大自在天), 파괴 신.

S. J. Servicio Judicial；Sociedad de Jesús 야소회.

skating *m. ing.* [발음은 skéting] ＝**patinaje.**

sketch *m. ing.* ＝**sainete.**

ski *m. ing.* ＝**esquí.**

skiar *intr.* 스키를 타다(patinar con skies).

s/l., S/L. su letra.

S.L. Sociedad Limitada 유한 책임・주식 회사.

S.L.[da] Sociedad Limitada.

sleeping-car *m. ing.* ＝**coche cama, coche dormitorio.** [*N.* 발음：slipin car].

SLMM Sindicato Libre de la Marina Mercante.

s.l.n.a. sin lugar ni año 장소・날짜를 기재하지 않은 서류.

slogan *m. ing.* 슬로건：～ publicitario 선전 문구.

sloop *m. ing.* 범선의 일종《돛대가 하나임》. [*N.* 발음：slup].

s/m. sobre mí.

S.M. Su Majestad；Servicio Militar；Servicio Municipal.

S.M.A. Su Majestad Apostólica.

S.M.B. Su Majestad Británica.

S.M.C. Su Majestad Católica.

S.M.F. Su Majestad Fidelísima.

s.m.g. sin mi garantía.

S.M.I. Su Majestad Imperial.

smithsonita *f.* ＝**esmitsonita.**

smog *m. ing.* 스모그, 연무(煙霧)《매연 섞인 안개》.

smoking *m. ing.* ＝**esmoquin.**

s.m.r. sin mi responsabilidad.

sn. su nota；sobre nosotros.

Sn San.

S.N. Servicio Nacional.

snob *m.f.*《*Angl.*》＝**esnob.**

snobismo *m.*《*Angl.*》고깝게 굴기, 들뜬 상태, 경박스러움, 경거 망동.

snorkel *m. ing.* 스노클《두 개의 튜브를 사용하여 잠항(潛航)을 가능케 하는 잠수함 장치；잠수자용의 호흡관》.

snow-boot *m. ing. Neol.* (눈 위를 걷기 위한) 고무신. [*N.* 발음：snobut].

so *prep.* ①【고어】…아래에, 아래서：Rehusó bajar ～ cubierta 갑판 아래로 내려오기를 거부했다. **—*m.*** [형용사 앞에서, 경멸적인 뜻의 강조] ¡ ～ bruto!, ¡～ animal! 이 빌어먹을！
～ *color・capa・pretexto de* …을 구실로：Rehusó el trabajo ～ *pretexto de* la enfermedad 병을 구실로 일을 거부했다.
～ *pena de* ① …의 고통을 받아. ② [앞 동사의 뜻을 그대로 하면] 반드시 …의 고통을 받는다：Nadie podía llegar allí ～ *pena de* la muerte 아무도 그 곳에 가지 못하였다, 가면 반드시 살해되는 것이었다. Le obligaron, a retroceder ～ *pena de* verse envuelto 후퇴를 불가피하게 했다, 후퇴하지 않으면 포위되게 되는 것이었다.

¡so! *interj.* ① (말을 제지하는) 워워！②《*Amér.*》닥쳐！③《*PRico. Venez.*》닭을 쫓는 소리.
Contr. arre.

s/o. su orden 귀사의 주문(서)；귀사의 지시.

so- *pref.* [*lat.* sub]「하(下)」,「경미(輕微)」의 뜻을 나타내는 접두어.

SO. sudoeste.

soalzar *tr.* ⑨ [드뭄] 조금・절반쯤 올리다・높이 하다(alzar ligeramente).

soaré *m.* [*fr.* soirée] ＝**soirée.**

soas *m.* 복부의 외벽 근육(psoas).

soasar *tr.* 반쯤 굽다, 반숙하다(asar ligeramente una cosa), 너무 데우다.

soata *f.*《*Col.*》옥수수와 호박잎의 요리.

soba *f.* ① 주무르는 일. ② 구타(paliza, zurra).

sobacal *adj.* 겨드랑이의(axilar).

sobaco *m.* ① 겨드랑이, 겨드랑이의 밑. ② (나뭇가지의) 줄기와의 사이(axila).

sobadas *f.pl.*《*Sant.*》케이크(torta)의 일종.

sobadero, ra *adj.* 주무를 수 있는. **—*m.*** (피혁 공장의) 피혁 주무르는 곳.

sobado, da *adj.* [sobar의 *p.p.*] ① 기름을 넣고 주무른 (빵). ② 손이 닿아 우글쭈글해진；오래 써서 헐은(muy usado). ③《*Chile.*》커다란, 대형의(grande). **—*m.*** 기름을 넣고 반죽한 빵；주물러 부드럽게 하는 일.

sobador *m.* 가죽을 주무르는 기구.

sobadura *f.* 주물러 부드럽게 하는 일(soba).

sobajadura *f.* 우글쭈글하게 만드는 일.

sobajamiento *m.* ＝**sobajadura.**

sobajanero *m.* (남부 서반아의 시골에서 도시로) 심부름가는 사람.

sobajar *tr.* 우글쭈글하게 만들다, 마구 구겨버리다(sobar, manosear, ajar). ②《*Cuba.*》넌지시 비치다(sugestionar). ③《*Ecuad. Méx. Venez.*》

무찌르다, 납작하게 만들다, 망신을 주다 (humillar).

sobajear *tr.* 《*Amér.*》 =**sobar, manosear, sobajear.**

sobajeo *m.* 주무르기 ; 괴롭히기, 애먹이기.

sobanda *f.* 우그러져 오른 통의 뚜껑.

sobandero *m.* 《*Col. Venez.*》 정골 의사, 안마사 (algebrista, curandero).

sobaquera *f.* ① (의류의) 진동 ; 진동에 대는 천. ② 《*AmérC. Méx. PRico.*》 겨드랑이 털, 암내(sobaquina).

coger las ~s (누구를) 꼼짝없이 다루다 · 조종하다.

sobaquido *m.* 【은어】 겨드랑이 밑으로 빼내어 훔치는 일.

sobaquillo *m. dim.* sobaco.

de ~ 겨드랑이 밑으로 빠져나가게 하여.

sobaquina *f.* 암내(mal olor de los sobacos).

sobar *tr.* ① 주무르다, 주물러 풀다 ; 우글쭈글하게 만들다 ; 괴롭히다, 애먹이다(molestar) ; 때리다. ② 《*Amér.*》 문지르다(friccionar, estregar) ; 손끝으로 세어 넘기다, 만지작거리다 (manosear). ③ 알랑거리다(adular). ④ 정골(整骨) 하다 ; 껍질을 쓸리다.

~ la mano 《*Amér.*》 매수하다.

~ la varita 《*AmérC.*》 면직시키다.

sobarba *f.* ① 가죽 고삐(muserola). ② 겹턱, 이중턱(parte del cuello debajo de la barbilla).

sobarbada *f.* ① 고삐 조이기. ② 엄책, 엄한 꾸중, 야단치기(reprensión áspera) : dar una ~ .

sobarbo *m.* (물레방아의) 물받이.

sobarcar *tr.* [7] 옆구리에 끼다 · 안다 ; 옆구리 쪽으로 옷을 들어올리다(subir la ropa hacia los sobacos).

sobejo, ja *adj.* 【고어】 =**sobrado, excesivo.** —*m.pl.* 남은 음식.

sobeo *m.* ① (마소의) 멍에의 끈(correa). ② 《*Arg.*》 =**torzal.**

soberado *m.* 【방언】 《*AmérM.*》 다락방(desván). ② 《*Venez.*》 =**barbacoa.**

soberanamente *adv.* ① 권력으로 ; 거만스럽게, 우쭐하여. ② 《*Galic.*》 극히(extremadamente).

soberanear *intr.* 세력을 떨치다, 권세를 부리다 (mandar como soberano).

soberanía *f.* ① 주권, 통치권, 지상권(至上權), 절대적 권력. ② 우월 ; 자부심, 우쭐함.

~ aduanera 세관 관할 구역.

~ financiera 재정 권한.

soberano, na *adj.* 자주 · 독립의 ; 최상 · 지고(至高) · 지상의 : *~na* belleza. —*m.f.* 군주, 제왕, 원수 ; 주권자 : Celebraron una boda digna de un ~ de la nación 일국의 군주에 걸맞는 혼례가 행해졌다. —*m.* 소브린 《영국의 1파운드 금화》.

soberbia *f.* ① 거만, 교만, 우쭐함(orgullo desmedido) : la ~ de una monarca. ② 호방. ③ 웅대함(gran magnificencia) : la ~ de un edificio. ④ 격홍, 분격(ira, cólera, rabia) : contestar con ~.

soberbiamente *adv.* 우쭐하여, 거만스럽게, 잘난 척하여 ; 당당하게, 의젓하게, 기가 죽지 않고(con soberbia).

soberbiar *tr.* [11] 《*Ecuad.*》 퇴짜놓다, 거절하다 (rechazar con orgullo) ; 멸시하다(despreciar).

soberbio, bia *adj.* ① 오만한, 거만한, 우쭐거리는(altivo, arrogante) : ~ *de* índole 천성적으로 거만한. ~ *en* palabras 말버릇이 무례한. ~ *con · para* los inferiores 아랫사람에게 오만 부리는. hombre ~ 거만한 사람. Era un hombre ~ con sus inferiores 그는 부하에 대하여 오만한 사내였다. ② 아름다운(hermoso), 뛰어난, 훌륭한, 굉장한(magnífico) : Vivía en un ~ palacio 그는 굉장한 궁전에 살고 있었다. ③ 호방스러운, 당당한(magnífico). ④ 성마른, 도량이 좁고 성미가 급한, 성깔이 있는 (말)(colérico, iracundo) : ponerse ~. **Contr.** modesto.

soberbiosamente *adv.* =**soberbiamente.**

soberbioso, sa *adj.* =**soberbio.**

sobermejo, ja *adj.* 검붉은(bermejo obscuro).

soberna *f.* 《*Ecuad.*》 덧 싣는 짐(sobrecarga).

sobernal *m.* 《*Col.*》 =**sobornal.**

sobijo *m.* ① 《*AmérC. Col.*》 =**soba.** ② 《*Col.*》 찰과상(擦過傷).

sobijón *m.* =**sobijo.**

sobina *f.* [드뭄] 나무 못(clavo de madera).

sobo *m.* =**soba.**

sobón, na *adj. m.f.* ① 응석부리는, 너무 친해져 귀찮은, 치근덕스럽게 엉겨붙는 ; 교활한 (사람). ② 《*Perú.*》 아첨쟁이의.

de un ~ 《*Col. Venez.*》 한꺼번에(de una vez).

sobordo *m.* ① 선하 · 적하(積荷) 목록, 적하 검사 : partida de ~ 선하 목록. ② 조서, 명세서 : ~ de la carga 선하 운임 명세서. ③ 선원한테 주는 전시 특별 수당.

sobornable *adj.* 매수할 수 있는(venal).

sobornación *f.* =**soborno.**

sobornado, da *adj.* 매수된, 매수시킨 ; 구워서 포갠 (빵).

sobornador, ra *adj. m.f.* 매수하는, 유혹하는 (사람).

sobornal *m.* 덧 싣는 짐, 과중한 짐.

sobornar *tr.* [*lat.* sobornare] ① 매수하다 : El *ha sobornado* a los testigos 그는 증인들을 매수했다. ② 유혹하다, 꼬드기다.

soborno *m.* ① 매수, 증뢰, 증회 ; 뇌물 ; 유혹 : La ley castiga el ~ de testigo 법은 증인의 매수를 처벌한다. ② 《*AmérM.*》 덧 실은 짐 (sobornal).

de ~ 《*Bol.*》 덤으로, 첨가물로(de suplemento).

sobra *f.* 과다, 여분, 너무 하는 일. —*pl.* 먹다 남긴 밥 ; 남은 물건 : El ni siquiera quiso dar las *~s* a los pobres 그는 가난한 사람들에게 먹다 남은 밥조차 주길 싫어한다. Estos platos están hechos con las *~s* 이 요리는 남은 것으로 만들었다.

de ~ 여분의 ; 여분으로(con exceso) ; 많이,

sobradamente *adv.* 흔하게, 실컷, 여분으로 (de sobra).

sobradar *tr.* (…에) sobrado를 붙이다.

sobradero *m.* 【방언】 배수로.

sobradillo *m.* (출창 · 발코니의) 챙.

sobrado, da *adj.* [sobrar의 *p.p.*] ① 여분의, 남은. ② 남아돌아갈 만큼 있는, 흔한 : Me *ha sobrado* medio metro de tela *de* la que compré para el vestido 옷감으로 산 천이 반 미터 (나에

게) 남았다. ③ 지나친, 너무하는(demasiado) : Tuvo ～*das* razones para actuar de ese modo. ④《*Chile.*》굉장한(colosal).
—*m.* ① 다락방(desván). ②《*Arg.*》찬장(vasar). ③《*And. Chile.*》먹다 남은 것(sobras). —*adv.* 너무나, 지나치게 ; 흔하게 ; 굉장히(de sobra) : Es ～ rico para ello.

sobrador, ra *adj.*《*Arg. Urug.*》초과하는 ; 지나친.

sobrancero, ra *adj. m.f.* ① 빈둥빈둥 놀며 지내는 (사람). ②【방언】《*Cuba.*》남은(sobrante) ; 예비의, 보조의.

sobrante *adj.* 잔여의, 여분의 ; 공연한, 지나친 (demasiado). —*m.* 나머지, 잉여물 : ～ del ejercicio anterior 전 (회계) 연도의 잉여금.

sobrar *tr.* ① [드묾] 초과하다, 넘다, 지나치다 (exceder). ②《*Chile.*》남기다, 넘기다.
—*intr.* 남다(estar, quedar) ; 넘어 처지다 ; 여분이다, 불필요하다 : Todo eso que has dicho *sobra* 네가 한 말은 모두 불필요한 일이다.

sobrasada *f.* 굵은 순대, 소시지(sobreasada).

sobrasar *tr.* 불을 당기다.

sobre *prep.* [*lat.* super] ① …의 위에 · 에서 (encima de) : Puse el libro ～ la mesa 나는 책상 위에 책을 놓았다. El avión pasó ～ la ciudad 비행기가 도시 상공을 통과했다. Ponga usted el vaso ～ la mesa 컵을 책상 위에 놓아 주세요. ② …에 대해 · 에 관한 (acerca de) : Daba su opinión ～ las cosechas 그는 수확에 대해 그의 의견을 말했다. El profesor nos habló ～ algunas costumbres curiosas de ellos 선생님은 그들의 기묘한 습관에 관해 우리들에게 말씀하셨다. Discutamos un poco más ～ este asunto 이 일에 대하여 좀더 검토해 보자. ③ …한데다가, 말고도, 이외에도 (además de) : *S*- lo rústico, tiene algo de taimado 촌스러운 면이 있는데다가 어딘지 뱃속이 검은 데가 있다. *S*- el sueldo tiene gratificación 그는 봉급 이외에도 상여금을 받고 있다. Me dio veinte pesos ～ lo prometido 그는 약속한 돈 외에 20뻬소를 나에게 주었다. ④ [수 · 분량 앞에서] 대략, 약, …경 : Mi tío tendrá ～ cincuenta años 숙부는 50세 가량일 것이다. Vendré ～ las once 11시경에 오겠다. Ella tenía ～ dos mil pesetas 그녀는 약 2천 뻬세따를 가지고 있었다. ⑤ …을 중심으로 · 에서 : girar ～ el eje 굴대를 중심으로 회전하다. La Tierra gira ～ su eje 지구는 지축을 중심으로 하여 자전하고 있다. Les solicitamos un descuento de 10 por ciento ～ el importe de la factura 송장(送狀)가격의 10 퍼센트의 에누리를 희망합니다. ⑥ …의 후에 (después de) : ～ comida 식사후. ～ siesta 낮잠을 잔 후에. Tómelo ～ la comida 식후에 그것을 마시십시오. ⑦ [근접] 바로 곁에 : La vanguardia va ya ～ el enemigo 선봉대는 벌써 적군에 접근해 있다. La ciudad está ～ el río 시가는 강에 면해 있다. ⑧ …을 담보로 : *S*- esta alhaja, préstame veinte mil pesetas 이 장신구를 담보로 2만 뻬세따 빌려주게. ⑨ [환발행, 과세 · 할인 등의 대상] …앞으로, 에게 (a, hacia), …에 대해, 대한 : Giramos la letra ～ Vd. por el importe 귀하 앞으로 그 금액의 어음을 발행했습니다. Sírvanse reembolsarse ～ el Banco N por el importe 이 금액은 N 은행에서 결제하여 주십시오. una bonificación de 10 por ciento ～ el montante 총액에 대해 1할 삭감. un censo ～ tal casa 이러이러한 가옥에 대한 평가 사정. ⑩ [같은 명사를 연결시켜 과장] decir tonterías ～ tonterís 어리석고도 또 어리석은 말을 하다. ～ la par 액면 이상으로.
～ *que* …하는 이외에.
～ *manera* 심심찮게, 몹시.
～ *poco más o menos* 거의, 대략.
～ *todo* 하물며, 특히.
caer ～ …을 습격하다.
estar ～ *sí* 경계하고 있다, 자신을 견지하다.
ir ～ …의 뒤를 · 꽁무니를 따라다니다.

sobre[2] *m.* ① 봉투 (cubierta) : ～ de ventanilla 투명 봉투. ～ del salario 월급 봉투. ～ monedero 현금 송부용 봉투. ～ para correo aéreo 항공 우편용 봉투. ～ separado 별편(別便). ～ ventana 투명 봉투. escribir el ～ de una carta 편지 봉투를 쓰다. ② 수취인 주소, 수취인 주소 성명 (sobrescrito). ③【방언】숨바꼭질.

sobre- *pref.*「위에」,「위에 붙이는 것」등의 뜻을 가진 접두어.

sobreabundancia *f.* 과다, 과잉, 풍족, 풍부 (la abundancia grande) : Hay ～ de ese producto en el mercado.

sobreabundante *adj.* 남아 돌아가는, 충분한, 풍족한, 푸짐한, 풍부한, 아주 많은.

sobreabundantemente *adv.* 푸짐하게, 풍족하게.

sobreabundar *intr.* 푸짐하다, 남아돌 만큼 있다 (abundar con exceso).

sobreaguar(se) *intr.* (*r.*) ⑪ 떠돌다, 뜨다.

sobreagudo, da *adj. m.*【음악】최고 음부의 (음).

sobrealiento *m.* 헐떡거림, 괴로워 보임.

sobrealimentación *f.* 영양의 과잉 섭취.

sobrealimentar *tr.* ⑲ 지나치게 영양을 섭취시키다, 너무 많이 먹이다(alimentar mucho).

sobrealzar *tr.* ⑨ 아주 높이 올리다 (levantar mucho), (가격 등을) 너무 · 많이 올리다(alzar mucho).

sobreañadir *tr.* 너무나 덧붙이다, 지나치게 · 그 위에 또 덧붙이다(añadir algo con exceso).

sobreañal *adj.* 만 1살 이상의 (동물).

sobrearar *tr.* (밭을) 한번 더 갈다(binar).

sobrearco *m.* 상인방(上引枋) 위의 아치.

sobreasada *f.* =**sobrasada.**

sobreasar *tr.* 다시 굽다, 한번 더 굽다 (volver a asar lo ya asado).

sobrebarato, ta *adj.* 아주 값이 싼.

sobrebarrer *tr.* 대충 쓸다.

sobrebeber *intr.* 다시 마시다 ; 실컷 마시다.

sobrebota *f.*《*AmérC.*》=**polaina.**

sobrecalza *f.* ① 각반. ② =**polaina.**

sobrecama *f.* ① 침대 커버 (colcha). ②《*Col.*》큰 뱀의 일종.

sobrecaña *f.* 말의 앞 다리에 생기는 뼈혹.

sobrecarga *f.* ① 적재 과잉, 더 얹어 싣는 짐 ; 짐묶는 줄, 걸치는 줄. ② (정신적인) 부담. ③ 간접비, 경상비, 총경비.

sobrecargar *tr.* ⑧ ① (짐을) 너무 많이 싣다 ;

여분으로 싣다·지우다. ②(실밥 가장자리를) 감치다.

sobrecargo *m.* (선박의) 사무장; 하물 담당자, 화물 감독.

sobrecaro, ra *adj.* 매우 비싼, 고가의(muy caro).

sobrecarta *f.* 봉투(sobre de carta).

sobrecartar *tr.* =**dar sobrecarta.**

sobrecédula *f.* 추가된 칙서.

sobreceja *f.* 눈썹 위의 이마 부분 (parte de la frente sobre las cejas).

sobrecejo *m.* 찡그린 얼굴, 우거지상 (ceño) : poner ~ 얼굴을 찡그리다.

sobrecelestial *adj.* 높은 하늘의.

sobrecenar *intr.* 저녁 식사를 다시 하다. —*tr.* (저녁을 든 뒤에 무엇을) 다시 먹다.

sobreceño *m.* =**ceño, sobrecejo.**

sobrecerco *m.* 겹으로 친 담·울타리.

sobrecerrado, da *adj.* 꼭 닫은, 단단히 잠구어 버린.

sobrecielo *m.* =**dosel, toldo.**

sobrecincha *f.* 배대끈.

sobrecincho *m.* =**sobrecincha.**

sobreclaustra *f.* =**sobreclaustro.**

sobreclaustro *m.* 복도 위의 방.

sabrecogedor, ra *adj.* 급습하는; 놀라운 : una escena ~*ra* 놀라운 장면.

sobrecoger *tr.* ③ (…에) 급습을 가하다; 놀라게 하다 : La noticia del accidente nos *sobrecogió* a todos.

~se [+de : …에] 흠칫 놀라다, 무서워 떨다 (sorprenderse) : Al verlo *se sobrecogió de* miedo 그를 보자 무서워서 흠칫했다. **Sinón.** aterrar, aterrorizar, espantar.

sobrecogimiento *m.* [드뭄] =**sorpresa.**

sobrecomida *f.* 디저트.

sobrecongelación *f.* 급속한 동결.

sobrecopa *f.* 술잔·컵의 뚜껑.

sobrecoser *tr.* 《*Chile.*》 다시 꿰매다; 위에 덧 꿰매다.

sobrecosido *m.* sobrecoser 하는 일·것.

sobrecostilla *f.* 《*Arg.*》 늑골(costilla)과 갈빗살 (matambre) 사이의 고기.

sobrecostura *f.* =**sobrecosido.**

sobrecrecer *intr.* ㉛ 너무 자라다.

sobrecreciente *adj.* 마구 자라는.

sobrecubierta *f.* 이중 봉투; 덮개, 덧신.

sobrecuello *m.* 덧깃 (cuello puesto sobre otro).

sobrecurar *tr.* 대충 치료·조치하다.

sobredicho, cha *adj.* 상기(上記)한, 전술한, 예의 : la ~*cha* persona 예의 인물.

sobrediente *m.* 덧니.

sobredorar *tr.* ①(은에) 금도금을 하다 (dorar) : plata *sobredorada.* ②둘러대다, 핑계 삼다, 변명하다(disculpar, paliar) : ~ una falta.

sobreedificar *tr.* ⑦ 옥상에 증축하다 : ~ una casa.

sobreelevar *tr.* 다른 것 위에 놓다.

sobreempeine *m.* 각반에 붙어 있는 구두 덮개.

sobreentender *tr.* ⑳ =**sobrentender.**

sobreentendido, da *adj.* =**sobrentendido.**

sobreesdrújulo, la *adj. m.* =**sobresdrújulo.**

sobreestadías *f.pl.* 초과 정박 일수; 초과료.

sobreestimación *f.* 과대 평가.

sobreestimar *tr.* 과대 평가하다.

sobreexceder *tr.* =**sobrexceder.**

sobreexcitación *f.* 과대한·비정상적인 흥분 (excitación exagerada).

sobreexcitar *tr.* 격앙(激昂)시키다, 과도하게 자극하다, 흥분시키다 : ~ el sistema nervioso.

sobreexponer *tr.* ㊶ 과다 노출하다.

sobreexposición *f.* 과다 노출, 과대 노출(sobrexposición).

sobrefalda *f.* (스커트 위에 장식하는) 덧 스커트.

sobrefaz *f.* 표면, 겉보기(superficie exterior de una cosa).

sobrefino, na *adj.* 극상의(muy fino) : paño ~.

sobreflor *f.* (기형·인공의) 겹으로 피는 꽃의 속꽃.

sobrefrenada *f.* =**sofrenada.**

sobrefusión *f.* (용해물이) 액체 상태임.

sobreganar *tr.* 이긴 횟수가 상대보다 많아지다, 훨씬 떼어놓고 이기다 : ~ una partida 어떤 승부에서 낙승하다.

sobregirar *tr.* (환어음이나 수표 등을) 초과 발행하다.

sobregiro *m.* (수표 등의) 초과 발행.

sobreguarda *m.* 위병장; 부수위 감독.

sobrehaz *f.* ①표면, 겉(sobrefaz). ②겉보기, 외관, 외모(apariencia). ③덮개(cubierta).

sobreherido, da *adj.* [sobreherir의 *p.p.*] 찰과상을 입은.

sobreherir *tr.* 찰과상을 입히다(herir leve o superficialmente).

sobrehilado *m.* 시침질.

sobrehilar *tr.* ⑯ (…에) 시침질하다 (dar puntadas sobre el borde de una tela cortada).

sobrehilo *m.* =**sobrehilado.**

sobrehílo *m.* =**sobrehilado.**

sobrehombre *m.* 초인간, 초인(超人), 슈퍼맨 (superhombre).

sobrehueso *m.* 뼈의 혹; 방해물; 귀찮은 것·일(cosa que molesta mucho).

sobrehumano, na *adj.* 초인적인 : El realizó un trabajo ~ 그는 초인적인 일을 해냈다. Hizo un esfuerzo ~ para levantar esa piedra 그는 돌을 올리기 위해 초인적인 노력을 했다.

sobrehúsa *f.* 《*And.*》 ①별명, 딴이름, 별칭 (apodo, sobrenombre). ②생선 요리의 일종.

sobreimpresión *f.* 같은 건판(placa)이나 필름 (película) 위에 두 장면 이상이 들어 있는 사진.

sobreimpuesto *m.* 《*Amér.*》 부가세.

sobreintendencia *f.* =**superintendencia.**

sobrejalma *f.* 안장 깔개 (천).

sobrejuanete *m.* 【선박】 최상부 가로돛; 그 돛배.

sobrelecho *m.* (포개어 놓는 돌의) 밑면.

sobreltado *m.* =**escusón.**

sobrellavar *tr.* 이중 열쇠를 채우다.

sobrellave *f.* 이중 열쇠.

sobrellenar *tr.* 충만시키다, 가득 채우다 (llenar en abundancia).

sobrelleno, na *adj.* 넘치는, 충만한, 넘칠 듯한.

sobrellevar *tr.* ① (무거운 것·부담 등을) 거들어 주다, 들어주다 (ayudar a uno a llevar una carga). ② 참다, 견디다, 이겨내다 : ~ las molestias de la vida. ③ 봐주다, 못 본 척 해 주다.

sobremanera *adv.* 매우, 굉장하게, 심하게, 과격하게, 터무니없이(sobre manera, con exceso, muy, mucho) : un libro ~ interesante 말할 수 없이 재미 있는 책. Nos gustó ~ 우리는 무척 좋았다.

sobremano *f.* (말 발굽에 생기는) 뼈혹.
a ~ 아무의 도움도 없이(a mano levantado, a pulso, sin ningún apoyo).

sobremesa *f.* ① 식탁보. ② 식후에 탁자 주위에 앉아 있는 시간 : una charla de ~.
de ~ ① 탁상의 : teléfono *de* ~ 탁상 전화. reloj *de* ~ 탁상 시계. ② 식후에(después de comer) : conversación *de* ~ 식후의 환담.

sobremesana *f.* 【선박】 후면 돛대.

sobremodo *adv.* =**sobremanera.**

sobremundano, na *adj.* 초속계(超俗界)의, 초현실적인, 초현세적(超現世的)인.

sobrenadar *intr.* (수면에) 뜨다, 떠돌다(flotar, mantenerse encima del agual) : *Sobrenadan* los vestidos del ahogado 익사자의 의복이 떠오르고 있었다. Los restos de naufragio *sobrenadaban* 난파선의 파편이 떠올랐다. El hierro *sobrenada* encima del mercurio 철은 수은 위에 뜬다.

sobrenatural *adj.* 초자연적인, 신통력이 있는 ; 이상한, 불가사의한 : un poder ~. Contr. natural.

sobrenaturalismo *m.* 초자연(론) ; 초자연력 숭배.

sobrenaturalizar *tr.* 초자연적(인 것)으로 하다.

sobrenaturalmente *adv.* 초자연적으로.

sobrenjalma *f.* =**sobrejalma.**

sobrenoche *f.* 【고어】 심야, 한밤중.

sobrenombre *m.* 별명, 딴이름, 별칭(apodo), (특히 동명 이인을 구별하기 위해) 덧붙인 이름(nombre añadido) : Escipión, vencedor de Cartago, recibió el ~ de "Africano" 카르타고의 승자 에스시피온은 아프리카노라는 별명을 받았다.

sobrentender *tr.* 20 짐작으로 알아채다, 말없는 가운데 양해하다, 받아들이다.

sobrentendido, da *adj.* 짐작으로 알아채는.

sobrentrenar *tr. intr.* 연습을 과도하게 하다·빠지다.

sobreño, ña *adj.* 《*Sal.*》 =**sobreañal.**

sobrepaga *f.* 초과·할증 지불 ; 할증 임금.

sobrepaño *m.* 덮개(천).

sobreparto *m.* ① 산후(産後)(puerperio). ② 산후 빈번히 일어나는 건강 약화.

sobrepasar *tr.* ① 넘다, 초과하다, 지나치다, 앞지르다 (exeder, superar) : Los gastos *sobrepasaron* la suma calculada. ② [+a : …보다] 낫다, 월등하다 : ~ *a* un compañero.

sobrepaso *m.* 《*Amér.*》 (말의 일종의 경쾌한) 보조.

sobrepeine *adv.* 경솔하게(sobre peine).

sobrepelo *m.* 《*Arg. Urug.*》 =**sudadero.**
de ~ =por encima.

sobrepelliz *f.* 흰옷, 백의, 소복, 흰 법의(法衣).

sobrepeso *m.* 첨가한 점 ; 과중(sobrecarga).

sobrepié *m.* (말의 뒷다리에 생기는) 뼈마디의 혹.

sobrepintarse *r.* 치덕치덕 화장하다.

sobrepoblación *f.* =**superpoblación.**

sobreponer *tr.* 61 [*p.p.* sobrepuesto] 위에 놓다·대다·붙이다·포개어 놓다, 덧대다(superponer).
~se ① 위에 겹치다. ② [+a : …을] 극복하다, 이겨내다 : Tardó mucho en *~se a* la muerte de su padre 그는 부친의 죽음을 극복하는데 시간이 걸렸다. ③ 앞지르다, 우위를 점하다. ④ 위압하다 ; 허세부리다.

sobreporte *m.* =**recargo de porte.**

sobreposición *f.* 누가 ; 극복, 능가.

sobreprecio *m.* 인상 가격, 덧붙인 가격 ; 시세의 상승, 가격 인상.

sobreprima *f.* 보험료(prima)의 증가.

sobreprimado, da *adj.* 《*Sal.*》 두 살 된 (양 따위).

sobreproducción *f. Neol.* 과잉·초과 생산(exceso de producción). Sinón. superproducción.

sobrepuerta *f.* (방문 위의) 커튼(걸이), 문 위의 장식(물).

sobrepuesto, ta *adj.* [sobreponer의 *p.p.*] 포개어 놓은. —*m.* 아플리케.

sobrepuja *f.* =**nueva puja.**

sobrepujamiento *m.* 뛰어남 ; 능가.

sobrepujante *adj.* (…보다) 뛰어난, 능가한, 나은.

sobrepujanza *f.* 늠름함, 압도.

sobrepujar *tr.* 앞지르다, 우월하다, 뛰어나다, 압도하다(exceder, aventajar) : *Sobrepujaba a* sus compañeros *en* inteligeneia. Sinón. sobrepasar, superar.

sobrepus- → **sobreponer** 61.

sobrequilla *f.* (선체의) 내용골(內龍骨).

sobrero, ra *adj.* ① 여유있는, 남은, 나머지의(sobrante). ② (투우용의) 예비된 (소)(de repuesto).
—*m.f.* 봉투 붙이는 직공.
—*m.* 《*Sal.*》 【식물】 코르크 떡갈나무.

sobrerrienda *f.* 《*AmérM.*》 예비의 고삐.

sobrerronda *f.* 장교 순찰(contrarronda).

sobrerropa *f.* =**sobretodo.**

sobresabido, da *adj.* =**previsto.**

sobresalario *m.* 특별 급료.

sobresalg- =**sobresalir** 63.

sobresalienta *f.* (연극 등의) 대역 여배우(sobresaliente).

sobresaliente *adj.* 튀어나온, 돌출한 ; 탁월한, 두드러진, 빼어난, 우수한. —*m.* (시험에서) 수, 우수, 우등. —*m.f.* (연극·투우의) 대역(代役).

sobresalir *intr.* 63 ① 돌출하다, 튀어나오다 : Tropecé en una piedra que *sobresalía* del suelo 지면에서 돌출한 돌에 나는 채었다. La torre de la iglesia *sobresalía* entre las casas bajas del pueblo 교회의 탑이 마을의 낮은 집 사이에 튀어난다. ② 빼어나다, 두드러지다, 뛰어나다, 탁월하다 : El *sobresale* entre sus compañeros 그는 동료들 사이에서 뛰어난다. Ella *sobresale* por su inteligencia 그녀는 두뇌가 좋아서 두드러진다. [Sinón.] descollar, destacarse, distinguirse.

sobresaltar *tr.* ① 급습하다 : Los enemigos *sobresaltaron* aquel pueblo 적은 그 마을을 급습했다. ② 놀라게 하다(asustar, atemorizar) : Los truenos y relámpagos *sobresaltaron a*l niño 천둥과 번개가 그 아이를 놀라게 했다. —*intr.* 눈에 확 들어오다, 두드러져 보이다 : Este retrato *sobresalta* mucho.

~se [+con · de · por : …으로] 질겁해 버리다, 대경 실색하다, 흠칫하다, 혼이 나가게 놀라다 : *~se con · de · por* la noticia de la derrota 패배의 소식에 대경 실색하다.

sobresalto *m.* 경악, 대경 실색, 질겁하는 일 : Tuvo un ~ al oir la noticia 그는 그 소식을 듣고 쇼크를 받았다.

de ~ 뜻밖에, 별안간, 불의에.

sobresanar *intr.* (상처가) 표면만 아물다. —*tr.* (표면적으로) 적당히 좋게 하다(disimular).

sobresano *adv.* 겉으로만; 적당히 좋게 꾸며.

sobresaturación *f.* 범람 : ~ de publicidad 광고의 범람.

sobresaturado, da *adj.* 범람하는.

sobresaturar(se) *tr.* *(r.)* 범람하다.

sobrescribir *tr.* [*p.p.* sobrescri(p)to] 위에 쓰다; (…에) 수취인 주소 성명을 쓰다 : leer un ~.

sobrescripto, ta *adj.* 【고어】 =**sobrescrito.**

sobrescrito, ta *adj.* [sobrescribir의 *p.p.*] —*m.* (편지 등의) 수취인 이름.

sobresdrújulo, la *adj.* 끝에서 네 번째 이상의 음절에 악센트가 있는 (말)《예 : tráigamelo, devuélvemelo》.

sobreseer *intr.* *tr.* [78] 단념하다(desistir); 중단 · 중지 · 포기하다, 그만두다 : El *sobreseyó* el proceso 그는 소송을 취하했다.

sobreseguro *adv.* 무사히, 위험없이. —*m.* 초과 보험.

sobreseimiento *m.* sobreseer하는 일.

sobresellar *tr.* 이중 봉인을 하다.

sobresello *m.* 이중의 표시, 이중 봉인(封印).

sobresembrar *tr.* [19] (씨앗을 뿌린 데다) 또 한 번 뿌리다, 두 번 뿌리다.

sobresolar *tr.* [24] (구두에) 바닥을 대다; 마루를 이중으로 깔다.

sobrestadía *f.* 특별 초과 정박 일수; 체신료 (sobreestadía).

sobrestante *m.* (인부 등의) 감독(capataz) : ~ de obras públicas. 공사의 감독.

sobrestantía *f.* 감독 직; 그 사무소.

sobrestimar *tr.* 가치 이상으로 평가하다.

sobresueldo *m.* 가봉(加俸), 급료의 할증금; 특별 수당 : El tiene un ~ de diez mil pesetas 그는 만뻬세따의 특별 수당을 받는다.

sobresuelo *m.* 구두의 창 대기; 이중으로 바닥 깔기.

sobretarde *f.* 해거름, 황혼, 일몰 전(momento antes del anochecer).

sobretasa *f.* 부가세.

sobretasar *tr.* 부가세를 부과하다.

sobretendón *m.* 힘줄에 생긴 혹.

sobretensión *f.* 비정상적 전압.

sobretensional *adj.* sobretensión의 · 에 관한.

sobretodo *m.* 오버코트, 외투(abrigo, gabán).

sobreveedor *m.* 감독 책임자.

sobrevenida *f.* 돌발, 불의에 닥치는 일(venida imprevista).

sobrevenir *intr.* [*lat.* supervivere] [60] ① 돌발하다, 불의에 일어나다 : *Sobrevino* un accidente 사고가 돌발했다. ② (사고가) 병발(併發)하다, 속발하다; (마침 그때에) 오다 · 일어나다 · 있다.

sobreverterse *r.* [20] 넘치다.

sobrevesta *f.* (중세의) 남자 외투 《프록코트형》; 여자용 두건 달린 외투.

sobreveste *f.* 【고어】 =**sobrevesta.**

sobrevestir *tr.* [42] 위에 입히다, 걸치게 하다.

sobrevidriera *f.* 창문에 대는 쇠그물; 이중 유리문, 유리 창문의 덧문.

sobrevienta *f.* ① 바람이 불어 젖힘(golpe impetuoso de viento). ② 맹렬(furia). ③ 질겁함, 놀라 자빠짐(sobresalto).

a ~ 별안간, 갑자기, 돌연(de repente).

sobreviento *m.* 바람의 불어 젖힘(sobrevienta).

sobrevin- → **sobrevenir** [60].

sobrevista *f.* (투구 · 군모의) 챙.

sobreviviente *adj.* 생존한, 살아 남은, 목숨을 건진. [Sinón.] superviviente. —*m.f.* 생존자, 살아 남은 사람.

sobrevivir *intr.* [*lat.* supervivere] (어떤 사람보다 · 어느 때보다) 오래 살다 : *Sobrevivió* a todos sus hermanos 그는 모든 형제들보다 오래 살았다. ② 살아 남다, 목숨을 건지다 : ~ a la deshonra 수치스럽게 살아 남다. *Sobrevivieron* a las dos guerras 그들은 두 전쟁에서 살아 남았다.

sobrevolar *tr.* [24] (…의 위를) 비행하다.

sobrexcedente *adj.* 뛰어난, 훌륭한.

sobrexceder *tr.* (…보다) 뛰어나다, 잘하다 (exceder, sobrepujar).

sobrexcitación *f.* =**sobreexcitación.**

sobrexcitar(se) *tr.(r.)* =**sobreexcitar.**

sobrexponer *tr.* =**sobreexponer.**

sobrexposición *f.* =**sobreexposición.**

sobriamente *adv.* 절도있게; (차림새 등이) 요란하지 않게, 수수하게, 수더분하게(con sobriedad, de una manera sobria) : vivir ~.

sobriedad *f.* [*lat.* sobrietas] ① 조금씩 먹기, 소식(少食), 절식 : La ~ del camello es proverbial 낙타의 소식은 세상에 유명하다. ② 수수함.

sobrinazgo *m.* [드뭄] 생질 · 질녀와의 관계; 혈연 관계를 내세우는 일(nepotismo).

sobrino, na *m.f.* [*lat.* sobrinus] 조카, 질녀, 생질 : ~ carnal 조카, 생질, 형제 자매의 자식. segundo ~ 육촌. Tenía muchos *~s* y *~nas* a quienes atender 그에게는 돌보아 주어야 할 많은 생질이나 질녀가 있었다.

sobrio, bria *adj.* [*lat.* sobrius] ① 양이 적은 : ~ en la comida 식사의 양이 적은. Era un hombre ~ de palabras 그는 말수가 적은 사람이었다.

② 모나지 않는 ; 수수한 : ~ en la expresión de sus sentimientos 감정 표현이 수수한. Sinón. moderado.

sobros *m.pl.* 《*AmérC.*》 나머지, 먹다 남은 것.

Soc. Sociedad.

soca *f.* ①《*Amér.*》 (벤 그루에서의) 새싹. ② 《*AmérC.*》 취하기.

socado, da *adj.* 《*AmérC.*》 술취한(borracho).

socaire *m.* 바람을 피할 수 있는 곳.
al ~ 바람을 피하여 : estar · ponerse *al* ~ 교제를 삼가하다 · 피하다.

socairero *m.* (선원들 사이에서) 일을 피하는 남자.

socalar *tr.* 《*AmérC. Col.*》 =**socolar.**

socaliña *f.* 흉계, 간책 ; 사취(ardid, maña).

socaliñar *tr.* 사취하다, 편취하다.

socaliñero, ra *adj.* 사취하는, 편취하는. —*m.f.* 교활한 인간, 사기꾼.

socalzar *tr.* ⑨ (쓰러질 듯한 건물 등의) 토대를 보강하다, 기초를 견고히 하다.

socapa *f.* 구실(pretexto).
a ~ 넌지시, 혼연스럽게(con disimulo).

socapar *tr.* 《*Amér.*》 (남의 나쁜 일 따위를) 감추어 주다, 은닉하다(encubrir, ocultar).

socapiscol *m.* =**sochantre.**

socar *tr.* ⑦ 《*AmérC.*》 ① 조이다, 밀어붙이다(azocar, apretar). ② 애먹이다, 귀찮게 하다(fastidiar). ③ 취하게 하다(emborrachar).
~se ① 닫히다. ② 싫증내다. ③ 취하다. ④ (누구와) 다투다, 사이가 나빠지다 : *~se con* otro.

socarra *f.* ① socarrar하는 일. ② =**socarronería.**

socarrar *tr.* 노르스름하게 눌리다(chamuscar, quemar ligeramente).

socarrén *m.* 추녀(alero de un tejado).

socarrena *f.* (주로 건축에서 기와나 재목 사이의) 오목한 곳, 틈새(hueco).

socarreña *f.* 《*Sant.*》 =**cobertizo, socarrén.**

socarrina *f.* 태우는 일, 눌러 붙음(chamusquina, quemadura).

socarro, rra *adj.* 《*AmérC.*》 =**socarrón.**

socarrón, na *adj.* 앙큼스러운, 뱃속이 검은, 꾀가 많은(astuto, taimado). —*m.f.* 뱃속이 검은 사람.

socarronamente *adv.* 의뭉스럽게, 간교하게, 교활하게(con socarronería).

socarronería *f.* 앙큼함, 교활함(astucia, bellaquería).

socava *f.* 뿌리 가까이를 파는 일(socavación) ; (나무 뿌리의) 물주는 구멍.

socavación *f.* socavar하는 일 : ~ una pared.

socavar *tr.* ① (…의) 아래를 파다 : ~ una pared. ② 갱도를 파다.

socavón *m.* (산 허리의) 굴, 지하도(galería o mina subterránea).

socaz *m.* 물레방아로부터 흐르는 수로.

Soc. en Com.[ta] Sociedad en Comandita 합자회사.

sochamante *m.* 《*Col.*》 =**totumo, calabazo.**

sochantre *m.* (교회의) 합창 지휘자.

soche *m.* ① 《*Col.*》 털을 뽑은 가죽. ②【조류】까마귀의 일종(cariacú).

sociabilidad *f.* 사교성, 사교적임, 교제를 좋아함, 붙임성이 있음, 멋진 교제 솜씨.

sociable *adj.* [*lat.* socius] 사교적인 ; 교제하기 쉬운, 사귀기 쉬운 ; 붙임성이 있는, 다정미가 있는, 교제를 잘 하는, 교제술이 능한 : hombre poco ~. —*m.* (서로 마주보고 앉는) 2인승 사륜마차. Contr. insociable.

social *adj.* ① 사회의, 사회적인 : ciencia ~ 사회 과학. orden ~ 사회 질서. previsión ~ 사회 봉사. La organización ~ de los incas era admirable 잉카족의 사회 조직은 감탄할만 했다. ② 사교적인 : Tenía muy buen trato ~ 그는 사교성이 매우 좋았다. ③【동 · 식물】군생(群生) · 총생(叢生)의. ④ 회사 · 상사 · 상회의 : persona ~ 법인(法人). razón ~ 회사명, 상호. domicilio ~ 회사 소재지. Nuestra firma girará bajo la razón ~ de Yale y Torne S.A. 우리 회사는 얄레 · 이 · 또르네 주식 회사의 이름으로 영업하고 있습니다.

socialdemocracia *f.* 사회 민주주의.

socialdemócrata *m.f.* 사회 민주주의자.

socialdemocrático, ca *adj.* 사회 민주주의의, 사회 민주주의적인.

socialismo *m.* 사회주의 : ~ de cátedra 이론 사회주의. ~ del estado 국가 사회주의.

socialista *adj.* 사회주의의 : ideas ~*s* 사회주의 사상. —*m.f.* 사회주의자.

socialización *f.* 사회화 ; 사회주의화.

socializador, ra *adj.* 사회주의화하는.

socializar *tr.* ⑨ 사회화하다 ; 사회주의화하다 : ~ la propiedad.

sociedad *f.* [*lat.* societas] ① 사회, 세간, 세상 : los deberes para · con la ~ 사회에 대한 의무. La religión jugaba un papel muy importante en las ~*es* primitivas 종교는 원시 사회에서 대단히 중요한 역할을 다하고 있었다. ② 사교계, 상류 사회(buena ~) : frecuentar la ~ 사교계에 출입하다. Ella debe de pertenecer a la buena ~ 그녀는 상류 사회에 속해 있음에 틀림없다. ③ 집단, 단체, 무리, 공동 생활 : Las abejas viven en ~ 벌은 무리지어 산다. ④ 회(會), 결사, 협회, 클럽, 학회 : una ~ literaria 문학회. ~ de Cruz Roja 적십자사. ⑤ 연맹. ⑥ 회사, 상사 ; 조합 : La nueva *S-* se inaugurará en breve 이 새로운 회사는 멀지 않아 발족한다.
~ ***abierta*** 공개 회사. ~ ***accidental*** 《*Arg.*》 익명 조합. ~ ***anónima*** 주식 회사, 익명 회사, 법인 단체. ~ ***anónima controlada por pocos*** 폐쇄적 소유 회사, 동족 회사. ~ ***anónima de capital variable*** 《*Méx.*》 가변 자본 주식 회사. ~ ***anónima de capitalización*** 《*Chile.*》 자본화 회사. ~ ***anónima de economía mixta*** 《*Arg.*》 공사(公私) 합변 주식회사. ~ ***anónima de seguros*** 보험 주식 회사. ***S- Armadora del Transporte Marítimo*** 해사(海事) 진흥회. ~ ***benéfica*** 공제 조합. ~ ***capitalista*** (영국의) 주식 회사. ~ ***cerrada*** 폐쇄 회사. ~ ***civil*** 민사 회사, 클럽, 협회. ~ ***civil de responsabilidad limitada*** 《*Perú.*》 유한책임 민사 회사. ~ ***colectiva*** 합자 회사, 합명 회사. ~ ***comanditaria*** 합자 회사. ~ ***comercial*** 상사, 상사 회사. ~ ***controlada*** 피지배 회사. ~ ***controlante*** 지배 회사. ~ ***cooperativa*** 협

동·공동 조합. ~ *de beneficencia* 공제 조합. ~ *de capital* 물적(物的) 회사. ~ *de capital e industria* 《*Arg.*》 노자(勞資) 혼합 회사. ~ *de carácter personalista* 합명·합자 회사. ~ *de carter* 투자 신탁 회사. ~ *de cartera* 투자 신탁. ~ *de crédito* 신용 조합, 금융 기관. ~ *de derecho privado* 사기업. ~ *de economía mixta* 《*Arg.*》 공사(公私) 합변 회사. ~ *de financiación* 금융 회사. *S- de Fomento Fabril* 《*Chile.*》 제조 공업 진흥회. ~ *de hecho* 익명 회사. ~ *de inversión* 투자 회사. ~ *de inversión mobiliaria* 투자 신탁. ~ *de persona* 인적(人的) 회사. ~ *de responsabilidad limitada·ilimitada* 유한 (책임)·무한 책임 회사. ~ *de responsabilidad limitada de interés público* 《*Méx.*》 가변 자본 회사, 공익 유한 책임 회사. ~ *de socorros mutuos* 공제 조합. ~ *de ventas* 판매 회사. ~ *dedicada a la inversión* 《*Arg. Col. Méx.*》 주식 합자 회사. ~ *en comandita por interés* 지분(持分) 합자 회사. ~ *en comandita simple* 합자 회사. ~ *en nombre colectivo* 합명 회사. ~ *en participación* 익명 조합, 합명 회사. ~ *extranjera* 외국 회사. ~ *financiera* ① 금융 회사. ② 《*Méx.*》 융자 회사. ~ *general* 《*Méx.*》 융자 회사. ~ *holding* 지주(持株) 회사. ~ *individual* 개인 회사. ~ *industrial* 산업·공업화 회사. ~ *inversionista controladora* 지주(持株) 회사. ~ *limitada* 유한 (책임) 회사. ~ *matriz* 본사. ~ *mercantil* 상사 회사. *S- Mixta Siderurgia Argentina* 아르헨띠나 제철 공사. ~ *mutua* 상호 회사. ~ *mutualista* 공제 조합. *S- Nacional Agraria* 《*Perú.*》 전국 농업 경영자 협회. ~ *nacional de contradores* 전국 회계사 협회. *S- Nacional de Industrias* 《*Perú.*》 전국 공업 경영자 협회. *S- Nacional de Minería* 《*Chile.*》 광업 공단. *S- Nacional de Mineriía y Petróleo* 《*Perú.*》 전국 광업 석유업 협회. *S- Nacional de Pesquería* 《*Perú.*》 전국 수산업 경영자 협회. *S- para el Desarrollo Internacional* 국제 개발 협회. ~ *personalista* 합명 회사, 합자 회사. ~ *por acciones* 주식 회사. ~ *por intereses* 지분(持分) 회사. ~ *regular colectiva* 합명 회사. ~ *secreta* 비밀 결사. ~ *sin clases* 무계급 사회. ~ *sin fines lucrativos* 비영리 회사.

societario, ria *adj.* 노동 조합의. —*m.f.* 조합원.

socinianismo *m.* 소시누스교 《16세기 이탈리아의 신학자 Lelio Socino(1525–92)가 창설한 그리스도의 신성과 삼위 일체를 부정하는 교파》.

sociniano, na *adj.* 소시누스교의. —*m.f.* 소시누스교 교도.

socio, cia *m.f.* [*lat.* socius] 조합원, 출자 사원; 회원, 동료, 동지, 동인; 개인(individno).
~ *activo* (합명 회사 등의) 업무 담당 사원. ~ *antiguo* 고참 사원. ~ *capital* 익명 사원. ~ *capitalista* (자본) 출자 사원. ~ *colectivo* (합자 회사의) 무한 책임 사원. ~ *comanditado* 일반 사원. ~ *comanditario* 익명 사원, 익명 조합원; (합자 회사의) 유한 책임 사원, 출자 사원. ~ *cooperativo* 협동 조합원. ~ *de la bolsa* 주식 거래소 회원. ~ *excluido de la administración, pero que posee la facultad de representación* 익명 사원. ~ *gerente* 업무 집행 사원. ~ *gestor* 영업 담당·업무 집행 사원. ~ *industrial* 집무·노무 출자 사원. ~ *menor* 평사원. ~ *personalmente responsable* (합자 회사의) 무한 책임 사원. ~ *que aparece frente a terceros* 익명 사원. ~ *que ha entrado posteriormente (en la sociedad)* 하급 사원. ~ *que se retira* 퇴직 사원. ~ *responsable* 책임 사원. ~ *saliente* 퇴직 사원. ~ *sin poder de representación, pero facultado para la administración* 비밀 사원. ~ *solidariamente responsable* 연대·무한 책임 사원. ~ *solidario* 연대 책임 사원. ~ *tácito* 익명 조합원·사원.

socioeconomía *f.* 사회 경제.

socioeconómico, ca *adj.* 사회 경제적인.

sociolingüística *f.* 사회 언어학.

sociolingüístico, ca *adj.* 사회 언어학의.

sociología *f.* 사회학 : La ~ es una ciencia moderna.

sociológico, ca *adj.* 사회학의, 사회학적인; 사회 문제의.

sociólogo, ga *m.f.* 사회 학자.

soco, ca *adj.* ① 《*AmérC.*》 술취한. ② 《*Arg.*》 폐마(廢馬)의. ③ 《*Chile. PRico.*》 한 쪽 팔·다리가 없는(manco). —*m.* 《*Col.*》 (잘리고 남은 팔이나 나무의) 그루터기(muñón, tocón).

socobe *m.* 《*Col.*》 호박의 일종; 그릇.

socola *f.* ① 【방언】 밀치끈, 껑거리끈(ataharre). ② 《*AmérC. Col.*》(산림 보호를 위해) 밑바닥에 난 잔풀 깎기. ③ 《*CRica.*》 밭(sembrado).

socolar *tr.* 《*Col. Ecuad. Hond.*》 (산의) 잔나무를 베어내다(desmontar).

socolor *m.* 구실, 핑계(pretexto); 겉보기, 외모, 짐짓 보이기. —*adv.* [+de : …의] 구실로 (so color).

socollada *f.* 돛배의 펄럭임 : 선수(船首)의 흔들림.

socollón *m.* ① 《*Ant.*》 진탕(震盪). ② 《*Cuba. CRica.*》 심한 흔들림.

socollonear *tr.* 《*AmérC.*》 심하게 떨다·흔들다.

soconusco *m.* ① 《*AmérC. Méx.*》 질이 좋은 카카오. ② 《*AmérC.*》 카카오로 만든 음료수. ③ 《*Cuba.*》 질이 좋은 초콜릿의 일종. ④ 약은 장삿속.

socoro *m.* 합창대(合唱臺) 밑.

socorredor, ra *adj. m.f.* 구조하는 (사람).

socorrer *tr.* [*lat.* succurrere] ① 구하다, 구조하다, 구제하다 : El guardacostas *socorrió* a los náufragos 연안 경비정이 난파자들을 구했다. Había que ~ a los náufragos 난파자를 구조하여야 했다. ② [+de·con : …로] 돕다 : ~ a uno *de* víveres 누구에게 식료품을 주어 도와주다. Sinón. auxiliar. ③ 돈을 지불하다.

socorrido, da *adj.* ① 구원 받은; 곤장 사람을 구하는; 구조의 손길을 빨리 뻗친. ② 불편하거나 부자유한 점이 전혀 없는 : Esta ciudad es muy ~*da* 이 도시는 아무 불편이 없다.

socorro *m.* ① 구조, 구제 : casa de ~ 응급 구제소. ~ marítimo 해난 구조. fondos de ~ 공동 모금. ② 원조, 구원; 구조금 : Le agradecí el ~ que me prestó 그가 베풀어준 도움이 내게는 고마웠다. El alcalde agradeció el ~ 시장은 원

조에 감사를 표했다. ③ 원병, 구원대 ; 구조물자·재료 (식량·의약품 등) : Llevaron *~s* a la zona devastada 파괴된 지방에 구조 물자를 가져갔다. **—*interj.*** 사람 살려 !

socorva *f.* 《*Ecuad.*》【수의】말의 비절 내종(飛節內腫).

socoyol *m.* 《*Méx.*》【식물】수영(acedera)의 일종.

socoyote *m.* 《*Méx.*》 막내(benjamín, jocoyote, hijo menor).

socrático, ca *adj.* 소크라테스 《Sócrates, 아테네의 철학자, 기원전 469−399 ?》의 ; 소크라테스 철학의. **—*m.f.*** 소크라테스 학파의 사람.

socrocio *m.* ① 사프란 고약. ② 《*Ecuad.*》 카르메라 당(糖). ③ 《*Méx.*》 막내(jocoyote).

socucha *f.* 《*Méx.*》 좁아서 답답한 방 (cuartucho, zaquizamí).

socucho *m.* =**socucha.**

soda *f.* [*ital.* soda] ①【화학】소다(sosa) : ~ cáustica 가성 소다. ② (음료수의) 소다수(agua de sosa).

sodado, da *adj.* 소다가 함유된.

sodería *f.* 《*Col.*》 soda 파는 곳.

sódico, ca *adj.*【화학】소다·소듐의 : sal *~ca.*

sodio *m.* [*lat.* soda]【화학】소듐, 나트륨.

sodomía *f.* 남색(男色), 계간(鷄姦).

sodomita *adj. m. f.* ① 소돔 《Sodoma, 죄악 때문에 신에 의해 멸망되었다는 사해의 남쪽 해안에 있던 옛 도시》의 ; 소돔 사람. ② 남색(男色)이 있는 ; 남색한·계간한 사람.

sodomítico, ca *adj.* 남색의, 계간의.

soez *adj.* [*pl.* soeces] 품위없는, 천박한, 음탕한 (indecente, grosero) : expresión ~.

sofá *m.* [*fr.* sofá] [*pl.* sofás] 소파 : Los dos se sentaron en el ~ 두 사람은 소파에 걸터앉았다.

sofaldar *tr.* ① (…의) 옷자락을 걷어 올리다, 치맛자락을 걷어 올리다 (alzar las faldas a una persona). ② 덮은 것을 올리다.

sofaldo *m.* sofaldar 하기.

sófero, ra *adj.* 《*Perú.*》 무척 강한 (muy fuerte) ; 엄청나게 큰(muy grande).

sofi *adj.m.f.* =**sofí.**

sofí *adj.m.f.* ① 소피교의 (교도). ② 옛 페르시아 제왕의 칭호.

Sofía *f.*【지명】소피아 《불가리아의 수도》.

sofiano, na *adj.* =**sofí.**

sofión *m.* [*ital.* soffione] (약이 올라) 으르렁대며 짖는 일(bufido) ; 나팔총(trabuco).

sofisma *m.* [*lat.* sophisma] 궤변, 둘러붙이는 말.

sofismo *m.* 소피교(sufismo).

sofista *adj.* [*lat.* sophista] 궤변을 늘어놓는, 이리저리 둘러붙이는, 임기응변으로 말을 꾸며 대는. **—*m.f.*** 궤변가 ; (고대 그리스의) 철학자.

sofistería *f.* 궤변, 궤변을 늘어놓는 일, 억지.

sofisticación *f.* sofisticar 하기.

sofísticamente *adv.* 겉만 번드르르하게.

sofisticar *tr.* ⑦ 속이다, 날조하다 ; 위조하다.

sofístico, ca *adj.* 거짓의, 속임수의, 가짜의, 겉만 그럴듯하게 꾸민(fingido, falso).

sofistiquez *f.* [드뭄] 거짓, 속임수.

sofito *m.* [*ital.* soffitto] (아치의) 하측(下側), 하단면.

sófito *m.* =**sofito.**

soflama *f.* ① 희미한 불꽃, 반조(反照). ② (화가 나서 혹은 무안스러워) 얼굴이 달아오름, 얼굴을 붉힘(bochorno). ③ 네다바이, 계략 (engaño, trampa) : usar de ~ 속임수를 쓰다. ④ 알랑거림, 아부, 감언 이설(roncería). ⑤ 따분하게 늘어놓는 말, 장광설(perorata).

soflamar *tr.* ① 눈속임하다, 속이다, 야바위치다(chasquear, engañar). ② 무안을 주다 (avergonzar, abochornar).

~se (불에 살짝) 눋다, 타다(tostarse, quemarse con la llama lo que se asa).

soflamería *f.* 《*Sant.*》 =**palabrería.**

soflamero, ra *adj. m.f.* ① 야바위꾼(의). ② 《*Méx.*》 파르르한 성미의 (사람).

sofocación *f.* ① 질식. ② 귀찮게 하기, 불쾌 (disgusto grande) : llevar una ~ 싫증을 내다.

sofocador, ra *adj.* =**sofocante.**

sofocamiento *m.* =**sofocación.**

sofocante *adj.* 질식할 것같은, 숨막힐 듯한, 후덥지근한 : experimentar un calor ~.

sofocar *tr.* ⑦ [*lat.* suffocare] ① 질식시키다 (ahogar) : El calor me *sofocaba* 더위로 나는 숨이 막힐 듯 했다. Le *sofocó* el humo 그는 연기에 질식했다. Sinón. ahogar. ② (불 등을) 끄다 : Los bomberos *sofocaron* el incendio en media hora 소방수들은 반시간만에 화재를 껐다. ③ 가슴이 덜컥 내려앉게 하다 ; 애먹이다, 괴롭히다(molestar). ④ 얼굴 붉히게 하다 (abochornar).

~se 얼굴을 붉히다 ; 성내다, 노하다.

sofocleo, a *adj.* 소포클레스 《Sófocles, 아테네의 비극 시인, 기원전 495 ? −406 ?》 풍의.

sofoco *m.* 질식 ; 불쾌(sofocón).

sofocón *m.* 불쾌, 아니꼬움.

dar a uno ***un*** ~ 얼굴을 붉히게 하다, 창피를 주다(sonrojar, abochornar).

SOFOFA Sociedad de Fomento Fabril.

sofoquina *f.* =**sofocón.**

sófora *f.*【식물】회화나무.

sofreir *tr.* ㊹ [*p.p.* sofreído, sofrito] (무엇을) 기름에 살짝 튀기다(freir ligeramente un manjar).

sofrenada *f.* sofrenar 하는 일.

sofrenar *tr.* ① 고삐를 꽉 조이다 ; 호통을 치다 (reprender). ② 제어·억제하다 (refrenar).

sofrito, ta *adj.* [sofreir의 *p.p.*] 기름에 살짝 튀긴.

sofrología *f.* 요가에 의한 정신 요법술.

sofrólogo, ga *m.f.* sofrología 전문가.

sofrosine *f.* *gr.* =**cordura, sensatez, moderación.**

soga *f.* [*lat.* soga] ① (스파르트 등의 굵은) 밧줄, 망, 굵은 줄. ② 길이의 단위의 일종 (cuerda) ; 지적 단위의 일종. ③ (벽돌짝·돌 등이) 드러난 면, (담장 등의) 겉으로 나온 돌. ④ 《*Arg.*》 (말 같은 것을 매는) 가죽끈.

—*m.* 뱃속이 검은 남자(socarrón).

a ~ (벽돌짝 등을) 길쭉하게, 세로로(늘어놓아).

con la ~ a la garganta · al cuello 방심할 수 없는·아주 위험한 상태로.

cortar ~s 《*Perú.*》 (광산 등을) 포기하다.

dar ~ 놀려주다 ; 이야기를 교묘하게 핵심으로

가져가다.
no dar ~s 《*Chile.*》 결심을 굳게 지키다.
echar la ~ tras el caldero 들통이 나버리다; 본전도 이자도 다 떼이다.
hacer ~ 늦어지다.
No hay que mentar la ~ en casa del ahorcado 【속담】 교수형에 처해진 사람의 집에서 밧줄 이야기를 해서는 안된다; 불난 집에 부채질하지 마라.

sogalinda *f.* 《*Vizc.*》 【동물】 도마뱀(lagartija).

sogdiano, na *adj. m. f.* 소그디아나 《Sogdiana, 고대 아시아의 한 지방》 의(사람).

soguear *tr.* 【방언】 ① 끈으로 재다 (medir con soga); 쳐 놓은 끈으로 이삭에 맺힌 이슬을 털다. ② 《*Amér.*》 (풀을 먹을 수 있도록) 고삐를 느슨하게 매다 (atar el animal con un ronzal). ③ 《*Col.*》 야유하다, 놀리다, 조롱하다. ④ 《*Cuba.*》 길들이다(amansar).

soguería *f.* 줄 만드는 공장·가게; 줄 따위.

soguero, ra *adj.* 《*Cuba.*》 길든, 말을 잘 듣는, 순한(manso). —*m.* 밧줄·끈 만드는 사람; 그 상인; 짐꾼(mozo de cordel).

soguilla *f.* [*dim.* soga] 머리를 세 가닥으로 땋기; 세 가닥으로 꼰 끈. —*m.* 부두 인부, 짐꾼.

soguillo *m.* 《*Murc.*》 =**soguilla.**

sogún *m.* (일본의) 장군.

soirée *m.(f.) fr.* [발음은 suaré] =**sarao:** asistir a una ~ musical.

soja *f.* 【식물】 콩, 대두(大豆)(soya).

sojuzgador, ra *adj.* 정복·지배·통치하는.

sojuzgar *tr.* ⑧ 정복하다, 지배하다, 통치하다, 굴종시키다(dominar). **Sinón.** someter, subyugar.

sol[1] *m.* [*lat.* sol, solem] ① 태양, 해 : puesta del ~ 일몰. rayo de ~ 일광. salida del ~ 일출. La verdad es el ~ de las inteligencias 진실은 지혜의 태양. Se ponía el ~ 태양이 지고 있었다. El ~ sale por el este y se pone por el oeste 태양은 동쪽에서 떠서 서쪽으로 진다. ② 항성 : Las estrellas son otros tantos ~*es.* ③ 햇빛, 일광; 햇볕, 양지바른 곳 : sentarse al ~ 양지 바른 곳에 앉다·위치하다. tomar el ~ 햇볕을 쪼이다. Hace ~ 햇볕이 비친다. Estas plantas necesitan mucho ~ 이 식물은 일광을 많이 필요로 한다. Mañana volveré aquí si hace ~ 날씨가 좋으면 나는 내일 또 여기 오겠다. ④ 찬란하게 빛나는 것, 광명. ⑤ 날(día). ⑥ 솔 《뻬루의 옛 화폐 단위》. ⑦ (연금술에서) 금(oro).
S- de justicia 그리스도(의 별칭).
~ de las indias 【식물】 해바라기(girasol).
de ~ a ~ 아침부터 밤까지(desde el amanecer hasta el anochecer).
al ~ puesto 해거름에; 늦게, 철 아닌 때에 (tarde).
arrimarse al ~ que más calienta 가장 유력한 쪽으로 들러붙다.
no dejar a ~ ni a sombra 가차없이 추궁하다.
sufrir ~es y nieves 풍설(風雪)을 겪다·피하다.

sol[2] *m.* 【음악】 솔 《음계의 다섯 번째 음》.

sol[3] *m.* 【화학】 액체로 분산시킨 콜로이드.

sol[4] *m.* 【고어】 =**solamente.**

solacear *tr.* 위안하다, 달래다, 즐겁게 하다 (solazar, dar solaz o placer).

solada *f.* (가라앉은) 무거리, 앙금, 침전.

solado, da *adj.* [solar의 *p.p.*] 마루를 깐. —*m.* 포석(鋪石).

solador *m.* 마루를 까는 직업인.

soladura *f.* 포장, 포상; 포장 재료.

solamente *adv.* ① 다만, 오직, …뿐, …만 (únicamente, sólo, nada más) : Comía patatas ~ 그는 감자만 먹고 있었다. ② 오직, 겨우 : Vuelven ~ tres 단 세 사람이 돌아왔다. ③ [+que] …할 뿐으로(con sólo que).

solana *f.* 양지 바른 곳, 볕이 드는 곳; 볕이 드는 방.

solanáceo, a *adj.* 【식물】 가지·가지과의. —*f.pl.* 가지과에 속하는 식물.

solanar *m.* 【방언】 =**solana.**

solanera *f.* 일사병; 볕이 쨍쨍 쪼이는 곳 : Esta plaza es una ~.

solanina *f.* 【화학】 솔라닌 《가지과 식물에서 따는 독소》.

solano[1] *m.* [*lat.* solanus] ① 동풍. ② 풍향(風向). ③ 【방언】 열풍.

solano[2] *m.* [*lat.* solamum] 【식물】 까마종이 《가지과의 일년초》(hierba mora).

solapa *f.* ① 접은 옷깃, 가슴깃; 둘러 붙이기, 핑계, 허구, 가장.
de ~ 살그머니, 아무도 모르게.

solapadamente *adv.* 살그머니, 슬쩍, 아무도 모르게, 앙큼스럽게, 슬쩍슬쩍, 교활하게 (con cautela, taimadamente) : obrar ~.

solapado, da *adj.* 음흉스런, 뱃속이 검은, 엉큼한, 앙큼스러운(taimado y cauteloso).

solapamiento *m.* =**solapa.**

solapar *tr.* ① (옷에) 접은 깃을 달다(poner solapas a un vestido). ② 가리다(cubrir, tapar), 숨기다, 감추다(traslapar); 숨겨 주다 (ocultar). —*intr.* (옷이) 꼭 맞다 : Este chaleco *solapa* bien.

solape *m.* =**solapa.**

solapo *m.* ① (기왓장 등의) 포개 놓은 곳. ② 가슴깃. ③ (본래는 턱을) 손바닥으로 때리기.
a ~ 살그머니, 몰래, 슬쩍(ocultamente).

solaque *m.* 《*Bol. Col.*》 시멘트 포장.

solaquear *tr.* 《*Bol. Col.*》 solaque로 포장하다.

solar[1] *adj.* [*lat.* solaris] ① 태양의 : luz ~ 햇빛. año ~ 태양력. eclipse ~ 일식. rayos ~*es* 태양 광선. ② 해가 비춰는 : horas ~*es* 일조 시간. ③ 명문·구가(舊家)의; 본가(本家)의, 생가(生家)의 : casa ~.

solar[2] *m.* [*lat.* solarius] ① 부지, 집 지을 곳. ② 본가, 구가, 명문 : Su padre venía del ~ de Vegas. ③ 《*AmérC. Venez.*》 안채에 있는 마당, 안마당(trascorral). ④ 《*Cuba.*》 (여러 세대가 사는) 아파트. ⑤ 《*Perú.*》 (가운데 안마당이 있는) 아파트.

solar[3] *tr.* ㉔ ① (블록, 벽돌 등으로 도로를) 포장·포상(鋪床)하다 : ~ una habitación. ② (구두에) 밑창을 대다.

solariego, ga *adj.* ① 구가(舊家)의, 명문의 : casa ~*ga* 명문가. ② 본가의, 생가의. ③ 오랜, 예로부터의(antiguo).

solario *m.* 일광 욕실.

solarium *m.* =**solario.**

solas (a) *adv.* 단독으로, 혼자서 : a tus ~ 자네가 혼자서. a ~ con …만으로 · Me quedo *a* ~ con mi dolor 나는 혼자서 나의 아픔을 끌어안고 있다.

solaz *m.* 즐거움, 기쁨, 위로(placer) ; 휴식, 휴양(descanso), 레크리에이션(recreación) : dar ~ 즐거움을 주다. La lectura es un ~ del espíritu 독서는 정신적인 레크리에이션이다.
a ~ 쾌히, 흐뭇하게, 즐겁게, 기쁘게, 즐거워하여(con placer, a gusto).

solazar(se) *tr.(r.)* ⑨ 즐기다, 휴양하다.

solazo *m.* 퇴약볕, 강한 햇살.

solazoso, sa *adj.* 즐거운, 위안이 되는 ; 유쾌한, 활발한.

solcito *m.* 《*Arg.*》【조류】=**churinche.**

soldada *f.* (선원 · 병사의) 급료, 봉급 (sueldo, salario).

soldadero, ra *adj.* 급료를 받은. —*f.* 《*Amér.*》 군인의 부인, 군인의 여자 동료.

soldadesca *f.* [*ital.* soldatesca] 군인 생활 ; 군사, 군대 ; 군기(軍紀)가 해이된 · 문란해진 군대.

soldadesco, ca *adj.* 병사의, 군대식의.

soldado *m.* ① 병사 ; 군인 : Visitamos la sepultura del ~ desconocido 우리들은 무명 용사의 무덤을 찾았다. ② 전사(戰士), 수호자 : los ~*s* del orden.
~ *bisoño* 신병(~ nuevo). ~ *de cuota* 돈을 내고 단기 복무하는 사병. ~ *de haber* 완전 복역병. ~ *de marina* 해병. ~ *de pavía* 기름에 튀긴 대구의 일종. ~ *desconocido* 무명 용사. ~ *veterano · viejo* 노병.

soldador, ra *m.f.* 용접공, 땜장이 : ~ de latas de conservas. —*m.* 용접용의 인두.

soldadote *m. desp.* soldado.

soldadura *f.* 땜질, 접합 ; 용접, 납땜 : Los plomeros usan la ~ de plomo y estaño 연금술사는 연과 석의 용접을 사용한다.
~ *autógena* 가스 용접. ~ *débil · suave* 가벼운 땜. ~ *eléctrica* 전기 용접. ~ *a tope* 이어 붙이기 용접. ~ *a solapa* 사면(斜面) 용접.

soldán *m.* (회교도의) 황제(sultán).

soldar *tr.* ㉔ [*lat.* solidare] 납땜으로 잇다, 용접하다 ; 접합하다 : Todavía no *han soldado* la cañería 수도관이 아직 접합되지 않았다. ② 짐짓 꾸미다(enmendar).

soldeo *m.* 용접.

soleá *f.* [*pl.* soleares] 솔레아《안달루시아의 노래 · 춤 · 곡》.

soleado, da *adj.* 볕이 드는 : lugar ~.

soleamiento *m.* 일조(日照), 일광(日光), 볕이 드는 일 : Tiene tres horas de ~ 일조 시간이 세시간이다.

solear¹ *tr.* 볕에 쪼이다, 볕에 말리다 (asolear, exponer mucho al sol).
~se 볕에 쪼이다 ; 볕에 그을리다.

solear² *m.* =**sóleo.**

soleares *f. pl.* 《*And.*》 안달루시아의 무도(곡) (soledades).

soleario *m.* =**sóleo.**

solecismo *m.* [*lat.* soloecismus] 문장의 문법적인 잘못 · 오용 · 파격.

soledad *f.* [*lat.* solitas, atis] ① 쓸쓸함 ; 고독(감) : Pasó los últimos años en la ~ de su retiro 그는 은둔 생활의 고독 속에서 최후의 여러 해를 지냈다. ② 황량한 곳, 인적이 드문 곳 : No sé cómo puede vivir en aquellas ~*es* 그러한 쓸쓸한 곳에서 그가 어떻게 하여 생활할 수 있는가 내게는 알 수 없다. ③ 안달루시아의 무도(곡).

soledoso, sa *adj.* 고독한, 적막한, 쓸쓸한, 외로운(solitario) ; 고요한.

solejar *m.* 볕이 잘 드는 곳, 양지 바른 곳 (solana).

solemne *adj.* [*lat.* solemnis] ① 엄숙한, 장엄한 (majestuoso) : misa ~ 장엄 미사. Hoy se celebra la misa ~ en la iglesia 오늘 교회에서 장엄한 미사가 행해진다. Las fiestas del centenario de la independencia fueron ~*s* 독립 100주년의 축제가 장엄했다. ② 절박한 (crítico). ③ 거드름피우는 · 부리는 : con un tono ~ 거드름피우는 어조로. ④ 터무니없는 : ~ disparate 터무니없는 거짓말.

solemnemente *adv.* 엄숙히, 장엄하게(de manera solemne).

solemnidad *f.* ① 엄숙, 장엄 : Nos comunicó la noticia con ~. ② 거드름부리기. ③ 의식, 성의(盛儀), 성전(盛典) : La apertura de curso es una ~ académica 시업식은 학원의 의식이다. ④ (법률에서) 정식(正式).
pobre de ~ 쩨지게 가난한(muy pobre).

solemnización *f.* 엄숙 · 장엄하게 함.

solemnizador, ra *adj.* 장엄한, 엄숙한.

solemnizar *tr.* ⑨ 엄숙하게 행하다, 장엄하게 하다 : ~ un acontecimiento histórico. **Sinón.** conmemorar.

solen *m.* 【동물】 긴맛《바닷조개의 일종》.

solenoide *m.* 【전기】 원통 코일《속에 든 강편을 자석화함》.

soleo *m.* 떨어진 올리브를 줍는 일.

sóleo *m.* 【해부】 정강이의 근육 (músculo de la pandorilla).

soler¹ *intr.* ㉓ [*lat.* solere] [+*inf.*] 곧잘 · 자주 · 늘 · 언제나 …하다 ; …하기가 일쑤다(acostumbrar) : *Solía* dar un paseo 곧잘 산책하곤 했다. *Suele* llover en este tiempo 이 시기에는 자주 비가 내린다. ¿Qué *sueles* tomar después de la comida? 너는 식사 후에 무엇을 자주 드느냐? *Solíamos* hacer excursiones por la montaña 우리는 자주 산에 소풍갔다.
[직설법 현재 : suelo, sueles, suele, solemos, soléis, suelen. 접속법 현재 : suela, suelas, suela, solamos, soláis, suelan].

soler² *m.* [*lat.* solum] (배의) 깔판, 바닥에 깐 널.

solera¹ *f.* ① 가로 재목 ; 대석(臺石), 밑돌. ② 맷돌의 아랫돌. ③ 아궁이 속의 바닥 ; 하상(河床) ; 도랑의 바닥. ④ 《*And.*》 술의 무거리(madre del vino). ⑤ 《*Arg. Urug.*》 (오두막의) 차양, 추녀 (alero de rancho). ⑥ 《*Chile.*》 보도의 가장자리(돌)(encintado). ⑦ 《*Méx.*》 포석(鋪石)(baldosa).
de ~ 오랜, 묵은 : vino *de* ~ 새 술에 섞는 묵은 술. un torero *de* ~ 오래 해본 노련한 투우사.

solera² *f.* 《*Arg. Urug.*》 (소매가 없는) 앞가슴이 터진 여자옷.

solercia *f.* [드뭄] 교묘함, 간사함, 교활함(astucia, maña).
solería *f.* 포상(鋪床) 재료, 포석(鋪石); 포상; (구두의) 밑바닥 가죽.
solero *m.* ①《*Arg. Urug.*》=**solera**[2]. ② 술의 무거리.
solerte *adj.* 교묘한, 교활한(sagaz).
soleta *f.* ①(양말의) 덧댄 곳. ② 뻔뻔스러운 여자. ③《*Méx.*》밀가루와 설탕을 넣어 만든 과자.
apretar·picar de ~, ***tomar*** ~ ① 서둘다, 서둘러 걷다(andar aprisa). ② 도망치다, 도망가다, 달아나다, 도피하다(fugarse, marcharse).
soletar *tr.* (양말에) 공천을 덧대다.
soletear *tr.* =**soletar.**
soletero, ra *m.f.* 양말 수선공.
soleto *m.* 《*Sant.*》=**chancleta.**
solevación *f.* 반란, 궐기.
solevamiento *m.* =**solevación.**
solevantado, da *adj.* [solevantar의 *p.p.*] 불온한, 불순한(inquieto, agitado).
solevantamiento *m.* solevantar 하는 일.
solevantar *tr.* ① 밀어 올리다. ② 선동하다(soliviantar).
~se 뻗어 오르다; 반란을 일으키다.
solevar *tr.* [드뭄] =**sublevar.**
solfa *f.* ① 음계 연습. ② 음보. ③ 음악(música). ④ 구타 : dar una ~ 구타하다, 때리다.
poner en ~ 비웃음거리로 만들다, 조소의 대상으로 삼다(ridiculizar, poner en ridículo).
solfatara *f.* (화산 지대의) 유기(硫氣) 구멍.
solfeador, ra *adj. m.f.* solfear하는 (사람).
solfear *tr.* ① 악보를 보고 노래부르다. ② 때리다. ③ 자꾸만 나무라다, 질책하다. ④《*AmérC.*》패가 망신하다, 몰락하다; 아주 난감해지다.
quedar solefeando 《*Hond.*》몰락하다(arruinarse).
solfeo *m.* ① 악보를 보며 하는 연습. ② 구타(zurra).
solferino, na *adj.* 검붉은(del color morado rojizo). —*m.* 검붉은 색깔의 아닐린.
solfista *m.f.* 음계 연습하는 사람.
solicitación *f.* ① 탄원, 청원서, 간원, 간청; 청구, 청구서; 구애. ② 끄는 힘, 인력(引力). ③ 처리, 수속.
solicitado, da *adj.* 수요가 많은, 잘 팔리는.
solicitador, ra *adj. m.f.* 간청·청구하는 (사람).
solícitamente *adv.* 열심히, 바삐 신경을 써서, 부산하게, 이것저것 신경을 써서.
solicitante *adj.* 간원, 신청·청구·구매하는. —*m.f.* 간원·청구·구애자.
solicitar *tr.* [*lat.* sollicitare] ① 간원하다, 간청하다(pedir); 청구하다 : *Solicite* el catálogo 카탈로그를 청구하여 주십시오. ②(무엇을) 얻고자 노력하다(pretender) : ~ un destino. ③ 구애하다, 청혼하다. ④(…의) 수속을 밟다(gestionar). ⑤ 잡아끌다, 끌어당기다(atraer) : ~ la atención del público 일반의 관심을 끌다. En este pabellón hay muchas cosas que *solicitan* la atención del visitante 이 진열관에는 참관자의 주의를 끄는 것이 많다. ⑥【물리】인력을 미치다 : La gravedad *solicita* a todos los cuerpos 중력은 모든 물체에 인력을 미친다.
solícito, ta *adj.* [*lat.* sollicitus] ①[+con : …에] 세심한, 무진 애를 쓰는(diligente) : ~ *con* una persona 누구 때문에 마음을 쓰는. Era un hijo ~ con sus padres 그는 부모님께 효도하는 아들이었다. ②[+en·para : …에] 열심인 : ~ *en·para* pretender 기를 쓰고 얻고자 노력하다. ③ 열성적인.
solícitor *m.* (영국에서) 변호사의 대리인.
solicitud *f.* ① 배려, 마음을 씀, 열심 : ~ materna 어머니다운 배려. [Contr.] indiferencia. ② 청구. ③ 원서, 신청(서) : aplicación de ~ 원서, 신입서. ¿Para qué son esas ~*es*? 그것은 무슨 원서입니까?
~ ***de admisión a cotización en bolsa*** 상장(上場) 허가 신청.
~ ***de compra*** 구입 청구서.
~ ***de crédito*** 신용 공여 요청.
~ ***de despacho aduanero*** 통관 신고(서).
~ ***de despacho para el consumo*** 소비재 수입 신고서.
~ ***de exportación·importación*** 수출 신청서, 수입 신청서.
~ ***de inscripción*** 등기 신청서.
~ ***de patente*** 특허 출원.
~ ***de un crédito*** 대부금 신청(서).
~ ***de una licencia de exportación·importación*** 수출·수입 허가 신청서.
~ ***en trámite*** 출원 수속.
a ~ 청구에 의해 : Se enviarán muestras ***a*** ~ 청구하시는 대로 견본은 보내 드리겠습니다.
sólidamente *adv.* 굳게, 단단히; 견실하게(con solidez firmeza) : Tienes que atar el lío ~. [Contr.] débilmente.
solidar *tr.* 굳히다; 견고하게 하다(consolidar).
~se 굳어지다; 견고해지다, 결속하다.
solidariamente *adv.* 연대로, 공동 책임으로(con solidaridad).
solidaridad *f.* 결속, 단결; 단결심; 연대(連帶), 연대 관계; 연대·공동 책임, 상호 부조 : Firmó la protesta por ~ con sus compañeros 그는 동료와의 연대감에서 항의문에 서명했다.
solidario, ria *adj.* ① 연대(連帶)의, 연대·공동 책임이 있는 : responsabilidad ~*ria* 연대 책임. El marido es ~ de los actos de su mujer 남편은 아내의 행위에 대해 연대 책임자이다. ② 단결된, 결속된.
solidarizar *tr.* [9] 연대로 하다.
~se 연대·공동 책임을 지다, 연대 관계를 맺다; 결속하다.
solideo *m.* (승려가 쓰는) 둥근 모자.
solidez *f.* 단단함; 견고 : la ~ del muro 벽의 견고함. ② 실적(實積)(volumen). ②【수학】부피, 체적.
solidificación *f.* 응고, 고체화.
solidificar *tr.* [7] 굳히다, 고체로 만들다, 고체화하다, 응고시키다 : ~ un líquido 액체를 고체화하다.
sólido, da *adj.* [*lat.* solidus] ① 굳은, 견고한, 기초가 단단한 : Este edificio tiene cimientos muy ~*s* 이 건물은 매우 견고한 기초 공사가 되어 있다. El terreno no es suficientemente ~ para construir en él 그 지반은 그 곳에 건축하기

에 충분할 만큼 견고하지는 못하다. ② 견실한, 착실한 ; 강한, 튼튼한 ; 확실한. ③ 고체(固體)·고형(固形)의 : alimento ~ 고형식(固形食). El hielo es un cuerpo ~ 얼음은 고체이다. Contr. líquido, flúido, frágil, —*m.* ① 고체, 고형물 : Los ~*s* se dilatan menos que los líquidos 고체는 액체보다 팽창이 적다. ② 입체물 ; 체적.

sólidum (in) *adv. lat.* 전체로서 ; 연대 책임으로.

solifacio *m.* 《*Perú.*》 【희언】 돈(sol).

soliloquiar *intr.* ⑪ 혼자 중얼거리다(hablar a solas).

soliloquio *m.* [*lat.* soliloquium] 혼잣말 ; 독백(獨白)(monólogo).

solimán *m.* 【화학】 【고어】 승감(sublimado corrosivo).

solimancillo *m.* 【식물】 (에꾸아도르의) 여뀌, 수료(水蓼) 《마디풀과의 일년초》.

solimitano, na *adj.* jerosolimitano의 어두 탈락형.

solio *m.* [*lat.* solium] 왕좌, 옥좌(玉座)(trono).

solípedo, da *adj.* 【동물】 단제류의. —*m. pl.* 단제류.

solista *m.f.* 독창자, 독주자. —*adj.* 《*Arg.*》 귀찮은(latoso).

solitaria *f.* ① (역마차의) 한 사람 석(席)·자리. ② 【곤충】 촌충(tenia).

solitariamente *adv.* 단 하나, 다만 하나 ; 오직 혼자서, 호젓하게, 고독하게.

solitario, ria *adj.* ① 고독한 : El lobo es un animal ~ 늑대는 고독한 동물이다. El rey es ~ 왕은 고독하다. ② 고독을 즐기는. ③ 인기척이 없는, 쓸쓸한 ; 황량한(desamparado) : La calle estaba ~ a esas horas 거리는 그 시각에는 쓸쓸하였다. ④ 【식물】 단생(單生)의. ⑤ 【동물】 군거(群居)하는. —*m.f.* 은자(隱者), 행자(行者) ; 고독을 즐기는 사람. —*m.* ① (다이아의) 단옥(單玉). ② (카드의) 패떼기. ③ 【동물】 소라게(ermitaño).

solito, ta *adj. dim.* solo.

sólito, ta *adj.* [*lat.* solitus] 익숙해진, 일상의(acostumbrado).

soliviado, da *adj.* 기대인.

soliviadura *f.* 부축하여 일으키는 일 ; 일어나 몸을 세우는 일.

soliviantado, da *adj.* =**rebelde, hostil.**

soliviantar *tr.* 선동하다 ; 사주하다(incitar) : Me *soliviantaron* con promesas falaces 허위 약속으로 나를 선동했다.

~se 반란·모반을 일으키다.

soliviar *tr.* ① 밀어올리다, 거들어 세우다. ② 《*Arg.*》 훔치다(hurtar).

~se 엉거주춤하다, 몸을 좀 일으키다.

solivio *m.* ① =**soliviadura.** ② 《*Cuba.*》 노래하는 새(pájaro cantor).

solivión *m.* [*aum.* solivio] 밀어 올리는 일 ; (밑에 쌓인 것을 힘껏) 잡아당기는 일.

solla *f.* 《*Gal.*》 【어류】 참서대(lenguado) 비슷한 물고기.

sollado *m.* 【선박】 최하층 갑판.

sollamar *tr.* 눌리다, 굽다, 태우다(socarrar, tostar con la llama).

sollar *tr.* 【고어】 (바람이) 불다(soplar).

sollastre *m.* ① 부엌일 하는 남자, 접시 씻는 사람(pinche de cocina). ② 교활한 인간(pícaro).

sollastría *f.* sollastre 담당계.

sollisparse *r.* 《*And.*》 =**desconfiar.**

sollo *m.* 【어류】 철갑상어(esturión).

sollozante *adj.* 흐느껴 우는.

sollozar *intr.* ⑨ 흐느껴 울다, 흐느끼다(llorar con sollozos) : Ella *sollozaba* mientras oía.

sollozo *m.* 흐느껴 울기, 오열 : prorrumpir en ~*s.*

solmenar *tr.* 【방언】 흔들다.

solo, la *adj.* [*lat.* solus] ① 오직 하나의, 단일의 : una *sola* palabra 단 한마디. Una *sola* palabra tuya da la vida a Inés 당신의 단 한마디가 이네스를 살리는 것 ② 외틀의, 고독한(solitario) : La tía vivía *sola* 숙모는 혼자 살아가고 있었다. ③ 다만 그것 뿐의, 순수한 : café ~ 블랙 커피. ④ 다만 …뿐 : ¿ Vienen ustedes ~*s*? 너희들만 왔니 ? No querían dejar la casa *sola* 집을 비우기 싫었다. —*m.* ① 독창(곡), 독주(곡) ; 독연(獨演) : dar un ~ 혼자서 재미도 없는 말을 늘어놓다. ② 혼자 하는 카드 놀이 ; 혼자서 3인을 상대로 하는 카드 놀이.

a solas 단독으로, 혼자서(sin ayuda ajena).

de ~ a ~ 쌍쌍이, 두 사람만이.

sólo *adv.* 다만, 단지, 오직, …뿐(solamente) : Adoramos ~ a Dios 우리는 유일신만 믿는다. *S-* usted o Román podrían ayudarme 다만 당신이나 로만 같으면 도와 줄 수 있을 것이다. *S-* he venido a verle 나는 당신을 만나러 왔을 따름이오.

~ contra pérdida total 전손(全損) 담보.

~ que 그러나, 다만 : Si me alegró la noticia, ~ *que* estaba cansado 나는 확실히 그 뉴스가 기쁘기는 기뻤지만, 다만 지쳐 있었다.

con ~ que …하기만으로 ; …하기만 하면 : *Con ~ que* falte él, ya no podemos representar la función 그가 빠진 것 뿐으로 우리는 벌써 연극 상연이 불가능하다.

no sólo · solamente …sino (también) …뿐만 아니라 : Igual ocurre *no* ~ aquí, *sino* en todas las partes del mundo 비슷한 일은, 여기 뿐만아니라 세계 어느 곳에도 있다.

tan ~ 다만, 오직 : *Tan* ~ te pido que me dejes en paz 다만 이제 너에게 나를 가만히 놓아 달라고 부탁하고 싶을 따름이다.

sololateco, ca *adj. m.f.* 솔롤라 《Sololá, 구아떼말라에 있는 주·도시》의 (사람).

solombría *f.* 《*Sal.*》 =**umbría.**

solomillo *m.* 안심(살)(filete) : El ~ es una de partes más apreciadas del buey.

solomo *m.* 등심살(solomillo) ; 돼지의 등심살.

solón *m.* 《*Venez.*》 볕이 내리쪼임.

solsonense *adj.* 솔소나 《Solsona, 까딸루냐의 도시》의. —*m.f.* 솔소나 사람.

solsticial *adj.* 【천문】 지(至)의, 하지의, 동지의.

solsticio *m.* [*lat.* solstitium] 【천문】 (태양의) 지(至) : ~ hiemal · de invierno 동지. ~ vernal · de estío · de verano 하지.

soltadero *m.* 《*Méx.*》 방목장(放牧場).

soltadizo, za *adj.* 감쪽같이·멋지게 달아나는.

soltador, ra *adj. m.f.* 놓는 (사람).

soltaní *m.* 16·17세기에 터키에서 사용했던 금화《약 9빼세따》.

soltar *tr.* 24 ① 놓다, 놔주다 ; 풀어 주다 : ~ la cometa. ② 터뜨리다 : *Soltó* dos tiros 두 방 터뜨렸다. ③ 풀다, 펼치다, 끄르다 : Ella *soltó* el pelo 그녀는 묶여진 머리카락을 풀었다. *Se soltó* el globo 풍선이 날아갔다. *Se* me *han soltado* los cordones de los zapatos 나는 구두끈이 풀렸다. ④ 석방하다 : Le *soltaron* al preso 검거된 자를 석방했다. ⑤ 해결하다 : ~ la dificultad. ⑥ (웃음 소리나 울음 소리를) 와하며 지르다 : ~ una carcajada 껄껄·너털웃음을 웃다. Cuando lo oyó *soltó* una carcajada 그는 그 말을 듣고는 껄껄 웃었다. ~ un llanto 와하며 울음을 터뜨리다. ⑦ (타격 등을) 주다. ⑧ (욕지거리를) 마구 퍼붓다, 털어놓고 말하다 : ~ una desvergüenza 창피를 무릅쓰고 말해 버리다. La vieja empezó a ~ maldiciones 노파는 욕설을 퍼붓기 시작했다. ⑨ (방귀를) 뀌다 : ~ el vientre.

~se ① 놓여나다 ; 풀리다. ② 홀가분해지다 ; 해방되다 ; 마음에 여유가 생기다. ③ 뛰쳐나가다. ④ 방귀를 뀌다. ⑤ [+ a + *inf.* : …하기] 시작하다 : *Se soltó a* llorar 그녀는 울기 시작했다.

soltería *f.* 독신 (생활·시절), 미혼.

soltero, ra *adj.* ① 독신·미혼의 ; 총각·처녀의 (célibe) : No sé si es ~*ra* o casada 그녀가 미혼인지 기혼인지 나는 모른다. ② 마음에 여유가 있는, 자유로운, 홀가분한, 마음 먹는대로 하는 (suelto). —*m.f.* 미혼자, 독신자(célibe) : ¿ Es usted casado o ~ ? 당신은 결혼하셨습니까 독신이십니까 ?

solterón, na *adj.* [*aum.* soltero] 혼기를 놓친 (soltero muy viejo). —*m.f.* 노총각, 노처녀.

soltura *f.* ① 해방, 석방. ② 홀가분함, 경쾌, 매인데가 없음, 해방감(libertad). ③ 술술 막힘없이 늘어놓는 말 : con ~ 유창하게, 술술. ④ 자유로움. ⑤《*AmérC. Méx. Venez.*》설사.

solubilidad *f.* 가용성(可溶性), 용해성(溶解性).

solubilizar *tr.* 용해시키다, 녹히다.

soluble *adj.* [*lat.* solubilis] ① 녹는, 용해할 수 있는 : El azúcar es ~ en agua 설탕은 물에 녹는다. ② 해결할 수 있는 : problema fácilmente ~ 쉽게 해결할 수 있는 문제. **Contr.** insoluble.

solución *f.* [*lat.* solutio] ① 녹히는 일 ; 용해, 분해 ; 용역. ② 푸는 일 ; (문제·사건의) 해결 : dar ~ a …을 해결하다. No veo ~ para el enredo en que te has metido 네가 빠져들어간 분규의 해결 방법을 모른다. ③【연극】=**desenlace.** ④ (의문 등이) 풀리는 일 ; 해답, 해명. ⑤【수학】해(解), 해식(解式). ⑥ 변제, 변상, 지불.

~ ***de continuidad*** 중지, 중단.

solucionar *tr.* 해결하다 : *Se ha solucionado* el problema 문제는 해결되었다. **Sinón.** resolver.

solutivo, va *adj.* 변이 잘 나오게 하는. —*m.* 완하제, 통변 촉진제.

soluto *m.*【화학】용해제(solvente).

solvencia *f.* ① 지불, 결제. ② (회사 등의) 자산 상태, 지불 능력, 자력(資力) : deudor sin ~.

solventar *tr.* ① 지불하다, 결제하다. **Sinón.** liquidar. ② (문제를) 해결하다, 매듭짓다.

solvente *adj.* ① 해결하는. ② 부채가 없는 ; 지불 능력이 있는. ③ 용해력이 있는. —*m.* 용해제(溶解劑)(disolvente). **Contr.** insolvente.

solver *tr.*【고어】=**resolver.**

soma [*lat.* summa] *f.* 거친 밀가루(cabezuela) ; 그것으로 만든 빵(harina gruesa). —*m.* 고대 인도의 술.

somali *adj. m.f.* =**somalí.**

somalí *adj. m.f.* 소말리아《Somalia, 아프리카 동북부의 나라》의 (사람).

somanta *f.* 구타(tunda, paliza) : dar una ~ 때리다, 구타하다.

somántico, ca *adj.* 인체의, 육체상의.

somarrar *tr.*《*Ar. Rioja.*》눌리다, 태우다 (socarrar).

somarro *m.*《*And. Cuen. Seg. Zam. Sal.*》눌린·태운 고기.

somatada *f.*《*AmérC.*》=**somatón.**

somatar *tr.*《*AmérC.*》때리다, 구타하다(dar una tunda).

~se《*AmérC.*》죽을 만큼 혼이 나다 ; 쓰러지다.

somatén *m.* ① (Cataluña에서 국민의) 비상 경비대 ; 비상 소집, 경보 : tocar a ~ 경보를 울리다. ② 소동, 소란(bulla). —*interj.* 돌격 !

somatenista *m.* 비상 경비 대원.

somático, ca *adj.* ① 인체(cuerpo humano)의, 육체상의. ②【생물·해부】몸의, 체(體)의, 체강(體腔)의.

somatología *f.* 인체학.

somatón *m.*《*AmérC.*》주먹질, 구타.

somatosis *f.*【의학】인체병.

sombra[1] *f.* [*lat.* umbra] ① 그림자 : la ~ de un árbol · de un edificio 나무·건물의 그림자. ~*s* chinescas 그림자 놀이 극. Se veía en el suelo la ~ del avión 땅 위에 비행기 그림자가 보였다. ② ㄱ) 그늘, 어두운 그늘 : la luz y la ~ 빛과 그늘. ㄴ) 응달, 저녁 그늘, 어두움(obscuridad) : Se oyó el sonido de un disparo en las ~*s* de la noche 밤의 어둠 속에서 총소리가 들렸다. ㄷ) (그림에서) 음영, 가장자리. ③ 덕분, 비호(asilo, favor). ④ 그림자, 모습 ; 겉모양, 외관, 외견, …다움, 기미(apariencia) : Esto no tiene ~ de verdad 이것에는 진실한 면이 없다. ⑤ 유령, 원령(怨靈)(apariencia, espectro) : las ~*s* de los muertos 죽은 사람의 유령. ⑥ (사람이) 깜깜함(obscuridad). ⑦ 그늘 지게 하는 것 ; 흠(mácula). ⑧ 운, 숙명(suerte, fortuna) : Ese hombre tiene buena ~. ⑨ 그림자처럼 따라 다니는 사람. ⑩【속어】애교(donaire, gracia). ⑪《*Amér.*》밑 받침 괘지(falsilla). ⑫《*AmérC.*》(방문·창문의) 챙. ⑬《*Chile.*》【속어】양산(quitasol). ⑭《*Méx.*》노점에 치는 천막(toldo).

a la ~ ① 응달에 : *a la* ~ de un árbol 나무 그늘에서. ② 비호 하에. ③ 감옥에서(en la cárcel) : Pasó diez años *a la* ~ 그는 감옥에서 10년을 보냈다.

ni por ~ 전혀 …않다(de ningún modo).

sin ~, ***como sin*** ~ 호젓하게.

hacer ~ 훼방놓다, 방해하다 ; 두둔하다, 편들다, 감싸다, 비호하다.

no ser su ~, ***ni de*** ~ ***lo que era*** 옛 모습을 찾아볼 수 없다.

tener buena ~ 호감이 가는 사람이다; 운이 좋다, 앞길이 트이다.
tener mala ~ 인상이 좋지 않다; 불길하다, 꺼림칙하다.

sombra² *m.* =**café corto con leche.**

sombraje *m.* 차일(sombrajo, abrigo contra el sol).

sombrajo *m.* 차일. —*pl.* 응달, 햇빛의 방해: No me hagas ~*s* 나를 방해하지 말아라.
*caérse*le a uno *los palos del* ~ 실망하다(desanimarse).

sombrar *tr.* 그늘지게 하다, 응달을 만들다, 어둡게 하다(asombrar, hacer sombra).

sombreador, ra *adj.* 어둡게 하는; 그늘을 만드는.

sombrear *tr.* ① (…에) 음영을 그리다(dar sombra a una cosa): ~ un dibujo con el lápiz. ② 어둡게 하다: Será mejor ~ esta parte 이 부분을 어둡게 하는 것이 더 좋겠다.

sombrera *f.* 《*Bol.*》 들일하는 여성들이 쓰는 모자.

sombrerada *f.* 모자를 흔들어 하는 인사.

sombrerazo *m.* [*aum.* sombrero] 모자로 후려때리기; 모자를 흔들어 하는 인사.

sombrerera *f.* ① sombrero의 아내, 모자 만드는·파는 여인. ② 모자 상자. ③ 《*Ecuad. Perú. PRico.*》 모자걸이.

sombrerería *f.* 모자 제조업; 모자 공장·가게, 모자점.

sombrerero, ra *m.f.* 제모 업자, 모자 만드는 사람, 모자 장수, 제모 장수, 제모점 주인. —*m.* 《*Col.*》 모자걸이; 모자 보관 상자.

sombrerete *m.* [*dim.* sombrero] ① 작은 모자. ② (버섯의) 모자·갓. ③ 굴뚝의 갓, 덮개(caperuza).

sombrerillo *m.* ① (버섯의) 갓. ② 【식물】 돌나물과의 다년초(ombligo de Venus).

sombrerito *m.* 《*Arg.*》 (아르헨띠나의 중부 지방이나 북부 지방의) 경쾌한 리듬의 춤·노래.

sombrero *m.* ① 모자: ponerse el ~ 모자를 쓰다. quitarse el ~ 모자를 벗다. El se metió el ~ hasta las orejas 그는 모자를 깊숙히 눌러썼다. Quítese usted el ~ al entrar 들어올 때는 모자를 벗으세요. ② (강연대 등의) 천개(天蓋). ③ (버섯의) 갓. ④ (서반아 대공작이 국왕 앞에서 모자를 벗지 않아도 되는) 착모의 특권.
~*ancho* 펠트 모자(~ jarano).
~ *apuntado* (해군 사관의 예모인) 말 모양의 모자.
~ *castoreño* 해리모(海狸帽).
~ *cordobés* 챙이 넓은 펠트 모자.
~ *de copa* 챙이 좁고 높은 모자.
~ *de canal* 말린 연잎 모양의 모자.
~ *de copa·pelo* 실크 해트.
~ *de jardín* 노동용 맥고 모자.
~ *de jipijapa* 파나마 모자.
~ *de paja* 맥고 모자, 밀대 모자.
~ *de teja* 말린 연잎 모양의 모자(sombrero de canal).
~ *de tres picos* 삼각 모자.
~ *flexible* 소프트·펠트 모자.
~ *gacho* 챙이 처진 모자.
~ *hongo* 중산모.
~ *jarano* 펠트 모자.
~ *jíbaro* (중미, 서인도의) 야자잎 모자.
~ *tricornio* 삼각 모자(sombrero de tres picos).
quitarse el ~ =demostrar admiración.

sombrero de tres picos (El) 【문학】 Pedro Antonio de Alarcón《서반아의 작가(1833—1891)의 소설.

sombría *f.* 응달, 응달진 땅(umbría).

sombrilla *f.* 비치 파라솔; 양산(quitasol): ~ protectora 산형 호위기대(傘形護衛機隊).

sombrillazo *m.* 양산으로 치기.

sombrío, a *adj.* ① 어두운, 어두컴컴한, 음침한: un rincón ~ 음침한 구석. Tenía un semblante muy ~ 그는 매우 음울한 얼굴을 하고 있었다. ② 우울한(melancólico): carácter ~. ③ 음영이 있는. **Sinón** obscuro.

sombroso, sa *adj.* ① 응달이 되는, 그늘이 많은: un árbol ~. ② 어둑어둑한, 침침한, 컴컴한(sombrío): un lugar ~.

someramente *adv.* 얕게; 표면적으로; 대략, 간단하게.

somero, ra *adj.* ① 얕은, 깊지 않은; 표면적인, 피상적인(superficial). ② 간단한, 대략적인, 변변치 않은(ligero): un examen ~. ③ 심각하지 않은, 대수롭지 않은, 경미한: ~*s* sucesos.

someter *tr.* [*lat.* submittere] ① [+a: …을] 따르게 하다, 굴종시키다, 굴복시키다(sujetar, humillar): Es muy difícil ~ a esos rebeldes 그러한 반항자들을 굴복시키기는 매우 곤란하다. ② 진압·진정하다: El general *sometió* a los insurrectos 장군은 반란자를 진압시켰다. ③ 판단에 맡기다, 회부·위임하다: ~ al tribunal 재판에 회부하다. ③ 시험·테스트해 보다: *Someta* usted el informe al comité 보고서를 위원회에 제출하시오. ④ (약품 등으로) 처리하다, 대다.
~se 따르다, 굴종하다, 굴복·항복·귀순하다: *Se sometió a* la opinión de la mayoría 그는 대다수의 의견에 따랐다. *Someteré* mi decisión *a* lo que me digan en la carta 내 결정은 저 사람들이 편지로 말해오는 내용에 따라 하겠다.

somético, ca *adj.* 《*Col.*》 주책스러운.

sometido, da *adj.* 《*CRica.*》 주책스러운(entremetido).

sometimiento *m.* 정복, 평정; 굴종, 굴복; 귀순.

somier *m.* [*fr.* sommier] 깃털 방석(colchón de muelles).

SOMISA Sociedad Mixta Siderurgia Argentina.

sommier *m.* =**somier.**

somnambulismo *m.* 몽유병, 몽중 유행(夢中遊行): ~ provocado·magnétio 최면술, 최면상태(hipnotismo).

somnámbulo, la *adj.* 몽유병의. —*m.f.* 몽유병자.

somnifaciente *adj.* =**somnifero.**

somnífero, ra *adj.* ① 잠자게 하는, 최면(催眠)의 (【의학】 hipnótico.)

somnífixo, ca *adj.* =**somnifaciente.**

somnilocuencia *f.* 잠꼬대 버릇.

somnílocuo, cua *adj.* 잠꼬대하는. —*m.f.* 잠꼬대하는 버릇이 있는 사람.

somnolencia *f.* ① 꿈결, 반수(半睡) 상태, 잠

에 취함 ; 졸리움. ② 나태, 게으름, 나른함(pereza). ③ 【의학】 혼몽(昏蒙).

somnolento, ta *adj.* =**soñoliento.**

somnoliento, ta *adj.* =**soñoliento.**

somontano, na *adj.* 북부 아라곤(el Alto Aragón)의. —*m.f.* 북부 아라곤 사람.

somonte (de) *adj.* [드묾] 조잡한, 변변치 못한(basto, grosero, burdo) : hombre · paño *de* ~.

somorgujador *m.* 잠수부(buzo).

somorgujar *tr.* 잠수시키다, 가라앉히다(sumergir).

~se 잠수하다, 가라앉다(hundirse) : *~se* en el mar.

somorgujo *m.* 【조류】 비오리, 톱니오리.

a (lo)~ 물속으로 들어가 ; 살그머니.

somorgujón *m.* =**somorgujo.**

somormujar *tr.* =**somorgujar, chapuzar.**

somormujo *m.* =**somorgujo.**

somoteño, ña *adj. m.f.* 소모또《Somoto, 니까라구아에 있는 도시》의 (사람).

sompancle *m.* 《*Méx.*》 【식물】 콩과 식물의 일종.

sompesar *tr.* 손으로 무게를 재보다(sopesar).

sompopo *m.* ① 【곤충】 《*Hond.*》 개미의 일종. ② 요리의 일종.

son[1] *m.* [*lat.* sonus] ① (듣기에 유쾌한) 소리 : el ~ del arpa. ② 평판, 명성(fama). ③ 구실, 동기(pretexto, motivo). ④ 방법, 수(tenor, manera, modo) : a este ~, por este ~ 이런 식으로.

a ~ de …의 소리에 따라 · 맞추어 : Las bailarinas van a bailar *al ~ de* los tambores y las flautas 발레리나는 북과 피리에 맞추어 춤을 출 것이다.

en ~ de ① …하는 식으로(a manera de) : Me contestó *en ~ de* broma 그는 농담조로 나에게 대답했다. ② …하는 마음에서 · 까닭으로 · 의 구실로 : Volvieron *en ~ de* paz 그들은 평화스런 마음으로 돌아갔다.

¿a ~ de qué?, ¿a qué ~? 왜, 어찌하여?

bailar al ~ que le tocan 환경에 맞추다, 순응하다.

sin ton ni ~ 아무 까닭 · 이유 · 근거없이(sin razón ni fundamento).

Hay que bailar al ~ que se toca 【속담】 입향 순속(入鄕循俗).

son[2] ser의 직 · 현 · 3 · 복수.

son- *pref.* sub-와 같은 뜻을 갖는 접두어.

sonable *adj.* ① 소리 높은(sonoro) ; 시끄러운(ruidoso). ② 평판 있는, 명성이 자자한, 유명한(famoso).

sonada *f.* =**sonata.**

sonadera *f.* 코를 풀기(acto de sonarse las narices).

sonadero *m.* 콧수건(pañuelo para limpiar las narices).

sonado, da *adj.* [sonar의 *p.p.*] ① 이름난, 유명한(famoso). ② 말이 많은, 세상을 떠들썩하게 했던 : un escándalo muy ~.

hacer una que sea ~da 소문 거리를 퍼뜨리다.

sonador, ra *adj.* 소리내는. —*m.* 콧수건(sonadero).

sonaja *f.* ① 템버린 《두 장의 금속판을 맞추어 소리가 나게 하는 장난감이나 악기의 부분품》 : una ~ de pandereta. ② =**sonajero.** ③ 《*Méx.*》 (옛날의) 진흙으로 만든 악기.

sonajera *f.* 《*Chile.*》 =**sonaja ; sonajero.**

sonajero *m.* 딸랑딸랑 《장난감》.

sonajuela *f. dim.* =**sonaja.**

sonambulismo *m.* =**somnambulismo.**

sonámbulo, la *adj. m.f.* =**somnámbulo.**

sonante *adj.* ① 잘 울리는, 소리가 잘 나는(sonoro) : dinero ~ 경화(硬貨). ② 평판이 자자한.

sonar[1] *intr.* ㉔ [*lat.* sonare] ① 울리다, 소리나다 : ~ el timbre 벨이 울리다. *Sonaron* las diez 열 시를 쳤다. ② (문자가 어떤) 음을 가지다 · 내다 : En español, la hache no *suena* 서반아어에서는 H자는 묵음이다. ③ 기미 · 기색이 보이다 : La proposición *suena a* interés 그 제안에는 어떤 이해가 얽힌 것 같다. ④ 명기(明記)되어 있다 : Su nombre no *suena* en aquella escritura 그의 이름은 그 글에는 나와 있지 않다. ⑤ 들어본 기억이 있는 것 같다 : Me *suena* ese apellido 그런 성은 들어본 일이 있는 것 같다. ⑥ (소문이) 퍼지다 : *Suena* mucho su nombre para candidato 그 이름은 후보자로서 흔히 풍문에 오른다. ⑦ 《*Arg. Urug.*》 죽다(morir).

—*tr.* ① 울리다(tañer) : *Soné* la campanilla 나는 초인종을 울렸다. ② 코를 풀어주다(limpiar las narices) : ~ a un niño. ③ 《*Arg. Parag.*》 =**perjudicar.**

~se ① 코를 풀다 : El *se sonó* las narices 그는 코를 풀었다. ② (소문 등이) 퍼지다 : Por ahí (*se*) *suena* que te casas 그곳에서는 네가 결혼한다는 소문이 있다.

como suena 문자 그대로(literalmente).

hacer ~ ① 울리다. ② 《*Chile.*》 엄벌하다.

[직설법 현재 : sueno, suenas, suena, sonamos, sonáis, suenan. 접속법 현재 : suene, suenes, suene, sonemos, sonéis, suenen].

sonar[2] *m.* 잠수함 탐지기, 수중 음파 탐지기.

sonata *f.* [*ital.* sonata] 【음악】 소나타, 주명곡(奏鳴曲).

sonatina *f.* 【음악】 소나티나, 소 주명곡.

soncle *m.* 《*Méx.*》 나무 상인들이 늘 사용하는 단위 《400 leños에 해당함》.

sonco *m.* 《*Arg.*》 (소 따위의) 간, 간장.

soncoya *f.* 《*CRica.*》 【식물】 =**anona.**

soncho *m.* 《*Arg.*》 =**coatí.**

sonda *f.* ① 더듬는 일. ② 【해사】 측심(測深) ; 측심추 ; 수심 · 어군 탐지기. ③ 【지질】 지질 검사 천공기. ④ 【항공】 존데《고층 기상 관측용 기구(氣球)》 ; 유도색(透導索). ⑤ 【의학】 탐침(深針), 카테르(tienta).

~ espacial 태양계 관측 기구.

sondable *adj.* (수심 등을) 측정할 수 있는, 찾아볼 수 있는 ; 추측할 수 있는 : abismo ~. **Contr.** insondable.

sondador, ra *ajd.* 검사하는 ; 탐색하는. —*m.* 탐색 기계.

sondaleza *f.* 【해사】 바다의 깊이를 재는 데 쓰는 추(錐) : echar la ~.

sondar *tr.* ① 찾아보다, (…에) 넌지시 알아보다 : Los periodistas trataron de ~ al director del teatro. ② 검사하다 ; 지질 검사를 하다 ; (…에) 탐침(探針)을 넣다 ; 수색하다 : Pretendía ~ su pasado. ③ 시굴하다.

sondear *tr.* =**sondar.**

sondeo *m.* sondar 하는 일 : ~ de la opinión pública 여론 조사.

sonecillo *m.* [*dim.* son] 작은 소리, 가벼운 소리.

sonería *f.* (시계에) 시간을 울리는 기계.

sonetear *intr.* 소네트를 쓰다·짓다.

sonetico *m.* [*dim.* son · soneto] 작은 소리, 손가락으로 책상 위를 가볍게 때리는 소리.

sonetillo *m.* [*dim.* soneto] 1행 8음절 이하의 soneto.

sonetino *m.* =**sonetillo.**

sonetista *m.f.* [드뭄] 소네트 작가.

sonetizar *intr.* ⑨ 소네트를 쓰다·짓다.

soneto *m.* [*ital.* sonetto] (보통 11 음절, 4·4·3·3 행의) 14행의 시(詩), 소네트 : ~ caudato 4·4·3·3·3 행의 17행 시.

songa *f.* 《*Cuba. PRico.*》 비꼬기, 놀리기(chunga, ironía, burla).

a la ~ 《*Amér.*》 살그머니(con disimulo).

songo, ga *adj.* 《*Col. Méx.*》 어리석은 ; 교활한, 뱃속이 검은. —*m.* 《*Col.*》 소리, 음(sonido).

songuear *intr.* 《*Méx.*》 =**burlarse.**

songuero, ra *m.f.* 비꼬는 친구.

songuita *f.* 《*Amér.*》 *dim.* songa.

sónico, ca *adj.* 소리의 속도의.

de ~ 남몰래(de tapadillo).

¡soniche! *interj.* =**¡caramba!**

sonido *m.* [*lat.* sonitus] ① 소리, 음향. ② (문자의) 음, 소리, 음소, 음가(fonema). ③ 평판, 명성(noticia). ④ 어의, 말뜻 : estar al ~ de las palabras 말뜻 그대로이다.

sonique *m.* 《*Sal.*》 =**follador, follista.**

soniquete *m.* [*desp.* son] 작은 소리(sonecillo) ; (연속적인) 신경에 거슬리는 소리·음성.

sonlocado, da *adj.* 미친 듯한(alocado).

sono *m.* =**sonorización.**

sonochada *f.* [드뭄] 초저녁에 망을 보는 일.

sonochar *intr.* 초저녁에 망을 보다(velar durante la sonochada).

sonómetro *m.* 측음기(測音器), 음향 측정기, 체력 측정기.

sonoramente *adv.* 크게 울려(de un modo sonoro).

sonorense *adj. m.f.* 소노라 《Sonora, 멕시코의 주》의 (사람).

sonoridad *f.* 향도(響度), 잘 울리기 ; 유성(有聲)적인 것.

sonorización *f.* 【문법】 유성화(有聲化).

sonorizar *tr.* ⑨ 유성화하다(tornar sonoro).

sonoro, ra *adj.* [*lat.* sonorus] ① 잘 울리는, 울려 퍼지는 ; 높게 울리는 : pista ~*ra* (de la película) 사운드 트랙. ② 반향(反響) 있는, 낭랑한 : bóveda ~*ra.* ③【문법】 유성의 : efectos ~*s* 의음(擬音). sonido ~ 유성음. Contr. sordo.

sonoroso, sa *adj.* [드뭄] =**sonoro.**

sonoteca *f.* 소리 녹음 보관소.

sonreir(se) *intr.(r.)* ㊹ 웃음을 머금다, 미소 짓다, 엷은 웃음을 띠다 ; 빙그레 웃다.

sonriente *adj.* ① 미소를 띠운, 미소 짓는, 싱글거리는 ; 웃는 듯한 : rostro ~ 미소 짓는 얼굴. ② 명랑한.

sonrisa *f.* 미소, 웃는 얼굴 ; 엷은 미소(risa ligera) : una amable ~ 친절한 미소.

sonriso *m.* =**sonrisa.**

sonrisueño, ña *adj. m.f.* 싱글벙글하는 (사람).

sonrodarse *r.* ㉔ (차가) 오도가도 못하고 서다, 고장으로 서다.

sonrojar *tr.* 얼굴을 붉히게 하다 ; 창피를 주다 (avergonzar, empachar).

~se 얼굴을 붉히다 : ~*se* por poca cosa. Sinón. ruborizarse.

sonrojear *tr.* =**sonrojar.**

sonrojo *m.* ① 얼굴을 붉히기, 무안스러움 (rubor). ② 창피·모욕(의 말)(vergüenza).

sonrosado, da *adj.* [sonrosar의 *p.p.*] 안색이 불그스레한, 안색이 좋은.

sonrosar *tr.* 불그레하게 하다, 붉게 물들이다 (dar color de rosa a una cosa) : El rubor *sonrosó* su cara 창피하다는 생각이 그 얼굴을 붉히게 했다.

~se 장미빛이 되다, 얼굴이 붉어지다, 상기되다 (rosarse).

sonrosear *tr.* 장미빛으로 만들다(sonrosar).

~se ① 얼굴을 붉히다(sonrojarse, ponerse de color de rosa). ② 수치스러워하다(avergonzarse).

sonroseo *m.* 얼굴을 붉히기.

sonsaca *f.* sonsacar 하는 일.

sonsacador, ra *adj. m.f.* sonsacar 하는 (사람).

sonsacamiento *m.* =**sonsaca.**

sonsacar *tr.* ⑦ 밑에서 뽑아내다, 몰래 가지다 ; 비밀히 운동하여 직책에서 물러나게 하다, 실각시키다 ; 교묘하게 찾아내다 : Le *he sonsacado* el secreto 그의 비밀을 캐냈다.

sonsañar *tr.* 《*Ast.*》 =**sonsañar.**

sonsaque *m.* =**sonsaca.**

sonsear *intr.* 《*AmérM.*》 바보짓을 하다, 어리석은 짓을 하다·말하다(tontear).

sonsera *f.* 《*Amér.*》 세상 물정을 모르는 일 (sosera).

sonso, sa *adj.* 《*Amér.*》 =**zonzo.**

sonsonateca *adj. m.f.* =**sonsonateco.**

sonsonateco, ca *adj. m.f.* 손소나떼《Sonsonate, 엘살바도르에 있는 주·도시》의 (사람).

sonsonete *m.* ① 박자를 맞추는 소리 ; 한없이 계속되는 소리. ② 비웃음, 빈정거리는 투 : Habla con cierto ~. ③ 억양이 없는 말투·읽기.

sonsonetear *intr.* 《*Col. Méx.*》 콧노래를 부르다.

sonsoniche *m.* ① 《*Cuba.*》 =**sonsonete.** ② *alem.* =**silencio.**

sonsorrión, na *adj.* 《*Arg.*》 =**zonzorrión.**

sonto, ta *adj.* 《*AmérC.*》 한 쪽 귀가 없는 ; 뿔이 없는 ; 불완전한, 한 쪽이 없는.

soña *f.* 《*Ecuad.*》 =**corregidor.**

soñación *f.* 꿈꾸는 일, 꿈꾸기(ensueño).

ni por ~ 꿈에도 …않다(ni por sueño, ni mucho menos).

soñador, ra *adj.* 곧잘 꿈을 꾸는 ; 망상적인, 몽상적인. —*m.f.* 꿈을 잘 꾸는 사람 ; 공상가.

soñante *adj.* 꿈꾸는.

soñar *tr.* ㉔ [*lat.* somniare] 꿈꾸다 ; 꿈꾸며 동경하다 : *Soñé* que eras rey.
—*intr.* ① [+con · en : …의] 꿈을 꾸다 : Anoche *soñé con* usted 간밤에 당신의 꿈을 꾸었다. ② [+con · en : …을] 꿈꾸다, 몽상하다, 그리워하다 : ~ *con* la felicidad 행복을 꿈꾸다. *Sueño con* mucha frecuencia 나는 자주 꿈을 꾼다. Anoche *soñé en* viaje 어젯밤 나는 여행의 꿈을 꾸었다. Siempre *soñaba con* hacer ese viaje 언제나 그는 그러한 여행을 하기를 바라고 있었다. *Sueña con* comprarse un auto 그는 자동차를 사고 싶어한다. ~ *en* llegar a rico 부자가 되는 것을 꿈꾸다.
~se 【속어】 꿈꾸다 : *~se* rico.
~ ***despierto*** 백일몽을 꾸다.
~ ***con los angelitos*** 푹 자다(dormir plácidamente).
ni ~lo 그것을 꿈에도 생각하지 않다.
[직설법 현재 : sueño, sueñas, sueña, soñamos, soáis, sueñan. 접속법 현재 : sueñe, sueñes, sueñe, soñemos, soñéis, sueñen].

soñarrera *f.* 꿈이 많은 일 ; 악몽 ; 졸음, 수마(睡魔)(sueño, modorra pesada).

soñera *f.* 졸음, 수마(睡魔)(propensión al sueño, sueño profundo).

soñolencia *f.* 잠결, 반수 상태, 비몽 사몽간, 졸음(somnolencia).

soñolientamente *adv.* 졸면서, 졸리운 듯이 (con soñolencia).

soñoliento, ta *adj.* 꿈결 같은 ; 졸리운 듯한, 졸음이 오게 하는 ; 나른한 듯한.

¡soo! *interj.* =**¡so!**

sopa *f.* [*alem.* suppe] ① 수프, 즙 : ~ de ajo · de gato 맛없는 수프. ~ de hierbas 야채 수프. La ~, por favor 수프 좀 부탁합니다. ¿ Le sirvo un poco de ~ ? 수프를 조금 드릴까요? ② 수프에 적시는 빵조각. ③ 수도원에서 극빈자에게 주는 음식. ④《*Méx.*》tortilla 조각. —*pl.* 수프에 넣는 빵조각 : mojar *~s* en leche.
~ ***boba*** 수도원에서 극빈자에게 주는 구호물 ; 기식(寄食) 생활 : comer *la* ~ *boba* ; andar *a la* ~ *boba* 기식하다(comer de gorra).
~ ***de la virgen*** 《*Ecuad.*》 빵과 치즈를 넣어 삶은 꿀.
~ ***juliana*** 줄리언 수프.
~ ***paraguaya*** 《*Parag.*》 옥수수 가루(harina de maíz), 우유(leche), 달걀(huevos), 버터(manteca), 치즈(queso) 및 양파(cebolla)로 만든 빵 (torta).
como una ~, hecho una ~ 흠뻑 물에 젖어(muy mojado) : Está *como una* ~ 그는 흠뻑 젖어 있다. Llegó a casa *hecho una* ~ 그는 흠뻑 젖어 집에 도착했다.
darle a uno una ~ de su propio chocolate 《*Mex.*》 (누구에게) 자기의 돈으로 지불하다 ; (누구와) 같은 나쁜 수단을 사용하다.
encontrarse a uno hasta en la ~ (누구를) 사방에서 보다.
De manos a boca se pierde la ~ 【속담】 방심은 금물 ; 입에 든 떡도 넘어가야 제 것이다.
Te dio ~s con honda 그가 너보다 더 월등했다.

sopaipa *f.* 튀긴 것.

sopaipilla *f.* 《*Amér.*》 꿀을 발라 튀긴 과자.

sopalancar *tr.* ⑦ 지렛대(palanca)로 움직이다, (…에) 지렛대를 물리다.

sopalanda *f.* 옛날 여학생의 넓은 스커트의 일종 (hopalanda).

sopanda *f.* ① 서까래를 받치는 기둥. ② 기차 · 자동차의 손잡이 줄. ③《*Chile. Méx.*》 스프링식 좌석(muelles de coche).

sopapear *tr.* 손바닥으로 때리다(dar sopapos o bofetadas) ; 학대하다(sopetear, maltratar).

sopapeo *m.* 손바닥으로 때리기.

sopapiar *tr.* ⑪ 《*Col.*》 발로 차다.

sopapié *m.* 《*Col.*》 =**puntapié.**

sopapina *f.* 턱을 쥐어 박기 ; 구타.

sopapo *m.* ① 턱에 대한 구타 ; 손바닥으로 때리기(bofetada). ②《*Galic.*》 판(瓣), 활색(válvula).

sopar *tr.* ① [드뭄] 수프에 넣다, 적시다(ensopar pan). ②《*Bol.*》 잉크병에 펜을 적시다. —*intr.* 《*Arg.*》 주책 부리다.

sope *m.* 《*Méx.*》 소뻬 《부침개의 일종》.

sopear[1] *tr.* =**sopar.**

sopear[2] *tr.* [드뭄] =**hollar, pisar, pisotear.**

sopeña *f.* (바위 밑의) 동굴, 바위굴.

sopeo *m.* =**sopeteo.**

sopera *f.* 수프 그릇 · 접시.

sopero *adj.* ① 수프용의 : plato ~ 수프용 접시. ②《*Col.*》 자꾸만 알고 싶어하는, 호기심있는 (curioso, chismoso). —*m.* 수프용 접시.

sopesar *tr.* 손으로 무게를 달다(sompesar).

sopetear *tr.* ① (빵을) 수프에 적시다. ② 학대하다(maltratar).

sopeteo *m.* ① 빵을 수프에 적시기. ② 학대.

sopetón *m.* ① 기름에 적신 빵. ② 손으로 때리기.
de ~ 돌연, 갑자기, 별안간(de improviso, de golpe) : pareció *de* ~.

sopicaldo *m.* 실속이 적은 수프(caldo con pocas sopas).

sopista *m.f.* ① 거지 같은 생활을 하는 사람, 비렁뱅이, 걸인, 거지. ② (옛날의) 남의 도움으로 공부하는 학생.

sopitipando *m.* 【속어】 발작, 기절(accidente, desmayo).

¡sopla! *interj.* 잘한다, 잘한다 !

sopladero *m.* (지하의) 바람 구멍 ; 분기 구멍.

soplado, da *adj.* [soplar의 *p.p.*] 으시대는, 빼기는, 우쭐해진(engreído). —*m.* 땅에 생긴 깊은 금(grieta profunda en el terreno).

soplador, ra *adj.* ① 바람이 부는. ② 부추기는, 사주하는. —*m.* ① 불 피우는 통 ; 바람 구멍. ②《*Ecuad. Guat.*》 (무대에서) 대사를 외워 주는 사람(apuntador).

sopladura *f.* soplar 하는 일.

soplagaitas *m.f.* 하찮은 사람.

soplamocos *m.* 【단 · 복수 동형】 코를 구타하기 (golpe en las narices).

soplapitos *m.pl.* =**azotacalles.**

soplar *intr.* [*lat.* sufflare] ① (바람이) 불다 : *Sopla* mucho viento 바람이 무척 많이 분다. ② (입이나 풀무 같은 것으로) 불다, 바람 · 공기를 보내다. —*tr.* ① 불다 ; 불어 없애다 : Fuertes vientos *soplaban* en dirección hacia abajo 강풍이 아랫쪽을 향하여 불었다. El viento *sopla* las hojas secas 바람이 불어 마른 나뭇잎을 없앤다. ② (불어서) 부풀리다(inflar) : *Sopla de* aire una vejiga. ③ ㄱ) 영감을 주다(inspirar) : Le *sopla* la musa al poeta. ㄴ) 불어넣다. ④ 깜빡 생각나게 하다, 암시·시사하다, 사주하다 ; (유도적으로) 가르치다 : Le *sopló* la lección. ⑤ 슬쩍하다, 훔치다(hurtar) : Un ratero me *sopló* un reloj 소매치기가 나의 시계를 훔쳤다. Me *sopló* cinco dólares 나는 그에게 5달러를 도둑맞았다. ⑥ 귓속말을 하다, 속닥거리다 ; 고자질하다, 밀고하다(acusar) : Un alumno le *sopló* al oído diciendo 어떤 생도가 그의 귀에 대고 귓속말을 했다. Le *sopló* al jefe todo lo que ocurrió ese día 그는 그날 일어났던 일을 전부 소장에게 고해 바쳤다. ⑦ 《*AmérC.*》 (무대 뒤에서) 대사를 불러주다,

~se ① 들이마시다(tragarse) : *Se sopló* el pastel. ② 부풀다(hincharse). ③ 으시대다, 우쭐대다, 과시하다, 뻐기다(hincharse, engreírse).

sopleque *m.* 《*Arg.*》 =**hinchado, presumido.**

soplete *m.* ① (용접 등의) 취관(吹管), 관취(管嘴) : ~ de soldar. ② 가스의 화구(火口). ③ 《*Arg. Chile.*》 고자질하는 어린아이.

soplido *m.* =**soplo.**

soplillo *m.* ① 불 부는 통(aventador). ② 바람 같은 것, 덧없는 것. ③ 얇은 비단천. ④ 《*Cuba.*》 【곤충】 개미의 일종. ⑤ 《*Chile.*》 볶은 밀가루(harina de trigo que se ha tostado antes de madurar). ⑥ 카스텔라.

soplo *m.* ① 부는 일, 한번 불기 ; 일진의 바람 : Apagué la luz de un ~ 나는 한번 불어서 불을 껐다. Hoy no hay ni un ~ de viento 오늘은 바람 한 점 불지 않는다. ② 순간(instante, momento) : Se nos pasó la semana en un ~. ③ 고자질, 밀고, 고발(delación) : La policía pudo coger al asesino gracias a un ~ 경찰은 밀고 덕분으로 살인범을 체포할 수 있었다. ④ 고자쟁이 (soplón).

dal el ~ =delatar.

soplón, na *adj.* 고자질을 좋아하는 : un niño ~. **—*m.f.*** ① 고자쟁이. ② 《*AmérC.*》 =**apuntador.** ③ 《*Méx.*》 헌병(gendarme). ④ 《*Perú.*》 비밀 경찰 대원.

soplonear *tr.* 고자질하다, 밀고하다(delatar).

soplonería *f.* 밀고하는 버릇, 고자질.

sopón *m.* [*aum.* sopa] =**sopista, mendigo.**

sopón, na *adj. m.f.* 《*Venez.*》 남의 일에 참견하는 (사람)(entrementido).

soponcio *m.* 졸도, 실신, 기절(desmayo).

sopor *m.* [*lat.* sopor] ① 혼수, 혼미, 기면(嗜眠) (modorra) : El enfermo cayó en profundo ~ 환자는 깊은 혼수에 빠졌다. ② 졸기.

soporífero, ra *adj.* 기면성의, 최면의. **—*m.*** 최면제.

soporífico, ca *adj.* =**soporífero.**

soporoso, sa *adj.* ① 최면의, 혼수의 : caer en estado ~. ② 기면성(嗜眠性)의 : fiebre ~***ca.*** 기면성 뇌염 ; 졸림병.

soportable *adj.* 견딜 만한, 참을 수 있는.

soportador, ra *adj. m.f.* 참고 견디는 (사람).

soportal *m.* 현관, 주랑 현관(柱廊玄關). **—*pl.*** (도로 쪽의) 추녀 지붕, 아케이드.

soportante *adj.* 견디는, 참는, 받치는.

soportar *tr.* [*lat.* supportare] ① 견디다, 참다(sufrir) : Tienes que ~ todo 너는 모든 것을 참아야 한다. El dique *soportó* la presión del agua 이 제방이 수압을 버티어 냈다. Temen que a su edad no pueda ~ la operación 그 나이로는 그가 수술에 견디지 못하는게 아닌가 하고 모두 걱정하고 있다. ② 받치다(sostener).

soporte *m.* ① 받침(apoyo, sostén) ; 받침 나무, 까치발. ② 【기계】 굴대 받이 : ~ de eje 굴대 받이 부분. ③ (볼)베어링(~ de bolas).

sopranista *m.* 《*Neol.*》 =**soprano.**

soprano *m.* [*ital.* soprano] 【음악】 소프라노, 고음, 가장 높은 음부(tiple). **—*m.f.*** 소프라노 가수.

sopuntar *tr.* (문자나 낱말의 밑에) 점을 찍다 : ~ una frase.

soquete *m.* 《*Arg. Chile. Parag. Urug.*》 =**calcetín.**

soquetear *tr.* 《*Col. PRico.*》 괴롭히다, 고통을 주다.

sor *f.* 수녀(hermana) ; [수녀에 대한 경어로서, 관사 없이] …수녀 : *Sor* María. **—*m.*** señor의 사투리(seor).

Sor. señor.

sor- *pref.* sub-와 같은 의미의 접두어.

sora *f. aimará.* 《*Perú.*》 【고어】 (알코올도가 강한) 옥수수술(jora).

sorba *f.* [*lat.* sorba] =**serba.**

sorbedor, ra *adj. m.f.* 빨아들이는 (것, 사람).

sorber *tr.* ① 빨아들이다, 들이마시다 : ~ un refresco. ② 흡수하다 : El pan *sorbe* vino 빵은 포도주를 흡수한다. La esponja *sorbe* el agua 스펀지는 물을 빨아들인다. **Sinón.** absorber. ③ 끌어 당기다(atraer). ④ 마시다, 들이키다(tragar) : El mar *sorbe* naves. ⑤ 주의깊게 듣다(escuchar con mucha atención) : Los alumnos *sorbían* las explicaciones del profesor.

sorbete *m.* ① 셔벗, 과일·아이스 크림. ② 《*Ant. Urug.*》 (마실 것의) 빨대, 밀대 : ~ de albaricoque. ③ 《*Méx.*》 중산모(sombrero de copa).

sorbetera *f.* 《*Neol.*》 아이스크림(helado) 제조기 (heladera).

sorbetón *m.* 강하게 빨아들이는 일, 많이 마시는 일 ; 한번 들이마신 분량.

sorbible *adj.* 빨아 들일 수 있는, 빨아 들이기 쉬운.

sorbo[1] *m.* ① 빨아들이는 일, 빨아들이기. ② 한번 빨기, 한 모금 : tomar un ~ de leche 우유 한 모금을 마시다. ③ (액체의) 소량 : Déme un ~ de agua 물 한 모금 주십시오.

sorbo[2] *m.* [*lat.* sorbus] 【식물】 =**serbo, serbal.**

sorche *m.* 신병(新兵)(recluta, soldado nuevo).

sorchi *m.* =**sorche.**

sorda *f.* ① 【조류】 누런 도요, 멧도요(agachadiza). ② 【해사】 배의 밧줄의 일종.

a la ~ 남몰래, 살그머니, 감쪽같이.

sordamente *adv.* 쥐도 새도 모르게, 아무 소리도 안나게 ; 슬쩍, 살그머니, 감쪽같이(de un modo sordo).

sordera *f.* 귀머거리.

sordez *f.* ① 【문법】 무성음. ② [드뭄] 귀머거리.

sórdidamente *adv.* 추접스럽게 ; 인색하게 ; 천

박하게, 야비하게.

sordidez *f.* 더러움, 추접스러움 ; 천박스러움.

sórdido, da *adj.* [*lat.* sordidus] ① 더러운 (sucio), 추접스러운 : una vivienda ~*da.* ② 인색한. Sinón. avaro, mezquino, miserable. ③ 종기가 곪은. ④ 야비한, 천박한.

sordilla *f.* 《*And.*》【조류】종달새 비슷한 새.

sordina *f.*【음악】(악기의) 제음기(制音機)·장치 ; 약음기 ; (시계의) 제령기(制鈴器).

a la ~ 남모르게 슬쩍, 살짝, 가만히, 살그머니 (silenciosamente y con cautela).

poner ~ 억제하다, 조절하다.

sordino *m.* 소르디노《옛날 바이올린의 일종》.

sordo, da *adj.* [*lat.* sordus] ① 귀머거리의. ② 들으려 하지 않는 : No te muestras ~ a esas peticiones. ③ 고요가 깔린, 호젓한, 아무 소리도 들리지 않는 : campana ~*da.* ④ 막연한. ⑤【문법】무성의 : sonido ~ 무성음. Contr. sonoro. ⑥《*Méx.*》고삐에 따라 움직이지 않는 (말). —*m.f.* 귀머거리 : hacerse el ~ 들리지 않는 척하다.

a la ~*da, a lo* ~, *a* ~*das* 못들은 척하고 ; 소리도 없이.

sordomudez *f.* 귀머거리와 벙어리, 농아(聾啞) (estado de sordomudo).

sordomudo, da *adj.* 말 못하고 못 듣는. —*m.f.* 농아.

sordón *m.* 옛날 저음 나팔의 일종.

soreque *adj.* 《*Méx.*》 =**sordo.**

Sores. señores.

sorete *m.* =**sorullo.**

sorgo *m.* [*lat.* sorgum]【식물】수수(zahína).

Soria *m.*【지명】소리아《서반아의 주·시》.

sorianense *adj.* 소리아노《Soriano, 우루구아이의 주·도시》의. —*m.f.* 소리아노 사람.

soriano, na *adj.* 소리아(Soria)의. —*m.f.* 소리아 사람.

soriasis *f.* =**psoriasis.**

sorites *m.*【단·복수 동형】【논리】연쇄 논법.

sorna *f.* ① 늘어지게 한가로움, 굼뜸(lentitud, tardanza). ② 딴전 부리기(bellaquería, disimulo) : hablar con ~. ③【은어】밤 (noche).

sornar *intr.*【은어】=**dormir.**

soro *m.*【식물】양치류.

sorocharse *r.* 《*Chile.*》① 산멀미를 하다 (padecer soroche). ② 얼굴을 붉히다 (ruborizarse).

soroche *m.* 《*AmérM.*》고산병(mal de altura, puna). ②《*Bol. Chile.*》【광물】방연광 (galena). ③《*Chile.*》얼굴 붉히기(rubor).

sorocho, cha *adj.* ①《*Col.*》반쯤 탄. ②《*Venez.*》설익은 (과일). —*m.* 《*AmérM.*》고산병(soroche).

sóror *f.* =**sor, hermana.**

sororiación *f.* 사춘기의 가슴 크기의 증가.

sorosis *f.*【식물】상과(桑果)《오디와 파인애플 등》.

sorprendente *adj.* 놀라운, 경이적인.

sorprendentemente *adv.* 놀랍게, 경이적으로.

sorprender *tr.* ① 놀라게 하다 : La *sorprendí con* la noticia del accidente 나는 그 사고 소식을 알려 그녀를 놀라게 했다. La noticia *sorprendió* a Juana 그 소식은 후아나를 놀라게 했다. Me *ha sorprendido con* esa pregunta 그는 그런 질문을 해서 나를 놀라게 했다. Nos *sorprendió* con un regalo imprevisto 그는 뜻밖의 선물로 우리를 놀라게 했다. Sinón. asombrar. ② 불의에 습격하다, 덮치다 ; 갑자기 덮쳐 찾아내다·붙잡다 : La madre le *sorprendió* robando 그가 도둑질을 하는 것을 모친이 발견했다. La *sorprendí* bailando 그녀가 춤추고 있는 것을 발견했다. ③ 입이 딱 벌어지게 만들다.

~se ①[+de·con·por : …에] 깜짝 놀라다 : ~*se con·de* una noticia 소식에 까무라치다. No *se sorprenda* usted *por* eso 그런 일에 놀라지 마십시오. ② 경탄하다, 탄복하다.

sorpresa *f.* ① 놀라움, 경이, 놀라게 하는 일 : ¡Qué ~! 야, 놀라운 일이다.

por ~ 불시에, 별안간에.

coger de ~ 불시에·갑자기 덮쳐 붙잡다 : Me *han cogido de* ~ 나는 뜻밖의 습격으로 붙들렸다.

sorpresivo, va *adj.* 《*AmérC. Arg.*》뜻밖의, 생각지도 않은.

sorquí *m.* 《*Ál. Vizc.*》 =**rodete.**

sorquín *m.* 《*Bol.*》(목덜미에의) 주먹질 (pescozón).

sorra[1] *f.* [*lat.* saburra] (선박의) 밑창에 실은 짐

sorra[2] *f.* 다랑어의 반쪽.

sorrajar *tr.* 《*Méx.*》때리다(golpear) ; 아프게 하다.

sorrapear *tr.* 《*Sant.*》(땅·논의) 풀을 밀다 (escardillar).

sorrasear *tr.* 《*Méx.*》(살코기를) 불에 굽다, 불고기를 만들다.

sorregar *tr.* 15 8 (지나치게 메마른 논밭에) 임시로 물을 넣다.

sorriego *m.* (논·밭에) 임시로 물넣기.

sorrongar *intr.* 8 《*Col.*》자꾸 투덜거리다 (refunfuñar, rezongar).

sorrongo, ga *adj.* 《*Col.*》투덜거리는, 불평이 잦은, 불만이 많은(refunfuñador).

sorrostrada *f.* 철면피함, 낯가죽이 두꺼움, 뻔뻔스러움(insolencia, descaro).

sorrostrar *tr.* 《*And.*》 =**insultar, molestar.**

sorrostricar *tr.* 7 《*Col.*》귀찮게 하다, 애먹이다(machacar, molestar).

sortario, ria *adj.* 《*Venez.*》운이 좋은.

sorteable *adj.* 추첨할 수 있는 자격·의무가 있는.

sorteador, ra *adj. m.f.* 추첨할 수 있는 (사람).

sorteamiento *m.* =**sorteo.**

sortear *tr.* ① 추첨으로 정하다, 제비뽑다 : *Se sorteará* a la vista del público 관중들 앞에서 추첨할 것이다. ② 피하다, 도망하다 : El torero *sortea* hábilmente al toro 투우사는 투우를 잘 피했다. Al fin *hemos sorteado* todas las dificultades 마침내 우리는 모든 곤란을 이겨냈다.

sorteo *m.* 제비뽑기, 추첨 : por ~ 추첨으로. Le ha tocado la máquina de coser en el ~ 제비뽑기에서 그에게 재봉틀이 당첨되었다.

sortero, ra *m.f.* (제비뽑기 식의) 점쟁이 ; 추첨 참가자.

sortiaria *f.* 제비뽑기로 하는 점.

sortija *f.* ① 반지(anillo)《앞에 무늬가 있는》.

② 고수머리(rizo de pelo). ③ 어린이 놀이의 일종. ④《*And. PRico.*》 자동차 바퀴테.
sortijero *m.* 반지 상자·곽.
sortijilla *f.* [*dim.* sortija] 고수머리.
sortijón *m. aum.* sortija.
sortijuela *f. dim.* sortija.
sortilegio *m.* 점(占).
sortílego, ga *adj.* 점의. —*m.f.* 점쟁이 (hechicero, brujo).
sorullo *m.* =**zurullo.**
sorumpio *m.* 《*Arg. Bol.*》 (눈위에서 강렬한 태양 광선으로 생기는) 눈의 자극.
sos ; s.o.s. 배나 비행기의 조난 구조 요청 신호 (señal de aviso de peligro y petición de socorro).
sos- *pref.* sub-와 같은 뜻의 접두어.
sosa *f.* [*lat.* salsa] ①【식물】수송나물, 퉁퉁마디 (barrilla). ②【화학】소다(soda).
sosaina *adj. m.f.* 멋없는 (사람), 촌스러운·싱거운 사람.
sosal *m.* =**sosar.**
sosamente *adv.* 싱겁게 ; 촌스럽게.
sosañar *tr.* ① 꾸짖다(reprender). ②【고어】야유하다.
sosaquina *f.* =**sonsaquina.**
sosar *m.* sosa 밭.
sosegadamente *adv.* 조용조용히, 차분한 마음으로, 차분히, 부드럽게, 침착하게, 평온하게 (tranquilamente).
sosegado, da *adj.* [sosegar의 *p.p.*] ① 부드러운, 조용조용한, 가라앉은, 차분한, 안정된, 평온한(quieto, tranquilo). ② 얌전한(reposado).
sosegador, ra *adj.* 진정한, 조용한, 차분한.
sosegar *tr.* ⑲ ⑧ 가라앉히다(tranquilizar) ; 진정시키다(aplacar) ; 부드럽게·얌전하게 하다 (aquietar) : Este chiquillo no *sosiega* un momento 이 어린이는 잠시도 가만히 있지 않는다. —*intr.* 잠잠해지다, 가라앉다 ; 쉬다 (descansar, reposar) ; 잠자다.
~se ① 가라앉다, 잠잠해지다 : El mar *(se) sosiega* 바다가 잠잠해진다. Cuando usted *se sosiegue* hablaremos 당신의 마음이 안정되면 이야기합시다. ② 부드러워지다.
sosegate *m.* 《*Arg. Urug.*》 =**reprimenda.**
sosera *f.* =**sosería.**
sosería *f.* 싱거움, 촌스러움(insulsez, tontería, zoncería).
sosero, ra *adj.* 소다를 만드는 : planta *~ra.*
sosia *m.* 다른 사람과 유사한 사람.
sosias *m.* =**sosia.**
sosiega *f.* 쉬는 일, 잠시의 휴식, 휴게 ; 잠자리술.
sosiego *m.* 평온, 안온함, 평정(tranquilidad, quietud).
sosiegue- →**sosegar** ⑲ ⑧.
soslayar *tr.* ① 비스듬하게 하다, 비스듬히 놓다·세우다, 경사지게 하다. ② 비키다, 피하다 : ~ la cuestión 문제를 얼버무려 버리다. *Soslayó* todas las preguntas de los periodistas 오늘 기자들의 모든 질문을 교묘하게 피했다.
soslayo, ya *adj.* 비스듬한(sesgo).
al·de ~ ① 비스듬하게 ; 경사지게 : mirar *de* ~ 곁눈으로 보다. ② 몸을 틀어 (빠져 나가다 등).
soso, sa *adj.* ① 맛없는, 소금이 없는, 설탕이 없는 : Está la comida *sosa.* ② 싱거운, 촌스러운 : No es una mujer fea, pero me parece *sosa.*
sospecha *f.* 의심, 의혹 ; 혐의 ; 추측 : Se disipo mi ~ no fundada 나의 이유 없는 의심은 사라졌다.
sospechable *adj.* =**sospechoso.**
sospechar *tr.* [*lat.* suspectare] ① 의심하다, 있지 않을까 생각하다 : ~ infidelidad en alguno 어떤 사람의 부실을 의심하다. ② (…에게) 혐의를 두다. ③ 추측하다, 상상하다 : *Sospecho* que no están en muy buenas relaciones 그들이 별로 좋은 관계가 아닌 것이 아닌가 하고 나는 생각하고 있다. —*intr.* 의심하다, 수상쩍어하다, 신뢰하지 않다, 불신하다(desconfiar, dudar) : ~ *de* un criado 하인을 의심하다. Nadie *sospecha de* su honradez 그의 정직함을 의심하는 자는 없다.
sospechosamente *adv.* 미심쩍어 하여.
sospechoso, sa *adj.* ① 미심쩍은, 수상한, 혐의가 가는 : ~ *de* herejía 사교(邪教)의 혐의가 있는. ② 의심 많은. —*m.* 용의자, 혐의자 : La policía detuvo a varios *~s* 경찰은 수 명의 용의자를 체포했다.
sospesar *tr.* 손으로 무게를 달다(sopesar).
sosquín *m.* ① 급습, 배신 행위, 속여 넘기기. ②《*Cuba.*》 (둔각이 된) 각(角), 모서리, 모퉁이.
sosquinar *tr.* 《*Cuba.*》 귀퉁이를 내다 ; 별안간 때리다.
sostén *m.* ① 받침, 지주(支柱) : Lo lógico es como el ~ de todo lo bello 논리적인 일이 모든 아름다운 것의 지주인 듯하다. Es el ~ de sus padres 그는 부모의 지주이다. Las vigas son el ~ del techo 대들보는 지붕의 지주다. ② 지지, 지지물 ; 원조. ③ 브래지어.
sostenedor, ra *adj. m.f.* 지지·부양하는 (사람).
sostener *tr.* 59 [*lat.* sustinere] ① 받치다 ; 지지하다(mantener) : Yo la *sostengo* 나는 그녀를 지지한다. ② 지원하다, 원조하다 ; 옹호하다. ③ (괴로움이 따르는 일을 참고) 하다, 계속해 하다, 유지하다 : ~ una guerra contra …과 전쟁 중이다. Estaba tan borracho que no podía *~se* 그는 너무 취해서 몸을 지탱할 수 없었다. El embajador *sostuvo* una conversación con el ministro ayer 대사는 어제 장관과 회담을 했다. El tren *sostuvo* la velocidad de cien por hora durante todo el trayecto 열차는 주행중 줄곧 시속 100킬로미터를 지속했다. *Hemos sostenido* con el jefe una conversación de dos horas 우리는 과장과 2시간 회담하고 왔다. ④ 키워 주다, 길러 주다, 부양하다 : ~ una familia numerosa 대가족을 부양하다. ⑤ 경영하다.
~se 참다, 기를 쓰고 하다.
sosteng- → **sostener** 59.
sostenido, da *adj.* [sostener의 *p.p.*] ① 후원받은, 지지를 얻은 ; 부양되고 있는 ; 떠받쳐진. ② 지속 상태의. ③【음악】반음(半音)이 높은. —*m.*【음악】샤프 기호(♯).
sosteniente *adj.* 받치는 ; 지원·원조하는.
sostenimiento *m.* ① 받침 ; 지지, 후원 ; 유지,

경영 : ～ de una empresa 사업의 경영. ～ de precios 가격 유지. ② 원호, 옹호 ; (가족 등에 대한) 부양(mantenimiento).

sostituír *tr.* 【고어】 =**sustituír.**

sostuv- →**sostener** 59.

sota *f.* ① (서반아 카드의) 잭. ② 뻔뻔스러운 여자. —*m.* 《*Chlie.*》 (공사 등의) 십장, 감독 (sobretante).

sota- *pref.* 「밑쪽, 하위, 하급」을 뜻하는 접두어.

sotabanco *m.* 【건축】 ① 다락방. ② (추녀 밑의) 옥계(屋階) : vivir en un ～. ③【건축】 홍예.

sotabarba *f.* (턱 아래에 남긴) 수염.

sotabasa *f.* 【고어】【방언】 주석, 초석, 주춧돌.

sotacola *f.* 껑거리끈(ataharre) 《말꼬리 밑으로 돌려 안장에 걸어 매는 가죽끈》.

sotacoro *m.* 합창대(合唱臺)의 밑(socoro).

sotacura *m.* 《*Col. Arg.*》 =**sotoministro.**

sotalugo *m.* (통 끝의) 테.

sotaministro *m.* =**sotoministro.**

sotamontero *m.* 사냥꾼의 부책임자.

sotana *f.* ① 승복, 법의(法衣), 가사. ② 주먹질, 구타(azotaina, paliza).

sotanear *tr.* 치다, 때리다(dar una sotana, azotar).

sotaní *m.* 속 스커트의 일종.

sotanilla *f. dim.* sotana.

sótano *m.* 지하실 ; 지하 창고.

sotar *intr.* 【고어】【방언】 춤추다, 무용하다.

sotaventarse *r.* (배가) 바람 부는대로 가다, 바람 부는 쪽으로 끌려가다.

sotaventearse *r.* =**sotaventarse.**

sotavento *m.* [*ital.* sottovento] 【해사】 바람이 불어가는 쪽.

sote *m.* 《*AmérC. Col.*》 【곤충】 모래 벼룩(nigua, pique).

sotechado *m.* 추녀 지붕 ; 가건물(cobertizo).

soteño, ña *adj.* ① 소또 《Soto, 각지에 있는 지명》의. ② Soto에서 나는 · 자라는. —*m.f.* 소또 사람.

sotera *f.* ① 《*Arg.*》 (채찍 끝의) 회초리(azotera). ② 【방언】 호미, 괭이.

soterrable *adj.* 매장할 수 있는.

soterrado, da *adj.* 숨긴(oculto), 파묻은(enterrado) : un rencor ～.

soterramiento *m.* soterrar 하는 일.

soterraño, ña *adj.* 지하의, 땅 밑의, 땅속의 (subterráneo). —*m.* 지하, 땅속.

soterrar *tr.* 19 ① 매장하다, 파묻다(enterrar). ② 감추다(esconder).

sotileza *f.* ① 【고어】 =**sutileza.** ② 《*Sant.*》 낚싯줄의 가장 가는 부분 ; 낚싯줄.

sotillo *m. dim.* soto.

soto *m.* [*lat.* saltus] ① (언덕이나 들판의) 잡목풀, 삼림(森林), 덤불, 덤불숲, 밀림(密林). ② 《*Ecuad.*》 마디, 절(節)(nudo) ; 혹.

soto- *pref.* 「밑, 아래, 아래쪽」을 뜻하는 접두어. [*N.* sata의 변형].

sotobosque *m.* 숲에서 자란 관목 식물.

sotol *m.* 멕시코산 백합과 식물 ; 이것으로 만든 술.

sotole *m.* 【식물】 멕시코산 야자의 일종.

sotoministro *m.* (야소회의) 보좌 승려.

sotreta *adj.* 《*Bol. Riopl.*》 안심할 수 없는 ; 쓸모없는. —*m.* 《*Riopl.*》 ① 결점투성이인 것(plepa). ② 쓸모없는 인간(persona inútil). ③ 폐마(廢馬)(caballo viejo y malo, rocín, matalón).

sotrozo *m.* (포차나 돛대의) 쐐기.

sotto voce *adj. ital.* 낮은 음성으로.

sotuer *m.* [*gr.* sautoir] 【문장】 X형, 사십자형(斜十字形).

soturno, na *adj.* ① 《*Extr.*》 = **obscuro, triste.** ② 《*Venez.* 》 = **cazurro, taciturno.**

sotuto *m.* 《*Bol.*》 =**sote, nigua, pique.**

souteneur *m.fr.* =**rufián, chulo.**

soutien *m.fr.* [발음은 sutián] =**sostén.**

soviet *m.* (러시아의) 평의회, 노농회(勞動會) ; 노동 정부(勞動政府) ; 소비에트.

soviético, ca *adj.*노동 평의회의, 소비에트 정부의, 소련 동맹의 : la Rusia *Soviética* 소비에트 러시아. la Unión *Soviética* 소비에트 연방.

sovietismo *m.* 노농 사회주의, 소비에트 사회주의 ; 노농 정치.

sovietista *adj.* 노농 사회주의의, 과격주의의, 공산주의의. —*m.f.* 노농 사회주의자.

sovietización *f.* 소비에트화, 공산화, 적화(赤化).

sovietizar *tr.* 9 소비에트 · 사회주의화 하다, 공산화하다, 적화하다.

sovoz (a) *adv.* 낮은 음성으로(en voz bajoz).

soy ser의 직 · 현 · 1 · 단수.

soya *f.* =**soja.**

soyate *m.* 【식물】 (멕시코의) 야자의 일종.

SOYP Servicio Oceanográfico y de Pesca.

sozcomendador *m.* 【고어】 **subcomendador.**

s/p. su pagaré.

speaker *m. ing.* =**locutor.** [*N.* 발음 : spíker].

speech *m. ing.* =**discurso.** [*N.* 발음 : spich].

spíder *m. ing.* 승객이나 짐을 싣기 위한 자동차 뒤의 구멍.

spleen *m. ing.* =**aburrimiento, tedio.** [*N.* 발음 : splin].

sport *m. ing.* 《*Neol.*》 =**deporte.**

sportman *m. ing.* 《*Neol.*》 [드뭄] =**deportista.**

sportwoman *f. ing.* 《*Neol.*》 [드뭄] =**deportista.**

SPP Sindicato Profesional de Policía.

spre., sp.[re] siempre.

sputnik *m. ruso.* 인공 위성(satélite artificial).

s/r. su remesa 귀사의 송금.

Sr. señor.

Sra(s). señora(s).

Sr(es). soñor(es).

Sría. Secretaría 비서과.

Sri Lanka 【지명】 스리랑카.

srio., Srio. secretario.

S.R.L. Sociedad de Responsabilidad Limitada 유한 책임 회사.

S.R.M. Su Real Majestad.

Srta(s). señorita(s).

s.s. seguro servidor.

S.S. Su Santidad; seguro servidor.

S.S.[a] Su Señoría.

SS.AA. Sus Altezas.

SSE sudsudeste.
ss.ss., Ss.Ss., SS.SS. seguros servidores.
SS.MM. Sus Majestades.
SS.[mo] Santísimo.
SS.[mo] **P.** Santísimo Padre.
SS.[no] escribano.
SSO. sudsudoeste.
SS.PP. Santos Padres.
s.s.r. se suplica respuesta.
s.s.s., S.S.S. su seguro servidor 경구.
ss.ss.ss., Ss.Ss.Ss., SS.SS.SS. sus seguros servidores 경구.
st estéreo.
St stokes.
Sta. Santa.
stábat *m.* ① 성모 애도의 성가(Stábat Máter). ② 성모 애도 성가곡.
stádium *m.* =**estadio.**
staliniano, na *adj.* 스탈린식의.
stalinismo *m.* 스탈린주의.
stalinista *adj.* 스탈린주의의. —*m.f.* 스탈린주의자.
stand *m.* 매점 : ~ prefabricado 조립식 매점.
stándard *m. ing.* =**tipo.** [*N.* 발음 : stándar].
statu quo *m. lat.* 현상 유지 ; 그 때의 상태.
sténcil *m. ing.* 스탠실(papel perforado).
stendhaliano, na *adj.* 스땅달 《Stendhal, 불란서 소설가 Henri Beyle(1783—1842)의 필명》의 ; 스땅달 풍의, 스땅달 식의.
stewardés *f. ing.* 스튜어디스.
Stgo. Santiago.
Sto. Santo 성(聖).
stock *m. ing.* 재고품 : ~ de materias primas 원료·미제품 재고.
stop *m. ing.* 정지.
STP Secretaría Técnica de Planificación Económica y Social.
stress *m. ing.* 스트레스(tensión).
strike *m. ing.* 【운동】 스트라이크(golpe).
su *pron.* [*pl.* sus] ① ㄱ) [제3인칭 인칭 대명사의 소유격 ; suyo의 생략형이라 함 ; 한정적 성질을 가지며 명사 앞에 붙음 ; 성변화 않음] 그것의, 그것들의 ; 그의, 그들의 : *sus* dos casas 그가·그들이 소유하는 두 채의 집. ㄴ) 그녀의, 그녀들의 ; 당신의, 당신들의 : *su* casa de ustedes 당신네들의 집 한 채. *sus* hermanos de usted 당신의 형제들. ② [소유 형용사가 명사에 대해 주체일 때, 객체일 때가 있음] ② ㄱ) [주체] Debemos mucho a *su* estudio 우리는 그의 연구·그가 한 연구에 힘입은 바 크다. ㄴ) [객체] Necesitamos mucho *su* estudio 우리에게는 그 연구·그것을 연구하는 일이 아주 필요하다. *Su* lectura me hace olvidarlo todo 그것을 읽는 일이 나에게 모든 것을 잊게 해준다. ③ [내용이 정해져 있지 않은 수가 있음] Distará *sus* dos kilómetros 대략 2킬로 가량의 거리일 것이다.
su- *pref.* sub-의 한 변형.
suampo *m.* [*ing.* swamp] 《*AméC.*》 늪과 못, 소택(沼澤), 늪지, 습지.
suarda *f.* 기름때, 때국(juarda).
suarismo *m.* 수아레스 종파 《Granada 태생의 야소회인 Francisco Suárez(1548—1617)가 주창》.
suarista *adj.* 수아레스 종파의. —*m.f.* 수아레스 종도.
suasible *adj.* 【고어】 =**persuasible.**
suasorio, ria *adj.* 설득의, 권고의.
suástica *adj. f.* =**esvástica.**
suave *adj.* [*lat.* suavis] ① 감촉이 보드라운 : Es una tela muy ~ 그것은 감촉이 보드라운 천이다. ② 기분 좋은, 다정한 : Ella es una persona muy ~ 그녀는 매우 다정한 사람이다. ③ 유순한, 조용한, 온화한 : Soplaba un viento ~ 온화한 바람이 불었다. ④ 《*Chile. Méx.*》 【회언】 굉장한, 지독한 : ~ paliza 지독한 몽둥이질. *caer de* ~ 《*AmérC.*》 속임수에 넘어가다.
suavecillo *adj. dim.* suave.
suavemente *adv.* 부드럽게, 가볍게 ; 다정하게, 상냥스럽게(con suavidad) : Lo acariciaba ~ 나는 그것을 살짝 쓰다듬었다.
suavidad *f.* [*lat.* suavitas] (감촉의) 보드라움 ; 상냥스러움 ; 조용함, 유화함, 흐뭇함 ; 우아함.
suavidez *f.* [드뭄] =**suavidad.**
suavito *adj.* =**muy suave.**
suavización *f.* suavizar 하는 일.
suavizador *m.* 혁지(革紙), 가죽 숫돌. —*adj.* 부드러운.
suavizar *tr.* ⑨ 보드랍게 하다, 매끄럽게 하다.
suaza *m.* 《*Col.*》 Suaza로 만든 밀짚 모자.
suazilandés, sa *adj.* 스와질랜드의. —*m.f.* 스와질랜드 사람.
Suazilandia 【지명】 스와질랜드.
sub- *pref.* 「아래, 밑, 하위, 부(副), 아(亞), 차(次), 소(少)」 등을 뜻하는 접두어. [*N.* so-, son-, sor-, sos-, su-, sus-로 변함].
suba *f. Arg.* (값의) 등귀(alza).
subacetato *m.* 【화학】 염기성 초산염.
subácido, da *adj.* 약간 신, 약한 산성의.
subacuático, ca *adj.* 물밑에 있는.
subafluente *m.* 지천(支川), 지류의 지류.
subalcaide *m.* 부 수비대장, 형무소 부소장.
subalpino, na *adj.* 알프스산 아래의 : *la* Italia ~*na.*
subalternante *adj.* 명령에 복종하게 하는, 궁둥이에 깔고 앉는.
subalternar *tr.* (명령에) 따르게 하다, 궁둥이에 깔고 앉다.
subalterno, na *adj.* ① 하위의, 다음의, 하급의, 말단의 : empleado ~. ② 종속의. —*m.f.* 말단 직원, 부하, 속관 ; 위관(尉官).
subálveo, a *adj. m.* 하상(河床)(의), 밑(의).
subarbústivo, va *adj.* 작은 관목의.
subarbusto *m.* 작은 관목.
subarrendador, ra *m.f.* 전대자(轉貸者).
subarrendamiento *m.* 전대, 전대차, 전대차료(subarriendo).
subarrendar *tr.* ⑲ 전대차(轉貸借)하다, 빌린 것을 다시 빌려주다 ; 빌린 사람에게 다시 빌리다.
subarrendatario, ria *m.f.* 전차인(轉借人).
subarriendo *m.* ① 전대(轉貸)·전대차 : tomar en ~ 빌린 사람에게 다시 빌리다. ② 전대 계약 ; 전대료, 전대차료, 전차료(轉借料).
subasta *f.* 경매, 공매, 입찰 : sacar a·vender en ~ pública· con aviso anticipado 경매·공매에 붙이다.

subastación *f.* =**subasta.**
subastador, ra *m.f.* 경매인.
subastar *tr.* 경매·입찰에 붙이다.
subatlántico, ca *adj.* (중앙 유럽의) 빙하기 이후의.
subatómico, ca *adj.* 【물리】 아원자(亞原子)의.
subátomo *m.* 【물리·화학】 아원자(亞原子)《양자, 전자, 중성자 등》.
subcampeón *m.* 【경기】 차점자(次點者), 준우승자.
subcentral *f.* 발전소 분국·분소 ; 지국(支局).
subcierna *f.* 《*León. Zam.*》 =**moguelo.**
subclase *f.* ① (분류상의) 소구분, 소강(小康). ② 【생리】 아강(亞綱), 아문(亞門).
subclavero *m.* 수비대 부대장.
subclavio, via *adj.* 쇄골 밑의 : arteria ~*via* 쇄골 밑 동맥. músculo ~ 쇄골 밑 근육.
subcolector *m.* 부(副) 징집관·징수관.
subcomendador *m.* 기사단 부단장.
subcomisario, ria *m.f.* 부위원, 부대리자.
subcomisión *f.* =**subcomité.**
subcomité *m.* 소위원회, 분과 위원회.
subconjunto *m.* 【수학】 소집합.
subconsciencia *f.* 잠재 의식. 부의식(副意識)(lo inconsciente).
subconsciente *adj.* 잠재 의식의, 어렴풋한 (inconsciente) : impulsos ~*s.*
—*m.* =**subconsciencia.**
subcontinente *m.* 아(亞)대륙 《인도·그린랜드 따위》 : La India es un ~.
subcontratar *tr.* 하청 (계약)하다.
subcontrato *m.* 하청.
subcostal *adj.* 늑골 밑에 있는.
subcuenta *f.* 보조·종속 계정.
subcutáneo, a *adj.* 피하(皮下)의 : inyección ~*a* 피하 주사.
subdelegable *adj.* (하위자·조직의) 위임·위탁할 수 있는.
subdelegación *f.* 위임, 위탁 ; 재위임.
subdelegado, da *adj. m.f.* [subdelegar의 *p.p.*] 부대리인, 대리인 보좌, 부위원 ; 재수탁자(再受託者).
subdelegante *adj.* 재위임하는.
subdelegar *tr.* 8 전위임(轉委任)·재위임하다 ; 위임·위탁하다.
subdelirio *m.* 반 의식적인 헛소리.
subdesarrollado, da *adj.* 저개발의 : países ~*s* 저개발 국가.
subdesarrollo *m.* 저개발.
subdiaconado *m.* 부조제(副助祭)의 지위·직책.
subdiaconal *adj.* 부조제(副助祭)의.
subdiaconato *m.* =**subdiaconado.**
subdiácono *m.* 【종교】 부조제(副助祭), 부집사, 차부제(次副祭).
subdirección *f.* subdirector의 직·사무소.
subdirector, ra *m.f.* 부장, 차장, 부지휘자, 교감, 부교장, 부지배인, 조감독.
subdistinción *f.* 더 세분하기.
subdistinguir *tr.* 5 더욱 상세히 식별·구별하다, 세분(細分)하다.
súbdito, ta *adj.* [*lat.* subditus] 휘하의, 예속된.
—*m.f.* 부하, 신하(vasallo).
subdividir *tr.* 세분하다.
subdivisión *f.* 세분, 세별(細別) ; 하부 기구.
subdominante *f.* 【음악】 하속음(下屬音), 차속음 《각 음계의 제4음》.
subduplo, pla *adj.* 【수학】 정반의, 정반분(正半分)의 (수·양).
subejecutor *m.* 대리 집행·실시자.
subempleado, da *m.f.* 반실업자.
subempleo *m.* 반실업 ; 불완전 고용.
subentender *tr.* 20 (말없는 가운데) …한 것으로 양해하다, 말없이 이해하다(sobrentender).
subeo *m.* =**sobeo.**
súber *m.* 【식물】 =**corcho.**
subérico, ca *adj.* 코르크의, 코르크질의.
suberina *f.* 코르크질, 목전질(木全質).
suberoso, sa *adj.* 코르크질의.
subescapular *adj.* =**subscapular.**
subespecie *f.* 종류의 세분.
subestación *f.* 분국(分局), 분서(分署), 지서(支署), 출장소 ; 발전 지소(發電支所) ; 변전소.
subestima *f.* 과소 평가.
subestimación *f.* =**subestima.**
subestimar *tr.* 과소 평가하다, 가치 이하로 보다, 무시하다.
subestructura *f.* 기초 공사 ; 노반(路盤), 노상(路床), 노면.
subfamilia *f.* 【생물】 아과(亞科).
subfebril *adj.* 【의학】 미열의, 미열이 있는(algo febril).
subfiador, ra *m.f.* 《*Amér.*》 부 보증인.
subfluvial *adj.* 해발 아래에 있는 : túnel ~ 해저 터널.
subfusil *m.* 경 자동 소총(輕自動小銃).
subgénero *m.* 【생물】 아속(亞屬).
subgobernador *m.* 부총독, 부지사.
subgrupo *m.* (무리·떼를 분할한) 소군(小群).
subibaja *f.* 축 주위에 움직이는 판이 있는 시소.
subida *f.* ① 오르는 일, 타는 일, 상승, 기어 오르기 : la ~ de un ascensor. ② 가격 앙등, 등귀(騰貴). ③ 오르막길(cuesta). **Contr.** bajada.
~ ***de los derechos*** 관세 인상. ~ ***de precios*** 가격 앙등·등귀. ~ ***de salarios · sueldos*** 승급(昇級), 임금 인상. ~ ***vertiginosa de los precios*** 가격 급등. ~ ***baja de precios*** 폭락.
subidero, ra *adj.* 오르게 하는, 오르는 (도구).
—*m.* 오르는 곳, 타는 곳 ; 오르막길.
subido, da *adj.* [subir의 *p.p.*] ① 극상의 ; (색깔·향기가) 강렬한 : olor ~ 고약한 냄새. color muy ~ 강렬한 색깔. ② 높은 : precio muy ~.
subidor, ra *m.f.* (물건을) 들어올리는 인부.
subienda *f.* 《*Col.*》 고기떼.
subiente *adj.* 오르는, 올라가는. —*m.* (기둥의 장식 조각 등의) 오르는 잎.
subigüela *f.* 【방언】【조류】 종달새(alondra).
subilón, na *adj.* 《*Perú.*》 취기가 빨리 도는 (술).
subilla *f.* 돗바늘, 송곳(lezna).
subimiento *m.* [드뭄] =**subida.**
subíndice *m.* 【수학】 부지수(副指數).
subinquilino, na *m.f.* 전대차하는 사람.
subinspección *f.* subinspector의 직·사무실.
subinspector *m.* 부검사관·검열관, 부감찰관.

subintendencia *f.* subintendente의 직·사무실.

subintendente, ta *m.f.* 부감독, 부이사.

subintracción *f.* 뼈같은 것이 밑으로 몰려드는 일; 발작의 연발; 고열의 계속.

subintrante *adj.* 발작을 연발하는 : fiebre ～.

subintrar *intr.* 계속 들어가다·일어나다; (고열에 의한 발작 등이) 속발하다, 연속되다; 【의학】(뼈 등이) 밑으로 물려 들어가다.

subio (a) *adv.* 《*Sant.*》 비를 막아·피해 : ponerse *a* ～.

subir *intr.* [*lat.* subire] ①[+a·en : …에] 올라가다, 오르다, 상승하다 : ～ *a* un árbol 나무에 오르다. El niño *subió a* un árbol para verlo bien 어린이는 그것을 잘 보려고 한 나무에 올라갔다. ～ sobre la mesa 책상 위에 올라가다. *Subí a*l monte al año pasado 나는 작년에 산에 올라갔다. ②[+por : …를] 오르다 : ～ *por* la escalera 계단을 오르다. ③오르다, 높아지다 : *Va subiendo* la pared 벽이 높아진다. ④[+a·en : …에] (올라)타다, 올라앉다 : ～ *a·en* un coche 차에 타다. Apenas *subimos* al tren, comenzó a andar 우리가 열차를 타자마자 열차는 움직이기 시작했다. ～ *a* caballo, ～ *en* un caballo 말을 타고 가다. ⑤승진·승급하다(ascender); 성적이 오르다, 진보하다 : El niño *ha subido* mucho 그 아이는 성적이 많이 올랐다. El *subió* hasta general 그는 장군까지 승진했다. ⑥값이 오르다, 등귀하다 : El pan *ha subido* 빵값이 올랐다. El costo *ha subido* mucho 원가가 무척 올랐다. Los precios *suben* cada día más 물가가 나날이 높아간다. Se dice que van a ～ 값이 오른다고 합니다. ⑦(물·바닷물이) 높아지다, 증가하다 : *Ha subido* el río 강물이 불어났다. ⑧(병의 열이) 증가하다, 오르다 : ～ la fiebre. ⑨(어떤 금액·정도에) 달하다, 오르다 : La deuda *sube a* mil pesetas 부채가 1000뻬세따에 달한다. La importación *ha subido a* diez millones de dólares 수입은 1천만 달러에 달했다. ⑩(음조가) 높아지다. ⑪(누에가) 발·섶에 오르다.

—*tr.* ①오르다, 상승하다, 올라가다, 올라오다 : ～ la escalera·la cuesta 계단·비탈길을 오르다. Haga el favor de ～ 올라오세요. Inmediatamente *subo* 곧 올라가겠습니다. ②올리다, 들다(levantear) : ～ a un niño en brazos 어린이를 두 손으로 들어올리다. ③높이다, 높게 하다(elevar) : ～ la torre·una muralla 탑·성벽을 높게 하다. ④들어올리다, 일으키다, 들다 : *Sube* esa cabeza 그 머리를 들어라. ⑤값을 올리다 : ～ se a la cabeza 머리에 오르다; 취하다; 자만하다. Se le *ha subido a la cabeza* su popularidad 그는 인기가 있으므로 자만하고 있다. El panadero *ha subido* el pan 빵장수는 빵값을 올렸다. [Contr.]

～se ①높아지다 : A Manuel *se* le *ha subido* a la cabeza su éxito 마누엘은 자신의 성공에 취해있다. ②오르다, 기어오르다 : *Se suben* a las grandes piedras 커다란 바위에 올라선다. ③타다 : ～*se* en un coche 자동차를 타다. ④일어나다(levantarse).

～ ***al trono*** 통치하기 시작하다.

～ ***de tono*** 더 크게 말하다.

súbitamente *adv.* 별안간, 눈 깜박할 사이에, 돌연, 갑자기(de súbito).

subitáneamente *adv.* [드묾] =**súbitamente.**

subitáneo, a *adj.* [드묾] =**súbito, repentino.**

súbito, ta *adj.* [*lat.* subitus] 갑작스러운, 돌연한, 급격한(repentino) : Tuve que regresar precipitadamente por una ～*ta* llamada de mi jefe 나는 부장의 급한 호출로 급히 돌아가야 했다. —*adv.* 갑자기, 돌연(súbitamente, de pronto). —*m.* [드묾] 돌발, 발작 : un ～ de ira. ***de*** ～ 별안간, 돌연, 급히, 갑자기(de pronto, súbitamente).

subjefe *m.* 차장(次長), 부장(副長).

subjetivamente *adv.* 주관적으로.

subjetividad *f.* [*lat.* subjectus] 주관적인 일, 주관(성), 자기 본위.

subjetivismo *m.* 주관론·주의; 주관적 논법.

subjetivista *m.f.* 주관론자.

subjetivo, va *adj.* 주관의, 주관적인; 주제의. —*m.* 주관 : Respeto su opinión, pero me parece que es demasiado ～*va* 나는 그의 의견을 존중하나 (그의 의견은) 너무 주관적인 듯이 생각된다. [Contr.] objetivo.

sub júdice *adv. lat.* 심리중의, 미결의.

subjuntivo, va *adj.* 【문법】 접속법의 : modo ～ 접속법. —*m.* 접속법 : en ～ 접속형으로, 접속법으로 하여 : Ponga usted este verbo en ～ 이 동사를 접속법으로 만들어라.

subleñoso, sa *adj.* 목질이 별로 없는.

sublevación *f.* 동란(動亂), 반란, 폭동, 궐기. [Sinón.] rebelión.

sublevamiento *m.* [드묾] =**sublevación.**

sublevar *tr.* [*lat.* sublevare] ①모반·궐기시키다, 선동하다(alzar) : El sabe bien como ～ al pueblo 그는 민중을 선동하는 법을 잘 알고 있다. ②격앙시키다, 반발하게 하다 : Su conducta me *subleva.*

～se ①반란을 일으키다, 궐기하다 : *Se sublevan* los soldados 병사들이 반란을 일으킨다. ②격앙하다.

sublimación *f.* ①【화학】 승화(昇華) : ～ del azufre 유황화. ②순화(純化).

sublimado, da *adj.* sublimar의 *p.p.*—*m.*【화학】 승화물, 화(華); 승홍(昇汞)(～ corrosivo).

sublimar *tr.* [*lat.* sublimare] 순화·고상하게 하다; 【화학】 승화시키다 : *Se sublima* el alcanfor de esta manera 이렇게 장뇌(樟腦)는 승화되었다.

sublimatorio, ria *adj.* 승화의. —*m.* 승화기.

sublime *adj.* [*lat.* sublimis] ①뛰어난, 탁월한, 빼어난 : pintor ～. ②숭고한, 지상(至上)의(excelso). ③장엄한, 지엄한.

sublimemente *adv.* 숭고하게, 장엄하게, 웅대하게.

sublimidad *f.* 우수; 숭고, 장엄, 고상; 절정, 극치.

subliminal *adj.* 【심리】 의식에 떠오르지 않는; 잠재 의식의.

sublimizar *tr.* [9] 숭고·장엄하게 하다; 순화하다.

sublingual *adj.* 【해부】 혀 밑의; 혀 밑 샘의 : glándula ～.

sublunar *adj.* 달 아래의·위치에 있는, 월하(月

下)의 : el mundo ~ 지구(tierra).
submarinista *m.* 잠수부 ; 잠수함 승무원.
submarino, na *adj.* ① 해저의, 바닷속의 : buque ~ 잠수함. ② 바다 속에 나는 ; 바다 속에서 쓰는. —*m.* 잠수함 : ~ atómico 원자력 잠수함.
submaxilar *adj.* 【해부】 아래턱의, 하악골의, 턱밑샘의 : glándula ~ 턱밑샘.
submergir *tr.* =**sumergir.**
submersible *adj.* =**sumersible.**
submersión *f.* =**sumersión.**
submetálico, ca *adj.* 금속보다 윤택이 덜한.
subministración *f.* =**suministración.**
subministrador, ra *adj. m.f.* =**suministrador.**
subministrar *tr.* =**suministrar.**
submúltiplo, pla *adj. m.* 【수학】 약수(의) (divisor) : 3 es ~ de 27.
subnitrato *m.* 【화학】 초산염의 일종.
subnormal *adj.* 정상 이하의, 이상의, 기형의.
subnota *f.* 주기(註記)의 주(注).
suboficial *m.* 하사관, 준위.
suborbital *adj.* 궤도에 오르지 못한 : vuelo ~ 궤도하(下) 비행.
suborden *m.* 【생물】 아목(亞目).
subordinación *f.* ① 종속, 귀속 ; 복종, 순종. ② 【문법】 종속 관계.
subordinadamente *adv.* 종속적으로.
subordinado, da *adj.* ① 종속(subordinación)된 : oración ~*da*. ② 【문법】 종속문. —*m.f.* 부하, 휘하.
subordinante *adj.* 【문법】 종속의, 종속을 나타내는 : conjunción ~ 종속 접속사.
subordinar *tr.* 종속시키다 ; 복종시키다 ; 뒤에·하위에 놓다 ; 【문법】 종속시키다 : El verbo *subordina* a los complementos 동사는 보어를 종속시킨다.
~se [+a : …에] 종속하다·복종하다 : Los complementos *se subordinan* al verbo 보어는 동사에 종속한다.
subordinativo, va *adj.* 종속의.
subóxido *m.* 【화학】 차(次)·아(亞) 산화물.
subpoblación *f.* 인구 부족.
subprefecto *m.* 지사보(知事補)·대리, 부총독 ; 군수(郡守).
subprefectura *f.* subprefecto의 직·사무실.
subproducto *m.* 부산물.
subproveedor, ra *m.f.* 하청업자.
subramal *m.* =**ramal secundario.**
subranquial *adj.* 아가미 밑의 : aleta ~.
subrayable *adj.* 밑줄을 그어야 할 ; 강조·주목할 만한, 특히 주의를 요하는.
subrayado *m.* 밑줄 긋기.
subrayar *tr.* ① (어구에) 밑줄을 긋다 : *Subraye* usted esa frase 그 문구에 밑줄을 그으십시오. ② 강조하다.
subraza *f.* 민족의 세분(화).
subregión *f.* 저지역.
subreino *m.* (동물 분류의) 문(門).
subrepción *f.* 비밀 수단, 사실 은폐, 사실을 숨겨 이익을 얻는 일.
subrepticiamente *adv.* 암암리에.
subrepticio, cia *adj.* 암암리의 ; 비밀 수단에 의한 : pacto ~.
subrigadier *m.* (옛 군대의) 중사.
subrogación *f.* 【법률】 대위(代位), 대리 변제 ; 대신.
subrogamiento *m.* =**subrogación.**
subrogar *tr.* ⑧ [*lat.* subrogare] [+con · por : …와] 바꾸다, 대치·대위하다.
subrogativo, va *adj.* 바꾸는, 대치·대위하는.
subsal *f.* 【화학】 =**sal básica.**
subsanable *adj.* 보상할 수 있는 ; 변명할 수 있는 ; 보수할 수 있는.
subsanación *f.* 보상하는 일 ; 변명.
subsanar *tr.* ① 갚다, 변상하다. ② (잘못된 일을) 고치다, 바로잡다, 시정하다, 새로이 하다 : ~ un error. ③ 변명하다, 설명하다.
subscapular *adj.* 【해부】 견갑골 아래의 : músculo ~ 견갑골 아랫 근육.
subscribir *tr.* [*lat.* subscribere] [*p.p.* subscrito] ① (서류 아랫 자리에) 서명·기명하다. ② 승인하다 ; 신청하다, 예약하다.
~se [+a : …에] 기부·주식의 불입·신청을 하다, 응모하다 ; 가입하다, 구독 예약을 하다, 구독하다 : *~se* a una revista 잡지를 구독 예약을 하다. Entretanto, *me su(b)scribo* de usted su atto. y s.s. 경구(敬具). Quiero *~me a* esta revista 나는 이 잡지를 구독하고 싶다.
subscripción *f.* 기명, 서명 ; 승인 ; 응모, 가입, 신청, 신청금 ; 예약, 예약금 ; 구독, 구독료 ; (주식 등의) 모집·응모 ; 기부금, 모금 : la ~ en favor de los inundados.
~ ***de acciones*** 주식 예약.
~ ***por importe superior al de la emisión*** 응모 초과, 예약 초과.
~ ***pública*** 공모(公募).
~ ***simultánea*** 발기·동시 설립.
~ ***sucesiva*** 모집·점차 설립.
subscripto, ta *adj.* =**subscrito.**
subscriptor, ra *m.f.* 서명자, 기명인 ; 신청인, 예약자, 구독자, 응모자, 가입자, 기부자 : ~ de acciones 주식 응모자. *~es* de debentures 《*Arg.*》 미불입 사채(社債).
subscrito, ta *adj.* [subscribir의 *p.p.*] 예약된, 신립된 : capital ~ y pagado 불입 자본.
subscritor, ra *m.f.* =**subscriptor.**
subsecretaría *f.* 부비서·차관 직 ; 차관실 ; 청(廳) : *S-* de Recursos Forestales 《*Méx.*》 임야자원청.
subsecretario, ria *m.f.* 서기보, (부·성의) 차관 : ~ del Interior 내무차관. ~ general 사무차장. ~ de Relaciones Exteriores 외무차관.
subsecuente *adj.* 뒤따르는, 잇따른, 다음의 (subsiguiente).
subseguir(se) *intr.(r.)* ㊻ 잇따르다, 뒤따르다.
subsidiar *tr.* ⑪ 보조금·조성금을 주다.
subsidiariamente *adv.* 보조로서.
subsidiario, ria *adj.* 이차적인, 보조(적)인 ; 추가의, 제이의. —*m.f.* 보조자.
subsidio *m.* ① 보조·조성·교부금 ; 수당 : El gobierno concedió algún ~ a la obra 정부는 그 공사에 약간의 보조금을 주었다. ② 보조, 후원, 원조(socorro). ③ 헌금. ④ 특별세. ⑤ 《*Col. Ecuad.*》 우려, 불안(susidio).

～ *de enfermedad* 질병 수당, 의료 보조(금).
～ *de huelga* 파업 수당.
～ *de invalidez* 불구 질병 수당.
～ *de maternidad* 출산 보조(금).
～ *de paro* 실업 보조(금).
～ *de paro forzoso* (실업 보험에 의한) 실업 보조(금).
～ *de sepelio* 매장료.
～ *de vejez* 노령 수당.
～ *familiar* 가족 수당.
～ *para la educación* 교육 수당.
～ *para la exportación* 수출 조성금·장려금.

subsiguiente *adj.* 잇따른, 뒤를 잇는; 바로 다음의.

subsistencia *f.* [*lat.* subsistentia] 존속, 존재, 생존(permanencia). ② [주로 *pl.*] 생활 물자·필수품, 의식(衣食): ～*s* alimenticias 식료(食料). ～*s* descomponibles 부패물 주의. ～*s* húmedas 습기 주의. proveer de ～*s* una ciudad 어떤 도시에 생필품을 공급하다.

subsistente *adj.* (아직도·지금까지) 존속·잔존하는.

subsistir *intr.* [*lat.* subsistere] ① (아직도·지금까지) 존속·잔존하다, 계속되고 있다: *Subsiste* el edificio aún 그 건물은 지금도 남아 있다. Aún *subsisten* aquellas ruinas 그 폐허가 아직도 남아 있다. *Subsiste* la casa en que pasé mi niñez 내가 소년 시대를 보낸 집은 아직 남아 있다. ② 살다, 생존하다: Los peces no pueden ～ fuera del agua 물고기는 물 밖에서는 살지 못한다. Las plantas no pueden ～ en aquel terreno 저런 땅에서는 식물은 생존할 수 없다. ③ [+con de: …으로] 살다, 살아가다: ～ *con·del* auxilio ajeno 남의 동정으로 살아가고 있다. ④《*Ecuad.*》(병사가) 결근하다. ⑤《*Perú.*》정교 관계를 계속하다.

subsolano *m.* 동풍.

subsónico, ca *adj.* 【항공】 음속보다 느린, 아(亞)음속의: velocidad ～*ca* 아음속.

substancia *f.* [*lat.* substancia] ① 물건, 물질: ～ blanda·dura 부드러운 물건·단단한 물건. El caucho es una ～ blanda pero tenaz 고무는 부드러우나 강한 물질이다. una ～ medicinal 약재. ～ mineral 광물질. ② 실체, 본체, 본질; 실(實), 내용, 든 것, 실질: un negocio de ～ 실지로 있는 일. ③ 실속, 사려 분별: un hombre sin ～ 경박한 사람. ④ 진가, 가치; 중요성. ⑤ 양분, 자양. ⑥ 자산, 재산(hacienda, caudal). ⑦ 요점, 요지, 대의: la ～ de un escrito 서류의 요점. No dice más que cosas sin ～ 그는 내용이 없는 말 밖에 하지 못한다.
～ *blanca* (뇌수의) 순백 물질
～ *gris* (뇌수의) 회백 물질.
en ～ 본질적으로, 사실상; 실상은, 취지는.
convertirlo todo en ～ 자신에게 좋도록 해석하다; 교묘하게 이용하다.

substanciación *f.* 적요, 개괄; 실증, 심리.

substancial *adj.* ① 실체의, 본질적인, 실질적인: Se verificó una reforma verdaderamente ～ 진실로 실질적인 개혁이 행해졌다. ② 실속 있는, 내용이 풍부한. ③ 자양이 있는 (substancioso): comer un plato ～. ④ 주요한, 중대한(muy importante): un asunto muy ～ 중요한 문제.

substancialidad *f.* 실질적인 일; 실재성.

substancialismo *m.* 【철학】 실체론.

substancialista *m.f.* 【철학】 실체론자.

substancialmente *adv.* =**en substancia.**

substanciar *tr.* ⑪ ① 적요·개괄·요약하다(compendiar). ② 【법률】 심리·심문하다.

substancioso, sa *adj.* ① 실속있는, 내용이 풍부한. ② 자양분이 많은: caldo ～.

substantivación *f.* =**sustantivación.**

substantivamente *adv.* 명사(名詞)로서.

substantivar *tr.* 명사(名詞)로 만들다, 명사로 쓰다: El artículo neutro sirve para ～ algunos adjetivos 중성 관사는 형용사를 명사화하는데 사용한다.

substantividad *f.* 실체성.

substantivo, va *adj.* ① 물질의, 실체의. ② 【문법】 명사(名詞)의: nombre ～ 명사. oración ～*va* 명사문, 명사절. ③ 실체를 나타내는: verbo ～ ser를 가리킴. —*m.* 【문법】 명사.

substitución *f.* 대용(품), 교환, 대체, 대리, 바꾸기, 바꾸어 놓기, 교체; 대리 상속: ～ de heredero.

substituible *adj.* 대용할 수 있는, 바꿀 수 있는, 대체할 수 있는.

substituidor, ra *adj.* 바꾸는, 교체하는.
—*m.f.* 대체자(代替者), 교체하는 사람.

substituir *tr.* ⑰ ① [+a·con·por: …을 …과] 대신하다; 바꾸다, 교체·대용·대체하다: ～ un criado *a* otro 하인을 다른 사람으로 바꾸다. ～ una cosa *con* otra 어떤 물건을 다른 것과 바꾸다. ～ a otro *en* el cargo 그 직무에 다른 사람을 바꾸어 앉히다. ～ una palabra *por* otra 그 말을 다른 말로 바꾸어 놓다. ② [자동사적: +a : …에] 대체되다: Una fuente *ha substituido a* la estatua 조상(彫像) 대신에 분수가 생겼다. *Substituiremos* el cuadro por ese otro 이 그림을 그 다른 것으로 바꾸자.

substitutivo, va *adj.* 대리의, 대용의.
—*m.* 대용물, 대용품: Esto se utilizaba mucho como ～ del azúcar 이것이 설탕의 대용품으로서 잘 쓰였다.

substituto, ta *m.f.* 대리인, 대행자, 대리자: No puedo marcharme hasta que venga mi ～ 나는 대신할 사람이 올 때까지 돌아가지 못한다. —*m.* 대용품: ～ de importación 수입 대용(품).

substituyente *adj.* =**sustituyente.**

substracción *f.* ① 제거, 갈아치움. ② 공제(控除). ③ 사취, 횡령. ④ 【수학】 뺄셈(resta).

substractivo, va *adj.* =**sustractivo.**

substraendo *m.* 【수학】 감수(減數).

substraer *tr.* ⑫ ① [+a·de: …에서] 뽑아내다, 제거하다: ～ una parte *del* todo 전체에서 일부를 빼내다. ② 감하다, 줄이다(restar). ③ 사취하다, 훔치다(hurtar).
～se ① [+a·de: …에서] 피하다, 면하다: ～*se a* la persecución 추적에서 피하다. ② 몸을 빼다; (의무나 약속을) 어기다, 이행치 않다: ～*se a·de* la obediencia 복종의 의무를 어기다.

substraig- →**substraer** ⑫.

substraj- →**substraer** ⑫.

substrato *m.* 실체(substancia).

substrucción *f.* =**los cimientos de un edificio.**

subsuelo *m.* ① 저토(底土), 하층토(下層土). ②《*Chile.*》 지하층, 지하실(sótano, subterráneo).

subte *m.* 《*Arg. Urug.*》 지하철, 지하 철도(metro). [*N.* subterráneo의 줄임말].

subtender *tr.* 20 (호 등의) 현을 늘이다, 선으로 연결시키다; 대하다, 대치하다.

subtenencia *f.* 소위의 직(職)·지위.

subteniente *m.* 소위(少尉)(segundo teniente).

subtensa *f.* 호(弧)의 현.

subtenso, sa *adj.* subterer의 *p.p.*

subterfugio *m.* 핑계, 구실(pretexto, efugio) : valerse de ～*s.*

subterráneamente *adv.* 지하를 통하여.

subterráneo, a *adj.* 지하의, 땅속의 : ferrocarril ～ 지하 철도. túnel ～ 땅굴. —*m.* 지하, 지하실, 지하 창고, 땅속의 굴. ②《*Arg. Urug.*》 지하 철도(tren ～) : El ferrocarril ～ se llama comúnmente metro 지하철은 보통 「메트로」라 불리운다.

subtipo *m.* (동·식물의) 작은 그룹.

subtitular *tr.* (…에) 방제(傍題)·소제목을 붙이다.

subtítulo *m.* 부제(副題), 소제목, 방제(傍題), 별제(別題); (영화의) 자막.

sub-total *m.* 소계(小計).

subtraer *tr.* =**substraer.**

subtribu *f.* 소그룹.

subtropical *adj.* 아열대의 : planta ～ 아열대 식물.

subtrópico *m.* 아열대 지방.

subunidad *f.* 소단위.

suburbano, na *adj.* 교외의, 변두리의 : terreno ～. —*m.f.* 교외 거주자.

suburbicario, ria *adj.* 로마 부근의; 승정 관구의.

suburbio *m.* =**arrabal.**

suburense *adj.* 수부르《Subur, 현재의 Sitges의 옛 이름; 바르셀로나 해안의 도시》의; 수부르에 관한. —*m.f.* 수부르 사람.

subvención *f.* 보조(금), 조성(금), 장려금 : una ～ del gobierno 정부의 보조금. Recibe una ～ mensual de quinientas pesetas 그는 다달이 500뻬세따의 조성금을 받고 있다.
～ ***de exportación*** 수출 보조금.
～ ***en forma de capital*** 자본 조성금·보조금.
～ ***en forma de interés*** 이자 보조금.
～ ***mixta*** 혼합 보조금.

subvencionar *tr.* 조성하다, (…에) 보조금·장려금을 주다 : El gobierno *subvenciona* la publicación de este libro 정부가 이 책의 출판에 보조금을 준다.

subvenir *intr.* 60 [*lat.* subvenire] [+a : …을] 돕다, 지원하다, (…)을 응원하다, 보조금을 보내다(ayudar, auxiliar, socorrer) : ～ a los gastos 비용의 일부를 대주다.

subversión *f.* 교란, 파괴, 문란, 전복 음모.

subversivo, va *adj.* 파괴적인, 교란적인, 전복 음모의 : maniobras ～*vas* 파괴 활동.

subversor, ra *adj.* (질서나 민심을) 어지럽히는, 파괴적인. —*m.f.* 파괴자, 교란자.

subvertir *tr.* 55 (질서 등을) 어지럽히다, 파괴하다, 문란하게 하다(trastornar) : ～ las costumbres 풍속을 문란케 하다. El fue acusado por *haber subvertido* el orden público 그는 공공질서를 문란케 했기 때문에 고발당했다.

subviert- →**subvertir** 55.

subvin-, subvinie- →**subvenir** 60

subvirt-, subvirtie- →**subvertir** 55

subyacente *adj.* 아래쪽에 있는 : tejidos ～*s.*

subyugable *adj.* 복종·굴복시킬 수 있는; 정복시킬 수 있는.

subyugación *f.* 진압, 정복; 굴복, 예속.

subyugador, ra *adj. m.f.* 진압·정복하는 (사람).

subyugante *adj.* 복종하는, 정복하는.

subyugar *tr.* 8 [*lat.* subjugare] 복종·굴복시키다; 정복하다, 예속시키다; 억압하다; 통치하다, 지배하다(avasallar, dominar) : Los romanos *subyugaron* a sus vecinos.
～se 복종·굴종하다.

succínico, ca *adj.* 【광물】 호박의.

succino *m.* [*lat.* succinum] 【광물】 호박(琥珀), 강주(江洙)(ámbar amarillo).

succión *f.* 입으로 빠는 일.

succionar *tr.* =**absorber, chupar.**

sucedáneo, a *adj.* 대용의, 대용에 의한 : producto ～ 대용품. —*m.* 대용품 : un ～ del café.

suceder *intr.* [*lat.* succedere] ① 잇따르다, 잇달아 일어나다, 잇따라 오다(descender, proceder). ② 상속·계승하다; (누구의) 뒤를 잇다 : Los hijos *suceden a* los padres 아들이 부모의 상속자가 되었다. No tiene hijos que *sucedan* 그에게는 뒤를 이을 만한 아들이 없다. ③ [무인칭 동사로서] (어떤 일이) 벌어지다, 일어나다, 더러 있다(ocurrir) : A una pena *sucede* una alegría 괴로운 일 뒤에 즐거운 일이 있다. No *ha sucedido* nada 아무 일도 일어나지 않았다. *Sucedió* con José lo que con Lola 롤라에게 일어났던 일이 호세에게도 일어났다. *Sucede* que necesitamos un empleado 마침 사람 하나를 구하려던 참이야. *Suceda* lo que *suceda* yo no huiré de aquí 무슨 일이 일어나드라도 나는 이곳에서 도망치지 않겠다.

sucedido, da *adj.* [suceder의 *p.p.*] ① 생긴, 일어난, 벌어진 : lo ～ 자초지종, 자두지미(自頭至尾), 종두지미(從頭至尾). ②《*Chile.*》 더러워진, 더러운; 재수없는 일이 계속되는. —*m.* 사건(suceso).

sucediente *adj.* 잇달아·다음에 오는·일어나는.

sucenturiado, da *adj.* ***ventrículo*** ～ (새들의) 식도 주머니.

sucesibilidad *f.* 상속성.

sucesible *adj.* 상속·계승할 수 있는 : tener un parentesco ～.

sucesión *f.* [*lat.* successio] ① 잇달은 일, 연속, 속발(續發), 윤작(輪作) : ～ de cultivos 작물의 윤작. ② 상속, 계승 : Guerra de la *S-* 왕위 계승 전쟁《서반아에서는 Felipe V의 즉위에 의해 일어났으며, 전쟁의 결과 Países Bajos, Gibraltar를 잃게되었다, 1701—1713》. ③ 상속 (재산), 유산. ④ 자손(prole).

sucesivamente *adv.* 잇따라, 차례로, 계속적

으로 (de un modo sucesivo) : … *y así* ～ 이하 동, 운운.

sucesivo, va *adj.* [*lat.* succesivus] 잇따른, 연속적인, 속발하는, 계속적인 : acontecimientos ～*s* 잇따른 사건들. en lo ～ 그 후, 그 일이 있은 다음. Ocurrió por tres veces lo mismo en días ～*vas* 그 뒤 수일 간에 같은 일이 세 번 있었다.

suceso *m.* ① 사건, 일어난 일(acontecimiento) : ～ sin importancia 중요성이 없는 사건. Lo primero que leo del periódico es la sección de ～*s* 내가 신문에서 최초로 읽는 것은 사회면이다. ② 때의 경과(transcurso). ③ 성공, 성과(éxito, resultado) : Su drama ha tenido gran ～.

sucesor, ra *adj.* [*lat.* succesor] 상속하는, 계승하는. —*m.f.* 계승자, 후임자, 후계자. —*m. pl.* 후계자, 자손, 후손 : El insigne científico murió sin ～*es* 그 저명한 과학자는 죽어서 후계자가 없었다.

sucesoral *adj.* 잇달은, 상속·계승의.

sucesorio, ria *adv.* 상속의, 계승의.

suche *m.* ① 《*Arg.*》 여드름(barro, granillo). ② 《*Chile.*》 말단 직원. ③ 《*Ecuad. Perú.*》 【식물】 협죽도(súchil). ④ 《*Col.*》 (인디오가 장식으로 사용하는) 관상용 꽃.
—*adj.* 《*Venez.*》 떫은, 설익은(agrio).

súchel *m.* 《*Cuba.*》 =**súchil.**

suchicopal *m.* 《*Méx.*》 【식물】 꼬빨(copal)이나 향(incienso) 나무.

súchil *m.* 【식물】 중남미산의 협죽도의 일종.

suchitepequense *adj. m.f.* 수치떼뻬께스 《Suchitepéquez, 구아떼말라에 있는 주》의 (사람).

sucho, cha *adj. m.f.* 《*AmérM..*》 =**tullido.**

suciamente *adf.* 더럽게 ; 비열하게 ; 추잡스럽게(con suciedad, de un modo sucio) : portarse ～. Contr. limpiamente.

suciedad *f.* 더러움, 더러운 짓·것, 불결, 오물(inmundicia) ; 비열, 비겁 ; 추잡한 것, 음탕한 일. No sabe decir más que ～*es* 그는 부끄러운 일 밖에 말하지 못한다. Contr. limpieza.

sucinda *f.* 《*Sal.*》 【조류】 종달새(alondra).

sucintamente *adv.* 간결하게, 간단하게, 짤막하게 ; 자세히(de un modo sucinto).

sucintarse *r.* 요약·간략하다, 간결해지다.

sucinto, ta *adj.* [*lat.* succintus] ① 간결한, 간편한, 짤막한(breve) : Me ha dado una contestación *sucinta* 그는 나에게 간단한 답장을 보냈다. ② 《*Chile. Méx.*》 자세한(detallado).

sucio, cia *adj.* ① 더러운, 더러워진, 불결한 : El parque está *sucia* 공원은 더럽다. La ropa *sucia* se lava en casa 체면을 지켜라 (때묻은 속옷은 집에서 빨아야 한다). ② 부정해진. ③ 추잡한, 천한, 음탕한(deshonesto). ④ (승부에서) 더러운, 비열한, 교활한 : El juega ～ 그는 비열한 짓을 한다. Su acción es muy *sucia* 그의 행동은 매우 비열하다. Contr. limpio.
—*adv.* 비열하게, 교활하게, 추접하게.
—*m.* 《*Hond.*》 =**suciedad.**

suco, ca *adj.* ① 《*Ecuad.*》 붉은 털의(pelirrojo). ② 《*Perú.*》 오렌지 빛깔의(anaranjado).
—*m.* ① 즙액(jugo). ② 《*Bol. Venez.*》 소택지, 늪지(aluvión de fango).

sucoso, sa *adj.* 즙액이 많은(jugoso).

sucre *m.* 수끄레《에꾸아도르의 화폐 단위》; 에꾸아도르의 은화 《5뻬세따 상당 ; 베네수엘라 태생으로 볼리비아 공화국을 세운 사람 Antonio José de Sucre(1793–1830)의 이름에서》.

sucrense *adj. m.f.* 수끄레 《Sucre, 볼리비아의 도시 ; 꼴롬비아와 베네수엘라의 주》의 (사람).

sucreño, ña *adj.* 수끄레 《Sucre, 볼리비아의 주》의. —*m.f.* 수끄레 사람.

sucrosa *f.* 【화학】 자당(蔗糖).

Suc.[res] Sucesores.

suctorio, ria *adj.* 빨기에 적당한 : órgano ～.

sucu *m.* 《*Vizc.*》 옥수수 가루에 우유를 탄 죽의 일종.

súcubo *adj. m.* (잠자는 남자와 정을 통한다는) 여정(女精)·음몽(淫夢)(의)(demonio ～).

sucuchear *tr.* 《*Bol.*》 숨기다(ocultar).

sucucho *m.* ① (안에서 본) 귀퉁이, 모퉁이, 변죽(rincón). ② 《*Amér.*》 =**socucho.**

súcula *f.* [*lat.* sucula] 윈치(torno).

suculencia *f.* 양분이 풍부한 것 ; 맛이 있는 것.

suculentamente *adv.* 생생하게, 싱싱하게 ; 아주 맛있게, 맛있는 듯이.

suculento, ta *adj.* [*lat.* succulentus] 자양이 풍부한(nutritivo) ; 맛이 좋은(sabroso). Contr. desabrido.

sucumbé *m.* 《*Bol.*》 노른자를 넣은 밀크(yema mejida).

sucumbiente *adj.* 넘어지는, 쓰러지는 ; 죽은, 사망한.

sucumbir *intr.* [*lat.* succumbere]. ① 앞으로 넘어지다, 쓰러지다, 고꾸라지다 : ～ a los golpes 때려 눕혀지다. ② 죽다(perecer, morir) : El enfermo no *sucumbió*. ③ 지다(ceder) : ～ a la tentación 유혹에 지다. ④ 패소(敗訴)하다(perder el pleito).

sucursal *adj. f.* 지점, 지사, 출장소(의) : ～ en el extranjero 해외 지점. En Lima se ha inaugurado nuestra nueva ～ 이번에 리마에 우리 회사의 지점이 새로 개설되었다. abrir una ～ del banco 은행 지점을 개설하다. Contr. casa principal · matriz.

sucurucú *m.* 《*Bol.*》 【동물】 왕뱀의 일종.

sud *m.* 【고어】 남쪽(sur). [*N.* 근래에는 주로 접두어처럼 쓰임 : *sud*este, *sud*americano].

sudación *f.* 땀을 흘림.

sudadera *f.* =**sudadero.**

sudadero *m.* ① 땀수건, 손수건. ② 안장 깔개. ③ 증기탕. ④ 물 새는 곳.

Sudáfrica 【지명】 남아프리카.

Sud Africa 【지명】 남아프리카.

sudafricano, na *adj.* 남아프리카의. —*m.f.* 남아프리카 사람.

Sudamérica *f.* 【지명】 =**América del Sur.**

sudamericano, na *adj.* 남아메리카의.
—*m.f.* ① 남아메리카 사람. ② 【속어】 =**suramericano.**

sudán *m.* =**soldán, sultán.**

Sudán, el *m.* 【지명】 수단.

sudanés, sa *adj.* 수단 《el Sudán, 아프리카의 중서부 지방》의. —*m.f.* 수단 사람.

sudante *adj. m.f.* 땀을 흘리는 (사람).

sudar *intr.* [*lat.* sudare] ① 땀을 흘리다. ② 땀이

되어 나오다 : ~ el agua que se ha bebido. ③ (나무가) 즙액을 내다 ; (그릇 따위가) 액체 · 물방울을 스며내다 : *Suda* la pared 벽이 물을 흘리다. ④ 열심히 일하다.

—*tr.* ① (…에) 땀을 흘리게 하다 ; (땀처럼) 스며나오게 하다. ② 땀으로 범벅이 되다 : ~ la ropa. ③ 마지못해 내다, 우려내다 : Me ha hecho ~ cien pesetas 그는 나에게서 100뻬세따를 우려냈다.

sudario *m.* [*lat.* sudarium] ① 죽은 사람의 면포 ; 수의(壽衣). ②【성서】성해포(聖骸布)(Santo S-).

sudatorio, ria *adj.* 발한(發汗)의, 땀을 내는. (sudorífico).

—*m.* 발한제(發汗劑).

Sudcorea【지명】남한.

sudcoreano, na *adj.* 남한의. —*m.f.* 남한 사람.

sudestada *f.* 《*Arg.*》 남동의 비바람.

sudeste *m.* 남동 ; 남동풍(sureste).

sudestear *intr.* (바람의 방향이) 남동풍으로 바뀌다.

sudoeste *m.* 남서 ; 남서풍(suroeste).

sudón, na *adj.* 《*Amér.*》 =**sudoroso.**

sudor *m.* [*lat.* sudor] ① 땀 ; 발한(發汗) : ¡Qué ~*es* ha pasado! ② (수목의) 습기, (물방울이) 떨어짐 ; 촉촉한 습기. ③ 애씀(fatiga).

—*pl.* 발한(發汗) 요법.

con el* ~ *de su frente 스스로 애써 : Sustentaba a la familia *con el* ~ *de su frente* 그는 많이노력해서 (이마에 땀 흘려서) 가족을 부양하였다.

sudoriento, ta *adj.* 땀에 젖은.

sudorífero, ra *adj.* *m.* =**sudorífico.**

sudorífico, ca *adj.* 발한(發汗)의, 땀을 내는.

—*m.* 발한제(發汗劑) : La tila es ~ 참피나무에서 짠 즙은 발한제이다.

sudoríparo, ra *adj.* 땀의, 땀이 나는, 땀을 흘리는 : las glándulas ~*ras* 땀샘.

sudoroso, sa *adj.* 땀에 젖은, 땀투성이의 ; 땀을 흘리는, 땀이 많이 나는 : tener la frente ~*sa* 이마가 땀에 젖어 있다. Límpiate la frente, que la tienes ~*sa* 얼굴이 땀투성이니 닦으시오.

sudoso, sa *adj.* 땀투성이의, 땀에 범벅이 된 : la ropa ~*sa* 땀에 범벅이 된 옷.

sudra *m.* (안도의 4성 중 최하급의) 천민, 수드라(首陀羅).

sudsudeste *m.* 남남동 ; 남남동풍(sursudeste).

sudsudoeste *m.* 남남서(南南西) ; 남남서풍(sursudoeste).

sudueste *m.*【해사】남서 ; 남서풍(sudoeste).

suecia *f.* 《*Neol.*》 (장갑용) 가죽.

Suecia *f.*【지명】스웨덴.

sueco, ca *adj.* 스웨덴(Suecia)의. —*m.f.* 스웨덴 사람. —*m.* 스웨덴어.

***hacerse el* ~** 모르는 · 들리지 않았던 척하다.

suegra *f.* ① 시어머니, 장모(madre política). ② 꽈배기 빵의 눌어서 딱딱해진 끝.

suegro *m.* [*lat.* socer] 시아버지, 장인(padre político).

suel-, suela- →**solar** ㉔, **soler** ㉕.

suela *f.* [*lat.* solea] ① (구두의) 밑창, 바닥 ; 밑바닥 가죽 : media ~ 구두 밑창의 반쪽. ~ de goma 고무창. ② (무두질한) 쇠가죽. ③【어류】참서대 (lenguado). ④【건축】토대(zócalo) ; (칸막이 벽 등의 밑에 끼우는) 받침. —*pl.* (어떤 종교 단체에서는) 짚신.

de tres · cuatro · siete* ~*s 이름 있는, 일류의.

suelada *f.* 《*Col.*》 =**suelazo.**

suelazo *m.* 《*AmérM.*》 마루에 쿵 떨어지는 일 · 쓰러지는 일 ; 그 소리.

suelda *f.*【식물】캄프리(consuelda).

sueldacostilla *f.*【식물】서반아 산 백합과의 화초.

sueldo *m.* [*lat.* solidus] ① 임금, 급여, 고정급(固定給), 보수, 급료(salario) : El funcionario cobraba un ~ de quinientas pesetas mensuales 그 공무원은 월 500 뻬세따의 급료를 받고 있었다. ② 옛 화폐의 일종.

~ ***anual*** 연봉.

~ ***base*** 기본급, 본봉.

~ ***después de deducciones*** 공제 임금.

~ ***garantizado*** 보증 임금.

~ ***inicial*** 초임금.

~ ***mensual*** 월급.

~ ***mínimo*** 최저 임금.

~ ***neto*** 공제 임금.

~ ***nominal*** 명목 임금.

~ ***patronal*** 기업주 급여.

~ ***previsto*** 임시급.

~ ***regular*** 기본급, 본봉.

~ ***vencido*** 미불 임금.

~ ***vital*** 생활비, 최저 임금.

~ ***vital anual · mensual*** 생활급 연액 · 월액.

***a* ~** 봉급으로.

suelear *tr.* 《*Arg.*》 던지다(tirar).

suelo *m.* [*lat.* solum] ① 지면, 땅바닥 : por el ~ 땅바닥에. José le pidió perdón echándose al ~ 호세는 땅바닥에 엎드려서 그에게 사과하였다. ② 곳, 장소 : ~ natal 출생지, 고향, 조국. ③ 토양, 지층(tierra). ④ (건물의) 바닥, 마루 : Recoja usted los papeles esparcidos por el ~ 마루에 흐트러진 종이를 주어라. ⑤ (건물의) 부지 ; 영지(領地), 토지(territorio) : Este ~ produce mucho 이 토지는 생산고가 높다. ⑥ (기물의) 아랫면, (남비 등의) 밑바닥 : el ~ de una vasija · del pan. ⑦ 발굽(casco). ⑧ 앙금, 무거리, 침전물(asiento, poso). ⑨ (삼림, 과수원에 대하여) 논밭. ⑩ 종국 (término, fin).

—*pl.* (손바닥에 떨어진) 낟알, 흘린 곡식 ; (놓아 두었던 곳에 남은 지난 해의) 묵은 보리, 헌 짚, 바닥 짚.

estar por los* ~*s 똥값이다, 갯값이다, 값싸다.

suelt- →**soltar** ㉔.

suelta *f.* ① 놓아주는 일, 해방, 석방 : ~ de palomas 놓아진 새. dar ~ 놓아주다, 자유롭게 만들다, 해방하다. ② (마소의) 발 묶는 줄. ③ (묶지 않은채 데리고 가는) 대마(代馬). ④ (마소의) 방목장.

sueltamente *adv.* 홀가분하게, 가뿐하게 ; 매끄럽게, 유창하게 ; 토막토막으로.

suelto, ta *adj.* [soltar의 *p.p.*] ① 자유롭게 된 (libre) : Deja ~ al perro 개를 놓아주어라. Estábamos alegres como pájaros ~*s* 놓여난 작은 새처럼 우리들은 재잘거렸다. ② 경쾌한, 빠른 (ligero, veloz) ; 가뿐가뿐한, 날렵한(ágil) ; 분방한. ③ 제멋대로의 ; 느긋한, 느슨해진, 긴

박하지 않은 : Dibuja con mano *suelta* 그는 유유한 손놀림으로 그리고 있다. ④ 매끄러운, 술술 나오는, 유창한(fácil) : estilo ~. ⑤ (무더기로 되어 있지 않고) 흩어져 있는, 토막토막의, 토막토막 잘린 : muebles ~*s* 토막난 가구. Estas tazas no se venden *sueltas* 이 찻잔은 낱개로 팔지 않는다. ⑥ 설사를 일으킨.

—*m.* ① 푼돈, 잔돈 : No tengo ~ 나는 잔돈이 없다. No llevo ~ para el autobús 나는 버스를 탈 잔돈이 없다. ② 보조 통화. ③ (신문의) 단평, 삽입 기사 : Leí la noticia de su discurso en un ~ del periódico 나는 그의 연설 뉴스를 신문의 삽입 기사에서 읽었다.

suena-, suene- →**sonar** ㉔.

sueñera *f.* 《*Amér.*》 졸음.

sueño *m.* [*lat.* somnus] ① 잠들기, 잠자기, 수면 ; 졸음, 수마(睡魔) : Tengo ~ 나는 졸립다. Me entra ~ 나는 자고 싶어진다. ¿Tiene usted ~? 당신은 졸립니까? ② 꿈 : La vida es ~ 인생은 꿈이다. Ni en ~*s* lo pienses 너는 꿈에도 그런 일을 생각해서는 안된다. ③ 허깨비, 환상, 몽상 : ~ dorado 금빛 찬란한 꿈, 즐거운 몽상. ~ eterno 영원한 잠, 죽음(muerte). ~ pesado 숙면, 악몽.

en ~*s* 잠들어, 수면 중에 · 으로 ; 꿈속에서.

entre ~*s* 졸면서(en sueños).

ni por ~ 꿈에도 …않다.

coger el ~ 자고 있다(quedarse dormido).

conciliar el ~ 꿈을 꾸다, 잠속에 빠지다.

descabezar el ~, *echar un* ~ 선잠을 자다 (dormir breve rato).

suero *m.* [*lat.* serum] ①【생리】장액 ; 혈청 : ~ medicinal 인공 혈청. ② 유장(乳漿) (~ de la leche).

sueroso, sa *adj.*【생리】장액의 ; 장액 모양의 ; 혈청의(seroso).

sueroterapia *f.* 혈청 요법.

suerte *f.* ① 운, 운명 : Así lo ha querido la ~ 그렇게 될 운명이 있었다. Dejaremos a la ~ la fecha del viaje 여행 날짜는 그때의 형편대로 하자 (운에 맡기자). ② 행운(buena ~) : tener ~ en la lotería 복권에 당첨되다. ¡Buena ~ ! 행운이 깃드시길 ! ¡Qué buena ~ tengo! 나는 정말 운이 좋은 사람이다. Por ~ o por desgracia ya está usted aquí 행인지 불행인지 벌써 당신은 여기 와 있습니다. ③ 정명(定命), 미래 (destino, hado) : Ignoro cuál será mi ~ 나의 미래가 어떻게 될지는 알 수 없다. ④ 추첨, 제비뽑기 : elegir por ~ 추첨으로 고르다. ⑤ 징병 추첨. ⑥ 《*Amér.*》 복권. ⑦ 사정, 상태 (estado, condición) : Se le nota que ha mejorado de ~ 그는 생활 상태가 호전하고 있는 듯이 보인다. ⑧ (경기 · 요술 등의) 수(lance), 트릭 ; 요술 : hacer ~*s* con el bastón. ⑨ 하는 수, 방법 (manera, modo) : de esta ~ 이런 수를 써서. Empezó a hablar de esta ~ 그는 이런 식으로 이야기하기 시작했다. ⑩ [단수 · 무관사로] 종류(clase) : toda ~ de ganados 온갖 종류의 가축. Conoce a toda ~ de personas 그는 모든 종류의 사람을 알고 있다. ⑪ [primera, segunda 등을 앞에 두어, 상품 등의] 품급(品級) : de primera ~ 일급품의. ⑫ 같은 모형에서 주조된 활자의 전부. ⑬ 《*Riopl.*》 지적의 단위.

de ~ *que* …하도록 ; …한, 그래서(de menera que) : Hay que guardarlo *de* ~ *que* no se estropee 상하지 않도록 그것을 챙겨 넣어 두어야 한다. Lo guardó, *de* ~ *que* no se estropeé 그것을 챙겨 넣었다, 그래서 상하지 않았다. ¿*De* ~ *que* tú no lo sabes? 그렇다면 너는 그 일을 모르느냐?

por ~ 추첨으로 ; 운수에 맡겨.

*caer*le · *tocar*le a uno *la* ~ (누구에게) 당첨이 되다 ; 우연하게 …하게 되다.

echar ~*s* 재수를 보다, 추첨하다, 제비를 뽑다.

entrar en ~ 제비뽑기에 참가하다.

suertero, ra *adj.* 《*Amér.*》 운 좋은, 행운의 (afortunado). —*m.* 《*AmérC. Perú.*》 복권 판매(인).

suertudo, da *adj.* 《*AmérM.*》 운 좋은.

suestada *f.* 《*Arg.*》 남동의 비바람(sudestada).

sueste *m.* ① 남동(南東)(sudeste). ② (선원의) 방수모.

suéter *m.* [*ing.* sweater] 스웨터. **Sinón.** jersey.

suévico, ca *adj.* 수에비아족(los suevos)의.

suevo, va *adj.* ① 수에비아 《Suevia, 독일의 한 지방으로 현재의 Suabia의 옛 이름》의. ② 수에비아족 《los suevos, 5세기에 갈리아와 이베리아 반도에 침입했던 게르만 민족》의.

—*m.f.* 수에비아 사람.

Suez *m.* 수에즈 : canal de ~ 수에즈 운하.

sufete *m.* [*lat.* suffes] (고대 카르타고 · 페니키아에 있던) 두 사람의 집정관.

sufí *adj. m.f.* 수피교도(의).

suficiencia *f.* ① 충분, 만족 : a ~ 충분히. ② 능력, 자격(aptitud, capacidad).

suficiente *adj.* ① 충분한, 생각만큼의, 숱한, 푸짐한 (bastante) : No tengo ~ dinero para gastar en eso 나는 그것에 지불할 만한 충분한 돈이 없다. Tenía dinero ~ para comprarlo 그것을 사기에 충분한 돈을 나는 가지고 있었다. ② 능력 · 자격이 있는, 적임의(apto). **Contr.** insuficiente.

suficientemente *adv.* 충분하게 (de modo suficiente).

sufijación *f.* 접미어의 부가.

sufijo, ja *adj.*【문법】접미의. —*m.* 접미사 《ojito, madrastra의 -ito, -astra, 등》; 접미어 《morir*se*, dí*melo*의 se, me, lo 등》.

sufismo *m.* 수피교 《회교의 범신적 편재 신비파(汎神的遍在神秘派)》(sofismo).

sufista *adj. m.f.* =**sufí.**

sufocación =**sofocación.**

sufocador, ra *adj.* =**sofocador.**

sufocante *adj.* =**sofocante.**

sufocar *tr.* =**sofocar.**

sufra *f.* [*fr.* surfaix] (말의) 재갈에 걸치는 가죽끈.

sufragáneo, a *adj.* 부(副)의, 보조의 : obispo ~ . —*m.* 부사교, 승정보, 부감독.

sufragar *tr.* ⑧ 원조하다(ayudar), 후원하다(favorecer) ; 비용을 내다(costear). —*intr.* 《*Amér.*》 [+por : …에게] 투표하다(votar).

sufragio *m.* ① 원조, 후원(ayuda, auxilio). ② 공양의 기도, 기도. ③ 투표(voto) ; 선거, 선거제 : ~ restringido · universal 제한 · 보통 선

거. El ~ universal concede el derecho de votar a todos los ciudadanos 보통 선거는 모든 시민에게 투표할 권리를 부여한다.

sufragismo *m.* 여성 참정 운동·론, 여권 신장론.

sufragista *m.f.* 여성 참정론자, 여권 신장론자.

sufrible *adj.* =**sufridero.**

sufrida *f.* 【은어】 침대(cama).

sufridera *f.* (대장간에서 쓰는) 모루의 일종.

sufridero, ra *adj.* 참을 수 있는, 견딜 수 있는, 인내할 수 있는, 견디어 나갈 수 있는(sufrible) : la ~*ra* 견딜 수 있는 고통.

sufrido, da *adj.* [sufrir의 *p.p.*] ① 괴로워하는, 괴로워하고 있는. ② 참을성 있는 : ~ en la adversidad 고난에 굽히지 않는. Lola era una mujer muy ~*da* 롤라는 대단히 참을성 많은 여인이다. ③ 공처가의·엄처 시하의 (남편). ④ 더러움이 쉬 타지 않는 (빛깔).

sufridor, ra *adj. m.f.* 참고 견디는 (사람), 고생하는 (사람). —*m.* 《*Venez.*》 =**sudadero.**

sufriente *adj.* 괴로워하는, 고뇌하고.

sufrimiento *m.* ① 참을성, 인내(paciencia, tolerancia) : tener un ~. ② 《*Neol.*》 괴로움, 고뇌, 고통(dolencia, padecimiento).

sufrir *tr.* [*lat.* sufferre] ① (괴로움 등을) 받다, 고뇌하다, 괴로워하다 ; (어떤 일을) 당하다, 겪어 나가다(padecer) : ~ mil dolores 수많은 고통을 받다. *Sufre* frecuentes ataques de tos 그는 빈번한 기침의 발작으로 고민하고 있다. *Sufrió* muchas persecuciones por la causa 그는 주의(主義)때문에 많은 박해를 받았다. ② [+de : … 로] 괴로워하다, 고민하다 : *¿De* qué dolencia *sufre* usted? 당신은 어디가 나쁘십니까? ③ (일반적으로) 받다, 치르다 : ~ un examen 어떤 시험을 치르다. Las demás condiciones no *sufren* variación 다른 조건에는 변경이 없다. ④ (…에) 이겨내다, 참아가다, 인내하다(tolerar, aguantar) : ~ la pobreza con paciencia 가난을 인내로 이겨내다. *Hemos sufrido* los males con mucha paciencia 우리들은 잘도 참아서 재난을 견디어 왔다. ⑤ 참고 문제 삼지 않다(consentir, permitir) : ~ *a·de* uno 어떤 사람의 일을 참고 문제 삼지 않다. ⑥ 받다, 받치다, (중량이나 충격을) 받고 있다(sostener, soportar) : La viga *sufre* todo el peso 대들보가 전 중량을 받고 있다. ⑦ (반대쪽에서 단단히) 누르다.

sufumigación *f.* 불에 그을리기, 향을 피우기.

sufusión *f.* [*lat.* suffusio] 【의학】 피하 일혈.

sugerencia *f.* 《*Arg.*》 =**sugestión** : No hizo caso de mis ~*s* 그는 내 제안에 귀를 기울이지 않았다.

sugerente *adj.* 넌지시 비치는, 암시적인.

sugeridor, ra *adj.* =**sugerente.**

sugerir *tr.* 54 [*lat.* suggestio] ① 넌지시 비치다, 암시하다(inspirar, insinuar) : ~ una idea 아이디어를 암시하다. Este paisaje *sugirió* al autor su obra maestra 이곳 경치가 작자에게 걸작을 쓰게 했다. Le *sugerí* que fuera a ver al jefe 부장을 만나러 가면 어떨까 하고 나는 그에게 슬쩍 말했다. ② 제안하다.

sugestión *f.* [*lat.* suggerere] ① 넌지시 비치기, 암시, 시사 : la ~ de un pensamiento 생각의 암시. Eso es una buena ~ 그건 좋은 시사이다. ② 감응 작용, 연상.

sugestionabilidad *f.* 암시할 수 있음 ; 피(被)암시성 ; 암시 감응성.

sugestionable *adj.* 암시를 받기 쉬운.

sugestionador, ra *adj.* 암시를 주는, 연상시키는 (사람).

sugestionar *tr.* ① (…에) 암시를 주다, 연상시키다. ② 《*Neol.*》 남의 뜻을 포착하다.

sugestivo, va *adj.* 《*Neol.*》 암시적인, 시사적인, 생각게 하는 : un espectáculo ~.

suicida *m.f.* 자살자.
—*adj.* 【남·여 동형】 자살 행위의 : locura ~.

suicidarse *r.* 자살하다(darse voluntariamente muerte).

suicidio *m.* 자살(하는 일) : ~ por gas 가스 자살.

suiche *m.* 《*CRica.*》 《*Neol.*》 전기 스위치(conmutador eléctrico).

suideo, a *adj.* ① 돼지같은. ② =**suido.**

suido *adj.* 【동물】 돼지 속의. —*m.pl.* 돼지 속(屬) 《멧돼지나 돼지》.

sui géneris *adv. lat.* 더없이, 비할 데 없이.

suindá *f.* 《*Arg.*》 【조류】 부엉이의 일종.

suirirí *m.* 《*Arg.*》 【조류】 오리의 일종.

suiza *f.* 중고 시대(中古時代)의 모의 전쟁 ; (두 패로 갈라져서 하는) 난투 ; 《*Amér.*》 두들겨 패기(felpa).

Suiza *f.* 【지명】 스위스.

suizo, za *adj.* 스위스의. —*m.f.* 스위스 사람.
—*m.* suiza의 참가자 ; 부화 뇌동자(付和雷同者) ; 빵의 일종.

suizón *m.* suiza 전쟁에 사용한 창.

sujeción *f.* ① 복종, 굴복, 예속 : con ~ a …에 따라서. ② 억압, 속박. ③ 관계, 결합(結合), 연결(unión). ④ 자문 자답 서술법.

sujetador, ra *adj.* 억압하는, 억누르는.
—*m.* 억압자.

sujetalibros *m. pl.* 【단·복수 동형】 북엔드 ; 책꽂이의 일종.

sujetapapeles *m.* 【단·복수 동형】 종이 집게용 클립 ; 핀셋.

sujetaplumas *m.* 【단·복수 동형】 펜꽂이.

sujetar *tr.* ① 억압하다, 억누르다, 단단히 붙잡다(afirmar) ; 붙잡다 : Le *sujetaron por* los brazos 그의 팔을 붙잡아 꼼짝 못하게 했다. En vano los policías trataron de ~le 경관들은 그를 잡아두려 했으나 허사였다. *Sujete* usted estas tablas con clavos 못으로 이 판자를 붙여 놓으십시오. ② 속박하다(dominar) ; 복종시키다(someter).
~se [+a : …에] 따르다, 굴복·굴종하다 ; 속박되다 ; (누구의) 하자는 대로 내맡겨지다 : Hay que ~*se* al reglamento 법규에 따라야 한다.

sujeto, ta *adj.* [*lat.* subjectus] [sujetar의 *p.p.*] ① 꼼짝 못하게 된, 붙잡힌, 속박된, 종속된. ② 꼼짝 못하게 잡힌, 구속된 : tener ~ 꼼짝 못하게 붙잡아 두다. ③ 떨어지기 어려운 ; …하기 쉬운, 곧잘 하는. ④ (…에) 준하는, 따르는 : Este crédito estará ~ *a* las normas y costumbres 본 신용장은 규준과 관례에 따르는 것으로 함. El programa está ~ *a* modificaciones 이 예정은 수정될지도 모른다 (수정에 따라서 변동

할 수 있다).

—*m.* ① 주제, 주의(主意) ; 【문법】 주부(主部), 주어 : ¿Cuál es el ~ de esta oración? 이 문장의 주어는 어떤 것입니까? ② 인물, 인간, 놈, 녀석, 작자(tipo) : aquel ~ 그 녀석, 그 작자. La policía detuvo a un ~ sospechoso 경찰은 수상한 인물을 체포했다.

sujo, ja *m.f. desp.* 《*Chile.*》 인물, 인간, 놈, 녀석(sujeto).

sula *f.* 《*Sant.*》 만의 물고기의 일종.

sulciforme *adj.* 도랑(surco)을 이루는, 도랑형의.

sulco *m.* [*lat.* sulcus] 【고어·방언】 《*Amér.*》 밭의 도랑(surco de arado).

sulf- *pref.* 「유황을 함유한」의 뜻을 갖는 접두어.

sulfácido *m.* 【화학】 황화물.

sulfamida *f.* 구균성 질환의 약.

sulfatación *f.* 황화 ; 황화물.

sulfatado, da *adj.* sulfatar의 *p.p.* —*m.* 황산염화 ; 농작물의 소독 살충.

sulfatador, ra *adj. m.f.* (황산 동액으로) 소독 살충하는 (사람) ; 살충제 분무기.

sulfatar *tr.* (황산 동액으로 농작물·과수를) 소독·살충하다 ; 황산으로 처리하다.

sulfato *m.* 【화학】 황산염 : ~ de amoniaco · de amonio 유안(硫安). ~ de cobre 황산동(黃酸銅). ~ de hierro 황산철, 녹반. ~ de soda 황산 소다. ~ de zinc 황산 아연.

sulfhidrato *m.* 【화학】 황화 수소염.

sulfhídrico, ca *adj.* 수소와 유황이 화합된 : ácido ~ 황화 수소.

sulfitación *f.* =**sulfatación.**

sulfito *m.* 【화학】 아황산염.

sulfo- *pref.* 「유황을 함유한」의 뜻을 갖는 접두어.

sulfoácido *m.* 【화학】 =**sulfácido.**

sulfona *f.* 설폰제(劑).

sulfonal *m.* 【의학】 설포날 《최면·수면·마취제》.

sulfosal *m.* 황화물과 소금의 혼합.

sulfovínico, ca *adj.* =**etilsulfúrico.**

sulfurado, da *adj.* ① 【화학】 황화물 상태의. ② 성난, 노한(irritado, colérico).

sulfurar *tr.* ① 황화(黃化)하다(convertir en sulfuro) ; 유황으로 표백하다. ② 성나게·노하게·화나게 하다(irritar).

~se 격앙하다, 성내다, 화내다(irritarse).

sulfúreo, a *adj.* 유황이 ; 유황이 함유된.

sulfúrico, ca *adj.* ① 유황의, 유황이 함유된(sulfúreco) : ácido ~ 황산(黃酸). ② 화를 잘 내는(irritable).

sulfuro *m.* 【화학】 황화물 : ~ de hierro 황화철. ~ de plomo 황화납. ~ de zinc 황화 아연.

sulfuroso, sa *adj.* 유황질의 ; 유황을 함유한 : beber agua ~*sa.*

sulla *f.* 【식물】 =**zulla.**

sulpiciano, na *adj. m. f.* 산·술삐시오회《San Sulpicio, Olier가 París에서 일으킨 종교 단체》의 (승려), 산 술삐시오회에 관한.

sultán *m.* 모로코의 황제, 터키 황제 ; 회교국 군주.

sultana *f.* sultán의 아내, 여황제 ; 고대 터키 군함.

sultanato *m.* ① sultán의 직. ② sultán의 통치 기간.

sultanía *f.* 술탄(sultán)의 지위·영토.

sultánico, ca *adj.* 터키 황제의 ; 회교국 군주의 ; 전횡한, 횡포의.

sulú *m.* 【식물】 술루야자 《서 인도산 야자》; 술루야자 전분.

suma *f.* [*lat.* summa] ① 총계, 합계, 계(計)(total). ② 액수, 금액(cantidad de dinero) : una ~ considerable 상당한 금액. El gasto ha subido a una ~ considerable 비용은 상당한 금액으로 되었다. ③ 합계 계산 ; 가산(adición) : equivocarse en una ~. ④ 전집, 전서, 대전(大全). ⑤ 개요, 요약. ⑥ 진수.

~ *a indemnizar* 손해 배상금.

~ *a la vuelta* 다음 페이지로 이월.

~ *anterior* 앞 페이지에서 이월.

~ *asegurada* 보험금(액).

~ *de beneficio · ganancia* 이익금.

~ *de la vuelta* 이월금, 앞 페이지에서 이월.

~ *de las inversiones* 총투자액.

~ *de venta total* 매상금.

~ *del frente* 앞 페이지에서 이월.

~ *debida* 만기 지불고.

~ *indemnizada* 손해 배상금.

~ *líquida debida · vencida* 지불·수취 가능 잔고.

~ *presupuestada* 충당금, 지출 충당.

~ *total* 총계.

~ *total asegurada* 부보 총액.

~ *y sigue* 다음 페이지에 이월.

en ~ 결국, 요컨대, 말하자면, 요약해서(en resumen) : *En* ~, que no me conviene 결국 내게는 형편이 좋지 않다.

sumaca *f.* 브라질에서 쓰이는 바닥이 반반하고 돛대가 두 개인 배.

sumador, ra *adj. m.f.* 합계하는 (사람).

—*f.* 계산기, 가산기.

sumamente *adv.* 더없이, 한없이, 극히, 극도로(excesivamente, mucho).

sumando *m.* 【수사】 피가수(被加數).

sumar *tr.* ① 합계하다, 마감하다. ② 총액…이 되다, …의 금액이 되다 : Todos sus ingresos *suman* cinco mil pesetas 그의 전 수입은 오천 뻬세따로 된다. ③ 개괄하다, 간추리다, 요약하다(compendiar).

~se 가하다, 첨가하다.

sumaria *f.* 고발장(proceso escrito) ; (군사 재판의) 예비 심리.

sumarial *adj.* 예비 심리의 : diligencias ~*es.*

sumariamente *adv.* 대략적으로 ; 대체로 ; 약식 재판으로.

sumariar *tr.* ⑪ 예비 심리를 하다.

sumario, ria *adj.* [*lat.* summarium] 대략의, 요약된(compendiado) ; 약식의, 간략한(breve).

—*m.* 개요, 적요, 개략 《뉴스 방송의 전후에 읽는 뉴스의 주요 항목》; 【법률】 예비 심리.

sumarísimo, ma *adj.* [*sup.* sumario] 【법률】 즉결의.

Sumatra *f.* 【지명】 수마트라.

sumatreño, ña *adj.* 수마트라의. —*m.f.* 수마트라 사람.

sumergible *adj.* 잠수할 수 있는, 가라앉을 수

있는 : buque ~. —*m.* 잠수함(barco submarino).

sumergimiento *m.* =**sumersión.**

sumergir *tr.* 4 잠수시키다 ; 가라앉히다(hundir), 물에 잠그다.

~se 가라앉다, 잠수하다(hundirse) : *Se sumergió* en sus meditaciones 그는 명상에 잠겼다. *Se sumergió* en una profunda tristeza 그는 깊은 슬픔에 잠겼다.

sumerio, ria *adj. m.f.* 수메르《Súmer, 고대 아시아의 한 지방》의 (사람).

sumersión *f.* 침하, 침강 ; 잠수, 잠항(潛航) ; 침잠(inmersión).

sumidad *f.* 정점, 절정, 극치(ápice, cima).

sumidero *m.* ① 배수, 도랑, 배수구, 빨아들이는 곳. ②《*Perú. PRico.*》하수통, 하수구(pozo negro).

sumiller *m.* [*fr.* sommelier] (왕가의 제반 사무의) 계장, 우두머리.

sumillería *f.* sumiller의 직·사무실.

suministración *f.* =**suministro.**

suministrador, ra *adj. m.f.* 공급·제공하는 (사람).

suministrar *tr.* ① 공급·보급·제공·지급하다(proveer) : ~ expensas de escuela 학자금을 지급하다. ~ víveres al ejército 군대에 식량을 공급하다. El me *suministró* datos muy importantes 그가 매우 중요한 자료를 제공해 주었다. ② (물품을) 매출하다, 판매하다(colocar).

suministro *m.* ① 지급, 공급, 보급, 급여, 제공. ② 판매. ③ [주로 *pl.*] 공급품, 보급품, 제공품.

~ ***a prueba*** 시험적 출하.

~ ***con reserva de propiedad*** 소유권 보유 인도.

~ ***en exceso*** 초과 납품 인도.

~ ***erróneo*** 오배(誤配).

~ ***exceso*** 상품·공급 과잉.

~ ***incompleto*** 수량·인도 부족.

~ ***inelástico*** 비탄력적 공급.

~ ***inmediato*** 직적(直積), 즉시 출하·인도.

~ ***parcial*** 분할적(分割積).

~***s perdidos*** 분실 화물.

sumir *tr.* [*lat.* sumere] ① 가라앉히다, 묻어 버리다 ; 침잠시키다(sumergir, hundir). ② (성직자가 성체를) 배령(拜領)하다(consumir).

~ se ① 가라앉다, 패이다. ② (가슴이나 볼 등이) 꺼지다. ③ 침체하다, 생각에 잠기다(abismarse). ④《*Cuba.*》오므라들다.

sumisamente *adv.* 고분고분하게, 얌전하고 귀엽게, 군소리 없이 ; 비굴하게, 굴욕적으로.

sumisión *f.* 굴복, 복종(rendimiento) ; 온순, 공순, 순종(obediencia).

sumiso, sa *adj.* ① 고분고분한, 얌전하고 귀여운, 말없이 따르는, 복종하는(obediente) : un niño ~. ② 굴복된, 굴종적인(rendido) ; 비굴한, 굴욕적인. ③ 은근한, 온순한. Contr. rebelde.

sumista *m.f.* ① 계산가, 계산에 능한 사람. ② 초약(抄約) 저자, 요약자. ③ 범론 신학자, 엉터리 신학자.

súmmum *m. lat.* 지상, 최고, 극점(el colmo).

sumo, ma *adj.* [*lat.* summus] ① 지상의, 최고의 (supremo) : el *Sumo* Pontífice 로마 교황. ② 더할 나위 없는, 굉장한(muy grande) : Tengo ~ gusto de conocerlo 처음 뵙겠습니다.

a lo ~ 많아야, 고작해야(a lo más) : Tardará dos horas *a lo* ~ 기껏해야 2시간 걸릴 것이다. *A lo* ~ tendrá veinte años 그는 고작 스무 살 정도일 것이다.

de ~ 완전히, 몽땅(enteramente, cabalmente).

sumonte (de) *adv.* =**de somonte.**

sumoscapo *m.*【건축】주두(主頭)의 돌기 부분. Contr. imóscapo.

sumóscapo *m.* =**sumoscapo.**

súmulas *f. pl.* 초보 논리학, 논리학 입문.

sumulista *m.f.* 초보 논리학 교사 ; 그 생도.

sumulístico, ca *adj.* 초보 논리학(적)인.

suna *f.* 마호멧 언행록, 회교 교전.

sunción *f.* (미사에서) 성체 배령.

sunco, ca *adj.*《*Chile.*》=**manco.**

sunchar *tr.*《*Bol.*》찌르다(pinchar).

suncho *m.* ① 대철(帶鐵), 끼우는 테(zuncho). ②《*Amér.*》【식물】데이지의 일종(chilca).

sundín *m.*《*Arg.*》대중의 모임·춤.

sungo, ga *adj. m.f.*《*Col.*》흑인(의) ; 햇볕에 타서 검은 ; 빛이 나는.

sunicho *m.*《*Bol.*》키가 작은 말.

sunita *adj.*【남·여동형】수니파의. **—***m.f.* 수니파 정통 회교도(zunita).

sunlight *m. ing.* [발음은 sunláit] 햇빛, 일광 ; 영화관의 강력히 빛나는 촛점.

sunsuniar *tr.* 11 《*Méx.*》마구 때리다.

suntuario, ria *adj.* 아주 호화로운, 사치스러운(suntuoso) : ley ~*ria* 사치 금지령.

suntuosamente *adv.* 호화스럽게, 사치하게 (de modo suntuoso).

suntuosidad *f.* 화려, 호화 ; 사치.

suntuoso, sa *adj.* 화려한, 호화로운 ; 사치스러운.

sup. súplica.

sup- →**saber** 66.

supe[1] saber의 직·부정과거·1·단수.

supe[2] *m.*《*Venez.*》소스를 넣어 삶은 고기.

supedáneo *m.* (특히 십자가의) 대, 초석, 받침.

supeditación *f.* supeditar 하는 일.

supeditar *tr.* 억압하다(sujetar), 압박하다, 폭압하다 ; 굴복시키다(avasallar) ; 종속시키다.

~se ① 굴복·굴종하다. ②《*Chile.*》주다(dar) ; 공급하다(suministrar).

súper *adj.* =**superior** : gasolina ~. **—***adj.* = **formidable, estupendo, muy bien.**

super- *pref.*「(이)상」,「극도」,「초월」,「초과」,「초(超)…」의 뜻 : ***super***abundancia, ***super***fino.

superable *adj.* 이겨낼 수 있는, 극복·타파할 수 있는. Contr. insuperable.

superabundancia *f.* 과다, 풍부 ; 공급 과잉, 과잉 생산(abundancia grande) : ~ de la oferta 공급 과잉.

de ~ 아주 풍부하게·퐁족하게(superabundantemente).

superabundante *adj.* 남아 돌아가는(sobrado), 충분한, 아주 풍부한(muy abundante) : tener una cosecha ~ 풍족한 수확이다.

superabundantemente *adv.* 아주 풍부하

게 · 풍족하게.

superabundar *intr.* 남아 돌아가다, 넘칠 정도로 있다, 아주 풍부하다(ser muy abundante).

superación *f.* 극복, 능가, 초월.

superádito, ta *adj.* 【드뭄】 첨가하는, 부가된.

superalimentación *f.* =**sobrealimentación.**

superalimentador *m.* (내연 기관에의) 과급기(過給器).

superalimentar *tr.* ⑪ (환자에게) 농후 자양물을 주다.

superante *adj.* 뛰어난 ; 나머지의, 초과된.

superar *tr.* [*lat.* superare] ①[+a : 보다] 능가하다, 뛰어넘다 : El Salvador *ha superado a* Guatemala en la producción de algodón 엘살바도르는 목화 생산에서 구아떼말라를 능가했다. Este modelo *supera a*l anterior en belleza de líneas 이 모형의 차는 예전 것보다 선의 아름다움이 뛰어난다. ②[+en : …의 점에서] 뛰어나다, 이기다, 극복하다(sobrepujar) : *Han superado* muchas dificultades 그들은 많은 곤란을 극복했다. ③ 초과하다(exceder).

superavión *m.* 초대형 비행기.

superávit *m.*잉여(금) ; 초과(액). Contr. déficit. [*N.* 복수형 없음].

~ ***acumulado*** 적립 잉여금.

~ ***de caja*** 현금 초과액.

~ ***de capital*** 자본 잉여금.

~ ***de las exportaciones*** 수출 초과액.

~ ***de libre disposición*** 자유 잉여금.

~ ***de revaluación*** 재평가 잉여금 · 적립금.

~ ***gandao*** 이익 잉여금.

~ ***pagado*** 불입 · 갹출 잉여금.

~ ***presupuestario*** 예산 · 재정 잉여(금).

~ ***reservado*** 특정 · 처분필 잉여금.

superbomba *f.* 수소 폭탄.

superciliar *adj.* 【해부】 눈꺼풀 위의.

SUPERCOMEX Superintendencia de Comercio Exterior.

supercompetencia *f.* 과열 경쟁.

superconductor, ra *adj. m.* 초전도의 (물질).

superconstrucción *f.* (철도의) 노반(路盤).

supercostal *adj.* 【해부】 늑골(costilla) 위에 있는 : músculos ~*es.*

supercherίa *f.* [*ital.* soperchieria] 속임수, 사기(engaño, trampa, añagaza, treta) : No se debe usar de ~***s.***

superchero, ra *adj. m.f.* 사기적인 (사람), 속임수의 ; 사기꾼.

superdocto, ta *adj.* 너무 박식한.

superdominante *adj. m.* (음계의) 제6음.

supereminencia *f.* 탁월, 비범.

supereminente *adj.* 탁월한, 비범한, 뛰어난 : un hombre ~ 비범한 사람.

superentender *tr.* ⑳ 감독 · 감시하다(inspeccionar, vigilar).

supererogación *f.* 여분으로 · 의무 이상으로 근무하기, 공덕.

supererogatorio, ria *adj.* 맡은 일 이상으로 하는, 공덕이 되는.

superestructura *f.* 지상 시설 · 설비 ; (배의) 상부(上部) 구조.

superferolítico, ca *adj.* 【희언】 극히 정련(精練)된, 다지고 다진 : palabras ~*cas.*

superfetación *f.* ①【생리】 과수태, 중복 임신. ② 여분, 중복(redundancia, repetición) : Debe evitarse la ~.

superficial *adj.* ① 표면의 : extensión ~ 표면적. ② 면적의. ③ 표면적인, 피상적인(aparente). ④ 얕은 : una herida ~ 얕은 상처. La herida era ~ 상처는 표면뿐이었다. ⑤ 천박한, 경박한, 경거 망동하는(frívolo) : espíritu ~. Contr. profundo.

superficialidad *f.* 표면적인 일, 겉치레, 피상적인 것 ; 천박, 경박.

superficialmente *adv.* ① 표면적으로(de un modo superficial) : examinar ~ una cuestión. ② 천박하게 ; 약게.

superficiario, ria *adj.* 지상권을 가진. —*m.f.* 지상권 소유자.

superficie *f.* [*lat.* superficies] ① 면, 표면 : ~ esférica 구면(球面). ~ plana 평면. ~ de onda 파면(波面). La ~ de la tabla no es lisa 그 판자의 표면은 평평하지 않다. ②(표)면적 : ~ cultivada · de cultivo 경작 면적. ~ de exposición 전시 면적. ~ de probabilidad 확률 공간. ③ 겉보기, 외면(apariencia). ④ 지상(地上), 지면(地面) : vía de ~ 지상편, 열차편. ⑤ 천박, 경거 망동, 조동(躁動).

superfino, na *adj.* 극상의, 극히 우량한(muy fino).

superfluamente *adj.* 공연히, 헛되이.

superfluencia *f.* 넘침, 과다.

superfluidad *f.* ① 과다 : la ~ de una palabra. ② 잉여물, 군더더기, 공연한 물건, 남는 것, 헛된 일.

superfluo, flua *adj.* ① 공연한, 헛된(inútil). ② 무용(無用)한(no necesario) : gastos ~***s*** 쓸데없는 낭비. Quítese usted todo lo ~ 소용없는 것을 모두 빼십시오.

superfosfato *m.* 과린산 《비료》.

superheterodino *adj.* 【무전】 초민감성의. —*m.* 수퍼 수신기.

superhombre *m.* 슈퍼맨, 초인, 비범한 사람.

superhumeral *m.* (성직자의) 제복(祭服) ; 성건(聖巾), 성대(聖帶)(efod).

superintendencia *f.* 주재, 관리, 감독 ; 총재 · 총감의 직 · 사무실.

S- de Aduanas 《*Chile.*》 세관 감독국.

S- de Bancos 《*Bol. Chile. Perú.*》 은행 감독국.

S- de Comercio Exterior 《*Col.*》 외국 무역청.

S- de Compañías de Seguros, Sociedades Anónimas y Bolsas de Comercio 《*Chile.*》 보험 회사 주식 회사 및 증권 거래소 감독국.

S- de Sociedad Anónima 《*Col.*》 주식 회사 감독국.

S- General de Aduanas 《*Perú.*》 세관 감독국.

superintendente *m.f.* 주재자, 총재, 총감, (공사) 감독, 계장 : ~ de precio 《*Col.*》 가격 감사관. ~ del patio 철도 조차 계장.

superior *adj.* [*lat.* superior] ①[+a : …보다] 위의, 높은 : El tejado de mi casa es ~ *a*l de la suya 우리집 지붕은 당신의 집 지붕보다 높다. José es ~ ***a*** su hermano en inteligencia 호세는 형보다 머리가 뛰어나다. ② 상위의, 높은 곳의 : labio ~ 윗입술. vivir en un piso ~ 윗층에

서 살다. ③ 보다 많은, 뛰어난, 우위의, 우세한 : ¿No son ~*es* las leyes divinas *a* las humanas? 신의 섭리가 인간의 그것보다 우위에 있는 것이 아닌가? ④ 우량(優良)한 : calidad ~. Contr. inferior. **—*m.*** ① 상사(上司), 윗사람, 손윗사람 : Debes respetar a tus ~*es* 손윗분들을 존경해야 한다. Parecía el ~ por su manera de expresarse 그 말투로 보아서 그가 윗자리인 듯했다. ② 수도원장, 승원장.

superiora *f.* 수녀원장 : reconocer la ~ de una persona.

superiorato *m.* superior의 직 · 재임기.

superioridad *f.* ① 뛰어남, 상위, 상급, 상석 : Tiene una ~ manifiesta sobre los demás (그것은) 다른 것과 비교해서 확실히 뛰어나 있다. ② 상석 · 상급 · 상관인 사람들 ; 상부 : elevar una instancia a la ~ 어떤 청원을 상부로 가져가다. ③ 우등, 우세, 우월성 ; 우량함.

superiormente *adv.* 뛰어나, 보다 우월하여 (de un modo superior).

superitar *tr.* 《*Ant. Chile.*》 (…보다) 뛰어나다 (superar).

superlación *f.* 최상 · 최대인 일.

superlativamente *adv.* 최대로, 극도로(en grado sumo).

superlativo, va *adj.* ① 최상 · 최고 · 최대의. ② 【문법】 최상급의. **—*m.*** 최상급 : ~ absoluto 절대 최상급 《bondadosísimo 또는 muy bondadoso의 형》. ~ relativo 상대 최상급《el más bondadoso de mis amigos 같은 형》. ② 최상급의 형용사.

supermercado *m.* (공설적인) 대형 시장, 슈퍼마켓.

supermujer *f.* 초인적인 여자.

supernación *f.* 초국가.

superno, na *adj.* =**superior.**

supernumerario, ria *adj.* 정원(定員) 외의, 불필요하게 남는 : empleado ~. **—*m.f.*** 정원 외의 고용원.

superpoblación *f.* 인구 과잉, 과잉 인구.

superpoblado, da *adj.* 인구 과잉의.

superponer *tr.* 61 [*p.p.* superpuesto] ① 겹치다, 포개다. ② 위에 놓다, (…보다) 중요시하다 (sobreponer).

superposición *f.* ① 포개는 일, 겹쳐 놓기 ; 위에 놓는 일, 보다 중요시하기.

superpotencia *f.* 초강대국 ; 초능력.

superproducción *f.* ① 과잉 생산, 생산 과잉. ② 【영화】 초특작.

superpuesto, ta *adj.* [superponer의 *p.p.*] (원판을 겹쳐서 만든) 복합의 (사진).

superpus- →**superponer** 61.

superrápido, da *adj.* 초특급의 : el (tren) ~ 특급 열차.

superrealismo *m.* 초현실주의, 슈퍼 리얼리즘 (surrealismo).

superrealista *adj. m.f.* 초현실주의의 (자) (surrealista).

supersaturar *tr.* 【화학】 초과 포화시키다.

supersensible *adj.* 초감도의.

supersónico, ca *adj.* ① 초음속의 : avión ~ 초음속 비행기. velocidad ~*ca* 초음속. ② 초음파의. **—*m.*** 초음속 비행기. **—*f.*** 초음속학.

superstición *f.* 미신 : Lo siente como una remota ~ o algo así 그는 그것을 옛날의 미신이나 그런 것처럼 느끼는 것이다.

supersticiosamente *adv.* 미신적으로, 미신으로 : obrar ~.

supersticioso, sa *adj.* 미신의, 미신적인 ; 미신을 믿는. **—*m.f.*** 미신을 믿는 사람.

supérstite *adj.* 살아 남은 : cónyuge ~. **—*m.f.*** 《*Amér.*》 생존자, 잔존자(superviviente).

superstructura *f.* 상부 구조 · 공사 ; 건조물 ; 【항해】 (함선의) 상부 구조 《중갑판 이상의》 ; (사상 체계 등의) 상부 구조.

supersu(b)stancial *adj.* 초물질적인.

supert.[te] superintendente.

supervacáneo, a *adj.* [드묾] 여분의, 과잉의 (superfluo, excesivo).

supervención *f.* 부수, 추가.

superveniencia *f.* 속발, 병발 ; 부수.

superveniente *adj.* 속발 · 병발하는 ; 부가 · 부수의, 첨가되는.

supervenir *intr.* 60 계속해서 생기다, 속발하다 ; 병발하다(sobrevenir).

supervisar *tr.* 관리 · 감독 · 지휘 · 지도하다.

supervisión *f.* 관리, 감독 ; 지도 : bajo la ~ de …의 감독하에, …의 관리하에.

supervisor *adj.* 감독 · 감시 · 지시하는. **—*m.*** (공사) 감독자, 현장 관리자 · 감독자, 관리인 ; 검사관.

supervivencia *f.* 잔존, 생존 ; 생존자가 고인으로부터 받는 계승 연금 : renta de ~ 양로 연금.

superviviente *adj.* 살아 남은. **—*m.f.*** 생존자, 잔존자(sobreviviente).

superyó *m.* 【심리】 초자아(超自我).

supie- →**saber** 66.

supiera saber의 접 · 불완료과거 · 1 · 3 · 단수.

supierais saber의 접 · 불완료과거 · 2 · 복수.

supiéramos saber의 접 · 불완료과거 · 1 · 복수.

supieran saber의 접 · 불완료과거 · 3 · 복수.

supieras saber의 접 · 불완료과거 · 2 · 단수.

supieron saber의 직 · 부정과거 · 3 · 복수.

supiese saber의 접 · 불완료과거 · 1 · 3 · 단수.

supieseis saber의 접 · 불완료과거 · 2 · 복수.

supiésemos saber의 접 · 불완료과거 · 1 · 복수.

supiesen saber의 접 · 불완료과거 · 3 · 복수.

supieses saber의 접 · 불완료과거 · 2 · 단수.

supimos saber의 직 · 부정과거 · 1 · 복수.

supinación *f.* 위로 향함, 위를 보고 눕기 ; (손바닥의) 뒤집음, 반장(反掌).

supinador, ra *adj.* 반전의, 손바닥을 뒤집은, 반장(反掌)의 : músculo ~ 【해부】 반장근. **—*m.*** 반장근.

supino, na *adj.* [*lat.* supinus] ① 위로 향한, 반듯이 누운. Contr. prono. ② 태만한, 게으른 : ignorancia ~*na* 태만으로 인한 무지. **—*m.*** (라틴 문법의) 동사형 명사.

supiste saber의 직 · 부정과거 · 2 · 단수.

supisteis saber의 직 · 부정과거 · 2 · 복수.

súpito, ta *adj.* ① 《*Amér.*》 멍해 버린(atontado, lelo) : quedarse ~. ② 조바심하는, 성급한 (impaciente). ③ 기민한, 재치있는, 영리한 (sagaz, astuto). ④ 갑작스러운, 돌연한

(súbito).
suplantable *adj.* 문서를 변조할 수 있는 ; 바꿀 수 있는.
suplantación *f.* suplantar 하기.
suplantador, ra *adj.* 위조하는 ; 불법 점거하는. —*m.f.* 위조자, 위조범.
suplantar *tr.* (서류를) 위조하다 ; 불법으로 점거하다, 남을 밀어내고 대신 그 자리에 앉다 : ~ a un rival.
suple *m.* 《*Chile.*》 첨가, 보재(補材) ; 상여, 보너스, 특별 수당, 급여의 전도(前渡).
suplefaltas *m.f.* 【단·복수 동형】 남의 뒤치다꺼리를 하는 사람.
suplemental *adj.* [드뭄] =**suplementario.**
suplementario, ria *adj.* 보충의, 보족의, 추가의, 증보의 : ángulos ~*s* 보각(補角). trabajo ~ 보충하는 일.
suplementero *m.* 《*Chile.*》 신문팔이.
suplemento *m.* [*lat.* supplementum] ① 보충, 보족, 보유(補遺), 추가(분) : Ha puesto un ~ a las patas de la mesa 그는 테이블의 발을 이어 대었다. ② 특별 수당. ③ 보각. ④ (신문·잡지의) 부록 : ~ ilustrado. ⑤ 보조권 《급행권·침대권 따위》 : Tiene usted que comprar el ~ para tomar este tren 당신은 이 열차를 타려면 급행권을 사야합니다 :
~ ***a una póliza*** 보험 증권 기재 사항에의 추가.
~ ***del flete*** 할증 요금.
~ ***especial*** 특별 수당.
~ ***por trabajos peligrosos*** 위험 작업 수당.
~ ***por trabajos sucios*** 더러운 작업 수당.
suplencia *f.* 결원, 궐위 ; 보결, (보결로서의) 대리, 대행.
suplente *adj.* 보충의, 보결의, 보충하는, 대행의 : jugador ~ 보결 선수. —*m.f.* 보결자.
supletorio, ria *adj.* 보충·보상의.
súplica *f.* 간청, 탄원, 청원(서), 청구 ; 요구 : a ~ de …의 청구·청원에 따라. No cedió a sus ~*s* 그는 그의 간청에 귀를 기울이지 않았다.
suplicación *f.* ① 탄원, 간원 (súplica). ② 공소. ③ 얇은 비스킷의 일종.
suplicacionero, ra *m.f.* =**barquillero.**
suplicante *adj.* ① 탄원의 : voz ~. ② 가엾은. —*m.f.* 탄원자, 애원자.
suplicar *tr.* ⑦ [*lat.* supplicare] ① 의뢰하다, 부탁하다, 청원·탄원하다(rogar) : Le *suplicó* a Juan que le prestase ese dinero 그는 그 돈을 빌려 달라고 후안에게 간청했다. Les *suplicó* que le animen y le ayuden 그 사람을 격려하여 도와주기를 나는 당신들께 부탁합니다. ②【법률】 상소하다.
suplicatoria *f.* 상소장.
suplicatorio, ria *adj.* 탄원의 ; 상소의, 공소의. —*m.* 상소.
supliciar *tr.* 《*Neol.*》 사형을 가하다(infligir el último suplicio).
suplicio *m.* [*lat.* supplicium] 체형(體刑) ; 괴롭힘, 고통, 고뇌, 괴로움 : último ~ 사형 ; 심한 고통. Le sometieron a horribles ~*s* 그는 심한 고문을 당했다.
suplido, da *adj.* suplir의 *p.p.*
suplidor, ra *adj.* 보족의, 보충하는, 대행하는. —*m.f.* 보충자, 보결자, 대행자(suplente).
suplique- →**suplicar** ⑦.
suplir *tr.* [*lat.* supplere] ① 메워 넣다, 보완·보충하다 : Yo *supliré* lo demás 그 이외는 내가 보충해 두지. ② 보결하다, (…의) 대신 노릇을 하다, 대역을 하다 : *Suple* en el despacho a su padre 그는 가게에서 부친의 대리를 한다.
supo saber의 직·부정과거·3·단수.
suponedor, ra *adj. m.f.* 상상·가정하는 (사람).
suponer *tr.* ⑥① [*p.p.* supuesto] ① 가정·가상하다, 상상·추측하다 : más de lo que pueda ~ 상상 이상. *Supongo* que está enfadado 그가 화난 것으로 생각한다. *Supongamos* que sea verdad, pero me atrevo a decírselo 그것이 진실이라고 가정하더라도 나는 그에게 그 말을 할 수 없다. La enfermedad le *ha supuesto* un gasto considerable 그 병은 상당한 비용이 소용된다고 그에게는 생각되었다. *Supongo* que ella no vendrá 그녀가 오지 않으리라고 나는 상상한다. *Supongo* que sí 그렇다고 생각한다. Usted podrá ~ lo que ocurrió 당신은 무슨 일이 일어났는지 상상할 수 있겠지오. ② 생각이 들게 하다, 예상케하다 : La reforma *supone* desmedidos gastos 개축은 막대한 비용을 예상시킨다. —*intr.* 중요성을 가지다.
—*m.* 상상, 추측(suposición).
~se 상상하다 : *Me supongo* que ya estará aquí 나는 그가 이미 이곳에 와 있다고 상상한다.
ser de ~ 당연하게 생각되다. Se cayó al agua con el susto, que *es de* ~ 그는 놀라서 물 속에 떨어졌는데, 그것은 당연히 생각되는 일이다.
supong- →**suponer** ⑥①.
sup.[or] superior.
suportacíon *f.* 참는 일.
suportar *tr.* =**soportar.**
suposición *f.* ① 가정, 가상, 가설 ; 상상, 추측. ② 고위 ; 중진 : una persona de ~. ③ 허위, 눈속임, 속임수, 가짜 (falsedad). ④ 중요성 : Era una persona de ~ en la universidad 그는 대학교에서 중요 인물이었다.
supositicio, cia *adj.* [드뭄] 거짓·가짜의.
supositivo, va *adj.* 가정·상상의.
supositorio *m.* 좌약(坐藥)(cala).
supra- *pref.* 「위에」, 「위의」, 「전에」, 「초(超)…」의 뜻을 나타내는 접두어.
supradicho, cha *adj.* 전술의(susodicho).
supranacional *adj.* 초국가의.
supraorbital *adj.* 【해부】 눈 위의.
suprarrealismo *m.* =**surrealismo.**
suprarrenal *adj.* 【해부】 신장 위의 ; 부신(副腎)의 : glándulas ~*es* 부신(副腎).
suprascapular *adj.* 【해부】 견갑골 상의.
suprasensible *adj.* 초감각적인 ; 고감도의.
supraspina *f.* 【해부】 견갑골의 윗구멍.
suprema *f.* 종교 재판의 최고 회의.
supremacía *f.* 지고, 최고위, 최상위 ; 최상권, 패권 ; 우월, 우세 : ~ de la demanda 수요의 절대적 우세.
supremamente *adv.* 더없이, 극히 ; 마지막까지.
supremo, ma *adj.* [*lat.* supremus] ① 최고의 : tribunal ~ 대심원, 최고 재판소. ② 지고(至高)의, 무상(無上)의, 더없는 : la belleza ~*ma*

최상의 미. No adoro la belleza ~*ma* en ella 그녀의 내부에 있는 최고의 아름다움을 나는 예찬하는 것은 아니다. ③ 최후의(último, postrero) : momento ~ 최후의 순간. la hora ~*ma* 임종. ④ 지존하신, 극치의. —*m.* 대심원, 최고 재판소(tribunal ~).

supresión *f.* 폐지 ; 말살 ; 말소 ; 생략(하는 일) ; 진압, 억압 ; 금지.
~ *de derechos* 관세의 철폐. ~ *de inflación* 인플레 억제. ~ *del control* 통제의 철폐. ~ *del mayorista* 도매업자의 배제.

supreso, sa *adj.* [suprimir의 *p.p.*] 폐지된.

supresor, ra *adj.* 폐지하는.

suprimir *tr.* ① 없애다, 폐지하다, 그만두다 : El impuesto *se suprimió* el año pasado 그 세금은 작년에 폐지되었다. *Suprimieron* los impuestos sobre las diversiones 유흥세가 폐지되었다. ② 말살·말소하다, 빼다(omitir) : *Suprima* usted este pasaje de la carta 편지의 이 부분을 말소해 주십시오.

suprior, ra *m.f.* (수도원 등의) 차장, 부장(副長).

supriorato *m.* suprior의 직.

sup.[te] suplicante.

supuesto, ta *adj.* [suponer의 *p.p.*] 가정의, 가상의, 가상적인(fingido) : El joven usaba un nombre ~ 그 청년은 가명을 쓰고 있었다.
—*m.* 가정, 가설 : Se lo digo en el ~ de que no pueda venir 나는 당신이 못 오시리라 생각해서 그렇게 말하는 것이오.
por ~ 분명히, 두말할 것 없이(ciertamente) : *Por* ~ tendrá usted el pasaporte en regla 물론 정식 여권을 가지고 있겠지오.
~ *que* …한 이상, …하면(puesto que, suponiendo que) : *S- que* él no quiere venir iremos en su busca 그가 오려 하지 않는다면 우리들이 그를 맞이하러 가자. *S- que* él no venga, iremes a buscarlo 그가 오지 않으면 찾으러 갑시다.

supuración *f.* 화농 ; 농루(膿漏).

supurante *adj.* 화농하는(que supura o forma pus).

supurar *intr.* [*lat.* suppurare] 화농하다, 곪다, 고름이 나오다 : El absceso *supuró* mucho.

supurativo, va *adj.* 화농의. —*m.* 화농제.

supuratorio, ria *adj.* 고름이 나오는, 화농성의.

supus- →**suponer** 61.

supusie- →**suponer** 61.

suputación *f.* 계정, 계산(cómputo).

suputar *tr.* [*lat.* suppurare] 계정·계산하다(computar, calcular) : ~ los beneficios de una operación.

sur *m.* ① 남쪽(mediodía) ; 남부 (지방) : América del *Sur* 남아메리카. Corea del *Sur* 남한. Esta costumbre no se ve en el ~ del país 이러한 습관은 이 나라의 남부에서는 볼 수 없다. ② 남풍. —*adj.* 남(풍)의.

sura *m.* (회교 교전 Alcorán 의) 장(章).

surá *m.* 능직 견포.

surada *f.* ① 남풍이 계속 불음. ② 남쪽에서 불어오는 강풍.

surah *m.* (인도의 봄베이 지방산) 목면·목화.

sural *adj.* [*lat.* sura] 【해부】 종아리의 : arteria ~ 종아리의 동맥.

suramericano, na *adj.* =**sudamericano.**

surasiático, ca *adj.* 남아시아의.

surata *f.* 회교 교전의 장(章).

surazo *m.* 《*Sant. Arg.*》 강한 남풍.

surbana *f.* 《*Cuba.*》 화본과 식물.

surbia 《*Sant.*》 독(veneno).

surcador, ra *adj. m.f.* 도랑을 파는, 고랑을 내는 (사람) ; 물·바람을 헤치고 나아가는.

surcaño *m.* 《*Riopl.*》 (토지 전답의) 경계(linde de un campo).

surcar *tr.* 7 ① 고랑을 파다, 도랑을 만들다, 이랑을 만들다, 줄을 내다. ② (바람·물을) 헤치다, 헤쳐 나아가다(cortar) : *Surca* el agua la nave.

surco *m.* ① 고랑, 이랑, 도랑. ② (레코드의) 줄 : disco de ~ medio (standard) MP (SP)판 레코드. disco micro*surco* LP판 레코드. Las ruedas dejan ~*s* en el camino 차바퀴가 길 위에 줄을 남긴다. ③ 주름(arruga). ④ 《*Col.*》 (논밭의) 고랑.
a ~ 도랑 하나를 사이에서.
echarse en el ~ (게을러) 일을 내동댕이치다, …이 허사가 되다.

surcoreano, na *adj.* 남한의. —*m.f.* 남한 사람.

surculado, da *adj.* 【식물】 외줄기·단경(單莖)의.

súrculo *m.* 【식물】 단경, 외줄기.

surculoso, sa *adj.* 【식물】 =**surculado.**

sureño, ña *adj. m.f.* 《*Chile. SDgo.*》 남부 지방의 (사람).

surero, ra *adj.* 《*Bol. Arg.*》 =**sureño.** —*m.* 《*Arg. Bol.*》 추운 남풍.

surestada *f.* 《*Arg. Urug.*》 비를 동반한 남동풍(suestada).

sureste *m.* =**sudeste.**

surexpreso *m.* 초특급 열차.

surgente *adj.* 뿜어내는, 분출하는.

surgidero *m.* (선박의) 정박소, 계류장(繫留場)(fondeadero).

surgidor, ra *adj.* 뿜어내는, 분출하는.

surgimiento *m.* surgir 하기.

surgir *intr.* 4 ① 뿜어내다, 분출하다 (manar). ② 나타나다, 출현하다 : *Ha surgido* otra dificultad 또 다른 곤란한 문제가 생겼다. El *surgió* cuando nadie le esperaba 아무도 그를 기다리고 있지 않을 때 그는 나타났다. La idea *surgió* en mi cabeza al observarlo 그것을 관찰하며 내 머리에 그 생각이 떠올랐다. ③ 배를 매다, 닻을 내리다(fondear).

suri *m.* ① 《*Arg. Bol.*》 【조류】 타조(avestruz). ② 《*Perú.*》 품질 좋은 양털의 일종.

suriano, na *adj. m.f.* 《*Méx.*》 남부 지방의 (사람).

suricacina *f.* 《*Bol.*》 타조 알 ; 겁쟁이.

surijete *f.* 《*Galic.*》 맞붙여 꿰매기.

surimba *f.* 《*Col.*》 회초리·채찍으로 때리는 일(zurra).

surimbo, ba *adj.* 《*Méx.*》 미련한, 어리석은, 멍청한.

Surinam 【지명】 수리남.

suripanta *f.* ① 이름도 없는 여배우. ② 매춘부, 창녀, 갈보.

surmenage *m.* 《*Galic.*》 혹사, 학대 ; 과로 (exceso de trabajo · cansancio).

surmontado, da *adj.* 《*Galic.*》 완료 · 완성된 ; 해치워버린, 깨끗이 처리된.

suroeste *m.* 남서 ; 남서풍(sudoeste).

surplús *m.* 《*Galic.*》 잔여, 잉여(suplemento, exceso, sobra).

surquearse *r.* 《*Venez.*》 언짢은 생각을 하다.

surrealismo *m.* 초현실주의, 쉬르레알리슴.

surrealista *adj.* 초현실주의의 : pintura ~. —*m.f.* 초현실주의자.

surrunguear *tr.* 《*Col.*》 =**rasguear.**

sursudeste *m.* =**sudsudeste.**

sursudoeste *m.* 남남서 ; 남남서풍.

súrsum corda *m.* =**súrsuncorda.**

súrsuncorda *m.* 높은 양반, 하나님 : No lo haré aunque lo mande el ~.

surtida *f.* (포위된 성채에서의) 뒷구멍, 빠지는 구멍 ; 비밀 출입구, 샛문 ; 선박 수리소, 독 (varadero).

surtidero *m.* (연못의) 배수구, 물빼는 구멍 · 도랑(buzón) ; 분수(噴水)(surtidor).
 ~ ***de agua*** 저수지, 급수소.

surtido, da *adj.* [surtir의 *p.p.*] ① 오밀조밀하게 갖춘, 사들여 놓은. ② (각종) 배합한 : Quiero una caja de galletas ~*das* (나는) 여러 가지를 섞은 비스킷이 한 상자 필요하다. —*m.* ① 공급, 사입(仕入)(품) : Ha llegado un ~ de paño. ② 갖추어 놓은 상품, 재고품 : Tenemos un buen ~ de camisas de varios precios 우리들에게는 여러 가지 가격의 와이셔츠를 충분히 갖추어 놓고 있습니다. Tenemos un gran ~ 여러 가지를 갖추어 놓고 있습니다.
 de ~ 구색을 갖춘 ; 일용의 ; (집에서 만든 것이 아닌) 사입해 놓은 (상품).

surtidor, ra *m.f.* 공급자, 어용 상인, 공급처, 제공처, —*m.* ① 분수 ; 공급기 : ~ de regadera 호스의 살수구. ② 가솔린 펌프 : ~ de gasolina 가솔린 스탠드.

surtimiento *m.* =**surtido.**

surtir *tr.* [+de : 필수품 · 상품을] 제공하다, 공급하다, 물건을 도매로 팔다(proveer) : Su tío le *surte de* carbón para todo el año 숙부가 1년분의 석탄을 그에게 준다. —*intr.* ① 뿜어 나오다, 물을 뿜다. ② (물 따위가) 튀기다 · 끼얹어지다(salpicar) : El barro me *surtió* a la cara 진흙이 나의 얼굴에 튀겼다. ③ 닻을 내리다.
 ~se [+de : …을] 갖추다, 제공 · 공급하다.
 ~ ***efecto*** 효과를 올리다 : *Surtirá* buen *efecto* este artículo 이 조항이 충분히 효과를 발휘하리라.

surto, ta *adj.* [surgir의 *p.p.*] 정박한 ; 고요한, 잠잠해진, 잔잔해진(sosegado).

súrtuba *f.* 【식물】 중미산의 커다란 양치류 《식용》.

surubí *m.* ① 《*Bol.*》 짚을 이은 지붕의 대들보. ② 《*Arg. Bol. Parag. Urug.*》 【어류】 수루비 《대형 민물고기 ; 식용》.

suruca *f.* 《*PRico.*》 소동 ; 취하기.

suruco, ca *adj.* 《*PRico.*》 얼근히 취한, 취기가 도는. —*m.* 《*Chile.*》 똥, 인분.

surucucú *m.* 《*Arg.*》 독사의 일종.

surumbo, ba *adj.* 《*AmérC.*》 얼빠진, 바보의, 등신의, 얼간이 같은.

surumpe *m.* 《*Bol. Perú.*》 설맹(雪盲)《눈에서 반사되는 태양 광선 때문에 각막이나 결막에 일어나는 염증》(sorumpio).

surupí *m.* 《*Bol.*》 =**surumpe.**

suryección *f.* =**sobreyección.**

suryectivo, va *adj.* =**sobreyectivo.**

¡sus! *interj.* 잘해라 ; 해라, 해라 ! —*m.* ~ de gaita 하찮은 일 · 것.

sus- *pref.* =**sub-.**

susano, na *adj.* ① 【고어】 위의, 위에 있는. ② 《*Nav.*》 가까운, 근처의, 근방의, 부근의(próximo, cercano).

suscepción *f.* 받는 일, 수령, 수납.

susceptibilidad *f.* ① 《*Neol.*》 느끼기 쉬움, 민감, 감수성. ② 【전기】 자화율(磁化率) : ~ magnética 대자율(帶磁率).

susceptible *adj.* ① (영향을) 받기 쉬운, 느끼기 쉬운, 민감한. ② [+de] …할 수 있는, 가능한.

susceptivo, va *adj.* =**susceptible.**

suscitación *f.* 꼬드김, 부추김, 선동.

suscitar *tr.* [*lat.* suscitare] 꼬드기다, 선동 · 도발 · 유발하다(provocar) : Sus palabras *han suscitado* una violenta discusión 그 발언이 격렬한 논의를 야기했다.

suscribir *tr.* =**subscribir.**

suscripción *f.* =**subscripción.**

suscripto, ta *adj.* =**subscripto.**

suscriptor, ra *m.f.* =**subscriptor.**

suscrito, ta *adj.* =**subscrito.**

suscritor, ra *adj. m.f.* =**subscritor.**

susidio *m.* 불안, 걱정, 우려(inquietud, preocupación).

suso *adv.* 【고어】 위에, 앞에. Contr. yuso.

susodicho, cha *adj.* 상술한, 전술한, 상기의, 전기(前記)의, 위에서 언급한, 예(例)의(sobredicho).

suspendedor, ra *adj. m.f.* 매다는 · 거는 (사람) ; 중지 · 정지하는 (사람).

suspender *tr.* [*lat.* supendere] ① [+de : …에] 매달다, 걸다, 늘어뜨리다(colgar) : Ella *suspendió* un cuadro *de* un clavo 그녀는 못에 그림을 걸었다. El cuadro estaba *suspendido* de un débil clavo 액자는 약한 못으로 매달아 있었다. ② 중지 · 정지하다(detener) : ~ pagos 지불을 정지하다. ~ la publicación 출판을 정지하다. Se *ha suspendido* el partido por la lluvia 비 때문에 경기는 중지되었다. ③ 잠시 중지하다, 공중에 뜨게 만들다, 해결을 보류해 두다. ④ 정직 · 휴직시키다, 봉급 지불을 정지하다 ; 낙제시키다 : Me *suspendieron* en matemáticas 나는 수학에서 낙제했다. ⑤ 놀라게 하다, 멍하게 만들다 : Eso me tiene *suspendido.*
 ~se 매달리다 ; 멎다, 중지 · 정지되다 ; (말이) 두 발로 서다.

suspensión *f.* ① 매다는 일, 매달리는 일 ; 공중에 매달리기 ; 걸어놓기 ; (체조에서의) 턱걸이. ② 보류, 현안(懸案) ; 미결. ③ 도중에서 그만두기 ; 중지, 휴지(休止) ; 정지 : ~ de armas 휴전. ~ de pagos 지불 정지. ~ del trabajo (쟁의 중의) 휴업, 동맹 파업. ④ 정직(停職), 정권

(停權), 봉급 정지 ; 낙제. ⑤(기차・버스의) 손잡이 가죽, 매다는 기구. ⑥바지걸이, 멜빵.

suspensivo, va *adj.* 중지의, 정지의 ; 도중에서 그만두는 : puntos ~*s* 【문법】 연속점(…).

suspenso, sa *adj.* ①공중에 매단, 공중에 매달린(colgado). ②멍해버린(atónito) : Ante esa pregunta se quedó ~*sa* 그녀는 그러한 질문을 받고 얼떨떨 하였다. ③낙제된(suspendido) : No tiene ningún ~ en carrera 그는 전 과정에 낙제점이 없다. —*m.* 낙제점(calabazas).

en ~ 현안 중인, 미해결인 채로, 미결의 (pendiente de alguna resolución) : Esa ley está *en* ~ 그 법률은 아직 현안 중이다.

suspensores *m.pl.* 《*Amér.*》 멜빵(tirantes).

suspensorio, ria *adj.* 거는, 매달아 올리는, 매달려 있는. —*m.* 걸게 된 붕대.

suspicacia *f.* 의심, 의심 많음, 의심하는 마음, 의혹.

suspicaz *adj.* [*lat.* suspicax] 의심이 많은 (desconfiado), 나쁘게만 생각하는(receloso).

suspicazmente *adv.* 몹시 의심스럽게, 나쁘게만 생각하여.

suspirado, da *adj.* [suspirar의 *p.p.*] 열망・갈망하는(deseado con ansia).

suspirante *adj.* 한숨을 내쉬는 ; 열망하는.

suspirar *intr.* ①한숨을 내쉬다(dar suspiros) : ~ *de* pena・*de* amor 괴로움・사랑 때문에 한숨을 내쉬다. *Suspiró* profundamente 그는 깊은 한숨을 쉬었다. ②[+por : …을] 동경하다, 열망하다(ansiar mucho una cosa) : *Suspiraba por* un abrigo de pieles 그녀는 털가죽 외투를 입고 싶어서 견딜 수 없었다.

suspiro *m.* [*lat.* suspirium] ①한숨, 탄식 : el último ~ 마지막 호흡 ; 최후, 종말. dar un hondo ~ 땅이 꺼지게 한숨을 쉬다. Los ~*s* son aire, y van al aire 한숨은 바람, 그러므로 바람에 날린다. ②유리 피리의 일종. ③【음악】 4분 쉼표. ④계란으로 만든 과자의 일종. ⑤《*Amér.*》 삼색 제비꽃, 팬지(trinitaria). ⑥《*Arg. Chile.*》 나팔꽃, 메꽃.

suspirón, na *adj.* 한숨만 내쉬는.

suspiroso, sa *adj.* 한숨을 쉬는, 한숨이 깃든.

susquinear *intr.* 《*PRico.*》 벗어나다, 면하다 (evadir).

sustancia *f.* =**substancia.**

sustanciación *f.* =**substanciación.**

sustancial *adj.* =**substancial.**

sustancialidad *f.* =**substancialidad.**

sustancialmente *adv.* =**substancialmente.**

sustanciar *tr.* =**substanciar.**

sustancioso, sa *adj.* =**substancioso.**

sustantivación *f.* 명사화(化).

sustantivar *tr.* =**substantivar.**

sustantividad *f.* =**substantividad.**

sustantivo, va *adj.* =**substantivo.**

sustenido, da *adj.* =**sostenido.**

sustentable *adj.* 지지・변호할 수 있는.

sustentación *f.* 받침, 지지 ; 유지 ; 부양.

sustentáculo *m.* 받침 ; 지주(支柱).

sustentador, ra *adj. m.f.* 받치는, 지지하는 ; 양육(자).

sustentamiento *m.* 받침, 지지 ; 부양.

sustentante *adj.* 버티는, 받친. —*m.* 버팀, 받치는 것. —*m.f.* 지지자, 찬성자.

sustentar *tr.* ①받치다, 지지하다, 지탱하다. Esas noticias iban *sustentando* la esperanza 그러한 소식이 희망의 지주로 되어 갔다. ②양육하다, 부양하다 (mantener, sostener) : Tenía que ~ a su numerosa familia 그는 많은 가족을 부양해야 했다. ③(…에) 찬성하다.

~se ①[+de : …을] 의지・힘・양식으로 삼다, 의지가 되다 : ~*se de* esperanzas 희망에 의지하다. Las cabras *se sustentan* con hierbas 염소는 풀을 먹는다. Vivió *sustentándose* con estas esperanzas 그는 이러한 희망을 받침대로 하여 살았다. ②휴양하다 ; 영양을 취하다 (nutrirse) : Durante la guerra *se sustentaron con* algunas hierbas y raíces 전시중 풀과 뿌리를 먹고 살았다.

sustento *m.* ①식량, 끼니 : trabajar para ganar el ~ diario 그날 그날의 식량을 벌기 위해 일하다. ②받침, 지지물(apoyo).

sustitución *f.* =**substitución.**

sustituible *adj.* =**substituible.**

sustituidor, ra *adj. m.f.* 대신하는 (사람).

sustituir *tr.* 77 =**substituir.**

sustitutivo, va *adj.* =**substitutivo.**

sustituto, ta *m.f.* =**substituto.**

sustituyente *adj.* =**substituyente.**

susto *m.* [*lat.* substultus] ①놀라움, 쇼크(sobresalto) : dar un ~ 흠칫하게 만들다. El estallido me dio un ~ 파열음이 나를 깜짝 놀라게 했다. Casi se murió de ~ 그는 죽을 뻔했다. ②까닭없는 불안.

sustracción *f.* =**substracción.**

sustractivo, va *adj.* =**substractivo.**

sustraendo *m.* 【수학】 =**substraendo.**

sustraer *tr.* 72 =**substraer.**

sustraig- →**sustraer** 72.

sustraj- →**sustraer** 72.

sustrato *m.* =**substrato.**

susubano, na *adj.* 《*PRico.*》 얼빠진, 멍해버린.

susuchazo *m.* 《*PRico.*》 =**sopapo.**

susunga *f.* 《*Col. Ecuad.*》 (건더기를 건지기 위해 쓰이는) 구멍이 뚫린 국자, 거품 뜨는 국자.

susurración *f.* 속삭임(susurro) ; 소문, 험담.

susurrador, ra *adj.* 속삭이는 (듯한), 웅성거리는, 두런거리는. —*m.f.* 남의 소문을 내는 사람.

susurrante *adj.* =**susurrador.**

susurrar *intr.* [*lat.* susurrare] 수근거리다, 속삭이다, 두런거리다, 재잘거리다 ; 남의 말을 하다 (murmurar) ; (시냇물이) 졸졸거리다 : *Susurran* en el pueblo que se va a casar 그가 결혼할 것이라고 마을에서 수근거리고 있다.

—*intr.*, **~se** 남의 입에 오르내리다 : La noticia (*se*) *susurra* 소문이 속닥속닥 퍼지다.

susurrido *m.* =**susurro.**

susurro *m.* 속삭임 ; 속닥거림, 살랑거림, (물의) 졸졸거림 ; 소문이 퍼짐.

susurrón, na *adj. m.f.* 남의 말하기 좋아하는 (사람)(murmurador, criticón).

sutache *m. fr.* =**sutás.**

sutás *m.* [*fr.* soutache] 장식끈.

sute *adj.* 《*Amér.*》 나약한, 야윈, 마른(enteco, canijo). —*m.* ①《*Arg. Urug.*》 =**subte.** ②

《*Col.*》 돼지 새끼.

sutil *adj.* [*lat.* subtilis] ① 섬세한, 주의 깊은, 자상한, 미묘한. ② 매우 얇은 · 가는(delgado, delicado) : tejido ~ 매우 엷은 피륙. Las mujeres se cubrían con un velo ~ y flotante 여인들은 얇고 팔랑거리는 베일을 머리에 쓰고 있었다. ③ 있는 듯 만 듯한, 근소한 : Soplaba un viento ~ 있는 듯 만 듯한 바람이 불고 있었다. ④ 가뿐한. ⑤ 날카로운, 예민한, 민감한(perspicaz) : espíritu ~. ⑥ 경(輕)… : escuadra ~ 경함대.

sútil *adj.* =**sutil.**

sutileza *f.* 섬세, 미묘 ; 예민 ; 빈틈없음 ; 찌르는 듯한 말.
~ *de manos* 솜씨가 좋은 일 ; (나쁜 뜻으로도) 재주가 있는 일.

sutilidad *f.* =**sutileza.**

sutilizador, ra *adj. m.f.* 날을 가는, 단련 · 세련하는 (사람).

sutilizar *tr.* ⑨ 섬세하게 하다, 정밀하게 하다, 날카롭게 하다(adelgazar) ; 갈다 ; 세련하다.

sutilmente *adv.* 섬세하게, 주의 깊게, 자상하게 ; 날카롭게, 민감하게.

sutorio, ria *adj.* 구두의, 제화의.

sutra *f.* (불교의) 경, 경전.

sutura *f.* ①【외과】봉합. ②【해부 · 동물】(두개골 등의) 봉합 ; 봉선 : las ~*s* del cráneo 두개골의 봉합.

suturar *tr.* 봉합하다(hacer una sutura).

suyo, ya *pron.* [제3인칭 대명사의 소유격 형용사형 ; 품질 형용사적 성질을 갖는다 ; 명사의 뒤에 붙는 것 또는 명사에서 떨어진 것→su] ① 그것의, 그것들의 ; 그의, 그들의 ; 그녀의, 그녀들의 ; 당신 · 당신들의 : dos casas *suyas* 그 또는 그들이 가진 집이 두 채. Este libro es ~ 이 책은 그의 것이다. ② [관사를 수반하지 않고, 독립되어 소유 대명사로 된다] 그 · 그녀 · 당신(들)의 것 : Este libro es *el* ~ 이 책은 그의 것이다. ③ 자신의, 자신의 것의 : lo ~ 자신의 것 · 일.
lo ~ y lo ajeno 자신의 것이나 남의 것 ; 자신의 일이나 남의 일. *la suya* 자신의 의지. *los ~s* 그의 가족 ; 그의 일족 · 패 ; 우방, 동지. *de ~* 자연히, 저절로, 스스로(naturalmente, sin sugestión ni ayuda ajena).
hacer de las suyas 자기 방식대로 하다 ; 그 사람답게 행동하다.
salir(se) con la suya 뜻을 이루다, 멋지게 성공하다.
ver la suya 마음먹었던 대로 · 알맞게 일이 되다.

suyuntu *m.* 《*Amér.*》 =**zopilote.**

suzarro *m.* 【은어】 =**criado.**

suzón *m.* =**zuzón.**

s/v. su valor 귀사의 가격 ; sobre vagón 화차도(貨車渡)로.

svástica *f.* 만자(卍), 만자형.

svástika *f.* =**svástica.**

s/w. sobre wagón 화차도(貨車渡)로.

swap *m.* (물물) 교환.

Swazilandia *f.* 【지명】 스와질랜드.

sweater *m. ing.* 스웨터(jersey). [*N.* 발음 : suíter].

sweepstake *m. ing.* 경마 복권. [*N.* 발음 : supstek].

swing *m. ing.* 휘두름 ; (골프 · 야구 따위의) 휘두르기. [*N.* 발음 : suin].

syli *m.* 실리《Guinea의 화폐 단위》.

T

t *f.* ① 떼《서반아어 자모의 스물세 번째 문자(vigésima tercera letra del abecedario castellano)》: una *T* mayúscula 대문자 T. ② T자 형 : hierro de doble *T* 레일 모양의 강재(鋼材).
T tera, tesla.
t. talón : tarde.
t/ talón 수표장.
T. tonelada.
Ta tantalio.
¡ta! *interj.* ① 조금씩 ! (poco a poco). ② (문을 두드리면서) 여보세요 ! ③ 잠깐, 정지 !
 —*m.* 문을 두드리는 소리.
taba *f.* ①【해부】복사뼈, 거골(距骨)(astrágalo). ② 동물의 거골을 번쩍번쩍 들어올리는 놀이. ③《*Méx.*》잡담, 지껄이기(charla) : dar ~ 마구 지껄여대다.
 menear las ~s 바삐 걷다 ; 지껄여대다.
tabacal *m.* 담배밭(campo de tabaco).
tabacalero, ra *adj.* 연초의, 연초업의 : la industria *~ra* cuba. **—***m.f.* 연초·담배 경작자·상인(tabaquero).
tabaco *m.* ①【식물】담배 : El abuso del ~ no es recomendable 담배의 과용은 칭찬할 일은 아니다. ② 연초, 여송연(cigarro) : fumar un ~ habano. ③ 노상균(露狀菌). ④《*Cuba.*》손바닥으로 때리기(bofetada). **—***adj.* 담배잎 색깔의.
 ~ *capero* 여송연의 겉을 싸는데 쓰는 담배잎.
 ~ *cimarrón*【식물】마리화나, 대마초.
 ~ *cucarachero·de cucaracha* 순수한 가루 담배의 일종.
 ~ *de hoja* 잎담배《원료》.
 ~ *del diablo* 칠레산의 화초(tupa).
 ~ *de montaña*【식물】아르니카(árnica).
 ~ *de pipa* 담뱃대용 담배.
 ~ *de regalía* 고급 담배.
 ~ *en polvo* 가루 담배, 코담배.
 ~ *en rama* 잎담배.
 ~ *hilado*《*PRico.*》씹는 담배.
 ~ *negro* 필터없는 독한 담배.
 ~ *peninsular* 이베리아 반도산 담배.
 ~ *picado* 살 담배.
 ~ *rapé* 코담배.
 ~ *rubio* 필터있는 연한 담배《버지니아산》.
 acabarse el ~《*Arg.Chile.*》한푼도 없다, 빈털터리가 되다.
 ponerse de mal ~《*AmérC.*》마음이 언짢아지다.
 tomar ~ 코담배를 사용하다.
tabacón *m.* 따바꼰나무《중남미산 교목, 건축용 재료》(mariguana).
tabacoso, sa *adj.* ① 담배를 좋아하는, 담배를 즐기는, 코담배를 상용하는. ② 담배로 더러워진, 담배 냄새가 고약하게 나는. ③ 노상균이 묻은.
tabaiba *f.* ①《*Can.*》대극과 식물. ②《*Cuba.*》따바이바나무《관상용》.
tabal *m.*《*Ant. Sant.*》정어리 절임통·상자.
tabalada *f.* ① 두들겨패기(tabanazo, porrazo). ② 엉덩방아(tamborilazo).
tabalario *m.*【속어】엉덩이, 궁둥이(tafanario, trasero).
tabalear *tr.* ① 흔들다(menear). ② 손가락으로 톡톡 건드리다. **Sinón.** tambolilear.
 ~se 흔들리다.
tabaleo *m.* tabalear 하는 일.
tabalete *m.* 일종의 부드러운 양모천.
tabanazo *m.* =**manotazo, bofetada, golpe.**
tabanco *m.* ① (식료품의) 노점, 구멍가게. ②《*AmérC.*》다락방(desván, sotabanco).
tabanera *f.* 쇠파리가 우글거리는 곳.
tábano *m.* [*lat.* tabanus] ①【곤충】쇠파리, 등에(moscardón). ② 귀찮은 사람, 애먹이는 사람.
tabanque *m.* 도공용 녹로, 고패.
 levantar el ~ 산회(散會)하다; 철수하다.
tabaola *f.* 소란(bataola).
tabaque[1] *m.* [*ár.* tabac] (비단버들의) 작은 광주리.
tabaque[2] *m.* 압정(押釘), 대갈못.
tabaqueada *f.*《*Méx.*》=**riña.**
tabaquear *intr.*《*Col.*》담배를 피우다.
tabaquera *f.* ① 담배갑·상자. ② 가루 담배용 담뱃대. ③ (담뱃대의) 대통 : ~ de humo 살담배용 담뱃대. ④《*Amér.*》담배 케이스. **Sinón.** fusique.
tabaquería *f.* ① 담배 가게. ②《*Cuba.*》여송연 제조소.
tabaquero, ra *adj.* 담배 제조의 ; 담배 산업에 종사하는. **—***m.f.* 담배 장수·제조인. **—***m.*《*Bol.*》손수건(pañuelo de las narices, moquero).
tabaquillo *m.*【식물】《*Arg.*》산가지《땔감으로 쓰이는 가지과 식물》(solanácea).
tabaquismo *m.* 담배 중독(nicotismo, intoxicación por el tabaco).
tabaquista *m.f.* ① [드뭄] 담배 전문가·감정인. ② 애연가.
tabardete *m.* =**tabardillo.**
tabardillo *m.* ① 소모열. ②【속어】일사병(insolación). ③《*And.*》성미가 급한 사람(persona cargante).
 ~ *pintado* 발진 티푸스.
tabardina *f.* tabardo와 같은 거칠지만 짧은 웃옷.
tabardo *m.* 조잡한 천으로 된 두루마기《노동자용》.
tabarra *f.* =**molestia, pejiguera, lata.**

tabarrera *f.* ①《*And.*》 벌집, 벌통(avispero) : caer en una ～. ② =**molestia, disgusto grande.**

tabarro *m.* ①【곤충】 등에(tábano). ②【방언】 호박벌.

tabasco *m.* 따바스꼬 후추·소스.

tabasqueño, ña *adj.* 따바스꼬 《Tabasco, 멕시코에 있는 주》의. —*m.f.* 따바스꼬 사람.

tabaxir *m.* 【식물】 참대진 《열대 지방 참대 마디의 진을 건조시키는 진 ; 강장·수렴(收斂)제》.

tabea *f.* [*Burg. Pal.*] 순대의 일종.

tabear *intr.* 《*Arg.*》 ① 노닥거리다, 지껄이다(charlar). ② taba 놀이를 하다.

tábega *f.* 선박의 일종.

tabelión *m.* 【고어】 서기(escribano).

tabellar *tr.* ①(직물을) 한 쪽 끝을 내어 접다. ②(피륙에 제조원의) 상호를 넣다.

taberna *f.* [*lat.* taberna] ① 선술집, 주점, 바(bar) : A mí no me gusta que el tío frecuente la ～ 나는 숙부가 술집 출입을 하는 것이 마음에 들지 않는다. ② 토속 식당(restaurante típico).
～ ***clandestina*** ① 밀주집, 비밀 요정, 무허가 술집. ② 줏대없는 사람.
～ ***pequeña*** 캬바레(sala de fiestas).

tabernáculo *m.* ① 유태 신전, 성전 ; (성상 등을 안치하는) 성실(聖室), 성궤(聖櫃)(sagrario). ②(고대 헤브루인의) 임시로 지은 집, 막사, 천막. ③ 술집, 주점(taberna).
fiesta de los ～s 선조의 광야 방랑을 기념하는 유태교도의 가을 축제.

tabernario, ria *adj.* ① 선술집 식의. ② 술취한 ; 술집에 다니는. ③ 천한, 비열한(bajo, vil, soez) : palabra ～*ria.*

tabernera *f.* ① tabernero의 여자. ② 술집에서 술을 파는 여자.

tabernería *f.* ① 술장사. ②【고어】 술집.

tabernero, ra *m.f.* 선술집 주인.

tabernil *adj.* =**tabernario.**

tabernilla *f. dim.* taberna.

tabernizado, da *adj.* 선술집 식의.

tabernucha *f.* [*desp.* taberna] 싸구려 술집, 목로 주점, 노상의 대폿집.

tabernucho *m.* =**tabernucha.**

tabes *f.* 【단·복수 동형】 ①【의학】 수척해짐(enflaquecimiento). ② 소모(consunción). ③(정신적) 쇠약(morasmo). ④ 노증(勞症).
～ ***dorsal*** 척수로.

tabescencia *f.* =**tabes.**

tabético, ca *adj.* 수척해진, 쇠약한 ; 척수로의. —*m.f.* 척수로 환자.

tabetiforme *adj.* tabes 같은.

tabí *m.* (옛날의) 물결 무늬의 비단천.

tabica *f.* (계단의) 층층이의 세로 널쪽 ; (구멍 따위의) 뚜껑 ; 입자판.

tabicar *tr.* ⑦ ① 칸막이하다(cerrar con tabique). ② 막아버리다, 덮다(tapar) : ～ la ventana.
～se 막히다 : ～*se* las narices 코가 막히다.

tabicón *m.* [*aum.* tabique] ①(두께가 1피트 이하인) 칸막이 벽. ②《*Tol.*》 생벽돌(adobe).

tábido, da *adj.* ① 썩은. ② 수척해진, 여위어 빠진, 쇠약한, 초췌한(enfermo de consunción).

tabífico, ca *adj.* tabes를 일으키게 하는, 소모적인, 소모성의.

tabilla *f.* [*dim.* taba] 《*Ar. Murc.*》 =**tabina.**

tabina *f.* 《*Áv. Sal. Vallad.*》 푸르스름하게 덜 익은 콩 꼬투리.

tabinete *m.* [*fr.* tabinet] 명주와 목화의 교직천 《발에 신는데 사용》.

tabique *m.* [*ár.* taxbic] ① 칸막이벽, 격벽(隔壁). ②(코의) 격장(隔障) : ～ nasal.

tabiquería *f.* [집합] =**tabique.**

tabiquero *m.* 칸막이 생산 업자·판매 업자.

tabiteña *f.* 【방언】(밀의 줄기로 만든) 피리.

tabla *f.* [*lat.* tabula] ① 판자 ; 판자 모양으로 생긴 것, 판 : ～ de hierro 철판. ～ de mármol 대리석판. ② 반대(盤臺), 판자대 : ～ de sastre 재단대. Tráeme la ～ de planchar 다리미 받침을 가져 오너라. ③ 푸줏간의 반대(盤臺)(mostrador). ④ 노점 푸줏간. ⑤(널판자·목재의) 넓은 면, 평면, 반반한 면 ; 판판한 물건·부분 : ～ del pecho 앞가슴. ～ del muslo 반반한 넓적다리. ⑥ 옷의 주름이 없는 부분 ; 넓은 주름 : las ～*s* de una falda. ⑦ 게시판. ⑧(일람)표 : ～ astronómica 성좌 조견표. ～ de multiplicar 구구단표. ～ de cálculos 계산 조견표. ～ de conversión 환산표. ～ de correlación 상관표. ～ de demanda 수요표. ～ de experiencia de mortalidad 경험 사망율. ～ de frecuencias 도수·빈도 분포도. ～ de input-output 투입 산출표. ～ de oferta 공급표. ～ de relaciones interestructurales 투입 산출표. ～ de salarios 임금표. ～ de intereses 이자·세율표. ～ de logaritmos 대수표. ～ de mortalidad 사망률표. ⑨ 색인 : ～ alfabética 알파벳순의 색인. ⑩ 납작한 다이아몬드(diamante ～). ⑪ 구획으로 나누어진 밭, 그 한 뙈기(bancal) : una ～ de berras. ⑫ 띠 모양의 밭. ⑬ 화단. ⑭(국경·공항의) 세관. ⑮ 화판, 널판에 그린 그림; 배경 평면(平面).
—*pl.* ① 널쪽을 두른 것·장소 ; 투우장의 울. ② 무대(escenario) : salir a las ～*s* 무대에 서다. subir a las ～*s* 무대에 오르다. Esta actriz pisó las ～*s* por primera vez a sus quince años 이 여배우는 15세에 첫 무대를 밟았다. ③(장기의) 무승부 ; 미결 상태 : hacer ～*s* un asunto 어떤 일이 결말나지 않다. quedar ～*s* 동점이 되다. El partido termino en ～*s* 그 경기는 무승부로 끝났다.
～ ***de armonía*** (악기나 강당 따위의) 반향판. ～ ***de juego*** 노름판. ～ ***de lavar*** 빨래판. ～ ***de rezo*** 《*Amér.*》 연중 기도력(曆)(añalejo). ～ ***de río*** 강웅덩이. ～ ***de salvación*** 구원의 널판자, 구명줄. ～ ***de sembrado*** 옥수수밭. ～ ***pitagórica*** 구구표. ～ ***redonda*** 원탁(《*Galic.*》 mesa redonda). ～***s de la ley*** 모세의 십계가 기록된 표·패 ; 유태의 율법, 십계. ～***s reales*** chaque 비슷한 놀이.
a la ～ del mundo 공공연하게, 세상에 내놓고.
a raja ～ 어떠한 희생을 치르더라도, 있는 힘을 다하여(con mucha fuerza y energía).
en una ～ 《*Chile.*》 협조하여.
en las ～s 《*Perú. PRico.*》 붕괴·파산되어.
por ～ 간접으로.
escapar·salvarse en una ～ 겨우·가까스로·간신히·고작·기적적으로 도망가다·구원되다·구조되다.
hacer ～ rasa de …에서 면하다, …을 배제하다.

salir con las ~s 《*Col.*》 실패하다.
ser de ~ 흔한 것·일이다.
tirar por ~ 《*Chile.*》 아무도 모르게 손을 쓰다, 간접적으로 조사하다(averiguar indirectamente).

tablachero *m.* 《*Murc.*》 수문(tablacho) 지기.

tablachina *f.* (널쪽으로 만든) 방패.

tablacho *m.* 수문의 문짝, 물문, 수문(水門) (compuerta).

tablada *f.* ① (관수(灌水)하기 위한) 칸막이. ② 《*Arg. Bol. Parag. Urug.*》 가축·식우(食牛) 검사소.

tabladillo *m. dim.* tablado.

tablado *m.* ① 널판자 깔기, 판자를 치기 : levantar el ~ 높은 곳에 널판자를 깔다. ② 무대(escenario) : sacar al ~ 무대에 내놓다; 명백하게 밝히다; 세상에 내놓다. salir al ~ 무대에 서다. Ella salió al ~ por primera vez cuando tenía ocho años 그녀는 여덟 살 적에 처음 무대에 나갔다. ③ (침대의) 대(臺). ④ (극장의) 좌석. ⑤ 교수대(patíbulo).

tablaje *m.* [드묾] ① 널빤지, 판자. ② 노름판(garito).

tablajear *intr.* 내기하다, 도박하다; 직업으로 도박꾼이 되다.

tablajería *f.* ① 도박에 미치는 버릇. ② 노름판에서 딴 돈. ③ 푸줏간(carnicería).

tablajero *m.* ① 널판자를 치는 목수. ② 스탠드 요금 징수인. ③ 노름꾼. ④ 푸줏간의 우두머리.

tablar *m.* ① 화단이나 구획된 밭. ② 물웅덩이. ③ 달구지의 틀(adral).

tablazo *m.* ① 널판으로 때리기. ② 별로 깊지 않는 널찍한 여울.

tablazón *f.* 널판자를 둘러치기.

tableado *m.* [집합] 폭넓은 주름.

tablear *tr.* ① 널판자로 가르다 : ~ un madero un terreno. ② 주름을 만들다(hacer tablas en la ropa). ③ 이랑으로 가르다, (밭을) 구획하다; 땅을 다지다.

tableau *m. fr.* 《*Neol.*》[발음은 tabló] 그림, 그림같은 묘사; 극적 장면 : contemplar un ~ encantador.

tableño, ña *adj.m.f.* 라스·따블라스《Las Tablas, 빠나마에 있는 도시》의 (사람).

tableo *m.* 제판(製板), 널판자 만들기; 고르기, 경작지를 구획하기.

tablero *adj.* 널판자로 하는 : madero ~ 제판용재(製板用材). —*m.* ① 널판자 두르기, 포개어 맞춘 널판자, 널판자. ② 흑판. ③ (석궁의) 궁부(弓部). ④ (장기 따위의) 판 : ~ de ajedrez 장기판. ⑤ (가게의) 계산대(mostrador). ⑥ 재단대. ⑦ 도박장(garito). ⑧ 화단이나 구획된 밭. ⑨ 장부족 널. ⑩ (둥근 기둥머리의) 관판(冠板). ⑪ (선박 내의) 칸막이 벽. ⑫ (자동차의) 계기반(計器盤). ⑬【전기】배전반(配電盤), 스위치보드. ⑭【조류】섬새. ⑮ 영역, 분야(campo) : en el ~ político 정치 분야에서.
—*pl.* (투우장의) 판자 울타리.
~ *contador,* ~ *de cálculos* 주판(ábaco).
~ *de cocina* 조리대.
~ *de conmutadores · distribución*【전기】배전반(配電盤).

tablestaca *f.* 《*Neol.*》 뾰쪽하게 나온 굵은 판자.

tablestacado *m.* tablestaca로 만든 담.

tableta *f.* [*dim.* tabla] ① 작은 널판; (둘러치는 데 쓰는) 널 : ~*s* de pino 소나무 널판. ② 정제(錠劑)(pastilla) : ~*s* de aspirina 아스피린 정제. ③ 초콜릿. ④ 납작한 과자. ⑤ 딱딱이.
quedarse tocando ~s 기대에 어긋나다, 뜻을 이루지 못하다(quedarse sin conseguir lo que esperaba).

tableteado *m.* ① 딱딱이 때리기(el ruido de tabletas o tablas). ② 딱딱거리는 소리, 맞부딪쳐 나는 소리.

tabletear *intr.* ① 널판자·딱딱이를 치다(hacer ruido con tabletas). ② 딱딱·덜컹덜컹 소리나다 : El carro *tabletea* 차가 덜커덩거리다. *Tableteaban* las ametralladoras 기관총이 찰칵거리고 있었다.

tableteo *m.* =**tableteado.**

tabletica *f. dim.* tableta.

tabletilla *f. dim.* tableta.

tablica *f. dim.* tabla.

tablilla *f.* [*dim.* tabla] ① 작은 판자(tableta). ② 게시판 : 작은 간판 : ~ de mesón. ③ (의료의) 부목(副木).
~*s neperianas* 대수표.
por ~ 간접적으로, 돌려서(indirectamente).

tablita *f. dim.* tabla.

tablizo *m.* 《*Rioja.*》 =**teguillo.**

tabloide *m.* 타블로이드판 신문《보통 신문의 ½ 크기로, 그림·사진이 많음》(의).

tablón *m.* [*aum.* tabla] ① 큰·두꺼운 널판(tabla grande o gruesa). ② 게시판. ③【건축】도리, 대들보. ④【선박】현측판, 선전판 : ~ de aparadura 용골 익판(龍骨翼板). ⑤ 취기, 술기운. ⑥ 《*Amér. Arg. Col. Chile. Méx. Urug. Venez.*》 야채의 파종 준비가 된 밭.

tablonaje *m.* tablón의 집합체.

tablonazo *m.* 《*Cuba.*》 =**fullería.**

tabloncillo *m.* [*dim.* tablón] ① 판재(板材)(tableta). ② 투우장의 최고 관람석. ③ (변소의) 걸터 앉는 판자. ④ 《*Ant.*》 마루 판자.

tabloza *f.* [드묾](화구용) 팔레트.

tabo *m.* 《*Filip.*》 코코야자의 열매로 만든 그릇.

tabogra *m.* 《*Bol.*》 거르지 않고(sin colar) 둥그런 냄비(tacho)에 끓인 커피.

tabolango *m.* 아르헨띠나와 칠레산으로 고약한 냄새를 풍기는 벌레의 일종.

tabón *m.* ① 《*Burg. Pal.*》 흙덩이. ② 《*Filip.*》 장지류(長肢類)에 속하는 새의 일종.

tabona *f.*【방언】물웅덩이.

tabor *m.* 모로코의 서반아 정규 군대의 대대.

tabora *f.* 《*Sant.*》 물웅덩이, 늪(cenagal, pantano, lodazal).

tabú *m.* [*pl.* tabúes] ① 터부, 금기(禁忌) : Ese tama es ~ en nuestra familia. ② 금기어(禁忌語). ③ (일반적으로) 금제, 금령. —*adj.* 성스럽게 생각되는 : tema ~.

tabuco *m.* [*ár.* tabac] ① 작고 좁은 방·집 : vivir en un ~. **Sinón.** cuchitril. ② 《*SDgo.*》 숲, 덤불(maleza).

tabulación *f.* tabular 하기.

tabulador *m.* 타이프라이터의 도표 작성 장치 : tecla de ~ (타이프라이터의) 타브레타 키.
~ *de sueldos* 임금 스케일.

tabuladora *f.* 타이프라이터 번역 장치.
tabular[1] *adj.* 널판 모양의, 납작한.
tabular[2] *tr.* 표(tabla)로 하다. —*intr.* ① tabuladora에 ficha를 넣다. ② 타자기의 tabulador를 작동시키다.
tabulario *m.* (고대 로마의) 공문서 보관소.
tabuquillo *m. dim.* tabuco.
tabuquito *m. dim.* tabuco.
taburacura *f.* 노란 로진의 일종.
taburete *m.* [*fr.* tabouret] ① 의자, 걸상, 둥그런 의자 : ~ giratorio 회전 의자. ② 발받침. —*pl.* (극장 등의) 무대 밑의 관람석.
taburetillo *m. dim.* taburete.
tac *interj. m.* 심장의 고동·큰 시계 따위의 의성어 : el *tac tac* del corazón.
taca[1] *f.* ①《*Ar. Ast.*》얼룩, 반점, 때, 기름때(mancha). ②《*Chile.*》식용 조개류.
taca[2] *f.* [*fr.* taque] (용광로의) 주철판.
tacaco *m.* 《*CRica.*》오이의 일종.
tacada *f.* ① (당구에서) 큐로 치기 : ~ de efecto (당구의) 스핀 스트로크. ② =**taco.** ③ (배의 갈라진 곳을 메우는) 삼 부스러기.
tacalate *m.* 《*Méx.*》tacalote의 식물·열매.
tacalote *m.* 《*Méx.*》=**haba.**
tacamaca *f.* 【식물】 방향성의 호동(胡桐) ; 그 수지.
tacamacha *f.* =**tacamaca.**
tacamahaca *f.* =**tacamaca.**
tacamachín *m.* 《*Méx.*》【어류】 메기의 일종.
tacamadún *m.* 【어류】 따까마둔 《멕시코만의 물고기》.
tacana *f.* ①《*Bol.*》계단식 밭. ②《*Col.*》은광 (mineral de plata). ③《*Arg.*》망치(martillo).
tacanear *tr.* 《*Arg.*》=**apisonar, majar, aplastar.**
tacañamente *adv.* 인색하게 ; 의뭉스럽게.
tacañear *intr.* 인색·앙큼한 짓을 하다(portarse con tacañería).
tacañería *f.* 앙큼한 짓 ; 인색함, 치사함.
tacaño, ña *adj.* 의뭉스러운, 교활한, 앙큼한 (astuto) ; 인색한, 치사한(ávaro, miserable). —*m.f.* 의뭉스런 사람 ; 인색한 사람.
Contr. espléndido, dadivoso.
tacar *tr.* ⑦ ① (…에) 표하다(señalar). ② 얼룩을 묻히다(manchar). ③《*Col.*》(총 따위를) 쏘다, 발사하다(atacar un arma de fuego). ④ (당구에서 공을) 치다(dar tacazo). ⑤ 조이다(apretar). ⑥ 채워 넣다, 하나 가득히 하다.
~se 《*Col.*》배부르다(hartarse).
tacarigua *f.* 《*Salv. Venez.*》【식물】 빈랑(palma real).
tacarpo *m.* 《*Perú.*》구멍 쑤시는 막대기.
tacay *m.* 《*Col.*》【식물】(씨가) manteca의 원료로 쓰이는 나무.
tacazo *m.* ① (당구에서) 치기, 찌르기. ② = **taco.** ③《*PRico.*》소주를 많이 마심.
taceta *f.* [*dim.* taza] 기름을 푸는 구리 냄비.
tacha *f.* ① 흠, 결점(falta, defecto) : persona sin ~. ② 비난, 트집 : poner ~ 비난하다, 이의를 내세우다. Siempre pone ~*s* a mi trabajo 그는 언제나 내 일에 트집을 잡는다. ③ 못, 징. ④ 《*Venez.*》둥그런 냄비(tacho).
tachable *adj.* 비난받아야 할; 말소할 수 있는.
tachador, ra *adj.* 트집을 잡는 ; 비난하는.
tachadura *f.* tachar 하기.
tachar *tr.* ① …에 트집·흠을 잡다. ② 더럽히다, 비난하다(censurar) : ~ *de* ligero 경박하다고 비난하다. La *tacharon de* mentirosa 그녀는 거짓말쟁이라는 비난을 받았다. Le *tacharon por* su mala conducta 그는 행동이 나빠서 비난을 받았다. A ellos les *han tachado de* reaccionarios 그들은 반동가라고 비난받았다. ③ (증인의) 무효를 신청하다, 기피하다. ④ (쓴 것을) 지우다(borrar lo escrito) : *Tache* usted esta palabra, que es inútil 이 단어를 지우시오 ; 불필요하니까.
tachero *m.* ①《*Amér.*》양철 직공(hojalatero). ②《*Amér.*》제당 공장의 가마솥을 맡은 사람.
tachigual *m.* 《*Méx.*》레이스의 일종.
tachirense *adj. m.f.* 따치라 《Táchira, 베네수엘라에 있는 주》의 (사람).
tacho *m.* ①《*Amér.*》둥그런 냄비. ② 제당의 정련 가마솥. ③《*Chile.*》납작한 냄비(cacerola). ④《*Amér.*》양철(hoja de lata). ⑤《*Arg.*》=**taxímetro.**
echar al ~ 모든 희망을 빼앗다.
irse al ~ ① 가라앉다(hundirse). ② 실패하다 (fracasar).
tachómetro *m.* 《*Arg.*》【희언】 시계.
tachón[1] *m.* [*fr.* tache] ① (지우는) 선. ② (꿰맨) 리본, 장식끈.
tachón[2] *m.* [*aum.* tacha] 못, 장식정.
tachonado, da *adj.* tachonar의 *p.p.* —*m.* 【은어】 =**cinto.**
tachonar *tr.* ① (…에) 장식끈을 달다 ; 장식정을 박다. ② 뿌리다, 점재시키다(salpicar) : cielo *tachonado* de estrellas 별이 옹기종기 떠 있는 하늘.
tachonería *f.* 장식 리본 세공.
tachoso, sa *adj.* 흠이 있는, 결점투성이의.
tachuela *f.* [*dim.* tacha] ① 구슬핀. ②《*Col. Cuba.*》(손잡이가 달린) 소형·작은 냄비. ③ 《*Chile.*》몸집이 작은 사람. ④《*Venez.*》(철제의) 물 마시는 국자.
tachuelo *m.* 《*Col.*》【식물】 협죽도.
tacica *f.* [*dim.* taza] =**tacita.**
tacilla *f.* [*dim.* taza] =**tacuita.**
tacita *f.* [*dim.* taza] 작은 찻잔, 작은 사발.
~ *de plata* 깨끗한·청결한 것.
tácitamente *adv.* 잠자코, 살그머니 ; 묵인하여.
tácito, ta *adj.* 무언의, 말없는, 침묵의 ; 묵인하는 : condición ~*ta* 묵계. Contr. expreso.
taciturnidad *f.* ① 무언, 말이 적음. ② 우수 (憂愁).
taciturno, na *adj.* [*lat.* taciturnus] ① 꿀먹은 벙어리 같은, 입을 꼭 다문, 과묵한(silencioso) : Los marineros suelen ser ~*s.* ② 쓸쓸해 보이는, 슬픈(triste, melancólico) : estar ~.
tacizo *m.* 《*Col.*》좁은 감옥(calabozo estrecho).
taclobo *m.* (필리핀산의) 큰 조개 : Las conchas de ~ suelen usarse como pilas de agua benditas en las iglesias.
tacneño, ña *adj.m.f.* 따끄나 《Tacna, 페루에 있는 주·도시》의 (사람).
taco *m.* ① 짧은 나무 토막. ② 속에 끼워 넣는 것. ③ 쐐기, 마개. ④ 둥그런 것(baqueta). ⑤ (당구의) 큐. ⑥ 딱총. ⑦ (총안에) 끼워 넣는 것. ⑧ 책. ⑨ 간식(bocado). ⑩ (술을) 마심(trago). ⑪ 혼란, 뒤범벅(lío) : hacerse un ~ 뒤얽히다. ⑫ 욕지거리(grosería) : soltar un ~. ⑬ 《*AmérM. PRico.*》 (구두의) 뒤축(tacón). ⑭ 《*Chile.*》 막히는 일, 움직이지 않게 되는 일. ⑮ 땅딸보. ⑯ 《*Méx.*》 따꼬 《고기 · 강낭콩 등을 넣은 옥수수 부침개 ; 요리 이름》. ⑰ 《*AmérC. PRico.*》 걱정, 우려, 근심(miedo, preocupación). ⑱ 《*Col.*》 유력자(persona influyente). ⑲ [집합] 접는 달력의 장(las hojas del calendario exfoliador). ⑳ 나이(año) : Tengo cuarenta y ocho ~*s* 나는 마흔 여덟 살이다.

armar un ~ =organizar un escándalo.

armarse un ~ =embarullarse, hacerse un lío.

taco, ca *adj.* ① 《*Cuba.*》 =**currutaco.** ② 《*Chile.*》 =**retaco, rechoncho.**

darse ~ 거드름피우다, 거드름부리다(darse pisto).

tacógrafo *m.* (비행기의) 블랙 박스.

tacómetro *m.* ① 운행 기록계, 회전 속도계 : cinta del ~ 회전 속도계 테이프. ② (혈액 따위의) 속류계(速流計).

tacón *m.* (구두의) 뒤축, 굽 : de ~ alto 굽이 높은. de ~ bajo 굽이 낮은.

taconazo *m.* 구두 뒤축으로 차기 · 짓밟기.

taconear *intr.* ① (구두의) 뒤축으로 소리를 내다. ② 으시대며 걷다. ③ 《*Chile.*》 가득 채우다(henchir, rellenar). —*tr.* 《*Chile.*》 막다, (…에) 마개를 하다.

taconeo *m.* 구두소리 ; 춤 출 때나 걸을 때 구두 뒤축 소리를 냄, 탭 댄스.

taconero *m.* 나무 뒷발굽 제조자.

tacotal *m.* ① 《*Hond.*》 수렁, 늪, 소택지(lodazal, ciénaga, barrizal). ② 《*CRica.*》 잡초지, 숲(matorral).

tacote *m.* 《*Méx.*》 =**mariguana.**

táctica *f.* [*gr.* taktikê] ① 전술, 병법, 용병학, 작전 : cambiar de ~ 작전을 바꾸다. Cada arma tiene su ~ particular 무기마다 특별한 작전을 가지고 있다. ② 병책, 책략, 임기 응변의 재주 : una ~ sabia 현명한 방책. La ~ de las señoras se redujo a abrumarle a invitaciones al Ministro 부인들의 전술은 장관에게 초대 공세를 취하는 일이었다.

táctico, ca *adj.* ① 전술적인, 전술의, 작전상의, 병법(상)의 ; 용병의 : armas nucleares ~*cas* 전술 핵무기. ② 임기 응변의 술책에 능한. —*m.f.* 전술가, 책략가, 책사, 모사 : Napoleón fue uno de los mejores ~*s* del mundo.

táctil *adj.* 촉각의, 촉각을 가진, 만져서 알 수 있는, 촉수의 ; 손으로 만져 볼 수 있는 : órgano ~ 촉각 기관. sensación ~ 촉감.

tacto *m.* [*lat.* tactus] ① 촉각 ; 만져 보는 일 : Esta manta es muy suave al ~ 이 모포는 촉감이 매우 부드럽다. ② 사근사근함, 빈틈없음 : lleno de ~ 빈틈없는. Tiene mucho ~ para tratar a sus amigos 그는 친구와의 교제가 빈틈없다. ③ 수완, 요령, 수, 재간, 재치 : persona de ~. ④ 긴밀한 유대(estrecha unión).

~ ***de codos*** 긴밀한 제휴.

tacú *m.* (볼리비아의) 나무 절구.

tacuacín *m.* 《*Amér.*》【동물】 캥거루의 일종(zarigüeya).

tacuaco, ca *adj.* 《*Chile.*》 땅딸막한(rechoncho).

tacuacha *f.* 《*Cuba.*》 속임수(engaño hecho con astucia).

tacuache *m.* ① 《*Cuba. Méx.*》 작은 식충 포유동물. ② 《*Méx.*》 =**zarigüeya.** ③ 《*Cuba.*》 거짓말, 허위(mentira).

hacer el ~ 《*Méx.*》 앙큼을 떨다.

tacuara *f.* 【식물】(남미산의) 큰 대나무. **Sinón.** guadua.

tacuará *f.* 《*AmérM.*》 =**tacuara.**

tacuaral *m.* 《*AmérM.*》 숲, 덤불, 덤불숲.

tacuarembó *m.* 《*Arg.*》【식물】 수선의 일종.

tacuarembocense *adj. m.f.* =**tacuaremboense.**

tacuaremboense *adj. m.f.* 따꾸아렘보 《Tacuarembó, 우루구아이에 있는 주》의 (사람).

tacuazín *f.* 《*Méx.*》 =**zarigüeya.**

tacurú *m. guaraní.* ① 《*Arg. Parag.*》 개미탑, 개미집. ②【곤충】 탑개미.

tacuruzal *m.* 《*Arg.*》[집합] =**tacurú.**

¡taday! *interj.* 거절의 감탄사 《quita de ahí의 약자》.

tael *m.* ① 타엘, 양(兩) 《중국의 무게 30 g 정도의 옛 은화》. ② 필리핀의 화폐 · 무게의 단위.

tafallo *m.* 【방언】 =**chafallo.**

tafanario *m.* 【속어】 둔부, 엉덩이, 궁둥이(asentaderas).

tafetán *m.* [*persa.* tafta] ① 호박직(琥珀織), 호박단(琥珀緞). ② 반창고(~ de herida). —*pl.* ① 국기, 깃발. ② 여자의 옷장식. ③ 부인복.

~ ***inglés*** (부상을 치료하기 위해 사용하는) 비단천, 반창고, 붕대 : El ~ *inglés* no debe usarse sino para curar cortaduras muy pequeñas.

tafia *f.* 《*AmérM.*》 사탕수수로 빚은 술(aguardiente de caña).

tafilete *m.* 질이 좋은 모로코 가죽(marroquí).

medio ~, ***pasta de*** ~ 서적의 배혁 장정.

tafiletear *tr.* …에 모로코 가죽을 입히다, 모로코 가죽으로 장정하다.

tafiletería *f.* ① tafilete 만드는 기술. ② 모로코 가죽 공장 · 가게.

tafo *m.* 《*Ál. León. Rioja. Zam.*》 ① 악취, 냄새(tufo). ② 코, 후각(olfato).

tafón *m.* 조개의 일종.

taf-taf *interj.* 자동차의 폭음의 의성어. —*m.* [드뭄] 자동차(automóvil).

tafurea *f.* 평저선(平底船).

tagalo, la *adj.* 타갈로족 《필리핀 군도의 원주민》의. —*m.f.* 타갈로족. —*m.* 타갈로말 《필리핀의 공용어(lengua oficial)》.

tagarina *f.* ① =**cardillo.** ② =**cigarro puro muy malo.**

tagarino, na *adj. m.f.* 그리스도 교도 속에서 생활했던 모로코인(의).

tagarnia *f.* 《*AmérC. Col.*》 =**hartazgo, astracón.**

tagarnillera *f.* 사기꾼, 속이는 사람.

tagarnina *f.* ①【식물】 엉겅퀴의 일종(cardillo). ② 값싼 시거. ③ 《*AmérC.*》 곤드레만드레, 취기. ④ 《*Méx.*》 가죽 주머니, 망태기.

T

tagarno *m.* 《*Méx.*》 관급(官給)의 빵(pan de munición).
tagarote *m.* ①【조류】 새호리기(baharí, halcón). ② 공증인(escribiente de un notario). ③ 가난뱅이 시골 귀족(hidalgo pobre). ④ 키가 껀정한 남자(hombre alto y desgarbado). ⑤ 《*Amér.*》 의뭉스러운 사람.
tagarotear *intr.* 갈겨 쓰다, 빨리 쓰다.
tagasaste *m.* =**citiso.**
tagua *f.* ①【식물】 (남미산의) 상아야자 《야자의 일종》. ② 《*Chile.*》【조류】 쇠물닭(fúlica).
hacer ~*s* 《*Chile.*》 잠수하다(zambullirse).
taguán *m.* 【동물】 (필리핀산의) 날다람쥐 (guigí).
taha *f.* 지방, 지역(comarca, distrito).
tahalí *m.* [*ár.* tahlil] ① 검대(劍帶). ② 유골 자루.
taharal *m.* =**tarayal.**
taheño, ña *adj.* 붉은 털의 ; 붉은 수염의(barbirrojo).
tahitiano, na *adj.m.f.* 타이티 《Tahití, 폴리네시아 군도의 섬나라》의 (사람). —*m.* 타이티말.
tahona *f.* ① (말을 사용하는) 제분소. ② 빵집 (panadería).
tahonero, ra *m.f.* 제분소·빵집 주인.
tahulla *f.* (Murcia의) 농토의 단위.
tahur, ra *m.f.* =**tahúr.**
tahúr, ra *m.f.* 노름꾼, 도박꾼, 박도(博徒), 잡기꾼 ; 사기꾼.
tahurería *f.* ① 노름판, 도박판(garito). ② 노름버릇. ③ (노름에서의) 속임수.
tahuresco, ca *adj.* 도박적인, 속임수의, 야바위치는.
taicún *m.* (일본의) 봉건 제후의 칭호.
taifa *f.* ① 군당(群黨) : rey de ~ 회교도의 제후 가운데 하나. Cuando cayó el califato cordobés se dividió la España árabe entre algunos reyes de ~. ② 당파 ; 도당, 한패 ; 악당들.
taiga *f.* 시베리아 북부의 대삼림(大森林), 삼림지대.
taikún *m.* =**taicún.**
tailandés, sa *adj.* 타일랜드의. —*m.f.* 타일랜드 사람. —*m.* 타일랜드말, 태국어.
Tailandia *f.* 【지명】 타일랜드.
taima *f.* ① 《*Cuba.*》 근심, 우려(murria). ② 보채기.
taimado, da *adj.* ① 의뭉스러운, 꾀가 많은, 뱃속이 검은, 교활한(astuto, hipócrita, disimulado) : una mujer ~*da.* ② 《*Arg. Ecuad.*》 게으른, 나태한, 태만한. ③ 《*Cuba.*》 치근치근한.
taimarse *r.* 《*Arg. Chile.*》 집요하게 굴다, 치근덕거리다.
taimería *f.* =**astucia, picardía.**
taina *f.* ① 《*Guad. Sor.*》 외양간. ② 《*Áv. Pal. Sal. Seg. Vallad.*》 발로 차기(coz). ③ 《*Murc.*》 목표, 표적, 한계(meta, término).
taino, na *adj.* ① 따이노족 《Antillas에 살았던 토착민》의. ② 《*Ecuad.*》 밤색 털의(zaino). —*m.f.* 따이노족.
taíno, na *adj.m.f.* =**taino.**
Taipei *m.* 【지명】 타이페이《대만 북부의 도시》.
taira *f.* =**mustélido** (Paraguay의).
taire *m.* 《*Cuenca.*》 =**cachete.**
tairona *adj.m.f.* 따이로나족 《꼴롬비아 북부 지역에서 살았던 원주민》의 (사람).
taita *m.* ①【아어】 아빠 ; 아저씨, 어른. ② 《*Ecuad. Chile.*》 =**padre, papá.** ③ 《*Cuba.*》 검둥이(negro). ④ 《*Amér.*》 나이 지긋한 사람에의 경칭. ⑤ 《*Arg.*》 =**pendenciero.** ⑥ 《*Arg. Chile. Urug.*》 =**matón.** ⑦ 《*Col.*》 =**jayán, gigante.**
taitetú *m.* 《*Bol.*》 =**pecarí.**
taitón *m.* 《*Cuba.*》【아어】 할아버지.
Taiwan *m.* 【지명】 대만, 타이완.
taja *f.* ① 분단, 절단, 분할(cortadura, división). ② 큰 방패(tarja). ③ 화물 적재용 나무테. ④【방언】 빨래판.
tajá *f.* 《*Amér.*》【조류】 딱따구리(pájaro carpintero)의 일종.
tajada *f.* ① 조가리 : una ~ de carne. ② 잘린 부분. ③ 기침(ronquera). ④ 술취함(borrachera). ⑤ 《*Chile.*》 자르는 일, 베는 일 ; 베인 상처.
sacar ~ 재미를 보다, 톡톡이 한몫 보다, 이익을 얻다(sacar provecho).
tajadera *f.* ① 반달 모양의 식칼 : una ~ de carne. ② 도마. ③【주조】 끌.
~ *mecánica* 살코기 따위를 얇게 써는 기계.
tajadero *m.* 도마(tajo).
tajadilla *f.* [*dim.* tajada] ① 얇은·작은 토막, 쪼가리. ② 잘게 다진 것. ③ (술안주용) 레몬 조각.
tajado, da *adj.* ① 깎아지른 (듯한), 칼로 자른 듯한 : costa ~*da* 깎아지른 듯한 해안. ② 술에 취한(borracho, embriagado).
escudo ~ =partido, diagonalmente.
tajador, ra *adj. m.f.* 자르는·나누는 (사람). —*m.* 고기를 자르는 도마(tajo para cortar).
tajadura *f.* tajar 하기.
tajalán, na *adj. m.f.* 《*Cuba.*》 게으름뱅이(의) (holgazán).
tajalápices *m.* 【단·복수 동형】 연필깎이.
tajaleo *m.* 《*Cuba.*》 ① 식사(comida). ② 소란, 소동.
tajalón, na *m.f.* 《*SDgo.*》 키가 큰 어린이.
tajamanil *m.* 《*Amér.*》 =**tejamanil.**
tajamar *m.* ① 배나 교각의 물결 헤치는 부분 ; (물살이 갈라지기 쉽게·흐르게 하기 위한) 교각의 모난 가장자리. ② 《*AmérM.*》 둑, 댐(presa, balsa). ③ 《*AmérC.*》 제방(dique). ④ 《*Chile.*》 방파제, 제방(malecón).
tajamiento *m.* =**tajadura.**
tajante *adj.* ① 자르는. ② 맺고 끊는 데가 있는, 시원시원한 : frases ~*s.* —*m.* (곳에 따라) 고기장수 : 동물의 거세인.
tajantemente *adv.* 시원시원하게.
tajaplumas *m.* 【단·복수 동형】 나이프, 주머니칼(cortaplumas, cuchillito).
tajar *tr.* ① 자르다, 나누다(cortar, dividir) : ~ carne. ② 깎다 : ~ lápices.
tajarrazo *m.* 《*AmérC. Méx.*》 ① 잘린·벤 상처 (tajo). ② 재단(cortadura, corte).
tajarria *f.* 《*Cuba.*》 =**ataharre.**
tajea *f.* (가정용) 하수도, 배수구.
tajear *tr.* 《*Amér.*》 자르다, 잘게 썰다, 잘게 다지다(tajar).
tajero *m.* =**tarjero.**

tajibo *m.* 《*Arg.*》【식물】 박과(科) 식물.

tajo *m.* ① 절단, 재단 : derribar de un ~ 싹둑 잘라 쓰러뜨리다. ② 잘린 면, 단면. ③ 날, 칼날(filo). ④ (검술에서) 받아치기. ⑤ 절벽(escarpa). ⑥ 작업량(tarea). ⑦ 고기 도마. ⑧ (세 다리의) 걸상(tajuelo). ⑨ 《*Col. Venez.*》 말이 지날 수 있는 길. ⑩ 《*PRico.*》 (경마에서) 사고로 출장하지 않은 말. ⑪ 《*PRico.*》 약은 수, 얕은 꾀, 잔꾀, 속임수. ⑫ 《*SDgo.*》 고기 토막.

Tajo, el *m.* 【지명】 따호강 《이베리아 반도의 강 이름 ; 서반아의 Albarracín 산맥에서 시작되어 Aranjuez, Toledo 및 Talavera de la Reina를 지나 포르투갈로 들어감》.

tajón *m.* ① 고기 도마. ② 《*And.*》 석회암의 줄무늬.

tajona *f.* ① 《*Amér.*》 말 채찍. ② 《*AmérC.*》 거리의 여인. ③ 《*Cuba.*》 민요의 일종. ④ 《*Cuba.*》 북의 일종. ⑤ 《*Cuba.*》 북을 치며 추는 춤.

tajoncillo *m. dim.* tajón.

tajonear *intr.* 《*CRica.*》 시내를 배회하다.

tajú *m.* 《*Filip.*》 (토착인들이 아침에 마시는) 홍차를 끓이는 일.

tajuela *f.* 걸상 《1인용》.

tajuelo *m.* =**tajuela.**

tajugo *m.* 《*Ar.*》 =**tejón.**

tajurear *intr.* 《*PRico.*》 속임수로 거래하다.

taka *f.* 방글라데시(Bangladesh)의 화폐 단위.

tal *adj.* [*lat.* talis] ① 그런, 이런, 그러한, 이러한 : Nunca se ha visto *tal* cosa 그런 일은 본 적이 없다. No existen *tales* riquezas 그러한 부는 없다. **Sinón.** semejante ② 그 [가끔 지시 형용사로 쓰인다] No conozco a *tal* hombre 그분을 모른다. **Sinón.** ese. ③ 그렇게 커다란(tanto, tan grande) : *Tal* falta no la puede cometer *un* hombre *tal* 그런 커다란 실수를 그런 분이 저지를 까닭이 없다. Las ganancias fueron *tales,* que olvidamos las pérdidas del día anterior 이익이 굉장히 많아서 우리는 전날의 손해를 잊었다. ④ 이러저러한, 아무개의 여차여차한 : Haced *tales y tales* cosas, y acertaréis 여차여차하게 하시오, 그러면 잘 될 것이요. Soy el padre de *la tal* muchacha 나는 (지금 말씀 드린) 여차여차한 처녀의 아버지입니다. ⑤ [부정관사+tal+고유 명사]…이라던가 하는 : Hasta hace unos años vivía con *una tal* Paca 몇 년 전까지 빠까라던가 하는 여자와 그는 동서(同棲)하고 있었다. Preguntó por ti *un tal* Martínez 마르띠네스라던가 하는 분이 너에 대해 물어보았다. ⑥ [cual 과 대조적으로] *Cual* el padre, *tal* el hijo 그 아버지에 그 자식, 부전자전. Su fin será *tal cual* ha sido su principio 시작이 그랬으니 끝도 그럴거야.

—*pron.* ① (질적으로) 그런 것·일 : No haré yo *tal* 나는 그런 일은 하지 않는다. No hay *tal* 그런 일은 없다. ② 어떤 사람, 누구(persona cualquiera) : *Tal* habrá que lo sienta así 그 일을 그렇게 생각하는 사람도 있을 것이다. ③ [부정관사+~]시시한 인간 : Ese hombre es *un tal* 그 자는 시시한 인간이야. La mujer es *una tal* 그녀는 매춘부야.

—*adv.* ① 그런 식으로, 그렇게(así) : *Tal* estaba él con la lectura de estos libros 이 책들을 읽고, 그는 그런 상태가 되어 있었다. ② [cual, como, así como와 대조하여 쓰여]…하는 것처럼 …하다, 그와 마찬가지로 …하다 : *Cual* el sol da luz a la tierra, *tal* la verdad ilumina el entendimiento 태양이 대지에 빛을 내리 비추는 것처럼, 진리는 지성을 비춘다. ④ [sí, no의 뒤에서 강조함] 정말로, 결단코 : sí *tal* 정말 그래. ⑤ 그럭저럭(así, así) : ¿Qué tal? —*Tal cual* 요즘 어떠십니까? —그저 그렇지. Trabaja *tal cual* 그럭저럭 일하고 있다. ¿Qué *tal* estás? =¿Cómo estás?

tal…, que… 그런 식으로 하므로 …하다 : *Tal* me habló *que* no supe qué responder 그런 식으로 말을 하니 나는 대답할 말이 없었다. Su pobreza era *tal, que* pedía limosnas 그는 그 정도로 가난했으므로 구걸을 했다.

con tal que + subj. …하면, …하는 조건으로 : Te perdono, *con tal que* te enmiendes 네가 고치면 너를 용서하겠다. Te acompañaré *con tal que* no llueva 비만 오지 않으면 따라가겠다. Te lo daré *con tal que* no me pidas cosas imposibles 불가능한 일을 부탁하지 않는다는 조건으로 그것을 네게 주겠다.

tal como …하는 그대로, …했던 그대로 : *Tal como* me contaron te lo cuento 내가 들었던 대로, 그대로 네게 말하겠다.

tal cual ① 그건 그렇지만 : Esta casa es estrecha ; pero *tal cual* es, la prefiero a la otra 이 집은 좁아, 그렇긴 하지만 먼저 것보다는 더 좋다. ② 얼마 안 되는 : Sólo pasa por la calle *tal cual* transeúnte 얼마 안 되는 사람만이 거리를 지나갈 뿐이다. ③ 그저 그런, 그런대로 보통인(mediano) : Es un muchacho *tal cual* 그저 그런 어린이다.

tal para cual 피장파장이다, 똑같다(que denota igualdad o semejanza) : Ambos son *tal para cual* 두 사람 다 피장파장이다.

tal vez 아마(quizá, quizás, probablemente) : *Tal vez* tengas razón 아마 네 말이 맞을지도 몰라.

y tal y cual =etcétera.

tala[1] *f.* ① 벌채. ② 어린이들의 말뚝 놀이의 일종. ③ 끝을 뾰족하게 한 말뚝을 박은 담, 녹채(鹿砦)(abasis). ④ 《*Arg.*》 딸라나무 《열매를 먹을 수 있는 나무》. ⑤ 《*Chile.*》 목축이 풀을 먹는 일. ⑥ 《*PRico.*》 과수원(huerto). ⑦ 《*Venez.*》 도끼(hacha).

tala[2] *f.* 서 사모아(Samoa Occidental)의 화폐 단위.

talabarte *m.* (칼을 차는) 가죽 띠, 혁대.

talabartería *f.* 《*Amér.*》 피혁, 가죽 ; 가죽·마구(馬具) 공장 ; 가죽 가게.

talabartero *m.* 《*Amér.*》 가죽 직공·상인(guarnicionero).

talabricense *adj.* 딸라베라·데·라·레이나 《Talavera de la Reina, 트레이드주의 도시》의.
—*m.f.* 딸라베라 사람.

talacha *f.* 《*Méx.*》 =**talacho.**

talacho *m.* 《*Méx.*》 괭이.

talador, ra *adj. m.f.* (나무 밑둥을) 자르는 (사람), 벌채하는 (사람).

taladrado *m.* 구멍 뚫기.

taladrador, ra *adj. m.f.* 구멍을 뚫는 (사람).

taladradora *f.* 천공기, 드릴 : ~ doble 속을 파는 드릴.

taladrante *adj.* =**penetrante, agudo, mordiente.**

taladrar *tr.* ① (…에) 구멍을 뚫다, 후벼내다 (horadar, agujerear). ② (소리가 귀를) 찌르다, 쨍쨍 울리다. ③ 꿰뚫다, 간파하다(penetrar, comprender). ④ (입장권 따위를) 자르다. ⑤ 《*Col.*》 =**estafar.**

taladrilla *f.* 【동물】 나무좀 《올리브 나무의 해충》.

taladrillo *m. dim.* taladro.

taladro *m.* [*lat.* taratrum] ① 볼트·나사못 절단기, 천공기 : ~ de minería 천암기(穿岩機). ~ de pecho 가슴받이 절단기. ② (뚫린) 구멍, (종이에 구멍을 뚫어 놓은) 절취선. ③【동물】 선식충(船食虫)(broma).

talaje *m.* ①《*Chile.*》 방목료(pasturaje). ② 《*Arg.*》 방목. ③《*Hond.*》 =**chinche.**

talamate *m.* 《*Méx.*》【식물】 약초의 일종.

talameta *f.* (사냥에서) 미끼새(señuelo)를 두는 나무.

talamete *m.* (작은 배의) 뱃머리 갑판.

talamite *m.* (옛날 배에서) 하단 열의 사공.

tálamo *m.* [*gr.* thalamos] ① 부부의 잠자리, 신방의 잠자리(lecho de los desposados). ② (옛 혼례에서) 신혼 부부의 자리. ③ 더블 베드. ④ 【식물】 화탁(花托)(receptáculo).

talamoco, ca *adj. m.f.* 《*Ecuad.*》 백변종(白變種)(의), 흰둥이(의)(albino).

talán *interj.* [흔히 반복 사용으로] 종소리의 의성어. —*m.* 종소리.

talanquera *f.* ① 울타리, 방벽(valla, pared). ② 의지할 곳, 안전(한 장소)(seguridad, defensa).

talante *m.* ① 방책, 수단, 방법(modo). ② 기력(氣力). ③ 기분, 안색(semblante) : estar de mal ~ 기분이 나쁘다. ④ 의지; 소원. ⑤ 성질. ⑥ 취향, 취미.

talantoso, sa *adj.* 【드뭄】 기분·안색이 좋은.

talar[1] *adj.* [*lat.* talaris] 옷자락을 질질 끄는, 복사뼈까지 닿는 : ropa ~ 발등까지 덮는 옷.

talar[2] *tr.* ① 벌채하다, 밑동에서 자르다 : *Se taló* el árbol. ② (철저하게) 파괴하다, 소각하다. ③ 전정하다.

talar[3] *m.* 《*Arg.*》 딸라나무숲(monte de talas). —*m.pl.* 머큐리신(Mercurio)의 신발에 붙어 있는 날개.

talareño, na *adj.m.f.* 딸라라《Talara, 뻬루의 주·항구 도시》의 (사람).

talasídromo *m.* 【조류】 물갈퀴발의 새, 물새.

talasoterapia *f.* 해변 요법.

talavera *m.* 딸라베라의 도자기.

talaverano, na *adj.* 딸라베라 《Talavera, 여러 곳의 지명》의. —*m.f.* 딸라베라 사람.

talaya *f.* 《*León.*》 떡갈나무의 어린 나무.

talayot *m.* =**talayote.**

talayote *m.* ① (발레아레스 제도에 남아 있는) 거석 시대의 비석(monumento megalítico). ② 《*Méx.*》【식물】 당면(唐綿).

talco *m.* [*ár.* talc] ①【광물】 활석 : polvo de ~ 활석분. ② (자수 등에 쓰이는) 금·은박.

talcoso, sa *adj.* 활석을 함유한 : roca *~sa.*

talcualillo, lla *adj.* ① 좀더 나은 : un libro ~. ② 약간 호전되기 시작한 : El enfermo está ~ 환자는 약간 호전되기 시작한다.

tálea *f.* (로마 시대의) 영창, 형무소.

taleb *m.* ① (모로코의) 성인 학생. ② 코란을 암기하는 사람.

taled *m.* (유태인 예복의) 머리 덮개.

talega *f.* ① 자루, 돈지갑, 주머니(saco, bolsa). ② 기저귀(culero). ③ (옛날 부인의) 두건. ④ 은으로 5000뻬세따의 금액. —*pl.* ① 상당한 돈 : tener muchas *~s.* ② 참회·고해해야 할 죄, 양심의 부담, 양심의 가책.

talegada *f.* talega의 한 자루분 ; 거기에 들어 있는 것.

talegallo *m.* 【조류】 (오세아니아의) 타조의 일종.

talegazo *m.* talega로 때리기.

talego *m.* ① (가늘고 긴) 자루. ② 땅딸보.
tener ~ 돈을 보관해 두다.

talegón *m. aum.* talega, talego.

taleguilla *f.* [*dim.* talega] ① 작은 돈지갑. ② 투우사의 바지(calzón de torero).
~ *de la sal* (집안의) 하루의 생활비(gasto diario de la casa).

taleguillo *m. dim.* talega.

taleguito *m. dim.* talego.

talentada *f.* 【방언】 경향, 성질, 성향, 성벽.

talento *m.* [*lat.* talentum] ① 재주, 재질, 재능, 수완, 재간, 솜씨, 기량 : de gran ~ 재능이 많은. Es un escritor de gran ~ 그는 재능이 많은 작가이다. El profana su ~ 그는 자신의 재능을 남용하고 있다. El no tiene ni pizca de ~ 그는 재간이라고는 아무 것도 없다. No tiene ~ para los trabajos de mecánica 그에게는 기계 일의 재능이 없다. ② 고대 그리스·로마의 도량형·화폐의 단위.

talentoso, sa *adj.* 재주있는, 재능있는, 수완이 있는, 솜씨있는 : escritor ~.

talentudo, da *adj.* 《*Arg. Chile.*》 =**talentoso.**

táler *m.* 고대 독일의 은화.

talerazo *m.* 《*Arg.*》 회초리로 때리기.

talero *m.* 《*Arg. Chile.*》 회초리, 채찍(látigo, rebenque).

tálero *m.* =**táler.**

talgo *m.* 관절식 경량 쾌속 열차《tren articulado ligero Goicoechea Oriol의 약자》.

T.A.L.G.O. =**talgo.**

talictro *m.* 【식물】 꿩의다리속의 초본.

talín *m.* 《*Sant.*》【조류】 야생 카나리아의 일종.

talio *m.* 【화학】 탈륨 《납 모양의 백색 희금속 원소》.

talión *m.* [*lat.* talio] 동태 복수(同態復讐)《눈에는 눈, 이에는 이》 : la ley del ~ 탈리오 형벌, 무고자에게 가하는 형벌.

talionar *tr.* 똑같은 방법으로 상대에게 보복하다.

talismán *m.* 부적 : El oro es el mejor ~ 금은 최고의 부적이다.

talla[1] *f.* ① 신장, 키(estatura) : hombre de poca ~ 별로 크지 않은 키. Era un hombre de ~ media 그는 중키의 사내였다. ② 신장계(身長計)(marca). ③ 솜씨, 기능, 재간. ④ 조각, (주로) 목조 : obra de ~ 새겨 넣은 무늬. Se ha dedicado a la ~ en madera 그는 목조에 전력을 기울였다. ⑤ 보석금, 현상금 : poner ~ contra uno. ⑥ 방광 결석 절제 수술. ⑦ (배의) 도르래

(polea). ⑧ 물을 식히는 그릇(alcarraza). ⑨ 《AmérC.》 거짓말, 속임수. ⑩ 《Col.》 주먹질, 구타, 때리기(zurra).
echar ~s 《Chile.》 거짓말을 하다(mentir, decir mentiras).

talla² *f.* ① 《Can.》 냄비형의 질그릇. ② 《Arg. Chile.》 잡담(charla).

tallado, da *adj.* ① 조각한; 세공한. ② [bien · mal+] 박력이 있는 · 없는, 틀이 좋은 · 나쁜. —*m.* (다이아몬드의) 조각, 새기는 일.

tallador, ra *m.f.* ① (메달의) 조각사 : ~ en hueco 타형(打型) 조각사. ② 《Arg.》 (카드 놀이에서) 패를 돌리는 사람(banquero).

talladura *f.* =**entalladura.**

tallante *adj.* 새기는, 조각하는.

tallar¹ *tr.* ① 새기다, 조각하다, 세공하다 : ~ el diamante. ② 평가하다, 견적을 내다(tasar, valuar) : ~ la cosecha. ③ (사람의) 키를 재다. ④ (카드를) 나누다. ⑤ 《Col.》 놀려주다, 애먹이다 ; 때리다. —*intr.* ① 《Arg. Chile.》 지껄이다(charlar). ② 《Chile.》 사랑의 말을 나누다 : ~ a una mujer.

tallar² *adj.* ① 벌채해 버린 : monte · leña ~. ② (어떤 종류의) 작은 (빗). —*m.* ① 나무를 베기 시작한 산. ② 다시 싹트기 시작한 산.

tallarín *m.* [*ital.* tagliolino] [주로 *pl.*] 국수, 당면 · 수프의 국거리가 되는 마카로니.

tallarola *f.* [*fr.* taillerolle] 우단의 날실을 자르는 주머니칼.

tallazo *m. aum.* talle, tallo.

talle *m.* ① 몸집, 체격. ② 자태, 모양, 모습(traza, apariencia) : Esa muchacha tenía un ~ lindo 그 소녀는 자태가 아름다웠다. ③ (의복의) 허리, 허리 둘레. ④ 《Chile. Guat.》 (부인용) 소매없는 속옷(almilla sin mangas).
largo de ~ …남짓한 : Tenía cincuenta años *largos de* ~ 그는 쉰 살 남짓했다.

tallecer(se) *intr.* (*r.*) ㉛ ① 줄기를 뻗다, 싹이 트다(echar tallo). ② 틀이 잡히다(entallecer).

tallecillo *m. dim.* talle.

taller¹ *m.* ① 일터, 작업장, 공장, 제작소, 제조소 : ~ escuela 공원 양성소. un ~ de sastre 재단실. ~ de mecánico 영선실. ~ de montaje 조립 공장. Trabaja de aprendiz en un ~ de carpintería 그는 목수 일터에서 견습생으로 일하고 있다. ② (화가 · 조각가 · 사진가 등의) 작업장, 기술실, 화실, 조각실, 아틀리에. ③ 스튜디오 ; (방송국의) 방송실. ④ 학원, 연구소, 교습소 (escuela, seminario).

taller² *m.* [*fr.* tailloir] ① 식탁용 조리대(調理臺)(angarillas). ② 기름 그릇(aceitera).

táller *m.* =**tálero.**

tallero, ra *adj.* 거짓말쟁이의(mentiroso).

talleta *f.* 《Arg.》 과자의 일종.

tallista *m.f.* 조각가, 세공사.

tallo *m.* [*lat.* thallus] ① 줄기 ; 꽃줄기 : El ~ sostiene las hojas, flores y frutos 줄기가 잎, 꽃, 열매를 받친다. ② 싹, 눈, 움 : echar ~*s.* ③ 《Chile.》 양배추, 캐비지(berza, col) : una hoja de ~. ④ 《Gal.》 =**tronco de madera.** ⑤ 《Chile.》 =**cardo santo.**

tallón *m.* ① 몸값 ; 현상금. ② 《Col.》 맞은 상처, 타박상.

talludo, da *adj.* ① 줄기가 길다란(que tiene tallo largo). ② 키가 자란(crecido, muy alto) : muchacho ~. ③ 신선함을 잃은. ④ 손떼기 어려운 (일). ⑤ 젊음을 잃기 시작한 (여자). ⑥ 《Hond.》 =**coriáceo.**

talluelo *m. dim.* tallo.

tallullo *m.* 《Cuba.》 =**tamal.**

talma *f.* ① 어깨 망토. ② 《Arg.》 =**esclavina.**

talmente *adv.* 《Neol.》 그와 같이, 같은 모양으로(de tal modo).

Talmud *m.* 탈무드 《유태교의 율법 및 설화집》.

talmúdico, ca *adj.* Talmud의.

talmudista *adj.* Talmud를 추구하는.
—*m.f.* Talmud의 편찬자 · 신봉자 · 연구자.

talo *m.* ① 【식물】 (바닷말 무리의) 엽상체. ② 【방언】 구운 옥수수 가루 단자.

talocha *f.* (미장이의 연장으로) 네모 판자 흙손.

talofita *adj.f.* 【식물】 엽상 식물(의).

talón¹ *m.* [*lat.* talus] ① 발뒤꿈치(calcañar, parte posterior del pie). ② (구두의) 뒤꿈치. ③ (말 뒷다리의) 뒤꿈치(pulpejo). ④ 뒤꿈치 모양으로 된 것, 힐 《바이올린 자루의 끝》; 용골의 꼬리 부분, 뒤꿈치 모양으로 된 것. ⑤ 【건축】 파상(波狀) 사개. ⑥ (대장에서 떼어낸) 수표장 · 어음 · 영수증, 쿠폰 : ~ bancario 은행 수표. ~ de entrega 화물 인도 통지서, 배달 전표. ~ de envío 배달 전표. ~ de expedición 출하 통지장. ~ de ferrocarril 철도 화물 인환증. ~ de resguardo 화물 수취증, (철도) 화물 인환증. ⑦ (화폐의) 본위(本位) : ~ de oro · plata 금 · 은 본위제.
a ~ 도보로, 걸어서(a pie).
apretar los ~*es* 달리기 시작하다, 마구 뛰다.
mostrar los ~*es* 도망치기 시작하다.
pisar los ~*es* 바짝 뒤쫓다.

talón² *m.* [*fr.* étalon] =**patrón monetario** : Las naciones de América usaban antes del ~ plata.

talón³ *m.* 【은어】 =**tallón, mesón.**

talonada *f.* 말의 뒷발질(golpe dado al caballo con los talones).

talonado, da *adj.* 《Amér.》 =**talonario.**

talonario, ria *adj.* 쿠폰식의 : libro ~ 할부장, 수표장. —*m.* (뜯어내게 된) 수표장, 수취증철, 인수증철, 쿠폰장 : ~ de cheques 수표장. ~ de letras 어음 기입장. ~ de recibos 영수증철.

talonazo *m.* 발뒤꿈치로 짓밟기 · 때리기(golpe dado con el talón).

talonear *intr.* ① 바삐 걷다. ② 《Arg. Chile.》 (박차 대신) 발뒤꿈치로 (말의 배를) 차다.

talonera *f.* 《Chile. Perú.》 ① (구두 뒤축의) 박차대. ② 《Col.》 구두 뒤축.

talonero *m.* 【은어】 =**ventero, mesonero.**

talonesco, ca *adj.* 발뒤꿈치의.

talpa *f.* 【의학】 귀갑상 혹종 ; 두부 피지 낭종(頭部皮脂囊腫).

talparia *f.* =**talpa.**

talpetate *m.* 《Guat. Hond.》 (부식토 아래 풍부한) 석회질과 모래가 많은 땅.

talque *m.* 【광물】 활석토 ; 내화 점토.

talquina *f.* 《Chile.》 ① 배반(traición). ② 속임수(engaño) : jugarle a uno la ~.

T

talquino, na *adj.m.f.* 딸까《Talca, 칠레에 있는 주·도시》의 (사람).

talquita *f.* 【광물】 활석 편암.

taltuza *f.* 《*Amér.*》【동물】(중미산의) 큰 쥐의 일종.

talud *m.* [*fr.* talus] 기울기, 경사(傾斜), 사면(斜面) : dar ~ 경사지게 하다. las ~*es* de un ferrocarril 철도의 사면.

taludín *m.* 《*Guat.*》【동물】 악어(caimán)의 일종.

talus *m.* =**talud.**

talvina *f.* 편도즙으로 만든 죽.

talweg *m. alem.* 골짜기의 저선(底線)(vaguada).

tamagás *m.* 《*AmérC.*》 독사의 일종.

tamajagua *f.* 《*Ecuad.*》 =**damajagua.**

tamal *m.* 《*Amér.*》 ①잎사귀를 말은 떡《바나나 잎·옥수수 껍질로 옥수수 가루빵을 말아 찌거나 구운 것》. ② 수작, 음흉한 수(treta, intriga) : amasar un ~ 수작을 꾸미다. ③《*Chile.*》 커다란 꾸러미(bulto grande).

tamalada *f.* 《*Méx.*》 tamal 간식.

tamalayote *m.* 《*Méx.*》【식물】 호박의 일종.

tamalear *tr.* 《*Méx.*》 쥐어박다(manosear) : ~ a un niño.

tamalera *f.* ①《*Bol.*》 얼굴에 감는 붕대 ; 머리수건. ②《*Méx.*》 연인의 한 쌍. ③ tamal 제조인·상인.

tamalería *f.* tamal 파는 곳.

tamalero, ra *m.f.* ①《*Amér.*》 tamal 제조인·상인. ②《*Chile.*》 눈속임을 하는 사람.

tamanaco, ca *adj.* 따마나꼬족《오리노꼬 강변에 사는 한 종족》의. —*m.f.* 따마나꼬족. —*m.* 따마나꼬말.

tamándoa *m.* =**tamanduá.**

tamanduá *m.* 【동물】 개미핥기(oso hormiguero). **Sinón.** oso melero.

tamandúa *m.* 【동물】[드뭄] =**tamanduá.**

tamango *m.* ①《*Arg. Chile.*》 엉성하고 닳아빠진 신발. ②《*Chile.*》 가죽 샌들. ③《*Arg.*》 각반의 일종.

tamañamente *adv.* …만큼 크게(tan grandemente como).

tamañico, ca *adj.* [*dim.* tamaño] 아주 작은.

tamañillo, lla *adj.* [*dim.* tamaño] 아주 작은.

tamañito, ta *adj.* [*dim.* tamaño] ① 크기가 …만큼한. ② 아주 작은. —*m.* ① 어린아이. ② 크기, 사이즈.
 dejar·quedar ~ 아연 실색하다·하게 하다(dejarlo chiquito, apabullarlo).

tamaño, ña *adj.* ①…만한 크기의(tan grande o tan pequeño) : ~ *como* una vaca 소 만한 크기의. ② 아주 커다란 : Es un árbol ~ 아주 큰 나무다. ~*ñas* dificultades 대단한 곤란. Es imposible creer ~*ña* mentira 그런 지독한 거짓말은 믿을 수 없다. —*m.* 크기, 사이즈(volumen) : calcular el ~ de una caja 상자의 크기를 계산하다. clasificar por ~*s* 크기로 분류하다. ¿De qué ~ lo quiere usted? 어떤 크기로 원하십니까? ¿Qué ~ tiene usted? 키가 얼마나 됩니까? ¿De qué ~ es su cuello? 당신의 목 사이즈는 몇이오? ~ de la muestra 표본의 크기. ~ natural·real 실물 크기, 실물대(實物大). ~ normal 표준 크기.

tamañuelo, la *adj. dim.* tamaño.

támara *f.* ①【식물】(카나리아 제도산의) 야자. ② 야자숲. —*pl.* ① 대추야자 열매 송이. ② 땔감, 장작 : quemar ~*s* 장작을 태우다.

tamaral *m.* 《*Zam.*》 말오줌나무(fresno)의 숲.

tamarao *m.* 《*Filip.*》【동물】(민도로섬의) 물소(búfalo)의 일종.

támaras *f. pl.* 가느다란 장작, 나무의 가느다란 가지 : quemar ~*s.*

tamaricáceo, a *adj.* 【식물】 위성류과의. —*f.pl.* 위성류과 식물.

tamarigal *m.* 《*Ar.*》 =**tarayal.**

tamarilla *f.* 【식물】 =**planta cistínea leñosa.**

tamarindo *m.* ①【식물】 따마린도《콩과 상록교목》. ② tamarindo 열매《청량·약용·조미용》.

tamariscíneo, a *adj.* =**tamaricáceo.**

tamarisco *m.* =**tamariz, taray.**

tamaritano, na *adj. m.f.* 따마리떼 데 리떼라《Tamarite de Litera, Huesca 주의 마을》의 (사람).

tamariz *m.* 【식물】 위성류(渭城柳)(taray).

tamarrizquito, ta *adj.* 아주 작은, 미소한(muy pequeño).

tamarrusquito, ta *adj.* =**tamarrizquito.**

tamarugal *m.* 《*Chile.*》 tamarugo의 숲.

tamarugo *m.* 《*Chile.*》【식물】 mimosa의 일종.

tamaulipeco, ca *adj. m.f.* 따마울리빠스《Tamaulipas, 멕시코에 있는 주》의 (사람).

tamazul *m.* 《*Méx.*》【동물】 큰 두꺼비(sapo de gran tamaño).

tamba *m.* 《*Ecuad.*》(인디오가 사용하는) 허리가리개(chiripa).

tambal *m.* 《*Ecuad.*》 밀랍(cera)을 만드는 종려.

tambaleante *adj.* 비틀거리는.

tambalear(se) *intr.(r.)* 비틀거리다 : El borracho *se tambaleaba* 주정뱅이가 비틀거렸다.

tambaleo *m.* 비틀거림.

tambanillo *m.* 【건물】(문·창문 위의) 경판(鏡板)(frontón).

tambar *tr.* 《*Col.*》 들어마시다(engullir, zampar, tragarse).

támbara *f.* 《*Sal.*》 =**rodrigón.**

tambarillo *m.* (뚜껑이 달린) 상자.

tambarimba *f.* 《*Sal.*》 싸움, 실랑이, 다툼(riña, pendencia).

tambarria *f.* ①《*Amér.*》 즐거워 법석떨기(holgorio, parranda). ②《*Col.*》 뭇매.

tambero, ra *adj. m.f.* 《*Arg. Chile.*》 ① 길들어 순한(del tambo) : ganado ~. ② 착유업의 (사람). —*m.f.* 《*AmérM.*》 객줏집 주인.

tambesco *m.* 《*Sant.*》 ① 그네(columpio). ② 흔들이 의자(mecedora).

también *adv.* ①…도, 또한, 역시(igualmente) : ¿*También* usted puede venir? 당신도 역시 와 주시겠소? Su hermana es alta ~ 그의 여동생 역시 키가 크다. La casa es ~ blanca 그 집도 하얗다 ; 그 집은 또 하얗기도 하다. Nosotros ~ trabajamos 우리도 일한다. A mí ~ me gusta el teatro 나도 연극을 좋아한다. ② 그 위에, 게다가, 그리고 또한(además) : Hay ~ una puerta 게다가 또 문도 있다. **Contr.** tampoco.

no sólo … *sino* ~ …뿐만 아니라 …도 또한.
si que ~ 【속어】 =sino también.

¡también! *interj.* 안돼 ! (¡vaua!) ; 그렇구나 (¡Verdad es que!)

tambo *m.* [*quechua.* tampu] ①《*AmérM.*》 객줏집(venta) : Los incas habían edificado ~*s* en los principales caminos 잉카족은 주요길에 객주집을 세웠었다. ②《*Arg.*》 착유소(vaquería). ③《*Bol.*》 여관, 객줏집(posada) ; 건물, 집(conventillo). ④《*Parag.*》 =**palenque, bramadero.** ⑤ 매춘굴.

tambobón *m.* 《*Filip.*》 쌀 보관용 돌로 만든 그릇.

tambocha *f.* 《*Col.*》 육식 개미의 일종.

tambor *m.* [*ár.* tanbor] ① 북, 큰 북 : a · con ~ batiente 북을 쳐서 ; 의기 양양하게. ② 고수(鼓手), 북치는 사람 : ~ mayor 고수장(鼓手長) (maestro y jefe de una banda de tambores). ③ 북 모양 · 원통 모양의 물건. ④ 비단체(tamiz). ⑤ (원통형의) 커피 원두 볶는 그릇. ⑥ (건축에서) 동(胴). ⑦ (기계에서) 고통부(鼓筒部). ⑧ (주두〈主頭〉의) 택동(鐸胴). ⑨【해부】 고막(tímpano). ⑩ 방안의 작은 방, 벽장. ⑪ 드럼통. ⑫《*Cuba. Méx.*》 (원통형의) 통. ⑬《*Cuba. Méx.*》 즈크(천).

tambora *f.* 《*Amér.*》 ① 큰 북(tambor grande), (보통의) 북. ②《*Cuba.*》 거짓말.

tamborear *intr.* =**tabalear.**

tamboreo *m.* 손가락으로 박자 맞추기.

tamborete *m.* [*dim.* tambor] ① 작은 북(tambor pequeño). ② (범선의) 장모(檣帽).

tamboril *m.* 작은 북의 일종 ; 장고.
~ *por gaita* 엎어치나 메어치나 마찬가지.

tamborilada *f.* ① 엉덩방아(golpe que se da al caer en el suelo). ② 겁주기. ③ 찰싹 때리기 (manotazo en la cabeza o en las espaldas).

tamborilazo *m.* =**tamborilada.**

tamborilear *intr.* 북을 치다(tocar el tamboril). —*tr.* ① 추켜세우다(celebrar mucho a uno). ② (활자를) 고르다.

tamborileo *m.* tamboril의 소리, tamboril을 치는 일.

tamborilero *m.* tamboril을 치는 사람, 고수.

tamborilete *m.* [*dim.* tamboril] ① 드럼, 작은 북(tamboril pequeño). ②【인쇄】 활자 선별판.

tamborilillo *m. dim.* tamboril.

tamborín *m.* =**tamboril.**

tamborinero *m.* =**tamborilero.**

tamborino *m.* =**tamboril.**

tamboritear *intr.* =**tamborilear.**

tamboritero *m.* =**tamborilero.**

tamborito *m.* 《*CRica. Panamá.*》 민속춤의 일종.

tamborón *m.* [*aum.* tambora] 큰 북.

tambre *m.* 《*Col.*》 둑, 댐(presa, azud).

tambucho *m.* (배의 갑판에 가로문이 달린) 작은 칸막이방.

tamegua *f.* 《*Salv.*》 =**primera limpia de las milpas.**

tameme *m.* 《*Méx.*》 인디오 짐꾼(indio mejicano cargador).

tamén *m.* 《*Méx.*》 인디오 짐꾼.

tamene *m.* 《*Méx.*》 =**temén.**

Támesis, el 【지명】 테임즈강 《영국의》.

tamínea *adj.* *uva* ~ 2년초, 비연초.

taminia *adj.* =**tamínea.**

tamiz *m.* [*fr.* tamis] 체, 키(cedazo) : ~ metálico.

tamizar *tr.* ⑨ 키질 · 체질하다(pasar una cosa por el tamiz) : ~ la harina.

tamo *m.* ① 보풀(pelusa). ② 보풀 먼지, 먼지. ③ 지푸라기, 짚부스러기.

tamojal *m.* 수송나물밭.

tamojo *m.* 【식물】 =**matojo.**

tampa *f.* 《*Arg. Bol.*》 =**cabellera enmerañada.**

tampoco *adv.* …역시 (아니다) : No te doy este libro ni ése ~ 이 책도 그 책도 줄 수 없다. *Tampoco* voy yo 나도 안 간다. No puede venir usted ~ 당신도 역시 못 오시는군요. **Contr.** también.

tampón *m.* *fr.* 《*Amér.*》 인주, 스탬프 잉크대 (almohadilla para entintar sellos).

tam-tam *m.* 《*Neol*》. =**tantán.**

tamuga *f.* 《*CRica. Salv.*》 =**envoltorio.**

tamuja *f.* 떨어진 솔잎.

tamujal *m.* 털갈매나무의 숲.

tamujo *m.* 【식물】 털갈매나무.

tamul *m.* =**lengua de los tamules.**

tamunango *m.* 《*Venez.*》 흑인 춤의 일종.

tan[1] *adv.* [형용사나 부사 앞에서 tanto의 어미 탈락형] ① 그렇게, 이렇게, 저렇게 : No seré yo *tan* descortés 나는 그렇게 무례한 짓은 하지 않아. Yo no esperaba que llegases *tan* pronto 자네가 이렇게 빨리 오리라고는 생각지도 않았네. No seas *tan* tacaño 그렇게 인색하게 굴지마라. ② [+ …como, cuan]…만큼 : Juan es *tan* grande *como* tú 후안은 너만큼 크다. Es *tan* duro *como* el hierro 철만큼 단단하다. Lola es *tan* alta *como* su padre 롤라는 부친만큼 키가 크다. El castigo fue *tan* grande *como* grande fue la culpa 죄가 컸던 만큼, 벌도 컸다. ③ [tan +형용사 · 부사+que]너무나 …해서 …하다 : Estaban todos *tan* fatigados, *que* determinaron pasar allí la noche 모두가 너무나 피곤해 있어서, 그곳에서 밤을 새우기로 결정했다. Estaba *tan* cambiada *que* apenas la reconocí 그녀는 너무 변해 있었으므로 나는 거의 그녀인 줄 몰라보았다.
~ *bien como* …과 같은 정도로 : Le conozco ~ *bien como* usted.
~ *siquiera* 하다못해, 적어도(siquiera).
~ *y mientras* 《*And.*》 =mientras.

tan[2] *interj.* 둥둥 《북소리의 의음》. —*m.* 북소리.

tan. tangente.

tana *f.* 《*Méx.*》 (야자 · 종려로 짠) 자루.

tanaca *f.* 《*Bol.*》 지저분한 여자.

tanaceto *m.* [*fr.* tanaisie]【식물】 쑥국화(hierba lombriguera).

tanagra *f.* ① (아메리카의) 아름다운 작은 새. ② (고대 그리스 타나그라에서 만들어낸 것 같은) 도제 인형(陶製人形)(estatuita).

tanate *m.* [*méj.* tanatli]《*Méx. Hond.*》 ① 배낭 지는 자루, 란도셀(mochila). ②《*Guat.*》 꾸러미 (lío, envoltorio). —*pl.* 허섭스레기, 잡동사니.
cargar con los ~*s* 《*AmérC.*》 떠나다(marcharse).

tanatear *tr.* 《*AmérC.*》 꾸리다, 걷어 올리다.

T

tanatero *m.* 《*Méx.*》 광석 나르는 인부.
tanato *m.* 【화학】 탄닌산염.
tanay *m.* 《*Perú.*》 제자리 걸음(춤)(zapateo).
tancal *m.* 《*Col.*》 (강을 건너는) 왕복선.
tancolote *m.* 《*Méx.*》 (상품 등을 운반하는) 광주리(cesto).
tanda *f.* ① 교대, 교체(제), 윤번(alternativa, turno) : por ~*s* 윤번으로. ~ de riego 물 당번. Somos muchos ; almorzaremos por ~*s* 우리는 수가 많으니까 교대로 점심을 먹자. ② 교체반, 교체조(組). ③ (광산에, 교체 하에서의) 작업 시간. ④ 일(tarea). ⑤ (당구에서) 승부, 겨루기, 경기, 시합. ⑥ 덮개, 가빠(capa). ⑦ 많은 양(gran cantidad) : dar una ~ de azotes 회초리로 굉장히 때리다. ⑧ 《*Cuba. Chile. Méx. Perú.*》 (연극의) 상연, 시간제 : teatro por ~*s* 1막물을 상연하는 극장. Iremos a ver la primera ~ (그날의) 최초의 상연을 보러 가자. ⑨ 《*Arg.*》 나쁜 버릇(maña, resabio) : agarrar la ~ 나쁜 버릇이 생기다.
tandariola *f.* 《*Méx.*》 악평, 물의, 추문, 스캔들(escándalo).
tándem *m.* [*lat.* tandem] ① 2인승 자전거(bicicleta para dos personas). ② 탄뎀 (경기).
tandeo *m.* 용수의 교체 급수, 윤번 관개(reparto de agua de riego por tandas).
tandero, ra *m.f.* 《*Chile.*》 신소리군, 익살꾼.
tandilense *adj.m.f.* 딴딜 《Tandil, 아르헨띠나의 도시·산맥》의 (사람).
tandista *m.f.* 《*Perú.*》 1막물 상연(tanda)의 관객.
tanela *f.* 《*CRica.*》 꿀을 바른 비스킷 반죽.
tanga *f.* ① 《*Pal. Seg. Vallad.*》 겨냥하여 던지는 놀이(chito). ② 《*Col.*》 구타, 주먹질.
tangalear *tr.* ① 《*Col.*》 지연시키다(retardar). ② 《*Col.*》 어지러뜨리다(embrollar).
tangán *m.* 《*Ecuad.*》 (식기 등을 메다는) 갈고리.
tangana *f.* (강에서 카누를 밀어내는데 사용하는) 긴 노(remo largo).
tángana *f.* =**tanga.**
tanganazo *m.* ① 《*AmérM.*》 긴 장대로 때리기(garrotazo). ② 《*Col. PRico.*》 술을 벌컥 마시는 일.
tanganear *tr.* 《*Ecuad.*》 때리다(zurrar). —*intr.*, **~se** 《*Venez.*》 으시대며 걷다(contonearse).
tanganillas (en) *adv.* 불안정하게 ; 떨어질 듯이, 쓰러질 듯이.
tanganillo *m.* 버팀나무, 고임돌. **Sinón.** puntal.
tángano *m.* ① 뼈조각 던지기 놀이(chito). ② 《*Burg. Sal.*》 말라 죽은 가지. ③ 《*Sal.*》 =**palo.** —*adj.* 《*Méx.*》 키가 작은(bajo, chaparro).
Tanganyica 【지명】 탕가니아.
tanganyicano, na *adj.* 탕가니아의. —*m.f.* 탕가니아 사람.
tangará *f.* 【조류】《*Arg.*》 풍금조(風琴鳥).
tangencia *f.* 접촉 : la ~ de dos curvas 두 곡선의 접촉선. punto de ~ 접점.
tangencial *adj.* 접점의, 접선의 : línea ~ 접선. punto ~ 접점.
tangente *adj.* [*lat.* tangens] 접하는 ; 절선(切線)의. —*f.* 【기하】 절선 ; 정절(正切), 탄젠트. *escapar(se)·irse·salir por la* ~ 교묘히 헤쳐 나가다(eludir hábilmente un apuro).
Tánger *f.* 【지명】 땅헤르 《모로코의 도시》.
tangerino, na *adj.* 탕헤르의. —*m.f.* 땅헤르 사람.
tangibilidad *f.* 만져서 알 수 있음 ; 명백, 확실.
tangible *adj.* 만지는, 만질 수 있는; 유형(有形)의; 명백한, 명백히 알 수 있는, 분명한 : una realidad ~.
tangidera *f.* 밧줄.
tangir *intr.* (누구의) 친척이 되다.
tango *m.* ① 뼈조각 던지기 놀이(chito). ② 《*Arg.*》 탱고 (무용·곡) : El ~ se extendió por el mundo a principios del siglo veinte 탱고는 20세기 초에 세계에 퍼졌다. ③ 《*Col.*》 담배의 만잎. ④ 《*Cuba. Chile.*》 품위 없는 춤. ⑤ 《*Hond.*》 원주민의 타악기의 일종. ⑥ 《*Neol.*》 오랜지색.
tango, ga *adj.* 《*Méx.*》 땅딸막한(rechoncho).
tangón *m.* [*fr.* tangon] =**botalón.**
tanguarniz *m.* 《*Méx.*》 술 한 모금(trago).
tanguear *intr.* ① 《*Ant. Col.*》 탱고를 추다·부르다. ② 술에 취하다.
tanguero, ra *adj. m.f.* 탱고를 좋아하는 (사람).
tanguillo *m.* 《*And.*》 끈으로 돌리는 팽이.
tanguista *m.f.* 탱고 무용가·가수 ; (카페 등의) 댄서.
tánico, ca *adj.* 【드뭄】 =**tánnico.**
tanino *m.* [*fr.* tanin] 【화학】 탄닌(산) : El ~ suele emplearse como tónico.
tank *m.* =**tanque.**
tannato *m.* 【화학】 탄닌산염.
tánnico, ca *adj.* ① 탄닌을 함유한 : ácido ~ 탄닌산. ② 떫은 맛이 강한.
tano, na *adj. desp.* 《*Arg.*》 나폴리의. —*m.f.* 나폴리 사람. [*N.* napolitano의 생략].
tanor, ra *m.f.* (서반아 사람의 가정에서 봉사하는) 토착인.
tanoría *f.* (필리핀의 토착인의) 가정의 봉사.
tanque *m.* ① 탱크, 통 : ~ de fermentación 양조통. barco·buque·vapor ~ 유조선, 탱커. vagón ~ 기름 수송차. ② 전차 : ~ ligero 경전차. ③ 물통, 저수조, 수조(aljibe). ④ (벌꿀의) 밀랍(propóleos). ⑤ 《*Amér.*》 못, 용수지(estanque).
tanqueta *f.* 경전차.
tanquista *m.* 전차병(兵).
tanta *f.* 《*Bol. Perú.*》 옥수수빵(pan de maíz).
tantalato *m.* 【화학】 탄탈산염.
tantalesco, ca *adj.* 일부러 애태우는 듯한 : suplicio ~.
tantálico, ca *adj.* 【화학】 탄탈의 ; 특히 5가의 탄탈을 함유한 : ácido ~ 탄탈산.
tantalio *m.* 【화학】 탄탈 《희금속 ; 백금 대용품》.
tantalita *f.* 【광물】 탄탈석(石) ; 탄탈철광.
tantalito *m.* 【광물】 =**tantalita.**
tántalo *m.* 【조류】 딴딸로 《중앙 아메리카의 철새로 황새 비슷함》.
Tántalo *m.* 【희랍 신화】 탄탈루스 《Zeus의 아들 ; 제신(諸神)의 비밀을 누설한 벌로 지옥에서

턱까지 물에 잠기면서 목이 말라 물을 마시려고 하면 물에 빠지고, 굶주려 과일을 따려고 하면, 가지가 뒤로 물러나는 초조의 고통을 당했다고 함》.

tantán *m.* 《*Neol.*》 악기의 일종(batintín).
a ～ 《*Col.*》 등에 지고.

tantarán *interj. m.* =**tantarantán.**

tantarantán *interj. m.* 목소리의 의음. **—*m.*** ① 때리기(golpe, porrazo). ② 순 북소리. ③ 되게 나무라기.

tantas (a) *adv.* 《*AmérC.*》 동등하게, 공평하게.

tanteada *f.* 《*Méx.*》 놀이, 장난.

tanteador, ra *m.f.* (경기의) 점수 매기는 사람. **—*m.*** 득점 계산기·표시기.

tantear *tr.* ① 재다(medir). ② 감안하다. ③ 미리 알아보다, 신중히 조사하다 : ～ el vado 여울·방책을 조사하다. *Tanteamos* el piso con el pie para ver si era fuerte 마루가 튼튼한지 어떤지 보기 위하여 우리들은 발로 더듬어 보았다. ④ 《*Chile.*》 수지 계산을 맞추어 보다, 견적을 내보다. ⑤ 낌새를 살피다, 속셈을 떠보다 : ～ al adversario. ⑥ (그림을 그리기 위해) 윤곽을 잡다. ⑦ 게임·득점을 계산하다. **—*intr.*** 득점을 세다.
～se 《*Méx.*》 [+a : …을] 속이다.

tanteo *m.* 살펴봄, 어림셈 ; 감안 ; 넌지시 떠보기 ; (승부에서의) 득점.
al ～ 《*Chile. Arg.*》 눈대중으로, 눈어림으로(a ojo).

tantico *adv.* [*dim.* tanto] 조금(poco) : un ～ 조금, 약간.

tantillo *m.* [*dim.* tanto] 약간, 조금.

tanto, ta *adj.* [*lat.* tantus] ① 그 정도의, 그 만큼의; 그렇게 많은 : A tal hora va y viene *tanta* gente 이런 시간에 이렇게 많은 사람들이 내왕하고 있다. ¿Por qué se da usted *tanta* prisa? 왜 그렇게 서두르십니까? ② [+ como] (…만큼) 많은 : Tengo ～*s* libros *como* tú 나는 너만큼 많은 책을 가지고 있다. No sería *tanta* tu experiencia *como* ahora 자네의 경험도 지금처럼 그렇게 많지는 않았을 것이네. ③ [+ cuanto]…할 만큼의 : Te daré ～ trabajo *cuanto* quieras 네가 원하는 만큼의 일을 주겠다. ④ 얼마간의, 몇몇의 : Vinieron veinte y ～*s* hombres 사람들이 스무 몇 명 더 왔다. ⑤ [+ 숫자]…배의, …정도의 것 : cal mezclada con *tres tanta* arena 세 배의 모래와 혼합한 석회. ⑥ [대명사적으로] dos ～ 2배(dos veces ～). Le dio seis ～ más de lo que había recibido 받은 액수의 여섯 배를 주었다.
—*pron.* ① 그 만큼, 그 정도 : A ～ le arrastra la codicia 탐욕이 그를 거기까지 끌고 갔던 것이다. ② 그 것, 그 일(eso) : No lo decía yo por ～ 나는 그 일 때문에 그 말을 한 것은 아니다. ③ [부정 수·양·액의 대신] 얼마간, 약간 : un ～ por ciento 몇 퍼센트 가량 되는 것. a ～*s* de julio 칠월의 며칠날인가. mil y ～*ta* 천하고 얼마쯤 더. ④ [여성 복수형에서는, 늦은 시간] Ya son *las tantas* 벌써 시간이 이렇게 되었다, 시간이 많이 지났다.
—*adv.* [형용사·부사 앞에서 tan 으로 됨] ① 그토록, 그렇게 : ¿Por qué trabajas ～ ? ¿Eres *tan* pobre? 왜 그렇게까지 일하니? 너 그렇게 가난하니? No creía que costase ～ 그렇게까지 비용이 들 것으로는 생각하지 않았다. ② [como 와 어울려] …과 마찬가지로, 똑같은 만큼, 같은 정도로 : No sabe ～ *como* dicen 그는 평이 난 것 만큼 많이 알지는 못한다. El sol brilla ～ para mí *como* para todo 태양은 모든 사람을 비추는 것 만큼 나도 비추고 있다. ③ [cuanto 와 어울려] …하면 그만큼 : *Tanto* vales *cuanto* tienes 네가 많이 가지고 있으면 그만큼 가치가 있다. ④ [que와 어울려, 계속되는 접속구] 너무나 …하여 …하다 : Trabajó *tanto, que* cayó enfermo 그는 너무나 일하여 병으로 쓰러졌다. Trabajamos ～ *que* apenas podemos dormir 거의 잠을 잘 틈도 없을 만큼 우리는 일하고 있다. ⑤ [비교어의 앞에서, 비교의 강조] : Es ～ mejor que el otro 다른 또 하나 보다 훨씬 더 낫다.
—*m.* ① 약간(의 금액) : Le pagan *un* ～ por cada día de trabajo 그날 그날의 노동에 대해 약간의 돈을 지불하고 있다. ② 일정한 양·액수. ③ 비율 : Es el ～ por ciento del servicio 그것은 서비스료이다. ④ (카드 등의) 점수, 득점. ⑤ (나무·건물의 높이를 눈짐작할 때의 단위로 삼는) 보통 사람의 키. ⑥ (서류의) 복사(copia).
～ ***por ciento*** 페센티지, 백분율(porcentaje).
～ ***que*** 그리하여, 그때문에(luego que) ; …하자마자(tan pronto como, luego que).
～ ***más que*** …하면 할수록.
～ ***menos que*** …하면 할수록 더 적게.
～ ***por*** ～ 같은 값으로, 똑같은 가격으로 ; 같은 방법으로.
algún ～ 얼마간, 조금(un poco).
al ～ 같은 값으로(por el mismo precio).
al ～ ***de*** …에 밝아, 잘 알고(al corriente) : estar *al* ～ *del asunto.*
con ～ ***que*** …하는 조건으로, …한다면(con tal que).
en·entre ～ 그 사이에(entretanto). ② 한편으로는(mientras).
en su ～ 그 비율로.
otro ～ ① [앞에 나온 숫자·분량을 의식하여] 같은 만큼의 (일·물건) : En los tres lugares más hermosos de sus jardines, mandó levantar *otros* ～*s* palacios 정원에서 가장 아름다운 세 곳에 세 채의 궁전을 짓게 했다. Quisiera yo poder hacer *otro* ～ 나도 그만한 일을 할 수 있다면 얼마나 좋을까. ② [비교의 강조] un asunto más grave que *otro* ～ 비교할 수 없을 만큼 중대한 일.
por el ～ 같은 값으로.
por (lo) ～ 그 때문에, 그러므로(por consiguiente) : Ya es trade ; *por lo* ～, es inútil que vayas 이제 늦었다 ; 그러므로 너는 가봐야 소용없다.
¡y ～***!*** 정말로 그렇다 《동조할 때》.

tanza *f.* 낚싯줄(sedal que se pone a la caña de pescar).

Tanzania 【지명】 탄자니아.

tanzanio, nia *adj.* 탄자니아의. **—*m.f.*** 탄자니아 사람.

tañedor, ra *adj.* 악기를 켜는. **—*m.f.*** 연주자.

tañendo tañer의 현재 분사.

tañente *adj.* (악기를) 연주하는.

T

tañer *tr.* 51 [*lat.* tangere] (악기를) 연주하다·켜다·불다(tocar) : Se le oía ~ la guitarra por las tardes 오후에는 그녀가 기타를 켜는 소리가 들렸다. —*intr.* 손가락으로 장단을 맞추다(tabalear).
[직설법 부정과거 : tañí, tañiste, tañó, tañimos, tañisteis, tañeron. 접속법 불완료과거 : tañera, …; tañese, …. 현재 분사 : tañendo].

tañeron tañer의 직·부정과거·3·복수.

tañido *m.* 음색 ; (울리는) 소리(toque) : el ~ de la campana.

tañido, da *adj.* tañer의 *p.p.*

tañimiento *m.* 울리는 일, 울리는 소리 ; 소리,

taño *m.* 가죽의 무두질에 쓰는 나무 껍질(casca).

tañó tañer의 직·부정과거·3·단수.

tao *m.* T자형《특히 San Antón, San Juan 교단의 기장으로 사용하는 것》.

taoísmo *m.* 도교, 노자(Lao-tsé)의 가르침 : El ~ es una mezcla de varias supersticiones.

taoísta *adj.* 도교의. —*m* 도교 신자, 도학자.

tapa[1] *f.* ① 뚜껑, 덮개 ; 씌우는 것 : ~ de los sesos 두개(頭蓋) ; 머리 꼭대기. ② (책의) 표지 : ~ posterior 뒷 표지. Las ~*s* están hechas de cuero 표지는 가죽으로 되어 있다. ③ 수문의 문짝(compuerta). ④ 얇다란 쪼가리 ; 햄 등의 조각, 고기포의 토막 ; 구두의 뒤축 가죽의 한 장. ⑤《*Cuba.*》돈의 한 닢. ⑥《*Chile.*》마개(tapón). ***de*** ~《*AmérC.*》나쁜, 쓸모없는.

tapa[2] *f.* 《*Hond.*》【식물】 =**datura, estramonio.**

tapaagujeros *m.* =**tapagujeros.**

tapabalazo *m.* 《*Col. Méx.*》① 바지의 앞 타개(la portañuela del pantalón). ② (선박의) 삼부스러기 마개.

tapabarro *m.* 《*Chile. Perú.*》(차의) 흙받이(guardabarros).

tapaboca *m.* ① 입에 대한 구타. ② 머풀러, 목도리(bufanda). ③ 말로 무찌르기, 말문이 막히게 만드는 일.

tapabocas *m.* 【단·복수 동형】 목도리 ; 입마개 ; 포구(砲口)의 마개.

tapacamino *m.* 《*Arg.*》【조류】 매(chotacabras)의 일종.

tapacete *m.* ①《*Col.*》(차의) 지붕. ② 배의 밑창 덮개.

tapacubos *m.* 【단·복수 동형】 (차륜의) 바퀴통 씌우개.

tapaculo *m.* ① 가시나무의 열매(escaramujo). ② (꾸바의) 물고기.

tapachiche *m.* 《*CRica.*》【곤충】 (붉은 색 날개를 가진) 큰 메뚜기(langosta grande).

tapada *f.* ① (중동의 회교국에서 흔히 볼 수 있는) 얼굴을 가린 여자. ②《*Méx.*》부인(desmentida) : dar una ~ 부인하다.

tapadera *f.* ① 덮개, (냄비의) 뚜껑. ② 숨겨주는 사람.

tapadero *m.* 덮개, 덮는 데 사용하는 것(tapón, tapadera, cobertera).

tapadijo *m.* 《*Neol.*》회피, 기피, 도피.

tapadillo *m.* ① 여자가 얼굴을 가리는 일. ② 피리의 구멍을 막는 일.
de ~ 얼굴을 감추고, 남몰래.

tapadizo *m.* =**cobertizo.**

tapado, da *adj.* [tapar의 *p.p.*] ① 뚜껑을 닫은, 막은 ; 덮개를 한 ; 가린 ; 얼굴을 가린. ②《*AmérM.*》얼룩점이 없는 (말). —*m.*《*Amér.*》① (여자의) 외투(abrigo de mujer). ② 숨겨둔 보물(tesoro oculto). ③《*Col.*》바나나와 고기의 요리. ④《*Col.*》구멍이 뚫린 석쇠(barbacoa).

tapador, ra *adj. m.f.* 뚜껑·마개를 하는 ; 숨기는 (사람). —*m.* 뚜껑, 마개(tapadera, cobertera).

tapadura *f.* 덮는 일, 막는 일 ; 은닉.

tapafogón *m.* (총의) 뇌관.

tapafunda *f.* ① 권총 케이스의 덮개. ②《*Arg. Col.*》안장 덮개.

tapagujeros *m.* 【단·복수 동형】 솜씨가 어설픈 미장이, 미장이의 조수 ; 임시 고용원.

tapajuntas *m.* 【단·복수 동형】 (문짝과 기둥 사이에 넣는) 틈막이 (목재).

tapalcate *m.* 《*Guat.*》=**trasto.**

tápalo *m.* 《*Méx.*》=**chal.**

tapalodo *m.* 《*Perú. PRico.*》=**tapabarro.**

tapamiento *m.* =**tapadura.**

tápana *f.* 《*Albac. Murc.*》【식물】 풍조목(風鳥木) ; 풍조목속 관목(alcaparra).

tapanca *f.* ①《*Ecuad. Perú.*》=**gualdrapa.** ②《*Chile.*》궁둥이, 엉덩이(asentaderas).

tapanco *m.* ①《*Méx.*》선반(barbacoa). ②《*Filip.*》대나무 지붕.

tapaojo *m.* ①《*Col. Venez.*》=**quita y pon.** ② 속임수(engaño). ③《*Amér.*》(말의) 눈가리개.

tapapiés *m.* (발을 덮을 정도로 긴 옛날 부인의) 비단 스커트의 일종(brial).

tapaporos *m.* (나무 표면을 고르기 위해 사용되는) 물건.

tapar *tr.* ① (열려진 것을) 덮다, 씌우다. ② 보호하다, 덮개를 하다(cubrir, abrigar) : Una gran piedra *tapaba* la entrada de la cueva 동굴 입구를 큰 바위가 막고 있었다. ③ 뚜껑을 닫다 : *Tape* usted el café para que no se enfríe 커피가 식지 않도록 뚜껑을 덮으십시오. ④ 막다 : ~ la grieta 갈라진 틈을 막다. ~ el paso 통로를 막다. ⑤ 마개를 하다. ⑥ 숨기다(encubrir, esconder) : ~ a un delincuente. ⑦《*Chile.*》이를 충전하다(empastar las muelas).
~se 얼굴을 가리다·감추다·몸을 싸다 : Ella *se tapó* la cara con las manos 그녀는 손으로 얼굴을 가렸다.
~***las***《*Sant.*》담배 피울 때 연기를 들여 마시다(tragar el humo al fumar).

tapara *f.* taparo의 과일《호박의 일종》.
vaciarse uno ***como una*** ~《*Venez.*》알고 있는 것을 전부 털어놓다(decir todo la que sabe una persona).

tápara *f.* 【식물】 풍조초(alcaparra) ; 그 열매.

taparear *tr.* 《*Venez.*》감추다, 숨기다(ocultar).

taparero *m.* 《*Venez.*》속임수, 따돌리기.

taparo *m.* ① (미개인의) 샅바(faldilla). ② 짧은 팬티《수영복》.

taparote *m.* 《*Ál. Murc.*》=**alcaparrón.**

taparrabo *m.* 팬티 ; 수영복.

tapate *m.* 《*CRica.*》【식물】 =**datura.** Sinón. tapa.

tapatío *m.* 《*Méx.*》① Jalisco의 옛 돈. ② Guadalajara에서 빈대떡 세 짝. —*adj.* Guadalajara의.

tapayagua *f.* 《*AmérC. Méx.*》 이슬비, 보슬비.
tapayagüe *f.* 《*Hond.*》 =**tapayagua.**
tape *m.* 《*Riopl.*》 guaraní 인디오.
tapegua *f.* 《*Hond.*》 사냥의 덫.
tápena *f.* 《*Murc.*》【식물】 풍조초(alcaparra).
tapeque *m.* 여행 때의 화물.
tapera *f.* ① 《*AmérM.*》(촌락의) 폐허. ② 《*Arg. Urug.*》 폐허가 된 농장(rancho ruinoso).
taperujarse *r.* 얼굴을 가리다, 몸을 싸다.
taperujo *m.* ① 헐거운 마개. ② 몸단장을 안 하는 사람.
tapescle *m.* 《*AmérC. Méx.*》 =**angarillas.**
tapesco *m.* 《*AmérC. Méx.*》 =**angarillas.**
tapeste *m.* 《*Salv.*》(갈대로 만든) 돗자리.
tapetado, da *adj.* 어두운 색의, 가무잡잡한. —*m.* 《*Hond.*》 검은 색이 들여진 사슴 가죽.
tapete *m.* [*lat.* tapete] ① 테이블보, 책상보. ② 작은 벽걸이 천. ③ 작은 융단, 돗자리.
~ ***verde*** 도박장, 도박용 탁자.
estar una cosa ***sobre el*** ~ 심의·논의되고 있다(estar en discusión).
poner sobre el ~ 의제(議題)로 하다.
tapeteado, da *adj.* 《*Ecuad.*》 고집이 센, 콧대가 센, 옹고집의.
tapetí *m.* 【동물】(아르헨띠나와 브라질의) 토끼 비슷한 동물.
tapetusa *f.* 《*Col.*》 밀주.
tapia *f.* 토담; 담, 벽(cerca, pared) : Saltó por encima de la ~ 그는 담을 뛰어넘었다.
tapiador *m.* 담 쌓는 사람.
tapial *m.* 흙담의 틀; 벽, 담(tapia, pared).
tapialar *tr.* 《*Ecuad.*》 =**tapiar.**
tapialera *f.* 《*Ecuad.*》 =**tapia, tapial.**
tapialero *m.* 《*Col.*》 =**tapiador.**
tapiar *tr.* 11 ① (…의) 주위에 담을 치다(cerrar algo con tapias) : ~ una heredad. ② (창 사이나 입구를) 벽으로 막다(cerrar, tapar) : ~ la puerta.
tapicería *f.* ① 실내 장식(점). ② 벽포점(壁布店). ③ 벽포류, 융단류. ④ 의자 커버 제조업·판매업.
tapicero *m.* ① 벽포 제조업자. ② 실내 장식업자. ③ 의자의 커버 제조업자.
tapido, da *adj.* =**tupido.**
tapiería *f.* (둘러친) 담.
tapiero *m.* 《*Col.*》 tapia 만드는 사람.
tapín *m.* 《*Ast. León.*》 =**tepe.**
tapinga *f.* 《*Amér.*》 =**barriguera.**
tapinosis *m.* =**hipórbole.**
tapioca *f.* 따삐오까《열대산 mandioca나 yuca에서 얻은 전분》: La ~ es muy nutritiva 따삐오까는 영양가가 높다.
tapir *m.* [*quechua.* tapire]《*Ecuad.*》【동물】 맥(貊)(danta).
tapirujarse *r.* =**taperujarse, taparse.**
tapirujo *m.* =**taperujo.**
tapis *m.* 넓은 띠.
tapisca *f.* 《*AmérC.*》 옥수수 수확. [*N.* Costa Rica에서는 chapisca라 함].
tapiscar *tr.* 7 《*AmérC.*》(옥수수를) 거두어 들이다, 수확하다(cosechar el maíz).
tapisote *m.* 【식물】 들참새완두의 일종.
tapiz *m.* 색실로 짠 직물, 벽포(壁布), 융단.
tapizado *m.* tapizar 하기.
tapizar *tr.* 9 ① (…에) 천을 대다. ② 벽포로 장식하다; 벽지를 바르다. ③ 융단을 깔다(alfombrar). ④ (의자 등에) 커버를 씌우다(entapizar). ⑤ 덮치다.
tapón *m.* ① 마개 : un ~ de corcho 코르크 마개. ~ corona 왕관. ②【의학】 가제 마개, 지혈전(止血栓).
~ ***de cuba*** 땅딸이. ***empleado*** ~ 임시 고용원.
taponamiento *m.* taponar하기.
taponar *tr.* ① (…에) 마개를 하다, 속을 채우다, 막다. **Sinón.** obturar, tapar. ② 가제·마개를 넣다. ③ 상처를 붕대로 감다.
toponazo *m.* 뻥하고 마개를 빼는 일; 그 소리.
taponería *f.* ① 코르크 마개 공업. ② 코르크 마개 공장·가게. ③ [집합] 코르크 마개.
taponero, ra *adj.* 코르크 마개의 : La industria ~*ra* está muy desarrollada en la provincia de Gerona. —*m.f.* 코르크 마개 제조인·상인.
tapsia *f.* [*lat.* thapsia]【식물】 범의귀(zumillo).
tapucho, cha *adj.* 《*Chile.*》 꼬리가 짧은·없는(rabón, reculo).
tapujarse *r.* (여자가) 얼굴을 가리다(embozarse).
tapujo *m.* ① 얼굴을 가리는 옷깃. ② 은폐, 은닉(disimulo). ③ 두건, 복면.
tapujón, na *adj.* 얼굴을 가린, 두건을 쓴.
tapuso, sa *adj.* 《*PRico.*》 꼬리가 없는.
tapuya *adj.* 따뿌야족《브라질에 살던 원주민의 한 종족》의. —*m.f.* 따뿌야 사람.
taque *m.* ① 찰칵하고 방문의 쇠를 잠그는 일. ② 쾅 《문이 닫힐 때 나는 소리》.
taquear *tr.* 《*Amér.*》 ① (총에) 장전하다(atacar un arma de fuego). ② 채워 넣다(atestar).
—*intr.* ① 《*Arg. Chile*》 탁탁 구두 소리를 내다(taconear). ② 《*Cuba.*》 뽐내는 듯한 복장을 하다. ③ 《*Méx. Perú.*》 당구를 치다.
~se ① 《*Amér.*》 채워 넣다. ② 《*Col.*》 부자가 되다.
taqueometría *f.* =**taquimetría.**
taqueométrico, ca *adj.* =**taquimétrico.**
taqueómetro *m.* =**taquímetro.**
taquera *f.* 당구 큐를 세워 놓는 대.
taquería *f.* 《*Cuba.*》 =**desenfado, charranada.**
taquero *m.* 《*Chile.*》 하수구 치는 인부(pocero).
taquia *f.* 《*Bol. Perú.*》 야마(llama)의 똥.
taquiara *f.* 《*Col.*》 (시골에서 쓰는) 손수건.
taquicardia *f.* 【생리】 심계 항진(心悸亢進).
taquichuela *f.* 《*Parag.*》 돌팔매질 놀이.
taquigrafía *f.* ① 속기술 : máquina de ~ 속기 타자기. ② 속기 문자·문서. **Contr.** estenografía.
taquigrafiar *tr.* 12 속기하다.
taquigráficamente *adv.* 속기로.
taquigráfico, ca *adj.* 속기의 : un resumen ~.
taquígrafo, fa *m.f.* 속기사, 속기자(estenógrafo).
taquilla *f.* ① 서류 정리용 선반, 파일(papelera, armeario). ② 매표구, 우표 파는 곳; 창구 : ~ de la entrega 안내 창구. Usted puede sacar la entrada en esa ~ 입장권은 거기 표 파는 곳에서 살 수 있습니다. ③ 《*CRica. Chile. Ecuad.*》 작은

말뚝, 기둥(estaquilla). ④《*CRica.*》 주점, 바(taberna).

taquillero, ra *m.f.* ① 표 파는 사람, 매표 담당자, 창구 담당자. ②《*AmérC.*》 =**tabernera.** —*adj.* 많은 관객을 끌어들이는(연예인·쇼).

taquillo *m.* 《*Méx.*》 =**barquillo.**

taquimeca *f.* =**taquimecanógrafa.**

taquimecanografía *f.* 속기 겸 타이핑.

taquimecanografiar *tr.* 속기 겸 타이핑을 하다.

taquimecanográficamente *adv.* 속기 겸 타자로.

taquimecanográfico, ca *adj.* 속기 겸 타자의.

taquimecanógrafo, fa *m.f.* 속기 겸 타이피스트.

taquimetría *f.* 목측 거리 측량법.

taquimétrico, ca *adj.* 목측 거리 측량법의.

taquímetro *m.* 시거의(視距儀); 속도계.

taquín *m.* =**taba.**

taquinero *m.* taquín을 가지고 노는 사람.

tar *m.* (히말라야·인도·아라비아에 사는 뒤쪽으로 굽고 짧은 뿔을 가진) 양의 일종.

tara *f.* ① 포장의 무게, 용기의 중량 : rebajar la ~ 포장의 무게를 줄이다. menos la ~ 포장의 무게를 빼고; 에누리하여, 겉보기 이하로. ② 흠, 결점(defecto). ③ (계산용의) 저울 눈금 막대(tarja). ④《*Col.*》 독사(culebra venenosa). ⑤《*Chile. Perú.*》 염료를 채취하는 콩과의 관목. ⑥《*Venez.*》【곤충】 왕메뚜기(langostón).

taraba *f.* 《*Col.*》 =**estribera.**

tarabilla *f.* ① (제분기 깔대기의) 혀(cítola del molino); (문짝을 조이는) 갈고랑이(taruguillo); (톱날을 끼우는) 조임테(listón). ② 마구 지껄여대기, 노닥거림. ③ 허튼소리를 늘어놓는 사람. ④《*Arg.*》 붕붕《장난감》. ⑤《*Sal.*》 =**carraca.**
soltar la ~ 숨도 쉬지 않고 지껄이다(hablar mucho y de prisa).

tarabita *f.* ① (버클의) 혀. ②《*AmérM.*》 (산골짜기 같은 데서 사람이 잡고 건너는) 밧줄.

taracea *f.* 상감 (세공). Sinón. marquetería.

taracear *tr.* (…에) 상감 세공을 하다 : ~ una mesa.

taraco *m.* 《*Bol.*》 면직 목도리의 일종.

taracol *m.* (서인도 제도산의) 게의 일종.

tarado, da *adj.* 《*Neol.*》 흠(tara, defecto)이 있는.

tarafada *f.*【은어】 주사위 사기.

tarafana *f.*【은어】 세관(aduana).

tarafe *m.*【은어】 주사위(dado).

taragallo, lla *adj.* 《*Cuba.*》 삐죽삐죽 뻗은. —*m.* 개목걸이(trangallo).

taragontía *f.* =**dragontea.**

taragoza *f.*【은어】 =**pueblo, población, localidad.**

taragozajida *f.*【은어】 도시(ciudad).

taraja *f.* 《*AmérM.*》 (나사를 깍는) 강철판.

tarajal *m.* =**taray.**

tarajallo *adj. m.f.* 《*And. Venez.*》 =**grandullón.**

taraje *m.*【식물·방언】 =**taray.**

taramba *f.* 《*Hond.*》 철사줄이 메인 악기.

tarambana *m.f.* 얼간이, 등신, 바보(persona loca y tonta). —*f.*【방언】 (문짝의) 비녀장.

taramela *f.* 《*Can.*》 (창문의) 갈고랑이(tarabilla).

tarando *m.* [*lat.* tarandus]【동물】 순록(reno).

tarangallo *m.* =**taragallo.**

tarángana *f.* 순대(morcilla)의 일종.

taranta *f.* ① 서반아 남부 지방의 민요. ②《*Arg. Ecuad.*》【동물】 땅거미(tarántula). ③《*CRica. Ecuad.*》 실신(desmayo). ④《*Amér.*》 미칠듯한 마음. ⑤《*Méx.*》 술취함(borrachera).

tarantaneo *m.* =**ruido persistente.**

tarantela *f.* [*ital.* tarantella] 나폴리의 타란텔라 춤·곡.
dar la ~ 생각난 일을 바로 실행하다.

tarantera *f.* 《*Venez.*》 현기증(vértigo).

tarantín *m.* ①《*AmérC.*》 잡동사니 도구(trasto). ②《*Cuba.*》 높이 걸어 둔 잡동사니 도구. ③《*Venez.*》 작은 가게, 구멍가게(tenducho).

tarantinear *tr.* 《*Guat.*》 잡동사니들을 치우다.

taranto, ta *adj.* 《*Col.*》 넋빠진, 미친 사람 같은.

tarántula *f.* [*ital.* tarantola]【동물】 땅거미, 자루 거미《남부 유럽에서 나는 독거미》.
picado de la ~ 어떤 정신적이거나 육체적 결점이 있는.

tarantulado, da *adj.* 미친 것 같은, 날뛰는(atarantado, loco).

tarapaqueño, ña *adj m.f.* 따라빠까《Tarapacá, 칠레에 있는 주》의 (사람).

tarapé *m.* =**taropé.**

tarar *tr.* 포장의 무게를 달다.

tarara *f.* 《*Neol.*》 곡물 풍구(aventador de granos).

tarará *m.* 나팔 소리.

tararear *tr.* 콧노래를 부르다, 흥얼거리다(canturrear entre dientes).

tarareo *m.* 콧노래, 흥얼거리기(canturreo).

tararira *f.* ① 야단법석. ②《*Arg.*》 (아르헨띠나·브라질의) 민물고기. ③《*Arg.*》 가우쵸의 칼.
—*m.f.* 수선스러운·경망스러운 사람(botarate).
—*interj.* 글쎄《불신을 표시함》.

tarasca *f.* [*fr.* tarasque] ① (성체절의) 꽃수레, 산차《괴상한 용의 상》. ② 추녀, 못생긴 여자. ③ 식충이, 먹보, 밥벌레, 대식가(gomia). ④《*CRica. Chile.*》 커다란 입. ⑤【방언】 묵은 돼지. ⑥《*Arg.*》 사각 연의 일종(pandorga o cometa cuadrangular).

tarascada *f.* ① 물어뜯기, 물린 상처(mordedura, dentellada) : dar una ~ 물어뜯다. ② 말대답.

tarascar *tr.* 7 ① 물다, 물어뜯다, 깨물다(morder) : El perro le *ha tarascado.* ②《*Arg.*》 =**agarrarse.**

tarasco, ca *adj. m.f.* (멕시코의 Michoacán 주에 살고 있는) 토착 부족의 (사람).

tarascón, na *m.f. aum.* tarasca. —*m.* 《*Amér.*》 물어뜯기, 물린 상처(tarascada).

tarasí *m.* =**sastre.**

taratántara *m.* =**tarará.**

taravilla *f.* =**tarabilla.**

taray *m.*【식물】 위성류(渭城柳); 그 열매.

tarayal *m.* taray의 숲.

taraza *f.* 【동물】 좀조개(broma).
tarazana *f.* 독, 선거(船渠) ; 작업장(atarazana).
tarazanal *m.* =**tarazana.**
tarazar *tr.* ⑨ ① 물다, 물어뜯다, 깨물다(atarazar, morder). ② 애먹이다, 귀찮게 굴다, 괴롭히다(molestar).
tarazón *m.* 쪼가리, 부스러기, 토막 : arrancar un ～.
tarazoncillo *m. dim.* tarazón.
tarbea *f.* 커다란 방.
tarbés, sa *adj.* 타르브《Tarbes, 블란서의 도시》산의 (말) : yegua ～*sa* 타브르산의 암말.
tarco *m.* 《*Arg.*》【식물】 따르코나무 《범의귀과에 속하는 교목》.
tardador, ra *adj. m.f.* 지각하는 (사람), 시간이 걸리는 (사람).
tardamente *adv.* 느리게, 완만하게, 더디게.
tardanaos *m.* 《*Ant.*》【어류】 빨판상어(remora).
tardanza *f.* 지체, 지연(detención, retraso, demora) : ～ de pago 지불 지연. sin ～ 늦지 않고, 조속하게. Perdone mi ～ 늦어서 미안합니다.
tardar *intr.* [*lat.* tardare] ① 늦어지다, 제시간에 도착하지 않다(no llegar a tiempo) : *Ha tardado* mucho el tren 열차가 무척 늦었다. ② 시간이 걸리다, 더디다 : ¡Cuánto *tarda* este tren! 이 기차는 대단히 느리군 ! ③ [시간+en+*inf.* : …하는 데] 시간이 걸리다 : José no *tardará* mucho *en* llegar 호세가 곧 올 것이다. *Tardó* una hora *en* terminarlo 그는 그것을 마치는 데 한 시간이나 걸렸다. ¿Cuánto tiempo *tardará en* plancharme el traje? 옷을 다려주는 데 얼마나 걸립니까 ?
～se 시간이 걸리다 : ¿Cuánto tiempo *se tardará* de aquí a la estación? 여기서 역까지는 얼마나 걸릴까요 ? A lo menos *se tardará* un cuarto de hora a pie 적어도 걸어서 15분 걸릴겁니다.
***a más* ～** 늦어도 : *A más* ～, iré la semana que viene 나는 늦어도 내주에는 가겠다. Lo haré para el viernes *a más* ～ 늦어도 금요일까지는 그것을 하겠다.
tarde *f.* 오후 : esta ～ 오늘 오후. ayer por la ～ 어제 오후(에). mañana por la ～ 내일 오후(에).
—*adv.* 늦게 : Ya es ～ 이제는 시간이·시기가 늦었다. hacerse ～ 늦어지다. levantarse·acostarse ～ 늦게 일어나다·잠자리에 들다. Llegó ～ a la escuela 그는 학교에 늦었다. Estaré en casa mañana por la ～ 나는 내일 오후에 집에 있겠다. Se hace ～ y no estamos listos 시간은 늦어졌지만 우리는 준비가 되어 있지 않다. llegar ～ al tren 기차 시간에 늦어지다.
[Contr.] temprano.
～ o temprano 조만간에, 언젠가는 : Lo sabrá ～ *o temprano* 조만간에 그것을 아실 것이다. Más ～ *o temprano* tendrá que llamarme 언젠가는 그는 나를 부르게 되겠지.
***de* ～ *en* ～** 때때로(de cuando en cuando).
Buenas tardes 안녕하십니까, 안녕히 계십시오, 안녕히 가십시오《오후 인사》.
Más vale* ～ *que nunca 【속담】 늦더라도 안 하는 것 보다는 낫다.
tardecer *intr.* ㉛ 해가 지다(caer la tarde, anochecer, atardecer). [*N.* 항상 3인칭 단수형으로만 활용됨].
tardecica *f.* 초저녁.
tardecita *f.* =**tardecica.**
tardíamente *adv.* (시기에) 늦게(tarde, fuera de tiempo).
tardígrado, da *adj.* 【동물】 천천히 걷는 (동물). **—*m.pl.*** 완보류의 동물 《소 따위의 걸음걸이가 느린 무리》.
tardinero, ra *adj.* [드뭄] 더딘, 느린(lento).
tardío, a *adj.* ① 느린, 더딘, 굼뜬 : Es muy ～ en el andar 그는 걷는 것이 더디다. ② 시기적으로 늦은 : lluvia ～*a* 늦비. amor ～ 늦사랑. matrimonio ～ 만혼. El matrimonio tenía un hijo ～ 부부에게는 만득의 아들이 하나 있었다. ③ 만생(晩生)·만숙(晩熟)한 : melocotones ～*s* 늦 복숭아. ④ 늦장을 부리는(lento, pausado).
—*m.pl.* 만생 식물(晩生植物) : La lluvia ha favorecido los ～*s* 비는 만생 식물에 도움이 되었다.
tardísimo *adv.* 매우 늦게(muy tarde).
tardo, da *adj.* ① [*lat.* tardus] 느린, 완만한, 더딘, 둔한(lento, pesado). ② 머리가 둔한(torpe). ③ 철이 지난(que sucede después del tiempo oportuno).
tardón, na *adj.* ① 둔한, 무딘(que tarda mucho). ② 게으른(perezoso). **—*m.f.*** 느림보 ; 게으름뱅이.
tarea *f.* ① 일(obra, trabajo) : Me queda mucha ～ todavía 아직 나는 일이 많이 남아 있다. ② 숙제, 과제물. ③ 열심, 노력(afán, capricho). ④ 일정한 일의 양 : ～ de chocolate 노동자가 하루에 만드는 초콜릿의 분량.
tareco *m.* 《*Amér.*》 =**trasto, cachivache, chisme.**
tareche *m.* 《*Bol.*》【조류】 콘도르매(aura)의 일종.
tareero *m.* 《*And.*》(청부 맡아서 하는) 올리브 채집 인부.
tarentino, na *adj.* 따렌또 《Tarento, 이탈리아의 도시》의. **—*m.f*** 따렌또 사람.
Targum *m.* 따르굼 《아라메야말로 번역된 구약성서》.
tarida *f.* (12—13세기 경의 지중해의) 군용 수송선.
tarifa *f.* ① 가격표, 요금표(～ de precios). ② 가격, 요금. ③ 세율표 ; 세율 : aplicarse una ～ muy elevada 높은 세율이 적용되다.
～ ***abierta*** 임의 운임(표). ～ ***aduanera*** 관세표. ～ ***autónoma*** 자주 관세. ～ ***común externa*** 역외(域外) 공통 관세. ～ ***convencional*** 협정 관세. ～ ***de aduana*** 관세표. ～ ***de anuncios*** 광고료. ～ ***de compra*** 매입율. ～ ***de contribuciones*** (과)세율. ～ ***de ferrocarril*** 철도 운임표. ～ ***de flete(s)*** 화물 운임율. ～ ***de la conferencia*** 동맹 운임. ～ ***de precios*** 가격·요금표. ～ ***de primas*** 보험료율. ～ ***de publicidad*** 광고료. ～ ***de salarios*** 임금율. ～ ***de venta*** 판매율. ～ ***discriminatoria*** 차별 세율. ～ ***escalonada*** 원거리 체감 운임. ～ ***escalonada de descuentos*** 누진적 할인. ～ ***especial*** 특별 운임, 특수 화물료율. ～ ***ferroviaria*** 철도 운임표. ～ ***general*** 국정 관세. ～ ***general de fletes*** 일반 화물 운임율. ～ ***normal*** 기준 운임. ～ ***por***

T

distantas clases de mercancías 분류 세율, 상품 분류별 관세율. ~ *por flete parcial·total* 일부·전부 용선료. ~ *por línea* (광고의) 1행당 요금. ~ *para mercancías* 상품 운임. ~ *preferencial·para nación más favorecida* 최혜국 대우 관세, 특혜 관세. ~ *proteccionista* 보호 관세(율). ~ *según clase* (배의) 등급별 운임.

tarifar *tr.* 가격·요금·운임·세율을 정하다. —*intr.* (누구와의) 관계가 나빠지다.

tarifeño, ña *adj.* 따리파 《Tarifa, 서반아 남단의 도시》의. —*m.f.* 따리빠 사람.

tarijeño, ña *adj. m.f.* 따리하 《Tarija, 볼리비아에 있는 주·도시》의 (사람).

tarima *f.* (널쪽을 붙여 이동할 수 있는) 대(臺)·단(壇).

tarimador *m.* tarima 만드는 사람.

tarimilla *f. dim.* tarima.

tarimón *m.* [*aum.* tarima] 커다란 대·단.

tarín *m.* (옛날의) 작은 은화.
~ *barín* 조금 ; 대략(poco más o menos).

tarina *f.* (식탁에서 음식용) 중간 크기의 접시.

taringa *f.* 《*Sant.*》 =**felpa, zurra, paliza.**

tarja *f.* [*lat.* targia] ① 큰 방패(escudo grande). ② 옛날의 동전. ③ 할부(割符), 부목(符木)《금을 새긴 계수를 나타내어, 외상 물건을 팔 때 양쪽에 증거가 되는 것》. ④ 외상 판매 : sobre ~ 외상으로. ⑤ 타격, 구타(golpe, azote). ⑥ 《*Arg. Chile.*》 명함(tarjeta de visita).

tarjador, ra *m.f.* tarja로 외상 매매하는 사람.

tarjar *tr.* ① 할부(割符)에 적어 넣다, 외상 판매를 하다. ② 《*Chile. Perú.*》 말소하다. ③ 【속어】 둘로 쪼개다·나누다(tajar).

tarjea *f.* 도관(導管).

tarjear *tr.* 《*PRico.*》(야자의 잎 따위를) 잘게 찢다.

tarjero, ra *m.f.* =**tarjador.**

tarjeta *f.* ① 패, 카드. ② 명함 : Ese señor me ha dejado su ~ para usted 그 사람이 당신 드리라고 명함을 놓고 갔습니다. ③ 엽서. ④ 증명서. ⑤ 표지(標紙), 라벨. ⑥ 초대장. ⑦ (신호의) 제기(題記).
~ *con respuesta comercial* 요금 수취인불 반신용 엽서. ~ *de bautizo* 세례·영세 증명서. ~ *de crédito* 크레디트 카드. ~ *de indentidad* 신분 증명서. ~ *de la feria* 견본시 입장 허가증. ~ *de negocios* 업무용 명함. ~ *de turismo* 관광 카드. ~ *de visita* 명함. ~ *ilustrada* 그림엽서. ~ *índice* 색인 카드. ~ *internacional de suguro* 국제 보험증. ~ *perforada* 구멍 뚫린 카드. ~ *postal* 우편엽서. ~ *verde* 그린 카드.

tarjetearse *r.* 명함·엽서를 서로 주고 받다(escribirse tarjetas).

tarjeteo *m.* 명함의 교환(el cambio frecuente de tarjetas).

tarjetera *f.* 《*Amér.*》 =**tarjetero.**

tarjetero *m.* 명함 케이스, 명함 지갑(cartera para llevar tarjetas).

tarjetón *m.* [*aum.* tarjeta] 대형 엽서.

tarlatán *m.* 《*Venez.*》 =**tarlatana.**

tarlatana *f.* [*fr.* tarlatane] 얇은 면포(tela de algodón muy ligera y muy rala) : una falda de ~.

tarmeño, ña *adj.m.f.* 따르마 《Tarma, 뻬루의 도시》의 (사람).

tármica *f.* 【식물】 톱풀의 일종.

taro *m.* 《*Arg.*》 =**carancho.**

taropé *m.* 《*Arg.*》【식물】 수련의 무리.

tarpán *m.* 【동물】 (아시아의) 야생마(caballo silvestre).

tarpón *m.* 【어류】 따르뽄 《북미 남부 및 서인도 해역에서 나는 큰 물고기》.

tarpu *f.* 【은어】 문(puerta).

tarquia *f.* 【은어】 =**tarja.**

tarquín *m.* (강이나 늪의) 진흙, 개흙(légamo, cieno, barro espeso).

tarquina *f.* 【선박】 =**una vela trapezoide.**

tarquinada *f.* 강간(强姦).

tarquino, na *adj. m.f.* 《*Arg.*》 우량종 소의 일종.

tarraconense *adj.* 따라고나의. —*m.f* 따라고나 사람.

tarrada *f.* 《*Salv.*》 =**contenido de tarro.**

tarraga *f.* 【식물】 =**pegamoscas.**

tárraga *f.* (17세기의) 서반아의 춤.

tarrago *m.* 【식물】 사르비아의 일종.

Tarragona *f.* 【지명】 따라고나 주·시《서반아 동북 해안 지방에 있음》.

tarraja *f.* ① 사개의 틀. ② 나사의 구멍 파는 기구(terraja). ③ 《*Venez.*》(목축을 셀 때의) 셈줄 《가죽끈》.

tarrajazo *m.* ① 《*Ecuad. PRico.*》 뜻밖의 불행(desgracia inesperada). ② 《*Guat.*》 타격. ③ 《*Guat.*》 부상. ④ 《*SDgo.*》 큰 부상.
de un ~ 《*Col. PRico.*》 단번에, 한번에.

tarralí *f.* 《*Col.*》【식물】(아메리카의) 야생 담쟁이속(屬) 식물(planta trepadora silvestre).

tarramenta *f.* 《*Cuba.*》 뿔(cornamenta).

tarrancha *f.* 《*León.*》 나무로 짠 널(listón de madera).

tarrañuelas *f.pl.* 《*Sant.*》 =**castañuelas o palillos.**

tarrasbaquiña *f.* 《*Venez.*》 보채기(rabieta).

tarrascar *tr.* ⑦ 【은어】 잡아 뽑다.

tarrasense *adj.* 따라사 《Tarrasa, Cataluña 주의 도시》의. —*m.f.* 따라사 사람.

tarraya *f.* 《*And. Bad. PRico. Venez.*》 작은 그물(atarraya, red).

tarrayazo *m.* 《*Ant. Col. Venez.*》 그물을 치기, 그물을 한번 치기 ; 그 분량(redada).

tarraza *f.* 《*Venez.*》 궁둥이(grupa).

tarrear *tr.* 《*Cuba.*》 화가 나게 하다, 질투심이 일어나게 하다.

tarreñas *f.pl.* =**tarrañuelas.**

tarrico *m.* 【식물】 나문재(caramillo).

tarriza *f.* 《*Ar. Sor*》.=**terrizo, lebrillo.**

tarro *m.* ① [*lat.* terreus](아가리가 넓은) 병, 유리로 만든 단지 : ~ de dulce. ② 깡통 : ~ para leche 밀크용 깡통. ③ 《*Ant. Urug. Cuba.*》 뿔(cuerno). ④ 《*AmérM.*》 실크 해트. ⑤ 《*Cuba.*》 귀찮은 일. ⑥ 《*Riopl.*》 행운(buena suerte). ⑦ 《*Arg.*》 구두(zapatos).

tarsal *adj.* 【해부】 족근골·부골(tarso)의.

tarsana *f.* 《*Perú.*》 (비누 대신 쓰이는 남미산의) 나무 껍질.

tarsiano, na *adj.* tarso의·에 관한.

tarsio *m.* 【동물】 (Madagascar의) 여우 원숭이의

일종.

tarso *m.* [*gr.* tarsos] ①【해부】 족근골(足根骨), 발목뼈 ; 발목. ②【조류】 부척골(跗蹠骨). ③【곤충】 척골(蹠骨)(corvejón).

tarta *f.* [*fr.* tarte] ① 옥수수 부침개(tortado). ② 납작 남비(tortera).

tartagazo *m.* 《*PRico.*》 꿀꺽 한 모금 마시기.

tártago *m.* ①【식물】 등대풀속 식물, 속수자. ② 불행, 재난, 화(suceso infeliz). ③ 기대에 어긋남.

~ *de Venezuela* 【식물】 피마자(ricinio).

tartaja *adj.m.f.* =**tartajoso, tartamudo.**

tartajear *intr.* 입속으로 어물거리다, 혀가 돌지 않다(liarse la lengua al hablar).

tartajeo *m.* 말을 어물거리기, 혀의 감김.

tartajoso, sa *adj. m.f.* 혀끝이 감기는 (사람).

tartalear *intr.* ① 비틀거리다, (걷는데) 중심을 잃다(moverse trémulamente y sin orden). ② 선뜻 말하지 못하다, 어물거리다(turbarse al hablar).

tartaleta *f.* 조그마한 과자.

tartamudear *intr.* 말을 더듬다.

tartamudeo *m.* 말을 더듬는 일.

tartamudez *f.* 말더듬이.

tartamudo, da *adj.* 말을 더듬는. —*m.f.* 말더듬이.

tartán *m.* [*ing.* tartan] 체크 무늬의 모직물.

tartana *f.* [*ital.* tartana] ① 돛대가 하나인 범선. ② 이륜 포장 마차.

tartancho, cha *adj.* 《*Bol.*》 =**tartamudo.**

tartanero *m.* 이륜 포장 마차의 마부.

tártano *m.*【방언】 꿀벌의 벌집(panal).

tartáreo, a *adj.*【시어】 ① 지옥의(infernal). ② 흉악한, 악마 같은(diabólico).

tartárico, ca *adj.* 주석(酒石)의(tártrico).

tartarinesco, ca *adj.* 으시대는, 뽐내는.

tartarizar *tr.* ⑨ 주석을 넣다.

tártaro *m.* [*lat.* Tartarus] 【시어】 지옥(el infierno).

tártaro, ra *adj.* 달단 · 타타르 《Tartaria, 소련과 중국 지역에 있음》의. —*m.f.* 달단 사람. —*m.* ①【화학】 조주석(粗酒石), 주석산(酒石酸) : ~ emético 토주석. ②【치과】 이똥, 치석(sarro). ③《*Venez.*》 =**tártago.**

tartaroso, sa *adj.* tártaro를 함유한.

tartaruga *f.* 《*Bol.*》 (강의) 거북(tortuga).

tartera *f.* 냄비(tortera).

tartesio, sia *adj. m.f.* Guadalquivir강 근처에 살던 주민(의).

tarto, ta *adj.* 《*Ecuad.*》 =**tartajoso.**

tartrato *m.*【화학】 주석산염(sal del ácido tártrico).

tártrico *m.*【화학】 주석의 : ácido ~ 주석산.

tartufismo *m.* 위선(hipocresía).

tartufo *m.* 《*Neol.*》 위선자(hipócrata).

Tartufo *m.* 따르뚜포《Moliére작 희곡의 주인공》.

taruga *f.* 《*Ecuad. Perú.*》【동물】 (남미의 vicuña와 같은 속의) 사슴의 일종 : La ~ vive sin formar manadas.

tarugada *f.* 《*Méx.*》 어리석은 짓, 엉터리 짓. *a la* ~ 엉터리로, *de* ~ 우연의, 우연하게.

tarugo *m.* ① 나무 조각. ② 나무 마개. ③ 《*AmérC. Méx.*》 멍청이, 바보, 얼간이. ④ 《*Ant.*》 놀라움(susto). ⑤ 아첨꾼 ; 서커스단 따위에서 막일하는 사람.

taruguillo *m. dim.* tarugo.

tarumá *m.* 《*Riopl.*》【식물】 따루마 《올리브 비슷한 나무》.

tarumba *m. volver* ~ 멍하게 만들다, 무엇을 생각하고 어떻게 행동할지 어리둥절하다(atolondrar). *volverse* ~ 멍해지다.

tarusa *f.* 《*León. Pal. Zam.*》 =**chito.**

tas *m.* [*fr.* tas] (세공사의) 모루(yunque pequeño)

~ *con* ~ 《*Chile. Perú. PRico.*》 동등하게 ; 부담감없이.

tasa *f.* ① 규준. ② 평가(액), 사정액 ; 통제 · 규정 가격. ③ 비율(porcentaje) ; 이자율(interés). ④ 증권 · 돈 따위의 시세 : la ~ de compra 600 sucres por dólar 미화 매입 불당 600 수끄레.

~ *adicional* 부가세. ~ *aduanera* 관세율. ~ *bancaria* 은행 이율. ~ *de amortización* 감가 상각률. ~ *de aumento* 증가율. ~ *de cambio múltiple* 복수환 상장(相場). ~ *de crecimiento (anual)* (연)성장률. ~ *de depreciación* 감가 상각률. ~ *de descuento* 할인율. ~ *de despacho* 통관 수수료. ~ *de estadística* 《*Arg.*》 통계세. ~ *de impuesto* (과)세율. ~ *de interés* 이율. ~ *de interés del mercado* 시장 이자율. ~ *de la prima* 보험료율. ~ *de mortalidad* 사망(률)표. ~ *de muestro* 추출률. ~ *de natalidad* 출생율. ~ *de rendimiento* 이익 · 수익율. ~ *de salarios* 임금률. ~ *de seguro* 보험료(율). ~ *del mercado monetario* 시장 · 시중 금리. ~ *general* 통상 세율. ~ *múltiple* 환레이트. ~ *preferencial* 프라임 레이트, 표준 금리. ~ *prodesocupados* 《*Méx.*》 실업 대책세. ~ *real* (환)실효 상장(相場). ~ *sobre fincas* 부동산 과세. ~ *sobre ingresos acumulados* 누적 소득세. ~ *sobre utilidades excedentes* 초과 이익세. ~ *uniforme* 균일 운임. ~*s y tarifas actualmente en vigor* 현행 요율.

tasación *f.* [*lat.* taxatio] (자산의) 평가, 가격의 결정, 감정, 사정(査定) : ~ de averías 해손(海損) 사정. Sinón. evaluación, valoración.

tasadamente *adv.* 규준에 따라 ; 조금씩.

tasado, da *adj.* tasar의 *p.p.*.

tasador, ra *adj.* 평가하는. —*m.f* 평가자, (세관의) 사정관(査定官) : ~ de avería 해손 청산인.

tasajear *tr.* 《*Amér.*》 ① 포육하다(atasajar). ② 잘게 썰다(destazar). ③ 쪼개다, 가르다, 자르다(tajar).

tasajera *f.* 《*Cuba.*》 =**tasajería.**

tasajería *f.* 《*Amér.*》 건육장(乾肉場).

tasajito *m.* 《*Cuba.*》 돼지고기의 훈제.

tasajo *m.* ① 포육(pedazo de carne seca que se conserva). ② 고기 조각(pedazo de carne) : ~ de rancho 소금에 절인 고기. ③《*Col.*》 홀쭉이(hombre largo y flaco).

tasajón, na *adj.* 《*AmérC.*》 홀쭉한.

tasajudo, da *adj.* 《*AmérC. Col. Cuba.*》 홀쭉한(muy alto y flaco).

tasar *tr.* [*lat.* taxare] ① 가늠하다, 평가하다, 값을 정하다, 사정(査定)하다(valuar, estimar).

T

② 값을 통제하다. ③ 규준을 정하다, 분량을 결정하다 : ~ la comida al enfermo 환자에게 식사 분량을 결정하다. ~ el trabajo 일의 몫을 정하다. ④ 제한하다, 제한하여 주다(reducir) : ~ la libertad 자유를 제한하다. Tendrá que ~ la comida al enfermo 환자에게는 식사를 제한해야 한다.

tasca *f.* ① 노름집(garito). ② 주점, 선술집(taberna). ③ 다툼, 싸움(riña). ④ 《*Perú.*》 (하역 작업을 방해하는) 역파(逆波), 큰 파도(oleaje fuerte). ⑤ 파도가 부서지는 곳.

tascador *m.* =**espadilla.**

tascar *tr.* [7] ① (삼을) 때리다, 때려서 부수다 · 으깨다. ② (짐승이 풀을) 우적우적 씹어먹다. ③ 《*Ecuad.*》 씹다, 깨물다(mascar).

tasco *m.* 《*León.*》 삼 부스러기(herba de estopa).

tasconio *m.* =**talque.**

tasi *m.* 《*Arg.*》 덩굴풀의 일종 《열매는 과자의 원료》.

tasín *m.* 《*Ecuad.*》 새의 둥지 ; (머리에 물건을 얹을 때 쓰는) 또아리.

tasio, sia *adj.* 따소 섬 《Taso, 에게해의 섬》의. —*m.f.* 따소 사람.

taspito, ta *adj.* 《*AmérC.*》 얕은.

tasquear *intr.* 《*Perú.*》 (부두에서) 하역부 노릇을 하다.

tasquera *f.* ① 싸움. ② 선술집, 주점(taberna).

tasquero *m.* 《*Perú.*》 인디오 부두 노동자.

tasquil *m.* 돌 부스러기.

tastabillar *intr.* 《*Chile. Urug.*》 비틀거리다.

tastana *f.* ① 일구어 놓은 밭의 단단해진 흙. ② 밀감 열매 따위의 자루.

tastar *tr.* 【방언】 =**probar.**

tástara *f.* 《*Ar.*》 밀기울.

tastarazo *m.* 《*PRico.*》 머리를 부딪치기.

tastaz *m.* 오래된 도가니에서 얻는 금속 닦는 가루.

tastillo *m. dim.* tasto.

tasto *m.* [*ital.* tasto] (상하기 시작한 식료품의) 좋지 않는 냄새.

tasugo *m.* 【동물】 너구리(tejón).

tata *f.* 【아어】 유모 ; 아줌마 ; 언니, 누나. —*m.* 《*Amér.*》 ① 아빠(padre, papá). ② 아저씨.
andar a ~s 아장아장 걷기 시작하다 ; 기기 시작하다.

tatabra *m.* =**pécari.**

tatabro *m.* =**pécari.**

tatagua *f.* 《*Cuba.*》 【곤충】 아름다운 밤나비.

tataibá *f.* 《*Riopl.*》【식물】 야생 뽕의 일종.

tatami *m.* 다다미.

tatarabuelo, la *m.f.* 고조부, 고조모(rebisabuelo, tercer abuelo).

tataradeudo, da *m.f.* 대 · 촌수가 먼 친척 ; 촌수가 먼 조상.

tataranieto, ta *m.f.* 고손자, 고손녀(rebisnieto, tercer nieto).

tataratear *intr.* 《*Venez. Guat.*》 =**tartalear.**

tataratiar *intr.* 《*AmérC. Venez.*》 힘이 들어 쩔쩔매다.

tataré *m.* 《*Parag. Arg.*》【식물】 자귀나무 무리.

tatarear *tr.* =**tararear.**

tataro, ra *adj. m.f.* =**tártaro.**

tatas *f. pl. andar a ~* 아이들이 걷기 시작하다, 발로 기(어다니)다.

tatarrete *m. dsep.* tarro.

¡tate! *interj.* ① 정지 ! (¡detente!). ② 천천히 !, 조금씩 ! (¡Poco a poco!). ③ (좋은 생각이 떠올라) 그렇지, 그렇지 !

tatemar *tr.* 《*Méx.*》 (과일 · 뿌리 따위를) 굽다 (asar, tostar).

tatetí *m.* 《*Arg. Urug.*》 줄 위에서 3인의 놀이.

tatito *m.* 《*Bol. Perú.*》 =**tata, papá, padre.**

tato[1] *m.* 【동물】(남미의) 아르마디요(armadillo)의 일종.

tato[2] *m.* 《*Ar.*》 동생(hermano pequeño).

tato, ta *adj.* (e나 s를 t로 발음하는) 혀가 짧은 (사람).

tatole *m.* 《*Méx.*》 모의(謀議)(convenio, conspiración).

tatolear *intr.* 《*Méx.*》 모의하다(concertar, conspirar).

tatú *m.* 《*AmérM.*》【동물】 아르마디요(armadillo)의 일종(tato, tatuejo).

tatuaje *m.* 《*Neol.*》 문신(文身), 입묵(入墨) : un ~ muy complicado.

tatuar *tr.* [15] 문신하다.
~se 자기 몸에 문신하다 · 입묵하다 : *~se* el cutis 살갗에 문신하다. *~se* el brazo 팔에 그림을 문신하다.

tatuejo *m.* 【동물】 =**armadillo.**

tatusa *f.* 《*Arg.*》 =**mujercilla, mujerzuela.**

tatusia *f.* 《*AmérM.*》 【동물】 아르마디요의 일종.

tau *m.* [*gr.* tau] ① T표 · T자형의 기장 · 문장. ② 부첩(tao, insignia). —*f.* 그리스 문자의 t.

taube *m.* (제1차 대전 당시 독일의) 비둘기 모양의 단엽 비행기.

tauca *f.* 《*Chile.*》 돈지갑.

taujel *m.* 작은 각재(角材).

taujía *f.* [*ár.* tauzia] 상감 세공(ataujía).

taula *f.* (두 개의 돌로 축조한 T자형의) 기념 거석(megalito).

taumaturgia *f.* 신통력(el arte de hacer prodigios).

taumatúrgico, ca *adj.* 기적적인 ; 마력의.

taumaturgo, ga *m.f.* 기적을 이루는 사람 : San Gregorio *T-*.

tauquear *tr.* 《*Bol.*》 차곡차곡 쌓다.

taura *m.* 《*Arg.*》 방탕한 사람 ; 용기있는 사람.

taurino, na *adj.* [*lat.* taurinus] 소 · 투우의 : espectáculo ~.

taurios *adj. pl.* 사람과 소의 격투(의).

Tauro *m.* 【천문】 황소자리, 금우좌(金牛座).

taurófilo, la *adj.* 투우를 좋아하는. —*m.f.* 투우팬.

taurófobo, ba *adj.m.f.* 투우에 공포감을 가진 (사람).

tauromaco, ca *adj.* 《*Neol.*》 투우의, 투우술의. —*m.f.* 투우 연구가 · 전문가.

tauromaquia *f.* 투우술. [Sinón.] toreo.

tauromáquico, ca *adj.* =**taurómaco.**

tauteo *m.* 【방언】 여우의 우는 소리.

tautócrono, na *adj.* =**isócrono.**

tautófono, na *adj.* 소리가 나는.

tautograma *m.* (모든 낱말이 같은 문자로 시작하는) 시 · 노래.

tautología *f.* 【수사】 동의어의 쓸데없는 반복, 같은 말의 되풀이, 중복.

tautológico, ca *adj.* (뜻이) 같은 말을 거듭하는, 중언 부언하는 : una expresión ~*ca.*

tautologista *m.f.* 같은 소리를 중언 부언하는 사람.

tautometría *m.* 같은 운율을 반복.

tauxia *f.* =**atauxia.**

taxáceas *f.pl.* 【식물】 소나무류, 침엽수.

taxativamente *adv.* 한정적으로.

taxativo, va *adj.* 제한의, 한정적인.

taxi *m.* 택시 [taxímetro 의 탈락형] : parada de ~ 택시 주차장.

taxídeas *f.pl.* 【식물】 =**taxáceas.**

taxidermia *f.* 박제술(剝製術)(arte de disecar animales).

taxidermista *m.f.* 박제사(disecador).

taxífono *m.* 토큰이나 동전을 넣어 사용하는 전화기.

taxímetro *m.* ① (택시의) 미터기, 요금 자동 표시기. ② 택시 : Usted tardará una hora en ~ 택시로 1시간 걸릴 것이다.

taxíneas *f. pl.* 【식물】 소나무류, 침엽수.

taxista *adj.* 택시의. —*m.f.* 택시 운전수(conductor de taxi).

taxología *m.* 분류학.

taxonomía *f.* 분류학, 분류법.

taxonómico, ca *adj.* 분류학의, 분류법의, 분류(상)의.

taya *f.* 《*Col.*》【동물】(아메리카산의) 독사.

tayar *intr.* 《*Arg.*》【은어】 = **guapear.**

taylorismo *m.* =**taylorización.**

taylorización *f.* 미국의 엔지니어 Táylor에 의해 만들어진 원리에 해 행해지는 조직.

tayón *m.* 《*PRico.*》【식물】 =**chayote.**

tayote *m.* 《*Dom.*》【식물】 =**chayote.**

tayú *f.* 《*Arg.*》【식물】 호리병박과.

tayuela *f.* 《*Ast.*》=**tajuela.**

tayuya *m.* 《*Riopl.*》【식물】 수박.

tayuyo *m.* ① =**tallullo.** ② 《*Guat.*》 =**tamal.**

taz a taz *adv.* 손득(損得) 없이, 따로 돈을 더 내거나 받지 않고.

taz con taz *adv.* =**iguales, parejos.**

taza *f.* ① (홍차·커피용) 잔, 찻잔 : Déme usted otra ~ de té 홍차를 또 한 잔 주십시오. ② 찻잔 한 잔(의 양) : una ~ de té 차 한 잔. una ~ de café 커피 한 잔. ~ para té 찻잔. ③ (흔히 손잡이 달린) 컵, 잔. ④ (분수의) 물받이. ⑤ (칼의 공기 모양으로 생긴) 날밑. ⑥ 《*Col.*》 뚜껑이 달린 광주리. ⑦ 《*Chile.*》 양철 대야.
~ ***de lavatoria*** 《*Perú.*》 양철 대야.

tazaña *f.* 입이 커다란 뱀 모양을 한 괴물 《축제 때 쓰는 장식용 꽃수레》.

tazarse *r.* ⑨ (옷이) 닳아 떨어지다, 헤어지다 (rozarse y romperse algo la ropa).

tazmía *f.* (옛날 농사 지은 곡식의) 1할세.

tazol *m.* [*aum.* taza] ① 손잡이 없는 큰 찻잔, 대접, 공기. ② 《*And.*》 양철 대야(palangana).

tazón *m. aum.* taza.

Tb terbio.

Tc tecnecio.

tcheco, ca *adj. m.* =**checo.** —*m.* 체코말.

te[1] *f.* ① 문자 t의 명칭. ② T자형 자. ③ T자형 파이프.

te[2] *pron.* ① [제 2인칭 단수 대격 대명사] 너를, 당신을, 그대를 : Yo *te* quiero 나는 당신을 사랑한다. *Te* veo 그대를 본다. Me alegro mucho de ver*te* 너를 만나게 되어 정말 기쁘다. ② [제 2인칭 단수 여격 대명사] 너에게, 그대에게, 당신에게, 너에게서, 너로부터 : *Te* lo doy 네게 그것을 주겠다. ¿*Te* lo han robado? 네게서 그것을 훔쳐 갔느냐? ¿Qué *te* parece esto? 이것은 너에게 어떻게 생각되는가? ③ [제 2인칭 단수 재귀 대명사] *Te* levantas 너는 일어난다. *Te* sientas 너는 앉는다. ¿Por qué *te* vas tan temprano? 왜 이렇게 일찍 떠나느냐?

Te telurio.

té *m.* [*pl.* tés] ① 【식물】 차(나무). ② 차(나무의 잎). ③ (음료수로서의) 차, (특히) 홍차 : una taza de ~ 한 잔의 차. ¿Qué prefiere usted, café o *té*? 커피와 홍차 중에서 어느 편이 좋습니까? ④ 다과회 : ~ bailable 무도 다과회. Por la tarde vamos a un *té* 오후에 우리들은 다과회에 간다.
~ ***borde · de España · de Europa · de Méjico*** 【식물】 수송나물(pazote). ~ ***de lo jesuitas,*** ~ ***del Paraguay*** 마떼(mate) 차. ~ ***verde*** 녹차. [*N.* 빠라구아이의 차는 mate, 멕시코의 차는 pazote라 한다].

tea *f.* [*lat.* taeda] 횃불; 닻줄.
~***s maritales · nupciales*** 혼례, 결혼식, 화촉.

teáceo, a *adj.* 【식물】 쌍자엽류 피자 식물의.

team *m. ing.* 《*Neol.*》[발음은 tim] 조, 팀, 작업조, 한패 : un ~ invencible.

teame *f.* 쇠와 어울리지 않는 돌.

teamide *f.* =**teame.**

teatina *f.* 《*Col. Chile.*》【식물】 화본과(禾本科) 식물.

teatino, na *adj. m.f.* 까에따노 교파 《San Cayetano가 16세기 경에 창립했던 것》의 (승려) : Los ~*s* se dedicaban especialmente a ayudar a bien morir a los ajusticiados.

teatral *adj.* [*lat.* theatralis] ① 연극장(식)의. ② (연)극의, 연극적인(dramático) : Nada me gustó ese tono ~ 나는 그 연극을 꾸미는 식의 가락을 아주 싫어했다. ③ 과장된(exagerado) : adoptar una actitud ~.

teatralidad *f.* 연극성 ; 연극적인 일.

teatralizar *tr.* ⑨ 극으로 만들다 ; 극적으로 하다.

teatralmente *adv.* 극적으로 ; 연극조로 ; 과장하여, 젠 체하고.

teátrico, ca *adj.* [드뭄] =**teatral.**

teatro *m.* [*gr.* theatron] ① 극장 : Anoche lo encontré a la salida del *Teatro* Colón 나는 어젯밤 꼴론 극장에서 나와서 그를 만났다. ② 무대, 장면(escenario) : el ~ de la guerra 전쟁이 일어났던 지역. ③ 무대에 진출한 경험 : Ese actor tiene mucho ~ 그 배우는 무대 경험이 많다. ④ (연)극, 연주 : ~ moderno 근대극. el ~ griego 그리스의 극. el ~ del siglo XVII 17세기의 극. ⑤ 극작(법), 극문학 : las reglas del ~. ⑥ 극단, 연극계 : Después él se dedicó al ~ 그후 그는 연극계에 들어갔다.

teatrólogo, ga *m.f.* ① 연극 작가. ② 연극 배

우.

teatrucho *m.* =**mal teatro.**

tebaico, ca *adj.* 테베 《Tebas, 고대 이집트의 도시》의.

extracto ～ 아편정(阿片精), 아편 엑스.

Tebaida *f.* ① 남부 이집트 지방의 옛 이름. ② 무인경, 은둔지. ③ 테베의 시(詩)《고대 이집트·테베 지방의 요새 포위전을 노래한 장시》.

tebaína *f.* 아편에서 빼낸 알칼로이드.

tebano, na *adj.* 테베 《Tabas, 고대 그리스의 도시》의. —*m.f.* 테베 사람.

tebeo *m.* 어린이 잡지(revista infantil); 만화 신문·잡지·영화; 연재 만화.

tebeo, a *adj. m.f.* =**tebano.**

tebib *m.* (모로코에서) 의사(médico).

teca[1] *f.* ①《*Chile.*》 아라우꼬족이 재배했던 알려지지 않은 곡식. ②【식물】 티크(재). ③ 뼈 항아리.

teca[2] *f.* [*gr.* thèkê]【식물】 버섯 인자를 만드는 씨방.

tecale *m.* 《*Méx.*》 =**tecali.**

tecali *m.* 《*Méx.*》(떼깔리산의) 흰 대리석(alabastro).

techado *m.* 지붕(techo), 천장 : vivir bajo ～ 집안에서 살다.

techador *m.* 지붕 이는 사람.

techar *tr.* ① (…에) 지붕을 이다(cubrir el edificio con un techo). ② 천장을 치다.

techichi *m.* 《*Méx.*》 짖지 못하는 개(perro mudo).

techo *m.* [*lat.* techum] ① 천장 : La lámpara colgada del ～ empezó a bailar 천장에 매단 전등이 흔들흔들하기 시작했다. ② 지붕(techado) : ～ de paja. ③ 집, 거처(casa morada) : acoger a uno bajo su ～. ④ (항공기의) 상승 한계·가능 고도 : El ～ de aquellos aviones era de 8.000 metros.

salir por el ～ 《*Venez.*》 실패하다(fracasar).

techumbre *f.* 지붕(techo).

tecina *f.* 《*Hond.*》 집안에서 가장 힘든 일을 하는 하녀.

tecla *f.* [*lat.* tegula] ① (피아노·타이프 라이터 따위의) 건, 키. ② 미묘한 곳, 요점, 급소(materia delicada)

dar en la ～ 급소를 포착하다, 급소에 부딪치다, 버릇이 되다.

pulsar una ～ =tocar una ～.

tocar una ～ 키를 치다; (어떤 일을) 다투다, 방안을 세우다.

teclado *m.* [집합] 건반(鍵盤) : el ～ de una máquina de escribir 타자기의 건반.

tecle *m.* (선박에 쓰는) 활차의 일종. —*adj.* 《*Chile.*》 약한, 나약한(enclenque, trémulo).

tecleado *m.* 키를 치는 일; 키 치는 소리.

teclear *intr.* ① 키를 누르다·치다(tocar las teclas). ② 손가락을 늘리다. ③《*AmérM.*》 임종 호흡을 하다. ④《*AmérM.*》 물리다, 싫증을 내다(fastidiarse). —*tr.* 여러 가지로 시험하다 : ～ bien el asunto.

tecleño, ña *adj. m.f.* 산따·떼끌라《Santa Tecla, 엘살바도르에 있는 도시》의 (사람).

tecleo *m.* teclear 하기 : ～ inseguro.

tecnecio *m.* 우라늄의 핵분열에서 얻은 금속 원소.

técnica *f.* ① 기술, 기교, 기법, 테크닉 : Allí estudió la ～ musical 거기서 그는 음악의 기법을 익혔다. ② (예술상의) 수법, 예풍, 화풍, (음악의) 연주법 : Empleaba una ～ particular para desenvolver el argumento 그는 이야기의 줄거리를 발전시키는데 독특한 수법을 사용했다.

técnicamente *adv.* 기술적으로(de un modo técnico).

tecnicidad *f.* 기술성.

tecnicismo *m.* ① 전문적·기술적인 일. ② 전문어, 학술어, 기술 용어.

tecnicista *adj.m.f.* =**técnico.**

técnico, ca *adj.* [*gr.* tekhnikos] ① 공업의, 공예의, 기술의. ② 전문의, 기술·전문·학술적인, 전문 용어의 : diccionario ～ 전문 용어 사전. expresión ～*ca* 전문 용어. término ～ 전문어. Se han creado tres escuelas ～*cas* 전문 학교가 3개교 창설되었다. —*m.f.* 기술자, 전문가(especialista) : Se ha dejado en manos de los ～*s* 그 일은 전문가의 손에 맡겨졌다. ～ contable 부기의 숙련자. ～ de información 정보 기사.

tecnicolor *m.* 테크니컬러.

tecnígrafo *m.* 평행선을 긋기 위해 기계 제도에서 사용하는 기구.

tecnocracia *f.* 기술가 정치, 기술 주의 《정치·경제를 과학자·기술자에게 위임하는 방식》.

tecnócrata *m.f.* ① tecnocracia 주장자. ② tecnocracia 전문가.

tecnocrático, ca *adj.* tecnocracia의; tecnócrata의.

tecnología *f.* ① 과학 기술, 공업 기술(학), 공예(학). ② [집합] 전문어, 술어 : Cada ciencia tiene su ～ 과학마다 전문 용어가 있다.

～ *para el control de polución ambiental* 공해 방지 기술.

tecnológico, ca *adj.* [*gr.* tekhnologikos] 공예의; 과학 기술의; 술어의 : un diccionario ～.

tecnólogo, ga *m.f.* =**técnico.**

teco, ca *adj.* 《*Méx.*》 =**borracho.**

tecol *m.* 《*Méx.*》 용설란의 기생충.

tecolero *m.* 《*Méx.*》 =**carbonero.**

tecolines *m.pl.* 《*Méx.*》 돈, 잔돈.

tecolota *f.* 《*Méx.*》 여송연 꽁초(colilla).

tecolote *m.* ①《*AmérC. Méx.*》【조류】 수리부엉이(buho). ②《*Méx.*》 *desp.* 야간 순경·헌병(polizonte nocturno).

tecomal *m.* 《*CRica.*》 토기, 질그릇, 돌그릇(vasija de barro o piedra).

tecomate *m.*【식물】 ①《*AmérC. Méx.*》 호리병박. ② 호리병박으로 만든 그릇(vaso de calabaza). ③《*Méx.*》 운두가 깊은 나무 그릇.

tecorral *m.* 《*Méx.*》 돌담(cerca de piedras).

tectibranquio, quia *adj.* 아가미(branquio)로 덮인.

tectogénesis *m.* (지층의) 단층.

tectógeno *m.*【지질】 (산맥이 형성하는) 주름.

tectónica *f.* 축조학, 구조학, 구조 지질학; 지

각 구조(학).

tectónico, ca *adj.* ① 건축의, 축조의. ② 구조·구성의. ③【지질】지각 구조상의.

tectriz *f.* 새의 날개와 꼬리를 덮고 있는 깃털 1개.

tecuco, ca *adj.* 《*Méx.*》=**avaro, mezquino, roñoso.**

teda *f.*【방언】=**tea.**

tedero *m.* 봉화대.

tedéum *m.*【종교】(Te Deum으로 시작하는, 성당에서 신에게 바치는) 사은의 노래.

tediar *tr.* ⑪ 싫어하다, 못마땅해 하다, 혐오하다(aborrecer, tener tedio de).

tedio *m.* [*lat.* taedium] 넌더리 나는 일, 지겨움, 지루함, 권태, 혐오(hastío, repugnancia).

tedioso, sa *adj.* 싫증나는(fastidioso, repugnante) : lectura ~*sa* 지루한 강의. trabajo ~ 싫증나는 일.

tefe *m.* ①《*AmérM.*》(천·가죽 등의) 쪼가리, 자투리. ②《*Ecuad.*》(얼굴에 남은) 상처 자국.

teflón *m.* 내구력이 강한 프라스틱.

tegenaria *f.*【곤충】발이 길다란 거미의 일종.

tegeo, a *adj. m.f.* 테헤오《Tegea, 고대 그리스의 아르카디아시(市)》의 (사람).

tegual *m.* 옛 Granada 왕국의 어획세(漁獲稅).

Tegucigalpa *f.* 떼구시갈빠 《온두라스의 수도》.

tegucigalpense *adj. m.f.* 떼구시갈빠의 (사람).

tegucigalpeño, ño *adj. m.f.* =**tegucigalpense.**

teguillo *m.* 지붕용 각재의 일종.

tegüisote *m.*【식물】《*Méx.*》종려의 일종.

tegumentario, ria *adj.* 외피(外被)의, 표피의.

tegumento *m.*【동물·식물】겉껍질, 표피 : ~ cutáneo.

Teherán *m.*【지명】테헤란 《이란의 수도》.

tehuelche *adj. m.f.* (아르헨띠나의 Patagonia에 살고 있는) 원주민(의).

teína *f.*【화학】다소(茶素), 카페인(cafeína).

teinada *f.* 외양간(tinada).

teísmo *m.* [*gr.* theos]《*Neol.*》유신론. **Contr.** ateísmo.

teísta *adj.* 유신론의. —*m.f.* 유신론자.

teja *f.* [*lat.* tegula] ① 기와 : Causó su muerte una ~ que le cayó en la cabeza 머리에 떨어진 기와가 그를 죽였다. ② 측철(側鐵). ③【방언】용수의 분배량. ④ (승려의) 말린 연잎 모양의 모자(sombrero de teja). ⑤ 반원형의 돛대 연결 구멍. ⑥【식물】참피나무(tilo).

a ~ vana ① 천장이 없는, 지붕만 있는. ② 줄잡아, 대충(a la ligera).

a toca ~ 현금으로(en dinero contante).

de ~s abajo ① 자연히, 저절로. ② 이 세상에서, 이 세상의(en este mundo).

de ~s arriba ① 초자연적으로. ② 헛되이.

tejadillo *m.* [*dim.* tejado] ① (차량의) 천장. ② 작은 지붕.

tejado *m.* (주로 기와의) 지붕(techumbre de casa) : ~ de vidrio.

hasta el ~ =muy lleno.

tejamaní *m.* =**tejamanil.**

tejamanil *m.* 《*Méx.*》(지붕을 이기 위해 토막낸) 엷은 판자.

tejano, na *adj. m.f.* 텍사스 《Tejas, 미국에 있는 주》의 (사람).

tejar *tr.* (…에) 지붕을 만들다, 기와를 이다(cubrir de tejas) : ~ un edificio. —*m.* 기와·벽돌 공장.

tejaroz *m.* 추녀(alero de tejado).

tejaván *m.* 《*Méx.*》=**tejavana.**

tejavana *f.* 움막, 가건물(cobertizo).

tejazo *m.* 기왓장으로 때리기.

tejedera *f.* ① 직물 공장의 여공, 피륙을 짜는 여자(tejedora). ②【곤충】물거미(escribano del agua).

tejedor, ra *adj.* ① 짜는, 엮는, 엮어 짜는. ② 《*AmérM.*》획책·음모의(intrigante). —*m.f.* ① 직물공(tejedera). ②《*Amér.*》음모가(persona intrigante). —*m.*【곤충】물매암이.

tejedura *f.* ① 베짜기. ② 피륙의 결.

tejeduría *f.* ① 직기(織機). ② 직물업. ③ 직물공장.

tejemaneje *m.* ① (어떤 일을 하는) 교묘한 솜씨. ② 분규, 얽힘(enredo, lío).

tejer *tr.* [*lat.* texere] ① (옷감을) 짜다 : ~ algodón 무명을 짜다. ~ cáñamo 삼을 짜다. ~ seda 비단을 짜다. ~ tela 천을 짜다. ② 뜨개질을 하다 : ~ unas medias *con·de* seda 비단으로 스타킹을 짜다. ③ 엮다, 만들다. ④ (누에가 고치를) 만들다. ⑤ (거미가 집을) 치다 : La araña *tejeré* la cuerda. ⑥ 구성하다, 꾸미다(intrigar) : *Tejeron* una intriga contra el dictador 독재자에 대항하여 음모를 꾸몄다.

tejera *f.* =**tejar.**

tejería *f.* 벽돌·기와 공장(tejar).

tejeringo *m.* 《*And. Bad.*》오이(cohombro).

tejero, ra *m.f.* 벽돌·기와 제조자·판매자.

tejido, da *adj.* tejer의 *p.p.* —*m.* ① 방적(紡績), 직물 : ~ de algodón 무명베. ~ liso 평직. ~ mixto 교직포(交織布). amianto en ~ 석면포. ② 결을 짠 것 : ~ de alambre 쇠그물. ③ 피륙의 결. ④ 짜는 법 : Las telas se diferencian por el ~ y por la fibra 천을 짜는 법과 섬유에 따라 차이가 생긴다. ⑤【생물】조직(組織) : ~ muscular 근육 조직. ~ adiposo 지방 조직. ~ celular 세포 조직.

tejillo *m.* (옛날 부인이 사용하던) 혁대·허리띠(ceñidor).

tejo[1] *m.* ① 돌차기하는 구슬. ② 금속의 원반. ③ 【기계】좌금(座金) ; 금괴(~ de oro).

tirar los ~s 시선·주의를 돌리다.

tejo[2] *m.* [*lat.* texus]【식물】송백류의 사철 푸른 나무.

tejocote *m.*【식물】《*Méx.*》매화의 일종.

tejoleta *f.* ① 기와·벽돌 조각. ② 작은 기와. ③ 캐스터네츠의 일종(tarreñas).

tejoletas *adj. m.f.* 《*Perú.*》어리석은, 얼뜬 (사람).

tejolote *m.* 《*Méx.*》맷돌의 돌공이(mano de piedra del mortero).

tejón[1] *m.* [*lat.* taxonus]【동물】① 오소리. ② 《*Amér.*》=**mapache, coendú.**

tejón[2] *m.* [*aum.* tejo] ① 돌차기하는 구슬. ② 금괴(tejo).

tejonera *f.* 오소리·너구리의 굴(madriguera).
tejuela *f.* [*dim.* teja] ① 벽돌·기와 조가리. ② 안장의 뼈대가 되는 부분.
tejuelo *m.* [*dim.* tejo] ①(책의 뒤에 들어가는) 책 이름을 적은 종이. ② 책 이름 쓰기. ③ 책의 제명(題名). ④(기계의) 좌금(座金). **Sinón.** rangua, chumacera.
tel. teléfono.
tela *f.* [*lat.* tela] ① 천, 직물 : ~ para forros 안감용 천. Esta ~ se encoge al lavarla 이 천은 세탁하면 줄어든다. La ~ de hilo o cáñamo se llama lienzo 실이나 삼으로 짠 직물은 lienzo라 한다. ② 망(網), 뜨개질한 것(~ de punto). ③ 베틀에 싣는 1회 분량. ④ 막(membrana) : ~ del cerebro 뇌막. ~ del corazón 심장막. ⑤(우유·액체의 표면에 엉기는) 막. ⑥(과일의 겉껍질에 대해, 또 이밖의) 얇은 껍질(túnica) : ~ de cebolla 양파의 겉껍질 ; 질기지 못한 천. ⑦(눈동자에 생긴) 안개. ⑧(투우·관람물 등의) 울을 친 곳. ⑨(에브로강에서 쓰는) 둘러치는 그물 ; (사냥용) 그물. ⑩《*Galic.*》 화폭(lienzo). ⑪ 복잡하게 된·뒤얽힌 일·물건(maraña). ⑫ 일, 사건(asunto) : Ya tienen ~ para un buen rato 심심풀이할 수 있는 일거리가 생겼다. ⑬【속어】 돈(dinero).
—*adj.* =mucho.
~ ***de araña*** 거미줄(telaraña).
~ ***impermeable*** 방수천.
~ ***metálica*** 쇠그물, 철망.
en ~ de juicio 미심쩍은, 성패 여부를 알 수 없는 ; 심의·고려 중의 : poner *en ~ de juicio* 문제 삼다, 싸우다.
telabrejo *m.* 《*AmérM.*》 허섭쓰레기(cachivache).
telamón *m.* 【건축】 남상주(男像柱)(atlante).
telar *m.* ① 베틀, 직기(織機)(máquina para tejer) : ~ a·de mano 수직기(手織機). ~ automático 자동 직기. ~ mecánico 동력기. ② 서적을 철하는 기계. ③ 무대의 막을 매다는 테. ④ 창문·문간의 겉테.
telaraña *f.* ① 거미줄(tela de araña). ② 공연한·쓸데없는 일·물건.
tener ~s en los ojos 눈이 흐려지다, 판단력이 무디어지다(no ver las cosas teniéndolas delante).
telarañoso, sa *adj.* 거미집투성이의(lleno de telaraña).
Tel Aviv 【지명】 텔아비브 《이스라엘의 수도》.
tele *f.* 【속어】 텔레비전.
tele- *pref.* 「먼」의 뜻을 가진 접두어.
tel(e)autógrafo *m.* 사진·서화 전송기.
telebrejo *m.* 《*Méx.*》 =**trasto.**
telecabina *f.* =**teleférico monocable.**
telecine *m.* 텔레비전 영화(술).
telecinematógrafo *m.* =**telecine.**
telecomando *m.* =**telemando.**
telecomunicación *f.* 전기 통신.
telecontrol *m.* =**telemando.**
teledetección *f.* 거리 탐지.
telediario *m.* 텔레비전 뉴스.
teledifundir *tr. intr.* 텔레비전 방송을 하다.
teledifusión *f.* 텔레비전 방송.
teledifusora *f.* 텔레비전 방송국.
teledinamia *f.* 원거리 전파 기술.
teledinámico, ca *adj.* 멀리서 힘을 전하는 : cable ~.
teledirección *f.* 원격 조작(telemando).
teledirigido, da *adj.* 전파로 유도된, 원격 조작된 : proyectil ~ 유도 미사일.
teledirigir *tr.* 전파로 유도하다, 원격 조작하다.
teledistribución *f.* 케이블 텔레비전.
teleenseñanza *f.* 라디오·텔레비전을 통한 교육.
teléf., teléfo. teléfono.
teleferaje *m.* 공중 케이블 운반 기구.
teleférico, ca *adj.* 로프웨이의. **—*m.*** 로프웨이, 가공 삭도(索道), 케이블 카.
telefilm *m.* =**telefilme.**
telefilme *m.* 텔레비전 영화(filme de televisión).
telefio *m.* [*gr.* telephion]【식물】 속(屬) 식물.
telefonazo *m.* 전화벨 소리, 신호음, 전화 호출 (llamada por teléfono).
telefonear *tr. intr.* ① 전화를 걸다(llamar por teléfono) : Le *telefonearé* a usted mañana 내일 전화 드리겠습니다. ¿Se puede ~ desde aquí? 여기서 전화를 걸 수 있겠습니까? ② 전화로 알리다 : Te *telefonearé* mi mensaje a la mañana 용건을 오전에 너에게 전화로 알려 주겠다.
telefonema *m.* 통화, 전화 대화.
telefonía *f.* 전화 : ~ sin hilos 무선 전화. ~ inalámbrica 무선 전화(radiotelefonía).
telefónicamente *adv.* 전화로.
telefónico, ca *adj.* 전화의 : ¿Dónde está la guía ~*ca*? 전화부는 어디 있나?
telefonista *m.f.* 전화 교환수.
teléfono *m.* 전화, 전화기 : Te han llamado por ~ 너에게 전화가 왔었다. Manaña le llamaré por ~ 내일 그에게 전화 걸겠다. Suena el ~ en su cuarto 당신의 방에서 전화가 울린다. Interrumpí la comida para atender el ~ 나는 식사를 중지하고 전화를 받았다.
~ ***automático*** 자동 전화기. ~ ***de mesa*** 탁상 전화기. ~ ***público*** 공중 전화. ***Teléfonos Automáticas de Quito*** 《*Ecuad.*》 끼또 자동 전화 공사. ***guía·lista de ~s*** 전화 번호부.
telefonógrafo *m.* 전화 녹음 재생기.
telefonograma *m.* 전화 전보.
telefonómetro *m.* 자동 전화 계수기.
telefoto *m.* 사진 전송기 ; 망원 사진.
telefotografía *f.* 사진 전송 ; 전송 사진(술).
telefotografiar *tr.* ⑫ (사진을) 전송하다.
telefotográfico, ca *adj.* 전송 사진의.
telefotógrafo *m.* 전송 사진기.
teleg., telég.º telégrafo.
telega *f.* (러시아의) 짐마차, 달구지.
telegonía *f.* 【생물】 감응 유전(感應遺傳).
telegrafía *f.* 전신술, 전신 : ~ sin hilos·inalámbrica 무선 전신.
telegrafiar *tr. intr.* ⑫ 타전(打電)하다 : ~ una noticia 소식을 타전하다. Te *telegrafiaré* en cuanto llegue 내가 도착하면 바로 네게 전보를 치겠다.
telegráficamente *adv.* 전보로(por medio del telégrafo).
telegráfico, ca *adj.* ① 전신의, 전보의 : códi-

go ～ 전신 부호, 암호책. despacho ～ 전보. dirección ～*ca* 전신용 수취인 주소 성명. ② 전문체(電文體)의, 간결한.

telegrafista *m.f.* 전신수(電信手).

telégrafo *m.* [*gr.* têle ＋graphein] ① 전신(기) : La oficina de ～*s* está a dos pasos de aquí 전신국은 여기서 바로 가까이에 있다. ② 신호.
～ ***eléctrico*** 전신. ～ ***aéreo·óptico*** 신호. ～ ***marino*** 해저 전신. ～ ***sin hilos*** 무선 전신. ***impresor*** ～ 텔레타이프.
hacer ～***s*** 눈짓·손짓으로 신호하다.

telegrama *m.* 전보 : ～ cifrado·en cifra 암호 전보. un formulario de ～ 전보 용지. Quiero poner un ～ 전보를 치고 싶다. Quiero mandarle un ～ de pésame 나는 그에게 조전(弔電)을 치고 싶다.

telégrama *m.* ＝**telegrama.**

teleguiado, da *adj.* ＝**teledirigido.**

teleguiar *tr.* 리모트 컨트롤·원격 조작을 하다 (teledirigir) : ～ un cohete.

teleimpresor *m.* 텔레타이프(teletipo).

telele *m.* ①《*AmérC. Méx.*》 떨림, 진동(temblor). ②《*AmérC. Méx.*》 발작(papatús).
al ～ 실패하여 : dejar *al* ～ 실패케 하다.

Telémaco *m.* 텔레마코《Odisea의 작중 인물, Ulises 와 Penélope 사이의 아들 ; 아버지를 만나기 위해 모험한 소년》.

telemando *m.*【기계·전기】원격 조종·제어, 리모트 컨트롤, 원격 조작.

telemecánica *f.* 원격 조종.

telemecánico, ca *adj.* 원격 조종의.

telemedición *f.* 원격 측정.

telemetría *f.* 원격 계기·측정 공학.

telemétrico, ca *adj.* 거리 측량의.

telémetro *m.* 거리 측정기, 원격 계측기, 자동 계측 전송 장치.

telendo, da *adj.* 늠름한, 발랄한.

telengues *m.pl.*《*AmérC.*》 고물이 된 도구류.

telenque *adj.* ①《*Arg.*》 어리석은, 우둔한, 멍청한(bobo, tonto). ②《*Chile.*》 병약한(enclenque).

teleobjetivo *m.* (사진기의) 망원 렌즈.

teleología *f.*【철학】목적론 ; 목적 원인론.

teleológico, ca *adj.* 목적론의, 목적론적인 : argumento ～.

teleosauro *m.*【동물】원룡《고대 생물》.

teleósteo *adj.*【동물】경골 어류(硬骨魚類)의. —*m.pl.* 경골속 어류.

teleóstomo, ma *adj.*【어류】폐가 없는 (물고기). —*m.pl.* 폐가 없는 어류.

telepate *m.*《*Hond.*》【곤충】날개 없는 곤충.

telepatía *f.* 정신 감응(술), 텔레파시 ; 감응, 이심전심.

telepático, ca *adj.* 정신 감응의, 이심전심의.

telera *f.* ① 판자 울타리, 가축을 몰아 넣어두는 곳. ② (모루 따위의) 턱. ③《*Cuba.*》 일종의 비스킷. ④《*Méx.*》 밀로 만든 빵. ⑤《*Chile.*》 노동자 등의 대형 빵의 일종.

telerán *m.* 전파 탐지기 항공술.

telero *m.* 자동차의 손잡이 대.

telerreceptor *m.* 텔레비전 수상기·세트.

telescoparse *r.* 사이에 끼어들다 : trenes que *se telescopan.*

telescópico, ca *adj.* ① 망원경의 ; 망원경으로 본 : planeta ～*ca.* ② 망원경에 의한 : observación ～*ca* 망원경에 의한 관측.

telescopio *m.* 망원경 : ～ de espejo·refracción 반사·굴절 망원경.

telesilla *f.* 스키 리프트《스키 타는 사람을 나르는 케이블카 비슷한 것》.

telespectador, ra *m.f.* 텔레비전 시청자(televidente).

telesquí *m.* ＝**telesilla.**

telestesia *f.* ①【심령】정신 감응(술). ②【심리】원격, 투시.

telestudio *m.* 텔레비전 스튜디오.

teleta *f.* ① 압지(押紙). ② (인쇄물 사이에 끼우는) 흡인지(吸引紙)(papel secante).

teleteatro *m.* 텔레비전 (방송극).

teletipo *m.* 텔레타이프, 타이프라이터식 전신기.

teletón *m.* 실크천(tela de seda).

teletubo *m.* 텔레비전 영사관.

televidente *m.f.* 텔레비전(televisión) 시청자 (telespectador).

televisado, da *adj.* 방영·전송하는 : programa ～.

televisar *tr.* ① 방영하다, 전송하다. ② 텔레비전 방송을 하다 ; 텔레비전을 보다.

televisión *f.* 텔레비전 : ～ en colores 컬러 텔레비전(televisor a colores). aparato de ～ 텔레비전 수상기(televisor). La ～ será un medio eficaz de enseñanza 텔레비전은 유효한 교육 수단으로 될 것이다.

televisivo, va *adj.* 텔레비전의 : espectáculo ～.

televisor, ra *adj.* 텔레비전(televisión)의 : irradiación ～*ra* 텔레비전 방송. —*m.* 텔레비전 장치·수상기 : ～ a colores 컬러 텔레비전(televisión en colores).

televisual *adj.* ＝**televisivo.**

telex *m.* 텔렉스, 가입 전화.

telífono *m.*【동물】범고래.

telilla *f.* [*dim.* tela] ① (액체의 표면에 끼는) 얇은 막. ② 얇은 모직물.

telina *f.* [*gr.* tellinê]【동물】홍합(almeja).

telinga *adj. m.f.* ＝**telugu.** —*m.* ＝**telugu.**

tellina *f.* ＝**telina.**

telliz *m.* 안장 덮개(caparazón).

telliza *f.* 침대 씌우개·커버(sobrecama).

telón *m.* (무대의) 막 ; 현수막 : Al levantarse el ～ se oyen dentro disparos y gritos 막이 오르면 안쪽에서 총소리랑 고함 소리가 들린다.
～ ***de acero*** 철 커튼. ～ ***de boca*** 무대 앞의 현수막. ～ ***de foro*** 정면 안쪽의 현수막. ～ ***de incendios·seguridad*** 방화막.

teloncillo *m. dim.* telón.

telonero, ra *adj. m.f.* ① 개막의, 견습 출연을 하는(배우). ② 전초적인 : combate ～ 전초전.

telonio *m.* (옛날의) 납세 사무소.

telugu *adj.m.f.* (인도 마드라스주의) 텔루구 종족의 (사람). —*m.* 텔루구말.

telúrico, ca *adj.* ① 지구의 : corriente ～*ca.* ② 텔루륨(telurio)을 함유한 : ácido ～.

telurio *m.*【화학】텔루륨《비금속 원소》.

teluro *m.* ＝**telurio.**

teluroso, sa *adj.* 텔루륨을 함유한 : anhidrido ~.

tema *m.* [*gr.* thema] ① 주제, 제목, 테마, 화제 : Cambiemos de ~ 화제를 바꾸자. ② (학습하고 있는 외국어 번역의) 작문 문제. ③【문법】(변화된) 어간, 어근《예 : decir에서 dijo에의 dij의 부분》. ④【음악】주제, 테마, 주선율(主旋律). Contr. versión.
—*f.* ① 고집, 집념, 망집(網執) : a ~ 고집을 부려. tomar ~ 고집을 부리다. ② 반대(oposición) : tener ~ a …에 반대하다. ③ 반감(antipatía) : tener ~ *contra* uno …에게 반감을 갖다.
Cada loco con su ~ 【속담】광인도 고집이 있다 ; 누구에게나 자기의 생각이 있다.

temar *intr.* 《*Arg.*》 ① 심사 숙고하다(cavilar). ② 고집을 피우다(porfiar).

temario *m.* [집합] 주제, 제목.

temascal *m.* 《*AmérC. Méx.*》 아스떼까족(las aztecas)의 증기 목욕탕.

temática *f.* [집합] 부분적 주제.

temático, ca *adj.* [*gr.* thematikos] ① 문제·제목·주제·테마의. ② 어간·어근의. ③ 고집이 센(porfiado, temoso, terco).

temazcal *m.* =**temascal.**

tembetá *m.* 《*Arg.*》 인디오들이 아랫입술에 끼워 넣는 막대기.

tembladal *m.* =**tremedal.**

tembladera *f.* ① (손잡이가 두 개 달린) 넓은 잔. ② 반짝이면서 흔들리는 장식 보석(tembleque). ③【식물】억새풀의 일종. ④【어류】전기 메기, 전기 가오리(torpedo). ⑤《*Cuba. Guat.*》 늪지(tembladero, tremedal). ⑥《*Arg.*》 (안데스 지방의) 동물의 병.

tembladeral *m.* 《*Arg. Chile. Perú. Urug.*》 = **tembladero.**

tembladerilla *f.* 《*Chile.*》【식물】콩과 식물.

tembladero, ra *adj.* 떨리는, 흔들리는. —*m.* 소택지(tolla).

temblador, ra *adj.* 흔들리는, 떨리는(tembloso). Sinón. trémulo. —*m.f.* 퀘이커 교도(cuáquero). —*m.* 【어류】전기 장어(gimnoto).

temblante *adj.* 떨리는, 흔들리는, 진동하는. —*m.* 팔찌(pulsera)의 일종.

temblar *intr.* ⑲ ① 진동하다, 흔들리다, 떨리다 : ~ *de* frío 추위에 떨다. La pobre niña *temblaba de* frío 가엽게도 소녀는 추위로 떨고 있었다. ② 벌벌 떨다, 부들부들 떨다 : ~ *por* el susto 놀라 몸을 부들부들 떨다.

temble *m.* ①《*Arg.*》 독이 있는 밀짚. ② temble 먹고 생긴 병.

tembleque *adj.* =**tembloroso.** —*m.* ① 움직일 때 흔들리는 작은 보석. ②《*Col. Venez. Guat.*》 =**temblón, trémulo.** ③《*And. Hond.*》 = **temblor.**

temblequear *intr.* ① 부들부들 떨다. ② 떨리는 체하다.

temblequeo *m.* 부들부들 떨음.

temblequera *f.* 《*Perú. PRico.*》 =**temblor, cobardía.**

temblequeteo *m.* 부들부들 떨음(temblor frecuente).

tembletear *intr.* =**temblequear, temblar.**

temblío *m.* 《*Sant.*》 =**temblor, temblequeteo.**

temblón, na *adj.* 흔들리는, 떨리는(temblador). —*m.* 【식물】사시나무, 백양(álamo ~).

temblor *m.* ① 떨림, 진동 : Contemplaba el ~ de las estrellas 나는 별이 떨고 있는 것을 바라보고 있었다. ② (병적인) 전율. ③《*Amér.*》 지진(terremoto).
~ ***de tierra*** 지진.

temblorcillo *m. dim.* temblor.

tembloreo *m.* 자꾸 덜덜 떠는 일.

tembloroso, sa *adj.* 부들부들·덜덜 떨리는, 흔들리는 : escribir con mano ~*sa* 떨리는 손으로 글을 쓰다.

tembloso, sa *adj.* =**tembloroso.**

tembo, ba *adj.* 《*Col.*》 얼빠진, 어리석은, 멍청한, 바보스런(bobo, tonto).

temedero, ra *adj.* 무서운, 무시무시한, 가공스러운(temible).

temedor, ra *adj. m.f.* [+de : …을] 두려워하는 (사람), …에 겁을 먹는 (사람) : ~ de un castigo.

temer *tr.* [*lat.* timere] ① 두려워하다, 무서워하다, 겁을 먹다(tener miedo). ② 의심하다(sospechar). ③ 걱정하다(recelar) : *Temo* que él no venga a verme 나는 그가 나를 만나러 오지 않는 것이 아닐까 걱정이다. *Temo* que lo haya perdido 그는 그걸 잃지나 않았나 하고 걱정하고 있다. [*N.* temer que 다음에 오는 동사는 접속법을 사용함]. ④ 외경(畏敬)하다 : Allí se vive pobre pero se *teme* a Dios 저 곳은 생활은 빈곤하지만 신을 외경하고 있다.
—*intr.* [+por : …을] 두려워하다, 걱정하다 : ~ *por* el hijo 자식의 일을 걱정하다. El *temía* siempre *por* su hijo 그는 언제나 자식 때문에 걱정하고 있었다.

temerariamete *adv.* 앞뒤 가리지 않고, 물불 가리지 않고(con temeridad).

temerario, ria *adj.* ① 앞뒤를 가리지 않는, 물불을 가리지 않는, 무서운 것을 모르는, 무턱대고 하는(imprudente) : hombre ~. ② 무모한, 경솔한 : acción ~.
juicio ~ 앞뒤 가리지 않는 판단.

temeridad *f.* 무모(함), 경솔 : El confunde la ~ con el valor 그는 무모함을 용기와 혼동하고 있다.

temerón, na *adj.* 허세를 부리는(fanfarrón, perdonavidas). —*m.f.* 허세를 부리는 사람.

temerosamente *adv.* 겁에 질려(con temor o miedo).

temeroso, sa *adj.* ① 무서운, 무서워하는, 두려워하는, 겁에 질린, 소심한 : niño ~. ② 걱정이 팔자인. Contr. valiente, audaz, denodado.

temible *adj.* 무서운 ; 가공스러운.

temiente *adj. m.f.* 두려워하는·무서워하는 (사람).

temolín *m.* 《*Méx.*》 =**escarabajo.**

temor *m.* [*lat.* timor] 무서움, 공포, 근심(miedo) : El ~ es mal consejero 두려움이란 나쁜 충고자이다. Le amenazaba el ~ de que le hubiera ocurrido algo al hijo 무슨 일이 아들의 신상에 일어난 것이나 아닌가 하는 걱정으로 그는 두려워하고 있었다. Contr. atrevimiento.

temorizar *tr.* =**atemorizar.**

temoso, sa *adj.* 고집스러운, 끈덕진, 치근치근

한(tenaz).

temp. temperatura.

tempanador *m.* 벌통을 자르는 큰 칼.

tempanar *tr.* (벌통・통에) 마개・뚜껑을 닫다.

tempanil *m.* 돼지 앞다리의 사타구니.

tempanillo *m.* 《*Sal.*》 (나무 고갱이에 붙은) 나무.

témpano *m.* [*lat.* tympanum] ① 팀파니(timbal). ② 북의 가죽(piel del tambor). ③ 납작한 덩어리 : ~ de hielo 유빙(流氷). ④ 술통 뚜껑 ; 벌통 뚜껑. ⑤ 《*Arg.*》【건축】 =**tímpano.**

tempate *m.* 《*CRico.*》【식물】 =**piñón.**

temperación *f.* ① 완화, 진정. ② 조절, 절제, 절도.

temperadamente *adv.* 절제하여, 절도있게, 적당하게.

temperado, da *adj.* 《*Amér.*》 ① 절제있는, 자제하는. ② 완화・조절・진정된.

temperamental *adj.* ① 기질상의, 성미에 의한. ② 신경질인 ; 변덕스러운, 성마른, 성미가 까다로운 : una actriz ~ 변덕스러운 여배우.

temperamento *m.* [*lat.* temperamentum] ① 체질 : Es de un ~ delicado y se fatiga pronto 그는 허약한 체질이어서 곧 지친다. ② 기질, 성미 : ~ sanguíneo 다혈질. ③ 기상(temperie). ④ 중재, 조정. ⑤ (피아노 등의) 조율(調律), 평균율. ⑥ 《*Col. Mex.*》 기후(clima).

temperancia *f.* 절제, 신중(templanza, moderación).

temperante *adj. m.f.* ① 완화시키는. ② 소극적인(sobrio). ③ 얼리는・달래는 (듯한). ④ 《*Amér.*》 =**abstemio.**

temperanza *f.* =**temperancia.**

temperar *tr.* ① 완화시키다(atemperar) : ~ el calor. ② 가라앉히다, 진정시키다(calmar) : La edad *tempera* las pasiones.
—*intr.* 《*Col. CRica. Venez.*》 전지 요양 가다, 피서하러 가다(mudar de aires, veranear) : salir a ~.

temperatísimo, ma *adj. sup.* 몹시 조심스러운・온화한.

temperatura *f.* ① 온도 : ~ absoluta【물리】 절대 온도. ② 체온. ③ 기온, 기후, 한란(temperie) : Hacía un ~ deliciosa 기분 좋은 기온이었다.

temperie *f.* [*lat.* temperies] 기상, 기후 : una ~ muy desigual 고르지 못한 기후.

tempero *m.* 《*Arg.*》 (농지의) 적당한 습기.

tempestad *f.* [*lat.* tempestas] ① 심한 풍랑, 태풍, 비바람, 폭풍우(tormenta) : La ~*es* son frecuentes en los trópicos. ② 폭언, 격론, 논쟁(discusión violenta, disputa). ③ 대소란, 동요, 선동(agitación) : la ~ revolucionaria.

tempestear *intr.* ① 풍랑이 일다. ② 날씨가 사나워지다. ③ 마구 욕설을 퍼붓다.

tempestivamente *adv.* 안성맞춤으로.

tempestividad *f.* 안성맞춤.

tempestivo, va *adj.* [드뭄] 형편에 맞는, 적절한(oportuno).

tempestuosamente *adv.* 격렬하게, 광포하게, 사납고 난폭하게.

tempestuoso, sa *adj.* ① 폭풍우(tempestad)의 : nubes ~*sas* 폭풍우 구름. ② 폭풍우가 몰아칠 것 같은, 풍랑이 일 것 같은. ③ 격렬한(tormentoso) : una entrevista ~*sa.*

tempisque *m.*【식물】(중미산의) 나무.

templa *f.* 템페라(화). —*pl.* [드뭄] 관자놀이(sien).

templación *f.* =**templanza, temple.**

templadamente *adv.* 소극적으로 ; 온건하게, 온화하게(con templanza).

templadera *f.*【방언】(용수의) 수문 (댐, 저수지 등의), 수량의 조절문.

templadero *m.* (유리 공장의) 온도 조절실.

templadico, ca *adj. dim.* templado.

templado, da *adj.* ① 소극적인, 절도 있는(moderado). ② 따뜻한, 온화한, 온난한, 덥지도 춥지도 않은 : clima ~ 온화한 기후. zona ~*da* 온대. Hoy hace un día ~ 오늘은 따뜻한 날이다. El tiempo es ~, El día está ~ 날씨가 따뜻하다. Es una mañana de otoño, ~*da* y alegre 따스하고 기분이 좋은 가을 아침이다. ③ 온건한, 차분한, 침착한 : hombre muy ~ 매우 침착한 남자. Es un tipo muy ~ 그는 매우 침착한 인물이다. ④ 《*Amér.*》 술에 취한(borracho). ⑤ 《*AmérM.*》 사랑하고 있는(enamorado). ⑥ 《*AmérC. Méx.*》 날렵한, 날쌘, 민첩한, 기민한(hábil). ⑦ 《*Venez.*》 엄한, 엄격한(severo). ⑧【음악】 조음(調音)・조율(調律)된 : Este violín está ~ 이 바이올린은 조음이 되어 있다.

templador, ra *adj.* 조절하는. —*m.f* 조절자 ; 조율사. —*m.* 조절기, 조율기, 조율추.

templadura *f.*【음악】 조정, 조절 ; 조율.

templanza *f.* ① 절제, 절도. ② 온난, 온화. ③ 색의 조화(proporción de los colores).

templar *tr.* [*lat.* temperare] ① 부드럽게 하다, 조절하다, 적당하게 하다(moderar, suavizar). ② (술을) 약하게 하다 : Este vino está *templado* 이 포도주는 약해졌다. ③ 따뜻하게 하다 : ~ el agua. ④ (금속・유리 따위를) 알맞은 경도(硬度)로 하다 ; (쇠를) 단련하다 : ~ al calor 벼리다. ~ al frío 냉경(冷硬)하다. Los incas sabían ~ el bronce 잉카인들은 청동을 다룰 줄을 알았다. ⑤ (적당하게 팽팽하도록) 늦추다 : ~ una cuerda. ⑥ 어르다, 달래다 : ~ enojo. ⑦ 완화하다 : ~ el dolor. ⑧【음악】 조율・조음하다 : ~ el piano. ⑨ 《*Col. Ecuad. Perú.*》 쓰러뜨리다(derribar). ⑩ 《*Ecuad.*》 죽이다(matar). ⑪ 《*CRica.*》 때리다, 구타하다(zurrar).
—*intr.* ① 따뜻해지기 시작하다 : El tiempo *ha templado* mucho 날씨가 많이 따뜻해졌다. ② 《*Arg. Cuba.*》 도망치다, 달아나다(huir).
~se ① [+en+*inf.* : …하는 것을] 삼가하다, 절제하다(moderarse, contenerse) : *Se templaba en* beber 그는 술을 절제하고 있었다. ② 《*AmérC. Ecuad.*》 위험에 부딪쳐 가다(arrostrar un peligro). ③ 《*Hond.*》 죽다(morirse). ④ 《*Col. Perú. PRico.*》 취하다(embriagarse). ⑤ 《*Chile.*》 사랑하다, 반하다(enamorarse). ⑥ 들떠서 도에 지나치다. ⑦ 《*Ecuad.*》 쓰러지다.

templario *m.* 성당 기사단 《예루살렘의 성묘(聖廟) 및 참배자를 보호하기 위해 1118년 경에 창립》의 단원.

temple *m.* ① 기온(temperie). ② 온도(temperatura). ③ 체온. ④ 기질, 성질(carácter, genio).

⑤ 기분 : estar de buen · mal ~ 기분이 좋다 · 나쁘다. ⑥ 경도(硬度) ; 벼리기(dureza). ⑦ 중용, 평균(término medio). ⑧ 대담, 용기(energía, valor). ⑨ (음색 등의) 조화(disposición). ⑩ 템페라화 : pintar al ~. ⑪ 성당 기병단(templario). ⑫ 《*Chile.*》 홀딱 반함(enamoramiento).

templecillo *m. dim.* temple.

templén *m.* 직기(織機)의 천의 폭 조종기 · 장치.

templete *m.* [*dim.* templo] ① 작은 사원, 예배당(capilla). ② 노점, 구멍가게, 매점(quiosco). ③ 전시관(pabellón). ④ 야외 음악당.

templista *m.f.* 템페러 화가.

templo *m.* [*lat.* templum] ① 성당, 신전, 사원 : ¿Qué diferencia hay entre un ~ budista y un ~ cristiano? 불교 사원과 기독교 사원과는 어떻게 다른가? ② 전당.

como un ~ ① 거대한, 큰, 방대한. ② 진짜의, 진실한.

tempo *m. ital.* 【음악】 템포 : ~ lento 느린 템포. ~ rápido 빠른 템포.

témpora *f.* → **témporas.**

temporada *f.* ① 시기, …기(期) : ~ de animación 분망한 때. ~ de construcción 건축 최성기. ~ de lluvias 우기(estación de lluvias). ~ de verano 여름 목장. ~ de nieve 강설기. ~ de la ópera 오페라 시즌. ~ del teatro 연극 시즌. ② (일정한) 기간 : la mejor ~ de mi vida 내 생애 최절정기. pasar una ~ en …에 일시 체류하다. ③ 계절, 시즌 : Ha empezado ya la ~ de ópera 가극의 계절이 벌써 시작되었다.

de ~ 일시의, 임시의, 임시적으로 : No vive aquí ; está sólo *de* ~ 그는 이곳에 살고 있는 것은 아니다 ; 일시적으로 있을 따름이다.

temporadista *m.* =**veraneante.**

temporal[1] *adj.* [*lat.* tenmporalis] ① 때의, 때를 나타내는 : adverbio ~ 【문법】 때의 부사. conjunción ~ 때의 접속사. ② 잠깐동안, 잠시의, 임시의 : Es un trabajo ~ 그것은 임시적인 일이다. ③ 덧없는 : existencia ~ del hombre. ④ (espiritual에 대해) 현세의, 세속적인, 속세의 ; 승적 · 성직에 들지 않는 : poder ~ (성직자, 특히 교황의) 속사상(俗事上)의 권력.

—*m.* [드뭄] ① 기후, 날씨 ; 풍랑, 폭풍우(tempestad) : aguantar un ~ en el Cantábrico 깐따브리아에서 풍랑을 이겨내다. El ~ duró varios días 폭풍우는 수일간 계속했다. ② 장마철. ③ 《*And.*》 계절 노동자(trabajador del campo que sólo trabaja en ciertas temporadas del año). ④ 《*Cuba.*》 교활한 사람. ⑤ 【해부】 측두골(側頭骨).

temporal[2] *adj.* [*lat.* tempora] 관자놀이(la sien)의 : músculos ~*es.* —*m.* 관자놀이뼈(hueso de la sien).

temporalear *intr.* 《*AmérC.*》 풍랑이 일다, 날씨가 사나워지다.

temporalidad *f.* ① 일시적임, 덧없음. ② 시간성. ③ 속사(俗事), 세상사(世上事). ④ [보통 *pl.*] 세속적 유물《교회의 수입 · 재산》.

temporalizar *tr.* ⑨ 일시적인 것으로 하다 ; 세속적으로 하다.

temporalmente *adv.* 일시적으로 ; 세속적으로.

temporana *f.* 【식물】 (카나리아 군도의) 약용 식물의 일종.

temporáneo, a *adj.* 임시의, 잠시의, 임시적인, 잠정적인, 일시적인, 덧없는(temporal, temporario) : poder ~.

temporario, ria *adj.* =**temporáneo, momentáneo.**

témporas *f.* [*lat.* tempora] (교회의) 사계 제일(四季齊日), 성직 안수절.

temporejar *tr.* (선박 따위가 태풍이 부는 동안 어디로) 바람을 피하다.

temporero, ra *adj. m.f.* 어떤 한철 만의; 한철 동안 일하는 (사람), 임시의. —*f.* 《*And.*》 민요의 일종.

temporil *m.* 《*And.*》 한철 만의 인부(temporal).

temporizador, ra *m.f.* 시류에 편승하는 사람.

temporizar *intr.* ⑨ ① 시류에 따르다, 시류에 편승하다(contemporizar). ② 일시적으로 하다, 임시로 장악하다. ③ 심심풀이로 하다, 소일하다(ocuparse en una cosa por pasar tiempo).

tempranal *adj.* 조생종을 재배하는 (논밭).

tempranamente *adv.* 일찍, 빨리(temprano, pronto).

tempranear *intr.* 《*Arg.*》 정상보다 이전에 씨를 뿌리다.

tempranero, ra *adj.* (시기가) 이른(temprano, anticipado).

tempranilla *adj.* *uva* ~ 철 이른 포도.

tempranito *adv.* [*dim.* temprano] 아주 빨리.

temprano, na *adj.* ① (시기 · 시각이) 이른 : horas ~*nas* 이른 시각. Es demasiado ~ para salir 출발하기에 아직 너무 이르다. Es muy ~ para beber 술을 마시기에는 매우 이르다. Las lluvias ~*nas* han hecho bastante daño a los frutales 시기적으로 빠른 비가 과수에 상당한 손해를 주었다. Contr. tardío. ② 올벼의, 조생의, 때 이른, 조숙한(precoz) : fruto ~.

—*m.* 올벼 논 ; 조생(早生) 농작물 : Ya es tiempo de recoger los ~*s.*

—*adv.* ① (시기적으로) 일찍, 빠르게 : llegar ~ a la reunión. ② (시각이) 이른 시간에 : ~ por la mañana 아침 일찍. Salimos por la mañana ~ 우리는 아침 일찍 출발한다. Mañana me levanto muy ~ 내일 나는 매우 일찍 일어난다.

(más) tarde o (más) ~ 조만간, 멀지 않아.

tempulento, ta *adj.* 술취한(embriagado).

temu *m.* 【식물】 =**mirtácea** 《칠레산의》.

temucano, na *adj. m.f.* 떼무꼬 《Temuco, 칠레에 있는 도시》의 (사람).

temulento, ta *adj.* [*lat.* temulentus] 술에 취한(borracho, ebrio).

temuquense *adj. m.f.* =**temucano.**

ten tener의 2인칭 단수 긍정 명령형. [*N.* 부정 명령은 No tengas 갖지 마라].

tena *f.* 외양간(tinada).

tenace *adj.* 【시어】 =**tenaz.**

tenacear *tr.* ① 쇠집게로 벌주다(atenacear). ② 못살게 굴다. —*intr.* 집요하다, 끈덕지다, 완강하다(insistir).

tenacero *m.* tenazas의 제조자 · 상인.

tenacicas *f.pl.* =**tenacillas.**

tenacidad *f.* [*lat.* tenacitas] ① 완강, 불굴 :

con ~ 완강하게. ② 고집, 끈덕짐, 집요함(terquedad). ③【물리】 인성(靭性).

tenacillas *f.pl.* [*dim.* tenazas] ① 작은 집게, 핀셋. ② 작은 못뽑이. ③ (초의) 심지 자르는 가위. ④ 족집게. ⑤ 헤어 아이언(tenaza de rizar).

tenáculo *m.* (혈관 수술 용구의) 집게.

tenada *f.* ① 외양간. ② 건초 저장소.

tenallón *m.* [*lat.* tenaillon]【축성】 요각보(凹角保).

tenamaste *adj.* 《*AmérC. Méx.*》 고집센, 완고한(testarudo). —*m.* 《*AmérC.*》 잡동사니.

tenante *m.* [*lat.* tenant]【문장】 방패를 가진 상(像).

ténar [*gr.* thenar]【해부】 손바닥 외부의 융기.

tenate *m.* 《*Méx.*》 =**tanate.**

tenaz *adj.* [*lat.* tenaz] ① 완강한 : La resistencia fue ~ 저항이 완강했다. ② 집요한 : Me molestó varios días un dolor ~ 집요한 아픔에 나는 수일간 괴로워했다. ③ 끈질긴, 고집 불통의, 완고한 : Es muy ~ en todo lo que emprende 그는 무엇이나 시작한 일에 대하여 끈기있는 사내이다.

memoria ~ 좋은 기억력.

tenaza *f.* [주로 *pl.*] ① 못뽑이 ; 집게, 가위 : ~ de gancho 기름에 튀긴 것을 꺼내는 큰 젓가락. ② 부젓가락. ③ 헤어 아이언(~ de rizar). ④ (게 따위의) 집게. ⑤【축성】 요각 보루(凹角堡壘).

tenazada *f.* 못뽑이 · 핀셋 같은 것으로 꼭 잡는 일 ; 세게 무는 일, 물어뜯기.

tenazazo *m.* tenazas로 때리기.

tenazmente *adv.* 완강하게, 끈질기게, 집요하게(con tenacidad · fuerza).

tenazón (a · de) *adv.* ① 제대로 겨냥하지도 않고. ② 돌연, 갑자기, 별안간 ; 느닷없이(de pronto, súbitamente).

tenazuelas *f. pl.* [*dim.* tenazas] 작은 못뽑이 · 쇠집게 ; 족집게.

tenca *f.* [*lat.* tinca] ①【어류】(유럽산의) 붕어의 일종 : La carne de la ~ suele tener sabor de cieno. ② 《*Arg. Chile.*》 종달새(calandria). ③ 《*Chile.*》 거짓말, 낭설, 거짓 보고.

tención *f.* 보유, 보지(保持).

tencolote *m.* 《*Méx.*》 새장(jaula).

tencón *m. aum.* tenca.

ten con ten *m.* 주의, 용의, 신중(moderación, tiento) : ir con mucho ~ 무척 조심스럽게 가다. —*adv.* 《*Méx.*》 비틀걸음으로, 비틀거리면서.

tencua *adj. m.f.* 《*Méx.*》 언청이(의)(leporino).

tencuanete *m.* 【식물】 (멕시코의) 대극과(科) 식물.

tendajo *m.* =**tendejón.**

tendal *m.* ① 돛배. ② 텐트, 천막(tolda). ③ (올리브 같은 것을 딸 때 밑에 펴놓는) 막. ④ (물건을) 말리는 곳. ⑤ 널어 놓아 말린 것(tendalera). ⑥ 《*Cuba.*》 커피 말리는 곳. ⑦ 《*Amér.*》 어지러뜨림(tendalera). ⑧ 《*Arg.*》(양의) 털 깎는 곳. ⑨ 《*Arg. Chile.*》 많음 : Dejó un ~ de deudas 그는 막대한 부채를 남겼다. ⑩ 《*Bol.*》 평지(campo llano). ⑪ 《*Col. PRico.*》 벽돌 굽는 곳, 벽돌 공장. ⑫ 《*Chile.*》 노점(puesto, tiendecilla).

tendalada *f.* 《*AmérM. Arg.*》 =**tendalera.**

tendalera *f.* 흩어진 물건 ; 난잡함, 어수선함.

tendalero *m.* =**tendedero.**

tendedera *f.* ① 《*AmérC. Cuba.*》 빨랫줄. ② 《*Col.*》 =**tendalada.**

tendedero *m.* 건조장.

tendedor, ra *m.f.* 물건을 펴 놓는 (사람). —*m.* 《*Chile.*》 =**tendedero.**

tendedura *f.* 늘어 뜨리기, 흐트러 놓기.

tendejón *m.* 바라크, 판잣집(cobertizo).

tendel *m.* 추선, 다림줄 ; 측연선(測鉛線) ; (벽돌과 벽돌 사이에 발라 펴는) 연결 회반죽.

tendencia *f.* ① 경향, 풍조(inclinación) : ~ izquierdista 좌경(左傾). Mi hijo tiene una ~ a la pereza 내 아들은 게으름뱅이의 경향이 있다. ② 성향, 버릇, 성벽 : ~ sentimental. ③ 추세, 낌새, 기척, 기미 : La ~ es *a* la baja 물가는 하락 추세에 있다. ④ (이야기 따위의) 취향, 취지.

~ *a la baja* 경기의 하락. ~ *a largo plazo* 장기적 경향. ~ *al alza* 증권 시세의 상승 경향. ~ *al alza de los precios* 물가의 상승 경향. ~ *al retroceso* 증권 시세의 하락 기세. ~ *alcista* 강기세, (증권 시세의) 상향. ~ *bajista* 약기세, 하강 경향. ~ *curvilínea · no lineal* 곡선 경향. ~ *de balanza de pagos* 국제 수지 동향. ~ *de los negocios* 경기 동향. ~ *del mercado* 시황, 상황(商況). ~ *estacional a aumentar la liquidez* 유동성을 증대하는 계절적 경향. ~ *floja* 연조(軟調) 기미. ~ *general de los cambios* 상황(商況). ~ *lineal* 선형(線形) 경향. ~ *secular* 장기적 경향.

tendencioso, sa *adj.* 어떤 경향을 가지고 있는, 어떤 입장을 지지하는 경향이 있는, 저의가 있는 : afirmación ~*sa* 목적이 있는 확신. informe ~ 저의가 있는 보고.

tendente *adj.* [+a : 어떤 방향으로] 늘어나는, 뻗어나는 ; 경향 · 기미 · 추세에 있는 ; (…을) 목표하는, 겨냥한.

tender *tr.* ⑳ [*lat.* tendĕre] ① 넓히다(extender). ② 펼치다, 치다(desdoblar) : ~ una cortina 커튼을 치다. Estaba *tendiendo* el mantel sobre la mesa 그는 테이블에 테이블보를 펴고 있었다. Al verme me *tendió* la mano 그는 나를 보자 (악수하려고) 손을 내밀었다. ③ 펴서 말리다 : La criada está *tendiendo* ropas al sol 하녀는 옷을 볕에 말리고 있었다. ④ 늘리다(alargar). ⑤ 수북이 쌓인 것을 헤쳐 늘어놓다. ⑥ (윗칠하는 재료를) 늘려 칠하다, 늘려서 쓰다. ⑦ (기계로) 연동하다. —*intr.* ① 어떤 목적을 가지다, 향해 있다 : No sé *a qué* fin *tiende* su proposición 그의 제안에 어떤 의도가 있는지 알 수 없다. ② [+a+*inf.* : …하는] 기미가 보인다, 경향이 있다, …하기가 일쑤다 : El tiempo *tiende a* mejorar 날씨는 좋아질 경향을 보이고 있다. El calor *tiende a* disminuir 더위는 점점 내리막길이다.

~se ① 펼쳐지다. ② 늘어나다. ③ (땅바닥에) 드러눕다(tumbarse) : *Se tendió* sobre la arena 그는 모래 위에 (길게) 누웠다. ④ 《*Ecuad.*》 잠자리를 만들다, 침대를 만들다(hacer la cama). ⑤ (달리는 말이) 배가 땅에 닿을락 말락하게 뛰다. ⑥ (승부의 기세가 분명해져) 가졌던 패를 모두 던지다, (자포 자기로) 내던져 버리다.

[직설법 현재 : tiendo, tiendes, tiende, tendemos, tendéis, tienden. 접속법 현재 : tienda, tiendas, tienda, tendamos, tendáis, tiendan].

ténder *m. ing.* (증기 기관차의) 탄수차(炭水車).

tendereta *f. quedar en la* ~ 《*Venez.*》 땅바닥에 드러누워 있다.

tenderete *m.* ① 카드 놀이의 일종. ② 뿌리기, 흐트러 뜨리기(tendalera). ③ 노점(puesto).

tendería *f.* 상점가, 상점으로 가득찬 곳.

tenderijo *m.* =**tendido.**

tendero, ra *m.f.* ① 가게 주인 : La *tendera* es muy amable con todo el mundo 가게의 여주인은 누구에게나 매우 상냥하다. ② 소매 상인. —*m.* 천막 제조인.

tendezuela *f.* [*dim.* tienda] 구멍가게(tiendecita).

tendidamente *adv.* 넓게, 널직하게 ; 기다랗게, 길게 늘어져.

tendido, da *adj.* [tender의 *p.p.*] ① 펼쳐진, 넓힌, 팽팽해진, 늘어진(extendido). ② 흐트러뜨린. ③ (기다랗게) 가로 놓인·누운. ④ 다리를 넓게 벌린 (뛰는 방법), 뒤도 안 돌아보고 뛰어가는. —*m.* ① 펼쳐 놓기, 늘어뜨리기 : el ~ de un cable. ② (투우장의) 무개(無蓋) 관람석. ③ (틀에 끼우는 레이스 따위의) 한번 친 것, 한번 건 분량 ; (세탁물의) 한번 빠는 빨랫감, 한번 말리는 분량 ; (빵틀에 놓은) 한판 분량. ④ 지붕의 경사면. ⑤ 인입선(引入線). ⑥ (벽·천장의) 덧칠. ⑦ 【방언】 맑게 개인 하늘. ⑧ 《*Col. Ecuad. Mex.*》 =**ropa de cama.**

tendiente *adj.* 펼치는, 펴서 말리는 ; 드러눕는.

tendinoso, sa *adj.* ① 건(腱)의, 건질(腱質)의. ② 힘줄이 많은 : carne ~*sa* 힘줄투성이의 살.

tendón *m.* [*lat.* tendo] 【해부】 ① 건(腱), 힘줄 : ~ de Aquiles 아킬레스 건. ② 좁고 긴 밭.

tendrá tener의 직·미래·3·단수.

tendrán tener의 직·미래·3·복수.

tendrás tener의 직·미래·2·단수.

tendré tener의 직·미래·1·단수.

tendréis tener의 직·미래·2·복수.

tendremos tener의 직·미래·1·복수.

tendría tener의 가·1·3·단수.

tendríais tener의 가·2·복수.

tendríamos tener의 가·1·복수.

tendrían tener의 가·3·복수.

tendrías tener의 가·2·단수.

tenducha *f.* [*desp.* tienda] 구멍가게, 초라한 가게(tienda fea y pobre) : abrir una ~.

tenducho *m.* =**tenducha.**

tenebrario *m.* [*lat.* tenebrae] (성주간에 장식하는) 초 15개를 세우는 촛대.

Tenebrario *m.* 【천문】 히아데스 성단 《황소좌 가운데의 5개의 군성(群星)》(Hiades).

tenebrismo *m.* (그늘과 빛에 반대하는) 회화풍.

tenebrosamente *adv.* 깜깜하게, 어둡게 ; 남몰래, 가만히 ; 불분명하게 ; 음침하게, 암담하게.

tenebrosidad *f.* 어두움, 깜깜함 ; 불분명.

tenebroso, sa *adj.* ① 어두운, 깜깜한, 어둠속의(sombrío, negro) : prisión ~*sa.* ② 남모르는, 은밀한, 비밀의(secreto) : abrigar proyectos ~*s.* ③ 불분명한, 난해한(difícil de comprender) : estilo ~.

tenedero *m.* 닻을 내리는 곳.

tenedor, ra *m.f.* ① 소유자. ② (특히 증권·어음·수표 등의) 소지인, 지참인, 피지불인, 수취인. ③ (야구·축구의) 공 줍는 사람. —*m.* 포크 : Páseme ~*es,* que aquí faltan 포크를 집어 주십시오 ; 여기는 모자라니까. ~ *de acciones* 주주(accionista). ~ *de bonos* 채권 소지인, 사채권자. ~ *de buena fe* 선의의 소지인. ~ *de endoso* 이서 양수인·양도인. ~ *de libros* 부기·기장·장부·회계 부기 담당자, 회계사. ~ *de póliza* 보험 계약자, 보험 증권 소지인. ~ *de una cuenta* 예금자. ~ *de una letra* 어음 소지인. ~ *legal* 정당·유상 소지인.

tenedorcillo *m.* [*dim.* tenedor] ① 작은 포크. ② 【은어】 =**liga.**

teneduría *f.* ① 부기 : ~ de libros 부기(학). ~ de libros por partida doble·simple 복식·단식 부기. ② 회계·장부·기장 담당자의 직·사무실.

tenencia *f.* ① 대리인(teniente)의 임무·직·사무실. ② [드뭄] 소유, 영유, 보유(권).

tenense *adj. m.f.* 떼나 《Tena, 에꾸아도르에 있는 도시》의 (사람).

tener *tr.* 59 [*lat.* tenere] ① 가지다, 가지고 있다, 소유하다(poseer) : ~ en manos 양손에 가지고 있다. ~ invitados 초대한 손님이 있다. ~ a mano 소지하고 있다. *Tengo* un hermano 나에게는 동생 하나가 있다. ¿Qué *tienes* en la mano, Juan? 후안, 너는 손에 무엇을 가지고 있느냐? La habitación *tenía* dos ventanas 방에는 창문이 둘 있었다.
② (약속 등을) 지키다 : ~ la palabra·una promesa.
③ 멈추다, 정지하다(detener) : ~ un caballo.
④ 억제하다.
⑤ (회·모임을) 열다 : ~ una junta.
⑥ (날짜·시간을) 지내다, 보내다(pasar) : *Tuve* un mal día 나는 나쁜 하루를 지냈다.
⑦ [+시간의 명사] 햇수·시간이 지나고 있다 : ¿Qué edad *tienes*? 너는 몇 살 먹었느냐? (¿Cuántos años tienes?). *Tiene* dos meses de estancia 체재한지 2개월이 된다.
⑧ [~+명사=관용어] [dolor 아픔, hambre 굶주림, sueño 졸음, miedo 공포감, calor 더위, frío 추위, cuidado 조심, razón 도리, prisa 급함, paciencia 인내, vergüenza 수치, 부끄러움, suerte 운, éxito 성공, sed 갈증, años 나이, celos 질투, la culpa 탓, 잘못] : ¿Qué *tiene* usted? 무슨 일이냐? Su abuela *tendrá* sesenta *años* 그의 할머니는 60세 쯤일 것이다. *Tengo dolor de* cabeza 나는 머리가 아프다. ¿*Tienes* mucha *hambre*? 몹시 배가 고픈가? No la *tengo* 배고프지 않다. *Tendrá miedo a*l mar 그는 바다가 무서울 것이다. No *tengo miedo de*l perro 나는 개를 무서워하지 않는다. *Ten cuidado con* la pintura 페인트에 조심하라. ¿Por qué *tiene* usted tanta *prisa*? 왜 당신은 그렇게 서두르십니까? Hace calor, pero no *tengo calor* 날씨는 덥지만 나는 덥지 않다. Tiene usted que ~ *paciencia* 참으셔야 합니다. Mi secretaria *tiene la culpa* 내 비서 탓이다. *Tiene* usted mucha

razón 옳으신 말씀입니다. ¿*Tiene* Vd. *sueño*? 졸리십니까? *Tengo celos de* ti 나는 너를 질투한다.
⑨ [tener+de : 무엇을 어떤 사람으로부터] 알다.
⑩ [+de+무관사의 명사 : 그것과] 비슷한 데가 있다 : Eso más *tiene de* pesca que no de caza 그것은 사냥보다 고기잡이와 비슷하다.
⑪ [+en : 이리라] 여기다, 생각하다(estimar, apreciar) : ~ *en* mucho 존중하다. ~ *en* poco 경시하다, 경멸하다.
⑫ [+por] …로 판단하다, 생각하다(juzgar) : Le *tenían por* rico 그를 부자로 생각하고 있었다. No me *tengáis por* ingrato 나를 은혜를 모르는 놈이라고 생각하지 말아다오.
⑬ [+de+*inf.*]【고어】…해야만 한다 : *Tengo de* hacer algo 나는 무언가 해야 한다. *Tengo de* avergonzarle 그에게 망신을 주어야 한다.
⑭ [+que+*inf.*] …할 필요가 있다, 해야만 한다, 하지 않으면 안된다(deber) : *Tengo que* ir 나는 가야 한다. *Tendrás que* salir mañana 내일은 떠나야 한다.
⑮ [no ~ +que+*inf.*] …하지 않아도 된다, …할 필요가 없다 : *No tienes que* trabajar 너는 일하지 않아도 된다; 너는 일할 필요가 없다.
⑯ [no ~ más que + *inf.*] …하기만 하면 된다 : *No tienes más que* verlo 네가 그것을 보기만 하면 알 수 있는 일이다. *No tienes más que* mirarles en los ojos para convencerte de ello 그것을 납득하려면 그들의 눈을 보기만 하면 된다.
⑰ [+que+oir · ver] 들을 만한 · 볼 만한 것이 있다, 보지 않을 수 · 듣지 않을 수 없다.
⑱ [+que ver con : …과] 관계가 있다 : ¿*Qué tiene que ver con* eso? 당신은 그 일과 어떤 관계가 있습니까?
⑲ [+*p.p.*] …해서 가지고 있다, …해 두었다 : *Tengo escritas* dos cartas 나는 편지 두 통을 써두었다. *Teníamos estudiada* la cuestión 우리들은 그 문제를 벌써 연구해 두었었다. [*N.* tener + *p.p.* 에서 과거 분사는 목적어의 성 · 수에 일치해야 한다; 완료 후의 결과에 중점을 두기 때문에 완료형 haber + *p.p.*와는 구별해야 함].
—*intr.* 부자다, 부호이다(ser rico).
~se ① 서다, 정지하다(detenerse) : *Tente* 서라. ② 버티다 : ~*se* en pie 서 있다. ③ 신다, 장치하다, 의지하다. ④ 집착하다, 얽매이다 : A mi trabajo *me tengo* 나는 내 일에 집착하고 있다. A lo dicho *me tengo* 나는 내가 했던 말을 굽히지 않는다. ⑤ 자부하다 : *Se tenía por* sabio 그는 박식한 사람으로 자부하고 있었다.
~ ***a bien***+*inf.* …하여 주시다 : Les agradezco el folleto que *han tenido a bien* enviarme tan pronto 곧 바로 소책자를 보내주셔서 감사합니다.
~ ***a menos*** 업신여기다, 경시하다.
~ ***cataratas*** 분명히 이해하지 못하다.
~ ***para sí*** 독특한 의견을 가지다.
~ ***parte en*** ① …에 참가하다, …에 참여하다. ② …에 흥미 · 관심이 있다(interesarse por) : No *tienes parte en* este asunto 너는 이 일에 관심이 없다.
~ ***presente*** 잊지 않고 있다, 눈앞에 보는 듯하다 (no olvidar).
~ ***que ver*** 재미 있다, 흥미 있다(ser interesante).
~ ***lugar*** (어떤 일이) 있다, 일어나다; 열리다, 개최하다.
~ ***soga de ahorcado*** 운이 좋다(tener buena suerte).
tenérselas tiesas a · con (누구에 대해서) 토론에서 완강하게 저항하다.
no tener las todas consigo 걱정하다, 두려워하다 (estar intranquilo).
no tener sobre qué caerse muerto 극빈 상태에 있다(hallarse en suma pobreza).
[직설법 현재 : tengo, tienes, tiene, tenemos, tenéis, tienen. 직설법 부정과거 : tuve, tuviste, tuvo, tuvimos, tuvisteis, tuvieron. 직설법 미래 : tendré, tendrás, tendrá, tendremos, tendréis, tendrán. 가능법 : tendría, tendrías, tendría, tendríamos, tendríais, tendrían. 접속법 현재 : tenga, tengas, tenga, tengamos, tengáis, tengan. 접속법 불완료과거 : tuviera, …, tuviese, …. 2인칭 단수 긍정 명령 : ten].

tenería *f.* ① 가죽의 무두질. ② 제혁 공장(curtiduría).
tenesmo *m.*【의학】=**pujo.**
tenga tener의 접 · 현 · 1 · 3 · 단수 : *T-* cuidado 조심하십시오.
tengáis tener의 접 · 현 · 2 · 복수.
tengamos tener의 접 · 현 · 1 · 복수.
tengan tener의 접 · 현 · 3 · 복수.
tengas tener의 접 · 현 · 2 · 단수.
tengo tener의 직 · 현 · 1 · 단수.
tengua *adj.m.f.* 《*Amér. Méx.*》 언청이(의)
tengue *m.* 《*Cuba.*》【식물】 야생의 콩과 나무.
tenguerechón *m.* 《*Salv.*》【동물】 도마뱀의 일종.
tenguerengue (en) *adv.* 《*And.*》 불안정하게 (en mal equilibrio).
tenia *f.* [*lat.* taenia] ①【곤충】 촌충(寸虫) (solitaria). ②【건축】(양쪽 쇠시리 사이의) 두둑. ③ 리본, 머리띠.
tenicida *adj.* =**tenífugo.**
tenida *f.* ①《*Amér.*》 회합, 모임, 집회(sesión, reunión). ②《*Chile.*》 옷(traje), 유니폼(uniforme).
tenido, da *adj.* [bien · mal+] 평이 좋은 · 나쁜 : los barrios *bien* ~*dos* de la ciudad 시내에서도 상류로 알려진 구역.
tenienta *f.* teniente의 아내.
tenientazgo *m.* teniente의 직무(tenencia).
teniente *adj.* ① 가지고 있는, 소유한. ② 익지 않은 (과일). ③ 귀가 먼(algo sordo). ④ 인색한 (miserable, avaro). **—***m.* 대리인, 대행자; 육군 중위.
~ ***de navío*** 해군 대위. ~ ***general*** 육군 중장. ***primer*** ~ 육군 중위. ***segundo*** ~ 육군 소위.
teniforme *adj.* tenia 모양의.
tenífugo, go *adj.* 촌충 구제의. **—***m.* 구충제 : La corteza de granado es un ~ .
tenioideo, a *adj.* =**teniforme.**
tenis *m.*【단 · 복수 동형】① 정구, 테니스 : ~ de mesa 탁구(pimpón). Mi prima juega al ~ por la mañana 내 사촌 누이는 오전에 정구를

친다. ② 테니스 코트(cancha del ～).

tenista *m.f.* 《*Amér.*》 정구 치는 사람, 테니스 선수.

tennis *m.* =**tenis.**

tenografía *f.* 힘줄 묘사.

tenor[1] *m.* ① 구성, 조직(constitución). ② (문서 등의) 내용, 본문 : enterarse del ～ de una carta. ③ 취지. ④ 방식. ⑤ (어음의) 지불 기간.
a ～ de …에 준하여 · 따라서 · 응하여.
a este ～ 이와 똑같이; 이런 방식 · 투로(por el mismo estilo).

tenor[2] *m.* [*ital.* tenore]【음악】테너; 테너 가수.

tenora *f.*【악기】피리 모양의 옛날의 악기.

tenoriesco, ca *adj.* 떼노리오 · 돈환적인.

tenorino *m.*【음악】테너.

tenorio *m.* (El Burlador de Sevilla 의 주인공 don Juan Tenorio의 이름에서) 난봉꾼, 바람둥이(galanteador atrevido).

tensar *tr.* ① (밧줄 따위를) 팽팽하게 켕기다, (바싹) 죄다, 탄탄하게 하다. ② 긴장시키다.

tensímetro *m.* 압력계, 장력계, 전압계.

tensino, na *adj.m.f.* 떼나 《Tena, Huesca주의 마을》의 (사람).

tensión *f.* ① 긴장, 신장(伸張) : la ～ de los músculos 근육의 긴장. ② 절박, 긴장 (상태) : aliviar ～ 스트레스를 해소하다. estar en ～ 긴장돼 있다; 긴장 상태에 있다. Parece que ha disminuido la ～ internacional 국제적 긴장은 늦추어진 듯하다. ③【물리】(탄성체의) 장력(張力) : ～ superficial 표면 장력. ④【기계】압력(presión) : ～ arterial 혈압. Usted tiene muy alta ～ 당신은 혈압이 매우 높다. ⑤【전기】전압 : ～ alta 고압. ～ baja 저압. elevar · reducir la ～ 전압을 올리다 · 내리다.

tensional *adj.* 긴장의; 장력(張力)의.

tenso, sa *adj.* ① (그물 따위가) 팽팽한. ② (신경 · 정 따위가) 긴장한(estirado, en estado de tensión) : Las relaciones de las dos familias están muy *tensas* 그 두 집의 관계는 긴장하고 있다. ③ (지나치게 긴장하여) 부자연한, 딱딱한. ④【음성】혀 근육이 긴장한.

tensón *m.* 플로방스의 연가(連歌) 형식으로 된 연애나 기사도 문제의 논쟁시(論爭詩).

tensor, ra *adj.* ① 장력(張力)의. ② 신장(伸張)하는, 긴장시키는 : músculo ～ 장근(張筋). —*m.*【해부】장근(張筋) : el ～ de al fascia lata.

tensorial *adj.* =**tensional.**

tentabuey *m.* 《*Ál.*》 =**gatuña, detienebuey.**

tentación *f.* [*lat.* tentatio] ① 유혹(물) : caer en la ～ 유혹에 빠지다. No es fácil huir de las ～*es* 그 유혹에서 빠져 나가기는 용이하지 않다. ② 욕망, 색정에 끌림.

tentacioncilla *f. dim.* tentación.

tentaculado, da *adj.* 촉각이 있는; 섬모가 있는.

tentacular *adj.* tentáculo의 : apéndice ～ 촉각 돌기. movimiento ～ 촉각 운동.

tentaculífero, ra *adj.* =**tentaculado.**

tentáculo *m.* ①【동물】촉각, 촉수. ②【식물】촉모(觸毛).

tentadero *m.* 송아지의 검사장.

tentado, da *adj.* 《*Col.*》 =**inqieto, travieso.**

tentador, ra *adj.* 유혹하는, 욕정을 돋구는. —*m.f.* 유혹자. —*m.* [el T-] 악마.

tentadura *f.* ① 은광의 수은 검사. ② 시험용 광석. ③ 구타(zurra).

tentalear *tr.* 탐색하다, 자주 시도하다, (…에) 탐색의 손을 뻗치다, 넌지시 알아보다.

tentar *tr.* [*lat.* tentare] ⑲ ① 더듬다(palpar) : Tuve que bajar la escalera *tentando* la pared 나는 벽을 더듬으면서 계단을 내려가야 했다. ② 만져서 알다 : ir *tentando* el camino en la obscuridad 어둠속에서 길을 더듬어 가다. ③ 해보다, 시도하다, 조사하다, 살피다(examinar, probar) : En vano *hemos tentado* todos los remedios 우리는 모든 방책을 시도했으나 허사였다. ④ 꼬드기다, 유혹하다(instigar, seducir) : La serpiente *tentó* a Eva 뱀이 이브를 유혹했다. No le *tientes* a fumar 그에게 담배를 피우도록 유혹하지 마라.

tentaruja *f.* =**manoseo.**

tentativa *f.* ① 시험, 시안, 기도(企圖) : ～ de asesinato 암살 기도. ② (범죄의) 미수 행위 : ～ de asesinato 암살의 미수 행위.

tentativo, va *adj.* ① 시험의, 시험적인, 시험삼아 하는, 시안(試案)의. ② 망설이는, 확실치 않는, 애매한 : sonrisa ～*va* 망설이는 듯한 미소.

ten.[te] teniente.

tentemozo *m.* ① 버팀나무, 지주(支柱). ② 오뚜기의 일종(dominguillo).

tentempié *m.* 가벼운 식사, 간식(refrigerio) : tomar un ～.

tentenelaire *m.f.* (서반아계의) 혼혈아《cuarterón과 mulata나 mulato와 cuarterona 사이에 태어난 아기》. —*m.* 《*Arg.*》【조류】벌새.

tentetieso *m.* =**tentemozo, dominguillo.**

Tentita *hip.* Vicenta.

tentón *m.* 거칠게 쓰다듬기.

tenue *adj.* [*lat.* tenuis] ① 얇은, 가느다란, 희박한(delicado, delgado) : hilo ～. ② 희미한, 나약한, 미약한 : un sonido ～ 희미한 소리. ③ 열매없는, 실속없는. ④ 간소한 : estilo ～ 간소한 스타일. ⑤ 별로 중요하지 않는(de poca importancia).

tenuemente *adv.* 희미하게, 약하게.

tenuidad *f.* ① 얇음, 가느다람, 섬세 : la ～ de hilo. ② 희박; 희미함, 나약함.

tenuirrostro, tra *adj.*【조류】긴 부리의. —*m.pl.* 긴 부리속의 새.

tenuta *f.* (분쟁자 사이에 법적 결정이 내릴 때까지) 임시 소유.

tenutario, ria *adj.* 임시 소유의.

tenuto *adv. ital.*【음악】음을 느리게 연주하는.

tenzón *f.* =**tensón.**

teña[1] *f.* [*lat.* tinêa]《*Ar.*》=**oruga.**

teña[2] *f.* [*lat.* tigna]《*Rioja.*》=**tinaga, pocilga.**

teñible *adj.* 물들이는, 염색할 수 있는, 염색이 받는.

teñido, da *adj.* teñir의 *p.p.* —*m.* =**teñidura.**

teñidor, ra *m.f.* 염색업자, 염색 기술자.

teñidura *f.* [드묾] 물들임, 염색, 날염.

teñir *tr.* ㊾ [*lat.* tingere] ① 물들이다 : ～ un vestido. ② [+con · de · en : 색을] 물들이다 : ～ *con · de · en* negro 검게 물들이다. ～ *en* crudo·en rama 피륙으로 짜기 전 원사 그대로 물들이다. La chica tiene el cabello *teñido de* color zanahoria 그 소녀는 당근색으로 머리털을 물들이고 있다. ③ 스며들게 하다. ④ 색안경을 끼고 보다. ⑤ 분색(分色)하다.

~se 물들다, 염색되다.

teño, ña *adj.* 《*Chile.*》 엷은 갈색의.

teobroma *m.* 【식물】 카카오(cacao)의 학명(學名).

teobromina *f.* ① 【화학】 카카오소(素). ② 【약】 테오브로민.

teocali *m.* 고대 멕시코 아스떼까 족의 사원·신전.

teocallí *m.* =**teocali.**

teocinte *m.* 《*CRica.*》 옥수수(maíz)의 일종.

teocracia *f.* [*gr.* theos + kratein] ① 신권(神權) 정치, 신정(神政). ② 신권 정체(政體), 신정(神政) 국가. ③ (고대 유태의) 제정(祭政) 일치 제도 : la ~ hebrea.

teócrata *m.f.* 신권 정치의 일원.

teocrático, ca *adj.* 신정 (정치·주의)의.

teodicea *f.* 신재설(神裁說), 변신론(辯神論) 《악의 존재를 신의 섭리로 보는 주장》.

teodolito *m.* 【천문·측량】 경위의(經緯儀)《수평각과 부앙각(俯仰角)의 측정 기구》.

teodosiano, na *adj.* 떼오도시오 대왕(大王) 《Teodosio el Grande 및 그의 손자 Teodosio 2세》의 : Código ~ 떼오도시오 법전.

teofanía *f.* =**epitanía.**

teofilina *f.* 차(té)에서 뽑은 알칼로이드.

teogonía *f.* 신들의 발생 계통, 신통 계보학(神統系譜學), 신통기(記), 열신기(列神記) : la ~ de los indios.

teogónico, ca *adj.* teogonía의·에 의한.

teologal *adj.* 신학(神學)의, 신학상의(teológico).

virtudes ~es 신학적인 미덕 《믿음(fe), 소망(esperanza) 및 사랑(cariño)의 세 가지 덕》.

teología *f.* ① 신학(ciencia de la religión) : doctor en ~ 신학 박사. estudiar la ~ católica 기독교 신학을 공부하다·연구하다. ② 신학설, 신론(tratado teológico) : ~ dogmática 교리 신학. ~ moral 윤리 신학. ~ natural 자연 신학.

no meterse en ~s 모르는 일에 깊이 관여하지 않다(no meterse a discutir cuestiones demasiado arduas sin entenderlas bien).

teológicamente *adv.* 신학상, 신학적으로.

teológico, ca *adj.* 신학의, 신학적인.

teologismo *m.* 신학적인 일에 관한 토론의 폐습.

teologizar *intr.* ⑨ 신학을 논하다.

teólogo, ga *adj.* 신학의(teológico, teologal). —*m.f.* ① 신학자 : Santo Tomás es el más grande de los *~s* católicos de la Edd Media Santo Tomás는 중세의 기독교 신학자 중에서 가장 위대하다. ② 신학도, 신학생(estudiante de teología).

teomanía *f.* 신들린 망상증 ; 종교광(狂).

teorema *m.* ① 【수학】 정리. ② 일반 원리, 법칙, 정설.

teorético, ca *adj.* =**especulativo, intelectual.**

teoría *f.* [*lat.* theôria] ① 이론, 학리 ; 공론 ; 학설, …설, …론 : La ~ a veces no es eficaz para llevar una cosa a cabo 어떠한 일을 수행하는데 이론은 때때로 효과가 없다. ② 의견, 지론, 사견(私見). ③ (본래는 고대 그리스의) 종교 행렬 : una hermosa ~ de muchachas.

~ ***atómica*** 원자론. ~ ***cuántica*** 양자론(量子論). ~ ***de conocimiento*** 인식론. ~ ***de costos comparativos*** 비교 생산비설. ~ ***de información*** 정보 이론. ~ ***de la concentración*** 집중설. ~ ***de la coyuntura·del ciclo económico*** 경기 순환설. ~ ***de los juegos*** 경기 이론. ~ ***de los valores internacionales*** 국제 가치론. ~ ***de organización*** 조직(이)론. ~ ***del impuesto*** 조세 이론. ~ ***económica*** 경제 이론. ~ ***impositiva*** 조세 이론. ~ ***de los colores*** 색채론.

en ~ 이론상으로.

teórica *f.* 이론, 학리(teoría).

teóricamente *adv.* 이론상, 이론상으로, 학리적으로 ; 학설로서, 학술적으로는.

teórico, ca *adj.* ① 이론(상)의, 학리적인, 순리적(純理的)인 : física ~*ca* 이론 물리학. Nos dieron una lección *teórico*-práctica 우리들은 이론과 실천의 수련을 교육받았다. ② 관념적인 ; 사색적·공론적인. —*m.f.* 이론가 ; 공론가.

teorizador, ra *adj.* 이론의.

teorizante *adj.* 순 이론적인. —*m.f.* 이론가, 공론가.

teorizar *tr.* ⑨ 순 이론적(理論的)으로 다루다, 학리적(學理的)으로만 주장하다. —*intr.* 주장·이론을 세우다, 학설을 세우다(discutir teóricamente).

teoso, sa *adj.* 수지질(樹脂質)의 ; 수지가 많은 ; 기름진, 토실토실하게 살찐.

teosofía *f.* 신지학(神知學), 접신론(接神論).

teosófico, ca *adj.* teosofía의.

teósofo *m.* 신지학자, 접신론자(接神論者).

tepache *m.* 《*Hond.*》 혼합주의 일종.

tepalcate *m.* 《*Méx.*》 토기(土器)의 부스러기 ; 잡동사니.

tepalcatero *m.* 《*Méx.*》 =**alfarero.**

tepate *m.* 《*AmérC.*》【식물】 =**estramonio, datura.**

tepe *m.* [*lat.* teppa] (네모지게 깎은) 잔디.

tepeaqués, sa *adj.* 떼뻬아까 《Tepeaca, 멕시코 도시》의. —*m.f.* 떼뻬아까 사람.

tepechichi *m.* 《*Méx.*》【동물】 팬더(basáride).

tepeizcuinte *m.* 《*Méx. Salv.*》【동물】 =**paca.**

tepeizquinte *m.* 《*AmérM.*》 =**tepeizcuinte.**

tepemechín *m.* 【어류】(구아떼말라산의) 아름다운 민물 고기.

teperete *m.* =**perete.**

tepescuincle *m.* =**tepeizcuinte.**

tepetate *m.* 《*Méx.*》 노란 돌 , 금속을 함유하지 않은 흙.

tepidario *m.* 고대 로마의 온천장.

tepido, da *adj.* =**tibio.**

tepiqueño, ña *adj. m.f.* 떼삑 《Tepic, 멕시코에 있는 도시》의 (사람).

tepocate *m.* 《*AmérC.*》 ① 【동물】 올챙이(renacuajo). ② 《*Guat. Méx.*》 =**guijarro.** ③ 《*Guat. Méx.*》 어린애.

teponascle *m.* ① 《*Méx.*》【식물】 떼뽀나스끌레 나무 《건축용으로 사용됨》. ② 《*Méx.*》 목관 악기

의 일종.

tepozán *m.* 《*Méx.*》【식물】 =**un árbol escrofulariáceo.**

tepú *m.* 【식물】 떼뿌나무 《칠레산 천인화과의 교목》.

teque *m.* ① =**humor.** ② 《*Arg. Parag.*》 【식물】 =**guanaco.**

tequense *adj. m.f.* 로스 떼께스《Los Teques, 베네수엘라 Miranda주의 주도》의 (사람).

tequeño, ña *adj. m.f.* 로스떼께스《Los Teques, 베네수엘라에 있는 도시》의 (사람).

tequiar *tr.* 《*AmérC.*》 난처하게 만들다, 애먹이다(dañar).

tequiche *m.* 《*Venez.*》 과자의 일종 《코코아와 설탕을 넣어 튀긴 옥수수 가루로 만든 것》.

tequila *f.* 떼낄라 《멕시코산 용설란으로 빚은 소주의 일종》.

tequio *m.* ① 《*AmérC. Méx.*》(옛날 인디오에게 부과했던) 노역·세금. ② 《*Amér.*》 광부 한 사람의 청부 체굴량. ③ 《*Amér.*》 번거로움, 귀찮음 (molestia).

tequioso, sa *adj.* 《*AmérC.*》 =**molesto, pesado.**

terafosa *f.* =**migala.**

terafósidos *m.pl.* =**terafosas.**

terapeuta *m.f.* ① 치료가, 치료 학자, 임상 의사. ② 유태교 수도사.

terapéutica *f.* 치료학, 치료법, 요법, 요양, 임상 의학 : ~ química 화학 요법.

terapéutico, ca *adj.* 치료의, 치료학적인 : agente ~ muy activo.

terapia *f.* 치료, (…)요법.

teratología *f.* 【생물】 기형학(畸形學).

teratológico, ca *adj.* 기형학상의, 기형학적인 : museo ~.

terbina *f.* 【화학】 테르븀산.

terbio *m.* 【화학】 테르븀 《희금속 원소》.

tercamente *adv.* 완고하게, 간이 크게(con terquedad).

tercena *f.* ①(담배 따위의) 전매국(局). ② 《*Ecuad.*》 푸줏간, 고깃간, 정육점(carnicería). ③ 《*Salv.*》 전매품 매점(estanco).

tercenal *m.* 《*Ar.*》 30줌으로 된 한 다발.

tercenco, ca *adj.* 《*Ar.*》 세 살 미만의 (양 따위).

tercenista *m.f.* ① 전매품을 많이 파는 사람. ② 《*Ecuad.*》 푸줏간 주인, 백정(carnicero).

tercer *adj.* [tercero의 남성 단수 명사 앞에 오는 형] 세 번째의, 제3의 : un ~ día 세 번째 날. ~ país 제삼국. ~ trimestre 제삼 4반기.

tercera *f.* ①(어떤 카드 놀이에서) 같은 짝의 3매 연속. ② 【음악】 제3도, 3도 음정, 장3도, 2전음 음정(ditono).

~ *(vía) de cambio·letra* 환어음의 제3권.

terceramente *adv.* [드뭄] 세 번째로.

tercerear *intr.* [드뭄] 중재하다, 조정하다, 화해시키다. **—***tr.* 《*Ál.*》 =**terciar** ③.

tercería *f.* 중재, 조정 ; 중개 ; 중재 계약 ; 조정(調停) 재판. [**Sinón.**] mediación.

tercerilla *f.* (각행 3음절 이하의) 3행시.

tercerista *m.f.* 조정 재판의 원고.

tercermundista *adj.* 제삼 세계의 : países ~*s.* **—***m.f.* 제삼 세계 주의자.

tercermundo *m.* 제삼 세계.

tercero, ra *adj.* [남성 단수 명사 앞에서 o탈락함] ① 제 삼의, 세 번째의 : La familia ocupaba el piso ~ de esta casa 그 가족은 이 건물 3층을 사용하고 있었다. ② 3등분의 : ~*ra* parte 3분의 1. dos ~*ras* partes 3분의 2. Una ~*ra* parte de la clase son alumnas 학급의 3분의 1은 여학생이다.

—*m.f.* 뚜쟁이, 펨프 ; 포주(alcahuete).

—*m.* ① 제삼자, 타인 : Necesitamos un ~ para resolver el asunto 그 문제를 해결하기 위해서는 제삼자를 필요로 한다. Hay que comunicar el convenio a los ~*s* 협정을 제삼자에게 알려야 한다. ② 중개자, 중개인 : ~ en discordia 쟁의(爭議)의 중재인. ③【기하】 60분의 1초. ④【종교】(어떤 종파에서) 제삼품급의 성직자.

tercerol *m.* (선박에서) 제 3위의 것 ; 3번 홀.

tercerola *f.* [*ital.* terzeruolo] ① 기병총. ② 통의 일종, 중질의 통(barril de mediana cabida).

tercerón, na *m.f.* 백인 남자와 mulata 여인과의 자손.

terceto *m.* [*ital.* terzetto] ①【시어】(각행 11음절의) 3행시(tercerilla). ②【음악】 삼중창, 삼중주 ; 그 곡(trío).

tercia *f.* [*ital.* tertia] ① 3분의 1. ② 1/3 vara 《약 30㎝》. ③(종교적으로) 제3 시과(時課). ④(고대 로마에서) 오전. ⑤ 1할세의 수납소. ⑥ 카드의 세 장 연속(tercera). ⑦ 포도밭의 세 번째 갈기.

terciado, da *adj.* ① 비스듬히 놓은. ② 세 등분한. ③ 연한 갈색의 (설탕). **—***m.* ① 칼날 부분이 넓은 단검(espada corta de hoja ancha). ② 납작한 끈, 리본(cinta más estrecha que el listón). ③ 창문의 틀을 4분의 3으로 나눈 각재(madero).

terciador, ra *adj m.f.* 중개·조정하는 (사람).

terciana *f.* [*lat.* tertiana] [주로 *pl.*] 삼일열(三日熱).

tercianario, ra *adj.* ① 삼일열의. ② 삼일열 만연 지역의. ③ 사흘마다의. **—***m.f.* 삼일열 환자.

tercianela *f.* 올이 굵은 비단의 일종.

tercianiento, ta *adj.* 《*Amér.*》 =**tercianario.**

terciano, na *adj.* 사흘마다·하루 걸러 일어나는.

terciar *tr.* ① 비스듬하게 놓다·걸다 : ~ la banda·la escopeta. ② 셋으로 나누다(dividir una cosa en tres partes). ③(논·밭을) 세 번 갈다(dar la tercera labor a las tierras). ④(입목을) 3분의 1 높이로 자르다. ⑤(말에 지우는 짐을) 양쪽으로 갈라 얹다. ⑥ 《*AmérM. Cuba.*》(…에) 물을 타다(aguar) : ~ el vino·la leche. ⑦ 《*Col.*》 등에 지다(cargar a la espalda una cosa).

—*intr.* ① 중개·중재·조정하다. ② [+en : …에] 참가하다, 관여하다(tomar parte en una cosa) : ~ en un contrato. ③ 필요한 인원수를 채우다(completar el número de personas necesario para una cosa). ④(사이에) 끼어들다. ⑤ 사흘째가 되다.

~se [제3인칭에만 활용](일이) 알맞게 되다, 일이 생기다(ocurrir) : Si *se tercia,* te hablaré de nuestro asunto 말할 때가 오면, 우리의 일을 말하겠다.

terciario, ria *adj.* 제삼의, 제삼위의 ; 제삼기의 (매독·지층). **—***m.* ①【지질】 제삼기층 : Algunos de los animales del ~ existen aún hoy día. ② 제삼 품급 성직자.

terciazón *f.* (땅의) 세 번째 갈이(la tercera labor de las tierras).

tercio, cia *adj.* [*lat.* tertius] 제삼(三)의, 세 번째의 ; 삼등분의(tercero) : la lección vigésimo ~*cia* 제 23과.
—*m.* ① 3분의 1 : dos ~*s* 3분의 2. ② (짐말의) 등에 나누어 실은 한 쪽의 짐. ③ 양말의 종아리 부분. ④ 말의 키를 셋으로 나눈 그 한 부분《무릎까지와 발의 오금까지와 등의 맨 윗 부분까지》. ⑤ 경마가 달리는 3기(期)《뛰기 시작·주·정지의 태세》. ⑥ 염주의 3분의 1. ⑦ 어업 조합. ⑧《*Cuba.*》 여송연의 고리. ⑨ 옛 서반아의 보병 연대 : ~ naval 해군 예비 부대. ⑩ 경관 부대. ⑪ 외국 지원병 부대. **—***pl.* 손발 : José tiene buenos ~*s.*
hacer ~ en …에 참가하다.
hacer buen·mal ~ 원조하다·방해하다.

terciodécuplo, pla *adj. m.* 13배(의).

terciopelado, da *adj.* 우단 같은(aterciopelado). **—***m.* 우단 비슷한 직물.

terciopelero *m.* 우단 제조인·판매인.

terciopelo *m.* 우단 : ~ estirado 실을 자르지 않은 우단.

terciopersonal *adj.* 단인칭 동사(verbo unipersonal)의.

terco, ca *adj.* ① 고집이 센, 완고한(obstinado, testarudo, pertinaz) : Era un muchacho tan ~, que nadie pudo convencerle 그는 대단히 완고한 소년이어서, 아무도 그를 설득할 수 없었다. ② 세공하기 어려운, 딱딱한, 견고한 (재료). ③《*Ecuad.*》 무관심한. ④《*Ecuad.*》 엄한, 엄격한 (severo).

tere *adj.* 《*Col.*》 잘 우는, 눈물이 흔한. **—***m.* 울보(llorón).

terear *intr.* 《*Arg.*》 테르테르새(tero)가 울다.

terebeco, ca *adj.* 《*AmérC.*》 부들부들 떠는.

terebintáceo, a *adj.* 【속어】 테레빈 무리의. **—***m.pl.* 테레빈속 식물들.

terebinto *m.* 【식물】 테레빈나무.

terebrante *adj.* 살을 도려내는 듯한 (아픔).

terebrar *tr.* [드뭄] 후벼 파다 ; 살을 도려내다 ; 송곳으로 구멍을 뚫다, 천공하다(porforar).

terebrátula *f.* 완족류 동물(animal braquiópodo).

tereco *m.* 《*Ecuad.*》 =**tereque.**

terenciano, na *adj.* 테렌시우스《Terencio, 기원전 194—159년의 라틴 시인》의·풍의.

tereniabín *m.* 【식물】 테레니아빈《페르시아와 아라비아에서 나는 나무, 잎에서 얻는 액체는 하제》 : El ~ se usa en medicina como purgante.

tereque *m.* 《*Venez.*》 =**trebejo, chisme, trasto.**

tereré *m.* 《*Arg. Parag.*》 찬물을 섞은 마떼차.

teresa *adj.* (Santa Teresa의 이름에서) 카르멜로파의 (여승).

teresiana *f.* 【군사】 사관의 군모.

teresiano, na *adj.* 산따·떼레사《Santa Teresa de Jesús(1515—1582), Carmelo 수도회의 개혁자, 종교 문학자》의·풍의 ; 산따·떼레사파의.

terete *adj.* [드뭄] 늠름한, 씩씩한, 단단한(rollizo, robusto, fuerte).

tergal *adj.* 등 부분의.

tergiversable *adj.* 얼버무릴 수 있는, 말로 얼렁뚱땅해 버릴 수 있는.

tergiversación *f.* tergiversar하는 일.

tergiversador, ra *adj. m.f.* 속임수의, 말로 얼렁뚱당하는 (사람).

tergiversar *tr. intr.* 말로 얼버무려 버리다, 속임수를 쓰다(torcer los hechos para engañar).

tergo *m.* 등(dorso, espalda).

teriaca *f.* 방향(芳香)(triaca).

teriacal *adj.* =**triacal.**

terigüela *f.* 《*Sal. Zam.*》 =**tarabilla.**

terina *f.* 《*SDgo.*》 대야, 세면기.

teristro *m.* (팔레스타인 부인들이 쓰던) 여름용 베일.

terliz *m.* 아마(lino)나 무명(algodón)으로 짠 툭툭한 천.

terma *f.* 【연극】(소도구의) 출(出) 도구. **—***f.pl* → **termas.**

termal *adj.* 온천의 : aguas ~*es* medicinales.

termalismo *m.* 온천 자원(recursos termales)의 연구·조직.

termas *f. pl.* [*gr.* therma] ① 온천(baños calientes). ② (고대 로마의) 대중·공중 목욕탕(baños públicos).

termes *m.* 【곤충】 흰개미(comején).

termia *f.* 물 한 통에 올리는 열용량.

térmico, ca *adj.* 열의, 온도의 ; 화력의 : central ~*ca* 화력 발전소.

termidor *m.* 불란서 공화력의 제11월《7월 19일~8월 17일》.

terminable *adj.* (계약 따위의) 기한이 있는, 유한의.

terminación *f.* ① 종료, 종결 : ~ de la fabricación 생산 완료. ~ de la representación 대리 관계의 종결·해제. ~ del contrato 계약의 종결, 해약. ~ del riesgo 위험의 종결. ② 결말, 결과 : Fue desastrosa la ~ de la guerra perdida 패전의 결말은 참혹했다. ③ 종점. ④ 한계 ; 폐지. ⑤ (계약 따위의) 만기. ⑥【문법】 어미 : 《acho》 es una ~ despectiva 《acho》는 경멸의 어미이다.

terminacho *m.* [*desp.* término] ① 비천한 말·용어. ② 뜻을 알 수 없는 이상한 말 : los ~*s* de un médico 아리송한 의사의 진단 결과.

terminado *m.* 방의 층·마루.

terminado, da *adj.* terminar의 *p.p.*

terminador, ra *adj. m.f.* 종결시키는 (사람).

terminajo *m.* [*desp.* término] =**terminacho, palabrota.**

terminal *adj.* ① 끝의, 말단의, 종점의(final, último). ② 기(期)의, 매 학기의, 기말(期末)의. ③【식물】 정생(頂生)의, 말단에 있는, 말단에 생기는 : flores ~*es.* ④【동물·해부】 말단의. **—***f.* ① (철도·비행기·버스 따위의) 종점, 기점 ; 종착역, 시발역. ② (공항·버스 따위의) 터미널 : Por casualidad nos encontramos en la oficina de la ~ del aeropuerto 우리들은 우연히 공항 터미널의 사무실에서 만났다. **—***m.* 【전기】 전극, (전지의) 단자(端子).

terminante *adj.* ① 결정적인, 단호한. ② 명확한, 명백한(claro) : dar una contestación ～.

terminantemente *adv.* 단호히 : negarse ～ a una cosa (어떤 일을) 단호히 거절하다.

terminar *tr.* [*lat.* terminare] 끝내다, 종결시키다, 끝마무리하다, (…에) 결말을 내다(acabar) : Pronto *terminaré* esta carta 이 편지는 곧 끝내겠다. ¿Cuándo *terminará* usted esa tarea? 그 일은 언제 끝냅니까?
—*intr.* ① 끝내다, 마치다, 종결짓다 : al ～ el año 연말에. El plazo *termina* el 10 기한은 10일이다. La reunión *terminó* cerca de las diez 집회는 열 시 가까이에 끝났다. ② [+en : …에] 최후·끝이 …이 되다 : La finca *termina en* aquella loma 땅은 저 언덕까지 이다. El palo *termina en* punta 작대기는 끝이 뾰족하다. ③ [+por+*inf.*] 마침내·최후는 …하다 : *Terminará por* marcharse al extranjero 그는 마침내는 외국으로 떠나게 될 것이다. ④ (병이) 차도가 생기다.
～se 향하다, 이르다 ; 끝내 버리다.

terminativo, va *adj.* 결말의, 끝의, 종말의.

terminista *adj. m.f.* 《*Col. Chile.*》 뽐내며 말하는 (사람)(cultiparlista, redicho).

término *m.* [*lat.* terminus] ① 마지막, 종말, 종국, 종결, 결말(fin) : poner ～ a …을 끝내다, 결말을 내다. Pongamos ～ *a* esta discusión estéril 이제 이런 무익한 토론은 그만두자. *Ponga* usted ～ *a* su discusión 당신의 논의에 결말을 지으십시오. ② 끝, 말단(fin) : Al fin llegamos al ～ del viaje 우리들은 마침내 여행의 종점에 닿았다. ③ 한계(límite). ④ 경계(표)(mojón). ⑤ 기, 기한, 기간(plazo) : ～ de contrato 계약 기한·연한. ～ de entrega 인도 기일. ～ de gracia 지불 추예 기간. ～ de pago 지불 기간·기한. ～ de vigencia del contrato 계약의 유효 기간. a ～ 기한부로. comercio a ～ 선물 거래. señalar un ～ de cinco años 5년의 기한을 정하다. Usted debe presentarse en el ～ de diez días 당신은 10일 기한 안에 출석해야 한다. ⑥ 목적, 목표(objeto, fin). ⑦ 지역, 부속 지대, (어떤 일을 위한) 지정지(指定地). ⑧ 언어, 말, 용어(palabra), 말씨, 표현(expresión) : en otros ～*s* 바꾸어 말하면. Los ～*s* de las artes son en la actualidad menos ignorados del pueblo 예술의 용어는 현재 대중에게 (이전보다는) 알려져 있다. Cervantes floreció en siglo XVI; aquí florecer es un ～ metafórico 세르반떼스는 16세기에 꽃을 피웠다 ; 꽃을 피운다는 것은 비유적 표현이다. Este autor hace uso de ～*s* escogidos 이 작가는 용어를 골라서 쓰고 있다. Se expresó en estos ～*s* 그는 이러한 말로 자기 생각을 말했다. ⑨ 《*Chile.*》 빙빙 돌려서 하는 말. ⑩ *pl.* 조건 : ～*s* comerciales 거래 조건. ～*s* del contrato 계약서 문구. en estos ～*s* 이 조건으로, 이 선으로. ¿En qué ～*s* se arreglará esto? 이것을 어떤 조건으로 해결하겠느냐? ⑪ 태도, 상태, 모습, 자태. ⑫【논리】 명사(名辭) : ～ mayor · menor 대·소 명사. ～ medio 중명사. ⑬【수학】 항 : ～ negativo 부(負)의 항, 마이너스의 수. ⑭【음악】 멜로디. ⑮【회화】(원근의) 경(景) : primer ～ 전경 ; 영화의 클로즈업. último ～ 배경, 원경(遠景). ⑯【건축】 경계신(神), 경계표, 경계대, 경계주(柱), ⑰【기하】 한계점, 한계선, 한계면.
～ *medio* ① 평균 : por ～ *medio* 평균하여. ② 절충하여 : dar por el ～ *medio* 평균·중용을 취하다. contentarse con un ～ *medio* 절충된 선에서 만족하다.
～*s hábiles* 가능성(posibilidad).
～*s semejantes* 상사항(相似項).
medios ～*s* 발뺌하는 말.
en buenos ～*s* 쉽게 말해 ; 양호한 관계·사이로 : El está *en buenos* ～*s* con mi tío 그는 내 숙부와 사이가 좋다. Por ahora estamos *en buenos* ～*s* con esa familia 목하 우리들은 그 가족과 사이좋게 지내고 있다.
en primer ～ 우선, 첫째로.
llevar a (buen) ～ 수행하다, 실시하다.

terminología *f.* ① 술어학. ② [집합] 술어, 용어집.

terminológico, ca *adj.* 술어의.

terminote *m.* (학식이 있는 척하는) 꼴사나운 말씨 : emplear un ～ de filosofía.

términus *m. lat.* 《*Neol.*》[드뭄] (철로나 전차 노선의) 마지막 지점, 종점.

termión *m.* 【전기】 이온열.

termiónico, ca *adj.* 【전기】 이온열의.

termita[1] *f.* [*lat.* termes] 【곤충】 흰개미(comején).

termita[2] *f.* [*gr.* thermê] 작열제(灼熱劑).

térmite *m.* =**termies.**

termitero *m.* 흰개미 집(comejenera).

termo *m.* 보온병; 물 끓이는 기구.

termobarógrafo *m.* 자기 온도 기압계(自己溫度氣壓計).

termocauterio *m.* 【의학】 소작(燒灼) ; 소작기.

termodinámica *f.* 열역학(熱力學).

termodinámico, ca *adj.* 열역학적인.

termoelectricidad *f.* 열전기.

termoeléctrico, ca *adj.* 열전기의 : pila ～*ca.*

termoelectrónico, ca *adj.* =**termiónico.**

termoestable *adj.* 내열성(耐熱性)의, 열안정성의.

termófilo, la *adj.m.f.* 따뜻한 나라에서 살기를 좋아하는 (사람).

termógeno, na *adj.* 열(熱)을 내는 : reacción ～*na.*

termografía *f.* 적외선 방사로 물건의 상을 얻기 위한 기술 ; 그 상(imagen).

termógrafo *m.* 자기(自記) 한란계.

termograma *m.* =**termografía.**

termoión *m.* 【물리】 열이온.

termoiónico, ca *adj.* =**termiónico.**

termolábil *adj.* 불내열성의, 열 불안정성의.

termología *f.* 열학(熱學), 열량 연구.

termometría *f.* 온도 측정.

termométrico, ca *adj.* 온도계상의, 온도 측정의 : escala ～*ca.*

termómetro *m.* 온도계, 한란계 ; 체온계(～ clínico) : ～ centígrado 섭씨 온도계. ～ de máxima · mínima 최고·최저 한란계. ～ Fahrenheit 화씨 온도계. ～ Reaumur 열씨(列氏) 온도계《빙점 0°, 비등점 80°》. ～ registrador 자기(自記) 온도계. El ～ marcó 5 grados bajo cero 온도계는 영하 5도를 가리켰다.

termomotor *m.* 열기관.

termonuclear *adj.* 열핵(熱核)의, 원자핵 융합 반응의.
bomba ~ 수소 폭탄. *explosión* ~ 열핵 폭발. *reacción* ~ 열핵 반응.

termopila *f.* 【물리】 열전대열.

termoplástico, ca *adj.* 열가소성의. —*m.* 열가소성 물질·플라스틱.

termoquímica *f.* 열화학.

termoquímico, ca *adj.* 열화학의.

termorregulador *m.* =**termóstato.**

termos *m.* 【단·복수 동형】 보온병.

termoscopio *m.* 시차 한란계(示差寒暖計).

termosifón *m.* ① 온탕 난방기; 물 끓이는 기구. ② 【물리】 열(熱) 사이펀.

termóstato *m.* 자동 조온 장치(自動調温裝置).

termoterapia *f.* 열 응용 병 치료.

termoterápico, ca *adj.* termoterapia의.

terna *f.* [*lat.* terna] 삼인조; (주사위 놀이에서) 한 짝의 3.

ternario, ria *adj.* 세 개의; 삼중의; 3진의, 3원의. —*m.* 3일 기도.

ternasco *m.* ① 《*Ar.*》 젖먹이 새끼 양. ② 《*Ar. Nav.*》 =**cabrito.**

terne *adj. m.f.* ① 의협적인 (사람)(valentón). ② 고집스러운, 완고한 (사람)(perseverante). ③ 몸이 튼튼한 (사람)(fuerte). —*m.* 《*Arg.*》(gaucho가 사용하는) 단도, 칼(facón, navaja grande).

ternecico, ca *adj. dim.* tierno.

ternecito, ta *adj. dim.* tierno.

ternejal *adj. m.f.* =**terne, valentón.**

ternejo, ja *adj.* 《*Ecuad. Perú.*》 정력적인, 원기 왕성한, 씩씩한, 힘센, 활동적인(enérgico, vigoroso).

ternejón, na *adj. m.f.* =**ternerón.**

ternera *f.* ① 암송아지. ② 송아지 고기 : ~ guisada 송아지 요리. Me gustan las chuletas de ~ 나는 송아지 고기 커틀릿이 좋다.

terneraje *m.* 《*Amér.*》 송아지 무리.

ternerico, ca *m.f. dim.* ternero.

ternerillo, lla *m.f. dim.* ternero.

ternerito, ta *m.f. dim.* ternero.

ternero, ra *m.f.* 송아지 : ~ recental 아직 젖을 떼지 않은 송아지.

ternerón, na *adj. m.f.* ① 눈물이 많은 (사람). ② 《*Chile.*》 항상 어린애 같은 젊은이.

terneruela *f. dim.* ternera.

ternez *f.* 【고어】 =**ternera.**

terneza *f.* ① 상냥스러움, 다정함(ternura). ② [주로 *pl.*] 달콤한 말, 사랑의 속삭임(requiebro) : El abuelo decía ~*s* a la muchacha 조부님이 그 소녀에게 다정스레 말했다.

ternezuelo, la *adj. dim.* tierno.

ternilla *f.* ① 【해부】 연골(軟骨), 물렁뼈(cartilago). ② 《*Chile.*》 송아지의 부리망.

ternilloso, sa *adj.* 【해부】 연골의; 연골성의. **Sinón.** cartilaginoso.

ternísimo, ma *adj.* [*sup.* tierno] 아주 연한, 아주 보드라운; 몹시 유순한, 지극히 다정한.

terno *m.* [*lat.* ternus] ① 세 짝(으로 된 것); (양복의) 세 짝 《바지·조끼·저고리가 한 벌인 옷》 : un ~ de americana 세 짝이 어울려 한 벌이 되는 양복. ② (옛날의 복권에서) 셋이 짝지은 번호. ③ (한 미사를 사제하는) 세 승려; 그 의상. ④ (인쇄의) 석 장 인쇄《여섯 쪽 거리》. ⑤ [주로 *pl.*] 저주하는 말, 욕지거리(juramento, voto) : echar ~*s.* ⑥ 《*Ant.*》 세 개가 한 벌인 장신구 《귀고리·목걸이·머리핀》.
~*seco* 뜻밖의 횡재.

ternura *f.* ① 부드러움; 상냥스러움, 다정함 : la ~ de una madre 어머니의 다정함. Era necesario que la tratasen con ~ 그녀를 상냥하게 대접할 필요가 있었다. **Contr.** dureza. ② 눈물겨움 : El derramó lágrimas al ver la ~ de la escena 그는 그 눈물겨운 정경을 보고 눈물을 흘렸다. ③ 눈물이 헤픔(terneza). ④ 사랑, 정감, 애정(cariño, afecto). ⑤ 사랑의 말, 사랑의 속삭임(requiebro).

tero *m.* 《*Arg.*》 【조류】 떼루떼루새(teruteru).

teromorfo, fa *adj.* 맹수 모양의.

terotero *m.* 《*Arg. Bol.*》 =**tero.**

terpeno *m.* 【화학】 테르펜.

terpina *f.* 【화학】 테르핀 수화물(水化物).

terpinol *m.* 【화학】 테르피놀.

terquear *intr.* 완고하다, 고집이 세다, 고집을 부리다(mostrarse terco).

terquedad *f.* ① 완고, 고집(obstinación). ② 《*Ecuad.*》 열성스럽지 못함.

terquería *f.* [드묾] =**terquedad.**

terqueza *f.* [드묾] =**terquedad.**

terracota *f. ital.* 《*Neol.*》 테라코타《이탈리아의 도자기·기와 세공 따위》.

terracotta *f. ital.* =**terracota.**

terrácueo, a *adj.* 수륙의, 물과 뭍으로 된.

terrada *f.* 역청의 일종; 천연 탄화 수소류.

terradgo *m.* =**terrazgo.**

terradillo *m. dim.* terrado.

terrado *m.* 발코니; 슬래브 지붕.

terraja *f.* 사개의 형, 나사의 홈 파는 기구.

terraje *m.* 소작료, 연공(年貢)(terrazgo, renta de una tierra).

terrajero *m.* =**terrazguero.**

terral *adj.* 육지에서 불어오는. —*m.* ① 육연풍(陸軟風). ② 《*Perú. PRico.* 》 흙먼지.

terramicina *f.* 테라마이신.

terrapene *m.* 【동물】 식용 거북.

terraplén *m.* 둑, 제방 : ~ de un camino de hierro.

terraplenador *m.* 발코니·둑·제방을 쌓는 사람.

terraplenar *tr.* 둑을 쌓다.

terrapleno *m.* =**terraplén.**

terráqueo, a *adj.* 지구의, 수륙(水陸)으로 된 : globo ~ 지구본, 지구의.

terrateniente *m.f.* 지주(地主)(dueño de una tierra).

terraza *f.* ① (양쪽에 손잡이가 있는) 유리 항아리. ② 나무를 심어 놓은 곳. ③ 발코니, 테라스; 옥상(azotea). ④ 슬래브 지붕(terrado). ⑤ 노상 찻집 : Veíamos el ir y venir de la gente, mientras tomábamos el café en la ~ 우리들은 거리의 찻집에서 커피를 마시면서 사람의 내왕을 보고 있었다.

terrazgo *m.* ① 밭, 경(작)지. ② 소작료, 연공.

terrazguero *m.* 소작인, 소작농.

terrazo *m.* ① (그림에 그린) 땅. ② 유약을 바른 도자기(jarra vidriada).
terrazuela *f. dim.* terraza.
terrear *intr.* ① (농작물이 잘 자라지 못하여) 맨 땅이 드러나 보이다. ② 《*AmérC.*》 목축이 땅을 핥다. ③ 《*Ecuad.*》 발을 끌며 걷다.
terrecer *tr.* [31] ① 공포심을 주다(aterrar). ② 쓰러뜨리다, 무너뜨리다, 허물다. —*intr.* 【방언】 두려워하다.
~se 소름이 끼치다.
terregal *m.* 《*Méx.*》 흙먼지(polvareda).
terregoso, sa *adj.* ① 흙덩이투성이의. ② 고르지 못한 (논·밭).
terremoto *m.* 지진 (【학명】seísmo) : Chile está expuesto a frecuentes ~*s* 칠레는 빈번한 지진의 위험에 직면하고 있다. [Sinón.] temblor de tierra.
terrenal *adj.* 지상의, 현세의 : la vida ~. [Contr.] celestial.
terrenidad *f.* 속된 일, 세속(世俗).
terreno, na *adj.* [*lat.* terrenus] ① 땅의, 토지의(terrestre). ② 지상의, 현세의(terrenal) : Los bienes ~*s* son perecederos 현세의 재산은 가까운 장래에 소멸한다. —*m.* ① 토지 ; 지면(suelo) : buen ~. ② 장소, 곳 : ~ del honor 명예의 자리, 결투장. ③ 현장 : sobre el ~ 그 자리에서, 당장에. ④【상업】 현장 거래, 현금 지불. ⑤ 지역, 지구 : ~ franco 【광산】 채광권의 취득 지구. ⑥ 세력 범위, 세계 : Es un cualquiera fuera del ~ de la medicina 그는 의학의 영역 이외에서는 아무 것도 아닌 인물이다. ⑦ 지반, 기반 : ganar·perder ~ 기반을 얻다·잃다 ; 먹어 들어가다, 물러나다. preparar el ~ 발판을 굳히다. ⑧【지질】 지층, 암층 : ~ de transición 화석이 많은 과도층.
~ ***baldío*** 휴경지, 미개간지.
~ ***industrial*** 공업 지역.
~ ***labrantío·de cultivo*** 경(작)지.
~*s* ***comuneros*** 《*Domin.*》 공유지.
reconocer·tantear el ~ (어떤 일을) 미리 알아보다.
terreño, ña *adj.* 【방언】 어떤 고장의 ; 고향의.
térreo, a *adj.* 흙(tierro)의·같은.
terrera *f.* ① 망태기. ② (초목이 없는) 급경사진 땅. ③【조류】 종달새(alondra).
terrero, ra *adj.* ① 땅의, 지면의 : piso ~. ② 《*Can. PRico.*》 단층의 : casa ~*ra* 단층집. ③ 땅을 스칠 듯한. ④ 흙을 나르는 : cesta ~*ra.* ⑤ 천박한(humilde). —*m.* ① 성토(盛土), 흙더미 (montón de tierra). ② [드뭄] 쓰레기·부스러기 더미. ③ 테라스(terrado). ④ 퇴적토. ⑤ (사격의) 표적, 목표. ⑥【방언】 (탈곡 후의) 쓸어 모으기.
terrestre *adj.* ① 땅의, 대지의, 지구의 : contaminación ~ 지구의 오염. globo ~ 지구. magnetismo ~ 지자기(地磁氣). ② 지상의, 땅을 기는 : hiedra ~. ③ (바다·하늘에 대하여) 육상의, 지상의 : transportación ~ 육상 수송. Entonces los objetos ~*s* proyectan su sombra a gran distancia 그때 지상의 물체는 그림자를 멀리까지 투영한다. En el transporte ~ nunca disminuye la importancia del ferrocarril 육상 운수에서 철도의 중요성은 조금도 감소하지 않는다.
terrestridad *f.* 흙의 성질, 토질.
terrezuela *f.* [*dim.* tierra] 작은 땅, 쓸모없는 땅, 땅뙈기(la tierra pequeña o sin valor).
terribilidad *f.* 무서움, 두려움 ; 가혹, 지독함.
terribilísimo, ma *adj. sup.* terrible.
terrible *adj.* [*lat.* terribilis] ① 무서운, 가공할, 소름끼치는 : grito ~ 소름끼치는 소리. La policía ha cogido al ~ criminal 경찰은 무서운 범죄자를 체포했다. ② 지독한, 굉장한 : golpe ~ 지독한 타격. Hace un calor ~ 지독한 더위다.
terriblemente *adv.* 무섭게 ; 지독하게, 심하게, 굉장하게.
terriblez *f.* =**terribleza.**
terribleza *f.* =**terribilidad.**
terrícola *m.f.* [드뭄] 땅에 사는 것. —*adj.* 【동물·식물】 육지에 사는.
terrier *m. ing.* 테리어(개)《사냥개의 일종》.
terrífico, ca *adj.* ① 무서운, 무시무시한, 전율하는, 소름이 끼치는, 가공할 만한 : una visión ~*ca.* ② 굉장한, 대단한, 훌륭한(magnífico).
terrígeno, na *adj.* ① 토착의. ② 땅속에서 생겨난.
terrino, na *adj.* 흙의, 땅의.
territorial *adj.* [*lat.* territorialis] ① 토지의 ; 부동산의 : compañía de crédito ~ 부동산 금융 회사. establecer un impuesto ~ 토지세를 제정하다. ② 영토의 : aguas ~*es* 영해. mar ~ 영해(領海). ③ 지방의, 지역적인 ; 관구의.
territorialidad *f.* 영토로 삼는 일, 영토권.
territorio *m.* [*lat.* territorium] ① 영토《영해도 포함》, 영지, 판도, 국토 : Se decía que nunca se ponía el sol en el ~ español 서반아 영토에는 태양이 지지 않는다고 말해지고 있었다. ② 영역. ③ 지방, 지역, 지구(地區), 관구. ④ 판매 지역 : ~ del mercado común 공동 시장 지역. ~ exclusivo·no-exclusivo 배타적·비배타적 지역. ~ restringido 제한 지역. ⑤ 《*Arg.*》 주(州).
terrizo, za *adj.* ① 흙의, 흙으로 만든. ② 흙 비슷한. ③ 비포장의, 아직 포장이 안된. —*m.* 유약을 칠하지 않는 토기(barreño sin vidriar).
terrojo *m.* ① 붉은 땅. ② =**terrazgo.**
terrollo *m.* 《*Rioja.*》 라이보리 짚으로 만든 끈.
terromontero *m.* 야산, 언덕(montecillo de tierra).
terrón *m.* ① 흙덩이. ② 덩어리 : ~ de azúcar 각설탕. ~ de sal 돌소금. ③ 올리브의 짠 찌꺼기. ④ 늙어빠진 사람. ⑤ 아주 작은 논밭 : labrar un ~. —*pl.* 대지, 농지《논밭, 과수원》.
a rapa ~ 뿌리째, 밑뿌리부터(a raíz) : pelar a un muchacho ***a rapa*** ~.
meter los terrones 《*Col.*》 겁주다, 공포감을 조성하다(meter miedo).
terronazo *m.* 흙덩이를 끼얹는 일.
terroncillo *m. dim.* terrón.
terronera *f.* 《*Col.*》 =**terror.**
terrontera *f.* (산의) 깨진 틈.
terror *m.* [*lat.* terror] ① (심한) 공포, 두려움 (espanto, pavor) : Los dos viajeros quedan cautivos de un ~ súbito ante el espectáculo 두 나그네는 그 광경을 보고 갑작스런 공포에 사로

잡혔다. ② 공포의 대상, 무서운 사람, 가공할 만한 일. ③ 공포 정치, 공포 시대《특히 불란서 혁명의 1793년 5월 31일 ~ 1794년 7월 27일까지》.

terrorífico, ca *adj.* 무서운, 소름끼치는(terrífico, horroroso).

terrorismo *m.* 공포 정치, 위협 정책; 반정부적 폭력 행위, 테러 행위·수단; 폭력 혁명주의.

terrorista *m.f.* 공포 정치가, 혁명주의자, 폭력 혁명주의자, 테러 분자, 테러리스트; 직접 행동주의자.

terrosidad *f.* 흙과 같은 성질, 토성질.

terroso, sa *adj.* ① 흙같은(que parece de tierra). ② 흙이 섞인(mezclado con tierra). ③ 흙투성이의(sucio de tierra) : unas manos *~sas.*

terruca *f.* ① =**terrezuela.** ② 《*Neol.*》 조국.

terruño *m.* ① 흙덩이(terrón). ② 태어난 고향(comarca natal) : El tiene apego a su ~ 그는 태어난 고향에 애착을 가지고 있다. ③ 토지, 땅, 지면(terreno). ④ 땅의 공간(espacio de tierra).

terruzo *m.* =**terruño.**

tersar *tr.* 닦다, 윤이 나게 하다, 광을 내다.

tersícore *f.* 【희랍 신화】 춤과 무대 합창을 주관하는 뮤즈 여신.

tersidad *f.* =**tersura.**

terso, sa *adj.* [*lat.* tersus] ① 매끄러운, 닦아 놓은 것 같은, 광택이 좋은, 번질번질한(limpio, brillante, resplandeciente) : un espejo ~. ② 순수한, 티없는, 유려한 (문체·말 등) : La mar estaba negra, *tersa* , y muda 해면은 검고, 매끄러워 고요했다. [Contr.] empañado.

tersura *f.* 유려함, 매끄러움, 윤기가 흐름, 광택.

tertel *m.* 《*Chile.*》 단단한 지층.

tertil *m.* 옛날 Granada 왕국의 견물세(絹物稅).

tertulia *f.* ① (같은 패거리들의) 모임 : El padre ha salido a su ~ en el café 부친은 카페에서 있는 모임에 갔다. ② 늘 모이는 같은 사람들. ③ (회관 등의) 도박실. ④ 오랜 서반아 극장의 천정 회랑. ⑤ 《*Arg.*》 특별 관람석(luneta). ⑥ 오케스트러석(席).

tertulianismo *m.* tertuliano주의.

tertulianista *m.f.* tertuliano주의자.

tertuliano, na *m.f.* 늘 모이는 같은 얼굴들; 오락회 회원.

tertuliante *m.f.* =**tertuliano.**

tertuliar *intr.* [11] 《*Arg.*》 모여서 환담·잡담을 하다.

tertulio, lia *adj.* 《*Arg. Chile.*》 =**tertuliano.**

Teruel 【지명】 떼루엘 주·시 《서반아의 동부 지방에 있음》.

teruelo *m.* 《*Ar.*》 추첨 구슬.

teruncio *m.* 옛날 로마의 화폐의 하나.

terutero *m.* 《*Venez. Arg.*》【조류】 =**teruteru.**

teruteru *m.* 《*AmérM.*》 떼루떼루새《남미 남부산의 다리가 긴 새, 모여 살며 떼루떼루하고 욺》. [Sinón.] güerequeque. —*adj.* 《*Bol. Riopl.*》 재빠른, 민첩한, 날쌘(listo).

terzón, na *adj.* 【방언】 세 살 먹은 (소).

terzuelo *m.* [*dim.* tercio] ① 3분의 1. ② 【조류】 매(halcón macho).

tesaliano, na *adj.* =**tesaliense.**

tesálico, ca *adj. m.f.* =**tesaliense.**

tesaliense *adj.* 떼살리아 《Tesalia, 고대 그리스의 한 지방》의. —*m.f.* 떼살리아 사람.

tesalio, lia *adj. m.f.* =**tesaliense.**

tésalo, la *adj. m.f.* =**tesaliense.**

tesalonicense *adj.* 떼살로니까 《Tesalónica, 마케도니아의 도시》의. —*m.f.* 떼살로니까 사람.

tesalónico, ca *adj. m.f.* =**tesalonicense.**

tesar *tr.* (배에서 밧줄이나 돛을) 치다. —*intr.* (기둥에 맨 소가) 뒷걸음질 치다.

tesaurizar *tr.* [9] (재화 따위를) 모으다(atesorar).

tesauro *m.* 색인; 사전(의 명칭으로 쓰는 말).

tesbita *adj.* 떼스바 《Tesba, 팔레스티나의 도시》의. —*m.f.* 떼스바 사람.

tescal *m.* 《*Méx.*》 화산 지대의 불에 탄 돌, 현무암.

tescalera *f.* 《*Méx.*》 자갈 땅.

tesela *f.* [*lat.* tessela] 모자이크식 포장의 네모진 대리석 쪼가리.

teselado, da *adj.* (tesela로) 모자이크 세공한. —*m.* tesela의 모자이크 마루.

teselato, ta *adj.* 모자이크 식의, 조각을 잇대어 깐.

Teseo *m.* 떼세오 《그리스 전설에서, Atenas의 왕 Egeo의 아들로 Creta섬의 괴물 Minotauro를 죽였다는 영웅, 지옥으로 쫓겨나 영원히 무릎을 꿇고 앉는 형벌을 받았음》.

tésera *f.* (고대 로마에서, 나무 조각이나 상아 따위로 만들었던) 표·증서 (등).

tesis *f.* 【단·복수 동형】 ① 【논리】(증명되어야 할) 명제, 정립, 테제. ② 제(題), 제목; 논제(論題). ③ 학위 청구 논문, (졸업·박사) 논문 : ~ doctoral 박사 논문. Para fines de este mes tenemos que presentar la ~ 우리는 이번 월말까지 논문을 제출해야 한다.

tesitura *f.* [*ital.* tessitura] 【음악】 음역, 성역(聲力); 능력(aptitud) : ~ grave · aguda.

tesmoforias *f. pl.* (아테네와 그리스 이외의 다른 도시의 여자들이 행하는) 축제.

tesmóforo, ra *adj.m.f.* =**legislador.**

tesmóteta *m.* (아테네에서 사법관에게 주어진) 타이틀.

teso, sa *adj.* [tesar의 *p.p.*] 팽팽해진, 긴장된(tieso). —*m.* ① (언덕 등의) 맨 꼭대기; 돌기. ② 【방언】 마소의 장.

tesón *m.* ① 버티는 힘, 고집, 집요성 : pedir una cosa con gran ~. ② 《*Zam.*》 (고기잡이용) 자루 그물. ③ (통의) 바닥 판자.

tesonería *f.* 고집, 강요(terquedad, obstinación).

tesonero, ra *adj.* 《*AmérM.*》 완강한(pertinaz, terco).

tesorar *tr.* 비장하다, 비축하다.

tesorera *f.* 회계·출납·경리를 맡은 직책; 회계과, 출납부, 재무국.

tesorería *f.* 국고; 출납계, 회계과, 재무부, 재무성, 재무국.

T- de la Federación 《*Méx.*》 연방 국고.

tesorero, ra *m.f.* 회계·출납 담당자, 재무관.

tesoro *m.* [*lat.* thesaurus] ① [집합] 보물 : descubrir un ~. ② 보배 : el ~ de la catedral de Zaragoza 사라고사 사원의 보배. Esta cocinera es un ~ de nuestra casa 이 요리사는 우리 집의 보배다. ③ 보물, 재화, 부, 재산 ; 보고. ④ 국고 : ~ público 국고. bonos del ~ 국채. obligaciones de ~ 국채 ; 보배 같은 사람. ⑤ 지식의 보고 ; 사전(tesauro) : Esta niña es un ~ 이 소녀는 아는 것이 많다. —*m.f.* 재무관.

T- de la lengua castellana o española (1611년 Sebastián de Covarrubias가 만든) 서반아어 사전.

tespíades *f.pl.* 【시어】 =**las musas.**

tespio, pia *adj.mf.* 떼스삐아스《Tespias, 고대 그리스의 도시》의 (사람).

test *m. ing.* =**prueba.**

testa *f.* [*lat.* testa] ① 머리, 두뇌(cabeza) ; 수뇌자 : ~ coronada 군주. ~ de ferro 명목상의 사람(testaferro). ② 이해(력), 지성, 총명(entendimiento, inteligencia). ③ (물건의) 정면(frente).

testáceo, a *adj.* 【동물】 등껍질이 있는, 갑각류의 : molusco ~. —*m.* 갑각 동물, 조개류.

testación *f.* ① 말소. ② 유언장, 유서.

testada *f.* ① 머리를 부딪침(cabezazo). ② 완고함(testarada).

testado, da *adj.* [testar의 *p.p.*] 유언을 한 · 남긴.

testador, ra *m.f.* 유언자.

testadura *f.* ① 말소(borradura, borrón). ② 유언장, 유서(testación).

testaférrea *f.* =**testaferro.**

testaferro *m.* [*ital.* testaferro] 명목인, 명의인(名儀人).

testal *f.* 《*Méx.*》(tortilla를 만들기 위해 납작하게 만든) 옥수수 가루 덩이.

testamentaría *f.* 유언의 집행 ; 유언 서류.

testamentario, ria *adj.* 유언 · 유서의, 유언에 의한 : disposición ~*ria.* —*m.f.* 유언 집행인.

testamentería *f.* =**testamentaría.**

testamentificación *f.* 유언 행위.

testamento *m.* [*lat.* testamentum] 유언(장) : hacer · otorgar ~ 유언장을 만들다. ~ auténtico · público · abierto 공증인과 증인 앞에서 한 유언. ~ cerrado · escrito 비밀 유언장. ~ ológrafo 자필 유언장.

Antiguo T- 구약 성서. ***Nuevo T-*** 신약 성서.

testar *tr.* [*lat.* testari] ① 말소하다, 지우다(tachar, borrar lo escrito). ② 《*Ecuad.*》 밑줄을 긋다(subrayar). —*intr.* 유언을 하다(hacer testamento) : ~ de palabra 구두로 유언을 하다. Pienso ~ en favor de mi sobrina 조카를 위해 유언하겠다.

testarada *f.* ① 머리를 부딪치기 · 부딪침, 박치기(cabezazo). ② 완고함(terquedad, obstinación).

testarazo *m.* 《*Sant.*》 머리를 부딪치기, 박치기(sopapo o bofetada).

testarear *intr.* 《*AmérC.*》 ① (말이) 머리를 흔들다. ② (사람이) 머리로 받다, 박치기를 하다.

testarrón, na *adj. m.f.* 고집센, 완고한 (사람)(testarudo).

testarronería *f.* 고집, 완고.

testarudez *f.* 완고함, 고집이 셈.

testarudo, da *adj. m.f.* 고집센, 완고한 (사람)(obstinado) : José es un niño ~ y no sabe obedecer 호세는 고집쟁이 어린이여서 복종할 줄을 모른다.

teste *m.* ① =**testículo.** ② 《*Arg.*》(손에 생기는) 물집.

tester *m. ing.* 시험기, 시험 장치, 테스터.

testera *f.* ① 앞면, 정면 ; (차의) 앞 좌석. [Contr.] vidrio. ② (말의) 머리 장식. ③ (동물의) 앞머리. ④ (용광로의) 노벽(爐壁).

testerada *f.* =**testarada.**

testerazo *m.* =**testarada.**

testerear *intr.* 《*Méx.*》 머리를 맞부딪치다.

testerilla *adj. f.* 《*Arg.*》 이마에 흰 털이 있는 (말).

testero *m.* ① =**testera.** ② 아궁이의 안쪽 돌. ③ 밑면과 측면을 노출시킨 광맥괴.

testicular *adj.* 【해부】 고환의 ; 고환 모양의.

testículo *m.* 【동물 · 해부】 불알, 고환(睾丸).

testificación *f.* 입증, 증명 ; 증언.

testifical *adj.* 《*Perú.*》 증인의, 증거를 내세우는 : prueba ~.

testificante *adj. m.f.* 증거를 내세우는, 증거가 되는 ; 증언하는 (사람).

testificar *tr.* ⑦ [*lat.* testificari] ① 증명하다, 입증하다 ; 증거를 내세우다. ② 【법률】 증언하다(atestiguar) : ~ lo ocurrido.

testificata *f.* 선서서, 구술서(testimonio legal).

testificativo, va *adj.* 증거의, 증거를 내세우는, 증인의, 증언의 : documentos ~*s.*

testigo *m.f.* [*lat.* testis] ① 증인 : tomar por ~ 증인으로 내세우다. La declaración de la ~ era falsa 그 여자 증인의 증언은 위증이었다. ② 입회인 ; 목격자(~ presencial) : La policía está esperando que aparezcan ~*s* del accidente 경찰은 사고의 목격자가 나타나기를 기다리고 있다. —*m.* ① 증거, 증거물, 증적(證跡) : Las catedrales antiguas son ~ de la piedad de nuestros antepasados 오래된 대사원들은 우리의 조상들의 자비의 증거물이다. ② 불알, 고환. ③ 파낸 흙의 가늠으로서 박아 놓은 말뚝.

~ ***abonado*** 법적 자격이 있는 증인. ~ ***de cargo*** 고발인측 증인. ~ ***de descargo*** 변호인측 증인. ~ ***de vista · ocular*** 목격자. ~ ***de oídos · auriculo*** 말을 들어 알고 있는 증인.

testimonial *adj.* 증거가 되는, 증거를 기록한 ; 증명 · 증언의 : prueba ~. —*f.* 《*Méx.*》 증명서 ; 선행 증서. —*pl.* 자격 증명서.

testimoniar *tr.* ⑪ =**testificar.**

testimoniero, ra *adj. m.f.* ① 위증하는 (사람). ② 위선적인 (사람)(hipócrita, traidor).

testimonio *m.* [*lat.* testimonium] ① 증거 : con ~*s* 증거를 가지고. Le ofrece a usted el ~ de afecto 《편지의 맺는 말》(서명자는) 당신에게 친애의 증거를 바칩니다, 불비(不備). ② 입증, 증명; 증명서 : ~ de conducta 품행 증명서. ③ 증언, (특히) 위증 : falso ~ 위증. dar ~ 증언하다. levantar falsos ~*s* 위증하다, 위증시키다.

testimoñero, ra *adj. m.f.* =**testimoniero.**

test.[mto] testamento.

testo, ta *adj.* 《*Méx.*》 가득한(colmado) : Me tiene ~ *de* necedades 어리석은 짓으로 나를 따분하게 만들고 있다.

test.[o] testigo.

testón *m.* 고대의 은화.

testosterona *f.* 남성 호르몬의 일종.
testudíneo, a *adj.* 거북의 ; 거북 같은 : paso ～ 거북이 걸음.
testudo *m.* 【동물】 거북(tortuga)의 학명. Sinón. galápago.
testuz *m.* ① (동물의) 이마(frente). ② 목덜미(nuca). [*N.* 안달루시아에서는 testuz는 여성 명사로 사용함].
testuzo *m.* =**testuz.**
tesú *m.* =**tisú.**
tesura *f.* 긴장, 팽팽함(rigidez, tiesura).
teta *f.* ① 유방(mama). ② 젖꼭지(pezón) : dar ～ 젖을 주다, 젖을 먹이다. quitar la ～ 젖을 떼다, 이유하다. mamar una ～ 아직 젖을 먹이고 있다 ; 응석받이이다. ③ 포유기 : de ～ 어려서부터 ; 포유 중의. ④ 유방 모양의 것. ⑤ 둥근 산, 언덕(mongote).
～ *de vaca* ① 메란게《양과자의 일종》. ② =**barbaja.**
dar la ～ al asno ① 노력을 낭비하다. ② 돼지에게 진주를 던지다.
tetania *f.* 【의학】 간헐성 경련증.
tetánico, ca *adj.* 【의학】 경직성의 ; 파상풍성의.
tetanismo *m.* 경직 상태(estado tetánico) ; 수축, 경련(contracción).
tetanizar *tr.* 경련을 일으키다(causar tetanismo).
tétano(s) *m.* [*gr.* tetanos]【의학】 경직성 ; 경기 ; 파상풍 : El ～*s* es una enfermedad infecciosa.
tetar *tr.* 젖을 먹이다(atetar, dar teta, dar de mamar).
tetaza *f.* [*aum.* teta] 축 늘어진·보기 흉한 젖꼭지·유방.
tête-a-tête *m. fr.* 대담, 밀담, 터놓고 하는 이야기.
tetelememe *m.* 《*Chile. Perú.*》 얼간이, 등신, 멍청이, 바보(tonto, bobo).
tetelque *adj.* 《*Salv.*》 시큼한(astringente).
tetepón, na *adj.* 《*Méx.*》 땅딸막한(rechoncho).
tetera *f.* ① 주전자, 차 끓이는 기구. ② 《*Amer.*》 젖병, 우유병(mamadera, biberón). ③ 《*Chile.*》 커피포트(pava, cafetera).
tetero *m.* 《*Amér.*》 젖병, 우유병(biberón).
tetica *f.* [*dim.* teta] 작은 유방·젖꼭지.
tetigonia *f.* 【곤충】 작은 매미.
tetilla *f.* [*dim.* teta] ① 작은 유방. ② (남자·수컷에 있는) 젖꼭지. ③ (우유병에 끼우는) 젖꼭지. ④ 《*Col.*》【식물】 사본의 열매(toronja).
tetina *f.* (우유병에 끼우는) 젖꼭지.
Tetis *f.* 【신화】 바다의 요정(Nereida).
tetita *f. dim.* teta.
tetón *m.* 나무 몸통에 붙은 가지의 조각.
tetona *adj. f.* 유방이 큰 (여자)(tetuda).
tetra- *pref.* 「4」를 뜻하는 접두어.
tetraatómico, ca *adj.* 【화학】 =**tetravalente.**
tetrabranquio, quia *adj.* 아가미(branquia)가 네 개인.
tetrácero, ra *adj.* 뿔·촉각이 네 개인.
tetracordio *m.* 【음악】 (완전 4도의) 4성 음계.
tetrada *f.* ① 【생물】 부분 염색체. ② 【화학】 4가(價) 원소.
tetradecasílabo, ba *adj.* 14음절의 (시)(alejandrino).
tetradínamo, ma *adj.* ① 【식물】 (여섯 개의 수술 중 네 개만이 긴) 4강 수술의 (식물). ② 【화학】 4가(價)의.
tetradracma *m.* 옛날의 4 dracmas의 화폐.
tetraédico, ca *adj.* 사면(체)의.
tetraedro *m.* 사면체 : ～ regular 정사면체. El volumen del ～ es igual al producto de la superficie del triángulo de base por la tercera parte de la altura.
tetragínico, ca *adj.* 【식물】 암술이 네 개인.
tetragonal *adj.* ① 사각형의, 사변형의. ② 【결정】 정방정계(正方晶系)의.
tetrágono *m.* 사각형, 사변형 : ～ regular 정사변형.
tetragrama *m.* (일종의 악보용) 사선괘(四線罫).
tetragrámaton *m.* 네 문자어 ; 신(Dios)을 가리킴.
tetralogía *f.* [*gr.* tetralogia] (그리스의) 사부극(四部劇) : La ～ comprendía tres tragedias y un drama satírico.
tetrámero, ra *adj.* 【생물】 넷으로 된, 네 마디의.
tetramotor *m.* 발동기가 네 개인 (비행기).
tetrapétalo, la *adj.* 꽃잎·화관이 네 개인.
tetrapolar *adj.* 【전기】 4극의.
tetrarca *m.* (고대 로마에서 한 주(州)의 1/4의) 사분령(四分領) 태수 ; 태수 : Herodes fue ～ de Galilea.
tetrarquía *f.* tetrarca의 직 ; 태수령(太守領).
tetrarreactor *adj. m.* 4발 엔진의 (제트기).
tetras *m.* 【조류】 뇌조(urogallo).
tetrasílabo, ba *adj. m.* 4음절의 (말).
tetrástico, ca *adj.* 4행시의.
tetrástilo, la *adj.* 기둥이 네 개인 (사원, 건물).
tetrástrofo, fa *adj.* 4행 4연시의.
tetratómico, ca *adj.* 【화학】 =**tetraatómico.**
tetravalente *adj.* 【화학·생물】 4가(價)의.
tétricamente *adv.* 을씨년스럽게, 쓸쓸하게, 우울하게.
tétrico, ca *adj.* [*lat.* tetricus] 을씨년스러운, 호젓한, 쓸쓸한, 우울한, 우수에 잠긴 듯한(triste, melancólico) : carácter ～. Contr. risueño.
tetro, tra *adj.* 더러운, 얼룩진.
tetrodo *m.* 【무선】 4극 진공관.
tetuán *adj.* 테투안《Tetuán, 아프리카 북부 해안의 도시》의. —*m.f.* 테투안 사람.
tetuaní *adj. m.f.* =**tetuán.**
tetuda *adj.f.* 유방이 큰 (여자).
tetunte *m.* 《*Hond.*》 크고 보기 흉한 것.
teucali *m.* 멕시코 고대의 사원(teocali).
teucrio *m.* 【식물】 개불알꽃, 객곽향.
teucro, cra *adj. m.f.* =**troyano.**
teúrgia *f.* 요술, 신통술(神通術).
teúrgico, ca *adj.* 요술의, 신통술의.
teurgo *m.* 요술사, 신과 통하여 요술을 부리는 사람.
teutón, na *adj m.f.* 튜톤족의 ; 독일의 (사람)(alemán). —*m.pl* 튜톤족.

teutónico, ca *adj.* 튜톤 민족의 ; 튜톤 어족의 : lengua ~*ca.* —*m.* 튜톤어.

tex *m.* 텍스.

texcal *m.* 《*Méx.*》 =**tescal.**

texcalera *f.* 《*Méx.*》 =**tescalera.**

textil *adj.* [*lat.* textilis] ① 직물로 되는, 직물의, 방직의 : obrero ~ 방직공. ② 섬유(품)의 : industria ~ 방적업. ramo de ~*es* 섬유 부문. —*m.* 직물용 섬유, 방적사(紡績糸).

texto *m.* [*lat.* textus] 원문, 본문, 원서 ; 인용문 ; 교과서(libro de ~).
~ ***del asiento*** 적요(摘要), 보충 사항.
~ ***publicitario · de aviso · de un anuncio*** 광고의 문구 부분.
sagrado ~ 성서.

textorio, ria *adj.* 직물의, 방직의(textil).

textual *adj.* 본문의, 원문 그대로의, 원문에 의한, 원문에 충실한 : cita ~ 원문의 인용.

textualismo *m.* 원문의 고집 · 구니(拘泥) ; 원문의 연구 · 비평.

textualista *m.f.* 함부로 원문을 인용하는 사람.

textualmente *adv.* 원문 그대로, 본문에 의하여(de un modo textual).

textura *f.* [*lat.* textura] ① 피륙 짜는 법 ; 직물 ; 피륙 짜는 일. ② (작품의) 결구(結構). ③ 【생물】 구조, 조직(estructura) : la ~ de un cuerpo.

teyo, ya *adj. m.f.* 테오스《Teos, 이오니아의 도시》의 (사람) ; 테오스에 관계되는.

teyolote *m.* 《*Méx.*》 (비운 곳에 채워 넣는) 자갈.

teyú *m.* 《*Amér.*》【동물】 갈기 도마뱀(iguana).

tez *f.* 얼굴, 안면(의 살결) : una ~ morena. [Sinon.] cutis.

tezado, da *adj.* 햇볕에 탄, 검은(atezado, negro, moreno).

tezcucano, na *adj.* 떼스꾸꼬 《Tezcuco, 멕시코의 도시》의. —*m.f.* 떼스꾸꼬 사람.

tezontle *m.* ① 《*Méx.*》 용암(una piedra volcánica). ② 《*Méx.*》 화산암의 일종.

thailandés, sa *adj. m.f.* =**tailandés.**

Thailandia 【지명】 태국.

thalweg *m.* 【지리】=**vaguada.**

theta *f.* [*gr.* thêta] 서반아에서는 t에 해당되는 그리스 자모의 여덟 번째 글자 《예 : tálamo, teatro, Atenas》.

Thor *m.* =**Tor.**

ti *pron.* [제 2인칭 단수 대명사 tú의 전치사격 : a *ti,* para *ti,* de *ti* ; 그러나 con과 연결될 때는 contigo로 됨] 너, 그대, 당신.

tía *f.* ① 백모, 숙모, 이모, 고모 : ~ abuela 대고모, 대이모 ; 조부모의 자매. ② (나이 지긋한 여성을 다정하게 부를 때의) 아주머니. ③ 창녀, 갈보, 매음부, 매춘부(ramera). ④ 【방언】 계모, 서모(madrastra) ; 시어머니, 장모(suegra).
No hay tu ~ 희망은 없다(no hay medio de conseguir lo que se desea).

tialina *f.* 【화학】 타액소(ptialina).

tialismo *m.* 【의학】 게침을 흘림(ptialismo).

tiamina *f.* 성장용 기본 비타민.

tiangue *m.* 《*AmérC. Filip.*》 =**tianguis.**

tiánguez *m.* 《*Méx.*》 시장(plaza, mercado) ; 장날.

tiangui *m.* =**tiánguez.**

tianguis *m.* 《*Méx.*》 =**tiánguez.**

tiara *f.* [*lat.* tiara] ① (로마 교황의) 삼중의 관 ; 교황의 지위(dignidad papal, pontificado). ② (페르시아인들이 사용했던) 머리 장식의 일종.

tiatina *f.* 《*Chile.*》 =**avena loca.**

tibante *adj.* 《*Col.*》 거만한(altanero, ergido, orgulloso).

tíbar *m.* [*ár.* tibr] ***oro de*** ~ 순금.

tibe *m.* 《*Col.*》【광물】 ① 강옥석(corindón). ② 《*Cuba.*》 편마암.

tiberino, na *adj.* 띠베르강(el río Tíber)의.

tiberio *m.* 소동, 소란(ruido, confusión, gresca, alboroto, riña).

tibetano, na *adj.* 티베트(el Tibet)의. —*m.f.* 티베트 사람. —*m.* 티베트어.

tibi *m.* 《*Perú.*》【조류】 바다 제비의 일종.

tibí *m.* 《*Bol.*》 끼우는 단추 ; 커프스 버튼.

tibia *f.* [*lat.* tibia] ① 【해부】 경골(脛骨), 정강이뼈. ② 피리(flauta).

tibial *adj.* 정강이뼈의, 경골의 : nervio ~.

tibiamente *adv.* 미적미적하게, 미지근하게, 슬그머니 ; 애매한 태도로, 소극적으로, 아리송하게(con tibieza, sin fervor) : orar ~.

tibiar *tr.* [11] [드뭄] 따듯이 하다(entibiar).
~se 《*AmérC. Venez.*》 발끈하다, 화내다, 성내다, 노하다(enojarse, disgustarse).

tibiera *f.* 《*Venez.*》 귀찮은 일(molestia, incomodidad, fastidio).

tibieza *f.* (기온의) 온난 ; 미온(微温), 미온적인 태도, 미적지근함 ; 열을 내지 않음, 애매함.

tibio, bia *adj.* [*lat.* tepidus] ① 따뜻한(templado), 미적지근한(que no está ni caliente ni frío) : agua *tibia* 미지근한 물. ② 애매한, 모호한, 미온적인 ; 소극적인, 적극성이 없는, 열을 내지 않는(flojo, poco fervoroso). ③ 《*Col. Nicar. Perú. Venez.*》 성이 난, 화난(colérico, enojado, irritado). —*m.* 《*AmérC.*》 옥수수 가루를 설탕에 버무려 끓인 음료.

tibisí *m.* 《*Cuba.*》【식물】 물갈대, 부들(carrizo).

tibor *m.* ① 식기, 그릇, 사발, 대접, 공기. ② 《*Cuba.*》 변기(orinal). ③ 《*Méx.*》 작은 컵(jícara).

tiborna *f.* 기름에 칠해서 구운 빵.

tiburón *m.* ① 【어류】 상어 : Los ~*es* son comunes en el océano Atlántico tropical 상어는 열대 대서양에 흔하다. ② 《*Amér.*》 개인주의자 ; 탕아.

tiburtino, na *adj.m.f.* 띠부르 《Tibur, 고대 이탈리아 도시》의 (사람).

tic *m.* 《*Neol.*》 안면 경련(~ nervioso).

tical *m.* 띠깔 《1928년까지 사용했던 3peseta 정도의 가치가 있었던 은화》.

tichar *intr.* 《*Sant.*》 =**tesar.**

tichela *f.* 《*Bol. Perú.*》 고무 나무액을 받는 주발.

ticholo *m.* 《*Arg.*》 ① 과자 빵의 일종. ② 소형 벽돌(ladrillo pequeño).

ticinense *adj.m.f.* 띠시노 《Ticino, 고대 이탈리아의 도시 ; 현재의 Pavía》의 (사람).

ticket *m. ing.* 표, 인환권(billete, papeleta, cupón, bono, boleto) : un ~ de ferrocarril.

tico, ca *adj. m.f.* 《*AmérC.*》 =**costarricense.**

tictac, tic-tac *m.* 시계 소리(의 의성음) :

escuchar el ~ de un reloj.

tiemble- → **temblar** ⑲.

tiemblo[1] *m.* 【식물】 백양나무(álamo temblón)

tiemblo[2] temblar의 직·현·1·단수.

tiempecillo *m. dim.* tiempo.

tiempecito *m. dim.* tiempo.

tiempla *f.* 《*Col.*》 취기(borrachera).

tiemple *m.* 《*Chile.*》 ① 사랑, 애정, 연애, 정사(amor, pasión). ② 애인(camote).

tiempo *m.* ① 때, 시간 : ¿Cuánto ~ se tarda para ir de aquí a la estación? 이곳에서 역까지 얼마나 걸립니까? Emplee usted bien su ~ 당신의 시간을 잘 사용하십시오. Evite usted la pérdida de ~ 시간의 낭비를 피하십시오. El ~ es oro 시간이 곧 돈이다. ② 시대, 경(頃)(época) : en ~ de mi niñez 나의 유년 시절에. mal ~ 불경기. Esta iglesia fue construida en ~ de Cervantes 이 교회는 세르반떼스 시대에 세워졌다. Este puente fue construido en el ~ de los romanos 이 다리는 로마 시대에 구축되었다. ③ 계절, 철(estación) : fruta del ~ 계절의 과일. ④ 시기, 기회, 때, 짬(oportunidad) : a su debido ~ 때마침, 마침 그 때. Cuando tenga ~, venga usted 틈이 있으면 와주십시오. Ahora no es ~ de hacerlo 지금은 그것을 할 때가 아니다. ⑤ 틈, 여유 : No tengo ~ para nada 어떤 일도 할 틈이 없다. ⑥ 오랜 시간 : Hace ~ que no te escribo 오랜 동안 너에게 소식을 주지 못했다. ¿Cuánto ~ hace que lleva usted en España? 서반아에 오신지 얼마나 됩니까? ⑦ 날씨 : ¿Qué ~ hace hoy? 오늘은 날씨가 어떠냐? Hace buen·mal ~ 날씨가 좋다·나쁘다. El ~ está muy malo desde ayer 날씨가 어제부터 매우 나쁘다. ⑧ 폭풍우, 풍랑(temporal, tempestad) : aguantar un ~. ⑨【문법】 때, 시제(時制) : ~ compuesto 복합 시제, 완료형. ~ simple 단순 시제, 불완료형. ⑩【음악】 속도, 박자, 템포, 빠르기.

~ ***cargado*** 안개 짙은 날씨. ~ ***contrario*** 악천후, 궂은 날씨. ~ ***crudo*** 썰렁하기 이를 데없는 날씨. ~ ***de almacenaje*** 저장·보관 기간. ~ ***bonanza*** 호황기, 호황 시대. ~ ***de detención del trabajo por avería*** (전자 계산기의) 다운 타임. ~ ***de empleo*** 고용 기간. ~ ***de espera*** (노동자의 구속 시간 중의) 대기 시간. ~ ***de fortuna*** 날씨가 궂은 계절. ~ ***de preparación*** (기계 작업의) 준비 기간. ~ ***de reverberación*** 잔향 시간(殘響時間). ~ ***del pago*** 지불 기일. ~ ***grueso*** 안개 짙은 날씨(~ cargado). ~ ***inactivo·perdido*** 유휴 시간. ~ ***medio*** (천문에서) 평균시. ~ ***(solar) verdadero*** 실시간(實時間). ***bomba de*** ~ 시한 폭탄. ***medio*** ~ 중간의 때. ~***s heroicos*** 신화의 시대.

~ ***atrás*** 조금·오래 전에.

~ ***ha*** 오랜 동안, 오래 전부터 : *Tiempo ha* que no nos vemos.

andando el ~ 때가 지남에 따라.

a su (debido) ~ 마침 좋은 때에 ; 순조롭게 : *A su* ~ maduran las uvas 서두르지 마세요.

a ~ 시간에 맞게, 때 맞추어 : Llegué *a* ~ de ayudarle 그를 돕는 데 시간이 늦지 않았다. Espero que usted llegue *a* ~ 당신이 제시간에 도착하시길 바랍니다.

a ~***s*** 때때로, 이따금, 가끔, 시시로, 간간이(a veces, de vez en cuando, de cuando en cuando).

a ~ ***que*** …하는·했을 때에 : Llegaron *a* ~ *que* anochecía 해가 질 무렵에 도착했다.

a un ~ 동시에, 한꺼번에(untamente). [*N.* al mismo tiempo보다 더 잘 쓰인다].

al mismo ~ 동시에(a la vaz).

con ~ ① 미리미리, 서둘지 않고, 여유를 갖고 : Avísemelo *con* ~ 여유를 갖고 나에게 그것을 알려주십시오. ② 다행히, 운좋게. ③ 시간에 늦지 않도록 : dar socorro *con* ~.

con el ~ 시간이 감에 따라.

de ~ ***en*** ~ 이따금(a intervalos).

en ~ …할 때에; 마침 좋은 때에.

en ~ ***de Mari Castaña, en*** ~ ***del rey Perico, en*** ~ ***del rey que rabió*** 호랑이 담배 먹을 적, 옛날 옛적에, 먼 옛날에(época muy lejana).

en ~ ***de náupas*** 《*Arg. Perú.*》 옛날 옛적에(época muy lejana).

en ~ ***hábil*** 시간에 맞추어, 지정된 시간 내에.

en otro ~, ***en otros*** ~***s*** 전에, 이전에, 옛날에.

en todo ~ 언제든지, 언제 어느 때라도.

fuera de ~ 때 아닌 때에, 철도 아닌 때에(intempestivamente) : Perdone que el llame *fuera de* ~ 시간 외에 불러내어 미안합니다.

por ~ 잠시 동안.

un ~ 언젠가.

y si no, al ~ 언젠가는 그 일이 판명이 된다.

abrir·alzar·levantar el ~ 바람이 자다, 비가 멎다, 하늘이 개이다.

cargarse el ~ 하늘이 흐려지기 시작하다.

dar al ~ 철이 돌아오기를 기다리다.

darse buen ~ 즐기다(divertirse).

dejar el ~ 형편에 맡기다.

descomponerse el ~ 날씨가 나빠지다.

engañar·hacer·matar el ~ 심심풀이로 시간을 보내다, 소일하다.

ganar el ~ 시간을 벌다, 서둘다(tamporizar).

pasar el ~ 심심풀이하다, 즐기다.

perder el ~ 시간을 낭비하다(no hacer nada).

A mal ~ ***buena cara*** 【속담】 역경을 이겨낼 줄 알아야 한다(Hay que saber sobrellevar los reveses de la fortuna).

A su ~ ***maduran las uvas*** 【속담】 무슨 일에나 서둘러서는 안된다 ; 매사는 때가 있는 법이다.

tiend- → **tender** ⑳.

tienda[1] *f.* [*lat.* tendere] ① 텐트, 천막 ; 막사(~ de campaña). ② 가게, 상점 : ~ de autoservicio 셀프 서비스 상점. ~ de departamentos 백화점. ~ de detalle 소매점. ~ del propio fabricante 메이커 직매점. ~ en cadena 연쇄점, 체인 스토어. ~ en una fábrica 종업원 전용 상점. ~ de confecciones 부인 소아복점. ~ de modas 부인복점. alzar ~ 폐점하다. poner ~ 개점하다. ir de ~*s* 물건을 사러 다니다. A estas horas estarán cerradas las ~*s* 이 시간에는 가게들은 닫혀 있을 것이다. Abren las ~*s* de nuevo a las cuatro 네 시에 다시 가게를 연다. ③ (특히) 식료품점(~ de comestibles) ; 잡화상(~ de mercería). ④ 《*Amér.*》 옷가게, 의료품점.

Quien tiene tienda, que atienda 【속담】 각자는 자기 할일이 있다(Debe cada uno cuidar de sus negocios).

tienda² tender의 접·현·1·3·단수

tiendo tender의 직·현·1·단수.

tient- → **tentar** ⑲.

tienta *f.* ① 넌지시 떠보기, 시도. ② 예상의 적중. ③ 교묘함(sagacidad). ④ 송아지의 검사. ⑤ (의료 기구인) 상처의 깊이를 재는 바늘(sonda). ⑥ 지질 검사간(地質檢査桿)(tientaguja).

a ~s ① 손으로 더듬거려(a tiento, tanteando). ② 위태위태하게(en la duda) : andar *a ~s* en un negocio 사업이 위태위태하다.

tientaaguja *f.* =**tientaguja.**

tientaguja *f.* 지질 검사간(地質檢査桿).

tientaparedes *m.f.* 【단·복수 동형】 손으로 더듬거리며 걷는 사람, 벽에 기대어 걷는 사람.

tiento *m.* ① 손으로 더듬거리기 ; 넌지시 떠보기, 시도 : dar un ~ 시험 삼아 해보다. ② 장님의 지팡이 ; (물레방아를 돌리는 소에 매는) 밧줄, 고삐 ; (곡예사의) 균형봉(contrapeso). ③ 솜씨의 정확성(pulso) ; 주의, 조심, 신중함(prudencia, cuidado) : Anda *con* ~ en este asunto 이 문제에서는 신중히 한다. ④ 구타, 주먹질(golpe, porrazo) : Le dieron dos ~*s* 그를 두 차례 주먹으로 때렸다. ⑤ 꿀꺽 마시는 일(floreo, trago). ⑥ 【음악】 시험 타주 ; 서주(序奏). ⑦ 팔지팡이《화가가 화필을 든 손을 받치는 길쭉한 막대기》. ⑧ 【동물】 촉각, 촉수(tentáculo). ⑨ 《*Amér.*》 가죽끈(correa fina sin curtir).

a ~ ① 손으로 더듬거려(por el ~). ② 어름어름하게, 애매하게, 모호하게, 위태위태하게(dudosamente).

por el ~ 손으로 더듬거려(a ~).

dar un ~ ① 시험해 보다 : *dar un ~ a* la espada 칼로 시험 삼아 잘라 보다. ② (그릇을 간접 보어로 하여, 그 내용물을) 꿀꺽 마시다 : *dar un ~* a un jarro.

tomar el ~ 찾다, 조사하다.

tientos *m.pl.* 안달루시아의 노래·춤의 일종.

tiernamente *adv.* ① 부드럽게(muy blandamente). ② 다정스레, 사랑스럽게, 사랑스러운 듯이(de un modo tierno) : hablar ~ a un niño 어린애에게 다정하게 말하다.

tiernecico, ca *adj. dim.* tierno.

tiernecillo, lla *adj. dim.* tierno.

tiernecito, ta *adj. dim.* tierno.

tierno, na *adj.* ① 연한(blando) : colchón ~ 부드러운 방석. Esta carne de vaca está muy ~*na* 이 쇠고기는 무척 연하다. ② 어린 : hojas ~*nas* 어린 잎. ③ 어린, 순진한 : la ~*na* edad 어린 나이, 순진한 나이. ④ 상냥스러운, 다정한, 애정이 있는(afectuoso, cariñoso). ⑤ 눈물겨운, 눈물이 많은 : tener los ojos ~*s* 눈에 눈물을 머금고 있다. ⑥ 《*Amér.*》 푸른, 풋, 설익은(verde) : fruta ~*na.* **Contr.** duro.

tierra *f.* [*lat.* terra] ① 땅 ; 지구 ; 육지. ② 흙 : un puñado de ~ 흙 한줌. Ponga un poco más de ~ en el tiesto 화분에 흙을 좀더 넣어 주세요. ③ 지면, 땅바닥(suelo) : caer a ~ 땅바닥에 쓰러지다. ④ 대지, 전답, 토지 : El compró muchas ~*s* en América 그는 아메리카에 많은 토지를 샀다. Están arando la ~ 그들은 토지를 경작하고 있다. Tiene muchas ~*s* en Andalucia 그는 안달루시아에 많은 논밭이 있다. ⑤ 고장, 지방 : de *la* ~ 다른 데서 들어온 것이 아니라, 토산의. Aquí se venden productos de la ~ 이 곳에서는 토산품을 팔고 있다. ⑥ 고향, 고국(patria) : El salió de su ~ cuando tenía veinte años 그는 20세 때 고향을 떠났다. ⑦ 지상, 현세.

~ de batán 백토(白土), 표토(漂土). *~ de brezo* 기름진 흙의 일종. *~ de miga* 찰흙. *~ de pan llevar* 보리·오곡을 심을 수 있는 땅. *~ de Promisión* (성서에서 신이 이스라엘 사람에게 약속한) 약속의 땅 ; 동경하는 땅, 천국 ; 풍요롭고 비옥한 땅. *~ de Segovia* 표토(漂土). *~ de Venecia* 적토. *~ doblada* 두메 산골. *~ firme* 대륙(continente) ; (건축을 위한) 단단한 지반. *~ japónica* 아선약(阿仙藥). *~ laborable·labradera* 가경지(可耕地). *~ negra* 경지, 밭갈이 땅. *~ Santa* 성지《팔레스티나의 이칭》. *~ vegetal* 부식토(腐食土).

~ adentro 육지 깊숙히·안으로, 해안에서 멀리(lejos de la costa).

~ a ~ 해안을 따라 ; 조심스럽게.

en toda ~ de garbanzos 각처에, 여기저기에, 사방에(por todas partes).

besar la ~ 엎드러지다.

dar en ~ con …을 쓰러뜨리다, 붕괴시키다(derribarla) ; 파괴하다(destruir) ; 해치우다.

echar ~ a ① 흙을 덮다 ; 감추다. ② 말을 못하게 하다. ③ 잊다. ④ 《*Méx.*》 (누구를) 나쁘게 말하다. ⑤ (누구보다) 한수 위다.

echar en ~ 상륙시키다.

echar por ~ 쓰러뜨리다, 무너뜨리다.

irse a ~ 허물어지다, 쓰러지다.

perder ~ 발판을 잃다, 발을 체이다, 뒹굴다, 쓰러지다 ; 버렸던 것이 벗겨지다.

poner por ~ 쓰러뜨리다, 죽이다.

quedarse en ~ 비행기·자동차에서 탈 시간을 놓치다.

tomar ~ ① 입항·상륙하다. ② (항공기가) 착륙하다 (aterrizar) : Dentro de unos minutos tomaremos ~ en el Aeropuerto del Prat 몇 분 있으면 Prat 공항에 착륙하겠습니다. ③ 익숙해지다 ; 친밀하게 되다.

venirse a ~ 쓰러지다, 무너지다.

En ~ de ciegos, el tuerto es rey 【속담】 호랑이 없는 곳에 토끼가 왕이다(Por poco que valga uno puede sobresalir entre los que valgan menos).

tierrafría *m.f.* 《*Col.*》 고원 지대에 사는 사람.

tierral *m.* 《*AmérC. Chile. Perú.*》 흙먼지.

tierra-tierra *f.* 지대지(地對地).

tierrazo *m.* 《*SDgo.*》 흙먼지(polvareda).

tierrero *m.* 《*AmérC. Col. Méx. Venez.*》 흙먼지.

tierruca *f.* [*dim.* tierra] 산딴데르의 산.

tiesamente *adv.* 팽팽하게 되어 ; 단단히, 굳게.

tieso, sa *adj.* [*lat.* tensus] ① 굳은, 굳어진(rígido, duro). ② 팽팽하게 켕긴, 팽팽해진, 긴장된, 꿋꿋이 선(tirante, estirado) : El perro con las orejas *tiesas,* estaba atento al menor ruido 개는 귀를 쫑긋 세우고 희미한 소리에도 주의하고 있다. ③ 건장한, 강한(robusto, vigoroso, muy fuerte). ④ 용기있는(valiente). ⑤ 고

집이 센, 완고한(terco, tenaz, obstinado) : tenérselas *tiesas* 자신의 의견을 고집하다. Le encontré ～ a pesar de su edad 그는 나이에 걸맞지 않게 완강했다. ⑥ 새초롬한, 아니꼽게 구는.
—*adv.* 세게, 강하게(fuertemente) : pisar ～ 힘차게 밟다.

tiesta *f.* [*lat.* testa] 통의 가장자리.

tiesto, ta *adj.* 굳어진 ; 팽팽해진 ; 고집스러운(tieso). —*m.* ① 토기의 깨어진 조각. ② 화분(maceta). ③《*Chile.*》그릇(vasija). —*adv.* 단단이, 꼭, 굳게, 힘차게(tieso).

tiesura *f.* 긴장, 굳어짐 ; 으시댐 : hablar con ridícula ～.

tifáceo, a *adj.* 【식물】 큰 부들(과)의. —*f.pl.* 큰 부들과에 속하는 식물.

tifiar *tr.*《*Cuba.*》훔치다, 가로채다(robar).

tífico, ca *adj.* 티푸스(성)의 : enfermedad ～*ca.* —*m.f.* 티푸스 환자.

tiflitis *f.* 【의학】 맹장염.

tiflología *f.* 실명 연구 의학.

tifo *m.* [*gr.* tuphos]【의학】 티푸스(tifus).
～ ***asiático*** 콜레라(cólera morbo). ～ ***de América*** 황열병(黃熱病)(fiebre amarilla). ～ ***de Oriente*** 선(腺)페스트(peste bubónica).

tifo, fa *adj.* =**harto, ahito, repleto.**

tifoidea *f.* 【의학】 장티푸스(fiebre ～).

tifoideo, a *adj.* 【의학】 티푸스(성)의.

tifón *m.* (동 지나해 방면의) 태풍(huracán) ; 선풍(旋風), 회오리바람(torbellino).

tifus *m.* 【단·복수 동형】 ①【의학】 티푸스, 발진 티푸스. ～ abdominal 장티푸스. ～ exantemático 발진 티푸스. ～ icterodes 황열병. ② (극장의) 좌석(권) : Está el teatro lleno de ～.

tigana *f.* 【조류】 (베네수엘라의) 가금.

tigiciar *tr.*《*Cuba.*》훔치다(hurtar) ; 챙겨 넣다.

tigra *f.*《*Amér.*》암호랑이(tigre hembra).

tigre *m.* [【고어】 *f.* 로도 사용]. ①【동물】 호랑이. ②《*Amér.*》아메리카 표범(jaguar). ③ 잔인한 사람(persona cruel).

tigrero, ra *adj.*《*Arg.*》사나이다운, 용감한.
—*m.*《*Amér.*》호랑이·표범 사냥꾼.

tigresa *f.* 【속어】 암호랑이.

tigridia *f.* 【식물】 띠그리디아《호랑이 반점 무늬가 있는 꽃과의 일종 ; 멕시코 원산》.

tigrillo *m.*《*Amér.*》【동물】 중미산 살쾡이의 일종.

tigrina *f.* (부인복으로 쓰인) 탄력성이 있는 가느다란 천.

tigrito *m.*《*Col. Venez.*》지하 창고.

tigua *f.*《*PRico.*》【조류】 물새.

tigüe, güa *m.f.*《*Hond.*》흑인 젊은이.

tigüilote *m.*《*Hond. Guat.*》염료로 쓰이는 중미산 나무.

tija *f.* [*fr.* tige] 열쇠의 구멍(ojo)과 머리(paletón) 사이에 있는 축(astil).

tijera *f.* [주로 *pl.*] ① 가위 : ～*s* de acero con mango plástico 플라스틱 손잡이 부착 강철 가위. ② 가위 모양의 것 ; X형으로 어긋나게 접는 것 : silla de ～ 접의자. ③ (습지의) 배수구. ④ (세공에 쓰이는 목재를 기대어 놓는) 나무 켜는 틀. ⑤ 불평가, 불평객(persona murmuradora). —*pl.* ① 나무가 떠내려 가는 것을 막기 위해 강속에 박아 놓은 말뚝. ②【은】 검지와 장지.
buena ～ 재단 솜씨가 좋은 사람 ; 대식가 ; 불평가, 불평객.

tijerada *f.* =**tijeretada.**

tijeral *m.*《*Chile.*》가위 ; 대들보.

tijerazo *m.*《*Col. PRico.*》=**tijeretazo.**

tijereta *f.* [*dim.* tijera] ① 작은 가위, 가위. ②【식물】(덩굴 식물의) 덩굴손(zarcillo). ③【곤충】 집게 벌레(cortapicos). ④【조류】 남미산 물새의 일종.
decir ～***s*** 깐족이다, 쓸데없는 말을 수다스럽고 밉살스럽게 지껄이며 짓궂게 이죽거리다.

tijeretada *f.* 가위로 싹독 자르는 일.

tijeretazo *m.* =**tijeretada.**

tijeretear *tr.* ① 가위로 자르다 : ～ un vestido. ② (남의 일을) 시원시원하게 처리하다, 도와주다.
—*intr.*《*Arg. Méx. Nicar.*》부재중인 사람의 사생활을 비평하다.

tijereteo *m.* 가위로 싹독싹독 자름 ; 그 소리.

tijerica *f. dim.* tijera.

tijerilla *f.* [*dim.* tijera] =**tijeruela.**

tijerita *f. dim.* tijera.

tijeruela *f.* [*dim.* tijera] ① 작은 가위. ② (덩굴식물의) 덩굴손(tijereta). ③《*Hond.*》【곤충】 미추류《벼룩 등》. ④《*Salv.*》=**fragata.**

tijuil *m.*《*AmérC.*》【조류】 뻐국새, 뻐꾸기, 곽공(郭公).

tijuy *m.* ①《*AmérC.*》뻐국새(tijuil). ②《*Venez.*》악마, 마(魔)가 낀 물건.

tila *f.* 【식물】 참피나무(tilo) ; 그 꽃 ; 그것으로 만든 차.

tilar *m.* 참피나무 숲.

tilbe *m.*《*Arg.*》고기잡이 광주리(nasa para pescar).

tílburi *m.* 인력거형 마차.

tildar *tr.* ① (…에) 파형 부호(~)·악센트 부호(´)를 달다. ② (쓴 것을) 지우다(borrar o tachar lo que estaba escrito). ③ (…에) 트집을 잡다 : ～ a uno *de* avaro 어떤 사람을 욕심꾸러기라고 평하다.

tilde *f.* (*m.*) [주로 *f.*] ① 파형 부호(~), (이 밖에) 악센트 부호(´). ② 흠, 상처, 오점(tacha).
—*f.* ① 아주 적은 것, 하찮은 일. ② 비난(censura, crítica leve).

tildón *m.* [*aum.* tilde] (글자 등을) 지우는 금(tachón).

tile *m.*《*Salv.*》=**carbón, hollín.**

tilia *f.* =**tilo.**

tiliáceo, a *adj.* 【식물】 참피나무·참피나무과의. —*f.pl.* 참피나무과 식물.

tilico, ca *adj.*《*Bol. Méx.*》말라 빠진(enclenque, flacucho).

tiliche *m.*《*AmérC. Méx.*》=**baratija, cachivache.** —*pl.*《*Méx.*》누더기(trastos, andrajos).

tilichero *m.*《*AmérC.*》잡화상.

tilín *m.* ① 따르릉《종소리》. ② 멋짐, 세련됨 :
en un ～《*Amér.*》순식간에(en un momento).
hacer ～ 기쁘게 하다, 즐겁게 만들다(tener gracia).
tener ～ 매력적이다, 세련되다.

tilindajos *m.pl.*《*Col.*》(너털너털 해진) 누더기.

tilingo, ga *adj.* 《*Arg. Méx.*》 어리석은, 실속없는(tonto, simple).

tilinguear *intr.* 《*Arg.*》 어리석은 짓을 하다 · 말하다, 실속없는 짓을 하고 다니다(obrar como tilingo).

tilinguería *f.* 트릿한 · 어리석은 짓.

tilintar *tr.* 《*AmérC.*》 팽팽하게 하다, 잡아당기다.

tilinte *adj.* 《*AmérC.*》 ① 팽팽한, 팽팽해진, 긴장된(tirante, tenso). ② 가득한(harto). ③ 화사한(elegante, guapo).

tilintear *intr.* 초인종 · 벨이 울리다(sonar la companilla).

tilla *f.* (배의) 바닥 널.

tillado *m.* 널 깔기, 널빤지 치기(entablado).

tillar *tr.* (…에) 널빤지를 대다.

tillo *m.* (울타리 같은 데 둘러치는) 널빤지.

tilma *f.* 《*Méx.*》(가빠식의) 면모포.

tilo *m.* 【식물】 참피나무, 보리수.

tilopódidos *m.pl.* =**camélidos.**

tilosis *f.* 속눈썹이 밑으로 처짐.

tiloso, sa *adj.* 《*AmérC.*》 때묻은, 더러워진.

tiltil *m.* 《*Chile.*》 짚단 쌓기(almiar).

timador, ra *m.f.* 좀도둑.

tímalo *m.* 【어류】 송어의 일종.

timar *tr.* ① 사취하다(robar con engaño). ② 속이다(engañar).

~se (연인끼리) 눈으로 말하다, 윙크하다(hacerse guiños los enamorados).

timba *f.* ① 도박의 승부 ; 노름판(garito) : pasar la vida en las *~s.* ② 《*Filip.*》 두레박(cubo para el agua). ③ 《*AmérC. Méx. Venez*》 배불룩이, 올챙이배(barriga) ; 귀찮은 일, 골치 아픈 일(molestia). ④ 《*Cuba.*》 큰 통나무, 목재. ⑤ 《*Cuba.*》 =**dulce de guayaba.**

timbal *m.* ① 케틀드럼 《반구 모양의 큰북》(tamboril). ② =**atabal.** —*pl.* 《*Ant.*》 용기 ; 우악스러움, 사나움.

timbalear *intr.* 케틀드럼을 치다.

timbaleo *m.* 케틀드럼 치기.

timbalero *m.* timbal을 치는 사람.

timbear *intr.* 《*Riopl.*》 도박을 하다.

timbero *m.* 《*Riopl.*》 노름꾼, 도박꾼.

timbirichi *m.* ① 《*Cuba. Venez.*》 지저분한 작은 가게(tenducho). ② 《*Méx.*》 청량 음료의 일종.

timbirimba *f.* =**timba.**

timbo *m.* ① 《*AmérC.*》 유령. ② 《*Col.*》(아프리카의) 검둥이.

timbó *m.* ① 【식물】 니그로의 귀 《남미 남부산의 콩과의 교목 ; oreja de negro로 속칭 ; 이것으로 통나무배를 만듦》. Sinón. pacará. ② 《*Hond.*》 【동물】(아메리카의 전설에 나타난) 환상의 동물.

timbón, na *adj.* 《*AmérC. Méx.*》 배가 툭 불거져 나온.

timbrador *m.* 인지 · 증지를 붙이는 사람 ; 날인기(捺印器), 소인기(消印器).

timbrar *tr.* (…에) 인지 · 증지 · 우표를 붙이다 ; 날인하다.

timbrazo *m.* 벨을 심하게 울리는 일 · 소리.

timbre *m.* [*tr.* timbre] ① ㄱ) 인지, 증표(證票), 인지세 : ~ de impuesto · de la letra · fiscal 수입 인지. ~ nacional 인지세. derecho de ~ 인지세. ley del ~ 인지 조례. Hay que ponerle un ~ a este certificado 이 증명서에 인지를 붙여야 한다. ㄴ) 《*Méx.*》 우표 ; 인지세에 의한 국고 수입. ② (방패 모양의 문장에 새긴) 명기(銘記). ③ 초인종, 벨 : tocar el ~ 초인종을 울리다. instalación de *~s* 벨 장치. Suena el ~ 벨이 울리고 있다. ④ 음색, 음향, 음질, 성음(聲音)의 고저 : ~ metálico 금속적인 음향. ⑤ 위업, 공적(~ de gloria). ⑥ 소인(消印).

timbreo, a *adj.m.f.* ① 띰브레아 《Timbrea, 아시아의 Frigia 평원》의 (사람). ② 뜨로아데 《Tróade, Paris가 Aquiles를 살해한 아폴로 사원으로 유명한 도시》의 (사람).

timbrofilia *f.* 우표 수집 ; 우표 애호.

timbrófilo, la *adj.* 우표 수집 · 연구의. —*m.f* 우표 수집가(filatélico).

timbrología *f.* 우표 연구.

timbú *adj.m.f.* 《*AmérM.*》 띰부족 《현재 아르헨띠나의 Sante Fe주에 속하는 Paraná강 우안에 거주했던 인디오》의 (사람).

timbusca *f.* 《*Col. Ecuad.*》 아주 텁텁한 국(물).

timeleáceo, cea *adj.* 【식물】 서향나무 · 서향나무과의. —*f. pl.* 서향나무과 식물.

timiama *m.* 유태인이 신에게 공양하는 향료.

tímidamente *adv.* 겁을 먹고, 조심스럽게.

timidez *f.* 겁먹은 모양, 소심함, 내성적임, 겁스러움, 우유부단, 담력이 없음 : Ella habla con ~. Contr. audacia, atrevimiento.

tímido, da *adj.* [*lat.* timidus] 소심한, 겁먹은, 겁이 많은(miedoso), 내성적인 : Las coreanas son muy *~das* 한국 여성은 매우 내성적이다. La paloma es un ave muy *~da* 비둘기는 대단히 무서움을 타는 새이다. Contr. audaz. atrevido.

timo *m.* ① 사취 ; 속임수 ; 야유, 희롱(broma) : dar un ~ 속여서 빼앗다(timarle, robarle). ② 소문, 평판. ③ 【해부】 흉선(胸腺). ④ 【어류】 = **tímalo.**

timocracia *f.* [*lat.* timocratia] 금권 정치(金權政治).

timócrata *adj.* 금권 정치의. —*m.f.* 금권 정치가.

timocrático, ca *adj.* 금권 정치의.

timol *m.* 티몰 《강력 방부제 · 구충제》.

timón *m.* 자동차 · 수레의 핸들(pértigo); 키 : ~ de dirección · profundidad 비행기의 방향 · 승강타(舵).

timonear *intr.* 키를 잡다, 키를 잡아 배를 조종하다(gobernar el timón del barco).

timonel *m.* 조타수(操舵手)(marinero que gobierna el timón).

timonera *f.* ① (새의 꼬리에 있는) 큰 깃. ② 조타실.

timonero *adj.* *arado* ~ 쟁기. —*m.* 조타수(timonel).

timorato, ta *adj.* ① 신을 두려워하는, 경건한. ② 소심한, 겁먹은(tímido).

timpa *f.* 용광로의 일부에 사용한 철주.

timpánico, ca *adj.* ① 【해부】 고막(鼓膜)의. ② 【의】 고음(鼓音)의 ; 북같은.

timpanillo *m. dim.* tímpano.

timpanismo *m.* 【의학】 가스의 축적.

timpanítico, ca *adj.* *m.f.* 고창증(鼓脹症)·중이염의 (환자).
timpanitis *f.* 【의학】 고창증, 중이염.
timpanización *f.* 배가 팽팽하게 불러오는 일.
timpanizado, da *adj.* 배에 가스가 찬.
timpanizarse *r.* (배가 가스 때문에) 팽팽해지다.
tímpano *m.* [*lat.* tympanum] ①【해부】 고막. ②【음악】 캐롤드럼(atabal); 팀파논. ③【인쇄】 압지판(壓紙板). ④【건축】(박공의) 삼각면.
tina *f.* [*lat.* tina] ① 항아리(tinaja); 통, 납작통. ② 욕조(浴槽), 욕탕(baño). ③《*Chile.*》 화초를 심는 화분. ④《*Perú.*》 비누 공장.
tinacal *m.* 《*Méx.*》 뿔께(pulque)의 양조용 항아리 창고.
tinaco *m.* ① 작은 통. ② 올리브를 짠 찌꺼기(alpechín). ③《*Ecuad. Méx.*》 운두가 깊은 항아리, 물탱크.
tinada *f.* 땔나무 쌓기; 외양간.
tinado *m.* 외양간(tinada).
tinador *m.* =**tinado.**
tinaja *f.* ①(배가 불룩한) 항아리; 그 용량. ②《*Filip.*》 되의 단위《48.4 리터》.
tinajera *f.* 《*Ecuad. Perú.*》 항아리 받침대, 항아리 두는 곳(tinajero).
tinajería *f.* 《*And.*》 =**tinajera.**
tinajero *m.* ① 항아리 제조인·장수. ② 항아리 두는 곳. ③《*Amér.*》 음료수 두는 곳.
tinajica *f. dim.* tinaja.
tinajilla *f. dim.* tinaja.
tinajita *f. dim.* tinaja.
tinajón *m.* [*dim.* tinaja] 큰 항아리.
tinajona *f.* 《*Col.*》 =**tinajón.**
tinajuela *f.* [*dim.* tinaja] 작은 항아리.
tinámidas *f.pl.* =**criptúridas.**
tinamú *m.* 【조류】(남미산의) 닭의 일종.
tinapá *m.* 《*Filip.*》 훈제된 생선.
tinca *f.* ①《*Bol.*》 갑자기 들이닥쳐 떠들썩하기, 소란. ②《*Chile.*》 예감. ③《*Perú.*》 나무로 만든 장난감의 일종.
poner ~ 《*Chile.*》 열심히 하다.
tincanque *m.* 《*Chile.*》 =**tincazo.**
tincar *tr.* 《*Arg. Chile.*》 ① 엄지 손톱으로 구슬을 튀기다(lanzar con la uña del pulgar la bolita o canica). ② 주먹·군밤을 먹이다(dar capirotes). —*intr.* 《*Chile.*》 예감이 들다 : Me *tinca* una cosa 한가지 예감이 든다.
tincazo *m.* 《*Arg. Ecuad.*》(주먹으로 머리를 문질러) 군밤 먹이기(capirotazo, papirotazo).
tinción *f.* 염색, 물들이기.
tindalo *m.* 《*Filip.*》 틴달로 나무《콩과의 식물》; 그 목재.
tindíp *m.* 《*Perú.*》【조류】 갈매기의 일종.
tinea *f.* =**polilla.**
tinelar *adj.* tinelo의, 하인용 식당의.
tinelero, ra *m.f.* tinelo 당번.
tinelo *m.* 【고어】 하인들의 식당.
tinerfeño, ña *adj.* 떼네리뻬《Tenerife, 카나리아 군도의 섬》의. —*m.f.* 떼네리뻬 사람.
tineta *f.* [*dim.* tina] 작은 항아리, 단지, 작은 통.
tingar *tr.* ⑧《*Arg. Ecuad.*》 주먹·군밤을 먹이다(tincar, dar capirotes).
tingas *f.pl.* 《*AmérC.*》 꽤 까다롭고 귀찮은 일.
tingazo *m.* 《*Ecuad.*》 =**tincazo.**
tinge *m.* 【조류】 큰 부엉이(búho)의 일종.
tingible *adj.* 물들일 수 있는(teñible).
tingitano, na *adj.* Tingis《현재의 Tánger의 옛 이름》의. —*m.f.* =**tangerino.**
tinglado *m.* ① 오두막(cobertizo). ② 권모 술수, 계략, 술책(artificio).
~ *aduanero* 세관 창고.
tinglar *tr.* 《*Chile.*》(기와를 얹듯이 널빤지를) 포개어 늘어놓다.
tingle *f.* [*fr.* tringle] 유리를 끼우는데 사용하는 연장.
tingo *m.* 《*Ecuad.*》 =**tincazo.**
tingue *m.* =**tincazo.**
tinguiñazo *m.* 《*Riopl.*》 =**capirote.**
tinica *f. dim.* tina.
tinicla *f.* (군의 장교들이 입었던) 갑옷.
tinieblas *f. pl.* [*lat.* tenebrae] ① 어둠, 암흑(obscuridad) : caminar en las ~*s*. ② 몽매, 무지 : estar en ~*s* 아무 것도 모르고 있다. ③ 어둠의 조과(朝課)《부활절 전주의 마지막 3일의 각 전야에 외우는 조과와 찬송가》.
el ángel espíritu de las ~*s* 악마(el demonio).
tinilla *f. dim.* tina.
tinita *f. dim.* tina.
tino *m.* ① 예상의 적중, 정곡(acierto); 이성(理性), 판단의 정확성, 분별(cordura). ② 물감을 넣는 통·항아리; (짠 액을) 넣어 두는 통(lagar). ③【식물】 산수유나무(durillo).
a ~ 손으로 더듬어(a tientas).
a buen ~ 짐작으로, 억측으로, 눈대중으로.
sin ~ 아무렇게나, 함부로, 닥치는 대로 : comer *sin* ~ 아무거나 먹다. hablar *sin* ~ 함부로 말하다.
perder el ~ 망연 자실하다(a tolondrarse).
sacar de ~ 아연 실색하게 하다, 망연 자실케 하다, 놀라 자빠지게 만들다, 경탄하다(atolondrar a una persona) : La noticia le *sacó de* ~ 그는 그 소식을 듣고 아연 실색했다.
tinola *f.* 띠놀라《필리핀에서 물에 닭고기와 호박이나 감자를 넣고 만든 수프》.
tinoso, sa *adj.* 《*Col. Venez.*》 교묘하게 잘 하는, 솜씨있는(diestro).
tinque *m.* 《*Chile.*》 =**tingue.**
tinquear *tr.* 《*Arg.*》 주먹질을 하다.
tinquirre *m.* 《*CRica.*》 낡고 부러진 칼(cuchillo viejo y roto).
tinta *f.* ① 잉크 : ~ roja·colorada·encarnada 붉은 잉크. escribir *con* ~ 잉크로 쓰다. ② 염료(染料), 염색(tinte), 물들이기, 색칠 : media ~ 수채화 등의 엷게 칠하기. ③ 빛깔(color) : media ~ 중간색. ④ ㄱ) 색조화, 배색(matices); 아름다운 색 : las ~*s* de la aurora. ㄴ) 혼합한 그림 물감. —*pl.* (오징어가 내뿜는) 먹물.
~ *china* 제도(製圖) 잉크; 먹. ~ *de imprenta* 인쇄 잉크. ~ *de marcar* 스탬프 잉크. ~ *simpática* 은현(隱顯) 잉크. *medias* ~*s* 뚜렷하지 않은 일·언행·태도.
saber de buena ~ 믿을 만한 곳에서 들어 알고 있다, 확실한 소식통에서 들어 알다(estar bien informado de alguna cosa).
sudar ~ *(china)* 일을 열심히 하다(trabajar

mucho).

tintar *tr.* 염색(tinte)하다, 물들이다(teñir) : ~ *de* azul.

tinte *m.* [*lat.* tinctus] ① 염색(染色), 물들이기(teñido). ② 색, 색조. ③ 염색하는 곳, 염색장. ④ 속임수, 본심을 감추기.

tinterazo *m.* 잉크병을 내던지기 · 때리기.

tinterillada *f.* 《*Amér.*》 소란, 입씨름(trapisonda).

tinterillear *intr.* 《*AmérC. Col.*》 시시한 소송 · 말썽을 일으키다 ; 변호사업을 하다.

tinterillo *m.* ① 《*Amér.*》 사이비 변호사. ② = **escribiente, cagatintas.** Sinón. rábula.

tintero *m.* 잉크병, 잉크 스탠드 ; (인쇄기 부속의) 잉크 탱크.

dejar(se)* · *quedarsele a uno ***en el*** ~ una cosa 글을 쓸 때 잊다 · 빠뜨리다(olvidarla u omitirla al escribir) : *Se* le *quedó* a Emilio *en el* ~ el recado 에밀리오는 쓸 때 전할 말을 잊었다 · 빼먹었다.

tintilla *f.* Cádiz의 Rota산의 달고 붉은 포도주.

tintillo *adj. m.* 엷은 빛이 나는 (포도주) : vino de ~.

tintín *m.* 따르릉, 찌르릉 《초인종 등의 의성어》.

tintinabular *intr.* =**cascabelear.**

tintinar *intr.* 초인종이 울리다, 찌르릉 소리가 나다(sonar la campanilla).

tintinear *intr.* =**tintinar.**

tintineo *m.* 방울 소리, 벨 소리.

tintirintín *m.* 나팔 등의 (높은) 소리.

tintitaco *m.* 【식물】 =**algarrobo.**

tinto, ta *adj.* 물든, 물들인 ; 적색의 (포도나 포도주) ; 포도주 빛깔의 : café ~ 진한 커피. vino ~ 적포도주. —*m.* 적포도주(vino ~) ; 커피.

tintóreo, a *adj.* 물감을 얻는, 염료용의.

tintorera *f.* 《*Amér.*》【어류】 암상어.

tintorería *f.* ① 염색 공장, 염색소. ② 《*Amér.*》 세탁소.

tintorero, ra *m.f.* 염색소 주인 · 직공 ; 세탁소 주인 · 직공.

tintura *f.* [*lat.* tinctura] ① 염색(tinte). ② 염료, 안료, 물감을 쓰는 가루 : ~ para el cabello · pelo 머리 염색. ③ 연지, 분(afeite). ④【약】 팅크제(劑) : ~ de yodo 요드 팅크. ⑤ 어설픈 지식 : Tiene alguna ~ de historia 그는 역사를 어설프게 알고 있다.

tinturar *tr.* ① 물들이다, 염색하다(teñir). ② 어설픈 지식을 주다.

~se 알고 있다, 어설프게 알다.

tiña[1] *f.* ①【의학】 백선(白癬), 두창(頭瘡). ②【곤충】 벌집에 기생하는 거미. ③ 인색함(miseria, roña).

tiña[2] teñir의 접 · 현 · 1 · 3 · 단수.

tiñe teñir의 직 · 현 · 3 · 단수.

tiñe- → **teñir** 49.

tiñería *f.* 인색함(tiña, miseria).

tiñoso, sa *adj. m.f.* ① 백선(白癬)에 걸린 (사람), 두창을 앓는 (사람)(que padece tiña). ② 인색한 (사람)(avaro, mezquino) ③ 더러운 (sucio).

tiñuela *f.* ①【식물】 매선화과 식물. ②【곤충】 선식충(船食虫).

tío, a *m.f.* ① 삼촌, 큰 아버지, 작은 아버지, 외삼촌, 고모부, 이모부 ; 숙모, 작은 어머니, 큰 어머니, 고모, 이모, 외숙모 : ~ abuelo 큰 · 작은 할아버지. ② 친척과 관계가 없는 아저씨, 나이가 지긋한 남자. ③【방언】 시아버지 ; 장인 ; 의붓아버지. ④ 놈 : ¿Qué se habrá creído ese ~? 저 놈은 어떻게 생각하고 있는 것일까?

el ~ del saco = coco, el bu.

~ ***carnal*** 아버지나 어머니의 형제(el hermano del padre o de la madre).

~ ***vivo*** 회전 목마, 메리고라운드.

tioalcohol *m.* =**mercaptano.**

tiocol *m.* 띠오꼴 《인조 고무의 일종》.

tioneo *adj.* 주신(酒神) Baco의 앞에 붙이는 말.

tiorba *f.* 하프의 일종.

tiovivo *m.* 회전 목마, 메리고라운드(tío vivo).

tipa *f.* ① 띠빠 《남미산 콩과의 교목, 목공용 재목》. ② 《*Arg.*》 야자잎 등으로 엮은 광주리. ③ 감옥 : meter en ~. ④ 《*Arg.*》 지갑, 주머니(bolsa), 가죽 지갑(talega de cuero). ⑤ 《*Ant. Col.*》 천한 여자.

tipaches *m.pl.* 《*Salv.*》 cuepa 놀이.

tiparraco, ca *m.f.* =**tipejo.**

tipear *tr.* 《*Amér.*》 =**mecanografiar.**

tipejo, ja *m.f.* [*dim.* tipo] 우스운 사람.

tiperrita *f.* 《*Amer.*》 =**tipiadora.**

tipiador, ra *m.f.* =**mecanógrafo.**

tipiadora *f.* ① 타이프라이터(máquina de escribir). ② 타이피스트(mecanógrafa).

tipicismo *m.* =**tipismo.**

típico, ca *adj.* ① 전형적인, 특이한, 특유한, 특색있는 : ¿Ha comido Vd. algún plato ~ ecuatoriano? 당신은 에꾸아도르 특유의 요리를 먹어 보셨습니까? ② 지방적인(regional) : costumbres ~*cas*. ③ 상징적인. ④ 《*Arg.*》 탱고(tango)와 밀롱가(milonga)를 치는 오케스트라의.

día ~ 일과(日課).

tipificación *f.* ① = **clasificación.** ② = **estandardización, normalización.**

tipificar *tr.* =**normalizar, fabricar, clasificar.**

tipismo *m.* 특색, 특색성 ; 지방색(이 풍부함).

tipista *m.f.* 타이피스트(mecanógrafo).

tiple *m.* ①【음악】 소프라노, 최고 음부(最高音部) ; 고음(高音) 기타. ②【선박】 외돛대. ③ 《*PRico.*》 현이 5개인 작은 기타. —*m.f.* 최고 음부(最高音部) 가수 ; 고음(高音) 기타 연주자.

tiplear *intr.* 《*Col.*》 죽다, 사망하다.

tiplisonante *adj.* 목소리가 높은.

tipo *m.* [*lat.* typus] ① 형(型), 전형 ; 타입 : La compañía ha colocado en venta un nuevo ~ de coche 그 회사는 신형 차를 발매했다. ②【생물】 유형. ③ 원형, 모델(modelo), 견양(見樣), 샘플, 표준, 견본 : ~ de calidad 품질 견본. medida ~ 표준 치수 · 규격. ③ 사람의 틀, 풍채, 몸매 : Tiene buen ~ 그는 체격이 좋다. El tiene mal ~ 그는 몸이 약하다. ④ 인물, 놈 : ~ ridículo 이상한 놈. Supongo que hay muchos ~*s* misteriosos ahí 그곳에는 수상한 인물이 많이 있다고 생각한다. ⑤ 비율, 율 : ~ actual · corriente 현행 비율. ~ de alquiler 임대율. ~ de banco 은행 일리(日利). ~ de cambio 환율,

주식 시세. ~ de cambio comercial 상업 환율. ~ cambio oficial 공정 환율. ~ de compra 매입 시세, 매입율. ~ de derecho 관세율. ~ de derecho preferente 특혜율. ~ de descuento 할인율, 어음 할인율, 공정율. ~ de descuento del banco central 중앙 은행 할인율. ~ de embalaje 포장 방법. ~ de envío 수송 수단·방법. ~ de flete 운임(료)율. ~ de impuesto (과)세율. ~ de interés 이율. ~ de interés bancario 은행 이율. ~ de interés contractual 계약 이율. ~ de interés legal 법정 이율. ~ de la prima 보험(료)율. ~ de mercado 시장 할인율, 시장 금리·이율. ~ de pignoración 담보율. ~ de precio de mercado 시장 금리. ~ de prima 보험료율. ~ de redescuento (어음의) 재할인율. ~ de rendimiento 이득율. ~ de reserva mínima 최저 준비금(율). ~ de salarios 임금율. ~ de seguro 보험료율. ~ de transporte 수송 방법·수단. ~ de venta 파는 시세, 판매비율. ~ del banco 은행 일리(日利). ~ del cambio 환 환산율. ~ impositivo (과)세율. ~ oficial de interés y descuento 공정 이자 및 할인율. ⑥ 활자, 자모 : ~ cuerpo 활자의 모양·크기. ~ alemán 독일의 수염 문자체. Quisiera que me limpiasen los ~*s* de esta máquina de escribir 이 타자기의 활자를 소제해 주셨으면 합니다만.

tipocromía *f.* 착색 인쇄.

tipografía *f.* 활판 인쇄술, 인쇄(imprenta) ; 인쇄술(arte de la imprenta) ; 인쇄소.

tipográfico, ca *adj.* 인쇄의 ; 활자의 : establecimiento ~.

tipógrafo *m.* 인쇄공(impresor), 식자공(cajista) : un ~ muy hábil.

tipología *f.* 인종 유형학(人種類型學) ; 유형학(類型學) ; 체형학(體型學).

tipometría *f.* 활자자로 재기.

tipómetro *m.* 활자자(活字尺).

tipotelégrafo *m.* 텔레타이프.

tipoy *m.* 《*Arg. Parag.*》 (빠라구아이의 인디오의) 긴 셔츠(camisa larga).

típula *f.* 【곤충】 모기의 일종 : La ~ no pica al hombre ni a los animales.

tique *m.* 《*Chile.*》 【식물】 대극과 식물.

tiquear *tr.* 《*Chile.*》(입장권에) 펀치를 넣다.

tiquet *m.* 《*Perú. PRico.*》 표, 입장권.

tiquete *m.* 《*AmérC. Col. Méx. PRico.*》 표, 입장권(billete, cédula).

tíquete *m.* 《*Cuba.*》 =**tiquete.**

tiqui *interj.* 《*Chile.*》 (반복하여) 닭을 부르는 소리.

tiquiar *tr.* 《*Arg.*》 놀려주다, 놀려대다.

tiquica *f.* 《*AmérC.*》【희언】 ticos의 지방 《Costa Rica의 것》.

tiquín *m.* 《*Filip.*》 노 대신에 필리핀의 토착민들이 자주 사용한 대 상앗대(bichero o vara de bambú).

tiquis miquis *m.pl.* =**tiquismiquis.**

tiquismiquis *m.pl.* ① 하찮은 일, 사소한 일 : pelear por ~ sin importancia 사소한 일로 싸우다. ② 공연한 걱정. ③ 짐짓 정중한 체하기.

tiquismo *m.* 《*AmérC.*》 Costa Rica의 방식.

tiquisque *m.* 《*CRica.*》【식물】 토란의 일종.

tiquistiquis *m.* 【식물】 무화과나무과 식물.

tiquizque *m.* 《*CRica.*》 =**tiquisque.**

tira *f.* ① 길쭉한 쪼가리, 토막 ; 끈 : una ~ de cuero. ② 【은어】 길 ; 덫(trampa). —*pl.* 《*Chile.*》 누더기. —*m.* ① 《*Arg. Col. Chile.*》 【은어】 경찰, 순경. ② 《*Perú.*》 시끌덤벙한·귀찮은 젊은 이들.

—*intrj.* ① 《*Arg.*》 이랴! 《마소를 앞으로 나가게 할 때 내는 소리》. ② 《*Col.*》 개를 쫓는 소리.

tirabala *m.* 딱총(taco).

tirabeque *m.* ① 완두. ② 《*Ál. Nav. Logr.*》 슬러트 머신.

tirabotas *m.* 【단·복수 동형】 장화를 신는데 쓰는 갈고리(gancho para calzar las botas).

tirabraguero *m.* 【의학】 헤르니아 탈장대.

tirabrasas *m.* 【단·부수 동형】 《*Ál. Albac.*》 부지깽이 《쇠막대》, 화젓가락.

tirabuzón *m.* [*fr.* tirebouchon] ① (코르크) 마개뽑이(sacacorchos). ② 똘똘 말린 머리칼.

sacar con ~ 강제로 입을 열게 하다, 자백하게 하다.

tiracabeza *f.* (외과용) 핀셋, 겸자(鉗子), 족집게.

tiracantos *m.* 【단·복수 동형】 상놈, 녀석(echacantos).

tiracol *m.* 칼을 차는 혁대(tahalí).

tiracuello *m.* =**tiracol.**

tiracuero *m.* 솜씨가 형편없는 구두 수선공.

tirachinos *m.* 《*Sev.*》 =**tirador.**

tirada *f.* ① tirar하는 일, 던지는 일, 쏘는 일. ② 동일, 간격 ; 기간 ; 거리. ③ 일련, 연속 : de una ~ 단숨에, 단번에. ④ ㄱ) 【인쇄】 인쇄 ; 출판·인쇄 부수, 판(版), 쇄 : ~ aparte 뽑아 인쇄하기. Este periódico tiene una enorme ~ 이 신문은 방대한 발행 부수를 가지고 있다. ㄴ) 하루 분의 인쇄량. ⑤ 《*Galic.*》 단편(斷片), 일절(一節). ⑥ 《*PRico.*》 속임수, 놀려주기.

tiradera *f.* ① (아메리카 인디오의) 던지는 화살(flecha larga) : La ~ se disparaba por medio de correas. ② (재목을 잡아 끄는) 사슬 고리. ③ 《*Chile.*》 스커트나 바지의 허리띠, 가죽끈(sufra).

tiradero *m.* (사냥꾼이 짐승을) 숨어서 기다리는 곳, 쏘는 곳.

tirado, da *adj.* ① 잡아당긴, 늘어뜨린 ; 길게 늘어난. ② 갈겨 쓴 : letra ~*da.* ③ 대할인 판매 ; 길쭉하면서도 나지막한 (배). —*m.* ① 금(oro)으로 줄을 만드는 일. ② 인쇄판 ; 인쇄, 판, 쇄.

tirador, ra *adj.* 쏘는. —*m.f.* ① 사수(射手); 투수(投手) : ~ de escopeta 엽총 사격수. Mi padre era buen ~ 내 아버님은 사격의 명수였다. ② 잡아 끄는 사람 ; 철사 만드는 직공 : ~ de oro 철사 제조인. ③ 인쇄공(prensista). —*m.* ① 잡아 끄는 도구 ; (문이나 서랍의) 손잡이, 문고리 ; (종치는) 당김 줄. ② 투석(投石)《도구》; 슬롯 머신, 줄치는 펜. ③ 《*Bol. Riopl.*》(가우쵸의) 가죽 혁대(cinturón de cuero). —*pl.* 멜빵(tirantes).

tirafondo *m.* 【방언】 슬롯 머신 ; Y자 모양의 이물(異物)을 꺼내는 데 쓰는 철사.

tirafuera *m.* 《*Ál.*》 투망 그물.

tiragomas *m.* 《*Sant. Sor.*》 ① 슬롯 머신. ② 나무에 고무줄을 묶어 만든 새총.

tiraje *m.* 《*Galic.*》 ① tirar하는 일 ; 잡아당기는 일 ; 견인 ; 던지는 일 ; 발사. ② 쇄(刷), 판(版), 인쇄 부수(tirada). ③【사진】프린트 ; 초점 거리.

tirajo *m.* [*desp.* tira] =**andrajo.**

tiralíneas *m.*【단·복수 동형】컴퍼스, 가막부리, 오구(烏口)《줄을 치는 데 쓰는 도구》.

tiramiento *m.* 발사, 사격.

tiramira *f.* ① 연결, 일련. ② 사이, 동안, 간격. ③ 길쭉하게 뻗은 산맥. ④ 염주처럼 꿴 것.

tiramollar *intr.*【선박】줄을 헐겁게 늦추다.

tirana *f.* 옛 서반아 민요의 일종.

tiranamente *adv.* 횡포스럽게, 폭군처럼, 포악스레, 포학하게.

tiranía *f.* [*gr.* turannia] 압제 정치, 폭정, 전횡 ; 횡포, 포학.

tiránicamente *adv.* 포악스레, 횡포스럽게, 겁을 주어.

tiranicida *adj.* 폭군을 살해한. —*m.f.* 폭군 암살자·살해자(el matador de un tirano).

tiranicidio *m.* 폭군 살해·암살.

tiránico, ca *adj.* ① 폭군 같은, 횡포의, 압제적인(tirano) : ley ~*ca.* ② 불가항력의 : Le cautivó su encanto ~ 그 불가항력의 매력이 그를 사로잡았다.

tiranización *f.* 폭정, 학정.

tiranizadamente *adv.* =**tiránicamente.**

tiranizar *tr.* ⑨ (…에) 폭정·학정을 자행하다, 못살게 하다 ; 압제하다, 폭정·학정을 하다(oprimir tiránicamente).

tirano, na *adj.* [*gr.* turannos] 전횡한 ; 포학한 ; 다루기 어려운. —*m.*【조류】아메리카산의 딱새. —*m.f.* 무리 ; 폭군 ; (그리스 역사에서) 참왕(僭王) ; 압제자 : Este niño es el ~ de la familia 이 아이는 우리 집의 폭군이다.

tiranosaurio *m.* 공룡, 파충류.

tiranosauro *m.* =**tiranosaurio.**

tirantas *f. pl.* 《*Col. Méx.*》 바지의 멜빵(tirante).

tirante *adj.* 팽팽해진, 긴장한, 긴박한(tenso) ; 위태로운, 위험한 : Las relaciones entre las dos potencias estaban ~*s* 두 강대국의 관계가 긴장되고 있었다.

—*m.* ① 잡아 끄는 물건, 매다는 물건 ; 예인차, 끄는 줄 ; 힘 넣기. ②【상업】수송. ③ 잇대는 재목, 방장(方杖) : ~ intermedio 목조 건물의 기둥에 댄 가로 나무. ④ (증기의) 증압판(增壓辦).

—*pl.* 바지의 멜빵 : Ponle al niño los ~*s* para que no se le caigan los pantalones 바지가 내려가지 않도록 어린이에게 멜빵을 메어 주어라.

tirantear *intr.* 《*Chile.*》 잡아 끌다, 당기다, 팽팽하게 하다.

tirantez *f.* ① 팽팽함, 긴장, 긴박 : ~ de las relaciones 긴박한 관계. ② 간격.

tirantilla *f.*【건축】겹도리.

tirantuelo, la *adj. dim.* tirano.

tirapié *m.* 제화공이 구두를 꿰맬 때 쓰는 끈(correa).

tirar *tr.* ① ㄱ) 던지다 : ~ el libro·el pañuelo. ㄴ) 내던지다, 집어 던지다(arrojar) : José *tiraba* piedras a Diego. ㄷ) 던져 버리다 : Este abanico está roto ; hay que ~lo 이 부채는 부서졌다 ; 던져 버려야 한다.

② 넘어뜨리다(derribar) : Los peones *tiraron* el poste 인부들이 기둥을 넘어뜨렸다.

③ 쏘다, 발포·발사하다, 쏘아 올리다 : ~ un cañonazo 포를 발사하다. ~ un cohete 꽃불을 쏘아 올리다. *Tiraron* fuegos artificiales al aire 공중에 불꽃을 쏘아 올렸다. ④ 팽팽하게 하다, 신장하다 ; 팽팽하게 당기다(estirar, extender) : ~ alambre.

⑤ 철사로 만들다 ; 철사를 팽팽하게 당기다 : El platero *tiró* el oro *en* hebras muy finas 금은 세공사는 금을 아주 가느다란 실처럼 늘어뜨렸다.

⑥ (선 등을) 긋다 : ~ paralelas 평행선을 긋다. El *tiró* una línea en el suelo 그는 땅바닥에 선을 그었다. *Tire* usted una línea recta 직선을 그으시오.

⑦ 낭비하다, 남김없이 써버리다(disipar) : *Ha tirado* su patrimonio·fortuna 유산·재산을 모조리 탕진했다.

⑧ 인쇄하다(imprimir) ; 발행하다(publicar) ; Esta prensa *tira* medio millón de ejemplares 이 신문은 50만부 발행하고 있다. ~ un periódico 신문을 인쇄하다.

⑨ [+신체에 가하는 해(害)를 나타내는 명사]…하다 : ~ un pellizco 꼬집다. ~ un mordisco 물어뜯다. ~ una coz 차다. El arriero *tiraba* coces al pobre burro 마부는 불쌍한 당나귀를 찼다.

⑩ 가지다, 벌다(adquirir) : ~ sueldo 급료를 받다.

⑪ 《*Col.*》 (무기 등을) 사용하다, 쓰다 : ~ el sable 칼을 사용하다.

⑫ 《*Cuba. Chile. Arg.*》 나르다, 운반하다(acarrear, conducir).

—*intr.* ① 발사·발포하다, 사격하다, 맞추다, 쏘다 : ~ al alto 높이 쏘아 올리다. ~ al blanco 과녁·표적을 쏘다. Me enseñó a ~ al blanco con pistola 그가 나에게 권총으로 과녁을 쏘는 법을 가르쳐 주었다. ~ al venado 사슴을 맞추다.

② [+de : …을] 끌다, 끌어당기다(atraer) ; 잡아당기다, 잡아 끌다(arrastrar) : ~ *de* una cuerda 밧줄을 잡아당기다. El caballo *tira del* coche 말이 마차를 끈다. El imán *tira del* hierro 자석은 철을 잡아 당긴다.

③ 잡아 뽑다(sacar) : *Tiró de* navaja 면도를 잡아 빼다. *Tiraré de* pluma y escribiré 펜을 꺼내 내가 쓰겠다.

④ 견인력이 있다, 마음을 끌다 : La patria *tira* siempre 조국은 항상 견인력이 있다. A Juan le *tira* la malicia 후안은 못된 방면에 끌리고 있다.

⑤ (굴뚝 등이 공기를) 뽑아들이다 : La chimenea *tira* bien 굴뚝은 연기를 잘 뽑아들인다.

⑥ [+a] 무기를 다루다 : José *tira* bien *a* la espada, pero mal *a* la pistola 호세는 칼솜씨는 좋으나 권총 솜씨가 신통치 못하다.

⑦ 구부러지다(torcer) : En llegando allí, *tire a·por* la derecha 그곳에 닿으면 오른쪽으로 꺾어지십시오.

⑧ 유지하다, 버티어 가다(durar, mantener) : El enfermo va *tirando* 환자는 그럭저럭 버티어 가고 있다. La capa *tirará* este invierno 이 외투는 이번 겨울 동안은 견디어 낼 수 있을 것이다.

⑨ ㄱ) [+a : …하는] 경향이 있다(tender, pro-

pender) : *Tira a* mejorar 좋아지는 것 같다. ㄴ) [+a : …색이] 돌다, …빛을 띠고 있다 : el azul que *tira a* verde 녹색이 도는 청색. ㄷ) …이 되려고 벼르고 있다 : Ese *tira a* ser diputado. ⑩ [+de : …] 척하다, 으시대다(presumir) : ~ *de* guapo 멋쟁이인 양 놀고 있다.
⑪ 닮아 있다 : La hija más bien *tira* a su padre 그 소녀는 오히려 아버지를 닮아 있다.
~se ① 몸을 던지다・던져 버리다(arrojarse). ② 덮치다, 습격하다, 뛰쳐 나가다, 덤벼들다(abalanzarse) ; 뛰어들다(arrojarse) : *Se tiró* al pozo 그는 샘에 뛰어들었다. ③ 쓰러지다, 고꾸라지다 : *Se tiraba* a*l* suelo·*en* la cama 땅바닥・침대에 쓰러졌다. ④《*Cuba.*》 도가 지나치다(propasarse).
a todo ~ 길어야, 기껏, 기껏하여, 고작, 고작해야 : El enfermo vivirá, *a todo* ~ un mes 그 환자는 기껏해야 한 달동안 살 것이다.
~ ***de·por largo*** 낭비하다 ; 높게・비싸게 보다.
tira y afloja 엄하게 했다가 또 늦추어 주었다가 ; 신중하게.
La cabra siempre tira al monte 【속담】 세 살 버릇 여든까지 간다 (염소는 언제나 산으로 가는 경향이 있다).

tirata *f.* 《*Col.*》 조소, 우롱, 야유(burla) ; 농담(broma) ; 속임수(engaño).

tiratacos *m.* 【단・복수 동형】 종이 딱총(taco, tirabala).

tiratira *f.* 《*Col.*》 =**melcocha.**

tiratiros *m.* 《*Ál. Nav.*》 【식물】 상추의 일종(colleja).

tiratrillo *m.* 《*Ar. Sor.*》 가운데 고리가 있는 작대기.

tirela *f.* 체크 무늬 천(tela listada).

tireta *f.* 《*Ar.*》 =**agujeta.**

tirica *f.* 작은 줄무늬 린넬.

tiricia *f.* 【의학】 황달. [*N.* ictericia의 사투리].

tirilla *f.* [*dim.* tira] ① (와이셔츠의 칼라에 대는) 깃. ②《*Chile.*》 누덕누덕 꿰맨 옷, 넝마(andrajo).

tirillento, ta *adj.* 《*Chile.*》 누덕누덕한, 누더기를 걸친.

tirintio, tia *adj.m.f.* 띠린또 《Tirinto, 옛 그리스의 도시》의 (사람).

tirio, ria *adj.* 티로 《Tiro, 고대 페니키아의 도시 ; 시리아의 도시》의. **—***m.f.* 티로 사람.
~s y troyanos 반대 당원, 적과 동지.

tirisuya *f.* 《*Perú.*》【음악】 =**chirimía.**

tirita *f.* 1회용 반창고 : caja de ~*s* 반창고 한 갑.

tiritaña *f.* [*fr.* tiretaine] ① (옛날의) 양모나 실크천. ② 사소한 일, 덧없는 것(cosa de poca importancia).

tiritar *intr.* (추위・흥분 따위로) 와들와들・후들후들 떨다(temblar de frío) : ~ de frío 추위로 덜덜 떨다.

tiritera *f.* (추위 따위로) 와들와들 떨림.

tiritón, na *adj. m.* 와들와들 떨리는. **—***m.* 오한, 전율 ; 몸서리.
dar tiritones 와들와들・후들후들 떨다(tiritar).

tiritona *f.* 일부러 몸을 떠는 일.

tiro *m.* ① tirar하는 일, 던지는 일, 투척, 내던지기. ② ㄱ) 발사, 발포 : un ~ de fusil. ㄴ) 사격 : ~ indirecto 간접 사격. ~ rasante 수평 사격. ㄷ) 총격, 총성, 일발 : Dio un ~ 한 방 쏘았다. derribar *a* ~*s* 격추하다. de un ~ 한 방으로. ㄹ) 자국, 탄흔 ; 겨냥, 표적 ; 화약의 1회량・1발분. ③ 화기, 총포, 포문. ④ 사정(射程), 사정거리, 탄환・화살・던진 돌의 닿는 거리 : a un ~ de bala 한 사정 거리에. Dista un ~ de piedra 돌을 던지면 닿을만한 거리가 된다. ⑤ 사격장 ; 시합장 : el ~ de pistola·de gallo. ⑥ 끄는 일, 잡아당기는 일, 잡아 끄는 일 : caballo de ~ 끄는 말. ⑦ (두 필・세 필이 한 짝이 되어) 끄는 말. ⑧ (굴뚝 등의) 공기를 빨아 들이는 상태, 끌기. ⑨ (마차 등을) 끄는 가죽 끈(tirante). ⑩ (직물의) 길이, 키 ; (옷의) 몸너비 ; (바지의) 너비 ; 여유. ⑪ (층계의) 한 구획(tramo) ; (광산에서) 수직갱 ; 그 깊이. ⑫ (육체적・정신적인) 타격, 상처. ⑬ 야유, 조롱, 조소, 우롱(chasco, burla) ; 빗댐. ⑭ 도둑질, 사취(robo, hurto) : Le hicieron un ~ de mil pesetas 그는 1000뻬세따를 도둑맞았다. ⑮ *pl.* (칼의) 멜끈. ⑯ *pl.* 《*Arg.*》 바지의 멜빵(tirantes). ⑰《*AmérC.*》 산에서 벌목한 나무를 끌어 내리는 길. ⑱《*Chile.*》 넌지시 비추기, 속셈(indirecta) ; (말의) 단번에 뛰어가는 거리. ⑲《*Méx. Perú.*》 유리 구슬.
a ~ ① 사정 내에, 화살이 닿는 거리에, 손이 닿는 곳에 : Si se pone *a* ~, le hablaré del asunto 그가 말을 들을 기분이 되어 있다면, 내가 이 일을 그에게 말하겠다. ②《*Can.*》 곧, 즉시(inmediatamente).
a ~ ***de*** 《*Col. PRico.*》 …할 때에・점에(a punto de).
a ~ ***hecho*** 조준에서 벗어나지 않게; 일부러, 고의로.
a todo ~ 《*Venez.*》 시시각각.
al ~ 《*AmérC. Col. CRica. Chile.*》 즉시, 곧, 즉각(inmediatamente).
de a ~ 《*Méx.*》 완전하게, 결과적으로(por consecuencia).
de ~s largos 성장하여(vestido de gala) ; 호사하게.
del ~ ① 따라서 ; 결과로서. ②《*Venez.*》 완전하게. ③《*Guat.*》 일시에, 한꺼번에(de golpe).
ni a ~s 화살 아니라 총으로 라도, 단연코 (않다).
errar el ~ 목표가 어긋나다, 겨냥이 빗나가다.
hacer ~ 노리다, 겨냥하다(apuntar) ; 바라다(desear).
hacer un ~ 단발 사격하다・때리다.
salir**le a uno **el ~ ***por la culata*** 바라던 것과 반대의 결과가 되다(dar una cosa resultado contrario del que se deseaba).

tirocinio *m.* 수업 시절, 견습(aprendizaje).

tiroideo, a *adj.* 【해부】 갑상선의.

tiroides *adj. m.* 【해부】 갑상선(의).

tiroiditis *f.* 갑상선염.

tirolés, sa *adj.* 티롤 《el Tirol, 중부 유럽의 한 지방》의. **—***m.f.* ① 티롤 사람. ② 철물상.

tirón *m.* ① 잡아당김 : dar un ~ de orejas 귀를 잡아당기다. ② 신장(伸張)(estirón). ③ 도제(徒弟)(aprendiz).
de un ~ 단숨에, 한번에(de una vez).
ni a dos·tres ~es 단번에・소소한 노력으로는 (안 된다).

ganar el ～《*Arg.*》 선수를 치다.

tirona *f.* 거치망, 예인망.

echar por la ～《*Venez.*》 재산을 낭비하다·탕진하다.

tironear *tr.* 《*Amér.*》 (마구) 잡아 끌다(dar tirones).

tiroriro *m.* 피리 소리의 의성어. —*pl.* 피리.

tirotear *tr.* 쾅쾅 쏘다·사격하다(disparar repetidos tiros).

～se (총 등을) 서로 쏘아 대다; 입씨름하다.

tiroteo *m.* 서로 쾅쾅 총질하기, 총격전, 총소리.

tirreno, na *adj.* 티레노해《이탈리아 반도·시실리아·코르시카·사르디니아 섬을 에워싼 바다》의(etrusco).

tirria *f.* 악감정, 혐오, 증오, 원한(odio, ojeriza)：tener ～ a uno.

tirso *m.* [*lat.* thyrsus] ① 주신(酒神)(Baco)이 가지고 다녔다는 가지가 달린 지팡이. ②【식물】밀추화(密錐花), 화방.

¡tirte! *interj.* 【고어】 =**quítate, retírate**：～ allá.

¡～ afuera !, ¡～ allá! 안돼！, 안돼！; 저리 치워！《배척·부인》.

tirulato, ta *adj.* =**turulato.**

tirulo *m.* 궐련의 속잎.

tisana *f.* [*lat.* ptisana] 달인 탕제·탕약：～ vermífuga 구충제.

tisanuro, ra *adj. m.* 【동물】 탄미류의 (벌레). —*m.pl.* 탄미류(彈尾類).

tischar *tr.* 《*Bol.*》 =**tincar.**

tiseras *f.pl.* 【고어·방언】《*Amér.*》 가위(tijeras).

tísica *f.* 폐결핵, 결핵증.

tísico, ca *adj.* 폐병의. —*m.f.* 폐결핵 환자.

tisiología *f.* 결핵학.

tisiológico, ca *adj.* 결핵학의.

tisiólogo, ga *m.f.* 결핵 전문 의사.

tisis *f.* [*gr.* phthisis]【단·복수 동형】 폐병, 폐결핵：～ galopante.

tiste *m.* 《*AmérC. Méx. Venez.*》 볶은 옥수수 가루·카카오·설탕을 넣어 만든 초콜릿의 일종.

tisú *m.* 금실이나 은실로 짠 비단천.

tisuria *f.* 【의학】 이뇨 과다(利尿過多).

tít. título.

titán *m.* [*lat.* Titan] ① 타이탄신《그리스 신화에서, 「하늘」과 「땅」 사이에서 태어난 6남 6녀 가운데 한 사람; 산을 쌓아 올려 하늘에 오르려다 실패했다는 사람》. ② 거인, 천하 장사(gigante). ③ 대형 기중기.

titanato *m.* 【화학】 티탄 염산.

Titania *f.* 북 유럽 신화에서 Oberón의 아내, 요정의 나라 여왕.

titánico, ca *adj.* titán 신의·같은; 거인 같은, 거대한, 터무니없는, 실현성이 없는：orgullo ～ 터무니없는 자부심. empresa ～*ca* 터무니없는 회사. Sinón. gigantesco.

titanio, nia *adj.* =**titánico.** [*N.* titánico를 더 많이 사용함]. —*m.* 【화학】 티탄, 티타늄《금속 원소》.

titano *m.* =**titanio.**

titanosaurio *m.* 공룡의 일종.

titar *intr.* 《*Sal.*》 오리·물오리가 울다.

titear *tr.* 《*Arg. Bol. Urug.*》 놀려대다, 놀려주다, 빈정거리다(burlarse, tomar el pelo).

titeo *m.* 《*Arg. Bol. Urug.*》 놀려대기, 빈정거리기, 조롱, 조소(burla).

títere *m.* ① 꼭두각시; 허수아비, 얼간이. ② 망령스러운 고집, 집념. ③《*Cuba.*》【조류】 댕기물떼새(frailecito). —*pl.* 곡예(diversión pública de volatines).

echar los ～s a rodar 공공연하게 절교하다.

no dejar·quedar ～ con cabeza 완전히 못쓰게 하다·되다.

titerero, ra *m.f.* =**titiritero.**

titeretada *f.* 어리석은 짓(necedad).

titerista *m.f.* =**titiritero.**

tití *m.* 【동물】 (남 아메리카산의) 비단 원숭이：El ～ es tímido y bastante fácil de domesticar.

Tití *hip.* Matilde.

titiaro *adj.* 작은 바나나의：plátano ～ 작은 바나나의 일종.

Titicaca (el lago) 【지명】 띠띠까까 호수《Perú와 Bolivia에 속하는 큰 호수; 해발 3,856 미터에 있고, 면적이 6,900㎢에 이름》.

titicana *f.* 【식물】(아메리카의) 냄새가 고약한 등나무.

titilación *f.* titilar 하는 일.

titilador, ra *adj.* =**titilante.**

titilante *adj.* (불빛이) 아른거리는, 반짝이는：un cuero ～.

titilar *intr.* [*lat.* titillare] (몸의 일부·빛이 가늘게) 떨리다：Las estrellas *titilan*.

titilear *intr.* =**titilar.**

titileo *m.* =**titilación.**

titímalo *m.* 【식물】 등대풀 속의 식물(lechetrezna).

titímico, ca *adj.* 《*Guat.*》 =**achispado, ebrio.**

titipuchal *m.* 《*Méx.*》 많음(abundancia).

titiribí *m.* 《*Col.*》【조류】 홍관조(cardenal).

titirimundi *m.* 요지경(mundonuevo, tutilimundi).

titiritaina *f.* 피리 소리; 야단 법석, 북새통(bulla).

titiritar *intr.* (공포·추위로) 떨다(tiritar).

titiritero, ra *m.f.* 인형극의 조종사, 곡예사(volatinero).

tito *m.* ①【식물】 흰 완두(almorta). ② 요강. ③【방언】 완두(guisante); 과일의 씨; 까마귀 완두(yero). ④ 병아리.

tít.º título.

Titono *m.* 【신화】 Aurora의 남편으로 매미가 된 사람.

titubante *adj.* 주저하는, 망설이는.

titubar *intr.* [드뭄] =**titubear.**

titubeante *adj.* 흔들거리는, 비틀거리는, 어물거리는, 우유부단한, 주저하는, 망설이는.

titubear *intr.* [*lat.* titubare] ① 너울거리다, 비틀거리다(oscilar, tambalearse). ② 어물거리다, 주저하다, 망설이다(vacilar, dudar, no saber qué hacer). ③ 말을 더듬거리다：El testigo contesta sin ～ 증인은 더듬지 않고 대답한다.

titubeo *m.* titubear하는 일.

titulación *f.* 이름 붙이기：la ～ de los capítulos de un libro.

titulado, da *adj.* ① 직함·학위·작위·(군의) 계급이 있는. ② (…으로) 제목·칭호를 붙

인 : Le recomiendo un libro ~ "Historia del Cristianismo" 나는 기독교 역사라는 제목이 붙은 책을 권장한다. ③《*Amér.*》 가상의(pretenso, supuesto).

—*m.f.* 직함이 있는 사람(el que tiene un título). *profesor* ~ 전임 교수 : Ese señor es *profesor* ~ de esta asignatura 그 분은 이 학과목의 전임 교수이다.

titular¹ *adj.* ① 직함·칭호·학위·작위가 있는. ② 제목·명목으로 되는 ; 전임·본직·전속의 : médico ~ 전속 의사. ③ 제목·표제의.

—*f.* 표제·표제용 대문자 활자 ; 표제.

titular² *tr.* [*lat.* titulare] [+de : …의] 직함·칭호·작위를 주다 ; 제목을 붙이다, 이름을 붙이다(poner un título). —*intr.* 작위를 수여받다, 직함·학위를 받다(obtener un título nobiliario).

titularidad *f.* 직함, 칭호.

titularizar *tr.* 《*Neol.*》 직함을 주다.

titulillo *m.* [*dim.* título] ① 예쁜 제목. ② (각 페이지 위에 인쇄된) 제명(題名).

andar en ~s 시시한 일에 신경을 쓰다.

titulizado, da *adj.* 표제·제목이 붙은 ; 칭호가 붙은.

título *m.* [*lat.* titulus] ① 표제, 타이틀, 제명, 서명(書名) ; 명칭 : ~ mundial 세계 타이틀. ¿Cuál es el ~ ? 제목이 무엇이냐? ② (법조문을 세분한) 장·편. ③ ㄱ) 직함, 칭호, 작위 : Tiene los ~*s* de abogado y doctor en Letras 그는 변호사 자격과 문학 박사의 직함을 가지고 있다. Tiene el ~ de licenciado 그는 학사 칭호를 가지고 있다. ㄴ) 작위가 있는 사람. ④ 명목, 명의, 구실, 이유. ⑤ 자격, 권리 : a ~ de …의 자격으로. sin ~ 자격이 없이 ; 혼자서 실력을 닦은. ⑥ 금위(金位)《금의 순도》. ⑦ 자격증, 면허증 : ~ de privilegio 특허증. ⑧ [주로 *pl.*] 유가 증권 ; 공채, 사채(社債), 공채 증서, 지(가증)권, 채권, 주권. ⑨ 구수(口數), 필수(筆數). ~ *al portador* 무기명 채권·증권, 지참인 지불 채권·증권, 이자부 공채. ~ *de acción* 주권(株券). ~ *de ahorro* 저축 채권. ~ *de crédito* 신용 증권, 채권, 사채(社債). ~ *de deuda* 채권, 사채 ; 국채, 공채, 공채 증서. ~ *de la cuenta* 계정 과목. ~ *de privilegio* 특허증. ~ *de renta fija* 확정 이자부 증권. ~ *de renta variable* 보통주. ~ *de tradición* (선하 증권·창고 증권 등의) 권리 증서. ~ *de valores* 유가 증권. ~ *del estado* 국채. ~ *diferido* 거치 지불·채권. ~ *ferroviario* 철도주. ~ *hipotecario* 담보부 채권. ~ *negociable* 주권 ; 유통·유가 증권. ~ *nominativo* 기명·등록 사채(社債), 기명 증권·채권. ~ *privilegiado* 우선주. ~ *provisorio* 주권 인환서. ~ *reembolsable* 상환 채권. ~ *translativo de dominio* 양도 증서.

a ~ de ① …의 명목·구실로 : Va tarde a la oficina *a ~ de* que le pagan poco 급료를 적게 준다는 이유로 그는 사무소에 늦게 나간다. ② …로서 : *a ~ de* prueba·ensayo 시험으로서. *a ~ de* información 비공식으로. Se le llamaba *a* justo ~ el Libertador 그를 해방자로 부른 데는 정당한 이유가 있었다.

tiufado *m.* 비시고도군의 천인 대장(千人隊長).

tiuque *m.* ①《*Chile.*》 맹금의 일종. ②《*Chile.*》 속이 검은 사람, 교활한 사람.

tiza *f.* ① (흑판용·제봉용·당구의 큐에 쓰는) 쵸크, 백묵, 분필 : ~ para sastre 재단사용 백묵. La ~ sirve para escribir en los encerados 분필은 흑판에 글을 쓰는데 사용된다. ② 불에 구운 사슴 뿔(asta de ciervo quemada).

tizana *f.* 《*Guad.*》 =**zaragalla, cisco.**

tizar *tr.* ⑨ 《*Chile.*》 선·그림을 그리다, 스케치하다, 본을 뜨다(diseñar).

tizate *m.* 《*AmérC. Méx.*》 =**tiza.** [Sinón.] gis.

tizna *f.* 먹 ; (잉크나 검댕 등으로 생긴) 때.

tiznado, da *adj.* 《*AmérC.*》 취한(borracho).

tiznadura *f.* 더럽히는 일, 검어지는 일 ; 때.

tiznajo *m.* =**tizón, mancha, suciedad.**

tiznar *tr.* (…에) 먹·숯 검정을 묻히다(entiznar) ; 검게 하다 ; 더럽히다(manchar) ; 상처를 주다(deslustrar).

~se ① (주로 검게) 더러워지다 : *Se tiznó* su reputación por su conducta 그의 행위로 명성이 더러워졌다. ② 《*AmérC. Arg.*》 =**embriagarse, emborracharse.**

tizne *m.* (*f.*) 숯 검정 ; 그을음 ; 불에 타다 남은 것(tizón).

tiznón *m.* ① 그을음 : hacerse un ~. ② 때.

tizo *m.* 불이 붙은 숯 ; 타다 남은 것.

tizón *m.* ① 타다 남은 것, 타다 남은 작대기. ② 흠, 오점(汚點)(mancha). ③【식물】 흰가룻병 병균, 노균 병균(露菌病菌).

a ~ 길죽하게, 세로로 (늘어 놓아)(a soga).

tizona *f.* 검(劍), 칼(espada, sable). [*N.* 엘시드의 유명한 칼의 이름에서 유래됨].

tizonada *f.* ① tizón으로 때리기. ② 지옥에서의 화형.

tizonado *m.* =**tizonada.**

tizonazo *m.* =**tizonada.**

tizoncillo *m.* [*dim.* tizón] ① 타다 남은 작은 석탄 부스러기. ②【식물】 흰가룻병 병균, 노균 병균(露菌病菌)(tizón).

tizonear *intr.* 불길이 오르게 하다(atizar la lumbre).

tizonera *f.* (타다 남은 나무를 모아 숯으로 만드는) 타다 남은 장작 더미.

tizonero *m.* 부지깽이.

tlaco *m.* 옛날 멕시코 동화(銅貨)의 일종.

tlaconete *adj. m.f.* 《*Méx.*》 땅딸보(의).

tlacopacle *m.* 《*Méx.*》 =**aristoloquia.**

tlacote *m.* 《*Méx.*》 종기, 부스럼(divieso, furúnculo).

tlacoyo *m.* 《*Méx.*》 부침개·빈대떡의 일종(tortilla grande de frijoles).

tlacuache *m.* 《*Méx.*》【동물】 캥거루과에 속하는 동물의 일종(zarigüeya).

tlachique *m.* 《*Méx.*》 발효하지 않고 용설란으로 빚은 술(pulque sin fermentar).

tlalchichol *m.* 《*Méx.*》 구멍가게(tenducho).

tlancuino, na *adj.* 《*Méx.*》 =**mellado.**

tlapa *m.* 《*Méx.*》 =**ricino.**

tlapalería *f.* 《*Méx.*》 화장품점.

tlascalteca *adj.* 뜰라스깔라 《Tlascala, 멕시코의 주·도시》의. —*m.f.* 뜰라스깔라 사람.

tlaspi *m.* 【식물】 =**carraspique.**

tlaxcalteca *adj. m.f.* 뜨락스깔라 《Tlaxcala, 멕시코에 있는 주·도시》의 (사람).

tlazol *m.* 《*Méx.*》(소·말의 사료로 쓰는) 사탕수

수·옥수수의 끝 잎.

tlazole *m.* 《*Méx.*》 =**tlazol.**

t/no. talón número 수표장 번호.

T. N. T. trinitrotolueno 고성능 폭약 이름.

t.º tomo.

¡to! *interj.* ① [ito!, ito!하고 되풀이 하여] 개를 부르는 소리. ②【방언】아, 그랬었지 (하고 잊었던 일을 생각해내다); 저런 (하고 느끼는 기이감).

toa *f.* 《*Amér.*》 배를 끄는 밧줄(maroma).

toalla *f.* ① 타월, 수건 : ~ afelpada 보풀이 긴 타월. ~ sin fin 둥그렇게 끝이 없이 연결된 타월. ~ sanitaria 월경대, 생리용 냅킨. ② 시트. *tirar la* ~ ①【권투】(패배의 자인으로서) 수건을 (링 안에) 던지다. ② 패배를 인정하다, 항복하다.

toallero *m.* 수건걸이.

toalleta *f.* [*dim.* toalla] ① 작은 타월. ② 냅킨 (servilleta).

toar *tr.* 예항(曳航)·예인하다(atoar).

toast *m. ing.* =**brindis** : decir un ~.

Tob. Tobías.

toba *f.* ① 이똥, 치석(齒石)(sarro). ② (어떤 물건의 표면에 생긴) 껍질. ③【광석】응회암. ④【식물】지느러미 엉겅퀴(cardo borriquero).

tobaja *f.*【고어】《*And.*》 =**toalla.**

Tobal *hip.* Cristóbal.

Tobalito *hip.* Cristóbal.

toballa *f.* =**toalla.**

toballeteta *f.* =**toalleta.**

tobar *m.* 응회암(凝灰岩)의 채석장. —*tr.* 《*Col.*》 배를 끌다(toar, remolcar un barco).

tobelleta *f.* =**toalleta.**

tobera *f.* (용광로의) 통풍관, 풍구(風口).

tobiano, na *adj.* 《*AmérM.*》 두 색깔의 얼룩 무늬가 있는 (말)(tubiano).

Tobías *m.*【성서】구약 성서의 외경 중의 한 편.

tobillera *adj. f.* 어른 옷을 입기에는 아직 어린 (소녀); 무릎 받침 《운동 용구》.

tobillo *m.* 발목, 복사뼈.

tobo *m.* 《*Venez.*》 통(balde, cubo).

tobogán *m.* 썰매 : El ~ se usa mucho en los Estados Unidos, en Canadá y en Suiza.

toboggán *m. ing.* =**tobogán.**

toboseño, ña *adj.* 또보소 《el Toboso, 서반아 중부 la Mancha의 시골》의. —*m.f.* 또보소 사람.

toboso, sa *adj.* 응회암(질)의.

toca *f.* [*celt.* toc] 두건, (간호원·수녀 등의) 모자. —*m.f.* 《*CRica.*》 동명 이인(同名異人).
—*pl.* (미망인이나 유자녀에게 주는) 조위금, 유가족 수당.
a ~ *teja* 현금으로 (지불하다).

tocable *adj.* 만져 볼 수 있는.

tocadiscos *m.*【단·복수 동형】레코드 플레이어; 전축; 유성기. **Sinón.** gramófono.

tocado, da *adj.* [tocar의 *p.p.*] ① 닿는, 만지는, 느낀. ② 더럽히는, 오염된, ③ 《*Val. Arg.*》 = **chiflado.** —*m.* ① 화장; 머리 묶기, 머리 장식. ② 《*Galic.*》 복식, 의상(vestidos, atavíos).

tocador, ra *m.f.* 연주자, 탄주자, 취주자 : ~ de guitarra 기타 연주자(guitarrista). —*m.* ① 경대, 화장대; 화장하는 방; 화장 상자(neceser) : juego de ~ 화장 세트. ② 펠트 모자. ③ 두건.

tocadorcito *m. dim.* tocador.

tocadura *f.* ① 머리 땋기·묶기; 조발(調髮); 펠트 모자(tocado). ② 《*Ar.*》 =**matadura.**

tocamiento *m.* 만지는 일, 촉지, 접촉; 영감.

tocante *adj.* ① 닿는, 만지는, 스칠듯 말듯한. ② 《*Galic.*》 감동적인(conmovedor).
~ *a, en lo* ~ *a* …에 관하여·에 대해서는(respecto a, en cuanto a) : No hemos hablado nada ~*al* sueldo 봉급에 관해 우리들은 아무 말도 하지 않았다.

tocar *tr.* [7] [*ital.* toccare; *fr.* toucher]
① ㄱ) (…에) 닿다, 만지다 : ~ un objeto con el dedo 손가락으로 물건을 만지다. ㄴ) 접촉하다, (…에) 닿다(alcanzar); 접촉시키다 : ~ el hierro *con* el imán 자석을 쇠에 닿다. ~ al techo *con* el bastón 막대기를 지붕에 닿다.
② (어떤 화제에) 언급하다, 문제로 삼다.
③ 만져 보다, (두들겨 소리로) 알아보다; 시금석(試金石)으로 조사하다 : ~ una joya.
④ (짐작이나 경험으로) 미루어 보다, 알다 : *Tocó* los resultados de su imprevisión.
⑤ ㄱ) (악기를) 치다, 켜다, 연주하다, 타다 : ~ de oído 악보없이 연주하다. ~ el piano·la guitarra 피아노·기타를 연주하다. ㄴ) (피리를) 불다; (알리기·집합시키기 위해) 종·나팔·방울·북 같은 것을 치다·울리다 : ~ llamada 집합의 종을 치다. ~ la diana 기상 나팔을 불다.
⑥ (그림에) 붓칠하다.
⑦ 자극하다, 느끼게 하다, 마음에 닿다 : Le *tocó* Dios en el corazón.
⑧ (배가 해저에) 닿다.
⑨ (누구의) 머리를 빗어 주다, 이발시키다, 화장을 해주다.
⑩【은어】속이다, 사기를 치다(engañar).
—*intr.* ① 만지다, 접촉하다, 이르다, 달하다 : *Toca en* los límites de lo imposible 불가능의 한계점에 달하다.
② (추첨에서) 당첨되다, (차례에) 맞다; (순번이) 되다 : *Tocaba a* Lola repartir el pan 롤라가 빵을 나누어 줄 차례였다. A mí me *toca* limpiar nuestro cuarto 우리 방의 청소를 하는 순번이 나에게 돌아왔다. Le *tocó* el turno de repartir el pan 빵을 나누어 줄 차례가 그녀에게 돌아왔다.
③ (무엇을 할) 시간이 되다 : ~ a pagar.
④ 속하다, 소속하고 있다(pertenecer, corresponder) : Esto no me *taca* a mí 이것은 내가 관여할 일이 아니다.
⑤ 《*Galic.*》 관계가 있다(interesar) : en *tocando a,* por lo que *toca a* …에 관하여.
⑥ 일가 친척 사이다 : José no me *toca* nada 호세는 나와 일가 친척이 아니다.
⑦ (도중에서) 기항하다, 착륙하다 : ~ *en* un puerto 항구에 기항하다. Este barco no *tocará en* Veracruz 이 배는 베라끄루스에는 들리지 않을 것이다.
⑧ (알리기·집합시키기 위해, 종·나팔이) 울리다 : La campana *tocaba* a muerto 사람의 죽음을 알리는 종이 울리고 있었다.
⑨ [+en : …에] 이웃하고 있다 : Su ingenuidad *toca en* tontería 그의 순진성은 바보에 가깝다.
~se 접촉하다, 닿다; 만지다; 이발하다; 화장

하다 ; (모자 등을) 쓰다.
～ *de cerca* 가까운 친척이다 ; (무엇에 대해) 잘 알고 있다. Es un asunto que me *toca de cerca.*
～ *a la puerta* 문을 두들기다・녹크하다.
tocárselas 도망치다(huir, largarse).
estar tocado (질병의) 증세가 있다 ; 썩어・상해 가고 있다.
[직설법 부정과거 1인칭 단수 : toqué. 접속법 현재 : toque, toques, toque, toquemos, toquéis, toquen].

tocario, ria *adj. m.f.* (우리 시대 최초에 중앙 아시아에 살았던) 주민(의). —*m.* 그들이 사용한 인도 유럽어.

tocarse *r.* (어떤 옷으로) 머리를 덮다.

tocasalva *f.* 컵 쟁반(salvilla).

tocata *f.* [*ital.* toccata] ①【음악】토카아타《피아노 등에서 손가락 훈련을 위한 곡》. ② 구타(zurra, paliza) : dar una buena ～.

tocateja (a) *adv.* 현금으로.

tocatoca *f.* 《*Chile.*》 공 던지기 《놀이》.
al ～ 《*Méx.*》 현금으로, 현찰로.

tocatorre *f.* 《*Ál.*》 =**juego del marro.**

tocay *m.* 【동물】(꼴롬비아산의) 원숭이의 일종.

tocayo, ya *m.f.* 같은 이름을 가진 사람, 동명이인 : ¡Qué casualidad! ¡Somos ～*s*! 우연의 일치이군요. 우리는 이름이 같군요. Tu hermana es mi ～*ya* 너의 여동생은 나와 이름이 같다.

toche *m.* ① 《*Col.*》【조류】 =**cacique.** ② 《*Col.*》 뱀의 일종.

tochedad *f.* 촌스러움, 투박한(tosquedad).

tochimbo *m.* 《*Perú.*》 용광로의 일종.

Tochimilco 【지명】또치밀꼬《멕시코의 도시》.

tocho, cha *adj.* ① 투박한, 촌스러움(grosero, tosco, necio). ② 《*Chile.*》 며느리발톱을 자른 (투계), 엄지손가락을 잘린 (사람). —*m.* ① 철의 연봉(延棒)(barra de hierro); 벽돌. ②【방언】 통나무, 몽둥이, 곤봉(palo redondo).

tochuelo *adj. dim.* tocho.

tochura *f.* 《*Sant.*》 =**tochedad.**

tocía *f.* 불순 산화 아연(不純酸化亞鉛)(atutía).

tocinera *f.* (베이컨을 만드는) 널.

tocinería *f.* ① 베이컨 가게. ② 《*Méx.*》 푸줏간, 정육점(carnicería).

tocinero, ra *m.f.* 베이컨 상인・제조자.

tocino *m.* ① 돼지의 비계살 ; 절인 돼지고기 : ～ saladillo 얇게 썰어 소금에 절인 고기. ② 베이컨(～ entreverado) : ～ ahumado 훈제 베이컨.

tocio, cia *adj.* 작은, 관목성의 : roble ～.

toco, ca *m.f.* 동명 이인. —*m.* ① 《*Arg.*》 조각, 단편(pedazo). ② 《*Bol.*》 변변치 못한 걸상. ③ 《*Perú.*》(잉카의 사원의) 벽감(hornacina). ④ 《*Venez.*》(팔・다리의) 잘린 밑둥(muñón, tocón).

tococo *m.* 《*Col.*》 =**tocotoco.**

tocoferol *m.* 토코페롤.

tocología *f.* 산과 의학(産科醫學)(obstetricia).

tocólogo, ga *m.f.* 산부인과 의사.

tocolotear *intr.* 《*Cuba.*》 카드의 패를 떼다.

tocomocho *m.* 《*Arg. Col.*》 위조 복권.

tocón, na *adj.* ① 《*Amér.*》 꼬리가 없는(rabón). ② 《*PRico. Venez.*》 뿔이 없는. —*m.* 그루터기 ; 팔・다리의 절단되고 남은 부분(muñón).
—*m.pl.* 《*Ant.*》(수염을 깎고 난 자리에 다시 나기 시작한) 까끄라운 수염.

tocona *f.* 커다란 나무 그루터기.

toconal *m.* 여기저기 그루터기가 많이 박혀 있는 곳 ; 새싹이 나기 시작한 올리브밭.

tocorno *m.* 《*Ál.*》 전정이 잘못된 떡갈나무.

tocororo *m.* 【조류】또꼬로로《꾸바산 딱다구리의 일종》.

tocotín *m.* 고대 멕시코의 무용・곡.

tocotoco *m.* 《*Venez.*》 =**pelícano.**

tocte *m.* 【식물】남미산 호도의 일종.

tocuyo *m.* 《*AmérM.*》 결이 곱지 못한 무명의 일종《뻬루에서 주로 만들어짐》.

todabuena *f.* 【식물】고추나물.

todasana *f.* =**todabuena.**

todavez *adv.* 《*Galic.*》 …할 때는 언제나 ; 설사 그렇다 하더라도.

todavía *adv.* ① 아직, 지금까지(aún) : Está durmiendo ～ 아직도 자고 있다. No ha llegado ～ 아직 오지 않았다. *Todavía* ella está tocando el piano 그녀는 아직도 피아노를 치고 있다. *Todavía* no he almorzado 나는 아직 점심을 먹지 않았다. ② 그래도(con todo eso) : Es ingrato, pero ～ le quiero 그는 은혜를 모르는 사람이다, 그래도 나는 그를 좋아한다. Es malo pero ～ lo quiero 그는 나쁜 사람이지만 그래도 그를 사랑한다. He trabajado más que nadie y ～ me riñe 나는 어느 누구보다도 일을 많이 했는데도 오히려 그는 나를 나무란다. ③ [비교어의 앞에서 강조적으로] 훨씬 더 : José es ～ más aplicado que Juan 호세는 후안보다 훨씬 더 근면하다. Nicola es ～ más guapa que Berta 니꼴라는 베르따보다 훨씬 더 예쁘다.

todero, ra *adj.* 《*Venez.*》 모든 것에 쓰이는.

todi *m.* 【조류】(서 인도 제도산) 벌잡이 부치새류의 새.

todía *adv.* 【고어】 =**siempre.**

todito, ta *adj.* [*dim.* todo] [강조적으로 쓰임] 모든 : Se ha pasado ～*ta* la noche llorando 밤새껏 울음으로 지샜다, 하룻밤을 눈물로 세웠다.

todo, da *adj.* [*lat.* totus] ① [명사의 앞에, 관사・소유 형용사가 있으면 그 앞으로 나옴] 온갖, 모든, 순전한, 전… : ～ el día 온종일, 하루종일. ～*s* los días 매일. *toda* la ciudad 온 시내. *todas* las ciudades 모든 도시들. *todas* sus casas 그의 소유로 된 집 전체.
② [뒤에 붙으면 강조적으로] 전체로서, 숫제 : Este pez ～ es espinas 이 생선은 숫제 뼈밖에 없다.
③ [～ +부정 관사+명사] 마치 하나의, 완전한 : Su vida es *toda una* novela 그의 일생은 마치 한 편의 소설이다. Eres ～ *un* hombre 너도 이제는 버젓한 어른이다.
④ [+무관사의 단수 명사] 어느 것이나, 저마다의(cada) : ～ delito 죄라는 것은 어느 것이나. *toda* mujer 여자는 누구나. de *toda* clase 모든 종류의. *Todo* día trae sus penas 그날 그날에 괴로움이 있다. Trataban de evitarles *toda* molestia 그들의 괴로움은 어느 것이나 다 없애주려고 하고 있었다.
⑤ [+무관사인 복수 명사] de ～*s* modos 아무튼, 무슨 수를 써서라도, 모든 수단을 다 써서. en・por *todas* partes 사방에・으로, 모든 곳에・

으로.
⑥ [+추상 명사] 완전하게 : con *toda* puntualidad 완전히 시간을 정확히 지켜. a ~ correr 전속력으로 달려. a *toda* velocidad 전속력으로. Era una mujer ~ corazón 그녀는 전신이 감정으로 뭉친 여자였다.
⑦ [지명에 붙으면 그 전체 주민의 뜻; 이 경우 여성 명사라도 todo의 형을 취하는 수가 있음] *toda* Barcelona, ~ Barcelona 바르셀로나의 전 시민. [*N.* toda la ciudad de Barcelona 바르셀로나의 전체 시가].
⑧ [대명사를 형용할 때는 주로 그 뒤나 동사의 뒤에 붙음] nosotros *~s*, *~s* nosotros 우리 모두. *Ella* era *toda* ojos 그녀는 전신이 눈이 되어 있었다, 눈에 온 신경을 쏟고 있었다. Por más que *me* hice ~ ojos, no pude distinguir a ninguno 나는 온몸의 신경을 눈에 쏟고 있었으나, 하나도 분간할 수가 없었다.
⑨ [lo +] 모든 일·것 : José *lo* olvidaba ~ 호세는 모든 것을 다 잊고 있었다. José ha jugado ~ *lo* que tenía 호세는 가졌던 것을 몽땅 다 털었다. José quería olvidar *lo* ~ 호세는 모든 것을 잊고 싶었다.
—*pron.* ① [부정 대명사] 모든 것·일, 모두 : *Todos* estábamos a caballo 우리는 모두 말을 타고 있었다. Tú responderás por *~s* 자네가 모두의 책임을 지는군.
② [단수형은 추상적임] 일체, 전체, 모두 : *Todo* estaba limpio 모두가 깨끗해져 있었다. Habla de ~ y *lo* explica ~ 모든 일에 다 언급하여, 모든 것을 설명한다. Gracias por ~ 여러모로 고맙습니다.
③ [직접 보어 : de+] 무엇이든지, 모든 것 : Aquí hay *de* ~ y se vende *de* ~ 이곳에는 무엇이든 다 있고, 무엇이든 팔고 있다.
—*m.* 일체, 전체 : en un ~ 함께 하여, 모든 것. *El* ~ es mayor que sus partes 전체는 부분보다 크다. jugar el ~ por el ~ 일체를 걸고 하다.
—*adv.* 그야말로, 완전히(enteramente) : El pobre se removió ~ bruscamente 그 불쌍한 놈은 그야말로 별안간 몸을 부들부들 떨었다. Llegó ~ borracha 그녀는 완전히 곤드레가 되어 도착했다. Siga ~ derecho 반듯이 가십시오, 곧장 가십시오.
a ~ esto*; *a todas estas 그 사이에(mientras tanto).
ante ~ 무엇보다 먼저, 우선 첫째로 : *Ante ~*, debo pensar en mis hijos 우선 내 자식들을 생각해야 한다.
así y ~ 그렇기는 하나, 아무튼.
con ~*; *con ~ eso·esto 그렇지만, 그렇다고는 하나(sin embargo, no obstante).
del ~*; *de ~ en ~*; *en ~ y por ~ 완전히(completamente) : El padre lo olvidó *del ~* 아버지는 그것을 완전히 잊고 계셨다.
sobre ~ 하물며, 더욱이, 특히(especialmente, en especial).
y ~ ① …할 것 없이 다 : Volcó el carro con mulas *y ~* 달구지 노새 할 것 없이 모두다 뒤엎어졌다. ② [형용사·부사+] …일지라도 (여하튼) : Todo en el amor es triste, mas, *triste y ~*, es lo mejor que existe 사랑이란 슬픈 것, 비록 그렇다고는 하나, 슬픔도 괴로움도 이 세상에 있어서 그지없는 갸륵한 것이다.

todopoderoso, sa *adj.* 전능·만능의(omnipotente) : Es un empresario ~. **—*m.*** 신(Dios, el Creador).
toesa *f.* [*fr.* toise] 불란서의 길이의 단위《1, 946 m》.
tofana *adj.* ***agua ~*** 토화나의 물《비소성 독액》. [*N.* 이 물의 발명자 Toffana에서 유래됨].
tofo *m.* [*gr.* tophos] ①【의학】 결절(結節), 풍통 결절(nodo). ②《*Chile.*》 내화용 흙.
toga *f.* [*lat.* togo](고대 로마인의) 긴 도포; (예장용) 가운, 법복, 교수복.
togado, da *adj.* *m.f.* 가운을 입은 (사람) : magistrado ~.
Togo *m.*【지명】 토고《서 아프리카의 독립 국가; 수도 Lomé; 면적 90,275㎢》.
togolés, sa *adj.* 토고의. **—*m.f.*** 토고 사람.
tohalla *f.* =**toalla.**
toilette *f. fr.* [발음은 tualet] ①《*Galic.*》= **tocado, vestido, traje** : estrenar una ~ suntuosa. ②《*Neol.*》=**tocador, lavabo.**
toisón *m.* 훈장의 일종.
~ de Oro【희랍 신화】 황금 양털.
tojal *m.* 가시 금작화(tojo)가 자란 땅.
tojino *m.*【해사】(배에 실은 물건을 고정시키는) 지색전(止索栓); (뱃전에 걸치는) 발판; 마개.
tojo, ja *m.f.*《*Bol.*》 쌍둥이, 쌍생아. **—*m.*** ①【식물】 가시 금작화. ②《*Burg. Pal.*》 강물이 괸 곳. ③《*Bol.*》【조류】 종달새.
tojosita *f.*《*Cuba.*》【조류】 작은 야생 비둘기.
tojoso *m.*【조류】(꾸바산의) 들비들기.
tokai *m.* (항가리의) 포도주의 일종.
Tokio *m.*【지명】 동경(東京).
tokiota *adj.* *m.f.* 동경(Tokio)의 (사람).
tol *m.*《*AmérC.*》(커다란) 목기(木器).
tola *f.* ①《*AmérM.*》 안데스 지방에서 나는 국(菊)과의 관목의 여러 가지. ②《*Ecuad.*》(고대 에꾸아도르의 유물인) 묘, 묘산(墓山).
tolanos *m.pl.* ① 목에 나는 털·솜털. ② 짐승의 잇몸에 난 종기.
picar los ~ 식욕·입맛을 돋구다.
tolda *f.* ①《*Col. Ecuad.*》 =**toldo.** ②【고어】(배의) 선미 누상 갑판(alcázar).
toldadura *f.* ① 차일, 현수막(toldo, pabellón). ② 숨기기.
toldar *tr.* ① (…에) 차일을 치다, 현수막을 덮다(entoldar). ②【은어】 숨기다.
toldería *f.*《*AmérM.*》(토인의) 텐트·판잣집 마을, 캠프.
toldero, ra *m.f.*《*And.*》 소금 장수.
toldilla *f.* 갑판에 치는 천막.
toldillo *m.*《*Col. Cuba. Venez.*》 모기장.
toldito *m.*《*Venez.*》【조류】 후취류의 일종.
toldo *m.* ① 차일; 천막, 텐트; 포장; (토인의) 판잣집, 오두막(cabaña). ② 우쭐대기, 거만, 허영(engreimiento). ③【방언】 소금 소매점. ④《*Amér.*》 토착민들의 모피로 된 천막. ⑤《*Col. Perú. PRico.*》 모기장.
tole *m.* [*lat.* tolle] ① 만장(滿場)의 대소란, 요란한 배척의 외침 소리(gritería, algazara, vocerío) : levantar el ~ contra la ley 그 법률에 반대하는 함성을 지르다. ② [되풀이 하여] 못된

욕·소문 : Corría un ~ sobre esa familia. ③《Col.》(가는) 방향. ④《Salv.》 광주리, 소쿠리(guacal).

tomar el ~ 도망치다(huir).

toledano, na *adj.* 똘레도의. —*m.f.* 똘레도 사람.

noche ~na 야외에서 뜬눈으로 보내는 밤.

toledo *m.* 【조류】 똘레도《중앙 아메리카의 지저귀는 새》.

Toledo *m.* 【지명】 똘레도《서반아 남부의 주·시》.

tolemaico, ca *adj.* ① 똘레미《Claudio Tolomeo, 기원 2세기 이집트의 천문 학자》의. ② 천동설의 : sistema ~ 천동설. ③ 천동설 지지의.

tolena *f.* 《Ast.》 =**tollina, paliza.**

tolerable *adj.* ① 참을 수 있는, 용서할 수 있는, 용납될 수 있는, 견딜 만한 : El calor es ahora ~ 더위도 이제는 참을 수 있다. ② 상당한.

tolerablemente *adv.* 참을 수 있을 만큼(de modo tolerable) ; 상당히.

toleración *f.* =**tolerancia.**

tolerancia *f.* ① 용서, 관대, 관용 : La virtud más útil en la vida social es la ~ 사회 생활에서 가장 중요한 덕행은 관용이다. ② 묵인, 허용 ; 허용의 정도, 여유. ③ 허용 공차(公差) ; (화폐의) 공차. **Sinón.** permiso. ④ 신앙의 자유. ⑤ 【의학】 내약력(耐藥力).

tolerante *adj.* 관대한 ; (종교적으로) 자유주의의.

tolerantismo *m.* (종교상의) 자유주의.

tolerar *tr.* ① 인내하다, 참다(sufrir). ② 묵인하다, 용서하다, 허용하다 : No podemos ~ eso 나는 그것을 묵인할 수 없다. No se pueden ~ los escándalos en la vía pública 공도(公道)에서의 소란은 허용되지 않는다. ③ 받아들이다 : Mi estómago no *tolera* grasa 내 배는 기름을 받지 않는다. **Contr.** prohibir, vedar.

tolete *m.* ① 【선박】 노받이(escálamo). ② 《Ant. Amér.》 곤봉. ③ 《Col. Cuba.》 큰 조각(trozo, pedazo).

toletear *tr.* 《Col.》 큰 조각으로 나누다·가르다.

toletera *f.* 나무 조각.

toletero *m.* 《Venez.》 성깔이 있는 사람.

toletole *m.* ① 《Col.》 집념(porfía). ② 《Venez.》 빈둥빈둥 놀며 지내는 생활(vida alegre). ③ 《Arg.》 소동.

tolimense *adj. m.f.* 똘리마 《Tolima, 꼴롬비아에 있는 주》의 (사람).

tolinga *f.* 《Méx.》 죽음(muerte).

tolla *f.* ① 늪지. ② 《Cuba.》 마소 등에 물 먹이는 통.

tolladar *m.* 늪지, 소택지, 수렁.

tollecer *intr.* =**tillir.**

toller *intr.* =**quitar.**

tollina *f.* 구타(zurra) : dar una ~ 구타하다.

tollo *m.* ① 【어류】 상어(cazón). ② (사냥꾼의) 숨는 곳. ③ (사슴의) 등심살. ④ 늪. ⑤ 【방언】 수렁 ; 물웅덩이.

tollón *m.* 샛길, 좁은 길(camino estrecho).

tolmera *f.* tolmo가 많은 곳.

tolmo *m.* 지장암(地藏岩).

tolo *m.* 《Ast. León.》 혹, 부스럼, 종기(tolondro, bulto).

tolobojo *m.* 《Guat.》【조류】 알바트로스(pájaro bobo).

tolón *m.* [주로 *pl.*] 부스럼, 종기(tolanos).

Tolón 【지명】 뚤롱 《불란서의 도시》.

toloncho *m.* 《Col.》 =**tolete, trozo, pedazo.**

tolondro, dra *adj. m.f.* 우둔한, 덤벙덤벙하는, 경솔한 (사람) ; 덜렁이. —*m.* 혹(chichón).

a topa ~ 당황하여, 경솔하게, 생각없이.

tolondrón, na *adj. m.f.* 경솔한, 덜렁이. —*m.* 혹.

a ~es 혹투성이로 ; 지리 멸렬하게.

tolonés, sa *adj.* 뚤롱 《Tolón, 불란서 지중해 연안의 도시·항구》의. —*m.f.* 뚤롱 사람.

tolonguear *tr.* 《CRica.》 응석을 부리다, 버릇없이 기르다(mimar).

Tolosa 【지명】 똘로사 《불란서의 도시》.

tolosano, na *adj.* 똘로사《Tolosa, 곳곳에 있는 지명》의. —*m.f.* 똘로사 사람.

tolteca *adj.* 똘떼까족 《los toltecas, 12세기까지 멕시코에 살았던 종족》의. —*m.f.* 똘떼까족. —*m.* 똘떼까말.

tolú *m.* 똘루 《Tolú, 꼴롬비아의 도시》 산의 향료·방향성 수지, 그 향료, 약제(bálsamo de tolú).

tolueno *m.* 톨루엔 《염료·화학 원료》.

toluol *m.* =**tolueno.**

toluqueño, ña *adj. m.f.* 똘루까·데·레르도 《Toluca de Lerdo, 멕시코에 있는 도시》의 (사람).

tolva *f.* (맷돌의 곡식을 넣는) 구멍 ; (투표함이나 헌금함의) 투입구, 투입구가 있는 상자.

tolvanera *f.* 먼지 회오리(remolino de polvo).

tom. tomo.

toma *f.* ① 잡는 일 ; 취임(식) : ~ de hábito 착복식. ② 점령, 탈취, 공략(conquista). ③ 섭취 ; (약 등의) 1회분 : una ~ de quina. ④ 물 빼는 구멍(data) : ~ de agua 수도의 소화전. ⑤ (전류를 나누어 끌어들이는) 소켓(toma de corriente). ⑥ 검사, 조사 : ~ de cuentas 회계 검사·감사. ⑦ 《Col. Perú.》 용수로, 방수로, 하수구(acequia). ⑧ 《Guat.》 개울, 냇물, 하천(arroyo, riachuelo, río chico). ⑨ 《Chile.》 관개 수로 ; 둑 ; 댐 ; 저수지(presa).

~ *de tierra* 착륙(aterrizaje).

tomacorriente *m.* 《Arg. Urug.》 전류를 나누어 끌어들이는 소켓(toma de corriente).

tomada *f.* [드뭄] 점령(conquista).

tomadero *m.* 손잡이, 자루 ; 물 뽑는 곳(toma).

tomado, da *adj.* 《Arg. Bol. Parag. Urug.》 [tomar의 *p.p.*] ① 목이 걸걸한·쉰. ② 술 취한(ebrio).

tomador, ra *adj.* 받는, 수취하는 ; 잘 붙잡는 : perro ~ 사냥을 잘하는 개. —*m.f.* ① 소유자. ② 【상업】(어음·수표의) 수취인, 소지자, 피지불인 : ~ de acciones 주식 소지자. ~ de cheques 수표 수취인. ~ del crédito 차용인. ③ 먹는 사람. ④ 【은어】 소매치기(ratero, carterista). ⑤ 《Amér.》 주정뱅이, 술고래(bebedor).

tomadura *f.* 취(取)하는 일 ; 섭취.

~ *de pelo* 조롱, 조소, 놀려대기, 놀려주기, 골탕먹이는 일(burla).

tomaína *f.* 프토마인, 시독(屍毒)(ptomaína).

tomajón, na *adj. m.f.* 억지로 남의 것을 빼앗는 (사람)(tomón). —*m.* 【은어】 순경.

tomante *adj.* 잡는, 쥐는, 붙잡는, 받는, 얻는.

tomar *tr.* ① (손으로) 쥐다, 잡다, (여러 가지 뜻에서) 쥐다 ; 붙잡다, 잡다(coger, asir) : Le *tomó* la mano 그의 손을 잡았다.
② 꺾다, 채취하다 : ~ flores 꽃을 꺾다.
③ (무엇의 일부를) 가지다 : Le *tomé* aversión 나는 그에게 반감을 품었다.
④ 꺼내다, 잡아끌다(sacar) : ~ vino del tonel 통에 든 술을 꺼내 오다. ~ el agua por la acequia 용수로로 물을 끌다. ~ la corriente de la electricidad 전기를 끌다. ~ un libro de la estantería 선반에서 책을 꺼내다.
⑤ ㄱ) 받다, 얻다(recibir, aceptar, percibir) : ~ dinero prestado 돈을 빌리다. ㄴ) (수업 등을) 받다(recibir) : ~ lecciones de español 서반아어 수업을 받다.
⑥ 사다, 매입하다(comprar) : ~ las entradas 입장권을 사다. *Tomaré* el prado, si me lo da barato 싸게 해 주겠다면, 그 목장을 매입하겠다.
⑦ 삯으로 빌리다, 임대하다(alquilar) : ~ un coche para una semana 1주일간 자동차를 빌리다. ~ una casa 집을 임대하다.
⑧ 따다, 거두어 들이다.
⑨ 고르다, 골라 가지다(elegir, escoger) : ~ el mejor camino.
⑩ 채용하다, 고용하다(emplear) : ~ un criado.
⑪ (식사·음식·음료수·약 등을) 들다, 먹다, 마시다(comer, beber, ingerir) : ~ el desayuno·almuerzo·la cena 아침·점심·저녁을 먹다. ~ un vaso de agua 물을 한 잔 마시다. ~ una medicina 약을 먹다·마시다.
⑫ (수단으로서 무엇을, 수단·태도 등을) 취하다 : ~ una medida enérgica 강력한 조치를 취하다.
⑬ 길을 접어들다, 더듬어 가다.
⑭ (사진 등을) 찍다 : ~ una fotografía 사진을 찍다.
⑮ (탈것에) 타다, 타고 가다 : ~ un coche·el tren·el taxi·el autobús·el avión 차·기차·택시·버스·비행기를 타다.
⑯ (장소나 좌석을) 잡다, 차지하다(ocupar) : *Tome* usted el asiento 앉으십시오. ~ un palco 극장 좌석을 잡다.
⑰ 점거하다(ocupar), 점령·탈취하다(conquistar) : ~ una plaza 광장을 점거하다.
⑱ 사취하다, 훔쳐 가지다(hurtar).
⑲ 받아들여 가지다, 흉내내다(imitar) : ~ el estilo·los modales.
⑳ (버릇·습관이) 붙다 : ~ malas costumbres·un vicio 악습에 물들다.
㉑ (병에) 걸리다 : ~ frío 감기에 걸리다.
㉒ (어떤 의미로) 알다, 판단·해석하다(juzgar, interpretar) : Espero que no lo *tome* usted a mal 그것을 나쁘게 여기지 않기를 바랍니다. *Tomas* mal cuanto te digo 내가 하는 말을 모두 나쁘게만 해석하는 모양이군. ~ a·en broma 농담으로 돌리다·해석하다.
㉓ ㄱ) [+por : …으로서] 받아들이다, 생각하다(considerar) : ~ *por* ofensa 모욕으로 생각하다. ㄴ) [+por : …로] 오해·오인하다 : Le *tomaron por* ladrón 그 남자를 모두 도둑으로 생각했다. Espero que no me *tomaré* usted por descortés 나를 무례하게 받아드리지 않기를 바랍니다. Le *tomé por* extranjero 나는 그를 외국인으로 잘못 알았다.
㉔ (어떤 일·싸움을) 떠맡다, 시작하다(emprender, encargarse) : ~ sobre sí·a su cargo·por su cuenta 자신의 책임으로서 받아들이다.
㉕ (발작적인 일이 누구에게) 일어나다, 달라붙다 : ~le a uno el sueño 누가 수마에 걸리다. ~le la risa 웃음 병에 걸리다. ~ un desmayo 기절하다.
㉖ (수컷이 암컷에게) 흘레붙다(cubrir).
㉗ 데리고 가다(llevar) : *Tomaré* a mi hermano.
㉘ [동작의 명사가 직접 보어 : …] 하다 : ~ aborrecimiento 증오하다. ~ cuentas 회계 검사를 하다. ~ nota de …을 기억해 두다. ~ precauciones 조심하다. ~ resolución 결심을 하다. ~ un baño 목욕하다. ~ el aire 바람 쐬다.
㉙ [어떤 종류의 명사를 직접 보어로 하여] 얻다, 회복하다(adquirir, recobrar) : ~ fuerza·aliento 힘·원기·기운을 내다·회복하다. ~ la libertad 자유를 얻다, 멋대로 굴다.
㉚ [어떤 기구가 직접 보어 : 그 일을] 시작하다 : ~ la pluma 붓을 들다, 쓰다. ~ la aguja 바늘을 들다, 바느질하다. ~ la puerta 외출하다.
㉛ 《*Col.*》 애먹이다, 놀려주다(fastidiar).
㉜ 《*Perú.*》 (술을) 마시다(beber).
㉝ 계약하다(contratar) : ~ un obrero.
—*intr.* 길을 돌다, (어떤 방향으로) 향해 가다(encaminarse, dirigirse) : Al llegar a la esquina *tomó por* la derecha 모퉁이까지 가서 오른쪽으로 길을 돌았다. *Tome* a la derecha 오른쪽으로 도십시오.
~se ① 녹이 슬다, 곰팡이가 슬다 : Este cuchillo *se ha tomado* 이 칼은 녹이 슬었다. El cuchillo estaba *tomado de* orín 나이프가 녹이 슬어 있었다.
② 싸우다.
¡toma! 그것봐 ! ; 아 그랬군《이렇게 마음에 집혔을 때》; (주먹으로 때릴 때) 이놈, 또 좀 맞아 봐라 !
~ tierra 착륙하다(aterrizar).
~la con …과 언쟁하다, 싸우다; 앙심을 품다 : ¿Por qué *la ha tomado* usted *con*migo? 왜 내게 마구 해댔었지 ?
tomarse la libertad de + inf. 죄송하오나 …하다 : *Me tomo la libertad de* escribirle 죄송하오나 서신을 드리옵니다.
Más vale un toma que dos te daré 【속담】 수중의 한 마리 새는 숲속의 두 마리보다 낫다(Más vale una cosa mediana segura que una mucho mejor pero sólo en esperanza).

tomata *f.* 《*Col.*》 주먹질, 삿대질, 조롱(zumba, mofa, burla).

tomatada *f.* 토마토의 기름 튀김.

tomatal *m.* 토마토밭 ; 토마토(tomatera).

tomatazo *m.* [*aum.* tomate] 토마토의 부딪침, 토마토로 때리기.

tomate *m.* [*mej.* tomatl] ① 토마토의 열매 ; 그 식물(tomatera). ② (편물·양말·장갑에 생긴) 구멍·헤어진 데.

tomatera *f.* ①【식물】토마토. ② 토마토밭. ③ 《*Chile.*》 곤드레만드레.

tomatero, ra *adj.* 토마토의 ; 토마토가 든 (요리). —*m.f.* 토마토 장수.

tomaticán *m.* 《*Chile.*》 토마토와 야채를 넣고 끓인 수프.
tomatillo *m.* [*dim.* tomate]《*Chile. Cuba.*》【식물】 노랗거나 붉은 장과의 가지과 식물.
tomatón *m.* [*dim.* tomate]《*Chile.*》【식물】 볼리비아의 토마토라 불리는 가지과 식물.
tomavistas *adj. m.* =**filmadora.**
tomaza *f.* 《*Rioja.*》【식물】 백리향(tomillo) 비슷한 식물.
tómbola *f.* (자선을 목적으로 하는 상금이 없는) 복권 : organizar una ~ de beneficencia.
tómbolo *m.* 모래톱.
tome *m.* 《*Chile.*》【식물】(남미산의) 큰 부들의 일종.
tomeguín *m.* 《*Cuba.*》【조류】 벌새의 일종.
tomento *m.* ① 부스러기 삼. ②【식물】 잔털, 융모.
tomentoso, sa *adj.* 잔털·융모가 많은.
tomero *m.* 《*Chile.*》 용수지기.
tomiento *m.* =**tomento.**
tomillar *m.* 백리향의 화단.
tomillo *m.* 【식물】 백리향(百里香), 사향초속 식물.
~ ***blanco*** 산토니카 《국과 식물, 구충재 재료》(santónico). ~ ***real*** 자소(紫蘇) 무리. ~ ***salsero*** 마요라나의 일종 《향초》.
tomín *m.* ① 중량의 단위《3분의 1 adarme, 596㎎》. ② 남미의 여러 나라에서 사용된 옛 은화. ③《*Col.*》 뻬세따(peseta).
tomineja *f.* =**tominejo.**
tominejo *m.* 【조류】 벌새(pájaro mosca).
tominero, ra *adj.* 《*Méx.*》 =**miserable, mezquino, avaro.**
tomismo *m.* 성·토마스 《Santo Tomás de Aquino, 13세기의 이탈리아의 카톨릭 신학자》의 신학설.
tomista *adj.* 성·토마스파의. **—***m.f.* 성·토마스파 신학자.
tomístico, ca *adj.* 성·토마스파의 : doctrina ~*ca.*
tomiza *f.* (스파르트제의) 밧줄, 줄.
tomo *m.* [*lat.* tomos] ① 권, 책 : diccionario en tres ~*s* 세 권으로 된 사전. La novela está incluida en el ~ segundo de sus obras completas 그 소설은 그의 전집의 제 2권에 들어 있다. ② 크기. ③ 중요성, 가치(importancia, valor).
de ~ y lomo 부피가 큰, 무거운 ; 중대한, 중요한(de mucho bulto, notable).
tomografía *f.* (평면도에 의해 찍힌) 뢴트겐 사진.
tomón, na *adj.m.f.* ① =**tomajón.** ②《*Col.*》 신소리 잘하는, 농담 잘하는, 농담하기 좋아하는 (사람)(burlón).
tompeate *m.* 《*Méx.*》 고환, 불알.
tomuza *f.* 《*Venez.*》 뻣뻣한 털·머리칼.
gente de ~ 흑인, 혼혈아.
ton *m.* [tono의 어미 탈락형]
sin ~ ni son, sin ~ y sin son 아무런 까닭없이 (sin motivo u ocasión).
ton. tonelada.
tona *f.* 《*Gal. León.*》 우유 크림.
Tona *hip.* Antonia.
tonada *f.* ① 노래, 가락. ②《*Arg.*》(어떤 사람의) 말투, 말씨(tono, acento). ③《*Chile.*》 말만 번드르르한 속임수.
tonadica *f. dim.* tonada.
tonadilla *f.* ① 옛 속요(俗謠)의 일종. ② 18세기의 노래가 따르는 촌극의 일종.
tonadillero, ra *m.f.* 옛 속요(俗謠)의 작자 ; 그 가수.
tonal *adj.* ①【음악】 멜로디의, 음색(音色)의. ②【회화】 색조(色調)의, 배색의.
tonalidad *f.* ①【음악】 멜로디 ; 주조(主調). ②【회화】 색조 : El interior tiene dos ~*es* muy elegantes.
tonante *adj.* 【시어】 울리는, 울려 퍼지는.
tonar *intr.* [*lat.* tonare]【시어】 천둥치다, 뇌성이 울리다·울려 퍼지다 ; 번갯불이 번쩍이다 (tronar).
tonario *m.* (사원의) 성가집, 합창 대본.
tonca *adj.* =**tonga.**
haba ~ 똥가콩 《베네수엘라산의 sarapia의 열매로 향기 높은 콩》.
ton.[das] toneladas 톤수.
tondero *m.* 뻬루의 떠들썩한 춤의 일종.
tondino *m.* 【건축】 염주 쇠시리(astrágalo).
tondir *intr.* =**tundir.**
tondiz *f.* =**tundizno.**
tondo *m.* 【건축】 원형으로 판 장식.
tonel *m.* [*alem.* tonne] ① 술통, 나무통 : ~ de vinagre. ② 옛날의 선적 하물의 톤 《6분의 5톤》 : ~ macho =tonelada.
tonelada *f.* ① 톤 《중량·용적의 단위》. ② [집합] 술통(tonelería).
~ ***americana·neta*** 미국톤 《907.2㎏》. ~ ***británica·inglesa·larga*** 영국톤 《1016.1㎏》. ~ ***de arqueo*** 용량톤 《2.83 입방 미터》. ~ ***de capacidad*** 용적 톤수. ~ ***de desplazamiento*** 배수(排水) 톤. ~ ***de embarque y desembarque*** 적양(積揚) 톤수. ~ ***de peso*** 중량톤 《20 quintales》. ~ ***de registro*** 등록톤. ~ ***de volumen*** 용적톤. ~ ***francesa·métrica*** 미터톤. ~ ***métrica de peso*** 중량톤 《100㎏》. ~ ***neta de argueo*** 정미 적재 톤수.
tonelaje *m.* 선박의 적재량 ; 톤수 ; (적재) 중량 톤수 《배의 크기·적재 능력의 단위》, 총톤수, 전체의 선복(船腹) ; 운임·등록 톤수 ; (옛날의) 톤수세(稅).
~ ***bruto de registro*** 등록 총톤수. ~ ***grueso*** 총톤수. ~ ***neto de registro*** 등록 순톤수. ~ ***registrado*** 등록 톤수. ~ ***total de peso muerto*** 총재화(載貨) 중량 톤수.
tonelería *f.* ① 통 공장·사업. ② 선반이나 창고의 통.
tonelero, ra *adj.* 통을 만드는 : industria ~*ra.* **—***m.* 통 목수.
tonelete *m.* [*dim.* tonel] ① 작은 통. ② 짧은 스커트, 짧은 치마. ③ (갑옷의) 허리 가리개.
tonga *f.* ① 한 껍질, 켜, 층(capa). ②《*Cuba.*》 포갠 것, 한 겹 : sacos en ~ 수북히 쌓인 자루. una ~ de tablas 한 겹으로 친 널빤지. ③《*AmérM.*》 일. ④《*Col.*》 수면. ⑤《*Ecuad.*》 노동자의 도시락.
haba ~ 【식물】 똥가콩.
tongada *f.* 한 껍질 ; 켜, 층(capa).
tongo *m.* ①《*AmérM.*》(경마 등 경기장에서의)

야바위. ②《Chile. Perú.》 중산 모자(sombrero hongo). ③《Chile.》 소주를 넣은 음료의 일종. ④《Perú.》 지적(地積)의 단위 《33 varas 평방》
tongo, ga *adj.* 《Méx.》 한 쪽 팔이 없는, 손발이 없는(manco).
tongonearse *r.* 《Amér.》 거만하게 걷다, 으시대며 걷다(contonearse).
tongoneo *m.* 《Amér.》 으시댄 걸음, 거드름부리는 걸음(contoneo).
tongorí *m.* 《Bol. Riopl.》(소 등의) 내장.
tónica *f.* 【음악】 주조음(主調音).
tonicidad *f.* (조직·근육의) 긴장도, 탄력성.
tónico, ca *adj.* ①튼튼하게 하는, 강장(强壯)의. ②【음악】 주조(主調)의 : nota *~ca* 주조음. ③【문법】 강한, 악센트가 있는 : sílaba *~ca* 악센트가 있는 음절. acento ~ (악센트의 부호에 대하여) 발음상의 악센트(acento). Contr. átono. —*m.* 강장제(强壯劑).
tonificación *f.* tonificar하는 일.
tonificador, ra *adj.* =**tonificante.**
tonificante *adj.* 튼튼하게 하는, 힘이 나게 하는.
tonificar *tr.* 7 튼튼하게 하다 : ~ el cuerpo.
tonillo *m.* [*dim.* tono]①단조로운 가락(tono monótono). ②(어떤 사람의) 말씨, 목소리, 말투(dejo, acento).
tonina *f.* ①【어류】 다랑어(atún). ②돌고래(delfín).
tonismo *m.* 파상풍 ; 근육의 강직 경련.
ton ni son (sin) *adv.* 동기도 분명한 증거도 없이 : Hablaban *sin ton ni son.*
tono *m.* ①박자 ; 음조 ; 음색. ②어조, 말투, 말씨 : Me hablaba en ~ de súplica 그는 나에게 기원하는 말씨로 말을 걸곤 했다. ③색조 ; 품격, 기품 : de buen · mal ~ 기품이 있는·없는 ; 싹싹한, 무뚝뚝한. La discusión tomó un ~ político 토론은 정치색을 띠었다. ④(조직체의) 팽팽함. ⑤힘, 원기 ; 세기(energía).
a ~ 일치하여.
darse ~ 기세를 올리다 ; 아니꼽게 거드름부리다, 거만하게 굴다, 뽐내다.
Tono *hip.* Antonio.
tonocoté *adj. m.f.* (아르헨띠나의 「뚜꾸만」과 「산띠아고·델·에스떼로」에 살았던) 원주민(의).
tonquinés, sa *adj. m.f.* 똥낀(Tonquín)의 (사람).
tonsila *f.* 【해부】 편도선(amígdala).
tonsilar *adj.* 【해부】 편도선의.
tonsilitis *f.* 【단·복수 동형】【의학】 편도선염.
tonsura *f.* 삭발(식), 삭관(削冠).
tonsurado, da *adj..* tonsurar의 *p.p.* —*m.* 삭발한·승적에 든 사람.
tonsurando *m.* 삭발식의 피삭발자.
tonsurar *tr.* (사람이나 동물의) 털을 깎다 ; 삭발하다, 삭발식을 하다 ; 삭관(削冠)하다.
tontada *f.* 어리석은·바보 짓(tontería, simpleza) : decir *~s.*
tontaina *adj m.f.* 굉장한 바보(의).
tontainas *adj. m.f.* =**tontaina.**
tontamente *adv.* 바보스럽게도, 멍청하게, 모자라게도(con tontería).
tontarrón, na *adj m.f. aum.* tonto.
tontazo, za *adj.* [*aum.* tonto] 무척 우둔한.
tontear *intr.* 모자란·바보 같은 소리를 하다, 바보·못난 짓을 하다, 멍청하게·우매하게 굴다(hacer o decir tonterías).
tontedad *f.* =**tontería.**
tontera *f.* =**tontería.**
tontería *f.* 바보, 우둔함, 어리석음 ; 멍청한·어리석은 짓, 공연한 헛일, 우매한 일(necedad) : ¡Qué ~ ! 참 바보 같은 짓이군.
tontico *m. dim.* tonto.
tontiloco, ca *adj.* 정신 이상에 바보인.
tontillo *m.* 테를 넣어 활짝 벌어지게 하는 스커트.
tontina *f.* 톤띠식 연금 양로(年金養老) 조합법 《이탈리아 사람 Lorenzo Tonti가 창안》.
tontito *m.* 《Chile.》【조류】 소쩍새(chotacabra).
tontivano, na *adj.* 모자라면서 허영만 있는(tonto vanidoso).
tonto, ta *adj.* 어리석은, 모자란, 우매한, 우둔한, 멍청한, 바보 같은(mentecato, necio, poco inteligente) : En mi vida he visto hombre tan ~ 그런 어리석은 자를 본 적이 없다. No seas *tonta* 바보스런 짓을 하지 마라. —*m.f.* ①바보, 모자란 사람 : ~ de capirote · temate 형편없이 모자란 사람. ②《AmérM.》 도둑이 남의 문짝 같은 것을 뜯어낼 때 쓰는 지렛대.
a tontas y locas 무질서하게, 엉망으로, 다짜고짜(tontamente, sin orden ni concierto) : Ella todo lo hace *a tontas y a locas.*
hacer el ~ =tontear.
hacerse el ~ (사람이) 모자란 척하다, 고의로 못 알아들은 척하다 : Yo me hice el ~.
meter el ~ 조악품을 안겨 주다.
ponerse (el) ~ 우쭐해 보이다(presumir).
tontolear *intr.* 《Col.》 =**tontear.**
tontón, na *adj.* [*aum.* tonto](사람이) 형편없이 못난·어리석은.
tontucio, cia *adj. m.f.* [*desp.* tonto] 형편없이 모자란·못난 (사람).
tontuelo, la *adj.* [*dim.* tonto] 어리석은, 바보스러운, 모자라는.
tontuna *f.* =**tontería.**
tontuneco, ca *adj.* 《AmérC.》 =**tontaina.**
tontura *f.* ① = **tontería.** ②《Ar.》 큰 빵(pan grande).
tonudo, da *adj.* 《Arg.》 화려한, 찬란한, 사치스런(lujoso).
toña *f.* =**tala.**
Toña *hip.* Antonia.
toñeco, ca *adj. m.f.* 《Venez.》 응석꾸러기(의).
Toñica *hip.* Antonia.
Toñico *hip.* Antonio.
toñil *m.* (과일을 익히기 위해) 짚을 쌓은 방.
toñina *f.* 【방언】【어류】 다랑어(tonina).
Toño *hip.* Antonio.
¡top! *interj.* [*ing.* stop](선박에서) 정지 !
topacio *m.* 【광물】 황옥(黃玉), 연수정(煙水晶), 토파즈 : ~ ahumado 연수정. ~ de Brasil 연분홍 연수정. ~ oriental 황수정(corindón amarillo).
topada *f.* (머리나 뿔로) 찌르는 일, 박치기(topetada, cabezazo, porrazo).
topadizo, za *adj.* ①잘 마주치는, 부딪치기 쉬

운(encontradizo). ② 잘 찔리는, 찔리기 쉬운.

topador, ra *adj.* 곧잘 뿔로 찌르는 : carnero ~.

topar *tr.* ① 찔러 맞추다, 부딪치다. ② (…과) 직접 당하다, 마주치다; (우연히) 찾아내다, 만나다(encontrar, hallar) : *Topé a* mi amigo en la calle 나는 거리에서 친구와 마주쳤다. ③ 《*Amér.*》(투계를) 싸움을 시키다. ④ 《*Amér.*》 끝을 잇다. ⑤ 《*Chile. Perú.*》(돈을) 걸다. —*intr.* ① 부딪치다, 맞닥뜨리다 : ~ *con·contra* un poste 기둥에 부딪치다. ② 만나다 : ~ *con* un amigo 친구를 만나다. ③ 끼어들다(encontrarse) : *Topamos en* muchas dificultades 여러 가지 곤란에 부딪쳤다. ④ 있다(estribar) : La dificultad *topa en* esto. ⑤ 재수 좋게 맞다, 잘되다, 성공하다(salir bien) : Lo pediré por si *topa* 잘 될지 어떨지 부탁해 보자. ⑥ 《*Amér.*》 싸우다(pelear). **~se** 서로 부딪치다; 서로 만나다 : ~*se con* un amigo 친구와 마주치다.

toparca *f.* 소 지구·소 국가의 지배자; 소국 군주.

toparquía *f.* 소 지구, 소 국가.

tope *m.* ① 정상(頂上), 꼭대기; 접촉점(接觸點). ② (열차 등의) 완충기; (기계의) 제동기 : ~ de arranque 출발 장치. ~ de parada 정지 장치. ③ 부딪침, 충돌, 싸움. ④ 난점, 걸림. ⑤ 【선박】 돛대의 꼭대기. ⑥ 《*Méx.*》 과속 방지턱. —*adj.* 마지막의, 한계에 다다른(último) : fecha ~, precio ~.
~ a ~ 뜻밖에, 생각지도 않게(de manos a boca).
a ~ 가득 싣고; 완전히.
a(l) ~ (끝을) 맞붙여.
estar hasta el ~ ① 한계에 다다르다, 충분하다, 넉넉하다(estar harto de algo). ② 차가 짐을 가득 싣고 가다.

topear *tr.* 《*Chile.*》 =**topar, tropezar.**

topera *f.* 두더지의 굴(madriguera del topo).

topetada *f.* ① 뿔로 받기 : dar una ~ 뿔로 받다. ② 머리를 부딪치는 일, 박치기, 헤딩 : darse de ~*s.*

topetar *intr. tr.* ① 머리로 받다. ② 뿔로 받다. ③ 부딪치다(chocar).

topetazo *m.* =**topetada** : Le dio un ~ con el coche 그는 자동차에 머리를 부딪쳤다.

topete *m.* 【고어】 넓고 납작한 넥타이.

topetear *intr.* =**topetar.**

topetón *m.* 충돌; 뿔로 받기; 맞부딪치기(topetada).

topetudo, da *adj.* 받는 버릇이 있는 (소·양).

tópico, ca *adj.* 국소의, 국부의. —*m.* ① 국소약, 외용약. ② [주로 *pl.*] 흔해빠진 일, 상투적인 문구. ③ 제목, 화제, 토픽(asunto, tema).

topil *m.* 《*Méx.*》[드뭄] 순경(alguacil).

topinada *f.* 실책, 실수, 잘못.

topinambo *m.* =**topinambur.**

topinambur *m.* 《*Arg. Bol.*》 =**aguaturma.**

topinaria *f.* (머리·목 등의) 종기.

topinera *f.* 두더지 굴(topera).

topino, na *adj.* 다리가 짧은 (말).

topista *m.f.* 빈집을 노리는 도둑.

topo *m.* [*lat.* talpa] ①【동물】 두더지. ② 눈치 없는 사람. ③ 실수만 하는 사람(persona que en todo yerra o se equivoca). ④ 《*AmérM.*》(숄 등의) 핀. ⑤ 《*Bol.*》 =**volante.** ⑥ 《*Perú.*》 여러 지적(地積)의 단위. ⑦ 《*Venez.*》 언덕.

topocho, cha *adj.* 《*Venez.*》 =**rechoncho.**

topografía *f.* 지형학; (한 지방의) 지세도; 지형. 지세.

topografiar *tr.* ⑫ (지형을) 관측·측량하다.

topográficamente *adv.* 지형학적으로.

topográfico, ca *adj.* ① 지형학적인, 지지(地誌)의; 지형의, 지세의 : carta ~*ca* 지형도. ② 측량의.

topógrafo, fa *m.f.* 지형 학자, 지지 학자; 지지 작가, 풍토기(風土記) 작가.

topología *f.* ① 지세학(地勢學); 풍토지 연구. ②【수학】 위상(位相) 수학.

topón *m.* 《*Col. Chile.*》 =**topetón.**
al ~ 《*Amér.*》 도매로, 여러 가지를 끼어서 : comerciar *al ~*.

toponear *tr.* 《*Col.*》 찌르다, 부딪치다.

toponimia *f.* [집합·추상] 지명(地名); 지명 연구; 지명 사진.

toponímico, ca *adj.* 지명 연구의.

topónimo *m.* ① 지명(地名). ② 지명에 유래하는 이름.

toporo *m.* 《*Venez.*》 길쭉한 컵.

toposo, sa *adj.* 《*Col. Venez.*》 ① 주책스러운; 아는 척하는(entrometido, petulante). ② 귀찮은, 애먹이는, 치근덕거리는.

topping *m.* 최초의 석유 증류 처리(proceso de la primera destilación del petróleo).

toque *m.* ① ㄱ) 만지기, 닿는 일; 촉감 : de buen ~ 감촉이 좋은. No le di más que un ~ con el lápiz 나는 그것에 연필로 살짝 대었을 뿐이다. ㄴ) 접촉; 접촉점, 기점. ② 시금석으로의 검사; 시금석(piedra de ~); 시도, 시험, 테스트, 인물 시험(prueba, examen) : dar un ~ 시험하다, 시험삼아 해보다(ponerle a prueba). ③ 악기의 연주, 탄주; 그 소리; (알림·소집을 위해) 종·벨·북 등을 울리기; 그 소리 : ~ del alba 새벽종. ~ de ánimas 저녁종. ~ de diana 기상 나팔·북. ~ de difuntos 사망을 알리는 종소리. ~ de queda 야간 통행 금지, 야간 통행 금지 신호. ④ ㄱ) 똑똑 때리는 일; ~ de atención 주의를 끄는 소리. ㄴ) 두들기기(golpe). ⑤ (그림 붓으로) 한번 칠하기, 붓 놀림 : ~ de luz 그림에서 밝은 부분. dar los últimos ~*s* 마지막 완성을 위해 붓으로 칠하다; 끝마무리하다. ⑥ 사북, 가장 긴요한 부분·점 : Aquí está el ~ del negocio. ⑦ 《*Amér.*》 순서, 차례(turno, vez) : por ~*s* 순서대로, 차례차례로.
dar un ~ a uno (누구에게) 알리다.

toqueado *m.* 장단을 치는 일, 손·발 장단(son hecho con manos, pies, etc.).

toquería *f.* [집합] 두건(tocas); 두건의 제작.

toquero, ra *m.f.* toca의 제조자·상인.

toquetar *tr.* 함부로 울려 소리내다.

toquetear *tr.* 자주·빈번히 만지다(tocar repetidamente).

toqueteo *m.* 잦은 접촉(toques repetidos).

toqui *m.* 《*Chile.*》 (아라우까노족의) 추장(cacique, caudillo araucano).

toquilla *f.* ① (부인·어린이의 머리나 목에 두르는) 네커치프, 스카프; 레이스로 만든 목도리. ②《*AmérC. Bol. Ecuad.*》【식물】파나마 야자《파나마 모자의 섬유를 얻은 야자》. ③ 파나마 모자.

toquillo *m.* 《*Nav.*》 =**pico, picamaderos.**

Tor *m.* 【북부 유럽 신화】(천둥·전쟁·농업을 다스리는) 뇌신(雷神).

tora *f.* 유태인세(稅); 유태 법전; 소 모양으로 되는 불꽃.

hierba ~ 【식물】초종용(草蓯蓉).

toracentesis *f.* 【의학】 흉곽 절개.

torácico, ca *adj.* 가슴의, 흉곽(tórax)의.

toracocentesis *f.* 【의학】 =**toracentesis.**

torada *f.* 소떼(manada de toros).

toral *adj.* 주요한(principal) : arco ~ 주호(主弧). —*m.* 주동(鑄銅)의 틀; 동의 연봉(延棒).

tórax *m.* [*gr.* thorax]【단·복수 동형】가슴; 흉곽.

torazo *m.* [*aum.* toro] 큰 황소.

torbellino *m.* ① 회오리바람, 선풍, 용수 바람 : Los ciclones son ~*s* de gran radio. ② 소용돌이 : ~ de polvo. ③ 쇄도 : el ~ de los negocios. ④ 덜렁이, 덜렁쇠.

torca *f.* 꺼진 땅, 함몰지, 동굴.

torcal *m.* 함몰 지대, 동굴이 많은 곳.

torcaz *adj.* *lat.* torquata.

paloma ~ 비둘기의 일종.

torcaza *f.* 《*Amér.*》 =**paloma torcaz.**

torcazo, za *adj. f.* 【조류】비둘기의 일종, 그 새의. —*m.* 《*Col.*》 얼간이, 멍청이, 바보(bobo, tonto, mentecato, necio).

torce *f.* ① 똘똘 말은 한 뭉치. ② [드뭄] =**collar.**

torcecuello *m.* 【조류】딱다구리과의 일종.

torcedero, ra *adj.* 뒤트는, 꼬는, 똘똘 마는; 뒤틀린, 꼬인, 벗어진. —*m.* 꼬는 기계.

torcedor, ra *adj.* 뒤트는, 꼬는; 뒤틀리는, 꼬이는. —*m.* ① 실 꼬는 기계, 꼬는 기계. ② 언짢은 일. ③《*Cuba.*》 여송연 만드는 직공.

torcedura *f.* ① 꼬는 일; 뒤틀림, 꼬임(torcimiento). ② 좋지 않은 술, 값싼 술(aguapié, vino flojo).

torcer *tr.* 25 1 [*lat.* torquere] ① ㄱ) 꼬다, 뒤틀다 : Ella *tuerce* bien la cuerda 그녀는 줄을 잘 꼰다. ㄴ) (손·발 등을) 비틀다, 꼬다 : ~ un brazo 팔을 비틀다. ② 굽히다(encorvar, doblar) : Es tan fuerte que *tuerce* una barra de hierro fácilmente 그는 매우 강해서 철봉을 쉽게 굽혔다. El agua *tuerce* los rayos de luz 물은 광선을 굴절시킨다. ③ 뒤틀리게 하다; (얼굴이나 그 표정을) 찡그리다 : ~ los ojos 눈을 찡그리다. ~ el gesto·el rostro 싫은 표정을 짓다. ④ ㄱ) 왜곡(歪曲)하다, 곡해하다 : ~ los intenciones de alguien. ㄴ) (판정·판결을) 어긋나게 하다. ⑤ 길에서 벗어나게 하다, 못된 길로 빠지게 하다; (의견 등을) 바꾸게 하다. ⑥ (시거 등을) 말다.

—*intr.* ① [+a : …로] 구부러지다 : El camino *tuerce a* la derecha 길은 오른쪽으로 구부러진다. ② 벗어나다, 빗나가다.

~se ① 꼬이다, 틀어지다; 얽히다. ② 몸을 꼬다. ③ 뒤틀리다; 한 쪽으로 치우쳐지다 : El coche *se tuerce* hacia la cuneta. ④ 빗나가다, 벗어나다. ⑤ 의견·생각을 바꾸다. ⑥ (어떤 일이) 꼬이다·얽히다. ⑦ (술이) 시어지다(agriarse el vino); (우유가) 엉기다(cortarse).

andar·estar torcido con …과 마음이 맞지 않다, 마음에 응어리가 생기다.

[직설법 현재 : tuerzo, tuerces, tuerce, torcemos, torcéis, tuercen. 접속법 현재 : tuerza, tuerzas, tuerza, torzamos, torzáis, tuerzan].

torcida *f.* 램프·등·초의 심지(mecha).

torcidamente *adv.* 부정하게, 틀어지게; 왜곡해서, 곡해해서.

torcidillo *m.* 꼰 비단실.

torcido, da *adj.* [torcer의 *p.p.*] ① ㄱ) 꼬인, 비틀려진, 구부러진 : ~ por la punta 끝이 구부러진. ~ de cuerpo 몸이 구부러진. ㄴ) 비꼬인 : camino ~. ② 부정한; 솔직하지 않은, 성질이 비틀어진 : ~ *en* sus dictámenes 사고 방식이 비뚤어진. ③《*Guat.*》 불운한(desdichado). —*m.* 과일을 넣은 꽈배기 빵; 나쁜 술; 꼰 비단실.

torcijón *m.* ① 꼬임, 뒤틀림(retorcimiento). ② 장염전(腸捻轉)(retortijón de tripas). ③ (가축의) 장통(腸痛)(torozón).

torcimiento *m.* 꼬임, 꼬기, 뒤틀기, 뒤틀림(torcedura); 빙빙 돌려서 하는 말투.

torcionario *m.* 《*Galic.*》 =**verdugo.**

torco *m.* 《*Ál. Logr. Sant.*》 패인 구멍, 물웅덩이.

torculado, da *adj.* 나선 모양·상태의(en forma de tornillo).

tórculo *m.* (금속판에 대한) 각인기(刻印機)(prensa de tornillo).

torda *f.* 【조류】개똥지바퀴(tordo)의 암컷.

tordella *f.* 【조류】큰 개똥지바퀴.

tórdiga *f.* [드뭄] 가죽끈(túrdiga, tira de piel, correa).

tordillejo, ja *adj. dim.* tordillo.

tordillo, lla *adj. m.f.* 잿빛의 (말)(tordo).

tordita *f.* 《*Venez.*》 넉살좋은·뻔뻔스러운 여자.

tordo, da *adj.* 회색의, 둥근점이 있는 (말). —*m.f.* 회색 말. —*m.* ①【조류】개똥지바퀴. ② 《*Amér.*》 찌르레기(estornino).

~ ***de alirrojo*** 붉은 털 개똥지바퀴(malvís). ~ ***de agua*** 강 개똥지바퀴. ~ ***de mar*** =budión. ~ ***mayor*** 황여새, 홍여새.

toreador *m.* 투우사; 우롱하는 사람. [*N.* 현재는 torero가 더 많이 쓰임].

torear *intr.* ① 투우를 하다, 소를 다루다 : *Toreaba* con gran valor. ② 소가 교미하다. ③ 《*Bol. Riopl.*》 짖다(ladrar).

—*tr.* ① 다루다. ② 우롱하다(entretener); 집적거려 괴롭히다(incomodar). ③《*AmérC. Arg.*》 꼬드기다, 부추기다(azuzar). ④《*Ecuad.*》 도망치다, 살짝 피하다(esquivar).

toreo *m.* ① 투우(술). **Sinón.** tauromaquia. ② 우롱, 조롱, 야유(burla).

torera *f.* 재킷, 망토, 외투(chaquetilla corta).

torería *f.* ① 투우 기술; 투우사 조합·단. ② 《*Amér.*》 장난, 까불기. ③《*Perú.*》 소란, 소동(bulla).

torero, ra *adj.* 투우의, 투우사 같은·풍의 : aire ~, sangre ~*ra.* —*m.f.* 투우사; 투우를 좋아하는 사람.

torés *m.* 【건축】큰 염주 쇠시리.

toresano, na *adj.* 또로《Toro, Zamora주의 도

시》의, 또로에 관계되는. —*m.f.* 또로 사람.

torete *m.* [*dim.* toro] 작은 소; 난점, 곤란한 일; 이야깃거리, 화제.

torga *f.* (마소의) 멍에(horca).

torgado, da *adj.* =**trabado, torpe.**

torgar *tr.* =**ahocar.**

torgo *m.* 《*Gal.*》 =**cepa del brezo.**

toribio *m.* ① 멍청이, 천치, 백치, 바보, 등신, 얼간이. ② 소년 보호원, 미성년자 보호소.

tórico, ca *adj.* 둥그런 고리 모양의.

toril *m.* (투우장의) 밀폐된 우리·외양간.

torillo *m.* [*dim.* toro] ① 작은 소. ② (목제 수레바퀴를 잇는) 이음못. ③ 화재(話題)(torete).

torio *m.* 【화학】 토륨 《금속 원소》.

toriondez *f.* 교미기.

toriondo, da *adj.* 암내 낸 (암소).

torita *f.* 【광물】 토르석(石), 규(硅)토륨광.

torito *m.* [*dim.* toro] ① 《*Amér.*》【식물】 난초의 일종. ② 《*AmérC.*》 투우 춤. ③ 《*Arg. Perú.*》【곤충】 딱정 벌레의 일종. ④ 《*Chile.*》 텐트, 천막, 차일. ⑤ 【조류】 =**fiofío.**

torloroto *m.* 피리, 목동의 풀피리.

tormagal *m.* =**tolmera.** **Sinón.** peñascal.

tormellera *f.* 암석지(岩石地)(tolmera).

tormenta *f.* ① 태풍, 폭풍, 풍랑, 폭풍우(tempestad): ~ eléctrica 【기상】 전기 폭풍. El barco se guareció de la ~ 배는 폭풍우를 피난했다. ② 비운, 불행(desgracia). ③ 소동; 격정; 격론.

tormentador, ra *m.f.* =**atormentador.**

tormentar *intr.* 폭풍이 몰아치다, 풍랑이 일다.

tormentaria *f.* 포술(砲術)(artillería).

tormentario, ria *adj.* 총기의, 포술의.

tormentila *f.* 【식물】 양지꽃 무리(sieteenrama).

tormentín *m.* 뱃머리에 비스듬히 세운 마스트.

tormento *m.* [*lat.* tormentum] ① 들볶음, 고통; 고뇌, 고민: Ese niño enfermo es su ~ 그 병든 아들이 고민의 씨앗이다. ② 고문.

dar ~ 들볶다, 괴롭히다, 못살게 굴다.

tormentoso, sa *adj.* ① (날씨가) 궂기 쉬운·궂어질 듯한·험한. ② 폭풍우·풍랑이 곧잘 이는: tiempo ~. ③ 폭풍우에 시달리는 (선박).

tormera *f.* 암석지(tolmera).

tormo *m.* 지장암(tolmo); 흙덩이.

torna *f.* ① 돌아감(regreso); 되돌려 줌, 반환. ② (도랑의) 둑. ③ 【방언】 강의 물웅덩이; 논의 이랑을 세는 단위.

volver las ~s 보답하다; 답례하다; 역전시키다.

volverse las ~s 사태가 역전되다, 예상 밖의 결과가 되다.

tornaboda *f.* 결혼 이튿날; 그 날의 행사.

tornachile *m.* 《*Méx.*》【식물】 고추의 일종.

tornada *f.* ① 돌아감, 돌아가는 일(regreso); 다니는 일. ② 【시어】 발구(跋句).

tornadera *f.* 두 갈래로 갈라진 갈고랑이, 포크, 갈퀴.

tornadizo, za *adj.* 변덕이 죽 끓듯 하는, 마음이나 결심이 변하기 쉬운, 이랬다 저랬다 하는 (사람). —*m.f.* 변절자(變節者). —*m.* 【방언】 【식물】 코르크 떡갈나무.

tornado *m.* (기네아만에서 일어나는) 폭풍, 태풍(huracán).

tornadura *f.* ① 되돌려 주는 일, 되돌아감; 돌아가기. ② 길이의 단위(pértica) 《2.70m》.

tornagallos *m.* 《*Ál.*》 =**lechetrezna.**

tornaguía *f.* 【상업】 송장(送狀)의 수취증.

tornajo *m.* 길쭉한 나무통, 구유; 반죽 그릇.

tornajuma *f.* 《*SDgo.*》 숙취(宿醉).

tornalecho *m.* 침대 주위의 커튼.

tornamiento *m.* 돌아가는 일, 되돌려 주는 일(vuelta); 변하는 일, 변화.

tornapeón (a) *adv.* 【방언】(농경에서) 서로 도와, 울력으로.

tornapunta *f.* 버팀나무, 지주(支柱)(puntal, sostén); (세로 나무와 가로 나무에 어긋나게 박는) 쐐기.

tornar *tr.* [*lat.* tornare] ① 되돌려 주다, 돌려주다, 반환하다(devolver): Le *torné* lo que me prestó 그가 나에게 빌려 주었던 것을 그에게 돌려주었다. ② [+형용사, 어떤 상태로·성질로] …로 하다, 바꾸다, 변하게 만들다(cambiar, mudar): ~ a uno taciturno 누구를 말이 적게 하다. El mal humor le *tornó* taciturno 그는 기분이 나빠서 말을 하지 않았다. —*intr.* ① 되돌아가다, 돌아가다(regresar, volver): ~ a las andadas 다시 원상으로 돌아가다. El *tornó* a su casa 그는 자기의 집으로 돌아갔다. ② [+en: …으로] 변하다: La defensa *tornó en* acusación 변호가 비난으로 바뀌었다. ③ [+a+*inf.*] 또·다시 …하다: *Tornó a* escribirle 그에게 다시 편지를 냈다. *Torna a* llover 또 비가 오기 시작한다. ④ 정신을 돌이키다, 의식을 회복하다·되찾다.

~se 변하다, …으로 되다, 다시 …이 되다: Las montañas *se tornan* blancas 산들이 다시 하얗게 된다.

tornasol *m.* ① 【식물】 해바라기(girasol). ② 비단 벌레 빛깔(cambiante): los *~es* de una tela 광선에 따라 여러 빛깔이 나는 천. ③ 리트머스 《남색 염료》: papel de ~ 리트머스 시험지.

tornasolado, da *adj.* ① 비단 벌레 빛깔의, 무지개 빛으로 반짝이는: una tela *~da.* ② 비굴한, 알랑거리는 듯한.

tornasolar *tr.* 비단 벌레 빛깔로 만들다.

~se 비단 벌레 빛깔로 반짝이다.

tornátil *adj.* 선회식의; 빙글빙글 도는, 선회하는; 기대할 것이 못되는, 변하기 쉬운, 변절하는(tornadizo, que cambia fácilmente).

tornatrás *m.f.* =**saltatrás.**

tornavía *f.* (철도의) 전차대(轉車臺).

tornaviaje *m.* 돌아가기, 귀로(vuelta); 선물.

tornavirada *f.* 에움길, 우회로; 일주 여행, 왕복 여행.

tornavirón *m.* =**torniscón.**

tornavoz *m.* ① (연단 등의) 반향판, 반향 장치; 반향(eco). ② 메가폰(bocina): hacer ~ 소리칠 때 입에 손나팔을 대다. ③ 무대 옆의 대사를 외워주는 사람이 숨는 곳.

torneado, da *adj.* tornear의 *p.p.* —*m.* tornear 하기.

torneador, ra *m.f.* 선반공; 출전 선수.

torneadura *f.* 선반에서 나오는 쇠부스러기.

torneante *adj. m.f.* 경기에 출전하는 (선수).

tornear *tr.* 돌리다; 선반에 걸다. —*intr.* 돌다,

선회하다 ; 이 궁리 저 궁리하다 ; (기마전) 시합을 하다 ; 경기에 출전하다.

torneo *m.* ① 시합, 경기, 리그전, 토너먼트 경기(certamen). ② 기마 모의전. ③ 가축의 병.

tornera *f.* (수도원의) 회전대를 맡은 여승, 접수하는 여승.

tornería *f.* 선반 가게 · 공장 ; 선반공의 일.

tornero, ra *m.f.* 선반공(旋盤工).

tornés, sa *adj. m.* 투르《Tours, 블란서의 도시》 주조의 (은화)《13세기 경까지 유통되었던 것》.

tornija *f.* 수레바퀴에 박은 쐐기.

tornilla *f.* 《*And.*》 실 꼬는 기계.

tornillazo *m.* =**deserción.**

tornillero *m.* 탈주병, 도망병.

tornillo *m.* ① 나사, 나선 ; 수나사 ; 나사못. ② 모루, 바이스. ③ (사병의) 탈주(deserción de un militar).

~ *de alimentación* 급동(給動) 나선. ~ *con cabeza* 조임 · 압(押)나사. ~ *de Alquímedes* 나선식 양수 펌프. ~ *de banco* 모루. ~ *de mano* 핸드 바이스. ~ *de mordaza* 세로 모루. ~ *de mariposa · de oreja* 나비꼴 나사. ~ *de ojo* 대가리 대신 작은 고리가 있는 나사못. ~ *de presión · de sujeción* 조임 나사. ~ *pasador* 나사가 달린 볼트. ~ *sin fin* 무한 나사.

apretar los ~s 귀찮게 조르다, 재촉하다, 독촉하다(apremiar).

faltar un ~ ; tener flojos los ~s 나사가 풀어지다, 느슨해지다 ; (사람이) 한군데가 비어 있다, 어딘지 모자란 곳이 있다 : A ese muchacho le *falta* algún ~ 그 소년은 어딘지 모자라는 곳이 있다.

torniquete *m.* [*fr.* tourniquet] ①(한 사람씩 지나갈 수 있게 만든) 회전식 출입구 · 개찰구 : ~ automático 자동 출입구. ② 지혈대(止血帶), 지혈기(止血器).

torniscón *m.* 손으로 구타 ; 꼬집기.

dar un ~ 꼬집다.

tornizco *m.* 《*Col.*》 꼬집기(pellizco).

torno *m.* [*lat.* tornus] ① 선회, 회전 ; 주위를 도는 일. ② 회전식 기구 · 장치 ; 선반(旋盤), 레이스 : ~ revólver 터릿 선반. ③ 녹로, 활차 : ~ de alfarero. ④ 권상식 활차 ; 모루 ; 수동식 제동기. ⑤ (수녀원의) 회전식 출입구, 회전대 : ~ de comedor 회전식 요리 반입구. ⑥ (실이나 밧줄의) 꼬는 기계 : ~ de cordelero ; ~ de hilar 실 꼬는 기계. ⑦ 강줄기의 꺾임(recodo).

a ~ 주위에, 주변에.

en ~ ① 주위에 : Antes la política giraba *en* ~ de la persona del rey 이전에는 정치가 왕 자신을 중심으로 행해지고 있었다. *En* ~ a ellos se congregaban patos silvestres 그들 주위에 들오리들이 모여들었다. ② 그 대신.

toro[1] *m.* [*lat.* taurus] ①【동물】 황소, 사나운 소 : corrida de ~*s* 투우. Había un animal de piedra que tenía forma de ~ 소의 형상을 가진 돌로 된 동물이 있었다. [*N.* buey는 거세된 소]. ② 건장한 남자. ③【천문】 금우궁(金牛宮)(Tauro).

—*pl.* 투우(corrida de ~*s*) : plaza de ~*s* 투우장. Todo extranjero que visita España quiere ir a los ~*s* 서반아를 찾는 외국인은 모두 투우 구경을 가고 싶어한다.

~ *corrido* 만만찮은사람, 닳고 닳은 사람, 교활한 사람, 교활한 인간. ~ *de fuego* 소의 형상이 나오게 된 꽃불(tora). ~ *del aguardiente* 새벽 흥행의 투우. ~ *de lidia · de muerte* 투우용 소. ~ *mejicano* 들소(bisonte).

otro ~ 화제를 바꾸는 일.

echar · soltar el ~ 격렬하게 비난하다 ; 사정없이 바른 대로 말하다(increparle severamente).

haber ~s y cañas 비상한 의논이나 문제가 있다(haber jaleo).

mirar · ver los ~s desde el andamio · la barrera · el balcón 편히 구경하다, 돈을 들이지 않고 구경하다.

toro[2] *m.* [*lat.* torus]【건축】 염주 쇠시리(bocel, moldura redonda).

torombolo *m.* 《*Cuba.*》 땅딸막하고 뚱뚱한 사람(hombre bajo y gordo, rechoncho).

torón *m.*【화학】 =**isótopo del radón.**

torondo *m.* =**tolondro.**

torondón *m.* =**tolondro.**

toronja *f.*【식물】 또롱하 《귤의 일종》.

toronjil *m.*【식물】 멜리사(melisa) ; 향수 박하.

toronjina *f.*【식물】 =**toronjil.**

toronjo *m.*【식물】 또롱하나무.

toroso, sa *adj.* 힘차고 씩씩한.

torote *m.*【식물】 탄닌이풍부한 멕시코의식물이름.

torozón *m.* ① 짐승의 장통(腸痛). ② 불쾌, 불안(desazón). ③ 《*Chile.*》 쪼가리, 조각 ; 단편(trozo, pedazo).

torpe *adj.* [*lat.* turpis] ① 굼뜬, 손재주가 없는, 서툰, 어리석은, 얼빠진, 우둔한, 멍청한(tonto, bobo) : Es un ~ para este trabajo 그는 이 일에는 서툴다. ② 음탕한, 음란한, 외설적인 ; 추접스러운, 추악한, 추행을 일삼는.

torpear *intr.* 《*Chile.*》 몹시 서툰 짓을 하다, 형편없이 하다.

torpedad *f.* =**torpeza.**

torpedeamiento *m.* 어뢰 발사, 어뢰 공격(torpedeo).

torpedear *tr.* ① 어뢰 공격하다(atacar con torpedos). ②【무전】 같은 주파 · 전파로 방해하다.

torpedeo *m.* 어뢰 발사.

torpedero *m.* 어뢰정, 어뢰함 : Los ~*s* son barcos pequeños de andar muy rápido. **—*adj.*** 어뢰 장치가 된 : una lancha ~*ra.*

torpedista *m.* 어뢰 사수.

torpedo *m.* [*lat.* torpedo] ①【어류】 시끈가오리《호신용 발전 기관이 있음》. ②【군사】 기뢰, 어뢰 : ~ aéreo 공중 어뢰. ~ automóvil 자동 어뢰. ~ durmiente · de fondo 부설 기뢰. ~ flotante 표설(漂設) 기뢰. ③【철도】 신호 뇌관.

torpemente *adv.* ① 서툴게, 어설프게, 어처구니없게. ② 음탕하게, 외설적으로 : El habla muy ~ 그는 매우 음탕하게 말한다. ③ 둔하게, 멍청하게, 바보스럽게.

torpeza *f.* ① 우둔, 아둔함, 어리석음 : obrar con ~. ② 실수, 추행, 외설.

tórpido, da *adj.*【의학】 반응 부전(反應不全)의.

torpón, na *adj. aum.* torpe.

torponazo, za *adj.* 《*Chile.*》 솜씨가 아주 형편없는.

torpor *m.* [드뭄] 마비, 실신, 기절, 졸도(entumecimiento).

torques *f.* [*lat.* torques] 고대 로마인이 사용했던 목걸이(collar).

torrado *m.* 불에 볶은 이집트콩.

torrado, da *adj.* 불에 볶은.

torrar *tr.* 불에 볶다(tostar); 살짝 태우다(quemar muy ligeramente).

torre *f.* [*lat.* turris] ① 탑 : La ~ Namsan mide 236,7m. de alto 남산 타워는 높이가 236,7미터이다. La ~ Eiffel mide 300m. de alto 에펠탑은 높이가 300미터이다. ② 성채, 망대, 망루(望樓); 누각; 포탑(~ artillada) : buque de ~*s* 포탑함(砲塔艦), 망루식 군함. ③ 서반아의 카드패의 하나. ④【방언】장원, 농장. ⑤《*Cuba. PRico.*》 공장의 굴뚝.
~ de acero 철탑. *~ de Babel* 바벨탑; 공상적 계획. *~ de control·de mando* 사령·지령·관제탑. *~ de marfil* 상아탑. *~ de lanzamiento* 로켓 발사탑. *~ de pisa* 피사의 (사)탑. *~ del homenaje* 성의 주누각(主樓閣). *~ de viento* 공중 누각. *~ reloj* 시계탑.
hacer ~ 상처 입은 새가 높이 날아오르다.

torrear *tr.* (성 등에) 탑루를 짓다.

torrecilla *f.* [*dim.* torre](선박의) 망루.

torrefacción *f.* 볶기, 굽기, 튀기기(tostadura) : La ~ desarrolla el aroma del café.

torrefactar *tr.* 커피를 볶다(tostar el café).

torrefacto, ta *adj.* =**tostado.**

torreja *f.* ①《*Amér.*》 튀김빵. ②《*Chile.*》 과일의 조각·한 토막.

torrejón *m.* [*dim.* torre] 작은 탑, 누각.

torrencial *adj.* 격류의, 분류(奔流)의, 분류 같은; 폭포의, 여울 같은 : una lluvia ~ 억수 같이 쏟아지는 폭우. Anoche cayó una lluvia ~ 어젯밤에 억수 같은 폭우가 쏟아졌다.

torrendo *m.* 《*Sant.*》 =**torrezno.**

torrentada *f.* 격렬한 급류.

torrente *m.* ① 격류, 급류, 분류(奔流) : Los ~*s* causan peligrosas inundaciones 분류는 위험한 홍수를 일으킨다. ② 군중(群衆)(muchedumbre), 많음(abundancia). ③ 격렬한 힘(fuerza impetuosa). ④ 인파.
~ de voz 성량이 좋은 목소리.

torrentera *f.* 하상(河床)(cauce, lecho de un torrete).

torrentoso, sa *adj.* 《*Amér.*》 =**torrencial.**

torreón *m.* [*dim.* torre] ① 작은 탑 : ~ arruinado. ②《*Venez.*》 굴뚝.

torrero, ra *m.f.* 망루지기; 등대지기.

torreta *f. dim.* torre.

torreznada *f.* 기름에 튀긴 돼지고기의 더미.

torreznero, ra *adj m.f.* =**holgazán, perezoso.**

torrezno *m.* 기름에 튀긴 돼지고기.

tórrido, da *adj.* [*lat.* torridus] ① 혹서(酷暑)의, 삼복 더위 같은, 타는 듯한, 찌는 듯한 : clima ~ 찌는 듯한 기후. ② 열대의 : zona ~*da* 열대.

torrificado, da *adj.* 《*Méx.*》 볶은 (커피).

torrija *f.* 맛을 들인 튀김빵.

torrontera *f.* 《*And. Cuba.*》 =**torrontero.**

torrontero *m.* 홍수가 휩쓸고 온 개흙.

torrontés *adj.* 냄새 좋은 포도주를 만드는 하얀 포도의 : uva ~ 알이 작고 하얀 포도.

tórsalo *m.* 《*AmérC.*》 털 진드기.

torsión *f.* torcer하는 일 : La ~ de las cuerdas de tripa disminuye con la humedad.

torsionado, da *adj.* 꼬인, 비틀린.

torso *m.* [*ital.* torso] ① 동상의 동체(tronco de una estatua) : dibujar un ~ de Hércules. ② (사람의) 흉상(busto).

torta *f.* [*lat.* tarta] ① (둥근) 케이크, 파이 : ~ de frutas 과일 케이크. ~ de reyes 1월 6일의 현신일에 내놓는 케이크. ② (케이크 모양의) 둥그런 덩어리 : ~ de semilla de algodón 면실박(綿實粕). ~ de soya 콩깻묵. ③ 손바닥으로 때리기(bofetada) : pegar una ~. ④ 한 벌의 활자. ⑤ 취기(borrachera).
ni ~ 절대로 아무 것도(absolutamente nada).
costar la ~ un pan 생각보다·실질보다 비싸게 먹히다·힘이 들다(costar una cosa más de lo que vale o se pensaba).
ser una cosa *~s y pan pintado* 어려운 일이 아니다, 훨씬 더 손쉽다(ser una cosa mucho menos fastidiosa o difícil que otra).

tortada *f.* ① 고기를 넣은 파이, 파이 (과자). ② (발라서 고루 펴는) 회반죽, 그 재료(tendel).

tortal *m.* [*lat.* tortor] 《*Hond.*》 =**acial.**

tortazo *m.* =**bofetada, soplamocos.**

tortear *tr.* ①《*Chile.*》 반반하게 고루 펴다. ②《*Méx.*》 갈채를 보내다.

tortedad *f.* ① 꼬임, 비틀림. ② 부정. ③ 애꾸눈인 것.

tortera *f.* 박차의 수레.

tortero, ra *m.f.* 케이크 제조인·상인. —*adj.* 《*Bol.*》 원반형의. —*m.* ① 둥근 빵그릇 (상자·광주리); 빵 굽는 가마솥. ② 박차의 수레.

torticeramente *adv.* 부정하게.

torticero, ra *adj.* 부정한, 불법의(injusto).

torticoli *m.* =**tortícolis.**

torticolis *m.* =**tortícolis.**

tortícolis *m.*【의학】목이 틀어짐, 사경(斜頸); 목 근육의 통증·류머티즘, 이로 인해 목이 기움.

tortilla *f.* [*dim.* torta] ① 오믈렛. ②《*AmérC. Ant. Méx.*》 또르띠야, 옥수수 부침개·지짐이. ③《*Arg. Chile.*》 구운 빵.
~ de huevos 오믈렛.
~ a la francesa 계란 부침개.
hacer ~ 으깨다, 찌부러뜨리다, 눌러 깨뜨리다; 부수다(aplastar, reventar).
volverse la ~ 정반대로·거꾸로 되다(suceder una cosa al revés de lo que se pensaba, o trocarse la fortuna que era antes favorable).

tortillera *f.* =**lesbiana.**

tortillero, ra *m.f.* tortilla를 만드는 사람.

tortillo *m.* 둥근 색이 든 조각.

tortis *m. letra de ~* 고딕 인쇄체의 일종.

tortita *f. dim.* torta.

tórtola *f.*【조류】호도에《애조어린 울음 소리로 우는 새》; 멧비둘기.

tortolear *tr.* 《*Col.*》 =**requebrar.**

tortolico *adj.* ① 순진한. ② =**tortolillo.**

tortolillo *m.* [*dim.* tórtola] 작은 산비둘기.

tortolito, ta *adj.* =**atortolado.** —*m.* [*dim.*

tórtola] 작은 산비둘기.
tórtolo *m.* ① 산비둘기의 수컷. ② 사랑하는 사람. ③《*Col.*》바보, 얼간이(tonto, bobo).
tortor *m.* 나사 조이개 ; 한번 조이기.
dar ~《*Ant.*》눈코 뜰 새 없이 만들다 ; 졸라 죽이다 ; 학대하다, 사람을 들들 볶다.
tortosino, na *adj.* 또르또사《Tortosa, Tarragona의 도시》의. —*m.f.* 또르또사 사람.
tortozón *adj. m.f. uva* ~ 알이 큰 포도의 일종.
tortuca *f.*《*Sant.*》옥수수빵(borona o pan de maíz).
tortuga *f.* ①【동물】거북. ② 자라(~ de mar) : sopa de ~ 자라 수프. ③ 귀갑(龜甲) 모양의 방어 장벽(testudo).
paso de ~ 거북처럼 느린 걸음.
a paso de ~ 느릿느릿, 천천히(muy lentamente).
tortuguillo *m.*【식물】(뿌에르또리꼬산의) 나무의 일종.
tortuosamente *adv.* 구불구불하게 ; 비비꼬여.
tortuosidad *f.* 구불구불함, 곡절, 구부러짐.
tortuoso, sa *adj.* ① 구불구불한 : un camino ~. ② 음험한. Contr. recto.
tortura *f.* [*lat.* tortura] ① 꼬임 ; 외눈. ② 고문, 들볶음(tormento) : ~ mental 정신적인 고문. a ~ 고문하여. aplicar la ~ a un reo 죄수에게 고문을 가하다. ③ 고뇌, 고민(dolor, aflicción grande) : padecer una ~ moral.
torturador, ra *adj.* 괴롭히는, 못살게 구는 : una idea ~*ra.* —*m.f.* 괴롭히는 사람.
torturar *tr.* 괴롭히다, 고문하다, 학대하다, 못살게 하다(atormentar) : Aquel pensamiento le *torturó* sin cesar 그런 생각은 끊임없이 그를 괴롭혔다.
~se 괴로워하다.
toruna *f.*《*Amér.*》=**vaca brava.**
torunda *f.* =**clavo, lechino.**
toruno *m.* ①《*AmérC.*》종우(種牛)(toro reproductor). ②《*Arg. Parag. Urug.*》늙은 소(toro viejo). ③《*AmérM.*》세 살 이후에 거세한 소.
toruno, na *adj.* 황소의.
torva *f.* 눈·비가 섞인 회오리바람, 진눈깨비(remolino de nieve o lluvia).
torvisca *f.*【식물】=**torvisco.**
torviscal *m.* 서향나무숲.
torvisco *m.*【식물】서향나무.
torvo, va *adj.* 화가 잔뜩 난, 약이 오른, 노한, 성난(airado, irritado).
torzadillo *m.* torzal의 일종.
torzal *m.* ① (자수용) 비단실 ; 수실, 꼰실, 재봉실 : ~ de algodón 무명실. ② 꼰 것. ③《*Arg. Chile.*》(마소를 매는) 가죽끈(lazo, maniota de cuero).
torzón *m.* (짐승의) 장통(腸痛)(torozón).
torzonado, da *adj.* 장통(腸痛)에 걸린.
torzuelo *m.*【조류】숫매(terzuelo).
tos *f.* [*lat.* tussis] 기침 : ~ convulsa·convulsiva·ferina 백일해. ~ seca 짧은 헛기침. pastilla para la ~ 진해제(鎭咳劑). fingir ~ 일부러 헛기침을 하다. En la oscuridad se oyeron las ~*es* secas de alguien 어둠 속에서 어떤 사람의 기침 소리가 들렸다. Sinón. coqueluche.
tosa *f.* 겉보리(trigo chamorro).
tosca *f.* ① 석회석(piedra caliza). ② 이똥, 치석(齒石)(toba).
toscamente *adv.* 거칠게, 사납게, 교양없이, 우락부락하게, 무뚝뚝하게; 엉성하게, 솜씨없이, 조잡하게(de una manera tosca).
Toscana, la【지명】또스까나《이탈리아 반도의 중심 지방》.
toscano, na *adj.* 또스까나《Toscana, 이탈리아의 한 지방 ; 옛 왕국》의 ; 토스까나 식의 (건축). —*m.* ① 또스까나 양식. ② 또스까나말, 이탈리아어. ③《*Arg. Urug.*》(냄새가 독한) 보통 여송연.
tosco, ca *adj.* ① 엉성한, 조잡한(grosero, basto) : un trabajo demasiado ~ 너무 엉성한 일. ② 거친, 우락부락한, 교양없는, 세련되지 못한(inculto, grosero) : Es un hombre muy ~ 그는 교양이 없다. Era una persona de maneras *toscas* 그는 품행이 나쁜 사람이었다.
tosecilla *f.* [*dim.* tos] 가벼운 기침.
tosedera *f.*《*Col. Ecuad.*》숨가쁘게 하는 기침, 계속되는 기침(tos continua).
tosegoso, sa *adj. m.f.* 기침이 나오는, 기침을 하는 (사람), 기침을 자주 하는 (사람).
toser *intr.* [*lat.* tussire] ① 기침을 하다(tener tos). ② [+a : …에] 맞서다 ; (…와) 어깨를 나란히 하다(~ una persona a otra) : A mí nadie me *tose* 나를 당해 낼 사람은 없다.
~ *fuerte* 실속없이 우쭐대다·으시대다.
toseta *f.* =**tosa.**
tosferina *f.* =**tos ferina.**
tosido *m.*《*Chile.*》기침(을 하는 일).
tosidura *f.* 기침을 하는 일.
tosigar *tr.* 8 (…에) 독을 타다(atosigar).
tósigo *m.* ① 독(毒)(ponzoña, veneno). ② 고뇌, 고민. ③《*Venez.*》징글맞은 놈, 낯짝도 보기 싫은 놈.
tosigoso, sa *adj. m.f.* ① 독을 탄 것을 받은 (사람)(ponzoñoso, envenenado). ② 기침으로 애먹는 (사람).
tosis *f.* =**ptosis.**
tosquedad *f.* 조잡함 ; 촌스러움 ; 엉성함, 서툼.
tostada *f.* ① 토스트 (빵) : En el desayuno tomo café con ~ 아침 식사에 커피와 토스트를 먹는다. ②《*Arg.*》따분하게 늘어놓는 말(tabarra), 난처한 일(lata).
dar·pegar a uno *la·una* ~ 감쪽같이 속이다(enganarle) ; 골탕을 먹이다(darle un chasco) ; 돈 같은 것을 울거내다.
no ver la ~ 이해를 못하다(no entender).
tostadera *f.* 볶는 냄비, 굽는 프라이팬, 빵 굽는 기구, 토스터.
tostadero, ra *adj.* 볶아진 ; 쉽게 볶을 수 있는. —*m.* 볶는 장소.
tostadillo *m.*《*Sant.*》리에바나(Liébana)의 유명한 포도주.
tostado, da *adj.* [tostar의 *p.p.*] ① 구운, 볶은 ; 데친 : maíz ~ 구운 옥수수. El pan está demasiado ~ 빵이 너무 구워졌다. ② 노르께한, 검은. ③ 햇볕에 탄. ④《*Méx.*》빌어 먹을《욕》. —*m.* ① 굽는·볶는 일 : el ~ del café. ② ㄱ) [el T-] Avila의 주교 Alfonso del Madrigal (1400−1454). ㄴ) 다작가(多作家).

escribir más que el T- 마구 써 갈기다, 수없이 써 내다.

tostador, ra *adj. m.f.* 굽는 (사람), 볶는 (사람). **—*m.*** ① 빵 굽는 기구 : ~ eléctrico 전기 토스터. ② 굽는 기구, 커피 볶는 기구.

tostadura *f.* tostar 하는 일.

tostar *tr.* 24 ① 굽다, 볶다, 익히다, 눌리다; (태양 등이) 태우다 ; ~ café 커피를 볶다. ② 《*Amér.*》 때리다(zurrar). ③《*Col.*》 열심히 하다. ④《*Méx.*》 =**dañar, matar.**

~se ① 눋다; 타다. ② 볕에 그을다 : Usted *se ha tostado* la cara 당신은 얼굴이 볕에 그을렸다. Sinón. curtir. ③ 몹시 화끈거리다.

tostel *m.* 《*CRica.*》 과자(dulce, pastelillo).

tostelería *f.* 《*CRica.*》 다과점, 제과점, 과자점.

tostón *m.* ① 볶은 이집트콩(torrado). ② 올리브를 묻힌 토스트 빵 ; 너무 구운 것 ; 구운 새끼 돼지. ③ 되씹고 또 되씹는 말. ④ 멕시코의 은화 《50 centavos》. ⑤ 포르투갈의 은화 《100 reis》.

tota *f.* 《*Chile.*》 오징어 낚시 바늘.

a (la) ~ 《*Chile.*》 등에 지고(a cuestas) ; 일을 가로맡아.

total *adj.* [*lat.* totalis] ① 전체의, 합계의 : ruina ~ 전멸. ② 완전한, 전적인 : fracaso ~ 완패. indiferencia ~ 전적인 무관심. El bombardeo causó la destrucción ~ de la ciudad 폭격이 도시의 전면적인 파괴를 가져왔다. ③ 총력적인 : paz ~ 전면 강화.

—*m.* 총액, 총계, 합계(suma) ; 총수.

—*adv.* 결국 ; 요컨데 ; 다시 말하면.

~ ***de compromisos*** 《*Arg.*》 채무 합계.

~ ***de la factura*** 송장 (기재) 금액.

~ ***del activo·pasivo*** 자산·부채 합계.

~ ***que*** 즉, 요컨데 ; 다시 말하면 ; 결국 : *Total, que* lo más prudente será quedarse en casa 결국, 집에 있는 것이 가장 현명할 것이다. *Total, que* nadie está contento 결국 아무도 만족하지 않는다.

en ~ 전부해서.

¡total! *interj.* 무관심·냉담의 감탄사.

totalidad *f.* 전체, 전부, 총액 : ~ de gastos 경비 총액.

totalismo *m.* 전체주의(全體主義).

totalista *adj.* 전체주의의. **—*m.f.*** 전체주의자.

totalitario, ria *adj.* 전체주의의, 일국 일당 주의(一國一黨主義)의. **—*m.f.*** 전체주의자.

totalitarismo *m.* 전체주의 《파시즘, 국가 사회주의, 공산주의 등》.

totalización *f.* 집계·합계(하는 일).

totalizador, ra *adj.* . 집계·합계하는 ; 총력화하는. **—*m.*** 집계자 ; 총액 계산기.

totalizar *tr.* 9 집계·합계하다, 합하다 ; 마감하다(sumar) ; 총력화하다.

~se [+en : …과] 합계가 되다.

totalmente *adv.* ① 전혀, 완전히, 모조리. ② 합계해서, 전체로(completamente, enteramente). ③ 결국에는.

totanero, ra *adj.m.f.* 또따나 《Totana, Murcia 주의 도시》의 (사람).

totay *m.* 《*Amér.*》【식물】 야자나무의 일종.

totazo *m.* ①《*Col.*》 주먹질 ; 머리의 강타(golpe) ; 폭발, 작열(reventón). ②《*Cuba.*》 주먹질, 구타.

tote *m.* 《*Col.*》 =**tronera.**

totear *intr.* 《*Col. Venez.*》 터지다, 작열하다(reventar).

totem *m.* 토템 《북 아메리카 원주민 등이 가족·종족의 상징으로 숭배하는 자연물·동물》; 토템상(像).

tótem *m.* =**totem.**

totémico, ca *adj.* totem의.

totemismo *m.* 토템 신앙 ; 토템 조직.

totí *m.* 《*Cuba.*》【조류】 =**quiscal.**

totidem verbis *adv. lat.* 바로 그런 말로.

toties quoties *adv. lat.* 그 때마다.

totilimundi *m.* =**mundonuevo.**

toto caelo *adv. lat.* 하늘 넓이만큼 ; 아주, 극도로.

totolate *m.* 《*AmérC.*》 새들의 이(piojillo).

tener ~ 조마조마하게 걱정하고 있다.

totolear *tr.* 《*CRica.*》 아이를 귀여워하다(mimar a un niño).

totoloque *m.* 또똘로께 《옛 멕시코의 놀이의 이름, tejo 비슷한 것》.

totonaca *adj. m.f.* (멕시코의 Veracruz주에 살고 있는) 원주민(의). **—*m.*** 또또나까말.

totonaco *adj.m.f.* =**totonaca.**

totoneca *adj.m.f.* = **totonaca.**

totonicapa *adj.m.f.* =**totonicapense.**

totonicapanés, sa *adj.m.f.* =**totonicapense.**

totonicapense *adj.m.f.* 또또니까빤 《Totonicapán, 구아떼말라에 있는 주·도시》의 (사람).

totopo *m.* =**totoposte.**

totoposte *m.* 《*AmérC. Méx.*》 옥수수 가루로 빚어 구운 빵(tortilla de maíz).

totora *f.* 【식물】 (남미산의) 큰 부들.

totoral *m.* 《*AmérM.*》 큰 부들밭.

subirse a los ~***es*** 《*Chile.*》 거만해지다.

totorecada *f.* 《*AmérC.*》 서툰 일, 잘못하는 일.

totoreco, ca *adj.* 《*AmérC.*》 서툰, 잘못한, 어리석은, 우둔한(torpe).

totorero *m.* 《*Chile.*》【조류】 (큰 부들로 집을 짓는) 부들새.

totovía *f.* 【조류】 뿔종다리(cogujada).

totuma *f.* 호리병박나무 열매 ; 호리병박나무로 만든 바가지 그릇.

totumear *intr.* 《*Venez.*》 이 궁리 저 궁리하다, 공연한 걱정을 하다.

tótum revolútum *m. lat.* 무질서, 혼란.

totumo *m.* 【식물】 호리병박나무(güira).

toucán *m.* 【조류】 또우깐 《거대한 부리를 가진 깃털이 아름다운 열대 아메리카산의 새》.

tova *f.* =**totovía.**

toxemia *f.* 【의학】 독액증, 중독증 : ~ de preñez 임신 중독증.

toxicar *tr.* 7 =**tosigar, atosigar, envenenar.**

toxicidad *f.* 독성, 유독성 : La ~ del arsénico es grande.

tóxico, ca *adj.* 독의 ; 유독한 ; 중독의 : emplear gases ~*s* 유독 가스를 사용하다. **—*m.*** 독, 독물.

toxicohemia *f.* 【의학】 독혈증.

toxicología *f.* 독물학(毒物學), 독약학.

toxicológico, ca *adj.* 독물학의.

toxicólogo, ga *m.f.* 독물 학자.

toxicomanía *f.* 독물 중독 ; 독물 기호(嗜好).

toxicómano, na *adj.* 독물 기호의. —*m.f.* 독물 중독자.
toxicosis *f.* 【의학】 중독, 중독증, 중독성 질환.
toxina *f.* 독소(毒素)(virus).
toyuyo *m.* 《*Perú.*》【조류】 황새의 일종.
toz *f.* 《*Amér.*》【조류】 여러 가지 색이 그려진 새.
toza *f.* ① 소나무 등의 벗긴 껍질. ② 《*Amér.*》 통나무.
tozal *m.* 《*Ar.*》 작은 산, 언덕의 등성이.
tozalbo, ba *adj.* 《*Ar.*》 이마에 흰 털이 있는.
tozar *intr.* ⑨ ① 《*Ar.*》 뿔로 머리를 받다. ② 《*Ar.*》 무지하게 고집을 부리다.
tozo *m.* 《*Albac.*》【방언】 (소 등의) 굵은 목덜미(tozuelo).
tozo, za *adj.* 키·몸집이 작은, 왜소한(enano).
tozolada *f.* 목덜미 때리기. Sinón. pescozón.
tozolón *m.* =**tozolada.**
tozudez *f.* 고집, 완고; 집념(obstinación, porfía).
tozudo, da *adj.* 고집이 센, 완고한(obstinado, testarudo, porfiado, terco).
tozuelo *m.* (동물의) 굵은 목덜미(cerviz).
tpo. tiempo.
tr. transitivo.
traba *f.* ① 매어 놓기, 결박; 잇는 것, 고리쇠. ② (톱니바퀴·차 등의) 제동 장치. ③ 방해물, 장해, 지장, 방해(estorbo) : poner ~*s* 방해 놓다. ④ 수레바퀴; (말의) 발에 묶는 줄. ⑤ 압류(embargo). ⑤ 《*Ant.*》 싸움닭, 투계, 그 횃대. —*pl.* 【방언】【식물】 참으아리속 식물 《위령선, 큰꽃으아리 등》(clemátide).
trabacuenta *f.* 계산 착오, 오산; 논쟁, 논의(discusión, controversia) : andar con ~*s.*
trabadero *m.* 말의 발목.
trabado, da *adj.* [trabar의 *p.p.*] ① 묶은, 꽁꽁 묶인; 얽힌, 꼬인. ② 튼튼한, 단단한, 씩씩한, 건장한(robusto, vigoroso, muy fuerte). ③ 두 발이 하얀 (말). ④ 【문법】 자음으로 끝나는 (음절) : sílaba ~*da* 자음으로 끝나는 음절.
trabador *m.* (목수의) 톱날을 좌우로 젖히는 기구.
trabadura *f.* 비끌어 매는 일, 결합, 이어 맞추기.
trabajadamente *adv.* =**trabajosamente.**
trabajado, da *adj.* [trabajar의 *p.p.*] ① 세공한, 가공한, 공을 들인 : Todos son piezas a conciencia ~*das* por él 모두가 그 사람이 양심적으로 공들여 만든 물건이다. ② 피곤해진, 일에 지친(muy cansado, fatigado). ③ 일이 많은.
trabajador, ra *adj.* 일을 잘하는, 열성의, 부지런한, 근면한(diligente, aplicado); 일을 좋아하는 : un hombre muy ~. —*m.f.* 일꾼, 근면가; 작업원, 노동자(obrero, operario) : ~ a destejo 청부 노동자. ~ a domicilio 내직자(內職者). ~ calificado · especializado 숙련 노동자. ~ estacional · de temporada 계절 노동자. ~ eventual 임시 고용인, 자유 노동자. ~ industrial 산업 노동자. ~ no calificado · clasificado · especializado 미숙련 노동자. ~ normal · de jornada entera 상근 노동자. ~ organizado 조직 노동자. ~ por horas 비상근 노동자. ~ portuario 부두 노동자. ~ sindicalizado 조합 노동자. Lola es la más ~*ra* de todo el pueblo 롤라는 마을 제일의 일꾼이다. —*pl.* 노동자 계급. —*m.* 《*Chile.*》【조류】 =**totorero.**
trabajante *adj.m.f.* 일하는 (사람).
trabajar *intr.* ① 일하다, 근무하다, 노동하다 : ~ *de* sastre 재봉사로 일하다. Ella *trabaja de* modista 그녀는 양재사로 일하고 있다. Rodrigo *trabaja* en una compañía de aviación 로드리고는 어떤 항공 회사에서 근무하고 있다. No *trabajo* solamente para ganarme la vida 나의 생활을 위해서만 일하고있는 것은 아니다. Ella *trabaja* como taquígrafa 그녀는 속기사로 일하고 있다. ② 열심히 하다, 노력하다; 공부하다 : Este estudiante *trabaja* mucho 이 학생은 열심히 공부한다. ③ (도구가 쓸모 있게) 듣다, 움직이다 : La polea no *trabaja* 도르래는 말을 듣지 않는다. ④ 활동하다; 작용하다, 효과를 내다(funcionar) : una cuerda que *trabaja* mucho 단단히 힘이 들어 있는 밧줄. ⑤ [+en : …에] 세공을 하다; 공작하다. ⑥ 애쓰다 : El *está trabajando* por conseguir un empleo 그는 일자리를 구할려고 애쓰고 있다. ⑦ 《*Venez.*》 병을 앓고 있다 : *Está trabajando.*
—*tr.* ① 세공하다 : ~ madera. ② 가공하다. ③ 괴롭히다, 고생시키다. ④ 《*Venez.*》 (남을) 실패시키다. ⑤ 경작하다 : Aquellas agricultores *están trabajando* la tierra 그 농부들은 토지를 경작하고 있다.
~se 열중하다, 기를 쓰고 하게 되다.
trabajera *f.* 일(trabajo), 힘든 일(tarea pesada).
trabajillo *m.* [*dim.* trabajo] 가벼운 일·노동·작업·노고.
trabajo *m.* ① 일, 노동, 작업; 공부 : día de ~ 휴일에 대하여 평일, 근무일, 학교 가는 날, 출근하는 날. división del ~ 분업(分業). Los ~*s* de la inteligencia cansan más que los del cuerpo 지적인 일은 육체적인 것보다 더 피곤하다. ② 노동, 노동력 : los sin ~ 실업자. el capital y el ~ 자본과 노동력. Carta de *T-* 국제 노동 헌장. ③ 적극적인 작용, 작용; 공작; 효력, 효과. ④ 만든 것, 작품; 저작, 논문, 연구; 세공(obra) : ~ de manos 손 세공품. Este ~ es muy útil para los que trabajan en las sociedades mercantiles 이 저작은 상사에 근무하는 사람들에게 매우 유익하다. ⑤ 공사 : ~ de defensa 방어 공사. ⑥ 애씀, 노고, 고생 : sin ~ 수월하게. costar ~ 애먹이다, 힘들다.
—*pl.* 빈궁, 곤궁, 궁핍(penas miserias) : pasar ~*s.*
~ ***a destajo*** 청부 노동. ~ ***a diario*** 매일의 일. ~ ***a domicilio*** 내직(內職), 가내 노동. ~ ***a horas extras*** 초과 근무, 시간외 노동. ~ ***a jornal*** 매일의 일. ~ ***clave*** 기준 직무. ~ ***colectivo*** 집단 노동·작업. ~ ***de menores*** 유아 노동. ~ ***de oficina*** 내근, 사무 작업. ~ ***de oficinista*** 사무(작업). ~ ***de temporada*** 계절 노동. ~ ***de zapa*** 이면 공작. ~ ***del suelo*** 토지의 경작·개간. ~ ***directo*** 직접 노동. ~ ***en equipo*** 협동 작업, 팀웍. ~ ***en grupo*** 집단 노동·작업. ~ ***en turnos*** 교체 작업. ~ ***estacional*** 계절 노동. ~ ***excesivo*** 과중 노동. ~ ***físico*** 육체 노동. ~ ***forzado · forzoso*** 강제 노동. ~ ***fuera de la empresa*** 현지 작업. ~ ***ilícito*** 불법 노동. ~ ***indirecto*** 간접 노동. ~ ***infantil · industrial de niños*** 유아 노동.

~ *insalubre* 비위생적 작업. ~ *intelectual* 지적·두뇌·정신 노동. ~ *libre* 자유 노동. ~ *manual* 근육 노동; 손세공. ~ *mental* 정신; 두뇌 노동. ~ *nocturno* 야간 작업, 야근. ~ *ocasional* 임시 작업. ~ *peligroso* 위험 작업. ~ *pesado* 중노동. ~ *por contrata* 청부 공사. ~ *por turno* 교체 작업. ~ *por unidad de tiempo* 시간급 노동.

cercar a ~; *cercar de* ~*s* 고생시켜 두손들게 만들다.

costar ~ 힘이 들다 : Me *costó* mucho ~ conseguirlo 나는 그것을 얻는 데 무척 고생했다.

tomarse el ~ 고생하다, 애먹다, 애쓰다.

No hay atajo sin ~ 노고없는 지름길은 없다; 고통없이 얻는 것은 없다.

trabajosamente *adv.* 고생 끝에, 겨우, 간신히, 어렵게, 힘들게(con trabajo).

trabajoso, sa *adj.* ① 힘드는, 어려운, 골치 아픈(difícil) : estudio muy ~. ② 결함이 있는(defectuoso). ③ 병약한, 약골의(enfermizo). ④ 《*Arg.*》 게으른(remolón). ⑤ 번거로운, 애먹이는, 화나는; 빈곤한.

trabajuelo *m. dim.* trabajo.

trabal *adj.* 연결시키는.

clavo ~ 대들보(trabe)를 고정시키는 못.

trabalenguas *m.* 【단·복수 동형】 발음하기 어려운 말(palabra o frase difícil de pronunciar).

trabamiento *m.* =**trabadura.**

trabanca *f.* 판대(板臺), 목판.

trabanco *m.* (개의 목에 매는) 나무(trangallo).

trabar *tr.* ① 묶다, 얽다, 매다, 결합하다, 접합하다, 이어 맞추다(unir, atar) : El *trabó* su caballo 그는 말을 묶었다. ② 얽히게 하다, 꼬이게 하다(enlazar). ③ 붙잡다, 잡다(prender, agarrar) : *Trabaron* a los carteristas 소매치기가 체포되었다. ④ ㄱ) (회화·회담·싸움 등을) 시작하다(entablar) : ~ conversación. ㄴ) (이야기의 줄거리를) 엮다, 교묘히 끌고 가다 : ~ discursos. ⑤ (액체·반죽한 것을) 진하게 하다, 차지게 하다, 굳게 하다. ⑥ (톱의) 날을 세우다(triscar). ⑦ 차압하다, (권리의 행사를) 정지하다, 일시적으로 금하다(embargar) : ~ ejecución 차압을 하다. ⑧ 《*Cuba.*》 속이다(engañar). —*intr.* ① 붙잡히다, 얽히다, 꼬이다; 걸리다 : Este gancho no *traba* 이 걸쇠에는 걸리지 않는다. ② 방해하다.

~se 얽히다, 휘감기다, 서로 뒤얽히다; 싸우다(pelear) : ~*se con* uno 어떤 사람과 다투다. ~*se* de palabras 입씨름을 하다. ~*se* la lengua 혀가 굳어지다, 말하기가 어렵다(tener dificultad en hablar). ~*se* el vestido 옷자락이 엉겨 붙다. Los dos *se trabaron* en una discusión 두 사람은 입씨름을 시작했다. *Se* le *traba* la lengua cuando habla rápido 그는 빨리 말하면 혀가 잘 돌아가지 않는다.

~ *amistad* 우정을 맺다, 친해지다 : Ellos *trabaron amistad* en un viaje 그들은 여행에서 친해졌다.

~ *conocimiento* 가까운 사이가 되다; 실지로 알다, 친숙해지다.

trabazón *f.* ① 이어 맞추기, 연결(unión, enlace de dos cosas) : la ~ de madera. ② 관련, 관계(conexión). ③ (액체의) 농도, (반죽한 것의) 된 정도; 단단함.

trabe *f.* [*lat.* trabs] 【건축】 도리, 대들보(viga).

trábea *f.* (고대 로마인의) 긴 도포.

trabilla *f.* (바지·각반 등의 밑부분 끝에 댄) 발에 묶는 끈; (조끼·바지 뒤의) 조임끈; 꼬리(같이 생긴 것).

trabina *f.* 《*And.*》 두송(sabina)의 열매.

trabo *m.* 《*SDgo.*》 =**trabazón.**

trabón *m.* [*aum.* traba] 큰 고리쇠, 말을 매는 고리.

trabuca *f.* 꺼질 때 폭발하는 꽃불.

trabucación *f.* 혼란, 어수선함; 실수, 잘못.

trabucador, ra *adj. m.f.* 혼란시키는 (사람).

trabucaire *m.* (trabuco로 무장했던 데서) 까딸루냐의 반도(反徒). —*adj.* 대담한, 엉뚱스러운, 물불을 가리지 않는, 용감 무쌍한.

trabucante *adj.* 혼란시키는, 어지러운, 혼란한.

moneda ~ 법정 중량보다 무거운 화폐(moneda que tiene algo más del peso legal).

trabucar *tr.* ⑦ [*ital.* traboccare] ① 뒤집어 버리다(volcar, poner una cosa boca arriba). ② 혼란을 일으키게 하다, 뒤범벅으로 하다, 어지럽히다(trastornar). ③ 혼란시키다, 어수선하게 만들다, 어지럽게 만들다(confundir, ofuscar). ④ 실수하여 잘못 집다, 잘못 쓰다. ⑤ 잘못 발음하다.

~se 혼란해지다, 뒤범벅이 되다, 헝클어지다, 어지러워지다; 산란해지다.

trabucazo *m.* ① 나팔총의 발사; 그 소리. ② 질겁, 급습(disgusto inesperado) : sufrir un ~ 기습을 당하다.

trabuco *m.* 나팔총; (옛날의) 투석기 《성을 공격하는데 쓰던 무기》 : ~ naranjero 나팔총. —*adj.* 《*Méx.*》 거북한, 답답한 : Me queda ~ el vestido 옷이 내게 작아졌다.

trabuque trabucar의 접·현·1·3·단수.

trabuque- → **trabucar** ⑦.

trabuquete *m.* ① 석궁(石弓)(catapulta). ② 예인망(traíña).

traca *f.* ① (연속적으로 불꽃이 튀게 한) 줄 꽃불. ② (배의) 동판조(銅板條).

tracal *m.* 《*Chile.*》 (포도를 넣는) 큰 가죽 부대.

trácala *f.* ① 《*Cuba. Ecuad.*》 일당, 패거리, 패, 동아리, 무리. ② 《*Méx. PRico. Venez.*》 네다바이, 사기, 편취, 속임수(engaño, trampa).

tracalada *f.* 《*Amér.*》 군중, 어수선한 인파, 혼잡(muchedumbre confusa) : a ~*s* 《*Arg. Bol.*》 겹치고 또 겹쳐, 중복되어(a montones).

tracalero, ra *adj. m.f.* 《*Méx. PRico. Venez.*》 사기꾼(의)(tramposo).

tracamandanga *f.* 《*Col.*》 교환.

tracamundana *f.* ① 교환(cambaleche, trueque, cambio). ② 소란, 혼란(alboroto, confusión, jaleo grande).

tracayá *f.* 《*Bol.*》 【동물】 물거북.

tracción *f.* ① 끌기, 견인(牽引), 운수 : ~ eléctrica 전기 견인, 전철(電鐵). ~ de vapor 증기 견인. ② 잡아끄는 일 : ~ de la lengua 혀를 잡아 빼는 일. ③ 견인력, 예인력; 장력(張力) : resistencia a la ~ 장력(張力).

trace¹ *adj. m.f.* =**tracio.**

trace² trazar의 접·현·1·3·단수.

trace- → **trazar** 9.
tracería *f.* 선을 그려 하는 장식.
traciano, na *adj. m.f.* =**tracio.**
tracias *m.* 【단·복수 동형】 북북서풍.
tracio, cia *adj. m.f.* 뜨라시아 《Tracia, 유럽 남동부에 있는 지방》의. —*m.f.* 뜨라시아 사람.
tracista *m.f.* 제도가(製圖家); 책략가, 야바위꾼.
tracoma *m.* 【의학】 트라코마, 트라홈, 과립성 결막염.
tractivo, va *adj.* 끄는, 견인하는.
tracto *m.* ① 사이, 거리, 간격(trecho). ② 기간.
tractocarril *m.* 무궤차(無軌車).
tractor *m.* 견인차(牽引車), 트레일러를 끄는 차, 트랙터 : ~ de oruga 무한 궤도식 트랙터.
tractorista *m.f.* 트랙터 운전수.
trade mark *m. ing.* 등록 상표(marca de fábrica o registrada).
tradición *f.* ① 전설, 구비(口碑), 구전. ② 전통, 관습, 인습 : Esta costumbre tiene una ~ muy remota 이 풍습은 매우 오랜 전통을 가지고 있다. ③ 【법률】 정식의 재산 인도(entrega) : la ~ de una cosa vendida. ④ 【종교】 경외(經外), 전설 《모세에서 이어받아 전해 내려온 이야기; 예수와 그 제자들로부터 전해 내려온 교훈》.
tradicional *adj.* ① 전통의, 전통적인; 관습의, 인습의 : Todo el pueblo participa en la fiesta ~ 마을 사람들이 모두 그 전통적인 축제에 참가한다. ② 전설의.
tradicionalismo *m.* 전통주의; (특히 19세기의) carlismo; 전통·인습 고수주의; 경외 전설주의(經外傳說主義).
tradicionalista *adj.* 전통주의의. —*m.f.* 전통주의자.
tradicionalmente *adv.* 전통적으로.
tradicionar *tr.* 《*Neol.*》 전통을 논하다.
tradicionista *m.f.* 전설 연구가, 전설 구전가(傳說口傳家); 전통을 존중하는 사람.
traducción *f.* [*lat.* traductio] 번역(물), 번역문, 해석 : Hizo una ~ de Don Quijote 그는 동끼호떼의 번역을 했다.
traducible *adj.* 번역할 수 있는; 해석되는.
traducir *tr.* 71 [*lat.* traducere] ① [+a·en : …로] 번역·통역하다 : ~ *de*l francés *a*l coreano·*en* coreano 불란서어에서 한국어로 번역하다. Esta parte está mal *traducida* 이 부분은 오역되어 있다. ② 해석하다(interpretar). ③ 표현하다(expresar) : ~ sus sentimientos con frases conmovedoras. ④ 환산하다. ⑤ 바꾸다(mudar). ⑥ 《*Galic.*》 소환하다(citar).
[직설법 현재 1인칭 단수 : traduzco. 접속법 현재 : traduzca, traduzcas, traduzca, traduzcamos, traduzcáis, traduzcan. 직설법 부정과거 : traduje, tradujiste, tradujo, tradujimos, tradujisteis, tradujeron. 접속법 불완료과거 : tradujera …; tradujese, …].
traductibilidad *f.* 번역할 수 있음.
traductor, ra *m.f.* 번역자, 번역가 : ~ infiel.
traduj- → **traducir** 71.
traduje traducir의 직·부정과거·1·단수.
tradujeron traducir의 직·부정과거·3·복수.
tradujimos traducir의 직·부정과거·1·복수.
tradujiste traducir의 직·부정과거·2·단수.
tradujisteis traducir의 직·부정과거·2·복수.
tradujo traducir의 직·부정과거·3·단수.
traduzca traducir의 접·현재·1·3·단수.
traduzcáis traducir의 접·현재·2·복수.
traduzcamos traducir의 접·현재·1·복수.
traduzcan traducir의 접·현재·3·복수.
traduzcas traducir의 접·현재·2·단수.
traduzco traducir의 직·현재·1·단수.
traedizo, za *adj.* 들어 옮길 수 있는; 다른 데서 가져온.
traedor, ra *adj. m.f.* 지참하는 (사람).
traedura *f.* [드뭄] =**traída.**
traer[1] *tr.* 72 [*lat.* trahere] ① 가지고 오다, 데려오다 : *Trajó* un paquete a la oficina 그는 사무실로 소포를 가져왔다. Mozo, *tráiga*me una cerveza 보이, 맥주 한 잔 가져오세요. *Trae* acá ese libro 그 책을 이쪽으로 가져오너라. El *trae* acá a sus amigos esta noche 그는 오늘밤 이곳으로 친구들을 데려온다. Contr. llevar.
② 잡아당기다·끌다(atraer).
③ 가져오게 하다, 불러 일으키다(causar) : La ociosidad *trae* estos vicios.
④ 몸에 지니고 있다, 입고 있다(llevar) : ~ un traje nuevo 새 옷을 입고 있다.
⑤ 인증(引證)·인용하다, 들먹이다, (예로) 들다, (예 등을) 들다, 꺼내다 : ~ autoridades.
⑥ 강요하다(obligar); 설득하다, 납득시키다; 따라오게 하다(persuadir).
⑦ (무엇을) 하고 있다, 상관하다(tratar) : *Traigo* un pleito *con* Pepe 나는 뻬뻬에 대해 소송을 제기하고 있다.
⑧ [+형용사 : 그 상태로] 하고 있다 : ~ traer a uno *inquieto·convencido* 불안하게 만들고 있다·납득시키고 있다.
⑨ (신문이 기사 따위를) 싣다 : El periódico de hoy *trae* un artículo sobre los accidentes de tráfico 오늘 신문에 교통 사고에 대한 기사가 실려 있다.
~se ① [+bien·mal : 좋은·나쁜] 옷차림을 하고 있다 : José *se trae* bien. ② 처치하다. ③ 꾀하다 : ¿Qué *se traerá* Pepe con tantas visitas como me hace? 뻬뻬는 자주 오는데 무슨 꿍심이 있을까?
traérselas 얼핏 보기보다 훨씬 더 괴물이다; 매우 어렵다 : trabajo que *se las trae.*
~ ***a mal*** 애먹이다, 학대하다(molestar, maltratar).
~ ***arrastrado·arrastrando*** 지쳐빠지게 만들다; (땅바닥으로) 질질 끌어오다.
~ ***y llevar*** 쩔쩔매게 만들다, 우롱하다.
[직설법 현재 1인칭 단수 : traigo. 접속법 현재 : traiga, traigas, traiga, traigamos, traigáis, traigan. 직설법 부정과거 : traje, trajiste, trajo, trajimos, trajisteis, trajeron. 접속법 불완료과거 : trajera …; trajese …. 과거 분사 : traído. 현재 분사 : trayendo].
traer[2] *tr.* 【고어】 배신으로 넘겨주다.
traeres *m.pl.* 장신구류(atavío).
trafagador, ra *m.f.* 여기저기 바삐 쏘다니는 사람; 상인.
trafagante *adj.* 장사하는, 거래하는; 여기저기 쏘다니는.

trafagar *intr.* 8 ① 장사를 하다, 거래를 하다(traficar, negociar). ② 여기저기 쏘다니다, 여러 나라를 돌아다니다(andar).

tráfago *m.* ① 장사, 거래(tráfico, negocio). ② 힘이 들고 정신없이 바쁜 일(faena, ocupación). —*pl.* 갖가지 연장(bártulos).

trafagón, na *adj. m.f.* 장사를 열심히 하는, 부지런한 (사람), 사방으로 잘 쏘다니는 (사람).

trafalgar *m.* 안감으로 쓰이는 면포(tela de algodón).

Trafalgar 【지명】 서반아 남서의 갑(岬)《그 앞바다에서 Nelson이 1805년 서반아·불란서 연합 함대를 격파하였음》.

trafalmeja(s) *adj. m.f.* 건성으로 덤벙대는 (사람), 앞뒤 생각없이 덤비는 (사람).

trafalmejo, ja *adj. m.f.* =**trafalmeja(s).**

trafasía *f.* 《*Perú.*》 =**trapacería.**

trafasista *adj. m.f.* 《*Perú.*》 =**trapacero.**

traficación *f.* =**tráfico.**

traficante *m.f.* [더러 *desp.*] 상인, 무역 상인. —*m.pl.* 장사 친구·동료; 마약 거래인.

traficar *intr.* 7 ① 장사하다, 거래하다, 매매하다 : Los comerciantes *traficaron en* granos 상인들은 곡물을 거래했다. ② 교역하다, 무역하다. ③ 여러 나라를 왕래하다.

tráfico *m.* ① 교통(량), (사람·차의) 왕래, 사람의 통행, 인파 : ¡Cuánto ~ en las calles! 거리가 무척 혼잡하군요. ② 운수(tránsito), 수송(량). ③ 거래, 매매, 교역, 무역(negocio, comercio) : En este puerto se hace un ~ importante.

~ ***aéreo*** 공수(空輸). ~ ***aéreo regular*** 정기 항공 수송. ~ ***anual de carga*** 연간 출하량. ~ ***costero·de cabotaje*** 연안 운수, 연안 항로. ~ ***de carga·mercancías*** 화물 수송. ~ ***de pasajeros·viajeros*** 여객 수송. ~ ***de perfeccionamiento*** 위탁 가공 무역. ~ ***de tránsito*** 통과 운수. ~ ***ferroviario*** 철도 운수. ~ ***humano*** 인신 매매. ~ ***intermediario*** 중계 무역. ~ ***internacional*** 국제 수송. ~ ***marítimo*** 해운, 해상 무역·교통. ***jefe de*** ~ 운수 과장.

abrir al ~ 개통하다.

trafulla *f.* (카드 놀이에서) 속임수.

tragable *adj.* 들이 마실 수 있는, 삼킬 수 있는.

tragabolas *m.* (입에 넣는) 공놀이의 일종.

tragacanta *f.* =**tragacanto.**

tragacanto *m.* 【식물】 트러거캔스 고무(나무).

tragacete *m.* (옛날의) 투창.

tragadal *m.* 《*Col.*》 =**lodazal, barrizal.**

tragaderas *f.pl.* ① 목구멍, 식도(faringe). ② 덤벙거림, 경신(輕信) : tener buenas ~ 무엇이고 믿다. ③ (어떤 일을) 헤프게 떠맡기.

tragadero *m.* ① 목구멍, 식도(食道)(faringe). ② 구멍, 입구, (물 등의) 뽑아들이는 곳 : ~ del puerto 항구의 입구. —*m.pl.* 경신(輕信), 경거망동, 경박한 처사.

tragador, ra *adj. m.f.* 양이 큰, 큰 덩치로 마시는·처리하는 (사람), 들이 마시는·삼키는 (사람).

~ ***de leguas*** 성큼성큼 잘 걷는 사람.

tragahombres *m.* 【단·복수 동형】 건달; 허세를 부리는 사람(perdonavidas).

trágala *m.* 19세기 서반아의 자유당원이 왕당파를 조소한 노래.

cantar**le a uno **el ~ …를 조소·조롱하다.

tragaldabas *m.f.* 【단·복수 동형】 양이 큰 사람, 큰 덩어리째 삼키는 사람; 귀가 엷은 사람, 헤프게 믿는 사람; 힘에 부치는 일을 헤프게 떠맡는 사람.

tragaleguas *m.* 【단·복수 동형】 빠른 속도로 걷는 사람(persona que camina con mucha velocidad).

tragaluz *m.* (지붕이나 벽 위쪽으로 낸) 채광창.

tragallón, na *adj. m.f.* 《*Chile.*》 =**tragón.**

tragamallas *m.f.* =**tragaldabas.**

tragamonedas *f.* 【단·복수 동형】 자동 도박기계, 슬롯머신.

traganíqueles *m.* ① 【단·복수 동형】 슬롯머신. ② 《*Ant.*》 =**vellonera.**

tragantada *f.* 꿀꺽 덩어리째 삼켜 버리기.

tragante *adj.* 삼키는. —*m.* 용광로에서 불꽃을 빨아들이는 곳.

tragantón, na *adj. m.f.* 양이 큰 (사람).

tragantona *f.* ① 맛있는 음식(comilona) : darse una ~. ② 억지로 삼키는 일. ③ 어떤 일을 믿게 하기 위한 폭력(violencia que hace uno para creer alguna cosa extraordinaria).

tragaperras *f.* 【단·복수 동형】 슬롯머신(tragamonedas, traganíqueles).

tragar *tr.* 8 [*gr.* trogó] ① 마시다; 삼키다, 꿀꺽하다 : ~ con dificultad. ② 포식하다(comer mucho). ③ (대지·바다가) 삼키다(hundirse en la tierra o el agua una cosa) : El mar *se tragó* el barco. ④ 받아들이다. ⑤ 용인하다, 참다, 일단 믿어보다. ⑥ 소비하다.

~se ① 마셔 버리다, 삼켜 버리다 : El mar *se tragó* el barco 바다는 배를 삼켜 버렸다. ② 대식(大食)하다.

haberse tragado ; tenerse tragado 납득하고 있다.

no ~ ***a*** …에게 반감을 갖다(sentir antipatía hacia).

tragasantos *m.f. desp.* 【단·복수 동형】 사원 참배에 열을 내는 사람.

tragavenado *m.* 【동물】 왕뱀 비슷한 뱀의 일종《베네수엘라, 콜롬비아산》.

tragavino *m.* 깔때기.

tragavirotes *m.* 【단·복수 동형】 새침데기, 새침스런 남자.

tragaz *m.* 《*Ál.*》 땅을 고르는 기계.

tragazo *m.* [*aum.* trago] 큰 한 모금.

tragazón *f.* 포식, 식성이 좋음(glotonería).

tragedia *f.* ① 비극; 비극적인 이야기 : Prefiero la ~ más bien que la comedia 나는 희극보다 오히려 비극이 좋다. **Contr.** comedia. ② (극·문학·인생 따위의) 비극적 요소. ③ 비극적 사건·참사 : una cangrienta ~. ④ 주신(酒神) Baco를 찬미하는 노래. —*pl.* 《*Col.*》 빈궁, 곤궁, 고생.

tragélafo *m.* 【동물】 염소와 사슴 중간의 전설상의 동물.

trágicamente *adv.* 비극적으로; 비참하게(de un modo trágico).

trágico, ca *adj.* ① 비극의 : autor ~ 비극 작가. poeta ~ 비극 시인. ② 비참한, 참혹한, 비통한 : muerte ~*ca* 비참한 죽음. tener fin ~ 비

참한 최후가 되다. Fue un accidente ~, que costó la vida a muchas personas 그것은 많은 사람의 생명을 빼앗은 비참한 사고였다. —*m.f.* 비극 작가·배우.

tragicomedia *f.* 희비극《비유적으로도 씀》.

tragicómico, ca *adj.* 희비극적인; 울고 웃는 : episodios [~*s*.

trago[1] *m.* ① 한 모금(의 분량), 한입 : echar(se) un ~ 한 잔 들이키다. Vamos a echarnos un ~ 한 잔 마시러 갑시다. ② 불행, 불운(adversidad) : pasar un ~ amargo. ③《*Ecuad.*》소주의 일종 (aguardiente).

a ~s 조금씩, 느리게(poco a poco, lentamente).

trago[2] *m.* [*gr.* tragos] 【해부】 귀의 돌기 (prominencia de la oreja).

tragón, na *adj.* 식성이 좋은, 많이 마시는·먹는. —*m.f.* 대식가.

tragonazo, za *adj. aum.* tragón.

tragonear *tr.* 마구 퍼 마시다·먹다.

tragonería *f.* 마구 퍼먹는 일.

tragonía *f.* =**tragonería.**

tragontiana *f.* 【식물】 아룸속의 식물《천남성과》; 타로토란(aro).

traguear *intr.* 《*Amér.*》술을 마구 마시다·들이키다.

~se 취하다.

traguetearse *r.* 《*AmérC. Ant.*》 마구 술을 들이키다, 폭음하다; 술에 만취하다.

traguillo *m. dim.* trago.

traguito *m. dim.* trago.

traición *f.* [*lat.* traditio] 배반, 반역, 배신, 모반(謀叛) : alta ~ 대역죄. Hizo ~ a su amigo causándole la muerte 그는 친구를 배신하여 죽음에 몰아넣었다.

a ~ 배반하여, 기습적으로 : Le hirieron *a* ~ con las espadas que tenían ocultas 그는 상대가 감추어 가지고 있던 칼로 기습당했다.

hacer ~ ① 배반하다 : El amigo este me hizo ~ 이 친구가 나를 배반했다. ②《*Galic.*》 팔다 (vender); 발견하다(descubrir) : Su mirada le *hizo* ~; *hacer* ~ a su pensamiento.

traicionar *tr.* ① 배반하다, 배신하다, 모반하다, 어기다(hacer traición) : ~ al país · al amigo. ② 팔다(vender). ③ (진실을) 폭로하다 : Su gesto *traicionaba* sus intenciones 그의 표정이 그의 진의를 나타내고 있었다.

traicionero, ra *adj. m.f.* =**traidor.**

traída *f.* 나르기, 운반 : ~ de aguas.

traído, da *adj.* [traer의 *p.p.*] 가져온; 써서·입어서 해진(gastado) : chaleco muy ~.

~ y llevado 마구 구겨진.

traidor, ra *adj.* [*lat.* traditor] ① 배반하는. ② 방심할 수 없는, 앙큼스러운, 음험한; (진실을) 숨길 수 없는 : Me miró con unos ojos ~*es* 저의가 보이는 눈초리로 그는 나를 바라보았다. ③ 고분고분하지 않은, 길들이지 않은 : un caballo ~. —*m.f.* 배반자, 변절자, 배신자, 매국노 : ¿Dónde están los ~*es* que han vendido al fiel amigo? 충실한 동료를 (적에게) 팔아넘긴 배신자는 어디 있느냐? Contr. leal. fiel.

traidoramente *adv.* 변절·배신·배반하여(a tradición); 뜻밖에.

traiga traer의 접·현·1·3·단수.

traigáis traer의 접·현·2·복수.

traigamos traer의 접·현·1·복수.

traigan traer의 접·현·3·복수.

traigas traer의 접·현·2·단수.

traigo traer의 직·현·1·단수.

traílla *f.* ① 써레; (써레를 끄는·사냥개의) 줄. ② 줄로 묶어 놓은 한 무리의 사냥개. ③ (채찍의) 가죽끈; 채찍, 회초리(tralla).

a ~ 써레로.

traillar *tr.* 16 써레질하다, 땅을 고르다(allanar la tierra con la traílla).

traína *f.* (특히 정어리 잡이에서의) 예인망.

trainel *m.* 【은어】 뚜쟁이질.

trainera *f.* 저인망 어선(barca ~). —*adj.* 정어리 잡이의.

training *m. ing.* =**entrenamiento.** [*N.* 발음 : treining].

traíña *f.* 저인망으로 고기잡는 배(la barca que pesca con la traína).

traite *m.* =**percha.**

traja *f.* 《*Bol.*》 덧 실는 짐.

trajano, na *adj.* 뜨라하노《Marco Ulpio Trajano(53—117); 서기 98년에 재위에 올라 117년 사망할 때까지 로마 황제》의·에 관한.

traje[1] traer의 직·부정과거·1·단수.

traje[2] *m.* [*lat.* trahere] ① 옷, 복장, 의복, 드레스. Sinón. ropa, vestido. ②《*Cuba.*》 여자 옷의 몸통 부분(cuerpo de vestido de las mujeres). ③《*Perú.*》 여자의 찢어진 옷.

~ a la medida 맞춤복. *~ de baño* 수영복. *~ de calle* 평복. *~ de casa* 가정복. *~ de cuartel* 영내복(營內服), 군인의 일상복. *~ de dormir* 잠옷. *~ de etiqueta* 예복, 이브닝 드레스. *~ de faena* 일복. *~ de luces* 투우사의 금빛으로 번쩍이는 옷. *~ de montar* 승마복. *~ de noche* 야회복. *~ de paisano* 평복, 사복. *~ de (serio) ceremonia* 예복. *~ de viaje* 여행복. *~ cruzado* 이중복. *~ espacial* 우주복. *~ hecho* 기성복. *~ talar* 가운, 법의(法衣).

cortar el ~ a …의 소문을 내다, 헐뜯다, 험담을 하다.

trajeado, da *adj.* [trajear의 *p.p.*] [bien · mal + : 좋은·나쁜] 복장의, 차림을 한.

trajear *tr.* (누구에게) 옷을 주다, 분장시키다.

~se 입다, 옷을 입다 : ~*se* de nuevo.

trajeron traer의 직·부정과거·3·복수.

trajilla *f.* (평평한 땅을 고르기 위한) 날이 없는 써래.

trajimos traer의 직·부정과거·1·복수.

trajín *m.* (상품을) 가지고 다니기, 배달, 운반.

echar al ~ 《*Chile.*》 일상에 쓰다; 완전히 경멸하다.

trajinante *m.* 운반자, 배달부; 운송 업자.

trajinar *tr.* ① (상품을) 운반하다, 가지고 다니다. ②《*Chile.*》 속이다; 자꾸 만지작거리다. —*intr.* 서성거리다, 왔다갔다하다, 번거롭게 왕래하다.

trajinera *f.* 《*Méx.*》 통나무배의 일종.

trajinería *f.* 운송업, 수송업.

trajinero *m.* =**trajinante.**

trajinista *adj. m.f.* 《*Arg. PRico.*》 =**buscavidas.**

trajino *m.* =**trajín.**

trajiste traer의 직·부정과거·2·단수.
trajisteis traer의 직·부정과거·2·복수.
trajo traer의 직·부정과거·3·단수.
tralacarse *r.* 《*Chile.*》 다리를 벌리고 걷다.
tralla *f.* [*lat.* trahere] 채찍 끝에 달린 가죽 끈 ; 채찍 ; 끈, 줄(cuerda, soga).
trallazo *m.* 채찍질 ; 채찍 소리.
tralleta *f. dim.* tralla.
trama *f.* [*lat.* trama] ① [집합] (직물의) 횡사(横糸), 씨실. ② 계략, 책략, 음모(intriga) : Entre los dos me hicieron una ~ odiosa 그들은 둘이서 나에 대하여 가증스런 책략을 꾸몄다. ③ (작품의) 구성, 결구, 각색(complot). ④ (작품의) 줄거리 : Es muy sencilla la ~ de la novela 그 소설의 줄거리는 매우 단순하다. ⑤ 올리브꽃(flor del olivo).
tramado, da *adj.* 《*AmérC.*》 ① 용기 있는. ② 영리한 (마소). ③ 골치 아픈, 귀찮은, 꽤 까다로운(morrocotudo).
tramador, ra *adj. m.f.* 음흉한 수를 쓰는·책략을 꾸미는 (사람).
tramar *tr.* ① (…에) 횡사(横糸)를 넣다. ② 음모를 꾸미다, 책모하다. ③ 구성하다, 꾸미다, 줄거리를 엮다. ④ 준비하다(preparar). —*intr.* (올리브의) 꽃이 피다.
tramazón *f.* 《*AmérC.*》 얽힘, 뒤범벅; 음모, 계략; 분규, 싸움.
trambucar *intr.* ⑦ 《*Col. Venez.*》 ① 난파하다(naufragar). ② 《*Col. Venez.*》 이성을 잃다(enloquecer).
trambuluquearse *r.* 《*Ant.*》 혀가 감기다.
trambuque *m.* 《*Col.*》 난파(naufragio).
trámil *adj.* 《*Chile.*》 발에 힘이 없는, 발이 비틀거리는.
tramilla *f.* 삼실, 실(bramante).
tramitación *f.* 수속(을 밟는 일), 수속 절차, 처치, 처리 : ~ de aduana 통관.
tramitador, ra *m.f.* (사건의) 처리자, 수속자.
tramitar *tr.* (일을) 끌어가다, 처리하다, 수속하다, 이행하다.
trámite *m.* 통로 ; 경로 ; 수속, 수속 경로, 처리 ; 순서 : como ~ previo 우선 순서로서. Son bastante molestos los ~*s* para sacar el pasaporte 여권을 받는 절차는 꽤 번거롭다.
~ ***de·en la aduana*** 통관 수속. ~ ***judicial*** 사법 수속. ~ ***judicial de remate*** 사법 공매 수속.
tramo *m.* [*lat.* trames] ① 구획, 구간 ; 구획을 지은 것 ; (로켓·토지·계단 등의) 단(段) : cohete de tres ~*s* 삼단식 로켓. ② 구획된 지면 ; 계단의 한 구획《층계참과 층계참과의 사이》 ; (복도·수도·비탈길 등의) 한 구획. ③ 시문(詩文)의 한 절(節). ④ 인접지, 한 필지.
~ ***por*** ~ 순서를 따라.
tramojo *m.* (보리 등을 묶은) 줄, 밧줄. —*pl.* ① 고생(penas, apuros) : pasar muchos ~*s*. ② 《*Amér.*》(개의 목에 매는) 줄(trangallo).
oler el ~ 《*Venez.*》 주눅들다, 겁내다(acobardarse).
tramón *m.* (빗질하고 빗에 남은) 제일 짧은 양털.
tramontana *f.* ① 북쪽(norte) ; 북풍(viento del norte). ② 허영, 허세(vanidad).
perder la ~ 갈피를 못잡다 ; 이성을 잃다(perder la cabeza).
tramontano, na *adj.* 산 너머 저쪽의.
tramontar *intr. tr.* 산을 넘다, 산 너머에 숨다 : El sol *ha tramontado.*
~se 위험을 피하다.
tramoya *f.* ①【연극】 무대 장치, 장면의 전환 장치. ② 흉계, 계략, 책모, 책략(trampa) : armar una ~.
tramoyar *tr.* 《*Perú. Venez.*》 =**trampear.**
tramoyero, ra *adj. m.f.* 《*AmérC.*》 사기꾼(의).
tramoyista *m.* (연극에서의) 대소의 도구를 맡은 사람. —*m.f.* 사기꾼, 책략가(tramposo, embaucador).
trampa *f.* ① 함정, 덫 : ~ de moscas 파리통. ② 계략, 사기, 책략, 모략(ardid, treta) : ~ legal 합법적인 부정. armar ~ 함정을 파놓다 ; 흉계를 꾸미다. caer en la ~ 함정에 빠지다, 속임수에 넘어가다. ③ (지하 창고에 가는) 문입구 ; (마루 바닥이나 계산대의) 널빤지 뚜껑 : la ~ de una bodega. ④ 연체(延滯)된 빚(deuda que no se paga) : estar lleno de ~*s* 빚투성이다.
llevarse la ~ 몽땅 잃다 ; 완전히 실패하다 : Nuestra herencia *se ha levado la* ~ 우리의 유산은 깨끗이 없어졌다.
trampal *m.* 늪, 소택지(pantano).
trampantojo *m.* 허깨비, 환상, 꿈(ilusión de óptica), 속임수(engaño) : dejarse engañar por el ~ 환상에 속아 넘어가다, 환상에 현혹되다.
trampazo *m.* 범죄자를 고문하는데 쓰인 밧줄의 마지막 꼬기.
trampeador, ra *adj. m.f.* trampear 하는 (사람).
trampear *intr.* 속여서 빌리다 ; (경제적·육체적 곤란을) 이리저리 둘러 맞추다, 어렵게 꾸려 나가다·헤쳐나가다 : Vamos *trampeando.*
—*tr.* 사기치다, 속이다, 편취하다, 속임수를 쓰다(usar de trampa o engaño para defraudar a otra persona).
trampería *f.* 사기, 사취.
trampero, ra *m.* 《*Chile.*》 (새잡이) 덫. —*m.f.* 사냥하기 위해 덫을 놓는 사람. —*adj.* 《*Méx.*》 속임수를 쓰는(tramposo).
trampilla *f.* ① (위층에서 아래층을 들여다 보는) 구멍. ② (저탄장·석탄 창고의) 꺼내는 창구·입구. ③ =**portañuela.**
trampista *adj. m.f.* =**tramposo.**
trampolín *m.* [*lat.* trapolino] (운동 경기용의) 도약판 ; (자기의 목적을 위한) 발판.
tramposería *f.* 《*Ant. Col.*》 속임수, 사기.
tramposo, sa *adj. m.f.* 속임수에 능한, 사기를 치는, 흉계를 잘 꾸미는 (사람)(trampista, embustero).
trampuliña *f.* 《*SDgo.*》 속임수, 사기.
tranca *f.* [*lat.* trancus] ① 몽둥이, 곤봉(palo grueso) ; 빗장(viga). ② 《*Arg. Chile.*》 곤드레만드레로 취하기(borrachera).
saltar ~*s* 《*Méx.*》 끝내 참았던 화를 터뜨리다.
trancada *f.* ① 발을 크게 벌려 뛰는 일 : llegar en dos ~*s* 황급히 달려오다. **Sinón.** tranco, zancada. ② 몽둥이로 구타(trancazo, garrotazo). ③ 《*Col.*》 호된 나무람. ④ 《*Cuba.*》 장난, 비웃기, 조소 ; 심한 농담(bromazo).

trancadero *m.* 《*SDgo.*》 소리내어 문을 닫는 일.

trancado *m.* (뱀장어 잡이용) 작살.

trancado, da *adj.* trancar의 *p.p.*

trancahilo *m.* (실 끝에 묶는) 매듭.

trancahílo *m.* =**trancahilo.**

trancanil *m.* (배의) 도리받이.

trancaperros *m. pl.* 《*Venez.*》 주먹다짐.

trancar *tr.* ⑦ ①(…에) 빗장을 걸다 : ~ la puerta 문에 빗장을 걸다. ② 조이다, 잠그다(atrancar). ③ 《*Col.*》 꾸짖다(reprender). ④ 《*Cuba.*》 애먹이다, 괴롭히다. —*intr.* ① 큰 걸음으로 걷다(atrancar). ② 열쇠로 문을 잠그다(cerrar la puerta con llave).

~se ① 《*Cuba. Venez.*》 술에 취하다. ② 《*Chile.*》 벌벌 떨다(estremecerse). ③ 뒤가 무질근하다, 변이 나올 듯하면서 나오지 않다.

trancazo *m.* ① 몽둥이로 구타(garrotazo) : soltar a uno un ~. ② 유행성 감기(gripe, influenza). ③ 《*Ant.*》 꿀꺽 삼키는 일(trago).

trance *m.* ① (절박한·심상치 않은) 때, 시기 : un ~ duro 괴로운·어려운·곤란한 때. Le deseo la resignación posible en tan duro ~ como el que sufre 당신이 괴로워하는 이러한 괴로운 때에 가능한 한의 체념을 빕니다. ② 위기, 임종 ; 최후(último ~, ~ mortal). ③ 압류 처분.

a todo ~ 딱 부러지게, 결단을 내려, 단연, 단호히 ; 어떠한 희생을 치르더라도, 단연코(resueltamente, sin parar en baras) : El está resuelto a hacerlo *a todo* ~ 그는 단호히 그것을 하기로 결심하고 있다.

trancelín *m.* =**trencellín.**

trancenil *m.* 금·은이 장식된 모자의 리본.

tranco *m.* ① 큰 걸음(paso largo, salto) : andar a ~*s* 부랴부랴 걷다. ② 듬성듬성한 바느질. ③ (입구의) 문지방(umbral de la puerta).

a ~*s* ① 불이 나게, 부랴부랴, 급히(de prisa y corriendo). ② 대충.

al ~ 《*Amér.*》 성큼성큼, 큰 걸음으로, 빠른 걸음으로(a paso largo).

en dos ~*s* 순식간에, 재빨리, 곧장, 즉각, 신속하게(en un momento).

trancha *f.* 양철 끝을 두들겨 구부리는 나무 몽둥이.

tranchete *m.* (제화공이 쓰는) 나무줄이나 칼(chaira o cuchilla de zapatero).

trancho *m.* 【어류】 청어류.

trangallo *m.* (개에게 목을 숙이지 않게 하기 위해 매어주는) 버팀 나무.

tranquear *intr.* ① 부랴부랴 걷다, 성큼성큼 걷다, 총총 걸음으로 걷다(andar a trancos). ② 작대기로 쑤시다·휘젓다.

tranquera *f.* ① 나무 울타리. ② 《*Amtr.*》 울타리·담장의 출입구.

tranquero *m.* ① 【건축】 문설주의 모난돌. ② 《*Col. Chile. Venez.*》(극장·목장 등의) 출입구(tranquera).

tranquijón *m.* 《*AmérC.*》 험로, 사나운 길.

tranquil *m.* 【건축】 수직(선)(línea vertical).

tranquilamente *adv.* 조용하게, 안온하게, 평온하게 ; 안심하여, 차분하게.

tranquilar *tr.* [*lat.* tranquillare] ① 검사필 인을 찍다. ② [드뭄]=**tranquilizar.**

tranquilidad *f.* [*lat.* tranquillitas] ① 평정, 평온 : la ~ de un lago. ② 평안, 침착 ; 안심 ; 안정 : Tiene una ~ envidiable en estas circunstancias 이러한 상황 속에서 그는 부러울 정도의 태연한 태도이다.

tranquilino, na *adj.* 《*Méx.*》 취한, 주정뱅이의.

tranquilizador, ra *adj.* 안심시키는, 안심시킬 만한, 진정·안정·평정시키는. —*f.* 정신 안정제(劑).

tranquilizante *adj.* =**tranquilizador.**

tranquilizar *tr.* ⑨ ① 조용하게 하다, 가라앉히다(poner tranquilo, calmar). ② 안심시키다(sosegar).

~se 잠잠해지다, 조용해지다 ; 안심하다 : ¡*Tranquilícese* usted! 안심하십시오. *Se tranquilizó* con lo que le dije 그는 내가 말한 것을 듣고 안심했다. **Contr.** inquietar.

tranquilo, la *adj.* [*lat.* tranquillus] ① 조용한, 잔잔한, 평안한 : mar ~ 잔잔한 바다. ② 온화한 : un carácter ~. **Sinón.** sereno. ③ 마음을 놓은, 안심이 된 : ¡Ya estoy ~ ! 이제 안심이다. Tú, ~ 걱정마라.

tranquilla *f.* [*dim.* tranca] 함정, 덫, 넌지시 떠보기, (유도 심문하기 위한) 올가미 ; 꽂는 못.

armar·poner ~ 이야기가 엉뚱한 데로 흐르게 하다, 훼방놓다.

tranquillo *m.* ① 요령 : encontrar·coger el ~ 요령을 익히다. ②【방언】 입구의 문지방.

tranquillón *m.* 밀과 귀리의 혼합. **Sinón.** comuña.

tranquiza *f.* 《*Méx.*》 구타, 때리기(paliza).

trans- *pref.* 「무엇을 넘어, 가로 질러」「지나서」「뚫고」「저쪽에」「변화」 등을 뜻하는 접두어 : tras-의 형태를 취하는 수가 많음 : *tras*atlántico, *tras*cribir.

transacción *f.* ① 타협, 양보. ② 협상, 협정(convenio). ③ 거래, 매매, 장사, 무역(trato, negocio).

~ *al contado* 현금 거래·매매. ~ *comercial* 상거래. ~ *de bienes intermedios del sector manufacturero* 산업 연관표. ~ *de capital* 자본 거래. ~ *de dinero* 현금 거래. ~ *de divisas* 외국환 거래. ~ *invisible* 무역외 수지. ~ *monetario* 금융 거래.

transaccional *adj.* 협정상의 ; 거래상의.

transactivo, va *adj.* 거래의 ; 협정의.

transaéreo, a *adj.* 하늘을 날으는 : turista ~ 항공 여객. —*m.* 공로(空路).

transahariano, na *adj.* 사하라 횡단의.

transalpino, na *adj.* (본래는 이탈리아 쪽에서 보아) 알프스 산맥 저편의, 알프스 횡단의(trasalpino). —*m.f.* 알프스 저편의 사람.

transamericano, na *adj.* 아메리카 대륙 횡단의 : ferrocarril ~ 미대륙 횡단 철도.

transandino, na *adj.* 안데스 산맥 너머의, 안데스 산맥 횡단의(trasandino) : ferrocarril ~.

transar *intr.* 《*Amér.*》 양보하다, 타협하다(transigir).

transatlántico, ca *adj.* 대서양 건너편의 ; 대서양 횡단의(trasatlántico) : países ~*s.* —*m.* 원양 정기선, 대서양 항로선. —*m.f.* 대서양 저편의 사람.

transar *tr.* 《*Amér. Can.*》 =**transigir.**

transbordador, ra *adj.* 옮겨 싣는, 바꿔 타는. —*m.* ① 여객 수송대(輸送臺), 하물 전적용(轉積用) 운반기 : ~ espacial 우주 왕복선. ② 운반교(puente ~). ③ 나룻배.

transbordar *tr.* ① 짐을 옮겨 싣다, 바꾸어 타게 하다 : Había que ~ cerca de trescientos heridos 삼백명 가까운 부상자를 바꿔 타게 해야 했다. ② (해안에서 해안으로) 건네주다.
~se (비행기 · 배 · 기차 등을) 갈아타다(hacer un transbordo).

transbordo *m.* ① 옮겨 싣기 : ~ de carga del ferrocarril al barco 철도에서 선박으로 화물 옮겨 싣기. ~*s* no permitido 옮겨 싣지 못함. ② 바꾸어 탐, 갈아타기.

transcendencia *f.* =**trascendencia.**

transcendental *adj.* =**trascendental.**

transcendentalismo *m.* 초경험주의(超經驗主義).

transcendentalista *adj.* 초경험주의의. —*m.f.* 초경험주의자.

transcendente *adj.* 뛰어난, 탁월한.

transcender *intr.* ⑳ =**trascender.**

transceptor *m.* =**trasceptor.**

transcontinental *adj.* 대륙 횡단의.

transcribir *tr.* ① 전사(轉寫)하다, 등사하다(copiar) : ~ una carta. ② (악곡을 다른 악기를 위해) 편곡하다(hacer una transcripción de música). ③ 써놓다, 기록하다 : *Transcribió* en su diario sus impresiones de aquellos momentos 그는 그때 그때의 인상을 일기에 써 두었다.

transcripción *f.* 등사, 전사(轉寫) ; 복사, 사본, 등본 ; 악곡 개편, 편곡.

transcripto, ta *adj.* transcribir의 *p.p.*

transcriptor, ta *m.f.* 필경자(筆耕者).

transcrito, ta *adj.* transcribir의 *p.p.*

transcurrir *intr.* [*lat.* transcurrere] (시간 · 세월이) 지나다, 흐르다 : *Ha transcurrido* un mes desde que vino.

transcurso *m.* [*lat.* transcursus] (시간 · 세월의) 경과, 흐름 : en el ~ de este año 금년 중에.

transductor *m.* 픽업(장치), 방송장치, 중계방송.

transeúnte *adj.* 통과하는, 지나치는 ; 일시적인(transitorio). —*m.f.* 통행인 ; 통과자 : La calle está llena de ~*s* 거리는 통행인으로 가득하다.

transferencia *f.* ① 이동 ; 이전 ; 양도, 인도. ② (말의) 전용, 전의. ③ 대체(對替), 등기 우편.
~ ***bancaria*** 은행간 대체, 은행 송금. ~ ***cablegráfica*** 전보 대체. ~ ***de acciones*** 주주 명의 양도. ~ ***de capital*** 자본의 이전. ~ ***de fondos presupuestarios*** 예산 재원의 이동. ~ ***de propiedad*** 소유권의 이전. ~ ***de tecnología*** 기술의 이전. ~ ***postal*** 우편 대체. ~ ***telegráfica · de telegrama*** 전보 대체.

transferible *adj.* 이동할 수 있는, 양도해도 되는, 매도할 수 있는 : bienes ~*s* 양도할 수 있는 재산. una propiedad no ~ 양도할 수 없는 부동산.

transferidor, ra *adj.m.f.* 양도하는, 양도자.

transferir *tr.* 54 ① ㄱ) 옮기다 : ~ el domicilio. ㄴ) 이동시키다 : ~ un prisionero 포로를 이동시키다. ② 늦추다, 연기시키다(retardar) : ~ el pago. ③ ㄱ) 양도하다(ceder, transmitir) : ~ el dominio de una finca. ㄴ) 인도하다 : ~ el crédito. ④ (말을) 바꾸어 쓰다, 전의(轉義)로서 사용하다.

transfigurable *adj.* 모습 · 형태를 바꿀 수 있는.

transfiguración *f.* 변용, 변형 ; 산상(山上)의 그리스도의 변용(變容), 변용 축하일《8월 6일》.

transfigurar *tr.* (…의) 자태 · 모양 · 형태를 바꾸다, 일변시키다(cambiar la figura, la forma o el carácter).
~se 변모 · 변형하다, 자태 · 모습을 바꾸다, 형태가 달라지다.

transfijo, ja *adj.* 꿰뚫은, 뚫린, 관통된(atravesado).

transfixión *f.* ① 관통(상). ② 못박아 두기.

transflor *m.* 금속 판화, 에나멜화(畵)(pintura sobre metales).

transflorar *tr.* ① 금속판에 그리다(transflorear, adornar con transflor). ② 투사하여 베끼다(copiar un dibujo al trasluz). ③ 투사하다. —*intr.* 비쳐 보이다, 속이 환히 드러나 보이다(transparentarse, dejarse ver una cosa).

transflorear *tr.* 금속판에 그리다(aplicar transflor).

transfojar *tr.* =**trashojar.**

transfollado, da *adj.* 말의 다리 주변에 생긴(종기).

transformable *adj.* 변형되는 ; 변화시킬 수 있는, 바꿀 수 있는 ; 지붕을 접는 식의 (자동차).

transformación *f.* ① 변형, 변질 : ~ estructural 구조적 변혁. ②【생물】(특히 곤충의) 탈바꿈, 변태(metamorfosis). ③【물리】변환. ④【수학 · 언어】변환, 변형. ⑤【전기】변류, 변압. ⑥【화학】(화합물의) 성분 치환. ⑦【광물】변태. ⑧ (여자의) 다리, 가발. ⑨ 가공 : ~ de productos agrícolas 농산물 가공.

transformacional *adj.* =**trasformacional.**

transformador, ra *adj.* 바꾸는, 변화시키는. —*m.*【전기】변압기.

transformamiento *m.* =**transformación.**

transformante *adj.* 변형시키는 ; 변환시키는.

transformar *tr.* [*lat.* transformare] ① [+en : …로] 변형시키다 ; 바꾸다, 달라지게 하다, 변화시키다, 변환시키다. ②【전기】변압하다.
~se ① [+en : …로] 변형시키다 ; 변하다, 변화하다, 일변되다 : El vino *se transformó en* vinagre 포도주는 식초로 됐다. La casa *se transformaba en* un soberbio palacio 그 집은 당당한 궁전으로 됐다. ② 행실을 고치다, 다시 얌전해지다.

transformativo, va *adj.* 변화하는, 변형 · 변화시키는.

transformismo *f.* 생물 변이설(生物變移說).

transformista *adj. m.f.* ① 생물 변이설의 (주장자) : combatir las doctrinas ~*s.* ② 빨리 변하는 배우.

transfregar *tr.* ⑲ ⑧ ① 문질러대다(estregar, frotar una cosa). ② 꾸깃꾸깃하게 만들다.

transfretano, na *adj.* 바다 저쪽의, 해협 횡단의.

transfretar *tr.* (바다나 해협을) 건너다.

—*intr.* 널리 퍼지다, 늘어나다(extenderse).

tránsfuga *m.f.* [*lat.* tránsfuga] 탈주자 ; 탈당자.

tránsfugo *m.* =**tránsfuga.**

transfundición *f.* =**transfusión.**

transfundir *tr.* [*lat.* transfundere] (액체를 다른 그릇으로) 옮기다, 바꾸어 넣다 ; 수혈하다 ; 전하다, 말을 퍼뜨리다(comunicar una cosa a varias personas).
~se (입에서 입으로) 전해지다.

transfusible *adj.* 바꾸어 넣을 수 있는 ; 수혈할 수 있는.

transfusión *f.* [*lat.* transfusio] 옮기는 일, 갈아넣기 ; 수혈(~ de la sangre).

transfusor, ra *adj.* 바꾸어 넣는, 옮겨 담는, 갈아 넣는 ; 수혈용의 : aparato ~. —*m.* 수혈기.

transgangético, ca *adj.* 갠지스강(el Ganges) 저쪽의, 갠지스강 북쪽의 : la India ~

transgredir *tr.* [*lat.* transgredi] 깨뜨리다, 위반하다, 범법하다, 침범하다, 어기다(violar) : ~ la ley 법을 위반하다.

transgresión *f.* 위반, 반칙, 파계(infracción) : ~ de las leyes aduaneras 관세법 위반.

transgresivo, va *adj.* 위반의, 법률 위반의.

transgresor, ra *adj.* 법을 어기는. —*m.f.* 위반자, 반칙자.

transguerra *f.* 전시중(戰時中).

transiberiano, na *adj.* 시베리아 횡단의.

transición *f.* ① 추이(推移), 달라짐, 변이(變移), 변천. ② 과도, 과도기 : período de ~ 과도기. ③【음악】전조(轉調).

transido, da *adj.* ① [+de : …에] 괴로워하는, 고민하는(angustiado, acongojado) : ~ *de* hambre · dolor. ② 가엾은, 비참한(miserable).

transigencia *f.* 타협성, 관대(tolerancia).

transigente *adj.* 타협적인, 관대한 : hombre poco ~. Contr. intransigente.

transigir *intr.tr.* 4 [*lat.* transigere] ① [+con : …과] 타협하다 : ¡No *transijo con* eso! 그런 일에는 타협하지 못한다. ② 서로 굽히다, 서로 양보하다, 서로 양해 · 이해하다.

transilvano, na *adj.* 트란실바니아《Transilvania, 루마니아의 한 지방》의, 트란실바니아에 대한. —*m.f.* 트란실바니아의 사람.

transistor *m.* 트랜지스터 : rodio a ~*es* 트랜지스터 라디오.

transistorizado, da *adj.* 트랜지스터가 포함된.

transistorizar *tr.* (무선 전신이나 텔레비전의 수신기에서) 트랜지스터를 포함하다.

transitable *adj.* 통행 · 통과할 수 있는 : Este camino no es ~.

transitar *intr.* 지나다, 통행하다 ; 여기저기 묵으면서 여행하다(caminar, viajar).

transitivamente *adv.* 타동사로서 : Algunos verbos neutros se usan ~.

transitividad *f.* 타동사적임.

transitivo, va *adj.* 타동사의.
verbo ~【문법】타동사. Contr. intransitivo.

tránsito *m.* [*lat.* transitus] ① 통행, 통과(paso) : derechos de ~ 통행세. El ~ de este camino es difícil 이 길의 통행은 어렵다. Está prohibido el ~ 통행을 금함. Se prohibe el ~ 통행 금지(되어 있다). ② (사람이나 차의) 왕래 : una calle de mucho ~ 사람의 왕래가 많은 거리. ③ 통과 지점, 경유, 중계(지), 전재(轉載)(항구) : con destino a Ceuta *en* ~ para Tetuán 세우따 전재 떼뚜안 행선으로. ④ (도중의) 숙박지 ; 정류지, 숙영지(etapa). ⑤ 전임, 이동. ⑥ (철새 등의) 이동(paso). ⑦ (성자 등의) 천화(遷化), 사망 ; 성모 승천, 성모 승천 제일《8월 15일》.
de ~ 임시로, 일시적으로 ; 통과의 : pasajeros *de* ~ 통과 여객. mercadería *de* ~ 통과 화물. comercio *de* ~ 중계 무역.
en ~ 중계하여, 전재(轉載)하여.
por ~*s* 차례로 보내어 (호송함).
hacer ~ 도중에 숙박 · 휴게하다.

transitoriamente *adv.* 우선, 일시적으로, 임시로, 과도기적으로 ; 허망하게, 덧없이.

transitoriedad *f.* 일시성, 임시성 ; 덧없음, 허망스러움.

transitorio, ria *adj.* [*lat.* transitorius] ① 일시적, 잠시의(pasajero, momentáneo) : ley ~*ria* 잠정 법률. ② 덧없는, 허망한(perecedero). ③ 통과의, 중계의.

translación *f.* [*lat.* translatio] =**traslación.**

translaticiamente *adv.* =**traslaticiamente.**

translaticio, cia *adj.* =**traslaticio.**

translativo, va *adj.* =**traslativo.**

translimitación *f.* translimitar하는 일.

translimitar *tr.* (경계 · 한계를) 넘다 ; (부주의로 · 협정에 따라) 월경(越境)하다, 넘다, 넘기다, 지나다, 일탈하다 ; 출병 · 파병(派兵)하다.

translinear *intr.* 상속을 다른 사람에게로 옮기다.

transliteración *f.* =**trasliteración.**

transliterar *tr.* =**trasliterar.**

translucidez *f.* 반투명질, 반투명성 : la ~ de un papel. Contr. opacidad.

translúcido, da *adj.* [*lat.* translucidus] 반투명한 : La porcelana es ~*da.* Contr. opaco.

transluciente *adj.* =**translúcido, trasluciente.**

translucir(se) *tr.* (*r.*) =**traslucir.**

transmarino, na *adj.* 바다 저쪽의, 바다 건너편의(del otro lado del mar).

transmediterráneo, a *adj.* 지중해를 통해 항해하는 (선박).

transmigración *f.* transmigrar 하는 일.

transmigrante *m.f.* 통과 여행자.

transmigrar *intr.* [*lat.* transmigrare] ① 이민 · 이주하다, 옮겨가 살다. ② 회생하다, 재생하다.

transmigratorio, ria *adj.* 이민하는, 이주하는 ; 전생(轉生)의, 윤회의, 회생하는.

transminar *tr.* (…의) 밑을 파다, (…의) 갱도를 파다.

transmisibilidad *f.* 전달할 수 있는 일 ; 양도 가능.

transmisible *adj.* ① 양도할 수 있는. ② 전할 수 있는, 옮길 수 있는, 보낼 수 있는, 돌려줄 수 있는 : Hay enfermedades ~*s* por la herencia 유전을 하는 병이 있다.

transmisión *f.* ① 전하는 일, 전달 : ~ de pensamiento 이심전심. ② 전파 ; 전염, 감염(感

染) ; 송신, 방송 : ~ de radio 라디오 방송. ~ de televisión 텔레비전 방송. La ~ de ese programa será a las ocho de la noche 그 프로그램의 방송은 밤 8시에 있을 것이다. ③ 이전, 양도 : ~ de una patente 특허권의 양도. ~ hereditaria de acciones 《*Perú.*》 주식 상속세. ④ 전도. ⑤ 【기계】 전동(傳動) : ~ de movimiento 기계의 전동.

transmisor, ra *adj.* 송신·송화의 ; 라디오 방송의. **—*m.*** 송신기, 송화기 ; (무전기의) 송파기.

transmitir *tr.* [*lat.* transmittere] ① 전하다, 옮기다, 보내다. ② (차례로·널리) 전하다, 전파하다 : *Se transmitirá* su nombre a la posteridad 그의 이름은 후세에 전해질 것이다. El aire *transmite* el sonido 공기는 소리를 전한다. ③ 전염시키다. ④ 송신·방송하다 : ~ por radio. ⑤ 전달하다 ; 전도하다. ⑥ 【법률】 양도하다, 넘겨주다(enajenar, ceder).

transmontano, na *adj.* =**tramontano.**

transmontar *tr. intr.* =**tramontar.**

transmudación *f.* =**transmutación.**

transmudamiento *m.* =**transmutación.**

transmudar *tr.* 옮기다, 이전시키다(trasladar, mudar de sitio). ② 바꾸다(convertir, cambiar). ③ 생각을 고쳐 갖게 하다.
~se 이전하다 ; 바뀌다, 변하다.

transmundano, na *adj.* 이 세상에 떨어진.

transmutable *adj.* 변할·바꿀 수 있는, 옮길 수 있는.

transmutación *f.* 변화, 변질, 변형 : la ~ de los metales.

transmutar *tr.* [*lat.* transmutare] ① 바꾸다 (cambiar). ② 변질시키다(convertir) : Los alquimistas pretendían ~ los metales en oro 연금술사들은 금속을 금으로 바꿀려고 시도했다.

transmutativo, va *adj.* 바꿀 힘이 있는, 변화·변질·변성·변형(적)의.

transmutatorio, ria *adj.* =**transmutativo.**

transnacional *adj.* 국가(nación)를 초월한 (multinacional) : una importante empresa ~.

transoceánico, ca *adj.* 대양 저쪽의, (항공기, 선박, 무선 통신 등의) 대양 횡단의.

transplantación *f.* 【방언】 =**trasplante.**

transpacífico, ca *adj.* 태평양 건너의·저쪽의, 태평양 횡단의. **—*m.*** 태평양 항로선.

transpadano, na *adj.* 뽀강 《el Po, 이탈리아의 강》 너머의. **—*m.f.*** 뽀강변에 사는 사람.

transparencia *f.* ① 투명(도·성) : la ~ del vidrio 유리의 투명. Contr. opacidad. ② 슬라이드 사진.

transparentarse *r.* 비쳐 보이다 ; 투명하게 보이다, 환히 들여다 보이다 : *Se transparentaban* sus intenciones 그의 속셈이 들여다 보였다.

transparente *adj.* ① 투명한 ; 속이 환히 들여다 보이는 : El cristal es ~ 유리는 투명하다. Contr. opaco. ② 맑은, 청명한. **—*m.*** (빛을 부드럽게 하는) 빛 가리개·막·커튼·스탠드 유리 (등) : ~ de bambú 발.

transpirable *adj.* 발산할 수 있는.

transpiración *f.* 발산 ; 발한(發汗) ; 새어 나옴, 누설, 발각.

transpirar(se) *intr.* (*r.*) ① 발산하다, 스며 나오다(rezumarse) : humor que *transpira* 스며 나오는 연기. ② 땀을 흘리다(sudar) : hombre que *transpira* mucho. ③ 눈치 채이다, 발각되다.

transpirenaico, ca *adj.* 피레네 산맥 너머의, 피레네 산맥 횡단의 : nación ~*ca.*

transplantación *f.* 【방언】 =**trasplante.**

transplantar *tr.* =**trasplantar.**

transplante *m.* =**trasplante.**

transpolar *adj.* =**traspolar.**

transponedor, ra *adj.* 옮기는. **—*m.f.*** 옮기는 사람.

transponer *tr.* 61 [*lat.* transponere] [*p.p.* transpuesto] 옮기다, (…의) 위치를 바꾸다 ; 이식(移植)하다(transplantar) ; 옮겨 놓다, 더 저쪽에 두다, (…의) 저쪽으로 보내다.
~se ① 옮기다, 전출하다, 옮겨 살다. ② 그늘에 가려지다. ③ 해가 지다(ocultarse detrás del horizonte el sol). ④ 꾸벅꾸벅 졸다(quedarse algo dormido).

transportación *f.* 수송(輸送), 운수(運輸), 운송, 운반(transporte) : ~ aérea 공수(空輸). ~ marítima·por mar 해운, 해상 운송. ~ terrestre·por tierra 육운(陸運), 육상 운송.

transportador, ra *adj.* 운반하는. **—*m.f.*** 운반자, 운반 업자. **—*m.*** 분도기 ; 운반기 : ~ aéreo 케이블카식 운반기.

transportamiento *m.* =**transporte.**

transportar *tr.* [*lat.* transportare] ① 나르다, 운반·운송·수송하다 ; 옮기다 : ~ viajeros. ② 【음악】 이조(移調)하다, 멜로디를 바꾸다.
~se 마음이 텅비다, 그만 제정신을 잃다, 몹시 흥분하다, 정신없이 열중하다(enajenarse).

transporte *m.* ① 운송, 운수, 수송, 운반(acarreo) : avión de ~ 수송기. medios de ~ 수송 방법·기관. seguro de ~ 운송 보험. ② 운송·수송선(buque de ~) ; 수송 비행기. ③ 흥분, 열중, 정신없이 기뻐함(rapto). ④ 【음악】 이조(移調), 변조(變調).
~ ***a grandes distancias*** 장거리 수송. ~ ***acuático*** 수상 운송. ~ ***aéreo*** 공수, 항공 운송. ~ ***colectivo*** 혼재(混載) 운송. ~ ***de carga a granel*** 산하(散荷) 운송. ~ ***de cereales*** 곡물 수송. ~ ***de fondos presupuestarios*** 예산 재원의 이동. ~ ***de mercancías*** 상품의 반송(搬送). ~ ***de mercancías por ferrocarril*** 철도에 의한 화물 수송. ~ ***de puerta a puerta*** 문에서 문으로의 수송. ~ ***de viajeros·pasajeros*** 여객의 수송. ~ ***en containers·contenedores*** 컨테이너 수송. ~ ***en vagones refrigerados*** 냉장 트럭 수송. ~ ***internacional*** 국제 운수·수송. ~ ***local*** 근거리 수송. ~ ***marítimo·por mar*** 해상 운송, 해운. ~ ***por avión*** 항공 수송, 공수. ~ ***por bultos*** 상자 운송. ~ ***por carretera*** 도로·노면 수송. ~ ***por ferrocarril*** 철도 수송. ~ ***regular*** 정기 운송. ~ ***terrestre·por tierra*** 육상 수송, 육운.

transporteador, ra *m.f.* 운송 업자.

transportín *m.* =**trasportín.**

transportista *m.f.* =**transporteador.**

transposición *f.* ① 자리를 바꾸어 놓기, 전위(轉位), 이동, 위치 변경, 전주(轉住) ; 이식(移植). ② 선잠, 겉잠, 얕은 잠. ③ 숨는 일. ④ 어위(語位)의 전환(轉換). ⑤ 【수학】 이항(移項). ⑥ 【제본】 난장(亂帳).

transpositivo, va *adj.* 자리를 바꾸어 놓는,

전위(轉位)의 ; 옮겨 놓을 수 있는.

transpositor, ra *adj. m.* =**traspositor.**

transpuesta *f.* =**traspuesta.**

transpuesto, ta *adj.* [transponer의 *p.p.*] = **traspuesto.**

transpus- → **transponer** 61.

transsiberiano, na *adj.* 시베리아 횡단의 : ferrocarril ~ 시베리아 횡단 철도.

transterminante *adj.* 경계·한계를 넘는 ; 침해하는.

transterminar *tr.* (…의) 경계·한계를 넘다 ; 침해하다 : ~ una provincia.

transtiberino, na *adj.* (로마에서 보아) 띠베르강(el Tíber) 건너의. —*m.f.* 띠베르강 건너편.

transubstanciación *f.* (본질의) 변형, 변질 ; 화체(化體), 성체화(聖體化)《빵과 포도주가 그리스도의 살과 피로 되는 일》.

transubstancial *adj.* 변질의 ; 화체(化體)의.

transubstanciar *tr.* (빵과 포도주를 그리스도의 살과 피로) 화체(化體)시키다 ; 변질시키다. **~se** 변질되다.

transuraniano, na *adj.* =**trasuraniano.**

transuránico, ca *adj.* =**trasuránico.**

transustanciación *f.* =**transubstanciación.**

transustanciar(se) *tr.* (*r.*) =**transubstanciar.**

transvasar *tr.* (다른 그릇으로) 옮기다, 비우다, 옮겨 넣다, 옮겨 담다(trasegar) : ~ vino.

transvase *m.* =**trasvase.**

transverberación *f.* 관통(상)(transfixión) : la ~ del corazón de Santa Teresa.

transversal *adj.* ① 가로 지른, 횡단의, 교차된 : línea ~ 횡단선. Contr. longitudinal. ② 벗어난, 빗나간. ③ 방계(傍系)의, 연대(連帶)의 (colateral).

transversalmente *adv.* 비스듬하게 ; 가로로, 횡단으로.

transverso, sa *adj.* ① 비스듬한(oblicuo). ② 가로의, 횡단의 : arteria ~*sa* 횡동맥.

tranvía *m.* 전차(의 노선·차량) : ~ a nivel 노상 전차. ~ de sangre 역마차. tomar el ~ 전차를 타다.

tranviario, ria *adj.* 전차의. —*m.f.* 전차 승무원.

tranviero *m.* =**tranviario.**

tranza *f.* 《*Ar.*》 차압(trance).

tranzadera *f.* =**trenzadera.**

tranzado, da *adj.* tranzar의 *p.p.*

tranzar *tr.* 9 ① 자르다(cortar) ; 쪼개다, 가르다(partir, tronchar) ; 세 가닥으로 땋다. ②【방언】입찰·경매에 붙이다, 공매(公賣)하다.

tranzón *m.* (할당된) 분할지.

trapa *f.* ① 사람들의 발자국 소리 ; 목소리. ② (돛을 매다는) 보조 돛줄. ③ *pl.* 구명 보트를 매다는 줄. ④ [la T-] 트라피스트 수도회《불란서의 la Trapa의 승원에서 Rancé가 1662년에 시작한 것》.

¡trapa! *interj.* =**pronto, deprisa.**

trapacear *intr.* 앙큼스러운 짓을 하다, 눈속임하다.

trapacería *f.* 사기, 속임수, 눈속임(trapaza, engaño, trampa).

trapacero, ra *adj. m.f.* =**trapacista, engañador.**

trapacete *m.* (상인의) 일기장, 매상 장부.

trapacista *adj m.f.* 앙큼스러운, 앙큼을 떠는 (사람) ; 눈속임 하는 (사람), 얕은 꾀를 쓰는 (사람)(tramposo, engañador).

trapajería *f.* [집합] 누더기.

trapajo *m.* [*desp.* trapo] 누더기.

trapajoso, sa *adj.* ① 누덕누덕한, 누덕누덕 해진(guiñaposo, desatrado). ② 발음이 분명치 않은(estropajoso).

trápala *f.* ① 웅성거림, 소란(ruido, bulla, alboroto) ; 말의 달리는 말굽 소리(ruido del trote o galope de un caballo). ② 거짓말, 속임수, 사기 (trampa, engaño, embuste). ③【은어】감옥(cárcel). —*m.* ① 필요없이 말을 많이 함(flujo de hablar sin necesidad). ② 수다쟁이, 허풍선이 (hablador sin substancia). ③ 사기꾼, 거짓말쟁이(mentiroso, embustero, tramposo).

trapalear *intr.* ① 요란스런 발소리를 내다. ② 거짓말을 하다(mentir), 허풍을 떨다(decir embustes). ③ 마구 지껄이다(hablar mucho y sin substancia).

trapalero, ra *adj. m.f.* 《*Ant.*》 =**trápala, embustero.**

trapalón, na *adj. m.f.* =**trápala, embustero.**

trapalonear *intr.* 《*Arg. Chile.*》 =**trapalear.**

trápana *f.*【은어】감옥(trápala).

trapatiesta *f.* 싸움, 소동(riña, alboroto).

trapaza *f.* (매매의) 속임수, 사기(engaño).

trapazar *intr.* 8 =**trapacear.**

trapazo *m.* [*aum.* trapo] 큰 누더기·넝마.

trape *m.* ① (스커트를 벌렁하게 부풀리기 위해 넣은) 견포 안감. ② 《*Chile.*》 모사로 짠 밧줄·끈(cuerda de lana).

trapeado *m.* 그림·조각에 표현된 옷 ; 그 미술적 수법.

trapeador *m.* 《*AmérC. Chile.*》 걸레, 솔.

trapear *intr.*【방언】눈이 내리다(nevar). —*tr.* ① 《*Amér.*》 걸레로 훔치다·닦다(limpiar con un trapo), 마루를 닦다 ; (…의) 먼지를 털어주다 (sacudir el polvo a uno). ② 《*AmérC.*》(남을) 단단히 혼내주다.

trapecial *adj.*【기하】사다리꼴의.

trapeciforme *adj.* =**trapecial.**

trapecio *m.* ①【기하】사다리꼴 : ~ isósceles 이등변 사다리꼴. ~ rectángulo 직각 사다리꼴. ② 철봉 그네 : ~ volante 공중 그네. ③【해부】승모근(僧帽筋).

trapecista *m.f.* ① =**gimnasta.** ② =**acróbata.**

trapelacucha *f.* 《*Chile.*》 아리우까노족 여자들의 목걸이.

trapense *adj.* 트라피스트 수도회(la Trapa)의. —*m.f.* 트라피스트 수도사·수녀.

trapera *f.* 《*Col. PRico.*》 =**trapería.**

trapería *f.* [집합] 넝마 ; 넝마의 매매 ; 고물상 ; 직물점, 포목점.

trapero, ra *m.f.* 넝마주이 ; 고물 장수. —*adj.* *puñalada ~ra* 변절자, 배신자(la traidora).

trapezoidal *adj.*【기하】부등 사변형의.

trapezoide *m.*【기하】부등 사변형(cuadrilátero irregular).

trapezoides *m.* ①【해부】손목 뼈의 하나. ②【기하】부등변 사변형.

trapicar *intr.* 7 《*Chile.*》 아릿아릿하게 혀를 쏘다.

trapico *m.* [*dim.* trapo] 작은 넝마 · 누더기 · 걸레.

trapichante *m.* 《*Ant. Col.*》 설탕 짜는 사람.

trapichar *intr.* 《*Ant. Col.*》 =**trapichear.**

trapiche *m.* ①(사탕수수 · 올리브의) 압착기. ② 제당 공장. ③《*Amér.*》 쇄광기(碎鑛機).

trapichear *intr.* ① 재간을 부리다, 궁리하다. Sinón. trapacer. ② 소매하다.

trapicheo *m.* 재간, 궁리 : amigo de ~*s.*

trapichero, ra *m.f.* ① 설탕 짜는 · 올리브 짜는 (사람). ②《*Col. PRico.*》 생활력이 강한 사람.

trapiento, ta *adj.* 너덜너덜한, 누덕누덕한, 누더기를 거친(andrajoso, haraposo).

trapillo *m.* [*dim.* trapo] ① 신분이 천한 연애 중의 남자 · 여자. ②(저축한) 적은 돈 : tener un buen ~.

de ~ 평상복으로(con vestido casero) : salir *de* ~.

trapío *m.* ① 돛(의 전부)(velamen). ②(여자의) 요염스러움, 요염스러운 자태(aire garboso). ③ 투우의 불뚝거림.

trapisonda *f.* ① 소동, 싸움 : Brava ~ ha habido 방금 격렬한 싸움이 있었다. Los estudiantes armaron una ~ 학생들은 소동을 일으켰다. ② 환호성(algazara). ③ 분쟁, 계쟁(enredo) : ser aficionado a las ~*s.* ④ 파도 소리 ; 파도의 출렁거림(agitación del mar).

trapisondear *intr.* =**trapacear, enredar.**

trapisondista *adj.* 싸움질을 좋아하는(amigo de trapisondas). —*m.f* 싸움패, 말썽꾼.

trapista *m.f.* ①《*Arg.*》 =**trapero.** ②《*Galic.*》 =**trapense.**

trapito *m.* [*dim* trapo] : ponerse los ~*s* de cristianar 화려한 옷을 입다.

trapo *m.* [*fr.* drap] ① 넝마, 걸레, 누더기 : Déme un ~ para limpiar vidrios 유리를 닦게 누더기를 나에게 주십시오. ②(하나의 선박에 달린 전체의) 돛(velamen). ③(투우용) 소를 다루는 천(capote). ④(극장의) 막(telón). ⑤《*Chile.*》 천, 직물(tela). —*pl.* (특히 여자의) 옷, 의상 : Sólo piensa en ~*s* 그녀는 옷만 생각하고 있다.

a todo ~ 돛을 모두 달아 올려 ; 전력을 다해 : La flota española navegaba ***a todo*** ~ 서반아 함대는 돛을 모두 올리고 항해했다.

poner como un ~ 다짜고짜로 모욕하다, 사정없이 혼내주다.

soltar el ~ (갑자기) 웃음 · 울음을 터뜨리다 (echarse a llorar o a reir).

traposiento, ta *adj.* 《*Perú.*》 너덜너덜한, 누더누덕한, 누더기를 걸친(trapiento).

traposo, sa *adj.* 《*Perú. PRico.*》 =**trapiento.**

trapujear *intr.* 《*AmérC.*》 밀수하다.

trapujero, ra *m.f.* 《*AmérC.*》 밀수꾼.

trapujo, ja *adj.* 《*AmérC.*》 밀수의(de contrabando).

traque *m.* (꽃불의) 작렬 (소리) ; 꽃불의 도화선 ; 방귀뀌기 ; 방귀 소리.

a ~ barraque ① 시시각각으로, 시간의 흐름에 따라, 시각마다 ; 계속해서, 언제 어느 때라도(a cada momento, continuamente). ② 어떠한 이유로도.

tráquea *f.* [*gr.* trakheia] ①【해부】 기관(氣管). ②【곤충】 호흡 기관. ③【식물】 도관(導管), 물관.

traqueal *adj.* 【해부】 기관의 ; 호흡 기관이 있는 : arácnido ~.

traquear *intrj.* ① 뻥하고 소리내다, 뻥하고 터지다. ②《*Arg.*》 곧잘 가다, 자주 다니다. ③《*PRico.*》 술을 마시다.

—*tr.* ① 흔들다(agitar) : ~ una botella. ② 이리저리 만지작거리다(manosear). ③《*Arg.*》 언제나 다니다 · 내왕하다. ④《*Ant.*》 시도해 보다 ; 익히게 하다(adiestrar). ⑤《*Méx.*》 들쑤석거려 잡다. ⑥《*PRico.*》(술을) 마시다 ; 갈피를 잡지 못하게 하다.

~se 《*Venez.*》 생각이 아둔해지다(chiflarse).

traquearteria *f.* =**tráquea.**

traqueítis *f.* 【의학】 기관지염.

traqueliano, na *adj.* 목 뒷부분의.

tráqueo *m.* =**traqueteo.**

traqueobronquial *adj.* 【해부】 기관(tráquea)과 기관지(bronquios)의.

traqueotomía *f.* 【의학】 기관 절개 수술.

traquetear *intr. tr.* =**traquear.**

traqueteo *m.* (꽃불 등의) 펑펑 터지는 소리 ; 흔들거림 ; 《*Amér.*》 요란한 소리.

traquiarteria *f.* =**tráquea.**

traquido *m.* 총성, 포성(disparo) ; 나무 갈라지는 소리(chasquido) ; 《*AmérC.*》 날카로운 소리.

traquinar *intr.* 《*PRico.*》 여기저기 쏘다니다 (trajinar).

traquita *f.* 【광물】 조면암(粗面岩) : La ~ se estima para la construcción.

traquítico, ca *adj.* 조면암의, 조면암 같은.

traquito *m.* 【광물】 조면암.

trarigüe *m.* 《*Chile.*》(토인의) 천으로 만든 띠 (faja o cinturón de lana de los indios).

trarilongo *m.* (칠레 토인의) 머리띠.

traro *m.* 칠레산의 사나운 짐승의 무리.

tras¹ *prep.* [*lat.* trans] [시간적 · 공간적, 또 순서로서의 뒤를 나타냄 ; de가 따르는 수도 있음] ① …의 뒤에, 잇따라(después de, a continuación de) : *Tras* los años viene el juicio 몇 해 뒤에 판단력이 생긴다. *Tras* este tiempo vendrá otro mejor 이러한 시기가 지나면 더 좋은 때도 올 것이다. Caminan *uno* ~ *otro* 차례차례로 걸어서 가다. ② …의 뒤에, 배후에, …의 저쪽에(detrás de) : Se ocultó ~ la puerta 그는 문 뒤로 숨었다. Llevaba ~ *de* sí más de doscientas personas 자기의 배후에 200명 이상이나 거느리고 있었다. ③ …을 좇아, 얻고자 하여(en busca, en seguimiento de) : Se fue deslumbrado ~ los honores 명예를 좇아 눈이 어두웠다. ④ …한데다가(además) : *Tras de* ser malo, es caro 물건이 나쁜데다가, 값도 비싸다. —*m.* 둔부, 엉덩이, 궁둥이(trasero, asentaderas).

tras² *m.* 소리의 의성어.

¡tras! *interj.* [반복 사용하여] 똑똑똑 《방문 두들기는 소리》.

tras- *pref.* =**trans-.**

trasabuelo, la *m.f.* =**tatarabuelo.**

trasacuerdo *m.* =**recuerdo.**

trasagüelo, la *m.f.* =**tatarabuelo.**
trasalcoba *f.* 침실의 곁방.
trasalpino, na *adj.* =**transalpino.**
trasaltar *m.* 성단(altar)의 뒤.
trasandino, na *adj.* =**transandino.**
trasandosco, ca *adj. m.f.* 두 살 가량의 (양·산양).
trasanteanoche *adv.* 그저께의 전날 밤(에).
trasanteayer *adv.* 그끄저께.
trasantier *adv.* 그끄저께.
trasañejo, ja *adj.* 아주 오래된, 오래 묵은 ; 세 살 남짓한(tresañejo).
trasatlántico, ca *adj. m.* =**transatlántico.**
trasbarrás *m.* 물건이 떨어질 때 내는 소리(ruido que produce una cosa al caer).
trasbisabuelo *m.* =**transbisabuelo.**
trasbisnieto *m.* =**transbisnieto.**
trasbocar *tr.* ⑦ 《*Amér.*》 =**vomitar.**
trasbordador *m.* =**transbordador.**
trasbordar *tr.* =**transbordar.**
trasbordo *m.* =**transbordo.**
trasbotica *f.* =**trastienda.**
trasbucar *tr.* ⑦ 《*Chile. PRico.*》 (그릇에) 옮기다, 비우다(trasegar) ; 뱉다, 게우다, 토하다(trasbocar).
trasca *f.* ① 쇠가죽 끈. ② 도살하기 전에 살찌게 한 돼지.
trascabo *m.* 발을 나꿔 채는 일.
trascacho *m.* 《*Mancha.*》 =**solana.**
trascantón *m.* ① (포장 도로의) 연석 《차도와 보도 사이의 경계가 되는 돌》(guardacantón). ② (거리의) 짐꾼(mozo de cordel). ③ (남을) 기다리다 허탕치기 : dar ~ 남을 기다리다 허탕치게 만들다, 바람 맞히다.
a ~ 별안간, 갑자기.
trascantonada *f.* =**trascantón.**
trascartarse *r.* (카드의) 패가 남다.
trascartón *m.* 쓸데없이 패가 남음.
trascendencia *f.* ① 중대성, 중요성. ② 투철, 통찰(력)(penetración). ③ 결과(resultado). ④ 초월, 탁월.
trascendental *adj.* ① 중대한, 중요한. ② 획기적인 : Se ha introducido una reforma ~ en el sistema de educación 교육 체제에 획기적인 개혁이 도입되었다. ③ 초절대적인, 초경험적인.
trascendentalismo *m.* 초경험주의, 초연론(超然論).
trascendentalista *adj.* 초경험주의의. —*m.f.* 초경험주의자.
trascendente *adj.* 뛰어난, 빼어난, 탁월한.
trascender *intr.* ㉑ ① 강한 향기를 발산하다. ② (숨은 일이) 나타나다, 들통나다, 폭로되다 : *Se ha trascendido* su proyecto 그의 계획이 들통이 났다. ③ 넓히다, 전파하다(divulgarse) : El rico olor del asado *trascendía* hasta aquí 맛있는 불고기 냄새가 여기까지 났다. ④ 결과가 나타나다 : Su sentimiento religioso *trasciende* a todos los actos de su vida 그의 종교적인 감정이 그의 생애의 모든 행동에 나타나 있다. —*tr.* 낌새를 알아채다, 탄로나게 하다, 통찰하다.
trascendido, da *adj.* [trascender의 *p.p.*] 예민한, 통찰력이 있는.
trasceptor *m.* =**transceptor.**
trascocina *f.* 요리실의 곁방.
trascol *m.* (옛날의) 여인들의 치마의 일종.
trascolar *tr.* ㉔ ① 거르다, 여과하다(colar), 스며·배어 나오게 하다 : ~ vino por un paño. ② 옮기다, 이동시키다 ; 통과시키다(pasar) ; 넘다.
trasconejarse *t.* 쫓기던 짐승이 개보다 뒤처지다. ② 몸을 숨기다. ③ 놓치다, 잃어버리다(perderse) : *Se me ha trasconejado* tu carta 너의 편지를 나는 잃어버렸다.
trascontinental *adj.* 대륙 횡단의.
trascordarse *r.* ㉔ 잊다, 잊어버리다(olvidar, no recordar).
trascoro *m.* 합창대의 뒤쪽.
trascorral *m.* ① 안뜰, (담이나 건물로 둘려 있는) 뜰, 안마당. ② 엉덩이, 궁둥이(culo).
trascribir *tr.* =**transcribir.**
trascripción *f.* =**transcripción.**
trascripto, ta *adj.* [trascribir의 *p.p.*] 전사(轉寫)된.
trascrito, ta *adj.* =**transcripto.**
trascuarto *m.* 대기실, 곁방.
trascuenta *f.* 오산(誤算)(trabacuenta).
trascurrir *intr.* =**transcurrir.**
trascurso *m.* =**transcurso.**
trasdobladura *f.* 3배(하는 일).
trasdoblar *tr.* 3배하다(tresdoblar).
trasdoble *m.* =**trasdoblo.**
trasdoblo *m.* 3배.
trasdós *m.* [*pl.* trasdoses]【건축】① 박공의 겉면, 공배선(拱背線). Contr. intradós. ② 덧대는 기둥.
trasdosear *tr.*【건축】뒤쪽에서 보강하다.
trasductor *m. adj.* =**transductor.**
trasechador, ra *adj. m.f.* 잠복하는 (사람).
trasechar *tr.* 잠복하다, 뒤를 노리다(asechar).
trasegador, ra *adj. m.f.* 혼란시키는 (사람).
trasegadura *f.* trasegar 하는 일.
trasegar *tr.* ⑲ ⑧ ① 혼란시키다(trastornar). ② 이동시키다(mudar). ③ (액체를) 바꾸어 넣다, 옮기다, 비우다(cambiar un líquido de vaso). ④ (술 등을) 실컷 마시다.
traseñalador, ra *adj.m.f.* (앞의 것과) 다른 표시를 하는 (사람).
traseñalar *tr.* (앞의 것과) 다른 표시를 하다.
trasera *f.* (자동차·건물·문의) 뒤, 뒤쪽, 안 : Tomemos asiento a la ~ del coche 차량의 뒤쪽에 자리를 잡자. Me senté a la ~ del coche 나는 자동차의 뒷 좌석에 앉았다.
trasero, ra *adj.* ① 뒤의, 뒤쪽의 : la parte ~*ra* de un edificio 건물의 뒷부분. El salió de la puerta ~*ra* 그는 뒷문에서 나왔다. Se estropeó la parte ~*ra* de mi coche en el accidente 그 사고로 내 차의 후부가 손상을 입었다. ② 뒷짐의 (수레) ; 안의. —*m.* (동물의) 꽁무니(parte posterior del animal). —*m. pl.* 선조(abuelos, antepasados).
trasferencia *f.* =**transferencia.**
trasferible *adj.* =**transferible.**
trasferidor, ra *adj.m.f.* =**transferidor.**
trasferir *tr.* ㊹ =**transferir.**
trasfigurable *adj.* =**transfigurable.**
trasfiguración *f.* =**transfiguración.**

trasfigurar *tr.* =**transfigurar.**
trasfijo, ja *adj.* =**transfijo.**
trasfixión *f.* =**transfixión.**
trasflor *m.* =**transflor.**
trasflorar *tr.* =**transflorar.**
trasflorear *tr.* =**transflorear.**
trasfojar *tr.* =**trashojar.**
trasfollado, da *adj.* 연종(軟腫)이 생긴 (말 등).
trasfollo *m.* (말 등의) 연종.
trasfondo *m.* 《*Neol.*》 (물건의) 가장 깊은 것.
trasformación *f.* =**transformación.**
trasformacional *adj.* 변형의.
trasformador, ra *adj. m.* =**transformador.**
trasformamiento *m.* =**transformación.**
trasformar *tr.* =**transformar.**
trasformativo, va *adj.* =**transformativo.**
trasformismo *m.* =**transformismo.**
trasformista *adj. m.f.* =**transformista.**
trasfregar *tr.* ⑲ ⑧ =**transfregar.**
trasfretación *f.* =**transfretación.**
trasfretano, na *adj.* =**transfretano.**
trasfretar *tr. intr.* =**transfretar.**
trasfuego *m.* 아궁이의 안쪽에 놓는 돌.
trásfuga *m.f.* =**tránsfuga.**
trásfugo *m.f.* =**tránsfugo.**
trasfundición *f.* =**transfundición.**
trasfundir *tr.* =**transfundir.**
trasfusión *f.* =**transfusión.**
trasfusionista *m.f.* 수혈 학자, 수혈 전문의 (transfusionista).
trasfusor, ra *adj. m.* =**transfusor.**
trasga *f.* 《*León.*》 (차의) 손잡이, 채(pértigo).
trasgo *m.* ① 장난의 신(神)(duendecillo). ② 개구쟁이, 장난꾸러기.
trasgredir *tr.* =**transgredir.**
trasgresión *f.* =**transgresión.**
trasgresor, ra *adj. m.f.* =**transgresor.**
trasguear *intr.* 장난치다, 개구장이짓을 하다 (portarse como los trasgos).
trasguero, ra *m.f.* 장난꾼, 장난꾸러기(aficionado a trasguear).
trashogar *m.* ① 굴뚝 앞면. ② =**trashoguero.**
trashoguero, ra *m.f.* (일하러 가지 않고 집에 들어박혀 있는) 게으름뱅이. —*m.* (아궁이 · 난로의) 배석(背石); 불이 잘 붙게 걸쳐 놓은 장작.
trashojar *tr.* (책의) 페이지를 넘기다, 책장을 넘기다(pasar las hojas); 책을 펴서 읽다(hojear).
trashumación *f.* 가축떼의 유목(遊牧), 계절 이동.
trashumante *adj.* 목초를 찾아서 이동하는 (목축), 유목의 : carneros ~*s.*
trashumar *intr.* (목축떼가 여름이나 겨울에) 장소를 바꾸어 가다.
trasiberiano, na *adj.* =**transiberiano.**
trasiego *m.* 혼란; 비껴 쳐서 쓰러뜨리기; (액체의) 바꾸어 넣기, 주입(注入).
trasigar *tr.* ⑧ 《*Ecuad. Perú.*》 =**trasegar.**
trasijado, da *adj.* 마른 · 홀쭉한 (말) : una caballería ~*da.*
trasijar *intr.* 마르다, 홀쭉하다.
traslación *f.* ① 한 지방에서 다른 지방으로 이주하는 · 옮기는 일; 있던 데서 다른 데로 옮김; 이전; 전거(轉居); 전임, 전근; (권리 등의) 양도. ② 연기, 날짜의 변경. ③ 전사(轉寫). ④ 번역. ⑤【문법】 시제의 전용(轉用). ⑥【수사】 전의(轉義), 비유(metáfora).
trasladable *adj.* 옮길 수 있는; 연기할 수 있는.
trasladación *f.* =**traslación.**
trasladador, ra *adj. m.f.* 이전하는 (사람); 이전하는데 도움이 되는 (것).
trasladante *adj.* 번역하는; 구술하는; 옮기는; 전임시키는.
trasladar *tr.* ① 옮기다; 이첩하다 : Había que ~ la cama a la habitación contigua 침대를 이웃 방에 옮겨야 했다. ② 전임시키다 : Lo *trasladaron* a otro departamento 그는 다른 부로 전임되었다. La *trasladaron* a la secretaría 그녀는 비서과로 전속되었다. ③ 연기하다. ④ 베끼다, 전사(轉寫)하다(copiar) : ~ a limpio 정서하다. ⑤ 구술하다. ⑥ 번역하다(traducir) : Ellos *trasladaron* este libro *al* inglés 그들은 이 책을 영어로 번역했다. ⑦【전신】 중계하다.
~se 옮기다, 이전하다; 이주 · 이동하다 : Mi familia *se trasladó* a la capital hace diez años 내 가족은 10년 전에 수도로 이전했다.
traslado *m.* ① 사본, 등본(copia). ② 이전(移轉); 전임; 이사(移徙). ③ 이첩, 통고. ④ 전송(轉送), 전사(轉寫). ⑤【전신】 중계.
traslapar *tr.* (일부 · 전체를) 덮다; (기왓장을 늘어 놓듯이) 차곡차곡 포개어 덮다. **Sinón.** solapar.
traslapo *m.* 포갠 곳(solapo).
traslaticiamente *adv.* 전의(轉義)로; 비유적으로; 넓은 뜻으로.
traslaticio, cia *adj.* 전의(轉義)의, 비유적인. **Contr.** reto.
traslativo, va *adj.* 이양의, 양도의 : título ~.
traslato, ta *adj.* =**traslaticio.**
traslimitar *tr.* =**translimitar.**
traslinear *intr.* =**translinear.**
trasliteración *f.* =**transliteración.**
trasliterar *tr.* =**transliterar.**
trasloar *tr.* [드뭄] 입에 침이 마르도록 칭찬하다.
traslucidez *f.* =**translucidez.**
traslúcido, da *adj.* =**translúcido.**
traslucilente *adj.* 반투명한(traslúcido, transluciente).
traslucimiento *m.* 반투명; 추측.
traslucirse *r.* ㉝ ① 반투명하다; 어렴풋이 비쳐 보이다, 투명하게 보이다 : La porcelana *se trasluce* 도자기는 투명하게 보인다. ② 추측할 수 있다.
traslumbramiento *m.* 어지러움, 현혹(deslumbramiento).
traslumbrar *tr.* (…의) 눈을 현혹시키다(deslumbrar).
~se 눈이 어지럽다; 현혹되다.
trasluz *m.* ① 투사광, 반사광. ② 《*PRico. SDgo.*》 서로 닮음(parecido).
al ~ 빛에 비추어(por transparencia) : mirar *al* ~.

trasmallo *m.* (고기잡이의) 삼단망.
trasmano *m.f.* (카드 등에서) 두 번째 사람, 다음 차례의 사람.
a ~ 신통치 못한 쪽에·에서 ; 평시와·여느 때와 다르게.
por ~ 《*Amér.*》 살그머니, 남몰래 넌지시, 감추어, 숨겨서(ocultamente).
trasmañana *adv.* [드뭄] 모레(pasado mañana).
trasmañanar *tr.* 하루씩 연기하다.
trasmarino, na *adj.* =**transmarino.**
trasmatar *tr.* (다른 사람보다) 오래 살 것이라 생각하다, 자기는 장수할 것이라 믿다(suponer una persona que ha de vivir más que otro).
trasmerano, na *adj.* 뜨라스미에라《Trasmiera, 산딴데르의 한 지방》의. —*m.f.* 뜨라스미에라 지방 사람.
trasmigración *f.* =**transmigración.**
trasmigrar *intr.* =**transmigrar.**
trasmigratorio, ria *adj.* =**transmigratorio.**
trasminante *adj.* ① 스며·배어 나오는. ② 《*Chile.*》 살을 에이는 듯한 (추위).
trasminar *tr.* 갱도를 파나가다 ; 배어 나오게 하다. —*intr.* ① 투명하다(penetrar). ② (냄새·액체 등이) 배어·스며 나오다(atravesar un olor, un líquido, *etc.*).
trasmisibilidad *f.* 【상업】 양도 가능.
trasmisible *adj.* =**transmisible.**
trasmisión *f.* =**transmisión.**
trasmisor, ra *adj.* =**transmisor.**
trasmitido, da *adj.* trasmitir의 *p.p.*.
trasmitir *tr.* =**transmitir.**
trasmochadero *m.* 장작 덤불.
trasmochar *tr.* 나무를 전정하다(podar mucho los árboles).
trasmontana *f.* =**tramontana.**
trasmontano, na *adj. m.f.* =**tramontano.**
trasmontar *tr. intr.* =**tramontar.**
trasmosto *m.* 싼 술(aguapié).
trasmudación *f.* =**transmudación.**
trasmudamiento *m.* =**transmudamiento.**
trasmudar *tr.* =**transmudar.**
trasmundo *m.* 저승(mundo de ultratumba).
trasmutable *adj.* =**transmutable.**
trasmutación *f.* =**transmutación.**
trasmutar *tr.* =**transmutar.**
trasmutativo, va *adj.* =**transmutativo.**
trasmutatorio, ria *adj.* =**transmutativo.**
trasnacional *adj.* =**transnacional.**
trasnochada *f.* 전날 저녁, 전날밤 ; 철야, 철야로 하는 파수, 불침 경비(vela) ; 야습(夜襲).
trasnochado, da *adj.* ① 하룻밤을 넘긴, 밤을 새운, 철야한 : ¿Está usted ~? 당신은 철야했습니까? ② 묵은, 썩기·상하기 시작한. ③ 새로운 맛이 없는 : cuento ~. ④ 여윈, 수척해진.
trasnochador, ra *adj.* 철야하는. —*m.f.* 철야하는 사람.
trasnochar *intr.* 철야하다, 밤샘하다 ; 밤을 지내다(pasar la noche sin dormir, pernochar, pasar la noche en una parte) : Ese día tuvimos que ~ en casa del tío 그날 우리는 숙부의 집에서 밤을 지내야 했다.
—*tr.* 하룻밤을 넘기다, 내일로 연기하다·미루다 : *Trasnochemos* la solución.
~se =**trasnochar.**
trasnoche *m.* 철야, 밤샘.
trasnocheo *m.* 밤샘하는 버릇.
trasnocho *m.* =**trasnoche.**
trasnombrar *tr.* 이름을 바꾸다(cambiar los nombres).
trasnominación *f.* 【수사】 =**metonimia.**
tras.° traslado.
trasoceánico, ca *adj.* =**transoceánico.**
trasoir *tr.* 76 잘못 듣다, 오해하다(equivocarse al oir una cosa).
trasojado, da *adj.* 풀이 죽은, 축 늘어진(muy abatido y ojeroso).
trasoñar *tr.* 24 생각을 잘못하다(imaginar equivocadamente alguna cosa).
trasordinario, ria *adj.* =**extraordinario.**
trasovado, da *adj.* 【식물】 끝 모양이 넓은 (잎) : hoja ~*da*.
trasoye- → **trasoir** 76.
traspacífico, ca *adj.* =**transpacífico.**
traspadano, na *adj. m.f.* =**transpadano.**
traspágina *f.* 뒷 페이지.
traspalar *tr.* ① 삽 같은 것으로 떠서 옮기다, 퍼넣다(mover con la pala una cosa) : ~ trigo. ② 흔들다. ③ 이리저리 움직이다(mover una cosa de un lugar a otro).
traspalear *tr.* =**traspalar.**
traspaleo *m.* 퍼서 옮기기.
traspapelar *tr.* 놓는 것을 잊다.
~se 종이·서류 안에 섞여 들다, 잃다 : *Se me ha traspapelado* el documento.
trasparencia *f.* =**transparencia.**
trasparentarse *r.* =**transparentarse.**
trasparente *adj. m.* =**transparente.**
traspasable *adj.* 양도할 수 있는.
traspasación *f.* (권리 등의) 양도 : la ~ de un derecho.
traspasado, da *adj.* 괴로워한 : *Traspasado de* pena lo dejé 그를 극심한 괴로움에 고민하도록 내버려 두었다.
traspasador, ra *adj.* traspasar 하는. —*m.f.* 위반자(transgresor).
traspasamiento *m.* =**traspaso.**
traspasar *tr.* ① ㄱ) (다른 곳으로) 보내다, 옮기다, 나르다 : *Traspasamos* la mesa de la sala al comedor. ㄴ) 앞으로 보내다. ② ㄱ) 넘다, 건너다 : ~ el arroyo. ㄴ) 지나치다 : *Traspasamos* el arroyo de un lado a otro 우리들은 시내를 (한쪽에서 한쪽으로) 건넜다. ③ 범하다, 반칙·위반하다(transgredir). ④ 뚫다, 꿰뚫다, 관통하다(atravesar) : El balazo le *traspasó* el corazón 총탄이 그의 심장을 관통했다. ⑤ 양도하다(ceder) : *Traspasó* su tienda 그는 상점을 양도했다. ⑥ 다시·몇 번이고 지나치다, 수없이 훑어보다(repasar) : pasar y ~. ⑦ 극심한 아픔·고통을 주다.
—*intr.* 수없이 지나가다.
~se ① 관통하다, 꿰뚫고 지나가다. ② 도를 지나치다, 지나치게 하다(excederse) : ~*se en* el trato. ③ [+de : …로] 고통스러워하다.
traspaso *m.* ① 운반, 이전, 이송, 운수 ; 넘는·지나는 일 ; 통과. ② 지나침, 침범, 반칙, 위반,

월권. ③ 관통. ④ 양도 ; 양도물 ; 양도료 ; 팔아 넘길 물건 ; 그 대금·가격. ⑤ 괴로움, 고민거리, 번뇌.
~ *de clientela* 영업권.

traspatio *m.* 《*Amér.*》 안마당.

traspecho *m.* (옛날의) 석궁 뒤에 붙이는 장식용 뼈.

traspeinar *tr.* (머리를 다시 한번 대강) 빗질하다.

traspellar *tr.* ① (창문·문·책 등을) 닫다, 잠그다(cerrar). ② 닫은 문을 다시 보다.

traspié *m.* ① 발을 헛딛음, 돌부리에 채임. ② 발을 나꿔챔, 사기(zancadilla). ③ 실수, 잘못, 과실 : dar ~*s* 실수하다, 과실을 저지르다.

traspilastra *f.* 덧대어 받치는 기둥(contrapilastra).

traspillar *tr.* =**traspellar.**
~se 쇠약해지다.

traspintar *tr.* (카드 놀이에서) 일부러 다른 패를 살짝 비쳐 보이다.
~se 기대에 어긋나다 ; 종이의 뒷장으로 비쳐 보이다.

traspirable *m.* =**transpirable.**

traspiración *f.* =**transpiración.**

traspirar(se) *intr.* (*r.*) =**transpirar(se).**

traspirenaico, ca *m.* =**transpirenaico.**

trasplantable *adj.* 이식할 수 있는.

trasplantación *f.* 【방언】 =**trasplante.**

trasplantar *tr.* 옮겨 심다, 이식(移植)하다(mudar una planta) : Los jardineros *han trasplantado* estos cerezos 정원사들이 이 벗나무를 옮겨 심었다.
~se 이주하다(cambiar de país) ; 이사하다.

trasplante *m.* 이식: ~ de corazón **심장 이식.**

traspolar *adj.* =**transpolar.**

trasponedor, ra *adj.m.f.* =**transponedor.**

trasponer *tr.* 61 =**transponer.**

traspontín *m.* ① 보조 의자(traspuntín). ② 작은 방석(colchón pequeño). ③ 엉덩이, 둔부, 궁둥이(trasero, posaderas, asentaderas).

trasporarse *r.* =**transporarse.**

trasportación *f.* =**transportación.**

trasportamiento *m.* =**transportamiento.**

trasportador, ra *adj. m.f.* =**transportador.**

trasportar *tr.* =**transportar.**

trasporte[1] *m.* =**transporte.**

trasporte[2] *m.* 《*PRico.*》 기타의 일종.

trasportín *m.* =**traspuntín.**

trasportista *m.f.* =**transportista.**

trasportón *m.* =**segundo portón.**

trasposición *f.* =**transposición.**

traspositivo, va *adj.* =**transpositivo.**

traspositor, ra *adj.* =**transpositor.**

traspuesta *f.* ① 치환(置換), 바꾸어 놓기 ; 전환 ; 이식(transposición). ② 피해 숨기(fuga). ③ 방해가 되는 산·언덕. ④ 집 뒤의 가옥(假屋), 헛간 ; 임시로 지은 허술한 집, 가건물, 바락크.

traspuesto, ta *adj.* [trasponer의 *p.p.*] 자리를 옮겨 놓은, 전위·전환한 ; 숨은 ; 깜빡 잠이 든.

traspunte *m.* 프롬프터(apuntador).

traspunteado, da *adj.* 《*Ant.*》 서로 미워한 ; 기분이 좋지 않은.

traspuntín *m.* (밑에 까는) 작은 방석(traspor-tín, colchoncillo) ; (차 속에 준비해 둔) 보조 의자.

traspus- → **trasponer** 61.

traspusie- → **trasponer** 61.

trasquero *m.* 가죽끈 만드는 사람.

trasquila *f.* (양 등의) 털깎기(trasquiladura).

trasquiladero *m.* =**esquiladero.**

trasquilado, da *adj.* trasquilar의 *p.p.* —*m.* 【속어】 중, 승려(tonsurado, sacerdote).

trasquilador, ra *m.f.* 털 깎는 사람.

trasquiladura *f.* trasquilar 하는 일.

trasquilar *tr.* ① (머리를) 쥐가 뜯어먹은 것처럼 깎다(cortar el pelo sin arte) ; (양 등의) 털을 깎다(esquilar). ② 잘못하다(menoscabar, mermar).

trasquilimocho, cha *adj.* 밑둥에서부터 깎은, 면도한(pelado a rape).

trasquilón *m.* ① 털깎기 ; (머리의) 쥐 뜯어먹은 것처럼 깎기(trasquiladura) : a ~*es* 쥐 뜯어먹은 것처럼 엉망으로 깎아. ② 교묘하게 울거낸 돈(dinero que se le quita a uno con maña).

trasroscarse *r.* 7 (수나사가) 암나사에 맞지 않다(pasarse de rosca).

trastabillar *intr.* 기웃둥거리다, 비틀거리다(trastrabillar, titubear, vacilar).

trastabillón *m.* 《*Arg. Chile.*》 =**tropezón.**

trastada *f.* ① 터무니없는 짓, 어리석은 짓, 무분별한 짓 : hacer ~*s.* ② 혼이 남.

trastajo *m.* (쓸모없는) 허섭스레기(trasto sin valor).

trastano *m.* =**zancadilla.**

trastazo *m.* 몽둥이로 구타(porrazo) : dar un ~ 몽둥이로 구타하다.

traste *m.* ① (기타 등의) 거문고 줄 굄목. ② 【방언】 술의 시음 컵. —*pl.* 【방언】 ① 《*Amér.*》 가구, 집기, 허섭쓰레기. ② 《*Chile.*》 궁둥이(trasero).
dar al ~ con (…을) 못쓰게·엉망으로 만들다, 부수다(romper, abandonar, tirar) : *dar al ~ con* un barco 배를 가라앉히다.
sin ~s 엉터리로, 터무니없이.

trasteado, da *adj.* trastear의 *p.p.* —*m.* 【집합】 (기타 등의) 기둥.

trasteador, ra *adj. m.f.* 가구 따위를 자꾸만 덜컹덜컹 움직이고 다니는 (사람).

trasteante *adj.* (기타 등에서) 줄 놀리는 솜씨가 비상한, 손놀림이 교묘한.

trastear *tr.* ① (투우를) 다루다. ② (사람이나 물건을) 솜씨있게 다루다(manejar). ③ (기타 등의) 줄을 타다 ; 솜씨있게 손가락을 놀려 치다. ④ (악기에) 기둥을 대다. —*intr.* ① 가구류를 움직이고 다니다 ; 시원시원하게 재치를 부리다. ② 《*Col.*》 이사하다(mudarse de casa) ; (군대가) 이동하다.

trastejador, ra *adj. m.f.* 지붕을 수리하는 (사람).

trastejadura *f.* =**trastejo.**

trastejar *tr.* ① (지붕을) 고치다, 수리하다, 손보다, 다시 이다(retejar). ② (수리하고자) 살피고 다니다 ; 여기저기 뒤적거리고 다니다(recorrer cualquier cosa para componerla), 지붕을 조사하다.

trastejo *m.* 지붕의 수리·다시 이기 ; 재조사 ;

가늠에 전혀 어긋난 몸놀림, 여기저기 깔쭉거리는 일; 중심을 잃은 동작..

trasteo *m.* ① (투우·사람을) 다루는 일. ② 《*Amér.*》 =**mudanza.**

trastera *f.* ① 광, 다락. ② 《*PRico.*》 잡동사니, 허섭쓰레기.

trastería *f.* [집합] 잡동사니, 허섭쓰레기, 다 낡은 연장이나 가구; 엉터리(trastada).

trasterminante *adj.* 침입하는.

trasterminar *tr.* (택지·가옥에) 침입하다, 들어가다; 침해하다(transterminar).

trastero *m.* 《*Méx.*》 손으로 들 수 있는 작은 선반.

trastesado, da *adj.* 굳어진, 딱딱해진, 단단한.

trastesón *m.* 소의 젖이 고임·많음.

trastiberino, na *adj. m.f.* =**transtiberino.**

trastienda *f.* ① 점포의 안방. ② 신중, 경계, 주의(cautela) : tener mucha ~ 무척 신중하다.

trastierra *f.* (해안에 대해) 내륙 지방.

trastigar *tr.* ⑧ 《*Ecuad.*》 뒤엎다; 들쑤셔 뒤적거리다.

trasto *m.* ① 가구, 집기; 낡은 세간; (무대의) 도구. ② 쓸모없는 인간, 거추장스러운 인간; 엉터리같은 남자. —*pl.* ① 여러 가지 도구·용구 : ~*s* de pescar 낚시 도구. ~ de cocina 부엌 물건. ② 도검류(刀劍類). ③ 휴대품 : Salieron los ~*s* a relucir 창이나 달이 빛을 내기 시작했다.

tirarse los ~s a la cabeza 격렬한 난투를 벌이다.

trastocar *tr.* [드묾] =**trastrocar.**

trastornable *adj.* 전도·전복하기 쉬운, 넘어지기·쓰러지기 쉬운; 엉클어지기 쉬운; 곧잘 소요를 일으키는, 혼란을 일으킬 수 있는.

trastornadamente *adj.* 엉망진창으로, 거꾸로, 뒤집혀.

trastornado, da *adj.* ① 정신 이상의, 정신이 착란된 : Tiene a su mujer ~*da* en la clínica mental 그는 정신 이상인 아내를 정신 병원에 넣고 있다. ② 뒤집힌, 전복된, 거꾸로 된, 전도된, 엉망인, 혼란한.

trastornador, ra *adj.* 선동적인, 교란하는; 쓰러뜨리는. —*m.f.* 선동자, 교사자, 교란자, 소요자.

trastornadura *f.* =**trastornamiento.**

trastornamiento *m.* 전도(轉倒), 쓰러짐; 혼란, 북새통, 야단 법석, 소동(confusión).

trastornar *tr.* ① 뒤엎다, 북새통이 벌어지다, 난리를 피우다, 쓰러뜨리다, 어지럽히다 : ~ papeles 종이를 어지럽히다. Les *trastorna* la enfermedad del hijo 아들의 병이 그들을 비통케 하고 있다. ② 민심을 교란하다(perturbar). ③ 《*Bol.*》 뒤에 놓다(trasponer).

~se 기겁을 하다 : Ella *se trastornó* con la noticia 그녀는 그 소식을 듣고 기겁을 했다.

trastorno *m.* ① 전복, 전도. ② 야단 법석, 혼란. ③ 동요, 공황. ④ 소요.

trastrabado, da *adj.* 오른쪽 앞 다리와 왼쪽 다리(혹은 그 반대)가 하얀 (말).

trastrabar *tr.* =**trabar.**

~se 혀가 감기다(trabarse).

trastrabillar *intr.* ① 돌부리에 채이다. ② 비틀거리다(tambalear, vacilar). ③ 말을 더듬다 (tartamudear).

trastrás *m.* ① (유희 등에서) 맨 끝에서 두 번째의 사람. ② 똑똑똑 하는 단조로운 소리의 의성어.

trastrigo *m.* 【방언】 질이 좋은 밀.

trastrocamiento *m.* =**trastrueco.**

trastrocar *tr.* ㉔ ⑦ (어떤 성질·상태를) 바꾸다(mudar, cambiar).

~se 변하다, 변모하다.

trastrueco *m.* 변화, 변질.

trastrueque *m.* =**trastrueco.**

trastuelo *m. dim.* trasto.

trastulo *m.* 심심풀이, 시간 보내기(entretenimiento, pasatiempo).

trastumbar *tr.* 굴리다, 쓰러뜨리다, 넘어뜨리다.

trasudación *f.* =**trasudor.**

trasudadamente *adv.* 가볍게 땀에 배어; 지쳐.

trasudado, da *adj.* 식은땀이 난.

trasudar *tr.* 땀에 배게 하다. —*intr.* 땀에 배다.

trasudor *m.* (공포·슬픔으로 인한) 식은땀; 전률 : Aquella noticia le dio ~ 그는 그 소식을 듣고 식은땀이 났다.

trasuntar *tr.* 베끼다, 재복사하다(copiar); 간추리다, 요약하다(compendiar) : ~ una obra.

trasuntivamente *adv.* [드묾] 베껴서(en copia); 요약해서(compendiosamente).

trasunto *m.* ① 복사, 등본, 사본(copia, traslado) : Haga el ~ fiel de este documento. ② 꼭 닮게 하기 : el ~ vivo de su madre. ③ 모사(模寫).

trasuraniano, na *adj.* =**transuraniano.**

trasuránico, ca *adj.* =**trasuraniano.**

trasvasar *tr.* =**transvasar.**

trasvase *m.* 따라·부어 넣기; 대체, 바꾸어 넣기.

trasvasijar *tr.* 《*Chile.*》 =**trasvasar.**

trasvasijo *m.* 《*Chile.*》 대체(trasiego).

trasvenarse *r.* 피가 넘쳐 나오다(extravenarse); 넘치다, 흐르다(derramarse).

trasver *tr.* ㊳ [*p.p.* trasvisto] ① 살피다, 엿보다. ② 잘못 보다.

trasverberación *f.* =**transverberación.**

trasversal *adj.* =**transversal.**

trasversalmente *adv.* =**transversalmente.**

trasverso, sa *adj.* =**transverso.**

trasverter *intr.* ⑳ 삐져 나오다, 새어 나오다, 넘쳐 나오다, 넘치다(rebosar).

trasvinarse *r.* 스며 나오다, 새다(rezumarse); 새어 나오다, 누설되다; 짐작할 수 있다(traslucirse).

trasvolar *tr.* ㉔ 뛰어 건너다(atravesar volando de un lugar a otro).

trata *f.* (흑인) 노예 매매(tráfico de negros) : ~ blanca·de blancas 백인 노예 매매, 매춘부·창녀 주선. La ~ está severamente prohibida por todos los países civilizados 노예 매매는 모든 문명국에 의해 엄격히 금지되어 있다.

tratable *adj.* ① 다루기 쉬운, 처리하기 쉬운; 교제할 수 있는. ② 예의바른, 공손한(cortés). ③ 《*Chile.*》 통행할 수 있는(transitable).

tratadico *m.* [*dim.* tratado] 간단한 논문.

tratadillo *m.* [*dim.* tratado] 간단한 논문
tratadista *m.f.* 전문 서적·논문 필자.
tratadito *m.* [*dim.* tratado] 간단한 논문.
tratado *m.* [*lat.* tractatus] ① 조약, 맹약, 협정 : ratificación del ~ de pesca 어업 협정 비준. Acaba de firmarse el ~ de paz entre las naciones 양국 사이에 평화 조약의 조인이 끝났다. Se concluyó un ~ de comercio entre España y Canadá 서반아와 카나다 간에 통상 협정이 체결되었다. ② 체결. ③ 계약. ④ (어떤 제목에 대한) 논(論), 논문, 전문적 저술 : La editorial publica especialmente ~*s* de economía 그 출판사는 특히 경제 전문 서적을 출판하고 있다.
~ ***bilateral*** 쌍무 조약. ~ ***comercial*** 통상 조약 ; (국제) 상품 협정. ~ ***comercial internacional*** 통상·무역 협정. ~ ***comercial recíproco*** 호혜 무역 협정. ~ ***de amistad, comercio y navegación*** 우호 통상 항해 조약. ~ ***de asociación económica*** 경제 통합에 관한 조약. ~ ***de la nación más favorecida*** 최혜국 대우. ~ ***de paz*** 평화 조약. ~ ***multilateral*** 다각 조약. ***Organización del T- del Norte del Atlántico· T- Atlántico del Norte· T- del Atlántico Norte*** 북대서양 조약 기구.
tratador, ra *adj. m.f.* (무엇을) 취급하는 (사람) ; 중재인.
tratamiento *m.* ① 다루기, 취급 ; 대우(trato) ; 경칭, 경어(título de cortesía) : dar ~ de excelencia 누구를 각하라고 부르다. No me des ~ 딱딱하게 하지 말아 주게. No se le da ningún ~ 그에게는 아무런 경칭도 주어지지 않고 있다. ② 조치, 처치, 처리 : ~ metalúrgico 야금 처리. ③ 치료(법) : ~ homeopático 동독 요법(同毒療法). estar en ~ 치료 중이다.
apear el ~ (상대의) 경칭을 무시하다.
tratante *m.f.* 중매인(仲買人), 중상(中商), 거간꾼, 중매인(仲媒人) ; (소매) 상인, 취급자 : ~ *en* ganado· granos 가축·곡물 중매인.
tratar *tr.* [*lat.* tractare] ① 다루다, 취급하다 ; 대접하다, 대우하다 : Nos *trataba* bien. ② (…과) 교제하다 : *Trato a* José 나는 호세와 교제하고 있다. Le *trato* desde hace mucho tiempo 나는 오래 전부터 그와 교제하고 있다. ③ ㄱ) [+de : …로서] 다루다, (…라는) 애칭·경칭을 쓰다 : Me *trataba de* tú 그는 나를 "자네"라 부르며 다정하게 대해 주었다. Le *trató de* excelencia 그에게 각하의 경칭을 썼다. ㄴ) (…로) 다루다·보다 : Le *trataron de* loco 그를 미치광이 취급했다. ④ 치료하다, 조치를 하다(someter). ⑤ 처리하다 : ~ el hierro *con· por* el ácido sulfúrico 철을 유산으로 처리하다.
—*intr.* ① [+con : …과] 사귀다, 교제·관계하다 ; 거래하다 ; 친교를 맺다 ; (…에 대하여) 행동하다. ② [+de· sobre· acerca de : …에 관해] 이야기하다·논하다, …을 다루다·취급하다, (…을) 문제로 삼다(discurrir) : Este libro *trata de* las costumbres de los animales 이 책은 동물의 습성을 다루고 있다. Busco unos libros que *traten de* España 서반아를 다룬 책을 몇 권 찾고 있습니다. ③ [+de+*inf.*] …하려고 애쓰다·노력하다 : *Trate* usted *de* ser más puntual 시간을 지키도록 더욱 노력해 주십시오. ④ [+en : …을] 다루다·팔다, (…의) 장사를 하다(comerciar) : *Trata en* productos marítimos 그는 해산물을 팔고 있다.
~se ① 행동하다(portarse) : ¡Qué bien *se trata* Fulano! ② [+con : …과] 교제·관계하다 : *Me trato con* José. ③ 돌보다, 대접하다. ④ [+de] [무인칭 동사] 다루어지다 ; 문제는·일은·이야기는 …에 대한 일이다 : *Se trata de* la boda de su hija 그의 딸의 결혼에 대한 일이다. ¿*De* qué *se trata*? 무슨 일이지 ? (¿Qué se pasa?).
T- con cuidado, Trátese con cuidado 취급 주의.
tratativa *f.* 《*Arg. Urug.*》 tratar 하기.
tratero *m.* 《*Chile.*》 청부업자.
tratillo *m.* [*dim.* trato] 행상하기, 도부치기.
trato *m.* ① 다루기, 취급. ② 대접, 대우. ③ 경어, 경칭(tratamiento). ④ 거동, 행동, 하는 짓. ⑤ 사귐, 교제, 관계. ⑥ 대화, 교섭 : casa de ~ 매춘 업소. entrar *en* ~ *con* el representante 대표자와 교섭을 개시하다. ⑦ 조약, 약정(tratado) ; 계약(contrato). ⑧ 중매(仲買), 거간, 중매상 ; 장사, 거래(tráfico) : gente de ~ 장사치, 사업가 그룹. ⑨ 상담(商談) : Hemos hecho unos ~*s* convenientes para los dos 우리는 쌍방에 형편이 좋은 상담을 했다.
~ ***colectivo*** 단체 교섭·계약. ~ ***de cuerda*** 등뒤로 팔을 묶어 매달기《고문》. ~ ***de gentes*** 서글서글함, 싹싹함. ~ ***de nación más favorecida*** 최혜국 대우. ~ ***doble*** 꿍심이 있는 방법. ~ ***hecho*** ① 교섭의 완료. ② [감탄사적] 그렇게 합시다.
trauma *m.* =**traumatismo.**
traumático, ca *adj.* 외상(外傷)(성)의, 창상의 : una lesión ~*ca.*
traumatismo *m.* [*gr.* trauma] 중증 외상(重症外傷), 창상.
traumatología *f.* (외상을 취급하는) 외과.
traumatológico, ca *adj.* traumatología의.
traumatólogo, ga *m.f.* traumatología 전문의.
travata *f.* 선풍, 회오리바람 ; 태풍 (뉴기니아만의).
traversa *f.* ① 칸막이물(物), 가로대, 가로장. ②【법률】 부인, 반박. ③【선박】 뒤 버팀줄(estay).
traverso, sa *adj.* 횡단하는, 가로의.
travertino *m.*【광물】 석회화(石灰華)《건축용》.
través *m.* ① 기울기(inclinación), 비뚤어짐(torcimiento). ② 불행, 불운, 비운(desgracia) : Se ha enfrentado a toda clase de ~*es* en la vida 그는 인생의 모든 역경에 대처해 왔다. ③【건축】 도리. ④【축성】 가로장, 방탄벽.
a· al ~ ***de*** …의 사이에서 ; …을 통하여, …너머로 : *a* ~ *de* la ventana 창너머로.
a su ~ 그것을 통해.
al ~ …사이에서(a través) ; 비스듬히, 기운 듯이, 옆으로, 가로로 ; 교차해서(de través) : Tire una línea en este sentido, y otra *al* ~ 이 방향으로 선을 하나 긋고, 또 한 줄을 (그것과) 교차해서 그으십시오.
de ~ 비스듬히(oblicua, transversalmente) : poner *de* ~ 비스듬히 놓다, 가로놓다.
dar al ~ (배가) 옆구리를 부딪치다 ; 걸려 넘어지다, 부딪치다(tropezar).
dar al ~ ***con*** (…을) 아주 망가뜨리다.

ir de ～ 배가 떠밀리다.

mirar de ～ 곁눈질하다, 흘긋 보다, 슬금슬금 보다.

travesaña *f.* 《*Albac. Venez.*》 횡목(travesaño de madera).

travesaño *m.* ① 횡목(橫木), 가로대, 가로장 : ～ de escalera. ② 옷감의 씨실. ③ 도리. ④ 침대용 긴 베개. ⑤《*Cuba.*》(철도의) 침목.

travesar *tr.* ⑲ [드뭄] =**atravesar.**

travesear *intr.* ① 장난치다, 깡충깡충 뛰어다니다(hacer travesuras) : muchacho aficionado a ～. ② 시원시원하게 처리하다(discurrir con suma viveza). ③ 방탕 생활을 하다(portarse de una manera viciosa).

travesero, ra *adj.* 가로(travesía)의, 가로놓는 : flauta ～*ra* 횡적(橫笛). —*m.* 긴 베개(travesaño, almohada de cama).

travesía *f.* ① 가로; 가로 달리는 길, 골목. ② (두 지점 사이의) 거리, 도정 : una larga ～. ③ 횡단, 항해, 항공 : la ～ del Atlántico. ④【축성】가로장(의 전체). ⑤ 해안에서 불어오는 바람. ⑥ (선원에게 주는) 항해 수당. ⑦《*Arg. Bol.*》 황원(荒原), 거친 들. ⑧《*Chile.*》(바다에서 불어오는) 서풍.

travesío, a *adj.* 옆으로 빗나가기 쉬운; 가로 부는 (바람). —*m.* 횡단로, 가로 지르는 길·곳(sitio por donde se atraviesa).

travestido, da *adj.* [드뭄] 복면(覆面)한 (enmascarado), 가장한(disfrazado).

travestir *tr.* 반대성(sexo contrario)의 옷을 입히다.

travesura *f.* ① 장난, 못된 장난, 난폭; 심술궂음 : hacer ～*s* 장난질을 치다. El niño no hace más que ～*s* 그 어린이는 장난 밖에 하지 않는다. ② 기지, 재치 있음(viveza).

traviesa *f.* ① (두 지점 간의) 거리, 노정, 도정 (travesía). ② ㄱ) (일반적으로 가로대는) 가로 나무, 가로대, 가로장 : ～ de piso 몸통을 다른 천으로 만든 속옷. ㄴ) 서까래, (철도의) 침목. ③ 옆으로 친 벽. ④ (광산의) 가로지른 갱목, 횡갱(橫坑). ⑤ 내기에서 대는 돈.

travieso, sa *adj.* [*lat.* transversus] ① 가로의, 옆에 둔, 뚫은(atravesado). ② 장난을 좋아하는, 장난기가 있는, 곧잘 소란을 피우는, 심술 사나운, 심술궂은(turbulento), 버릇없는 : ¡Mucho cuidado con esa chiquilla, que es muy ～*sa*! 지독한 장난꾸러기니까 그 소녀를 무척 조심해라! ③ 법도·도리에 어긋난, 돼먹지 못한; 음탕한, 외설의, 품행·행실이 나쁜. ④ 재치있는 (sutil, sagaz). ⑤ 시끄러운, 소리를 내는, 두런두런하는 : arroyuelo ～.

de ～ 가로로(de través).

travo *m.*【은어】검술사(esgrimidor).

travolcar *tr.* =**trabucar, trastornar.**

tráxito, ta *adj.* 거친, 투박한.

traxitofito *m.*【식물】잎에 털이 많은 식물.

trayecto *m.* [*lat.* trajectus] ① 도정, 행정(行程). ② 여행. ③ (항공기·선박·기차 등의) 선, 노선, 구간. ④ 길이 : El acueducto está construido con un ～ de unos dos kilómetros 수로는 약 2킬로미터의 길이로 축조되어 있다.

trayectoria *f.* 탄도(彈道), 궤도, 행정; (태풍이 지나는) 길, 진로.

trayendo traer의 현재 분사.

trayente *adj.* traer하는.

traza *f.* ① (건축 등의) 설계도, 구도. ② 구상, 계획, 기획(plan). ③ 계책, 궁리, 재치, 재주. ④ 자태, 모양, 풍채(apariencia) : de mala ～ 풍채가 좋지 않은. ⑤《*Galic.*》 자국, 흔적(huella). ⑥【기하】적선(跡線).

darse ～*s* 궁리하다, 계획을 세우다, 재치를 부리다.

echar ～*s* 이 궁리 저 궁리하다.

llevar ～*s* 본궤도에 올려 세우다, 궤도에 올라 있다.

trazable *adj.* 설계·계획할 수 있는; 선으로 그릴 수 있는.

trazado, da *adj.* [trazar의 *p.p.*] [bien·mal+] 체구·몸매·풍채가 좋은·나쁜 : persona muy mal ～*da* 몸매가 무척 나쁜 사람.

—*m.* 도면, 지도, 설계도, 도(圖), 제도, 구도 (traza); 윤곽도; (길·운하 등의) 주로(走路), 노선(의 측정·설정).

trazador, ra *adj.* 설계·제도·고안하는.

—*m.f.* 설계자, 제도자, 고안자.

—*m.* 타임 리코더, 시간 기록기, 기시기(記時器)(～ de tiempo).

trazar *tr.* ⑨ ① (선을) 긋다 : ～ la línea recta 직선을 긋다. ② 설계·제도(製圖)하다. ③ 계획하다, 궁리하다, 구상을 다지다. ④ 그리다, 묘사하다, 그려내다(describir, dibujar) : *Trazó* un croquis 그는 스케치를 했다.

trazo *m.* ① 선, 금(línea, raya) : un ～ rectilíneo. ② 그림, 설계도; 구도; (회화에서) 주름의 선. ③ (손으로 쓴 문자의) 선, 획. ④ 《*Venez.*》 잘못.

trazumarse *r.* =**rezumarse.**

treballa *f.* (옛날의) 편도 열매(almendra), 마늘(ajo), 빵(pan), 달걀(huevo), 향료(especia), 익지 않은 포도(agraz), 설탕(azúcar) 및 계피 (canela)로 만든 흰 소스.

trébede *f.* (서반아 중부 지방의) 온돌; 온돌방 : Usanse las ～*s* en varias comarcas de Castilla la Vieja. —*pl.* 삼발이《불에 그릇을 놓기 위해 사용》.

trebejar *intr.* =**travesear, juguetear.**

trebejo *m.* [주로 *pl.*] ① 도구 : los ～*s* de la cocina 부엌 도구. ② 장난감. ③ (장기의) 말.

trebejuelo *m. dim.* trebejo.

trebelear *intr.* 《*Venez.*》 =**trebejar.**

trebentina *f.*【고어】=**trementina.**

trébol *m.*【식물】클로버, 토끼풀 : El ～ de cuatro hojas se considera portador de buena suerte 네 잎 클로버는 행운을 가져온다고 생각되고 있다.

～ *oloroso* 전동싸리.

trebolar *m.* 《*AmérM.*》 클로버의 들.

trece *adj.* [*lat.* tredecim] ① 13의 : ～ libros. ② 13번째의(decimotercio) : el año ～. —*m.* ① 13; 13일 : el ～ de diciembre 12월 13일. ② (옛날의) 13인의 회원.

estarse·mantenerse·seguir en sus ～ 고집을 부리다, (무엇에) 집착하다(persistir en un empeño).

treceavo, va *adj. m.* =**trezavo.**

trecemesino, na *adj.* 13개월의.

trecén *m.* (판매값의) 13분의 1세(稅)《옛날의 상품세》.
trecenario *m.* 13일간.
trecenato *m.* 13인의 기사가 선출한 신띠아고 교단의 사무소.
trecenazgo *m.* =**trecenato.**
treceno, na *adj.* 열세 번째의(decimotercio, tredécimo).
trecentista *adj.* 제 13세기의.
trecésimo, ma *adj.* =**trigésimo.**
trecientos, tas *adj. m.* =**trescientos.**
trecha *f.* 트릭 장치(treta).
trecheador, ra *m.f.* 손에서 손으로 건네주어 나르는 사람.
trechear *tr.* 손에서 손으로 건네주어 나르다.
trechel *adj. m.* 봄 보리(의) : trigo ~.
trecheo *m.* (광산에서 광석 바구니의) 릴레이식 운반.
trecho *m.* 동안, 시간, 간격, 거리(espacio, distancia) : Del dicho al hecho hay gran ~ 말하는 것과 행동하는 것과는 대단한 거리가 있다. Me esperó largo ~ 그는 나를 오래 기다렸다.
a ~s 사이·간격을 두어 ; 군데군데에 ; 이따금(con intermisión) : hacer un trabajo *a ~s.*
de ~ a ~, de ~ en ~ ① 곳곳에(de distancia a distancia). ② 이따금씩(de tiempo en tiempo) : Yo escribo a mi madre muy *de ~ en ~* 나는 어머니에게 이따금 편지를 쓴다.
trechor *m.* 【문장】 좁은 가장자리.
tredécimo, ma *adj.* =**decimotercio.**
trefe *adj.* ① 약한, 부드러운(flojo). ② 무효의, 가짜의(falso) : moneda ~. ③ 【고어】 =**tísico.**
trefedad *f.* 폐병, 결핵.
trefilado *m.* ① trefilar 하기. ② 철사 제조.
trefilar *tr.* 연봉을 지나가게 하다.
trefilería *f.* 《*Neol.*》[*fr.* trefilerie] 철사 공장(fábrica de alambre).
tregua *f.* ① 휴전 : Se firmó la ~ 휴전이 조인되었다. Están tratando de una ~ de la Navidad (그들은) 크리스마스의 휴전에 관하여 회담하고 있다. ② 쉼, 중지 : El trabaja sin ~ 그는 쉬지 않고 일한다. ③ 휴업 : Su enfermedad no le da ~ 그의 병은 줄곧 계속되고 있다.
dar ~s 휴전하다 ; (고통이) 잠깐 멎다 ; 여유를 주다.
no dar ~ una cosa 매우 급하다(ser muy urgente).
treílla *f.* =**traílla.**
treinta *adj.* [*lat.* triginta] 30의 ; 30번째의. —*m.* ① 30 ; 30일 : el ~ de marzo de mil novecientos noventa 1990년 3월 30일. ② 트럼프·당구의 놀이 방법의 하나.
treintaidosavo, va *adj.* 삼십이등분한. —*m.* 32분의 1.
en ~ 국판 반의 (서적).
treintaidoseno, na *adj.* 32번째의.
treintaitresino, na *adj. m.f.* 뜨레인따·이·뜨레스《Treinta y Tres, 우루구아이에 있는 주·도시》의 (사람).
treintanario *m.* 30일간, 1개월.
treintañal *adj.* 30년의, 30세의.
treintavo, va *adj.* 30등분의. —*m.* 30분의 1.
treintena *f.* ① 30가량, 30개 한 조 : una ~ de días 30일 가량. ② 30분의 1.
treintenario *m.* =**treintanario.**
treinteno, na *adj.* [*lat.* treinta] =**trigésimo.**
treja *f.* (터키의 놀이 중에서) 판자 던지기.
tremada *m.* =**tremedal.**
tremadal *m.* =**tremedal, ciénaga, pantano.**
tremebundo, da *adj.* 무서운, 혹독한, 떨리는, 몸이 떨리는 듯한(terrible, espantable).
tremedal *m.* 수렁, 연못, 습지.
tremendismo *m.* (문학·영화에서) 가공할 경향.
tremendista *adj.* 훌륭한 : estilo ~.
tremendo, da *adj.* [*lat.* tremendus] ① 무서운, 가공할(espantable, terrible, espantoso, horrendo) : catástrofe *~da.* ② 훌륭한, 황송한 : la *~da* majestad de la justicia. ③ 지독한, 굉장한, 매우 큰(muy grande) : disparate ~.
tremente *adj.* 떠는, 떨고 있는.
trementina *f.* 송진정(精), 테레빈 : Esencia de ~, empleada en fricciones, es un revulsivo enérgico.
tremer *intr.* 떨다(temblar).
tremés *adj.* =**tremesino.**
tremesino, na *adj.* ① 3개월의. ② 봄에 파종하는 (보리).
tremielga *f.* [*lat.* tremella] 【어류】 전기메기(torpedo).
tremís *m.* (까스띠야의) 옛 동전.
tremó *m.* [*fr.* trumeau] 테가 달린 거울(espejo con marco que se coloca en la pared entre dos ventanas).
tremol *m.* =**tremó.**
tremolante *adj.* 펄럭이는, 흔드는.
tremolar *tr.* (깃발 등을) 흔들다 : ~ el estandarte victoriosamente. —*intr.* 펄럭이다.
tremolín *m.* 《*Ar.*》 =**álamo temblón.**
tremolina *f.* 두런거림 ; 왁자지껄 떠드는 소리, 소란(bulla, griterío, algaraza).
tremolita *f.* 【광업】 (희거나 회색의) 각섬석(角閃石).
trémolo *m.* [*lat.* tremolo] 【음악】 전음(顫音), 떤음, 트릴 ; (풍금의) 전음 장치.
tremor *m.* 진동(temblor) ; 떨기 시작함.
tremoso, sa *adj.* =**tembloroso.**
tremotiles *m.pl.* 《*Col. PRico.*》 =**bártulos.**
trémulamente *adv.* =**temblorosamente.**
tremulante *adj.* =**trémulo.**
tremulento, ta *adj.* =**trémulo.**
trémulo, la *adj.* ① 떠는, 흔들리는(tembloroso) : movimiento ~. ② 반짝이는, 너울거리는 : luz *~la* 반짝이는 빛.
tren *m.* [*fr.* train] ① 기차, 열차 : en el ~ 열차 안에서. en ~ 기차로. por ~ 열차편으로. cambiar de ~ 기차를 바꿔 타다. perder el ~ 기차를 놓치다. tomar el ~ 열차를 타다. transbordarse el ~ 열차를 바꿔 타다. El ~ llegó atrasado 열차는 연착했다. ② 대(隊), 열(列), 군(群) ; (군대의) 행낭. ③ 화려함, 아름다움, 요란스러움(ostentación, pompa) : el ~ espléndido. ④ 생활, 살림, 살림 형편(~ de vida). ⑤ 기계, 여러 가지 도구, 장치, 설비 : ~ de dragado 준설기. ~ de laminar 압연기 (설비). ⑥ (여행의) 수행원, 몸종 ; 여행 준비(~ de viaje).

～ *ascendente·descendente* (마드리드로 향해) 상행·하행 열차. ～ *botijo* 유람 열차. ～ *carreta* 완행 열차, 보통 열차. ～ *correo* 우편 열차. ～ *de artillería* 포병 병참대. ～ *de aterrizaje* (항공기의) 착륙 장치. ～ *de carga·mercancías* 화물 열차. ～ *de casa* 가재 용품. ～ *discrecional* 부정기 열차. ～ *de escala* 완행 열차, 보통 열차. ～ *de pasajeros* 객차. ～ *de recreo* 유람 열차. ～ *de sitio* 공성 포열(攻城砲列). ～ *de socorro* 구원 열차. ～ *especial* 특별 열차. ～ *directo* 직행 열차. ～ *expreso* 급행 열차. ～ *local* 로컬 열차. ～ *mixto* 화객(貨客) 혼합 열차. ～ *nocturno* 야간 열차. ～ *ómnibus* 각 등급 보통 열차. ～ *ordinario* 보통 열차. ～ *(super)-rápido* (초)특급 열차. ～ *sanitario* 부상병 수송 열차. ～ *Talgo* 관절 구조식 경량 열차.

a todo ～ 굉장하게 : Hicieron un viaje de novios *a todo* ～ 그들은 신혼 여행을 굉장하게 했다.

vivir a todo ～ 매우 호화롭게 살다·잘 살다 (vivir con mucho lujo, vivir muy bien).

trena *f.* ① (사병의) 혁대. ② 스카프. ③ 훈은(燻銀). ④ 꽈배기빵. ⑤【은어】형무소, 감옥(la cárcel).

meter en ～ 말로 단단히 잡도리하다.

trenado, da *adj.* 그물 모양의.

trenca *f.* [*lat.* truncus] ① 횃대. ② (나무 뿌리에서 가장 주가 되는) 굵은 뿌리(raíz principal de una cepa).

trencellín *m.* =**trencilla, galoncillo.**

trencería *f.* 노끈 공장.

trencica *f. dim.* trenza.

trencilla *f.* [*dim.* trenza] ① 그물, 여러 가닥으로 된 노끈, 엮은 끈(galoncillo). ②《*Ecuad.*》【식물】습지의 은화(隱花) 식물.

trencillar *tr.* (…에) 엮은 끈을 매다, 노끈으로 장식하다.

trencillo *m.* =**trencilla.**

trencita *f. dim.* trenza.

trencito *m.* [*dim.* tren] 장난감 기차, 작은 기차.

trencha *f.* 끌. 정.

treneo *m.* =**trineo.**

treno *m.* [*gr.* threnos] ① 장송가, 탄식, 탄식의 노래. ②【은어】죄수.

trenque *m.*《*Murc.*》둑, 제방, 축대.

trenteno, na *adj.* =**treinteno.**

trentes *f. pl.*《*Sant.*》【식물】갈래나무(horcón)의 일종.

trenza *f.* ① 세 가닥으로 꼬기, 꼰 끈 : ～ elástica 고무 끈. ② 세 가닥으로 꼬아서 딴 머리, 머리를 세 가닥으로 꼬기. ③《*Arg.*》격투, 엉겨 붙어 싸움.

en ～ 머리를 풀고.

trenzadera *f.* ① 셋으로 꼬기. ②《*Ar.*》리본.

trenzado *m.* ① 꼰 끈, 머리를 세 가닥으로 꼬기(trenza). ② 발을 공중에서 저어 하는 도약 ; 말의 도약.

al ～ 부주의하게, 함부로, 마음대로 마구, 생각없이 마구, 조심성없이(sin cuidado).

trenzar *tr.* ⑨ (세 가닥으로) 따다, 꼬다, 짜다 (hacer trenzas) : ～ el pelo a una niña. —*intr.* 도약하다, 뛰다.

～se《*AmérM.*》격렬하게 다투다, 격론하다 ; 격투하다.

treo *m.* (고물에 쳐서 센 바람을 받게 하는) 사각돛.

trepa *f.* ① 기어 오르기, 끈질기게 매달려 오르기. ② 천공(穿孔). ③ (옷에 대는) 갓단, 단. ④ 나뭇결, 무늬(aguas). ⑤ 잔꾀, 속임수, 수작 (astucia, engaño, malicia). ⑥ 쩔쩔매기. ⑦ 회초리로 벌하기(castigo con azotes) : darle a uno una ～ (누구를) 회초리로 때리다.

trepadera *f.*《*Cuba.*》줄놀이의 일종.

trepado, da *adj.* [trepar의 *p.p.*] ① 뒤로 기울어진(retrepado). ② 늠름한, 씩씩한, 단단하게 만들어진 (muy rehecho). —*m.* (옷의) 갓, 가장자리(trepa) ; (종이에 뚫은) 재봉틀 구멍.

trepador, ra *adj.* ① 기어오르는, 타고·매달려 오르는, 기대어 올라가는. ②【식물】덩굴(식물)의 : planta ～*ra*. ③【동물】반금류(攀禽類)의. —*m.* 오르는 곳, 오르는 길.

trepadora *adj. f.*【동물】반금류의 (새) ; 딱다구리. —*f.*《*Perú.*》고약한 냄새가 나는 발. —*f.pl.* 반금류.

trepajuncos *m.*【조류】=**arandillo.**

trepanación *f.* 두개골에 구멍을 뚫는 수술.

trepanar *tr.* 두개골에 구멍을 내다.

trépano *m.* [*gr.* trepanon] 뜨레빠노《두개골을 뚫는 수술용 도구》.

trepante *adj. m.f.* ① 기어오르는, 매달려 오르는(사람). ② 속임수·술책을 많이 쓰는 (사람).

trepar *intr.* 기어오르다, 매달려 오르다 : ～ *a* un árbol 나무에 오르다. El niño *trepó al* árbol para alcanzarlo 소년은 그것을 잡으려 나무에 기어올랐다.

—*tr.* ① (…에) 구멍을 파다(agujerear, taladrar). ② (…에) 갓단(trepa)을 달다(adornar con trepa un vestido).

～se 상체를 뒤로 젖히다, 몸을 뒤로 버티다(retreparse) : ～*se* en el asiento 뒤로 제쳐 앉다.

trepatroncos *m.*【조류】동고비(herrerillo).

trepe *m.* 꾸중, 나무람, 질책(reprimenda, regaño) : echar un ～ a uno.

trepetera *f.*《*Venez.*》소란, 떠들썩함 (algarabía).

trepidación *f.* 진동, 땅울림 : la ～ producida por el paso de los trenes.

trepidante *adj.* 울리는, 땅울림 소리를 내는 : el tren ～.

trepidar *intr.* [*lat.* trepidare] ① 흔들다, 진동하다(temblar) : El suelo *trepida* al pasar los caminos 트럭이 지나갈 때 지면이 흔들린다. ②《*Chile. Perú.*》주저하다, 망설이다(vacilar).

trépido, da *adj.* [드묾] =**trémulo.**

treponema *m.* (병에 특효한) 세균·미생물.

treque *m.*《*Venez.*》=**chistoso.**

tres *adj.* [*lat.* tres] ① 3의, 셋의 : ～ libros. ② 세번째의 : el año ～. —*m.* ① 3 ; 3일 : el ～ de mayo 5월 3일. ② 카드의 세째 패(trío).

—*f.pl.* 세 시 : Ahora son las ～ y media de la tarde 지금 오후 세 시 삼십분입니다.

～ *cuartos* ① 짧은 오버코트. ②【럭비】공격선의 선수.

～ *de menor* 나귀.

～ *en raya* =rayuela.

～ *meses de crédito* 3개월의 지불 유예.
sombrero al ～ 《*Amér.*》 (옛날의) 삼각 모자.
como ～ *y dos son cinco* 셋 더하기 둘이면 다섯 인 것 처럼, 정확하게, 확실히.
de ～*al cuarto* 별로 가치가 없는(de poco valor).
dar ～ *y raya* =superar, aventajar en mucho.
Ni a la de ～ 어떠한 방법으로도 …않다(de ninguna manera).
no ver ～ *en un burro* 무척 근시안이다(ser muy miope).
y ～ *más* 아무렴, 그렇고 말고.

tresalbo, ba *adj.* 다리 세 개가 하얀 (말).
tresañal *adj.* 세 살의, 3년의, 3년된.
tresañejo, ja *adj.* =**tresañal.**
tresbolillo (a · al) *adv.* 다섯 눈 모양으로, (과수 따위를) 5점 형으로 (심기) : plantar árboles *al* ～.
trescientos, tas *adj.* 300의(tres veces ciento) ; 300번째의(tricentésimo). —*m.* 300.
tresdoblar *tr.* 3배하다(triplicar) ; 세 겹으로 하다, 세 겹으로 포개다 · 접다.
tresdoble *adj. m.* =**triple.**
tresillero, ra *m.f.* 《*Col.*》 =**tresillista.**
tresillista *m.f.* tresillo를 좋아하는 사람 · 잘하는 사람 ; 이 놀이에서 늘 따는 사람.
tresillo *m.* ① 뜨레시요《셋이 하는 카드 놀이》. ②【음악】 삼연음부. ③ 허름한 의자 두 개와 소파 한 개로 된 응접 세트. ④ 보석 세 개로 만들어진 반지.
tresmesino, na *adj.* 3개월의(tremesino).
tresnal *m.* 【농업】(맨 밑바닥에 다섯 묶음, 그 위에 네 묶음과 세 묶음 포갠 열 다섯 묶음의) 노적.
trespasar *tr.* =**traspasar.**
trespiés *m.* 삼발이(trébedes).
tresquila *f.* =**esquileo.**
tresquilar *tr.* 《*Ecuad.*》 = **esquilar.**
trestanto *adv.* 3배 가량. —*m.* 3배(triple).
trestiga *f.* =**cloaca.**
treta *f.* ① (검도에서) 속임수. ② 계략, 책략 (artificio). ③ 《*Arg.*》 악습, 나쁜 버릇(vicio, mala costumbre).
treudo *m.* 【방언】 =**catastro.**
treza *f.* 【은어】 =**bestia.**
trezavo, va *adj.* 13등분의. —*m.* 13분의 1.
treznar *tr.* =**atresnalar.**
tri- *pref.* [*lat.* tri]「삼(三)」을 뜻함 : *tri*ángulo.
tría *f.* ① 선출하는 일. ②【방언】 바퀴 자국.
triaca *f.* ① 방향 아편, 아편제 : La ～ se ha empleado para las mordeduras de animales venenosos. ② 약, 처방(remedio)
triacal *adj.* 아편제의 ; 해독의.
triache *m.* [*fr.* triage] 중질 커피.
tríada *f.* 삼인조, 삼총사 《본래는 Júpiter, Minerva, Apolo의 세 사람》.
triádico, ca *adj.* tríada의.
trianero, ra *adj.* 뜨리아나 《Triana, 세비야의 한 구의 이름》의. —*m.f.* 뜨리아나 주민.
triangulación *f.* 삼각 측량 : hacer la ～ de campo.
triangulado, da *adj.* [triangular의 *p.p.*]① 삼각형으로 만든, 삼각의, 세모로 된 ; 삼각 측량의.
triangular[1] *adj.* ① 삼각형의, 삼각의, 세모진 : objeto de forma ～ 삼각형 물건. ② 밑바닥이 삼각형인 : pirámide ～ 밑바닥이 삼각형인 피라미드. ③ 삼각 관계의 : acuerdos ～*es* 삼각 무역 협정.
triangular[2] *tr.* 삼각 측량을 하다 ; 삼각형으로 짜다.
triangularmente *adv.* 삼각형으로.
triángulo, la *adj.* [*lat.* triangulus] 삼각(형)의. —*m.* ① 삼각형. ②【악기】 트라이앵글. ③【천문】 삼각좌.
～ *acutángulo* 예각 삼각형. ～ *curvilíneo* 곡선 삼각형. ～ *equilátero* 등변(等邊) 삼각형. ～ *escaleno* 부등변 삼각형. ～ *esférico* 구면 삼각형. ～ *isósceles* 이등변 삼각형. ～ *obtusángulo* 둔각 삼각형. ～ *orcholiano* 【음성】 모음 삼각도 (母音三角圖). ～ *rectángulo* 직각 삼각형.
trianular *adj.* 고리가 세 개인.
triaquera *f.* 아편 보관용 상자.
triar *tr.* ⑫ 《*Galic.*》 뽑다, 선출하다(escoger). —*intr.* (꿀벌이) 자꾸만 벌통에 들락거리다. ～**se** ① 피륙의 올이 뜨다. ②【방언】 (우유가) 분리되다.
triario *m.* 옛 로마의 예비 군대 병사.
trías *m.* 【지질】 삼첩기 땅.
triásico, ca *adj.* 【지질】 (중생대의) 삼첩계(三疊系)의 ; 삼첩기의. —*m.* 삼첩기.
triatómico, ca *adj.* 【화학】 3원자에 의해 형성된 분자의.
triáxono, na *adj.* 축이 세 개인.
tribadismo *m.* 여성의 성도착(lesbianismo).
tribal *adj.* =**tribual.**
tribeño, ña *adj.* : una joven ～*na.*
tribilín *f.* 《*Col.*》 닳고 닳은 여자, 세상 경험이 많은 여자.
tribilinero, ra *adj.* 《*Venez.*》 경박한.
trib.[1] tribunal 재판소.
tribómetro *m.* 마찰계(摩擦計).
tribón *m.* =**trigón.**
tribraquio *m.* 【시어】 3단음절 각운(脚韻).
tribu *f.* [*lat.* tribus] ① 종족, 부족, …족 : las doce ～*s* de Israel 12 지족(支族)《야곱의 12명의 아들의 자손》. ②【생물】 족(族), 종족 ; 동류(同類).
tribual *adj.* 종족의, 부족의.
tribuente *adj.* 부여하는, 할당하는, 위탁하는.
tribuir *tr.* ⑰ [드묾] =**atribuir.**
tribulación *f.* ① 괴로움, 슬픔(congoja, aflicción). ② 고난, 역경, 재난(adversidad moral) : padecer ～*es.*
tribulante *adj.* 괴롭히는 ; 고난의, 역경의.
tribular *tr.* 괴롭히다.
tríbulo *m.* 【식물】 엉겅퀴 ; (대개) 가시있는 식물.
tribuna *f.* [*lat.* tribuna] ① 연단. ② 특별 관람석 ; 방청석 : ～ de la prensa 신문 기자석. ～ de los acusados 피고석. ③ (한 나라 · 한 시대의) 정계에 선 사람들.
tribunado *m.* 고대 로마의 호민관(tribuno) 직.
tribunal *m.* [*lat.* tribunal] ① 재판소, 법정 : ～ de la revolución 혁명 재판소. ～ militar 군사 법정. ② [추상] 재판 : acudir a los ～*es* 법에 호

소하다. llevar a los ~*es* 소송을 제기하다. ~ popular 인민 재판. ③ 심판 : ~ de Dios 신의 심판. ④ 검사·조사 기관. ⑤ 검사관, 재판관. ⑥ 심사(위원)회.
~ ***administrativo*** 행정 재판소. ~ ***arbitral·de arbitraje·de árbitros*** 중재 재판소. ~ ***competente en la quiebra*** 파산 재판소. ~ ***correccional*** 경범죄 징계 재판소. ~ ***de comercio*** 상사(商事) 재판소. ***T- de Contencioso Administrativo*** 《*Urug.*》 행정 소송 재판소. ~ ***de Cuentas*** 회계 감사원. ~ ***de la conciencia*** 양심의 가책. ~ ***de la penitencia*** 고해실. ~ ***de Marina*** 해사(海事) 심판소. ~ ***de tierras*** 《*Domin.*》 토지 재판소. ~ ***fiscal*** 조세 재판소. ***T- Fiscal de Federación*** 《*Méx.*》 연방 재정 재판소. ~ ***judicial de desgracia marítima*** 해난 심판청. ~ ***superior*** 상급 재판소. ~ ***Supremo*** 최고 재판소, 대심원, 대법원.

tribunicio, cia *adj.* 연단의, 단상의 ; 정치 연설적인 : elocuencia ~*cia.*

tribúnico, ca *adj.* 호민관의·같은.

tribuno *m.* [*lat.* tribunus] ① (고대 로마의) 호민관(~ de la plebe). ② 말솜씨·말재주·언변이 좋은 정치가.

tributable *adj.* 헌금할 수 있는.

tributación *f.* 헌금 ; 납세 ; 공물(貢物) ; 과세, 조세(租稅) ; 세제(稅制), 조세 제도.
~ ***progresiva*** 누진 과세.

tributante *adj.* 공납하는 (사람) ; 바치는. —*m.f.* 제공자, 납세자.

tributar *tr.* ① 납세하다 ; 헌금하다 ; 조세로서·공물로서 바치다. ② 공헌하다, 바치다, 표하다, 나타내다 : ~ respeto, ~ gratitud.

tributario, ria *adj.* ① 공물의, 조세의 : sistema ~ 세제(稅制). ② 공물·조세를 바치는. ③ 공헌하는. ④ 지류(支流)의 : río ~ 강·하천의 지류. —*m.f.* 납세자, 공물을 바치는 사람, 헌금자. —*m.* 지류(支流).

tributo *m.* ① 공물 ; 연공(年貢). ② 조세(impuesto) : ~ excesivo. ③ 의무, 무거운 짐. ④ 경의 : rendir el ~ 경의를 표하다.

trica *f.* 【방언】 궤변, 핑계.

tricahue *m.* 《*Chile.*》 【조류】 앵무새(papagayo)의 일종.

tricéfalo, la *adj.* 머리가 세 개의.

tricenal *adj.* 30년(간)의 ; 30년마다의, 30년 째의 : fiestas ~*es.*

tricentenario *m.* 300년간 ; (출생·사망의) 300년 기념일·기념제.

tricentésimo, ma *adj.* 300번째의 ; 300등분의. —*m.* 300분의 1.

tríceps *adj. m.* [*lat.* triceps] 【해부】 삼두근(의).

tricerátopo *m.* (북미의 중생대의) 공룡의 일종.

triceratops *m.* =**tricerátopo.**

tricésimo, ma *adj. m.* =**trigésimo.**

triciclista *m.f.* 삼륜차 선수.

triciclo *m.* 삼륜차, 세발 자전거 : auto ~.

tricípite *adj.* 삼두(三頭)의 : un monstruo ~ de los infiernos.

triclinio *m.* (고대 로마의) 삼상 식당(三床食堂) ; 누워먹는 식탁.

tricocéfalo *m.* 실같이 가는 기생충.

tricolor *adj.* [*lat.* tricolor] 삼색의 : bandera ~ 삼색기.

tricoma *f.* 【의학】 규발병(糾髮病) 《폴랜드 지방의 풍토병》.

tricomía *f.* 삼색 인쇄.

tricordiano, na *adj.* 줄이 세 개인.

tricorne *adj.* 【시어】 =**tricornio.**

tricornio *adj.* 뿔이 세 개인. —*m.* 삼각 모자(sombrero ~).

tricot *m.* 트리코트 : unas medias de ~.

tricotomía *f.* 【생물】 삼분(分), 삼분법.

tricotómico, ca *adj.* 삼분법의.

tricótomo, ma *adj.* 셋으로 나눈, 삼분한.

tricromía *f.* 삼색판.

tricromo, ma *adj.* 삼색의, 삼색 판의.

tricúspide *adj.f.* 【해부】 삼첨판(의)(válvula ~).

trichina *f.* 【동물】 선모충 《기생충》(triquina).

tridacio *m.* 상추를 짠 걸쭉한 물 《진정제》.

tridacnio *m.* 【동물】 갯가재.

tridáctilo, la *adj.* 손가락이 세 개인.

tridecasílabo, ba *adj. m.* 13음절(의) : un verso ~.

tridente *adj.* 세 발 갈퀴의, 날이 세 개인. —*m.* 《*And. Murc.*》 삼지창 ; 작살(~ de pesca).

tridentífero, ra *f.* 발톱이 셋 달린.

tridentino, na *adj.* 뜨렌또 《Trento, 치롤 지방의 도시》의. —*m.f.* 뜨렌또 사람.

tridimensional *adj.* 삼차원의 ; 입체의 (영화).

tridínamo, ma *adj.* 【화학】 =**trivalente.**

triduano, na *adj.* 3일간의.

triduo *m.* 3일 근행(勤行).

triedro, dra *adj.* 삼면의. —*m.* 삼면각(三面角).

trienal *adj.* 3년(간)의 : cargo ~.

trienio *m.* 3개년.

triente *m.* ① 비잔틴의 화폐의 일종. ② (서반아의 비시고도인들이 주조했던) 금화.

trieñal *adj.* =**trienal.**

triera *f.* 옛날의 전함.

trifásico, ca *adj.* 【전기】 삼상식(三相式)의.

trifauce *adj.* 【시어】 세 턱·울대가 있는.

trífido, da *adj.* 【식물】 셋으로 갈라진.

trifillo, lla *adj.* 【식물】 잎이 세 개인.

trifinio *m.* 세 지방, 세 주(州).

trifloro, ra *adj.* 수꽃·암꽃·양성화(兩性花)의 세 가지 꽃이 있는.

trifoliado, da *adj.* 【식물】 잎의 세 개의, 삼엽의.

trifolio *m.* 【식물】 화란 자운영 ; 직장초(trébol).

triforio *m.* 교회 입구의 궁륭과 지붕 사이.

triforme *adj.* 몸뚱이가 셋·모양이 셋인, 세 형태로 바뀌는 : Diana ~.

trifulca *f.* ① 풀무를 움직이는 장치. ② 싸움 ; 난투 : armar una ~.

trifulcación *f.* 셋으로 갈라진 것, 삼지(三枝).

trifulcarse *r.* 삼지로 나누어지다.

trifurcado, da *adj.* 셋으로 갈라진, 삼지의.

trifurcar *tr.* 세 가닥으로 하다 ; 세 부분으로 나누다.

triga *f.* 삼두 마차.

trigal *m.* 밀밭(campo de trigo) : La brisa agita los ~*es* 미풍이 밀밭을 한들거리게 한다.
trigamia *f.* 삼중혼(三重婚).
trígamo, ma *adj.m.f.* 삼중 결혼한 (사람) ; 아내·남편이 셋 있는 (사람).
trigaza *adj.* 밀의 : paja ~ 밀짚.
trigémino, na *adj. m.* 【해부】 삼차 신경(三叉神經).
trigésimo, ma *adj.* ① 30번째의 : el ~ día del mes. ② 30등분의. —*m.* 30분의 1.
trigla *f.* 【어류】 성대류의 물고기, 노랑촉수(trilla).
tríglidos *m. pl.* =**cótidos.**
triglifo *m.* =**tríglifo.**
tríglifo *m.* 뜨리글리뽀 《도리아식 건축에서 소벽을 형성하는 세 줄기 가로홈 장식》.
trigo *m.* [*lat.* triticum] 【식물】 ① 밀. ② 돈(dinero, caudal). —*pl.* 밀밭.
~ ***aristado*** 까끄라기가 있는 밀. ~ ***chamorro·desraspado*** 겨울 밀. ~ ***fanfarrón*** 아프리카 종의 밀. ~ ***marzal*** 봄 밀. ~ ***otoñal*** 가을 밀. ~ ***mocho·pelón*** 까끄라기가 없는 밀.
echar por esos ~s·por los ~s de Dios 길을 잘못 들다.
no ser ~ limpio 보기보다 죄가 크다.
Nunca es mal año por mucho ~ 【속담】 풍족한 것은 해가 되지 않는다.
No es lo mismo predicar que dar ~ 【속담】 말만 하지 말고 실행해라.
trig.º trigésimo.
trigón *m.* (고대 그리스의) 삼각금(三角琴).
trigon. trigonometría.
trígono *m.* ① 【기하】 삼각형(triángulo). ② (해시계의) 삼각봉·삼각판. ③ 【천문】 삼궁(三宮).
trigonocéfalo *m.* 【동물】(아시아·아프리카산의) 머리가 세모진 독사.
trigonometría *f.* 【수학】 삼각법.
trigonométrico, ca *adj.* 삼각법의, 삼각법에 의한 : cálculo ~.
trigrama *m.* 삼자 일음(三字一音), 삼중음자(三重音字).
trigueño, ña *adj.* ① 밀처럼 누런. ② 혼혈아의.
triguera *f.* ① 【식물】(일반적으로) 갯보리류. ② 《*Sant.*》 =**triguero, criba, harnero.**
triguero, ra *adj.* 밀의 ; 밀밭에서 자란. —*m.f.* 밀 장수. —*m.* 밀 까부는 키.
triguillo *m.* [*dim.* trigo] 《*Ar. And.*》 =**ahechaduras.**
trilateral *adj.* 세 변(邊)이 있는.
trilateralismo *m.* 삼변, 삼면.
trilátero, ra *adj.* 세 변이 있는, 삼면의.
trile *m.* 《*Chile.*》 【조류】 개똥지빠귀(tordo)의 일종.
trilingüe *adj. m.f.* 3개 국어 대조의, 3개 국어로 쓴 ; 3개 국어를 하는 (사람).
trilio *m.* 【식물】 연령초(延齡草)속의 식물.
trilita *f.* =**trinitrotolueno.**
trilítero, ra *adj.* 세 문자의 : sílaba ~*ra.*
trilito *m.* 삼석탑(三石塔)《세워 놓은 두 개의 돌 위에 하나를 더 얹은 dolmen》.
trilla *f.* ① 【어류】 섬대류의 물고기, 노랑촉수(salmonete). ② 탈곡, 써레질 ; 탈곡기(脫穀機), 도리깨. ③ 《*Col. Cuba. SDgo.*》 샛길, 간도(間道), 간로(間路), 오솔길(senda, vereda, trillo). ④ 《*Chile. PRico.*》 난타(tunda, zurra).
trillada *f.* 《*Méx.*》 (굴려) 때리기, 도리깨질.
trilladera *f.* 【방언】 써레(trillo).
trillado, da *adj.* ① 자주 다니던 (길) : camino ~. ② 아주 흔한(muy común y vulgar). —*m.* 《*Cuba. PRico.*》 좁은 길, 샛길.
trillador, ra *adj.* 탈곡의. —*m.f.* 탈곡하는 사람. —*m.* 탈곡기.
trilladora *f.* 탈곡기.
trilladura *f.* 탈곡(하는 일).
trillar *tr.* ① (보리 등을) 탈곡하다 ; 언제고·몇 번이고 하다. ② 혼내주다 ; 엉망으로 만들다(maltratar). ③ 《*Cuba. PRico.*》 길을 밟아 다지다.
trillazón *f.* 【고어】 =**trilla.**
trillique, ca *adj.m.f.* =**trillador.**
trillizo, za *adj.m.f.* 세 쌍둥이 형제 중의 한 (사람).
trillo *m.* ① 써레, 도리깨, 써레질, 도리깨질. ② 《*AmérC. Ant.*》 지름길, 좁은 길(atajo).
trillón *m.* 100만 조 《1에 0을 18개 붙인 수 ; 미국과 불란서에서는 12개를 붙임》(un millón de billones).
trilobites *m.* (고대 생물) 삼엽충(三葉蟲).
trilobulado, da *adj.* 【식물】 (잎이) 셋으로 갈라진, 세 토막으로 끊어진 : arco ~.
trilocular *adj.* 3방(房)의, 3실(室)의, 세 부분으로 갈라진(dividido en tres partes).
trilogía *f.* 삼부 비극 ; 삼부작.
trilógico, ca *adj.* trilogía에 관련된.
trimembre *adj.* 세 사람의, 삼체(三體)의, 셋으로 이룬.
trimensual *adj.* 한 달에 세 번의, 순간(旬刊)의.
trimestral *adj.* 3개월의, 3개월간의 ; 3개월분의 ; 학기의 ; 4반기의 ; 계간의 : una revista ~ 계간 잡지.
trimestralmente *adv.* 3개월에·마다.
trimestre *adj.* [*lat.* trimestris] 3개월(간)의 ; 4반기의(trimestral). —*m.* 3개월(분의 잡지·신문·급료 등) ; 학기(學期).
trímetro *m.* 【시어】 3음격시.
trimielga *f.* 【어류】 전기메기(torpedo).
trimorfo, fa *adj.* =**triforme.**
trimotor *m.* 삼발동기형 비행기.
trimurti *m.* 【인도 신화】 베다의 삼체《Brama, Visnú, Siva의 삼위 일체로서의 Veda》.
trinacrio, ria *adj.* 트리나크리아 《Trinacria. 현재의 Sicilia의 옛 이름》의 ; 【시어】 시실리아 섬의. —*m.f.* 시실리아 섬사람.
trinado *m.* 떨리는·떠는 소리 ; 지저귐.
trinar *intr.* ① 목소리를 떨다 ; 떠는 소리로 노래하다 ; 지저귀다 : pájaro que *trina.* ② 조바심하다(rabiar, impacientarse) : Estoy que *trino.*
trinca *f.* ① 세 짝, 셋이 한 짝인 것 ; 3파(三巴), 3인회(三人會). ② 꽁꽁 묶기 ; (배의) 밧줄, 묶음줄. ③ 《*Col. Ecuad.*》 (악당의) 한패. ④ 《*Cuba. PRico.*》 취기(borrachera).
a la ~ ① 《*Cuba.*》 성장하여. ② 《*Chile.*》 한푼 없이, 가난하게(pobremente).

trincadura *f.* 돛대가 두 개인 대형 전마선.
trincaesquinas *m.* =**parahúso.**
trincafía *f.* 소용돌이 ; 매듭.
trincafiar *tr.* 【해사】 가는 밧줄로 감다.
trincapiñones *m.* 분별없는 사람(botarate).
trincar *tr.* ⑦ ① 나누다, 부수다, 쪼개다(desmenuzar, romper, partir). ② 결박하다, 꽁꽁 묶다(atar fuertemente). ③ 꼭 쥐다, 붙잡다(coger). ④ 죽이다, 살해하다. ⑤ 《*Amér.*》 질긴 고기 등을 힘들여 썰다. ⑥ 꼭 조이다, 주리를 틀다, 잡아 누르다(apretar). —*intr.* ① 술을 마시다(beber) : Le invitó a ~ 그에게 술을 권했다. ② (배가) 표류하다(pairar). ③ 속임수로 훔치다(robar con maña).
trinco, ca *adj.* 《*PRico.*》 도취한 ; 입을 멍하니 벌린 : estar ~ 넋나간 사람 모양으로 있다.
trincha *f.* (바지·조끼의) 매는 끈(ajustador).
trinchador, ra *adj. m.f.* 잘라 가르는 (사람). —*m.* 《*Méx.*》 작은 선반, 쇠그물을 친 찬장.
trinchante *adj.* 날(filo)이 드는, 날이 붙은 : escudero ~. —*m.* 고기를 누르는 포크 ; 고기 써는 칼 ; (석수장이의) 쇠망치(escoda).
trinchar *tr.* ① (식품을) 썰다, 썰어 나누다 : ~ un pollo. ② 처리하다 ; 상품을 팔다.
trinche *m.* 《*Amér.*》 (고기 써는 데 쓰는) 포크(tenedor) : mesa ~ 식탁. plato ~ 작은 접시.
trinchera *f.* ① 참호 : abrir ~ 참호를 파다, 공격에 들어가다. ② (도로를 위한 산골의) 수로(水路). ③ 비옷(abrigo impermeable). ④ 《*Méx.*》 식칼의 일종.
trinchero *m.* (식탁에서 빵을 써는) 목판 : plato ~ 큰 접시.
trincherón *m.* =**trinchera grande.**
trinchete *m.* ① (구둣방의) 나무 줄(chaira). ② 《*Col.*》 식탁용 나이프.
trincho *m.* ① 《*Col.*》 방벽, 흉벽, 흉장. ② 강가에 만든 양어장.
trineo *m.* 썰매 : un viaje en ~ 썰매 여행.
trinidad *f.* [*lat.* trinitas] ① 삼위 일체 《셋을 한 신(神)으로 보는 일 ; 그리스도교에서는, 성부(聖父)인 하나님·성자로서의 그리스도·성령을 일체로 봄》 : la ~ india 【인도 신화】 베다의 삼체(trimurti). Fiesta de la *T-* 삼위 일체절, 성령 강림절 다음의 일요일. ② 삼위일체회《종파》. ③ 삼인조, 삼총사.
Trinidad y Tobago 【지명】 뜨리니다드·또바고 《1962년 영령에서 독립》.
trinitaria *f.* 【식물】 삼색(三色) 제비꽃.
trinitarianismo *m.* 【종교】 삼위 일체론.
trinitario, ria *adj.* ① 삼위 일체(회)의 (수도사·수녀). ② 뜨리니다드《Trinidad, 카리브해의 꾸바의 도시》의. —*m.f.* 뜨리니다드 사람 ; 삼위 일체론자.
trinitrocelulosa *f.* 【화학】 니트로셀룰로오스(nitrocelulosa).
trinitrofenol *m.* =**ácido pícrico.**
trinitroglicerina *f.* 【화학】 니트로글리세린(nitroglicerina).
trinitrotolueno *m.* 트리니트로톨루엔 《강력 폭약》.
trino, na *adj.* [*lat.* trinus] 셋으로 갈라진, 삼원(元)의, 삼중의(ternario). —*m.* 【악기】 전음(顫音), 떨리는 소리(trinado).
trinomio *m.* 【수학】 삼항식.
trinque *m.* 《*Perú.*》 (일반적으로) 술.
trinquetada *f.* ① 앞 돛 만으로 하는 항행. ② 《*Cuba. Méx. Perú.*》 돈줄이 막힘 ; 괴로운 때.
trinquete *m.* [*ital.* trinchetto] ① 앞 돛대 ; 그 돛. ② (톱니바퀴의) 제자(制子). ③ 일종의 공치기 놀이. ④ 《*Ecuad.*》 돼지 우리.
a cada ~ 줄곧, 마냥, 시종(a cada trique, a cada momento).
estar más fuerte que el ~ 아주 건강하다.
trinquetilla *f.* 【선박】 지색(支索) 돛.
trinqueval *m.* 《*Cuba.*》 (목재를 운반해 내는) 이륜차.
trinquis *m.* 술의 한 모금, 한 입(trigo) : echar un ~.
trintre *adj.* 똘똘 말린 깃을 가진 (병아리).
trío *m.* [*ital.* trio] ① 삼중주, 삼중창(terceto). ② 삼인조, (일반적인 뜻에서) 삼총사, 트리오. ③ 가려냄(tría).
tríodo, da *adj.* 【전기】 삼전극(eléctrodo)의.
Triones *m. pl.* 【천문】 북두칠성(las siete estrellas que forman la Osa Mayor).
trióxido *m.* 【화학】 3산화물.
triorque *m.* 【조류】 뜨리오르께 《매의 일종》.
tripa *f.* ① 창자(intestino) : ~ del cagalar 곧은창자. ② 복부, 배(vientre) : tener mucha ~. ③ (용기의) 불룩한 배·옆구리 : llenar la ~. ④ 시거의 안에 넣는 것. —*pl.* ① 내부, 알맹이 : ~ de un negocio. ② (열매 등의) 속.
sin ~s ni cuajar 몹시 수척해져.
hacer de ~s corazón 짐짓 아무렇지도 않은 듯 꾸미다(poner buena cara a una cosa desagradable).
revolver las ~s 속이 뒤틀리게 만들다.
tener malas ~s 잔인하다(ser cruel).
Tripas llevan piernas 【속담】 힘을 내기 위해서는 잘 먹는 것이 필요하다(Es preciso comer bien para tener fuerzas).
tripada *f.* 배부름(hartazgo, panzada).
tripanosoma *f.* 【동물】 (여러 가지 병의 근원이 되는) 기생의 원생 동물.
tripanosomiasis *f.* 【의학】 triponosoma에 의해 발생하는 병.
tripartición *f.* 삼등분, 셋으로 나누기.
tripartido, da *adj.* [tripartir의 *p.p.*] 셋으로 나눈, 삼등분한.
tripartir *tr.* 셋으로 나누다, 삼등분하다(dividir algo en tres partes).
tripartito, ta *adj.* ① 셋으로 나뉜·갈라진 : una hoja ~*ta.* ② 삼국간의.
tripastos *m.* =**trispasto.**
tripe *m.* [*fr.* tripe] 거친 털, 조모(粗毛), 풀솜.
tripería *f.* ① 내장 파는 가게. ② [집합] 내장.
tripero, ra *m.f.* 내장 장수. —*m.* 배덮개(천), 배대.
tripétalo, la *adj.* 【식물】 꽃잎이 셋 있는.
tripicallero, ra *m.f.* 내장 요리 장수.
tripicallos *m.pl.* 내장 ; 내장 요리(callos) : un plato de ~*s.*
trípili *m.* 뜨리삘리 《18세기 말 경의 서반아의 노래·춤》.
tripilla *f. dim.* tripa.
tripitrape *m.* ① 옛 가구·잡동사니 더미. ②

사상의 혼란.

triplano *m.* 삼엽(三葉) 비행기(aeroplano de tres planos de alas).

triple *adj.* 세 배·삼중의; 세 겹의 : muralla ~. —*m.* 삼 배, 삼중.

tripleta *f.* 삼인승 이륜 자전거.

tríplex *adj.* =**triple** : madera ~ 합판.

tríplica *f.* 피고의 제2 답변(서).

triplicación *f.* 세 배·세 겹으로 하는 일.

tripilicadamente *adv.* [드뭄] 세 통·부·배로.

triplicado, da *adj.* 세 배로 한, 세 통·세 부로 하는 것.

por ~ (원본 한 장과 복사 두 장의) 세 통으로 하여.

triplicador, ra *adj. m.f.* 세 배·겹·통으로 하는 (사람·것).

triplicar *tr.* 7 ① 세 배·겹·통으로 하다 : *Se triplicó* en veinte años 20년간에 세 배로 되었다. ② 답변에 답하다.

tríplice *adj.* [드뭄] =**triple.**

triplicidad *f.* 세 배, 세 겹, 삼층(인 일).

triplito *m.* 【광물】 트리플라이트 《불소를 함유한 철·망간의 암갈색 인산 광물》.

triplo, pla *adj. m.* =**triple.**

trípode *m.* [드물게 *f.*] 삼각(三角), 삼각대, 다리가 셋인 탁자, (측량기·사진기 등의) 삼각.

trípol *m.* 【광물】 트리폴리석, 규조토.

tripolar *adj.* 삼극의 : enchufe ~.

trípoli *m.* =**trípol.**

tripolino, na *adj. m.f.* =**tripolitano.**

tripolio *m.* 【식물】 국화과의 까실쑥부쟁이속(屬)의 식물.

tripolitano, na *adj.* 뜨리뽈리 《Trípoli, 여러 곳에 있는 지명》의. —*m.f.* 뜨리뽈리 사람.

tripón, na *adj. m.f.* 올챙이배의, 배가 불룩한 (사람)(tripudo). —*m.* 《*Méx.*》 새끼 양.

tripote *m.* 소시지 순대의 일종.

tríptico *m.* ① 셋으로 접은·이어진 그림. ② 셋으로 접게 된 책상. ③ 삼부작.

triptongar *tr.* 8 삼중 모음으로 하여 발음하다.

triptongo *m.* 【문법】 삼중 모음(三重母音)《uai, uei》.

tripudiante *adj.m.f.* 춤추는 (사람).

tripudiar *intr.* 11 【고어】 =**bailar, danzar.**

tripudio *m.* 【고어】 춤, 무용(baile, danza).

tripudo, da *adj. m.f.* 올챙이배의 (사람).

tripulación *f.* [집합](선박이나 항공기의) 승무원.

tripulante *m.f.* 승무원.

tripular *tr.* ① (선박·항공기에) 승무원을 태우다; (…에) 타고 가다 : El 3 de agosto de 1492 salieron de puerto de Palos tres naves españolas, *tripuladas* por 120 hombres 1492년 8월 3일 120명이 탄 세 척의 서반아 선박이 빨로스를 출항했다. ② 《*Chile.*》(액체를) 혼합하다·섞다(chapurrar líquidos).

tripulina *f.* 《*Arg. Chile.*》 소동, 소란(bulla, jaleo, ruido).

trique *m.* ① 탁 튀기는 소리. ② 《*Chile.*》 볶은 보릿가루로 만든 청량 음료의 일종. ③ 【식물】 하제가 되는 백합과의 식물.

a cada ~ 줄곧, 언제나, 항상, 시종(a cada momento).

triquedro, dra *adj.* 얼굴이 셋인. —*f.* 옛날 동전에서 삼각으로 연결된 세 다리의 모임.

triquete *m.* 튀기는 소리; 톱니바퀴의 톱날 : rueda de ~ 톱날 모양의 톱니바퀴.

a cada ~ 언제나, 줄곧, 항상, 늘, 시종(a cada trique, a cada momento).

triquina *f.* 【동물】 선모충 《근육 내에 있는 기생충》.

triquinado, da *adj.* 선모충에 의해 침투된.

triquinosis *f.* 【의학】 선모충병.

triquiñuela *f.* (미꾸라지처럼 요리조리) 꽁무니 빼는 말(rodeo) : andar con ~*s.*

triquitinales *m.pl.* 《*Venez.*》 잡동사니.

triquitraque *m.* ① 마구 때리기, 난타; 그 소리. ② 야단법석. ③ 폭약통; 장난감 폭약.

a cada ~ 언제나, 항상, 늘, 시종, 줄곧(a cada trique).

trirrectángulo, la *adj.* 세 직각의 : un triángulo esférico ~.

trirreme *m.* [주로 *f.*](고대 지중해의) 삼단으로 젓는 배 : ~ ateniense.

tris *m.* ① 깨질 때 내는 가벼운 소리, 딱 벌어지는 소리; 가볍게 두들기는 일. ② 하찮은 것, 미세한 것 : No faltó un ~ 눈꼽만큼도 모자라는 것이 없었다; 꼭 알맞다.

~ *tras* 똑똑 문드리는 소리.

al menor ~ 아주 조금만 있으면.

de un ~ 《*SDgo.*》 사소한 일로(de un tris).

en ~《*PRico. Urug. Venez*》 사소한 일로(de un tris).

en un ~ 아슬아슬하게, 절박한 때에 : Estuvo *en un* ~ que viniera a vernos 꼭 알맞은 때에 우리를 만나러 와 주었다.

trisa *f.* =**sábalo.**

trisagio *m.* (Santa Trinidad을 찬미하는) 삼성창(三聖唱)(의 기도).

trisar *intr.* (제비 같은 새가) 지저귀다. —*tr.* 《*Chile.*》 금이 가게 하다.

trisarquía *f.* (고대 로마의) 삼 집정관의 직·임기; 삼두 정치.

trisca *f.* ① 발로 밟아 깨기; 밟아 부수는 소리. ② 야단법석(jaleo, algazara, ruido). ③ 《*Cuba.*》 야유(burla, disimulada).

triscado *m.* triscar 하기.

triscador, ra *adj.* 톱날을 세우는. —*m.* (톱의) 날 세우기; 날 세우는 도구.

triscar *intr.* 7 ① (요란하게) 발소리를 내다(patear); 깡충깡충 뛰다(retozar); 펄쩍펄쩍 뛰다. ② 투덜거리다, 중얼거리다(criticar, murmurar). ③ 《*Cuba.*》 조롱하다, 비웃다(burlarse). ④ 《*Col.*》 욕설·악담을 퍼붓다. ⑤ 《*Sant.*》 삐걱거리다(crujir). —*tr.* ① 혼합하다, 꼬이게 하다, 얽히게 하다 : El trigo está *triscado* 밀은 서로 엉겨 있다. ② (톱의) 날을 세우다.

triscón, na *adj.m.f.* =**criticón, murmurador.**

trisecar *tr.* 7 셋으로 분할하다, 삼등분하다 : ~ un ángulo. **Sinón.** tripartir.

trisección *f.* 삼분할, 삼등분(하는 일).

trisemanal *adj.* 3주에 한번의; 한 주일에 세 번의.

trisilábico, ca *adj.* 3음절의.

trisílabo, ba *adj.* 3음절의. —*m.* 3음절어.
trisito *m.* 《*Col.*》 파편, 조가리(pizca).
trismegisto, ta *adj.* 세 배가 큰.
trismo *m.* 【의학】 파상풍.
trisnado, da *adj.* 《*Sant.*》 =**lucio, hermoso.**
trispasto *m.* 세 짝으로 된 도르래.
trisquido *m.* 《*Sant.*》 채찍의 울리는 소리(chasquido del látigo).
tristacho, cha *adj.* 슬픔에 젖은, 향수에 젖은.
Tristán *m.* 중세기의 이야기의 주인공《Marcos 왕의 조카로, 왕명을 따라 왕의 약혼녀인 Iseo la Bella를 찾으러 나섰다가 돌아오는 길에 두 사람이 마신 마의 음료수가 이 두 사람의 비련의 근원이 되었음》.
triste *adj.* [*lat.* tristis] ① 슬픈(afligido) ; 쓸쓸한 ; 쓸쓸해 보이는, 근심에 쌓인 : una noticia ~ 슬픈 소식. la cara ~ 슬픈 듯한 얼굴. Ella está ~ por la muerte de su padre 그녀는 아버지의 죽음으로 슬퍼하고 있다. Al oírlo me puse muy ~ 그 말을 듣고 나는 쓸쓸해졌다. ② 슬픔을 잘 타는 : Lola es una mujer muy ~ 롤라는 아주 슬픔을 잘 타는 여자이다. ③ 가슴 아픈, 괴로운 : un día ~ 괴로운 날. la vida ~ 괴로운 생활. ④ 유감스러운, 언짢은 : Es ~ no poderlos ayudar 그들을 구출할 수 없는 것이 유감스럽다. ⑤ 어두운(obscuro, sombrío) : color ~ 어두운 색. ⑥ 불쾌한, 화가 난, 노한, 성난(enojoso) : Es ~ trabajar tanto para vivir tan mal. ⑦ [주로 명사 앞에서] 한심한, 빈약한, 근소한, 따질 것도 없는 : un ~ cuatro por ciento 겨우 4 퍼센트. un ~ empleado 변변치 못한 하급 관리. ⑧ 《*Bol.*》 겁많은, 내성적인, 옹졸한.
—*m.* 《*AmérM.*》 비련의 노래.
tristecico, ca *adj. dim.* triste.
tristecillo, lla *adj. dim.* triste.
tristecito, ta *adj. dim.* triste.
tristemente *adv.* 슬피, 슬픈 듯이, 쓸쓸하게, 가엾게, 가슴 아프게(con tristeza).
tristeza *f.* ① 슬픔, 비애, 우려. ② 가축의 전염병(morriña). ③ 【은어】 사형 선고(sentencia de muerte).
tristicia *f.* =**tristeza.**
tristón, na *adj.* 매우 슬픈 ; 의기 소침한, 기가 죽은, 풀이 죽은.
tristor *m.* =**tristeza.**
tristura *f.* =**tristeza.**
trisulco, ca *adj.* 세 끝이 달린 ; 삼근(三筋)의, 세 가닥으로 된.
tritíceo, a *adj.* 밀 비슷한(parecido al trigo).
tritio *m.* 【화학】 트리튬.
tritón *m.* ①【희랍 신화】(머리는 사람이고 몸은 물고기인) 바다의 신. ②【동물】 도롱뇽.
trítono *m.* 【음악】 삼연 음부(三連音符), 셋잇단음표.
tritóxido *m.* =**trióxido.**
triturable *adj.* 분쇄할 수 있는, 가루로 만들 수 있는.
trituración *f.* 분쇄, 빻기, 찧기, 쪼개기; 괴롭히기.
triturador, ra *adj. m.f.* 부수는, 찧는, 빻는 (사람). —*m.* 빻는 기구.
trituradora *f.* 분쇄기, 파쇄기(破碎機), 파석기(破石機), 그라인더 : ~ giratoria 회전식 그라인더.
triturar *tr.* ① 빻다, 찧다, 부수다, 타다, 쪼개다, 분쇄하다(mascar). ② 괴롭히다, 애먹이다.
triunfada *f.* (카드 놀이에서) 승리.
triunfador, ra *adj.* 승리의. —*m.f.* 승리자, 개선자.
triunfal *adj.* ① 승리의, 개선의 : arco ~ 개선문. coche ~ 개선차. corona ~ 승리의 관. himno ~ 개선 찬미가. ② 승리에 도취한 : José la recibió con una sonrisa ~ 호세는 승리에 도취한 미소로 그녀를 맞이했다.
triunfalismo *m.* 개선, 승리.
triunfalista *adj.m.f.* triunfalismo의 (사람) : El diputado es un ~
triunfalmente *adv.* 승리에 도취하여, 의기 양양하게 : entrar ~ en una ciudad.
triunfante *adj.* 개선의(triunfo) ; 승리에 도취한 : Hemos salido ~*s* 우리가 승리자로 되었다. —*m.f.* 승리자.
triunfantemente *adv.* =**triunfalmente.**
triunfar *intr.* [*lat.* triumphare] ① 개선하다. ② 승리하다, 이기다 : ~ en una disputa. ③ [+de : …에] 이기다, (…을) 격파하다, 무찌르다 : Los españoles *triunfaron de* la invasión francesa 서반아 사람들은 불란서의 침략을 격퇴했다. ④ [+de : …을] 극복하다 : *Triunfó de* sus pasiones 자신의 감정을 극복하였다. ⑤ 화려하게 하다, 찬란하게 하다. ⑥ 성공하다(tener éxito) : ~ en la vida
triunfo *m.* [*lat.* triumphus] ① 승리(victoria) : España obtuvo el ~ 서반아는 승리를 획득했다. Nuestro ~ sobre los moros fue completo 모로족에 대한 우리의 승리는 완전했다. Al fin consiguió el ~ 그는 마침내 승리를 거두었다. ② 개선, 개선식. ③ 승리의 표적. ④ 대성공(gran éxito) : Su examen fue un ~ 그의 시험은 성공했다. ⑤ 비책(秘策). ⑥ 사치 ; 낭비(lujo, derroche) : gastar mucho ~. ⑦ 카드 놀이 방법의 하나. ⑧ 《*Arg. Perú.*》 뜨리움포 《민속춤의 일종》.
en ~ 승리를 환호하여 : llevar en ~.
costar un ~ 비상한 노력이 필요하다.
triunviral *adj.* 삼두 정치의 ; 세 집정관의 : poder ~.
triunvirato *m.* (고대 로마의) 삼두 정치, 삼인 집정 ; 삼인 집정관의 직책.
triunviro *m.* (고대 로마의) 삼두 정치의 집정관.
trivalente *adj.* 【화학】 3가(價)의.
trivial *adj.* [*lat.* trivialis] ① 평범한, 진부한, 고리타분한, 케케묵은, 흔해빠진, 쓸모없는 : expresión ~. ② 통속적인(vulgar).
trivialidad *f.* ① 평범, 진부(陳腐), 케케묵고 낡음. ② 하찮은 일, 사소한 일 : decir ~*es.* ③경솔.
trivialmente *adv.* 평범하게, 진부하게, 새로운 맛이 없이 ; 속되게(de manera trivial).
trivio *m.* 세 갈래 길, 삼학(三學)《중세의 주요 학과이던 문법, 논리, 수사학》.
triza[1] *f.* [*lat.* tritus] 조가리, 단편 : hacer ~*s* un papel 종이를 갈기갈기 찢다.

triza² *f.* 【선박】 게양색(揭揚索)(driza).
trizar *tr.* ⑨ ① 갈기갈기 찢다(hacer trizas, desmenuzar). ② 《*Chile.*》 금이 가게하다(trisar).
tro *m.* 【악기】 뜨로 《샴에서 사용된 악기의 일종》.
troa *f.* =**hallazgo.**
trocable *adj.* 바꿀 수 있는, 교환할 수 있는(que se puede trocar o cambiar).
trocada (a la) *adv.* 반대로, 거꾸로(al revés) ; 반대의 의미로, 바꾸어(a trueque).
trocadamente *adv.* 바꾸어 ; 반대로, 거꾸로, 잘못 바꾸어.
trocadilla (a la) *adv.* =**a la trocada.**
trocado, da *adj.* 바꾼 ; 잔돈으로 바꾼. —*m.* 잔돈.
trocador, ra *adj.* *m.f.* 바꾸는 · 교환하는 (사람).
trocaico, ca *adj.* 【시어】 장단격(長短格)의.
trocamiento *f.* 교환(trueque, cambio, permuta).
trocante *adj.* 바꾸는, 교환하는.
trocánter *m.* 【해부】 전자(轉子)《대퇴골 위쪽에 나와 있는 돌기》.
trocantina *f.* 《*Arg. Venez.*》 =**cambio, trueque.**
trocar¹ *m.* [*fr.* trocart] 투관침(套管針), 삼릉침(三稜鍼)《외과 의료 도구》.
trocar² *tr.* ㉔ ⑦ ① [+con · de · por : …과 ; +en : …로, …에] 바꾸다, 교환하다(cambiar, permutar) : ~ una cosa *con · en · por* otra 무엇을 다른 것과 · 다른 것으로 바꾸다. ~ *de* papeles 편지를 다른 종이에 쓰다. ~ un caballo *por* otro 말을 다른 것과 바꾸다. ② 잘못하다(equivocar) : Este criado *trueca* cuanto se le dice 이 하인은 이르는 말을 모두 잘못 알아듣는다. ③ 게우다, 토하다(vomitar). ④ 《*Chile.*》 (하나님 것을 돈을 내어) 얻다, 사다. ⑤ 《*Perú.*》 팔다(vender) : ¿A cómo *trueca* usted? 얼마로 팔고 있습니까?
~se ① 서로 맞바꾸다(cambiarse). ② 대신하다 ; 완전히 바뀌다(mudarse) : *Se trocó* el color · la suerte 색깔이 · 운명이 완전히 바뀌었다. ③ 자리 바꿈하다 : *Nos hemos trocado* (el asiento) 우리는 자리를 바꾸었다.
trocatinta *f.* =**trueque, cambalache.**
trocatinte *m.* 비단 벌레 빛깔.
trocear *tr.* 갈기갈기 찢다(dividir en trozos).
troceo *m.* (배에서 쓰는, 가죽을 대어 보강한) 굵은 밧줄 ; 갈기갈기 찢기.
trocha *f.* ① 좁은 길, 지름길, 사잇길(vereda muy estrecha, atajo). ② 《*Arg. Bol. Col. Chile. Perú. Urug.*》 철도 선로 : ~ ancha · angosta 광궤 · 협궤 노선. ③ 《*Col. Venez.*》 빠른 걸음(trote), 걷기(marcha). ④ 훈련, 길들이기.
trochar *tr.* ① 《*Cuba.*》 길을 닦다. ② 《*PRico.*》 =**trozar.** —*intr.* 《*Col. Venez.*》 빠른 걸음으로 뛰다(rotar).
troche *m.* 《*Col.*》 빠른 걸음(trote).
a ~ y moche 엉터리로 : Repartió el dinero *a ~ y moche.*
trochemoche (a) *adv.* 엉터리로(sin ton ni son, disparatadamente).
trochuela *f.* [*dim.* trocha] 좁은 길(trocha, vereda pequeña).
trociscar *tr.* ⑦ 정제 · 알약으로 만들다.
trocisco *m.* 정제, 알약.
trocla *f.* 도르래, 활차(polea).
tróclea *f.* [*lat.* trochlea] =**polea, roldana.**
troco *m.* 【어류】 개복치(rueda).
trocoide *f.* 【기하】 =**cicloide.**
trócola *f.* =**trocla.**
trofeo *m.* [*lat.* tropheum] ① ㄱ) 전리품 : los ~*s* de una victoria 승리의 전리품. ㄴ) 전승 기념품(물) ; 노획물. ② (경기 따위의) 트로피, 상품, 우승배 : ~ de plata 은배. ③ (옛 그리스 · 로마의) 전승 기념비. ④ 승리(victoria, triunfo).
trófico, ca *adj.* 영양의 : desórdenes ~*s* 영양실조.
trofología *f.* 식량학, 영양학.
trofológico, ca *adj.* 음식물에 관한 규정식의.
troglodita *adj.* ① 동굴에 사는. ② 야만스러운, 잔혹한, 잔인한. ③ 많이 먹는. —*m.f.* 혈거인(穴居人) ; 야만스런 사람, 잔혹한 사람 ; 대식가. —*m.* 【조류】 굴뚝새.
troglodítico, ca *adj.* 혈거인의, 혈거 시대의 · 같은 : habitación ~*ca.*
trogón *m.* 교취조(交嘴鳥)《중앙 아메리카산의 quetzal이 이에 속함》.
trogónidos *m.pl.* 교취조(trogón)속의 새.
troica *f.* 트로이카 《러시아의 세 필의 말이 끄는 마차 썰매》.
troika *f.* =**troica.**
troj *f.* 곡간, 광, 곡식 창고(granero, algorín).
troja *f.* ① 《*Amér.*》 곡간, 곡창(troj). ② 《*Col. Venez.*》 변변찮은 침대(barbacoa).
trojado, da *adj.* 배낭에 들어 있는.
troje *f.* =**troj.**
trojero *m.* 곡간지기, 곡식 창고지기.
trojezado, da *adj.* 자른, 토막낸, 잘게 · 가늘게 썬, 채친(cortado, despedazado, dividido en trozos pequeños) : conserva ~*da* 잘게 썬 통조림.
trola *f.* ① 속임수, 사기, 거짓말(engaño). ② 《*Col.*》 햄의 토막. ③ 《*Chile.*》 벗겨진 나무 껍질. ④ 《*Col.*》 늘어진 것.
trole *m.* [*ing.* trolley] 트롤리, 촉륜(觸輪), 촉륜 봉.
trolebús *m.* 트롤리 버스(omnibús de trole).
trolero, ra *adj.* *m.f.* 허풍선이(의).
troludo, da *adj.* 《*Arg. Chile.*》 태평스러운(cachazudo).
trolla *f.* 【방언】 (미장이의) 흙받이(esparavel).
trolley *m.* *ing.* =**trole.**
tromba *f.* 회오리바람(manga) : Las ~*s* son ciclones de corto radio.
trombo *m.* 혈전(血栓).
trombón *m.* [*ital.* trombone] 트럼본 (나팔) ; 트롬본 연주자.
trombosis *f.* 혈전증(血栓症).
trompa *f.* ① 나팔 : ~ de caza. ② 팽이, 윙윙팽이《돌아갈 때 윙윙거림》. ③ (코끼리 등의) 코 ; 큼지막한 코 : la ~ de elefante 코끼리의 코. ④ (곤충의) 주둥이, 부리 ; 흡액관, 빨대. ⑤ 《*Amér.*》 콧배기(jeta). ⑥ 회오리바람(tromba). ⑦ (아궁이 속으로 바람을 들이는) 송풍관. ⑧ 돌출 궁륭각. ⑨ 술에 취함(borrachera) : coger una

~. ⑩ =**trompazo, puñetazo.**
—*m.* ① 나팔수. ② =**borracho.**
~ *de Falopio* 【해부】 나팔관(管). ~ *de Eustaquio* 구씨관(歐氏管). ~ *de París,* ~ *gallega* 비야혼 《입에 물고 켜는 악기》(birimbao).
a ~ *tañida* 모두 함께 ; 나팔 소리에 따라 ; 나팔을 불어.
a ~ *y talega* 당황하여, 앞뒤를 가리지 못하고.
estar ~ 술에 취해 있다(estar borracho).

trompada *f.* ① 구타(trompazo, porrazo). ② 부딪치기(encontrón) ; (선박의) 충돌. ③ (어떤 것을) 밑으로 깔고 오르기.

trompar *intr.* 팽이를 치다(jugar al trompo).

trompazo *m.* 구타 ; 충돌, 부딪침 : darse un ~ con la pared 벽에 부딪치다.

trompear *intr.* 팽이를 치다(trompar). —*tr.* ① 《*Amér.*》 때리다, 구타하다(dar trompadas). ② 《*Méx.*》【속어】 먹다(comer).

trompero, ra *adj.* 거짓의 : el amor ~. —*m.f.* 팽이 만드는 사람.

trompeta *f.* ① 트럼펫 ; (군대의) 나팔(clarín) : ~ bastarda 군대의 고음(高音) 나팔. ② 《*Arg. Bol.*》 (송아지에게 물리는) 재갈(bozal). ③ 《*Méx.*》 취기. —*m.* ① 나팔수. ② 변변치 못한 사람(persona despreciable o sin valor). ③ = **borracho.**
~ *de amor* 【식물】 해바라기(girasol).

trompetada *f.* 말을 하나마나한 일, 빤한 일, 어리석은 일(clarinada).

trompetazo *m.* ① (트럼펫 등의) 엉뚱한 소리. ② 나팔로 때리기. ③ 어리석은 일 · 짓(trompetada, clarinada).

trompetear *intr.* 나팔을 불다(tocar la trompeta).

trompeteo *m.* 나팔 불기 ; 나팔 소리.

trompetería *f.* 나팔대(隊) ; 오르간의 파이프(의 전체).

trompetero *m.* ① 나팔 제조 업자. ② 나팔수. ③【어류】 나팔 고기《입이 나팔처럼 생긴 고기》. ④【조류】(베네수엘라산의) 아름다운 소리를 내는 참새 비슷한 새.

trompetilla *f.* [*dim.* trompeta] ① 작은 나팔. ② 보청기(~ acústica). ③ 필리핀제의 궐련의 일종.
de ~ 앵앵거리는 (모기).

trompetista *m.f.* 트럼펫 연주자.

trompeto, ta *adj.* 《*Méx.*》 만취된, 술에 취한(borracho).

trompezar *intr.* 【고어】 =**tropezar.**

trompezón *m.* 【고어】《*Amér.*》 =**tropezón.**

trompicadero *m.* 좌절시키는 곳.

trompicar *tr.* ⑦ ① 세게 부딪치게 하다(hacer tropezar). ② 망설이게 하다. —*intr.* 여기저기 · 닥치는대로 부딪치다 : *Trompicó* al subir por la escalera.

trompicón *f.* =**tropezón, mojicón.**

trompilla *f. dim.* trompa.

trompilladura *f.* =**trompicón.**

trompillar *tr. intr.* =**trompicar.**

trompillón *m.* [*fr.* trompillon]【건물】 홍예머리.

trompis *m.* =**trompazo, puñetazo, golpe.**

trompiscón *m.* 《*Venez.*》 =**trompezón.**

trompito *m.* =**garbanzo.**

trompiza *f.* 《*Amér.*》 =**pugilato.**

trompo *m.* ① 팽이(peón) ; (원뿔꼴의) 팽이 채로 돌려서 치는 팽이(peonza). ②【동물】 소라. ③ 얼뜬 사람, 바보, 멍청이.
~ *enrollado* 《*Venez.*》 미리 준비했던 연설 ; 수작을 꾸미기, 음모.
ponerse como un ~ · *hecho un* ~ 과식 · 과음하다(comer · beber hasta hartarse).

trompón, na *adj.* 《*Col.*》 코 끝을 불쑥 내민(hocicón). —*m.* [*aum.* trompo] ① 큰 팽이. ② 《*Can. Amér.*》 구타(trompazo, golpe, trompada). ③【식물】 수선(narciso).

trompón (a · de) *adv.* 무질서하게, 난잡하게(sin orden ni concierto) : hacer una cosa de ~.

trompudo, da *adj.* 《*AmérC. Ant. Arg.*》 코끝이 불쑥 나온(jetudo, jetón).

trona *f.* 탄산 소다광(鑛).

tronada *f.* 요란한 천둥 소리, 뇌명(雷鳴), 뇌우(雷雨).

tronado, da *adj.* 오래 써서 해진 · 닳은 · 부서진 ; 파산된.

tronador, ra *adj.* 천둥치는 ; 요란하게 울리는(듯한) : cohete ~ 뇌성 꽃불. —*f.* 《*Méx.*》 = **begonia.**

tronamenta *f.* 《*AmérC. Col.*》 =**tronada.**

tronante *adj.* =**tronador.**

tronar *intr.* ㉔ [*lat.* tonare] ① 천둥치다 : *Está tronando* 천둥이 치고 있다. *Tronó* toda la noche 밤새도록 천둥이 울렸다. ② 요란하게 울리다 : *Truena* el cañón 대포 소리가 요란하다. ③ 호통을 치다, 모질게 비난하다 : ~ contra el vicio. ④ 파산하다(arruinarse). ⑤ [+con : … 와] 사이가 틀어지다, 언짢은 사이가 되다. ⑥ 《*Méx.*》 사살하다.
~se 파산하다(arruinarse).
por lo que pueda ~ 어떤 일이 있더라도 : Lo llevaré *por lo que pueda* ~ 어떤 일이 있더라도 그를 데리고 가겠다.
[직설법 현재 : trueno, truenas, truena, tronamos, tronáis, truenan].

tronazón *m.* 《*AmérC.*》 =**tronada.**

tronca *f.* =**truncamiento.**

troncal *adj.* ① 줄기의, 기간(基幹)의, 줄기로부터 나온. ② (가계의) 종손 집안의.

troncalidad *f.* (가계의) 종손 집안으로 있는 일 ; 재산이 종손 집안에 귀속하는 일.

troncar *tr.* ⑦ =**truncar.**

troncha *f.* 《*AmérM.*》 토막, 단편(tajado) ; 발굴물.

tronchado, da *adj.* tronchar의 *p.p.*

tronchar *tr.* ① (강한 힘으로) 부러뜨리다, 격파하다 : El viento *tronchó* el árbol 나무가 바람으로 부러뜨려졌다.
~se 《*Col.*》 발을 꼬다.

tronchazo *m.* troncho로 때리기.

troncheo *m.* 《*Perú.*》 발굴물.

troncho, cha *adj.* 《*Arg.*》 =**trunco.** —*m.* ① (야채 따위의) 줄기, 장다리. ② 조각, 단편(trozo, pedazo).

tronchudo, da *adj.* 줄기가 굵고 긴, 장다리가 돋은.

tronco *m.* [*lat.* truncus] ① 줄기, 몸체, 몸통,

동체(胴體); 주간(柱幹); 간동맥(幹動脈), 간선(幹線). ② 공통의 선조. ③ 두 필이 끌게 된 마차. ④ 신경이 무딘 사람. ⑤《*Ecuad.*》(야채에서 나온) 장다리. ⑥《*Perú.*》【속어】 솔(sol)《페루의 전 화폐 단위》. ⑦ 가계(家系) : Su mujer procede de un viejo ～ 그의 아내는 오랜 집안 출신이다.

～s de cono 원추대(円錐台).

dormir como ～s; *estar hecho un ～* 정신없이 자고 있다(estar muy dormido); 곤하게 자다(dormir porfundamente).

tronco, ca *adj.* =**truncado.**

troncocónico, ca *adj.* 잘린 원뿔대(cono truncado) 모양의.

troncón *m.* [*aum.* tronco] 굵은 줄기; 잘린 그루터기(tocón); 동체(胴體).

tronera *f.* ① 총안(銃眼). ② 좁고 길게 낸 작은 창문. ③ 종이를 접어 딱 소리를 내게 한 어린이 장난감. —*m.f.* 엉터리, 바람둥이 : ser un ～.

tronerar *tr.* (…에) 총안(銃眼)을 내다(atronerar).

tronerilla *f. dim.* tronera.

tronero *m.* 적란운(積亂雲)(cúmulo).

tronga *f.* 첩, 정부; 매춘부, 매음부, 갈보.

trónica *f.* 소문, 풍문; 낭설, 거짓말.

tronido *m.* ① 천둥, 우뢰(trueno), ②【상업】 파산. ③《*And.*》 방종한 생활. ④【방언】 자랑해 보이기(ostentación).

tronío *m.* 【속어】 자랑해 보이기, 우쭐거림, 거만스러움.

tronitoso, sa *adj.* 우뢰 같은, 울려 퍼지는(atronador).

trono *m.* [*lat.* thronus] 옥좌, 왕좌; 왕위, 성좌(聖座); 봉안(奉安)의 자리.

—*pl.* 천사의 9위(位) 중의 제3위.

tronquero, ra *adj.* 《*Arg.*》 두 필의 마소가 끌게 되어 있는.

tronquillo *m.* 책표지의 장식용 금속 세공.

tronquista *m.* 마차(tronco)의 마부.

tronquito *m. dim.* tronco.

tronzador, ra *adj.* 부수는, 쪼개는.

tronzar *tr.* ⑨ ① 쪼개다, 부수다, 산산 조각으로 만들다(romper, quebrar, tronchar); 가루로 만들다; 녹초가 되게 하다(rendir). ② (스커트에) 작은 주름을 내다.

～se 지치다, 피로하다, 기진 맥진하다, 녹초가 되다.

tronzo, za *adj.* (폐마의 표적으로) 귀를 자른.

tropa *f.* ① 집단, 무리; 인파(muchedumbre); 패거리 : en ～ 떼지어, 어수선하게. ② 군대, 부대 : Ayer llegó la ～ a la ciudad. ③《*AmérM.*》 짐승 떼, 가축 떼(recua); 대상(隊商)(cáfila). ④ *pl.* 군대. ⑤《*Cuba. Méx.*》 망나니.

～ de asalto 돌격대. *～ de línea* 정규군, 상비군. *～ de marina* 해병대. *～ de franca* 부정규군, 게릴라 부대. *～ ligera* 유격대. *～ regular* 정규군.

tropear *intr.* 《*Riopl.*》 짐 실은 짐승 떼를 몰다.

tropel *m.* ① 낭패, 당황함. ② 웅성거림; 어수선한 것 : ¿Por qué hay tanto ～ en la calle? 왜 거리가 저렇게 혼잡스럽습니까? ③ 분대, 분견대. ④【은어】 감옥, 형무소, 교도소.

de ～, en ～ 웅성웅성하여, 왁자지껄하게; 오합지졸로, 무질서하게(sin orden ni concierto) : Entraron en el almacén *en ～*.

tropelero *m.* 【은어】 들치기(salteador).

tropelía *f.* ① 죄짓는 일; 침범; 폭행, 폭력, 박해; 짓밟기(atropellamiento). ② 당황함, 당황하여 쩔쩔맴, 낭패; 웅성거림(tropel). ③ 요술, 기술(奇術).

tropelista *m.* 분대원; 요술사.

tropellar *tr.* 짓밟다, 밟다, 뭉개다.

tropeña *f.* 《*Ecuad.*》 출정하는 병사를 따라가는 여자.

tropeoláceo, a *adj.* 【식물】 금련화(金蓮花) 금련화과의. —*f.pl.* 금련화과 식물.

tropero *m. AmérM.* 짐승 떼의 몰이꾼, 짐을 실은 짐승을 몰고 가는 사람, 짐승 때의 안내원(guía de una tropa de ganado).

tropezadero *m.* 넘어지기 쉬운 곳, 미끄러운 곳.

tropezado, da *adj.* tropezar의 *p.p.*

tropezador, ra *adj. m.f.* 자꾸만 넘어지는·부딪치는 (사람) : caballo ～.

tropezadura *f.* [드뭄] 넘어질 듯하는 일, 좌절, 충돌.

tropezalona *adj.f.* 《*Perú.*》 방정맞은·경망스러운 (여자).

tropezar *intr.* ⑲ ⑨ ① [+con·contra·en : …에·과] 넘어질 듯하다 : ～ *con·contra·en* una piedra 돌부리에 채이다. La vieja *tropezó* y cayó al suelo 노파는 부딪쳐서 땅에 넘어졌다. ② [+con : …과] 부딪치다, 충돌하다 : *Tropezó* su proyecto *con* una gran dificultad 그의 계획은 일대 곤란에 직면했다. Estaba completamente a oscuras y *tropecé con* un poste 깜깜해서 나는 전주에 부딪혔다. ③ (결점 등을) 깨닫다, 알아채다, 걸리다 : *Tropecé en* muchos errores 여러 가지 잘못이 있어서 당황했다. ④ 우연히 만나다 : En el camino *tropecé con* él 도중에서 우연히 그를 만났다. Esta tarde *he tropezado con* su hijo 오늘 오후 나는 그의 아들을 만났다. ⑤ 실수하다 : En sus viajes *tropezó* varias veces 여행 중에는 많은 실수가 있었다. ⑥ 싸움을 하다.

～se 다리가 얽히다; 부딪치다.

tropezón, na *adj.* =**tropezador** : caballo ～.

—*m.* ① 넘어질 듯함; 충돌(tropezadura, tropiezo) : dar un ～. ② 방해물, 장해. —*pl.* 수프·야채를 섞은 햄 조각.

a ～es 들이대면서, 갈피를 못잡고 : Ella me habló *a tropezones.*

tropezoncico *m. dim.* tropezón.

tropezoncillo *m. dim.* tropezón.

tropezoncito *m. dim.* tropezón.

tropezoso, sa *adj.* 잘못하기 쉬운, 곧잘 넘어질 듯한.

tropical *adj.* ① 열대 (지방)의, 열대산의 : pez·planta ～ 열대어·식물. regiones *～es* 열대 지방. zona ～ 열대. ② 열대적인, 열대성의; 몹시 더운 : climas *～es* 열대성 기후. ③ 열성적인, 격렬한.

trópico, ca *adj.* [*gr.* tropikos] ① 비유의, 전의의(figurado). ② 회귀의 : año ～ 태양년, 회귀년《365일 5시 48분 46초》. —*m.* 회귀선; 하지 (동지)선. ～ de Cáncer 북회귀선. ～ de Capricornio 남회귀선. **—*pl.*** ① 열대 (지방). ②《*Ant.*》 곤궁(apuros) : pasar los ~*s* 고통을 겪다.

tropiece → **tropezar** ⑲ ⑨.

tropiezo[1] *m.* ① 넘어질 듯함 : dar ~ 넘어질 듯하다. ② 부딪침 ; 방해, 장해 ; 곤란 : El dio con un ~ impensado 그는 생각지도 않았던 장해에 부딪쳤다. Cuidado con dar un ~ y caerse 부딪쳐서 넘어지지 않도록 주의하십시오. ③ 실책, 과실(falta, error) ; 충돌, 다툼.

tropiezo[2] tropezar의 직·현·1·단수.

tropilla *f.* [*dim.* tropa] ①《*Arg.*》(안내 말을 따르는) 말의 무리. ②《*Chile.*》야마(llama)의.

tropismo *m.* 【생물】 (자극에 대한) 향성(向性), 추성(趨性) ; 【식물】 굴성(屈性).

tropo *m.* [*gr.* tropos]【수사】 비유 ; 전의(轉義), 말의 수사(修辭), 비유(적 용법)《metáfora, metonimia, sinécdoque의 총칭》.

tropología *f.* 비유법 ; 그 연구 ; 말씨의 비유적 용법, 비유적 의미 ; 도학적(道學的) 냄새.

tropológico, ca *adj.* 비유적인, 전의의 ; 도학적인, 고리타분한.

tropopausa *f.* 【기상】 권계면(圈界面), 대류 지면(對流止面)《성층권과 대류권 사이의 경계면》.

troposfera *f.* 【기상】 대류권《지구 표면에서 약 10~18km 높이의 대기층》(zona inferior de atmósfera).

troque *m.* 천의 본래의 빛깔을 알기 위해 염색하기 전에 꽁꽁 묶어 둔 부분.

troquel *m.* (화폐·메달 등의) 주형(鑄型).

troquelar *tr.* 《*Neol.*》 주조하다, (…에) 각인을 박다(acuñar) ; 틀에 넣어 자르다.

troqueo *m.* 【시어】 장단격, 강약격《예 : prado》.

troquílidos *m. pl.* 【곤충】 벌새 무리.

troquilo *m.* ①【건물】 오목 사개, 도르래 홈 모양(mediacaña). ②【조류】 악어새.

trotacalles *m.f.* 【단·복수 동형】 빈둥빈둥 노는 게으름뱅이(azotacalles).

trotaconventos *f.* 【단·복수 동형】 뚜쟁이(alcahuete).

trotada *f.* 구보(trote), 달리기(carrera) : dar una ~ 구보하다.

trotador, ra *adj.* ① 달리기 잘하는 : caballo muy ~ 잘 달리는 말. ② 뒤뚱뒤뚱 뛰는 듯이 걷는 (사람).

trotamundos *m.f.* 【단·복수 동형】 세계 유람을 좋아하는 해외 여행을 잘하는 사람.

trotar *intr.* ① (말이) 빠른 걸음으로 뛰다(ir al trote) : El caballo *trotaba* por el camino. ② 말을 빠른 걸음으로 가게 몰다. ③ 뒤뚱뒤뚱 뛰어가다. ④ (사람이) 무척 빨리 걷다(andar mucho y rápidamente).

trote *m.* ① 구보, 총총걸음, 종종걸음 : ~ cochinero 총총 걸음. Tú no te metas en esos ~*s* 너는 그런 바쁜 일에 관여하지 마라. ~ lento 터덜터덜 걷기. ② 뒤뚱뒤뚱 걷기 ; 약간 부산스러운 일 : Mi edad no es para andar en estos ~*s*.

a ~, ***al*** ~ 종종걸음으로, 총총히 ; 서둘러, 쉬지 않고(muy de prisa, sin parar) : Volveré *al* ~.

de·para todo ~ 일용의, 일상을 위해 : vestido *para todo* ~.

hacer entrar·meter en ~***s*** ; ***poner en los*** ~***s*** 어떤 습관에 젖게 하다, 훈련하다.

tomar el ~ 달려가다.

trotear *intr.* 【속어】 =**trotar.**

trotecillo *m. dim.* trote.

trotero *m.* =**correo.**

trotil *m.* =**trinitrotolueno.**

trotillo *m. dim.* trote.

trotinar *intr.* 《*AmérC.*》 =**trotar.**

trotón, na *adj.* 빠른 걸음으로 걷는 (말). **—*m.*** 말(caballo).

trotona *f.* 옆에서 시중드는 여자.

trotonería *f.* 언제나 빠른 걸음으로 달리는 일.

trotskismo *m.* 트로츠키주의.

trotskista *adj.* 트로츠키주의의. **—*m.f.*** 트로츠키주의자.

trova *f.* ① 시(詩), 노래(verso, poesía) ; 가사를 바꾸어 부르는 노래. ② (trovador가 지어서 노래한) 연가(戀歌). ③《*Cuba.*》 속임수, 거짓말, 오보(誤報)(filfa).

trovador, ra *m.f.* (중세의 남부 불란서 지방의 서정적인 경향으로 oc어를 쓴) 음유 시인(吟遊詩人) ; 시인(poeta).

trovadoresco, ca *adj.* 음유 시인적인.

trovar *intr.* [드묾] 시를 짓다(hacer versos). **—*tr.*** (어떤) 가사 바꾸어 부르기 노래를 짓다 ; 다른 의미를 붙인다.

trovera *f.* =**trovero.**

trovero *m.* (중세의 북부 불란서 지방의 서사적 경향으로 oíl 말을 쓴) 음유 시인(吟遊詩人).

trovista *m.f.* =**trovador.**

trovo *m.* (주로 연애를 노래한 옛날의) 속요.

trox *f.* =**troj.**

Troya *f.* 트로이《소아시아의 옛 도시》.

Ahí·allí·aquí fue ~ 거기에·저기에·여기에 어려움이·화근이 있다 ; 처참한 자취만이 남았다.

¡Arda ~ ***!*** 될 대로 되라 !

troyano, na *adj.* 트로이(Troya)의. **—*m.f.*** 트로이 사람.

troza[1] *f.* (판자를 켤 수 있도록 자른) 통나무 원목.

troza[2] *f.* [*ital.* trozza] 배의 밧줄.

trozar *tr.* ⑨ ① 갈갈이 찢다(hacer pedazos). ② (나무를 통째로) 자르다.

trozo *m.* ① 단편(斷片), 조각(pedazo, fragmento), 일각 : el ~ del parque 공원의 일각. Le di un ~ de carne 나는 그에게 고기 한 조각을 주었다. El niño jugaba con ~*s* de madera 아이는 나무 쪼가리를 가지고 놀았다. ② (작품의) 일부·일절·단편 : No entiendo este ~ del libro 책의 이 부분을 나는 이해하지 못한다. ③ (어떤 해역에 소속한) 선원(의 전체).

tru *interj.* 《*PRico.*》 돼지를 부르는 소리.

trúa *f.* 《*Arg. Bol.*》 취기(embriaguez) : estar en ~ 취해 있다.

truc *m.* [*ing.* track] =**plataforma.**

trucaje *m.* [*fr.* truquage] 트릭 영화·촬영.

trucar *intr.* ⑦ (truque 도박에서) 판을 벌이다 ; truco를 하다.

~se 《*SDgo.*》 도망쳐 달아나다.

trucha *f.* [*lat.* trocta ; *gr.* trôktkês] ①【어류】 송어 : ~ de mar 바다 송어(raño). ~ asalmonada 연어(salmón)처럼 살이 붉은 송어. ② 삼각 기중기(cabria). ③《AmérC.》노점, 구멍가게(tenducha). ④《Arg.》삐죽 내민 입 : estirar la ~ 입을 삐죽거리다, 화를 내다. ⑤《Méx.》= **chaira.** —*m.f.* 교활한 인간.

No se cogen ~s a bragas enjutas 【속담】무얼 얻기 위해서는 일을 해야 한다.

truchano *m.* 《Sor.》=**buche.**

truche *adj.* 《Col.》맵시 부린, 우아한(currutaco, elegante).

truchero, ra *m.f.* 송어잡이 (사람).

truchimán, na *m.f.* ① 통역(intérprete). ② 뻔뻔스럽고 교활한 사람(persona astuta y ladina).

truchimanear *intr.* 거간꾼·중매인으로 행동하다.

truchuela *f.* [*dim.* trucha] 작은 송어, 말린 대구.

trucidar *tr.* [*lat.* trucidar] ① =**despedazar.** ② =**matar.**

truco *m.* ① 책략, (외면적인) 눈속임(maña, habilidad). ② 당구의 일종 ; 일종의 카드 놀이. ③【방언】큰 방울·구슬. ④《Arg.》=**truque.** ⑤《Arg. Bol. Chile.》주먹(puñada). —*pl.* 당구의 일종.

como si dijera ~ 마이 동풍으로.

llamarse ~ 관여하지 않다(desentenderse de).

truculencia *f.* 잔인함, 잔혹함.

truculento, ta *adj.* 잔인성의, 인정 사정없는, 처참한, 잔혹한(atroz, cruel, terrible, excesivo) : un cuadro ~.

trué *m.* (옛날의 불란서계의) 질이 좋은 삼베.

trueco *m.* 물물 교환, 바터(trueque) : sistema de ~ 바터제.

a·en ~ de …의 조건으로.

trueno *m.* ① 천둥, 우뢰 ; 우뢰 소리 ; 울리는 소리·포성 : ~ gordo 꽃불의 맨 나중의 큰 폭음. ② 덜렁쇠.

gente del ~ 건달.

trueque *m.* 교환, 교역, 물물 교환, 바터. —*pl.* 《Col.》거스름돈.

~ de mercancías 바터, 물물 교환.

~ permuta 바터제.

sistema de ~ 바터제.

a·en ~ (de) (…과) 교환으로, 바꾸어, (…의) 대신(en cambio) : Le di un disco *a ~ de* este libro 나는 레코드를 주고 교환으로 이 책을 받았다.

trufa *f.* ①【식물】송로《버섯의 일종》. ② 거짓말, 속임수, 꾸민말(mentira, engaño) : contar ~*s* 거짓말을 하다.

trufador, ra *adj. m.f.* 거짓의, 허풍스러운 (사람).

trufaldín, na *m.f.* 【고어】어릿광대, 배우.

trufar *tr.* (새 요리나 그 밖에) 송로를 넣다·곁들이다. —*intr.* 거짓말하다, 눈속임하다.

trufera *f.* 송로(trufa)가 있는 땅.

trufeta *f.* 린넬의 일종.

truficultor, ra *m.f.* 송로 재배 업자.

truficultura *f.* 송로 재배업.

truhán, na *adj.* ① 뻔뻔스러운, 철면피한, 불량배 같은, 심술궂은(pícaro, bribón, tunante). ② 익살스러운, 우스꽝스러운(buhón, gracioso). —*m.f.* 불량배, 망나니 ; 익살꾼.

truhanada *f.* =**truhanería, bufonería.**

truhanamente *adv.* 뻔뻔스럽게, 철면피하게, 속임수를 써서.

truhanear *intr.* ① 속임수를 쓰다. ② 익살부리다.

truhanería *f.* ① 기만, 사기, 속임수 ; 네다바이(bribonada). ② 익살, 어릿광대 짓(bufonería, chanza).

truhanesco, ca *adj.* 약아빠진, 악랄한 ; 익살스러운.

truhanía *f.* 【고어】=**truhanería.**

truhanillo, lla *m.f.* 익살스런 광대.

truísmo *m.* 자명(自明)한 진리, 평범한 진실. **Sinón.** perogrullada.

truja *f.* (착유장 등의) 올리브 두는 곳.

trujal *m.* ① (포도·올리브 등의) 압착기 ; 착유장. ② (비누 공장에서 만든 것을 모아 두는) 항아리. ③【방언】포도의 압착장·밟는 곳 ; 포도를 발효하는 곳.

trujaleta *f.* 【방언】*dim.* trujal.

trujamán, na *m.f.* ① [드뭄] 통변, 통역자(intérprete). ② 노련한 사람.

trujamanear *intr.* ① (물물) 교환을 하다. ② [드뭄] 통역하다.

trujamanía *f.* 통역업(通譯業).

trujar *tr.* 방을 여럿으로 가르다.

trujillano, na *adj.* 뜨루히요의. —*m.f.* 뜨루히요 사람.

Trujillo *m.* 【지명】뜨루히요《꼴롬비아의 도시 ; 서반아의 서부의 도시 ; 뻬루의 La Libertad 주·시 ; 온두라스의 도시 ; 베네수엘라의 주·도시》.

trujimán, na *m.f.* =**trujamán.**

trulla *f.* ① 어수선한 인파, 군중. ② 소란, 웅성거림(bulla, turba). ③ (미장이의) 흙손(llana). ④《Col.》야유, 조소, 빈정거림.

trullada *f.* 《Ant.》=**trulla.**

trullar *tr.* 【방언】(벽을) 닦다.

trullista *m.f.* 【은어】열차 도둑.

trullo *m.* ① 포도 밟는 통 ; 그 포도를 받는 통. ②【조류】상오리《작은 종류의 오리》.

trumao *m.* 《Chile.》화산의 자갈땅.

truncadamente *adv.* 토막내어 ; 불완전하게.

truncado, da *adj.* ① (원추 등의) 머리·끝을 자른 ; 자른 모양의 : cono ~ 원뿔대. ② 싹둑 자른, 결손난, 흠이 있는, 불완전한, 병신이 되어버린(mutilado) : obra *~da* 단장(斷章)이 있는 작품.

truncamiento *m.* 끝 자르는 일 ; 불완전한 것으로 만드는 일, 거두 절미(去頭截尾).

truncar *tr.* ⑦ [*lat.* truncare] ① (…의) 머리·끝을 자르다, 잘라내다 ; (사람·동물의) 머리를 자르다(mutilar) : ~ una estatua. ② 병신으로 만들다 ; (문장·작품의) 주요부·일부를 없애버리다, 생략하다 : ~ el libro. ③ 용두 사미가 되게 하다, 거두절미하다.

trunco, ca *adj.* ① 없어진, 머리·일부분을 잘라낸, 병신이 된(truncado, mutilado). ②《Amér.》부족한, 불완전한(descabal, incompleto).

truncho, cha *adj.* 《Col.》=**rabón, trunco.**

trupial *m.* 【조류】(남미산의) 연작(燕雀).

trúpita *f.* =**borrachera, embriaguez.**

truque *m.* 카드 놀이의 일종.
truquero *m.* 당구대를 돌보는 사람.
truquiflor *m.* 카드 놀이의 일종.
trusas *f.pl.* ① (16 · 17세기에 유행된) 바지. ② 《*Cuba.*》 수영복(traje de baño, traje de playa).
trust *m. ing.* [*pl.* trustes] 트러스트, 기업 합동.
truste[1] *m.* =**trust.**
truste[2] *m. ing.* =**administrador.**
truyada *f.* 《*Amér.*》 군중, 대중.
tsar *m.* =**zar.**
tsetsé *m.* 【곤충】 체체파리.
T. S. H. telefonía·telegrafía sin hilo.
tu *pron.* [*pl.* tus] [제 2인칭 단수 소유격] 너의, 당신의, 자네의 : ~ casa 너의 집. ~ coche 너의 자동차 ~*s* casas 너의 집들 ~*s* coches 너의 자동차들. uno de ~*s* amigos 너의 친구의 한 사람. Aquí tienes ~ libro 네 책이 여기 있다. Ahí viene ~ hermano 저기 너의 동생이 온다.
tú *pron.* [*lat.* tu] [제 2인칭 단수 주격 인칭 대명사 ; 친한 사이, 하나님을 부를 때 쓰임 ; *pl.* vosotros] 당신, 자네, 너, 그대.
a ~ por ~ 조심없이, 버릇없이, 허물없이.
de ~ por ~ 친한 듯이.
hablar·tratar de ~ 반말로 통하다, 친하게 말하다, 사귀다(tutear).
más eres ~ 너 이놈 말 잘했다 ; 서로 으르렁거리기, 입씨름 : andar a *más eres ~* 마냥 입씨름을 하고 있다.
tualeta *f.* [*fr.* toilette] =**toilette.**
tuatúa *f.* 【식물】 아메리카산 등대풀의 일종 《하제를 얻음》.
tuáutem *m.* 요점, 없어서는 안될 것 · 사람. [*N.* 라틴어의 약자 : Tu autem, Domine, miserere nobis].
tub *m. ing.* 둥그런 목욕탕.
tuba *f.* ① 뚜바 《필리핀에서 야자로부터 따내는 즙액》. ② 【악기】 튜바 《저음의 큰 나팔》.
túbano *m.* 【방언】 담배, 궐련(tabaco, cigarro).
tuberáceo, a *adj.* 송로(trufa)의. —*f.pl.* 송로 닮은 버섯.
tuberculífero, ra *adj.* 결핵성의, (폐)결핵에 걸린.
tuberculiforme *adj.* 【식물】 괴경상(塊莖狀)의.
tuberculina *f.* 투베르쿨린 : reacción de ~ 투베르쿨린 반응.
tuberculínico, ca *adj.* 투베르쿨린의 : reacción ~*ca* 투베르쿨린 반응.
tuberculización *f.* 결핵 감염 ; 투베르쿨린 검사.
tuberculizar *tr.* ⑨ 투베르쿨린 검사를 하다. **~se** 결핵에 걸리다, 폐결핵을 앓다(volverse tuberculose).
tubérculo *m.* [*lat.* tuberculum] ① 【식물】 구근(球根), 괴근(塊根), 괴경(塊莖). ② 【해부】 종기 · 혹 모양의 돌기. ③ 【병리】 결핵, 결절(結節).
tuberculosis *f.* 【의학】 (폐)결핵.
tuberculoso, sa *adj.* ① 【의학】 결핵(성)의, 폐결핵의. ② 【식물】 괴근 · 괴경 · 구근 (모양)의 ; 괴근 · 괴경이 있는 : raíz ~*sa* 구근 뿌리. —*m.f.* 결핵 환자.
tubería *f.* ① [집합] 도관(導管), 관(管)(cañería) ; (가스 · 수도의) 배급망 : una ~ de gas. ② 인입선, 파이프 공장.
tuberosa *f.* 【식물】 수선. Sinón. nardo.
tuberosidad *f.* 종기, 혹(tubérculo).
tuberoso, sa *adj.* 혹 · 마디 · 괴근이 있는 (tuberculoso).
tubiano, na *adj.* 《*Arg.*》 두 가지 색깔의 큰 점이 박힌 말의 머리털(tobiano).
tubícola *adj.* 관 · 통(tubo) 속에서 사는 : anélidos ~*s.*
tubífero, ra *adj.* 관 · 파이프가 설비된.
tubiforme *adj.* 파이프 모양의.
tubo *m.* [*lat.* tubus.] ① 관(管), 파이프, 통 : un ~ de plomo 연관. un ~ de aspirinas 아스피린 한 통. ② (램프의) 등피. ③ 진공관.
~ *acústico* 송화관(送話管). ~ *capilar* 모세 혈관. ~ *de Braun* 브라운관. ~ *de Crookes* 크루크스관 《진공 방전관》. ~ *de ensayo* 시험관. ~ *de vacío* 진공관. ~ *digestivo* 소화 기관. ~ *electrónico* 전자관(電子管). ~ *fluorescente* 형광등. ~ *intestinal* 장(腸)(의 전체). ~ *jet* 분사(噴射) 추진 장치. ~ *termiónico* 열 이온관.
tubulado, da *adj.* =**tubuloso.**
tubuladura *f.* 관 · 파이프의 연결 부분 : una vasija de tres ~*s.*
tubular *adj.* 관(管)의, 관상(管狀)의 ; 관식(管式)의, 관으로 만들어진 : caldera ~ 다관식(多管式) 보일러.
puente ~ 관교(管橋).
tubulífloro, ra *adj.* 【식물】 관 모양의 꽃을 가진.
tubuliforme *adj.* 파이프 모양의.
tubuloso, sa *adj.* 【식물】 관상(管狀)의 : una flor de corola ~*sa.*
tucán *m.* 【조류】 뚜깐 《아메리카의 반금류의 새》.
Tucán *m.* 【천문】 뚜깐 별자리.
tucano *m.* 【조류】 =**tucán.**
tuche *m.* 《*Venez.*》 찌꺼기(residuo).
tucho, cha *m.f.* 《*Méx.*》 갈색의 균형이 잡히지 않는 사람.
tucía *f.* 【화학】 불순 산화 아연(atutía, tutía).
tuciorismo *m.* 【신학】 안전 제일주의.
tuciorista *adj.* (미심쩍은 일을 피해) 안전 제일주의의. —*m.f.* 안전 제일주의자, 안전파.
tuco, ca *adj.* 《*Amér.*》 한 쪽 손이 없는, 손가락이 없는. —*m.f.* ① 《*AmérC.*》 동명 이인(同名異人)(tocayo). ② 《*Amér.*》 =**manco.** ③ 《*Amér.*》 =**muñón.** —*m.* ① 《*Arg.*》 큰 개똥벌레(cocuyo). Sinón. alúa. ② 《*Perú.*》 부엉이(búho)의 일종. ③ 《*AmérC.*》(특히 손발의) 잘린 밑둥(muñón). ④ 《*Hond.*》 조각, 단편(fragmento, pedazo).
tucucho *m.* 《*Bol.*》 풍선.
Tucumán 【지명】 뚜꾸만 《아르헨띠나의 북서 지방에 있는 주;주도 San Miguel de Tucumán》.
tucumano, na *adj.* 뚜꾸만의. —*m.f.* 뚜꾸만 사람.
tucupiteño, ña *adj. m.f.* 뚜꾸삐따 《Tucupita, 베네수엘라에 있는 도시》의 (사람).
tucúquere *m.* 《*Venez.*》 【조류】 (칠레산의) 큰 부엉이(buho).
tucura *m.* 《*Bol.*》 큰 메뚜기(langosta grande).
tucurpilla *f.* 《*Ecuad.*》 【조류】 작은 호도애 《비

둘기과》.

tucusito *m.* 《*Col.*》【조류】 굴뚝새(curruca)의 일종.

tucuso *m.* 《*Venez.*》【조류】 벌새의 일종.

tucutuco *m.* 《*Arg.*》【동물】 두더지의 일종.

tucutuzal *m.* 《*Arg.*》 두더지(tututuco)가 판 땅.

tucuyo *m.* 《*Amér.*》 =**tocuyo.**

tuda *f.* 《*Zam.*》 (사람과 가축의 대피용) 산자락에 만든 동굴.

tudel *m.* (피리의) 혀, 부는 구멍.

tudelano, na *adj. m.f.* 뚜델라 《Tudela, 곳곳의 지명》의. **—***m.f.* 뚜델라 사람.

tudense *adj.* 뚜이《Túy, 곳곳에 있는 지명》의. **—***m.f.* 뚜이 사람.

tudesco, ca *adj. desp.* 독일의. **—***m.f.* ① 독일 사람. ② 대식가, 배가 터지도록 먹고 마시는 사람, 폭음 포식하는 사람 : beber como un ~ 걸신들린 것처럼·게걸스럽게 마시다. **—***m.* 독일식 외투.

tueca *f.* =**tueco.**

tueco *m.* (나무의) 줄기, 그루터기 ; 벌레가 파먹은 구멍.

tuera *f.* 《*Albac. Murc.*》 =**coloquíntida.**

tuerca *f.* 너트, 나사, 암나사 : ~ de oreja 나비너트.

~ ***hexagonal*** 국화 너트.

tuerce *m.* ① 꼬임, 비틀림 ; 뒤틀림 ; (근육의) 쥐(torcedura). ② 《*AmérC.*》 비운, 액운, 불행(desgracia).

tuero *m.* ① 땔감, 장작(leña). ② 걸쳐 놓는 데 쓰는 굵은 장작. ③ 《*Guat.*》 숨바꼭질(escondite).

tuertamente *adv.* =**torcidamente.**

tuertas (a) *adv.* 거꾸로, 비스듬히, 옆에서.

tuertear *tr.* 《*AmérC. Col.*》 =**entortar.**

tuerto, ta *adj.* [torcer의 *p.p.*]① 비꼬인, 비틀린, 뒤틀린 ; 굽은(torcido). ② 외눈의, 애꾸눈의 : Se quedó ~ 그는 애꾸가 되었다. **—***m.f.* 애꾸눈이 : Había un ~ y un cojo 애꾸눈이와 절름발이가 있었다. **—***m.* 모욕, 능욕(agravio). **—***pl.* 후진통, 훗배앓이, 후복통(entuertos, dolores de vientre).

a ~ 어거지로, 부정하게, 이치에 맞지 않게.

a ~ ***o a derecho*** 막무가내로, 틀려 있건 말건, 지각없이.

En tierra de ciegos, el ~ ***es rey*** 【속담】 호랑이 없는 곳에 토끼가 왕 노릇 한다.

tuerz- → **torcer** 25 1.

tuerza- → **torcer** 25 1.

tuest- → **tostar** 24.

tuesta → **tostar** 24.

tuesta *f.* 《*Ant.*》 취기 ; 구타(zurra).

tueste *m.* 태우는·굽는·그을리는 일(tostadura).

tuétano *m.* ① 골수(骨髓), 골, (뼈)속(médula) : Está enamorado de ella hasta los ~*s* 그는 그 여자한테 홀딱 반해 있다. Se empapó hasta los ~*s* 그는 흠뻑 젖었다. ② 마음속, 참마음.

tufarada *f.* 갑자기 코를 톡 쏘는 냄새, 강한 냄새 : Llegaban a la nariz fuertes ~*s* de azahar.

tufillas *m.f.* 성미가 급한 사람(persona irritable).

tufillo *m.* =**tufo, olor, vapor, perfume.**

tufo[1] *m.* [*gr.* tuphos] ① 기운, 더운 김 《아지랑이·연무 따위》(vaho) ; 연기 : el ~ de carbón. ② 냄새(olor). ③ 의심, 용의, 혐의(duda). ④ 거만함, 오만함, 우쭐거림, 빼김 : tener muchos ~*s.* ⑤ 《*Ecuad.*》 언짢은 맛(resabio).

tufo[2] *m.* [*fr.* touffe] 귀밑털의 머리칼(mechón de pelo).

tufo[3] *m.* [*lat.* tofus] 【광물】 응회암(toba).

tugar *intr.* 8 《*Ecuad.*》 =**arrullar.**
—*m.* 《*Chile.*》 장님찾기 (놀이).

tughrik *m.* 몽고(Mongolia)의 화폐 단위.

tugiense *adj.m.f.* 뚜히아 《Tugia, 현재 Jaén 주의 소도시 Toya》의 (사람).

tugurio *m.* ① 목동의 오두막(cabaña o choza de pastores). ② 누추한 방(cuartucho pequeño e incómodo).

tui *m.* 《*Arg.*》【조류】 작은 앵무새.

tuición *f.* 방위, 보호 ; 변호.

tuina *f.* 긴 저고리의 일종.

tuína *f.* =**tuina.**

tuitivo, va *adj.* 방위의, 보호하는 ; 변호하는.

tul *m.* 망사직 엷은 명주 그물 ; 잠자리채.

tula *f.* 《*Chile.*》【조류】 흰 백로.

Tula *hip.* Gertrudis.

tularemia *f.* 야토병(野兎病).

tulcaneño, ña *adj. m.f.* 뚤깐 《Tulcán, 에꾸아도르에 있는 도시》의 (사람).

tule *m.* 《*Méx.*》 ①【식물】 갈대. ② 《*CRica.*》 낡은 모자.

Tule *m.* (전설적으로 사람이 사는 것으로 믿어왔던) 북극의 나라.

tulenco, ca *adj.* 《*AmérC.*》 다리가 굽은. **—***m.f.* 다리가 굽은 사람.

tulipa *f.* 작은 튤립 ; (전등 등의) 튤립 모양의 유리갓.

tulipán *m.* ①【식물】 튤립, 울금향. ② 《*Ant.*》【희언】 삐소화(貨), 달러화.

tulipero *m.* 【식물】 튤립, 울금향.

tullecer *tr.* 31 '몸의·발의 힘이 빠지게 하다(tullir).
—*intr.*, **~se** 손발의 힘이 빠지다·저리다.

tullidez *f.* =**tullimiento.**

tullido, da *adj.* 몸·손발이 부자연스런. **—***m.f.* 수족이 부자연스러운 사람 : dar limosna a un ~ 몸이 부자연스런 사람에게 적선하다.

tullidura *f.* [주로 *pl.*] 맹금류의 똥.

tullimiento *m.* 몸이나 손발에 힘이 빠져 저려오는 일, 사지의 저림, 반신 불수.

tullir *tr.* 50 (몸·손발을) 부자연스럽게 만들다.
—*intr.* (맹금이) 똥을 누다.
~se (몸·손발이) 마비·불수가 되다·힘이 빠지다.

tulpa *f.* 《*Amér.*》 아궁이 돌.

tuluncona *f.* 나이든 여자.

tumba *f.* [*gr.* tymbos ; *lat.* tumba]① 묘(sepulcro, cementerio). ② (마차 등의 장방형 뚜껑 모양의) 지붕 : coche de ~ 상자 마차. ③ 의장차 등의 마부가 앉는 지붕의 덮개. ④ 잘못 구름, 비틀거림 ; 제비넘기 : dar ~*s.* ⑤ 《*Ant. Col. Méx.*》 (나무의) 절단, 벌채. ⑥ 《*Cuba. Riopl.*》 아프리카계의 북. ⑦ 《*Chile. Riopl.*》 맛없는 고기 토막. ⑧ 안달루시아의 춤의 일종.

tumbacuartillos *m.f.* 대폿집에 잘 다니는 술

꾼(borracho).

tumbadero *m.* ①《*Ant.*》(나무를) 벌목하는 곳. ②사창가, 사창굴, 매음굴. ③합류점.

tumbado, da *adj.* [tumbar의 *p.p.*] 쓰러진 ; (활처럼) 굽은, 휜 : coche · baúl ～. —*m.*《*Ecuad.*》천장이 없는 지붕.

tumbador, ra *adj.* 타도하는, 쓰러뜨리는. —*m.* 건축용 목재 절단자.

tumbaga *f.* 금과 동의 합금 ; (그) 반지(anillo).

tumbago *m.*《*Amér.*》=**tumbaga.**

tumbagón *m. aum.* tumbaga.

tumbal *adj.* 묘의 ; 묘비의, 묘소의.

tumbaollas *m.f.*【단·복수 동형】대식가, 대식한, 건식가.

tumbar *tr.* ①쓰러뜨리다, 타도하다, 굴리다(derribar) : No ～ 굴리지 말것. El viento *ha tumbado* el poste 바람이 그 전주를 넘어뜨렸다. El boxeador *tumbó* a su adversario al primer golpe 권투 선수는 상대방을 첫 일격으로 쓰러뜨렸다. ②기겁을 하게 만들다(turbar) : Le *tumbó* el aguardiente.
—*intr.* 구르다, 넘어지다, 쓰러지다 ; 배가 바닥을 땅에 대고 모로 쓰러지다.
～se ①드러눕다 : *Me tumbé* en la cama · el suelo 나는 침대·땅바닥에 드러누웠다. Déjame ～*me* junto al fuego que caliente muy bien 따뜻한 불 옆에 드러눕게 해주라. Estaba *tumbada* en la cama fumando 그녀는 침대에 드러누워서 담배를 피우고 있었다. ②(일을) 내팽개치다, 단념하다.

tumbesino, na *adj. m.f.* 뚬베스《Tumbes, 뻬루에 있는 주·도시》의 (사람).

tumbía *f.*《*AmérC.*》광주리, 바구니, 소쿠리.

túmbilo *m.*《*Col.*》=**calabazo.**

tumbilla *f.* 화로의 일종.

tumbitos *m.pl.*《*Amér.*》고기 토막.

tumbo *m.* ①ㄱ) 비틀거림 : dar ～*s* 중심을 못잡고 비틀거리다. ㄴ) 동요, 옆으로 흔들림(vaivén) : dar un ～. ②높은 파도, 파도(ondulación) ; (대지의) 기복. ③울리는 소리, 우렁차게 울림(retumbo). ④(교회·사원의) 기록 장부. ⑤《*Col.*》항아리, 단지, 깡통(tarro).
～ ***de dado*** 절박한 위험, 희망에 찬 모험.
～ ***de olla*** 냄비 요리에 세 요소 (국물·야채·고기) 가운데 하나 ; 냄비 요리의 남은 국물.

tumbón, na *adj.* 뱃속이 검은, 엉큼스러운(socarrón) ; 게으름뱅이의(perezoso). —*m.f.* 엉큼한 사람 ; 게으름뱅이. —*m.* 지붕이 상자 모양인 마차, 장궤. —*f.* 갑판 의자《범포로 된 접의자》.

tumbonear *intr.* =**hacerse el tumbón.**

tumefacción *f.* 부종, 부기, 부어오름(hinchazón) : La picadura de la oveja produce ～.

tumefacer *tr.* 부기를 일으키다.

tumefacto, ta *adj.* =**túmido.**

Tumen *m.* 두만강.

tumescencia *f.* =**tumefacción, hinchazón.**

tumescente *adj.* =**hinchado.**

túmido, da *adj.* ①부어오른 ; 속이 부풀은(hinchado). ②과장된.

tumo *m.* ①《*Ál.*》=**tomillo.** ②《*Ál.*》=**capa.**

tumor *m.* 종창(腫脹), 종기 ;【의학】종양(腫瘍).

tumorcico *m. dim.* tumor.

tumorcillo *m. dim.* tumor.

tumorcito *m. dim.* tumor.

tumoroso, sa *adj.* 종기가 생긴.

tumulario, ria *adj.* 묘의 ; 분묘의 : inscripción ～*ria* 묘비명(墓碑銘).

túmulo *m.* [*lat.* tumulus] 묘, 분묘 ; (묘의) 봉분(montón de tierra).

tumulto *m.* [*lat.* tumultus] ①법석, 소동, 떠들석함 ; 혼잡 ; 폭동, 난동(motín) : el ～ de las armas. ②격정(激情), (마음의) 산란 : el ～ de las pasiones. ③흥청거림(movimiento animado) : el ～ de los negocios.

tumultuante *adj.* 폭동·난동·격정을 일으키는.

tumultuar *tr.* ⑮ 폭동·난동을 일으키게 하다(promover tumulto) : ～ al pueblo.
～se 궐기하다, 난동을 부리다.

tumultuariamente *adv.* 시끄럽게, 떠들썩하게(con tumulto).

tumultuario, ria *adj.* 떠들석한 ; 난잡하게 떠드는, 소란한 ; (마음이) 동요한, 격앙된.

tumultuosamente *adv.* =**tumultuariamente.**

tumultuoso, sa *adj.* =**tumultuario, ruidoso.**

tun *m.*《*Guat.*》나무로 만든 북(tambor)의 일종. —*interj.*《*Amér.*》똑똑《문 두들기는 소리》.

tuna *f.* ①방랑 생활 ; 태만, 방종한 생활 : correr la ～ 놈팽이 생활을 하다. ②학생이 길을 누비며 걷는 걸음(estudiantina). ③【식물】사보텐, 선인장(nopal) ; 그 열매. ④뚜나《선인장의 일종, 모양이 서양의 배와 비슷함 ; 식용》, 인디언 무화과(higo, higuera de ～). ⑤《*AmérC. Col.*》가시(espina).

tunal *m.*【식물】사보텐, 선인장 ; 사보텐숲.

tunanta *adj. m.f.* =**pícara, bribona.**

tunantada *f.* 장난, 못된 짓, 무뢰한의 언동.

tunante, ta *adj. m.f.* 건달 (같은), 깡패(의) (pícaro, pillo, bribón).

tunantear *intr.* =**tunear.**

tunantería *f.* =**tunantada.**

tunantesco, ca *adj.* 건달 같은, 깡패의.

tunantuelo, la *adj. m.f. dim.* tunante.

tunar *intr.* 깡패 노릇을 하다, 타락하여 방종한 생활을 하다, 무뢰한·불량배가 되다(vivir holgazanamente, vagando).
～se《*Col.*》가시가 박히다(clavarse una espina).

tunco, ca *adj.*《*AmérC. Méx.*》싹뚝 잘린, 불구가 되어 버린, 불구의(trunco, mocho, manco). —*m.* ①《*AmérC.*》돼지(cerdo, cochino, puerco). ②《*Méx.*》(팔 등의) 잘린 밑둥.

tunda *f.* ①(천의) 잔털 깎기, 털 깎기. ②(몽둥이나 회초리로) 때리기(castigo de azotes, paliza, azotaina) : dar una ～ 한 대 때리다.

tundear *tr.* 되게 두들겨 주다.

tundente *adj.* 되게 두들겨 패는 ; 내출혈을 일으키게 하는, 타박상을 주는(contundente).

tundición *f.* 잔털 깎기(tunda de paño).

tundidor, ra *adj. m.f.* 잔털 깎는 (직공).

tundidora *f.* 보푸라기 깎는 기계 ; 잔디 깎는 기계.

tundidura *f.* 잔털 깎기.

tundir¹ *tr.* [*lat.* tondere] (천의) 잔털을 깎다, 가지런히 깎다 ; 깎다 : Hay que ～ la hierba del prado 목장의 풀을 깎아야 한다.

tundir² *tr.* [*lat.* tundêre] 때리다, 벌주다(golpear).

tundizno *m.* 깎아낸 잔털.

tundra *f.* (북 시베리아 등의) 툰드라, 동야(凍野), 동원(凍原), 동토대(凍土帶).

tunduque *m.* 《*Chile.*》 생쥐(ratón)의 일종.

tunecí *adj. m.f.* =**tunecino.**

tunecino, na *adj.* 뚜네스(Túnez)의. —*m.f.* 뚜네스 사람.

tunecío, cía *adj. m.f.* =**tunecino.**

túnel *m.* ① 터널, 굴; 지하도 : ~ subterráneo 땅굴. ② (광산의) 갱도(坑道). ③ (동물이 사는) 굴.

tunela *m.* =**tunante.**

tunera *f.* 【식물】 사보텐(higuera de tuna).

tunería *f.* =**tunantada.**

tunero *m.* 【식물】 =**tunera.**

Túnez 【지명】 튀니스 《아프리카 최북단에 위치한 Tunicia의 항구 도시》.

tunezar *intr.* 망나니 생활을 하다; 깡패처럼 굴다(vivir a lo tuno · a lo pícaro).

túngaro *m.* 《*Col.*》 (아메리카의) 두꺼비(sapo)의 일종.

tungo, ga *adj.* 《*Col.*》 싹뚝 잘린(trunco). —*m.* 《*Chile.*》(주로 소의) 목줄기(cerviz).

tungro, gra *adj.* 퉁그로족 《los tungros, 기원전 1세기 경 라인강 지방에서 건너온 게르만 민족》의. —*m.f* 퉁그로족.

tungstato *m.* 【화학】 텅스텐산염.

tungsteno *m.* 【화학】 텅스텐 《금속 원소; 기호 W; 번호 74》[*N.* 보통 이 말 대신 volframio를 씀].

túngstico, ca *adj.* 텅스텐의.

tungstita *f.* =**volframina.**

tungurahuense *adj. m.f.* 뚱꾸라우아 《Tungurahua, 에꾸아도르에 있는 주》의 (사람).

tunguso, sa *adj.m.f.* 동부 시베리아에 사는 몽고족(의).

túnica *f.* ① (고대 그리스 · 로마인의 소매가 짧고 무릎까지 닿는) 겉옷; (승려 등의) 긴 도포. ② 【해부】 박막(薄膜), 피막, 겉주머니. ③ 【식물】 종피(種皮), 내과피(內果皮), 씨껍질.
~ *de Cristo* 【식물】 흰독말풀.

tunicado, da *adj.* 겉막 · 겉주머니가 있는 : bulbo ~.

tunicela *f.* 승려의 도포, 법의(túnica).

Tunicia 【지명】 투니시아 《아프리카 북부 지역의 나라》.

túnico *m.* ① (무대에서 사용하는) 긴 옷, 겉옷. ② 《*Amér.*》 부인용의 휴식복. ③ 《*Chile.*》 승려복.

tunjano, na *adj. m.f.* 뚱하 《Tunja, 꼴롬비아에 있는 도시》의 (사람).

tunjo *m.* 《*Col.*》 인디오의 무덤에서 발견된 금붙이.

tuno, na *adj. m.f.* =**tunante.** —*m.* 《*Col. Cuba.*》 무화과의 열매(tuna).

tunoso, sa *adj.* 《*Col.*》 가시투성이의(espinoso).

tuntún (al) *adj.* 아무 준비없이; 확신없이(sin reflexión, a lo que salga). —*m.* 《*Col.*》 =**fiebre.**

tuntunita *f.* 《*Col.*》 귀찮은 반복.

tuñeco, ca *adj.* 《*Venez.*》 =**baldado, tullido, manco.**

tupa *f.* ① 그물 · 피륙을 촘촘하게 짜는 일. ② 배가 부름, 만복(滿腹)(hartazgo). ③ 【식물】 《*Chile.*》 (큰 꽃이 피는) 뚜빠. ④ 《*Col.*》 부끄럼타기.

tupaya *f.* 【동물】(필리핀산의) 다람쥐 무리.

tupé *m.* ① 이마의 머리(copete) : llevar ~. ② 뻔뻔스러움, 철면피 : tener mucho ~ 무척 뻔뻔스럽다.

tupí *adj.* 뚜삐족 《브라질 북부의 토착 종족》의. —*m.f.* 뚜삐 사람. —*m.* ① 뚜삐말. ② 커피 가게; 음료수 판매소.

tupia *f.* 《*Col.*》 댐, 저수지, 둑.

tupiar *tr.* ⑪ 《*Col.*》 (물을) 흐리지 못하게 막다.

tupiceño, ña *adj. m.f.* 뚜삐사 《Tupiza, 볼리비아에 있는 도시》의 (사람).

tupición *f.* ① 《*Ant.*》 (피륙, 망 등의) 올이 촘촘함. ② 《*Bol.*》 초목의 무성함(espesura). ③ 《*Chile.*》 많음, 다량, 다수, 풍부, 가득참(multitud).

tupido, da *adj.* [tupir *p.p.*] ① (피륙 · 편물의) 올이 · 코가 촘촘한(espeso) : tela muy ~*da.* ② 《*Chile.*》 가득 찬, 다량의, 풍부한, 풍족한, 풍성한(abundante). ③ (감각이) 무딘. ④ 《*Amér.*》 (구멍 등이) 막힌(cerrado de mollera).

tupí-guaraní *adj. m.f.* 《구아야나스(Guayanas)에서 아르헨띠나의 북동쪽까지 살았던》 원주민(의).

tupín *m.* 【방언】 세 발 달린 냄비(marmita de tres pies).

tupinamba *m.* 【식물】 =**tupinambo.**

tupinambá *adj. m.f.* (브라질의 대서양 해안에 살았던) 뚜삐족(tupí)의 (사람).

tupinambo *m.* 【식물】 뚱딴지, 돼지감자 《국화과의 다년초》(aguaturma).

tupir *tr.* 피륙의 올 · 그물의 눈을 촘촘하게 짜다 : ~ una tela.
~se ① 올이 촘촘해지다; 나무가 무성하게 우거지다. ② 배가 가득 차다, 배가 부르다, 포식하다(hartarse, llenarse de una cosa). ③ (감각 · 머리가) 둔해지다, 멍해지다. ④ 《*Col.*》 당혹하다, 부끄러워하다, 당황하다(avergonzarse).

tupirca *f.* 《*Chile.*》 =**cupilca.**

tupitaina *f.* 《*Extr. Sal.*》 만복(滿腹), 배부름(hartazgo).

tuqueque *m.* 《*Venez.*》 도마뱀(lagarto)의 일종.

tuquiar *tr.* ⑪ 《*Col.*》 막다, 막히게 하다; 차단하다, 방해하다(obstruir).

turaní *adj.m.f.* =**turanio.**

turaniense *adj.m.f.* =**turanio.**

turanio, nia *adj.* ① 투란 《el Turán, 옛날 중앙 아시아의 한 지방》의. —*m.f.* 투란 사람. ② 투란말, 우랄 알타이어.

turba¹ *f.* [*alem.* torf] 이탄(泥炭), 토탄; 분탄.

turba² *f.* [*lat.* turba] 군집(群集), 떼, 무리, 어중이떠중이, 군중(multitud, trulla) : una ~ de mendigos 거지의 떼.

turbación *f.* 혼란, 소란, 요란, 소요, 동란(confusión); 동요; 당혹, 무질서, 심란함(desorden).

turbadamente *adv.* 당혹하여(con turbación) : responder ~.

turbado, da *adj.* [turbar의 *p.p.*] 소란한 ; 당황하는.
turbador, ra *adj. m.f.* 어지럽히는, 혼란·소란하게 하는, 마음을 산란하게 하는 (사람·것) : la noticia ~*ra.*
turbal *m.* 이탄전(泥炭田).
turbamiento *m.* =**turbación.**
turbamulta *f. desp.* =**muchedumbre.**
turbante[1] *adj.* turbar의 *p.p.*.
turbante[2] *m.* [*turco.* dulband] (인도 사람 머리의) 터번.
turbar *tr.* [*lat.* turbare] ① 어지럽히다, 어지럽게 하다, 혼란하게 하다(alterar) : ~ el orden·el silencio 질서를 어지럽히다, 고요를 깨뜨리다. Fue acusado por *haber turbado* el orden público 그는 공공 질서를 어지럽혔기 때문에 고발당했다. Hasta entonces nada *turbaba* la paz del lugar 그 때까지 마을의 평화를 어지럽히는 일은 아무 것도 없었다. ② 흐리게 하다, 혼탁하게 하다(enturbiar) : ~ el licor. ③ 당혹시키다 ; 마음을 동요시키다 : La desgracia nos *turbó* el ánimo 불행이 우리의 마음을 동요시켰다. Me *turbó* mucho la noticia 나는 그 소식에 당황했다. Le *turbó* la repentina presencia de la madre 모친의 돌연한 출현이 그를 당혹케 했다. **~se** ① 흐트러지다, 혼란해지다. ② 흐려지다. ③ 당혹하다, 심란해지다 ; 마음이 산란해지다, 마음이 어지러워지다.
turbativo, va *adj.* ① 혼란의, 소요를 일으키는, 불온한. ② 불법의 : posesión ~*ra* 불법 취득.
turbera *f.* 이탄전(泥炭田).
turbia *f.* (흐르는 물이) 탁함, 혼탁.
turbiamente *adv.* 흐리게, 혼탁하게 ; 막연하게.
turbidez *f.* (물이) 탁함, 흐림.
túrbido, da *adj.* =**turbio.**
turbiedad *f.* 혼탁 ; 개운치 않은 일, 시원스럽지 못한 일.
turbieza *f.* 흐리게 하는 일, 흐림 ; 머리가 멍해지는 일, 눈이 가물가물해짐(turbulencia) ; 암흑, 어둠(obscuridad).
turbina *f.* ① 물레방아. ② 【기계】 터빈 : ~ a gas 가스 터빈. ~ de vapor 증기 터빈. ~ hidráulica 수력 터빈.
turbinado, da *adj.* 거꾸로 세운, 원추형의 ; 나선·소용돌이 모양의.
turbinita *f.* 【조개】 고리조개.
turbino *m.* 야라파 《turbit의 뿌리, 하제》.
turbinto *m.* 《*Perú.*》 【식물】 테레빈 : Con las bayas del ~ se hace una bebida agradable.
turbio, bia *adj.* (혼)탁한, 흐린 : El agua está ~*bia* 물이 흐리다. Contemplaba si el río venía ~ o claro 나는 냇물이 흐려 (흐르고) 있는가 맑은가를 바라보았다. ② 불명료한, 시원스럽지 못한, 수상쩍은, 개운하지 못한 : un negocio ~. ③ 막연한(confuso) : expresión ~*bia.* ④ 혼란된 : período ~. ⑤ (사람·물이) 미지근한 : agua ~*bia* 미지근한 물. persona ~*bia* 미지근한 사람. **—***m. pl.* (주로 술의) 무거리(heces).
turbión *m.* ① 강풍우, 스콜, 몰아치는 집중 호우(chaparrón). ② 쇄도(殺到), 와 밀려오는 것.
turbit *m.* [*pl.* turbites] 【식물】 야라파 《동 인도산의 약용 식물》; 그 뿌리(turbino). ~ *mineral* 황색 유산홍.
turbo- *pref.* turbina의 뜻의 접두어 : *turbo*motor, *turbo*rreactor.
turbocompresor *m.* 터보 압축기.
turbogenerador *m.* 터빈 발전기.
turbohélice *m.* 터보 프롭식 《제트 엔진기》.
turbonada *f.* ① 뇌우(雷雨)(aguacero, lluvia violenta, chaparrón). ② 《*Arg.*》 강풍(vendaval).
turbopropulsión *f.* 터보 추진.
turbopropulsor *m.* 터보 프롭식 《제트 엔진기》.
turborreacción *f.* 터보 반동.
turborreactor *m.* 터보 제트 엔진 《con inversor de empuje 역추진부(附)》.
turborretropropulsión *f.* 터보 제트 추진(력).
turbulencia *f.* ① 혼탁. ② 떠들썩함, 무질서, 소란, 격동, 혼란 : corregir la ~ de los niños.
turbulentamente *adv.* 탁하게, 흐리게, 어수선하게.
turbulento, ta *adj.* ① 탁한, 흐린(turbio). ② 어수선해진 ; 소란한, 시끄러운, 소란 피우기 좋아하는 : niño ~.
turca *f.* ① 취기(borrachera, embriaguez) : coger una ~ 술에 취하다. ② 《*Chile.*》 【조류】 (칠레산의 붉은 색이 도는) 꼬리 감춤새(tapaculo).
turco, ca *adj.* ① 터키(Turquía)의. ② 투르케스탄(el Turquestán)의. **—***m.f.* 터키 사람 ; 투르케스탄 사람. **—***m.* 터키어 : aprender el ~. *el gran* ~ 터키 황제.
turcomano, na *adj.* 투르코만 《페르시아 지방에 많이 사는 터키 민족》의. **—***m.f.* 투르코만 사람.
turcople *adj. m.f.* 터키인과 그리스인과 (혼혈아).
turdetano, na *adj.m.f.* 뚜르데따니아《Turdetania, 옛 서반아 남부 지방 ; 현재의 Huelva, Sevilla, Córdoba, Málaga, Cádiz 지방》의 (사람).
túrdiga *f.* 가죽끈, 가죽의 쪼가리.
turdión *m.* 서반아의 옛 춤의 일종.
ture *m.* 《*Ant. Venez.*》 낮고 조잡한 의자.
turf *m.* 경주장, 주로(走路) ; 경마.
turfista *adj. m.f.* 경마를 좋아하는 (사람).
turgencia *f.* 팽창, 부기, 부종 ; 부풀어 오르기 (hinchazón, tumefacción).
turgente *adj.* ① 부푼, 부은, 팽창된(abultado, hinchado). ② 격조 높은, 화려한 (문체).
turgescencia *f.* =**turgencia.**
turgescente *adj.* =**turgente.**
turgidez *f.* =**turgencia, hinchazón.**
túrgido, da *adj.* 【시어】 =**turgente.**
turibular *tr. intr.* 향로를 피우다, 향연(香煙)을 뿌리다.
turibulario *m.* =**turiferario.**
turíbulo *m.* 향로(incensario).
turicha *f.* =**turufial.**
turiego, ga *adj.* 《*Venez.*》 술취한.
turiferario *m.* ① 향로를 받들고 가는 사람. ② 아첨쟁이(adulador).
turífero, ra *adj.* 향이 들어 있는, 향을 풍기는.
turificación *f.* 향을 피우는 일.

turificador, ra *m.f.* 향로 담당자.
turificar *tr.* ⑦ 향을 피우다, 향으로 자욱하게 하다, 분향하다(incensar).
turión *m.* 【식물】 지하 줄기의 싹, 버섯 모양의 어린 싹 : Los espárragos son *turiones.*
turismo *m.* ① 관광, 관광 사업 : España dispone de admirables condiciones naturales para el ~ 서반아는 관광 여행에는 훌륭한 자연 조건을 갖추고 있다. ② [집합] 관광객. ③ 유람, 여행. ④ 자가용 자동차.
autobús de ~ 관광 버스. ***agencia de*** ~ 관광 대리점. ***visa de*** ~ 관광 비자.
turista *m.f.* 관광객, 유람객.
turístico, ca *adj.* 관광 (사업)의 : lugar ~ 관광지. Nuestro país es la segunda potencia asiática en materia ~*ca* 우리나라는 관광 면에서 아시아 제이의 강국이다.
turma *f.* ① 송로(松露). ②《*Col.*》 감자. ③ 불알, 고환(testículo).
~ ***de tierra*** 송로(松露)(criadilla de tierra).
turmalina *f.* 【광물】 전기석(電氣石).
turnar *intr.* 【속어】 바뀌다 ; 교체하다, 교대하다.
turnio, nia *adj. m.f.* ① 사시의, 사팔뜨기의(torcido). ② 눈매가 고약한 (사람).
turno *m.* ① 차례, 순서(tanda), 순번 : tocar el ~ a …의 차례가 오다. Aquella noche él estaba de ~ 그날 밤은 그가 당번이었다. Los niños van golpeando por ~ 아이들은 순서대로 때리면서 간다. ② 교체.
~ ***de día*** (주야 교대의) 낮근무. ~ ***nocturno · de noche*** 야근, 야근의 공원들. ***al*** ~ 차례로, 번갈아. ***a su*** ~ (자기) 차례가 되어(a su vez). ***por su*** ~ (자기) 차례에.
turolense *adj.* 떼루엘 《Teruel, 서반아 동부에 있는 주 · 시》의. —*m.f.* 떼루엘 사람.
turón *m.* 【동물】 스컹크, 족제비의 일종.
turonense *adj.* 뚜르 《Tours, 불란서의 도시》의, 뚜르에 관계되는. —*m.f.* 뚜르 사람.
turpe *adj.* =**torpe.**
turpial *m.* 【조류】 (남미산의) 연작(燕雀)(trupial).
turqués, sa *adj. m.f.* 【고어】 =**turco.**
turquesa *f.* ①【광물】 터키석(石). ② (탄환 등의, 또 일반적으로) 주형(鑄型)(molde).
turquesado, da *adj.* 짙은 남색의(turquí).
turquesco, ca *adj.* 터키의 ; 터키 풍인 : a la ~*ca* 터키 풍으로.
turquí *adj. m.* 짙은 남색(의) : azul ~.
turquía *f.* 【은어】 금화의 일종.
Turquía *f.* 터키 《공화국 ; 수도 Ankara》.
turquino, na *adj.* =**turquí.**
turra *f.* ①《*Ar. Seg.*》【식물】 백리향, 사향초속의 식물 《독풀》. ②《*Col.*》 =**tángano.**
turrada *f.* 《*Guat.*》 =**picatoste.**
turrar *tr.* 불에 볶다, 굽다(tostar, asar) : ~ almendras.
turria *f.* 《*Arg. Bol.*》 거리의 여자.
turriculado, da *adj.* ①【식물】 매우 길다란 원추형의. ②【조개】 원추 나사형의 (조개).
turril *m.* 《*Bol.*》 항아리, 단지.
turro, rra *adj.* 《*Arg.*》 어리석은. —*m.f.* ① 얼간이(estúpido). ②《*Arg.*》 불륜의 동서인. —*m.* 《*Col.*》 돌팔매 놀이 ; 그 돌맹이.
turrón *m.* ① 누가 (과자). ② 관직, 근무.
turronada *f.* 돌팔매질.
turronería *f.* 누가(turrón) 제조 공장 · 가게.
turronero, ra *m.f.* 누가 과자 만드는 사람 · 상인.
turrutín, na *adj. m.f.* 《*Col.*》 =**chiquitín, pequeñuelo.**
turulato, ta *adj.* 어리석은, 멍청한, 얼빠진, 멍한(alelado, atontado).
turulés *adj.* 강한 포도의.
turullo *m.* (목동들의) 뿔피리.
turumba *f.* 《*AmérC.*》 작은 컵(tarumba).
volver ~ 《*Amér.*》(누구를) 멍하게 만들다(atolondrar).
turumbón *m.* 혹, 종기, 부스럼(tolondrón).
turupial *m.* 【조류】 뚜루삐알 《열대 아메리카산으로 깃털 빛깔이 밝은 꾀꼬리류의 새》.
¡tus! *interj.* 개를 부르는 소리.
sin decir ~ ***ni mus*** 말 한마디 없이, 꿀먹은 벙어리처럼(sin decir palabra, sin chistar).
tusa *f.* ①《*Amér.*》 옥수수 속 《알을 뜯어낸 것》; 옥수수 껍질 ; 옥수수 잎으로 만 담배 ; 쓸모없는 것. ②《*Chile.*》 옥수수 수염 ; 말의 갈기. ③《*AmérC. Ant.*》 매춘부. ④《*Col.*》 송송 뚫린 구멍. ⑤《*Ecuad.*》 근심, 걱정. ⑥ 암캐 ; 암캐를 부르는 소리.
tusar *tr.* ①【고어】《*Amér.*》(머리칼 · 털을) 깎다(atusar, cortar el pelo, trasquilar). ②《*AmérC.*》 욕하다.
tusco, ca *adj. m.f.* =**etrusco, toscano.**
tusilago *m.* 【식물】 머위(fárfara).
tuso, sa *adj.* ①《*Col. Venez.*》 곰보 자국이 있는. ②《*PRico.*》 꼬리가 없는(rabón). ③ 털을 자른. —*m.* 【속어】 개(perro). —*interj.* 개를 부르거나 쫓을 때 내는 소리.
tusón, na *adj.* 《*AmérC.*》 꼬리 없는. —*m.* ① 산양 · 양의 털. ②《*And.*》 두 살 미만의 말.
tusona *f.* ① 매춘부, 매음부, 갈보, 창부, 창녀(ramera, pelandusca). ②《*And.*》 두 살 이하의 암말(yegua menor de dos años).
tusor *m.* 《*Neol.*》 명주의 천.
tussor *m.* =**tusor.**
tustusear *intr.* 【방언】 찾다, 뒤지다, 냄새를 맡고 다니다, 정탐하다, 엿보다, 살피다.
tuta *f.* 《*Ál. Sant. Vizc.*》 =**chito.**
tute *m.* ① 카드 놀이의 일종. ② 시간이 오래 걸리는 일.
tuteador, ra *adj.* 친밀하게 지내는.
tuteamiento *m.* =**tuteo.**
tutear *tr.* tú (너, 자네, 그대, 군)로 부르다, 친밀하게 지내다 : Vamos a ~ 친하게 지냅시다, 말을 놓고 지냅시다.
~se 서로 tú를 쓰다, 다정한 사이이다.
tutela *f.* 후견, 후견인으로 있는 일 ; 보호, 옹호 : ~ legítima 법정(法定)에 의한 후견.
tutelar[1] *adj.* ① 보호 · 수호의(protector) : genio ~ de la ciudad 마을의 수호신. ② 후견의, 후견인으로서의 : gestión ~.
tutelar[2] *tr.* 후견하다.
tuteo *m.* tú (너, 자네, 그대, 군)로 부르는 일, 너나 하는 사이, 다정한 사이, 막역한 사이.
tutía *f.* 【화학】 불순 아연산염(atutía).

tutilimundi *m.* ① 요지경(mundonuevo, cosmorama). ②《*Chile. PRico.*》 너나 없이, 누구나, 모두(todo el mundo).

tutiplén (a) *adv.* 많이, 충분히, 듬뿍, 실컷(en gran abundante, en abundancia, a porrillo, con exceso) : comer *a* ～ 실컷 먹다.

tuto *m.* ①《*Chile.*》 닭의 다리 살. ② (칠레산의) 우는 새.
a ～ 《*AmérC.*》 등에 지고.

tuto, ta *adj.* =**seguro.**

tutor, ra *m.f.* 후견인 ; 보호자. —*m.* (수목의) 버팀대(rodrigón).

tutoría *f.* 후견, 원호, 보호(tutela).

tutriz *f.* [드뭄] =**tutora.**

tutti-frutti *m. ital.* 《*Neol.*》 여러 가지 과일로 만들어진 아이스크림.

tutuma *f.* 《*Amér.*》【속어】 호박.

tutumito, ta *adj.* 《*AmérC. Col.*》 어리석은, 얼빠진(bobo).

tuturuto, ta *adj.* 《*Amér.*》 얼빠진 ; 술에 취한. —*m.f.* 《*Arg. Chile.*》 중매쟁이, 뚜쟁이.

tuturutú *m.* 나팔 소리.

tuve tener의 직·부정과거·1·단수.

tuviera tener의 접·불완료과거·1·3·단수.

tuvierais tener의 접·불완료과거·2·복수.

tuviéramos tener의 접·불완료과거·1·복수.

tuvieran tener의 접·불완료과거·3·복수.

tuvieras tener의 접·불완료과거·2·단수.

tuvieron tener의 직·부정과거·3·복수.

tuviese tener의 접·불완료과거·1·3·단수.

tuvieseis tener의 접·불완료과거·2·복수.

tuviésemos tener의 접·불완료과거·1·복수.

tuviesen tener의 접·불완료과거·3·복수.

tuvieses tener의 접·불완료과거·2·단수.

tuvimos tener의 직·부정과거·1·복수.

tuviste tener의 직·부정과거·2·단수.

tuvisteis tener의 직·부정과거·2·복수.

tuvo tener의 직·부정과거·3·단수.

tuya *f.* 【식물】 삼목, 히말리야 삼목.

tuyo *m.* 《*Chile.*》 =**ñandú.**

tuyo, ya *adj.* [*lat.* tuus] [제이인칭 단수 소유 형용사 완전형 ; 명사의 뒤에 붙음] ① 당신의, 자네의, 너의 : Toma lo que es ～ 네 것을 집어라. un amigo ～ 너의 한 친구. ② [관사와 함께, 소유 대명사로 됨] 너의 것 : *lo* ～ 너의 것. los ～*s* 너의 물건들, 친구들 ; 너의 가족들.

tuyu *m.* 《*Chile.*》【조류】 레아, 아메리카 타조(ñandú).

tuyuyú *m.* 《*Arg.*》【조류】 황새(cigueña)의 일종.

tuza *f.* 《*AmérC.*》【동물】 뒤쥐의 일종.
～ *real* 《*Méx.*》 기니아픽의 일종(agutí). **Sinón.** taltuza, cotuza, guatuza.

tuzar *tr.* ⑨ 《*Urug.*》 (머리카락·털을) 깎다.

tuzteco, ca *adj. m.f.* 뚜스떼꼬족 《멕시코의 한 종족》의 (사람).

TV televisión.

tweed *m. ing.* 트위드 《스카치 모직의 일종》.

two step *m. ing.* 폴카에서 파생된 아메리카 댄스. [*N.* 발음 : tu step].

txistu *m. vasco.* =**chistu.**

txistulari *m. vasco.* =**chistulari.**

tzeltal *adj.m.f.* 첼딸족 《멕시코의 원주민 중의 한 종족》의 (사람).

tzendal *adj. m.f.* =**tzeltal.**

tzinapu *m.* 《*Méx.*》 =**obsidiana.**

tzotzil *adj. m.f.* 쵸찔족 《멕시코의 Chiapas 주에 사는 한 원주민》의 (사람).

tzutuhil *m..* 츄뚜일족 《구아떼말라의 Atitlán 호수 남쪽에 정착해 있는 마야계 원주민》.

U

u[1] *f.* 우《서반아어 자모의 24번째 문자; 모음자로서는 5번째로 맨 끝 문자 (vigésima cuarta letra del abecedario castellano y última de sus vocales)》: La *u* es muda generalemente en las sílabas QUE, QUI, GUE, GUI.
~ ***consonante*** 문자 v를 가리킴.
~ ***valona*** 문자 w의 옛 명칭.
en U U자형으로.

u[2] *conj.* [접속사 o의 변형; o가 o- 혹은 ho-로 시작되는 말의 앞에 올 때는 음조 관계로 u가 됨]. 혹은, …나: siete ~ ocho 7이나 8. mujer ~ hombre 여자나 남자. plata ~ oro 은이나 금. Dentro de siete ~ ocho días quedará compuesto el reloj 시계는 7~8일이면 수선이 끝날 것이다.

U. urbano; usted.

uabaína *f.* 알칼로이드.

uateléfono *m.* 수중 청음기; 누수 검사기.

ubajay *m.* 【식물】 우바하이《아르헨띠나산의 도금양과의 과일 나무》; 그 과실.

ube *m.* 【식물】 우베 감자《필리핀산 참마과 식물》.

ubérrimo, ma *adj.* ① 아주 푸짐한; 아주 풍요·풍부한. ② 다산의; 비옥한 (muy fértil). ③ 아주 풍요하고 비옥한(muy abundante y fértil): campos *~s.*

ubí *m.* 《*Cuba.*》 등나무의 일종.

ubicación *f.* 정치(定置), 정주, 거주; 위치; 소재; 배치, 설치.

ubicar *intr.* ⑦ 《*Amér.*》 있다, 위치하다: La escuela *ubica* en la calle América 학교는 아메리카가에 있다. **—***tr.* 《*Amér.*》 차리다; (공간·정해진 장소에) 설치하다, 두다; 배치하다(situar); 배당·할당하다.
~se ① 위치하다. ② 《*Arg.*》 취직하다(colocarse).

ubicuidad *f.* (신의) 편재; 편재성.

ubicuo, cua *adj.* [*lat.* ubique] ① 모든 곳에 다 있는, 편재적인. ② 눈이 높은, 어디나 다 가고 싶어 하는.

ubio *m.* 《*And. Mancha. Pal. Seg.*》 멍에(yugo).

ubiquidad *f.* =**ubicuidad.**

ubiquitario, a *adj.* 그리스도 편재론의. **—***m.f.* 그리스도 편재론자.

ubre *f.* 유방, 젖.

ubrera *f.* 【의학】 아구창.

ucase *m.* (재정 러시아의) 칙령; 폭명(暴命): no obedecer un ~ imperial.

UCD Unión de Centro Democrático.

uchuva *f.* 《*Col.*》 앵두의 열매.

uchuvito, ta *adj.* 《*Col.*》 술취한 (borracho, ebrio).

uchuvo *m.* 《*Col.*》 앵두.

ucraniano, na *adj.m.f.* =**ucranio.**

ucranio, nia *adj.* 우크라이나《Ucrania, 러시아의 한 지방》의. **—***m.f.* 우크라이나 사람.

ucumari *m.* 【동물】 (뻬루산의) 곰(oso).

Ud. usted.

UDEAC Unión Aduanera y Económica del Africa Central 중앙 아프리카 관세 경제 동맹.

Udepista *m.f.* 민주 국민 동맹(UDP) 당원.

udómetro *m.* 우량계(pluviómetro).

UDP Unidad Democrática y Popular 민주 국민 동맹.

Uds. ustedes.

UEFA Unión de Asociaciones Europeas de Fúbol.

UEO Unión Europea Occidental.

UEP Unión Europea de Pagos.

uesnorueste *m.* 서북서(西北西); 서북서풍 (oesnorueste).

uessudueste *m.* 서남서; 서남서풍(oessudeste).

ueste *m.* 서쪽(oeste).

¡uf! *interj.* 아이구, 아아《피곤, 더위, 혐오를 나타냄》: *¡Uf!* ¡Qué calor! 아이구, 굉장히 덥다!

ufanamente *adv.* 우쭐해서, 자랑스레, 한창 신이 나서(con ufanía).

ufanarse *r.* [+con·de: …로] 기뻐 어쩔 줄 모르다, 자만하다, 우쭐하다, 뽐내다(engreírse, envanecerse, jactarse, gloriarse, enorgullecerse): *~se con·de* sus hechos.

ufanía *f.* 우쭐거림, 으시댐, 자랑, 자만(orgullo, vanidad).

ufar *tr.* 《*Sant.*》 훔치다(robar).

ufo (a) *adv.* 초대받지도 않았는데.

Uganda 【지명】 우간다《아프리카 동남부에 있는 공화국》.

ugandés, sa *adj.* 우간다의. **—***m.f.* 우간다 사람.

UGT la Unión General de Trabajadores 노동자 총연맹.

¡uh! *interj.* 아아《환멸감이나 경멸을 나타냄》.

U.I. unidad internacional 국제 단위.

UIA Unión Industrial Argentina.

UIAA Unión Internacional de Asociación de Alpinismo 국제 산악 연맹.

uistití *m.* 《*Méx.*》 =**tití.**

UIT Unión de Industrias Textiles de El Salvador.

ujier *m.* 문지기, 수위, 접수 담당자, 중개역; 집달리.

ukase *m.* =**ucase.**

ulaguiño *m.* 【식물】 개사철쑥《맥주 주조용으로 쓰임》(abrótano).

ulano *m.* (오스트리아·독일·러시아의) 창기병.

úlcera *f.* [*lat.* ulcera] ①【의학】 궤양, 종기 (llaga) : ~ duodenal 십이지장 궤양. ~ estomacal 위궤양. ② (나무의) 부패(병).
ulceración *f.*【의학】 궤양, 부스럼(úlcera, llaga) ; 궤양화.
ulcerante *adj.* 궤양이 생기게 하는.
ulcerar *tr.* 궤양이 생기게 하다 (causar úlcera, llagar) : ~ la piel.
~se 궤양이 생기다, 궤양을 앓다 : tener un miembro *ulcerado.*
ulcerativo, va *adj.* 궤양이 생기게 하는.
ulceroso, sa *adj.* 궤양성의 ; 종기투성이의 : llaga *~sa.*
ulcoate *m.* 《*Méx.*》【동물】 독사.
ulema *m.* (회교도의) 법률 박사.
ulero *m.* 《*Chile.*》 (반죽한 것을 미는) 방망이.
ulex *m.*【식물】 바늘 금작화.
uliginoso, sa *adj.* 습지의, 늪지의 : plantas *~sas.*
Ulises *m.* 그리스 전설에서 Troya 전쟁의 용사 ; Itaca의 왕 ; 전쟁후 10년의 표류 생활 끝에 집으로 돌아옴.
ulitis *f.*【의학】 치경염.
ulluco *m.*【식물】 우유꼬 감자.
ulmáceo, a *adj.* 느릅나무(과)의. **—***f.pl.* 느릅나무과 식물.
ulmaria *f.*【식물】 조팝나무속 관목 ; 석잠풀.
ulmén *m.* 《*Chile.*》 (칠레 토인 사이의) 유지 (hombre rico o influyente).
ulmo *m.* 《*Chile.*》【식물】 장미과 식물.
ulpear *intr.* 《*Chile.*》 울뽀빵을 먹다.
ulpo *m.* 《*Chile.*》 울뽀빵 《찬물이나 가끔 설탕을 넣은 볶은 가루로 만드는 빵이나 마실 것》.
úlster *m. ing.* 긴 외투의 일종.
ulterior *adj.* ① 밖의, 해외의 : noticias *~es* 해외 정보. ② 뒤의, 후의. **Contr.** anterior.
ulteriormente *adv.* 나중에, 뒤에, 그 후에(después, más tarde, posteriormente).
ultílogo *m.* 후기(後記), 발문(跋文).
ultimación *f.* 완성, 완료 ; 최후.
ultimado, da *adj.* [ultimar의 *p.p.*] 완료 · 완성된 ; 최후의(último).
últimamente *adv.* 최후로(por último) ; 결국(al fin) ; 최근(recientemente).
ultimar *tr.* [*lat.* ultimare] 끝내다, 완료 · 완성하다, 결말을 짓다, 끝마무리하다 (acabar, finalizar, concluir, terminar).
ultimátum *m.*【단 · 복수 동형】 ① 최후 통첩. ②【속어】 최후의 결심.
ultimidad *f.* 최후.
último, ma *adj.* [*lat.* ultimus] ① 최후의, 마지막의 : ¿Quién fue el ~ de los reyes godos? 고드족의 마지막 왕은 누구였습니까? ② 궁극의. ③ 최근 · 최신의 : en estos *~s* cinco años 최근 5년 동안. *~ma* moda · novedad 최신 유행형. ④ 가장 으뜸 가는, 최상의 ; 최대한의 : el precio ~【상업】 최저 가격, 최고 가격.
a la ~ma 최신 유행의 ; 최신 유행에 따라서.
a ~s de …의 끝 쯤에 : Iré *a ~s de* enero 나는 1월 말쯤에 가겠다.
hasta lo ~ 최후까지, 최대 한도까지.
por ~ 최후로서, 최후에 : *Por ~* se decidió a contármelo 최후에 그는 나에게 그것을 말하기로 결심했다.
estar a lo · a los ~s · en las ~mas 최후 · 종말에 가까워지다 ; 죽어가다 ; (내용을) 세밀하게 알고 있다.
ult.º último.
ultra *adv.* [*lat.* ultra] 그 …이외에, 더우기, 그 위에, 게다가 (además de) : plus ~ 더 저쪽에.
ultra- *pref.* 「저쪽」「극단적으로」「초(超)…」「과(過)…」의 뜻을 나타내는 접두어 : *ultra*mar, *ultra*liberal.
ultracentrifugadora *f.* 초원심 분리기.
ultraconservador, ra *adj.* 보수(주의)의. **—***m.f.* 보수주의자.
ultracorto, ta *adj.*【물리】 초단파의.
ultraderechista *adj.* 극우파의, 과격주의의 : régimen ~. **—***m.f.* 과격 (우파)주의자.
ultrafamoso, sa *adj.* 지나치게 유명한, 말할 수 없이 유명한.
ultraideal *adj.* 이상적인, 이상의.
ultraísmo *m.* 초월주의 ; 과격주의, 과격론.
ultraizquierdista *adj.* 과격 좌익주의의. **—***m.f.* 과격 좌익주의자.
ultraizquierdo, da *adj.* 과격 좌익주의의.
ultrajador, ra *adj.m.f.* 모욕 · 폭행 · 훼손하는 (사람).
ultrajante *adj.* 모욕 · 능욕하는, 모욕적인.
ultrajar *tr.* ① 욕보이다, 폭행하다, 모욕하다 : ~ a un adversario vencido 패배한 적을 모욕하다. ~ de palabras 입에 담지 못할 소리를 하다. ② 더럽히다, 상처 입히다 : ~ a uno *en* la honra …의 명예를 더럽히다.
ultraje *m.* 욕보이기, 모욕, 폭행, 무법 : No puedo aguantar tal ~ 나는 그런 모욕을 참을 수 없다.
ultrajoso, sa *adj.* 모욕적인, 괘씸한, 방자한.
ultraliberal *adj.m.f.* 과격 자유주의의 (사람).
ultramar *m.* ① 해외 : Ministerio de ~ 식민성. El quiso establecerse en ~ 그는 해외에서 정착하고 싶어했다. ② 감청(紺靑), 군청(群靑) (azul de ~).
ultramarino, na *adj.* ① 해외의 : comercio ~ 해외 무역. ② 감청의, 군청의 : azul ~ 감청. **—***m.pl.* (수입) 식료품 : tienda de *~s* 수입 식료품점.
ultramaro *adj.* 감청의 : azul ~.
ultramicroscópico, ca *adj.* 초현미경적인, 극미한.
ultramicroscopio *m.* 초현미경.
ultramoderno, na *adj.* 초근대적인.
ultramontanismo *m.* 로마 교황의 지상권주의 ; 정치에 개입하는 교권.
ultramontano, na *adj.m.f.* ① 교황 지상권 주의의 ; 극단적인 보수주의자. ② 산 저 너머의.
ultramundano, na *adj.* 이 세상 밖의, 저 세상의 ; 세속에서 벗어난, 초속세의.
ultramundo *m.* 저승(ultratumba).
ultranación *f.* 초국가.
ultranacional *adj.* 초국가의.
ultranacionalismo *m.* 초국가주의.
ultranacionalista *adj.* 초국가주의의. **—***m.f.* 초국가주의자.
ultranza (a) *adv.* 단호히, 결사적으로, 필사적으로(a muerte).

U

ultrapasar *tr.* 《*Galic.*》 초과하다 ; 통과하다, 지나다(traspasar).
ultrapuertos *m.* 【단·복수 동형】 항외(港外) ; 항외의 것.
ultrarradical *adj.* 초급진파의 ; 초과격주의의.
ultrarrápido, da *adj.* 초고속의(muy rápido).
ultrarrealista *adj.m.f.* 왕당 극우파의 (사람).
ultrarrojo *adj.* 적외(선)의(infrarrojo).
ultrasecreto, ta *adj.* 극비의.
ultrasensible *adj.* 초감도의.
ultrasolar *adj.* 【천문】 태양계 밖의.
ultrasónico, ca *adj.* 초가청(超可聽)의, 초음속의, 초음파의(ultrasonido).
ultrasonido *m.* 【물리】 초음파 《주파수 2만 이상의 음》.
ultrasonido, da *adj.* =**ultrasónico.**
ultraterreno, na *adj.* 지구권 밖의.
ultraterrestre *adj.* 지구에서 먼 : el espacio ~ 지구에서 먼 우주.
ultratumba (de) *adv.* 저 세상에, 묘지의 저쪽에 : escuchar una voz *de* ~ 저승에서 들려오는 소리에 귀를 기울이다. Le pareció como si escuchase una voz *de* ~ 그는 마치 저승에서 들려오는 소리에 귀를 기울인 것 같았다.
ultraviolado, da *adj.* =**ultravioleta.**
ultravioleta *adj.* 【남·여 동형】 자외선의 : rayos ~*s* 자외선.
ultravirus *m.* 여과성 병원체, 극미한 병독(病毒) ; 초미 생물.
ultrazodiacal *adj.* 【천문】 수대외(獸帶外)의.
ultriz *adj.* 【고어】 보복하는.
—*m.f.* 보복자.
úlula *f.* 【조류】 부엉이.
ululación *f.* 부엉이 등의 울음 소리.
ulular *intr.* (부엉이 등이) 울다 ; 슬픈 소리를 내다 : El perro empezó a ~.
ululato *m.* 울음 소리, 탄식.
ulva *f.* 【조류】 파래, 김.
umbela *f.* [*lat.* umbella] 【식물】 산형화(繖形花).
umbelífero, ra *adj.* 미나리(과)의. —*f.pl.* 미나리과 식물.
umbilicado, da *adj.* 꼭지 모양의 ; 꼭지가 있는 (과일).
umbilical *adj.* 꼭지·배꼽의 : cordón ~ 탯줄.
umbráculo *m.* (식목 등의) 해 가리개.
umbral *m.* [*lat.* umbratilis] ① 문지방 ; (창문·입구의) 문턱. ② 초기. ③ 입구 : La niña está en los ~*es* de la juventud 그 소녀는 청년기가 됐다.
umbralada *f.* 《*Col. Chile.*》 =**umbral.**
umbralado *m.* 《*Col. Chile.*》 문지방(umbral).
umbraladura *f.* 《*Ecuad.*》 =**umbral.**
umbralar *tr.* (…에) 문지방을 대다.
umbrático, ca *adj.* [드뭄] 그늘지게 하는, 그늘의.
umbrátil *adj.* 그늘의, 응달의 ; 그늘지게 하는 (umbroso, sombrío) ; 모습이 있는.
umbría *f.* 그늘, 응달.
umbrío, a *adj.* 그늘·응달의, 어두컴컴한 (umbroso, sombrío).
umbroso, sa *adj.* [*lat.* umbrosus] 그늘진, 그늘을 이루는 : Me paseaba por una alameda ~*sa* 나는 그늘진 포플라 가로수길을 산책했다.
UMCA Unión Monetaria Centroamericana 중앙아메리카 통화 연합.
umeche *m.* 《*Bol.*》 목랍(木臘).
UN, U.N. *ing.* United Nations ; las Naciones Unidas 국제 연합.
un, una *art.* [부정 관사 ; *pl.* unos, unas] ① [단수형] 어떤, 하나의 ; [복수형] 약, 약간의, 몇몇의 : *un* muchacho, *una* muchacha, *unos* muchachos, *unas* muchachas. ② [개성 강조를 위해] 한 개의, 하나의 : ¡*Un* Avellaneda competir con *un* Cervantes! 아베야네다 따위가 세르반테스 같은 사람과 겨루다니 ! Es toda *una* novela 그야말로 한 편의 소설이다, 하나의 완벽한 소설이다.
una *adj. art. pron.* ① [수 형용사·부정 관사의 여성 ; 단수형] ㄱ) 어떤 : ~ mujer 어떤 여자. ㄴ) 하나의 : ~ semana 1주일. ② [여자가 은연중에 자신을 가리켜] 여자라는 것.
unalbo, ba *adj.* 다리 하나에 흰 반점이 박혀 있는 (말 따위).
Unamuno (Miguel de) 【인명】 우나무노 《98세대(la Generación del 98)의 서반아 작가(1864—1936)》.
unánime *adj.* ① 만장 일치의, 이구동성의 : Estuvieron ~*s* en censurarlo. ② 이의없는 (sin excepción) : ditamen ~.
unánimemente *adv.* 만장 일치로, 이구동성으로, 이의없이 : una proposición adoptada ~.
unanimidad *f.* 만장 일치, 합의 : por ~ 만장 일치로(unánimemente). Ellos adoptaron el sistema por ~ 그들은 만장 일치로 그 시스템을 채택했다.
unáu *m.* 【동물】 =**perezoso.**
uncia *f.* [*lat.* uncia] ① 고대 로마의 화폐. ② (고대 로마 법제에서) 유산의 12분의 1.
uncial *adj.* [*lat.* uncialis] 언샬 자체 《6·7세기에 쓰이던 대문자만의 자체》의 ; 고자체(古字體)의, 고활자의.
unciforme *adj.* 【해부】 갈고리 모양의 (뼈).
unción *f.* [*lat.* unctio] ① 도포(塗布), 도유(塗油). ② 【종교】 (임종의) 도유식(塗油式), 종부성사, 종유례(終油禮). ③ 경건한 생각 (piedad, sentimiento religioso profundo) : hablar con ~. —*pl.* 고약.
uncir *tr.* ② [*lat.* jungere] 멍에를 씌우다·매다 : ~ los bueyes al arado.
UNCTAD *ing.* Conferencia de las Naciones Unidas para·sobre el Comercio y Desarrollo.
uncu *m.* 《*Perú.*》 =**poncho.**
undante *adj.* 【시어】 =**undoso.**
undebé *m.* 집시의 신.
undecágono, na *adj.m.* 11각(의)(endecágono).
undécimo, ma *adj.* [*lat.* undecimus] 11번째의 ; 11등분의. —*m.* 11분의 1.
undécuplo, pla *adj.m.* 11배(의).
undísono, na *adj.* [*lat.* undisonus] 【시어】 물결 소리를 내는.
undívago, ga *adj.* 【시어】 물처럼 움직이는.
undoso, sa *adj.* 【시어】 물결을 일으키는, 파도치는 : un río ~.
UNDP Programa de Desarrollo de las Naciones

Unidas.

undulación *f.* ① 파동, 파도치기 ; 물결. ② 기복, 고저(desigualdad del terreno) : las ~*es* de una llanura 평원의 고저. ③ 【물리】 =**ondulación.**

undulante *adj.* 물결이 이는, 펄럭이는.

undular *intr.* ① 물결치다, 파도치다. ② 나부끼다, 펄럭이다(ondular).

undulatorio, ria *adj.* 파동의, 물결 모양의.

UNESCO *f.* la Organización de las Naciones Unidas para Educación, Ciencia y Cultura ; la Organización para la Educación, la Ciencia y la Cultura de las Naciones Unidas 유네스코, 국제 연합 교육 과학 문화 기구.

ungido, da *adj.* 성유를 받은. **—*m.*** 수고자(受膏者) : ~ del Señor 그리스도.

ungimiento *m.* 도포(塗布) ; 도유(塗油).

ungir *tr.* ④ [*lat.* ungere]① …에 기름을 바르다 : Los gladiadores *se ungían* los miembros con aceite 고대의 검투사들은 몸에 기름을 발랐다. ② 성유를 따르다(signar a una persona con óleo sagrado) : ~ a un enfermo.

ungueal *adj.* 손톱(uña)의.

ungüentario, ria *adj.* 연고의. **—*m.*** 연고 조제자·조제소 ; 고약 제조자·판매자.

ungüento *m.* [*lat.* unguentum] ① 고약 ; 연고. ② 향, 향유 (perfume) : Las momias egipcias se envolvían en vendas cargadas de ~*s.*
~ ***amarillo*** 꽃박하 고약《화농 촉진제》. ~ ***basilicón*** 로션 연고. ~ ***de soldado*** 수은 연고《화농 촉진제》. ~ ***mejicano*** (매수하기 위한) 뇌물 (mordida).

unguiculado, da *adj.m.f.* 발가락·발톱이 있는 (동물).

unguífero, ra *adj.* 손톱·발톱이 있는.

unguinoso, sa *adj.* 기름진, 기름이 많은(untuoso, grasiento).

unguis *m.* 【단·복수 동형】【해부】 안과골(眼窠骨), 누골(淚骨).

ungulado, da *adj.* 【동물】 유제(有蹄)의. **—*m.pl.*** 유제류.

ungular *adj.* 손톱 (모양)의.

uni- *pref.* 「단」「단일」의 뜻을 나타내는 접두어 (mono-). Contr. pluri-, multi-.

UNIARTE 《*Venez.*》 Unión Nacional de Industriales y Artesanos 전국 제조자 연합.

uniato *m.* (교황의 우월을 인정하는) 그리스의 기독교도 : los griegos ~*s.*

uniáxico, ca *adj.* ① 【물리】 단축(單軸)의. ② 【식물】 단경(單莖)의.

unible *adj.* 결합시킬 수 있는, 하나로 할 수 있는.

única de cambio 단독·단일 어음.

únicamente *adv.* ① 오직, 애오라지(exclusivamente) : pensar ~ en *su* deber 오직 부채만 생각하다. ② 무엇보다도 먼저, 우선 첫째로 (antes que todo) : querer ~ una cosa 무엇보다도 먼저 …을 원하다.

unicameral *adj.* (의회의) 단원제의 : sistema ~ 단원제. Contr. bicameral.

unicameralismo *m.* 단원제.

unicaule *adj.* 【식물】 단경(單莖)의.

UNICE Unión de las Industrias de la Comunidad Europea 유럽 공동체 산업 연맹.

Unicef ; UNICEF Fondo de la Infancia de las Naciones Unidas 유엔 아동 기금.

unicelular *adj.* 【생물】 단세포의 : animal ~ 단세포·원생 동물.

unicidad *f.* 유일, 단일.

único, ca *adj.* ① 유일한 : hijo ~ 외아들. ~ agente 단일 대리인, 총대리점. ~ concecionario 독점 판매인. Es hija ~*ca* 그녀는 외동딸이다. Fue la ~*ca* razón porque yo llegué tarde 그것이 내가 늦었던 유일한 이유였다. ② 독특한. ③ 진기한, 엉뚱한, 유별난, 괴짜 같은(singular, extraordinario) : acontecimiento ~ 엉뚱한 사건.

unicolor *adj.* 단색의(monocromo).

unicornio *m.* ① (전설의) 외뿔 짐승 ; mastodonte 의 화석. ② 【동물】 코뿔소, 무소 (rinoceronte). ③ [el U-] 【천문】 일각수좌.
~ ***de mar,*** ~ ***marino*** 【어류】 일각어(一角魚).

unidad *f.* [*lat.* unitas] ① 단일(성) : la ~ de Dios. ② 단위 : ~ de longitud·peso 길이·무게의 단위. ~ de salario 임금 단위. ~ de trabajo 노동 단위. ~ económica sin personalidad jurídica 경제적 단위체. ~ internacional 국제 단위. ~ marginal 한계 단위. ~ monetaria 통화·화폐 단위. ~ primaria 일차 (추출) 단위. ~ secundaria 이차 (추출) 단위. ¿Cuál es la ~ monetaria de Argentina? 아르헨띠나의 화폐 단위는 무엇이냐? ③ 통일, 일치 : No hay ~ entre ellos 그들간에는 일치가 없다. ④ 부대, 작전 단위 ; (연결되는) 한 차량.

unidamente *adv.* 한데 어울려, 함께 하여.

unido, da *adj.* ① 뭉친, 결합·연합·단결된 : las Naciones *Unidas* 국제 연합. los Estados *Unidos* (de América) 미합중국. ② 마음이 맞은. ③《*Galic.*》 반들반들한, 매끄러운(terso, liso). Contr. separado, dividido.

unifamilia *f.* 핵가족.

unifamiliar *adj.* 핵가족·단일 가족의.

unificación *f.* 통일, 단일화 ; 통합 : ~ económica 경제 통합. ~ política 정치 통합.

unificador, ra *adj.* 통합한, 통일의, 단일화하는.

unificar *tr.* ⑦ 통일하다, 하나로 하다, 통합하다, 단일화하다, 똑같게·일정하게 하다(aunar) : ~ un partido 당을 통합하다. Los reyes católicos *unificaron* España 카톨릭왕 부처(페르난도와 이사벨)는 서반아를 통일했다.
~se 통일되다.

unifloro, ra *adj.* 【식물】 홑꽃의.

unifoliado, da *adj.* 【식물】 단엽의, 외잎의.

uniformar *tr.* ① [+a·con : …에·와] 한가지 모양으로 하다, 똑같게 구색을 맞추다 ; 일정한 형으로 하다 (hermanar) : ~ una cosa *con·a* otra. ② (…에게) 제복을 입히다(dar uniforme a) : ~ los empleados 사원에게 제복을 입히다.
~se 한 모양으로 되다.

uniforme *adj.* ① 동형(同形)의, 같은 모양의, 균일(均一)한, 일률적인, 변화가 없는, 단조로운 (monótono) : una vida ~ 단조로운 생활. edificios ~*s* 균일한 건물. edificar varias casas ~*s* 같은 모양의 집을 여러 채 짓다. ② 구색이 갖추어진, 일정한 : velocidad ~ 일정한 속력.

movimiento ~ 등속 운동. Contr. variado. —*m.* 제복, 군복 : un ~ militar 군복. ~ de diario 일상복.

uniformemente *adv.* 같은 모양으로, 일률적으로 ; 단조롭게.

uniformidad *f.* 균일성, 일률성, 획일성 ; 단조(로움) ; 균등, 균일.

uniformizar *tr.* 단조롭게 하다.

unigénito, ta *adj.* 외아들의, 외동딸의. —*m.* [el U-] 그리스도(Hijo de Dios).

unilateral *adj.* ① 일방적인, 편무적인 : contrato ~ 편무 계약. ②【식물】한 쪽으로만 쏠려 있는 (식물).

unilateralmente *adv.* 일방적으로.

unilingüe *adj.* =**monolingüe.**

unilobular *adj.*【식물】단열편(單裂片)의.

unilocular *adj.*【식물】단실(單室)의, 단방(單房)의.

unión *f.* [*lat.* unio] ① 결합, 합병, 연결, 합동 ; 융합 : Se discute la ~ de aquellas dos compañías 그 두 개의 회사의 합병이 토의되고 있다. ②【화학】화합, 결합. ③【의학】유착, 접합 : ~ de la herida. ④ 일치, 협동, 단결. ⑤ 조합, 협회 : ~ Radio 방송 협회. ⑥ 동맹. ⑦ 연합, 연맹, 연방 (~ federal) : la *U-* de Repúblicas Socialistas Soviéticas 소비에트 사회주의 공화국 연방《생략 : U.R.S.S.》⑧ 결혼, 혼인, 결연(結緣) : ~ matrimonial 결혼. Ayer se celebró la ~ de Bernardo y Eva 어제 베르나르도와 에바의 결혼이 거행되었다. ⑨【기계】접합관(接合管). Contr. desunión, discordia.

~ ***aduanera*** 관세 동맹. ***U- Aduanera y Económica del Africa Central*** 중앙 아프리카 경제 관세 동맹. ~ ***de aduanas*** 관세 동맹. ~ ***de crédito*** 신용 조합. ~ ***de empresas*** 기업 합동(合同). ***U- de Europa Occidental*** 서구 동맹. ***U- de Ferias Internacionales*** 국제 견본시 연합. ***U- de Industrias Textiles de El Salvador*** 엘살바도르 섬유 산업 연합(聯合). ~ ***de las gerencias de varias empresas*** 겸임 중역회. ***U- de las Industrias de la Comunidad Europea*** 유럽 공동체 산업 연맹. ***U- de Países Exportadores de Banano*** 바나나 수출국 동맹. ***U- de Trabajadores de Colombia*** 콜롬비아 노동자 연합. ~ ***económica*** 경제 동맹. ***U- Económica Panamericana*** 범미 경제 동맹. ***U- Europea de Pagos*** 구주 결제 동맹. ***U- Industrial Argentina*** 아르헨띠나 산업 연합. ***U- Industrial Paraguaya*** 빠라구아이 공업 연합. ***U- Industrial Uruguaya*** 우루구아이 공업 연맹. ~ ***monetaria*** 통화 연맹. ***U- Monetaria Centroamericana*** 중미 통화 연합. ***U- Nacional de Industriales y Artesanos*** *《Venez.》* 전국 제조자 연합. ***U- Nacional de Productores*** *《Méx.》* 전국 생산자 연합. ***U- Nacional de Productores de Azúcar*** *《Méx.》* 설탕 생산자 동맹. ***U- Obrera Metalúrgica*** *《Arg.》* 야금 노동 조합. ***U- Panamericana de Asociaciones de Ingenieros*** 미주 기술자 협회. ***U- Panamericana, secretaría General de la Organización de los Estados Americanos*** 판 아메리컨 유니언, OAS 사무국. ~ ***política*** 정치 동맹. ***U- Postal Universal*** 만국 우편 연합.

unionismo *m.* 통일주의, 통합 운동, 단결주의, 연합파 ; 노동 조합 주의·운동.

unionista *adj.* 통일주의의 ; 노동 조합 주의의. —*m.f.* 통일주의자 ; 연합론자 ; 노동 조합원, 노동 조합주의자.

uníparo, ra *adj.* 독자를 낳는 : hembra ~*ra.*

unípede *adj.* 외다리의, 다리가 하나인 : monstruo ~ 다리가 하나인 괴물.

unipersonal *adj.* ① 단일인의, 단 한 사람의 ; 개인의 : gobierno ~ 일인 정부. propiedad ~ 개인 재산. ②【문법】단인칭의 (동사)《제3인칭 단수로만 쓰이는 동사》.

unipétalo, la *adj.*【식물】홑꽃판의.

unipolar *adj.* ①【생물】꼬리가 하나의. ②【전기】단극의.

unir *tr.* [*lat.* unire] ① [+a·con : …에·과] 합하다, 병합·합병하다 ; 한데 하다. ② 이어 맞추다, 연결시키다, 결합·접합하다 : ~dos tablas 판자 두 개를 연결시키다. La carretera *une* esta ciudad con esa ciudad 그 국도(國道)는 당시를 귀지와 연결시킨다. El canal de Panamá *une* los dos océanos 파나마 운하는 두 대양을 잇는다. ③ 합동시키다, 단결시키다 ; 연락시키다. ④ 결혼시키다 ; 유착시키다.

~se ① [+a·con : …과] 한데 어울리다, 결합하다, 합쳐지다 : ~*se a·con* los compañeros. ② 합동하다, 단결하다 : ~*se* en comunidad. ③ 합병하다 ; 합체하다. ④ 붙어 있다 ; 참여·참가하다 : ~*se a* la comitiva 일행에 참가하다·수행하다. ⑤ 결혼하다.

unirrefringente *adj.*【광학】단굴절(單屈折)의 : cristal ~ 단굴절 유리.

unisex *adj. ing.* =**unísexo.**

unísexo *adj.* (복장·머리 모양의 유행이) 남녀 공통인·구별이 없는.

unisexual *adj.*【식물】단성(單性)의 : flor ~. Contr. hermafrodita.

unisón *adj.* =**unísono.** —*m.*【음악】제창.

unisonancia *f.*【음악】동음, 동조 ; 제창 ; 단조(monotonía).

unisonar *intr.* 같은 소리·가락으로 울리다 (sonar al unísono).

unísono, na *adj.* [*lat.* unisonus] 동음의, 동조의, 동률의, 가락이 맞은 ; 일치하는 : tres voces ~*nas* 가락이 맞는 세 목소리. —*m.* 동음·동조 (unisonancia) : cantar *al* ~ 같은 음으로 노래하다.

al ~ 이구 동성으로 ; 제창으로, 일제히 ; 일치하여 (행동 따위) : Los muchachos cantaron al ~ 소년들은 제창을 했다.

unitario, ria *adj.* 유일신교의 ; 통일주의의, 통합적인, 일원적인 : doctrina ~*ria.* —*m.f.* 유일신교도 ; 통일주의자, 일원적 정치론자.

unitarismo *m.* 유일신교 ; 통일주의 ; 일원 정치론 ; 그 당, 통일파.

United States of América【지명】=**los Estados Unidos de América.**

unitivo, va *adj.* [*lat.* unitivus] 결합하는, 결합시키는, 연결의.

univalente *adj.*【화학】일가(一價)의.

univalvo, va *adj.*【동물】단각(單殼)의, 단판의. —*m.pl.* 단각류.

universal *adj.* ① 보편적인, 전반적인, 일반적인 : sufragio ~ 보통 선거. ② 총괄적인. ③ 만국의, 전세계적인, 만유의 : atracción ~ 만유 인

력. ④ 세계통인, 무엇이나 잘 아는. ⑤【기계】 어디에나 다 쓸 수 있는 만능의 : torno ~ 만능 레이스. ⑥【논리】 전칭(全稱)의. ⑦【시어】 우주의, 만물의 ; 완전한, 절대적인. —*m.pl.*【철학】 일반 개념.

universalidad *f.* [*lat.* universalitas] ① 일반성, 보편성 ; 세계성(generalidad, totalidad, calidad de universal) : la ~ de los seres. ② 만능, 박식 : la ~ del espíritu humano.

universalísimo, ma *adj.* [*sup.* universal] 극히 전반적인·일반적인.

universalismo *m.* ① 우주신교, 보편 구제설. ② 세계주의, 보편론.

universalista *adj.* ① 우주신교의 ; 세계주의의. —*m.f.* 우주신교도 ; 세계주의자.

universalización *f.* 일반화, 보편화, 대중화 (generalización).

universalizar *tr.* ⑨ 대중화시키다, 보편적으로 하다, 세계적으로 하다(volver universal).

universalmente *adv.* 보편적으로, 일반적으로, 세계적으로 : un sabio ~ conocido 세계적으로 알려진 학자.

universidad *f.* [*lat.* universitas] 종합 대학교. ~ ***a distancia*** 통신 대학. ~ ***estatal*** 국립 대학. [*N.* facultad 단과 대학].

U- de Javierana de Bogotá 보고따 하비에라나 대학교《1622년에 설립》.

universitario, ria *adj.* 대학의 : ciudad ~*ria* 대학 센타, 대학촌, 대학 도시. —*m.f.* 대학생, 대학인《교수, 학생, 졸업생》.

universo, sa *adj.* [*lat.* universus] 우주의, 세계의 (universal). —*m.* ① 우주. ② 만유, 천지 만물, 삼라 만상. ③ 세계(mundo) ; 만천하, 전인류 ; 인류 : Todo *el* ~ cree esto 전세계의 사람이 이것을 믿고 있다.

U

univocación *f.* 일치(성), 통일(성)

unívocamente *adv.* 포괄적으로.

univocarse *r.* ⑦ 일치하다, 통일하다.

unívoco, ca *adj.* ① 포괄적인, 총칭의 : Hombre es ~ de Pedro y de Pablo. ② 같은 성질의·종류의 ; 동음 이의(同音異義)의 : Haya es ~ de un árbol y de una persona del verbo haber.

UNO《*Nicar.*》Unión Nacional Opositora 반국가연맹.

uno, na *adj.* [*lat.* unus] [부정 형용사·수형용사 ; 남성 명사의 앞에서 un으로 됨]. ① 하나의 : *un* día 하루 ; 어떤 날. *una* semana 일주일간. treinta y *un* días 31일. ② 한 개의, 일체·한 덩어리가 된 : España *una* 하나인 서반아. Somos *unos* 우리는 한 덩어리이다. Es *uno con* su arma 그는 그의 무기와 일체이다. ③ 동일한(idéntico) : Esa razón y la que yo digo es *una* 그 이유와 내가 말하는 이유는 동일하다. ④ [복수형] 몇 개의(algunos) : *unos* años después 수년 후에. ⑤ [수사의 앞에서] 약…, …가량 : una muchacha de *unos* diez y siete años 17세 가량의 소녀. Valdrá *unas* cien pesetas 100뻬세따 가량 할 것이다. ⑥ [otro와 대조적으로 쓰임] de *un* lado para *otro* 한 쪽에서 다른 쪽으로, 여기저기, 이쪽 저쪽으로.

—*m.* 1, 하나 ; 한 개, 개체 ; 제1 : el número ~ 제1번, 제1의 것. 【참고】「하나」로 셀 때 una의 형을 쓸 수도 있음.

—*pron.* [부정 대명사] ① 어떤 사람, 어떤 물건 ; 어떤 물건들 ; 어떤 사람들 : *Uno* lo dijo 어떤 사람이 그렇게 말했다. *Uno* hablaba y otro comía 한 사람은 이야기하고 또 한 사람은 식사하고 있었다. Me lo anunciaron *unos* 어떤 사람들이 나에게 그것을 알려 주었다. ② [uno의 형이 일반적인 표현으로] 사람, 누구라도 : Cuando *uno* confiesa y llora su culpa, merece compasión 사람이 자신의 죄를 고해하고 울 때는 누구나 동정을 받는 법이다. *Uno* se arrepiente siempre 사람은 항상 후회하는 법이다. ③ [성에 따른 형을 취하여, 혹은 취하지 않고, 은연중에 자신을 가리켜] 나, 누가 : Este es el pago que le dan a *una* (여자가) 이것이 나에게 주어진 보상입니다. ④ [otro를 대조어로 하여] 어떤 사람 : *El uno* leía, *el otro* estudiaba ; *Unos* leían, *otros* estudiaban 어떤 사람들은 책을 읽고 또 어떤 사람들은 공부하고 있었다.

—*art.* [부정 관사와 공통되는 데가 있음 : un 참조하시오].

~ ***a otro ; el*** ~ ***al otro*** 서로서로 : Se respetaban ~ *a otro* 그들은 서로 존경했다.

~ ***con otro*** 서로 ; 어느 것이나 : *Uno con otro* se venden a peseta 어느 것이나 모두 1뻬세따에 판다.

~ ***de tantos*** 대수롭지 않은 것, 평범한 것.

~ ***que otro*** (산재적으로) 몇 개의 : *una que otra* casa 여기저기의 두 세 채의 집. [*N. unas* casas 는 몇 개가 어울려 있는 느낌으로, 두세 채의 집].

~ ***tras otro*** 하나씩, 차례로.

~ ***u otro*** 어느 하나의.

~ ***y otro*** 쌍방의.

~***s cuantos*** 몇 개의 : *unos cuantos* árboles 몇 그루의 나무. *unas cuantas* páginas 수 페이지.

a una 일제히 ; 동시에, 함께.

en ~ 한 덩어리가 되어, 함께.

cada ~ 각각 ; 각자, 저마다 : *Cada* ~ pagó diez pesetas 각자가 10뻬세따씩 지불했다.

de ~ ***en*** ~ ; ~ ***por*** ~ 차례로 : Entraron *uno por* otro 그들은 차례로 들어갔다.

un día sí y otro no 격일로 : El viene *un día sí y otro no* 그는 격일로 온다.

untador, ra *adj.m.f.* (기름을) 칠하는 (사람) ; 매수하는 (사람).

untadura *f.* ① 지방·고약을 바르는 일 (untura) : ~ de grasa. ② 기름·지방·고약이 발려진 곳.

untamiento *m.* =**untura.**

untar *tr.* ① [+con·de : … 기름을] …에 바르다·칠하다 : ~ *con·de* aceite 기름을 바르다. ② 매수하다(sobornar) : Lo *untaron* para que no declarara la verdad 그가 진실을 밝히지 못하도록 그는 매수되었다.

~se ① 기름으로 더럽혀지다. ② (돈을) 착복하다.

untaza *f.* 수지, 지방.

unto *m.* [*lat.* unctum] ① 바르는 기름 ; 수지, 지방 : ~ de puerco 돼지 지방. ② 고약. ③《*Chile.*》구두약.

~ ***de Méjico·rana*** 돈(dinero), (매수용) 뇌물 (ungüento mejicano).

untoso, sa *adj.* =**untuoso.**

untuosidad *f.* 유성(油性) ; 기름진 것.

untuoso, sa *adj.* 유성(油性)의, 지방 같은, 끈적끈적한 : pasta ~*sa.*

untura *f.* [*lat.* unctura] ① 도포(塗布), 기름 바르기. ② 바르는 기름, 바르는 약, 고약 : dar una ~ a un enfermo.

uña *f.* [*lat.* ungula] ① 손톱 ; 손톱 모양으로 된 것 : cortarse ~*s* 손톱을 깎다. ② (기구의) 손톱 : ~ del ancla. ③ (짐승의) 발톱(pezuña) : las ~*s* del gato 고양이의 발톱. ④ (손톱 모양의) 바늘 : ~ del alacrán. ⑤ 베어낸 가지의 그루(tetón). ⑥【조개】조개의 일종.

~ de caballo 【식물】머위.

~ de gato 【식물】침숙목(針宿木).

a ~ de caballo 뒤도 안 돌아보고, 부리나케, 전속력으로(a todo correr).

de ~s 미워하는, 증오하는.

largo de ~s 훔치는 버릇이 있는.

afilar·afilarse las ~s 손톱을 갈다·벼리다.

comerse las ~s 《*Amér.*》 째지게 가난하다.

enseñar·mostrar las ~s 위협하다(amenazar).

ser ~ y carne dos personas 몹시 친한 사이이다(ser muy amigas).

tener en la ~ 손바닥 들여다 보듯 환히 알고 있다.

vivir de la ~ 도둑질로 살다(vivir del robo).

uñada *f.* ① 손톱 자국, 할퀸 자국(arañazo). ② 손톱으로 누르는 일.

uñar *tr.* 《*Ecuad.*》 몰래 훔치다.

uñarada *f.* (할퀸) 손톱 자국(rasguño, arañazo).

uñate *m.* ① 손톱으로 누르는 일. ② (손톱으로) 동전 튀기는 놀이(uñeta).

uñatear *tr.* 《*Bol.*》 슬쩍하다, 훔치다.

uñera *f.* 《*Arg.*》 (말의) 안장 쓸림 (상처).

uñero *m.* 휜 손톱.

uñeta *f.* [*dim.* uña] ① 작은 손톱. ② (석수장이의) 끌. ③ (손톱으로) 동전 튀기는 놀이 ; 구멍에 동전 던지는 놀이. ③ 《*Chile.*》 (악기의) 줄 튀기는 도구. —*pl.* 《*AmérC. Col.*》 도벽이 있는 사람.

uñetazo *m.* 《*Hond.*》 =**uñada, uñarada.**

uñetear *tr.* 《*Chile.*》 슬쩍 훔치다(hurtar).

uñi *m.* 【식물】《*Chile.*》 우니나무 《도금양과 식물》.

uñidura *f.* uñir하는 일.

uñigal *adj.* 《*Arg.*》 =**doñigal.**

uñir *tr.* 52 [*lat.* jungere] (멍에에) 매다(uncir).

uñoso, sa *adj.* 손톱이 기다란 (que tiene las uñas demasiado largas).

UP Unión Panamericana, Secretaría General de la Organización de los Estados Americanos.

upa *adj.* 《*Ecuad. Perú.*》 어리석은, 둔한(imbécil, opa, tonto).

a ~ 안아서 ; 《*SDgo.*》 말타듯 걸터 타고, 걸터 앉아.

hacer un·una ~ 《*AmérC.*》 돕다, 원조하다.

¡upa! *interj.* 영차(하고 힘을 쓸 때 내는 소리).

UPADI Unión Panamericana de Asociaciones de Ingenieros 미주 기술자 협회.

upar *tr.* =**aupar.**

upas *m.* 유파스독(毒) 《자바 부근의 식물에서 나는 독》; 그 나무 ; 해독.

¡upe! *interj.* 《*CRica.*》 집에 들어갈 때 사람을 부르기 위해 사용하는 말.

UPEB Unión de Países Exportadores de Banano 바나나 수출국 동맹.

UPI *f. ing.* la United Press International.

upite *m.* 《*Arg.*》 새의 항문.

uppercut *m. ing.* 【권투】어퍼커트.

UPU Unión Postal Universal 만국 우편 연합.

upupa *f.* 【조류】[드뭄] 가지바위솔(abubilla).

ura *f.* 《*Arg.*》 (동물의 상처에 생기는) 구더기.

uraco *m.* 《*Amér.*》 =**huraco.**

uraeto *m.* 【조류】(오스트랠리아산의) 큰 독수리의 일종.

urajear *intr.* 까욱까욱 울다.

uralaltaico, ca *adj.* ① 우랄 (los Urales)과 알타이(Altai) 지방의. ② 우랄알타이 어족의.

uralita *f.* 우랄석(石) 《시멘트와 석면의 혼합물》.

uraloaltaico, ca *adj.* =**uralataico.**

uranato *m.* 【화학】우라늄산에서 나온 소금.

urania *f.* (번쩍이는 색깔의) 나비.

Urania *f.* ①【희랍 신화】천문을 다스리는 여신. ② (정신적 사랑의 상징으로서) Afrodita의 별명.

uránico, ca *adj.* 우라늄의.

uranífero, ra *adj.* 우라늄이 함유된.

uranio *m.* 【화학】우란, 우라늄.

uranio, nia *adj.* 하늘의, 천공의 ; 천체의.

uranita *f.* 【광산】우라늄광.

urano *m.* 【화학】우라늄의 천연 산화물.

Urano *m.* ① 우라누스신(神) 《그리스 신화에서 하늘의 인격화》. ②【천문】천왕성.

uranografía *f.* 우주지, 천체지학(cosmografía).

uranógrafo, ga *m.f.* 천체 학자.

uranolito *m.* =**aerolito.**

uranometría *f.* 천체 측량.

urao *m.* 탄산 소다광, 중조광(trona).

urato *m.* 【화학】요산염.

urbanamente *adv.* 정중하게, 예의 바르게 ; 품위 있게(con urbanidad).

urbanidad *f.* 정중 ; 우아, 품위 ; 예의(cortesía, buenos modales) : Me acogieron con ~ 그들은 나를 정중히 맞이했다. Contr. grosería.

urbanismo *m.* 도시 계획 ; 도시화 운동.

urbanista *adj.* 도시화 운동의. —*m.f.* 도시 계획 연구자.

urbanística *f.* 도시화 연구, 도시 계획.

urbanístico, ca *adj.* 도시화의 : plan ~ 도시 계획.

urbanización *f.* ① 도시화·계획. ② 주택 지역·지구. ③ 예의 바르게·품위있게 하는 일.

urbanizador, ra *adj.* 도시화의.

urbanizar *tr.* 9 ① 기품이 있게 하다, 예의 바르게 하다. ② 도시화하다, 개발하다(hacer urbano, civilizar) : ~ a un paleto.

~se 품위를 갖추게 되다, 예의 범절을 알게 되다.

urbano, na *adj.* [*lat.* urbanus] ① 도시의 : planificación ~*na* 도시 계획. ② 시내의 : vías ~*nas* 시내 노선. ③ 시민의 : milicia ~*na* 민병. ④ 도시 생활의. Contr. rural. ⑤ 정중한, 예의 있는. Contr. grosero. —*m.* 민병(民兵).

urbe *f.* 《*Neol.*》 도회지, 대도시 (ciudad grande y moderna).

urbi et orbi *adv. lat.* 사방에, 도처에, 곳곳에.
urca *f.* [*lat.* orca] ① 화물 범선. ②【동물】범고래(orca).
urce *m.*【식물】히이드; 그 나무.
urceolaria *f.* 이끼의 일종.
urcéolo *m.* 자루(saco) 모양의 식물 기관.
urcitano, na *adj.m.f.* ① 우르시《Urci, 알메리아의 현재의 Chuche가 있는 곳에 있던 도시》의; 우르시 사람. ② 알메리아의; 알메리아 사람 (almeriense).
urco *m.*《*Amér.*》=**macho de la llama.**
urchilla *f.* [*ital.* orciglia]【식물】이끼의 일종; 보라빛 (물감).
urdidera *f.* (직기의) 날실 보빈 (máquina para urdir).
urdidor, ra *adj.m.f.* 날실을 가지런히 하는 (사람). —*f.* =**urdidera.**
urdidura *f.* 천의 날실을 가지런히 하는 일.
urdiembre *f.* =**urdimbre.**
urdimbre *f.* ① (직물의) 날실. ② 음모, 계략, 획책.
estar en la ~《*Chile.*》가난하다, 삐쩍 말랐다.
urdir *tr.* [*lat.* ordiri] ① (…의) 날실을 가지런히 하다. ② 꾀하다, 획책하다 : *Urdieron* una conspiración al rey 그들은 왕에 대해 모반을 꾀했다.
urea *f.*【화학】요소.
uredíneas *f.pl.* (식물에 기생하는) 버섯.
uredo *m.*【식물】uredíneas의 결실 (기관).
uréidos *m.pl.*【화학】요소(urea)의 혼합.
uremia *f.*【의학】요독증.
urémico, ca *adj.* 요독증의, 요독성의.
urente *adj.* 타는 듯한 (abrasador, ardiente) : La pimienta tiene sabor ~ 후추는 입이 타는 듯이 지독하게 매운 맛을 가지고 있다.
uréter *m.*【해부】요관(尿管), 요도(尿道), 수뇨관.
urétera *f.* =**uretra.**
urético, ca *adj.* 요도의.
uretra *f.*【해부】요도.
uretral *adj.*【해부】요도의.
uretritis *f.*【의학】요도염; 임질(의 후유증).
uretroscopio *m.*【외과】요도경(鏡).
urgencia *f.* ① 긴급, 위급 : declaración de ~ 긴급 사태 선언. ② 지급, 화급 : Lo necesitan a usted con ~ 급히 그들은 당신을 필요로 하고 있다. ③ 속달 : sello de ~ 속달용 우표. ④ 긴급 사항.
urgente *adj.* ① 긴박한(perentorio). ② 화급을 다투는, 지급 (통보)의(que corre prisa) : negocio ~ 화급을 다투는 일. poner una carta ~ 편지를 속달로 하다.
urgentemente *adv.* 급히, 긴급하게, 지급으로 (de un modo urgente).
urgir *intr.* ④ [*lat.* urgere] ① [+*inf.*] 급히 …할 필요가 있다, 긴급을 요하다, 사정이 긴박하다 (correr prisa) : *Urgeme* advertir a usted 나는 긴급히 당신에게 알릴 필요가 있다. *Urge* hacer este trabajo 이 일을 하는 것이 급하다. ② (법률이) 현행(現行)이다; 강제하다.
urg.[te] urgente.
úrico, ca *adj.* 오줌의, 오줌에서 얻은; 요소(尿素)의 : ácido ~【화학】요산(尿酸).
urinal *adj.* =**urinario.**
urinario, ria *adj.* 오줌의, 비뇨(기)의. —*m.* 공중 변소; 똥구덩이.
urinífero, ra *adj.* 오줌의 : tubos ~*s* del riñón.
urja- → **urgir** ④.
urna *f.* [*lat.* urua] 납골함, 사리 상자. ② 유리 상자 : conservar reliquias en una ~. ③ 투표함, 추첨함.
uro *m.* [*lat.* urus]【동물】(코카사스산의) 들소.
urocistitis *f.*【의학】방광염.
urodelo, la *adj.*【동물】꼬리 달린 양서류의. —*m.pl.* 꼬리 달린 양서류.
urodinia *f.*【의학】이뇨통 (dolor sentido al orinar).
urogallo *m.*【조류】대뇌조(大雷鳥) : La carne del ~ es estimada.
urogastrio *m.* 갑각류의 꼬리.
urolito *m.*【의학】요석(尿石), 요결석.
urología *f.* 비뇨기학, 비뇨과학.
urológico, ca *adj.* urología의
urólogo, ga *m.f.* 비뇨기과 의사.
uromancia *f.* 소변을 보고 치는 점(占).
uromancía *f.* =**uromancia.**
urómetro *m.* 요비중계(尿比重計), 검뇨기.
uroscopia *f.* 검뇨(檢尿), 요분석.
urpila *f.*《*AmérM.*》작은 비둘기의 일종.
urpo *m.*《*Arg.*》=**ulpo.**
urque *m.*《*Chile.*》감자 찌꺼기.
urraca *f.* ①【조류】까치 : La ~ remeda palabras y suele robar objetos brillantes. ② 말이 많은 사람, 수다쟁이(cotorra).
urraquear *tr.*《*Bol.*》눈에서 불이 번쩍 튀어나오게 만들다.
urrio *interj.* =**arre.**
Ur.$ 뻬소《우루구아이의 통화 단위》.
Ursa *f.*【천문】큰곰자리, 대웅좌(Osa).
ursaonense *adj.* 우르사오《Ursao, 세비야 주의 도시, 현재의 Osuna》의. —*m.f.* 우르사오 사람.
úrsido, da *adj.*【동물】곰(oso)속의. —*m.pl.* 곰류에 속하는 동물.
URSS, U.R.S.S. la Unión de Repúblicas Socialistas Soviéticas 소비에트 사회주의 공화국 연방.
ursulina *adj.* 우르술리나 수도회《16세기 경 Santa Angela de Brescia가 창시한 어거스틴 파의 일파》의. —*f.* 우르술리나 수도회 수녀.
urticáceo, a *adj.*【식물】쐐기풀(과)의. —*f.pl.* 쐐기풀과 식물.
urticante *adj.* 건드리면 따끔따끔한 (urente) : La medusa es ~.
urticaria *f.*【의학】두드러기.
urú *m.*【조류】(아르헨띠나산의) 자고새 무리.
urubú *m.*【조류】(남미 전역에 사는) 검은 독수리.
urucú *m.*《*Arg. Bol.*》=**bija, achiote.**
Uruguay *m.*【지명】우루구아이《남미 남동부의 공화국; 수도 Montevideo》.
uruguayismo *m.* 우루구아이의 방언·말투; 우루구아이 찬미.
uruguayo, ya *adj.* 우루구아이 (el Uruguay)의. —*m.f.* 우루구아이 사람.
urunday *m.*《*Riopl.*》=**urundey.**
urundey *m.*《*Arg.*》【식물】우룬데이나무《옻나

무과 식물 ; 조선・가구 용재》.

urutaú *m.* 《*Arg.*》【조류】 부엉이의 일종.

U.S. la Unión Soviética 소련.

U.S.A. United States of America ; Estados Unidos de América.

usable *adj.* 【속어】 쓸 수 있는, 쓸만한.

usadamente *adv.* 습관에 따라.

usado, da *adj.* ① 손때 묻은, 낡은, 상한. ② (신품에 대해) 손이 탄, 사용한, 중고의 : un libro muy ~ 아주 헌책. Quiero comprar un coche ~ 나는 중고차를 한 대 사고 싶다. ③ 손에 익숙해진.

usagre *m.* 【의학】 어린아이의 습진 ; 가축의 피부병의 일종.

usanza *f.* ① 습관, 관례, 풍습 (uso, costumbre) : a ~ de España 서반아의 풍습에 따라, 서반아 풍으로. ② 어음 (지불 관례) 기한・기간 ; 상관습, 상습관.

usar *tr.* ① 쓰다, 사용하다(emplear) : ¿Se puede ~ este teléfono? 이 전화를 사용해도 좋습니까? ¿Qué número de zapatos *usa* usted? 신발을 몇 문 신으십니까? ② [+*inf.*] 습관되어 …하다 ; 언제나・곧잘 …하다 : *Uso* salir de paseo 나는 곧잘 산책 나간다. ③ [직업・이름을 목적어로 하여, …을] 직으로 삼다 : *Uso* el oficio de carpintero 나는 목수 일이 직업이다.

—*intr.* [+de : …을] 쓰다 : ~ *de* mañas 교활한 수를 쓰다, 속임수를 쓰다.

~se 사용되다 ; 행해지다 : Este año *se usa* mucho este estilo 금년에는 이 스타일이 많이 유행하고 있다. *Se usa* llevar la manga corta 짧은 소매(의 옷)을 입는 것이 유행하고 있다. Lo que *se usa* no se excusa 시대의 추세에는 어찌할 도리가 없다.

usarcé *m.f.* 【고어】 usarced의 어미 탈락형.

usarced *m.f.* 【고어】 당신 《vuestra merced의 집약형》.

usencia *m.f.* 존하 《vuestra reverencia의 집약형》.

useñoría *m.f.* 귀하 《vuestra señoría의 집약형》.

usgo *m.* 구역질(asco).

ushuaiense *adj.m.f.* 우수아이아 《Ushuais, 아르헨띠나 남부의 도시》.

usía *m.f.* 존하, 각하(useñoría).

usier *m.* =**ujier.**

usillo *m.* 【식물】 야생 시금치.

usina *f.* ① 《*Galic.*》 공장 (fábrica). ② 《*Arg.*》 발전소 ; 가스 공장. ③ 전차 정류장・역.

uslero *m.* 《*AmérM.*》 (가루 반죽을 미는) 밀방망이.

uso *m.* [*lat.* usus] ① 사용, 이용 : ~ excesivo 과용. perder ~ de …을 쓸 수 없게 되다. La máquina se estropeó con mucho ~ 그 기계는 너무 사용하여 못쓰게 됐다. Con el ~ la pluma escribe bien 펜은 사용하고 있으면 쓰기 좋게 된다. ② 상용. ③ 습관, 관습 (usanza) : ~ comercial・del comercio 상관례, 상관습. ~ de la plaza 상관습, 상습관. ~ y desgaste (기계・기구 등의) 마멸 소모. ~ y costumbre 습관. ④ 관례(moda). ⑤ 수, 방법 : antiguos ~*s* 옛날 방법. ⑥ 용도, 용법. ⑦ 유행. ⑧ 어음 기간 《서반아에서는 60일》.

a(l)* ~ *de (…의) 관습에 따라, …식으로, 풍으로 : El no quiere vestirse *al* ~ *del* día 그는 현대의 유행에 따라 옷을 입으려 하지 않는다.

***andar al* ~** 세상 돌아가는 형편에 맞추다.

entrar en los* ~*s 로마에 가면 로마법에 따른다, 남의 집에 가면 그 집 풍속에 따른다.

***estar en buen* ~** 넉넉히 쓸 수 있다 : El abrigo *está en buen* ~ 오버는 아직 넉넉히 쓸 수 있다.

hacer* ~ *de …을 사용・이용하다 : En ello insistió *haciendo* ~ *de* su derecho 그는 자기의 권리를 행사하고 그것을 강하게 주장했다.

hacer* ~ *de palabra 연설하다.

US$ dólares norteamericanos 미화.

ustaga *f.* (돛대의) 활차(ostaga).

¡uste! *interj.* =**oxte.**

usted *m.f.* 당신, 귀하 : *Usted* me dispensará 실례합니다. Todos ~*es* son muy amables 여러분 모두가 대단히 친절하십니다. [*N.* vuestra merced의 집약형, 명사이나 실제로는 대명사로 존칭이라 문법에서는 3인칭으로 다룸 ; 안달루시아나 남미에서는 ustedes를 vosotros 대신 쓰는 수가 있음] : ¿Sabéis ~*es* quién ha venido? 누가 왔는지 너희들은 알고 있느냐?

ustible *adj.* 【시어】 불타기 쉬운.

ustilagíneas *adj. f.pl.* 【식물】 흑수균과의 (버섯).

ustión *f.* [*lat.* ustio] 연소 (combustión, quema).

ustorio *adj.* ***espejo*** ~ 볼록 렌즈 : Arquimedes incendió la flota romana en Siracusa por medio de inmensos *espejos* ~*s.*

usual *adj.* [*lat.* usualis] ① 관용의, 상용의 ; 일상의, 통상의, 보통의, 예(例)의 : Entre los medios ~*es* de transporte, el metro es él más rápido 통상의 수송 기관으로는 지하철이 제일 빠르다. ② 붙임성이 있는. **Contr.** desusado.

usualmente *adv.* 보통, 늘, 일반적으로, 대개, 통상적으로.

usuario, ria *adj.* 사용권을 가진. —*m.f.* 사용권 소유자, 사용자, 수요자.

usucapión *f.* [*lat.* usucapio] 【법률】 (취득) 시효 : por ~ 시효에 의해.

usucapir *tr.* 시효에 의해 취득하다. [*N.* 부정형으로만 쓰임].

usufructo *m.* ① 수익, 이익. ② (용익권 비슷한 일종의) 인역권(人役權), 용역권(用役權), 수익권.

~ ***vitalicio*** 종신 소유지, 생애 부동산권.

usufructuar *tr.* ⑮ 이용하다. —*intr.* 수익・이익을 보다, 실수입이 생기다(fructificar, producir fruto).

usufructuario, ria *adj.* 이용권을 소유한 ; 이용권자의, 용역권자의. —*m.f.* 이용권자, 용역권자.

usupuca *f.* 《*Arg.*》 =**pito, bicho colorado.**

usura *f.* [*lat.* usura] ① 고리, 폭리 : dar a ~ 고리채로 빌려주다. Ese prestamista vive de la ~ 그 고리 대금 업자는 고리채로 산다. ② 이자. ③ 《*Galic.*》 소모 : guerra de ~ 소모전. ④ 《*Arg.*》 유리함(ventaja).

***pagar con* ~** 은혜를 충분히 보답하다.

usurar *intr.* =**usurear.**

usurariamente *adv.* 고리채로; 폭리를 취해 (con usura).

usurario, ria *adj.* 고리를 받는, 고리 대금의;

고리의 : intereses ~*es* 고리(高利).

usurear *intr.* 고리 대금을 하다; 폭리를 얻다.

usurero, ra *m.f.* 고리 대금 업자 : Tuve que recurrir a un ~ por necesidad 필요에 따라 나는 고리 대금 업자에게로 가야 했다.

usurpación *f.* 권리 침해, 찬탈, 횡령(물), 강탈; 불법 점유.

~ ***de nombre*** 남의 이름을 사칭.

usurpador, ra *adj.* 횡령하는. —*m.f.* 횡령자; (왕위의) 찬탈자.

usurpar *tr.* [*lat.* usurpare] (권력·지위 따위를) 빼앗다, 찬탈하다, 강탈·횡령하다 : Ese canalla *usurpó* el trono 그 악당이 왕위를 찬탈했다.

usurpatorio, ria *adj.* 횡령하는.

usuta *f.* 《*AmérM.*》 짚신, 가죽 짚신, 샌들.

uta *f.* 《*Perú.*》 안데스 지방의 나병 비슷한 피부병.

UTC Unión de Trabajadores de Colombia 콜롬비아 노동자 연합.

UTE Administración de las Usinas Eléctricas y los Teléfonos del Estado.

utensilio *m.* [*lat.* utensilia] ① 도구, 용구; 가구, 기구; 집기 : ~ de carpintero 목수의 연장. ~*s* de casa 가정용 기구. ~*s* de la cocina 부엌 용품. ~*s* de un herrero 대장간의 도구. ② 사용품. ③ 병사의 보급품·땔감 : El ~ comprende cama, agua, vinagre y sal.

uterino, na *adj.* [*lat.* uterinus] ① 자궁의 (útero) : cáncer ~ 자궁암. ② 이부 동모(異父同母)의, 어머니쪽의, 아버지가 다른, 동복(同腹)의 : hermano ~ 의붓·씨 다른 형제.

útero *m.* [*lat.* uterus]【해부】자궁(子宮). **Sinón.** matriz.

útil *adj.* [*lat.* utilis] ① 유용한, 유익한, 쓸모 있는 : Quisiera serle ~ algún día 언젠가 당신에게 쓸모가 있었으면 싶습니다. ② 유효한. ③ 편리한 : Este mueble es muy ~ 이 가구는 매우 편리하다. —*m.* ① 실리, 유익물. ② [주로 *pl.*] 장비; 비품; 도구 : ~*es* de cocina 부엌 용구; 부엌용 비품. ~*es* de escritorio·oficina 문구류(文具類).

utilidad *f.* [*lat.* utilitas] 유용(성); 효용; 이익, 유익, 편리; 실리; 사용 가치 : tener mucha ~ 이용 가치가 있다. **Contr.** inutilidad.

~ ***accidental*** 우발적 이익. ~ ***anticipada*** 예상 이익. ~ ***anual*** 연수(年收). ~ ***aparente*** 자상·가공·장부 이익. ~ ***bruta*** 총이익, 총이익금, 총수익. ~ ***capitalizada*** 축적 자본. ~ ***comercial*** 영업 이득. ~ ***contable*** 장부 이득. ~ ***contingente*** 우발적 이익. ~ ***de capital*** 자산 매각 소득, 고정 자산 매각 이익, 자본의 이득. ~ ***de ejercicios anteriores*** 《*Méx.*》 전기 조월 이익. ~ ***de exportación*** 영업 이익·수익·소득·수입. ~ ***de sociedad anónima*** 법인 소득. ~ ***del ejercicio*** 회계 연도 수익금. ~ ***diferida y a realizar en ejercicios futuros*** 《*Arg.*》 조연(繰延) 이익. ~ ***en el ejercicio*** 《*Méx.*》 당기 이익. ~ ***en libros*** 지상·장부 이익. ~ ***extraordinaria*** 우발적 이익. ~ ***gravable anual*** 연간 과세 이익. ~ ***gruesa*** 총이익. ~ ***imponible*** 과세 소득. ~ ***líquida*** 총이익·이윤·수익·소득. ~ ***marginal*** 한계 효용. ~ ***máxima*** 최적 이윤. ~ ***neta*** 순이익. ~ ***no distribuida*** 《*Méx.*》 이익 잉여금. ~ ***no pagada*** 미분배·미처분 이익. ~ ***no realizada*** 지상·가공 이익. ~ ***no repartida*** 미처분 이익. ~ ***por venta de bienes de capital*** 자산 매각 소득. ~ ***prevista*** 예상 이익·이윤. ~ ***pública*** 공익 사업; 사용 가치. ~ ***repartible neta*** 정미(正味) 분배 가능 이익. ~ ***según libros*** 지상·장부 이익. ~ ***total*** 총이익, 총이익금.

utilitario, ria *adj.* 이익 본위의, 공리주의의, 실용적인 : coche ~ 실용차. —*m.f.* 공리주의자 (utilitarista).

utilitarismo *m.*【철학】공리설, 공리주의 《최대 다수의 최대 행복을 목적으로 하는 J. Bentham 및 J.S. Mill의 학설》.

utilitarista *adj.* 공리적인, 공리주의의, 공리설의, 실리주의의. —*m.f.* 공리론자, 공리주의자, 실리주의자(實利主義者).

utilizable *adj.* 이용할 수 있는, 유효한; 유용한 : un trabajo ~ 유용한 일. Este crédito es ~ *contra* entrega de los documentos 본 신용장은 서류의 인도로 효력을 발생하게 됨. **Contr.** inutilizable.

utilización *f.* 이용, 활용 (aprovechamiento) : la ~ de una cascada 폭포의 이용. **Contr.** inutilización.

~ ***a prueba*** 시용(試用).

~ ***de datos*** 정보 취급.

~ ***intermedia*** 중간 이용.

~ ***racional*** 합리적 이용.

utilizador, ra *adj.m.f.* 이용하는, 활용하는 (사람).

utilizar *tr.* ⑨ 이용·활용하다, 소용되게 하다 (aprovechar) : ~ una herramienta rota 부서진 연장을 이용하다.

~se [+con·de·en : …을] 이용하다 : Eso *se* puede ~ *en* la construcción de puentes 그것은 다리 건설에 이용될 수 있다.

útilmente *adv.* 유용하게, 유익하게 (de manera provechosa).

utillaje *m.* 《*Galic.*》 ① 유익함. ② 도구·공구 한 벌.

utopia *f.* 유토피아, 이상향; 이상의 계획; 이상적인 나라; 공상적·이상적 사회 체계 : No podemos perder el tiempo ideando ~*s* 우리는 이상을 추구하면서 시간을 낭비할 수 없다.

utopía *f.* =**utopia.**

utópico, ca *adj.* 유토피아의·같은, 꿈같은, 공상적인 : enunciar un proyecto ~.

utopismo *m.* 유토피아적 이상; 공상적 사회 개혁안; 유토피아적·공상적 이념·이론.

utopista *m.f.* 몽상자, 이상을 꿈꾸는 사람.

utrerano, na *adj.* 우뜨레라 《Utrera, 세비야 주의 도시》의. —*m.f.* 우뜨레라 사람.

utrero, ra *m.f.* 두 살 이상 세 살 이하의 송아지 (novillo y novilla que tienen más de dos años y menos de tres años).

ut retro *adv. lat.* 앞에서 말한 바와 같이.

utrícula *f.* =**utrículo.**

utrículo *m.* ①【식물】화탁(花托) (receptáculo) : Los ~*s* de las algas son verdaderos flotadores. ②【해부】속 청각 부분(parte del oído interno).

ut supra *adv. lat.* 상술한 바와 같이.

uturunco *m.* 《*Arg.*》 =**jaguar.**

U

UU. ustedes.
uva *f.* [*lat.* uva] ① 포도 (열매) : ~ pasa 건포도. ② (눈까풀에 생긴) 사마귀.
~ *de caleta* 갯포도. ~ *de gato* 꿩의 비름. ~ *de raposa* 청미래덩굴과 식물(planta esmilácea). ~ *espina* 야생 구즈베리. ~ *lupina·verga* 바곳 (acónito). ~ *de mar·marina* 마황(麻黃). ~ *de moro* 만다라화. ~ *de playa* 바다 포도. ~ *taminea* 이풀(hierba piojera)
de ~s a brevas 때때로(de tarde en tarde).
hecho una ~ 곤드레만드레가 되어.
conocer las ~s de majuelo 내용을 익히 알고 있다.
entrar por ~s 굳이 간섭하다.
uvada *f.* 포도의 풍작 ; 많은 포도.
uvaduz *f.* 【식물】 양딸기나무(gayuba).
uvaguemaestre *m.* (군대의) 양식 관리관(vaguemaestre).
uval *adj.* 포도 모양의.
uvate *m.* 통조림 포도.
uva-ursi *m.* 【식물】 석남화과(石南花科)의 약용 식물.
uvayema *f.* 야생 포도나무의 일종.
uve *f.* 서반아 알파벳 v의 명칭 : ~ doble w의 명칭.
úvea *adj.f.* 【해부】 포도막(túnica ~).
uveítis *f.* 【의학】 포도막 염증 (inflamación de úvea).
uveral *m.* 《*AmérC. Ant.*》 갯포도가 자란 곳.
uvero, ra *adj.* 포도의 : exportación ~*ra* 포도 수출. —*m.f.* 포도 재배자·상인. —*m.* 《*AmérC. Ant.*》 【식물】 갯포도 .
uviforme *adj.* 포도 형태의.
uvilla *f.* [*dim.* uva] 《*Chile. Col.*》 【식물】 가지과 식물.
uvio *m.* 쟁기의 멍에.
úvula *f.* 【해부】 현옹수(懸壅垂), 목젖.
uvular *adj.* 목젖의, 연구개의 (음) : apéndice ~ 목젖 돌기.
uvularia *f.* 【식물】 백합 무리.
uxoricida *adj.* 아내를 살해한. —*m.* 《*Neol.*》 아내 살해 범인(el que mata a su esposa).
uxoricidio *m.* 《*Neol.*》 아내 살해(asesinato de la esposa).
¡uy! *interj.* 야, 아이구 ! 《놀람의 표시》 : *¡Uy!* ¡Qué rápido es este ascensor! 아이구 ! 이 승강기 굉장히 빠르군요 !
uyama *f.* 《*Col.*》 =**auyama.**
uyanza *f.* 《*Col. Ecuad.*》 새로 맞춘 옷에 대한 축하 선물.
uzear *intr.tr.* 《*Chile.*》 손으로 때리다, 쥐어박다 (golpear algo con las manos).

V

v *f.* ① 베《서반아어 자모의 제 25번째 문자(vigésima quinta letra del abecedario castellano)》. ② V는 로마 숫자로 5를 나타냄.
uve doble 문자 w의 명칭.
V vanadio; voltio; velocidad, volumen.
v., v/ vale, valor 가치; vapor; véase 참조; verbo, viuda; vista 일람(一覽).
V. usted, venerable, véase, vale, versículo.
va ir의 직·현·3·단수.
Va volamperio.
v.ª vista 일람.
V.ª Vigilia.
V.A. Vuestra Alteza 전하《경칭》; Versión Autorizada.
vaca *f.* [*lat.* vacca] ① 암소(hembra del toro): leche de ~*s* 소의 젖. lenguas de ~ 소의 혀. ② 쇠고기 (carne de vaca o de buey): ~ asada 비프스테이크(biftec, bistec). ~ guisada 스튜. carne de ~ 쇠고기. Aumentó el precio de la ~ 쇠고기 값이 올랐다. ③ (무두질한) 쇠가죽 (cuero de la vaca). ④ (도박에서 공동 출자한) 돈.
~ *abierta* 다산의 암소(vaca fecunda).
~ *de San Antón* 【동물】 무당벌레(mariquita).
~ *de leche* 젖소. ~ *marina* 【동물】 해우(manatí). ~ *de montaña·anta* 【동물】 맥(tapir). ~ *tembladera* 【어류】 =torpedo.
ciertas ~*s* 어떤 기억 (ciertos recuerdos).
andar como ~ *sin cencerro* 불안하게·침착하지 못하게 걷다.
hacer ~ 《*Perú.*》 배반하다(hacer novillos).
ser la ~ *de la boda* 축제의 비용을 만들다 (hacer los gastos de una fiesta).
vacación *f.* [*lat.* vacatio] ① 휴식. ② 결원; 빈자리, 공석: Hay una ~ en la sección 그 과에 결원이 생겼다. —*pl.* 휴가, 방학: ~*es* de verano·invierno 여름·겨울 방학. ~*es* retribuidas 유급 휴가. Están los colegiales de ~*es* 학생들은 방학중이다.
~ *de empresa* 휴업.
~ *pagada·retribuida* 유급 휴가.
vacada *f.* ① 소떼(manada o rebaño de vacas o bueyes) ② 축우(ganado vacuno).
vacaje *m.* 《*Arg.*》 =**vacada.**
vacancia *f.* ① 공허, 공, 빔, 빈곳, 공간, 허공. ② 결원, 공석, 빈자리; 공위(空位).
vacante *adj.* 공석의, 비어 있는, 결원 중의 (no ocupado): cuarto ~ 빈방. plaza ~ 공석(空席). El empleo está ~ 그 자리는 결원 중이다. —*f.* ① 결원, 공석: cubrir ~ 빈자리·공석·결원을 보충하다. No hay ~ 빈자리 없음. ② 휴가, 쉼.
vacar *intr.* 7 [*lat.* vacare] ① 공석이 되다, 자리가 비다(estar vacante): *Vacará* la plaza de portero 현관 수위 자리가 빌 것이다. Los buenos destinos no *vacan* mucho tiempo 좋은 직은 오래 공석이 되지 않는다. ② (어떤 기간 동안) 휴가를 얻다, 쉬다(cesar): *Vacaremos* mañana 우리는 내일 쉴 것이다. ③ [+a: …에] 전념하다, 종사하다, 더욱 열심히 하다 ~ *al* trabajo 일에 전념하다·종사하다·열중하다 : *Vacará* sus ocupaciones 그는 자기의 일에 열중할 것이다. ④ [+de: …이] 모자라다 (carecer): No *vacó* de misterio 비밀이 없지는 않았다.
vacaray *m.* 《*Arg.*》 =**ternero nonato.**
vacarí *adj.* ① 쇠가죽의(de cuero de vaca): adarga ~ 쇠가죽을 입힌 방패. ② 쇠가죽으로 만든(hecho de cuero de vaca).
vacatura *f.* [드뭄] 공석·결원 기간.
vacceo, a *adj.* 박세오《두에로강 유역의 옛 지방 이름》의. —*m.f.* 박세오 사람.
vaccina *f.* 백신, 예방 주사액.
vaccinela *f.* =**erupción vaccínea ligera.**
vaccíneo, a *adj.* 우두·종두의, 왁찐의: hacer la inoculación ~*a.*
vacciniáceo, a *adj.* 【식물】 =**vaccinieo.** —*f.pl.* =**vaccinieas.**
vaccínico, ca *adj.* =**vaccineo.**
vaccinieo, a *adj.* 【식물】 아란다노과의. —*f. pl.* 아란다노과 식물.
vaccinífero, ra *adj.* 우두·종두성의, 종두를 일으키는.
vaccino *m* 【의학】 =**vacuna.**
vaciadero *m.* 배수관, 하수구.
vaciadizo, za *adj.* ① 주형·주물의, 틀에 넣은. ② 말이 많은, 수다스러운.
vaciado *m.* ①주물. ② (틀로 만든) 상(像). ③ 구멍 파기, 땅파기(excavación).
vaciador *m.* ① (주물을) 부어 넣는 기사. ② (금형에) 붓는 도구.
vaciamiento *m.* vaciar하는 일.
vaciante *f.* 썰물 (menguante o descenso del mar). —*adj.* 비우는·부어넣은.
vaciar *tr.* 12 [*lat.* vacuare] ① 비우다 (dejar vacío): ~ el bolsillo 지갑을 털다. ~ una botella 한 병을 비우다. *Vacíe* usted el vaso 잔을 비워 주십시오. *Vació* el vaso de un trago 그는 단숨에 잔을 비웠다. ② 부어 넣다; 틀에 넣어 만들다; 주형(鑄型)에 넣다, 주조하다: *Vaciaron* una estatua en bronce 청동상이 주조되었다. ③ (…에) 구멍을 뚫다, 속을 비게 만들다; 도려 내다. ④ (학설 등을) 부연하다. ⑤ 내용을 베끼다. ⑥ 날을 세우다, 갈다: ~ una navaja. —*intr.* ① (물이) 흘러 들어가다, (desaguar): El río *vacía* en el mar 그 강은 바다로 흘러들고 있다. ② (물이) 줄어들다·빠

지다(menguar) : ~ el agua en los ríos.

~se ① 텅비다. ② 넘쳐 흐르다. ③ 심하게 퍼붓다. ④ 지껄여 버리다 : *~se de* una cosa, *~se por* la boca. ⑤ 《*Méx.*》 (천을 너무 빨아) 얇아지다.

[직설법 현재 : vacío, vacías, vacía, vaciamos, vaciáis, vacían. 접속법 현재 : vacíe, vacíes, vacíe, vaciemos, vaciéis, vacíen].

vaciedad *f.* 헛소리, 넌센스 ; 터무니없는 말 : No sabe decir más que *~es* 그는 터무니없는 말 밖에는 할 줄 모른다. Sinón. necedad, sandez, tontería.

vaciero *m.* (딸린 자식이 없는) 소·양지기.

vacila *f.* =**bromista.**

vacilación *f.* ① 동요, 흔들림(oscilación). ② 주저, 망설임 (irresolución, perplejidad, falta de decisión) : ~ de la opinión. Contr. fijeza, firmeza.

vacilada *f.* 《*Méx.*》 술마시고 떠들썩하기 ; 취기.

vacilador, ra *adj.* 《*Méx.*》 떠들기를 좋아하는 ; 얼근히 취한.

vacilante *adj.* ① 흔들리는 : una luz ~. ② 불확실한, 불안정한. ③ 망설이는, 주저하는.

vacilar *intr.* [*lat.* vacillare] ① 흔들리다, 진동하다, 흔들거리다, 동요하다(moverse, oscilar, tambalearse) : La mesa *vacila* 테이블이 흔들린다. ② 주저하다, 망설이다 (titubear) : ~ *en* la resolución 결정하는데 망설이다. ~ *en* la elección 선택하는데 망설이다. ~ *entre* marchar o quedarse 떠날까 머무를까 망설이다. El chico *vacila* un instante y luego contesta 그 아이는 잠깐 망설이다 대답한다. ③ 《*Méx.*》 야단법석을 부리다. ④ 《*Méx.*》 몹시 취하다.

vacilatorio, ria *adj.* 흔들리는, 동요하는.

vacile *m.* ① =**broma.** ② =**bromista.**

vacilón, na *adj.m.f.* 《*Méx. PRico.*》 떠들썩하기 좋아하는 ; 매사에 망설이는 (사람).

vacío vaciar의 직·현·1·단수.

vacío, a *adj.* ① 사람이 없는 (sin gente) : La casa estaba *~a* 집안이 텅 비어 있었다. ② 텅빈, 속이 빈 : bolsa *~a* 텅빈 지갑. Es un hombre ~ 그는 머리가 나쁜 사람이다. ③ 공기만 있는 : espacio ~. ④ 음식이 없는 : estómago ~. ⑤ 실속이 없는, 공허한, 알맹이 없는. ⑥ 할 일 없는, 덧없는 (ocioso). ⑦ 새끼가 없는 (암컷). **—*m.*** ① 빔, 공허 ; 허공 : con los ojos fijos en el ~. ② 틈, 사이, 빈틈 ; 속이 빔 (cavidad). ③ 진공(眞空) : bomba al ~ 진공 펌프. freno al ~ 진공식 제동기·브레이크. ④ 공석, 결원 (vacante). ⑤ 옆구리 : Le dio un codazo en un ~ 그의 옆구리를 팔꿈치로 꾹꾹 찔렀다. ⑥ 공간(空間) : Hay un ~ en la pared 벽에 공간이 있다. El astronauta se lanzó al ~ 우주 비행사는 우주 공간으로 발사되었다.

de ~ 딸린 것 없이 ; 덧없이 ; 빈손으로 ; 직업이 없이(sin ocupación o empleo).

en ~ 막연히 ; 허망하게.

hacer el ~ a uno (어떤 사람을) 따돌리다 (aislarse).

vaco *m.* =**buey.**

vaco, ca *adj.* [드뭄] 공석·결원의 ; 자리가 비어 있는 (vacante) : un empleo ~. **—*m.*** 【속어】 황소.

vacuidad *f.* [*lat.* vacuitas] ① 공허, 진공 ; 마음의 공허, 멍청함, 방심 ; 우둔, 얼빠짐 ; 허무. ② 하잘 것 없는 일·말·행동.

vacuna *f.* [*lat.* vacca] ① 우두, 종두 ; 예방 주사액, 백신 : ~ de la rabia 공수병 백신. ② 소에 의해 전염된 병.

vacunación *f.* 백신 주사 ; 종두 : La inmunidad de la ~ dura unos diez años 종두의 면역은 약 10년간 계속된다.

vacunador, ra *adj.* 종두하는, 백신 주사를 놓는. **—*m.*** 종두를 놓는 의사.

vacunar *tr.* 종두하다 ; 백신 주사를 놓다 : Ayer le *vacunaron* a mi niño contra la difteria 어제 내 아들은 디프테리아의 백신 주사를 맞았다.

vacunífero, ra *adj.* 종두·우두·백신을 공급하는 (동물).

vacuno, na *adj.* ① 소의 : animales *~es* 소. ganado ~ 축우(畜牛). ② 쇠가죽의 (vacarí) : zapato ~ 쇠가죽 구두.

vacunoterapia *f.* 종두에 의한 치료법.

vacuo, cua *adj.* [*lat.* vacuus] 빈 ; 빈자리·공석의, 결원의 : un puesto ~. Sinón. vacío. **—*m.*** 빔, 진공 ; 틈새, 빈틈 ; 공허.

vacúola *f.* 【생물】 공포(空胞), 액포(液胞).

vacúolo *m.* 【해부】 원형질의 강(腔).

vacuoma *f.* 【집합】 =**vacúolas.**

vacuómetro *m.* (저기압을 측정키 위한) 압력계(manómetro).

vade *m.* (학생의) 손가방(vademécum).

vadeable *adj.* 걸어서 건널 수 있는 ; 극복할 수 있는.

vadeador *m.* 여울물 안내자.

vadear *tr.* ① 걸어서 건너다, 얕은 물을 따라 건너다. ② 극복하다 (vencer). ③ (남의 눈치를) 살피다, 낌새를 살펴보다.

~se 처신하다(portarse, conducirse).

vademécum *m.* ① 휴대용 참고서, 안내서, 필수서, 편람. ② 메모 공책. ③ (학생의) 손가방·책가방.

vadera *f.* (커다란) 여울(vado ancho de un río).

vade retro *interj. lat.* 비켜라, 물러가라.

vado *m.* [*lat.* vaaus] ① (걸어서 건널 수 있는) 여울. ② 방법, 수단, 방책, 편의, 해결의 실마리 : dar ~ 편의를 제공하다. tantear el ~ 깊이를 발로 재보다 ; 실현 가능성을 조사하다, 낌새를 살피다. no hallar ~ 손을 쓸 수가 없게 되다.

al ~ o a la puente 어떻게 해서라도, 온갖 수단을 다 써서.

vadoso, sa *adj.* 여울이 있는, 여울이 많은.

vafe *m.* 《*And.*》 =**golpe atrevido.**

vagabundaje *m.* =**vagabundeo.**

vagabundear *intr.* 방랑 생활을 하다, 유랑하다, 쏘다니다, 어정거리다, 무위 도식하다(errar, andar vagabundo).

vagabundeo *m.* 방랑, 유랑, 무위도식.

vagabundería *f.* 방랑, 유랑 ; 방랑 생활, 부랑배들.

vagabundez *f.* =**vagabundeo.**

vagabundo, da *adj.* [*lat.* vagabundus] 유랑의, 방랑하는, 집없이 떠돌아다니는, 정처없이 헤매는 : mendigo ~. **—*m.f.*** 방랑자, 유랑자, 정처없는 나그네, 떠돌이(hombre sin domicilio

fijo) : dotener a un ～.
vagamente *adv.* 모호하게, 막연히, 덮어놓고 (de un modo vago, incierto).
vagamundear *intr.* =**vagabundear.**
vagamundería *f.* 《*AmérC. Ant. Col.*》 =**vagabundería.**
vagamundo, da *adj. m.f.* =**vagabundo.**
vagancia *f.* 방랑, 유랑 ; 부랑.
vagante *adj.* ① 떠돌아다니는, 방랑하는, 유랑의, 떠도는. ② 무위한(ocioso). ③ 《*Bol.*》 미개척의.
vagar[1] *intr.* 8 [*lat.* vagari] ① 떠돌아다니다, 방랑하다 : ～*por* el mundo. ② 여기저기 돌아다니다.
vagar[2] *intr.* [*lat.* vacare] ① 여유가 있다. ② 한가하다(estar ocioso).
vagar[3] *m.* ① 틈, 여유 : No tengo tanto ～ 나는 그런 여유가 없다. ② 태평, 한가로움 (lentitud) : Lo hace con mucho ～ 그 일을 하는데 몹시 꾸물거린다.
andar · estar de ～ 헛되이 세월을 보내다, 게으름피우다.
vagarosamente *adv.* 떠돌이처럼, 여기저기로 (de modo vagaroso).
vagarosidad *f.* 유랑, 방랑.
vagaroso, sa *adj.* 【시어】 =**vagabundo.**
vagido *m.* [*lat.* vagitus] (갓난아이의) 울음 소리 (gemido o grito débil del niño recién nacido).
vagina *f.* ① 【해부】 질(膣). ② 【식물】 잎집.
vaginal *adj.* 【해부】 질의.
vaginitis *f.* 【의학】 질염(inflamación de la vagina).
vaginoscopia *f.* 【의학】 (금속 반사경에 의한) 질 검사.
vagínula *f.* =**vaina pequeña.**
vaginulado, da *adj.* vagínula를 가진.
vagneriano, na *adj.* =**wagneriano.**
vagnerismo *m.* =**wagnerismo.**
vago, ga *adj.* [*lat.* vagus] ① 몽롱한, 흐릿한, 흐리멍텅한, 막연한, 애매한, 숙맥같은 ; 부동적인 : voz ～*ga* 풍설. ② 방랑하는 (vagabundo) ; 무뢰한의, 일없는 (holgazán) ; 게으른, 나태한 : un alumno muy ～ 매우 게으른 학생. ③ 【해부】 미주의 : nervio ～ 미주 신경. **—***m.f.* 부랑자, 유랑자, 떠돌이, 건달 ; 게으름뱅이 : ¡Eres un ～ ! 너 게으름뱅이구나 ! La ciudad estaba llena de ～*s* 도시는 부랑자로 가득차 있었다. **—***m.* 미주 신경.
en ～ 무익하게, 헛되이, 아무 쓸모없이(en vano).
vagón *m.* [*ing.* wagon] 차량, 객차, 화차.
～ ***cama*** 침대차. ～ ***cisterna*** 유조차, 탱크차. ～ ***cuadra*** 가축용 화차 · 자동차. ～ ***cuba*** 탱크차. ～ ***de cargar*** 화차. ～ ***de mercancías*** 화차. ～ ***(de mercancías) abierto*** 무개 화차. ～ ***(de mercancías) cerrado*** 유개 화차. ～ ***descubierto*** 무개화차. ～ ***especial*** 특수 화차. ～ ***frigorífico*** 냉동화차. ～ ***grúa*** 기중기차. ～ ***para ganado*** 가축차. ～ ***para una carga a granel*** 포장하지 않은 화차. ～ ***provisto de toldos · lonas*** 방수포를 갖춘 화차. ～ ***restaurante*** 식당차. ～ ***tanque*** 탱커, 유조차.
vagoneta *f.* ① 트럭, 소형 화물차. ② 《*Arg.*》 무직자. ③ =**sinvergüenza.** ④ 못사는 사람.
vagotonía *f.* 과민 흥분성.
vagra *f.* 【동물】 맥(tapir).
vaguada *f.* (골짜기의) 기부(基部), 유수선(流水線) : Las aguas corrientes naturales siguen la ～ de los valles. Contr. thalweg.
vagueación *f.* 불안, 초조, 근심(inquietud).
vagueante *adj.* 방랑하는, 유랑하는.
vaguear[1] *intr.* [드뭄] =**vagar.**
vaguear[2] *intr.* =**holgazanear.**
vaguedad *f.* 모호, 애매, 어정쩡함 ; 애매한 말 : El dice siempre ～*es.*
vaguemaestre *m.* [*alem.* wagenmeister] (옛날 군대의) 식량 · 연료 수송관 · 보급관.
vaguido, da *adj.* 현기증이 난, 현기증을 일으킨. **—***m.* =**vahído.**
váguido *m.* 【고어】 《*Amér.*》 =**vaguido.**
vahaje *m.* 산들바람, 미풍(viento suave).
vahanero, ra *adj.* 《*Murc.*》 =**ocioso, truhán.**
vahar *intr.* =**vahear.**
vaharada *f.* 증기를 발산하기 ; 공기의 안개.
vaharera *f.* 【의학】 아구창.
vaharina *f.* 증기, 안개(vaho, vapor, niebla).
vahear *intr.* 증기를 발산하다 ; 냄새를 내뿜다 : un plato que *vahea.*
vahido *m.* 현기증 : tener ～*s* 현기증이 나다.
vahído *m.* =**vahido.**
vaho *m.* 증기, 김, 훈기 ; 냄새.
vaída *adj.* ***bóveda*** ～ 사방을 수직으로 자른 모양의 반구형의 원형 천정 · 둥근 지붕.
vaina *f.* [*lat.* vagina] ① (칼 · 콩 등의) 집 · 꼬투리 (funda) : la ～ de la espada 칼집. la ～ de las tijeras 가위집. la ～ de un guisante 완두 꼬투리. ② (기나 돛대의 가장자리를 뒤집기 위해) 안으로 접어넣은 부분. ③ 망나니(sujeto inútil). ④ 《*Amér.*》 번거로운 일, 귀찮은 일 (molestia, contratiempo).
vainazas *m.* 게으름뱅이, 얼뜬 사람 (persona floja o desvaída).
vainero, ra *m.f.* 무기의 칼집 제조자.
vainica *f.* 장식을 위해 천의 가장자리 올을 푼 부분.
vainilla *f.* ① 【식물】 바닐라 《향료 식물》 ; 그 열매. ② 【식물】 (남미산의) 헬리오트로프 (helitropo). ③ 장식을 위해 천의 가장자리 올을 푼 부분(vainica). ④ 《*Ast.*》 =**judía verde.**
vainillera *f.* 【식물】 =**vainilla.**
vainillina *f.* 바닐라향, 바닐라소(素).
vainillismo *m.* 바닐라 중독.
vainillón *m.* 《*Amér.*》 보통 것보다 질이 못한 vainilla.
vainiquera *f.* vainica를 만드는 노동자.
vainita *f.* 《*Amér.*》 녹색 강낭콩(habichuela verde).
vais ir의 직 · 현 · 2 · 복수.
vaisia *m.* 바이시아 《인도 4성(姓)의 제 3 계급, 평민》.
vaivén *m.* ① 왕복 운동, 동요. ② 변동, 불확실, 변전(變轉), 변이성. ③ 위험. ④ 【선박】 (두세 가닥의) 가느다란 그물 · 밧줄.
vaivoda *f.* [*eslavo.* vaivod] =**príncipe de Mol-**

davia.

vaivodazgo *m.* vaivoda의 직.

vaivodía *f.* ① vaivoda의 통치령. ② (폴랜드에서) 주(porvincia).

vaizay *f.* =**vaizia.**

vaizia *m.* 바사(毗舍)《고대 인도의 세습적인 신분 제도인 네 계급 중의 세 번째 계급》.

vajilla *f.* (1인분의) 그릇, 기물, 홈 세트.

val *m.* ① valle(계곡)의 단축형. ② 주로 접두어로 쓰임 : *Val*paraíso. ③ 하수구.

valaco, ca *adj.* 발라끼아 《Valaquia, 현재의 루마니아 부근의 옛 이름》의 ; 발라끼아에 관계되는. —*m.f.* 발라끼아 사람. —*m.* 발라끼아말.

valais *m.* (아빌라의) 제재 목재.

valar *adj.* [*lat.* vallaris] 성벽의, 벽루의 ; 담의, 울타리의.

corona ~ 제일 먼저 적진으로 쳐들어간 용사에게 주던 황금관.

valdense *adj.* 뻬드로 데 발도 《Pedro de Valdo, 12세기 불란서의 사교의 교주》의.

valdepeñas *m.* 발데뻬냐스《Valdepeñas, 서반아 Ciudad Real 주의 도시》산 적포도주.

valdepeñero, ra *adj.* 발데뻬냐스 《Valdepeñas, 중부 서반아의 도시》의. —*m.f.* 발데뻬냐스 사람.

valdivia *f.* 《*Col.*》 독성 구토제 (vomipurgante muy venenoso).

de ~ 거저, 공짜로(de balde).

valdiviano, na *adj. m.f.* 발디비아 《Valdivia, 칠레에 있는 주・도시》의 (사람). —*m.* 《*Chile.*》 육포 요리(guiso de charquí).

valdrá valer의 직・미래・3・단수.

valdrán valer의 직・미래・3・복수.

valdrás valer의 직・미래・2・단수.

valdré valer의 직・미래・1・단수.

valdréis valer의 직・미래・2・복수.

valdremos valer의 직・미래・1・복수.

valdría valer의 가・1・3・단수.

valdríais valer의 가・2・복수.

valdríamos valer의 가・1・복수.

valdrían valer의 가・3・복수.

valdrías valer의 가・2・단수.

vale *m.* 인환증, 물품 인수증 ; 차용증 ; 약속 어음, 지불 어음 ; 증서, 증권 ; (학생에게 주는) 선행증.

—*interj.* 안녕!, 좋아!, 됐어!

~ *al portador* 《*Méx.*》 지참인불 어음.

~ *postal* 우편 어음.

valedero, ra *adj.* ① 유효한, 효력이 있는 : Este crédito es ~ hasta el 15 de octubre 본 신용장은 10월 15일까지 유효. ② 가치 있는.

valedor, ra *m.f.* ① 보호자. ② 《*Ar.*》 친구, 동료(amigo, camarada, compañero).

valedura *f.* ① 《*Méx.*》 =**valimiento, privanza, favor.** ② 《*Cuba.*》 (이긴 도박사가 잃은 도박사나 도박판 참석자들에게 주는) 돈・개평.

valencia *f.* 【화학】 원자가(原子價).

Valencia 【지명】 발렌시아 지방・주・시 《서반아의 동부 연안에 있음》.

valencianismo *m.* 발렌시아 사투리・방언 ; 발렌시아 지방주의.

valenciano, na *adj.* 발렌시아의. —*m.f.* 발렌시아 사람. —*m.* 발렌시아 방언.

valentía *f.* ① 용기, 용감함(valor, ánimo). ② 공로. ③ 허세부리기, 으시대기, 자부(심) (jactancia, arrogancia).

valentiniano, na *adj.* 발렌띤 《Valentín, 2세기 사교의 교주》 교파의. —*m.f.* 발렌띤 교도.

valentinita *f.* 안티몬화(華).

valentino, na *adj.* (옛날의) 발렌시아 왕국의.

valentísimo, ma *adj.* [*sup.* valiente] ① 용감무쌍한. ② 매우 완전한 (muy perfecto) : escritor ~. ③ 아주 훌륭한.

valentón, na *adj.* 허세를 부리는, 으시대는, 우쭐대는(arrogante, jactancioso, fanfarrón).

valentona *f.* =**jactancia.**

valentonada *f.* =**jactancia.**

valentonería *f.* =**valentonada.**

valer[1] *intr.* 62 ① 가치가 있다 (tener un valor de) : un reloj que *vale* diez mil pesos 1만 뻬소 가치가 있는 시계. ¿Cuánto *vale* esto? 이것은 얼마입니까? ② (어떤 금액・수량에) 달하다, …이다 (montar). ③ 쓸모가 있다, 쓸만 하다 : Esta madera no *vale para* muebles 이 목재는 가구용으로는 쓸모가 없다. ④ 위력・권력이 있다 (tener poder, autoridad o fuerza) ; 고집이 먹혀 들어가다 : *Con*migo no le *valdrá* el parentesco con el presidente 그가 사장의 친척이라해도 나한테 걸리면 소용없다. ⑤ [hacer + ~] 위력을 발휘시키다 : *Hizo* ~ sus derechos 그는 그 권리의 위력을 발휘시켰다. ⑥ [+por : …에 대신할 만한] 가치가 있다 : Esta razón *vale por* muchas 이 이유는 여러 가지 많은 이유를 대신할 만한 힘이 있다. Esa respuesta *vale por* una confesión 그 대답은 고해에 대신할 만한 가치가 있다. ⑦ [+más] …하는 편이 낫다 : *Vale más* callar 잠자코 있는 것이 낫다. *Valdría más* que no se hubieras casado 너는 결혼하지 않았던 편이 나았을 텐데.

—*tr.* ① 【고어】 지키다, 보호하다, 감싸다, 두둔하다, 비호하다(amparar, proteger) : *Válga*me Dios 신이 나를 보살펴 주소서. ② 가치가 있다 (tener precio) : un reloj que *vale* diez duros 10 두로짜리 시계. ③ (…에) 상당하다, …과 같다 (equivaler) : Una semicorchea *vale* mitad de una corchea 16음부는 8분음표의 반에 상당한다. Una nota blanca *vale* dos negras 하얀 표 한 장은 검은 표 두 장 몫으로 쓸 수 있다. ④ 생기게 하다, 가져오게 하다 ; (이자가) 생기다, 늘다(redituar, rentar, producir renta) ; 이익을 낳다, 이익이 생기다(fructificar) : La finca le *vale* una renta de cinco mil pesetas 그 땅에서 그는 연간 5000뻬세따의 수입을 올리고 있다. ⑤ 느끼게 하다 (producir) : La tardanza me *valió* un gran disgusto 늦었던 일로 해서 나는 퍽 불쾌한 생각을 했다. El sistema le *valió* la admiración 그 시스템은 그에게 감탄을 일으키게 했다.

~se [+de : …을] 사용・이용하다 (servirse) : *Se valió de* unos amigos para sacar el carné de conducir 그는 친구들을 이용해서 운전 면허를 땄다.

Valga lo que valiere 어찌 되더라도.

¡Valga!, ¡Válgate! interj. 놀람・기이함・노함・슬픔을 나타내는 감탄사.

¡Válgame Dios! 당치도 않습니다 ; 저런, 내 정신 좀 봐! 《놀람・분노를 나타냄》.

~ (la) pena de +inf. …할 가치가 있다, …할만하다 : Vale la pena de verlo 그것은 볼 만하다.
~ uno o una cosa lo que pesa en oro o tanto oro como pesa 무척 가치가 있다.
Más vale tarde que nunca 【속담】 늦더라도 하지 않는 것보다 낫다 (No debe desanimarnos al emprender una cosa, el haberla empezado tarde).
Más vale huevos de hoy que gallinas de mañana 【속담】 죽어 석 잔 술이 살아 한 잔 술보다 못하다, 부잣집 외상보다 거지 맞돈이 차라리 낫다.
[직설법 현재 1인칭 단수 : valgo. 접속법 현재 : valga, valgas, valga, valgamos, valgáis, valgan. 직설법 미래 : valdré, valdrás, valdrá, valdremos, valdréis, valdrán. 가능법 : valdría, valdrías, valdría, valdríamos, valdríais, valdrían].

valer² *m.* 가치 ; 힘, 용기(valor) ; 영향, 세력 : Es un hombre de mucho ~ 그는 매우 유능한 사람이다.

valerano, na *adj. m.f.* 발레라 《Valera, 베네수엘라에 있는 도시》의 (사람).

valeriana *f.* 【식물】 쥐오줌풀 : La ~ se usa en medicina como antiespasmódico.
~ *mayor* 【식물】 valeriana의 일종.
~ *menor* 【식물】 보통의 쥐오줌풀.

valerianáceo, a *adj.* 【식물】 마타리과의. —*f.pl.* 마타리과에 속하는 식물.

valerianato *m.* 【화학】 길초산염 《신경병에 사용됨》.

valeriánico, ca *adj.* 【화학】 길초산염의.

valérico, ca *adj* 【화학】 =**valeriánico.**

valeriense *adj.* 옛 발레리아 《Valeria, 오늘날의 Valera de Arriba》의. —*m.f.* 옛 발레리아 사람.

valerosamente *adj.* ① 용감하게(con valor). ② 활발하게(animosamente). ③ 유효하게, 효과적으로(eficazmente).

valerosidad *f.* 용감성, 용기(valentía).

valeroso, sa *adj.* ① 용감한, 용기있는, 씩씩한(valiente). ② 가치가 높은, 고가의(valioso). ③ 유효한, 효과있는(eficaz). ④ 힘센, 강한, 힘이 강한(fuerte).

valetudinario, ria *adj.* 병약한, 허약한 (enfermizo, delicado, enclenque, débil) : un anciano ~ 허약한 노인.

valga valer의 접 · 현 · 1 · 3 · 단수.

valgáis valer의 접 · 현 · 2 · 복수.

valgamos valer의 접 · 현 · 1 · 복수.

valgan valer의 접 · 현 · 3 · 복수.

valgas valer의 접 · 현 · 2 · 단수.

valgo valer의 직 · 현 · 1 · 단수.

valgo, ga *adj.* 힘이 없는(sin fuerzas).

valí *m.* (터키의) 태수.

valía *f.* ① 가치 ; 비싼 값 : a las ~*s* 최고 값으로. mayor ~ 물가의 폭등. una joya de gran ~ 값비싼 보석. ② 편들기, 후원, 총애(privanza, valimiento) : tener gran ~ con una persona. ③ 당, 도당.

valiato *m.* (터키의) 태수 정치, 태수령(領).

valichú *m.* 《Riopl.》 (인디오의) 악마 (espíritu maligno)의 이름 중의 하나.

valida *f.* (터키의) 황제의 어머니에게 붙이는 이름(validé).

validación *f.* ① 유효화. ② 효력. ③ 견실(firmeza).

validamente *adv.* 유효하게(de modo válido).

validar *tr.* 유효하게 하다, 효력을 인정하다 : no ~ una elección. **Contr.** invalidar.

validé *f.* =**valida.**

validez *f.* ① 효력, 유효성, 합법성 : ~ de la oferta 오퍼의 유효 기간. ② 견실.

validirrostro, tra *adj.* 【동물】 부리가 견고한(que tiene robusto el pico).

valido, da *adj.* 총애를 받는 ; 존경을 받는. —*m.* 총신(寵臣)(privado) ; 재상(宰相)(primer ministro).

válido, da *adj.* [*lat.* validus] ① 효력이 있는, 유효한(firme) : un contrato ~. ② 견실한, 강인한, 장부다운, 씩씩한(robusto) : hombre ~. **Contr.** inválido.

valiente *adj.* ① 용기있는, 용감함 : un soldado ~. ② 멋진, 희한한. ③ 지독한, 굉장한 (grande, excesivo) : Hace un ~ frío 몹시 춥다. Le dio un ~ chasco 그에게 굉장한 골탕을 먹였다. ④ 힘센 (fuerte, enérgico, animoso). ⑤ 허세를 부리는, 실속없이 으시대는(valentón, baladrón, bravucón, perdonavidas).

valientemente *adv.* ① 용감하게 : Se portó ~ 그는 용감하게 행동했다. ② 힘있게. ③ 굉장하게, 심하게. ④ 훌륭하게, 우수하게 (excelentemente) : escribir ~.

valija *f.* ① 여행 가방 (maleta), 휴대용 가방 (baúl portátil). ② 우편 행랑 : ~ diplomática (외교) 파우치. ③ 우편 행랑으로 옮기는 우편.

valijería *f.* 《Arg. Chile. Parag. Urug.》 valija 파는 곳.

valijero *m.* ① (중앙국과 지국 간의) 우편 집배원. ② (외교 기관의) 문서 휴대관(~ diplomático).

valijón *m. aum.* valija.

valimiento *m.* ① 총애 (privanza). ② 가치. ③ 비호, 두둔, 보호 (amparo, protección, defensa). ④ 이용(하는 일), 사용.

valioso, sa *adj.* ① 소중한, 귀중한. ② 가치있는 (precioso) : un trabajo ~ 가치있는 일. ③ 유효한. ④ 부호의, 부자의, 부유한 (adinerado, acaudalado, rico).

valisoletano, na *adj.m.f.* =**vallisoletano.**

valiza *f.* 《Galic.》 =**baliza.**

valla *f.* ① 담장, 울타리 : saltar la ~. ② 장애물 (obstáculo) : poner una ~ a la ambición de uno. ③ 【경기】 허들 : El salta ~*s* muy bien. ④ 《Cuba.》 닭장.

valladar *m.* 울타리, 담장 ; 방책 ; 장애물.

valladear *tr.* =**vallar, cercar.**

vallado *m.* 흙담, (나무의) 방책.

Valladolid 【지명】 바야돌리드 주 · 시.

vallar¹ *tr.* 울타리 · 담을 하다, 울타리를 치다 : ~ un campo.

vallar² *adj.* 담의, 울타리의. —*m.* 담, 울타리.

valle *m.* [*lat.* vallis] ① 계곡, 골짜기. ② 유역 ; 저지(低地), 분지 : un ~ fértil. ③ 계곡의 도시 · 부락 : el ~ de lágrimas 이 세상, 속세(este mundo).

vallecaucano, na *adj.m.f.* 바예 · 델 · 까우까

《Valle del Cauca, 꼴롬비아에 있는 주》의 (사람).

vallegrandino, na *adj.m.f.* 바예그란데 《Vallegrande, 볼리비아에 있는 도시》의 (사람).

vallejo *m.* [*dim.* valle] 작은 골짜기·계곡.

vallejuelo *m. dim.* vallejo.

vallico *m.* 【식물】 독보리 (joyo) 비슷한 화본과(禾本科) 식물 : El ~ sirve para pasto y para hacer céspedes.

vallina *f.* 골짜기, 계곡.

vallino, na *adj.* 《*Perú.*》 골짜기·계곡의.

vallisoletano, na *adj.* 바야돌리드의, 바야돌리드에 관계되는. **—***m.f.* 바야돌리드 사람.

vallista *adj.* 《*Arg.*》 계곡 (태생)의.

vallunco, ca *adj.* 《*AmérC.*》 계곡의.

valluno, na *adj.* ① 《*Col.*》 =**vallista.** ② *adj.m.f.* 바예·델·까우까 《Valle del Cauca, 꼴롬비아에 있는 주》의 (사람).

valón, na *adj. m.f.* 발론 사람 《벨기에 동남부의 주민》(의) ; 발론어의 : u *valona* w를 가리킴. **—***m.* 발론말 《프랑스의 옛 방언》. **—***pl.* 발론풍의 짧은 속옷.

a la valona 발론풍·식으로.

valona *f.* ① (옛날의) 깃장식, 깃걸이, (등, 어깨, 가슴 위를 가리는 옛날의) 크고 넓은 깃·칼라. ② 《*AmérM.*》 아주 짧게 자른 갈기 : hacer la ~ 갈기를 짧게 자르다 (valonar). ③ 《*Méx.*》 시중들기, 거들기, 조력.

valonar *tr.* 《*Col. Ecuad.*》 =**esquilar.**

valor *m.* [*lat.* valor] ① 가치, 값어치 ; 소중함, 귀중함 : artículo de mucho ~ 굉장히 유용한 상품. sin ~ 값을 매길 수 없는, 무가치한. de gran ~ 몹시 가치있는. juicio de ~ 가치 판단. dar ~ a …에 중요성이 있다. ② 가격, 값, 금액 : el ~ de una hacienda 어떤 농장의 가격. ¿Qué ~ tiene este anillo? 이 반지값은 얼마쯤 입니까? Lo compró por la mitad de su ~ 그는 그것의 반값으로 그것을 샀다. ③ 용기, 용맹, 기백, 대담성, 배짱 (osadía) : Tuvo ~ de negarlo 그는 그것을 거절할 수 있는 배짱이 있었다. ④ 정력, 힘. ⑤ 말뜻의 확대. ⑥ 【음악】 음장(音長). ⑦ 【수학】 수치. **—***pl.* ① (유가) 증권(títulos ~*es*) : ~ declarados 금액 표기 우편물. ~ en caja·en cuenta 소유한 증권. bolsa de ~*es* 증권 거래소. ② 공채, 사채, 주식 : Los ~*es* están en alza 주식이 오르고 있다.

~ a amortizar 요상각액(要償却額). ***~ a efectos de pago de derechos*** (세관에서의) 과세 가격. ***~ a la par*** 환 평가 ; 액면 가액(價額). ***~ absoluto*** 절대 가치. ***~ actual*** 시가(時價), 현행 가격, 실제 가치. ***~ adquisitivo*** 구매력 ; 화폐 가치. ***~ agregado*** 부가·노동 가치. ***~ agregado neto*** 순부가 가치. ***~ arrojado por el balance*** 장부 가액. ***~ asegurable·asegurado*** 보험금(액), 보험 가격·가액. ***~ auténtico de las mercancías importadas*** 수입 화물의 실제 가격. ***~ bursátil*** 시가(市價·時價). ***~ capitalizado*** 자본화·환원 가치. ***~ catastral*** 과세 가액, (과세품의) 사정 가격. ***~ castral del predio*** 토지 가옥의 대장 가액. ***~ comercial*** 시가(市價·時價), 시장 가격·가치, 거래 가액, 상업 가치. ***~ contable*** 장부 가액. ***~ convencional*** 협정 가격. ***~ convenido*** 보험 평가액. ***~ de avalúo*** 평가액. ***~ de cambio*** 교환 가치. ***~ de cancelación*** (보험의) 해약 가격, 해약 반환 금액, 중도 해약 상환금. ***~ de compra*** 취득·원시 원가. ***~ de costo*** 원가, 매입 가격, 원가 가치. ***~ de cotización*** ① 시가 (市價·時價). ② 《*Méx.*》 통제 가액. ***~ de chatarra*** 잔존 가액, 폐물 가격. ***~ de desecho*** 폐물 가치. ***~ de desperdicio*** 잔여 가치. ***~ de evalúo*** (자산의) 평가 가액. ***~ de exportación*** 수출 가격. ***~ de la moneda*** 화폐 가치. ***~ de la producción*** 생산 가치. ***~ de liquidación*** 청산 가치. ***~ de lo recuperado·salvado*** 해난 구조품 가격. ***~ de mercado*** 시장 가격·가치, 상품 가치. ***~ de negocio en marcha*** 경영 가치. ***~ de paridad*** 환평가. ***~ de realización*** 환금 처분 가액. ***~ de realización inmediata*** 해산·청산 가격. ***~ de recuperación*** 처분·잔존·회수 가능 가치. ***~ de redención·renuncia·rescate*** 해약 반환 금액, 중도 해약 반환액. ***~ de rendimiento*** 자본화·자본 환원 가치. ***~ de uso*** 사용 가치. ***~ de venta*** 상품 가치. ***~ declarado*** 표시액. ***~ del cambio*** 환산 가액. ***~ depreciado*** 감가 상각필 원가. ***~ deteriorado*** 손해액. ***~ efectivo*** 실액(實額) ; 실효 가치 ; 현금 가격. ***~ en aduana*** (세관에서의) 과세 가격. ***~ en bolsa*** 시가(市價, 時價). ***~ en buen estado*** 건전 가치. ***~ en cambio*** 교환 가치. ***~ en el extranjero*** 외국 가격. ***~ en libros*** (자산의) 장부 가치·가액. ***~ en limpio*** 정미(正味) 가격. ***~ en liquidación*** 해약 반환 금액, 중도 해약 반환금. ***~ en metálico*** 현금 거래 가격. ***~ en plaza*** 시장 가격. ***~ en uso*** 사용 가치. ***~ ententido*** 약정 가격. ***~ estimado*** 추정·평가액, (자산의) 평가 가액. ***~ estimado del coche*** 자동차의 견적 가격. ***~ externo*** 대외적 가치. ***~ extrínseco*** 부대 가치. ***~ favorito*** 우량주. ***~ fiduciario*** 신탁 가액. ***~ genuino de las mercancías importadas*** 수입 화물의 실제 가격. ***~ imponible*** 과세 가액. ***~ inicial*** 취득·원시 원가. ***~ interior de la moneda*** 화폐의 내국적 가치. ***~ intrínseco*** 실가(實價), 본질 가치. ***~ justo*** 건전 가치. ***~ liquidable*** 청산 가치. ***~ literal*** (주식의) 표시 금액. ***~ medio*** 중심치, 평균치. ***~ neto*** 액면 ; 정미 가액. ***~ neto en factura*** 송장 기재의 정미 가액. ***~ neto en libros*** 순·정미 장부 가액. ***~ nominal*** 액면액·가격, 명목 가액. ***~ normal*** 적정 가격. ***~ por concepto de alquiler*** 임대 가격. ***~ promedio*** 평균 가액. ***~ real*** 실질 가치, 실제 가격. ***~ recibido*** 대가 영수필 ; 수령액, 대금 영수필. ***~ relativo*** 상대적 가치. ***~ residual*** 잔존 가액, 폐물 가격, 폐잔 가치. ***~ residual por amortizar*** 감가 상각필 가액. ***~ según (los) libros*** 장부 가액. ***~ total de las mercancías importadas y exportadas*** 상품 수출입 총액. ***~ tributario*** 과세 가액. ***~es al cobro*** (대금) 수취 어음. ***~es al portador*** 지참인불 증권. ***~es bancarios*** 지폐 ; 은행 인수 어음. ***~es bursátiles*** 상장주. ***~es cotizables*** 시장성 증권. ***~es calidad media*** 중등주. ***~es de inversión*** 투자 증권. ***~es de prioridad*** 우선주. ***~es de renta fija*** 확정 이자부 증권. ***~es del estado*** 정부 발행 유가 증권. ***~es del mercado no oficial*** 비상장주. ***~es disponibles*** 현금·유동 자산. ***~es extranjeros*** 외채. ***~es fijos*** 고정 자산·자본. ***~es incorpóreos*** 무형

자산. ~*es inmovilizados* 고정 자산. ~*es inscritos en la bolsa* 상장주. ~*es líquidos* 유동 자산. ~*es mobiliarios* 유가 증권, 지참인불 증권. ~*es no cotizables* ; ~*es no inscritos en la bolsa* 비상장 증권. ~*es patrimoniales* 고정 자산. ~*es realizables* 당좌・신속 환가 자산. ~*es seguros* 견실한 주.

valorable *adj.* 비싼.

valoración *f.* ① 평가, 가치(tasación) : ~ de la garantía 담보 물건의 평가. ~ de la póliza 보험 증권 평가액. ~ de puestos・trabajos・puestos de trabajo 직무, 평가. ② 평가 절상 ; 가치를 정하는 일. ③《*Galic.*》이용 (utilización, aprovechamiento) : la ~ de un terreno. ④ 개발(explotación).

valorador, ra *m.f.* (세관의) 사정인(査定人).

valorar *tr.* ① 평가하다, 값을 매기다(poner precio). ② 가치를 높이다(aumentar el valor). ③ 개발하다(explorar). ④ 이용하다(utilizar).

valorativo, va *adj.* 평가하는 : un juicio ~.

valorear *tr.* =**valorar.**

valoría *f.* ① 가치, 평가(valía, estimación). ② 존중. ③【화학】원자가.

valorización *f.* =**valuación.**

valorizar *tr.* 9 ① 평가하다, 값을 어림하다(valorar, evaluar). ② 가치를 높이다(aumentar el valor) ③ 시가(時價)를 유지하다. ④《*Amér.*》이용하다(utilizar).

Valparaíso【지명】발빠라이소《칠레의 주・시 ; 꼴롬비아의 Antioquia 주에 있는 도시》.

valquiria *f.* =**walkiria.**

vals *m.* [*pl.* valses] 왈츠(춤・곡) ; 원무곡.

val.s valores.

valsador *m.*《*Neol.*》왈츠를 추는 사람.

valsar *intr.* 왈츠를 추다(bailar el vals).

valse *m.* [드뭄] =**vals.**

valúa *f.*《*Murc.*》=**valía.**

valuación *f.* ① 평가, 어림, 견적 (valoración) : ~ de la póliza 보험 증권 평가액. ② (자산의) 사정, 감정.

valuador, ra *adj. m.f.* 평가・견적하는 (사람).

valuar *tr.* 15 견적하다, 값을 치다, 어림해보다, 평가하다(valorar) : ~ los perjuicios.

valumoso, sa *adj.* ①《*Amér.*》부피가 커진, 커다란(voluminoso). ②《*Chile.*》쓸데없이 자란. ③《*Venez.*》허영에 들뜬(vanidoso).

valva *f.* [*lat.* valva] ① (쌍각류의 한 쪽) 조가비. ②【식물】(꼬투리・깍지의) 한 쪽(ventalla). ③ (기계의) 판.

valváceo, a *adj.*【식물】=**indehiscente.**

valvar *adj.* valva의.

valvasor *m.* 시골 귀족, 하급 귀족(hidalgo infansón).

valviforme *adj.* valva 모양의 : pieza ~.

válvula *f.* [*lat.* valvula] ①【기계】밸브, 판(瓣) : ~ de seguridad 안전판. ~ sanitario 수세식 변기의 밸브. ② (라디오의) 진공관, 구(球)(lámpara). ③【동물・해부】판, 판막 : la ~ mitral del corazón 심장의 승모판.

valvular *adj.* 판의, 판 모양의 ; 판이 달린 ; 판으로 작용하는 ; 심장 판막의.

vamos ir의 직・현・1・복수.

vampiresa *f.* 흡혈귀 같은 여자.

vampírico, ca *adj.* 흡혈귀 같은.

vampirismo *m.* 탐욕, 착취주의.

vampiro *m.* ① 흡혈귀. ② 착취자 : Los usureros son ~*s* 고리 대금 업자는 고혈을 빨아먹는 사람이다. ③【동물】(남미산의) 흡혈박쥐.

van ir의 직・현・3・복수.

vanadato *m.*【화학】바나듐산염.

vanádico, ca *adj.*【화학】바나듐산의.

vanadinita *f.*【광물】갈연광.

vanadio *m.*【화학】바나듐, 바나딘《금속 원소》.

vanadito *m.*【화학】바드듐산염.

vanadoso, sa *adj.*【화학】바드듐 산화물의.

vanagloria *f.* 자만, 자부, 허영(심) (jactancia, presunción, arrogancia) : El habla con mucha ~.

vanagloriarse *r.* 13 [+de・por : …을] 자부・자만하다(jactarse) : ~*se de*・*por* su estirpe 가문을 자랑하다. El *se vanagloria de* su ciencia 그는 그의 지식에 우쭐하고 있다.

vanagloriosamente *adv.* 자만해서, 우쭐해서, 허영심으로.

vanaglorioso, sa *adj.* 우쭐해진, 허영심이 강한 (vano, presumido, orgulloso, jactancioso, fanfarrón). Contr. modesto.

vanamente *adv.* ① 헛되이, 보람없이, 무익하게, 아무 쓸모없이 (en vano, inútilmente) : intentar una cosa ~. ② 근거없이(sin fundamento). ③ 어리석게, 둔하게(tontamente). ④ 지향없이. ⑤ 자만하여.

vanarse *r.* ①《*Amér.*》못쓰게 되다 : El negocio *se vanó* 사업을 망쳤다. ② 과일이 익지 않고 떨어지다 : Su fruto *se vanó.*

vanda *f.*【식물】난초의 일종.

vandalaje *m.*《*Amér.*》파괴주의 ; 만행.

vandálico, ca *adj.* ① 반달족(vándalo)의. ② 문화 예술을 파괴하는, 야만적인.

vandalismo *m.* ① (문화의) 파괴주의・활동 : ~ revolucionario. ② 흉포, 만행. ③ 야만.

vándalo, la *adj.* 반달족의. —*m.* 반달족 ; (문화의) 파괴자, 파괴주의자.

vandeano, na *adj.* 반데아《불란서 서부의 la Vendée, 불란서 혁명 때 반 혁명파로 유명하였던 지방》의 : la instrrección ~*na.* —*m.f.* 반데아 지방 사람.

vandelia *f.*【식물】외풀속(屬).

vanear *intr.* 말 같지 않는・허튼 소리를 하다 (hablar vanamente).

vanegación *f.* 확인 ; 조회, 증명.

vanegar *tr.* 19 8 확인하다, 조회・증명하다.

vanélidas *f.pl.*【조류】섭금류과.

vanelo *m.*【조류】섭금류의 일종.

vanesa *f.*【곤충】나비(mariposa)의 일종.

vanguarda *f.*【고어】=**vanguardia.**

vanguardia *f.* ① 선발대, 선구, 선도자 ; 전초지. ② 전위, 선두, 선봉 : ir a・en ~ de …의 앞장서서 가다, …의 선두에 가다.

a ~ =a la cabeza.

vanguardismo *m.* 신경향《큐비즘(cubismo)과 과격론(ultraísmo) 같은 20세기의 예술 및 문학에서》.

vanguardista *adj.* ① vanguardismo의. ② vanguardismo에 가담한. —*m.f.* vanguardismo 가맹

자·추종자·신앙자·학파 사람.

vanidad *f.* [*lat.* vanitas] ① 공허. ② 자만, 허영(심) : hacer ~ de …을 은근히 자랑삼다. El hace ~ de su nacimiento 그는 자신의 태생을 은근히 자랑삼고 있다. Como tiene tanta ~ nadie quiere ser su amigo 그는 허영심이 강하므로 아무도 상대가 되려고 하지 않는다. ③ 어처구니없는 일 : Vamos a rebajarle la ~ 그의 허영심의 콧대를 꺾어 줍시다. El desprecia las ~*es* del mundo 그는 세상의 허영을 경멸하고 있다.

vanidoso, sa *adj.* 허영심이 많은, 체면을 몹시 찾는 : una mujer ~*sa.* —*m.f.* 자만가.

vanilina *f.* 【화학】 알데히드.

vanilocuencia *f.* 헛소리, 잔소리.

vanilocuente *adj.m.f.* =**vanilocuo.**

vanílocuo, cua *adj.m.f.* 수다스러운, 말이 많은 (사람) ; 내용없는 말을 하는 (사람) (hablador sin substancia).

vaniloquio *m.* 내용없는 이야기, 싱거운 말 (palabrería insubstancial).

vanillina *f.* 【화학】 =**vanilina.**

vanillismo *m.* 【의학】 =**vanilismo.**

vanistorio *m.* ① 허영심(vanidad ridícula). ② 허영심이 강한 사람(persona vanidosa).

vano *m.* [*lat.* vannus.] 《*Ast. León.*》 키 모양의 나무테로 고정된 가죽 《낟알을 체로 치는데 사용된 구멍이 없는 것》.

vano, na *adj.* [*lat.* vanus] ① 헛된, 무익한, 쓸모없는, 공연한(sin efecto, sin resultado) : Sus esfuerzos resultaron ~*s* 그의 노력은 허사가 됐다. ② 근거없는 (sin fundamento). ③ 덧없는, 허망한, 공허한 ; 부질없는 : esperanzas ~*s*. ④ 어리석은, 우둔한(tonto). ⑤ 거만한 (arrogante). —*m.* 공간 (hueco).

en ~ ① 헛되이, 아무 쓸데없이, 공연하게 (inútilmente, sin efecto) : Todo fue *en* ~ 모든 것이 허사였다. Lo intentó *en* ~ 그것을 해 보았으나 소용이 없었다. ② 까닭없이, 근거없이 (sin fundamento, sin necesidad, sin razón, sin justicia).

vánova *f.* ① 이불잇, 요잇(colcha). ② 침대보, 침대 커버(cobertor de la cama).

vapor *m.* [*lat.* vapor] ① 증기, 수증기, 김 : ~ de río 강의 수증기. a ~ 증기를 사용해서. ② 상기, 홍분, 현기증. ③ 기선, 배 : ~ cisterna·tanque 탱커, 유조선. ~ contrahielos 쇄빙선. ~ de carga 화물선. ~ de ruedas 외륜선. ~ directo 직항선. ~ mercante 상선. ~ volandero 부정기선. —*pl.* 울적함, 침울, 우울증.

~***es de vino*** 술기운.

al ~**,** ***a todo*** ~ 전속력으로(a toda velocidad, a todo correr).

vapora *f.* 소형 기선.

vaporable *adj.* [드묾] 증발하는, 증발시킬 수 있는(capaz de evaporarse).

vaporación *f.* 증발 ; 무산(evaporación).

vaporar *tr.* 증발시키다(evaporar).

~se 증발하다.

vaporear *tr.* 증발시키다(evaporar). —*intr.* 김이 나다, 기체화하다.

vaporímetro *m.* 수증기 측정 기구.

vaporización *f.* ① 기화, 증발 (작용). ②【의학】 증기 요법.

vaporizador *m.* 증발기 ; 분무기. Sinón. pulverizador.

vaporizar *tr.* 9 ① 기화시키다, 증발시키다 (convertir en vapor) : El calor *vaporiza* el agua. ② 안개 모양으로 만들다, 분무시키다.

vaporoso, sa *adj.* ① 수증기의, 증기를 내는, 김이 나는, 증기가 나오는, 수증기가 많은. ② 가벼운(ligero, leve) : tejido ~, estilo ~.

vapulación *f.* =**vapulamiento.**

vapulamiento *m.* =**vapuleo.**

vapular *tr.* =**vapulear, azotar, dar azotes.**

vapuleamiento *m.* =**vapuelo.**

vapuleador, ra *adj.* 때리는 (사람).

vapulear *tr.* [*lat.* vapulare] 두들겨 패다, 때리다, 치다(vapular, azotear) : ~ a un niño 아이를 때리다.

vapuleo *m.* 두들겨 패기, 치기, 마구 때리기 (vapulación).

vápulo *m.* =**vapuleo, vapulación.**

vaque, vaque- → **vacar** 7.

vaqué vacar의 직·부정과거·1·단수.

vaquear *tr.* 수소가 암소에게 흘레붙다.

vaqueira *f.* (아직도 갈리시아에서 사용되는 옛 플로방스 사람들의) 작시(composición poética).

vaquerear *intr.* 《*Perú.*》 학교를 빠지다.

vaquería *f.* ① 소떼 (vacada). ② 유업(乳業). ③ 《*Ant. Perú.*》 착유소. ④ 《*Venez.*》 끈으로 하는 사냥.

vaqueril *m.* 소 사육장, 목장.

vaqueriza *f.* (겨울의) 소 우리.

vaquerizo, za *adj.* 소의 : corral ~. —*m.f.* 목동, 카우보이, 목동, 소몰이(vaquero, pastor de vacas).

vaquero, ra *adj.* 소를 치는. —*m.f.* ① 목동. ② 가축 상인. ③ 《*Perú.*》 학교를 빼먹는 아이. —*m.* 《*Venez.*》 채찍, 회초리(látigo).

vaqueta *f.* ① 쇠가죽, (특히) 송아지의 가죽. ② 《*Cuba.*》 가죽 채찍.

vaquetear *tr.* 가죽 채찍으로 때리다.

vaquetón, na *adj.* 《*Méx.*》 뻔뻔스러운, 낯가죽이 두꺼운(descarado).

vaquía *f.* =**baquía.**

vaquigüela *f.* 《*León.*》 【동물】 도마뱀 비슷한 도롱뇽.

vaquilla *f.* [*dim.* vaca] 《*AmérM.*》 한 살 반에서 두살까지의 송아지.

vaquillona *f.* 《*AmérM.*》 세 살의 송아지.

vaquira *f.* 《*Col.*》 =**el pecarí.**

váquira *f.* 《*Venez.*》 =**el pecarí.**

váquiro *m.* 《*Venez.*》 【동물】 =**el pecarí.**

vaquita *f.* 【곤충】 =**vaca de San Antón.**

V.A.R Vuestra Alteza Real.

vara *f.* [*lat.* virga] ① 가느다란 나뭇가지(rama delgada y larga). ② 지휘봉 (bastón de mando) : vara de general 장군의 지휘봉. ③ 회초리, 작대기 : ~ de cortinas 커튼의 알루미늄 레일. ④ 권표, 권위의 지팡이 ; 권위, 법의 힘 : ~ alta 권위, 권력, 세력 (autoridad). tener ~ alta en una casa 집에서 권위를 가지다. ⑤ 길이의 단위 《0. 835 m》; 1바라의 자. ⑥ 투우를 투우사(picador)가 후려치는 일. ⑦ (백합·수선 등의) 꽃줄

기. ⑧40~50 마리의 돼지떼.
~ *alcandara* (마차의) 채. ~ *de guardia* (수레의) 채. ~ *de Inquisición* 종교 재판소의 시민 소집관. ~ *de premio* =cucaña. ~ *de San José* 【식물】 수선 (nardo). ~ *de lo fortrna* =cucaña. ~ *larga* 투우사의 긴 창. ~ *de pescar* 낚싯대.
doblar la ~ de la justicia 정의를 왜곡하다.
picar de ~ larga 위험을 무릅쓰고 해보다.
poner ~s (투우사가) 소를 회초리로 때리다(dar garrochazos el picador al toro).
tomar ~s ① 소가 투우사에게 덤벼들다(acudir el toro al picador). ② 여자가 맥없이 꺾이다(dejarse requebrar fácilmente la mujer).

varada *f.* ① 좌초. ② (광산에서 대개 3개월의) 기간을 정한 노동 ; 그 이익금 · 분배금 : repartir la ~. ③《*And.*》 십장(capataz)의 지휘하에서 일하는 날품팔이꾼. ④ 농번기.

varadera *f.* (뱃전의) 방현재(防舷材) · 통나무.

varadero *f.* 선박 수리소, 독.
~ *del ancla* (배의 측면을 보호하는) 철판 (plancha de hierro).

varado, da *adj.* ①《*Amér.*》 손발이 저린(envarado). ②《*Chile.*》 일정한 직업이 없는(sin ocupación fija). —*m.f.*《*Chile.*》 일정한 작업이 없는 사람.

varadura *f.* =**varada.**

varal *m.* ① 길쭉한 작대기. ② (짐수레의) 옆구리 받침나무. ③ (무대의) 측면 조명. ④ 꺽다리 (persona alta y desgarbada). ⑤《*Arg.*》 육포 말리는 곳.

varamiento *m.* =**varada.**

varánidos *m.pl.* 【동물】 도마뱀 무리에 속하는 동물.

varano *m.* 【동물】 (아프리카산의) 도마뱀.
~ *gigante* 큰 도마뱀《길이가 4m, 무게가 100킬로》.

varapalo *m.* ① 기다란 작대기 (palo largo, vara gruesa). ② 장대로 때리기. ③ 손해(daño). ④ 불쾌(disgusto).

varar *intr.* [*lat.* varare] ① 좌초하다 : El vapor *varó* cerca de cabo del Oeste 그 기선은 서쪽 갑(岬) 부근에서 좌초했다. ② 일이 도중에서 막히다(pararse o detenerse un negocio).
—*tr.* (배를) 갯가에 올려 놓다.

varaseto *m.* 나무를 걸어 친 울타리.

varazo *m.* 회초리로 때리기.

varazón *f.*《*Chile.*》 풍부함(multitud).

varbasco *m.* 【식물】 =**verbasco.**

vardasca *f.* 푸른 가지, 작대기(verdasca).

vardascazo *m.* 작대기로 때리기(verdascazo).

várdulo, la *adj.* 바르둘로《현재의 기뿌스꼬아 부근의 옛 지방 이름》의. —*m.f.* 바르둘로 사람.

vare *m.*《*Ecuad.*》 골탕먹이기 ; 동행을 떨어지게 하기(chasco).

varea *f.* 과일을 장대로 때려 따기.

vareador, ra *m.f.* varear 하는 사람.

vareaje *m.* ① 과일을 때려서 따기. ② 길이를 잼. ③ 재어 팔기, 썰어 팔기, 잘라 팔기 : ~ del paño.

varear *tr.* ① 두들겨 떨어뜨리다. ② 두들기다. ③ 회초리로 찌르다 · 때리다. ④ 바라(vara)로 재다. ⑤ vara로 재어 팔다. ⑥《*AmérM.*》 (말을) 조련하다.
~se (꼬챙이처럼) 바짝 여위다(enflaquecer).

varec *m.* [*fr.* varech] (비료로 쓰는 여러 종류의) 바닷말, 해초 : El ~ se usa bastante como abono.

varejón *m.* ① 작대기. ② 【방언】《*AmérM.*》 회초리, 푸른 가지. ③《*Col.*》 【식물】 사르비아 (salvia)의 일종.

varejonazo *m.*《*Col.*》 =**varazo.**

varenga *f.* (선박의) 바닥에 까는 재목.

varengaje *m.* [집합] =**varenga.**

vareo *m.* =**vareaje.**

vareque *m.*《*Amér.*》 【방언】 =**bahareque.**

vareta *f.* [*dim.* vara] ① 나무 토막, 작대기. ② (새를 잡는) 끈끈이 장대. ③ 줄무늬. ④ 빗댐, 비꼼(indirecta) : echar una ~.
estar · irse de ~ 설사를 하다(tener diarrea).

varetazo *m.* 뿔로 찌르기(paletazo).

varetear *tr.* 체크 무늬로 짜다, 줄무늬를 내다 (formar listas en un tejido).

varetón *m.* 어린 사슴(ciervo joven).

varga[1] *f.* 급경사, 비탈길.

varga[2] *f.* [*lat.* virga] 【동물】 붕장어(congrio)의 일종.

varganal *m.* 나무 울타리, 목책.

várgano *m.* [드뭄] 목책의 통나무.

Vargas *m.* *Averígüelo ~* 철저히 조사해 보라.

vargueño *m.* =**bargueño.**

varí *m.* ① 【식물】 바리새《남미산의 맹금》. ② 【동물】 (마다가스카르섬 산의) 여우원숭이.

varia *m.pl. lat.* 각기 다른 작품의 도서.

variabilidad *f.* ① 변하기 쉬움, 변화성 ; 불안정. ② 【생물】 변이성(變異性).

variable *adj.* ① 변하기 쉬운, 변화되기 쉬운 ; 일정치 않는, 변덕스러운 : tiempo ~ 변하기 쉬운 날씨. ② 불안정한 (instable). ③ 변하게 할 수 있는, 가변성의. ④ 【문법】 어미 변화하는 (품사). ⑤ 【수학】 변수의 : cantidad ~ 변수. **Contr.** constante. ⑥ 【생물】 변이(變異)하는 : especie ~ 변이종. ⑦ 【기상】 방향이 변하는 : viento ~ 변풍. ⑧ 【천문】 변광(變光)하는 : estrella ~ 변광성. —*f.* 【수학】 변수 : ~ dependiente 종속 변수. **Contr.** invariable.

variablemente *adv.* 변하기 쉽게, 일정치 않게 ; 변할 수 있게, 가변적으로 ; 불안정하게 (de manera variable).

variación *f.* ① 변동, 변화, 변천 : las ~*es* del tiempo. ② 【물리】 편차 : ~ de la aguja. ③ 【생물】 변이. ④ 【음악】 변주, 변주곡. ⑤ 【수학】 변분(變分), 순열.
~ *a largo plazo* 장기 변동. ~ *en tiempo* 작업 시간 차이. ~ *estacional* 계절적 변동.

variado, da *adj.* ① 가지각색의, 각양 각색의, 형형색색의, 갖가지의, 여러 가지의, 변화가 있는. ② 잡색(雜色)의 : colores ~*s.* **Contr.** uniforme.

variamente *adv.* 여러 가지로, 갖가지로 (de un modo vario).

variancia *f.* 분산, (평방) 편차 : ~ externa 외분산(外分散).

variante *adj.* 변하는, (여러 모로) 바뀌는. —*f.* ① 이본(異本), (텍스트의) 이문(異文), 이형(異形), 서적의 중판에서 생기는 차이. ② 《*Col.*》 지름길.

variar *tr.* ⑫ ① 바꾸다, 고치다, 변경하다 : ~ un vestido 옷을 바꾸다. ~ condiciones 조건을 변경하다. ② …에 변화를 주다, 다양하게 하다. —*intr.* ① 바뀌다, 변하다, 변화하다 : El tiempo *ha variado* 날씨가 변했다. *Ha variado* el viento 바람이 변했다. *Hemos variado de · en* opinión 우리는 생각이 달라졌다. ② 다르다. ③ 편차가 생기다.

varice *f.* =**várice.**

várice *f.* 【의학】 정맥류.

varicela *f.* 【의학】 수두.

varicocele *m.* 【의학】 정맥 헤르니아, 정계 정맥정.

varicoso, sa *adj.* 정맥류의. —*m.f.* 정맥류 환자.

variedad *f.* ① 변화, 각양 각색, 다양성 ; (여러 가지가) 어울림 : la ~ de un paisaje. ② 【생물】 변종 ; 인공 품종. ③ 가변성. ④ 버라이어티 《노래 · 춤 · 토막극 따위로 엮은 연예》.

varietés *f.pl. fr.* 여러 가지 연극 관람물.

varilarguero *m.* =**picador.**

varilla *f.* [*dim.* vara] ① 《*Méx.*》 가느다란 회초리(vara larga y delgada). ② (부채 · 우산의) 살. ③ 턱뼈. ④ 《*Méx.*》 잡동사니, 잡화(mercancías del buhonero). ⑤ 가느다란 쇠막대 : hierro ~. ⑥ 《*Venez.*》 =**pulla.**
—*pl.* 《*Col.*》 (어린이의) 경기, 경련.
~ *de virtudes,* ~ *mágica* 요술 막대.

varillaje *m.* [집합] (부채 · 우산 · 양산의) 살 : ~ de marfil.

varillar *tr.* 《*Venez.*》 (말을) 조련하다.

varillero, ra *adj.* ① 《*PRico.*》 뻐기는, 우쭐대는, 자부심이 강한. ② 《*Venez.*》 경마용의. —*m.f.* 《*Méx.*》 잡화상(buhonero).

vario, ria *adj.* [*lat.* varius] ① 가지각색의, 여러 가지의(diverso, distinto) : colores ~*s.* ② 변화가 많은, 다방면의, 다양한, 다각적인, 다재 다능한 : Ha pasado una vida ~*ria* y azarosa 그는 변화가 많고 파란 만장한 생애를 보내왔다. ③ (…보다) 변한, 다른(diverso, diferente). ④ 부정(不定)의, 변하기 쉬운(inestable). ⑤ *pl.* 몇 개의, 다수의, 몇몇, 여럿 (algunos) : ~*s* días 수일, 여러 날. ~*rias* casas 몇 채의 집. Hay ~*s* libros en la estantería 책장에는 여러 권의 책이 있다. Le he escrito ~*rias* veces 나는 그에게 몇 번이나 편지를 썼다. [*N.* 명사 뒤에 놓이면 「여러 가지의」 뜻이고, 명사 앞에 놓이면 「여러 개」의 뜻으로 보통 사용됨]. ⑥ 잡다한 : gastos ~*s* 잡비. —*m.* 잡동사니.

variolar *adj.* =**varioloso.**

variólico, ca *adj.* =**varioloso.**

varioliforme *adj.* ① viruela 모양의. ② viruela 의 작은 고름집 비슷한 좁쌀알 같이 튀어나온.

variolización *f.* 천연두 접종.

varioloide *f.* 【의학】 유사 천연두, 가두(假痘).

varioloso, sa *adj.* 천연두의. —*m.f.* 천연두 환자.

variómetro *m.* (비행기의) 속도계.

variopinto, ta *adj.* 여러 가지 색깔의 : sombrilla ~*ta* 여러 가지 색깔의 비치 파라솔.

varita *f.* [*dim.* vara] 가느다란 회초리, 가느다란 작대기 : ~ de virtudes 요술 막대.

varitero *m.* 돼지 치는 사람.

variticas *f.pl.* 《*Venez.*》 바빠 쩔쩔맴.

variz *f.* [드묾] =**várice.**

varizo *m.* 《*Sal.*》 길쭉한 작대기.

varón *m.* ① 남자 : El tiene dos hijos ~*es* 그는 사내 자식이 둘이다. ② 성년 남자. ③ 존경받는 사람, 덕망가 : ~ de Dios 성자. buen ~ 불혹의 나이가 된 사람. santo ~ 호인. ④ 【선박】 키 조종용 예비줄. ⑤ 《*Chile.*》 대목(臺木), 단단한 재목.

varona *f.* ① 여자(mujer varonil). ② 남자 같은 여자(marimacho).

varonesa *f.* 여자.

varonía *f.* 남계(의 자손)(descendencia de varón en varón).

varonil *adj.* 남자의, 남자다운, 용감한 : carácter ~. **Sinón.** viril.

varonilmente *adv.* 남자답게, 용감하게.

varraco *m.* 수퇘지, 종돈(verraco).

varraquear *intr.* =**verraquear.**

varraquera *f.* 보채어 울기(verraquera).

Varsovia *f.* 【지명】 바르샤바 《폴란드의 수도》.

varsoviana *f.* 마주르카 비슷한 폴란드 춤 · 곡.

varsoviano, na *adj.* 바르샤바의. —*m.f.* 바르샤바 사람.

vas ir의 직 · 현 · 2 · 단수.

vasa *f.* 《*Burg. Pal.*》 그릇 ; 식기 한 벌.

vasallaje *m.* 신하의 신분 ; 종속, 예속 ; 공물.

vasallo, lla *adj.* 신하의(súbdito). —*m.f.* 신하 ; 가신(家臣) : El ~ debía obediencia intolerable.

vasar *m.* 선반, 찬장.

vasco, ca *adj.* ① 바스끄 지방 (las Vascongadas)의 (vascongado). ② 바스끄 《불란서령 · 피리네오 산맥 지방》의, 바스끄에 관계되는. —*m.f.* 바스끄 토착민. —*m.* 바스끄말.

vascófilo *m.* 바스끄 연구자, 바스끄 어학자.

vascón, na *adj.* 바스끄니아 《Vasconia, 현재의 따라고나 지방의 옛 이름》의, 바스끄니아에 관계되는. —*m.f.* 바스끄니아 주민 《7세기 경에 정주했고 현재의 바스끄인의 선조라고 하는 민족》.

Vascongadas, las 【지명】 바스꼰가다스 (바스끄) 지방 《Alava, Guipúzcoa, Vizcaya》.

vascongado, da *adj.* 바스끄 지방의, 바스끄 지방에 관계되는. —*m.f.* 바스끄 사람. —*m.* 바스끄말(vascuence).

Vasconia *f.* 【지명】 바스끄니아 《불란서 따라가나 지방의 옛 이름》.

vascónico, ca *adj.* 바스끄니아 민족의(vascón).

vascuence *adj.m.* 바스끄말 《피리네오 산악 지방에서 쓰이고 있는 어계가 분명치 않은 한 언어》의. —*m.* 바스끄말 ; 헛소리, 알아듣지 못할 말.

vascular *adj.* ① 【생물 · 해부】 맥관(脈管)의, 혈관의, 혈관이 많은 : una membrana ~. ② 【식물】 유관속(維管束)의 : planta ~.

vascularización *f.* 맥관 처리.

vásculo *m.* 【해부】 작은 맥관(vaso o conducto pequeño).

vasculoso, sa *adj.* =**vascular.**

vaselina *f.* 바셀린 : ~ industrial 공업용 바셀린.

vasera *f.* 찬장 ; 큰 쟁반.

vasija *f.* [*dim.* vaso] ① 그릇, 용기 : ~ de barro 토기. ② [집합] (술창고의) 통, 항아리.
vasillo *m.* (벌꿀의) 꿀집.
vaso *m.* [*lat.* vasis] ① 컵, 잔 : un ~ de leche 우유 한 잔. un ~ de agua 물 한 잔. un ~ de vino 포도주 한 잔. [*N.* vaso는 글래스, taza는 찻잔, copa는 대가 달린 잔]. ② 그릇, 용기 : un ~ de cristal 유리잔. ~ de flores 꽃병. ~ de noche 침실용 변기. ③ 발굽(casco). ④【해부·식물】맥관(脈管), 도관(導管). ⑤ 선박, 선체 (embarcación). ⑥ 요강(bacín). ⑦【건축】주발 모양의 주각(柱脚)(jarrón) : un ~ de mármol 대리석 주각.
~ ***de elección*** 신에 의해 선택된 사람 ; 사도(使徒) 성 바울.
~ ***excretorio*** =bacín.
~ ***lacrimatorio*** 옛 무덤에 있는 작은 손잡이가 달린 그릇.
~ ***quilífero***【해부】유미(quilo)를 보내는 도관.
~ ***sanguíneo***【해부】혈액을 옮기는 관.
~***s acuíferos***【동물】=conductillos.
~***s comunicantes*** =tubos comunicantes.
~***s lactíferos*** 유액관.
vasoconstricción *f.*【의학】혈관 수축.
vasoconstrictor, ra *adj.*【의학】혈액 수축을 일의키는. —*m.* 혈액 수축관.
vasodilatación *f.*【의학】혈관 팽창.
vasodilatador, ra *adj.*【의학】혈관 팽창의. —*m.* 혈관 팽창약.
vasomotor, ra *adj.*【생리】혈관의 신축을 맡아 보는, 혈관 운동 조정의 : nervios ~*es* 혈관 운동 신경.
vasomotricidad *f.* 혈관 혈액 분배 운동.
vástago *m.* ① (식물의) 싹 : un ~ de la vid. ② 자식, 자손. ③ (피스톤 등의) 자루. ④《*Col. CRica.*》오랑캐꽃 등의 줄기.
vastedad *f.* 넓이, 광범함(dilatación, anchura).
vástiga *f.* =**vástago.**

vasto, ta *adj.* [*lat.* vastus] 넓은, 널찍한, 광막한, 광대한, 큰, 광범한(amplio, espacioso, muy grande) : un ~ proyecto.
vataje *m.* =**wataje.**
vate *m.* 시인(poeta) ; 점쟁이, 관상가, 예언자 (adivino).
vater *m.* =**retrete.**
vatiaje *m.*【전기】와트량 ; 와트수(數).
vaticana *f.* 로마 교황청 도서관.
vaticanista *adj.* 로마 교황파의. —*m.f.* 교황파의 사람.
vaticano, na *adj.* ① 바티칸 언덕 (el monte Vaticano)의. ② 교황청의, 교황청에 관계되는 : corte ~*na.*
Vaticano *m.* 바티칸 궁전, 로마 교황청 ; 바티칸 시국(市國).
Ciudad del ~ 바티칸 시국.
vaticinador, ra *adj. m.f.* =**vaticinante.**
vaticinante *adj.* 예언하는. —*m.f.* 예언자.
vaticinar *tr.* 예언하다, 점치다 (adivinar, profetizar lo futuro).
vaticinio *m.* ① 예언, 점 : un ~ equivocado. ② 예감.
vatídico, ca *adj.* 예언의, 예언적인. —*m.f.* 예언자.
vatihorámetro *m.* =**vatímetro.**
vatímetro *m.* 전력계(watímetro).
vatio *m.*【전기】와트 : vatio-hora 와트시(時)《1시간 1와트의 전력》.
vatiómetro *m.*【전기】=**vatímetro.**
vatro *m.*《*Chile.*》espadaña의 일종.
vaudeville *m. fr.* 사르수엘라(zarzuela)의 일종.
vaupense *adj.m.f.* 바우뻬스《Vaupés, 꼴롬비아에 있는 지역》의 (사람).
vaya[1] *f.* 야유, 조롱(burla) : dar ~ 야유하다. —*interj.* 집어치워라 !
vaya[2] [ir의 존칭 명령] 가십시오 : *V-* usted con Dios 안녕히 가십시오.
vaya[3] ir의 접·현·1·3·단수.
vayáis ir의 접·현·2·복수.
vayamos ir의 접·현·3·복수.
vayan ir의 접·현·3·복수.
vayas ir의 접·현·2·단수.
V.B.[d] Vuestra Beatitud.
Vble. Venerable.
v/c. valores en caja ; vuelta de correo.
v/cta. valores en cuenta.
Vd. usted.
vda. viuda.
Vds. ustedes.
ve *f.* ① 문자 v의 명칭 : ~ doble w를 가리킴. ② [ver의 직설법 3인칭 단수] 그는 본다. ③ [ir의 2인칭 단수 긍정 명령형] 가거라.
V.E. Vuestra Excelencia 각하 ; Vuecencia.
vea ver의 접·현·1·3·단수.
veáis ver의 접·현·2·복수.
veamos ver의 접·현·1·복수.
vean ver의 접·현·3·복수.
veas ver의 접·현·2·단수.
vecera *f.* 짐승떼, (특히) 돼지떼.
vecería *f.* =**vecera.**
vecero, ra *adj.* ① 순번의, 교체의. ② (과일이) 열리는 해가 있고 열리지 않는 해가 있는. ③ 연한이 찬. —*m.f.* ① 고객, 단골 손님 (parroquiano). ② 차례를 기다리는 사람.
veces *f.pl.* vez의 복수형.
vecinal *adj.* ① 주민의, 시민의. ② 시골의. ③ 방계의. ④ 인근의 : camino ~ 시읍면의 길, 방계 도로.
vecinamente *adv.* 가까이, 인접하여(cerca).
vecindad *f.* ① 인근, 부근 : buena ~ 선린, 우호. El vive en la ~ 그는 부근에서 살고 있다. ② 이웃 사람들. ③ [집합] 주민(vecinos) : ¿Tiene este apartamiento mucha ~? 이 아파트에 주민이 많습니까? ④ 거주.
vecindado, da *adj.* vecindar의 *p.p.* —*m.*【고어】《*Murc.*》=**vecindario.**
vecindario *m.* ① 이웃 사람들. ② [집합] 주민, 거주자. ③ 주민 등록부.
vecindona *f.*《*And.*》=**comadre.**
vecino, na *adj.* [*lat.* vicinus] ① 이웃의, 이웃에 사는 : Traen las provisiones del pueblo ~ 식량은 가까운 마을에서 가져온다. ② 가까운, 근처의 (cercano, próximo) : ~ *al*·*del* palacio 궁전에 가까운. ③ 비슷한, 유사한, 근사한 (parecido, semejante).
—*m.f.* ① 이웃 사람 : un ~ de al lado 바로 이웃 사람. ② 같은 마을 사람. ③ (어떤 고장의) 주

민, 거주자 : El apartamiento tiene veinte ～*s* 그 아파트는 20세대가 들어 있다.

vectación *f.* 타고 가는 일.

vector *m.* [*lat.* vector] ① 【수학】 벡터, 면경, 방향량. ② 【항공】 방향, 진로 (방위). ③ 【천문】 동경(動徑). —*adj.* ***radio*** ～ 【수학】 동경.

vectorial *adj.* vector의.

veda[1] *f.* ① 금지, 금렵, 금어. ② 금렵기, 금어기.

veda[2] *m.pl.* [*sánscr.* vêda] 베다 《고대 인도의 바라문교의 경전》.

vedado *m.* 출입 금지 구역, 금렵 지역 : Está prohibido cazar en ～ 금렵 구역에서 사냥하는 것은 금지되어 있다.

vedamiento *m.* 금지, 금렵, 금어.

vedar *tr.* [*lat.* velare] ① 금하다(prohibir) : ～ la entrada 입장을 금하다. ② 방해하다, 저지하다, 막다(impedir). ③ 《*Sal.*》 젖을 떼다(destetar a la cría).

vedegambre *m.* 【식물】 크리스마스 로즈 《뿌리는 살충제》.

vedeja *f.* 긴 머리칼, 머리 다발(guedeja).

védico, ca *adj.* 베다(vedas)의. —*m.* 베다에 쓰인 옛 산스크리트어.

vedija[1] *f.* ① 양털 부스러기. ② 머리숱, 얽힌 머리, 고수머리. ③ 소용돌이 연기(espiral del humo).

vedija[2] *f.* =**verija.**

vedijero, ra *m.f.* 양털 부스러기 줍는 사람.

vedijoso, sa *adj.* =**vedijudo.**

vedijudo, da *adj.* 머리숱이 탐스러운 ; 머리칼이 얽힌.

vedijuela *f. dim.* vedija.

vedilla *f.* 【은어】 =**frazada.**

vedismo *m.* 베다교.

vedista *m.f.* 베다교 학자.

veduño *m.* =**viduño.**

veedor, ra *adj.* 자꾸 보고 싶어하는. —*m.f.* ① 자꾸 보고 싶어하는 사람. ② 감찰관, 감사원 : ～ de vianda (옛날) 왕실의 요리를 맛보는 사람.

veeduría *f.* veedor의 직 · 사무소.

veer *tr.* [*lat.* videre] 【고어】 =**ver.**

vega[1] *f.* ① 비옥한 농지, 논. ② 광야, 평야. ③ 《*Cuba.*》 담배밭. ④ 《*Chile.*》 습지.

vega[2] *f.* 【천문】 직녀성 《거문고 자리의 일등성》.

vegada *f.* 【고어 · 방언】 때, 도(度), 번(vez). ***a las*** ～*s* 이따금, 때때로, 가끔(a las veces).

vegano, na *adj. m.f.* 라 · 베가 《La Vega, 도미니까 공화국에 있는 주》의 (사람).

vegetabilidad *f.* 식물성, 그 성장력.

vegetable *adj.* =**vegetal.**

vegetación *f.* [*lat.* vegetatio] ① [집합] 식물, 초목 : ～ tropical 열대 식물. ② (식물의) 생장, 생육, 자람 : árboles en plena ～ 충분히 자란 나무들. ③ 【의학】 혹, 비대, 조직 ; 증식 : ～ adenoidea 아데노이드.

vegetal *adj.* 식물(성)의 : reino ～ 식물계. —*m.* 식물, 나무, 초목(arbusto, árbol, planta) : La botánica estudia los ～*es.*

vegetalismo *m.* 채식(주의)(vegetarianismo).

vegetalista *adj.* =**vegetariano.**

vegetante *adj.* ① 식물이 자라는. ② 혹이 자라는, 혹으로 덮힌.

vegetar *intr.* [*lat.* vegetare] ① (식물이) 생장하다, 자라다. ② 초목과 같은 단조로운 생활을 하다, 하는 일없이 지내다, 놀고 먹다, 놀며 지내다.

vegetarianismo *m.* 채식(주의).

vegetariano, na *adj.* 채식하는, 채식의, 채식주의의. —*m.f.* 채식주의자, 채식가.

vegetarismo *m.* =**vegetarianismo.**

vegetativo, va *adj.* ① (식물이) 생장하는, 생장력이 있는, 생육(生育)성의, 발육의, 발육 · 영양을 주는 : aparato ～ 영양 기관. ② 그저 살아있는, 무위 도식의 : una vida ～*va* 무위 도식의 생활.

vegetoanimal *adj.* 동식물 양성 · 공통의.

vegetomineral *adj.* 식물 · 광물 양성의 : agua ～ 연분(鉛分)이 용해된 물(agua blanca).

vegoso, sa *adj.* 《*Chile.*》 습윤한, 축축한, 젖은 (húmedo).

veguer *m.* (옛날의 아라곤, 까딸루냐, 마요르까섬의) 판관, 검사.

veguería *f.* =**veguerío.**

veguerío *m.* ① (옛날의) veguer의 땅. ② 《*Cuba.*》 평야지 ; 경지 부락.

veguero, ra *adj.* 옥토의, 초원의. —*m.* ① 밭농부. ② 하나로 만 여송연(cigarro puro hecho de una sola hoja de tabaco).

vehemencia *f.* ① 격렬함과 격함, 맹렬함 (impetuosidad). ② 열렬, 열심, 열의, 힘, 열정 : El siempre habla con cierta ～. **Contr.** dulzura.

vehemente *adj.* [*lat.* vehemens] ① 격렬한, 맹렬한, 강한. ② 열정적인, 열렬한, 열심인, 열의가 있는. ③ 성격이 과격한. **Contr.** suave, dulce.

vehementemente *adv.* 격렬하게, 열렬하게, 열정적으로(con vehemencia).

vehicular *tr.* 《*Neol.*》 =**transportar.**

vehículo *m.* ① 운반 기구, (특히) 탈것 ; 차, 배 ; 운송 기관 : ～ de despacho · distribución 배달용 트럭. ～ espacial 우주선. ② 전도물, 매개체 · 물 : El aire es el ～ del sonido 공기는 소리의 매개체이다.

veía ver의 직 · 불완료과거 · 1 · 3 · 단수.

veíais ver의 직 · 불완료과거 · 2 · 복수.

veíamos ver의 직 · 불완료과거 · 1 · 복수.

veían ver의 직 · 불완료과거 · 3 · 복수.

veías ver의 직 · 불완료과거 · 2 · 단수.

veimarés, sa *adj.* 바이마르 《Véimar, 독일의 시와 주》의. —*m.f.* 바이마르 사람.

veintanar *m.* 20개조.

veintavo, va *adj.* 20등분의(vigésimo). —*m.* 20분의 1.

veinte *adj.* ① 20의 : He comprado ～ libros 나는 스무 권의 책을 샀다. ② 20번째의 : siglo ～ 20세기. —*m.* ① 20. ② 20일 : el ～ de agosto 8월 20일.
a las ～ 시간에 어긋나게, 뒤늦게.

veinteaño, ña *adj. m.f.* 20세의 (청년).

veinteavo, va *adj. m.* =**veintavo.**

veintén *m.* 20레알(real) 금화.

veintena *f.* 20개조 : una ～ de libros.

veintenar *m.* =**veintena.**

veintenario, ria *adj.* 20세 가량의, 20년의.

veintenero *m.* (어떤 사원의) 합창 지휘자.

veinteno, na *adj.m.* =**vigésimo, veintavo.**
veinteñal *adj.* 20년의, 20년 계속의.
veinteocheno, na *adj.* =**veintiocheno.**
veinteseiseno, na *adj.* =**veintiseiseno.**
veintésimo, ma *adj.m.* =**vigésimo.**
veinticinco *adj.* ① 25의(veinte y cinco). ② 25번째의(vigésimo quinto) : número ~. —*m.* 25.
veinticuatrén *m.* 24빨모재(材)《24 palmos 길이로 자름 ; 아라곤, 까딸루냐 지방에서 나는 재목》.
veinticuatreno, na *adj.* 24번째의 (vigésimo-cuarto). —*m.* 2400가닥의 날실을 넣어 짠 천.
veinticuatría *f.* veinticuatro의 직.
veinticuatro *adj.* ① 24의. ② 24번째의 (vigésimocuarto). —*m.* ① 24. ② 24인의 참의원《옛 서반아 남부 각 도시의 참의원》, 24귀족 ; 시의회 의원.
veintidós *adj.* ① 22의. ② 22번째의 (vigésimo segundo). —*m.* 22.
veintidoseno, na *adj.* 22가닥의 (vigésimo segundo). —*m.* 2200 날실을 넣어서 짠 천.
veintinuevo *adj.* ① 29의. ② 29번째의 (vigésimo nono). —*m.* 29.
veintiocheno, na *adj.* 28번째의 (vigésimo octavo). —*m.* 2800 가닥의 날실을 넣어 짠 천.
veintiocho *adj.* ① 28의. ② 28번째의 (vigésimo octavo). —*m.* 28.
veintiséis *adj.* ① 26의. ② 26번째의 (vigésimo sexto). —*m.* 26.
veintiseiseno, na *adj.* 26번째의 (vigésimo sexto). —*m.* 2600가닥의 날실을 넣어서 짠 천.
veintisiete *adj.* ① 27의. ② 27번째의 (vigésimo séptimo). —*m.* 27.
veintitantos, tas *adj.* 20여개의, 20 몇 개의, 20이상 30이하의. —*m.* 20 몇 개 : Estamos a ~ de enero 오늘은 1월 20 며칠이다.
veintitrés *adj.* ① 23의. ② 23번째의 (vigésimo tercio). —*m.* 23.
veintiún *adj.* [남성 명사 앞에서 veintiuno의 어미 탈락형] 21의 ; 21번째의 : ~ libros 21권의 책.
veintiuna *f.* 카드 놀이의 일종. —*adj.* [여성 명사 앞에서] 21의 : ~ casas 스물한 채의 집.
veintiuno, na *adj.* [남성 명사 앞에서 veintiún 이 됨]. ① 21의. ② 21번째의(vigésimo primero). —*m.* 21.
vejación *f.* 박해, 학대.
vejador, ra *adj* 학대하는, 박해하는 ; 애먹이는, 놀려주는. —*m.* =**vejaminista.**
vejamen *m.* ① 괴롭힘, 박해, 학대, 가해. ② 애먹이기, 언짢게 굴기, 우롱, 모욕. ③ 풍자. ④ 비난 연설.
dar ~ 박해하다, 학대하다 ; 괴롭히다, 애먹이다, 놀려주다, 우롱하다.
vejaminista *m.* 박해자, 학대자 ; 비난 연설가.
vejaminoso, sa *adj.* 《*Perú. PRico.*》 =**vejatorio.**
vejancón, na *adj.* [*aum.* viejo] 고령의 (muy viejo).
vejar *tr.* ① 학대·박해하다(maltratar). ② 괴롭히다, 애먹이다, 놀려주다, 우롱하다(molestar, dar vejamen).
vejarano, na *adj.* 《*Amér.*》 =**vejarrón.**
vejarrón, na *adj.m.f. aum.* viejo.
vejatorio, ria *adj.* ① 박해하는. ② 어려운.
vejazo, za *adj.m.f.* [*aum.* viejo] 고령의 ; 노인.
vejerano, na *adj.* 《*Cuba.*》 =**vejarrón.**
vejestoria *f.* 노파.
vejestorio *m. desp.* 늙은이, 노인 ; 오래된 것.
vejeta *f.* 【조류】 뿔종다리(cogujada).
vejete *m.* [*dim.* viejo] ① 중늙은이. ② (연극에 나오는) 익살스러운 노인.
vejez *f.* ① 노년(기), 노령, 노경 : ~ técnica 구식화, 기술적 진부화(陳腐化). morir de ~ 노령으로 죽다, 늙어 죽다. ② 노인같은 뻔뻔스러운 짓 ; 늙은이들의 푸념.
¡a la ~ viruelas! 나이에 걸맞지 않는 짓을 하는 사람에게 사용하는 감탄사.
vejezuelo, la *adj.m.f. dim.* viejo.
vejiga *f.* [*lat.* vesica] ①【해부】 방광. ② 물집, 수포, 기포. ③ 포, 주머니.
~ de la bilis, ~ de la hiel 담낭.
~ de la orina 방광(vejiga).
~ de perro 【식물】 꽈리(alquequenje).
~ natatoria (물고기의) 부레.
~ urinaria 방광(vejiga).
vejigante *m.* 《*PRico.*》 =**mojiganga.**
vejigatorio, ria *adj.m.* 발포제의 ; 발포제.
vejigazo *m.* ① 풍선 같은 것으로 때리기. ② 《*Hond.*》 구타(porrazo).
vejigón *m. aum.* vejiga.
vejigoso, sa *adj.* vejigas 투성이의.
vejigüela *f. dim.* vejiga.
vejiguilla *f.* ① 피부에 생긴 물집(ampolla en la piel). **Sinón.** vesícula ② 【식물】 꽈리(vejiga de perro).
vela[1] *f.* [*lat.* vela] ① 철야, 밤샘, 불면 : en ~ 자지 않고. Pasamos la noche en ~ 그 밤을 우리들은 자지 않고 지냈다. pasar las ~*s* 철야하다, 밤을 새우다. ② 밤일, 야근, 야간 순찰, 야경 : Hoy tenemos ~ en la oficina 오늘 사무실에서 야근이다. La ~ duró hasta la madrugada 야근은 새벽까지 계속했다. ③ 망보기. ④ 불켜는 초 : Vamos a encender las ~*s* 촛불을 켭시다. ⑤ (소의) 뿔. ⑥ (말의 세운) 귀. ⑦ 돛 ; 범선, 돛배 : ~ al tercio 부등변 사각형으로 된 돛. ~ bastarda 삼각돛의 주범(主帆). ~ cuadra 사각돛. ~ de abanico 부채살 모양의 돛. ~ latina 삼각돛. ~ mayor 주범(主帆). ~ tarquina 마스트의 돛. barco · buque de la ~ 범선. Las ~*s* estaban henchidas por el viento 돛은 바람을 받아서 부풀어 있었다. ⑧ 텐트, 천막, 차일. ⑨ 《*AmérC. SDgo.*》 밤의 모임 ; 상가에서의 밤샘(velorio). ⑩ 《*Méx.*》 질책. —*pl.* 흘린 콧물.
a la ~ 준비를 갖추어.
a toda ~ ; a todas ~s ; a ~s desplegadas · llenas · tendidas ① 돛 전체의 바람을 듬뿍 안고 : Navegaron *a toda ~* 그들은 전속력으로 항해했다. ② 애오라지, 한가지 일에 집념하여.
alzar ~s 출범하다 ; 별안간 가버리다.
dar (la) ~ ; darse a la ~ ; hacer a la ~ ; hacerse a la ~ ; largar las ~s 출범하다(salir del puerto un barco de vela).
levantar *~s* 닻을 올리다(alzar velas).
*no dar*le a uno *~ en · para un entierro* 누구에

게나 간섭을 못하게 하다.
poner una ~ a San Miguel · Dios y otra al diablo 쌍방에 달콤한 말을 하여 어부지리를 얻다.
recoger ~s ① 돛을 내리다. ② 단념하다.
tender (las) ~s ① 알맞은 때에 돛을 올리다. ② 기회를 잡다, 순풍에 돛을 달다.

vela² *f.* 《*And.*》 공중제비, 재주 넘기(voltereta). *dar ~* 재주를 넘다.

velación *f.* 밤샘, 철야, 불침번. **—***pl.* (혼례에서) 베일을 씌워 주는 의식; 기도회.

velachero *m.* (연안 항해의) 소형 배(barco pequeño).

velacho *m.* ①【선박】큰 돛, 앞 마스트의 돛: largar el ~. ②《*AmérC.*》초라한 가게, 구멍가게(tenducho).

velada *f.* ① 디너 파티, 야회(夜會): ~ musical 음악회. ~ poética 시낭독회. ② 밤샘, 불침번, 철야(vela).

velado, da *m.f.* (정식의) 남편, 아내. **—***adj.* (그림에서) 점점 흐리게 한.

velador, ra *adj.* 망보는, 밤 간호하는, 철야하는. **—***m.f.* 망보는 사람, 철야하는 사람, 철야 간호자. **—***m.* ① (다리가 하나인) 둥근 테이블. ② 머리맡에 둔 작은 테이블. ③ (램프의) 등피. ④ 촛대.

veladura *f.* 음영을 넣는 물감(disimulo).

velaje *m.* [집합] 돛.

velamen *m.* =**velaje.**

velar¹ *intr.* [*lat.* vigilare] ① 철야하다, 밤을 꼬박 새우다(no dormir): Pasamos la noche *velando* 그날밤 우리는 철야했다. ② 야근하다: Tengo que ~ en la oficina esta noche 나는 오늘밤 사무실에서 야근을 해야 한다. ③ 망을 보다; 파수하다. ④ [+por: …을] 열심히 살피다: ~ *por* la salud del niño 아이의 건강을 살피다. ⑤ [+en: …에] 열중하다: ~ *en* defensa de los intereses 이익 옹호에 열중하다. ⑥ (암초 따위가) 해면에 나오다. ⑦ 밤새 바람이 강해지다.
—*tr.* ① 망보다, 살피다, 관찰하다(observar). ② 불침번하다. ③ 야간에 환자를 돌보다; (…의) 밤샘을 하다: La madre *veló* a su enfermo 어머니는 병든 자식을 간호하면서 밤을 새웠다. ④ (…에게) 베일을 씌우다: ~ la cara. ⑤ 점차 흐리게 바래다. ⑥ 숨기다, 감추다(cubrir, ocultar): ~ un secreto 비밀을 감추다. ⑦《*Col. Ecuad.*》조르다.
~se ① 베일을 쓰다. ② (사진이) 흐려지다 (inutilizarse una placa fotográfica por haberle dado la luz).

velar² *adj.* ① 어둡게 하는, 흐리게 하는, 그늘지게 하는. ②【해부】목젖의, 연구개의. ③【문법】구개음의.

velario *m.*【고어】원형 극장을 덮는 천막.

velarización *f.* 목젖 뒷쪽으로 이전.

velarizar *tr.* 소리 문자에 구개음을 내다.

velarte *m.* 가빠 대신 입는 검은 옷.

velatorio *m.* 《*And.*》 상가에서의 밤샘 (vela de un difunto).

¡velay! *interj.* 《*Vall. Arg.*》 그것 봐! (mire); 알맞아!, 됐어! (eso es).

velazqueño, ña *adj.* 벨라스께스 《Diego Rodríguez de Silva y Velázquez, 세비야 태생의 화가, 1599—1660》의; 벨라스께스 풍의.

veldt *m.* (남아프리카의) 원초 (지대).

veleidad *f.* ① 뚝심, 경박, 방정. ② 바람기. ③ …하고 싶은 마음: sentir ~ de brillar. ④ 불안정: las *~es* de la fortuna 운명의 명암.

veleidoso, sa *adj.* ① 변덕스러운, 경거망동하는. ② 바람기가 있는. ③ 불안정한 (inconstante).

velejar *intr.* 돛을 펴고 항해하다 (navegar un barco con las velas desplegadas).

velería *f.* ① 양초 가게. ② 돛 제작 기술. ③ 돛 공장.

velero, ra *adj.* 배의 속도가 빠른, 쾌속의 (배). **—***m.f.* ① 양초 제조인·상인. ② 밤모임 참석자, 상가집에 가는 사람. **—***m.* 범선, 돛배.

veleta *f.* ① 풍향기, 풍신기. ② 팔랑개비. ③ 창깃발. ④ (낚시의) 찌. **—***m.f.* 변덕쟁이, 변덕꾸러기.

velete *m.* [*dim.* velo] 얇거나 작은 베일.

velicación *f.* 고름을 짜기 위한 절개.

velicar *tr.* 7 (메스 따위로) 고름을 짜기 위해 절개하다.

velicomen *m.* 건배용 큰 컵.

velilla *f.*【방언】성냥(cerilla).

velillo *m.* [*dim.* velo] 베일, 얇은 천.

velis nolis *adv. lat.* 좋건 싫건(quireas o no quieras, de grado o por fuerza).

vélite *m.* 로마의 경보병.

velívolo, la *adj.*【시어】=**velero.**

veliz *m.* 《*Méx.*》 손가방.

vellera *f.* (옛날의) 얼굴의 잔털을 미는 이발관 여자, 면도사.

vellida *f.*【은어】=**feazada.**

vellido, da *adj.* =**velloso.** **—***m.*【은어】=**terciopelo.**

vello *m.* ① 털, 부드러운 털. ② (식물·열매의) 솜털: el ~ de un melocotón.

vellocino *m.* ① (양 따위의) 깎아낸 털: ~ de oro 《전설에서, Argonautas가 가지러 갔었던 황금의 양털》. ② 양의 모피. ③ 양 한 마리 분의 양모.

vellón *m.* ① (양 따위의) 깎아낸 털 (piel de la oveja). ② 한 마리 분의 털. ③ 부스러기 털. ④ 양모피. ⑤ 옛 동전. ⑥ 구리와 은의 합금. ⑦《*PRico. Panamá.*》5센따보 화폐.

vellonero, ra *m.f.* 양털 수집자·판매인.

vellora *f.* (안감으로 쓴 털의) 해진 잔털, 꼬임.

vellorí *m.* 순 양모 직물.

vellorín *m.* =**vellorí.**

vellorio, ria *adj.* 회색의(parduzco).

vellorita *f.*【식물】① 데이지(maya). ②【식물】앵초(primavera).

vellosidad *f.* 털이 많음, 털복숭이.

vellosilla *f.* ① 덩굴조밥나무류. ② 물망초류.

velloso, sa *adj.* 털이 많은: una mano *~sa.*

vellotado *m.*【고어】=**rizo.**

velludillo *m.* 면사로 만든 우단.

velludo, da *adj.* 털이 많은: ~ de cuerpo 온몸에 털이 난. hombre muy ~ 털이 많은 사람. **—***m.* 우단, 견사 우단(felpa, terciopelo).

vellutero, ra *m.f.* 우단 제조인·판매인.

velmez *m.* 갑옷의 속옷.

velo *m.* [*lat.* velum] ① 베일, 면사포. ② 덮개,

씌우개, 장막, 포장, 휘장. ③ 구실, 핑계 (pretexto, excusa). ④ 가면. ⑤ (수녀의) 잠옷, 머리에 쓰는 천. ⑥ 천주교에 귀의하는 식 : tomar el ~ 천주교에 귀의하다, 수녀가 되다. ⑦【사진】(원판·인화지 등의) 해드.
~ *del paladar*【해부】연구개
~ *humeral*, ~ *ofertorio* 사제의 어깨걸이 옷 (humeral del sacerdote).

veloce *adj.*【고어】=**veloz.**

velocidad *f.* ① (보통 물체의) 빠르기, 속력, 스피드(rapidez) : El auto corría a gran ~ 자동차는 고속으로 달렸다. Este tren corre a una ~ máxima de 120 kilómetros por hora 이 열차는 최고 시속 120킬로의 속도로 달린다. **Contr.** lentitud. ②【물리】속도 : La ~ del sonido es 340 metros, y la de la luz, 300,000 kilómetros por segundo. ③ 급속, 신속. ④ (자전거의) 핸디캡없는 경주.
~ *acelerada* 가속도.
~ *punta* 낼 수 있는 최고 속도.
a toda ~ 전속력으로.
en gran · pequeña ~ 지급편·보통편으로.
por gran ~ 급히 ; 급행편·열차로.
perder ~ 속력을 잃다.

velocidad-ingreso *m.* 소득 속도 : ~ del dinero 화폐의 소득 속도.

velocífero *m.* (옛날의) 쾌주 합승 마차.

velocímano *m.* 수동차, 목마 자전거.

velocímetro *m.* 속도계.

velocipedia *f.* =**velocipedismo.**

velocipédico, ca *adj.* 자전거의, 사이클링의 : carrera ~*ca* 자전거 경기.

velocipedismo *m.* [드뭄] =**ciclismo.**

velocipedista *m.f.* 사이클 선수. **Sinón.** ciclista.

velocípedo *m.* (뒷바퀴가 작은 일종의) 자전거 ; 스쿠터.

velódromo *m.* 《*Neol.*》 자전거 경기장.

velómetro *m.* 속도계.

velomotor *m.* 모터 사이클, 모터·원동기(ciclomotor) 달린 자전거.

velón, na *adj.* ① 《*AmérC.*》 돈을 뜯으려 드는. ② 《*Col. Ecuad.*》 조르는 (사람). —*m.* ① 받침있는 램프, 가지 달린 램프. ② 《*AmérM.*》 [*aum.* vela] 큰 초.

velonera *f.* (벽에 달린) 램프대.

velonero *m.* 램프 제조인, 램프 상인.

velorio *m.* ① (상가집의) 밤샘. ② 디너 파티, 야회. ③ 수녀가 수녀원에 들어올 때 하는 행사. ④ 《*Ant. Arg. Ecuad.*》 쓸쓸한 모임. ⑤ 《*Venez.*》 여관 ; 하숙집.

¡velorio! *interj.* 《*Arg. Col.*》 믿지 못할 때의 감탄사.

velorta *f.* =**vilorta.**

velorto *m.* =**vilorto.**

veloz *adj.* ① 빠른, 신속한(rápido) : automóvil ~ 빠른 자동차. ② 민첩한, 경쾌한(ligero, presto) : ~ como el rayo 번개 같은. **Contr.** lento. —*adv.* 빨리, 신속하게 : Corre muy ~.

velozmente *adj.* 빨리, 신속히.

veludillo *m.* =**velludillo.**

veludo *m.* =**velludo.**

velutina *f.* 우단 백연(白鉛) (분).

ven ① 오너라 《venir의 2인칭 단수 긍정 명령 ; 부정 명령은 no vengas》. ② 그들은 본다 《ver의 3인칭 복수형》.

vena *f.* [*lat.* vena] ①【해부】정맥 ; 혈관 : ~ cava inferior 하대(下大) 정맥. ~ porta 간문맥(肝門脈). ~ pulmonar 폐정맥. ②【지질】광맥 (filón) ; 수맥(~ de agua). ③【동물】시맥(翅脈). ④【식물】엽맥. ⑤【광물】맥, 암맥, 광맥. ⑥ (돌·나무의) 결, 줄무늬(veta). ⑦ 감흥, 기분, 충동 : ~ de loco 미친 사람 같은 짓. ⑧ 특질, 기질, 성질, 경향 : ~ poética 시인 기질.
coger de ~ (어떤 일이) 안성맞춤으로 되다.
*dar*le a uno *la* ~ (누가) 충동을 느끼다.
estar de · en ~ *para* +*inf.* ① …할 준비가 되어 있다(estar dispuesto para). ② 흥이 나다. ③ 마음이 내키다 : Hoy no *estoy en* ~ *para* escribir 오늘 글을 쓸 마음이 내키지 않는다.

venable *adj.* 매수할 수 있는, 돈이면 다 되는.

venablo *m.* [*lat.* venabulum] 투창 : disparar un ~. —*pl.* 노호, 아우성 : echar ~*s* 아우성치다, 성이 나서 말하다 (decir palabras de cólera y enojo).

venadear *tr.* ① 《*AmérC.*》 (사슴을) 사냥하다. ② 암살하다, 죽이다, 살해하다.

venadero *m.* ① 사슴이 노는 곳, 사슴의 통로. ② 《*Ecuad.*》 사슴 사냥개.

venado *m.* [*lat.* venatus]【동물】사슴 (ciervo) : los cuernos de un ~.
pintar el ~ 《*Méx.*》 사보타주·태업하다, 학교를 빼먹다(hacer novillos).

venadriz *f.* =**cazadora.**

venaje *m.* 샘, 원천.

venal[1] *adj.* ① 맥의 ; 정맥 (광맥·잎맥 등)의 : la red ~.

venal[2] *adj.* [*lat.* venalis] ① 팔 물건의, 돈으로 살 수 있는 : empleo ~. ② 매수할 수 있는, 돈이면 다 되는 : un funcionario ~.

venalidad *f.* [*lat.* venalitas] 매수할 수 있는 일, 돈이면 다 됨 : la ~ de un destino.

venático, ca *adj.* 호기심이 강한, 미치광이 같은(maniático, loco). —*m.f.* 호기심이 강한 사람.

venatorio, ria *adj.* 사냥의, 수렵의.

vencedero, ra *adj.* 기한이 있는.

vencedor, ra *adj.* 승리의. —*m.f.* 승리자, 우승자.

vencejera *f.* 《*Seg. Zam.*》 =**haz de paja de centeno.**

vencejo *m.* ①【조류】제비(golondrina) 비슷한 새 : El ~ se alimenta de insectos. ② 새끼줄, 줄, 끈(lazo, ligadura).

vencer *tr.* ⑪ [*lat.* vincere] ① 이기다, 격파하다 : Los nuestros *vencieron* a los enemigos 우리편이 적을 무찔렀다. ② 지다, 굴복하다 (rendir, dominar) : Le *vencieron* las pasiones 그는 격정을 억누를 수 없었다. Le *venció* el sueño 그는 졸음에 굴복했다. ③ 뛰어나다(aventajar) : ~ a sus rivales 적보다 뛰어나다. Le *vence* en bravura 용감한 면에서는 그 보다 더 뛰어나다. ④ 이겨내다(superar) : Mi padre *venció* esos días difíciles 아버지는 그 어려운 날을 이겨냈다. ⑤ (험난한 곳 따위를) 넘다, 정복하다, 극복하다. ⑥ 억제하다 : ~ el sueño · las pasiones.

—*intr.* ① 이기다, 승리를 거두다 : ~ *a·con·por* traición 배반하여 이기다. *Ha vencido en* las oposiciones 그는 경쟁 시험에서 이겼다. Nuestro equipo *venció por* dos tantos 우리 팀이 2점 (차로) 이겼다. ② 구부러지다, 기울다, 틀어지다 : El camino *vence a·hacia* la derecha 길이 오른쪽으로 치우쳐 있다. ③ ㄱ) (기한이) 오다, 만기가 되다(cumplirse un plazo) : La letra *ha vencido* 어음은 기한이 되었다. Mañana *vence* el plazo para la presentación de industrias 원서의 제출 기간은 내일까지이다. ㄴ) 기한이 끊어지다, 무효로 되다.

~se ① 감정을 억제하다, 자제(自制)하다(dominar el genio o pasión) : Los hombres deben saber *~se* 사람은 감정을 억제할 줄 알아야 한다. ② 극복되다, 정복되다. ③ 기울다, 구부러지다, 틀어지다. ④《*Méx.*》낡아 쓸 수 없게 되다(gastarse con el uso una cosa).

dejarse ~ 지다 : No *te dejes* ~ por nada y sigue adelante 너는 어떤 일에도 지지 말고 전진해라.

[직설법 현재 1인칭 단수 : venzo. 접속법 현재 : venza, venzas, venza, venzamos, venzáis, venzan].

vencetósigo *m.* 【식물】 해독초.

vencible *adj.* 이겨낼 수 있는, 극복할 수 있는 (que puede vencerse).

vencida *f.* 만기(vencimiento).

de ~ 딱하게 되어 ; 거의 꼼짝할 수 없게 되어. ***A la tercera, va la*** ~ 【속담】 ① 참는 자에게 복이 온다. ② 세 번째 잘못은 용서받을 수 없다 《두 번째 잘못한 자에게 위협적으로》.

vencido, da *adj.* ① [+de·por : …에] 진, 패배한, 때려 눕혀진 : Me doy por ~ 나는 졌다고 자인한다. ② 만기의, 기한이 된, 지불 기한의 : anualidad *~da* 만기의 연금. una cuenta *~da en* el 30 de abril 4월 30일자로 만기 계정. ③《*Méx.*》오래된, 낡은 : La llave está *~da* 이 열쇠는 이제 낡아서 쓸 수 없다. —*m.f.* 패배자.

vencimiento *m.* ① 만기(일), 지불 기일·기한, 결제 기한 : estar próximo al ~ 만기가 가깝다. ② 이겨내기, 극복. ③ 패배. Contr. victoria. ④ 틀어짐, 기움. ⑤ 채권.

~ ***a corto·largo plazo*** 단기·장기 결제. ~ ***de la letra*** 어음의 만기·지불 기한. ~ ***de la prima*** 보험료 지불 기일. ~ ***del efecto·giro*** 어음의 만기. ~ ***del plazo*** 만기, 지불 기한. ~ ***fijo*** 확정 만기. ~ ***indeterminado*** 불확정 만기.

vencim.[to], **venc.**[to] vencimiento.

venda *f.* 붕대 ; 눈가리개.

caérsele a uno ***la*** ~ ***de los ojos*** 어떤 사람이 잘못된 길에서 정신을 차리다.

tener una ~ ***en los ojos*** 진실을 외면하다(desconocer la verdad).

vendaje *m.* ① [집합] 붕대. ②《*AmérM.*》덤, 곁들임(adehala). ③《*Col.*》(매상에 대한) 커미션, 구전, 수수료, 중개료(comisión).

vendar *tr.* ① (…에) 붕대를 감다 (atar con la venda) : ~ la frente 이마에 붕대를 감다. Voy a que me *venden* esta muñeca 나는 이 손목에 붕대를 감아달라고 하기 위해 가고 있다. ② 눈속임하다.

vendaval *m.* ① (바다에서 불어오는) 강풍. ② 폭풍 (huracán) : Se levantó un imponente ~ que arrancó hasta los árboles de raíz 강렬한 폭풍이 일어나서 나무조차 뿌리째 뽑혔다.

vendedera *f.* =**vendedora.**

vendedor, ra *adj.* 파는. —*m.f.* 파는 사람, 판매원, 보따리 장수, 외판원, 세일즈맨 : Es un hábil ~ de automóviles.

~ ***a comisión*** 판매 대리인. ~ ***al por menor*** 소매 업자. ~ ***ambulante·callejero*** 노천 상인, 행상인. ~ ***mayorista*** 도매상·업자.

vendehúmos *m.f.* 【단·복수 동형】 세도가의 권세 그늘에서 우쭐거리는 사람.

vendeja *f.* ① 경매, 입찰(venta pública). ② (계절의 과일 등의) 판매.

vender *tr.* ① 팔다, 판매하다 : ~ al por mayor 도매하다. ~ al por menor 소매하다. ~ en remate 경매하다. ~ un objeto en veinte pesos 물건을 20뻬소에 팔다. *Vendemos* artículos a precio fijo 우리는 물건을 정가대로 팔고 있다. ② 희생시키다 (sacrificar) : La mujer honesta no *vende* su honra *por* nada del mundo 올바른 여성은 세상의 어떤 것 때문에도 그 정조를 희생하는 일이 없다. ③ 배반하다(traicionar) : ~ la patria 조국을 배반하다. *Vendió* a su amigo 친구의 신용을 배반했다. ④ 속마음을 알리다 : Aquel gesto le *vendió* 그 얼굴 표정이 그의 속셈을 알게 했다. Su curiosidad le *vendió* 그의 호기심은 그의 속마음을 알게 했다.

~se ① 팔다, 팔리다 : *Se venden* periódicos en el quiosco 그 끼오스꼬에서는 신문을 팔고 있다. ② 팔리다, 매수되다. ③ 자신을 희생하다 : *Me vendo por* vosotros 너희들을 위해서라면 나는 무슨 짓이라도 하겠다. ④ [+por : 자신이] …인 척하다 : *~se por* sabio 학자인 척하다.

~ ***caro*** 그럴싸하게 꾸미다 ; 위하는 척하면서 실속을 차리다.

~ ***salud*** 무척 건강하다.

~se ***caro*** 비싸게 굴다.

vendí *m.* 매도·불하 증명서.

vendibilidad *f.* 시장성(市場性).

vendible *adj.* 팔 수 있는.

vendido, da *adj.* 판매된.

~ ***en almacén*** 창고도(渡).

~ ***en fábrica*** 공장도.

vendiente *adj.* 팔고 있는.

vendimia *f.* [*lat.* vindemia] ① 포도 따기 ; 포도 수확기. ② 횡재, 벌이. ③《*Ecuad.*》=**vendeja, mercancía.**

vendimiador, ra *m.f.* 포도 따는 사람, 포도 수확자.

vendimiar *tr.* [*lat.* vindemiare] ① (포도를) 따다·수확하다, 거두어 들이다 : ~ una viña. ② 부정한 이득을 얻다. ③ 살해하다, 죽이다 (matar).

vendimiario *m.* [*fr.* vendémiaire] 프랑스 공화력의 제 1 월 《9월 22일—10월 21일》.

vendo *m.* ① (직물의) 단 (el orillo del paño). Sinón. fimbria. ② 【방언】 먼지떨이, 총채, 털기.

más flojo que un ~ 게을러 빠진(flojo).

vendrá venir의 직·미래·3·단수.

vendrán venir의 직·미래·3·복수.

vendrás venir의 직·미래·2·단수.

vendré venir의 직·미래·1·단수.
vendréis venir의 직·미래·2·복수.
vendremos venir의 직·미래·1·복수.
vendría venir의 가·1·3·단수.
vendríais venir의 가·2·복수.
vendríamos venir의 가·1·복수.
vendrían venir의 가·3·복수.
vendrías venir의 가·2·단수.
venduta *f.* ①《*Cuba.*》경매, 공매(almoneda o venta pública). ②《*Amér.*》야채 가게(verdulería). ③《*Amér.*》(장소에 따라서) 작은 잡화점.
vendutero, ra *m.f.* 《*Amér.*》청과물 장수.
Venecia *f.* 【지명】베네치아, 베니스《이탈리아의 도시》.
veneciano, na *adj.* 베네치아의, 베니스의. —*m.f.* 베네치아 사람.
a la ~na 베네치아 식으로.
veneficio *m.* [*lat.* veneficium] =**maleficio, brujería.**
venencia *f.* (술 시음용 손잡이가 달린) 작은 잔.
veneñífero, ra *adj.* 【시어】독이 있는(venenoso, tóxico).
veneñífico, ca *adj.* 독을 만드는.
veneno *m.* [*lat.* venenum] ①독(물), 독소 : El alcohol es un ~ 알코올은 독이다. ②해독. ③악의, 원한(rencor).
venenosidad *f.* 유독성, 독성.
venenoso, sa *adj.* ①독이 있는, 유독한 ; 유해한 : seta *~sa* 독버섯. animal ~ 해로운 동물. serpiente *~sa* 독이 있는 뱀. ②악한, 악의가 있는(mal, malintencionado) : crítica *~sa* 악평.
venera[1] *f.* [*lat.* veneriae] ①【조개】국자가리비. ②(기사 단원이나 성지 순례자가 달았던) 해선장(海扇章), 기장(記章) : Los peregrinos que volvían de Santiago traían *~s* cosidas en las esclavinas.
venera[2] *f.* 샘(manantial, venero).
venerabilísimo, ma *adj.* =**muy venerable.**
venerable *adj.* ①공경해야 할, 숭배할 만한, 존경할 만한, 훌륭한, 덕망이 있는 : anciano ~. ②유서 깊은, 고색 창연한 : El soberbio y ~ edificio estaba lleno de recuerdos históricos y artísticos 그 장엄하고 고색 창연한 건물에는 역사적이며 예술적인 유물이 잔뜩 있었다. —*m.* ①존자(尊者)《죽은 사람에게 주어진 칭호》. ②(비밀 결사의) 의장.
venerablemente *adv.* 공경해야 하게 ; 고색 창연하게 ; 장엄하게, 숭고하게.
veneración *f.* [*lat.* veneratio] 존경, 숭배.
venerado, da *adj.* 존경받는 : ~ líder.
venerador, ra *adj.* 존경·숭배하는. —*m. f.* 숭배자.
venerando, da *adj.* 존경·숭배할 만한.
venerante *adj.* =**venerador.**
venerar *tr.* [*lat.* venerari] ①존경·숭배하다 : Se *venera* a un bienhechor 선행자는 존경받는다. Yo *venero* mucho a mi abuelo 나는 할아버지를 매우 존경하고 있다. ②【종교】제사지내다, 예비하다 : La imagen de la virgen se *venera* en la ermita 성모상이 그 집에 모셔 있다.
venéreo, a *adj.* 성(性)의, 성적인 ; 성병의. —*m.* 성병, 화류병.
venereología *f.* 【의학】성병학.
venereólogo, ga *m.f.* 【의학】성병 전문 의사·학자.
venéridos *m.pl.* 【동물】연체류《바지락조개 등》.
venero *m.* ①샘 (fuente de agua, manantial). ②근원, 기원, 근본, 원천(origen, manantial). ③광맥 (criadero). ④해시계의 시시선(示時線)(línea horaria de un reloj de sol).
veneruela *f. dim.* venera.
véneto, ta *adj.m.f.* =**veneciano.**
venezolanismo *m.* 베네수엘라 방언·정신·발음.
venezolano, na *adj.* 베네수엘라 (Venezuela)의. —*m.f.* 베네수엘라 사람.
Venezuela *f.* 【지명】베네수엘라《남아메리카 북단에 있는 공화국 ; 수도는 Caracas》.
venga venir의 접·현·1·3·단수 : Venga acá 이쪽으로 오십시오.
vengable *adj.* 보복해야 할.
vengador, ra *adj.* 보복의 : la espada *~ra* 보복의 칼. —*m.f.* 보복자.
vengainjurias *m.* 【은어】=**fiscal.**
vengáis venir의 접·현·2·복수.
vengamos venir의 접·현·1·복수.
vengan venir의 접·현·3·복수.
venganza *f.* ①보복, 복수 : tomar ~ 복수하다 (vengar) : Rompió el cristal del escaparate por ~ 그는 앙갚음으로 진열장의 유리를 깼다. ②벌.
vengar *tr.* [8] [*lat.* vindicare] (…의) 보복·복수를 하다 : ¿Cuándo *venga a* su padre el príncipe? 왕자는 언제 아버지의 복수를 하는가? *Vengó* a su padre, matando al enemigo 그는 적을 죽여서 부친의 원수를 갚았다. Luis *vengó* en él ofensa recibida de su familia 루이스는 그의 가족에게 받은 모욕을 그에게 보복했다. Hay que ~ estos cuatro cadáveres 이 네 사람의 죽은 시체를 위해 보복해야 한다. *Vengaré* la ofensa *en* José 받았던 모욕에 대한 보복을 호세에게 해주겠다. [Contr.] perdonar.
~se [+de : …의] 보복을 하다, 복수하다 : *Me vengaré de* la ofensa *en* José · *de* José *por* la ofensa 호세에게서 받았던 모욕을 호세에게 보복하겠다. No es justo que *se vengue* en el hijo de lo que le hizo el padre 부친이 한 일을 그 아들에게 보복함은 옳은 일이 아니다. *Véngate de* mí, que mi cuello es blando 나에게 분풀이를 하여 다오, 나의 목은 보드라우니까.
vengas venir의 접·현·2·단수.
vengativo, va *adj.* 복수의, 보복적인. [Contr.] misericordioso, generoso.
vengo venir의 직·현·1·단수.
venia *f.* [*lat.* venia] ①용서, 사면 (perdón). ②허가 (licencia, permiso, autorización) : Lo hicimos con la ~ del maestro 우리는 선생님의 허가를 받고 그것을 했다. ③머리를 숙이는 가벼운 인사. ④《*Amér.*》군대식 인사(saludo militar).
venial *adj.* ①허락하는. ②(죄가) 가벼운 : pecado ~ 가벼운 죄. [Contr.] pecado mortal.
venialidad *f.* 허가하는 일, 죄의 가벼움 ; 가벼

운 죄.

venialmente *adv.* 가볍게, 경미하게 (de un modo venial, levemente) : pecar ~.

venida *f.* ① 오는 일, 도래, 도착 : ¿Sabrá mi ~? 그는 내가 온다는 것을 알고 있을까? ② 돌아옴, 귀대, 귀착(regreso). ③ 홍수(avenida). ④ (검술에서 상호간의) 공격 ; 맹렬, 당돌.

venidero, ra *adj.* 장래의. lo ~ 장래. Sinón. futuro. —*m.pl.* 후계자, 계승자(sucesores).

venimécum *m.* =**vademécum.**

venir *intr.* [*lat.* venire] 60 ① 오다 ; 가다. ¡*Venga* usted pronto! 빨리 오십시오! ¿A qué *vienes*? 너는 뭣하러 왔느냐? *Vengo a* verle 당신을 만나러 왔습니다. Haré que *venga* Juan 후안이 오게 했다. la semana que *viene* 내주.
② [+de : …의] 출신이다 ; 나오다 ; 비롯되다 ; 유래하다 (proceder) : ¿*De* dónde *viene* usted? 당신은 어디서 왔습니까? 어디 출신이십니까? ¿*De* dónde *vengo* y adónde voy? 나는 어디서 와서, 어디로 가는가? La inteligencia le *viene de* la rama de su madre 그의 두뇌가 명석한 것은 모계에서 유래된다. Su conducta *viene de* su mala educación 그의 행실은 교육이 나쁜 탓이다.
③ 손에 들어가다 : Le *vendrá de* su padre una hacienda 아버지한테서 상당한 재산이 그의 손에 들어갈 것이다.
④ 머리에 떠오르다, 마음이 내키다 : Las ideas *vienen* a la mente 여러 가지 생각이 머리에 떠오른다. Le *viene* gana de estudiar 그 아이한테 공부하고 싶다는 생각이 났다.
⑤ [+bien·mal] 맞다·맞지 않다 ; 어울리다·어울리지 않다 : La cebada *viene* bien en este campo 보리가 이 밭에는 맞는다. El vestido le *viene* bien 그 옷은 그에게 꼭 어울린다. ¿Me *vendrán* tus zapatos? 네 구두가 나한테 맞을까?
⑥ [+a+「명사」: 그 상태·실행으로] 옮기다 : ~ *a* paz 화해하다. ~ *a* las manos 싸움을 시작하다. *Vengamos al* caso 본론으로 돌아가 얘기하자.
⑦ [+a+*inf.* : …하러] 오다 ; …하게 되다 : Eso *viene a* ser lo mismo.
⑧ [+de+*inf.* : …하고] 왔다 : *Vengo de* verlo.
⑨ [+en+*inf.* : …하기로] 정하다 : *Vengo en* nombrar 임명하기로 정했다. *Vengo en* marcharme 나는 떠나기를 정했다.
⑩ [명사가 의미하는 상태로] 되다 : *Vengo en* conocimiento 나는 알았다. *Vengo en* deseo 나는 가지고·하고 싶어졌다. ~ *en* ello 그 일에 동의하다.
⑪ [+sobre : …에] 쓰러지다 ; 습격하다 : Mil desdichas *vinieron sobre* él 여러 가지 불행이 그에게 닥쳤다. *Ha venido sobre* la ciudad la muchedumbre de forasteros 그 도시에 수많은 타관 사람이 밀려 닥쳤다.
⑫ [+현재 분사, 그 상태를] 계속하고 있다 : Se lo *vengo diciendo* desde hace un año 나는 그에게 벌써 1년 전부터 그렇게 말해 왔다.
~se ① 꼭 들어맞다, 합치하다, 동의·동조하다.
② (발효해서) 적당한 때가 되다 : *Se viene* el vino·el yeso.
③ 넘어지다, 무너지다 : *Se vinieron* al suelo nuestros planes 우리의 계획은 무너져 버렸다.
en lo por ~ 장래, 금후.
venga lo que viniere 무슨 일이 있더라도.
~ a menos 나빠지다(empeorar), 몰락하다 (decaer).
~ bien en …에 동의하다.
~ clavado 어울리다, 안성맞춤이다.
~ en conocimiento 알다(conocer).
~ en deseo 원하다(desear).
~ muy ancho (누구의) 힘에 부치는 일이다, 힘으로 할 수 없는 일이다.
~se abajo 쓰러지다(caerse), 붕괴하다(destruirse, arruinarse), 굴러 떨어지다(caer rodando) ; 무너지다, 넘어지다 : El techo *se viene* abajo 천장이 무너진다.
[직설법 현재 : vengo, vienes, viene, venimos, venís, vienen. 접속법 현재 : venga, vengas, venga, vengamos, vengáis, vengan. 직설법 부정과거 : vine, viniste, vino, vinimos, vinisteis, vinieron. 직설법 미래 : vendré, vendrás, vendrá, vendremos, vendréis, vendrán. 가능법 : vendría, vendrías, vendría, vendríamos, vendríais, vendrían. 접속법 불완료과거 : viniera, … ; viniese, …. 현재 분사 : viniendo].

venora *f.* 벽돌의 열·줄.

venoso, sa *adj.* ① 정맥의 : la sangre ~*sa*. ② 정맥이 있는, 힘줄이 있는 : hoja ~*sa*.

v/en pza. valor en plaza 시장 가격.

venta *f.* ① 판매(고), 매각 ; 매상(고) : en ~ 판매중, 발매중, 매출 중의. salir en ~ 발매되다. contrato de ~ 판매 계약. libro de ~*s* 매상 장부. La novela está a la ~ 그의 소설은 목하 판매 중이다. ② 객줏집, 하숙집 : almorzar en una ~. ③ 사방이 터져 바람이 들어 오는 곳. ④ 《*Chile.*》 (시장 같은 데의) 노점 (puesto de vendedor). ⑤ 《*SDgo.*》 식품점.
~ a bajo precio 안매(安賣), 투매(投賣). ***~ a crédito*** 신용 판매, 외상 판매. ***~ a domicilio*** 호별 판매. ***~ a granel*** (배·열차의 적하 등의) 전량 매매. ***~ a plazo(s)*** 확정기 거래 ; 소비자 신용 ; 할부 판매. ***~ a plazo fijo*** 확정기도(期渡)에 의한 판매. ***~ a precios reducidos*** 특매, 대할인 판매. ***~ a su entrega*** 즉시도(渡) 판매. ***~ al contado*** 현금 판매. ***~ al descubierto*** 공매(空賣). ***~ al fiado*** 신용 판매. ***~ al por mayor*** 도매. ***~ al por menor*** 소매. ***~ anual*** 연간 매상고. ***~ bajo coste*** 덤핑, 부당 염가 판매. ***~ bruta*** 총매상고. ***~ con rescate*** 상환 면제부 판매. ***~ con reserva*** 조건부 판매. ***~ con reserva de dominio*** 소유권 보유의 판매. ***~ condicional*** 조건부 매매. ***~ contra documentos*** 서류 인환 판매. ***~ de bienes por falta de pago de impuestos*** 체납 처분 공매. ***~ de casa en casa*** 호별 판매. ***~ de inmuebles*** 《*Arg.*》 부동산 매각. ***~ de liquidación*** 재고품 매출. ***~ de pago mensual*** 월부 판매. ***~ de productos agrícolas·ganaderos*** 농산물·축산물 매상고. ***~ de prueba*** 시험 판매. ***~ de saldo(s)*** 염가 판매, 재고품 대매출. ***~ de segunda mano*** 전매(轉賣), 재판매. ***~ de valores*** 증권 매각. ***~ de valores mobiliarios*** 《*Arg.*》 유가 증권 매각. ***~ directa*** 직매, 직접 판

매. ~ *en abonos* 《*Méx.*》 할부 판매. ~ *en almoneda* 입찰, 경매. ~ *en masa de artículos a bajo precio en competición desleal* 덤핑. ~ *forzoso* 강제 판매·매각, 경매 처분, 공매 ; 확정·무조건 판매. ~ *incondicional* 단순·무조건 매매. ~ *líquida·neta* 순매상고, 정미 매상고. ~ *obligatoria* 강제 판매 ; 확정 판매. ~ *por año* 연간 매상고. ~ *por correspondencia* 통신 판매(업). ~ *pública* 입찰. ~ *sin intermediario* 직접 시판·매매. ~ *sobre·según muestra* 견본 매매. ~ *total* 총매상.

ventada *f.* 바람이 심하게 붐 (golpe o racha fuerte de viento).

ventaja *f.* ① 이문, 이득, 편의, 이익 : sacar ~ en el cambio 교환으로 이익을 보다. ② 유리 ; 우월성, 장점 : la ~ de la experiencia 경험의 장점. llevar ~ 유리한 지위에 서다. ③ 가봉(加俸) ; 시침바느질.

tomar ~ de …을 이용하다(aprovecharse de).

ventajear *tr.* 《*AmérM.*》 이득·이익을 보다.

ventajero, ra *adj.* 《*Amér.*》 ① 톡톡이 재미를 보는. ② 앙큼스러운, 교활한. —*m.* 《*Amér.*》 ① 교활한 남자(hombre astuto y ladino). ② 《*Arg.*》 진기하고 싼 물건을 찾는 사람(ganguero).

ventajista *adj.m.f.* 유리한 지위를 남용하여 재미를 보는 사람.

ventajosamente *adv.* 유리하게.

ventajoso, sa *adj.* ① 유리한, 재미를 보는, 득이 되는(provechoso) : un trato ~. ② 《*Amér.*》 톡톡이 재미를 보는(ganguero). **Contr.** perjudicial.

ventalla *f.* ① (기계의) 밸브(válvula de una máquina). ② (콩 따위의) 꼬투리.

ventalle *m.* =**abanico.**

ventana *f.* ① 창, 창문 : asomarse a la ~ 창으로 내다·들여다 보다. ② 콧구멍 (abertura de la nariz).

arrojar·echar·tirar por la ~ 낭비하다(desperdiciar) : El tiene la mala costumbre de *tirar* todo *por la* ~ 그는 무엇이던지 낭비하는 나쁜 버릇이 있다.

ventanaje *m.* [집합] 창(문).

ventanal *m.* [*aum.* ventana] 큰 창문 (ventana grande).

ventanazo *m.* 창문을 세게 닫기 ; 창문을 세게 닫는 소리.

ventanear *intr.* 자꾸 창문으로 들여다 보다 (asomarse mucho a la ventana una mujer) : *estar* siempre *ventaneando.*

ventaneo *m.* 자꾸 창문으로 들여다 보는 일, 그 버릇.

ventanero, ra *adj.m.f.* 창문으로 들여다 보는 (사람).

ventanico *m.* [*dim.* ventana] 작은 창문 (ventanillo).

ventanilla *f.* [*dim.* ventana]. ① 작은 창문. ② 차창 ; 창구. ③ 콧구멍(ventana de la nariz). ④ 자동차의 문(portezuela de coche).

ventanillo *m.* 밖을 내다 보는 창, (문짝이나 벽에 낸) 밖을 보는 구멍.

ventanita *f.* [*dim.* ventana] 작은 창(문).

ventano *m.* 작은 창문.

ventanuco *m. desp.* 작은 창문(ventana pequeña).

ventanucho *m.* =**ventanuco.**

ventar *intr.* 19 바람이 불다(soplar el viento). —*tr.* ① (동물이) 콧등으로 냄새를 맡고 다니다 (ventear). ② 【고어】 찾아내다.

ventarrón *m.* ① 강한 바람(viento fuerte). ② 폭풍우(huracán).

ventazo *m.* =**ventarrón.**

venteado, da *adj.* 《*Perú.*》 우쭐거리는.

venteadura *f.* 갈라진 금, 균열.

ventear *tr.* ① 바람 쏘이다, 바람을 넣다 : La criada *venteó* las ropas 하녀는 옷을 바람에 쏘였다. ② (짐승이) 콧등으로 냄새를 맡고 다니다. ③ 냄새를 맡고 다니다 : Esa mujer está siempre *venteando* 그녀는 언제나 남의 일을 냄새 맡고 다닌다. ④ 《*AmérC.*》 (예약을 마친 소에게) 소인·낙인을 찍다. ⑤ 《*Col. PRico.*》 바람을 보내다, 부채질하다. —*intr.* 바람이 불다 (soplar el viento).

~se ① 트다, 금이 가다, 균열이 생기다 (rajarse). ② 거품이 일다. ③ (식물이) 풍해를 받다, 바람에 쏘여 못쓰게 되다. ④ 방귀를 뀌다. ⑤ 《*AmérM. PRico.*》 자부하다 (envanecerse). ⑥ 집 밖으로 나다니다(andar mucho fuera de casa).

venteril *adj.* 객줏집(posada) 같은, 객줏집의.

venternero, ra *adj.* =**glotón.**

ventero, ra *adj.* 냄새를 잘 맡는 : perro muy ~. —*m.f.* 객줏집 주인.

venticuatrino, na *adj.* 《*Perú.*》 단정하지 못한.

ventifacto *m.* 둥그런 돌맹이.

ventifarel *m.* 《*Sal.*》 =**cinefe, mosquito.**

ventilación *f.* 통풍, 환기, 통풍 상태 ; 환기법 ; 환기 장치 : Para la ~ del desván abrieron dos ventanas pequeñas 다락방의 환기를 위해 작은 창문을 두 개 냈다.

ventilador, ra *adj.* 환기 시키는. —*m.* ① 선풍기 : ~ de mesa 탁상 선풍기. ~ de pared·techo 벽·천장에 부착된 선풍기. ② 환기 구멍, 통풍관, 통풍 환기.

ventilar *tr.* ① [*lat.* ventilare] 환기시키다 ; 송풍하다, (…에) 바람을 보내다. Hay que ~ esta cocina 이 부엌을 환기시켜야 한다. ② 바람에 쏘이다·맞추다 : Conviene ~ la ropa antes de guardarla 옷은 넣어 두기 전에 바람을 쏘여야 한다. ③ 바람에 나부끼게 하다. ④ 토의하다 : *Ventilaron* la cuestión 그 문제가 토의되었다. ⑤ 처리하다 : Tengo que ~ un asunto 나는 일을 처리해야 한다.

ventisca *f.* ① 눈보라(borrasca de nieve). ② 강풍(viento fuerte).

ventiscar[1] *m* =**ventisquero.**

ventiscar[2] *intr.* 7 눈보라치다(nevar con mucho viento).

ventisco *m.* =**ventisca.**

ventiscoso, sa *adj.* 눈보라가 심한 : sitio ~.

ventisquear *intr.* =**ventiscar.**

ventisquera *f.* =**ventisquero.**

ventisquero *m.* ① 눈보라(ventisca). ② 높은 산의 눈보라 치는 곳. ③ (산의) 적설지(積雪地). ④ 만년설.

ventola *f.* (바람에 의한) 소음.

ventolera *f.* ① 일진의 강풍. ② 풍차《장난감》. ③ 허세(jactancia, vanidad).
darle a uno *una* ~ · *la* ~ 생각지도 않는 결정을 내리다, 별안간 생각하다.

ventolina *f.* ① 가볍고 시원한 바람(viento ligero y fresco). ②《*Chile.*》=**ventolera.**

ventor, ra *adj.* 냄새를 잘 맡는 : perro ~. Sinón. ventero. —*m.* 포인터.

ventorrero *m.* 그대로 바람이 부는 장소.

ventorrillo *m.* [*dim.* ventorro] ① 여인숙, 객줏집. ②《*Col. PRico. Venez.*》구멍가게, 초라한 가게(tenducho).

ventorro *m.* [*desp.* venta] 싸구려 하숙집, 객줏집. ②《*PRico.*》=**ventorrillo.**

ventosa *f.* ① [*lat.* ventosa] 바람 구멍 ; 송풍관, 통풍기. ②【동물】흡반(吸盤). ③ (의료 도구의) 흡인기. ④【기계】안전판.

ventosear(se) *intr.(r.)* 방귀를 뀌다(peer, expeler del cuerpo los gases intestinales).

ventoseo *m.* 방귀를 뀜.

ventosidad *f.* ① 바람이 많음. ② 배에 가스가 차는 일. ③ 방귀를 뀜 : soltar ~*es.* ④《*Col.*》신경통(neuralgia).

ventoso, sa *adj.* ① 공기를 함유한. ② 바람이 많은 : estación ~*sa* 바람이 많은 계절. ③ 배에 가스가 차게하는 (flatulento) : legumbre ~*sa.* —*m.* 불란서 공화력의 제 6 월《2월 19일—3월 20일》.

ventrada *f.*《*Arg.*》=**ventregada, lechigada.**

ventral *adj.* 배의, 복부의 : región ~.

ventrecillo *m. dim.* vientre.

ventrecha *f.* (물고기의) 배, 창자(entrañas).

ventregada *f.* ① [집합] 한배 새끼(animales que nacen de un mismo parto). ② 한꺼번에 밀려오는 많은 것(abundancia de cosas que salen de una vez).

ventrera *f.* 배띠, 배에 감는 띠, 복대(腹帶).

ventrezuela *f.* [*dim.* vientre] 작은 배.

ventrezuelo *m. dim.* vientre.

ventriagudo, da *adj.* =**ventrudo.**

ventricular *adj.*【해부】① (뇌·심장 따위의) 공동(空洞)의, 실(室)의. ② 불룩한, 팽창한, 비대한.

ventrículo *m.*【해부】위낭 ; (심장 따위의) 심실(心室) ; (뇌수·후두 따위의) 공동, 실.

ventriculografía *f.* (위낭의) 뢴트겐 사진.

ventril *m.* (착유기의) 눌림나무 ; (짐말 등의) 배대끈.

ventrílocuo, cua *adj.* 복화(술)의. —*m.f.* 복화술사.

ventriloquia *f.* 복화술 ; 성색(聲色).

ventrisca *f.* =**ventrecha.**

ventrón *m.* [*aum.* vientre] ① 올챙이배. ② (소 따위의) 위를 싸고 있는 근막(筋膜).

ventrosidad *f.*【의학】올챙이배 현상.

ventroso, sa *adj.* =**ventrudo.**

ventrudo, da *adj.* 올챙이배의, 배불뚝이의.

ventura *f.* [*lat.* ventura] ① 운 ; 행운 (felicidad) : Tuve la ~ de encontrarlo 나는 다행히 그것을 발견했다. Les deseamos muchas ~*s* en Año Nuevo 새해에 복 많이 받으십시오, 근하 신년. ② 우연(contingencia). ③ 위험(peligro). ④ 모험 : probar ~ 모험하다, 눈을 하늘에 맡기다.
buena ~ 행운(buenaventura).
a la (buena) ~ 일이 되어 가는 대로, 운에 맡겨 (al alzar, a lo que depare la suerte).
por ~ ① 아마도, 대체적으로(quizá, tal vez). ② 설마 : ¿Lo has visto *por* ~ ? 설마 너는 그걸 본 건 아니겠지 ?
por la mala ~ 불운·불행하게도 : *Por* su *mala* ~, se derribó el puente en aquel momento 그는 불운하게도, 그 순간에 다리가 무너졌다.

venturado, da *adj.* ① 행복한, 행운이 있는 (venturoso, afortunado). ②《*Sant.*》불행한(infeliz, desventurado, desdichado).

venturanza *f.* [드뭄] 행복, 행운(ventura, dicha, felicidad).

venturero, ra *adj.* ① 행운의. ② 우연한. ③ 방랑하는(vagabundo). ④ 모험의, 모험가의. —*m.f.* 모험가 ; 행운이 있는 사람(aventurero).

venturina *f.* 사금석 : ~ artificial.

venturo, ra *adj.* 장래·미래의(que ha de suceder después).

venturón *m.* [*aum.* ventura] 행운.

venturosamente *adv.* 운좋게, 다행히 (afortunadamente).

venturoso, sa *adj.* 행복한, 행운의 (afortunado, feliz) : una vida ~*sa.*

venus *f.* ① 절세 미인(mujer muy hermosa). ②【조개】베누스조개. ③ 육감, 육체의 쾌락(deleite sensual) ; 교접(acto carnal). ④【화학】동(銅).

Venus *m.*【천문】금성. —*f.*【신화】비너스《미와 사랑의 여신》.

venusino, na *adj.* 베누시아《Venusia, 고대 이탈리아의 도시》의. —*m.f.* 베누시아 사람. —*m.* 시성 호라시우스의 이칭(異稱).

venustez *f.* 완벽한 미(美)(belleza perfecta).

venustidad *f.* =**venustez.**

venusto, ta *adj.* ① 미의 여신 Venus의. ② (미의 여신처럼) 아름다운(hermoso, agraciado).

venza vencer의 접·현·1·3·단수.

venzáis vencer의 접·현·2·복수.

venzamos vencer의 접·현·1·복수.

venzan vencer의 접·현·3·복수.

venzas vencer의 접·현·2·단수.

venzo vencer의 직·현·2·단수.

veo ver의 직·현·1·단수.

ver[1] *tr.* 38 ① 보다(percibir por los ojos) ; 보이다 : No lo *veo* 그것이 내게는 보이지 않는다. No *veo* nada sin gafas 나는 안경없이는 아무 것도 안 보인다. Si no lo *veo*, no lo creo 나는 보지 않는 것은 믿지 않았다. *He visto* el nuevo edificio 나는 신축 건물을 보았다. ② 해보다 : Lo *veremos* en seguida 그것을 곧 해보자. ③ 조사하다 ; 관찰하다(observar, considerar) : *Veamos* este detalle 이 점을 자세히 관찰해 보자. *Veremos* si esta conclusión es exacta 이 결론이 맞는지 자세히 보자. ④ 만나다, 면회하다 (visitar) : ¿Cuándo puedo *ver*le a usted? 언제 뵈올 수 있을까요 ? *He visto a* José 나는 호세를 만났다. He ido a ~ a mi antiguo profesor 나는 옛 선생님을 만나러 갔다. ⑤ 알게 되다, 이해하다 ; 알려지다, 알다(conocer, juzgar) : Ya *ve* usted 이제 아셨지요. Estoy *viendo* que no llegará 그가 오지 않는다는 것은 내가 알고 있어.

Estoy *viendo* que este asunto no se termina en cinco años 이 일이 5년 내에 끝나지 않으리라는 것을 나는 알고 있다.

—*intr.* ① 보이다, 시력이 있다 : Los ciegos no *ven* ; El que no *ve* es ciego 눈이 보이지 않는 사람이 소경이다. ② 이해력이 있다. ③ [+ de + *inf.*] 하고자 해보다, 해보다 : *Veremos de* subir a este árbol 이 나무에 오를 수 있는지 시험해 보자.

~se ① 보이다 : Desde aquí no *se ve* nada 여기서는 아무 것도 보이지 않는다. *Se veía* una luz a lo lejos 멀리서 빛이 한 가닥 보이고 있었다. ② 알려지다 ; 분명하다 : *Se ve* que no lo dirán 그들이 그것을 말하지 않으리라는 것을 사람들은 알고 있다. *Se ve* que no sabes nada 네가 아무 것도 모른다는 것은 명백하다. ③ (어떤 장소·상태에) 있다 (hallarse) : *Se veían* pobres y perseguidos 그들은 가난했고 또 박해를 받고 있었다. Cuando *me vi* en el puerto, no cabía de gozo 나는 항구로 들어가자 기뻐 견딜 수 없었다. ④ 회견하다, 만나다 : *Me he visto con* José 나는 호세와 만났다. *Me veo con* él a menudo 나는 빈번히 그와 만난다. *Nos veremos* mañana 내일 만납시다. ⑤ (자신을) 보다 : *~se* al · *en* el espejo 거울을 보다.

a más ~ 그럼 또 만납시다 《작별 인사》.

a ~ 자 어떻습니까 《이상하다는 생각·의심을 나타냄》; 자 보여 주세요 ; 어디 좀 봅시다 ; 예, 그럼 ; 글쎄(요) : *A ~*, ¿puede usted contestarme? 글쎄, 선생께서 대답하실 수 있을까요?

hasta más ~ =a más ~.

ni quien tal vio 그럴 수가 있나 《강한 거절》.

no haberlas visto más gordas 금시 초문이다, 들은 일도 본 일도 없다.

Te veo, te veo venir 너의 속셈을 알 수 있다.

tener que ~ con …와 관계가 있다 : ¿Qué *tengo que ~ con* eso? 내가 그 일과 무슨 관계가 있는가? 《관계가 없다는 뜻으로 사용됨》.

verse y desearse 힘이 들다.

[직설법 현재 1인칭 단수 : veo. 접속법 현재 : vea, veas, vea, veamos, veáis, vean. 직설법 부정과거 : vi, viste, vio, vimos, visteis, vieron. 직설법 불완료과거 : veía, veías, veía, veíamos, veíais, veían. 접속법 불완료과거 : viera, … ; viese, …. 과거 분사 : visto].

ver[2] *m.* ① 시각, 시력(sentido de la vista). ② 풍채, 외모(aspecto, apariencia) : Esta casa no tiene mal ~. ③ 의견, 생각(parecer) : a mi ~ 나의 의견으로는, 내 생각으로는.

vera[1] *f.* [*lat.* ora] ① 가장자리(orilla) : Se sentó a la ~ del camino 그는 도로 가장자리에 앉았다. ② 언덕(orilla). ③ 곁 : a la ~ de …의 곁에. a mi ~ 내 곁에.

a la ~ ① 가까이에, 근접하여(a la orilla, cercanamente). ② 옆에(al lado, próximo).

vera[2] 【식물】 베라 《남미산의 철목의 일종》 : La madera de la ~ es casi tan pesada como el hierro.

vera efigies *f. lat.* 꼭 닮은 것.

veracidad *f.* [*lat.* veracitas] ① 진실성(sinceridad). ② 진상. ③ 성질.

veracruzano, na *adj.m.f.* 베라끄루스 《Veracruz, 멕시코에 있는 주·도시》의 (사람).

veragua *m.* 【속어】 1000 빼세따 짜리 지폐.

veraguarse *r.* ⑩ 《*AmérC. Col.*》 (속옷 따위에) 여기저기 얼룩이 생기다(apulgararse).

veragüense *adj.m.f.* 베라구아스 《Veraguas, 빠나마에 있는 주》의 (사람).

veralca *f.* 《*Chile.*》 야생 야마(guanaco)의 모피.

veranada *f.* ① (방목을 위한) 여름철. ② 《*Arg.*》 여름 목장(pasto de verano).

veranadero *m.* 여름 목장.

veranar *intr.* =**veranear.**

veranda *f.* 베란다, 노대(露台) ; 유리를 친 발코니(mirador).

veraneante *adj.* 피서하는. —*m.f.* 피서객.

veranear *intr.* 피서하다, 여름을 보내다(pasar el verano) : ¿Dónde *veranea* usted? 당신은 어디서 피서하십니까? *Veraneamos* en un pueblo montañoso 산악 마을에서 피서합시다.

veraneo *m.* ① 피서 : Fuimos de ~ a la playa 우리들은 해안에 피서하러 갔다. No podemos pensar en ir de ~ 우리는 피서하러 가는 것을 생각할 수 없다. ② (목축의) 피서장, 여름 목장(veranero).

veranero *m.* ① 여름 목장. ② 《*Ecuad.*》 =**pardillo, gorrión.** —*adj.* 《*Amér.*》 =**veraniego.**

veraniego, ga *adj.* ① 여름의. ② 여름을 타서 마른. ③ 경미한, 중요성이 없는(ligero).

veranillo *m.* [*dim.* verano] ① 잔서(殘暑), 늦여름의 쇠잔한 더위. ② 《*AmérC.*》 6월 하순에 들어 활짝 날이 개는 일.

~ de San Miguel 늦더위 《9월 하순경》. ***~ de San Martín*** 봄 기운이 도는 시절 《11월 중순경》. ***~ de San Juan*** (남미에서) 봄 기운이 도는 시절.

verano *m.* [*lat.* vernum] ① 여름 (estío) : El ~ es la estación más calurosa del año 여름은 1년중 가장 더운 계절이다. El ~ comprende en el hemisferio septentrional los meses de junio, julio y agosto y en el meridional los de diciembre, enero y febrero 북반구에서 여름은 유월, 칠월, 팔월이고 남반부에서는 십이월, 일월, 이월이다. ② 《*Ecuad.*》 (약 반년의) 건조기 (epoca o temporada de sequías) : El ~ ecuatorial dura unos seis meses 적도의 건조기는 약 6개월 지속된다. ③ (1년 중의) 가장 더운 시기《북반구의 6월, 7월, 8월 ; 남반구의 12월, 1월, 2월》.

veras *f.pl.* ① 진실, 진상 ; 사실(realidad, verdad). ② 성실 : hombre de ~ 성실한 사람. ③ 열심.

de ~ 진심으로, 진정으로, 참되게, 정말로(con verdad o sinceridad) : Lo lamenté *de ~*.

verascopio *m.* 쌍안 사진기.

veráscopo *m.* =**verascopio.**

veratrina *f.* 【화학】 베라트린.

veratro *m.* 【식물】 =**vedegambre.**

veraz *adj.* [*pl.* veraces] 진실한, 솔직한, 정직한, 성실한 (sincero, franco) : hombre muy ~. Contr. mentiroso.

verba *f.* =**verbosidad, locuacidad, labia.**

verbal *adj.* [*lat.* verbalis] ① 말의, 말에 관한, 말로 된, 용어상의 : expresión ~. ② 말로 하는, 구두의 (oral) : contrato ~ 구두 계약. nota ~ (외교상의 서명없는) 각서. promesa ~ 구두 약속. ③ 【문법】 동사의 ; 동사에서 파생된, 동사

적인(del verbo) : un derivado ~.

verbalismo *m.* 자구(字句)에 구애됨 ; 어구 비평.

verbalista *adj.* 자구에 구애되는 : enseñanza ~. —*m.f.* 자구에 구애되는 경향이 있는 사람.

verbalmente *adv.* 구두로, 말로, 언어로(de palabra, no por escrito) : dar una orden ~. Contr. por escrito.

verbásceas *f.pl.* =**tribu de escrofulariáceas.**

verbasco *m.* 【식물】 =**gordolobo.**

verbena *f.* [*lat.* verbena] ① 【식물】 마편초. ② 【종교】 (서반아의 여러 도시에서 개최하는 San Antonio, San Juan, San Pedro 등의 축제일의) 전야제, 성제일(聖祭日)의 제(祭) : La noche de San Juan celebramos la ~ en la plaza del pueblo 성 요한의 밤에 우리들은 마을의 광장에서 전야제를 가진다.

~ ***olorosa*** 【식물】 =hierba luisa.

verbenáceo, a *adj.* 【식물】 마편초(과)의. —*f. pl.* 마편초속 식물.

verbenear *intr.* 꾸역꾸역 모여들다(apiñarse) ; 여럿이 서로 밀고 밀치다(hormiguear).

verbenero, ra *adj.* verbena의.

verberación *f.* 메어침, 후려침.

verberar *tr.* ① 때리다, 후려치다(azotar). ② (비・바람이) 내려치다(azotar el viento o el agua) : La lluvia *verberaba* las paredes 비가 벽에 들쳤다.

verbigracia *adv.* 가령, 예컨대, 예를 들면, 이를 테면(por ejemplo). —*m.* 보기, 예(ejemplo).

verbi gratia *adv. lat.* =**verbigracia.**

verbo[1] *m.* [*lat.* verbum] ① 【문법】 동사 : Hay cinco clases de ~*s* : el ~ activo o transitivo, el ~ neutro o intransitivo, el ~ reflexivo o recíproco, el ~ impersonal y el ~ auxiliar 동사의 종류에는 다섯이 있다. 즉 타동사, 자동사, 재귀 동사, 비인칭 동사 및 조동사이다. ② 말, 언어(palabra). ③ 욕지거리, 험담, 악담(voto) : echar ~*s* 욕을 하다.

~ ***activo*** · ***transitivo*** 타동사. ~ ***adjetivo*** 성질동사. ~ ***auxiliar*** 조동사. ~ ***copulativo*** 접속 동사 (~ substantivo). ~ ***defectivo*** 불구 동사. ~ ***determinado*** · ***determinante*** 피결정・결정 동사 《예 : Quiero venir의 연결된 말로서, quiero가 결정 동사, venir가 피결정 동사》. ~ ***frecuentativo*** 빈수 동사 《똑같은 일이 반복되는 동작을 나타내는 것 : golpear, hojear》. ~ ***impersonal*** 무인칭 동사 《3인칭에만 활용하는 것》. ~ ***intransitivo*** · ***neutro*** 자동사. ~ ***pronominado*** 대명 동사 《대명사 se를 같이 쓰는 동사 : 재귀・상호 동사 등》. ~ ***reflejo*** · ***reflexivo*** 재귀 동사. ~ ***regular*** · ***irregular*** 규칙・불규칙 동사. ~ ***recíproco*** 상호 동사. ~ ***substantivo*** 실체 동사 《ser나 parecer, quedar와 같이 명사나 형용사 앞에서 의미가 확립되는 것 ; 이 밖의 동사를 verbo adjetivo라고 함》. ~ ***unipersonal*** 단인칭 동사 《3인칭 단수에만 활용하는 것》.

de ~ ad vérbum 한마디 한마디, 문자 그대로.

en un ~ ① 즉시, 곧장(en un instante). ② 지체없이(sin demora).

verbo[2] *m.* 【종교】 (삼위 일체의 제 2 위) 말씀 : *V-* Divino 하나님의 말씀.

verbomanía *f.* =**logorrea.**

verborragia *f.* 수다, 말이 많음 (locuacidad excesiva).

verborrea *f.* =**verborragia.**

verbosidad *f.* 군말이 많음, 장황 ; 다변.

verboso, sa *adj.* [*lat.* verbosus] 수다스런, 말 많은, 다변의, 장황한. Contr. lacónico.

verdacho *m.* 【광물】 녹사, 녹토.

verdad *f.* [*lat.* veritas] ① 사실, 진실, 진리 : Es ~ 사실이다. ~ de Perogrullo 너무나도 당연한 사실. Usted no lo cree, ¿~ ? 당신은 그것을 믿지 않지요? 그렇지요? ② 성실(sinceridad). ③ 사실, 진상. ④ 현실(realidad) : El juró que diría toda la ~ 그는 모든 진상을 말하겠다고 맹세했다. Contr. mentira.

a decir ~, a la ~ 바른대로 말하면, 사실을 말하자면, 사실상 : *A decir* ~ no quiero ir 사실을 말하자면 나는 가기 싫다. *A decir* ~, a mí no me gusta esto 바른대로 말하면 나는 이것을 좋아하지 않는다.

bien es ~ 실제로, 진실로.

de ~ (que) 정말, 진실로, 분명히(de veras seguramente) : ¿Lo dice usted *de* ~? 정말로 그렇게 말씀하시는 겁니까?

en ~ 실지로, 진정하게.

decir cuatro ~(es) (누구에게) 그 결점을 있는대로 다 말해 주다.

faltar a la ~ 거짓말하다, 속이다.

Es ~ que, ~ es que 정말로 …이다, 사실은 …이다 ; …이라는 것은 사실이다 : ¿*Verdad que* sí? 정말입니까?

verdaderamente *adv.* 분명히 ; 진실하게, 정말로, 실로, 실지로(con verdad, de verdad) : Es ~ bueno 그는 정말 착하다. Lola era ~ guapa 롤라는 정말로 미인이었다.

verdadero, ra *adj.* ① 진짜의 : un ~ diamante 진짜 다이아몬드. No usaba el nombre ~ 그는 본명을 쓰지 않고 있었다. ② 참된, 진실한, 진정한 : ~ placer 진정한 기쁨. ③ 확실한, 사실의(real) : historia ~*ra.* ④ 성실한(sincero). Contr. falso.

verdal *adj.* 녹색의, 푸른(verde) : ciruela · aceituna ~.

verdasca *f.* ① 녹색의 가지. ② 가느다란 가지, 회초리(vara delgada).

verdascazo *m.* verdasca로 때리기.

verde *adj.* [*lat.* viridis] ① 녹색의 (de color semejante al de la hierba fresca) : El color ~ se puede obtener combinando el azul y el amarillo. ② 푸른 : arbusto muy ~. ③ 날것의, 생 …, 갓 자른 : Los muebles hechos con madera ~ duran poco 생나무로 만든 가구는 오래 가지 못한다. ④ 싱싱한 (fresco) : legumbres ~*s* 싱싱한 야채. ⑤ 설익은 : fruta ~ 풋과일. Estas naranjas están ~*s* 이 귤들은 덜 익었다. ⑥ 젊은 : en mis años ~*s* 나의 젊은 시절에. un hombre muy ~ aún 아직 젊은 사람. ⑦ 음탕한 : un cuento ~ 음담, 에로 소설. libro ~ 음담 소설, 에로 소설. ⑧ 성적인 매력이 많은 : viejo ~ 이성을 밝히는 노인.

—*m.* ① 녹색, 초록색 : El ~ te cae muy bien 초록색은 너한테 아주 잘 어울린다. ② 녹색의 가지 ; 푸른 풀 : Nos sentamos en el ~ para tomar un descanso 우리들은 푸른 풀 위에 앉아

서 쉬었다. ③ (술 등의) 떫은 맛. ④《*Arg.*》목초, 풀 (pasto). ⑤《*Col. Ecuad.*》설익은 바나나. ⑥《*PRico.*》시골(campo). ⑦《*Riopl.*》마떼차 : tomar ~. **—***m.pl.* ① 풀, 목초. ② (목축의) 나이 : Este potro tiene tres ~*s* 이 말은 세 살이다.

~ ***de montaña · de tierra*** 탄산동.

darse un ~ ① 한숨을 돌리다 (tomar algún tiempo de descanso, divertirse). ② 싫증을 내다.

poner a uno ~ (…를) 호되게 나무라다 (afrentarlo).

verdea *f* 푸른 빛깔이 도는 술 (vino que tiene color verdoso).

verdeante *adj.* 녹색이 도는.

verdear *intr.* ① 녹색으로 보이다 : Esta tela *verdea* 이 천은 녹색으로 보인다. ② 녹색이 돌다, 녹색으로 되다 : El campo *ha verdeado* 들판이 녹색으로 되었다. ③《*Urug. Arg.*》마떼차를 마시다(matear). **—***tr.* ① (과일 · 콩 등을) 아직 다 익기 전에 따다. ②《*Urug. Arg.*》방목하다 (pastar).

verdeceledón *m.* 청자색(color verde claro).

verdecer *intr.* ㉛ 녹색이 되다, 초목의 싹이 트다 : Los árboles *verdecen* por primavera.

verdecillo *m.* 【조류】 검은방울새(verderón).

verdegal *m.* 곡식이 푸르게 돋아난 밭 · 논 ; 푸른 초원.

verdegay *adj.* 연한 녹색의 (de color verde muy claro). **—***m.* 연한 녹색.

verdeguear *intr.* =**verdear** : La tierra *verdeguea.*

verdejo, ja *adj.* [*dim.* verde] 푸르스름한, 푸른 ; 설익은(verdal, verde) : una uva ~*ja.*

verdel *m.*《*Ál. Nav.*》【조류】 =**verderón.**

verdemar *m.* 해록색(海綠色) : una esmeralda ~.

verdemontaña *m.* ①【광물】 탄산동(verde de montaña). ② 엷은 녹색.

verdeo *m.* (익기 전에) 올리브의 수확(recolección de las aceitunas).

verdeo(b)scuro, ra *adj.* 짙은 녹색의(verde obscuro).

verderol *m.* ①【조류】 검은방울새(verderón). ② 쌍각류의 일종(berberecho).

verderón, na *adj.* 질푸른. **—***m.* 【조류】 검은방울새.

verdete *m.* 녹청색 ; 엷은 쪽빛 (그림 물감) (cardenillo).

verdevejiga *m.* 암록색(의 물감).

verdezuela *f.*《*Ál.*》【식물】 =**colleja.**

verdezuelo, la *adj.* [*dim.* verde] 푸르스름한. **—***m.* 【조류】 검은방울새(verdecillo, verderón).

verdial *adj.*《*And.*》익힐 때 계속 푸른 빛을 내게 하는 올리브의.

verdigón *m.*《*And.*》【동물】 바지락조개 (almeja)의 일종.

verdín *m.* ① 신록(新綠) ; 어린 잎 · 풀. ② 푸른 이끼 · 곰팡이, 푸른 부초(浮草). ③ 녹청.

tabaco ~ 가루 담배(tabaco en polvo)의 일종.

verdina *f.* 신록(新綠).

verdinal *m.* 곡식이 다 익기 전의 밭의 부분 (fresquedal).

verdinegro, gra *adj.* 암녹색의(verde muy obscuro).

verdino, na *adj.* 짙은 녹색의 ; 푸르스름한. **—***m.*《*Guat.*》【조류】 후취류(厚嘴類)《참새, 까마귀 따위》.

verdinoso, sa *adj.* 새파래진 ; 파란 이끼가 낀, 파란 곰팡이가 슨 ; 녹청색이 감도는.

verdiñal *adj.* 푸른 (배)《익어도 푸른 종류》.

verdiseco, ca *adj.* 덜 마른(medio seco).

verdolaga *f.* [*lat.* portulaca] 【식물】 채송화.

~ ***de la mar · de la playa marina*** 【식물】 = sayón.

verdón *m.* ①【조류】 검은방울새 (verderón) ; (꾸바산의) 금시작(金翅雀)(mariposa). ②【은어】 =**compo, pradera.**

verdón, na *adj.*《*Arg.*》=**verdoso.**

verdor *m.* ① 신록 ; 초록, 녹색. ② 생기, 활기, 싱싱함, 늠름함(vigor, lozanía). ③ 청춘, 젊음, 젊은 시절(juventud).

verdoso, sa *adj.* 녹색을 띤 : El mar está ~.

verdoyo *m.* 엷은 녹색 ; 신록.

verdugada *f.* 수평으로 늘어놓은 벽돌(verdugo, hilada de ladrillos).

verdugado *m.* (스커트를 부풀게 하기 위해 입은) 속옷(ahuecador)의 일종.

verdugal *m.* 신록의 초원.

verdugazo *m.* 회초리(verdugo)로 때리기.

verdugo *m.* ① 새싹(vástago). ② 날이 가느다란 칼. ③ (야들야들한) 회초리. ④ 회초리 자국, 부르튼 자리(roncha). ⑤ (반지의) 고리(aro de sortija). ⑥ 사형 집행인. ⑦ 냉혈한, 몰인정한 사나이, 무정한 사나이(persona muy cruel) : ser el ~ de sus padres. ⑧ 괴로움, 걱정거리 (cosa que atormenta) : Esa deuda es mi ~. ⑨【조류】 물까치, 때까치(alcaudón). ⑩【건축】 수평으로 늘어놓은 벽돌(verdugada).

verdugón *m.* ① 새싹(verdugo). ② 채찍 · 회초리 자국, 부르튼 자리. ③《*Amér.*》구두에 쏠린 자국 (herida que causa el calzado). ④《*Amér.*》옷의 해진 자리(rotura en la ropa).

verduguillo *m.* [*dim.* verdugo] ① 날이 가는 면도칼 ; 날이 가느다란 칼. ② 귀고리 (arillo, arete para los oídos). ③ 선박 가장자리의 줄. ④ 잎에 생기는 가느다란 부푼 자리.

verdulera *f.* ① 청과물을 파는 여자. ② 닳아빠진 여자.

verdulería *f.* 청과물 · 채소 가게(tienda de verduras).

verdulero, ra *m.f.* 야채 · 청과물 장수.

verdura *f.* ① 녹색, 파랑(verdor, color verde). ② 청과, 채소, 야채(legumbre) : Para cenar tenemos un plato de ~ y otro de pescado 우리는 저녁에 야채 요리와 생선을 먹는다. ③ (그림 · 색무늬 주단의) 초목 무늬. ④ 음탕, 외설 ; 추행.

verdusco, ca *adj.* 짙은 녹색의.

verecundia *f.* =**vergüenza.**

verecundo, da *adj.* 부끄러운, 수치스런 (vergonzoso). **Contr.** inverecundo.

vereda *f.* ① 오솔길 (senda, sendero) ; 지나는 길. ② 가는 길에 전하는 통보. ③《*AmérM.*》보도, 인도(acera).

hacer entrar por ~ 의무를 다하게 하다 (obligarle a portarse bien).

veredero *m.* (차례를 거꾸로 하여) 편지·통지서 배부자.

veredicto *m.* 【법학】 ① 재정(裁定), 판결 : ~ afirmativo 확정 판결. ~ de inculpabilidad 무죄 판결. ② (배심의) 답신(答申), 의견.

veredón *m.* [*aum.* vereda] 《*Arg. Urug.*》 넓은 보도.

Veremundo *m.* 베레문도 《Manuel J. Quintana (1772—1857)의 작 Pelayo중의 인물》: ¡Aún hay patria, ~! 아직 가망은 있다!

verenjusto *adj.* ***en justos y en ~s*** =con razón o sin ella.

verga *f.* ① 돛대. ② 창살. ③ 석궁(石弓)의 궁부(弓部). ④ 【해부】 음경(miembro genital).

vergajazo *m.* 보드라운 채찍으로 때리기.

vergajear *tr.* 《*Ecuad.*》 채찍으로 때리다(azotar).

vergajo *m.* 소의 음경으로 만든 매 ; 짧고 보드라운 채찍.

vergé *adj.* =**vergueteado.**

vergel *m.* 【시어】 나무가 무성한 곳 ; 정원, 화단 ; 과수원(huerto).

vergelero *m.* 정원·화원·과수원 지기.

vergeta *f.* 가느다란 막대기(vergueta, varilla).

vergeteado, da *adj.* [*fr.* vergeté] 열 개 이상의 나무 토막을 어울려 놓은 무늬의 (문장).

vergissmeinnicht *m. alem.* ① 【식물】 물망초 (miosota, miosotis, nomeolvides). ② 나를 잊지 말아다오(No me olvides). [*N.* 발음 : ferguismainicht].

vergonzante *adj.* 부끄러움을 아는. —*m. f.* 얼굴을 드러내지 않는 거지 : un pobre ~. Contr. desvergonzado.

vergonzosamente *adv.* 부끄러운 듯이, 수치스러운 듯이 : portarse ~.

vergonzoso, sa *adj.* ① 부끄러운, 수치스러운, 창피한 : partes ~*sas* 치부. ② 부끄러워하는, 부끄럼을 잘 타는. —*m.f.* 부끄러움을 잘 타는 사람. —*m.* 【동물】 아르마디요(armadillo).

mimosa ~sa 함수초.

verguear *tr.* (작대기 같은 것으로) 두들기다·때리다.

vergüenza *f.* [*lat.* verecundia] ① 창피, 부끄럼, 수치 : tener ~ 부끄러워하다, 수치스럽다. Me da ~ pensarlo 그것을 생각하는 것조차 부끄럽다. El niño no tiene ~ de cantar delante de la gente 그 아이는 사람들 앞에서 노래부르는 것을 부끄러워하지 않는다. ¡Qué ~! 정말 부끄러운 일이다. ② 부끄러움을 아는 마음, 염치 (pundonor) : hombre·persona de ~ 수치를 아는 사람. ③ 수치심을 느끼게 하는 형벌. ④ 대중 앞에서 창피를 당하는 사람 : sacar a la ~ 대중 앞에서 창피를 주다. —*pl.* 치부, 은밀한 곳.

sin ~ 수치심이 없는, 부끄러움이 없는, 염치없는 (사람)(persona descarada).

perder la ~ 수치를 잊다, 수치심을 버리다.

verguer *m.* 《*Ar.*》 경찰.

verguero *m.* 《*Ar.*》 =**verguer.**

vergueta *f.* 가느다란 막대기.

vergueteado *adj.* 절취선에 구멍을 뚫은 (종이).

verguío, a *adj.* 부드럽고 연한 (재목).

veri *m.* 《*Chile.*》 (양털 등의) 기름때(mugre).

vericueto *m.* 좁고 험한 길(caminillo estrecho y áspero) ; 어려운 곳.

verídico, ca *adj.* [*lat.* veridicus] ① 사실의, 거짓 없는, 진실의 ; 진실성 있는(auténtico, verdadero) : relato ~ 거짓없는 이야기. ② 성실한, 착실한(sincero) : hombre ~.

verificación *f.* ① 확증, 확인, 입증, 증명 : ~ de créditos 채무의 확인. ② 실행, 거행. ③ 감사(監査), 검증, 검정, 검사 : ~ de cuentas 회계 검사, 감사.

verificador, ra *adj. f.* 입증·증명하는 계기(計器)(의). —*m.f.* 입증자, 증명자, 검정자.

verificar *tr.* 7 ① 분명하게 밝히다, 실증하다, 입증하다, 증명하다. ② 확인하다, 검사·검정·검증하다(comprobar, examinar) : ~ una cuenta. ③ 행하다, 실행·실현·수행하다(efectuar) : ~ un cobro 돈을 받아들이다. ④ 확증하다. ⑤ 체크하다. ⑥ 감사하다.

~se ① 확실해지다, 뒷받침이 되다. ② 행해지다, 실행되다(realizarse) : *Se verificará* la boda 결혼식이 거행될 것이다. *Se verificará* la inauguración mañana 내일 개회식이 거행될 것이다. ③ (예언·예고·예상했던 대로) 되다, 나타나다.

verificativo, va *adj.* 증명이 되는.

verigüeto *m.* 연체 동물.

verija *f.* ① 하복부(bajo vientre). ② 음부, 국부(局部), 치부(恥部)(pubis). ③ 《*Amér.*》 말의 옆구리(ijar).

verijón, na *adj.* 《*Méx.*》 게으른, 게으름뱅이의 (perezoso, holgazán).

veril *m.* 【해사】 여울의 가장자리.

verilear *intr.* 【해사】 여울의 가장자리로 항해하다.

veringo, ga *adj.* 《*Col.*》 벌거벗은(desnudo).

veringuearse *r.* 《*Col.*》 알몸이 되다, 벌거숭이가 되다(desnudarse).

verisímil *adj.* =**verosímil.**

verisimilitud *f.* =**verosimilitud.**

verisímilmente *adv.* =**verosímilmente.**

verismo *m.* 《*Neol.*》 사실파, 자연주의(自然主義) (realismo). ② 진실.

verista *adj.* 사실파의. —*m.f.* 사실파 작가.

verja[1] *f.* 철책, 쇠울타리 ; 울타리.

verja[2] *f.* [*lat.* virga] =**enrejado.**

verjel *m.* 정원에 나무를 심어 놓은 곳 ; 정원.

verjurado *adj.* =**vergueteado.**

verme *m.* 【곤충】 회충(lombriz).

vermenear *intr.* 《*PRico.*》 =**verbenear.**

vermétidos *m.pl.* 【동물】 복족류.

vermicida *adj.* 구충의 ; 회충이 있는. —*m.* 구충제(vermífugo).

vermicular *adj.* ① 장충병(腸虫病)의 ; 충양(虫様)의(vermiforme) : apéndice ~ 충양 돌기. ② 벌레 먹은 자국 같은, 구불구불한.

vermiculita *f.* =**mica.**

vermículo *m.* =**gusanillo diminuto.**

vermídeos *m.pl.* 【동물】 =**moluscoideos.**

vermiforme *adj.* 충양의 : apéndice ~.

vermífugo, ga *adj.* 구충제의. —*m.* 구충약 ; 살충약.

vermilingüe *adj.* guesano 처럼 길고 좁고 끈적거리는 혀를 가진.

verminoso, sa *adj.* 장충병(腸虫病)의 ; 회충성

의.

vermis *m.* 【곤충】 =**gusano parásito.**

vermívoro, ra *adj.* 식충(食虫)의.

vermú *m.* [*pl.* vermutes] ① 베르무트 《약초로 향기·맛을 곁들인 백포도주》. ② 《*Amér.*》 (오후의) 공연.

vermut *m.* [*alem.* vermut] =**vermú.**

vernáculo, la *adj.* 자국의, 그 지방 (고유)의, 태생지의 : idioma·lengua ~ 토착어.

vernal *adj.* [*lat.* vernalis] 봄의 (primaveral) : equinoccio ~ 춘분. solsticio ~ 하지.

vernier *m.* 버니어, 아들자, 유척, 유표, 부척 (副尺), 유표척(遊標尺)(nonio).

vero *m.* 검은 담비의 모피. —*pl.* ① 《*León.*》 = **borde, orilla.** ② 병종 모양(並鐘模様)(의 문장).

vero, ra *adj.* 【고어】 =**verdadero.** *de* ~ 정말로, 진실로(de veras).

veronal *m.* 베로날 《최면제》.

veronense *adj.m.f.* =**veronés.**

veronés, sa *adj.* 베로나 《Verona, 이탈리아에 있는 주·도시》의. —*m.f.* 베로나 사람.

verónica *f.* ① 그리스도 초상. ② 투우에서 가빠를 펴고 기다리기. ③ 《*Chile.*》 (칠레 부인의) 검은 망토. ④ 【식물】 꼬리풀의 일종, 현삼과의 식물 《개불알풀류》.

verosímil *adj.* 진실·사실인 듯한 ; 있을 법한. Contr. inverosímil.

verosimilitud *f.* 진실성, 박진성.

verosímilmente *adv.* 진실같이.

verraco *m.* ① 종돈, 씨돼지 (cerdo padre). ② 《*Col.*》 종양(種羊). ③ 《*Cuba.*》 멧돼지 (cerdo montaraz). ④ 《*Arg.*》 vizcacha 비슷한 동물. ⑤ 썩은 고기의 고약한 냄새.

verraquear *intr.* ① 툴툴거리다, 끙끙 앓다 (gruñir o rabiar como el cerdo). ② 아이들이 아우성치며 울다(llorar los niños con rabia).

verraquera *f.* ① 아우성치는 울음 소리. ② 《*Cuba.*》 술취함, 망태, 취기, 주정(embriaguez, borrachera).

verraquero *m.* 《*Cuba.*》 멧돼지 추적용 사냥개.

verriondez *f.* (돼지 따위의) 발정 ; 암내.

verriondo, da *adj.* ① 암내를 내는, 발정하는 (que está en celo). ② 축 늘어진. ③ 너무 삶아진 (야채 등).

verroja *f.* 《*And.*》 =**navaja, colmillo de jabalí.**

verrojazo *m.* 《*And.*》 멧돼지가 송곳니로 낸 자국 ; 그 상처.

verrojo *m.* 《*Ant.*》 빗장(cerrojo).

verrón *m.* 종돈, 씨돼지(verraco, cerdo padre).

verruga *f.* [*lat.* verruca] ① (얼굴·손 따위에 나는) 사마귀. ② (식물의) 혹. ③ 흠, 결점 (defecto). ④ 귀찮은 물건. ⑤ 골치 아픈 사람. ⑥ 《*AmérC.*》 폭리 ; 저금 ; (특히 여자들의) 남편 몰래 숨겨 놓은 돈.

verrugato *m.* 【어류】 (꾸바산의) 물고기.

verrugo *m.* 인색한 사람, 깍쟁이 (hombre avaro y miserable).

verrugón [*aum.* verruga] =**verruga grande.**

verrugoso, sa *adj.* 사마귀투성이의(con verrugas) : manos ~*sas.*

verrugueta *f.* (카드 놀이 등에서) 속임수, 눈속임.

verruguetear *tr.* (카드 놀이 등에서) 속이다.

versación *f.* 《*And.*》 말투, 어투, 말솜씨(modo de hablar).

versada *f. desp.* 《*Arg. Perú.*》 서툰 시.

versado, da *adj.* [+en : …에] 밝은, 정통한, 조예가 깊은, 오래 종사한 : ~ *en* las matemáticas 수학에 조예가 깊은. hombre muy ~ *en* la historia 역사에 무척 조예가 깊은 사람.

versal *adj.* 【인쇄】 대문자의. —*f.* 대자(大字), 대문자(mayúscula).

versalilla *adj.f.* 소형 대문자(의)《소문자와 같은 크기》.

versalita *adj.f.* =**versalilla.**

versallés, sa *adj.* 베르사이유의 ; 베르사이유풍·식의.

versallesco, ca *adj.* 베르사이유 풍의·식의.

versar *intr.* [*lat.* versare] ① 주위를 빙빙 돌다 (dar vueltas alrededor). ② [+sobre, acerca de : …을] 문제로 하다, 취급하다, 다루다 : Este libro *versa sobre* el arte moderno mejicano 이 서적은 현대 멕시코 예술에 관해 적혀 있다. Sinón. preferirse, tratar. ③ 《*Ant.*》 시를 짓다. **~se** ① 수련을 쌓다, 경험을 얻다. ② 《*Méx.*》 야유하다, 조롱하다(burlarse).

versátil *adj.* ① 융통성이 있는, 변하기 쉬운 : un temperamento ~. Sinón. inconstante, variable, voluble. ② 경박한. ③ 다용성(多用性)의, 만능의 : una licuadora ~ 만능 믹서.

versatilidad *f.* ① 다재, 다능. ② 변하기 쉬움, 경박, 변덕. ③ 다용성(多用性), 다양성 : ~ de opiniones. Contr. fijeza.

versear *intr. desp.* (시시한) 시를 짓다.

versecillo *m.* [*dim.* verso] 단시(短詩).

versería *f.* [집합] 대포 ; (옛날의) 포대.

versete *m.* [*dim.* verso] (옛날의) 대포.

versicolor *adj.* 잡색의, 얼룩색의 ; 여러 가지 색깔의, 비단벌레 빛깔의 : una cinta ~.

versícula *f.* 합창 악보 받침.

versiculario *m.* 성구 송창자(聖句頌唱者) ; 합창 악보의 관리자.

versículo *m.* [*lat.* versiculus] 장구(章句), 시구 ; (성서의) 절 ; 창구(唱句) ; 전도구(前禱句).

versificación *f.* 작시, 시작화, 운문화 ; 작시법 ; 시풍(詩風) : ~ elegante.

versificador, ra *adj.* 시를 짓는. —*m.f.* 시작자, 시인 : un ~ hábil.

versificante *adj.* 시를 짓는.

versificar *intr.* 7 시를 짓다, 작시하다 : ~ una fábula. —*tr.* 운문으로 고치다·하다, 운을 맞추다 : ~ con soltura.

versión *f.* [*lat.* versum] ① 역, 변역(문) ; 역문 (traducción) : Hay varias ~*es* de esta obra 이 작품의 여러 가지 번역이 있다. ② 설명, 소견, 해석(법), 보는 법. ③ 말하는 법, 말. ④ 【외과】 (자궁내 태아의) 회전술, 전위.

versista *m.f.* 시인, 작시자.

verso *m.* [*lat.* versus] ① 시, 운문(韻文) : en ~ 운문으로. ② 시구(詩句), 시의 한 행 ; 시가 : ~ blanco·libre·suelto 무운(無韻)시, 자유시. ③ 화포(火砲). ④ 【인쇄】 뒷 페이지, 우수 페이지. *correr el* ~ 유창하다, 듣기에 좋다.

vers.º versículo.

versolari *m* 《*Vasc. Nav. Ar.*》 =**coplero, im-**

provisador de versos.
versta *f.* 러시아의 이정(里程)《1067m》.
versucia *f.* [*lat.* versutia] =**astucia, malicia.**
versus *prep. lat.* (소송·경기 따위에서) …대(對), …에 대한(en oposición a).
versuto, ta *adj.* =**astuto, taimado.**
vértebra *f.* [*lat.* vertebra]【동물·해부】척추골 : ~ abdominal 요추.
vertebración *f.* vertebrar 하기.
vertebrado, da *adj.*【동물】척추가 있는 : animal ~ 척추 동물. Contr. invertebrado. —*m. pl.* 척추 동물.
vertebral *adj.*【동물·해부】척추의·에 관한 ; 척추골로 된, 척추골을 가진 : columna ~ 척추, 척주, 등골뼈.
vertebrar *tr.* =**articular.**
vertedera *f.* 쟁기날, 주걱 : arado de ~ doble.
vertedero *m.* 개수통, 하수 구멍.
vertedor, ra *adj.* 따르는, 붓는 ; 토하는. —*m.* ① 배수구, 하수구. ② 깔때기. ③ (배의) 물 빠지는 구멍(achicador).
vertello *m.* 돛대에 쓰는 나무공.
verter *tr.* ⑳ [*lat.* vertere] ① (액체를) 따르다, 붓다, 부어 넣다, 비우다(derramar, vaciar) : *Vertió* el agua en la vasija 그는 물을 그릇에 부었다. *Vierta* usted ese cubo 그 바께쓰의 물을 부으십시오. ② (그릇을) 기울이다. ③ (물 따위를) 흘리다 : *Has vertido* vino sobre el mantel 너는 식탁보 위에 포도주를 흘렸구나. ④ 번역하다(traducir) : *Han vertido* el libro *al* español 그 책은 서반아어로 번역되었다. ⑤ 토하다(emitir).
—*intr.* 흐르다, 흘러내리다 ; 따르다 : El Huerva *vierte* a Ebro 우에르바강은 에브로강으로 들어간다.
~se 흘리다 : Con el vaivén del buque *se vierte* el agua de los vasos 배의 동요로 컵의 물이 튄다.
vertibilidad *f.* 가변성.
vertible *adj.* 변하기 쉬운, 바꿀 수 있는, 가변성의 ; 번역할 수 있는.
vertical *adj.* [*lat.* verticalis] 수직의 ; 종(從)의 : Esta columna no es completamente ~ 이 기둥은 완전한 수직은 아니다. —*m.*【천문】고도권(高度圈)(círculo ~). —*f.* 수직선(línea ~).
mantener·poner ~ 세우다.
verticalidad *f.* 수직, 수직성, 수직 상태, 연직 : comprobar la ~ de una pared.
verticalmente *adv.* 수직으로, 연직으로, 직립하여 : levantar ~ un bastón.
vértice *m.* [*lat.* vertex] (삼각형의) 정점 ; 정상 ; (머리의) 꼭대기.
verticidad *f.* 주위로 나가려 하는 힘 ; 가변성.
verticilado, da *adj.*【식물】윤생(輪生)의 : una hoja ~*da.*
verticilo *m.*【식물】윤생(체), 환생(체).
vertiente *adj.* 흐르는 : aguas ~*s.* —*f.(m.)* ① 경사면, 경사지 ; 사면(斜面), 낙수통, 물매 : al ~ de un tejado. ② (지붕이나 산의 한) 쪽 : la ~ de un colina. —*f.* 《*AmérM.*》 흐름 ; 샘 ; 개울, 개천.
vertiginosamente *adv.* 어지럽게, 현기증나게.
vertiginosidad *f.* 어지러움, 현기증.
vertiginoso, sa *adj.* ① 어지러운, 눈이 핑핑 도는 듯한, 현기증이 나는 : una altura ~*sa.* ② 아주 빠른.
vértigo *m.* [*lat.* vertigo] ① 현기증 : Sentí un ~ 나는 현기증이 났다. No quiero subir a esa altura ; siento ~ 나는 그런 높은 곳에 오르고 싶지 않다 ; 현기증이 난다. ② 실신, 흥분. ③ 번거로움 : No me gusta el ~ de las grandes ciudades 나는 대도시의 번거로움이 마음에 들지 않는다. ④ 어지러울 정도로 빠름. ⑤ 유다른 변모.
de ~ 무서운, 지독한 : La belleza de esa mujer es *de* ~ 그 여인의 아름다움은 대단하다.
vertimiento *m.* (액체 등을) 따르는 일, 쏟는 일, 비우는 일 ; 배수.
vesania *f.* [*lat.* vesania] 정신 착란, 광란, 발광(demencia, locura).
vesánico, ca *adj.* 발광한, 정신 착란의. —*m.f.* (주로 흉폭한) 미치광이.
vesical *adj.* [*lat.* vesica] 방광의.
vesicante *adj.* 발포하는, 발포시키는. —*m.* 발포제.
vesicatorio *adj.m.* =**vesicante.**
vesícula *f.* [*lat.* vesicula] ① 소포(小胞) ; 수포(水胞). ②【식물】기포(氣泡). ③ 물집. ④【동물】낭(囊).
~ ***biliar*** 담낭.
~ ***ovárica*** 알주머니.
~ ***seminal*** 정낭.
vesicular *adj.* 소포의, 소포가 있는, 소포로 된, 소포상(小胞狀)의.
vesiculoso, sa *adj.* 물집이 많은, 물집투성이의 : erupción ~*sa.*
vesivilo *m.* 《*Murc. Cuenc.*》 유령(幽靈), 망혼(亡魂)(vastigio, fantasma).
veso *m.*【동물】=**turón.**
vespasiana *f.* ① 《*Galic. Arg. Chile.*》 공중 변소(meadero público). ② 《*Perú.*》 깊숙한 팔걸이 의자.
vesperal *adj.* [*lat.* vesper] 초저녁의, 해거름의(de la tarde) : claridad ~. Contr. matutino. —*m.*【종교】만과서(晩課書).
véspero *m.* [*lat.* vesperus] 샛별, 금성(lucero de la tarde).
vespertilio *m.* [*lat.* vespertilio]【동물】박쥐(murciélago)의 일종.
vespertiliónidos *m.pl.*【동물】익수류.
vespertina *f.* 오후의 문학 강좌 ; 저녁 설교.
vespertino, na *adj.* 석양의, 초저녁의, 밤의 : lucero ~. —*m.* ① 석간 신문(periódico ~). ② 석양의 기도.
véspidos *m.pl.*【동물】막시류.
vesque *m.* 《*Ar.*》 새잡이 끈끈이(liga).
vesta *f.*【로마 신화】부뚜막·불의 여신.
vestal *adj.* [*lat.* vestalis] 베스타신(神) 《부뚜막의 여신》의. —*f.* 화신(火神)을 모시는 처녀 ; 무당, 무녀 ; 정녀(貞女).
veste *f.*【시어】옷(vestido).
vestecha *f.* 현관의 차일.
vestfaliano, na *adj.* 베스트팔리아 《Vestfalia, 독일의 지방 이름》의. —*m.f.* 베스트팔리아 사람.

vestiario *m.* =**vestuario.**
vestibular *adj.* 【해부】 속귀의 미로 전정(迷路前庭)(vestíbulo del oído)의 · 에 관한.
vestíbulo *m.* [*lat.* vestibulum] ① 현관 ; 입구 ; 공간, (호텔의) 로비 ; 입구홀 : Enciende la luz del ~ 현관의 전등을 켜 주십시오. ② 【해부】 속귀의 미로 전정(迷路前庭).
vestidero *m.* 《*Ecuad.*》 =**vestuario.**
vestido, da *adj.* [+de : …을] 입은 : Iban ~*s de* gala 그들은 나들이옷을 입고 나갔다.
—*m.* 옷, 의복, 의상 : ~ de ceremonia · de etiqueta 예복. Ella lleva un ~ de seda 그녀는 실크 드레스를 입고 있다.
cortar un ~ (누구의) 악담 · 험담을 하다.
vestidura *f.* 의복, 옷 : ricas ~*s.* —*pl.* 승복.
vestigio *m.* [*lat.* vestigium] ① 자국, (발)자취, 흔적(huella) : No quedaron ~*s* de su paso. ② 유적, 황폐해진 흔적(ruinas) : los ~*s* de Babilonia. ③ 증거. ④ 징후(indicio).
vestiglo *m.* [드뭄] 괴물 ; 요괴, 요망한 마귀(monstruo horrendo).
vestimenta *f.* [*lat.* vestimenta] 의복(vestidura). —*pl.* 법복(法服), 법의(法衣), 가사.
vestir *tr.* 43 [*lat.* vestire] ① 입히다, 치장시키다 ; 옷을 입히다(cubrir o adornar el cuerpo con el vestido) : Ella *estaba vistiendo* a su hija 그녀는 딸에게 옷을 입히고 있었다. ② [+de : …에게] …을 입히다 : La madre le *vistió de* gala a la niña 어머니는 소녀에게 나들이옷을 입혔다. ③ 옷값을 주다 : ~ a los criados 하인들의 옷값을 대신 내주다. ④ (누구의) 의복을 만들다 : El sastre *viste* a mi hermano 그 재봉사가 동생의 옷을 만든다. ⑤ 입다, 입고 있다. *Vestía* uniforme 그는 유니폼을 입고 있었다. José *viste* traje de torero 호세는 투우사 복장을 하고 있다. ⑥ 입히다, 씌우다, 대다, 덮다 : ~ *de* acero una puerta 문에 철판을 대다. Vaya a ~ *de* cuero esta silla 이 의자를 가죽으로 대어 주십시오. ⑦ (아름답게) 꾸미다, 차리다(disimular) : Las flores *visten* el prado 꽃이 들판을 아름답게 꾸미고 있다. *Ha vestido* su petición *con* bellas palabras 그는 부탁을 아름다운 말로 꾸며서 했다. La hierba *viste* los campos 풀이 들판을 덮고 있다. Las hojas nuevas *visten* ya los árboles 어린 잎이 벌써 나무들을 단장하고 있다. ~ el rostro *de* severidad 근엄한 얼굴을 짓다. ~ el cargo 성직자인 척하다.
—*intr.* ① (어떤) 복장을 하다, 몸단장을 하고 있다 : ~ bien 몸단장이 훌륭하다. El *vestía de* levita 그는 프록 코트를 입고 있었다. Su madre, que era viuda, *vestía* siempre *de* negro 그의 어머니는 미망인이었으므로, 항상 검정 옷을 입고 있었다. Viene sonriente, *vestida de* colores claros 그녀는 밝은 빛의 옷을 입고 벙글거리면서 왔다. ② (의류품 · 어떤 빛깔을) 많이 입고 있다, 유행되고 있다 : La seda *viste* mucho 실크가 유행되고 있다.
~se ① [+con · de : …옷을] 입다 : El niño *se viste* ya solo 그 아이는 이제 혼자서 옷을 입는다. *Me visto de* luto · negro 나는 상복 · 검은옷을 입는다. ~*se con* lo ajeno 남의 옷을 입다. ② (어떤) 복장 · 옷차림을 하고 있다 : ~*se* a la moda 유행에 따른 옷차림을 하다. ③ 뒤덮이다(cubrirse) : El cielo *se viste de* nubes 하늘은 구름으로 뒤덮혀 있다. ④ 짐짓 꾸미다 : ~*se de* importancia · *de* humildad 잘난 · 순진한 척하다. ⑤ 환자가 자리에서 일어나다.
[직설법 현재 : visto, vistes, viste, vestimos, vestís, visten. 접속법 현재 : vista, vistas, vista, vistamos, vistáis, vistan. 직설법 부정 과거 : vestí, vestiste, vistió, vestimos, vestisteis, vistieron. 접속법 불완료 과거 : vistiera, …; vistiese, …. 현재 분사 : vistiendo].
vestón *m.* 《*Galic.*》 신사복 ; 웃옷(americana).
vestuario *m.* [집합] ① 의상. ② 군인의 제복. ③ 의상실. ④ 의복비.
vestugo *m.* 올리브의 새싹.
vesubianita *f* =**idocrasa.**
veta *f.* ① 줄무늬, (나무 · 돌의) 결(vena). ② 층. ③ 광맥(filón). ④ 《*Perú.*》 가스 분출. ⑤ 《*Ecuad.*》 =**cinta de hilo, lana o algodón.**
descubrir la ~ (누구의) 속셈을 알아내다.
vetado, da *adj.* =**veteado.**
vetar *tr.* 《*Amér.*》 거부하다, 비토하다(poner veto).
vetazo *m.* 《*Ecuad.*》 채찍질.
vete 가거라, 가버려라 《irse의 2인칭 단수 긍정 명령 ; 부정 명령은 접속법 현재를 사용하여 No te vayas》.
veteado, da *adj.* 줄무늬 · 나무결 무늬가 있는 : una madera poco ~*da* . —*f.* =**vetazo.**
vetear *tr.* ① (…에) 줄무늬를 넣다, 줄무늬를 하다. ② 《*Ecuad.*》 채찍으로 후려치다(azotar).
veter. veterinario.
veteranía *f.* 노련성, 노련미.
veterano, na *adj.* [*lat.* veteranus] 노련한, 노숙한, 경험이 풍부한 : José es ~ *en* el oficio 호세는 그 일에서는 베테랑이다. —*m.f.* ① 노숙한 사람, 노련한 사람, 숙련가, 고참자. ② 노병(老兵). ③ 휴가병.
veterinaria *f.* 수의학(albeitería).
veterinario, ria *adj.* 수의학의. —*m.f.* 수의사.
vetevé *m.* 《*Col.*》 긴의자, 벤치(canapé) ; 소파(sofá).
vetilla *f.* 《*Galic.*》 사소한 일, 보잘 것 없는 일, 하찮은 일(fruslería, pequeñez).
vetisesgado, da *adj.* 비스듬하게 줄무늬가 든.
vetiver *m.* 【식물】 (인도 원산의) 벼과 식물 《그 뿌리는 구충제로 쓰임》.
veto *m.* [*lat.* veto] ① 금지, 금지법, 금제, 제지(prohibición). ② 부인, 부재가(不裁可), 불인가 ; 거부(권) : ~ presidencial 대통령의 거부권. poner el ~ 거부하다, 결재를 거부하다.
vetustez *f.* ① 노령. ② 오래됨, 고색(古色). ③ 노폐, 노후 : Estos edificios se están cayendo de ~.
vetusto, ta *adj.* ① 노령의. ② 오래된, 고색 창연한 : mueble ~.
vexilario *m.* =**portaestandarte.**
vexilo *m.* =**pétalo superior.**
vez *f.* [*pl.* veces] ① 번, 차례 : una ~ 한번, 언젠가. Vino dos *veces* 그는 두 번 왔다. ¿Cuántas *veces* al mes escribe usted a sus padres? 당신은 한 달에 몇 번 부모님께 편지를 쓰십니까? Otra ~ no te valdrá 한번은 좋으나, 두 번째에

는 통하지 않는다. ② [+수형용사]…배(倍) : dos *veces* 두 배. Era *cien veces* más hermosa de lo que suponía 내가 생각했던 것보다 백 배는 더 아름다웠다. ③ 차례, 순서, 순번 : Le llegó la ~ de entrar 그가 들어갈 차례가 되었다. ④ 때, 경우 (ocasión, tiempo) : Hay *veces* que conviene no decir la verdad 진실을 말하지 않는 것이 좋을 때가 있다. ⑤ 대신, 대리 : hacer las *veces* de uno 어떤 사람의 대리를 하다. ⑥ (어떤 사람에게 소속된) 목축떼(vecera).

a veces ① 때때로, 드문드문 : *A veces* nos equivocamos 때때로 우리는 실수한다. ② 번갈아.

a la de veces ; a las de veces ; a las veces 때때로, 드문드문, 더러.

a la ~ 동시에(al mismo tiempo, a un tiempo, simultáneamente) : Todos llegaron allí *a la* ~ 모두들 그곳에 동시에 도착했다.

a la ~ ***que*** …하는 때에.

a su ~ 자기 차례가 되어, …에 가서는.

alguna ~ 언젠가.

algunas veces 때때로, 가끔 : *Algunas veces* voy al cine 때때로 나는 극장에 간다.

cada ~ 매번, 언제고.

cada ~ ***más · menos*** 차츰.

cada ~ ***que*** …할 때마다(siempre que) : *Cada* ~ *que* vengo compro esto 나는 여기에 올 적마다 이것을 산다.

de una ~ 단번에, 대번에, 단숨에, 한꺼번에.

de ~ ***en cuando*** 드문드문, 때때로, 이따금(de cuando en cuando) : Aquí viene el autobús *de* ~ *en cuando* 버스는 이곳에 이따금 온다.

en ~ ***de*** …대신에 (en lugar de) : *En* ~ *de* contestarme a mí contestó a mi hermano 그는 나에게 답장을 하는 대신에 내 동생에게 답장을 했다.

muchas veces 여러 번.

otra ~ ① 또 한번, 재차 : Dígamelo usted *otra* ~ 다시 한번 나에게 말씀해 주십시오. ② 이번만은.

la primera ~ 처음, 첫 번째 : *La primera* ~ que vine aquí fue en 1962 내가 이곳에 처음 온 것은 1962년이었다. Es *la primera* ~ que vengo aquí 내가 이곳에 온 것은 (이번이) 처음이다.

por primera ~ 처음으로.

por segunda ~ 두 번째로.

por tercera ~ 세 번째로.

tal cual ~ 더러, 드문드문, 이따금.

tal ~ ① 아마도, 대개(quizá) : *Tal* ~ él venga 아마 그는 올 것이다. ② 이따금.

tomar**le **la ~ a uno (어떤 사람을) 앞지르다.

una que otra ~ 가끔, 드문드문, 이따금.

veza *f.* 【식물】 살갈퀴 《잠두 속》 (arveja).

vezar *tr.* 9 길들이다(avezar, acostumbrar). **~se** 길들다.

vg. virgen ; verbigracia 가령, 예를 들면.

v.g., v.gr. verbigracia.

VHF *f.* 초단파(muy alta frecuencia).

vi ver의 직 · 부정과거 · 1 · 단수.

vía *f.* [*lat.* via] ① 길, 도로(camino) : ~ muy cómoda. ② 경로, 경유(지) : por la ~ de … 경유로. Llegamos a India ~ Suez 우리들은 스위스 경유로 인도에 도착했다. ③ 중개. ④ 철도, 선, 선로, 노선 : El tren parte de la ~ 6 그 열차는 6번 선에서 출발한다. ⑤ 궤도, 레일. ⑥ 진로, 항(공)로. ⑦【해부 · 동물】 (식도 · 기관 등의) 관(管) (conducto) : ~*s* respiratorias 호흡기관. ~*s* urinarias 요도. ⑧ 수단, 방법, 방도. ⑨【법률】 처분. ⑩【화학】 처리. **—*pl.*** 신의 도 · 가르침.

~ ***aérea*** 항공로 ; 항공편 ; 공가(空架) 레일 : La ~ *aérea* es peligrosa 항공편은 위험하다. ~ ***ancha · angosta*** (철도의) 광궤 · 협궤. ~ ***crucis*** *lat.* 십자가의 길, 가시밭길 ; 수난의 길 ; 그리스도의 고난을 기리는 행사 ; 그 길에 세워 둔 14기의 십자가. ~ ***de agua*** (선박의) 물이 새는 곳. ~ ***de comunicación*** 교통로. ~ ***de hecho*** 【법률】 폭행, 구타. ~ ***de transporte*** 항로. ~ ***ejecutiva*** 행정 처분, 차압 처분, 강제 수단. ~ ***férrea*** 철도, 선로. ~ ***fluvial · acuática interior*** 국내 수로. ~ ***húmeda*** (화학의) 습식법(濕式法) 처리. ~ ***Láctea*** 은하수. ~ ***marítima*** 해로(海路) ; 배편, 선편(船便). ~ ***muerta*** (철도의) 측선, 대피선. ~ ***navegable*** 수로(水路), 항행 가능로. ~ ***ordinaria*** 정식 수속 · 처분 ; 상도(常道). ~ ***principal*** 본선(本線). ~ ***pública*** 공도(公道). ~ ***sacra*** 십자가의 길, 가시밭길(~ acrucis). ~ ***seca*** (화학의) 건식 처리. ~ ***sumaria*** 약식 처분. ~ ***recta*** *adv.* 일직선으로.

en ~ ***de*** …의 수속 중, 진행중 : país *en* ~*s de* desarrollo 발전 도상국.

(por) ~ ***(de)*** …의 방법으로, …에 따라, …의 형으로, …에 의해 : *por* ~ *de* sufragios 투표에 의해. *por* ~ *de* ensayo 시험적으로, …경유.

viabilidad *f.* 생존 능력, 생활력, 생육력(生育力) ; 가능성, 통행 가능.

viable *adj.* ① (태아 · 신생아가) 생존할 수 있는, 자랄 수 있는. ② (계획 따위가) 존립할 수 있는, 실행 가능한, 실행할 수 있을 법한, 실현 가능성이 있는. ③ 통행 가능의.

viacrucis *m.* =**vía crucis.**

viada *f.* (선박이) 움직이기 시작(arrancada) ; 돌진.

viadera *f.* (베틀의) 디딤판을 올렸다 내렸다 했던 부분.

viador, ra *adj.* 걸어서 가는 · 여행하는. **—*m.*** (신학에서 말하는) 인간 세상의 나그네, 인간.

viaducto *m.* 육교, 고가교(高架橋), 고가선 : ~ metálico 고가 철교.

viajador, ra *adj.* 여행하는. **—*m.f.*** 여행자 (viajero).

viajante *adj.* 여행하는. **—*m.f.*** ① 여행자, 여행가. ② 외판원, 세일즈맨 ; 상용 출장 사원, 상용 여행인 ; 순회 판매자 : ~ comercial · de comercio 행상, 상업 여행자, 판매원, 세일즈맨.

viajar *intr.* ① [+por : …을] 여행하다 (hacer viaje) : ~ *por* el país 그 나라를 여행하다. ~ en coche 자동차로 여행하다. ¿*En* qué viajó usted? 무얼 타고 여행했습니까? ② 항해하다 (navegar). ③ 외판하다. ④ (상품이) 보내지다 : Las mercancías *viajan* por cuenta y riesgo de la compañía 상품은 회사의 책임과 위험 부담으로 보내진다.

—*tr.* 팔러 다니다. ~ las provincias 여러 지방으로 팔러 다니다. ~ calzado 구두의 외판을 하다.

viajata *f.* [드뭄] 여행, 소풍(caminata).

viaje *m.* [*lat.* viaticum] ① 여행 : ~ de ida y vuelta 왕복 여행, 왕복항(航). ~ directo por mar 직항(直航). ~ redondo 왕복 여행. ~ de recreo 유람 여행. estar de · en ~ 여행 중이다. gastos de ~ 여비. hacer un ~ 여행하다. Fui de ~ a México 나는 여행으로 멕시코에 갔었다. ¿Cuándo sale usted de ~ ? 언제 여행을 떠나시겠습니까? ② 항해 ; 여로 ; 여행기. ③ 가는 일, 이행, 진행 ; (왕복의) 편도(片道). ④【기계】동정(動程), 행정(行程). ⑤ (운반하는 짐의) 1회분. ⑥ 한 도시에 공급할 수 있는 수도의 수량. ⑦ (칼로) 찌르기, 급습 : tirar un ~ 급습을 가하다. ⑧【건축】(벽 등의) 경사 (esviaje). ⑨ 비스듬하게 자르는 일. ⑩《*AmérC.*》질책 ⑪【투우】뿔로 한번 받기(derrote).
¡Buen ~! ① 잘 다녀 오세요! 《여행가는 사람한테 하는 인사》. ② 마음대로 해! 《성을 내서 말할 때》: Si no me invitan… ; *¡buen ~!* 나를 초대하지 않는다면… 맘대로 해봐!
de un ~ 《*Amér.*》단번에, 대번에, 한꺼번에(de una vez).

viajero, ra *adj.* ① 여행하는. ②《*Galic.*》종신의 (vitalicio) : rentas *~ras* 종신 연금. *—m.f.* ① 여행자, 여객, 승객, 선객(船客) : cheque de ~ 여행자 수표. ②《*Chile.*》남의 전갈을 모아서 가지고 가는 사람.

vial *adj.* 길(vía)의, 도로의. *—m.* 가로수길 (calle de árboles).

vialidad *f.* [집합] 도로(망), 도로 시설.

vianda *f.* ① 음식물, 식료, 양식. ② 요리. ③《*Ant.*》(요리의) 감자류. ④《*Chile. Riopl.*》도시락통.

viandante *m. f.* ①《*Méx.*》통행인, 보행자(transeúnte). ② 여행자(viajante).

viandera *f.* 《*Sal.*》시골의 일꾼들에게 식사를 날라다 주는 것을 담당하는 여인.

viaraza *f.* ① 설사(flujo de vientre, despeño). ② 난폭.

viaticar *tr.* 7 임종의 성체를 주다.

viático *m.* ① 여비, 여행 수당 ; 여행용 양식. ②【종교】임종의 성체.

víbora *f.* [*lat.* vipera]【동물】① 살모사, 독사. ② 음흉한 사람. ③《*Méx.*》(돈 넣는) 전대.
lengua de ~ 독설가.

viborán *m.* 《*Hond.*》(중미산의) 후추과에 속하는 상록 덩굴나무 무리의 약용 식물.

viborear *intr.* 《*Riopl.*》=**serpentear.**

viborera *f.*【식물】예쁜 파란 꽃의 지치과의 풀.

viborezno, na *adj.* 뱀의 ; 살모사 같은. *—m.* 살모사의 새끼(cría de víbora).

vibración *f.* ① 진동(振動), 진동(震動), 동요 ; (진자의) 흔들림(oscilación). ② 떨림, 전율. ③ 마음의 동요, 불안, 미망(迷妄).

vibrador, ra *adj.* 휘두르는, 흔드는 : cuerda ~. *—m.*【전기】진동기.

vibráfono *m.*【악기】비브라폰.

vibrante *adj.* 진동하는, 흔들리는, 사방에 울리는 : la elocuencia ~ de un tribuno.

vibrar *tr.* ① 진동시키다, 흔들리게 하다. ② 휘두르다 : ~ la lanza 창을 휘두르다. ③ 심하게 던지다, 쏟다, 뿜다 : ~ los rayos 번개불을 내뿜다. *—intr.* ① (흔들이처럼) 진동하다, 흔들리다. ② (가늘게) 떨다, 진동하다 : *Vibró* su corazón al oir la noticia 그 소식을 듣고 그의 심장이 떨었다. ③ (소리가) 울리다. ④ 감동하다, (흥분하여) 떨다 : No *vibró* su corazón al oir el relato de tanta desgracia 그런 불행한 이야기를 들어도 그의 마음은 떨리지 않았다. ⑤ (마음이) 혼미해지다, 갈피를 잡지 못하다.

vibrátil *adj.* 진동하는, 전동성의 (que es capaz de vibrar).

vibrato *m. ital.*【음악】비브라토《소리를 떨어서 내는 효과》.

vibratorio, ria *adj.* 떠는, 진동시키는, 진동의, 진동성의 : un movimiento ~.

vibrión *m.*【생물】비브리오, 나선균.

viburno *m.*【식물】가막살나무.

vicaria *f.* ① (수도원의) 부원장. ②《*Cuba.*》【식물】협죽도의 일종.

vicaría *f.* vicario의 직 · 관구.
~ perpetua =curato.

vicarial *adj.* vicaría의 : dignidad ~.

vicariato *m.* vacario의 직 · 재임 기간.

vicario, ria *adj.* ① 대리의. ②【의학】대상(大償)의. *—m.f.* 대리, 대행자 : ~ general 부사교. ~ de Jesucristo 로마 교황(의 일). *—m.* 대리 사제 ; 주지 : ~ perpetuo 사제(cura).
—m.pl.【식물】매꽃(sueldacostilla).

vice- *pref.* 「부…」「차…」「대리…」를 뜻하는 접두어.

vicealmiranta *f.* 부사령관 탑승함.

vicealmirantazgo *m.* 해군 중장의 직 · 사령부.

vicealmirante *m.* 부제독, 해군 중장.

vicecanciller *m.* (로마 교황청의) 추기원장 ; 외무 차관.

vicecancillería *f.* vicecanciller의 직 · 사무실.

vicecónsul *m.* 부영사.

viceconsulado *m.* 부영사의 직 · 사무소.

vicecristo *m.* =**vicediós.**

vicediós *m.* 신의 대리자《로마 교황》; 성하《교황의 경칭》.

vicegerencia *f.* 부지배인의 직 · 사무소.

vicegerente *m.* 부지배인, 부이사.

vicegobernador *m.* 부지사, 부총독.

viceministro, tra *m.f.* 차관 : ~ del Interior 내무 차관.

vicenal *adj.* 20년의 ; 20년마다의, 20년 계속되는.

vicense *adj.* =**vigitano.**

vicentino, na *adj.m.f.* 산 · 비센떼《San Vicente, 엘살바도르에 있는 주 · 도시》의 (사람).

vicepremier *m.* 부수상.

vicepresidencia *f.* vicepresidente의 직 · 사무소.

vicepresidente, ta *m.f.* 부통령 ; 부총재 ; 부의장 ; 부회장 ; 부사장 ; 부총장 ; 부행장.

viceprovincia *f.* 준종구(準宗區).

viceprovincial *adj. m.* 준종구의 ; 준종구장.

vicerrector, ra *m.f.* (수도원 · 병원 · 대학의) 교감, 부총장, 부원장.

vicesecretaría *f.* vicesecretario의 직 · 사무소.

vicesecretario, ria *m.f.* 차관 ; 부비서, 서기(관)보.

vicésima *f.* [*lat.* vicesima] (고대 로마의) 5분세 (impuesto del cinco por ciento por ciertos bienes).

vicesimario, ria *adj.* 5분세의.

vicésimo, ma *adj.m.* =**vigésimo.**

vicetesorero, ra *m.f.* 부재무관, 부경리.

viceversa *adv.* 역으로, 반대로(al revés al contrario) : de la izquierda a la derecha y ～ 좌측에서 우측으로, 그리고 다시 그 반대로.
—*m.* 역, 반대.

vichadense *adj.m.f.* 비챠다 《Vichada, 꼴롬비아에 있는 마을》의 (사람).

vichadero *m.* 《*Arg.*》 망대, 파수대(mangrullo).

vichador *m.* 탐색자, 간첩, 스파이 (bombeador, espía).

vichar *tr.* 《*Bol. Riopl.*》 노리다, 엿보다 (espiar, atisbar, acechar).

viche *adj.* ① 《*Col.*》 푸른, 덜 익은. ② 《*Méx.*》 나약한. ③ 《*Méx.*》 벌거벗은, 벗겨진, 껍질이 벗겨진, 맨살을 드러낸, 알몸의(desnudo, pelado).

vicheadero *m.* 《*Arg. Urug.*》 =**vichadero.**

vichear *tr.* =**vichar.**

vichnú *m.* (인도의) 평원의 최고의 신.

vichoco, ca *adj.* 《*AmérM.*》 몹시 수척해진.

vichy *m. fr.* 면직물의 천.

vicia *f.* 【식물】 참새 완두(arveja).

viciable *adj.* 해로운.

viciado, da *adj.* 타락한.

viciar *tr.* [*lat.* vitiare] ⑪ ① 나쁘게 하다, 못쓰게 하다 : ～ el aire. ② 해롭게 하다 ; 썩히다. ③ 무효로 하다(anular) : ～ un contrato. ④ 위조하다, 훼손하다(falsear, adulterar) : El falseador *vició* el manuscrito 그 위조범은 원고를 위조했다. ⑤ 곡해(曲解)하다(torcer).
～se [+de · con : …로] 부패 · 타락하다 ; 악습에 젖다 · 빠지다, 못된 일에서 헤어나지 못하다, 음탕해지다(enviciarse).

vicio *m.* [*lat.* vitium] ① 흠, 결함, 결점 (defecto). **Contr.** virtud. ② 뒤틀림, 비틀림. ③ 잘못, 부정 : ～ de pronunciación. ④ 지나치게 무성함 : Este árbol tiene mucho ～ 이 나무는 잎이 무척 무성하다. ⑤ 악벽, 악습(mala costumbre) : Fumar puede llegar a ser un ～ 흡연은 악습이 될 수 있다. ⑥ 부도덕, 나쁜 행실, 방탕함, 난봉짓 : vivir en el ～. ⑦ 희극(mimo). ⑧ 똥(estiércol).
～ ***contra natura*** 남색(男色).
dinero para ～*s* 심부름값.
de ～ 버릇으로 : Esta muchacha llora *de* ～ 이 소녀는 우는 것이 버릇이 됐다.
echar de ～ · ***hablar de*** ～ 수다스럽다.
llorar de ～ 이유없이 울다.
quejarse de ～ 이유없이 불평하다, 하찮은 일로 투덜거리다.

viciosamente *adv.* 부도덕하게, 부정하게.

viciosidad *f.* 흠, 결점, 결함.

vicioso, sa *adj.* ① 흠 · 결점 · 결함이 있는 : cláusula ～*sa*. ② 부정한, 불완전한, 불비한. ③ 나쁜 버릇이 있는 ; 추잡스러운 ; 응석꾸러기의. ④ 나쁜, 악의, 악덕의, 부도덕한, 타락한, 품행이 나쁜 : persona ～*ca* 악인. ⑤ 가지 · 잎이 너무 뻗은. ⑥ 힘센, 강한(vigoroso, fuerte). **Contr.** virtuoso.

círculo ～ 【경제】 악순환 ; 【논리】 순환 논법.

vicisitud *f.* [*lat.* vicissifudo] 흥망, 성쇠, (인생의) 부침, 유위 전변(有爲轉變), 변천 : a ～*es* de la fortuna.

vicisitudinario, ria *adj.* 순환적인, 변전적인, 부침하는, 흥망 성쇠가 있는, 유위 전변의 (alternativo).

viclefismo *m.* Juan Wiclef 주의.

viclefista *adj.* Juan Wiclef의. —*m.* Juan Wiclef 주의자.

viclefita *adj.m.f* =**viclefista.**

vico *m.* 《*Ál.*》 =**boche.**

Vict.ª Victoria.

Vic.[te] Vicente.

víctima *f.* [*lat.* victima] ① 【종교】 희생, 산 제물, 인신 제물. ② 희생물, 희생자 : En el altar se sacrificaron las ～*s* 제단에 희생물이 바쳐졌다. ③ 피해자, 조난자 : El huracán ocasionó 500 ～*s* 태풍으로 5백명의 피해자가 생겼다. ④ 속는 사람, 만만한 사람, 봉 : ～ fácil 봉.

victimar *tr.* 《*Angl.*》 =**sacrificar, matar.**

victimario *m.* ① 의식에서 희생물을 바치는 봉사역. ② 가해자. ③ 살인자(asesino).

victo *m.* [*lat.* victus] 매일의 식량(sustento diario).

¡víctor! *interj.* 만세 ! 《환호성》(¡Brava!).

victorear *tr.* 환호하다(vitorear).

victoria[1] *f.* [*lat.* victoria] ① 승리, 전승, 승전 (triunfo) : cantar la ～ 승리를 자랑하다. Consiguieron la ～ 그들은 승리를 획득했다. **Contr.** derrota. ② 극기 ; 극복. ③ 《*Cuba.*》 질긴 천. ④ 【식물】 수련 : ～ rigia 사위질빵의 일종.

victoria[2] *f.* 무개 2인승 사륜 마차.

victoriato *m.* (빅토리아 여왕이 새겨진 로마의) 은화.

victoriosamente *adv.* 승리감에 도취하여, 이겨서 의기 양양하게, 우쭐하여(de un modo victorioso) : combatir ～ al enemigo.

victorioso, sa *adj.* ① 승리를 거둔, 이긴, 승리를 자랑하는, 승리감에 도취된 ; 이겨서 의기 양양한 : Nuestro ejército volvió ～ de la guerra 아군은 전쟁에 이기고 돌아왔다. ② 결정적인 (decisivo). ③ 최후적인. ④ 꼼짝 못하게 하는.
—*m.f.* 승자 (勝者).

vicuña *f.* ① 【동물】 비꾸냐 《남미 안데스산맥에 사는 야생 야마 비슷한 동물》. ② vicuña의 털 · 직물 · 피륙 : La lana de ～ es muy apreciada.

vid *f.* [*lat.* vitis] 【식물】 포도나무 · 덩굴 : La vid exige un clima templado y bastante feo.
～ ***salvaje · silvestre · labrusca*** 야생 포도나무.

vida *f.* [*lat.* vita] ① 목숨, 생명 : seguro sobre la ～ 생명 보험. El invento salvó muchas ～*s* 그 발명은 많은 생명을 구했다. El enfermo está entre la ～ y la muerte 환자는 생사의 지경에 있다. Unas 200 personas perdieron la ～ en accidentes de automóvil 약 200명이 자동차 사고로 생명을 잃었다. Mi abuelo disfrutó de una larga ～ 할아버지께서는 장수하셨다. **Contr.** muerte. ② 생명력, 활력, 활기, 생기. ③ 생활(력), 살림 ; 생활의 양식 ; 생업(生業) : El tiene mucha ～ 그는 생활력이 강하다. ④ 일생, 생애, 평생, 수명. ⑤ 인간이라는 것 ; 인생, 인생살이 : La ～ es sueño 인생은 꿈이다. ⑥ 이 세

상; 이승. —*pl.* 전기(傳記).
~ ***airada*** 방탕한·방종한 생활(vida desordenada y viciosa). ~ ***de canónigos*** 편안한 생활. ~ ***futura*** 내세. ~ ***de perros*** 고된 생활. ~ ***humano*** 인명(人命). ~ ***y milagros*** 살림 살이. ***gran*** ~ 안락한 생활. ***la otra*** ~. ***la*** ~ ***futura*** 내세, 저세상. ***media*** ~ 아주 좋아하는 것; 마음을 푹 놓음.
¡~ mía! 여보, 당신!
a ~ 생명을 존중하여.
de por ~ 항상, 늘, 언제나, 한평생, 일생.
en (toda) la (mi, tu, su etc.) ~ [+동사] 절대로 …없다 (nunca): *En toda mi* ~ he visto hombre tan tonto 나는 내 평생 이런 바보같은 남자는 본 일이 없다. *En la* ~ he visto hombre tan tonto 평생에 저렇게 멍청한 사람을 본 적이 없다.
en ~ 그대로 살아가면서, 살아 있는.
buscar(se) la ~ 살아가기 위해 억척을 부리다.
costar la ~ 목숨을 걸고 하다.
dar la ~ 기운을 내게 하다·돋우어 주다.
dar mala ~ 학대하다, 괴롭히다.
darse buena ~ 안락하게 생활하다.
enterrarse en ~ 숨어서 살다.
escapar con ~ 심한 위험에서 벗어나다.
ganar(se) la ~ 생활비를 벌다, 자활하다: El *se gana la* ~ enseñando el piano 그는 피아노를 가르치며 자활했다.
hacer por la ~ 먹다, 해치우다.
pasar a mejor ~ 죽다.
pasar la ~ ***(a tragos)*** 고달픈 생활을 하다.
¡por ~! 제발!
¡por ~ mía! 틀림없이, 분명히!
tener la ~ ***pendiente en un hilo*** 굉장한 위험에 처해 있다(estar en gran peligro).

vidala *f.* (아르헨띠나 북부 지방의) 향수어린 단가.

vidalita *f.* (아르헨띠나) 가우쵸의 애조띤 민요.

vidarra *f.* 【식물】 사위질빵《미나리 아재비과》의 일종.

vide *adv. lat.* …을 보라, …참조. ~ ante 앞을 보라. ~ infra 아래를 보라. ~ post 뒤를 보라. ~ supra 뒤를 보라.

videncia *f.* =**clarividencia.**

vidente *adj.* 보는, 예견의, 예견적인. —*m.f.* 예언자, 투시자.

video, vídeo *m.* *(f.)* ① 텔레비전: aficionado al ~ 텔레비전팬. ② 비디오 (테이프): cinta magnética ~ 비디오 테이프.

videocable *m.* 비디오 케이블.

videocasete *m.f.* 비디오 카세트.

videocinta *f.* 비디오 테이프.

videodisco *m.* 비디오 디스크.

videofonía *f.* =**video.**

videófono *m.* 텔레비전 전화.

videofrecuencia *f.* (텔레비전 프로그램을 방송하기 위한) 적당한 주파수.

videotape *m.* 비디오 테이프(videocinta).

videoteca *f.* ① 비디오 테이프 보관소. ② 비디오 테이프 전시장.

videoteléfono *m.* =**videófono.**

videoterminal *m.* 비디오 시스템 터미널.

videotex *m.* 비디오 텍스.

videotexto *m.* =**videotex.**

vidicón *m.* 비디콘(tubo analizador de las imágenes de televisión).

vidornia *f.* =**vidorria.**

vidorra *f.* 여유 있고 즐거운 생활.

vidorria *f. desp.* 《*AmérM.*》 처참한 생활 (정도·태도).

vidriado, da *adj.* ① 유약을 칠한 (barnizado): vasija ~*da.* ② 유리 같은, 깨지기 쉬운. —*m.* 유약 자기; 도기.

vidriar *tr.* ⑬ (…에) 유약을 칠하다.
~se 유리처럼 되다; 광택·생기를 잃다.

vidriera *f.* ① 유리창, 유리문: ~ de colores 채색 모양의 유리창. ② 유리문을 댄 찬장. ③ 《*Amér.*》 (가게의) 쇼윈도, 진열창 (escaparate). —*adj.* puerta ~ 유리문.
el licenciado V- 비드로 학사《세르반떼스의 단편 소설의 주인공, 자기 몸이 비드로 유리로 변한 것으로 생각하고 있는 망상광》.

vidriería *f.* ① [집합] 유리류; 유리 가공: ~ artística. ② 유리 가게·공장.

vidriero, ra *m.f.* 유리 제조인·상인; 유리공.

vidrio *m.* [*lat.* vitrum] ① 유리(cristal): Es frágil como el ~ 유리처럼 약하다. ② 컵, 유리 그릇. ③ (마차 등의) 뒤로 향한 좌석. ④ 깨지기 쉬운 물건. ⑤ 《*Arg.*》 창문의 유리(cristal de ventana).
~ ***armado*** 철사를 넣은 유리. ~ ***blanco*** 투명 유리. ~ ***colorado·de color*** 스탠드 글라스, 색유리. ~ ***de aumento*** 확대경. ~ ***en fusión*** 용해 유리. ~ ***en hojas,*** ~ ***laminado·plano*** 판유리. ~ ***esmerilado*** 반투명 유리. ~ ***hilado*** 실유리. ~ ***pintado*** 색유리. ~ ***tallado*** 세공 유리. ***fibra de*** ~ 유리 섬유. ***papel de*** ~ 유리 종이.
pagar los ~s rotos 남의 죄를 눈감아 주다.

vidriola *f.* 《*Murc.*》 저금통(hucha).

vidriosidad *f.* 성냄, 노함.

vidrioso, sa *adj.* ① 유리 같은; (유리처럼) 깨지기 쉬운(quebradizo como el vidrio). ② 매끄러운, 미끄러운: suelo ~ 미끄러운 땅. ③ 노한. ④ 생기를 잃은.

vidro *m.* 【고어】 =**vidrio.**

vidual *adj.* 홀아비 (생활)(viudez)의.

vidueño *m.* 포도의 변종(variedad de vid).

viduño *m.* =**vidueño.**

vieira *f.* (갈리시아해에 흔한) 조개.

vieja *f.* ① 노파: cuenta de la ~ 손가락으로 하는 셈. cuento de ~*s* 거짓말. ② 물고기의 일종. ③ 《*Chile.*》 뱀 꽃불. ④ 《*Méx.*》 여송연의 꽁초. ⑤ 《*Venez.*》 구운·기름에 튀긴 바나나.
matar la ~ 실컷 먹다, 배가 터지게 먹다.

viejarrón, na *adj.m.f.* =**vejarrón.**

viejecito, ta *adj.m.f. dim.* viejo.

viejera *f.* ① 《*PRico.*》 낡아빠진 것. ② 《*PRico. Venez.*》 노령.

viejezuelo, la *adj.m.f. dim.* viejo.

viejito, ta *adj.* 《*Amér.*》 *dim.* viejo.

viejo, ja *adj.* ① 늙은 (anciano): mendiga *vieja* 늙은 거지. soldado ~ 노병. [Contr.] joven. ② 오랜, 묵은: castillo ~ 오래된 성. [Contr.] nuevo. ③ 옛날의, 예로부터의(antiguo). ④ 낡은, 닳은(estropeado por el uso): un sombrero ~ y descolorido 낡고 색이 바랜 모자. Estos zapatos están ya ~*s,* hay que tirarlos 이 신발은

벌써 낡았다 ; 버려야겠다. ⑤ 고참의. *—m.f.* ① 노인. ② 《*Ant. Arg. Chile.*》 여보, 당신, 임자 《부부 · 친구 · 연인 간의 다정한 호칭, 부모에게도 쓰임》 : mi *vieja* 내 집사람. *—m.pl.* 여자의 목덜미에 난 털.

viela *adj.m.f.* 비엘라족 《아르헨띠나 북부 지역과 중앙부에 거주했던 토착민》의 (사람).

Viena *f.* 【지명】 빈 《오스트리아의 수도》.

vienense *adj.* 비엔느 《불란서의 도시 Vienne》의 ; 빈의(vienés). *—m.f.* 비엔느 사람 ; 빈 사람.

vienés, sa *adj.* 빈의. *—m.f.* 빈 사람.

viento[1] *m.* [*lat.* ventus] ① 바람 ; 공기 : almohada de ～ 공기 베개. instrumento de ～ 취주 악기. Hace mucho ～ 바람이 많이 분다. Fuertes ～*s* soplaban en dirección hacia el mar 강풍이 바다로 향해서 불고 있었다. ② 【해사】 풍위, 방향, 방위 : rosa de los ～*s* 방위표 · 반(盤). ③ 짐승이 지나간 자리에서 나는 냄새 ; 그것을 맡아내는 후각. ④ 허세, 우쭐거림. ⑤ (장내의) 가스, 방귀. ⑥ (포의) 유극(遊隙).
～ ***alisios*** 무역풍. ～***s altanos*** 해연풍과 육연풍. ～ ***blanco*** 《*Arg.*》 눈발이 섞인 안데스의 산바람. ～ ***calmoso*** 자는 바닷바람. ～ ***cardinal*** 동서남북의 한 쪽에서 부는 바람. ～ ***de bolina*** 역풍. ～ ***de proa*** 역풍. ～ ***en popa*** 순풍 ; 행운 : Sus nogocios van ～ *en popa* 그의 사업은 순풍에 돛을 단 것처럼 순조롭다. ～ ***entero*** 동서남북 혹은 그 중간에서 부는 바람. ～ ***etesio*** 계절풍. ～ ***frescachón*** 작은 돛으로 다룰 수 없을 만한 강풍. ～ ***fresco*** 돛 전체를 이용할 수 있는 바람. ～ ***largo*** 배의 방향에 직각으로 불어오는 바람. ～ ***marero*** 해연풍. ～ ***terral*** 육연풍.
a los cuatro ～***s*** 사면 팔방에 · 으로(en todas direcciones, por todas partes).
como el ～ 바람 같이, 재빨리.
contra ～ ***y marea*** 어떤 어려움이 있더라도, 만난을 무릅쓰고 (a pesar de todos los obstáculos).
con ～ ***fresco*** 뾰로통해서.
beber los ～***s por*** …을 갈망하다(desear con ansia).
correr malos ～***s*** 주위의 사정이 나쁘게 되다, 악운이 끼다.
correr ～ 바람이 불다.
dar el ～ ***de*** …을 짐작하다.
dejar atrás los ～***s*** 줄행랑치다.
echarse el ～ 바람이 자다.
ir como el ～ 매우 급히 가다.
irse con el ～ ***que corre*** 시류를 타다.
llevarse el ～ 마음이 한결같지 못하다.
moverse a todos ～***s*** 마음이 한결같지 못하다, 변덕이 죽 끓듯하다.
picar el ～ 순풍에 돛 단 듯이 항해하다, 순풍에 돛 단 듯하다, 순탄하다.
saltar el ～ 풍향이 별안간 바뀌다(mudarse repentinamente de una parte a otra).
tomar el ～ 바람따라 돛을 다루다 ; (사냥에서) 짐승의 행방을 알아내다.
Quien siembra ～***s recoge tempestades*** 【속담】 인과 응보.

viento[2] *m.* 매는 줄, 걸쳐 치는 줄.
alcabala de ～ 외국인이 판매 대금으로 지불한 세금.

vientre *m.* [*lat.* venter] ① 배, 복부 (abdomen) : bajo ～ 아랫배. ② 내장, 뱃속에 든 것 : descargar · evacuar · exonerar · mover el ～ 배설하다. hacer de ～ 대변을 보다. ③ (기물의 불룩한) 배 (panza) : el ～ de una vasija. ④ 선박에서 불룩한 부분.
de ～ (아기를) 배어.

vientrecillo *m.* [*lat.* vientre] 【해부】 실(室), 소실(小室).

vier. viernes.

viera ver의 접 · 불완료과거 · 1 · 3 · 단수.

vierais ver의 접 · 불완료과거 · 2 · 복수.

viéramos ver의 접 · 불완료과거 · 1 · 복수.

vieran ver의 접 · 불완료과거 · 3 · 복수.

vieras ver의 접 · 불완료과거 · 2 · 단수.

viernes *m.* 【단 · 복수 동형】 금요일.
V- Santo 성주간 《Semana Santa, 부활절의 1주일간》의 금요일.
comer de ～ 고기없는 식사를 하다.
haber aprendido · oído en ～ 한가지 생각을 자꾸 되씹다.

vierteaguas *m.* 【단 · 복수 동형】 물매.

viese ver의 접 · 불완료과거 · 1 · 3 · 단수.

vieseis ver의 접 · 불완료과거 · 2 · 복수.

viésemos ver의 접 · 불완료과거 · 1 · 복수.

viesen ver의 접 · 불완료과거 · 3 · 복수.

vieses ver의 접 · 불완료과거 · 2 · 단수.

vietminense *adj.m.f.* 북 베트남(Vientnam del Norte)의 (사람).

Vietnam *m.* 【지명】 베트남 : ～ meridional · del sur 남 베트남. ～ septentrional · del norte 북 베트남.

vietnamita *adj.* 베트남의. *—m.f.* 베트남 사람. *—m.* 베트남어.

viga *f.* ① 【건축】 도리 ; 대들보 : una ～ del techo. ② 활대 ; (일반적으로) 가로나무 ; (올리브유를 짤 때의) 조임 나무. ③ 한번 짠 올리브.
～ ***armada*** 까치발. ～ ***de aire*** 가로나무, 가로대. ～ ***maestra*** 중심 도리. ～ ***principal*** 중심 도리.
querer meter la ～ ***atravesada*** 불가능한 일에 집착하다(obstinarse en una empresa imposible).

vigencia *f.* 효력, 유효성, 효력의 발생, 현행 : ～ efectivo del contrato 계약의 유효성.
en ～ 유효한, 현행의 : La ley estará *en* ～ a partir de marzo que viene 그 법률은 오는 3월부터 유효하다.

vigente *adj.* [*lat.* vigens] ① 유효한 : Esa reglamentación estuvo ～ hasta el año pasado 그 법규는 작년까지 유효했다. ② 현행의, 시행 중인 : arancel (de aduanas) ～ 현행 관세표.

vigesimal *adj.* 20을 기본으로 하는 (basado en el número veinte), 20단위의.

vigésimo, ma *adj.* 20번째의 ; 20등분의. *—m.* 20분의 1.

vigía *f.* ① 망루(atalaya). ② 망보기, 감시, 순라 ; 암초의 끝. *—m.f.* (특히 망루에서) 파수꾼 ; 감시병, 보초.

vigiar *tr.* ⑫ 망보다, 감시하다(velar, vigilar) : ～ el campo.

vígil *m.* (로마의) 야경꾼 (guarda nocturno o sereno en Roma) : Los ～*es* fueron instituidos por Augusto.

vigilancia *f.* [*lat.* vigilantia] 조심, 주의(cuidado atento); 경계, 경비(acción de velar). Contr. descuido, negligencia.

vigilante *adj.* 주의·경계하는; 자지 않고 있는, 자지 않고 지키는 : guardia ～. —*m.f.* ① 감시자, 불침번 : el ～ de una obra. ② 《*Amér.*》 (야근) 경찰.

vigilantemente *adv.* 주의하여, 경계하여(con vigilancia).

vigilar *intr. tr.* [*lat.* vigilare] ① 지키다, 감시하다, 경계하다 : ～ a los niños 아이를 지키다. ～ la mercancía 상품을 지키다. ② 불침번을 서다.

vigilativo, va *adj.* 불면의, 잘 수 없을 정도의.

vigilia *f.* [*lat.* vigilla] ① 불침번, 철야 (vela). ② 불면. ③ 밤새도록 한 일 : Este libro es el fruto de mis ～*s*. ④ 전야, 전야제(víspera) : la ～ de una fiesta. ⑤ 밤샘 : pasar la noche de ～. ⑥ 고기를 먹지 않는 날, 정진일 : comer de ～ 고기 없는 식사를 하다. ⑦【군대】 불침번.

vigitano, na *adj.* 비치 《Vich, 바르셀로나 주의 도시》의. —*m.f.* 비치 사람.

Vigo *m.* 【지명】 비고 《서반아의 Pontevedra주에 있음》.

vigolero *m* 【은어】 사형 집행인의 조수.

vigor *m.* [*lat.* vigor] ① 정력, 힘(fuerza). ② 활기, 기력(fuerza física). ③ 효력(eficacia), 현행 : en ～ 현행의. la ley en ～ 현행법. entrar en ～ 효력을 발생하다. Esta ley carece de ～ 이 법률은 효력이 없다. La nueva ley no entra *en* ～ hasta el mes que viene 새 법률은 내달까지 유효하게 되지 않는다. ④ (성격이) 억셈, 완강함. Contr. debilidad.

vigorar *tr.* [*lat.* vigorare] =**vigorizar.**

vigorizar *tr.* 9 ① 힘을 돋구다, 기운나게 하다(dar vigor) : El vino *vigoriza* el cuerpo 포도주는 몸을 건강하게 한다. ② 강하게 하다, 정력이 넘치게 하다(animar, alentar).
～se 기운이 나다; 세어지다, 정력·원기가 왕성해지다.

vigorosamente *adv.* 원기있게, 활발히, 힘차게, 씩씩하게, 기운차게, 강하게 (de modo vigoroso) : revolver ～ 힘껏 휘젓다.

vigorosidad *f.* 씩씩함, 강력함 (vigor, calidad de vigoroso).

vigoroso, sa *adj.* ① 정력적인, 강건한, 억센 : hombre ～ 억센 남자. Este chico es ～ y atrevido 이 소년은 완강하고 대담하다. ② 원기 왕성한, 활기있는, 활발한, 강력한 : un ataque ～. ③ 활기찬; 힘찬.

vigota *f.* [*ital.* bigotta] 활차, 도르래.

viguería *f.* 【건축】 [집합] 도리의 뼈대.

vigués, sa *adj.* 비고(Vigo)의. —*m.f.* 비고 사람.

vigueta *f.* [*dim.* viga] ① 작은 도리 (viga pequeña) : una ～ de hierro. ② 도리로 쓰이는 철제.

vihuela *f.* ①【악기】 비우엘라 《옛날의 기타 비슷한 악기》. ② 《*Arg.*》 =**guitarra.**

vihuelista *m.f.* vihuela의 연주가 (tocador de vihuela).

vijúa *f.* 《*Col.*》 암염(岩鹽) (sal gema·pedrés·piedra).

viking *m.* 바이킹.

vikingo *m.* =**viquingo.**

vil *adj.* [*lat.* vilis] ① 비열한 : Es un hombre ～, capaz de engañar a su mejor amigo 그는 가장 좋은 친구조차도 속일 정도로 비열한 자이다. ② 천한, 비천한 : tener un alma ～. Contr. noble, elevado. ③ 수치스러운. ④ 신용할 수 없는.

vilano *m.* (민들레의 열매 등의) 관모(冠毛), 솜털; 엉겅퀴꽃.

vilanovés, sa *ad.m.f.* 비야누에바 데 오스꼬스 《Villanueva de Oscos, 오비에도주의 마을, 비야누에바·헬뜨루 마을 및 바르셀로나주의 마을》의 (사람).

vilarrodonense *adj.m.f.* 빌라로도나 《Vilarrodona, Tarragona주의 마을》의 (사람).

vilayato *m.* (터키의) 행정 구분.

vileza *f.* ① 비열 : La ～ de su conducta me indigna 그의 비열한 행동으로 나는 화가 난다. ② 비천함, 천박함. ③ 추행.

vílico *m.* 【고어】 농장 지기.

vilipendiador, ra *adj.m.f.* 업신여기는, 무시하는 (사람).

vilipendiar *tr.* 11 무시하다, 업신여기다, 깔보다, 모욕하다(despreciar). Sinón. denigrar, insultar.

vilipendio *m.* 무시, 업신여김, 모욕(desprecio, falta de estimación).

vilipendioso, sa *adj.* 천박하기 이를 데 없는, 한심스러운, 천덕스럽기 짝이 없는.

villa *f.* [*lat.* villa] ① 별장(casa de campo, quinta) : Tengo una ～ en esa playa 나는 그 해안에 별장을 한 채 가지고 있다. Se compró una ～ en las afueras de la ciudad 그는 시의 근교에 별장을 사들였다. ② 마을, 읍, 작은 도시 (población pequeña, menor que la ciudad y mayor que la aldea). ③ 시가지 : La ～ de Bilbao fue teatro de batallas durante aquellas guerras civiles 빌바오의 시가지는 내란 중 전투 무대였다. ④【방언】 열쇠 (llave); (수도 등의) 꼭지(grifo) : la ～ del gas.

villabarquín *m.* =**berbiquí.**

villaclareño, ña *adj. m.f.* 산따끌라라 《Santa Clara, 꾸바에 있는 도시》의 (사람).

villadiego *m.* ***coger·tomar las de*** ～ 위험·구속에서 벗어나다, 쥐도 새도 모르게 숨어버리다; 감쪽같이 빼소니치다.

villahayense *adj.m.f.* 비야·아예스 《Villa Hayes, 빠라구아이에 있는 도시》의 (사람).

villaje *m.* [드뭄] 벽촌(pueblecillo).

villanada *f.* =**villanía.**

villanaje *m.* 부락 사람, 시골 사람; 서민, 평민; 천함, 비천.

villanamente *adv.* 천박하게.

villancejo *m.* (성탄절에 부르는) 민요적인 찬송가, 크리스마스 캐럴.

villancete *m.* =**villancejo.**

villancico *m.* =**villancejo** : Se oyen cantar ～*s* 크리스머스 캐럴(을 노래하는 것)이 들린다.

villanciquero *m.* villancico의 작자·가수.

villanchón, na *adj.m.f.* 천박한, 야비한 (사람).

villanería *f.* ① 천박함(vileza) : cometer ～*s*. ② 더러운 짓, 지저분한 행동(villanaje).

villanesca *f.* (옛날의) 민요와 춤.

villanesco, ca *adj.* 촌스러운, 때를 벗지 못한 : traje ～.

villanía *f.* 하층 계급 ; 비천함 ; 야비함 ; 음탕 · 천박한 짓 : Ella decía ～*s* 그녀는 입에 담지 못할 말을 했다. Sinón. vileza.

villano, na *adj.* [*lat.* villanus] ① (귀족 · 시골의 하급 귀족에 대해) 비천한, 서민층의, 평민 · 시민의. ② 시골의 ; 때를 벗지 못한. ③ 천박한, 예의 없는 (rústico, grosero) : portarse como un ～. —*m.f.* ① 평민, 서민, 시민. ② 시골 사람. —*m.* 16 · 7세기 경의 서반아의 민요 · 춤

～ *harto de ajos* 가정 교육이 잘못된 사람.

Juego de manos, juego de ～*s* 【속담】 교육을 잘 받은 사람은 손찌검을 하지 않는다.

villanote *adj.m.f.* [*aum.* villano] 촌스러운, 투박한, 덜렁대는 (사람).

villanuevero, ra *adj.m.f.* =**alcardeteño.**

villanuevés, sa *adj.m.f.* 비야누에바 데 아로사 (Villanueva de Arosa)의 (사람).

villanuevicano, na *adj.m.f.* 비야누에바 데 로스 까바예로스 《Villanueva de los Caballeros, Valladolid 주의 마을》의(사람).

villar *m.* =**villaje, aldea.**

villareño, ña *adj.m.f.* 라스 · 비야스 《Las Villas, 꾸바에 있는 주》의 (사람).

villarriqueño, ña *adj.m.f.* 비야리까 《Villarrica, 빠라구아이에 있는 도시》의 (사람).

villavicenciuno, na *adj.m.f.* 비야비센시오 《Villavicencio, 꼴롬비아에 있는 도시》의 (사람).

villavicense *adj.m.f.* =**villavicencio.**

villazgo *m.* 도시(villa)의 특권 ; 도시에 부과된 조세.

villería *f.* 【방언 · 동물】 족제비.

villero *m.* 【방언】 을씨년스러운 마을, 호젓한 마을.

villeta *f. dim.* villa.

villoría *f.* 별장.

villorín *m.* =**velloría.**

villorrio *m. desp.* 벽촌(aldehuela, poblacho).

vilmente *adv.* 비열하게, 천박스럽게, 천덕스럽게, 비겁하게.

vilo (en) *adv.* 공중에 떠서 ; 어정쩡하게, 모호하게 : estar *en* ～ en su destino.

vilordo, da *adj.* =**lerdo, pesado, tardo.**

viloreño, ña *adj.m.f.* ① 라 · 빠스 《La paz, 엘살바도르에 있는 주》의 (사람). ② 사까떼꼴루까 《Zacatecoluca, 엘살바도르에 있는 도시》의 (사람).

vilorta *f.* ① (나무 같은 것을 구부려 만든) 고리. ② 테, 좌철, 좌금(座金)(arandela). ③ 나무공 놀이의 일종. ④ 【식물】 =**vilorto.**

vilorto *m.* ① 【식물】 사위질빵의 일종. ② 고리(vilorta). ③ vilorta 놀이에서 사용하는 라켓의 일종.

vilos *m.* 마스트가 두 개인 필리핀의 범선.

vilote *adj.* 《*AmérM.*》 =**cobarde.**

viltrotear *intr.* 거리를 어정거리다.

viltroter *adj.f.* 거리를 어정거리는 (여자).

vimbre *m.* 【식물】 비단 버들 ; 그 가지(mimbre).

vimbrera *f.* 【식물】 비단 버들(mimbrera).

vimos ver의 직 · 부정과거 · 1 · 복수.

vinagrada *f.* 밀감수 《밀감에 식초 · 설탕을 넣어 만든 청량 음료》.

vinagrar *tr.* 《*Col.*》 =**avinagrar, agriar.**

vinagre *m.* [vino와 agrio의 합성어] ① 식초 : La ensalada se prepara con sal, aceite y ～ 샐러드는 소금, 기름, 식초로 만든다. ② 비위에 맞지 않는 인간.

vinagrera *f.* ① 식초병. ② 《*AmérM.*》 가슴앓이 (acedía). —*pl.* (식탁용) 조미료대(angarillas).

vinagrería *f.* 식초 공장 · 가게.

vinagrero, ra *m.f.* 식초 양조가 · 상인.

vinagreta *f.* 식초 넣은 양파 소스 : guisar merluza a la ～.

vinagrillo *m.* [*dim.* vinagre] ① 단식초 ; 식초 넣은 화장수. ② 《*Arg. Cuba. Chile. Méx. Perú.*》 【식물】 식초나무.

tabaco ～ 식초를 넣은 가루 담배.

vinagrón *m.* 싸구려 술.

vinagroso, sa *adj.* ① (맛이) 신, 식초 같은, 초맛이 나는. ② 성질이 나쁜, 비위 맞추기 힘든, 까다로운.

vinajera *f.* (미사 때 쓰는) 성수병, 포도주병. —*pl.* 성수병과 쟁반의 한 쌍.

vinal *m.* 《*Arg. Bol. Perú.*》 【식물】 쥐엄나무 비슷한 상록 교목의 일종.

vinapón *m.* 《*Perú.*》 옥수수로 빚은 맥주(cerveza de maíz).

vinar *adj.* 술의, 포도주의.

vinariego *m.* 포도 재배가, 포도원 경영자 (viticultor).

vinario, ria *adj.* 포도주의, 술의.

vinatería *f.* 술집, 주점(tienda de vinos).

vinatero, ra *adj.* 술의, 포도주의(relativo al vino) : industria ～*ra.* —*m.f.* 포도주 상인, 술장수.

vinático, ca *adj.* 술의, 포도주의.

vinaza *f.* 포도주, 술무거리.

vinazo *m.* [*aum.* vino] 독한 포도주 (vino fuerte y espeso).

vinca *f.* 《*Arg.*》 【식물】 =**vincapervinca.**

vincapervinca *f.* 【식물】 향수나무. Sinón. hierba luisa.

vincha *f.* 《*Arg. Bol. Parag. Perú. Urug.*》 머릿수건 ; 여성이 머리에 쓰는 수건, 두건.

vinchuca *f.* 《*Arg. Bol. Chile. Parag. Perú. Urug.*》 빈대(chinche)의 일종.

vinco *m.* (돼지의 입에 물리는) 부리망. —*pl.* 귀고리.

vinculable *adj.* 상속인을 한정할 수 있는, 영구소유로 할 수 있는 : bienes ～*es.*

vinculación *f.* ① 재산의 한정 세습 : la ～ de una finca. ② 연관, 연계(連繫), 관계, 우호, 연결.

vincular[1] *tr.* ① 세습 재산으로 하다, (재산을) 영구 세습하다, 영속시키다. ② [+en : …에] 결합하다, 연결시키다 : *Vinculo* mis esperanzas *en* esta visita 나는 이 방문에 희망을 걸고 있다. **～se** 영속하다, 서로 결합 · 연결하다 ; 인연을 맺다.

vincular[2] *adj.* 세습 재산의 ; 연결이 되는.

vínculo *m.* ① 연결, 인연, 유대 : *Vínculos* históricos unen nuestras naciones 역사적 유대는 우리의 나라들을 단결시킨다. Sinón. lazo. ② 한정 상속 재산, 세습 재산.

vindicación *f.* ① 옹호, 변호, 주장. ② 보복. ③ 회복, 회수.

vindicador, ra *adj.m.f.* 옹호·변호하는 (사람).

vindicar *tr.* [*lat.* vindicare] ① 옹호·변호하다 (defender) : Con ese artículo *vindicó* la memoria de sus antepasados. ② 보복·복수하다(vengar). ③ 되찾다, 회수하다, 회복하다, 복권하다 (reivindicar).
~se ① 몸을 지키다. ② [+de : …의] 복수·보복을 하다.

vindicativamente *adv.* 변호하여 ; 복수로.

vindicativo, va *adj.* ① 보복적인 (vengativo) : espíritu ~ 복수심. ② 옹호의, 변호의 (vindicatorio) : discurso ~. ③ 회복·복권하는.

vindicatorio, ria *adj.* 옹호의, 변호적인 : discurso ~.

vindicta *f.* [*lat.* vindicta] 보복, 복수 (venganza) : la ~ de las leyes.
~ *pública* 공적인 징벌 ; 공적인 분노·의분에 의한 제재.

vine venir의 직·부정과거·1·단수.

vinería *f.* 《*Arg. Bol. Chile. Perú. Urug.*》 = **vinatería.**

vínico, ca *adj.* 포도주의, 술의 : éter ~.

vinícola *adj.* 【남·여 동형】 포도주 양조의 ; 포도 재배의 : sociedad ~ 포도주 제조 회사. —*m.* 포도 양조인·재배가, 포도원 주인.

vinicultor, ra *m.f.* 《*Neol.*》 포도주 양조가.

vinicultura *f.* 《*Neol.*》 포도주 양조 (elaboración de vinos).

viniebla *f.* 【식물】 =**cinoglosa.**

viniendo venir의 현재 분사.

viniente *adj.m.f.* 오는, 도착하는 (사람) : yentes y ~*s* 오가는 사람들.

viniera venir의 접·불완료과거·1·3·단수.

vinierais venir의 접·불완료과거·2·복수.

viniéramos venir의 접·불완료과거·1·복수.

vinieran venir의 접·불완료과거·3·복수.

vinieras venir의 접·불완료과거·2·단수.

vinieron venir의 직·부정과거·3·복수.

viniese venir의 접·불완료과거·1·3·단수.

vinieseis venir의 접·불완료과거·2·복수.

viniésemos venir의 접·불완료과거·1·복수.

viniesen venir의 접·불완료과거·3·복수.

vinieses venir의 접·불완료과거·2·단수.

vinífero, ra *adj.* 포도주를 생산하는 : un terreno ~.

vinificación *f.* 포도주 양조, 주조법 ; 술·포도주가 되는 과정.

vinificar *tr.* 포도주를 양조하다.

vinílico, ca *adj.* 비닐의 : resinas sintéticas ~*s* 비닐 합성 수지. tela ~*ca* 비닐 천.

vinilo *m.* 【화학】 비닐.

vinilón *m.* 비닐론.

vinillo *m.* 약한 포도주, 싱거운 술, 물같은 술 (vino demasiado flojo).

vinimos venir의 직·부정과거·1·복수.

viniste venir의 직·부정과거·2·단수.

vinisteis venir의 직·부정과거·2·복수.

vino[1] *m.* [*lat.* vinum] 포도주 ; 술 : El solo se bebió una botella de ~ 그는 혼자서 포도주 한 병을 마셔 버렸다.
~ *abocado* 단술, 포도주. ~ *albillo* 단 포도의 포도주. ~ *atabernado* 술집에서 마시는 술. ~ *barbero* (아르헨띠나의) 흑포도주. ~ *blanco* 백포도주. ~ *clarete* 담홍색 포도주 (vino de color rojo claro). ~ *cubierto* 불그스름한 포도주. ~ *de agujas* 마시면 입안이 타는 듯한 독한 술. ~ *de cabeza* 싼 술 (aguapié). ~ *de coco* 야자 술. ~ *de dos orejas* 강한 고급 포도주. ~ *de dos·tres hojas* 2·3년 묵은 포도주. ~ *de garrote* 포도알을 짜서 빚은 포도주. ~ *de Jerez* 헤레스주 《서반아 원산의 백포도주의 일종. 노란빛을 띤 갈색으로, 알코올분과 감미(甘味)가 강하고 방향(芳香)을 지님》. ~ *de lágrima* 짜지 않고 빚은 포도주. ~ *de Málaga* 말라가 백포도주. ~ *de mesa·de pasto* 식사동안 마시는 일상용 포도주. ~ *de postre* 독한 묵은 술 (vino generoso). ~ *de solera* 새로 빚은 술에 넣은 독한 묵은 술. ~ *de una oreja* 맛이 달고도 독한 술. ~ *de yema* 통의 중간이 있는 포도주. ~ *generoso* 독한 묵은 포도주. ~ *pardillo* 하급 포도주. ~ *peleón* 질이 낮은 술. ~ *seco* 단맛이 없는 포도주. ~ *tintillo* 불그스름한 포도주. ~ *tinto* 검붉은 포도주, 적포도주 (vino de color rojo oscuro).
bautizar·cristianar el ~ 포도주에 물을 타다.
dormir el ~ 술이 취한 동안 잠을 자다.
tener mal ~ 술버릇이 나쁘다 (ser pendenciero en la embriaguez).
tomarse del ~ 술에 취하다, 술을 이겨내지 못하다.

vino[2] venir의 직·부정과거·3·단수.

vinolencia *f.* [드뭄] 과음(exceso en el beber vino).

vinolento, ta *adj.* =**borracho.**

vinosidad *f.* 포도주다운 맛 ; 술고래.

vinoso, sa *adj.* ① 포도주같은 : un licor de aspecto ~. ② 술을 좋아하는.

vinote *m.* [드뭄] 포도주의 무거리, 증류 후의 무거리.

vinotera *f.* 【방언·곤충】 바퀴벌레(carraleja).

vinotería *f.* 《*AmérC.*》 주점, 술집(vinatería).

vinotinto *m.* 《*Venez.*》 【조류】 (아메리카의) 털이 화려한 새.

vinta *f.* (필리핀의) 배(baroto).

vintén *m.* (우루구아이의) 동전.

vinteniar *tr.* ⑪ 《*Urug.*》 사취(詐取)하다, 편취(騙取)하다.

vintón *m.* =**vintén.**

vinyl *m.* 비닐.

viña *f.* [*lat.* vinea] 포도원, 포도밭 : labrar una ~ 포도밭을 경작하다.
la ~ *del Señor* 신자·신도들.
como hay ~*s* 포도밭이 있듯이 ; 진짜로, 분명히.
como por ~ *vendimiada* 용이하게, 쉽게, 어렵지 않게.
de mis ~*s vengo* 아무 지장없이.
ser una ~ 달러 박스이다, 이익이 많다, 노다지다.
tener una ~ 톡톡이 재미볼 수 있는 일을 가

지다.

De todo tiene la ~, uvas, pámpanos y agraz 【속담】 사람은 누구나 장단점이 있는 법이다 ; 무슨 일이나 좋은 면이 있는가 하면 나쁜 면도 있는 법이다.

viñadero *m.* 포도원 지기(viñador).

viñador *m.* ① 포도 재배가. ② 포도원 지기. ③ 포도원.

viñático *m.* 【식물】(카나리아 군도의) 녹나무.

viñal *m.* 《*Arg.*》 =**viñedo.**

viñamarino, na *adj.m.f.* 비냐 · 델 · 마르 《Viña del Mar, 칠레에 있는 도시》의 (사람).

viñatero, ra *m.f.* 《*Amér.*》 ① 포도 재배가 (viñador). ② 포도원 지기(viñadero).

viñedo *m.* 포도밭 : cultivar un rico ~.

viñero, ra *m.f.* 포도원 주인.

viñeta *f.* [*fr.* vignette] 【인쇄】(책의 첫머리나 끝에 있는 장식용) 컷 ; (서적의) 당초 무늬 장식.

viñetero *m.* (인쇄소에서의) 컷 · 라벨 케이스.

viñuela *f. dim.* viña.

vio ver의 직 · 부정과거 · 3 · 단수.

viola[1] *f.* [*lat.* vitula] 【악기】 비올라. —*m.f.* 비올라 연주자.

viola[2] *f.* [*lat.* viola] ①【식물】 제비꽃, 오랑캐꽃 (violeta). ③【방언】 겨울 비단향 꽃무(alhelí).

violáceo, a *adj.* ① 자줏빛의, 짙은 보라빛의 : color ~. ②【식물】 오랑캐꽃 속의. —*m.* 짙은 보라빛. —*f.pl.* 오랑캐꽃속 식물.

violación *f.* ① 범행, 범하는 일. ② 위법, 위반, 침해 : ~ de las leyes aduaneras 관세법 위반. ~ de una patente 특허권 침해. ~ de una promesa 파약(破約). ~ del contrato 위약(違約). Por ~ de las leyes de tráfico le echaron una multa 교통법 위반으로 그는 벌금을 물었다. ③ 폭행, 능욕, 강간, 욕보이기 ; 더럽힘.

violado, da *adj.* 보랏빛의, 자주색의. —*m.* 짙은 보랏빛, 자주색(violeta) : El ~ es el séptimo color del espectro solar.

violador, ra *adj.m.f.* 위반 · 침해 · 강간하는 (사람) : ~ de las leyes.

violar[1] *tr.* [*lat.* violare] ① 범하다, 파괴하다, 침해하다, 위반하다 (quebrantar) : Las leyes se han hecho para que se cumplan y no para que se *violen* 법률은 사람이 지키도록 만들어진 것이지, 범하기 위한 것은 아니다. ② 폭행하다. ③ 더럽히다 (profanar) : *Violaban* el altar cuando les sorprendió el sacerdote 그들은 제단을 어지럽히고 있었는데 그때 사제에게 발견되었다. ④ 강간 · 능욕하다.

violar[2] *m.* 오랑캐꽃밭.

violario *m.* (아라곤에서) 아버지의 유산 상속자가 성직자가 되어 출가하는 사람에게 주는 연금 ; (나바라에서) 종신 연금.

violencia *f.* ① 격렬, 맹렬, 사나움. ② 폭력, 난폭, 폭행 ; 테러 : hacer ~ 폭행하다, 폭력을 사용하다. El no quería usar la ~ 그는 폭력을 사용하고 싶어하지 않았다. La policía tuvo que emplear la ~ para dispersar a los grupos 경찰은 군중을 해산시키기 위하여 폭력을 써야 했다. Siempre contesta con mucha ~ 그는 언제나 매우 난폭하게 대답을 한다. ③ 강간. Contr. dulzura.

violentamente *adv.* 폭력으로, 격하게, 억지로 : Empujó ~ la puerta 그는 문을 난폭하게 밀었다.

violentar *tr.* ① 강제로 하다 : Si él no tiene muchas ganas de comer, no le *violentes* 그가 별로 먹고 싶어하지 않으면 굳이 먹이지 마라. ② (…에) 폭력 · 폭행을 가하다. ③ (문 등을) 억지로 열다, (…로) 밀고 들어가다 : El ladrón *violentó* el cajón y se llevó mi cartera 도둑은 서랍을 억지로 열고 내 지갑을 가져갔다. ④ 억지로 해석하다 : ~ el sentido de una ley 법률의 의미를 억지로 해석하다.

~se [+a · en : …을] 참다 · 이겨내다 : *Me violente* mucho hablándole así, pero tuve que hacerlo 나는 억지로 참아 가면서 그렇게 그에게 이야기했지만, 말하지 않을 수 없었던 것이다.

violento, ta *adj.* ① 격렬한, 맹렬한, 강렬한 : tempestad ~*ta* 격심한 폭풍우. No diga usted esas frases tan ~*tas* 그런 격렬한 말을 하지 마십시오. ② 격정적인 ; 과격한 : hombre muy ~ 매우 과격한 사람. No pronuncie usted palabras tan ~*tas* 그런 난폭한 말을 쓰지 마십시오. El rey tenía un carácter muy ~ 왕은 매우 난폭한 성격을 가지고 있었다. ③ 억지의 ; 폭력적인, 난폭한, 폭력에 의한, 부자연한 : muerte ~*ta* 변사. Contr. dulce, suave.

violero *m.* ① 현악기의 제작자. ②【곤충】 모기 (mosquito).

violeta *f.* 【식물】 오랑캐꽃 : La ~ es emblema de la modestia 오랑캐꽃은 겸허의 상징이다. ~ de agua 겨울 비단 향꽃무. —*m.* 짙은 보랏빛 (color ~). —*adj.* 《*Galic.*》 보랏빛의 : Un vestido de color ~ resulta discreto 보랏빛 옷은 신중한 느낌이 든다.

violetal *m.* 오랑캐꽃 밭.

violetero, ra *m.f.* 오랑캐꽃 팔이. —*m.* 오랑캐꽃 화분.

violeto *m.* 배의 일종(peladillo).

violín *m.* ①【음악】 바이올린, 제금 : Stradivarius construyó admirables *violines* 스트라디바리우스는 경이로운 바이올린을 제작했다. Al fondo de la galería empieza a oírse el ~ melancólico 복도의 안쪽에서 쓸쓸한 바이올린(의 소리가) 들리기 시작한다. ② 바이올리니스트. ③ 《*Venez.*》 입내.

de ~ 《*Méx.*》 거저, 무료로, 공짜로.

embolsar el ~ 《*Arg. Venez.*》 두손들다, 창피당하다.

violina *f.* violeta에서 추출한 알칼리.

violinista *m.f.* 바이올린 연주자, 바이올리니스트.

violista *m.f.* 비올라 연주자.

violón *m.* ①【악기】 콘트라베이스 (contrabajo) ; 저음 비올라. ② 콘트라베이스 연주자. ③ 《*SDgo.*》 예방 감옥.

tocar el ~ 엉터리 수작을 하다.

violoncelista *m.f.* 첼로(violoncelo) 연주자 (violonchelista).

violoncelo *m.* [*ital.* violoncello] 【음악】 비올론첼로, 첼로(violonchelo).

violonchelista *m.f.* =**violoncelista.**

violonchelo *m.* =**violoncelo.**

vipéreo, a *adj.* =**viperino.**

vipérido, da *adj.* 살모사의. —*m.pl.* 【동물】 살모사 속.

viperina *f.* ①【동물】 살모사 비슷한 뱀의 일종. ②【식물】 지치과속 화초.

viperino, na *adj.* ① 살모사(víbora)의 · 같은. ② 사악한, 표독스런 : lengua *~na* 독설가.

viquingo *m.* =**normando.**

vira *f.* ① 뾰족 화살. ② (구두의) 심가죽.

viracocha *m.* ① 고대 뻬루인의 신 《세계 창조신》. ② (남미 동부 해안 지방 원주민의) 정복자로서의 서반아 사람을 부르는 말.

viracho, cha *adj.* 《*Chile.*》 사시(斜視)의, 사팔뜨기의.

virada *f.* 【항공】 방향 전환, 전침(轉針).

virador *m.* ①【사진】 정착액. ②【선박】 큰 밧줄 · 그물. —*adj.* baño ~.

virago *f.* 여장부, 용감한 여자, 남자 같은 여자 (mujer varonil).

viraje *m.* ①【사진】 조색(調色), 정착(定着), 끝마무리. ② 선회, 방향 전환.

virar *intr.* 진로 · 항로 · 방향을 바꾸다 : ~ *a* · *hacia* la costa 해안 쪽으로 방향을 돌리다.
—*tr.* ① 돌리다, 항로 · 방향을 전환시키다 : ~ en redondo 배를 반대 방향으로 돌리다. ② 돌리다, 안을 뒤집다. ③ 닻이나 무거운 것을 감아올리다. ④【사진】 정착(定着)하다 : *Se viran* generalmente las fotografías con cloruro de oro.

viratón *m.* [*aum.* vira] 굵은 화살(virote, saeta).

viravira *f.* 《*Arg. Chile. Perú. Venez.*》【식물】 비라비라풀.

virazón 바다 · 육지의 연풍 ; (서인도양에서) 남풍이 북서풍으로 급변.

víreo *m.* =**oropéndola.**

virg. virgen.

virgaza *f.* 【식물】 사위질빵 《미나리아재비과》의 일종.

virgen *adj.* [*pl.* vírgenes] ① 처녀의, 동정의. ② 처녀다운, 처녀에 알맞는, 순결한, 얌전한, 정결한. ③ 순수한, 티없는 : miel ~ 순수 벌꿀. ④ 미가공의. ⑤ 천연의, 부정타지 않은, 남의 손길 · 발길이 닿지 않은, 남이 아직 쓰지 않은 ; 개간되지 않은 : tierra ~ 처녀지. Se perdieron en las selvas *~es* de la tierra firme 그들은 대륙의 처녀림에 잘못 들어갔다.
—*m.f.* ① 처녀, 동정녀. ② 동정남, 숫총각.
—*f.* ① 성녀 《칭호》. ② [la V-] 성모 마리아 (Santísima *Virgen*) ; 성모상. La *Virgen* se apareció a tres pequeños pastores de Fátima en 1917 파띠마의 세 목동 앞에 1917년 성모가 모습을 보였다. ③【천문】 처녀좌.

virgiliano, na *adj.* 비르질리우스 《기원전 1세기의 로마 시인 Virgilio》의, 비르질리우스풍의.

virginal[1] *adj.* ① 처녀의 (de virgen) : No había perdido la candidez ~ 그녀는 처녀다운 순진함을 잃지 않았었다. ② 처녀다운, 흠없는, 숫처녀의, 순결한, 티없이 맑은 : candor ~.

virginal[2] *m.* =**espineta.**

virginalero, ra *adj.* 【고어】 =**mujeril.**

virgíneo, a *adj.* =**virginal.**

virginia *m.* 버지니아의 담배.

virginiano, na *adj.* 버지니아 《Virginia, 미국의 주》의. —*m.f.* 버지니아 사람.

virginidad *f.* 처녀임, 동정임, 처녀성, 동정 ; 순결 ; 신선(pureza, candor).

virgo *m.* ① 처녀성(virginidad). ②【해부】 처녀막.

Virgo *m.* 【천문】 처녀자리 ; 처녀궁 《황도대의 제6궁》.

vírgula *f.* ① 가는 회초리(varilla). ② 가느다란 선(rayita). ③ 콜레라균.

virgulilla *f.* ① 문자에 붙이는 부호. ② 매우 가느다란 선(rayita muy delgada).

viril[1] *adj.* [*lat.* virilis] ① 남자의, 남성의. ② 씩씩한, 힘찬, 남자다운 (varonil) : Fue una acción ~ digna de un elogio general 그것은 일반의 칭찬을 받을 만한 사내다운 행위였다. ③ 성년 남자의, 장년(壯年)의 : edad ~ 남자의 한창때.

viril[2] *m.* ① (속을 보이기 위한) 유리 상자. ②【종교】 성체 상자.

virilidad *f.* ① 남자다움, (남자가) 한창때임. ② 성년 남자임, 장년, 성년. ③ 활기, 힘참, 힘, 원기.

virilismo *m.* (남성에 대한) 여성의 애정.

virilmente *adj.* 남자답게, 용감하게, 힘차게, 씩씩하게(con virilidad, con fuerza).

virina *f.* 《*Filip.*》 칸테라 《휴대용 섬유 등》.

viringo, ga *adj.* 《*Col. Ecuad.*》 알몸의, 벌거벗은 ; 벗겨진(desnudo, que no tiene pelo).

virio *m.* 【조류】 때까치 비슷한 작은 새.

viripotente *adj.* ① 혼기에 이른 (여자)(casadera). ② 늠름한, 씩씩한(vigoroso).

virol *m.* 【문장】 피리의 부리 무늬.

virola *f.* ① 쇠고리, 쇠테. ② 칼날의 밑. ③ 물미, 칼의 코등이. ④ 《*Riopl.*》 마구의 은장식.

virolento, ta *adj.* 천연두가 생긴 ; 얽은, 곰보 자국이 있는. —*m.f.* 천연두 환자 ; 곰보 자국이 있는 사람.

virología *f.* 바이러스학(學).

virón *m.* [*aum.* vira] ① 굵은 화살. ② 《*PRico.*》 선회(旋回), 방향 전환(virada).

virosis *f.* 비루스병(病).

virotada *f.* 《*Venez.*》 어리석은 짓, 바보짓, 우둔 (necedad).

virotazo *m.* virote로 때리기.

virote *m.* ① 활촉을 꽂은 굵은 화살. ② 노예의 목에 매달은 쇠뭉치. ③ 장난으로 남의 등에 붙이는 천조각이나 종이. ④ 멋쟁이 남자. ⑤ 지나치게 성실한 척하는 꺽다리 남자. ⑥ 밖으로 쏘다니기 좋아하는 여자(mujer muy aficionada a salir de paseo). ⑦ 남자같은 여자(marimacho). ⑧ 《*Col. Venez.*》 바보, 천치, 백치, 얼간이.

virotillo *m.* 세로로 늘어놓는 받침 나무.

virotismo *m.* 자부심, 우쭐거리기(seriedad quijotesca).

virreina *f.* 부왕(virrey)의 부인.

virreinal *adj.* ① 부왕의 : la corte ~. ② 부왕 관구(virreinato)의 : la Lima ~.

virreinato *m.* 부왕 관구 ; 부왕 통치 기간.

virreino *m.* =**virreinato.**

virrey *m.* 부왕(副王) 《국왕의 대리로서 국가나 주를 통치하는 사람》.

virtual *adj.* [*lat.* virtus] ① 효력 · 실력있는. ②

실제상의, 실질상의. ③ 암묵(暗默)의 (tácito). ④【물리】가(假)의, 허의 : imagen ~ 허상.

virtualidad *f.* 힘, 실효.

virtualmente *adv.* 실제로, 사실상, 실질적으로 ; 암묵으로.

virtud *f.* [*lat.* virtus] ① 힘, 효력, 능력 ; 가치 : en ~ de …에 의해, 때문에, 결과로서 : Esta planta se cree que tiene la ~ de curar las heridas 이 풀은 칼에 베인 상처를 고치는 효력이 있다고 생각되고 있다. ② 덕, 미덕, 선덕 ; 덕의 심 ; 덕행 ; 용기 : ~ cardinal 네 가지 덕 《prudencia (신중), justicia (정의감), fortaleza (용기), templanza (절제)》. ~ moral 덕의. ~ teologal 세 가지 덕 《fe (믿음), esperanza (소망), caridad (애정)》. ③ 정조, 정결 (castidad) : Erase una joven estimada por su ~ 정결함이 평판이 된 젊은 여인이 있었다. —*pl.* 권천사 《천사의 제 7 계급》.

virtuosamente *adv.* 덕을 지켜 ; 지조있게.

virtuosidad *f.* 《*Neol.*》 덕망, 덕행.

virtuosismo *m.* 《*Neol.*》 =**virtuosidad.**

virtuoso, sa *adj.* ① 덕망이 높은 : hombre ~. ② 덕스러운 : Las acciones ~*sas* serán premiadas por Dios 덕행은 신의 보답을 받으리라. ③ 지조있는, 정숙한, 정결한 ; 효과있는, 효력있는. **Contr.** vicioso, corrompido. —*m.* ① 덕망있는 사람. ② 악성(樂聖), 악장(樂匠).

viruela *f.* ①【의학】두창, 천연두 : ~*s* locas 수포진(水泡疹). Las grandes epidemias de ~ has desaparecido desde el invento de la vacuna por Jénner 천연두의 유행병은 제너가 우두를 발견할 때부터 사라졌다. ② 곰보 자국 : picado de ~*s* 빼끔빼끔 곰보 자국이 있는. ③ (물건의 표면에 돋은) 도톨도톨한 것.

virulencia *f.* [*lat.* virulentia] ① 유독, 해독, 독성, 악성 : la ~ de los humores. ② 증오, 악의.

virulentamente *adv.* 통렬하게.

virulento, ta *adj.* ① 바이러스에 의한 : enfermedad ~*ta.* ② 유독한, 독성의, 독이 있는, 해로운, 독이 든. ③ 적의에 찬, 악의있는, 통렬한 : una sátira ~*ta.* ④【의학】악성의.

virulilla *f.* 《*Cuba.*》 쓸모없는 인간.

viruñas *m.pl.* 《*Col.*》 악마.

virus *m.* [*lat.* virus]【단 · 복수 동형】바이러스 ; 병독(病毒), (여과성의) 병원체 : inocular el ~ rábico. ② 해독.

viruta *f.* 대팻밥 (laminilla de madera o metal que se saca con el cepillo u otra herramienta) : ~ de hierro 쇠를 깎고 난 쇠부스러기.

vis *f. lat.* ~ ***cómica*** (배우의) 열의, 정열. ~ ***a*** ~ 마주보고, 마주 대하여 (frente a frente, uno delante de otro).

visa *f.* (여권 따위의) 사증(査證), 비자(visado) : ~ de turismo 관광 비자. ~ de tránsito 통과 비자. ~ de cortesía 우대 비자.

visación *f.* 사증, 비자.

visado *m.* 사증, 비자(visa).

visaje *adj.* ① 얼굴 ; 얼굴 모습, 얼굴 표정 (figura). ② 찡그린 얼굴, 익살부린 얼굴 (gesto, mueca) : hacer ~*s* 얼굴을 찡그리다.

visajero, ra *adj.* 익살스러운 표정을 짓는, 찡그린 얼굴을 하는(aficionado a hacer muecas).

visante *m.*【은어】눈(ojo).

visar *tr.* [*lat.* visare] ① 사증(査證)하다, 검인을 하다 : Vengo a que me *visen* el pasaporte para México 나는 멕시코 행 여권에 사증을 받으러 왔다. ② 겨누다, (…에) 조준을 맞추다 : Los artilleros *visaron* la cumbre de la montaña 포병들은 산꼭대기를 겨누었다.

vis a vis *adv. fr.* 《*Neol.*》 마주보고, 이마를 맞대고(frente a frente).

visayo, ya *adj.m.f.* =**bisayo.**

víscera *f.* ①【해부】내장(entraña). ② (통속적으로) 장, 창자.

visceral *adj.* 내장의 : cavidad ~.

visco *m.* [*lat.* viscus] ① (새잡는) 끈끈이(liga). ②【식물】(아르헨띠나산의) 콩과 식물.

viscosa *f.*【화학】비스코스 《인조 견사 · 셀로판 따위의 원료 셀루로스》.

viscosidad *f.* 진득진득함, 점착(성) ; 끈끈한 것, 점액.

viscosímetro m. (액체의) 점착성 측정 기구, 점도계(粘度計).

viscoso, sa *adj.* [*lat.* viscosus] ① 끈적거리는, 들러붙는, 끈끈한, 점착성의 (pegajoso) : La miel es una sustancia ~*sa* 꿀은 끈적끈적한 물질이다. El sapo tiene la piel ~*sa* 두꺼비의 피부는 끈적끈적하다. ②【물리】점성의.

visear *tr.* [드뭄] =**vislumbrar.**

visera *f.* [*lat.* visus] ① (모자의) 챙. ② (투구의) 앞 챙.

visibilidad *f.* [*lat.* visibilitas] 눈에 보임, 볼 수 있음, 보는 정도 ; 시계(視界), 시야 가시도(可視圖) : La ~ mejoró un poco 시계가 약간 나아졌다. Con la niebla era escasa la ~ 안개 때문에 시야가 좁았다.

visibilizar *tr.* 보이게 하다.

visible *adj.* [*lat.* visibilis] ① (눈에) 보이는 : cuerpos ~*s* con microscopio 현미경으로 볼 수 있는 물체. estrella ~ 눈에 보이는 별. hacer ~ *a · para* todos 여러 사람에게 보이게 하다. Desde aquí es bien ~ la chimenea 여기서는 그 굴뚝이 잘 보인다. ② 뚜렷한, 두드러진, 눈에 띄는 : corbata ~ 눈에 잘 띄는 넥타이. ③ 명백한, 분명한, 역력한 : una impostura ~ 명백한 속임수. ④ 면회할 수 있는 : La señora no está ~ 그 부인은 면회할 수 없다. **Contr.** invisible.
horizonte ~ 가시 지평(可視地平).
rayo ~【물리】가시 광선.

visiblemente *adv.* 분명하게, 눈에 띄게, 뚜렷이 : El niño engorda ~ 그 어린이는 알아보게 살쪘다.

visigodo, da *adj.* 서 고트족의. —*m.pl.* 서 고트족 《Dniéper강 서쪽 연안에서 일어나, Ataúlbo 지휘하에 412년에 Iberia로 침입, Toledo를 수도로 왕국을 세웠으나 711년 아라비아인에게 멸망한 민족》. —*m.f.* 서 고트 사람.

visigótico, ca *adj.* 서 고트족의.

visillo *m.* 창에 치는 작은 커튼.

visión *f.* [*lat.* visio] ① 봄, 목격, 관찰. ② 시야, 시력, 시각 : órgano de ~ 시각 기관. campo de ~ 시야(視野). ③ (시인 · 정치가 따위의) 상상력, 직감력, 통찰력, 비전, 시각, 미래상, 견해 : Cada uno tiene su propia ~ de las cosas 사람에게는 각기 자기 나름의 견해가 있다. ④ 허깨비, 환영(幻影)(ilusión) ; 환상, 몽상 : ~

beatífica 견신(見神). ver ~*es* 환상을 보다. ⑤ 흉측하게 생긴 사람.
quedarse como quien ve ~es 멍청해지다.

visionario, ria *adj.* 환영의, 환영인 듯한, 환영을 보는; 환상적인. —*m.f.* 환상가, 몽상가.

visionado, da *adj.* 《*Méx.*》 흉칙한 차림새의, 괴상 망측한 차림을 한.

visir *m.* ①(회교 국가의) 대신, 원로(元老): gran ~. ②(오토만 제국의) 수상.

visita *f.* ①방문; 문병; (일반적인) 문안: ~ al santísimo sacramento 【종교】 성체 방문(聖體訪問). ~ casual 갑작스런 방문. ~ de clientes 고객 방문. ~ de cortesía 예방. ~ de cumplido · de cumplimiento 의례상의 방문. ~ formal 공식 방문. visa de ~ 방문 비자. hacer una ~ 방문을 하다 (visitar). ir de ~ 방문하러 가다. pagar la ~ 답례로 방문하다. Tengo que hacer una ~ de despedida a ese amigo 나는 그 친구에게 작별의 인사 (방문)를 해야 한다. ②방문자, 방문객, 내객(來客), 손님: recibir las ~*s* 내객을 영접하다, 손님을 맞이하다. tener una ~ 손님이 있다. Ayer tuve · recibí dos ~*s* 어제 내게는 손님 두 사람이 왔었다. Con tantas ~*s* no hemos podido hacer nada 이렇게 손님이 많아 우리는 아무 것도 할 수 없었다. Esta tarde hemos tenido cuatro ~*s* 오늘 오후 손님이 네 사람 있었다. Está esperando la ~ en la sala 그는 응접실에서 손님을 기다리고 있다. ③방문·문안·순시하고 있는 시간: Su ~ es larga 그는 궁둥이가 무겁다. La ~ duró dos horas 그 손님은 두 시간이나 버텼다; 시찰은 두 시간이나 걸렸다. ④참관; 견학·관람·시찰 (여행). ⑤순회, 순시, 순찰, 임검: ~ de cárceles 형무소의 순시. ~ pastoral 사교의 교구 순찰. derecho de ~ 선박의 임검권. ⑥왕진, 회진(回診): ~ de médico 의사의 내진; 짧은 시간의 방문. ⑦회견.

visitación *f.* ①방문, 문안, 시찰, 순찰, 순회; 참관(visita). ②【종교】 성모 방문제 《7월 2일》.

visitador, ra *adj.* ①방문하는, 순찰·시찰하는. —*m.f.* ①방문자, 방문객, 방문하기 좋아하는 사람. ②순찰원, 순시원, 임검자: ~ de aduanas 세관 순시원. Por lo que habla la monja, es una ~*ra* que va de hospital en hospital 그 수녀의 말로 보아 그녀는 병원을 차례차례 돌아보는 순찰 수녀이다.

visitante *adj.* 방문하는, 참관하는; 자주 방문하는. —*m.f.* 방문자, 손님, 내객, 문병객, 위문객, 참관자, 내유객, 관광객, 견학자, 구경꾼, 참례자; 시찰자, 순시자, 순시객, 순찰원.

visitar *tr.* ①방문하다, 심방하다, 문안가다: ~ a un amigo · un enfermo · un museo 친구·환자·박물관을 방문하다. Los artistas viajeros *visitan* a Italia 여행을 하는 예술가들은 이탈리아를 방문한다. ②문병가다: Tengo que ~ a la tía, que está en la cama 나는 숙모를 문병하러 가야 한다; 앓고 있으니까. ③견학하다, 보러 가다, 참관하다: Por dos veces *visitamos* el Museo del Prado 우리는 두 차례 쁘라도 미술관을 견학했다. Quisiera ~ el Museo Nacional 국립 박물관을 구경하고 싶은데요. ④시찰하다, 순시하다, 순찰하다, 임검하다: El inspector y los arquitectos han salido a ~ las obras 검사관과 건축가들이 그 공사를 시찰하러 갔다. ⑤왕진하다: El doctor *visitará* a sus enfermos por la tarde 의사는 환자들을 오후에 왕진한다. Ya le *ha visitado* el doctor y dice que no está grave 의사가 이미 왕진해서 대단치는 않다고 말하고 있다.

visiteo *m.* 잦은 방문, 내왕.

visitero, ra *adj.m.f.* 자주 방문하는 (사람).

visitón *m.* [*aum.* visita] 궁둥이가 무거운 사람 (visita muy larga y pesada).

visivo, va *adj.* [*lat.* visum] 시력·시각의: potencia ~*va* 시력.

vislumbrar *tr.* ①어슴프레 보이다(ver débilmente): *Vislumbraba* la costa desde el barco 배에서 해안이 어슴프레 보였다. ③추측하다 (conjeturar): ~ las consecuencias de una acción.

vislumbre *f.* ①어슴프레함, 어슴프레한 불빛. ②추측(sospecha). ③징후(indicio): tener ~. ③반사광(反射光). ④서로 닮음.

Visnú *m.* 비슈누 《브라흐마·시바와 함께 힌두교의 세 주신(主神)의 하나》.

viso *m.* [*lat.* visus] ①윤기, (천이나 돌의) 광휘, 광택, 반사: tela de seda azul con ~*s* morados. ②(얇다란 것을) 비추어 보이는 색포(色布). ③외관, 겉보기 (apariencia): Esta acción tiene ~*s* de honrada, pero no lo es. ④높은 곳(altura, eminencia).
~ *de alta* 사원 감실의 문을 덮은 천에 수놓은 그림.
a dos ~s 엉뚱한 마음을 품고; 두마음을 가지고 (con dos miras diferentes).
al ~ 비쳐서 (보다).
de ~ ①중요한 (de importancia): una persona de ~ 중요한 인물. ②저명한.
hacer ~ 남의 이목을 끌다, 두드러지다; 윤택이 나다.
hacer ~s 번지르하게 윤이 나다, 광택을 내다.

visogodo, da *adj.m.f.* =**visigodo.**

visón *m.* 【동물】 (아메리카산의) 수달, 밍크 (turón); 수달의 가죽.

visontino, na *adj.m.f.* 비누에사 《Vinuesa, Soria 주의 마을》의 (사람).

visor *m.* ①(카메라의) 파인더. ②폭격 조준기.

visorar *tr.* =**ver.**

visorio, ria *adj.* 보는, 보기 위한. —*m.* 검찰, 검사.

víspera *f.* [*lat.* vispera] ①전날 (día anterior): La ~ de ciertas fiestas debe ayunarse. ②전야. ③직전: La ~ de Navidad se llama Nochebuena 크리스마스 이브는 Nochebuena라 한다. ④【고어】 해거름, 초저녁. —*pl.* 【종교】 저녁 기도, 만과(晩課).
a la ~ de …의 전야에: Este ocurrió *a la ~ de* Navidad 이런 일이 크리스마스 전야에 일어났다.
en ~s de …의 가까이에 (cerca de, próximo a): Se mostraba muy alegre. estaba *en ~s de* su boda 그녀는 대단히 들떠 있었다; 결혼을 가까이 두고 있었던 것이다.
estar en ~s de …의 전야·직전에 있다: El *está en ~s de* ser ministro 그는 장관이 되기 직전에 있다.

vista¹ *f.* ①시력(視力), 시각(sentido de la ~):

corto de ~ 근시안의 ; 통찰력이 없는. perder la ~ 시력을 잃다. El perdió la ~ cuando tenía 5 años 그는 다섯 살 적에 시력을 잃었다. Tiene usted una ~ envidiable 당신은 부러운 시력을 가지고 있소. ② 눈, 시선 : bajar la ~ 눈길을 깔다. El dirigió la ~ a aquel punto 그는 그 점에 시선을 향했다. El echó una ~ a la pared 그는 벽에 시선을 던졌다. El viejo todavía tiene muy buena ~ 노인은 아직 매우 좋은 눈을 가지고 있다. ③ 보는 일, 만나는 일 : hasta la ~. ④ 한번 봄 : a mi ~ 나를 보면 ; 내 눈앞에서. ⑤ ㄱ) 보기, 외모, 외견 : Este traje tiene buena ~ 이 옷은 외견이 좋다. Este pastel tiene buena ~ 이 과자는 보기가 좋다. ㄴ) 바깥쪽 ; 표면 : Su casa tiene ~*s* al mar 그의 집은 바다에 면해 있다. ⑥ 바라보기, 조망(眺望), 전망 : la casa con ~*s* al mar 바다가 보이는 집. La casa tiene la hermosa ~ 그 집에는 아름다운 조망이 있다. Su habitación tiene buena ~ 그의 방은 조망이 좋다. ⑦ 경치, 전경. ⑧ 견해, 관찰 ; 생각, 의도. ⑨ 대질 심문 ; 검시. ⑩ 훌긋 보기 (vistazo) : echar una ~ a un papel.

—*pl.* ① 회견, 회담. ② 창, 채광창(採光窓) ; 아가리의 벌어진 부분. ③ 셔츠의 소맷부리나 목부분 : camisa de algodón con ~*s* de hilo. ④ (약혼자끼리 교환하는) 선물.

—*m.* 세관의 검사관.

~ ***baja*** 근시. ~ ***cansada*** 원시(안), 노안(老眼). ~ ***corta*** 근시. ~ ***de águila*** 예리한 시력. ~ ***de lince*** 예리한 시력. ~ ***de ojos*** 검시(檢視). ~ ***fija*** (영화의) 스틸. ~ ***torcida*** 사시(斜視). ***doble*** ~ 초능력(telepatía). ***los de la*** ~ ***baja*** 돼지 (puerco). ***punto de*** ~ 관점, 견지.

a la ~ ① 당장에, 곧장, 즉석에서 : No hay *a la* ~ ningún cambio 당장 변화는 없다. ② 일람 후에, 제시 · 요구불의(a prensentación) : letra *a la* ~ 일람불 어음. El cheque es siempre pagadero *a la* ~ 수표는 항상 일람불이다.

a la ~ ***de*** …을 보고, …을 보니.

a media ~, 가볍게, 슬쩍 보기만으로도 (ligeramente).

a primera·simple ~ 한번 보기 만으로도, 표면적으로(superficialmente).

a ~ ***de*** …을 보아 · 을 보면 · 을 생각하여 ; …의 면전에서 ; …의 입회하에(en presencia de) : *a* ~ *de* testigos 증인의 입회하에.

a ~ ***de ojos*** 자기 눈으로 봐서, 실지로 봐서.

a ~ ***de pájaros*** 높은 데서 굽어보아 : pamorama fotografiado *a* ~ *de pájaros.*

a ~***s de*** …을 보면 · 보았다면.

como la ~ 재빨리.

en ~ ***de*** …을 보아 · 고려에 넣어(en consideración a) : *En* ~ *de* su fracaso no puedo ir a la reunión 그의 실패를 고려에 넣어 나는 그 회합에 갈 수 없다. *En* ~ *del* mal tiempo suspendemos el viaje 일기가 나쁜 것을 고려해서 우리는 여행을 중지했다.

por ~ ***de ojos*** 목격하여, 눈으로 봐서.

clavar la ~ 응시하다.

comerse con la ~ 훌깃훌깃 보다.

conocer de ~ 면식이 있다, 보아 알고 있다 : Sólo la *conozco de* ~ 나는 그녀를 면식으로 알고 있을 뿐이다.

dar ~ ***a*** …을 보다.

dar una ~ 대충 훑어 보다 ; 잠시 들르다.

echar la ~ 고려하다, 찾아내다.

echar a la ~ 분명하다.

estar a la ~ …을 주시 · 감시하고 있다(estar a la mira o en acecho de una cosa).

extender la ~ 멀리 바라보다.

hacer la ~ ***gorda*** 못 본 척하다.

hasta la ~ 안녕히 가세요 ; 또 뵙겠습니다 ; 다시 만날 때까지 《작별 인사》.

irse de ~ 시야에서 사라지다.

írsele a uno ***la*** ~ (어떤 사람이) 눈이 가물가물해지다, 눈이 보이지 않게 되다.

no perder de ~ a una persona o cosa (사람 · 물건을) 잘 감시하다.

perder de ~ 눈 · 주의를 떼다 ; 놓치다 (dejar de ver) : *Perdí de* ~ el coche.

perderse de ~ 놓치다 ; 훨씬 빼어나다.

saltar a la ~ 시야에 훤히 들어오다 ; 몹시 눈에 띄다 (ser muy visible).

ser largo de ~ 총명하다, 명석하다.

tener ~ 겉모양이 좋다.

tener a la ~ 잘 기억해 두다.

torcer·trabar la ~ 옆눈으로 보다.

tragarse con la ~ 뚫어지게 쳐다 보다, 멀뚱멀뚱 보다.

volver la ~ 회상하다, 눈길을 돌리다.

volver la ~ ***atrás*** 과거(pasado)를 회상하다, 뒤돌아보다(pensar en el pasado).

vista[2] vestir의 접 · 1 · 3 · 단수.

vistáis vestir의 접 · 2 · 복수.

vistamos vestir의 접 · 1 · 복수.

vistan vestir의 접 · 3 · 복수.

vistas vestir의 접 · 2 · 단수.

vistazo *m.* 훌깃 보기, 한번 보기 (mirada, ojeada ligera) : dar un ~ a …을 훌깃 보다. No hice sino echar un ~ al periódico 나는 신문을 훌깃 보았을 따름이었다.

viste vestir의 직 · 현 · 3 · 단수.

visten vestir의 직 · 현 · 3 · 복수.

vistes vestir의 직 · 현 · 2 · 단수.

vistear *tr.* 《*Arg. Venez.*》 으름장을 놓다.

—*intr.* 《*Arg.*》 싸우는 시늉을 하다 (simular lucha sin armas).

vistiendo vestir의 현재 분사.

vistiera vestir의 접 · 불완료과거 · 1 · 3 · 단수.

vistierais vestir의 접 · 불완료과거 · 2 · 복수.

vistiéramos vestir의 접 · 불완료과거 · 1 · 복수.

vistieran vestir의 접 · 불완료과거 · 3 · 복수.

vistieras vestir의 접 · 불완료과거 · 2 · 단수.

vistiese vestir의 접 · 불완료과거 · 1 · 3 · 단수.

vistieseis vestir의 접 · 불완료과거 · 2 · 복수.

vistiésemos vestir의 접 · 불완료과거 · 1 · 복수.

vistiesen vestir의 접 · 불완료과거 · 3 · 복수.

vistieses vistir의 접 · 불완료과거 · 2 · 단수.

vistillas *f.pl.* 전망대, 높은 곳.

irse a las ~ (노름에서) 상대의 패를 훔쳐보다.

visto vestir의 직 · 현 · 1 · 단수.

visto, ta *adj.* [ver의 *p.p.*] ① (남에게) 보인. ②

[+bien · mal] 선의 · 악의로 해석된, 좋게 · 나쁘게 보인 : La acción está muy *bien vista.* ③ 검사필의 : ~ bueno (검사 · 재가 등에서) 가(可). El documento tiene que llevar el ~ *bueno* del jefe 서류는 부장이 OK해야 한다. **—*m.*** 이유, 사항.

~ *que* ①… 한 바에야 (pues que). ② …을 생각하여 · 생각하면.

ni ~ ni oído 번개처럼 빠른, 비호같이, 눈에 보이지도 않을 만큼 빠른.

no ~, nunca ~ 본 일도 없는 듯한 : una escena *nunca vista* 본 일이 전혀 없는 장면.

por lo ~ 보아한즉, 겉으로 보기에는 ; 명백히 : *Por lo ~* está tranquilo 보기에 그는 안심한 것 같다. *Por lo ~* no se acordó de que tenía que venir 어쩌면 그는 와야 할 것을 잊은 듯했다.

vistosamente *adv.* 눈부시게, 화려하게, 찬란하게, 아름답게(de un modo vistoso) : un templo ~ adornado.

vistosidad *f.* 화려함, 아름다움.

vistoso, sa *adj.* 아름다운, 화려한, 눈부신, 찬란한 (hermoso, lucido, llamativo) : Ella lleva un traje ~ 그녀는 눈부신 옷을 입고 있다.

visturia *f.* 《*Guat.*》 세관의 검사.

visu (de) *adv.* 목격하여, 눈으로 보아.

visual *adj.* ① 시각의, 시각에 관한, 사물을 보기 위한, 광학상의 : ángulo ~ 시각. vuelo ~ 【항공】 유시계(有視界) 비행. imagen ~ 시각 심상. educación ~ 시각 교육. nervio ~ 시신경. órgano ~ 시각 기관. ② 눈에 보이는 (visible) : audio ~ 시청각의. En Castilla, mirar suele ser disparar la flecha ~ al infinito 까스띠야에서 보는 것은 번번히 허공에 시선의 화살을 던지는 일이다. **—*m.*** 《*Sant.*》 외모, 겉모습, 겉모양, 풍모(aspecto). **—*f.*** 시선.

visualidad *f.* 보기에 아름다운 일, 미적 효과(美的效果).

visualización *f.* visualizar 하기.

visualizar *tr.* =**visibilizar.**

visura *f.* 감시 ; 검사(examen).

vitáfono *f.* 축음기식 발성 영화기.

vital *adj.* ① 생명의, 생활 · 사활의 : cuestión ~ 사활 문제. ② 급소의 : partes ~*es* 급소. punto ~ 급소. ③ 중대한(muy importante).

vitalicio, cia *adj.* 종신의, 일생의 : anualidad · renta · pensión ~*cia* 종신 연금. senador ~ 종신 상원 의원. **—*m.*** 종신 연금 · 보험 ; 생명 보험 증서 ; 종신 보험 증권.

vitalicista *m.f.* 종신 연금 (renta vitalicia) · 보험금 수령자.

vitalidad *f.* ① 활기, 생기, 활력, 활기. ② 생활력, 생명력, 활(동)력 : Ha perdido con los años aquella ~, que le caracterizaba 그는 해가 거듭함에 따라 그를 특징 지우고 있던 활력을 잃었다.

vitalismo *m.* 【철학】 활력론, 생기론(生氣論), 생기설(生氣說).

vitalista *adj.* 활력론의. **—*m.f.*** 활력론자.

vitalizar *tr.* 9 …에 생명을 주다, 활력을 북돋아 주다 ; …에 활기 · 활력 · 생기를 불어넣다, 고무하다.

vitamina *f.* 비타민, 생활소(生活素) : ~ compleja 복합 비타민.

vitaminado, da *adj.* 여러 가지 비타민이 함유된.

vitamínico, ca *adj.* 비타민의, 생활소의.

vitaminología *f.* 비타민학(學), 영양학.

vitaminosis *f.* 【단 · 복수 동형】 비타민 결핍증.

vitando, da *adj.* [*lat.* vitandus] ① 피해야 하는 (que debe evitarse) : excomulgado ~. ② 싫은, 증오하는, 저주스러운(odioso, detestable). ③ 【속어】 사활의 (vital) : intereses ~*s.* ④ 【속어】 나쁜 (malo) : la época más ~*da* de nuestra historia.

vitar *tr.* 피하다(evitar).

vitela *f.* [*lat.* vitella] (소의) 무두질한 가죽.

vitelar *adj.* =**vitelino.**

vitelina *f.* 【해부】 난막(卵膜). **—*adj.*** 황담의 : bilis ~ 황담즙.

vitelino, na *adj.* vitelo의.

vitelo *m.* 【동물】 난막, 달걀의 노른자 (yema del huevo).

vitícola *adj.* 【남 · 여 동형】 포도 재배의 : La industria ~ de Chile está muy desarrollada 칠레의 포도 산업은 매우 발달되어 있다.
—*m.f.* [*lat.* vitis + cultor] 포도 재배가.

viticultor, ra *m.f.* [*lat.* vitis+cultor] 포도 재배가.

viticultura *f.* 포도 재배(법) : La ~ europea ha sufrido mucho con la filoxera.

vitífero, ra *adj.* 포도가 생산되는.

vitiligo *m.* 【의학】 독피병, 후천성 백반병.

vitivinícola *adj.* 포도 재배와 양조의.
—*m.f.* =**vitivinicultor.**

vitivinicultor, ra *m.f.* 포도 재배와 양조의 원예가.

vitivinicultura *f.* 포도 재배와 양조.

vito *m.* 안달루시아의 무용(곡).

vitoco, ca *adj.* 《*Venez.*》 우쭐거리기 잘하는.

vitola *f.* ① (포환의 직경을 재는) 게이지, 탄경기(彈徑測器). ② 시거(cigarro)의 굵기의 기준. ③ 모양, 풍채, 용모(aspecto, traza).

¡vítor! *interj.* [드뭄] 만세 !, 잘한다 !, 잘했다 ! **—*m.*** 축하회 ; 찬양 전단.

vitorear *tr.* 환성을 지르다, 환호하다 : El público *vitoreó* al actor 관중은 그 배우를 환호했다.

vitoria *f.* 《*Col.*》 【식물】 =**cidracayote.**

Vitoria 【지명】 비또리아 《서반아 Alava주의 도시》.

vitoriano, na *adj.* 비또리아의. **—*m.f.*** 비또리아 사람.

vitre *m.* 【선박】 얇다란 돛베.

vítreo, a *adj.* [*lat.* vitreus] 유리의, 유리 같은, 유리질의, 유리 모양의, 투명한 : humor ~ 【해부】 (눈알의) 유리액(液).

electricidad ~a 【전기】 양전기(electricidad positiva).

vitrificable *adj.* 유리화할 수 있는, 투명화할 수 있는.

vitrificación *f.* 유리(질)화, 투명화(透明化).

vitrificar *tr.* 7 [*lat.* vitrum + facere] 유리로 만들다, 유리로 변하게 하다(convertir en vidrio) : ~ la arena 모래를 유리로 만들다.

~se 유리화하다, 유리로 되다 (convertirse en vidrio) : El óxido de plomo *se vitrifica* de exposición.

vitrina *f.* [*fr.* vitrine] ① 유리 선반 ; 진열창. ② 《*AmérM.*》 쇼윈도 (escaparate) : En la ~ se exhibe la colección artística 그 모아 둔 미술품은 진열창 속에 전시되어 있다.

vitriolar *tr.* 황산 처리하다.

vitriólico, ca *adj.* 【화학】 황산염의 : ácido ~ 황산.

vitriolo *m.* [*lat.* vitreolus] 【화학】 ① 황산염 (sulfato). ② (농)황산(aceite de ~). ~ ***amoniacal*** 황산 암모니아. ~ ***azul*** 황산동. ~ ***blanco*** 황산 아연. ~ ***de plomo*** 황산연(광). ~ ***verde*** 녹반.

vitualla *f.* (특히 군대의) 양식, 식료, 식량, 진수 성찬 : abundantes ~*s.*

vituallar *tr.* =**avituallar.**

vituallas *f.pl.* =**provisiones, víveres.**

vítulo marino *m.* 【동물】 바다 표범(foca).

vituperable *adj.* 비난할 만한 : una acción ~.

vituperación *f.* 비난, 험담, 독설, 힐책.

vituperador, ra *adj.* 비난하는. —*m.f.* 비난하는 사람.

vituperante *adj.* 나무라는, 꾸중하는.

vituperar *tr.* 나무라다, 야단치다, 꾸짖다, 욕하다, 비난하다, 문책하다, 질책하다(censurar, reprobar) : *Vituperaron* su conducta 그의 행장은 비난받았다. Contr. celebrar.

vituperio *m.* ① 비난 (censura, reprobación) : conducta digna de ~. ② 모욕(afrenta). Contr. alabanza.

vituperiosamente *adv.* 비난으로, 모욕하며.

vituperioso, sa *adj.* 비난의 ; 모욕의.

vituperosamente *adv.* =**vituperiosamente.**

vituperoso, sa *adj.* =**vituperioso.**

viuda *f.* ①【식물】 체꽃속의 식물 ; 그 꽃. ② 교수대. ③ 과부, 미망인, 홀어머니. ~ ***negra*** =araña rastrojera.

viudal *adj.* 과부의, 홀아비의(vidual).

viudedad *f.* ① 과부 연금. ② 《*Amér.*》 과부·홀아비 생활(viudez).

viudez *f.* 과부·홀아비 생활.

viudita *f.* [*dim.* viuda] 【동물】 ① 《*Arg. Venez.*》 (아르헨띠나·칠레산의) 앵무새의 일종. ② 원숭이의 일종. ③ 청상 과부.

viudito, ta *m.f.* [*dim.* viudo] 생과부, 청상 과부 ; 젊은 홀아비. —*f.* =**monito de América.** ② 《*Arg. Chile.*》【조류】 loro 비슷한 새. ③ 《*Méx.*》【조류】 물새의 일종.

viudo, da *adj.* [*lat.* viduus] 남편·아내를 잃은 : Lola quedó ~*da* a sus treinta años 롤라는 30세에 남편을 잃었다. —*m.f.* ① 홀아비 ; 미망인, 과부, 홀어미 : La *viuda* del escritor vive feliz con su hijo y la mujer de éste 그 작가의 미망인은 아들 내외의 집에서 행복하게 지내고 있다. ② 《*Venez.*》 바나나와 물고기 요리의 일종.

¡viva! *interj.* 만세 ! : ¡*V*- Corea! 한국 만세 ! ~ *la Virgen* 무사 태평한 사람(persona despreocupada).

vivac *m.* ① 야영, 야영지(vivaque). ② 《*Cuba.*》 =**prevención.**

vivacidad *f.* ① 열렬함, 격렬함 (violencia) : la ~ de pasiones. ② 생기, 활기, 활발, 기민, 예민함(penetración) : un gran ~ de espíritu. ③ 산뜻함, 광채(viveza, brillo) : la ~ de un color.

vivales *m.* =**fresco, tunante.**

vivamente *adv.* 강하게, 격하게, 예리하게 ; 팔팔하게, 생생하게, 발랄하게 (con viveza) : responder ~ 발랄하게 대답하다. Contr. lentamente.

vivandería *f.* vivandero의 직책.

vivandero, ra *m.f.* [*fr.* vivandier] ① 주점 경영자 (cantinero, cantinera). ② 종군 주보(從軍酒保). ③ 《*AmérC.*》 시장의 판매원(vendedor del mercado).

vivaque *m.* [*fr.* bivouac] ① 야영, 야영지 : La tropa está al ~ 군대가 야영하고 있다. ② 《*Amér.*》 경비대, 수비대·본부 : La tropa está al ~ 군대가 야영하고 있다.

vivaquear *intr.* 야영하다(acampar al raso).

vivar[1] *tr.* 《*AmérM.*》 (…을 위해) 만세를 부르다, 환호하다, 환성을 올리다(vitorear).

vivar[2] *m.* [*lat.* vivarium] ① 양토장, 토끼 기르는 곳. ② 양어장, 못.

vivaracho, cha *adj.* ① 싱싱한, 쾌활한, 팔팔한(muy vivo y ligero) : ojillos ~*s.* ② 들뜬.

vivariense *adj.m.f.* 비베로 《Vivero, Lugo주의 한 도시》의 (사람).

vivario *m.* (작은 동물의) 사육장.

vivas *m.pl.* 승인과 감격의 감탄사.

vivaz *adj.* ① 명이 긴 (que vive largo tiempo). ② 생활력이 강한. ③ 효력이 강한. ④ 명민한, 예민한(agudo). ④【식물】 다년생의(perenne).

vivencia *f.* 생활 경험, 노련함.

vivera *f.* ① =**vivar**[2]. ② 《*And.*》 =**vivero.**

viveral *m.* 묘목밭.

víveres *m. pl.* ① 식료품, 양식 (alimentos) : proveer de ~ una plaza. ② 식품, 먹거리 : No hay ~ en casa, ¿qué hacemos? 집에는 먹을 것이 없다, 어떻게 할까 ? ③ 《*SDgo.*》 (식품으로서) 감자류.

vivero[1] *m.* [*lat.* vivarium] ① 묘목밭. ② 양어장 ; 사육장, 늪, 못. ③ 온상, 발생지, 근원.

vivero[2] *m.* (갈리시아에서 생산된) 린넨류.

viveza *f.* ① 팔팔함, 생기참, 활발, 민활 : El muchacho me contestó con ~ 그 소년은 나에게 활발하게 대답했다. ② 기민, 예리함, 명민, 영특함, 기지 : El tiene unos ojos llenos de ~ 그의 눈은 기지로 가득하다. ③ 신선함 ; 격렬함. Contr. apatía, pereza.

vividero, ra *adj.* =**habitable.**

vividez *f.* 《*Neol.*》 팔팔함, 영특함.

vividizo, da *adj.* 《*Méx.*》 =**gorrón, pegote, parásito.**

vivido, da *adj.* 생활 경험이 있는 ; 경험에서 우러난.

vívido, da *adj.* ① 발랄한, 약동하는, 원기 왕성한. ② (색·빛이) 선명한, 밝은, 강렬한, 눈에 띄는. ③ 멋진. ④ 영특한, 두뇌가 예리한, 명민한.

vividor, ra *adj. m.f.* ① 생활하는, 생활력이 강한 (vivaz). ② 끈기있는, 부지런히 일하는 (사람) (muy laborioso y trabajador). —*m.* 기식가(寄食家), 식객, 찰거머리처럼 남에게 빌붙는 사람.

vivienda *f.* ① 집, 주거, 주택, 숙소 (morada, casa) : ~ familiar 가족용 주택. ~ financiada con fondos privados 민간 자금 조달로 건설된

주택. Por allí hay pobres ~*s* 저 근처에는 허술한 주택이 있다. ② 사는 방식, 생활 양식.

viviente *adj.* 살아 있는, 생명이 있는, 생물의 : alma · bicho ~ 살아 있는 인간. seres ~*s* 인간. Sus parientes, pasados y ~*s*, se alababan de su noble linaje 그의 친척은 과거의 사람도 살아 있는 사람도 자기의 고귀한 혈통을 자만하고 있었다. —*m.* ① 생물. ②《*Ecuad.*》 소작인의 일종.

diccionario · enciclopedia ~ 살아 있는 사전, 박식한 사람, 만물 박사.

vivificación *f.* 생명 · 생기를 줌 ; 소생, 부활.

vivificador, ra *adj.* 활기 · 생기를 불어넣는(듯한) : sopla ~.

vivificante *adj.* =**vivificador.**

vivificar *tr.* 7 [*lat.* vivificare] …에 생명 · 생기를 불어 넣다 ; 생생하게 하다, 활기를 불어넣다 (dar vida).

vivificativo, va *adj* 생명 · 생기를 불어 넣을 수 있는.

vivífico, ca *adj.* 생명의, 생명에서 나온.

vivijagua *f.* 【동물】《*Ant.*》 (서인도산의) 큰 개미.

viviparidad *f.* ①【동물】 태생(胎生). ②【식물】 모체 발아(母體發芽).

vivíparo, ra *adj.* ①【동물】 태생의. ②【식물】 모체 발아의. —*m.* 태생 동물 : Los mamíferos son generalmente ~*s.*

vivir[1] *intr.* [*lat.* vivere] ① 살다, 거주하다, 거주하고 있다 (morar, habitar, residir) : ¿Dónde *vive* usted? —*Vivo* en la calle Venezuela 어디에서 사십니까 ? —베네수엘라가에서 살고 있다. La familia *vivía* en una casa magnífica 그 가족은 훌륭한 집에서 살고 있었다. ② 살다, 살아 있다, 생존하다 : *Vive* por milagro 기적적으로 살고 있다. *Vivió* setenta años 그는 70년 살았다. No sé si *vive* o ha muerto 나는 그가 살아 있는지 죽었는지 모른다. ¿Todavía *vive* su abuelo? 당신의 조부님께서는 아직도 살아 계십니까 ? *Viven de* pan 빵을 먹고살고 있다. ③ 살아가다, 생활하다, 지내다 : La vieja *vivía de* sus rentas 노파는 가계 수입으로 살아가고 있었다. Apenas gana lo justo para ~ 그는 살아가는데 빠듯한 것도 벌지 못하고 있다. Aquí se *vive* bien 여기서는 모두 좋은 생활을 하고 있다. *Vivo de* mi trabajo 나는 자신이 일해서 생활하고 있다. ~ en paz 조용히 살아가다. ④ (어떤 상태로) 있다 (estar) : *Vivía* ignorante del suceso 그 사건을 모르고 있었다.

—*tr.* (…의) 생활을 하다 ; 살아가다 ; 어떤 생활을 하다 : *Vivió* una vida triste 쓸쓸한 생활을 했다.

¡Viva! 만세 !, 잘했다 ! *¡vive Dios!* 빌어먹을 !《저주하는 말》. *¿Quién vive?* 누구냐 ?《보초 수하(誰何)》. *ser un viva la Virgen* 바보스럽다. ~ *para ver* 이상하게 느껴지는 감정을 나타내는 말.

vivir[2] *m.* ① 살아가기, 생활 (vida) : de mal ~ 방종한 생활의. ② 끼니를 이어가는 것, 생활의 밑천 : Tengo un modesto ~.

vivisección *f.* 생체 해부.

viviseccionista *m.f.* 생체 해부자.

vivisector, ra *m.f.* =**viviseccionista.**

vivismo *m.* 비베스 학설《철학자 Lius Vives (1492—1540)의 학설》.

vivista *adj.m.f.* 비베스 학파(vivismo)의 (사람).

vivito, ta *adj.* 매우 생기있는.

vivo, va *adj.* ① 살아 있는, 생명이 있는(que tiene vida) : Su esposo está ~ 그의 남편은 살아 있다. Mira, que estoy ~ todavía 보라, 나는 아직 살아 있다. **Contr.** muerto. ② 현재의, 현행의 : lengua *viva* 현대어. La ley está *viva* 이 법률은 아직 효력이 있다. ③ 센, 강한, 격렬한 ; 심한 (intenso) : un dolor ~ 심한 아픔. un movimiento ~ 심한 운동. ④ 기민한, 날쌘, 빈틈없는 : un sujeto ~ 빈틈없는 인간. Es un niño tan ~, que no parece que tenga tan pocos años 그는 아주 빈틈없는 어린이여서, 그다지 어리다고는 생각되지 않는다. **Sinón.** listo. ⑤ 선명한, 산뜻한, 발랄한, 표정적인(muy expresivo) : Su recuerdo está ~ entre nosotros 그의 기억은 우리들 사이에서 아직 선명하다. ⑥ 화를 잘 내는, 성을 잘 내는 : Tiene genio ~ 그는 화를 잘 낸다. —*m.* ① 생자(生者), 살아 있는 사람 : los ~*s* y los muertos 생자와 사자(死者). ② 갓, 모서리, 가장자리 (borde, canto) ; (의류의) 단 두르기. ③ (짐승의) 몸.

lo ~ 급소, 아픈 곳.

a lo ~, *al* ~ 생생하게, 역력하게(con la mayor eficacia).

en ~ 산채로.

vizcacha *f.*《*Arg. Bol. Chile. Perú.*》【동물】 비스까챠《뻬루의 산과 아르헨띠나의 초원에서 사는 토끼 크기만한 쥐무리》.

vizcachera *f.* ① vizcacha의 굴. ②《*Arg.*》 광. ③《*Chile.*》 군대용 가죽 부대.

vizcaíno, na *adj.* 비스까야의. —*m.f.* 비스까야 사람. —*m.* 비스까야 방언.

vizcaitarra *adj.m.f.* 비스까야 지방 자치 · 독립 주장자.

Viscaya *f.*【지명】 비스까야주《수도는 Bilbao》.

vizcondado *m.* 자작(vizconde)의 지위 ; 자작령.

vizcondal *adj.* ① vizconde의. ② vizcondado의.

vizconde *m.* 자작. [*N.* vice와 conde의 합성어].

vizcondesa *f.* 자작 부인.

viznaga *f.*《*Amér.*》 휴지.

V.M. Vuestra Majestad 폐하.

Vmd. vuestra merced.

vn. vellón.

V.º B.º Visto Bueno 가(可), 오케이 ; 검사필.

voacé *m.f.*【고어】 =**usted.**

vocablista *m.f.* 신소리꾼.

vocablo *m.* 언어, 말, 용어, 낱말, 단어(palabra) : ~ extranjero 외국어.

jugar del ~ 말재주를 부리다.

vocabulario *m.* [*lat.* vocabulum] ① [집합] 용어, 어휘, 용어 범위 : Este escritor tiene un ~ muy rico 이 작가는 어휘가 대단히 풍부하다. ② 용어집 ; (용어) 사전(diccionario) : ~ dialectal · regional 방언집. ~ médico 의학 사전. ~ náutico 항해용 사전. ③ 남을 대신하여 말하는 사람 : hablar *por* ~ 들은 말을 그대로 써먹다. No necesito de ~ 남이 대신 말해줄 필요

는 없다, 내 스스로 말한다.
vocabulista *m.f.* 어휘 학자 ; (용어) 사전 편집자. —*m.* 【고어】 =**vocabulario.**
vocación *f.* [*lat.* vocatio] ① 천명(天命), 하나님의 부르심 (llamamiento). ② 천분, 자질, 적(합)성, 성향 : ~ de maestro 선생 기질. ~ artística 예술적 자질. ~ religiosa 종교적 성향. Se necesita una verdadera ~ para trabajar en ese hospital 그 병원에서 일하려면 정말로 적성이 있어야 한다.
errar la ~ 적성에 맞지 않는 직업에 종사하다.
vocacional *adj.* 직업상의 ; 천분・자질이 있는.
vocal *adj.* [*lat.* vocalis] ① 소리의, 음성의, 음성에 관한, 발성의 : cuerdas ~*es* 【해부】 성대. órganos ~*es* 발음 기관. ② 성악의 : concierto ~ 성악대. música ~ 성악. ③ 말에 따라, 구두의. ④ 【문법】 유성(有聲)의 ; 모음의.
—*m.f.* ① 선거권자. ② 이사(理事). ③ (심사) 위원 : Se le nombró ~ del tribunal de oposiciones 그는 전형 위원회의 심사원에 임명되었다.
—*f.* ① 모음자. ② 모음 : ~ abierta a처럼 입을 벌린 모음. ~ anterior i와 e처럼 입을 약간 벌리는 모음. ~ breve 단모음. ~ cerrada i와 u처럼 입을 오므린 모음. ~ débil 약모음 《i, u》. ~ fuerte 강모음 《a, e, o》. ~ nasal 콧소리 모음.
vocálico, ca *adj.* 모음(자)의.
vocalismo *m.* [집합] 모음, 모음 체계.
vocalista *m.f.* (오케스트라 반주단과 함께 노래하는) 가수.
vocalización *f.* ① 【음악】 발성, 발성법. ② 【문법】 무성음의 유성화.
vocalizador, ra *adj.* 발음・발성 연습을 하는.
vocalizar *intr.* 9 발음・발성 연습을 하다, 멜로디를 연습하다. —*tr.* 유성화하다.
vocalmente *adv.* 음성으로, 말로, 구두로.
vocativo *m.* [*lat.* vocativus] 【문법】 호격 ; 부르는 말 : Escúchame, *hijo* 얘야, 내 말을 들어봐라.
voceador, ra *adj.* 아우성치는, 큰 소리로 부르는. —*m.f.* ① 외치며 파는 사람(pregonero). ② 《*Col. Ecuad.*》 신문팔이.
vocear *intr.* 큰소리치다, 아우성치다(dar voces). —*tr.* ① 큰소리로 알리다, 알리고 다니다. ② 소리쳐 팔다 (pregonar) : ~ los periódicos. ③소리소리치다 ; 환호하다(aplaudir) : *Vocearon* su nombre en el estadio. ④ 분명하게 말하다, 이야기하다 : Esta sangre *vocea* un crimen.
vocea un crimen.
vocecita *f. dim.* voz.
vocejón *m.* 큰 목소리(vozarrón).
voceo *m.* vocear 하는 일.
vocería *f.* ① 찌렁찌렁한 소리, 소음, 웅성거리는 소리(gritería). ② 대변인의 지위・업무・사무소.
vecerío *m.* 아우성, 소란(gritería).
vocero *m.* 대변자, 대변인(portavoz) : Oímos al ~ del gobernador.
voces *f.pl.* voz의 복수형.
vociferación *f.* 절규, 외침, 노호, 성내어 소리지름.
vociferador, ra *adj.m.f.* 아우성치는, 노호하는 (사람).
vociferante *adj.m.f.* =**vociferador.**
vociferar *intr.* [*lat.* vocifrari] 아우성치다, 악을 쓰다, 노호하다, 외쳐 대다, 소리소리 지르다. [Sinón.] gritar. —*tr.* 돌아다니며 소리쳐 알리다 : ~ injurias.
vocingleo *m.* =**vocinglería.**
vocinglería *f.* ① 외침, 절규 (gritería, vocerío). ② 쓸데없이 노닥거림.
vocinglero, ra *adj.m.f.* 소리치는, 악다구니 쓰는, 노닥거리는 (사람) : niña ~*ra.*
vodca *f.* 보드카 《호밀・옥수수・감자로 만든 러시아의 화주(火酒)》.
vodka *m.* =**vodca.**
voivoda *f.* 【고어】 (발칸 제국과 폴랜드의) 주지사(vaivoda).
vol. volante ; volumen 부(部), 책, …권 ; 용적 ; voluntad 의지.
volada *f.* ① (단거리의) 비상(飛翔), 한번 날기. ② 【방언】 일진 광풍(ráfaga). ③ 《*Arg.*》 호기(好機). ④ 《*Arg.*》 사건, 일어난 일(lance). ⑤ 《*Ecuad.*》 사기, 속임수(engaño, estafa, trampa). ⑥ 《*Méx.*》 날조한 뉴스.
a las ~*s* 재빨리, 민첩하게, 날쌔게, 날듯이 (en volandas).
voladera *f.* (물레방아의) 물받이판(paleta).
voladero, ra *adj.* ① 날 수 있는 (que puede volar). ② 갑자기 떠올랐다가 사라지는, 덧없는. —*m.* 절벽, 단애.
voladizo, za *adj.* 튀어나온, 돌출된 (saledizo) : balcón ~ 돌출 발코니.
—*m.* (건물의) 돌출부 ; 출창(出窓).
volado, da *adj.* ① 풍지 박산이 된, 날아가 버린, 나르는 : ave ~*ra.* ② 떠오른. ③ 《*Méx.*》 [+con : …에게] 정신없이 빠져 버린 : José anda muy ~ con Lola 호세는 롤라에게 홀딱 빠져 버렸다. —*m.* ① 문자나 행의 오른쪽 위에 타는 작은 활자 : S^r, D^n, Fr^{co}. ② 카르멜라, 경석당(輕石糖). ③ 《*AmérC.*》 소문. ④ 《*Arg. Venez.*》 (스커트의) 옷자락의 주름(volante). ⑤ 《*Méx.*》 연인 : tener un ~ 연인이 있다.
volador, ra *adj.* ① 날으는, 날아가는 : insecto ~ 나는 곤충. pez ~ 날치. platillo ~ 비행 접시. saeta ~*ra* 날으는 화살. ② 회전하는 : piedra ~*ra* 맷돌의 회전석. ③ 공중에 뜬, 공중에 매달린. ④ 경쾌하게 달리는, 가볍게 달리는, 경쾌한. ⑤ 《*Ecuad.*》 재치있는, 재빠른, 날샌, 날렵한(ingenioso).
—*m.* ① 꽃불 (cohete). ② 【어류】 날치(pez volante). ③ 【식물】 (남미산) 월계수 무리.
—*f.* 《*Cuba.*》 【기계】 속도 조절 바퀴(volante).
voladura *f.* [*lat.* volatura] (공중을) 나르기, 풍지 박산, 폭발 : la ~ de un edificio.
volamiento *m.* 《*Méx.*》 멍청해짐 ; 홀딱 빠짐 (chifladura).
volandas (en) *adv.* ① 공중을 날아 (por el aire, sin tocar el suelo) : ~ en andas y ~ 날으는 것처럼 빨리, 재빨리. ② 빨리(rápidamente). [*N.* 아메리카에서는 a las ~].
volandear *tr.* 바람으로 움직이다.
volandera *f.* ① (맷돌의) 회전석. ② 맷돌. ③ =**arandela.** ④ 거짓말(mentira).
volandero, ra *adj.* ① 날기 시작하는 (새) ; 공중에 뜬, 부동(浮動)하는. ② 뜻밖의, 우연한

(accidental, imprevisto).

volandillas (en) *adv.* 공중을 날아 ; 재빨리.

volandito *adv.* =**volando.**

volando *adv.* 곧, 즉시(en seguida).

volanta *f.* ①《*Col. PRico.*》【기계】속도 조절 바퀴(voladora, volante). ②《*Méx.*》차, 마차(coche).

volante *adj.* ① 나는, 날으는 : platillo ~ 비행 접시. ② 이동·유동하는. ③ 떼어낼 수 있는(de quita y pon) : asiento ~. ④ 유격의 : cuerpo ~ 유격대.

—*m.* ① 끝에 깃털을 달아 치는 장난감 ; 배드민턴. ②【기계】정속륜(整速輪). ③ (자동차의) 핸들, 타륜(舵輪) : Estuvo dos horas al ~ 그는 2시간 핸들을 잡았다. ④ (시계의) 평형륜(平衡輪). ⑤ (화폐의) 각인기(刻印機). ⑥ (스커트 자락의) 주름 : Salió la artista con una falda de ~*s* 그 예술인은 주름 스커트를 입고 나왔다. ⑦《*Perú.*》연미복(el frac). ⑧ 포스터, 전단. ⑨ 메모, 메모 용지 : ~ de depósito 예금 입금표. El médico me dio un ~ para el especialista 의사가 전문의에게 가도록 메모를 써 주었다. ⑩ 사환, 사동, 급사.

volantín, na *adj.* 나는, 날으는(volante).

—*m.* ① 낚싯줄. ②《*Amér.*》연(cometa). ③ 제비넘기. ④《*Bol.*》꽃불(cohete).

dar ~《*Méx.*》(속여서) 열중하게 하다 ; 우롱하다.

volantón, na *adj. m.f.* ① 날기 시작하는 (새). ②《*Ecuad.*》떠돌이의, 방랑의, 유랑하는, 집없는 (사람)(vagabundo).

volapié (a) *adv.* 달려가듯이 ; 날개와 발을 사용하여, 헤엄도 치고 발로 땅을 짚기도 하면서 : dar una estocada *a* ~.

volapuk *m.* 세계어로 사용하기 위해 Johann Martin Schleyer에 의해 1879년에 만들어진 언어《현재 거의 잊혀지고 있음》.

volar *intr.* ㉔ [*lat.* volare] ① (새가) 날다 ; (공중·하늘을) 날다, (비행기로) 날다, 비행하다 : El avión *volaba* a lo largo del río 그 비행기는 강을 따라서 날고 있었다. Los pájaros *vuelan* de rama en rama 새가 가지에서 가지로 날고 있다. ~ en un trimotor 삼발 비행기로 비행하다. ② 날아오르다. ③ 달리다, 질주하다, 날듯이 달리다, 쏜살같이 달리다, 지나가다 : Este caballo *vuela* 이 말은 날듯이 달린다. El tren *volaba* 기차는 날으는 듯이 달렸다. El tiempo *vuela* ; Las horas *vuelan* 세월은 유수와 같다, 광음여류(光陰如流) (El tiempo corre·pasa como una flecha). Ven *volando* 급히 오너라. ④ 빨리빨리하다, 서둘다 : Ha escrito el libro *volando* 그 책을 그는 빠른 솜씨로 탈고했다. ⑤ 날아 흩어지다, 날아가 버리다 ; 순식간에 없어지다 : El dinero *vuelan* 돈이란 쉬 없어지는 것이다. ⑥ 눈깜짝할 사이에 퍼지다 : *Voló* la noticia de boca en boca 뉴스는 입에서 입으로 급속히 퍼졌다. ⑦ 볼록하게 나와 있다, 불쑥 내밀어 있다 : El tejado *vuela* sobre el jardín.

—*tr.* ① 날리다 : ~ la cometa 연을 날리다. ② 날려버리다, 폭파하다 : *Volaron* el puente con dinamita 그 다리는 다이너마이트로 폭파되었다. ③ 발끈하게 만들다 : Aquella pregunta me *voló* 그 질문이 나를 발끈하게 만들었다. ④ (사냥에서 짐승을) 몰아내다, 쫓아내다, 날아오르게 하다. ⑤《*Méx.*》교묘한 수로 속이다 ; 거짓 사랑을 하다 : José anda *volando* a Lola. ⑥ (뉴스를) 날조하다.

~se ① 높이 날아오르다 : *Se* me *han volado* todos los papeles 내 종이가 모두 날아가 버렸다. ②《*Amér.*》까닭없이 발끈 화내다(encolerizarse) : ~*se* de rabia.

~ ***con sus propias alas*** 자력(自力)으로 하다.

[직설법 현재 : vuelo, vuelas, vuela, volamos, voláis, vuelan. 접속법 현재 : vuele, vueles, vuele, volemos, voléis, vuelen].

volata *m.*【은어】창문이나 지붕을 통해 들어오는 도둑.

volate *m.*《*Col.*》뒤범벅 ; 풍부, 많음.

volateo (al) *adv.* 나는 것을 향해 (쏘다 등).

volatería *f.* ① [집합] 새 ; 가금류. ② 새잡이, 매사냥. ③ 부질없는 공상, 터무니없는 공상, 공상의 비약. ④《*Ecuad.*》[집합] 꽃불 ; 꽃불 가게·공장.

de ~ 이 궁리 저 궁리로.

hablar de ~ 실언하다, 빈말을 하다.

volatero *m.* ① 새잡이, 새잡이 사람, 매잡이. ②《*Ecuad.*》꽃불.

volatero, ra *adj.m.f.* 불안정한 ; 변덕스런 (사람).

volátil *adj.* ① 날으는. ② 경박한, 들뜬, 갈팡질팡하는, 변덕스러운, 달라지기 쉬운(mudable). ③【화학】기체화하는, 휘발하는, 휘발성의 : álcali ~ 암모니아수, 암모니아 가스 (el amoníaco). aceite ~ 휘발성 기름, 휘발유.

—*m.* 새 ; 조류.

volatilidad *f.*【화학】휘발성.

volatilizable *adj.* 휘발할 수 있는, 기화할 수 있는.

volatilización *f.* 휘발, 발산, 기화(氣化) ; 무산(霧散).

volatilizar *tr.* ⑨ 휘발시키다, 기화하다 : ~ azufre.

~se 휘발하다, 기화하다 ; 발산하다 ; 사라져 버리다 : *Se volatilizó* el dinero 돈이 없어져 버렸다.

volatín *m.* ① 곡예. ② 곡예사(volatinero).

volatinero, ra *m.f.* 곡예사(equilibrista).

volatizar *tr.* ⑨ =**volatilizar.**

vol-au-vent *m. fr.* 고기 파이의 일종. [*N.* 발음 : volován].

volcable *adj.* 바꿀 수 있는 ; 전복시킬 수 있는.

volcador, ra *adj.* 뒤집는, 뒤집는데 사용하는.

—*m.* 화물용 승강기·엘리베이터.

volcán *m.* [*lat.* vulcanus] ① 화산 : ~ apagado·extinto 사화산. ~ vivo 활화산. principal ~ 주요한 화산. En Chile los *volcanes* son numerosos y activos 칠레에는 화산이 많고 활동하고 있다. ② 성급한 사람(persona impetuosa). ③ 열렬함, 열정. ④《*AmérM.*》여름의 물난리(torrente, avenida grande de agua). ⑤《*AmérC.*》다수, 많음(multitud). ⑥ 소란. ⑦《*Col.*》절벽, 단애(derrumbadero, precipicio).

estar sobre un ~ 위험한 상태로 있다.

volcanada *f.*《*Chile.*》=**bocanada, tufarada.**

volcancito *m.*《*Amér.*》뜨거운 진흙이 뿜어나오는 작은 화산.

volcanejo *m.* [*dim.* volcán] 소화산(小火山).
volcanicidad *f.* =**volcanismo.**
volcánico, ca *adj.* ① 화산의 ; 화산성의 ; 화산 작용에 의한 ; 화성(火成)의 ; 화산이 있는, 화산이 많은 : escorias ~*cas* 화산암재. ② 폭발성의, 격렬한, 타는 듯한(ardiente) : carácter ~ 불같은 성격.
volcanismo *m.* 화산 활동·현상.
volcanización *f.* 【광물】 화산암의 형성.
volcanología *f.* 화산학(vulcanología).
volcanólogo, ga *m.f.* 화산 학자.
volcar *tr.* ㉔ ⑦ ① 뒤집어 버리다, 엎어 버리다, 전복시키다 : El niño *volcó* la copa 그 소년은 컵을 엎어 버렸다. ② 그릇·내용을 비우다 : Los peones *vuelcan* sus cestos en el suelo 인부들은 바구니 속의 물건을 땅 위에 비운다. ③ 질겁하게·멍하게 만들다(turbar) : Ese perfume me *vuelca* 그 향수의 향기가 강해 내 머리를 멍하게 한다. ④ 생각·의견을 바꾸게 하다, 전향시키다. ⑤ 조바심나게 하다.
—*intr.* 뒤집히다, 전복하다 : El camión *volcó* en la cuesta 트럭이 언덕에서 전복했다. El coche *volcó* al dar una curva 자동차는 커브를 돌려다 전복했다.
~se ① 엎어지다 : Que no *se vuelque* el vaso 컵이 넘어지지 않도록 (조심해라). ② 진력하다 : El tío *se volcó* para conseguirme el empleo 숙부가 진력해서 내 직업을 마련해 주었다.
[직설법 현재 : vuelco, vuelcas, vuelca, volcamos, volcáis, vuelcan. 접속법 현재 : vuelque, vuelques, vuelque, volquemos, volquéis, vuelquen. 직설법 부정과거 1인칭 단수 : volqué].
volea *f.* ① 공중에서 받아치기(voleo). ② (마소의) 껑거리 막대.
voleador *m.* 【은어】 feria의 도둑.
volear *tr.* ① 되받아치다, (공중에서) 때리다 : ~ la pelota 공을 공중에서 되받아치다. ② 흩뿌리다 : ~ el trigo 밀을 뿌리다. ③ 《*Amér.*》 = **bolear.**
voleibol *m.* 배구(balonvolea).
voleo *m.* ① (공을 공중에서) 때림, 되받아치기 : dar un ~ a la pelota. ② 서반아 춤의 동작. ③ 때려 눕히기.
al ~ 드문드문, 훌훌 : sembrar *al* ~ 훌훌 씨앗을 뿌리다.
del primer ~, *de un* ~ 민첩하게, 날래, 재빨리, 잽싸게.
volfram *m.* ① 【광물】 =**volframita.** ② 【화학】 =**volframio tungsteno.**
volframato *m.* 【화학】 볼프람산염(wolframato).
volfrámico, ca *adj.* 【화학】 볼프람산의 (wolfrámico).
volframina *f.* 【광물】 볼프람 광산(wolframina).
volframio *m.* 【화학】 텅스텐, 볼프람.
volframita *f.* (철분과 마그네슘이 함유된) 볼프람 원광.
volibol *m.* 배구, 발리볼.
volición *f.* 의지 작용, 의지력, 의욕(voluntad).
volido *m.* 《*León. Amér.*》 =**vuelo.**
volitar *intr.* [*lat.* volitare] =**revolotear.**
volitivo, va *adj.* 의지의.
volován *m.* =**vol-au-vent.**
volovelismo *m.* 모터없는 글라이더를 조종하는 스포츠.
volovelista *m.f.* volovelismo를 하는 사람.
volquearse *r.* 굴러 다니다.
volquetazo *m.* =**vuelco.**
volquete *m.* 덤프카 (트럭) ; 전도식 운반차, 전동기 : ~ de vagones.
volquetero *m.* volquete의 운전수.
vols. volúmenes.
volsco, ca *adj.m.f.* 라시오 《Lacio, 옛날 이탈리아의 마을》의 (사람).
volt *m.* =**voltio.**
volta *f.* 【음악】 반복 : prima ~ ; seconda ~.
voltaico, ca *adj.* ① 볼타 《Alessando Volta, 이탈리아의 물리학자(1745—1827)》 식의 : arco ~ 아크등, 호광(弧光), 전호(電弧), 아크 방전. ② 유전기(流電氣)의.
voltaísmo *m.* 【전기】 유전기.
voltaje *m.* 【전기】 전압(량), 볼트수(數).
voltámetro *m.* 【전기】 볼타계(計), 전해 전량계(電解電量計) 《전류계의 일종 ; 전기 분해에 의해 전류의 세기를 측정하는 계기》.
voltampere *m.* 【전기】 볼트 암페어, 피상 전력.
voltamperio *m.* 【전기】 =**voltampere.**
voltariedad *f.* ① 경박. ② 난봉, (남녀의) 바람기.
voltario, ria *adj.* ① 경박한, 경망스러운 (versátil, cambiadizo). ② 《*AmérM.*》 응석받이의, 변덕스러운.
volteada *f.* 《*Arg.*》 마소를 무리에서 분리하는 일.
caer en la ~ (숨어다니던 사람이) 끝내 붙잡히다.
esperar en la ~ 길 입구에서 기다리다.
volteado, da *adj. m. f.* 《*Col.*》 변절한 (사람), 절교한 (사람)(tránsfuga).
volteador, ra *adj.* 회전하는. —*m.f.* 곡예사.
voltear *tr.* ① 회전시키다, 빙빙 돌리다, 내두르다, 휘두르다 : El atleta *volteó* el martillo 육상 선수는 해머를 빙빙 돌렸다. ② 뒤집다, 옮기다, 이동시키다, (장소를) 바꾸다 : *Voltee* usted la hoja 그 페이지를 뒤집으십시오. ③ (…에) 원형 천장을 두르다. ④ 《*Arg. Chile.*》 넘어뜨리다, 쓰러뜨리다 (derribar). ⑤ 《*Méx.*》 흘리다, 비우다(derramar).
—*intr.* ① 회전하다, 구르다, 곤두박치다 ; 제비넘기를 하다, 공중제비를 넘다 : El volatinero *volteó* en el trampolín 곡예사는 트람폴린 위에서 재주를 넘었다. ② 《*Ant. Arg.*》 이리저리 냄새맡고 다니다(recorrer para vigilar). ③ 《*Amér.*》 돌리다(volver) : ~ la espalda 등을 돌리다. ④ 《*Amér.*》 =**derramar, volcar, derribar.**
~se ① 《*Col. Chile. PRico.*》 전향하다, 당적을 바꾸다 : El *se volteó* a otro partido 그는 다른 당으로 전향했다. ② 뒤로 돌다 : *Voltéese* usted 뒤로 도십시오. ③ 《*Venez.*》 여자가 다른 남자로 갈아치우다.
voltearepas *m.pl.* 《*Col.*》 변덕쟁이.
voltejeo *m.* 안을 뒤집기.
voltejear *tr.* ① 안을 뒤집다, 돌리다(voltear, dar vueltas). ② (배를) 바람이 불어오는 쪽으로 돌리다.
volteleta *f.* =**voltereta.**

volteo *m.* ① 빙글빙글 돌기, 뒤엎어지기, 안을 뒤집기. ② 《*PRico.*》 =**reprensión.** ③ 【전기】 전압 ; 전위차(電位差).

voltereta *f.* ① 공중제비 ; 재주넘기 : dar ~ 재주를 넘다. ② 엎어 놓은 카드를 보이는 일.

volterianismo *m.* 볼테르 《Voltaire, 1694–1778, 프랑스의 문학자·철학자》 철학 ; 회의주의 ; 회의심(espíritu de incredulidad).

volteriano, na *adj.* ① 볼테르 철학의 : impiedad ~*na*. ② 회의주의의 ; 회의적인. —*m.f.* 회의주의자.

volteta *f.* =**voltereta.**

volti *m. ital.* 다음에 계속된다는 것을 알려주기 위해 페이지 끝에 쓰인 말 : ~ súbito.

voltígero *m.* (옛날의) 정선된 병사.

voltijear *intr.* 《*Galic.*》 =**revolotear.**

voltímetro *m.* 【전기】 전압계.

voltio *m.* 【전기】 볼트, 전위차 《전압의 실용 단위》.

voltizo, za *adj.* ① 우글쭈글해진, 곱슬곱슬해진, 꼬인(torcido). ② 경박한, 들뜬, 바람난 (versátil).

volubilidad *f.* ① 감기기 쉬운 일. ② 언변이 유창함 ; 다변, 수다스러움(charla, locuacidad) ; 방정 맞음 ; 경박함, 자발머리가 없음.

volúbilis *m.* 【식물】 메꽃, 나팔꽃, 덩굴 식물류 (enredadera).

voluble *adj.* [*lat.* volubilis] ① 감기는 ; 잘 도는. ② 경망스러운, 자발머리 없는, 마음이 들뜬 (voltario, versátil). ③ 【식물】 덩굴의, 덩굴이 되는 : el tallo ~ de la enredadera.

volumen *m.* [*lat.* volumen] [*pl.* volúmenes] ① 책, 서적. ② (책의) 부(部), 권 : descomponer un tomo en *volúmenes* 한 권의 책을 여러 부로 나누다. obra en cuatro *volúmenes* 네 권짜리 작품. He comprado una enciclopedia en tres *volúmenes* 나는 3권짜리 백과 사전을 샀다. ③ 부피, 크기, 양(tamaño) : El Amazonas es el que arrastra mayor ~ de agua en todo el mundo 아마존강은 세계 최대의 수량(水量)을 운반하고 있다. ④ 액수, 금액. ⑤ 용적, 체적 (solidez) : ¿Sabe usted cuánto mide el ~ de este bloque de piedra? 이 돌의 체적이 얼마나 되는지 아십니까? ⑥ 음량(音量).

~ ***crediticio*** 대부액, 대부량. ~ ***de comercio exterior*** 무역 거래고. ~ ***de construcciones*** 건축량. ~ ***de la demanda*** 수요량. ~ ***de las ventas*** 매상고. ~ ***de mercancías*** 상품고. ~ ***de operaciones*** 거래고, 거래 금액. ~ ***de tráfico*** 교통량. ~ ***de ventas*** 판매액, (총)매상고, 매출량 : El ~ *de ventas* ha sido extraordinario este año 금년은 매출량이 대단했다. ~ ***mensual de ventas*** 월간 매상고. ~ ***mínimo de venta establecido en el contrato*** 협정 최소한 매상고.

volumetría *f.* ① 용적 측량학. ② 【화학】 용량 분석법.

volumétrico, ca *adj.* 용적 측정의, 용적의.

volúmetro *m.* 비중계(比重計).

voluminoso, sa *adj.* 부피가 큰, 용적·체적이 큰 : un cuerpo ~ 커다란 몸. ¿Qué hacemos con este paquete tan ~? 이렇듯 부피가 큰 소포를 어떻게 할 것인가?

voluntad *f.* [*lat.* voluntas] ① 뜻, 의지 : ~ colectiva 주주 총회에서의 집합 의사. ~ de hierro 굳은 의지. Dio a conocer su ~ 그는 그의 의지를 알려주었다. No tiene ~ para dejar de fumar 그에게는 흡연을 그만둘 의지가 없다. ② 의욕. ③ 임의(성) : a ~ 임의로, 마음대로. ④ 신의(神意). ⑤ (애)정, 호의 : La abuela le tiene mucha ~ a aquella nieta 할머니는 그 손녀에게 애정이 깊다.

buena·mala ~ 선의·악의.

de buena ~ 기꺼이 ; 진심으로(con agrado).

ganarse la ~ 누구의 호의를 얻다.

última ~ 유언, 유명(遺命).

zurcir ~***es*** 남녀의 정사에 중간 역할을 하다.

voluntariado *m.* 의용병 (지원), 의용병단.

voluntariamente *adv.* 자발적으로, 임의로.

voluntariedad *f.* 임의, 수의(隨意), 자발성 ; 변덕, 응석 ; 조변석개(朝變夕改)(capricho).

voluntario, ria *adj.* ① 자유 의사에 의한, 자발적인, 임의의, 수의(隨意)의 ; 지원의 : acto ~ 자발적인 행위. una contribución ~*ria* 자발적인 기부. tropas ~*rias* 의용군. Fue un acto ~ no obligado 그것은 자발적인 행위이지 의무적인 것은 아니었다. ② 변덕스러운, 고집이 있는 (voluntarioso). —*m.f.* 의용병, 지원병 ; 독지가, 유지(有志). **Contr.** involuntario.

voluntariosamente *adv.* 변덕스럽게, 조변석개로 ; 고집스럽게 ; 의욕적으로, 활기차게.

voluntarioso, sa *adj.* ① 고집센, 옹고집의(terco) : un niño muy ~. ② 변덕스러운 ; 변덕이 죽끓듯 하는, 조변석개의(caprichoso) : un niño muy ~ 변덕이 심한 아이. **Contr.** dócil. ③ 의욕적인, 의욕이 강한 : un obrero ~.

voluntarismo *m.* (종교 교육상의) 임의 기부 제도 ; 자유 지원병 제도.

voluntarista *adj.m.f.* 자유 지원병 제의 (사람).

volunto *m.* ① 변덕스러움(capricho). ② 의지, 뜻(voluntad).

voluptuosamente *adv.* 관능적으로, 욕육적으로.

voluptuosidad *f.* ① (관능적인) 쾌감 ; 쾌락 : beber con ~. ② (일반적인) 기쁨 : ~*es* del estudio 공부·연구의 기쁨. ③ 방탕. **Sinón.** deleite. **Contr.** castidad.

voluptuoso, sa *adj. m.f.* ① 향락에 빠진, 육욕에 빠지는, 주색에 빠지는 : hombre ~ 주색에 빠진 사람, 주색 잡기에 여념이 없는 사람. ② 육욕을 자극하는 ; 육감적인, 도발적인 ; 요염한, 관능적인 (여자). **Contr.** casto.

voluta *f.* ① 【건축】 소용돌이 무늬 《특히 이오니아 및 코린트식 기둥 머리 장식의》. ② 《*Neol.*》 =**espiral.** ③ 조개류.

volva *f.* 【식물】 =**velo fugaz.**

volváceo, a *adj.* 【식물】 자루(bolsa) 비슷한.

volvedor, ra *adj.* 《*Arg. Col.*》 (주인의 의사에 반대로) 자꾸만 본래의 자리로 돌아가고 싶어하는 (말). —*m.* 《*Col.*》 덤 ; 에누리 ; 첨가물 (ñapa).

volver *tr.* ㉕ [*lat.* volvere] ① 되돌아가다. ② 넘기다, 뒤집다 : ~ la hoja del libro 책장을 넘기다. ~ el vestido al revés 옷을 뒤집다. ③ 거꾸로 뒤집다, 반대쪽으로 돌리다 : ~ la mesa 탁자를 반대쪽으로 돌리다. ~ lo de abajo arriba

어수선하게 혼란시키다. *Vuelve* el colchón poniéndolo de arriba abajo 이불을 윗쪽을 밑으로 하여 뒤집으십시오. ④ 되돌려 놓다, 본래 있던 자리에 놓다 : *Volvió* el libro al estante 책을 책장에 되올려 놓았다. ⑤ (꾸어서 샀던 것을) 돌려주다 (devolver) : Ya le *volveré* el libro cuando lo haya leído 그 책을 읽으면 돌려드리겠습니다. ⑥ 답을 보내다, 보답하다(corresponder, pagar) : ~ un favor 어떤 호의에 보답하다. ⑦ 거스름돈을 돌려주다. ⑧ 퇴짜놓다, 거절하다, 도로 돌려주다(rechazar) : La pared *vuelve* la pelota. ⑨ 돌리다, 향하다 (dirigir, caminar) : ~ los ojos *a* · *hacia* la puerta 눈을 문 쪽으로 돌리다. Al oir su nombre *volvió* la cabeza 자기의 이름을 듣고서 그는 얼굴을 뒤로 돌렸다. ⑩ (어떤 상태·성질로) 하다, 바꾸다 (mudar) : *Volvió* el agua *en* vino 물을 술로 만들었다. Esa idea me *vuelve* loco 그 생각은 나를 미치게 만든다. El líquido *se volvió* negro 그 액체는 검게 됐다. ⑪ 생각을 돌리게 하다, (누구의) 생각·의견을 달리하게 하다 : Le *volvimos* en seguida 그에게 바로 고쳐 생각하게 했다. ~ la hoja 마음·생각을 고쳐 먹게 하다. ⑫ 번역하다(traducir).. ⑬ 토하다, 게우다, 구토하다 (vomitar).

—*intr.* ① 돌아가다, 돌아오다, 제자리로 가다 (regresar) : ~ *a* casa *de*l viaje 여행에서 집으로 돌아오다. Mi padre *volverá* mañana 제 부친께서는 내일 돌아오십니다. ② (현재 있는 곳으로) 다시 오다 : *Volveré* pronto 곧 또 오겠다. No pienso ~ a este hotel 나는 두 번 다시 이 호텔에 올 생각은 없다. ③ 다시 하다, 원상으로 돌아오다·돌아가다 : ~ *a* la cuestión 다시 처음의 문제로 돌아가다. ④ 회복하다, 돌이키다 : ~ en sí del desmayo 실신에서 깨어나다. ⑤ 향하다, 구부러지다(torcer) : El camino *vuelve a* · *hacia* la izquierda 길은 왼쪽으로 구부러진다. ⑥ [+a+*inf.*] 다시·또 …하다 : Estaba de vuelta ; parece que *volvió a* salir 그는 돌아와 있었으나 또 나간 모양이다. No *volveré a* hacer tal cosa 다시는 그런 짓을 하지 않겠어. No le *he vuelto a* ver 그후 그를 다시 만나지 못했다. El *volvió a* leer la carta 그는 또 한번 그 편지를 읽었다. ⑦ [+por : …의] 편에 서다, 지키다 (defender) : ~ *por* sus hijos 자기 자식의 편에 서다. ~ *por* la verdad 진리를 옹호하다.

~se ① 돌아오다, 돌아가다 (regresar) : *Se ha vuelto* a casa muy orgulloso 그녀는 매우 뽐내며 집에 돌아왔다. Déjalo, que el disco *se vuelve* él solo 내버려 두시오 ; 레코드는 저절로 되돌아오니까. ② 되돌아보다, 돌아보다 : Al cruzar la calle *se volvió* hacia nosotros 길을 건너려고 하면서 그는 우리 쪽을 뒤돌아 보았다. ③ 마음을 고쳐먹다. ④ (상태·성질로) 되다, 변하다 (mudarse, tornarse) : *Se* le *ha vuelto* el pelo muy blanco 그의 머리카락이 무척 희어졌다. En invierno las montañas *se vuelven* blancas 겨울에는 산들이 하얗게 된다. ⑤ (술 등이) 시어지다. ⑥ 뒤집히다 : *Se* le *ha vuelto* el paraguas con el viento 그의 우산이 바람에 뒤집혀졌다.

~ *por sí* 몸을 지키다 ; 행실을 고쳐 신용을 회복하다.

~ ***artás*** 식언(食言)하다 : El dijo que vendría pero *se ha vuelto atrás* 그는 오겠다고 말했으나 식언했다.

~ ***sobre sí*** ① 반성하다 : El *volvió sobre sí* 그는 반성했다. ② 잃었던 것을 회복하다 ; 제정신을 돌이키다.

~ ***sobre su acuerdo*** 생각을 바꾸다, 완전히 전향하다.

~***se contra · en contra de*** (누구한데) 성내다, 노하다, 화내다(enfadarse con) ; (누구를) 눈의 가시로 보다.

~***se todo*** …할 뿐이다 : *Todo se* la *volvía* cavilar 그녀는 생각에 잠길 뿐이었다. *Todo se* nos *volvía* caminar y más caminar 우리는 마냥 걸을 뿐이었다.

[직설법 현재 : vuelvo, vuelves, vuelve, volvemos, volvéis, vuelven. 접속법 현재 : vuelva, vuelvas, vuelva, volvamos, volváis, vuelvan. 과거 분사 : vuelto].

volvible *adj.* 변하기 쉬운, 변할 수 있는.

volvo *m.* 【의학】 장염전증(腸念轉症) 《장관(腸管)이 뒤틀리어 꼬이는 증세》 (íleo).

vólvulo *m.* 【의학】 =**volvo.**

volley-ball *m. ing.* =**balonvolea.**

vómer *m.* 【해부】 (코의) 보조뼈.

vómica *f.* 【의학】 폐의 농양.

vomicina *f.* 독성이 있는 씨에서 뽑은 알칼로이드의 하나.

vómico, ca *adj.* 구토를 일으키는.

nuez ~ca 독성이 있는 씨.

vomipurgante *adj.* 구토의 ; 구토를 일으키게 하는. **—*m.*** 구토제.

vomipurgativo, va *adj. m.* =**vomipurgante.**

vomitadera *f.* 《*Col.*》 =**vómitos.**

vomitado, da *adj.* 극도로 쇠약해진, 기운이 빠질대로 빠진, 허약해진.

vomitador, ra *adj.m.f.* 구토하는 (사람).

vomitar *tr.* [*lat.* vomitare] ① 게우다, 구토하다, 토하다 : ~ el almuerzo 점심을 토하다. ~ la comida 음식을 토하다. ② 뱉아내다, 뿜어내다 : Los cañones *vomitaban* el fuego 대포는 불을 뿜어냈다. ③ 털어놓고 말하다. ④ (연기·욕설 따위를) 내뱉다 : Ella *vomitaba* injurias 그녀는 욕지거리를 했다. ⑤ (훔친 것을) 토해내다·반환하다.

vomitel *m.* 《*Cuba.*》 【식물】 오랜지색 꽃의 관목.

vomitivo, va *adj.* 구토의, 구토를 일으키게 하는. **—*m.*** 구토제.

vómito *m.* [*lat.* vomitus] 구토, 구역질 : provocar a ~ 구역질이 나게 하다. ② 토한 것 : ~ de sangre 각혈(咯血), 객혈. ~ negro · prieto 황열병(黃熱病).

volver el ~ 못된 버릇을 다시 하다.

vomitón, na *adj.* 자주 토하는 : niño ~. **—*f.*** 심한 구토.

vomitono *f.* 심한 구토.

vomitoria *m.* ① 구토제. ② (고대 로마 극장의) 출입구.

vomitorio, ria *adj.m.f.* =**vomitivo.**

¡voo! *interj.* 기사가 오른쪽으로 가도록 하기 위해 지르는 소리.

voquí *m.* 《*Chile.*》 【속어】 =**bejuco.**

voquible *m.* 【희극】 =**vocablo.**

vorace *adj.* 【시어】 =**voraz.**
voracear *tr.* 《*Arg.*》 큰소리치고 도전하다.
voracidad *f.* 대식(大食), 폭식, 게걸스러움.
vorágine *f.* 소용돌이(remolino).
voraginoso, sa *adj.* 소용돌이가 있는 (곳).
vorahúnda *f.* =**baraúnda.**
voraz *adj.* [*lat* vorax, voracis] ① 게걸스러운, 들입다 먹는, 마구 정신없이 먹는, 모조리 먹어 치우는 : un animal ~, tigre ~. ② 물릴 줄을 모르는 : codicia ~. ③ 맹렬한 : fuego ~. ④ 탐욕스런.
vorazmente *adv.* 게걸스럽게, 걸신들린 듯이.
vormela *f.* 【동물】 (북 유럽산의) 흰족제비.
vorraz *m.* 《*Ar.*》 =**borraz.**
vórtex *m. lat.* 소용돌이(torbellino, remolino).
vórtice *m.* 소용돌이, 회오리바람(torbellino) ; 태풍의 눈.
vorticela *f.* 【곤충】 종벌레.
vortiginoso, sa *adj.* 소용돌이치는, 소용돌이의.
vos *pron.* [*lat.* vos] ① 【고어】 임자, 귀하, 당신, (신에게) 당신. ② [남미에서는 tú 대신에 쓰며, 동사의 형태는 특별하다] 너, 그대 : *Vos* sois ; *Vos* sabéis. [*N.* 단·복수 동형 ; 동사는 2인칭 복수가 됨 ; 형용사는 성·수에 일치시킨 형을 취함 ; 전치사가 따를 수 있음] : *Vos,* señora, *sois* caritativa 마님, 마님께서는 그지없이 자비로우신 분이십니다. Os busco a ~ 나는 그대를 바라고 있다오. *Vos* sois amigo mío 그대는 나의 친구이다.
vosear *tr.* 《*Amér.*》 (…에게) vos를 사용하다 《존경의 뜻》; (…에게) 나·너라는 말을 쓰다 《친밀하다는 뜻》(tutear).
voseo *m.* 《*Amér.*》 tú 대신에 vos를 사용.
vosotros, tras *pron.* [제 2 인칭 복수, 주격·전치사격 인칭 대명사] 너희들, 그대들, 임자들, 당신네들 : *Vosotros* sois mis amigos 너희들은 내 친구다. *Vosotras* vendréis todas, ¿verdad? 너희들은 모두 오겠지 ?
votación *f.* 투표, 표결 ; 표수(票數) : modo de ~ 표결 방법. ~ nominal 기명 투표. ~ ordinaria 거수·기립 등에 의한 표결. ~ secreta 비밀·무기명 투표. poner·someter a ~ 표결에 붙이다. ② 맹세, 서원(誓願).
votada *f* =**votación.**
votador, ra *adj.* 투표하는. —*m.f.* ① 투표자. ② 저주하는 사람, 욕설하는 사람.
votante *adj.* 투표하는. —*m.f.* 투표자, 유권자.
votar *intr.* ① 투표하다, 표결로 의사를 표시하다. ~ *por* uno 누구에게 표를 던지다. ~ en contra 반대 투표하다. Entonces *voto por* la violencia 그렇다면 나는 폭력에 찬성 투표하겠다. ② (신에게) 맹세·서원하다. ③ 저주하다, 욕하다. —*tr.* ① (표를) 던지다. ② (신에게) 바치다 : ~ un cirio a la Virgen 성모님께 초를 바치다.
votiacos *m.pl.* 동부 러시아에 사는 필란드 태생의 민족.
votivo, va *adj.* 맹세·서원의, 발원(發願)의, 기구하는 : misa *~va.*
voto *m.* [*lat.* votum] ① ㄱ) (신·동정녀 마리아·성인에 하는) 맹세, 서원(誓願) : *~s* monásticos 【종교】 수도 서원 《청빈 pobreza·동정(童貞) castidad·복종 obediencia의 맹세》. ㄴ) 기원, 바람 (deseo) : Hago *~s por* tu felicidad 당신의 행복을 기원합니다. ② 봉납품, 사원에 헌사하는 말의 그림 (exvoto). ③ 저주의 말, 악담, 욕, 욕설, 욕지거리 (juramentos) : echar *~s* 악담을 퍼붓다, 심하게 욕하다. ④ 의견, 의견의 표명, 투표, 투표수 ; 투표자 ; 투표권 ; 발언(권) : tener·ser ~ 투표권·발언권이 있다. Fue elegido presidente la reunión a la mayoría de los *~s* 그는 투표의 대다수로 그 회의 회장으로 선출되었다. Había cinco *~s* a fovor y uno en contra 찬성이 5표, 반대가 1표였다.
~ ***activo*** 투표권, 표결권. ~ ***consultivo*** 자문에 대한 답신 의결. ~ ***cuadragesimal*** 1년간 육류를 금하겠다는 맹세. ~ ***de amén*** 남의 의견 ; 남에게 맹종하는 사람. ~ ***de bienaventuranza*** 행운의 축복·기원. ~ ***de calidad*** 결정표. ~ ***decisivo*** 결정 의견, 결정표, 캐스팅 보트. ~ ***de censura*** 탄핵 결의. ~ ***de gracias*** 감사 결의. ~ ***de confianza*** 신임 투표 ; 공인, 면허. ~ ***de reata*** = voto de amén. ~ ***informativo*** 참고 의견. ~ ***particular*** 소수 의견. ~ ***pasivo*** 피투표권, 피선거권. ~ ***secreto*** 무기명 투표. ~ ***solemne*** 【종교】 공서원(公誓願). ~ ***unánime*** 만장 일치 투표.
¡Voto a tal!, ¡Voto va! 협박·욕·화남·놀람의 감탄사.
votri *m.* 【식물】 (칠레산의) 덩굴식물.
voy ir의 직·현·1·단수 : Yo ~ a casa 나는 집에 갑니다.
voz *f.* [*pl.* voces] [*lat.* vox, vocis] ① 목소리, 음성 ; 소리 ; 절규, 외침, 울음 소리(grito) : ~ débil 약한 소리. ~ sonora 듣기 좋은 소리. dar *voces* 크게 소리치다. Salieron de casa dando *voces* 그들은 큰 소리를 지르면서 집에서 나왔다. ② 음, 소리 : la ~ del mar·del viento. ③ 단어, 어휘, 말, 언어(vocablo) : una ~ arcaica 오래된 말. ④ 발언, 발언권 ; 투표, 표(voto). ⑤ 소리, 충고 ; 명령, 분부 : la ~ de la razón 이성의 소리. ⑥ 소문, 세론, 세평, 여론 ; 정보 : ~ común·general 소문, 세론, 세평, 여론. Corría la ~ de que se había marchado la familia 그 가족은 이사했다는 소문이 나돌았다. ⑦ 【문법】 태(態), 상(相) : ~ activa·pasiva 능동·수동태. "Yo amo" está en ~ *activa* y "yo soy amado" está en ~ *pasiva* "나는 사랑한다"는 능동태이고 "나는 사랑받는다"는 수동태로 되어 있다. ⑧ 【음성】 음, 유성음. ⑨ 【음악】 소리, 좋은 음성 ; 노래 재주, 성음부(聲音部) ; 가수 : tener ~ 음성이 좋다.
~ ***aguda*** 【음악】 알토 ; 높다란 음성. ~ ***argentada·argentina*** 곱고 맑은 소리. ~ ***de cabeza*** 가성, 일부러 낮거나 높게 내는 음성. ~ ***de mando*** 호령. ~ ***de la conciencia*** 양심의 소리, 후회. ~ ***tomada*** 목쉰 소리, 텁텁한 소리. ~ ***vaga*** 소문, 유언비어. ***mala*** ~ 악담, 악평. ***viva*** ~ 육성.
a media ~ 낮은 소리로 (en voz baja) : Ella siempre habla *a media* ~ 그녀는 항상 낮은 소리로 말한다.
a una ~ 이구동성으로, 만장 일치로(unánimemente).
a voces 소리소리쳐서, 소리 높이, 큰소리로 (a gritos) : Llamaron *a voces* 모두들 큰 소리로 그

를 불렀다. estar pidiendo *a voces* 몹시 탐내고 있다. *A voces* no consigue usted nada 큰소리쳐도 아무 것도 얻지 못한다.

a ~ en cuello · en grito ~ 큰소리로 소리치며.

de viva ~ 구두로, 구두의 (de palabr) ; 육성의.

donde Cristo dio las tres voces 매우 멀리(muy lejos).

en ~ 구두로 ; 노래할 수 있는 상태로 : No está hoy *en* ~ 오늘은 노래부르지 못한다.

en ~ alta · baja 큰 · 작은 소리로 : Hable usted *en* ~ más *alta* 더 큰 소리로 말씀하십시오. Contésteme *en ~ alta* 큰 소리로 대답해 주십시오.

alzar · levantar la ~ 음성을 · 말을 거칠게 하다.

correr la ~ 소문이 퍼지다 : *Corría la ~ de* que llegaba la tropa 군대가 진주하게 되리라는 소문이 퍼졌다. *Corre la ~ de* que él va a América 그가 미국에 가리라는 소문이 돌고 있다.

echar (la) ~ 소문을 퍼뜨리다.

no tener ~ ni voto 아무런 영향이 없다.

soltar la ~ 소문을 퍼뜨리다, 정보를 흘려 보내다.

tomar ~ 정보를 얻다 ; 소문이 사실이 되다 · 일반화하다.

tomar la ~ (누구의) 말을 가로채다.

tomar la ~ de …의 대신 말하다, 변호하다.

Voz del pueblo, ~ del cielo 【속담】 국민의 소리는 하늘의 소리 ; 여론은 늘 진실의 증거이다(La opinión general suele ser prueba de una verdad).

vozarrón *m.* [*aum.* voz] 매우 크고 걸걸한 목소리(voz muy fuerte y ronca).

vozarrona *f.* =**vozarrón.**

voznar *intr.* =**graznar.**

v.p. vale por 유효로 하다.

V.P. Vuestra Paternidad ; Vicepresidente ; vale por.

V.R. Vuestra Reverencia.

v.r. valor recibido 수령필액.

v/r. valor recibido.

vra(s). vuestra(s).

vro(s). vuestro(s).

vrs. valores 가격.

V.[s], **vs.** varas.

V.S. Vuestra Señora ; Vueseñoría ; Usía.

v.s.g. vuelva si gusta.

V.S.I. Vueseñoría · Usía Ilustrísima.

vt. vencimiento 만기, 지불 기일.

v.[ta], **vta.** vista ; vuelta ; venta.

v.[to] vencimiento ; vuelto.

v.tr. verbo transitivo.

vuecelencia *m.f.* 각하, 귀하 (vuestra excelencia).

vuecencia *m.f.* =**vuecelencia.**

vuela[1] *adv. a ~ pluma* 아주 급히.

vuela[2] volar의 접 · 현 · 1 · 3 · 단수.

vuelan volar의 접 · 현 · 3 · 복수.

vuelapié (a) *adv.* =**a volapié.**

vuelapluma (a) *adv.* =**a vuela pluma.**

vuelas volar의 접 · 현 · 2 · 단수.

vuelca volcar의 직 · 현 · 3 · 단수.

vuelcan volcar의 직 · 현 · 3 · 복수.

vuelcas volcar의 직 · 현 · 2 · 단수.

vuelco[1] *m.* 전복, 전도 : El coche dio un ~ 자동차가 전복했다.

dar un ~ el corazón 심장이 두근거리다, 가슴이 두근거리다, 가슴이 덜컥 내려앉다, 흠칫하다.

vuelco[2] volcar의 직 · 현 · 1 · 단수.

vuele volar의 접 · 현 · 1 · 3 · 단수.

vuelen volar의 접 · 현 · 3 · 복수.

vueles volar의 접 · 현 · 2 · 단수.

vuelillo *m.* (소맷부리 등의) 펄럭펄럭한 부분.

vuelo[1] *m.* ① ㄱ) 날기 : El ~ de la golondrina es rápido 제비가 날아가는 건 빠르다. El ~ del águila es excesivamene potente 독수리가 나는 것은 너무 힘이 있다. ㄴ) 비행 ; 비행 거리, 항정(航程), …편(便) : un ~ largo 장거리 비행. ~ sin etapas 무착륙 비행. ~ transoceánico 대양횡단 비행. ¿Hay un ~ nocturno de Santiago? 산띠아고행 야간 비행기편 있습니까? ② 날개. ③ ㄱ) (의복의) 여유 : el ~ de una falda 별로 여유가 없는 스커트. ㄴ) 소맷부리 장식, 소맷부리 : ~*s* de encaje 편물의 소맷부리 (장식). ④ 【건축】 돌출부 : el ~ de poco balcón 발코니의 돌출부. ⑤ 산의 나무숲.

muchas horas de ~ 많은 경험.

a(l) ~ 가볍게 ; 빨리, 조속히 ; 즉시, 곧(inmediatamente) : El fue a hacerlo *al* ~ 그는 빨리 그것을 하러 갔다.

de altos ~s 중요한, 중요한 체하는.

de cortos ~s 중요하지 않은, 별로 재능이 없는.

de (un) ~ 단숨에, 즉각 ; 날렵하게.

en ~ alto · bajo 높이 · 낮게 날아서.

alzar el ~ 날아오르다 ; 꽁무니를 빼버리다.

cazarlas · cogerlas al ~ 쉽사리 알아내다, 간파하다.

coger ~ 발전하다, 진보하다 ; 생장하다(tomar vuelo).

cortar los ~s 옴짝달싹 못하게 하다, 견제하다 : Le *cortaron los ~s* 그는 행동이 제약됐다.

levantar el ~ 날아오르다 ; 이륙하다 ; 공상 · 생각을 까마득하게 비약시키다 ; 우쭐거리다(engreirse).

tirar el ~ 날아가는 것을 사격하다.

tocar a ~ las campanas 동시에 모든 종을 울리다.

tomar ~ ① 발전하다, 진보하다(desarrollarse). ② 생장하다 (crecer).

vuelo[2] volar의 직 · 현 · 1 · 단수.

vuelque volcar의 접 · 현 · 1 · 3 · 단수.

vuelquen volcar의 접 · 현 · 3 · 복수.

vuelques volcar의 접 · 현 · 2 · 단수.

vuelta *f.* ① 회전하기, 돌아오는 일 : Demos una ~ por el jardín 공원을 한바퀴 돌자. Dé usted dos ~*s* a la llave 열쇠를 두 번 돌리십시오. ② 회전, 방향 회전, 선회 : ~ de las existencias 상품 · 재고품 회전율. una ~ 1회전 ; 반전 ; 뒤집기. media ~ 반회전, 뒤를 돌아보게 되는 일 ; 간단한 손질 · 수속 · 노력. ¡Dése media ~ ! 뒤를 돌아보십시오. ③ ㄱ) 전도(轉倒), 뒤집힘 : ~ de carnero 머리를 땅에 대고 물구나무 서기. ~ de campana 제비넘기. El coche dio la ~ y quedó con las ruedas hacia arriba 차가 뒤집혀서 바퀴가 위쪽으로 됐다. ㄴ) 한바퀴 돌기, 순회 ; 간단한 산책, 산보 : Salió a dar una ~ por el parque 그는 공원에 산책하러 나갔다. ④

커브, 구부러짐 : La carretera da muchas ~*s* 도로는 요리조리 구부러져 있다. Por la carretera llegaremos antes, que no tiene tantas ~*s* 그 길을 걸어가면 빨리 닿는다 ; 커브가 그리 많지 않으니까. ⑤ 구부러진 곳, 꺾어진 곳 : El buzón está a la ~ de la esquina 우체통은 모퉁이의 굽어진 곳에 있다. ⑥ 한번 말기 · 감기 : La faja le daba tres ~*s* 허리띠가 그를 세 바퀴나 감았다. ⑦ 돌아옴, 돌아감 ; 반환 ; 보답 ; 귀환(regreso) : sacar billete de ida y ~ 왕복표를 사다. Está de ~ de viaje 그는 벌써 여행에서 돌아오고 있다. ⑧ 거스름돈 : ¡Aquí tiene usted 3.50 de ~! 거스름돈 3빼세따 50쎈띠모 여기 있습니다. ¿Tiene usted ~ de este billete? 이 지폐의 거스름돈이 있습니까? ⑨ 되풀이, 반복 : de segunda ~ 두 번 거듭 읽어. Lo ha hecho otra ~ 그는 그것을 다시 한번 했다. ⑩ 뒤집는 일 ; 안, 안쪽, 이면 ; 소맷부리 대기, 소맷부리 장식 ; (망토 등의) 접은 깃. ⑪ 변화(mudanza). ⑫ 경작, 손질(labor). ⑬ 구타(zurra) : ~ de podenco 몽둥이로 겁주기. ⑭ 뜻밖의 심한 일. ⑮ 둥근 천장 ; 천장.

a ~ 돌아와 ; 가까이, 경, 가량 : Le costó *a ~ de* cien reales 100레알 가까운 돈이 들었다.

a ~ de correo 반신 우편으로.

a ~s de …이외에, …한데다가(además de).

a la ~ 돌아왔을 때.

a la ~ de …의 후에(al cabo de) : *a la ~ de* pocos años 2 · 3년 후에.

a la ~ de la esquina 바로 가까이에.

andar a las ~s 누구의 뒤를 따라다니다.

andar a ~s …와 싸우다, 다투다(reñar con).

andar a ~s con·para·sobre 같은 자리를 빙빙 돌며 곤란해 하고 있다.

andar en ~s 어름거리다 ; 어려운 일을 들고 나오다.

buscar las ~s 늘 따라다니며 노리다.

coger**le a uno **las ~s (어떤 사람의) 속셈 · 의도를 간파하다.

dar cien ~s (누구보다) 단수가 몇 단 더 높다, 훨씬 더 낫다.

darse una ~ a la redonda 남의 말을 하느니 자기 자신을 돌아보다.

dar la ~ 돌다 : *dar la ~* al mundo 세계를 일주하다.

dar una ~ ① 1회전시키다 ; 한바퀴 돌다, 빙 돌아보다 ; 대충 보고 다니다 : Quiero *dar una ~* 구경 좀 하렵니다. ② 일변하다.

dar ~s ① 빙빙 돌리다, 회전시키다, 빙글빙글 돌다, 한곳을 빙빙 돌다 : La tierra *da ~s* alrededor del sol 지구는 태양의 주위를 돈다. La tierra *da ~s* sobre su eje 지구는 축을 중심으로 돌고 있다. ② 이 생각 저 생각하다 : Por más que *doy ~s*, no acierto a comprenderlo.

estar de ~ ① 앞질러 알다(estar enterado de una cosa antes que otro). ② 무척 영리하다 (ser muy listo). ③ 돌아오고 있다.

guardar las ~s 남보다 앞질러 · 빈틈없이 하다.

la ~ de …의 방향으로 향해, …하는 도중에.

No hay que darle ~s …으로 예상해 볼 필요가 없다, 결과는 하나다.

no tener ~ de hoja 명백하다, 의심의 여지가 없다(ser indudable).

poner de ~ y media 모욕하다(insultar, injuriar).

tener muchas ~s 매우 복잡하다.

¡vuelta! *interj.* =**¡Dale!**

vueltero, ra *adj.* 《*Arg.*》 다루기 힘든, 마음이 변하기 쉬운.

vuelto, ta *adj.* [volver의 *p.p.*] ① 돌아간. ② 뒤집힌 : Ponga usted los vasos ~*s* sobre la mesa 테이블에 컵을 엎어 놓으시오. ③ 향한, 구부러진 : Puse el cuadro ~ hacia acá 내가 액자를 이 편으로 향하게 걸었다. ④ 변한. ⑤ (페이지에서) 왼쪽의. Contr. recto. **—*m.*** 《*AmérM.*》 거스름돈(vuelta del dinero) : guardar el ~ 거스름돈을 챙기다. Quédese con el ~ 거스름돈은 가지십시오. Cuente usted el ~ 거스름돈을 세어 주세요.

vueludo, da *adj.* 여유있는, 팔랑팔랑한 천이 붙은 (의복).

vuelva volver의 접 · 현 · 1 · 3 · 단수.

vuelvan volver의 접 · 현 · 3 · 복수.

vuelvas volver의 접 · 현 · 2 · 단수.

vuelve volver의 직 · 현 · 3 · 단수.

vuelven volver의 직 · 현 · 3 · 복수.

vuelves volver의 직 · 현 · 2 · 단수.

vuelvo volver의 직 · 현 · 1 · 단수.

vuesarced *m.f.* 【고어】 귀하, 좌하(座下), 각하 (vuestra merced).

vueseñoría *m.f.* 귀하, 각하(vuestra señoría).

vueso, sa *pron.* 【고어】 =**vuestro.**

vuestro, tra *adj.* ① [제 2 인칭 복수 소유 형용사 ; 명사 앞 혹은 뒤에도 붙음] 너희들의, 그대들의, 자네들의 : ~*tra* casa 너희들의 집. ~ padre 너희들의 아버지. ~ amigo 너희들의 친구. ~*s* amigos 너희들의 친구들. ~*tras* casas 너희들의 집들. las obras ~*tas* 너희들의 작품. ② [경어로 쓰일 때는, 내용은 한 사람 ; 그 때 동사나 형용사는 내용에 일치됨] 존체의, 폐하의 : *Vuestra* Majestad es generoso 폐하께서는 관대하시다. *Vuestra* Merced 귀하. *Vuestra* Señoría 각하.
—*pron.* [관사를 붙여서] 너희들 · 자네들의 것. Su coche es éste ; pero el ~, ¿dónde lo habéis dejado? 그의 차는 이것인데 너희들의 것은 어디 두었느냐?

vulcanicidad *f.* (화산에 의한 지표에 생긴) 지각 현상.

vulcanio, nia *adj.* 불의 산(vulcano)의 ; 불의.

vulcanismo *m.* 지각 화성론(地殼火成論)(plutonismo).

vulcanista *m.f.* 암석 · 지각 화성론자.

vulcanita *f.* 에보나이트, 경질 고무, 경화 고무 (ebonita).

vulcanización *f.* 고무의 경화, 화황(和黃), 황화(黃化)《생고무에 유황을 화합하여 경화시키는 처리》.

vulcanizar *tr.* 9 ① 고무를 경화 · 화황 · 황화하다, 에보나이트로 하다. ② 【화학】 유화(硫化)하다.

Vulcano *m.* 【로마 신화】 불과 단철(鍛鐵)의 신 ; 《Zeus와 Hera와의 아들로서 Venus의 남편》.

vulcanología *f.* 화산학(volcanología).

vulcanológico, ca *adj.* 화산학의.

vulcanologista *m.f.* 화산학자.

vulcanólogo, ga *m.f.* 화산학자(volcanólogo).
vulgachería *f.* =**vulgaridad.**
vulgacho *m.* 대중, 군중, 속인 (plebe o pueblo ínfimo).
vulgar *adj.* [*lat.* vulgaris] ① 대중적인, 일반 대중의, 서민의 : opinión ~. ② 세속의, 비천한, 저속한, 야비한, 저급의, 천한 : Pierde por esas ~*es* maneras que tiene 그런 속된 짓을 하기 때문에 손해를 본다. ③ 통속의, 세속의, 보통의, 일반의 (general) : lengua ~ 일반 구어(口語); 통속 라틴어 《교양 문어(文語)에 대해서》.
vulgarejo, ja *adj. dim.* 《*Col.*》 vulgar.
vulgaridad *f.* ① 속된 일, 천함, 야비, 천박함 : ~ de modales. ② 통속, 평범함 : decir ~*es.*
vulgarismo *m.* ① 속어(俗語)(dicho vulgar). ② 어법의 잘못.
vulgarización *f.* 통속화, 대중화, 보급 : la ~ de las ciencias.
vulgarizador, ra *adj. m.f.* 통속화·대중화하는 (사람) : espíritu ~.
vulgarizar *tr.* ⑨ [*lat.* vulgaris] ① 통속화하다, 대중화하다, 보급시키다 : ~ una ciencia.
~se 통속화하다, 속된 무리와 어울리다 : Esa costumbre *se ha vulgarizado* entre los jóvenes 그 습관이 젊은이들 간에 대중화됐다.
vulgarmente *adv.* ① 세속적으로 : hablar ~. ② 일반적으로(comúnmente) : La estafisagria se llama ~ "hierba piojera".
vulgata *f.* 라틴어역 성서 《San Jerónimo가 405년에 완역, 카톨릭교에서 공용됨》.
vulgo *m.* [*lat.* vulgus] 속세 ; 범인, 속인, 범속 : los hombres del ~ 속세의 사람들. El ~ no gusta de esto 일반 사람은 이것을 좋아하지 않는다.
—*adv.* 속되게, 세속적으로, 통속적으로(vulgarmente).
vulnerabilidad *f.* ① 상처·비난을 받기 쉬운 일. ② 부서지기 쉬움. ③ 약점, 취약점. [Contr.] invulnerabilidad.
vulnerable *adj.* ① 상처를 줄 수 있는 : El cocodrilo es poco ~. ② 흠이 있는, 나무랄 만한, 비난받기 쉬운 ; 약점이 있는 (defectuoso, censurable) : reputación ~. [Contr.] invulnerable.
punto ~ 약점.
vulneración *f.* 상처 입히는 일, 흠 ; (수술 중에 생긴) 외상(外傷).
vulnerante *adj.* 해치는 ; 범하는, 어기는.
vulnerar *tr.* [*lat.* vulnerare] 상하게 하다 (herir), 손상을 입히다. ② (권리·이익 따위를) 해치다, …에 손해를 주다(perjudicar) : ~ la reputación. ③ (법을) 범하다, 어기다, 위반하다.
vulnerario *adj. m.* [*lat* vulnerarius] 외상(外傷)에 듣는 ; 외상약(外傷藥). **—*m.*** 사람을 살상(殺傷)한 승려.
vulpécula *f.* 【동물】 여우(zorra).
vulpeja *f.* 【동물】 =**vulpécula.**
vulpino, na *adj.* [*lat* vulpinus] 여우의 ; 여우 같은, 교활한. **—*m.*** 【식물】 뚝새풀 (carricera, cola de zorra).
vultuosidad *f.* 여우 같은 얼굴을 한 상태.
vultuoso, sa *adj.* [*lat.* vultuosus] 【의학】 충혈되고 붉은 (얼굴).
vultúrido, da *adj.* 【동물】 맹금류의. **—*f. pl.*** 맹금류.
vulturno *m.* 열풍(bochorno).
vulva *f.* 【해부】 보지, 음문(陰門), 옥문(玉門), 하문(下門), 여성의 외부 생식기(órgano genital externo de la mujer).
vulvario, ria *adj.* vulva의.
vulvitis *f.* 【의학】 음문염(陰門炎), 외음염(外陰炎)(inflamación de la vulva).
vusted *m.f.* 【고어】 =**usted.**
VV., V.V. ustedes.

W

w *f.* 베도블레《외래 문자로, 서반아어 자모로 넣지 않는 사전이나 문법서가 있음》.
wagneriano, na *adj.* 바그너《Richard Wágner, 1813-1883, 독일의 작곡가, 근대 오페라의 창시자》의; 바그너풍·식의, 바그너작의 : los temas *~s* 【음악】바그너풍의 주선율. la escuela *~na* 바그너 학파. **—*m.*** 바그너 풍; 바그너 예찬자·숭배자, 바그너식의 작곡가.
wagnerismo *m.* 바그너풍, 바그너파.
wagón *m.* [*ing.* waggon] =**vagón.**
wahabita *adj.m.f.* =**uahabita.**
walkirias *f.pl.* =**walquirias.**
walk-over *m. ing.* (경쟁자가 없을 때) 독주(獨走), 낙승. [*N.* 발음 : uakóver].
walón, na *adj.m.f.* =**valón.**
walquiria *f.* =**valquiria.**
walquirias *f.pl.* 북구 신화에서 전사자의 궁전인 Walhalla에서 Odín의 신을 모시고 있는 전투의 여신들.
wapití *m.* 【동물】(북미산의) 큰 사슴.
warrant *m.* 【상업】창고 증권.
Washington *m.* 【지명】워싱톤.
washingtoniano, na *adj.m.f.* 워싱톤의 (사람).
wat *m.* [*pl.* wats] 전량(電量)의 와트(vatio).
water *m.* =**watercloset.**
waterballast *m. ing.* (배의 균형을 잡기 위해 물이 채워질 수 있는) 배의 부분. [*N.* 발음 : uaterbalast].
watercloset *m. ing.* 《*Neol.*》 변소(excusado, retrete).
water-polo *m. ing.* 《*Neol.*》 【운동】수구(水球).
waterproof *m.* 방수복, 레인코트(abrigo impermeable).
watt *m.* =**vatio.**
wattman *m. ing.* 전기 차량의 운전수.
Wb weber.
weber *m. alem.* 【전기】웨버《자력선속(磁力線束)의 단위; 약자 : Wb》.
w.c. watercloset.
week-end *m. ing.* 주말(final de semana).
wendo, da *adj.m.* =**vendo.**
wesleyano, na *m.f.* =**metodista.**
Wh vatio-hora.
wharf *m. ing.* 선창, 부두(muelle).
whig *m. ing.* (영국의) 휘그당원. **Contr.** Tory. [*N.* 발음 : uig].
whiskey *m. ing.* 위스키.
whiski *m. ing.* 위스키.
whisky *m.* 위스키. [*N.* 발음 : juiski].
whist *m. ing.* 두 사람이 하는 트럼프 놀이. [*N.* 발음 : juist].
wicket *m. ing.* 【크리킷】삼주문(三柱門), 투구장의 상태; 던지는 법.
wiclefismo *m.* 위클리프《Wiclef, 영국의 종교개혁가; 성서의 최초의 단역자 (1320？~84)》주의.
wiclefista *adj.m.f.* Wiclef의 (주의자).
wigwam *m.* 북미 토인의 오두막집.
winche *m.* 《*Perú.*》 =**guinche.**
winchéster *m.* 연발총.
wintegreen *m. ing.* 【식물】철쭉과의 식물; 그 잎에서 뽑은 기름.
wiski *m.* 말 한 필이 끄는 이륜 마차.
witerita *f.* 【광물】독중석(毒重石).
wolfram *m.* =**volframio.** **Sinón.** fascólome.
wombat *m.* =**fascólomo.**
won *m.* [*pl.* wones] 원《한국의 화폐 단위》.
workhouse *m. ing.* (경범죄자의) 노역소.
wormiano, na *adj.* (의사 Worm이 연구한) 두개골 뼈의.
wurtenbergüés, sa *adj.m.f.* Wurtemberg의 (사람).
wurtzita *f.* (육각형의) 황화아연의 변종.

X

x *f.* ① 에끼스《서반아어 자모의 스물 여섯 번째 문자 (vigésima sexta letra del abecedario castellano)》. ② 미지의 것 (N). ③【수학】미지수 기호. ④ X는 로마 숫자의 10.
los rayos X 엑스 광선.
xana *f.* 샘·숲의 요정.
xantato *m.* 【화학】크산틴산염.
xanteína *f.* 【화학】크산틴, 꽃의 황색 색소.
xántico, ca *adj.* ① 황색의, 황색을 띤, 대황색의. ②【화학】크산틴성(性)의.
xantina *f.* 【화학】크산틴, 황화 색소(黃花色素)《차·오줌 등에 포함되어 있는 색소》.
xantipa *f.* 극성스런 여자, 잔소리가 심한 여자, 악처.

Xantipa *f.* 그리스 철학자 Sócrates의 아내.
xanto- *pref.* 「황색」의 뜻을 나타내는 접두어.
xantoderma *f.* 피부 황색의 착색(법).
xantodermia *f.* 【의학】 피부 황색병.
xantofila *f.* 황색소, 엽황소(葉黃素) 《나뭇잎을 노랗게 하는 색소》.
xantopsis *f.* 황색 색소 형성.
xantorrea *f.* =**flujo amarillo.**
xara *f.* 회교 경전.
Xe xenón.
xeno- *pref.* 「외국 물건」, 「외국」을 뜻하는 접두어.
xenofilia *f.* 외국인에 대한 동정.
xenófilo, la *adj. m.f.* 외국인을 좋아하는 (사람).
xenofobia *f.* 외국인 혐오·배척.
xenófobo, ba *adj. m.f.* 외국인을 싫어하는 (사람).
xenón *m.* 【화학】 크세논 《희가스 원소; 기호 Xe》.
xerántemo *m.* 건조 화훼 《말라도 빛깔이나 모양이 바뀌지 않는 떡쑥 무리》(inmortal anua).
xerasia *f.* 【의학】 모발 건조증.
xerez *m.* =**jerez.**
xerif *m.* =**jerife.**
xerife *m.* =**jerife.**
xerifiano, na *adj* =**jerifiano.**
xerocopia *f.* 건식 복사, 제록스 복사.
xerocopiar *tr.* ⑪ 건식 복사·제록스 복사를 하다.
xerofagia *f.* 《*Neol.*》 건성 음식물의 섭취, (초기 그리스도 교도의 마른 과일이나 빵만을 먹던) 정진일(精進日).
xerófila *f.* 【식물】 (사막 따위의) 내건성(耐乾性) 식물, 건석 식물 《선인장 따위》.
xerófilo, la *adj.* 【식물】 건조지의, 내건성의 (식물).
xeroftalmía *f.* 【의학】 안구 건조증.
xerquería *f.* ① 도살장. ② 대살육장, 수라장.
xi *f.* 크사이 《그리스 자모 제 14번째 글자 Σ; 현대어의 x에 해당함》.
xifoideo, a *adj.* 【해부】 검상의, 검상 연골(劍狀軟骨)의.
xifoides *adj.* 검상의. —*m.* 【해부】 검상, 검상 돌기.
xihuitl *m.* (20개월로 구성된) 아스떼까의 해 (año).
xileno *m.* 【화학】 크실렌 《방향족 수화 탄소》.
xilidina *f.* 【화학】 크실리딘.
xilo- *pref.* 「나무」「목질」을 뜻하는 접두어.
xilócopo *m.* 【곤충】 호박벌(abeja carpintera).
xilófago, ga *adj.* 【동물】 목식(木食)의, 나무를 먹는; 나무에 구멍은 내는 《곤충의 유충 따위》. —*m.* 목식충(木食虫) 《화식(火食)을 하지 않고 나무 뿌리, 실과, 열매 따위만을 먹는 벌레》.
xilofón *m.* 【악기】 실로폰, 목금(木琴).
xilofonista *m.f.* 목금·실로폰 연주가.
xilófono *m.* 【악기】 실로폰, 목금.
xilógeno *m.* 【화학】 목질소(木質素).
xilografía *f.* 목조(木彫); 목판; 목판술; 목판 인화법.
xilográfico, ca *adj.* 목조(木彫)의; 목판의: La impresión ~*ca* se conoce en Europa desde el siglo doce.
xilógrafo, fa *m.f.* 목판 기술자.
xiloideo, a *adj.* 나무 같은, 목상(木狀)의.
xiloidina *f.* 【화학】 초화 전분(硝化澱粉).
xilol *m.* =**xileno.**
xilomancia *f.* 나무로 치는 점.
xilomancía *f.* =**xilomancia.**
xilonita *f.* 개량 셀룰로이드.
xilórgano *m.* 【악기】 목금(木琴)의 일종. **Sinón.** xilófono.
xilotila *f.* 《*Ecuad.*》 화석 모조용 광석.
xión *adv.* 【은어】 =**sí.**
xister *m.* 외과에서 뼈를 깎는 작은 칼.
xisto *m.* ① (고대 그리스의) 주랑식(柱廊式) 옥내 경기. ② (고대 로마의) 정원 안의 산책길, 테라스.
xiuhmolpilli *m.* (52년에 해당되는) 아스떼까의 세기(siglo).
¡xo! *inter.* 와와 《말 따위를 멈추게 하는 소리》.
X.º diezmo.
xococo *m.* 《*Méx.*》 【식물】 겨우살이 《크리스마스 장식에 쓰임》(agracejo).
Xochipilli *m.* 쇼치삐이신(神) 《아스떼까인의 꽃이나 환락의 신으로, 인간의 심장을 제물로 요구함》.
xóchitl *m.* (20일이었던 아스떼까 달력의) 스무번째 달.
xorable *adj.* 【속어】 =**misericordioso.**
xpiano. cristiano.
Xpo. Cristo.
xptiano. cristiano.
Xpto. Cristo.
Xptóbal. Cristóbal.

Y

y *f.* 이그리에가 《서반아어 자모의 27번째 글자(vigésima séptima letra del abecedario castellano)》.

y *conj.* [*lat.* et] ① …와, 및, 그리고, 또 : tú *y* yo 너와 나. Cuatro *y* cinco son nueve 4 더하기 5는 9. Ana es hermosa *y* alta 아나는 아름답고 키가 크다. ② 게다가 : una casa moderna *y* cómoda 현대식이면서도 살기 좋은 집. ③ 그러나, 그런데 : Le llamé *y* no vino 나는 그를 불렀으나 오지 않았다. ④ [글머리에서] 그러면, 그런데, 그래서 : ¡*Y* si no llega a tiempo! 그런데 시간에 맞게 도착하지 않는다니! ⑤ [i-, hi-로 시작되는 말 앞에서는 e로 함] padre *e* hijo 아버지와 아들. José *e* Ignacio 호세와 이그나시오. ⑥ [hie- 앞이나 글머리에서는 e로 되지 않음] tigre *y* hiena 타이거와 하이에나. oro *y* hierro 금과 철. ¿*Y* Ignacio también? 그런데 이그나시오도? ⑦ [수의 접속] diez *y* seis 16 《10자리수와 1자리수 사이에 들어감》.

Y itrio.

ya *adv.* [*lat.* jam.] ① [과거] 이미, 벌써 : *Ya* hemos dicho esto más de una vez 우리는 이미 한번 이상 이것을 말했다. ② [현재] 이제, 지금은, 현재는(ahora, actualmente) : Era rico, pero *ya* es pobre 전에는 부자였지만 지금은 가난하다. *Ya* entiendo 이제 알았다. *Ya* no es así 이제는 그렇지 않습니다. ③ [미래] 곧, 즉시(en seguida) : *Ya* me voy 곧 갑니다. ④ [미래] 불원간, 일간 : *Ya* se te dará lo que pides 불원간에 곧 네가 원하는 것을 받을 것이다. *Ya* nos veremos 일간 뵙겠습니다. ⑤ [미래] 언젠가는, 결국(por último) : *Ya* es preciso tomar medidas 언젠가는 조치할 필요가 있다.

—*intrj.* (생각이 나서) 아아, 그래 그래 : ¡*ya, ya*! 아아, 그랬군!

ya **…** ***ya*** 혹은 … 또 혹은 : *ya* con gozo, *ya* con dolor 더러는 기쁨에 젖고 더러는 슬픔에 젖어. *ya* en la milicia, *ya* en las letras 무술에 있어서나 혹은 문장에 있어서나. *ya* en la paz, *ya* en la guerra 평화시에나 전시에나. Combatió *ya* con la pluma, *ya* con la espada 그는 글로도 싸우고 무력으로도 싸웠다.

si ya …한다면 (si) : Haré cuanto quieras *si ya* no me pides cosas inútiles 쓸데없는 것을 요구하지 않는다면 네가 원하는 것을 다 해주겠다.

ya que ① …하는·한 이상 : *Ya que* tu desgracia no tiene remedio, llévala con paciencia 너의 불행에 처방이 없는 이상 참고 견뎌라. ② …이지만(aunque). ③ …이므로 : *ya que* mi dentadura es tan buena como en mi juventud 내 치아는 젊은 시절처럼 좋으므로.

no ya …뿐만 아니라 (no solamente) : *no ya* en las letras, *sino* en las armas 문학뿐만 아니라 무술 방면에서도.

¡pues ya!, ya se ve 물론(Cómo no, Claro que sí, Por supuesto, Desde luego, Ya lo creo).

yaacabó *m.* 【조류】 (아메리카의) 야아까보새 : El canto del ~ recuerda las sílabas de su nombre.

yaba *f.* 《*Cuba.*》 【식물】 야바나무 《건축 용재, 나무 껍질은 구충제》; 그 수피(樹皮).

yabirú *m.* 《*Arg.*》 【조류】 =**jabirú.**

yac *m.* 【동물】 =**yack.**

yaca *f.* 【식물】 여주(anona de la India).

yacal *m.* 【식물】 야깔나무 《필리핀산으로 그 용도가 다양한 목재》.

yacamar *m.* 【조류】 야까마르 《열대 아메리카의 새》.

yacaré *m.* 《*Arg.*》 【동물】 (아메리카의) 악어(caimán).

yacatián(g) *m.* 《*AmérM.*》 【조류】 야생 칠면조.

yacedor *m.* 목동.

yacente *adj.* [*lat.* jacens, jacentis] 가로 누운, 누워 있는. —*m.* ① 와상(臥像). ② 【광산】 광맥의 밑바닥.

yacer *intr.* ㉟ [*lat* jacere] ① 가로 누워 있다, 누워 있다 : ~ en un lecho de dolor 아파서 침대에 누워 있다. ② (시체가) 매장되어 있다 : Aquí *yace* Fulano 아무개가 이곳에 영면하다. ③ (사람·물건이) 있다 : Aquel manuscrito *yace* sepultado 그 원고는 아직 그대로 묻혀 있다, ④ 동침하다. ⑤ (마소가) 밤에 건초를 먹다.

[직설법 현재 1인칭 단수 : yazgo, yazco, yago. 접속법 현재 1인칭 단수 : yaca, yazga, yaga. 2인칭 명령 : yace, yaz].

yacht *m. ing.* =**yate.** [*N.* 발음 : iot].

yachting *m. ing.* 요트 놀이·조정·경조·항해(navegación, deporte náutico).

[*N.* 발음 : ioting].

yaciente *adj.* =**yacente.**

yácija *f.* [드뭄] (꼬리에 가까운) 황소의 꽁무니 부분.

yacija *f. desp.* ① 잠자리, 침대(lecho, cama). ② 묘, 무덤(sepultura, tumba).

ser de mala ~ 잠버릇이 나쁘다(ser de mal dormir); 불안해 하다, 침착성이 없다(estar inquieto); 악질이다(ser mala persona).

yacimiento *m.* 【광산】 광상, 광맥 : ~ en alta mar 해저 유전. la explotación ~ de oro 금광 탐사. explotar un ~ de calamina 천연 탄화아연 광맥을 채굴하다.

Yacimentos Petrolíferos Fiscales 《*Arg.*》 국가 석유 공사.

Yacimientos Petrolíferos Fiscales Bolivianos 볼리

비아 석유 공사.
yacio *m.* 【식물】 아메리카 고무나무.
yack *m.* 【동물】 야크 《티베트 중앙 아시아산의 털이 긴 말꼬리를 한 소》.
yaco *m.* 《*Perú.*》 =**nutria.**
yactura *f.* 손해, 손실.
yacu *m.* 《*Bol.*》 【식물】 십자화과 식물.
yacú *m.* 《*Arg.*》 【조류】 =**chacha.**
yacumama *f.* 《*Perú.*》 【동물】 바다 구렁이의 일종.
yacutinga *f.* 《*Arg.*》 =**chachalaca.**
yacutoro *m.* 《*Arg.*》 =**chachalaca.**
yaga → **yacer** 35.
yaga- → **yacer** 35.
yagruma *f.* 《*Cuba.*》 【식물】 느릅나무의 일종.
yagrumo *m.* 《*Ant. Venez.*》 =**yagruma.**
ser como la hija del ~ 경박스럽다.
yagua *f.* 《*Ant. Venez.*》 【식물】 ① 대왕야자 : La ~ de aceite para el alumbrado. ② 《*Col.*》 대왕야자나무의 껍질.
como en ~ 《*PRico.*》 듬뿍, 충분히.
coger ~ 《*Cuba.*》 도망치다, 달아나다 ; 겁을 집어먹다, 주눅들다 ; 화내다.
cortar ~ 《*Cuba.*》 상기하다, 흥분하다(abochornarse).
yagual *m.* ① 《*AmérC. Méx.*》 (짐을 머리에 이기 위한) 또아리. ② 《*Méx.*》 키.
yaguama *f.* 《*Arg.*》 우유 끓이는 기구 · 남비.
yaguané *adj.* 《*Riopl.*》 목과 옆구리의 빛깔이 다른 (말). —*m.* 《*Riopl.*》 【동물】 야구아네 ; 스컹크 ; 족제비의 일종(mofeta).
yaguar *m.* 【동물】 =**jaguar.**
yaguareté *m.* 《*Arg.*》 =**jaguar.**
yaguarundí *m.* 《*Arg.*》 =**jaguar.**
yaguarú *m.* 《*Arg.*》 =**nutria.**
yaguasa *f.* 《*AmérC. Ant.*》 들오리 (pato silvestre)의 일종.
yaguré *m.* 《*Amér.*》 【동물】 =**yaguané.**
yaichihue *m.* 【식물】 야이치우에 《칠레산 파인애플속》.
yaina *m.* yainismo 신도.
yainismo *m.* 자이나교 《인도의 한 종파》 : El ~ admite el renacimiento de las almas 자이나교는 영혼의 부활을 받아들인다.
yaití *m.* 【식물】 야이띠나무.
yajá *m.* 《*Arg.*》 =**chajá.**
yak *m.* 【동물】 야크 (yack) : Los ~*s* viven en las montañas del Asia central 야크는 중앙 아시아의 산에서 살고 있다.
yal *m.* 【조류】 얄새 《부리가 두툼한 칠레산의 우는 새》.
yámbico, ca *adj.* yambo의 : verso ~.
yambo[1] *m.* [*lat.* iambus] 【시어】 억양조 · 단장조 《약강 2음절의 시의 운》.
yambo[2] 《*AmérC.*》 【식물】 도금양의 일종.
yanacón, na *adj.m.f.* 《*Perú.*》 서반아 사람을 모시고 있는 인디오(의) ; 인디오 농장 소작인.
yanacona *m.* *quechua.* 《*AmérM.*》 =**yanacón.**
yanaconaje *m.* 《*Perú.*》 소작 계약 ; 소작인들.
yanaconazgo *m.* 《*Perú.*》 소작 계약.
yanaconizar *tr.* 9 소작인에게 나누어 빌려주다.
yanca *f.* 《*Chile.*》 (광맥 가운데의) 사상(砂床).
—*adj.m.f.* *desp.* 《*Nicar.*》 미국 · 북미의 (사람) (yanqui).
a la ~ ① 《*Arg.*》 부주의로, 방심하여. ② 《*Nicar.*》 당황하여, 허둥지둥, 허겁지겁, 정신없이, 황급히.
yanga *adj.* 《*Arg.*》 등한히 하는 : de puro ~ 몹시 등한히 하여, 순전히 부주의로.
yangüés, sa *adj. m.* 양구아스 (Yanguas)의 (사람).
yankee *adj.m.f.* =**yanqui.**
yanqui *adj. desp.* 미국의, 북미 합중국의(norteamericano). —*m.f.* 미국인, 북미 합중국인 (estadounidense).
yantar[1] *m.* ① 【고어】 음식(comida). ② (물건이나 금전으로 바치는 고대의) 연공(年貢)(tributo).
yantar[2] *tr.* [*lat.* jantare] 【고어】 먹다(comer).
yapa *f.* ① 《*Amér.*》 덤, 경품 : de ~ 덤으로. ② (야금 재료로서의) 수은(llapa).
yapador, ra *adj.m.f.* 《*Perú.*》 곧잘 덤을 주는 (사람).
yapar *tr.* 《*AmérM.*》 (…에게) 덤 · 경품을 곁들이다.
yape *m.* 【식물】 세라피아 《담배의 향료를 얻는 남미산의 나무》(serapia) ; 그 종자.
yapero, ra *adj.m.f.* 《*Perú.*》 덤만 요구하는 (사람).
yapok *m.* =**runcho.**
yapú *m.* 《*Arg.*》 【조류】 야뿌새 《다른 새의 울음을 흉내내는 지바퀴과에 속하는 새》.
yapururo *m.* 《*Venez.*》 토인의 긴 대나무 피리.
yaque *m.* =**yáquil.**
yaqué *m.* 《*Arg.*》 =**jaquet.**
yáquil *m.* 【식물】 야낄 《칠레산의 나도 매화나무의 무리, 뿌리가 세제로 쓰임》.
yarará *f.* 《*Bol. Riopl.*》 독사 (víbora muy venenosa).
yaraví *m.* (Perú, Chile, Colombia의 인디오들의) 애조띤 민요의 일종.
yarda *f.* [*ing.* yard] 야드 《영국의 길이의 단위 ; 약 91㎝》.
yare *m.* 《*AmérC. Venez.*》 실난초 (yuca amarga)의 독즙.
yareta *f.* 《*Bol.*》 【식물】 미나리과 식물.
yarey *m.* 【식물】 《*Cuba.*》 (서인도 제도의) 야레이 야자.
yareyal *m.* 《*Cuba.*》 yarey밭.
yaro *m.* 【식물】 =**aro.**
yaro, ra *adj.m.f.* 야로족 《우루구아이 동해안에 살았던 인디오》의 (사람).
yaruma *f.* 《*Col. Venez.*》 =**palma moriche.**
yarumba *f.* 《*Perú.*》 =**yagruma.**
yarumo *m.* 《*Col.*》 =**yagruma.**
yatagán *m. turco.* (터키인 · 아라비아인의) 칼, 신월도(神月刀).
yátaro *m.* 《*Col.*》 【조류】 =**tucán.**
yatay *m.* 《*Arg.*》 【식물】 야자(palma)의 일종.
yate *m.* [*ing.* yacht] 요트 : un ~ de velas 돛을 단 요트.
yátrico, ca *adj.* 약의.
yautía *f.* 《*Ant.*》 【식물】 오꾸모 감자(ocumo).
yaya *f.* ① 《*Albac. Alic. Ar.*》 할머니, 조모(祖母). ② 【식물】 서인도산의 나무(lance-wood).

③《*Col.*》작은 종기(llega pequeña); 가벼운 통증(dolor ligero). ④《*Perú.*》【동물】진드기(ácaro)

dar ~ 때리다, 구타하다(dar una paliza).

yayay *m.* (어린이 놀이에서) 악마(diablo).

yayero, ra *adj.* 《*Cuba.*》주견이 없는, 주책스러운. —*m.f.* 《*Cuba.*》춤을 출 때 손으로 박차를 치는 사람.

yayo, ya *m.f.* 《*Albac. Ar.*》할아버지, 할머니.

yaz *m.* 【음악】재즈, 재즈 악단.

yazca- →**yacer** 35.

yazga- → **yacer** 35.

Yb iterbio.

yda(s). yarda(s) 야드

ye *f.* 문자 y의 명칭.

yearling *m. ing.* (동물의) 만 한 살 먹이; 한 살 난 말. [*N.* 발음 : iarling].

yebel *m. ár.* =**montaña**.

yebo *m.* =**yezgo.**

yeco, ca *adj.* 미개간의(lleco). —*m.* 《*Chile.*》【조류】바다오리의 무리.

yedra *f.* 【식물】덩굴나무(hiedra).

yegua *f.* [*lat.* equa] ① 암말(hembra del caballo). ② 시거의 꽁초(colilla de cigarro). —*adj.* 《*Chile.*》커다란, 엄청나게 큰 : un disgusto ~ 몹시 언짢은 생각. —*m.* 《*Amér. Ant.*》바보, 천치, 얼간이 : Usted es un ~.

~ *caponera* 가축떼를 안내하는 말.

~ *rabona* 《*Chile.*》닳고 닳은 여자.

yeguada *f.* ① 말의 떼·무리 (manada de caballos). ②《*AmérC. Ant.*》엉터리(disparate).

yeguar *adj.* 암말의.

yeguarizo, za *adj.* 말의 (caballar) : cuero ~ 말가죽. —*m.* 《*Arg. AmérM.*》암말의 떼.

yegüería *f.* =**yeguada.**

yegüerío *m.* 《*AmérC. Ant.*》=**yegüería.**

yegüerizo *m.* =**yegüero.**

yegüerizo, za *adj.* =**yeguar.**

yegüero *m.* 말의 목동; 말 사육자.

yegüezuela *f. dim.* yegua.

yeísmo *m.* elle자를 ye처럼 발음하는 잘못 《gallina를 gayina로 읽는 일 따위》.

yeísta *adj.m.f.* yeísmo의 (사람).

yeito *m.* 《*Urug.*》멋진 솜씨(maña); 몸짓, 얼굴.

yelda *f.* 《*Salm.*》=**levadura.**

yeldarse *r.* 《*Salm.*》=**fermentar.**

yelmo *m.* (옛날의) 투구.

Y

yema *f.* [*lat.* gemma] ①【식물】싹 (botón) : La ~ produce según los casos, ramos, hojas o flores. ② 알의 노른자위, 난황(卵黃) (parte amarilla del huevo del ave) : La ~ es la parte más nutritiva del huevo. ③ 난황 과자《설탕과 노른자위로 만든 것》. ④ (손톱 반대편에 있는) 손가락 끝부분 (~ del dedo). ⑤ 한복판 : la ~ del invierno 한겨울. ⑥ 정(精), 수(髓), 정수(精髓).

~ *mejida* (감기에 약으로 사용하는) 설탕과 우유를 섞은 달걀 노른자위.

dar en la ~ ① 핵심에 대해 말하다, 핵심을 찌르다. ② 어려움에 부딪치다.

Yemen 【지명】예멘.

yemení *adj.m.f.* 예멘의 (사람).

yemenita *adj.m.f.* =**yemení.**

yen *m.* [*pl.* yenes] 엥《일본의 화폐 단위》.

yente *adj.m.f.* 가는 (사람) : ~*s* y vinientes 왕래하는 사람들.

yeral *m.* 살갈퀴풀의 초지(草地).

yerba *f.* [*lat.* herba] ① 풀(hierba). ②《*AmérM.*》마떼차(茶)(~ mate). —*pl.* 독(毒)(veneno).

ciertas ~*s* 《*Amér.*》(이름은 말하지 않고) 어떤 사람.

yerbajo *m.* [*desp.* hierba] 잡초.

yerbal *m.* ① 초원, 초지(草地). ②《*AmérM.*》마떼차 밭(hierbal).

yerbatero *m.* ①《*AmérM.*》마따차 따는 사람; 마따차 업자·상인. ②《*Amér.*》건초 상인. ③《*Amér.*》돌팔이 의사(curandero).

yerbatero, ra *adj.* 《*AmérM.*》마떼차의.

yerbear *intr.* 《*Riopl.*》마떼차를 마시다.

yerbera *f.* 《*Riopl.*》마떼 찻잔.

yerbero *m.* 《*Ecuad.*》=**herbazal.**

yerbonal *m.* 《*Col.*》=**herbazal.**

yerboso, sa *adj.* 【고어】=**herboso.**

yerbuno *m.* 《*Ecuad.*》(목장 전체의) 풀, 풀의 상태.

yerg- → **erguir** 47.

yergue- → **erguir** 47.

yermar *tr.* 황량하게 하다, 황폐하게 만들다(dejar yermo o desierto un lugar).

yermo, ma *adj.* [*lat.* eremus] ① 황폐해진(desierto). : tierra ~*ma* 황무지. ② 미개의(inculto) —*m.* 황무지, 황야(desierto) : los Padres del yermo.

yerna *f.* 《*Ant. Col.*》=**nuera.**

yerno *m.* [*lat.* gener] 사위(marido de una mujer). Sinón. hijo político. [*N.* 여성형은 nuera 임].

yero *m.* 【식물】살갈퀴《목초》: Los ~*s* se emplean para alimento del ganado 살갈퀴는 목축의 먹이로 사용된다.

yerra *f.* 《*Chile. Riopl.*》=**hierra.**

yerra- → **errar** 22.

yerre- → **errar** 22.

yerro *m.* 과오, 실수, 잘못; 과실, 실책 (falta, equivocación, error) : cometer un ~ imperdonable 용서하지 못할 실수를 범하다. ~ de imprenta 오식(誤植). deshacer un ~ 잘못을 보상하다.

yertez *f.* =**dereza, rigidez.**

yerto, ta *adj.* [*lat.* erectus] 굳어진, 경직한 (tieso, rígido) : quedarse ~ *de* frio 추위 때문에 굳어지다.

quedarse ~ 흠짓 놀라다(quedar sobrecogido).

yervo *m.* 【식물】=**yero.**

yesal *m.* 석고상(石膏床); 석고 채굴장.

yesar *m.* =**yesal.**

yesca *f.* ① 부싯깃; 아궁이의 아가리, 화구(火口) : echar una ~ 부싯깃에 불을 당기다. ② 불붙기 쉬운 물건; 격정의 자극물. ③《*Ecuad.*》말린 야자나무 껍질. ④《*Ecuad.*》빚, 채무(deuda). —*pl.* 부싯 도구(lumbres).

quedar ~ ①《*Bol.*》빈털터리가 되다. ②《*Col.*》쇠약해지다, 힘이 빠지다.

yesera *f.* =**yesal.**

yesería *f.* 석고 공장; 석고점; 석고 세공(품).

yesero, ra *adj.* 석고의 : industria ~*ra.* —*m.f.*

석고 기술자·상인.

yeso *m.* [*lat.* gypsum] ①【광물】 석고. ② 석고 세공; 석고 작품; 석고틀; 회반죽.
~ ***blanco*** 흰색 석고. ~ ***espejuelo*** 투명 석고. ~ ***mate*** 연석고(練石膏). ~ ***negro*** 바닥칠에 쓰는 석고.

yesón *m.* 석고 부스러기.

yesoso, sa *adj.* ① 석고의; 석고 같은; 석고질의 : alabastro ~. ② 석고(질)이 많은 : terreno ~ 석고질이 많은 땅. ③ 석고가 나오는.

yesque *m.* 《*Col.*》 =**horquilla, gancho.**

yesquero *m.* ① 부시 제조자; 부시 주머니; 가죽 주머니.
bongo ~ 【식물】 부싯깃 버섯.

yeta *f.* 《*Riopl.*》 악운, 재수가 없음.

yeyuno *m.* 【해부】 빈창자, 공장.

yezgo *m.* 【식물】 말오줌나무.

yira *f.* 《*Riopl.*》 매춘부.

yiranda *f.* 《*Riopl.*》 =**yira.**

ylang-ylang *m.* 【식물】 일랑일랑 《오세아니아의 식물로 꽃 향기가 그윽함》.

yo *pron.* [*lat.* ego] ① [제1인칭 단수 대명사; 남·여성 동형] 나, 저, 본인 : *yo* mismo *m.* 나 자신. *yo* misma *f.* 나 자신. ② [남성 명사로 다루어] el *yo* 자아, el no yo 나 아닌 것.

Yocasta *f.* 【신화】 신화의 여신 《Edipo의 어머니》.

yod *f.* 【음성】 이음군(音群).

yodación *f.* 요오드 소독.

yodado, da *adj.* 요오드(yodo)를 함유한.

yodar *tr.* 요오드 처리하다.

yodato *m.* 요오드산염.

yodhídrico, ca *adj.* 【화학】 요오드와 수소의.

yódico, ca *adj.* 요오드산의.

yodismo *m.* 요오드 중독(증).

yodo *m.* 【화학】 요오드, 옥소 : El ~ se extrae de las cenizas de plantas marinas.

yodoformo *m.* 요오드포름.

yoduración *f.* 요오드 처리.

yodurar *tr.* 요오드 처리하다; 요오드로 변화시키다.

yoduro *m.* 【화학】 요오드화물(化物) : El ~ de potasio es calmante.

yoga *f.* 요가.

yoghi *m.f.* =**yogi.**

yoghourt *m.* =**yogurt.**

yoghurt *m.* =**yogurt.**

yogi *m.f.* (인도의) 요가 수행자(遂行者), 요가 체조를 하는 사람.

yogui *m.f.* =**yogi.**

yoguismo *m.* 요가의 철리·교리.

yogur *m.* =**yogurt.**

yogurt *m.* 요구르트.

yol *m.* 《*AmérM.*》 가죽 자루.

yola *f.* [*ing.* yawl] 쾌주 범선, 욜형 돛단배 《큰 앞 돛대와 작은 뒷 돛대의 장치를 한 작은 돛단배》.

yole *m.* 《*Arg. Chile.*》 =**yol.**

yos *m.* 【식물】 (중미산의) 감탕나무 《키가 큰 활엽교목, 세공재로 쓰임》.

yotacismo *m.* =**iotacismo.**

yoyo *m.* 《*PRico.*》 요요 《장난감의 일종》.

yperita *f.* 이페리트 《독가스의 일종》.

YPF Yacimientos Petrolíferos Fiscales 《*Arg.*》 국가 석유 공사.

YPFB Yacimientos Petrolíferos Fiscales Bolivianos 볼리비아 석유 공사.

ypsilon *f.* 그리스 자모의 제 20번째 글자 《서반아어 y에 해당되는 문자》.

ytrio *m.* 【화학】 이트륨 《희금속 원소》.

yuambú *m.* 【조류】 (남미의) 닭과에 속하는 새.

yubarta *f.* 【동물】 고래(ballena)의 일종.

yuca *f.* 《*AmérM.*》 ①【식물】 유까, 실난초 (izote) : La ~ se cultiva en Europa como planta de adorno. ②【식물】 만디오까 (mandioca) : El pan de ~ se llama cazabe. ③ 《*AmérC.*》 거짓말 (embuste). ④ 《*Hond.*》 흉보, 나쁜 소식. ⑤ 《*Ant.*》 가난, 빈곤.
meterse en ~ 《*Cuba.*》 단물을 빨다, 톡톡이 재미 보다(aprovecharse).

yucal *m.* yuca밭.

Yucatán 【지명】 ① 유까딴 반도 《카리브해와 멕시코만과의 경계를 이루는 중미의 반도》. ② 유까딴주 《멕시코 남동부의 주》.

yucateco, ca *adj.m.f.* 유까딴 《Yucatán, 멕시코의 반도》의 (사람). —*m.* 유까딴말.

yudo *m.* 유도.

yuga *f.* 《*Arg.*》 【은어】 고된 일.

yugada *f.* ① 한 쌍의 소가 하루에 가는 논밭. ② (말의) 하루 분량(obrada, huebra). ③ (멍에에 맨) 한 쌍의 소.

yugar *intr.* ⑧ 《*Riopl.*》 고되게 일하다.

yugo *m.* [*lat.* jugum] ① 굴레, 멍에. ② 속박, 지배, 압박 (dominación) : El ~ romano pesó sobre toda Europa. ③ 결혼 때의 베일 (velo). ④ 종을 매는 틀. ⑤ =**ley.** ⑥ 무거운 짐 (cargo pesado). ⑦ 액문(扼門) 《로마 시대에 복종의 뜻에서 항복한 적에게 엎드려 들어오게 했던 문》.
sacudir el ~ 압제에서 벗어나다, 속박을 뿌리치다 (salir de opresión, librarse de la tiranía).
sujetarse al ~ ***de*** …의 지배에 복종하다.

yugoeslavo, va *adj.m.f.* =**yugoslavo.**

yugoslavo, va *adj.* 유고슬라비아(Yugoslavia)의. —*m.f.* 유고슬라비아 사람.

yuguero *m.* 멍에에 맨 한 쌍의 황소나 노새를 이용해 밭을 가는 사람(yugada).

yugueta *f.* 《*Pal. Seg.*》 작은 멍에(yugo pequeño).

yugular[1] *adj.* [*lat.* jugularis] ① 머리의, 목의 : arteria ~ 경동맥. vena ~ 경정맥. ② 경정맥의. —*f.* 경정맥.

yugular[2] *tr.* ① 목을 자르다(degollar).

yule *m.* ***estar en su*** ~ 《*CRica.*》 승리하다, 개가를 올리다, 의기 양양하다(triunfar).

yulo *m.* cardadores의 학명.

yumbo, ba *adj.m.f.* 윰보 《에꾸아도르 동부 지방의 토착민》의 (사람).

yunca *f.* 《*Ecuad.*》 더운 곳, 열대 지방.

yungas *f.pl.* 《*Bol. Chile. Ecuad. Perú.*》 더위가 심한 계곡. —*adj.* 더위가 심한 계곡의 : café ~.

yungla *f.* [*ing.* jungle] 정글.

yunque *m.* ① 모루 《대장간에서 금속을 단련할 때 받침으로 쓰는 못탕》. ②【해부】 (귓속의) 침골(砧骨). ③ 불요 불굴의 정신을 가진 사람.

yunta *f.* [*lat.* juncta] ① 멍에에 맨 한 쌍의 마소. ② =**yugada.** ③ 《*Venez.*》 =**gemelos (botones).**

Dime quien es tu junta y te diré si haces ~ 【속담】 유유 상종.

yuntería *f.* 두 필씩 논밭을 가는 마소의 떼 ; 그 외양간.

yuntero *m.* =**yuguero.**

yunto, ta *adj.* 들러붙은 : ir ~*s* los surcos 이랑이 서로 붙은 상태가 되다. —*adv.* 꼭 붙여서 : arar ~ 땅을 붙여서 갈다.

yuquerí *m.* 《*Arg.*》【식물】 가시나무 《합환목의 일종》.

yuquilla *f.* ① 《*Ant.*》【식물】 사구야자 (sagú). ② 《*Cuba.*》 =**arruruz.**

yuraguano *m.* 【식물】 부채야자(miraguano).

yurro *m.* 《*CRica.*》 샘, 우물 ; 샘물.

yurta *f.* =**choza lapona.**

yuruma *f.* 《*Venez.*》 야자나무의 목수(木髓) 《일종의 빵의 재료》.

yurumí *m.* 《*Amér.*》【동물】 개미핥기 (oso hormiguero).

yusente *f.* 【고어】 썰물(marea descendiente).

yusera *f.* 맷돌의 밑돌. Sinón. solera, concha.

yusión *f.* 계율, 계명, 명령(mandato, precepto, orden).

yuso *adv.* 【고어】 아래에, 밑에(ayuso, abajo).

yuta *f.* 《*Chile.*》【동물】 토와(土蝸)(babosa).
hacer la ~ 《*Arg.*》 학교를 자꾸 빠지다, 수업을 자주 빼먹다(hacer novillos).

yute *m.* 【식물】 인도삼, 황마(黃痲) ; 모시, 황마의 섬유, 모시실 : saco de ~ 황마로 짠 자루. El ~ sirve para tejer telas muy sólidas 황마는 아주 견고한 천을 짜는데 사용된다.

yutear *tr.* 《*Arg.*》 (동물의) 꼬리를 붙잡다.

yuto, ta *adj.* 《*Arg. Bol.*》 꼬리가 없는(rabón) : cimba *yuta* 짧게 세 갈래로 묶는 머리.

yuxta- *pfef.* 「근접」을 뜻하는 접두어.

yuxtalineal *adj.* 원문·번역문 대조의 (renglón por renglón).

yuxtaponer *tr.* 61 [yuxtapuesto의 *p.p.*] 가지런히 늘어놓다, 나란히 놓다.

yuxtaposición *f.* [*lat.* juxtapositio] 나란히 놓음, 붙여 놓음.

yuxtapuesto, ta *adj.* yuxtaponer의 *p.p.*

yuyal *m.* 《*AmérM.*》 잡초지 (lugar cubierto de yuyos).

yuyo *m.* ① 《*AmérC.*》 (발가락에 생기는) 물집. ② 《*AmérM.*》 잡초. ③ 《*Chile.*》【식물】 유채와 식물의 일종. —*m.pl.* 《*Col. Ecuad. Perú.*》 ① 먹을 수 있는 어린풀·야채, 양념으로 쓰는 풀(hortaliza). ② 맛 없는·싱거운 것(cosa insípida). ③ 싱거운 사람, 잔재미가 없는 사람(persona boba y sin gracia).
como un ~ 《*Arg. Chile.*》 축 늘어져.
volverse ~ 《*Col.*》 맥이 빠지다, 기진 맥진하다.

yuyón, na *adj.* 《*Col.*》 ① 싱거운, 맛없는. ② 재미없는, 멋없는(insípido).

yuyuba *f.* [*gr.* zizuphon] 대추(azufaifa).

yuyuscar *tr.* 7 《*Perú.*》 잡초를 베다, 제초하다.

Z

z *f.* 세따 《서반아어 자모의 스물 여덟 번째 문자 (vigésima octava letra del abecedario castellano).
z. zona.
¡za! *interj.* 개 따위를 쫓는 소리.
zabacequia *m.* 《*Ar.*》 수로지기(acequiero).
zabalmedina *m.* =**zalmedina.**
zabarceda *f.* =**zabarcera.**
zabarcero, ra *m.f.* 과일 장수·소매 상인.
zabatán *m.* 《*Ál.*》【식물】=**mastranzo.**
zabazoque *m.* =**almotacén.**
zábida *f.* [*ár.* cabira]【식물】노회(áloe)의 옛 명칭.
zabila *f.* =**zábida.**
zábila *f.* =**zábida.**
zaborda *f.* 좌초(座礁).
zabordamiento *m.* =**zaborda.**
zabordar *intr.* (선박이) 좌초하다(encallar).
zabordo *m.* =**zaborda.**
zaborra *m.*【방언】① 자갈(cascote, piedrecilla). ② 부스러기.
zaborro *m.* 뚱뚱보(gordinflón).
zaboyar *tr.* ① 회반죽을 쑤셔 넣다. ② 덮다, 가리다, 감추다.
zabra *f.* (돛대 2개의) 옛날의 배.
zabucar *tr.* [7] =**bazucar.**
zabuir *intr.* [77] 《*Col. PRico.*》 잠수하다.
zabullida *f.* 잠수 ; 잠입.
zabullidor, ra *m.f.* 잠수자, 잠수부.
zabullidura *f.* =**zambullidura.**
zabullimiento *m.* =**zambullimiento.**
zabullir *tr.* [50] 물속으로 던지다(zambullir).
~se ① 물에 뛰어들다, 잠수하다. ② 잠입하다, 숨다.
zabuqueo *m.* =**bazuqueo.**
zaca *f.*【광산】=**zaque grande.**
zacapela *f.* =**zacapella.**
zacapella *f.* 격투(riña, disputa).
zacatal *m.* 《*AmérC. Méx.*》 방목지, 초원.
zacate *m.* 《*AmérC. Filip. Méx.*》 (화본과 식물의) 목초, 꼴, 건초.
~ ***limón*** 향기가 나는 화본과 식물.
mamar y comer ~ 오물오물 먹다.
zacatear *tr.* ① 《*AmérC.*》 건초를 주다. ② 《*Méx.*》 두려워하다 : Le *zacateó* el viaje 그는 여행이 두려웠다.
zacateca *m.* 《*Cuba.*》 무덤을 파는 사람 (sepulturero). **—*pl.*** 귀찮은 사람, 애먹이는 사람.
zacateco, ca *adj.m.f.* 사까떼까스 《Zacatecas, 멕시코의 주·도시》의 (사람).
zacatillo *m.* 《*CRica.*》【속어】돈(dinero).
zacatín *m.*【고어】① 헌옷 상점가(barrio de los ropavejeros). ② 《*Col.*》 =**saque.**
zacatón *m.* [*aum.* zacate] ① 《*Amér.*》 목초로 사용되는 키가 큰 풀. ② 《*Méx.*》 =**grama.**
zacear *tr.* 쫓아내다, 몰아내다, (동물을) 쫓다 (espantar, ahuyentar) : ~ al perro 개를 쫓다. **—*intr.*** =**cecear**
zaceoso, sa *adj.* s자를 z자로 발음하는.
zacuara *f.* 《*Perú.*》 줄기의 끝.
zacuto *m.*【방언】자루, 부대.
zade *m.* 《*Sal.*》 =**mimbre.**
zádiva *f.*【식물】사디바 《잎사귀가 티눈 치료제로 쓰임》.
zadorija *f.*【식물】좀개구리밥(pamplina).
zafa *f.* 세면기, 세면대 ; 대야, 양철 대야, 놋대야 (jofaina). **—*interj.*** 《*Ant. Ecuad. Perú.*》 개 등을 쫓는 소리.
zafacoca *f.* ① 《*Amér.*》 싸움, 난투, 격투 (riña, reyerta, pendencia). ② 《*Méx.*》 놋대야 ; 세면기.
zafacón *m.* 《*Ant.*》 쓰레기통 ; 지저분한 사람.
zafada *f.* 방해물의 제거 ; 풀어 놓음.
zafado, da *adj.* ①【방언】《*Amér.*》 빈틈없는, 기민한, 날쌘, 민첩한, 재치있는, 영리한(vivo, despierto). ② 《*Gal. Can. Amér.*》 낯가죽이 두꺼운, 철면피한, 뻔뻔스런 (desvergonzado, descarado).
zafadura *f.* 《*Amér.*》 탈구, 뼈가 삠.
zafaduría *f.* 《*Arg. Urug.*》 파렴치, 철면피(desvergüenza, descaro).
zafanarse *r.* 《*AmérC.*》 풀리다, 놓여나다.
zafante *adv.* 《*Ant.*》 …을 예외로, …를 제외하고(excepto).
zafar *tr.* ① (…에서) 방해가 되는 것을 제거하다 (desembarazar). ② 풀다(desatar) : ~ un nudo 매듭을 풀다. ③ 풀어놓다(librar). ④ 장식하다, 꾸미다(adornar, guarnecer). ⑤ 《*Col.*》 별도로 하다, 예외로 하다.
~se ① (어떤 만남이나 위험을 피하기 위해) 숨다(esconderse). ② 몸을 피하다, 도망치다 (escaparse). ③ 회피하다(librarse, excusarse) : ~*se de* un compromiso 약속을 피하다. ④ (벨트가) 벗어지다. ⑤ 《*Amér.*》 뼈를 삐다(dislocarse). ⑥ 《*Amér.*》 깜빡 잊고 말해 버리다 : *Se* le *zafó* decirlo 그는 깜빡 잊고 그 말을 해 버렸다. ⑦ 《*Arg. PRico.*》 결례하다(faltar al respeto) ; 실수하다.
zafareche *m.* 《*Ar.*》 =**estanque.**
zafarí *adj.m.*【식물】무화과(higo)·오렌지 (naranja)·석류(granada)의 일종(의).
zafariche *m.* 《*Ar.*》 물 항아리 놓는 자리 (cantarero).
zafarrancho *m.* ① (함선에서 갑판 청소 등의) 치우기, 준비 : ~ de limpieza. ② 회전(會戰) 준비 : ~ de combate. ③ 격투, 싸움 (riña, reyerta). ④ 혼란, 소란, 소동, 폭동, 난리(alboroto) : armarse un tremendo ~ .

zafiamente *adv.* 거칠게, 촌스럽게.
zafiedad *f.* ① 촌스러움, 거칠음. ② 무정함, 매정함.
zafio *m.* 《*And.*》 =**negrilla.**
zafio, fia *adj.* ① 촌스러운, 거친(tosco, grosero). ② 《*Perú.*》 무정한, 매정한(desalmado).
zafir *m.* =**zafiro.**
zafira *f.* =**zafiro.**
zafíreo, a *adj.* =**zafirino.**
zafirina *f.* 【광물】 청옥수(calcedonia azul).
zafirino, na *adj.* 청옥색(color de zafiro)의, 푸른(azul).
zafiro *m.* [*lat.* sapphirus] 【광물】 청옥, 사파이어 : ~ oriental 비취.
záfiro *m.* 【광물】 =**zafiro.**
zafo, fa *adj.* ① 가뿐해진, 말끔한, 홀가분한, 자유로운, 스스럼없는, 멋대로 하는(libre, suelto, desembarazado). ② 다친 데 없는 (sin daño) : salirse ~ de una reyerta.
—*adv.* 《*Col.*》 【속어】 …이외에는(excepto).
zafón *m.* (옛날의) 바지(calzón)의 일종.
zafra *f.* ① 기름 받이 접시 ; 기름 그릇, 기름통. ② (수레의 채를 매는) 가죽끈 (sufra). ③ 찌꺼기 광물 (escombro). ④ 사탕수수 수확·거둘어 들이기(cosecha de caña de azúcar). ⑤ 제당(製糖) (fabricación de azúcar de caña). ⑥ 《*Riopl.*》 가축의 이용·판매 ; 가축의 도살. ⑦ 돌 부스러기.
zafrán *m.* =**azafrán.**
zafre *m.* 화감청(花紺青) 《에나멜·자기 따위의 착색제》.
zafrero *m.* 【광산】 찌꺼기 운반 인부.
zaga *f.* ① 뒤, 뒷부분, 꽁무니 : a (la) ~ 뒷부분에, 꽁무니에. ② 뒤에 싣는 짐.
—*m.* 놀이에서 맨 뒤에 하는 사람.
en ~ 뒤에(detrás).
no ir·quedarse en ~ a otro 남보다 못하지 않다, 뒤지지 않다(no ser inferior).
zagal *m. ár.* ① 소년, 젊은이, 청년 (muchacho, adolescente, mozo) : un ~ robusto 강인한 젊은이. ② 목동 (pastor mozo) : El ~ está a las órdenes del rabadán. ③ 윗짐을 싣는 젊은이. ④ 자락이 넓은 스커트(zagalejo).
zagala *f.* ① 소녀, 아가씨(muchacha). ② 여자 목동(pastora). ③ 《*Sant.*》 유모, 아기 보는 여자(niñera).
zagalear *intr.* 《*Sant.*》 아이나 짐승을 돌보다 (cuidar de niños o bestias).
zagaleja *f. dim.* zagala.
zagalejo *m.* (여자들이 속치마 위에 입었던 넓고 긴) 스커트.
zagalón, na *m.f.* [*aum.* zagal] 많이 자란 소년.
zagua *f.* 【식물】 수송나물.
zagual *m.* ①【해사】 국자처럼 생긴 배 젓는 노. ② 《*Chile.*》 하수통, 개숫물통 (atarjea, sumidero).
zaguán *m.* 현관(vestíbulo, portal).
zaguanete *m.* [*dim.* zaguán] ① 왕자 순찰병 대기소. ② 국왕 경호원·친위대.
zaguera *f.* =**zaga.**
zaguero, ra *adj.* ① 뒤에 가는. ② 뒤의, 맨 꽁무니의. ③ 뒤에 싣는 짐의. —*m.* (경기의) 후위.
zagüí *m.* 《*Arg.*》 작은 원숭이의 일종.
zagüía *f.* (아프리카의) 영묘(靈廟).
zahareño, ña *adj.* ① 《*Cetr.*》 길들이기 어려운. ② =**salvaje, intratable.**
zaharí *adj.* =**zafarí.**
zaharrón *m.* =**moharracho.**
zahén *adj.f.* 모로인의 금화(의)(dobla de oro).
zahena *f.* =**zahén.**
zaherible *adj.* 비난·모략·중상할 수 있는 ; 비꼬는 빈정거리는.
zaheridor, ra *adj.* ① 비난·비방하는, 중상하는, 모략하는. ② 빈정거리는, 비꼬는. —*m.f.* 중상자, 중상 모략자.
zaherimiento *m.* ① 비난, 중상. ② 빈정거리기.
zaherir *tr.* 54 ① 비난·비방하다, 모략하다, 중상하다(censurar, criticar). ② 빈정거리다, 비꼬다(pinchar).
zahina *f.* 【식물】 수수 ; 그 열매.
zahína *f.* =**zahina.**
zahinar *m.* 수수밭(campo de zahina).
zahinas *f.pl.* 《*And.*》 묽은 밀가루죽(gachas de harina sin espesar).
zahir- → **zaherir** 54.
zahirie- → **zaherir** 54.
zahonado, da *adj.* 누르께한 색깔의 앞다리의 털 빛깔이 서로 다른 (짐승).
zahón *m.* → **zahones.**
zahondar *tr.* 땅을 파다(ahondar). —*intr.* 발이 땅에 빠지다(hundirse en la tierra).
zahones *m.pl.* (승마복 모양의) 바지 : ~ de los cazadores 사냥꾼의 바지.
zahora *f.* 【방언】 회식, 간식.
zahorar *intr.* 밤참을 먹다 ; 간식·회식을 들다.
zahorí *m.* 투시술사(透視術士) ; 천리안(의 사람) ; 눈썰미가 있는 사람.
zahorra *f.* (선박의) 밑에 있는 짐(lastre).
zahuate *m.* 《*CRica.*》 비쩍 마른 개·말라 빠진 개(perro flaco).
zahurda *f.* ① 돼지 우리(pocilga). ② 더러운 곳 (porqueriza, sitio sucio).
zahúrda *f.* =**zahurda.**
zahurna *f.* 《*Col.*》 소란(zambra).
zahúrna *f.* =**zahurna.**
zaida *f.* 【조류】 grulla 비슷한 새.
zaina *f.* 【은어】 돈자루, 돈지갑.
zaino, na *adj.* ① 밤색 털의 (말). ② 검정색의 (소). ③ =**taimado.**
a lo ~, de ~ 곁눈질로, 옆눈질로 : mirar *de zaino ~*.
zaíno, na *adj.* =**zaino.**
zainoso, sa *adj.* 《*Chile.*》 뱃속이 검은(zaino).
zaite *m.* 《*Salv.*》 =**aguijón.**
zajarí *adj.m.* =**zafarí.**
zalá *f.* 회교도의 기도(azalá)
hacer la ~ 알랑거리다, 굽신거리다.
zalacho *m.* 《*Ar.*》 큰 조각 ; 큰 눈송이.
zalagarda *f.* ① 복병, 매복 ; 함정 (emboscada) : caer en la ~. ② 감언. ③ (동물 사냥용) 끈. ④ 격투, 난투, 싸움(reyerta, alborto, pendencia) : Se armó una ~. ⑤ 기마전. ⑥ 승강이, 경합(escaramuza, pelea) ⑦ 술책, 책략(astucia, maña).
zalama *f.* =**zalamería.**

Z

zalamelé *m.* =**zalamería.**
zalamería *f.* [주로 *pl.*] 아첨, 아부, 알랑거림, 굽신거림 : hacer ~*s* a uno. Sinón. zalema, salamelé.
zalamero, ra *adj.* 알랑거리는, 아부하는. —*m.f.* 아첨꾼, 알랑쇠.
zalea *f.* ① 양의 모피(vellón de carnero). ② 《*PRico.*》 =**pelliza.**
zalear *tr.* ① 흔들다, 흔들어 움직이다. ② (개 따위를) 쫓다.
zalema *f.* [*ár.* salem] ① 인사, 절, 굽신거림 (reverencia, cortesía grande). ② 아부, 아첨 (zalamería).
zalenco, ca *adj.* 《*Col.*》 허리가 아픈 ; 절름발이의.
zalenquear *intr.* 《*Col.*》 =**renquear.**
zaleo *m.* ① 쫓아버리기. ② 흔들기. ③ 양의 모피(zalea de carnero).
zallar *tr.* 【해사】 미끄러지게 하다.
zalmedina *m.* 옛 Aragón 왕국의 대관.
zaloma *f.* =**saloma.**
zalona *f.* 《*And.*》 큰 질항아리(vasija de barro grande).
zamacuco, ca *adj.* 《*PRico.*》 =**hipócrita.** —*m.* ① 바보(hombre tonto). ② [드묾] 술취함, 취기 (borrachera, embriaguez).
zamacueca *f.* 《*AmérM.*》 ① 사마꾸에까 《칠레·뻬루의 민요·민속춤의 이름 ; 일반적으로 cueca로 불림》. ② 《*PRico.*》 =**hipócrita.**
zamanca *f.* 구타(somanta, tunda, zurra).
zamaraguyón *m.* 【조류】 쇠비오리.
zamarra *f.* ① 양피로 만든 옷, 가죽 잠바. ② 양피, 양가죽(piel de carnero).
zamarrada *f.* ① 혼내기, 야단치기 ; 취기. ② 《*Logr. Nav.*》 중병.
zamarrear *tr.* ① 혼내다, 야단치다. ② 흔들다 (sacudir).
zamarreo *m.* zamarrear 하기.
zamarreón *m.* =**zamarreo.**
zamarrico *m.* 모피 자루.
zamarrilla *f.* 【식물】 개불알꽃 《박하류》.
zamarro *m.* ① 모피로 만든 웃옷 (zamarra). ② 새끼양 가죽. ③ 거친 사람(hombre rústico y grosero). ④ 《*Venez.*》 교활한 사람, 의뭉스런 사람(hombre taimado). ⑤ 《*Hond.*》 악당, 불량배 (pícaro, bribón). ⑥ *pl.* 《*Amér.*》 (승마용) 넓은 앞가리개, (승마용) 넓은 가죽 바지. ⑦ *pl.* 《*Amér.*》 바지. ⑧ *pl.* 야인(野人).
zamarrón *m.* [*aum.* zamarra] 커다란 옷.
zamarronear *tr.* 《*Chile. Ecuad.*》 ① (입에 물고) 마구 휘둘러대다. ② 혼내주다, 야단치다, 꾸짖다, 나무라다.
zamba *f.* 《*Arg.*》 ① =**zamacueca.** ② 삼바 (samba). 《노래와 춤의 일종》.
decir·llamar ~ 《*AmérM.*》 욕하다, 욕설을 퍼붓다.
zambacueca *f.* 《*Chile.*》 =**zamacueca.**
zambada *f.* 《*Perú.*》 [집합] zambo의 혼혈아.
zambaigo, ga *adj.* ① 흑인과 인디오 연인의 혼혈아. ② 《*Méx.*》 인디오와 유색 인종의 혼혈의. —*m.f.* 인디오와 유색 인종의 혼혈아 , 흑인 남자와 인디오 여인 사이에서 낳은 아이(zambo).
zambapalo *m.* 삼바빨로춤 《16—17세기에 서반아에서 추었던 인디오의 거친 춤》.
zambarco *m.* 가슴걸이 ; 가죽끈(francalete, cincha).
zambardo *m.* ① 《*AmérM.*》 요행수, 운(chiripa, casualidad, suerte). ② 《*Chile.*》 바보, 등신, 얼간이, 멍청이(hombre torpe). ③ 《*Chile.*》 =**torpeza.**
zambeque *m.* 《*Cuba. Venez.*》 =**zambra.** —*adj.* 《*Cuba.*》 바보스런, 멍청한, 우둔한, 어리석은(tonto).
Zambia 【지명】 잠비아 《아프리카 남부에 있는 공화국 ; 수도 Lusaka》.
zámbigo, ga *adj.* [드묾] =**zambo, patizambo.**
zambio, bia *adj.m.f.* 잠비아의 (사람).
zambo, ba *adj.m.f.* ① 안짱다리의 (사람). ② 흑인 남자와 인디오 여인 간의 혼혈의, 인디오와 흑인과의 혼혈의. —*m.f.* ① 《*Amér.*》 인디오와 흑인과의 혼혈아. ② 《*Col. Chile.*》 =**mulato.** —*m.* 【동물】 비비(狒狒).
zamboa *f.* 【식물】 =**azamboa.**
zambomba *f.* 삼봄바 《악기의 일종》. —*interj.* 어머머머 ! 《놀라움》.
zambombazo *m.* 구타(porrazo).
zambombo *m.* 꼴불견(hombre tosco y grosero).
zamborondón, na *adj.m.f.* =**zamborotudo.**
zamborotudo, da *adj.m.f.* ① 꼴불견(의). ② =**torpe.**
zamborrotudo, da *adj.m.f.* =**zamborotudo.**
zambra *f.* ① 집시춤의 일종. ② 야단법석. ③ 아라비아인의 작은 배의 일종. ④ 모로인의 떠들썩한 파티.
zambrote *m.* 《*AmérC.*》 소란.
zambucar *tr.* 7 잽싸게 감추다.
zambuco *m.* 잽싸게 감추는 일.
zambuir *intr.* 77 《*Ant. Col. Ecuad.*》 잠수하다.
zambullida *f.* ① =**zambullidura.** ② 검술의 속임수(treta de esgrima).
zambullidor, ra *adj.* 잠수하는. —*m.* 【조류】 =**somorgujo.**
zambullidura *f.* 잠수, 잠입.
zambullimiento *m.* =**zambullidura.**
zambullir *tr.* 50 물속으로 집어 던지다 : ~ un perro en el agua 개를 물속으로 집어 던지다. **~se** ① 물속에 들어가다, 물에 뛰어들다, 잠수하다(meterse en el agua). ② 숨다(esconderse).
zambullo *m.* ① 《*Amér.*》 거름통. ② 《*Cuba.*》 자질구레한 사람. ③ 《*Perú.*》 비료 저장소.
zambullón *m.* 《*Col. Perú.*》 (물 속으로) 뛰어들기.
zambumbia *f.* ① 《*Venez. Guat.*》 =**zambomba.** ② 《*Méx.*》 =**mezcla, revoltillo.**
zambutir *intr.* 《*AmérC.*》 =**zambullir.**
Zamora *f.* 【지명】 사모라 《그리스도 교도와 회교도의 쟁탈 대상이 되었던 누에로강에 면한 도시》.
No se ganó Zamora en una hora 【속담】 로마는 하루 아침에 이루어지지 않는다.
zamorano, na *adj.* 사모라(Zamora)의. —*m.f.* 사모라 사람.
zampa *f.* =**pilote.**
zampabodigos *m.f.* =**zampatortas.**

Z

zampabollos *m.f.* =**zampatortas.**
zampalimosnas *m.f.*【단·복수 동형】거지.
zampapalo *m.f.* =**zampatortas.**
zampar *tr.* ① 재빨리 넣어버리다, 숨기다, 감추다 : ~ un pan en el zurrón. ② 급히·재빨리 마시다·먹다.
  ~se 재빨리 숨다, 급히 들어가다 : *~se* en la casa.
zampatortas *m.f.*【단·복수 동형】① 예의없는 사람 ; 무능한 사람. ② 대식가(大食家).
zampeado *m.*【건축】약한 지반의 기초 공사.
zampear *tr.* 기초 공사를 견고하게 하다, 땅을 다지다.
zampón, na *adj.m.f.* =**tragón.**
zampoña *f.* ① 삼뽀냐《악기의 일종》. ② 피리(flauta)의 일종. ③ 보리피리(pipitaña). ④ 어리석음, 우둔함(tontería). ⑤ 사소한 일(trivialidad).
zampuzar *tr.* ⑨ =**zambullir, zampar.**
zampuzo *m.* ① 잠입, 잠수. ② 얌생이 짓.
zamuro *m.*《*Amér.*》【조류】=**samuro.**
zanahoria ①【식물】당근 : La ~ contiene cierta cantidad de azúcar. ② 당근의 뿌리. ③《*Arg.*》얼간이, 바보, 멍청이(tonto, bobo).
zanahoriate *m.* 설탕에 절인 당근.
zanate *m.*《*AmérC. Méx.*》【조류】=**sanate.**
zanca *f.* ①(새의) 다리 : una ~ de gallina. ② 가느다란 다리(pierna delgada) : hombre de *~s* largas. ③【건축】(계단의) 오름, 도리, 경사진 목재·각재. ④《*And.*》큰 핀(alfiler grande).
  por ~s o por barrancas 온갖 수단을 다 써서.
zancada *f.* 발을 크게 벌려서 걸음(paso largo).
  en dos ~s 순식간에, 단숨에(con gran ligereza).
zancadilla *f.* ① 다리를 걸침 : echar*le* la ~ *a uno.* ② 낚시 걸이. ③ 사기, 속임수 (engaño) : armar ~ 속이다, 사기치다, 야바위치다. No me pongas *~s* 나를 속이지 말라.
zancadillear *tr.* ① 다리 전체를 걸치다. ② 교묘하게 속이다·사기치다, 호리다.
zancado, da *adj.* 맛없는 (연어).
zancajear *intr.* 바삐 쏘다니다, 허겁지겁 돌아다니다(andar mucho y con prisa).
zancajera *f.* (수레·자동차 따위의) 발걸이, 발판.
zancajiento, ta *adj.* [드묾] =**zancajoso.**
zancajo *m.* ①【해부】발뒤꿈치 뼈 (hueso del talón). ② 발뒤꿈치(talón del pie). ③(신발의) 뒤축 : ir arrastrando los *~s.* ④ 큰 뼈 (zancarrón, hueso grande). ⑤ 멋없이 생긴 사람, 작고 못생긴 사람 (persona muy pequeña y fea).
  no llegar a los ~s·al ~ 발뒤꿈치에도 이르지 못하다, 가당치 않다.
  roer los ~s 남의 험담을 하다.
zancajoso, sa *adj.m.f.* ① 발이 밖으로 뒤틀린, 안짱다리의, 발을 구르는 (사람). ② 다 해지고 더러운 양말을 신은 : muchacho ~.
zancarrón *m.* ①(팔·다리의) 뼈. ② 크고 앙상한 뼈(hueso grande y descarnado). ③ 뼈만 앙상한 노인. ④ 실력없는 엉터리 교사.
zanclo *m.*【어류】농어의 일종.
zanco *m.* 긴 장대(palo alto) ; 죽마, 대말.
  estar·ponerse en ~s 유리한 위치에 있다(estar en situación elevada).
zancón, na *adj.* ① 다리가 긴(zancudo). ②《*Amér.*》짧고 괴상 망측한 (옷). **Sinón.** rabón. —*m.*《*Venez.*》젊은이.
zancudero *m.*《*Ant. CRica.*》날고 있는 모기떼.
zancudo, da *adj.* ① 다리가 긴. ②【동물】섭금류(涉禽類)의. —*m.*《*Amér.*》【곤충】모기의 일종. —*f.pl.* 섭금류.
zandía *f.*【식물】수박(sandía).
zanfonía *f.* [*lat.* symphonia] 삼포니아《옛날의 손잡이를 돌려서 켜는 현악기 ; 기타 비슷함》. **Sinón.** gaita.
zanga *f.* 카드의 일종 ; 그 놀이.
zangala *f.* 고무칠을 한 천.
zangamanga *f.* 음흉한 수작, 간계, 간책(treta, astucia, ardid).
zángana *f.* 칠칠맞은 여자, 헤픈 여자, 정조 관념이 희박한 여자.
zanganada *f.* 어처구니없는 실책, 어리석은 짓 ; 건방짐, 거만스러움, 무례함, 뻔뻔스러움, 철면피(impertinencia, majadería).
zangandongo, ga *m.f.* =**zangandungo.**
zangandullo, lla *m.f.* =**zangandungo.**
zangandungo, ga *m.f.* 무능력자, 나태한·게으른 사람 ; 놀고 먹는 사람.
zanganear *intr.* ① 일없이 돌아다니다(vagabundear de una parte a otra sin trabajar). ② 빈둥거리다(vivir como un zángano).
zanganería *f.* 빈둥거림, 게으름피움.
zángano *m.* ①【곤충】수펄(abejón). ② 게으름뱅이, 놀고 먹는 사람. ③《*AmérC.*》=**pícaro, bribón, tunante.**
zangarilleja *f.* 지저분한 아가씨(muchacha muy sucia).
zangarrear *intr.* ① 솜씨없이 기타를 긁어 대다(rasguear sin arte la guitarra). ②《*And.*》흔들다(sacudir).
zangarriana *f.* ①(양의) 혼수병(modorra). ② 지병. ③ 우울, 울적함(melancolía).
zangarro *m.*《*Méx.*》① 지저분한 가게 (tendejón). ② 판잣집.
zangarrón *m.*《*Sal.*》=**moharracho.**
zangarullón *m.* =**zangón, muchachote.**
zangolotear *tr.* 계속 흔들어대다(sacudir o mover continuamente) : ~ una botella 병을 계속 흔들다. —*intr.* 쏘다니다, 돌아다니다 : Ese niño *está* siempre *zangoloteando.*
  ~se ① 흔들리다, 덜컹덜컹하다, 흔들흔들하다 : una ventana que *zangolotea* 흔들거리는 창문. ② 여기저기 방황하다.
zangoloteo *m.* 여기저기 쏘다니기 ; 흔들흔들 흔들림, 덜컹거림 : hacer un ~ muy desagradable 아주 기분 나쁘게 덜컹거리다.
zangolotino, na *adj.* 언제까지고 어린애로 지내고 싶어하는 : niño ~ 언제까지나 어린애로 지내고 싶은 덩치가 큰 소년(muchacho grandullón que quiere pasar por niño).
zangón *m.* 키가 크고 게으른 소년(muchacho crecido y holgazán).
zangotear *tr.* =**zangolotear.**
zangoteo *m.* =**zangoloteo.**
zanguanga *f.* ① 꾀병 : hacer la ~ 꾀병을 부리다. ② 아첨, 아부(lagotería, zalamería).
zanguangada *f.* 나태, 게으름.
zanguango, ga *adj.m.f.* 게으른 (사람) (holga-

zán, perezoso).
—*m.* 키만 큰 사람(hombre alto y desvaído).
zanguayo *m.* 키가 껑충한 게으름뱅이.
zanja *m.* [*ár.* zanca] ① 고랑, 도랑 : ~ de desagüe 배수 도랑. ② 《*Amér.*》 물이 흐르는 도랑(arroyada). ③ 《*Ecuad.*》 담, 울타리(cerca).
abrir las ~s 건축하기 시작하다 ; 착수하다, 손을 대다.
zanjar *tr.* ① (…에) 도랑을 파다(abrir zanjas). ② (어려움 · 불편을) 해결하다(resolver una dificultad o inconveniete) : ~ las querellas políticas 정쟁을 해결하다.
zanjear *tr.* 《*AmérC. Ant. Col.*》 =**zanjar.**
zanjón *m.* [*aum.* zanja] ① 크거나 깊은 도랑(zanja grande o profunda). ② 《*Chile.*》 절벽, 벼랑(despeñadero).
echar al ~ 《*Cuba.*》 숨기다.
zanqueador, ra *adj.m.f.* 비틀비틀 걷는 ; (지치지도 않고) 잘 걷는 (사람).
zanqueamiento *m.* 비틀 걸음 ; 뻔질나게 돌아다니기.
zanquear *intr.* ① 다리를 꼬며 걷다. ② 허둥지둥 걷다(zancajear).
zanquilargo, ga *adj.* 다리가 긴(de zancas largas).
zanquillas *m.* [*dim.* zanca] 다리가 짧은 사람 : ser un ~*s.*
zanquita *f.* [*dim.* zanca] =**zanquilla.**
zanquituerto, ta *adj.* 다리가 굽은.
zanquivano, na *adj.* 다리가 길다란.
Zanzíbar 【지명】 잰지바르 《아프리카 동해안에 있는 섬나라》.
zanzibareño, ña *adj.m.f.* 잰지바르의 (사람).
zapa[1] *f.* [*lat.* sappa] ① 괭이, 호미. ② 호, 참호, 갱도, 굴 : caminar a la ~ 호를 파서 공격해 나가다.
zapa[2] ① 뿔상어(lija). ② 상어 가죽 ; 상어 가죽처럼 생긴 것(lija).
zapador *m.* (참호를 파는) 공병.
zapalota *f.* 【식물】 개연꽃.
zapalote *m.* 《*Méx.*》 ① 바나나의 일종. ② = **maguey de tequila.**
zapallada *f.* ① 《*Arg.*》 천만 다행(zapallo, chiripa). ② 《*Col.*》 얼빠진 소리.
zapallo *m.* ① 《*Amér.*》 【식물】 호리병박나무. ② 《*Amér.*》 【식물】 호박(calabaza)의 일종. ③ 생각지도 않던 행운. —*adj.* ① 《*AmérC. Col.*》 얼빠진(soso). ② 《*Ecuad.*》 뚱뚱보의.
sembrar ~ 《*Perú.*》 말에서 떨어지다 ; 미끄러져 나가 자빠지다.
zapallón, na *adj.m.f.* 《*AmérM.*》 뚱뚱보(의)(gordiflón).
zapapico *m.* (도끼 모양의) 곡괭이.
zapaquilda *f.* 암코양이(gata).
zapar *intr.* 괭이로 파다, 괭이를 쓰다.
zaparrada *f.* (맹수의 앞다리의) 일격(zaparrazo, zarpazo).
zaparrastrar *intr.* 옷자락을 끌다 : ir *zaparrastrando* por las calles 옷자락을 끌면서 거리를 지나가다.
zaparrastroso, sa *adj.* 누더기옷을 입은, 추접스러운(zarrapastroso).
zaparrazo *m.* =**zarpazo, arañazo.**
zapata *f.* ① 반장화. ② 문지방에 댄 가죽. ③ (밑쪽에) 덧대는 것. ④【건축】 문 위에 댄 가로나무. ⑤【선박】 닻에 대는 나무. ⑥【식물】 머위. ⑦ 《*Ant. Col.*》 (벽의) 초석(礎石) ; 대(臺), 반석, 주석 ; 기초(zócalo) : la ~ de un capitel 기둥 머리의 초석.
zapatada *f.* ① 많은 신발. ② =**zapatazo.**
zapatazo *m.* ① 신발 · 구두로 때리기. ② 두들겨 패기. ③ 쿵하고 떨어지는 일, 그 소리. ④ 굽쇠 소리. ⑤ 돛의 펄럭임 : dar ~*s* 돛이 펄럭이다.
mandar a ~s 학대하다, 나쁘게 대우하다 (tratar muy mal).
zapateado *m.* 발장단을 맞추며 추는 옛날의 서반아춤, 그 곡.
zapateador, ra *adj.m.f.* zapatear 하는 (사람).
zapatear *tr.* ① 구두로 때리다 · 짓밟다, 구둣발로 차다. ② 구두 소리를 내다. ③ 발로 장단을 맞추다. ④ (말 같은 것이) 뒤쫓아오다. ⑤ 학대하다(maltratar). ⑥ (칼 같은 것으로) 후려치다. —*intr.* ① 발을 동동 구르다. ② 발로 장단을 맞추다. ③ (말 같은 것이) 발로 허우적거리다. ④ 돛이 펄럭이다(dar zapatazos las velas).
~se (싸움에서) 서로 맞서다.
zapateo *m.* zapatear 하기.
zapatera *f.* ① zapatero 의 아내. ② 신발 · 구두 제조인 · 판매자.
zapatería *f.* 제화업 ; 구두 장사 ; 제화 공장 ; 구두 수선소, 양화점 : ~ de viejo 구두 수선소.
zapateril *adj.* 구두의 ; 구둣방의 : artificio ~.
zapatero, ra *adj.* ① 덜 삶아 설은 (콩 등). ② 썩기 시작한 (올리브) : aceituna ~. ③ 무승부의, 무득점의 : quedarse ~ 무득점이 되다, 무승부가 되다.
—*m.f.* 구두 제조인, 구두 장수 ; 양화점 주인 ; 구두 수선공 : ~ de viejo, ~ remendón 구두 수선공.
—*m.* ①【동물】 물매암이(tejedor). ②【방언】 올챙이 ; 풍뎅이 ③ (카드 놀이에서) 말이 없는 사람 : quedarse ~.
—*f.* 구두 제조인 · 상인의 아내.
zapateta *f.* 발을 동동 구르는 일 《기뻐서 혹은 춤을 출 때의 동작》(palmada).
—*interj.* 놀람의 감탄사.
zapatiesta *f.* =**trapatiesta.**
zapatilla *f.* ① 실내화, 덧신 ; 샌들식 구두. ② (소 따위의) 발톱. ③ (죽도 따위의) 끝 가죽 ; 밑에 댄 가죽.
~ de la reina 【식물】 좀개구리밥(pamplina).
zapatillazo *m.* 실내화로 때리기.
zapatillero, ra *m.f.* 실내화 제조인 · 상인.
zapatista *adj.m.f.* 사빠따 《Emilio Zapata (1883–1919), 멕시코의 정치가이며 혁명가》의 (추종자).
zapato *m.* 구두, 단화 : ~ botín 반장화. ~ papal 오버 슈즈. ~ de hule 《*Méx.*》 고무 신발.
como tres en un ~ 몹시 궁핍하여.
meter en un ~ 두말 못하게 하다.
no llegar a su ~ 어림도 없다.
*no llegar*le a uno *a la suela del ~* (누구보다) 훨씬 못하다, (…한테) 훨씬 미치지 못하다(ser muy inferior que él).
saber dónde le aprieta el ~ 자기의 약점은 자기

Z

가 안다, 자기의 약점은 알고도 남음이 있다(saber lo que le conviene).

ser más necio·ruin que su ~ 어지간히 바보짓을 하다.

Cada uno sabe dónde le aprieta el ~ 【속담】 자신의 일은 자신이 잘 안다.

zapatón *m.* ①《*Amér.*》 오버 슈즈. ②《*Guat.*》 =**chanclo.**

zapatón, na *adj.*《*Cuba.*》 =**duro, correoso.**

zapatudo, da *adj.* ① 커다란 구두를 신은 : gañán ~. ② 발굽이 큰. ③ 덧천(zapata)으로 보강한. ④《*Ant.*》 설익어 딱딱한(zapatero).

¡zape! *interj.* 쉿!《쫓아낼 때》; 이거 이상한데!《이상한 생각과 경계하는 마음》; 이거 안됐습니다!《거절》.

echar un ~《*Ecuad. Perú*》 호되게 나무라다, 꾸짖다.

zapear *tr.* ① 쉿하고 쫓아버리다 : ~ un gato. ② 이거 안됐습니다하고 거절하다·퇴짜놓다. ③《*Perú.*》 엿보다, 노리다(espiar).

zapera *f.*《*Venez.*》 소란(alboroto).

zaperoco *m.*《*Venez.*》 =**zambra, alboroto, jaleo.**

zapita *f.*《*Sant.*》 (착유용) 주발(colodra).

zapito *m.* =**zapita.**

zapo *adj.* [zapa 형은 없음]《*Perú.*》 의뭉스러운; 짓궂은(pícaro). —*m.*《*Murc.*》 누에고치를 치지 않는 누에.

zaporro, rra *adj.*《*Col. Venez.*》 작은, 소형의, 난쟁이 같은(enano).

zapotal *m.* 난과수(卵果樹)의 숲.

zapotazo *m.*《*AmérC. Méx.*》 =**golpe, porrazo.**

zapote *m.* ①【식물】 난과수 : El ~ está aclimatado en el sur de España. ② 난과수 열매.

chico ~ 작은 난과수; 그 열매.

zapotecos *m.pl.* 사뽀떼꼬족《멕시코 고대 문명의 민족》.

zapotero *m.*【식물】 난과수.

zapotillo *m.* =**chico zapote.**

zapoyol *m.*《*AmérC.*》 난과(卵果)의 씨.

zapuzar *tr.* ⑨ =**chapuzar, zambullir.**

zaque *m.* ① 가죽 자루, 술자루 : un ~ de vino. ② 술꾼, 술고래 : estar hecho un ~ 곤드레만드레가 되어 있다. ③《*Col. Ant.*》 뚱하의 추장(cacique de Tunja).

zaquear *tr.* 가죽 자루로 나르다.

zaqueo *m.* 가죽 자루로 나르기.

zaquizamí *m.* ① (천장이 없는) 다락방. ② 작고 불편한 방 : vivir en un ~.

zar *m.* 러시아의 황제.

zara *f.*【식물】 옥수수(maíz)의 이름 중의 하나.

zarabanda *f.* ① 16·17세기 경의 무용; 그 곡. ② 대소동(ruido estrepitoso). ③《*Méx.*》 구타.

zarabandista *adj.* 수다스런. —*m.f.* ① zarabanda를 추는 사람. ② 수다쟁이.

zarabando, da *adj.m.f.* =**zarabandista.**

zarabutear *tr.* =**zaragutear.**

zarabutero, ra *adj.m.f.* =**zaragutero.**

zaragalla *f.* 자잘한 식물의 탄(炭)(carbón vegetal menuda).

zaragata *f.* ① 싸움, 말다툼, 소동(riña). ②《*Cuba.*》 =**zalamería.**

zaragate *m.f.* ①《*Méx.*》 악당, 망나니, 불량배(pícaro, bribón). ②《*Amér.*》 비위에 거슬리는 사람(persona despreciable). ③《*Cuba.*》 알랑쇠, 아첨꾼, 아부하는 사람 (adulador, zalamero). ④《*Col.*》 =**mentecato, necio, majadero.**

zaragatero, ra *adj.m.f.* =**bullicioso.**

zaragatona *f.*【식물】 차전초의 일종.

zaragocí *adj.* 노란 ciruela의.

zaragozano, na *adj.m.f.* 사라고사《Zaragoza, 서반아 동북부의 도시·주》의 (사람).

zaragüelles *m.pl.* ① (옛날 Valencia와 Murcia에서 농부들이 입었던) 통이 넓은 바지. ②【식물】 갈대의 일종.

zaragutear *tr.* 알지도 못한 일에 끼어들다, 남의 말에 끼어들다.

zaragutero, ra *adj.m.f.* 남의 말에 끼어드는 (사람)(entremetido).

zaramada *f.*《*Sant.*》 =**leño de arder.**

zaramagullón *m.*【조류】 =**somorgujo.**

zarambeque *m.* 사람베께《흑인의 춤; 그 곡》.

zaramullo *m.* ①《*Perú. Venez.*》 주책부리기 (zascandil). ②《*Bol.*》 엉터리. —*adj.* ①《*Amér.*》 아니꼬운, 꼴사나운. ②《*Amér.*》 우스갯소리 잘 하는 (사람). ③《*Hond.*》 =**remilgado, delicado.**

zaranda *f.* ① (까부는) 체, 얼멍체 (criba). ②《*Venez.*》 나팔의 일종. ③《*Venez.*》 팽이 (trompo).

zarandador, ra *m.f.* 체로 치는 사람.

zarandajas *f.pl.* 자잘한 물건, 하찮은 일 : entretenerse en ~*s* 하찮은 일로 즐거워하다.

zarandajo, ja *adj.*《*Venez.*》 비위에 거슬리는.

zarandalí *adj.* 검은 반점이 있는 (비둘기).

zarandar *tr.* ① 체로 치다 : ~ grano. ② 흔들다, 휘둘러대다.

~se 궁둥이를 흔들며 걷다(contonearse).

zarandear *tr.* ① 체로 치다 (zarandar). ② 흔들다. ③ 바삐 움직이다. ④《*Ecuad.*》 귀찮게 굴다, 괴롭히다(mortificar).

~se ① 흔들리다. ②【방언】《*Amér.*》 궁둥이를 흔들며 걷다(contonearse).

zarandeo *m.* ① =**cribado.** ② =**meneo, sacudida.** ③《*Amér.*》 =**contoneo.**

al ~《*SDgo.*》 날아 오르는 것을 겨냥하여 (쏘다).

zarandero, ra *m.f.* 체로 치는 사람.

zarandilla *f.*《*Rioja.*》 =**lagartija.**

zarandillo *m.* [*dim.* zaranda] ① 작은 체. ② 몸이 민첩한 사람 : Ese muchacho es un ~.

trae*rle a uno* ***como un*** ~ 이리저리 계속 가게 하다·움직이게 하다(hacerle ir continuamente de una parte a otra).

zarando, da *adj.* ①《*Col.*》 얼근히 취한. ②《*Venez.*》 경솔한.

zarapastel *m.*【조류】 중부리도요.

zarapatel *m.* 사라빠뗄《야채 요리의 일종》.

zarape *m.* =**sarape.**

zarapito *m.*【조류】 도요새의 일종 : El ~ se alimenta principalmente de insectos y moluscos 사라삐또는 주로 곤충과 연체류를 먹는다.

zarapón *m.*【식물】 우엉.

zaratán *m.* ①【의학】 유방암 (cáncer del pecho). ②《*Hond.*》 =**triquina.**

zarate *m.*《*Hond.*》 =**sarna.**

zaraza *f.* =**sarasa.** —*pl.* (개·고양이·쥐를 죽이기 위한) 독약.
zarazo, za *adj.* 《*Amér.*》 익어 가는 (과일).
zarazón, na *adj.* 《*Méx.*》 =**achispado, alegre.**
zarcear *tr.* (파이프 속을) 문질러 씻다. —*intr.* ① 개가 짐승을 쫓아 가시나무 덤불로 들어가다. ② 부산하게 왕래하다, 들락날락하다.
zareceño, na *adj.* 가시나무의 가시가 자란.
zarcero, ra *adj. perro* ~ 짐승을 쫓아 쉽게 가시 덤불로 들어가는 개.
zarceta *f.* 【조류】 작은 오리(cerceta).
zarcillitos *m.pl.* 【식물】 억새풀의 일종 (tembladera).
zarcillo *m.* ① 귀고리, 이어링(pendiente). ② 호미, 괭이(asada). ③ 《*Ar.*》 =**aro de cuba.** ④ (포도 따위의) 덩굴손. ⑤ 《*Arg. Méx. Venez.*》 표적으로 마소의 귀에 낸 칼자국.
de ~ 팔짱을 끼고.
zarco, ca *adj.* ① 물빛깔의, 푸른 (azul claro) : una muchacha de ojos ~*s* 푸른 눈의 소녀. ② 《*Arg.*》 한 쪽 눈이 흰 (말). ③ 《*Chile.*》 눈에 흰 점이 박힌. —*m.* 《*Guat.*》 백인(hombre de raza blanca).
zarevich *m.* =**zarevitz.**
zarevitz *m.* 러시아의 황태자 (hijo primogénito del zar de Rusia).
zargatona *f.* 【식물】 =**zaragatona.**
zariano, na *adj.* 러시아 황제의 ; 러시아 황제풍의 : potesta ~ *na* 황제의 권력.
zarigüeya *f.* 【동물】 (아메리카산의) 캥거루과에 속하는 동물 : La ~ es carnicera 사리구에야는 육식 동물이다.
zarina *f.* 러시아의 황후.
zarismo *m.* 러시아식의 전제 정체, 폭정.
zarista *adj.* zarismo의. —*m.f.* 러시아의 황제파.
zarja *f.* =**azarja.**
zarpa *f.* ① 출범, 닻을 올림 ; 출항. ② (맹수의) 발. ③ 마수. ④ (의류에) 튀긴 흙탕물 (cazcarria): hacerse una ~ 흙탕물로 범벅이 되다. ⑤ 【건축】 벽도리.
echar la ~ 손에 넣다, 거머쥐다, 자기 것으로 하다(agarrar, apoderarse de).
zarpada *f.* (사자·호랑이·고양이 따위가 발로) 할퀴기.
zarpar *tr.intr.* ① 닻을 올리다 (levar el ancla). ② 출범하다, 출항하다(hacerse a la mar) : La goleta *zarpó* del puerto.
zarpazo *m.* ① zarpa로 할퀴기 (zarpada) : El gato dio un ~ 고양이가 발로 할켰다. ② (땅바닥에 떨어질 때) 손바닥으로 때리기.
zarpe *m.* 《*AmérC.*》 =**zarpa, cazcarria.**
zarpear *tr.* 《*AmérC. Méx.*》 흙탕물에 튀겨 범벅으로 만들다, 점점이 튀겨 더럽히다 (salpicar) : ~ *de* leche 우유를 튀겨 더럽히다.
zarposo, sa *adj.* 흙탕물을 뒤집어쓴(cazcarriento) : llevar la falda ~*sa.*
zarracatería *f.* 달콤한 말, 알랑거림(halago fingido).
zarracatín *m.* 에누리만 하는 사람(regatón).
zarramplín *m.* ① 재주없는 남자, 막돼먹은 사람(chapucero) ; 서툰 직공(mal obrero). ② = **chisgarabís.**
zarramplinada *f.* =**torpeza, chapucería.**
zarrapastra *f.* 튀긴 흙탕물. —*m.f.* 지저분한·추접스러운 사람.
zarrapastrón, na *adj.* =**zarrapastroso.**
zarrapastrosamente *adv.* 더럽게, 추접스럽게.
zarrapastroso, sa *adj.m.f.* 누더기를 입은, 추접스러운, 정결치 못한 (사람)(roto y andrajoso).
zarria *f.* ① 튀긴 흙탕물. ② 늘어진 누더기. ③ (신발의) 가죽끈.
zarriento, ta *adj.* 흙탕물을 뒤집어쓴.
zarrio *m.* 《*Ar.*》 =**arambel.**
zarrio, rria *adj.* 《*And.*》 =**charro, rústico.**
zarrioso, sa *adj.* ① 튀긴 흙탕물로 덤벅이된. ② 《*Ál. Nav.*》 =**desmadejado.**
zarza *f.* 【식물】 가시나무, 찔레나무 : el camino lleno de ~*s* 가시나무로 덮인 길. Las hojas y el fruto de la ~ se emplean en medicina 가시나무의 잎과 열매는 약용이다.
zarzagán *m.* 살을 에이는 바람, 찬 바람(cierzo muy frío, viento helado).
zarzaganete *m. dim.* zarzagán.
zarzahán *m.* (옛날의) 줄무늬 비단천.
zarzaidea *f.* =**frambuesa.**
zarzal *m.* 가시나무 덤불 (matorral espinoso) : enredarse en un ~.
zarzaleño, ña *adj.* 가시나무의, 가시나무투성이의.
zarzamora *f.* zarza의 열매.
zarzaparrilla *f.* ① 【식물】 사르사 빠릴랴 《백합과에 속하는 관목으로 뿌리는 발한제》, 그 뿌리. ② 사르사빠릴랴로 맛들인 청량 음료.
zarzaparrillar *m.* 사르사빠릴랴 밭.
zarzaperruna *f.* 【식물】 찔레나무 (escaramujo) ; 그 열매.
zarzarrosa *f.* 찔레나무꽃.
zarzo *m.* ① 대발 : extender fruta en un ~. ② 《*Col.*》 다락방(desván).
zarzoso, sa *adj.* 가시나무가 자란 ; 가시투성이의 (espinoso).
zarzuela *f.* [*dim.* zarza] ① 사르수엘라 《일종의 경희가극(輕喜歌劇) ; 첫 공연된 왕실의 별장 la Zarzuela의 명칭에서》 : ~ grande 주로 3막 물 《1막물은 género chico》. ② 사르수엘라 《요리 이름》.
zarzuelero *m.* =**zarzuelista.**
zarzuelista *m.* 사르수엘라 작가·작곡가.
¡zas! *interj.* 철썩 !, 푹 !, 탁 ! 《때릴 때 나는 소리의 의성어》.
zascandil *m.* 주책바가지, 주책없는 사람(hombre muy entremetido).
zascandilear *intr.* 방정맞은 짓을 하다, 주책을 부리다, 주책없다(portarse como zascandil).
zascandileo *m.* 주책, 방정맞은 짓.
zata *f.* 뗏목.
zatara *f.* =**zata.**
zatico *m.* ① (궁중에서) 빵을 담당하는 관리. ② 《*Ant.*》 빵부스러기, 빵조각(zato).
zatillo *m.* =**zatico.**
zato *m.* 빵 부스러기, 빵조각. —*adj.* 《*Venez.*》 땅딸막한 (동물).
zaya *f.* 《*León.*》 물레방아 용수구.
zazo, za *adj.* =**ceceoso.**

zazoso, sa *adj.* =**ceceoso.**
zebra *f.*=**cebra.**
zeda *f.* 문자 z의 명칭.
zedilla *f.* ① 옛 서반아어 문자(ç) : La ~ expresaba sonido parecido al de la zeda ç는 z소리 비슷한 소리를 냈다. ② c아래 붙이는 문자의 부호.
zéjel *m.* 모로인의 시(poesía).
zelandés, sa *adj. m.f.* 젤란디아 《Zelandia, 화란의 주》의 (사람).
zemstvo *m.* (옛날 러시아의) 주의회 (asamblea provincial).
zendavesta *m.* 고대 페르시아의 배화교의 경전.
zendo *m.* 고대 페르시아 북부의 한 언어.
zenit *m.* =**cenit.**
zepelín *m.* 제펠린 비행선.
zeque *m.* 《*Bol.*》 김빠진 술.
zeta *f.* [*gr.* zêta] 문자 z의 명칭 ; 그리스 자모(字母)의 여섯 번째 글자.
zeugma *f.* [*gr.* zeugma] 【문법】 연속 어법, 연속법.
zeuma *f.* =**zeugma.**
Zeus *m.* 【희랍 신화】 제우스 《el Olimpo산의 주신(主神) ; 로마 신화의 Júpiter에 해당함》.
zigano, na *m.f.* 집시(gitano).
zigomático, ca *adj.* =**cigomático.**
zigzag *m.* [*fr.* zigzag] z자 모양, 번개 모양, 톱니 모양 ; (들쭉날쭉한) 톱니 모양의 것 《장식 · 선 · 번갯불 · 도로 따위》, 곡절 : en ~ 지그재그로.
zigzaguear *intr.* 지그재그로 나아가다 ; z자형으로 나아가다 ; (길 · 강 따위가) z자형으로 뻗어 있다 · 흐르다, 구불텅하다 ; 갈지자로 걷다, 사행(蛇行)하다.
zinc *m.* [*pl.* zincs] [*al.* zink] ①【화학】 아연(cinc). ② 함석, 양철 : ~ de canaleta 물결 모양의 양철.
zincato *m.* 【화학】 =**cincato.**
zíncico, ca *adj.* =**cíncico.**
zinguizarra *f.* 《*Venez.*》 싸움, 소란.
zinnia *f.* 【식물】 (멕시코 원산의) 백일초.
zipa *f.* 《*Col. Ant.*》 (Bogotá의) 추장(cacique).
zipizape *m.* 싸움, 난투극(riña).
zircón *m.* =**circón.**
zirconio *m.* =**circonio.**
zirigaña *f.* =**cirigaña.**
ziszás *m.* =**zigzag.** —*interj.* 연속타의 의음.
zizaña *f.* ①【식물】 독맥(毒麥). ② 불화, 분열.
ZLC Zona Libre de Colón 꼴론 자유 무역 지대.
zloty *m.* 즐로티 《폴란드의 화폐 단위》.
zoantropía *f.* 【심리】 (자신을 동물이 된 것으로 착각하고 있는) 동물화 망상.
zoántropo, pa *adj.* 동물화 망상에 걸린. —*m.f.* 동물화 망상증 환자.
zoca *f.* 《*Ant.*》 ① 광장(plaza). ② 소광장(plazuela, plazoleta). ③ 그루터기.
andar de ~ en colodra 사정이 차츰 나빠지다.
zócalo *m.* ① 대(臺), 반석, 기초 ; 주석 ; 벽의 도리. ② 《*Méx.*》 대광장의 한 단을 높인 중앙부, 광장.
Zócalo *m.* 소깔로 광장 《멕시코시 중앙에 있는 광장 이름》.
zocatearse *r.* (과일이) 누렇게 시들다.
zocato, ta *adj.* ① 익지도 않고 시들어 버린 (과일). ② 왼손잡이의(zurdo).
zoclo *m.* ① 나막신 (zueco, chanclo). ② 오버슈즈.
zoco[1] *m.* 【건축】 =**zócalo.**
zoco[2] *m.* 《*Ant.*》 ① 광장(plaza). ② 시장(mercado).
zoco, ca *adj.* ① 왼손잡이의 (zurdo). ② 왼쪽의 : mano ~*ca.* —*m.* ① 《*Sal.*》 목이 쉼 · 잠김(carraspera) ; 기침(tos). ② 《*Col.*》 =**manco.** —*m.f.* 왼손잡이.
andar de ~s en colodros 점점 더 악화되어 가다 (ir de mal en peor).
zocolar *tr.* 《*Amér.*》 (씨를 뿌리기 전에) 잡초를 베어내다(socolar).
zocotroco *m.* 《*Arg. Bol. Col.*》 부피만 큰 것.
zocucho *m.* 《*Venez.*》 =**socucho.**
zodiacal *adj.* 【천문】 황도대(黃道帶)의, 황도의, 수대(獸帶)의 : luz ~ 황도광(黃道光).
zodiaco *m.* =**zodíaco.**
zodíaco *m.* [*gr.* zodiakos] 【천문】 황도대, 수대 《황도를 중심으로 하여 남북으로 폭이 각각 8도의 대(帶), 태양과 달의 주된 혹성이 이 띠 안을 운행함 ; 황도대에 속하는 성좌는 12개》 : signos del ~ 12궁 《Acuario 보병(寶甁)궁, Piscis 쌍어(雙魚)궁, Aries 백양(白羊)궁, Tauro 금우(金牛)궁, Géminis 쌍자(雙子)궁, Cáncer 거해(巨蟹)궁, Leo 사자궁, Virgo 처녀궁, Libra 천칭(天秤)궁, Escorpión 전갈궁, Sagitario 인마(人馬)궁, Capricornio 마갈(磨羯)궁》.
zoe *m.* 【동물】 피각질의 애벌레 · 유충.
zofra *f.* 아라비아의 융단.
zoilo *m.* 질시의 혹평 ; 혹평가.
zoísmo *m.* [*gr.* zôon] 동물의 생체 조직을 분류하게 하는 특성.
zoizo *m.* =**suizo.**
zolaesco, ca *adj.* 졸라 《Emilio Zola, 불란서 자연주의파 소설가 (1840—1902)》풍의.
zollipar *intr.* 흐느껴 울다(sollozar hipando).
zollipo *m.* 흐느껴 울기.
zolocho, cha *adj.m.f.* =**tonto, bobo, simple.**
zoltaní *m.* 고대 터키의 동전(soltaní).
zoma *f.* 거친 가루(soma).
zompo, pa *adj.* 손발이 굽은, 불구의(zopo).
zompopo, pa *adj.* 《*AmérC.*》 어리석은, 바보의, 얼뜬. —*m.* 《*AmérC.*》 【동물】 머리가 큰 개미의 일종(sompopo).
zona *f.* [*gr.* zônê] ①【천문】 띠, 대(帶) (faja, lista) : ~ floral 식물대. ~ glacial 한대. ~ templada 온대. ~ tórrida 열대. ② 지역, 지대, 구역 ; 권(圈), 계(界) : ~ marítima 해상 지역. ③ (도시 계획 따위의) 지구 ; (소포 우편 · 전화 따위의) 동일 요금 구역 ; (대도시의) 우편 구역. ④ 윤상대(輪狀帶), 환대(環帶). ⑤【수학】 (구면(球面) · 원뿔 · 원기둥 따위의) 대(帶), 띠. ⑥【의학】 대상 포행진(帶狀葡行疹).
~ *comercial* 상업 지역. ~ *comercial de la ciudad* 상업 지구. ~ *de colonización* 개척 지역, 식민 지대. ~ *de confianza* 신뢰 대상 지역(帶狀地域). ~ *de crisis económica* 정체 지역. ~ *de ensanche* 도시 확장 구역. ~ *de la representación* 판매 · 대리 담당 지역. ~ *de libre*

Z

comercio 자유 무역 지역. ~ *de navegación* 항행(航行) 구역. ~ *de rechazo* 기각 범위. ~ *de venta* 판매 지구. ~ *del dólar* 달러 지역, 달러권(圈). ~ *del franco francés* 프랑스 프랑 지역. ~ *económica* 경제 지역. ~ *esterlina* 파운드 지역. ~ *fiscal* 직할 구역. ~ *franca* 외국 자유 무역 지대. ~ *franca comercial e industrial* 무역 산업 자유 지대. ~ *industrial* 공업 지대. *Z-Libre de Colón* 《*Pan.*》 꼴론 자유 무역 지대. ~ *monetario* 통화 지역. ~ *neutralizada* 중립 지대. ~ *polémica* 요새 지대, 방위 지구. ~ *verde* 녹지대.

zonado, da *adj.* 지대로 나누어진 ; 띠를 두른(zonal).

zonal *adj.* 띠 모양의 ; 지구(地區)·지대(地帶)의 : espóndilo ~ 띠 모양의 등골뼈.

zoncear *intr.* 《*AmérM.*》 =**tontear.**

zoncera *f.* 《*Amér.*》 =**zoncería.**

zoncería *f.* =**tontería.**

zoncha *f.* 《*AmérC.*》 빡빡 깎은 머리.

zonchiche *m.* 《*CRica.*》 【조류】 (붉은 머리의) 매(buitre).

zoncho *m.* 《*Sant.*》 광주리(cesto).

zonda *f.* 《*Arg. Bol.*》 따뜻한 바람, 북풍.

zonificación *f.* 지역으로 구분.

zonificar *tr.* 지역으로 구분하다(dividir en zonas).

zoniforme *adj.* 띠(zona o faja) 모양의.

zonote *m.* 《*AmérC. Méx.*》 동굴 속의 물웅덩이(cenote).

zontear *tr.* 《*AmérC.*》 ① (동물의) 귀를 자르다. ② (기물의) 손잡이를 부서뜨리다.

zonto, ta *adj.* 《*AmérC.*》 귀가 없는, 귀를 잘린(desorejado).

zónula *f.* 작은 지역·지대.

zonzamente *adv.* 얼빠지게, 정신나가게, 바보같이, 얼뜨게.

zonzapote *m.* 《*Méx.*》 =**zapote.**

zonzo, za *adj.* 얼빠진, 정신나간, 바보 같은, 등신 같은(soso).
ave zonza 선천옹.
hacerse el ~ 딴전을 부 l다, 시치미를 떼다.

zonzoreco, ca *adj.* 《*Amér.*》 =**zonzoreno.**

zonzoreno, na *adj.* 《*Amér.*》 =**zonzo.**

zonzorrión, na *adj.* [*aum.* zonzo] 천치·바보(의).

zoo *m.* 동물원.

zoobiología *f.* 동물 생리학.

zoofagia *f.* 육식성.

zoófago, ga *adj.* 육식의 : insecto ~ 육식충. —*m.f.* 육식 동물.

zoofítico, ca *adj.* 【동물】 식충류(zoófitos)를 가진.

zoofitolito *m.* 《*Ant.*》 =**zoófito fósil.**

zoofitología *f.* 선충류학.

zoófitos *m.* 【동물】 식충류(植虫類) 《산호, 해면의 무리》.

zoofobia *f.* 동물 공포증.

zoofórico, ca *adj.* 【건축】 동물 모양의 : columna ~*ca.*

zoóforo *m.* 동물 형상.

zooftirio *m.* =**anopluro.**

zoogenia *f.* 동물 발생론 ; 동물 생식.

zoogeografía *f.* 동물 서식지 연구학.

zoogonía *f.* =**zoogenia.**

zoografía *f.* 동물지(動物誌).

zoográfico, ca *adj.* zoografía의.

zoógrafo, fa *m.f.* 동물지 학자·연구가.

zoólatra *adj.* 【남·여 동형】 동물 숭배의. —*m.f.* 동물 숭배자.

zoolatría *m.* 동물 숭배.

zoolátrico, ca *adj.* 동물 숭배의.

zoolítico, ca *adj.* 동물 화석을 포함한.

zoolito *m.* 동물의 화석 ; 화석 동물.

zoología *f.* 동물학.

zoológico, ca *adj.* 동물의 ; 동물학의 : jardín ~ 동물원. parque ~ 동물원.

zoólogo, ga *m.f.* 동물 학자.

zoomagnetismo *m.* 동물 자기.

zoomorfismo *m.* 동물 형상.

zoomorfo, fa *adj.* 동물 형상을 한.

zoonomía *f.* 동물계를 지배하는 법률.

zoospermo *m.* 정충, 정자.

zoospora *f.* 【생물】 정포자(精胞子), 유주자(遊走子).

zoosporangio *m.* 【식물】 유주자 (zoosporos)가 만들어 내는 포자낭(esporangio).

zoosporo *m.* 【식물】 유주자(遊走子).

zootecnia *f.* 동물 사육법.

zootécnico, ca *adj.* 동물 사육의 : estudio ~. —*m.f.* 동물 사육자.

zooterapéutico, ca *adj.* 수의학의. —*f.* 수의학.

zooterapia *f.* 수의학.

zootomía *f.* 동물 해부(학).

zootómico, ca *adj.* 동물 해부(학)의.

zootropo *m.* 주마등.

zopas *m.f.* 반벙어리, 말더듬이.

zope *m.* 《*AmérC.*》 【조류】 까마귀의 일종(aura).

zopenco, ca *adj.* 어리석은, 멍청한, 바보 같은(tonto).

zopetero *m.* =**ribazo.**

zopilote *m.* 《*AmérC.*》 =**zope.**

zopilotear *tr.* 《*Méx.*》 게걸스럽게 먹다.

zopilotillo *m.* 《*CRica.*》 【조류】 =**aní.**

zopisa *f.* ① 역청(brea). ② 송진(resina del pino).

zopitas *m.f.* =**zopas.**

zopo, pa *adj.m.f.* [*ital.* zoppo] ① 손발이 굽은 ; 불구의. ② 굼뜬, 느린, 굼벵이 같은.

zoquete *m.* ① 나무 조각, 빵·고기 조각 ; 풍채가 눈에 띄지 않는 몸집 작은 남자 : Tu primo es un ~. —*adj.m.f.* 굼벵이 같은 (사람).

zoquetero, ra *m.f.* 버린 빵을 줍는 사람 ; 가난한 사람.

zoquetudo, da *adj.* 변변치 못한, 잘못 만들어진.

zoquiqui *m.* 《*Méx*》 =**loro.**

zorcico *m.* [*vasc.* zortzico] 바스꼬 지방의 민요·춤.

zorenco, ca *adj.* 《*Guat.*》 =**alelado, torpe, lerdo.**

zorita *f.* 【조류】 산비둘기(paloma silvestre).

zorito, ta *adj.* 산비둘기의(zurito).

zoroástrico, ca *adj.* 조로아스터 (Zoroastro)교의, 배화교(拜火敎)의.

zoroastrismo *m.* 조로아스터교, 배화교 (mazdeísmo) : El ~ es una doctrina dualista.

zorocho *m.* 【광물】 은광석(銀鑛石)의 일종. —*adj.* 《*Venez.*》 올 베는 (밀).

zorollo *adj.* 올 베는 (밀).

zorongo *m.* ①(아라곤 지방의) 머리띠 ; (여자들의) 리본(moño). ② 안달루시아의 민요와 춤.

zorra *f.* ①【동물】 여우 ; 암여우 : La astucia de la ~ es proverbial. ② 여우 가죽(piel de zorra). ③ 교활한·앙큼한 여자 (persona astuta y taimada). ④ 갈보, 매춘부(prostituta). ⑤ 곤드레만드레 취함 (borrachera) : desollar· dormir la ~ 곤드레가 되어 잠자다. ⑥ 큰 달구지. ⑦ 《*Arg.*》 무개 화차(無蓋貨車). ⑧ 《*Chile.*》 =**el aguarachay.**

no ser la primera ~ que uno ha desollado 못된 짓을 한 것이 처음이 아니다.

zorral *adj.* 《*AmérC.Col.*》 형편이 좋지 못한, 귀찮은(importuno).

zorrastrón, na *adj.m.f.* 교활한 (사람).

zorregar *tr.* 먼지털이로 털다.

zorrera *f.* ① 여우굴 (madriguera de la zorra). ② 불안, 걱정, 근심(inquietud). ③ 연기가 자욱한 방 (habitación llena de humo).

zorrería *f.* 교활함, 간사함(astucia, maña).

zorrero, ra *adj.* ① 여우잡이 용의 (개). ② 간사한, 교활한, 능청떠는(astuto). ③ 빠르지 못한 (배) ; 맨 뒤로 처진 (배). —*m.* 여우 사냥에 쓰는 개 ; 왕가의 수렵장 지기.

zorrillo, lla *adj.* 《*Méx.*》 수상쩍은, 미심쩍은 ; 어리석은. —*m.* 【동물】 스컹크 ; 족제비 (mofeta). —*f.* 선로 검사차.

zorrino *m.* 《*Arg. Bol.*》 【동물】 =**zorrillo.**

zorro *m.* ①【동물】 수여우 ; 여우의 털가죽. ② 꿀을 바른 밀가루빵. ③ 간사한 사람, 앙큼한 사람, 교활한 사람. ④ 일하지 않기 위해 엄살부리는 사람. ⑤ 《*AmérM.*》 【동물】 스컹크 ; 족제비의 일종. —*pl.* 먼지떨이.

~ ***azul*** 은여우(raposo ferrero).

~ ***gauche*** 《*Venez.*》 =coatíl.

~ ***negro*** 판다(mapache).

estar hecho un ~ 정신없이 자고 있다.

hacerse el ~ 못들은 척·모른 척하다.

zorro, rra *adj.* =**zorrero.**

zorrocloco *m.* ① 능청떠는 남자. ② 아양, 어리광 : hacer ~*s* 아양 떨다. ③ nuégado의 일종.

zorromoco *m.* 《*Sant.*》 =**zangarrón.**

zorrón *m.* [*aum.* zorra] ① 정신없이 취함 (borrachera). ② 앙큼 떠는 교활한 인간.

zorronglón, na *adj.m.f.* 일하기 싫어 자꾸만 투덜거리는 (사람), 꾀를 부리는 (사람).

zorruelo, la *m.f. dim.* zorro.

Z

zorrullo *m.* =**zurullo.**

zorruno, na *adj.* 여우의 ; 간사한, 여우 같은 : mañas ~*nas* 여우 같은 잔꾀.

zortzico *m.* =**zorcico.**

zorullo *m.* =**zurullo.**

zorzal *m.* ①【조류】 개똥지바퀴 : El ~ vive en España durante el invierno. ② 교활한 인간. —*adj. m.f.* 《*Arg. Col. Perú.*》 무골 호인(의).

~ ***marino*** 【어류】 가시지느러미류 물고기.

zorzalada *f.* 《*Chile.*》 어리석음, 어처구니 없는 일.

zorzalear *tr.* 《*Chile.*》 ① 속이다, 야바위치다. ②(돈을·물건을) 뜯어내다. —*intr.* 《*Chile.*》 기식하다, 무위 도식하다.

zorzaleño, ña *adj.* 알이 작은 (올리브).

zorzalero, ra *adj.m.f.* 《*Chile.*》 =**gorrón.**

zorzalino, na *adj.m.f.* 《*Chile.*》 안락한, 즐거운 (deleitoso) : vida ~*na* 안락한 생활.

zoster *m.* 【의학】 대상 포진(帶狀疱疹).

zostera *f.* ①【식물】 대엽조(大葉藻) 《지붕을 잇거나 방석 재료로 쓰임》. ② 《*Arg. Urug.*》 (채찍의) 가죽포.

zote *adj.m.f.* 기억력이 둔한, 저능의 ; 굼벵이의·같은 (사람).

zotera *f.* 《*Arg.*》 =**azotera.**

zoyate *m.* 《*Méx.*》 질이 낮은 야자.

zozobra *f.* ①(선박이) 침몰 상태가 되는 일. ② 비탄, 괴로움, 불안 (inquietud) : vivir en una perpetua ~.

zozobrante *adj.* 안절부절못하게 하는.

zozobrar *intr.* ① 거의 침몰되어 가다, 물을 뒤집어쓰다 : El barco *zozobró* cerca del puerto 배가 항구 근처에서 침몰되어 갔다. ② 마음이 울적해지다, 슬픔에 젖다(acongojarse, afligirse).

—*tr.* ① 침몰시키다. ② 괴롭히다.

~se 가라앉다, 침몰하다.

zozobroso, sa *adj.* 마음이 울적해지는, 걱정스러운.

Zr circonio.

zúa *f.* 양수기 ; 둑(zuda).

zuaca *f.* ① 《*CRica.*》 못된 장난 ; 치근대기 : hacer la ~ 치근대다. ② 《*Méx.*》 채찍질.

zuavo *m.* [*fr.* zouave] ① 주아브병(兵) 《불란서의 경보병 ; 원래는 알제리 사람으로 편성되어, 아라비아옷을 입었음》. ② 주아브병 복장의 불란서 보병. ③ 주아브 모양의 재킷《여자용으로 아라비아 복장 양식의 짧은 상의》.

zubia *f.* 방수로, 도랑.

zucarino, na *adj.* 당분을 함유한(sacarino).

zucucho *m.* 《*Cuba.*》 =**sucucho.**

zuda *f.* =**azud, zúa.**

zudra *m.* 수다라 《고대 인도의 4성 가운데 넷째 계급》.

zueca *f.* 《*Chile.*》 일종의 부츠.

zueco, ca *adj.* [*lat.* soccus] ① 《*Col.*》 다리가 휜 (patojo). ②【방언】 =**zurdo.**

—*m.* ① 나막신(zapato de madera) : caminar con ~*s* 나막신을 신고 걷다. ②(바닥이 나무로 된) 가죽신(zapato de cuero).

zuela *f.* 자귀, 도끼(azuela).

zuelear *intr.* 《*AmérC.*》 자귀질·도끼질하다.

zuindá *m.* 《*Arg.*》 【조류】 부엉이의 일종.

zuiza *f.* ① 무사 행렬, 그 모의전. ② 난투(suiza). ③ 《*AmérC.*》 주먹질, 난투극, 구타, 두들겨 패기 (zurra).

zulacar *tr.* [7] 역청 아스팔트로 덮다 ; 방수 처리하다.

zulaque *m.* 역청 아스팔트 《수도관 등의 틈을 메꾸는 재료》.

zulaquear *tr.* =**zulacar.**

zulla *f.* ①【식물】 불란서 인동 덩굴 : La ~ constituye un excelente pasto para el ganado. ② 똥(excremento humano).

zullarse *r.* ① 똥을 누다. ② 방귀를 뀌다 (ventosear).

zullenco, ca *adj.* 방귀를 많이 뀌는.

zullón, na *adj.* 방귀를 자주 뀌는. —*m.* 소리없이 뀌는 방귀(follón).

zulú *adj.* [*pl.* zulúes] ① 줄루족《남 아프리카의 용맹한 흑인》의. ② 야만스러운. —*m.f.* 줄루 사람. —*m.* 줄루말.

zumacal *m.* 붉나무(zumaque) 숲, 옻나무 숲.

zumacar[1] *tr.* 7 (피혁을) 무두질하다, 제혁(製革)하다(dar zumaque) : ~ las pieles.

zumacar[2] *m.* 붉나무 숲.

zumacaya *f.* 【조류】 =**zumaya.**

zumaque *m.* ①【식물】 붉나무, 옻나무. ② 포도주, 술.

~ ***del Japón*** 옻나무《도료》.

~ ***falso*** 가죽나무《소태나무과》.

~ ***flojo*** =ailanto.

dar ~ (피혁을) 무두질하다.

zumaya *f.* 【조류】 ① 수리부엉이 (autillo). ② 쏙독새(chotacabra). ③ 푸른 백로 ; 해오라기.

zumba *f.* ① (마소에 다는) 왕방울 (cencerro). ② 윙윙이《소리나는 장난감》(bramadera). ③ 야유(chanza) : hacer ~. ④ 두들겨 패기. ⑤《*Amér.*》 난타, 주먹질, 구타(zurra). ⑥《*Méx.*》 취기.

salir sin ~ 《*Méx.*》 날으는 듯이 · 급히 떠나다.

¡zumba! *interj.* 《*Col.*》 쉿 ! 《개를 쫓을 때 쓰는 소리》.

zumbador, ra *adj.* 윙윙거리는.

—*m.* 《*Ant. Méx.*》 윙윙이《소리나는 장난감》.

—*f.* 《*Salv.*》 뱀(culebra)의 일종.

zumbar *intr.* ① 울리다 ; 귀가 울리다 · 멍하다 : Me *zumban* mucho los oídos 나는 귀가 무척 울린다. ② …에서 매우 가깝다, 거의 다 왔다 (estar muy cerca de) : Ya le *zumban* los cincuenta años 그는 벌써 쉰 살에 가깝다. ③《*Amér.*》 재빨리 도망치다. —*tr.* ① 놀려주다, 야유하다. ② 때리다 : Le *zumbó* una bofetada 그의 뺨을 때렸다. ③《*Amér.*》 버리다, 던지다.

~se ① 놀리다, 야유하다, 조롱하다 (burlarse). ②《*Ant.*》 뛰어들다, 덤벼들다. ③《*Ant.*》 너무 좋아 난잡해지다.

zumbel *m.* ① 팽이를 돌리는 끈. ② 우거지상 : poner ~.

zumbido *m.* ① 윙윙거림 : el ~ de un insecto. ② 계속되는 귀를 멍하게 하는 소리 : ~ de oídos. ③ 구타, 난타(porrazo).

zumblín *m.* 《*Filip.*》 투창(venablo)의 일종.

zumbo, ba *adj.* 《*Méx.*》 술취한 (borracho). —*m.* ① 윙윙거림 ; 벌레의 날개 소리(zumbido). ②《*AmérC. Col.*》 박으로 만든 그릇(calabazo).

zumbón, na *adj.* ① 윙윙거리는. ② 놀려주기 좋아하는(burlón), —*m.* (맨 앞에서 안내해 가는 소의 목에 건) 왕방울.

zumel *m.* (칠레의 아라우까족의) 승마용 장화. [*N.* 주로 복수형으로 사용함].

zumiento, ta *adj.* 즙액을 내는.

zumillo *m.*【식물】 범의 귀, 호이초(虎耳草).

zumo *m.* ① 즙, 액, 과즙(jugo) : ~ de limón 레몬즙. ~ de piña 파인애플즙. ~ de cepas · de parras 【속어】 포도주, 술. ② 이득, 이문.

zumoso, sa *adj.* 즙액이 많은, 물기가 많은.

zumzum *m.* 《*Ant. Arg.*》【조류】 벌새.

zuna *f.* ① 마호메트의 언행록(言行錄), 회교 경전. ②【방언】 말(馬)의 나쁜 습관. ③《*Ast. Sant.*》 사심(邪心).

zunchar *tr.* 쇠테로 조이다 ; 쇠테로 끼우다.

zuncho *m.* 쇠테, 쇠바퀴(abrazadera o anillo de metal).

zunita *adj.* 수니파《이슬람교의 2대 교파 중의 하나》의. —*m.f.* 수니파 교도.

zunzún *m.* 《*Ant. Arg.*》 =**zumzum.**

zuño *m.* 우거지상, 찡그린 얼굴 (ceño) : poner ~ 우거지상을 하다, 얼굴을 찡그리다.

zupia *f.* ① 탁주(vino turbio). ② 외모가 나쁜 것. ③ 무용지물. ④ 질이 나쁜 소주의 일종(aguardiente malo). ⑤ 탁한 액체.

zuque *m.* 《*Col.*》 때리기, 타격 (golpe, porrazo).

estar ~ 한푼이 없다, 빈털털이가 되다.

zura *f.* ① 옥수수 열매의 속. ② 코르크의 나무 껍질.

zurana *adj.* ***paloma*** ~ 산비둘기.

zurano, na *adj.* 야생의 (비둘기).

zurcidera *f.* 홀치기 · 시침질하는 여자, 옷을 고치는 여자.

zurcido *m.* ① 의복 고치기. ② 덧 대는 천. ③ 실밥.

zurcidor, ra *adj.m.f.* 홀치기 · 덧천을 대서 꿰매는 (사람).

~ ***de voluntades*** 뚜쟁이.

zurcidura *f.* 의복의 수선, 덧댄 천 (zurcido) : una ~ esmeralda.

zurcir *tr.* 2 ① (해어진 데를) 꿰매다, 고치다 ; 홀치다, 공그리다 : ~ medias 스타킹을 꿰메다. ② 잇다, 이어 맞추다. ③ 누비듯이 달리다. ④ 거짓 꾸미다, 얼버무리다 : ~ mentiras con habilidad 교묘하게 거짓말로 얼버무리다.

zurda *f.* 왼손(mano ~).

a ~***s*** 왼손으로 ; 보통과는 달리.

zurdal *m.* 《*Pal.*》【조류】 =**azor.**

zurdera *f.* 왼손잡이.

zurdería *f.* =**zurdera.**

zurdillo, lla *f. dim.* =**zurdo.**

zurdirse *r.* 《*AmérC.*》 끼어들다(introducirse).

zurdo, da *adj.* ① 왼손잡이의. ② 왼쪽의 (izquierdo) : mano ~*da* 왼손 (mano izquierda). —*m.f.* 왼손잡이 (사람).

no ser ~ 수완이 좋다, 매우 영리하다.

zurear *intr.* 비둘기가 울다(arrullar la paloma).

zureo *m.* 비둘기의 우는 소리

zuri *m.* ***darse el*** ~ 떠나다, 가버리다 ; 도망치다.

zurita *f.*【조류】 멧비둘기《유럽산》(tórtola).

zurito, ta *adj.* 야생의, 산의 (비둘기).

zuriza *f.* 싸움, 난투(zuiza).

zuro *m.* ① 옥수수 이삭의 수염(raspa o cuesco de la mazorca del maíz). **Sinón.** carozo, pabilo, tusa, coronta, elote. ②【방언】 =**corcho.**

zuro, ra *adj.* 야생의, 산의 (비둘기).

zurra *f.* ① 가죽의 무두질(curtido de pieles). ② 두들겨 패기, 매질(castigo, paliza, tunda). ③ 주먹다짐, 격투, 대판 싸움(reyerta). ④ 큰 작업, 엄청난 일.

zurraco *m.* 현금.

zurrado *m.* 장갑(guante).

zurrado, da *adj.* [zurrar의 *p.p.*] ① 무두질된. ② 혼줄이 난.

zurrador, ra *adj.* 무두질하는. —*m.f.* 가죽 무

Z

두질하는 직공.

zurrapa *f.* [주로 *pl.*] ① (침전하는) 앙금, 찌꺼기. ② 별 볼일없는 물건. ③ 때 ; 불결 : con *~s* 더럽게, 비겁하게. ④ 더러운 아기.

zurrapelo *m.* 엄한 꾸중(reprensión áspera).

zurrapiento, ta *adj.* =**zurraposo.**

zurraposo, sa *adj.* 앙금·찌꺼기가 많은 : vino ~.

zurrar *tr.* ① (가죽을) 무두질하다(adobar). ② 혼내주다, 나무라다, 꾸중하다(castigar). ③ 때리다 (dar una paliza) : ~ la badana 때리다. ④ (싸움에서) 때려 꼼짝 못하게 만들다. ⑤ 비난하다, 욕하다.
~se ① 무의식 중에 똥을 싸다. ② 몹시 무서워하고 있다. ③ 《*Arg.*》 소리나지 않게 방귀를 뀌다(peerse sin ruido).
Zurra, que es tarde 고집이 심해 !

zurria *f.* ① 《*AmérC. Col.*》 주먹질(zurra). ② 《*Col.*》 다수, 풍부(multitud).

zurriaga *f.* ① 채찍, 회초리(látigo). ② 【방언】 【조류】 종달새(alondra).

zurriagar *tr.* ⑧ 회초리로 때리다.

zurriagazo *m.* ① 채찍질. ② 생각지 못한 불행·화(禍).

zurriago *m.* ① 채찍(látigo). ② 팽이채.

zurriar *intr.* ⑪ =**zurrir, zumbar.**

zurriascada *f.* 《*Sant.*》 =**golpeteo de lluvia.**

zurribanda *f.* ① =**zurra, paliza.** ② 싸움, 격투(riña) : dar un ~.

zurriburri *m.* ① 비열한 인간, 망나니패. ② 야단법석(confusión). ③ 천박스러움.

zurrido *m.* ① 윙윙거리기. ② (몽둥이로) 후려치기 : dar un ~ 몽둥이로 후려치다.

zurrío *m.* =**zurrido.**

zurrir *intr.* ① 윙윙거리다. ② 후려치다.

zurrón *m.* ① (목동들의) 큰 주머니. ② 가죽 부대, (과일 등의) 자루. ③ 【해부】 양막(羊膜). ④ 【의학】 낭종.
~ ***de pastor*** 【식물】 냉이.

zurrona *f.* 눈속임하는 여자.

zurronada *f.* [집합] 큰 주머니(zurrón)에 가득 찬 물건.

zurroncillo *m.* [*dim.* zurro] 작은 가방.

zurronero *m.* 주머니 제작자.

zurruscarse *r.* ⑦ =**zurrarse.**

zurrusco *m.* ① 빵 부스러기 (churrusco). ② 【방언】 매운 바람, 찬바람.

zurubí *m.* 《*Arg.*》 【어류】 메기(bagre)의 일종.

zurullo *m.* =**zorullo.**

zurumato, ta *adj.* 《*Méx.*》 =**zurumbático.**

zurumbático, ca *adj.* =**aturdido.**

zurupeto *m.* 무허가 중개인, 암상인(暗商人) ; 무허가 대서사.

zurz- → **zurcir** ②.

zurza zurcir의 접·현·1·3·단수.

zurza- → **zurcir** ②.

zurzáis zurcir의 접·현·2·복수.

zurzamos zurcir의 접·현·1·복수.

zurzan zurcir의 접·현·3·복수.

zurzas zurcir의 접·현·2·단수.

zurzo zurcir의 직·현·1·단수.

zutano, na *m.f.* 아무개, 누구, 모(某) [*N.* fulano, mengano와 같이 인명 대신 쓰는 말].
fulano, ~ y menguano 이러이러한 사람, 아무개.

¡zuzo! *interj.* =**¡chucho!**

zuzón *m.* 【식물】 개쑥갓(hierba cana).

zwinglianismo *m.* 쯔빙글리 《Zwinglio, 1484 −1531, 스위스의 종교 개혁가》주의·파의 종교.

zwingliano, na *adj.* 쯔빙글리파의 : la herejía *~na* 쯔빙글리파 사교. **—*m.f.*** 쯔빙글리파의 교도.

zzz *interj.* ① 쿨쿨, 드르렁드르렁 《코고는 소리》. ② 윙윙 《벌이 나는 소리》.

Z

✤ 부 록

1. 서반아어 사용국의 화폐 단위
2. 세례명(nombres de pila)
3. 상용명사 성별표
4. 문 법
5. 동사 활용표

1. 서반아어 사용국의 화폐 단위

1	아르헨띠나(Argentina)	뻬소(peso)	센따보(centavo)
2	볼리비아(Bolivia)	볼리비아노(boliviano)	센따보(centavo)
3	꼴롬비아(Colombia)	뻬소(peso)	센따보(centavo)
4	꼬스따리까(Costa Rica)	꼴론(colón)	센띠모(céntimo)
5	꾸바(Cuba)	뻬소(peso)	센타보(centavo)
6	칠레(Chile)	뻬소(peso)	센타보(centavo)
7	도미니까공화국(Rep.Dom.)	뻬소(peso)	센타보(centavo)
8	에꾸아도르(Ecuador)	돌라르(dólar)	센타보(centavo)
9	스페인(España)	유로(euro)	센트(cent)
10	필리핀(Filipinas)	뻬소(peso)	센따보(centavo)
11	구아떼말라(Guatemala)	껫살(quetzal)	센따보(centavo)
12	온두라스(Honduras)	렘삐라(lempira)	센따보(centavo)
13	멕시코(México)	뻬소(peso)	센따보(centavo)
14	니까라구아(Nicaragua)	꼬르도바(córdoba)	센따보(centavo)
15	빠나마(Panamá)	발보아(balboa)	센따보(centavo)
16	빠라구아이(Paraguay)	구아라니(guaraní)	센따보(centavo)
17	뻬루(Perú)	솔(sol)	센따보(centavo)
18	뿌에르또리꼬(Puerto Rico)	달러(dólar)	센따보(centavo)
19	엘살바도르(El Salvador)	꼴론(colón)	센따보(centavo)
20	우루구아이(Uruguay)	뻬소(peso)	센따보(centavo)
21	베네수엘라(Venezuela)	볼리바르(bolívar)	센띠모(céntimo)

2. 세례명(nombres de pila)

서반아어	성	영어	서반아어	성	영어
Abrahán 아브라한	男	Abraham	Enriqueta 엔리께따	女	Henrietta
Adán 아단	男	Adam	Erasmo 에라스모	男	Erasmus
Adolfo 아돌포	男	Adolph	Ernesto 에르네스또	男	Ernest
Alberto 알베르또	男	Alberto	Esteban 에스떼반	男	Stephen
Alejandro 알레한드로	男	Alexander	Eugenio 에우헤니오	男	Eugene
Alfred 알프렌	男	Alfred	Eva 에바	女	Eve
Alicia 알리시아	女	Alice	Federico 페데리꼬	男	Frederick
Amparo 암빠로	女	Amparo	Felipe 펠리뻬	男	Philip
Ana 아나	女	Anna	Fernando 페르난도	男	Ferdinand
Andrés 안드레스	男	Andrew	Francisca 프란시스까	女	Frances
Anita 아니따	女	Annette	Francisco 프란시스꼬	男	Francis
Antonio 안또니오	男	Anthony	Geofredo 헤오프레도	男	Geoffrey
Arturo 아르뚜로	男	Arthur	Gertrudis 헤르뜨루디스	女	Gertrude
Augusto 아우구스또	男	Augustus	Gil 힐	男	Giles
Basilio 바실리오	男	Basil	Godofredo 고도프레도	男	Godfrey
Beatriz 베아뜨리스	女	Beatrice	Gregorio 그레고리오	男	Gregory
Benito 베니또	男	Benedict	Gualterio 구알떼리오	男	Walter
Benjamín 벤하민	男	Benjamin	Guillermo 기예르모	男	William
Bernardo 베르나르도	男	Bernard	Horacio 오라시오	男	Horace

Blanca 블랑까	女	Blanche
Calvino 깔비노	男	Calvin
Carlos 까를로스	男	Charles
Carmen 까르멘	女	Carmen
Carolina 까롤리나	女	Caroline
Catalina 까딸리나	女	Catherine
Cecilia 세실리아	女	Cicely
Cenicienta 세니시엔따	女	Cinderella
Claudio 끌라우도	男	Claude
Clemente 끌레멘떼	男	Clement
Concepción 꼰셉시온	女	Conception
Constanza 꼰스딴사	女	Constance
Cristóbal 끄리스또발	男	Christopher
David 다빋	男	David
Diego 디에고	男	James
Dolores 돌로레스	女	Dolores
Domingo 도밍고	男	Dominic
Dorotea 도로떼아	女	Dorothy
Eduardo 에두아르도	男	Edward
Elena 엘레나	女	Helen
Emilia 에밀리아	女	Emily
Emilio 에밀리오	男	Emily
Enrique 엔리께	男	Henry
Lucas 루까스	男	Luke
Lucía 루시아	女	Lucy
Luis 루이스	男	Lewis, Louis
Luisa 루이사	女	Louise
Lutero 루떼로	男	Luther
Marcos 마르꼬스	男	Mark
Margarita 마르가리따	女	Margaret
María 마리아 Maruja 마루하	女	Mary
Mateo 마떼오	男	Matthew
Mauricio 마우리시오	男	Maurice
Miguel 미겔	男	Michael
Moisés 모이세스	男	Moses
Nicolás 니꼴라스	男	Nicholas
Noé 노에	男	Noah
Orlando 오를란도	男	Roland
Pablo 빠블로	男	Paul
Paco 빠꼬	男	Frank
Paquita 빠끼따	女	Fanny
Paquito 빠끼또	男	Frank
Pedra 뻬드라	女	Peter
Pedro 뻬드로	男	Peter
Pepa 뻬빠	女	Josephine
Pepe 뻬뻬	男	Joe
Huberto 우베르또	男	Hubert
Hugo 우고	男	Hugh
Ignacio 이그나시오	男	Ignatius
Inés 이네스	女	Agnes
Isaac 이삭	男	Isaac
Isabel 이사벨	女	Elizabeth, Isabel(la)
Jacobo 하꼬보	男	Jacob
Jaime 하이메	男	James
Jerónimo 헤로니모	男	Jerome
Jorge 호르헤	男	George
José 호세	男	Joseph
Josefa 호세파 Josefina 호세피나	女	Josephine
Juan 후안	男	John
Juana 후아나	女	Joan, Jane
Julián 훌리안	男	Julian
Juliana 훌리아나	女	Julia(na)
León 레온	男	Leo
Leonor 레오노르	女	Eleanor
Leopoldo 레오뽈도	男	Leopold
Lola 롤라	女	Lola
Lorenzo 로렌소	男	Lawrence
Pepita 뻬삐따	女	Josephine
Pepito 뻬삐또	男	Joseph
Pilar 삘라르	女	Pilar
Plácido 쁠라시도	男	Placid
Rafael 라파엘	男	Raphael
Ramón 라몬	男	Raymond
Rebeca 레베까	女	Rebecca
Ricardo 리까르도	男	Richard
Roberto 로베르또	男	Robert
Rodolfo 로돌포	男	Rudolph
Rodrigo 로드리고	男	Roderick
Rosa 로사	女	Rose
Salomón 살로몬	男	Solomon
Sebastián 세바스띠안	男	Sebastian
Sofía 소피아 Soledad 솔레닫	女	Sophia
Susana 수사나	女	Susan
Teodoro 떼오도로	男	Theodore
Teresa 떼레사	女	Theresa
Timoteo 띠모떼오	男	Timothy
Tomás 또마스	男	Thomas
Vicenta 비센따	女	Vincent
Vicente 비센떼	男	Vincent
Víctor 빅또르	男	Victor

3. 상용 명사 성별표

<table>
<tr><th></th><th></th><th>남 성</th><th>여 성</th><th>남·여성(사람)</th></tr>
<tr><td rowspan="4">-a</td><td></td><td>cólera(병), cura(목사), día, extra, guardia, patriarca, policía(경관), sofá, tranvía</td><td>-a로 끝나는 대부분의 명사</td><td rowspan="4">-a
centinela, guarda, guía, espía, indígena, radioescucha, (etc.)

-ista
artista, comunista, egoísta, pianista, turista, etc.

-ta
atleta, compatriota, entusiasta, hipócrita, patriota, trompeta, (etc.)
여성형 -isa가 있는 것.
poetisa, profetisa, etc.</td></tr>
<tr><td>-ma</td><td>aroma, cablegrama, cinema, clima, diploma, drama, enigma, fantasma(요괴), idioma, pijama, poema, problema, programa, reuma, síntoma, sistema, telegrama, tema</td><td>alma, cima, coma, fama, goma, lágrima, llama, paloma, pluma, suma, etc.</td></tr>
<tr><td>-pa</td><td>guardarropa, mapa, papa(교황), papá</td><td>capa, ropa, tapa, tropa, etc.</td></tr>
<tr><td>-ta</td><td>cometa(혜성), planeta, poeta, profeta</td><td>bata, bota, pata, etc.</td></tr>
<tr><td>-b</td><td></td><td>club</td><td>없음</td><td></td></tr>
<tr><td>-c</td><td></td><td>biftec, bistec, cinc, zinc</td><td>없음</td><td></td></tr>
<tr><td rowspan="2">-d</td><td></td><td>alud, ardid, ataúd, césped, Madrid, sud, talud.</td><td>pared, red, salud, sed, vid</td><td rowspan="2"></td></tr>
<tr><td>-dad</td><td>없음</td><td>actividad, ciudad, navidad, etc.</td></tr>
</table>

		남 성	여 성	남·여성 (사람)
	-tad	없음	dificultad, libertad, voluntad, etc.	
	-tud	없음	actitud, amplitud, gratitud, etc.	
-e		accidente, aceite, agente, aguardiente, aire, alambre, albaricoque, alcalde, almirante, ambiente, antecedente, arenque, arte (amb.), ataque, ayudante, azote, baile, balance, baluarte, banquete, bigote, billete, bisté, borde, bosque, bote, brillante, broche, bronce, buque, cable, cabotaje, cacique, cadete, café, camote, cauce, cine, cobre, coche, comandante, combate, combustible, comité consecuente, continente, contraste, convite, corte(절단, 재단), coste, cruce, cheque, chisme, chiste, chocolate, choque, debate, debe, deleite, deporte, desastre, desfile, detalle, diamante, diente, disparate, dote (amb.), dulce, eje, elefante, embuste, empaque, empuje, encaje, enjambre, enlace, equipaje,	aguanieve, ave, bocacalle, calle, carne, clase, clave, corte(궁정), fe, fiebre, frase, frente (이마), fuente, gente, hambre, índole, leche, liebre, llave, madre, medianoche, mente, muerte, nave, nieve, noche, nube, parte, patente, pendiente(비탈), peste, sangre, serpiente, suerte, tarde, tilde, torre	**-e** intérprete, miope, rebelde, etc. **-ante** amante, comerciante, estudiante, habitante, protestante, etc. **-ente** cliente, oyente, paciente, penitente, etc. 주의 : 여성형 -a가 있는 것 elefante, -a ; gigante, -a ; infante, -a ; monje, -a ; nene, -a ; pariente, -a ; presidente, -a ; pretendiente, -a ; sirviente, -a ; (etc.) 여성형 -esa가 있는것 príncipe,

		남 성	여 성	남·여성(사람)
		escaparate, escape, fabricante, flete, fraile, fraude, frente (정면), fuelle, gabinete, galope, garage, garaje, garante, gerente, goce, golpe, gozne, grande, guante, guisante, hereje, hombre, homenaje, imperdible, importe, inconveniente, índice, infame, informe, instante, jarabe, jefe, jinete, juguete, lacre, lance, lenguaje, lente (amb.), límite, linaje, lingote, lote, lustre, mate, mensaje, meñique, modales (*pl.*), molde, monte, mueble, muelle, naipe, nombre, nordeste, noroeste, norte, occidente, oeste, oriente, pagaré, paisaje, paquete, parque, pasaporte, pase, peine, pendiente (귀고리), percance, perfume, personaje, pésame, pie, pique, pliegue, porqué, porte, posibles (*pl.*), postre, precedente, presente, presidente, puente, pupitre, relieve, remate, repente, resorte, restaurant(e),		princesa ; conde, -esa ; duque, -esa ; etc.

		남 성	여 성	남·여성 (사람)
		retrete, roce, sacerdote, sainete, sastre, secante, semblante, semejante, sobre, taburete, talle, tigre, timbre, tinte, tirantes (*pl.*), tomate, toque, torrente, traje, trámite, trance, tra(n)sporte, trote, trueque, vale, valle, viaje, vientre, vinagre, víveres (*pl.*), volante, yate, yunque		
	-ie	pie	especie, serie, superficie	
	-umbre	없음	costumbre, lumbre, servidumbre, etc.	
-i		esquí, maniquí, rubí, tahalí, taxi	metrópoli	
-j		boj, carcaj, reloj	없음	
-l		albañil, alcohol, ángel, animal, apóstol, árbol, automóvil, baúl, canal, capital(자본), caracol, cardenal, carnaval, cartel, clavel, concejal, cónsul, corral, corresponsal, cristal, cuartel, delantal, editorial, farol, ferrocarril, fiel, final, funeral, fusil, fútbol, gentil, hospital, hotel, ideal, industrial, jornal, laurel, local,	cal, capital(수도, 머리글자), cárcel, catedral, col, internacional, miel, moral(도덕), piel, sal, señal, sucursal, vocal 주 : editorial(출판사) ; diagonal, integral, etc.	**-l**형용사와 동형 imbécil, intelectual, etc.

		남 성	여 성	남·여성 (사람)
		mal, manantial, mantel, manual, marfil, mármol, mástil, material, metal, mineral, moral (뽕나무), natal, níquel, nivel, oficial, ojal, original, papel, pastel, pedal, perejil, perfil, personal, pincel, portal, real, riel, sol, temporal, tonel, tribunal, tropel, túnel, umbral, vegetal		
-n		abdomen, acordeón, ademán, afán, algodón, almacén, alquitrán, andén, balcón, bastón, batallón, betún, bien, botín, botón, bribón, buzón, cajón, calcetín, callejón, campeón, cañón, capitán, carbón, cinturón, cojín, colchón, corazón, crimen, desdén, don, empujón, escalón, examen, fanfarrón, fin, fogón, gabán, germen, guasón, hinchazón, hormón, huracán, jabón, jamón, jardín, jazmín, ladrón, latín, limón, margen (*amb.*), melocotón, melón, millón, mitin,	imagen, orden(명령, 주문), razón, ***rebelión,*** sartén, sazón, sien, virgen	**-n** 형용사와 동형 holgazán, joven, etc. 여성형 **-a** 가 있는 것 bailarín, -ina ; fanfarrón, -rrona ; guasón, -sona ; ladrón, -drona, etc.

		남 성	여 성	남·여성 (사람)
		montón, non, orden (순서, 질서), origen, pabellón, pan, patín, patrón, peatón, peón, perdón, pimentón, plan, pulmón, ratón, refrán, régimen, renglón, resumen, reventón, rincón, riñón, ron, salmón, salón, santiamén, sermón, sillón, son, sostén, tacón, talón, tirabuzón, tirón, tren, tropezón, tulipán, vagón, vaivén, varón, violín, volcán, volumen, zaguán		
	-ión	avión, camión, autocamión, gorrión, hidroavión, morrión		
	-ción	없음	adición, civilización, etc.	
	-gión	없음	legión, región, religión, etc.	
	-sión	없음	admisión, decisión, pasión, etc.	
	-tión	없음	cuestión, gestión, etc.	
-o		오른쪽 이외의 -o 로 끝나는 명사	foto, mano, moto, nao, polio (소아 마비), radio (라디오), seo	
-r		albor, alfiler, almíbar, alquiler, alrededores (*pl.*), altar, amor, antecesor, aparador, ardor, ascensor, azúcar, bar, bazar,	cirular, coliflor, flor, labor, mujer	형용사와 동형 mártir, etc. 남성 어미 **-dor** (-ra 여성) administrador,

		남 성	여 성	남·여성 (사람)
		bienestar, bienhechor, billar, borrador, cadáver, calor, calzador, carácter, censor, clamor, collar, comedor, chófer, despertador, destornillador, director, dólar, dolor, editor, ejemplar, emperador, encendedor, error, escozor, espesor, esplendor, exterior, factor, favor, fervor, fragor, hogar, honor, horror, humor, inferior, interior, licor, lugar, mar (*amb.*), menester, militar, millar, mostrador, obturador, olor, paladar, par, parecer, pastor, pesar, placer, poder, pormenor, porvenir, primor, proceder, pudor, quehacer, receptor, rededor, rencor, rigor, rubor, ruiseñor, rumor, sabor, singular, sudor, sur, tambor, temblor, temor, terror, tocador, tumor, ultramar, valor, vapor, velador, ventilador, vigor		boxeador, espectador, gobernador, luchador, etc. 주 : emperador (-triz 여성) **-sor** (-ra 여성) defensor, invasor, sucesor, etc. **-tor** (-ra 여성) agricultor, director, doctor, escritor, redactor, traductor, etc. 주 : actor(-triz 여성), cantor (-ra, -tatriz 여성), etc.
-s		abrelatas, brindis, caos, compás, cortaplumas,	lis, res, sífilis, sintaxis, tos	

		남 성	여 성	남·여성 (사람)
		cumpleaños, cutis, desinterés, dios, gas, interés, iris, mes, ómnibus, país, paracaídas, paraguas, portaaviones, portamonedas, rascacielos, revés, tenis, tifus, través, vals		
	-sis	análisis (*amb.*), oasis, paréntesis,	crisis, dosis, hipótesis, parálisis, síntesis, tesis, tisis, tuberculosis	
-t		cenit, vermut		
-u		espíritu, ímpetu, menú	tribu	
-y		buey, fray, rey	ley	여성형 -ina가 있는 형 rey (reina)
-z		altavoz, arroz, barniz, haz (다발), jerez, juez, lápiz, maíz, matiz, pez (물고기), tapiz	cruz, faz, haz (얼굴, 표면), luz, nariz, niñez, nuez, paz, pequeñez, pez (송진), raíz, sencillez, tez, vejez, vez, voz	형용사와 동형 infeliz, etc.
	-dez	없음	acidez, aridez, rapidez, validez, etc.	

4. 문 법

1. 자모(abecedario) : 서반아어의 알파벳은 다음과 같이 서른 자가 있다

모 음	자 음
a	b c ch d
e	f g h
i	j k l ll m n ñ
o	p q r rr s t
u	v w x y z

2. 모음 (vocales)

a e o를 강모음, **i u**를 약모음이라 한다.

(1) **a** : 언제나 [아] ; 그러나 [x]음 전후, ao au 의 철자, 어미의 -al에 악센트가 있을 때는 입을 조금 벌렸던 것이 크게 벌려진다.

página 빠히나 animal 아니말

(2) **e** : 언제나 [에] ; 그러나 [x]음 앞, [rr] 음의 전후, ei (ey)의 철자, d m n s z 이외에서 닫힌 음절의 e는 입을 크게 벌린다.

pero 뻬로 ejemplo 에헴쁠로
perro 뻬르로 merced 메르센

(3) **i** : 언제나 [이]

pino 삐노 siglo 시글로

(4) **o** : 언제나 [오] ; 그러나 [x]음의 앞, [rr]음의 전후, oi (oy)의 철자, 자음에서 닫힌 음절의 o는 입을 넓게 벌린다.

pelo 뻴로 ojo 오호
torre 또르레 flor 플로르

(5) **u** : 언제나 [우] ; 그러나 gue gui que qui 에서의 u는 발음되지 않는다.

luna 루나 natural 나뚜랄

3. 이중 모음(diptongos)

강모음 (a e o)과 약모음 (i u), 또 2개의 약모음으로 음절을 만들기 때문에 하나의 모음으로 되는 구성이다. 어미의 i는 y로 쓴다.

(1) 내려가는 이중 모음(diptongos decrecientes) : 강모음+약모음

ai : aire hay **au** : aula causa
ei : veinte ley **eu** : deuda
oi : sois hoy **ou** : bou

(2) 평평한 이중 모음(diptongos llanos) : 약모음+약모음

ui : ruido muy **iu** : ciudad

(3) 올라가는 이중 모음(diptongos crecientes) : 약모음+강모음

ia : historia **ua** : cuatro
ie : hielo **ue** : nueve
io : idioma **uo** : antiguo

4. 삼중 모음(triptongos)

다음 4종의 짝맞춤은 음절 구성에서 하나의 모음으로 보여진다 ; 어미의 i는 y로 쓴다.

iai : estudiáis **uai** : Uruguay
iei : estudiéis **uei** : mengüéis

5. 약모음의 분리(hiato)

강약의 모음이 계속되어도 중모음이 되지 않고, 약모음이 다른 음절을 만들 때는 악센트가 붙는다.

país - día creí - envíe
baúl - púa reúne - actúe
oído - río ~ -actúo

6. 자음(consonantes)

(1) **b** : 우리말의 [ㅂ] 처럼 발음한다.

bueno 부에노 bambú 밤부
árbol 아르볼 boca 보까

s의 앞의 b는 무성음화하기도 하고, 가끔 지워지기도 한다.

obscuro → oscuro

(2) **c** : a, o, u 앞에서 [ㄲ] 으로 발음한다. e와 i 앞에서 [ㅆ]으로 발음하되 표준 발음은 영어의 th(θ)로 발음한다. 중남미의 일부 지역에서는 s 발음을 하는 곳도 있다.

cena 쎄나 cinta 씬따
cara 까라 cosa 꼬사
cuna 꾸나 clase 끌라세

(3) **ch** : 우리말의 [ㅊ]이나 [치]처럼 발음한다.

muchacho 무차쵸 Chile 칠레

(4) **d** : 우리말의 [ㄷ]처럼 발음한다.

espalda 에스빨다 dedo 데도

(5) **f** : 영어 f 발음을 내면 된다.

fama 파마 fecha 페차
fin 핀 foto 포또

(6) **g** : e와 i 앞에서 [ㅎ]처럼 발음하되 목구멍에서 폭발하는 파열음으로 발음한다. a, o, u 앞에서 우리말의 [ㄱ]처럼 발음된다.

gente 헨떼 giro 히로
gato 가또 agosto 아고스또

e와 i 앞에서 gu가 [ㄱ]으로 발음한다. gue [게], gui[기]라 발음하나 u 위에 diéresis (¨) 부호가 있으면 [우] 발음을 하여 güe [구에], güi [구이]라 한다.

guerra 게르라 águila 아길라

vergüenza 베르구엔사

(7) **h**: 항상 발음이 되지 않는 묵음이다.

ahora 아오라 alcohol 알꼬올

(8) **j**: 우리말의 [ㅎ]처럼 발음하되 목구멍에서 폭발하는 파열음이다.

Japón 하뽄 jefe 헤페

juguete 후게떼 garaje 가라헤

어미의 j는 발음되지 않는 경우가 많다.

reloj 르렐로

(9) **k**: [ㄱㄱ] 음으로 외래어에만 쓰이는 문자; 그러나 ka ke ki ko ku의 철자에서는 ca que qui co cu로 바꾸어 쓰는 경우가 많다.

kiosco - quiosco kilómetro - quilómetro

(10) **l**: 우리말의 [ㄹ] 처럼 발음한다. 그러나 단어 중간에 쓰이면 앞 음절과 뒷 음절에 각각 [ㄹ]을 붙여 발음한다.

luna 루나 pelo 뻴로

planeta 쁠라네따 baúl 바울

(11) **ll**: 우리말의 [이]나 [ㄹ리]처럼 발음한다. [ㄹ리] 발음은「까스띨랴」지방에서 주로 사용하고, 남미에선 주로 [지]처럼 발음한다.

lluvia 유비아 lluvia 주비아

calle 까예 calle 까제

(12) **m**: 우리말의 [ㅁ]처럼 발음한다. 어미에서는 [ㄴ]으로 되기도 한다.

semana 세마나 álbum 알붐

(13) **n**: 우리말의 [ㄴ]처럼 발음한다. 어미에 있는 n에 주의가 필요하다.

nación 나씨온 cinco 씽꼬

manga 망가 ángel 앙헬

inmóvil 이(ㅁ)모빌 un paso 움빠소

(14) **ñ**: 우리말의 [니]와 비슷한 발음을 하여 ña(냐), ñi(니), ñu(뉴), ñe(녜), ño(뇨)가 된다.

niña 니냐 mañana 마냐나

un año 우나뇨 ñandú 냔두

(15) **p**: 우리말의 [ㅂㅂ]처럼 발음한다. s t의 앞에서는 지워지거나, 실제로 떨어뜨리고 쓰는 경향이 많다.

papel 빠뻴 pluma 쁠루마

se(p)tiembre 셉띠엠브레

(16) : que(께), qui(끼)와 같이 e와 i 앞에서 항상 qu로만 사용된다.

buque 부께 máquina 마끼나

(17) **r**: 단어의 앞과 l, n, s의 직후에 있을 때는 [르르르]처럼 혀를 굴려 발음한다. 또 자음 앞이나 단어 끝에서도 굴려 발음한다.

drama 드라마 receptor 르레셉또르

subrayar 숩라야르 alrededor 알르레데도르

honra 온르라 Israel 이스르라엘

모음과 모음 사이에 오면 우리 말의 [ㄹ]처럼 발음한다.

pero 뻬로 caro 까로

(18) **rr**: R자가 앞에 올 때와 같이 항상 굴려 발음한다. 모음과 모음 사이에만 오며 단어 앞에는 사용되지 않으므로 대문자는 없다.

perro 뻬르로 carro 까르로

(19) **s**: 우리말의 [ㅅ]처럼 발음하면 되나 i 앞에서는 [ㅅㅅ] 발음을 한다.

seis 세이스 meses 메세스

(20) **t**: 우리 말의 [ㄷㄷ]처럼 발음한다.

setenta 세뗀따 título 띠뚤로

(21) **v**: B의 발음과 똑같이 [ㅂ] 발음을 한다. 영어의 V처럼 발음하지 않는다.

¡Vamos! 바모스 vaso 바소

(22) **w**: 우리 말의 [우]처럼 발음한다. 외래어에서 차용해 온 문자로 외래어에만 사용된다.

wat 왇 walkirias 왈끼리아스

(23) **x**: 모음 앞과 단어 끝에서는 [ㄱㄱ스], 자음 앞에 오면 [스] 발음을 한다.

éxito 엑씨또 expreso 에스쁘레소

(24) **y**: 우리말의 [이]처럼 발음하면 된다. 아르헨띠나 지역에서는 [지]로 발음한다.

yerba 예르바 ayer 아예르

(25) **z**: ce, ci와 마찬가지로 영어의 th(θ) 발음을 하면 된다. 중남미의 많은 지역에서 s 발음을 하기도 한다.

azul 아술 jazmín 하스민

7. 이중 자음 (consonantes compuestas)

pl: copla simple	**pr**: impreso
bl: pueblo noble	**br**: fábrica
—	**fr**: ofrecer
—	**tr**: cuatro
cl: tecla bicicleta	**dr**: padre
gl: regla siglo	**cr**: secreto
	gr: peligro

8. 음절(sílaba)

이중·삼중 모음을 한 모음, 이중 자음을 한 자음으로 보고, ch ll rr은 한 자음이므로 음절은 다음과 같이 나누어진다.

(1) 강모음과 강모음은 두 음절로 나뉜다.

ca-ca-o le-er

tí-o co-me-rí-as

(2) 두 모음 사이의 한 자음은 뒷 모음에 붙인다.

u-na　　ha-blar
o-tro　　jue-ves
se-ma-na　　á-cue-o

(3) 두 모음 사이의 두 자음은 하나씩 나뉘어 앞뒤의 모음에 붙인다.

mar-tes　　vier-nes
siem-pre　　es-cri-bir

(4) 바로 뒤에 모음이 이어지지 않는 s t는 앞 음절에 붙는다.

obs-tá-cu-lo　　ist-mo
cons-truc-ción　　cons-tan-te

(5) 접두어는 분리된다(고 해도 바람직하다).

Sud-a-mé-ri-ca　　nos-o-tros
an-ti-a-é-re-o　　(no-so-tros)
sub-le-var　　des-a-tento
　　(de-sa-ten-to)

(6) 명사·형용사가 복수형이 되면 다음과 같다.

pa-red → pa-re-des　　pa-ís → pa-í-ses
con-voy → con-vo-yes

(7) 줄 앞의 단어를 끊을 때는 위의 원칙에 따라야 하나, 모음 한 자가 줄 앞에 남거나, 줄 첫머리로 옮겨지는 것은 피해서 끊어지지 않는 단어도 있다 ; (/)의 곳에서 끊는다.

/país / , ácueo / , evi / tar, sub / le / var, paí / ses, pa / re / des, co / me / ríais, em / plea / mos

9. 악센트(acento)

(1) 어미가 「모음」· s · n 인 단어에서는 끝에서 두번째의 음절에 : i*de*a *plan*ta in*sec*to do*min*go *ger*men *lu*nes

(2) 어미가 n · s 이외의 자음의 것에서는 마지막의 음절에 : ani*mal* fe*roz* agricul*tor* ar*roz* con*voy*

(3) 위의 규칙에서 벗어나는 단어에서는 악센트가 있는 음절의 모음(이중·삼중 모음이면 강모음, 약모음 두 개의 이중 모음이면 뒤쪽의 모음)에 부호(´)가 붙는다.

café sofá benjú, razón opinión jardín ciprés, árbol azúcar, sábado periódico régimen

10. 악센트의 부호

(1) 불규칙적인 악센트의 단어에 붙는 외에

(2) 동형 이의어의 구별을 위해서도 붙는다 ; 단 모든 동형 이의어가 이 부호로 구별된다고만 할 수 없다.

te - té si - sí mas - más cuando - cuándo, se - sé (←ser) - sé (←sabar) ve (←ver) - ve (←ir)

(3) acento의 부호는 어떤 단어에 복수 어미, 접두어, 접미어적인 것이 붙어서 그 위치가 규칙적인 것이 되면 생략하고, 불규칙으로 되면 붙어야 한다.

㉠ 명사·형용사 : cortés → corteses joven → jóvenes mitin → mítines

㉡ 동사 : ve → prevé rio → sonrió levanta → levánta*te* vaya → váya*se*

단 pidió*me* rogó*les* conmoví*la* andará*se* 등에서는 생략하지 않는다.

(4) [주] Real Academia Española는 Nuevas Normas de Prosodia y Ortografía (1952)를 발표하고 그 Diccionario de la Lengua Española의 제18판 (1956)에서 이 새로운 악센트 부호를 붙이는 방식을 채택했다.

㉠ -air -eir -oir -uir의 동사에서는 부정형 그대로 쓸 때는 i에 부호를 붙이지 않는다 : embair sonreir oir huir. 그러나 Quería oírte, sonreírse 등에서는 붙어야 한다.

㉡ construido jesuita humos 등 단어 성립에서 이중 모음이라고 할 수 없는 ui의 짝맞춤의 i에서 부호를 생략한다.

㉢ decimoséptimo asimismo rioplatense 등에서 접두어로 쓰이는 décimo- así- río-의 부호를 생략했다. 그러나 형용사에서 나오는 ~mente의 부사에서는 원 형용사의 부호는 보존된다.

fácilmente cortésmente.

㉣ 품사별·의의별을 필요로 하지 않는 단음절의 단어의 부호를 생략했다 : de fe vi dio vio fue fui riais

㉤ 부사 aun에서는 「…조차도 hasta」의 때는 부호가 없고 「아직 todavía」의 의미일 때는 aún으로 한다.

㉥ período maníaco 등에서는 hiato의 부호를 보존한 형과 떨어뜨린 형의 두 개를 채택하여 periodo maniaco의 형을 주로 하는 경향을 보여주고 있다.

㉦ buho vahido 등 이제까지 붙이고 있지 않았던 강약 두 모음 사이에 h가 있는 단어의 약모음으로 hiato 정도로 húho vahído 처럼 부호를 붙이려고 한다 ; 이 원칙은 동사에까지 미치기 때문에 rehusar → rehúso, prohibir → prohíbo로 된다. [활용표 참조 No. ⑱—⑱´] ; 그러나 h를 음절의 끊기는 곳의 표시로 생각한다면 그 부호는 불필요하다고 생각된다.

㉧ 지시어 este ese aquel에서는 형용사일 때는 부호가 없고 대명사일 때는 부호를 붙이고 있다 : 이 법칙을 otro algunos pocos muchos 등의 부정어에까지 넓혔다는 것이다.

11. 품사(parte de la oración)

문을 구성하는 단위 — 단어를 그 문법적인 역할에 따라 다음 9종으로 나누고 그것을 품사라고 말하고 있다 ; 어형이 변화하는 것과 하지 않는 것이 있다.

(1) 변화형

명사 형용사 관사 ········ (성 · 수에 변화)

대명사 ············ (성 · 수 · 인칭에 변화)

동사 ······· (법 · 시제 · 인칭 · 수에 변화)

(2) 불변화형

부사 전치사 접속사 감탄사

12. 관사(artículos)

성	정 관 사		부정관사	
	단 수	복 수	단 수	복 수
남성	el	los	un	unos
여성	la	las	una	unas
중성	lo			

(1) 악센트가 있는 a- ha- 로 시작되는 여성 단수 명사 직전에 관사가 붙을 때는 남성 단수형이 된다 ; 더우기 부정관사이면 어느쪽이든 괜찮다.

el agua limpia, *un(a)* hacha pesada

(2) 전치사 a, de 에 el 이 이어지면 al del 이 된다.

Del dicho *al* hecho hay gran trecho.

(3) 중성 관사 lo 는 형용사 · 형용사구 · 과거 분사 등에 쓰이게 되고 그 의미를 추상 명사, 더우기 구체 명사화한다.

Lo lógico es como el sostén de todo *lo bello* 합리성이 모든 아름다운 것의 지주인 것 같다.

13. 명사의 성(género del nombre)

(1) 남성과 여성(género masculino y femenino) : 어미가 -a -d -z -ie -umbre -ción -tión -xión -sión 인 단어는 여성 ; -o 나 그 밖의 어미의 것은 남성, 자연의 성별을 갖는 것의 명사라고 하면 자연의 성 sexo 와 문법의 성 género 가 일치한다. 이 종류의 것 중에는 불규칙도 있으나 -o → a, -ón → ona, -or → -ora 로 여성 명사가 되는 것이다.

남 성	여 성	남 성	여 성
puerto	puerta	hombre	mujer
individuo	persona	macho	hembra
edificio	casa	caballo	yegua
árbol	hierba	gallo	gallina
sol	luna	padre	madre
campo	ciudad	hijo	hija
amor	amistad	niño	niña
bigote	nariz	amigo	amiga
animal	especie	ladrón	ladrona
fósforo	lumbre	señor	señora
país	nación	labrador	labradora
caso	ocasión	actor	actriz

[예외] mano nao seo, foto libido radio 등은 여성 ; mapa idioma problema ataúd lápiz 등은 남성 명사이다.

(2) 양성(género amibiguo)

: 같은 형으로서 남성으로도 여성으로도 쓰이는 명사 : arte azúcar mar 등

(3) 공통성(género común)

: 같은 형으로서 남성에도 여성에도 적용되는 사람에 관한 명사 : el testigo — la testigo.

(4) 단성(género epiceno)

: 남성 또는 여성의 형 밖에 없고 그것으로 다른 것을 포함하는 동물 관계의 명사 ; 이러한 명사에서는 hembra macho 를 보태어서 암수의 구별을 나타낼 수 있다 ;

el milano (hembra), la liebre (macho).

14. 명사의 수(número del nombre)

단수 명사에서 복수형을 만드는데는 s 나 es 를 붙이는데

(1) 악센트가 없는 모음 (그러나 é 를 제외) 으로 끝나는 단어에는 s 를 붙인다.

ventana · s
pluma · s
cheque · s
pagaré · s
espíritu · s
pino · s
diamante · s

(2) 자음과 악센트가 있는 모음 (é 를 제외) 으로 끝나는 단어에는 es 를 붙인다.

pared · es
papel · es
bien · es
valor · es
ley · es
bambú · es
rubí · es

㉠ 어미의 c를 qu

un vivac unos vivaques

㉡ 어미의 z를 c

una vez unas veces
un lápiz unos lápices

㉢ es를 붙여 악센트 부호를 떨어뜨리는 것

el interés los intereses

la expresión las expresiones

el rondó los rondoes

㉣ es를 붙여 악센트 부호를 붙이는 것

el examen los exámenes

la orden las órdenes

(3) 그 밖에 carácter (caracteres), espécimen (especímenes), ínterin (intérines), régimen (regímenes) 는 복수형이 되면 악센트의 위치가 한 음절씩 내려간다.

(4) 악센트가 없는 -as -es -is -os -us 로 끝나는 것. -s -z 로 끝나는 고유 명사는 단·복 동형 : paraguas lunes oasis albatros tifus ; Carlos Pérez.

15. 형용사의 종류와 위치

형용사(adjetivo)는 품질 형용사(calificativo)와 한정 형용사(determinativo) 두 개로 크게 나누어지고 한정 형용사가 또 소유(posetivo), 지시(demostrativo), 수(numeral), 부정(indefinido), 의문(interrogativo)으로 세분된다. 명사를 직접 수식할 때 원칙적으로

(1) 품질 형용사는 명사 다음에 한정 형용사는 앞에 둔다.

	한 정	명 사	품 질
[소유]	mis	ojos	negros
[지시]	estos	cabellos	hermosos
[수]	dos	individuos	sospechosos
[부정]	algunas	personas	ociosas
[의문]	cuántos	metros	de alto

(2) 이 원칙에 벗어나는 것은 강조를 뜻하며, 품질 형용사에서는 특질의 강조 고유명사에 붙을 때

mi querido amigo 내 친애한 친구.

desgracias mil 헤아릴 수 없는 불행.

la blanca nieve 백설.

la hermosa Margarita 아름다운 마르가리따.

el señor Pérez 뻬레스씨.

(3) bueno malo는 습관적으로 앞에 나온다.

un buen alumno 선량한 학생.

un doctor de buena fama 평판 좋은 의사.

un mal ejemplo 악례.

(4) 위치에 따라서 의미·성질이 바뀌는 것도 있다.

un hombre grande 거인.

una gran doctora 위대한 여박사.

un niño pobre 가난한 아이.

un pobre niño 불쌍한 아이.

la casa nueva 신축한 집.

la nueva casa 이번 집.

16. 형용사의 어미변화(accidente del adjetivo)

형용사의 어미 변화는 원칙적으로 명사의 경우와 같다.

(1) -o 로 끝나는 형용사는 성과 수에 따라서 변화한다.

	단 수	복 수
남 성	el niño *alto*	los niños *altos*
여 성	la niña *alta*	las niñas *altas*

(2) -o 이외로 끝나면 수 변화만 한다.

verde → verdes azul → azules

(3) 성·수의 변화는 명사와 같다.

feliz → felices cortés → corteses

(4) -án -ín -ón -or 로 끝나는 것에는 -a 를 덧붙여서 여성형으로 한다. 지명 형용사가 자음으로 끝나면 -a 를 붙인다.

holgazán → holgazana

preguntón → preguntona

encantador → encantadora

español → española

francés → francesa

inglés → inglesa

(5) -a -se 로 끝나는 것은 남녀 동형이다.

agrícola hipócrita indígena entusiasta belga ; parisiense.

(6) ㉠ 남성 단수 명사 앞에서는 -o 를 잃는 단어 : bueno malo alguno ninguno primero tercero postrero *etc.*…

㉡ grande 는 남녀 불구하고 단수 명사 앞에서 -de 를 잃는 때가 있다.

una *gran* doctora.

17. 형용사의 수 변화와 의미

수 변화는 명사의 그것에 대응하는 형식적인 일치인데 그 때

(1) 단수형에서 내용이 복수로 느껴진다.

una tropa *innumerable* 구성 군인이 무수한 군대

[tropas innumerables 헤아릴 수 없을 정도의 군대],

una *copiosa* derrota 대량 실전에 의한 패배.

(2) 복수형에서 내용이 단수로 느껴지는 것이 있다.

una experiencia de *largos* años 일련의 긴 세월에 걸친 경험.

18. 형용사의 역할

(1) 명사·대명사의 성·수에 일치하는 어

미 변화를 하고 그것을 수식한다. 더구나 tener haber의 대격 보조어인 부정어, 의문어를 수식할 때 de를 필요로 할 때도 있다 : una mano *nerviosa* 침착하지 못한 손. ¿Qué hay *de nuevo*? 무엇인가 새로운 것이 있느냐?

(2) 부사적 형용사 : 형식상으로는 주어인 명사 · 대명사에 일치하면서 의미상으로 동사를 수식하는 때가 있다.

José apretó mi mano *nervioso*
호세는 내 손을 신경질적으로 꽉 잡았다.

Le escuchábamos *atentos*
우리들은 그가 말하는 것을 가만히 듣고 있었다.

더구나 primero último의 경우 관사를 덧붙이는 특수한 예가 있다

José llegó el *primero*
호세가 제일 먼저 도착했다.

Lola se retiró *la última*
롤라가 마지막으로 뒤떨어졌다.

(3) 자동사 · 재귀 동사의 주어에 걸리는 서술 보어, 전치사를 수반할 때도 있다.

José es *alto*
호세는 키가 크다.

La casa resulta *pequeña*
집이 비좁게 되었다.

Lola pasa *por rica*
롤라는 부자라고 하는 소문이다.

어떤 종류의 타동사의 대격 보어에의 서술 보어 :

Les creía *inocentes*
나는 그들이 결백하다고 생각하고 있었다.

(4) 남성형에서 부사로 되는 단어가 많다.

Me contestarás *pronto*
당장 답장을 주시겠지요.
[una *pronta* contestación 당장의 답장].

19. 형용사의 명사화

형용사가 본래의 뜻에 관련되는 명사가 될 때

(1) 남성형 그대로

(2) 여성형이 되는 것, 여성형인데 의미가 상당히 멀어지는 것

(3) 사람 · 동물에 관한 것에는 남성형이 남성, 여성형이 여성인 것에서 어떤 것의 명사가 되는 형용사가 있다.

20. 형용사의 부사화(-mente)

(1) 형용사의 어미에 -o로 끝나는 것은 -o를 -a로 바꾸고 -mente를 붙인다.

directo → directamente 직접으로.
claro → claramente 분명히.

(2) 그 밖의 것은 그대로의 형에 -mente를 붙이면 된다. 악센트의 위치는 바꾸지 않는다.

alegre → alegremente 즐겁게.
fácil → fácilmente 손쉽게.
común → comúnmente 보통으로.

21. 형용사의 절대 최상급(-ísimo)

(1) 자음으로 끝나는 형용사에는 그대로

(2) 모음으로 끝나는 것에는 그것을 떼어낸 자리에 -ísimo, ma를 붙이면 〈매우, … 한〉이라고 하는 뜻의 단어가 된다. 그 때에 (3) 에서 표시하는 것과 같은 어미 자음의 철자 변화와 어간의 변화에 주의를 필요로 한다. 어느 것이든 원어의 acento는 없어진다.

(아래의 예문 중 mucho poco의 그것은 부사로도 쓰인다).

(1) 그대로 : fácil facilísimo

(2) 모음을 뗀다 : afecto afectísimo
alegre alegrísimo
mucho muchísimo

(3) 어미 자음의 철자 변화와 어간의 변화에 주의를 필요로 한다. 어느 것이든 원어의 acento는 없어진다. (아래의 예문중 mucho poco의 그것은 부사로도 쓰인다).

z → c	feliz	felicísimo
c → qu	poco	poquísimo
g → gu	largo	larguísimo
ie → e	cierto	certísimo
ue → o	nuevo	novísimo
bl → bil	afable	afabilísimo

22. 주격 대명사(nominativo)

주격이 되는 형「나 · 우리들이 · 은…」

	성	단 수	복 수
1	남성 여성	yo	nosotros nosotras
2	남성 여성	tú	vosotros vosotras
3	남성 여성 중성 남 · 여	él ella ello usted	ellos ellas ustedes

(1) 제 2인칭은 친밀한 사이의 상대를 가리키고 보통의 상대에게는 제3인칭의 usted의 형을 쓴다. 이 단어는 본질적으로는 명사이기 때문에 3인칭 취급이 된다.

(2) 제 3인칭의 él ella ellos ellas의 내용은 「사람 · 물건 · 일」일 수 있다.

(3) 모든 남성 복수형은 여성도 포함할 수 있다.

(4) 중성형 ello는 이미 말한 것을 묶어서 가리키며 「그것 · 그 일」을 의미한다 : *Ello* es lo peor 그것이 제일 나쁜 일인 것이야.

23. 전치사격 대명사

대명사는 주격을 쓰지만, mí ti sí 만이 특별한 형이 되어 있다.

	성	단 수	복 수
1	남성 여성	mí	nosotros nosotras
2		*ti*	vosotros vosotras
3	남성 여성 중성	él ella ello	ellos ellas
	남 · 여	*sí* usted	*sí* ustedes

(1) 이들 대명사에 전치사 a가 붙은 형은 단독으로도 또 다음의 대격 · 여격 대명사 me te se 등과 같이 쓰이고 그것을 강조하기도 하고 그 내용을 명확하게 하는 데 도움이 된다.

(2) 위의 표 중 sí는 주어 그 자신을 나타내는 재귀 대명사.

(3) 이들 대명사중 mí ti sí 만은 con과 연결될 때 conmigo contigo consigo로 된다. 전치사 entre hasta가 전치사적인 성격을 잃을 때는 Entre *tú* y yo llevaremos este tonel과 같이 주격의 대명사를 거느린다.

24. 대격 대명사(acusativo)

동사의 직접 보어가 되는 형 : 「나 · 우리들을…」

	성	단 수	복 수
1	남 · 여	me	nos
2	남 · 여	te	os
3	남성 여성 중성 남 · 여	lo la lo le	los las les

(1) 제 3인칭의 lo la los las는 사람도 사물도 받는다. 더구나 사람을 받을 때는 이들 대신에 le les도 쓰인다. 중성형 lo는 이미 말한 것들을 정리해서 「그것, 그 일」의 의미가 된다.

(2) 이들 대명사는 「a+대명사」와 함께 쓰이는 때도 있다

¿*A mí me* buscas?
너는 나를 찾고 있느냐?

Le esperaba *a usted*
나는 당신을 기다리고 있었다.

25. 여격 대명사(dativo)

간접 보어가 되는 형 : 「나에게 · 에게로 · 를 위해 · 로부터 · 로서는 (에게 있어서)…」

	성	단 수	복 수
1	남 · 여	me	nos
2	남 · 여	te	os
3	남 · 여 · 중성	le (se)	les (se)

(1) 이들 대명사는 「a+대명사」의 형과 함께 쓰이는 적도 있다.

(2) 제3인칭의 se의 형은 하나의 동사에 대격 · 여격의 두 보어가 함께 쓰일 때 le les가 변화해서 되는 형.

Le avise la noticia a José
내가 뉴스를 호세에게 알렸다.

Se la avisé
내가 그에게 그것을 알렸다.

Avíse*se*la
그에게 그것을 알리세요.

26. 재귀 대명사(pronombre reflexivo)

재귀 동사 · 상호 동사를 만드는 것 ; 원형은 se, 이것을 leventar에 붙이면 다음과 같이 된다.

	levantarse	
	단 수	복 수
1 2 3	*me* levanto *te* levantas *se* levanta	*nos* levantamos *os* levantáis *se* levantan

(1) 이 se와 그 변화형은 부정형 · 현재 분사 · 긍정 명령에 붙을 때는 어미에 첨부된다.

Quiero levantar*me*
나는 일어나고 싶다.

Exclamé levantádo*me*
일어나면서 나는 소리쳤다.

Levánta*te* y anda
서서 걸어라.

(2) 이것들은 mí ti si nosotros vosotros sí 등의 전치사를 갖는 형으로 반복되어 여기에다 주어의 성 · 수에 일치하는 변화를 mismo를 붙여서 강조할 때도 있다.

Me avergüenzo de *mí misma*
([여자]) 나는 내 자신이 부끄럽다.

A *sí mismo* se llamaba don Quijote de la Mancha

그는 스스로 동끼호떼·데·라 만챠라고 이름을 댔다.

27. 소유어(posesivos), 형용사와 대명사

	관 사 형	형 용 사 형
1	mi nuestro	mío nuestro
2	tu vuestro	tuyo vuestro
3	su su	suyo suyo

(1) mi tu su 의 복수형은 mis tus sus ; 그 밖의 -o 로 끝나는 것은 보통의 형용사처럼 성·수에 따라서 네 개로 변화한다. 그러니까 mis tíos 이면 「나(혼자만의) 숙부와 숙모」이고, nuestra madre 이면 「우리들의 (한 사람의) 모친」을 말하는 것이고 이 경우 「나」와 「우리들」의 내용의 성·수가 아니고 명사의 성·수에 일치한다.

(2) su suyo 의 내용은 de él, de ella, de ellos, de ellas, de usted, de ustedes 등으로 될 수 있는 것이기 때문에 그 뜻을 명확하게 하기 위해서 이들 구절을 명사 위에 붙이는 일이 있다.

su coche de ustedes 당신들의 차

sus hermanos de usted 당신의 형제분들

(3) 관형사는 정관사와 같은 성질을 갖으며 한정적이고, 명사 앞에 다른 형용사가 있으면 다시 그 앞에 나온다. 형용사는 일반 형용사처럼 설명적이고 명사의 뒤에 붙기도 하고 또 명사에서 떨어지기도 한다.

uno de mis amigos 내 친구의 한 사람

un amigo mío 내 친구의 한 사람

El gusto es mío 기쁨은 내 것입니다

Aquí está su pluma y no encuentro la mía 여기에 당신의 펜이 있으나 내 것이 보이지 않는다

28. 지시어(demostrativos)

		근 칭	중 칭	원 칭
단수	남성	este	ese	aquel
	여성	esta	esa	aquella
복수	남성	estos	esos	aquellos
	여성	estas	esas	aquellas
	중성	esto	eso	aquello

(1) 지시 형용사는 성·수에 어미 변화를 하는데 각각의 형에서 acento 의 부호를 달아서 지시 대명사가 된다. 하지만 형용사인가 대명사인가를 판별할 수 없는 것도 있다 :

La cuestión no es esa 문제는 그것이 아니다

Estas son mis esperanzas 이것이 내 소원이다

Mi madre tenía un hermano, y si aquélla era muy buena, éste era muy malo 어머니에게는 동생이 한 분 있었다, 어머니가 매우 좋은 사람이었다면 동생쪽은 매우 나쁜 사람이었다.

(2) esto(이것) eso(그것) aquello(저것)은 중성형이고 대명사 : 아직 정해져 있지 않는 것을 가리키기도 하고 이미 말한 것을 다 합쳐서 가리키기도 한다 : en esto 이 때, por eso 그 때문에.

29. 수사·기수

0 - cero (*m.*) 1 - uno 2 - dos
3 - tres 4 - cuatro 5 - cinco
6 - seis 7 - siete 8 - ocho
9 - nueve 10 - diez 11 - once
12 - doce 13 - trece 14 - catorce
15 - quince 20 - veinte 30 - treinta
40 - cuarenta 50 - cincuenta 60 - sesenta
70 - setenta 80 - ochenta 90 - noventa
100 - ciento 200 - doscientos 500 - quinientos
700 - setecientos 800 - ochocientos 900 - novecientos
1.000 - mil 10.000 - diez mil
100.000 - cien mil
1.000.000 - un millón (*m.*)

(1) 기수 형용사는 수의 변화를 하지 않는다 : 위의 형만으로 남성 명사 취급을 받는다. 그러나 위의 표 가운데 cero 와 millón 은 명사 : dos millones y medio de habitantes 인구 250만.

(2) uno un : 하나·둘 하고 헤아릴 때는 una dos 라고도 한다 ; 남성 명사 앞에서 un 으로 된다 :

treinta y un días 31일.

(3) 16 이상의 10단위의 수는 1단위 10단위와의 사이에 y 를 넣어 만든다.

16-diez y seis, 25-viente y cinco

그러나 16부터 29까지는 dieci- veinti-를 접두어와 같이 1단위의 수에 붙어서 만들기도 한다. 이때 acento 의 부호에 주의를 필요로 하는 것.

dieciséis, veintiún días, veintidós, veintitrés, veintiséis.

(4) ciento (100)는 명사나 mil 의 앞에서 cien 으로 된다.

cien personas, cien mil años 10만년

백 단위의 수는 1단위의 수를 접두어로서 -cientos 에 붙여서 만든다 ; 이 때 위의 표 처럼 특별한 형의 것이 있다.

백 단위의 수는 성의 변화를 한다 ; 백 단위와 십 단위와의 사이는 y로 이어지지 않는다

: quinientas treinta y una páginas 531페이지.

(5) mil은 부정 대명사가 되면 수의 변화를 한다. miles de desgracias : 원칙적으로 un을 붙이지 않고 1.000은 mil 2.000은 dos mil … 그리고 또, 아라비아 숫자를 천 단위로 자를 때는 punto(.), 소수점에는 coma(,)를 쓴다.

(6) 숫자 읽기의 예 :

19 … (mil novecientos tantos) / Tel. 56-08-42 (*teléfono* cincuenta y seis, cero ocho, cuarenta y dos) / 547.901.234,76 ptas. : quinien*tos* cuarenta *y* siete millones novecientas *un* mil doscientas treinta y cuatro *pesetas* setenta y seis céntimos (…y cuatro *coma* setenta *y seis pesetas*).

30. 수사 · 서수

1 - primero 2 - segundo 3 - tercero
4 - cuarto 5 - quinto 6 - sexto
7 - séptimo 8 - octavo 9 - noveno
10 - décimo 11 - undécimo 12 - duodécimo
13 - decimotercio 20 - vigésimo 30 - trigésimo, 최후의 - postrero

(1) 제 13이하에서는 decimo-를 접두어로서 1단위의 서수를 붙여서 만든다 : decimocuarto (제14의).

20이하에서는 vigésimo trigésimo 와 1단위의 서수를 늘어놓아서 만든다 : vigésimo cuarto (제24)

(2) 서수 형용사는 한정 형용사로서 명사 앞에 붙고 성 · 수에 변화한다 : primero tercero postrero 는 남성 단수 명사 앞에서 -o를 떨어뜨린다 : el tercer y postrer tomo 제3에서 최종권

더우기 계열적이라고 하는 느낌일 때는 품질 형용사처럼 뒤에 붙인다. 이 때 큰 번호 (페이지수 · 일수 등)에서는 제1만 서수, 이하는 기수로 대용 (la página 531 [quinientos treinta y uno]) ; 왕의 세대 · 세기 등에서는 제 10가량까지 서수, 이상은 기수를 대용한다. 그러나 엄숙한 말씨로서는 어디까지나 서수 :

Isabel Ⅱ (segunda) / Carlos Ⅴ (quinto) / el siglo Ⅹ (décimo) / Pío Ⅻ (doce o duodécimo) / Alfonso ⅩⅢ (trece) / Juan ⅩⅩⅢ (veintitrés o vigésimo tercero).

31. 수사 · 분수

1 / 2 - medio 1 / 3 - tercero o tercio
1 / 11 - onzavo 1 / 12 - dozavo
1 / 13 - trezavo 1 / 14 - catorzavo
1 / 15 - quinzavo 1 / 17 - diecisieteavo
1 / 19 - diecinueveavo 1 / 100 - centavo ; centésimo ; céntimo

(1) 분수를 나타내는 형용사는 1/3부터 1/10까지는 서수를 쓰고 이하는 기수에 접미어 -avo를 모음으로 끝나는 것에는 그것을 떼어낸 자리에 붙여서 만든다. (그러나 c → z에, 모음을 떼어내지 않는 것도 있고 주의를 필요로 하는 것은 윗표 대조) ; 이것이 분모가 되고 분자는 기수를 형용사로서 앞에 붙인다. 더우기 이들 단어는 독립해서 등분한 낱개를 나타내는 명사가 된다 ; 그러니까 두 가지씩의 말씨가 생긴다 : 1 / 3 una tercera parte, un tercio. 5 / 23 cinco veintitresavas partes, cinco veintitresavos.

(2) 1/100을 나타내는 데에는 특히 화폐 단위 때는 위의 세가지가 있다.

(3) 1/1.000 …, 1/1.000.000 등에서는 접두어 -ésimo를 붙인다. milésimo dosmilésimo millonésimo 등.

(4) 분수 읽기의 예 → 12/5=2 2 /5 : doce sobre cinco *es igual a* [*son*] dos dos quintos.

32. 부사(adverbio)와 종류

(1) 부사에는 다음과 같은 종류가 있다. 부사의 역할을 하는 단어의 모임이 부사구(modo adverbial)이다.

㉠ 때 : ¿cuándo? ahora antes hoy ayer temprano tarde

㉡ 곳 : ¿dónde? aquí dentro cerca

㉢ 상황 · 방법 : ¿cómo? así bien mal pronto despacio

㉣ 수량 · 정도 : ¿cuánto? tanto mucho poco bastante demasiado muy

㉤ 긍정 · 부정 · 의문 : sí cierto exacto, no nunca, quizás acaso tal vez

(2) 다른 품사의 부사화

㉠ 형용사에서는 그 남성 단수형이 부사로서 쓰이는 것이 있다 :

Se lo agradecemos *infinito* 당신에게 그것을 무한히 감사한다.

㉡ 명사, 특히 때의 명사는 전치사없이 부사가 되는 것이 많다.

Esperaba *largo rato*
오랜 시간 기다렸다.

No tardó *gran cosa* en descubrirlo
그것을 찾아내는 데에 시간이 걸리지 않았다.

No vaciló *un punto*
조금도 주저하지 않았다.

(3) 형용사에 접미어 -mente를 붙여서 만든다.

33. 부사의 역할

(1) 부사는 상황 보어로서 동사의 앞 또는 뒤에 놓여서 그것을 수식하는데 형용사나 다른

부사도 수식한다 ; 이 때는 그 형용사·부사 앞에 나온다.

Hoy me he levantado *muy* temprano
오늘 나는 대단히 일찍 일어났다.

Yo soy *muy* aficionado a los buenos versos … *mucho*.

(2) 특히 부사구에서는 형용사적으로 쓰일 때가 있다 :

un patio *a la española* 서반아풍의 안마당.
las noticias *al respecto* 이에 관한 소식.

(3) 부사가 행위의 결과를 나타낸다 :

Trabajó *inútilmente*
그는 애를 썼으나 헛수고였다.

Lo dijo *con una risa general*
그가 그렇게 말하니까 장내의 모두가 웃었다.

34. 부정어 (indenfinidos)와 종류

부정어는 (1) 본질적인 것. (2) 수량. (3) 비교에 관한 것. (4) 그 밖에 다음과 같은 것이다. (본문의 각 항 참조)

	형용사	대명사	부사
(1)	uno	uno	—
	otro ×	otro	—
	mismo ×	mismo	mismo
	todo ×	todo	todo
(2)	mucho ×	mucho	mucho
	poco ×	poco	poco
	bastante	bastante	bastante
	tanto	tanto	tanto
	cada	—	—
	demás ×	demás	—
	sendos	—	—
	ambos	ambos	—
	varios	varios	—
	diferentes	diferentes	—
(3)	tanto	tanto	tanto
	tal ×	tal ×	—
	así ×	—	así
	semejante	semejante	—

(4) 그 밖에 dicho cierto ×, fulano zutano cualquiera quienquiera ; 또 관계어가 부정 대명사가 되고 ;

alguno ninguno algo nada alguien nada 도 있다.

35. 부정어의 용법

(1) 부정어와 관사 : 성질상 관사를 수반하지 않는 것과 수반하는 것 (위 표의 ×표시)이 있다. 이 경우 관사의 유무·종류에서 당연히 의미가 변화한다 :

otro día 장래 언제든지
—*el otro* día 일전에
al mismo tiempo 어떤 것이 무엇과 동시에
— *a un* mismo tiempo 몇 개의 일이 동시에.
Como *poco* 거의 먹지 않는다
—Como *un poco* 조금 먹는다.

todo 는 관사보다 앞에 붙는다 :

toda casa 집은 어느 것이든 모두.
toda la casa 그 집 전체, 온 집안.
todas las casas 모든 집들.
toda una casa 참으로 훌륭한 하나의 집.

(2) 부정 형용사와 성·수 변화.

cada demás así 는 성·수의 변화를 하지 않고, *cada* tres días, *demás* personas ; ambos sendos varios 는 의미상으로 언제나 복수형이고 성이 변화한다.

Di *sendas* muñecas a *ambas* hermanas
그 두 자매에게 하나씩의 인형을 주었다.

(3) 부정 형용사와 위치 : 한정 형용사로서 명사 앞에 나온다 (así 는 예외). 그러나 뒤에 붙어서 품질 형용사로 전환하는 것도 있다 :

(una) *cierta* envidia 어떤 종류의 선망심
—una noticia *cierta* 확실한 소식
varios colores 여러 가지의 색
—la vida *varia* 변화 많은 생활
unos ojos *así* 그러한 눈

36. 전치사(preposición)

(1) 종류 : 본래의 전치사는 19개어

a ante bajo cabe con contra de desde en entre hacia hasta para por según sin so sobre tras. durante mediante excepto incluso salvo 등 전치사처럼 쓰이는 단어도 있으며 전치사의 역할을 하는 antes de, cerca de, junto a, con relación a 와 같은 단어 모임이 전치사구(modo preposicional)이다.

(2) 역할 : 명사·대명사 (문법 : 23참조), 때와 곳의 부사·재료를 나타내는 형용사 앞에 두어져서 다른 단어의 보어임을 나타낸다.

㉠ 부사구를 만들어서 동사·형용사·부사를 수식한다 :

pintar el coche *de* rojo
차를 빨갛게 칠하다.
problema difícil *de* resolver
해결 곤란한 문제.
Ya es tarde *para* salir
떠나기에는 이미 늦었다.

㉡ 형용사구를 만든다 :

problema *de los sin* trabajos 실업자 문제.
obra *en cuestión* 문제의 작품.

㉢ 그 밖에 일반적으로 부사구・전치구・접속구・명사구적인 것을 만들 때도 있다 :

en general 일반적으로.
tres barriles *de a* cien libras
100 파운드들이 세 통.

(3) 중복 사용 :

㉠ 하나의 전치사에서 시작되어 정리된 어구에도 하나 붙는 경우 :

Está lloviendo *desde por* la mañana
비가 아침부터 내리기 시작했다.

㉡ 두 개의 전치사가 같이 붙어서 절충적인 의미가 된다 :

los deberes *para con* la patria
조국에 대한 의무.

37. 접속사(conjunción)

(1) 종류 : 병열적으로 또 종속적으로 두 개 이상의 어구나 문을 잇는다. 본래의 것 (y o ni si 등) 외에 부사 (antes menos) 전치사 (según)에서 전용된 것도 있으며 성구적인 접속구 (para que, como si 등)도 있다 ; 잇는 방법・의미에 따라서 다음과 같이 나눈다.

㉠ 병열적인 연결 : y ni o.
㉡ 배분 (같은 단어를 반복한다) : o … o ya … ya bien … bien.
㉢ 배반 : pero sino antes.
㉣ 방법・비교 : como cual según.
㉤ 원인・이유 : como porque que pues.
㉥ 인계 : luego conque que.
㉦ 양보 : aunque, bien que.
㉧ 조건 : si, ya que.
㉨ 목적 : a que, para que.
㉩ 때 : cuando apenas.

(2) 명사구를 만드는 que 와 si

㉠ **que** 「…하는・라고 하는 것」의 의미의 명사구를 만들며 동사의 주어나 여러 가지 보어가 된다 :

Parece *que vuelven pronto*
그들은 곧 돌아올 것 같다.
Pensaba *que volverían pronto*
곧 돌아올 것이라고 나는 생각했다.

이런 종류의 que 는 때때로 생략된다 :

Vio un burro, que pensó [*que*] no le pertenecía 한 마리의 당나귀가 보였다. 그것은 자기의 당나귀가 아니라고 생각했다.

여러 가지 전치사를 수반하면 온갖 접속구가 생긴다 :

Espero *a que* llegue el padre
아버지가 오는 것을 기다린다.
Esperé *hasta que* llegara
그가 올 때까지 기다렸다.
Hizo señal *de que* llegó
왔다고 하는 신호를 그가 했다.
Pensó *en que* volvían pronto
머지 않아 그들이 돌아올 것이구나 하고 생각했다.

㉡ **si** : 「…인가 어떤가 하는 것」의 의미의 명사구를 만들며 전치사를 수반할 수 있다 :

Preguntaron *si* tenía equipaje
짐이 있느냐 하고 물었다.
Pensaba en *si* valdría pena de ir
가 줄 가치가 있을 것인가 하고 생각하고 있었다.
No sabía *si* acercarme a él
그에게 가까이 가야 할지 어떨지를 몰랐다.

(3) 용법 : 병렵적인 접속사가 세 개 이상의 부분을 연결할 때는 마지막의 두 개 사이에 넣는 것이 보통이고 : Es dulce, simpática, sencilla, noble *y* aldeana ; 대조적으로 두 개 씩 합치는 때도 있다 :

Todo les era ajeno, faigas y penas, la vergüenza de la derrota y padecimientos físicos ; 접속사는 모두 생략하기도 하고 (asíndeton) 반대로 모든 것의 사이에 넣는 때도 있다 (polisíndeton) : ¡ Inés, y, tú, y yo, y todos! 이네스도 자네도 나도 그리고 모두 !

접속사는 말을 시작할 때도 두게 된다.

38. 관계어(relativos)

관계어는 대명사・형용사・부사의 세 종류가 있다.

대명사	형용사	부 사
quien	—	—
que	—	—
cual	—	cual
—	cuyo	—
cuanto	cuanto	cuanto
cuando	—	cuando
donde	—	donde
como	—	como

(1) 관계 대명사

㉠ **quien** : 수의 변화를 하며 언제나 무관사 ; 사람의 명사를 받는다 ; 옛날에는 사물의 명사도 받아서 복수의 명사를 단수형에서도 받는다 ; 무관사로 일반적인 의미의 부정 대명사가 된다.

Había *quien* lloraba
울고 있는 사람이 있었다.

㉡ **que** : 성 · 수에 무변화 ; 사람 · 사물의 명사나 시제의 부사를 받는다. 정관사를 붙여서 el que, la que, lo que, los que, las que 의 형으로 일반적 의미의 부정 대명사가 된다.

Tenemos que despedirnos *ahora que* nos conocemos
친지를 만난 지금, 헤어지지 않으면 안된다.
El que sabe mucho habla poco
많이 알고 있는 사람은 말이 적다.

구어에서는 el que … 가 「…하는 일」를 뜻할 때가 있다.

No me agrada *el que* se queden solas aquí
그녀들만이 여기에 남아 있는 것은 나는 마음에 들지 않는다.

㉢ **cual** : 선행사의 성 · 수에 일치한 정관사를 붙이고 el cual, la cual, lo cual, los cuales, las cuales 의 형이고 사람 · 사물의 명사를 받는다.

Madre e hija querían allí, *lo cual* no me agradaba
모녀는 거기에 남아 있으려고 했다. 그것이 나는 마음에 들지 않았다.

(2) 관계 형용사는 접속사와 형용사의 성질을 갖는다.

㉠ **cuyo** : 어떤 명사를 받아서 「그리고 그것의」라고 하는 소유 형용사의 의미를 갖으며 이 단어가 수식하는 명사의 성 · 수에 따라서 어미 변화를 한다.

He recibido su atenta, a *cuyo* contenido he prestado mi atención
편지를 받고서 그 내용에 주의를 쏟았습니다.

㉡ **cuanto** : 이 단어는 「todo+(정관사)+명사+que」로 고쳐 쓸 수가 있는 관계어로 그것이 수식하는 명사의 성 · 수에 따라서 어미 변화를 한다 ; 수량적인 부정 대명사 · 부사로도 된다.

Vendió *cuantos* libros tenía (todos los libros que tenía), Vendió *cuanto* traía (todo lo que traía) ; Podía llorar *cuanto* quisiera 그는 원대로 울 수 있었다.

(3) 관계 부사는 접속사와 부사의 역할을 하며 부사 · 현재 분사 · 어떤 종류의 명사를 선행사로 한다 ; 독립해서 일반적 의미의 대명사도 된다.

㉠ **cuando** : 때의 관계어로서 때의 부사를 받기도 하고 때의 부정 대명사가 된다.

Era por enero o febrero *cuando* conocí a Juan
후안을 안 것은 1월이나 2월 경이었다.
Presentaba un aspecto distinto de *cuando* lo vi por primera vez
그것은 처음 보았을 때와는 다른 양상을 나타내고 있었다.

㉡ **donde** : 장소의 관계어로서 장소의 부사나 명사를 선행사로 한다 ; 장소의 부정 대명사도 된다.

Le seguí a todos los sitios a *donde* iba
그가 가는 곳에는 어디라도 따라갔다.

㉢ **como** : 「…하는 방법 · 상황」이라고 하는 의미이고 그러한 내용의 명사 · 부사 · 현재 분사를 받아서 부정 대명사도 된다.

Mi padre habló de la manera *como* se cazan ciervos
아버지는 노루를 잡는 방법을 이야기했다.
Era diferente a *como* me la había imaginado
그녀는 내가 상상하고 있었던 것보다 달라져 있었다.

(4) 「관계어+*inf.*」는 「…해야할 사람 · 사물 · 장소 · 방법」 등의 의미가 된다.

No hay de *quien echar* mano sino de mí
나 밖에는 상대할 사람이 없는 것이다.
¿Tienes algo *que hacer*?
무엇인가 할 일이 있는가?
un sitio *donde estar* 있어야 할 곳.
No sabía *donde colocarlo* 그것을 둘 장소를 모른다.

39. 의문어 · 의문문

의문을 나타내는 의문어는 형도 종류도 관계어와 같으나 이것과 구별하기 위해 acento 의 부호를 붙인다 : 성질도 같은 것이기 때문에 관계어처럼 문의 구성에 참가한다.

대명사	형용사	부 사
quién	—	—
qué	qué	qué
cuál	cuál	cuál
—	cúyo	—
cuánto	cuánto	cuánto
—	—	cuándo
—	—	dónde
—	—	cómo

(1) 의문 대명사

㉠ **quién** : 사람에 쓰이나 가끔 사물에 대해서 말하고 수 변화뿐.

¿*Quién* eres tú? 너는 누구냐.
Dime con *quiénes* vas
누구들과 가는가를 말하라.

(2) 의문 형용사

㉡ **qué** : 일반적으로 사람 · 사물에 대하여 말

하며 무변화; 대명사로도 부사로도 된다:

¿*Qué* preocupaciones tienes?

너는 어떤 걱정스러운 일이 있는가?

¿Por *qué*? 왜?

¡*Qué* mal me juzgas!

어째서 너는 오해하고 있는 것인가?

속어에서 관사를 수반할 때가 있다.

¿*Qué* ha sido eso? —¿El qué?

그것은 어쨌든가? 그것이라니 무엇을 말하는 것인지?

ⓒ **Cuál**:「어느, 어느 것」이라고 하는 선택적인 의미; 수 변화를 하고 대명사·부사로도 된다.

¿*Cuál* de los dos te parece mejor?

두 개 중에서 어느 쪽이 좋다고 생각하는가?

¡*Cuál* se verían los infelices!

불쌍한 사람들은 어떤 꼴이겠나!

ⓓ **Cúyo**:「누구의, 무엇의」라고 하는 소유의 의미를 갖으며 성·수에 변화한다; 고어이며 지금은 쓰이지 않는다.

Lázaro cuenta *cúyo* hijo fue

나사로가 자기는 누구의 자식인가를 이야기한다.

ⓔ **Cuánto**: 수량·정도에 관한 단어이며 성·수에 변화한다; 대명사로도 된다; 부사로서는 무변화이나 형용사나 다른 부사 앞에서 cuán 으로 된다.

¿*Cuántos* años tiene usted?

당신은 몇 살입니까?

¿A *cuántos* estamos? 오늘은 며칠이냐?

¿*Cuánto* es la cuenta? 계산은 얼마인가?

¡*Cuán* lejanas le parecían las luchas!

전쟁은 얼마나 먼 일로 생각되었던가!

(3) 의문 부사: **cuándo** (때), **dónde** (곳), **cómo** (방법·상황·이유) 세 단어 외에 **qué cuál cuánto** 가 의문 부사로 쓰인다.

Ya sabes *cómo* es tu padre

자네 아버님이 어떤 인물인가를 이제 알았겠지.

(4)「의문어+부정형」은「어떻게 …해야 할 사람·사물·장소·방법」등을 의미하고 또 그대로 문의 구성에 참가한다.

No sabía a *quién confiar* sus inquietudes

그는 자기 걱정을 누구에게 털어놓을 것인가 몰랐다.

Mucho tienes tú por *qué callar*

너야말로 가만히 있어야 할 이유가 많이 있다.

Huía sin saber a *dónde ir*

어디에 가야 할지도 모르고 달아났다.

No sé *cómo agradecer*le tantos favores

이런 호의를 무엇이라고 감사해야 할지 나로서는 알 수 없습니다.

(5) 의문문: 의문사를 첫머리에 내어 문두와 문미에 ¿ … ? 붙인다.

¿*Quién* eres? y ¿a *qué* vienes?

너는 누구이며 무엇하러 왔느냐?

¿Tiene usted equipaje?

짐이 있습니까?

의문문이 문의 구성 요소가 될 때는 의문어에 의한 것은 의문어가 관계어의 역할을 하고 의문이 동사에 걸리는 것이라면 si 로 접속한다: Tienes que decir *quién* eres y a *qué* vienes

너는 어떤 자이며 무엇하러 왔는가를 말하지 않으면 안된다.

Le preguntaron *si* tenía equipaje

짐이 있는가 그에게 사람들은 물었다.

40. 부정어·부정문(negación)

부정어에는 다음의 종류가 있고 각각의 긍정어와 대조한다면:

	긍 정 어	부 정 어
부 사	sí también siempre todavía algo casi	no tampoco nunca jamás nada apenas
형용사	alguno	ninguno
대명사	alguien alguno algo	nadie ninguno nada
전치사	con	sin
접속사	y	ni

(1) 부정문을 만드는데는 동사 앞에 no 또는 그 밖의 부정어를 붙이면 된다; 동사 앞에 me te le lo se 등의 대명사가 있으면 no 는 다시 그 앞에 붙는다:

No teníamos hijos; *No* los teníamos

우리들에게는 자식이 없었다.

La ficción *nunca* es preferible a la verdad

날조한 것은 결코 진실보다 바람직하지 않다.

(2) 부정어가 없는 부정어:

En manera alguna puede ser eso

결코 그런 일이 있을 수 없다.

(3) 부정어는 부정문과 부정의 어구 중이나 부정을 예상하여 부정이 잠재하는 표현에서도 쓰인다 :

No hacemos mal a *nadie, nada* debemos temer
우리들은 아무에게도 나쁜 짓은 하지 않는다. 아무 것도 무서워 할 일은 없다.

Es *inútil* hacer *nada* contra su persona
그의 몸에 무엇을 해도 무익하다.

¿Qué cosa mala *no* han hecho las mujeres?
그 여자들이 어떤 나쁜 일을 하고 왔단 말인가 [한 적은 없다].

41. 비교어·비교문(comparación)

(1) 동등 비교 :「tan+형용사·부사+como」

Este precio es *tan* caro *como* el de ayer
이 가격은 어제 것만큼 비싸다.

Llega *tan* tarde *como* ayer
그는 어제와 같이 늦게 왔다.

(2) 우열의 비교 :「más·menos+형용사·부사+que」

Este reloj es *más* caro *que* aquél
이 시계는 저것보다 비싸다.

Este reloj es *menos* caro *que* aquél
이 시계는 저것보다 보다 적게 비싸다 [어느 쪽도 비싸지만].

¿Cuál es *más* caro, éste o aquél?
어느 쪽이 비싼가 이것인가 저것인가.

Llega *más* tarde *que* ayer
그는 어제보다 늦게 왔다.

(3) 최상급 :「정관사·소유형용사+más·menos+de·entre」

Este reloj es *el más* caro *de·entre* todos
이 시계가 모든 것 중에서 제일 비싸다.

부사어에서는 다른 표현 방식을 취한다 :

José es el que llega *más* tarda *de·entre* todos
모든 사람 중에서 제일 늦게 오는 사람은 호세이다.

(4) 수량이나 추상적인 것의「…이상·이하」는「más·menos de …」:

No eran *más de* las cuatro
4시 밖에 되지 않았다.

Es *menos* caro *de* lo que creía
생각하고 있었던 것 보다 비싸지 않다 [비싸기는 비싸다].

Tengo *más* libros *de* los que tenía
나는 전보다 많은 책을 갖고 있다.

una rebaja *más de* lo por ciento
1할 이상의 할인.

(5) 특별한 비교급의 형을 갖는 단어 :

형용사	부 사	비교급
mucho	mucho	más
poco	poco	menos
bueno	bien	mejor
malo	mal	peor
grande	—	mayor
pequeño	—	menor

㉠ más menos 는 성·수의 변화를 하지 않는다 :

José tiene *más* libros *que* yo
호세는 나보다 많은 책을 갖고 있다.

㉡ mejor peor mayor menor 는 수의 변화를 한다 ; 이것들의 특별한 비교형은 추상적인 의미로 쓰이고, más 를 붙인 형은 구체성을 갖는다 :

José es *el mejor* de la clase
호세는 반에서 가장 우수하다.

José es *el más* bueno entre todos
호세는 모두들 중에서 제일 좋은 인물이다.

José es *más* grande que yo
호세는 나보다 체격이 크다.

José es dos años *mayor* que yo
호세는 나보다 두 살 연장이다.

No me cabe la *menor* duda
나에게는 조금도 의문의 여지가 없다.

42. 감탄사·감탄문

(1) 감탄사(interjección)에는

㉠ 본래의 것 : ¡ah! ¡ay! ¡bah! ¡hola! ¡oj! ¡ojalá! *etc.*

㉡ 다른 단어를 전용한 것 : ¡anda! ¡bien! ¡hombre! ¡Jesús! ¡oiga! ¡vamos! ¡viva! *etc.*

㉢ 의음어(onomatopeya) : ¡cataptum! ¡clo! ¡ejem ejem! ¡ja ja! ¡tic tac! ¡zas!

감탄사에는 위와 같은 세 종류가 있고 문맥에 관계없이 여러 곳에 들어간다 ; 앞뒤에 ¡…!를 붙인다.

(2) 감탄문(oración admirativa)에서는 문두와 문미에 ¡…! 를 붙인다.

¿Quieres o no? ¡Anda!, decídete
싫은지 어떤지 자 결심하시오.

¡Jesús! ¡Yo reviento de alegría esta tarde!
오오 오늘밤은 기뻐서 몸이 터질 것 같다!

감탄문에는 의문어·비교어가 많이 이용된다 ; 다음 예문에서 [ ] 의 어구를 살리면 바로 의문문이라든가 비교문이 된다 :

¡[Comprenderás] Cuánto me alegro de verte!
너를 만나서 얼마나 기쁜지 [너는 알겠나].

¡Qué hombre más orgulloso [hay en el mundo, que éste]!; ¡[Has visto] Qué cielo tan limpio y espléndido [como éste]!

43. 동사의 형 · 활용

동사에는 어미가 -ar -er -ir 로 끝나는 3종이 있고 각각 -ar 동사 -er 동사 -ir 동사라고 한다. 그 어미가 법 (부정법 · 직설법 · 접속법 · 가능법 · 명령법), 시제 (현재 · 과거 · 미래) 그리고 또 주어의 인칭 (제1 · 제2 · 제3인칭)과 수 (단수 · 복수)에 따라서 활용한다. 그 활용한 어미 즉, 활용 어미(desinencia) 에는 원칙적으로 불규칙이 없다.

여기에서는 부록의 동사 활용표 [표-1]의 순서에 따라서 법 · 시제의 형과 그에 관한 주의 사항 · 용법을 정리한다.

44. 부정법(modo infinitivo)

형 그 자체가 주어의 인칭 · 수 · 시제를 나타내고 있지 않는 동사의 표현 방법이고, 부정법 · 현재 분사 · 과거 분사, 거기에다 불완료형 (단순형)과 완료형 (복합형)이 있다 [표-1 참조].

45. 부정법 · 부정형(infinitivo)

모든 동사는 -ar -er -ir 의 어느 것인가를 어미로 한다; 이것이 부정형이다.

(1) 이 형은「…하는 것(일)」이라는 의미이고, 동작 · 상태를 의미하는 명사 (남성 단수 명사 취급)의 역할을 한다. 그래서 관사 · 형용사 · 전치사를 거느릴 수 있고, 동사로서 부사 · 여러 가지 종류의 보어를 가질 수 있다.

El *saber* siempre es útil
알고 있다는 것은 언제나 유익하다.
Querer es *poder* 의욕은 힘이다.
El *ver* es *creer* 백문이 불여일견.

(2) 능동태로도 수동태로도 쓰인다:

No me gusta *esperar*
나는 기다리는 것을 좋아하지 않는다.
No me gusta *ser esperado*
[남에게] 기다림을 당한다는 것은 좋아하지 않는다.

(3) 독립 용법 : 부정형 그대로 놀람의 문 · 명령 금지의 문을 만든다.

¡*Ser* yo su verdugo! ¡Yo *destruir* todas sus esperanzas! ¡*Haber desgarrado* yo su corazón!
내가 저 아이의 하수인이라고! 내가 저 아이의 희망을 완전히 파괴해 버렸다고! 저 아이의 가슴을 내가 찢었다고! [그런 일은 없어].
¡(A) callar! 닥쳐요.
¡No *reíros* de mí!
여러분은 나를 비웃지 말라.

(4) 부정형의 완료형 :「haber+과거 분사」의 형이고,「…한 일」을 의미한다.

Tenemos mucho gusto en *haber*les *sido* útiles en esta ocasión
이 기회에 도움이 되었던 것을 대단히 기쁘게 생각합니다.
Siento mucho *haber*le *hecho* esperar
기다리게 해서 죄송합니다.

46. 부정법 · 현재 분사(gerundio)

-ar 동사의 어간에 *-ando*, -er -ir 동사는 *-iendo* 를 붙이면 현재 분사가 된다. 그 때

(1) 직설법 부정과거 제3인칭에서 어간 모음 e→i o→u의 불규칙 동사에서는 현재 분사도 같은 모음 전환을 한다.

sentir → sintiendo pedir → pidiendo
decir → diciendo dormir → durmiendo
morir → muriendo poder → pudiendo

(2) ch ll ñ에 iendo가 이어지면 i를 잃는다.

henchir → hinchendo mullir → mullendo
tañer → tañendo

(3) 두 개의 모음 사이에 있는 i, 어두에 오는 ie의 i는 y로 쓴다.

huir → huyendo oir → oyendo
traer → trayendo ir → yendo

(4) 현재 분사의 완료형 :「habiendo+과거 분사」의 형이고 대개「… 했기 때문에」라고 하는 의미로 쓰인다.

El uniforme, *habiendo* su dueño *enflaquecido*, le estaba anchísimo
제복은 그 주인이 여위었기 때문에 헐렁헐렁하게 되어 있었다.
Le hemos concedido moderadas cantidades de crédito, *habiendo cumplido* a lo estipulado
그에게는 약간의 신용 대출을 한 일이 있으며, 그는 계약대로 이행하고 있다.

47. 현재 분사의 의미 · 용법

(1) 이 형은 동사의 의미를 갖으면서 부사의 역할을 한다; 즉 다른 동사에 종속해서「…하면서, 하면, 할 때, 하지만, 할지라도, 하자마자, 하기 때문에; 그리고서 …한다」등의 의미가 있다. 그러니까 여러 가지의 접속사로 바꾸어 쓰이게 되는 일이 많다.

La dulce Ofelia, *cogiendo* flores y *cantando*, pasa
상냥한 오펠리아는 꽃을 따면서 노래하며 간다.
Paseando [cuando paseaba] por el jardín vi a Lola

나는 산책하고 있을 때 롤라를 보았다.

Hablando [si se habla] se entiende la gente
이야기하면 안다.

Muriendo [como murió] el viejo cacique, le sucedió su hijo mayor
노 추장이 죽고, 그 장남이 뒤를 이었다.

(2) 형용사와 같은 역할 : 정확하게는 지각·묘사·방임의 동사 (sentir oir ver distinguir hallar; pintar grabar representar; dejar)의 대격 보어의 상태를 말한다; 그러나 어미 변화는 하지 않는다.

Vi a Lola *paseando* por el jardín
롤라가 정원을 산책하고 있는 것을 나는 보았다.

Sentí el corazón *golpeando* fuertemente en el pecho
나는 심장이 가슴 속에서 심하게 두근거리는 것을 느꼈다.

La dejé en su cuarto *llorando*
나는 그녀를 방에서 울려 두었다.

옳지 않으나 위의 조건에 맞지 않는 문의 요소에 형용사인 듯하게 붙을 때가 있다 :

Me despertaron unos gritos *pidiendo* socorro
구조를 청하는 부르짖음에 나는 깼다.

Se dictó una ley *prohibiendo* el juego
도박을 금지하는 법안이 공포되었다.

(3) arder 와 hervir 의 현재 분사는 무변화 그대로 형용사적으로 쓰인다.

el horno *ardiendo* 불타는 부뚜막.
la olla *hirviendo* 끓어오르는 냄비.

(4) 형은 현재 분사와 비슷하나 성 변화를 해서 형용사·명사인 단어이다. 이것은 특정의 단어에만 있는 것이며 현재 분사라고 할 수 없다.

admirando, da 탄복해야 할.
memorando, da 기억해야 할.
desposando, da 신랑, 신부.
examinando, da 수험자.

(5) 계속성의 동사 estar quedar ir andar venir seguir 등에 현재 분사가 따르면 진행형을 만든다.

La abuela *estaba esperándo*nos
할머니는 우리들을 기다리고 있었다.

*Seguiremos enviándo*le nuestros catálogos
금후도 당사의 목록을 계속해서 보내드리겠습니다.

(6) 「en＋현재 분사」:「…하자마자, …그랬더니 곧」

En rebuznando yo, rebuzaron todos los asnos del pueblo
내가 메에하고 우니까 온 마을의 당나귀가 울었다.

「como·cual＋현재 분사」:「마치 …하는 것처럼」

Cual contestando mi pregunta una leve mariposa blanca revolaba insistentemente
내 물음에 대답하듯이 한 마리의 흰 나비가 끈질기게 날아 다녔다.

(7) 현재 분사의 주어가 주 동사의 주어와 다를 때는 현재 분사의 그것은 그 바로 뒤에 둔다. 더우기 완료형에서는 현재 분사와 과거 분사와의 사이에 넣어도 된다. 현재 분사에 부속하는 약한 대명사 (me te le nos 등)는 현재 분사의 어미에 첨가한다; 이 때 악센트의 부호를 붙인다; 더욱이 진행형의 경우는 주 동사 앞에 두어도 좋다 :

Inclinándose, me estuvo mirando (또는 estuvo mirándome)
그는 몸을 구부리고 나를 보고 있었다.

48. 부정법·과거 분사(participio pasado)

(1) -ar 동사의 어간에 -ado, -er·-ir 동사의 어간에 -ido 를 붙여서 만든다. [표 1 참조]

(2) 다음의 동사와 형태가 비슷하거나 합성어인 것은 불규칙이다.

abrir → abierto	poner → puesto
entreabrir	componer
cubrir → cubierto	deponer
descubrir	disponer
encubrir	exponer
decir → dicho	imponer
contradecir	oponer
desdecir	proponer
predecir	suponer
escribir → escrito	pudrir → podrido
describir	solver → suelto
inscribir	absolver
prescribir	disolver
hacer → hecho	resolver
contrahacer	volver → vuelto
deshacer	devolver
satisfacer	envolver
morir → muerto	revolver
imprimir → impreso	ver → visto
reimprimir	entrever
	prever

(3) 다음의 동사는 규칙적인 형 외에 불규칙적인 형을 갖으며 완료형을 만드는 데에 이것도 쓰인다.

freir → frito　　proveer → provisto

prender → preso   romper → roto

(4) abstraer 의 abstracto; expresar 의 expreso; oprimir 의 opreso; bendecir 의 bendito; maldecir 의 maldito 등도 불규칙적인 과거 분사라고 말하고 있으나 현재에는 형용사로만 쓰인다.

49. 과거 분사의 의미·용법

동사가 의미하는 동작·행위가 실현한 상태를 말하는 형용사의 성질을 갖으며 명사로도 되고 성·수에 따라 변화한다. 행하는 일을 의미하는 경우도 있다.

el torno *accionado* por el motor
전동기로 움직이는 선반.

(1) 자동사·재귀 동사의 과거 분사는 능동적; 타동사의 과거 분사는 수동 분사로서 수동의 의미를 갖는다:

el año *pasado* 작년.
José está *arrepentido* 호세는 후회하고 있다.
el reloj *perdido* 잃어버린 시계.
La puerta está *abierta* 문은 열려 있다.

(2) 주어의 상태를 말함과 동시에 동사에 대해서 부사적으로 작용해서 서술 보어가 된다; 이 때 주어의 성·수에 따라서 변화한다:

La abuela me oía *sorprendida* 할머니는 놀래서 내가 말하는 것을 듣고 있었다.

(3) 지각·방임의 동사 encontrar hallar ver, dejar 의 대격 보어에 붙어서 서술 보어가 된다; 성·수의 변화를 한다:

¿No ve usted *sentada* en la escalera a *una mendiga*?
계단에 여자 거지가 앉아 있는 것이 보이지 않습니까?
¿Dejaré *abiertas las ventanas*?
창을 열어 둘까요?
Le dejaron *convencido*
그를 설득해 두었다.

(4) tener traer llevar 의 대격 보어에 붙어서 서술 보어로서 완료적인 표현을 한다; 성·수의 변화를 한다:

Tengo *escrita la carta* 편지를 써 두었다.
Traía *escritas* varias *cartas* cuando él llegó
그가 왔을 때는 몇 통의 편지가 써 있었다.
La imagen llevaba *realizados* muchos *milagros*
상(像)은 많은 기적을 보여주고 있었다.

(5) 「ser+타동사의 과거 분사」는 수동태, 어미 변화를 한다:

Las muestras le *serán enviadas*
견본은 당신에게 보내질 것이다.
Eras querida de·por todos
너는 모두들에게서 사랑받고 있다.

(6) 조동사 haber와 합해서 여러 가지의 완료형을 만든다; 이때 과거 분사는 어미 변화를 하지 않는다.

㉠ 직설법 현재완료=haber의 직설법 현재+과거 분사.
㉡ 직설법 과거완료=haber의 직설법 불완료과거+과거 분사.
㉢ 직설법 미래완료=haber의 직설법 미래+과거 분사.
㉣ 가능법 완료=haber의 가능법 불완료+과거 분사.
㉤ 접속법 현재완료=haber의 접속법 현재+과거 분사.
㉥ 접속법 과거완료=haber의 접속법 과거+과거 분사.

(7) 과거 분사의 종속구

「과거 분사+명사·대명사」의 형식으로 방법·이유·조건·양보 등의 종속구를 만든다:

Se tumbaba en la cama, fumando, *relajadas las facciones* (con las facciones relajadas)
얼굴을 늘어뜨리고 담배를 피우면서 침대에 드러누워 있었다.
El niño, *fatigado de tanto correr*, se dejo caer al suelo
그 아이는 뛰다 지쳐서 땅바닥에 넘어졌다.
Realizadas esas acciones por otros, quedarían ignoradas
그런 일을 다른 사람들이 했더라면 세상에 알려지지 않은 채로 끝났을 것이다.

시제의 종속구도 같은 형식으로 되기도 하나, después de, antes de 등을 전치하는 적도 있다:

Después de terminada la cena, saldremos
저녁 식사가 끝난 후에 떠나자.

「과거 분사+que+haber·tener·ser+명사+대명사」의 형은 「…하면 곧」이라는 의미; 이때 haber 이외의 동사이면 과거 분사는 명사·대명사의 성·수의 변화를 한다:

Sentado que se hubieron sus amigos (Sentados sus amigo), José habló
친구가 자리에 앉으니까 호세는 곧 말하기 시작했다.

50. 능동 분사, 기타

participio activo 에는 -ante·-iente 형과 -ador·-edor·-idor 형이 있다. [표－1 참조]

(1) -iente 형에서는

㉠ 현재 분사에서 어간 모음 e→i o→u 의 불규칙 동사에서는 능동 분사라도 같은 모음 전환이다.

herir → hiriente
decir → diciente
dormir → durmiente
servir → sirviente
morir → muriente

㉡ -er · -ir 동사에서는 -iente -ente 의 두 형을 갖는 것, -ente 뿐인 것, 그 밖의 불규칙도 있다 :

ascender → ascend(i)ente
presidir → presidente
conducir → conducente
permanecer → permanente
obedecer → obediente

㉢ 두 개의 모음 사이에 있는 i 나 어두의 ie 의 i 는 y 로 쓴다.

huir → huyente
ir → yente
oir → oyente

(2) 성별 : -ante · -iente 형은 남녀 동형이기 때문에 예를 든다면 estudiante sirviente 는 이대로 「여학생, 하녀」라는 의미가 되는데 -ta 를 여성 어미로서 estudianta asistenta sirvienta 라고 하는 것도 있다. -ador · -edor · -idor 형의 여성형은 모두 -adora · -edora · -idora 이다.

51. 능동 분사

이름은 분사이나 동사로서의 기능은 없고 「…하는 (사람 · 것)」「…했던 (사람)」의 의미로서 형용사 · 명사가 된다 : investigador 연구(하는) 자. fundador 건설(했던) 자.

(1) -ante 형과 -ador 형은 거의 같은 의미이고 역어로서는 「…하는」「…하는 것 같은」이라고 하는 편이 마음 편할 때가 있다 : una sonrisa inquietante · inquietadora 다같이 : 사람을 애를 태우게 하는 것 같은 엷은 웃음.

(2) -ante 형과 -ador 형과는 의미가 서로 다르나 보통 : mi amante 나를 사랑하는 애인, mi amada 내가 사랑하는 애인. amado 사랑하는 것을 좋아하는 사람.

comiente 지금은 쓰지 않는 고어
— comedor 잘 먹는 ; 식당.
viviente 살아 있는
— vividor 생활력이 왕성한.

(3) -ador 형에서는 남성형에서 도구 · 기구 · 장소의 명사가 되고 여성형 -adora 에서 기구 · 기계의 명칭이 되는 일이 많다.

comedor *m.* 식당.
contador *m.* 계량기.
calculadora *f.* 계산기.
segadora *f.* 베어내는 기계.

52. 직설법 (modo indicativo)

말하는 사람이 사실이라고 판단하는 행위나 상태를 말한다 ; 독립한 문에서는 종속문에서도 쓰인다 :

Lola *toca* el piano en su cuarto ; Me *han dicho* que Lola toca el piano
롤라가 파아노를 치고 있다고 사람들은 나에게 말했다.

53. 직설법 현재(presente de indicativo).

다음의 활용 어미를 어간에 붙인다 [표－1 참조]

	-ar 동사		-er 동사		-ir 동사	
	단수	복수	단수	복수	단수	복수
1	-o	-amos	-o	-emos	-o	-imos
2	-as	-áis	-es	-éis	-es	-ís
3	-a	-an	-e	-en	-e	-en

(1) 활용 어미 그 자체가 불규칙적인 것은, 단음절의 3어 [표－9] dar 37 ser 39 ir 40 ; estar 41 ´ ; haber 64, saber 66 제1인칭 단수뿐.

(2) 정서법의 주의를 요하는 것 [표－2] : -cer -cir, -ger -gir, -guir -quir 의 동사에서는, 원음 보존 때문에 -o -a 의 앞에서 c → z g → j gu → g qu → c 로 바꾼다.

(3) 악센트에 주의를 요하는 것 [표－4] : -iar -uar 의 동사에서는 약모음 iu 가 활용 어미 모음과 이중 · 삼중 모음을 만드는 것 cambiar 11, adecuar 14 과 분립해서 (´)를 붙이지 않으면 안되는 것 (enviar 12, actuar 16) 이 있다. 단 -iar 동사 중 auxiliar rumiar vanagloriarse vidriar 는 양쪽에 쓰여지고 ; -uar 동사 중 -cuar -guar 는 이중 · 삼중 모음을 만들고 그 외에 -uar 는 분립한다. 더구나 evacuar licuar 처럼 애매한 것도 있다.

(4) 악센트에 주의를 요하는 것 [표－5] : ㉠ 어간에 -ai- -au- -eu- 가 있는 동사에서는, 약모음 iu 가 분립하여 (´)를 붙인다. (15 → 18) ; ㉡ -ahi- -ahu- -ehu- -ohi- 등에서도 iu 에 (´)를 붙이도록 Academia 가 권하고 있으나, 실행되고 있지 않은 것 같다. 18 → 18′ ahitar ahumar rehusar prohibir 등).

(5) 어간 모음 변화 e · i → ie 의 동사 [표－6] : 어간 모음 e 에 악센트가 올 때 ie 로 갈라진다 : pensar 19 perder 20 cernir 21 ; sentir 53 herir 54 advertir 55 hervir 56 querer 68, 부분적으로 tener 59 venir 60 ／ 이 때 ie- 가 어두에서는 ye- : errar 22, erguir 47 i → ie 인 것은 적고 No. 23 adquirir inquirir

perquirir.
(6) 어간 모음 변화 o·u → ue 동사 [표－7] : 어간 모음 o 의 자리에 악센트가 올 때 ue로 갈라진다 : contar [24] volver [25], dormir [57] morir [58] poder [67]
어두 또는 어두에 준하는 ue 는 hue- 로 쓴다 : oler [26] desosar [27] (deshueso deshuesas…) 어중에서 g- 에 이어지면 güe 라고 쓴다 : agorar [28] u 가 ue 로 되는 것은 jugar [29] 뿐 (conjugar는 규칙적).
(7) 어간 모음 변화 e → i 의 동사 [표－11] : -ebir -edir -emir -etir -estir 의 단어, 거기에 rendir [42] servir [43] 이때 reir 등 -eir 동사는 어간 약모음 i 와 활용 어미가 분립하기 때문에 í 로 한다 : No. [44] reir, sonreir desleir 등. -egir -eguir 의 것은, 더우기 (2) 로 된 정서법의 주의도 필요하다. No. elegir [45] seguir [46] erguir [47]
(8) 어간 자음 변화 c → zc s → sg 의 동사 [표－8] : -acer -ecer -ucir 의 것은 제 1인칭 단수에서 c → zc 로 된다 : nacer [30] crecer [31] conocer [32] lucir [33] yacer [35] (yacer 에는 3종의 불규칙이 있다); No. [71] aducir producir. -asir 의 것은 s → sg 로 된다 : No. [36] asir desasir.
(9) 제 1인칭 단수의 어간에 g 가 들어가는 것 [표－13] : tener [59] venir [60] poner [61] valer [62] salir [63] ; hacer [69] decir [70] ; 같은 곳에서 -aer -oer -oir 의 것은 ig 로 된다. [표－14] : No. traer [72], caer [73], roer [74] (roo roigo royo 의 3종), oir [76].
(10) -uir 로 끝나는 동사에는 y 를 넣는다 [표－14] : huir [77]
(11) 그 밖에 단음절 동사 [표－6] : dar [37], ver [38], ser [39], ir [40] ; [표－10] : estar [41] 는 (´) 의 점에서 ; 또 -aber 동사 [표－13] haber [64], caber [65], saber [66] 는 각각에 특수한 불규칙이 있다.

54. 직설법 현재와 용법

(1) 현실의 현재의 동작·상태 :
Lola *toca* el piano en su cuarto
롤라는 자기 방에서 피아노를 치고 있다.
Allí *se yergue* la torre
거기에 탑이 서 있다.
(2) 습관적 행위 :
Estudiamos el español
우리들은 서반아어를 공부하고 있다.
(3) 일반론적이고 영구적인 느낌의 현재 :
El hombre *es* mortal
사람은 죽는 것이다.
Paseó por la calle que *conduce* a la playa
그는 해안으로 통하는 길을 산책했다.
(4) 역사적 현재 :
Colón *descubre* América el año 1492
꼴론은 1492년 아메리카를 발견했다.
(5) 가까운 장래 :
Mañana *partimos* para América
내일 미국을 향해서 출발한다.
Si *vuelves*, te esperaré
또 온다면 자네를 기다리고 있겠어.
(6) 허물없이 친숙한 것 같은 명령 :
Sales a la calle y me *compras* el periódico
자네 거리에 나가서 신문을 사 가지고 와 주겠나.

55. 직설법 완료과거(pretérito perfecto de indicativo)

「haber 의 현재＋과거 분사」의 형은.
(1) 동작이 끝난 현재의 상태 :
José *ha llegado*
호세는 벌써 와 있다.
La industria *ha prosperado* mucho
산업이 대단이 번영해서 지금에 이르고 있다.
(2) 경험 :
He visto la corrida de toros
나는 투우를 구경한 적이 있다.
Te *he envidiado* más de una vez
자네를 한번도 아니고 여러번 부러워했다.
(3) 오늘·이달·금년 등에 있었던 일을 말한다 :
Este año *ha sido* lluvioso
올해는 비가 많았다.
(4) 어떤 가정하에서 가까운 장래에 끝나게 되는 일 :
Mañana quizá *ha cambiado* nuestra suerte
내일이 되면 우리들의 운명은 아마 달라져 있겠지.
(5) 현재나 과거에 쓴 문장 중에서도 일반론적인 완료된 표현 :
Oía su voz grave de hombre que *ha encontrado* un nuevo sentido a la vida
인생에 새로운 의미를 발견한 사람답게 그의 무게 있는 목소리가 들렸다.

56. 직설법·불완료과거(Pretérito imperfecto de indicativo)

동사 활용표 1 에서 보는 바와 같이 어미를

어간에 붙이는데 -er·-ir 동사는 동형 ; 불규칙적인 것은 단음절 동사만 [표-9] ver 38, ser 39, ir 40 ; 그러나 podrir 에는 이 과거형이 없고 pudrir 의 형을 쓴다.

	동 사		동 사	
	-ar 동사		-er·-ir 동사	
	단 수	복 수	단 수	복 수
1	-aba	-ábamos	-ía	-íamos
2	-abas	-abais	-ías	-íais
3	-aba	-aban	-ía	-ían

57. 직설법 불완료과거와 용법 : 소위 「선(線)의 과거」이고 「(그 때)」 …하고 있었다 ; 늘 …했다」 라고 하는 느낌이고,

(1) 과거의 계속적인 행위·상태, 비록 순간적인 일이라도 :

Esta es la oportunidad que usted *esperaba* 이것이 당신이 기다리고 있던 좋은 기회이다.

Eran las nueve 9시 였다.

(2) 과거의 습관이나 반복 :

Estudiaba el español

(그 때) 서반아어를 배우고 있었다.

Los niños *saltaban* a la comba

어린이들은 줄넘기를 하고 있었다.

(3) 동시성(同時性)의 과거 :

Le saludé cuando *iba* a la escuela

학교에 갈 때 그에게 인사했다.

(4) 가능법의 대신에 쓰이는 가능성 :

¿ Qué hacemos? —*Podíamos* empeñar el reloj 어떻게 해? 시계를 잡히면 (전당포에 넣으면) 되는 거야.

Como yo la topase, no *se iba* sin un arpón en el cuerpo

내가 그것을 잡았다면 몸에 활을 꽂지 않고서는 달아날 수 없을 것이다.

58. 직설법 대과거(pretérito pluscuamperfecto de indicativo)

「haber의 불완료과거+과거 분사」

(1) 하나의 과거를 근거로 해서 그 때까지 끝난 일이나 경험 :

Cuando llegué a la eslación, *había salido* el tren

내가 역에 도착했을 때, 열차는 벌써 나와 있었다.

(2) 속어에서는 가정의 결과를 나타날 때 가능법 완료형·접속법 대과거의 대신으로 쓸 때도 있다.

59. 직설법 부정과거(pretérito indefinido de indicativo)

다음 활용 어미를 어간에 붙인다 ; -er·-ir 동사는 동형 ; 어느 쪽도 제 1·제 3인칭 단수에서는 마지막에(´)가 있다.

	-ar 동사		-er·-ir 동사	
	단 수	복 수	단 수	복 수
1	-é	-amos	-í	-imos
2	-aste	-asteis	-iste	-isteis
3	-ó	-aron	-ió	-ieron

(1) 이 과거에서 불규칙 동사는 그 제3인칭의 형에서 접속법의 두 개의 과거와 미래가 된다.

(2) 어간 모음 변화 e→i 의 동사 [표-11, 표-12] pedir 42, servir 43, reir 44, elegir 45, seguir 46, erguir 47, henchir 48, ceñir 49 ; sentir 53, herir 54, advertir 55, hervir 56 의 종류에서는 제 3인칭 어간 모음 e 가 i 로 변한다 ; 이 중 reir 등 -eir 의 동사는 약모음 분립에 따른 (´)에 주의를 요한다. 따라서 이런 종류의 것으로는 접속법의 과거·미래의 모든 인칭 현재분사·능동 분사에서도 같은 모음 전환이 있다.

(3) 어간 모음 변화 o→u 동사 [표-12] dormir 57, morir 58 에서는 전항과 같은 곳에서 o 로부터 u 로의 모음 전환이 있다.

(4) 단음절 동사 [표-9] dar 37, ver 38, ser 39, ir 40 는 모두 불규칙이든가 주의를 요한다 : ser 와 ir 는 동형.

(5) 어간이 모음으로 끝나는 것, 즉 -aer -oer -oir -uir -eer 의 동사 [표-14] caer 73, roer 75, oir 76, huir 77, leer 78 의 종류에서는 i 에 (´)를 붙이기도 하고 i 를 y 로 바꾸어 쓰는 불규칙이 있다. 이 종류에서는 접속법의 과거·미래·현재 분사·능동 분사에서도 같은 주의를 필요로 한다.

(6) ch ll ñ 에 ie io 가 이어지면 i 를 잃기 때문에 -cher -chir, -ller -llir, -ñer -ñir 의 동사에서는 부정과거의 제 3인칭과 접속법의 과거·미래·현재 분사·능동 분사에서 주의를 필요로 한다. [표-11] henchir 48, empeller mullir 50, tañer 51, ceñir 49 등.

(7) 부정어의 어두만 남게 되는 불규칙적인 것이 있고 이 종류에서는 제1·제3인칭 단수에 (´)가 없다 ; 가령 3인칭에서 분류하면 다음의 3종이 있다. 접속법의 과거·미래에서도 불규칙.

	i-ieron		u-ieron		-jeron	
	단수	복수	단수	복수	단수	복수
1	i-e	i-imos	u-e	u-imos	-je	-jimos
2	i-iste	i-isteis	u-iste	u-isteis	-jiste	-jiste
3	i-o	i-ieron	u-o	u-ieron	-jo	-jeron

㉠ i-ieron : venir 60, querer 68, hacer 69 (hacer 의 3인칭 단수는 hizo 라고 쓴다)

㉡ u-ieron : andar 41, estar 41 ′, tener 59; poner 61; haber 64, caber 65, saber 66, poder 67

㉢ -jeron : decir 70 와 ducir 71 동사의 모두와 traer 72

60. 직설법 부정과거(pretérito indefinido de indicativo)와 용법

「점의 과거」에서 단순히 「… 했다」라고 하는 의미를 갖는다.

Subieron al coche que les esperaba
그들은 기다리고 있던 차에 탔다.

La industria *prosperó* mucho
산업이 대단히 번영했다.

61. 직설법 직전과거(pretérito anterior de indicativo)

「haber의 부정과거+과거 분사」의 형이고, 이것은 cuando apenas, no bien 등 「시제」의 접속사와 짝지어서 「… 하자마자」라고 할 때만 쓰인다; 사용 예는 적다

No bien *se hubo despachado* la mercancía, supimos que nos habíamos equivocado
상품을 발송하자마자 틀려 있었다는 것을 알았다.

62. 직설법 미래(futuro de indicativo)와 가능법 불완료형(imperfecto de potencia)

동사의 부정형에 다음 어미를 붙인다.

	-ar · er · -ir 동사			
	미래형		가능법	
	단 수	복 수	단 수	복 수
1	-é	-emos	-ía	-íamos
2	-ás	-éis	-ías	-íais
3	-á	-án	-ía	-ían

이 두 개의 형은 불규칙성이 공통되어 있고 활용 [표－13]의 12어와 그 합성어; 3종이 있다.

(1) 어미 모음 e·i가 d로 된다 : tener 59, venir 60, poner 61, valer 62, salir 63

(2) 어미 모음 e가 떨어진다 : haber 64, caber 65, saber 66, poder 67, querer 68

(3) 특수한 것 : hacer 69, decir 70

63. 직설법 미래의 용법 :

(1) 실제의 미래

Volveremos otro día 언젠가 또 오지요.

(2) 현재의 상상, 추측, 가능성을 나타낸다.

Serán las doce 12시경일 것이다.

(3) 소극적인 말씨

Agradeceré que me envíen una completa muestra
견본 한 세트 보내주시면 고맙겠습니다.

(4) 명령이나 금지 :

Dirá usted 말해 보세요.

No *correrás* 뛰면 안되요.

64. 직설법 완료미래(futuro perfecto de indicativo)

:「haber 의 미래+과거 분사」

(1) 하나의 미래를 바탕으로 해서 그 때까지에 끝나 있는 것, 즉 미래 어느 때까지 끝내는 것.

Cuando llegues *habremos cenado*
자네가 올 무렵에는 저녁식사를 끝냈겠지.

(2) 실제의 과거·현재·미래에 관계없이 일이 완료한 것으로서의 상상

Mañana· ayer *habrá llegado* a la ciudad 내일되면·어제쯤은 그가 도시에 도착해 있겠지.

(3) 경험에 대한 상상

Espero que no habrás *bajado* a ese barrio
그런 동네에 자네는 간 일이 없을 것이라고 나는 생각하고 싶다.

65. 가능법·불완료형의 용법

(1) 실제의 과거·현재·미래에 관계없이 가능성·상상을 나타내며 완곡한 말씨 :

¿ *Vendría* en verdad como lo había prometido?
약속한대로 정말로 그는 올 것인가?

Serían las nueve cuando la lancha se deslizó
란차가 활주하기 시작한 것은 9시경이었다.

Agradecería que me enviaran una completa muestra
견본 한 세트 보내주시면 고맙겠습니다만.

(2) 과거에서 본 미래 :

Prometieron que me la *enviarían*
그것을 보낸다고 약속했다.

(3) 미래·현재의 가정의 결과 :

Si tuviera trabajo, *trabajaría*
일이 있으면 일을 할텐데.

66. 가능법 완료형(perfecto de potencial)

「haber의 가능법 불완료형+과거 분사」의 형이고 이것은 일이 끝난 것으로서의 가능성·상상, 과거의 사실에 반대의 가정의 결과를 나타낸다:

Pensé si *se habría marchado* del hotel
그는 벌써 호텔을 나왔을까 하고 나는 생각했다.

Aseguraban que cuando volviésemos *habrían terminado* su tarea
우리들이 돌아갈 무렵에는 자기들의 일을 끝내고 있을 것으로 확신했다.

Habría trabajado si hubiese tenido trabajo
만일에 일이 있었다면 나는 일했을텐데.

67. 접속법(modo subjuntivo)

말하는 사람의 마음속에 존재하고 객관적인 사실로서는 반드시 존재하지 않는 사항을 진술하기 때문에 가능성·의심·감정·희망·필요성 등이 따르기 쉽다.

(1) 가능성의 형용구·명사구:

Necesitamos un empleado que *hable* español
서반아어로 말할 수 있는 직원을 필요로 합니다.

(2) 의심·무지의 동사나 creer pensar가 부정·의문이 될 때:

Dudo que *vuelva*
그가 돌아올 것인가 나는 의심한다.

Ignoraba que *hubiese* venido
그가 온 것을 나는 몰랐었다.

¿Crees que *sea* mala? — No creo que *sea* mala
그녀는 악인이라고 생각하는가? —나는 악인이라고 생각하지 않는다.

(3) 감정 활동의 동사: temer sentir alegrarse 등.

Temo que no *haya remedio* 할수 없지 않느냐 하고 생각한다.

Siento que no me *escriban*
그들이 소식을 보내지 않는 것이 유감이다.

(4) 가능성·필요성의 동사·표현과 함께:

Es muy probable que *vuelvan*
그들은 아마 돌아올 것이다.

Importa que *te hagas* amigo de ese señor
자네가 그 사람과 서로 아는 사이가 되는 것이 중요한 것이다.

(5) 소원·요구·충고·사역·명령·금지·허용·방임의 동사: querer desear rogar, esperar exigir advertir recomendar aconsejar, hacer, decir ordenar mandar, prohibir impedir, permitir consentir, dejar 등.

¿Quieres que *entremos* en el parque?
공원으로 들어갈까?

Le he dicho que *venga* mañana
내일 오라고 그에게 말해 두었다.

Os prohibo que *volváis* por aquí
너희들이 이 부근에 또 오는 것을 금한다.

(6) 다음과 같은 접속사가 가정적인 의미일 때

㉠ 방법: como, como si.
㉡ 양보: auuque, bien que.
㉢ 조건: si, en caso que.
㉣ 목적: a que, para que.
㉤ 때: cuando, mientras, hasta que 등의 다음에서;

Hazlo como *quieras*
당신이 좋을 데로 하시오.

Iré aunque *llueva*
비가 오더라도 나는 간다.

Como no te *enmiendes, dejaremos* de ser amigos
자네가 행실을 고치지 않으면 친구로서의 교제를 그만두자.

Les invita a que *se sienten*
그들에게 자리에 앉도록 권하자.

Pasaré por tu casa cuando *tenga* tiempo
시간 있으면 댁에 들리겠습니다.

(7) 의심·가능성·소망의 부사와 함께 독립문에서도 쓰여진다.

Tal vez no *sea* cierto
아마 확실하지는 않겠지.

¡Ojalá *llueva!* 비가 와 주었으면!

(8) 가정적인 표현에 쓰인다.

haga el tiempo que *haga*
일기가 어떻던 간에.

salga que *saliere* 어떤 일이 있더라도.

68. 접속법 현재(presente de subjuntivo)의 형

다음의 활용 어미를 어간에 붙인다 [표-1 우측 페이지] -ar 동사에서는 기본 모음이 e로 되고; -er· ir 동사는 동형이고 기본 모음이 a:

	-ar 동사		-er·-ir 동사	
	단 수	복 수	단 수	복 수
1	-e	-emos	-a	-amos
2	-es	-éis	-as	-áis
3	-e	-en	-a	-an

(1) 직설법 현재 제1인칭 단수에 정서법의 주의를 필요로 하는 동사 [표-2] -cer -cir -ger -gir -guir -quir의 것); [표-3] -car, -gar -zar -guar의 것); 악센트 부호에 주의를 필요로 하

는 것 [표-4]; 어간 모음 변화의 동사[표-5] e→ie [표-7] o→ue)는 접속법 현재에서도 같은 수의・같은 모음 변화가 있다.

(2) 직설법 현재 제 1인칭 단수에서 어간 변화가 있는 동사에서는 그 불규칙에서 접속법 현재의 모든 인칭이 가능하다.([표-8] nacer [30], crecer [31], conocer [32], lucir [33], acir; [표-13] tener [59], venir [60], poner [61], valer [62], salir [63], hacer [69], decir [70]; [표-14] aducir [71], traer [72], caer [73], oir [76], huir [77]).

(3) 단음절 동사 [표-9]의 dar ver ser ir 와 estar [41] ´ 는 (´)등의 부분에서 주의를 필요로 한다; -aber 동사 haber [64], caber [65], saber [66] 도 특수한 어간을 갖는다.

(4) 어간 모음 변화 e→i 의 동사 pedir [42], servir [43], reir [44] 에서는 모든 동사 인칭에서 이 모음 전환이 있고, 또 reir 에서는 (´)의 부분에서; elegir [45], seguir [46], erguir [47] 에서는 정서법의 부분에 주의를 필요로 한다.

(5) 어간 모음 변화 e→ie i 의 동사 [표-12] sentir [53], herir [54], advertir [55], hervir [56] 에서는 e 가 ie 로 나누어지는 외에 제1, 제2인칭 복수에서 e→i 의 모음 전환이 있다.

(6) 어간 모음 변화 o→ue・u 의 동사 [표-12] dormir [57], morir [58] 에서는 o 가 ue 로 되는 외에 위와 같은 곳에서 o→u 의 모음 전환이 있다.

69. 접속법 현재와 용법

(1) 직설법의 현재와 미래가 포함된다:

Creo que *llega*・*llegará* José
호세는 온다고・올 것이라고 생각한다.
→No creo que *llegue* José.

(2) 주문의 동사는 직설법 현재・미래・과거・명령형이라도 된다:

Me mandaron que *estudie*
나에게 공부하라고 말했다.
[참조 67항의 예문]

(3) 긍정・부정의 명령형으로 된다 (그러나 제 2인칭의 긍정 명령을 제외한다.)

(4) que 를 앞에 두고 또 que 없이 간접 명령・소망의 문을 만든다:

Que se quede aquí
여기에 있어 주었으면 한다.
Así *sea* 그래 주었으면 좋겠어; 그렇게 되었으면 좋겠어.

70. 접속법 완료과거(pretérito perfecto de subjuntivo)

:「haber의 접속법 현재+과거 분사」

(1) 직설법의 완료과거・완료미래에 상응한다.

Creo que ha llegado・habrá llegado
그는 왔을 것이라고 생각한다.
No creo que *haya llegado.*

(2) 실재의 사실이었더라도, 67항에서 말한 조건의 것으로 쓰인다.

Me alegro de que *hayas venido* a verme
자네가 만나러 와주어서 나는 기쁘다.

(3) 주문의 동사는 직설법의 현재・미래・명령형이라도 된다

Parece que *hayamos caído* en otro planeta
달나라에라도 떨어진 기분이다.
Vámonos a un sitio donde no *hayamos estado* nunca
우리들이 한번도 가본 적이 없는 곳으로 갑시다.

71. 접속법 불완료과거(pretérito impefecto de subjuntivo)

ra 형과 se 형이 있고 어느 쪽도 -er・ir 동사는 동형; 직설법 부정과거에서 불규칙적인 것은 그 제 3인칭의 불규칙성을 바탕으로 이 형이 이루어진다.

	-ar 동사		-er・-ir 동사	
	단 수	복 수	단 수	복 수
1	-ara	-áramos	-iera	-iéramos
2	-aras	-arais	-ieras	-ierais
3	-ara	-aran	-iera	-ieran
1	-ase	-ásemos	-iese	-iésemos
2	-ases	-aseis	-ieses	-ieseis
3	-ase	-asen	-iese	-iesen

72. 접속법 불완료과거와 용법:

(1) 이 두 개의 형의 구별 사용은 거의 없고 직설법 불완료과거・부정과거, 가능법 미완료형에 사용된다; 주동사는 직설법의 미완료과거・부정과거, 드물게 현재라도 좋다:

creo・creía・creí que llegaba・llegó・llegaría a tiempo
그가 시간에 맞는다고 맞을 것이라고 나는 생각한다・생각했다.
→No creo・creía・creí que *llegara*・*llegase* a tiempo.

(2) 과거의 문장 중에서 67항에 말한 것과 같은 조건하에서, 또 주동사가 가능법일 때, 이 형이 쓰인다:

Esperaban a que *llegara*・*llegase* el coche
차가 오는 것을 그들은 기다리고 있었다.
Dijo que haría todo lo que *pudiera*・*pudiese*
그는 될 수 있는 대로 모든 일을 하려고 말했다.

(3) 현재의 사실에 반대의 가정일 때 (그러나 귀결문에 se 형을 쓰지 않는다) :

Si *tuviese* trabajo, *trabajara*
일이 있으면 일한텐데.

Si yo *fuera* tu padre, no te dejaría tan suelta
내가 자네 아버지였다면 그렇게 자기 마음대로 놓아두지 않을텐데.

(4) 주동사가 가능법일 때 ; 접속구 como si, cual si 의 다음 :

Le tratan como *si fuese* hijo suyo
자기 자식처럼 그를 다룬다.

(5) 직설법 대과거 대신 :

Se retiró como nadie le *respondiera · respondiese* (había respondido)
누구도 대답하지 않았기 때문에 쑥 들어갔다.

(6) 실현 불가능한 소원, 강한 소망, 주저하는 듯한 말씨의 독립문에 :

Quisiera enmendar mi falta
될 수 있으면 나의 과오를 보상하고 싶은데.

73. 접속법 대과거(pretérito pluscuamperfecto de subjuntivo)

(1) 「haber 의 접속법 불완료과거+과거분사」의 형이고 haber 에 ra 와 se 형이 있기 때문에 이 대과거에도 두 종이 이루어진다.

(2) 이 형은, 직설법 대과거와 가능법 완료형에 알맞다 :

Creía que *había · habría llegado*
그는 와 있었다고 · 와 있었을 것이라고 생각하고 있었다.

No creía que *hubiera · hubiese llegado.*

(3) 주동사는 다음 여러 예에서 보듯이, 직설법의 과거 · 가능법 완료형 · 접속법 대과거이다.

Temí que me *hubieran quitado* el sitio
나는 장소를 빼앗기지 않을까 걱정했다.

(4) 과거의 사실에 반대의 가정으로 조건문이나 귀결문에 쓴다 (이 때 귀결문에는 가능법 완료라도 된다) ; 가정의 독립문으로도 된다 :

Me dijo su nombre : si no me lo *hubiese dicho*, jamás la *hubiera reconocido*
나에게 자기 이름을 말했다 ; 만일 그것을 나에게 말하지 않았더라면 그녀라는 것을 몰랐을 것이다.

Mi madre no me lo *hubiera permitido*
나의 어머니였다면 나에게 그것을 허락해 주지 않았을 것인데.

Hubiera querido que me lo dijeses
[과거의 소망] 그때 나에게 그렇게 말해 주었으면 좋았던 것이다.

(5) 접속구 como si, cual si 의 다음에 완료 표현 때.

Había una soledad como si todos los habitantes *hubiesen muerto*
주민이 모두 죽어버린 듯이 적적해 있었다.

74. 접속법 불완료미래(futuro imperfecto de subjuntivo)

(1) -ar· -er· -ir 동사의 어느 것도 접속법 과거의 ra 의 부분을 re 로 하면 이 형이 된다 ; 이 형에는 불규칙이 없다. 거의 사용되지 않는다.

(2) 용법 : 격언이나 관용구에서 찾아볼 수 있을 뿐이고 현재는 쓰여지지 않는다.

Al que leyere
[서문의 제목으로서] 이 책을 읽으려고 하는 사람을 위해서.

Tú dirás lo que *quisieres*
말하고 싶은 것을 무엇이든지 말하시오.

75. 접속법 완료미래(futuro perfecto de subjuntivo)

: 「haber 의 접속법 미래+과거 분사」의 형인데 이것도 그다지 찾아볼 수 없다.

Si para fin de año no te *hubiere pagado*, le apremiarás
말하고 싶은 것이 있으면 말하시오.

76. 명령법(modo imperativo)과 명령형

명령법에는 현재에 더구나 긍정 명령 밖에 없다.

	-ar 동사		**-er 동사**		**-ir 동사**	
	단수	복수	단수	복수	단수	복수
1	-e	-emos	-a	-amos	-a	-amos
2	-a	-ad	-e	-ed	-e	-id
3	-e	-en	-a	-an	-a	-an

(1) 2인칭 단수 긍정 명령은 직설법 현재 3인칭 단수를 사용한다.

hablar → habla
comer → come
abrir → abre

(2) 그러나 다음의 여덟 동사는 예외이다.

tener → ten
venir → ven
salir → sal
poner → pon
decir → di
hacer → haz
ser → sé
ir → ve

(3) 2인칭 복수 긍정 명령은 원형의 어미에 붙어 있는 r를 d로 바꾼다. 예외 없다.

hablar → hablad
comer → comed
abrir → abrid

(4) 1인칭 복수 명령과 3인칭 명령은 접속법 현재를 사용하지만 ir 의 1인칭 복수 긍정 명령은 vamos 이다.

77. 재귀 동사의 명령형

긍정 명령에서는 재귀 대명사를 어미에 붙인다. 그 때 악센트 부호에 주의해야 한다. 1인칭 복수 긍정 명령은 nos 앞의 s 가 탈락이 되며, 2인칭 복수 명령에서는 os 앞의 d 가 탈락한다.

levantarse 를 예를 들면

	levantarse	
	단 수	복 수
1	levánte*me*	levanté*monos*
2	levánta*te*	levanta*os*
3	levánte*se*	levánte*nse*

78. 긍정 명령과 부정 명령

(1) 긍정 명령에서는 명령형을 쓰고, 재귀·여격·대격대명사는 이 순서로 어미에 붙는다 ; 이 때 (´)의 사용에 주의를 필요로 한다.

Sé más prudente
좀 더 신중하게 하세요.
Créame usted
당신은 나를 믿으세요.
Llévenselo
그것을 그가 있는 곳으로 가지고 가세요.
Vámonos de aquí
여기서부터 가버리자.

(2) 부정 명령에서는, 모두 접속법 현재형을 쓰며, 재귀·여격·대격의 대명사는 이 순서로 동사의 앞에 내고, 그 앞에 부정어를 붙인다.

No *seas* irónica
[여자에게] 비웃는 말을 하지 말라.
No le *crea* usted
그를 믿지 말라.
No *se lo lleve* a José
호세에게 그것을 가지고 가지 마세요.
No *nos vayamos* de aquí
우리들은 여기서 움직이지 않겠어요.
No se *olvide* esto
이것을 잊지 마십시오.

79. 명령형의 용법

(1) 긍정 명령은 명령·소망, 부정 명령은 금지를 나타내는데, 제 1인칭 단수에서는 자기의 의지, 복수에서는 권유 ; 제 2인칭에서는 순수하게 명령 ; 제 3인칭에서는 명령·소망 [참조 78항].

Ande yo caliente y *ríase* la gente
나는 따뜻하게 옷을 입고 가지, 다름 사람은 웃거나 말거나.
Hálleme, pues, por si acaso, con las armas en la cinta
좋아, 만일을 대비해서, 허리에 먹이를 준비해둘까.
Solicite folletos
팸플릿을 청구해 주세요.
Pídanse los folletos, que se envían gratis
팸플릿을 청구해 주면 무료로 보내드립니다.

(2) 가정적 표현

No me hagáis daño, *presénteme* como me presente a vuestros ojos
당신 눈 앞에 내가 어떠한 꼴로 나타나든지간에 나에게 위해를 가해서는 안됩니다.

(3) 명령형과 접속사

㉠「명령형+y」: …하라, 그러면.

Allégate a los buenos, *y* serás uno de ellos
착한 사람과 친하라 그러면 당신도 착한 사람의 한 사람이 될 수 있다.

㉡「명령형 + y + no」: …해도 …하지 않는다.

Dígalo usted, y no le creerán
당신이 그렇게 말해도 다른 사람은 믿지 않아요.

㉢「명령형 + o」 …하라, 그렇지 않으면 :

¡Abrame la puerta, *o* me meto por la ventana!
문을 열어라, 그렇지 않으면 창으로 들어가겠다.

80. 문(oración)의 요소

(1) 술어로서의 동사(약 : v)가 하나의 문에는 필요하다 ; 동사를 자동사 (verbo intransitivo) (약 : Vi)와 타동사 (verbo transitivo) (약 : vt)로 나누어서 생각한다. 더구나 본래의 자동사가 타동사로, 타동사가 자동사로 쓰이기도 하고, 이 구분은 반드시 분명치는 않다.

[본래의 자동사]

José *vive* aquí 호세는 여기에 살고 있다
→ *Vivimos* todos una nueva existencia
우리들은 모두 새 생활에 들어가 있다.

[본래의 타동사]

El alumno *ha estudiado* la lección

그 학생은 학과를 공부했다

→ El alumno *ha estudiado* mucho

그 학생은 공부 잘하고 있었다.

(2) 주어(sujeto) (약 : s)가 동사의 동작의 행위자 (agente) 로서 있는 것이 보통이지만 문중에 나타나지 않는 적이 오히려 많다. 명사·대명사, 이에 준하는 어구(부정형 que로 시작되는 명사구)가 주어로 된다.

(3) 여격 보어 (complemento dativo) (약 : Cd) : 동작의 행방·이해의 대상을 나타내는 것이고 전치사 a· para를 수반하는 명사·대명사 등이 이 보어가 된다. 대명사로 하면 여격의 형을 취하기 때문에 여격 보어라 한다. 이 보어는 자동사에도 타동사에도 붙일 수가 있다.

(4) 대격 보어(complemento acusativo) (약 : Ca) : 타동사를 뜻하는 역할을 받는 보어이고 전치사없는 명사 (그러나 사람·동물의 명사이면 a를 수반한다 [문법 : 84(1)])나 명사에 준하는 어구가 이 보어가 된다. 대명사로 하면 대격의 형을 취하기 때문에 대격 보어라고 한다.

(5) 서술 보어(complemento predicativo) (약 : Cp) : 이 보어가 없고서는 의미가 명확히 정하여지지 않는 것 같은 소위 불완전 서술 (predicación incompleta)의 자동사·타동사에 붙는다. 형용사·명사·부사가 이 서술 보어로 된다. ser 동사일 때는 atributo 라고 말하고 있다.

(6) 상황 보어(complemento circunstancial) (약 : Cc) : 동사가 의미하는 동작의 상태·상황·방법(cómo), 시제(cuándo), 장소(dónde), 양(cuánto) 등을 나타내는 보어이고 부사나 전치사를 갖는 명사 등이 이 보어가 된다 (시제에 관한 명사나, 장소에 관한 명사는 때때로 전치사가 없을 때도 있다) ; 상황 보어는 어떠한 동사에도 붙으며 문의 구성 요소로서는 불가결한 것은 아니다.

(7) 재료 보어(complemento material) (약 : Cm)는 어떠한 종류의 동사에 붙고, 전치사 de · con을 수반해서 재료를 나타낸다. 한글과 표현 형식이 다르기 때문에 이 재료 보어를 집어내어 두면 편리한 동사가 있다.

[주] 주어·술어·보어의 순서는 일정하지 않고 여격·대격의 보어가 대명사로 되면 술어 동사 앞에 나오는데 여기에서는 우선「주어—동사—대격 보어—여격 보어—기타의 보어」의 순서로 되는 것으로서 취급한다.

81. 주어없는 문 (무인칭 문 oración impersonal)

(1) Vi 형 : 동사는 llover nevar tronar relampaguear amanecer atardecer anochecer 등 자연현상에 관한 것들이 소위 단인칭 동사(verbo unipersonal) 이고 제 3인칭 단수에만 활용 :

Llovía 비가 내리고 있었다.

Empieza a nevar 눈이 내리기 시작했다.

(2) Vi+Cp 형 :

㉠ 동사 ser가 시제의 표현에 쓰일 때, ser+de+*inf.*, ser+que 일 때, 제 3인칭 단수에만 활용되고 ; 서술 보어는 부사·명사이다.

Ya *es* tarde 이제 늦었어.

Era primavera 봄이었다.

Es de creer que es inútil

그것은 헛된 일이라고 생각해야 하는 것이다.

Es que te lo he dicho

자네에게 그렇게 말했다고 하는거야.

㉡ ser dar가 시간의 표현을 할 때는 제 3인칭의 단수와 복수.

¿Qué hora es? — *Son* las nueve

몇시야? —9시다.

Acaban de dar las tres

지금 3시를 막 쳤을 뿐이야.

㉢ Vi+Cd+(de· por)+Cm 형 : 동사 pesar에서 제 3인칭 단수뿐.

Me *pesa de* mis culpas 나는 죄를 후회하고 있다.

Mucho le *pesaba* por sus hijos

그는 자녀들 때문에 무척 후회하고 있다.

Me *pesa (de)* haberte ofendido

자네를 화나게 한 것을 나는 후회하고 있다.

㉣ Vi+de· con+Cm 형 : 동사 bastar :

Basta de bulla 소동은 이제 그만.

Con lo hecho *basta*

한 일만으로도 충분하다.

(3) Vt+Ca 형 :

동사 hacer가 자연 현상·시간의 명사·대명사를 대격 보어로 취할 때, haber가 사물의 유무의 표현에서, 또 haber+que+*inf.* 의 형식일 때 ; 언제나 제 3인칭 단수 뿐 :

¿Que tiempo *hace* hoy? — *Hace* viento

오늘 날씨는 어때? —바람이 있어.

¿*Hay* un buen hotel? — No lo *hay*

좋은 호텔이 있어? —그것이 없어.

Heme aquí 내가 여기에 있어.

Había que pagar 지불하지 않으면 안되었다.

(4) 자동사·타동사 구별없이 동사를 제 3인칭 복수로 한 문 (se를 붙여서 동사를 제 3인

칭 단수로 할 수 있는 것) [V : 85(9)]

㉠ 자동사 :

Aquí *riñen*, allá *cantan*

→ Aquí *se riñen*, allá se *cantan*

여기서는 싸움, 저기서는 노래를 부르고 있다.

㉡ 타동사

Me robaron el reloj → *Se* me *robó* el reloj

나는 시계를 도둑맞았다.

82. 자동사의 문(oración intransitiva)

(1) S+Vi 형 : 일반적으로 hablar cantar escribir vivir morir 등 서술성이 완전한 동사이고, 그 중에는 타동사로 바로 전환하는 것이 있다.

José *vive* aquí 호세가 여기에 살고 있다.

Escribiré 내가 편지를 쓰지.

Habla [명령형] 네가 말해라.

(2) S+Vi+Cd 형 : 위 동사에 여격 보어가 붙는 것.

Le *escribiré* a su padre

그의 부친에게 내가 편지를 쓴다.

Me *sonríen* las flores

꽃들이 나에게 미소를 띠운다.

Háblale 네가 그에게 말해라.

Mira a lo lejos 멀리 보시오.

A mí no me *cabe* la menor duda

나에게는 조금의 의문도 없다.

(3) S+Vi+Cp 형 : 상태 · 결과, 계속성 동작의 동사 estar permanecer quedar resultar llegar salir venir continuar seguir, parecer 등은 서술 보어를 필요로 한다 ; 그 보어는 형용사 (과거분사를 포함), 명사(부정사 · que 의 명사구를 포함), 부사 (현재분사를 포함)이다.

㉠ [형용사]

Lola *está* enferma 롤라는 아프다.

Llegaron hambrientos 그들은 배가 고파왔다.

Todos *quedan* presos 전원이 포로가 되었다.

㉡ [명사]

José *salió* buen matemático

호세는 훌륭한 수학자가 되었다.

Este cazador *resulta* ser su enemigo

이 사냥꾼이 결국 그의 적이 된다.

Pareces estar enfadada conmigo

자네는 나에게 화를 내고 있는 것 같다.

Su nariz *parece* que baja más

그의 코는 더욱 낮게 처진 듯이 생각되었다.

㉢ [부사]

Los dos *permanecían* en silencio

두 사람은 가만히 잠자코 있었다.

Siguieron caminando

그들은 계속 걸었다.

(4) S+Vi+Cd+Cp 형 : (3)의 형에 여격 보어가 들어간다.

Le *quedamos* muy agradecidos

우리들은 당신에게 대단히 감사하고 있다.

Los esfuerzos le *resultaron* vanos

그에게 그 노력은 헛수고였다.

Le *parezco* estúpido a la maestra

내가 선생님 눈에 얼빠진 것으로 보이는 것이다.

Tu pupila me *parece* una perdida estrella

너의 눈길은 나에게는 헤매는 별처럼 보인다.

¿Qué te *parece* esto? — Me *parece* muy bien

이것은 자네에게 어떻게 생각되느냐? —나에게는 좋다고 생각된다.

(5) S+Vi+Prep+Cm 형 : 동작의 대상으로 보이는 것이 본질적으로는 재료 · 장소 등이기 때문에, 전치사 de · en · por 를 거느리는 동사.

Gozamos de un buen día

우리는 일기가 좋은 하루를 즐긴다.

Los niños *necesitan* de incesantes cuidados

이 아이들은 끊임없이 주의를 필요로 한다.

Gusto de leer 나는 독서를 즐긴다.

Pensaba en ti 자네의 일을 생각하고 있었다.

Persiste en su propósito 의도를 계속 갖는다.

¿*Insistes en* irte mañana?

역시 또 자네는 내일 가버릴 생각인가?

porfiar · suspirar por

…를 강하게 욕망한다.

㉠ [～ +de] hablar protestar sospechar renegar, gustar disfrutar gozar usar, necesitar carecer prescindir padecer, cambiar mudar variar, tirar triunfar, abundar tratar.

㉡ [～ +en] creer pensar leer, insistir persistir perseverar seguir, cesar porfiar variar mudar, abundar.

(6) S+Vi+Por+Cp 형 : 동사는 pasar, 서술 보어는 명사 · 형용사.

Lola *pasa por* rica · *por* su hija

롤라는 부자로서, 그의 자식으로 세상에 알려져 있다.

(7) Cd+Vi+S 형 : 습관적으로 이러한 표현 형식을 하는 동사가 있다 : (부정어 · que 의 명사구를 주어로 할 때 여격없이 같은 말씨를 하는 것도 있다).

gustar agradar placer aplacer, convenir faltar importar 등.

¿Te *gustan* las naranjas?
자네는 귤을 좋아하느냐.
A los viejos les *gusta* recordar
노인은 추억을 좋아한다.
A ella le *place* la música
그녀는 음악을 좋아한다.
Nos *faltan* tres horas para llegar al pueblo
우리들이 그 마을에 도착할려면 아직 3시간 남았다.

83. 자동사 ser의 문

(1) 일반 자동사로서 「있다·된다」의 의미를 가지며 「S+Vi+Cp 형」; 서술 보어는 형용사·명사·부사:

¿Quién *es* este señor? —*Es* mi tío
이 사람은 누구인가? —나의 숙부이다.
¿Qué *es* tu tío? —*Es* médico; *Es* un buen médico
자네 숙부는 무엇하는 사람이야? —그는 의사이다; 훌륭한 의사이다.
¿*Es* amable? —*Lo* es
친절한가? —그렇다.
Tú *serás* médico
자네는 의사가 되는 것이지.
Ha sido en mi poder su atenta carta
편지는 받아넣고 있다.

(2)연결의 동사로서 「…이다」의 의미이고 「S+Vi+Cp 형」:

㉠서술 보어가 명사적인 것:
Querer es *poder* 의욕은 힘이다.
Toda mi matanza *es que él se corrija*
나의 간절한 소원은 그가 행실을 고쳐주는 것입니다.

㉡서술 보어가 대명사 일 때; 그 대명사는 주격의 형(다음 예에서는 주어가 eso, quien …이고 무성격인 때문에 동사가 보어 yo에 일치해서 활용하고 있다고 생각한다).

Beso del aura, onda de luz, eso soy *yo*
미풍의 입맞춤, 빛의 파도; 그것이 나이다.
No soy *yo* quien te reprocha
너를 비난하고 있는 것은 내가 아니다.

㉢부사나 부사적 어구가 보어로 된다 (다음의 예에서는 dondo …, como…, con…).

Aquí es *donde nos conocimos*
여기가 우리들이 서로 알았던 곳이야.
Comiendo es *como uno se hace las ganas*
(계속) 먹고 있는 것이 사람이 자기에게 식욕을 붙이는 방법이다.
Con que peor me he portado es con *José*
내가 호된 맛을 보여준 상대는 호세에 대해서이다.

[주] 위의 ㉡㉢항과 같은 구문에서는, 주어와 보어의 구별이 되지 않는 적이 많지만, 다음의 예문에서는 각각 poesía, a ti, aquí, llorando ni desolándose가 서술 보어이다.

¿Qué es *poesía*? …, *Poesía* … eres tú
시(詩)란 무엇이냐? …, 시라는 것은 너다 (너야말로 시다).
No es *a ti* a quien busco
내가 찾고 있는 것은 네가 아니다.
No es *aquí* donde nos conocimos
우리들이 알게 되었던 곳은 여기가 아니야.
No es *llorando ni desolándose* como se adquiere la paz del espíritu
영혼의 평화를 얻는 것은 울기도 하고 한탄하기도 하는 것은 아니다.

㉣전치사·접속사로 시작되는 어구는 물론 형용사 또는 부사적이나, 그것이 서술 보어로 되었던 것.

No es *a ti* a quien llamo
내가 부르고 있는 것은 네가 아니다.
¿A *cómo* es la merluza?
[가격·시세] 대구의 시세는 어떤가?
Soy *de Madrid* (Soy madrileño).
나는 마드리드 태생이다.
Las mesas son *de madera*
책상은 재목이다 [de는 재료].
¿Qué será *de nosotros?*
우리들은 어떻게 될 것인지 [우리들에게서 무엇이 될 것인지].
Estas cartas son *para usted*
이 편지는 당신 앞으로 온 것이다.
La vida no es *como la había concebido*
인생은 그때까지 내가 생각하고 있었던 것 같지는 않다.
Si no vuelvo, será *porque habré muerto*
내가 돌아오지 않는다고 한다면, 그것은 내가 죽어 있기 때문일 것이다.

(3) (Cd)+Vi+Cp+S 형: 주어가 부정형이나 que의 명사구일 때는 이 순서로 될 때가 많다.

Es bueno *a prender el español*
서반아어를 배우는 것은 좋은 일이다.
Me es grato *introducirle al Sr. N*
김씨를 소개드리겠습니다.
Mejor será *que lo vea*
그것을 보는 편이 좋겠지.
Es necesario *que lo aprenda*
그것을 배우는 것이 필요하다.

(4) ser는 주어없이 쓰인다 [V: 81(2)]: 또

과거분사와 함께 쓰여 완료·수동의 표현을 한다 [V : 49(5)(6)]

84. 타동사의 문(oración transitiva)

(1) S+Vt+Ca 형 : 서술성의 완전한 타동사 amar comer beber abrir coger esperar descubrir 등 많은 타동사는, 「…을」에 해당하는 대격 보어 하나로 다할 수가 있다; 단, 사람·동물, 의인화된 명사가 대격 보어로 되면 전치사 a를 필요로 한다.

Escribo una carta - No la *escribes*
나는 한 통의 편지를 쓴다. 너는 그것을 쓰지 않는다.

Ana *cogió* el brazo de Juan
아나는 후안의 팔을 잡았다.

No lo *soltó*
그것을 놓치지 않았다.

La madre *ama a* sus hijos
모친은 아이들을 사랑한다.

Le esperaba *a usted*
나는 당신을 기다리고 있었다.

Colón *descubre* [a] América el año 1492
꼴론이 1492년에 아메리카 대륙을 발견했다.

(2) S+Vt+Ca+Cd 형 : 여탈동사
dar entregar enviar ofrecer pedir enseñar, cobrar quitar robar recibir deber merecer tomar 등은 「…을」에 해당하는 대격 보어와, 「…에게」 해당하는 여격 보어를 갖는다. 더우기 여격 보어는 이해의 대상으로 되는 단어이므로, 동사의 성질에 따라서 「…에」, 「…로 부터」, 「…의」 등의 의미로 된다.

José *da* las flores a Ana
호세는 꽃을 아나에게 준다.

Ana se las *recibe*
아나가 그로부터 그것을 받다.

A nadie le *debo* el favor
누구로부터도 나는 호의를 받지 않는다.

José me *cogió* las manos
호세는 내 손을 잡았다.

Le *pasó* la mano por la barba a José
호세의 턱을 손으로 쓰다듬었다.

(3) S+Vt+Ca+Prep+Cm 형 :
㉠ 부여동사 llenar poblar, acompañar obsequiar, instruir manchar 등은 「…에게」에 해당하는 것을 대격 보어, 「…을」에 해당하는 것을 재료 보어로 한다. 그 재료 보어는 명사·형용사이고 de·con·en 등과 표시된다.

José *llena* el vaso *de* agua
호세는 컵에 물을 가득히 넣는다.

José me *obsequió* con el libro
호세가 나에게 이 책을 주었다.

Le *instruía en·sobre* las prácticas
그에게 실지를 가르쳤다.

[~ + de] alimentar, enterar adornar cargar hartar henchir informar manchar pintar poblar proveer sembrar.

[~ + con] acompañar favorecer honrar obsequiar pagar investir dotar.

[~ + en] imponer iniciar instruir manchar teñir.

㉡ 제거 동사 librar limpiar evacuar eximir privar purificar 등 무엇인가를 제거하는 의미의 동사에서는 de가 나타내는 재료 보어가 되는 것을, 대격 보어에서 제거한다고 하는 표현이 된다.

El gobierno *evacúa* la ciudad *de* mujeres y niños
정부는 부녀자를 그 시에서 철수시킨다.

La herida le *privó de*l sentido
그 부상이 그의 의식을 잃게 하였다.

La policía *limpió de* gente la calle
경찰이 거리의 사람들을 멀리 쫓았다.

[주] 그러나 이 종류의 동사에도 보통의 여탈동사처럼 쓰이는 경향이 있는 것도 있다.

Le *obsequiaron* dos medallas conmemorativas
사람들은 그에게 기념패 두 개를 증정했다.

Los bomberos *evacuaron 25* metros cúbicos de auga del sótano
소방대가 지하실에서 25입방미터의 물을 퍼내었다.

Vestía el traje morado
보라색 옷을 입고 있었다.

(4) S+Vt+Ca+Cp 형 :
㉠ 불완전 서술의 동사 : hacer poner volver, creer considerar estimar juzgar llamar elegir nombrar designar, ver encontrar hallar oir sentir, dejar, mostrar ostentar declarar, vender, mantener, tener coger llevar traer 등은 대격 보어의 성질이나 상태를 설명하는 서술 보어를 수반한다; 그 보어는 형용사·명사·부사이다.

La nevada *ha hecho* intransitable el camino
눈이 내리므로 길을 지날 수 없게 되었다.

El padre *quiere hacer* a su hijo médico
부친은 그의 아들을 의사로 하고 싶은 것이다.

Le *creíamos* inocente
그를 무죄라고 생각하고 있다.

No *creyó* imposible que la tropa pasase el rio
군의 도하를 불가능이라고 그는 생각하지 않았다.

No me *juzgues* mal
너는 나를 곡해하지 말라.
Le *han nombrado* presidente al Sr. Yi
사람들은 이씨를 사장으로 임명했다.
Hoy te *encuentro* otro
오늘은 자네를 다른 사람으로 본다(다른사람으로 보인다).
Cogieron prisonero a un hijo suyo
사람들은 그의 한 아이를 포로로 했다.

ⓛ llevar tener traer 의 대격보어에 과거분사가 서술보어로서 붙으면 완료적 표현 [문법 : 49 (4)].

Llevamos andados muchos kilómetros
우리들은 벌써 몇 킬로나 걷고 있었다.

dar pedir tomar 에 prestar 의 과거분사가 붙으면 같은 말씨이다.

Le di · pedi · tomé *prestada* una cosa
그에게 어떤 물건을 빌려 주었다 · 빌려달라고 부탁했다 · 빌리다.

ⓒ 지각 · 방임동사 ver oir sentir, dejar 는 그것의 대격 보어의 서술 보어로서 부정형 · 현재분사 · 과거분사를 취할 수 있다 [문법 : 47(2) ; 49(3)] :

La oía *cantar*
나는 그녀를 · 그녀가 노래하는 것을 들었다.
Sentí el cozazón *golpear* en el pecho
심장이 가슴 속에서 두근두근하는 것을 느꼈다.
[부정형]
Le veía *morir* a su hijo
우리 애가 죽는 것을 보았다.
[현재분사]
Le veía *muriendo*
우리 애가 죽어가는 상태를 보았다.
[과거분사]
Le veia *muerto*
그가 벌써 죽어 있는 것을 보았다.

(5) S+Vt+Ca+Cd+Cp 형 : 불완전 서술의 타동사 가운데서 dejar vender, mostrar pintar representar 등 방임 · 묘사의 동사는 여격 보어도 수반할 수가 있다.

Le *dejamos* libre el paso
우리들은 그이를 위해서 지나는 길을 열었다.
José le *vendió* la casa muy cara
호세는 그이에게 그 집을 지독하게 비싸게 팔아넘겼다.
El autor nos lo *muestra* [al rey] justiciero y grande
작자는 우리들에게 그 왕을 정의감이 있는 위대한 왕으로 보이게 했다.

(6) S+Vt+*inf.*+Cd 형 (S+Vt+Cd+que+*subj*) : 명령 · 금지 · 허가 · 사역의 동사 mandar ordenar prohibir impedir permitir, hacer 등의 대격 보어가 부정형이면, 여격 보어가 그 부정형의 행위자가 된다. 이때 부정형인 곳에 「que+접속법 동사」로 바꾸어 쓰인다.

Mandé *venir* a su médico (Le mandé *que viniera*)
나는 그의 의사에게 오라고 명령했다.
Los médicos me *prehiben* fumar (Me prohiben *que fume*)
의사는 나에게 담배를 피우는 것을 금한다.
Te permito *salir* (Te permito *que salgas*)
나는 자네의 외출을 허가한다.
Le hice *salir (Le hice que saliera)*
그를 외출시켰다.

(7) S+Vt+Ca+a+*inf.* 형 : 어떤 행위에의 권유 · 도움 · 강요를 뜻하는 동사 ayudar enseñar, incitar inducir persuadir invitar mover, obligar precisar impeler, provocar tentar 등이 부정형을 여격 동사로 할 때에는 전치사 a (때로는 para)를 취한다. 그 부정형은 「que+접속법의 동사」로 바꾸어 쓰인다.

Le *ayudó* a subir (Le ayudó *a que subiera*)
그가 오르는 것을 도왔다.
Les *enseña a nadar* (Les enseña *a que naden*)
그들에게 헤엄치는 것을 가르치다.
Les *invitó* a cenar
그들을 저녁에 초대했다.
El río me *provoca* a nadar
강이 나를 헤엄치게 유혹한다.

85. ~se 의 동사 (대명 동사 verbo pronominado)

(1) 본래의 재귀 동사 : se 가 붙은 형으로만 쓰이며 또는 se 가 붙으면 본래의 뜻에서 심하게 변화하는 것 같은 동사 : arrepentirse atreverse burlarse dignarse servirse jactarse quejarse suicidarse 등.

No *me atrevo a quejarme* de la suerte
나는 억지로 운명의 불평을 말하지 않는다.
Sírvase enviarme una muestra
아무쪼록 견본을 보내주시오.

(2) 자동사의 재귀동사 : 자동사에 se 가 붙으면, 의미가 강조된다든가, 조금 바뀐다든가 한다. 단순히 감정적으로 쓰였을 뿐이다. [문법 : 85 (6) ⓒ] :

Se sube al árbol 나무에 올라간다.

Me quedo con esto 나는 이것을 받아둔다.
¿*Os reís* de mí? 너희들은 나를 비웃는 것인가?
Vámonos 가버리자.
[주] 여격 보어를 수반한다:
La conquista de España se *les* vino a las manos [a los moros]
서반아의 정복은 그들 모로인의 수중으로 굴러 들어갔다.
Inesita, ya te *nos* vas
이네스야, 너는 이제 우리들 곁에서 가버리는 것이지.
Se *le* murió la mujer *a José*
호세는 처가 죽었다.

(3) 대격 보어의 se: 서반아어는 타동사만 있고 자동사가 없는 동사가 많다. 이런 타동사는 일반적으로 대격 보어의 성질을 갖는 se를 동반해서 자동사로 된다. acercarse 가까이 오다, alegrarse 즐거워하다, bañarse 목욕하다, detenerse 멈추다, levantarse 일어나다, sentarse 앉다.

Me acerco a la ventana
나는 창으로 다가선다.
¿A qué hora *te levantas*?
너는 몇 시에 일어나는가?
Siéntese usted
앉으십시오.
¿*Te has bañado*? —No *me he bañada*
너는 목욕을 했느냐? —아직 하지 않았어.
[주] 여격 보어를 수반한다:
Me *le* acerqué *a él*
나는 그에게 가까이 갔다.

(4) 자기 자신의 se: se가「자기 자신에게·자기 자신을」의 의미를 분명히 가지고 자동사 타동사에 붙는다. 적어도 그렇게 해석하는 편이 이해하기 쉽다.

Nadie puede *engañarse* a sí mismo.
아무도 자신을 속일 수 없다.
Cervantes vuelve los ojos hacia atrás y *se mira* a sí mismo; *se pregunta* el porqué de su fracaso
세르반떼스는 눈을 뒤로 뒤집고서 스스로를 되돌아보고 자기의 실패의 이유를 자기 스스로에게 묻는 것이다.
Se lo *decía* para sí
그는 그것을 자기 자신에게 말해 주었다.
Me miraba en el espejo
나는 거울[에 비춰서 자기 모습]을 보고 있었다.
Se arrojó al mar
그는 바다에 몸을 던졌다.
No, no *me descubro*
아니 아니야, 나는 내 정체를 밝히지 않겠어요.
Se expresaba de una manera muy viva
그는 참으로 신선하게 자기의 느낌·생각·기분을 겉으로 나타내고 있었다.
Conozcámonos profundamente a nosotros
우리들은 자기 자신을 깊이 알자.
[주] [dejarse·hacerse+*inf.*]:「자기를 방임적으로·의식적으로 …시키다」
No *me dejo* engañar *de* nadie *en·por* nada / *por* nadie *en* nada
나는 누구에게 무슨 일에 관해서도 어떤 것을 가졌더라도 속이고 있지는 않다.
Los yanquis *se hacen* querer *de* los pueblos asiáticos *por·con* el dinero
북미인은 돈의 힘으로 아시아 여러 나라에서 호감을 사고 있었던 것이다.

(5) 서술 보어를 수반하는 재귀동사: 불완전 서술의 타동사이고 대격 보어인 se를 데리고, 이 se에 걸리는 서술 보어를 수반한다.

㉠ hacer poner volver 등은「…로 한다」에서「…로 된다」의 의미로 전환:
¿Qué *se hizo* de aquella mujer?
그 여자는 어떻게 되었는가? [그녀로부터 무엇이 일어났는가].
Don Quijote *se volvió* loco
동끼호떼는 미치광이가 되었다.
María *se puso* pálida
마리아는 얼굴이 창백해졌다.
[주] 여격 보어를 수반한다:
La vida se *le* hacía más difícil
생활은 그에게 있어서 한층 더 곤란하게 되었다.

㉡ 인식·지각의 동사 creerse considerarse reconocerse, sentirse 등에서는「자기를 …이라고 생각한다·인정한다·느낀다」등.
¿*Te creías* inocente?
너는 자기를 결백하다고 생각하고 있었던가?
Se reconocía capaz de vivir allí
그는 거기에 살 수 있는 자신을 가질 수 있었다.
Nos sentimos honrados con su amistad
우리들은 그의 우정을 황송하다고 느끼고 있다.

㉢ llamarse repetirse declararse mostrarse ostentarse mantenerse venderse 등은「자기를 …라고 부르다, 어떤 태도를 취하다·나타

내다」의 의미.

Me llamo José 나는 호세라고 한다.

Se mantuvo firme en su propósito

그는 그의 의도를 견지했다.

Se vende muy caro

그는 젠체하며 남을 업신여기고 있다.

[주] 여격 보어를 수반한다 :

Se *le* ha declarado enemigo mortal a José

그는 호세에게 불구대천의 적이 된다고 언명했다.

El rey se *nos* mostró justiciero y grande

국왕은 우리들 눈에 정의감있는 위대한 왕으로 보였다.

㉣ hallarse encontrarse verse 는 estar 의 의미로 되어, 특히 타동사의 과거분사에 연결되면 수동적인 표현을 한다.

Los tripulantes *se hallan* perfectamente

승무원은 무사하다.

Nos veiamos perseguidos y pobres

우리들은 박해받고, 가난하였다.

La torre *se encuentra* cubierta de nieve

탑은 눈으로 뒤덮여있다.

(6) 이해의 se

㉠ 타동사이고 대격 보어를 갖는데다가, 여격 보어의 성질 「…으로 · 에 ; …부터, …의」의 의미로 취급되는 se 를 갖는다. 동작이 자기의 일부로 돌아오는 것 같은 표현으로 쓰인다. 즉 목적어가 주어의 몸에 붙이는 부착물이거나 주어의 신체의 일부일 때의 용법이다 :

Me pongo el sombrero

나는 모자를 쓴다.

Nos quitamos los guantes

우리들은 장갑을 벗는다.

¿*No te has lavado* la cara?

너는 네 얼굴을 씻지 않았느냐?

Ella *se corta* las uñas

그녀는 손톱을 자른다.

㉡ 일반적으로 여탈 동사의 표현에 있어서의 se 는 「자기로서는」의 느낌이 들어간다.

Nos formamos una idea de lo que son

그들이 어떤 인물인가의 관념을 자기들 스스로 만들어 낸다.

No *te forjes* novelas

너는 네 마음대로 소설을 머리 속에서 만들지 말라 [공상을 하지 말라].

Se los *imaginó* tal como debían ser

그들이 있었던 그대로 틀림없는 그들의 모습을 내 마음속에 그렸다.

Nos proponemos subir

우리들은 자기 스스로 오를 것을 제안한다 ─오를려고 생각한다.

㉢ 농담어의 se : 의미상으로는 불필요하고, 어떤 느낌을 첨가하기 위해서만의 se 가 있다 [문법 : 85 (2)].

El perro *se* comió toda la ración

개는 준 것을 말끔이 먹었다.

Ella *se* creía que no era cierto

확실치 않다고 그녀는 생각하고 있었다.

(7) 상호의 se (상호 동사) : 주어의 동작이 상호적으로 주어로 돌아가는 표현을 한다. 자동사나 타동사라도 이 상호 동사로 될 수 있다. 복수형에서만 사용된다.

[자동사]

Ambos *se sonríen* uno a otro

두 사람은 서로 미소를 교환한다.

[타동사]

Tú y yo *nos ayudaremos*

자네와 나는 서로서로 돕자.

Ambos *se reprochan* sus vicios

두 사람은 결점을 서로 비난한다.

Hablando *se entiende* la gente

말하게 되면 사람들은 서로 이해할 수 있다.

㉠ 의미가 불명확하게 되는 일이 있다.

Ana y Lola *se quejaban*

아나와 롤라가 서로 불평을 말하고 있었다.

Nos despedimos del padre

우리들은 아버지에게 고별을 말씀드렸다.

㉡ 다음의 예는 상호동사라고 할 수 없을 것이다.

Mi carta *se ha cruzado* con la suya

내 편지는 당신 것과 서로 가고 오고 하였다.

José *se asía* con el contrario

호세는 상대와 서로 붙잡았다.

(8) 수동의 se : 주어가 사물이고, 따라서 동사가 제 3인칭일 때, se 가 타동사와 함께 수동을 만든다 [문법 : 86].

La historia *se repite* 역사는 반복된다.

Se abre la oficina a las nueve

사무소는 9시에 열린다.

Se alquilan cuartos 방이 대여된다.

Aquí *se habla* español

이곳에서는 서반아어가 사용된다.

㉠ 여격 보어가 들어간다.

Se nos *dará* esta ayuda

이러한 원조가 우리들에게 주어진다.

㉡ 명령형 : 「…하세요」 「…당하지 않도록」라 하는 소망.

Véase 참조하십시오.

Pídanse los folletos, que se envían gratis

안내서를 청구해 주세요, 무료로 보내드립니다.

No *se olvide* esto

이것은 잊어버리지 않도록.

㉢ 수동의 주어로 보이는 것이 복수일 때도 동사를 단수로 끝내는 일이 행해 진다. 이것은 다음의 무인칭의 se 의 확장 용법.

Se ha pedido refuerzos

원군이 요구되었다.

Se le *supone* otras intenciones

그에게는 다른 의도가 [있는듯이] 추측된다.

(9) 무인칭의 se : 주어가 일반 사람이거나 불확실할 때 「사람이·사람들은…」의 의미를 잠재시키는 se 와 제 3인칭 단수형의 동사를 짜 맞춘다(이때는 주어없이 동사를 제 3인칭 복수로 바꾸어 쓰인다 [문법 : 81 (4)]).

㉠ 자동사 :

Se procedió a la votación (Procedieron a …,)

이어서 투표로 옮겼다.

Se trataba de la boda de su hija (Tratavan de …,)

이야기는 딸의 결혼에 관한 것이었다.

Cuando *se es* pobre y *se tiene* que vivir a costa de la caridad de los parientes, es necesario cuidar más las prendas personales

가난해서 친척의 자비에 매달려서 생활해 나가지 않으면 안될 때는 더 기분에 조심할 필요가 있다.

㉡ 타동사의 경우에는, 수동의 se 와 같은 용법으로 쓰인다 :

Se les *recibirá* bien a tus hijas (Les recibirá …)

사람들은 자네 딸을 환영할 것이다 (자네 딸들은 환영을 받을 것이다).

Se le *eligió* presidente (Le eligieron …)

사람들은 그를 사장으로 선출했다 (그는 사장으로 뽑혔다).

㉢ 자동사·타동사의 구별없이 se 가 일반적인 말씨 「…해야 하는 것이다」 등의 의미로 쓰인다.

Cuando *se* viaja *se* tiene más apetito

여행하고 있을 때는 더 배가 고파지는 것이다.

No *se* debe escuchar por las cerraduras de las puertas

문의 열쇠 구멍에서 엿듣는 일을 해서는 안된다.

㉣ 무인칭의 se 는 목적 대명사 me te le la 등보다 앞에 나온다. 부정문이면 no 가 더 앞에 나온다.

No se te olvidará

자네는 세상에서 잊혀지지 않을 것이다.

그러나 속어로는 다음과 같은 용례도 보인다.

Se te conoce

자네 됨됨이를 사람들은 알고 있다.

Casándote con bonita / hasta que llegues a viejo / el susto *no te se* quita

예쁜 여자를 색시로 맞이하면 주름이질 때까지 고생이 그치지 않는다.

(10) 가능의 se : 자동사·타동사의 구별없이 「보이다, 들을 수 있다, 갈 수 있다」등 가능을 나타내는 경우이고, 수동이나 무인칭의 se 의 확장 용법.

Oyense unos gritos lejanos

멀리서의 외침이 들린다.

Se llega a la ciudad por el hermoso camino en menos de dos horas

훌륭한 길을 지나서 2시간 이내에 그 동네에 갈 수 있다.

86. 능동태·수동태

타동사에만 있는 일인데, 능동태(voz activa)에서는 주어가 행위의 작동자(sujeto agente)가 되어, 작동을 받는 쪽이 대격 보어로 나타난다. 수동태(voz pasiva)에서는 주어가 작동을 받는 쪽(sujeto paciente)으로 바뀌어 작동자가 작동의 보어(complemento agente) 로서 전치사 por, 또는 amar querer aborrecer temer desear 등 감정의 동사라면 주로 de 로서 이끌어진다.

수동태, 수동의 문에 두 종이 있다.

(1)「조동사 ser+타동사의 과거분사」의 형 [문법 : 49 (5)].

(2)「수동의 se」를 쓰는 형 [문법 : 85 (8)—(9)]. 원칙적으로는 어느 타동사도 두 종의 수동을 만들 수 있게 되는 것인데, 실제로는 ser 것은 쓰여지지 않기도 하고, ser 인 것도 se 인 것도 같은 의미로 쓰여지기도 한다. 그러나 se 형은 바로 무인칭문으로 바꾸어 쓸 수 있는 정도이니까, 행위자의 의식이 엷어진다.

이하의 예문에서는 ㉠ 능동문, ㉡ ser 의 수동, ㉢ se 의 수동, ㉣ se 의 무인칭, ㉤ 제 3인칭 복수의 무인칭문의 순서로 바꾸어 옮기는 것을 볼 수 있다 :

(1) 많은 사람은 행복을 바란다.

㉠ Muchos desean la felicidad.

㉡ La felicidad es deseada de· por muchos.

㉢ — ㉣ Se desea la felicidad [여기에 de muchos 를 넣으면 많은 사람의 행복이라고 하

는 의미로 취급된다.]

㉤ Pesean …라고 되지 않는다.

(2) 라디오가 그 뉴스를 일반에 알렸다.

㉠ La radio ha divulgado las noticias.

㉡ Las noticias han sido divulgadas por la radio.

㉢ Las noticias se han divulgado por la radio. [㉡과 ㉢은 같은 의미]

㉣ Se han divulgado las noticas [Se ha divulgado …라고도 말할 수 있다].

(3) 나의 숙부들은 자네 딸을 환영할 것이다

㉠ Mis tíos recibirán bien a tu hija.

㉡ Tu hija será bien recibida por mis tíos.

㉢ […se recibirá 라고는 하지 않는다].

㉣ Se le recibirá bien a tu hija alla.

㉤ Allá le recibirá bien [㉣과 ㉤에서는 행위자 (환영자)의 그림자가 엷어진다.]

(4) 여탈 동사의 예 [문법 : 84 (2)].

: 호세가 나에게 이 책을 부쳐보냈다.

㉠ José me ha enviado este libro.

㉡ Este libro me ha sido enviado por José.

㉢ – ㉣ Se me ha enviado este libro por José [호세의 손을 통해서 누군가가 보내왔다, 라고도 해석할 수 있다]

㉤ Me han enviado este libo [행위자가 불명확하게 된다]

: 도둑이 내 시계를 훔쳤다.

㉠ El ladrón me robó el reloj.

㉡ El reloj me fue robado por el ladrón [이 형은 실제로는 쓰이지 않는다].

㉢ – ㉣ Se me robó el reloj [여기에 por el ladrón 은 붙지 않는다].

㉤ Me robaron el reloj [도둑은 한 사람이 틀림없어도 불확실하기 때문에 무인칭에서는 동사가 복수형].

(5) 부여·제거의 동사에서는 재료 보어가 de·con 로 표시된다 [문법 : 84 (3)].

: 이웃 사람들이 아나에게 그 일을 알렸다.

㉠ Las vecinos le han informado del asunto a Ana.

㉡ Ana ha sido informada del asunto por los vecinos.

㉢ Ana *se ha infomado de*l asunto [「아나는 그 일을 알고 있었다」는 의미의 재귀동사]

㉣ A Ana se le ha informado del asunto.

㉤ Le han informado del asunto.

: 부상이 그의 의식을 빼앗아갔다.

㉠ La herida le privó del sentido.

㉡ Fue privado del sentido por la herida

㉢ Se privó del paseo [「그는 산책을 그만두었다」 의미의 재귀동사]

㉣ Se le privó del oficio [「그는 직업을 빼앗겼다」의 의미가 된다]

㉤ Le privaron del oficio

: 친구들은 아나에게 꽃을 증정했다.

㉠ Los amigos obsequiaron a Ana con flores.

㉡ Ana fue obsequiada con flores por los amigos.

㉢ Ana se obsequió con flores [이 형은 쓰이지 않는다].

㉣ A Ana se le obsequio con flores.

㉤ Le obsequiaron con flores.

(6) 불완전 서술의 동사 [문법 : 83 (4)] :

: 강설이 길을 불통하게 하였다.

㉠ La nevada ha hecho intransitable el camino.

㉡ El camino ha sido hecho intransitable por la nevada.

㉢ –㉣ El camino *se ha hecho* intransitable *con·por* la nevada (「…으로 된다」 의미의 재귀동사로도 무인칭으로도 취급되는 형이 되기 때문에 con 이라도 por 으로도 좋게 된다)

㉤ Han hecho intransitable el camino [행위자가 사람이라는 느낌이 강하게 된다].

(7) 불완전 서술의 동사 [V : 84 (4)] :

: 이웃 사람들은 호세를 무죄라고 생각하고 있었다

㉠ Los vecinos le creían inocente a José.

㉡ José era creído inocente por los vecinos.

㉢ José se creía inocente [호세는 자기를 무죄라고 생각하고 있다, 라는 의미가 된다].

㉣ A José se le creía inocente.

㉤ A José le creían inocente [무인칭화하면 por los vecinos 를 붙이기 어렵게되어, a José 를 앞에 내고 싶게 된다].

: 국민이 김씨를 대통령으로 뽑았다

㉠ El pueblo eligió presidente al Sr. Guim.

㉡ El Sr. Guim fue elegido presidente por el pueblo.

㉢ –㉣ Se le eligió presidente al Sr. Guim.

㉤ Eligieron presidente al Sr. Guim.

(8) 명령·금지·허가의 동사 [문법 : 83 (6)]

: 의사가 나에게 담배를 금하게 하다.

㉠ Los médicos me prohiben fumar.

㉡ El fumar me es prohibido por los médicos [무리하게 만든 수동 ; 오히려 Me está prohibido fumar, Tengo prohibido (el) fumar 등]

㉢ Se me prohibe fumar.

(9) 권유·도움·강제의 동사 [문법 : 83 (7)]

: 호세는 그 가족을 저녁식사에 초대했다.

㉠ José invitó a la familia a cenar.

㉡ La familia fue invitada a cenar por José.

㉢ 없음.

㉣ Se la invitó a cenar.

㉤ La invitaron a cenar.

[주] :

㉠ 행위의 보어로 보이는 것이 여격 보어의 형으로 나타낸다 :

Estos lugares *le* eran bien conocidos

이 부근의 장소는 그에게는 익숙해져 있었다.

㉡ 주어가 명사구·부정형의 예 :

Sabido es *que la industria ha prosperado mucho*

산업이 크게 발전한 것은 잘 알려져 있다.

Excusado es *decir* que la salud es más importante que nada

건강이 무엇보다도 중요한 것은 다시 말할 필요가 없다.

5. 동 사 활 용 표

동 사 활 용 표 색 인

[표-1] 규칙 동사(I) (부정법 · 직설법 · 가능법)

ar 동사	**er** 동사	**ir** 동사	조동사 haber
부정법			완료형
부정형			부정형 완료형
hablar	***comer***	***vivir***	haber +*p.p.*
현재분사			현재분사 완료형
habl***ando***	com***iendo***	viv***iendo***	habiendo +*p.p.*
과거분사			
habl***ado***	com***ido***	viv***ido***	×
직설법 · 현재			직설법 · 완료과거
habl***o***	com***o***	viv***o***	he
habl***as***	com***es***	viv***es***	has
habl***a***	com***e***	viv***e***	ha +*p.p.*
habl***amos***	com***emos***	viv***imos***	hemos
habl***áis***	com***éis***	viv***ís***	habéis
habl***an***	com***en***	viv***en***	han
직설법 · 불완료과거			직설법 · 대과거
habl***aba***	com***ía***	viv***ía***	había
habl***abas***	com***ías***	viv***ías***	habías
habl***aba***	com***ía***	viv***ía***	había
habl***ábamos***	com***íamos***	viv***íamos***	habíamos +*p.p.*
habl***abais***	com***íais***	viv***íais***	habíais
habl***aban***	com***ían***	viv***ían***	habían
직설법 · 부정과거			직설법 · 직전과거
habl***é***	com***í***	viv***í***	hube
habl***aste***	com***iste***	viv***iste***	hubiste
habl***ó***	com***ió***	viv***ió***	hubo +*p.p.*
habl***amos***	com***imos***	viv***imos***	hubimos
habl***asteis***	com***isteis***	viv***isteis***	hubisteis
habl***aron***	com***ieron***	viv***ieron***	hubieron
직설법 · 미래			직설법 · 완료미래
hablar***é***	comer***é***	vivir***é***	habré
hablar***ás***	comer***ás***	vivir***ás***	habrás
hablar***á***	comer***á***	vivir***á***	habrá
hablar***emos***	comer***emos***	vivir***emos***	habremos +*p.p.*
hablar***éis***	comer***éis***	vivir***éis***	habréis
hablar***án***	comer***án***	vivir***án***	habrán
가능법 · 불완료형			가능법 · 완료형
hablar***ía***	comer***ía***	vivir***ía***	habría
hablar***ías***	comer***ías***	vivir***ías***	habrías
hablar***ía***	comer***ía***	vivir***ía***	habría
hablar***íamos***	comer***íamos***	vivir***íamos***	habríamos +*p.p.*
hablar***íais***	comer***íais***	vivir***íais***	habríais
hablar***ían***	comer***ían***	vivir***ían***	habrían

[표—1] 규칙 동사(Ⅱ) (명령법·접속법)

ar 동사	**er** 동사	**ir** 동사	조동사 haber
명령법·명령형			완료형
×	×	×	
habl***a***	co***me***	viv***e***	
habl***e***	com***a***	viv***a***	
habl***emos***	com***amos***	viv***amos***	
habl***ad***	com***ed***	viv***id***	
habl***en***	com***an***	viv***an***	
접속법·현재			접·완료과거
habl***e***	com***a***	viv***a***	haya
habl***es***	com***as***	viv***a***	hayas
habl***e***	com***a***	viv***amos***	haya
habl***emos***	com***amos***	viv***áis***	hayamos +*p.p.*
habl***éis***	com***áis***	viv***an***	hayáis
habl***en***	com***an***		hayan
접속법·과거 ra 형			접·대과거
habl***ara***	com***iera***	viv***iera***	hubiera
habl***aras***	com***ieras***	viv***ieras***	hubieras
habl***ara***	com***iera***	viv***iera***	hubiera
habl***áramos***	com***iéramos***	viv***iéramos***	hubiéramos +*p.p.*
habl***arais***	com***ierais***	viv***ierais***	hubierais
habl***aran***	com***ieran***	viv***ieran***	hubieran
접속법·과거 se 형			접·대과거
habl***ase***	com***iese***	viv***iese***	hubiese
habl***ases***	com***ieses***	viv***ieses***	hubieses
habl***ase***	com***iese***	viv***iese***	hubiese
habl***ásemos***	com***iésemos***	viv***iésemos***	hubiésemos +*p.p.*
habl***aseis***	com***ieseis***	viv***ieseis***	hubieseis
habl***asen***	com***iesen***	viv***iesen***	hubiesen
접속법·미래			접·완료미래
habl***are***	com***iere***	viv***iere***	hubiere
habl***ares***	com***ieres***	viv***ieres***	hubieres
habl***are***	com***iere***	viv***iere***	hubiere
habl***áremos***	com***iéremos***	viv***iéremos***	hubiéremos +*p.p.*
habl***areis***	com***iereis***	viv***iereis***	hubiereis
habl***aren***	com***ieren***	viv***ieren***	hubieren
능동 분사			
-ante 형			
habl***ante***	com***iente***	viv***iente***	
-ador 형			
habl***ador, ra***	com***edor, ra***	viv***idor, ra***	

[표－2] 정서법(正書法)에 주의를 요하는 동사 (Ⅰ)
(**-cer, -cir ; -ger, -gir ; -guir, -quir** 의 동사)

부정법	직설법・현재	접속법・현재	명령형
	venzo	venza	×
	vences	venzas	vence
vencer [1]	vence	venza	venza
G. venciendo	vencemos	venzamos	venzamos
P. vencido	vencéis	venzáis	venced
	vencen	venzan	venzan
	zurzo	zurza	×
	zurces	zurzas	zurce
zurcir [2]	zurce	zurza	zurza
G. zurciendo	zurcimos	zurzamos	zurzamos
P. zurcido	zurcís	zurzáis	zurcid
	zurcen	zurzan	zurzan
	cojo	coja	×
	coges	cojas	coge
coger [3]	coge	coja	coja
G. cogiendo	cogemos	cojamos	cojamos
P. cogido	cogéis	cojáis	coged
	cogen	cojan	cojan
	exijo	exija	×
	exiges	exijas	exige
exigir [4]	exige	exija	exija
G. exigiendo	exigimos	exijamos	exijamos
P. exigido	exigís	exijáis	exigid
	exigen	exijan	exijan
	extingo	extinga	×
	extingues	extingas	extingue
extinguir [5]	extingue	extinga	extinga
G. extinguiendo	extinguimos	extingamos	extingamos
P. extinguido	extinguís	extingáis	extinguid
	extinguen	extingan	extingan
	delinco	delinca	×
	delinques	delincas	delinque
delinquir [6]	delinque	celinca	delinca
G. delinquiendo	delinquimos	delincamos	delincamos
P. delinquido	delinquís	delincáis	delinquid
	delinquen	celincan	delincan

[주] **-cer, -cir ; -ger, -gir ; -guir, -quir** 로 끝나는 동사에서는 직설법 현재 제 1 인칭 단수와 접속법 현재의 전체 인칭에서 어간 끝의 자음의 원음 보존을 위해 바꾸어 쓸 필요가 있다 : c → z, g → j, gu → g, qu → c.

* [1] [2] : **-cer, -cir** 의 동사에서 활용 어미 모음 a, o 앞의 c 를 z 로 고쳐 쓴다.
* [3] [4] : **-ger, -gir** 의 동사에서 활용 어미 모음 a, o 앞의 g 를 j 로 고쳐 쓴다. [참조 : **elegir** [45]].
* [5] : **-guir** 의 동사에서 활용 어미 모음 a, o 앞의 u 를 탈락시킨다. [참조 : **seguir** [46]].
* [6] : **-quir** 의 동사에서 활용 어미 모음 a, o 앞의 qu 를 c 로 고쳐 쓴다. [동류 : muquir, añuquir].

[표-3] 정서법에 주의를 요하는 동사 (Ⅱ)
(**-car, -gar, -zar, -guar** 의 동사)

부정법	직설법 · 부정과거	접속법 · 현재	명령형
sacar [7] G. sacando P. sacado	*saqué* sacaste sacó sacamos sacasteis sacaron	saque saques saque saquemos saquéis saquen	× saca saque saquemos sacad saquen
pagar [8] G. pagando P. pagado	*pagué* pagaste pagó pagamos pagasteis pagaron	pague pagues pague paguemos paguéis paguen	× paga pague paguemos pagad paguen
alzar [9] G. alzando P. alzado	*alcé* alzaste alzó alzamos alzasteis alzaron	alce alces alce alcemos alcéis alcen	× alza alce alcemos alzad alcen
menguar [10] G. menguando P. menguado	*mengüé* menguaste menguó menguamos menguasteis menguaron	mengüe mengües mengüe mengüemos mengüéis mengüen	× mengua mengüe mengüemos menguad mengüen

[주] **-car, -gar, -zar, -guar** 로 끝나는 동사에서는 직설법 부정과거 제 1 인칭 단수와 접속법 현재의 전체 인칭에서, 원음 보존을 위해 철자를 고쳐 쓰거나 부호를 새로 붙이는데 주의를 한다 : c → qu, g → gu, z → c, gu → gü.

* [7] : **-car** 의 동사에서 활용 어미 모음 e 앞의 c 를 qu 로 바꾼다.
* [8] : **-gar** 의 동사에서 활용 어미 모음 e 앞의 g 를 gu 로 바꾼다.
* [9] : **-zar** 의 동사에서 활용 어미 모음 e 앞의 z 를 c 로 바꾼다.
* [10] : **-guar** 의 동사에서 활용 어미 모음 e 앞의 u 를 ü 로 바꾼다.

[표—4] 악센트에 주의를 요하는 동사 (Ⅰ)
(-iar, -uar 의 동사)

부정법	직설법 · 현재	접속법 · 현재	명령형
	cambio	cambie	×
	cambias	cambies	cambia
cambiar [11]	cambia	cambie	cambie
G. cambiando	cambiamos	cambiemos	cambiemos
P. cambiado	cambiáis	cambiéis	cambiad
	cambian	cambien	cambien
	envío	envíe	×
	envías	envíes	envía
enviar [12]	envía	envíe	envíe
G. enviando	enviamos	enviemos	enviemos
P. enviado	enviáis	enviéis	enviad
	envían	envíen	envíen
	auxilio	auxilie	×
	auxilias	auxilies	auxilia
auxiliar [13]	auxilia	auxilie	auxilie
G. auxiliando	auxiliamos	auxiliemos	auxiliemos
P. auxiliado	auxiliáis	auxiliéis	auxiliad
	auxilian	auxilien	auxilien
	auxilío	auxilíe	×
	auxilías	auxilíes	auxilía
	auxilía	auxilíe	auxilíe
	auxiliamos	auxiliemos	auxiliemos
	auxiliáis	auxiliéis	auxiliad
	auxilían	auxilíen	auxilíen
	adecuo	adecue	×
	adecuas	adecues	adecua
adecuar [14]	adecua	adecue	adecue
G. adecuando	adecuamos	adecuemos	adecuemos
P. adecuado	adecuáis	adecuéis	adecuad
	adecuan	adecuen	adecuen
	actúo	actúe	×
	actúas	actúes	actúa
actuar [15]	actúa	actúe	actúe
G. actuando	actuamos	actuemos	actuemos
P. actuado	actuáis	actuéis	actuad
	actúan	actúen	actúen

[주] **-iar, -uar** 의 동사에서는, 직설법과 접속법 현재형에서 약모음 i · u 가 활용 어미 모음과 이중 · 삼중 모음을 만드는 것과 분리되어 악센트 부호를 붙여야 할 두 가지가 있다.

* [11] : **-iar** 의 동사에서 cambiar 부류에서는 어간의 끝모음 i 와 활용 어미 모음이 이중 · 삼중 모음을 만들어 악센트 부호를 붙이지 않는다. 즉 이 부류는 규칙 동사이다. 관련된 명사나 형용사의 어미가 ia, io 인 것은 대체로 이런 종류의 동사로 생각하면 된다 : cambiar (*m.* cambio), estudiar (*m.* estudio).

* [12] : **-iar** 의 동사에서 enviar 부류에서는 어간의 끝모음 i 와 활용 어미 모음이 갈라지므로 악센트 부호가 있어야 한다. 관련된 명사나 형용사의 어미가 ía, ío 인 것은 대체로 이런 종류의 동사로 생각하면 된다 : enviar (*m.* envío), espiar (*f.* espía). [동류 : aliar, averiar, criar, enfriar, extraviar, fiar, fotografiar, guiar, liar, piar, porfiar, rociar, vaciar, vigiar 등].

[표—5] 악센트에 주의를 요하는 동사 (Ⅱ)
(**-ai, -au, -eu** 의 동사)

부정법	직설법 · 현재	접속법 · 현재	명령형
	aíro	aíre	×
	aíras	aíres	aíra
airar 16	aíra	aíre	aíre
G. airando	airamos	airemos	airemos
P. airado	airáis	airéis	airad
	aíran	aíren	aíren
	ahínco	ahínque	×
	ahíncas	ahínques	ahínca
ahincar 16′	ahínca	ahínque	ahínque
G. ahincando	ahincamos	ahinquemos	ahinquemos
P. ahincado	ahincáis	ahinquéis	ahincad
	ahíncan	ahínquen	ahínquen
	aúllo	aúlle	×
	aúllas	aúlles	aúlla
aullar 17	aúlla	aúlle	aúlle
G. aullando	aullamos	aullemos	aullemos
P. aullado	aulláis	aulléis	aullad
	aúllan	aúllen	aúllen
	reúno	reúna	×
	reúnes	reúnas	reúne
reunir 18	reúne	reúna	reúna
G. reuniendo	reunimos	reunamos	reunamos
P. reunido	reunís	reunáis	reunid
	reúnen	reúnan	reúnan
	rehúso	rehúse	×
	rehúsas	rehúses	rehúsa
rehusar 18′	rehúsa	rehúse	rehúse
G. rehusando	rehusamos	rehusemos	rehusemos
p. rehusado	rehusáis	rehuséis	rehuséis
	rehúsan	rehúsen	rehúsen

그러나 다음 동사는 관련된 명사 · 형용사가 io, ia 이지만 활용형은 ía, ío 등이 된다 : ampliar (*adj.* amplio), ansiar (*f.* ansia), comentariar (*m.* comentario), contrariar (*adj.* contrario), gloriar (*f.* gloria), inventariar (*m.* inventario), variar (*adj.* vario) 등.

* **auxiliar** 13 : auxiliar 은 cambiar 식과 enviar 식의 두 가지가 있다고 하는데, 주로 cambiar 식이 쓰인다. [동류 : agriar, rumiar, vanagloriarse, vidriar 등].

* 14 : **-uar** 동사 가운데 -cuar, -guar 부류는 cambiar 와 같은 조건으로, u 가 활용 어미와 이중 · 삼중 모음을 만든다. [동류 : anticuar, apropincuarse, colicuar, licuar, oblicuar, promiscuar]. 그러나 evacuar 에서는 El enfermo no *evacúa* 용례를 볼 수 있다. -guar 에 대해서는 menguar 10 참조.

* 15 : **-uar** 동사 가운데서 -cuar, -guar 가 아닌 것은 어간의 끝모음 u 와 활용 어미 모음이 갈라지므로 u 에 악센트 부호를 붙인다 : atenuar, avaluar, censuar, conceptuar, continuar, efectuar, estatuar, evaluar, exceptuar, extenuar, graduar, habituar, individuar, insinuar, perpetuar, preceptuar, puntuar, situar, valuar 등.

* 16 — 18 : 부정형에서는 ai, au, eu 등의 어간 이중 모음이 활용형으로 될 때 약모음이 갈라지므로 i · e에 악센트 부호를 붙여야 할 동사가 있다 : atraillar, aunar, embaular, desembaular, reuntar, aislar, aupar, embaucar 등.

[표—6] 어간 모음 변화 동사(Ⅰ)
(e · i → ie 의 동사)

부정법	직설법 · 현재	접속법 · 현재	명령형
	pienso	piense	×
	piensas	pienses	piensa
pensar ⑲	piensa	piense	piense
G. pensando	pensamos	pensemos	pensemos
P. pensado	pensáis	penséis	pensad
	piensan	piensen	piensen
	pierdo	pierda	×
	pierdes	pierdas	pierde
perder ⑳	pierde	pierda	pierda
G. perdiendo	perdemos	perdamos	perdamos
P. perdido	perdéis	perdáis	perded
	pierden	pierdan	pierdan
	cierno	cierna	×
	ciernes	ciernas	cierne
cernir ㉑	cierne	cierna	cierna
G. cerniendo	cernimos	cernamos	cernamos
P. cernido	cernís	cernáis	cernid
	ciernen	ciernan	ciernan
	yerro	yerre	×
	yerras	yerres	yerra
errar ㉒	yerra	yerre	yerre
G. errando	erramos	erremos	erremos
P. errado	erráis	erréis	errad
	yerran	yerren	yerren
	adquiero	adquiera	×
	adquieres	adquieras	adquiere
adquirir ㉓	adquiere	adquiera	adquiera
G. adquiriendo	adquirimos	adquiramos	adquiramos
P. adquirido	adquirís	adquiráis	adquirid
	adquieren	adquieran	adquieran

또한 Academia 에서는 ahincar ; rehusar 와 같이 h 를 사이에 둔 약모음과 강모음이 이중 모음이 되지 않을 때도 악센트 부호를 붙이도록 권하고 있다 : buhar, ahilar, rehilar, sobrehilar, rehundir, ahumar, sahumar, cohibir, prohibir 등.

* ⑲ — ㉑ : 직설법과 접속법의 현재형으로, 어간 모음 e 가 악센트 생기는 곳에서 ie 로 갈라진다. [참조 : sentir ㊸ — hervir ㊻; tener ㊹, venir ㊿, querer ㊳].
* **pensar** ⑲ : 이것과 같은 부류의 동사 중에서, (1) cegar, negar, plegar, estregar, segar, sosegar 등의 -gar 인 것은 pagar ⑧ 와 같은 정서법(正書法)에 주의한다. [직 · 부정과거 · 1 · 단수 : negué ; 접 · 현재 : niegue, niegues, niegue ; neguemos, neguéis, nieguen]. (2) comenzar, empezar, tropezar 등의 -zar 로 끝나는 것은 alzar ⑨ 와 같은 정서법에 주의한다. [직 · 부정과거 · 1 · 단수 : comencé ; 접 · 현재 : comience, comiences, comience ; comencemos, comencéis, comiencen]
* **errar** ㉒ : 어두(語頭)에서 ie 로 갈라지면 ye 로 쓴다 [참조 : erguir ㊼].
* **adquirir** ㉓ : 위와 조건이 같은 데에서 i 가 ie 로 갈라진다. [동류 : inquirir, perquirir].

[표-7] 어간 모음 변화 동사(Ⅱ)
(o·u→ue 의 동사)

부정법	직설법·현재	접속법·현재	명령형
contar 24 G. contando P. contado	cuento cuentas cuenta contamos contáis cuentan	cuente cuentes cuente contemos contéis cuenten	× cuenta cuente contemos contad cuenten
volver 25 G. volviendo P. *vuelto*	vuelvo vuelves vuelve volvemos volvéis vuelven	vuelva vuelvas vuelva volvamos volváis vuelvan	× vuelve vuelva volvamos volved vuelvan
oler 26 G. oliendo P. olido	*huelo* *hueles* *huele* olemos oléis *huelen*	huela huelas huela olamos oláis huelan	× huele huela olamos oled huelan
desosar 27 G. desosando P. desosado	deshueso deshuesas deshuesa desosamos desosáis deshuesan	deshuese deshueses deshuese desosemos desoséis deshuesen	× deshuesa deshuese desosemos desosad deshuesen
agorar 28 G. agorando P. agorado	agüero agüeras agüera agoramos agoráis agüeran	agüere agüeres agüere agoremos agoréis agüeren	× agüera agüere agoremos agorad agüeren
jugar 29 G. jugando P. jugado	juego juegas juega jugamos jugáis juegan	juegue juegues juegue juguemos juguéis jueguen	× juega juegue juguemos jugad jueguen

* 24－25：직설법·접속법 현재에서 어간 모음 o가 악센트가 있으면 ue로 바뀐다. [참조：dormir 57, morir 58, poder 67].
* **contar** 24：이것과 같은 부류의 동사 가운데서, (1) trocar, volcar와 같이 -car로 끝나는 것은 sacar 7 와 같은 정서법에 주의해야 한다. [직·부정과거·1·단수：troqué; 접·현재：trueque, trueques, trueque, troquemos, troquéis, truequen].
(2) colgar, holgar, rogar, descolgar 등과 같이 -gar로 끝나는 것은 pagar 8 와 같은 정서법에 주의한다. [직·부정과거·1·단：colgué; 접·현재：cuelgue, cuelgues, cuelgue, colguemos, colguéis, cuelguen].
(3) almorzar, forzar, esforzar, reforzar 등과 같이 -zar로 끝나는 것은 alzar 9 와 같은 정서법에 주

[표-8] 어간 자음 변화 동사 (I)
(c → zc, s → sg 의 동사)

부정법	직설법 · 현재	접속법 · 현재	명령형
	nazco	nazca	×
	naces	nazcas	nace
nacer [30]	nace	nazca	nazca
G. naciendo	nacemos	nazcamos	nazcamos
P. nacido	nacéis	nazcáis	naced
	nacen	nazcan	nazcan
	crezco	crezca	×
	creces	crezcas	crece
crecer [31]	crece	crezca	crezca
G. creciendo	crecemos	crezcamos	crezcamos
P. crecido	crecéis	crezcáis	creced
	crecen	crezcan	crezcan
	conozco	conozca	×
	conoces	conozcas	conoce
conocer [32]	conoce	conozca	conozca
G. conociendo	conocemos	conozcamos	conozcamos
P. conocido	conocéis	conozcáis	conoced
	conocen	conozcan	conozcan
	luzco	luzca	×
	luces	luzcas	luce
lucir [33]	luce	luzca	luzca
G. luciendo	lucimos	luzcamos	luzcamos
P. lucido	lucís	luzcáis	lucid
	lucen	luzcan	luzcan
	plazco	plazca	×
	places	plazcas	place
placer [34]	place	plazca	plazca
G. placiendo	placemos	plazcamos	plazcamos
P. placido	placéis	plazcáis	placed
	placen	plazcan	plazcan
		×	
		×	
		plegue, plega	
		×	
		×	
		×	

의한다. [직 · 부정과거 · 1 · 단수 : forcé ; 접 · 현재 : fuerce, fuerces, fuerce, forcemos, forcéis, fuercen].

* **volver** [25] : 이와 같은 부류의 동사 가운데서 cocer, escocer, recocer, torcer, destorcer, retorcer 와 같이 -cer 로 끝나는 것은 vencer [1] 와 같은 정서법의 주의를 요한다. [직 · 현 · 1 · 단수 : cuezo ; 접 · 현재 : cueza, cuezas, cueza, cozamos, cozáis, cuezan].

* [26] — [27] : 어두에 ue 가 올 때는 hue- 로 쓰며, hueso 에서 온 동사 desosar 에서는 h 가 그대로 살아난다 (deshusar 이라는 부정형도 있다).

* **agorar** [28] : g 에 이어지는 ue 는 güe 로 하여 u 에 음가(音價)를 준다. [동류 : avergonzar, degollar, engorar, regoldar 등].

[표—8] 어간 자음 변화 동사 (Ⅱ)
(c → zc, s → sg 의 동사)

부정법	직설법·현재	접속법·현재	명령형
	yazco	yazca	×
	yaces	yazcas	yace
yacer [35]	yace	yazca	yazca
G. yaciendo	yacemos	yazcamos	yazcamos
P. yacido	yacéis	yazcáis	yaced
	yacen	yazcan	yazcan
	yazgo	yazga	×
		yazgas	yaz, yace
		yazga	yazga
		yazgamos	yazgamos
		yazgáis	yaced
		yazgan	yazgan
	yago	yaga	×
		yagas	yaz, yace
		yaga	yaga
		yagamos	yagamos
		yagáis	yaced
		yagan	yagan
	asgo	asga	×
	ases	asgas	ase
asir [36]	ase	asga	asga
G. asiendo	asimos	asgamos	asgamos
P. asido	asís	asgáis	asid
	asen	asgan	asgan

* **jugar** [29] : 이 동사만은 위와 조건이 동일한 위치에서 u 가 ue 로 갈라진다 ; 또한 pagar [8] 와 같은 정서법상의 주의도 필요하다 : [직·부정과거·1·단 : jugué].
  [주] **-acer, -ecer, -ocer, -ucir** 로 끝나는 동사는 직설법 제1인칭 단수에서 어간 끝의 c 가 zc 로 된다. 이러한 동사에서는 접속법 현재의 모든 인칭에도 같은 모양으로 된다.
* **nacer** [30] : [동류 : renacer, pacer, repacer 등].
* **crecer** [31] : [동류 : ablandecer, abastecer, agradecer, aparecer, desvanecer, embellecer, empobrecer, ennegrecer, establecer, fallecer, favorecer, merecer, obedecer, ofrecer, oscurecer, padecer, patecer, perecer, permanecer, pertenecer 등].
* **conocer** [32] : [동류 : desconocer, preconocer, reconocer 등].
* **lucir** [33] : [동류 : deslucir, enlucir, relucir, traslucirse 등. 또한 -ucir 동사 가운데서 -ducir 동사는 aducir [71] 참조].
* **placer** [34] : nacer 와 같으나, 접·현·3인칭 단수에서 특수한 두 가지 불규칙형을 가진다. 또한 직·부정과거·3인칭 단수에 plugo, 복수에 plugieron 형 : 접속법 과거의 두 형과 미래는 단지 제3인칭 단수 뿐으로 : pluguiera, pluguiese, pluguiere 가 됨. [동류 : aplacer, complacer, desplacer 등].
* **yacer** [35] : 직·현·1·단수에 세 종류의 불규칙형이 있으며, 따라서 각각 접·현재 세 종류의 형이 이루어진다.
* **asir** [36] : 직·현·1·단수로 asgo 가 되며, 접·현재의 모든 인칭에 공통된다. [동류 : desasir].

[표—9] 단음절 동사

부정법	직·현재	접·현재	명령형	직·불완료과거
	doy	*dé*	×	daba
	das	des	da	dabas
dar [37]	da	*dé*	*dé*	daba
G. dando	damos	demos	demos	dábamos
P. dado	dais	deis	dad	dabais
	dan	den	den	daban
	veo	vea	×	*veía*
	ves	veas	ve	*veías*
ver [38]	ve	vea	vea	*veía*
G. viendo	vemos	veamos	veamos	*veíamos*
P. *visto*	veis	veáis	ved	*veíais*
	ven	vean	vean	*veían*
	soy	sea	×	*era*
	eres	seas	*sé*	*eras*
ser [39]	*es*	sea	sea	*era*
G. siendo	*somos*	seamos	*seamos*	*éramos*
P. sido	*sois*	seáis	sed	*erais*
	son	sean	sean	*eran*
	voy	vaya	×	iba
	vas	vayas	*ve*	ibas
ir [40]	va	vaya	vaya	iba
G. *yendo*	vamos	vayamos	*vamos*	íbamos
P. ido	vais	vayáis	id	ibais
	van	vayan	vayan	iban

[注]: 단음절로 된 동사는 이 표에 든 네 동사 뿐이다. 직설법 불완료과거에서 불규칙한 것은 이 가운데 ver, ser, ir 의 셋 (dar 는 규칙) 뿐이다.

* **ver** [38]: ver 의 합성어 antever, entrever, prever, rever, trasver 등에서는 다음과 같이 악센트에 주의한다. [직·현재: preveo, *prevés, prevé*, prevemos, *prevéis, prevén*; 직·부정과거: *preví*, previste, *previó*, previmos, previsteis, previeron; 명령·2·단수: prevé].

* **ir** [40]: 명령형에서 특수한 불규칙성을 볼 수 있으며 (ve, vamos): 재귀동사 irse 가 될 때의 명령형은 다음과 같다: vete, váyase: vámonos, idos, váyanse.

[표—10] 동사

부정법	직설법·현재	접속법·현재	명령형
andar [41] G. andando P. andado			
	estoy	*esté*	
	estás	*estés*	está
estar [41]′	*está*	*esté*	esté
G. estando	estamos	*estemos*	estemos
P. estado	estáis	*estéis*	estad
	están	*estén*	estén

(dar, ver, ser, ir)

직설법·과거	접속법·과거 ra	접속법·과거 se	접속법·미래
di	diera	diese	diere
diste	dieras	dieses	dieres
dio	diera	diese	diere
dimos	diéramos	diésemos	diéremos
disteis	dierais	dieseis	diereis
dieron	dieran	diesen	dieren
vi	viera	viese	viere
viste	vieras	vieses	vieres
vio	viera	viese	viere
vimos	viéramos	viésemos	viéremos
visteis	vierais	vieseis	viereis
vieron	vieran	viesen	vieren
fui	fuera	fuese	fuere
fuiste	fueras	fueses	fueres
fue	fuera	fuese	fuere
fuimos	fuéramos	fuésemos	fuéremos
fuisteis	fuerais	fueseis	fuereis
fueron	fueran	fuesen	fueren
fui	fuera	fuese	fuere
fuiste	fueras	fueses	fueres
fue	fuera	fuese	fuere
fuimos	fuéramos	fuésemos	fuéremos
fuisteis	fuerais	fueseis	fuereis
fueron	fueran	fuesen	fueren

＊ **andar** [41] : 직·과거와 접·과거·미래에서 estar 와 같은 계통의 불규칙을 갖는다. [동류 : desandar].

(andar, estar)

직설법·과거	접속법·과거 ra	접속법·과거 se	접속법·미래
anduve	anduviera	anduviese	anduviere
anduviste	anduvieras	anduvieses	anduvieres
anduvo	anduviera	anduviese	anduviere
anduvimos	anduviéramos	anduviésemos	anduviéremos
anduvisteis	anduvierais	anduvieseis	anduviereis
anduvieron	anduvieran	anduviesen	anduvieren
estuve	estuviera	estuviese	estuviere
estuviste	estuvieras	estuvieses	estuvieres
estuvo	estuviera	estuviese	estuviere
estuvimos	estuviéramos	estuviésemos	estuviéremos
estuvisteis	estuvierais	estuvieseis	estuviereis
estuvieron	estuvieran	estuviesen	estuvieren

＊ **estar** [41] : 현재형에서 악센트 부호에 주의. 직·과거와 접·과거·미래가 tener [59] 와 같은 u-ieron 계의 불규칙형을 갖는다.

[표—11] 어간 모음 변화 동사 (Ⅲ)

부정법	직설법 · 현재	접속법 · 현재	명령형
	pido	pida	×
	pides	pidas	pide
pedir [42]	pide	pida	pida
G. *pidiendo*	pedimos	pidamos	pidamos
P. pedido	pedís	pidáis	pedid
	piden	pidan	pidan
	sirvo	sirva	×
	sirves	sirvas	sirve
servir [43]	sirve	sirva	sirva
G. *sirviendo*	servimos	sirvamos	sirvamos
P. servido	servís	sirváis	servid
	sirven	sirvan	sirvan
	río	ría	×
	ríes	rías	ríe
reir [44]	ríe	ría	ría
G. *riendo*	reímos	riamos	riamos
P. *reído*	reís	riais (riáis)	reíd
	ríen	rían	rían
	elijo	elija	×
	eliges	elijas	elige
elegir [45]	elige	elija	elija
G. *eligiendo*	elegimos	elijamos	elijamos
P. elegido	elegís	elijáis	elegid
	eligen	elijan	elijan
	sigo	siga	×
	sigues	sigas	sigue
seguir [46]	sigue	siga	siga
G. *siguiendo*	seguimos	sigamos	sigamos
P. seguido	seguís	sigáis	seguid
	siguen	sigan	sigan
	irgo	irga	×
	irgues	irgas	irgue
erguir [47]	irgue	irga	irga
G. *irguiendo*	erguimos	irgamos	irgamos
P. erguido	erguís	irgáis	erguid
	irguen	irgan	irgan

* [42] — [43] : **-ir** 동사 가운데서 pedir, servir 등과 같이 어간 모음 e가 i로 전환하는 것이 있다. 직 · 현재의 단수형 전체와 제3인칭의 복수형 ; 직 · 과거의 제3인칭의 단 · 복수 두 형 ; 접속법 전체와 현재 분사에서도 어간 모음은 i로 바뀐다.
[동류 : *-ebir* (concebir) ; *-edir* (medir, comedir, descomedir, despedir, expedir, impedir 등) ; *-emir* (gemir) ; *-etir* (competir, derretir, repetir) ; *-estir* (vestir, envestir, investir, revestir, embestir 등)의 어미를 가진 것이 많으며, rendir, servir (deservir)가 같은 부류이다].

* **reir** [44] : -eir의 동사는 pedir ([42]) 와 같은 부류이나, 어간의 약모음과 활용 어미 모음의 분리로 인한 악센트 부호에 주의한다 ; 부정형일 때는 부호를 붙이지 않아도 된다. [동류 : sonreir, desleir, engreir, freir, refreir, sofreir 등].

(**e → i**의 동사)

직설법 · 과거	접속법 · 과거 ra	접속법 · 과거 se	접속법 · 미래
pedí	pidiera	pidiese	pidiere
pediste	pidieras	pidieses	pidieres
pidió	pidiera	pidiese	pidiere
pedimos	pidiéramos	pidiésemos	pidiéremos
pedisteis	piderais	pidieseis	pidiereis
pidieron	pidieran	pidiesen	pideren
serví	sirviera	sirviese	sirviere
serviste	sirvieras	sirvieses	sirvieres
sirvió	sirviera	sirviese	sirviere
servimos	sirviéramos	sirviésemos	sirviéremos
servisteis	sirvierais	sirvieseis	sirviereis
sirvieron	sirvieran	sirviesen	sirvieren
reí	riera	riese	riere
reíste	rieras	rieses	rieres
rio	riera	riese	riere
reímos	riéramos	riésemos	riéremos
reísteis	rierais	rieseis	riereis
rieron	rieran	riesen	rieren
elegí	eligiera	eligiese	eligiere
elegiste	eligieras	eligieses	eligieres
eligió	eligiera	eligiese	eligiere
elegimos	eligiéramos	eligiésemos	eligiéremos
elgisteis	eligierais	eligieseis	eligiereis
eligieron	eligieran	eligiesen	eligieren
seguí	siguiera	siguiese	siguiere
seguiste	siguieras	siguieses	siguieres
siguió	siguiera	siguiese	siguiere
seguimos	siguiéramos	siguiésemos	siguiéremos
seguisteis	siguierais	siguieseis	siguiereis
siguieron	siguieran	siguiesen	siguieren
erguí	irguiera	irguiese	irguiere
erguiste	irguieras	irguieses	irguieres
irguió	irguiera	irguiese	irguiere
erguimos	irguiéramos	irguiésemos	irguiéremos
erguisteis	irguierais	irguieseis	irguiereis
irguieron	irguieran	irguiesen	irguieren

* **elegir** [45] : pedir [42] 와 같은 모음 전환이 있는 외에, exigir [4] 와 같은 정서법에도 주의한다. [동류 : colegir, corregir, reelegir, regir 등].
* **seguir** [46] : pedir [42] 와 같은 모음 전환이 있는 외에, extinguir [5] 와 같은 정서법에도 주의한다. [동류 : conseguir, perseguir, proseguir 등].
* **erguir** [47] : 이 동사에는 seguir [46] 와 같은 irgo 계통의 불규칙과 errar [22] 와 같은 yergo 계통이 있는데, 후자의 경우에는 접속법 현재의 전체 인칭에서 ye- 로 되는 것을 특히 주의한다 (다음 페이지로 계속됨).

[표—11] 어간 모음 변화 동사 (Ⅲ)의 계속

부정법	직설법·현재	접속법·현재	명령형
	yergo	yerga	×
	yergues	yergas	yergue
	yergue	yerga	yerga
	erguimos	*yergamos*	yergamos
	erguís	*yerǵis*	erguid
	yerguen	yergan	yergan
	hincho	hincha	×
	hinches	hinchas	hinche
henchir 48	hinche	hincha	hincha
G. *hinchendo*	henchimos	hinchamos	hinchamos
P. henchido	henchís	hincháis	henchid
	hinchen	hinchan	hinchan
	ciño	ciña	×
	ciñes	ciñas	ciñe
ceñir 49	ciñe	ciña	ciña
G. *ciñendo*	ceñimos	ciñamos	ciñamos
P. ceñido	ceñís	ciñáis	ceñid
	ciñen	ciñan	ciñan
mullir 50			
G. *mullendo*			
P. mullido			
tañer 51			
G. *tañendo*			
P. tañido			
muñir 52			
G. *muñendo*			
P. muñido.			

* 48 — 52 : **-chir, -ller, -llir, -ñer, -ñir** 동사에서는 ch, ll, ñ 에 이어질 ie, io 의 i 가 탈락한다. 따라서 직·과거의 3인칭과 접·과거·미래와 현재 분사는 불규칙이 된다.

* **henchir** 48 : -chir 동사의 불규칙 이외에 pedir 42 와 같은 모음 전환(e → i)을 한다 ; 같은 부류로는 rehenchir. 단, [직·과거·3 : hinchió, hinchieron ; 접·과거·미래 : hinchiera, hinchiese, hinchiere 등을 주장하는 사람도 있다].

(부기 **-chir, -ller, -llir, -ñer, -ñir** 의 동사)

직설법 · 과거	접속법 · 과거 ra	접속법 · 과거 se	접속법 · 미래
henchí	hinchera	hinchese	hinchere
henchiste	hincheras	hincheses	hincheres
hinchó	hinchera	hinchese	hinchere
henchimos	hinchéramos	hinchésemos	hinchéremos
henchisteis	hincherais	hincheseis	hinchereis
hincheron	hincheran	hinchesen	hincheren
ceñí	ciñera	ciñese	ciñere
ceñiste	ciñeras	ciñeses	ciñeres
ciñó	ciñera	ciñese	ciñere
ceñimos	ciñéramos	ciñésemos	ciñéremos
ceñisteis	ciñerais	ciñeseis	ciñereis
ciñeron	ciñeran	ciñesen	ciñeren
mullí	mullera	mullese	mullere
mulliste	mulleras	mulleses	mulleres
mulló	mullera	mullese	mullere
mullimos	mulléramos	mullésemos	mulléremos
mullisteis	mullerais	mulleseis	mullereis
mulleron	mulleran	mullesen	mulleren
tañí	tañera	tañese	tañere
tañiste	tañeras	tañeses	tañeres
tañó	tañera	tañese	tañere
tañimos	tañéramos	tañésemos	tañéremos
tañisteis	tañerais	tañeseis	tañereis
tañerón	tañeran	tañesen	tañeren
muñí	muñera	muñese	muñere
muñiste	muñeras	muñeses	muñeres
muñó	muñera	muñese	muñere
muñimos	muñéramos	muñésemos	muñéremos
muñisteis	muñerais	muñeseis	muñereis
muñeron	muñeran	muñesen	muñeren

* **ceñir** 49 : -ñir 동사의 불규칙 이외에 pedir (42)와 같은 모음 전환을 한다. [동류 : astreñir, constreñir, desceñir, estreñir, reñir, teñir, desteñir, reteñir 등].
* **mullir** 50 : -ller, -llir 동사 : empeller, bullir, engullir, escullir, rebullir, tullir 등.
* **tañer** 51 — 52 : -ñer, -ñir 동사 : atañer, astriñir, bruñir, gañir, gruñir, plañir, regañir.

[표－12] 어간 모음 변화 동사 (Ⅳ)

부정법	직설법·현재	접속법·현재	명령형
sentir 53 G. *sintiendo* P. sentido	siento sientes siente sentimos sentís sienten	sienta sientas sienta *sintamos* *sintáis* sientan	× siente sienta sintamos sentid sientan
herir 54 G. *hiriendo* P. herido	hiero hieres hiere herimos herís hieren	hiera hieras hiera *hiramos* *hiráis* hieran	× hiere hiera hiramos herid hieran
advertir 55 G. *advirtiendo* P. advertido	advierto adviertes advierte advertimos advertís advierten	advierta adviertas advierta *advirtamos* *advirtáis* adviertan	× advierte advierta advirtamos advertid adviertan
hervir 56 G. *hirviendo* P. hervido	hiervo hierves hierve hervimos hervís hierven	hierva hiervas hierva *hirvamos* *hirváis* hiervan	× hierve hierva hirvamos hervid hiervan
dormir 57 G. *durmiendo* P. dormido	duermo duermes duerme dormimos dormís duermen	duerma duermas duerma *durmamos* *durmáis* duerman	× duerme duerma durmamos dormid duerman
morir 58 G. *muriendo* P. *muerto*	muero mueres muere morimos morís mueren	muera mueras muera *muramos* *muráis* mueran	× muere muera muramos morid mueran

* 53 — 56 : **-entir, -erir, -ertir** 의 모든 동사와 -ervir 의 두 동사 (hervir, rehervir)의 경우는 현재형으로서 cernir 21 와 같이 어간 모음이 이중 모음화 (e → ie) 하는 외에, 접·현재의 1·2인칭 복수; 직·부정과거·3·단복수; 접·과거·미래; 현재 분사에서 어간 모음 e가 i로 된다.
* **sentir** 53 : *-entir* 동사 : asentir, consentir, disentir, presentir, mentir, desmentir, arrepentirse 등.
* **herir** 54 : *-erir* 동사 : adherir, malherir, zaherir, conferir, diferir, inferir, preferir, referir, digerir,

(e → ie · i ; o → ue · u 의 동사)

직설법 · 과거	접속법 · 과거 ra	접속법 · 과거 se	접속법 · 미래
sentí	sintiera	sintiese	sintiere
sentiste	sintieras	sintieses	sintieres
sintió	sintiera	sintiese	sintiere
sentimos	sintiéramos	sintiésemos	sintiéremos
sentisteis	sintierais	sintieseis	sintiereis
sintieron	sintieran	sintiesen	sintieren
herí	hiriera	hiriese	hiriere
heriste	hirieras	hirieses	hirieres
hirió	hiriera	hiriese	hiriere
herimos	hiriéramos	hiriésemos	hiriéremos
heristeis	hirierais	hirieseis	hiriereis
hirieron	hirieran	hiriesen	hirieren
advertí	advirtiera	advirtiese	advirtiere
advertiste	advirtieras	advirtieses	advirtieres
advirtió	advirtiera	advirtiese	advirtiere
advertimos	advirtiéramos	advirtiésemos	advirtiéremos
advertisteis	advirtierais	advirtieseis	advirtiereis
advirtieron	advirtieran	advirtiesen	advirtieren
herví	hirviera	hirviese	hirviere
herviste	hirvieras	hirvieses	hirvieres
hirvió	hirviera	hirviese	hirviere
hervimos	hirviéramos	hirviésemos	hirviéremos
hervisteis	hirvierais	hirvieseis	hirviereis
hirvieron	hirvieran	hirviesen	hirvieren
dormí	durmiera	durmiese	durmiere
dormiste	durmieras	durmieses	durmieres
durmió	durmiera	durmiese	durmiere
dormimos	durmiéramos	durmiésemos	durmiéremos
dormisteis	durmierais	durmieseis	durmiereis
durmieron	durmieran	durmiesen	durmieren
morí	muriera	muriese	muriere
moriste	murieras	murieses	murieres
murió	muriera	muriese	muriere
morimos	muriéramos	muriésemos	muriéremos
moristeis	murierais	murieseis	muriereis
murieron	murieran	muriesen	murieren

sugerir, requerir 등.

* **advertir** [55] : *-ertir* 동사 : controvertir, convertir, divertir, invertir, pervertir, revertir 등.

* **dormir** [57] : 어간 모음의 이중 모음화 (o → ue)가 있고, 또한 모음 전환 (o → u) 이 있다. [동류 : adormir].

* **morir** [58] : dormir 와 같고 과거 분사도 불규칙. [동류 : entremorir, premorir].

[표−13] 미래형과 가능법에

부정법	직설법·현재	접속법·현재	명령형	직설법·미래
	tengo	tenga	×	tendré
	tienes	tengas	*ten*	tendrás
tener [59]	tiene	tenga	tenga	tendrá
G. teniendo	tenemos	tengamos	tengamos	tendremos
P. tenido	tenéis	tengáis	tened	tendréis
	tienen	tengan	tengan	tendrán
	vengo	venga	×	vendré
	vienes	vengas	*ven*	vendrás
venir [60]	viene	venga	venga	vendrá
G. *viniendo*	venimos	vengamos	vengamos	vendremos
P. venido	venís	vengáis	venid	vendréis
	vienen	vengan	vengan	vendrán
	pongo	ponga	×	pondré
	pones	pongas	*pon*	pondrás
poner [61]	pone	ponga	ponga	pondrá
G. poniendo	ponemos	pongamos	pongamos	pondremos
P. *puesto*	ponéis	pongáis	poned	pondréis
	ponen	pongan	pongan	pondrán
	valgo	valga	×	valdré
	vales	valgas	*val,* vale	valdrás
valer [62]	vale	valga	valga	valdrá
G. valiendo	valemos	valgamos	valgamos	valdremos
P. valido	valéis	valgáis	valed	valdréis
	valen	valgan	valgan	valdrán
	salgo	salga	×	saldré
	sales	salgas	*sal*	saldrás
salir [63]	sale	salga	salga	saldrá
G. saliendo	salimos	salgamos	salgamos	saldremos
P. salido	salís	salgáis	salid	saldréis
	salen	salgan	salgan	saldrán
	he	haya	×	habré
	has	hayas	*he*	habrás
haber [64]	ha, *hay*	haya	haya	habrá
G. habiendo	hemos	hayamos	hayamos	habremos
P. habido	habéis	hayáis	habed	habréis
	han	hayan	hayan	habrán

주 : [표−13]에 있는 12개의 동사는 직·미래형과 가능법이 불규칙으로서 (1) tener ([59])−salir ([63])에서는 어미 모음 e·i 대신 d가 들어가며, (2) haber ([64])−querer ([68])에서는 어미 모음 e·i가 없어지고, (3) hacer ([69])−decir ([70])에서는 -ce- 또는 -ec- 가 탈락된다.

tener ([59])−salir ([63])와 hacer ([69])−decir ([70])에서는 직·현·1·단수형이 -go가 되고, 따라서 접속법 현재는 모두 -ga가 된다.

-aber 동사는 haber, caber, saber의 세 동사도 직·현·1·단수형과 접·현재형 모두가 특수한 불규칙이다. 명령형 제 2인칭 단수형에서 불규칙한 동사의 대부분은 이 표와 단음절 동사의 표에 포함된다. 이러한 동사의 합성어인 tener의 sostener, venir의 intervenir, poner의 componer와 같은 2인칭 단수형에 있어서는 악센트 부호가 따라야 한다 : sostén, intervén, compón.

어간 변화가 있는 동사 (I)

가능법	직설법 · 과거	접속법 · 과거 ra	접속법 · 과거 se	접속법 · 미래
tendría	*tuve*	tuviera	tuviese	tuviere
tendrías	*tuviste*	tuvieras	tuvieses	tuvieres
tendría	*tuvo*	tuviera	tuviese	tuviere
tendríamos	*tuvimos*	tuviéramos	tuviésemos	tuviéremos
tendríais	*tuvisteis*	tuvierais	tuvieseis	tuviereis
tendrían	*tuvieron*	tuvieran	tuviesen	tuvieren
vendría	*vine*	viniera	viniese	viniere
vendrías	*viniste*	vinieras	vinieses	vinieres
vendría	*vino*	viniera	viniese	viniere
vendríamos	*vinimos*	viniéramos	viniésemos	viniéremos
vendríais	*vinisteis*	vinierais	vinieseis	viniereis
vendrían	*vinieron*	vinieran	viniesen	vinieren
pondría	*puse*	pusiera	pusiese	pusiere
pondrías	*pusiste*	pusieras	pusieses	pusieres
pondría	*puso*	pusiera	pusiese	pusiere
pondríamos	*pusimos*	pusiéramos	pusiésemos	pusiéremos
pondríais	*pusisteis*	pusierais	pusieseis	pusiereis
pondrían	*pusieron*	pusieran	pusiesen	pusieren
valdría				
valdrías				
valdría				
valdríamos				
valdríais				
valdrían				
saldría				
saldrías				
saldría				
saldríamos				
saldríais				
saldrían				
habría	*hube*	hubiera	hubiese	hubiere
habrías	*hubiste*	hubieras	hubieses	hubieres
habría	*hubo*	hubiera	hubiese	hubiere
habríamos	*hubimos*	hubiéramos	hubiésemos	hubiéremos
habríais	*hubisteis*	hubierais	hubieseis	hubiereis
habrían	*hubieron*	hubieran	hubiesen	hubieren

* **tener** 59 : [동류 : abstener, atener, contener, detener, entretener, mantener, manutener, obtener, retener, sostener 등].
* **venir** 60 : [동류 : advenir, avenir, convenir, entrevenir, intervenir, prevenir, provenir, sobrevenir 등].
* **poner** 61 : [동류 : anteponer, componer, deponer, descomponer, disponer, entreponer, exponer, imponer, oponer, posponer, predisponer, preponer, proponer, reponer, suponer 등].
* **valer** 62 : [동류 : equivaler, prevaler]. 이 합성어의 제 2인칭 단수 명령형은 규칙적으로 : equivale, prevale.
* **salir** 63 : [동류 : resalir, sobresalir].
* **haber** 64 : 직 · 현 · 3 · 단수형의 ha 는 조동사로나 조동사적으로, 또한 단인칭 동사로도 쓰이고 ; hay 는 단인칭 동사로만 쓰이는 형.

[표−13] 미래형과 가능법에

부정법	직설법·현재	접속법·현재	명령형	직설법·미래
	quepo	quepa	×	cabré
	cabes	quepas	cabe	cabrás
caber 65	cabe	quepa	quepa	cabrá
G. cabiendo	cabemos	quepamos	quepamos	cabremos
P. cabido	cabéis	quepáis	cabed	cabréis
	caben	quepan	quepan	cabrán
	sé	sepa	×	sabré
	sabes	sepas	sabe	sabrás
saber 66	sabe	sepa	sepa	sabrá
G. sabiendo	sabemos	sepamos	sepamos	sabremos
P. sabido	sabéis	sepáis	sabed	sabréis
	saben	sepan	sepan	sabrán
	puedo	pueda	×	podré
	puedes	puedas	puede	podrás
poder 67	puede	pueda	pueda	podrá
G. *pudiendo*	podémos	podamos	podamos	podremos
P. podido	podéis	podáis	poded	podréis
	pueden	puedan	puedan	podrán
	quiero	quiera	×	querré
	quieres	quieras	quiere	querrás
querer 68	quiere	quiera	quiera	querrá
G. queriendo	queremos	queramos	queramos	querremos
P. querido	queréis	queráis	quered	querréis
	quieren	quieran	quieran	querrán
	hago	haga	×	haré
	haces	hagas	*haz*	harás
hacer 69	hace	haga	haga	hará
G. haciendo	hacemos	hagamos	hagamos	haremos
P. *hecho*	hacéis	hagáis	haced	haréis
	hacen	hagan	hagan	harán
	digo	diga	×	diré
	dices	digas	*di*	dirás
decir 70	dice	diga	diga	dirá
G. *diciendo*	decimos	digamos	digamos	diremos
P. *dicho*	decís	digáis	decid	diréis
	dicen	digan	digan	dirán

* **saber** 66 : [동류 : resaber].

* **poder** 67 : 현재형으로 volver 25 와 같은 o → ue 의 이중 모음화가 있는 외에, 직·미래와 가능법에서 어미 모음 e 를 잃는다.

* **querer** 68 : 현재형에서 perder 20 처럼 e → ie 의 이중 모음화가 생겨서, 직·미래와 가능법에서 어미 모음 e 가 탈락한다. [동류 : bienquerer, malquerer, desquerer].

* **hacer** 69 : 현재형에서 c → g 의 불규칙이며 직·미래와 가능법에서 ce 가 탈락한다. 제 2인칭 단수 명령형에서는 어미를 탈락시키고 haz 가 된다. 그러나 hacer 와 같은 부류의 동사에서 satisfacer 의 2·단·명령은 satisface, satisfaz 의 두 형태가 된다. [동류 : contrahacer, deshacer, rehacer, rarefacer, satisfacer 등].

어간 변화가 있는 동사 (Ⅱ)

가능법	직설법・과거	접속법・과거 ra	접속법・과거 se	접속법・미래
cabría	cupe	cupiera	cupiese	cupiere
cabrías	cupiste	cupieras	cupieses	cupieres
cabría	cupo	cupiera	cupiese	cupiere
cabríamos	cupimos	cupiéramos	cupiésemos	cupiéremos
cabríais	cupisteis	cupierais	cupieseis	cupiereis
cabrían	cupieron	cupieran	cupiesen	cupieren
sabría	supe	supiera	supiese	supiere
sabrías	supiste	supieras	supieses	supieres
sabría	supo	supiera	supiese	supiere
sabríamos	supimos	supiéramos	supiésemos	supiéremos
sabríais	supisteis	supierais	supieseis	supiereis
sabrían	supieron	supieran	supiesen	supieren
podría	pude	pudiera	pudiese	pudiere
podrías	pudiste	pudieras	pudieses	pudieres
podría	pudo	pudiera	pudiese	pudiere
podríamos	pudimos	pudiéramos	pudiésemos	pudiéremos
podríais	pudisteis	pudierais	pudieseis	pudiereis
podrían	pudieron	pudieran	pudiesen	pudieren
querría	quise	quisiera	quisiese	quisiere
querrías	quisiste	quisieras	quisieses	quisieres
querría	quiso	quisiera	quisiese	quisiere
querríamos	quisimos	quisiéramos	quisiésemos	quisiéremos
querríais	quisisteis	quisierais	quisieseis	quisiereis
querrían	quisieron	quisieran	quisiesen	quisieren
haría	hice	hiciera	hiciese	hiciere
harías	hiciste	hicieras	hicieses	hicieres
haría	*hizo*	hiciera	hiciese	hiciere
haríamos	hicimos	hiciéramos	hiciésemos	hiciéremos
haríais	hicisteis	hicierais	hicieseis	hiciereis
harían	hicieron	hicieran	hiciesen	hicieren
diría	dije	dijera	dijese	dijere
dirías	dijiste	dijeras	dijeses	dijeres
diría	dijo	dijera	dijese	dijere
diríamos	dijimos	dijéramos	dijésemos	dijéremos
diríais	dijisteis	dijerais	dijeseis	dijereis
dirían	dijeron	dijeran	dijesen	dijeren

* **decir** [70] : hacer 와 같은 불규칙이다. [동류 : bendecir, maldecir, antedecir, contradecir, desdecir, predecir 등].
이러한 합성어의 2・단・명령은 전체가 규칙적이어서 bendecir 은 bendice, maldecir 은 maldice 이다.
bendecir 와 maldecir 에 있어 직・미래와 가능법은 규칙이어서 : bendeciré, maldeciré …; bendeciría, maldeciría …가 된다. 과거 분사도 규칙이어서 bendecido, maldecido 이다 (bendito, maldito 의 형은 형용사로만 쓰인다).

[표－14] 그밖의 불규칙동사(Ⅰ)

부정법	직설법·현재	접속법·현재	명령형
aducir 71 G. aduciendo P. aducido	*aduzco* aduces aduce aducimos aducís aducen	aduzca aduzcas aduzca aduzcamos aduzcáis aduzcan	× aduce aduzca aduzcamos aducid aduzcan
traer 72 G. *trayendo* P. *traído*	*traigo* traes trae traemos traéis traen	traiga traigas traiga traigamos traigáis traigan	× trae traiga traigamos traed traigan
caer 73 G. *cayendo* P. *caído*	*caigo* caes cae caemos caéis caen	caiga caigas caiga caigamos caigáis caigan	× cae caiga caigamos caed caigan
raer 74 G. *rayendo* P. *raído*	*raigo* raes rae raemos raéis raen	raiga raigas raiga raigamos raigáis raigan	× rae raiga raigamos raed raigan
	rago	raya rayas raya rayamos rayáis rayan	× rae raya rayamos raed rayan
roer 75 G. *royendo* P. *roído*	*roigo* roes roe roemos roéis roen	roiga roigas roiga roigamos roigáis roigan	× roe roiga roigamos roed roigan
	royo	roya royas roya royamos royáis royan	× roe roya royamos roed royan

* 71 : **-ducir** 동사는 모두 lucir 33 와 같은 어간 변화를 하며 직·과거와 접·과거·미래가 -jeron 계통의 불규칙이다. [동류 : conducir, deducir, inducir, introducir, producir, reducir, reproducir, seducir, traducir 등].

(**-ducir** 의 동사 ; **-aer, -oer** 의 동사)

직설법・과거	접속법・과거 ra	접속법・과거 se	접속법・미래
aduje	adujera	adujese	adujere
adujiste	adujeras	adujeses	adujeres
adujo	adujera	adujese	adujere
adujimos	adujéramos	adujésemos	adujéremos
adujisteis	adujerais	adujeseis	adujereis
adujeron	adujeran	adujesen	adujeren
traje	trajera	trajese	trajere
trajiste	trajeras	trajeses	trajeres
trajo	trajera	trajese	trajere
trajimos	trajéramos	trajésemos	trajéremos
trajisteis	trajerais	trajeseis	trajereis
trajeron	trajeran	trajesen	trajeren
caí	cayera	cayese	cayere
caíste	cayeras	cayeses	cayeres
cayó	cayera	cayese	cayere
caímos	cayéramos	cayésemos	cayéremos
caísteis	cayerais	cayeseis	cayereis
cayeron	cayeran	cayesen	cayeren
raí	rayera	rayese	rayere
raíste	rayeras	rayeses	rayeres
rayó	rayera	rayese	rayere
raímos	rayéramos	rayésemos	rayéremos
raísteis	rayerais	rayeseis	rayereis
rayeron	rayeran	rayesen	rayeren
roí	royera	royese	royere
roíste	royeras	royeses	royeres
royó	royera	royese	royere
roímos	royéramos	royésemos	royéremos
roísteis	royerais	royeseis	royereis
royeron	royeran	royesen	royeren

* **traer** 72 : **-aer** 동사의 직・현・1・단수와 접・현재에서 어간의 끝이 ig 가 되고, traer 와 동류는 직・과거와 접・과거・미래가 decir 나 aducir 와 같은 -jeron 계통이다. [동류 : abstraer, atraer, contraer, detraer, distraer, extraer, retraer, sustraer 등].

[표—14] 그 밖의 불규칙 동사 (Ⅱ)

부정법	직설법・현재	접속법・현재	명령형
	oigo	oiga	×
	oyes	oigas	oye
oir 76	*oye*	oiga	oiga
G. *oyendo*	oímos	oigamos	oigamos
P. *oído*	oís	oigáis	oíd
	oyen	oigan	oigan
	huyo	huya	×
	huyes	huyas	huye
huir 77	*huye*	huya	huya
G. *huyendo*	huimos	huyamos	huyamos
P. *huido*	huis	huyáis	huid
	huyen	huyan	huyan
	leo	lea	×
	lees	leas	lee
leer 78	lee	lea	lea
G. *leyendo*	leemos	leamos	leamos
P. *leído*	leéis	leáis	leed
	leen	lean	lean

* **caer** 73 : caer 와 그 합성어는 ig 의 어간 변화를 하면서 동시에 직・과거와 접・과거・미래에서 leer (78)와 같은 정서법에 주의를 요한다. [동류 : decaer, descaer, recaer].
* **raer** 74 : caer 처럼 ig 계열의 불규칙과 huir 처럼 y 가 들어가는 두 형태를 가진다.
* **roer** 75 : leer 78 와 같은 규칙 활용, 직・현재・1・단수 roo ; 접・현재 roa, roas 등. 이외에 oir 76 와 같은 계열의 불규칙 roigo ; roiga, roigas, …와, huir 77 와 같은 유형인 royo 계통의 세 형태가 있다. [동류 : corroer].
* **oir** 76 : oir 와 그 합성어는 현재형으로 -aer 72 의 ig 계통의 불규칙과 -uir 77 의 어간에 y 가 들어가는 불규칙이 혼합되어 있다. 부정형 oir 에는 악센트가 필요치 않으나, 직・현・과거의 oímos, oís, oísteis 등 과거 분사 oído 에는 악센트 부호를 붙여야 한다. [동류 : desoir, entreoir, trasoir].
* 77 : **-uir** 의 동사에는 모두 huir 와 같이 현재형의 어간 끝에 y 를 넣는 활용형이 있는데, 직・과거와 접・과거・미래와 현재 분사에서 ie, io 로 될 곳이 ye, yo 가 된다. 또한 huir 의 직・현・2・복수, 직・과거・1・단수는 huis, hui 로도 괜찮으나, 2음절 이상인 construir 등의 같은 자리에서는 construís, construí 와 같이 i 에 악센트가 붙는다. [동류 : afluir, argüir, atribuir, concluir, confluir, constituir, construir, contribuir, derruir, destituir, destruir, disminuir, distribuir, excluir, fluir, incluir, influir, instruir, obstruir, recluir, reconstruir, restituir, retribuir, sustituir 등, 이 가운데서 argüir 의 직・현재의 활용형은 다음과 같다 : arguyo, arguyes, arguye ; argüimos, argüís, arguyen 등과 같이 crema 에 주의한다].
* **leer** 78 : **-eer** 동사는 현재형에서는 er 동사의 규칙성을 가지나, 직・과거의 1인칭과 2인칭에서 약모음 분립의 악센트 부호를 i 에 붙인다 ; 접・과거・미래와 현재 분사에서 y 로 쓰는 불규칙성에 주의한다. [동류 : releer, creer, poseer, desposeer, proveer, malcreer].

(**-oir, -uir, -eer** 의 동사)

직설법 · 과거	접속법 · 과거 ra	접속법 · 과거 se	접속법 · 미래
oí	oyera	oyese	oyere
oíste	oyeras	oyeses	oyeres
oyó	oyera	oyese	oyere
oímos	oyéramos	oyésemos	oyéremos
oísteis	oyerais	oyeseis	oyereis
oyeron	oyeran	oyesen	oyeren
hui	huyera	huyese	huyere
huiste	huyeras	huyeses	huyeres
huyó	huyera	huyese	huyere
huimos	huyéramos	huyésemos	huyéremos
huisteis	huyerais	huyeseis	huyereis
huyeron	huyeran	huyesen	huyeren
leí	leyera	leyese	leyere
leíste	leyeras	leyeses	leyeres
leyó	leyera	leyese	leyere
leímos	leyéramos	leyésemos	leyéremos
leísteis	leyerais	leyeseis	leyereis
leyeron	leyeran	leyesen	leyeren

MINJUNG

Essence

DICCIONARIO ESPAÑOL-COREANO

엣센스 스페인어사전

김 충 식 편저

사서전문
민중서림

감수의 말

나는 오늘 또다시 김충식 선생의 이 무서운 집념의 집대성을 본다. 피라미드는 사람의 손으로 사람의 힘과 두뇌로 쌓아 올려진 것이라고 한다. 감수라고 해야 여기저기 뒤척거려 본 정도인데 그 일마저도 내게는 힘들고 지겨울 정도로 김충식 선생의 "서반아어 사전"이라 이름한 피라미드는 크고 튼튼하다. 학창 시절에 나도 우리나라 최초의 서반아어 사전을 만든답시고 (주제넘게) 몇 여름 방학을 끙끙대 본 경험이 있다. 군대를 갔다 오니 그 사전은 학과 이름으로 출판되었었고 그 책 서문에는 그 잘난 "수고했다"는 난에 내 이름마저도 빠져 있던 것을 기억한다. 세상이 갈수록 눈감고 아웅하기에 바쁜 요즘에 이토록 많은 땀과 지혜와 끈기, 그리고 남다른 진솔성으로 벼른 탑은 흔치 않다.

서반아 어문학을 하는 사람이면 누구나 사전 하나쯤 만들어 보고 싶은 충동을 느낀다. 상당히 많은 사람이 이미 손을 댔고 또 책으로 나와 있다. 내가 앞서 말한 사전 일을 할 때도 그랬지만 "서화(西和)사전"이나 "서영사전"이 필수다. 거기에 "서서사전"을 참조하고 우리말 사전에서 그 어의를 살피는 것이 보통이다. 그런데 일을 하다 보면 그 분량이 너무 많고 생소한 어휘들이 눈을 찌르는 까닭에 마침내 서너 달도 못 가서 모두들 도중 하차하고 만다. 그것을 억지로라도 밀고 나가려면 그냥 "서화(西和) 사전"을 그대로 베끼거나 "서영사전"의 영어 번역을 다시 우리말로 옮겨 원래 서반아말과는 동떨어진 뜻까지 사전에 등장하는 일이 많다. 일이야 어찌 되었든 이렇게 끝낸다는 것조차도 영웅적인 거사임에는 부정할 나위가 없다.

김충식 선생의 이번 사전은 그 많은 불완전과 착오가 스스로 몇 번의 거듭나기를 거친 역작 중의 역작이다. 이미 알려져 있듯이 김 선생은 벌써 "한서사전"까지 합쳐 이미 여덟 권의 "서반아어사전"을 만들어냈다. 한국에서 서반아어 사전학을 두고 김 선생만큼 커다란 공적을 이룩한 분이 없다. 대학에서 안정된 생활을 영위하면서도 이룩하지 못한 업적을 대학 밖에서 스스로의 뼈를 깎는 인고와 노력과 연구로 이루어낸 것이다. 나와 대학을 같이 다녔고, 같은 교실 같은 방에서 긴 세월을 살아온 이 내 친구의 오늘의 공적을 기리고 경하해야 될 일이 바로 내 곁에 있었구나 하는 감회를 새삼 일깨워 준다.

1990년 8월 15일

민 용 태

머 리 말

"시작이 반"이라더니 서반아어사전을 만들어 보겠다고 무모하게 덤벼든 지가 벌써 십오년을 넘겼다. 정확히 말해 천구백칠십오년 팔월 초순부터 시작한 작업이 이제야 끝난 셈이다. 끊길 듯하면서도 용캐도 끊기지 않고 잘 버텨 왔다. 수를 헤아리기 조차 어려울 정도로 많은 시련에 부딪쳤지만 순간순간을 간신히, 글자 그대로 살얼음판을 걷듯 아슬아슬하게 지나온 기분이다. 이 서한사전을 집필하는 동안 명색이 한국 최초라 할 수 있는 한서사전을 펴냈고, 서한사전도 여러 종류를 집필했지만 한순간도 만족해 본 적이 없이 부끄럼만 더해 심적 고통만 가중되어 실로 견딜 수 없는 날이 많았다. 작년 오월 삼십 일자로 천육백육십일 쪽에 달하는 서반아어사전을 발간하여 명실 공히 동양 최대의 서반아어사전이라 자부했으나 그것 역시 저자의 마음을 흡족케 하기는 커녕 더욱더 수치심만 가중시켰다. 이러한 수치심을 떨구기 위해 그날부터 약 이만 단어의 표제어를 보충하고 더 많은 예문을 수록하고 오류를 찾아 고쳐 새로 조판한 것이 바로 이 "서한사전"이다.

사전 작업이란 한 개인이 하기란 불가능에 가깝다는 것을 새삼 느끼게 했다. 시간과 경제력면에서 감당키 어려웠다. 그렇지만 부단한 노력과 끈기로 인내하면서 시간과 처절한 전쟁을 하다 보니 비록 날짜는 오래 걸렸으나 완성이 되긴 되었다.

이 사전의 완성으로 이제 우리나라의 서반아어 학도들도 남의 것이 아닌 우리의 것으로 백퍼센트 완전 무결한 사전은 못 되더라도 거의 완벽에 가까운 서반아어 공부를 할 수 있으리라 생각하니 감개가 무량하다. 그러나 말이란 나날이 변천하고 신조어가 생기기 마련이라 여기서 만족하지 않고 더 알찬 내용이 되도록 남은 일생을 투자한다면 늘 발전된 내용이 되리라 믿기에 더욱 분발하여 국내 서반아어 보급과 발전에 도움이 되도록 열심히 사전과 싸워 단어 찾기에 수고를 아끼지 않겠다.

본 사전은 세계 어느 나라의 서반아어사전과 비교해도 아무런 손색이 없으리라 자부하지만 앞으로 보충할 점이 한두 군데가 아니리라 여겨진다. 독자들의 많은 질타가 있기를 바란다.

이 사전이 다른 사전과 다른 점은 독자들이 비교 검토하면 바로 알겠지만 장장 십오년동안 각종 신문과 잡지는 말할 것도 없고 문학 작품과 수많은 사전류를 직접 참고하고 대조하였기에 어느 사전에서도 찾아보기 힘든 숙어와 예문이 수록되었으며, 자료 수집을 위해 두 차례 약 삼백 일 동안 서반아 및 중남미 제국의 서반아어 사용국을 여행하면서 언어 감각을 터득하고 특유한 방언을 수집하려고 온 정성을 다했다.

이 사전의 내용을 보다 알차고 참신하게 하려는 저자의 애쓴 보람이 있어 숙어에서부터 속담이나 격언은 말할 필요도 없고 신어, 약어, 방언, 은어, 속어, 시사 용어 및 상업 용어, 그리고 접두어와 접미어에까지 세심한 배려를 했고, 많은 단어의 어원까지도 밝혀 놓아 서반아어 공부에 많은 도움이 될 것이다. 신어로는 perestroika까지 수록되었으며 약자로는 SIDA(에이즈) 까지도 수록이 되어 있어 다른 사전과는 전혀 다른 면을 발견할 수 있을 것이다. 더욱 특이한 점이 있다면 중요 단어는 한글 뒤에 서반아어로 풀이를 해놓아 서서사전의 효과를 냈고, 반대말과 동의어까지도 최대로 수록되어 있어 공부에 효과를 더해 줄 수 있을 것이다. 또 서반아어는 동사, 그 중에서도 불규칙 동사의 활용이 큰 문제가 된다는 것을 어느 누구보다도 본 저자가 실감하기에 지면을 아끼지 않고 표제어에 중요 불규칙 동사를 과감하게 수록하여 초학자의 서반아어 공부에 많은 도움을 줄려고 노력한 점은 세계 어느 나라에서 발간된 사전보다 충실을 기했다는 점도 아울러 밝혀 둔다. 한글은 1988년 1월 19일자로 개정된 맞춤법에 따랐고, 외래어는 문교부 제정 외래어 표기법에 따르는 것을 원칙으로 했지만 서반아나 중남미의 고유 명사나 동식물 및 음식 명칭 등은 문교부의 외래어 표기